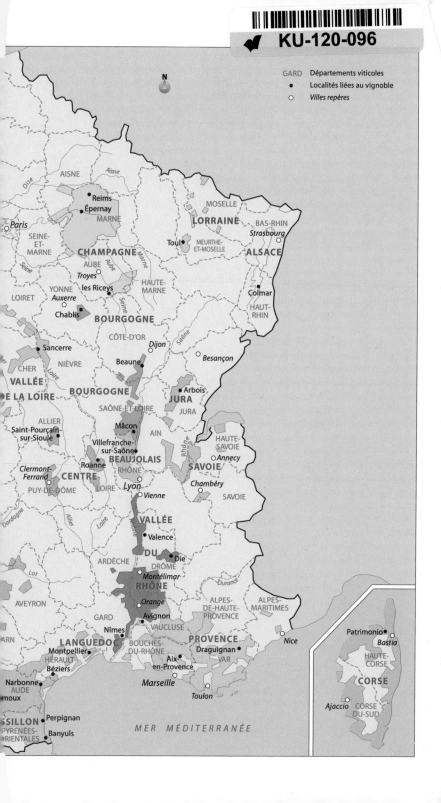

N

GARD Départements viticoles
● Localités liées au vignoble
○ Villes repères

AISNE

Aisne

Oise

● Reims
● Épernay
MARNE

Paris
SEINE-
ET-
MARNE

Toul ●

MOSELLE

LORRAINE
MEURTHE-
ET-MOSELLE

BAS-RHIN
Strasbourg

ALSACE

CHAMPAGNE

AUBE

Marne

Aube

Seine

Troyes
les Riceys ●

HAUTE-
MARNE

LOIRET

YONNE
Auxerre
Chablis ●

Seine

BOURGOGNE

HAUT-
RHIN

Colmar ●

CÔTE-D'OR

Dijon ○

Saône

● Sancerre

Loire

CHER
NIÈVRE

Beaune ●

Besançon

VALLÉE
DE LA LOIRE

BOURGOGNE

ALLIER

SAÔNE-ET-LOIRE

JURA
● Arbois

JURA

Saint-Pourçain-
sur-Sioule ●

Mâcon ●

AIN

Rhône

HAUTE-
SAVOIE

Villefranche-
sur-Saône ●
Roanne ●
BEAUJOLAIS

RHÔNE

○ Annecy

SAVOIE

Clermont-
Ferrand ○

CENTRE

PUY-DE-DÔME

LOIRE

Lyon
○ Vienne

Chambéry

SAVOIE

Dordogne

Allier

Loire

VALLÉE

● Valence

Rhône

DU

Die ●

AVEYRON

Lot

ARDÈCHE

DRÔME

Montélimar

RHÔNE

Orange ●
Avignon ●

Durance

ALPES-
DE-HAUTE-
PROVENCE

ALPES-
MARITIMES

GARD

VAUCLUSE

ARN

Nîmes ●

LANGUEDOC

BOUCHES-
DU-RHÔNE

PROVENCE

Nice ●

Patrimonio ●
Bastia

Montpellier ●
HÉRAULT
Béziers ●

Draguignan ●
VAR

Aix-
en-Provence ●

HAUTE-
CORSE

Narbonne ●
AUDE
moux

Marseille

Toulon

CORSE

SILLON
● Perpignan
PYRÉNÉES-
RIENTALES
Banyuls ●

MER MÉDITERRANÉE

CORSE-
DU-SUD

Ajaccio

LE GUIDE
HACHETTE
DES VINS

2014

LE GUIDE HACHETTE DES VINS

Direction de l'ouvrage : Stéphane Rosa.

Éditeurs : Elsa Bonnier, Christine Cuperly, Laurence Lehoux.

Ont collaboré : Christian Asselin ; Guillaume Baroin ; Claude Bérenguer ; Richard Bertin, *œnologue* ; Olivier Bompas ; Anne Buchet, *chambre d'Agriculture du Loir-et-Cher* ; Marie-Aude Bussière, *œnologue* ; Jean-Jacques Cabassy, *œnologue* ; Pierre Carbonnier ; Étienne Carre, *laboratoire de Touraine* ; Béatrice de Chabert, *œnologue* ; César Compadre ; Jacques Conscience ; Bernadette Delas, *œnologue* ; Gérard Delorme ; François Denis ; Régis d'Espinay ; Chrystelle Gourrin ; Bernard Hébrard, *œnologue* ; Florence Kennel ; Robert Lala, *œnologue* ; Antoine Lebègue ; Michel Lescaillon ; François Merveilleau ; Mariska Pezzutto, *œnologue* ; Stéphane Pillias ; Pascal Ribéreau-Gayon, *ancien doyen de la Faculté d'œnologie de Bordeaux II* ; André Roth, *ingénieur des travaux agricoles* ; Alex Schaeffer, *œnologue* ; Anne Seguin ; Jean-Michel Speich ; Yves Zier.

Lecture-correction : Nicole Chatelier ; Isabelle Chotel ; Hélène Ducoutumany ; Isabelle Labbé ; Frédéric Lorreyte ; Micheline Martel ; Hélène Nguyen.

Informatique éditoriale : Luc Audrain ; Matilde Barrois ; Marie-Line Gros-Desormeaux ; Kathy Koch ; Martine Lavergne.

Nous exprimons nos très vifs remerciements aux 1 000 membres des commissions de dégustation réunies spécialement pour l'élaboration de ce guide, lesquels, selon l'usage, demeurent anonymes, ainsi qu'aux organismes qui ont bien voulu apporter leur appui à l'ouvrage ou participer à sa documentation générale : l'Institut National de l'Origine et de la Qualité, INAO ; l'Institut National de la Recherche Agronomique, INRA ; la Direction de la Concurrence de la Consommation et de la Répression des Fraudes ; UBIFRANCE ; la DGDDI ; les Comités, Conseils, Fédérations et Unions interprofessionnels ; FranceAgriMer ; l'Institut des Hautes Études de la Vigne de Montpellier et l'Agro-Montpellier ; l'Université Paul Sabatier de Toulouse et l'ENSAT ; les Syndicats viticoles ; les Chambres d'agriculture ; les laboratoires départementaux d'analyse ; les lycées agricoles d'Amboise, d'Avize, de Blanquefort, de Bommes, de Montagne-Saint-Émilion, de Montreuil-Bellay, d'Orange ; les lycées hôteliers de Bastia et de Tain-l'Hermitage ; le CFPPA d'Hyères ; l'Institut Rhodanien ; l'Union française des œnologues et les Fédérations régionales d'œnologues ; les Syndicats des Courtiers de vins ; l'Union de la Sommellerie française ; pour la Suisse, l'Office fédéral de l'agriculture, la Commission fédérale du Contrôle du commerce des vins, les responsables des Services de la viticulture cantonaux, l'OVV, l'OPAV, l'OPAGE ; pour le Grand-Duché de Luxembourg, l'Institut viti-vinicole luxembourgeois, la Marque nationale du vin luxembourgeois, le Fonds de solidarité.

Responsable artistique : Antoine Béon.

Couverture : Nicole Dassonville, Pauline Ricco.

Maquette : François Huertas, Nicole Dassonville.

Cartographie : Légendes Cartographie ; Frédéric Clémençon ; Aurélie Huot. **Illustrations :** Véronique Chappée.

Production : Nicole Thiérot-Pichon, Nathalie Chappant, Isabelle Simon-Bourg, Charles De Roy, Adrian Hurst, Nathalie Lautout.

Composition et photogravure : Maury, Malesherbes.

Impression, reliure : NIIAG - Italie.

Papier : Imprimé sur Royal Press 400 Matt, fabriqué dans les usines de Sappi Fine Paper Europe.

Crédits iconographiques : Charlus (p. 38) ; AOP/Scope-Image (p. 25) ; Scope-Image/Jean-Luc Barde (pp. 21, 23, 30, 53, 55) ; Scope-Image/Laurence Delderfield (p. 13) ; Scope-Image/Jacques Guillard (pp. 12, 17, 19, 36, 41, 44, 46, 47, 52, 60b) ; Scope-Image/Michel Guillard (p. 60a) ; Scope-Image/Michel Plassard (p. 27) ; Vinexpo/Frédéric Desmesure et Philippe Labeguerie (p. 14).

Imprimé en Italie - Dépôt légal : Août 2013
Achevé d'imprimer : Août 2013 - 23.8446.9/01 - ISBN 978.2.01.238446.0

LE GUIDE
HACHETTE
DES VINS

2014

SOMMAIRE

10 000 vins à découvrir

Le Guide Hachette des vins :
mode d'emploi

Quels vins sont dégustés ?

Chaque édition est 100 % nouvelle : les vins sélectionnés ont été dégustés dans l'année. Le Guide remet ainsi tous les ans les compteurs à zéro pour déguster le dernier millésime mis en bouteilles. Le vin n'étant pas un produit industriel, chaque nouveau millésime possède des caractéristiques propres. Un producteur peut avoir très bien réussi une année et moins bien la suivante... ou l'inverse ! De plus, chaque année, de nouveaux producteurs s'installent ou arrivent aux commandes de domaines existants. Le Guide vous fait découvrir les meilleurs d'entre eux.

Comment les vins sont-ils dégustés ?

Les vins sont dégustés à l'aveugle. Les dégustateurs ne connaissent ni le nom du producteur, ni celui du vin ou de la cuvée qu'ils goûtent. Cela leur permet de s'affranchir de paramètres subjectifs, tels que la notoriété du domaine ou l'esthétique de l'étiquette. Les jurés connaissent seulement l'appellation et le millésime qu'ils jugent.

Qui déguste les vins ?

Les dégustateurs sont des professionnels du monde du vin (œnologues, négociants, courtiers, sommeliers...). Ils possèdent tous les repères pour juger de la qualité d'un vin et maîtrisent le vocabulaire de la dégustation, ce qui leur permet de bien décrire les vins et donc d'apporter au lecteur l'information la plus complète possible.

Comment sont notés les vins ?

Les vins sont décrits (couleur, qualités olfactives et gustatives) et notés par les jurés sur une échelle de 0 à 5.

0 : vin à défaut, éliminé   3 : vin très réussi, une étoile★
1 : petit vin ou vin moyen, éliminé   4 : vin remarquable, deux étoiles★★
2 : vin réussi, cité sans étoile   5 : vin exceptionnel, trois étoiles★★★

Les notes doivent être comparées au sein d'une même appellation. Il est en effet impossible de juger des appellations différentes avec le même barème.

Pourquoi certaines étiquettes sont-elles reproduites et non les autres ?

L'étiquette signale un coup de cœur ♥, décerné à l'aveugle par les jurys. Elle est reproduite librement, sans qu'aucune participation financière directe ou indirecte ne soit demandée au producteur concerné. De même, la présentation des vins aux dégustations du Guide par les producteurs est entièrement gratuite.

Pourquoi certains vins ne sont-ils pas dans le Guide ?

Des vins connus, parfois même réputés, peuvent être absents de cette édition : soit parce que les producteurs ne les ont pas présentés, soit parce qu'ils ont été éliminés.

À quoi correspondent les durées de garde indiquées dans les notices ?

Ces temps de garde sont donnés par les dégustateurs, sous réserve de bonnes conditions de conservation. On les prendra en compte à partir de l'année de parution du Guide et non du millésime du vin. Elles ne correspondent en aucune façon à une « date limite de consommation », mais au moment où le vin peut commencer à être bu (apogée). Certains vins gardent en effet toutes leurs qualités des années après avoir atteint leur apogée (on parle alors de longévité).

Et le plaisir dans tout cela ?

Nous n'oublions pas que le vin est fait pour être bu à table, en bonne compagnie, et qu'une bouteille raconte une histoire qui dépasse le cadre strict de la dégustation technique. C'est pourquoi, une fois la dégustation terminée et l'anonymat levé par nos équipes, le Guide prend plaisir, pour chaque vin retenu, à parler des hommes et des femmes qui le font, des terroirs et des paysages, des meilleurs moments pour le découvrir et des plats pour le mettre en valeur.

Avertissements

● La dégustation à la propriété est bien souvent gratuite. On n'en abusera pas : elle représente un coût non négligeable pour le producteur qui ne peut ouvrir ses vieilles bouteilles.

● Les amateurs qui conduisent un véhicule n'oublieront pas qu'ils ne doivent pas boire le vin, mais le recracher comme le font les professionnels. Si des crachoirs ne sont pas proposés dans les caves, vous pouvez en demander.

● Les prix présentés sous forme de fourchette (pour les vins, gîtes ruraux et chambres d'hôtes) sont soumis à l'évolution des cours et donnés sous toutes réserves.

● Le pictogramme ▧ signale les producteurs pratiquant la vente à la propriété. Toutefois, certains vins sélectionnés ont parfois une diffusion quasi confidentielle. S'ils ne sont pas disponibles au domaine, nous invitons le lecteur à les rechercher auprès des cavistes (en ville ou en ligne), des grandes surfaces et des négociants, ou sur les cartes des restaurants.

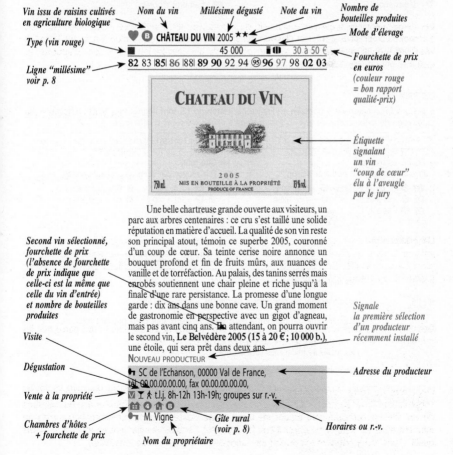

Vin issu de raisins cultivés en agriculture biologique

Nom du vin — Millésime dégusté — Note du vin — Nombre de bouteilles produites

Type (vin rouge)

Mode d'élevage

Ligne "millésime" voir p. 8

Fourchette de prix en euros (couleur rouge = bon rapport qualité-prix)

♥ Ⓑ CHÂTEAU DU VIN 2005 ★★
45 000   ▮🍶   30 à 50 €
82 83 |85| 86 |88| 89 90 92 94 ㉟ 96 97 98 02 03

CHÂTEAU DU VIN

2005
750 ml.   MIS EN BOUTEILLE À LA PROPRIÉTÉ   13%vol.
PRODUCE OF FRANCE

Étiquette signalant un vin "coup de cœur" élu à l'aveugle par le jury

Une belle chartreuse grande ouverte aux visiteurs, un parc aux arbres centenaires : ce cru s'est taillé une solide réputation en matière d'accueil. La qualité de son vin reste son principal atout, témoin ce superbe 2005, couronné d'un coup de cœur. Sa teinte cerise noire annonce un bouquet profond et fin de fruits mûrs, aux nuances de vanille et de torréfaction. Au palais, des tanins serrés mais enrobés soutiennent une chair pleine et riche jusqu'à la finale d'une rare persistance. La promesse d'une longue garde : dix ans dans une bonne cave. Un grand moment de gastronomie en perspective avec un gigot d'agneau, mais pas avant cinq ans. En attendant, on pourra ouvrir le second vin, **Le Belvédère 2005** (15 à 20 € ; 10 000 b.), une étoile, qui sera prêt dans deux ans.

Second vin sélectionné, fourchette de prix (l'absence de fourchette de prix indique que celle-ci est la même que celle du vin d'entrée) et nombre de bouteilles produites

Signale la première sélection d'un producteur récemment installé

Visite

Nouveau producteur

Dégustation

⚓ SC de l'Echanson, 00000 Val de France,
tél. 00.00.00.00.00, fax 00.00.00.00.00,

Adresse du producteur

Vente à la propriété

▧ ⛾ ⚘ t.l.j. 8h-12h 13h-19h; groupes sur r.-v.
🏛 ❹ 🏠 Ⓑ

Chambres d'hôtes + fourchette de prix

⚓ M. Vigne

Gîte rural (voir p. 8)

Horaires ou r.-v.

Nom du propriétaire

SYMBOLES UTILISÉS DANS LE GUIDE

LES VINS

La reproduction d'une étiquette et le symbole ♥ signalent un « coup de cœur »
décerné à l'aveugle par les jurys.

★★★ vin exceptionnel
★★ vin remarquable
★ vin très réussi
    vin réussi (cité sans étoile)
2009 millésime ou année du vin dégusté
Ⓑ vin produit en agriculture biologique certifiée (voir p. 66)

▨ vin tranquille blanc		● vin effervescent blanc
■ vin blanc doux		● vin effervescent demi-sec
■ vin tranquille rosé		● vin effervescent rosé
■ vin tranquille rouge		

50 000, 12 500... nombre moyen de bouteilles du vin présenté
  ▮ élevage en cuve   ⬗ élevage en fût

LES PRODUCTEURS

  ▼ vente à la propriété   ⌂ gîte rural
  Ⲩ dégustation   🏠 chambres d'hôtes
  ⚡ visite (r.-v. = sur rendez-vous)
  ☎ adresse, téléphone, fax, e-mail
  ☎ nom du propriétaire, si différent de celui figurant dans l'adresse
n.c. information non communiquée

NOUVEAU PRODUCTEUR = signale la première sélection d'un producteur récemment installé

LES PRIX

● Les prix (prix moyen de la bouteille en France par carton de 12) sont donnés sous toutes réserves.
L'indication de la fourchette de prix **en rouge signale un bon rapport qualité/prix.**

– 5 €	5 à 8 €	8 à 11 €	11 à 15 €	15 à 20 €	20 à 30 €	30 à 50 €	50 à 75 €	75 à 100 €	+ 100 €

● Chambres d'hôtes   ● Gîte rural
    Prix moyen par nuit en haute saison   Prix moyen par semaine en haute saison

🏠 ❶ = – de 50 € 🏠 ❹ = 81 à 100 €	⌂ Ⓐ = – de 300 € ⌂ Ⓓ = 501 à 600 €
🏠 ❷ = 51 à 65 € 🏠 ❺ = + de 100 €	⌂ Ⓑ = 301 à 400 € ⌂ Ⓔ = + de 600 €
🏠 ❸ = 66 à 80 €	⌂ Ⓒ = 401 à 500 €

LES MILLÉSIMES

⑧② 83 85 |86| 89 |90| 91 92 93 |95| |96| 97 **98 99 00** ⓪① 02 **03** 04 **05**

83 01	les millésimes en rouge sont prêts (01 = millésime 2001)
99 05	les millésimes en noir sont à garder (05 = millésime 2005)
|95| |02|	les millésimes en noir entre deux traits verticaux sont prêts pouvant attendre
83 95	les meilleurs millésimes sont en gras
⑨⓪	les millésimes exceptionnels sont dans un cercle

Les millésimes indiqués n'impliquent pas une disponibilité à la vente chez le producteur. On pourra les trouver
aussi chez les cavistes ou les restaurateurs.

QUOI DE NEUF
DANS LES VIGNOBLES ?

MILLÉSIME CLIMAT
MATURITÉ VENDANGES
PRIX EXPORT TOURISME
CONSOMMATION
CÉPAGES CLASSEMENT
FÊTES ÉCONOMIE
APPELLATION PRODUCTION

Paradoxes français...

L'année 2012 a vu disparaître, à la fin de la saison des vendanges, Serge Renaud. Ce chercheur girondin n'est autre que le théoricien et vulgarisateur du paradoxe français – il serait plus exact de dire du *French Paradox*, tant son discours a eu d'audience dans les pays anglo-saxons. La filière viticole lui doit beaucoup... Mais nul n'est prophète en son pays... Le vin médecin ? Les médecins contre le vin ? Et si le Guide se plaçait sur un autre terrain ?

Retour sur le *French Paradox*

En 1991, Serge Renaud, directeur de recherche à l'Inserm, fit une intervention remarquée sur une chaîne américaine de grande écoute où il évoqua ses travaux, qui mettaient en évidence le faible taux de mortalité lié aux maladies cardiovasculaires en France comparé à celui observé dans d'autres pays industrialisés. Il attribuait ce phénomène à la consommation régulière et modérée de vin en France. On impute à la diffusion de cette théorie l'explosion de la consommation en Amérique du Nord et en Asie. De fait – nouveau paradoxe – ce sont les États-Unis qui, depuis 2011, représentent le premier pays consommateur de vin en volume... Même si la France reste au premier rang pour la consommation par an et par habitant.

2012 : deux milliards de bouteilles françaises vendues dans le monde

De fait, le vin est devenu très populaire, et la consommation mondiale est en hausse : + de 2,8 % pour les vins tranquilles, plus de 4 % pour les effervescents. Si le Royaume-Uni reste le plus gros client de la France, la Chine, les États-Unis, la Russie et l'Australie sont les moteurs de la croisssance de la consommation mondiale, et l'empire du Milieu est devenu en 2010 le cinquième pays consommateur de vin au monde. En la matière, la France a globalement bénéficié de l'ouverture de l'économie. Du moins ses grands vignobles : en valeur, elle reste le n° 1 des pays exportateurs. En 2012, le chiffre d'affaires des exportations a battu des records avec plus de 11 milliards d'euros pour les vins et spiritueux et près de 7,6 milliards d'euros pour les seuls vins, retrouvant des performances d'avant crise. Le vin reste le deuxième poste excédentaire dans la balance commerciale de la France.

Incertitudes de la mondialisation

Dans cette économie ouverte et compétitive, aucune position n'est acquise. En période de petite récolte (2012 en est une, avec environ 41 Mhl, une production historiquement basse), les positions de la France pourraient s'effriter.

La concurrence est exacerbée, et si l'on considère non plus la valeur mais les volumes, les exportations françaises ont baissé de 10 % en dix ans (tandis qu'elles progressaient en valeur de 30 %).

Autre cause de fragilité, le vin français, produit de prestige, est facilement « pris en otage ». En juin 2013, Pékin, pour riposter aux taxes imposées par Bruxelles sur les panneaux solaires chinois, annonce qu'elle allait ouvrir une enquête « antidumping » sur les vins importés de l'Union européenne, et soumet d'ores et déjà les exportateurs à de lourdes démarches administratives, ce qui laisse augurer une diminution des exportations.

Libéralisation et rosé pamplemousse

La mondialisation s'accompagne aussi d'une libéralisation encouragée par Bruxelles. Si les ministres de l'Agriculture de l'UE ont finalement décidé de maintenir jusqu'en 2030 la régulation des droits de plantation du vignoble européen, défendue par les pays producteurs contre la Commission, d'autres questions pourraient devenir brûlantes : quid de la définition des appellations d'origine et du bio à l'heure de la négociation des acccords de libre-échange avec les États-Unis ? Quant à la définition officielle du vin, va-t-elle rester en vigueur alors que des « rosés pamplemousse » et autres vins aromatisés (y compris au coca-cola) sont lancés par des producteurs français avec un succès spectaculaire (+ 125 % pour ce mélange de vin, d'eau et d'arômes) ? Une érosion du modèle français sacralisant les vins de terroir et d'origine ? Le vin, un « minerai » comme la viande hachée de l'industrie agro-alimentaire ? Parmi les menaces potentielles que fait peser la mondialisation sur l'avenir des AOC, il faut aussi mentionner les futurs noms de domaines en « .vins » ou « .wine » que l'organisme mondial chargé de la gestion de ces noms sur la Toile envisage de vendre au plus offrant, sans aucune garantie sur l'origine.

La réforme de l'INAO, un symbole ?

Fondé en 1935, l'INAO, l'ancien Institut national des appellations d'origine rebaptisé Institut national de l'origine et de la qualité (INAO), repose actuellement sur huit unités territoriales, avec vingt-cinq bureaux répartis dans les régions de production agricole. D'après le plan de réoganisation annoncé par l'établissement public (dépendant du ministère de l'Agriculture), dix de ces sites, à l'heure où nous mettons sous presse, fermeraient à terme, alors que l'Institut gère depuis sa réforme de nombreux signes de qualité : toutes les indications géographiques (y compris les IGP, anciens vins de pays), le bio et les labels. Cela confirme le changement de ses missions et son éloignement du terrain à l'heure où les professionnels s'auto-régulent.

Le vin interdit de communication ?

Le 7 juin 2013, une semaine avant l'ouverture de Vinexpo, le grand salon professionnel qui se tient tous les deux ans à Bordeaux, le Pr Michel Reynaud, psychiatre et spécialiste en addictologie, remettait un rapport à la Mission interministérielle contre la drogue et la toxicomanie. L'auteur du rapport propose des mesures pour lutter contre les addictions. S'il se garde d'assimiler la consommation et l'addiction, il préconise, dans le droit-fil de recommandations antérieures, que l'on sensibilise davantage à la dangerosité de l'alcool et déplore le phénomène de l'alcoolisation ponctuelle (binge drinking) qui progresse chez les jeunes. Il prône une augmentation massive des taxes sur le tabac et l'alcool et une communication limitée sur Internet à des sites bien définis (producteurs et marchands, œnotourisme). Une mise en cause implicite de la promotion du vin sur les blogs ou autres réseaux sociaux ?

Les « invignés »

Des producteurs ont illico lancé une pétition contre ce rapport, qui nie la dimension culturelle du vin, et soulignent les risques économiques que feraient peser sur la filière la mise en pratique de ces recommandations – rejoignant ainsi Jacques Dupond et son *Invignez-vous*, livre d'humeur tonnant contre l'hygiénisme ambiant et contre la loi Évin, coupables selon lui de créer un verrou à l'éducation du goût qui permettrait au contraire de mieux prévenir les excès... L'arroseur arrosé en somme. On soulignera que dans cette alcoolisation effrénée observée chez certains jeunes, le vin n'a guère sa part, que l'alcool englouti est souvent de l'alcool fort, invisible, qu'on ingère et dont on ne parle pas. Un mode de consommation à l'opposé des pratiques de la dégustation de vin.

Donnons la parole à un autre « complice », Sébastien Durand-Viel, grand amateur et contributeur de l' *Encyclopédie Hachette des vins* bientôt à paraître : « Difficile aujourd'hui de lire un article sur le vin sans se faire alpaguer par le discours médical et scientifique, par une étude prouvant ceci, cela ou son contraire (...) À un lobby répond l'autre, enfermant le vin dans un discours médical où il n'a strictement rien à gagner. Disons-le une bonne fois pour toute, l'alcool ne sera jamais un bienfait pour la santé. D'ailleurs, qui l'ignore ? En la matière, tout est affaire de mesure et de responsabilité individuelle. » Dans le même sens, le Guide Hachette n'a jamais fait l'apologie du « vin médecin ». En revanche, on trouvera ici 10 000 récits de dégustations mémorables ou plaisantes, en six millions de caractères... Pour que les mots et la culture aillent de pair avec le plaisir.

Quoi de neuf en Alsace ?

Une nouvelle fois, les conditions climatiques furent déroutantes en 2012, année beaucoup moins précoce que la précédente. Cette année peu ensoleillée, au temps capricieux, est pourtant à l'origine d'un millésime finalement équilibré. Si l'année est chiche en liquoreux, la fraîcheur et le fruité sont le dénominateur commun de tous les vins, ce dont on ne se plaindra pas. Quant aux crémants, ils se rient des intempéries et fournissent avec constance près d'un quart de la production. Les Alsaciens se sont préparés à fêter le soixantième anniversaire de la route des Vins, créée en 1953, la première de France.

Les vins : équilibre et fraîcheur

Après un hiver clément et sec, une vague de froid en février et un débourrement précoce grâce à un mois de mars assez doux, les basses températures d'avril et de mai ont entraîné un fort ralentissement du cycle végétatif. La floraison a débuté seulement fin mai et s'est étalée sur tout le mois de juin. L'été, très chaud, a été suivi en septembre d'une arrière-saison plus fraîche, propice à une fin de maturation régulière. L'état sanitaire était parfait, avec de bons niveaux d'acidité tartrique, indispensables à l'équilibre des vins.

conditions climatiques de ce mois n'ont permis qu'une récolte plutôt faible (moins de 10 000 hl).

Les chiffres : stabilité

Le volume global de la récolte, toutes AOC confondues, s'élève à 1 120 000 hl (en retrait de 3 % par rapport à 2011, mais beaucoup moins déficitaire que 2010) : 805 000 hl d'AOC alsace, 45 000 hl d'AOC alsace grand cru et 270 000 hl d'AOC crémant-d'alsace. Des proportions qui restent stables par rapport à 2011.

Même stabilité dans la commercialisation : 140 millions de cols (1 052 000 hl) ont été vendus en 2012, un volume en adéquation avec l'année 2011, pour un chiffre d'affaires de 513 millions d'euros. Les ventes en France sont stables également, représentant près des trois quarts de la commercialisation totale, tandis que les exportations affichent un résultat positif (+ 2 %), tirées par les pays tiers et l'AOC crémant-d'alsace.

Brèves du vignoble

L'année 2012 a débuté au mieux pour les vins d'Alsace avec l'obtention du titre de Meilleur Sommelier de France par le Colmarien Romain Iltis.

À l'occasion du lancement de la soixante-huitième Foire aux vins d'Alsace, le 3 août 2012, le Comité interprofessionnel des vins d'Alsace a dévoilé sa nouvelle campagne de communication. Intitulée « Vins d'Alsace, Cultiver son jardin », celle-ci met en avant le côté « nature » des vins alsaciens, la « fraîcheur et les parfums qui émanent d'un jardin ». Ces thèmes font référence tant aux arômes des vins qu'au vignoble. Cette nouvelle communication remplace celle des « Grands Blancs d'Alsace », qui avait pour mascotte la célèbre cigogne.

De nombreuses manifestations accompagnent la célébration du soixantième anniversaire de la route des Vins, créée en 1953. Une « véloroute » a été inaugurée, de Wissembourg à Thann : de quoi se rapprocher du « beau jardin » alsacien.

Les vendanges ont commencé le 10 septembre pour le crémant, donnant des vins de base élégants et parfaitement équilibrés, et des volumes conformes aux attentes. Celle des vins tranquilles a débuté fin septembre. La patience des professionnels a été mise à rude épreuve par une météo capricieuse, qui a vu de belles périodes ensoleillées alterner avec des pluies. Tous les pinots sont de grande qualité : les blancs sont très frais et aromatiques ; les noirs, colorés et riches en tanins ; les gris présentent un fort bel équilibre alcool/acidité. Les muscats et les sylvaners sont fruités et croquants. Les gewurztraminers ont été récoltés à des niveaux de maturité optimaux ; ils combinent fraîcheur et fruité et sont bien épicés. Récoltés en dernier, les rieslings présentent un équilibre sur la fraîcheur, avec des notes de citron et de fleurs blanches. La récolte des vendanges tardives et des sélections de grains nobles a débuté le 8 octobre. Les

Quoi de neuf en Beaujolais ?

Gel hivernal, gel de printemps, pluies abondantes de mai à juillet, grêle... 2012 a marqué les esprits dans le Beaujolais. Si les vendanges ont pu se dérouler au soleil à partir du 7 septembre, les rendements et volumes ont été réduits de moitié ! Des vins friands et frais pour un « millésime de vigneron ».

Toutes les intempéries possibles

Le printemps froid a causé de la coulure, faisant avorter les fruits et chuter les rendements. Puis

le mildiou, l'ennemi numéro un des vignobles du nord de la France, ne s'est pas gêné pour dicter sa loi aux vignerons, les obligeant à retourner

aux vignes entre deux averses pour appliquer un traitement aussitôt lessivé la semaine suivante... Sans oublier la grêle, qui a frappé en juin le Haut-Beaujolais, puis le sud du territoire en août, à deux reprises. Quand les sécateurs sont arrivés dans les vignes, il ne restait donc plus qu'une grosse moitié de la récolte attendue : moins qu'en 2003, année pourtant historiquement faible en France. Malgré la remontée des cours (30 à 40 %), le manque à gagner sera difficile à surmonter pour les vignerons qui avaient une trésorerie déjà affaiblie, d'autant que que les traitements du vignoble ont augmenté de 30 % le coût de revient des vins. Les pouvoirs publics ont d'ailleurs prévu des allégements de charges financières pour les producteurs en difficulté, car ces petits volumes interviennent dans un vignoble qui a connu des jours meilleurs.

Le TGV cale, les coteaux rament...

Pour une fois, la crise aura eu du bon : en obligeant en 2013 la SNCF à faire le tri parmi ses nombreux projets de nouvelles liaisons TGV, elle a repoussé aux calendes grecques le tracé contesté de la liaison Paris-Orléans-Clermont-Lyon qui prévoyait de traverser les Pierres Dorées et le val de Saône, au sud du vignoble.

Par ailleurs, les crus du Beaujolais, accrochés à des pentes parfois raides, comme à Chiroubles ou à Brouilly, ont du mal à survivre : leur exploitation étant coûteuse, ils rapportent moins que certains terroirs de basse altitude, pourtant moins qualitatifs. En 2012, vingt-sept communes (ou parties de communes) du Beaujolais, situées surtout dans le secteur des crus ou celui des villages, ont été classées en « zone de montagne », en application d'une disposition française d'aménagement du territoire qui attribue des aides financières à des communes défavorisées par la pente. En 2013, une commission technique interprofessionnelle doit cartographier les zones en forte pente, étudier leurs coûts de production, trouver des solutions pour abaisser ceux-ci et communiquer sur leurs qualités auprès des consommateurs.

2013 : les primeurs en accéléré

Les vignerons du Beaujolais s'attendent à ne pas toucher terre après les vendanges 2013. Car après quelques confortables années à ramasser tranquillement le raisin fin août ou début septembre, les voici revenus au bon vieux temps de la récolte à la fin septembre. La faute à un début d'été pluvieux qui a décalé le cycle végétatif de la vigne. Mais voilà, si les vendanges sont tardives, le beaujolais nouveau, lui, n'attendra pas. Même rentré le 1er octobre, le raisin devra être vinifié et mis en bouteilles pour la date fatidique du 21 novembre – jour de la mise en vente. Et pour ceux qui expédient des vins à l'étranger, le calendrier sera encore plus serré. Ce sera donc une véritable course contre la montre qui va se jouer en coulisses cette année, pour que le vin de la fête soit au rendez-vous !

Quoi de neuf en Bordelais ?

Le millésime 2012, né dans la douleur, est de qualité. Mais pas assez pour animer une campagne des primeurs qui s'est révélée mauvaise. Même si Bordeaux perd du terrain en grande distribution française, les ventes globales progressent, le tarif du vrac se redresse, et, dans les AOC prestigieuses, certains nouveaux chais surgissent, véritables cathédrales. Le salon Vinexpo sera plus présent en Asie en 2014.

Météo difficile...

À analyser l'accouchement laborieux du millésime 2012 (et d'ailleurs la météo déconcertante du début de l'année suivante), plus personne ne pense en Gironde aux conséquences supposées du réchauffement climatique ! Pluie, froid, soleil aux abonnés absents, floraison difficile, hétérogénéité des maturités : dès le printemps et le début de l'été, les vignerons ont senti que le ciel ne serait pas avec eux, comme pour les glorieux 2009 et 2010. Après un mois de juin 2012 dans la norme, juillet voit ressortir les pulls. Heureusement, la chaleur s'installe en août et l'arrière-saison de septembre ramène le sourire. Finalement, la vigne rattrape son retard et le millésime est sauvé, avec de bons résultats dans certains secteurs comme le Libournais.

Pour les blancs, la récolte commence le 4 septembre dans les vignobles les plus précoces, plantés en sauvignon, et dix jours plus tard pour le sémillon. Côté rouges (presque 90 % des surfaces du plus grand département viticole de France), la machine à vendanger rentre dans les parcelles à partir du 24 septembre pour les merlots. Malheureusement, octobre est déficitaire en ensoleillement et très pluvieux entre le 18 et le 21. En conséquence de quoi, bien des cabernets ont dû être récoltés avant leur maturité optimale. Avec cette climatologie défavorable en dernière ligne droite, l'année est à marquer d'une pierre noire pour les liquoreux. Les volumes sont faibles et la qualité hésitante. Le château d'Yquem, figure de proue du Sauternais, ne sort pas de millésime 2012, ainsi que d'autres crus – au grand dam d'autres domaines de ce vignoble qui voient là une mauvaise publicité portée à leurs vins.

Faibles volumes

À l'heure des comptes, avec coulure et millerandage à la floraison, mildiou et oïdium dans la foulée, quelques épisodes de gel au printemps et des points de sécheresse en été, les volumes sont faibles : 5,2 Mhl en Gironde, contre 5,7 Mhl en 2010 et 5,4 Mhl en 2011. Toutefois, si l'on compare ces chiffres avec la production

globale du pays qui a connu une récolte 2012 historiquement basse (à peine 41 Mhl), la Gironde s'en sort relativement mieux.

Verre en main, les blancs sont aromatiques et frais : le sémillon apportant la structure, le sauvignon des notes d'agrumes, de pamplemousse et de citron. Côté rouge, les fortes amplitudes thermiques ont été favorables à la concentration et à la préservation des arômes. Dans de grands terroirs comme Pomerol, le résultat est souvent superbe. Partout, il a fallu bien trier les baies – à la main ou à la machine – pour ne garder que le meilleur. Le 2012 aura probablement peu de capacité de garde.

Meilleur moral

Côté portefeuille, le moral revient peu à peu, après l'onde de choc de la crise de 2008 qui avait mis le vignoble à genoux. En 2012, Bordeaux a vendu 5,5 Mhl de vin (+ 2 % par rapport à 2011), ce qui rééquilibre ses stocks. Ces ventes correspondent à un chiffre d'affaires de 4,3 milliards d'euros (+ 10 %) dans un département où un emploi sur six est lié à cette filière. Près de 40 % des ventes se font à l'export, avec le couple Chine/Hong Kong en tête des débouchés. On le sait, ce nouveau pays consommateur fait l'objet de toutes les attentions : pas une semaine sans que des professionnels ne s'y rendent ou que des salons ne s'y déroulent. Même si la fièvre des années 2010 et 2011 s'apaise, l'Empire du Milieu achète nombre de caisses, grands et plus petits vins (au total un litre sur dix produit en Gironde). Des centaines de ses ressortissants travaillent également en Bordelais, dans les propriétés, chez des négociants, des courtiers, des agents immobiliers, ou préparent leur avenir dans des écoles locales (Inseec, Kedge, IPC Vin, Faculté d'œnologie, Cafa...)

Un véritable axe viticole entre Bordeaux et la Chine se met en place, fonctionnant dans les deux sens. En effet, à une vitesse inédite dans l'Histoire, une bonne soixantaine de châteaux sont passés sous pavillon chinois (sur les 7 000 exploitations du Bordelais) ; 2012 et 2013 sont en l'espèce des années record. L'œnologue conseil Michel Rolland et son frère ont par exemple vendu leurs trois propriétés libournaises (Le Bon Pasteur en pomerol, Rolland-Maillet en saint-émilion et Bertineau Saint-Vincent en lalande-de-pomerol) à un milliardaire de Hong Kong ; même sort pour le beau château Loudenne (AOC médoc) acquis par le groupe Moutai, géant des spiritueux ; ou pour Moulin à Vent (AOC moulis), cédé par Dominique Hessel, ancien président de l'Alliance des crus bourgeois du Médoc. Pour la première fois, un cru classé, Bellefont-Belcier (Saint-Émilion), est concerné par ce mouvement qu'aucun autre vignoble au monde ne connaît. Avec plus de vingt châteaux dans son portefeuille, le groupe Haichang, de Dalian (nord-est du pays), fait la course en tête.

Primeurs en danger

Si l'exportation reprend des couleurs, le débouché français de la grande distribution s'essouffle. Bordeaux y perd des positions, comme si le marché intérieur faisait l'objet d'une moindre attention. Côté production, le cours stratégique du vrac (un litre sur deux y transite) reprend des couleurs à 1 008 € en moyenne le tonneau de 900 litres (unité de mesure théorique) pour l'AOC bordeaux rouge, la plus volumineuse des soixante appellations du vignoble. « Bordeaux Demain », le plan anti-crise en trente mesures échafaudé par la profession en 2010, porte ses fruits, en particulier grâce au regroupement des coopératives.

En revanche, au chapitre des primeurs – les ventes concernant l'élite (100 à 200 châteaux cette année) – la mise en marché du millésime 2012 au printemps 2013 a été un échec. Il s'agit sans doute de la plus mauvaise campagne depuis vingt ans. En cause ? Une qualité peu attrayante, des acheteurs aux bras chargés des belles années 2009 et 2010, et surtout les prix trop élevés demandés par des propriétaires qui savent bien augmenter les tarifs et parfois moins les descendre. À se demander si ce système unique permettant de vendre ses bouteilles presque deux ans avant la livraison n'est pas menacé. Certains millésimes 2010 sont par exemple moins chers en livrables (quand les caisses sont physiquement prêtes) qu'à leur mise en marché primeur... Où est l'intérêt pour l'acheteur ?

La campagne du millésime 2012 aura fait rentrer dans les caisses des châteaux (par l'intermédiaire des courtiers et des négociants) tout au plus 300 à 400 millions d'euros ; c'était plus d'un milliard pour 2009. Les petites années, Bordeaux perd parfois la main et ne rassure plus sa clientèle historique, notamment française. Sans compter que le célèbre château Latour (AOC Pauillac) est sorti des primeurs, menant une stratégie propre.

Cathédrales du vin et tourisme

Si le système des primeurs est à la peine, l'amateur peut toujours venir sur place dans des châteaux de plus en plus ouverts. Fini le temps des grilles fermées, au contraire. L'accueil est souvent intégré dans les travaux et ils sont nombreux ! Les subventions européennes sont généreuses et les grands châteaux réinvestissent leurs gains, tout en optimisant leur fiscalité. De véritables cathédrales vouées au vin sortent parfois de terre, comme à Pavie (Saint-Émilion) ou à Mouton Rothschild (Pauillac). Canon, La Dominique, Angelus (Saint-Émilion), Montrose (Saint-Estèphe), Latour, Pichon Longueville Comtesse (Pauillac) ou Margaux investissent eux aussi. Ce dernier, qui dispose d'une nouvelle salle de réception, fait appel à l'architecte britannique Norman Foster (le concepteur du viaduc de Millau). Les travaux débutent aussi pour la Cité des Civilisations du Vin qui doit ouvrir en mars 2016 ; 63 millions d'euros seront investis pour accueillir 400 000 visiteurs au nord de Bordeaux, au bord de la Garonne. Dans le même esprit d'ouverture à la clientèle, le Conseil interprofessionnel du vin de Bordeaux (CIVB) noue un partenariat avec un bar à vin à Shanghai et avec un autre à New York. La manifestation « Bordeaux fête le vin » à Québec (fin août) et une fête analogue à Hong Kong (fin octobre) sont reconduites en 2013. Bruxelles pourrait suivre.

Vinexpo : un bon cru

Le plus important salon mondial des vins et spiritueux (2 400 exposants, 48 000 visiteurs professionnels), Vinexpo 2013, est une réssite. Le secteur repose sur des bases solides grâce à une consommation planétaire en hausse. Fin mai 2014, Vinexpo Hong Kong sera prolongé par deux jours de salon à Pékin. Et début novembre, le salon reviendra deux jours au Japon. L'Asie est le moteur du marché, ce qui est par ailleurs à la source de nombre de problèmes de contrefaçons en Chine et d'autant d'initiatives pour les contrer.

Brèves du vignoble

Le nouveau classement de Saint-Émilion, promulgué fin 2012, est attaqué en justice ; comme le fut celui de 2006, qui fut en définitive annulé. Trois propriétés non retenues mènent une action au pénal pour prise illégale d'intérêt. Les enjeux du classement sur les prix des bouteilles et du foncier sont considérables.

La famille Clarence Dillon, propriétaire de Haut Brion et de la Mission Haut Brion (AOC pessacléognan), investit à Saint-Émilion. Après le château Tertre Daugay (rebaptisé Quintus), elle a acheté son voisin, le château L'Arrosée. Et ce n'est sûrement pas fini.

Le 19 avril 2013 a eu lieu l'inauguration de la route des Vins de Bordeaux en Graves et Sauternais, conçue par les professionnels du vin et du tourisme. Cette route comporte trois parcours – « Vin & Patrimoine », « Vin & Fleuve », et « Vin & Terroir ». Regroupant domaines viticoles, châteaux renommés, monuments historiques, mais aussi gastronomie et hébergements ainsi que de nombreuses activités de loisirs, cette route des Vins se veut en concordance avec la future Cité des Civilisations du Vin.

Début mars 2014, du 3 au 5, un nouveau salon doit voir le jour au parc des expositions du Lac : « Bordeaux Vinipro » accueillera viticulteurs, coopérateurs et négociants du Sud-Ouest proposant essentiellement des bouteilles au cœur du marché (6 à 20 € TTC). Il s'agit d'attirer des acheteurs professionnels régionaux, nationaux et internationaux (cavistes, restaurateurs, grossistes...). Rien à voir avec Vinexpo, salon mondialisé très orienté vers l'exportation. Les deux événements auront lieu en alternance.

Quoi de neuf en Bourgogne ?

Plus tardive que sa devancière, 2012 a été particulièrement chaotique en Bourgogne : printemps humide, soleil chiche, orages violents, jusqu'aux grosses chaleurs de la seconde moitié du mois d'août. Les volumes, faibles, ont permis de préserver la qualité. Les raisins, concentrés, bénéficient d'une belle acidité.

Petites baies, petite et belle récolte

L'année 2012 s'est montrée chaotique et éprouvante. Pluies dès avril, grêle, gel de printemps, les vignerons ont été sur le qui-vive jusqu'aux vendanges. En juin, le ton est donné : de violents orages ont inondé et raviné la Côte de Beaune. Le 21, c'était au tour de Chablis d'être copieusement arrosé. Quand juillet est arrivé, les vignes avaient déjà reçu leur content d'eau après ce

printemps humide, surtout en Côte-d'Or et en Saône-et-Loire – un peu moins dans l'Yonne. Le soleil a été chiche, avec seulement 153 h d'ensoleillement en juin (soit 12 jours de beau temps) dans le Chablisien (presque moitié moins qu'à Mâcon).

Nouvelles déceptions en juillet, qui a offert un cocktail d'orages virulents (Beaune, Mercurey, Mâconnais), de pluie tenace (notamment sur la

Côte) et de journées fraîches. Seul le Mâconnais a bénéficié de belles journées ensoleillées. Août a apporté un soulagement tardif, grâce à une vague de chaleur qui a balayé la région à partir du 17 : on a enregistré un record absolu à Chablis, avec 40 °C – les raisins ont souffert ! La Côte et la Saône-et-Loire ont été épargnées par cette canicule, puisqu'il n'a fait « que » 33 °C à Dijon et 35 °C à Mâcon. Les vendanges ont débuté à la mi-septembre sous un temps automnal, avec du brouillard le matin, quelques gelées à l'aube, et un temps chaud l'après-midi.

En résumé, le froid et l'humidité du printemps ont engendré de la coulure et du millerandage, la pluie noyant le pollen des fleurs de vigne et faisant avorter les grains. L'alternance de journées pluvieuses et ensoleillées a entraîné une forte pression des maladies, mildiou et oïdium, et les coups de chaleur ponctuels ont grillé les raisins exposés au soleil... Conjugués, ces phénomènes ont donné des raisins peu nombreux, de petite taille, bien aérés, à l'origine de vins concentrés, équilibrés, dotés d'une belle acidité. On estime la baisse des volumes à 20 %, mais certains domaines ont perdu plus de la moitié de leur récolte. Pour le Mâconnais, la perte serait de 10 à 15 %.

Une économie encourageante

La 152e vente aux enchères des Hospices des Beaune 2012 s'est déroulée sous le signe de la rareté. Elle a rapporté 5,27 millions d'euros (contre 5,4 millions l'an dernier), malgré une offre inférieure d'un tiers. Les vins se sont vendus 54 % plus cher qu'en 2011. Les acquéreurs, dont beaucoup enchérissaient par téléphone ou par Internet, ont particulièrement bataillé pour les rouges, dont les prix enregistrent une hausse de 68 %, contre 18 % pour les blancs. La « pièce du Président », un tonneau de 350 l de corton grand cru Charlotte Dumay, a été adjugée à l'homme d'affaires ukrainien Igor Iankovskyi pour 270 000 €.

Avec environ un milliard et demi d'euros de chiffre d'affaires, les chiffres sont encourageants : l'export, avec environ 740 millions d'euros, contribue pour environ la moitié à ce résultat. En 2012, les exportations ont augmenté de 9,5 % en valeur et de 6,2 % en volume. Les trois premiers débouchés sont les États-Unis, le Royaume-Uni et le Japon. Ce dernier pays enregistre une progression spectaculaire (19,9 % en valeur et 16 % en volume). Autre chiffre en hausse, celui des ventes en grande distribution, tant en volume qu'en valeur, autour de 5 % sur les douze derniers mois.

Les Chinois en Bourgogne

La Bourgogne a vécu 2012 au rythme du calendrier chinois – et en effet, du simple point de vue météo, c'était bien l'année du « Dragon d'Eau Noire» ! En juin 2012, coup de tonnerre dans le petit monde feutré des grands crus : un investisseur chinois, ayant fait fortune grâce à son casino à Macao, achète, pour 8 millions d'euros, le château de Gevrey-Chambertin, qui appartenait à la famille Masson. Le nouveau propriétaire a beau se proclamer passionné de vin, la transaction échauffe les esprits locaux. Car un groupe de viticulteurs avait fait auparavant une proposition à 4 millions d'euros, la famille en voulait sept, et le mystérieux acheteur (resté anonyme) en a proposé huit. « Bourgogne, ton patrimoine fout le camp », s'exclament les vignerons dans les journaux. Par communiqué de presse, l'investisseur anonyme mouche la contestation : il confiera sur un bail emphytéotique les 2,3 ha de vignes à deux vignerons locaux, et fera restaurer le château à la française, grâce à des artisans locaux... Mais le symbole demeure, et la Bourgogne, à l'instar du Bordelais, se sait désormais objet de spéculation pour le marché asiatique.

Six mois plus tard, lors de la vente aux enchères des Hospices de Beaune, le vice-président d'Air China a massivement acheté des tonneaux, pour la deuxième année consécutive : des grands crus qu'il ambitionne de placer sur tous ses vols en première classe, sur 393 avions. Reçu à déjeuner à la maison Bouchard Père & Fils, il se montra fin connaisseur de bourgogne. La Chine compte désormais dans le paysage bourguignon, même si la petite taille du vignoble, eu égard au gigantisme de Bordeaux, ne permet pas d'imaginer que le marché chinois croisse indéfiniment. Pour une bouteille de bourgogne qui se vend en Chine, il s'en vend en effet vingt-cinq de bordeaux.

Quoi de neuf en Champagne ?

En champagne, 2012 aura été l'année de toutes les calamités : gel de printemps, pluies prolongées, grêle ont compliqué la floraison et fait chuter les rendements : la perte de récolte est estimée à 40 %. De faibles quantités, mais semble-t-il une très belle qualité. Si les expéditions sont affectées par la crise touchant l'Union européenne, le recul est très mesuré, notamment en valeur, et le vignoble trouve des débouchés croissants dans les pays tiers. Les Chinois s'intéressent aux bulles champenoises, et reconnaissent l'appellation.

Un petit millésime très prometteur

Le vignoble, en 2012, a été particulièrement malmené : si la vague de froid de février, avec des minimas relevés à -21°C a été surtout préjudiciable aux grandes cultures, il n'en va pas de même des gelées de printemps. Le débourrement, précoce, a exposé les vignes au gel, qui a affecté les vignes dans 141 communes ; 9 % du potentiel de production ont été touchés, plus encore dans l'Aube ou dans l'Aisne. Puis la fin du printemps et le début de l'été se sont montrés très pluvieux, avec localement des averses de grêle. C'est dans de mauvaises conditions que s'est déroulée une floraison difficile, étalée sur tout le mois de juin. Mildiou et oïdium se sont eux aussi invités... Accidents climatiques, perturbations dans la floraison et maladies ont abouti à une perte de récolte de 40 %.

Heureusement, l'embellie est arrivée, ce qui a permis une bonne maturation des raisins, et la vendange s'est déroulée sous le soleil. Tout est donc réuni pour élaborer de beaux vins : degrés en moyenne à 10,5 %, richesse et très belle acidité. Plusieurs chefs de cave évoquent une très grande année et comptent élaborer des millésimés.

La protection du nom Champagne

Le succès commercial et la renommée du champagne suscitent beaucoup de convoitise. La profession veille avec vigilance à la protection du nom Champagne non seulement en France et en Europe, mais aussi dans le monde entier.

La Chine vient de reconnaître et de protéger l'indication géographique Champagne. Cela va permettre aux administrations compétentes de renforcer leur action contre les usages abusifs qui sont pour l'instant peu nombreux, rapidement détectés et sévèrement sanctionnés.

C'est vers l'Empire du Milieu que les expéditions de champagne ont le plus progressé au cours de ces dernières années. Elles ont dépassé 2 millions de bouteilles en 2012, soit une progression de 52 % par rapport à l'année précédente. La Chine est désormais le cinquième marché du champagne en dehors de l'Europe, et cette forte croissance devrait se poursuivre au cours des prochaines années.

Les marchés évoluent...

En 2012, on observe une baisse des expéditions en volumes. Celle-ci reste cependant contenue à un niveau modéré (-4,4 % en volumes). Si l'on considère les chiffres d'affaires, les données sont presque stables (-0,5 %). La Champagne a expédié plus de 308 millions de cols, pour un chiffre d'affaires de 4,39 milliards d'euros, et la région, à égalité avec le Bordelais, contribue pour 21 % aux exportations de vins en valeur (pour 6 % des volumes).

Seuls la France (moins de la moitié des expéditions cette année) et les principaux marchés européens sont touchés, conséquence de la crise, par cette baisse des expéditions. Certes, le Royaume-Uni reste de loin le premier client, avec plus de 10 % des exportations (plus de 32 millions de cols, pour 465 M€), mais ce marché stagne en valeur et baisse en volumes. Des chiffres à comparer à ceux des pays tiers, en nette progression : de 41 millions de bouteilles en 2002, les expéditions sont passées à près de 61 millions de bouteilles en 2012 (+49 %).

L'avenir du champagne semble résider dans ces marchés, notamment aux États-Unis, au Japon, en Australie, qui devraient poursuivre leur progression. L'avenir se situe également en Chine donc, mais aussi en Inde, en Russie, en Amérique du Sud et dans plusieurs pays africains.

Autre évolution notable, le recul des bruts non millésimés au profit des cuvées de prestige, rosés et millésimés. Les rosés progressent avec une hausse des prix de 5,4 % et leur chiffre d'affaires de 7,9 %. Les cuvées de prestige connaissent un taux de croissance de 6,5 % portant leur part de marché à 4,2 % des volumes. Leur chiffre d'affaires augmente de 12,8 %, soutenu par un prix moyen en hausse de 7,8 %.

Brèves du vignoble

Créé en 2005 par le comité Champagne, le concours européen des Ambassadeurs du champagne a pour objectif de mettre en lumière les professionnels dont le métier contribue à faire connaître, comprendre et apprécier la diversité des vins de Champagne par des actions de formation. Qu'il soit sommelier, œnologue ou amateur devenu professionnel, tout candidat au concours doit exercer son activité de formation dans l'un des pays participants : Allemagne, Autriche, Belgique, Espagne, France, Grande-Bretagne, Italie, Pays-Bas et Suisse. La participation à ce concours permet aux candidats de découvrir des cuvées inédites, de rencontrer des vignerons et des maisons de Champagne dans des lieux symboliques de l'appellation, de partager leurs réflexions avec des candidats venus de huit autres pays dans une ambiance studieuse et chaleureuse.

Le lauréat européen du concours en 2012, Gido Van Imschoot, sommelier et professeur à l'école hôtelière Spermalie de Bruges, témoigne que le concours l'a « amené à se pencher de manière approfondie sur la thématique », que « la région bouge en matière de vin, de tourisme et de culture » et qu'il est « heureux aujourd'hui de participer à son niveau, à cet élan ».

Quoi de neuf dans le Jura ?

Dans un millésime malmené par la météo et en butte au mildiou et à l'oïdium, les vins du Jura ont réussi à préserver une bonne qualité grâce à la faiblesse des rendements. Commercialement, les vignerons comptent plus sur les exportations, en hausse, alors que la consommation intérieure a tendance à stagner.

La Percée du vin jaune 2012 restera dans les mémoires avec son week-end glacial, battu par la bise, et le gel à -15 °C les 5 et 6 février à Arbois. Après un mois de mars très doux, les températures commencent une longue descente à partir d'avril. Il pleut, il fait gris jusqu'en août, avec de brefs interludes ensoleillés (voire caniculaires fin juillet). Août apporte un peu de chaleur... mais il continue de pleuvoir un jour sur deux. Même en septembre, qui connaît un petit mieux, il faut louvoyer entre les averses pour vendanger au sec.

Finalement, le vignoble s'en sort plutôt bien. La chance des Jurassiens, c'est qu'ils sont partis dès la floraison sur de faibles rendements, la pluie ayant provoqué de la coulure. Fin juillet, le coup de chaud, grillant les raisins, a encore aéré les rangs. Mildiou et oïdium sont arrivés sur des grappes espacées, ventilées, pas trop chargées. Les « bio », nombreux dans le Jura, s'en sortent aussi bien que les autres car, ne disposant que de produits lessivables (bouillie bordelaise et soufre), à renouveler tous les quatre jours, ils ont été sur le qui-vive dès le mois de mai et ont resserré les cadences de traitement. Le souci est donc financier : un coût de revient élevé pour une récolte faible en volume

Et les vins ? Ils sont marqués par cet été froid : les acidités sont vives, les vins rouges se montrent souples. Les poulsards sont concentrés, les pinots tanniques, et les blancs équilibrés et fins.

L'export en ligne de mire

Avec 74 000 hl vendus entre août 2011 et juillet 2012, la production encaisse une baisse de l'ordre de 2 %. Le macvin et le vin jaune progressent.

Mais le nouveau ballon d'oxygène des vignerons jurassiens, c'est l'export (plus de 5 500 hl expédiés à l'étranger). Les vins du Jura partent de plus en plus à la conquête de la planète. Deux zones sont particulièrement réceptives : l'Amérique du Nord et la Chine. Des ventes principalement soutenues par le crémant. Ces bons chiffres représentent le double de 2008.

Le tapis rouge a donc été déroulé aux pieds de la délégation d'importateurs chinois venus en Arbois durant l'hiver 2013. Car la Chine s'intéresse aux produits de niche tels que le vin de paille, proche des vins de glace très populaires dans l'Empire du Milieu. L'Amérique n'est pas oubliée : une délégation de vignerons a visité en 2012 la côte est des États-Unis et des contacts ont été pris avec la SAQ, société des alcools du Québec.

Cette ambition n'est pas sans conséquences sur le caractère des vins : on note depuis deux ou trois ans que vins rouges se font plus fruités, moins acides, moins tanniques, parfois issus de macérations semi-carboniques.

A la recherche des cépages oubliés

Depuis des années, la Société de viticulture du Jura sillonne ainsi la Franche-Comté à la recherche de vieilles vignes en attente d'arrachage, bouturant toutes celles qui l'intriguent. Aujourd'hui, 55 cépages confidentiels, dont la moitié n'existe que dans la région, ont été plantés dans trois conservatoires. En août 2013, un ampélographe les a identifiés de façon quasi définitive (l'analyse ADN étant la seule méthode fiable à 100 %). On s'attend donc à ce que quelques cépages, avant les vins, refassent surface ainsi. Des variétés locales dont le Jura a le secret.

La 18e édition de la Percée du vin jaune aura lieu à Perrigny et Conliège les 1er et 2 février 2014.

Quoi de neuf en Languedoc-Roussillon ?

Au rebours d'une année 2011 caractérisée par des volumes en hausse de 20 % en moyenne pour l'ensemble du vignoble, le millésime 2012 affiche une baisse générale, le Roussillon revendiquant l'une de ses récoltes les plus faibles de mémoire de vignerons ! Fort heureusement, le niveau qualitatif est dans l'ensemble élevé.

Printemps pluvieux, été caniculaire...

L'hiver 2012 a été particulièrement rigoureux, en Languedoc plus qu'en Roussillon, et caractérisé par le mois de février le plus froid depuis 1988. Le printemps, plus frais et pluvieux qu'à l'habitude, a permis de reconstituer les réserves en eau, laissant présager un épanouissement régulier de la vigne tout au long du cycle végétatif, sans risque de stress hydrique. Le mois de juillet a fait alterner pluies, chaleur sans excès et nuits relativement fraîches, et il a fallu attendre la mi-août pour voir arriver la canicule. Le Roussillon a été plus sec que le Languedoc. En pays catalan, les maladies cryptogamiques n'ont rien eu de virulent, et la floraison s'est déroulée très rapidement, entre le 27 mai et le 4 juin, contrairement à ce que l'on a déploré dans les autres vignobles.

Cette période de chaleur excessive compensant la relative fraîcheur de juillet, la somme des températures a été supérieure à la moyenne, permettant une maturation des raisins très satisfaisante. Enfin, si les orages d'août ont été généralement salutaires après la période des

grosses chaleurs, en Roussillon, on n'a observé qu'un orage, le 6 août, accompagné de grêle, touchant sur quelques centaines d'hectares les vignobles de Maury, Lesquerde et les Fenouillèdes. La sécheresse du mois d'août a été très marquée en pays catalan. Elle a conduit, par concentration, à des pertes de poids, d'où les faibles volumes enregistrés.

Les effets de la tramontane

Selon une tradition désormais établie, le vignoble catalan a donné le départ des vendanges dès le 5 août, avec le cépage muscat pour les premiers blancs de la nouvelle campagne, vinifiés en vins secs. Les récoltes se sont déroulées sous le soleil, et dans des conditions sanitaires très satisfaisantes, aidées en cela par le vent du nord, la tramontane, et par des nuits plutôt fraîches. Cependant, et par effet de concentration, le vent asséchant a diminué la récolte – jusqu'à 20 % sur certaines zones du Roussillon. En moyenne sur la région, la baisse par rapport à 2011 est de l'ordre de 15 %, atteignant 40 % en moins pour le vignoble catalan, plaçant le millésime 2012 en tête des récoltes les plus faibles. Les premières estimations classent le Languedoc-Roussillon à hauteur de 28 % de l'ensemble de la production nationale, soit un peu plus de 12 millions d'hectolitres.

Le maître-mot concernant les rouges languedociens est sans doute l'équilibre. Dès les premières dégustations sur cuves, les 2012 s'annonçaient d'une grande richesse aromatique, dotés de beaucoup de densité et de profondeur sans concentration excessive. Les trames tanniques sont serrées sans excès d'astringence, et la fraîcheur omniprésente promet de belles gardes. Une personnalité affirmée, imputable aux petits rendements ainsi qu'aux caractéristiques climatiques du millésime qui ont permis une maturation particulièrement lente. Les rouges du Roussillon sont quant à eux concentrés et typés. Les vins blancs et rosés se révèlent gourmands et charmeurs, à la fois délicats et frais. Des « vins de plaisir » qui devront être bus assez rapidement. Il est à noter toutefois que les terroirs de Faugères, de Saint-Chinian, ou, dans la zone audoise, de Limoux, ont produit des blancs riches et savoureux, dotés pour les meilleurs, d'une bonne capacité d'évolution.

Le millésime s'annonce excellent en vins doux naturels. Expressifs et frais, les muscats se révèlent particulièrement gourmands, tout comme les rouges du Roussillon de type grenat, rimage ou vintage. Fort réussis avec ce profil de millésime, les vins doux naturels devraient également donner des vins très complets en élevages oxydatifs.

Appellations communales

Un rappel : on sait que le vignoble du Languedoc-Roussillon s'agence en trois niveaux : à la base, l'appellation régionale languedoc ; au deuxième niveau, l'ensemble des appellations existantes (corbières, minervois, saint-chinian, faugères, côtes-du-roussillon, etc.), pour l'instant dénommées appellations sous-régionales ; et au sommet, des appellations communales, aujourd'hui au nombre de quatre : minervois-la-livinière, saint-chinian-berlou, saint-chinian-roquebrun et corbières-boutenac.

L'appellation régionale résultant d'une extension de l'appellation coteaux-du-languedoc, cette dernière a donc été profondément restructurée et divisée en huit nouveaux terroirs appelés zones pédo-climatiques, voués à devenir, après validation par le comité national de l'INAO, huit nouvelles AOC communales. Il s'agit de : picpoul-de-pinet, pic-saint-loup, la clape, terrasses-du-larzac, grès-de-montpellier, sommières, pézenas et terrasses-de-béziers. Cette validation est déjà intervenue (le 14 février 2013), pour l'AOC picpoul-de-pinet, appellation dédiée à la production de vins blancs secs issus du cépage piquepoul. La clape, pic-saint-loup et terrasses-du-larzac sont les prochains sur la liste, et l'INAO devrait statuer sur leur cas assez rapidement.

Il est à noter qu'à l'intérieur des huit terroirs issus des coteaux-du-languedoc, on retrouve les quatorze anciens VDQS à partir desquels l'appellation avait été créée en 1960. Certains d'entre eux sont tombés dans l'oubli, mais les plus réputés ont toujours communiqué sur leurs noms et prétendent aujourd'hui à une reconnaissance.

Saint-Drézéry, Montpeyroux, Cabrières, La Méjanelle, Quatourze, Saint-Christol, Saint-Georges-d'Orques ou Saint-Saturnin élaborent actuellement des dossiers afin de solliciter une AOC communale. Une demande justifiée par leur taille, la qualité de leurs productions et leur antériorité historique.

Le maury sec

Autre appellation, qui pourra prétendre à rejoindre à l'avenir le niveau supérieur du classement : le cru maury. Réputée pour ses vins doux naturels rouges à base de grenache, l'appellation produit désormais également des vins secs. La modification du décret date de novembre 2011, et s'applique aux vins de la même année commercialisables à partir d'avril 2012, respectant ainsi l'obligation de six mois d'élevage minimum. Quinze producteurs, dont trois caves coopératives, ont d'ores et déjà mis en marché les premières cuvées. Issus de grenache noir (majoritaire) complété de carignan, mourvèdre, syrah et lledoner-pelut, ce sont des vins rouges riches et typés qui témoignent des qualités exceptionnelles de ce terroir de schistes noirs situé dans la partie la plus septentrionale du Roussillon, dans la vallée de l'Agly.

Quoi de neuf en Provence et en Corse ?

En Provence, si la récolte est relativement modeste en volume, l'été 2012, chaud et sec, a permis de bonnes conditions de maturation. En Corse, le millésime est plus hétérogène, plus léger que le précédent, en raison d'une météo compliquée toute l'année et de fortes précipitations, même au moment des vendanges. Une constante, d'année en année : le règne du rosé, dont la Provence est le premier pourvoyeur, assurant 40 % des volumes nationaux et autour de 5 % de la production mondiale.

En Provence : de fortes disparités

L'hiver en Provence, globalement clément, a été cependant marqué par des disparités criantes selon les zones, et par des records de froid au mois de février, notamment dans la zone de la Sainte-Victoire très affectée par les gels d'hiver prolongés. Un printemps pluvieux et plutôt frais a permis de reconstituer les réserves hydriques. Fin mai, un violent épisode de grêle a causé d'importants dégâts dans le Var, certains domaines ayant perdu la quasi-totalité de leur récolte. L'été, très chaud et particulièrement sec, a permis une bonne maturité et de la concentration. Des orages, fin août ou début septembre selon les terroirs, ont permis d'éviter d'éventuels blocages de maturité. Les vendan-

ges ont commencé cette année avec quelques jours de retard par rapport à 2011 et se sont prolongées jusqu'à fin octobre.

Les rosés offrent des robes pâles d'un rose tendre et se caractérisent par des palettes aromatiques expressives, d'une tonalité plutôt classique, entre fruits blancs (pêche et poire), fruits rouges, agrumes et notes florales. Généreux, ils n'en sont pas moins équilibrés et dotés d'une agréable fraîcheur. Malgré les petits rendements des cépages rouges, les vins de cette couleur ne sont pas concentrés, mais plutôt fruités, gourmands et souples. De trame tannique moyenne, ils sont charnus, soyeux et frais, et devraient être agréables à boire assez rapidement. Enfin, les blancs, qui représentent à peine 3 % des volu-

mes, affichent un réel potentiel. Offrant de très beaux équilibres, entre fraîcheur et rondeur méridionale, ils expriment des arômes de coing frais, d'agrumes, de fruits exotiques et de fleurs blanches.

Le rosé et les autres

Si la France est de loin le premier pays pourvoyeur de rosé, avec 27 % des volumes mondiaux, la Provence se place largement en tête des vignobles français pour cette couleur, offrant 87 % de ses volumes à cette couleur. Considéré comme le symbole de l'art de vivre méditerranéen, des vacances et des apéritifs estivaux, le rosé est devenu l'ambassadeur presque exclusif du vignoble provençal.

Une situation parfois pénalisante pour les producteurs qui souhaiteraient être reconnus pour la qualité (grandissante) de leurs rouges et de leurs blancs. Cette production de rosé est portée par le marché : en France, la consommation, en constante augmentation, représente 28 % des volumes de vins tranquilles, les premiers acheteurs étant les jeunes (18-24 ans) pour qui le rosé représente un vin de repas initiatique, plus facile d'accès que le rouge. Les rosés comptent pour plus du quart des vins consommés au restaurant, et ceux de Provence sont trois fois plus vendus que les premiers concurrents. Dans ces conditions, rien d'étonnant à ce que près de la moitié des consommateurs associent spontanément Provence à rosé.

Une nouvelle dénomination : Pierrefeu

Après Sainte-Victoire, la Londe et Fréjus, l'appellation côtes-de-provence vient de se doter en 2013 d'une quatrième dénomination de terroir : Pierrefeu (des vins rouges et rosés), que l'on verra à partir du millésime 2013 sur les étiquettes. Celle-ci concerne 4 000 ha (environ 20 % de l'appellation), incluant les territoires viticoles de douze communes, dont le cœur de Cuers, Puget-Ville et Pierrefeu. La dénomination intéresse vingt-huit domaines particuliers, quatre caves coopératives.

En Corse : un millésime hétérogène

Le tableau apparaît différent en Corse. Méditerranéenne, l'île de Beauté est aussi une « montagne dans la mer », avec plus de la moitié des surfaces à une altitude supérieure à 400 m. Celle du vignoble corse est en moyenne de 200 m, ce qui en fait l'un des plus hauts de France. L'ensoleillement abondant se conjugue donc aux influences de la montagne et à la fraîcheur apportée par les entrées maritimes. Des conditions climatiques qui entraînent une maturation plus lente des raisins – jusqu'à deux semaines – que dans les régions les plus septentrionales du continent, comme la Champagne.

Le millésime 2012 est inauguré par un hiver rigoureux, accompagné d'un épisode neigeux d'envergure exceptionnelle, suivi d'un début de printemps très pluvieux. Les vignerons doivent faire face à une forte pression phytosanitaire dans certaines zones. À partir de la fin du printemps et jusqu'en septembre, une sécheresse à peu près généralisée entraîne localement quelques retards dans le cycle végétatif de la vigne. À l'issue d'une dizaine de jours de récolte, de fortes pluies marquent le mois de septembre, compliquant grandement les vendanges et donnant un millésime hétérogène. Le nord de l'île et notamment la Balagne ont été épargnés.

Dans les zones particulièrement affectées par les pluies, le niellucciu a souffert d'un manque de maturité, aussi bien pour ce qui est des sucres que des constituants polyphénoliques (couleur, tanins). Les vins sont donc plutôt légers, fins et fruités, à boire assez rapidement. Les blancs issus de vermentinu manquent eux aussi parfois de corps et de volume,

même s'ils restent flatteurs et aromatiques. Le sciaccarellu, réputé pour ses arômes frais de petits fruits rouges et de fleurs de garrigue, a moins souffert que le niellucciu des aléas climatiques. Les rosés sont, dans l'ensemble, expressifs et d'une agréable fraîcheur. Le vignoble corse y consacre plus de la moitié de sa production.

Quoi de neuf en Savoie ?

Après une année 2009 exceptionnelle, et deux bonnes années 2010 et 2011, 2012 a été « compliqué », comme on dit pudiquement dans ces cas-là. Comme ailleurs, le millésime a donné une récolte historiquement faible. Les grappes rescapées ont livré heureusement des bouteilles intéressantes, en raison d'un bon niveau d'acidité.

Une récolte en baisse
Pour résumer l'année: un printemps pourri, un mois de juillet sec avec des pointes de canicule suivies d'épisodes pluvieux aux mois d'août et de septembre. Les maladies ont fait des ravages : mildiou, black-rot et surtout oïdium. Résultat, une récolte en baisse dans tout le vignoble : -10 à 30 % pour les cépages précoces (chardonnay, gamay, altesse) et -5 à 10 % pour les jacquère et mondeuse. En Chautagne, terre de rouges, c'est même -35 % de rendement, en raison de la coulure et de la sensibilité du gamay et du pinot noir aux maladies. Mais pour les vignerons qui ont su naviguer entre les calendriers serrés des traitements et vendanger dans les intermèdes de soleil, sur des terroirs bien ventilés, entre le 12 septembre et la fin de ce mois, 2012 sera réussi. L'acidité sera au rendez-vous, les vins seront équilibrés et intéressants.

Dans l'attente du crémant
L'année 2013 marque les quarante ans de l'AOC savoie ; les vignerons espèrent aussi qu'elle verra la naissance de l'appellation crémant-de-savoie. Ils l'attendaient en 2012, et de nombreux producteurs avaient vinifié leurs effervescents 2012 selon le cahier des charges des crémants, vendangeant à la main et pressurant légèrement. En pure perte, du point de vue économique, puisqu'ils ont dû garder l'étiquette « mousseux » une année de plus. En revanche, dans les verres, quelle différence ! Fruités, élégants, la bulle fine,

ces vins tranchent vigoureusement avec les anciens. Le retard tient à un désaccord mineur sur le pourcentage de gamay dans les rosés. Quant aux seyssel et aux ayze, ils garderont leurs spécificités et leur nom.

Brèves du vignoble
Pour son quarantième anniversaire, la Savoie va lancer le redoutable Suivi Aval Qualité : des bouteilles seront ainsi anonymement achetées dans les circuits de distribution classiques, puis dégustées à l'aveugle, et notées. Gare à celle qui sera jugée indigne de son appellation : avertissement, puis sanction. Le suivi, qui existe dans d'autres régions françaises, est un outil précieux au service du consommateur.

2013 est aussi l'année des combats. A Montmélian, les vignerons se battent contre l'urbanisation qui les menace à chaque révision du PLU. À Apremont, Chignin et dans de nombreux villages de la Combe de Savoie, comme Arbin, ils sont en butte à la flavescence dorée, une maladie mortelle pour les ceps, qui se transmet par la piqûre d'un insecte, la cicadelle dorée. La seule méthode de lutte officiellement admise à ce jour est un traitement par un insecticide, rendu obligatoire par arrêté préfectoral – même dans les vignobles bio. Les phytosanitaires sauveront-ils le vignoble ? En 2013, on apprenait que 32 % des parcelles contrôlées dans la Combe de Savoie présentaient les signes de « jaunisse » caractéristiques de la maladie.

Quoi de neuf dans le Sud-Ouest ?

Une météo compliquée enfante un petit millésime 2012 en volume. Mais la qualité est sauvée. Bergerac s'inquiète pour son centre INAO, Cahors veut séduire sa clientèle locale et Duras structure son offre touristique. Partout, l'amateur est attendu dans les propriétés.

Un millésime enfanté dans la douleur

Les années se suivent et se ressemblent : après une récolte 2011 chahutée, 2012 est arrivé dans la douleur. Débourrement hétérogène, nombreux travaux en vert, pression des maladies... le vigneron a dû être attentif à tout. À Bergerac, les premiers blancs ont été récoltés le 10 septembre et les rouges rentrés au cours des premières semaines d'octobre. Premières tries pour les liquoreux le 1er octobre. Pour des blancs aromatiques et des rouges dont la qualité dépend de la qualité du tri avant l'entrée au chai. Les tanins sont parfois durs. À noter que le printemps 2013 est parti sur des bases similaires : floraison compliquée, temps froid et humide. Près de 200 ha ont reçu la grêle à Cahors en juin 2013.

L'INAO menacé à Bergerac

À Bergerac, les indicateurs économiques restent fragiles. La récolte 2012 a été faible, avec 486 000 hl dans les cuves : -8 % par rapport à la vendange 2011 et l'une des vendanges les plus faibles depuis quinze ans. Le petit millier de producteurs périgourdins (le plus souvent par l'intermédiaire du négoce) a écoulé sur dix mois de campagne 2011/2012 près de 280 000 hl de vin en vrac. C'est le cœur de l'activité : un litre sur deux y transite. Un résultat encourageant, d'autant que le tonneau de l'AOC bergerac rouge (unité de mesure théorique de 900 l) est à 800 € (+ 6 % par rapport à la campagne précédente). Pas de quoi pavoiser cependant : le producteur touche moins d'un euro le litre pour son travail de l'année. Monbazillac, mieux valorisé, reste un pilier du vignoble. Par ailleurs, un nombre croissant de propriétés passent au bio. En grande distribution, le rouge souffre, à 2,5 € en moyenne la bouteille. L'exportation (seulement 12 % des ventes totales) a du mal à progresser.

Rien d'étonnant à ce que les tarifs du foncier restent bas. D'après une étude de la Direction régionale de l'agriculture, une vigne de rouge en Bergeracois s'échange à 9 000 €/ha, contre 15 000 € en 2000. Chez les voisins de Tursan, du Marmandais et de Duras, c'est aussi autour des 10 000 €, un retour au niveau d'il y a vingt ans. Buzet et Monbazillac sortent du lot à 15 000 €.

Au cœur de l'été, c'est le sort du centre INAO de Bergerac qui a suscité l'émotion. Dans le cadre d'un plan de restructuration territoriale, l'Institut national de l'origine et de la qualité prévoit de fermer dix sites sur les vingt-cinq de l'Institut sur le territoire national. Celui de Bergerac serait dans la charrette, car un rapprochement avec Bordeaux est souhaité par la direction parisienne. C'est le rôle même de l'INAO qui est en jeu.

Cahors réinvestit la ville

À Cahors, Bertand Vigouroux, nouveau président de l'interprofession, prépare un plan stratégique pour ce vignoble de 3 300 ha qui sort peu à peu la tête de l'eau, grâce notamment à la mise en avant de son cépage malbec. Les stocks sont en baisse et le vrac est valorisé au dessus de

100 €/hl. D'après une étude, 20 % des vignerons sont cependant en difficulté. Comme en Bordelais, Cahors veut reconquérir une clientèle locale et remettre le vin au cœur de la cité. C'est le rôle de la Villa Cahors Malbec, ouverte au centre ville en 2011 : elle forme à la dégustation et renvoie vers des propriétés et autres cavistes de la zone.

Tourisme à Duras

Dans le petit vignoble lot-et-garonnais de Duras (1 500 ha), les professionnels jouent eux aussi la carte du tourisme et musclent leurs activités.

À la Maison des vins, les plages d'ouverture sont plus amples : la fréquentation et les ventes sont à la hausse. Toute une programmation événementielle est mise en place : Printemps des vins, Chasse au trésor, Apéros vignerons, création d'un club de dégustation...

Serpent de mer, le rapprochement des vignobles lot-et-garonnais de Buzet, de Marmande et de Duras avance doucement. Des opérations communes doivent avoir lieu dans la grande distribution française sous la bannière Sud-Ouest, récemment créée par les conseils régionaux d'Aquitaine et de Midi-Pyrénées.

Quoi de neuf dans la vallée de la Loire ?

Année 2012 plutôt tardive et chaotique, comme dans la plupart des vignobles : la vallée de la Loire a contribué à la baisse générale de la récolte nationale, affectée par un long printemps humide et frais. Les volumes sont en baisse de 30 % en moyenne, la région nantaise étant plus affectée et le Centre nettement moins. Les blancs secs tirent mieux leur épingle du jeu, et les muscadets sont particulièrement réussis. En Anjou comme en Touraine, les liquoreux sont rares. Quant aux rosés, leur demande est toujours aussi forte, notamment en grande distribution, et beaucoup de cabernets viennent alimenter cette production. Les professionnels ligériens ont pris conscience de la richesse de leur patrimoine et développent activement l'œnotourisme.

Dans la région nantaise

Plus tardif que son devancier, 2012 a donné de faibles volumes, mais des vins de bien meilleure tenue. Si la vague de froid de février s'est également manifestée dans la région, la vigne n'en a guère souffert. C'est le printemps qui a été porteur de soucis ; alors que le débourrement avait été assez précoce, après un mois de mars sec et doux, avril et mai, à l'opposé de 2011, ont été pluvieux et inhabituellement frais, avec pour conséquence de faibles sorties de grappes : dès le printemps, on s'attendait à une récolte réduite. La fraîcheur a eu au moins pour avantage de contenir les attaques de maladies. La fleur débuta dès le 5 juin pour s'étaler sur tout le mois. Les deux mois d'été se sont montrés dans l'ensemble secs, plutôt frais en juillet et chaud en août. Un joli mois de septembre allait permettre aux raisins de parfaitement mûrir, d'autant plus que la petite récolte était propice à la concentration. Les pluies de la fin du mois furent elles aussi bénéfiques, n'entraînant pas la moindre dilution, tout comme les amplitudes thermiques qui permirent le développement du potentiel aromatique des raisins.

Le ban des vendanges, prononcé le 17 septembre 2012, est dans la moyenne tardive de ces dernières années. Les récoltes se déroulèrent rapidement en raison des petits volumes, avant l'arrivée des fortes pluies d'octobre. La maturité des raisins est donc très bonne, voire excellente. Les jus sont très concentrés, francs et aromatiques, les teneurs en sucre élevées, les acidités présentes mais discrètes. On trouvera des cuvées de garde.

En volume, en revanche, la récolte 2012, avec 245 688 hl, apparaît comme la plus faible de ces dix dernières années, si l'on excepte 2008, année de gel. Cela correspond à un rendement très bas de 25,91 hl/ha, à un peu plus d'une demi-récolte. En gros-plant, la production est la plus basse de la décennie (29 601 hl, avec un rendement de 44,85 h/ha). Les superficies revendiquées, 9 484 ha pour le muscadet, et 660 ha pour le gros-plant, sont en légère hausse alors que les surfaces déclarées se rétractaient d'année en année après 2008 (encore près de 11 000 ha pour 2010). Les arrachages des vignes ne se font plus, mais une importante restructuration des exploitations s'opère, qui se traduit par une concentration des surfaces. Le nombre de déclarations de récolte est passé de 1339 en 2003 à 650 en 2012. En parallèle, la situation économique du vignoble est moins morose : nette valorisation des cours du vrac, progrès en volume de la vente en grande distribution (+5 % en 2012), niveau

record d'exportation aux États-Unis (les quatre plus gros clients étant ce pays, le Royaume-Uni, la Belgique et le Canada). En revanche, les volumes de ventes directes sont en retrait (-6 %). La hiérarchisation des appellations devrait continuer. Après Le Pallet, Clisson et Gorges, quatre nouvelles dénominations complémentaires, définissant des muscadets ambitieux, sont à l'étude : Château-Thébaud, Monnières-Saint-Fiacre, Mouzillon-Tilliers, Goulaine.

En Anjou-Saumur

En Anjou et dans le Saumurois, les vendanges ont débuté à la mi-septembre, après un été sec et chaud, caractéristique de l'ensemble de la région, qui a permis de compenser un printemps aussi froid que pluvieux. En volume, la production est en retrait (-18 %), mais les pourcentages varient considérablement selon les appellations et le type de vins. Dans l'ensemble, les cépages précoces, destinés à l'élaboration des vins effervescents, ont donné des vins de qualité, expressifs et frais. En revanche, les épisodes pluvieux de fin septembre et début octobre ont mis à mal les perspectives de production de vins moelleux dans l'appellation coteaux-du-layon (-29 %), ainsi que dans les plus grands crus de liquoreux, particulièrement affectés. Par exemple, le cru quarts-de-chaume n'a fourni que 89 hl, contre 463 en 2011 et 425 en année moyenne. En comparaison de 2011, les anjou-villages et anjou-villages brissac fournissent une demi-récolte, la baisse n'étant que de 19 % pour les

saumur-champigny, et seulement de 4 % pour le cabernet-d'anjou.

Les blancs du millésime 2012 sont essentiellement des vins secs, délicats, expressifs et de bonne fraîcheur, parfois dilués et mordants, en fonction des terroirs et de la vigilance des vignerons. Les rosés, dans la lignée des blancs, offrent souplesse et fruité immédiat. Enfin, les rouges sont déjà très agréables, sur un profil de vins de fruit, fringants et gourmands. Le millésime est toutefois hétérogène et n'offre pas la profondeur des années précédentes, comme 2010 ou le très complet millésime 2011.

Les rosés se vendent bien toujours bien, même par temps maussade. En grande distribution française, le cabernet-d'anjou a progressé en 2012 de 10 %, avec plus de 185 000 hl vendus. Initialement plus orienté à l'export, le rosé-d'anjou affiche une hausse encore plus notable en France (+27 %). Le négoce souhaiterait une augmentation des rendements, car les sorties de chais s'annoncent supérieures à la production de 2012 (280 000 hl pour le cabernet-d'anjou, 104 000 en rosé-d'anjou), alors que l'on craignait un début de surproduction l'année précédente.

En Touraine

Comme partout dans la région, le millésime 2012 a été un véritable casse-tête en Touraine. Les vendanges ont débuté le 14 septembre, permettant ainsi aux vignerons de récolter, avant les pluies de début octobre, les cépages précoces. La récolte globale est en baisse de 30 %.

Les sauvignons et les chenins secs se révèlent vifs et particulièrement fins ; des vins de petite garde à sélectionner avec discernement. Si les sauvignons sont dans l'ensemble expressifs, offrant des palettes aromatiques fraîches et typées de buis et d'agrumes, la plus grande disparité concerne les chenins. À cet égard, la Touraine ne fait pas exception à la règle du millésime, et les demi-secs et les moelleux sont rares en 2012.

Les rosés, à base des cépages gamay, pinot noir et côt, sont, à l'image des blancs secs, plutôt frais et fruités, et seront bus rapidement. Enfin, les vins rouges sont, dans l'ensemble, souples et gourmands, offrant des textures soyeuses lorsqu'ils sont issus du cépage gamay. On note de belles réussites concernant les vins à base de cabernet franc, mais l'ensemble est hétérogène. Certaine cuvées se révèlent un peu déséquilibrées, marquées par des acidités mordantes et des tanins parfois secs.

Dans le Centre-Loire

Les conditions climatiques sont semblables à celles observées ailleurs : gel de février, débourrement précoce à partir de la fin d'un mois de mars très doux, puis précocité perdue à la suite du retournement climatique à partir du 10 avril, inaugurant trois mois dans l'ensemble froids et humides ; floraison étalée avec une semaine de retard, coulure et millerandage, pression du mildiou et de l'oïdium. Les blancs, plus tardifs, ont mieux résisté. À la mi-juillet, le temps devient sec pour plusieurs semaines, et à partir du 10 août, les températures deviennent supérieures aux normales. Ces épisodes se produisent au bon moment pour accélérer et resserrer la véraison. La sécheresse perdure jusqu'au 20 septembre, puis du 21 au 27 septembre des pluies importantes viennent relancer la maturation.

Les conditions de maturation ont donc été très favorables : sécheresse propice à la concentration en sucres, nuits fraîches optimales pour préserver la chair, l'acidité et la finesse aromatique, ensoleillement bénéfique pour la couleur et les tanins des rouges, mais également pour les arômes. Grâce aux peaux épaisses, l'état sanitaire est resté excellent, ce qui a permis aux vignerons d'attendre que les raisins soient bien mûrs. Nombre de producteurs ont récolté de façon discontinue, en fonction de maturité de chaque parcelle.

L'hétérogénéité de la floraison a été atténuée grâce aux bonnes conditions de la fin de l'été. Les parcelles les plus précoces de sancerre blanc ont été vendangées le 20 septembre (trois semaines après le précoce 2011), mais c'est le premier octobre que les vendanges ont véritablement débuté sur l'ensemble des vignobles.

Les vins affichent une plénitude et une concentration remarquables. L'équilibre varie selon la date de vendange : les premiers raisins récoltés ont donné des vins plus incisifs ; puis au fur et à mesure de la maturation, le gras s'est développé. Les blancs, très purs, bien ciselés, aromatiques, sont à la fois délicats et complexes, avec des nuances dominantes de fleurs blanches et de fruits frais. Ils conjuguent fraîcheur, chair et persistance. Les rouges affichent des robes profondes. Avec les extractions douces qu'on pratique aujourd'hui, leurs tanins sont mesurés, leur fruité gourmand et leur bouche plus ou moins dense selon les origines.

Avec 297 000 hl environ, la récolte est en retrait par rapport à celle de 2011, déjà en dessous de 2010 (respectivement 307 900 hl et 317 000 hl), mais nettement moins que dans les vignobles de l'aval, de la Touraine à la région nantaise. Les blancs représentent 85 %, les rouges à peine 10 % et les rosés environ 5 %.

Les ventes sont en hausse par rapport à la campagne précédente (+5 %). Le marché français et l'export progressent, ce dernier représentant 45 % des sorties des vignobles du Centre-Loire. Les transactions vers les principaux pays acheteurs augmentent. Le bond le plus spectaculaire est réalisé par les États Unis (+20 %) ; ce pays est devenu le premier marché export pour Sancerre, laissant le Royaume-Uni, toujours bien placé, en deuxième position.

L'essor de l'oenotourisme

Le Val de Loire, fort de sa position de plus vaste site national inscrit au patrimoine mondial de l'Unesco, est la troisième région touristique et viticole française. La visite des domaines et son corollaire, l'achat de vin en direct auprès des propriétés, constituent l'une des trois activités touristiques régionales les plus courues, avec la visite des monuments et châteaux et celle des jardins.

Le souci de développer l'œnotourisme s'est traduit par la création d'un master « Gastronomie, vin et tourisme » à l'université d'Angers. Interloire, l'interprofession des vins de la région, développe de nombreuses applications ; le Bureau interprofessionnel des vins du Centre (BIVC) n'est pas en reste et a créé lui aussi une application smartphone.

Riche de 800 km de route des Vins, la région du Val de Loire affiche un réseau de 330 « caves touristiques » labellisées, répondant aux exigences d'une charte d'accueil mise en place par Interloire, les institutionnels du tourisme et les régions. Ces domaines sont tenus, entre autres, de proposer une dégustation commentée gratuite de leurs vins, ainsi que la vente à l'unité dans le cadre d'un caveau ouvert au public.

Enfin, le label national « Vignobles et Découvertes » est aujourd'hui attribué à huit circuits touristiques qui proposent une offre complète dans le cadre de l'œnotourisme.

Quoi de neuf dans la vallée du Rhône ?

Année classique, ni précoce ni tardive, le millésime 2012 est caractérisé par un hiver particulièrement venté, et une pluviométrie déficitaire, inégalement répartie sur l'année. Si la région a connu la vague de froid qui a frappé l'ensemble du pays en février, la plus grande partie du vignoble affirme son appartenance au monde méditerranéen par son été très sec. Les volumes sont en retrait par rapport à l'année précédente, mais les baisses sont modérées, et le millésime est de qualité.

Les vieux grenaches à l'épreuve du gel

Après un début d'hiver clément, la vallée du Rhône a subi, elle aussi, une vague de froid en février. Un de ces froids très secs, amplifié par la présence d'un vent très fort, qui a creusé le déficit hydrique. Ces fortes gelées ont provoqué des dégâts importants dans le vignoble, faisant en particulier périr de vieux grenaches. Le débourrement a été très hétérogène et on a observé des décalages de végétation au niveau des parcelles, voire des ceps. Moins précoce que 2011, 2012 se rapproche plutôt de 2010. La pluie, revenue avec le printemps, a favorisé un bon développement végétatif, sans combler le déficit creusé au cours de l'hiver. La floraison s'est déroulée dans de bonnes conditions dans les secteurs précoces, mais elle s'est étalée dans les secteurs plus tardifs, où l'on a observé des phénomènes de coulure.

À partir de juillet, le temps s'est montré chaud et sec jusqu'à la dernière semaine d'août – moins dans le nord de la vallée. La sécheresse sensible en début d'été a limité le développement des baies, entraînant même quelques situations de blocage de maturité en août. Les précipitations sont arrivées à la fin du mois, et le mistral a soufflé au début du mois de septembre, avant un nouvel épisode fortement pluvieux entre le 20 et le 25. Ces pluies ont accéléré la fin des vendanges. Pour les secteurs les plus tardifs, elles ont accompagné la fin de la maturation.

Les premiers contrôles de maturité mi-août montraient un état sanitaire très satisfaisant, mais aussi la permanence d'une certaine hétérogénéité entre les parcelles, les souches et même à l'intérieur des grappes. Les fortes chaleurs de début septembre, qui ont suivi les pluies de la fin août, ont contribué à une bonne maturation des raisins en favorisant une concentration de tous les composés des baies.

Les vendanges se sont étalées de la fin août pour les secteurs les plus précoces à la fin octobre pour les plus tardifs, chacun ayant pu attendre l'optimum de maturité. Les fermentations ont été assez rapides et se sont déroulées sans encombre, si bien que fin novembre, nombre de vins étaient stabilisés.

Marqué par l'équilibre, 2012 a donné des vins très gourmands, francs, équilibrés et fruités. Le grenache développe un très beau volume en bouche avec une sucrosité remarquable ainsi que des arômes de fruits rouges. La syrah quant à elle donne des vins puissants et généreux avec des tanins bien présents, doux, soyeux et veloutés. Les rosés issus du binôme grenache-cinsault sont remarquables par leur puissance aromatique. Les blancs sont eux aussi très expressifs, montrent un joli volume en bouche et beaucoup de fraîcheur.

Récolte en baisse, exportations en hausse

Les services d'Inter-Rhône évaluent la production des vins AOC de la vallée du Rhône à 2,9 Mhl, soit une baisse de 6 % par rapport à 2011, conséquence du gel de février 2012. Cela correspond à une superficie d'environ 71 000 ha. En côtes-du-rhône, les volumes sont passés de 1 600 000 hl en 2011 à 1 446 000 hl en 2012, soit une baisse de 10 % environ. En revanche, la production des côtes-du-rhône-villages a augmenté de 8,6 % (315 000 hl contre 290 000 hl). Les exportations représentent 31 % des ventes de vins de la vallée. En volume, elles progressent de 5,5 % et s'élèvent à 909 000 hl. Les volumes vers la Chine ont encore augmenté et atteignent 50 000 hl.

Un bon élève du «bio»

Le « bio » affiche une forte progression depuis quatre ans. Les premières estimations pour 2012 laissent envisager un volume de 10 % de la récolte en bio certifié pour les côtes-du-rhône régionaux, un chiffre au-dessus de la moyenne nationale. Ainsi, côtes-du-rhône et côtes-du-rhônes-villages ont fourni en 2012 plus de 150 000 hl en bio, soit une augmentation de 30 à 40 % par rapport à l'année précédente. La vallée du Rhône répond donc aux exigences du

Grenelle de l'environnement, tant en termes de pourcentage de superficie en bio qu'en matière de réduction des intrants et des pesticides. Les trois régions administratives de la vallée du Rhône, Rhône-Alpes, PACA et Languedoc-Roussillon sont très en avance sur les exigences du gouvernement et donc parées pour le programme Ambition Bio 2017.

Brèves du vignoble

En janvier 2013 a été posée en Avignon la première pierre d'un projet ambitieux. L'hôtel Calvet de Palun accueillera, côté Place du Palais des Papes, une école des vins du Rhône et un bar à vins de prestige. L'Hôtel des Monnaies abritera quant à lui une œnothèque régionale, une académie culinaire internationale, une librairie gastronomique, ainsi que des espaces culturels et festifs. Un projet engagé sous l'égide d'Inter-Rhône et des appellations rhodaniennes, de la Ville d'Avignon et d'investisseurs privés, qui s'inscrit dans la stratégie œnotouristique de l'interprofession.

Inaugurés en 1938 par le président de la République Albert Lebrun, les bâtiments de la cave de Tavel, construits dans un style néo-provençal par l'architecte Henri Floutier et le sculpteur Armand Pellier, ont été inscrits aux Monuments historiques ; la cave se voit décerner le label « Patrimoine du XXe s. »

TOUT SAVOIR
SUR LE VIN

DÉGUSTATION BIO
TERROIR ÉLEVAGE ACCORDS
ACHAT TEMPÉRATURE
CONSERVATION
VINIFICATION SERVICE
MILLÉSIMES VITICULTURE
ÉTIQUETTE CÉPAGE

Comment identifier un vin ?

Les rayons des cavistes et des grandes surfaces offrent une large palette de vins français, voire étrangers. Cette variété, qui fait le charme du vin pour l'amateur averti, rend aussi le choix difficile et déroute le néophyte : la France produit à elle seule plusieurs dizaines de milliers de vins qui ont tous des caractères propres. Leur carte d'identité ? L'étiquette. Les pouvoirs publics, français et désormais européens, et les instances professionnelles se sont attachés à la réglementer. Capsules et bouchons complètent l'identification.

Les catégories de vin

L'étiquette indique l'appartenance du vin à l'une des catégories réglementées en France : vin de France (ex-vin de table), indication géographique protégée IGP (ex-vin de pays), appellation d'origine contrôlée (AOC, AOP pour l'UE).

L'appellation d'origine protégée

La classe reine, celle de tous les grands vins. L'étiquette porte obligatoirement la mention « Appellation X protégée », parfois « X appellation protégée ». Si l'appellation porte le nom d'une entité géographique (région, ensemble de communes, commune, parfois lieu-dit), cette seule provenance ne suffit pas à la définir. Pour bénéficier de l'AOC, un vin doit provenir d'une aire délimitée, caractérisée par ses sols et son climat, plantée de cépages spécifiques cultivés et vinifiés selon les traditions régionales. C'est ce que l'on appelle les « usages locaux, loyaux et constants ».

Du domaine et du terroir à l'étiquette.

L'appellation d'origine vin délimité de qualité supérieure

Une catégorie supprimée en 2011, naguère antichambre de l'appellation d'origine contrôlée, et soumise sensiblement aux mêmes règles. Nombreux il y a trente ans, les VDQS ont souvent accédé à l'AOC.

Les IGP/vins de pays

Ils portent le nom de leur lieu de naissance, mais ne sont pas des AOC. La différence ? Les vins de pays ne font pas l'objet d'une délimitation parcellaire, en fonction des types de sol ; ils sont issus de cépages dont la liste est définie réglementairement ; cette liste est plus large que pour les AOC. En un mot, leur rapport au terroir est moins fort. L'étiquette précise la provenance géographique du vin. On lira donc « Indication géographique protégée » (IGP) suivie du nom d'une région (ex : Val de Loire), d'un département (ex : Ardèche) ou d'une zone plus restreinte (ex : Cité de Carcassonne).

Les vins de France

Sans provenance géographique affichée, ils peuvent être issus de coupages, c'est-à-dire de mélanges de vins de plusieurs régions. Cela en fait en général des vins assez standard – sans surprise mais sans personnalité. Si les vins de France sont souvent des produits d'entrée de gamme commercialisés en gros volumes, il existe aussi des vins de table de propriété – souvent des « vins d'auteurs » élaborés hors des canons de l'appellation. Depuis une récente réforme, ces vins sont autorisés à afficher millésime et nom des cépages.

Le responsable légal du vin

L'étiquette doit permettre d'identifier le vin et son responsable légal en cas de contestation. Le dernier intervenant dans l'élaboration du vin est celui qui le met en bouteilles ; ce sont obligatoirement son nom et son adresse qui figurent sur l'étiquette. Il peut s'agir d'un négociant, d'une coopérative ou d'un propriétaire-récoltant. Dans certains cas, ces renseignements

LA RÉFORME DE LA CLASSIFICATION DES VINS

Mise en place en 2009, cette réforme a entraîné trois changements importants, concernant chaque étage de la pyramide qualitative. Les vins de table sont devenus vins de France, mais ils ont surtout gagné, au-delà du droit de porter comme étendard le nom de notre pays, ce qui n'est pas rien, la possibilité d'afficher cépage(s) et millésime. Deux mentions en général perçues comme qualitatives, ici autorisées pour les vins du bas de l'échelle : on peut légitimement s'interroger sur la pertinence de cette modification réglementaire. Les vins de pays (VDP) sont devenus des IGP, indications géographiques protégées. Un bouleversement majeur puisque auparavant les VDP faisaient partie de la même catégorie que les vins de table ; ils entrent dorénavant dans la famille des vins avec indication géographique, qui comprend également les AOC/AOP. Un changement qui leur donne des droits (protection juridique du nom comme les AOP, appellation d'origine protégée) mais aussi des devoirs : démonstration à faire de leur lien à l'origine et mise en place de procédures de contrôle renforcées. En 2011, les 150 VDP alors existants ont vu leur nombre se réduire à 75. Enfin, les AOP sont depuis cette réforme soumises à de nouveaux modes de contrôle, la tant décriée dégustation systématique d'agrément étant supprimée au profit de contrôles moins fréquents mais plus proches du produit commercialisé. On attendra pour voir l'efficacité de ces nouvelles mesures sur la qualité des vins.

sont confirmés par les mentions portées au sommet de la capsule de surbouchage.

La mise en bouteilles

L'étiquette mentionne si le vin a été mis en bouteilles à la propriété. L'amateur exigeant ne tolérera que les mises en bouteilles au domaine, à la propriété ou au château. Les formules « Mis en bouteilles dans la région de production, mis en bouteilles par nos soins, mis en bouteilles dans nos chais, mis en bouteilles par x (x étant un intermédiaire) », pour exactes qu'elles soient, n'apportent pas la garantie d'origine que procure la mise en bouteilles à la propriété où le vin a été vinifié.

Le millésime

La mention du millésime, année de naissance du vin, c'est-à-dire de la vendange, n'est pas obligatoire. Elle est portée soit sur l'étiquette, soit sur une collerette collée au niveau de l'épaule de la bouteille. Les vins issus d'assemblage de différentes années ne sont pas millésimés. C'est le cas de certains champagnes et crémants, ou encore de certains vins de liqueur et vins doux naturels. À noter que l'Europe s'est alignée sur la règle en vigueur dans certains pays tiers, selon laquelle il suffit que 85 % du vin soit d'un millésime donné pour que l'étiquette puisse afficher le millésime.

La capsule

La plupart des bouteilles sont coiffées d'une capsule de surbouchage (capsule représentative de droits ou CRD) qui porte généralement une vignette fiscale, preuve que les droits de circulation auxquels toute boisson alcoolisée est soumise ont été acquittés. Cette vignette permet aussi de déterminer le statut du producteur (propriétaire ou négociant) et la région de production. Elle est verte pour les AOC, bleue pour les vins de pays. En l'absence de capsule fiscalisée, les bouteilles doivent être accompagnées d'un document délivré par le producteur.

Le bouchon

Les producteurs de vins de qualité ont éprouvé le besoin de marquer leurs bouchons, car si une étiquette peut être décollée et remplacée frauduleusement, le bouchon, lui, demeure ; l'origine du vin et le millésime y sont ainsi étampés.

Lire l'étiquette

Sur les étiquettes, les indications foisonnent. Protection de l'origine géographique, de l'environnement, de la santé publique, exigence de traçabilité, souci de marketing : tous ces impératifs successifs les ont fait proliférer. Obligatoires ou facultatives, ces mentions donnent des indices sur le style du vin.

Les mentions obligatoires

Obligatoires pour toutes les catégories de vins, ces mentions suffisent à ce que le vin soit légalement mis en vente :

Volume ①

Voir le chapitre « Acheter : les contenants ».

Degré alcoolique ②

Cette mention contribue à apprécier le style du vin ; à 11 % vol. ou moins, c'est un vin léger ; à 13 % vol. ou plus, c'est un vin corsé et chaleureux.

Catégorie de vin ③

Elle indique la place du vin dans une hiérarchie réglementaire : vin de France, indication géographique protégée, vin d'appellation (AOC). Pour ces deux dernières catégories, elle informe aussi sur la provenance géographique du vin.

Embouteilleur ④

Le nom et l'adresse du responsable légal du vin permettent d'éventuelles réclamations.

Mentions sanitaires ⑤

La réglementation européenne a fait ajouter la mention « Contient des sulfites » lorsque le vin contient plus de 10 mg/l de SO_2 (cas fréquent, le soufre étant un antiseptique et un antibactérien utile pour la bonne conservation du vin, et le seuil autorisé bien supérieur) ; les pouvoirs publics français imposent par ailleurs depuis 2007 une mise en garde à l'adresse des femmes enceintes.

Les mentions facultatives

La marque et le domaine ⑥

Pour personnaliser le vin, nombre de producteurs lui donnent une marque : marque commerciale ou, notamment chez les récoltants, nom familial. Les termes de « château » ou « domaine » sont assimilés à des marques.

Le millésime ⑦

Souvent indiqué, il n'est pas pour autant obligatoire (*voir* p. précédente). Cette mention est fort utile, car elle permet d'évaluer les perspectives de garde en fonction de la cotation régionale des millésimes.

Le cépage ⑨

La mention du cépage est autorisée pour les vins de pays et certains vins d'appellation. Comme pour le millésime, l'Union européenne a adopté la règle des « 85/15 » : elle permet désormais d'indiquer le nom du cépage, même si 15 % du vin provient d'une autre variété.

Mise en bouteilles à la propriété ⑩

Un gage d'authenticité. Les caves coopératives, considérées comme le prolongement de la propriété, ont le droit d'utiliser cette mention. En Champagne, plusieurs sigles indiquent le statut du metteur en bouteilles, par exemple RM pour récoltant-manipulant (un vigneron), NM pour négociant-manipulant ou CM pour coopérative de manipulation (*voir* chapitre « Champagne »).

Classements

Dans certaines régions, il existe des classements officiels. En Bordelais (Médoc, Graves, Saint-Émilion, Sauternes), ce sont les propriétés et les châteaux qui sont classés. En Bourgogne, ce sont les terroirs : premiers ou grands crus, qui sont des lieux-dits (appelés localement *climats*). L'Alsace a également ses grands crus (terroirs classés), et la Champagne, ses premiers et grands crus (communes classées).

Bio

Jusqu'en 2012, faute d'accord à l'échelle européenne sur un cahier des charges en matière de vinification biologique, il n'y avait pas de « vin bio », seulement des « vins issus de raisins de l'agriculture biologique » (ou « de raisins biologiques » ou « cultivés en agriculture biologique »). Une telle mention, ainsi que le nom ou le numéro d'agrément de l'organisme certificateur qui vérifie le respect du cahier des charges, éventuellement accompagnée du logo AB, garantissaient une agriculture biologique (il faut cependant noter que certains domaines prestigieux pratiquent une viticulture bio sans le signaler). En 2012, un règlement européen a été publié. En conséquence, à partir de ce millésime, les mentions du type « vin issu de raisins de l'agriculture biologique » ne seront plus autorisées. Elles seront remplacées par le terme de « vin biologique » – à condition évidemment que les producteurs respectent la nouvelle réglementation pour l'élaboration de leurs vins –, accompagné du logo européen et du numéro de code de l'organisme certificateur. Le logo français AB reste facultatif (*voir* p. 66).

Style de vins

D'autres mentions renseignent sur le style de vins, sur son élaboration. Certaines sont traditionnelles et ont un caractère officiel : « vendanges tardives » (vin blanc moelleux d'Alsace), « sélection de grains nobles » (liquoreux d'Alsace ou d'Anjou), « vin jaune », « vin de paille » (vins originaux du Jura), « méthode traditionnelle »

ÉTIQUETTE, CONTRE-ÉTIQUETTE, COLLERETTE

Si de nombreuses bouteilles comportent une étiquette unique, où figurent toutes les mentions obligatoires et facultatives, l'usage de la contre-étiquette se répand. Soit elle ne porte que des mentions facultatives (description du vin, conseils pour la température de service et les accords gourmands), soit elle affiche tout ou partie des mentions légales et obligatoires. Dans ce dernier cas, l'étiquette la plus visible a une fonction avant tout esthétique et porte des mentions succintes (marque, nom de cuvée, de commune). L'étiquette légale, placée « au dos » de la bouteille, ressemble à une contre-étiquette. Elle n'en comprend pas moins des précisions essentielles et mérite une lecture attentive. Certaines bouteilles portent une collerette, qui indique en général le millésime si celui-ci ne figure pas sur l'étiquette.

(effervescent résultant d'une seconde fermentation en bouteille). Autres précisions réglementées, le dosage d'un champagne (extra-brut, brut, demi-sec, etc.), qui indique son caractère plus ou moins sec ; en blanc, la mention « sec » ou « doux », utile lorsque l'appellation produit les deux types de vins ; le terme « sur lie », appliqué au muscadet ; l'adjectif « ambré », pour un rivesaltes blanc, tandis que le « tuilé » est rouge. Non réglementées mais utiles, les mentions de l'élevage en fût de chêne, de l'absence de filtration, de soufre, etc. On se référera aux chapitres de chaque région pour une explication détaillée de ces mentions.

Nom de cuvée ⑪

On peut trouver sur l'étiquette des noms de lieux-dits, de communes ou de régions qui précisent la provenance : ce sont là des mentions réglementées. Cuvée Prestige, Vieilles Vignes, cuvée au nom des enfants du vigneron : ces mentions identifient un vin, mais elles ne garantissent pas une qualité supérieure. Si vous voulez acquérir une cuvée distinguée par le Guide, notez non seulement le nom du vin, mais aussi, s'il y a lieu, le nom de la cuvée et toutes les mentions qui figurent à côté du nom principal.

Acheter : les circuits d'achats

En grande surface, chez le caviste, le producteur... Les circuits de distribution du vin sont multiples, chacun présentant ses avantages. À chaque consommateur de trouver la formule qui lui convient.

Chez le producteur

La vente directe permet-elle de faire des économies ? Pas nécessairement, car les producteurs veillent à ne pas concurrencer leurs diffuseurs. Nombre de châteaux bordelais, quand ils vendent aux particuliers, proposent ainsi leurs crus à des prix supérieurs à ceux pratiqués par les détaillants. D'autant que les revendeurs obtiennent, grâce à des commandes massives, des prix plus intéressants que le particulier. En résumé, on achètera sur place les vins de producteurs dont la diffusion est limitée, et non les vins de grands châteaux, sauf millésimes rares ou cuvées spéciales.

L'achat à la propriété, un moyen de découvrir les secrets du vin.

La visite au producteur apporte bien d'autres satisfactions que celle d'une simple bonne affaire : on découvre un paysage, un terroir, des méthodes de travail ; on comprend les relations étroites qui existent entre un homme et son vin.

Sur les routes des Vins, on se souviendra du slogan : « Celui qui conduit est celui qui ne boit pas. » Les producteurs prévoient des crachoirs pour permettre aux conducteurs de goûter comme le font les professionnels.

En cave coopérative

Les coopératives regroupent des producteurs d'une aire géographique donnée : une commune ou une zone plus large. Les adhérents apportent leur raisin et les responsables techniques se chargent du pressurage, de la vinification, de l'élevage et de la commercialisation. L'instauration de chartes de qualité avec les vignerons et la possibilité d'élaborer des cuvées selon la qualité spécifique de chaque livraison de raisin ou selon une sélection de terroirs ouvrent aux meilleures coopératives le secteur des vins de qualité, voire de garde.

Chez le négociant

Le négociant, par définition, achète des vins pour les revendre, mais il est souvent lui-même propriétaire de vignobles : il peut donc agir en producteur et commercialiser sa production, ou bien vendre le vin de producteurs indépendants sans autre intervention que le transfert (cas des négociants bordelais qui ont à leur catalogue des vins mis en bouteilles au château), ou encore signer un contrat de monopole de vente avec une unité de production. Le négociant-éleveur assemble des vins de même appellation fournis par divers producteurs et les élève dans ses chais. Il est ainsi le créateur du produit à double titre : par le choix de ses achats et par l'assemblage qu'il exécute. Le propre d'un négociant est de diffuser, donc d'alimenter les réseaux de vente qu'il ne doit pas concurrencer en vendant chez lui ses vins à des prix très inférieurs.

Chez le caviste

Pour le citadin, c'est le mode d'achat le plus facile et le plus rapide, le plus sûr également lorsque le caviste est qualifié. Il existe nombre de boutiques spécialisées dans la vente de vins de qualité, indépendantes ou franchisées. Qu'est-ce qu'un bon caviste ? C'est celui qui est équipé pour entreposer les vins dans de bonnes conditions et qui sait choisir des vins originaux de producteurs amoureux de leur métier. En outre, le bon détaillant saura conseiller l'acheteur, lui faire découvrir des vins que celui-ci ignore et lui suggérer des accords gastronomiques.

En grande surface

Aujourd'hui, nombre de grandes surfaces possèdent un rayon spécialisé bien équipé, où les bouteilles sont couchées et souvent classées par région. L'amateur y trouve – notamment en hypermarché – une large gamme, des vins de table aux crus prestigieux. Seuls les appellations confidentielles et les vins de petites propriétés sont moins représentés. Les foires aux vins des grandes surfaces proposent une offre élargie. Si celles de printemps misent plutôt sur les vins d'été à boire jeunes, celles d'automne présentent une importante sélection de crus renommés et de garde à des prix intéressants, même si les grands millésimes des domaines les plus prestigieux ne sont pas toujours disponibles. On consultera au préalable les catalogues, Guide en main, pour repérer cuvées et millésimes, et l'on viendra dès l'ouverture – voire en avant-première.

Dans les clubs

Quantité de bouteilles, livrées en cartons ou en caisses, arrivent directement chez l'amateur grâce aux clubs qui offrent à leurs adhérents un certain nombre d'avantages. Le choix est assez vaste et comporte parfois des vins peu courants. Il faut toutefois noter que beaucoup de clubs sont des négociants.

Dans les foires et salons

Organisés périodiquement dans les villes, foires et salons permettent aux amateurs de rencontrer un grand nombre de vignerons et de goûter certaines de leurs cuvées sans aller sur le lieu de production. L'offre est abondante, et l'atmosphère souvent conviviale – à condition d'éviter les heures d'affluence... Mieux vaut préparer sa visite, aidé du Guide.

Les ventes aux enchères

Ces ventes sont organisées par des commissaires-priseurs assistés d'un expert. Il importe de connaître l'origine des bouteilles. Si elles proviennent

ACHETER EN PRIMEUR

Le principe est simple : acquérir un vin avant qu'il ne soit élevé et mis en bouteilles, à un prix supposé inférieur à celui qu'il atteindra à sa sortie de la propriété. Les souscriptions sont ouvertes pour un volume contingenté et pour un temps limité, généralement au printemps et au début de l'été qui suivent les vendanges. Elles sont organisées par les propriétaires, par des sociétés de négoce et des clubs de vente de vins. L'acheteur s'acquitte de la moitié du prix convenu à la commande et s'engage à verser le solde à la livraison des bouteilles, c'est-à-dire de douze à quinze mois plus tard. Ainsi, le producteur s'assure des rentrées d'argent rapides, et l'acheteur réalise une bonne opération... lorsque le cours des vins augmente !

d'un grand restaurant ou de la riche cave d'un amateur, leur conservation est probablement parfaite, ce qui n'est pas toujours le cas si elles constituent un regroupement de petits lots divers. Les bouteilles dont le niveau n'atteint plus que le bas de l'épaule, ou d'une teinte « usée » (bronze pour les blancs, brune pour les rouges) ont sûrement dépassé leur apogée.

On réalise rarement de bonnes affaires dans les grandes appellations, qui intéressent des restaurateurs. En revanche, les appellations moins connues, moins recherchées par les professionnels, sont parfois très abordables.

Sur Internet

Les cavistes en ligne donnent souvent quelques informations sur les bouteilles qu'ils vendent, voire sur les vignobles ou sur la dégustation, sans aller jusqu'au conseil personnalisé dont on peut bénéficier chez les meilleurs détaillants. Comme les clubs, ils font des offres commerciales (dégustations, visites). On privilégiera les sites connus, qui proposent des dispositifs de paiement sécurisé. On s'assurera des délais de livraison et l'on vérifiera si les prix sont intéressants en prenant en compte le coût du transport.

Acheter : les contenants

Vrac ou bouteille ? De nouveaux conditionnements apparaissent, mais si l'on souhaite acquérir du vin pour qu'il se bonifie en cave, on l'achètera dans la bouteille traditionnelle, en verre lourd et souvent teinté, dont la forme varie fréquemment selon les régions.

Acheter en vrac

Le vin non logé en bouteilles est dit en vrac. La vente en vrac est pratiquée par les producteurs et par des détaillants qui débitent quelques vins « à la tireuse ». Il s'agit le plus souvent de vins d'entrée de gamme ou de qualité moyenne. Il faut garder en mémoire que le producteur sélectionne toujours les meilleures cuves pour ses mises en bouteilles.

L'achat en bouteilles

Le poids, la couleur et la forme donnent une première indication – certes vague et incertaine – sur le style de vin, sa destination, voire son origine.

Le matériau

À l'instar des Australiens qui lancent du vin en canette alu, on voit apparaître des côtes-du-rhône, bordeaux ou autre beaujolais (nouveau) en bouteilles PET, et du vin de pays en Tetrapak. En France, malgré les progrès du bib, la bouteille de verre reprend ses droits dans l'univers des vins de qualité et a fortiori de garde. Non seulement parce que les vertus de ces nouveaux matériaux restent à prouver pour la conservation, mais aussi parce que la dégustation festive des vins de qualité est associée à un certain cérémonial – ne serait-ce que le bruit du bouchon à l'ouverture.

LE VRAC AUJOURD'HUI : « CUBI » ET « BIB »

Pour le particulier, l'achat en vrac porte souvent sur d'assez faibles volumes. Le cubitainer, léger et solide, facile à empiler, sert avant tout au transport. En effet, ce petit tonneau moderne, une fois ouvert, laisse passer l'air, et le vin s'oxyde rapidement. De conception plus récente, le bag-in-box ou bib (fontaine à vin) est une solution intermédiaire entre le vrac et la bouteille. Cette poche en plastique rétractable, enveloppée dans un carton et munie d'un robinet, préserve le vin de l'air et permet ainsi de le conserver en bon état pendant deux à trois mois après ouverture. D'une capacité de 3 à 5 l le plus souvent, le bib est adapté à une consommation occasionnelle, quoique sans cérémonie. Il permet également aux restaurateurs de proposer au verre des produits d'une qualité honorable.

Le poids

Les bouteilles destinées aux vins de garde, qui s'empileront dans des casiers, doivent être plus lourdes, et plus encore celles qui contiennent des vins effervescents : elles ont à supporter la pression du gaz carbonique.

Alsace Muscadet Anjou Provence Clavelin Jura Bourgogne Bordeaux Champagne

Les couleurs

Elles vont du verre incolore au brun fumé, en passant par le vert bouteille ou feuille morte. Incolores, les bouteilles enveloppent souvent des vins à boire jeunes, blancs, rouges primeurs ou ces rosés dont la teinte contribue à l'agrément. Elles contiennent parfois des vins de garde liquoreux ; plus rarement, des champagnes : on s'empressera de mettre ces flacons en cave. La lumière a un effet aussi rapide que néfaste sur l'évolution des vins, en particulier des effervescents – dont les cuvées prestige sont d'ailleurs souvent vendues en coffrets. Les vins rouges et blancs secs de garde sont embouteillés dans des flacons de verre teinté qui font dans une certaine mesure écran aux rayons ultraviolets. D'autres couleurs ? On voit apparaître des verres bleus. Une mode récente qui concerne rarement des bouteilles de garde.

Les formes

Certaines sont réglementées, comme la flûte, réservée aux vins d'Alsace, ou le clavelin pour les vins jaunes jurassiens. Dans la plupart des cas, le respect des formes régionales est une question de tradition. La bouteille bordelaise, aux épaules larges destinées à retenir les tanins, est utilisée aussi pour les vins du Sud-Ouest et du Languedoc-Roussillon ; la bouteille bourguignonne aux épaules tombantes s'est répandue dans le Beaujolais, la vallée du Rhône et à Sancerre. La Loire préfère les bouteilles élancées. Des formes nouvelles se répandent, et le producteur peut mettre sa touche personnelle dans le conditionnement.

Le bouchon

Le liège obture la majorité des bouteilles. C'est un matériau étanche qui présente une certaine porosité à l'air. Meilleur est le vin, plus long doit être le bouchon pour permettre une garde optimale. La texture importe aussi. Le bouchon sera plein, non fissuré. Le liège d'une dizaine d'années a toute la souplesse requise pour bien obturer le flacon. Cependant, la capsule à vis, utilisée d'abord pour les spiritueux, est en net progrès, car elle garantit l'absence de goût de bouchon : son utilisation a décuplé en cinq ans ! L'Australie et la Nouvelle-Zélande l'ont adoptée. Des négociants réputés, bourguignons ou bordelais, l'utilisent pour les vins de qualité, notamment pour les blancs. Des producteurs de vins de garde illustres conduisent des expérimentations. Le consommateur européen suivra-t-il le mouvement ? Quant au bouchon synthétique, il se répand pour les vins à boire jeunes.

Le transport du vin

Les températures

Il faut préserver le vin des températures extrêmes, surtout des températures élevées qui l'affectent définitivement.

La réglementation

Le transport des boissons alcoolisées fait l'objet de taxes fiscales matérialisées soit par une capsule apposée au sommet de chaque bouteille, soit par un document d'accompagnement commercial délivré par le vigneron (notamment pour le transport de vin en vrac). Transporter du vin sans capsule ou document d'accompagnement est assimilé à une fraude fiscale et puni comme telle.

LES GRANDES BOUTEILLES

Nom de la bouteille	En champagne	En bordelais
Magnum	2 bouteilles (1,5 l)	2 bouteilles (1,5 l)
Double magnum		4 bouteilles (3 l)
Jéroboam	4 bouteilles (3 l)	6 bouteilles (4,5 l)
Mathusalem	8 bouteilles (6 l)	12 bouteilles (9 l)
Salmanazar	12 bouteilles (9 l)	
Balthazar	16 bouteilles (12 l)	
Nabuchodonosor	20 bouteilles (15 l)	20 bouteilles (15 l)

Conserver son vin

À l'inverse de la grappe de raisin avide de la lumière solaire, le vin recherche l'ombre. Il mûrit dans un lieu sombre et frais, protégé des vibrations et des odeurs. Il lui faut une atmosphère assez humide sans excès, suffisamment aérée mais à l'abri des courants d'air, et il redoute particulièrement les brusques changements de températures. Faute d'une cave enterrée idéale pour le stockage, ces exigences conduiront souvent à réaliser des aménagements divers, voire à opter pour une solution alternative.

Aménager sa cave

Une bonne cave est un lieu clos, sombre, à l'abri des trépidations et du bruit, exempt de toute odeur, protégé des courants d'air mais bien ventilé, d'un degré hygrométrique de 75 % et surtout d'une température stable, la plus proche possible de 11 ou 12 °C.

Les caves citadines présentent rarement de telles caractéristiques. Il faut donc, avant d'entreposer du vin, améliorer le local : établir une légère aération ou, au contraire, obstruer un soupirail trop ouvert ; humidifier l'atmosphère, en déposant une bassine d'eau contenant un peu de charbon de bois, ou l'assécher par du gravier tout en augmentant la ventilation ; tenter de stabiliser la température en posant des panneaux isolants ; éventuellement, monter les casiers sur des blocs en caoutchouc pour neutraliser les vibrations. Si toutefois une chaudière se trouve à proximité ou si des odeurs de mazout se répandent dans le local, celui-ci ne fera jamais une cave satisfaisante.

Équiper sa cave

L'expérience prouve qu'une cave est toujours trop petite. Le rangement des bouteilles doit donc être rationnel. Le casier à bouteilles classique, à un ou deux rangs, offre bien des avantages : il est peu coûteux et permet un accès facile à l'ensemble des flacons.

Malheureusement, ce casier à alvéoles est volumineux au regard du nombre de bouteilles logées. Si l'on possède une grande quantité de flacons, notamment lorsqu'on achète les mêmes références en quantités importantes, il faut empiler les bouteilles pour gagner de la place. Afin de séparer les piles pour avoir accès aux différents vins, on montera des casiers à compartiments pouvant contenir 24, 36 ou 48 bouteilles en pile, sur deux rangs. Si la cave n'est pas humide à l'excès, si le bois ne pourrit pas, il est possible d'élever des casiers en planches. Il sera nécessaire de les surveiller, car des insectes peuvent s'y installer, qui attaquent les bouchons et rendent les bouteilles couleuses. Les constructeurs proposent aujourd'hui nombre de casiers à compartiments, fixes, empilables et modulables, dans les matériaux les plus divers. Deux instruments indispensables complètent l'aménagement de la cave : un thermomètre à maxima et minima, et un hygromètre.

Ranger ses bouteilles

Dans la mesure du possible, on entreposera les vins blancs près du sol, les vins rouges au-dessus ; les vins de garde dans les rangées (ou casiers) du fond, les moins accessibles ; les bouteilles à boire, en situation frontale. Si les bouteilles achetées en cartons ne doivent pas demeurer dans leur emballage, celles livrées en caisses de bois peuvent y être conservées un temps, notamment si l'on envisage de revendre le vin. Néanmoins, les caisses prennent beaucoup de place et sont une proie aisée pour les pilleurs de caves. Il faut donc surveiller réguliè-

PAS DE CAVE ?

Si l'on ne dispose pas de cave ou que celle-ci est inutilisable, plusieurs solutions sont possibles :
– acheter une armoire à vin, dont la température et l'hygrométrie sont automatiquement maintenues ;
– construire de toutes pièces, en retrait dans son appartement, un lieu de stockage dont la température varie sans à-coups et ne dépasse pas 16 ° C. Plus la température est élevée, plus le vin évolue rapidement. Or, un vin qui atteint rapidement son apogée dans de mauvaises conditions de garde ne sera jamais aussi bon que s'il avait vieilli lentement dans une cave fraîche ;
– acquérir une cave en kit, à installer dans son logement, ou faire aménager une cave préfabriquée que l'on dispose en général sous la maison. Ces espaces, qui pallient l'absence de cave enterrée, représentent un investissement plus lourd qu'une armoire à vins.

rement leur état. On repérera casiers et bouteilles par un système de notation (alphanumérique par exemple), à reporter sur le livre de cave.

Constituer sa cave

Constituer une cave demande de l'organisation. Au préalable, on évaluera le budget dont on dispose et la capacité de sa cave. Il est utile aussi d'estimer dans les grandes lignes sa consommation annuelle. Ensuite, il convient d'acquérir des vins n'évoluant pas pareil, afin qu'ils n'atteignent pas tous en même temps leur apogée. Et pour ne pas boire toujours les mêmes, fussent-ils les meilleurs, on a intérêt à élargir sa sélection afin de disposer de bouteilles adaptées à différentes occasions et préparations culinaires. Plus le nombre de bouteilles est restreint, plus il faut veiller à les renouveler. On pourra se reporter à nos trois propositions de caves en les adaptant à ses goûts (*voir* en fin d'ouvrage). Celles-ci n'incluent pas de vins primeurs, ni de vins à boire jeunes. Les valeurs indiquées ne sont, bien sûr, que des ordres de grandeur.

Vins à boire, vins à encaver

Souhaite-t-on consommer ses vins sur une courte période ou suivre leur évolution dans le temps ? La démarche sera différente. Si l'on recherche une bouteille prête à boire, on privilégiera les bouteilles à boire jeunes ou de courte garde : vins primeurs (de type beaujolais nouveau), vins de pays ou d'appellation régionale. Faut-il écarter les appellations prestigieuses, les vins de garde ? Non, mais on se tournera vers des millésimes à évolution rapide – ces « petits » millésimes qui ont l'avantage d'être prêts plus tôt. Il est difficile de trouver sur le marché de grands vins parvenus à leur apogée. Certains cavistes ou propriétaires en proposent, mais à un prix évidemment très élevé. Lorsqu'on souhaite conserver ses vins dans l'espoir de les voir se bonifier, mieux vaut être très sélectif dans le choix des producteurs et acquérir les meilleurs millésimes (*voir* tableau des millésimes pages suivantes).

Quand faut-il boire le vin ?

Les vins évoluent de manières très différentes. Ils atteignent leur apogée après une garde plus ou moins longue : de un à vingt ans. Quant à la phase d'apogée, elle varie de quelques mois pour les vins à boire jeunes, à plusieurs décennies pour quelques rares grandes bouteilles.

Le temps de garde varie selon l'appellation – et donc selon le cépage, le terroir et la vinification. La qualité du millésime influe aussi sur la conservation : un petit millésime peut évoluer deux ou trois fois plus rapidement qu'un autre millésime d'une même appellation. Néanmoins, il est possible d'évaluer le potentiel de garde des vins selon leur origine géographique. À chacun, ensuite, d'ajuster cette garde en fonction des conditions de conservation dans sa cave et de sa connaissance des millésimes.

Les millésimes

Les vins de qualité sont millésimés à l'exception des vins de liqueur, de certains vins doux naturels et de nombreux effervescents élaborés par assemblage de plusieurs années. Dans ce cas, la qualité du produit dépend du talent de l'assembleur, mais ces vins ne gagnent pas à vieillir. Des conditions météorologiques au moment de la maturation et de la récolte, la qualité des millésimes varie selon les régions viticoles et selon les producteurs.

Qu'est-ce qu'un grand millésime ?

Il est généralement issu de faibles rendements, même si de bonnes conditions climatiques engendrent parfois l'abondance et la qualité, comme en 1989 et en 1990. Le grand millésime résulte souvent de vendanges précoces. Dans tous les cas, il a été élaboré à partir de raisins parfaitement sains, exempts de pourriture.

Peu importe les conditions météorologiques qui ont marqué le début du cycle végétatif : on peut même soutenir que des incidents tels que gel ou coulure (chute de jeunes baies avant maturation) ont des conséquences favorables puisqu'ils diminuent le nombre de grappes par pied. En revanche, la période qui s'étend du 15 août aux vendanges est capitale : un maximum de chaleur et de soleil est alors nécessaire. L'année 1961 demeure le grand millésime du XXe s. A contrario, les années 1963, 1965 et 1968 furent désastreuses, parce qu'elles cumulèrent froid et pluie, d'où une absence de maturité et un fort rendement en raisins gorgés d'eau. Pluie et chaleur ne valent guère mieux, car leur conjonction favorise la pourriture ; 1976 – le grand millésime potentiel du sud-ouest de la France – en a pâti. Quant à la canicule de 2003, elle a parfois grillé le raisin et produit des vins lourds.

Comment lire un tableau de cotation ?

Il est d'usage de résumer la qualité des millésimes dans des tableaux de cotation, mais il faut en connaître les limites. Ces notes, des moyennes, ne prennent pas en compte les microclimats, pas plus que les efforts de tris de raisins à la vendange ou les sélections des vins en cuve. On peut élaborer un excellent vin dans une année cotée zéro.

Propositions de cotation (de 0 à 20)

	Alsace	Beaujolais	Bordeaux rouge	Bordeaux liquoreux	Bordeaux sec	Bourgogne rouge	Bourgogne blanc	Champagne	Jura (vin jaune)	Languedoc-Roussillon	Provence rouge	Sud-Ouest rouge	Sud-Ouest blanc liquoreux	Loire rouge	Loire blanc liquoreux	Rhône (nord)	Rhône (sud)
1945	20		20	20	18	20	18	20					19				
1946	9		14	9	10	10	13	10					12				
1947	17		18	20	18	18	18	18					20				
1948	15		16	16	16	10	14	11					12				
1949	19		19	20	18	20	18	17					16				
1950	14		13	18	16	11	19	16					14				
1951	8		8	6	6	7	6	7					7				
1952	14		16	16	16	16	18	16					15				
1953	18		19	17	16	18	17	17					18				
1954	9	9	10			14	11	15					9				
1955	17	13	16	19	18	15	18	19					16				
1956	9	6	5										9				
1957	13	11	10	15		14	15						13				
1958	12	7	11	14		10	9						12				
1959	20	13	19	20	18	19	17	17					19				
1960	12	5	11	10	10	10	7	14					9				
1961	19	16	20	15	16	18	17	16					16				
1962	14	13	16	16	16	17	19	17					15				
1963		6				10											

	Alsace	Beaujolais	Bordeaux rouge	Bordeaux liquoreux	Bordeaux sec	Bourgogne rouge	Bourgogne blanc	Champagne	Jura (vin jaune)	Languedoc-Roussillon	Provence rouge	Sud-Ouest rouge	Sud-Ouest blanc liquoreux	Loire rouge	Loire blanc liquoreux	Rhône (nord)	Rhône (sud)
1964	18	8	16	9	13	16	17	18					16				
1965					12								8				
1966	12	11	17	15	16	18	18	17					15				
1967	14	13	14	18	16	15	16						13				
1968																	
1969	16	14	10	13	12	19	18	16					15				
1970	14	13	17	15	18	15	15	17					15				
1971	18	15	16	17	19	18	20	16					17				
1972	9	6	10		9	11	13						9				
1973	16	7	13	12		12	16	16					16				
1974	13	8	11	14		12	13	8					11				
1975	15	7	18	17	18		11	18					15				
1976	19	16	15	19	16	18	15	15					18				
1977	12	9	12	7	14	11	12	9					11				
1978	15	12	17	14	17	19	17	16					17				
1979	16	13	16	18	18	15	16	15					14				
1980	10	10	13	17	18	12	12	14					13			15	
1981	17	14	16	16	17	14	15	15					15				
1982	15	12	18	14	16	14	16	16			17	17	15	14		14	15
1983	20	17	17	17	16	15	16	15	16			16	18	12		16	16
1984	15	11	13	13	12	13	14	5		13		10	10			13	15
1985	19	16	18	15	14	17	17	17	17	18	17	17	17	16	16	17	16
1986	10	15	17	17	12	12	15	12	17	15	16	16	16	13	14	15	13
1987	13	14	13	11	16	12	11	10	16	14	14	14		13		16	12
1988	17	15	16	19	18	16	14	18	16	17	17	18	18	16	18	17	15
1989	16	16	18	19	18	16	18	16	17	16	16	17	17	20	19	18	16
1990	18	14	18	20	17	18	18	18	18	17	16	16	18	17	20	19	19
1991	13	15	13	14	13	14	15	11		14	13	14		12	9	15	13
1992	15	9	12	10	14	15	17	12		13	9	9		14		11	16
1993	13	11	13	8	15	14	13	12		14	11	14	14	13	12	11	14
1994	12	14	14	14	17	14	16	12		12	10	14	15	14	12	14	11
1995	12	16	16	18	17	14	16	16	17	15	15	15	16	17	17	15	16
1996	13	14	15	18	16	17	18	19	18	13	14	14	13	17	17	15	13
1997	16	13	14	18	14	14	17	15	16	13	13	13	16	16	16	14	13
1998	13	13	15	16	14	15	14	13	14	17	16	16	13	14		18	18
1999	10	11	14	17	13	13	12	15	17	15	14	14	10	12	10	16	14
2000	12	12	18	10	16	11	15	15	16	16	14	14	13	16	13	17	15
2001	13	11	15	17	16	13	16	9		16	14	16	18	13	16	17	11
2002	11	10	14	18	16	17	17	17	14	12	11	15	14	14	10	8	9
2003	12	15	15	18	13	17	18	14	17	15	13	14	17	15	17	16	14
2004	13	12	14	10	17	13	15	16	13	15	15	13	15	14	10	12	16
2005	15	18	18	17	18	19	18	14	17	15	12	16	17	16	18	16	18
2006	12	12	14	16	14	14	16	16	15	15	16	13	15	10	10	16	15
2007	16	14	14	17	15	12	13	13	14	16	14	12	14	12	13	15	18
2008	14	14	15	16	15	14	15	16		15	12	13	12	15	12	14	14
2009	15	18	18	18	19	17	16	15		15	14	18	17	17	14	18	16
2010	14	16	18	18	19	16	17	14		17	14	15	12	17	16	16	15
2011	15	14	16	17	15	14	15	13		16	16	14	13	15	13	14	14
2012	16	14	14	12	14	14	15	18		15	14	15	13	13	10	14	14

Le service des vins

Si de nombreux vins ne demandent qu'un bon tire-bouchon, on traitera avec ménagement les flacons longuement vieillis. Et quels que soient leur type et leur âge, on apprécie d'autant mieux les vins s'ils sont servis à la bonne température. Si l'on prévoit plus d'une bouteille au cours du repas, on les proposera dans un ordre qui mette chacune en valeur.

Déboucher

On coupera la capsule en dessous de la bague ou au milieu. Le vin ne doit pas entrer en contact avec le métal de la capsule. Dans le cas où le goulot est ciré, on enlèvera la cire avec un couteau sur la partie supérieure du col. Pour extraire le bouchon, seul le tire-bouchon à vis en queue de cochon donne satisfaction (et le tire-bouchon à lames au maniement toutefois délicat). Il faut veiller à ne pas transpercer le bouchon afin d'éviter que de petits bouts de liège ne tombent dans le vin. Une fois extrait, il ne sert à rien de le humer : le goût de bouchon ne se détecte vraiment que dans le vin lui-même. Ensuite, on goûte le vin avant de le servir aux convives.

Servir

Quand déboucher ? De nombreux vins gagnent à prendre un peu d'air. L'aération fait apparaître plus soyeux et plus fondus les jeunes vins rouges tanniques, et permet à tous les vins d'épanouir leurs arômes. Des études ont toutefois montré qu'il ne suffit pas de déboucher la bouteille longtemps à l'avance, la surface en contact avec l'air par le goulot étant trop petite. Pour aérer un vin, on doit le passer en carafe une à deux heures avant le service. Cette opération, inutile pour les vins à boire jeunes tels que les rosés, les blancs vifs ou les rouges gouleyants, est bénéfique pour les autres, y compris les blancs élevés en fût et les moelleux. Elle n'est pas toujours judicieuse pour les vins très âgés, car ils s'oxydent parfois très rapidement, perdant leurs arômes. Pour ces vieux flacons, le passage en carafe vise à séparer, par décantation, le vin des sédiments qui se sont déposés au fond de la bouteille avec le temps. On parle dans ce cas de décantage. On transvase alors le vin avec soin, si possible devant une source lumineuse, et on le déguste sans attendre. Très fragile, le vin vieux est à manier avec précaution : à la cave, on redressera lentement la bouteille, à moins qu'on ne la dépose, à peine relevée, directement dans un panier-verseur.

À quelle température ?

On peut tuer un vin en le servant à une température inadéquate. Le mieux est de vérifier la température de service à l'aide d'un thermomètre à vin. La température idéale est fonction du type de vin, de son âge et, dans une moindre mesure, de la température ambiante. Les vins rouges se dégustent à une température plus élevée que les blancs, car le froid durcit leurs tanins. Les vins jeunes se servent plus frais que les vins âgés. Les températures doivent être augmentées d'un degré ou deux lorsque le vin est vieux. Les vins doux et les effervescents s'apprécient frais, mais non glacés. On sert légèrement plus frais les vins destinés à l'apéritif que ceux qui accompagnent le repas. Enfin, on gardera à l'esprit que le vin se réchauffe dans le verre.

Grands vins rouges de Bordeaux à leur apogée	16-17 °C
Grands vins rouges de Bourgogne à leur apogée	15-16 °C
Grands vins rouges avant leur apogée, vins rouges de qualité	14-16 °C
Grands vins blancs secs	12-14 °C
Vins rouges légers, fruités, jeunes	11-12 °C
Vins primeurs et rosés	10 °C
Vins blancs secs vifs et légers	10-12 °C
Champagnes, crémants, vins effervescents	8-9 °C
Vins liquoreux	8-9 °C

Les verres

Certaines régions comme l'Alsace ont adopté un type de verre particulier. Dans la pratique, on se contentera soit d'un verre universel (de style verre à dégustation), soit des deux types les plus usités : le verre à bordeaux et le verre à bourgogne. On les remplit modérément, plus près du tiers que de la moitié. On les lave à l'eau claire ou légèrement savonneuse, avant de bien les rincer et de les faire sécher à l'air libre, tête en bas.

L'ordre de service des vins

Rien n'empêche de servir un vin unique pour tout le repas. Cette pratique s'accorde avec les impératifs de modération et la simplicité des repas courants, parfois constitués d'un plat unique. On choisira alors un vin aimable, facile à marier avec la plupart des plats prévus ; on peut aussi réserver la bouteille au plat principal, en suivant les règles d'accord des mets et des vins. Si l'on souhaite sophistiquer le repas en offrant plusieurs types de vins, on réfléchira à leur ordre de service. Aucun vin ne doit faire regretter le précédent ; il s'agit dont d'aller crescendo, du plus léger au plus corsé. Du plus jeune au plus vieux ? Oui, sauf si le vin jeune est particulière-ment chaleureux et puissant : il risque alors de saturer les papilles avant la dégustation du vieux vin, souvent plus délicat. Du blanc au rouge ? Oui, mais attention, certains vins blancs, les liquoreux par exemple, ont une telle puissance qu'ils écrasent les rouges qui les suivent. Il convient donc de les réserver pour la fin du repas.

AU RESTAURANT

Une carte correcte doit comporter, pour chaque vin, les informations suivantes : appellation, millésime, nom du producteur. Une belle carte présentera un large éventail d'appellations et de millésimes. Elle fera la part belle aux vins locaux si l'établissement est situé dans une région viticole.
Pourquoi fait-on goûter le vin au restaurant ? Pas pour savoir si le vin plaît au client, puisqu'il l'a choisi, mais pour vérifier que la bouteille ouverte n'a pas de défaut. Il est parfaitement admis, voire normal, de renvoyer un vin si l'on y trouve – cas le plus fréquent – un goût de bouchon.

La dégustation

Pour l'amateur, savoir déguster, c'est découvrir toutes les facettes du vin en trois étapes : l'œil, le nez, la bouche. Simple exercice de frime, manifestation de snobisme ? Parfois, mais surtout on comprend et on apprécie mieux tout ce que l'on parvient à traduire en mots, ses sensations par exemple. Cela demande un petit effort, mais le plaisir que l'on peut en retirer en vaut la peine. En tout état de cause, déguster doit rester un jeu, un moment de partage.

aussi bien – voire pas du tout – dans un verre à moutarde que dans un verre à pied. Un verre incolore, afin que la robe du vin soit bien visible, et si possible fin. Sa forme sera celle d'une tulipe légèrement refermée pour mieux retenir les arômes. Son corps sera séparé du pied par une tige : ainsi, le vin ne se réchauffera pas lorsqu'on tiendra le verre par son pied et pourra facilement être agité pour s'oxygéner et révéler son bouquet. La forme du verre a une telle influence sur l'appréciation olfactive et gustative du vin que l'Association française de normalisation (Afnor) et les instances internationales de normalisation (Iso) ont adopté, après étude, un type de verre qui offre de bonnes garanties d'efficacité, appelé verre INAO. L'Union des œnologues de France a également mis au point des verres à dégustation.

Les étapes de la dégustation

La dégustation fait successivement appel à la vue, à l'odorat et au goût – et même au sens tactile, par l'entremise de la bouche, sensible à la température, à la consistance et à la présence de gaz.

Les conditions idéales
Le cadre

Pour une bonne dégustation, mieux vaut être dans une pièce bien éclairée (lumière naturelle ou éclairage ne modifiant pas les couleurs, dit lumière du jour), sans odeurs parasites telles que parfum, fumée (tabac ou cheminée), plat cuisiné ou fleurs. La température ne doit pas dépasser 18-20 °C. Si l'on déguste le vin pour lui-même, le meilleur moment est avant les repas (le matin vers 11 h, l'après-midi vers 18 h). À table, autour d'un plat, le vin révélera une facette de sa personnalité différente mais tout aussi – voire plus – intéressante.

Le verre

Le verre est comme un outil pour le dégustateur. Il est primordial qu'il soit le mieux adapté possible. Un vin ne s'exprimera pas

DÉGUSTER POUR ACHETER

Lorsqu'on déguste un vin dans une perspective d'achat, il faut s'assurer qu'on l'apprécie dans de bonnes conditions. On évitera de le goûter au sortir d'un repas, après l'absorption d'eau-de-vie, de café, de chocolat ou de bonbons à la menthe, ou encore après avoir fumé. Attention aux aliments qui modifient la sensibilité du palais, comme le fromage ou les noix (ces dernières améliorent les vins).
Si l'on souhaite acquérir un vin pour le conserver, on se rappellera que ce sont l'alcool, l'acidité et, pour les rouges, la présence des tanins et la bonne qualité qui assurent la garde.

L'œil

L'examen de la robe (ensemble des caractères visuels), marquée par le cépage d'origine et le mode d'élaboration, est riche d'enseignements. Il porte sur :

– La limpidité. Aujourd'hui, les vins mis sur le marché sont limpides. Tout au plus peut-on trouver de petits cristaux de bitartrates (insolubles), précipitation que connaissent les vins victimes d'un coup de froid ; leur qualité n'en est pas altérée. On détermine la transparence (vin rouge) en inclinant son verre sur un fond blanc, nappe ou feuille de papier.

– La nuance de la robe. Le mode d'élaboration a parfois une influence sur la teinte : les vins blancs élevés en fût ont souvent une teinte plus foncée. La couleur de la robe informe surtout sur l'âge du vin et sur son état de conservation. La teinte des vins blancs jeunes, jaune pâle, présente parfois des reflets verts. Avec l'âge, elle fonce, devient jaune d'or, puis cuivrée, voire bronzée. Ces teintes ambrées, normales pour un vin liquoreux, doivent alerter pour un vin sec : il a sans doute dépassé son apogée. Quant aux vins rouges, leur robe affiche des nuances violettes lorsqu'ils sont jeunes. Des reflets orangés ou brique annoncent un vin évolué, qu'il ne faut pas tarder à boire.

– L'intensité de la couleur. On ne confondra pas intensité et nuance (le ton) de la robe. Une couleur claire reflète parfois un vin dilué. Mais l'intensité de la couleur est aussi fonction du cépage : en rouge, par exemple, le cabernet-sauvignon, la syrah et le tannat donnent des robes plus profondes que le pinot noir. Elle peut aussi varier en fonction de la vinification : une macération courte donne des robes légères, une cuvaison longue, des robes foncées, signe d'une plus forte extraction. La robe légère n'est pas forcément un défaut pour un vin gouleyant à boire jeune : pour juger, on tiendra compte du type du vin.

– Les larmes ou jambes. Il s'agit des écoulements que le vin forme sur la paroi du verre quand on l'anime d'un mouvement rotatif pour humer les arômes. Les larmes traduisent la présence de glycérol, un composé visqueux au goût sucré qui se forme pendant la fermentation et qui donne au vin son onctuosité (le « gras » du vin).

QUALIFICATIFS SE RAPPORTANT À L'EXAMEN VISUEL DE LA ROBE

	NUANCES	INTENSITÉ	LIMPIDITÉ
Blancs	jaune clair, paille, or, ambré	Légère Soutenue Intense Foncée Profonde	Opaque Louche Voilée Cristalline
Rosés	églantine, œil-de-perdrix, saumon, rose, framboise, grenadine		
Rouges	rubis, cerise, pivoine, pourpre, grenat, violet		

Le nez

Deuxième étape de la dégustation, l'examen olfactif permet aux dégustateurs professionnels de détecter certains défauts rédhibitoires, telles la piqûre acétique ou l'odeur du liège moisi (goût de bouchon). Pour les amateurs, heureusement, il ne s'agit la plupart du temps que de démêler des impressions plus agréables. Le nez du vin rassemble un faisceau de parfums en mouvance permanente, qui se présentent successivement selon la température et l'aération. On commencera par humer ce qui se dégage du verre immobile, puis on imprimera au vin un mouvement de rotation : l'air fait alors son effet et d'autres parfums apparaissent. Les composants aromatiques du vin s'expriment selon leur volatilité. Il s'agit en quelque sorte d'une évaporation du vin, ce qui explique que la température de service soit si importante : trop froide, les arômes ne s'expriment pas ; trop chaude, ils s'évaporent trop rapidement, s'oxydent, et les parfums très volatils disparaissent, tandis que ressortent des éléments aromatiques lourds. La qualité d'un vin est fonction de l'intensité et de la complexité du bouquet. Le vocabulaire relatif aux arômes est riche, car il procède par analogie. Divers systèmes de classification des arômes ont été proposés ; pour simplifier, retenons les familles florale, fruitée, végétale (ou herbacée), épicée, balsamique, animale, empyreumatique (en référence au feu), minérale, lactée et la pâtisserie.

La bouche

Une faible quantité de vin est mise en bouche. Pour permettre sa diffusion dans l'ensemble de la cavité buccale, on aspire un filet d'air. À défaut, le vin est simplement mâché. Dans la bouche, il s'échauffe et diffuse de nouveaux éléments aromatiques, recueillis par la voie rétronasale qui utilise le passage reliant le palais aux fosses nasales – étant entendu que les papilles de la langue ne sont sensibles qu'aux quatre saveurs élémentaires : l'amer, l'acide, le sucré et le salé. Voilà pourquoi une personne enrhumée ne peut goûter un vin, la voie rétronasale étant inopérante.

Outre les quatre saveurs élémentaires, la bouche est sensible à la température du vin, à sa viscosité, à la présence ou à l'absence de gaz carbonique et à l'astringence (effet tactile : absence de lubrification par la salive et contraction des muqueuses sous l'action des tanins).

C'est en bouche que se révèlent l'équilibre, l'harmonie, l'élégance ou, au contraire, le caractère de vins mal bâtis. L'harmonie des vins blancs et rosés s'apprécie à leur équilibre entre acidité et alcool pour les vins secs, acidité et moelleux (sucre) pour les vins doux. Pour les vins rouges, elle tient à l'équilibre entre l'acidité, l'alcool et les tanins. Ces éléments supportent sa richesse aromatique ; un grand vin se distingue par sa construction rigoureuse et puissante, quoique fondue, par son ampleur et par sa complexité aromatique.

Après cette analyse en bouche, le vin est avalé. Le dégustateur se concentre alors pour mesurer sa persistance aromatique, appelée aussi longueur en bouche. Plus le vin est riche en arômes, plus il est dense et séveux, plus il tapisse les muqueuses du palais et prolonge l'excitation des sens. En somme, plus un vin est long, plus il est

LES PRINCIPALES FAMILLES D'ARÔMES	
Florale	Fleurs blanches (aubépine, jasmin, acacia...), tilleul, violette, iris, pivoine, rose
Fruitée	Fruits rouges (cerise, fraise, framboise, groseille), noirs (cassis, mûre, myrtille), jaunes (pêche, abricot, mirabelle), blancs (pomme, poire, pêche blanche), exotiques (fruit de la Passion, mangue, ananas, litchi), agrumes (citron, pamplemousse, orange, mandarine)
Végétale	Herbe, fougère, mousse, sous-bois, champignon, humus, garrigue
Épicée	Poivre, gingembre, cannelle, vanille, girofle, réglisse
Balsamique	Résine, pin, térébenthine, santal
Animale	Viande, gibier, musc, fourrure, cuir
Empyreumatique	Brûlé, fumé, grillé, toasté, torréfié (café, cacao), caramel, tabac, foin séché
Minérale	Pierre à fusil, graphite, pétrole, iode
Pâtisserie	Brioche, miel
Lactée	Beurre frais, crème

estimable. Cette mesure (exprimée en secondes ou caudalies) ne porte que sur la longueur aromatique, à l'exclusion des éléments de structure du vin (acidité, amertume, sucre et alcool).

La reconnaissance d'un vin

La dégustation consiste le plus souvent à apprécier un vin. Est-il grand, moyen ou petit ? Si son origine est précisée, on cherche parfois à savoir s'il est conforme à son type.

Quant à la dégustation d'identification, ou de reconnaissance, c'est un jeu de société. Elle demande un minimum d'informations. On peut reconnaître un cépage, par exemple le cabernet-sauvignon. Mais de quel pays provient-il ? L'identification des grandes régions françaises est possible, mais il est difficile d'être plus précis : si l'on propose six verres de vin en précisant qu'ils représentent les six appellations communales du Médoc (listrac, moulis, margaux, saint-julien, pauillac, saint-estèphe), combien y aura-t-il de sans-faute ?

Une expérience classique prouve la difficulté de la dégustation de reconnaissance : le dégustateur, les yeux bandés, goûte en ordre dispersé

des vins rouges peu tanniques et des vins blancs non aromatiques, de préférence élevés dans le bois. Il doit simplement distinguer le blanc du rouge : il est très rare qu'il ne se trompe pas !

LES DEGRÉS DE L'ACIDITÉ

Manque	Satisfaisant			Excès
Plat Mou	Tendre	Frais Vif	Nerveux	Vert, mordant Agressif

LES DEGRÉS DU SUCRÉ

Absence	Satisfaisant			Excès
Sec	Tendre Souple	Doux Moelleux	Liquoreux	Sirupeux, pommadé Lourd

LES DEGRÉS DE LA PUISSANCE ALCOOLIQUE

Manque	Satisfaisant			Excès
Pauvre Mince	Léger	Généreux Vineux	Puissant Chaleureux Capiteux	Alcooleux Brûlant

LES TANINS (VINS ROUGES)

Absence	Présence harmonieuse			Présence excessive
Gouleyant, souple	Soyeux, velouté, fondu	Construit, structuré	Charpenté, tannique, solide, viril	Rustique, anguleux, grossier, astringent, âpre, séchant, dur, acerbe

Les accords mets et vins

S'il n'y a pas de vérité absolue pour l'alliance des plats et des vins, il existe néanmoins quelques règles simples qui permettent de réaliser des accords intéressants et d'éviter les pièges. Pour choisir un vin d'accompagnement, on tiendra compte non seulement de l'ingrédient principal de la recette, mais aussi de son mode de cuisson, des assaisonnements, des sauces et des garnitures qui peuvent modifier son goût. Les appellations citées ci-dessous ne sont que des exemples ; rendez-vous sur www.hachette-vins.com et sur iPhone pour plus d'idées d'accords et de recettes.

L'apéritif

C'est le moment idéal pour servir les vins blancs secs, jeunes et fruités (beaujolais blanc, bourgogne-aligoté, vins de Corse et de Savoie...), le champagne et autres vins effervescents. Ils ouvrent l'appétit et n'ont pas l'effet saturant des apéritifs riches en sucre ou en alcool. De plus, ils permettent de vrais accords avec mini tartines, bouchées, verrines et tapas. Certains rosés et rouges légers peuvent également convenir.

Les entrées

Les blancs frais et onctueux (alsace pinot gris, côtes-du-rhône, saint-véran...) s'accordent parfaitement avec les préparations froides à base de poisson et de fruits de mer, et avec la note beurrée et toastée des quiches et autres tartes salées. Le fruité des rosés s'impose sur les tartes aux légumes, les pizzas ou sur un cocktail de crevettes, tandis qu'un rouge gouleyant (du type beaujolais et autres vins issus de gamay) servi frais sera parfait avec les spécialités de tourtes et pâtés à la viande.

Les charcuteries

Emblème du casse-croûte, le saucisson sec se marie aux vins rouges tendres et fruités (beaujolais, touraine, irancy). Les jambons crus de qualité s'accordent aussi bien avec un blanc méridional (collioure, patrimonio) qui souligne la délicatesse du gras, qu'avec un rouge charnu (gigondas, irouléguy) qui flatte la partie maigre aux arômes de viande séchée. Rillettes et andouilles font bon ménage avec les blancs vifs à la minéralité tendue (bergerac, jasnières, quincy), tandis que pâtés et terrines appellent des rouges fruités aux tanins aimables (côtes-de-bourg, marcillac, lirac). On réservera les vins rouges plus puissants à la rusticité du boudin noir (cornas, saint-émilion...).

Le foie gras

Le foie gras en bocal. Moins fondant que le mi-cuit, il impose les vins moelleux ou liquoreux et leur onctuosité (sauternes, vouvray, vendanges tardives d'Alsace, saussignac). Le principe est d'associer le gras du vin au fondant du foie en favorisant la vivacité.

Le foie gras mi-cuit. Son fondant prononcé et sa pureté aromatique autorisent le service d'un champagne demi-sec, sec ou extra-dry, ou encore d'un bourgogne blanc comme un meursault ou un pouilly-fuissé.

L'escalope de foie gras poêlée. Un champagne brut donne un accord tonique. C'est le contraste entre l'onctuosité et l'acidité qui est ici recherché. Il est également possible de servir un vin rouge typé du Sud-Ouest ou du Bordelais (buzet, côtes-de-bergerac, lalande-de-pomerol) : les tanins du vin et l'onctuosité du foie se tempèrent.

Les coquillages

Plateau de coquillages. Avec un plateau de coquillages, il est préférable d'éviter les vins blancs boisés et opulents. Ils se révèlent amers en présence du caractère iodé de l'huître. On choisira des vins légers, secs, modérément aromatiques et d'une nette minéralité : muscadet, entre-deux-mers, alsace sylvaner et riesling, chablis, languedoc picpoul-de-pinet...

Les coquilles Saint-Jacques. Fondantes, savoureuses et légèrement douces, elles s'associent aux blancs nerveux de la vallée de la Loire ou d'Alsace. Avec une sauce crémée, on favorisera des vins plus tendres, voire légèrement moelleux (palette, montlouis).

Moules marinière. Servies avec des frites, dont le craquant en rehausse le moelleux, elles nécessitent un vin blanc acidulé au caractère primaire : un bourgogne du Mâconnais, un alsace sylvaner ou encore un vin blanc de Provence.

Les crustacés

Le tourteau et les gambas. Leur chair filandreuse et moelleuse appelle un vin blanc vif, sur le fruit, d'une relative simplicité (vin-de-savoie, petit-chablis, reuilly). Ces produits s'accommodent très bien des blancs servis avec les coquillages crus.

La langoustine. Sa chair fine et fondante s'allie aux vins blancs délicats et ronds dont le choix définitif sera fait en fonction de la sauce. L'accord peut aller d'un champagne brut à un vin blanc méridional, comme un côtes-du-rhône, sur la note exotique d'une sauce au curry.

Le homard et la langouste. Ils imposent un blanc harmonieux et opulent comme un meursault, un hermitage ou un pessac-léognan. Servis froids accompagnés de mayonnaise, ils s'allient à des vins plus simples, vifs et fruités, comme un chablis, un sancerre ou un faugères blanc.

Les poissons crus et les poissons fumés

L'assaisonnement relevé des tartares et des carpaccios appelle des blancs jeunes, frais et sans exubérance des appellations entre-deux-mers ou sancerre. En présence d'épices, il est possible de servir un rosé vineux (côtes-du-roussillon, tavel). Les poissons fumés comme le saumon, la truite ou l'anguille ont une chair grasse, goûteuse et fondante qui réclame des vins blancs incisifs et de bonne minéralité (mâcon, pouilly-fumé). On recherchera la fraîcheur pour contrecarrer le gras et une pointe de minéralité pour dompter la note fumée.

Les poissons cuisinés

Poissons grillés et fritures. Les poissons grillés et en friture demandent des vins blancs jeunes, vifs et fruités. La fraîcheur d'un muscadet ou d'un petit-chablis compense le gras de la sardine ou du saumon, tandis que la rondeur d'un minervois souligne le fondant d'une dorade. À l'opposé, le caractère iodé du rouget permet un accord avec un rouge tendre servi frais ou avec un rosé vineux et épicé (ajaccio, vacqueyras).

Poissons au four ou poêlés. Les grosses pièces cuites au four, comme le loup ou la dorade royale, nécessitent un vin blanc onctueux et expressif à l'image d'un hermitage blanc ou d'un côtes-de-provence. Un profil de vin qui convient également à un pavé de cabillaud poêlé. De texture délicate, la sole se marie avec un vin blanc frais, tendre et finement aromatique comme le pessac-léognan ou le meursault.

Poissons cuisinés. Une lotte à la crème impose un bourgogne à maturité ou, pour une note plus méridionale, un châteauneuf-du-pape blanc ; une brandade de morue, un blanc méridional comme un costières-de-nîmes, et les poissons d'eau douce, des blancs fins et frais comme les graves, touraine, alsace riesling ou roussette-de-savoie.

Poissons et vins rouges. Rougets grillés à la tapenade, thon grillé et ratatouille s'accommodent très bien de vins rouges méridionaux légers, aux tanins ronds et souples, servis frais. La lamproie à la bordelaise appréciera la présence d'un graves rouge, d'un montravel ou d'un blaye.

Les viandes

Le bœuf. Tandis que les vins souples, jeunes et fruités (bordeaux clairet, faugères, anjou rouge) accompagnent la texture fondante du steak tartare et du carpaccio, une entrecôte grillée ou un rosbif demandent un vin rouge plus structuré (médoc, bordeaux supérieur, gigondas, chinon...). Les tanins denses et veloutés s'allient alors à la texture riche et serrée de la viande saignante. Pour une côte de bœuf, morceau de choix, on montera en gamme avec un saint-estèphe, un margaux, un saint-julien, un pauillac ou encore un vin structuré du Sud-Ouest : pécharmant, madiran.

La chair confite des viandes braisées et mijotées offrent un moelleux qui appelle des vins évolués aux tanins patinés (beaune, mercurey, châteauneuf-du-pape). Enfin, le traditionnel pot-au-feu, riche en viande fondante et en légumes, demande un vin rouge charnu, généreux, au fruité immédiat. On fera son choix dans les crus du Beaujolais, les côtes-du-rhône ou les vins rouges du Jura.

Le veau. Apprécié pour sa finesse et son fondant, le veau rôti ou en sauce demande des vins tendres et peu tanniques : beaujolais, vins de Loire issus de gamay ou bourgognes de la Côte chalonnaise. Avec une côte de veau à la crème ou une blanquette, il est préférable de servir un blanc tendre et fruité, dont un léger boisé renforcera la rondeur et l'onctuosité de l'accord.

L'agneau. L'agneau grillé ou braisé appelle le thym, le romarin et l'ail, et apprécie les vins rouges du Sud, généreux et épicés comme le corbières ou le côtes-de-provence. Un gigot d'agneau cuit rosé s'accorde avec des rouges de caractère comme les vins du Médoc ou des Corbières. Quant au navarin, il nécessite des vins rouges frais et fruités comme les crus de la vallée du Rhône méridionale qui allient richesse et souplesse.

Le porc. Les blancs légers et fruités (graves, côtes-du-rhône) soulignent la délicatesse d'un filet mignon à la crème, tandis qu'un rôti servi avec des petits légumes demande des rouges fruités et toniques (bourgueil, givry, minervois) pour accompagner de leurs tanins soyeux le fondant de la viande. Braisé ou mijoté, le porc nécessite des vins rouges au fruité compoté et aux tanins souples.

Les abats. Rognons, foie de veau, pied de porc, tripes ou tête de veau s'accordent avec les vins rouges frais aux tanins souples (côtes-du-jura, marcillac, crozes-hermitage). Délicate et fondante, la cervelle d'agneau appelle au contraire un vin blanc léger et fruité, l'andouillette grillée un blanc rond au boisé discret, et les ris de veau un blanc onctueux et peu acide qui allie sa suavité à la douceur de ce mets raffiné.

Les volailles

Rôties. Le poulet rôti offre un accord savoureux avec un vin rouge tendre et fruité, sans excès de tanins. Par tradition, le cépage pinot noir est mis à l'honneur. Pensez aux bourgognes, aux rouges d'Alsace ou du Centre-Loire. Les beaujolais et les rouges de Loire sont également parfaits. Les amateurs de bordeaux se tourneront vers les appellations régionales ou les vins de côtes.

On accorde chapons et poulardes selon le même principe mais le caractère festif de ces volailles appelle des rouges fins comme les grands bourgognes et tous les vins raisonnablement tanniques. Pigeon et canard nécessitent des rouges tendres et ronds aux tanins séveux pour faire écho à la texture de la viande douce et juteuse. Les vins méridionaux ont un caractère épicé et des tanins aimables qui seront tout à fait dans le ton.

Mijotées. Avec un coq au vin par exemple, un vin rouge riche et expressif, comme un volnay ou un cahors, offrira après quelques années de cave des tanins patinés et une richesse aromatique qui s'harmoniseront avec la finesse de la sauce et des tanins confites.

Les confits. C'est dans le cassoulet que l'on déguste le plus fréquemment les confits de canard et d'oie. La richesse de ce plat demande des vins rouges charnus, aux tanins ronds et moelleux comme un cahors, un madiran et de nombreux vins du Languedoc comme les corbières, minervois ou cabardès.

Volailles et vins blancs. Par sa texture moelleuse et très fondante, la poularde à la crème demande un vin blanc riche et élégant, de préférence issu de chardonnay. S'il y a des morilles dans la sauce, un côtes-du-jura sublimera ce plat festif.

Traditionnellement servie avec le bouillon lié à la crème, la poule-au-pot se marie avec les vins blancs fruités et ronds, pas trop acides, comme un mercurey ou un mâcon.

Le lapin. Rôti à la fleur de thym, il sera parfait en compagnie d'un rouge du Sud aux arômes de garrigue comme un languedoc ou un côtes-du-rhône. Cuisiné à la moutarde, il s'accorde à la fraîcheur d'un rouge de Loire (bourgueil, chinon, saumur-champigny).

Le gibier

À plume. Rôtis, faisans et perdreaux offrent une chair fine et savoureuse qui s'associe aux vins rouges tendres et soyeux comme les bourgognes. Cuits en salmis, ils nécessitent des vins plus structurés et évolués, comme un cahors ou un corbières. Le canard sauvage, au goût prononcé, nécessite des vins de caractère, comme un saint-joseph, un languedoc Pic-Saint-Loup ou un médoc.

Lièvre et lapin de garenne. Le jeune lièvre est délicieux rôti. Sa viande délicate et parfumée nécessite des vins rouges élégants et racés comme un moulis-en-médoc ou un saint-chinian. La sauce du civet est onctueuse et puissante, les vins doivent être corpulents et de bonne évolution. On pense aux châteauneuf-du-pape, bandol, saint-émilion ou aux grands bourgognes (pommard, corton...). On accorde le lapin de garenne selon les mêmes principes en étant plus modeste sur le prestige des cuvées.

Le gros gibier rôti. Avec du chevreuil, de la biche ou du sanglier rôti, il faut choisir un vin rouge au fruité encore vif, pourvu d'une belle structure tannique : fronsac, saint-émilion, fitou, santenay, minervois...

Le gros gibier mijoté. On associe les tanins assagis du vin vieux à la texture veloutée de la sauce, et l'équilibre gustatif est complété par la gamme des arômes confits et épicés. Pour peu que le vin soit légèrement animal, l'harmonie est totale.

Le vin et les épices

La cuisine épicée s'accorde aux vins rouges et rosés méridionaux qui offrent une richesse aromatique et une puissance propres à tenir tête à

la force des épices. Cependant, de nombreux vins blancs vifs et minéraux à base de cépages aromatiques comme le gewurztraminer, le viognier, le sauvignon ou encore le chenin blanc sont parfaits avec les plats à base de curry.

Les fromages

Les pâtes molles à croûte fleurie. Camembert ou brie s'associent aux vins rouges légers et souples, voire gouleyants : un beaujolais, un touraine ou un anjou-gamay ou encore un bourgogne de l'Yonne friand à souhait.

Les pâtes molles à croûte lavée. Époisses, livarot et maroilles demandent des blancs puissants, aromatiques et vifs comme un alsace gewurztraminer. Ce dernier équilibre la force du fromage dont la puissance aromatique fait écho au caractère épicé du vin.

Les pâtes pressées non cuites. Cantal, salers et saint-nectaire apprécient les vins rouges charnus et épicés en harmonie avec la pâte dense de ces fromages de caractère : côtes-du-rhône-villages, gaillac, fronton ou rouges de Provence. Un blanc de caractère, gras et aromatique, comme un châteauneuf-du-pape, révèle le caractère fruité du fromage.

Les pâtes pressées cuites. Comté, beaufort et emmental se marient avec des blancs gras légèrement boisés, aux notes de noisette et de beurre, tels que les vins issus du cépage chardonnay ou, pour un accord très original, un vin jaune du Jura ou un vin de voile de Gaillac.

Les pâtes persillées. Le roquefort et les bleus en général offrent un accord très abouti avec les vins doux naturels rouges tels que les banyuls, rivesaltes ou maury dont la puissance aromatique et l'onctuosité se marieront idéalement avec le gras du fromage. Les liquoreux forment aussi de bons accords, ainsi que les rouges puissants (madiran).

Les fromages de chèvre. Des fromages de caractère qui demandent des vins blancs vifs et fruités comme ceux issus du cépage sauvignon que produisent le Centre-Loire ou la Touraine. Les vins de chardonnay élevés en cuve sont possibles, par exemple un mâcon. Lorsque le fromage est très affiné, un rivesaltes ambré ou un montlouis-sur-loire demi-sec adoucissent l'accord.

Les desserts

Les desserts à base de fruits. Sur une salade de fruits, les vins doux naturels issus de muscat apporteront une riche palette aromatique qui rappelle les fruits frais. De nombreux vins moelleux conviennent également, comme les gaillac,

pacherenc-du-vic-bilh ou certains rieslings et gewurztraminers issus de vendanges tardives.

Les pâtisseries à base de fruits rouges appellent des vins doux naturels rouges vintage qui offrent des arômes variés aux nuances de fruits noirs et rouges très mûrs, et d'agréables tanins ronds. Les vins de liqueur (pineau-des-charentes, floc-de-gascogne) conviennent également.

Les tartes s'accordent avec les moelleux et les liquoreux de Loire, du Sud-Ouest, d'Alsace et du Bordelais. Garnies de miel ou de fruits secs, elles demandent un vin doux naturel évolué, tendre et aromatique, comme un vieux banyuls.

Les desserts au chocolat et au café. Sur un dessert riche en cacao, on favorise les vins doux naturels de type oxydatif, élevés longuement en fût, des appellations banyuls ou maury. Ils développent une agréable onctuosité et une touche de rancio qui fait écho à l'amertume du cacao. Si ce même dessert est servi avec un coulis de fruits rouges, on choisira alors un type vintage ou rimage, vin rouge doux, dense et velouté aux arômes de bigarreau très mûr. Enfin, si le dessert au chocolat contient des fruits confits, des fruits secs ou des épices, et dans le cas d'un dessert au moka, on choisira un vin au caractère évolué comme un rivesaltes ambré ou tuilé.

Les crèmes caramel, crèmes brûlées. L'onctuosité et la finesse des crèmes demandent des blancs moelleux d'une bonne vivacité : un monbazillac, un jurançon ou encore un alsace vendanges tardives qui favoriseront l'équilibre sur la fraîcheur.

La vigne et les terroirs

À l'origine du vin se trouve une plante domestiquée par l'homme depuis des millénaires. Alliée au terroir, elle lègue au vin un caractère incomparable, différent selon sa variété. Au vigneron ensuite de mettre ces potentialités en valeur. Pour cela, il sélectionne les terroirs et les cépages les mieux adaptés aux sols et aux microclimats.

La vigne, une culture mondiale

C'est en Transcaucasie (actuelles Géorgie et Arménie) que la culture de la vigne se serait développée dès les temps préhistoriques. Elle se diffusa ensuite en Asie Mineure, puis sur tout le pourtour méditerranéen, suivant ainsi les peuples dans leurs migrations : Égyptiens, Perses, Grecs, Romains et tant d'autres. L'histoire ne fit que se répéter lorsqu'à la fin du XVe s., les cépages européens voyagèrent jusqu'en Amérique avec les conquistadores espagnols. Et les Hollandais ensuite de les implanter en Afrique du Sud, puis les Anglais de les porter jusqu'aux antipodes.

Vitis vinifera

La vigne appartient au genre Vitis dont il existe de nombreuses espèces.

Vitis vinifera, originaire du continent européen, est l'espèce la mieux adaptée à la production vinicole. La quasi-totalité des vins, dans le monde entier, est issue de différentes variétés de *Vitis vinifera* importées d'Europe. D'autres espèces sont originaires d'Amérique ; certaines sont infertiles et d'autres donnent des produits au caractère organoleptique peu apprécié et qualifié de foxé (fourrure de renard). Cependant, ces dernières espèces présentent une résistance aux maladies supérieure. Dans les années 1930, on a donc cherché à créer, par hybridation, de nouvelles variétés moins vulnérables, comme les espèces américaines, mais produisant des vins de la même qualité que ceux de *Vitis vinifera* : ce fut un échec qualitatif. Heureusement, l'analyse chimique de la matière colorante a permis de différencier les vins de *Vitis vinifera* de ceux des vignes hybrides qui ont pu ainsi être éliminées du territoire des AOC.

Le phylloxéra : révolution dans le vignoble

À la fin du XIXe s., un puceron, le phylloxéra, fut introduit en France par importation de plants de vignes américains infestés, mais qui n'avaient pas manifesté la maladie en raison de leur résistance. Il fut responsable de dévastations en Europe, en s'attaquant aux racines de *Vitis vinifera*. Les nombreuses tentatives de protection par des méthodes chimiques se soldèrent par un échec ; le fléau ne put être combattu sans une révolution des modes de culture. Toutes les vignes durent être greffées sur un porte-greffe de vigne américaine résistant au phylloxéra : contrairement à l'hybridation qui crée de nouvelles variétés partageant les caractères des deux parents, le cep garde dans ce cas les propriétés de l'espèce vinifera, mais ses racines ne sont pas infectées par le ravageur. *Vitis vinifera* est aussi sensible à d'autres parasites : par exemple un champignon, le mildiou, et la cicadelle, insecte originaire d'Amérique qui inocule la flavescence, maladie qui détruit la vigne.

À chaque région ses cépages

Vitis vinifera comprend de nombreuses variétés, appelées cépages. Alors que dans certains vignobles les vins proviennent d'un seul cépage (pinot et chardonnay en Bourgogne par exemple), dans d'autres, ils peuvent résulter de l'association de plusieurs variétés complémentaires. Chaque aire viticole a sélectionné les plants les mieux adaptés, mais l'encépagement varie dans le temps au gré de l'évolution du goût des consommateurs et donc des marchés. Sachant qu'il faut attendre quatre ans après sa plantation pour qu'un cep produise du vin, les vignerons ont de plus en plus recours au surgreffage : les greffons d'un nouveau cépage sont greffés sur les anciens pieds de vigne.

Des progrès constants

Chaque cépage admet différents clones, c'est-à-dire des individus qui se distinguent par certaines caractéristiques : plus grande productivité, maturité plus précoce, meilleure résistance aux maladies. Pour les hommes du vin, il s'est toujours agi de sélectionner les meilleures souches tout en veillant à respecter une certaine diversité des clones plantés. Des recherches sont en cours pour améliorer la résistance des vignes grâce à des modifications génétiques.

Les terroirs viticoles

Prise dans son sens le plus large, la notion de terroir viticole regroupe de nombreuses données

d'ordre biologique (choix du cépage), géographique, climatique, géologique et pédologique. Il faut ajouter aussi des facteurs humains – historiques et commerciaux.

L'adaptation au climat

La vigne est cultivée dans l'hémisphère nord entre le 35e et le 50e parallèle, et dans l'hémisphère sud entre le 28e et le 42e parallèle ; elle est donc adaptée à des climats très différents. Cependant, les vignobles les plus proches des pôles permettent essentiellement la culture des cépages blancs, que l'on choisit précoces et dont les fruits peuvent mûrir avant les froids de l'automne ; sous des climats chauds sont cultivés les cépages tardifs. Pour faire du bon vin, il faut un raisin bien mûr, mais la maturation ne doit être ni trop rapide ni trop complète au risque de perdre des éléments aromatiques. Les grands vignobles des zones climatiques marginales sont confrontés à l'irrégularité des conditions climatiques pendant la période de maturation d'une année à l'autre.

Un sol pauvre et bien drainé

La vigne est une plante peu exigeante qui pousse sur des sols pauvres, mais équilibrés. Cette pauvreté est d'ailleurs un élément de la qualité des vins, car elle favorise des rendements limités qui évitent la dilution des pigments colorants, des arômes et des constituants sapides.

Sous un climat chaud et sec, la régulation de l'alimentation en eau se fait par le contrôle de l'irrigation. Sous un climat tempéré et océanique, avec les précipitations variables d'une année à l'autre, le sol du vignoble, par ses propriétés physico-chimiques, joue un rôle essentiel pour réguler l'alimentation en eau de la plante : il apporte de l'eau au printemps, lors de la croissance, et élimine les excès éventuels de pluie pendant la maturation. Un drainage artificiel peut éventuellement pallier les déficiences du sol.

Les sols graveleux et calcaires assurent particulièrement bien ces régulations, mais il existe aussi des crus réputés sur des sols sableux et même argileux. De fait, d'excellents vins peuvent être produits sur des terroirs en apparence très différents. A contrario, des vignobles implantés sur des sols apparemment voisins présentent parfois de grandes disparités de qualité parce que l'aptitude de leur sol à la régularisation de l'eau n'est pas la même.

Tous les goûts sont dans la nature du sol

La couleur ou les caractères aromatiques et gustatifs des vins issus d'un même cépage et produits sous un même climat varient selon la nature du sol et du sous-sol : calcaires, molasses argilo-calcaires, sédiments argileux, sableux ou gravelo-sableux. Par exemple, l'augmentation de la proportion d'argile dans les graves donne des vins plus acides, plus tanniques et corsés, au détriment de la finesse ; le sauvignon blanc prend des arômes plus ou moins puissants sur les calcaires, sur les graves ou sur les marnes.

Le cycle des travaux de la vigne

La vigne est une plante bisannuelle, à feuilles caduques, qui se développe selon un cycle régulier au fil des saisons. Tout commence au printemps par la sortie des bourgeons : le débourrement. Puis apparaissent les fleurs au mois de mai, suivies des fruits (la nouaison). En juillet-août, les grains changent progressivement de couleur et les rameaux se couvrent d'une écorce ligneuse : c'est la véraison, puis l'aoûtement. Seule la maturation du raisin déterminera le moment optimal pour vendanger. À l'automne, la vigne perd ses feuilles et entre dans sa période de repos, appelée dormance.

Tailler

Destinée à équilibrer la production des fruits et à éviter le développement exagéré du bois, la taille annuelle s'effectue normalement entre décembre et mars. La longueur des sarments, choisie en fonction de la vigueur de la plante, commande directement l'importance de la récolte. Les labours de printemps déchaussent la plante, en ramenant la terre vers le milieu du rang, et créent une couche meuble qui restera aussi sèche que possible. Le décavaillonnage consiste à enlever la terre qui reste, sous le rang, entre les ceps.

Travailler le sol

Au début de l'hiver, le vigneron laboure son vignoble : il ramène la terre vers les ceps afin de les protéger des gelées ; une rigole ainsi formée au centre des rangs permet d'évacuer les eaux de ruissellement. Le labour peut être utilisé pour enfouir des engrais.

En fonction des besoins, les travaux du sol sont poursuivis pendant toute la durée du cycle végétatif ; ils détruisent la végétation adventice,

maintiennent le sol meuble et évitent les pertes d'eau par évaporation. Le désherbage peut être effectué chimiquement ; s'il est total, il est réalisé à la fin de l'hiver, et les travaux aratoires sont complètement supprimés ; on parle alors de non-culture, celle-ci constituant une économie substantielle. Cependant, certains producteurs soucieux de l'environnement préfèrent les vignes enherbées qui permettent de limiter la vigueur de la plante.

Maîtriser la vigne et ses rendements

Pendant toute la période végétative, on procède à différentes opérations pour limiter la prolifération végétale : l'épamprage, suppression de certains rameaux ; le rognage, raccourcissement de leur extrémité ; l'effeuillage, qui permet une meilleure exposition des raisins au soleil ; l'accolage, pour maintenir les sarments dans les vignes palissées.

L'amélioration des conditions de culture a une incidence décisive sur la qualité du vin et sur le rendement de la vigne. Certes, il est possible de modifier considérablement le rendement en agissant sur la fertilisation, la densité des plants à l'hectare, le choix du porte-greffe et la taille. Toutefois, la recherche systématique de forts rendements affecte la qualité. L'abondance doit résulter de facteurs naturels favorables à une vendange saine et équilibrée, apte à produire de grands millésimes. Le rendement maximum se situe entre 45 et 60 hl/ha pour produire de grands vins rouges, un peu plus pour les vins blancs secs. En outre, les meilleurs vins proviennent souvent de vignes suffisamment âgées (trente ans et plus) et ayant parfaitement développé leur système racinaire.

LE CYCLE ANNUEL DE LA VIGNE

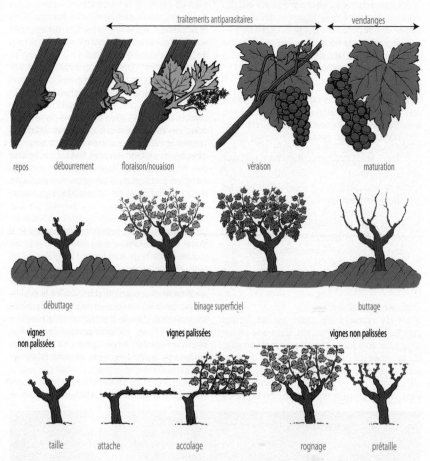

Protéger et traiter

Le viticulteur doit également protéger la vigne des maladies : le service de la protection des végétaux diffuse des informations qui permettent de prévoir les traitements nécessaires, par pulvérisation de produits actifs, naturels (agrobiologie) ou issus de la chimie industrielle.

La lutte raisonnée

La vigne est une plante sensible à de nombreuses maladies – mildiou, oïdium, black-rot, pourriture... – qui compromettent la récolte et communiquent aux raisins de mauvais goûts susceptibles de se retrouver dans le vin. Les viticulteurs disposent de moyens de traitement efficaces, facteurs certains de l'amélioration générale de la qualité. Si, par souci de sécurité, les viticulteurs ont autrefois abusé de l'emploi des pesticides chimiques, ils se sentent aujourd'hui impliqués dans la recherche d'une culture raisonnée qui limite les traitements au strict nécessaire. Par ailleurs, l'agrobiologie, s'appuyant sur une biodynamique du sol, cherche à créer des conditions naturelles rendant la vigne moins sensible aux maladies.

Évaluer la maturité

L'état de maturité du raisin est un facteur essentiel de la qualité du vin. Dans une même région, les conditions climatiques sont variables d'une année sur l'autre, entraînant des différences de constitution des raisins qui déterminent les caractéristiques propres de chaque millésime. Il faut prendre en compte l'existence de plusieurs phénomènes biochimiques intervenant au cours de la maturation : accumulation des sucres, diminution de l'acidité, accumulation et affinement des tanins des raisins rouges et des arômes des raisins blancs. Ils n'évoluent pas tous de manière identique ; l'idéal est d'atteindre au même moment l'optimum qualitatif pour chacun d'eux. Sous les climats tempérés, une bonne maturation suppose un temps chaud et sec. On sait que sous des climats particulièrement chauds, la concentration de sucre dans le raisin, donc de l'alcool dans le vin, peut obliger à vendanger, alors que les tanins des raisins rouges ne sont pas encore mûrs. En tout cas, la date des vendanges doit être fixée avec discernement, en fonction de la situation, de l'évolution de la maturation et de l'état sanitaire du raisin.

Vendanger

De plus en plus, les vendanges manuelles font place au ramassage mécanique. Les machines, munies de batteurs, font tomber les grains sur un tapis mobile et un ventilateur élimine la plus grande partie des feuilles. La brutalité de l'action sur le raisin n'est pas a priori favorable à la qualité, surtout pour les vins blancs : malgré des progrès considérables dans la conception et la conduite de ces machines, les crus de haute réputation seront les derniers à faire appel à ce procédé de ramassage, parce que leurs moyens financiers leur permettent d'effectuer un travail très soigné (de sélection et de tri des raisins), certainement favorable à la qualité, mais relativement onéreux.

LE CALENDRIER DU VIGNERON

JANVIER

Si la taille s'effectue
de décembre à mars,
c'est bien « à la Saint-Vincent
que l'hiver s'en va ou se reprend ».

JUILLET

Les traitements contre
les parasites continuent
ainsi que la surveillance du vin
sous les fortes variations
de température.

FÉVRIER

Le vin se contracte avec l'abaissement
de la température. Surveiller les tonneaux
pour l'ouillage qui se fait
périodiquement toute l'année.
Les fermentations malolactiques
doivent être alors terminées.

AOÛT

Travailler le sol serait nuisible
à la vigne, mais il faut être vigilant
devant les invasions possibles
de certains parasites.
On prépare la cuverie
dans les régions précoces.

MARS

On « débutte ». On finit la taille :
« Taille tôt, taille tard,
rien ne vaut la taille de mars. »
On met en bouteilles les vins
qui se boivent jeunes.

SEPTEMBRE

Étude de la maturation
par prélèvement régulier
des raisins pour fixer la date
des vendanges, qui commencent
en région méditerranéenne.

AVRIL

Avant le phylloxéra,
on plantait les paisseaux.
Maintenant on palisse
sur fil de fer, sauf à l'Hermitage,
Côte Rôtie et Condrieu.

OCTOBRE

Les vendanges ont lieu
dans la plupart des vignobles
et la vinification commence.
Les vins de garde vont être
mis en fût pour y être élevés.

MAI

On surveille la vigne
et on la protège
contre les gelées
de printemps. Binage.

NOVEMBRE

Les vins primeurs
sont mis en bouteilles.
On surveille l'évolution
des vins nouveaux.
La prétaille commence.

JUIN

On « accole » les vignes palissées
et l'on commence à rogner les sarments.
La « nouaison » (= donner des baies)
ou la « coulure » vont commander
le volume de la récolte.

DÉCEMBRE

La température des caves
doit être maintenue pour
assurer l'achèvement des
fermentations alcoolique
et malolactique.

La naissance du vin

Depuis quand élabore-t-on du vin ? Depuis que l'homme a découvert que des raisins conservés trop longtemps dans une jarre fermentaient et changeaient de goût, soit entre 6 000 et 8 000 ans avant notre ère. Aujourd'hui, le sens que nous donnons au mot « vin » n'a guère changé, la réglementation européenne le définissant comme « le produit obtenu exclusivement par la fermentation alcoolique, totale ou partielle, de raisins frais, foulés ou non, ou de moûts de raisins ».

La fermentation alcoolique

Le vin naît d'un phénomène microbiologique : des levures se développent à l'abri de l'air et décomposent le sucre du raisin en alcool et en gaz carbonique. C'est la fermentation alcoolique. Il faut environ 17 g de sucre par litre de moût (jus qui s'écoule lors du pressurage de raisins frais) pour produire 1 % vol. d'alcool par la fermentation. Au cours de ce processus, de nombreux produits secondaires apparaissent (glycérol, acide succinique, esters, etc.), qui participent aux arômes et au goût du vin.

D'où viennent ces levures ? De la nature elle-même : elles ont été déposées sur la peau du raisin ou se sont développées dans la cave à l'occasion des manipulations de la vendange. Elles peuvent aussi provenir de cultures en laboratoire : ces levures sélectionnées, déshydratées, sont ajoutées dans la cuve. Elles favorisent un bon déroulement de la fermentation et évitent certains défauts (odeurs de réduction).

LA TEMPÉRATURE, CLÉ DU SUCCÈS

La fermentation dégage des calories qui provoquent l'échauffement de la cuve. Or, au-delà de 35 °C, le processus risque de s'interrompre brutalement avant que la totalité du sucre ait été transformée en alcool. Les levures meurent et laissent alors le champ libre aux bactéries qui décomposent le sucre restant et produisent de l'acide acétique (acidité volatile) ; il s'agit d'un accident grave, connu sous le nom de « piqûre ». Le vigneron s'attache donc à maîtriser la température à l'aide de divers mécanismes de thermorégulation : serpentins, échangeurs thermiques, cuves Inox informatisées. Les vins rouges fermentent à 28-32 °C afin d'extraire au mieux les constituants de la pellicule du raisin (couleur, tanins), les vins blancs, à 18-20 °C pour protéger les arômes. L'introduction d'oxygène par aération du moût en début de fermentation est nécessaire pour les levures ; c'est une autre condition essentielle pour éviter les arrêts prématurés de la fermentation.

La macération des raisins rouges
et le pressurage des raisins blancs

Dans certains cas, une souche adaptée permet de révéler les arômes spécifiques d'un cépage, tel le sauvignon, présents à l'état de molécules inodores (les précurseurs d'arômes) dans le raisin. En tout état de cause, la qualité et la typicité du vin reposent essentiellement sur la qualité du raisin, donc sur des facteurs naturels (cépages, crus et terroirs).

La fermentation malolactique

Il arrive qu'une seconde fermentation intervienne après la fermentation alcoolique : la fermentation malolactique. Sous l'influence de bactéries, l'acide malique du raisin est décomposé en acide lactique et en gaz carbonique. Les conséquences sont une baisse d'acidité et un assouplissement du vin, avec affinement des arômes. Simultanément, le vin acquiert une meilleure stabilité pour sa conservation. Si les vins rouges s'en trouvent toujours améliorés, l'avantage est moins systématique pour les vins blancs.

Comment limiter les risques bactériens ?

Au cours de la conservation, il reste toujours des populations bactériennes résiduelles dans le vin qui peuvent provoquer des accidents graves : décomposition de certains constituants du vin ; oxydation et formation d'acide acétique (processus de fabrication du vinaigre). Les soins apportés aujourd'hui à la vinification permettent d'écarter ces risques. La première condition est une parfaite propreté qui évite les contaminations microbiennes excessives ; elle peut être complétée par des procédés d'élimination des microbes présents dans le vin (soutirage, collage, filtration). Enfin, le dioxyde de soufre (SO_2) est un antiseptique très puissant ; bien utilisé, à faible dose, il ne compromet pas la qualité des vins, au contraire.

Les types et styles de vins

Au-delà de leur couleur, rouge, blanc ou rosé, les vins se distinguent selon leur type : tranquille ou effervescent. Dans un cas, la surpression du CO_2 dans la bouteille est inférieure à 0,5 kg, dans l'autre, elle dépasse 3 kg (à 20 °C) et un dégagement de gaz carbonique se produit au débouchage. Les vins ont aussi un style : sec ou doux, avec toutes les nuances imaginables entre ces deux saveurs.

Les vins secs

Les vins secs contiennent moins de 4 g/l de sucres résiduels ; le goût sucré n'est donc pas perceptible à la dégustation. Ils sont rouges, blancs ou rosés, tranquilles ou effervescents et présentent une grande variété de caractères selon les cépages, les terroirs et les modes de vinification.

Les vins doux

Les vins doux sont caractérisés par un taux de sucre variable, mais toujours supérieur à 4 g/l : ils peuvent être demi-secs, moelleux (entre 12 et 45 g/l de sucres) ou liquoreux (plus de 45 g/l).

Leur production suppose des raisins très mûrs, riches en sucre, dont une partie seulement est transformée en alcool par la fermentation.

Les vins liquoreux proviennent de raisins surmûris dont l'extrême concentration est due soit à un passerillage (dessication des baies) sur souche ou sur un lit de paille après la récolte, soit à l'action d'un champignon, le *Botrytis cinerea*, provoquant dans des conditions particulières une forme de pourriture, qualifiée de « noble » : les baies sont alors vendangées à mesure du développement du botrytis, par tries successives. Le titre alcoométrique de ces vins atteint entre 13 et 16 % vol.

Les vins de liqueur et vins doux naturels

Un vin de liqueur – à ne pas confondre avec un vin liquoreux – est obtenu par addition, avant, pendant ou après la fermentation, d'alcool neutre, d'eau-de-vie de vin, de moût de raisin concentré ou d'un mélange de ces produits. L'objectif est d'interrompre la fermentation afin de garder une grande quantité de sucres résiduels : cette opération est appelée mutage. Le pineau-des-charentes, le floc-de-gascogne et le macvin-du-jura en France, de même que le porto produit dans la vallée du Douro, au Portugal, sont des vins de liqueur. Certains vins mutés français, héritiers d'une longue tradition, portent le nom de vins doux naturels. Issus des cépages muscat, grenache, maccabéo et malvoisie, ils sont originaires du Languedoc-Roussillon, de la vallée du Rhône et de la Corse.

Les vins effervescents

Les vins effervescents doivent leur forte teneur en gaz carbonique (pression de l'ordre de 6 à 8 bar) à une seconde fermentation – la prise de mousse – qui peut s'effectuer en bouteille (selon la méthode traditionnelle, autrefois dite champenoise) ou en cuve (méthode en cuve close). Il existe aussi des vins mousseux gazéifiés, obtenus par addition de gaz, procédé interdit pour les vins de qualité d'appellation.

Quant aux vins pétillants, ils possèdent une pression de gaz carbonique comprise entre 1 et 2,5 bar. Leur degré alcoolique est supérieur à 7 % vol.

La vinification et l'élevage

Selon le type de vin souhaité, la couleur et la qualité du raisin vendangé, le vigneron doit choisir un mode de vinification adapté. Le vin nouveau ainsi obtenu est brut, trouble et gazeux. La phase d'élevage (clarification, stabilisation, affinement de la qualité) va le conduire jusqu'à la mise en bouteilles.

Les vins rouges

La macération et la fermentation

Dans la majorité des cas, le raisin est d'abord égrappé ; les grains sont ensuite foulés et le mélange de pulpe, de pépins et de pellicules est envoyé dans la cuve de fermentation. Dès le début du processus, le gaz carbonique soulève toutes les particules solides qui forment, à la partie supérieure de la cuve, une masse compacte appelée chapeau ou marc.

Dans la cuve, la fermentation alcoolique se déroule en même temps que la macération des pellicules et des pépins dans le jus. La macération apporte au vin rouge sa couleur et sa structure tannique. Les vins destinés à un long vieillissement doivent être riches en tanins et subissent donc une longue macération (de deux à trois semaines) à une température de 25 à 30 °C. En revanche, les vins rouges à consommer jeunes, de type primeurs, doivent être fruités et peu tanniques : leur macération est réduite à quelques jours.

Le pressurage

Après la fermentation, le vinificateur sépare la partie liquide, appelée vin de goutte ou grand vin, des parties solides, le marc : c'est l'écoulage. Il presse le marc de façon à obtenir un vin de presse, plus chargé en extraits, qu'il assemblera éventuellement au vin de goutte, selon les caractères gustatifs souhaités.

Vins de goutte et vins de presse sont remis en cuve séparément pour subir les fermentations d'achèvement : disparition des sucres résiduels et fermentation malolactique. Pour les grands vins, l'écoulage peut être fait directe-

ment dans des fûts de chêne, au sein desquels s'effectue la fermentation malolactique. Les vins rouges acquièrent ainsi un caractère boisé plus harmonieux.

Les vins rosés

Les vins clairets, rosés ou gris sont obtenus par une macération d'importance variable de raisins noirs.

Les rosés de pressurage direct

Les raisins noirs sont vinifiés comme pour élaborer un vin blanc, après un léger pressurage afin d'obtenir un moût peu coloré. De couleur assez pâle, les rosés de pressurage direct doivent être consommés jeunes afin de profiter de leur fraîcheur et de leur fruité.

Les rosés de saignée

La cuve est remplie de raisins comme pour une vinification en rouge classique. Au bout de quelques heures, une certaine proportion de jus est tirée et fermente séparément pour donner un rosé. Le reste de la cuve, complété de raisin, poursuit sa fermentation. Cette technique est souvent utilisée pour obtenir, dans la cuve ainsi saignée, un vin rouge de meilleure qualité, car plus concentré en tanins et en couleur du fait de la diminution du volume de jus par rapport au marc. Les vins rosés de saignée ont une couleur plus soutenue, allant du rose classique au rouge léger des vins clairets. Plus tanniques que les vins de pressurage direct, ils gagnent à être assouplis par une fermentation malolactique.

Les vins blancs secs

La fermentation alcoolique

Le plus souvent, le vin blanc résulte de la fermentation d'un pur jus de raisin : le pressurage précède donc la fermentation. Dans certains cas, cependant, on effectue une courte macération pelliculaire préfermentaire pour extraire les arômes ; les raisins doivent donc être parfaitement sains et mûrs afin d'éviter des défauts gustatifs (amertume) et olfactifs (mauvaises odeurs). L'extraction du jus doit être faite avec beaucoup de soin, par foulage, égouttage

---

LA MACÉRATION CARBONIQUE

Il existe d'autres procédés de vinification. Seule la macération carbonique a connu un développement certain. Son succès repose sur le fait que la baie de raisin entière, maintenue à l'abri de l'air, subit une fermentation intracellulaire qui apporte, après fermentation alcoolique, des arômes caractéristiques appréciés.

VINIFICATION DES VINS ROUGES

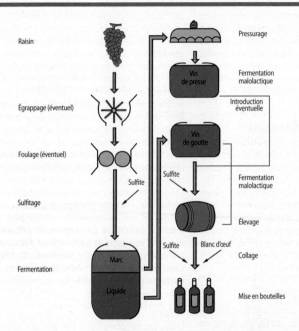

Raisin

Pressurage

Vin de presse — Fermentation malolactique

Introduction éventuelle

Égrappage (éventuel)

Vin de goutte

Foulage (éventuel)

Sulfite — Fermentation malolactique

Sulfite

Sulfitage

Élevage

Sulfite — Blanc d'œuf — Collage

Marc

Fermentation

Liquide — Mise en bouteilles

VINIFICATION DES VINS BLANCS

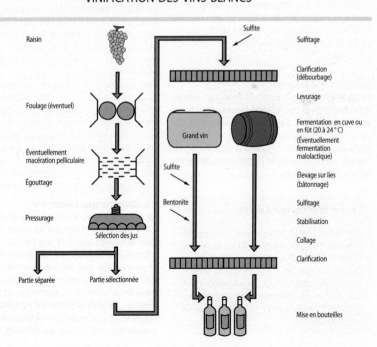

Raisin — Sulfite — Sulfitage

Clarification (débourbage)

Levurage

Foulage (éventuel)

Grand vin — Fermentation en cuve ou en fût (20 à 24 °C) (Éventuellement fermentation malolactique)

Éventuellement macération pelliculaire

Sulfite — Élevage sur lies (bâtonnage)

Égouttage

Bentonite — Sulfitage

Pressurage — Stabilisation

Sélection des jus — Collage

Clarification

Partie séparée — Partie sélectionnée

Mise en bouteilles

63

et enfin pressurage. Les derniers jus de presse sont fermentés séparément, car ils sont de moins bonne qualité. Le moût blanc, très sensible à l'oxydation, peut être protégé par addition de dioxyde de soufre. Dès l'extraction du jus, on procède à sa clarification par débourbage. La clarification du moût est nécessaire à la qualité des arômes du vin, mais une clarification trop poussée peut rendre la fermentation difficile, surtout à la température basse (18-20 °C) nécessaire à la qualité du vin.

La fermentation malolactique

Elle n'est généralement pas mise en œuvre pour les vins blancs, car ceux-ci méritent de conserver leur fraîcheur due à l'acidité. En outre, cette fermentation secondaire tend à diminuer l'intensité aromatique des cépages vinifiés. Néanmoins, certains vins blancs peuvent en tirer profit car ils gagnent du gras et du volume s'ils sont élevés en fût et destinés à un long vieillissement (Bourgogne). La fermentation malolactique assure également la stabilisation biologique des vins en bouteille.

Les vins blancs doux

La vinification des vins doux suppose des raisins riches en sucre. Une partie du sucre est transformée en alcool, mais la fermentation est arrêtée avant son achèvement : le vinificateur ajoute du dioxyde de soufre et élimine les levures par soutirage ou centrifugation (ou encore par pasteurisation, dans les vins ordinaires seulement).

Clarifier et stabiliser

La clarification peut être obtenue par simple sédimentation et décantation (soutirage) si le vin est conservé dans des récipients de petite capacité (fût de bois) pendant un temps suffisamment long. Il faut faire appel à la centrifugation ou aux différents types de filtration lorsque le vin est conservé en cuve.

LA VINIFICATION EN BARRIQUE

Les grands vins blancs sont vinifiés en barrique ; ils acquièrent ainsi un caractère boisé et fondu. Ils sont ensuite élevés sous bois, sur leurs lies fines (levures) que le maître de chai remet régulièrement en suspension par bâtonnage. Cette pratique permet d'accentuer le caractère gras et moelleux du vin.

Compte tenu de sa complexité, le vin peut produire des troubles et des dépôts. Il s'agit de phénomènes naturels, d'origine microbienne ou chimique. Ces accidents sont extrêmement graves lorsqu'ils ont lieu en bouteille ; pour cette raison, la stabilisation doit être opérée avant le conditionnement. Les accidents microbiens (piqûre bactérienne ou refermentation) sont évités si le vin est conservé dans des conditions de propreté satisfaisantes, à l'abri de l'air et en récipient plein. L'ouillage consiste à faire régulièrement le plein des récipients pour éviter le contact du vin avec l'air. En outre, le dioxyde de soufre est un antiseptique et un antioxydant d'un emploi courant. Son action peut être complétée par celle de l'acide sorbique (antiseptique) ou de l'acide ascorbique (antioxydant).

Les produits utilisés sont relativement peu nombreux : leur mode d'action n'affecte pas la qualité, et leur innocuité est démontrée. Des tests de laboratoire permettent de prévoir les risques d'instabilité et de limiter les traitements au strict nécessaire. Le tendance moderne consiste à agir dès la vinification de façon à limiter autant que possible les traitements ultérieurs des vins.

Affiner

L'élevage comprend aussi une phase d'affinage. Il s'agit d'abord d'éliminer le gaz carbonique en excès qui provient de la fermentation et dont le taux final dépend du style de vin recherché. Si le gaz carbonique donne de la fraîcheur aux vins blancs secs et aux vins jeunes, il durcit en revanche les vins de garde, en particulier les grands vins rouges.

Une introduction ménagée d'oxygène assure également la transformation nécessaire des tanins des vins rouges jeunes. Elle est indispensable à leur vieillissement ultérieur en bouteille. L'oxydation ménagée se produit spontanément en fût de chêne ; les techniques dites de microbullage permettent d'introduire, de façon régulière, les quantités d'oxygène juste nécessaires, surtout pour les vins conservés en cuve.

L'influence du chêne

Le chêne a toujours été le meilleur allié du vin. Celui de l'Allier (forêt du Tronçais) est réputé dans le monde entier. À la différence du chêne américain, le bois des chênes européens, sessiles et pédonculés, doit être fendu (et non scié) puis exposé à l'air pendant trois ans avant que le tonnelier n'utilise le merrain pour fabriquer des douelles. Le chêne américain permet d'obtenir rapidement une note boisée, mais il n'a pas la complexité et la finesse du chêne de l'Allier.

L'élevage sous bois fait partie de la tradition des grands vins. Il est onéreux (prix d'achat des fûts, travail manuel, pertes par évaporation) et exige une grande rigueur : les fûts devenus vieux peuvent être une source de contamination microbienne.

Le chêne apporte aux vins des arômes complexes (vanille, épices, grillé, etc.) qui doivent s'harmoniser parfaitement avec ceux du fruit, surtout lorsque le bois est neuf. Il doit donc être réservé à des vins naturellement riches et structurés, capables d'intégrer son caractère sans perdre leur typicité ni s'assécher en vieillissant. Pour nuancer son empreinte, le maître de chai joue sur la durée de l'élevage, sur la proportion de barriques neuves et même sur le degré de chauffe des douelles, susceptible de transmettre des arômes plus ou moins torréfiés. On peut apporter à moindre frais un caractère boisé en faisant macérer dans le vin des copeaux de chêne.

Pascal Ribéreau-Gayon
(pour la partie « De la vigne au vin »).

La viticulture biologique

Le Guide Hachette des Vins a introduit un pictogramme pour signaler les vins issus de l'agriculture biologique certifiée. Leur point commun ? Aucun produit de synthèse n'est intervenu dans la culture des raisins d'où ils sont issus. Le « vin bio » est-il différent ? Les cépages, le microclimat, les sols interviennent, autres facteurs de diversité. C'est pourquoi nous n'avons pas testé ces vins à part. Le « vin bio » est-il meilleur ? Tout dépend de l'art du vigneron.

Une viticulture plurielle

La vigne étant sensible à de nombreux parasites – le phylloxéra, au XIXe s., faillit l'éradiquer du sol européen –, la viticulture a fait depuis cette époque massivement appel à la chimie. L'agriculture biologique, en réaction, s'abstient de tout engrais, désherbant et pesticide de synthèse (avec une tolérance en viticulture pour le cuivre et le soufre). Quant à la biodynamie, c'est une forme d'agrobiologie où la plante est en outre appréhendée dans ses liens avec le cosmos. Les façons et les soins – des préparats naturels dilués à l'extrême selon les principes de l'homéopathie – sont rythmés par les cycles lunaires. Intermédiaire entre l'agriculture conventionnelle et l'agriculture biologique, l'agriculture raisonnée, qui s'efforce de limiter le recours aux produits de synthèse sans les interdire a priori, n'est pas considérée comme biologique.

En France, l'agriculture « bio » a été reconnue par la loi en 1980. Propriété du ministère de l'Agriculture, le logo AB peut être apposé sur l'étiquette des produits certifiés. Dans l'Union européenne, le premier règlement remonte à 1991. Jusqu'en 2012, aucun accord n'avait pu être trouvé à l'échelle européenne sur la définition du « vin biologique » et de son mode d'élaboration : c'est le raisin qui était « bio ».

Conversion et certification

Avant de pouvoir revendiquer la dénomination « AB », le domaine doit passer par une période de conversion de trois ans durant laquelle il respecte les contraintes de l'agrobiologie. Le producteur est tenu de déclarer son activité chaque année auprès des pouvoirs publics. Il passe en outre obligatoirement un contrat avec un des organismes certificateurs accrédités par l'État. Ces instances privées et indépendantes sont chargées d'effectuer des contrôles réguliers dans les exploitations.

L'encadrement réglementaire : du « raisin biologique » au « vin biologique »

En 2012, un accord sur les critères d'une vinification biologique est intervenu entre les États membres de l'UE si bien qu'un nouveau règlement européen définissant le vin biologique a été publié. Dorénavant, pour produire « bio », il faudra non seulement du raisin biologique, mais aussi une vinification qui respecte le nouveau cahier des charges. Celui-ci dresse la liste des produits œnologiques autorisés, les autres étant interdits (ex. : acide sorbique), et bannit certaines pratiques (ex. : les traitements thermiques supérieurs à 70 °C) ; désormais, tous les intrants devront être « bio ». Par rapport à la vinification traditionnelle, les doses de sulfites doivent être inférieures de 50 mg/l (de 30 mg/l pour les vins dont la teneur en sucres résiduels est supérieure à 2 g/l) – voir également p. 35.

LE PICTO « BIO » DANS LE GUIDE Ⓑ

Il ne figure que si l'étiquette du vin présenté porte la mention obligatoire : « Vin issu de raisins biologiques » ou « Vin issu de raisins de l'agriculture biologique » accompagnée de la marque de l'organisme certificateur (le logo AB n'est pas obligatoire). Il ne s'applique qu'au vin et au millésime dégustés (certaines exploitations ne sont pas intégralement conduites en agrobiologie ou n'avaient pas achevé leur période de conversion au moment de la récolte). Par ailleurs, certaines propriétés, parfois réputées, suivent une démarche « bio » sans demander la certification. Dans la mesure du possible, nous l'indiquons alors dans le texte.

L'ALSACE ET LA LORRAINE

RIESLING GEWURZTRAMINER
PINOT GRIS MUSCAT
SYLVANER CÔTES-DE-TOUL
MOSELLE CRÉMANT PINOT BLANC
VENDANGES TARDIVES
GRAINS NOBLES PINOT NOIR
EDELZWICKER

L'Alsace

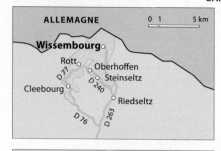

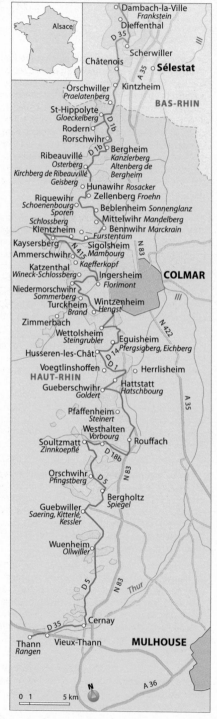

L'ALSACE

Le vignoble alsacien s'étire sur plus de 170 km, de Thann au sud à Marlenheim au nord, avec un îlot septentrional limitrophe de l'Allemagne, près de Wissembourg. Jalonné de pittoresques villages remontant au Moyen Âge, il bénéficie d'un climat frais mais abrité qui favorise l'expression aromatique des raisins. Vendus dans leur bouteille élancée appelée « flûte », les vins d'Alsace, blancs à 90 %, s'identifient traditionnellement par leur cépage, car la plupart d'entre eux sont aujourd'hui élaborés à partir d'une seule variété.

Superficie
15 550 ha
Production
1 150 000 hl
Types de vins
Blancs (secs majoritairement, moelleux et liquoreux), effervescents, et 10 % de rouges ou rosés.
Cépages
Blancs : riesling, pinot blanc, gewurztraminer, suivis des pinot gris, pinot blanc, auxerrois, sylvaner, muscats, chasselas, klevener de Heiligenstein.
Rouges : pinot noir.

À l'abri des Vosges La majeure partie du vignoble d'Alsace est implantée sur les collines qui bordent à l'est le massif vosgien et qui prennent pied dans la plaine rhénane. Les Vosges arrêtent la grande masse des précipitations venant de l'Océan : la pluviométrie moyenne annuelle de la région de Colmar, avec à peine plus de 600 mm, est l'une des plus faibles de France. En été, ces montagnes font obstacle à l'influence rafraîchissante des vents atlantiques ; mais ce sont surtout les différents microclimats, nés des nombreuses sinuosités du relief, qui jouent un rôle prépondérant dans la répartition et la qualité des vignobles.

Une mosaïque de sols Une autre caractéristique de ce vignoble est la grande diversité de ses sols. Il y a quelque cinquante millions d'années, Vosges et Forêt-Noire formaient un seul ensemble issu d'une succession de phénomènes tectoniques (immersions, érosions, plissements...). À partir de l'ère tertiaire, la partie médiane de ce massif a commencé à s'effondrer le long de deux failles principales pour donner naissance, bien plus tard, à une plaine. Par suite de cet affaissement, presque toutes les couches de terrain qui s'étaient accumulées au cours des différentes périodes géologiques ont été remises à nu sur la zone de rupture. Or, c'est surtout dans ces champs de faille que sont localisés les vignobles. C'est ainsi que la plupart des communes viticoles sont caractérisées par au moins quatre ou cinq formations de terrains différentes : granite, grès, calcaires, argilo-calcaires, marnes... Chaque cépage s'y exprime différemment.

L'essor médiéval La viticulture en Alsace semble remonter à la conquête romaine. Après un déclin consécutif aux invasions du Ve s., le développement du vignoble reprit de plus belle sous l'influence des évêchés et des abbayes. Des documents antérieurs à l'an 900 mentionnent plus de cent soixante localités où la vigne était cultivée (les communes incluses dans l'AOC alsace sont aujourd'hui au nombre de 119). Cette expansion se poursuivit jusqu'au XVIe s., qui marqua l'apogée de la viticulture en Alsace. Les riches maisons de style Renaissance, que l'on admire dans maintes communes viticoles, témoignent de la prospérité de ce temps où de grandes quantités de vins d'Alsace étaient déjà exportées dans toute l'Europe.

Le XVIIe s. : la fin de l'âge d'or La guerre de Trente Ans (1618-1648) et son cortège de dévastations, de famines et de pestes, eut des conséquences désastreuses pour la viticulture. La paix revint à la fin du Grand Siècle dans une Alsace devenue française ; le vignoble recommença à s'étendre, mais en privilégiant dès lors les cépages communs. Cette tendance s'étant accentuée après la Révolution, sa superficie passa de 23 000 ha en 1808 à 30 000 ha en 1828. L'avènement du chemin de fer et la concurrence des vins du Midi, l'apparition du phylloxéra et de diverses maladies ouvrirent un long processus de déclin. À partir de 1902, la surface du vignoble diminua pour tomber à 9 500 ha vers 1948.

Après 1945 : le renouveau L'essor économique de l'après-guerre et les efforts de la profession favorisèrent le développement du vignoble alsacien, qui s'inscrivit dans le cadre français des appellations d'origine contrôlées. Les superficies repartirent à la hausse pour dépasser les 15 000 ha.

Les exportations représentent près du quart des ventes totales. Ce développement a été l'œuvre de l'ensemble des trois branches professionnelles qui se répartissent le marché : les vignerons indépendants (20 % de la commercialisation), les coopératives (38 %) et les négociants (42 %), souvent eux-mêmes producteurs. Le vignoble est cultivé par plus de 4 800 viticulteurs et compte 950 metteurs en bouteilles. Le mouvement coopératif, apparu plus tôt en Alsace que dans le reste de la France, s'est développé après la Seconde Guerre mondiale.

Tourisme La création dès 1953 de la route des Vins d'Alsace a fait de la région une pionnière en matière de tourisme viticole. Tout au long de l'année, de nombreuses manifestations se déroulent dans les localités qui la jalonnent : foires aux vins (Guebwiller, Ammerschwihr, Ribeauvillé, Barr et Molsheim, avant Colmar en août), fêtes des vendanges, marchés de Noël... On citera également l'activité de la confrérie Saint-Étienne d'Alsace, née au XIVes. et restaurée en 1947.

Des cépages aromatiques Le principal atout des vins d'Alsace réside dans le développement optimal des constituants aromatiques des raisins. En effet, l'expression des arômes est favorisée par la maturation lente des raisins sous des climats tempérés et frais. Le caractère gustatif des vins dépend largement du cépage, et l'une des particularités de la région est de nommer les siens d'après leur variété d'origine, alors que les autres vins français d'appellation d'origine contrôlée portent généralement le nom de la région ou d'un site géographique plus restreint qui leur a donné naissance. Il s'agit principalement de vignes blanches, la seule variété rouge, le pinot noir, couvrant un peu moins de 10 % des surfaces. Les autres cépages autorisés sont le riesling (environ 22 % des surfaces), le pinot blanc et l'auxerrois (totalisant 22 %), le gewurztraminer (19 %), le pinot gris (15 %), le sylvaner (9 %), les muscats (muscats blanc et rose à petits grains, muscat ottonel), le chasselas blanc et rose, le klevener de Heiligenstein. Le chardonnay est aussi admis pour les vins effervescents.

Les appellations alsaciennes L'appellation alsace, applicable dans l'ensemble du vignoble, représente les trois quarts de la production. L'étiquette porte le nom du cépage, sauf pour les rares vins d'assemblage (gentil, edelzwicker). À côté des vins blancs secs, majoritaires, on trouve des vins plus ou moins tendres, riches en sucres résiduels, des moelleux et des liquoreux. Le pinot noir est vinifié en rouge et en rosé.

L'AOC crémant-d'alsace, reconnue en 1976, est réservée aux vins effervescents de la région. Elle connaît un développement spectaculaire et représente 21 % de la production.

L'AOC alsace grand cru (4 % de la production) provient de 52 lieux-dits officiellement délimités. Leur création, à partir de 1975, répond au souci de faire renaître dans la région des vins de terroir qui, en plus de la typicité du cépage, portent l'empreinte de leur lieu de naissance ; elle s'appuie sur la très ancienne notoriété de terroirs d'exception.

L'étiquette des vins d'Alsace peut mentionner le nom d'un lieu-dit cadastré, mais non classé en grand cru. En outre, en 2011 ont été définies onze dénominations sous-régionales ou communales qui peuvent figurer sur l'étiquette. Elles correspondent à des secteurs ou villages célèbres de longue date pour certains de leurs vins. Parfois réservées à une couleur, à un cépage (ou à un nombre limité de cépages), elles sont assorties de conditions de production plus exigeantes. Ce sont : Blienschwiller et Côtes de Barr pour le sylvaner, Ottrott, Rodern et Saint-Hippolyte pour le pinot noir, Wolxheim et Scherwiller pour le riesling, Heiligenstein pour le klevener, Côte de Rouffach, Vallée Noble et Val Saint-Grégoire. Pour les lieux-dits comme pour ces dénominations, les conditions de production sont plus restrictives.

Les alsaces «vendanges tardives» et «sélections de grains nobles» proviennent de vendanges surmûries, les seconds naissant toujours de vendanges atteintes par la pourriture noble. Ils sont soumis à des conditions de production extrêmement rigoureuses, en particulier pour ce qui concerne le taux de sucre des raisins. Ces mentions spécifiques, officialisées en 1984, ainsi que (pour l'essentiel) celle de l'AOC alsace grand cru sont réservées aux «cépages nobles» : gewurztraminer, riesling, pinot gris et muscat. Il s'agit de vins de classe dont le prix de revient est très élevé.

Dans l'esprit des consommateurs, le vin d'Alsace doit se boire jeune. C'est en grande partie vrai pour le sylvaner, le chasselas, le pinot blanc et l'edelzwicker ; riesling, gewurztraminer, pinot gris gagnent en revanche souvent à attendre deux ans, voire davantage. Certains vins, dans les millésimes favorables, se conservent parfois pendant des dizaines d'années, en particulier ceux de l'AOC alsace grand cru – et surtout les rieslings.

Alsace edelzwicker

Production : 23 080 hl

Cette dénomination ancienne désigne les vins issus d'un assemblage (*Zwicker* en alsacien) de cépages. N'oublions pas qu'il y a un siècle, les parcelles du vignoble alsacien plantées d'une seule variété étaient rares. Aujourd'hui, on utilise le terme « edelzwicker » pour désigner tout assemblage de cépages blancs de l'AOC alsace. Ces cépages peuvent être vinifiés ensemble ou séparément. On a ajouté l'adjectif *Edel* (noble) pour marquer la présence plus fréquente aujourd'hui de cépages nobles, tels que le riesling, le gewurztraminer ou le pinot gris, dans sa composition. Particulièrement apprécié des Alsaciens, l'edelzwicker est servi en carafe dans la plupart des winstubs. Le terme de « gentil » désigne aussi traditionnellement des vins d'assemblage.

ENGEL Terre de gneiss Réserve 2011

6 000		8 à 11 €

Une exploitation située au pied du Haut-Koenigsbourg. Son vignoble est implanté pour une grande partie sur du gneiss, une roche métamorphique siliceuse qui accueille plusieurs cépages. Le riesling (55 %), pinot gris (25 %) et gewurztraminer qui composent cette bouteille ont été récoltés et vinifiés ensemble. Le nez de pêche et de mirabelle annonce un vin d'une rondeur et d'une richesse peu communes dans les assemblages, tonifié par une finale fraîche. Autant de caractères qui lui permettront d'accompagner une volaille.
☛ EARL Vignobles R. Engel et Fils, 1, rue des Vignes, 67600 Orschwiller, tél. 03 88 92 01 83, fax 03 88 92 17 27, vins-engel@wanadoo.fr,
☑ ⚘ ⴵ t.l.j. 9h-11h30 14h-19h; dim. 9h-11h30

HOSPICES DE COLMAR Gentil 2011

2 500		5 à 8 €

Exploité par le Domaine viticole de la ville de Colmar, ce vignoble résulte de dons et de legs faits aux hospices de Colmar depuis le XIIIe s. Assemblage de riesling (40 %), de pinot gris et de gewurztraminer, son gentil associe au nez les fleurs, la pêche et l'abricot, arômes qui se prolongent harmonieusement en bouche. Un vin frais et croquant, pour l'apéritif, les crudités et la charcuterie.
☛ Dom. viticole de la ville de Colmar, 2, rue du Stauffen, 68000 Colmar, tél. 03 89 79 11 87, fax 03 89 80 38 66, nhaeffelin@lgcf.fr, ☑ ⚘ ⴵ t.l.j. sf dim. 9h-12h30 14h-18h
☛ Grands Chais de France

PFAFF Gentil 2011 ★

38 600		5 à 8 €

Bien connue de nos lecteurs, la cave de Pfaffenheim, qui a fusionné avec sa voisine de Gueberschwihr, est attachée à une politique de qualité qui se traduit notamment par des vendanges manuelles sur 85 % de son vignoble. Cinq cépages entrent dans ce gentil : le gewurztraminer, le pinot gris, le pinot blanc, le riesling et le sylvaner (par ordre d'importance). Dès le premier coup de nez, on respire les fruits exotiques, associés à l'acacia et au miel. Tout aussi aromatique en bouche, ce vin montre une belle fraîcheur qui permettra de l'associer à des poissons grillés ou à des crustacés.
☛ Cave des vignerons de Pfaffenheim, 5, rue du Chai, 68250 Pfaffenheim, tél. 03 89 78 08 08, fax 03 89 49 71 65, cave@pfaffenheim.com, ☑ ⚘ ⴵ t.l.j. 9h-18h (19h en été)

Alsace gewurztraminer

Superficie : 2 986 ha
Production : 203 034 hl

Le cépage qui est à l'origine de ce vin est une forme particulièrement aromatique de la famille des traminers. Un traité publié en 1551 le désigne déjà comme une variété typiquement alsacienne. Celle-ci atteint dans ce vignoble un optimum de qualité, ce qui lui a conféré une réputation unique dans la viticulture mondiale. Son vin est corsé, bien charpenté, sec ou moelleux, et caractérisé par un bouquet merveilleux, plus ou moins puissant selon les situations et les millésimes. Le gewurztraminer, qui a une production relativement faible et irrégulière, est un cépage précoce aux raisins très sucrés. Souvent servi à l'apéritif ou sur des desserts, ce vin accompagne aussi, lorsqu'il est puissant, les fromages à goût relevé, comme le roquefort et le munster, ou la cuisine épicée, asiatique en particulier.

FRÉDÉRIC ARBOGAST ET FILS Geierstein Cuvée Élisabeth 2011 ★

n.c.		5 à 8 €

Représentant la quatorzième génération sur l'exploitation, ce viticulteur bas-rhinois a le sens de la famille et dédie à sa grand-mère cette cuvée élevée sur lies qui lui vaut une nouvelle mention dans le Guide. Un gewurztraminer au nez encore jeune, partagé entre la rose et les épices, et à la bouche équilibrée et fraîche, légèrement poivrée en finale. Son côté aérien et épicé incite à le servir à l'apéritif. Pourquoi pas avec des brochettes de fraises ? (Sucres résiduels : 28 g/l.)
☛ Dom. Frédéric Arbogast, 3, pl. de l'Église, 67310 Westhoffen, tél. 03 88 50 30 51, fax 03 88 50 36 40, frederic@vignoble-arbogast.fr, ☑ ⚘ ⴵ r.-v.

DOM. BADER Vendanges tardives 2009 ★★

600		15 à 20 €

Avec plus de 500 ha de vignes, Epfig se flatte d'être la plus importante commune viticole d'Alsace. Œnologue, Pierre Scharsch s'y est installé en 2004. Il signe des vendanges tardives qui n'ont qu'un seul défaut : leur caractère confidentiel. On aime dans ce vin jaune d'or sa finesse et sa fraîcheur qui lui confèrent beaucoup d'élégance. Au nez, des agrumes, des nuances de fruits surmûris, des épices, avec en bouche une note de miel de sapin. De la tenue, de la puissance, de la longueur et une impression de légèreté. Bel accord en perspective avec une tarte fine aux pommes caramélisées. (Sucres résiduels : 75 g/l.)
☛ Dom. Bader, 1, rue de l'Église, 67680 Epfig, tél. 06 70 52 09 56, domaine-bader@laposte.net,
☑ ⚘ ⴵ r.-v.

BAUMANN ClassiQ 2011 ★

| | 60 000 | ▮ | 8 à 11 € |

Ce domaine a été racheté en 2006 par la famille Sparr, à la tête d'une affaire de négoce bien connue à Riquewihr. Sa production est surtout destinée à l'export. Issu d'une vinification soignée et d'un élevage sur lies fines, ce gewurztraminer d'un jaune intense aux nuances cuivrées a pour atouts son bel équilibre et ses parfums d'une réelle finesse : de la poire, et surtout des nuances de rose fanée jusqu'en finale. On imagine ce vin à l'apéritif, ou avec un munster crémeux, mais pas trop puissant. (Sucres résiduels : 22 g/l.)

☛ Dom. Baumann, 8, av. Mequillet, 68340 Riquewihr, tél. 03 89 47 92 14, fax 03 89 47 99 31, odile@domaine-baumann.com,

☑ ⚲ ☂ t.l.j. 10h-12h 14h-19h 🏠 ❹

JEAN BOESCH ET PETIT-FILS
Vallée Noble La Fée Florine 2011 ★★

| | 1 100 | ▮ | 8 à 11 € |

Ce gewurztraminer a été récolté bien mûr, le 2 novembre, dans la Vallée Noble – un secteur bien abrité, sec, où ce cépage donne de très bons résultats. Son nez aussi captivant qu'élégant associe la réglisse, le myrte, la menthe et le citron confit à des notes plus attendues de mangue et de rose. Tout aussi aromatique, le palais se montre gras et long, avec un caractère tonique qui lui garantit une belle tenue jusqu'en 2018 au moins. Un dégustateur suggère pour accompagner cette cuvée une panna cotta aux fruits exotiques. (Sucres résiduels : 37 g/l.)

☛ EARL Jean Boesch et Petit-Fils, 8, rue du Bois, 68570 Soultzmatt, tél. 03 89 47 00 87, fax 03 89 47 08 19, jean.boesch@wanadoo.fr,

☑ ⚲ ☂ t.l.j. 8h-11h30 13h30-19h; dim. sur r.-v. 🏠 Ⓑ

MARIE-CLAIRE ET PIERRE BORÈS
Privilège de schistes 2010 ★

| | 1 520 | ▮ | 11 à 15 € |

Installés au sud de Barr, en pleine montagne, Marie-Claire et Pierre Borès exploitent leur vignoble sur l'un des rares terroirs de schistes d'Alsace, d'où provient ce 2010 or ou jaune aux reflets dorés, partagé entre le litchi, la papaye et les épices. Ample et d'une douceur notable, la bouche est équilibrée par une fine acidité qui porte loin la finale et laisse une impression d'élégance. Très homogène, un classique dans le bon sens du terme, à découvrir dès maintenant ou à son apogée, à partir de 2015. Suggestions d'accords : du poisson à la citronnelle ou une pavlova mangue-kiwi. (Sucres résiduels : 44 g/l.)

☛ Marie-Claire et Pierre Borès, 15, lieu-dit Leh, 67140 Reichsfeld, tél. 03 88 85 58 87, vinsbores@wanadoo.fr, ☑ ⚲ ☂ r.-v.

DOM. DREYER Vendanges tardives L'Inoubliable 2008 ★

| | 1 500 | ▯ | 20 à 30 € |

Jean-Pierre et Claude Dreyer exploitent 9,5 ha autour d'Eguisheim, commune appartenant au cercle fermé des Plus Beaux Villages de France. Leur gewurztraminer vendanges tardives 2008 garde une très belle tenue. C'est un vin intense et net, d'un jaune doré brillant, mêlant au nez l'ananas, le litchi, le miel et de fines notes épicées rappelant le clou de girofle. Cette complexité se retrouve en bouche, avec de la richesse et de l'équilibre, sans excès de sucres. La longue finale associe la noisette et l'abricot sec. Une belle étoile pour cet ensemble à déguster pour lui-même, à l'apéritif, avec des canapés au foie gras. (Sucres résiduels :

65 g/l.) Des mêmes producteurs, le gewurztraminer 2011 (5 à 8 € ; 3 000 b.), vinifié en sec, assez léger mais élégant, est cité. (Sucres résiduels : 7 g/l.)

☛ Dom. Robert Dreyer et Fils, 17, rue de Hautvillers, 68420 Eguisheim, tél. 03 89 23 12 18, fax 03 89 41 61 45, vignoble.dreyer@wanadoo.fr,

☑ ⚲ ☂ t.l.j. sf dim. 9h-12h 14h-19h

DOM. ANDRÉ EHRHART 2011

| | 9 200 | ▮ | 5 à 8 € |

Issu d'un sol marno-calcaire, un gewurztraminer encore jeune par sa robe or pâle, son nez discrètement fruité libérant à l'aération des senteurs confites et épicées. La bouche moelleuse révèle une belle matière et finit sur des notes épicées. L'ensemble gagnera en expression au cours des trois prochaines années et accompagnera aussi bien le foie gras qu'un canard laqué, ou encore un dessert. (Sucres résiduels : 57 g/l.)

☛ Dom. André Ehrhart et Fils, 68, rue Herzog, 68920 Wettolsheim, tél. 03 89 80 66 16, fax 03 89 79 44 20, ehrhart.andre@neuf.fr, ☑ ⚲ ☂ t.l.j. sf dim. 9h-12h 13h-18h

♥ ENGEL Réserve 2011 ★★

| | 8 000 | ▮ | 15 à 20 € |

ENGEL

Alsace

GEWURZTRAMINER

2011

RÉSERVE

Installés au pied du château du Haut-Koenigsbourg, les Engel ont vendangé ce gewurztraminer en surmaturité et l'ont élevé dix mois sur lies fines. Les dégustateurs sont conquis par ce moelleux jaune doré aux plaisants reflets, au nez déjà bien ouvert sur des notes complexes de litchi, de mangue, de thé et d'épices. Riche, suave et ample avec finesse, minérale et longue, la bouche laisse déjà une impression de plénitude. Cette bouteille sera à son optimum en 2015 et le restera plusieurs années. On peut la savourer pour elle-même, au coin du feu, ou à la fraîche, avec une salade de fruits d'été. (Sucres résiduels : 80 g/l.)

☛ EARL Vignobles Engel Frères, 1, rue des Vignes, 67600 Orschwiller, tél. 03 88 92 01 83, fax 03 88 92 17 27, vins-engel@wanadoo.fr,

☑ ⚲ ☂ t.l.j. 9h-11h30 14h-19h (dim. 9h-11h30) 🏠 Ⓔ

FAHRER-ACKERMANN Cuvée Théa 2011 ★★

| | 5 500 | ▮ | 8 à 11 € |

Ces vignerons établis dans l'un des villages situés au pied du Haut-Koenigsbourg signent une cuvée née de vieilles vignes cultivées sur sols argilo-calcaires. Un vin flatteur par sa robe d'or, son nez précis et bien typé aux parfums de rose et de violette. Puissant et riche au palais, il offre une remarquable expression du cépage. La fraîcheur un rien citronnée de la bouche porte loin la finale et confère à cette bouteille tonus et légèreté. On pourra la marier avec une mousse aux agrumes. (Sucres résiduels : 29 g/l.)

🕿 Dom. Fahrer-Ackermann, 10, rte du Vin, 68590 Rorschwihr, tél. 03 89 73 83 69, vincent.ackermann@wanadoo.fr, ☑ ⚔ ☒ r.-v. 🏛 ❷ 🏠 ⒸG

♥ **JOSEPH FREUDENREICH** Vendanges tardives 2009 ★★

| | 2 640 | 🗋 | 15 à 20 € |

Marc Freudenreich s'est installé en 1988 à la tête de l'exploitation familiale mais vinifie depuis 1978. Il accueille les visiteurs dans une ancienne cour dîmière, au cœur de la cité médiévale d'Eguisheim. Dans ce monument historique, vous aurez peut-être la chance de goûter cette remarquable expression d'un millésime solaire qui donna de belles vendanges tardives. D'un jaune paille limpide, ce 2009 conjugue au nez complexité, concentration et fraîcheur, mêlant la rose, la mangue et les agrumes, avec des notes compotées et citronnées. Cette complexité se retrouve au sein d'une matière ample, charpentée et riche, qui finit sur cette impression épicée et poivrée caractéristique des gewurztraminers bien nés. Bredalas aux épices ? Canard à l'ananas ? Et pourquoi pas savourer ce vin pour lui-même, à l'apéritif ? (Sucres résiduels : 50 g/l.)

🕿 Joseph Freudenreich et Fils, 3, cour Unterlinden, 68420 Eguisheim, tél. 03 89 41 36 87, fax 03 89 41 67 12, info@joseph-freudenreich.fr, ☑ ⚔ ☒ t.l.j. 8h-12h 13h-19h

DOM. ROBERT HAAG ET FILS Cuvée sélectionnée 2011

| | 8 400 | 🗋 | 5 à 8 € |

Si Scherwiller est connu des amateurs pour son riesling, François Haag a tiré du terroir granitique de ce village un gewurztraminer d'une belle précision. La robe vieil or et le nez complexe et riche, plutôt confit, laissent percevoir la maturité du fruit. Puissant et généreux en attaque, le palais laisse sur des impressions suaves et chaleureuses. Un juré verrait bien une tarte aux pommes accompagner cette bouteille qui sera à son optimum dans deux ans. (Sucres résiduels : 34,5 g/l.)

🕿 Dom. Robert Haag et Fils, 21, rue de la Mairie, 67750 Scherwiller, tél. 03 88 92 11 83, fax 03 88 82 15 85, vins.haag.robert@estvideo.fr, ☑ ⚔ ☒ t.l.j. sf dim. 9h-12h 13h30-19h

VIGNOBLE HAEFFELIN 2011

| | 3 000 | 🗋 | 5 à 8 € |

Or pâle brillant, ce gewurztraminer, d'abord discrètement floral, libère à l'aération des parfums variétaux de fruits exotiques mêlés de notes de surmaturation évoquant les fruits jaunes et le coing compoté. Ample à l'attaque, pas très long mais flatteur, c'est un bon classique qui trouvera sa place à l'apéritif, accompagné de petits chaussons de munster aux pommes et poires. (Sucres résiduels : 43 g/l.)

🕿 Vignoble Daniel Haeffelin, 35, Grand-Rue, 68420 Eguisheim, tél. 03 89 41 77 85, fax 03 89 23 32 43, vins.alsace.haeffelindaniel@wanadoo.fr, ☑ ⚔ ☒ t.l.j. 9h30-12h 13h30-18h30; dim. sur r.-v.

Ⓑ **BERNARD HAEGELIN** Bollenberg 2011 ★

| | 5 890 | 🗋 | 5 à 8 € |

Au sud du vignoble, les landes sèches de la colline du Bollenberg, colonisée par la vigne sur ses pentes, sont célèbres par leur biodiversité. Un milieu abrité et préservé que la famille Haegelin respecte en cultivant son domaine en biodynamie. Elle signe un gewurztraminer jaune doré aux nuances cuivrées, au nez intense et mûr de fruits confits, de mangue et d'abricot. Une bouche généreuse sans lourdeur, ronde et longue, fraîche en finale, permettra à cette bouteille de se bonifier pendant au moins cinq ans. « Le vin de toutes les tartes », conclut un juré. (Sucres résiduels : 30 g/l.)

🕿 SCEA Bernard Haegelin, 26, rue de l'Église, 68500 Orschwihr, tél. 03 89 76 14 62, fax 03 89 74 36 46, bernard.haegelin@wanadoo.fr, ☑ ⚔ ☒ t.l.j. 8h-19h; sam. 9h-18h; dim. sur r.-v.

VICTOR HERTZ Sélection 2011 ★★

| | 1 100 | 🗋 | 11 à 15 € |

Installée depuis 2007 sur le domaine familial situé à 10 km au sud de Colmar, Béatrice Hertz recherche dans ses vins l'expression des différents terroirs de son exploitation. Issu de sols argilo-calcaires, ce gewurztraminer a enthousiasmé le jury par la finesse et la complexité de son nez où l'écorce d'orange s'allie à la rose et au poivre. La bouche, marquée par des notes de surmaturation, est ample, riche, équilibrée et persistante, sans la moindre lourdeur. « Il fait voyager dans les autres continents », conclut, lyrique, un juré, qui suggère de déguster ce vin pour lui-même, à l'apéritif. Ce moelleux devrait aussi se marier avec un fondant au chocolat et à l'orange. (Sucres résiduels : 69 g/l.)

🕿 Dom. Victor Hertz, 8, rue Saint-Michel, 68420 Herrlisheim-près-Colmar, tél. 03 89 49 31 67, fax 03 89 49 22 84, beatrice@vinsvictorhertz.com, ☑ ⚔ ☒ t.l.j. 8h-12h 14h-18h; sam. dim. sur r.-v.

ÉMILE HERZOG Les Galets 2010 ★★

| | 1 220 | 🗋 | 15 à 20 € |

Émile Herzog a redonné vie à ce domaine familial implanté à Turckheim depuis la fin du XVIIe s. Ici, on utilise le cheval pour labourer les vignes en coteaux et les parcelles étroites. Celle qui est à l'origine de ce moelleux est installée sur les sols graveleux de la Fecht, d'où le nom de la cuvée. D'un jaune doré profond, la robe annonce un nez intensément fruité, aux nuances de surmaturation (orange confite, fruits jaunes) et d'épices. Le millésime 2010 s'exprime dans une pointe d'acidité qui confère à cette bouteille puissance, harmonie et longueur. Un vin savoureux qui fera plaisir dès maintenant, et pendant plusieurs années, sur une tarte aux mirabelles par exemple. (Sucres résiduels : 67 g/l.)

🕿 Vins d'Alsace Émile Herzog, 28, rue du Florimont, 68230 Turckheim, tél. 03 89 27 08 79, e.herzog@laposte.net, ☑ ⚔ ☒ r.-v.

MICHEL HEYBERGER 2011

◼	4 300	⬚	5 à 8 €

Michel Heyberger est installé à Saint-Hippolyte, village en contrebas du Haut-Kœnigsbourg, à la limite des deux départements alsaciens. Son gewurztraminer est issu d'un sol argilo-gréseux, un type de terroir qui confère aux vins de la finesse. C'est un classique à la robe d'un jaune profond, qui libère à l'aération d'intenses parfums de fleurs et de fruits confits. Rond, riche et de bonne longueur, il délivre aussi en bouche ces arômes de fruits mûrs et de rose qui portent la signature du cépage. On pourra le marier avec des desserts fruités. (Sucres résiduels : 30 g/l.)

☛ Michel Heyberger, 4, rue de l'Ancien-Abattoir, 68590 Saint-Hippolyte, tél. 03 89 73 00 78, michel.heyberger@sfr.fr, ☑ ⚘ ⵝ r.-v.

HUEBER Vieilles Vignes 2011 ★

◼	8 000	▮	5 à 8 €

Après des études en hôtellerie, Valentin Hueber s'est installé sur l'exploitation familiale située dans un haut lieu touristique et a développé des structures d'hébergement (y compris l'accueil des camping-cars). Issu de ceps de quarante-cinq ans, son gewurztraminer Vieilles Vignes reflète une vendange d'une belle maturité. À la robe dense aux reflets dorés répond un nez intense, à la fois confit et frais, avec des touches mentholées. Dans le même registre, la bouche est concentrée, chaleureuse en finale. Bel accord en perspective avec une tarte aux figues fraîches. (Sucres résiduels : 28 g/l.)

☛ SARL Jean-Paul Hueber et Fils, 6, rte de Colmar, 68340 Riquewihr, tél. 03 89 47 92 30, fax 03 89 49 04 53, jeanpaul.hueber68@orange.fr, ☑ ⚘ ⵝ t.l.j. 9h-12h 13h-18h ▦ ❶ ⌂ Ⓑ

ⒷP. HUMBRECHT Jean 2010 ★

◼	3 000	▮	15 à 20 €

Marc Humbrecht a pris la tête de l'exploitation familiale en 2011, mais il élabore les vins depuis 2008 – sans levurage ni chaptalisation, conformément au cahier des charges de la biodynamie. Il en résulte ici une cuvée jaune clair, au nez discret de litchi, de pêche et de coing. On retrouve la pêche, assortie de notes d'abricot et d'épices, dans une bouche ronde, équilibrée tout au long de la dégustation par une belle fraîcheur. Un joli moelleux pour l'apéritif ou une tarte à l'abricot. (Sucres résiduels : 25 g/l.)

☛ Dom. Paul Humbrecht, 6, pl. Notre-Dame, 68250 Pfaffenheim, tél. 03 89 49 62 97, domaine.humbrecht@gmail.com, ☑ ⚘ ⵝ t.l.j. sf dim. 9h-12h 14h-18h ▦ ❷

CH. ISENBOURG Le Clos Les Troubadours 2010

◼	2 400	▮	20 à 30 €

Aux portes de Rouffach, ce château, revisité au XIXᵉ s. et aménagé en hôtel de luxe, dispose d'un clos planté pour moitié en gewurztraminer. Ce cépage est à l'origine d'un 2010 caractéristique du millésime par son fruité et sa fraîcheur. Ce vin trouvera facilement sa place à table, notamment sur de la cuisine exotique. Bel accord en perspective avec de la lotte à la citronnelle. (Sucres résiduels : 22 g/l.)

☛ Le Clos du Ch. d'Isenbourg, 5, rue du Chai, 68250 Pfaffenheim, tél. 03 89 78 08 08, fax 03 89 49 71 65, contact@clos-chateau-isenbourg.fr, ☑ ⚘ ⵝ t.l.j. 10h-19h

ⒷJOGGERST 2011

◼	10 500		8 à 11 €

Martin Joggerst a d'abord exploité son domaine en agriculture raisonnée avant de passer au bio en 2007. Dès 2010, il a adopté un cahier des charges de vinification bio (Vinabio). Son gewurztraminer s'habille d'une robe jaune d'or qui annonce les notes de surmaturation du nez, associées à des touches épicées très présentes en bouche. Un vin imposant mais qui reste équilibré. On le servirait bien avec des filets de poisson à l'aigre-doux. (Sucres résiduels : 30 g/l.)

☛ EARL Joggerst et Fils, 19, Grand-Rue, 68150 Ribeauvillé, tél. 03 89 73 66 32, fax 03 89 73 65 45, info@vins-joggerst.com, ☑ ⚘ ⵝ t.l.j. 9h30-12h 14h-18h

BARON KIRMANN 2011 ★

◼	1 500		11 à 15 €

Les meilleures cuvées de Philippe Kirmann sont dédiées à son glorieux ancêtre, contemporain de Napoléon Iᵉʳ et officier sous la Révolution et l'Empire. Celle-ci, d'un jaune doré flatteur, offre un nez réservé mais typique et prometteur, sur le litchi et les épices. Vive à l'attaque, harmonieuse, elle déploie en bouche de plaisants arômes de pêche mûre, voire légèrement confite, vivifiés par une fine acidité qui souligne la finale. Un vin plein de charme à ouvrir à partir de 2014, sur du foie gras par exemple. (Sucres résiduels : 54 g/l.)

☛ Philippe Kirmann, 2, rue du Gal-de-Gaulle, 67560 Rosheim, tél. 03 88 50 43 01, fax 03 88 50 22 72, info@baronkirmann.com, ☑ ⚘ ⵝ r.-v.

HENRI KLÉE Vieilles Vignes 2011

◼	4 500	▮	11 à 15 €

Sans s'imposer comme certains millésimes précédents, ce gewurztraminer apparaît très prometteur. Issu d'un terroir granitique, il a été vendangé fin octobre en légère surmaturation. Le lent pressurage a permis d'extraire le maximum d'arômes et de matière. Caractéristique du cépage, le nez apparaît finement floral et épicé. Dans le même registre, le palais est généreux, soutenu par une fraîche minéralité qui laisse espérer de belles années de garde. À déboucher dès l'an prochain sur un poulet au curry ou sur un dessert aux fruits. (Sucres résiduels : 50 g/l.)

☛ EARL Henri Klée, 11, Grand-Rue, 68230 Katzenthal, tél. 03 89 27 03 81, fax 03 89 27 28 17, contact@vins-klee-henri.com, ☑ ⚘ ⵝ r.-v. ⌂ Ⓒ

LOBERGER Weingarten 2011

◼	5 000	▮⬚	8 à 11 €

Voilà plus de quinze ans que Jean-Jacques Loberger, installé du côté de Guebwiller, conduit son domaine en biodynamie – certifiée depuis 2012. Son gewurztraminer du Weingarten s'annonce par une robe jaune orangé, ambrée, et par un nez intense et mûr, aux nuances de litchi, de bergamote, puis de fleurs. En bouche, c'est un vin suave, rond, ample, gras et moelleux, équilibré par une fine acidité. La finale est chaleureuse et poivrée. Bel accord en perspective avec un dessert peu sucré, une salade de fruits jaunes aux épices par exemple. (Sucres résiduels : 16 g/l.)

☛ Joseph Loberger et Fils, 10, rue de Bergholtz-Zell, 68500 Bergholtz, tél. 03 89 76 88 03, fax 03 89 74 16 89, contact@loberger.fr, ☑ ⚘ ⵝ t.l.j. sf dim. 8h30-12h 13h30-18h

LORENTZ Vendanges tardives 2010 ★

| | 15 000 | | 30 à 50 € |

Cette maison bien connue de Bergheim signe des vendanges tardives harmonieuses : un vin jaune d'or aux parfums francs de fruits exotiques compotés, de miel et de clou de girofle. Bien équilibré, alliant gras et fraîcheur, il dévoile au palais de jolis arômes de fruits en confiture. Cette bouteille fera plaisir dès la sortie du Guide et pendant plusieurs années ; elle devrait s'entendre avec un kougelhopf aux fruits confits. (Sucres résiduels : 68 g/l.)

☛ Jérôme Lorentz, 1-3, rue des Vignerons, BP 37, 68750 Bergheim, tél. 03 89 73 22 22, fax 03 89 73 30 49

Ⓑ MADER 2011 ★

| | 5 000 | ▮ | 8 à 11 € |

Jérôme Mader exploite 9,6 ha de vignes avec ses parents Jean-Luc et Anne. La famille a adopté l'agriculture biologique en 2007 et la vinification suit la même inspiration : pressurage en raisins entiers, levures indigènes, élevage sur lies. Il en résulte un vin jaune d'or, au nez floral s'ouvrant sur le litchi et la mirabelle, au palais ample, riche et chaleureux, encore dominé par des impressions de douceur. Ce 2011 atteindra son optimum en 2015 et formera un très bon accord avec roquefort et munster. (Sucres résiduels : 44 g/l.)

☛ Dom. Jean-Luc Mader, 13, Grand-Rue, 68150 Hunawihr, tél. 03 89 73 80 32, fax 03 89 73 31 22, vins.mader@laposte.net, ☑ ⵣ r.-v.

MARZOLF 2011

| | 3 153 | ▮ | 5 à 8 € |

Un gewurztraminer à découvrir à Gueberschwihr, village célèbre pour son église de grès rose au clocher roman, où Denis Marzolf conduit l'exploitation familiale depuis 1985. Issu d'un terroir argilo-calcaire propice, ce 2011 d'un jaune léger attire plus par sa subtilité que par sa richesse. Avec son nez finement épicé et sa bouche svelte et équilibrée, il trouvera sa place à l'apéritif, avec des gougères au munster. (Sucres résiduels : 27 g/l.)

☛ EARL Marzolf, 9, rte de Rouffach, 68420 Gueberschwihr, tél. 03 89 49 31 02, fax 03 89 49 20 84, vins@marzolf.fr, ☑ ⵣ ⵣ t.l.j. 9h-12h 13h30-18h30

CAVE DE PFAFFENHEIM Ancestrum 2011 ★

| | 25 000 | ▮ | 15 à 20 € |

Sélection parcellaire, vendanges manuelles majoritaires et vinifications exigeantes ont permis à cette coopérative, créée en 1957, de bénéficier d'une belle notoriété. La cave signe un gewurztraminer au nez expressif mêlant la mangue, la pêche, le litchi, le miel et les épices. On retrouve ces arômes dans une bouche généreuse et complexe, dont la longue finale renoue avec les épices. Un moelleux encore sur le sucre, qui sera parfait dans deux ans avec des brioches et des tartes aux fruits. (Sucres résiduels : 55 g/l.)

☛ Cave des vignerons de Pfaffenheim, 5, rue du Chai, 68250 Pfaffenheim, tél. 03 89 78 08 08, fax 03 89 49 71 65, cave@pfaffenheim.com, ☑ ⵣ ⵣ t.l.j. 9h-18h (19h en été)

EDMOND RENTZ Burg Le Bourg 2011

| | 6 383 | ▮ | 8 à 11 € |

Les ancêtres des propriétaires ont acheté les premières parcelles de vigne en 1785. Le domaine s'étend aujourd'hui sur 20 ha. Il livre un gewurztraminer aux parfums discrets mais délicats de fleurs, de poire surmûrie et de mangue, avec une touche minérale. Après une attaque ample et aromatique, le vin se déploie sur des notes de fruits exotiques, soutenu tout au long de la dégustation par une structure vive qui lui permettra de se bonifier. Marqué pour l'heure par une douceur très présente, il devrait atteindre son optimum dans deux à trois ans. On pourra l'ouvrir dès l'apéritif avec des canapés au foie gras. (Sucres résiduels : 38 g/l.)

☛ EARL Edmond Rentz, 7, rte du Vin, 68340 Zellenberg, tél. 03 89 47 90 17, fax 03 89 47 97 27, info@edmondrentz.com,
☑ ⵣ ⵣ t.l.j. sf dim. 8h-12h 14h-18h

DOM. DU CH. DE RIQUEWIHR Les Sorcières 2010 ★★

| | 17 000 | ▮ | 11 à 15 € |

« Domaines » avec un « s », car la maison Dopff et Irion, qui a pignon sur rue à Riquewihr, exploite cinq vignobles, chacun voué à un cépage. Celui qui a nom « Les Sorcières » est planté de gewurztraminer. Le vin est élevé quatre mois sur lies, neuf mois en cuve et encore neuf mois en bouteilles. Intense et profonde, la robe montre des reflets dorés. Le nez, complexe, associe le miel, les fruits confits et le pain d'épice. L'ensemble, puissant et riche, se bonifiera pendant trois ans au moins. Un accord insolite ? Cette bouteille devrait faire merveille avec de la cuisine antillaise : on pourrait l'essayer avec un jambon de Noël. (Sucres résiduels : 24 g/l.)

☛ Dopff-Irion, Dom. du Ch. de Riquewihr, 1, cour du Château, 68340 Riquewihr, tél. 03 89 47 92 51, fax 03 89 47 98 90, post@dopff-irion.com, ☑ ⵣ ⵣ t.l.j. 10h-19h

GILBERT RUHLMANN FILS Vendanges tardives 2009

| | 3 000 | ▮ | 20 à 30 € |

Établis à Scherwiller, près de Sélestat, Guy et Pascal Ruhlmann avaient présenté l'an dernier un muscat de vendanges tardives qui avait conquis le jury. Cette année, ils ont proposé un gewurztraminer de même style, issu de graves limoneuses. Au nez, des fruits confits, du miel, du clou de girofle. En bouche, beaucoup de douceur, sur des notes de datte et d'épices. Pour les becs sucrés, qui apprécieront cette bouteille sur du foie gras au pain d'épice. (Sucres résiduels : 53 g/l.)

☛ Gilbert Ruhlmann Fils, 31, rue de l'Ortenbourg, rte des Vins, 67750 Scherwiller, tél. 03 88 92 03 21, fax 03 88 82 30 19, vin.ruhlmann@terre-net.fr,
☑ ⵣ ⵣ t.l.j. 8h30-11h30 13h30-18h30; dim. 10h-12h 14h-18h

PAUL SCHERER Vieilles Vignes 2011 ★

| | 2 400 | ▮ | 5 à 8 € |

Établi à Husseren-les-Châteaux, point culminant de la route des Vins, Didier Scherer signe un moelleux fort harmonieux, issu de vignes de quarante ans plantées sur un terroir calcaire. Le nez séduit par ses parfums de fruits frais qui s'épanouissent à l'aération : abricot, poire, mangue, coing... En bouche, on découvre un vin ample, auquel une fine arête acide donne une réelle élégance. La finale est douce, suave et épicée. Déjà agréable, ce 2011 sera à son apogée en 2018. Un juré le verrait bien accompagner une tarte à l'ananas. (Sucres résiduels : 39 g/l.)

☛ EARL Paul Scherer et Fils, 40, rue Principale, 68420 Husseren-les-Châteaux, tél. 03 89 49 30 34, fax 03 89 86 41 67, paul.didier.scherer@orange.fr,
☑ ⵣ ⵣ r.-v.

SCHLEGEL-BOEGLIN Vendanges tardives 2009 ★

| | | 5 000 | ■ | 15 à 20 € |

Le village de Westhalten, à l'entrée de la Vallée Noble, bénéficie d'un microclimat chaud et aride. C'est là qu'est installé Jean-Luc Schlegel, à la tête de 13 ha de vignes. Pour élaborer ces vendanges tardives, il a assemblé des gewurztraminers cultivés dans le Vorbourg et le Zinnkoepflé, deux grands crus très ensoleillés. Selon la réglementation, les alsaces grand cru proviennent d'un terroir unique ; il s'agit donc d'un « générique », mais de haute naissance. D'un jaune d'or limpide et scintillant, ce 2009 s'impose par sa richesse, son gras, son ampleur et, pour l'heure, par une douceur très présente. Il devrait atteindre son apogée en 2018 et s'accordera avec une tarte fine aux pommes. (Sucres résiduels : 95 g/l.)

☛ Dom. Schlegel-Boeglin, 22 A, rue d'Orschwihr, 68250 Westhalten, tél. 03 89 47 00 93, fax 03 89 47 65 32, schlegel-boeglin@wanadoo.fr, ☑ ☩ ☐ r.-v.

ALBERT SCHOECH Terroirs calcaires 2011 ★

| | | 52 000 | ■ | 5 à 8 € |

Cette marque perpétue la mémoire d'Albert Schoech, qui fut maire d'Ammerschwihr et membre fondateur de la confrérie Saint-Étienne après 1945, tout en faisant prospérer l'entreprise viticole familiale. La maison signe un gewurztraminer de bonne facture, apprécié pour ses arômes floraux et épicés (cannelle), pour son gras et son équilibre. On pourra le déboucher sur un tajine. (Sucres résiduels : 23,9 g/l.)

☛ SARL Albert Schoech, pl. du Vieux-Marché, 68770 Ammerschwihr, tél. 03 89 78 23 17, fax 03 89 27 90 30, vin@schoech.fr

DOM. J.-L. SCHWARTZ Kritt 2010 ★

| | | 1 600 | ■ | 8 à 11 € |

Jean-Luc Schwartz a largement engagé la conversion bio de son domaine : 8,3 ha répartis dans neuf villages des environs d'Itterswiller, coquette commune bas-rhinoise où il est installé. Le terroir limono-argileux convient bien au gewurztraminer. Il s'exprime dans ce vin par un bouquet précis, aux nuances délicatement florales et épicées, évocatrices de pivoine, d'églantine et de sureau. Un ensemble concentré et pourtant d'une élégance aérienne, grâce à une fraîcheur qui souligne et allonge la finale. Ce vin fera plaisir pendant cinq ans et formera de beaux accords avec des spécialités chinoises, des raviolis aux crevettes par exemple. (Sucres résiduels : 31 g/l.)

☛ Dom. J.-L. Schwartz, 75, rte des Vins, 67140 Itterswiller, tél. 03 88 85 51 59, fax 03 88 85 59 16, jean-luc@domaine-schwartz.com, ☑ ☩ ☐ t.l.j. 9h30-19h; dim. 9h30-13h ⌂ ☻

DOM. DES SEPT VIGNES Cuvée impériale 2011 ★

| | | 5 000 | ■ | 11 à 15 € |

Dans la dernière édition, Emmanuel Saouliak avait fait sensation avec un gewurztraminer 2010. Cette cuvée rappelle la précédente par le côté surmûri de la récolte : les raisins qui lui ont donné naissance ont été vendangés à la fin octobre afin d'obtenir, selon le vigneron, des arômes exubérants. De fait, les jurés décrivent un nez bien ouvert sur la rose, le litchi et l'ananas. Dans le même registre, la bouche est ronde, équilibrée par une belle fraîcheur. Ce vin devrait s'entendre avec des plats sucrés-salés, du porc à l'ananas par exemple. (Sucres résiduels : 49 g/l.)

☛ Emmanuel Saouliak, 102, rte des Vins, 67680 Nothalten, tél. 03 88 92 45 73, domaine.saouliak@orange.fr, ☑ ☩ ☐ r.-v.

JEAN-PAUL SIMONIS ET FILS Sélection de grains nobles 2010 ★

| | | 1 000 | ⫴ | 20 à 30 € |

Chaotique, l'année 2010 a donné une petite récolte de gewurztraminer. En revanche, une belle arrière-saison a permis d'élaborer de beaux liquoreux comme celui-ci, habillé d'or profond aux reflets paille. Gourmand, expressif et complexe, le nez marie la rose, le litchi, le sureau en fleur, les fruits confits et les épices, une touche de miel s'ajoutant à cette palette au palais. Si ce vin offre le gras et la générosité attendus d'un liquoreux, il retient surtout l'attention par sa fraîcheur, caractéristique du millésime. On le verrait bien à l'apéritif, sur une crème brûlée au foie gras. (Sucres résiduels : 125 g/l ; bouteilles de 50 cl.)

☛ EARL Jean-Paul Simonis et Fils, 1, rue des Chasseurs-Besombes-et-Brunet, 68770 Ammerschwihr, tél. 03 89 47 13 51, fax 03 89 47 65 70, jmsimonis@orange.fr, ☑ ☩ ☐ t.l.j. sf dim. 8h-11h45 13h30-18h

☻ ANDRÉ STENTZ 2011

| | | 10 500 | ■ | 8 à 11 € |

Cette vieille famille vigneronne, enracinée à Wettolsheim depuis le XVIIe s., a adhéré au bio à la première heure, puisqu'elle a obtenu le label Nature et Progrès en 1984. Elle signe un gewurztraminer pour l'heure encore fermé, aux discrets arômes de fruits exotiques, pas très long mais bien équilibré. Ce vin devrait s'épanouir au cours des trois prochaines années. À goûter sur une fondue au munster. (Sucres résiduels : 30 g/l.)

☛ André Stentz, 2, rue de la Batteuse, 68920 Wettolsheim, tél. 03 89 80 64 91, fax 03 89 79 59 75, andre.stentz@wanadoo.fr, ☑ ☩ ☐ r.-v.

DOM. ACHILLE THIRION Lieu-dit Schlossreben 2011 ★

| | | 7 000 | ■ | 8 à 11 € |

La famille Thirion exploite un coquet domaine de 30 ha au pied du château du Haut-Kœnigsbourg, à la limite des deux départements alsaciens. À Saint-Hippolyte, le lieu-dit Schlossreben (« les vignes du château »), aux sols argilo-calcaires, est particulièrement propice au gewurztraminer. Le cépage a donné un vin d'un jaune profond aux reflets dorés. Tout en finesse, le nez se déploie autour de la rose, du poivre et du clou de girofle. Ce vin à la finale longue et suave séduit avant tout par son harmonie et son équilibre. Il plaira de l'apéritif au dessert. (Sucres résiduels : 28 g/l.)

☛ Dom. Achille Thirion, 69, rte du Vin, 68590 Saint-Hippolyte, tél. 03 89 73 00 23, fax 03 89 73 06 46, domaine.achille.thirion@orange.fr, ☑ ☩ ☐ r.-v. ⌂⌂ ❷ ⌂ ☻

CH. WAGENBOURG Weingarten 2011 ★

| | | 4 500 | | 5 à 8 € |

Dominant Soultzmatt, exposé au sud et voisin du grand cru Zinnkoepflé, le Weingarten (« jardin du vin »), aux sols argilo-calcaires, convient au gewurztraminer. Le 2009 issu de ce lieu-dit avait décroché un coup de cœur. D'un jaune doré intense, ce 2011 séduit par son nez puissant, précis et complexe, aux nuances de citron confit, de cardamome et de cannelle. La bouche est équilibrée, harmonieuse et persistante. Un vin élégant et de belle tenue, qui fera plaisir pendant cinq ans. Bel accord en perspective avec un foie gras à la compote de pruneaux ou un strudel aux pommes. (Sucres résiduels : 32 g/l.)

☛ EARL Joseph et Jacky Klein, Ch. Wagenbourg, 25 A, rue de la Vallée, 68570 Soultzmatt, tél. 03 89 47 01 41, fax 03 89 47 65 61, chateauwagenbourg@orange.fr, ☑ ♣ ☍ t.l.j. sf dim. 8h-12h 13h30-18h ♙ ☻

WELTY Bollenberg Cuvée Aurélie 2011

■	4 500	▮ 8 à 11 €

La famille Welty est installée à Orschwihr, village situé à 25 km au sud de Colmar. Le vignoble, implanté au pied de la colline du Bollenberg, bénéficie d'un climat très sec dont témoigne une flore de type méditerranéen. Sa cuvée Aurélie, issue d'une récolte tardive (à la mi-octobre), affiche une robe d'un jaune profond et montre de belles larmes. Le nez, encore réservé, s'exprime dans un registre épicé et floral. La bouche est équilibrée, assez longue, avec ce qu'il faut de fraîcheur et des notes poivrées. Ce vin mérite d'être gardé trois ans pour être apprécié dans sa plénitude. Bel accord avec un plat au curry. (Sucres résiduels : 44,8 g/l.)

☛ Dom. Jean-Michel Welty, 22-24, Grand-Rue, 68500 Orschwihr, tél. 03 89 76 09 03, fax 03 89 76 16 80, vinswelty@terre-net.fr, ☑ ♣ ☍ t.l.j. 9h-12h 13h30-19h; dim. sur r.-v. ♙ ❷ ♙ ☻

♥ ALBERT ZIEGLER Trilogie 2011 ★★

■	2 509	8 à 11 €

2011
ALSACE
GEWURZTRAMINER
Trilogie
PROPRIÉTAIRE-RÉCOLTANT
ORSCHWIHR - FRANCE

Implantée à Orschwihr, bourg viticole au sud de la route des Vins, cette exploitation regroupe 19 ha autour des célèbres coteaux du Bollenberg et du Pfingstberg, au microclimat chaud et sec. Né de l'alliance de trois terroirs argilo-calcaires, son gewurztraminer Trilogie a été plébiscité. Sa robe jaune d'or intense annonce un nez profond et complexe, aux accents de surmaturation : au litchi caractéristique du cépage s'ajoutent des notes de mangue, de pâte de coings et d'agrumes confits. Dans le droit-fil de l'olfaction, la bouche est opulente, mais reste d'une grande harmonie grâce à une fine acidité. Déjà agréable, ce moelleux atteindra son apogée dans deux ans. Apéritif ? Tarte aux fruits ? Tourte au roquefort ? Canard à l'orange ? Les accords gourmands ne manqueront pas... (Sucres résiduels : 62 g/l.)

☛ EARL Albert Ziegler, 10, rue de l'Église, 68500 Orschwihr, tél. 03 89 76 01 12, fax 03 89 74 91 32, ziegler.voelklin@wanadoo.fr, ☑ ♣ ☍ t.l.j. 8h-12h 13h30-19h

ZIMMERMANN Coteau du Haut-Kœnigsbourg Vendanges tardives 2010 ★★★

■	4 500	▥	15 à 20 €

Ces vignerons cultivent la vigne depuis 1693 au pied du Haut-Koenigsbourg. Ils signent de superbes vendanges tardives. D'un jaune d'or intense, ce 2010 mêle au nez de plaisants arômes de surmaturation (coing, raisin et agrumes confits) tonifiés par une touche mentholée. Sa matière d'une grande générosité, équilibrée par une belle fraîcheur, lui confère une excellente tenue et promet une longue garde (une bonne décennie). Cette bouteille mérite d'attendre deux ans. Un dégustateur suggère pour l'accompagner des cailles aux fruits secs. (Sucres résiduels : 100 g/l.)

☛ EARL A. Zimmermann Fils, 3, Grande-Rue, 67600 Orschwiller, tél. 03 88 92 08 49, fax 03 88 92 94 55 ☑ ♣ ☍ t.l.j. 8h-12h 13h-18h

Alsace klevener-de-heiligenstein

Superficie : 44 ha
Production : 3 015 hl.

Le klevener-de-heiligenstein n'est autre que le vieux traminer (ou savagnin rose) connu depuis des siècles en Alsace. Il a fait place progressivement à sa variante épicée ou gewurztraminer dans l'ensemble de la région, mais il est resté vivace à Heiligenstein et dans cinq communes voisines. Ses vins sont originaux, à la fois très bien charpentés, élégants et discrètement aromatiques.

BESTHEIM Réserve 2011

■	77 000	▮ 5 à 8 €

En reprenant la cave d'Obernai (l'une des cinq communes autorisées à vinifier le savagnin rose), la maison de négoce Bestheim a pu diversifier sa gamme de vins, en y ajoutant le klevener-de-heiligenstein. Ce 2011 développe un bouquet de citron, de muguet et d'herbes sèches. La bouche marie harmonieusement une douceur sans excès à une fine acidité qui domine la finale. Pourquoi pas un tajine de veau ? (Sucres résiduels : 11 g/l.)

☛ Cave vinicole d'Obernai, 30, rue du Gal-Leclerc, 67210 Obernai, tél. 03 88 47 60 10, fax 03 88 47 60 22, vignobles@bestheim.com, ☑ ☍ r.-v.

DOM. DOCK Cuvée Prestige 2011

■	5 000	▮ 5 à 8 €

Christian Dock est un spécialiste du klevener-de-heiligenstein, témoin le coup de cœur décroché l'an dernier par son Instant douceur 2009. Cette cuvée Prestige, sans atteindre les mêmes sommets, séduit par son bouquet complexe et fin (houblon, écorce d'agrumes, girofle) et par sa bouche riche mais égayée par une fraîcheur de bon aloi. (Sucres résiduels : 18 g/l.)

☛ Christian Dock, 20, rue Principale, 67140 Heiligenstein, tél. 03 88 08 02 69, cdock@wanadoo.fr, ☑ ♣ ☍ t.l.j. 8h-12h 13h-18h

🅑 JEAN ET HUBERT HEYWANG
Lieu-dit Schwendehiesel 2011 ★★

	4 000		8 à 11 €

Ce domaine créé en 1955 étend ses vignes sur 7 ha cultivés selon les préceptes de l'agriculture biologique. Établi dans la patrie du savagnin rose, il a fait du klevener-de-heiligenstein sa spécialité. Deux cuvées sont retenues. En tête, le 2011 au nez discret mais fin, qui laisse poindre à l'aération des notes d'agrumes et de pêche mâtinées de fleurs séchées. On retrouve cette finesse aromatique dans une bouche bien équilibrée entre gras et fraîcheur. Recommandé sur un poisson en sauce crémée accompagné de légumes confits (sucres résiduels : 17,3 g/l). La **Cuvée particulière 2011 (3 600 b.)** obtient elle aussi une étoile pour ses arômes fruités et réglissés et pour son palais gourmand, généreux mais sans lourdeur. (Sucres résiduels : 23,9 g/l.)

☛ Dom. Heywang, 7, rue Principale, 67140 Heiligenstein, tél. 03 88 08 91 41, heywang.vins@wanadoo.fr,

☑ ⚕ ⵣ t.l.j. sf dim. 9h-12h 14h-19h; f. fin août

Alsace muscat

Superficie : 362 ha
Production : 27 647 hl

Deux variétés de muscat servent à élaborer ce vin sec et aromatique qui donne l'impression de croquer du raisin frais. Le premier, dénommé de longue date muscat d'Alsace, n'est autre que celui que l'on connaît mieux sous le nom de muscat blanc à petits grains (parfois dénommé muscat de Frontignan). Comme il est tardif, on le réserve aux meilleures expositions. Le second, plus précoce et de ce fait plus répandu, est le muscat ottonel. Spécialité aimable et étonnante, l'alsace muscat trouve sa place à l'apéritif et lors de réceptions avec, par exemple, du kougelhopf ou des bretzels. Il s'accorde aussi à merveille avec les asperges.

DOM. PAUL BLANCK 2011 ★

	4 000		11 à 15 €

Établi de longue date à Kientzheim, village situé à l'entrée de la vallée de Kaysersberg, ce domaine exploite un vignoble de 36 ha sur divers terroirs. C'est sur un sol argilo-calcaire qu'est né ce muscat mêlant au nez des notes de fruits très mûrs et des nuances de fruits frais. La bouche se révèle assez puissante, empreinte de douceur et équilibrée par une pointe de vivacité. Un vin harmonieux, pour l'apéritif.

☛ Dom. Paul Blanck, 32, Grand-Rue, 68240 Kientzheim, tél. 03 89 78 23 56, fax 03 89 47 16 45, info@blanck.com,

☑ ⚕ ⵣ t.l.j. sf dim. 10h-12h 14h-18h; f. nov.-mars

DOM. FRITZ Cuvée du Vieux Moulin 2011

	1 700		5 à 8 €

Ce muscat a été élaboré après une macération à froid de six à huit heures afin d'en favoriser l'expression aromatique. De fait, le nez, bien ouvert, mêle notes fruitées et

fumées agrémentées d'une touche de pain grillé. La bouche se montre souple, fraîche, fruitée et de bonne longueur. Un vin équilibré, à réserver pour l'apéritif. (Sucres résiduels : 10 g/l.)

☛ Dom. Fritz, 3, rue du Vieux-Moulin, 68240 Sigolsheim, tél. 03 89 47 11 15, fax 03 89 78 17 07, domaine.fritz@wanadoo.fr, ☑ ⚕ ⵣ t.l.j. 8h-19h

GOETZ 2011 ★

	2 500		5 à 8 €

Louis Goetz a rejoint Mathieu en 2012 sur ce domaine familial de 10,5 ha. Vingt-cinq ares de terroir marno-calcaire propice au muscat sont dédiés à cette cuvée cristalline, au nez aérien, délicatement fruité. Soutenue par une trame finement acidulée, la bouche laisse une même impression de délicatesse, de légèreté et de croquant, à travers des arômes subtils de raisin frais et de fleur de sureau. Un vin « printanier », à déguster sur des asperges sauce mousseline.

☛ Mathieu et Louis Goetz, 2, rue Jeanne-d'Arc, 67120 Wolxheim, tél. 03 88 38 10 47, fax 03 88 38 67 61, mathieu.goetz@wanadoo.fr,

☑ ⚕ ⵣ t.l.j. sf dim. 9h-12h 14h-18h

MAISON JÜLG 2011

	1 350		5 à 8 €

Ce muscat né à l'extrême nord du vignoble alsacien, sur un sol argilo-calcaire, livre un bouquet typé aux notes fumées et fruitées agrémentées de nuances de bourgeon de cassis. En bouche, il plaît par sa fraîcheur, sa finesse et par ses arômes variétaux en accord avec l'olfaction. Tout indiqué pour une entrée à base d'asperges ou de fromage de chèvre.

☛ Peter Jülg, 116, rue des Églises, 67160 Seebach, tél. 03 88 94 79 98, fax 03 88 53 16 34, maisonpjulg@free.fr,

☑ ⵣ r.-v. 🏠 ❶

GÉRARD NEUMEYER Vendanges tardives 2010 ★

	1 700		20 à 30 €

En 1925, le grand-père de Gérard Neumeyer quitte les usines Bugatti de Molsheim pour créer son domaine viticole. Aujourd'hui, les vignes s'étendent sur 16,2 ha, dont 25 ares consacrés à ce muscat récolté le 18 novembre 2010. Paré d'une robe jaune pâle, le vin livre un bouquet élégant de rose, de bergamote et de poivre. Douce en attaque, la bouche séduit par sa rondeur, par sa structure en dentelle soutenue par une fine acidité ; elle donne l'impression de croquer dans le raisin. Parfaite pour l'apéritif, cette bouteille ravira aussi sur un foie gras ou sur une tarte au citron. (Sucres résiduels : 57 g/l.)

☛ Gérard Neumeyer, 29, rue Ettore-Bugatti, 67120 Molsheim, tél. 03 88 38 12 45, fax 03 88 38 11 27, contact@gerardneumeyer.fr,

☑ ⚕ ⵣ t.l.j. sf dim. 9h-12h 14h-19h

PAUL SCHNEIDER 2011 ★★

	4 800		5 à 8 €

Le meilleur muscat de cette édition, né sur une soixantaine d'ares d'argilo-calcaires. Jaune clair aux reflets verts, il livre un bouquet intense et élégant de fruits frais mâtinés de notes florales. Le palais, tendu en attaque, se révèle croquant à souhait, fin et long, adouci par une pointe de sucres résiduels (6 g/l.). Un vin harmonieux et flatteur, à déguster sur un saumon sauce à l'oseille.

○┱ EARL Paul Schneider, 1, rue de l'Hôpital,
68420 Eguisheim, tél. 03 89 41 50 07, fax 03 89 41 30 57,
vins.paul.schneider@wanadoo.fr,
☑ ⚐ ☗ t.l.j. sf dim. 9h-12h 13h30-18h30 ⌂ **Ⓑ**

DOM. FRANÇOIS SCHWACH 2011 ★

	7 000	▮	5 à 8 €

Installé en 2008 sur le domaine familial, Sébastien Schwach exploite un coquet vignoble de 18 ha. Son muscat, de couleur jaune paille, dévoile un nez discret de fruits frais mêlés de notes fumées. En bouche, il séduit par sa fraîcheur, son volume et son fruité persistant. De l'équilibre et de la matière pour ce vin à déguster à l'apéritif.
○┱ Sébastien Schwach, 28, rte de Ribeauvillé, 68150 Hunawihr, tél. 03 89 73 62 15, fax 03 89 73 37 84, sebastien@schwach.com,
☑ ⚐ ☗ t.l.j. 9h-12h 14h-18h; f. dim. de jan. à mars inclus
🏠 **Ⓞ** ⌂ **Ⓐ**

Ⓑ DOM. XAVIER WYMANN Cuvée Paul 2010 ★

	1 200	▮	8 à 11 €

Par cette cuvée, Jean-Luc Schaerlinger, à la tête du domaine depuis 1994, rend un double hommage : à son fils, ainsi qu'à un ami du grand-père, qui poussa ce dernier à mettre son vin en bouteilles. Vendangés début octobre, les ceps de muscat ont donné naissance à un moelleux dominé par des notes intenses de fruits mûrs agrémentées de touches muscatées. Le palais se révèle gras, ample et souple, sans jamais tomber dans l'excès de douceur. À découvrir sur une tarte aux fruits (Sucres résiduels : 18 g/l.)
○┱ Xavier Wymann, 41, rue de la Fraternité, 68150 Ribeauvillé, tél. 03 89 73 66 83, vins.wymann@yahoo.fr, ☑ ⚐ ☗ t.l.j. 9h30-12h 14h-18h

MAISON ZEYSSOLFF Réserve particulière 2011 ★

	2 000	▮	5 à 8 €

Cette vénérable maison de Gertwiller (1778) signe une cuvée qui séduit d'emblée par sa robe brillante ornée de reflets verts et par son bouquet intense et fin de fruits frais, dominé par des notes de poire. La bouche se révèle plutôt nerveuse, puissante et fruitée. Un muscat bien construit, à déguster à l'apéritif.
○┱ G. Zeyssolff, 156, rte de Strasbourg, 67140 Gertwiller, tél. 03 88 08 90 08, fax 03 88 08 91 60, yvan.zeyssolff@wanadoo.fr,
☑ ⚐ ☗ t.l.j. sf mer. 9h-12h 14h-18h ⌂ **Ⓑ**

Alsace pinot ou klevner

Superficie : 3 315 ha
Production : 269 254 hl

Sous ces deux dénominations (la seconde étant un vieux nom alsacien), le vin de cette appellation peut provenir de deux cépages : le pinot blanc vrai et l'auxerrois blanc. Ce sont deux variétés assez peu exigeantes, capables de donner des résultats remarquables dans des situations moyennes, car leurs vins allient agréablement fraîcheur, corps et souplesse. Dans la gamme des vins d'Alsace, le pinot blanc représente le juste milieu, et il n'est pas rare qu'il surclasse certains rieslings. Du point de vue gastronomique, il s'accorde avec de nombreux plats, à l'exception des fromages et des desserts.

DOM. ALLIMANT-LAUGNER 2011

	9 000	▮	5 à 8 €

Valeur sûre, ce domaine ancien (1724) est conduit depuis 1984 par Hubert Laugner, à la tête de 12 ha de vignes plantées sur les pentes granitiques du Haut-Kœnigsbourg ; 1,2 ha est réservé à cette cuvée de belle facture : robe pâle, nez discret mais plaisamment floral, bouche ample, fraîche et fruitée, marquée par une pointe d'amertume en finale. (Sucres résiduels : 8 g/l.)
○┱ Allimant-Laugner, 10, Grand-Rue, 67600 Orschwiller, tél. 03 88 92 06 52, fax 03 88 82 76 38, alaugner@terre-net.fr, ☑ ⚐ ☗ t.l.j. sf dim. 9h-18h ⌂ **Ⓐ**

Ⓑ YVES AMBERG Auxerrois Petite Fleur bleue 2011 ★

	3 000	▮	5 à 8 €

Epfig s'étire sur les pentes douces d'une colline qui appartient aux premiers contreforts des Vosges. C'est l'un des plus importants bourgs viticoles d'Alsace. Yves Amberg y est établi depuis 1989, à la tête de 12,5 ha de vignes. Il signe un 2011 jaune d'or, au nez bien ouvert sur les fruits surmûris, presque confits. Cette sensation de maturité se retrouve dans une bouche ronde, souple et assez riche mais sans excès, égayée par une fine salinité. (Sucres résiduels : 10 g/l.)
○┱ EARL Dom. Yves Amberg, 19, rue du Fronholz, 67680 Epfig, tél. 03 88 85 51 28, fax 03 88 85 52 71, amberg.yves@wanadoo.fr, ☑ ⚐ ☗ r.-v. ⌂ **Ⓑ**

FISCHBACH Auxerrois 1584 2011

	2 200	▮	5 à 8 €

1584 ? Il s'agit de la date de création de la cave et d'une partie des bâtiments du domaine. Cet auxerrois tirant vers le moelleux plaît par son nez floral et légèrement épicé comme par sa bouche souple et suave portée par une acidité de bon aloi. Un vin plaisant, équilibré, à boire sur un mets exotique. (Sucres résiduels : 15 g/l.)
○┱ GAEC Fischbach, 34, rue Principale, 67310 Traenheim, tél. 03 88 50 30 33, domainefischbach@live.fr, ☑ ⚐ ☗ t.l.j. sf dim. 8h-19h ⌂ **Ⓐ**

DOM. FERNAND FROEHLICH ET FILS 2011

	3 000	▮	5 à 8 €

Non loin de Colmar, le village d'Ostheim est situé, comme son nom l'indique, à l'est du vignoble. Depuis 1992, Michel Froehlich a pris la suite de son père Fernand, fondateur du domaine en 1957. Ce 2011 dévoile un nez discret mais fin aux accents floraux, fruités et légèrement fumés. En bouche, il révèle un bel équilibre, de la souplesse, de la fraîcheur et une persistance honorable. À servir sur une viande blanche en sauce crémée. (Sucres résiduels : 14 g/l.)
○┱ Dom. Fernand Froehlich et Fils, 29, rte de Colmar, 68150 Ostheim, tél. 03 89 86 01 46, fax 03 89 86 01 54, froehlich.michel@neuf.fr,
☑ ⚐ ☗ t.l.j. sf dim. 8h-11h45 13h30-18h; f. fév. ⌂ **Ⓒ**

VIGNOBLE HAEFFELIN Auxerrois 2011 ★★

	3 200		5 à 8 €

Avec ses 16 ha de vignes, ce domaine bien connu des lecteurs occupe une place de choix à Eguisheim, village qui revendique le titre de berceau de la viticulture alsacienne. Une place de choix est également attribuée à ce 2011 dans la sélection du Guide. Ses atouts ? Un nez intense de fruits blancs et jaunes mûrs, de fruits exotiques et de fleurs ; un palais au diapason, plein de fruit, dense et frais, qui s'étire dans une longue finale saline. Du charme à revendre pour ce vin que l'on verrait bien sur un sandre en sauce citronnée. (Sucres résiduels : 21 g/l.)

☞ Vignoble Daniel Haeffelin, 35, Grand-Rue, 68420 Eguisheim, tél. 03 89 41 77 85, fax 03 89 23 32 43, vins.alsace.haeffelindaniel@wanadoo.fr,
☑ ☈ ☚ t.l.j. 9h30-12h 13h30-18h30; dim. sur r.-v.

HALBEISEN Auxerrois 2011

	1 067		5 à 8 €

Un auxerrois que l'on pourra certainement découvrir dans le VitisBar des Halbeisen, bar à vin-restaurant ouvert en 2012 dans les locaux du domaine. Au programme, un moelleux jaune doré, au nez ouvert sur les fruits confits et les épices, d'une douceur mesurée en bouche, équilibrée par une juste vivacité, même si la finale laisse sur une impression plus chaleureuse. (Sucres résiduels : 17 g/l.)

☞ Halbeisen, 3, rte du Vin, 68750 Bergheim, tél. 03 89 73 63 81, fax 03 89 73 38 81, info@halbeisen-vins.com,
☑ ☈ ☚ t.l.j. 10h-12h 13h30-18h30 ☷ ❸

CH. ISENBOURG Le Clos Les Écuyers 2010 ★

	2 000		15 à 20 €

Rouffach, bourg connu pour son lycée viticole qui forme la grande majorité des vignerons alsaciens de demain, abrite ce château, reconstruit au XIXᵉs. et transformé en hôtel-restaurant de charme. Des 5 ha de son clos viticole, à peine un demi-hectare est consacré à cette cuvée jaune clair, au nez expressif et fin de fruits confits vivifié par des notes minérales. Ample et droit, le palais attaque avec une franchise et une fraîcheur qui ne se démentent pas jusqu'à la finale, longue et tonique. Bel accord gourmand en perspective avec des noix de Saint-Jacques juste poêlées et parsemées de quelques brins de ciboulette. (Sucres résiduels : 7,4 g/l.)

☞ Le Clos du Ch. d'Isenbourg, 5, rue du Chai, 68250 Pfaffenheim, tél. 03 89 78 08 08, fax 03 89 49 71 65, contact@clos-chateau-isenbourg.fr, ☑ ☈ t.l.j. 10h-19h

KELHETTER 2011 ★

	7 900		5 à 8 €

Héritier d'une lignée vigneronne centenaire, Damien Kelhetter signe ici un pinot blanc de grande maturité. Derrière une robe couleur paille se dévoile un bouquet intense et profond de fruits mûrs. Le palais se révèle ample, puissant, long et très expressif (pêche, citron, notes fumées), le tout maintenu en équilibre par une belle fraîcheur. Parfait pour une volaille en sauce. (Sucres résiduels : 14 g/l.)

☞ Damien Kelhetter, 24, rue Principale, 67310 Dahlenheim, tél. et fax 03 88 50 34 74, info@vinskelhetter.fr,
☑ ☈ ☚ t.l.j. 9h-12h 13h-19h; mer. dim. sur r.-v.

♥ JOSEPH MOELLINGER ET FILS Rosenberg 2011 ★★

	7 500	ⅲ	5 à 8 €

Son grand-père Joseph a mis ses vins en bouteilles dès 1945. Depuis 1997, Michel Moellinger a repris le flambeau, et ce domaine de 14 ha est bien connu des lecteurs. Sa cuvée Rosenberg (du lieu-dit aux sols argilo-calcaires, 80 % auxerrois et 20 % pinot blanc) avait décroché deux étoiles l'an dernier ; elle y ajoute un coup de cœur dans sa version 2011. D'un superbe jaune d'or pâle, ce vin livre des parfums intenses de fruits mûrs et de fleurs blanches rehaussés d'épices. En bouche, il s'impose par sa complexité, par son côté gourmand, gras et soyeux, par sa longueur et sa fraîcheur aussi. Un vin complet en somme, à déguster dès à présent sur un poisson noble en sauce. (Sucres résiduels : 10,5 g/l.)

☞ Joseph Moellinger et Fils, 6, rue de la 5ᵉ-Division-Blindée, 68920 Wettolsheim, tél. 03 89 80 62 02, fax 03 89 80 04 94, vins.moellinger@sfr.fr,
☑ ☈ ☚ t.l.j. 8h-12h 13h30-19h; dim. sur r.-v.

Alsace pinot gris

Superficie : 2 380 ha
Production : 169 848 hl

La dénomination locale tokay qui fut donnée au pinot gris pendant quatre siècles ne laisse pas d'étonner, puisque cette variété n'a jamais été utilisée en Hongrie orientale... Selon la légende, le tokay aurait été rapporté de ce pays par le général Lazare de Schwendi, grand propriétaire de vignobles en Alsace. Son aire d'origine semble être, comme celle de tous les pinots, le territoire de l'ancien duché de Bourgogne. Ce cépage a connu une spectaculaire expansion. Le pinot gris peut produire un vin capiteux, très corsé, plein de noblesse, susceptible de remplacer un vin rouge sur les plats de viande. Lorsqu'il est somptueux comme en 1989, 1990 ou 2000, années exceptionnelles, c'est l'un des meilleurs accompagnements du foie gras.

⑬ LAURENT BANNWARTH Lieu-dit Bildstoecklé 2011

	4 540		8 à 11 €

Les lecteurs connaissent bien les gewurztraminers de Stéphane Bannwarth. Le fils de Laurent, qui a repris le domaine familial en 1987 et exploite ses vignes en bio et en biodynamie, soigne aussi ses pinots gris. Témoin ce 2011 expressif (fruits exotiques bien mûrs), frais en attaque, plus riche et chaleureux en milieu de bouche et en finale. À découvrir dès aujourd'hui, sur un vol-au-vent aux fruits de mer par exemple. (Sucres résiduels : 4,9 g/l.)

🍇 Laurent Bannwarth, 9, rte du Vin, rue Principale, 68420 Obermorschwihr, tél. 03 89 49 30 87, fax 03 89 49 29 02, laurent@bannwarth.fr,

☑ ⚔ ⵟ r.-v. 🏠 ❷ 🏠 🅱

BAUMANN ZIRGEL Schwenkel 2011

| ⬛ | 5 100 | 🗄 | 8 à 11 € |

Benjamin Zirgel conduit (en bio non certifié) depuis 2009 ce vignoble de 11 ha entièrement en coteaux, morcelé en une centaine de parcelles réparties sur six communes. Cinquante-six ares du lieu-dit Schwenkel – « balancier » en alsacien : un puits à balancier était autrefois présent sur ce terroir – sont consacrés à ce 2011. Un vin or pâle, au nez de fruits mûrs, rond, riche et chaleureux en bouche, égayé par une fine vivacité en finale. Prévoir deux ou trois ans de garde avant de le déguster, sur un tajine de veau aux abricots confits par exemple. (Sucres résiduels : 17 g/l.)

🍇 Baumann Zirgel, 5, rue du Vignoble, 68630 Mittelwihr, tél. 03 89 47 90 40, fax 03 89 49 04 89, baumann-zirgel@wanadoo.fr,

☑ ⚔ ⵟ t.l.j. 8h-12h 14h-18h30; dim. sur r.-v. 🏠 🅱

BECK – DOM. DU REMPART Sélection de grains nobles
Cuvée Marie-Laure 2010 ★★

| ⬛ | 600 | 🗄 | 20 à 30 € |

Cette ancienne famille vigneronne est établie dans les remparts de Dambach-la-Ville et exploite 10 ha de vignes, dont la moitié est située sur les hauteurs d'Albé, l'un des points culminants du vignoble alsacien. Plantés sur un sol sablo-granitique, quelques ares de pinot gris ont donné naissance à cette microcuvée jaune d'or, limpide et brillante, au nez bien ouvert et complexe de fruits jaunes et blancs, de mangue confite et de miel, agrémenté de notes fumées. La bouche se montre ronde à souhait, onctueuse, ample et riche, soutenue par une belle vivacité. Un vin persistant, très équilibré et gourmand à la fois, agréable dès aujourd'hui mais aussi armé pour une garde de sept à dix ans. (Sucres résiduels : 140 g/l.)

🍇 Beck – Dom. du Rempart, 5, rue des Remparts, 67650 Dambach-la-Ville, tél. 03 88 92 42 43, beck.domaine@wanadoo.fr,

☑ ⚔ ⵟ t.l.j. 9h-11h30 14h-18h30; dim. sur r.-v. 🏠 🅱

ÉMILE BEYER Lieu-dit Hohrain 2010 ★★

| ⬛ | 2 300 | 🗄 | 15 à 20 € |

Cette ancienne famille vigneronne d'Eguisheim – ses origines remontent au XVIᵉs. - est installée dans une ancienne auberge qui hébergea Turenne avant la bataille de Turckheim en 1675. Depuis 2011, les 17 ha de vignes sont en conversion bio. Né en bordure nord-est du grand cru Pfersigberg, au lieu-dit Hohrain (« haut talus »), ce 2010 s'habille d'une élégante robe dorée et développe un bouquet intense et complexe de fruits mûrs, de miel, de sous-bois et de fumé. La bouche se révèle puissante, dense, charnue, fruitée, une belle trame minérale à l'arrière-plan apportant une nécessaire vivacité. Cinq à dix ans de garde sont à envisager pour déguster ce vin à son optimum. (Sucres résiduels : 22 g/l.)

🍇 Émile Beyer, 7, pl. du Château, 68420 Eguisheim, tél. 03 89 41 40 45, fax 03 89 41 64 21, info@emile-beyer.fr,

☑ ⚔ ⵟ r.-v.

DOM. PAUL BLANCK Patergarten 2011 ★

| ⬛ | 3 600 | 🎴 | 11 à 15 € |

Fondé en 1927 par Paul Blanck, ce domaine a pris son essor sous la direction de ses fils Bernard et Marcel. Aujourd'hui, la troisième génération (Frédéric et Philippe) est aux commandes de 36 ha de vignes. Ici, les grands crus ont la primauté, mais les « simples » alsaces ne sont pas délaissés. Témoin, ce pinot gris au nez fruité à souhait, puissant, généreux et long en bouche. À boire ou à garder une paire d'années. (Sucres résiduels : 12 g/l.)

🍇 Dom. Paul Blanck, 32, Grand-Rue, 68240 Kientzheim, tél. 03 89 78 23 56, fax 03 89 47 16 45, info@blanck.com,

☑ ⚔ ⵟ t.l.j. sf dim. 10h-12h 14h-18h; f. nov.-mars

JEAN BOESCH ET PETIT-FILS Vallée Noble
Cuvée Alexia et Émilie 2011

| ⬛ | 1 300 | 🗄 | 8 à 11 € |

Jean Boesch a créé le domaine en 1962 ; son petit-fils Denis en a pris les rênes en 2002. Il dédie cette cuvée à ses filles jumelles : un hommage réussi que ce vin jaune pâle, finement floral et fruité (pêche, citron) au nez, encore dominé par les sucres en bouche mais égayé par une pointe vive en finale. À attendre deux ou trois ans pour que l'ensemble se fonde. (Sucres résiduels : 45 g/l.)

🍇 EARL Jean Boesch et Petit-Fils, 8, rue du Bois, 68570 Soultzmatt, tél. 03 89 47 00 87, fax 03 89 47 08 19, jean.boesch@wanadoo.fr,

☑ ⚔ ⵟ t.l.j. 8h-11h30 13h30-19h; dim. sur r.-v. 🏠 🅱

DOM. ERNEST BURN Le Dauphin
Vieilles Vignes 2011 ★★★

| ⬛ | 2 500 | 🗄 | 11 à 15 € |

Trois étoiles en alsace sylvaner, trois étoiles en pinot gris : ce domaine, fondé en 1934 par Ernest Burn, propriétaire de l'historique clos Saint-Imer (partie supérieure du grand cru Goldert), fait sensation dans cette édition. Derrière une robe dorée aux reflets orangés, on découvre des parfums exubérants de miel, de figue, de coing, d'orange confite. Après une attaque tout en douceur, la bouche s'impose par sa richesse, sa puissance, son volume, sa concentration. Autant d'atouts pour une longue garde de cinq à dix ans, et plus encore. (Sucres résiduels : 28 g/l.)

🍇 Dom. Ernest Burn, 8, rue Basse, 68420 Gueberschwihr, tél. 03 89 49 20 68, fax 03 89 49 28 56, contact@domaine-burn.fr, ☑ ⚔ ⵟ r.-v.

DOM. DUSSOURT Ortenberg Réserve Prestige 2011 ★

| ⬛ | 3 930 | 🗄 | 11 à 15 € |

Cette famille installée au XVIIᵉs. en Alsace, à Blienschwiller, acquiert en 1964 la maison Bléger, débute alors la commercialisation en bouteille et s'installe dans les locaux plus vastes de ce négoce, situés à Scherwiller. Planté sur le terroir sablonneux et granitique de l'Ortenberg, le pinot gris a donné naissance à un vin qui se livre avec retenue au premier nez, laissant poindre à l'agitation des notes fruitées et fumées. La bouche se révèle plus prolixe et affiche de la puissance, de la matière et de la générosité. Encore deux ou trois ans d'attente, et cette cuvée fera un bon compagnon pour un sauté de porc à l'aigre-douce. (Sucres résiduels : 20 g/l.)

☙ Dom. Dussourt, 2, rue de Dambach, 67750 Scherwiller, tél. 03 88 92 10 27, fax 03 88 92 18 44, domaine.dussourt@orange.fr, ☑ ⚔ ⵝ t.l.j. sf dim. 8h30-12h 13h30-18h30

Ⓑ EBLIN-FUCHS 2011 ★★★

| | 10 000 | ⬙ | 8 à 11 € |

Chez les Eblin, on cultive la vigne depuis le XIIIes. Établis à Zellenberg, village perché sur un éperon dominant le vignoble, ils exploitent aujourd'hui 10 ha de vignes en biodynamie, dont 1,5 ha dédié à ce pinot gris dont l'excellence fait écho au millésime 2009, coup de cœur du Guide. La robe est d'un seyant jaune doré. Le nez marie le miel, la brioche, la vanille et les fruits surmûris. Le palais, riche, ample, soyeux, tutoie le style liquoreux mais sans jamais tomber dans l'excès, soutenu par une fine trame acide. On peut apprécier dès aujourd'hui ce grand vin, mais dix ans de garde ne lui feront pas peur. (Sucres résiduels : 25 g/l.)
☙ Dom. Eblin-Fuchs, 19, rte des Vins, 68340 Zellenberg, tél. 03 89 47 91 14, fax 03 89 49 05 12, alsace@eblin-fuchs.com, ☑ ⚔ ⵝ r.-v.

HENRI EHRHART Réserve particulière 2011 ★★

| | 36 000 | ▮ | 8 à 11 € |

Cette exploitation familiale a développé une importante activité de négoce sur Ammerschwihr, l'un des hauts lieux du vignoble alsacien. Elle propose avec ce 2011 un vin élégant dans sa robe d'or, brillante et limpide. Notes de miel, de fumé et de fruits mûrs composent un bouquet avenant. Le palais se révèle plein, long, riche mais sans lourdeur, équilibré. À boire ou à attendre trois à cinq ans. (Sucres résiduels : 18 g/l.)
☙ Henri Ehrhart, quartier des Fleurs, 68770 Ammerschwihr, tél. 03 89 78 23 74, fax 03 89 47 32 59, he@henri-ehrhart.com, ☑ ⚔ ⵝ t.l.j. sf sam. dim. 9h-11h 15h-17h; f. 15 juil.-15 août

RENÉ FLECK 2011 ★★

| | 7 050 | | 5 à 8 € |

C'est dans un vaste caveau entièrement rénové en 2010 que vous accueillera Nathalie, la plus jeune des trois filles de René Fleck, installée depuis 1995. Œnologue de formation, elle signe régulièrement, avec son mari Stéphane Steinmetz, de beaux pinots gris. Ce 2011 ne fait pas exception : robe élégante, couleur jaune d'or ; nez discret mais non moins élégant de fruits jaunes, de miel et de réglisse ; bouche ample, nette et fraîche. Un beau potentiel de garde (trois à cinq ans) et un accord gourmand assuré avec une escalope de veau à la crème. (Sucres résiduels : 25 g/l.) Les **vendanges tardives 2010 (15 à 20 € ; 1 500 b.)** décrochent une étoile pour leur bouquet floral et fruité et pour leur bouche délicate, soyeuse et équilibrée. (Sucres résiduels : 81 g/l.)
☙ Dom. René Fleck et Fille, 27, rue d'Orschwihr, 68570 Soultzmatt, tél. 03 89 47 01 20, fax 03 89 47 09 24, renefleck@voila.fr, ☑ ⚔ ⵝ t.l.j. 8h30-12h 13h30-18h30; dim. sur r.-v. ⌂ Ⓑ

♥ HARTWEG 2011 ★★★

| | 14 000 | ⬙ | 5 à 8 € |

Bis repetita pour Jean-Paul et Frank Hartweg, à la tête d'un domaine de 9,5 ha établi dans le petit village de Beblenheim, un peu à l'écart de la route des vins, face à Riquewihr. Le pinot gris 2010 avait décroché le coup de cœur et la mention « vin remarquable » ; le 2011 fait

mieux encore et se voit attribuer le qualificatif de « vin exceptionnel ». Paré d'une superbe robe dorée, il dévoile un bouquet à la fois fin et puissant de fruits mûrs (abricot, agrumes confits). Très aromatique – on retrouve le fruité de l'olfaction associé à des notes de miel et de caramel au lait –, ronde, ample, soyeuse, longue et toujours fraîche, la bouche est un modèle du genre. Une gourmandise à déguster dès aujourd'hui, sur une volaille farcie au foie gras par exemple, ou à attendre cinq ans pour de nouvelles sensations. (Sucres résiduels : 23 g/l.)
☙ Jean-Paul et Frank Hartweg, 39, rue Jean-Macé, 68980 Beblenheim, tél. 03 89 47 94 79, fax 03 89 49 00 83, frank.hartweg@free.fr,
☑ ⚔ ⵝ t.l.j. sf dim. 8h30-11h30 14h-17h30; sam. sur r.-v. ⌂ Ⓑ

HOSPICES DE COLMAR 2011 ★★

| | 8 000 | ▮ | 8 à 11 € |

Fondés en 1255, les Hospices de Colmar (aujourd'hui dans le giron des Grands Chais de France) ont constitué leur domaine au gré des legs et des donations : 28 ha aujourd'hui, propriété des Hospices civils Louis Pasteur et gérés depuis 1980 par Jean-Rémy Haeffelin. Ce pinot gris, né sur un sol de graves, s'affiche dans une seyante robe jaune d'or et développe des parfums intenses et fins de fleurs blanches, de miel et de fruits mûrs que relaye une bouche ample et riche, mais jamais lourde, portée par une aimable fraîcheur et une longue finale. Déjà harmonieux, ce vin est armé pour bien vieillir (cinq ans et plus) et pour accompagner du gibier à plume, un faisan rôti aux raisins par exemple. (Sucres résiduels : 25 g/l.)
☙ Dom. viticole de la ville de Colmar, 2, rue du Stauffen, 68000 Colmar, tél. 03 89 79 11 87, fax 03 89 80 38 66, nhaeffelin@lgcf.fr, ☑ ⚔ ⵝ t.l.j. sf dim. 9h-12h30 14h-18h
☙ Grands Chais de France

HUNOLD Côte de Rouffach 2011

| | 3 500 | ▮ | 5 à 8 € |

Ce 2011 né sur un sol argilo-calcaire se présente dans une robe jaune paille et livre un bouquet discret mais plaisant de fruits confits. La bouche, à l'unisson, affiche une belle fraîcheur et de l'équilibre. À boire au cours des deux prochaines années sur un dessert aux fruits. (Sucres résiduels : 34 g/l.)
☙ EARL Bruno Hunold, 29, rue Aux-Quatre-Vents, 68250 Rouffach, tél. 03 89 49 60 57, fax 03 89 49 67 66, info@bruno-hunold.com, ☑ ⚔ ⵝ r.-v.

KLÉE FRÈRES Hinterbourg 2011

| | 1 400 | ▮ | 8 à 11 € |

Ce domaine de poche (1,8 ha) exploité par trois frères propose un vin plaisant, plutôt discret à l'olfaction avec ses nuances florales (acacia) agrémentées d'une touche fumée. La bouche, dans le même registre, avec quelques notes d'abricot en plus, se montre précise, équilibrée, fraîche, sans lourdeur. À boire dès à présent. (Sucres résiduels : 18 g/l.)

☙ SCEA Klée Frères, 18, Grand-Rue, 68230 Katzenthal, tél. 06 21 90 07 04, info@klee-freres.com, ☑ 🕴 ⏁ r.-v.

GEORGES KLEIN 2011

| | 15 000 | ▮ | 5 à 8 € |

La famille Klein, vigneronne depuis 1620, a créé en 1956 ce domaine de 11 ha situé au pied du Haut-Kœnigsbourg. Elle propose un pinot gris plaisant et original par ses parfums de rhubarbe. Notes atypiques que l'on retrouve dans une bouche droite en attaque, de bon volume et bien équilibrée. À découvrir dès la sortie du Guide, sur une tarte... à la rhubarbe. (Sucres résiduels : 20 g/l.)

☙ EARL Georges Klein, 10, rte du Vin, 68590 Saint-Hippolyte, tél. 03 89 73 00 28, geoklein@wanadoo.fr, ☑ 🕴 ⏁ r.-v. 🏚 ❷ 🏚 ❸

KUENTZ Sélection Cuvée Michel 2011

| | 4 200 | ▮ | 8 à 11 € |

Héritiers d'une longue lignée vigneronne remontant au milieu du XVIIIᵉs., les Kuentz exploitent un vignoble de 8 ha planté essentiellement sur des terroirs gréso-calcaires et argilo-calcaires. Ce 2011 mêle au nez des notes de fruits très mûrs et de caramel au lait. La bouche se montre ronde, très douce et chaleureuse, « dans un style vendanges tardives », conclut un dégustateur. À attendre trois ou quatre ans pour un meilleur fondu. (Sucres résiduels : 50 g/l.)

☙ Romain Kuentz et Fils, 22-24, rue du Fossé, 68250 Pfaffenheim, tél. 03 89 49 61 90, fax 03 89 49 77 17, vinskuentz@yahoo.fr,
☑ 🕴 ⏁ t.l.j. 9h-12h 13h30-19h; dim. sur r.-v. 🏚 ❸

DOM. DU MANOIR Clos du Letzenberg 2011 ★

| | 2 880 | ▮ | 8 à 11 € |

En 1979, les Thomann, vierges de toute expérience viticole, reprennent ce clos de 10 ha d'un seul tenant, situé en haut d'un coteau argilo-calcaire. Ils défrichent, plantent, restaurent les murs en pierre sèche qui soutiennent les terrasses exposées au sud-sud-est. Le pinot gris semble y prospérer à en juger par ce 2011 jaune doré, au nez intense et complexe (fumé, fruits très mûrs, rose fanée, épices). La bouche se révèle ronde, riche, enveloppante, soutenue par une fraîcheur bienvenue et une pointe de noble amertume en finale. À boire dans deux ans, le temps que la douceur encore dominante s'estompe quelque peu. (Sucres résiduels : 58 g/l.)

☙ SCEA Dom. du Manoir, 56, rue de la Promenade, 68040 Ingersheim, tél. 03 89 27 23 69, thomann@terre-net.fr, ☑ ⏁ t.l.j. sf dim. 10h-12h 14h-18h; sur r.-v. aux vendanges
☙ Thomann

FRANCIS MURÉ 2011 ★

| | 1 400 | ▮ | 5 à 8 € |

Un domaine bien connu des lecteurs, notamment pour ses rieslings et ses grands crus Zinnkoepflé, mais pas seulement : il soigne aussi les autres cépages alsaciens, témoin ce pinot gris d'une robe jaune clair brillant, dont le nez mêle aux agrumes une petite touche fumée. En bouche, on apprécie sa finesse et son équilibre sucres-alcool-acidité. Un vin élégant et harmonieux, à boire sans attendre. Que diriez-vous d'un colombo de porc ? (Sucres résiduels : 20 g/l.)

☙ Francis Muré, 30, rue de Rouffach, 68250 Westhalten, tél. 03 89 47 64 20, fax 03 89 47 09 39, mure_francis@club-internet.fr, ☑ 🕴 ⏁ r.-v. 🏚 ❸

ANDRÉ REGIN Cuvée Antoine 2011 ★

| | 5 500 | ▮ | 5 à 8 € |

Établi dans la Couronne d'or de Strasbourg, ce domaine étend son vignoble sur une petite dizaine d'hectares. Né d'un terroir calcaire, ce 2011 jaune pâle livre un bouquet intense et complexe de fruits confits, nuancé de notes fumées et iodées. On retrouve ces sensations aromatiques dans une bouche riche et puissante. Pourquoi pas sur un poisson fin en sauce crémée ? (Sucres résiduels : 16,8 g/l.)

☙ André Regin, 4, rue de la Forge, 67120 Wolxheim, tél. et fax 03 88 38 17 02, andre.regin@wanadoo.fr, ☑ 🕴 ⏁ r.-v.

RENTZ ET FILS Réserve particulière 2010 ★

| | 10 000 | ▮ | 8 à 11 € |

Ce domaine de 20 ha, établi à Zellenberg, près de Riquewihr, propose un pinot gris d'un jaune pâle limpide qui plaît par son bouquet intense de fruits mûrs, agrémenté de nuances florales. Souple en attaque, la bouche se révèle longue, fruitée et bien équilibrée entre vivacité et sucres. À boire tout aujourd'hui, sur une viande blanche en sauce. (Sucres résiduels : 29 g/l.)

☙ SARL Rentz et Fils, 7, rte des Vins, 68340 Zellenberg, tél. 03 89 47 90 17, fax 03 89 47 97 27, info@edmondrentz.com,
☑ 🕴 ⏁ t.l.j. sf dim. 8h-12h 14h-18h

DOM. RIEFLÉ Côte de Rouffach Bonheur festif 2011 ★

| | 4 000 | ▮ | 11 à 15 € |

Fondé en 1850, ce domaine à la vocation internationale (70 % de la production est exportée) prix un nouveau tournant en 2013 en fusionnant avec la maison Seppi Landmann, avec au programme la conversion bio des deux exploitations. Aux commandes des vignobles : Thomas Rieflé ; à la commercialisation : son frère Paul. Ce Bonheur festif, dont le nom n'est pas usurpé, revêt une robe d'un élégant jaune paille brillant. Le nez révèle d'intenses parfums de fruits jaunes et de fumé. Souple en attaque, la bouche offre de la densité, de la générosité et un fruité mûr et long. À déguster dès à présent, sur une volaille à la crème. (Sucres résiduels : 7 g/l.)

☙ Dom. Rieflé, 7, rue du Drotfeld, 68250 Pfaffenheim, tél. 03 89 78 52 21, fax 03 89 49 50 98, riefle@riefle.com, ☑ 🕴 ⏁ t.l.j. sf dim. 9h-12h 14h-18h 🏚 ❸

CHRISTOPHE RIEFLÉ Côte de Rouffach 2011 ★

| | 1 300 | ▮ | 5 à 8 € |

Christophe Rieflé a vinifié le premier millésime signé de son nom en 2005 et créé l'année suivante sa nouvelle cave, « son lieu de paix et de méditation autour du "glouglou" de la fermentation », dit-il. Il y a élaboré ce beau pinot gris issu d'un sol argilo-calcaire, au nez intense de fruits mûrs (litchi, abricot), au palais gras, riche et dense, dominé par des notes miellées, réglissées et fruitées. À attendre deux à quatre ans et à servir sur un foie gras. (Sucres résiduels : 25 g/l.)

☙ Christophe Rieflé, 32 A, rue de la Lauch, 68250 Pfaffenheim, tél. 06 86 17 27 42, fax 03 89 49 77 85, christopherefle@aol.com, ☑ 🕴 ⏁ t.l.j. 10h-18h 🏚 ❹

ROLLY GASSMANN Rotleibel de Rorschwihr
Vendanges tardives 2010

	13 000	20 à 30 €

Le vignoble de Rorschwihr bénéficie d'une vaste palette de terroirs : on y dénombre douze lieux-dits et vingt et un types de sous-sols. Le domaine Rolly Gassmann exploite une coquette surface de 52 ha aux environs, dont 3,17 ha aux sols limoneux et argilo-marneux consacrés à ces vendanges tardives. Le nez exhale des notes surmûries et florales rehaussées par une touche minérale. Sans afficher un énorme volume, la bouche séduit par sa finesse, sa fraîcheur et son fruité. Un vin équilibré et délicat, que l'on verrait bien sur une tarte aux myrtilles, aujourd'hui ou dans quatre ans. (Sucres résiduels : 50 g/l.)

☛ Dom. Rolly Gassmann, 2, rue de l'Église, 68590 Rorschwihr, tél. 03 89 73 63 28, fax 03 89 73 33 06, rollygassmann@wanadoo.fr,

☑ ⚶ ⏃ t.l.j. sf dim. 9h-12h 13h30-18h

Ⓑ JOSEPH RUDLOFF Vendanges tardives 2010

	16 000	15 à 20 €

Ce vin de marque a été créé récemment par Bernard Engel, à la tête d'un vaste vignoble de 53 ha entièrement certifié en agriculture biologique. Issu de raisins passerillés et botrytisés et d'un terroir marno-calcaire, il livre un bouquet discret qui laisse poindre des notes de pêche mûre et de sous-bois. En bouche, il se montre rond et souple, marqué par une pointe d'amertume qui apporte de la fraîcheur en finale. (Sucres résiduels : 69 g/l.)

☛ Dom. Fernand Engel, 1, rte du Vin, 68590 Rorschwihr, tél. 03 89 73 77 27, fax 03 89 73 63 70, f-engel@wanadoo.fr,

☑ ⚶ ⏃ t.l.j. sf dim. 8h-11h30 13h-18h

DOMAINES SCHLUMBERGER Vendanges tardives 2010

	5 000	20 à 30 €

Le plus vaste domaine d'Alsace : 140 ha de vignes plantées sur des coteaux escarpés, dont une partie est conduite en biodynamie et plus de la moitié exploitée en grand cru. Ici, un pinot gris vendanges tardives né sur un sol marno-gréseux, qui exhale des parfums de fleurs blanches, d'agrumes, de poire et de fumé, à la bouche bien équilibrée entre douceur et vivacité. (Sucres résiduels : 117 g/l.)

☛ Domaines Schlumberger, 100, rue Théodore-Deck, 68500 Guebwiller, tél. 03 89 74 27 00, fax 03 89 74 85 75, mail@domaines-schlumberger.com,

☑ ⚶ ⏃ t.l.j. sf sam. dim. 8h-18h (ven. 17h); f. trois sem. d'août

DOM. SCHOEPFER Tradition 2011

	4 500	5 à 8 €

Ce domaine familial est installé dans l'ancienne cour de l'abbaye de Marbach, à Eguisheim. En 2012, Michel et Vincent Schoepfer, un peu à l'étroit, ont construit un nouveau vendangeoir et une cuverie thermorégulée. Après un élevage en foudre de huit mois, leur cuvée Tradition se présente dans une robe claire, le nez empreint de notes fruitées, et la bouche grasse, ample et généreuse. Une bouteille à remiser dans votre cave deux ou trois ans avant de l'ouvrir sur une viande blanche. (Sucres résiduels : 15,53 g/l.)

☛ Dom. Michel Schoepfer, 43, Grand-Rue, 68420 Eguisheim, tél. 03 89 41 09 06, domaine.schoepfer@gmail.com,

☑ ⚶ ⏃ t.l.j. sf dim. 8h30-11h30 14h-18h

STEINER Kastelweg 2011 ★

	3 500	8 à 11 €

De vignes cinquantenaires plantées sur le sol argilo-marneux et calcaire du lieu-dit Kastelweg, situé sous le grand cru Hatschbourg, Philippe Steiner a tiré une cuvée jaune paille aux accents de fruits surmûris, de fumé et de sous-bois. La bouche, à l'unisson, se révèle persistante, ample et puissante. Pour un foie gras ou une viande blanche, d'ici trois ou quatre ans. (Sucres résiduels : 21 g/l.)

☛ Dom. Steiner, 11, rte du Vin, 68420 Herrlisheim-près-Colmar, tél. 03 89 49 30 70, fax 03 89 49 29 67, steiner.vins@wanadoo.fr,

☑ ⚶ ⏃ r.-v. 🏠 ➌ 🏠 Ⓒ

DOM. ACHILLE THIRION Vendanges tardives 2010 ★

	6 600	15 à 20 €

Planté sur un coteau bien exposé au sud-sud-est, sur une petite parcelle de 1 ha, le pinot gris a donné naissance à une vendange tardive expressive, aux parfums de poire et de pêche confites. Le palais, où dominent des arômes de miel d'acacia, se révèle gras, riche et persistant, équilibré par ce qu'il faut de vivacité. Recommandé sur un foie gras. (Sucres résiduels : 75 g/l.)

☛ Dom. Achille Thirion, 69, rte du Vin, 68590 Saint-Hippolyte, tél. 03 89 73 00 23, fax 03 89 73 06 46, domaine.achille.thirion@orange.fr,

☑ ⚶ ⏃ r.-v. 🏠 ➋ 🏠 Ⓑ

WASSLER 2011

	2 000	5 à 8 €

Frédéric Sohler signe avec ce 2011 un vin au bouquet riche et expressif, sur les fruits mûrs et le sous-bois. Souple en attaque, la bouche dévoile ensuite plus de générosité et de sucrosité. Une petite attente d'un an ou deux permettra à l'ensemble de se fondre. (Sucres résiduels : 10 g/l.)

☛ EARL H. Wassler Successeurs, 70, rte des Vins, 67140 Itterswiller, tél. 03 88 57 82 19, vinswassler@free.fr,

☑ ⚶ ⏃ r.-v. 🏠 Ⓑ

☛ Sohler

J.-P. WASSLER 2011 ★

	4 000	5 à 8 €

Installé depuis 1990 à la tête du vignoble familial, Marc Wassler cultive 12 ha de vignes sur les terroirs de Blienschwiller, de Dambach-la-Ville et d'Epfig, des terroirs en coteaux, essentiellement granitiques. Ce pinot gris, en robe jaune pâle, livre un bouquet expressif et fruité, relayé par une bouche chaleureuse, ample et dominée par des arômes toastés. À attendre un an ou deux. (Sucres résiduels : 9 g/l.)

☛ EARL Jean-Paul Wassler Fils, 1, rte d'Epfig, 67650 Blienschwiller, tél. 03 88 92 41 53, marc.wassler@wanadoo.fr, ☑ ⚶ ⏃ r.-v.

ZINK 2011 ★

	10 000	5 à 8 €

Les pinots gris de Pierre-Paul Zink ont fait ces deux dernières années le bonheur des dégustateurs du Guide, qui ont décerné un coup de cœur aux versions 2009 et 2010. Le 2011, sans faire jeu égal avec ses « grands frères », a quelques arguments à faire valoir : un nez intense et fin, qui mêle aux fruits mûrs (coing, notamment) des nuances fumées, miellées et beurrées, puis une bouche puissante, ample, riche, généreuse et onctueuse, rehaussée en finale par une fine acidité. On attendra trois ou quatre ans que l'ensemble se fonde pour l'apprécier au mieux sur un foie gras ou sur un rôti de veau à la crème. (Sucres résiduels : 17 g/l.)

☎ Pierre-Paul Zink, 27, rue de la Lauch, 68250 Pfaffenheim, tél. 03 89 49 60 87, fax 03 89 49 73 05, infos@vins-zink.fr, ☑ ⚔ ⵎ r.-v.

Alsace pinot noir

Superficie : 1 541 ha
Production : 109 946 hl

L'Alsace est surtout réputée pour ses vins blancs ; mais sait-on qu'au Moyen Âge les rouges y occupaient une place considérable ? Après avoir presque disparu, le pinot noir (le meilleur cépage rouge des régions septentrionales) a connu une notable expansion.

On connaît bien le type rosé ou rouge léger, vin agréable, sec et fruité, susceptible d'accompagner une foule de mets comme d'autres rosés. Cependant, la tendance est à élaborer un véritable vin rouge de garde à partir de ce cépage.

ALSACE MUNSCH Altenberg 2011 ★

■	4 000	8 à 11 €

Créé en 1920, ce domaine situé à Saint-Hippolyte, au pied du château du Haut-Kœnigsbourg, est conduit depuis 2000 par Christophe Meyer et son épouse Clarisse, œnologue. Paré d'une robe rouge grenat ornée de quelques reflets orangés, ce vin se distingue au nez par son fruité de cerise, ses notes florales et épicées. Tout aussi plaisante est la bouche, d'une rondeur avenante, bâtie sur des tanins déjà fondus et sur une fraîcheur bienvenue en finale. Parfait pour des bouchées à la reine, dès à présent.

☎ Alsace-Munsch, René Meyer et Fils, 14, rte du Vin, 68590 Saint-Hippolyte, tél. 03 89 73 00 09, fax 03 89 73 05 46, contact@gites-munsch.fr, ☑ ⚔ ⵎ r.-v. 🏠 ❷ 🏠 ❸

☎ René Meyer

❸ CAMILLE BRAUN Cuvée Camille 2011 ★

■	6 000	8 à 11 €

Héritier d'une longue lignée vigneronne (XVIIᵉs.), Christophe Braun exploite 15 ha de vignes à Orschwihr et dans les environs, en biodynamie. Habitué du Guide (notamment coup de cœur l'an dernier pour son pinot noir 2009 Rouge d'Alsace), il est fidèle au rendez-vous avec un 2011 sombre et profond, au nez riche et ouvert sur les épices (poivre) et les fruits rouges. La bouche se révèle ample, intense, fruitée, portée par des tanins fondus et par une belle fraîcheur en finale. À boire ou à attendre deux ans.

☎ Camille Braun, 16, Grand-Rue, 68500 Orschwihr, tél. 03 89 76 95 20, fax 03 89 74 35 03, cbraun@camille-braun.com, ☑ ⚔ ⵎ t.l.j. sf dim. 8h30-12h 13h30-18h30 🏠 ❹

DOM. BROBECKER 2011 ★

■	3 400	5 à 8 €

Considéré comme le berceau des vins d'Alsace, Eguisheim accueille de nombreux vignerons qui exploitent les coteaux alentour. Le domaine Brobecker y cultive 4 ha en conversion bio. Son pinot noir, d'un rouge léger, dévoile un bouquet agréablement épicé et fruité (framboise, cerise, groseille). On retrouve les fruits rouges et les épices (cannelle) dans une bouche ronde et fraîche à la fois, aux tanins bien fondus. Parfait dès aujourd'hui sur un rôti de veau.

☎ Dom. Brobecker, 3, pl. de l'Église, 68420 Eguisheim, tél. 06 87 52 80 72, pascal.joblot@free.fr, ☑ ⵎ r.-v. 🏠 ❸

☎ Pascal Joblot

❸ VIGNOBLE DES DEUX LUNES Lune noire 2011 ★

■	7 500	11 à 15 €

Rebaptisé en 2009 Vignoble des Deux Lunes par Amélie et Cécile Buecher afin de promouvoir la vente de ses vins issus du bio et de la biodynamie, le domaine (anciennement Buecher-Fix) a de lointaines origines (XVIIIᵉs.). Ce 2011 grenat foncé s'exprime discrètement au nez sur les fruits noirs mûrs nuancés d'épices. La bouche se montre riche et soyeuse, adossée à des tanins fondus. L'équilibre est en place, et cette bouteille n'attend plus qu'une viande blanche ou une volaille, aujourd'hui comme dans deux ans.

☎ Vignoble des Deux Lunes, 21, rue Sainte-Gertrude, 68920 Wettolsheim, tél. 03 89 30 12 80, fax 03 89 30 12 81, contact@vignobledes2lunes.fr, ☑ ⚔ ⵎ r.-v.

♥ ❸ CHRISTIAN ET JOSEPH EBLIN Rouge de Zellenberg Cuvée Moréote 2011 ★★★

■	2 000	11 à 15 €

La famille Eblin est établie de très longue date dans le village perché de Zellenberg, entre Riquewihr et Ribeauvillé : les archives font remonter ses origines vigneronnes au XIIIᵉs. Les 10 ha du domaine sont conduits en biodynamie. Après dix-huit mois de fût de chêne, ce pinot noir né sur marnes et graves ferrugineuses revêt une robe profonde et intense, couleur cerise noire. Le nez, d'abord discret, s'ouvre à l'aération sur des notes de fruits rouges mûrs. Souple en attaque, le palais se révèle ample, riche, soyeux, adossé à des tanins bien présents mais veloutés qui donnent beaucoup d'allonge à la finale. Une bouteille harmonieuse, à attendre deux ou trois ans.

☎ Dom. Eblin-Fuchs, 19, rte des Vins, 68340 Zellenberg, tél. 03 89 47 91 14, fax 03 89 49 05 12, alsace@eblin-fuchs.com, ☑ ⚔ ⵎ r.-v.

♥ HENRI EHRHART Noblesse oblige Vieilli en fût de chêne 2011 ★★★

■	18 000	8 à 11 €

La maison Henri Ehrhart a son siège à Ammerschwihr, bourg qui a vu renaître la confrérie Saint-Étienne d'Alsace en 1947. Elle a complété son exploitation viticole

par une importante activité de négoce, alimentée essentiellement par l'apport de raisins fournis par les vignerons voisins. C'est de cette structure que provient ce pinot noir intense aux reflets violets, au nez soutenu de fruits rouges et noirs mûrs. La bouche se montre ample et puissante, portée par des tanins ronds et souples, et par une très longue finale. Déjà fort harmonieuse, cette cuvée ravira bien des palais dès aujourd'hui.

🍷 Henri Ehrhart, quartier des Fleurs,
68770 Ammerschwihr, tél. 03 89 78 23 74,
fax 03 89 47 32 59, he@henri-ehrhart.com,
☑ ⚹ ⌣ t.l.j. sf sam. dim. 9h-11h 15h-17h; f. 15 juil.-15 août

DAVID ERMEL Coteau du Helfant 2011 ★★

| ■ | 5 000 | 🗓 | 8 à 11 € |

Cette exploitation, établie depuis 1795 à Hunawihr, au sud de Ribeauvillé, se distingue comme l'an dernier avec cette cuvée née de vignes trentenaires. Le nez se révèle complexe : on y perçoit la framboise, la groseille, l'anis ou encore le menthol. Le palais ? Plein, frais en attaque, plus rond dans son déroulé, épaulé par de bons tanins. À boire ou à attendre deux ans.

🍷 Ermel, 30, rte de Ribeauvillé, 68150 Hunawihr,
tél. 03 89 73 61 71, fax 03 89 73 32 56,
david.ermel@wanadoo.fr, ⚹ ⌣ t.l.j. 8h-12h 14h-19h

PAUL FAHRER Vinifié en barrique 2011 ★

| ■ | 1 260 | 🗓🎵 | 5 à 8 € |

Élaboré à Orschwiller, dans l'ancienne résidence du bailli du château du Haut-Kœnigsbourg, ce 2011 se pare d'une robe sombre, le nez empreint de notes de cassis, relayées à l'aération par celles vanillées du fût. Au palais, si le fruit et la matière sont bien présents, les tanins du bois apparaissent encore dominants, mais prometteurs. Trois ou quatre ans de garde sont conseillés.

🍷 Paul Fahrer, 3, pl. de la Mairie, 67600 Orschwiller,
tél. 03 88 92 86 57, fax 03 88 92 20 41, vins@paulfahrer.fr,
☑ ⚹ ⌣ r.-v. 🏠 🅱

JEAN-PAUL GERBER Vieilles Vignes 2011

| ■ | 3 000 | 🎵 | 5 à 8 € |

Dambach-la-Ville est la cité viticole d'Alsace qui compte le plus grand nombre de vignerons metteurs en marché. Jean-Paul et Dany Gerber y exploitent 40 ares de pinot noir à l'origine de ce vin rouge clair, au nez discret mais plaisant de framboise et de mûre, au palais souple, fruité et boisé sans excès. À boire dès aujourd'hui.

🍷 EARL Jean-Paul et Dany Gerber,
16, rue Théophile-Bader, 67650 Dambach-la-Ville,
tél. 03 88 92 41 84, fax 03 88 92 42 18, dany@vinsgerber.fr,
☑ ⚹ ⌣ t.l.j. 9h-12h 13h-18h 🏠 🅐

DOM. ROBERT HAAG ET FILS 2011 ★★

| ■ | 2 500 | 🗓 | 5 à 8 € |

Le domaine Haag est établi à Scherwiller, non loin de Sélestat, dans une maison à colombages du XVIIIᵉs. Si la commune est réputée pour ses rieslings, le pinot noir semble aussi y trouver un beau terrain, sablo-granitique en l'occurrence. Témoin ce 2011 rouge foncé, au nez délicat de fruits rouges, à la bouche à la fois riche, fine et charnue, soutenue par des tanins mûrs. Un vin complet, à découvrir au cours des trois prochaines années, sur une tourte au bœuf par exemple.

🍷 Dom. Robert Haag et Fils, 21, rue de la Mairie,
67750 Scherwiller, tél. 03 88 92 11 83, fax 03 88 82 15 85,
vins.haag.robert@estvideo.fr,
☑ ⚹ ⌣ t.l.j. sf dim. 9h-12h 13h30-19h

HABSIGER Rouge suprême 2011 ★

| ■ | 6 440 | 🎵 | 5 à 8 € |

Ces vignerons sont établis à Gertwiller, village bas-rhinois dont le pain d'épice est la spécialité. Leur Rouge suprême 2011, rubis intense, mêle au nez la cerise noire au sirop, le cassis et la mûre. En bouche, il plaît par sa rondeur, ses tanins soyeux, sa finale fraîche et épicée. À boire dans l'année, sur des aiguillettes de poulet en sauce légèrement relevée.

🍷 Alain Habsiger, 15, rue Principale, 67140 Gertwiller,
tél. 03 88 08 07 54, fax 03 88 08 48 92,
contact.alsace@wanadoo.fr, ☑ ⚹ ⌣ t.l.j. 8h-12h 13h-19h

🅱 DOM. LÉON HEITZMANN Cuvée Anne-Marie
Élevé en barrique 2011

| ■ | 1 200 | 🎵 | 11 à 15 € |

Régulièrement sélectionné pour ses pinots noirs, ce domaine de 12 ha (bio et biodynamie) livre un 2011 en robe grenat, dominé à l'olfaction par les fruits rouges soutenus par le boisé délicat de la barrique. Une attaque tannique ouvre sur un palais ample et puissant, encore sous l'emprise du merrain. À attendre une paire d'années.

🍷 Dom. Léon Heitzmann, 2, Grand-Rue,
68770 Ammerschwihr, tél. 03 89 47 10 64,
fax 03 89 78 27 76, leon.heitzmann@wanadoo.fr,
☑ ⚹ ⌣ t.l.j. sf dim. 8h-12h 13h30-18h

HUMBRECHT Vieille Vigne Vieilli en fût de chêne 2011 ★★

| ■ | 920 | 🎵 | 8 à 11 € |

Cette famille de vignerons est établie à Gueberschwihr depuis 1619. Claude Humbrecht et son épouse Sylvie, bientôt rejoints par leur fils Maxime, conduisent 7,5 ha de vignes en conversion biologique. Ils signent un pinot noir en robe sombre, qui mêle au nez fruits rouges très mûrs et notes boisées. Le palais se montre puissant, charpenté, gras, soutenu par un boisé intense mais qui n'écrase pas le vin. Un beau travail d'élevage pour cette cuvée appelée à bien vieillir trois ou quatre ans.

🍷 Claude et Georges Humbrecht, 33, rue de Pfaffenheim,
68420 Gueberschwihr, tél. 03 89 49 31 51,
fax 03 89 49 30 68, claude.humbrecht@orange.fr,
☑ ⚹ ⌣ r.-v. 🏠 ❷ 🏠 🅱

BERNARD HUMBRECHT 2011 ★

| ■ | 3 500 | 🎵 | 5 à 8 € |

Aux commandes du domaine familial depuis 1991, Jean-Bernard Humbrecht peut avoir confiance en l'avenir : ses deux fils poursuivent des études d'œnologie. En attendant la relève, voici un pinot noir de belle expression, de couleur rubis, au nez tout en fruits rouges mûrs, à la bouche souple, longue, portée par des tanins présents mais bien fondus. À boire au cours des deux prochaines années.

☛ Jean-Bernard Humbrecht, 10, pl. de la Mairie, 68420 Gueberschwihr, tél. 03 89 49 31 42, vins.bernard.humbrecht@wanadoo.fr,

☑ ⚥ ⊥ t.l.j. 8h-12h 13h-19h; dim. 10h-12h 14h-18h 🏠 **E**

JACQUES ILTIS Burgreben Rouge de Saint-Hippolyte
Vieilles Vignes 2009 ★

| ■ | 2 100 | ⅢⅢ | 8 à 11 € |

Établis à Saint-Hippolyte, au pied du château du Haut-Kœnigsbourg, Christophe et Benoît Iltis exploitent 10 ha de vignes et élèvent leurs vins dans une cave dotée de vieux foudres en chêne. Ce 2009 mêle au nez fruits rouges kirschés et notes torréfiées de l'élevage. En bouche, il attaque en souplesse, puis monte en puissance jusqu'à la finale, porté par un beau fruité et des tanins élégants. À boire ou à attendre deux ans.

☛ Dom. Jacques Iltis et Fils, 1, rue Schlossreben, 68590 Saint-Hippolyte, tél. 03 89 73 00 67, fax 03 89 73 01 82, jacques.iltis@calixo.net,

☑ ⚥ ⊥ t.l.j. 8h-12h 14h-18h; dim. sur r.-v.

B ANDRÉ KLEINKNECHT 2011 ★★

| ■ | 1 800 | 🍴ⅢⅢ | 5 à 8 € |

Établi à Mittelbergheim, village viticole pittoresque situé à 2 km au sud de Barr, ce domaine livre un pinot noir remarquable en tout point, fruit d'un travail soigné : rendements limités à 45-50 hl/ha, très peu d'intrants et mise en bouteilles sans filtration. Le résultat ? Un vin grenat aux reflets noirs, au nez intense de cerise noire et de framboise mâtiné d'une touche mentholée. On retrouve cette fraîcheur dans une bouche élégante et soyeuse, structurée par des tanins doux. À boire aujourd'hui comme dans deux ou trois ans, sur des côtelettes d'agneau par exemple.

☛ André Kleinknecht, 45, rue Principale, 67140 Mittelbergheim, tél. 03 88 08 49 46, fax 03 88 08 53 87, andre.kleinknecht@wanadoo.fr,

☑ ⊥ r.-v.

ROBERT KLINGENFUS Cuvée Élodie Barrique 2011

| ■ | 12 000 | ⅢⅢ | 8 à 11 € |

Ce domaine établi à Molsheim, chef-lieu d'arrondissement situé à une quinzaine de kilomètres au sud-ouest de Strasbourg, propose ici un pinot noir au nez intense de fruits mûrs. En bouche, le vin se révèle concentré, riche, puissant, soutenu par des tanins encore sévères et dominé par un boisé qui doit encore se fondre. À attendre deux ou trois ans au moins.

☛ Robert Klingenfus, 60, rue de Saverne, 67120 Molsheim, tél. 03 88 38 07 06, fax 03 88 49 32 47, alsace-klingenfus@wnadoo.fr, ☑ ⚥ ⊥ r.-v.

B CLÉMENT KLUR Klur 2011 ★★★

| ■ | 3 000 | ⅢⅢ | 15 à 20 € |

Ici, tout est bio : la conduite de la vigne, la vinification, jusqu'aux logements de vacances, situés au cœur de l'exploitation, et à la piscine, naturelle... Le vin ? Un rouge 2011 jugé exceptionnel : robe rouge profond aux reflets violets ; nez intense de fruits mûrs agrémentés d'une touche animale ; bouche puissante, ample et charnue, portée par des tanins bien fondus qui offrent beaucoup de souplesse et par une fraîcheur fort à propos. À découvrir dès à présent.

☛ Clément Klur, 105, rue des Trois-Épis, 68230 Katzenthal, tél. 03 89 80 94 29, fax 03 89 27 30 17, info@klur.net, ☑ ⚥ ⊥ t.l.j. sf dim. 13h30-18h; mat. sur r.-v. 🏠 **3** 🏠 **D**

RENÉ ET MICHEL KOCH Cuvée Cléa
Vieilli en fût de chêne 2010

| ■ | 1 200 | ⅢⅢ | 11 à 15 € |

Cette propriété installée à Nothalten, village viticole s'étendant le long de la route des Vins entre Barr et Dambach-la-Ville, est conduite par Michel Koch depuis 2006. Ce 2010 a connu douze mois de fût, et le nez ne peut le cacher : d'intenses notes torréfiées se mêlent aux fruits noirs. La bouche n'est pas en reste, boisée, massive, tannique. Un vin de caractère assurément, à attendre trois ans.

☛ EARL René et Michel Koch, 5, rue de la Fontaine, 67680 Nothalten, tél. 03 88 92 41 03, fax 03 88 92 63 99, contact@vin-koch.fr, ☑ ⚥ ⊥ r.-v. 🏠 **C**

MEYER Vieilli en pièces de chêne 2009 ★

| ■ | 2 000 | ⅢⅢ | 5 à 8 € |

Ce domaine créé en 1880 et situé à Hattstatt, à une dizaine de kilomètres au sud de Colmar, propose un pinot noir issu d'un terroir marno-calcaire. Au nez, quelques notes animales se mêlent aux fruits rouges. En bouche, le vin se révèle ample, gras et rond, soutenu par une pointe de fraîcheur et par des tanins soyeux. Prêt à boire.

☛ EARL Lucien Meyer et Fils, 57, rue du Mal-Leclerc, 68420 Hattstatt, tél. 03 89 49 31 74, fax 03 89 49 24 81, info@earl-meyer.com, ☑ ⚥ ⊥ r.-v. 🏠 **B**

MOLTÈS Terroir 2011 ★

| ■ | 1 800 | ⅢⅢ | 11 à 15 € |

Cette ancienne famille de vignerons établie à Pfaffenheim, à une dizaine de kilomètres au sud de Colmar, exploite 15 ha de vignes, bientôt en conversion bio. Né sur un terroir argilo-calcaire, ce 2011 associe au nez arômes variétaux de fruits rouges et notes poivrées. En bouche, il dévoile une belle matière étayée par des tanins ronds et mûrs. Le boisé de la barrique demeure toutefois encore bien présent ; deux ans de garde lui permettront de se fondre.

☛ Dom. Antoine Moltès, 8, rue du Fossé, 68250 Pfaffenheim, tél. 03 89 49 60 85, fax 03 89 49 50 43, domaine@vin-moltes.com, ☑ ⊥ t.l.j. sf dim. 8h-12h 14h-18h

B MURÉ Clos Saint-Landelin 2011 ★★

| ■ | 5 000 | ⅢⅢ | 30 à 50 € |

Le vignoble Muré a son siège à Rouffach, en contrebas de ce fameux Clos Saint-Landelin, planté dès le haut Moyen Âge par des moines et porte-étendard du domaine depuis 1935. Cette maison de haute renommée est fidèle à sa réputation avec ce pinot de grande tenue. La robe est d'un beau rouge foncé. Le nez, complexe, évoque les fruits rouges et noirs agrémentés de notes de thym, d'écorce d'orange et de boisé. La bouche ? Puissante, riche, ample, très longue, portée par des tanins et un boisé fondus. Deux ou trois ans d'attente porteront ce vin à son optimum.

☛ Muré – Clos Saint-Landelin, rte du Vin, 68250 Rouffach, tél. 03 89 78 58 00, fax 03 89 78 58 01, domaine@mure.com, ☑ ⚥ ⊥ r.-v.

DOM. DE L'ORIEL 2011 ★

■   1 500   〔▯〕   8 à 11 €

Ce domaine, établi à Niedermorschwihr, tire son nom d'un oriel sculpté de grès rose et blanc qui orne la maison Renaissance, ainsi que les étiquettes. Son pinot noir, d'abord sur la réserve, s'ouvre à l'agitation sur des notes de fruits noirs, cassis en tête. Souple en attaque, la bouche dévoile ensuite une belle structure tannique enrobée de fruits et une longueur appréciable. Un vin harmonieux, à boire dans les deux ans à venir.
☛ Gérard Weinzorn et Fils, 133, rue des Trois-Épis, 68230 Niedermorschwihr, tél. 03 89 27 40 55, fax 03 89 27 04 23, oriel.weinzorn@sfr.fr, ☑ ⚔ ⏀ t.l.j. 9h-12h 14h-18h; dim. sur r.-v. ⌂ Ⓑ

CAVE DE RIBEAUVILLÉ Rodern Réserve 2011 ★

■   5 200   〔▯〕   11 à 15 €

Créée en 1895, cette coopérative est la plus ancienne de France. C'est aussi la seule cave alsacienne qui fait appel, depuis 2007, à un consultant extérieur à la région, en la personne de l'œnologue bordelais Denis Dubourdieu. Le résultat de cette collaboration est ici un 2011 au nez avenant de fruits rouges, à la bouche ronde, soyeuse, aux tanins fondus, portée par une juste fraîcheur : un vin équilibré et déjà charmeur en somme.
☛ Cave de Ribeauvillé, 2, rte de Colmar, 68150 Ribeauvillé, tél. 03 89 73 61 80, fax 03 89 73 31 21, cave@cave-ribeauville.com, ☑ ⚔ ⏀ t.l.j. 8h-12h 14h-18h

RUHLMANN-DIRRINGER À Fleur de roche 2011 ★

■   3 000   〔▯〕   5 à 8 €

Ce domaine régulièrement distingué dans ces pages, notamment pour ses rieslings, son siège à Dambach-la-Ville, dans une maison datant de 1578. Il s'illustre ici avec ce pinot noir À Fleur de roche... granitique. Au nez, les fruits rouges un rien confiturés se mâtinent de légères notes boisées. La bouche séduit par son volume, sa rondeur et ses tanins fondus. Les viandes rouges grillées seront en bonne compagnie.
☛ Ruhlmann-Dirringer, 3, imp. de Mullenheim, 67650 Dambach-la-Ville, tél. 03 88 92 40 28, fax 03 88 92 48 05, ruhlmann.dirringer@terre-net.fr, ☑ ⚔ ⏀ r.-v.

PHILIPPE SCHEIDECKER 2011 ★

■   1 250   〔▯〕   8 à 11 €

Mittelwihr, commune viticole située au nord-ouest de Colmar, bénéficie d'un microclimat particulièrement favorable qui permet aux amandiers de fleurir très tôt au printemps. Son terroir argilo-calcaire est aussi propice à l'épanouissement du pinot noir, témoin ce 2011 rouge profond, dont l'élégant bouquet mêle la griotte, l'humus et le grillé, léger, du fût. Fraîche en attaque, la bouche se révèle à la fois croquante, fine et soyeuse. À boire dans les deux ans, sur un carré d'agneau.
☛ Philippe Scheidecker, 13, rue des Merles, 68630 Mittelwihr, tél. 03 89 49 01 29, fax 03 89 49 06 63, vins.scheidecker@wanadoo.fr, ☑ ⚔ ⏀ t.l.j. 9h-12h 13h30-19h

PAUL SCHERER Réserve personnelle 2011

■   2 700   ▮   5 à 8 €

Installé à Husseren-les-Châteaux, village perché qui domine la plaine d'Alsace, ce domaine signe un pinot noir « bien typé ». Entendez par là un vin sans chichi, d'une belle couleur grenat, au nez tout en fruit (framboise, griotte), souple, frais et tout aussi fruité en bouche. Parfait pour une grillade de bœuf ou une assiette de charcuterie.
☛ EARL Paul Scherer et Fils, 40, rue Principale, 68420 Husseren-les-Châteaux, tél. 03 89 49 30 34, fax 03 89 86 41 67, paul.didier.scherer@orange.fr, ☑ ⚔ ⏀ r.-v.

Ⓑ SCHMITT & CARRER Schloessel Mühle Fût de chêne 2011 ★

■   n.c.   〔▯〕   11 à 15 €

Né en 1980 de l'association de Roger Schmitt avec son gendre Roland Carrer, ce domaine, aujourd'hui conduit par ce dernier, sa femme Sylvie et sa fille Anne-Cécile, est entièrement bio, à la vigne et au chai. Il propose un 2011 expressif et bien construit, où les épices, la vanille et les fruits rouges composent un bouquet harmonieux et élégant. En bouche, la trame tannique est bien en place mais soyeuse, le boisé délicat et le fruité sont au rendez-vous. À boire dans les deux ou trois ans à venir.
☛ Schmitt et Carrer, 11, pl. du Lieutenant-Dutilh, 68240 Kientzheim, tél. 03 89 78 24 17, fax 03 89 78 00 00, contact@schmitt-carrer.com, ☑ ⏀ t.l.j. 8h-12h 13h30-18h

SCHOENHEITZ Herrenreben Élevé en fût de chêne 2011 ★

■   10 000   〔▯〕   11 à 15 €

Ce domaine est situé à Wihr-au-Val, dernier village viticole de la vallée de Munster. Ses vignes s'étendent sur des coteaux exposés plein sud, aux sols le plus souvent granitiques. Le pinot noir y donne naissance ici à un vin sombre, au bouquet intense de fruits rouges agrémentés d'un boisé fondu. La bouche, à l'unisson, s'impose par sa mâche, sa corpulence, sa générosité. Deux ans de garde sont conseillés.
☛ Henri Schoenheitz, 1, rue de Walbach, 68230 Wihr-au-Val, tél. 03 89 71 03 96, fax 03 89 71 14 33, cave@vins-schoenheitz.fr, ☑ ⚔ ⏀ r.-v.

Ⓑ LOUIS SIPP Grossberg Pinot noir 2009 ★★

■   2 300   〔▯〕   15 à 20 €

Sise sur les coteaux de Ribeauvillé depuis quatre générations, cette maison réputée étend son vignoble sur 40 ha, auxquels s'ajoute une activité de négoce. Planté sur le terroir calcaro-gréseux du Grossberg, le pinot noir a donné naissance à un vin bien dans son millésime. Le nez s'ouvre timidement sur les fruits rouges, accompagnés des notes chocolatées apportées par treize mois de barrique. Ample, riche, puissante, généreuse, la bouche rappelle que 2009 fut solaire et grand. Les amateurs de gibier trouveront là la bouteille idoine, à ouvrir d'ici deux ou trois ans.
☛ Grands vins d'Alsace Louis Sipp, 5, Grand-Rue, 68150 Ribeauvillé, tél. 03 89 73 60 01, fax 03 89 73 31 46, louis@sipp.com, ☑ ⚔ ⏀ r.-v.

DOM. DE LA VIEILLE FORGE Élevé en fût de chêne 2011 ★

■   2 500   〔▯〕   8 à 11 €

Le domaine, créé par les grands-parents, est installé dans les bâtiments de l'ancienne forge de l'arrière-grand-père. Œnologue formé en Bourgogne, patrie du pinot noir, Denis Wurtz a repris l'exploitation en 1998. Il signe ici un vin bien équilibré entre fruité (groseille, cerise noire) et boisé. À l'unisson, la bouche plaît par son volume, son côté soyeux, ses tanins fondus et sa longueur. À servir dans les deux ans, sur un rôti de canard aux cerises.

☛ Dom. de la Vieille Forge, 5, rue de Hoen,
68980 Beblenheim, tél. 03 89 86 01 58,
virginie.wurtz@wanadoo.fr,
☑ ⚔ ⏧ t.l.j. 10h30-12h 13h30-19h ⌂ ☻
☛ Denis Wurtz

VONVILLE Rouge d'Ottrott Stéphane 2011

| ■ | 9 000 | ⏸ | 11 à 15 € |

La maison Vonville exploite 12 ha de vignes à Ottrott,
haut lieu du pinot noir alsacien, bénéficiant depuis 2011
d'une appellation communale pour cette variété. Elle a fait
du cépage rouge sa spécialité, et cette cuvée ne ternira pas
sa réputation. Encore jeune, elle dévoile un nez sur la
réserve mais prometteur où le boisé donne le ton, les fruits
rouges restant en retrait. En bouche, le merrain mène aussi
la danse autour de tanins affirmés et d'arômes de fruits
mûrs. Il est urgent d'attendre, deux ou trois ans au moins.
☛ Jean-Charles Vonville et Fils, 4, pl. des Tilleuls,
67530 Ottrott, tél. 03 88 95 80 25, fax 03 88 95 96 40,
earl.vonville@wanadoo.fr,
☑ ⚔ ⏧ t.l.j. 9h-12h 13h30-18h ⌂ ☻

☻ VORBURGER 2011 ★

| ■ | 3 000 | | 5 à 8 € |

Ce domaine est implanté depuis les années 1950 dans
le village perché de Voegtlinshoffen. Il propose un 2011
bien typé : robe grenat intense ; nez fin de petits fruits
rouges ; bouche souple, soyeuse, aux tanins fondus et de
bonne longueur. À boire dans l'année, sur une grillade de
bœuf.
☛ EARL Jean-Pierre Vorburger et Fils, 3, rue de la Source,
68420 Voegtlinshoffen, tél. 03 89 49 35 52,
fax 03 89 86 40 56 ☑ ⚔ ⏧ r.-v.

CHARLES WANTZ Rouge d'Ottrott 2010 ★

| ■ | 12 500 | ⬛ | 8 à 11 € |

Les origines de la maison Wantz remontent au
XVIᵉs. ; en 1742, un des ancêtres aurait même relancé la
plantation du klevener de Heiligenstein. À Ottrott, c'est le
pinot noir qui règne en maître. Il a donné naissance à ce
2010 pourpre soutenu, au nez « classique » de petits fruits
rouges (cerise) et noirs (myrtille), au palais ample, structuré, généreux. Une bouteille harmonieuse, à boire dès à
présent ou à garder deux ans.
☛ SAS Charles Wantz, 36, rue Saint-Marc, 67140 Barr,
tél. 03 88 08 90 44, fax 03 88 08 54 61,
charles.wantz@wanadoo.fr,
☑ ⚔ ⏧ t.l.j. sf dim. 8h-12h 14h-18h
☛ E. Moser

Alsace riesling

Superficie : 3 388 ha
Production : 247 804 hl

Le riesling est le cépage rhénan par excellence, et
la vallée du Rhin, son berceau. Il s'agit d'une
variété tardive pour la région, dont la production
est régulière et bonne.

Le riesling alsacien est souvent sec, ce qui le
différencie d'une façon générale de son homologue allemand. Ses atouts résident dans l'harmonie entre son bouquet et son fruité délicats,
son corps et son acidité assez prononcée mais
extrêmement fine. Or, pour atteindre cette qualité, il doit provenir d'une bonne situation.

Le riesling a essaimé dans de nombreux autres
pays viticoles, où la dénomination riesling, sauf
s'il est précisé « riesling rhénan », n'est pas totalement fiable : une dizaine d'autres cépages ont
été baptisés de ce nom de par le monde ! Du
point de vue gastronomique, le riesling convient
particulièrement aux poissons, aux fruits de mer,
aux fromages de chèvre et, bien entendu, à la
choucroute garnie à l'alsacienne ou au coq... un
riesling – lorsqu'il ne contient pas de sucres
résiduels ; les sélections de grains nobles et les
vendanges tardives se prêtent aux accords des
vins liquoreux.

ANSTOTZ ET FILS Westerweingarten 2011

| ■ | 2 600 | ⏸ | 5 à 8 € |

Un domaine bien connu des lecteurs, notamment
pour ses rieslings, témoin les nombreuses sélections dans
ces pages, avec plusieurs coups de cœur. C'est dans de
vieux foudres sculptés, dont le plus ancien date de 1807,
que les vins sont ici vinifiés. Ce 2011, issu d'un terroir de
marnes de Muschelkalk, dévoile un joli nez floral et
minéral, relayé par une bouche vive et tranchante. Un
riesling bien typé, à servir sur des huîtres. (Sucres résiduels : 3 g/l.)
☛ Anstotz et Fils, 51, rue Balbach, 67310 Balbronn,
tél. 03 88 50 30 55, fax 03 88 50 58 06,
christine.anstotz@wanadoo.fr,
☑ ⚔ ⏧ t.l.j. 9h-12h 13h30-18h; sam. dim. sur r.-v. ⌂ ☻

BAUMANN ClassiQ 2011 ★★

| ■ | 75 000 | ⬛ | 5 à 8 € |

Le domaine Baumann a été racheté en 2006 par la
famille Sparr, originaire de Sigolsheim. Aujourd'hui, 90 %
de la production part à l'export. Ce riesling, issu d'un
assemblage de terroirs divers, ravira sans nul doute les
palais asiatiques, américains ou belges. Au nez, les agrumes se mâtinent d'une belle touche minérale. Mais c'est en
bouche que le vin prend tout son relief, grâce à une
fraîcheur remarquable, au soutien d'une matière ample et
d'un fruité mûr. Un vin dynamique et long, à savourer au
cours des quatre prochaines années, sur une choucroute
de la mer. (Sucres résiduels : 3,5 g/l.)
☛ Maison Baumann Riquewihr, 8, av. Mequillet,
68340 Riquewihr, tél. 03 89 47 92 14, fax 03 89 47 99 31,
odile@domaine-baumann.com,
☑ ⚔ ⏧ t.l.j. 10h-12h 14h-19h ⬛ ☻
☛ Famille Sparr

LÉON BAUR Cuvée Élisabeth Stumpf 2011 ★

| ■ | 3 000 | ⏸ | 5 à 8 € |

Adossée à l'ancien rempart d'Eguisheim, la cave du
domaine abrite des cuves modernes en Inox et des foudres
de chêne. Élevé six mois dans ces derniers, ce riesling né
sur argilo-calcaire livre un bouquet intense d'agrumes
(citron, pamplemousse). La bouche, au diapason, plaît par
sa fraîcheur, sa netteté et son équilibre. Une bouteille

recommandée par un dégustateur gastronome sur des langoustes accompagnées d'une salade de tomates cerises confites et vinaigre balsamique. (Sucres résiduels : 4 g/l.)

☛ Maison Léon Baur, 22, rue du Rempart-Nord, 68420 Eguisheim, tél. 03 89 41 79 13, fax 03 89 41 93 72, jean-louis.baur@terre-net.fr,

☑ ⚘ ⵣ t.l.j. 9h-12h 13h30-18h 🏠 🅑

PIERRE ET FRÉDÉRIC BECHT Lieu-dit Stierkopf
Riesling Christine 2010 ★

| | | 2 600 | | 8 à 11 € |

Le village tout en longueur de Dorlisheim, jouxtant Molsheim et sa célèbre usine Bugatti, est entièrement voué à la culture de la vigne. Pierre Becht et son fils Frédéric y exploitent une quinzaine d'hectares et se voient souvent distingués pour leur pinot noir. Ils soignent aussi leur riesling, témoin cette cuvée d'origine marno-calcaire, au nez minéral, citronné et un rien brioché, à la bouche fruitée (agrumes, fruits blancs), bien équilibrée entre sucrosité et vivacité, marquée par une fine amertume en finale. À boire dès aujourd'hui, sur un pâté en croûte. (Sucres résiduels : 7 g/l.)

☛ Pierre et Frédéric Becht, 26, fg des Vosges, 67120 Dorlisheim, tél. 03 88 38 18 22, fax 03 88 38 87 81, info@domaine-becht.com,

☑ ⚘ ⵣ t.l.j. sf dim. 8h30-11h30 14h-18h30

🅑 ### DOM. JEAN BECKER Kronenbourg 2011

| | | 3 500 | | 8 à 11 € |

Installée depuis 1610 à Zellenberg, près de Riquewihr, la famille Becker a converti son domaine au bio en 1999 et vinifie dans le même esprit. Kronenbourg ? C'est (aussi) un terroir viticole, qui prolonge le grand cru Schoenenbourg vers Zellenberg. Les sols marno-calcaires de ce lieu-dit ont engendré un riesling au nez de fleurs blanches et de citron, vif à l'attaque et de bonne longueur, montrant une pointe de rondeur. Ce 2011 devrait bien évoluer au cours des cinq prochaines années. (Sucres résiduels : 10 g/l.)

☛ SA Jean Becker, 4, rte d'Ostheim, 68340 Zellenberg, tél. 03 89 47 90 16, fax 03 89 47 99 57, vinsbecker@aol.com,

☑ ⚘ ⵣ t.l.j. 8h-12h 13h30-17h30; dim. sur r.-v.

BERGER Burg 2011

| | | 1 900 | | 5 à 8 € |

Les Berger sont établis à l'intérieur de la petite cité fortifiée de Bergheim, dans une demeure du XVIIᵉs. dont la cave recèle les traditionnels foudres de chêne. Leur riesling du Burg, originaire d'un terroir argilo-calcaire, développe à l'aération des arômes de fruits mûrs qui s'épanouissent en bouche. Son attaque fraîche contrebalance une certaine rondeur, laissant une impression d'harmonie. Pour une volaille ou un poisson en sauce. (Sucres résiduels : 14 g/l.)

☛ EARL Robert Berger et Fils, 20, rue des Vignerons, 68750 Bergheim, tél. et fax 03 89 73 68 22, earl.berger.robert@wanadoo.fr, ☑ ⚘ ⵣ t.l.j. 9h-18h 🏠 🅑

🅑 ### DOM. BERNHARD & REIBEL Rittersberg 2011

| | | n.c. | | 11 à 15 € |

Installé à Châtenois, ancien village fortifié situé non loin de Sélestat, ce domaine de 23 ha, fondé en 1981 par Cécile Bernhard et dirigé par son fils Pierre, est conduit en bio depuis 2007. Il propose avec ce riesling un vin aux origines granitiques, qui affiche une certaine évolution à

travers sa robe dorée et ses parfums empyreumatiques. La bouche s'ouvre sur la douceur, relayée par une jolie trame acide et citronnée. Un ensemble équilibré, à découvrir dès à présent. (Sucres résiduels : 3,6 g/l.)

☛ Dom. Bernhard-Reibel, 20, rue de Lorraine, 67730 Châtenois, tél. 03 88 82 04 21, fax 03 88 82 59 65, bernhard-reibel@wanadoo.fr, ☑ ⚘ ⵣ r.-v.

DOM. CLAUDE ET CHRISTOPHE BLÉGER
Coteaux du Haut-Kœnigsbourg 2010

| | | 2 500 | | 8 à 11 € |

Christophe Bléger et son père Claude, héritiers d'une tradition vigneronne remontant à 1630, sont fidèles au rendez-vous avec cette cuvée haut de gamme. Né sur un sol granitique, le riesling donne ici un vin expressif aux senteurs de fruits mûrs (citron confit, mirabelle). Vive en attaque, la bouche se révèle ensuite riche et structurée, marquée par des notes de sous-bois et de vanille. À déguster dans deux ou trois ans sur un jambonneau grillé. (Sucres résiduels : 3 g/l.)

☛ Dom. Bléger, 23, Grand-Rue, 67600 Orschwiller, tél. et fax 03 88 92 32 56, contact@bleger.fr, ☑ ⚘ ⵣ t.l.j. 9h-12h15 13h15-19h 🏠 🌑 🅐

FRANÇOIS BRAUN Bollenberg 2010 ★

| | | 4 700 | | 8 à 11 € |

Développé dans les années 1930 par le grand-père François, le domaine s'est agrandi au fil des années, pour atteindre aujourd'hui 21 ha répartis sur quatre-vingts parcelles. C'est un riesling né sur le terroir aride et argilo-calcaire du Bollenberg que proposent ici Philippe et Pascal Braun. Le nez dévoile des notes atypiques de surmaturité : truffe, citron confit et miel. Dans le prolongement de l'olfaction, le palais se montre gras, ample et généreux. Un vin gourmand et original, conseillé sur une pintade aux morilles, voire sur un foie gras. (Sucres résiduels : 5 g/l.)

☛ François Braun et Fils, 19, Grand-Rue, 68500 Orschwihr, tél. 03 89 76 95 13, fax 03 89 76 10 97, francois-braun@orange.fr,

☑ ⚘ ⵣ t.l.j. sf dim. 8h-12h 14h-17h30 🏠 🅒

♥ ### JEAN-PAUL ECKLÉ Lieu-dit Hinterburg 2011 ★★★

| | | 4 500 | | 5 à 8 € |

Une étiquette bien connue des lecteurs, souvent reproduite dans ces pages. Un nouveau coup de cœur vient s'ajouter au palmarès déjà étoffé de la famille Ecklé et fait écho à celui obtenu pour la version 2009. Le millésime 2011 a livré lui aussi un bijou. La robe d'un superbe or pâle donne le ton. Le nez se révèle fin et expressif, mêlant les fruits exotiques très mûrs à des notes citronnées plus fraîches. Le palais est un modèle d'équilibre et d'élégance : une matière dense et riche, une vivacité cristalline en soutien, une longueur admirable. Un grand riesling armé pour la garde (cinq à dix ans), mais qui ravira aussi les palais dès aujourd'hui, sur bien des mets : turbot en sauce, carpaccio de saint-jacques, volaille aux citrons confits, à vous de voir. (Sucres résiduels : 6 g/l.)

➤ Jean-Paul Ecklé et Fils, 29, Grand-Rue, 68230 Katzenthal, tél. 03 89 27 09 41, fax 03 89 80 86 18, eckle.jean-paul@wanadoo.fr,

☑ ⚔ ⛾ t.l.j. sf dim. 9h-12h 13h30-18h ⌂ ◉

🅑 LUC FALLER Cuvée Mathias
Vendanges tardives 2010 ★

	2 000		15 à 20 €

Luc Faller a repris en 1989 le domaine créé par son père et adopté la démarche biodynamique. Ces vendanges tardives, nées sur un sol sablonneux, livrent un bouquet intense de fruits très mûrs (citron confit, mirabelle en confiture) rehaussés par une pointe de minéralité. Dans la continuité du nez, le palais séduit par son volume et sa rondeur avenante portée par une fine acidité, et surtout par sa longue finale sur le zeste de citron. On attendra au moins un an ou deux avant de déguster cette bouteille, armée pour une plus longue garde. (Sucres résiduels : 40 g/l.)

➤ Luc Faller, 51, rte des Vins, 67140 Itterswiller, tél. 03 88 85 51 42, vin.faller@orange.fr, ☑ ⚔ ⛾ r.-v.

ANTOINE FONNÉ 2011

	1 800		5 à 8 €

Ce riesling né sur un terroir alluvionnaire se présente dans une robe jaune clair, le nez discrètement fruité (agrumes) et fumé. La bouche s'ouvre sur la fraîcheur, puis dévoile un bon volume et une finale plus chaleureuse. À déguster dans les trois ans à venir sur une choucroute ou une volaille. (Sucres résiduels : 5 g/l.)

➤ René Antoine Fonné, 14, Grand-Rue, 68770 Ammerschwihr, tél. et fax 03 89 47 37 90, fonne.vins@orange.fr, ☑ ⚔ ⛾ r.-v.

🅑 DOMINIQUE ET JULIEN FREY Vieilles Vignes 2011

	10 000		8 à 11 €

Dambach-la-Ville : un gros village ou une petite ville aux anciennes maisons à pignons. Les Frey exploitent aux alentours 13 ha de vignes en biodynamie et ont aménagé un chai bioclimatique tout en bois. D'origine granitique, leur riesling Vieilles Vignes s'annonce par des parfums de fruits mûrs un peu grillés. La belle attaque est suivie d'impressions de rondeur et de souplesse qui incitent à servir cette bouteille avec de la volaille ou une tourte au saumon. (Sucres résiduels : 7 g/l.)

➤ Charles et Dominique Frey, 4, rue des Ours, 67650 Dambach-la-Ville, tél. 03 88 92 41 04, fax 03 88 92 62 23, frey.dom.bio@orange.fr, ☑ ⚔ ⛾ t.l.j. sf dim. 9h-12h 13h30-18h

♥ J. FRITSCH 2011 ★★

	4 000		5 à 8 €

Haut lieu du vignoble, Kientzheim accueille dans son château les chapitres de la confrérie Saint-Étienne. Établis dans la rue principale, les Fritsch exploitent 9 ha répartis dans quatre communes. Leur riesling 2011 est l'une des plus belles réussites du millésime. Marqué par son origine granitique, il offre un nez intense et complexe, aux nuances d'agrumes. Après une attaque fraîche, il dévoile une bouche ample et riche, en harmonie avec des notes d'orange confite. Une belle arête acide lui confère un

remarquable équilibre et soutient sa finale d'une rare persistance. Cette bouteille se bonifiera au cours des deux prochaines années et accompagnera volontiers un filet de sandre sur un lit de choucroute. (Sucres résiduels : 8,7 g/l.)

➤ EARL Joseph Fritsch, 31, Grand-Rue, 68240 Kientzheim, tél. 03 89 78 24 27, fax 03 89 78 16 53, contact@joseph-fritsch.com, ☑ ⛾ t.l.j. 10h-12h 14h-18h; dim. sur r.-v.

GOETTELMANN 2011

	1 645		- de 5 €

Michel Goettelmann conduit depuis 1991 le domaine familial implanté à Châtenois, près de Sélestat. Il signe un riesling d'origine alluviale qui évoque au nez la noisette, la réglisse et l'abricot mûr. La bouche se montre assez généreuse et riche, équilibrée par une pointe minérale bienvenue. À boire d'ici 2017-2018 sur un poisson en sauce. (Sucres résiduels : 7 g/l.)

➤ Michel Goettelmann, 27 A, rue des Goumiers, 67730 Châtenois, tél. et fax 03 88 82 12 40, mgoettelmann@wanadoo.fr, ☑ ⚔ ⛾ t.l.j. 8h-12h 13h-19h; dim. 9h-12h 14h-18h

GÉRARD ET SERGE HARTMANN Bildstoecklé Xavier 2011 ★

	5 200		11 à 15 €

La famille Hartmann est installée à Voegtlinshoffen, village d'où l'on découvre un vaste panorama sur Colmar, qui s'étend à quelque 10 km au nord-est, et sur la plaine d'Alsace. Ce riesling en provenance d'un terroir argilo-calcaire offre un nez aux accents de surmaturation qui rappelle celui d'une vendange tardive. La mise en bouche confirme cette impression : on n'a pas affaire à un vin sec, mais à un moelleux à la texture ample et soyeuse. La matière est belle, structurée, suffisamment acide pour servir cette bouteille avec des saint-jacques poêlées. (Sucres résiduels : 35 g/l.)

➤ Gérard et Serge Hartmann, 13, rue Frémeaux, 68420 Voegtlinshoffen, tél. 03 89 49 30 27, fax 03 89 49 29 78, hartmannserge@gmail.com, ☑ ⚔ ⛾ t.l.j. 9h-12h 15h-18h; dim. sur r.-v.

LOUIS HAULLER 2011

	10 000		5 à 8 €

Claude Hauller est l'héritier d'une ancienne lignée de tonneliers qui débuta au XVIIIe s. avec Jean-François Hauller est s'acheva en 1905 avec Léon, dernier maître-tonnelier de la famille, qui initia aussi la culture de la vigne au début du XXe s. Ce 2011 aux origines granitiques livre des senteurs de fruits jaunes agrémentées de nuances mentholées. La bouche se révèle bien fraîche, mêlant au fruité quelques notes briochées plus chaleureuses. À déguster dans deux ans, sur un munster. (Sucres résiduels : 7 g/l.)

❧ Louis et Claude Hauller, La cave du Tonnelier,
92, rue du Mal-Foch, 67650 Dambach-la-Ville,
tél. 03 88 92 40 00, fax 03 88 92 65 80,
claude@louishauller.com, ⊠ ⚇ ⊤ r.-v. 🏷 ❷ 🏠 🅐

HEIM Impérial 2011

96 000	▮	- de 5 €

Fondée en 1765, cette vénérable maison de négoce
est entrée il y a quelques années dans le giron du groupe
Bestheim. Elle propose un riesling expressif, sur les fruits
blancs et le citron agrémentés d'une nuance minérale. La
bouche se révèle bien fruitée, fraîche et équilibrée. Parfait
pour un fromage de chèvre frais ou un poisson grillé.
(Sucres résiduels : 4,5 g/l.)
❧ Maison Heim, 53, rte de Soultzmatt, 68250 Westhalten,
tél. 03 89 49 09 29, fax 03 89 49 09 20,
vignobles@bestheim.com, ⊠ ⊤ r.-v.

HEYBERGER Vendanges tardives 2009

1 300		15 à 20 €

Ce domaine, établi à une dizaine de kilomètres au sud
de Colmar, étend ses vignes sur 7 ha, essentiellement sur
des terroirs argilo-calcaires. Vingt-sept ares sont consacrés
à ces vendanges tardives, sur la réserve au premier nez, qui
laissent poindre à l'aération des notes d'agrumes confits et
de pain grillé. La bouche se montre riche et souple, portée
par une fraîcheur de bon aloi. À déguster dans deux ou trois
ans sur un poisson en sauce ou sur une cuisine sucrée-salée.
(Sucres résiduels : 45,2 g/l.)
❧ Dom. Jean-Claude Heyberger, 7A, rue Principale,
68420 Obermorschwihr, tél. 03 89 49 32 34,
fax 03 89 49 23 40, heyberger.jc@wanadoo.fr,
⊠ ⚇ ⊤ t.l.j. 9h30-12h 13h30-18h30; dim. sur r.-v.

HUEBER Boosharth Vieilles Vignes 2011 ★

10 000	▮	5 à 8 €

Après des études en sommellerie, Valentin Hueber a
rejoint la propriété familiale située à l'entrée de Riquewihr.
Né sur un sol de calcaire coquillier, son riesling du Boos-
harth libère des parfums intenses et frais de fleurs blanches
et d'agrumes. L'attaque plutôt souple annonce une bouche
marquée par la rondeur, aux arômes de fruits confits. Une
acidité bienvenue tonifie la longue finale. Ce vin gagnera en
fondu au cours des deux prochaines années et s'accordera
avec une viande en sauce blanche. (Sucres résiduels : 8 g/l.)
❧ SARL Jean-Paul Hueber et Fils, 6, rte de Colmar,
68340 Riquewihr, tél. 03 89 47 92 30, fax 03 89 49 04 53,
jeanpaul.hueber68@orange.fr,
⊠ ⚇ ⊤ t.l.j. 9h-12h 13h-18h 🏷 ❶ 🏠 🅑

MARCEL HUGG Réserve Saint-Jean 2011 ★★

80 000		8 à 11 €

Avec ses murailles médiévales, Bergheim est une
bourgade viticole pittoresque, donc très fréquentée par les
touristes. Elle jouit d'une vaste palette de terroirs. Ce
vigneron-négociant y exploite une dizaine d'hectares, dont
8,5 ha d'argilo-calcaire à l'origine de ce vin remarquable
en tout point. Le nez, intense, mêle des notes florales,
citronnées, exotiques et minérales. La bouche se distingue
par sa souplesse, son ampleur, sa fraîcheur et son fruité
persistant. Un riesling typique, à boire ou à garder quatre
ou cinq ans, et à réserver pour un poisson grillé ou en
carpaccio. (Sucres résiduels : 6 g/l.)
❧ Marcel Hugg, 21, rte de Sélestat, 68750 Bergheim,
tél. 03 89 73 63 27, info@marcelhugg.com, ⊠ ⊤ r.-v.

❸ P. HUMBRECHT Clémence 2010 ★

1 000	▮	15 à 20 €

Gérant officiel du domaine depuis 2011 et vinificateur depuis 2008, Marc Humbrecht perpétue une tradition vigneronne remontant à 1620. Depuis 1999, le
domaine a adopté la biodynamie. Avec cette cuvée
Clémence, issue d'un terroir argilo-calcaire, il signe un
riesling demi-sec, ou légèrement moelleux, récolté en
octobre. Le nez, complexe, associe les fruits mûrs et la cire
d'abeille, avec un début de minéralité. Assez vif à l'attaque, rond et persistant, le palais confirme la surmaturité
de la vendange. Ce vin atteindra son apogée dans trois à
cinq ans. On pourra le servir à l'apéritif ou sur un curry
de poisson. (Sucres résiduels : 15 g/l.)
❧ Dom. Paul Humbrecht, 6, pl. Notre-Dame,
68250 Pfaffenheim, tél. 03 89 49 62 97,
domaine.humbrecht@gmail.com,
⊠ ⚇ ⊤ t.l.j. sf dim. 9h-12h 14h-18h ❷

HUMBRECHT Vieilles Vignes 2011

2 989		5 à 8 €

Établi à Gueberschwihr, village plein de charme avec
ses maisons vigneronnes aux vastes porches dominées par
un superbe clocher roman, Claude Humbrecht a engagé
la conversion de son domaine au bio. Marqué par une
origine marneuse, son riesling apparaît encore très jeune.
À ses parfums d'agrumes, de citron vert, que l'on retrouve
dès l'attaque, répond un palais puissant, nerveux et droit.
Un vin équilibré qui s'épanouira encore au cours des cinq
prochaines années. (Sucres résiduels : 7,9 g/l.)
❧ Claude et Georges Humbrecht, 33, rue de Pfaffenheim,
68420 Gueberschwihr, tél. 03 89 49 31 51,
fax 03 89 49 30 68, claude.humbrecht@orange.fr,
⊠ ⚇ ⊤ r.-v. 🏷 ❷ 🏠 🅑

HUNOLD Côte de Rouffach 2011 ★

2 200	▮	5 à 8 €

En 2011, la mention Côte de Rouffach est devenue
appellation communale à part entière, couvrant la commune de Rouffach et celles, voisines, de Pfaffenheim et de
Westhalten. Cette promotion confirme l'excellence de ces
terroirs du sud de Colmar, qui bénéficient d'un microclimat particulièrement abrité et sec. 2011 est aussi l'année
de récolte de ce riesling. D'origine argilo-calcaire, il affiche
déjà une belle complexité au nez : les fruits mûrs se mêlent
à des notes plus fraîches d'agrumes et de menthol. Frais
à l'attaque, aromatique, équilibré et persistant, il offre une
belle expression du cépage cueilli à maturité. On devrait
pouvoir l'apprécier durant une décennie. (Sucres résiduels : 14 g/l.)
❧ EARL Bruno Hunold, 29, rue Aux-Quatre-Vents,
68250 Rouffach, tél. 03 89 49 60 57, fax 03 89 49 67 66,
info@bruno-hunold.com, ⊠ ⚇ ⊤ r.-v.

KAMM Vendanges tardives 2010

800	▮	15 à 20 €

Ce domaine en conversion bio exploite 6,5 ha, la
plupart des vignes étant plantées sur de vieilles parcelles.
Ici, une vigne de soixante ans est à l'origine de ce riesling
qui s'ouvre lentement sur des notes de fleurs blanches et
de fruits confits (mirabelle, citron), rehaussées d'une
touche saline. La bouche se révèle ronde et fraîche à la fois,
équilibrée en somme. À boire dans les deux ans, sur un
fromage de chèvre par exemple. (Sucres résiduels : 50 g/l.)

☛ Jean-Louis et Éric Kamm, 59, rue du Mal-Foch,
67650 Dambach-la-Ville, tél. et fax 03 88 92 49 03,
jl.kamm@orange.fr, ☑ ⚘ ⍑ t.l.j. sf dim. 8h-18h

Ⓑ ANDRÉ KLEINKNECHT Terre de granit 2011

▨	1 400	8 à 11 €

Les Kleinknecht sont vignerons de père en fils depuis
sept générations. Depuis 1991, André est à la tête du
domaine, qu'il a converti à l'agriculture biologique en
2002. Il signe un vin d'origine granitique, au nez plaisant,
minéral et citronné, au palais frais, fruité et équilibré. Un
riesling bien sec, parfait pour des huîtres ou un chèvre
frais. (Sucres résiduels : 5 g/l.)
☛ André Kleinknecht, 45, rue Principale,
67140 Mittelbergheim, tél. 03 88 08 49 46,
fax 03 88 08 53 87, andre.kleinknecht@wanadoo.fr,
☑ ⍑ r.-v.

KUMPF ET MEYER Westerberg 2011

▨	1 800	▮	8 à 11 €

Née en 1997 de la fusion des domaines Kumpf
(Molsheim) et Meyer (Rosenwiller), cette propriété livre
un riesling typique et sec à souhait. Au nez, la fleur
d'acacia se mêle à la poire et à quelques notes épicées. La
bouche plaît par sa fraîcheur, son fruité franc (citron) et
son honorable longueur. Tout indiqué pour les fruits de
mer. (Sucres résiduels : 0,5 g/l.)
☛ Dom. Kumpf et Meyer, 34, rte de Rosenwiller,
67560 Rosheim, tél. 03 88 50 20 07, fax 03 88 50 26 75,
kumpfetmeyer@online.fr,
☑ ⚘ ⍑ t.l.j. sf dim. 8h30-12h 14h-19h

ÉRIC LICHTLÉ Bollenberg 2011

▨	2 000	⊞	8 à 11 €

Aux commandes d'un domaine de 6 ha depuis 1997,
Éric Lichtlé est l'héritier d'une tradition familiale remontant à 1649 ; il a engagé la conversion bio de son vignoble.
On trouvera le siège de sa propriété dans le pittoresque
village de Gueberschwihr. Quant à ce riesling, il est né à
quelques kilomètres plus au sud, sur les pentes du Bollenberg, colline sèche aux sols calcaires. Élégant au nez,
avec ses parfums de pêche et de fleurs blanches, il présente
une belle attaque et dévoile un corps tout en rondeur.
Encore jeune, il s'accordera avec une volaille. (Sucres
résiduels : 7,1 g/l.)
☛ Éric Lichtlé, 10, rue des Forgerons,
68420 Gueberschwihr, tél. 03 89 86 43 36,
lichtlewine@hotmail.com, ☑ ⚘ ⍑ r.-v.

JACQUES LINDENLAUB Le Roi Arthur 2011

▨	2 400	▮	8 à 11 €

Certifié bio en 2012 (ce millésime ne peut donc
afficher le logo), ce domaine conduit par Jacques Lindenlaub et son fils Christophe est établi à Dorlisheim, petite
bourgade située à l'entrée de la vallée de la Bruche. Il
propose un riesling bien construit : nez tonique d'agrumes
et bouche équilibrée autour d'une belle vivacité et d'un
fruité franc. À boire dès à présent sur des fruits de mer.
(Sucres résiduels : 4 g/l.)
☛ Jacques et Christophe Lindenlaub, 6, fbg des Vosges,
67120 Dorlisheim, tél. 03 88 38 21 78, fax 03 88 38 55 38,
contact@vins-lindenlaub.com, ☑ ⍑ r.-v.

LUTZ Vieilles Vignes 2011 ★

▨	2 000	⊞	- de 5 €

Installé dans une cave datant de 1696, le domaine
pratique la mise en bouteilles depuis trois générations et
étend ses vignes sur 8 ha. D'origine argilo-calcaire, ce
riesling offre un nez ouvert sur le citron confit et l'ananas,
rehaussés d'une touche mentholée. Le palais se révèle
gras, puissant et onctueux, équilibré par une fine trame
acide. À boire ou à attendre deux ou trois ans. (Sucres
résiduels : 7 g/l.)
☛ EARL Dom. Roland Lutz, 7, rue de la Kirneck,
67140 Bourgheim, tél. 03 88 08 95 63, fax 03 88 08 79 33,
vins.lutz@orange.fr, ☑ ⚘ ⍑ r.-v.

JACQUES MAETZ Réserve du domaine 2011 ★★

▨	2 100	▮	8 à 11 €

Ce domaine de 7 ha, situé dans la petite bourgade
bas-rhinoise de Rosheim, pratique la lutte biologique mais
sans certification. Issu d'un terroir argilo-calcaire, ce
riesling jaune d'or séduit d'emblée par son bouquet
intense de citron mûr et de fruits à chair blanche,
accompagné d'une pointe de minéralité « qui va bien ».
En bouche, après une attaque tout en fraîcheur, le vin se
montre structuré, ample, riche et concentré, toujours
soutenu par une belle vivacité. Un ensemble puissant et
harmonieux, à découvrir aujourd'hui ou d'ici 2020, sur
une cassolette de poisson. (Sucres résiduels : 5 g/l.)
☛ Dom. Jacques Maetz, 49, av. de la Gare, 67560 Rosheim,
tél. 03 88 50 43 29, fax 03 88 49 20 57,
contact@jacquesmaetz.com,
☑ ⚘ ⍑ t.l.j. sf dim. lun. 8h-20h; f. 14 fév.-10 mars
et 20 juil.-10 août 🏠 ❸

FRÉDÉRIC MALLO Cuvée Louis 2010 ★

▨	6 000	▮	5 à 8 €

Le domaine Mallo est établi dans une maison de
maître du XVIIIe s., à Hunawihr, village célèbre par son
église fortifiée du XVe s. Il a engagé la conversion bio de
ses 7 ha de vignes. D'origine argilo-calcaire, ce riesling
dévoile un côté surmûri dans ses notes de fruits confits. On
retrouve ce caractère dans une bouche fraîche en attaque
puis ample, généreuse, riche et concentrée, mais sans
jamais tomber dans la lourdeur grâce à une fine acidité. À
boire dans les trois à cinq ans, sur une fondue chinoise.
(Sucres résiduels : 5 g/l.)
☛ EARL Frédéric Mallo, 2, rue Saint-Jacques,
68150 Hunawihr, tél. 03 89 73 61 41,
dominique@vinsmallo.com,
☑ ⚘ ⍑ t.l.j. sf dim. 8h-12h 13h30-18h

ANDRÉ MAULER Burgreben 2010

▨	2 000	⊞	8 à 11 €

André Mauler, épaulé par son fils Christian et sa fille
Claudine, conduit depuis 1984 un domaine de 9 ha. Il
propose toute une gamme de vins de terroir, notamment
en riesling. Né sur un sol calcaire et caillouteux, ce 2010
dévoile un nez fin et expressif d'agrumes, de notes fumées
et de bourgeon de cassis, relayé par une bouche franche,
fraîche et de bonne constitution. À boire dès à présent, sur
des fruits de mer. (Sucres résiduels : 5,7 g/l.) Quant au
riesling **Schloesselreben 2010 (700 b.)**, issu d'un terroir
marno-calcaire, il se montre à la fois gras et vif. (Sucres
résiduels : 11 g/l.)

☛ Dom. Mauler, 3, rue Jean-Macé, 68980 Beblenheim, tél. 03 89 47 90 50, fax 03 89 47 80 08, contact@domaine-mauler.fr, ☑ ⚭ ⊤ r.-v. 🏠 ❷

DENIS MEYER Cuvée réservée Ulrich Meyer 2011

| | 2 200 | ▯ | 5 à 8 € |

Fernand Meyer fut, au sortir de la Seconde Guerre mondiale, l'un des pionniers de la mise en bouteilles. Ce sont aujourd'hui ses petites-filles, Patricia à la « vinif » et Valérie au vignoble, qui conduisent avec leur père le domaine de 8 ha. Leur riesling, né sur un sol argilo-calcaire, livre un bouquet plaisamment fruité (agrumes), que relaye une bouche fraîche en attaque, plus souple dans son développement. Au final, un vin équilibré, parfait pour un plateau de fruits de mer. (Sucres résiduels : 4 g/l.)
☛ Denis Meyer et Filles, 2, rte du Vin, 68420 Voegtlinshoffen, tél. 03 89 49 38 00, fax 03 89 49 26 52, vins.denis-meyer@terre-net.fr, ☑ ⚭ ⊤ r.-v.

GILBERT MEYER Cuvée Saint-Michel 2011 ★

| | 8 600 | ▥ | 5 à 8 € |

Gilbert Meyer exploite un vignoble de 7,5 ha dans le village pittoresque de Voegtlinshoffen, qui domine la plaine d'Alsace au sud de Colmar. Il signe un riesling d'origine marno-calcaire, un vin élégant aux nuances minérales et citronnées, frais, ample et long en bouche, un rien plus chaleureux en finale. À déguster aujourd'hui ou dans trois ans, sur une choucroute. (Sucres résiduels : 4,5 g/l.)
☛ Gilbert Meyer, 5, rue du Schauenberg, 68420 Voegtlinshoffen, tél. 03 89 49 36 65, fax 03 89 86 42 45, meyerfab@aol.com, ☑ ⚭ ⊤ r.-v.

RENÉ MEYER Croix du Pfoeller Vieilles Vignes 2011 ★

| | 6 500 | ▥ | 8 à 11 € |

René Meyer a développé la vente en bouteilles. Depuis 2000, son fils Jean-Paul est aux commandes des 10 ha du domaine, qui a son siège à Katzenthal, village niché dans un vallon dominé par le donjon du Wineck, non loin de Colmar. Issu d'un terroir argilo-calcaire, son riesling Croix du Pfoeller affiche une belle typicité dans son nez d'agrumes déjà teinté de minéralité. Au palais, la vivacité dès l'attaque et le vin se montre gras et persistant. « De la profondeur », conclut un juré, qui suggère de servir cette bouteille avec un fin poisson au beurre blanc. (Sucres résiduels : 11 g/l.)
☛ EARL René Meyer et Fils, 14, Grand-Rue, 68230 Katzenthal, tél. 03 89 27 04 67, fax 03 89 27 50 59, domaine.renemeyer@wanadoo.fr, ☑ ⚭ ⊤ t.l.j. sf dim. 9h-12h 14h-18h

DOM. DU MITTELBURG Sélection de grains nobles 2009

| | 1 000 | ▥ | 15 à 20 € |

En 2007, Henri Martischang a été rejoint sur le domaine par son fils Michel : les deux hommes perpétuent ainsi une tradition vigneronne qui remonte au XVIIIᵉs. Leur sélection de grains nobles dévoile un nez intense de fruits mûrs (agrumes confits, rhubarbe) agrémenté de notes de caramel et d'une touche minérale. La bouche, franche en attaque, offre un bon équilibre entre la douceur et la fraîcheur, même si la finale se révèle plus chaleureuse. À déguster aujourd'hui et jusqu'en 2018, sur une mousse au fruit de la Passion et mangue ou sur des macarons à la vanille. (Sucres résiduels : 65 g/l.)

☛ EARL Henri Martischang et Fils, 15, rue du Fossé, 68250 Pfaffenheim, tél. 03 89 49 60 83, fax 03 89 49 76 61, vin.h.martischang@free.fr, ☑ ⚭ ⊤ t.l.j. sf dim. 8h-12h 14h-18h 🏠 ❸

FRÉDÉRIC MOCHEL 2010 ★

| | 5 000 | | 8 à 11 € |

Pendant et après sa scolarité, Frédéric Mochel a pratiqué son métier dans les pays les plus variés : son parcours l'a mené jusqu'en Nouvelle-Zélande. Il a ensuite repris le domaine familial situé dans un village bas-rhinois proche de Strasbourg. Après un superbe vin élu coup de cœur l'an dernier, il a proposé un riesling du même millésime, issu d'un terroir de même nature (marno-calcaire), mais non classé en grand cru. Les jurés ont apprécié l'élégance et l'intensité du nez, partagé entre les fleurs blanches miellées et l'orange. Au palais, ce 2010 confirme cette première impression : vif à l'attaque, il montre une finesse aérienne, beaucoup de droiture et offre une longue finale sur les agrumes confits. Une expression très harmonieuse du cépage. (Sucres résiduels : 9 g/l.)
☛ Dom. Frédéric Mochel, 56, rue Principale, 67310 Traenheim, tél. 03 88 50 38 67, fax 03 88 50 56 19, infos@mochel.net, ☑ ⚭ ⊤ r.-v.

MUNSCH Burgreben 2011

| | 6 000 | ▯ | 5 à 8 € |

Cette maison fondée en 1920 est conduite depuis 2000 par Christophe Meyer et son épouse Clarisse, œnologue. Né sur un coteau granitique orienté plein sud, au pied du Haut-Kœnigsbourg, au lieu-dit Burgreben, ce riesling se révèle expressif au nez, livrant des notes de fleurs blanches et de pin. La bouche se montre bien équilibrée, à la fois fraîche et douce, portée par une jolie finale saline. Pour l'accompagner, pourquoi pas une salade de crabe ? (Sucres résiduels : 3 g/l.)
☛ Alsace-Munsch, René Meyer et Fils, 14, rte du Vin, 68590 Saint-Hippolyte, tél. 03 89 73 00 09, fax 03 89 73 05 46, contact@gites-munsch.fr, ☑ ⚭ ⊤ r.-v. 🏠 ❷ 🏠 ❸

FRANCIS MURÉ 2011 ★★

| | 2 800 | | 5 à 8 € |

Établi à l'entrée de la Vallée Noble, dans le village de Westhalten renommé pour son climat privilégié, pour ses collines sèches et pour le grand cru Zinnkoepflé, le domaine fréquente assidûment le chapitre Alsace de ce guide. Né sur un sol argilo-calcaire, ce riesling se présente dans une élégante robe jaune paille brillant, le nez empreint de senteurs florales (lilas) et fruitées (citron). La bouche tient la note, portée de bout en bout par une fine acidité qui lui donne beaucoup d'allonge en finale, ainsi qu'une belle perspective de garde (trois à cinq ans). À réserver pour un poisson noble, un filet de bar au beurre citronné, par exemple. (Sucres résiduels : 2 g/l.)
☛ Francis Muré, 30, rue de Rouffach, 68250 Westhalten, tél. 03 89 47 64 20, fax 03 89 47 09 39, mure_francis@club-internet.fr, ☑ ⚭ ⊤ r.-v. 🏠 ❸

RAYMOND RENCK Burgreben 2011 ★

| | 2 500 | | 5 à 8 € |

Créé en 1961 par Raymond Renck, ce domaine de 5,3 ha est conduit par Colette et Gérard Schillinger-Renck depuis 1996. Issu du terroir marno-sableux du Burgreben, ce 2011 dévoile un bouquet expressif de fleurs blanches, de citron vert et de fruits jaunes agrémenté d'une touche réglissée. Le palais séduit par sa structure en dentelle, par sa finesse aromatique en accord avec l'olfaction, par son élégante vivacité et par sa persistance. Un vin déjà harmonieux, qui décrochera sa deuxième étoile dans deux ans, servi sur un poisson noble en sauce citronnée. (Sucres résiduels : 2,3 g/l.)

🔒 EARL Raymond Renck, 11, rue de Hoen,
68980 Beblenheim, tél. 03 89 47 91 59
☑ 🕇 🍷 t.l.j. 8h-12h 14h-19h

CAVE DE RIBEAUVILLÉ Les Comtes de Ribeauvillé
Cuvée Prestige 2011 ★

| | 30 000 | ▮ | 11 à 15 € |

La vénérable cave coopérative de Ribeauvillé, fondée en 1895, signe ici un riesling expressif et bien typé, né sur le terroir argilo-calcaire. Au nez, les agrumes mènent la danse. Ils donnent aussi le ton du palais, plein, franç, frais, « vibrant », selon l'expression d'un dégustateur. À découvrir dès à présent sur un plateau de fruits de mer. (Sucres résiduels : 4 g/l.)

🔒 Cave de Ribeauvillé, 2, rte de Colmar, 68150 Ribeauvillé, tél. 03 89 73 61 80, fax 03 89 73 31 21,
cave@cave-ribeauville.com, ☑ 🕇 🍷 t.l.j. 8h-12h 14h-18h

DOM. RUNNER 2010 ★★

| | 7 000 | ▮ | 5 à 8 € |

Dirigé par Francis Runner depuis 1997, ce domaine couvre 12 ha autour de Pfaffenheim, au sud de Colmar. Il est fidèle au rendez-vous du Guide avec un vin qui ne ternira pas sa réputation. D'origine argilo-calcaire, ce riesling pourra être apprécié dès maintenant et pendant plusieurs années. Le nez, déjà bien ouvert sur des senteurs de pêche, témoigne d'une grande maturité. Ces arômes vont de pair avec une belle vivacité qui confère à cette bouteille une réelle harmonie. Un ensemble équilibré et long où « tout est bien en place », pour reprendre la conclusion d'un dégustateur. Bel accord en perspective avec une choucroute de poisson. (Sucres résiduels : 7 g/l.)

🔒 Dom. François Runner et Fils, 1, rue de la Liberté,
68250 Pfaffenheim, tél. 03 89 49 62 89, fax 03 89 49 73 69,
francoisrunner@aol.com,
☑ 🕇 🍷 t.l.j. 8h-12h 13h-19h; dim. sur r.-v. 🏠 🅱

💚 SCHERB Vendanges tardives 2009 ★★

| | 2 000 | ▮ | 11 à 15 € |

L'œnotourisme n'est pas un vain mot en Alsace, région pionnière en la matière. Les Scherb y contribuent avec leur hôtel-restaurant trois étoiles, où les œnophiles peuvent découvrir les vins du domaine, qu'ils pourront

aussi trouver au caveau du XIIIᵉs. situé au centre de Gueberschwihr. Nul doute que ces vendanges tardives feront leur effet sur les palais les plus exigeants. Parée d'une robe d'un jaune d'or pâle et brillant, cette cuvée née sur un sol marno-calcaire livre un bouquet exaltant, fin et complexe : on y perçoit pêle-mêle les fleurs blanches, le coing, la citronnelle, la menthe, la mandarine... L'attaque, douce et tendre, ouvre sur un palais riche, onctueux, très aromatique, équilibré par une fine acidité qui donne du croquant et porte loin la finale. Une délicieuse gourmandise, que l'on pourra déguster au cours des dix ans à venir, sur une tarte au citron. (Sucres résiduels : 45 g/l. ; bouteilles de 50 cl.)

🔒 SCEA Bernard Scherb et Fils, 3, rue Basse,
68420 Gueberschwihr, tél. 03 89 49 33 82,
fax 03 89 49 35 83, vins.scherb@orange.fr,
☑ 🕇 🍷 t.l.j. sf dim. 8h30-12h 14h-18h

🅱 DOM. ROLAND SCHMITT Thalberg 2011

| | 3 100 | ▮ | 8 à 11 € |

Anne-Marie Schmitt et ses fils Julien et Bruno conduisent un domaine de 10,5 ha, en bio depuis 2002. Ce riesling né sur un sol argilo-marneux, au lieu-dit Thalberg, dévoile un nez discrètement fruité relayé par une bouche un peu plus prolixe, d'un bon volume, « arrondie » par une petite touche de douceur mais sans perdre de sa tonicité et de son équilibre. Tout indiqué pour un poisson en sauce légère. (Sucres résiduels : 3 g/l.)

🔒 Dom. Roland Schmitt, 35, rue des Vosges,
67310 Bergbieten, tél. 03 88 38 20 72, fax 03 88 38 75 84,
domainerolandschmitt@gmail.com, ☑ 🕇 🍷 r.-v. 🏠 🅱

DOM. DES SEPT VIGNES Cuvée des sables 2011 ★

| | 6 000 | ▮ | 5 à 8 € |

Installé en 2006, Emmanuel Saouliak perpétue une tradition viticole qui remonte à 1684. Il décale ses vendanges de trois à quatre semaines au-delà des dates d'ouverture : ainsi ce riesling est-il resté sur pied jusqu'au 18 octobre. Le but affiché du vigneron est d'obtenir des parfums exubérants. Le côté aromatique de ce riesling, né d'un terroir original, argilo-gréseux, a effectivement frappé les dégustateurs, qui décrivent des senteurs de fruits surmûris, légèrement muscatées. Au palais, ce 2011 dévoile une rondeur qui lui va bien, équilibrée par une belle acidité. On suggère un accord avec de la lotte à l'armoricaine. (Sucres résiduels : 12 g/l.)

🔒 Emmanuel Saouliak, 102, rte des Vins, 67680 Nothalten,
tél. 03 88 92 45 73, domaine.saouliak@orange.fr,
☑ 🕇 🍷 r.-v.

ALINE ET RÉMY SIMON Burgreben 2011

| | 2 260 | ▥ | 5 à 8 € |

Installés dans la maison des grands-parents datant de 1772, Aline et Rémy Simon exploitent depuis 1996 le petit vignoble familial ; 2 ha à l'origine, 6,5 ha aujourd'hui. Né au pied du Haut-Koenigsbourg, sur une parcelle argilo-calcaire, ce riesling dévoile des notes grillées, relayées à l'agitation par des senteurs de fruits jaunes. En bouche, il affiche un bon équilibre entre douceur et fraîcheur. À boire dans les deux ans à venir. (Sucres résiduels : 6,7 g/l.)

🔒 Dom. Aline et Rémy Simon, 12, rue Saint-Fulrade,
68590 Saint-Hippolyte, tél. et fax 03 89 73 04 92,
alineremy.simon@wanadoo.fr,
☑ 🕇 🍷 t.l.j. 9h-12h15 13h-18h 🏨 🛈 🏠 🅱

DOM. CHARLES SPARR Altenbourg Sigolsheim 2011 ★

| | 4 000 | ▐ | 11 à 15 € |

La famille Sparr cultive la vigne depuis 1634. Depuis 2007 et un partage familial, Pierre et Charles Sparr exploitent un vignoble de 25 ha en conversion bio, avec la biodynamie en ligne de mire. Ils signent un vin d'origine argilo-calcaire, né sur le lieu-dit Altenbourg, voisin du grand cru Furstentum. Le nez, discret mais élégant, plaît par ses notes de fleurs blanches et de plantes aromatiques, et la bouche par sa finesse, sa vivacité mesurée et sa longueur. À découvrir au cours des trois prochaines années, sur un poisson ou une volaille. (Sucres résiduels : 6 g/l.)

🔑 Dom. Charles Sparr, 8, av. Méquillet, 68340 Riquewihr, tél. 03 89 47 92 14, fax 03 89 47 99 31, pierre.sparr@wanadoo.fr,
☑ ⚔ ⟟ t.l.j. 10h-12h 14h-19h 🏨 ❹

DOM. LAURENT VOGT Vendanges tardives 2009 ★

| | 2 860 | ▐ | 15 à 20 € |

Établie à Wolxheim, dans la Couronne d'or de Strasbourg, la famille Vogt exploite un vignoble de 11 ha en conversion bio. Si les crémants du domaine sont régulièrement salués ici, Thomas Vogt soigne aussi son riesling, témoin ces vendanges tardives qui s'ouvrent sur des notes d'agrumes confits, de bergamote et de fleurs blanches tonifiées par des nuances mentholées. La bouche séduit par sa rondeur, sa concentration et son ampleur, égayée par une vivacité fine et franche qui étire longuement la finale, aux accents de zeste de pamplemousse, de fumé et de raisin confit. À boire ou à attendre trois ans. (Sucres résiduels : 60 g/l.)

🔑 Dom. Laurent Vogt, 4, rue des Vignerons, 67120 Wolxheim, tél. 03 88 38 81 28, thomas@domaine-vogt.com,
☑ ⚔ ⟟ t.l.j. 8h30-12h 13h-18h; dim. sur r.-v.

JEAN WACH 2011

| | 6 000 | ▐ | 5 à 8 € |

Né sur un sol sablo-gréseux, ce 2011 livre un bouquet intense aux accents mentholés et floraux. La bouche se montre fraîche et tonique, portée par une fine acidité et par un beau fruité d'agrumes. Un riesling typique, sec et franc, à boire dès à présent sur des fruits de mer ou sur un poisson grillé. (Sucres résiduels : 1 g/l.)

🔑 Jean Wach et Fils, 16 A, rue du Mal-Foch, 67140 Andlau, tél. et fax 03 88 08 09 73, raph.wach@wanadoo.fr,
☑ ⚔ ⟟ t.l.j. 9h-12h 14h-19h; dim. sur r.-v. 🏨 ❷

FERDINAND WOHLEBER 2011 ★

| | 18 000 | ▐ | 5 à 8 € |

Conduit par Jean-Louis Lorentz et ses filles Anne-Sophie et Marie, ce domaine créé en 1824 a adjoint à son vignoble une activité de négoce. C'est de cette dernière qu'est issu ce riesling d'extraction argilo-calcaire, au bouquet floral de belle intensité, franc, frais et équilibré en bouche. Un vin harmonieux, à déguster au cours des trois prochaines années sur un poisson en sauce citronnée. (Sucres résiduels : 4,1 g/l.)

🔑 Klipfel, 6, av. Marcel-Krieg, 67140 Barr, tél. 03 88 58 59 00, fax 03 88 08 53 18, alsacewine@klipfel.com,
☑ ⚔ ⟟ t.l.j. 10h-12h 14h-18h30; f. jan.
🔑 J.-L. Lorentz

⒝ WYMANN Steinacker de Ribeauvillé 2010 ★

| | 2 840 | ▐ | 5 à 8 € |

Le domaine Wymann (« homme du vin » en alsacien) étend son vignoble sur 6,5 ha. Marqué par son origine granitique, ce 2010 offre un nez ouvert et fin, minéral, fruité (fruits jaunes) et floral. Légèrement moelleux en attaque, le palais se montre ensuite plus tonique, porté par une élégante vivacité qui donne de la longueur à la finale. Une belle expression du cépage et du millésime, à découvrir d'ici 2015. (Sucres résiduels : 6,5 g/l.)

🔑 Xavier Wymann, 41, rue de la Fraternité, 68150 Ribeauvillé, tél. 03 89 73 66 83, vins.wymann@yahoo.fr, ☑ ⚔ ⟟ t.l.j. 9h30-12h 14h-18h

ZINK 2011 ★

| | 1 300 | ▯ | 5 à 8 € |

Vignerons depuis onze générations, les Zink (Pierre-Paul et son fils Étienne) exploitent un domaine de 8 ha en coteaux. Leurs vins figurent régulièrement dans le Guide, souvent aux meilleures places, avec plusieurs coups de cœur. Dans leur maison de 1616, abritant des foudres deux fois séculaires, ils ont élaboré un riesling qualifié de « très nature ». Entendez par là un vin bien minéral au nez comme en bouche, agrémenté d'élégantes nuances florales, frais, ample, structuré et long. Parfait pour un poisson grillé, dès aujourd'hui comme dans deux ou trois ans. (Sucres résiduels : 6 g/l.)

🔑 Pierre-Paul Zink, 27, rue de la Lauch, 68250 Pfaffenheim, tél. 03 89 49 60 87, fax 03 89 49 73 05, infos@vins-zink.fr, ☑ ⚔ ⟟ r.-v.

Alsace sylvaner

Superficie : 1 228 ha
Production : 92 818 hl

Les origines du sylvaner sont très incertaines, mais son aire de prédilection a toujours été limitée au vignoble allemand et à celui du Bas-Rhin en France. C'est un cépage extrêmement intéressant grâce à son rendement et à sa régularité de production. Son vin est d'une remarquable fraîcheur, assez acide, doté d'un fruité discret. On trouve en réalité deux types de sylvaner sur le marché. Le premier, de loin supérieur, provient de terroirs bien exposés et peu enclins à la surproduction. Le second est un vin sans prétention, agréable et frais. Le sylvaner accompagne volontiers la choucroute, les hors-d'œuvre et entrées, de même que les fruits de mer, et tout spécialement les huîtres.

BESTHEIM Mittelbergheim 2009 ★

| | 4 900 | ▐ | 5 à 8 € |

Né de la fusion des caves de Westhalten, d'Obernai et de Bennwihr et de la maison Heim, le groupe Bestheim est un spécialiste de premier plan en Alsace. Issu d'une macération pelliculaire, puis élevé sur lies fines, ce 2009 livre un bouquet net de fleurs blanches et de fruits bien mûrs (orange notamment), presque confiturés. Le palais plaît par son gras, sa chair, mais surtout par sa fraîcheur finale, appréciable dans ce millésime solaire. Un vin équilibré, à déguster sur une volaille en sauce. (Sucres résiduels : 2 g/l.)

☛ Bestheim, 3, rue du Gal-de-Gaulle, 68630 Bennwihr, tél. 03 89 49 09 29, fax 03 89 49 09 20, vignobles@bestheim.com,
☑ ⍊ t.l.j. sf dim. 10h-12h 14h-17h30

BOECKEL Vieilles Vignes 2011 ★

| | 10 000 | ⅲ | 5 à 8 € |

La famille Boeckel cultive ici la vigne depuis 1853, et s'est tournée dès la fin du XIXᵉs. vers la mise en bouteilles et l'export (aujourd'hui 70 % de ventes à l'étranger). L'heure est désormais au bio, et la conversion, en cours. Côté vin, ce sylvaner né sur un terroir marno-calcaire affiche d'emblée ses atouts avec son bouquet complexe de fruits exotiques (mangue) et de fleurs. Le palais se montre gras, souple et rond, empreint d'une légère douceur et d'une jolie vivacité en finale. Un ensemble harmonieux, à découvrir au cours des deux prochaines années. (Sucres résiduels : 6 g/l.)
☛ Boeckel, 2, rue de la Montagne, 67140 Mittelbergheim, tél. 03 88 08 91 02, fax 03 88 08 91 88, boeckel@boeckel-alsace.com,
☑ ⍊ t.l.j. sf dim. 9h-12h 14h-17h

PAUL BUECHER 2011 ★

| | 2 000 | ▮ | 5 à 8 € |

Ce domaine de 32 ha de belle réputation – nombre de sélections dans ces pages l'attestent – signe un 2011 à la robe limpide, jaune clair à reflets verts, né de vieilles vignes de quarante-cinq ans. D'abord discret, le nez s'ouvre à l'agitation sur les fleurs et fruits blancs agrémentés d'une petite touche miellée. La bouche s'affirme par sa vivacité, sa tension, son fruité : « ce que l'on attend d'un sylvaner », conclut un dégustateur. La conversion bio est en cours. (Sucres résiduels : 2 g/l.)
☛ Paul Buecher, 15, rue Sainte-Gertrude, 68920 Wettolsheim, tél. 03 89 80 64 73, fax 03 89 80 58 62, vins@paul-buecher.com,
☑ 𝚵 ⍊ t.l.j. sf dim. 8h-12h 14h-17h30

DOM. ERNEST BURN Le Dauphin
Vieilles Vignes 2011 ★★★

| | 2 000 | ▮ | 8 à 11 € |

Unique propriétaire du Clos Saint-Imer, du nom du saint patron de Gueberschwihr qui, selon la légende, aurait terrassé un griffon, la famille Burn s'attache à faire revivre ce terroir célèbre depuis 1934. Sur les 10 ha (dont 5 ha pour le Clos) que compte le domaine, 40 ares sont consacrés à cette cuvée de sylvaner qui frôle le coup de cœur. Le nez, puissant, mêle les fruits exotiques et le coing très mûrs. Une même intensité caractérise le palais, riche, gras, d'une grande longueur, soutenu par cette nécessaire vivacité qui apporte l'équilibre. Tout indiqué sur un foie gras ou un canard à l'orange. (Sucres résiduels : 18 g/l.)
☛ Dom. Ernest Burn, 8, rue Basse, 68420 Gueberschwihr, tél. 03 89 49 20 68, fax 03 89 49 28 56, contact@domaine-burn.fr, ☑ 𝚵 ⍊ r.-v.

ROBERT FREUDENREICH Le « S » de chez Freud 2011 ★★★

| | n.c. | ⅲ | 11 à 15 € |

« Un sylvaner de l'extrême », issu de raisins atteints de pourriture noble, voilà ce que propose Christophe Freudenreich, à la tête du domaine familial (7,5 ha) depuis 1992. De beaux reflets d'or animent le verre. Au nez, les agrumes confits (citron) se mêlent à des notes de coing, de litchi et de miel. D'une concentration, d'une ampleur et d'une richesse exceptionnelles, le palais est à l'unisson, d'une longueur infinie. Pour un foie gras ou un dessert aux fruits. (Sucres résiduels : 56 g/l.)
☛ Robert Freudenreich et Fils, 31, rue de l'Église, 68250 Pfaffenheim, tél. 03 89 49 60 88, robert.freudenreich@wanadoo.fr, ☑ 𝚵 ⍊ r.-v. 🏠 Ⓑ

KELHETTER 2011 ★★

| | 6 700 | ▮ | 5 à 8 € |

Damien Kelhetter est installé depuis 2004 à la tête du vignoble familial (10 ha), transmis de père en fils depuis la fin du XIXᵉs. Il propose un sylvaner au nez complexe, qui mêle les fruits compotés à quelques élégantes nuances végétales. La bouche se montre à la fois riche, ample, longue et très fraîche, vivifiée par des notes d'orange et de citron. Un vin équilibré en somme, que l'on appréciera sur une tarte à la rhubarbe. (Sucres résiduels : 12 g/l.)
☛ Damien Kelhetter, 24, rue Principale, 67310 Dahlenheim, tél. et fax 03 88 50 34 74, info@vinskelhetter.fr,
☑ 𝚵 ⍊ t.l.j. 9h-12h 13h-19h; mer. dim. sur r.-v.

♥ DOM. LANDMANN La Quintessence
Vieilles Vignes 2011 ★★★

| | 10 000 | ⅲ | 8 à 11 € |

Installé sur les coteaux de Nothalten, à une dizaine de kilomètres au sud de Barr, Armand Landmann exploite depuis 1992 les 11 ha du domaine familial. Ces vieilles vignes de sylvaner ont quarante ans, et leurs raisins ont été vendangés le 20 octobre. Le résultat ? Un vin jugé exceptionnel. D'un or pâle et brillant, ce 2011 livre un bouquet intense, qui évoque les fruits compotés, la pomme notamment, et les fruits frais, pamplemousse en tête. On retrouve ces sensations mêlées de maturité et de fraîcheur dans une bouche riche, ample, dense et très longue. Viande blanche, poisson en sauce, dessert aux fruits, tout lui ira, aujourd'hui comme dans deux ans. (Sucres résiduels : 15 g/l.)
☛ EARL Armand Landmann, 74, rte du Vin, 67680 Nothalten, tél. et fax 03 88 92 41 12, armand-landmann@yahoo.fr, ☑ 𝚵 ⍊ r.-v.

SEPPI LANDMANN Z 2011 ★★

| | 1 800 | ▮ | 15 à 20 € |

Seppi Landmann, figure du vignoble alsacien, a passé le relais en 2011 aux jeunes Thomas et Paul Rieflé, qui convertissent le domaine au bio. Mais ce grand spécialiste des liquoreux reste présent en tant que consultant pour les cuvées signées de son nom. Celle-ci porte le Z du... Zinnkoepflé, son lieu de naissance. Pourquoi tant de mystère ? Parce que l'étiquette d'un « simple » sylvaner ne peut légalement indiquer le nom du célèbre grand cru. Rien de simpliste toutefois dans ce 2011 : robe brillante aux reflets or pâle ; nez frais et floral ; bouche expressive (pêche blanche, mirabelle, pointe citronnée), riche et longue, accompagnée de bout en bout par une belle vivacité. À boire ou à attendre deux ans. (Sucres résiduels : 14 g/l.)

🍷 Dom. Seppi Landmann, BP 43, 68250 Pfaffenheim, tél. 03 89 47 09 33, fax 03 89 49 50 98, contact@seppi-landmann.fr,

☑ ⚔ ⌁ t.l.j. sf dim. 9h-12h 14h-18h 🏠 🅱

🍷 Famille Rieflé

JACQUES MAETZ XM 2011 ★

	2 000	▮ 5 à 8 €

Rosheim, cité fortifiée située à une trentaine de kilomètres au sud-ouest de Strasbourg, vaut le détour. Lorsque l'on franchit sa porte monumentale, on a l'impression de remonter le temps... Et lorsque l'on plonge son nez dans le verre, ce sylvaner offre lui aussi de belles impressions : abricot, nectarine, pêche blanche. La bouche n'est pas en reste, ample, puissante et riche. Un rien de fraîcheur en plus et la deuxième étoile était au rendez-vous. (Sucres résiduels : 16,7 g/l.)

🍷 Dom. Jacques Maetz, 49, av. de la Gare, 67560 Rosheim, tél. 03 88 50 43 29, fax 03 88 49 20 57, contact@jacquesmaetz.com,

☑ ⚔ ⌁ t.l.j. sf dim. lun. 8h-20h; f. 14 fév.-10 mars et 20 juil.-10 août 🏨 ❸

SPITZ & FILS Sylvaner de Blienschwiller 2011

	3 330	5 à 8 €

On sait l'Alsace portée depuis longtemps vers l'œnotourisme ; le domaine Spitz (12 ha) ne déroge pas à la règle et cinq chambres d'hôtes accueillent les amateurs. Ces derniers pourront apprécier ce sylvaner au nez franc de pomme et de poire, au palais tout aussi net, équilibré et persistant. (Sucres résiduels : 12,3 g/l.)

🍷 Spitz et Fils, 2-4, rte des Vins, 67650 Blienschwiller, tél. 03 88 92 61 20, fax 03 88 92 61 26, vinspitzalsace@orange.fr,

☑ ⚔ ⌁ t.l.j. 8h30-12h 13h30-19h 🏨 ❷

WELTY Noblesse du temps 2011 ★

	1 200	▮ 5 à 8 €

Installé dans une ancienne cour dîmière dont a été conservée la cave, datée de 1579, ce domaine étend son vignoble sur 10 ha. Jean-Michel Welty signe ici un sylvaner en robe dorée ornée de reflets cristallins. Au nez, les fruits frais (pamplemousse) se mêlent aux fruits mûrs. En bouche, le vin se fait gourmand, expressif (floral surtout) et long. Un ensemble harmonieux, à réserver pour une tourte. (Sucres résiduels : 12 g/l.)

🍷 Dom. Jean-Michel Welty, 22-24, Grand-Rue, 68500 Orschwihr, tél. 03 89 76 09 03, fax 03 89 76 16 80, vinswelty@terre-net.fr,

☑ ⚔ ⌁ t.l.j. 9h-12h 13h30-19h; dim. sur r.-v. 🏨 ❷ 🏠 🅱

Alsace grand cru

Superficie : 850 ha
Production : 45 500 hl

Dans le but de promouvoir les meilleures situations du vignoble, un décret de 1975 a institué l'appellation « alsace grand cru », liée à un certain nombre de contraintes plus rigoureuses en matière de rendement et de teneur en sucre. Une appellation réservée au gewurztraminer, au pinot gris, au riesling et au muscat, jusqu'au décret de mars 2005 qui autorise l'introduction du sylvaner, en assemblage avec le gewurztraminer, le pinot gris et le riesling dans le grand cru Altenberg-de-Bergheim, et en remplacement du muscat dans le grand cru Zotzenberg. Les terroirs, délimités, produisent le nec plus ultra des vins d'Alsace. En 1983, un décret a défini un premier groupe de 25 lieux-dits admis dans cette appellation. Il a été complété par trois décrets en 1992, 2001 et 2007. Avec le kaefferkopf, reconnu en 2007, le vignoble d'Alsace compte 51 grands crus, répartis sur 47 communes. Leurs surfaces sont comprises entre 3,23 ha et 80,28 ha et leur terroir présente une certaine homogénéité géologique.

Les disciplines nouvelles, depuis 2001, concernent l'élévation à 11 % vol. du degré minimum des rieslings et des muscats, et à 12,5 % vol. de celui des pinots gris et des gewurztraminers, la codification des règles de conduite de la vigne (densité de plantation, treille), ainsi que la responsabilisation de chacun des 51 syndicats de cru.

🅱 JEAN-BAPTISTE ADAM Wineck-Schlossberg Riesling 2011

	2 500	🍶 15 à 20 €

Cette maison se prepare à fêter son quatre centième anniversaire. Elle associe une structure de négoce et un domaine exploité en biodynamie (label Demeter). Appartenant à l'offre haut de gamme de l'entreprise, ce vin est issu d'une parcelle acquise en 2008 dans le Wineck-Schlossberg, terroir granitique très propice au riesling. Son caractère intensément minéral au nez comme en bouche, sa franchise, sa puissance et sa finale persistante et saline suggèrent un accord avec un beau poisson cuisiné. (Sucres résiduels : 8 g/l.)

🍷 Jean-Baptiste Adam, 5, rue de l'Aigle, 68770 Ammerschwihr, tél. 03 89 78 23 21, fax 03 89 47 35 91, jbadam@jb-adam.fr,

☑ ⚔ ⌁ t.l.j. 8h30-12h 14h-18h; f. dim. de jan. à Pâques

DOM. PIERRE ADAM Schlossberg Riesling 2011

	2 500	▮ 11 à 15 €

Rémy Adam exploite 15 ha autour d'Ammerschwihr, importante commune viticole où se déroule au mois d'avril la première fête des Vins de l'année. Il met en valeur deux grands crus des environs, dont cette parcelle de riesling sur le Schlossberg, terroir granitique où le cépage engendre des vins de haute expression. Celui-ci séduit par son nez mûr et élégant, sur la mangue et l'ananas, avec une touche de minéralité. On retrouve la minéralité dans un palais franc à l'attaque, gras et nerveux en finale. L'ensemble, déjà prêt, gagnera en fondu au cours des trois prochaines années. À marier avec des poissons grillés ou un carpaccio de saint-jacques. (Sucres résiduels : 5 g/l.)

•ı Dom. Pierre Adam, 8, rue du Lt-Louis-Mourier, 68770 Ammerschwihr, tél. 03 89 78 23 07, fax 03 89 47 39 68, info@domaine-adam.com, ☑ ⚐ ⟙ t.l.j. 8h-12h 13h-18h30 🏠 🅾 🏠 🅲

PIERRE ARNOLD Frankstein Gewurztraminer 2011 ★

	1 850	⊞ 11 à 15 €

Le domaine, qui a trois siècles d'existence, a commencé à vendre sa production en bouteilles dès les années 1920. L'exploitant actuel, Pierre Arnold, s'est formé en Bourgogne et reste attaché aux élevages sous bois. Il a d'abord conduit son vignoble en lutte raisonnée avant de passer au bio en 2009. Sur le Frankstein, grand cru granitique de Dambach-la-Ville, il a produit un gewurztraminer intéressant par ses arômes d'agrumes et de fruits surmûris (abricot). Souple à l'attaque, rond et ample, ce 2011 ne manque ni de fraîcheur ni de minéralité. On suggère de le servir sur un tajine aux abricots. (Sucres résiduels : 58 g/l.)

•ı Pierre Arnold, 16, rue de la Paix, 67650 Dambach-la-Ville, tél. 03 88 92 41 70, fax 03 88 92 62 95, alsace.pierre.arnold@orange.fr, ☑ ⚐ ⟙ t.l.j. 9h-19h; dim. sur r.-v.

BAUMANN-ZIRGEL Schoenenbourg Riesling Cuvée Arthur 2011 ★

	1 500	⊞ 15 à 20 €

Benjamin Zirgel est établi à Mittelwihr, village environné d'un petit pays surnommé le « Midi de l'Alsace ». Entièrement situé en coteau et exploité en bio non certifié, son domaine s'éparpille sur de nombreux terroirs. Après un riesling du Schlossberg, en voici un autre, né sur le Schoenenbourg, coteau tout aussi propice au cépage mais de nature marneuse, alors que le Schlossberg est granitique. Vinifié sans levurage et élevé en foudre, il a engendré un vin mêlant au nez la pêche, les agrumes et les fleurs blanches à une touche de minéralité. Tout aussi aromatique, le palais se montre gras, fondu, structuré par une belle acidité. « Une vraie personnalité. » À marier avec des viandes blanches ou un poisson en sauce. (Sucres résiduels : 9,2 g/l.)

•ı Baumann Zirgel, 5, rue du Vignoble, 68630 Mittelwihr, tél. 03 89 47 90 40, fax 03 89 49 04 89, baumann-zirgel@wanadoo.fr, ☑ ⚐ ⟙ t.l.j. 8h-12h 14h-18h30; dim. sur r.-v. 🏠 🅱

CHARLES BAUR Brand Riesling 2010 ★

	n.c.	⊞ 11 à 15 €

Armand Baur, œnologue, a été rejoint en 2010 par son fils Arnaud, ingénieur agronome, qui a complété sa formation à l'étranger. Le tandem a engagé la conversion bio de l'exploitation, qui couvre 16 ha, avec des parcelles dans plusieurs grands crus. Le Brand, très pentu, domine la ville de Turckheim. Ses sols granitiques sont propices au riesling. Celui-ci, fermenté sans levurage et élevé en foudre de chêne, associe au nez les agrumes, des notes toastées et une touche de minéralité. Franc à l'attaque, corsé et assez long, le palais montre une belle tension et annonce une bonne garde ; on y retrouve la minéralité perçue au nez. On verrait bien cette bouteille avec des noix de Saint-Jacques au beurre. (Sucres résiduels : 14 g/l.)

•ı Dom. Charles Baur, 29, Grand-Rue, 68420 Eguisheim, tél. 03 89 41 32 49, fax 03 89 41 55 79, cave@vinscharlesbaur.fr, ☑ ⚐ ⟙ t.l.j. sf dim. 8h-12h 14h-19h

•ı Arnaud Baur

🅑 DOM. BECHTOLD Engelberg Riesling 2011

	2 500	▌ 11 à 15 €

Sur l'étiquette, la « Nef des fous », hommage à Sébastien Brant, humaniste et poète satirique strasbourgeois de la Renaissance (l'exploitation est située à une quinzaine de kilomètres à l'ouest de la métropole alsacienne). Au domaine, une évolution « raisonnée », de l'agriculture intégrée au bio. Dans le verre, un riesling bien typé, au nez expressif, floral et citronné, avec une touche de minéralité. Si l'attaque est ronde, le vin s'affirme ensuite avec franchise et vivacité, jusqu'à la finale où l'on retrouve les agrumes. À marier avec des crustacés ou du chèvre frais. (Sucres résiduels : 8 g/l.)

•ı Dom. Bechtold, 49, rue Principale, 67310 Dahlenheim, tél. 06 71 20 84 25, domainebechtold@wanadoo.fr, ☑ ⚐ ⟙ t.l.j. sf dim. 9h-12h 14h-18h

BECK – DOM. DU REMPART Pinot gris Frankstein 2011

	1 100	15 à 20 €

Le domaine du Rempart a été ainsi baptisé parce que la demeure où il a son siège est intégrée dans les murailles du XIVᵉs. de la vieille cité de Dambach-la-Ville. Installé en 1978, Gilbert Beck y conduit un vignoble de plus de 10 ha, dont le fleuron est sans doute le grand cru Frankstein. C'est le lieu de naissance de ce pinot gris qui se partage entre des notes fumées et des nuances de surmaturation. Ces arômes s'affirment dans un palais puissant, gras et plutôt épicé. Un vin à attendre deux ou trois ans pour l'apprécier à son optimum. On pourra le découvrir au marché paysan organisé à la propriété tous les lundis en été. (Sucres résiduels : 90 g/l.)

•ı Beck – Dom. du Rempart, 5, rue des Remparts, 67650 Dambach-la-Ville, tél. 03 88 92 42 43, beck.domaine@wanadoo.fr, ☑ ⚐ ⟙ t.l.j. 9h-11h30 14h-18h30; dim. sur r.-v. 🏠 🅱

•ı Ruhlmann

♥ DOM. JEAN-MARC BERNHARD Mambourg Gewurztraminer 2011 ★★★

	3 500	⊞ 11 à 15 €

Œnologue, Frédéric Bernhard a exploré les vignobles du Médoc, de la Bourgogne, du Valais et de l'Afrique du Sud avant de s'installer sur la propriété familiale. Il convertit les 10 ha du domaine au bio et joue avec talent sur une belle palette de terroirs, dont six grands crus. Coteau argilo-calcaire exposé plein sud dominant Sigolsheim, le Mambourg est très propice au gewurztraminer. Le vigneron a vendangé celui-ci le 10 octobre et en a tiré un vin superbe. De la robe aux reflets dorés montent des parfums de fruits confits, de coing, de figue et de rose fanée qui s'épanouissent à l'aération. Au palais, on retrouve avec plaisir ces arômes typés, complexes et intenses. La matière se distingue par son ampleur et sa puissance, et la persistance est remarquable. Ce moelleux

LES CINQUANTE ET UN

Grands crus	Communes	Surface délimitée (ha)
Altenberg-de-bergbieten	Bergbieten (67)	30
Altenberg-de-bergheim	Bergheim (68)	35
Altenberg-de-wolxheim	Wolxheim (67)	31
Brand	Turckheim (68)	58
Bruderthal	Molsheim (67)	18
Eichberg	Eguisheim (68)	57
Engelberg	Dahlenheim, Scharrachbergheim (67)	14
Florimont	Ingersheim, Katzenthal (68)	21
Frankstein	Dambach-la-Ville (67)	56
Froehn	Zellenberg (68)	14
Furstentum	Kientzheim, Sigolsheim (68)	30
Geisberg	Ribeauvillé (68)	8
Gloeckelberg	Rodern, Saint-Hippolyte (68)	23
Goldert	Gueberschwihr (68)	45
Hatschbourg	Hattstatt, Voegtlinshoffen (68)	47
Hengst	Wintzenheim (68)	76
Kaefferkopf	Ammerschwihr (68)	71
Kanzlerberg	Bergheim (68)	3
Kastelberg	Andlau (67)	6
Kessler	Guebwiller (68)	28
Kirchberg-de-barr	Barr (67)	40
Kirchberg-de-ribeauvillé	Ribeauvillé (68)	11
Kitterlé	Guebwiller (68)	25
Mambourg	Sigolsheim (68)	62
Mandelberg	Mittelwihr, Beblenheim (68)	22
Marckrain	Bennwihr, Sigolsheim (68)	53
Moenchberg	Andlau, Eichhoffen (67)	12
Muenchberg	Nothalten (67)	18
Ollwiller	Wuenheim (68)	36
Osterberg	Ribeauvillé (68)	24
Pfersigberg	Eguisheim, Wettolsheim (68)	74
Pfingstberg	Orschwihr (68)	28
Praelatenberg	Kintzheim (67)	18
Rangen	Thann, Vieux-Thann (68)	19
Rosacker	Hunawihr (68)	26
Saering	Guebwiller (68)	27
Schlossberg	Kientzheim (68)	80
Schoenenbourg	Riquewihr, Zellenberg (68)	53
Sommerberg	Niedermorschwihr, Katzenthal (68)	28
Sonnenglanz	Beblenheim (68)	33
Spiegel	Bergholtz, Guebwiller (68)	18
Sporen	Riquewihr (68)	23
Steinert	Pfaffenheim, Westhalten (68)	38
Steingrubler	Wettolsheim (68)	23
Steinklotz	Marlenheim (67)	40
Vorbourg	Rouffach, Westhalten (68)	72
Wiebelsberg	Andlau (67)	12
Wineck-schlossberg	Katzenthal, Ammerschwihr (68)	27
Winzenberg	Blienschwiller (67)	19
Zinnkoepflé	Soultzmatt, Westhalten (68)	68
Zotzenberg	Mittelbergheim (67)	36

GRANDS CRUS ALSACIENS

Exposition	Sols	Cépages de prédilection
S.-E.	Marnes dolomitiques du keuper	Riesling, gewurztraminer
S.	Sols marno-calcaires caillouteux d'origine jurassique	Gewurztraminer
S.-S.-O.	Terroir du lias, marno-calcaires riches en cailloutis	Riesling
S.	Granite	Riesling, gewurztraminer
S.-E.	Marno-calcaires caillouteux du muschelkalk	Riesling, gewurztraminer
S.-E.	Marnes mêlées de cailloutis calcaires ou siliceux	Gewurztraminer puis riesling, pinot gris
S.	Calcaires du muschelkalk	Gewurztraminer
S. et E.	Marno-calcaires recouverts d'éboulis calcaires du bathonien et du bajocien	Gewurztraminer puis riesling
S.-E.	Arènes granitiques	Riesling
S.	Marnes schisteuses	Gewurztraminer
S.	Sols bruns calcaires caillouteux	Gewurztraminer puis riesling
S.	Marnes dolomitiques du muschelkalk	Riesling
S.-E.	Sols bruns à dominante sableuse de grès vosgien	Gewurztraminer, pinot gris
E.	Marnes riches en cailloutis calcaires	Gewurztraminer
S.-E.	Marnes	Gewurztraminer, pinot gris, muscat
S.-E.	Marno-calcaires oligocènes	Gewurztraminer, pinot gris
E. et S.-E.	Sols bruns d'origine granitique, calcaire ou gréseuse	Gewurztraminer, assemblages
S. et S.-O.	Marno-calcaires	Riesling, gewurztraminer
S.	Schistes caillouteux	Riesling
S.-E.	Sable de grès rose et matrice argileuse	Gewurztraminer
S.	Calcaires du jurassique moyen	Gewurztraminer, riesling, pinot gris
S.-S.-O.	Marnes dolomitiques	Riesling
S.-O.	Grès	Riesling
S.	Marno-calcaires	Gewurztraminer
S.-S.-E.	Marno-calcaires oligocènes	Riesling, gewurztraminer
E.	Marno-calcaires	Gewurztraminer
S.	Sols limono-sableux du quaternaire	Riesling
S.	Terroirs sablonneux du permien	Riesling
S.-S.-E.	Marnes caillouteuses	Riesling
E.-S.-E.	Sols triasiques assez marneux	Gewurztraminer puis riesling
S.-E.	Sols caillouteux calcaires de l'oligocène	Gewurztraminer puis riesling
S.-E.	Grès et calcaires du buntsandstein et du muschelkalk	Riesling
E.-S.-E.	Sables gneissiques	Riesling
S.	Sols volcaniques	Pinot gris, riesling
E.-S.-E.	Marnes et calcaires du muschelkalk	Riesling
S.-E.	Sols marno-sableux avec cailloutis	Riesling
S.	Arènes granitiques	Riesling
S. et S.-E.	Marnes du keuper recouvertes de calcaires coquilliers	Riesling
S.	Arènes granitiques	Riesling
S.-E.	Conglomérats et marnes de l'oligocène	Gewurztraminer, pinot gris
E.	Marnes de l'oligocène et sables gréseux du trias	Gewurztraminer
S.-E.	Sols marneux du lias	Gewurztraminer
E.	Cailloutis calcaires oolithiques	Gewurztraminer, pinot gris
S.	Marnes oligocènes	Gewurztraminer, riesling, pinot gris
S.	Marnes recouvertes d'éboulis calcaires du muschelkalk	Riesling, gewurztraminer
S.-S.-E.	Marno-calcaires	Gewurztraminer, puis riesling, pinot gris
S.	Sables gréseux triasiques	Riesling
S. et S.-E.	Granite	Riesling
S.-S.-E.	Arènes granitiques	Riesling
S.	Terroir calcaro-gréseux	Gewurztraminer
S.	Calcaires jurassiques et conglomérats marno-calcaires de l'oligocène	Riesling, sylvaner

devrait se bonifier au cours des trois prochaines années et fera plaisir pendant cinq ans au moins (sucres résiduels : 32 g/l). Le domaine a aussi proposé un **Wineck-Schlossberg riesling 2011 (11 à 15 €; 3 000 b.)** qui obtient une étoile pour son nez floral et minéral et pour son bel équilibre. Ce vin sera à son optimum dans trois ans. (Sucres résiduels : 7 g/l.)

➤ Dom. Jean-Marc Bernhard, 21, Grand-Rue, 68230 Katzenthal, tél. 03 89 27 05 34, fax 03 89 27 58 72, vins@jeanmarcbernhard.fr, ☑ ⚘ ⏺ r.-v. 🏠 🅱

BIECHER & SCHAAL Steinert Gewurztraminer Les Roches calcaires 2011

	7 600	⬛	15 à 20 €

Un nouveau nom dans le Guide : il associe deux passionnés qui ont créé une affaire de négoce proposant exclusivement des grands crus. Comme celui-ci, issu du Steinert, terroir calcaire caillouteux réputé pour le caractère aromatique de ses vins. De fait, les dégustateurs ont apprécié dans ce gewurztraminer un nez discret mais pur, aux nuances de rose et de fruit de la Passion. En bouche, ce 2011 se montre riche et rond avec élégance, sans excès de sucres. La finale miellée incite à servir cette bouteille sur un dessert aux fruits ou sur un fromage à croûte lavée. On pourra la savourer pendant cinq ans. (Sucres résiduels : 35 g/l.)

NOUVEAU PRODUCTEUR

➤ Biecher & Schaal, 35, rte du Vin, 68590 Saint-Hippolyte, tél. 03 89 73 00 14, fax 03 89 73 03 17, julien@vins-schaal.com, ☑ ⚘ ⏺ r.-v.

♥ ANDRÉ BLANCK ET SES FILS Schlossberg Riesling Vieilles Vignes 2010 ★★

	8 000		11 à 15 €

À Kientzheim, la propriété d'André Blanck et Fils a son siège tout près du musée du Vin. Vous aurez peut-être la chance d'y goûter cette cuvée que les jurés ont placée au sommet. Récolté le 20 octobre sur le coteau granitique du Schlossberg, fleuron de Kientzheim, le riesling a donné naissance à un vin doré au nez flatteur mêlant les fruits exotiques très mûrs, les agrumes et une nuance minérale. Dans une belle continuité, la bouche développe ces arômes de surmaturation, ajoutant à la palette la poire et l'abricot. Elle allie richesse et finesse grâce à sa belle acidité qui donne de l'élégance et du tonus à la longue finale. Cette bouteille, qui sera à son optimum à partir de 2015, s'invitera dès l'apéritif et s'accordera avec des poissons à l'aigre-doux. (Sucres résiduels : 28 g/l.)

➤ EARL André Blanck et Fils, Ancienne Cour des Chevaliers de Malte, 68240 Kientzheim, tél. 03 89 78 24 72, fax 03 89 47 17 07, charles.blanck@free.fr,

☑ ⚘ ⏺ t.l.j. sf dim. 8h-12h 13h-18h 🏠 🅱

FRANÇOIS BLÉGER Mambourg Pinot gris 2010 ★★

	600	⬛	15 à 20 €

François Bléger a créé en 1996 ce domaine qui compte 7 ha répartis dans quatre communes. S'il a étudié la sociologie, il exploite ses vignes avec professionnalisme, à en juger par cette petite cuvée portée aux nues l'an dernier (millésime 2008), issue de 11 ares de pinot gris. Ce 2010 est de la même veine. Encore discret au nez, il montre déjà une certaine complexité dans ses nuances d'agrumes. Typé du cépage et marqué par la surmaturation, il offre une bouche gourmande et riche, remarquablement équilibrée, à la finale fraîche et longue. Les jurés suggèrent de le servir avec un canard à l'orange ou un blanc de pintade Rossini. (Sucres résiduels : 73 g/l.)

➤ François Bléger, 63, rte du Vin, 68590 Saint-Hippolyte, tél. et fax 03 89 73 06 07, domaine.bleger@wanadoo.fr, ☑ ⚘ ⏺ r.-v. 🏠 🎫

♥ FRANÇOIS BOHN Sommerberg Riesling 2010 ★★

	900	⬛	11 à 15 €

Ancien apporteur de raisins installé à Ingersheim, à l'ouest de Colmar, François Bohn a bien fait de se lancer dans la vinification. Il obtient son quatrième coup de cœur avec un riesling 2010 (une année tendue, chaotique et peu productive), récolté à la mi-octobre. Un vin bien né, sur un coteau particulièrement pentu (45 %) aux sols granitiques propices à ce cépage. De couleur jaune paille, il dévoile un nez nettement marqué par la surmaturation, avec des accents confits de coing, de poire et de miel que l'on retrouve en bouche. Et pourtant, il apparaît frais et salin au palais, puissant et fondu. Sa longue finale laisse le souvenir d'un superbe équilibre. À savourer dès maintenant sur des viandes blanches en sauce ou aux fruits. (Sucres résiduels : 22 g/l.)

➤ François Bohn, 24, lieu-dit Langematten, 68040 Ingersheim, tél. et fax 03 89 27 31 27, vinsfrancoisbohn@orange.fr, ☑ ⚘ ⏺ r.-v.

🅱 CAMILLE BRAUN Pfingstberg Riesling 2011

	3 000	⬛⬛	11 à 15 €

Installée à Orschwihr, gros village vigneron au sud du vignoble alsacien, cette famille est au service du vin depuis le XVIIe s. La dernière génération exploite 15 ha en biodynamie et a plusieurs coups de cœur à son actif. Elle signe un riesling originaire du grand cru local, réputé depuis le Moyen Âge – un coteau pentu aux sols calcaro-gréseux. Un 2011 qui mise moins sur la puissance que sur son équilibre et sur la netteté et l'agrément de ses arômes de fleurs blanches et d'agrumes, teintés de minéralité. Il sera bientôt prêt. (Sucres résiduels : 8,5 g/l.)

☞ Camille Braun, 16, Grand-Rue, 68500 Orschwihr,
tél. 03 89 76 95 20, fax 03 89 74 35 03,
cbraun@camille-braun.com,
☑ ⚲ ⛾ t.l.j. sf dim. 8h30-12h 13h30-18h30 ⌂ ☉

PAUL BUECHER Sommerberg Riesling 2011 ★

| | 3 000 | 11 à 15 € |

Dans les années 1950, Paul Buecher, à la tête de 5 ha de vignes, se lance dans la mise en bouteilles. En 2004, son petit-fils Jérôme dispose de 32 ha, ce qui n'est pas rien dans la région. Il a engagé la conversion du domaine au bio. Coteau très pentu aux sols granitiques, le Sommerberg favorise le riesling. Il a engendré un vin aussi réussi que dans le millésime précédent. Or jaune, ce 2011 mêle au nez une belle minéralité, des notes d'agrumes et de fleurs blanches qui se prolongent au palais. Après une attaque riche, la bouche dévoile une matière équilibrée et longue. À servir avec un poisson ou une viande blanche en sauce. (Sucres résiduels : 11 g/l.)
☞ Paul Buecher, 15, rue Sainte-Gertrude,
68920 Wettolsheim, tél. 03 89 80 64 73, fax 03 89 80 58 62,
vins@paul-buecher.com,
☑ ⚲ ⛾ t.l.j. sf dim. 8h-12h 14h-17h30

BURGHART-SPETTEL Kaefferkopf Pinot gris 2011 ★

| | 700 | 11 à 15 € |

Établis au cœur de la route des Vins, Bertrand Spettel et son fils Jérôme exploitent près de 13 ha sur des terroirs variés, dont trois grands crus. Ils ont tiré du Kaefferkopf un pinot gris qui a pour principal défaut son caractère confidentiel. Dommage, car s'il offre une version atypique du cépage, c'est un vin flatteur par son nez de fleurs blanches, de tilleul et de bergamote, arômes qui se prolongent dans un palais net, fringant et persistant. (Sucres résiduels : 4 g/l.)
☞ Burghart-Spettel, 9, rte du Vin, 68630 Mittelwihr,
tél. 03 89 47 93 19, fax 03 89 49 07 62,
burghart-spettel@wanadoo.fr,
☑ ⚲ ⛾ t.l.j. sf dim. 10h-18h ⌂ ☉
☞ Spettel

AGATHE BURSIN Zinnkoepflé Gewurztraminer 2011

| | 1 700 | 15 à 20 € |

Agathe Bursin est devenue œnologue pour réaliser son rêve : reprendre les vinifications sur le domaine familial. Elle s'est fait un nom en misant sur les vins de terroir. Avec le Zinnkoepflé, majestueux coteau très abrité, elle dispose d'un atout maître. C'est le lieu de naissance de ce gewurztraminer qui a divisé le jury : certains le trouvent trop imposant, tandis que les autres louent son côté suave, onctueux et persistant. Tous s'accordent sur l'agrément de ses arômes bien typés aux accents de surmaturation : fruits confits, miel et pain d'épice. La vigneronne conseille de servir cette bouteille avec un tajine. (Sucres résiduels : 38 g/l.)
☞ Agathe Bursin, 11, rue de Soultzmatt,
68250 Westhalten, tél. 03 89 47 04 15,
agathe.bursin@wanadoo.fr, ☑ ⚲ ⛾ r.-v.

BUTTERLIN Steingrübler Riesling 2008

| | 2 000 | 11 à 15 € |

Jean Butterlin est exploitant à Wettolsheim, à 5 km de Colmar. Il met en valeur une trentaine de parcelles dans cinq communes différentes. Terroir argilo-calcaire très caillouteux, le Steingrübler favorise plusieurs cépages, comme le riesling. Celui-ci, récolté à la mi-octobre 2008, a donné un vin aujourd'hui prêt à passer à table. Sa palette aromatique se partage entre des notes confites de surmaturation et une minéralité évoquant la pierre à fusil. Ample, riche, équilibrée et bien fondue, la bouche finit sur une note de vivacité. À déboucher dès l'apéritif. (Sucres résiduels : 21 g/l.)
☞ Jean Butterlin, 27, rue Herzog, 68920 Wettolsheim,
tél. 03 89 80 60 85, info@butterlin.fr,
☑ ⚲ ⛾ t.l.j. sf dim. 8h-12h 13h30-18h30

CLOS SAINT-THÉOBALD Rangen
Gewurztraminer 2011 ★★

| | 2 500 | 20 à 30 € |

Établi à Colmar, le domaine Schoffit s'est étendu vers le sud. Nos fidèles lecteurs connaissent bien ses fleurons du Clos Saint-Théobald, qui regroupe des parcelles dans le Rangen, situé à l'extrémité sud de la route des Vins. Unique terroir volcanique d'Alsace, très pentu, ce grand cru présente des sols pierreux et sombres qui accumulent la chaleur. Si l'on ajoute son exposition plein sud, on ne sera pas étonné d'y voir naître des vins riches aux accents de surmaturation. C'est bien le cas de ce gewurztraminer si soutenu, mêlant au nez les notes de rose et de fruits exotiques du cépage et des nuances de fruits confits que l'on retrouve en bouche. Sa structure est impressionnante ; douce à l'attaque, puis ample et riche à souhait, elle est équilibrée par une fraîcheur minérale qui souligne la longue finale. Un moelleux complexe et de garde, rappelant une vendange tardive (sucres résiduels : 71 g/l). Cité, le **Rangen riesling 2011 (5 800 b.)** offre, lui aussi, un côté surmûri. Ses notes de fruits confits et de tabac, son palais riche et gras suggèrent un accord avec une pintade. (Sucres résiduels : 9,9 g/l.)
☞ Dom. Schoffit, 68, Nonnenholz-Weg, 68000 Colmar,
tél. 03 89 24 41 14, fax 03 89 41 40 52,
domaine.schoffit@free.fr, ☑ ⚲ ⛾ r.-v.

DOPFF AU MOULIN Schoenenbourg Riesling
De nos domaines de Riquewihr 2010 ★

| | 20 859 | 15 à 20 € |

Depuis sa fondation en 1634, cette maison restée familiale s'est constitué un vaste domaine : 63 ha, dont 12 en grand cru. Terroir marno-gypseux, le coteau du Schoenenbourg domine au nord la cité de Riquewihr et favorise particulièrement le riesling. Après un 2009 plutôt rond, voici une belle expression du millésime 2010, qui mise sur la finesse sans manquer de fond. Les dégustateurs ont apprécié son fruité complexe assorti d'une nette minéralité, son attaque vive, sur le citron confit, et sa bouche gourmande, minérale et longue, à la finale épicée et poivrée. À servir dès la sortie du Guide sur tous les produits de la mer. (Sucres résiduels : 3,9 g/l.)
☞ Dopff au Moulin, 2, av. Jacques-Preiss, 68340 Riquewihr,
tél. 03 89 49 09 69, fax 03 89 47 83 61,
domaines@dopff-au-moulin.fr, ☑
⚲ ⛾ t.l.j. 8h-12h 14h-18h

ⓑ ANNA ET ANDRÉ DURRMANN Wiebelsberg
Riesling 2011

| | 1 500 | ▬ | 20 à 30 € |

Le grand-père, cordonnier, cultivait quelques arpents. Anna et André Durrmann sont aujourd'hui viticulteurs à plein temps, à la tête de 7 ha de vignes. Soucieux de biodiversité, ils exploitent leur domaine en bio, plantent des arbres au milieu des ceps et laissent paître des moutons en hiver. Leur village, Andlau, compte trois grands crus, dont le Wiebelsberg (« colline des Femmes »), exposé au sud et au sud-est, lieu de naissance de ce vin au nez discret mais élégant, sur les fleurs blanches et la reine-claude. Encore massif, puissant et gras, fruité en finale, ce 2011 a été retenu pour son potentiel (dix ans). On le débouchera à partir de 2015 sur de la lotte au lard. (Sucres résiduels : 6,5 g/l.)
☛ Dom. Durrmann, 11, rue des Forgerons, 67140 Andlau, tél. 03 88 08 26 42, agroecologievin@sfr.fr, ☑ ⚔ ▼ t.l.j. 10h-18h

---

DOM. FERNAND ENGEL Gloeckelberg Pinot gris 2011 ★★★

| | 3 500 | ▬ | 15 à 20 € |

Trois générations se côtoient sur le domaine, qui ne couvre pas moins de 53 ha, principalement en coteaux, au pied du Haut-Kœnigsbourg. Pour ces exploitants, le bio a été une question de survie, car Bernard Engel était allergique à certains produits phytosanitaires. La propriété ne s'en porte pas plus mal et exporte 40 % de ses vins. À son actif, quatre coups de cœur récents. Cette année, trois belles étoiles et une place de finaliste pour ce pinot gris. Né sur sols de sables sur schistes et vendangé le 20 octobre, ce 2011 s'ouvre sur des parfums confits, surmûris, avec une touche fumée et grillée. Quelle complexité, au nez comme au palais ! Ample, concentré, d'un rare équilibre, ce vin finit sur des notes miellées et épicées. Pour un moment privilégié de convivialité, maintenant ou dans dix ans. (Sucres résiduels : 53 g/l.) Quant à l'**Altenberg de Bergheim gewurztraminer 2011 (3 900 b.)**, c'est un liquoreux idéal pour ses arômes confits et sa générosité. (Sucres résiduels : 74 g/l.) Le pinot gris aimera un canard à l'orange ou un feuilleté de ris de veau, le gewurztraminer un dessert glacé ou fruité.
☛ Dom. Fernand Engel, 1, rte du Vin, 68590 Rorschwihr, tél. 03 89 73 77 27, fax 03 89 73 63 70, f-engel@wanadoo.fr, ☑ ⚔ ▼ t.l.j. sf dim. 8h-11h30 13h-18h

---

CHARLES FAHRER Praelatenberg Gewurztraminer 2011

| | 1 700 | ▬ | 8 à 11 € |

Dominé par le château du Haut-Koenigsbourg, ce grand cru mentionné dès le IXᵉˢ. est aujourd'hui partagé entre des vignerons de Kintzheim et d'Orschwiller. Ses sols d'origine gneissique se réchauffent facilement. Récolté à la fin d'octobre, ce gewurztraminer se partage au nez entre les fruits mûrs et les épices. Ces notes épicées typées du cépage se retrouvent en finale dans une bouche dont l'équilibre penche vers la rondeur. Bel accord en perspective avec une crème brûlée au foie gras ou avec du roquefort. (Sucres résiduels : 59 g/l.)
☛ Charles Fahrer, 5-7, Grand-Rue, 67600 Orschwiller, tél. et fax 03 88 92 08 25, contact@charlesfahrer.com, ☑ ⚔ ▼ t.l.j. 8h-12h 13h-18h 🏠 ❶ 🏠 ⓑ

MAISON MARCEL FREYBURGER Kaefferkopf
Gewurztraminer 2011

| | 4 000 | ▬ | 11 à 15 € |

Cette exploitation familiale située au centre d'Ammerschwihr dispose de 7 ha, dont 40 % en coteau. Cette année encore, le jury a retenu deux vins du grand cru local, fermentés sans levurage : issu de sols granitiques, le **Kaefferkopf riesling 2011 (8 à 11 € ; 1 650 b.)**, encore discret, est cité pour sa bonne matière ; on l'ouvrira à partir de 2015 (sucres résiduels : 11 g/l). Quant à ce gewurztraminer, né d'un terroir argilo-calcaire du même Kaefferkopf, il gagnera lui aussi à attendre deux à trois ans, pour permettre aux sucres de se fondre. Les dégustateurs ont apprécié ses arômes de poire confite, de mirabelle, auxquels s'ajoutent au palais des notes de miel d'acacia. Sa texture est riche, tonifiée par une finale fraîche et assez longue. (Sucres résiduels : 49 g/l.)
☛ Marcel Freyburger, 13, Grand-Rue, 68770 Ammerschwihr, tél. 03 89 78 25 72, fax 03 89 78 15 50, marcel.freyburger@orange.fr, ☑ ⚔ ▼ t.l.j. 9h-12h 13h30-18h; dim. sur r.-v.

FREY-SOHLER Frankstein Gewurztraminer 2010 ★

| | 1 900 | ▬ | 15 à 20 € |

Les Sohler exploitent un domaine de 30 ha dont la production est complétée par une activité de négoce. Établis à Scherwiller, près de Sélestat, ils cultivent des vignes dans le grand cru Frankstein, terroir granitique situé tout près de là, à Dambach-la-Ville. Le gewurztraminer 2010 prend le pas sur son devancier, le chaleureux 2009, cité l'an dernier. Les dégustateurs ont apprécié ses parfums de rose, de pivoine, de fruits compotés et d'épices et son palais ample, équilibré et long, au plaisant retour épicé (girofle et poivre). Une dégustatrice suggère, pour accompagner cette bouteille, des couscous ou des tajines marocains. (Sucres résiduels : 28,5 g/l.)
☛ Frey-Sohler, 72, rue de l'Ortenbourg, 67750 Scherwiller, tél. 03 88 92 10 13, fax 03 88 82 57 11, contact@frey-sohler.fr,
☑ ⚔ ▼ t.l.j. sf dim. 8h-12h 13h-19h 🏠 ⓑ
☛ Damien et Nicolas Sohler

J. FRITSCH Furstentum Gewurztraminer 2011

| | 1 100 | ▬ | 8 à 11 € |

Pascal Fritsch a pris en 1977 la suite d'une lignée de vignerons remontant à 1703. Installé dans le petit bourg fortifié de Kientzheim, où la confrérie Saint-Étienne a son siège, il exploite 9 ha de vignes. Situé en partie dans son village, le Furstentum est un coteau aux sols argilo-calcaires, exposé au sud-sud-ouest. Il a donné naissance à un gewurztraminer au nez discret mais délicat, qui s'ouvre sur des notes d'orange confite. De bonne tenue en bouche, ample et bien fondu, ce 2011 finit sur des notes poivrées. Un joli moelleux pour l'apéritif, le foie gras ou un dessert aux fruits. (Sucres résiduels : 48,5 g/l.)
☛ EARL Joseph Fritsch, 31, Grand-Rue, 68240 Kientzheim, tél. 03 89 78 24 27, fax 03 89 78 16 53, contact@joseph-fritsch.com,
☑ ▼ t.l.j. 10h-12h 14h-18h; dim. sur r.-v.

PAUL GASCHY Eichberg Riesling
Vendanges tardives 2010 ★

| | 1 500 | ▬ | 15 à 20 € |

C'est Hervé Gaschy qui dirige depuis 2001 cette exploitation qui a engagé sa conversion bio en 2009. Il a récolté à la mi-octobre le riesling à l'origine de ces vendanges tardives issues de l'Eichberg, l'un des grands crus d'Eguisheim. Ce vin porte la double empreinte de son terroir marno-calcaire et de la surmaturation des raisins, laquelle s'exprime dans une robe jaune d'or et dans un nez s'ouvrant lentement sur des notes de miel, de mirabelle, d'ananas et d'orange confits, avec des nuances de cannelle. L'attaque suave dévoile un palais ample, gras et persistant, équilibré par une belle fraîcheur. On pourra garder cette bouteille jusqu'à la prochaine décennie ou l'ouvrir dès la fin 2013, sur des saint-jacques au safran ou des crevettes sel et poivre, par exemple. (Sucres résiduels : 70 g/l.)

☞ Paul Gaschy, 16, Grand-Rue, 68420 Eguisheim, tél. 03 89 41 67 34, fax 03 89 24 33 12, info@vins-paul-gaschy.fr, ☑ ⚹ ⵏ r.-v. 🏠 🅑

ROLLY GASSMANN Altenberg de Bergheim
Gewurztraminer 2011

	1 800	🍶 30 à 50 €

Vignerons depuis quatre siècles, les Gassmann ont constitué un important domaine qu'ils vinifient par lieux-dits. Ils disposaient de très nombreux terroirs et n'en détenaient aucun en grand cru. Ce n'est plus vrai depuis l'acquisition récente d'une parcelle dans l'Altenberg, magnifique coteau exposé plein sud que l'on aperçoit à droite en empruntant la route de Thannenkirch. Ce terroir marno-calcaire a engendré un gewurztraminer dont la robe jaune d'or annonce des arômes de surmaturation (miel et agrumes confits). Dans le même registre, la bouche est ample, imposante et suave, tout en restant équilibrée. Un vin de foie gras. (Sucres résiduels : 92 g/l.)

☞ Rolly Gassmann, 2, rue de l'Église, 68590 Rorschwihr, tél. 03 89 73 63 28, fax 03 89 73 33 06, rollygassmann@wanadoo.fr, ☑ ⚹ ⵏ t.l.j. sf dim. 9h-12h 13h30-18h

PAUL GINGLINGER Pfersigberg Riesling 2011 ★★

	5 500	🍶 11 à 15 €

1610 : c'est la date de fondation de ce domaine, établi à Eguisheim. Mais Michel Ginglinger, œnologue, a d'abord quitté sa vieille cité fortifiée pour se flatter d'être le berceau de l'Alsace viticole pour exercer ses talents dans plusieurs vignobles du Nouveau Monde. Depuis 2002, il conduit le domaine familial (en conversion bio) avec talent, témoin des distinctions régulières dans le Guide. Le 2009 de riesling du Pfersigberg avait décroché un coup de cœur. Le 2011 n'est pas mal du tout ! Encore jeune, il livre à l'aération des notes d'agrumes et de pêche assorties d'une légère touche fumée. En bouche, il se montre équilibré, puissant, élégant et long. « Typique d'un riesling grand cru », il se gardera au moins cinq ans (sucres résiduels : 6 g/l.) Quant au Pfersigberg gewurztraminer 2011 (15 à 20 € ; 5 500 b.), c'est un moelleux rappelant une vendange tardive. Complexe, ample et riche, avec ce qu'il faut de fraîcheur, il obtient une étoile. (Sucres résiduels : 63 g/l.)

☞ Paul Ginglinger, 8, pl. Charles-de-Gaulle, 68420 Eguisheim, tél. 03 89 41 44 25, fax 03 89 24 94 88, info@paul-ginglinger.fr, ☑ ⚹ ⵏ t.l.j. sf dim. 8h-12h 13h30-18h30

🅑 PIERRE-HENRI GINGLINGER Eichberg Riesling 2011

	2 500	11 à 15 €

Installé dans la vieille cité d'Eguisheim, Mathieu Ginglinger perpétue une tradition viticole familiale remontant à plus de quatre siècles et cultive ses 15 ha de vignes un peu depuis 2001. On retrouve son riesling du grand cru Eichberg. Sans avoir l'envergure de son devancier du superbe millésime précédent, ce 2011 séduit par son nez expressif alliant les fleurs blanches, les agrumes et une touche de minéralité. Après une attaque sur la douceur, il montre toute l'acidité du cépage, avec ce qu'il faut de puissance et de longueur. On le verrait bien sur un gratin de poisson. (Sucres résiduels : 10,5 g/l.)

☞ Pierre-Henri Ginglinger, 33, Grand-Rue, 68420 Eguisheim, tél. 03 89 41 32 55, fax 03 89 24 58 91, contact@vins-ginglinger.fr, ☑ ⚹ ⵏ t.l.j. 9h-12h 13h30-19h 🏨 🅐 🏠 🅑

WILLY GISSELBRECHT Muenchberg Riesling 2011 ★

	7 000	▮ 8 à 11 €

Établis en Alsace depuis le XVIIᵉs., les Gisselbrecht, aujourd'hui vignerons-négociants, disposent en propre d'un coquet vignoble de 17 ha. Ils chérissent le riesling, cépage qui prospère dans plusieurs grands crus des environs de Dambach-la-Ville, joli village où ils sont installés. Mis en valeur par les Cisterciens, d'où son nom de « Mont des Moines », le Muenchberg bénéficie de sols chauds et caillouteux qui conviennent à ce cépage tardif. Il a engendré ici un vin bien doré, mêlant au nez des notes de surmaturation (pêche mûre) et d'épices à des touches minérales. On retrouve les fruits jaunes dans un palais puissant, tendu et long. Idéale sur tous les poissons et produits de la mer, cette bouteille tiendra une décennie. (Sucres résiduels : 5,5 g/l.)

☞ Willy Gisselbrecht et Fils, 5, rte du Vin, 67650 Dambach-la-Ville, tél. 03 88 92 41 02, fax 03 88 92 45 50, info@vins-gisselbrecht.com, ☑ ⚹ ⵏ t.l.j. 8h-12h 13h30-18h

PHILIPPE GOCKER Mandelberg Gewurztraminer 2011

	1 300	▮ 11 à 15 €

L'amandier fleurit au bord des vignes sur le Mandelberg, ce qui montre la précocité de ce grand cru. Philippe Gocker y détient une parcelle de gewurztraminer d'où il tire de jolis moelleux. Le 2011 allie au nez la rose et les épices caractéristiques du cépage à des notes de miel et de coing. La violette s'ajoute à cette palette dans une bouche souple et miellée à l'attaque, puissante, mais encore dominée par des sucres résiduels qui demandent à se fondre : ce vin sera à son optimum dans trois à cinq ans. (Sucres résiduels : 40 g/l.)

☞ EARL Philippe Gocker, 1, pl. des Cigognes, 68630 Mittelwihr, tél. 03 89 49 01 23, fax 03 89 49 04 72, domaine.gocker@hotmail.fr, ☑ ⚹ ⵏ r.-v.

GOETZ Altenberg de Wolxheim Riesling 2009 ★

	2 000	5 à 8 €

Sur la route des Vins, il ne faut pas négliger les villages de la Couronne d'or de Strasbourg, tel Wolxheim, situé à une vingtaine de kilomètres de la capitale alsacienne. Mathieu et son fils Louis exploitent une dizaine d'hectares aux alentours, dont une parcelle de 40 ares dans le grand cru du village. Sur ce terroir exposé plein sud, aux sols caillouteux, marno-calcaires, le riesling est roi. Ce cépage a donné ici naissance à un vin mêlant au nez les fleurs blanches et un début de minéralité. Après une attaque fraîche, le palais se développe avec franchise sur des notes florales et finit sur une minéralité citronnée. Un ensemble équilibré et fin pour les produits de la mer. (Sucres résiduels : 6 g/l.)

☞ Mathieu et Louis Goetz, 2, rue Jeanne-d'Arc, 67120 Wolxheim, tél. 03 88 38 10 47, fax 03 88 38 67 61, mathieu.goetz@wanadoo.fr, ☑ ⚹ ⵏ t.l.j. sf dim. 9h-12h 14h-18h

DOM. LAURENCE ET PHILIPPE GREINER Schoenenbourg Riesling 2009 ★

■ 1 150 ▮ 15 à 20 €

À l'origine coopérateurs, Laurence et Philippe Greiner se sont lancés dans la vinification et ont décroché d'emblée un coup de cœur. Il s'agissait d'un riesling du Schoenenbourg, terroir marno-gypseux dominant la célèbre cité fortifiée de Riquewihr. Voici l'un de ses successeurs, un 2009 dont la robe jaune doré annonce le nez complexe teinté de surmaturation, d'épices et de minéralité : la pêche mûre se nuance de ces notes pétrolées appréciées des amateurs. Suave et ronde à l'attaque, bien fondue et longue, la bouche moelleuse est équilibrée par une fraîche acidité. Une belle expression d'un millésime solaire, que l'on pourra apprécier de l'apéritif au dessert. (Sucres résiduels : 33 g/l.)

Dom. Laurence et Philippe Greiner, 16, rue des Prés, 68340 Riquewihr, tél. et fax 03 89 86 04 68, philippe.greiner@wanadoo.fr, ☑ ⚘ Y r.-v.

DOM. MAURICE GRISS Kaefferkopf Gewurztraminer 2011 ★

■ 4 130 ▮ 11 à 15 €

Josiane Griss a décidé de perpétuer le domaine familial à Ammerschwihr, en abandonnant sa profession antérieure ; elle espère que sa fille suivra ses traces. Son gewurztraminer du Kaefferkopf n'est pas inconnu de nos fidèles lecteurs. Issu de sols argilo-calcaires, c'est un vin jaune d'or aux senteurs typées de rose, de litchi, de fruits mûrs et d'épices que l'on retrouve en bouche. Alliant puissance et finesse, ample et gras, il finit sur des notes poivrées caractéristiques. Il gagnera en expression au cours des deux prochaines années. (Sucres résiduels : 30 g/l.)

Dom. Maurice Griss, 1, rte du Vin, 68770 Ammerschwihr, tél. 03 89 47 14 53, fax 03 89 78 13 21, griss@free.fr, ☑ ⚘ Y t.l.j. 8h-12h 13h30-19h 🏠 Ⓐ

♥ **RÉMY GROSS** Goldert Muscat 2011 ★★

■ 1 378 ▮ 11 à 15 €

Rejoint par son fils Vincent, Rémy Gross est installé à Gueberschwihr, village vigneron cossu au beau clocher roman, situé au sud de Colmar. Il a agrandi la propriété familiale qui couvre 8 ha, exploités en biodynamie, et tire le meilleur parti du grand cru local, puisque deux des vins nés sur ce lieu-dit ont décroché un coup de cœur. D'abord, ce rare muscat, qui trouve dans les sols caillouteux et calcaro-marneux du Goldert un terroir de prédilection. Charmeur, exubérant et frais au nez, il allie le fruité intense du cépage et des notes de surmaturation. La bouche est remarquable par sa densité, sa richesse, son ampleur et sa persistance. Ce 2011 fera dès la sortie du Guide un bel apéritif tout en pouvant encore se bonifier (sucres résiduels : 25 g/l). Le **Goldert gewurztraminer 2010 (15 à 20 € ; 2 600 b.)** ♥ reçoit la même distinction. Bien doré, Goldert oblige, ce moelleux emporte l'adhésion par son nez « explosif » de rose, de litchi et d'épices et par sa matière riche, ample et très longue, généreuse sans lourdeur, aux saveurs de litchi et d'ananas confit. « Une friandise », conclut un juré. À servir pendant cinq ans et plus à l'apéritif ou sur une soupe de fruits. (Sucres résiduels : 44 g/l.)

Gross, 11, rue du Nord, 68420 Gueberschwihr, tél. 03 89 49 24 49, fax 03 89 49 33 58, vins.gross@wanadoo.fr, ☑ ⚘ Y r.-v. 🏠 Ⓔ

HENRI GSELL Eichberg Pinot gris 2011 ★★

■ 2 300 ▮ 15 à 20 €

Un vigneron perfectionniste, en fin de conversion bio, à la tête d'un vignoble peu étendu, mais bien situé : 5 ha, dont 2 en grand cru. Les raisins sont encore vinifiés à l'intérieur des vieux murs d'Eguisheim. Ils ont donné ici un moelleux or pâle qui inspire à nos jurés tout un menu ! Celui d'un repas de fête... Apéritif, foie gras truffé, canard à l'orange (ou chapon aux morilles), dessert. Il faut dire que ce pinot gris met en appétit avec son nez bien ouvert et flatteur de mangue mûre relevé par des nuances d'agrumes citronnés. La bouche est tout aussi gourmande, dévoilant une palette aromatique complexe et un remarquable équilibre entre le sucre et la fraîcheur. Un vin de terroir généreux, à déguster en bonne compagnie. (Sucres résiduels : 64 g/l.)

Henri Gsell, 22, rue du Rempart-Sud, 68420 Eguisheim, tél. et fax 03 89 41 96 40, gsell.henri@orange.fr, ☑ ⚘ Y r.-v.

♥ **JEAN-MARIE HAAG** Zinnkoepflé Gewurztraminer Cuvée Marie 2011 ★★

■ 3 300 ▮ 15 à 20 €

Au sud du vignoble, le très haut coteau du Zinnkoepflé, où l'on vouait jadis un culte au soleil, concentre les raisins... et les coups de cœur. Jean-Marie Haag en tire le meilleur parti, obtenant pour la troisième fois la couronne pour cette cuvée de gewurztraminer. La robe jaune d'or annonce un nez intense et complexe, évocateur de rose et de pain d'épice. Cette complexité se retrouve en bouche, dont on apprécie l'attaque ample, la matière riche, soutenue par une belle fraîcheur, et la longue finale miellée. Comme tous les moelleux, ce 2011 procure déjà un grand plaisir, mais il se gardera avec bonheur pendant dix ans et plus (sucres résiduels : 56 g/l.). Cité, le **Zinnkoepflé pinot gris 2011 cuvée Théo (11 à 15 € ; 2 100 b)** est un vin riche et rond aux beaux arômes de poire et de fruits confits. (Sucres résiduels : 42 g/l.)

☛ Jean-Marie Haag, 17, rue des Chèvres,
68570 Soultzmatt, tél. 03 89 47 02 38, fax 03 89 47 64 79,
jean-marie.haag@wanadoo.fr, ☑ ⚔ ⟑ r.-v.

ANDRÉ HARTMANN Hatschbourg Gewurztraminer
Armoirie Hartmann 2011 ★

| | | 5 200 | | 11 à 15 € |

« Balcon de l'Alsace » à quelque 10 km au sud de
Colmar, Voegtlinshoffen fait découvrir un vaste panorama jusqu'à la Forêt-Noire. La famille Hartmann y est
établie depuis 1640 et choie ses vins du Hatschbourg,
grand cru local aux sols marno-calcaires propices au
gewurztraminer. Celui-ci, un 2011, est aussi réussi que son
devancier de 2010. Le nez, discret, rappelle les fruits secs
et la fève de cacao. L'attaque souple prélude à une bouche
ample qui allie puissance et finesse, sur des notes de miel.
Cette bouteille de garde (plus de dix ans) sera à son
optimum à partir de 2015. Elle accompagnera avantageusement un gâteau au chocolat et à la poire. (Sucres
résiduels : 40 g/l.) Même réussite pour le **Hatschbourg
pinot gris 2011 Armoirie Hartmann**. D'abord discret,
ce moelleux s'ouvre sur des parfums francs d'agrumes et
de surmaturation. Il reste sur la même ligne au palais,
dévoilant une texture ronde et ample, tonifiée par une
finale fraîche. Pour une pintade aux morilles. (Sucres
résiduels : 45 g/l.)
☛ André Hartmann, 11, rue Roger-Frémeaux,
68420 Voegtlinshoffen, tél. 03 89 49 38 34,
andre.hartmann@free.fr,
☑ ⚔ ⟑ t.l.j. sf dim. 9h-12h 14h-18h 🏠 Ⓑ

SERGE ET GÉRARD HARTMANN Hatschbourg
Pinot gris Serge 2011 ★★

| | | n.c. | | 11 à 15 € |

« C'est dans le silence et la solitude que l'on découvre
l'essentiel. » Une maxime aux accents monastiques adoptée par la famille. Quant aux jurés, ils ont fini par parler
pour décrire cette cuvée au beau fruité complexe, légèrement confit et fumé, et au palais gras, encore dominé par
la douceur. Dans un an ou deux, ce pinot gris sera à son
optimum. Il méritera un moment de silence avant d'en-
tretenir la conversation autour de cailles farcies au foie
gras, de poissons cuisinés à la thaï ou de fromages affinés.
(Sucres résiduels : 20 g/l.)
☛ Gérard et Serge Hartmann, 13, rue Frémeaux,
68420 Voegtlinshoffen, tél. 03 89 49 30 27,
fax 03 89 49 29 78, hartmannserge@gmail.com,
☑ ⚔ ⟑ t.l.j. 9h-12h 15h-18h; dim. sur r.-v.

HARTWEG Sonnenglanz Gewurztraminer 2011 ★

| | | 2 500 | ◫ | 11 à 15 € |

Jean-Paul Hartweg et son fils Frank proposent
plusieurs cépages en provenance du Sonnenglanz, coteau
dominant Beblenheim. Les sols marno-calcaires caillouteux de ce grand cru ainsi que son exposition au sud-est
favorisent la naissance de vins puissants, concentrés et
chaleureux, à l'image de ce gewurztraminer récolté à la
mi-octobre. À sa robe jaune d'or soutenu répond un nez
intense, partagé entre les senteurs florales et épicées du
cépage et des nuances d'agrumes très mûrs, de fruits
confits et de miel traduisant la surmaturation. Dans le
même registre, le palais s'impose par son ampleur, son
gras et son équilibre, et offre une longue finale poivrée.
Comme tous les moelleux, il est déjà agréable mais il

évoluera avec bonheur jusqu'à la prochaine décennie.
(Sucres résiduels : 65 g/l.)
☛ Jean-Paul et Frank Hartweg, 39, rue Jean-Macé,
68980 Beblenheim, tél. 03 89 47 94 79, fax 03 89 49 00 83,
frank.hartweg@free.fr,
☑ ⚔ ⟑ t.l.j. sf dim. 8h30-11h30 14h-17h30;
sam. sur r.-v. 🏠 Ⓑ

HAULLER Frankstein Gewurztraminer 2011

| | | 5 277 | ▮ | 8 à 11 € |

Cet ancien domaine familial est devenu en 2000 une
filiale du groupement des Mousquetaires, qui alimente la
grande distribution. Basé à Dambach-la-Ville, il propose
une cuvée issue du grand cru dominant la cité médiévale.
De ce terroir granitique est né un gewurztraminer jaune
doré au nez d'acacia, de fruits jaunes et d'épices. En
bouche, c'est un vin plutôt léger mais franc et agréable, qui
finit sur des impressions chaleureuses. À servir à l'apéritif
ou avec du porc à l'aigre-doux. (Sucres résiduels : 27,8 g/l.)
☛ Jean Hauller et Fils, 3, rue de la Gare,
67650 Dambach-la-Ville, tél. 03 88 92 40 21,
fax 03 88 92 45 41, contact@hauller.fr, ☑ ⟑ r.-v.

Ⓑ CHRISTIAN ET VÉRONIQUE HEBINGER Hengst
Pinot gris 2011

| | | 2 400 | ▮ | 11 à 15 € |

Christian et Véronique Hebinger cultivent leurs
11 ha de vignes en biodynamie (label Demeter) et vinifient
dans le même esprit. Ils signent un pinot gris du Hengst,
terroir réputé donner des vins fougueux dans leur jeunesse. Ce 2011 a déjà été dompté. Ses reflets dorés
annoncent sa maturité, qui se confirme par ses arômes de
coing et d'agrumes confits assortis d'une certaine minéralité. La bouche gourmande et ronde, sans excès de
fraîcheur, incite à déguster cette bouteille dès la sortie du
Guide. (Sucres résiduels : 73 g/l.)
☛ Christian et Véronique Hebinger, 14, Grand-Rue,
68420 Eguisheim, tél. 03 89 41 19 90, fax 03 89 41 15 61,
hebinger.christian@wanadoo.fr,
☑ ⚔ ⟑ t.l.j. sf dim. 8h-12h 14h-18h

BERNARD HUMBRECHT Goldert Gewurztraminer 2010 ★

| | | 3 600 | ◫◫ | 11 à 15 € |

Avec ses riches maisons vigneronnes, son clocher
roman et ses quatre fontaines, Gueberschwihr, au sud de
Colmar, mérite une visite. Jean-Bernard Humbrecht est
installé au cœur du village, dans une demeure Renaissance
datée de 1619. Son gewurztraminer 2010 a trouvé dans les
sols argilo-calcaires du Goldert un terroir d'élection. La
robe est dorée, comme il se doit... Le nez se partage entre
des notes florales (violette) et des nuances de surmaturation évoquant la mangue et les fruits jaunes bien mûrs.
Dans le même registre aromatique, la bouche se montre
suave, ample et ronde, sans manquer de fraîcheur. Pour
un canard à la mangue, maintenant ou dans cinq ans.
(Sucres résiduels : 43 g/l.)
☛ Jean-Bernard Humbrecht, 10, pl. de la Mairie,
68420 Gueberschwihr, tél. 03 89 49 31 42,
vins.bernard.humbrecht@wanadoo.fr,
☑ ⚔ ⟑ t.l.j. 8h-12h 13h-19h; dim. 10h-12h 14h-18h 🏠 Ⓔ

KAMM Frankstein Riesling 2011 ★

| | | 1 200 | ▮ | 8 à 11 € |

Le domaine a été fondé en 1905. Comme bien
d'autres vignerons, Jean-Louis et Éric Kamm ont franchi

le pas : ils sont passés de la lutte raisonnée au bio, et sont actuellement en période de conversion. Sur le grand cru granitique de Dambach-la-Ville, ils ont produit un riesling qui a convaincu le jury. Bien ouvert et élégant, le nez se partage entre l'acacia et des touches minérales. L'attaque fine et vive introduit un palais équilibré, citronné, minéral et assez long. L'ensemble s'appréciera pendant plusieurs années. Bel accord avec un saumon fumé à l'aneth. (Sucres résiduels : 5 g/l.)

☛ Jean-Louis et Éric Kamm, 59, rue du Mal-Foch, 67650 Dambach-la-Ville, tél. et fax 03 88 92 49 03, jl.kamm@orange.fr, ☑ ⚱ 🍷 t.l.j. sf dim. 8h-18h

ALBERT KLÉE Wineck-Schlossberg Riesling 2011 ★

| | | 1 200 | 🍾 | 11 à 15 € |

L'Alsace viticole compte de nombreuses familles installées depuis la nuit des temps. Le vigneron actuel est ainsi le lointain descendant d'un Urbain Klée qui taillait ses vignes en 1624 ! Du Wineck-Schlossberg, terroir granitique propice au riesling, il a tiré un 2011 aussi réussi que le 2010, mais fort différent. Autant le 2010 était vif, autant ce 2011 est rond et suave. Il plaît par la finesse et la complexité fruitée de ses parfums : on y respire des agrumes, de l'ananas, de la mangue, de la pêche, de l'abricot, avec des notes florales. Suave à l'attaque, ample, le palais est assez long malgré une vivacité mesurée. Bel accord avec des saint-jacques ou des poissons en sauce. (Sucres résiduels : 17 g/l.)

☛ Albert Klée, 13, Grand-Rue, 68230 Katzenthal, tél. 03 89 27 25 27, vinsklee@free.fr, ☑ ⚱ 🍷 t.l.j. 9h-12h 13h-18h30; dim. sur r.-v.

HENRI KLÉE Wineck-Schlossberg Riesling 2011 ★

| | | 4 000 | 🍾 | 8 à 11 € |

Katzenthal est un petit village viticole situé à 5 km à l'ouest de Colmar. Les Klée y sont enracinés depuis le début du XVIIe. Installé en 1985, Philippe tire le meilleur parti de ses 9 ha de vignes, avec plusieurs coups de cœur à son actif. Le Wineck-Schlossberg entoure le château qui domine la commune. De ce terroir granitique naissent des rieslings de belle expression, comme celui-ci, qui fait suite à un remarquable 2010. Récolté fin octobre en légère surmaturité, le 2011 associe au nez les agrumes et les fruits jaunes. En bouche, c'est un vin très équilibré, gras et élégant, tonique et persistant. On suggère de le marier avec un poulet au curry et lait de coco. (Sucres résiduels : 9 g/l.)

☛ EARL Henri Klée, 11, Grand-Rue, 68230 Katzenthal, tél. 03 89 27 03 81, fax 03 89 27 28 17, contact@vins-klee-henri.com, ☑ ⚱ 🍷 r.-v. 🏠 🄲

KLÉE FRÈRES Kaefferkopf Riesling 2011

| | | 400 | 🍾 | 8 à 11 € |

Le Kaefferkopf se caractérise par des sols variés : la parcelle à l'origine de ce riesling est située sur un terroir granitique. Le vin se distingue par un nez expressif et mûr, mêlant la pêche blanche et des notes minérales. Les agrumes s'ajoutent à cette palette dans une bouche structurée, plutôt ronde, où l'on retrouve la minéralité. Les volumes sont confidentiels : à microdomaine (1,8 ha), microcuvée. Les trois frères Klée proposent pourtant sept vins différents... (Sucres résiduels : 8 g/l.)

☛ SCEA Klée Frères, 18, Grand-Rue, 68230 Katzenthal, tél. 06 21 90 07 04, info@klee-freres.com, ☑ ⚱ 🍷 r.-v.

KLIPFEL Kirchberg de Barr Pinot gris 2011 ★

| | | 10 000 | 🍾 | 11 à 15 € |

Fondée en 1824, cette maison est restée dans la même famille en prenant de l'envergure. Elle associe une structure de négoce, un important domaine (40 ha, dont 15 ha en grands crus). Du Kirchberg, coteau argilo-calcaire abrupt dominant la cité de Barr où l'affaire a son siège, elle a tiré un **gewurztraminer Clos Zisser 2011 (15 à 20 € ; 8 000 b.)**, un moelleux plutôt souple et aux arômes bien typés du cépage (sucres résiduels : 20 g/l), qui reçoit une citation ; et un pinot gris jugé un cran au-dessus, apprécié tant pour ses arômes de surmaturation (fruits confits, fruits jaunes, fruits secs) que pour sa structure puissante et ronde, équilibrée par une fraîcheur bienvenue. On pourra ouvrir cette bouteille dès maintenant sur un foie gras poêlé ou l'attendre deux ou trois ans. (Sucres résiduels : 15 g/l.)

☛ Klipfel, 6, av. Marcel-Krieg, 67140 Barr, tél. 03 88 58 59 00, fax 03 88 08 53 18, alsacewine@klipfel.com, ☑ ⚱ 🍷 t.l.j. 10h-12h 14h-18h30; f. jan.
☛ J.-L. Lorentz

💙 ALBERT KLUR Kaefferkopf Riesling 2010 ★★★

| | | 1 200 | 🍾 | 8 à 11 € |

Les Klur sont plusieurs à Katzenthal, village enserré dans un vallon près de Colmar. Cette famille, qui n'était pas connue de nos lecteurs, fait une entrée brillante dans le Guide, avec deux grands crus. Ce riesling du Kaefferkopf a fait sensation. Issu de sols marno-calcaires, il est pourtant déjà très expressif, libérant des arômes d'agrumes frais et délicats, assortis d'une élégante minéralité. Franc en bouche, d'un rare équilibre, il garde cette ligne fraîche et fine et montre une réelle persistance. Déjà prêt et de garde, il accompagnera aussi bien les volailles que les poissons cuisinés. (Sucres résiduels : 17 g/l.) Le **Wineck-Schlossberg gewurztraminer 2011 (15 à 20 € ; 3 100 b.)** libère des arômes exubérants de fleurs, d'abricot sec, de pêche, d'épices et se montre rond et généreux en bouche : une étoile. (Sucres résiduels : 52 g/l.)

☛ Albert Klur et Fils, 61, rue d'Ammerschwihr, 68230 Katzenthal, tél. 03 89 27 22 51, fax 03 89 27 10 67, vinsalbertklur@orange.fr, ☑ ⚱ 🍷 r.-v. 🏠 🄱

PIERRE KOCH ET FILS Muenchberg Riesling 2011 ★★

| | | 1 700 | 🍶 | 11 à 15 € |

Entre Dambach-la-Ville et Barr, Nothalten est un village tout en longueur, dominé à l'ouest par le coteau du Muenchberg, repéré au XIIe s. par les Cisterciens, fins connaisseurs de terroirs. Ce grand cru exposé plein sud présente des sols anciens d'origine volcanique, qui se réchauffent facilement. Cépage tardif, le riesling s'y plaît particulièrement. Il a donné ici naissance à un vin remarquable. Les jurés louent son nez frais et précis, sur les agrumes (citron), que prolonge dans une belle harmonie une bouche ample à l'attaque, élégante, tendue, fruitée et persistante. « Un équilibre subtil et parfait », conclut un dégustateur. Pour tous les produits de la mer, grillés ou en sauce. (Sucres résiduels : 7 g/l.)

☛ Pierre Koch et Fils, 2, rte des Vins, 67680 Nothalten, tél. 03 88 92 42 30, fax 03 88 92 62 91, pierrekoch1@wanadoo.fr,
☑ ⚒ ⊤ t.l.j. sf dim. 9h-12h 13h30-18h 🏠 ❸

PAUL KUBLER Zinnkoepflé Gewurztraminer 2011

▨	3 700	▮ 11 à 15 €

Philippe Kubler perpétue l'œuvre d'une lignée vigneronne remontant à 1620. Sur ses étiquettes, un grand soleil. Sans doute pour rappeler le Zinnkoepflé, coteau escarpé dominant Soultzmatt, dont le nom évoque le soleil. Cultivé sur ses pentes bien abritées où règne un climat aride, le gewurztraminer a pris des accents de surmaturation qui se mêlent à des notes de rose et d'agrumes. Le vin est riche, miellé, suave, gras et empreint de douceur. Ce moelleux se fondra et gagnera en harmonie au cours des deux à trois prochaines années. (Sucres résiduels : 53 g/l.)

☛ Dom. Paul Kubler, 103, rue de la Vallée, 68570 Soultzmatt, tél. 03 89 47 00 75, contact@paulkubler.com,
☑ ⚒ ⊤ t.l.j. sf dim. 9h30-18h30

KUEHN Hengst Gewurztraminer 2011 ★

▨	10 169	⬤ 8 à 11 €

Cette maison de négoce d'Ammerschwihr a plus de trois siècles d'histoire. De cette époque datent les « caves de l'Enfer » où s'alignent quarante-cinq foudres traditionnels. Cinq grands crus figurent à sa carte, dont le Hengst, coteau dominant Wintzenheim en direction de Munster. Ce terroir marno-calcaire est propice au gewurztraminer. Le cépage a donné ici un vin au nez typé, très épicé, sur le poivre et la cannelle. Souple et suave à l'attaque, le palais se montre ample et puissant à souhait. Sa palette associe les fruits exotiques et le miel avant de renouer, en finale, avec des notes épicées évoquant le gingembre. À marier avec foie gras, fromages forts ou un canard laqué. (Sucres résiduels : 51,5 g/l.)

☛ SA Vins d'Alsace Kuehn, 3, Grand-Rue, 68770 Ammerschwihr, tél. 03 89 78 23 16, fax 03 89 47 18 32, vin@kuehn.fr, ☑ ⚒ ⊤ r.-v.

❸ KUENTZ-BAS Pfersigberg Trois Châteaux Gewurztraminer 2011

▨	2 500	▮ 20 à 30 €

Fondée en 1795 et reprise en 2004 par Jean-Baptiste Adam, cette maison a son siège à Husseren-les-Châteaux. Elle dispose d'un vignoble en propre couvrant près de 10 ha, qu'elle conduit en biodynamie. Dans la gamme « Trois Châteaux » provenant du domaine, le gewurztraminer a été apprécié du jury, qui loue son nez mariant les fleurs et les fruits exotiques, sa rondeur agréable, son gras, son ampleur et son caractère épicé. On suggère de le servir avec un crumble mangue-ananas aux trois poivres. (Sucres résiduels : 38 g/l.)

☛ Kuentz-Bas Alsace, 14, rte du Vin, 68420 Husseren-les-Châteaux, tél. 03 89 49 30 24, fax 03 89 49 23 39, info@kuentz-bas.fr,
☑ ⚒ ⊤ t.l.j. sf dim. 10h-12h 13h30-18h; f. sam. mi-nov. à mi-avr.
☛ J.-B. Adam

DOM. LANDMANN Winzenberg Riesling Vieilles Vignes 2010 ★★

▨	2 000	⬤ 8 à 11 €

Installé à Nothalten, village bas-rhinois proche de Barr, Armand Landmann dispose d'une cave du XVIIᵉs. et exploite 11 ha de vignes. Il signe un riesling originaire d'un très beau coteau aux sols granitiques dominant la commune voisine de Blienschwiller. Récoltés à l'arrière-saison, le 22 octobre, et vinifiés en foudre, les raisins ont donné naissance à un vin au nez bien ouvert sur des notes citronnées et minérales. Après une attaque riche, la bouche montre vivacité, salinité et longueur. Un vin très équilibré, qui mérite d'attendre deux ans avant d'accompagner une volaille ou un poisson en sauce. (Sucres résiduels : 12 g/l.)

☛ EARL Armand Landmann, 74, rte du Vin, 67680 Nothalten, tél. et fax 03 88 92 41 12, armand-landmann@yahoo.fr, ☑ ⚒ ⊤ r.-v.

LOBERGER Saering Pinot gris Cuvée Florian 2010 ★★

▨	500	▮⬤ 11 à 15 €

Héritier d'une tradition viticole remontant au début du XVIIᵉs., Jean-Jacques Loberger pratique la biodynamie depuis plus de quinze ans et a obtenu la certification en 2012. Son domaine est implanté à l'extrémité méridionale de la route des Vins, près de Guebwiller. Le vigneron signe un pinot gris aux arômes francs et intenses de fruits confits et de miel, nuancés de la touche fumée du cépage. L'attaque donne le ton : on a affaire à un vin ample, puissant, exprimant la surmaturité, auquel la fraîcheur caractéristique du millésime donne du tonus et de la longueur. Dommage qu'il y en ait si peu... (Sucres résiduels : 33 g/l.)

☛ Joseph Loberger et Fils, 10, rue de Bergholtz-Zell, 68500 Bergholtz, tél. 03 89 76 88 03, fax 03 89 74 16 89, contact@loberger.fr,
☑ ⚒ ⊤ t.l.j. sf dim. 8h30-12h 13h30-18h

JÉRÔME LORENTZ Altenberg de Bergheim Riesling 2011 ★

▨	18 000	20 à 30 €

Cette maison de négoce qui a pignon sur rue à Bergheim a développé un domaine en propre, notamment dans l'Altenberg qui est le fleuron de la commune. De ce grand cru provient ce riesling habillé d'or qui séduit d'emblée par ses parfums d'agrumes mûrs teintés d'une belle minéralité. En bouche, ce 2011 confirme sa très bonne tenue. Après une attaque assez ronde, il dévoile une fine acidité qui lui donne de la structure, soulignant la longue finale où l'on retrouve l'élégante minéralité du nez. Il sera en accord avec un buisson de langoustines. (Sucres résiduels : 8,1 g/l.)

☛ Jérôme Lorentz, 1-3, rue des Vignerons, BP 37, 68750 Bergheim, tél. 03 89 73 22 22, fax 03 89 73 30 49

❸ MADER Rosacker Riesling 2011 ★

▨	2 600	▮ 15 à 20 €

Jérôme, Anne et Jean-Luc Mader sont établis au cœur de la route des Vins, à Hunawihr, où ils exploitent en bio près de 10 ha de vignes. Leur domaine est situé à deux pas de l'église fortifiée, emblématique de l'Alsace, et tout près du Rosacker, qui s'étage sur les hauteurs de leur village, bien exposé au sud-sud-est. Le riesling est le cépage le plus planté sur ce grand cru. Il a engendré ici un vin jeune, fermé, que les dégustateurs ont apprécié pour sa puissance et sa concentration. Ce millésime s'affirmera au cours des trois prochaines années. Il accompagnera un poisson en sauce. (Sucres résiduels : 5 g/l.)

➤ Dom. Jean-Luc Mader, 13, Grand-Rue, 68150 Hunawihr, tél. 03 89 73 80 32, fax 03 89 73 31 22, vins.mader@laposte.net, ☑ ⟙ r.-v.

FRÉDÉRIC MALLO Mandelberg Gewurztraminer 2010 ★★★

▨	800	▤ 11 à 15 €

Après avoir cultivé son domaine en lutte raisonnée, Dominique Mallo a engagé la conversion de son vignoble au bio et vinifie dans le même esprit. Établi à Hunawihr, il détient également aux alentours une parcelle de 24 ares dans le Mandelberg – cette « colline des Amandiers » au microclimat précoce, d'où provient cet excellent gewurztraminer, qui n'a qu'un défaut : les faibles volumes disponibles. La robe si profond prélude à un nez complexe, intense et tout en finesse, mêlant les fruits secs et compotés. Après une superbe attaque, le vin se déploie avec puissance et générosité sur des notes de citron confit, soutenu par une fraîcheur qui lui confère une rare harmonie. Rappelant une vendange tardive, voire un liquoreux, il fera plaisir pendant une décennie. (Sucres résiduels : 50 g/l.)

➤ EARL Frédéric Mallo, 2, rue Saint-Jacques, 68150 Hunawihr, tél. 03 89 73 61 41, dominique@vinsmallo.com, ☑ ⚘ ⟙ t.l.j. sf dim. 8h-12h 13h30-18h

Ⓑ **ALBERT MANN** Furstentum Gewurztraminer Vieilles Vignes 2011

▨	4 500	▤ 20 à 30 €

Héritiers d'une tradition viticole remontant au milieu du XVIIᵉs., Maurice et Jacky Barthelmé cultivent en biodynamie les 20 ha de leur domaine, qui s'éparpille en une centaine de parcelles travaillées comme autant de petits jardins. Ils mettent en valeur cinq grands crus, notamment le Furstentum, dont la flore méditerranéenne atteste un microclimat abrité et chaud. De vieux ceps de gewurztraminer y ont engendré un moelleux mêlant la rose et les épices du cépage à des arômes confits de surmaturation. Un vin généreux, riche et rond, que l'on pourra servir avec un canard aux ananas ou un dessert aux fruits. (Sucres résiduels : 37 g/l.)

➤ Dom. Albert Mann, 13, rue du Château, 68920 Wettolsheim, tél. 03 89 80 62 00, fax 03 89 80 34 23, vins@albertmann.com, ☑ ⟙ r.-v.

➤ Maurice et Jacky Barthelmé

ARTHUR METZ Steinklotz Pinot gris Cuvée Michel Léon 2011

▨	17 866	▤ 11 à 15 €

Créée en 1904, cette maison est dans l'orbite des Grands Chais de France depuis 1991. Après avoir absorbé une autre maison, l'affaire regroupe dans le Bas-Rhin trois sites qui reçoivent les raisins de quelque 650 viticulteurs cultivant 1 000 ha. Elle signe un pinot gris issu d'un grand cru aux sols de calcaire coquillier mentionné dès l'époque du roi Dagobert ! Assez discret au nez, ce 2011 s'ouvre sur des notes de pêche blanche, de raisin sec et de zeste

d'orange. Il n'est pas très puissant, mais bien équilibré, souple à l'attaque et frais en finale. À servir sur des plats en sauce ou des desserts peu sucrés. (Sucres résiduels : 17 g/l.)

➤ Arthur Metz, 102, rue du Gal-de-Gaulle, 67520 Marlenheim, tél. 03 88 59 28 60, fax 03 88 87 67 58, abondon@arthurmetz.fr, ☑ ⚘ ⟙ r.-v.

➤ GCF

HUBERT METZ Winzenberg Gewurztraminer 2010 ★

▨	2 200	▤ 11 à 15 €

Les sols granitiques du Winzenberg ont la réputation d'engendrer des vins d'une grande finesse. Ce gewurztraminer offre bien ce profil, mêlant au nez l'acacia, la rose, la violette, le litchi, les fruits mûrs et les épices. On retrouve ces fleurs et ces fruits, ainsi que beaucoup d'épices (girofle) dans une bouche souple à l'attaque, équilibrée, fraîche et longue. Une dégustatrice suggère de marier cette bouteille à un tajine d'agneau aux abricots. Un vin à découvrir dans une cave dîmière du XVIIIᵉs. où s'alignent les foudres de chêne typiques de la région. La maison accueille les camping-cars et organise de nombreuses animations. (Sucres résiduels : 18 g/l.)

➤ Hubert Metz, 3, rue du Winzenberg, 67650 Blienschwiller, tél. 03 88 92 43 06, fax 03 88 92 62 08, contact@hubertmetz.com, ☑ ⚘ ⟙ r.-v.

ALFRED MEYER Kaefferkopf Riesling 2011

▨	3 900	▤ 8 à 11 €

Après avoir été cuisinier, Daniel Meyer a repris l'exploitation créée par son père en 1998. Il l'a agrandie et cultive aujourd'hui 7,5 ha. Né dans une partie granitique du Kaefferkopf, son riesling grand cru offre un nez expressif et flatteur, sur le citron, l'anis et la réglisse. En bouche, il montre une belle matière encore sous l'empire de sucres résiduels qui demandent à se fondre. À ouvrir à la fin 2014 sur un poisson ou une volaille en sauce. (Sucres résiduels : 15 g/l.)

➤ EARL Alfred Meyer, 98, rue des Trois-Épis, 68230 Katzenthal, tél. 03 89 27 24 50, fax 03 89 27 55 40, daniel.meyer0813@orange.fr, ☑ ⚘ ⟙ t.l.j. sf dim. 8h30-12h 13h30-18h30 ⌂ Ⓐ

MEYER Hatschbourg Riesling 2011 ★

▨	2 200	⦀ 8 à 11 €

Mentionné dès le haut Moyen Âge, le Hatschbourg est exposé plein sud, à cheval sur les villages de Voegtlinshoffen et de Hattstatt, à une dizaine de kilomètres au sud de Colmar. Ses sols marno-calcaires riches en cailloutis conviennent à tous les cépages. Jean-Luc Meyer en a tiré un riesling qui apparaît assez jeune. On y décèle des notes de mangue qui annoncent une structure ample et riche, encore dominée par les sucres mais teintée d'une pointe minérale. On attendra cette bouteille jusqu'en 2015-2016 et on la servira dès l'apéritif, avec des crevettes à l'aigre-doux ou des canapés au foie gras. (Sucres résiduels : 35 g/l.)

➤ EARL Lucien Meyer et Fils, 57, rue du Mal-Leclerc, 68420 Hattstatt, tél. 03 89 49 31 74, fax 03 89 49 24 81, info@earl-meyer.com, ☑ ⚘ ⟙ r.-v. ⌂ Ⓑ

JEAN-LUC MEYER Eichberg Gewurztraminer 2011

▨	1 900	▤ 8 à 11 €

2011 marque le début de la conversion au bio pour Jean-Luc Meyer et son fils Bruno qui exploitent ensemble 10 ha autour de la vieille cité d'Eguisheim. Les terrains marno-calcaires caillouteux de l'Eichberg conviennent bien au gewurztraminer, qui a donné naissance à un vin au nez encore discret mais complexe et typé, sur la rose, les fruits exotiques et les épices. Ample et riche, minéral, assez long, le palais finit sur des évocations de mandarine épicée. Déjà agréable, ce moelleux gagnera en expression et en harmonie au cours des prochaines années. Il pourra accompagner un sabayon aux agrumes. (Sucres résiduels : 55 g/l.)

☛ Jean-Luc et Bruno Meyer, 4, rue des Trois-Châteaux, 68420 Eguisheim, tél. 03 89 24 53 66, fax 03 89 41 66 46, info@vins-meyer-eguisheim.com,

☑ ⚐ ⊺ t.l.j. sf dim. 8h-12h 13h30-19h 🏠 ❷ 🏠 ❸

RENÉ MEYER Florimont Gewurztraminer 2011

| | 1 200 | ⑪ | 11 à 15 € |

Jean-Paul Meyer exploite plusieurs parcelles dans le Florimont. Ce grand cru situé au sud de son village de Katzenthal est une avancée des collines sous-vosgiennes vers la plaine de Colmar. Il bénéficie d'un microclimat sec et de sols argilo-calcaires qui conviennent au gewurztraminer. Celui-ci a divisé le jury. Les uns perçoivent dans les nuances orangées de sa robe et ses saveurs une certaine évolution. Les autres soulignent la complexité de ses arômes de miel et d'agrumes confits et sa belle matière, puissante, ample et équilibrée. Un vin de foie gras et de dessert. (Sucres résiduels : 68 g/l.)

☛ EARL René Meyer et Fils, 14, Grand-Rue, 68230 Katzenthal, tél. 03 89 27 04 67, fax 03 89 27 50 59, domaine.renemeyer@wanadoo.fr,

☑ ⚐ ⊺ t.l.j. sf dim. 9h-12h 14h-18h

MEYER-FONNÉ Wineck-Schlossberg Gewurztraminer 2011 ★

| | 1 200 | ▮ | 15 à 20 € |

Héritier d'une lignée originaire de Suisse, installée à Katzenthal au XVIIIᵉs., Félix Meyer exploite avec brio plus de 13 ha de vignes en bio non certifié et vinifie dans le même esprit. Son domaine s'étend sur sept communes : il peut donc jouer sur une grande palette de terroirs. Du terroir granitique du Wineck-Schlossberg, renommé pour ses rieslings, il a tiré un gewurztraminer typé et flatteur. Au nez, des fruits jaunes confits, de la mangue, des épices, avec une touche fumée. De la souplesse à l'attaque, et une bouche particulièrement ample et riche. Cette bouteille gagnera en fondu au cours des deux prochaines années et devrait tenir une décennie. (Sucres résiduels : 45 g/l.)

☛ Dom. Meyer-Fonné, 24, Grand-Rue, 68230 Katzenthal, tél. 03 89 27 16 50, fax 03 89 27 34 17, felix@meyer-fonne.com, ☑ ⊺ r.-v.

☛ Félix Meyer

DOM. DU MITTELBURG Steinert Gewurztraminer 2011 ★

| | 1 000 | ⑪ | 11 à 15 € |

Installé à Pfaffenheim, à une douzaine de kilomètres au sud de Colmar, Michel Martischang met en valeur plusieurs parcelles dans le Steinert, grand cru délimité en partie dans son village. Il signe une fois de plus un gewurztraminer au caractère moelleux marqué. Les raisins ont été récoltés à la fin de l'automne, le 5 novembre. À la robe or soutenu répond un nez aux nuances de fruits confits et de cire d'abeille, avec une touche épicée. Cette belle expression se prolonge dans une bouche ample, riche, ronde et suave. Un vin de dessert qui gagnera en harmonie au cours des deux à trois prochaines années. (Sucres résiduels : 50 g/l.)

☛ EARL Henri Martischang et Fils, 15, rue du Fossé, 68250 Pfaffenheim, tél. 03 89 49 60 83, fax 03 89 49 76 61, vin.h.martischang@free.fr,

☑ ⚐ ⊺ t.l.j. sf dim. 8h-12h 14h-18h 🏠 ❸

MOLTÈS Steinert Pinot gris 2011 ★

| | 2 400 | ▮ | 11 à 15 € |

Ce domaine familial est conduit depuis 2002 par Mickaël Moltès qui vient d'aménager de nouveaux chais dans le style local. Son pinot gris issu du Steinert offre une belle expression de ce grand cru calcaire et caillouteux, implanté en partie à Pfaffenheim. Il fait suite à une jolie série du même cépage et du même terroir. D'approche discrète, il s'ouvre sur des notes florales avant de s'orienter vers des nuances miellées et confites. En bouche, il se montre rond et puissant, tout en restant élégant grâce à une fraîcheur bienvenue en finale. Pour un apéritif ou un dessert aux fruits. (Sucres résiduels : 45 g/l.)

☛ Dom. Antoine Moltès, 8, rue du Fossé, 68250 Pfaffenheim, tél. 03 89 49 60 85, fax 03 89 49 50 43, domaine@vin-moltes.com, ☑ ⊺ t.l.j. sf dim. 8h-12h 14h-18h

DOM. XAVIER MULLER Steinklotz Riesling 2010 ★★

| | 1 335 | ▮ | 8 à 11 € |

Meuniers (comme leur nom l'indique), les Muller se sont faits vignerons – à plein temps avec Xavier. Ils exploitent leur domaine sur la colline dominant Marlenheim, porte nord de la route des Vins. Grand cru déjà renommé sous les Mérovingiens, le Steinklotz est leur fleuron. Il livre ici un riesling remarquable, récolté à l'arrière-saison (le 19 octobre). Il en résulte un nez gourmand, mêlant des nuances de surmaturation (mirabelle, pêche) à des notes plus fraîches, minérales et mentholées. Franc à l'attaque, ample et frais, le palais évolue sur des arômes d'agrumes, soutenu par une belle acidité, jusqu'à une longue finale teintée de minéralité. Une bouteille alliant délicatesse et caractère, que l'on peut apprécier sur son fruit ou garder quelques années. (Sucres résiduels : 3 g/l.)

☛ Dom. Xavier Muller, 1, rue du Moulin, 67520 Marlenheim, tél. et fax 03 88 59 57 90, xavier.muller3@wanadoo.fr,

☑ ⚐ ⊺ t.l.j. 10h-12h 14h-18h; f. 20-26 jan.

♥ ❸ MURÉ Vorbourg Clos Saint-Landelin Gewurztraminer Vendanges tardives 2010 ★★★

| | 3 300 | ▮ | 30 à 50 € |

Bénéficiant d'une exposition sud-sud-est et protégé par deux sommets des Vosges, le grand cru Vorbourg bénéficie d'un climat particulièrement sec, propice à l'obtention de vins liquoreux. Situé à l'extrémité sud de ce grand cru et aménagé en terrasses, le Clos Saint-Landelin

est réputé depuis le VIIIᵉs. Il a été acquis en 1935 par la famille Muré qui l'exploite en bio. L'année 2010 lui a valu deux coups de cœur : un pinot gris l'an dernier et ce gewurztraminer, vendangé le 1ᵉʳ octobre, qui a donné de somptueuses vendanges tardives. D'un jaune intense, encore réservé mais franc, ce vin s'épanouit à l'aération en superbes notes d'orange confite, d'abricot sec, de grillé et d'épices. En bouche, il s'impose par sa générosité, sa puissance, sa richesse miellée. Une belle fraîcheur conclut en beauté la dégustation. On appréciera cette bouteille pendant cinq ans au moins à l'apéritif, sur du foie gras ou un gâteau au chocolat. (Sucres résiduels : 117 g/l.)

•⌐ René Muré – Clos Saint-Landelin, rte du Vin, 68250 Rouffach, tél. 03 89 78 58 00, fax 03 89 78 58 01, domaine@mure.com, ⊠ ⚐ Ⳑ r.-v.

GÉRARD NEUMEYER Bruderthal Riesling 2011

| | 2 200 | ⫴ | 15 à 20 € |

Cette propriété a été créée en 1925 par le grand-père de l'exploitant actuel, qui était ouvrier des célèbres usines Bugatti à Molsheim. Elle a longtemps fourni beaucoup de sylvaner destiné à la population de la cité bas-rhinoise. Gérard Neumeyer la convertit au bio et mise sur le grand cru local, d'où provient ce riesling au nez de bergamote, de citron vert et de fruits exotiques, avec des touches minérales et boisées. Franc à l'attaque, bien structuré et vif, le palais finit sur une pointe d'amertume. Bon accord en perspective avec des cuisses de grenouilles. (Sucres résiduels : 4,4 g/l.)

•⌐ Gérard Neumeyer, 29, rue Ettore-Bugatti, 67120 Molsheim, tél. 03 88 38 12 45, fax 03 88 38 11 27, contact@gerardneumeyer.fr, ⊠ ⚐ Ⳑ t.l.j. sf dim. 9h-12h 14h-19h

NICOLLET Zinnkoepflé Pinot gris 2011 ★★

| | 850 | ▪ | 8 à 11 € |

Jean-Marc Nicollet représente la troisième génération sur le domaine, fondé en 1920. La propriété, qui couvre 13 ha, compte une petite vigne (11 ares) sur le grand terroir du Zinnkoepflé. Les ceps escaladent ce haut coteau calcaro-gréseux, profitant de son climat très sec, dont témoigne une flore méditerranéenne. Cette cuvée de pinot gris n'a qu'un défaut : ses volumes confidentiels. Intense dans sa robe toute dorée, elle s'ouvre sur des parfums complexes, riches et puissants d'orange amère, de réglisse, de miel et de sous-bois. Souple, ample et puissante, elle est soutenue par une belle fraîcheur qui lui donne de l'allonge. Un moelleux d'une réelle élégance qui se bonifiera au cours des deux à trois prochaines années. (Sucres résiduels : 40 g/l.)

•⌐ Gérard Nicollet et Fils, 33, rue de la Vallée, 68570 Soultzmatt, tél. 03 89 47 03 90, vinsnicollet@wanadoo.fr, ⊠ ⚐ Ⳑ t.l.j. sf dim. 9h-12h 14h-18h ⌂ ◐

VIGNOBLES REINHART Kitterlé Riesling 2011 ★★

| | 2 500 | ▪ | 8 à 11 € |

Installé à Orschwihr, bourg viticole au sud de la route des Vins, Pierre Reinhart met en valeur des parcelles en grand cru à Guebwiller, comme le Kitterlé, éperon exposé plein sud qui domine la petite ville. Ses sols calcaro-gréseux donnent des rieslings de haute expression, tel celui-ci. Sa robe or jaune annonce un nez riche, aux notes de surmaturation : l'abricot sec se mêle au miel, à la confiture d'oranges amères et aux épices. Dans une belle continuité, le palais s'épanouit sur des notes de fruits exotiques, d'agrumes confits et de gingembre, conjuguant puissance, fraîcheur et longueur. De bonne garde (dix ans au moins), ce vin accompagnera une volaille de Bresse ou du homard à l'américaine. (Sucres résiduels : 13 g/l.)

•⌐ Pierre Reinhart, 7, rue du Printemps, 68500 Orschwihr, tél. 03 89 76 95 12, fax 03 89 74 84 08, pierre@vignobles-reinhart.com, ⊠ ⚐ Ⳑ r.-v.

EDMOND RENTZ Froehn Gewurztraminer 2011

| | 3 700 | ⫴ | 11 à 15 € |

Zellenberg, c'est ce petit village qui s'étire sur un éperon à l'est de Riquewihr. Les Rentz y ont acquis leurs premières vignes en 1785. Le meilleur terroir du village est le Froehn. Avec ses sols marno-calcaires et son exposition au sud-sud-est, il engendre, dit-on, des vins amples et fruités. C'est bien le cas de ce gewurztraminer de couleur vieil or, aussi intense au nez qu'en bouche, qui délivre des parfums de surmaturation (abricot confit et miel). Vif et franc à l'attaque, ample et charpenté en bouche, il montre en finale un joli retour sur les fruits confits et les fruits exotiques. Il se gardera quelques années. (Sucres résiduels : 36 g/l.)

•⌐ EARL Edmond Rentz, 7, rte du Vin, 68340 Zellenberg, tél. 03 89 47 90 17, fax 03 89 47 97 27, info@edmondrentz.com, ⊠ ⚐ Ⳑ t.l.j. sf dim. 8h-12h 14h-18h

CHRISTOPHE RIEFLÉ Steinert Gewurztraminer 2010 ★

| | 1 800 | ▪ | 11 à 15 € |

Installé en 2005, Christophe Rieflé a trouvé très vite ses marques, comme en témoigne une belle série de sélections dans le Guide. Il exploite 16 ha aux environs de Pfaffenheim, et cultive avec bonheur plusieurs cépages dans le fleuron de sa commune, le Steinert, grand cru original par ses sols calcaires très caillouteux. Récolté à la mi-octobre, ce gewurztraminer a engendré un vin jaune d'or soutenu, mêlant au nez des fleurs (bouillon-blanc), les agrumes et la cire d'abeille. En bouche, ce 2010 conjugue concentration, ampleur et élégance. Il devrait s'entendre avec une viande blanche cuisinée aux fruits ou avec un dessert fruité. (Sucres résiduels : 40 g/l.)

•⌐ Christophe Rieflé, 32 A, rue de la Lauch, 68250 Pfaffenheim, tél. 06 86 17 27 42, fax 03 89 49 77 85, christopheriefle@aol.com, ⊠ ⚐ Ⳑ t.l.j. 10h-18h ⌂ Ⓐ

Ⓑ ÉRIC ROMINGER Zinnkoepflé Gewurztraminer Les Sinneles 2011 ★

| | 3 500 | ▪ | 15 à 20 € |

En haute Alsace, les ceps escaladent jusqu'à plus de 400 m les pentes du Zinnkoepflé, majestueux coteau dont le nom évoque le soleil baignant son vignoble. Éric Rominger exploite en biodynamie 13 ha et tire le meilleur parti de plusieurs parcelles inscrites dans ce grand cru. Récolté à la mi-octobre, ce gewurztraminer s'ouvre élégamment sur la rose, les fruits confits et le pain d'épice. On retrouve cette belle expression aromatique au sein d'une bouche ample, riche et longue, douce sans excès. Ce moelleux sera à son optimum dans deux à trois ans (sucres résiduels : 75 g/l). Quant au **Zinnkoepflé pinot gris sélection de grains nobles 2010** (30 à 50 € ; 500 b.), il est cité pour sa complexité et pour sa belle matière. (Sucres résiduels : 115 g/l.)

•⌐ Dom. Éric Rominger, 16, rue Saint-Blaise, 68250 Westhalten, tél. 03 89 47 68 60, fax 03 89 47 68 61, vins-rominger.eric@orange.fr, ⊠ ⚐ Ⳑ r.-v.

DOM. SAINT-RÉMY Brand Pinot gris Cuvée Éline 2011 ★★

| | 2 180 | | 20 à 30 € |

Depuis 1725, la famille Ehrhart a constitué un domaine de près de 23 ha, ce qui n'est pas négligeable en Alsace. En 2011, Philippe Ehrhart a engagé la conversion au bio de l'exploitation. L'année est faste pour la propriété, dont deux grands crus ont été fort appréciés. Né sur un coteau aux sols granitiques et chauds surplombant Turckheim, ce pinot gris mêle des parfums de miel et d'agrumes confits évoquant la surmaturation. Ces arômes explosent au palais, soutenus par une structure assez fraîche qui donne au vin une fringante allure de jeunesse et qui lui permettra d'attendre deux à trois ans. Ce moelleux formera un bel accord avec un foie gras poêlé aux mandarines ou un fromage à pâte cuite. (Sucres résiduels : 33,4 g/l). Un petit cran en dessous mais noté tout de même deux étoiles, le **Hengst gewurztraminer cuvée Eva 2011 (11 à 15 € ; 6 660 b.)** est un moelleux imposant, rappelant une vendange tardive. (Sucres résiduels : 45,4 g/l.)

🕊 François et Philippe Ehrhart, 6, rue Saint-Rémy, 68920 Wettolsheim, tél. 03 89 80 60 57, vins@domainesaintremy.com, ☑ ♈ r.-v.

ⓑ MARTIN SCHAETZEL
Eichberg Gewurztraminer 2011 ★★★

| | 5 500 | ⦀ | 15 à 20 € |

Jean Schaetzel s'est associé en 2010 avec Michel Vié, ancien pilote et ingénieur originaire du Sud-Ouest. Leur domaine est exploité depuis 1998 en biodynamie certifiée. Les vinifications suivent, elles aussi, un cahier des charges bio. Pour ce gewurztraminer, issu du grand cru marnocalcaire de l'Eichberg, l'élevage s'est déroulé sur lies fines, en foudre de chêne. Une robe profonde, jaune d'or, annonce un nez de surmaturation aux remarquables parfums de fruits exotiques, de fruits confits, de miel et d'épices. Dans le même registre, la bouche impressionne par sa puissance et son gras, équilibrée par une fine acidité qui souligne sa longueur. Ce vin gourmand, qui rappelle une vendange tardive, fera plaisir durant une bonne décennie. On le verrait bien avec un dessert, un fondant à la mangue par exemple (sucres résiduels : 50 g/l). Pour un poisson cuisiné, on choisira le grand cru **Kaefferkopf riesling 2011 (3 000 b.)**, cité pour sa puissante structure. (Sucres résiduels : 4 g/l.)

🕊 Martin Schaetzel, 3, rue de la 5ᵉ-Division-Blindée, 68770 Ammerschwihr, tél. 03 89 47 11 39, fax 03 89 78 29 77, contact@martin-schaetzel.com, ☑ ♈ ♈ t.l.j. sf dim. 9h-12h 13h30-18h30

♥ DOM. JOSEPH SCHARSCH Altenberg de Wolxheim
Riesling 2010 ★★

| | 2 090 | | 8 à 11 € |

Nicolas Scharsch, à la tête du domaine familial depuis 2011, vient de découvrir que sa famille cultive la vigne à Wolxheim depuis 1755, ce qui l'encourage à exploiter avec une application renouvelée ce patrimoine. Il a engagé la conversion au bio du domaine. De l'Altenberg, fleuron de son village où le riesling réussit particulièrement bien, il a tiré pour la troisième fois consécutive un vin remarquable qui décroche cette année un coup de cœur. Récolté le 12 octobre, le raisin a engendré un vin doré brillant, alliant au nez les fruits jaunes à une touche de minéralité. Après une attaque franche, le palais ample, riche et persistant, floral et minéral, dévoile une acidité élégante et bien fondue. Belle expression du millésime, un

vin de garde que les impatients pourront savourer dès la sortie du Guide, avec un filet de bar aux agrumes par exemple. (Sucres résiduels : 5 g/l.)

🕊 Dom. Joseph Scharsch, 12, rue de l'Église, 67120 Wolxheim, tél. 03 88 38 30 61, fax 03 88 38 01 13, cave@domaine-scharsch.com, ☑ ♈ ♈ r.-v. 🏠 ⓑ

LOUIS SCHERB ET FILS Goldert Pinot gris 2011

| | 2 100 | | 11 à 15 € |

Installée à Gueberschwihr depuis 1690, la famille Scherb exploite aujourd'hui près de 12 ha autour de ce village, au sud de Colmar. Elle cultive plusieurs cépages sur le grand cru de la commune et a proposé cette année un pinot gris aux discrets parfums de sous-bois et de surmaturation. Bien marqué par le cépage, ce moelleux laisse percevoir une belle trame acide encore masquée par les sucres. Les vins du Goldert, terroir argilo-calcaire, demandent un peu de temps ; on attendra cette bouteille deux à trois ans. (Sucres résiduels : 49,7 g/l.)

🕊 Louis Scherb et Fils, 1, rte de Saint-Marc, 68420 Gueberschwihr, tél. 03 89 49 30 83, fax 03 89 49 30 65, louis.scherb@wanadoo.fr, ☑ ♈ ♈ t.l.j. sf dim. 8h-12h 13h30-19h 🏠 ⓑ

🕊 Burner

DOM. SCHIRMER Zinnkoepflé Gewurztraminer 2011 ★

| | 1 800 | | 8 à 11 € |

Lucien Schirmer a spécialisé l'exploitation dans les années 1970. Son fils Thierry a agrandi le domaine qui couvre 10,5 ha, autour de Soultzmatt, à l'entrée de la Vallée Noble. Il signe un gewurztraminer issu du Zinnkoepflé, impressionnant coteau dominant le village. Sa situation très abritée s'explique par la proche présence des plus hauts sommets vosgiens qui bloquent l'humidité atlantique. Elle contribue à l'expression de ce vin alliant au nez le miel, les fruits blancs et les fruits exotiques. Complexe et ample, la bouche laisse une impression d'élégance. Il gagnera encore en harmonie au cours des trois prochaines années. (Sucres résiduels : 52 g/l.)

🕊 Dom. Lucien Schirmer et Fils, 22, rue de la Vallée, 68570 Soultzmatt, tél. 03 89 47 03 82, fax 03 89 47 02 33, vins.alsace.schirmer@orange.fr, ☑ ♈ ♈ t.l.j. 9h-12h 13h30-19h; dim. sur r.-v.

SCHLEGEL-BOEGLIN Zinnkoepflé Gewurztraminer 2011

| | 5 000 | | 11 à 15 € |

Installé à Westhalten, à une vingtaine de kilomètres au sud de Colmar, Jean-Luc Schlegel tire le meilleur parti du grand cru local, le Zinnkoepflé, coteau très abrité sur lequel il cultive plusieurs cépages. Il a obtenu deux coups de cœur avec son pinot gris. Cette année, il a présenté un gewurztraminer jugé honnête et plaisant. On aime ses intenses parfums de rose, de violette et de fruits exotiques que l'on retrouve dans une bouche riche et équilibrée, épicée en finale. On pourra garder ce moelleux au moins cinq ans, mais il est prêt. (Sucres résiduels : 65 g/l.)

☛ Dom. Schlegel-Boeglin, 22 A, rue d'Orschwihr, 68250 Westhalten, tél. 03 89 47 00 93, fax 03 89 47 65 32, schlegel-boeglin@wanadoo.fr, ☒ ⚘ ⏃ r.-v.

SCHMITT & CARRER Furstentum Gewurztraminer
Schloessel Mühle sélection de grains nobles 2009

| | 2 060 | 🛢 | 30 à 50 € |

Géré par la deuxième et la troisième génération, ce domaine de près de 15 ha passe graduellement au bio. Il aura totalement achevé sa conversion en 2013. Il a présenté un liquoreux de 2009 – millésime solaire qui fut favorable à la production de ce style de vins. Quant au grand cru Furstentum, d'où provient cette cuvée, il est propice à la surmaturation comme le prouve la flore méditerranéenne qui prospère sur ses pentes. Ce 2009 séduit surtout par ses arômes explosifs de rose et de fruits exotiques (mangue). Souple et chaleureux, il finit sur une pointe d'amertume. Pour l'apéritif ou le foie gras. (Sucres résiduels : 100 g/l.)

☛ Schmitt et Carrer, 11, pl. du Lieutenant-Dutilh, 68240 Kientzheim, tél. 03 89 78 24 17, fax 03 89 78 00 00, contact@schmitt-carrer.com, ☒ ⏃ t.l.j. 8h-12h 13h30-18h

DOM. MAURICE SCHOECH Mambourg Muscat 2011 ★

| | 400 | 🛢 | 11 à 15 € |

Au service du vin depuis 1650, les Schoech exploitent 11 ha de vignes et ont engagé la conversion au bio du domaine. Ils détiennent des parcelles dans plusieurs grands crus. Le muscat est un cépage rare (moins de 3 % des surfaces du vignoble), surtout en grand cru. Celui-ci a laissé ses baies se dorer sur les pentes du Mambourg, coteau exposé plein sud. Les jurés ont apprécié la délicatesse de son nez teinté d'iris ainsi que sa fraîcheur, fil conducteur de la dégustation (sucres résiduels : 15 g/l). Le **Kaefferkopf riesling (4 000 b.)** est par ailleurs cité. Ses arômes d'agrumes, de tilleul, assortis d'une touche minérale, sa bouche tendue, où l'on retrouve en finale la minéralité, incitent à le servir sur des fruits de mer ou du poisson grillé. (Sucres résiduels : 5 g/l.)

☛ Dom. Maurice Schoech, 4, rte de Kientzheim, 68770 Ammerschwihr, tél. 03 89 78 25 78, fax 03 89 78 13 66, domaine.schoech@free.fr, ☒ ⚘ ⏃ t.l.j. sf dim. 8h-12h 13h30-18h

DOM. SCHOEPFER Pfersigberg Gewurztraminer 2011

| | 2 500 | ⫯⫯ | 11 à 15 € |

Installé en 2006 dans la vieille cité d'Eguisheim courue des touristes, Vincent Schoepfer perpétue une lignée vigneronne remontant à 1656. Il signe un gewurztraminer né dans l'un des grands crus de la commune. Un vin qui, selon un dégustateur, exprime son terroir calcaire. Au nez, il délivre des parfums délicats et complexes où ressort la violette. On retrouve les fleurs au sein d'une matière chaleureuse à l'attaque, bien structurée et aromatique, épicée en finale. À servir dès la sortie du Guide. (Sucres résiduels : 55,33 g/l.)

☛ Dom. Michel Schoepfer, 43, Grand-Rue, 68420 Eguisheim, tél. 03 89 41 09 06, domaine.schoepfer@gmail.com, ☒ ⚘ ⏃ t.l.j. sf dim. 8h30-11h30 14h-18h

DOM. J.-L. SCHWARTZ Muenchberg Riesling 2008 ★★

| | 2 500 | 🛢 | 8 à 11 € |

Établi à Itterswiller, petit village très fleuri qui s'étire à flanc de coteau, ce domaine familial a achevé sa conversion au bio en 2012. Ses quelque 8 ha de vignes se répartissent sur neuf communes, si bien qu'il peut jouer sur une palette étendue de terroirs. Il a tiré le meilleur parti du Muenchberg, grand cru dont les sols anciens et pauvres, en partie d'origine volcanique, favorisent le riesling. Celui-ci, or clair brillant, séduit d'emblée par son nez vif, floral, fumé et délicatement minéral. Sa fraîcheur, son fondu, sa complexité, sa finale longue et élégante ont charmé les dégustateurs. C'est un 2008 : il est prêt, et digne d'une langouste. Il pourrait vieillir encore une décennie. (Sucres résiduels : 10,3 g/l.)

☛ Dom. J.-L. Schwartz, 75, rte des Vins, 67140 Itterswiller, tél. 03 88 85 51 59, fax 03 88 85 59 16, jean-luc@domaine-schwartz.com, ☒ ⚘ ⏃ t.l.j. 9h30-19h; dim. 9h30-13h 🏠 Ⓖ

♥ Ⓑ DOM. FERNAND SELTZ Zotzenberg
Pinot gris 2011 ★★★

| | 896 | ⫯⫯ | 11 à 15 € |

ALSACE GRAND CRU
APPELLATION ALSACE GRAND CRU CONTRÔLÉE
ZOTZENBERG
DOMAINE
SELTZ
FERNAND
PINOT GRIS
2011

Déjà mentionné en 1364, le Zotzenberg est situé sur le flanc sud de la colline de Mittelbergheim. De nature marno-calcaire, il est surtout connu pour son sylvaner, mais tous les cépages nobles y réussissent admirablement, comme le prouvent les sélections obtenues par Michel Seltz au fil des ans. Cette année, son pinot gris atteint des sommets. Son seul défaut est son caractère confidentiel. Ses parfums sont complexes, flatteurs et typés, avec cette note fumée caractéristique du cépage. Au palais, des nuances d'agrumes se révèlent au sein d'une matière parfaitement équilibrée, soutenue par une belle fraîcheur qui allonge la finale. Un vin intense et de garde (plus d'une décennie), qui mérite d'attendre trois ans. (Sucres résiduels : 65 g/l.)

☛ EARL Fernand Seltz et Fils, 42, rue Principale, 67140 Mittelbergheim, tél. 03 88 08 93 92, seltz.michel@wanadoo.fr, ☒ ⚘ ⏃ r.-v.

Ⓑ ÉTIENNE SIMONIS Kaefferkopf Gewurztraminer 2011

| | 2 650 | 🛢 | 11 à 15 € |

Héritier d'une lignée de vignerons remontant au XVIIᵉs., Étienne Simonis exploite le domaine familial en biodynamie certifiée. Il a vinifié ce gewurztraminer sans levurage, ne s'autorisant qu'un peu de soufre. D'un jaune doré soutenu, ce 2011 livre des parfums de fleurs blanches et de pamplemousse avant de s'orienter vers des notes plus mûres. C'est un vin ample, puissant et rond, aux nuances confites. À apprécier au cours des cinq prochaines années. (Sucres résiduels : 60 g/l.)

☞ Étienne Simonis, 2, rue des Moulins, 68770 Ammerschwihr, tél. 03 89 47 30 79, simonis.etienne@gmail.com, ☑ ⚹ ☖ t.l.j. sf dim. 9h-12h 13h30-18h30

JEAN-MARC SIMONIS Kaefferkopf Gewurztraminer 2011

| | 1 800 | ⯃ | 11 à 15 € |

Appartenant à une vieille famille d'Ammerschwihr, Jean-Marc Simonis choie particulièrement le grand cru local, dont il tire plusieurs vins différents. Cette année, le jury a apprécié son gewurztraminer issu de sols argilo-calcaires propices à ce cépage. Or pâle, ce 2011 mêle au nez des parfums de fruits surmûris et des touches toastées et épicées. L'attaque dévoile un vin ample et gras, équilibré par une pointe de fraîcheur minérale. Un moelleux harmonieux à servir au cours des cinq prochaines années. (Sucres résiduels : 35 g/l.)

☞ EARL Jean-Paul Simonis et Fils, 1, rue des Chasseurs-Besombes-et-Brunet, 68770 Ammerschwihr, tél. 03 89 47 13 51, fax 03 89 47 65 70, jmsimonis@orange.fr, ☑ ⚹ ☖ t.l.j. sf dim. 8h-11h45 13h30-18h

Ⓑ DOM. DE LA SINNE Kaefferkopf Gewurztraminer 2011 ★

| | 3 400 | ⯃ | 11 à 15 € |

Frédéric Geschickt cultive ses 11 ha de vignes en biodynamie (label Demeter). Installé à Ammerschwihr, il détient plusieurs parcelles dans le fleuron de la commune, devenu en 2007 le 51e grand cru d'Alsace. Plantée de gewurztraminer, celle qui est à l'origine de ce vin couvre 1,5 ha. Un dégustateur trouve l'empreinte d'un terroir argilo-calcaire dans ce 2011 au nez expressif de rose, avec des notes de surmaturation et d'épices. En bouche, c'est un vin équilibré, frais à l'attaque, ample, bien structuré, riche et fondu. La finale laisse une bonne impression. On verrait bien cette bouteille sur une poire au roquefort. (Sucres résiduels : 37 g/l.)

☞ Frédéric Geschickt, 1, pl. de la Sinne, 68770 Ammerschwihr, tél. 03 89 47 12 54, vignoble@geschickt.fr, ☑ ⚹ ☖ r.-v.

♥ JEAN SIPP Altenberg de Bergheim Riesling 2011 ★★★

| | 1 000 | ⯃ | 20 à 30 € |

Depuis 2010, Jean-Guillaume Sipp perpétue avec brio une tradition viticole inaugurée en 1654 par son ancêtre porteur du même prénom. Il dispose de 24 ha, avec des parcelles dans plusieurs crus renommés, comme l'Altenberg de Bergheim, coteau exposé plein sud, qui lui vaut un coup de cœur. La robe dorée annonce un nez gourmand, bien ouvert sur les fruits mûrs, avec une touche de minéralité. Ces impressions se prolongent dans un palais remarquable par son ampleur et sa richesse, équilibré par la fraîcheur du cépage. Une délicate note minérale conclut la dégustation. Pour une cassolette de homard. (Sucres résiduels : 14 g/l.)

☞ Jean Sipp, 60, rue de la Fraternité, 68150 Ribeauvillé, tél. 03 89 73 60 02, fax 03 89 73 82 38, domaine@jean-sipp.com, ☑ ☖ t.l.j. sf dim. 9h-12h 14h-18h 🏠 ④

Ⓑ LOUIS SIPP Osterberg Gewurztraminer 2008

| | 3 900 | | 20 à 30 € |

Étienne Sipp a renoncé en 1996 à sa carrière dans l'industrie pour perpétuer l'affaire familiale : une exploitation de 40 ha et une structure de négoce. Il cherche à valoriser l'expression des terroirs et son vignoble, installé sur le champ de failles de Ribeauvillé, dispose d'une belle palette de sols. La certification bio a été acquise en 2008 – l'année de naissance de ce gewurztraminer né sur l'un des trois grands crus de Ribeauvillé. Un vin que les dégustateurs conseillent d'aérer pour lui donner le temps de livrer ses parfums complexes de rose, de réglisse et de poivre, assortis d'une touche de minéralité. La bouche se montre puissante, confite, élégante grâce à une belle fraîcheur. (Sucres résiduels : 60 g/l.)

☞ Grands vins d'Alsace Louis Sipp, 5, Grand-Rue, 68150 Ribeauvillé, tél. 03 89 73 60 01, fax 03 89 73 31 46, louis@sipp.com, ☑ ⚹ ☖ r.-v.

SIPP-MACK Osterberg Pinot gris 2010

| | 2 300 | ▮⯃ | 15 à 20 € |

Déjà mentionné au Moyen Âge, l'Osterberg, coteau argileux riche en cailloux, surplombe Ribeauvillé. Les seigneurs de Ribeaupierre, qui dominaient la contrée, y détenaient des vignes. Aujourd'hui, ce terroir est partagé entre les vignerons des environs, comme les Sipp, qui y exploitent plusieurs parcelles, dont 44 ares plantés en pinot gris. Marqué par la surmaturité, le 2010 offre un beau fruité aux nuances confites et miellées. Sa fraîcheur au palais procure une impression de finesse et d'élégance (sucres résiduels : 36 g/l). À noter que la propriété est en conversion bio.

☞ Dom. Sipp-Mack, 1, rue des Vosges, 68150 Hunawihr, tél. 03 89 73 61 88, fax 03 89 73 36 70, contact@sippmack.com, ☑ ⚹ ☖ t.l.j. sf dim. 9h-12h 14h-18h 🏠 Ⓒ

VINCENT SPANNAGEL Wineck-Schlossberg Pinot gris 2011 ★

| | 2 000 | ▮ | 11 à 15 € |

Le donjon du Wineck est l'emblème de Katzenthal, village proche de Colmar. Le beau vignoble qui l'entoure a été appelé le Schlossberg (« colline du château ») au XVIIIe s. Exposé au sud-sud-est et de nature granitique, ce grand cru est propice au riesling, mais Vincent et Patrice Spannagel y cultivent avec bonheur les quatre cépages nobles, comme ce pinot gris, souvent fort loué. Intense dans sa robe jaune, le 2011 s'exprime avec finesse dans un registre épicé. Le fumé typique du cépage se développe au palais, malgré une douceur très présente. À servir à l'apéritif, avec du foie gras, de la cuisine asiatique ou une pâtisserie (sucres résiduels : 60 g/l). Un autre moelleux, le **Wineck-Schlossberg gewurztraminer 2010 (1 000 b.)**, obtient la même note pour ses beaux arômes de fruits jaunes compotés, de mangue, de litchi et pour son palais riche et rond. (Sucres résiduels : 65 g/l.)

☞ EARL Vincent Spannagel, 2, rue du Vignoble, 68230 Katzenthal, tél. 03 89 27 52 13, fax 03 89 27 56 48, domainespannagel@orange.fr, ☑ ⚹ ☖ r.-v.

B DOM. STENTZ-BUECHER Steingrübler Riesling 2011

| | 1 000 | ▮ | 15 à 20 € |

À 5 km au sud-ouest de Colmar, Wettolsheim a gardé sa vocation viticole. Parmi ses nombreux vignerons, Stéphane Stentz exploite en bio certifié un domaine de 13 ha et vinifie dans le même esprit, sans levurage. Il a constitué une œnothèque proposant de vieux millésimes. Celui-ci, un riesling, est récent, mais il provient du meilleur terroir de la commune, aux sols marno-calcaires riches en cailloutis. Plutôt discret au nez, il mêle un fruité mûr et des notes minérales. D'une rondeur flatteuse à l'attaque, il offre une finale assez longue, minérale et fraîche. Il atteindra son optimum en 2015. (Sucres résiduels : 7 g/l.)
☛ Dom. Stentz-Buecher, 21, rue Kleb, 68920 Wettolsheim, tél. 03 89 80 68 09, fax 03 89 79 60 53, stentz-buecher@wanadoo.fr,
☑ ★ ☓ t.l.j. sf dim. 9h-12h 14h-18h30 ⌂ **A**

DOM. STIRN Schlossberg Riesling Vendanges tardives Cuvée Clément 2010 ★

| | 1 000 | ⏛ | 15 à 20 € |

Un héritage ancestral (le domaine remonte à la nuit des temps), complété par des études d'œnologie et une expérience dans les vignobles de France et des États-Unis : Fabien Stirn ne manque pas de cordes à son arc. Il sait jouer avec art d'une jolie palette de terroirs – dont plusieurs grands crus –, comme le montre ce riesling d'origine granitique qui recueille une très belle étoile. Récoltés le 25 octobre, les raisins ont donné naissance à un vin or clair qui s'ouvre sur un panier d'agrumes confits et de fruits exotiques. L'attaque suave et riche prélude à une bouche ample, soutenue par une belle fraîcheur. La finale est longue et élégante. Un moelleux pas trop sucré que l'on pourra ouvrir à l'apéritif et finir sur une langouste ou des saint-jacques au vinaigre balsamique. (Sucres résiduels : 35 g/l.)
☛ Dom. Stirn, 3, rue du Château, 68240 Sigolsheim, tél. et fax 03 89 47 30 58, domainestirn@free.fr,
☑ ★ ☓ t.l.j. 9h-12h 14h-17h30; dim. sur r.-v. ⌂ **B**

ANTOINE STOFFEL Eichberg Pinot gris 2011

| | 2 400 | ⏛ | 8 à 11 € |

Installée à quelques pas de la vieille cité médiévale d'Eguisheim, Annick Stoffel exploite 9 ha de vignes, dont 2,8 ha situés dans le cru Eichberg, d'où elle a tiré un pinot gris au nez encore discret. En bouche, ce vin dévoile des notes de surmaturation au sein d'une belle matière tout en douceur et en rondeur. Il devrait s'épanouir au cours des deux à trois prochaines années. (Sucres résiduels : 60 g/l.)
☛ Antoine Stoffel, 21, rue de Colmar, 68420 Eguisheim, tél. 03 89 41 32 03, fax 03 89 24 92 07, domaine@antoinestoffel.com,
☑ ★ ☓ t.l.j. sf dim.9h-12h 14h-18h ⌂ **B**

STRAUB Winzenberg Pinot gris 2011 ★★★

| | 700 | ▮ | 8 à 11 € |

Entrer dans la cave voûtée des Straub, construite en 1714 et recélant de beaux foudres de chêne, est un voyage dans le passé. Vous aurez peut-être la chance d'y goûter les deux cuvées retenues, mais il n'y en aura pas pour tout le monde. Notés l'un comme l'autre trois étoiles, les deux vins montrent le potentiel du Winzenberg, terroir granitique qui domine Blienschwiller, ainsi que le talent de Jean-Marie Straub. Les dégustateurs ont plébiscité ce pinot gris au nez complexe et délicat d'agrumes et de fruits confits. Rond en attaque, ce 2011 allie puissance et

élégance, grâce à sa fraîcheur qui lui assure une finale très longue. Un grand vin de terroir par sa salinité et un vin féminin par sa finesse. (Sucres résiduels : 12 g/l.) Quant au **Winzenberg gewurztraminer 2011 (11 à 15 € ; 700 b.)**, c'est un vin intense, minéral, bien construit, avec du volume, de la fraîcheur, des arômes complexes et purs (fruits de la Passion, rose, litchi, épices) et une jolie finale sur l'orange amère. (Sucres résiduels : 30 g/l.)
☛ Jean-Marie Straub, 61, rte des Vins, 67650 Blienschwiller, tél. 03 88 92 40 42, jean.marie.straub@wanadoo.fr, ☑ ★ ☓ r.-v.

B ANDRÉ THOMAS Mambourg Pinot gris 2011 ★★

| | 1 000 | | 11 à 15 € |

Au IXᵉ s., une abbaye de Zurich détenait déjà des vignes à Ammerschwihr. Aujourd'hui, le village compte une bonne quarantaine de metteurs en marché, comme François Thomas, à la tête d'une propriété cultivée en bio. Les lecteurs du Guide ont découvert l'an dernier le premier millésime issu d'une petite parcelle de pinot gris haut perchée sur le coteau du Mambourg. Le 2011 est de la même veine, de garde lui aussi : il devrait tenir une bonne décennie. Le terroir argilo-calcaire de ce grand cru a la réputation de livrer des vins à la fois puissants, élégants et persistants. C'est tout le portrait de celui-ci, au nez expressif de coing, de mangue et de fruits jaunes très mûrs. Le palais apparaît complexe, gras, ample et riche, équilibré par une fine trame acide. Une fraîcheur minérale souligne la longue finale. Bel accord en perspective avec les viandes blanches truffées (sucres résiduels : 20 g/l). Valeur sûre du domaine, le **Mambourg gewurztraminer 2011 (1 500 b.)** obtient une étoile pour ses arômes de litchi, d'abricot et d'épices et pour sa bouche puissante et ronde à souhait. (Sucres résiduels : 25 g/l.)
☛ André Thomas et Fils, 3, rue des Seigneurs, 68770 Ammerschwihr, tél. 06 83 17 83 21, fax 03 89 47 37 22, thomasfr4@hotmail.fr, ☑ ★ ☓ r.-v.

CAVE DE TURCKHEIM Brand Riesling 2011

| | 23 200 | | 11 à 15 € |

Créée en 1955, la coopérative de Turckheim exploite une superficie importante dans le grand cru Brand, coteau pentu qui surplombe la commune : une « terre » de feu granitique exposée au sud-sud-est. Issu de plus de 5 ha, ce riesling offre une belle expression de ce terroir, avec un nez partagé entre les agrumes, les fruits secs et une discrète minéralité. Ample, droit et persistant, c'est un vin encore jeune que l'on pourra attendre cinq ans. Une lotte à la crème lui conviendra. (Sucres résiduels : 8,2 g/l.)
☛ Cave de Turckheim, 16, rue des Tuileries, 68230 Turckheim, tél. 03 89 30 23 60, fax 03 89 27 35 33, info@cave-turckheim.com, ☑ ☓ t.l.j. 9h-18h

CAVE DU VIEIL ARMAND Ollwiller Pinot gris 2009 ★★

| | 12 000 | ▮ | 8 à 11 € |

Située à l'extrémité sud de la route des Vins, cette coopérative regroupe une centaine d'apporteurs de raisins cultivant 140 ha. Elle tire son nom du sommet vosgien du Vieil Armand, théâtre de violents combats pendant la Première Guerre mondiale. L'actualité du XXIᵉ s., c'est l'œnotourisme, et la cave a aménagé à côté de l'espace de vente un musée du Vigneron. L'Ollwiller, grand cru local, bénéficie d'un microclimat très sec. C'est là qu'est né ce pinot gris flatteur par ses parfums floraux et fruités (pêche jaune) et par son palais ample, équilibré, fondu et long, aux nuances de miel et de sous-bois. À ouvrir dès maintenant, à l'apéritif, et à finir sur un foie gras en brioche ou sur une volaille aux fruits exotiques. (Sucres résiduels : 40,6 g/l.)

☛ Cave du Vieil Armand, 1, rte de Cernay, 68360 Soultz-Wuenheim, tél. 03 89 76 73 75, fax 03 89 76 70 75, servicecommercial@cavevieilarmand.com, Ⅴ 🗡 Ⲧ r.-v.

DOM. DE LA VIEILLE FORGE Sonnenglanz
Gewurztraminer 2011 ★★

	1 500	11 à 15 €

Œnologue, Denis Wurtz a repris il y a quinze ans le domaine de ses grands-parents, dont le nom évoque le métier de l'un de ses arrière-grands-pères. Il fait découvrir un gewurztraminer né sur le Sonnenglanz, coteau dominant le village où il est installé. Délimité dès les années 1930, ce grand cru tire son nom (« Rayon de soleil ») d'une exposition au sud-est qui fait bénéficier les vignes d'un ensoleillement optimal. Loin d'être chaud, ce moelleux s'annonce par un nez complexe : le miel, traduisant la surmaturation, est rafraîchi de touches mentholées et relevé d'épices (poivre, badiane). Poivre, cannelle, gingembre, ces notes typées du cépage marquent aussi la bouche, dont les jurés saluent la longueur et l'équilibre, fait de puissance, d'ampleur et de fraîcheur. Foie gras ? Strudel aux pommes ? (Sucres résiduels : 40 g/l.)

☛ Dom. de la Vieille Forge, 5, rue de Hoen, 68980 Beblenheim, tél. 03 89 86 01 58, virginie.wurtz@wanadoo.fr,
Ⅴ 🗡 Ⲧ t.l.j. 10h30-12h 13h30-19h 🏠 ⓒ
☛ Denis Wurtz

DOM. ALFRED WANTZ Zotzenberg Sylvaner 2010 ★

	1 100	11 à 15 €

D'origine autrichienne, Jörg Wantz fait souche à Mittelbergheim en 1550 (les belles maisons du village datent de cette époque). Au XXᵉs., Alfred Wantz développe le domaine, conduit depuis 2008 par Stéphane, ingénieur agronome et œnologue. Ce dernier a présenté la spécialité de son village : un sylvaner du Zotzenberg. Ce grand cru est le seul à admettre ce cépage, qui mûrit lentement sur ses sols argilo-calcaires. Il a donné ici naissance à un vin aux reflets d'or, au nez élégant et frais de fleurs blanches, précis, fin et vif de l'attaque à la finale. Un sylvaner typique, expressif et de garde (trois à cinq ans au moins), pour les fruits de mer. (Sucres résiduels : 8 g/l.)

☛ Dom. Alfred Wantz, 3, rue des Vosges, 67140 Mittelbergheim, tél. 03 88 08 91 43, fax 03 88 08 58 74, stephane.wantz@wanadoo.fr,
Ⅴ 🗡 Ⲧ r.-v.

PETER WEBER Rosacker Pinot gris Peter Weber 2011 ★

	8 000	11 à 15 €

Fondée en 1954, la cave de Hunawihr vinifie essentiellement des vignobles implantés dans ce village, ainsi que dans les communes voisines de Riquewihr et de Zellenberg, au cœur de la route des Vins. Les fidèles lecteurs du Guide connaissent bien ses grands crus du Rosacker, un terroir argilo-calcaire déjà mentionné au XVᵉs. Sous la marque Peter Weber, la coopérative signe un pinot gris à la palette aromatique complexe, associant les fleurs blanches et les fruits très mûrs. Franc à l'attaque, ce vin évolue avec ampleur et richesse sur des notes d'agrumes et de surmaturation. La finale ponctuée d'une pointe de fraîcheur laisse une impression d'équilibre. Pour

accompagner un foie gras d'oie ou un fromage à croûte lavée. (Sucres résiduels : 51 g/l.)

☛ Cave vinicole de Hunawihr, 48, rte de Ribeauvillé, 68150 Hunawihr, tél. 03 89 73 61 67, fax 03 89 73 33 95, info@cave-hunawihr.com, Ⅴ Ⲧ t.l.j. 9h-12h 14h-18h

Ⓑ DOM. WEINBACH Schlossberg Riesling 2011 ★

	5 935	🍷	20 à 30 €

Vendu comme bien national à la Révolution, ce domaine a été acquis en 1898 par la famille Faller. Un siècle plus tard, Colette Faller et ses filles, Catherine et Laurence, ont engagé sa conversion à la biodynamie et assis sa renommée dans le monde entier. Depuis 2005, les 30 ha du vignoble sont cultivés selon cette démarche. Coteau granitique aménagé en terrasses, le Schlossberg est l'un des plus beaux terroirs du domaine. Planté en haut de pente, le riesling a été élevé dans les traditionnels foudres de chêne. Il a engendré un vin au nez complexe, mêlant les agrumes à des nuances mentholées, réglissées et grillées. L'attaque finement citronnée introduit une bouche riche, ample et grillée, à la longue finale vive et minérale. Déjà prêt mais de garde, ce vin accompagnera les poissons grillés ou en sauce légère. (Sucres résiduels : 5,7 g/l.)

☛ Dom. Weinbach, Colette, Catherine et Laurence Faller, Clos des Capucins, 68240 Kaysersberg, tél. 03 89 47 13 21, fax 03 89 47 38 18, contact@domaineweinbach.com,
Ⅴ Ⲧ r.-v.

WILLM Kirchberg de Barr Riesling 2011

	3 496	🍶	8 à 11 €

Fondée à Barr à la fin du XIXᵉs., cette maison de négoce appartient de longue date au groupe Wolfberger. Elle exporte 85 % de sa production. Son riesling du Kirchberg de Barr séduit par son nez associant les fruits jaunes mûrs, le pamplemousse et la pierre à fusil. Ample à l'attaque, à la fois puissant et délicat, le palais est teinté lui aussi de minéralité. Ce 2011 s'affirmera au cours des trois prochaines années. Il accompagnera volontiers une sole grillée ou le fameux coq au riesling. (Sucres résiduels : 13,5 g/l.)

☛ Alsace Willm, 6, Grand-Rue, 68420 Eguisheim, tél. 03 89 41 24 31, fax 03 89 24 20 54, contact@alsace-willm.com, Ⅴ Ⲧ r.-v.

WOLFBERGER Rangen Riesling 2010 ★★

	2 527	🍶	20 à 30 €

Aujourd'hui appelée Wolfberger, la coopérative d'Eguisheim est l'une des plus anciennes de la région (1902). En 2013, elle vinifie 1 200 ha de vignes, environ 8 % de la superficie du vignoble alsacien. Sa carte comporte des pépites, car elle peut jouer sur une quinzaine de grands crus, dont le Rangen, unique terroir volcanique, situé à l'extrémité méridionale de la route des Vins. Ce riesling a été accueilli par un concert d'éloges. Il porte l'empreinte de son terroir solaire, tant dans ses arômes (zeste de citron, notes confites) que dans sa bouche puissante et structurée. Il offre aussi une superbe expression du cépage : minéral, précis et tendu – « ciselé » écrit un dégustateur –, c'est un vin élégant, très long et de garde (dix à vingt ans). On l'imagine sur des produits de la mer raffinés, préparés sans trop d'apprêts : bar de ligne, langouste grillée, saint-jacques, seiche à la plancha... (Sucres résiduels : 5 g/l.)

☛ Wolfberger, 6, Grand-Rue, 68420 Eguisheim, tél. 03 89 22 20 20, fax 03 89 23 47 09, contact@wolfberger.com,
Ⅴ 🗡 Ⲧ t.l.j. 8h (10h sam. dim.)-12h 14h-18h

⑧ WUNSCH ET MANN Hengst Gewurztraminer 2011

| | 6 638 | ▮ 11 à 15 € |

Créée en 1948 à Wettolsheim près de Colmar, cette affaire familiale exploite 23 ha de vignes qu'elle complète par une activité de négoce. À partir de 2008, elle s'est convertie au bio, tant pour ses propres récoltes que pour les achats de raisins. Elle signe un gewurztraminer issu du Hengst, coteau aux sols argilo-calcaires. Encore discret au nez, ce 2011 associe la rose, le jasmin et les épices et se montre suave à l'attaque, dense, chaleureux et fondu. On pourra le servir dès maintenant à l'apéritif ou au dessert, mais il sera à son optimum dans deux ans. (Sucres résiduels : 35 g/l.)
☛ Wunsch et Mann, 2, rue des Clefs, 68920 Wettolsheim, tél. 03 89 22 91 25, fax 03 89 80 05 21, wunsch-mann@wanadoo.fr,
☑ ⚔ ▼ t.l.j. sf dim. 8h-12h 13h30-18h30
☛ Famille Mann

W. WURTZ Mandelberg Riesling 2011

| | 2 400 | 8 à 11 € |

Vigneron à Mittelwihr, à une dizaine de kilomètres au nord-ouest de Colmar, Christian Wurtz détient une parcelle de riesling dans le grand cru de sa commune. Le cépage plutôt tardif se plaît sur ce terroir précoce exposé au sud-sud-est, où fleurissent les amandiers. Il a engendré un vin frais au nez, sur les agrumes (citron), et vif en bouche, malgré une attaque souple. La finale est marquée par un retour des agrumes et par une pointe minérale. Pas très puissante mais bien équilibrée, cette bouteille accompagnera un poisson ou une viande blanche en sauce. (Sucres résiduels : 8 g/l.)
☛ EARL Willy Wurtz et Fils, 6, rue du Bouxhof, 68630 Mittelwihr, tél. 03 89 47 93 16, fax 03 89 47 89 01, famille.wurtz@wanadoo.fr,
☑ ⚔ ▼ t.l.j. sf dim. 9h-12h 14h-19h

FERNAND ZIEGLER Rosacker Riesling 2011

| | 2 000 | ▮ 8 à 11 € |

Installé à Hunawihr, village emblématique de l'Alsace avec son église fortifiée, Daniel Ziegler perpétue une tradition vigneronne remontant à 1634. Il exploite une parcelle du Rosacker, terroir argilo-calcaire dominant la commune. Le riesling prospère dans ce grand cru. Il a donné ici naissance à un vin au nez intense et typé, qui s'ouvre sur de frais arômes de verger en fleur, de pêche blanche et de pierre à fusil. Une attaque ronde prélude à un palais frais et assez long, agrémenté de notes d'agrumes. Déjà prêt, ce vin évoluera bien pendant les trois prochaines années. (Sucres résiduels : 6 g/l.)
☛ EARL Fernand Ziegler et Fils, 7, rue des Vosges, 68150 Hunawihr, tél. 03 89 73 64 42, fax 03 89 73 71 38, fernand.ziegler@wanadoo.fr, ☑ ⚔ r.-v. 🏠 ⑧

RÉGINE ZIMMER Schoenenbourg Riesling 2010 ★

| | 1 500 | ⬙ 20 à 30 € |

Depuis la disparition de son mari en 2001, Régine Zimmer conduit l'exploitation familiale qui a son siège dans l'artère principale de Riquewihr, cité fortifiée courue par les visiteurs. Sur ses 9 ha de vignes, elle possède une belle parcelle de 1 ha dans le Schoenenbourg, coteau aux sols marno-calcaires dominant la ville au nord. Renommé dans toute l'Europe dès le XVIe s., ce terroir est propice au riesling. Celui-ci s'ouvre à l'aération sur un fruité complexe mêlant les agrumes aux fruits exotiques. Frais en attaque, il se montre équilibré et assez long, malgré la présence de quelques sucres résiduels. Il est prêt. (Sucres résiduels : 4 g/l.)

☛ EARL Régine Zimmer, 42, rue du Gal-de-Gaulle, 68340 Riquewihr, tél. 03 89 47 85 01, fax 03 89 47 99 39, regine.zimmer@wanadoo.fr, ☑ ⚔ ▼ r.-v.

DOM. ZINCK Eichberg Gewurztraminer 2010 ★★

| | 3 500 | ▮ 15 à 20 € |

Philippe Zinck, rejoint par Pascale, a repris en 1997 l'affaire fondée par son père en 1964. En 2010, le couple a décidé de passer de la lutte raisonnée au bio. Son gewurztraminer de l'Eichberg est « typé des terroirs marno-calcaires », écrit un juré. Bien vu, car ce grand cru d'Eguisheim possède ce type de sols. Il passe pour engendrer des vins puissants, et ce 2010 d'un jaune paille brillant offre tout à fait ce profil. Il s'ouvre sur des parfums intenses et complexes, où les fleurs (jasmin, fleur d'oranger, rose) s'allient aux fruits mûrs, à la figue et aux épices. Tout aussi intense, le palais se montre franc, riche, ample et gras, avec des sucres déjà fondus. La longue finale est marquée par de délicates notes réglissées et poivrées. On pourra apprécier cette bouteille pendant au moins cinq ans. Bel accord en perspective sur des gambas au risotto de coco au curry. (Sucres résiduels : 28 g/l.)
☛ Dom Zinck, 18, rue des Trois-Châteaux, 68420 Eguisheim, tél. 03 89 41 19 11, fax 03 89 24 12 85, info@zinck.fr, ☑ ⚔ ▼ t.l.j. sf dim. 9h-12h 14h-18h
☛ Philippe et Pascale Zinck

Crémant-d'alsace

Superficie : 3 017 ha
Production : 275 000 hl

La reconnaissance de cette appellation, en 1976, a donné un nouvel essor à la production de vins effervescents élaborés selon la méthode traditionnelle, qui existait depuis longtemps à une échelle réduite. Les cépages qui peuvent entrer dans la composition du crémant-d'alsace sont le pinot blanc, l'auxerrois, le pinot gris, le pinot noir, le riesling et le chardonnay.

PIERRE ET FRÉDÉRIC BECHT Chardonnay 2010 ★★

| | 7 600 | 5 à 8 € |

Établis à Dorlisheim, non loin de Strasbourg, Pierre Becht et son fils Frédéric fréquentent assidûment ces pages, notamment pour leur alsace pinot noir (cuvée Frédéric). Ils bichonnent aussi leur chardonnay, témoin ce crémant jaune doré, au nez riche et complexe qui évoque le pain grillé, le beurre frais et le coing. Franc et frais en attaque, le palais se fait ensuite plus rond et vineux, mais sans jamais perdre l'équilibre grâce à une belle arête vive. Des bulles pour la table sans aucun doute : pourquoi pas un foie gras, comme le propose un dégustateur ?
☛ Pierre et Frédéric Becht, 26, fg des Vosges, 67120 Dorlisheim, tél. 03 88 38 18 22, fax 03 88 38 87 81, info@domaine-becht.com,
☑ ⚔ ▼ t.l.j. sf dim. 8h30-11h30 14h-18h30

BESTHEIM ★

| | 120 000 | 5 à 8 € |

Cette société de négoce, née de l'union des caves de Bennwihr et de Westhalten avec la maison Heim, propose ici un crémant 100 % pinot blanc. Cordon persistant de fines bulles, bouquet élégamment fruité et légèrement miellé, bouche fraîche et tonique, tels sont ses arguments. Parfait pour une quiche aux poireaux ou une terrine de poisson. La cuvée **Heim Impérial (101 300 b.)**, issue de l'auxerrois (60 %), du pinot blanc et d'une touche de riesling, fait jeu égal : même finesse et mêmes senteurs fruitées au nez, même droiture en bouche. Élaborée à partir d'un assemblage identique par la cave d'Obernai, elle aussi dans le giron du groupe Bestheim, la cuvée **Sainte-Odile (100 000 b.)** obtient une étoile pour son nez discret mais plaisant de fruits blancs et pour son palais franc, frais et long.

☛ Bestheim, 3, rue du Gal-de-Gaulle, 68630 Bennwihr, tél. 03 89 49 09 29, fax 03 89 49 09 20, vignobles@bestheim.com,

☑ ⟁ ☓ t.l.j. sf dim. 10h-12h 14h-17h30

FRANÇOIS BRAUN ET SES FILS

| | 13 000 | | 5 à 8 € |

Non loin de Guebwiller, au pied des plus hauts sommets vosgiens, le domaine Braun, conduit par les frères Philippe et Pascal, étend ses vignes sur 21 ha et quatre-vingts parcelles. Le chardonnay (35 %) et les pinots composent ce crémant or pâle, au nez ouvert et charmeur de fruits frais. La bouche est à l'unisson, vive, fruitée et d'une longueur honorable. Un vin harmonieux, pour l'apéritif.

☛ François Braun et Fils, 19, Grand-Rue, 68500 Orschwihr, tél. 03 89 76 95 13, fax 03 89 76 10 97, francois-braun@orange.fr,

☑ ⟁ ☓ t.l.j. sf dim. 8h-12h 14h-17h30 🏠 ☉

JEAN-PAUL ECKLÉ 2010 ★

| | 10 000 | ▮ | 5 à 8 € |

Ce domaine situé à Katzenthal, paisible village blotti dans un vallon dominé par les ruines du château du Wineck, est régulièrement au rendez-vous du Guide, notamment avec ses rieslings (grand cru Wineck-Schlossberg et lieu-dit Hinterburg). C'est le pinot blanc qui domine ici, le riesling venant en appoint (20 %). Au nez, de la discrétion et de la finesse ; en bouche, de la fraîcheur et de l'équilibre. Un ensemble harmonieux, à déguster à l'apéritif.

☛ Jean-Paul Ecklé et Fils, 29, Grand-Rue, 68230 Katzenthal, tél. 03 89 27 09 41, fax 03 89 80 86 18, eckle.jean-paul@wanadoo.fr,

☑ ⟁ ☓ t.l.j. sf dim. 9h-12h 13h30-18h 🏠 ☉

CAVE FAHRER-ACKERMANN
Coteaux du Haut-Kœnigsbourg 2010 ★★

| | 4 000 | ▮ | 8 à 11 € |

Établi à Rorschwihr, au pied du Haut-Kœnigsbourg, Vincent Ackermann conduit depuis 1999 ce domaine de 7,5 ha, dont 80 ares dédiés à ce crémant né sur un sol argileux. Au nez, l'expression est avant tout florale, mâtinée de jolies notes miellées. Après une attaque tout en fraîcheur, le palais se révèle souple, gras, crémeux et persistant, avec toujours cette touche miellée à l'arrière-plan. Un beau crémant de repas, pour un poisson ou une volaille en sauce.

☛ Dom. Fahrer-Ackermann, 10, rte du Vin, 68590 Rorschwihr, tél. 03 89 73 83 69, vincent.ackermann@wanadoo.fr, ☑ ⟁ ☓ r.-v. 🏛 ❷ 🏠 ☉

ⓑ DOM. ARMAND GILG 2010

| | 24 000 | ▮ | 8 à 11 € |

Les lecteurs connaissent bien cette ancienne famille d'origine autrichienne, établie à Mittelbergheim depuis

1601, et notamment ses grands crus Zotzenberg et Moenchberg. Avec ce crémant à dominante d'auxerrois, complété de pinot gris et de riesling, elle propose un vin plutôt discret au nez, aux accents finement fruités, franc, frais et équilibré en bouche. Parfait pour l'apéritif, autour de quelques gougères, par exemple.

☛ Dom. Armand Gilg, 2, rue Rotland, 67140 Mittelbergheim, tél. 03 88 08 92 76, fax 03 88 08 25 91, armand.gilg@wanadoo.fr, ☑ ⟁ ☓ t.l.j. 8h-12h 13h30-18h; dim. 9h-11h30

GINGLINGER-FIX 2010

| | 11 500 | ▮ | 5 à 8 € |

Régulièrement sélectionné pour ses crémants, ce domaine est conduit selon une démarche bio, mais sans certification. Le trio formé par André (le père), Éliane (la fille, œnologue) et Hubert (le fils, ingénieur viticole) présente une cuvée issue pour moitié de pinot blanc, pour moitié de chardonnay et de pinot gris : un vin ouvert sur les fruits au nez, frais, fin et équilibré en bouche. Parfait pour l'apéritif.

☛ Ginglinger-Fix, 38, rue Roger-Frémeaux, 68420 Voegtlinshoffen, tél. 03 89 49 30 75, fax 03 89 49 29 98, info@ginglinger-fix.fr, ☑ ⟁ ☓ t.l.j. 8h30-12h 13h30-18h

GRUSS 2011 ★

| | 4 000 | | 8 à 11 € |

Ce crémant rosé est signé André Gruss, très bon faiseur de bulles si l'on en juge par les nombreuses sélections dans ce chapitre, avec plusieurs coups de cœur – dont le dernier date de l'an dernier pour la cuvée Prestige 2010 en blanc. La robe est d'un joli rose orangé. Le nez évoque les fruits rouges et les fleurs blanches. La bouche, franche et fraîche en attaque, se montre ensuite plus vineuse mais toujours fine, dominée par des arômes de cerise noire et de fraise ; elle fait preuve d'une belle longueur. Pourquoi pas des gambas poêlées ?

☛ Joseph Gruss et Fils, 25, Grand-Rue, 68420 Eguisheim, tél. 03 89 41 28 78, fax 03 89 41 76 66, domainegruss@hotmail.com, ☑ ⟁ ☓ t.l.j. sf dim. 8h-12h 13h30-18h30

CAVE VINICOLE DE HUNAWIHR Calixte ★

| | 150 000 | ▮ | 5 à 8 € |

Cette cuvée de la coopérative de Hunawihr fait référence au pape Calixte II qui prit au XIIᵉˢ. la défense du village contre des taxations jugées excessives. Issue en majorité des pinots, avec le chardonnay en appoint, elle livre un bouquet fruité dominé par la pêche blanche. La bouche se révèle longue et bien équilibrée entre fraîcheur et rondeur. Qualifié de « féminin », ce crémant s'appréciera à l'apéritif, sur des toasts de saumon fumé. Également proposée par la cave, la cuvée **Kuhlmann-Platz (150 000 b.)**, vive, nerveuse, obtient aussi une étoile, de même que **L'Unabelle Cuvée réservée (150 000 b.)**, dans un style proche, sur la vivacité.

☛ Cave vinicole de Hunawihr, 48, rte de Ribeauvillé, 68150 Hunawihr, tél. 03 89 73 61 67, fax 03 89 73 33 95, info@cave-hunawihr.com, ☑ ☓ t.l.j. 9h-12h 14h-18h

ⓑ LÉON MANBACH 2010 ★

| | 6 000 | | 8 à 11 € |

Christophe Mersiol exploite un domaine de 12 ha et cultivé en bio. Sous l'étiquette Léon Manbach, il signe un crémant né d'un assemblage d'auxerrois (40 %), de riesling (30 %), de pinot noir et de chardonnay. Le bouquet apparaît discret mais finement fruité. La bouche plaît par son équilibre entre fraîcheur et gras et par sa persistance. Un vin de belle tenue, pour l'apéritif ou le repas.

☛ Léon Manbach, 13, rte du Vin, 67650 Dambach-la-Ville, tél. 03 88 92 40 43, fax 03 88 92 48 73, leon.manbach@gmail.com, ☑ ☩ ⌙ r.-v.

☛ Mersiol

Ⓔ **JEAN-LOUIS ET FABIENNE MANN** Extra-brut
Génération terroir 2010 ★

| ○ | 2 300 | 11 à 15 € |

Une valeur sûre que ce domaine bien connu de nos lecteurs, notamment pour ses grands crus Pfersigberg. Jean-Louis et Fabienne Mann, rejoints par leur fils Sébastien, cultivent leurs 10,5 ha en bio et, depuis 2009, en biodynamie. Ils signent à partir du pinot noir (60 %) et de l'auxerrois un crémant de caractère, élevé dix-huit mois sur lattes. Paré d'une robe jaune doré, le vin dévoile un bouquet expressif aux accents de brioche, d'amande et de fruits secs. En bouche, il se révèle gras, crémeux, dense, vineux, mais sans jamais se départir d'une juste fraîcheur. Un crémant de repas assurément, à découvrir sur une volaille à la crème, par exemple.

☛ EARL Jean-Louis Mann, 11, rue du Traminer, 68420 Eguisheim, tél. 03 89 24 26 47, fax 03 89 24 09 41, mann.jean-louis@wanadoo.fr, ☑ ☩ ⌙ r.-v.

♥ **DOM. DU MOULIN DE DUSENBACH** 2011 ★★

| ○ | 19 000 | ▮ | 5 à 8 € |

Ce moulin n'est devenu viticole qu'au siècle dernier, après avoir été tour à tour moulin à farine, scierie et battoir de chanvre. Acquis en 2008 par la famille Schwebel, il étend aujourd'hui son vignoble sur 26 ha et quinze communes. Une diversité de terroirs qui lui permet de faire varier les plaisirs. Ici, un crémant né sur un sol argilo-calcaire sablonneux, issu à parts égales de pinot blanc, d'auxerrois et de pinot noir. Le résultat est remarquable, et ce coup de cœur fait écho à celui obtenu l'an dernier pour le crémant 2009. Animée par un cordon de fines bulles, la version 2011 livre un bouquet délicat, floral (muguet) et citronné. Net, croquant, frais, bien structuré, long : les termes dithyrambiques ne manquent pas pour qualifier le palais. Un vin élégant et rectiligne, qui ravira tout au long du repas.

☛ Dom. du Moulin de Dusenbach, 25, rte de Sainte-Marie-aux-Mines, 68150 Ribeauvillé, tél. 03 89 73 72 18, fax 03 89 73 30 34, contact@domaine-dusenbach.com, ☑ ☩ ⌙ r.-v.

☛ Schwebel

RUHLMANN Signature Jean-Charles 2011

| ○ | 85 000 | ▮ | 5 à 8 € |

Ce domaine, également négociant, a connu un beau développement ces vingt-cinq dernières années pour atteindre aujourd'hui 32 ha et exporter une bonne part de sa production. Il propose ici une cuvée dominée par le pinot blanc, qui plaît par son bouquet floral, discret mais fin, et par son palais frais, droit et équilibré. Pour l'apéritif ou pour un poisson grillé.

☛ Ruhlmann, 34, rue du Mal-Foch, 67650 Dambach-la-Ville, tél. 03 88 92 41 86, fax 03 88 92 61 81, vins@ruhlmann-schutz.fr, ☑ ☩ ⌙ t.l.j. 9h-12h 14h-19h 🏠 ❷

SCHALLER Extra-brut 2010

| ○ | 20 000 | ▮ | 8 à 11 € |

Patrick Schaller a été l'un des pionniers du crémant alsacien : il élabora ses premières bulles dès 1976, date de création de l'AOC. Depuis 2003, c'est son fils Charles qui est aux commandes. Pinot blanc (50 %), auxerrois et riesling composent cette cuvée à l'effervescence persistante, au nez floral et fruité, au palais nerveux, mordant même, bien typé extra-brut. Un vin tonique, pour un apéritif aux accents maritimes.

☛ EARL Edgard Schaller et Fils, 1, rue du Château, BP 23, 68630 Mittelwihr, tél. 03 89 47 90 28, fax 03 89 49 02 66, edgard.schaller@wanadoo.fr, ☑ ☩ ⌙ t.l.j. 9h-12h 14h-18h30

PAUL SCHNEIDER 2010 ★

| ○ | 4 000 | ▮ | 8 à 11 € |

C'est dans l'ancienne cour dîmière du grand prévôt de la cathédrale de Strasbourg qu'est établi le siège de ce domaine familial plus connu de nos lecteurs pour ses grands crus Eichberg (riesling) que pour ses crémants. Ce rosé se présente dans une élégante robe saumonée. Il mêle au nez les fruits (pomme cuite, abricot, fruits rouges) à des nuances florales et briochées, se montre frais et persistant en bouche, agrémenté d'une petite pointe kirschée. Recommandé sur une poularde au... crémant.

☛ EARL Paul Schneider, 1, rue de l'Hôpital, 68420 Eguisheim, tél. 03 89 41 50 07, fax 03 89 41 30 57, vins.paul.schneider@wanadoo.fr, ☑ ☩ ⌙ t.l.j. sf dim. 9h-12h 13h30-18h30 🏠 Ⓑ

MAURICE SCHUELLER 2009 ★★

| ○ | 5 700 | ▮ | 5 à 8 € |

Cette famille d'origine suisse s'est installée à Eguisheim avant que le grand-père n'acquière une propriété viticole en 1934 à Gueberschwihr. Depuis 1994, Marc Schueller est aux commandes de 7,4 ha de vignes. Coup de cœur dans l'édition précédente pour son grand cru Goldert gewurztraminer 2010, il frôle la plus haute marche avec ce crémant issu de chardonnay (50 %), de pinot blanc et d'auxerrois. Le nez, ouvert et élégant, évoque les fruits jaunes. Le palais se révèle bien étoffé, corpulent, intense et porté par une belle fraîcheur. Remarquable par son équilibre et sa tenue, ce vin ravira aussi bien sur un tartare de poisson que sur un brillat-savarin.

☛ EARL Maurice Schueller, 17, rue Basse, 68420 Gueberschwihr, tél. 03 89 49 31 80, fax 03 89 49 26 60, marc@vins-schueller.com, ☑ ☩ ⌙ t.l.j. sf dim. 8h30-12h 14h-18h 🏠 Ⓖ

STINTZI 2007 ★

7 000	5 à 8 €

Installé à la tête du domaine familial depuis 2004, Olivier Stintzi se distingue par un crémant étonnement frais pour son âge. Au nez, des notes « chaudes », grillées et briochées, se mêlent à des nuances plus vives d'agrumes (écorce de citron) et de pêche. On retrouve cette fraîcheur et ces arômes, avec quelques notes de sous-bois, dans une bouche élégante, souple et longue. Une bouteille qui se mariera aussi bien à un saumon en sauce qu'à une pintade aux champignons ou à une tarte à la rhubarbe.

⌗ Gérard Stintzi, 29, rue Principale, 68420 Husseren-les-Châteaux, tél. 03 89 49 30 10, fax 03 89 49 34 99, gerard.stintzi@wanadoo.fr, ☑ ⚒ ⏣ t.l.j. sf dim. 10h-12h 14h-18h ⌂ Ⓑ

JEAN WACH 2010

15 000	▮	5 à 8 €

Raphaël Wach et son père Jean exploitent une dizaine d'hectares autour du bourg médiéval d'Andlau. Ils signent un crémant « sans chichi » : discret mais finement fruité au nez, vif et franc en bouche, à réserver pour l'apéritif.

⌗ Jean Wach et Fils, 16 A, rue du Mal-Foch, 67140 Andlau, tél. et fax 03 88 08 09 73, raph.wach@wanadoo.fr, ☑ ⚒ ⏣ t.l.j. 9h-12h 14h-19h; dim. sur r.-v. ⌂ Ⓑ

WILLM ★

50 000	▮	5 à 8 €

Fondée en 1896, cette maison reprise depuis plusieurs années par les vignerons réunis d'Eguisheim n'a jamais abandonné sa vocation exportatrice – elle expédie ses vins aux États-Unis dès la fin de la prohibition –, et 80 % de sa production part aujourd'hui à l'étranger. Pinot blanc, pinot gris et riesling composent cette cuvée jaune pâle, aux bulles fines, au nez empreint de notes d'agrumes et de miel. Le palais se fait direct et nerveux, tendu par une belle vivacité qui lui donne de la longueur. Un crémant harmonieux, tout indiqué pour l'apéritif.

⌗ Alsace Willm, 6, Grand-Rue, 68420 Eguisheim, tél. 03 89 41 24 31, fax 03 89 24 20 54, contact@alsace-willm.com, ☑ ⏣ r.-v.

MARTIN ZAHN 2011

120 000	▮	5 à 8 €

Proposé par la cave coopérative de Ribeauvillé, la plus ancienne de France (1895), forte de quelque 250 ha de vignes, ce crémant à dominante de pinot blanc dévoile un joli nez floral et fruité (pomme verte). Fraîche et croquante, la bouche est à l'unisson, portée par une finale pleine de nervosité.

⌗ Cave de Ribeauvillé, 2, rte de Colmar, 68150 Ribeauvillé, tél. 03 89 73 61 80, fax 03 89 73 31 21, cave@cave-ribeauville.com, ☑ ⚒ ⏣ t.l.j. 8h-12h 14h-18h

LA LORRAINE

Les vignobles des Côtes de Toul et de la Moselle restent les deux seuls témoins d'une viticulture lorraine autrefois florissante par son étendue, supérieure à 30 000 ha en 1890. Elle l'était aussi par sa notoriété. Les deux vignobles connurent leur apogée à la fin du XIXᵉs.

Dès cette époque, plusieurs facteurs se conjuguèrent pour entraîner leur déclin : la crise phylloxérique, qui introduisit l'usage de cépages hybrides de moindre qualité ; la crise économique viticole de 1907 ; la proximité des champs de bataille de la Première Guerre mondiale ; l'industrialisation de la région, à l'origine d'un formidable exode rural. Ce n'est qu'en 1951 que les pouvoirs publics reconnurent l'originalité de ces vignobles. En 1998, les vins-de-moselle sont devenus AOC sous le nom de moselle.

> **Superficie**
> 100 ha
> **Production**
> 4 200 hl
> **Types de vins**
> Blancs secs, rosés (vins gris) et rouges tranquilles
> **Cépages**
> Blancs : auxerrois, muller-thurgau, pinot blanc, pinot gris
> Rouges et rosés : gamay, pinot noir

Côtes-de-toul

Superficie : 57 ha
Production : 2 544 hl (85 % rouge et rosé)

Situé à l'ouest de Toul et du coude caractéristique de la Moselle, le vignoble a accédé à l'AOC en 1998. Il couvre environ 87 ha et se trouve sur le territoire de huit communes qui s'échelonnent le long d'une côte résultant de l'érosion de couches sédimentaires du Bassin parisien. On y rencontre des sols de période jurassique composés d'argiles oxfordiennes, avec des éboulis calcaires en notable quantité, très bien drainés et exposés au sud ou au sud-est. Le climat semi-continental, qui renforce les températures estivales, est favorable à la vigne. Toutefois, les gelées de printemps sont fréquentes.

Le gamay domine toujours, bien qu'il régresse sensiblement au profit du pinot noir. L'assemblage de ces deux cépages produit des vins gris caractéristiques, obtenus par pressurage direct. En outre, le décret précise l'obligation d'assembler au minimum 10 % de pinot noir au gamay en superficie pour la production de gris, cela conférant au vin une plus grande rondeur. Le pinot noir seul, vinifié en rouge, donne des vins corsés et agréables, l'auxerrois d'origine locale, en progression constante, des vins blancs tendres.

Au départ de Toul, une route du Vin et de la Mirabelle parcourt le vignoble.

FRANCIS DEMANGE Pinot noir 2012 ★

| ■ | 2 400 | 5 à 8 € |

Le gris de ce vigneron a décroché un coup de cœur pour le millésime précédent. Cité, le **gris 2012 (1 600 b.)** n'a pas la même intensité, mais il tire son épingle du jeu dans un millésime difficile, offrant les qualités que l'on attend de ce type de vin : une robe saumon limpide, un nez frais et précis, une attaque acidulée et un joli fruité. L'**auxerrois 2012** obtient la même note pour ses parfums d'agrumes auxquels répond une bouche vive et bien structurée. L'étoile va à ce pinot noir, un vin élégant et suave, au nez délicat de fruits rouges et au palais friand et vif, soutenu par des tanins fins.
☞ Francis Demange, 93, rue des Triboulottes, 54200 Bruley, tél. 03 83 64 33 47 ☑ ⚔ ▼ r.-v.

♥ VINCENT LAROPPE Pinot noir
La Chaponière 2011 ★★

| ■ | 4 500 | ⬛ 11 à 15 € |

En 1722, François Laroppe était vigneron au château de Bruley. Les lecteurs du Guide connaissent ce domaine depuis les premières éditions. Si la propriété a fait des émules, Vincent, œnologue comme Michel, assure la succession avec talent depuis 2003. Sa cuvée la Chaponière, issue d'une parcelle de pinot noir bien orientée, se joue des millésimes. Élevée un an en fûts de chêne (neufs à 80 %), elle obtient un nouveau coup de cœur. La robe grenat soutenu annonce un nez puissant, de belle finesse, dont le boisé ne masque pas les notes de fruits rouges mûrs. Ce fruité s'épanouit en bouche, où l'on découvre une grande matière, structurée par des tanins serrés. On pourra garder cette bouteille, et même la cuvée classique de **pinot noir 2012 (5 à 8 €;**

12 000 b.), élevée en cuve, citée pour ses arômes de fruits rouges, sa concentration et sa structure tannique qui peut encore s'affiner. Quant à l'**auxerrois 2012 (5 à 8 €; 12 000 b.)**, il reçoit une étoile pour son nez délicatement floral et pour sa bouche acidulée et longue aux nuances de fruits exotiques.
☞ Vincent Laroppe, 253, rue de la République, 54200 Bruley, tél. 03 83 43 11 04, fax 03 83 43 36 92, vignoble-laroppe@wanadoo.fr,
☑ ▼ t.l.j. sf dim. 9h-12h 14h-18h 🏠 ❷

DOM. LELIÈVRE Gris Les Évêques 2011 ★★

| ■ | 1 600 | ⬛ 11 à 15 € |

La propriété se transmet de père en fils depuis la Révolution. Arrivés en 2009 sur l'exploitation aux côtés de leur père Roland, David et Vincent se sont formés dans d'autres vignobles et sociétés de France et d'Europe ; son « grand tour vigneron » a même mené Vincent jusqu'en Australie. La nouvelle génération a contribué à l'adoption de pratiques viticoles plus raisonnées et donné une dimension culturelle à l'entreprise familiale en transformant le chai en galerie d'art chaque week-end du 11 novembre. Cette année, les Lelièvre ont proposé un gris exemplaire, au nez à la fois puissant et fin sur les fruits mûrs, et au palais minéral et long. Un vin assez gras pour accompagner une cuisine exotique pas trop relevée.
☞ EARL Dom. Lelièvre, 1, rue de la Gare, 54200 Lucey, tél. 03 83 63 81 36, fax 03 83 63 84 45, info@vins-lelievre.com, ☑ ⚔ ▼ r.-v.

♥ DOM. DE LA LINOTTE Vin gris 2012 ★★

| ■ | 6 500 | ▮ 5 à 8 € |

Après avoir travaillé à Sancerre et en Champagne, Marc Laroppe est revenu planter dans son village un petit vignoble de quelque 2 ha, qui contribue à la renaissance discrète du Toulois viticole. S'appuyant sur l'œnotourisme, la propriété est devenue une valeur sûre de la région. Cette année, elle fait coup double, avec deux coups de cœur ! Le premier va à ce gris, habillé de saumon comme il se doit, et couronné pour ses qualités aromatiques, sa belle attaque, sa fraîcheur, sa structure et sa longueur. Un modèle d'élégance et de finesse. Même distinction pour l'**auxerrois 2012 (2 200 b.)** ♥, un vin or pâle limpide aux parfums d'agrumes délicats et frais, penchant au palais vers le pamplemousse et l'ananas. Présents mais sans excès, des sucres résiduels contribuent à l'harmonie générale de cette bouteille.
☞ Marc Laroppe, 90, rue Victor-Hugo, 54200 Bruley, tél. 03 83 63 29 02, domainedelalinotte@orange.fr,
☑ ⚔ ▼ t.l.j. sf dim. 9h-12h 14h-19h 🏠 ❷

ALAIN MIGOT Vin gris 2012

■ 4 000 ▯ 5 à 8 €

Alain Migot a perpétué la tradition familiale en fondant son domaine sur les coteaux de Lucey en 2001. Son fils Camille s'apprête à le rejoindre. Dans une année difficile, la propriété n'a pas manqué la spécialité du Toulois, un vin gris bien typé par sa robe saumonée, par son nez délicat, floral et fruité, et par sa bouche fraîche aux arômes de fruits rouges. Pour une tourte à la viande maison.

🏠 Alain Migot, 108, Grand-Rue, 54200 Lucey, tél. 03 83 63 87 31, domaine-migot@orange.fr, ☑ ⚔ ⵉ r.-v.

DOM. RÉGINA Pinot noir Cuvée aux chênes 2011 ★

■ 70 000 ▥ 5 à 8 €

Constitué à partir de 1997, le domaine d'Isabelle et Jean-Michel Mangeot couvre aujourd'hui 12 ha et a acquis une belle notoriété, à laquelle les coups de cœur du Guide Hachette ont certainement contribué. Cette année, trois de leurs cuvées font jeu égal, avec une étoile pour chacune. Ce pinot noir en robe rubis dévoile son élevage en barrique dans son nez intense aux notes de torréfaction. Le palais suave adopte le même registre boisé, grillé et chocolaté jusqu'en finale. Un très beau vin qui demande une petite garde pour s'affiner. L'**auxerrois 2012** (70 000 b.) montre de belles qualités de fraîcheur et d'élégance, jouant sur des arômes de fruits exotiques. Fraîcheur qui fait aussi l'agrément du **gris Vieilles Vignes 2012** (70 000 b.), un vin bien typé par sa robe saumonée et par ses arômes fringants de fruits rouges.

🏠 Dom. Régina, 350, rue de la République, 54200 Bruley, tél. 03 83 64 49 52, fax 03 83 64 83 84, contact@domaineregina.com,
☑ ⚔ ⵉ mer. jeu. ven. sam. 10h-12h 14h-18h
🏠 Jean-Michel Mangeot

LES VIGNERONS DU TOULOIS Pinot noir 2012 ★

■ 7 100 ▮ 5 à 8 €

Les coopératives contribuent souvent à faire revivre des vignobles traditionnels en voie de disparition. C'est bien le cas de cette toute petite cave, fondée en 1989 et implantée sur la route du Vin et de la Mirabelle. Les dégustateurs ont donné une étoile à son pinot noir au nez de fruits rouges à la fois concentré et fin. Un vin puissant et charpenté. Quant à l'**auxerrois 2012** (4 700 b.), ses parfums de fruits exotiques ont un palais frais, acidulé et fruité à souhait lui valent une citation.

🏠 Les Vignerons du Toulois, 43, pl. de la Mairie, 54113 Mont-le-Vignoble, tél. et fax 03 83 62 59 93, vigneronsdutoulois@orange.fr,
☑ ⚔ ⵉ t.l.j. sf dim. lun. 14h-18h

Moselle

Superficie : 42 ha
Production : 1 648 hl (55 % blanc)

Le vignoble, représentant 38 ha, s'étend sur les coteaux qui bordent la vallée de la Moselle ; ceux-ci ont pour origine les couches sédimentaires formant la bordure orientale du Bassin parisien. L'aire délimitée se concentre autour de trois pôles principaux : le premier au sud et à l'ouest de Metz, le deuxième dans la région de Sierck-les-Bains ; le troisième pôle se situe dans la vallée de la Seille autour de Vic-sur-Seille. La viticulture est influencée par celle du Luxembourg tout proche, avec ses vignes hautes et larges, et sa dominante de vins blancs secs et fruités. En volume, cette appellation reste très modeste et son expansion est contrariée par l'extrême morcellement de la région.

DOM. LES BÉLIERS Auxerrois 2012

■ 3 000 ▮ 5 à 8 €

Créé par Michel et Robert Maurice en 1983 sur les coteaux de la Moselle, en amont de Metz, ce domaine est géré depuis 2008 par Ève Maurice, œnologue. Il ne compte pas plus de 3,5 ha et propose pourtant de nombreuses cuvées. Les dégustateurs en ont cité trois : cet auxerrois, pas très long mais plaisant par son nez d'agrumes, en harmonie avec une attaque franche et une bouche vive ; le **pinot noir Rubis 2012** (8 à 11 € ; 1 300 b.), élevé un an sous bois, élu non pour sa charpente mais pour son fruité vanillé d'une belle finesse ; et enfin le **pinot gris Nina 2011** (8 à 11 € ; 1 200 b.) au délicat fruité d'agrumes.

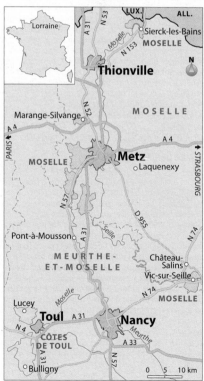

Lorraine

⚲ EARL Dom. les Béliers, 3, pl. Foch,
57130 Ancy-sur-Moselle, tél. 03 87 30 90 07,
fax 03 87 30 91 48, domaine.beliers@orange.fr, ☑ ⊼ r.-v.
⚲ Ève Maurice

DOM. DE LA CROIX DE MISSION Auxerrois 2012

| 1 500 | | 5 à 8 € |

À Marange-Silvange, le vignoble couvrait 123 ha au début du XXᵉs. L'activité minière l'a réduit à la portion congrue. Aujourd'hui, la viticulture renaît – à une échelle modeste – grâce à des passionnés comme Philippe Joly, qui a planté son domaine à partir de 1995 ; il est à la tête aujourd'hui d'une petite exploitation de 1 ha 61 ares. Ce producteur signe un auxerrois intéressant par son nez d'agrumes, son équilibre et sa bonne longueur. À servir avec quiches et crudités.
⚲ Philippe Joly, 74, rue de la République,
57535 Marange-Silvange, tél. 06 74 41 42 38,
jolyphilippe57@aol.com, ☑ ⋏ ⊼ r.-v.

Ⓑ DOM. OURY-SCHREIBER Les Quatre Éléments 2012

| n.c. | ■ | 5 à 8 € |

En 2012, Pascal Oury est mort dans ses vignes, âgé seulement de cinquante-six ans. Ce Champenois exploitait alors trois domaines en bio : l'un dans la Marne, l'autre en Languedoc et celui-ci, sur les coteaux de Vezon, près de Metz. Il aura eu la satisfaction de voir le vignoble mosellan, qu'il avait contribué avec brio à faire revivre, accéder à l'AOC. Comme un testament, voici trois cuvées, citées par le jury : ce vin d'assemblage, associant auxerrois et pinot gris à un soupçon de gewurztraminer, au nez d'agrumes fin et plaisant, s'épanouissant au palais sur de jolies notes de fruits exotiques ; le **pinot gris Barriques 2012** (11 à 15 € ; 2 000 b.), mariant au nez les agrumes et des notes grillées, gras, boisé et long en bouche, qui devrait s'affiner ; le **pinot noir 2012** (4 000 b.), un vin friand et vif, aux arômes de framboise. La femme de Pascal Oury, Andrea Schreiber, associée de la première heure, ainsi que ses enfants devraient perpétuer l'entreprise.
⚲ Dom. Oury-Schreiber, 29, rue des Côtes,
57420 Marieulles, tél. 03 87 52 09 02, fax 03 87 52 09 17,
oury@neuf.fr,
☑ ⋏ ⊼ t.l.j. sf dim. 17h30-19h; sam. 10h-12h 14h-18h

CLAUDE SONTAG Auxerrois 2012

| 6 500 | ■ | 5 à 8 € |

Le village de Contz-les-Bains est situé au pays des Trois Frontières : c'est le nom donné à cette contrée située aux confins de l'Allemagne et du Luxembourg. Les coteaux bordant la rivière sont couverts de vignes. Claude Sontag en cultive 4 ha. Cette année, les dégustateurs ont goûté et cité son auxerrois, un vin franc et vif aux parfums subtils de fruits exotiques ; deux autres cuvées font jeu égal : le **pinot gris Tradition 2012** (3 500 b.), caractéristique du cépage, pas très puissant mais franc et équilibré, aux arômes typés nuancés en bouche de notes de bergamote ; et le **pinot noir Barrique 2011** (8 à 11 € ; 2 000 b.), qui livre de discrets parfums de fruits rouges avant de s'épanouir en bouche sur des notes de fraise ; un ensemble équilibré, montrant une petite pointe tannique en finale.

⚲ Claude Sontag, 5, rue Saint-Jean, 57480 Contz-les-Bains,
tél. 06 78 59 35 95, claude.sontag@gmail.com, ☑ ⋏ ⊼ r.-v.

♥ STROMBERG Muller-Thurgau 2012 ★★

| 6 000 | ■ | 5 à 8 € |

Jean-Marie Leisen se proclame « alchimiste et vigneron ». L'alchimiste tire l'esprit des fruits qu'il distille dans ses alambics. Le vigneron est bien connu de nos lecteurs. Il obtient son troisième coup de cœur avec un cépage cultivé dans le secteur – le pays des Trois Frontières, tout près de l'Allemagne et du Luxembourg – mais rarement porté aux nues. Ce croisement de riesling et de sylvaner, adapté aux milieux frais, tire son épingle du jeu dans la difficile année 2012. Il offre tout ce que l'on attend de cette variété : une belle fraîcheur, tant dans ses nuances de fleurs blanches que dans son équilibre au palais. Trois autres vins du domaine reçoivent chacun une étoile : **pinot gris 2011** (8 à 10 € ; 1 000 b.), pour ses senteurs vanillées et mentholées qui prennent en bouche des nuances grillées ; l'**auxerrois 2012** (6 000 b.), pour son nez discret et agréable, subtilement mentholé lui aussi, suivi d'un palais gras et rond aux arômes de pêche et de poire ; et le **blanc 2012 Les Contemplations** (3 000 b.), complexe, intensément fruité et long.
⚲ Dom. du Stromberg, 21, Grand-Rue,
57480 Petite-Hettange, tél. 03 82 50 10 15,
fax 03 82 50 33 23, j.marie.leisen@wanadoo.fr, ☑ ⋏ ⊼ r.-v.

CH. DE VAUX Pinot noir Les Clos 2011

| 7 300 | ⫿⫿ | 15 à 20 € |

Depuis 1999, Marie-Geneviève et Norbert Molozay ont assuré une belle notoriété à ce domaine du pays messin : on ne compte plus les étoiles et les coups de cœur à l'actif de l'exploitation, tant en rouge qu'en blanc. L'année 2011 n'est pas la plus faste du château, qui tire cependant son épingle du jeu avec deux cuvées intéressantes, des pinots noirs élevés en fût, une des spécialités de la maison : celle-ci offre un nez expressif de fruits rouges et d'épices ; sa belle matière est pour l'heure un peu marquée par son séjour de quatorze mois en fût ; le **pinot noir Pylae 2011** (20 à 30 € ; 2 400 b.) est un vin solidement structuré, à laisser en cave pour lui permettre de sortir de sa gangue boisée. On pourra marier ces deux bouteilles à un pavé de bœuf sauce chocolat ou café.
⚲ EARL Ch. de Vaux, 4, pl. Saint-Rémi, 57130 Vaux,
tél. 03 87 60 20 64, fax 03 87 60 24 67,
mgm@chateaudevaux.com,
☑ ⋏ ⊼ t.l.j. sf mer. dim. 14h-18h

LE BEAUJOLAIS ET
LE LYONNAIS

BROUILLY CÔTE-DE-BROUILLY
CHÉNAS CHIROUBLES JULIÉNAS
MOULIN-À-VENT MORGON
RÉGNIÉ SAINT-AMOUR
COTEAUX-DU-LYONNAIS BEAUJOLAIS
BEAUJOLAIS SUPÉRIEUR
BEAUJOLAIS-VILLAGES GAMAY

LE BEAUJOLAIS ET LE LYONNAIS

Superficie
18 400 ha
Production
1 000 000 hl
Types de vins
Rouges très majoritairement,
quelques blancs secs et rosés.
Sous-régions
Aires des dix crus (au nord), des
beaujolais-villages (autour des crus)
et des beaujolais (au sud de
Villefranche-sur-Saône
principalement).
Cépages
Rouges : gamay noir à jus blanc
principalement.
Blancs : chardonnay principalement.

Officiellement rattaché à la Bourgogne viticole, le Beaujolais n'en a pas moins une personnalité propre. Sa spécificité s'affirme par des paysages vallonnés et par un cépage presque exclusif, le gamay, qui le distingue du vignoble bourguignon. Elle a été renforcée par une promotion dynamique qui a rendu le beaujolais célèbre dans le monde entier. Qui pourrait ignorer, le troisième jeudi de novembre, la joyeuse arrivée du beaujolais nouveau ? La production régionale ne se limite pas à ce vin éphémère. Les dégustations du Guide s'attachent à faire découvrir d'autres expressions du gamay, plus complexes, profondes et durables. Toutes ont en partage le joli fruité du cépage.

L'extrême midi de la Bourgogne Le Beaujolais s'étend sur quatre-vingt-seize communes des départements de Saône-et-Loire et du Rhône, formant une région de 50 km du nord au sud sur une largeur moyenne d'environ 15 km. Au nord, l'Arlois semble être la limite avec le Mâconnais. À l'est, en revanche, la plaine de la Saône, où scintillent les méandres de cette rivière dont Jules César disait qu'« elle coule avec tant de lenteur que l'œil à peine peut juger de quel côté elle va », est une frontière évidente. À l'ouest, les monts du Beaujolais sont les premiers contreforts du Massif central ; leur point culminant, le mont Saint-Rigaux (1 012 m), apparaît comme une borne entre les pays de Saône et de Loire. Au sud enfin, le vignoble lyonnais prend le relais pour conduire jusqu'à la métropole, irriguée, comme chacun sait, par trois « fleuves » : le Rhône, la Saône et le... beaujolais !

Le Beaujolais est déjà la porte du Sud, bien différent de son illustre voisine la Bourgogne ; ici, point de côte linéaire, mais le jeu varié de collines et de vallons, qui multiplient à plaisir les coteaux ensoleillés ; et les maisons elles-mêmes, où les tuiles romaines remplacent les tuiles plates, prennent déjà un petit air du Midi.

Au carrefour des climats Le Beaujolais jouit d'un climat tempéré, résultat de trois régimes climatiques différents : une tendance continentale, une tendance océanique et une tendance méditerranéenne. Chacune peut dominer le temps d'une saison, avec des variations brutales faisant s'affoler baromètre et thermomètre. L'hiver peut être froid ou humide ; le printemps, humide ou sec ; les mois de juillet et d'août, brûlants quand souffle le vent desséchant du midi, ou humides avec des pluies orageuses accompagnées de grêle ; l'automne, humide ou chaud. La pluviométrie moyenne est de 750 mm, la température peut varier de -20 °C à +38 °C. Mais des microclimats modifient sensiblement ces données, favorisant l'extension de la vigne dans des situations a priori moins propices. Dans l'ensemble, le vignoble profite d'un bon ensoleillement et de bonnes conditions pour la maturation.

Le règne du gamay Le Beaujolais s'identifie avec le gamay, qui couvre 99 % des surfaces plantées. Celui-ci est d'ailleurs parfois désigné sous le terme de « gamay beaujolais ». Banni de la Côte-d'Or par un édit de Philippe le Hardi, duc de Bourgogne, qui le traitait en 1395 de « très desloyault plant » (certainement comparé au pinot), il s'adapte pourtant à de nombreux sols et prospère sous des climats très divers ; en France, il couvre près de 33 000 ha. Remarquablement bien adapté aux sols du Beaujolais, ce cépage à port retombant doit, durant les dix premières années de sa culture, être soutenu ; d'où les parcelles avec échalas que l'on peut observer dans le nord de la région.

Le pinot noir demeure autorisé dans la limite de 15 % jusqu'à la récolte 2024 ; l'usage d'incorporer en mélange dans les vignes quelques plants de pinots noir et gris, de chardonnay, de melon et d'aligoté reste aussi admis. Le Beaujolais produit également des blancs, issus du chardonnay et accessoirement de l'aligoté, cépage appelé à disparaître.

Le Beaujolais

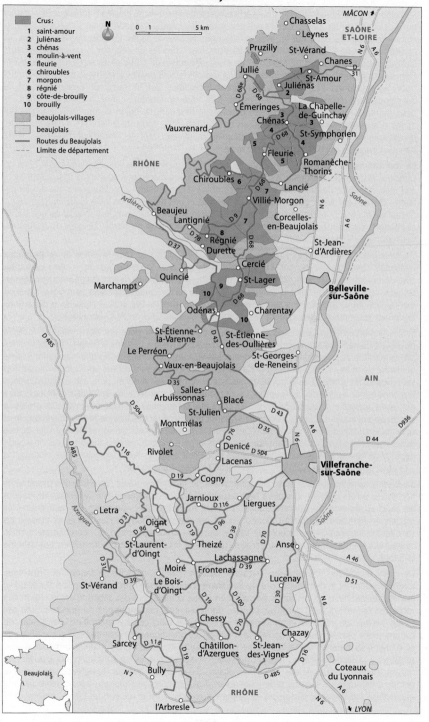

Crus:
1 saint-amour
2 juliénas
3 chénas
4 moulin-à-vent
5 fleurie
6 chiroubles
7 morgon
8 régnié
9 côte-de-brouilly
10 brouilly

beaujolais-villages
beaujolais
Routes du Beaujolais
Limite de département

N
0 1   5 km

MÂCON
SAÔNE-ET-LOIRE

Chasselas
Leynes
Pruzilly   St-Vérand
Chanes
Jullié   St-Amour
1
Juliénas
2
Émeringes   La Chapelle-de-Guinchay
3
Chénas   3
4
Vauxrenard   D 68   St-Symphorien
5   4
Fleurie
5   Romanèche-Thorins
RHÔNE
Chiroubles   6
D 68
7   Lancié
Villié-Morgon
Ardières
Beaujeu   Corcelles-en-Beaujolais
Lantignié   D 9
7
8   St-Jean-d'Ardières
Régnié   D 68
Durette
Cercié
Quincié   9   St-Lager
Marchampt   Belleville-sur-Saône
10   D 68
Odénas   Charentay
10
St-Étienne-la-Varenne   St-Étienne-des-Oullières
Le Perréon   D 43
Vaux-en-Beaujolais   St-Georges-de-Reneins
AIN
D 35
Salles-Arbuissonnas   Blacé
St-Julien   D 43
Montmélas
D 76
Rivolet   Denicé
Lacenas   D 504
D 19   Cogny   Villefranche-sur-Saône
Jarnioux   D 116   Liergues
Letra
Oingt   D 96
St-Laurent-d'Oingt   D 38   D 70
Theizé   Anse
Moiré   Lachassagne
Frontenas   D 39
St-Vérand   Le Bois-d'Oingt   Lucenay
Chessy
Chazay
Sarcey   Châtillon-d'Azergues   St-Jean-des-Vignes
Coteaux du Lyonnais
Bully
RHÔNE
l'Arbresle   LYON

Beaujolais

L'orbite lyonnaise Les vins du Beaujolais doivent beaucoup à Lyon, dont ils alimentent toujours les célèbres « bouchons » et où ils trouvèrent évidemment un marché privilégié après que le vignoble eut pris son essor au XVIIIᵉs. Deux siècles plus tôt, Villefranche-sur-Saône avait succédé à Beaujeu comme capitale du pays, qui en avait pris le nom. Habiles et sages, les sires de Beaujeu avaient assuré l'expansion et la prospérité de leurs domaines, stimulés en cela par la puissance de leurs illustres voisins, les comtes de Mâcon et du Forez, les abbés de Cluny et les archevêques de Lyon. L'entrée du Beaujolais dans l'étendue des cinq grosses fermes royales dispensées de certains droits pour les transports vers Paris (qui se firent longtemps par le canal de Briare) entraîna le développement rapide du vignoble. C'est au XXᵉs. que sa notoriété gagna la capitale. Durant les deux dernières guerres, des journalistes parisiens repliés dans la région découvrirent le Beaujolais et ses vins dont ils se firent les promoteurs enthousiastes. Au cours de la seconde moitié du siècle, la communication active autour du beaujolais nouveau, dont le lancement bénéficia de la bénédiction des pouvoirs publics, fit le reste.

La vinification beaujolaise Une majorité de vins rouges du Beaujolais sont élaborés selon le même principe : respect de l'intégralité de la grappe associé à une macération courte (de trois à sept jours en fonction du type de vin). Cette technique combine la fermentation alcoolique classique des moûts libérés lors de l'encuvage, pour 10 à 20 % du volume, et une fermentation intracellulaire (à l'intérieur des baies) qui assure un fruité spécifique. Elle confère aux vins une constitution ainsi qu'une trame aromatique caractéristiques, exaltées ou complétées en fonction du terroir. Les vins du Beaujolais, peu tanniques et souples, sont frais et très aromatiques.

Du beaujolais nouveau aux crus La production beaujolaise se répartit entre les appellations beaujolais, beaujolais supérieur et beaujolais-villages, ainsi qu'entre les dix « crus » : brouilly, côte-de-brouilly, chénas, chiroubles, fleurie, morgon, juliénas, moulin-à-vent, saint-amour et régnié. Les AOC beaujolais et beaujolais-villages peuvent être revendiquées pour les vins rouges, rosés ou blancs. Les autres appellations sont réservées aux vins rouges. Les crus, à l'exception du régnié, le dernier reconnu, ont légalement la possibilité d'être déclarés en AOC bourgogne.

Seules les appellations beaujolais et beaujolais-villages ouvrent pour les vins rouges et rosés la possibilité de dénomination « vin de primeur » ou « vin nouveau ». Ces vins, à l'origine récoltés sur les sables granitiques de certaines zones de beaujolais-villages, sont vinifiés après une macération courte de l'ordre de quatre jours, favorisant le caractère tendre et gouleyant du vin, une coloration pas trop soutenue et des arômes. Dès le troisième jeudi de novembre, ces vins sont prêts à être dégustés dans le monde entier. À partir du 15 décembre, ce sont tous les autres vins AOC du Beaujolais, dont les « crus » qui, après analyse et dégustation, commencent à être commercialisés, l'optimum de leurs ventes se situant après Pâques. Les vins du Beaujolais ne sont pas faits pour une très longue conservation ; mais si, dans la majorité des cas, ils sont appréciés au cours des deux années qui suivent leur récolte, de très belles bouteilles peuvent cependant être savourées au bout d'une décennie. L'intérêt de ces vins réside dans la fraîcheur et la finesse des parfums qui rappellent certaines fleurs – pivoine, rose, violette, iris – et aussi quelques fruits – abricot, cerise, pêche et petits fruits rouges.

Beaujolais nord, Beaujolais sud Géologiquement, le Beaujolais a subi les effets des plissements hercyniens à l'ère primaire et alpin à l'ère tertiaire. Ce dernier a façonné le relief actuel, disloquant les couches sédimentaires du secondaire et faisant surgir les roches primaires. Au quaternaire, les glaciers et les rivières s'écoulant d'ouest en est ont creusé de nombreuses vallées et modelé les terroirs, faisant apparaître des îlots de roches dures résistant à l'érosion, qui compartimentent le coteau viticole, tel un gigantesque escalier, regarde le levant et vient mourir sur les terrasses de la Saône.

De part et d'autre d'une ligne virtuelle passant par Villefranche-sur-Saône, on distingue traditionnellement le Beaujolais nord du Beaujolais sud. Le premier présente un relief plutôt doux, aux formes arrondies et aux fonds de vallon en partie comblés par des sables. C'est la région des roches anciennes : granite, porphyre, schiste, diorite. La lente décomposition du granite donne des sables siliceux, ou « gores », dont l'épaisseur peut varier dans certains endroits d'une dizaine de centimètres à plusieurs mètres, sous la forme d'arènes granitiques. Ce sont des sols acides, filtrants et pauvres. Ils retiennent mal les éléments fertilisants en l'absence de matière organique, sont sensibles à la sécheresse mais faciles à travailler. Avec les schistes, ce sont les terrains privilégiés des appellations locales et des beaujolais-villages. Le deuxième secteur, caractérisé par une plus grande proportion de terrains sédimentaires et argilo-calcaires, est marqué par un relief un peu plus accusé. Les sols sont plus riches en calcaire et en grès. C'est le secteur des Pierres dorées, dont la couleur, qui vient des oxydes de fer, donne aux constructions un aspect chaleureux. Les sols sont plus riches et gardent mieux l'humidité. C'est la zone de l'AOC beaujolais. Ces deux entités, où la vigne prospère entre 190 et 550 m d'altitude, ont comme toile de fond le haut Beaujolais constitué de roches métamorphiques plus dures et couvert à plus de 600 m par des forêts de résineux alternant avec des châtaigniers et des fougères. Les meilleurs terroirs, orientés sud-sud-est, sont situés entre 190 et 350 m.

Des exploitations familiales L'une des caractéristiques du vignoble beaujolais, héritée du passé mais toujours vivante, est le métayage : la récolte et certains frais sont partagés par moitié entre l'exploitant et le propriétaire, ce dernier fournissant les terres, le logement, le cuvage avec le gros matériel de vinification, les produits de traitement, les plants. Le métayer, qui possède l'outillage pour la culture, assure la main-d'œuvre, les dépenses dues aux récoltes, le parfait état des vignes. Les contrats de métayage intéressent encore 25 % des surfaces, alors que l'exploitation directe représente 30 %, et le fermage 45 %. Il n'est pas rare de trouver des exploitants à la fois propriétaires de quelques parcelles et métayers. Les exploitations types du Beaujolais s'étendent sur 7 à 10 ha. Elles sont plus petites dans la zone des crus, où le métayage domine, et plus grandes dans le sud, où la polyculture est omniprésente. Dix-huit caves coopératives dans le Rhône et trois en Saône-et-Loire vinifient 30 % de la production. Éleveurs et expéditeurs locaux assurent près de 80 % des ventes. Ce sont les premiers mois de la campagne, avec la libération des vins nouveaux, qui marquent l'économie régionale. Près de 50 % de la production sont exportés, essentiellement vers la Suisse, l'Allemagne, la Belgique, le Luxembourg, la Grande-Bretagne, les États-Unis, les Pays-Bas, le Danemark, le Canada, le Japon, la Suède et l'Italie.

Beaujolais et beaujolais supérieur

Superficie : 9 400 ha
Production : 317 500 hl (97 % rouge et rosé)

L'appellation beaujolais fournit près de la moitié de la production du vignoble et près de 75 % des primeurs ; elle est principalement localisée au sud de Villefranche. À côté des vins rouges et rosés, quelques blancs sont élaborés à partir du chardonnay, notamment dans le canton de La Chapelle-de-Guinchay, zone de transition entre les terrains siliceux des crus et ceux, calcaires, du Mâconnais. Dans le secteur des Pierres dorées, au sud de Villefranche et à l'est du Bois-d'Oingt, les vins rouges ont des arômes plus fruités que floraux, parfois nuancés de pointes végétales ; colorés, charpentés, un peu rustiques, ils se conservent assez bien. Dans la partie haute de la vallée de l'Azergues, vers l'ouest, on retrouve les roches cristallines qui donnent des vins avec de la mâche et des accents minéraux, ce qui les fait apprécier un peu plus tardivement. Enfin, les zones plus en altitude offrent des vins vifs, plus légers en couleur, mais aussi plus frais les années chaudes. Le beaujolais supérieur ne provient pas d'un terroir délimité spécifique ; il est surtout produit dans l'AOC beaujolais. L'appellation peut être revendiquée pour des vins dont les moûts présentent, à la récolte, une richesse en équivalent alcool de 0,5 % vol. supérieure à ceux de l'AOC beaujolais, les raisins provenant de parcelles sélectionnées et contrôlées avant la récolte.

Tous ces vins sont dégustés traditionnellement dans les « pots » beaujolais, flacons de 46 cl à fond épais qui garnissent les « bouchons » lyonnais. Ils s'accordent parfaitement avec les cochonnailles locales, grattons, tripes, boudin, cervelas, saucisson ; les blancs se plairont sur un gratin de quenelles lyonnaises. Quant aux primeurs, ils s'accorderont particulièrement avec des cardons à la moelle ou des pommes de terre gratinées avec des oignons.

Dans cette partie du vignoble, l'habitat est dispersé et l'on admirera l'architecture des maisons vigneronnes : l'escalier extérieur donne accès à un balcon à auvent et à l'habitation, au-dessus de la cave située au niveau du sol. À la fin du XVIIIᵉ s., on construisit de grands cuvages extérieurs à la maison de maître. Celui de Lacenas, dépendance du château de Montauzan, abrite la confrérie des Compagnons du beaujolais, créée en 1947. Une autre confrérie, les Grappilleurs des Pierres dorées, anime depuis 1968 de nombreuses manifestations beaujolaises.

Beaujolais

♥ **DOM. D'AMARINE** Vieilles Vignes 2012 ★★
| ■ | 2 000 | ■ | 5 à 8 € |

Patrick Rollet s'impose millésime après millésime comme une valeur sûre du Guide, couronné cette année pour cette cuvée issue d'un hectare de ceps presque centenaires. Le nez apparaît très mûr, sur les fruits noirs (cassis). La bouche, suave, concentrée et soyeuse, se laissera apprécier dès l'automne, mais sa bonne structure tannique de-

vrait permettre de conserver ce vin deux à trois ans. Le **blanc 2012 (2 000 b.)** s'efface cette année devant le rouge. Offrant un style acidulé, léger et tonique, il est cité.

☛ Dom. d'Amarine, Patrick Rollet, 69620 Saint-Vérand, tél. 04 74 71 64 21, rolletpatrick@wanadoo.fr, ☑ ⚤ ⏍ r.-v.

PATRICE ARNAUD Un Goût de Paradis 2011

	3 000		5 à 8 €

Patrice Arnaud s'est installé en 2004 sur l'exploitation familiale implantée dans la partie sud du Beaujolais. Les deux tiers de son vignoble sont conduits en bio certifié depuis 2012. Quant à ce 2011 rubis vif, c'est un beaujolais classique et typé, frais au nez comme en bouche, sur des arômes de fruits noirs. À servir dans l'année avec un saucisson de Lyon ou des grillades.

☛ Patrice Arnaud, 99, rue des Vendangeurs, 69210 Saint-Germain-sur-l'Arbresle, tél. 06 67 63 97 43, domainepatricearnaud@sfr.fr, ☑ ⚤ ⏍ r.-v.

DOM. DE BALUCE Cuvée Tradition 2012 ★

	1 500		5 à 8 €

Jean-Yves et Annick Sonnery se définissent comme des « artisans-vignerons », qui bichonnent leurs vignes au point d'en tailler certaines en vieille lune, d'autres en nouvelle lune, de façon à en limiter ou au contraire à en stimuler la sève. Ce bon sens paysan ne les empêche pas de se servir d'un groupe de froid pour faire fermenter leurs vins à 22 °C pendant dix jours avant de les laisser finir leur fermentation en foudre. Le résultat ? Un beaujolais mûr, ample, souple et long, aux arômes de fraise et de fruits noirs, teinté de minéralité et ourlé de tanins dépourvus d'agressivité. À déguster dans l'année.

☛ Jean-Yves et Annick Sonnery, Dom. de Baluce, Le Plan, 69620 Bagnols, tél. 04 74 71 71 43, contact@baluce.fr, ☑ ⚤ ⏍ r.-v.

PASCAL BERTHIER Réserve des 17 Pièces Vieilles Vignes 2011

	4 500		8 à 11 €

Installé aux confins du Mâconnais, Pascal Berthier a isolé, sur son domaine de 10,8 ha, cette petite parcelle de 75 ares qu'il vinifie séparément. L'élevage est réalisé en partie en fûts de chêne, appelés « pièces » dans le Beaujolais comme en Bourgogne. Prudent, le vigneron n'a utilisé que des fûts patinés par trois vinifications pour éviter de trop boiser le vin, qui exhale ici de subtils parfums de fleurs blanches. La bouche, fine et élégante, invite à consommer cette bouteille dans l'année, sur une truite aux amandes par exemple.

☛ Pascal Berthier, 384, chem. des Bruyères, 71680 Crêches-sur-Saône, tél. et fax 03 85 37 41 64, pascalberthier@sfr.fr, ☑ ⏍ r.-v.

Ⓑ CH. DE BOISFRANC 2011 ★

	15 000		8 à 11 €

À la tête de l'exploitation depuis 1977, Thierry Doat a engagé sa conversion au bio dès 1982. Il défend une approche traditionnelle de la viticulture et de la vinification : vendanges manuelles, levures indigènes, doses de soufre minimes, seulement à la mise en bouteilles. Le vigneron évite la thermovinification, ce chauffage du moût effectué en fin de fermentation pour rehausser la couleur et le fruité. Il donne ainsi à son vin la chance d'exprimer son terroir. C'est bien le cas de ce 2011 au nez de pivoine et à la bouche suave et délicate, évoquant le clou de girofle et le kirsch. Un beaujolais harmonieux à déguster dans l'année.

☛ Thierry Doat, Ch. de Boisfranc, 69640 Jarnioux, tél. 04 74 68 88 88, fax 04 74 62 93 39, earl.doat@wanadoo.fr, ☑ ⚤ ⏍ r.-v.

Ⓑ DOM. DE LA BONNE TONNE 2011 ★★

	2 200		8 à 11 €

Marcel Grillet exploite son domaine en bio depuis 2003 et s'est lancé en 2012 dans la biodynamie. Il a travaillé avec beaucoup de retenue, sans fût de chêne, ce beaujolais blanc issu d'une parcelle de 60 ares plantée de très jeunes vignes (cinq ans). Il en résulte un vin frais et expressif, au nez intense de fleurs blanches, d'agrumes (citron), de pêche et de fruit de la Passion. En bouche, ce chardonnay se montre gras, rond et frais à la fois : une belle harmonie. Il pourra accompagner un poisson en sauce ou des quenelles.

☛ Marcel Grillet, Morgon, 69910 Villié-Morgon, tél. 04 74 69 12 22, grillet.marcel@wanadoo.fr, ☑ ⏍ t.l.j. 10h-12h 14h-19h

CH. DE BUFFAVENT Vieilles Vignes 2011 ★★

	3 000		5 à 8 €

Denis et Marie-Agnès Chilliet se sont installés en 2009 au château de Buffavent, situé dans le pays des Pierres dorées. Dès le millésime 2010, ils sont entrés dans le Guide par la grande porte. Il faut dire que Denis Chilliet n'est pas un nouveau-venu dans le métier. Il vinifie avec subtilité ses blancs, les faisant fermenter en fût, à la bourguignonne, pour leur donner de la complexité. L'objectif est atteint avec ce chardonnay vanillé et miellé, à la bouche grasse, intense et longue, qui finit sur des notes de noisette. Bel accord avec un poisson grillé ou au beurre blanc.

☛ GFA du Ch. de Buffavent, 855, rte de Buffavent, 69640 Denicé, tél. 09 52 78 50 50, fax 09 57 78 50 50, chateaudebuffavent@free.fr, ☑ ⚤ ⏍ r.-v. 🏠 ⑤
☛ Denis Chilliet

♥ CH. DE BUSSY 2011 ★★

	40 000		5 à 8 €

Ce beaujolais grenat intense fait partie de la gamme « Domaines et Châteaux » de la maison Pellerin (propriété du groupe bourguignon Jean-Claude Boisset), bien connue des fidèles lecteurs du Guide. Issu d'une sélection de 7 ha, sur un domaine qui en compte 16, il offre sans compter tout ce que l'on attend de l'appellation : un nez expressif, complexe et frais, associant les fruits rouges, le cassis et la violette, et un palais charnu et croquant à

CHÂTEAU DE BUSSY

*Vue du Château dans son aspect actuel, restauré en 1892.
Première au Salon*

BEAUJOLAIS
Appellation Beaujolais Contrôlée
Pellerin Domaines et Châteaux · Quincié-en-Beaujolais · France

souhait. Pour un buffet de charcuteries et de fromages réussi, dans l'année qui vient.

☛ Domaines et Châteaux Pellerin, Pierreux, 69460 Odenas, tél. 04 74 03 46 17

VIGNOBLE CHARMET La Centenaire 2011 ★★

■	10 000		5 à 8 €

Jean-Baptiste Charmet exploite 27 ha de vignes. Il a fait de cette cuvée de vénérables vignes (quatre-vingt-dix ans) le fleuron de son domaine. Des vendanges manuelles, en surmaturité, visent à obtenir un fruité délicat, complexe et raffiné : les dégustateurs respirent dans le verre l'iris, la violette et la pivoine, les fruits noirs et la réglisse. Dans le même registre, la bouche ample et puissante montre autant de caractère, tout en laissant une impression d'élégance. Une bouteille à servir dès l'an prochain, mais qui pourrait se garder deux à trois ans. Plus commercial, le rouge cuvée **Masfraise 2011 (25 000 b.)** a un petit goût de « nouveau » avec ses arômes de bonbon anglais et de framboise : une étoile.

☛ Vignoble Charmet, La Ronze, 69620 Le Breuil, tél. 04 78 43 92 69, fax 04 78 43 90 31, contact@beaujolais-charmet.com, ☑ ⚔ ☿ r.-v.

DOM. DU CHARVERRON Authentique 2011

■	4 000	▮	5 à 8 €

Didier Roudon pratique des fermentations longues, sans chaptalisation, de manière à obtenir des vins de caractère et structurés, peu communs en appellation beaujolais. Objectif atteint avec ce 2011 à la robe grenat foncé, presque noire. Un ensemble encore rigoureux, massif et fermé, au nez de fruits noirs un peu réglissés. À découvrir dans un an ou deux sur un sauté de veau.

☛ Didier Roudon, Le Bourg, 69620 Létra, tél. 04 74 71 38 98, didier.roudon@numericable.com, ☑ ⚔ ☿ r.-v. ⌂ ⑤

PASCAL CHATELUS Cuvée Terroir 2012

■	100 000		5 à 8 €

Le millésime 2010 de cette cuvée phare du domaine avait obtenu un coup de cœur. Voici le 2012, issu de 2 ha de gamay exposés au sud et plantés exclusivement sur des sols granitiques, d'où le nom de la cuvée, Terroir. Issu de vendanges manuelles, le vin livre au nez un fruité rouge complexe, sur la cerise et la framboise. En bouche, il offre le style du domaine, structuré et tannique. Une pointe d'amertume en finale incite à attendre 2014 pour le déboucher.

☛ Pascal Chatelus, La Roche, 69620 Saint-Laurent-d'Oingt, tél. 04 74 71 24 78, fax 04 74 71 28 36, pascal.chatelus@wanadoo.fr, ☑ ⚔ ☿ r.-v.

DOMINIQUE CHERMETTE 2011

■	4 500		5 à 8 €

Établi dans un joli village du pays des Pierres dorées, Dominique Chermette voit deux de ses vins cités : ce beaujolais blanc au très joli nez de miel, de fleurs blanches et d'agrumes, franc et citronné en bouche, à boire dès la sortie du Guide à l'apéritif ou avec des crustacés ; et le beaujolais **rouge Cuvée Vieilles Vignes 2011 (10 000 b.),** retenu pour sa bouche solide, de style rustique, aux arômes de griotte, à servir sur une terrine dès la fin de l'année 2013.

☛ Dominique Chermette, Le Barnigat, 69620 Saint-Laurent-d'Oingt, tél. et fax 04 74 71 20 05, dominique.chermette@wanadoo.fr, ☑ ⚔ ☿ r.-v.

CLOCHEMERLE 2012 ★

■	90 000	▮	5 à 8 €

Héritier d'une lignée de vignerons beaujolais, Christophe Coquard a vinifié sur trois continents avant de créer son affaire en 2005. Cet artisan-négociant défend les vendanges manuelles, les petites cuvées, les levures indigènes... Sa cuvée Clochemerle a pris ses marques dans le Guide. Le 2012 s'annonce par un nez de cassis et développe une bouche charnue, à la finale épicée et poivrée, offrant une note acidulée typique de la maison. Il se dégustera avec une charcuterie puissante, comme de la viande des Grisons. Le **morgon Maison Coquard 2012 (8 à 11 € ; 45 000 b.)** fait jeu égal. Il affiche le même style gourmand et pimpant, avec des tanins puissants rappelant qu'il vient de Morgon.

☛ Maison Coquard, Clochemerle, hameau Le Boitier, 69620 Theizé, tél. 04 74 71 11 59, fax 04 74 71 11 60, contact@maison-coquard.com, ☑ ⚔ ☿ r.-v.

CLOS COMBEFORT 2012

■	6 000	▥	5 à 8 €

Paul Durdilly est souvent mentionné dans le Guide pour cette cuvée issue d'une parcelle d'un hectare et demi située dans le lieu-dit Clos de Combefort, au sud de l'appellation. Fidèle à son style, il signe ici un vin rubis vif, au nez acidulé de framboise, à la bouche simple, friande, nette et fruitée, sur la griotte et le cassis. Une bouteille à boire dans sa jeunesse sur une assiette de charcuterie.

☛ Durdilly, 980, chem. de Combefort, 69620 Le Bois-d'Oingt, tél. et fax 04 74 71 63 23, earl.durdilly.paul@wanadoo.fr, ☑ ⚔ ☿ r.-v.

CLOS DES VIEUX MARRONNIERS 2012 ★

■	1 000	▮	5 à 8 €

Ghyslaine et Jean-Louis Large se sont inspirés, pour baptiser leur domaine, de l'allée qui mène à leur maison, bordée de marronniers plantés au XVIIIᵉs. Une parcelle de 2 ha (leur domaine en compte 13) est à l'origine de ce beaujolais rouge à la robe violine, au nez intense de fraise, de griotte et de framboise. Souple à l'attaque, ce vin se fait plus tannique en finale. Cette sévérité devrait disparaître au terme d'un an de garde.

☛ Ghyslaine et Jean-Louis Large, 70, coursière de Châtillon, 69380 Charnay-lès-Mâcon, tél. 06 07 13 70 23, jean-louis.large@wanadoo.fr, ☑ ⚔ ☿ r.-v.

OLIVIER COQUARD 2012

| | 3 865 | ▣◫ | 5 à 8 € |

Venue du Lyonnais, la famille Coquard compte de nombreux vignerons. Installé en 1998, Olivier est un habitué de la sélection du Guide pour ses blancs, dont il a fait évoluer le style, passant de l'opulence à la fraîcheur, comme ici avec ce chardonnay au nez de pamplemousse et d'agrumes. La fermentation et l'élevage pour un tiers en fût sont imperceptibles, le vin restant léger et pimpant. On pourra déboucher cette bouteille dès l'apéritif.

☛ Olivier Coquard, 285, chem. de la Cheville, 69480 Pommiers, tél. 06 75 06 39 72, ocoquard@orange.fr, ☑ ⍟ r.-v.

COTEAUX DE LA ROCHE Cuvée de Machurat 2011 ★

| | 3 000 | ◫ | 5 à 8 € |

Antoine Viland approche tranquillement de l'indépendance vigneronne puisqu'il vend désormais les trois quarts de sa production en bouteilles, ne réservant au négoce que le quart des volumes. Un beau parcours pour ce jeune vigneron installé en 2007, qui ne manque pas non plus d'ambition en cuverie : il pratique une macération longue (quatorze jours), suivie d'un élevage de six mois en fût. Il obtient ici un vin boisé, au nez de vanille, de marron et de moka, puissant et généreux en bouche. Un style particulier, loin du fruit pimpant des primeurs. À déguster dans l'année.

☛ Antoine Viland, La Roche, 69620 Létra, tél. 04 74 71 54 46, vilandantoine@orange.fr, ☑ ⍟ r.-v.

DOM. DE LA CREUZE NOIRE La Perle blanche 2012 ★

| | 8 000 | ▣ | 5 à 8 € |

Dominique Martin exploite 1,52 ha chardonnay aux confins du Mâconnais, sur des sols argilo-calcaires de même nature que dans le vignoble voisin. Malgré la proximité géographique, cette cuvée bien connue de nos lecteurs apparaît très loin du style bourguignon. Pas de boisé dans ce vin, mais des notes d'agrumes qui évoqueraient presque un sauvignon. La bouche, fraîche, vive et tonique, appelle une garde de six mois. À servir sur une salade de chèvre chaud ou sur une andouillette.

☛ Dominique et Christine Martin, La Creuze-Noire, 71570 Leynes, tél. 03 85 37 46 43, fax 03 85 37 44 17, martin.dcn@orange.fr, ☑ ⍟ t.l.j. sf dim. 8h-12h 14h-19h

OLIVIER DEPARDON Cuvée Alexis 2011 ★★

| | 10 000 | ▣ | 5 à 8 € |

Installé dans l'appellation morgon, Olivier Depardon place trois de ses vins dans notre sélection. La meilleure note revient au beaujolais blanc issu de son activité de négoce. Avec son nez d'acacia, sa bouche plutôt souple, élégante et fine, ce chardonnay sera parfait sur une volaille fermière aux champignons frais. Le **morgon Dom. de la Bêche Charmes 2011 (8 à 11 € ; 5 000 €)**, emblématique de la propriété, apparaît très marqué par son élevage d'un an en fût, mais il retient l'attention par sa bouche concentrée reflétant les vieilles vignes de quatre-vingts ans qui l'ont engendré. Il est cité, comme le **morgon Dom. de la Bêche Cuvée Vieilles Vignes 2011 (50 000 b.)**, plus simple, tout en fruits rouges.

☛ Olivier Depardon, Dom. de la Bêche, 69910 Villié-Morgon, tél. 04 74 69 15 89, fax 04 74 04 21 88, depardon.olivier.morgon@wanadoo.fr, ☑ ⍟ ⍟ r.-v.

FLORENCE ET PASCAL DESGRANGES 2011 ★★

| | 1 500 | | 5 à 8 € |

Pascal Desgranges exploite un domaine de 12 ha couvrant les coteaux dominant la Saône, bien exposés au soleil du matin. Il signe un beaujolais blanc issu d'une microsélection de 20 ares, vendangés à la main et vinifiés soigneusement. Le nez délicat, subtilement miellé, associe les fleurs et la pêche blanche. La bouche persistante offre une belle matière, équilibrée, charnue, ronde et fraîche et à la fois. Une remarquable expression du chardonnay, à découvrir sur un chèvre chaud ou un brochet au beurre.

☛ Pascal Desgranges, 116, chem. de Saint-Pré, 69480 Pommiers, tél. 04 74 09 06 12, pdesgranges@sfr.fr, ☑ ⍟ ⍟ r.-v.

CH. DE L'ÉCLAIR 2011 ★★

| | 4 000 | ▣ | 5 à 8 € |

Le propriétaire du château est la Sicarex, un organisme d'État dont le rôle est de poursuivre des recherches en matière de viticulture et de vinification. Il signe un remarquable beaujolais 2011, offrant le style puissant et vineux souvent observé au château. Un vin « sérieux » et rustique au meilleur sens du terme, dont la belle matière et les arômes de cassis et de cerise s'épanouiront au cours des douze mois à venir. Issu d'arènes granitiques, le **chénas 2011 (8 à 11 € ; 4 700 b.)** est cité pour sa matière charnue et surtout pour son nez bien ouvert et complexe, sur la myrtille, la violette et les épices.

☛ Ch. de l' Éclair, 905, rte du Château-de-l'Éclair, 69400 Liergues, tél. 04 74 02 22 40, fax 04 74 02 22 49, sicarex@beaujolais.com, ☑ ⍟ ⍟ r.-v.

☛ Sicarex Beaujolais

DOM. DE FOND-VIEILLE Cuvée Tradition 2012

| | n.c. | ▣ | - de 5 € |

Dominique Guillard a créé ce domaine en 2001 en reprenant des vignes familiales confiées jusqu'ici à la coopérative. Sa cuvée Tradition provient de 7 ha, ce qui représente la moitié de la superficie de l'exploitation. D'un rubis aux reflets violets, elle se partage au nez entre la cerise et la pivoine. La bouche, plaisante et ronde, un rien acidulée, incite à déboucher cette bouteille dès maintenant.

☛ Dominique Guillard, Dom. de Fond-Vieille, 62, chem. de Fond-Vieille, 69620 Oingt, tél. 04 74 71 11 74, guillarddominique@orange.fr, ☑ ⍟ ⍟ r.-v. ⌂ Ⓑ

CAVE DE GLEIZÉ 2012 ★

| | 3 000 | ▣ | - de 5 € |

Fondée en 1932, cette coopérative est l'une des plus anciennes du vignoble. Elle signe un beaujolais rouge au nez bien ouvert sur les fruits frais (cassis, mûre), à la bouche charpentée, soyeuse et mûre. Un vin concentré que l'on pourra ouvrir dès la fin 2013 sur des charcuteries, des grillades et des fromages à croûte fleurie.

☛ Cave coop. de Gleizé, 1471, rue de Tarare, 69400 Gleizé, tél. 04 74 68 39 49, fax 04 74 62 09 68, cave.vinicole.gleize@wanadoo.fr, ☑ ⍟ t.l.j. sf dim. 9h-12h 14h-18h30

GRANGE BOURBON Clos du Gaillard 2012 ★

| | 200 | | 5 à 8 € |

Installé dans l'aire d'appellation du brouilly, Benoît Chastel est l'un des rares vignerons à indiquer un lieu-dit sur son étiquette, même en AOC beaujolais. Cette cuvée provient d'un vrai clos de 2,21 ha caractérisé par des sols argilo-siliceux. Son nez de fraise et de framboise, son palais souple, ample et rond lui valent une étoile. Le **beaujolais-villages Monvallon Schiste 2011 (2 000 b.)** est cité pour son fruité et sa fraîcheur.

🕿 GFA de la Grange-Bourbon, La Grange-Bourbon, 69220 Charentay, tél. 04 74 66 86 60, domaine.grange.bourbon@gmail.com, ☑ ⚔ ⟙ t.l.j. sf dim. 8h-12h30 14h-19h

JOYAL 2011 ★

| | 13 000 | | 5 à 8 € |

Établi dans le Mâconnais, ce négociant est plus souvent mentionné pour ses bourgognes ; il a proposé ici un beaujolais gourmand qui offre tout ce que l'on attend de l'appellation : un nez expressif, aux notes de petits fruits frais juste cueillis (myrtille, groseille et cassis) ; une bouche à la fois ample, gouleyante, fraîche et friande. Cette bouteille charmeuse s'accordera avec les grillades de la belle saison et avec les pots-au-feu et sautés de l'hiver.

🕿 Pierre Janny, La Maison Bleue, La Condemine, 71260 Péronne, tél. 03 85 23 96 20, fax 03 85 36 96 58, contactjanny@orange.fr, ☑ ⟙ r.-v.

LONGESSAIGNE 2011

| | 3 000 | | - de 5 € |

Guillaume Durdilly s'est installé en 2007 au pays des Pierres dorées. Paradoxalement, les jeunes vignerons trouvent plus facilement à exploiter de vieilles vignes – celles-ci sont âgées d'un demi-siècle –, moins rentables que les jeunes. Le consommateur ne s'en plaindra pas, car elles donnent de plus faibles rendements. Elles sont ici à l'origine d'un blanc délicatement floral, à la bouche souple et ronde, finissant sur une pointe d'amertume. Bel accord en perspective avec des terrines de poisson.

🕿 Guillaume Durdilly, Dom. de Longessaigne, Lambert-le-Haut, 69290 Sainte-Paule, tél. 06 74 63 57 82, fax 04 74 71 62 95, guillaumedurdilly@yahoo.fr, ☑ ⚔ ⟙ r.-v.

♥ DOM. DE LA MANTELLIÈRE Cuvée Alysse 2012 ★★

| | 3 000 | | 5 à 8 € |

Établi au pays des Pierres dorées, non loin de Lyon, Christophe Braymand prend ses habitudes dans le Guide.

Il signe ses cuvées de noms de fleurs qu'il aime – Iris pour l'un de ses rouges, Alysse étant le nom d'une petite fleur blanche. Il s'est lancé il y a quelques années dans la production de vins blancs, les sols argilo-calcaires du sud de l'appellation, où il est installé, étant favorables au chardonnay. Il en a tiré ce vin qui a conquis le jury par son nez délicat d'acacia et de noisette, et par sa bouche harmonieuse, opulente avec ce qu'il faut de fraîcheur. À déguster dans l'année sur des saint-jacques gratinées.

🕿 Christophe Braymand, chem. de Tanay, 69620 Légny, tél. 06 86 63 46 29, domainemantelliere@yahoo.fr, ☑ ⟙ t.l.j. sf dim. 9h-19h

DOM. DU MARQUISON Clos de Rapetour 2011

| | 5 000 | | 5 à 8 € |

Souvent mentionné dans le Guide pour ses beaujolais, Christian Vivier-Merle est installé au pays des Pierres dorées. On retrouve cette année son Clos de Rapetour, issu d'un vignoble de 1,5 ha de gamay travaillé avec une ambition certaine : vendanges manuelles, macération longue (20 jours) rarement pratiquée à ce niveau d'appellation, élevage en foudre. Loin du style primeur, voilà donc un rouge au nez mûr, sur les fruits noirs confiturés, à la bouche complexe et charnue. Mieux vaut l'apprécier dans l'année.

🕿 Dom. du Marquison, 710, chem. des Verjouttes, 69620 Theizé, tél. 06 15 88 06 16, ncviviermerle@wanadoo.fr, ☑ ⚔ ⟙ r.-v.

DOM. MONTERNOT Les Jumeaux 2012 ★

| | 6 500 | | 5 à 8 € |

Les jumeaux ? Jacky et Bernard Monternot, qui exploitent ensemble leur domaine et vendangent à la main le chardonnay destiné à leur beaujolais blanc. Ils en tirent ce vin souvent mentionné dans le Guide. Le 2012 s'annonce par un nez fin, sur l'amande fraîche, et se montre ample et friand en bouche. On le débouchera cette année, idéalement avec un gratin de queues d'écrevisses.

🕿 GAEC J. et B. Monternot, Les Places, 69460 Blacé, tél. 04 74 67 56 48, fax 04 74 60 51 13, domainemonternot@orange.fr, ☑ ⚔ ⟙ r.-v.

ŒDORIA Instant Bon'œur 2012 ★

| | 50 000 | | - de 5 € |

La cave du Beau Vallon de Theizé et celle des Vignerons de Liergues ont fusionné en 2009 et créé la marque Œdoria, qui se décline en plusieurs cuvées. Instant Bon'œur est un concentré de fruits rouges et noirs, idéal pour un casse-croûte avec sa bouche ronde et soyeuse, souple et friande. Dans ce même style aromatique, mais avec des tanins plus fermes, le **Moulin des Verny Les Pierres dorées Vieilles Vignes 2012 (5 à 8 € ; 17 000 b.)**, issu de ceps âgés de soixante ans, obtient une citation. Le **morgon Ch. Gaillard 2012 (5 à 8 € ; 13 000 b.)** reçoit la même note pour son fruité épicé.

🕿 Œdoria, 25, rte de Cottet, 69620 Theizé, tél. 04 74 71 48 00, fax 04 74 71 84 46, contact@oedoria.com, ☑ ⚔ ⟙ r.-v.

DOM. DU PRESSOIR FLEURI 2012

| ■ | 4 000 | ▬ | 5 à 8 € |

Franck et Sandrine Brunel ont repris en 2001 l'exploitation familiale, implantée à Chiroubles. Ils avaient présenté dans l'édition précédente un remarquable blanc 2011. Un cran en dessous mais estimable, le 2012 a été vendangé quinze jours plus tard. Plus léger et plus souple que son devancier, il offre un nez minéral et discret, suivi d'une bouche fine et élégante. À déboucher dès la sortie du Guide sur un saumon grillé.

☛ Brunel-Méziat, Le Bourg, 69115 Chiroubles, tél. 04 74 04 23 12, dom.pressoir.fleuri@terre-net.fr, ☑ ⚔ ☗ t.l.j. 8h-19h

DOM. DE LA REVOL 2012

| ■ | 2 500 | ▬ | - de 5 € |

Un domaine à découvrir dans la partie sud de l'appellation, au pays des Pierres dorées. Un peu fermé au nez, le beaujolais rouge de Bruno Debourg a été remarqué pour sa souplesse et sa rondeur débonnaire. À servir dès maintenant pour profiter de ses délicats arômes de pivoine.

☛ Bruno Debourg, Dom. de la Revol, 824, rte du Beaujolais, 69490 Dareizé, tél. 04 74 05 78 01, fax 04 74 05 66 40, debourg.bruno@orange.fr, ☑ ⚔ ☗ r.-v.

DOM. DE LA ROCAILLÈRE 2011 ★

| ■ | 5 000 | | 5 à 8 € |

Installé en 1996, Vincent Fontaine a agrandi son exploitation, qui couvre aujourd'hui 18 ha. Il signe une petite cuvée de blanc (60 ares sur les 3 ha de chardonnay qu'il exploite) qui s'impose grâce à une robe dorée, à un nez intense d'acacia, de miel et de cire d'abeille, et à une bouche ample, grasse et longue. La finale, assez vive, permettra à cette bouteille de bien évoluer dans l'année qui vient.

☛ Vincent Fontaine, 384, montée de Corbay, 69480 Pommiers, tél. 04 74 02 59 15, fax 04 74 65 97 68, metv.fontaine@orange.fr, ☑ ☗ r.-v.

DOM. ROMY 2012 ★

| ■ | 20 000 | | 5 à 8 € |

Régulièrement mentionné dans le Guide, Domini-que Romy exploite 20 ha au pays des Pierres dorées. Cette cuvée, d'un présent soutenu aux reflets violines, représente le quart de la surface de l'exploitation. Les dégustateurs ont apprécié son nez bien fruité, partagé entre la fram-boise, la pêche et l'abricot, et sa bouche franche et nette, laissant une impression de finesse. Une bouteille à appré-cier dès la sortie du Guide.

☛ Dom. Romy, 1020, rte de Saint-Pierre, 69480 Morancé, tél. 06 19 27 07 42, fax 04 78 43 65 06, domaine.romy@infonie.fr, ☑ ⚔ ☗ r.-v.

ROTISSON Cuvée fruitée 2012 ★

| ■ | 3 500 | | 5 à 8 € |

Établi dans la partie sud du vignoble depuis 1998, Didier Pouget est connu de longue date des lecteurs du Guide pour ses beaujolais blancs. Celui-ci provient d'une parcelle de 80 ares de chardonnay vendangé à la main. Le « fruité » annoncé sur l'étiquette se déploie tout en finesse, avec un nez de fleurs blanches, de miel et de citron, suivi d'une bouche franche, équilibrée et assez longue. À déguster dans l'année sur des cuisses de grenouilles.

☛ SCEA Dom. de Rotisson, rte de Conzy, 69210 Saint-Germain-sur-l'Arbresle, tél. 04 74 01 23 08, fax 04 74 01 55 41, didier.pouget@domaine-de-rotisson.com, ☑ ⚔ ☗ t.l.j. 9h-12h 14h30-17h30; dim. sur r.-v.
☛ Didier Pouget

CAVE SAINT-CYR 2011

| ■ | 6 000 | | 5 à 8 € |

Son BTS en poche (2006), Raphaël Saint-Cyr est parti avec sa femme en Nouvelle-Zélande pour se former. Deux ans après, en s'installant, il a décidé de s'orienter vers l'agriculture biologique et l'export. Car 23 ha de vignes, cela représente des milliers de bouteilles à écouler ! Il n'aura cependant aucun mal à vendre ce chardonnay flatteur et léger, au nez discret de poire et de fleurs blanches, vif et franc en bouche.

☛ EARL Saint-Cyr, Les Perrelles, 69480 Anse, tél. 04 74 60 23 69, fax 04 74 60 23 26, raphael@beaujolais-saintcyr.com, ☑ ⚔ ☗ r.-v.

SAINT-PRÉ 2012

| ■ | 3 000 | | 5 à 8 € |

Installé au sud de Villefranche-sur-Saône, Jean-Michel Coquard décline Saint-Pré dans les deux couleurs. Cette année, c'est le chardonnay qui séduit, grâce à son nez de pamplemousse et à sa bouche citronnée et vive, typique des beaujolais blancs du domaine. À servir avec des poissons grillés ou des salades composées.

☛ Jean-Michel Coquard, 540, chem. du Neyra, 69480 Pommiers, tél. 04 74 62 20 73, coquard.jean-michel@wanadoo.fr, ☑ ⚔ ☗ r.-v.

DOM. SÈVE Tradition 2012 ★

| ■ | 4 000 | | - de 5 € |

Laurent Sève exploite 16 ha de vignes implantées sur les terrains argilo-calcaires de la partie sud du vignoble. Cette cuvée Tradition représente une petite part de sa production (1 ha). Habillée de violine, elle offre un nez délicat de framboise fraîche et une bouche nette, pimpante et acidulée. Une bouteille franche et aimable à boire dans l'année.

☛ Laurent Sève, Saint-Pol, 69620 Le Bois-d'Oingt, tél. et fax 04 74 72 40 16, seve.laurent@club-internet.fr, ☑ ⚔ ☗ r.-v.

TERRA ICONIA 2012 ★

| ■ | 40 000 | | - de 5 € |

Cette cave, qui regroupe depuis 2010 trois coopéra-tives, a présenté avec succès sa cuvée Terra Iconia (« Terre d'Oingt ») dans les trois couleurs. Chacune des trois versions a obtenu une étoile. Le rouge séduit par son nez mêlant les fleurs, la cerise noire et la framboise, et par sa bouche charpentée et équilibrée. Le **blanc 2012** (40 000 b.) charme par ses senteurs de fleurs blanches et de réglisse, par sa franchise et sa puissance. Le **rosé 2012** (30 000 b.), de couleur délicate et légère, offre un nez de bonbon anglais et un palais vif et gouleyant. Tous ces vins sont à boire dans l'année.

☛ Vignerons des Pierre Dorées, 34, chem. des Coasses, 69620 Le Bois-d'Oingt, tél. 04 74 71 62 81, fax 04 74 71 81 08, contact@vigneronsdespierresdorees.com, ☑ ⚔ ☗ t.l.j. sf dim. 8h-12h 14h-17h

DOM. DE THULON Les Monterniers 2011 ★★

■	1 600	⊞	15 à 20 €

Laurent Jambon a présenté le premier millésime de cette cuvée Les Monterniers, auquel le jury a réservé un excellent accueil. Un beaujolais blanc original, très bourguignon par son élevage en fût de 500 litres, avec bâtonnage de surcroît. Au nez, la vanille se mêle à de fines notes de fleurs blanches miellées, la poire et le pain grillé venant compléter cette palette en bouche. Ample, gras, rond et long, ce vin majestueux conviendra à une volaille. Souple et fruité, le **morgon 2011 (5 à 8 € ; 13 000 b.)** obtient une citation.

☛ Carine et Laurent Jambon, hameau Thulon, 69430 Lantignié, tél. 04 74 04 80 29, carine@thulon.com, ☑ ⚭ ⍑ r.-v.

Beaujolais-villages

Superficie : 6 000 ha
Production : 225 025 hl (99 % rouge et rosé)

Le beaujolais-villages provient de 38 communes situées au nord du vignoble, dans une zone comprise dans sa quasi-totalité entre la zone des beaujolais et celle des crus. Le mot « villages » a été adopté en 1950 pour remplacer la multiplicité des noms de communes qui pouvaient être ajoutés à l'appellation beaujolais sur l'étiquette au fins de distinguer des productions considérées comme supérieures. Une écrasante majorité de producteurs a opté pour cette mention qui favorise la commercialisation, même si 30 communes – celles dont le nom ne correspond pas à celui d'un des crus – gardent le droit, pour éviter toute confusion, d'ajouter leur nom à celui de beaujolais.

Les beaujolais-villages se rapprochent des crus et en ont les contraintes culturales (taille en gobelet ou en éventail, cordon simple ou double charmet, degré initial des moûts supérieur de 0,5 % vol. à ceux des beaujolais). Originaires de sables granitiques, ils sont rouge vif, fruités, gouleyants : les têtes de cuvée des vins primeurs. Nés sur les terrains granitiques, plus en altitude, ils présentent une belle vivacité qui permet une consommation dans l'année, voire une petite garde. Entre ces deux extrêmes, toutes les nuances sont possibles, mais les vins allient toujours finesse, arômes et corps.

CH. DES ALOUETTES 2012

■	20 000	ⓘ	5 à 8 €

La maison Louis Tête propose un 2012 à la robe rouge intense. Le nez expressif est tout en fruits rouges et la bouche équilibrée, fraîche et nette. À servir sur un saucisson à l'apéritif.

☛ Les vins Louis Tête, Les Dépôts, 69430 Saint-Didier-sur-Beaujeu, tél. 04 74 04 88 05, fax 04 74 69 28 61, info@tete-beaujolais.com, ☑ ⚭ ⍑ r.-v.

JEAN BARONNAT Le Bois de la Fée 2011 ★

■	n.c.		5 à 8 €

Jean-Jacques Baronnat, à la tête de cette maison de négoce depuis 1985, présente un 2011 au nez élégant de fruits noirs légèrement épicés, de pain grillé et de moka. La bouche se révèle ronde, suave et concentrée. Cette bouteille pourra accompagner dès à présent un gibier à plumes. Le **chénas 2011**, au nez concentré, un rien végétal, à la bouche mûre, charnue et équilibrée, récolte également une étoile.

☛ Jean Baronnat, 491, rte de Lacenas, 69400 Gleizé, tél. 04 74 68 59 20, fax 04 74 62 19 21, info@baronnat.com, ☑ ⍑ r.-v.

DOM. DE BOISCHAMPT 2011 ★★

■	10 000	ⓘ	5 à 8 €

La famille Dupond propose un 2011, issu de 7 ha de vignes plantées sur un terroir granitique, qui a su ravir les jurés. Le vin se présente dans une élégante robe rubis intense. Il livre un bouquet profond et complexe de fruits légèrement épicés. Le palais est à l'unisson, franc, riche, vineux, persistant et bien équilibré. À servir dans un an ou deux sur une pièce de charolais en sauce.

☛ GFA Dom. de Boischampt, Le Bas-du-Bourg, 69840 Jullié, tél. 04 74 66 77 80, fax 04 74 66 77 85

DANIEL BOUCHACOURD Tradition Les Plaisances 2012 ★

■	2 400	ⓘ	5 à 8 €

Daniel Bouchacourd possède des parcelles de vieilles vignes en brouilly. En beaujolais-villages, ce sont des ceps de gamay presque centenaires (quatre-vingt-dix ans) qui ont donné naissance à ce 2012 vinifié en cuvaison longue, pour en extraire tout son potentiel. Le vin en ressort avec une robe rubis, un nez floral et fruité (fruits rouges). On retrouve des notes de violette et de cerise dans un palais puissant, gras, bien équilibré par une longue finale minérale. Une bouteille élégante que l'on pourra déguster dès cette année.

☛ Daniel Bouchacourd, lieu-dit Espagne, 69640 Saint-Julien, tél. 06 30 94 07 19, bouchacourd-daniel@neuf.fr, ☑ ⍑ r.-v. ⌂ ❷

DOM. BURNICHON Vieilles Vignes Harmony 2011 ★★

■	4 000	ⓘ	5 à 8 €

Daniel Burnichon exploite ce vignoble familial depuis 1976. Des vignes d'un âge respectable (cinquante ans), cultivées sur 2 ha de sol granitique, sont à l'origine de ce 2011 à la robe rubis intense. Le bouquet exubérant de kirsch et de fraise, de menthe et de sarriette, est suivi d'une bouche agréable et concentrée aux arômes de fruits mûrs, réglissée en finale. Bien structuré et souligné par une agréable minéralité, ce vin sera à son optimum l'an prochain. Il accompagnera une volaille de Bresse à la crème et aux morilles.

☛ Daniel Burnichon, Vitry, 69430 Quincié-en-Beaujolais, tél. 06 87 34 67 88, daniel.burnichon@orange.fr, ☑ ⍑ r.-v.

DOM. CHEVEAU Naissance Au Bouteau 2011 ★

■	1 200	⊞	8 à 11 €

Nicolas Cheveau a baptisé cette cuvée en 2003, lors de la venue au monde de sa première fille. C'est un *villages* élaboré dans le nord du Beaujolais, dont la vinification s'inspire de la méthode bourguignonne, avec une cuvaison longue et un élevage en fût de quinze mois. Le vin en ressort fruité et vanillé au nez, frais et structuré par des tanins discrets et fondus. Harmonieux, il pourra être dégusté dès la sortie du Guide comme dans un an, avec une viande en sauce.

☛ Dom. Cheveau, rue de la Chapelle, 71960 Solutré-Pouilly, tél. 03 85 35 81 50, fax 03 85 35 87 88, domaine@vins-cheveau.com, ☑ ⚥ ⊤ r.-v.

DOM. DU CLOS DU FIEF Fleur de chardonnay 2012 ★

| | 2 800 | | 📖 | 5 à 8 € |

Michel Tête, propriétaire de ce domaine de 13 ha depuis 1980, voit deux de ses vins sélectionnés. Ce beaujolais-villages est issu de chardonnay récolté sur la commune de Saint-Vérand, en Saône-et-Loire, sur des terroirs marneux propices aux blancs. Il se montre fruité et expressif au nez (pomme, abricot, amande), généreux, ample et riche en bouche, vivifié par de fines notes citronnées en finale. On pourra le servir dès à présent sur des quenelles au poisson. Fleuron du domaine, le **juliénas cuvée Prestige 2011** (8 à 11 € ; 4 300 b.), léger, fruité, aux tanins souples, est cité. Il pourra lui aussi être dégusté dès la sortie du Guide.

☛ Michel Tête, Les Gonnards, 69840 Juliénas, tél. 04 74 04 41 62, fax 04 74 04 47 09, domaine@micheltete.com, ☑ ⚥ ⊤ t.l.j. sf dim. 8h30-12h30 14h-19h

DOM. DES COMBIERS Prestige 2012 ★

| ■ | 3 000 | 📖 | 5 à 8 € |

Surtout connu pour sa fleurie, Laurent Savoye vendange cette parcelle de vieilles vignes (quatre-vingts ans, voire cent ans pour certaines) un peu plus tardivement que les autres pour que son gamay gagne en maturité. Il a obtenu ainsi ce vin au nez de fruits rouges cuits et d'épices douces. La bouche est soyeuse, ample, soutenue par des tanins élégants. Un beaujolais-villages agréable, à déguster dès l'an prochain avec un lapin à la sarriette.

☛ Laurent Savoye, Les Combiers, 69820 Vauxrenard, tél. et fax 04 74 04 11 06, laurent.savoye@aliceadsl.fr, ☑ ⚥ ⊤ r.-v.

DOM. DE LA CROIX SAUNIER
Sélection Vieilles Vignes 2011 ★

| ■ | 5 000 | 📖 | 5 à 8 € |

Jean-Jacques Dulac conduit depuis 1977 ce domaine de 11 ha, dont 1,3 ha de vieilles vignes à l'origine de cette cuvée. Vinifié de manière traditionnelle en vendange entière, ce 2011 se présente dans une robe rouge vif et offre un nez typique de fruits rouges mûrs. Le palais savoureux se révèle également mûr, rond et plein. Bien équilibré, c'est un vin qui s'inscrit « dans la tradition », selon un juré. Il est prêt.

☛ Jean-Jacques Dulac, Dom. de la Croix Saunier, 188, rue des Bruyères, 69640 Denicé, tél. 04 74 67 34 00, jj.dulac@wanadoo.fr, ☑ ⚥ ⊤ t.l.j. 8h-20h 🏠 ❹ 🏠 ❿

PHILIPPE DESCHAMPS
Sélection Cuvée Vieilles Vignes 2011 ★★

| ■ | 6 000 | 📖 | 5 à 8 € |

Philippe Deschamps semble cultiver un petit faible pour cette cuvée, initialement élaborée par ses parents il y a trente ans. C'est avec soin qu'il récolte à la main un hectare de gamay et qu'il vinifie avec pigeage en cuve durant douze jours, extrayant ainsi couleur et tanins. Le

résultat : un 2011 grenat brillant qui a su séduire les dégustateurs. Le nez de fruits rouges compotés prélude à une bouche fruitée, ample, riche, étayée par une pointe de fraîcheur en finale. « C'est gourmand », assure un des membres du jury, qui conseille d'ouvrir dès à présent cette bouteille pour accompagner une assiette de charcuterie.

☛ Philippe Deschamps, Morne, 69430 Beaujeu, tél. 04 74 04 82 54, fax 04 74 69 51 04, deschamphilippe@orange.fr, ☑ ⚥ ⊤ r.-v. 🏠 ❶

MICHÈLE ET FRANÇOIS DESCOMBES Marmonier 2011

| ■ | 2 000 | ⫴ | 5 à 8 € |

Michèle et François Descombes ont donné le nom de leur pressoir, un Marmonier de 1920, à leur cuvée. Un joli appareil, équipé d'une cage en bois et d'un couvercle qui s'abaisse lentement (en une journée !) sur les raisins. Ce pressurage très lent et doux permet de ne pas extraire de tanins herbacés. Le vin en ressort grenat, offrant un bouquet de fruits rouges vanillés et un palais souple. Les amateurs de vins boisés pourront ouvrir cette bouteille dès à présent, les autres devront plutôt l'attendre un an ou deux.

☛ François et Michèle Descombes, Bel-Air, 69430 Lantignié, tél. 06 67 75 39 55, fax 04 74 69 20 33, descombesfrancois@orange.fr, ☑ ⚥ ⊤ r.-v.

GEORGES DESPRÉS ET FILS 2012 ★

| ■ | 3 500 | | 5 à 8 € |

Georges Després est issu d'une famille où l'on est vigneron de père en fils depuis 1868. C'est en 1980 qu'il a repris l'exploitation de ce domaine de 15 ha, qu'il va désormais diriger accompagné de son fils Cyril (cinquième génération). Ce blanc se présente dans une élégante robe jaune brillant. Le nez évoque les fleurs blanches et la noisette. Le palais rond et gras est bien équilibré grâce à une fraîcheur appréciable. Franc, relevé d'une plaisante finale anisée, ce vin sera idéal à l'apéritif, dès cette année.

☛ EARL Georges Després, Le Vernay, 69460 Saint-Étienne-des-Oullières, tél. 04 74 03 48 98, georges.despres@wanadoo.fr, ☑ ⚥ ⊤ r.-v.

GÉRARD DUCROUX 2012 ★

| ■ | 2 000 | 📖 | 5 à 8 € |

Quatre générations de viticulteurs se sont succédé depuis le XIXᵉˢ. à la tête de ce domaine familial. Gérard Ducroux, qui en tient les rênes depuis 1977, voit deux de ses vins sélectionnés. Tout d'abord, ce 2012 à la robe rubis, au nez intensément fruité sur le cassis, la framboise, avec une légère nuance de bonbon anglais, qui lui donne un style primeur. Un beaujolais-villages souple, gouleyant, acidulé, qui sera idéal pour la charcuterie. Le **morgon 2012** (9 300 b.), typique de son appellation avec ses arômes de fruits rouges et tanins solides, est cité.

☛ Gérard Ducroux, Saint-Joseph-en-Beaujolais, 69910 Villié-Morgon, tél. et fax 04 74 69 90 14, gducroux@wanadoo.fr, ☑ ⚥ ⊤ r.-v.

J. GONARD ET FILS 2012 ★

| ■ | 2 000 | 📖 | 5 à 8 € |

Jacques Gonard exploite un petit domaine de 5,50 ha, dont 33 ares sont dédiés au chardonnay. La parcelle bénéficie d'une exposition sud dans un secteur venté qui la protège des maladies, ce qui a permis de la vendanger assez tardivement, le 1ᵉʳ octobre 2012. Il en résulte un vin au nez de réglisse et de fenouil, net, rond et équilibré en bouche. À servir dès à présent sur du poisson en sauce.

☛ J. Gonard, La Varenne, 69840 Jullié, tél. 04 74 04 45 20, fax 04 74 04 45 69, gonard.j@orange.fr,
🆅 ⚔ ⟟ t.l.j. 9h-12h 14h-19h

DOM. GOUILLON 2011 ★★

▨	3 000	▮	5 à 8 €

Dominique Gouillon est à la tête de ce domaine depuis 1983. Le 2011 qu'il présente est issu de 80 ares de vignes vendangées à la main et a été vinifié à basse température pour que la fermentation dure longtemps. Le résultat ? Une cuvée harmonieuse qui a séduit le jury dans sa robe or pâle. Le nez complexe mêle fleurs blanches et notes muscatées. La bouche, à l'unisson, se révèle ample, fraîche et ronde. Servi dans l'année, ce vin se plaira sur un poulet à la crème.

☛ Dominique Gouillon, Les Vayvolets, 69430 Quincié-en-Beaujolais, tél. 06 87 48 39 09, gouillon.dominique@orange.fr, 🆅 ⚔ ⟟ r.-v. 🏡 ❸

♥ LES GRANDES PLANTES 2012 ★★

▪	2 400	⬭	11 à 15 €

2012

LES GRANDES PLANTES
APPELLATION BEAUJOLAIS-VILLAGES CONTRÔLÉE

CHRISTOPHE CORDIER   750ML

Christophe Cordier est connu pour ses mâcon blancs et pour ses pouilly-fuissé. Cet expert du chardonnay s'est lancé dans une affaire de négoce pour développer une gamme en rouge. Il se révèle tout aussi talentueux en matière de gamay, témoin ce 2012 qui a enchanté le grand jury et s'affiche une robe grenat intense et brillante. L'olfaction libère de puissantes notes de cassis et d'épices. La bouche, ronde et ample, délivre des arômes de fruits noirs légèrement vanillés. Harmonieux et très concentré, ce beaujolais-villages détient un potentiel de garde de plusieurs années et fera merveille sur un poulet rôti.

☛ Christophe Cordier, 71960 Fuissé, tél. 03 85 35 62 89, fax 03 85 35 64 01, domaine.cordier@wanadoo.fr, 🆅 ⚔ ⟟ r.-v.

CH. GRAND'GRANGE La Tour 2011 ★

▪	3 298	⬭	8 à 11 €

Pour leur premier millésime, ils paradaient déjà dans le Guide avec une étoile pour chacune des deux cuvées présentées. Entre-temps, Per-Hakon Schmidt et Marianne Philip ont changé d'œnologue, passant de Caroline Porcher à Nicolas Dietrich, mais ils continuent de pratiquer une vinification à la bourguignonne qui fait leur succès (éraflage à 100 %, élevage en fût). Ce beaujolais-villages en ressort vanillé, franc, net, soyeux, structuré par des tanins fins. Un dégustateur le conseille aux amateurs de vins boisés. On pourra attendre ce 2011 en cave un an ou deux avant de l'ouvrir sur une entrecôte aux légumes d'hiver.

☛ Per-Hakon Schmidt, lieu-dit La Grand'Grange, 69460 Le Perréon, tél. 06 37 24 39 79, info@chateaugrandgrange.com, 🆅 ⚔ ⟟ r.-v.

DOM. DE LA GRANGE MÉNARD
Coteaux des Pierres rouges 2012

▪	2 900	▮⬭	5 à 8 €

À la tête d'un grand domaine (27 ha), Guy Pignard a trente-cinq ans de métier derrière lui. Il présente un vin souple et élégant, au nez discret de fruits noirs et de violette. La bouche, ronde et riche, révèle une pointe d'austérité tannique en finale qui se sera estompée dans un an. À servir sur un navarin d'agneau.

☛ Évelyne et Guy Pignard, Dom. de la Grange-Ménard, 69400 Arnas, tél. 04 74 62 87 60, fax 04 74 65 35 28, pignard.guy@orange.fr, 🆅 ⚔ ⟟ r.-v.

DOM. DU GRANIT BLEU 2012 ★

▪	4 100		5 à 8 €

Jocelyne et Jean Favre descendent d'une lignée vigneronne remontant au XVIᵉs. Ils présentent un 2012 né de gamay planté sur un terroir sablonneux en forte pente, au sous-sol de porphyre et de granit. Ils ont encore une fois séparé la vendange en deux lots : l'un est allé directement dans la cuve en macération semi-carbonique typique, l'autre a été chauffé afin d'extraire ce fameux nez de cassis. On retrouve ces arômes fruités dans une bouche franche, concentrée et grasse, bien équilibrée par la structure tannique. Un joli vin que l'on pourra déguster dès la sortie du Guide.

☛ Jean et Jocelyne Favre, Dom. du Granit bleu, Le Perrin, 69460 Le Perréon, tél. et fax 04 74 03 20 90, granit-bleu@wanadoo.fr, 🆅 ⚔ ⟟ r.-v.

DOM. DES HAYES Vieilles Vignes 2012 ★

▪	n.c.		5 à 8 €

Pierre Deshayes gère depuis 1971 ce domaine de 18 ha. Il propose un 2012 issu d'une parcelle de 2 ha de gamay planté sur un sol granitique. Le vin se présente dans une robe rubis, et offre un bouquet fin et fruité (framboise). On retrouve ces arômes dans une bouche souple, fraîche, structurée par des tanins, qui s'assoupliront après une petite garde d'un an. Cette bouteille révélera alors son côté gourmand.

☛ EARL Pierre Deshayes, Les Grandes-Vignes, 69460 Le Perréon, tél. 04 74 03 25 47, fax 04 74 03 23 90, domainedeshayes@wanadoo.fr, 🆅 ⚔ ⟟ r.-v.

♥ PATRICIA ET BERNARD JOMAIN
Cuvée des trèfles 2012 ★★

▪	2 000	▮	5 à 8 €

Bernard Jomain exploite depuis 1990 un vignoble de 12 ha partagé entre trois appellations : beaujolais-villages (pour laquelle 25 ares de sol argilo-siliceux sont exploités), côte-de-brouilly et brouilly. La parcelle de vignes à l'origine de ce 2012 était plantée en gamay jusqu'en 2009. Elle est désormais dédiée au chardonnay, enherbée et semée de trèfle, ce qui a valu son nom à cette cuvée. Celle-ci, d'un or pâle limpide, a ravi le grand jury. Le nez complexe (tilleul, verveine) annonce une matière subtile, superbe, équilibrée. Tout en finesse et en élégance, c'est un vin épanoui, à savourer dès maintenant avec une tarte aux fruits. La preuve que de jeunes vignes peuvent engendrer de forts jolis vins ! Le **brouilly Cuvée Bacchus 2011** (8 à 11 € ; 2 400 b.), puissant, boisé, au nez intense de vanille

et de sous-bois, à la bouche ronde et fondue, obtient également deux étoiles. Il est prêt.

🕿 Bernard Jomain, La Valette, 69220 Charentay, tél. 06 80 30 96 68, jomainb@wanadoo.fr, ☑ ⚔ ⌶ r.-v.

DOM. Lacondemine 2012

	5 000	▮	5 à 8 €

Stéphane Lacondemine a récolté tôt, le 20 août, ses gamays, pour en tirer ce rosé à la robe soutenue et limpide. Le nez fruité (cassis, agrumes) prélude à une bouche ample, ronde et suave. Un vin agréable, à déguster à l'apéritif.

🕿 Stéphane Lacondemine, Les Plagnes, 69460 Vaux-en-Beaujolais, tél. 04 74 02 14 20, stephane.lacondemine@wanadoo.fr, ☑ ⚔ ⌶ r.-v.

DOM. Lacondemine 2012

	10 000	▮	5 à 8 €

Jocelyne Lacondemine a vendangé très tôt (le 17 août) cette parcelle de 4 ha. Il en résulte un vin à la robe légère. Le nez offre à l'aération d'agréables notes de fraise, de framboise et de cerise confite. La bouche est vive, souple et fruitée. À déguster dès à présent.

🕿 Jocelyne Lacondemine, Les Plagnes, 69460 Vaux-en-Beaujolais, tél. 04 74 03 24 69, fax 04 74 03 27 79, jocelynelacondemine@orange.fr, ☑ ⚔ ⌶ r.-v.

DOM. DE L'Orée DU Bois Le Perréon 2011

	15 000	▮	- de 5 €

Olivier Bererd, à la tête de ce domaine de 3,8 ha depuis 1992, présente un 2011 grenat intense, au nez de cassis légèrement épicé. La bouche se révèle souple, ronde, onctueuse, équilibrée par une légère impression tannique en finale. On pourra déguster ce beaujolais-villages dès à présent sur des grillades.

🕿 Olivier Bererd, Le Bourg, 69460 Le Perréon, tél. 04 74 03 21 85, fax 09 81 70 76 68, bererd@terre-net.fr, ☑ ⚔ ⌶ t.l.j. sf dim. 8h-12h 13h30-19h

PAUL ET SÉBASTIEN Pariaud Blanc de Lancié Le Poype 2012 ★

	2 000	▮	5 à 8 €

Aujourd'hui à la tête de 25 ha de vignes, Sébastien Pariaud exploite le domaine fondé par son grand-père. Il présente un beaujolais-villages blanc au nez de bonbon acidulé, de citronnelle et de verveine. La bouche répond au nez et se révèle aromatique, vive et de bonne longueur. Un dégustateur imagine ce chardonnay en accompagnement d'une tarte aux prunes.

🕿 EARL Paul et Sébastien Pariaud, 351, rue de la Merlatière, 69220 Lancié, tél. 04 74 04 10 16, fax 04 74 69 83 64, cellierdelamerlatiere@orange.fr, ☑ ⚔ ⌶ t.l.j. 8h-12h 14h-19h

MARLYSE ET GÉRARD Perrier Charmes de Steven 2012 ★

	n.c.	▮	5 à 8 €

Cette cuvée a été lancée l'an dernier par Gérard Perrier, à la tête de ce domaine depuis 1983 et qui a pris ses marques dans le Guide. Steven ? Le fils du vigneron. Le vin dévoile un nez de brioche, d'amande, d'acacia et de miel. La bouche, grasse et ronde, est équilibrée en finale par une agréable minéralité. On pourra ouvrir cette bouteille sans attendre, à l'apéritif.

🕿 EARL Marlyse et Gérard Perrier, Les Saules, 69430 Lantignié, tél. et fax 04 74 04 88 93, marlyper@wanadoo.fr, ☑ ⚔ ⌶ r.-v. 🏠 ❸

PRIEURÉ DU BOIS DE Leynes 2011

	3 000	▮	5 à 8 €

Bruno Jeandeau, à la tête de ce domaine de 10 ha depuis 1990, propose un chardonnay jaune d'or, au nez de citron et de fleurs blanches. Franc, ample, équilibré et délicatement citronné, c'est un vin plutôt vif auquel réussiront des coquillages et des crustacés.

🕿 Bruno Jeandeau, Le Bois de Leynes, 71570 Leynes, tél. 03 85 35 11 56, fax 03 85 35 15 15 ☑ ⚔ ⌶ r.-v.

DOM. CHRISTOPHE Renard 2012

	2 500	▮	5 à 8 €

Christophe Renard exploite 11,5 ha au sein du vaste vignoble du château de La Carelle (140 ha), en tant que métayer. Il présente un 2012 au nez de kirsch et de fruits rouges (griotte), au palais rond, bien structuré par des tanins. Encore un peu austères en finale, ceux-ci sauront s'arrondir à la faveur d'une petite année de garde.

🕿 Christophe Renard, La Carelle, 69460 Saint-Étienne-des-Oullières, tél. 06 88 56 69 49, fax 04 74 03 53 07, renard-christophe@orange.fr, ☑ ⚔ ⌶ t.l.j. 9h-12h 14h-19h

🕿 GFA la Carelle

CH. Saint-Vincent 2011 ★

	25 000	▮	5 à 8 €

David Béroujon est propriétaire des vignes de ce château depuis cinq ans. Il propose un 2011 grenat intense aux parfums de framboise et de cassis, agrémentés d'une touche florale. On retrouve cette palette aromatique dans une bouche fine et fruitée, souple et ronde. Une touche de bourgeon de cassis apporte une pointe de fraîcheur bienvenue en finale. Équilibrée et harmonieuse, cette cuvée pourra être dégustée dès cet hiver, sur une volaille et sa purée de potiron par exemple.

🕿 François Béroujon, La Laveuse, 69460 Salles-Arbuissonnas, tél. et fax 04 74 67 52 47, chateau-saintvincent@hotmail.fr, ☑ ⚔ ⌶ r.-v.

DOM. DE LA TOUR DES Bourrons Cuvée Célia 2011 ★

	2 000	▮	5 à 8 €

Bernard Guignier est surtout connu pour son juliénas et son fleurie, mais c'est avec ce beaujolais-villages blanc au nez complexe de coing et d'abricot qu'il s'illustre dans cette édition. On retrouve ces arômes dans une bouche ample et longue, dont l'onctuosité s'accordera bien avec un sabayon à l'abricot ou une tarte aux fruits. À déboucher dès cette année.

☛ Bernard et Monique Guignier, Les Bourrons, 69820 Vauxrenard, tél. et fax 04 74 69 92 05, bernard-monique.guignier@orange.fr, ☑ ⚸ Ⴤ r.-v.

DOM. DE VALLIÈRES 2011

| ■ | 3 000 | ▬ | - de 5 € |

Laurent et Didier Trichard sont deux frères qui exploitent ensemble les 16 ha du domaine familial. Ils proposent un 2011 violacé, au nez délicat d'iris et de pivoine. La bouche est fruitée, nette, structurée par des tanins robustes qui gagneront à s'assouplir un an en cave.
☛ GAEC Bernard, Laurent et Didier Trichard, Haute-Plaigne, 69430 Régnié-Durette, tél. 04 74 04 39 52, fax 04 74 69 05 39, gaec.trichard.bld@hotmail.fr, ☑ ⚸ Ⴤ r.-v.

CH. DE VARENNES Vieilles Vignes 2012

| ■ | 6 600 | | 5 à 8 € |

Guillaume Charveriat, dont la famille exploite le château depuis 1809, a eu la bonne idée de développer un parcours ludique (sentier, jeux en bois sur le thème de la vigne) autour de sa propriété. Il propose un vin grenat, au nez pimpant de fraise écrasée et de bonbon anglais. Rond, fruité et gouleyant, il pourra passer à table dès la sortie du Guide.
☛ SCI Varennes, 2330, rte de Varennes, 69430 Quincié-en-Beaujolais, tél. 04 74 04 31 67, fax 04 74 69 00 69, chateaudevarennes@wanadoo.fr, ☑ ⚸ Ⴤ r.-v.
☛ Charveriat

DOM. LES VILLIERS Entre deux châteaux 2012 ★★

| ■ | 2 500 | | 5 à 8 € |

Lucien Chemarin, à la tête de ce domaine de 5 ha depuis 1982, et son fils Nicolas sont à l'origine de ce blanc issu d'une petite parcelle de 30 ares. Cette cuvée a enthousiasmé les jurés avec sa jolie robe or pâle, son nez de coing, de poire williams et de fleurs blanches. La bouche est fruitée, nette, vive, longue et minérale en finale. Ce vin bien équilibré est polyvalent, il s'appréciera aussi bien à l'apéritif que sur du poisson.
☛ Lucien Chemarin, Les Villiers, 69430 Marchampt, tél. 04 74 04 37 11, lucien.chemarin@neuf.fr, ☑ ⚸ Ⴤ r.-v.

Brouilly et côte-de-brouilly

Le 8 septembre, une nuée de marcheurs, panier de victuailles au bras, escalade les 484 m de la colline de Brouilly en direction du sommet où s'élève une chapelle construite sous le Second Empire et dédiée à la Vierge pour implorer sa protection des vignes contre l'oïdium. De là, les pèlerins découvrent le Beaujolais, le Mâconnais, la Dombes, le mont d'Or. Deux appellations sœurs se sont disputé la délimitation des terroirs environnants : brouilly et côte-de-brouilly.

Le vignoble de l'AOC côte-de-brouilly, installé sur les pentes du mont, repose sur des granites et des schistes très durs, vert-bleu, dénommés « cornes-vertes » ou diorites. Cette montagne serait un reliquat de l'activité volcanique du primaire, à défaut d'être, selon la légende, le résultat du déchargement de la hotte d'un géant ayant creusé la Saône... La production est répartie sur quatre communes : Odenas, Saint-Lager, Cercié et Quincié. L'appellation brouilly, elle, ceinture la montagne en position de piémont. Elle s'étend sur les communes déjà citées et déborde sur Saint-Étienne-la-Varenne et Charentay ; sur la commune de Cercié se trouve le terroir bien connu de la Pisse-Vieille.

Brouilly

Superficie : 1 300 ha
Production : 66 450 hl

DOM. DE BERGIRON 2012 ★★

| ■ | 3 000 | | 5 à 8 € |

Jean-Luc Laplace, à la tête de ce domaine de 12 ha, a pris la suite de plusieurs générations de viticulteurs. Il signe un 2012 issu d'une macération semi-carbonique « à la beaujolaise », élevé dans une cave souterraine du XIXᵉ s. Ce vin plaît par son nez frais de cerise et de cassis, et par sa bouche riche et prometteuse aux arômes de petits fruits rouges. Tout en rondeur, c'est un vin de plaisir à servir dès cette année sur un civet de lièvre.
☛ Jean-Luc Laplace, 85, rte de Pizay, 69220 Saint-Lager, tél. 04 74 66 88 42, jl.laplace@wanadoo.fr, ☑ ⚸ Ⴤ r.-v.

CH. DE LA CHAIZE 2011

| ■ | 300 000 | | 8 à 11 € |

Un château Grand Siècle, aux jardins dessinés par André Le Nôtre, dont on célèbre en 2013 le quatre centième anniversaire. Le domaine viticole est l'un des plus vastes du Beaujolais : il compte 99 ha de vignes dont il confie l'exploitation à sept métayers. Ici, ce sont près de 45 ha qui ont été cultivés pour donner naissance à ce 2011, un vin au nez de fruits noirs mûrs, à la bouche puissante, ample et charnue. À déguster dès cette année.
☛ Marquise de Roussy de Sales, Ch. de la Chaize, 69460 Odenas, tél. 04 74 03 41 05, fax 04 74 03 52 73, chateaudelachaize@wanadoo.fr,
☑ ⚸ Ⴤ t.l.j. 9h-12h 14h-17h30 (ven. 17h); sam. dim. sur r.-v.; f. sem. du 15 août

♥ DOM. DU CHAZELAY 2012 ★★

| ■ | 8 000 | | 5 à 8 € |

Très belle réussite pour Franck Chavy qui, après avoir obtenu l'an dernier un coup de cœur pour son 2011, en décroche un nouveau pour son 2012. Ce jeune vigneron exploite un petit domaine de 6,8 ha, ce qui lui permet d'apporter un soin particulier à ses vignes. Selon lui, le terroir s'exprime dans des vins puissants, charnus et concentrés, issus de hautes densités (10 000 pieds à l'hectare) propices à la qualité et aux faibles rendements. Sa quête du vin idéal a abouti à ce brouilly exemplaire, à la robe intense et au nez profond de cassis. Le palais livre une matière ample et vineuse, à la longue finale soutenue par des tanins déjà fondus. « Remarquable pour un 2012, année climatique difficile », souligne un juré. Une bien

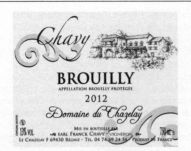

jolie cuvée que l'on pourra apprécier dès à présent avec une pièce de bœuf.

🍇 Franck Chavy, Lachat, 69430 Régnié-Durette, tél. 06 07 16 18 85, franck.vinchavy@wanadoo.fr, ☑ 🏃 ⛄ r.-v. 🏠 ❷ 🏠 ❸

DOM. CHEVALIER-MÉTRAT 2011 ★

| ■ | 7 000 | 🍶 | 5 à 8 € |

À la tête du domaine depuis 1987, Sylvain Métrat exploite aujourd'hui 4 ha de vignes en brouilly sur un sol sablonneux, à l'origine de ce 2011 à la robe grenat. Le vin s'ouvre à l'aération sur des arômes de fruits rouges et d'épices. En bouche, il livre une matière souple, ample et généreuse. Corsé, fruité et doté d'une finale persistante, c'est un vin à garder un à deux ans en cave avant de le servir sur une poule au pot.

🍇 Sylvain Métrat, Le Roux, 69460 Odenas, tél. 04 74 03 50 33, domainechevaliermetrat@wanadoo.fr, ☑ 🏃 ⛄ r.-v.

DOM. DES CHEVALIERS 2012 ★★

| ■ | 48 000 | 🍶 | 5 à 8 € |

La maison de négoce Aujoux propose, pour chacun des dix crus du Beaujolais, plusieurs noms de domaines. Cette année, trois vins s'imposent. En tête, ce brouilly 2012 à la robe pourpre, au nez expressif de cassis et de mûre, au palais dense et fondu, porté par des tanins soyeux et une fraîcheur ciselée. Un vin harmonieux que l'on pourra garder un an ou deux avec une viande en sauce. Le **chénas Ch. des Paquelets 2011 (15 800 b.)** obtient quant à lui une étoile pour son nez complexe d'iris et de prune et pour sa bouche riche, structurée par des tanins encore un peu fermes, qui s'arrondiront d'ici deux à trois ans. Enfin le **moulin-à-vent Antoine Barrier 2011 (57 000 b.)**, autre marque de la maison, est cité pour son nez de fruits rouges et pour son côté charnu et pimpant. À savourer sur son fruit.

🍇 Les Vins Aujoux, La Bâtie, 71570 La Chapelle-de-Guinchay, tél. 03 85 23 83 50, fax 03 85 23 83 71, aujoux@aujoux.fr

COLLIN-BOURISSET Les Terres bleues 2011

| ■ | 10 000 | 🍶 | 5 à 8 € |

Cette maison de négoce locale voit deux de ses vins sélectionnés. Ce brouilly 2011 est cité pour sa palette aromatique assez complexe, mêlant les fruits noirs à des notes minérales, arômes complétés en bouche par des nuances de noyau. Sa rondeur et sa bonne longueur sont également fort appréciées. Le **beaujolais-villages rouge Ch. la Tour Goyon 2012 (29 000 b.)** est lui aussi cité pour sa franchise et sa netteté en bouche. « Il correspond parfaitement à l'appellation », conclut un dégustateur. Deux vins à déboucher dans les trois ans.

🍇 Collin-Bourisset, rue de la Gare, 71680 Crèches-sur-Saône, tél. 03 85 36 57 25, fax 03 85 37 15 38, bienvenue@collinbourisset.com, ☑ 🍶 t.l.j. sf sam. dim. 8h30-11h30 14h-17h; f. août

DOM. DEMIANE Vieilles Vignes 2012 ★

| ■ | 46 000 | 🍶 | 8 à 11 € |

Joannès Chanut était le nom d'une maison que le négociant Jean-Marc Aujoux, a rachetée dans les années 1990. Le 2012 présenté est issu de 8,73 ha de vignes. Un vin au nez de fruits noirs légèrement réglissés, à la bouche ronde, franche et bien structurée. On pourra attendre un an ou deux avant de déguster cette bouteille avec une viande en sauce.

🍇 Joannès Chanut, La Bâtie, 71570 La Chapelle-de-Guinchay, tél. 03 85 23 83 50, fax 03 85 23 83 71, aujoux@aujoux.fr

JACQUES DÉPAGNEUX Pisse-Vieille 2012 ★

| ■ | 19 500 | 🍶 | 11 à 15 € |

Cette structure de négoce, collaboratrice de la maison Aujoux, propose un 2012 issu de 4,55 ha de vignes cultivées sur un sol argilo-calcaire et vinifiées en macération semi-carbonique. Il en résulte un vin au nez de petits fruits rouges (framboise et groseille), arômes que l'on retrouve dans un palais rond, vineux et harmonieux. Une jolie cuvée à déguster sur son fruit.

🍇 Jacques Dépagneux, La Bâtie, 71570 La Chapelle-de-Guinchay, tél. 03 85 23 83 50, fax 03 85 23 83 71, aujoux@aujoux.fr

DOM. DIT BARRON Octante 2011 ★

| ■ | 4 000 | 🍶 | 8 à 11 € |

Le nom de cette cuvée fait référence à l'âge vénérable des vignes exploitées sur les 70 ares de sol sablo-limoneux. Un vin rubis au nez évoquant les fruits noirs frais et la cerise griotte. En bouche, la matière est puissante, dense et longue. À déguster dans les trois ans. Également noté une étoile, le **côte-de-brouilly 2011 (2 600 b.)** plaît par son nez de fruits rouges mûrs et par sa bouche tout aussi fruitée, souple et longue, soutenue par des tanins harmonieux. À boire dès la sortie du Guide, en accompagnement de viandes rouges.

🍇 Muriel et Gilles Aujogues, Les Bruyères, 69220 Cercié, tél. 04 74 66 87 59, fax 04 74 66 72 55, gilles.aujogues@wanadoo.fr, ☑ 🏃 ⛄ r.-v. 🏠 ❸

DOM. GOUILLON 2011 ★

| ■ | 1 200 | 🍶 | 5 à 8 € |

Ce domaine familial, fondé en 1968 par Danielle Gouillon, est depuis quelque temps dirigé par son fils Dominique. Celui-ci propose un 2011 issu de 20 ares de vignes. Ce vinificateur semble à l'aise sur les millésimes précoces (2007, 2009 et 2011), à en juger par cette cuvée au nez délicat de cassis et de petits fruits rouges. Le vin livre une matière ronde, souple et s'équilibre autour de tanins fins et d'une fraîcheur ciselée. On pourra le servir sur une volaille rôtie dès cet hiver.

🍇 Danielle Gouillon, Les Grandes-Granges, 69430 Quincié-en-Beaujolais, tél. 06 11 16 63 50, contact@domainegouillon.fr, ☑ 🏃 ⛄ r.-v. 🏠 ❸

CAVE DU CH. DES LOGES 2012 ★

■	139 000	▯	5 à 8 €

Deux vins de cette coopérative sont sélectionnés. Ce brouilly a séduit les dégustateurs par son bouquet de cerise burlat et sa bouche fruitée, bien équilibrée par de jolis tanins. Un vin agréable, à déguster au cours des deux prochaines années, avec un reblochon affiné par exemple. Le **beaujolais-villages 2012 (8 000 b.)** est quant à lui cité pour son nez complexe de fruits bien mûrs et pour son palais rond, structuré par des tanins encore un peu sévères qui devraient s'affiner d'ici un à deux ans. On le dégustera en accompagnement d'une viande blanche.

☛ Cave du Ch. des Loges, 69460 Le Perréon, tél. 04 74 03 22 83, fax 04 74 03 27 60, caveduperreon@wanadoo.fr,
☑ ⊤ t.l.j. 8h-12h 13h30-17h30

DOM. DES MAISONS NEUVES
Élevé en fût de chêne 2011 ★

■	2 500	▥	8 à 11 €

Ce 2011 a passé douze mois en fût de chêne mais l'élevage n'a pas écrasé le vin. Le nez est en effet expressif, évoquant les fruits rouges et noirs (cassis). Le palais se révèle riche, rond et souple, marqué par un boisé bien maîtrisé. Un ensemble agréable à déguster dès maintenant, mais que l'on pourra garder un an ou deux.

☛ EARL Jambon Père et Fils, 170, rte de Pizay, 69220 Saint-Lager, tél. 04 74 66 81 24, fax 04 74 66 70 00, contact@jambon-pereetfils.com,
☑ ⋔ ⊤ t.l.j. 9h-12h 14h-19h30

LAURENT MARTRAY Corentin 2011

■	5 000	▥	11 à 15 €

Laurent Martray a commencé à proposer cette cuvée en 1993, à la naissance de son fils Corentin. Il lui a réservé les plus vieilles vignes du domaine, âgées d'une soixantaine d'années, qu'il a vinifiées en grappes entières avant de procéder à un élevage en fût. Son credo, ce sont les vins de garde qui ont du caractère. On retrouve ce côté sérieux dans ce 2011, qui s'ouvre après aération sur des arômes discrets de fruits noirs, avant de dévoiler en bouche des tanins encore un peu sévères. Un vin d'une rusticité de bon aloi, qui devrait s'affiner au cours des deux à trois prochaines années.

☛ Laurent Martray, Combiaty, 69460 Odenas, tél. 06 14 42 04 74, fax 04 74 03 50 92, martray.laurent@akeonet.com, ☑ ⋔ ⊤ r.-v.

LES FRÈRES PERROUD 2011 ★

■	11 000	▯	8 à 11 €

Première entrée dans le Guide pour Michel Perroud et son frère, qui conduisent une exploitation de 3,6 ha constituée en 1997. Au domaine, vous pourrez être accueillis dans leur gîte ou leurs chambres d'hôtes à très faible consommation énergétique, construits en bois. Ces vignerons signent un 2011 au nez discret de fruits rouges et d'épices. Souple et fruité en attaque, équilibré, généreux et persistant, c'est un très bon représentant de l'appellation, à déguster dans les trois ans.

☛ Les Frères Perroud, Chardonnet, 69640 Cogny, tél. 04 74 03 64 76, mi.perroud@gmail.com,
☑ ⋔ ⊤ r.-v. 🏠 ❹ 🏠 Ⓔ

CH. DE LA PIERRE 2012 ★★

■	25 000	▯	11 à 15 €

La maison Loron est propriétaire de ce château et des vignes attenantes depuis la fin des années 1990. Situé à Régnié-Durette, ce domaine s'étend aussi en brouilly, appellation au sein de laquelle il exploite 6 ha sur un terroir de granite rose. Le vin offre un nez complexe de framboise et de pivoine, et une bouche fruitée, intense et ronde, aux tanins fins. Un vin élégant, à déguster dès à présent avec une viande rouge. On retrouve ce toucher délicat dans la **Chapelle de Venenge 2012 (10 000 b.)**, notée une étoile pour son nez plaisant de framboise et de cassis et pour son palais fruité, rond, souple et équilibré. Un vin charmeur que l'on pourra apprécier dès la sortie du Guide. Le **morgon Ch. de Bellevue 2011 Le Clos (20 à 30 € ; 1 200 b.)** reçoit lui aussi une étoile pour son nez puissant de fruits noirs vanillés et pour sa bouche complexe, bien structurée par des tanins boisés. Un vin typé au potentiel de garde d'au moins trois ans, à accorder avec un gigot rôti.

☛ Jean Loron, 1846, RN 6, 71570 Pontanevaux, tél. 03 85 36 81 20, fax 03 85 33 83 19, vinloron@loron.fr
☛ Barbet

CH. DE PIERREUX 2012

■	100 000	▯	5 à 8 €

La maison Mommessin exploite les 77 ha de vignes qui entourent ce magnifique château. Elle signe un 2012 aux délicates senteurs de fruits rouges et de pivoine. En bouche, le vin se révèle fruité, équilibré et soyeux. À boire dans les deux ans.

☛ SCEV Ch. de Pierreux, Pierreux, 69460 Odenas, tél. 04 74 03 18 33, fax 04 74 03 18 39

DOM. ROLLAND 2011 ★★

■	10 000	▯	8 à 11 €

La maison Ferraud, créée en 1882, est une affaire de négoce familiale qui se transmet depuis cinq générations. Elle voit cette année deux de ses vins sélectionnés. Ce brouilly tout d'abord, qui a séduit avec sa jolie robe cerise et son nez frais de cassis et de mûre. La bouche est à l'unisson, franche, ronde et bien équilibrée. Un vin plaisant que l'on pourra déguster dès la sortie du Guide avec une viande rouge. Deuxième vin retenu, noté une étoile : le **morgon 2012 Les Charmes (20 000 b.)**, un peu plus vigoureux et de bonne longueur. Il dévoile un bel équilibre entre rondeur et structure et offre un bon potentiel de garde (trois à six ans).

☛ P. Ferraud et Fils, 31, rue du Mal-Foch, BP 194, 69823 Belleville Cedex, tél. 04 74 06 47 60, fax 04 74 66 05 50, ferraud@ferraud.com, ☑ ⋔ ⊤ r.-v.

♥ CELLIER DES SAINT-ÉTIENNE 2011 ★★

■	10 000	▯	5 à 8 €

Jolie récompense pour cette coopérative issue de la fusion des caves de Saint-Étienne-des-Oullières et de Saint-Étienne-la-Varenne. Ce coup de cœur atteste le niveau qualitatif régulier et la « patte » du maître de chai, M. Gaillard, qui réussit toujours particulièrement bien les millésimes précoces, comme ici ce 2011. Le grand jury a été enchanté par ce vin au nez intense de fruits mûrs, de cerise bigarreau et de cassis. La bouche, ample, souple, charnue, garde sa fraîcheur grâce à des tanins vifs et vigoureux. Un vin remarquablement équilibré, que l'on pourra déguster dans les deux ou trois ans à venir, sur un

canard à l'orange par exemple. Par ailleurs, le **côte-de-brouilly 2011 (10 000 b.)** de la cave obtient une étoile pour son nez frais de fruits rouges et pour sa matière dense et solide, qui appelle une garde de deux ans.
☛ Cellier des Saint-Étienne, rue du Beaujolais, 69460 Saint-Étienne-des-Oullières, tél. 04 74 03 43 69, fax 04 74 03 48 29, vignes-saveurs@wanadoo.fr, ☑ ⚘ ⌶ t.l.j. 9h30-12h30 15h-19h
☛ L. Bessy

SIGNÉ VIGNERONS Les Hommes 2012 ★

| ■ | 60 000 | ■ | 5 à 8 € |

Signé Vignerons est le nom de l'Union des coopératives de Bully et de Quincié, qui vinifie plus de 10 % de la production de la région. Elle exploite en brouilly 15 ha à l'origine de cette cuvée Les Hommes. Un vin grenat, au nez de cassis et de fruits confits, au palais rond et montant, soutenu par des tanins qui demanderont une à deux années de garde pour se fondre.
☛ Union Signé Vignerons, La Martinière, 69210 Bully, tél. 04 37 55 50 10, fax 04 37 55 50 39, contact@signe-vignerons.coop, ☑ ⚘ ⌶ r.-v.

CH. DES TOURS 2011

| ■ | 40 000 | ■ | 8 à 11 € |

Avec le donjon élancé et la massive tour carrée de son château, le domaine n'a pas usurpé son nom. Cette forteresse commande 72 ha de vignes, dont 8 ha cultivés sur arènes granitiques sont à l'origine de cette cuvée au bouquet de mûre et d'épices, à la bouche à la fois ronde et friande, longue et bien équilibrée. À déguster dès à présent.
☛ Dom. des Tours, Les Tours, 69460 Saint-Étienne-la-Varenne, tél. 04 74 03 40 86, fax 04 74 03 50 22, chateaudestours@wanadoo.fr, ☑ ⌶ t.l.j. 8h30-12h 13h30-17h30 🏠 🅰 🅔
☛ A. Richard

DOM. DU CH. DE LA VALETTE 2011 ★★

| ■ | 10 000 | ■ | 5 à 8 € |

Jean-Pierre Crespin, propriétaire de ce domaine de 14 ha depuis 1983, propose une cuvée issue de vignes âgées de cinquante ans. Le 2011 s'annonce par une robe rubis limpide et par un nez de fruits noirs légèrement poivrés. Le palais aux arômes de fruits rouges mûrs se montre rond et gras, soutenu par des tanins de qualité. Équilibré, fin et long, c'est un très beau vin que l'on peut apprécier dès à présent, avec une viande en sauce.
☛ Jean-Pierre Crespin, 21, rte de Saint-Georges, 69220 Charentay, tél. 04 74 66 81 96, fax 04 74 66 71 72, jp.crespin@wanadoo.fr, ☑ ⚘ ⌶ r.-v.

Côte-de-brouilly

Superficie : 320 ha
Production : 15 455 hl

PAUL-ANDRÉ BROSSETTE ET FILS Empreinte 2011

| ■ | 5 000 | | 8 à 11 € |

Établi dans la partie sud du Beaujolais, Paul-André Brossette exploite aussi des parcelles dans les crus. Cette Empreinte est sa cuvée phare, qui porte sa « patte ». Le 2009 avait obtenu un coup de cœur pour sa puissance et ses tanins soyeux. Si le 2011 n'a pas la structure de son aîné, on lui reconnaît un certain caractère et de la vinosité. Son nez de fruits rouges, sa franchise et sa rondeur flatteuse en font un vin gourmand, prêt à accompagner un saucisson chaud.
☛ Paul-André Brossette et Fils, Cruix, 69620 Theizé, tél. 04 74 71 24 83, fax 04 74 71 28 98, contact@domaine-brossette.com, ☑ ⚘ ⌶ r.-v.

DOM. DE CHARDIGNON 2012

| ■ | 5 000 | ■ | 5 à 8 € |

Roger Manigand s'est installé dans un hameau de Saint-Lager, sur les premières pentes du mont Brouilly. Exposées plein est, ses vignes plongent leurs racines dans un sous-sol d'andésite, cette pierre bleue qui peut donner de la minéralité aux vins. Un caractère absent de ce 2012, qui a pour atouts son nez de framboise et de fraise, sa bouche friande aux tanins harmonieux et fondus. À déboucher dès maintenant sur de la volaille ou de la charcuterie.
☛ Roger Manigand, 848, montée Chapelle, 69220 Saint-Lager, tél. 04 74 66 84 97

DOM. CRÊT DES GARANCHES 2011

| ■ | 5 000 | ⊞ | 5 à 8 € |

Sylvie Dufaitre-Genin est surtout connue pour son brouilly, dont le millésime 2011 a été retenu l'an dernier. Issu de ce même millésime précoce, voici le côte-de-brouilly. Il a été élevé huit mois en fût, et ce séjour dans le bois n'a pourtant pas marqué sa palette aromatique. Son nez de fruits confits, de kirsch, de pruneau et de cuir, sa bouche souple et soyeuse en font une bouteille agréable, à savourer dans l'année.
☛ Sylvie Dufaitre-Genin, Crêt des Garanches, 69460 Odenas, tél. 06 80 00 69 18, fax 04 74 03 41 65, sylvie.dufaitre-genin@wanadoo.fr, ☑ ⚘ ⌶ t.l.j. 8h-12h 14h-18h; f. août

JULIEN DUPORT 2011 ★★

| ■ | 5 000 | ■ | 5 à 8 € |

Prenant la suite de trois générations, Julien Duport s'est installé en 2002 en vigneronnage, c'est-à-dire en métayage, pratique restée vivante en Beaujolais. Il est adepte de la vinification parcellaire et refuse la thermovinification. Son côte-de-brouilly séduit par son nez pimpant de petits fruits et par son palais complexe, puissant, rond et long, dont la richesse et la fraîcheur permettront une petite garde (trois ans). La cuvée **La Boucheratte 2011** (8 à 11 € ; 1 000 b.), citée dans le même côte-de-brouilly, est issue d'une parcelle de 75 ares de vignes âgées de quatre-vingt-dix ans et d'une cuvaison de dix-sept jours en grappes entières, suivie d'un élevage de dix-huit mois en fût. Le vin en sort riche et complexe, finement boisé, concentré et toasté. Une pointe d'évolution incite à le servir rapidement.

☛ Julien Duport, Brouilly, 69460 Odenas,
tél. 04 74 03 44 13, jul.duport@wanadoo.fr, ☑ ☩ ☖ r.-v.

EMMANUEL FELLOT 2012

■	8 000	▮	8 à 11 €

Emmanuel Fellot est l'un des rares vignerons à oser mener de front viticulture (18 ha de vignes) et élevage (bio) bovin. Son côte-de-brouilly s'annonce par un nez discret mais élégant. La bouche tendre, gouleyante et ronde incite à savourer cette bouteille dans l'année, sur son fruit.
☛ Emmanuel Fellot, Pierre-Filant, 69640 Rivolet,
tél. 04 74 67 37 75, fellotmanu@gmail.com, ☑ ☩ ☖ r.-v.

DOM. LAGNEAU Vieilles Vignes 2012 ★

■	4 000	▮	8 à 11 €

Les Lagneau habitent à la même adresse, mais le père, la mère et le fils signent chacun leurs bouteilles ! Didier, le fils, s'est installé en 1999, à vingt ans. Il a repris en 2002 les vignes du grand-père, ce qui lui a permis de créer son domaine. Trois vins de la famille font jeu égal, avec une étoile : ce côte-de-brouilly (étiquette Didier Lagneau), pimpant au nez (framboise et cerise), rond et souple en bouche. Sous l'étiquette Gérard Lagneau, le **régnié 2012 Vieilles Vignes** (5 à 8 € ; 30 000 b.) est davantage marqué par la vinification, avec un nez de cassis monolithique, mais il séduit en bouche par son côté charmeur et friand, grâce à des tanins affables. Enfin, le **beaujolais-villages rouge 2012** (5 à 8 € ; 12 000 b.) de Jeannine Lagneau, cassis et groseille au nez, charpenté sans rudesse, est lui aussi flatteur. Trois bouteilles à ouvrir dès maintenant.
☛ Didier Lagneau, Huire, 69430 Quincié-en-Beaujolais, tél. 04 74 69 20 70, dilagneau@wanadoo.fr,
☑ ☩ ☖ t.l.j. sf dim. 8h-12h 14h-19h 🏠 ❸ 🏠 ❺

DOM. DE LA MADONE 2012 ★

■	8 000	▮	5 à 8 €

Il existe plusieurs domaines de la Madone, la zone des crus comptant au moins deux chapelles dédiées à la Vierge, construites à la fin du XIXᵉs. au sommet d'une colline. Il s'agit ici bien sûr de Notre-Dame aux Raisins, qui coiffe le mont Brouilly et qui domine la propriété de Daniel Trichard. Ce dernier signe un vin élégant : délicatement floral au nez, ce côte-de-brouilly se montre vif à l'attaque, net et équilibré en bouche, et offre une belle finale fruitée. Une bouteille typée, à boire dans les deux ans sur un plateau de fromages.
☛ Daniel Trichard, Les Maisons-Neuves,
Dom. de la Madone, 69220 Saint-Lager, tél. 04 74 66 84 37, fax 04 74 66 70 65 ☑ ☩ ☖ r.-v.

DOM. DE LA POYEBADE 2012 ★

■	2 500	▮	5 à 8 €

Établi au pied du mont Brouilly depuis plus de vingt-cinq ans, Marc Duvernay voit son côte-de-brouilly sélectionné. Ce 2012 offre des parfums intenses de cassis qui se confirment en bouche. Harmonieux et rond, avec ce qu'il faut de tanins et une belle fraîcheur, il donne la primauté au fruité aux dépens du terroir : un style qui ne manque pas d'amateurs. Joli reflet du millésime, cette bouteille sera à boire dans les deux ou trois ans à venir sur une assiette de charcuterie.
☛ Marc et Fabienne Duvernay, La Poyebade,
69460 Odenas, tél. 04 74 03 51 55,
marc.duvernay@orange.fr, ☑ ☖ r.-v.

LES ROCHES BLEUES Élevé en foudre de chêne 2011 ★★

■	14 000	▥	5 à 8 €

En creusant la cave dans les années 1960, les beaux-parents de Dominique Lacondemine se sont heurtés à de la roche bleue très dure, ce qui leur a inspiré le nom du domaine. Aujourd'hui, le vigneron exploite 8 ha partagés entre brouilly et côte-de-brouilly. Les dégustations antérieures ont souvent révélé des vins corpulents, et ce 2011 s'inscrit bien dans cette lignée. On retrouve la « patte » du producteur dans le nez de fruits rouges bien mûrs, voire compotés ou macérés, auquel répond une bouche ample, puissante et généreuse, aux tanins déjà fondus. À servir dans les quatre ans sur des grillades de viande rouge ou du gibier à plume.
☛ Dominique Lacondemine, Dom. Les Roches bleues, Côte de Brouilly, 69460 Odenas, tél. 04 74 03 43 11, fax 04 74 03 50 06, lacondemine.dominique@wanadoo.fr,
☑ ☩ ☖ t.l.j. 8h30-19h30; dim. sur r.-v. 🏠 ❷ 🏠 ❺

♥ DOM. RUET 2011 ★★

■	10 000	▮	5 à 8 €

Le brouilly 1984 de Jean-Paul Ruet fut l'un des coups de cœur de la première édition. Avec cette cuvée de vieilles vignes issue de son négoce, il obtient pour la sixième fois cette distinction. Le nez tout en fruits rouges mûrs, arômes que l'on retrouve dans une bouche ample et ronde aux tanins fondus, en fait un vin aussi gourmand que typique, apte à une petite garde (trois ans). Le **beaujolais-villages blanc 2011 (10 000 b.)** offre les mêmes caractères d'ouverture et de générosité dans une « version chardonnay » : il dévoile des arômes exubérants de poire mûre, de pêche et de citronnelle et un palais gras à souhait : deux étoiles. Issu de la propriété, le **brouilly Voujon 2011 (30 000 b.)**, référence du domaine, est tout aussi remarquable. On aime son nez de cerise et de kirsch, sa matière ronde et ses tanins de velours, que l'on pourra apprécier pendant deux à trois ans. Quant au **morgon Les Grands Cras 2011 (12 000 b.)**, il obtient une étoile pour sa puissance et la franchise de son fruité.
☛ SARL Dom. Ruet, Voujon, 69220 Cercié,
tél. 04 74 66 85 00, ruet.beaujolais@wanadoo.fr,
☑ ☩ ☖ r.-v.

♥ CH. THIVIN Cuvée Zaccharie 2011 ★★

■	9 800	▥	15 à 20 €

Un domaine dont les origines remontent aux sires de Beaujeu et dont les propriétaires contribuèrent à la reconnaissance de l'appellation au début du XXᵉs. Claude Geoffray n'hésite pas à élaborer des cuvées ambitieuses, comme celle-ci, hommage à Zaccharie Geoffray, premier de la lignée, qui acheta Thivin en 1877 avec 2 ha de vignes. Élu coup de cœur l'an dernier pour le millésime 2010, ce

côte-de-brouilly revient sur le devant de la scène. Le secret de cette constance ? De vieilles vignes et un séjour de neuf mois en fût, qui lui donne un joli nez toasté et grillé, une bouche ronde et mûre, harmonieuse et volumineuse. Un vin riche, apte à la garde (deux à cinq ans). Issu d'un véritable clos en conversion au bio, le **beaujolais blanc Clos de Rochebonne 2011** (8 à 11 € ; 3 200 b.) reçoit une belle étoile. Lui aussi passé en fût, il garde de son séjour dans le chêne un nez vanillé, miellé, et une bouche opulente et longue, équilibrée par une belle fraîcheur.

☛ Claude Geoffray, Ch. Thivin, La Côte de Brouilly, 69460 Odenas, tél. 04 74 03 47 53, fax 04 74 03 52 87, geoffray@chateau-thivin.com,

☑ ⚘ ⵗ t.l.j. sf dim. 10h-12h30 15h-19h ⌂ 🄴

DOM. BENOÎT TRICHARD 2011 ★

■	7 000	■	5 à 8 €

Benoît Trichard est le fondateur, en 1951, de l'exploitation, aujourd'hui conduite par Michel et Pierre. Leur côte-de-brouilly 2011 offre un nez expressif de petits fruits rouges confiturés et une bouche ronde et franche. Au palais, pas de tanins excessifs, mais un joli gras et une matière équilibrée et droite. Cette bouteille mérite d'attendre deux ans avant d'accompagner du bœuf bourguignon ou du rosbif.

☛ Dom. Benoît Trichard, 307, rue de l'Église, 69460 Odenas, tél. 04 74 03 40 87, fax 04 74 03 52 02, dbtricha@club.fr, ☑ ⚘ ⵗ t.l.j. sf dim. 8h-12h30 14h-19h

Chénas

Superficie : 280 ha
Production : 9 355 hl

D'après la légende, ce lieu était autrefois couvert d'une immense forêt de chênes. Un bûcheron, constatant le développement de la vigne plantée naturellement par quelque oiseau, se mit en devoir de défricher pour introduire la noble plante ; celle-là même qui s'appelle aujourd'hui le « gamay noir ».

Située aux confins du Rhône et de la Saône-et-Loire, dans les communes de Chénas et de La Chapelle-de-Guinchay, chénas est l'une des plus petites appellations du Beaujolais. Nés à l'ouest, sur des terrains pentus et granitiques, ses vins sont colorés et puissants, avec des arômes floraux (rose et violette) ; ils rappellent les moulin-à-vent produits sur la plus grande partie des terroirs de la commune. Issus du secteur plus limoneux et moins accidenté de l'est, ils présentent une charpente plus ténue. La cave coopérative du château de Chénas vinifie une part importante de l'appellation et offre une belle perspective de fûts de chêne sous ses voûtes datant du XVIIᵉs.

CH. BONNET Vieilles Vignes 2012 ★★

■	45 000	■	5 à 8 €

Coup de cœur l'an dernier pour le millésime 2011, deux étoiles pour la version 2012, cette cuvée Vieilles Vignes de Pierre-Yves Perrachon s'impose comme une référence de l'appellation. Le vin est complexe au nez, alliant pivoine, rose fanée et fruits noirs. La bouche se révèle soyeuse, ample et longue, vivifiée par une touche minérale. À servir dans cinq ans sur un filet mignon de veau. Le **2011 Confidence de l'échevin (11 à 15 € ; 4 000 b.)**, une étoile, est un hommage à Claude Bonnet, fondateur du domaine vers 1630. Après un élevage d'un an en barrique, il dévoile un bouquet complexe aux accents de caramel, d'épices et de fruits noirs, relayé par une bouche puissante et persistante. On le servira dans trois ou quatre ans sur un gigot d'agneau ou sur une pièce de gibier.

☛ Pierre-Yves Perrachon, Ch. Bonnet, Les Paquelets, 71570 La Chapelle-de-Guinchay, tél. 03 85 36 70 41, fax 03 85 36 77 27, ch.bonnet@terre-net.fr,

☑ ⚘ ⵗ t.l.j. sf dim. 8h30-12h 14h30-18h

DOM. DES BRUREAUX Cuvée Prestige 2011 ★★

■	4 000	⬛	8 à 11 €

Nathalie Fauvin s'est installée en 2002 en reprenant le petit domaine de 5 ha de son grand-père. Elle a ainsi hérité de très vieilles vignes de quatre-vingt-quinze ans à l'origine de cette cuvée, vinifiée à la beaujolaise, mais élevée douze mois en fût. Le vin, s'il ne délaisse pas totalement le registre fruité (confiture de cerises), évolue à l'olfaction sur une minération toastée, vanillée et épicée (poivre, curry). Le palais, à l'unisson, dévoile une belle matière ronde et riche, portée par des tanins fondus. Un chénas solide et charnu à la fois, à découvrir dans trois à cinq ans sur un canard rôti.

☛ Nathalie Fauvin, Bois-Retour, 69840 Chénas, tél. 04 74 06 76 31, brureaux@wanadoo.fr,

☑ ⚘ ⵗ r.-v. 🏠 ❹

DOM. DES BRUYÈRES 2011

■	2 000	■	5 à 8 €

Nicolas Durand a pris la suite de son père Antoine en 2001 ; il a augmenté les surfaces exploitées avec des parcelles en fermage en juliénas, saint-amour et moulin-à-vent. Sa marque de fabrique, ce sont des vins fruités aux tanins soyeux, comme ici avec ce chénas tout en fruits rouges, souple, frais et friand, qui se conclut sur une jolie note acidulée de groseille. À déguster dans les deux ans à venir sur une assiette de charcuterie ou une volaille.

☛ Nicolas et Sandrine Durand, 502, rte de Saint-Amour, 71570 La Chapelle-de-Guinchay, tél. 03 85 36 55 16, nicolas.durand41@wanadoo.fr, ☑ ⚘ ⵗ r.-v.

DOM. DE CÔTES RÉMONT Cuvée Vieilles Vignes 2011 ★

| ■ | 2 000 | 🍷🔟 | 5 à 8 € |

À leur retraite, Catherine et Dominique Olry décident de reprendre le domaine familial de madame, un vignoble d'un seul tenant planté sur des coteaux pentus situés sous le pic de Rémont, isolés dans un vallon perdu : le site vaut le coup d'œil. Le couple s'appuie sur l'expérience du maître de chai, M. Granchamp, pour proposer ce vin au nez vanillé (six mois de fût), avec des notes de fruits mûrs à l'arrière-plan, à la bouche dense, soyeuse et fondue. Un vin qualifié de « gourmand et de féminin », à découvrir dans les deux ans sur une terrine de foies de volaille.

☛ Catherine et Dominique Olry, Dom. de Côtes Rémont, 69840 Chénas, tél. 04 74 04 40 49, olryfamily@chenascotesremont.com, ☑ ⚔ ⵉ t.l.j. 9h-12h30 14h30-19h 🏠 ❷

CÉLINE ET NICOLAS HIRSCH Les Brureaux 2011 ★

| ■ | 3 500 | 🍷🔟 | 11 à 15 € |

Céline et Nicolas Hirsch font une belle entrée dans le Guide pour leur installation. Après avoir bourlingué en France et à l'étranger, ces deux jeunes œnologues se sont en effet posés dans le Beaujolais, où ils ont racheté début 2011 un petit domaine de 3,8 ha proposant trois crus : chénas, moulin-à-vent et juliénas. Ce 2011 se montre expressif à l'olfaction, ouvert sur les épices, la fraise et la vanille apportée par neuf mois de fût, boisé avec mesure en bouche, rond et bien équilibré. Il sera parfait dans deux ou trois ans sur un civet de chevreuil.

NOUVEAU PRODUCTEUR

☛ Céline et Nicolas Hirsch, Les Brureaux, 69840 Chénas, tél. 03 85 33 50 40, domainehirsch@yahoo.fr, ☑ ⵉ r.-v.

CH. DES JEAN-LORON Les Gandelins 2011

| ■ | 12 000 | 🍷 | 5 à 8 € |

Guillaume Bouchacourt a repris en 2009 une partie de l'exploitation paternelle : 13,5 ha de vignes, dont 8 ha sont à l'origine de cette cuvée au nez subtil de fraise des bois et d'épices, agrémenté d'une touche florale. Souple et fruitée, la bouche évolue en finesse. Un « vin de plaisir », à savourer cette année sur une assiette de cochonnailles.

☛ Guillaume Bouchacourt, lieu-dit Les Jean-Loron, Cidex 323, 71570 La Chapelle-de-Guinchay, tél. 03 85 36 77 49, fax 03 85 33 87 20, vins.bouchacourt@chateaudesjeanloron.fr, ☑ ⚔ ⵉ t.l.j. sf sam. dim. 8h-12h 13h30-18h

HUBERT LAPIERRE Cuvée Vieilles Vignes 2012 ★

| ■ | 8 000 | 🍷 | 5 à 8 € |

Hubert Lapierre est un habitué du Guide pour ses chénas et ses moulin-à-vent. Les deux appellations sont ici représentées. Son **moulin-à-vent cuvée Vieilles Vignes 2012 (4 000 b.)** reçoit une étoile pour son nez subtil, floral et fruité, et pour son palais plein et charnu, aux tanins fins. Mais c'est le chénas qui figure en entrée grâce à un petit supplément d'âme. Les dégustateurs ont apprécié son bouquet complexe, à la fois fruité, épicé et floral, et sa bouche ample et souple. À servir d'ici deux ans sur un jarret de porc braisé.

☛ GFA Hubert Lapierre, Les Gandelins, 1847, rte des Deschamps, 71570 La Chapelle-de-Guinchay, tél. 03 85 36 74 89, fax 03 85 36 79 69, hubert.lapierre@orange.fr, ☑ ⚔ ⵉ t.l.j. 8h-12h 13h30-18h30, sam. dim. sur r.-v.

Chiroubles

Superficie : 370 ha
Production : 16 475 hl

Le plus haut des crus du Beaujolais s'étend sur une seule commune perchée à près de 400 m d'altitude, dans un site en forme de cirque aux sols constitués de sable granitique léger et maigre. Issu de gamay comme les autres crus, le chiroubles est élégant, fin, peu chargé en tanins, charmeur, avec des arômes de violette. Rapidement prêt, il rappelle parfois le fleurie ou le morgon, crus limitrophes. Il accompagne volontiers la charcuterie, et c'est un plaisir que de le goûter avec quelque casse-croûte au Fût d'Avenas, dont le sommet, à 700 m, domine le village. Créée en 1996, la confrérie des Damoiselles de Chiroubles fait connaître ce vin que certains considèrent comme le plus féminin des crus.

Chiroubles est la petite patrie du grand ampélographe Victor Pulliat, né en 1827, dont les travaux consacrés à l'échelle de précocité et au greffage des espèces de vigne ont contribué à mettre un terme à la crise phylloxérique ; pour parfaire ses observations, le savant avait rassemblé dans son domaine de Tempéré plus de 2 000 variétés ! La Fête des crus, organisée en avril, rappelle son souvenir.

CADOLE DE GRILLE-MIDI 2011

| ■ | 8 000 | 🍷 | 5 à 8 € |

Patrice Chevrier propose un 2011 dont le nom, cadole, évoque une petite remise à outils en pierre sèche présente au cœur des vignes du domaine. Cette cuvée est issue d'un terroir d'arènes granitiques, le bien nommé Grille-Midi, qui donne souvent des vins mûrs et fruités. Le vin plaît par son nez épicé et poivré, et par sa bouche ronde aux tanins déjà fondus. À boire dès à présent avec une viande blanche.

☛ Patrice Chevrier, Sermezy, 69220 Charentay, tél. et fax 04 74 66 86 55, pchevrier@free.fr, ☑ ⚔ ⵉ r.-v.

DOM. DE LA CHAPONNE La Forge 2012 ★

| ■ | 3 500 | 🍷 | 5 à 8 € |

Laurent Guillet est régulièrement mentionné pour son morgon, mais c'est aujourd'hui son chiroubles qui est distingué. Le nom de la cuvée est une référence au père de son épouse Laurence, qui était forgeron en plus d'être vigneron (ou l'inverse). C'est bien un vin d'artisan qui est proposé, avec des tanins vigoureux, une bouche puissante, des arômes épicés. À faire vieillir deux ans avant de le déguster sur du gibier.

☛ Laurent Guillet, 70, montée des Gaudets, 69910 Villié-Morgon, tél. 04 74 69 15 73, domaine-chaponne@wanadoo.fr, ☑ ⚔ ⵉ r.-v.
☛ Lerisset

ANTHONY CHARVET Granit 2011 ★

| ■ | 3 500 | 🍷 | 5 à 8 € |

Anthony Charvet s'est installé en 2000 sur ce domaine de 3,6 ha. Une aussi petite taille d'exploitation lui permet d'aller au bout de ses envies et de ses ambitions, et de bichonner chaque cep. Il se rapproche doucement du bio, enherbant ses parcelles, supprimant au maximum les pesticides et laissant les levures indigènes faire leur travail en cave. Et surtout, pas de thermovinification, car il veut préserver le goût du terroir dans ses vins. Objectif atteint avec ce 2011 expressif, plein et charnu, harmonieux et charmeur, que l'on dégustera dans les trois ans avec une viande rouge grillée.

🕯 Anthony Charvet, Bel-Air, 69115 Chiroubles,
tél. 06 50 07 25 01, anthony.charvet@live.fr, ☑ 🚶 ⊤ r.-v.

FABIEN COLLONGE L'Aurore des côtes 2012 ★★

| ■ | 6 000 | 🍾 | 5 à 8 € |

Ce 2012 signé Fabien Collonge est né sur une petite parcelle d'un hectare exposée plein sud, où il fait si chaud dans la journée que le vigneron n'y va qu'à l'aube, d'où le nom de la cuvée. Il en a tiré un vin fruité, floral et épicé (cannelle), mûr, ample, long en bouche, adossé à des tanins fondus. Une bouteille harmonieuse, à garder un an ou deux. Le **morgon 2012 Dom. la Roche du Potet (8 000 b.)** est cité pour son équilibre et pour son fruité intense.

🕯 Fabien Collonge, Le Truges, 69910 Villié-Morgon,
tél. 03 30 02 63 18, fax 04 74 04 21 22, f.collonge@orange.fr,
☑ 🚶 ⊤ t.l.j. 8h-12h 14h-19h 🏠 ☉

NICOLAS DEMONT Vieilles Vignes 2012

| ■ | 5 000 | | 5 à 8 € |

Nicolas Demont, jeune vigneron installé en 2005, exploite un petit domaine de 5 ha implanté sur un coteau exposé au sud-est à 380 m d'altitude, dans le sud de l'appellation. De vieilles vignes de soixante-cinq ans ont donné naissance à ce vin facile, plaisant et aromatique, au nez de fruits rouges. On pourra le déguster dès à présent, avec des charcuteries.

🕯 Nicolas Demont, Frédières, 69115 Chiroubles,
tél. 06 23 21 71 68, demont.nicolas@gmail.com, ☑ 🚶 ⊤ r.-v.

DOM. MORIN 2012

| ■ | 40 000 | 🍾 | 5 à 8 € |

Ce 2012 est issu d'une exploitation de 6 ha de vignes conduites par Guy Morin. Un chiroubles charnu, puissant et équilibré. Harmonieux, il pourra être gardé environ deux ans en cave avant d'être dégusté sur du gibier.

🕯 Guy Morin, Le Bois, 69115 Chiroubles,
tél. 04 74 69 13 29, fax 04 74 69 09 75

DOM. CHRISTOPHE SAVOYE Cuvée Loïc 2012 ★★

| ■ | 22 000 | 🍾 | 5 à 8 € |

Sophie et Christophe Savoye, installés à Chiroubles depuis 1991, exploitent un domaine de 13,3 ha répartis sur deux appellations : chiroubles et morgon. Ils proposent un vin au nez expressif de fruits rouges légèrement poivrés. La bouche se révèle friande, épicée et dotée d'un joli grain de tanin. Le jury apprécie la typicité de ce vin remarquablement équilibré, et conseille de le déguster dans les deux ans sur une viande grillée.

🕯 Christophe Savoye, Le Bourg, 69115 Chiroubles,
tél. 04 74 69 11 24, fax 04 74 04 22 11,
christophe.savoye@laposte.net,
☑ 🚶 ⊤ t.l.j. sf dim. 8h-12h 13h30-19h

DOM. RENÉ SAVOYE 2012 ★

| ■ | 10 000 | 🍾 | 5 à 8 € |

Coup de cœur l'an dernier dans le millésime 2011, cette cuvée se voit cette année encore mentionnée dans le Guide. Suzanne et René Savoye, à la tête de 2 ha de chiroubles, signent un 2012 au nez intense de fruits rouges et à la bouche élégante, agréable, soyeuse et ronde. Un vin harmonieux, à déguster dès cette année sur une assiette de charcuterie.

🕯 Suzanne et René Savoye, Le Bourg, 69115 Chiroubles,
tél. 04 74 04 23 47, fax 04 74 04 22 11,
savoye.rene@wanadoo.fr,
☑ 🚶 ⊤ t.l.j. 8h-19h; dim. 8h-12h, l'apr.-midi sur r.-v. 🏠 ☯

DOM. DE VAVRIL Cuvée de Chatenay 2011 ★

| ■ | 2 000 | | 5 à 8 € |

Jean-Luc Ducruix voit deux de ses vins sélectionnés : ce chiroubles et le **côte-de-brouilly Cuvée de l'Héronde 2011 (1 000 b.)**, également noté une étoile. Joli succès pour ce vigneron, ancien salarié viticole, installé depuis 2005 sur un peu moins de 8 ha. Les deux vins affichent un nez expressif et moderne de fruits rouges et de bonbon anglais. Le chiroubles est léger, franc, gourmand ; le côte-de-brouilly rond, souple et gras. L'un comme l'autre se dégusteront dans l'année sur un bœuf braisé.

🕯 Jean-Luc Ducruix, lieu-dit Vavril, 69430 Beaujeu,
tél. et fax 09 52 20 50 04, jlducruix@free.fr,
☑ 🚶 ⊤ r.-v. 🏠 ❺

Fleurie

Superficie : 870 ha
Production : 38 925 hl

Posée au sommet d'un mamelon totalement planté de gamay, une chapelle semble veiller sur le vignoble : c'est la Madone de Fleurie, qui marque l'emplacement du troisième cru du Beaujolais par ordre d'importance, après le brouilly et le morgon. L'aire d'appellation ne s'échappe pas des limites communales, et sa géologie est assez homogène, avec des sols constitués de granites à grands cristaux qui communiquent au vin une impression de finesse et d'élégance. Certains aiment le fleurie frais, d'autres le servent à 14-15 °C. Ce vin entre traditionnellement dans la préparation de l'andouillette à la beaujolaise. Printanier, il charme par ses arômes aux tonalités d'iris et de violette. Certains terroirs aux noms évocateurs figurent sur l'étiquette : la Rochette, la Chapelle-des-Bois, les Roches, Grille-Midi, la Joie-du-Palais...

ARNAUD AUCŒUR La Chapelle des Bois 2012 ★

| ■ | 50 000 | | 5 à 8 € |

Mélanie et Arnaud Aucoeur, tous deux œnologues, perpétuent une lignée vigneronne remontant à 1825. Ils ont pris leurs marques dans le Guide avec trois appellations de prédilection : fleurie, morgon et moulin-à-vent. Cette année, ce sont les deux premières qui sont en vedette. Elles ont bénéficié d'un nouveau cuvage. Ce fleurie décline une jolie palette fruitée (framboise, grenadine, groseille) et florale. Rond, souple et franc, c'est un vin de plaisir à apprécier sur son fruit. Le **morgon Vieilles Vignes 2012 (8 à 11 € ; 50 000 b.)** fait jeu égal. On aime son bouquet complexe de fruits rouges, de noyau, nuancé de notes florales et épicées (clou de girofle), sa bouche à l'unisson, ample et mûre, montrant en finale quelques tanins robustes qui se fondront au cours des trois prochaines années.

☛ Arnaud Aucœur, Le Colombier, 69910 Villié-Morgon, tél. 04 74 04 16 89, fax 04 74 69 16 82, arnaudaucoeur@yahoo.fr, ☑ ⚔ ⊤ t.l.j. 8h-12h 13h30-18h

DOM. JEAN-PAUL CHAMPAGNON Les Moriers 2011 ★

■	5 000	🍾	8 à 11 €

Les Moriers sont l'un des *climats* emblématiques du fleurie, situés à la limite du moulin-à-vent et cités par André Jullien au XIX^{e}s. Sylvie Champagnon y exploite 3 ha de gamay ; elle fait macérer le plus longtemps possible sa vendange afin d'obtenir un vin structuré. Après quinze jours de cuve, ce 2011 a passé un an en foudre, le temps de se polir et de s'arrondir. Il en résulte un vin généreux, au nez de fruits rouges et d'épices, à la bouche sur la cerise, ronde, ample et puissante. On pourra le déguster dans un an. Une étoile également pour le **Clos de l'Amandier 2011 (11 à 15 € ; 2 000 b.)**, un vin puissant, riche, intense, au nez de cuir et fruits noirs, à attendre deux ans.

☛ Sylvie Champagnon, La Treille, 69820 Fleurie, tél. 04 74 04 15 62, fax 04 74 69 82 60, contact@champagnon.fr, ☑ ⚔ ⊤ r.-v. 🏠❷🏠❸

DOM. DE LA CHAPELLE DES BOIS 2011

■	n.c.		5 à 8 €

Chantal Appert et Éric Coudert, tous deux œnologues, travaillent ensemble sur ce domaine de 8 ha qui a gardé, au beau milieu d'une parcelle, une cabane de pierres sèches représentée sur leur étiquette. Ils proposent un vin expressif au nez de fruits à noyau (cerise), et au palais aromatique soutenu par des tanins qui demandent un an pour s'assouplir.

☛ Chantal et Éric Coudert-Appert, Le Colombier, 69820 Fleurie, tél. 04 74 69 86 07, coudert@terre-net.fr, ☑ ⚔ ⊤ r.-v. 🏠❷

CH. DU CHATELARD Cuvée Les Vieux Granits 2011

■	50 000	🍾🍷	8 à 11 €

Aurélie de Vermont, œnologue, a repris le domaine en 2011. Elle a donc vinifié sans filet, puisqu'elle est arrivée juste avant les vendanges. Ce fleurie libère des parfums de fruits rouges et noirs légèrement épicés. En bouche, il se révèle séveux, long, soutenu par de petits tanins. Il sera prêt dès 2014 et s'accordera avec un saucisson truffé.

☛ SCEA Ch. du Chatelard, 307, rue du Chatelard, 69220 Lancié, tél. 04 74 04 12 99, fax 04 74 69 86 17, contact@chateauduchatelard.com, ☑ ⚔ ⊤ t.l.j. sf sam. dim. 9h-12h 13h30-18h; f. 1er-15 août

DOM. DU CLOS DES GARANDS Vieilles Vignes 2011 ★★

■	3 700	🍷	11 à 15 €

Depuis 2004, Audrey Chartron est à la tête de ce domaine familial d'environ 6 ha, créé en 1947. Elle présente un 2011 en tout point remarquable. Le vin livre un nez riche d'épices, de fruits mûrs et de violette. Patiné par onze mois de foudre, il se révèle fondu, ample et long en bouche, bien équilibré entre fruité et léger boisé vanillé.

Un fleurie harmonieux que l'on pourra servir dès cette année sur une côte de bœuf.

☛ Dom. du Clos des Garands, Les Garands, 69820 Fleurie, tél. 04 74 69 80 01, contact@closdesgarands.fr, ☑ ⚔ ⊤ t.l.j. 9h-19h 🏠 ❹

DOM. LIONEL DUFOUR Grille Midi 2011

■	14 304	🍾	15 à 20 €

Cette cuvée issue de 2,1 ha de vignes est une sélection réalisée par Lionel Dufour, négociant à Louvigny. Elle se présente dans une robe rubis d'une belle intensité et livre un bouquet puissant de fruits rouges et d'épices. Un vin droit, de bonne longueur, à boire dans les deux ans.

☛ Lionel Dufour de Louvigny, 6, rte de Moince, BP40, 57420 Louvigny, tél. 03 87 69 79 69, fax 03 87 69 71 13, directionam@lionel-dufour.fr

♥ CAVE DES GRANDS VINS DE FLEURIE 2011 ★★

■	50 000	🍾	5 à 8 €

Cette cave coopérative, fondée en 1927, peut se flatter d'avoir eu à sa tête la première femme présidente de coopérative : Margueritte Chabert assuma la responsabilité de la cave pendant près de quarante ans. Aujourd'hui premier producteur de fleurie, la cave fournit près d'un tiers du volume de l'appellation. Le coup de cœur obtenu par ce 2011 couronne un travail de fond sur une vendange issue de 95 ha de vignes. Le grand jury a été enthousiasmé par sa robe rubis intense et par son nez complexe et délicat de fruits rouges, d'iris et d'épices douces. Le palais, floral et gras, est bien équilibré entre rondeur et structure, vivifié par un petit côté acidulé en finale. Un vin élégant, que l'on pourra déguster dès cette année sur une selle d'agneau rôtie.

☛ Cave des producteurs de Fleurie, rue des Vendanges, BP 2, 69820 Fleurie, tél. 04 74 04 11 70, fax 04 74 69 84 73, contact@cavefleurie.com, ☑ ⚔ ⊤ t.l.j. 9h30-13h 14h-19h (9h30-12h 14h-18h en hiver)

CH. DE FLEURIE 2012

■	8 000	🍾	11 à 15 €

Le « gore », ce n'est pas le nouveau genre de la maison Jean Loron, mais le nom d'un terroir spécifique, un sable issu de la désagrégation du granite, sur lequel poussent les 13 ha de vignes du domaine. Il a donné ce vin au nez intense de griotte et d'iris. La bouche croquante, généreuse et équilibrée autorise à ouvrir cette bouteille dès à présent sur une viande blanche.

☛ SCEA du Ch. de Fleurie, Les Sauniers, 71570 Saint-Vérand, tél. 03 85 36 81 20, fax 03 85 33 83 19, vinloron@loron.fr, ☑ ⊤ t.l.j. sf sam. dim. 9h-12h 14h-17h

☛ Xavier Barbet

CHRISTIAN GAIDON 2011

| ■ | 10 000 | ▯ | 8 à 11 € |

Christian Gaidon est arrivé comme salarié sur le domaine en 1987. En 1995, il en a repris l'exploitation comme métayer. Il travaille 7,5 ha de vignes sur trois terroirs différents de Fleurie, qu'il assemble en une seule cuvée pour créer un vin harmonieux ; comme ce 2011 au nez généreux de fruits noirs, au palais gras et de bonne longueur, soutenu par des tanins encore un peu austères qui s'assoupliront d'ici deux ans.

☛ Christian Gaidon, Champagne, 69820 Fleurie, tél. et fax 04 74 69 84 67, gaidon.christian@live.fr, ☑ ⚔ ⊥ r.-v.

JEAN GEORGES ET FILS Les Rochaux 2011 ★

| ■ | 2 300 | ▯ | 8 à 11 € |

Franck Georges, à la tête du domaine depuis 1993, privilégie des méthodes traditionnelles (vendanges entières, macération de dix jours) pour mettre en valeur ses 2,4 ha de vignes âgées de soixante ans. Il a obtenu ce vin au nez floral et épicé, ample, rond et tendre en bouche, structuré par des tanins soyeux. À déguster sur une volaille dès cette année.

☛ Jean Georges et Fils, Le Bourg, 69840 Chénas, tél. 04 74 04 48 21, fax 04 74 04 42 77, jean-georges-et-fils@wanadoo.fr, ☑ ⚔ ⊥ r.-v.

DOM. DE HAUTE MOLIÈRE 2012

| ■ | 9 800 | ▯ | 5 à 8 € |

Jean-François Patissier exploite 9 ha de vignes réparties entre l'appellation beaujolais-villages et les crus morgon et fleurie (3,5 ha pour le dernier). Faisant suite à un millésime 2011 élu coup de cœur, son fleurie 2012 tire son épingle du jeu d'un millésime difficile. Il porte une robe cerise, dévoile un nez fin de cassis et une bouche charnue et d'une belle finesse, soutenue par des tanins bien fondus. Un vin friand et harmonieux que l'on pourra déguster dès la sortie du Guide.

☛ Jean-François Patissier, Le Bourg, 69820 Vauxrenard, tél. 04 26 74 40 33, jfpatissier@gmail.com, ☑ ⚔ ⊥ r.-v.

DOM. DU HAUT-PONCIÉ 2011 ★

| ■ | 10 000 | ▯ | 5 à 8 € |

Patrick Tranchand exploite 15,5 ha de vignes réparties entre l'appellation beaujolais et trois crus : fleurie, moulin-à-vent et saint-amour. Près de la moitié de la surface exploitée est à l'origine de ce fleurie à la robe rubis, au joli nez de fruits noirs, d'épices et de fleurs capiteuses. Un vin soyeux et équilibré, à déguster dès à présent, avec de la charcuterie par exemple.

☛ SCEA Patrick Tranchand, Dom. du Haut-Poncié, 69820 Fleurie, tél. 04 74 04 16 06, fax 04 74 69 89 97, p.tranchand@numericable.com, ☑ ⚔ ⊥ t.l.j. 8h-19h; dim. sur r.-v.

LUCIEN LARDY Les Roches 2011 ★

| ■ | 25 000 | ▯▯ | 8 à 11 € |

Lucien Lardy défend les vins vinifiés sans soufre pour préserver la pureté des arômes. Une méthode qu'il applique à cette cuvée, née sur le terroir pauvre des Roches, réputé donner des vins expressifs. Le résultat est séduisant : un fleurie au nez fringant de fruits rouges mêlés de notes de vanille dues à sept mois d'élevage en fût. La bouche puissante, harmonieuse et ronde, charpentée et riche, laisse augurer une garde de quelques années.

☛ Lucien Lardy, Le Vivier, 69820 Fleurie, tél. 04 74 69 81 74, lucien.lardy@club-internet.fr, ☑ ⚔ ⊥ r.-v.

DOM. DE LA MADONE Cuvée spéciale Vieilles Vignes 2011

| ■ | 4 600 | ▯ | 11 à 15 € |

Jean-Marc Despres est l'un des chefs de file du fleurie, grâce à ce petit domaine de 6 ha campé sur un beau terroir sur lequel il cultive des vignes, âgées de quatre-vingts ans. Cette sélection de parcelles donne souvent naissance à des jus concentrés et à un vin plus dense que les autres. Le nez dévoile ici des notes de fruits rouges et d'épices. La bouche, élégante et longue, gagnera encore en harmonie d'ici deux ans.

☛ Jean-Marc Despres, La Madone, 69820 Fleurie, tél. 04 74 69 81 51, fax 04 74 69 81 93, domainedelamadone@wanadoo.fr, ☑ ⚔ ⊥ r.-v. ⌂ ◉

DOM. DES MARRANS Terroir du Pavillon 2011 ★★

| ■ | 5 000 | ▯ | 11 à 15 € |

Mathieu Mélinand a pris la suite de son père à la tête du domaine en 2009, après avoir roulé sa bosse en Australie et en Nouvelle-Zélande. Il présente un 2011 de belle facture, au nez fruité. Le vin développe à l'aération des arômes floraux que l'on retrouve dans une bouche de bonne longueur, bien soutenue par des tanins encore un peu sévères qu'une garde d'une à deux années devrait permettre d'assouplir.

☛ Dom. des Marrans, Les Marrans, 69820 Fleurie, tél. 04 74 04 13 21, fax 04 74 69 82 45, domainedesmarrans@wanadoo.fr, ☑ ⚔ ⊥ r.-v. ⌂ ❷

☛ Jean-Jacques et Mathieu Mélinand

DOM. DES NUGUES 2011 ★★

| ■ | 37 000 | ▯ | 11 à 15 € |

Après une citation pour le millésime 2009, une étoile pour le 2010, ce fleurie obtient cette année une étoile supplémentaire pour le 2011. Le vin offre une robe cerise et un nez intense et complexe de fruits rouges, de fleurs et de fruits à noyau. La bouche est généreuse, charpentée et longue, avec du gras et des tanins enrobés. On appréciera cette bouteille dans les trois à cinq ans à venir. Le **beaujolais-villages rouge 2011** (5 à 8 € ; 40 600 b.) reçoit une étoile pour son nez intense et frais de fraise des bois assortis de notes minérales, et pour sa bouche ample, ronde, bien équilibrée.

☛ EARL Gelin, 40, rue de la Serve, Les Pasquiers, 69220 Lancié, tél. 04 74 04 14 00, fax 04 74 04 16 73, earl-gelin@wanadoo.fr, ☑ ⚔ ⊥ r.-v.

CH. DE RAOUSSET 2011 ★★

| ■ | 20 000 | ▯▯ | 8 à 11 € |

Ce 2011 porte l'étiquette blanche de la société Héritiers de Raousset, qui exploite 12 ha en chiroubles, morgon et fleurie. Elle est gérée par Rémy Passot, à la vigne et au chai. Des ceps de cinquante ans plantés sur 2,9 ha ont donné naissance à cette cuvée en tout point remarquable. Celle-ci présente une jolie robe rubis et un nez intense de fruits noirs et de poivre. La bouche opulente, dense et fondue, dévoile des arômes de fruits confits. Un vin puissant que l'on pourra attendre un an avant de le servir. Bel accord sur des gâteaux de foie de volaille et un gratin dauphinois.

☛ SCEA Héritiers de Raousset, Les Prés, 69115 Chiroubles, tél. 04 74 69 16 19, remy@scea-de-raousset.fr, ☑ ⚔ ⊥ r.-v.

DOM. DE ROBERT Cuvée Tradition 2011 ★★

| | 35 000 | 8 à 11 € |

Patrick Brunet a joliment réussi ses 2011 dans deux appellations. Pour sa cuvée de fleurie, il a vendangé ses 5 ha de vignes de cinquante-et-un ans et a procédé à une vinification à la bourguignonne : égrappage total, puis vingt jours de macération. Il en résulte un vin au nez profond de fruits rouges et d'épices, à la bouche ronde et élégante, aux tanins soyeux. Ce 2011 sera prêt dans un an. Le **morgon 2011 Côte du Py (12 000 b.)** obtient une étoile pour son nez puissant de fruits noirs, pour sa complexité et sa richesse. Il fera merveille sur un coq au vin dès l'année prochaine.

☞ Patrick Brunet, Champagne, 69820 Fleurie, tél. 06 81 97 25 55, patrickbrunet.vins@gmail.com, ☑ ✦ ⊺ r.-v.

DOM. DES ROCHES DU PY 2011

| | 4 800 | ▪ | 5 à 8 € |

Guénaël Jambon est à la tête de ce domaine situé au cœur de la Côte du Py en AOC morgon. Il propose un fleuri aux arômes discrets de pruneau cuit, à la bouche fruitée, équilibrée, encore un peu sévère mais qui devrait s'assouplir après une garde d'un à deux ans. Le **morgon 2012 (11 à 15 € ; 8 000 b.)** est également cité pour son nez de fruits rouges, pour sa concentration et sa structure.

☞ Martine et Guénaël Jambon, Morgon, 69910 Villié-Morgon, tél. et fax 04 74 04 22 37, guenael-jambon@wanadoo.fr, ☑ ✦ ⊺ t.l.j. 8h-18h

TRÉNEL 2011 ★★

| | 8 000 | 8 à 11 € |

Gilles Meimoun, œnologue spécialiste des rosés, est arrivé en 2011 dans cette vieille maison de négoce après avoir passé quinze ans à la tête du château Réal Martin en Provence. Il livre un cru rubis intense qui a enthousiasmé les jurés. Le nez, complexe, offre des parfums de chocolat et de cerise, accompagnés de légères notes florales. En bouche, le vin se révèle ample, rond, bien soutenu par des tanins déjà fondus. Un fleurie élégant qui pourra accompagner dès à présent un gigot à la beaujolaise. Le **juliénas 2011 (15 000 b.)**, floral, minéral, rond et harmonieux, reçoit une étoile.

☞ Trénel Fils, 33, chem. de Buéry, 71850 Charnay-lès-Mâcon, tél. 03 85 34 48 20, fax 03 85 20 55 01, contact@trenel.com, ☑ ✦ ⊺ t.l.j. 8h-12h 14h-18h

Juliénas

Superficie : 600 ha
Production : 21 865 hl

Un cru impérial d'après l'étymologie : Juliénas tiendrait en effet son nom de Jules César, de même que Jullié, l'une des quatre communes qui composent l'aire géographique de l'appellation (avec Émeringes et Pruzilly, cette dernière se trouvant en Saône-et-Loire). Implanté sur des terrains granitiques à l'ouest et sur des terrains sédimentaires avec alluvions anciennes à l'est, le gamay engendre des vins bien charpentés, riches en couleur, appréciés au printemps après quel-

ques mois de conservation. Gaillards et espiègles, ceux-ci sont à l'image des fresques qui ornent le caveau de la vieille église, au centre du bourg. Dans cette chapelle désaffectée est remis, chaque année à la mi-novembre, le prix Victor-Peyret à l'artiste, peintre, écrivain ou journaliste qui a le mieux « tâté » les vins du cru ; celui-ci reçoit alors 104 bouteilles : 2 par week-end... La cave coopérative est installée dans l'enceinte de l'ancien prieuré du château du Bois de la Salle.

DOM. DE L'ANCIEN RELAIS Vieilles Vignes 2011 ★

| | 6 000 | ▪ | 5 à 8 € |

André Poitevin est un ancien cuisinier qui s'est reconverti en reprenant le domaine de 4 ha de ses beaux-parents. Il en a doublé la superficie, et consacre 1,45 ha de vignes âgées de cinquante ans à l'élaboration de ce juliénas. Cette cuvée Vieilles Vignes, fleuron de son domaine est régulièrement mentionnée dans le Guide. Cette année, elle se voit distinguée pour son nez fin et élégant, légèrement minéral, et pour sa bouche fruitée, délicate et longue, soutenue par des tanins ronds. On pourra servir cette bouteille dès cette année avec un coq au vin.

☞ EARL André Poitevin, Les Chamonards, 71570 Saint-Amour-Bellevue, tél. 03 85 37 16 05, fax 03 85 37 40 87, earlandrepoitevin@wanadoo.fr, ☑ ✦ ⊺ r.-v.

☞ Marie-Hélène et Jean-Yves Midey

PASCAL AUFRANC Probus 2011

| | 6 000 | ▪ ⏏ | 11 à 15 € |

Pour élaborer cette cuvée, qui tire son nom de l'empereur romain – auquel on prête beaucoup de mesures en faveur de la viticulture, comme l'introduction du gamay en Beaujolais –, Pascal Aufranc a assemblé deux parcelles qu'il a vinifiées en grappes entières et élevées neuf mois en fût. Ce 2011 au nez de fruits rouges, légèrement minéral, révèle un palais rond et ample. On pourra le déguster dès cette année, sur un grenadin de veau.

☞ Pascal Aufranc, En Rémont, 69840 Chénas, tél. 04 74 04 47 95, pascal.aufranc@orange.fr, ☑ ✦ ⊺ r.-v.

DOM. BERGERON Réserve de Noëlle 2011 ★

| | 9 500 | ⏏ | 8 à 11 € |

Deux frères, Jean-François et Pierre Bergeron sont à la tête de ce grand domaine de 33 ha. Ils voient deux de leurs cuvées sélectionnées : ce 2011, et le 2012 qui porte le nom du lieu-dit La Vayolette, provenant d'un terroir en forte pente. La première, issue de vignes âgées de quatre-vingt-neuf ans, vinifiée en grappes entières, a séjourné douze mois en fût. Le vin présente un nez floral et fruité et une bouche puissante et ample, construite sur des tanins plaisants. On pourra déguster cette bouteille dès cette année sur une côte de bœuf. Le **2012 Vayolette (5 à 8 € ; 8 500 b.)** évoque les fleurs (iris, pivoine), puis la mûre, la cerise et le poivre blanc. Équilibré, de moyenne structure, c'est un juliénas charmeur que l'on pourra apprécier dès à présent avec un gigot. Il reçoit également une étoile.

☞ Jean-François et Pierre Bergeron, Les Rougelons, 69840 Émeringes, tél. 06 80 13 20 12, fax 04 74 04 40 72, domaine-bergeron@wanadoo.fr, ☑ ✦ ⊺ t.l.j. 8h30-12h30 13h30-19h

CH. BONNET Vieilles Vignes 2011 ★★

■	20 000	■	5 à 8 €

Pierre-Yves Perrachon a superbement vinifié ses 2011, dont son chénas qui avait reçu l'an dernier un coup de cœur. Cette fois-ci, c'est en juliénas qu'il s'illustre, preuve qu'il a particulièrement bien maîtrisé ce millésime précoce. Il a de nouveau choisi un style fruité et pimpant avec ce vin au nez puissant de petits fruits (framboise, mûre, cassis, myrtille) et de violette. La bouche se révèle souple, fruitée, charnue et friande. Bien structurée par des tanins soyeux, cette bouteille pourra être servie l'an prochain sur un bœuf bourguignon.
☛ Bourgogne Sélect, La Motte, 71260 Azé, tél. 03 85 31 65 91, hlongefay.bselect@gmail.com, ☑ ☆ ⲧ r.-v.

DOM. DE LA BOTTIÈRE-PAVILLON 2012

■	40 000	■	5 à 8 €

À la tête d'un domaine de 9 ha, la famille Depardon présente un 2012 fidèle au style tendre et discret de la maison. Le vin affiche une robe grenat limpide et un nez plaisant de fruits rouges (framboise, fraise). Souple et fruité en bouche (griotte, kirsch), il livre une jolie finale ronde évoquant la framboise. À boire dans l'année.
☛ EARL Depardon Père et Fils, La Bottière, 69840 Juliénas, tél. 04 74 04 41 69, fax 04 74 69 09 75

DOM. CHÂTAIGNIER DURAND Vieilles Vignes 2012 ★

■	3 000	■	5 à 8 €

Jean-Marc Monnet, propriétaire de ce domaine depuis 1980, avait obtenu l'an dernier un double coup de cœur pour ses juliénas 2011. Fleuron du domaine, sa cuvée issue de vignes d'un âge vénérable (soixante ans), revient cette année et reçoit une étoile pour son nez intense et complexe de fruits rouges et pour sa bouche fruitée, franche et nette. Un vin harmonieux, construit sur des tanins souples, à boire dès à présent avec une viande grillée. La cuvée classique 2012 (5 000 b.), aromatique, fine et équilibrée, est quant à elle citée.
☛ Jean-Marc Monnet, La Ville, 69840 Juliénas, tél. 04 74 04 45 46, fax 04 74 04 44 24, monnet.jm@free.fr, ☑ ☆ ⲧ r.-v.

DOM. DES CHERS Vieilles Vignes 2012

■	15 000	■	5 à 8 €

Arnaud Briday s'est installé en 2009 sur le domaine, prenant le relais de son père. Il exploite un vignoble de 6 ha – une superficie selon lui adaptée à sa « culture précise et raisonnée ». Né de ceps âgés de soixante ans, ce juliénas a été vinifié à la bourguignonne en grappes entières. Tout a été fait pour extraire de la puissance et du corps. Le résultat : ce vin au nez floral, fruité, légèrement acidulé. Franc, équilibré et puissant en bouche, il se gardera deux ans en cave. À servir sur un tartare de bœuf, pas trop moutardé.
☛ Arnaud Briday, Dom. des Chers, 69840 Juliénas, tél. 04 74 04 42 00, domainedeschers@yahoo.fr, ☑ ☆ ⲧ t.l.j. 9h-18h30

DOM. DE LA CÔTE DE BERNE 2012 ★★

■	2 000	■	5 à 8 €

Jean-Jacques Sandrin et son fils Rémi ont présenté un juliénas issu de 1,5 ha de vieilles vignes de cinquante ans exposées au sud-est. Un vin au nez mûr de myrtille, enrobé d'une touche de violette et de pivoine. Le palais confirme le nez et déploie une matière ronde, franche, structurée par des tanins qui ne tarderont pas à s'arrondir. On pourra ouvrir cette bouteille dans deux ans sur un magret de canard. Le morgon Grand Cras 2012 (2 000 b.) reçoit une étoile pour son nez de fruits rouges et pour sa bouche puissante et équilibrée. On pourra l'attendre deux ou trois ans avant de le déguster sur une pièce de gibier.
☛ EARL Sandrin, 24, chem. du Bief, 69460 Blacé, tél. 04 74 67 58 00, jjmr.sandrin@club-internet.fr, ☑ ☆ ⲧ t.l.j. 8h-12h 14h-18h 🏠 ⓐ

DOM. LE COTOYON Les Mouilles 2011 ★★

■	2 000	■	11 à 15 €

Frédéric Bénat, à la tête de ce domaine de 15 ha depuis 1979, voit deux de ses vins distingués cette année. Le préféré est ce juliénas, à la robe grenat profond, au nez de cassis et de pruneau. En bouche, il se révèle riche, compoté et épicé, structuré par des tanins serrés. Ce vin harmonieux et typé pourra vieillir encore deux ans en cave. Le saint-amour 2012 (5 à 8 € ; 5 000 b.) reçoit une étoile pour son nez gracieux de petits fruits rouges, arômes que l'on retrouve dans une bouche ronde et franche.
☛ Frédéric Bénat, Les Ravinets, 71570 Pruzilly, tél. et fax 03 85 35 12 90 ☑ ⲧ r.-v.

CH. DE JULIÉNAS Cuvée Tradition 2011 ★

■	10 000	■	5 à 8 €

Thierry Condemine se flatte d'exploiter le plus grand vignoble de l'appellation, avec 39 ha de vignes entourant un magnifique château dont l'origine remonte au XIIIᵉ s. Cette cuvée suit les codes du gamay friand : elle a fait l'objet d'une macération carbonique courte (dix jours), permettant d'exalter le fruit. Le vin en ressort frais au nez et aromatique (pêche de vigne et pivoine), fruité, charnu, rond et souple en bouche. À servir cette année sur un rôti de porc.
☛ Thierry Condemine, Ch. de Juliénas, 69840 Juliénas, tél. 04 74 04 49 98, thierrycondemine@chateaudejulienas.com, ☑ ☆ ⲧ t.l.j. 10h-12h 14h-18h; dim. sur r.-v.; f. sept. et de nov. à mars

♥ CAVE DES PRODUCTEURS DE JULIÉNAS
Réserve de Beauvernay 2011 ★★

■	10 000	■	5 à 8 €

La cave coopérative de Juliénas est établie depuis 1960 dans le château du Bois de la Salle, ancien prieuré du XVIIIᵉ s., et s'impose depuis quelques années comme la locomotive de l'appellation. Cela se confirme avec cette petite cuvée d'élite de 2 ha. Ce 2011 d'un grenat profond a charmé les dégustateurs par son bouquet frais aux notes de fruits rouges et noirs. Bien équilibrée, la bouche se révèle à la fois fraîche, gouleyante, riche et ample, portée par des tanins soyeux. Vin de plaisir mais aussi vin de terroir, c'est une bouteille à déguster dans l'année sur une terrine. Le **saint-amour 2011 Tradition du Bois de la Salle (25 000 b.)** de la cave est cité pour son palais fruité, équilibré et pour sa fraîcheur.

🕿 Cave coop. de Juliénas, Ch. du Bois de la Salle, 69840 Juliénas, tél. 04 74 04 42 61, fax 04 74 04 47 47, cavejulienas@wanadoo.fr, ☑ ⚹ ☕ r.-v.

DOM. DE LA MILLERANCHE 2011 ★

■	28 000	▮	8 à 11 €

À la tête de la propriété familiale depuis 1997, Sylvain Roussot et Jérôme Corsin exploitent ensemble un vignoble de 9 ha. La parcelle à l'origine de cette cuvée représente près de la moitié de leur production. La vinification a été effectuée avec précaution, avec égrappage partiel, pigeage, privilégiant une méthode bourguignonne réputée apporter de la structure au vin. Ce 2011 n'en manque pas, en effet. À l'olfaction, il déploie un nez fruité (fraise des bois, mûre, myrtille), légèrement floral et épicé. En bouche, il se révèle net, harmonieux, soutenu par de bons tanins. À servir dans un an sur une rouelle de porc aux citrons confits par exemple.

🕿 EARL Fernand et Jérôme Corsin, Le Bourg, 69840 Jullié, tél. 04 74 04 40 64, fax 04 74 04 49 36, milleranche.corsin@wanadoo.fr, ☑ ⚹ ☕ r.-v. 🏠 🅱

DOM. DES MOUILLES 2012 ★

■	10 000	▮	5 à 8 €

Ce domaine est la propriété de Laurent Perrachon depuis 1988. Au début, ce dernier ne vinifiait que du juliénas, puis, en 2004, le domaine s'est étendu aux crus fleurie et chénas. Ce juliénas offre à l'aération un nez de fruits rouges et noirs (sureau, cassis). En bouche, il apparaît gras et solide. Ses tanins encore un peu sévères demandent une à deux années de garde pour s'assouplir. Le **fleurie La Cadole 2012 (2 000 b.)**, au bouquet de pivoine et de fruits rouges épicés, délivre une bouche ronde, charnue, ferme en finale. Un vin harmonieux, à déguster dans un an.

🕿 GFA Dom. des Mouilles, chez Laurent Perrachon, 69840 Juliénas, tél. 04 74 04 40 44, laurent@vinsperrachon.com, ☑ ⚹ ☕ t.l.j. 9h-12h 14h-19h

DOM. PLACE DES VIGNES 2011 ★★

■	2 000	▮	5 à 8 €

Thierry Roussot exploite depuis 1995 ce petit domaine de 4,5 ha. Il signe une cuvée issue de 1 ha de vignes de soixante ans plantées sur un terroir volcanique, vinifiée en macération carbonique. Il en résulte un vin aux parfums de griotte, de pruneau et de cassis. En bouche, ce 2011 se révèle fruité, structuré par des tanins bien enrobés. Un vin de caractère que l'on attendra deux ou trois ans. Bel accord en perspective sur une andouillette lyonnaise au four.

🕿 Thierry Roussot, Les Vignes, 69840 Jullié, tél. 04 74 04 49 58, domaineplacedesvignes@orange.fr, ☑ ⚹ ☕ r.-v.

BERNARD SANTÉ Vieilles Vignes des Mouilles 2011 ★★

■	5 000	▮	8 à 11 €

Bernard Santé a acheté en 2009 cette parcelle de vignes âgées de soixante ans. En dépit de leur nom, Les Mouilles constituent l'un des terroirs les plus réputés de l'appellation,

mentionné dès 1831 par André Jullien dans sa *Topographie de tous les vignobles connus* : « colorés, corsés, spiritueux et très solides, [les vins] gagnent beaucoup en vieillissant et se conservent cinq à huit ans. Les meilleurs se recueillent dans les hameaux des Mouilles, le Bourg, le Bois de la Salle et Rizières. » Dans sa version 2011, on dira du vin que son nez de pivoine et d'épices douces est puissant et minéral ; que sa bouche, à l'unisson, se révèle complexe, ronde et équilibrée, entre cannelle et fruits mûrs. Un vin de bonne longueur, à garder trois ans. Le **moulin-à-vent 2011 (5 600 b.)** du domaine est cité pour son nez de fruits rouges et pour son palais friand, aux tanins encore un peu austères qui gagneront à s'assouplir un an ou deux.

🕿 Bernard Santé, 3521, rte de Juliénas, 71570 La Chapelle-de-Guinchay, tél. 03 85 33 82 81, fax 03 85 33 84 46, earl.sante-bernard@wanadoo.fr, ☑ ⚹ ☕ r.-v.

THORIN Terres de galène 2012

■	53 333	▮	8 à 11 €

La galène, c'est du sulfure de plomb que l'on trouve à l'état naturel sous forme de cristaux cubiques, et dont on extrayait autrefois le plomb... qui servait aux fameux « postes à galène » de nos grands-parents. La cuvée présentée se révèle fruitée, exubérante, avec son nez acidulé de bourgeon de cassis et de poivre blanc, et sa bouche équilibrée et tonique, aux tanins charpentés, à la finale sur le cassis. On trouve moins de terroir ici que de fruit. Le **moulin-à-vent Terres de silice 2012 (44 000 b.)** reçoit également une citation pour son nez à la fois fruité et floral, et pour sa matière séveuse et corsée.

🕿 Maison Thorin, Le Pont des Samsons, 69430 Quincié-en-Beaujolais, tél. 04 74 69 09 10

DOM. DE TROIZELLE 2012 ★

■	7 000	▮	5 à 8 €

Jean-François Perraud propose un juliénas issu de 3 ha de vignes, vinifié en grappes entières en macération carbonique (quinze jours). Cette cuvée, travaillée dans un style souple et friand, offre un nez subtil de cerise burlat, une bouche très aromatique, tendre et ronde, fine et élégante. Un vin harmonieux que l'on pourra servir dès à présent, sur un plateau de fromages.

🕿 Jean-François Perraud, Les Belins, 69840 Jullié, tél. 06 81 36 30 96, jean.francois.perraud@wanadoo.fr, ☑ ⚹ ☕ r.-v.

CELLIER DE LA VIEILLE ÉGLISE Tradition 2011 ★

■	11 000	▮	5 à 8 €

En 1954, le Cellier de la Vieille Église a été installé dans une église désaffectée depuis 1868 ; il est géré par l'association des producteurs du cru juliénas. Cette dernière a soigneusement sélectionné différentes cuvées auprès des vignerons afin d'obtenir ce 2011. Un vin au nez franc de petits fruits rouges ; ample et généreux en attaque, structuré par des tanins encore un peu austères en finale. Un juliénas équilibré qui devrait s'assouplir avec une à deux années de garde. La **cuvée Fût de chêne 2011 (8 à 11 € ; 1 400 b.)**, droite et franche, vanillée et ronde, obtient également une étoile.

🕿 Association des producteurs du cru Juliénas, Cellier de la Vieille Église, 69840 Juliénas, tél. et fax 04 74 04 42 98, cellier.vieilleeglise@laposte.net, ☑ ⚹ ☕ t.l.j. 10h-12h 14h-18h; f. jan.-fév.

Morgon

Superficie : 1 100 ha
Production : 55 050 hl

Le deuxième cru en importance après le brouilly est localisé sur une seule commune, celle de Villié-Morgon. Le gamay y engendre des vins robustes, généreux, fruités, évoquant la cerise, le kirsch et l'abricot. Ces caractéristiques sont dues aux sols issus de la désagrégation de schistes à prédominance basique, imprégnés d'oxyde de fer et de manganèse, que les vignerons désignent par les termes de « terre pourrie ». Des vins qui présentent ces qualités, on dit qu'ils « morgonnent ». Non loin de l'ancienne voie romaine reliant Lyon à Autun, la colline du Py, croupe aux formes parfaites culminant à 300 m d'altitude, fournit l'archétype des vins de l'appellation. Cette Côte du Py est sans doute le plus connu des cinq *climats* de l'AOC.

Vin de garde (jusqu'à dix ans les meilleures années), le morgon peut prendre des allures de bourgogne. Il accompagne parfaitement un coq au vin. La commune de Villié-Morgon se flatte d'avoir été la première à se préoccuper de l'accueil des amateurs de vin de Beaujolais : ouvert en 1953, son caveau, aménagé dans les caves du château de Fontcrenne, peut recevoir plusieurs centaines de personnes.

DOM. L'ARCHANGE Grands Cras Vieilles Vignes 2011 ★★

■ 1 200	▮ 11 à 15 €

Thierry Pernot a gravi les échelons, passant de salarié d'une entreprise d'embouteillage à salarié agricole, pour s'installer en 2003 comme vigneron à la tête de ce domaine. Pour ce vin, il a fait le choix de vieilles vignes (soixante-deux ans), au rendement faible d'une parcelle, située sur l'un des bons *climats* de l'appellation. Le nez se révèle expressif et charmeur, floral et fruité. La bouche, à la fois charnue et tonique, « morgonne à souhait », selon un dégustateur, heureux de découvrir des tanins solides mais fins. Un vin bien typé, équilibré, qui séduira aussi bien sur une viande rouge qu'avec un dessert au chocolat.

☛ Thierry Pernot, Morgon, 69910 Villié-Morgon, tél. et fax 04 74 69 13 54, domainelarchange@orange.fr, ☑ ⚘ ⏳ t.l.j. 8h30-19h30

NOËL AUCŒUR Vieilles Vignes 2012

■ 15 000	8 à 11 €

Noël Aucœur est l'héritier de dix générations de vignerons. Il signe un morgon fruité et épicé au nez, plein, concentré et tannique en bouche. Encore un rien austère en finale, ce vin devra patienter deux ans en cave.

☛ Noël Aucœur, Le Rochaud, rue Ronsard, 69910 Villié-Morgon, tél. 04 74 04 22 10, fax 04 74 69 16 82, noelaucoeur@yahoo.fr, ☑ ⚘ ⏳ r.-v.

VIGNERONS DE BEL AIR Saisons Hiver gourmand 2012 ★

■ 60 000	▮ 5 à 8 €

La cave coopérative de Bel-Air, installée à Saint-Jean-d'Ardières, propose trois gammes : Mode, Saisons et Belairissime. Saisons est un intermédiaire entre le style primeur de Mode et les vins de Belairissime associés à un lieu-dit. Dans la collection Hiver, ce 2012 se présente dans une jolie robe grenat et offre à l'aération de plaisantes notes de fruits noirs. La bouche se montre franche et ample, avec des tanins bien intégrés qui permettront à cette bouteille d'être dégustée dès cette année.

☛ Vignerons de Bel Air, 131, rte Henry-Fessy, 69220 Saint-Jean-d'Ardières, tél. 04 74 06 16 08, fax 04 74 06 16 09, cvba@vignerons-belair.com, ☑ ⚘ ⏳ t.l.j. 9h-12h 14h-18h; f. dim. jan. à mars

VIGNOBLES BODILLARD Cuvée Alexia 2011 ★★

■ 20 000	▮ 5 à 8 €

À la tête d'un vignoble de 13 ha qu'ils exploitent en culture raisonnée, André Bodillard et son fils Renaud signent une cuvée bien typée morgon, née de vignes de quarante-cinq ans d'âge. Le nez offre un fruité d'une belle intensité, autour de la groseille et du cassis. Intensité que l'on retrouve dans une bouche équilibrée entre rondeur et structure, ample et longue. Un vin encore jeune mais prometteur, à laisser vieillir trois ans en cave. Cité, le **morgon Dom. du P'tit Bellevue cuvée Marie-Louise 2011 (8 à 11 € ; 9 000 b.)**, élevé neuf mois en fût, présente un boisé encore soutenu, mais la matière et la structure sont là pour le « digérer ». À garder deux ans.

☛ Bodillard, Bellevue, 69910 Villié-Morgon, tél. 04 74 69 13 10, fax 09 70 06 29 49, vins@vignoblesbodillard.com, ☑ ⚘ ⏳ r.-v.

DOM. J. BOULON 2012 ★

■ 30 000	▮ 5 à 8 €

La fille et le gendre de Jacques Boulon ont rejoint ce dernier en 2007 à la tête d'un coquet vignoble de plus de 25 ha. Ils signent un morgon au bouquet charmeur de fruits rouges et noirs, auquel fait écho une bouche solidement charpentée et longue, étayée par une finale pleine de vivacité. Un vin puissant, à découvrir dans deux ou trois ans. Le **beaujolais Vieilles Vignes 2012 (moins de 5 € ; 20 000 b.)**, riche, bien structuré et fruité, décroche lui aussi une étoile.

☛ Dom. J. Boulon, Chassagne, 69220 Corcelles-en-Beaujolais, tél. 04 74 66 47 94, fax 04 74 66 16 14, domaine.j.boulon@wanadoo.fr, ☑ ⚘ ⏳ t.l.j. 8h-12h 14h-18h

CHANSON Bastion de l'Oratoire 2011 ★

■ n.c.	▥ 11 à 15 €

La maison Chanson est installée à Beaune en Côte-d'Or. Elle voit deux de ses cuvées beaujolaises – qu'elle propose donc avec son statut de négociant – notée une étoile : ce morgon et le **fleurie 2011**. Les deux vins plaisent par leur typicité affirmée : nez toasté et vanillé, et bouche généreuse, ample et boisée pour ce morgon ; bouquet plus floral et fruité, palais épicé et gourmand pour le fleurie. Tous deux sont encore jeunes et ont besoin de trois ou quatre ans de garde.

☛ Chanson Père et Fils, 10, rue Paul-Chanson, 21200 Beaune, tél. 03 80 25 97 97, fax 03 80 24 17 42 ☑ ⚘ ⏳ r.-v.

ARMAND ET RICHARD CHATELET
Cuvée du p'tit moustachu 2011 ★

| ■ | 1 400 | ◫ | 8 à 11 € |

Armand, le père, a pris sa retraite en 2006, laissant les commandes du domaine à son fils Richard. Mais le jeune retraité continue de sillonner la France avec son fourgon et son amour communicatif du vin. Il n'aura pas trop de difficultés à vanter à ses clients les mérites de ce morgon au nez de fruits et de caramel au lait, qui témoigne d'un élevage en fût de six mois, et à la bouche fondue, souple, tendre et équilibrée. À déguster dès cette année sur une volaille.

☛ EARL Armand et Richard Chatelet, Les Marcellins, 69910 Villié-Morgon, tél. et fax 04 74 04 21 08, armand.richard.chatelet@wanadoo.fr, ☑ ⚥ � r.-v.

DOM. LE CHÊNE DU PY Côte du Py 2011 ★★

| ■ | 10 000 | ◫ | 5 à 8 € |

Marie-Claude Jonchet avait obtenu un coup de cœur pour ce morgon dans sa version 2010. Le 2011 est de la même veine. Un vin au nez intense de fruits noirs, pas du tout marqué par son élevage de six mois en foudre de chêne. Aussi concentré, ample et puissant que son devancier, étayé par des tanins bien présents mais fondus et soyeux, il est taillé pour une bonne garde : quatre ou cinq ans.

☛ Marie-Claude Jonchet, Côte du Py, 69910 Villié-Morgon, tél. 04 74 04 23 03, fax 04 74 69 10 35, marcel.jonchet@orange.fr, ☑ ⚥ ⍵ r.-v. ⌂ Ⓞ

DOM. CINQUIN Brye 2012 ★

| ■ | 1 000 | ▮ | 5 à 8 € |

Plus connu pour son régnié, Franck Cinquin a acquis en 2009 une parcelle de vieilles vignes âgées de cinquante ans en appellation morgon, dont les vins sont commercialisés sous cette nouvelle étiquette. Le 2012 présente un nez intensément fruité, et une bouche ample, fraîche et ronde, montrant un peu plus les muscles en finale. On attendra un an ou deux que l'ensemble se fonde. Le régnié Dom. des Braves 2012 (5 000 b.) à dominante florale (pivoine, sureau) au nez, plus fruité en bouche, frais et assez « carré », obtient également une étoile. On lui réservera à lui aussi une garde d'un an ou deux.

☛ Franck Cinquin, Les Braves, 69430 Régnié-Durette, tél. 04 74 69 05 32, franck.cinquin@wanadoo.fr, ☑ ⚥ ⍵ r.-v.

DOM. DU CRÊT D'ŒILLAT 2012 ★★★

| ■ | 2 000 | ▮ | 5 à 8 € |

On s'était habitué à voir ce domaine figurer en bonne place dans la sélection des régnié, mais c'est avec le cru morgon que Jean-François Matray décroche les trois étoiles (rares pour le millésime 2012). Le jury a plébiscité son bouquet intense et fruité, sa bouche tout aussi intense, puissante, étayée par des tanins élégants et fondus. Un vin harmonieux et typé, à servir dans deux ou trois ans. Le régnié 2012 (5 000 b.), souple et frais mais un peu plus austère en finale, est cité.

☛ EARL du Crêt d'Œillat, 116, Le Bourg, 69430 Régnié-Durette, tél. 04 74 04 38 75, j.matray@numericable.com, ☑ ⚥ ⍵ r.-v. ⌂ Ⓑ
☛ Jean-François Matray

DOM. DE LA CROIX MULINS 2012 ★★★

| ■ | 52 000 | ▮ | 5 à 8 € |

Ce domaine s'étend au pied de la colline du Py. Les vignes sont plantées sur des « morgons », roches issues de la désagrégation des schistes pyriteux riches en oxydes de fer qui colorent à la fois le sol et les vins. Bien typé de ce terroir, ce morgon affiche une robe sombre et un nez intense et complexe de fruits rouges (cerise à l'eau-de-vie, fraise). La bouche se montre puissante, racée, fruitée et longue, adossée à des tanins charnus et soyeux. Ce vin a de la présence et réclame des égards : trois à cinq ans de cave et un carafage au moment du service.

☛ Pierre Depardon, Les Raisses, 69910 Villié-Morgon, tél. 04 74 69 10 15, fax 04 74 69 09 75

DOM. DONZEL 2011 ★

| ■ | 10 000 | ▮ | 5 à 8 € |

Vincent Donzel, à la tête de ce domaine de 10,5 ha depuis 2004, présente une cuvée élaborée à partir de vignes de quarante ans cultivées sur 3 ha d'un sol granitique. Ce 2011 offre un nez riche et net évoquant la framboise. La bouche est élégante, friande et longue, soutenue par des tanins présents sans agressivité. « Il a de l'avenir », souligne un dégustateur, qui conseille d'attendre un an ou deux avant de le servir.

☛ EARL Bernard et Vincent Donzel, Fondlong, 69910 Villié-Morgon, tél. 04 74 04 20 56, fax 04 74 69 14 52, vincent.donzel@orange.fr, ☑ ⚥ ⍵ r.-v.

CH. DE DURETTE 2012

| ■ | 12 000 | ▮ | 5 à 8 € |

Marc Theissey a engagé en 2007 la réhabilitation du vignoble du château, qui tombait à l'abandon. Il a installé un cuvage neuf. Cinq ans après, le domaine exploite sept crus. Ce morgon livre un bouquet plaisant de fruits noirs et de cerise. Dans la continuité du nez, la bouche affiche un bon équilibre, de la matière, de la structure et de la fraîcheur. À boire au cours des deux ou trois prochaines années.

☛ SCEA Ch. de Durette, Chez le Bois, 69430 Régnié-Durette, tél. 04 74 04 20 13, info@chateaudedurette.eu, ☑ ⚥ ⍵ r.-v.
☛ Jean Joly

DOM. DE FONTRIANTE 2011

| ■ | n.c. | ▮ | 5 à 8 € |

Ce domaine régulier en qualité propose un morgon plaisant, ouvert sur les fruits rouges. La bouche se montre gouleyante et souple en attaque, avant de dévoiler des tanins plus carrés en finale. À déguster dans l'année.

☛ Jacky Passot, Fontriante, 69910 Villié-Morgon, tél. 04 74 69 10 03, jacky.passot@orange.fr, ☑ ⚥ ⍵ r.-v.

DOM. GAGET Côte du Py 2011 ★★

| ■ | 20 000 | ▮ | 8 à 11 € |

Sur la réputée Côte du Py, Mikaël Gaget exploite de vieilles vignes à l'origine de deux cuvées fort réussies. Les ceps les plus « jeunes » (soixante ans) ont donné naissance à ce 2011 au nez intense et complexe (épices douces, fruits rouges et noirs), auquel fait écho une bouche élégante, longue et bien équilibrée entre puissance tannique et rondeur. Un vin à la fois gourmand et solide, aussi agréable jeune qu'après trois à cinq ans de garde. Née de vignes de soixante-dix ans, la cuvée Joseph Côte du Py Élevé en fût de chêne 2011 (15 à 20 € ; 4 000 b.) est citée. On attendra trois ou quatre ans que le boisé se fonde.

☛ Dom. Gaget, La Côte du Py, 69910 Villié-Morgon, tél. 04 74 04 20 75, domainegaget@orange.fr,
☑ ⚥ ⍵ t.l.j. sf dim. 9h-12h30 14h-18h30

DOM. DE LA **GARODIÈRE** 2012 ★★

■ 10 000 ▮ 8 à 11 €

Ce domaine, situé sur les hauteurs de Lancié, propose un 2012 issu de vignes aux rangs enherbés (pas d'emploi de désherbant donc), aux rendements limités. La cuvaison s'effectue sans pompage pour ne pas abîmer les baies. Cela donne un vin concentré au nez intense de fruits mûrs, à la bouche ample, franche, soutenue par des tanins encore un peu serrés qui réclament quatre à cinq ans de vieillissement en cave. On pourra le déguster sur un coq au vin.

☛ Denis Garod, 268, rte de Chiroubles, 69220 Lancié, tél. 03 85 36 57 23, fax 03 85 37 15 38, bienvenue@collinbourisset.com

ALAIN **GAUTHIER** 2011

■ 7 000 ▮ ◫ 5 à 8 €

Né de vieilles vignes de quatre-vingt-dix ans, ce morgon signé Alain Gauthier (à la tête du domaine depuis 1984) se distingue par un nez généreux de fruits confits, relayé par une bouche de bonne longueur, structurée par des tanins fins. À déguster dans l'année.

☛ Alain Gauthier, La Roche-Pilée, 69910 Villié-Morgon, tél. et fax 04 74 69 15 87, earl.des.rochauds@orange.fr, ☑ ⚐ ⏻ r.-v.

DOM. LAURENT **GAUTHIER**
Grands Cras Vieilles Vignes 2012 ★

■ 20 000 ◫ 8 à 11 €

Laurent Gauthier a été rejoint en 2011 par son fils Jason, septième du nom à cultiver la vigne sur ce domaine de 20 ha. Cette cuvée est née sur le *climat* Grands Cras, en bordure de la Côte du Py, l'un des plus caractéristiques de l'appellation. Les dégustateurs soulignent le respect du terroir qui transparaît dans ce 2012 au nez de cerise, à la bouche tendre et fruitée, équilibrée par des tanins expressifs et sans dureté. À déguster dès à présent avec de la charcuterie. La **chiroubles Chatenay Vieilles Vignes 2012 (9 600 b.)** est cité pour ses parfums plaisants de fruits rouges, pour sa rondeur et son équilibre.

☛ EARL Laurent Gauthier, Morgon-le-Bas, 69910 Villié-Morgon, tél. 04 74 04 26 57, fax 04 74 69 12 08, laurentgauthiervins@orange.fr, ☑ ⚐ ⏻ r.-v.

♥ CH. **GRANGE COCHARD** Les Charmes 2011 ★★

■ n.c. ◫ 8 à 11 €

CHATEAU
GRANGE COCHARD
✳
2011
MORGON
LES CHARMES

James et Sarah Wilding, un couple de Britanniques amoureux de la région, ont racheté en 2008 ce château du XVIᵉ s., héritant, avec les vieilles pierres, d'un domaine viticole de 6 ha. Ils font leur apparition dans le Guide avec une cuvée née sur le *climat* granitique des Charmes. Et quelle entrée ! Vinifié à la bourguignonne, c'est-à-dire

égrappé et élevé neuf mois en fût, ce vin décroche un coup de cœur pour son boisé tout en finesse aux accents vanillés, et pour sa bouche riche, ample et soyeuse, soutenue par des tanins bien fondus. Un morgon jugé « atypique », mais remarquable d'harmonie et d'élégance, armé pour une garde de deux ou trois ans.

☛ Ch. Grange Cochard, La Grange Cochard, 69910 Villié-Morgon, tél. 06 13 87 23 22, james@lagrangecochard.com, ☑ ⚐ ⏻ r.-v.
☛ Wilding

⑬ MICHEL **GUIGNIER** Bio-Vitis 2011

■ 9 000 ◫ 11 à 15 €

Michel Guignier a obtenu la certification bio en 2009 pour son microdomaine de 2,6 ha. Il vinifie de surcroît sans soufre, avec un pressoir vertical permettant une extraction tout en douceur, et il élève ses vins en fût. Il obtient ainsi un morgon intensément bouqueté autour des fruits noirs et de la vanille, à la bouche plutôt robuste, de belle longueur, encore dominée toutefois par le boisé. Une garde de deux à quatre ans s'impose pour que l'ensemble se fonde.

☛ Michel Guignier, 581, rue François-Villon, 69910 Villié-Morgon, tél. et fax 04 74 65 08 66, michel.guignier@wanadoo.fr, ☑ ⚐ ⏻ r.-v.

HOSPICES DE **BEAUJEU** Cuvée Judith Jonchier 2012 ★

■ 21 067 ▮ 5 à 8 €

Lydie Nesme est l'œnologue à qui revient la tâche de vinifier le vaste patrimoine foncier que représentent les 80 ha de vignes légués aux Hospices au fil des siècles. Si le **régnié Cuvée des sires de Beaujeu 2012 (80 000 b.)** obtient une étoile pour ses parfums d'épices et de fruits confiturés, et pour son palais fruité, rond, souple et soyeux, c'est le morgon qui, avec la même note, a la préférence du jury. Issue du legs récent de Mme Jonchier, cette cuvée possède un supplément d'âme grâce à sa finesse au nez (fruits mûrs et kirschs) et à sa bouche ample, riche, fruitée et bien structurée. Une bouteille élégante et équilibrée, à boire ou à attendre trois ou quatre ans.

☛ Hospices de Beaujeu, La Grange Charton, 69430 Régnié-Durette, tél. 04 74 04 31 05, fax 04 74 04 38 87, contact@hospices-de-beaujeu.com

DOM. DE **JAVERNIÈRE** 2012 ★

■ 15 000 ▮ 5 à 8 €

Héritier de quatre générations de vignerons installés sur ces terres de Villié-Morgon, Hervé Lacoque conduit aujourd'hui un vignoble de 10 ha. Il peut compter sur son morgon pour lui assurer une sélection très régulière dans le Guide. Il a un style, et il s'y tient : fruité intense au nez, tanins carrés en bouche. Puissant, long, massif, c'est un morgon de garde à faire patienter au moins un an ou deux en cave.

☛ Hervé Lacoque, Javernière, 69910 Villié-Morgon, tél. 04 74 04 26 64, fax 04 74 04 27 10 ☑ ⚐ ⏻ r.-v.

PHILIPPE **LABALME** Côte du Py 2011 ★

■ n.c. 5 à 8 €

Philippe Labalme s'est installé en 2006 après avoir acheté un domaine dont le fichier clients... était vide. Il a donc bataillé pour remettre en état ses vieilles vignes de cinquante ans et pour séduire les consommateurs. Gageons que ce ne sera pas trop difficile de les convaincre avec un si joli 2011. Le nez de ce morgon séduit par son caractère frais et fruité. On retrouve cette fraîcheur dans une bouche pimpante, friande et nette, soutenue par des tanins fondus et soyeux. Un vin harmonieux et agréable, à boire dans l'année.

NOUVEAU PRODUCTEUR

➤ Philippe Labalme, 512, rte des Trèches, 69220 Dracé, tél. 06 87 42 10 01, labalmedrace@hotmail.fr, ☑ ⚘ ⊤ r.-v.

♥ JEAN-MARC LAFONT Côte du Py 2011 ★★★

■	n.c.	▮ 8 à 11 €

CÔTE DU PY

MORGON

APPELLATION MORGON PROTÉGÉE

Jean-Marc Lafont

Jean-Marc Lafont dispose de la double casquette de viticulteur (Dom. de Bel-Air) et de négociant, la seconde lui permettant d'acheter des raisins ou des vins et de compléter ainsi sa carte. C'est de la partie négoce que provient ce morgon issu du terroir le plus prestigieux de l'appellation. Un Côte du Py d'exception, né d'une parcelle de 3 ha plantée de vieilles vignes de cinquante ans, vendangées tard (le 28 septembre) pour obtenir un raisin le plus mûr possible. Derrière une robe d'un violet intense se dévoile un bouquet friand et fin d'épices douces et de fruits noirs. La bouche est magnifique, à la fois robuste et douce, riche et longue, étayée par des tanins fins et soyeux qui lui confèrent beaucoup d'élégance. Un morgon de noble extraction, à servir sur un chapon cet hiver ou dans trois ans, et plus encore.

➤ Jean-Marc Lafont, Dom. de Bel-Air, 69430 Lantignié, tél. 04 74 04 82 08, fax 04 74 04 89 33, info@dombelair.com, ☑ ⚘ ⊤ r.-v.

DOM. JEAN-PIERRE LARGE 2011 ★★

■	10 000	▮ 5 à 8 €

Jean-Pierre Large exploite un vaste domaine de 26 ha. Sous l'étiquette du domaine Cheysson, il commercialise du chiroubles, dont la version 2010 fut élue coup de cœur du Guide dans l'édition précédente. Sous son propre nom, il propose ce morgon issu de 2 ha de vieilles vignes, dont un quart dépasse les cent ans. Il en tire ce vin frais et franc au nez, équilibré et complet en bouche, rond, gras et corpulent, qui laisse une sensation d'harmonie et d'élégance. À déguster dès cette année.

➤ Jean-Pierre Large, Bellevue, 69910 Villié-Morgon, tél. 04 74 69 17 88, fax 04 74 69 14 16, largechristin@hotmail.fr, ☑ ⚘ ⊤ t.l.j. 8h-12h 14h-19h

LATHUILIÈRE-GRAVALLON Cuvée Prémium 2012

■	9 000	▮ 5 à 8 €

Cédric Lathuilière a élaboré cette cuvée dans un style bourguignon, avec égrappage à 90 %, douze jours de cuvaison et pigeage afin d'extraire couleur et tanins. Plus de thermovinification, qui « standardise les vins », et place au terroir : ici, un vin au nez de fruits noirs, à la bouche

fruitée et équilibrée, aux tanins fondus. Un vin harmonieux et prêt à boire.

➤ Lathuilière-Gravallon, Vermont, 69910 Villié-Morgon, tél. 04 74 04 23 23, fax 04 74 69 10 49, cedric@lathuiliere.fr, ☑ ⚘ ⊤ t.l.j. sf dim. 8h-12h 14h-18h

DOM. DES MONTILLETS Montillets Tête de cuvée 2011 ★★

■	2 328	▮ 5 à 8 €

Aurélien Large exploite en fermage cette vigne du lieu-dit des Montillets, une parcelle de 40 ares à l'origine de cette Tête de cuvée qui ajoute une étoile à celle obtenue l'an dernier par le millésime 2010. Ses arguments : une élégante robe pourpre, un nez intense et complexe, un palais frais typique du millésime, persistant et porté par de bons tanins fondus et ronds. Un vin très équilibré et déjà fort aimable.

➤ Aurélien Large, La Côte du Py, Les Montillets, 69910 Villié-Morgon, tél. 04 74 69 00 37, aurelien-large@orange.fr, ☑ ⚘ ⊤ r.-v.

DOM. DES MULINS 2012 ★

■	16 000	▮ 11 à 15 €

Vinifié et commercialisé par la maison de négoce Jacques Charlet, le domaine des Mulins étend ses vignes sur 8 ha, plantées au pied de la colline du Py, sur les *climats* Charmes et Corcelettes, situés sur un plateau granitique et gréseux. Ce 2012 livre un nez intense, épicé (poivre) et fruité (fruits rouges), avec une pointe de musc. La bouche, ronde et charnue en attaque, monte en puissance, portée par des tanins francs et solides. Un vin bien construit mais un peu « brut de décoffrage », à laisser vieillir en cave durant trois ans. Proposé par le même négociant, le **saint-amour 2012 La Victorine (12 000 b.)**, dans un style plus pimpant et fruité, est cité.

➤ Jacques Charlet, RN 6, 71570 La Chapelle-de-Guinchay, tél. 03 85 36 82 41, fax 03 85 33 83 19, vinloron@loron.fr

➤ Barbet

DOM. MICKAËL NESME

Côte du Py Sélection Vieilles Vignes 2012

■	4 500	▮ 5 à 8 €

À partir de 1,7 ha de vieilles vignes octogénaires, Mickaël Nesme signe un 2012 de belle facture, finement bouqueté autour des fruits rouges et noirs. La bouche dévoile un bon volume et des tanins fins ; on y retrouve le fruité de l'olfaction, agrémenté d'une touche réglissée. Une bouteille équilibrée, à boire dans les deux années à venir.

➤ Mickaël Nesme, 29, rte de Monthoux, Cherves, 69430 Quincié-en-Beaujolais, tél. 06 08 80 55 75, mickael-nesme@yahoo.fr, ☑ ⚘ ⊤ r.-v. 🏠 ④ 🏠 Ⓑ

DOM. DU PENLOIS 2011 ★

■	20 000	▮ 8 à 11 €

Quatre générations de viticulteurs se sont succédé depuis 1922 à la tête de ce domaine de 28 ha. Le morgon présenté, élaboré à partir de 3,5 ha de vignes de soixante ans d'âge, offre un bouquet intense de fruits à noyau (prune). En bouche, il se révèle puissant, soyeux, bien équilibré entre rondeur et structure. Sa belle maturité aromatique le rend prêt à boire, sur un tournedos par exemple.

☛ Besson Père et Fils, Dom. du Penlois, 69220 Lancié, tél. 04 74 04 13 35, fax 04 74 69 82 07, domaine@lentois.fr, ☑ 🍷 r.-v.

DOM. DU PÈRE BENOIT 2012

■	4 000		5 à 8 €

Ce domaine familial de 15 ha livre un morgon au bouquet élégant, fruité, épicé et un rien fumé. Dans le prolongement du nez, la bouche se montre suave et souple. L'ensemble est harmonieux et prêt à boire sur un poulet de Bresse.

☛ Dom. du Père Benoit, 80, rte de Beaujeu, 69220 Saint-Lager, tél. 04 74 66 81 20, domaineperebenoit@orange.fr, ☑ 🍴 🍷 t.l.j. 8h-12h 13h30-18h
☛ Mutin

CH. DE PIZAY 2012

■	100 000	🍷⊞	8 à 11 €

Le château de Pizay, ancienne possession des sires de Beaujeu, abrite aujourd'hui un hôtel de luxe et englobe une vaste propriété viticole de 75 ha, dont une partie est conduite en agriculture biologique. Pour ce morgon, 19 ha de ceps de quarante-cinq ans ont été sélectionnés. Il en résulte un vin qui mêle au nez les fruits rouges à un léger boisé. La bouche se révèle ronde et fondue. L'ensemble est harmonieux et prêt à boire.

☛ Ch. de Pizay, Pizay, 69220 Saint-Jean-d'Ardières, tél. 04 74 66 26 10, fax 04 74 69 60 66, contact@vins-chateaupizay.com, ☑ 🍷 t.l.j. sf dim. 8h30-12h30 13h30-17h

CH. DE RAOUSSET Douby 2011 ★★

■	18 000	🍷⊞	5 à 8 €

Un même nom, Château de Raousset, recouvre deux entités différentes : celle des Héritiers de Raousset et celle-ci, dirigée par Axel Joubert. Cette dernière s'étend sur 35 ha, dont 10 ha consacrés à ce morgon Douby. Un vin séduisant en diable par son bouquet intense de fruits rouges, cerise en tête. La bouche ne déçoit pas et plaît par son caractère riche et gras, vivifié par une touche minérale qui apporte longueur et équilibre. Un très joli « vin de terroir ». Le **fleurie 2011 Grille Midi (8 à 11 € ; 30 000 b.)** est tout aussi remarquable : nez ouvert sur les fruits rouges mûrs accompagnés de nuances florales, palais souple et rond aux tanins fondus et soyeux, finale longue et épicée. Un vin élégant et avenant. Le coup de cœur n'était pas loin pour ces deux très belles cuvées.

☛ Ch. de Raousset, Les Prés, 69115 Chiroubles, tél. 04 74 69 17 28, fax 04 74 69 17 93, info@chateauderaousset.com, ☑ 🍴 🍷 t.l.j. 8h-12h 14h-18h; sam. dim. sur r.-v.

DOM. DE LA VOIE ROMAINE Les Charmes 2012 ★

■	46 000		5 à 8 €

Ce domaine est situé en bordure de l'ancienne voie romaine qui reliait autrefois Autun à Lyon en passant par Morgon. Cette cuvée représente presque la moitié du vignoble, avec 6,5 ha de vignes exploitées. Elle a séduit les dégustateurs grâce à son nez de fruits confits, à sa bouche fruitée réglissée, ample et structurée par des tanins fins. Un vin à la fois intense et élégant, que l'on dégustera dans les trois ou quatre ans.

☛ SCEA Michel et Sébastien Dufour, La Grange-Cochard, 69910 Villié-Morgon, tél. 04 74 69 11 04, familledufour2@wanadoo.fr

Moulin-à-vent

Superficie : 670 ha
Production : 30 145 hl

Le « seigneur » des crus du Beaujolais fut l'un des premiers, dès 1924, à avoir été délimité – par un jugement du tribunal civil de Mâcon qui lui donna aussi le droit d'utiliser le nom de moulin-à-vent. Il campe sur les coteaux de deux communes, Chénas, dans le Rhône, Romanèche-Thorins, en Saône-et-Loire. Le moulin qui symbolise l'appellation se dresse à une altitude de 240 m au sommet d'un mamelon, au lieu-dit Les Thorins. Le gamay noir s'enracine dans des sols peu profonds d'arènes granitiques. Riche en éléments minéraux tels que le manganèse, ce terroir apporte aux vins une couleur rouge profond, un arôme rappelant l'iris, un bouquet et un corps qui, quelquefois, les font comparer à leurs cousins bourguignons de la Côte-d'Or. S'il peut être apprécié dans les premiers mois de sa naissance, le moulin-à-vent supporte une garde de quelques années (jusqu'à dix ans dans les grands millésimes). Il s'accorde avec toutes les viandes rouges et le fromage. Deux caveaux permettent de le déguster, l'un au pied du moulin, l'autre au bord de la route nationale. Selon un rite traditionnel, chaque millésime est porté aux fonts baptismaux, d'abord à Romanèche-Thorins (fin octobre), puis à tous les villages et, début décembre, dans la « capitale ».

XAVIER ET NICOLAS BARBET Vieilles Vignes 2011 ★

■	20 000	🍷⊞	11 à 15 €

Les deux frères Xavier et Nicolas Barbet, propriétaires de leur vignoble depuis 2006, signent un 2011 vinifié à la bourguignonne, avec égrappage, longue macération et élevage en fût. Il en résulte un vin rubis foncé, au nez de fruits mûrs. La bouche ronde, puissante et fruitée, est portée par les tanins fondus qui enrobent la finale. À savourer dès cette année avec une terrine.

☛ SCEA Barbet, Les Sauniers, 71570 Saint-Vérand, tél. 03 85 36 81 20, fax 03 85 33 83 19, vinloron@loron.fr, ☑ 🍷 r.-v.

LES VINS DES BROYERS 2011 ★★

■	1 300	⊞	8 à 11 €

Le château des Broyers a été complètement rénové en 2006 afin d'accueillir des séminaires d'entreprise et divers événements festifs. Cette cuvée, remarquée l'an passé pour le millésime 2010, « gagne » une étoile avec le 2011. Élevé six mois en fût, le vin en garde un boisé intense, des tanins solides, le tout enrobé par une matière ronde et d'une belle fraîcheur en finale. Un vin de garde (environ trois ans), tout comme le **juliénas 2011** (**1 300 b.**), cité pour son caractère puissant et boisé.

☛ Les Vins des Broyers, 1333, rte de Juliénas, 71570 La Chapelle-de-Guinchay, tél. 03 85 36 57 37, pcoquard@chateaudesbroyers.fr, ☑ ✕ ⏆ r.-v.

☛ Coquard

DOM. DES BURDELINES 2011 ★

| ■ | 7 000 | ⏆ | 8 à 11 € |

Terroirs et Talents est une structure commerciale ombrelle qui regroupe trois entités restées indépendantes en matière de vignoble et de vinification : le château de la Terrière et deux négoces également propriétaires de vignes, Pierre Dupond et Paul Beaudet. Elle diffuse ce moulin-à-vent au bouquet de fruits rouges mûrs (groseille, framboise). Aussi délicat en bouche qu'au nez, le vin déploie une matière ronde, souple, soutenue par des tanins fondus. Ce vin équilibré et élégant appelle d'heureux accords avec du gibier en sauce, par exemple.

☛ Terroirs et Talents, La Terrière, 69220 Cercié, tél. 04 74 66 77 80, fax 04 74 66 77 85, christelle@terroirs-et-talents.fr, ☑ ✕ ⏆ t.l.j. sf sam. dim. 8h-12h

DOM. DE CHAMP DE COUR 2012

| ■ | 26 667 | ▮ | 8 à 11 € |

Propriété de la maison Mommessin, ce domaine propose un 2012 à la robe rubis limpide, au nez fin et frais de fruits rouges (framboise, groseille). Au palais, le vin se révèle fruité, gouleyant, équilibré et étayé par une agréable fraîcheur en finale. On appréciera cette cuvée dans les trois ans, plutôt avec de la volaille et de la charcuterie qu'avec du gibier. À déguster sur un civet de lièvre.

☛ Indivision du domaine de Champ de Cour, Les Thorins, 71570 Romanèche-Thorins, fax 04 74 69 09 75

GÉRARD CHARVET Vieilles Vignes 2012 ★

| ■ | 5 000 | ▮⏆ | 8 à 11 € |

À la tête de ce vignoble depuis 1975, Gérard Charvet présente deux cuvées de vieilles vignes de presque soixante ans. Issu d'un sol granitique et vinifié de manière traditionnelle, ce 2012 plaît par son nez discret de fruits rouges. On retrouve ces arômes dans une bouche ample, au boisé fondu (dix mois de fût), structurée par des tanins encore un peu sévères, mais qui devraient s'affiner après un an ou deux de garde. À déguster sur un civet de lièvre. Cité, le **chénas 2012 Vieilles Vignes (5 300 b.)** évoque les fruits noirs et se montre tendu, concentré et structuré. On attendra un an ou deux avant de le déguster sur une andouillette.

☛ Gérard Charvet, Le Vieux Bourg, 69840 Chénas, tél. 04 74 04 48 62, gerard.charvet@orange.fr, ☑ ✕ ⏆ t.l.j. sf dim. 8h30-11h30 14h-19h

CELLIER DU CH. DE LA CHAUME 2012 ★

| ■ | 32 666 | ▮ | 8 à 11 € |

Ce négociant beaunois voit deux de ses vins sélectionnés : ce moulin-à-vent et un **chénas 2012 (32 666 b.)**, cité. L'un comme l'autre ont été vinifiés de manière traditionnelle : « à la beaujolaise » ; le moulin-à-vent offre un nez de fruits rouges (framboise, groseille) et le chénas un bouquet floral. Tous deux dévoilent une bouche fruitée et fraîche, équilibrée par des tanins friands. Des vins harmonieux que l'on pourra consommer dès cette année sur un rôti de porc.

☛ Cellier du Ch. de la Chaume, 38, rue Mauffoux, 21200 Beaune, tél. 03 80 22 29 90, fax 03 80 22 48 00, ste.mlc@wanadoo.fr

☛ SAS Saudvf

CAVE DU CH. DE CHÉNAS Salamandre d'or 2012

| ■ | 40 000 | ▮⏆ | 8 à 11 € |

L'Alliance des Vignerons du Beaujolais commercialise les vins de trois coopératives, dont une partie de la production de la Cave du Château de Chénas. Elle propose un 2012 au fruité délicat (abricot), ample et long, porté par des tanins fins et une agréable minéralité en finale. À déguster dès à présent.

☛ Alliance des Vignerons du Beaujolais, Les Michauds, 69840 Chénas, tél. 04 74 60 64 56, fax 04 74 66 96 53, alliance-vignerons-beaujolais@orange.fr, ☑ ✕ ⏆ r.-v.

CŒUR DE GRANIT 2012

| ■ | 10 000 | ▮ | 8 à 11 € |

Cette coopérative, installée au château de Chénas, regroupe 110 vignerons du Beaujolais. Elle présente un 2012 issu de vignes âgées de cinquante ans, au nez friand de fruits rouges. Un vin ample, généreux, structuré et gourmand, que l'on appréciera dans les trois ans.

☛ Cave Ch. de Chénas, Les Michauds, 69840 Chénas, tél. 04 74 04 48 19, cave.chenas@wanadoo.fr, ☑ ✕ ⏆ t.l.j. 8h-12h 14h-18h

GEORGES DUBŒUF Élevé en fût de chêne 2011

| ■ | 17 000 | ▮ | 8 à 11 € |

Ce 2011 de la maison Dubœuf est issu d'une sélection de parcelles de vieilles vignes, en exposition sud-est, aux rendements faibles. Il offre un nez puissant de fruits noirs compotés et de pain grillé, témoin de l'élevage en fût (neuf mois). La bouche répond au nez et se révèle ample, harmonieuse et longue. Un vin plaisant que l'on dégustera dans les quatre ans.

☛ Les Vins Georges Dubœuf, 208, rue de Lancié, 71570 Romanèche-Thorins, tél. 03 85 35 34 20, fax 03 85 35 34 24, gduboeuf@duboeuf.com, ☑ ✕ ⏆ t.l.j 10h-18h au hameau

DOM. DES FONTAGNEUX 2011

| ■ | 11 000 | ▮⏆ | 5 à 8 € |

Philippe Collet doit son domaine à un ancêtre parisien, marchand de vin à Bercy, qui acheta le vignoble et construisit la maison et la cuverie. Il consacre 3,2 ha à ce moulin-à-vent issu de vieilles vignes de presque soixante ans. Un vin au nez d'épices et de fruits noirs, souple, parfumé, bien structuré par de jolis tanins. À servir dès cette année sur des quenelles sauce Nantua.

☛ Indivision Collet, Les Deschamps, 69840 Chénas, tél. 03 85 36 72 87, fax 01 43 79 11 88, contact@domainedesfontagneux.com, ☑ ✕ ⏆ r.-v.

♥ DOM. DE FORÉTAL 2011 ★★

| ■ | 8 000 | ▮ | 8 à 11 € |

Jean-Yves Perraud conduit son vignoble de 8 ha depuis 1998. Issu d'une lignée de viticulteurs, il s'inspire du savoir-faire de son père tout en mettant en pratique l'enseignement reçu durant ses études de technicien agricole. Ce coup de cœur récompensera ses efforts, illustrés par cette cuvée en tout point remarquable. Le nez intense, complexe, épicé et fruité (fraise, cerise, myrtille,

DOMAINE FORETAL

Moulin à Vent
2011

mûre) annonce une jolie bouche réglissée, tout aussi aromatique, ronde et persistante, bien épaulée par des tanins fins. Un vin harmonieux, à déguster dans les quatre ans sur du bœuf charolais ou sur un camembert.

🍷 Perraud, Forétal, 69820 Vauxrenard,
tél. et fax 04 74 69 97 48, jyperraud@wanadoo.fr,
☑ ⚲ ⏛ r.-v. 🔳 ① 🏠 Ⓐ

DOM. DAVID GEORGES 2011

| ■ | 1 000 | ⪢ | 5 à 8 € |

David Georges a démarré comme coopérateur, puis il a gravi les échelons jusqu'à devenir vice-président de la cave. Il a pris la succession de son père en 2009 sur le domaine familial, à l'âge de quarante ans. Il propose ce vin au nez discret de fruits noirs, à la bouche ample et ronde dans laquelle se déploient des notes de caramel qui témoignent d'un élevage en fût (dix mois). À déguster au cours des trois ans à venir.

🍷 David Georges, 328, Les Thorins,
71570 Romanèche-Thorins, tél. 03 85 33 87 69,
david.georgesmav@orange.fr, ☑ r.-v.

DOM. DE GRAND GARANT Vieilles Vignes 2011

| ■ | 18 000 | 🍶⪢ | 8 à 11 € |

Claude Grosjean a élevé huit mois en cuve puis huit mois en fût ce 2011 issu de 3 ha de vieilles vignes. Il en résulte un vin pourpre, au nez complexe de fruits noirs et d'épices. La bouche est riche, ample et élégante. À servir sur un saucisson chaud lyonnais dans un an.

🍷 Claude Grosjean, Dom. de Grand Garant, Le Vivier,
69820 Fleurie, tél. 06 09 94 55 87 ☑ ⚲ ⏛ r.-v.

DOM. LES GRAVES 2012

| ■ | 20 007 | 🍶 | 8 à 11 € |

La maison Mommessin a sélectionné 5 ha de vignes pour donner naissance à ce 2012 à l'élégante robe grenat. Les dégustateurs en ont apprécié le nez de cerise et de pêche de vigne, et la bouche souple, structurée par des tanins présents mais dénués d'agressivité. À servir dans un an environ, avec du gibier.

🍷 FGV Mommessin, Le Pont des Samsons,
69430 Quincié-en-Beaujolais, tél. 04 74 69 09 31

DOM. DE GRY-SABLON Vieilles Vignes 2011

| ■ | 6 000 | 🍶⪢ | 8 à 11 € |

Si Dominique Morel est propriétaire de ce domaine de 18 ha depuis 1990, ce n'est que depuis 2011 qu'il vinifie du moulin-à-vent. Il cultive, pour cette appellation, 4 ha situés à mi-pente sur un sous-sol particulier riche en filons de manganèse. Il en résulte un 2011 au nez discret de fruits frais, arômes que l'on retrouve dans une bouche fine et

franche. Fruité, souple et structuré par de beaux tanins, le **fleurie 2011 La Grande Pente (18 000 b.)** est également cité.

🍷 Dominique Morel, Les Chavannes, 69840 Émeringes,
tél. 04 74 04 45 35, fax 04 74 04 42 66,
gry-sablon@orange.fr, ☑ ⚲ ⏛ t.l.j. sf dim. 9h-18h

HOSPICES DE ROMANÈCHE-THORINS 2011 ★

| ■ | 20 000 | 🍶 | 8 à 11 € |

Jusqu'en 1926, les Hospices de Romanèche-Thorins vendaient leurs millésimes aux enchères publiques, comme la vente annuelle de Beaune aujourd'hui. Ensuite, la maison Collin-Bourisset a reçu l'exclusivité de la production, de la vinification et de la commercialisation des vins. Celui-ci, paré d'une robe rubis, a séduit le jury grâce à son nez de fruits mûrs (groseille, framboise, cassis) et sa bouche ronde et riche, soutenue par des tanins souples. À déguster dès cette année, sur un coq au vin.

🍷 SCEA du Moulin, 23, rue Victor-Hugo, 69002 Lyon,
tél. 03 85 36 57 25, fax 03 85 37 15 38,
bienvenue@collinbourisset.com,
☑ ⏛ t.l.j. sf sam. dim. 8h30-11h30 14h-17h; f. août

DOM. LABRUYÈRE Grande Cuvée 2011 ★

| ■ | 8 300 | 🍶⪢ | 11 à 15 € |

Le Mâconnais Jean-Pierre Labruyère, après avoir fait carrière en grande distribution, a investi dans le vin, prenant des parts dans le domaine Jacques Prieur à Meursault. C'est à cette occasion qu'il a accueilli Nadine Gublin, l'une des meilleures œnologues de sa génération, qui applique au domaine les méthodes qui lui ont réussi dans la Côte : égrappage, cuvaison longue, élevage en fût d'un an. Il en résulte ce vin au nez complexe de fruits noirs vanillés, au palais finement toasté, puissant et long. Un 2011 élégant que l'on dégustera dans les quatre ans. Le **2011 Champ de cour Sélection parcellaire (15 à 20 € ; 5 400 b.)** est cité pour son bouquet de fruits mûrs et pour sa bouche ronde et puissante, au boisé fondu.

🍷 SCEV Héritiers Labruyère, Dom. Labruyère,
310, rue des Thorins, 71570 Romanèche-Thorins,
tél. 03 85 20 38 18, fax 03 85 38 89 90,
edouard@groupe-labruyere.com, ☑ r.-v.

DOM. CHRISTOPHE LAPIERRE
Sélection de vieilles vignes 2011 ★

| ■ | 12 000 | 🍶 | 8 à 11 € |

Ce 2011 signé Christophe Lapierre a été vinifié par la coopérative de Chénas. Les dégustateurs ont apprécié la jolie robe bigarreau de ce vin au nez chaleureux de fruits noirs. Le palais, également fruité, déploie une matière ample, suave, équilibrée par une belle minéralité en finale. À déguster dès à présent sur une viande grillée.

🍷 Dom. Christophe Lapierre, Les Michauds, 69840 Chénas,
tél. 04 74 04 48 19, fax 04 74 04 47 48 ☑ ⚲ ⏛ r.-v.

YOHAN LARDY Les Michelons 2012 ★

| ■ | 2 500 | | 8 à 11 € |

Yohan Lardy débute sous de bons auspices, puisque son tout premier millésime reçoit déjà une étoile. Diplôme en poche, ce jeune vigneron est parti enseigner, entre autres, la macération carbonique au Chili, puis est revenu s'installer en Beaujolais en 2012 où il a acquis 1,92 ha en moulin-à-vent. Pas de soufre en vinification, ni de levurage pour ses vins, le domaine fait dans le minimalisme. Il propose un 2012 au nez de fruits rouges, généreux, épicé et structuré par de beaux tanins. À boire dans un an ou deux.

Nouveau producteur

◆┑ Yohan Lardy, Le Vivier, 69820 Fleurie, tél. 06 29 53 74 86
☑ ⚔ ⊤ r.-v.

JEAN-PIERRE MORTET 2011 ★

| ■ | 6 500 | ◖▮ | 5 à 8 € |

Première apparition dans le Guide pour Jean-Pierre Mortet, à la tête d'un domaine de 10,5 ha. Issu de 6 ha de vieilles vignes et élevé en partie en foudre, ce 2011 livre un nez délicatement fruité (myrtille, cassis, mûre) et vanillé. Boisé avec retenue, franc, net et friand, le vin offre une matière harmonieuse, structurée par des tanins fins, étayée par une fraîcheur ciselée. On pourra le déguster dès cette année.

◆┑ Jean-Pierre Mortet, 13339, rte du Bourg,
71570 Romanèche-Thorins, tél. 03 85 35 55 51,
fax 09 81 40 10 50, jeanpierre.mortet@gmail.com,
☑ ⚔ ⊤ r.-v.

DOM. DU MOULIN D'ÉOLE Les Thorins 2011 ★

| ■ | 8 600 | ▮ | 8 à 11 € |

Rarement absent du Guide, Philippe Guérin voit cette année deux de ses moulin-à-vent distingués. Celui-ci, tout d'abord, issu de 1,3 ha situé dans un des *climats* les plus réputés de l'appellation. Il offre à l'aération des notes de fruits noirs légèrement réglissés. En bouche, le vin se révèle souple, riche et long, soutenu par des tanins soyeux. À déguster au cours des cinq ans à venir sur une côte de bœuf. Cité, le **2011 Les Champs de Cour (2 100 b.)** offre un nez puissant de fruits confits et une bouche riche, légèrement boisée, à la finale encore un peu austère. « Un beau potentiel d'évolution », note un dégustateur qui conseille une garde d'environ deux ans afin de l'assouplir davantage.

◆┑ Philippe Guérin, Le Bourg, 69840 Chénas,
tél. 04 74 04 46 88, fax 04 74 04 47 29,
moulindeole@wanadoo.fr, ☑ ⚔ ⊤ r.-v.

DOM. DES PÉRELLES 2012

| ■ | n.c. | | 5 à 8 € |

Laurent Perrachon est installé à Juliénas, mais il propose aussi, en appellation moulin-à-vent, ce Dom. des Pérelles. Un éraflage à 40 % et une cuvaison courte de douze jours ont permis d'élaborer ce 2012 fruité, souple, étayé par une belle minéralité. Ce vin équilibré se plaira sur un poulet à la crème. À déboucher dans les trois ans à venir.

◆┑ Laurent Perrachon, Dom. des Mouilles, 69840 Juliénas,
tél. 04 74 04 40 44, laurent@vinsperrachon.com,
☑ ⚔ ⊤ t.l.j. 9h-12h 14h-19h

DOM. DU PRIEURÉ SAINT-ROMAIN 2012 ★

| ■ | 33 330 | ▮ | 8 à 11 € |

La maison Thorin (groupe Boisset) a vinifié cette cuvée issue de 8 ha de vignes. Paré d'une robe pourpre, ce 2012 développe à l'aération des arômes intenses de fraise des bois. Au palais, il se révèle charnu, rond et gouleyant. Équilibré, il s'adosse à des tanins fins qui portent loin la finale. À servir dans les trois ans avec des fromages fermiers affinés.

◆┑ PIN, Les Bulands, 71570 Romanèche-Thorins,
tél. 03 85 35 23 46

DOM. RICHARD ROTTIERS 2011 ★★

| ■ | 13 000 | ◖▮ | 8 à 11 € |

Richard Rottiers s'est installé en 2007 sur 4 ha de vieilles vignes et a engagé la conversion au bio de son domaine. Il signe une cuvée née de 2,5 ha de vignes. Élevé uniquement en fût, ce 2011 offre un nez expressif, épicé et franc. La bouche, riche, fine et élégante, s'appuie sur des tanins soyeux. Un vin agréable qui se prêtera à un vieillissement de deux ans en cave et que l'on pourra apprécier sur une viande en sauce. La cuvée **2011 Climat Champ de Cour (11 à 15 € ; 3 000 b.)**, au caractère un peu plus boisé, est à attendre deux à trois ans avant de la déguster avec un osso bucco.

◆┑ Richard Rottiers, La Sambinerie,
71570 Romanèche-Thorins, tél. 03 85 35 22 36,
contact@domainerichardrottiers.com, ☑ ⚔ ⊤ r.-v.

DOM. DE SAINT-ENNEMOND Vieilles Vignes 2011

| ■ | 4 500 | ▮ | 11 à 15 € |

Christian Béréziat présente une cuvée vinifiée en fermentation semi-carbonique, issue de 80 ares de vignes plantées sur un sol granitique. Un 2011 au nez frais de fruits rouges (fraise, groseille), à la bouche aromatique, fondue et nette, aux tanins encore un peu sévères en finale. On pourra servir ce vin dans quelques mois, sur un fromage de tête.

◆┑ Christian Béréziat, Dom. de Saint-Ennemond,
69220 Cercié, tél. 04 74 69 67 17, fax 04 74 69 67 29,
saint-ennemond@orange.fr, ☑ ⚔ ⊤ r.-v. 🏠 ❷

Régnié

Superficie : 550 ha
Production : 17 400 hl

Officiellement reconnu en 1988, le plus jeune des crus s'insère entre le morgon au nord et le brouilly au sud, confortant ainsi la continuité des limites entre les dix appellations locales beaujolaises. À l'exception de 5,93 ha sur la commune voisine de Lantignié, il est totalement inclus dans le territoire de la commune de Régnié-Durette, autour de la curieuse église aux clochers jumeaux qui symbolise l'appellation.

Orienté nord-ouest - sud-est, le vignoble s'ouvre largement au soleil levant et à son zénith, ce qui lui a permis de s'implanter entre 300 et 500 m d'altitude. Unique cépage de l'appellation, le gamay s'enracine dans un sous-sol sablonneux et caillouteux – le terroir s'inscrit dans le massif granitique dit de Fleurie. On trouve aussi quelques secteurs à tendance argileuse.

Aromatiques, fruités (groseille, framboise) et floraux, charnus et souples, les régnié sont parfois qualifiés de rieurs et de féminins. On peut les découvrir au Caveau des Deux Clochers, près de l'église.

DOM. DES BRAVES 2012 ★★

| | 20 000 | | 5 à 8 € |

Paul Cinquin a décoré sa cave de maillots dédicacés ayant été portés par des champions cyclistes. Lui-même figure régulièrement dans notre tableau d'honneur des vignerons « étoilés ». Il travaille ses vins en mettant en valeur le fruit et la vivacité, comme ici avec ce 2012 au nez franc de fruits rouges et noirs (cassis). On retrouve ce fruité dans une bouche ronde, fraîche, relevée de notes réglissées et bien équilibrée par de fins tanins. Ce vin long et savoureux pourra être dégusté dans un an et accompagnera à merveille un pot-au-feu.

☛ Paul Cinquin, Les Grandes-Bruyères, 69430 Régnié-Durette, tél. 04 74 66 84 43, fax 04 74 66 84 67 ☑ ⚹ ⓘ r.-v.

FLORENCE ET DIDIER CONDEMINE 2012

| | 3 000 | | 5 à 8 € |

Souvent mentionnés dans le Guide, Florence et Didier Condemine présentent un 2012 au nez pimpant de beaujolais primeur (fruits rouges et bonbon anglais), à la bouche souple, fruitée et gourmande. Un vin agréable, à boire sur son fruit.

☛ EARL Florence et Didier Condemine, La Martingale, 69220 Cercié, tél. 04 74 66 72 24, didier.condemine@wanadoo.fr, ☑ ⚹ ⓘ t.l.j. 9h-12h 14h-19h

DOM. GAUDET 2011

| | 4 000 | | 5 à 8 € |

Jean-Michel Gaudet propose un 2011 issu de vignes de quarante-cinq ans, au nez expressif de fruits rouges (cerise). Structuré et franc, le palais s'ouvre sur des arômes de pivoine. Un vin agréable, à déguster au cours des deux prochaines années.

☛ Jean-Michel Gaudet, La Haute-Plaigne, 69430 Régnié-Durette, tél. et fax 04 74 69 21 66, jeanmichelgaudet@orange.fr, ☑ ⚹ ⓘ r.-v.

DOM. DOMINIQUE JAMBON 2012 ★

| | 5 000 | | 5 à 8 € |

Ce 2012 proposé par Dominique Jambon est issu de vignes âgées de soixante ans, plantées sur une parcelle de 2,6 ha. Il se présente dans une robe pourpre d'une belle intensité. À l'olfaction se libèrent des parfums puissants de fruits noirs (cassis) et d'épices. Débonnaire et rond, il livre une matière agréable, fruitée et gourmande. À déguster dans l'année sur une assiette de charcuterie. Une citation pour le morgon 2012 (5 à 8 €), au nez expressif de petits fruits et à la bouche pimpante et gouleyante.

☛ Dominique Jambon, Arnas, 69430 Lantignié, tél. et fax 04 74 04 80 59, dominique.jambon@wanadoo.fr, ☑ ⚹ ⓘ r.-v.

JEAN-MARC LAFOREST 2012 ★

| | 30 000 | | 5 à 8 € |

Jean-Marc Laforest est propriétaire depuis 1973 d'un domaine de 19 ha et travaille actuellement avec ses deux fils qui se préparent à prendre la relève. Il propose ici un 2012 couleur rubis, au nez frais de cassis et de sureau. La bouche, gourmande et charmeuse, se révèle ample, concentrée, fruitée, fraîche, soutenue par des tanins élégants. À servir sur un pintadeau rôti ou sur un gratin de cardons, dès à présent.

☛ Jean-Marc Laforest, Chez-le-Bois, 69430 Régnié-Durette, tél. 04 74 04 35 03, fax 04 74 69 01 67, jean-marc.laforest@wanadoo.fr, ☑ ⚹ ⓘ t.l.j. 8h-20h

DOM. PARDON Tim 2011 ★

| | 5 000 | | 5 à 8 € |

Éric Pardon est à la fois le gérant et le vinificateur de cette entité de négoce qui commercialise ses propres vins (en beaujolais-villages, en régnié et en fleurie) et ceux qu'il sélectionne dans les propriétés. Il propose un 2011 à la robe limpide couleur rubis, au nez intense de kirsch et de pivoine. La bouche, sans aspérités, dévoile une matière souple, ronde et fraîche à la fois, adossée à des tanins fins. Un joli vin, équilibré, que l'on pourra déguster dès à présent. Le fleurie 2011 (20 000 b.) est cité pour son nez de fruits rouges, sa franchise et sa netteté aromatique.

☛ Pardon et Fils, La Chevalière, 69430 Beaujeu, tél. 04 74 04 86 97, fax 04 74 69 24 08, pardon-fils.vins@wanadoo.fr, ☑ ⚹ ⓘ t.l.j. sf sam. dim. 8h-12h 13h30-17h30; f. août

DOM. DE LA PLAIGNE 2012 ★

| | 12 000 | | 5 à 8 € |

Gilles et Cécile Roux exploitent ensemble 13 ha de vignes en Beaujolais, dont 9 ha ont servi à l'élaboration de cette cuvée. Ils présentent un 2012 au nez discret de cassis, de groseille et de prune. La bouche est fruitée, construite sur des tanins souples. Un vin complet, que l'on pourra déguster dès à présent avec de la charcuterie.

☛ Gilles et Cécile Roux, La Plaigne, 69430 Régnié-Durette, tél. 04 74 04 80 86, gilles.cecile.roux@orange.fr, ☑ ⚹ ⓘ r.-v.

DOM. DE PONCHON 2012 ★

| | 10 000 | | 5 à 8 € |

Yves Durand, à la tête de ce domaine depuis 1983, figure régulièrement dans nos colonnes. Le revoilà, avec ses vins au style débonnaire et fruité. Sa cuvée 2012 offre un nez aromatique de fruits rouges (fraise) et noirs. Au palais, elle se révèle tout aussi fruitée, fraîche et ronde. Un vin franc et harmonieux que l'on pourra déguster dès la sortie du Guide, avec une terrine de canard, comme le conseille un dégustateur. Le brouilly 2012 (4 000 b.) est cité pour sa matière élégante, tout en cerise griotte, souple, gourmande et équilibrée. À servir cette année sur des grillades de porc.

☛ Yves Durand, Les Braves, 69430 Régnié-Durette, tél. 04 74 04 34 78, domainedeponchon@orange.fr, ☑ ⚹ ⓘ r.-v. ⌂ ⓓ

DOM. CLAIRE RIVIER 2011 ★

| | 7 087 | | 5 à 8 € |

Claire Rivier s'est installée en 2007. Le domaine qu'elle a repris faisait partie d'une propriété familiale transmise depuis des générations. Il est situé sur un coteau exposé au sud-est et constitué de vieilles vignes, ce qui explique son faible rendement (28 hl/ha en 2011). Le vin en ressort concentré et offre un nez intense de cassis et de groseille. La bouche est ronde, fruitée, réglissée et soyeuse, portée par des tanins croquants en finale. À servir dans l'année.

☛ Claire Rivier, 33, rue de la Grange-Charton, 69430 Régnié-Durette, tél. 04 74 04 30 59, clairerivier@yahoo.fr, ☑ ⚹ ⓘ r.-v. ⌂ ⓔ

DOM. DE LA ROCHE THULON 2012 ★

| ■ | 10 000 | ▯ | 5 à 8 € |

Régulièrement présent dans le Guide, Pascal Nigay avoue aller à contre-courant de la modernité en persistant à conserver ses vignes plantées à haute densité (10 000 pieds par hectare). Ce faisant, il obtient un vin concentré et riche. Le nez évoque les fruits noirs et la framboise. La bouche se montre souple, charnue et longue, adossée à des tanins bien fondus. Un vin mûr, à déguster dans les deux ans.

☛ Pascal Nigay, Thulon, 69430 Lantignié,
tél. 04 74 69 23 14, nigay.pascal.chantal@wanadoo.fr,
☑ ⚘ ☒ r.-v.

Ⓑ DOM. DES RONZE Cœur de régnié 2011

| ■ | 5 000 | ▯ | 8 à 11 € |

Les 20 ha de vignes de Frédéric Sornin sont conduits en bio certifié. Les années les plus propices, il isole une petite parcelle et obtient cette cuvée au nez discret de fruits à noyau, à la bouche soyeuse, fruitée et souple. Un vin équilibré et prêt à boire.

☛ Dom. des Ronze, La Ronze, 69430 Régnié-Durette,
tél. 04 74 04 87 46, frederic.sornin@wanadoo.fr, ☑ r.-v.
☛ F. Sornin

DOM. TANO PÉCHARD Tradition 2011 ★

| ■ | 20 000 | ▯ | 5 à 8 € |

Patrick Péchard, à la tête de cette propriété depuis 1982, a récolté précocement (le 28 août) son gamay planté sur 3 ha de sol de granite rose. Le résultat : un vin rubis au nez puissant de fruits rouges et noirs (cerise, groseille, cassis). Suave, élégant et harmonieux, ce 2011 se révèle séduisant avec ses fins tanins qui tapissent la bouche en finale. On pourra le déguster dès la sortie du Guide, avec un veau marengo.

☛ Patrick et Ghislaine Péchard, Aux Bruyères,
69430 Régnié-Durette, tél. 04 74 04 38 89,
tanopechard@wanadoo.fr, ☑ ⚘ ☒ r.-v.

CH. DES VERGERS 2011 ★

| ■ | 3 300 | | 5 à 8 € |

Georges Yemeniz et sa sœur Blanche de Romefort sont les propriétaires de ce domaine de 12,7 ha. Une grande partie de leur vignoble se situe sur le *climat* Crêt d'Oeillat, côtoyant le cru morgon. Cela explique le caractère riche et généreux des vins du domaine, vinifiés par Jean-Louis Prolange. Le nez de fruits noirs, de réglisse et de sous-bois annonce une bouche ample, généreuse et soyeuse, adossée à des tanins élégants. Une bouteille harmonieuse, qui sera à son aise dès cette année sur une côte de veau aux champignons.

☛ Yemeniz et de Romefort, Les Vergers,
69430 Régnié-Durette, tél. 04 74 04 36 05,
g.yemeniz@orange.fr, ☑ ⚘ ☒ r.-v.

Saint-amour

Superficie : 310 ha
Production : 14 855 hl

Ce vin au nom séducteur a conquis de nombreux consommateurs étrangers, et une très grande part des volumes produits alimente le marché extérieur. Le visiteur pourra le découvrir dans le caveau créé en 1965 au lieu-dit Le Plâtre-Durand, avant de continuer sa route vers l'église et la mairie qui, au sommet d'un mamelon, dominent la région. À l'angle de l'église, une statuette rappelle la conversion du soldat romain qui donna son nom à la commune ; elle fait oublier les peintures, aujourd'hui disparues, d'une maison du hameau des Thévenins, qui auraient témoigné de la joyeuse vie menée pendant la Révolution dans cet « hôtel des Vierges » et qui expliqueraient, elles aussi, le nom de ce village...

Totalement incluse dans le département de Saône-et-Loire, l'appellation est délimitée sur des sols argilo-siliceux décalcifiés, de grès et de cailloutis granitiques, faisant la transition entre les terrains purement primaires au sud et les terrains calcaires voisins au nord, qui portent les appellations saint-véran et mâcon. Deux « tendances œnologiques » émergent pour épanouir les qualités du gamay noir : l'une favorise une cuvaison longue dans le respect des traditions beaujolaises, qui donne aux vins nés sur les roches granitiques le corps et la couleur nécessaires pour faire des bouteilles de garde ; l'autre préconise un traitement de type primeur donnant des vins consommables plus tôt. Le saint-amour accompagnera des escargots, de la friture, des grenouilles, des champignons ou une poularde à la crème.

DOM. DE LA CAVE LAMARTINE Vers l'Église 2011

| ■ | 40 000 | | 8 à 11 € |

Ce domaine fut autrefois la propriété de la famille du poète Lamartine. Depuis 1960, la famille Spay conduit le vignoble de 12 ha, dont la moitié est consacrée à cette cuvée Vers l'Église (entendez le coteau bien exposé près de l'église de Saint-Amour). Le bouquet séduit par ses parfums épicés, flatteurs et toniques, qui se prolongent dans une bouche ample et ronde, dominée en finale par des tanins serrés et même un peu sévères. Une bouteille à boire ou à garder un an ou deux.

☛ Paul et Bernadette Spay, Vers-l'Église,
71570 Saint-Amour-Bellevue, tél. 03 85 37 12 88,
fax 03 85 37 45 19, info@hamet-spay.fr,
☑ ⚘ ☒ t.l.j. sf dim. 8h-12h 14h-19h

♥ CLOS DE LA BROSSE 2012 ★★

| ■ | 3 000 | | 8 à 11 € |

Gérard Lebeaupin est un irréductible : il vinifie dans des cuves en bois, et non en ciment, comme autrefois. La cuve est « grillée » : une grille de chapeaute et bloque les raisins dans leur jus, ce qui permet une meilleure extraction de la couleur, des tanins et des arômes. Puis l'élevage se fait en foudre. Le résultat est ici remarquable. Le nez, intense et généreux, mêle les petits fruits rouges kirschés à des notes de violette et de pivoine. La bouche affiche elle aussi du caractère, à travers une matière fondue et enrobée, adossée à une structure bien en place. La finale, nette et longue, laisse le souvenir d'un vin élégant. À déguster sur une caille rôtie aux raisins dans les deux ou

CLOS DE LA BROSSE

C'est le plus septentrional des crus de Beaujolais, qui dispose d'un excellent terroir sur sous-sol granitique. Plaisant, il s'exprime plutôt sur son assiette à la saint Valentin, fête des amoureux

Dans le pittoresque village de Saint-Amour-Bellevue, le clos de la Brosse est un permis détenable de 1,6 hectares dont l'exposition plein est et l'âge des vignes expliquent la finesse et l'élégance de son vin.

Produit de France

Saint-Amour

Appellation d'Origine Protégée

2012

Gérard LEBEAUPIN

Vigneron-Récoltant

trois ans à venir. À noter que la cuvée est mise en bouteilles et commercialisée par la maison Paul Beaudet.

☛ Gérard Lebeaupin, La Ville, 71570 Saint-Amour-Bellevue, tél. 06 85 72 34 88

CLOS DES BILLARDS Vieilles Vignes 2011 ★

	8 000		15 à 20 €

Xavier Barbet et son fidèle œnologue Hubert Gayot signent un saint-amour harmonieux, issu d'une vinification longue de vingt jours avec « chapeau grillé » (maintenu immergé par une grille) pour une meilleure extraction des tanins. Le vin séduit par son bouquet fin de pivoine, de violette, de fruits rouges et d'épices. Une même finesse caractérise la bouche, à la fois élégante, charnue et bien structurée. On peut déjà apprécier cette bouteille ou l'attendre une paire d'années.

☛ SCEA des Billards, RN 6, Pontanevaux, 71570 La Chapelle-de-Guinchay, tél. 03 85 36 81 20, vinloron@loron.fr, ☑ ☘ ☖ t.l.j. sf sam. dim. 9h-12h 14h-17h

DOM. DE LA CROIX CARRON 2012 ★

	56 000		8 à 11 €

Mise en bouteilles par la maison Joseph Pellerin, passée sous le giron de la famille Boisset, cette cuvée livre un bouquet intense et fruité (cassis, framboise), agrémenté de nuances florales et épicées. Le palais se révèle bien équilibré entre rondeur, fruité frais et tanins. À boire dès à présent, sur une volaille rôtie.

☛ Daniel et Fabien Adoir, Les Chamonards, 71570 Saint-Amour-Bellevue, tél. 03 85 36 51 34, fax

DOM. DES DARRÈZES 2012 ★

	20 800		8 à 11 €

Madeleine et Jacques Janin conduisent le vignoble familial depuis 1974 ; un domaine fondé par l'arrière-grand-père en 1923, qui s'étend aujourd'hui sur 9,5 ha, dont 3,5 ha consacrés à ce saint-amour. Au nez, les fruits rouges mûrs (cerise, framboise) se mêlent harmonieusement aux épices et à quelques notes de rose. La bouche charme par son équilibre entre des tanins soyeux, une chair ronde et un fruité frais et persistant. À déguster dès à présent sur une viande rouge grillée.

☛ Madeleine et Jacques Janin, Dom. des Darrèzes, Le Bourg, 71570 Saint-Amour-Bellevue, tél. 03 85 37 12 96, fax 03 85 37 47 88, domainedarrezes@free.fr, ☑ ☘ ☖ t.l.j. 9h-20h; dim. sur r.-v.

DOM. HAMET-SPAY Clos du Chapitre 2011 ★★

	18 000		8 à 11 €

L'un œuvre à la vigne et au chai, c'est Christophe Spay ; l'autre assure la commercialisation et la compta-

bilité, c'est sa sœur Rachel Hamet. Le duo est bien rodé et les vins sont de qualité, témoin ces deux cuvées sélectionnées. La préférée est ce saint-amour intense de bout en bout : couleur rouge soutenu ; nez ouvert sur les fruits rouges, les épices et quelques nuances florales ; bouche puissante, solidement bâtie, riche et longuement tapissée par un fruité mûr. Dans un style plus léger et pimpant, le **moulin-à-vent 2011 Les Terres rouges (4 000 b.)** est cité.

☛ Christophe Spay et Rachel Hamet, Le Platre-Durand, 71570 Saint-Amour-Bellevue, tél. 03 85 37 15 42, fax 03 85 37 45 19, info@hamet-spay.fr, ☑ ☘ ☖ t.l.j. sf dim. 8h-12h 14h-19h

FRANCK JUILLARD 2012 ★★

	6 000		8 à 11 €

Rien de neuf sous le soleil pour Franck Juillard, à la tête d'un vignoble de 7,5 ha conduit en lutte raisonnée, mais des étoiles, comme souvent, notamment pour cette cuvée née d'une petite parcelle de 91 ares. Dans sa version 2012, celle-ci livre un bouquet intensément fruité (cassis, cerise et fraise), auquel fait écho une bouche nette et élégante, bien équilibrée entre fraîcheur et tanins soyeux. C'est long, gourmand et prêt à boire. Suggestion gourmande : sur un baeckeoffe. Le **juliénas Vieilles Vignes 2012 (8 000 b.)**, rond, charnu, floral et fruité, est cité.

☛ Franck Juillard, Les Capitans, 69840 Juliénas, tél. 04 74 04 42 56, fjuillard70@gmail.com, ☑ ☘ ☖ r.-v. 🏠 ❸ 🏠 ⓘ

DOM. DU MOULIN BERGER 2012 ★

	8 000	▮⟨⟩	8 à 11 €

Michel Laplace est un habitué des chapitres Juliénas et Saint-Amour ; les deux appellations sont représentées cette année. Ce saint-amour se révèle intense, ouvert sur les fruits noirs, le cassis notamment. La bouche se montre à la fois robuste, structurée par de bons tanins, et gourmande, enrobée par un fruité qui fait écho à l'olfaction. Un ensemble harmonieux, à déguster dans les deux ans sur une blanquette de veau. Le **juliénas 2012 Vayolette (6 000 b.)**, dans un style encore plus trapu et carré, bien bouqueté (épices, violette, fruits rouges et noirs), est cité. On le laissera un an ou deux en cave avant de l'ouvrir sur du petit gibier.

☛ Michel Laplace, Le Moulin Berger, 71570 Saint-Amour-Bellevue, tél. 03 85 37 41 57, fax 03 85 37 44 75, michel.laplace0899@orange.fr, ☑ ☘ ☖ r.-v.

♥ DOM. DES PIERRES 2011 ★★

	20 000		5 à 8 €

Jean-François Trichard s'est installé en 2005 et conduit aujourd'hui un vignoble de 12 ha répartis entre le Beaujolais et le Mâconnais voisin. Côté saint-amour, il a brillamment réussi le 2011, millésime précoce et pas si simple à vinifier. Il signe un vin ciselé et élégant, au nez complexe, fruité, floral et « bien terroité » (entendez minéral). À l'unisson, la bouche se montre longue, fine et racée, portée par des tanins soyeux ; son fruité compoté apporte une touche avenante de rondeur. Un ensemble très équilibré, délicat, à découvrir dans les deux ou trois ans à venir. Le **chénas 2011 (10 000 b.)** est cité pour son nez épicé et pour sa matière légère.

☛ Jean-François Trichard, 2347, rte de Juliénas, 71570 La Chapelle-de-Guinchay, tél. 03 85 23 19 93, trichardjf@voila.fr, ☑ ⚲ ⊤ t.l.j. sf dim. 8h-19h

DOM. DES TROIS PLAISIRS 2011 ★

■	2 600	🍷	5 à 8 €

Trois plaisirs ? L'œil, le nez et la bouche, explique Fabien Adoir. Ce 2011 met bien les trois sens en éveil. La robe apparaît élégante, d'un beau rouge cerise. Le bouquet est plaisant, ouvert sur les fruits rouges et les épices douces. La bouche se montre ronde et suave, équilibrée par une bonne fraîcheur et soutenue par des tanins souples. À servir sur des grillades cette année.

☛ Fabien Adoir, Le Mas des Tines, 71570 Saint-Amour-Bellevue, tél. 06 32 37 97 59, fax 03 85 37 41 61, fabien.adoir@sfr.fr, ☑ ⊤ r.-v.

DOM. DES VIGNES DU PARADIS 2011 ★

■	20 000	🍷	8 à 11 €

Pascal Durand exploite un petit domaine de 4,7 ha qu'il travaille en « artisan du vin », utilisant par exemple un ancien pressoir vertical à cliquet de 1910 (un « Marmonier ») pour éviter d'extraire des tanins trop acerbes. De fait, ce 2011, au nez frais et intense de cerise et de pivoine, séduit par son palais tonique, fruité et long, structuré par de jolis tanins au grain fin. Une bouteille harmonieuse, à déguster dans les deux ans sur un gâteau de foie lyonnais ou sur une belle volaille rôtie.

☛ Pascal Durand, En Paradis, 71570 Saint-Amour-Bellevue, tél. 03 85 36 52 97, fax 03 85 36 52 50, saint-amour.pascaldurand@wanadoo.fr, ☑ ⚲ ⊤ r.-v.

Coteaux-du-lyonnais

Superficie : 370 ha
Production : 12 950 hl (90 % rouge et rosé)

La vigne, qui s'étendait sur plus de 12 000 ha dans les monts du Lyonnais durant la seconde moitié du XIXe s., a fortement décliné avec la crise phylloxérique et l'expansion de l'agglomération lyonnaise, pour ne plus couvrir que quelques îlots répartis sur quarante-neuf communes, dans une région de polyculture et d'arboriculture : aux confins du Beaujolais et au nord-ouest de Lyon, ainsi qu'au sud-ouest de la capitale du Rhône. La production est assurée par la coopérative de Sain-Bel et par plusieurs domaines particuliers. Dans ce paysage vallonné aux sols variés (granites, roches métamorphiques, roches sédimen-

taires, alluvions), les influences méditerranéennes sont plus prononcées que dans le Beaujolais ; pourtant, le relief, plus ouvert aux aléas climatiques de type océanique et continental, limite l'implantation de la vigne à moins de 500 m d'altitude et l'exclut des expositions nord. Les meilleures situations se trouvent au niveau du plateau.

Les coteaux-du-lyonnais ont été consacrés AOC en 1984. Les vins rouges et rosés, majoritaires, proviennent du gamay vinifié selon la méthode beaujolaise ; les vins blancs, du chardonnay et de l'aligoté. Fruités et gouleyants, les premiers accompagnent toutes les cochonnailles lyonnaises : saucisson, cervelas, queue de cochon, petit salé, pieds de porc, jambonneau ; les seconds s'entendront avec poissons et fromages de chèvre.

Ⓑ LE BOUC ET LA TREILLE Élevé à l'ancienne 2011 ★

■	2 200	🍷	8 à 11 €

Présent chaque année dans le Guide depuis 2005, Sylvain Vivier, l'une des valeurs sûres de l'appellation, conduit son vignoble en agriculture biologique depuis le millésime 2010. Cette parcelle de gamay de 70 ares, exposée au sud-est et enherbée, donne des raisins concentrés sur lesquels le vigneron pratique une vinification à la bourguignonne : vendanges manuelles, éraflage, fermentation avec levures indigènes, cuvaison longue de seize jours, suivie d'un élevage en fût de dix-huit mois. Le style puissant du domaine se retrouve bien dans ce 2011 au nez complexe, épicé et boisé. La bouche, ample, soyeuse et intense, libère des arômes de fruits noirs et des notes toastées. Un vin expressif qui ravira les amateurs de vins boisés.

☛ Le Bouc et la Treille, 82, chem. de la Tour-Risler, 69250 Poleymieux-au-Mont-d'Or, tél. 06 60 21 59 22, fax 04 72 26 07 53, leboucetlatreille@sfr.fr, ☑ ⚲ ⊤ jeu. ven. 17h-19h ; sam. 10h-12h30

CLOS DE LA ROUE Conservatoire 2012

■	7 000	🍷	5 à 8 €

Curiosité locale, ce vin est issu du Conservatoire national du gamay, qui préserve cinq cent trois plants de gamay différents sur sa parcelle de vigne – une première en France à l'échelle d'un seul cépage. Il a fallu de nombreuses années de prospection en Europe pour peupler cette vigne. Après une vendange manuelle, un égrappage et un long élevage en cuve, ce 2012 dévoile un nez discret de griotte, une bouche friande et franche, équilibrée par des tanins fermes en finale. Également cité, le **Dom. de Petit Fromentin Châteauvieux 2012 rouge** (moins de 5 € ; 20 000 b.) plaît par son fruité et sa matière franche.

☛ Famille Decrenisse, 911, Le Petit-Fromentin, 69380 Chasselay, tél. et fax 04 72 18 94 67, franck@vinsdecrenisse.com, ☑ ⚲ ⊤ r.-v.

DOM. DU CLOS SAINT-MARC Grand Clos 2011 ★

	5 500		8 à 11 €

Quatre associés sont aux commandes de ce grand domaine de 24 ha consacré majoritairement au gamay (20 ha). Cette cuvée est issue de vignes de soixante-dix ans, vendangées à la main. Elle offre un nez complexe de kirsch, d'épices et de cuir et une bouche volumineuse et ronde, aux arômes de fruits confits. Le **blanc Élégance 2011 (5 à 8 € ; 3 000 b.)** est cité pour son nez boisé et pour sa bouche ronde et puissante.

☛ Dom. du Clos Saint-Marc, 60, rte des Fontaines, 69440 Taluyers, tél. 04 78 48 26 78, fax 04 78 48 77 91, contact@clos-st-marc.com,
☑ ⚥ ⵏ t.l.j. 17h-18h30; sam. dim. 10h-12h 15h-18h30

DOM. CONDAMIN Les Anciennes 2012 ★

	5 000		5 à 8 €

Nicolas Condamin, installé en 2002 sur ce domaine qui se transmet depuis cinq générations, a vendangé à la main 1,5 ha de vieilles vignes de gamay de cinquante ans. Il a ensuite égrappé les raisins qui ont fait l'objet d'une macération de quinze jours puis d'un élevage en cuve de neuf mois. Le résultat : un vin au nez expressif et charmeur de fruits rouges (framboise) et d'épices. La bouche se révèle puissante et équilibrée, avec une finale élégante. Une cuvée intense, à déguster dans l'année.

☛ GAEC du Dom. Condamin, 85, rte du Batard, 69440 Taluyers, tél. et fax 04 78 48 24 41, nicolas.condamin@gmail.com, ☑ ⚥ ⵏ r.-v.

CAVE DES COTEAUX DU LYONNAIS
Réserve du grand prieur Benoît Maillard 2012

	n.c.		5 à 8 €

Cette cave coopérative, créée en 1956, propose une cuvée issue de parcelles situées à Savigny, sur le site de l'ancienne abbaye du même nom. Elle voit cette année ses vins retenus dans les deux couleurs. Le rouge tout d'abord, élaboré à partir de gamay éraflé partiellement, élevé en partie en fût, à la bourguignonne. Il offre un nez intense et frais de fruits rouges (framboise). La bouche, longue et fruitée, est bien équilibrée par une pointe de fraîcheur en finale. Le **blanc Réserve du grand prieur Benoît Maillard 2012 (20 000 b.)** évoque la bergamote et les fruits frais, et livre une finale acidulée.

☛ Cave des Coteaux du Lyonnais, RD 389, 69210 Sain-Bel, tél. 04 74 01 11 33, fax 04 74 01 10 27, contact@coteauxdulyonnaislacave.com,
☑ ⵏ t.l.j. sf dim. 10h-12h30 14h30-19h

DOM. RÉGIS DESCOTES Prestige 2011

	8 000		5 à 8 €

Régis Descotes est très souvent mentionné dans le Guide pour cette cuvée produite sur le coteau de la Tour, un beau terroir bien exposé. Le gamay a bénéficié d'une vinification à la bourguignonne : éraflage, cuvaison longue puis élevage de douze mois en fût. Il en garde un nez puissant de pain grillé, de moka et de vanille, accompagné de fruits des bois. Le palais, gras, rond et bien équilibré, dévoile un boisé dosé avec justesse. À déguster dans les trois ans avec un magret de canard.

☛ Régis Descotes, 16, av. du Sentier, 69390 Millery, tél. 06 07 32 05 80, contact@regisdescotes.com, ☑ ⚥ ⵏ r.-v.

DOM. DES GRÈS Fût de chêne 2011 ★★

	2 500	ⵙ	5 à 8 €

Pierre Descotes, à la tête de cette propriété depuis 1979, est désormais seul aux commandes du domaine depuis 2011, date à laquelle son frère Philippe a pris sa retraite. Il signe une cuvée en tout point remarquable. Le nez, complexe, témoigne de l'élevage en fût de chêne (un an) et délivre des notes de bergamote, d'amande, de fleurs blanches, de vanille et d'épices. Ce vin fait preuve d'une rare opulence en bouche, tapissant le palais d'une matière onctueuse. La finale est plaisante, aromatique et fraîche, légèrement boisée. Un vin harmonieux, « élevé avec justesse et droiture dans le respect du cépage », selon un dégustateur. À servir dès à présent sur un poulet à la crème.

☛ Dom. des Grès, Pierre Descotes, 12, rue des Grès, 69390 Millery, tél. 04 78 46 18 38, contact@domainedesgres.com, ☑ ⚥ ⵏ r.-v.

DOM. MAZILLE-DESCOTES Blanc Domaine 2011

	4 300		- de 5 €

Ce domaine dirigé par Anne Mazille regroupe deux propriétés depuis 2009. Il propose une cuvée parée d'une robe ou pâle aux reflets verts. Le nez révèle à l'agitation de fines notes de fleurs blanches et de fruits. La bouche est fraîche, pimpante, tonique et acidulée. Un vin harmonieux, à boire dans l'année en accompagnement d'une blanquette de veau.

☛ Dom. Mazille-Descotes, 8 bis, rue du 8-Mai, 69390 Millery, tél. 04 26 65 91 17, anne.mazille@numericable.com,
☑ ⚥ ⵏ t.l.j. sf dim. 17h30-19h30; sam. 10h-19h

♥ Ⓑ DOM. DE LA PETITE GALLÉE Le Clos 2012 ★★

	5 500		5 à 8 €

Domaine de la Petite Gallée
Le Clos
2012
ROBERT & PATRICE THOLLET
VIGNERONS À MILLERY (RHÔNE)

Robert et Patrice Thollet, à la tête de ce domaine depuis 1991 conduisent leur vignoble en agriculture biologique. Régulièrement présents dans notre sélection, ils reçoivent cette année un coup de cœur qui témoigne d'un travail sérieux et abouti. Ils ont vendangé à la main 1,5 ha de chardonnay qu'ils ont isolé à l'intérieur d'un clos de 6,5 ha, pour obtenir cette cuvée élevée seulement trois mois en cuve. Leur style de prédilection : des vins généreux et pleins. C'est bien le cas ici avec ce coteaux-du-lyonnais au nez flatteur et puissant de fleurs blanches et de pamplemousse, à la bouche ronde et gourmande, étirée dans une longue finale réglissée. Bien équilibré, ce vin sera dégusté cette année sur un carpaccio de saint-jacques.

☛ Patrice Thollet, Dom. de la Petite Gallée, 69390 Millery, tél. 04 78 46 24 30, contact@domainethollet.com,
☑ ⚥ ⵏ r.-v. ⌂ Ⓑ

LE BORDELAIS

SAINT-ÉMILION POMEROL
CABERNET-SAUVIGNON MERLOT
SÉMILLON FRONSAC
CRU CLASSÉ ENTRE-DEUX-MERS
PESSAC-LÉOGNAN MÉDOC
MARGAUX PAUILLAC
SAUTERNES

LE BORDELAIS

Superficie
117 500 ha
Production
5 700 000 hl
Types de vins
Rouges majoritairement, puis blancs secs, moelleux et liquoreux, rosés et quelques effervescents.
Sous-régions
Blayais-Bourgeais, Libournais, Entre-deux-Mers, Graves, Médoc, Côtes.
Cépages
Rouges : merlot (plus de 60 %), suivi du cabernet-sauvignon (25 %), du cabernet franc (11 %) et dans une très faible proportion des malbec, petit verdot, carmenère.
Blancs : sémillon (53 %), suivi du sauvignon (38 %), de la muscadelle (6 %), du colombard, de l'ugni blanc.

Partout dans le monde, Bordeaux représente l'image même du vin. Pourtant, aujourd'hui, il faut des fêtes à grand spectacle, comme « Bordeaux fête le vin », ou des manifestations professionnelles de dimension mondiale, telle Vinexpo, pour le rappeler. Difficile de trouver l'empreinte de Bacchus dans une ville désertée par les alignements de barriques sur le port ou devant les grands chais du négoce, partis vers la périphérie. Toutefois, si le vin s'est effacé du paysage urbain, il demeure un pilier de l'économie aquitaine, et le Bordelais constitue le plus vaste vignoble d'appellation de France. Les crus classés et grands châteaux lui donnent son aura, mais l'amateur y trouvera à tous les prix une riche palette de vins de toutes couleurs et de tous les styles.

Le claret médiéval Paradoxalement, le vin fut connu avant... la vigne : dans la première moitié du Ier s. av. J.-C. (avant même l'arrivée des légions romaines en Aquitaine), des négociants campaniens commençaient à vendre du vin aux Bordelais. D'une certaine façon, c'est par le vin que les Aquitains ont fait l'apprentissage de la romanité. Au Ier s. de notre ère, la vigne est apparue. Mais il fallut attendre la montée sur le trône d'Angleterre d'Henri Plantagenêt, marié à Aliénor d'Aquitaine, pour assister au développement du marché britannique. Le jour de la Saint-Martin (en novembre), une flotte considérable quittait le port de Bordeaux pour livrer en Angleterre le vin de l'année, le claret.

L'essor des châteaux et des crus Affaiblis sur le marché anglais par le rattachement de la Guyenne à la France, puis par la concurrence des vins d'autres pays et d'autres boissons à la mode (thé, café, chocolat), les vins de Bordeaux retrouvent leur place au début du XVIIIe s. par l'intermédiaire des *new french clarets*, des vins aptes au vieillissement grâce à de nouvelles techniques : utilisation du soufre comme antiseptique, clarification par collage, soutirage, mise en bouteilles.

Ces progrès au chai et la constitution des crus par une sélection rigoureuse des terroirs aboutit à l'apogée du XIXe s. que symbolise, en 1855, le célèbre classement impérial des vins du Médoc et du Sauternais.

Surmonter les crises Dans la seconde moitié du XIXe s. et la première moitié du XXe s., les maladies de la vigne (oïdium, mildiou et phylloxéra), puis les crises économiques et les guerres mondiales mettent à mal le monde du vin, le point d'orgue étant apporté par le gel de 1956.

Un nouvel âge d'or D'abord timidement à partir des années 1960, puis de façon plus éclatante dans les années 1980, la prospérité est heureusement revenue, notamment grâce à une remarquable amélioration de la qualité et à l'intérêt porté, dans le monde entier, aux grands vins. Générale dans les années 1980-2000, la prospérité cède la place à une situation plus contrastée avec le changement de millénaire : si l'émergence des vins du Nouveau Monde accroît la concurrence, l'apparition de nouveaux marchés, notamment en Chine, ouvre d'intéressantes perspectives. Mais tous les crus pourront-ils en profiter ?

Un climat océanique tempéré Le vignoble bordelais est organisé autour de la Garonne, la Dordogne et leur estuaire commun, la Gironde. Ces axes fluviaux créent des conditions favorables à la culture de la vigne : le climat de la région bordelaise est relativement tempéré (moyennes annuelles 7,5 °C minimum, 17 °C maximum), et le vignoble protégé de l'Océan par la forêt de pins des Landes. Les gelées d'hiver sont exceptionnelles (1956, 1958, 1985), mais une température inférieure à -2 °C sur les jeunes bourgeons (avril-mai) peut entraîner leur destruction, comme en 1991. Un temps froid et humide au moment de la floraison (juin) peut provoquer la coulure (avortement des grains). Ces deux accidents engendrent des pertes de récolte et expliquent la variation des volumes d'une année sur l'autre. En revanche, la qualité de la récolte suppose un temps chaud et sec de juillet à octobre, tout particulièrement pendant les quatre dernières semaines précédant les vendanges (globalement, 2 000 heures de soleil par an). Le climat bordelais est assez humide (900 mm de précipitations annuelles), particulièrement au printemps. Mais les automnes sont réputés, et de nombreux millésimes ont été sauvés par une arrière-saison exceptionnelle ; les grands vins de Bordeaux n'auraient jamais pu exister sans cette circonstance heureuse.

Une géologie variée La vigne est cultivée en Gironde sur des sols de natures très diverses. La plupart des grands crus de vin rouge sont établis sur des alluvions gravelo-sableuses siliceuses ; des calcaires à astéries, des molasses et même des sédiments argileux. Les vins blancs secs sont produits indifféremment sur des nappes alluviales gravelo-sableuses, des calcaires à astéries et des limons ou molasses. Dans tous les cas, les mécanismes naturels ou artificiels (drainage) de régulation de l'alimentation en eau constituent des facteurs essentiels de qualité. S'il peut exister des crus de même réputation de haut niveau sur des roches-mères différentes, les caractères aromatiques et gustatifs des vins sont influencés par la nature des sols. La distribution des cépages, qui est souvent fonction des caractères du terroir, explique en partie ces variations.

Cépages et assemblages Les vins de Bordeaux ont toujours été produits à partir de plusieurs cépages ayant des caractéristiques complémentaires. En rouge, le merlot et les cabernets sont les principales variétés. Les seconds donnent des vins d'une solide structure tannique, mais qui doivent attendre plusieurs années pour atteindre leur qualité optimale ; en outre, si le cabernet-sauvignon résiste bien à la pourriture, c'est un cépage tardif qui connaît parfois des difficultés de maturation. Le merlot engendre des vins plus souples, d'évolution plus rapide ; plus précoce, il mûrit bien, mais il est sensible à la coulure, à la gelée et à la pourriture. Pour les vins blancs, le cépage essentiel est le sémillon, qui apporte gras et rondeur. Cette variété est surtout complétée par le sauvignon, cépage prisé pour sa fraîcheur et sa puissance aromatique, parfois complété par la délicate muscadelle. On trouve encore parfois dans certaines zones le colombard, et l'ugni blanc, en retrait.

Une vigne bien soignée La vigne est conduite en rangs palissés, avec une densité de ceps à l'hectare très variable. Elle atteint 10 000 pieds dans les grands crus du Médoc et des Graves ; elle se situe à 4 000 pieds dans les plantations classiques de l'Entre-deux-Mers. Les densités élevées entraînent une diminution de la récolte par pied, ce qui est propice à la maturité ; en revanche, elles augmentent les frais de plantation et de culture, et peuvent favoriser la propagation de la pourriture. La vigne est l'objet, tout au long de l'année, de soins attentifs.

L'effet millésime Les grands millésimes ne manquent pas à Bordeaux. Citons pour les rouges les 2005, 1995, 1990, 1982, 1975, 1961 ou 1959, et aussi les 2009, 2000, 1989, 1988, 1985, 1983, 1981, 1979, 1978, 1976, 1970 et 1966, sans oublier, dans les années antérieures, les superbes 1955, 1949, 1947, 1945, 1929 et 1928. La viticulture bordelaise dispose de terroirs exceptionnels, et elle sait les mettre en valeur par la technologie la plus raffinée qui puisse exister, désormais mise en œuvre aussi dans bien des pays du Nouveau Monde. Si la notion de qualité des millésimes est relativement moins marquée dans le cas des vins blancs secs, elle reprend toute son importance avec les vins liquoreux, pour lesquels les conditions du développement de la pourriture noble sont essentielles.

Vins de propriété et vins de négoce La mise en bouteilles à la propriété se fait depuis longtemps dans les grands crus. Depuis trois décennies, elle s'est développée dans tous les vignobles, notamment grâce à l'intervention des centres et laboratoires œnologiques. Actuellement la grande majorité des vins est élevée, vieillie et stockée par la production. La vente directe par la propriété s'est largement répandue, parfois au détriment des caves coopératives qui continuent cependant à tenir un rôle important, notamment grâce à la constitution d'unions. Les quelque quarante-cinq coopératives regroupent 40 % des récoltants girondins et assurent 25 % de la production. Enfin, le négoce conserve toujours un rôle important (70 % de la commercialisation bordelaise) dans la distribution, en particulier à l'exportation, grâce à ses réseaux bien implantés depuis longtemps.

Le Bordelais

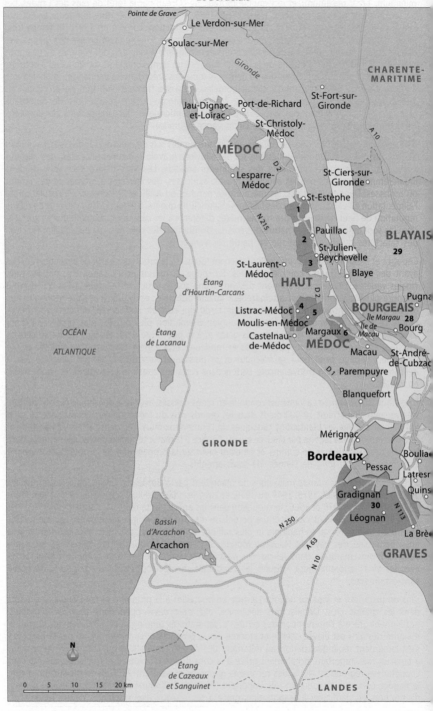

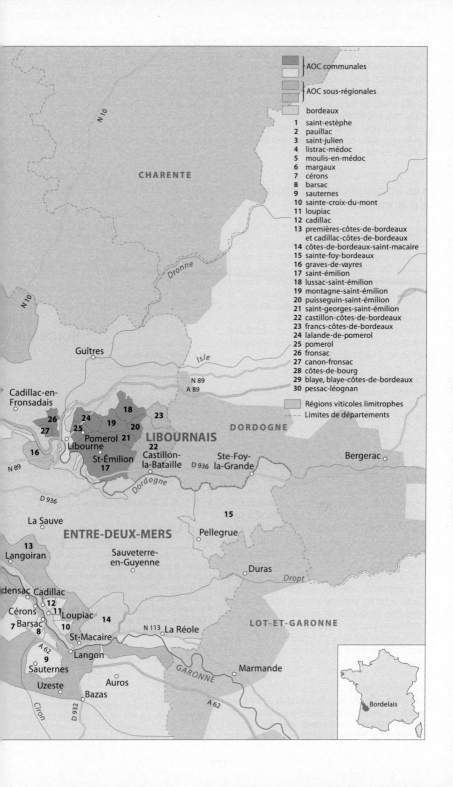

AOC communales

AOC sous-régionales

bordeaux

1 saint-estèphe
2 pauillac
3 saint-julien
4 listrac-médoc
5 moulis-en-médoc
6 margaux
7 cérons
8 barsac
9 sauternes
10 sainte-croix-du-mont
11 loupiac
12 cadillac
13 premières-côtes-de-bordeaux
   et cadillac-côtes-de-bordeaux
14 côtes-de-bordeaux-saint-macaire
15 sainte-foy-bordeaux
16 graves-de-vayres
17 saint-émilion
18 lussac-saint-émilion
19 montagne-saint-émilion
20 puisseguin-saint-émilion
21 saint-georges-saint-émilion
22 castillon-côtes-de-bordeaux
23 francs-côtes-de-bordeaux
24 lalande-de-pomerol
25 pomerol
26 fronsac
27 canon-fronsac
28 côtes-de-bourg
29 blaye, blaye-côtes-de-bordeaux
30 pessac-léognan

Régions viticoles limitrophes
--- Limites de départements

CHARENTE

Dronne

Guîtres

Isle

N 89
A 89

Cadillac-en-Fronsadais

DORDOGNE

LIBOURNAIS

Libourne

Pomerol

St-Émilion

Castillon-la-Bataille

D 936

Ste-Foy-la-Grande

Bergerac

N 89

Dordogne

La Sauve

ENTRE-DEUX-MERS

Pellegrue

15

Langoiran

Sauveterre-en-Guyenne

Duras

Dropt

densac Cadillac

Cérons

Loupiac

LOT-ET-GARONNE

Barsac

St-Macaire

N 113 La Réole

Langon

Sauternes

GARONNE

Marmande

Uzeste

Auros

Bazas

Ciron

D 932

A 62

Bordelais

Une dimension culturelle L'importance de la viticulture dans la vie régionale est considérable, puisque l'on estime qu'un Girondin sur six dépend directement ou indirectement des activités viti-vinicoles. Mais dans ce pays gascon qu'est le Bordelais, le vin n'est pas seulement une ressource économique. C'est aussi et surtout un fait de culture. Derrière chaque étiquette se cachent tantôt des châteaux à l'architecture de rêve, tantôt de simples maisons paysannes, mais toujours des vignes et des chais où travaillent des hommes apportant, avec leur savoir-faire, leurs traditions et leurs souvenirs. Les confréries vineuses (Jurade de Saint-Émilion, Commanderie du Bontemps du Médoc et des Graves, Connétablie de Guyenne, etc.) organisent régulièrement des manifestations à caractère folklorique pour promouvoir les vins de Bordeaux ; leur action est coordonnée au sein du Grand Conseil du vin de Bordeaux.

Les appellations régionales du Bordelais

Toute la Gironde viticole
Ont droit à l'appellation régionale bordeaux tous les vins produits dans les terroirs à vocation viticole du département de la Gironde (l'aire délimitée exclut la zone sablonneuse située à l'ouest et au sud – la lande, vouée depuis le XIXᵉs. à la forêt de pins). Moins célèbres que les appellations communales (pauillac, pomerol, sauternes...), tous ces bordeaux n'en constituent pas moins quantitativement la première appellation de la Gironde.

Variété des origines
L'impressionnante surface du vignoble entraîne une certaine diversité de caractères, même si tous les vins utilisent les mêmes cépages bordelais. Certains bordeaux proviennent de secteurs de la Gironde n'ayant droit qu'à la seule appellation bordeaux, comme les régions de palus proches des fleuves, ou quelques zones du Libournais (communes de Saint-André-de-Cubzac, de Guîtres, de Coutras...). D'autres naissent dans des régions ayant droit à une appellation plus spécifique, mais peu connue, et le producteur préfère alors commercialiser ses vins sous l'appellation régionale. D'autres au contraire sont issus de crus situés dans des appellations communales prestigieuses. L'explication réside alors dans le fait que l'appellation spécifique ne s'applique qu'à une seule couleur (rouge pour les médoc ou blanc pour les entre-deux-mers, par exemple), alors que beaucoup de propriétés en Gironde produisent plusieurs types de vins (notamment des rouges et des blancs) ; les autres productions sont donc commercialisées en appellation régionale.

Variété des types
La variété est surtout celle des types de vins, qui conduit à parler au pluriel des appellations bordeaux : celles-ci comportent des vins rouges (bordeaux et bordeaux supérieurs, ces derniers plus puissants), des rosés et des clairets, des vins blancs (bordeaux secs et bordeaux supérieurs, ces derniers moelleux) et des effervescents (crémant-de-bordeaux blancs ou rosés). Les vins de base à l'origine de ces productions élaborées selon la méthode traditionnelle sont obligatoirement issus de l'aire d'appellation bordeaux ; de même, c'est dans la région de Bordeaux que doit être effectuée la deuxième fermentation en bouteille (prise de mousse).

Bordeaux

Superficie : 39 415 ha
Production : 1 699 000 hl

CH. ARNAUD DE GRAVETTE 2010 ★

| ■ | 1 500 | ⊞ | 5 à 8 € |

Ce petit vignoble (0,27 ha), né d'un partage familial en 2003, est à l'origine d'un 2010 bien travaillé. Le nez, discret, mêle les fruits rouges à un boisé fin, légèrement grillé. La bouche séduit par sa chair, sa générosité, ses tanins fondus et sa longueur. À attendre deux à cinq ans, et à servir sur une viande en sauce.
➦ Éric Arnaud, 16, la Coutaude, 33910 Saint-Denis-de-Pile, tél. 05 57 49 26 50, ericmh.arnaud@orange.fr, ☑ ⚘ ⅄ r.-v.

CH. LES ARQUEYS 2011

| ■ | 46 610 | ■ | - de 5 € |

Cette structure de négoce, née de la fusion des vénérables maisons bicentenaires Cordier et Mestrezat, propose une cuvée plaisante par son fruité frais et par sa bouche souple, douce et ronde. À boire dès aujourd'hui, sur une grillade de bœuf.
➦ Grands Crus Cordier-Mestrezat, 109, rue Achard, BP 154, 33042 Bordeaux Cedex, tél. 05 56 11 29 00, fax 05 56 11 29 01, contact@cordier-wines.com

CH. LES ARROMANS Cuvée Prestige 2011 ★★

| ■ | 20 000 | ⊞ | 5 à 8 € |

Ce domaine très régulier en qualité, établi au cœur de l'Entre-deux-Mers, a engagé en 2010 la conversion bio de son vignoble (45 ha). Il propose un pur merlot bien sous tous les rapports. La robe est d'un élégant rouge profond. Le nez mêle harmonieusement les fruits rouges confits à des notes de noisette et de vanille. Des sensations harmonieuses qui se prolongent dans un palais ample et soyeux porté par des tanins fondus. Déjà fort gourmand, ce vin peut aussi attendre trois ou quatre ans avant d'accompagner un rôti de veau aux champignons.

☛ Joël Duffau, 2, Les Arromans, 33420 Moulon, tél. 05 57 74 93 98, fax 05 57 84 66 10, joel.duffau@aliceadsl.fr, ☑ ⚔ ⵙ t.l.j. 8h-12h 14h-19h 🏘 ④

BARON LA ROSE Vieilles Vignes 2011 ★

| ■ | 120 000 | ▮ | - de 5 € |

Cette marque de la maison de négoce Sovex-Woltner a été créée en 2005. Née d'une sélection de parcelles argilo-calcaires, elle associe classiquement les deux cabernets au merlot (60 %). Elle séduit autant par son bouquet intense et fin de fruits rouges que par son palais dense et persistant, soutenu par des tanins mûrs. À boire ou à garder trois ou quatre ans.

☛ Sovex-Woltner, 20, rue André-Marie-Ampère, 33560 Carbon-Blanc, tél. 05 56 77 81 00, fax 05 57 77 37 60

CH. BASTIAN Réserve 2011 ★

| ■ | n.c. | ⬙ | 5 à 8 € |

Ancienne métairie de l'abbaye de Rivet, ce domaine propose une cuvée mi-merlot mi-cabernets. Au nez, les fruits rouges et noirs mûrs côtoient les accents grillés de la barrique. La bouche se révèle souple et profonde, soutenue par d'aimables tanins. Déjà harmonieux, ce 2011 pourra aussi patienter trois à cinq ans en cave.

☛ SCEA Ch. d'Eyran, 8, chem. du Château, 33650 Saint-Médard-d'Eyrans, tél. 05 56 65 51 59, fax 05 56 65 43 78, stephane@savigneux.com, ☑ ⚔ ⵙ r.-v.

☛ Savigneux

CH. BEL AIR PERPONCHER Grande Cuvée 2010 ★

| ■ | 12 000 | ▮⬙ | 15 à 20 € |

Bordeaux dans les trois couleurs, bordeaux supérieur ou entre-deux-mers, ce domaine de la maison Despagne cultive les étoiles et les coups de cœur du Guide. Cette Grande Cuvée, à dominante de merlot (80 %), vient compléter un impressionnant palmarès avec un 2010 sombre et profond, au nez frais de cassis et de violette. Souple en attaque, le palais dévoile de beaux tanins serrés, enrobés par une chair tendre et douce. Un vin solide et accessible à la fois, à découvrir dès l'automne comme dans quatre à cinq ans. Le **Ch. Rauzan Despagne 2010 (12 000 b.)** obtient également une étoile pour caractère ample, charnu et bien structuré. À attendre deux ou trois ans.

☛ SCEA Vignobles Despagne, 33420 Naujan-et-Postiac, tél. 05 57 84 55 08, fax 05 57 84 57 31, contact@despagne.fr, ☑ ⚔ ⵙ r.-v.

CH. BELLE-GARDE Cuvée élevée en fût de chêne 2011 ★

| ■ | 80 000 | ⬙ | 5 à 8 € |

Vinificateur de talent, Joël Duffau conduit de main de maître ce domaine de 46 ha établi sur cinq communes et une vaste palette de terroirs. Cette cuvée bien connue des lecteurs – les versions 2010, 2009, 2007 et 2001 furent élues coups de cœur – est née sur un sol argilo-calcaire et d'un assemblage classique de merlot (80 %) et des deux cabernets. Au nez, elle marie notes fraîches de graphite, fruits mûrs et boisé soutenu. En bouche, elle offre du gras, du volume et des tanins serrés, gage d'un bon vieillissement de trois à cinq ans, et plus encore.

☛ SC Vignobles Éric Duffau, 2692, rte de Moulon, 33420 Génissac, tél. 05 57 24 49 12, fax 05 57 24 41 28, duffau.eric@wanadoo.fr, ☑ ⚔ ⵙ r.-v.

CH. LE BERGEY 2011 ★★

| ■ | 80 000 | ▮ | 5 à 8 € |

Depuis 2004, cette ancienne auberge établie sur le chemin de Compostelle est propriété de Damien Laurent, qui a engagé la conversion bio et biodynamique de ses 37 ha de vignes. Assemblage original de merlot (60 %) et de malbec, cette cuvée dévoile un bouquet intense de fruits frais mâtinés d'épices, de réglisse et de nuances minérales, tandis qu'en bouche, bâtie sur des tanins à la fois solides et soyeux, affiche beaucoup de volume et de puissance. Une belle garde en perspective (trois à cinq ans, et plus).

☛ Ch. l'Escart, 1, av. de l'Escart, BP 8, 33450 Saint-Loubès, tél. 05 56 77 53 19, fax 09 58 02 74 04, contact@chateaulescart.com, ☑ ⚔ ⵙ r.-v.

☛ Damien Laurent

CH. BONNET Réserve 2010 ★

| ■ | 500 000 | ▮⬙ | 8 à 11 € |

Propriétaire de crus réputés en pessac-léognan (Couhins-Lurton, La Louvière), André Lurton signe régulièrement de belles cuvées en AOC bordeaux. Témoin cet harmonieux 2010 mi-merlot mi-cabernets, au nez fruité (myrtille, cassis, griotte) et vanillé, gras et rond en bouche, soutenu par des tanins veloutés et par une jolie fraîcheur en finale. À servir, aujourd'hui ou dans deux ans, sur un magret de canard. Le **Ch. Tour de Bonnet 2010 (moins de 5 € ; 150 000 b.)**, fruité, épicé, charnu et gourmand, obtient la même note.

☛ André Lurton, Ch. Bonnet, 33420 Grézillac, tél. 05 57 25 58 58, fax 05 57 74 98 59, andrelurton@andrelurton.com, ☑ ⚔ ⵙ r.-v.

CH. LE BOSQUET DES FLEURS 2011 ★

| ■ | 15 000 | ▮⬙ | 5 à 8 € |

Nouveau venu dans le Guide, ce petit domaine au joli nom, implanté sur les coteaux de La Réole, est propriété depuis 2007 de Karine Abba, ancienne conseillère agricole. Issu à parts égales de ceps de merlot et de cabernet-sauvignon en conversion bio, ce 2011 se fait d'emblée séducteur avec ses parfums intenses de fruits noirs (mûre, cassis), de bois exotique et d'épices agrémentés d'une touche de cuir. Non moins charmante, la bouche offre beaucoup de matière, de rondeur et de générosité, portée par des tanins jeunes et serrés. À garder deux ou trois ans.

NOUVEAU PRODUCTEUR

☛ Karine Abba, Le Bosquet-des-Fleurs, 33190 La Réole, tél. 05 56 61 41 55, abbasss@hotmail.fr, ☑ ⚔ ⵙ r.-v. 🏘 ③

CH. DE BOUCHET La Rentière 2011 ★

| ■ | 60 000 | ▮ | 5 à 8 € |

Œnologue de l'Université de Bordeaux et consultant en Californie, Marc Lurton est à la tête de ce domaine à la vocation internationale – 90 % de la production est exportée – depuis 1985. À partir du merlot et du cabernet-sauvignon, assemblés à parts égales, il signe un vin fort plaisant, au nez délicat de fruits rouges et noirs, rond et soyeux en bouche, porté par des tanins mûrs et par un fruité intense. « Du fruit, du fruit, du fruit », conclut un dégustateur.

●┱ Vignobles Marc et Agnès Lurton, Ch. Reynier,
33420 Grézillac, tél. 05 57 84 52 02, fax 05 57 84 56 93,
marc.lurton@wanadoo.fr, ☑ ⚥ ⟙ r.-v.

MAISON BOUEY 2011

■	81 333	8 à 11 €

Associée à Stéphane Derenoncourt, la maison
Bouey a créé cette marque à partir d'une sélection de
parcelles situées dans trois villages proches de Saint-
Émilion et de Castillon-la-Bataille. Le merlot, associé à
15 % de cabernet franc, a donné naissance à un vin plaisant
et bien construit autour d'un bouquet discret mais fin, sur
les fruits rouges, et d'une bouche souple et veloutée. La
finale, un rien austère, appelle un an ou deux de garde.
●┱ SAS Maison Bouey,
1, rue de la Commanderie-des-Templiers, 33440 Ambarès,
tél. 05 56 77 50 71, fax 05 56 77 58 77,
contact@maisonbouey.fr

CH. DE BOUILLEROT Essentia 2010 ★

■	6 000	▐	8 à 11 €

Thierry Bos, dont les vins sont régulièrement plébis-
cités en côtes-de-bordeaux-saint-macaire liquoreux, entame la dernière année de conversion bio de son vignoble.
Il signe une cuvée mi-merlot mi-cabernet franc qui se livre
peu au nez, laissant poindre à l'agitation quelques notes de
fruits rouges mûrs. C'est en bouche que le vin se révèle :
souple et fruité en attaque, il affiche de la concentration,
du gras et une belle trame tannique étayée par une touche
crayeuse qui apporte tonus et fraîcheur. À boire d'ici deux
ou trois ans.
●┱ Thierry Bos, 8, Lacombe, 33190 Gironde-sur-Dropt,
tél. 05 56 71 46 04, fax 08 11 38 21 94, info@bouillerot.com,
☑ ⚥ ⟙ r.-v.

CH. BRUN LABRIE 2011

■	66 666	- de 5 €

Ce château, propriété de la famille Estève depuis
trois générations, tire son nom d'un lieu-dit (Brun) et
d'une parcelle (Labrie). Proposé par la coopérative de
Lugon, ce vin à forte dominante de merlot (95 %),
complété d'une pointe de cabernet franc, livre un bouquet
fruité et fumé, agrémenté d'une note de sous-bois, relayé
par un palais assez léger, souple et velouté. À boire dans
l'année.
●┱ Union de producteurs de Lugon, 6, rue Louis-Pasteur,
33240 Lugon-et-l'Île-du-Carney, tél. 05 57 55 00 88,
fax 05 57 84 83 16 ⚥ ⟙ t.l.j. 8h30-12h30 14h-18h

CH. CABLANC 2011

■	80 000	⑪	5 à 8 €

Cette vaste propriété (120 ha) est située dans la vallée
de la Gamage et dans une zone naturelle protégée où l'on
peut découvrir des plantes et fleurs rares. Côté vin, c'est
l'élevage en barrique qui donne le ton de ce 2011, au nez
comme en bouche, laissant pour l'heure les fruits en
retrait. Mais la structure est là pour « digérer » le bois ; il
faudra attendre un an ou deux pour que l'ensemble
s'harmonise.
●┱ SCEA Ch. Cablanc, 2, Cablanc,
33350 Saint-Pey-de-Castets, tél. 05 57 40 52 20,
cablanc@chateaucablanc.com,
☑ ⚥ ⟙ t.l.j. 10h-12h 14h-18h 🏠 Ⓔ
●┱ Famille Debart

VIGNOBLES LE CLAIRIOT 2011

■	66 000	▐	- de 5 €

Proposé par la coopérative des Lèves-et-
Thoumeyragues, ce 2011 livre un bouquet discret mais
plaisant de fruits rouges et noirs frais. La bouche se révèle
souple et charnue, d'un bon volume, adossée à des tanins
soyeux. À boire dans l'année. On attendra un peu plus
longtemps, de un à trois ans, le **Font Destiac 2011** (5 à
8 € ; 66 000 b.), plus structuré.
●┱ SCA Univitis, village Les Bouhets-Sud,
33220 Les Lèves-et-Thoumeyragues, tél. 05 57 56 02 02,
fax 05 57 56 02 22, h.girou@univitis.fr,
☑ ⚥ ⟙ t.l.j. sf dim. lun. 9h-12h30 14h30-19h

CLOS CARMELET 2011 ★★

■	600	▐ ⑪	- de 5 €

Small is beautiful : cette microcuvée de pur merlot a
fait forte impression et frôlé le coup de cœur. Un élevage
de seize mois en cuve et en fût, dans une ancienne carrière,
lui permet de livrer un bouquet intense de fruits noirs
(mûre) agrémenté d'un boisé bien maîtrisé. Après une
attaque souple et ronde, la bouche monte en puissance, se
fait généreuse et corsée, portée par des tanins denses et
serrés et par une longue finale réglissée. Un beau classique
de l'appellation, ample et puissant, armé pour une garde
de cinq ans au moins, qui accompagnera une pièce de
gibier. Une entrée remarquée dans le Guide pour ce petit
domaine familial.
NOUVEAU PRODUCTEUR
┲ Gilles Hébrard, 103, rte du Rouquey, 33550 Tabanac,
tél. 06 64 38 03 00, closcarmelet@hotmail.fr, ☑ ⚥ ⟙ r.-v.

CH. COMBES DU LYS Prestige Vieilles Vignes 2010 ★★

■	1 200	▐ ⑪	5 à 8 €

Ancien cadre dans le secteur automobile, Jean-Pierre
Vohnout s'est converti à la vigne et au vin en 1998. Il signe
à partir du merlot (80 %) et des deux cabernets une cuvée
sombre aux reflets rubis, au nez élégant et fruité (fraise,
cerise), ample, concentrée, longue et structurée par des
tanins jeunes et prometteurs. Une bouteille que l'on peut
déjà ouvrir, mais qui gagnera à attendre trois ou quatre ans.
●┱ Jean-Pierre Vohnout, 1, Aux Combes,
33660 Puynormand, tél. et fax 05 57 49 76 30 ☑ ⚥ ⟙ r.-v.

♥ CH. LA COMMANDERIE DU BARDELET 2011 ★★

■	150 000	▐	- de 5 €

Le millésime 2011 a semble-t-il particulièrement
inspiré Jean-Dominique Petit, installé en 1969 à la tête du
domaine familial. Deux de ses vins ont rejoint le grand jury
des coups de cœur, et sa Commanderie du Bardelet

(merlot à 75 %) a su convaincre nos dégustateurs les plus aguerris et exigeants. Paré d'une élégante robe rouge foncé, ce vin livre un bouquet expressif et avenant de fruits rouges mûrs, relayé par une bouche très longue, puissante, riche, généreuse, soutenue par une trame tannique remarquable. Déjà très aimable, il pourra aussi patienter deux ou trois ans en cave. Quant au **Ch. Fleur Grand Champs 2011 (80 000 b.)**, il décroche également deux étoiles pour son volume imposant, pour sa douceur et son fruité mûr à souhait.

☙ SCEA Jean-Dominique Petit, Ch. Haut-Rieuflaget, 33790 Saint-Antoine-du-Queyret, tél. 05 56 61 33 78, fax 05 56 61 39 84, haut-rieuflaget@wanadoo.fr, ◩ ⚐ ⚑ r.-v.

COMTE DE ROQUEFORT 2011

■	500 000		- de 5 €

Cette cuvée de négoce proposée par la maison Malet Roquefort (Ch. La Gaffelière, 1er grand cru classé de Saint-Émilion) s'ouvre à l'agitation sur des notes de fruits mûrs mêlés d'épices douces, que l'on retrouve dans un palais riche, aux tanins fondus. À boire ou à garder deux ans. Le bordeaux **Léo de la Gaffelière 2011 (5 à 8 € ; 400 000 b.)**, souple et généreux (fruits à l'alcool), est cité.

☙ Maison Malet Roquefort, BP 12, Champs-du-Rivalon, 33330 Saint-Émilion, tél. 05 57 56 40 80, fax 05 57 56 40 89, contact@malet-roquefort.com

☙ Ravache

D:VIN 2010

■	6 000		11 à 15 €

La robe très sombre, tirant sur le noir, de ce 2010 annonce un bouquet chaleureux et intense de fruits confiturés, de vanille et d'épices. Dense, généreuse et soutenue par des tanins fondus, la bouche tient la note. « Un style méditerranéen », conclut un dégustateur. Pour une viande en sauce, dès aujourd'hui.

☙ Vignobles Grandeau, 5, av. de Lauduc, 33370 Tresses, tél. 05 57 34 43 56, fax 05 57 34 46 58, m.grandeau@lauduc.fr, ◩ ⚐ ⚑ r.-v.

DOURTHE La Grande Cuvée 2011 ★

■	400 000		5 à 8 €

Cette maison bien connue signe avec cette Grande Cuvée un assemblage de merlot (60 %) et de cabernet-sauvignon complété par une touche de petit verdot. L'élevage de douze mois en barrique neuve confère au nez de beaux accents vanillés, grillés et réglissés, et laisse pour l'heure le fruit en retrait. Dans la continuité du bouquet, la bouche se révèle ample, bien structurée et longue. Un ensemble construit avec précision et équilibre, à découvrir dans deux ou trois ans sur une entrecôte grillée.

☙ Vins et Vignobles Dourthe, 35, rue de Bordeaux-Parempuyre, CS 80004, 33295 Blanquefort Cedex, tél. 05 56 35 53 00, fax 05 56 35 53 29, contact@dourthe.com

DUC DE SEIGNADE 2010 ★

■	66 000		5 à 8 €

La coopérative de Puisseguin voit trois de ses vins sélectionnés, tous élevés en cuve et à dominante de merlot, avec les deux cabernets en complément. En tête, ce 2010 joliment bouqueté, sur les fruits rouges mûrs, doux et généreux et long en bouche. Un vin gourmand à découvrir

dès à présent, sur un tartare de bœuf. Même note pour **Les Champs de Gaillard 2010 (moins de 5 € ; 66 000 b.)**, au style proche, rond et soyeux. La cuvée **Les Rocs nobles 2010 (moins de 5 € ; 40 000 b.)**, souple et fruitée, est citée.

☙ Vignerons de Puisseguin-Lussac-Saint-Émilion, 1, lieu-dit Durand, 33570 Puisseguin, tél. 05 57 55 50 40, fax 05 57 74 57 43, accueil@vplse.com, ◩ ⚐ ⚑ r.-v.

L'ESPRIT COUVENT Rouge Confiance
Cuvée Matisse 2010 ★

■	6 000		15 à 20 €

L'Esprit Couvent est né d'un partenariat entre le Ch. Pabus, vendu à un investisseur américain, et le Ch. Lamothe de Haux, dirigé par Kris Couvent, négociant belge. Ce 2010 dominé par le merlot (70 %), avec le cabernet-sauvignon en appoint, se présente dans une élégante robe rubis, le nez empreint de senteurs fruitées, épicées et vanillées. Après une attaque douce et riche, le palais dévoile une solide charpente de tanins serrés, encore un peu austères en finale, qui réclament deux ou trois ans de garde. Un vin de caractère, à réserver pour un gibier en sauce.

☙ L'Esprit Couvent, Le Bourg, BP 6, 33550 Haux, tél. 05 57 34 53 00, fax 05 56 23 24 49, info@lespritcouvent.com, ◩ ⚐ ⚑ t.l.j. sf sam. dim. 8h30-12h30 14h-17h30

CH. LA FONTAINE DE GENIN 2011

■	30 000		- de 5 €

Benoît Prevôt, œnologue et consultant dans le Libournais, en Chine et en Argentine, a repris le domaine familial en 2004. Il fait son apparition dans le Guide avec cette cuvée à dominante de merlot, issue d'une sélection parcellaire. Puissant, le nez mêle d'intenses notes boisées aux parfums de fruits cuits, avec une pointe de cuir à l'arrière-plan. Gras en attaque, le palais déploie sans tarder de très robustes tanins et un boisé dominateur que quatre ou cinq ans de garde devront patiner. À réserver pour un plat de caractère, une daube de gibier par exemple.

☙ Benoît Prevôt, Mondon, 33350 Sainte-Radegonde, tél. 05 56 78 30 14, benoitprevot@aol.com

CH. LE FRÈGNE N°1 Élevé en fût de chêne 2010 ★

■	3 000		8 à 11 €

« Vin de garage », annonce l'étiquette de ce vin né dans l'Entre-deux-Mers, ayant bénéficié d'une vinification intégrale en barrique et d'un élevage luxueux de dix-huit mois sous bois. La mention est justifiée. La quantité ? Très limitée, comme il se doit. Dans le flacon ? Des parfums puissants de fruits noirs confits, de réglisse et de coco, prolongés par une bouche dense, concentrée, tannique et boisée, mais où le fruit arrive à s'exprimer. L'ensemble laisse deviner un beau potentiel de garde (cinq ans et plus).

☙ EARL Le Frègne, Le Frègne, 33540 Castelvieil, tél. 05 56 61 97 56, fax 05 56 71 59 82, cl.rizzetto@wanadoo.fr, ◩ ⚑ r.-v.

☙ Serge Rizzetto

CH. GRAND JEAN 2011

■	250 000		5 à 8 €

Ce 2011 paré de reflets violines livre un bouquet intense de fruits rouges, accompagné de nuances florales et épicées. Le palais se révèle souple en attaque, rond, fruité et structuré par des tanins soyeux. Un vin équilibré, à boire sur une grillade. Dans un style proche, fruité et harmonieux, le **Ch. Julian 2011 (75 000 b.)** est également cité.

☛ SC Dulon, 133, Grand-Jean, 33760 Soulignac, tél. 05 56 23 69 16, fax 05 57 34 41 29, info@vignobles-dulon.com,
☑ ⊤ t.l.j. sf sam. dim. 8h30-12h30 14h-17h

CH. GRAND RENOM 2011 ★

■	135 000	⬛⬤	5 à 8 €

Repris en 2007 par le groupe Advini, ce domaine de l'Entre-deux-Mers, établi sur les coteaux argilo-calcaires d'Eynesse, a connu depuis d'importantes restructurations. Paré de grenat, ce 2011 dévoile un bouquet intense de fruits noirs et rouges et de boisé vanillé. À l'unisson, le palais se montre gras, puissant et charnu. À attendre deux ou trois ans.

☛ SCEA Ch. Grand Renom, rte du Milieu, 33330 Saint-Émilion, tél. 05 57 55 58 00
☛ Antoine Moueix

CH. AUX GRAVES DE LA LAURENCE H 2011 ★

■	1 300	⬛	5 à 8 €

En 2003, Bernard Hébrard, ancien directeur du laboratoire œnologique de Grézillac et du service vin de la Chambre d'agriculture de la Gironde, a acquis avec son épouse Marie-Odile cette petite vigne de 2,24 ha établie sur de jolies graves sur argile. Fin vinificateur, il signe avec cette cuvée à dominante de merlot (60 %) un vin élégant, ouvert sur les fruits noirs (mûre, cassis) et rouges (framboise), très fruité en bouche également, souple, rond et voluptueux. Un bordeaux gourmand et fort aimable, à déguster dans les deux ou trois ans sur un rôti de veau en cocotte et petits légumes de saison.

☛ Bernard et Marie-Odile Hébrard, Aux Graves de la Laurence, 42, rte de Libourne, 33450 Saint-Loubès, tél. 06 82 05 21 94, fax 05 57 84 61 03, h.auxgravesdelalaurence@yahoo.fr, ☑ ⚔ ⊤ r.-v.

LES GUINOTS Vieilles Vignes 2011 ★

■	20 000	⬛	5 à 8 €

La coopérative de Juillac et Flaujagues (1935) a sélectionné des vignes de merlot de plus de trente ans pour élaborer ce 2011 intensément fruité (cassis, mûre), au nez comme en bouche, souple en attaque, puis rond, doux et longuement soutenu par des tanins soyeux. Un vin gourmand, à boire dès aujourd'hui, sur un poulet rôti ou sur une viande blanche grillée.

☛ Union des producteurs de Juillac et Flaujagues, Les Guinots, 33350 Flaujagues, tél. 05 57 40 08 06, fax 05 57 40 06 10, cave.flaujagues@wanadoo.fr, ☑ ⚔ ⊤ t.l.j. sf dim. 8h30-12h 14h-18h; sam. 9h-12h

CH. DE L'HARANDAILH 2010 ★

■	50 000		5 à 8 €

Ce domaine a été acquis en 1996 par un groupe d'amis à la suite d'un pari, afin d'éviter son rachat par des étrangers. Ce pur merlot né sur argilo-calcaires livre un bouquet de fruits mûrs agrémenté d'épices et de notes florales. La bouche généreuse, ronde et tendre, s'appuie sur des tanins soyeux et enveloppants et offre une finale longue et épicée. Un vin solaire, à découvrir dans les trois ans à venir sur un paleron au vin rouge.

☛ SA Ch. Haut-Cazevert, Dom. de l'Harandailh, 33540 Blasimon, tél. 05 57 84 18 27, fax 05 57 84 01 70, em.jacob@wanadoo.fr, ☑ ⚔ ⊤ r.-v.

CH. HAUT-CASTENET 2011 ★

■	25 000	⬛⬤	5 à 8 €

Le merlot, accompagné du cabernet-sauvignon et d'un soupçon de cabernet franc, a donné naissance à ce vin très équilibré. Au nez, les fruits rouges et noirs se mêlent harmonieusement aux épices. Souple en attaque, ample, charnue et fruitée, la bouche dévoile en finale des tanins fermes qui laissent augurer un bon vieillissement (deux ou trois ans).

☛ EARL Castenet, 3, Castenet, 33790 Auriolles, tél. 05 56 61 40 67, fax 05 56 61 38 82, ch.castenet@wanadoo.fr, ☑ ⚔ ⊤ r.-v.
☛ Guennec

CH. HAUT-MONGEAT Les Petits Pieds du Mongeat 2011 ★★

■	6 015	⬛	5 à 8 €

Ce domaine, régulier en qualité (rappelons le coup de cœur l'an dernier pour un clairet 2011), en est à sa seconde année de conversion à l'agriculture biologique. Ces « petits pieds » de merlot plantés dans un sol graveleux et devenus grands (vingt ans d'âge moyen) ont donné naissance à cette cuvée rouge sombre aux reflets violets, au nez intense de fruits mûrs et d'épices, ample, concentrée, pleine et solidement charpentée en bouche. À attendre deux ou trois avant de lui réserver un sauté de bœuf aux olives.

☛ Bouchon, 79, chem. de Mongeat, 33420 Génissac, tél. 05 57 24 47 55, fax 05 57 24 41 21, info@mongeat.fr, ☑ ⚔ ⊤ r.-v.

CH. HAUT-MOULEYRE 2011 ★

■	73 962	⬛	5 à 8 €

Ce 2011 paré d'un beau rubis livre des parfums intenses et généreux de fruits noirs mûrs, d'épices et de fumé. La bouche se révèle riche, ample et longuement fruitée, étayée par des tanins frais qui assureront à ce vin une bonne tenue dans le temps (deux à quatre ans). Le **2011 Élevé en fût de chêne (37 733 b.)**, bien équilibré, boisé avec mesure, est également très réussi, de même que le **Ch. Bois Pertuis 2011 (520 666 b.)**, rond et fruité.

☛ Sté Fermière des Grands Crus de France, 33460 Lamarque, tél. 05 57 98 07 20, fax 05 57 98 07 35

CH. L'INSOUMISE Chai 45 Élevé en fût de chêne 2010 ★

■	160 000	⬤	5 à 8 €

Traversé par le 45e parallèle, le vignoble en coteaux de ce domaine ancien (XVIIe.) est conduit depuis 2007 par les œnologues Cécile Thirouin et Thierry de Taffin. Au merlot, cette cuvée associe au malbec les deux cabernets. Les fruits mûrs, des notes boisées, les épices et une touche de cuir composent un bouquet ouvert et complexe. Ronde et longue, la bouche s'appuie sur des tanins bien présents mais fins et sur un boisé ajusté. À boire d'ici deux à quatre ans, sur des travers de porc aux épices douces, par exemple.

☛ Thirouin – de Taffin, 360, chem. de Peyrot, 33240 Saint-André-de-Cubzac, tél. 05 57 43 17 82, fax 05 57 43 22 74, chateau.linsoumise@wanadoo.fr, ☑ ⚔ ⊤ r.-v. 🏠 🄴

CH. JACQUET 2010

■   100 000   ▯   - de 5 €

Véronique Barthe, héritière d'une longue lignée vigneronne (1789), dirige depuis 1991 ce vignoble de 80 ha, planté sur des croupes argilo-calcaires de l'Entre-deux-Mers. Après dix-huit mois de cuve, ce 2010 dévoile un bouquet de fruits noirs confiturés que l'on retrouve dans une bouche souple et douce. À boire dès aujourd'hui.

☞ Véronique Barthe, Peyrefus, 33420 Daignac, tél. 05 57 84 55 90, fax 05 57 74 96 57, veronique@vbarthe.com, ☑ ⚲ ♈ r.-v.

CH. LE JOYEUX 2010 ★

■   110 000   ▯   5 à 8 €

Sébastien Echeverria, œnologue, a repris en 2010 cette propriété familiale de 20 ha. Voici donc son premier millésime ici (il est aussi responsable de production sur une autre propriété). Un vin expressif, fruité et nuancé de notes florales, franc en attaque, soutenu par des tanins fins et par une pointe de vivacité. Un bordeaux équilibré, à déguster dans les trois ou quatre ans à venir.

☞ SCEA Vignobles Echeverria, 1, rte de Beychac, 33750 Saint-Germain-du-Puch, tél. 06 81 93 68 64, fax 05 57 24 02 05, chateaulejoyeux@orange.fr, ♈ r.-v.

KRESSMANN Monopole 2011 ★

■   110 000   ▯◐   5 à 8 €

Cette vénérable maison de négoce, fondée en 1871 par Édouard Kressmann, a lancé cette cuvée en... 1897, sous le nom de Kressmann Monopole Dry. La version 2011 se présente dans une robe sombre et profonde, et dévoile un nez ouvert où se mêlent un boisé élégant, la griotte, les épices et une touche de menthol. Ample, rond et structuré par des tanins fermes, le palais appelle une garde d'un à trois ans. Élevée en cuve, la Grande Réserve 2011 (400 000 b.), souple et fraîche, est citée et prête à boire.

☞ Kressmann, 35, rue de Bordeaux-Parempuyre, CS 80004, 33295 Blanquefort Cedex, tél. 05 56 35 53 00, fax 05 56 35 53 29, contact@kressmann.com

CH. LA LAGUNE DE MERCEY Cuvée des Pins 2010 ★

■   3 000   ◐   8 à 11 €

Jocelyne Robin, installée depuis 2001 aux commandes du domaine familial, signe une cuvée passée douze mois en fût ; séjour dont le nez comme la bouche gardent l'empreinte. Le fruit arrive toutefois à s'exprimer, notamment à travers une originale touche d'orange confite aux côtés des plus classiques notes de figue, de pruneau et de cerise. On apprécie aussi le volume de ce vin, ses solides tanins, sa finale fraîche et épicée. On l'attendra deux à trois ans. La cuvée Velours rouge 2011 (5 à 8 € ; 6 000 b.), élevée en cuve, est citée pour son fruité et pour ses tanins croquants.

☞ Jocelyne Robin, 2215, rte de Libourne, 33240 Saint-André-de-Cubzac, tél. 06 77 00 44 17, jocelyne.robin33@wanadoo.fr, ☑ ⚲ ♈ r.-v. 🏠 ❷

CH. LAMOTHE-VINCENT Intense 2011 ★★

■   40 000   ▯   5 à 8 €

Valeur sûre des appellations bordeaux, dans les trois couleurs, et bordeaux supérieur, le domaine signe avec cette cuvée de pur merlot un vin plein de fruit, au nez comme au palais. Ce 2011 séduit aussi par son volume, par son caractère doux et charnu rehaussé par une pointe de fraîcheur, et par sa longue finale épicée. Un bordeaux déjà aimable, à découvrir sur un tajine d'agneau. La cuvée principale 2011 (260 000 b.), soyeuse en attaque, ample, adossée à des tanins fermes, décroche également deux étoiles. On pourra l'attendre deux ou trois ans.

☞ SCEA Vignobles Vincent, 3, chem. Laurenceau, 33760 Montignac, tél. 05 56 23 96 55, fax 05 56 23 97 72, info@lamothe-vincent.com, ☑ ⚲ ♈ r.-v.

CH. LARY 2011 ★

■   346 666   ▯   - de 5 €

Né sur des coteaux aux sols argilo-sableux et calcaires du plateau de l'Entre-deux-Mers, ce 2011 issu principalement de merlot (75 %) dévoile un bouquet plaisant de cassis, auquel se mêlent des notes fraîches de sous-bois. Le palais se révèle équilibré entre un fruité généreux (pruneau, cerise) et des tanins aimables. Cette bouteille est prête mais peut attendre un an ou deux.

☞ GAEC Forcato et Fils, Tabot, Fosses-et-Baleyssac, 33190 La Réole, tél. et fax 05 56 61 77 91

CH. LATAPIE Élevé en fût de chêne 2011 ★

■   209 200   ▯   5 à 8 €

Trois vins sélectionnés chez la coopérative de Rauzan ont retenu l'attention. En particulier ce 2011 à dominante de merlot, dense, charnu, épaulé par des tanins jeunes et fermes. Un bordeaux équilibré, bien typé, à boire au cours des trois prochaines années. Le Ch. Mayne-Cabanot 2011 (moins de 5 € ; 322 900 b.), fruité, offrant un bon volume et des tanins fondus, ainsi que le Ch. la Grangeotte 2011 (moins de 5 € ; 162 000 b.), fruité et épicé, sont cités. Deux vins simples mais pas simplistes, à boire dès aujourd'hui.

☞ Les Caves de Rauzan, L'Aiguilley, 33420 Rauzan, tél. 05 57 84 13 22, fax 05 57 84 12 67, accueil@cavesderauzan.com, ☑ ⚲ ♈ r.-v.

CH. DE LAUBERTRIE 2011

■   13 000   ▯   - de 5 €

Ce domaine du Fronsadais, propriété familiale depuis le XVIᵉˢ., propose un assemblage de merlot et de cabernet-sauvignon (40 %) qui s'annonce par une robe carminée et par un nez ouvert sur les fruits rouges mûrs. La bouche est à l'unisson, ronde et bien fruitée. À boire dès aujourd'hui sur un sauté de bœuf aux épices douces.

☞ SCEA Pontallier et Fils, 50, rte de Laubertrie, 33240 Salignac, tél. 05 57 43 24 73, fax 05 57 43 17 24, domainedelaubertrie@orange.fr, ☑ ⚲ ♈ t.l.j. 9h-19h 🏠 Ⓖ

CH. DES LÉOTINS 2011 ★

■   5 000   ▯   5 à 8 €

Voici une cuvée originale, issue exclusivement du petit verdot, cépage couramment minoritaire aux côtés des traditionnels merlot et cabernets. Le cépage confère à ce vin une jolie robe rubis, un nez élégant de fruits frais et une bouche ronde, aux tanins souples et aimables. À découvrir dans les deux ans à venir, sur une grillade de bœuf.

☞ SCEA des Léotins, Les Léotins, 33540 Sauveterre-de-Guyenne, tél. 05 56 71 50 25, fax 05 56 71 60 35, chateau.leotins@wanadoo.fr, ☑ ⚲ ♈ r.-v.

☞ Claude et Xavier Lumeau

♥ CH **Lion Beaulieu** 2010 ★★

| ■ | 10 000 | ▮ ◑ | 15 à 20 € |

Valeur sûre de l'appellation, cette propriété habitée par Joël Elissalde, directeur des vignobles Despagne, étend ses vignes sur une croupe argilo-calcaire dominant la vallée de la Dordogne, face à Saint-Émilion. Le merlot (80 %), associé au cabernet-sauvignon, a donné naissance à un 2010 paré d'une intense robe rouge sombre virant au noir. Non moins intense, le nez n'est pas avare d'accents boisés, torréfiés, mais ne masque pas non plus ses arômes de pruneau et de fruits noirs mûrs. Franche en attaque, la bouche dévoile une matière généreuse et souple, adossée à d'aimables tanins. La finale est droite, élégante et longue. On peut déjà apprécier cette bouteille, sur un rôti de bœuf ou un gibier en sauce, ou l'attendre quatre ou cinq ans. Également proposé par la maison Despagne, le **Ch. Tour de Mirambeau** 2010 cuvée Passion (40 000 b.), fruité, rond, aux tanins patinés, un « vin sincère », selon un dégustateur, obtient une étoile.
☛ SCEA de la Rive Droite, 2, Le Touyre, 33420 Naujan-et-Postiac, tél. 05 57 84 55 08, fax 05 57 84 57 31, contact@despagne.fr, ☑ ⚐ ☗ r.-v.

CH. **Malbat** 2011 ★★

| ■ | 100 000 | ▮ | - de 5 € |

Apparu pour la première fois dans le Guide l'an dernier, le domaine de la famille Rochet confirme les deux étoiles obtenues dans le millésime 2010. Le 2011 a quelques airs de ressemblance avec son aîné : un nez intense de fruits mûrs, presque confiturés, et de réglisse alliés à un boisé bien dosé, et un palais ample, charnu et rond, bâti sur des tanins denses qui lui assureront une garde de trois à cinq ans.
☛ SCEA Rochet, 5, lieu-dit Malbat, 33190 La Réole, tél. 05 56 61 02 42, fax 05 56 71 25 22, contact@chateau-malbat.com, ☑ ⚐ ☗ r.-v.

CH. **Maledan** 2010

| ■ | 16 000 | | - de 5 € |

Ancien relais de chasse du XVIIIᵉ s., ce domaine étend son vignoble sur 13 ha. Il fait une très large place au merlot (97 %), incorporant une pointe de cabernet franc, dans ce 2010 rond, souple et fruité, un peu plus ferme en finale. À boire au cours des deux ou trois prochaines années.
☛ SCEA J.-B. Brunot et Fils, Ch. Piganeau, 1, Jean-Melin, 33330 Saint-Émilion, tél. 05 57 55 09 99, fax 05 57 55 09 95, vignobles.brunot@wanadoo.fr, ☗ r.-v.

CH. **Marjosse** 2011 ★

| ■ | 200 000 | ▮ ◑ | 8 à 11 € |

Réputée autant pour ses blancs (bordeaux sec, entre-deux-mers) que pour ses rouges, cette propriété acquise par Pierre Lurton en 1991 signe un 2011 dans lequel le malbec et les deux cabernets font de la figuration aux côtés du merlot. Il faut dire que le terroir est proche de celui de Saint-Émilion. Le cépage roi du Libournais a donné naissance à un vin ouvert sur les fruits rouges mûrs saupoudrés de quelques notes vanillées. Après une attaque franche et fraîche, le palais se révèle ample et plein, soutenu par des tanins aimables et élégants. Ce vin accompagnera viande rouge et petit gibier dans les cinq prochaines années.
☛ EARL Pierre Lurton, Ch. Marjosse, 33420 Tizac-de-Curton, tél. 05 57 55 57 80, fax 05 57 55 57 84, pierre.lurton@orange.fr, ☑ ⚐ ☗ r.-v.

CH. **Minvielle** 2011

| ■ | 20 000 | ▮ | 5 à 8 € |

Plus souvent remarqué pour ses blancs et rosés, ce domaine, propriété des Minvielle depuis 1805, soigne aussi ses vins rouges, témoin ce 2011 aux parfums de fruits noirs, d'épices et de sous-bois et au palais frais et ferme. Une bouteille à déguster dans deux ans, sur un magret.
☛ SCEA Vignobles Gadras, Dom. de Minvielle, 33420 Naujan-et-Postiac, tél. 05 57 84 55 01, fax 05 57 84 65 70, vignobles.gadras@wanadoo.fr, ☑ ⚐ ☗ t.l.j. 9h-12h 14h-18h; sam. dim. sur r.-v.

M DE **Monségur** Réserve 2011

| ■ | 40 000 | ▮ | 5 à 8 € |

Une cuvée originale de la cave de Monségur que ce 2011, issu d'une sélection de parcelles de cabernet franc. Le cépage donne un vin bien typé, au nez à la fois végétal et épicé, au palais ample et gras, bâti sur des tanins denses. À attendre deux ans pour une meilleure harmonie.
☛ SCA Les Vignerons réunis de Monségur, 1, Grand-Champ, 33580 Le Puy, tél. 05 56 61 61 85, fax 05 56 61 89 05, commercial@cave-de-monsegur.com, ☑ ⚐ ☗ r.-v.

CH. **Motte Maucourt** Vieilli en fût de chêne 2010 ★

| ■ | 10 000 | ◑ | 5 à 8 € |

Après douze mois de barrique, ce 2010 livre un bouquet intense et harmonieux de fruits noirs et de notes toastées. Le palais se montre généreux (fruits à l'alcool), charnu et concentré, structuré par de beaux tanins et par un boisé élégant. Un vin armé pour une garde de quatre ou cinq ans.
☛ EARL Ch. Motte Maucourt, 2, au Canton, 33760 Saint-Genis-du-Bois, tél. 05 56 71 54 77, fax 05 56 71 64 23, lucasromane@orange.fr, ☑ ⚐ ☗ t.l.j. sf dim. 9h-12h 14h-18h
☛ Villeneuve

CH. **Moulin de Bernat** 2011 ★

| ■ | 40 000 | ▮ | - de 5 € |

Les plus fidèles lecteurs se souviendront du coup de cœur attribué à la cuvée de la Viticultrice 2008 dans le Guide 2011. Frederike Bouzon-Petit signe ici un vin moins ambitieux mais fort plaisant par son bouquet de fruits mûrs, par son volume, son gras et son côté charnu. La finale un peu plus austère appelle une petite garde d'un an ou deux.

☛ Frederike Bouzon-Petit, Moulin de Bernat,
33790 Saint-Antoine-du-Queyret, tél. 05 56 61 33 78,
fax 05 56 61 39 84, haut-rieuflaget@wanadoo.fr,
☑ 🕴 🍴 r.-v. 🏠 ⓒ

CH. DE L'ORANGERIE 2011 ★

| | n.c. | | - de 5 € |

Situé dans l'Entre-deux-Mers, dans le canton de Sauveterre-de-Guyenne, ce vaste domaine de 73 ha appartient à la famille Icard depuis la fin du XVIIIᵉs. Le merlot (70 %) et le cabernet-sauvignon ont donné naissance à ce 2011 fruité (cassis, fruits rouges) et épicé, ample, rond et plein, étayé par des tanins souples et soyeux. Déjà appréciable, cette bouteille pourra aussi patienter deux ou trois ans. Des mêmes propriétaires, le **Ch. Grand Rolland Cuvée d'exception 2011**, dans un style proche, rond et charnu, obtient également une étoile.

☛ SCEA Vignobles Icard, Ch. de l'Orangerie,
33540 Saint-Félix-de-Foncaude, tél. 05 56 71 53 67,
fax 05 56 71 59 11, orangerie@chateau-orangerie.com

CH. PALÈNE 2011 ★★

| | 106 000 | | - de 5 € |

Carton plein pour les vignobles Roux, maison de négoce de l'Entre-deux-Mers : trois vins sélectionnés, dont ce 2011 mi-merlot mi-cabernet-sauvignon qui emporte les suffrages des dégustateurs. Ses arguments ? Un bouquet épanoui mêlant les fruits rouges (cerise, framboise) à des notes de poivron rouge et de poivre, relayé par une bouche fine, croquante et très longue. L'archétype du vin gourmand et fruité, à boire dès aujourd'hui sur un tartare de bœuf. Le **Ch. Laforêt 2011 (220 000 b.)**, dans un style également très fruité, souple et rond, obtient une étoile, de même que le **Ch. Gros Chêne 2011 (330 000 b.)**, floral et fruité, aux tanins un peu plus stricts.

☛ SARL Vignobles Roux, 1, Beaucés, 33540 Gornac,
tél. 05 56 61 98 93, fax 05 56 61 94 17,
vignoblesroux@orange.fr,
☑ 🕴 🍴 t.l.j. sf sam. dim. 8h-12h 14h-18h; f. 15-31 août

CH. PONCHEMIN Cuvée Emma et Alexia 2011

| | 50 000 | ⊞ | 5 à 8 € |

La coopérative de Mesterrieux propose une cuvée plaisante par son bouquet de fruits rouges mâtiné de notes toastées et épicées, et par son palais rond et rond, aux tanins fondus. À boire dans l'année sur une grillade.

☛ Cave Les Coteaux d'Albret, 15, Martinaud,
33540 Mesterrieux, tél. 05 56 71 41 07, fax 05 56 71 32 36,
coteauxdalbret@orange.fr, ☑ 🕴 🍴 r.-v.

LES PORTES DE BORDEAUX 2011 ★

| | 500 000 | | - de 5 € |

Cette maison de négoce créée en 1973 propose une cuvée merlot cabernet-sauvignon au bouquet intense et frais de fruits rouges (framboise) et noirs (cassis) agrémentés de nuances de violette. Après une attaque souple, le palais se montre rond et charnu, porté par d'aimables tanins. Un vin gourmand et charmeur, à boire dès à présent. La cuvée **Terre Blanche 2011 (500 000 b.)**, un peu plus tannique mais sans agressivité, généreusement bouquetée (fruits confiturés, touche animale), obtient également une étoile.

☛ Savas, 110, rue Achard, 33300 Bordeaux,
tél. 05 56 92 62 96, fax 05 56 94 54 98,
margaux.belval@savas-sa.fr

♥ PRÉVÔT DE PICON 2011 ★★★

| | 150 000 | | - de 5 € |

Cette maison de négoce bordelaise rend ici hommage au prévôt du seigneur Vital de Picon qui, au XIᵉs., identifia les qualités viticoles des terres du fief de Picon. L'homme avait du flair si l'on en juge par cette cuvée ouverte sur les fruits rouges et noirs mûrs, sur la réglisse et les épices. Après une attaque souple et gourmande, le palais déploie de beaux et solides tanins qui confèrent beaucoup de corps et de puissance à ce vin, et portent loin la finale, ample et fruitée. Armée pour une garde de trois ou quatre ans, cette bouteille accompagnera volontiers un rôti de bœuf aux champignons. À découvrir dès aujourd'hui, la cuvée **Dédicace de Fabien Pelous 2011 (150 000 b.)**, ronde, fruitée et bien structurée, qui obtient une étoile.

☛ GRM, ZAE de l'Arbalestrier, 33220 Pineuilh,
tél. 05 57 41 91 50, fax 05 57 46 42 76, contact@grm-vins.fr

CH. RIOUBLANC 2011 ★

| | 125 000 | ⊞ | 5 à 8 € |

Philippe Carretero, œnologue, est à la tête du domaine depuis 1989. Il a engagé en 2009 la conversion bio de ses 47 ha de vignes. Issu d'un assemblage classique entre le merlot (70 %) et le cabernet-sauvignon, ce 2011 livre de fines senteurs de fruits rouges que prolonge une bouche de bonne constitution, généreuse et longue. Parfait pour un confit de canard, aujourd'hui ou dans deux ans.

☛ Philippe Carretero, Ch. Rioublanc,
33910 Saint-Ciers-d'Abzac, tél. 05 57 56 11 42,
contact@chateau-rioublanc.com

CH. LA ROCHE SAINT-JEAN 2011 ★★

| | 42 000 | | - de 5 € |

Jérôme Pauquet a rejoint son père en 1998 à la tête d'un vignoble de 27 ha en culture raisonnée. Il propose avec ce 2011 un vin intensément fruité (cassis, mûre) du début à la fin de la dégustation, généreux et puissant en bouche, porté par des tanins mûrs et soyeux et par une finale élégante et longue. À boire ou à attendre deux ou trois ans.

☛ Jérôme Pauquet, 24, Le Bourg, 33190 Camiran,
tél. 05 56 71 44 95, fax 05 56 71 49 02,
jerome.pauquet@wanadoo.fr, ☑ 🕴 🍴 r.-v.

CH. ROQUES MAURIAC Damnation 2011 ★

| | 10 000 | ⊞ | 15 à 20 € |

Ce domaine bien connu des lecteurs fut fondé en 1973 par Édouard Leclerc, puis développé successivement par sa fille Hélène, par son petit-fils Vincent et aujourd'hui par Sylvie, la femme de ce dernier. Côté cave, on découvre un bordeaux à dominante de cabernet franc (85 %), avec le merlot en appoint. Un vin qui a connu le bois et qui ne s'en cache pas : il livre des parfums intenses de café torréfié et de vanille qui laissent pour l'heure le fruit en retrait. La bouche se révèle elle aussi bien boisée, mais elle enrobe le merrain d'une chair douce et riche et l'accompagne de tanins solides. Des arguments pour une bonne garde (quatre ou cinq ans). On attendra aussi la cuvée **L'Esprit du Ch. Lagnet 2011 (moins de 5 € ; 100 000 b.)**, corpulente, ferme et fruitée, qui obtient également une étoile.

🍷 Levieux Vignerons, 1, Lagnet, 33350 Doulezon, tél. 05 57 40 51 84, fax 05 57 40 55 48, contact@levieux-vignerons.com, ☑ ✦ ⏵ r.-v.

♥ CH. LA ROSE DU PIN 2011 ★★

| | 243 600 | 📖 ⑪ | - de 5 € |

C'est en 1858 que la famille Ducourt s'installe au château des Combes, à Ladaux, petit village au sud-est de Bordeaux. Un siècle et demi plus tard, son vignoble s'étend sur 440 ha et se répartit en treize châteaux dans l'Entre-deux-Mers et le Saint-Émilionnais. Ici, nous sommes près de la commune de Romagne, aux lieux-dits « À la rose » et le « Pin de Cornet », sur un terroir argilo-calcaire planté de merlot et de cabernet-sauvignon. Dans le verre, un vin pourpre brillant, qui déploie des parfums intenses et prometteurs de cerise, de cacao, de torréfaction et d'humus. Le palais attaque avec douceur et souplesse, puis va crescendo, affichant beaucoup de volume et de chair, porté par des tanins fermes et par un boisé élégant. En finale, les fruits se mêlent à l'amande grillée et à la vanille, laissant le souvenir d'un vin long et harmonieux, que l'on appréciera au mieux de sa forme dans deux à cinq ans sur un civet de lièvre. On pourra boire un peu plus tôt le **Ch. Briot 2011 (236 000 b.)**, bien bâti et bien en chair, fruité, épicé et boisé avec mesure, qui obtient une étoile. Le **Ch. Larroque 2010 (5 à 8 € ; 208 000 b.)**, dense, structuré et encore sous l'emprise du merrain, est cité. On l'attendra deux ou trois ans pour permettre à ses tanins de se fondre.

🍷 Vignobles Ducourt, 18, rte de Montignac, 33760 Ladaux, tél. 05 57 34 54 00, fax 05 56 23 48 78, ducourt@ducourt.com, ☑ ✦ r.-v.

CH. DE ROUQUETTE 2011 ★

| | 36 000 | 📖 ⑪ | 11 à 15 € |

Plus connue des lecteurs pour ses loupiac, la famille Darriet maîtrise aussi la vinification en rouge (6 ha des 16,15 que compte le domaine sont dédiés aux ceps de merlot et de cabernet-sauvignon) ; témoin ce 2011 ouvert sur les fruits rouges, la réglisse, le grillé et la vanille, ample,

gras et tannique. Une bouteille de caractère, à attendre trois à cinq ans.

🍷 SCJ Darriet, Ch. Dauphiné-Rondillon, 33410 Loupiac, tél. 05 56 62 61 75, fax 05 56 62 63 73, contact@vignoblesdarriet.fr, ☑ ✦ ⏵ t.l.j. 8h30-12h30 14h-18h; sam. dim. sur r.-v.

♥ CH. LA SAUVEGARDE 2011 ★★

| | 40 000 | ⑪ | 5 à 8 € |

Chasse, cèpes et vigne composent l'environnement de ce domaine isolé au milieu de 30 ha de bois et commandé par une bastide du XIX[e]s. À sa tête, le trentenaire Sébastien Petit, qui signe à partir du merlot (75 %) et du cabernet-sauvignon un 2011 intense et équilibré de bout en bout. La robe est d'un sombre pourpre profond. Le nez, très expressif, met en avant les fruits noirs mûrs et laisse en retrait la vanille de la barrique. La bouche tient bien la note, se montre tout aussi fruitée et boisée avec retenue, ample, riche et puissante, sous-tendue par des tanins soyeux et par une élégante fraîcheur. Un vin harmonieux et complet, à découvrir au cours des quatre ou cinq prochaines années, sur un filet de bœuf aux cèpes.

🍷 SCF La Sauvegarde, M. Petit, Ch. la Sauvegarde, 33790 Soussac, tél. 05 56 61 33 78, fax 05 56 61 39 84, haut-rieuflaget@wanadoo.fr, ☑ ✦ ⏵ r.-v. 🏚 ▶

SAUVETERRE 2011 ★★

| | 400 000 | 📖 | - de 5 € |

La coopérative de Sauveterre-de-Guyenne s'est associée en 2012 avec la cave de Blasimon. Trois vins ont retenu l'attention des dégustateurs, notamment cette cuvée mi-merlot mi-cabernets, bien fruitée au nez comme en bouche, étoffée, dense, épaulée par des tanins ronds et d'une remarquable longueur. À boire dans deux ou trois ans, sur un magret de canard aux cerises, par exemple. Offrant une plus grande place au merlot (70 %), le **Ch. Lacousse 2011 (105 000 b.)**, souple, floral (violette) et fruité, plus serré en finale, obtient une étoile. À attendre trois ou quatre ans. On appréciera un peu plus tôt la cuvée **La Mirandelle 2011 (400 000 b.)**, fraîche, fruitée, aux tanins souples et fondus. Une étoile également.

🍷 Cave de Sauveterre Blasimon, 15, Bourrassat, 33540 Sauveterre-de-Guyenne, tél. 05 56 61 55 20, fax 05 56 61 59 10, p.mondin@cavedesauveterre-blasimon.fr, ☑ ✦ ⏵ t.l.j. sf dim. 9h-12h 14h-18h

CH. LE SÈPE Cuvée initiale 2010 ★

| | 12 200 | ⑪ | 8 à 11 € |

Les Guffon, nouveaux propriétaires du domaine depuis 2009, avaient fait une entrée remarquée dans le Guide avec leur Cuvée initiale 2009 ; ils confirment leur savoir-faire avec le 2010, qui associe au merlot le cabernet-sauvignon et le malbec (15 % chacun). Le nez évoque les fruits noirs mûrs agrémentés à l'aération d'amande amère et de notes poivrées. La bouche se révèle tendre, ronde, ample, extraite avec élégance et mesure. À boire au cours des deux ou trois prochaines années, sur un magret de canard au poivre vert par exemple.

☛ Dominique Guffond, 1, le Sèpe, 33350 Sainte-Radegonde, tél. 06 86 90 88 18, chateaulesepe@orange.fr, ☑ ⚲ ⏐ r.-v. 🏠 ⑤

CH. THIEULEY 2011 ★

◼   66 000   ⬤   5 à 8 €

Valeur sûre de l'appellation dans les trois couleurs, le château Thieuley signe un 2011 qui, sans atteindre les sommets du 2010 (coup de cœur dans l'édition précédente), a quelques atouts à faire valoir. En premier lieu, un bouquet élégant et équilibré entre fruits mûrs et boisé. Ensuite, un palais souple en attaque, puis charnu, gras et long, étayé par des tanins fondus. À déguster dans les trois ou quatre ans, sur une viande rouge en sauce.

☛ Vignobles Courselle, Ch. Thieuley, 560, rte de Grimard, 33670 La Sauve, tél. 05 56 23 00 01, fax 05 56 23 34 37, contact@thieuley.com, ☑ ⚲ ⏐ t.l.j. 8h30-12h 13h30-17h30; sam. dim. sur r.-v. 🏠 ③

CH. TOUR DE MIOT 2011 ★★

◼   60 000   ⬤   5 à 8 €

Les Mouty ont acquis en 2011 ce domaine de 21 ha établi sur des sols argilo-(très) calcaires, contigu à une autre de leur propriété, le château Rambaud, bien connu des lecteurs. Issu de merlot (70 %), de cabernet-sauvignon et de malbec, ce premier millésime des nouveaux propriétaires a fait une belle impression. Le nez, harmonieux, évoque les fruits mûrs et la vanille, apportée par douze mois de fût. On retrouve cet équilibre entre fruité et boisé dans une bouche soyeuse, veloutée, douce et longue. Cette bouteille déjà aimable pourra aussi s'apprécier dans deux ou trois ans, sur du petit gibier en sauce. Le **Dom. des Grands Ormes 2011** (25 000 b.), bien structuré, boisé et épicé, encore assez austère en finale, est cité.

☛ SCEA Vignobles Daniel Mouty, Ch. du Barry, 19, rue de Merlande, 33350 Sainte-Terre, tél. 05 57 84 55 88, fax 05 57 74 92 99, contact@vignobles-mouty.com, ☑ ⚲ ⏐ t.l.j. sf sam. dim. 8h30-12h30 14h-18h

CH. LE TROS Perles noires 2011 ★

◼   4 000   ⬤   8 à 11 €

Première apparition dans le Guide pour ce domaine créé en 1974 par la famille Jabouin. Ces Perles noires sont celles du merlot, qui a donné naissance à ce 2011 épicé (clou de girofle) et boisé (toasté, vanille), dense, généreux et bien charpenté en bouche. Deux à quatre ans de garde permettront de polir des tanins encore un peu sévères en finale et de fondre un merrain élégant, mais pour l'heure dominateur.

☛ GFA Ch. le Tros, Le Broustera, 33420 Tizac-de-Curton, tél. 05 57 24 26 85, fax 05 57 24 17 18, chateauletros@orange.fr, ☑ ⚲ ⏐ t.l.j. 9h-12h 14h-18h; dim. sur r.-v. ☛ Jabouin

CH. DE VAURE 2010

◼   n.c.   ⬤   - de 5 €

Né dans l'Entre-deux-Mers, ce 2010 encore réservé s'ouvre à l'aération sur quelques notes de fruits noirs à

maturité (cassis).En bouche, il affiche un bon volume, de la vivacité et des tanins de qualité mais qui devront s'affiner. Prévoir deux ans de garde.

☛ Chais de Vaure, 33350 Ruch, tél. 05 57 40 54 09, fax 05 57 40 70 22, chais-de-vaure@wanadoo.fr, ☑ ⚲ ⏐ r.-v.

CH. VIEUX MANOIR Cuvée Prestige 2011 ★★

◼   100 000   - de 5 €

Ce domaine de l'Entre-deux-Mers, commandé par une bâtisse médiévale, fut la résidence de chasse du duc d'Épernon. Depuis 1989, il est la propriété de la famille Ballande. Mi-merlot mi-cabernet-sauvignon, ce 2011 livre un bouquet charmeur de fruits noirs mûrs, de pruneau, d'épices et de réglisse, auquel fait écho un palais ample, rond, velouté et long, soutenu par d'élégants tanins. Déjà aimable, il pourra aussi patienter deux ou trois ans en cave.

☛ SCA Vieux Manoir, 19, rue du Vieux-Manoir, 33760 Targon, tél. et fax 05 57 19 34 12

CH. VIRCOULON 2011

◼   84 000   - de 5 €

Merlot (70 %), cabernet-sauvignon, malbec et une pointe de cabernet franc composent l'assemblage de ce vin de caractère. Derrière une robe violine pointe un nez frais de fruits rouges et de réglisse, agrémenté d'une petite touche végétale pas désagréable. La bouche se distingue par sa puissance et ses tanins fermes et serrés, encore un peu stricts en finale. Deux ans de garde devraient patiner l'ensemble.

☛ Patrick Hospital, 5, Vircoulon, 33220 Saint-Avit-de-Soulège, tél. et fax 05 57 41 05 99, chateauvircoulon@orange.fr

Bordeaux clairet

Superficie : 925 ha
Production : 52 000 hl

CH. BALLAN-LARQUETTE 2012

◼   9 600   ▮   5 à 8 €

À la tête du domaine familial depuis 1992, Régis Chaigne, établi au sud de l'appellation, a associé le merlot et le malbec au cabernet-sauvignon (70 %) pour élaborer ce clairet expressif (fruits rouges, notes amyliques, sureau, mangue), vineux et rond en bouche. Un rosé chaleureux, à réserver pour un plat relevé, un tajine d'agneau par exemple.

☛ Vignobles Chaigne et Fils, Ch. Ballan-Larquette, 33540 Saint-Laurent-du-Bois, tél. 05 56 76 46 02, fax 05 56 76 40 90, regis@chaigne.fr, ☑ ⚲ ⏐ r.-v.

♥ CH. DE CASTELNEAU 2012 ★★

◼   18 000   5 à 8 €

Autour de cet élégant château fortifié des XIVe et XVIe s., 100 ha d'un seul tenant exploités en polyculture : un tiers de céréales, un tiers de bois et un tiers de vignes. Ce clairet de l'Entre-deux-Mers assemble, lui aussi par tiers (enfin presque), le merlot (40 %) et les deux cabernets. Il en résulte un vin couleur rouge cerise aux reflets violines, au nez enchanteur de fruits frais (fraise, abricot, coing) accompagné de nuances de bonbon acidulé. La bouche, à l'unisson, se révèle dense et onctueuse, soutenue par une

CHÂTEAU DE
CASTELNEAU
2012

BORDEAUX CLAIRET
APPELLATION BORDEAUX CLAIRET CONTRÔLÉE

fine vivacité qui lui donne du peps et de l'allonge. Un modèle d'équilibre à découvrir tout au long du repas.
☛ Vicomte Loïc de Roquefeuil, 8, rte du Breuil, 33670 Saint-Léon, tél. 05 56 23 47 01, fax 05 56 23 01 31, castelneau-roquefeuil@wanadoo.fr,
☑ ⚥ ⵏ r.-v. 📅 ④ 🏠 🄴

CH. DUFILHOT 2012 ★★

| ◾ | 20 000 | ▮ | - de 5 € |

Finaliste au grand jury des coups de cœur, la version 2011 de ce clairet du château Dufilhot avait fait une belle sensation dans l'édition précédente. Le 2012, issu du même duo merlot-malbec à 50-50, a lui aussi brigué cette distinction. Ses arguments : une robe élégante et bien dans le ton de l'appellation, rubis à reflets violines ; un bouquet intense et non moins élégant de violette et de fruits rouges ; une bouche fraîche et exubérante sur le fruit, rehaussée des accents épicés du malbec et « adoucie » par l'onctuosité du merlot. Un clairet très équilibré, harmonieux, qui s'entendra avec des calamars à la tomate et aux épices douces.
☛ SCEA Vignobles Pierre Chevrot, 7, Baure-Est, 33490 Verdelais, tél. 05 56 62 02 56, fax 05 56 76 79 48, contact@chateau-dufilhot.fr, ☑ ⚥ ⵏ r.-v.

CH. FAYAU 2012

| ◾ | 20 600 | ▮ | - de 5 € |

Acquis par les Médeville en 1826 avec 12 ha de vignes, ce domaine couvre aujourd'hui 180 ha. Sur les coteaux qui surplombent la vallée de la Garonne près de Cadillac, le merlot et le cabernet-sauvignon ont donné naissance à ce clairet discrètement fruité à l'olfaction, plus expensif en bouche, souple, frais et ample. Un bon classique, à déguster sur des gambas au curry.
☛ SCEA Jean Médeville et Fils, Ch. Fayau, 33410 Cadillac, tél. 05 57 98 08 08, fax 05 56 62 18 22, medeville@medeville.com,
☑ ⚥ ⵏ t.l.j. sf sam. dim. 9h-12h 14h-17h

CH. GRIMONT 2012

| ◾ | 40 000 | ▮ | - de 5 € |

Ce château fut habité par l'écrivain Eugène Sue ; depuis 1959 et trois générations, la famille Yung y a pris ses quartiers. Elle propose ici un clairet 100 % merlot, paré d'une robe rubis, au nez fin et frais d'agrumes, de fruits rouges et de violette. La bouche tient bien la note, dans un style vif et léger. Tout indiqué pour l'apéritif, accompagné de quelques tapas au chorizo.
☛ SCEA P. Yung et Fils, Ch. Grimont, 33360 Quinsac, tél. 05 56 20 86 18, fax 05 56 20 82 50, info@vignobles-yung.fr, ☑ ⚥ ⵏ r.-v.

CH. LAGRANGE LES TOURS L'Idée claire 2012

| ◾ | 8 000 | | 5 à 8 € |

Installés en 2011, Michel et Pierre Choquet signent un clairet né du seul cabernet franc. Un vin rose soutenu, fruité et amylique à l'olfaction, plein de vivacité en bouche. Un ensemble tonique et friand, tout indiqué pour l'apéritif.
☛ SCEA des Vignobles Choquet, 30, rue de Bernescut, 33240 Cubzac-les-Ponts, tél. et fax 05 57 43 04 96, vignobles.choquet@wanadoo.fr, ☑ ⚥ ⵏ r.-v.

MARQUIS DE GÉNISSAC 2012 ★

| ◾ | 7 660 | | - de 5 € |

Ce Marquis, coup de cœur pour son millésime 2009, se présente dans un habit rouge pâle aux reflets violets. Issu du seul merlot, il dévoile des parfums typés de fruits rouges mûrs et de violette. En bouche, il persiste longuement sur ces mêmes arômes, affichant un beau volume, de la fraîcheur et de la densité. Un clairet de haute tenue, à déguster sur une viande rouge grillée au feu de bois.
☛ SCA Vignerons de Saint-Pey-Génissac, 180, rue de la Cave-Coopérative, 33420 Génissac, tél. 05 57 55 55 65, fax 05 57 55 11 61, cave.genissac@vigneronsdesaintpey_genissac.fr,
☑ ⚥ ⵏ t.l.j. sf dim. 9h-12h 14h-18h

CH. DE MARSAN 2012 ★★

| ◾ | 16 000 | ▮ | 5 à 8 € |

Bâti en 1630 par Pierre de Marsan, le château d'origine a été remplacé par une bâtisse d'ordonnance classique, remaniée au XIXᵉs. L'élégance des lieux se retrouve dans ce clairet issu de merlot (60 %) et des deux cabernets, paré d'une seyante robe framboise. La variété des cépages favorise la complexité aromatique : fraise, fleurs blanches, épices. La bouche se révèle souple, ronde et ample, une agréable fraîcheur de jeunesse lui apportant un surcroît de vitalité. L'ensemble est harmonieux, à la fois tonique et gourmand, et sera le bienvenu sur des filets de rouget.
☛ SCEA Gonfrier Frères, Ch. de Marsan, BP 7, 33550 Lestiac-sur-Garonne, tél. 05 56 72 14 38, fax 05 56 72 10 38, gonfrier@wanadoo.fr,
☑ ⚥ ⵏ t.l.j. 9h-17h30; sam. dim. sur r.-v.

CH. PENIN 2012 ★

| ◾ | n.c. | | 5 à 8 € |

Une valeur sûre des appellations régionales bordelaises, avec plusieurs coups de cœur à son actif, notamment en bordeaux supérieur. Patrick Carteyron excelle aussi en rosé et signe là un clairet sincère et généreux, 100 % merlot, ouvert sur la fraise, la grenadine et le coing. Le palais se montre ample, souple, rond, frais juste ce qu'il faut. Bref, un vin équilibré et gourmand à souhait, que l'on verrait bien en compagnie d'un mets exotique, une pastilla de pigeon par exemple.
☛ Patrick Carteyron, Ch. Penin, 39, impasse Couponne, 33420 Génissac, tél. 05 57 24 46 98, fax 05 57 24 41 99, vignoblescarteyron@wanadoo.fr,
☑ ⚥ ⵏ t.l.j. sf dim. 8h30-12h 14h-18h; sam. sur r.-v.

CLAIRET DE QUINSAC 2012 ★

| ◾ | 200 000 | ▮ | - de 5 € |

Une fresque monumentale du peintre bordelais Charazac, intitulée Les Esprits de la Garonne, orne les murs de la cave coopérative de Quinsac. D'une belle intensité colorante lui aussi, sur des tons grenat brillant, ce clairet issu du seul merlot se révèle finement bouqueté autour de la mûre et de la fraise. Le palais, dans le même registre aromatique, est souple, plein et rond, sans manquer de la fraîcheur qui apporte l'équilibre. Parfait pour l'apéritif et les grillades.

☛ Cave de Quinsac, 89, Pranzac, 33360 Quinsac, tél. 05 56 20 86 09, fax 05 56 20 86 82, cave.de.quinsac@wanadoo.fr, ☑ ⚔ ⚊ t.l.j. sf dim. 8h-12h 14h-19h

CH. TIMBERLAY 2012 ★

	6 000		5 à 8 €

Sur son vaste vignoble de 120 ha, Robert Giraud a sélectionné 1 ha de merlot (70 %) et de cabernet franc pour élaborer ce clairet couleur grenat. Un fruité subtil aux accents de fraise et de framboise monte du verre. Une attaque vive et ferme annonce un palais lui aussi bien fruité (agrumes), plein de fraîcheur et légèrement tannique. Un rosé de caractère, à servir sur des côtes de porc à la tomate rehaussées d'une pointe de piment d'Espelette.

☛ EARL Vignobles Robert Giraud, Dom. de Loiseau, 33240 Saint-André-de-Cubzac, tél. 05 57 43 01 44, fax 05 57 43 08 75, direction@robertgiraud.com

Bordeaux rosé

CH. BELLE-GARDE 2012 ★★

	20 000		- de 5 €

Bien connu des lecteurs pour ses bordeaux rouges et blancs, avec plusieurs coups de cœur à son palmarès, Éric Duffau soigne aussi ses rosés. Témoin ce 2012 issu de cabernet franc (60 %) et de merlot, qui a séduit les dégustateurs de bout en bout : robe pâle et brillante ; nez intense, frais et fin de fruits rouges acidulés et d'agrumes ; bouche au diapason, vive, dynamique, avec ce qu'il faut de chair et de gras pour apporter du moelleux. Bref, un vin d'un bel équilibre, à servir sur des penne à la tomate et au pesto de roquette.

☛ SC Vignobles Éric Duffau, 2692, rte de Moulon, 33420 Génissac, tél. 05 57 24 49 12, fax 05 57 24 41 28, duffau.eric@wanadoo.fr, ☑ ⚔ ⚊ r.-v.

CH. DE LA BOUYÈRE 2012 ★

	2 000		- de 5 €

En remontant la vallée de la Garonne, n'hésitez pas à faire un détour par le village de Donzac pour visiter son église et sa nef voûtée atypique en forme de berceau. C'est là qu'est établi le domaine de la famille Queyrens où est né ce 2012 de pur merlot commercialisé par la Compagnie médocaine des Grands Crus, négociant de Blanquefort. Une robe rose soutenu, un bouquet bien fruité (agrumes, fruits rouges) et un rien épicé, une bouche à la fois fraîche et charnue, tout concourt à faire de ce vin un rosé élégant et typé, que l'on prendra plaisir à servir sur une cuisine asiatique ou méditerranéenne.

☛ Compagnie médocaine des Grands Crus, 7, rue Descartes, 33294 Blanquefort Cedex, tél. 05 56 95 54 95

CH. CHATAGNAU 2012 ★

	2 784		- de 5 €

Cette exploitation familiale ancienne tournée à l'origine vers l'élevage bovin a été progressivement orientée

vers la vigne dans les années 1970 par l'oncle et le père de Nathalie et Jérôme Limouzin, aux commandes depuis 2010. Ces derniers, qui ont entrepris le développement de la vente en bouteilles, signent un rosé de pur cabernet franc. Un vin rose clair, au nez intense de fruits frais (cassis, framboise), agrémenté d'une touche anisée, et au palais souple, frais et fruité. À déguster sur des boulettes de bœuf à la tomate.

☛ Limouzin, 10, Le Bourg, 33410 Mourens, tél. et fax 05 56 61 97 37, gaecdechatagnau@gmail.com, ☑ ⚊ r.-v.

CLOS BELLE RIVE 2012

	4 000		5 à 8 €

Laurent Audigay invite au voyage avec son étiquette ornée d'un voilier voguant paisiblement sur la Dordogne. Dans le flacon, ce vin à forte dominante de merlot propose, lui, un joli voyage olfactif dans l'univers des fruits rouges et des agrumes. La bouche, fraîche et pourvue d'un bon volume, suit le même chemin fruité, avec pour destination finale la table et des saltimboccas de veau à la sauge.

☛ EARL Laurent Audigay, 33330 Saint-Sulpice-de-Faleyrens, tél. 06 80 75 40 76, laurent.audigay@wanadoo.fr, ☑ ⚔ ⚊ r.-v.

CLOS CARMELET 2012

	600		- de 5 €

Un nouveau nom dans le Guide avec ce petit domaine de 3 ha, ensemble de parcelles situées sur les coteaux de la rive droite de la Garonne et voisin du château Carmelet. Gilles Hébrard, après des études d'œnologie, a eu envie de recréer un patrimoine familial. Il signe un rosé 100 % merlot, très confidentiel, paré d'une robe saumonée aux éclats roses et gris, qui distille des senteurs de fruits exotiques (litchi, mangue) et de fruits jaunes (pêche) relayées par une bouche fine et fraîche. Tout indiqué pour une cuisine asiatique, un sauté de bœuf thaï par exemple.

NOUVEAU PRODUCTEUR

☛ Gilles Hébrard, 103, rte de Rouquey, 33550 Tabanac, tél. 06 64 38 03 00, closcarmelet@hotmail.fr, ☑ ⚔ ⚊ r.-v.

LE CANON DE CÔTE MONTPEZAT 2012

	13 333		5 à 8 €

Ce Canon est le dernier-né (premier millésime en 2006) des vins de ce domaine régulièrement sélectionné pour ses castillon-côtes-de-bordeaux. Un rosé pâle issu de 60 % de merlot et de 40 % de cabernet franc fait pour le plaisir et la convivialité. Affranchi de sa timidité initiale par l'aération, il délivre de jolis parfums de fleurs blanches et de fruits rouges prolongés par une bouche souple, fraîche et d'une honorable longueur. Parfait pour un apéritif sans chichi.

☛ SAS des Vignobles Bessineau, 8, Brousse, BP 42, 33350 Belvès-de-Castillon, tél. 05 57 56 05 55, fax 05 57 56 05 56, bessineau@cote-montpezat.com, ☑ ⚔ ⚊ r.-v.

CH. DUDON 2012

	7 000		- de 5 €

Jean Merlaut, propriétaire entre autres du Ch. Gruaud Larose à Saint-Julien, conduit depuis 1975 ce domaine familial, qu'il a patiemment remis en ordre de marche. Il propose ici un rosé mi-merlot mi-cabernet à la robe saumon clair, joliment fruité (fruits rouges, pêche jaune), vif, léger et persistant en bouche. Un tajine de poulet fera un bon accord gourmand.

☛ SARL Dudon, Ch. Dudon, 33880 Baurech, tél. 05 57 97 77 35, fax 05 57 97 77 39, info@jean-merlaut.com, ☑ ☆ ⌖ r.-v.

☛ Jean Merlaut

CH. LA GABARRE 2012

| | 20 000 | ⬛ | - de 5 € |

Ce domaine familial d'une quarantaine d'hectares, établi dans le secteur de Fronsac, est conduit depuis 1999 par Stéphane Gabard et son épouse Paola. Il propose un rosé couleur framboise aux reflets violines, expressif et fruité (fruits rouges, agrumes) à l'olfaction. La bouche, sans manquer de fraîcheur, évolue plutôt dans le registre de la douceur (3,58 g/l de sucres résiduels) et de la rondeur. Tout indiqué pour une cuisine sucrée-salée.

☛ EARL Vignobles Gabard, 25, rte de Cavignac, 33133 Galgon, tél. 05 57 74 30 77, fax 05 57 84 35 73, vignobles.gabard@laposte.net, ☑ ☆ ⌖ r.-v.

GARRINEAU Envie d'été 2012 ★★

| | 8 000 | | - de 5 € |

Cette Envie d'été avait décroché le coup de cœur dans le millésime 2008, le second vinifié par Thierry Combefreyroux, qui s'est installé en 2007 à la suite de son père. Le 2012, mi-merlot mi-cabernet-sauvignon, frôle la plus haute distinction du Guide. Paré d'une brillante robe rose clair, il livre un bouquet intense de fruits confiturés, de menthol et d'épices. La bouche se révèle à la fois tendre, ronde et fraîche, tapissée des senteurs de fruits mûrs perçues à l'olfaction, agrémentées de notes vives de bonbon anglais. Un vin complexe et harmonieux, à déguster sur un sauté de veau au curry rouge.

☛ Thierry Combefreyroux, 3, Garrineau, 33540 Sauveterre-de-Guyenne, tél. 05 56 61 07 64, thierry.combefreyroux@orange.fr, ☑ ☆ ⌖ t.l.j. sf dim. 9h-12h 14h-18h

GINESTET 2012 ★★

| | 100 000 | | - de 5 € |

Cette maison de négoce bien connue propose un rosé à dominante de cabernets (franc à 70 %, sauvignon à 20 %), avec le merlot en appoint. Séduisant dans sa robe claire aux reflets pelure d'oignon, ce 2012 livre un bouquet élégant d'agrumes et de fleurs blanches agrémentés d'une note plus originale de cire d'abeille. Un fruité net et frais s'impose dans un palais ample, dense et long. Un rosé charmeur en diable, qui devrait s'entendre avec des saint-jacques poêlées au chorizo.

☛ Maison Ginestet, 19, av. de Fontenille, 33360 Carignan-de-Bordeaux, tél. 05 56 68 81 82, fax 05 56 68 81 81, vincent.pensivy@ginestet.fr, ☆ ⌖ r.-v.

GRANDES VERSANNES 2012 ★

| | 40 000 | ⬛ | - de 5 € |

Une valeur sûre de l'appellation que cette marque phare de la coopérative de Lugon. Issu du seul merlot, ce 2012 affiche une teinte rose vif aux reflets violines. Au nez, il mêle les agrumes mûrs aux fruits rouges (fraise, framboise) et à quelques notes florales et mentholées. En bouche, il attaque sur la vivacité et conserve jusqu'en

finale ce caractère frais et dynamique, sans toutefois manquer ni de chair ni de rondeur. Que diriez-vous d'un gaspacho pour accompagner ce vin ?

☛ Union de producteurs de Lugon, 6, rue Louis-Pasteur, 33240 Lugon-et-l'Île-du-Carney, tél. 05 57 55 00 88, fax 05 57 84 83 16 ☆ ⌖ t.l.j. 8h30-12h30 14h-18h

CH. HAUT-GARRIGA 2012 ★

| | 25 000 | ⬛ | - de 5 € |

Connue pour l'exploitation de ses carrières de pierre, la commune de Grézillac offre à la vigne un sol argilo-calcaire propice à son épanouissement. La famille Barreau en tire le meilleur depuis cinq générations, et s'invite avec une grande régularité dans les chapitres bordeaux rosé, bordeaux sec et entre-deux-mers du Guide. Ici, un rosé de saignée issu du seul merlot et paré d'une robe rose vif « presque surnaturelle et fluo », selon un dégustateur. Au nez, du classique et du bon classique : des fruits rouges et des nuances amyliques. En bouche, de la chair et de la fraîcheur, de la rondeur et un fruité croquant. Un vin équilibré en somme, qui s'entendra avec des cuisses de pintade à la crème fraîche et tomates cerises.

☛ EARL Vignobles Barreau et Fils, 1, Garriga, 33420 Grézillac, tél. 05 57 74 90 06, fax 05 57 74 96 63, chateau-haut-garriga@wanadoo.fr, ☑ ☆ ⌖ r.-v.

CH. HAUT MEYREAU 2012

| | 61 000 | ⬛ | 5 à 8 € |

Ce rosé constitué à 90 % de cabernet franc se présente dans une robe pâle aux reflets légèrement orangés. Au nez, les fruits rouges se mâtinent de notes épicées et amyliques. Vive en attaque, la bouche se fait ensuite plus ronde et généreuse, sur des arômes de fruits confiturés. Accord suggéré : un pavé de thon aux poivrons.

☛ SCEA Ch. Haut Meyreau, Goumin, 33420 Dardenac, tél. 05 56 23 45 15, fax 05 56 23 71 92, haut-meyreau-chais@orange.fr,

☑ ☆ ⌖ t.l.j. 8h-12h 14h-16h ; f. août-déc.

☛ Derouet

CH. DU JUGE Les Ferboy 2012

| | 3 800 | | 5 à 8 € |

Plus connu des lecteurs pour ses bordeaux secs, cadillac et cadillac-côtes-de-bordeaux, ce domaine signe un rosé de pur merlot paré d'une robe pâle aux reflets légèrement orangés. Le nez annonce la couleur : un vin frais et fruité (agrumes). Le palais suit le ton de l'olfaction, agrémenté d'une touche de bonbon anglais, et aiguise les papilles par sa vivacité. Conseillé sur un poisson grillé aux petits légumes de saison.

☛ Pierre Dupleich, 3, rte de Branne, 33410 Cadillac, tél. 05 56 62 17 77, fax 05 56 62 17 59, contact@chateau-du-juge.com, ☑ ⌖ r.-v.

CH. LION BEAULIEU Réserve 2012 ★

| | 7 000 | | 8 à 11 € |

Les très fiables vignobles Despagne proposent deux rosés issus du même assemblage : cabernet-sauvignon (85 %) et merlot. Une préférence a été donnée à ce Lion Beaulieu né sur une croupe argilo-calcaire dominant la Dordogne et faisant face à Saint-Émilion. La robe est rose saumoné, et le nez, frais et dynamique, ouvert sur les agrumes (pamplemousse, mandarine) et le buis. La bouche tient la note, vive et fruitée, adoucie par une touche de sucrosité. Un vin équilibré, à boire sur une cuisine sucrée-salée. Dans un style souple, amylique et fruité, la cuvée **Les Amants du Ch. Mont-Pérat 2012 (7 000 b.)** est citée.

🍷 SCEA de la Rive Droite, 2, Le Touyre, 33420 Naujan-et-Postiac, tél. 05 57 84 55 08, fax 05 57 84 57 31, contact@despagne.fr, ☑ ⚭ ⛾ r.-v.

🍷 Despagne

CH. DE LISENNES 7 hectares 2012 ★

	10 000	⬛	5 à 8 €

Depuis quatre ans en culture raisonnée, Jean-Luc Soubie engage la conversion bio de 7 ha de ses vignes, dont 1,5 ha de merlot à l'origine de cette cuvée. Cela donne un vin saumon pâle, au nez discret d'ananas, de pomme et d'agrumes, prélude à une bouche fruitée, fraîche et veloutée. Recommandé pour un poisson grillé.

🍷 Ch. de Lisennes, chem. de Petrus, 33370 Tresses, tél. 05 57 34 13 03, fax 05 57 34 05 36, contact@lisennes.fr, ☑ ⚭ ⛾ r.-v.

YVON MAU Premius 2012

	200 000	⬛	- de 5 €

Cette célèbre maison de négoce propose avec ce Premius un rosé mi-merlot mi-cabernet-sauvignon en robe rose pâle, au nez ouvert sur le bourgeon de cassis, les fleurs et les fruits rouges et noirs. Le palais se montre souple et rond, revigoré par une agréable fraîcheur en finale. Un bon classique pour l'apéritif.

🍷 SA Yvon Mau, rue Sainte-Pétronille, 33190 Gironde-sur-Dropt, tél. 05 56 61 54 54, fax 05 56 61 54 61, info@ymau.com

CH. MONTAUNOIR 2012 ★

	8 000	⬛	5 à 8 €

Maison noble située au pied de Sainte-Croix-du-Mont, le château Montaunoir est la propriété de la famille Ricard depuis 1966. Le merlot et les deux cabernets y ont donné naissance à ce rosé de saignée d'un beau rose soutenu aux reflets violines. Le nez mêle des parfums de fraise écrasée et d'abricot. La bouche séduit par sa rondeur, sa texture soyeuse, sa suavité et sa jolie finale fruitée. L'ensemble, gourmand, s'appréciera volontiers sur des brochettes d'agneau.

🍷 SCEA des Vignobles Ricard, Ch. de Vertheuil, 33410 Sainte-Croix-du-Mont, tél. 05 56 62 02 70, vignobles.ricard@orange.fr, ☑ ⚭ ⛾ r.-v.

CH. PANCHILLE 2012

	2 300	⬛	5 à 8 €

Avenant dans sa robe de rouge cerise éclatant aux reflets carminés, ce rosé s'ouvre avec retenue sur les fleurs (chèvrefeuille et sureau) et les fruits, puis se montre charnu et rond en bouche. Ce vin qui a du corps s'appréciera sur une viande rouge grillée.

🍷 Pascal Sirat, Ch. Panchille, Penchille, 33500 Arveyres, tél. et fax 05 57 51 57 39, info@chateaupanchille.com, ☑ ⚭ ⛾ r.-v.

CH. PENIN 2012 ★

	n.c.		5 à 8 €

Patrick Carteyron a soigné ses rosés 2012 (*voir* le chapitre bordeaux clairet). Ici, un assemblage dominé par le cabernet-sauvignon (85 %), avec le merlot en complément. Derrière une robe saumonée aux reflets étincelants se dévoile un bouquet fin de fleurs fraîches (muguet, tilleul) rejointes à l'aération par des notes d'agrumes et de fruits rouges et noirs. Après une attaque vive et tonique, la bouche se fait ample et ronde, et renoue avec les sensations fruitées de l'olfaction. Un vin équilibré entre la fraîcheur du cabernet et la chair du merlot. Parfait sur des chipolatas au feu de bois accompagnées d'une ratatouille.

🍷 Patrick Carteyron, Ch. Penin, 39, impasse Couponne, 33420 Génissac, tél. 05 57 24 46 98, fax 05 57 24 41 99, vignoblescarteyron@wanadoo.fr, ☑ ⚭ ⛾ t.l.j. sf dim. 8h30-12h 14h-18h; sam. sur r.-v.

CH. PERAYNE 2012 ★

	4 000	⬛	5 à 8 €

Né dans l'Entre-deux-Mers, sur les coteaux verdoyants de la rive droite de la Garonne, non loin de Saint-Macaire, ce rosé associe au merlot une dominante de cabernet franc (80 %). Cela donne un vin rose pâle, expressif, floral (violette, rose) et fruité (groseille, framboise). La bouche se révèle ample et bien en chair, étayée par une juste vivacité qui lui donne de l'allonge et de la vigueur. Un rosé gourmand et équilibré, à servir sur un thon à la provençale.

🍷 Kurt Lueddecke, Ch. Perayne, 33490 Saint-André-du-Bois, tél. 05 57 98 16 20, fax 05 56 76 45 71, info@chateau-perayne.com, ☑ ⚭ ⛾ r.-v. 🏠 🅔

CH. PICONAT 2012

	5 000	⬛	- de 5 €

Établi au cœur de l'Entre-deux-Mers, au pied de la butte de Launay, ce vignoble familial s'étend sur 35 ha ; 2 ha de cabernets franc et sauvignon sont dédiés à ce rosé pâle. Au nez, les fruits rouges acidulés se mêlent aux agrumes, au bonbon anglais et à quelques notes florales. Vif et nerveux en attaque, le palais se montre plus chaleureux et rond dans son développement, et même un peu vineux en finale. À réserver pour la table et à servir sur un sauté de veau aux olives, par exemple.

🍷 EARL Comin-Guicheney, 3, Piconnat, 33790 Soussac, tél. 05 56 61 33 97, fax 05 56 45 97 62, christophe.guicheney@orange.fr, ☑ ⚭ ⛾ r.-v.

CH. LES PLANQUETTES 2012

	1 500	⬛	- de 5 €

Né dans le secteur de Cubzac, célèbre pour son pont suspendu enjambant la Dordogne construit par Eiffel, ce rosé de pur merlot, de couleur grenadine, relie quant à lui les fruits rouges aux fruits noirs. Frais en attaque, le palais se révèle ensuite plus gras et chaleureux, signe d'un merlot récolté à maturité. Bel accord avec un rôti de veau braisé accompagné de tomates à la provençale.

🍷 Francis Lagarde, Les Planquettes, 33240 Cubzac-les-Ponts, tél. 05 57 58 19 99, fax 05 57 58 25 90 ☑ ⚭ ⛾ r.-v.

CH. LE PRIEUR Cuvée Passion 2012 ★

	20 000	⬛	5 à 8 €

Propriété de la famille Garzaro depuis 1912 et quatre générations, ce domaine étend son vignoble sur 70 ha, dont trois sont consacrés à cette cuvée issue de merlot (80 %) et des deux cabernets à parts égales. Robe rose pâle aux reflets gris, nez intense sur les fruits rouges, un peu amylique, bouche vive, et même nerveuse en attaque, plus ronde dans son développement, tout indique un « vin de plaisir », à déboucher à l'apéritif avant les grillades.

🕊 Vignobles Garzaro, Ch. Le Prieur, 39, rte de Branne, 33750 Baron, tél. 05 56 30 16 16, fax 05 56 30 12 63, contact@vignoblesgarzaro.com,

☑ 🚶 🍽 t.l.j. 8h-12h30 13h-18h; sam. sur r.-v.

♥ CH. LES ROCS DE PLAISANCE 2012 ★★

3 240	- de 5 €

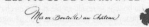

Sandrine Tramier s'est installée en 2002 sur le domaine familial comprenant 31 ha de vignes, à l'est de Pineuilh. Elle a sélectionné 44 ares de cabernet-sauvignon pour élaborer ce petit bijou saumoné aux reflets lumineux, dont elle a dessiné l'étiquette. Un joli coup de crayon pour habiller ce vin élu coup de cœur. Subtil et frais, le bouquet mêle bonbon anglais et fruits rouges et blancs. La bouche offre un équilibre remarquable entre gras et vivacité, et déploie une longue finale aux accents de fruits mûrs. Un rosé envoûtant, que l'on verrait bien accompagner une paëlla.

🕊 EARL Bernard Tramier et Fille, Les Rocs de Plaisance, 1, Les Places, 33220 Pineuilh, tél. 06 70 93 27 09, fax 05 57 46 55 37, lesrocsdeplaisance@voila.fr, ☑ 🚶 🍽 r.-v.

CH. SAINT-ROBERT 2012 ★★

4 200	5 à 8 €

On connaît bien – très bien même, vu le palmarès éloquent du domaine – les graves rouges et blancs de Saint-Robert. Issu du seul cabernet franc, le rosé a lui aussi quelques beaux arguments à faire valoir, à commencer par sa robe œil-de-perdrix aux reflets légèrement cuivrés. Le nez, intense et complexe, mêle les fruits jaunes, la poire, l'ananas et de fines nuances de rose. Après une attaque fraîche et dynamique, le palais se révèle ample, rond et gras, sans jamais perdre l'équilibre, grâce à une fine vivacité qui étire la finale. Un rosé de gastronomie, que l'on verrait bien accompagner un plat exotique et relevé : que diriez-vous de noix de Saint-Jacques au beurre d'agrumes et tartare de mangue parfumées au poivre de Sichuan ?

🕊 SCEA de Bastor et Saint-Robert, Dom. de Lamontagne, 33210 Preignac, tél. 05 56 63 27 66, fax 05 56 76 87 03, bastor@bastor-lamontagne.com, ☑ 🚶 🍽 r.-v.

🕊 GIE Cellarmony

CH. LA TUILERIE DU PUY 2012 ★

4 694	5 à 8 €

Ce vaste domaine de l'Entre-deux-Mers (77 ha) est la propriété de la famille Regaud depuis quatre siècles. Ce 2012 paré d'une robe grenadine est issu de 70 ares de cabernet-sauvignon et de merlot. Le nez évoque les fruits rouges frais, fraise et framboise en tête, accompagnés de

nuances amyliques et d'une touche épicée de clou de girofle. Ample et friand en attaque, le palais ne manque ni de chair ni de générosité, ni de structure. Un rosé de bouche, à servir sur une bonne grillade de bœuf.

🕊 SCEA Regaud, 7, aux Tuileries, 33580 Le Puy, tél. 05 56 61 61 92, fax 05 56 61 86 90, vignobles.regaud@wanadoo.fr,

☑ 🚶 🍽 t.l.j. 8h30-18h; sam. dim. sur r.-v.

CH. TURCAUD 2012 ★

14 600	🍾	5 à 8 €

Si les bordeaux supérieurs et les entre-deux-mers de ce domaine sont des valeurs sûres, les rosés n'y sont pas pour autant négligés, témoin ce 2012 « bichonné » par Isabelle Le May et son mari Stéphane : macération pelliculaire pendant trois heures pour le merlot, dix-huit heures pour les cabernets, macération à froid et élevage sur lies fines. Il en résulte un vin élégant dans sa robe rose intense, séduisant aussi par son bouquet de fraise des bois, de framboise et de bonbon anglais, et par son palais souple, gras et doux. Une bouteille harmonieuse, qui accompagnera volontiers des tomates farcies.

🕊 EARL Vignobles Robert, Ch. Turcaud, 1033, rte de Bonneau, 33670 La Sauve-Majeure, tél. 05 56 23 04 41, fax 05 56 23 35 85, chateau-turcaud@wanadoo.fr, ☑ 🚶 🍽 r.-v.

WINE NOTE ! 2012 ★

50 000	🍾	- de 5 €

Une étiquette et un nom de cuvée résolument modernes et « branchés » : la coopérative de Tutiac surfe sur la vague du rosé (le tsunami plutôt, vu la courbe exponentielle de sa consommation en France) et semble viser les amateurs les plus jeunes. Abstraction faite de l'étiquette, un vin charmeur à souhait, couleur framboise, qui surfe, lui, sur les arômes flatteurs de fruits rouges mûrs et de bonbon anglais, relayés par une bouche fraîche et délicate. Pour l'apéritif ou, *why not*, sur une salade de rougets et poivrons rouges marinés ?

🕊 Les Vignerons de Tutiac, La Cafourche, 33860 Marcillac, tél. 05 57 32 48 33, fax 05 57 32 55 20, contact@tutiac.com, ☑ 🚶 🍽 r.-v.

Bordeaux sec

Superficie : 6 740 ha
Production : 418 650 hl

CH. DES ANTONINS 2012 ★★

16 000	🍾	- de 5 €

Au XIIIᵉs., les hospitaliers de Saint-Antoine occupaient les lieux situés sur le chemin de Compostelle. Ils y soignaient les pèlerins souffrants grâce à un « saint vinage », miraculeux mélange de vin et de plantes. Geoffroy de Roquefeuil cultive au même endroit, entre autres, le sauvignon et le sémillon depuis 1985. Son breuvage a des vertus œnologiques incontestables, que l'on devine à l'olfaction, élégante et complexe (pêche, poire, agrumes, noisette, fleurs blanches). La bouche, douce, ample et gourmande, choisit elle aussi l'élégance, portée par une fine fraîcheur et par une longue finale florale. Une bouteille pour accompagner un mets délicat, comme un filet de sandre au beurre blanc.

☛ Geoffroy de Roquefeuil, Le Couvent, 33190 Pondaurat, tél. 05 56 61 00 08, fax 05 56 71 22 07, roquefeuil@chateau-des-antonins.com, ☑ r.-v. 🏠 **Ⓔ**

CH. DE L'AUBRADE 2012

	20 000	🍶	- de 5 €

Sauvignon, sémillon et muscadelle – un trio bordelais classique – sont à l'origine de cette cuvée de la famille Lobre (parents et enfants). Le nez est léger et frais, floral et exotique. Le palais allie vivacité, rondeur et volume. L'ensemble est plaisant et harmonieux, et prêt à boire sur un poisson grillé.

☛ GAEC Jean-Pierre et Paulette Lobre, Jamin, 33580 Rimons, tél. 05 56 71 55 10, fax 05 56 71 61 94, vinslobre@free.fr, ☑ ⚹ ⵂ r.-v.

BARTON & GUESTIER Passeport 2012 ★

	200 000	🍶	8 à 11 €

Cette vénérable maison de négoce fut fondée en 1725 par l'Irlandais Thomas Barton. Une maison aux visées internationales, qui expédie 95 % des volumes aux quatre coins du monde. Elle propose un bordeaux sec aux parfums sauvignonnés (buis, agrumes) et à la bouche ample, fraîche et fruitée. À déguster dans l'année sur un poisson au four.

☛ Barton & Guestier, Ch. Magnol, 33292 Blanquefort Cedex, tél. 05 56 95 48 00, fax 05 56 95 48 01, petra.frebault@barton-guestier.com

CH. BASTOR-LAMONTAGNE 2012 ★

	8 600	⊞	8 à 11 €

Plus connu pour ses sauternes, Bastor maîtrise aussi le blanc sec. Il faut dire que l'équipe de Michel Garat vinifie également le Château Saint-Robert, une référence en AOC graves. Ce pur sauvignon séduit par sa finesse, au nez comme en bouche. Le premier évoque les fruits frais (agrumes, fruits exotiques) ; la seconde offre de la rondeur, un beau volume et un fruité élégant qui fait écho à l'olfaction. Une vinification très soignée pour un vin affable et délicat.

☛ SCEA de Bastor et Saint-Robert, Dom. de Lamontagne, 33210 Preignac, tél. 05 56 63 27 66, fax 05 56 76 87 03, bastor@bastor-lamontagne.com, ☑ ⚹ ⵂ r.-v.

☛ GIE Cellarmony

CH. BEL-AIR L'ESPÉRANCE 2012 ★

	2 000	🍶	- de 5 €

Sauvignons blanc et gris composent 90 % de l'assemblage de ce 2012, le sémillon venant en complément. Cela donne un vin séduisant par la fraîcheur de son bouquet, où l'on perçoit des notes d'agrumes et de pierre à fusil, et par l'équilibre entre le gras et l'acidité de son palais. Un bordeaux bien construit, à déguster à l'apéritif accompagné d'une douzaine d'huîtres.

☛ Vignobles Percier, 8, imp. Jean-Blanc, 33760 Targon, tél. et fax 05 56 23 93 95, vignoblespercier@wanadoo.fr, ☑ ⵂ r.-v.

CH. BEL AIR PERPONCHER Réserve 2012 ★

	139 400	🍶	8 à 11 €

Comme à leur habitude, les Vignobles Despagne placent plusieurs vins dans la sélection. Cette cuvée Réserve associe le sauvignon et le sémillon à une touche de muscadelle. Le nez libère des senteurs fines et fraîches de fruits exotiques, d'agrumes et de fleurs blanches, que l'on retrouve dans un palais intense et charnu, dynamisé par une grande fraîcheur. Un vin bien construit, équilibré, à déguster sur une cassolette de fruits de mer. La **Grande cuvée 2011** (15 à 20 € ; 12 000 b.), vive et florale, obtient une étoile, de même que le **Ch. Rauzan Despagne Réserve 2012** (98 000 b.), bien sauvignonné, à la fois tonique, rond et velouté, avec un côté croquant et fruité des plus plaisants.

☛ SCEA Vignobles Despagne, 33420 Naujan-et-Postiac, tél. 05 57 84 55 08, fax 05 57 84 57 31, contact@despagne.fr, ☑ ⚹ ⵂ r.-v.

CH. BELLE-GARDE 2012

	25 000	🍶	- de 5 €

Bordeaux ou bordeaux supérieur, rouge ou blanc, Éric Duffau connaît par cœur son manuel de l'appellation régionale. Et les sélections dans le Guide se suivent millésime après millésime. Ici, un 2012 simple et aimable, sur les fruits mûrs à l'olfaction, révélant rondeur et bonne longueur en bouche, une touche acidulée venant réveiller la finale. À boire sans attendre avec une assiette de fruits de mer.

☛ SC Vignobles Éric Duffau, 2692, rte de Moulon, 33420 Génissac, tél. 05 57 24 49 12, fax 05 57 24 41 28, duffau.eric@wanadoo.fr, ☑ ⚹ ⵂ r.-v.

CH. BENEYT Cuvée Tradition 2012 ★

	5 500	🍶	- de 5 €

C'est à Rions, petite cité fortifiée intéressante par les vestiges de ses éléments de défense et surnommée au XIXᵉ s. la « Carcassonne girondine », qu'est établi ce domaine de 12 ha. Au programme, une cuvée 100 % sauvignon, au nez nettement marqué par le cépage (agrumes, genêt, buis). Une trame aromatique que l'on retrouve dans une bouche à la fois vive et charnue, nerveuse et ample. Un vin équilibré en somme, à déguster dans l'année sur un risotto aux fruits de mer.

☛ Joël Vrignaud, 2, les Graves-Ouest, 33410 Rions, tél. 06 09 28 59 54, joelvrignaud@orange.fr, ☑ ⚹ ⵂ r.-v. 🏠 **Ⓑ**

BLANC DE BIROT 2012

	9 000	🍶 ⊞	5 à 8 €

Éric et Hélène Fournier-Castéja ont confié en 2010 les clés du domaine à leur fils Arthur. Ce dernier signe un 2012 de bon aloi, ouvert au nez sur les fruits exotiques, les agrumes et le coing, d'un bon volume en bouche, boisé avec mesure et stimulé par une franche vivacité.

☛ Fournier-Castéja, Ch. de Birot, 33410 Béguey, tél. et fax 05 56 62 68 16, contact@chateau-birot.com, ☑ ⚹ r.-v.

CH. BOIS-MALOT Cuvée Marine 2012

	13 800	🍶	5 à 8 €

Cette cuvée Marine (commercialisée en bouteilles bleues) est un appel aux coquillages et aux crustacés. Au nez, les parfums de sauvignon sont bien présents (buis, agrumes, bourgeon de cassis). Si le palais se montre plutôt rond et gras, il affiche aussi une belle fraîcheur citronnée qui accompagnera les produits de la mer.

☛ EARL Meynard, 133, rte des Valentons, 33450 Saint-Loubès, tél. 05 56 38 94 18, fax 05 56 38 92 47, bois.malot@free.fr, ☑ ⚹ ⵂ t.l.j. sf dim. 8h-12h 13h30-19h; sam. 8h-12h

CH. DE BONHOSTE Cuvée Prestige 2012 ★

| | 18 000 | ⊞ | 8 à 11 € |

Bonhoste signifie « bon accueil » en ancien français. Un sens de l'hospitalité que les Fournier, parents et enfants, perpétuent depuis 1977. Établi sur les coteaux face à Saint-Émilion, ce cru propose un 2012 qui porte l'empreinte du sauvignon gris (80 % de l'assemblage aux côtés du sauvignon blanc et du sémillon) à travers des parfums intenses de fleurs blanches, de fruits exotiques et d'agrumes. Le passage en fût est également sensible, sans excès, autour de notes de coco et de toasté. Vif en attaque, plus rond et gras dans son développement, le palais prolonge cet équilibre entre la barrique et le fruit. Cette bouteille s'accordera dès aujourd'hui avec des saint-jacques à la crème. Souple, fraîche et fine, la cuvée principale **Ch. de Bonhoste 2012 (5 à 8 € ; 20 000 b.)**, élevée en cuve, est citée.
☛ Fournier, Ch. de Bonhoste,
33420 Saint-Jean-de-Blaignac, tél. 05 57 84 12 18,
fax 05 57 84 15 36, contact@chateaudebonhoste.com,
☑ ⚔ ⵏ t.l.j. 8h30-18h30 ⚘ Ⓖ

CH. DE BOUCHET 2012

| | 25 000 | ▮ | 5 à 8 € |

Assemblage classique de sauvignon (60 %), de sémillon et de muscadelle, ce 2012 livre des parfums soutenus et frais d'agrumes, de fruits exotiques et de buis. Il conserve en bouche cette fraîcheur sauvignonnée jusqu'à une finale agréablement fruitée, sans toutefois manquer de gras et de rondeur, apports du sémillon. Parfait pour un apéritif et quelques huîtres.
☛ Vignobles Marc et Agnès Lurton, Ch. Reynier,
33420 Grézillac, tél. 05 57 84 52 02, fax 05 57 84 56 93,
marc.lurton@wanadoo.fr, ☑ ⚔ ⵏ r.-v.

CH. DE LA BOUYÈRE 2012

| | 18 000 | ▮ | - de 5 € |

Cette maison de négoce propose un vin proche de l'étoile, à dominante de sémillon (80 %), avec le sauvignon en appoint. Au nez dominent des parfums de fruits exotiques mûrs, d'agrumes et de fleurs blanches. La rondeur et la souplesse caractérisent une bouche relevée en finale par une pointe de vivacité. Une cuvée expressive et équilibrée, à servir sur un poisson en sauce.
☛ Compagnie médocaine des Grands Crus,
7, rue Descartes, 33294 Blanquefort Cedex,
tél. 05 56 95 54 95

CH. LE CAMPLAT Cuvée Prestige 2012 ★

| | 1 200 | ⊞ | 5 à 8 € |

Jean-Louis Reculet et sa fille Marion signent un 2012 qui réussit l'équilibre entre l'apport de l'élevage en barrique et celui du sauvignon, seul maître à bord. Au nez, les agrumes se mêlent harmonieusement à un léger vanillé. La bouche est au diapason, boisée avec mesure, finement sauvignonnée, fraîche, de bonne longueur. Parfait pour une volaille en sauce.
☛ Jean-Louis Reculet, 2, Le Camplat, 33620 Saint-Mariens,
tél. et fax 05 57 68 51 90, marion.reculet@orange.fr,
☑ ⚔ ⵏ r.-v.

CHAI DE BORDES 2012 ★

| | 80 000 | ▮ | - de 5 € |

Le château de Bordes appartient à la famille Quancard depuis 1948. La marque Chai de Bordes de sa célèbre

maison de négoce a été lancée en 1975 à partir des vendanges de petites propriétés alentour. Ce 2012 livre un bouquet intense de fleurs blanches, de fruits blancs et de buis agrémenté d'une touche fumée, relayé par une bouche longue, bien équilibrée entre gras et vivacité. Un ensemble harmonieux, comme la cuvée **Cellier de Bordes 2012 (36 000 b.)**, citée pour sa souplesse, sa fraîcheur et son fruité.
☛ Cheval Quancard, ZI La Mouline,
4, rue du Carbouney, BP 36, 33565 Carbon-Blanc Cedex,
tél. 05 57 77 88 88, fax 05 57 77 88 99,
chevalquancard@chevalquancard.com,
☑ ⚔ ⵏ r.-v. au Ch. de Bordes à Saint-Vincent-de-Paul

BLANC DE CHASSE-SPLEEN 2011 ★

| | 12 840 | ⊞ | 11 à 15 € |

Le blanc de Chasse-Spleen, cru réputé de Moulis-en-Médoc, associe à parts égales sauvignon et sémillon. Les neuf mois d'élevage en barrique donnent le ton de l'olfaction, sans éteindre pour autant les élans fruités et frais du raisin. L'attaque en bouche est élégante, la vivacité bien présente en soutien d'une matière riche et fruitée (abricot, pêche). Un vin équilibré, à boire ou à attendre deux ans.
☛ Ch. Chasse-Spleen, 32, chem. de la Raze,
33480 Moulis-en-Médoc, tél. 05 56 58 02 37,
fax 05 57 88 84 40, info@chasse-spleen.com, ☑ ⚔ ⵏ r.-v.
☛ Céline Villars Foubet

CLUB DES SOMMELIERS Cuvée Éléonore
Élevé en fût de chêne 2012

| | 45 000 | ⊞ | - de 5 € |

Cette cuvée du négoce Pierre Dumontet mêle au nez les notes grillées de la barrique et les nuances florales (acacia) et fruitées (pomelo) du trio sémillon-sauvignon-muscadelle. Ample et charnue en attaque, la bouche évolue sur une belle trame acide qui dynamise la finale. À boire dans les deux ans, sur un fromage de brebis affiné par exemple.
☛ Pierre Dumontet, ZI La Mouline,
4, rue du Carbouney, BP 36, 33565 Carbon-Blanc Cedex,
tél. 05 57 77 88 88, fax 05 57 77 88 99
☑ ⚔ ⵏ r.-v. (dégustation et vente au Ch. de Bordes
à Saint-Vincent-de-Paul)

LA COMMANDERIE DE QUEYRET 2012

| | 85 000 | | 5 à 8 € |

Cette ancienne commanderie de templiers propose un pur sauvignon, bien... sauvignonné. Le cépage confère en effet à ce vin un bouquet frais d'agrumes, de bourgeon de cassis et de buis. La bouche est à l'unisson, vive, fruitée et croquante. Tout indiqué pour les fruits de mer.
☛ Comin, Ch. la Commanderie,
33790 Saint-Antoine-du-Queyret, tél. 05 56 61 31 98,
fax 05 56 61 34 22, vignoble.comin@wanadoo.fr,
☑ ⚔ ⵏ r.-v.

CH. LA COMMANDERIE DU BARDELET 2012 ★

| | 40 000 | ▮ | - de 5 € |

Jean-Dominique Petit, installé depuis 1967 à la tête de ce domaine de 70 ha, signe un assemblage à forte dominante de sauvignon, 5 % de sémillon venant en complément. Et le nez de... "sauvignonner" : agrumes, buis, fleurs blanches. La bouche, ronde et charnue, ne dit pas autre chose, le cépage s'y exprimant sans réserve et apportant une jolie vivacité. À découvrir sans attendre, sur une cassolette de fruits de mer.

☛ SCEA Jean-Dominique Petit, Ch. Haut-Rieuflaget, 33790 Saint-Antoine-du-Queyret, tél. 05 56 61 33 78, fax 05 56 61 39 84, haut-rieuflaget@wanadoo.fr, ☑ ⚔ ⵏ r.-v.

CH. DEGAS 2012

| | 13 000 | 🍾 | - de 5 € |

Deuxième millésime pour Marie-José Degas, huitième du nom à la tête du domaine. Son 2012 associe à parts égales les sauvignons blanc et gris. Il livre des parfums plaisants de fruits frais et de fleurs blanches. La bouche ne manque ni de rondeur ni de volume, étayée par une fine acidité. Un vin équilibré, parfait pour l'apéritif.

☛ Marie-José Degas, 38, rte de Créon, 33750 Saint-Germain-du-Puch, tél. 05 57 24 02 44, vignobles.degas@yahoo.fr, ☑ ⚔ ⵏ t.l.j. sf sam. dim. 8h-12h 14h-18h

CH. DOISY-DAËNE 2011 ★★

| | 25 000 | 🍷 | 15 à 20 € |

Dans son domaine familial du Barsacais, Denis Dubourdieu a une nouvelle fois soigné son bordeaux sec, né de 5 ha de sauvignon enraciné dans un sol de sables et d'argiles. Le vin a séjourné dix mois en barrique et en ressort le nez empreint de notes toastées et épicées qui se marient, sans les écraser, aux accents fruités (agrumes) et végétaux (buis) du cépage. Vif et tonique en attaque, il dévoile une bouche ample, riche, séveuse et fruitée. Un bordeaux bien élevé, qui respecte le fruit et la fraîcheur caractéristiques des vins de l'appellation. À réserver à un poisson ou à une volaille en sauce.

☛ Pierre et Denis Dubourdieu, Ch. Doisy-Daëne, 33720 Barsac, tél. 05 56 62 96 51, fax 05 56 62 14 89, reynon@wanadoo.fr, ☑ ⚔ ⵏ r.-v.

DOURTHE La Grande Cuvée 2012 ★

| | 300 000 | 🍾 | 5 à 8 € |

Sélection parcellaire, élevage sur lies fines avec bâtonnage pendant six mois : La Grande Cuvée bénéficie de soins spécifiques qui donnent un beau résultat. Au nez, le sauvignon, seul cépage utilisé dans ce vin, s'exprime à travers des notes d'agrumes, de fruits exotiques et de fleurs blanches. Plein, ample et frais, le palais est à l'unisson. Une fraîcheur et une harmonie que l'on retrouve dans le **Beau Mayne 2012 (200 000 b.)**, cité.

☛ Vins et Vignobles Dourthe, 35, rue de Bordeaux-Parempuyre, CS 80004, 33295 Blanquefort Cedex, tél. 05 56 35 53 00, fax 05 56 35 53 29, contact@dourthe.com

CH. FONGRAVE 2012

| | 7 000 | | - de 5 € |

Un ancien fortin du XIVe s. entouré d'un vignoble de 12,6 ha d'un seul tenant. À sa tête depuis 2001, François Brouard exporte aujourd'hui 80 % de sa production, dont les deux tiers, signe des temps, vers l'Asie. Ce pur sémillon élevé sur lies fines séduit par son bouquet de fruits exotiques, d'agrumes et de tilleul, et par son palais gourmand, frais et fruité.

☛ François Brouard, Ch. Fongrave, 33490 Saint-André-du-Bois, tél. 06 61 42 83 79, fax 05 56 92 10 00, fbrouard@free.fr, ☑ ⚔ ⵏ r.-v.

FONT DESTIAC 2012

| | 33 000 | 🍾 | - de 5 € |

Cette marque de la coopérative Univitis associe le sauvignon (75 %) à la muscadelle. Le vin sauvignonne à souhait dès l'olfaction (buis, pamplemousse, fruits exotiques, fleurs blanches) et se révèle ample, franc et frais en bouche. Un bon classique, à servir sur un tartare de poisson à l'aneth.

☛ SCA Univitis, village Les Bouhets-Sud, 33220 Les Lèves-et-Thoumeyragues, tél. 05 57 56 02 02, fax 05 57 56 02 22, h.girou@univitis.fr, ☑ ⚔ ⵏ t.l.j. sf dim. lun. 9h-12h30 14h30-19h

CH. GAYON 2012

| | 18 500 | 🍷 | 5 à 8 € |

Ce domaine fait partie des valeurs sûres de l'appellation. Il propose avec son 2012 un assemblage mi-sauvignon mi-sémillon au bouquet dominé par les accents boisés (noix de coco, vanille), le fruit restant un peu en retrait. Dans le prolongement du nez, la bouche séduit par sa rondeur, étayée par une pointe de vivacité bienvenue. À déguster dans l'année, sur une viande blanche.

☛ Crampes, 6, Ch. Gayon, 33490 Caudrot, tél. 05 56 62 81 19, fax 05 56 62 71 24, contact@chateau-gayon.com, ☑ ⚔ ⵏ t.l.j. 8h-12h 14h-18h; sam. dim. sur r.-v. 🏠 🅔

GINESTET Mascaron 2012 ★★

| | 30 000 | 🍷 | 5 à 8 € |

Cette maison de négoce signe une cuvée mi-sauvignon mi-sémillon qui a concouru pour le coup de cœur. La compétition était serrée, et ce 2012 a opposé de beaux arguments, en particulier un boisé bien maîtrisé aux accents vanillés, qui accompagne l'olfaction et le palais. Les fruits secs et les agrumes sont aussi de la partie. Le vin affiche beaucoup de volume, de puissance et de rondeur, et déroule une finale longue et pleine. Une bouteille déjà harmonieuse, que l'on pourra aussi attendre un an ou deux. Dans un style proche, généreux et rond, la **cuvée principale 2012 (moins de 5 € ; 400 000 b.)**, issue d'un assemblage identique, est citée.

☛ Maison Ginestet, 19, av. de Fontenille, 33360 Carignan-de-Bordeaux, tél. 05 56 68 81 82, fax 05 56 68 81 81, vincent.pensivy@ginestet.fr, ⚔ ⵏ r.-v.

CH. GRAND JEAN 2012 ★

| | 110 000 | 🍾 | 5 à 8 € |

Établie dans l'Entre-deux-Mers depuis deux cent cinquante ans, la famille Dulon exploite un vignoble de 130 ha répartis sur trois châteaux. Grand Jean s'étend sur 20 ha et privilégie le sémillon, qui entre à hauteur de 70 % dans l'assemblage de ce 2012. Le nez mêle des notes florales et citronnées. La bouche est fraîche, fine et fruitée, la finale élégante et longue. Cette bouteille est prête à boire, et s'appréciera avec un tartare de poisson.

☛ SC Dulon, 133, Grand-Jean, 33760 Soulignac, tél. 05 56 23 69 16, fax 05 57 34 41 29, info@vignobles-dulon.com, ☑ ⵏ t.l.j. sf sam. dim. 8h30-12h30 14h-17h

DOM. DES GRAVES D'ARDONNEAU 2012 ★

| | 40 000 | 🍶⊞ | - de 5 € |

Également présente en blaye-côtes-de-bordeaux, où elle signe de beaux vins régulièrement distingués, cette propriété familiale s'illustre aussi en bordeaux sec (coup de cœur l'an dernier pour son 2011). Ce 2012 issu de sauvignon (90 %) et de colombard dévoile des parfums bien mariés de boisé et d'agrumes. On retrouve cette harmonie dans une bouche vive en attaque, plus ronde et douce dans son développement. Un vin onctueux et souple, à déguster sur une viande blanche.

➙ EARL Simon Rey et Fils, Ardonneau, 33620 Saint-Mariens, tél. 05 57 68 66 98, fax 05 57 68 19 30, gravesdardonneau@wanadoo.fr,
☑ ⚔ 🍷 t.l.j. sf dim. 8h-12h30 14h30-19h

♥ CH. D'HAURETS 2012 ★★

| | 103 000 | 🍶 | - de 5 € |

Les vastes – 440 ha et treize châteaux dans l'Entre-deux-Mers et le Saint-Émilionnais – et anciens (1858) vignobles Ducourt réalisent une performance rare : décrocher deux coups de cœur dans le même millésime et dans la même appellation, avec une (toute) petite préférence pour le château d'Haurets, acquis en 1983 par la famille du même nom. Le vin séduit par son bouquet tout en finesse, mariant les fleurs blanches et les fruits frais. Beaucoup d'élégance aussi en bouche, de la longueur et de l'équilibre entre la rondeur apportée par le sémillon et la fraîcheur du sauvignon. Des qualités proches et une même distinction donc pour le **Ch. Larroque 2012 (118 100 b.)** ♥ : un bouquet charmeur, intensément fruité (pêche, poire, pamplemousse), une bouche ronde, ample et persistante, relayée par une fine vivacité. La réussite est totale dans ce millésime, avec deux autres vins sélectionnés : une étoile pour le **Ch. la Rose du Pin 2012 (13 000 b.)**, au nez bien sauvignonné, généreux et fruité en bouche, et une citation pour le **Ch. Briot 2012 (119 800 b.)**, fruité, gras, d'un bon volume.

➙ Vignobles Ducourt, 18, rte de Montignac, 33760 Ladaux, tél. 05 57 34 54 00, fax 05 56 23 48 78, ducourt@ducourt.com, ☑ ⚔ r.-v.

CH. HAUT-GARRIGA 2012

| | 20 000 | 🍶 | - de 5 € |

Claude Barreau met de nouveau le sémillon à l'honneur avec son bordeaux blanc. Le cépage compose l'intégralité de ce 2012 auquel il confère la rondeur et le gras attendus. De fait, derrière un bouquet généreux de fruits mûrs agrémentés de fleurs blanches, on découvre un palais tout aussi fruité, riche, charnu, d'un bon volume. À réserver pour une viande blanche ou pour un poisson en sauce.

➙ EARL Vignobles Barreau et Fils, 1, Garriga, 33420 Grézillac, tél. 05 57 74 90 06, fax 05 57 74 96 63, chateau-haut-garriga@wanadoo.fr, ☑ ⚔ 🍷 r.-v.

CH. HAUT GUILLEBOT Cuvée Prestige
Élevé en fût de chêne 2011 ★

| | 15 000 | ⊞ | 8 à 11 € |

Ce domaine se transmet de mère en fille depuis sept générations, la dernière s'étant installée en 2006. Au sein des 60 ha de l'exploitation, une petite vigne d'à peine 2 ha a été sélectionnée pour ce 2011 de pur sémillon. Au nez, les fleurs blanches se mêlent aux agrumes et à une touche épicée. La bouche affiche un beau volume souligné par une fraîcheur minérale qui lui confère longueur et élégance. À boire dès à présent sur des quenelles de brochet sauce crevettes et champignons, par exemple.

➙ SCEA Ch. Haut Guillebot, 8, Guillebot, 33420 Lugaignac, tél. 05 57 84 53 92, fax 05 57 84 62 73, chateauhautguillebot@wanadoo.fr, ☑ 🍷 r.-v.
➙ Labouille

CH. HAUT PEYRUGUET 2012 ★

| | 200 000 | 🍶 | 5 à 8 € |

Installés depuis 1980 dans l'Entre-deux-Mers, Catherine et Jean-Marc Jolivet, aujourd'hui épaulés par leurs filles Bénédicte et Marie, ont bâti un coquet vignoble de 105 ha. Ils proposent un vin à dominante de sauvignon, aux parfums intenses de fleur d'acacia, de genêt, d'agrumes et de buis, riche et souple en bouche, avec une fine acidité en soutien. Des mêmes propriétaires, le **Ch. Haut Maginet 2012 (200 000 b.)**, cité, met en avant lui aussi le sauvignon : nez sur le buis, les fleurs et les agrumes, palais d'une vivacité mesurée, gras et fruité.

➙ SC Vignobles Jolivet, Saint-Florin, 33790 Soussac, tél. 05 56 61 31 61, benedicte.jolivet@gmail.com

KRESSMANN Grande Réserve 2012 ★

| | 250 000 | 🍶 | - de 5 € |

Ce négoce fondé en 1871, aujourd'hui dans le giron de la maison Dourthe, propose avec cette Grande Réserve un assemblage équilibré entre sémillon et sauvignon, avec une touche de muscadelle en appoint. Le vin dévoile une belle présence aromatique à travers les parfums intenses de fleurs blanches, de fruits jaunes et d'agrumes. Une intensité confirmée par une bouche ronde, ample et longue. À découvrir dès aujourd'hui sur une viande blanche en sauce.

➙ Kressmann, 35, rue de Bordeaux-Parempuyre, CS 80004, 33295 Blanquefort Cedex, tél. 05 56 35 53 00, fax 05 56 35 53 29, contact@kressmann.com

LABOTTIÈRE Réserve Cuvée Prestige 2012

| | 66 000 | 🍶⊞ | 5 à 8 € |

Ce négoce né de la fusion en 2000 des maisons Cordier et Mestrezat propose un assemblage sauvignon-sémillon dont les arômes grillés, hérités des six mois de fût, dominent sous les nuances de fruits (agrumes). La bouche est dans le même registre, ronde et boisée, plus vive en finale. À déguster dès à présent sur du fromage ou sur une volaille.

➙ Grands Crus Cordier-Mestrezat, 109, rue Achard, BP 154, 33042 Bordeaux Cedex, tél. 05 56 11 29 00, fax 05 56 11 29 01, contact@cordier-wines.com

CH. LAMOTHE-VINCENT 2012 ★

| | 122 000 | 🍷 | - de 5 € |

Les vignobles Vincent, « multi-étoilés » avec plusieurs coups de cœur à leur actif, sont fidèles au rendez-vous avec un 2012 expressif et dynamique. Le nez mêle les agrumes, les fruits exotiques et les fruits jaunes. Ample et charnue, la bouche est soutenue par une vivacité franche et élégante. Un vin gourmand, tonique et long. La cuvée **Intense 2012 (5 à 8 € ; 24 000 b.)**, droite, nerveuse et fruitée, est citée.

☛ SCEA Vignobles Vincent, 3, chem. Laurenceau, 33760 Montignac, tél. 05 56 23 96 55, fax 05 56 23 97 72, info@lamothe-vincent.com, ☑ ⚔ ▼ r.-v.

VIGNERONS DE LANDERROUAT & CAZAUGITAT
La Boucaude Famille Excellor 2012 ★

| | 34 000 | 🍷 | - de 5 € |

La coopérative de Landerrouat (Union Prodiffu) propose une cuvée au bouquet fin et sauvignonné, dominé par les agrumes et le buis. La bouche se révèle ronde et tout aussi expressive (citron, bourgeon de cassis), portée de bout en bout par une élégante vivacité. Un vin équilibré et long, qui formera un bel accord avec un dos de cabillaud aux citrons confits. Également diffusé par la cave, le **Ch. Deson 2012 (66 000 b.)** est cité pour sa souplesse et sa finesse aromatique.

☛ Cave de Landerrouat, rte des Vignerons, 33790 Landerrouat, tél. 05 56 61 31 21, fax 05 56 61 40 79, vignerons.landerrouat@wanadoo.fr, ☑ ⚔ ▼ r.-v.

CH. LAROCHE 2012 ★

| | 10 600 | 🍷 | - de 5 € |

Originaire du Var, Roland de Onffroy s'est installé en 1994 à la tête de ce vignoble de 35 ha situé dans l'aire des côtes-de-bourg. Il propose ici un bordeaux sec intense et flatteur, qui dévoile des parfums de fleurs blanches, de buis et un boisé toasté (quatre mois de barrique). Moelleuse en attaque, la bouche se révèle charnue et veloutée, et même assez opulente en finale. C'est un vin généreux, que l'on appréciera aujourd'hui ou dans deux ans sur un suprême de volaille.

☛ Baron Roland de Onffroy, Ch. Laroche, 2, chem. des Augers, 33710 Tauriac, tél. 05 57 68 20 72, fax 05 57 58 38 23, rolanddeonffroy@wanadoo.fr, ☑ ⚔ ▼ t.l.j. 9h-12h 14h-17h

CH. LESCURE 2012

| | 6 000 | 🍷 | - de 5 € |

À sa vocation viticole ce cru ajoute une vocation sociale, car il s'agit d'un ESAT (établissement et service d'aide par le travail), fournissant du travail aux personnes handicapées. Côté cave, il propose un pur sauvignon finement floral et fruité (fruits exotiques, agrumes), rond et gras en bouche, une pointe vive lui donnant un surcroît de nervosité et d'équilibre.

☛ Ch. Lescure, 1, rte de Semens, 33490 Verdelais, tél. 05 57 98 04 60, fax 05 57 98 04 64, commercial@chateau-lescure.com, ☑ ⚔ ▼ r.-v.

CH. LION BEAULIEU Réserve 2012 ★

| | 16 400 | 🍷 | 8 à 11 € |

Ce domaine acquis par les Despagne en 1995 propose avec cette cuvée Réserve un bordeaux aux parfums exubérants de fleurs blanches, de fruits exotiques et de pêche.

Une intensité aromatique que prolonge une bouche fraîche, ample et longue. L'ensemble est élégant, tonique et prêt à boire, sur un fromage de brebis par exemple. Le **premier vin Ch. Lion Beaulieu 2011 (15 à 20 € ; 3 000 b.)**, gras et boisé sans excès, obtient également une étoile. Le **Ch. Tour de Mirambeau cuvée Passion 2011 (15 à 20 € ; 42 000 b.)**, tonique, vif, floral et fruité (mangue, ananas), est quant à lui cité, de même que la cuvée **Réserve du Ch. Tour de Mirambeau 2012 (147 600 b.)**, aromatique (agrumes, litchi) et équilibrée.

☛ SCEA de la Rive Droite, 2, Le Touyre, 33420 Naujan-et-Postiac, tél. 05 57 84 55 08, fax 05 57 84 57 31, contact@despagne.fr, ☑ ⚔ ▼ r.-v.

☛ Despagne

💜 PAVILLON BLANC DU CH. MARGAUX 2011 ★★

| | n.c. | 🍾 | + de 100 € |

Le blanc de Margaux existe depuis le XIXᵉs. ; ce « vin blanc de sauvignon » est devenu en 1920 « Pavillon blanc ». Le sauvignon règne toujours en maître, planté sur une douzaine d'hectares d'une ancienne parcelle de graves. Fruit d'une vendange faible en quantité – la plus précoce depuis 1893 – et d'une sélection des plus rigoureuses – seul un tiers de la récolte, comme en 2010, entre dans le vin –, le 2011, d'une élégance rare, se montre à la hauteur de sa noble origine. Une noblesse visible d'emblée avec sa robe d'un jaune brillant aux reflets paille. Elle éclate ensuite au bouquet : puissant et complexe, celui-ci porte fièrement la marque du cépage à travers une grande fraîcheur, soulignée par d'intenses notes d'agrumes et de fruits exotiques. Une même sensation de pureté caractérise le palais, ample, frais et délicat. Une finale épicée aux accents de gingembre laisse le souvenir d'un ensemble très harmonieux, mariant avec bonheur la vivacité et le soyeux.

☛ SCA du Ch. Margaux, BP 31, 33460 Margaux, tél. 05 57 88 83 83, fax 05 57 88 31 32, chateau-margaux@chateau-margaux.com

CH. MARJOSSE 2012 ★★

| | 20 000 | 🍷 | 8 à 11 € |

Directeur des châteaux Cheval Blanc et Yquem, Pierre Lurton met depuis 1991 son savoir-faire au service de son propre domaine établi dans l'Entre-deux-Mers. Des soins dignes d'un grand cru sont apportés au château Marjosse et à ce blanc issu d'une sélection parcellaire de sauvignon blanc, de sémillon, de sauvignon gris et de muscadelle, par ordre d'importance. L'olfaction révèle d'intenses parfums de fruits exotiques, de pamplemousse, de fleur d'acacia et de rose. Ronde et douce dès l'attaque, la bouche, soutenue par une fine fraîcheur, garde toujours l'équilibre et conserve jusqu'en finale son caractère fruité et soyeux. À déguster dans l'année, sur un tajine de poulet aux citrons confits.

🕊 EARL Pierre Lurton, Ch. Marjosse,
33420 Tizac-de-Curton, tél. 05 57 55 57 80,
fax 05 57 55 57 84, pierre.lurton@orange.fr, ☑ ☀ ⵀ r.-v.

CH. MINVIELLE 2012 ★

| | 36 000 | ▮ | 5 à 8 € |

Ce domaine depuis 1805 est la propriété de la famille Gadras, qui de génération en génération a restructuré le vignoble, augmenté sa densité et peaufiné les sélections parcellaires. Ce savoir-faire se vérifie régulièrement dans le Guide, à l'image de ce 2012 aux parfums intenses et frais d'agrumes, qui suit en bouche une belle ligne droite et fraîche, sans manquer de chair ni de volume. À déguster dès aujourd'hui, sur un filet de poisson aux agrumes, par exemple.

🕊 SCEA Vignobles Gadras, Dom. de Minvielle,
33420 Naujan-et-Postiac, tél. 05 57 84 55 01,
fax 05 57 84 65 70, vignobles.gadras@wanadoo.fr,
☑ ☀ ⵀ t.l.j. 9h-12h 14h-18h; sam. dim. sur r.-v.

CH. MONT-PÉRAT 2011 ★

| | 48 000 | ▮ ⓘ | 15 à 20 € |

Cette propriété de la famille Despagne s'est fait connaître en Chine grâce à la célèbre saga manga *Les Gouttes de Dieu*, dans laquelle le vin est comparé à... un concert de Freddie Mercury. Aujourd'hui, la quasi-totalité de la production (98 %) part à l'export. Le 2011 s'ouvre sur les fruits mûrs et des notes toastées. Le palais, à l'unisson, se révèle ample et gras, sans toutefois manquer de la juste fraîcheur qui apporte l'équilibre. **Les Amants de Mont-Peyrat 2011** (8 à 11 € ; 16 400 b.), frais et fruité (agrumes, fruits exotiques), est cité.

🕊 SCEA Mont-Pérat, Le Touyre, 33420 Naujan-et-Postiac, tél. 05 57 84 55 08, fax 05 57 84 57 31, contact@despagne.fr, ☑ ☀ r.-v.
🕊 Despagne

CH. MOULIN DU TERRIER 2012 ★

| | 42 666 | | - de 5 € |

La famille Forcato propose avec ce 2012 un bordeaux gourmand au nez ouvert sur les fruits frais (pêche, agrumes) et les fleurs blanches, agrémenté d'une pointe fumée. Une attaque suave prélude à un palais ample, doux et rond, qui s'étire dans une jolie finale aux accents fruités. À déguster sur une volaille à la crème.

🕊 GAEC Forcato et Fils, Tabot, Fosses-et-Baleyssac,
33190 La Réole, tél. et fax 05 56 61 77 91

CH. PIERRAIL 2012 ★★

| | 70 000 | ▮ | 5 à 8 € |

Ce domaine cultive les étoiles et les coups de cœur, notamment pour ses bordeaux supérieurs. En blanc sec, il signe un 2012 issu des sauvignons blanc et gris, le premier (70 %) apportant sa fraîcheur, le second sa rondeur et sa finesse. La combinaison donne ici un résultat remarquable. Le nez se révèle puissant et complexe : citron, pomme, foin coupé, fleurs blanches. Soutenu de bout en bout par une fine vivacité, le palais dévoile une chair ronde et fruitée. La finale est soyeuse et longue. Un vin harmonieux et expressif, que l'on ouvrira sans faute du goût sur une poêlée d'écrevisses.

🕊 EARL Ch. Pierrail, Ch. Pierrail, 33220 Margueron, tél. 05 57 41 21 75, fax 05 57 41 23 77, alice.pierrail@orange.fr, ☑ ☀ ⵀ r.-v.
🕊 Demonchaux

♥ CH. DE LA RIVIÈRE 2012 ★★

| | 4 328 | ▮ | 5 à 8 € |

Créé à l'emplacement d'une ancienne tour de guet érigée par Charlemagne lors de sa conquête de la Gironde et remanié au XIXᵉs. par Viollet-le-Duc, ce château est entré dans la famille Grégoire en 2003. En bordeaux comme en fronsac, les vins du domaine font figure de valeur sûre, ce que confirme ce 2012, un pur sauvignon (deux tiers de la variété blanche, un tiers de la variété grise). Au nez, les arômes variétaux sont au rendez-vous, en finesse : fleurs blanches, buis, agrumes, fruits exotiques. Une même délicatesse et une même fraîcheur caractérisent le palais, ample, charnu et très long. Modèle d'élégance et d'harmonie, ce vin s'appréciera aux aussi bien sur un poisson noble, un filet de bar sauce aux agrumes, par exemple.

🕊 SCA Ch. de la Rivière, 33126 La Rivière,
tél. 05 57 55 56 56, fax 05 57 24 94 39,
info@vignobles-gregoire.com,
☑ ☀ ⵀ t.l.j. sf sam. dim. 9h-12h 14h-17h;
l'hiver sur r.-v. 🏨 ⑤
🕊 James Grégoire

CH. ROQUEFORT Roquefortissime 2012

| | 15 000 | ⓘ | 8 à 11 € |

Établi dans l'Entre-deux-Mers, ce domaine exploite un coquet vignoble de 100 ha. Pour ce 2012, les fûts ont accueilli pendant dix mois un assemblage de sauvignon (90 %) et de sémillon. Au nez, le pamplemousse et le litchi se mêlent aux notes toastées et briochées de l'élevage. La bouche se montre souple et ronde, une pointe de vivacité assurant l'équilibre. Tout est en place dans ce vin prêt à accompagner un poisson en sauce.

🕊 Ch. Roquefort, lieu-dit Roquefort, 33760 Lugasson,
tél. 05 56 23 97 48, fax 05 56 23 50 60,
mscl@chateau-roquefort.com, ☑ ☀ ⵀ r.-v.
🕊 Bellanger

CH. SAINT-GERMAIN 2012

| | 40 000 | | - de 5 € |

Propriété de la famille d'Amécourt depuis 1980, ce domaine est composé d'une ancienne maison noble du XVIᵉs. et d'un vignoble de 84 ha. Le sauvignon règne en maître dans ce 2012, le sémillon y faisant de la figuration. Le nez, élégant, mêle les fleurs blanches et les fruits exotiques. La bouche plaît par son volume, sa rondeur, son fruité et sa fraîcheur en finale. Un vin gourmand, qui sera très agréable sur un fromage de chèvre.

➤ SCEA Famille d'Amécourt, Ch. Bellevue, 33540 Sauveterre-de-Guyenne, tél. 05 56 71 54 56, fax 05 56 71 83 95, vignesdamecourt@aol.com, ☑ ⚔ ♈ r.-v.

SIRIUS 2012

	60 000	▥	5 à 8 €

Mi-sémillon mi-sauvignon, cette cuvée de négoce dévoile un bouquet floral (rose, bergamote) et fruité (agrumes) accompagné par une touche herbacée. La bouche est à l'unisson, fraîche, sauvignonnée sans excès, offrant aussi de la rondeur et un boisé ajusté en renfort. À boire aujourd'hui ou dans les deux ans.

➤ Maison Sichel, 33490 Saint-André-du-Bois, tél. 05 56 63 50 52, fax 05 56 63 42 28, ventes-france@sichel.fr

CH. LE TROS 2012

	33 000	▤	- de 5 €

Le seul sauvignon compose cette cuvée née sur les argilo-calcaires de Tizac. Le cépage confère au nez ses arômes caractéristiques d'agrumes et de buis. Tout aussi expressif, le palais offre une avenante rondeur rehaussée par une pointe de vivacité. À boire dès à présent sur des crustacés.

➤ GFA Ch. le Tros, Le Broustera, 33420 Tizac-de-Curton, tél. 05 57 24 26 85, fax 05 57 24 17 18, chateauletros@orange.fr, ☑ ⚔ ♈ t.l.j. 9h-12h 14h-18h; dim. sur r.-v.

♥ CH. LA VERRIÈRE 2012 ★★

	60 000	▤	5 à 8 €

Ce domaine d'une belle régularité signe un 2012 qui emporte l'adhésion des dégustateurs. Pour élaborer son vin, Alain Bessette a sélectionné 7 ha de sauvignon plantés sur des coteaux aux sols argilo-siliceux. Le bouquet se révèle complexe et élégant ; on y perçoit des notes florales, des agrumes, du litchi, une touche d'amande amère. Ample et franche en attaque, la bouche charme par sa souplesse et sa rondeur, tout en restant équilibrée par une belle fraîcheur fruitée qui s'attarde en finale sur le citron et les fruits exotiques. On imagine un accord gourmand avec un saumon à l'oseille.

➤ EARL André Bessette, 8, La Verrière, 33790 Landerrouat, tél. 05 56 61 39 56, fax 05 56 61 44 25, alainbessette@orange.fr, ☑ ⚔ ♈ r.-v.

CH. DE LA VIEILLE CHAPELLE Les Grands Blancs 2011 ★★

	2 277	▥	11 à 15 €

Ce petit cru de 7 ha convertit ses vignes à l'agriculture biologique, avec la biodynamie en ligne de mire. Il propose un 2011 né du seul sémillon et élevé huit mois en fût. Un vin aux accents briochés, grillés et miellés au nez, ample, gras, puissant et long en bouche, une belle fraîcheur venant en soutien jusqu'en finale. Un vin de gastronomie, à déguster sur une volaille en sauce ou sur un gratin de fruits de mer.

➤ Ch. de la Vieille Chapelle, 4, Chapelle, 33240 Lugon-et-l'Île-du-Carnay, tél. 05 57 84 48 65, fax 09 74 44 68 87, best_of_bordeaux_wine@chateau-de-la-vieille-chapelle.com, ☑ ⚔ ♈ t.l.j. sf dim. 9h-17h 🏠 ❸
➤ Frédéric Mallier

VILLA GARROS 2012 ★

	75 000		- de 5 €

Argentine, Chili, Espagne, Languedoc et bien sûr Bordelais, sa région d'origine : l'entreprise de François Lurton a essaimé dans de nombreux vignobles de France et d'ailleurs. Il propose en bordeaux sec une cuvée de pur sauvignon, finement florale et fruitée à l'olfaction, équilibrée, fraîche et longue en bouche, avec un côté aérien qui se mariera volontiers avec une mousseline de poisson.

➤ François Lurton, Dom. de Poumeyrade, 33870 Vayres, tél. 05 57 55 12 12, communication@francoislurton.com

CH. VIRCOULON 2012 ★

	44 000		- de 5 €

À l'origine consacrée à la polyculture, cette propriété familiale s'est orientée vers la vigne en 1983 sous l'impulsion de Patrick Hospital. Associant 60 % de sémillon au sauvignon, le vigneron propose une cuvée joliment bouquetée autour des fleurs blanches, des agrumes et des fruits jaunes, avec une touche miellée en appoint. La bouche affiche un bel équilibre, de la finesse et de la persistance. Un vin qui se plaira à l'apéritif avec quelques feuilletés au fromage.

➤ Patrick Hospital, 5, Vircoulon, 33220 Saint-Avit-de-Soulège, tél. et fax 05 57 41 05 99, chateauvircoulon@orange.fr

Y 2011 ★★★

	n.c.	▥	+ de 100 €

Quand à l'atout du terroir d'Yquem (et des mêmes vignes de sémillon et de sauvignon que celle du grand liquoreux) s'ajoute celui de conditions climatiques permettant de réaliser toute la vendange en août, après un hiver très doux, un printemps hors normes par sa chaleur et un été qui a tempéré son exubérance, on obtient ce superbe Y. D'une fraîcheur étonnante, le vin développe un bouquet d'une extrême élégance où le sauvignon (75 %) imprime fortement sa marque avec des arômes de chèvrefeuille, de buis et de pêche blanche, sans empêcher le sémillon de manifester sa présence par des notes d'agrumes (citron et orange), tandis que le fût apporte une subtile touche vanillée. Le palais dévoile une matière fine et douce qui se développe délicatement pour aboutir à une finale ample, chaleureuse et longue. Très harmonieux, l'ensemble s'exprimera pleinement sur des poissons nobles (sole et turbot) ou de beaux crustacés (homard).

➤ SA du Ch. d'Yquem, 33210 Sauternes, tél. 05 57 98 07 07, fax 05 57 98 07 08, info@yquem.fr, ⚔ ♈ r.-v.

Bordeaux supérieur

CH. DES ARRAS Élevé en fût de chêne 2010

| ■ | 9 000 | ▥ | 5 à 8 € |

Dominant la Dordogne en aval de Saint-André-de-Cubzac, une maison noble (XV-XVIIIᵉ s.) avec son escalier monumental et son pigeonnier. Le vignoble de 21 ha est clos de murs, ce qui est rare en Gironde. Aux commandes de cette exploitation familiale, Claudine Rozier, depuis vingt ans. Elle signe un vin rubis intense que son élevage n'a pas écrasé : le nez est aussi fin que précis, sur la cerise fraîche à peine soulignée de notes toastées et cacaotées. La bouche élégante et ronde aux tanins affables dessine le profil d'un « vin plaisir ». À déboucher dès la fin de l'année 2013.
☛ Rozier, Ch. des Arras, 33240 Saint-Gervais,
tél. 05 57 43 00 35, fax 05 57 43 58 25,
chateaudesarras@gmail.com,
☑ ⚡ ⵉ t.l.j. 10h-12h30 14h30-18h; sam. dim. sur r.-v. 🏨 ❷

L'ESPRIT DU BALLAT Élevé en fût de chêne 2010 ★

| ■ | 1 500 | ▥ | 5 à 8 € |

Le 2005 de cette petite cuvée avait obtenu un coup de cœur. Ce vin élevé un an en fût provient des coteaux de Saint-Macaire, où est implantée l'une des deux propriétés de Frédéric Tréjaut. Marqué par un élevage en barrique, le nez penche vers la noisette, avec des notes de chocolat, de moka et un peu de pruneau à l'arrière-plan. On retrouve en bouche les saveurs léguées par le merrain, en harmonie avec des tanins élégants et patinés. Une bouteille que l'on pourra déboucher dès la sortie du Guide ou garder quelques années.
☛ EARL Vignobles Tréjaut, Jardinet,
33490 Saint-André-du-Bois, tél. 05 56 76 41 33,
fax 05 56 62 88 66, vignobles-trejaut@orange.fr,
☑ ⚡ ⵉ r.-v.

CH. DE BASSET Cuvée Prestige 2011 ★

| ■ | 40 000 | ▥ | 5 à 8 € |

Ce vin est proposé par Daniel et Nicolas Roux, installés dans l'Entre-deux-Mers, plus précisément dans le haut Benauge, un petit pays chargé d'histoire. Leur cuvée Prestige donne la première place au cabernet-sauvignon, ce qui n'est pas fréquent en appellation régionale. Sa robe sombre est aussi engageante que son bouquet, qui offre une belle composition aromatique autour de la cerise au kirsch, de la violette et des épices. Riche, ronde et généreuse, la bouche finit sur un plaisant retour épicé. Un vin agréable, à apprécier dans sa jeunesse, autour d'une épaule d'agneau, par exemple.
☛ Vignobles D. et N. Roux, 1, Coulonge, 33410 Mourens,
tél. 05 56 61 98 73, fax 05 56 61 98 80,
nicolasroux@chateaucoulonge.com, ☑ ⚡ ⵉ r.-v.

CH. LES BAZILLES Élevé en fût de chêne 2010 ★

| ■ | 5 000 | ▤ ▥ | 5 à 8 € |

Cette petite exploitation familiale (7 ha environ) a été achetée en 1978 par Pierre Battiston qui l'a transmise en 1993 à son fils Armand. Dans la vallée de la Dronne, on n'est plus très loin des Charentes et de la Dordogne, et les sols graveleux conviennent parfaitement à la vigne,

témoin ce 2010 plein de jeunesse et de promesses. Le nez de pain grillé, de pruneau et de fraise confiturée prélude à une bouche ronde et fine à l'attaque, construite sur des tanins encore fermes et vifs qui laissent une impression de fraîcheur. Ce vin atteindra son optimum vers 2015.
☛ Armand Battiston, 26, Sablon, 33230 Les Peintures,
tél. 06 22 38 38 09, bazilles@wanadoo.fr, ☑ ⚡ ⵉ r.-v.

CH. BEAULIEU CAILLON 2011 ★

| ■ | 40 000 | ▤ ▥ | - de 5 € |

Le vignoble de Lugon, où est implanté le domaine de Guy Cenni, couvre les coteaux de la rive droite de la Dordogne, en aval de Fronsac. Les lecteurs du Guide connaissent déjà le château de Blassan produit par la même propriété, mais cette année les jurés ont préféré le château Beaulieu Caillon, qui se distingue de l'autre vin par le règne sans partage du merlot et par un élevage plus court en barrique. Ce 2011 reste assez boisé, avec ses notes plaisantes de noix de coco et de vanille, et se montre souple, rond et moelleux, avec une certaine puissance. À déboucher dès la sortie du Guide sur de la volaille.
☛ SCE Ch. de Blassan, 4, Blassan, 33240 Lugon,
tél. 06 80 65 43 44, fax 05 57 84 82 93,
chateaudeblassan@wanadoo.fr,
☑ ⚡ ⵉ t.l.j. 8h-12h 14h-18h; sam. dim. sur r.-v.
☛ Guy Cenni

CH. BEAU RIVAGE 2010 ★

| ■ | 15 000 | ▤ ▥ | 11 à 15 € |

Beau Rivage ? Celui de la Garonne, sur le point de se perdre dans la Gironde. Ce petit domaine (7,5 ha) est une valeur sûre du Guide. Moins en raison du voisinage de Margaux que de l'implication de Christine Nadalié, œnologue qui appartient à une famille de tonneliers bien connus. Comme d'habitude, les jurés ont apprécié l'un de ses vins. Un assemblage original : cinq cépages, avec du petit verdot (15 %) et du malbec. Dans le verre, une robe profonde aux reflets violets. Au nez, un mariage réussi du vin et du bois, des notes de fruits noirs en harmonie avec des senteurs de vanille et de cendres chaudes. En bouche, du gras, de la souplesse, de l'ampleur et des tanins serrés, épicés en finale, qui laissent envisager un beau moment de dégustation dans trois à quatre ans, sur un gigot d'agneau. À noter que le domaine a obtenu la certification bio en 2011.
☛ EARL Vignobles Christine Nadalié,
7, chem. du Bord-de-l'Eau, 33460 Macau-en-Médoc,
tél. 05 57 10 03 70, fax 05 57 10 02 00,
clos.la.boheme@nadalie.fr, ☑ ⚡ ⵉ r.-v.

CH. BELLE-GARDE L'Excellence 2011 ★★

| ■ | 12 800 | ▥ | 8 à 11 € |

Installé sur la rive gauche de la Garonne, face à Saint-Émilion, Éric Duffau collectionne les étoiles et les coups de cœur en AOC régionales. Finaliste du coup de cœur, le 2011 de la bien nommée cuvée L'Excellence est jugé remarquable – comme les deux millésimes précédents. À l'instar de ses devanciers, il marie cabernet-sauvignon et merlot à parts égales. Tout est en harmonie dans ce vin : la couleur grenat aux reflets violets, le nez friand et fruité sur la myrtille et la cerise mûre, la bouche aussi dense que soyeuse, aussi concentrée qu'élégante, la finale sur le cassis très mûr. Digne d'un filet de bœuf en croûte, ce vin n'atteindra pas sa plénitude avant deux à trois ans. Aura-t-on la patience d'attendre ?

☞ SC Vignobles Éric Duffau, 2692, rte de Moulon, 33420 Génissac, tél. 05 57 24 49 12, fax 05 57 24 41 28, duffau.eric@wanadoo.fr, ☒ ⚔ ⵣ r.-v.

ESPRIT DE BELLEMER 2010 ★

| ■ | 12 000 | ⊞ | 11 à 15 € |

Quai des Chartrons, Bordeaux : voilà une adresse qui en impose. L'Esprit de Bellemer ne trahit nullement l'esprit du bordeaux. Après un élevage de dix-huit mois en barrique, ce pur merlot arbore une robe presque noire. Le premier nez livre une fragrance raffinée de pivoine, puis viennent les fruits noirs surmûris, le pruneau et la torréfaction. Puissante, chaleureuse, ample et ronde, la bouche évolue sur des notes confiturées, un rien poivrées, avec des tanins denses mais affables aux saveurs réglissées et chocolatées en soutien. Cette charpente élégante autorise une consommation prochaine (2014-2015), tout en permettant aussi une longue garde. Pour une côte de bœuf.

☞ SARL Bellemer, 52, quai des Chartrons, 33000 Bordeaux, tél. 05 56 56 95 27, fax 05 67 08 06 21, benoit@bellemer.fr

CH. BELLEVUE CLARIBES 2010 ★

| ■ | 9 600 | | 5 à 8 € |

Diffusé par un négociant, ce bordeaux supérieur provient d'une vaste exploitation (220 ha) située à Gensac, sur la rive gauche de la Dordogne. Reflet du terroir argilo-calcaire, ce vin annonce sa puissance par sa robe presque noire aux reflets violets et il la confirme par une structure solide et généreuse. Le tout ne manque ni d'élégance ni de longueur. Les arômes ? De bout en bout, de la torréfaction, du grillé : le fruit (noir) reste en retrait. Les amateurs de ce style de vin pourront déboucher cette bouteille l'an prochain sur des grillades de bœuf, les autres la découvriront plutôt dans trois ou quatre ans.

☞ J.J. Mortier et Cie, 62, bd Pierre-1er, 33000 Bordeaux, tél. 05 56 51 13 13, fax 05 57 85 92 77, mortier@mortier.com, ☒ ⚔ ⵣ r.-v.

☞ B. Fontana

CH. BENAGE FONTAINE Cuvée Prestige 2011 ★

| ■ | 36 000 | ▮ | 5 à 8 € |

Deux vins présentés par Prodiffu, important groupement de coopératives, font jeu égal, avec une étoile chacun. Cette cuvée Prestige du château Benage Fontaine est élaborée par la cave La Girondaise (Gironde-sur-Dropt). Elle s'annonce par un nez discret mais droit, sur la réglisse et le cassis, attaque avec rondeur et suavité avant de dévoiler des tanins de qualité. La belle finale laisse entrevoir une garde de quatre ou cinq ans, mais on pourra déboucher ce vin dès 2014. Provenant de la cave des Coteaux d'Albret de Mesterrieux, le **Ch. du Ballandreau 2011** (30 000 b.), élevé en fût, offre un bouquet riche et confit mêlant la prune cuite et la mûre à des notes d'élevage qui rappellent l'amande grillée et la vanille. Dans le droit fil de l'olfaction, la bouche apparaît bien construite, dans un style chaleureux et rond, avec des tanins de qualité. L'ensemble devrait atteindre sa plénitude vers 2015.

☞ Cave la Girondaise, 5, Saussier, 33190 Gironde-sur-Dropt, tél. 05 56 71 10 15, fax 05 56 71 16 91, lagirondaise.magasin@wanadoo.fr, ☒ ⵣ r.-v.

CH. BOIS DE FAVEREAU Élevé en fût de chêne 2010 ★

| ■ | 25 000 | ⊞ | 5 à 8 € |

Présenté par un négociant, ce 2010 vient d'une propriété de l'Entre-deux-Mers et naît d'un assemblage classique de merlot, avec les cabernets en appoint : une robe très « bordeaux », jeune et intense ; un bouquet charmeur associant les fruits rouges mûrs à un fin boisé aux accents de vanille et de chocolat ; un palais tout aussi aimable, charnu, souple et rond, chaleureux sans excès, et des tanins déjà polis : une bouteille harmonieuse, qui fera alliance avec une large palette culinaire dès la sortie du Guide et qui sera de garde (cinq ans voire bien davantage dans une bonne cave).

☞ J.J. Mortier et Cie, 62, bd Pierre-1er, 33000 Bordeaux, tél. 05 56 51 13 13, fax 05 57 85 92 77, mortier@mortier.com, ☒ ⚔ ⵣ r.-v.

☞ Galineau

CH. BOLAIRE 2010 ★★

| ■ | 28 820 | ⊞ | 11 à 15 € |

Ce 2010 est comme un legs de Vincent Mulliez, disparu prématurément cette même année. L'homme d'affaires avait acheté en 2004 ce château ainsi que les châteaux Belle-Vue et de Gironville devenus des valeurs sûres. Les trois crus sont situés dans la partie sud du Médoc. Belle-Vue et Gironville, implantés sur graves, sont en AOC haut-médoc, tandis que les vignes du château Bolaire sont installées sur des palus bien drainés. Le vin de ce dernier a l'originalité de privilégier le petit verdot dans son assemblage (39 %), accompagné du cabernet-sauvignon et du merlot à parts sensiblement égales. Très mûr et chaleureux, le nez évoque le fruit noir, la tarte aux myrtilles sortant du four, la réglisse, avec des notes toastées. La bouche riche, charnue et suave s'appuie sur des tanins denses et bien extraits. Un vin élégant, qui a le potentiel d'un grand bordeaux : de cinq à dix ans de garde.

☞ SC de la Gironville, 103, rte de Pauillac, 33460 Macau, tél. 05 57 88 19 79, fax 05 57 88 41 79, contact@chateau-belle-vue.fr, ☒ ⵣ t.l.j. sf sam. dim. 9h-12h 13h-17h

☞ Isabelle Mulliez

CH. DE BONHOSTE Cuvée Prestige 2010 ★

| ■ | 20 000 | ⊞ | 8 à 11 € |

Bernard et Colette Fournier, qui ont été rejoints en 2005 par leurs enfants Sylvaine et Yannick, ont un pied en Bergeracois et l'autre en Gironde. Leur domaine bordelais est situé sur la rive gauche de la Dordogne, en face de Saint-Émilion. La cuvée Prestige, en bordeaux supérieur, est le cheval de bataille de ce cru. Encore sur la réserve, le 2010 doit être sollicité pour livrer son bouquet, mais après aération, on découvre une jolie palette, où la fraise, la cerise et le cassis se mêlent à un boisé grillé bien fondu. Rond et gras, équilibré et construit sur des tanins de qualité, le palais dévoile un élevage maîtrisé respectant la fraîcheur aromatique du fruit.

☞ Fournier, Ch. de Bonhoste, 33420 Saint-Jean-de-Blaignac, tél. 05 57 84 12 18, fax 05 57 84 15 36, contact@chateaudebonhoste.com, ☒ ⚔ ⵣ t.l.j. 8h30-18h30 ⌂ Ⓖ

CH. LE BOSQUET DES FLEURS
Dédicace du bosquet 2010 ★

| ■ | 2 666 | ⅢⅠ | 5 à 8 € |

Conseillère agricole, Karine Abba a réalisé un projet œnotouristique où l'accueil compte autant que la viticulture. En 2007, elle a constitué sur les coteaux de la Garonne, aux confins du Marmandais, un microvignoble qu'elle cultive comme un jardin. Les volumes sont donc confidentiels, mais ce 2010 lui permet de faire son entrée dans le Guide. Il a pour originalité d'être un pur cabernet-sauvignon, fermenté et élevé sous bois. On aime son fruit intense, acidulé et réglissé, qui se croque encore en bouche, marié à la vanille et au grillé de l'élevage. La structure un peu légère exalte la fraîcheur délicate de cette bouteille : un « vin plaisir », à apprécier dès la sortie du Guide.

NOUVEAU PRODUCTEUR

🕭 Karine Abba, Le Bosquet-des-Fleurs, 33190 La Réole, tél. 05 56 61 41 55, abbasss@hotmail.fr, ☑ 人 ⵜ r.-v. 🏠 ❸

CH. BOSSUET 2010 ★

| ■ | 40 000 | ⅢⅠ | 5 à 8 € |

Bossuet ? Le nom d'un lieu-dit voisin des appellations montagne-saint-émilion et lalande-de-pomerol. Ce vignoble fait partie d'une propriété constituée dans les années 1970 par Yvon Dubost, qui fut maire de Pomerol, et conduite aujourd'hui par son fils Laurent. Les sols graveleux sont plantés pour les deux tiers de merlot, complété par les cabernets. Ce 2010 « annonce la couleur », dans sa robe presque noire aux reflets violets. Son bouquet marie harmonieusement la cerise, le cassis et la réglisse à un boisé vanillé et épicé. Un dégustateur y trouve même une touche d'eucalyptus. La bouche riche et ample évolue sur des tanins soyeux, plus fermes et vifs en finale. Une note réglissée conclut la dégustation. À déboucher sans hâte à partir de 2014.

🕭 SARL L. Dubost, Catusseau, 33500 Pomerol, tél. 05 57 51 74 57, fax 05 57 25 99 95, sarl.dubost.l@wanadoo.fr, ☑ 人 ⵜ r.-v.

CH. DE BRONDEAU 2010 ★

| ■ | 48 000 | ⅢⅠ | 5 à 8 € |

Brondeau : un joli château du XVIIIᵉs. proche de Libourne, mais un terroir difficile de palus (alluvions argilo-limoneuses). La propriété (13 ha) a été acquise par la famille Audy en 1902 et reprise en 2001 par Marie-Claude Meneret (née Audy) et son mari. La vinification de ce 2010, un pur merlot, a recherché l'expression fruitée. Le vin est très coloré, presque noir. Le cépage s'exprime avec intensité dans des notes de cerise macérée nuancées d'une pointe fraîche de cachou. Chaleureuse et souple, la bouche, où l'on retrouve la cerise mariée au cassis, est tout en rondeurs suaves, avec ce qu'il faut de charpente. Un vin charmeur que l'on verrait bien avec une canette aux cerises.

🕭 SCEV Vignobles Brondeau, 1, rue de la Verrerie, 33000 Bordeaux, tél. 05 57 83 18 18, fax 05 57 83 18 20, info-dma@wanadoo.fr, ☑ r.-v.

🕭 D. Meneret

CH. LA BURE DES MOINES 2010 ★★

| ■ | 9 500 | ■ | 11 à 15 € |

La bure des moines ? Une évocation du passé de ce vignoble exploité jadis par l'abbaye de Faise. Le domaine

(4,5 ha) est depuis 2002 la propriété d'Alain Doumichaud, issu d'une lignée de négociants originaires de Corrèze. Il est situé aux Artigues-de-Lussac, à la lisière des AOC lalande-de-pomerol, lussac et montagne-saint-émilion. Sur ce terroir de graves de type pomerolais, du merlot et rien d'autre ; une sélection parcellaire, un tri de la vendange, une longue macération et un élevage de dix-huit mois en barrique. Au bouquet, cerise, mûre, violette, cuir, épices chaudes composent une entrée en matière engageante. On retrouve les petits fruits au cœur d'une bouche ample, ronde et soyeuse, soutenue par des tanins élégants. Déjà agréable, cette bouteille se bonifiera au cours des trois prochaines années.

🕭 SCEA Doumichaud Motte, Clos des Filadières, 33126 Saint-Michel-de-Fronsac, tél. 05 57 24 98 04, fax 05 57 24 91 42, doumichaud_vins@yahoo.fr, ☑ 人 ⵜ r.-v.

CH. LE CALVAIRE 2011 ★

| ■ | 100 000 | ⅢⅠ | - de 5 € |

Implanté sur des coteaux dominant la Dordogne, entre Fronsadais et Bourgeais, ce château appartient depuis la fin du XIXᵉs. aux Quancard, négociants bien connus. Ses 70 ha de vignes (merlot pour les deux tiers, cabernet-sauvignon pour un tiers) ont donné un vin complet et gourmand, qui sera parfait sur un poulet rôti ou sur une viande blanche. Le nez fruité (mûre, cassis) et frais traduit une belle extraction du raisin. Le passage en barrique, de courte durée (six mois), a peu marqué le vin, et le merrain, sensible au palais, reste à l'arrière-plan. La bouche est harmonieuse, charnue et onctueuse, étayée par des tanins fondus qui autorisent une consommation prochaine, tout en révélant un potentiel de quatre ou cinq ans de garde.

🕭 Pierre Dumontet, ZI La Mouline, 4, rue du Carbouney, BP 36, 33565 Carbon-Blanc Cedex, tél. 05 57 77 88 88, fax 05 57 77 88 99

☑ 人 ⵜ r.-v. (dégustation et vente au Ch. de Bordes à Saint-Vincent-de-Paul)

CH. CHAPELLE D'ALIÉNOR 2010 ★★

| ■ | 40 000 | ⅢⅠ | 8 à 11 € |

De vieille souche saint-émilionnaise, Alexandre et Aliénor de Malet Roquefort (voir château la Gaffelière) ont franchi en 2001 la Dordogne, séduits par le château Chapelle Maracan, qu'ils ont acquis et rebaptisé. Sur ce cru, qui fait face à la jurade et aux côtes-de-castillon, le merlot règne en maître, planté sur un beau terroir argilo-calcaire. Il a donné naissance à un vin charmeur de bout en bout. Intense et complexe, le bouquet mêle la cerise, la figue, la violette, l'amande grillée, la vanille et les épices. En bouche, le vin s'impose par sa finesse et son élégance, tout en rondeurs suaves ; des tanins soyeux lui font une belle charpente et la longueur est au rendez-vous. Proche du coup de cœur et bientôt à son optimum (deux à trois ans).

🕭 SCEA Ch. Chapelle Maracan, imp. Doucet, 33350 Mouliets-et-Villemartin, tél. 05 57 56 42 91, fax 05 57 56 40 80, f.morice@malet-roquefort.com

🕭 de Malet

CH. CILORN 2011 ★★★

| ■ | 13 000 | ■ | 5 à 8 |

Un couple d'ingénieurs en agro-alimentaire a racheté en 2001 cette propriété située dans le Libournais, Lussac, qui propose aussi des « satellites de saint-émilion ». Il donne à ses vins des noms celtes, comme Cilorn qui était le dragon apprivoisé par la fée Viviane. La partie du vignoble dédiée au bordeaux supérieur est implantée sur des sols sablo-argileux riches en fer. Le merlot y a engendré un vin jugé exceptionnel, finaliste du coup de cœur. Les reflets violets de sa robe profonde annoncent la fraîcheur du bouquet, qui affiche une rare complexité, mêlant les fruits confits et confiturés, les fleurs, le cuir et les épices. Tout aussi complexe, bien construite, la bouche conjugue puissance et élégance. Sa générosité laisse augurer un bel avenir à cette bouteille qui mérite d'attendre deux ans avant d'accompagner une belle viande rouge.

☛ François Linard, SCEA Claymore, Maison-Neuve, 33570 Lussac, tél. 05 57 74 67 48, fax 05 57 74 52 05, claymore@anavim.com,
☑ ⚹ ⛾ t.l.j. sf sam. dim. 8h30-12h 13h30-15h30

DOM. DES COLLINES 2010

| ■ | 18 600 | 🅸🆄 | 8 à 11 € |

Voilà sept ans que Philippe Mazières et sa femme Véronique se sont installés dans ce domaine qui couvre 7 ha sur la rive gauche de la Dordogne, face à Saint-Émilion. Ils ont développé l'accueil (soirées à thèmes, expositions, concerts). Philippe, architecte, a dessiné le chai où a été élevé ce vin mi-merlot mi-cabernets. Ce 2010 séduit par son bouquet sur les fruits cuits (pruneau) et la vanille. Le palais offre de jolies rondeurs et un fruité mûr (cassis, cerise) agrémenté d'épices douces. Une bouteille aimable, à déguster dans les cinq ans sur un rosbif ou sur une viande blanche.

☛ SCEA les Collines de la Hage, 2, La Hage, 33420 Saint-Aubin-de-Branne, tél. 06 76 81 53 36, fax 05 57 74 82 34, collinesdelahage@gmail.com,
☑ ⚹ ⛾ r.-v. 🏠 ❺ 🏠 Ⓔ
☛ Mazières

CH. DE LA COUR D'ARGENT 2011 ★

| ■ | 130 000 | 🅸🆄 | 5 à 8 € |

Voilà plus de quarante ans que Denis Barraud, œnologue, a repris le domaine familial : 36 ha sur les deux rives de la Dordogne. Pour tous ses châteaux, en AOC régionales et en saint-émilion, il a reçu dix-sept coups de cœur. Ce cru, un pied sur les argilo-calcaires de Génissac, l'autre sur les sols sablo-graveleux de Saint-Sulpice-de-Faleyrens, en a déjà décroché trois. Le merlot règne presque sans partage (5 % de cabernet franc) dans ce 2011 à la robe profonde et au nez charmeur, sur le fruit rouge mûr marié à la vanille et au cacao de l'élevage (quatorze mois en barrique). La mise en bouche dévoile une belle attaque, de la suavité et de puissants tanins boisés et épicés qui incitent à attendre cette bouteille. Le producteur a testé avec succès un accord avec une bécasse.

☛ SCEA des Vignobles Denis Barraud, Ch. les Gravières, 355, port de Branne, 33330 Saint-Sulpice-de-Faleyrens, tél. 05 57 84 54 73, fax 05 57 84 52 07, denis.barraud@wanadoo.fr, ☑ ⚹ ⛾ r.-v.

Ⓑ CH. COURONNEAU 2011 ★

| ■ | 106 000 | 🅸🆄 | 5 à 8 € |

Situé aux confins de la Gironde et de la Dordogne, dans le pays foyen, le vignoble est cultivé en biodynamie. Le cadre enchantera le promeneur : un vrai château, avec quatre tours aux toits coniques. L'occasion de découvrir ce vin plein de promesses, un pur merlot où le bois et le

fruit se marient à merveille. Paré d'une robe profonde aux reflets violets, ce 2011 offre un riche bouquet où les fruits mûrs (cerise, mûre et cassis) s'allient au poivre et au pain grillé. Après une attaque franche et charnue, le vin affiche une solide structure tannique et une finale persistante. On ouvrira cette bouteille en 2016-2017. Bel accord en perspective avec un magret de canard relevé d'une sauce aux fruits rouges.

☛ Ch. Couronneau, 33220 Ligueux, tél. 05 57 41 26 55, fax 05 57 41 27 58, chateau-couronneau@wanadoo.fr,
☑ ⚹ ⛾ r.-v.
☛ Piat

Ⓒ CH. LA CROIX DE ROCHE 2011 ★

| ■ | 56 000 | 🅸🆄 | 5 à 8 € |

La famille Maurin-Delmas exploite plusieurs propriétés sur la rive droite de la Dordogne, dont ce château conduit en bio certifié depuis 2007. Élevé dix-huit mois en cuve et trois mois en fût, son vin est fort original par son assemblage où le merlot (60 %) laisse une place à la carmenère (15 %), au petit verdot (15 %) et au malbec. La robe profonde s'anime de reflets violets. Le bouquet, un peu sauvage, mêle harmonieusement les fruits noirs, des notes animales et une touche de café. Dans le même registre, la bouche se montre ronde et souple à l'attaque, généreuse, étayée par des tanins bien enrobés. Reflétant une vendange bien mûre et une bonne extraction, ce 2011 est à déboucher dès maintenant.

☛ EARL la Croix de Roche, 17, rte de Marze, 33133 Galgon, tél. 05 57 84 38 52, chateau-la-croix-de-roche@wanadoo.fr,
☑ ⚹ ⛾ t.l.j. 9h-12h30 13h30-19h 🏠 ❸
☛ F. et R. Maurin

CH. DALLAU 2010

| ■ | 60 000 | | - de 5 € |

Cette exploitation familiale couvrant 42 ha a son siège dans la vallée de l'Isle, au nord de Libourne. Elle signe un 2010 élégant qui doit presque tout au merlot (90 %). Au nez comme au palais, les fruits noirs (myrtille, mûre et cassis) se marient harmonieusement à des notes de grillé. La bouche montre d'emblée une grande suavité, en plein accord avec une structure tannique soyeuse. Une belle matière fraîche et fruitée, à apprécier dès maintenant sur une viande rôtie.

☛ Bertin, Ch. Dallau, 8, rte de Lamarche, 33910 Saint-Denis-de-Pile, tél. 05 57 84 21 17, fax 05 57 84 29 44, contact@vignoblesbertin.com,
☑ ⚹ ⛾ r.-v.

CH. DARTIGUES 2011 ★★

| ■ | 66 000 | | 5 à 8 € |

C'est une Indienne née à Singapour, Uscha Lavie-Teissier, qui préside depuis une vingtaine d'années aux destinées de ce cru commandé par un château transformé en hôtel de charme. Le vignoble à l'origine de ce bordeaux supérieur couvre 33 ha, sur la rive gauche de la Dordogne. Ce 2011 en robe violine, encore discret mais franc au nez, s'ouvre à l'aération sur des parfums de fruits noirs mûrs relevés de touches épicées. Dans le droit-fil du bouquet, le palais, d'une grande sincérité, déploie une matière flatteuse, ample, puissante et très fruitée. Déjà épanouie, cette bouteille pourra être consommée prochainement, même si sa charpente indique un potentiel de garde intéressant (au moins cinq ans).

☛ SARL Ch. Gamage, 31, av. de la Mairie,
33350 Saint-Pey-de-Castets, tél. 05 57 40 52 02,
fax 05 57 40 53 77, gamage@wanadoo.fr, ☑ ⚔ ⛊ r.-v.
☛ Lavie-Teisseir

CH. DOMS 2011 ★

| ■ | 33 000 | ▮ | 5 à 8 € |

Le décor : une sobre et élégante chartreuse, et un vignoble de 28 ha implanté dans les Graves. La propriété se transmet de mère en fille depuis cinq générations. Aux commandes aujourd'hui, Hélène Durand, épaulée par sa fille Amélie, vingt-neuf ans, ingénieur agronome et œnologue, qui fait le vin. Celui-ci présente une robe carminée, légèrement tuilée, et un nez épicé, un rien fumé. On retrouve ce côté empyreumatique dans une bouche d'une belle ampleur, aux tanins déjà fondus. Une bouteille pour maintenant, à marier avec des grillades de viande rouge.
☛ Hélène et Amélie Durand, Ch. Doms,
10, chemin de Lagaceye, 33640 Portets, tél. 05 56 67 20 12,
fax 05 56 67 31 89, chateau.doms@wanadoo.fr, ☑ ⚔ ⛊ r.-v.

L'ESPRIT COUVENT 100 pur cent 2011 ★

| ■ | 3 600 | ▮⦿ | 20 à 30 € |

De petits volumes pour cette cuvée ambitieuse présentée par Kris Couvent, négociant belge. De la vigne au chai, le vin est vraiment bichonné : vendanges manuelles, transport en cagette des meilleurs raisins, éraflage manuel, encuvage dans de petites cuves en bois, puis écoulage dans des barriques neuves pour un élevage de douze mois, dont six mois sur lies. Il en résulte une robe profonde, un nez intense et complexe, où les fruits noirs côtoient la réglisse et les épices, une bouche très charpentée, concentrée et fort chaleureuse. Tous ces caractères laissent espérer une garde d'au moins dix ans. Destinée aux amateurs de vins « musclés », une bouteille à oublier en cave jusqu'en 2016.
☛ L'Esprit Couvent, Le Bourg, BP 6, 33550 Haux,
tél. 05 57 34 53 00, fax 05 56 23 24 49,
info@lespritcouvent.com,
☑ ⚔ ⛊ t.l.j. sf sam. dim. 8h30-12h30 14h-17h30

CH. L'ÉTERNEL 2011 ★

| ■ | 20 000 | ▮ | 5 à 8 € |

Fort de son expérience acquise dans de grands domaines, Sébastien Petit s'est installé en 2008 sur près de 18 ha, dans l'Entre-deux-Mers : des vignes exposées au plein sud autour d'une bâtisse du XVIIᵉs. Cette année, les dégustateurs ont préféré son château l'Éternel, assemblage de merlot et de cabernet-sauvignon, qui offre tout ce que l'on attend de l'appellation : des arômes de petits fruits, une attaque franche, une certaine corpulence, ce qu'il faut de concentration et de longueur, des tanins déjà fondus. Déjà harmonieux, ce 2011 gagnera en finesse au cours des deux prochaines années. Accords conseillés : pintade ou gigot.
☛ Sébastien Petit, Ch. Guichot,
33790 Saint-Antoine-du-Queyret, tél. 06 19 92 33 34,
fax 05 56 61 39 84, petitsebastienlasauvegarde@wanadoo.fr,
☑ ⚔ ⛊ r.-v. ⌂ Ⓒ

EXCELIUM 2011 ★

| | 75 000 | ⦿ | 8 à 11 € |

L'Union de Guyenne regroupe les coopératives de Saint-Pey-Génissac et de Sauveterre-Blasimon. Depuis 2007, ce groupement a le double statut de récoltant et de négociant. À côté de vins en vrac, il met en marché des bouteilles haut de gamme, comme celle-ci, élevée en barrique, assemblage à parité de merlot et de cabernet-sauvignon. Un bouquet de fruits mûrs légèrement toasté, une attaque ample et ronde, prélude à un palais gras et assez charpenté, et une finale agréable, un rien florale, composent une bouteille harmonieuse, que l'on pourra déboucher dès l'apéritif, sur des canapés aux foies de volaille par exemple.
☛ Union de Guyenne, 15, Bourrassat,
33540 Sauveterre-de-Guyenne, tél. 05 56 71 10 04,
fax 05 56 61 59 10, p.mondin@uniondeguyenne.fr

CH. LES FAURES BELLEVUE 2011

| ■ | 37 466 | ▮ | 5 à 8 € |

Issu de vignes de trente ans plantées sur un terroir argilo-calcaire, cet assemblage mi-merlot mi-cabernets est produit à la coopérative de Saint-Pey-Génissac. Un vin violine livrant au premier nez des notes de pruneau, de noyau, qui s'orientent vers la violette à l'aération. Très agréable au palais, étayé par des tanins soyeux qui laissent une impression flatteuse d'amabilité, il offre aussi la fraîcheur de la jeunesse. Un vin typé, assez complexe, à servir dès maintenant.
☛ SCA Vignerons de Saint-Pey-Génissac,
180, rue de la Cave-Coopérative, 33420 Génissac,
tél. 05 57 55 55 65, fax 05 57 55 11 61,
cave.genissac@vigneronsdesaintpey_genissac.fr,
☑ ⚔ ⛊ t.l.j. sf dim. 9h-12h 14h-18h

CH. FILLON L'Apogée 2011 ★

| ■ | 80 000 | ▮ | 5 à 8 € |

La cave alsacienne Bestheim a pris pied en Bordelais, où elle détient plusieurs châteaux, comme ce vaste vignoble (100 ha) de l'Entre-deux-Mers, d'où provient cette cuvée déjà appréciée l'an dernier : un assemblage mi-merlot mi-cabernet-sauvignon issu de vieilles vignes plantées sur un terroir argilo-calcaire. Un vin flatteur dès l'approche : robe brillante, presque noire ; nez discrètement framboisé, vanillé et fumé ; bouche tout en rondeur et en souplesse, aux tanins doux. À servir dans les trois ou quatre ans sur des viandes blanches, des escalopes panées par exemple.
☛ Bestheim & Châteaux, 3, rue du Gal-de-Gaulle,
68630 Bennwihr, tél. 03 89 49 09 29, fax 03 89 49 09 20,
vignobles@bestheim.com, ☑ ⛊ r.-v.

CH. FLEUR HAUT GAUSSENS 2011

| ■ | 180 000 | ⦿ | 5 à 8 € |

Une propriété d'une trentaine d'hectares, sur la rive droite de la Dordogne, conduite par Hervé Lhuillier depuis 1997. Le merlot, qui domine largement sur ces argilo-calcaires, règne presque sans partage dans ce vin escorté par les deux cabernets. La couleur est intense ; le nez, où se mêlent les fruits noirs et des notes de café torréfié léguées par un court élevage sous bois, annonce une bouche agréable, ce que confirme l'attaque. Les tanins confèrent à ce 2011 une bonne charpente ainsi mais ils demandent deux à trois ans de garde pour se fondre.
☛ Vignobles Pierre et Hervé Lhuillier, 11, Les Gaussens,
33240 Vérac, tél. et fax 05 57 84 48 01,
fleur.haut.gaussens@wanadoo.fr, ☑ ⚔ ⛊ r.-v.

CH. **FONCHEREAU** Le Grand 2011 ★★

| ■ | 17 000 | 🍷◪ | 8 à 11 € |

Le vin du « Mexican de Montussan » – Alfredo Ruiz, diplomate devenu vigneron en 2006 – se défend bien : trois étoiles pour le 2010, encore deux pour le 2011. Commandé par une ancienne maison noble, le domaine couvre 50 ha, dont 32 de vignes, à 15 km à l'est de Bordeaux, entre Dordogne et Garonne. Du merlot, surtout, aux côtés des deux cabernets, pour ce vin d'un « noir éclatant » égayé de reflets pourpres. Un peu sauvage, le nez est fait de cassis et autres fruits noirs, de pruneau cuit, avec une touche d'épices et une pointe torréfiée aux nuances chocolatées. Le palais, à l'unisson, attaque avec franchise et souplesse. Gras et charnu, construit sur des tanins élégants, il fait preuve d'un rare équilibre et d'une belle persistance. Une bouteille complexe et racée, bientôt prête et apte à une bonne garde (sept ans).

☛ Ch. Fonchereau, 8, allée de Fonchereau,
33450 Montussan, tél. 05 56 72 96 12, fax 05 56 72 44 91,
direction2@fonchereau.com, ◪ ⵂ r.-v.

☛ Ruiz

CH. **FRACHET** Prestige 2011 ★

| ■ | 58 400 | ◪ | 5 à 8 € |

Implanté sur graves et limons, le domaine est situé dans l'Entre-deux-Mers, à environ 15 km au sud-est de Bordeaux. Depuis 2004, il est exploité par Jocelyne et Bernard Frachet qui ont brillé récemment avec leurs clairets, sans pour autant démériter en rouge, à en juger par cette cuvée Prestige élevée un an en fût. Un 2011 au nez intense et racé, partagé entre le fruit et le merrain, suave et élégant à la mise en bouche. Charnu et souple, équilibré et persistant, il peut déjà paraître à table, si l'on aime les vins jeunes, et saura attendre deux à trois ans.

☛ SCEA Frachet et Fils, 11, av. de Bordeaux, 33360 Cénac,
tél. et fax 05 56 20 16 94,
philippe.bappel@chateauxenbordeaux.com

CH. LA **FRANCE** Cuvée Gallus 2011 ★

| ■ | 60 000 | ◪ | 8 à 11 € |

« La France » a changé de mains en 2009. Détenue jusqu'alors par une compagnie d'assurances, la propriété, située à 20 km à l'est de Bordeaux, a été rachetée par les Mottet, armateurs bordelais. Outre un vaste vignoble (90 ha, dont 77 en exploitation), elle comprend un « gîte rural » – un château ! Enfin, « la France » a son coq : une sculpture de 12 m de haut, due à l'artiste Georges Saulterre. Le fier gallinacé de métal donne son nom à la cuvée (*gallus* : "coq" en latin). Le merlot confère à ce vin toute sa rondeur et toute son élégance. Le fruit rouge mûr, subtil au nez, persiste en bouche avec fraîcheur et intensité. Les tanins agréables jusqu'en finale confirment une belle maturité des raisins. À servir dès maintenant, avec de la volaille bien sûr...

☛ SCA Ch. la France, 1, rte de Fosselongues,
33750 Beychac-et-Caillau, tél. 05 57 55 24 10,
fax 05 57 55 24 19, contact@chateaulafrance.com,
◪ ⵂ ⵂ t.l.j. sf sam. dim. 10h-12h 14h-17h30 ⌂ 🄴

CH. **FREYNEAU** Cuvée traditionnelle
Vieilli en fût de chêne 2010 ★

| ■ | 60 000 | ◪ | 5 à 8 € |

En 1991, Éric Maulin, œnologue, a pris les rênes de l'exploitation acquise dix ans plus tôt par sa famille, à 15 km à l'est de Bordeaux : le vignoble, couvrant à présent 45 ha, est implanté sur argilo-calcaires et graves. La Cuvée traditionnelle est déjà connue de nos lecteurs. Traditionnel, le merlot domine, mais il laisse entrer 10 % de malbec au côté du cabernet-sauvignon. Le 2010 arbore une robe rouge profond aux reflets bleutés. Très expressif, il mêle au nez des senteurs de fruits confiturés à des notes léguées par un séjour de seize mois dans le bois : vanille et autres épices douces, dont la cannelle. Une attaque plutôt tendre et aromatique introduit une bouche ample et généreuse étayée par des tanins élégants. Une pointe d'acidité souligne la finale. Un vin gourmand et tout en finesse.

☛ EARL Maulin et Fils, 81, rte de Sorbède,
33450 Montussan, tél. 05 56 72 95 46, fax 05 56 72 84 29,
accueil@chateau-freyneau.com,
◪ ⵂ ⵂ t.l.j. sf sam. dim. 8h30-12h 13h30-18h

CH. AUX **GRAVES DE LA LAURENCE** Réserve traditionnelle
Élevé en fût de chêne 2010 ★★

| ■ | 6 400 | 🍷◪ | 8 à 11 € |

Bernard Hébrard est loin d'être un inconnu du monde de la viticulture... Œnologue, il a conseillé un millier de producteurs pendant près de quarante ans et dirigé notamment le service vins de la chambre d'agriculture de la Gironde, avant de repérer dans un vignoble tombé à l'abandon un excellent terroir de cailloux et de galets : de quoi se constituer un petit domaine (un peu plus de 2 ha), en 2003. L'expérience et le savoir-faire ont fait le reste. Ce 2010, qui met en vedette le merlot (90 %, le cabernet franc en appoint), frise le coup de cœur. Franc et complexe, le nez mêle les fruits rouges mûrs, une touche de cuir et un fin boisé. Quant au palais, il se montre frais en attaque, concentré, gras et persistant. Un vin harmonieux que l'on pourra apprécier jeune ou garder quelques années, pour un filet de bœuf aux cèpes.

☛ Bernard et Marie-Odile Hébrard,
Aux Graves de la Laurence, 42, rte de Libourne,
33450 Saint-Loubès, tél. 06 82 05 21 94, fax 05 57 84 61 03,
h.auxgravesdelalaurence@yahoo.fr, ◪ ⵂ ⵂ r.-v.

CH. LA **GRAVETTE DES LUCQUES** 2011 ★

| ■ | 24 000 | 🍷◪ | 5 à 8 € |

Une des plus anciennes propriétés de Portets, dans la famille de Patrice Haverlan depuis le début du XXᵉs. Ce dernier est bien connu des lecteurs pour ses graves, mais l'on sait que les appellations régionales ne sont pas pour lui des « sous-produits ». Ce 2011 mérite de rester trois ou quatre ans en cave pour arrondir ses tanins, plutôt fermes en finale, et pour permettre au boisé très présent de se fondre. Les fruits rouges mûrs percent déjà sous la vanille, le grillé et les épices du merrain ; la bouche affiche une concentration et une charpente de bon augure pour la garde. Les amateurs de vins boisés pourront servir ce vin plus jeune, en le carafant.

☛ EARL Patrice Haverlan, 11, rue de l'Hospital,
33640 Portets, tél. 05 56 67 11 32, fax 05 56 67 37 55,
patrice.haverlan@orange.fr, ◪ ⵂ ⵂ r.-v.

CH. AU **GRILLON** Cuvée André Mothes
Élevé en fût de chêne 2011 ★

| ■ | 95 000 | ◪ | 5 à 8 € |

Pierre Barbé a géré un cru médocain entre 1987 et 2006, puis dirigé un hippodrome jusqu'en 2010, mais il n'a eu de cesse de reprendre la propriété acquise par son grand-père en 1937, sur la rive droite de la Garonne, non loin de Bordeaux. Cette cuvée, qui rend hommage à son aïeul, dévoile la maturité de la vendange par la couleur sombre de sa robe et par le côté puissant et confituré de son bouquet un rien boisé, bien équilibré par une pointe de fraîcheur. Après une attaque souple et ronde, la bouche montre un beau volume et s'étire en une finale fraîche et savoureuse. Bientôt prête, cette bouteille peut aussi attendre trois ans.

🍷 Pierre Barbé, 69, rte d'Yvrac, 33450 Montussan, tél. 06 87 10 25 91, fax 05 56 40 07 25, pierre.barbe33@wanadoo.fr, ☑ ⚔ ⏲ r.-v.

CH. GROSSOMBRE DE SAINT-JOSEPH 2011 ★

| ■ | 25 000 | ▮❑ | 5 à 8 € |

Située dans l'Entre-deux-Mers, comme la « maison mère » de Grézillac, Grossombre est la propriété de Béatrice Lurton, une des filles d'André Lurton. Mi-cabernet-sauvignon mi-merlot, son 2011 est par excellence un vin de grillades. Un court séjour en barrique (six mois) lui a légué quelques notes épicées, mais un dégustateur écrit : « Du fruit, rien que du fruit ! » Un nez kirsché et finement poivré ; une bouche riche, concentrée et longue, étayée par des tanins encore un peu vifs, qui apportent de la fraîcheur. Pour le plaisir immédiat.

🍷 André Lurton, Ch. Bonnet, 33420 Grézillac, tél. 05 57 25 58 58, fax 05 57 74 98 59, andrelurton@andrelurton.com, ☑ ⚔ ⏲ r.-v.

CH. GUILLAUME BLANC Cuvée du Consul
Élevé en fût de chêne 2011 ★

| ■ | 46 666 | ❑ | 5 à 8 € |

Situé en pays foyen, aux confins du Périgord, ce cru est devenu une valeur sûre, notamment pour cette cuvée du Consul (coup de cœur dans le millésime 2007), mi-merlot mi-cabernets. Le millésime 2011 a reçu un très bon accueil. Si l'élevage en barrique transparaît au bouquet à travers des parfums de vanille et de noisette, il s'efface devant le fruit qui s'épanouit en notes de cassis vivifiées par des touches mentholées. Dans le même registre, la bouche dévoile un joli volume et une trame tannique bien présente mais enrobée. Un vin racé, pour viandes rouges ou gibier à plume. Il devrait atteindre son optimum dans trois ans. Dans l'immédiat, mieux vaut le carafer.

🍷 SCEA Ch. Guillaume, 33220 Saint-Philippe-du-Seignal, tél. 05 57 41 91 50, fax 05 57 46 12 76, grmsa@grm-vins.fr, ☑ ⚔ ⏲ r.-v.

♥ CH. HAUT-GAUSSENS Sélection 2010 ★★

| ■ | 29 400 | ■ | 5 à 8 € |

Situé entre Bourgeais et Fronsadais, ce cru de 15 ha est conduit depuis 2001 par Stéphane et Delphine Lhuillier. Adhérents à la marque Vignobles et Chais en Bordelais du Comité départemental du tourisme, ces vignerons ouvrent volontiers leurs portes. Gageons qu'ils auront de nombreux visiteurs, car cette cuvée Sélection dominée par le merlot (90 %) a décroché un coup de cœur. La récolte a été faite à la machine, de nuit, pour que les raisins arrivent bien frais sur les tables de tri. Tout séduit dans ce 2010 : la robe presque noire aux nuances violettes, le nez complexe mêlant les fruits noirs bien mûrs à des notes épicées bien mariées, la bouche ample à l'attaque, généreuse et dotée d'une trame tannique bien présente mais fondue, la finale sur la cerise noire. Une alliance harmonieuse du fruit et des tanins pour ce vin élégant qui

CHATEAU
HAUT-GAUSSENS

BORDEAUX SUPÉRIEUR — 2010 ﾞﾞG

vieillira au moins cinq ans. Rosbif, poulet ou pigeon, comme il vous plaira.

🍷 SCEA Ch. Haut-Gaussens, 4, Les Gaussens, 33240 Vérac, tél. 06 17 57 48 45, chateauhautgaussens@orange.fr, ☑ ⚔ ⏲ r.-v.

🍷 Stéphane et Delphine Lhuillier

CH. HAUT-LA PÉREYRE 2011 ★★

| ■ | 14 000 | ■ | 5 à 8 € |

À la tête de 44 ha de vignes implantées dans ce petit pays de l'Entre-deux-Mers appelé haut Benauge, Olivier Cailleux perpétue une exploitation qui existe depuis six générations. Partagé entre le merlot et le cabernet-sauvignon, son 2011 s'annonce par une robe intense aux reflets violets qui traduit une belle extraction. Le nez demande un peu d'aération pour s'ouvrir sur le fruit rouge (cerise), la violette et le sous-bois. Une attaque souple, des tanins soyeux et une finale aromatique, fraîche et longue, composent une bouteille bien travaillée et élégante, déjà agréable, qui atteindra son optimum vers 2016. Bel accord en perspective avec une épaule d'agneau et tian de légumes.

🍷 Olivier Cailleux, EARL DCOC, La Pereyre, 33760 Escoussans, tél. 05 56 23 63 23, fax 05 56 23 64 21 ☑ ⚔ ⏲ r.-v.

CH. HAUT MEYNARD 2010

| ■ | 14 500 | ▮❑ | 5 à 8 € |

Le château Haut Meynard, dédié au bordeaux supérieur, fait partie d'un ensemble de vignobles dont une partie est implantée dans l'aire du saint-émilion. La propriété a été acquise par un couple d'Américains en 2006. Largement dominé par le merlot (85 %, et les deux cabernets en appoint), ce 2010 s'annonce par un bouquet expressif et franc, sur les fruits rouges mûrs, la réglisse et une touche animale, ces arômes étant complétés en bouche par des notes boisées. Il attaque avec souplesse, se développe avec ampleur avant une finale longue mais encore ferme et sévère. Deux à trois ans suffiront à polir ses tanins.

🍷 SCEA Ch. Plaisance, Plaisance, 33330 Saint-Sulpice-de-Faleyrens, tél. 05 57 24 78 85, derek1@chateauplaisance.info, ☑ ⚔ ⏲ r.-v.

🍷 Derek Egan

♥ CH. HAUT NIVELLE Prestige
Élevé en fût de chêne 2011 ★★

| ■ | 40 000 | ❑ | 5 à 8 € |

Abandonné après le grand gel de 1956, ce domaine situé dans le nord du Libournais, dans la vallée de l'Isle, a été acquis en 1979 par la famille Le Pottier qui l'a replanté quelques années plus tard. Le merlot domine

dans ce vignoble, et particulièrement dans cette cuvée Prestige (80 %) qui reçoit son deuxième coup de cœur, après le 2005. Grenat foncé, partagé au nez entre les fruits rouges mûrs et le grillé légué par un élevage de douze mois en fût, ce 2011 se montre puissant, gras, charpenté, vif et long. Pour l'heure un peu ferme, il s'impose par son potentiel et mérite d'attendre trois à quatre ans en cave pour être apprécié à son optimum. Second vin du cru, le **Ch. Puy Favereau 2011 (moins de 5 € ; 40 000 b.)**, qui contient davantage de cabernet-sauvignon (40 %), n'a séjourné que trois mois en barrique. Un vin sur le fruit, vineux et rond, tonifié en finale par une pointe d'acidité : une étoile.

🔗 SCEA les Ducs d'Aquitaine, 2, rte de Cornemps, 33660 Saint-Sauveur-de-Puynormand, tél. 05 57 69 69 69, fax 05 57 69 62 84, vignobles@lepottier.com, ☑ ⚘ ⌶ r.-v.
🔗 Le Pottier

CH. HAUT POUGNAN Cuvée Prestige
Élevé en fût de chêne 2011 ★

◼	20 000	5 à 8 €

Cette exploitation familiale est née en 1852 dans l'Entre-deux-Mers, peu de temps avant le classement des vins du Médoc et de Sauternes ; elle a poursuivi son petit bonhomme de chemin, jalonné récemment par deux coups de cœur du Guide, en rouge et en blanc. Il fallait un vin bien structuré pour accepter ce bois presque brûlé qui marque le nez et souligne des parfums de fruits rouges confits. Après une attaque souple, la bouche dévoile une chair suave aux arômes de fruits noirs bien mûrs, étayée par des tanins enrobés, plus austères en finale. Une bouteille que l'on pourra servir dès maintenant ou laisser en cave trois ou quatre ans.
🔗 SCEA Ch. les Moutins, 6, chem. de Pougnan, 33670 Saint-Genès-de-Lombaud, tél. 05 56 23 06 00, fax 05 57 95 99 84, haut.pougnan@gmail.com, ☑ ⚘ ⌶ t.l.j. 8h-12h 13h-18h

CH. HAUT-RIEUFLAGET 2011 ★

◼	20 000	◼ - de 5 €

Installé comme jeune agriculteur en... 1969, Jean-Dominique Petit a maintenant une grande expérience. De son terroir argilo-calcaire de l'Entre-deux-Mers il sait tirer de très bons vins, comme celui-ci, dont les jurés saluent l'harmonie et la cohérence entre bouquet et palais. Discret mais délicat, le nez s'ouvre sur un fruité épicé. En bouche, le fruit s'épanouit en notes de mûre au sein d'une matière franche et ronde, avant de prendre en finale des accents de griotte à l'alcool. Ce vin sera très agréable jeune, sur une entrecôte bordelaise, mais il devrait pouvoir admettre une petite garde (de trois à cinq ans).

🔗 SCEA Jean-Dominique Petit, Ch. Haut-Rieuflaget, 33790 Saint-Antoine-du-Queyret, tél. 05 56 61 33 78, fax 05 56 61 39 84, haut-rieuflaget@wanadoo.fr, ☑ ⚘ ⌶ r.-v.

CH. L'INSOUMISE Cuvée Prestige
Élevé en fût de chêne 2010 ★

◼	10 000	◫ 8 à 11 €

L'insoumise ? Le cru s'appelait jadis « domaine de Beychevelle », ce qui a contrarié les détenteurs d'un château prestigieux situé non au bord de la Dordogne comme celui-ci, mais au bord de la Gironde. L'ancien propriétaire a donc dû en changer le nom, et il a choisi celui-ci, comme pour signifier qu'il ne baissait pas pavillon pour autant. Cécile Thirouin et Thierry de Taffin, un couple d'œnologues, ont racheté le domaine en 2007, et prennent leurs marques dans le Guide. Ils proposent un 2010 dont la robe profonde annonce un bouquet intense mêlant fruits noirs écrasés, sous-bois et café grillé. Puissant, ample, riche et bien structuré, plus ferme en finale, ce vin est à boire sans hâte, en surveillant son évolution.
🔗 Thirouin – de Taffin, 360, chem. de Peyrot, 33240 Saint-André-de-Cubzac, tél. 05 57 43 17 82, fax 05 57 43 22 74, chateau.linsoumise@wanadoo.fr, ☑ ⚘ ⌶ r.-v. ⌂ Ⓔ

CH. LABATUT Cuvée Prestige 2011 ★

◼	240 000	◫◫ - de 5 €

Implanté dans l'Entre-deux-Mers, voici l'un des trois vignobles constitués en 1973 par Édouard Leclerc et actuellement détenus par la famille Levieux. Depuis 2003, c'est Sylvie Levieux qui en assure la gestion. Avec cette cuvée Prestige, elle propose un « vin plaisir » au nez de cerise mûre et de fumé, en harmonie avec une bouche ronde, aux tanins veloutés et épicés. La finale est tonifiée par une touche mentholée qui lui apporte beaucoup de fraîcheur. Une bouteille pour maintenant.
🔗 Levieux Vignerons, 1, Lagnet, 33350 Doulezon, tél. 05 57 40 51 84, fax 05 57 40 55 48, contact@levieux-vignerons.com, ☑ ⚘ ⌶ r.-v.

CH. LAMOTHE-VINCENT Le Grand Rossignol
Les Crus 2011 ★★

◼	10 000	◫ 15 à 20 €

Il n'est pas situé en Médoc ou dans d'autres vignobles de prestige et, pourtant, il exporte 80 % de sa production. Ce vaste domaine familial de l'Entre-deux-Mers (100 ha) est aussi une valeur sûre du Guide, avec quatre coups de cœur récents en AOC bordeaux ou bordeaux supérieur. Il a pour atouts un chai moderne et les compétences complémentaires de Christophe Vincent (aux vignes) et de Fabien (au chai). La cuvée le Grand Rossignol révèle un terroir d'argiles gonflantes planté de merlot. Il frôle le coup de cœur tant pour ses qualités présentes que pour son potentiel. D'une couleur très profonde aux reflets violets, il délivre au nez comme en bouche un fruité intense aux nuances de cerise noire allié à un subtil boisé torréfié et cacaoté, hérité d'un séjour de seize mois en barrique. Franc, puissant, ample et bien structuré, campé sur des tanins solides mais déjà enrobés, ce vin de garde est à attendre jusqu'en 2017-2020. Bien connue de nos lecteurs et notée une étoile, la **cuvée Héritage 2011 (5 à 8 € ; 56 000 b.)** ne manque pas non plus de réserves. Charpentée, complexe, partagée entre un boisé torréfié et des arômes de fruits noirs, elle bénéficie d'une belle fraîcheur qui souligne ses arômes. Elle peut se boire jeune ou se garder plus de cinq ans.

☛ SCEA Vignobles Vincent, 3, chem. Laurenceau, 33760 Montignac, tél. 05 56 23 96 55, fax 05 56 23 97 72, info@lamothe-vincent.com, ☑ ⚹ ⚲ r.-v.

CH. LANDEREAU Cuvée Prestige 2010 ★★

| ■ | 30 000 | ⬛ | 11 à 15 € |

Henri Baylet et son fils Michel ont acheté ce domaine en 1959. Aujourd'hui, Bruno Baylet exploite dans l'Entre-deux-Mers un vignoble de 83 ha répartis en deux proprié-tés. Issue à 90 % de merlot, la cuvée Prestige 2010 du château Landereau a été d'emblée fort louée pour la profondeur de sa robe pourpre sombre et pour son nez à la fois intense, riche et élégant, qui marie harmonieusement le cassis et la cerise noire à un boisé grillé légué par un élevage de dix-huit mois dans un tiers de chêne neuf. Une entrée en matière engageante, suivie d'une bouche riche, équi-librée et longue, étayée par des tanins serrés. Malgré la longueur de l'élevage, ce vin devrait bientôt pouvoir passer à table.

☛ Vignobles Baylet, Ch. Landereau, 33670 Sadirac, tél. 05 56 30 64 28, fax 05 56 30 63 90, vignoblesbaylet@free.fr,
☑ ⚹ ⚲ t.l.j. sf sam. dim. 8h30-12h 13h30-17h30

CH. LARTEAU 2010 ★★

| ■ | 65 000 | ■⬛ | 5 à 8 € |

Aux origines de ce cru établi face à Libourne, sur la rive gauche de la Dordogne, une famille de négociants du XVIIIe s. En 2007, Jean-Pierre d'Angliviel de la Beau-melle, apparenté à d'autres négociants, les Mestrezat, achète Larteau et en rénove les chais. Les sols d'argiles sur graves sont propices au merlot, cépage exclusif de cette cuvée fort louée, élevée dix-huit mois – pour les trois quarts en cuve et pour un quart en fût de chêne neuf. L'intensité du nez mêlant le coulis de fruits noirs, la violette, la vanille et les épices répond à celle de la robe noire et brillante. La bouche montre beaucoup de sou-plesse, d'ampleur et de gras en attaque, avec de solides tanins en soutien. La longue finale est marquée par un plaisant retour de la mûre et du grillé. Encore tannique et boisé, ce 2010 mérite d'attendre deux ans. Il se gardera aussi au moins cinq ans.

☛ SCEV Ch. Larteau, 1, Larteau, 33500 Arveyres, tél. 06 34 06 83 09, fax 05 57 84 94 89, contact@chateaularteau.com, ☑ ⚹ ⚲ r.-v.

ANCÊTRE DE LASCAUX 2010 ★

| ■ | 5 000 | ⬛ | 15 à 20 € |

Jadis cuisinier, Fabrice Lascaux s'est reconverti avec succès en reprenant avec son épouse Sylvie la propriété familiale, qui couvre à présent 33 ha, en AOC régionale et en fronsac. Après une cuvée née de vignes assez jeunes et élue coup de cœur l'an dernier, en voici une autre issue de très vieux merlots et élevée un an en barriques neuves. Le bouquet naissant décline surtout des notes d'élevage : caramel, réglisse et épices douces (cannelle et clou de girofle). Le raisin perce davantage au palais, où l'on perçoit des nuances de pruneau et de fruits macérés. La bouche, équilibrée, est soutenue par des tanins boisés. On pourra déboucher ce 2010 dès la fin 2013 et l'apprécier plusieurs années sur des mets fins, comme un carré de veau sur lit de champignons des bois.

☛ EARL Vignobles Lascaux, 1, La Caillebosse, 33910 Saint-Martin-du-Bois, tél. 05 57 84 72 16, contact@vignobles-lascaux.fr, ☑ ⚹ ⚲ r.-v. ⌂ Ⓐ

CH. LESCALLE 2010 ★

| ■ | 93 700 | ⬛ | 8 à 11 € |

Une partie des bordeaux d'appellation régionale pro-vient du Médoc : les vignobles sont plantés non sur des graves, mais sur des palus. C'est le cas de celui-ci, né d'un cru fondé en 1875 à Macau, près de Margaux, par la famille Tessandier. Le petit manoir de la fin du XIXe s., qui com-mande le vignoble, est bien médocain, ainsi que l'assem-blage de ce 2010 coloré, pourpre aux reflets bleutés, qui incorpore 10 % de petit verdot. Le jury a beaucoup appré-cié la fraîcheur aromatique et le fruité de ce vin, qui marie au nez la cerise et la fraise à un boisé vanillé bien fondu. La cerise prend des tons kirschés dans une bouche souple et douce en attaque, aux tanins serrés, dont la texture déjà soyeuse autorise à servir cette bouteille dès maintenant.

☛ EURL Ch. Lescalle, 19, av. de la Libération, 33460 Macau, tél. 05 57 88 07 64, fax 05 57 88 07 00, vitigestion@vitigestion.com, ☑ ⚹ ⚲ r.-v.
☛ M. Teissandier

♥ LE SECRET DE LESTRILLE 2010 ★★

| ■ | 32 000 | ⬛ | 11 à 15 € |

Jean-Louis Roumage a passé graduellement le relais à sa fille Estelle. À la tête du vignoble familial depuis 2006, celle-ci a l'art, elle aussi, de faire parler le terroir. Le premier coup de cœur du domaine échut à un bordeaux rouge 1985. Voici le dixième, pour un pur merlot, cépage qui donne aux vins rouges de l'Entre-deux-Mers leurs lettres de noblesse. La robe ? « Haute couture », « bordeaux sombre et jeune ». Le nez ? Un boisé intense, élégant et bien marié, évocateur de noisette et de cacao, mais aussi beaucoup de fruit, des baies noires, du cassis, de la fraise, du pruneau, une touche de truffe... Quant à la bouche, savoureuse et longue, elle s'impose par sa présence chaleureuse, par ses tanins soyeux, épicés et bien fondus. « Quel vin ! Digne d'un grand cru », conclut un juré sous le charme. On pourra le déboucher dès aujourd'hui, sur un salmis de palombe ou sur un fondant au chocolat, mais il saura aussi attendre cinq ans, voire bien plus longtemps. La **cuvée principale 2010** (5 à 8 € ; 58 000 b.), mi-cuve mi-fût, obtient une étoile, tant pour son bouquet (baies noires et boisé chocolaté) que pour son palais qui dévoile un heureux mariage du raisin et du merrain. Un vin puissant et élégant, bientôt prêt et apte à la garde.

☛ EARL J.-L. Roumage, 15, rte de Créon, 33750 Saint-Germain-du-Puch, tél. 05 57 24 51 02, fax 05 57 24 04 58, contact@lestrille.com, ☑ ⚹ ⚲ t.l.j. sf dim. 9h-12h30 14h-19h; sam. 9h30-12h30

CH. DE LUGAGNAC 2011

■   150 000   ▐ ▥   11 à 15 €

Le château de Lugagnac, aux allures féodales, a fière allure. Quant à ce vignoble de l'Entre-deux-Mers, c'est une valeur sûre du Guide, avec trois coups de cœur à son actif. La cuvée principale assemble merlot et cabernet-sauvignon à parts presque égales, avec un rien de petit verdot. Elle se résume en un mot : élégance. Élégance d'un nez frais mariant les fruits rouges et noirs bien mûrs aux épices. Élégance d'un palais jeune où l'on retrouve le fruit, au sein d'une matière ronde, souple et riche. Un grand plaisir dès maintenant. La cuvée **Eos 2011 (plus de 100 € ; 30 000 b.)**, qui privilégie le cabernet-sauvignon (60 %), séjourne seize mois en barrique. Sa version 2011 est moins ambitieuse que les deux grands millésimes précédents et sera à déboucher plus jeune. Elle est citée pour son nez de fruits noirs surmûris mâtiné de sous-bois et de grillé, et pour sa bouche suave, puissante et ronde, à la longue finale toastée.

☛ SCEA du Ch. de Lugagnac, Ch. de Lugagnac, 33790 Pellegrue, tél. 05 56 61 30 60, fax 05 56 61 38 48, contact@lugagnac.com

CH. DE MACARD 2011 ★

■   150 000   ▐   - de 5 €

La famille Aubert exploite 300 ha en Bordelais, avec pour fleuron le château la Couspaude, grand cru classé de Saint-Émilion. Dominant la Dordogne, le château Macard a été acquis en 1996, en raison de la qualité de son terroir argilo-calcaire. Son 2011 sait se présenter, avec une robe profonde aux reflets rubis et un nez tout en finesse alliant fruits rouges et fleurs. Une attaque soyeuse et une texture souple et ronde en font une bouteille flatteuse, malgré une certaine fermeté en finale. Déjà prêt, ce millésime achèvera de polir ses tanins au cours des deux à trois prochaines années.

☛ Alain Aubert, 57 bis, av. de l'Europe, 33350 Saint-Magne-de-Castillon, tél. 05 57 40 04 30, fax 05 57 56 07 10, domaines.a.aubert@wanadoo.fr

ESPRIT DE MAJOLAN 2011 ★★

■   230 000   ▐   - de 5 €

Classique et complexe, deux adjectifs pour désigner cette cuvée de négoce de si bonne facture qu'elle s'est placée sur les rangs pour un coup de cœur. Au nez, ce vin délivre un fruité d'une belle fraîcheur aux nuances de cerise noire, de griotte et de mûre. Ample et volumineuse, la bouche, étayée par une structure tannique élégante, un peu ferme en finale, finit sur des évocations de cassis, de griotte et d'épices. Déjà flatteur, ce vin sera toujours là dans trois ans. Bien représentatif de l'appellation et du millésime, il est facile à marier avec les mets (viandes blanches ou rouges, petit gibier...). On aimerait le avoir sous la main pour des visites à l'improviste.

☛ Les Caves de la Brèche, ZAE de L'Arbalestrier, 33220 Pineuilh, tél. 05 57 41 91 50, fax 05 57 46 42 76, contact@grm-vins.fr

CH. MAJOUREAU 2011 ★★

■   n.c.   5 à 8 €

Implanté sur la rive droite de la Garonne, dans le secteur sud-est du vignoble girondin, ce cru est conduit par la troisième génération : Mathieu Delong et sa sœur Émeline, qui élabore les vins. Connu pour ses côtes-de-bordeaux-saint-macaire, le cru réussit aussi ses rouges, à

en juger par ce 2011 dominé par le merlot. La vigneronne dit rechercher le fruit dans ses vins, et l'objectif est atteint : « Le fruit est omniprésent », écrit un juré. Le nez frais évoque la cerise noire, tandis que la fraise et la groseille se disputent la bouche, la violette ajoutant une note charmeuse. La matière est ronde, suave et fondue, équilibrée par une belle fraîcheur. Un 2011 gourmand, qui sera à son optimum dans trois ans.

☛ SCEA Vignobles Delong, 1, Majoureau, 33490 Caudrot, tél. 05 56 62 81 94, fax 05 56 62 75 87, familledelong@hotmail.com, ▨ ⚹ ▼ r.-v.

CH. MALFARD 2010 ★

■   12 000   ▥   8 à 11 €

Jadis propriété d'Élie Decazes, ministre de Louis XVIII, ce domaine commandé par un imposant château (1850) est implanté dans la vallée de l'Isle, au nord du Libournais. Tombé à l'abandon, il a été racheté en 2000 par Philippe Rivière, directeur de l'école Émile Cohl de Lyon, où l'on enseigne entre autres le dessin animé et la BD. Ce dernier a trouvé le temps de faire revivre le domaine : conversion au bio, station photovoltaïque, et même deux gîtes ruraux. Mi-cabernets mi-merlot, son vin libère des parfums élégants de pruneau finement vanillés. À la fois souple et frais en attaque, il déroule sans heurt une matière ronde, qui ne manque ni de charpente ni de caractère. Le boisé est marqué, mais le fruit s'affirme en finale. Ce 2010 sera à son apogée à partir de 2014 et pour au moins cinq ans.

☛ SCA de Malfard, Ch. de Malfard, 33910 Saint-Martin-de-Laye, tél. 05 57 84 74 88, malfard@wanadoo.fr, ▨ ⚹ ▼ r.-v. ⌂ ▣

CH. MATALIN Cuvée la Commanderie 2011

■   n.c.   ▥   5 à 8 €

Ce cru a été sélectionné par la maison Bouey, structure de négoce familiale, et inscrit dans la gamme Collection Châteaux. Assemblant par tiers le merlot, le cabernet-sauvignon et le cabernet franc, le 2011 mise moins sur la solidité de sa charpente que sur l'impression d'équilibre qu'il laisse en finale. Son harmonie s'annonce dès le bouquet, bien franc, offrant un beau mariage entre le fruit (cassis, fruits rouges) et des notes vanillées. Le palais se montre ample, gras et de bonne longueur. À servir pendant les quatre ou cinq prochaines années.

☛ SAS Maison Bouey, 1, rue de la Commanderie-des-Templiers, 33440 Ambarès, tél. 05 56 77 50 71, fax 05 56 77 58 77, contact@maisonbouey.fr

CH. LES MAURINS 2011 ★★

■   33 000   ▥   - de 5 €

Important groupement de coopératives, Univitis commercialise près de 10 millions de bouteilles de vins de la Gironde et des vignobles proches. Il a proposé trois vins vinifiés pour le compte d'exploitations du pays foyen. Un cran au-dessus, ce château les Maurins s'annonce par un nez concentré et complexe alliant les fruits rouges confits, l'amande douce, le silex chaud et le goudron. Gourmande, souple et puissante, la bouche repose sur des tanins enrobés qui soulignent sa longue finale. Cité, le **Ch. la Courtade 2011 (33 000 b.)** offre un bouquet chaleureux évoquant le pruneau, le fruit rouge mûr et les épices, tandis que la bouche, très fruitée elle aussi, est marquée par une pointe de nervosité. Franc, fruité et bien équilibré, le

Ch. l'Amandier 2011 (33 000 b.) obtient la même note pour ses arômes de cassis, de cerise confite et pour ses tanins délicats.

🍷 SCA Univitis, village Les Bouhets-Sud,
33220 Les Lèves-et-Thoumeyragues, tél. 05 57 56 02 02,
fax 05 57 56 02 22, h.girou@univitis.fr,
☑ ⚔ ⵙ t.l.j. sf dim. lun. 9h-12h30 14h30-19h

CH. DU MERLE 2010 ★

| ■ | 20 000 | - de 5 € |

La famille Merlet exploite deux vignobles dans le Libournais ; le premier est situé en lalande-de-pomerol ; le second, plus au nord, est implanté en AOC régionale, sur un terroir graveleux de la vallée de l'Isle, non loin de Guîtres. Ce 2010 privilégie de façon traditionnelle le merlot (60 %), escorté des deux cabernets. Original, son bouquet d'une grande finesse mêle des notes de fruits noirs bien mûrs, voire compotés, à des touches de tabac blond. La bouche ample, ronde et charnue est équilibrée par de fraîches impressions de cassis et offre une finale élégante. Cette bouteille devrait être à son optimum entre 2015 et 2018.

🍷 SCEA Vignobles Francis Merlet et Fils,
46, rte de l'Europe, Goizet, 33910 Saint-Denis-de-Pile,
tél. et fax 05 57 84 25 19, francis.merlet@dbmail.com,
☑ ⚔ ⵙ r.-v.

CH. MOULIN DE RAYMOND 2011 ★

| ■ | 100 000 | ▤ ▥ | 5 à 8 € |

Au service du vin depuis plus d'un siècle, les Faye sont à la fois négociants et vignerons. Ce 2011 provient de leur propriété implantée à l'emplacement d'une villa gallo-romaine entre Garonne et Dordogne, au nord-est de Bordeaux. Les jurés ont aimé sa palette complexe mariant les fruits rouges aux épices (clou de girofle) et à la torréfaction, legs d'un séjour de six mois en barrique. La bouche ne déçoit pas : ample, charnue et suave à l'attaque, elle est soutenue par une belle charpente tannique et finit sur des notes grillées, épicées et cacaotées. Un vin prometteur qui mérite d'attendre pour polir ses tanins : on le laissera en cave entre deux et six ans avant de le servir sur une côte de bœuf.

🍷 SCEA du Ch. Laville, 24, rte de Montussan,
33450 Saint-Sulpice-et-Cameyrac, tél. 05 56 30 84 19,
fax 05 56 30 81 45, chateaulaville@wanadoo.fr,
☑ ⚔ ⵙ t.l.j. 9h-12h 15h-19h
🍷 A. et H. Faye

CH. MOUTTE BLANC Moisin 2010 ★

| ■ | 3 000 | ▥ | 11 à 15 € |

Cépage historique devenu rare, le petit verdot semble se plaire sur les sols riches des palus médocains de Macau, proches de la Garonne, car on y en voit assez souvent. Patrice de Bortoli, qui exploite le petit domaine familial (4,4 ha), a un faible pour cette variété à l'origine de la cuvée Moisin, peut-être unique en Gironde. Évoquant « l'encre violette des cahiers d'écoliers d'autrefois », la robe est très colorée. Malgré un élevage long (en barriques neuves pour 70 %), le bois laisse parler le fruit, qui s'exprime en notes de cassis et de groseille. Ce vin surprend par sa fraîcheur, sa franchise et son épanouissement à la fois discret et tellement équilibré. Il sera à son meilleur entre 2014 et 2018. Le 2004 avait obtenu un coup de cœur. La **cuvée principale 2010 (8 à 11 € ; 13 000 b.)** comprend encore 25 % de petit verdot aux côtés du merlot

et du cabernet-sauvignon. Son attaque précise, son corps séveux et son bel équilibre entre le fruit et le bois lui valent une étoile.

🍷 Patrice de Bortoli, Ch. Moutte Blanc,
6, imp. de la Libération, 33460 Macau,
tél. et fax 05 57 88 40 39, moutteblanc@wanadoo.fr,
☑ ⚔ ⵙ r.-v.

CH. NAUDY 2011 ★

| ■ | 10 000 | ▥ | 5 à 8 € |

Proche de la Réole, aux confins du Marmandais, ce vignoble familial exposé au plein sud offre un joli point de vue sur la Garonne. Professeur de viticulture-œnologie, Bernard Vincent l'a repris en 1990. Son 2011 associe le merlot et le cabernet-sauvignon à 10 % de petit verdot. Le fruit, présent d'emblée, déploie au bouquet des notes de mûre et de myrtille qui se prolongent en bouche jusqu'en finale. Le bois de l'élevage transparaît, mais avec discrétion. Rien ne heurte dans ce vin harmonieux, vineux et bien construit. La bouche est charnue, les tanins sont bien enrobés, l'ensemble a déjà beaucoup d'équilibre et de charme.

🍷 Bernard Vincent, 1, Terrefort, 33190 Montagoudin,
tél. 05 56 57 06 41, bernardvincent33@hotmail.com,
☑ ⚔ ⵙ r.-v.

GRAND CLASSIQUE DU CH. DE L'ORANGERIE 2011 ★★

| | n.c. | ■ | 8 à 11 € |

Fondé en 1790 dans l'Entre-deux-Mers, ce château appartient à la même famille depuis cette époque. Son propriétaire s'intéresse aux habillages et aux contenants mais il ne néglige pas pour autant les contenus. Cette cuvée Grand Classique affirme un côté gourmand, tant au nez qu'en bouche ; au bouquet, des fruits noirs compotés, un rien toastés ; au palais, une attaque suave, moelleuse et savoureuse et une structure tannique enrobée, qui contribue à son élégance tout en permettant une petite garde (cinq ans). La **Grande Cuvée 2011 (5 à 8 €)**, du même style, séduit par son nez de fruits noirs vanillés ; elle affiche un bel équilibre sur une jolie trame tannique.

🍷 SCEA Vignobles Icard, Ch. de l'Orangerie,
33540 Saint-Félix-de-Foncaude, tél. 05 56 71 53 67,
fax 05 56 71 59 11, orangerie@chateau-orangerie.com

CH. LA PAILLETTE 2011 ★★

| ■ | 12 000 | ■ | 5 à 8 € |

Delphine Violeau-Brasseur fait coup double avec deux vins très flatteurs. Celui-ci, qui doit presque tout au merlot (95 %), affiche une couleur aussi noire que la peau du raisin et un nez très mûr, sur le fruit noir et la prune rouge, que soulignent des notes de cacao et de caramel. Il attaque avec souplesse sur un fruit croquant et évolue sur des tanins élégants et soyeux, plus sévères en finale. Ce 2011 gagne d'une grande finesse atteindra son apogée dans deux ou trois ans. On suggère pour l'accompagner un tajine d'agneau. Mi-cabernet franc mi-merlot, le **Ch. Jean Mathieu 2011 (8 à 11 € ; 10 000 b.)**, élevé en barrique, offre des perspectives de garde comparables. Au nez, le fruit rouge s'allie à la cannelle, à la vanille et au piment doux. Après une attaque franche, la bouche dévoile un boisé épicé, qui respecte le fruit, et des tanins veloutés en soutien : une étoile.

🍷 Delphine Violeau-Brasseur, 8, chem. du Roy,
33500 Libourne, tél. 05 57 25 90 93, fax 05 57 51 17 31,
dbrasseur33@aol.com, ☑ ⚔ ⵙ t.l.j. 9h-12h 14h-18h

CH. Panchille Cuvée Alix 2011 ★

	11 000	🍷 🍶	8 à 11 €

Installé depuis 1981 sur la rive gauche de la Dorodgne, Pascal Sirat manque rarement le rendez-vous du Guide. Il exploite en famille 12 ha de vignes, et le jeune Fernand est déjà dans les sillons ! Il a dédié à sa fille cette cuvée associant le merlot (88 %), le cabernet franc et un soupçon de petit verdot. Aussi intense à l'œil qu'au nez, ce 2011 s'annonce par une robe presque noire, ourlée de violine, et par un nez complexe mêlant les fruits rouges et noirs bien mûrs à la vanille. Ronde et suave à l'attaque, gourmande, généreuse et persistante, la bouche s'appuie sur des tanins de qualité. La **cuvée Tradition 2011 (5 à 8 € ; 40 000 b.)** fait jeu égal. Née d'un assemblage proche, elle a connu également le bois. Elle offre les mêmes qualités de fruit, de matière, de complexité et des perspectives de garde comparables : cinq ans au moins.

☞ Pascal Sirat, Ch. Panchille, Penchille, 33500 Arveyres, tél. et fax 05 57 51 57 39, info@chateaupanchille.com, ☑ ⚔ ⏰ r.-v.

CH. Passe Craby 2011 ★

	27 000	🍷	5 à 8 €

Dans cette exploitation couvrant une petite trentaine d'hectares au nord-ouest du Fronsadais, on est viticulteur depuis sept générations et apiculteur depuis 2010. Cette année, la cuvée principale est encore en vedette ; elle offre tout ce que l'on attend de l'appellation et du millésime : une robe profonde aux reflets rubis, des parfums de fruits rouges et noirs, et des notes plus chaudes, cacaotées et poivrées, que l'on retrouve en bouche ; un volume intéressant et un bel équilibre entre l'acidité, les tanins et le gras. La structure n'est pas énorme, mais les tanins sont de bonne compagnie et laissent ce vin au rendez-vous. À déguster dès maintenant sur une viande blanche rôtie aux herbes ou sur des grillades.

☞ Vincent Boyé, 81, rte de Vérac, 33133 Galgon, tél. 05 57 55 05 38, fax 05 57 55 49 81, v.boye@wanadoo.fr, ☑ ⚔ ⏰ r.-v.

CH. Penin Tradition 2011 ★★

	80 000	🍷 🍶	5 à 8 €

Installé en 1982, Patrick Carteyron a mis ses compétences d'œnologue au service de l'exploitation familiale, depuis longtemps valeur sûre du Guide. De ce bon terroir de graves sur la rive gauche de la Dordogne, il a tiré plus d'une dizaine de vins élus coups de cœur du Guide. Sa cuvée rouge haut de gamme, la **Grande Sélection 2011 (8 à 11 € ; 60 000 b.)**, un pur merlot élevé un an en fût, obtient une étoile et se fait voler cette année la vedette par la cuvée Tradition. Un peu moins concentrée que ses devancières, cette Grande Sélection mise sur l'élégance et le fruit, et se montre encore discrète au nez, lequel s'ouvre à l'aération sur de francs arômes de fruits rouges, d'amande et de fleurs. Quant à cette cuvée Tradition, mi-cuve mi-fût, elle emporte l'adhésion par son nez complexe et raffiné, fruité et finement grillé, par sa bouche franche à l'attaque, ronde avec classe, franche et veloutée. Les impatients pourront déboucher ces deux bouteilles dès aujourd'hui, mais elles méritent d'attendre deux à trois ans.

☞ Patrick Carteyron, Ch. Penin, 39, impasse Couponne, 33420 Génissac, tél. 05 57 24 46 98, fax 05 57 24 41 99, vignoblescarteyron@wanadoo.fr, ☑ ⚔ ⏰ t.l.j. sf dim. 8h30-12h 14h-18h; sam. sur r.-v.

CH. Peyfaures Dame de cœur 2010 ★

	10 000	🍶	15 à 20 €

Une propriété située dans l'Entre-deux-Mers, sur la rive gauche de la Dordogne. Voici la dernière version de la cuvée haut de gamme, dont le millésime 2006 fut élu coup de cœur. Son nom, Dame de cœur, traduit la place des femmes dans une exploitation transmise de mère en fille depuis sept générations. Le vin, un pur merlot, achève sa fermentation dans des barriques neuves où il séjourne vingt-deux mois. Le 2010 ne manque pas d'atouts : une robe d'un pourpre profond, presque noir ; un nez alliant la prune, la mousse du sous-bois et un boisé très présent mais bien marié, vanillé, épicé et toasté ; une bouche complexe, puissante et concentrée. Pour l'heure fort marqué par les tanins du merrain, ce vin mérite d'attendre jusqu'en 2014-2015. On pourra ensuite le garder plusieurs années en surveillant son évolution. Bel accord avec des magrets de canard ou des civets.

☞ SCEA des Vignobles Bouey, Ch. Peyfaures, 33420 Génissac, tél. 05 57 55 06 77, fax 05 57 25 16 63, chateau.peyfaures@wanadoo.fr, ☑ ⚔ ⏰ r.-v.

CH. Pierrail 2011 ★

	160 000	🍶	8 à 11 €

Aux confins du Bergeracois, un vrai château (XVIIe s., toitures à la Mansard), devenu aussi un grand château du vin depuis que la famille Demonchaux, qui l'a acquis en 1970, préside à sa destinée. Huit coups de cœur à son actif, le plus souvent récents. S'il est un peu moins ambitieux que ses devanciers, le 2010 ou le 2009 par exemple, ce 2011 n'en montre pas moins de la puissance et un réel caractère. Le nez assez complexe mêle les fruits rouges mûrs et des notes d'élevage évoquant la torréfaction (café, chocolat). Solidement structurée, la bouche affiche un beau volume. L'ensemble gagnera en élégance au cours des deux à trois prochaines années et se gardera encore quelques années. Élevés en cuve, **Les Hauts de Naudon 2011 (5 à 8 € ; 26 600 b.)** font jeu égal. Complexe et élégant au nez, ce vin rond à l'attaque, étayé de tanins encore fermes, sera à son optimum dans quatre ou cinq ans.

☞ EARL Ch. Pierrail, Ch. Pierrail, 33220 Margueron, tél. 05 57 41 21 75, fax 05 57 41 23 77, alice.pierrail@orange.fr, ☑ ⚔ ⏰ r.-v.

☞ J., A. et A. Demonchaux

♥ CH. Le Pin Beausoleil 2010 ★★

	16 000	🍶	15 à 20 €

Commandé par un manoir du XVe s., ce petit vignoble (moins de 5 ha) est situé sur la rive gauche de la Garonne, face à Saint-Émilion. Valeur sûre depuis la fin des années 1990, il a été racheté en 2004 par un médecin allemand. La qualité demeure, à en juger par ce coup de cœur qui s'ajoute à trois plus anciens, du temps du propriétaire précédent. Le bouquet naissant associe les baies noires et le raisin très mûr ; le boisé, malgré un élevage de dix-huit mois en barrique, respecte le fruit. L'attaque dévoile une matière corsée, concentrée, aux saveurs de noyau. Les tanins serrés soutiennent la longue finale. Le portrait d'un vin de garde, qui tiendra près d'une décennie et qui peut aussi s'apprécier assez jeune. **Le Petit Soleil 2010 (8 à 11 € ; 6 000 b.)**, un pur merlot, est un vin très extrait, riche et coloré, tout en rondeurs suaves, dont les arômes se partagent entre un boisé torréfié appuyé et des notes de fruits compotés. Il a ses partisans et ses détracteurs : une étoile.

➤ SCEA Mivida, 1, le Pin, 33420 Saint-Vincent-de-Pertignas, tél. 05 57 84 02 56 ✉ ♣ ⏁ r.-v.

➤ Michael Hallek

QUEYNAC 2010 ★

| ■ | 10 000 | ▥ | 5 à 8 € |

Stéphane et Paola Gabard sont installés depuis 1999 au château Queynac, dans le nord du Libournais. D'un pourpre profond, leur bordeaux supérieur 2010 donne une courte majorité (55 %) au cabernet-sauvignon, complété par le merlot. Le séjour de douze mois en barrique se traduit au premier nez par de fines notes boisées, qui laissent percer à l'agitation des parfums de fruits rouges et noirs. La bouche, à l'unisson, mise plus sur la finesse et l'harmonie que sur la puissance. Des tanins bien fondus incitent à savourer cette bouteille dès maintenant sur une viande rouge, grillée ou en sauce.

➤ EARL Vignobles Gabard, 25, rte de Cavignac, 33133 Galgon, tél. 05 57 74 30 77, fax 05 57 84 35 73, vignobles.gabard@laposte.net, ✉ ♣ ⏁ r.-v.

CH. LES REUILLES Héritage 2010 ★★

| ■ | 48 000 | ▥ | 5 à 8 € |

Depuis 1992, Patrick Todesco ne cesse d'agrandir la propriété familiale, qui est passée de 20 à 60 ha. Le siège de l'exploitation est dans le Lot-et-Garonne, à la limite de ce département, mais le vignoble est implanté dans plusieurs communes de la Gironde. Cette cuvée Héritage est un clin d'œil à son père et à son grand-père, qui lui ont permis de s'installer. Ce vin prometteur montre sa jeunesse par un nez de fruits rouges frais (groseille) relevé d'épices. Dans une belle continuité, il attaque avec franchise et dévoile une matière, charnue et consistante aux saveurs de noyau et de vanille, soutenue par des tanins encore un peu vifs. La longue finale prend des tons de café. Un vin gourmand qui a la force de la jeunesse, mais aussi sa fraîcheur tendre. On pourra le servir jeune avec des grillades ou lui laisser le temps de s'arrondir (trois ans ou plus).

➤ EARL Todesco, 3, Piteau, 47120 Savignac-de-Duras, tél. 06 82 93 34 10, lesreuilles.chateau@gmail.com, ✉ ♣ ⏁ r.-v. ⌂ ⓔ

CH. DE REYNAUD 2011 ★★

| ■ | 19 000 | ▥ | - de 5 € |

Reprise en 1999 par un couple de journalistes parisiens, cette petite exploitation (5,5 ha) est connue de nos lecteurs pour ses côtes-de-bourg. Les terres de palus proches de la rivière et plantées de merlot donnent, elles, du bordeaux supérieur. Une longue macération et de nombreux remontages sont à l'origine d'un vin à la robe violine presque noire et au fruité intense, tant au nez qu'en

bouche. Le boisé est très léger, l'élevage en barrique étant partiel. La bouche puissante, concentrée et solidement charpentée, la longue finale sur le fruit noir, tout traduit la recherche de l'extraction. Selon ses goûts, on servira cette bouteille dès aujourd'hui ou on l'oubliera en cave cinq ans, voire davantage.

➤ Bernard et Sandrine Capdevielle, Ch. de Reynaud, 33710 Bourg-sur-Gironde, tél. 05 57 68 44 13, chateau.reynaud@wanadoo.fr, ✉ ♣ ⏁ r.-v.

CH. LA ROBERTERIE 2010 ★

| ■ | 6 400 | ▦ | 5 à 8 € |

Arrivant d'Italie dans l'Entre-deux-Mers en 1933, le grand-père d'Alfred Pantarotto fut employé sur la propriété que son fils exploita comme métayer et que son petit-fils finit par acheter en 1989. Ce dernier s'est engagé en outre dans la démarche bio (certification à partir du millésime 2012). Son 2010 marie au nez de la cerise, la framboise et le cassis à des notes florales et un rien fumées. Souple, gras et chaleureux en attaque, de bonne longueur, il repose sur des tanins soyeux qui lui confèrent un très bon équilibre. Bien construit et gourmand, il pourra bientôt passer à table.

➤ Alfred Pantarotto, Robert, 33890 Juillac, tél. 05 57 40 53 50, roberterie@wanadoo.fr, ✉ ♣ ⏁ t.l.j. 9h-20h

CH. LA ROSE DU PIN 2010 ★

| ■ | 68 000 | ▥ | 5 à 8 € |

Situé dans l'Entre-deux-Mers, l'un des nombreux châteaux détenus par la famille Ducourt qui, en une soixantaine d'années, a fait passer son vignoble de 10 à 440 ha. Son 2010 affiche une robe si foncée qu'elle en paraît noire. Franc et intense, le bouquet allie harmonieusement la myrtille à un nez empyreumatique, grillé, toasté et fumé, un rien menthólé. Après une attaque ronde, la bouche s'appuie avec beaucoup de vivacité sur une trame tannique encore un peu serrée mais pleine de promesses, avant de finir sur des évocations de café grillé. Les amateurs de vins boisés pourront déboucher cette bouteille prochainement ; les autres l'attendront de deux à six ans.

➤ Vignobles Ducourt, 18, rte de Montignac, 33760 Ladaux, tél. 05 57 34 54 00, fax 05 56 23 48 78, ducourt@ducourt.com, ✉ ♣ r.-v.

CH. ROUX DE BEAUCÉS 2011 ★

| ■ | 69 000 | | - de 5 € |

Voici deux vins flatteurs proposés par Romain Roux, producteur dans l'Entre-deux-Mers. Celui-ci, d'un rouge sombre aux reflets violines, est tout en fruits, avec un bouquet dominé par des notes de cassis, de fraise et de framboise d'une belle fraîcheur. Ces fruits gourmands se croquent aussi en bouche, au sein d'une matière souple et ronde, suave et suffisamment structurée. Malgré une certaine sévérité tannique en finale, ce 2011 laisse une impression d'élégance. Le **Ch. les Tuileries 2011 (80 000 b.)** est du même style que le précédent, aromatique, plutôt suave et rond, mais son fruité mûr s'accompagne de notes évoquant le boisé. Deux vins faciles à marier à toutes sortes de mets et bientôt prêts, que l'on pourra toutefois garder jusqu'en 2016.

➤ SARL Vignobles Roux, 1, Beaucés, 33540 Gornac, tél. 05 56 61 98 93, fax 05 56 61 94 17, vignoblesroux@orange.fr, ✉ ♣ ⏁ t.l.j. sf sam. dim. 8h-12h 14h-18h; f. 15-31 août

CH. SAINTE-BARBE 2011

■	40 000 ⦿	8 à 11 €

Ambès, c'est la pointe de l'Entre-deux-Mers, entre Garonne et Dordogne, Bourgeais et Médoc. Oui, on peut faire pousser de la vigne sur ces sols de palus, à condition de bien les drainer. C'est ce qu'a fait Antoine Touton qui, voilà une douzaine d'années, a racheté ce cru commandé par une belle chartreuse du XVIIIᵉs. et l'a restauré. Son 2011 a été apprécié, même s'il paraît moins ambitieux que le 2010. La robe noir d'encre et la bouche ferme et longue sont de bon augure pour la garde. Pour l'heure, le boisé aux nuances de café torréfié et de fumée est très présent, au nez comme au palais. Le vin devrait se révéler et s'assouplir avec le temps.

☛ SCEA Ch. Sainte-Barbe, 33810 Ambès,
tél. 05 56 77 49 57, fax 05 56 77 19 02,
chateausaintebarbe@gmail.com, ☑ ⚔ ⵙ r.-v.

☛ Touton

CH. SARAIL LA GUILLAUMIÈRE 2010

■	45 000 ⫿⦿	5 à 8 €

Cette propriété est installée au nord-est de Bordeaux, sur la ligne de partage des eaux entre Dordogne et Garonne. Fondée en 1906, elle est gérée depuis 2000 par Jean-Yves Faucheux, qui représente la quatrième génération. D'un pourpre profond, le 2010 du domaine livre des notes de fruits noirs bien mûrs accompagnées de touches de sous-bois et, à l'aération, d'un soupçon de vanille lié à un élevage partiel en barrique. Bien construite, linéaire, la bouche se déploie sans heurt jusqu'à une finale laissant un sillage de cerise. L'ensemble n'est pas très puissant mais laisse une impression d'harmonie.

☛ SCEA Michel Deguillaume, 1, pl. de Sarail,
33450 Saint-Loubès, tél. 05 56 20 40 14, fax 05 56 78 93 18,
faucheuxjyves@free.fr, ☑ ⚔ ⵙ r.-v.

CH. DE SEGUIN Cuvée Carl 2011 ★★

■	20 000 ⦿	15 à 20 €

Il existe deux châteaux de Seguin en Bordelais. Celui-ci est une vaste unité (130 ha de vignes) située dans l'Entre-deux-Mers, valeur sûre en bordeaux supérieur. En 2013, elle a été rachetée par la famille Mottet (château la France), mais cette cuvée doit tout aux précédents propriétaires, des négociants scandinaves. La cuvée Carl est réservée aux plus anciennes vignes de la propriété, implantées sur un beau terroir argilo-calcaire. Selon un dégustateur, elle évoque un vin de soleil avec sa robe soutenue et son bouquet épicé aux notes de figue. Présent au nez comme en bouche, mais justement dosé, le boisé apporte de la complexité et des nuances épicées. La puissance, la richesse et la charpente sont celles d'un grand vin – proche du coup de cœur. On le laissera trois ans en cave.

☛ SC du Ch. de Seguin, 33360 Lignan-de-Bordeaux,
tél. 05 57 97 19 75, fax 05 57 97 19 72,
nathalie-lagrue@carlwine.com

EXCELLENCE DE CH. SÉNAILHAC 2010 ★

■	20 000 ⦿	8 à 11 €

Située aux portes de l'agglomération bordelaise, sur la rive droite de la Garonne, cette propriété a changé de mains en 2011. Ce 2010 est donc dû au groupe GVG, qui était propriétaire depuis 2000. « Encore une belle réussite pour ce merveilleux millésime », écrit un dégustateur. On trouve dans ce vin de la profondeur, de l'éclat, de la

netteté, de l'intensité, tant à l'œil qu'au nez. Au bouquet se déploie une palette complexe de torréfaction, de fruits noirs très mûrs ou confiturés, de réglisse et de fleurs. Dans le même registre, la bouche se montre ample, suave et généreuse, marquée en finale par des tanins encore vifs et fermes. La **cuvée classique 2010 (5 à 8 € ; 115 000 b.)**, du même style, pourra être débouchée plus tôt, la cuvée Excellence n'arrivant à son apogée que dans trois à six ans.

☛ SCA Ch. Sénailhac, 8, av. de Sénailhac, 33370 Tresses,
tél. 05 57 34 13 14, fax 05 57 34 05 60, senailhac@sfr.fr,
☑ ⚔ ⵙ t.l.j. 9h-18h ⌂ ❺

CH. TAYET Cuvée Prestige
Élevé en fût de chêne neuf 2011 ★

■	54 000 ⦿	8 à 11 €

Des mêmes propriétaires que le Château Haut Breton Larigaudière (margaux), ce cru est implanté à Macau, à quelques kilomètres en amont : les vignes poussent sur des sols argilo-limoneux dans la zone de palus anciens bordant la Garonne. La cuvée Prestige comprend dans son assemblage, outre le merlot et le cabernet-sauvignon, 10 % de petit verdot. Fin et complexe au nez, ce 2011 mêle un léger boisé vanillé et toasté à des notes de petits fruits compotés. Conjuguant suavité et vivacité, la bouche montre une grande fraîcheur aromatique et des tanins fondus. Ce vin typique, déjà agréable, sera pleinement épanoui dans trois ou quatre ans. Cité, le **Ch. Lacombe Cadiot 2011 (8 à 11 € ; 36 000 b.)**, encore austère, pourrait cependant être prêt plus tôt. Son bouquet se partage entre le fruit noir et le cacao ; sa bouche est puissante, tannique et empyreumatique.

☛ Ch. Haut Breton Larigaudière,
3, rue des Anciens-Combattants, 33460 Soussans,
tél. 05 57 88 94 17, fax 05 57 88 39 14,
contact@de-mour.com, ☑ ⚔ ⵙ r.-v.

☛ de Schepper

CH. TECHENEY 2010

■	180 000 ⫿⦿	8 à 11 €

Trois vins élaborés sous la houlette de Châteaux et Domaines (Castel), et diffusés sous ce label par ce négociant. Né aux portes de Bordeaux, ce château Techeney présente un nez droit, sur le fruit (mûre et cassis), légèrement beurré. Toujours sur le fruit frais, la bouche se révèle ronde et souple. Le **Ch. Mirefleurs 2010 (180 000 b.)**, issu de la même commune, a aussi été élevé sous bois. Montrant dans sa robe une nuance d'évolution, il mêle au nez la cerise mûre, la vanille et le sous-bois. Souple et fruité à l'attaque, il est charpenté par des tanins soyeux. Provenant de l'Entre-deux-Mers, le **Ch. Saint-Léon 2010 (5 à 8 €)**, élevé en cuve, apparaît plus épicé, réglissé et « viril », avec de la mâche et des tanins qui demandent à se fondre. Tous ces vins pourront bientôt passer à table. Viandes blanches, viandes rouges, charcuterie fine, tout leur ira.

☛ Châteaux et Domaines, Ch. Techeney, 33310 Yvrac,
tél. 03 56 35 72 74, fax 05 56 35 72 95,
contact@chateaux-castel.com

CH. DE TERREFORT-QUANCARD 2011

■	421 466 ⫿⦿	5 à 8 €

Le domaine est entré dans la famille en 1891, peu de temps après la construction par Eiffel du célèbre pont sur la Dordogne, à Cubzac. Grâce à la vaste étendue du vignoble (67 ha), cette cuvée n'a rien de confidentiel. Tant mieux, car elle est agréable. Si le nez apparaît fermé, ne laissant percer qu'un discret fruit rouge légèrement fumé, la bouche s'épanouit en prenant des tons confits, des nuances de noyau, de pruneau. L'attaque est souple, le tanin doux. On sent un raisin mûr et une extraction bien maîtrisée. Une bouteille à servir dans les trois prochaines années en la carafant, pour permettre à ses arômes de s'épanouir.

☛ SCA du Ch. de Terrefort-Quancard, 1, av. de Paris, 33240 Cubzac-les-Ponts, tél. 05 57 43 00 53, fax 05 57 43 59 87, terrefort.quancard@wanadoo.fr, ☑ ⚐ ⏱ t.l.j. sf sam. dim. 8h45-12h15 13h30-17h (ven. 16h30)

CH. TIMBERLAY Prestige Cuvée Marie-Paule
Élevé en fût de chêne neuf 2011 ★

| ■ | 40 000 | ⬛ | 8 à 11 € |

Timberlay, dont le vignoble ne couvre pas moins de 120 ha, est le berceau de la famille Giraud, qui a étendu ses propriétés dans le Libournais voisin, notamment à Saint-Émilion. Vin de prestige ambitieux, cette cuvée Marie-Paule a été élevée un an en barrique (avec beaucoup de bois neuf). Elle a divisé les dégustateurs : la majorité d'entre eux l'a portée aux nues, d'autres l'ont trouvée austère, écrasée par le bois. Tous s'accordent sur la profondeur de sa robe, sur la qualité de son boisé aux accents de pain grillé et de moka, qui laisse percer des notes de fruits noirs compotés ; tous reconnaissent aussi sa concentration et sa solide trame de tanins serrés, peut-être un peu vifs, qui lui garantissent une longue garde : cette bouteille sera toujours là en 2020. Le temps devrait rapprocher les points de vue. À attendre quatre ou cinq ans, pour le moins.

☛ EARL Vignobles Robert Giraud, Dom. de Loiseau, 33240 Saint-André-de-Cubzac, tél. 05 57 43 01 44, fax 05 57 43 08 75, direction@robertgiraud.com

CH. TOUDENAC 2011 ★

| ■ | 120 000 | ▮ | - de 5 € |

Un des châteaux de la famille Aubert, bien connue à Saint-Émilion (château la Couspaude). L'assemblage associe sans surprise le merlot dominant au cabernet franc. Dans la famille, on aime les vins de terroir puissants. Et l'on ne manque pas de savoir-faire pour obtenir un vin équilibré comme ce 2011. Le bouquet, intense, allie les fruits rouges mûrs, le pruneau et la torréfaction. La bouche est de belle tenue, avec du volume, du gras, des tanins déjà veloutés et une bonne longueur. Tout est en place dans ce vin sérieux, à attendre deux à trois ans.

☛ Vignobles Aubert, Ch. la Couspaude, BP 40, 33330 Saint-Émilion, tél. 05 57 40 15 76, fax 05 57 40 10 14, vignobles.aubert@wanadoo.fr, ☑ r.-v.

CH. TOUR D'AURON 2010 ★

| ■ | 100 000 | ▮ | 5 à 8 € |

Ce 2010 provient d'un terroir du Libournais aux sols argileux riches en oxyde de fer. Un substrat propice au merlot, qui a donné naissance à un vin harmonieux et charmeur. Le nez, attirant, se partage entre le fruit rouge mûr et des notes empyreumatiques évoquant la cendre. L'attaque souple et ronde introduit une bouche d'une belle ampleur, suffisamment charpentée, qui finit sur un joli retour aromatique. Un vin agréable et doux, que l'on pourra servir dès la sortie du Guide, ou attendre deux ans pour laisser se polir des tanins un peu austères en finale.

☛ SCEA Lyonnat, Lyonnat, 33570 Lussac, tél. 05 57 55 48 90, fax 05 57 84 31 27, milhade@milhade.fr, ☑ ⚐ ⏱ r.-v.

CH. LA TULIPE DE LA GARDE 2010 ★

| ■ | 80 000 | ⬛ | 11 à 15 € |

L'ancien château de la Garde, sur la rive droite de la Garonne, a été acheté en 1994 par le compositeur néerlandais Ilja Gort qui l'a récemment rebaptisé... la Tulipe de la Garde. Michel Rolland en élabore les vins depuis 2009. Vinifié et élevé dix-huit mois en barrique, ce 2010 peut prétendre à un bel avenir. Paré d'une robe profonde, presque noire, aux reflets lumineux, il offre un bouquet partagé entre un fruité complexe et mûr (cerise, mûre et cassis), et les notes cacaotées d'un fin boisé qui n'écrase pas le raisin. On retrouve ce fruité dans une bouche ronde et généreuse, d'une grande persistance, soutenue par une charpente de tanins racés, dénués d'agressivité. Proche de la deuxième étoile, ce vin est une belle image de l'appellation et du millésime, à découvrir dans deux à cinq ans sur du gibier, sur le filet de bœuf ou, pourquoi pas, sur du gouda très vieux.

☛ SCEA Ch. de la Garde, 235, rte du Chemin-Court, 33240 Saint-Romain-la-Virvée, tél. 05 57 58 21 05, ilja.tulipe@orange.fr, ☑ ⚐ ⏱ t.l.j. sf sam. dim. 10h-12h 14h-17h

☛ Ilja Gort

CH. VAL DE ROC 2011 ★

| ■ | 23 000 | ▮ | 5 à 8 € |

« Comme une évidence », Séverine Grimal, fille de vignerons, s'est installée en 2008 sur une petite propriété (5 ha), entre Libournais et Bourgeais. Ce qui n'allait pas de soi, c'était de « faire bon » si vite et d'entrer dans le Guide avec un vin jugé très réussi. Ce 2011 s'annonce par une robe sombre et par un nez un peu sauvage, sur les fruits noirs, caractéristique d'une bonne maturité. Souple et rond à l'attaque, élégant, ce vin n'en affiche pas moins un caractère bien trempé à travers sa trame de tanins vifs qui soulignent sa longue finale. Une bouteille déjà friande et pleine de promesses, qui peut attendre trois à cinq ans. Elle accompagnera une viande blanche ou un magret de canard grillé.

NOUVEAU PRODUCTEUR

☛ Séverine Grimal, Larroque, 33910 Saint-Ciers-d'Abzac, tél. 05 57 69 26 10, valderoc@orange.fr, ☑ ⏱ r.-v.

CH. DES VALENTONS CANTELOUP 2010 ★

| ■ | 60 000 | ▮⬛ | 5 à 8 € |

Installé il y a trente ans à Saint-Loubès, près de Bordeaux, sur la rive gauche de la Dordogne, Jacques Meynard est un vigneron bien connu ; il est aussi, ce que l'on sait moins, arboriculteur. Son père avait en effet planté des poiriers après le grand gel de 1956. Mais la vigne est redevenue prédominante. L'exploitation est souvent remarquée pour son autre étiquette, le château Bois-Malot. Valentons Canteloup est le nom de la propriété initiale. Ce 2010 s'annonce par un nez de fruits noirs, franc et tout en fraîcheur. En bouche, le fruité croquant s'allie à un agréable boisé au sein d'une matière solide et équilibrée. Un vin qui mérite deux ou trois ans de garde pour assouplir ses tanins.

☛ EARL Meynard, 133, rte des Valentons, 33450 Saint-Loubès, tél. 05 56 38 94 18, fax 05 56 38 92 47, bois.malot@free.fr, ☑ ⚐ ⏱ t.l.j. sf dim. 8h-12h 13h30-19h; sam. 8h-12h

CH. LA VERRIÈRE 2011 ★

▄ | 120 000 | ▮ ◑ | 5 à 8 €

Pour être située aux confins du Lot-et-Garonne, la propriété, qu'André puis Alain Bessette ont fait revivre, n'en maîtrise pas moins ses bordeaux. Celui-ci demande quelques mois de patience pour laisser au boisé encore très présent le temps de se marier au vin. Un beau boisé au demeurant, torréfié et cacaoté. Sous le bois, on sent le vin, rond à l'attaque et puissant, solidement structuré et épaulé par des tanins bien mûrs qui laissent présager cinq ou six ans de garde. Des mêmes propriétaires, le **Ch. Bailloux-Rival 2011 (75 000 b.)**, cité, est lui aussi marqué par un boisé toasté, avec du fruit rouge confit à l'arrière-plan. Souple, suave et fondu, « aguicheur » selon un juré, il sera apprécié dans les trois prochaines années.

🕭 EARL André Bessette, 8, La Verrière, 33790 Landerrouat, tél. 05 56 61 39 56, fax 05 56 61 44 25, alainbessette@orange.fr, ☑ ⚔ ⏀ r.-v.

CH. DE VIAUT 2011 ★★

▄ | 40 000 | ▮ ◑ | 5 à 8 €

Situé dans l'Entre-deux-Mers, l'un des domaines de la famille Boudat Cigana, également propriétaire dans les Graves et en sainte-croix-du-mont. Mi-merlot mi-cabernets et mi-cuve mi-fût, ce bordeaux supérieur a emporté l'adhésion : il fut l'un des finalistes pour un coup de cœur. À la profondeur de sa robe presque noire répond celle du nez, dont la palette complexe se partage entre un boisé très présent et des parfums de fruits noirs bien mûrs. Encore marquée par la barrique, la bouche s'impose par sa matière ample et onctueuse, charpentée par des tanins qui promettent une bonne garde. Ce 2011 devrait être à son optimum entre 2015 et 2020.

🕭 Boudat Cigana, Ch. de Viaut, 33410 Mourens, tél. 05 56 61 31 31, fax 05 56 61 99 46, fboudat@orange.fr, ☑ ⚔ ⏀ r.-v.

CH. VIEUX MOUGNAC 2010 ★

▄ | 30 000 | ▮ | 8 à 11 €

Cette famille établie dans le nord-est du Libournais, à la lisière de l'AOC lussac-saint-émilion, a planté ses premiers ceps à la fin du XIXᵉ s., et elle pratique la vente directe depuis le milieu du siècle dernier. Sylvie Milhard a décidé en 1991 de perpétuer l'exploitation et, épaulée entre-temps par ses enfants, a engagé la conversion bio du vignoble (la certification est acquise pour le millésime 2012). Elle signe un vin élevé deux ans en cuve. À la robe « bordeaux classique » répond un joli nez sur le fruit noir. La bouche est à l'unisson du bouquet, ronde et chaleureuse sans lourdeur, étayée par des tanins frais. Un vin à apprécier dans sa jeunesse, avec une entrecôte.

🕭 Sylvie Milhard, Mougnac, 33570 Petit-Palais-et-Cornemps, tél. et fax 05 57 69 72 85, vieuxmougnac@gmail.com, ☑ ⚔ ⏀ r.-v.

CH. VILATTE Élevé en fût 2010 ★

▄ | 10 000 | ◑ | 8 à 11 €

Beaucoup de choses à voir dans cette exploitation implantée du côté de Francs et de Lussac, et acquise il y a quarante ans par la famille Massart : un sentier botanique, un petit écomusée, un four à pain ancien, qui sert les jours de fête. Le vignoble est en bio certifié depuis 2012. Issu d'un terroir argilo-siliceux et argilo-graveleux, le vin affiche une robe très profonde. Le boisé grillé intense du bouquet laisse s'exprimer un fruité compoté évoquant la cerise noire. La bouche, à l'unisson, se montre chaleureuse sans lourdeur, soutenue par des tanins soyeux, et marquée par un joli retour des fruits cuits. Une bouteille agréable que l'on pourra garder plusieurs années.

🕭 Ch. Vilatte, 5, lieu-dit Vilatte, 33660 Puynormand, tél. 05 57 49 77 60, fax 05 57 49 67 89, stefaan.vilatte@wanadoo.fr, ☑ ⚔ ⏀ r.-v. ⌂ ☻

🕭 Stefaan Massart

CH. VIRCOULON 2011 ★

▄ | 26 666 | ▮ | - de 5 €

Proche de Castillon-la-Bataille (sur l'autre rive de la Dordogne) et voisine du Bergeracois, cette propriété s'est spécialisée à l'arrivée de Patrick Hospital, il y a trente ans. Son bordeaux supérieur a pour originalité de mettre en vedette les cabernets, qui représentent 85 % de l'assemblage (le cabernet-sauvignon, surtout), alors que le merlot domine très souvent dans les AOC régionales. Son nez s'ouvre à l'aération sur de frais arômes de fruits rouges et noirs relevés d'épices. L'attaque vive, sur le fruit noir, introduit une bouche ample étayée par des tanins jeunes, qui donnent de la mâche et un côté agréablement nerveux à cette bouteille. Ce vin puissant, gourmand et tonique, devrait se plaire sur une bonne bavette grillée à l'échalote. On pourra l'attendre trois à cinq ans.

🕭 Patrick Hospital, 5, Vircoulon, 33220 Saint-Avit-de-Soulège, tél. et fax 05 57 41 05 99, chateauvircoulon@orange.fr

Crémant-de-bordeaux

Production : 19 560 hl (85 % blanc)

AOC depuis 1990, le crémant-de-bordeaux est élaboré selon les règles très strictes de la méthode traditionnelle – communes à toutes les appellations de crémant – à partir de cépages classiques du Bordelais, blancs comme noirs. Les crémants sont généralement blancs mais ils peuvent aussi être rosés.

B. DE BONHOSTE ★

◉ | 10 000 | 5 à 8 €

Également établis dans le Bergeracois avec le château la Moulière, Bernard et Colette Fournier, désormais accompagnés de leurs enfants Sylvaine et Yannick, sont depuis 1977 propriétaires de ce domaine situé face au coteau de Saint-Émilion. Ils proposent un crémant issu de sémillon (70 %) et d'ugni blanc, paré d'une seyante robe paille traversée par un joli train de bulles légères et persistantes. Au nez, les fleurs blanches donnent la réplique à la pêche et au coing. La bouche séduit par son attaque souple et fondante qui laisse place ensuite à de plaisantes senteurs fraîches d'agrumes. Un beau mariage entre l'onctuosité du sémillon et la fraîcheur de l'ugni blanc.

❦ Fournier, Ch. de Bonhoste,
33420 Saint-Jean-de-Blaignac, tél. 05 57 84 12 18,
fax 05 57 84 15 36, contact@chateaudebonhoste.com,
☑ ♣ ⵋ t.l.j. 8h30-18h30 ⌂ ©

RÉMY BRÈQUE Cuvée Prestige

	n.c.	5 à 8 €

Créée en 1927 par Rémy Brèque, cette maison de négoce est aujourd'hui conduite par la quatrième génération. Elle présente un assemblage largement dominé par le sémillon (90 %), complété de muscadelle. La robe est animée par des bulles vives et abondantes. Au nez, les fleurs blanches se mêlent à des nuances briochées. En bouche, le sémillon apporte sa rondeur et son onctuosité. Un crémant généreux et empreint de douceur, à servir au dessert.
❦ Rémy Brèque, 8, rue du Commandant-Cousteau,
33240 Saint-Gervais, tél. 05 57 43 10 42, fax 05 57 43 91 61,
remy.breque@orange.fr, ☑
♣ ⵋ t.l.j. sf dim. 9h-12h 14h-18h
❦ Bonnefis

LES CORDELIERS Vintage 2009 ★

	19 000	11 à 15 €

Ce négoce saint-émilionnais héberge ses vins dans les caves souterraines du cloître des Cordeliers, datant du XIVᵉs., à 20 m sous terre. Un lieu de repos idéal pour les fines bulles de ce rosé né du seul cabernet franc. Une jolie effervescence anime ce vin saumoné, qui libère des parfums élégants de fleurs blanches et de fruits frais. Ample, sur les fruits mûrs, la bouche se révèle ronde, vineuse et bien étoffée. Un crémant chaleureux, que l'on pourra servir sur un dessert aux fruits rouges.
❦ Les Cordeliers, 2 bis, rue de la Porte-Brunet,
33330 Saint-Émilion, tél. 05 57 24 42 13, fax 05 57 24 31 06,
cordeliers@lescordeliers.com, ☑ ♣ ⵋ r.-v.

Ⓑ EXCELLENCE

	15 000	8 à 11 €

Cette cuvée affiche dans le verre une mousse discrète faite de petites bulles légères. Au nez, une touche amylique accompagne les agrumes et les fruits blancs. Après une attaque fraîche, le palais se montre rond, crémeux et doux (15 g/l de sucres résiduels), mais sans lourdeur. Un crémant généreux, que l'on pourra associer à une volaille ou à un poisson en sauce.
❦ Jean-Louis Ballarin, Haux, BP 31, 33550 Langoiran,
tél. 05 56 67 11 30, fax 05 56 67 54 60,
flballarrin@wanadoo.fr, ☑ ♣ ⵋ r.-v.

FAVORY

	n.c.	▯	5 à 8 €

Armand Schuster de Ballwil signe un crémant associant à parts égales la muscadelle et le sémillon, et l'équilibre est bien le maître mot de la dégustation : le premier cépage apportant la finesse, le second, la chair et le gras. Dans le verre, un cordon de bulles fines et des parfums bien mariés de pêche blanche et de fleurs (aubépine, rose blanche). En bouche, de la suavité et de la fraîcheur, et la même palette florale et fruitée que celle perçue à l'olfaction. Un vin harmonieux, tout indiqué pour l'apéritif.

❦ Armand Schuster de Ballwil, Ch. Montlau, 3, Montlau,
33420 Moulon, tél. 05 57 84 50 71, fax 05 57 84 64 65,
contact@chateau-montlau.com,
☑ ♣ ⵋ t.l.j. 9h-12h 13h-17h; sam. dim. sur r.-v.; f. déc.-jan.

GARBES-CABANIEU 2011 ★

●	7 000	5 à 8 €

Ce domaine familial de 42 ha propose avec ce crémant rosé un pur cabernet franc en robe saumonée, animée de « bulles frénétiques », pour reprendre l'expression d'un dégustateur. Le nez franc et droit évoque les petits fruits rouges, la groseille notamment. Après une attaque mousseuse, on retrouve ce fruité frais dans une bouche portée vers la douceur, mais tonifiée par une juste vivacité. Un vin équilibré, que les David conseillent vivement de servir sur du magret de canard fumé ; l'accord est tentant.
❦ Vignobles Hervé David, 1, Le Boucher,
33410 Monprimblanc, tél. 05 56 62 97 59,
fax 05 56 62 63 96, garbes-cabanieu@wanadoo.fr,
☑ ♣ ⵋ t.l.j. sf dim. 8h-12h 13h30-18h30 ⌂ Ⓑ

GRAND D'AURON

	n.c.	8 à 11 €

La maison de négoce Milhade a sélectionné des raisins de sémillon et de cabernet franc pour élaborer ce crémant plaisant, vêtu de jaune pâle et traversé par un tourbillon de bulles fines et légères. Les agrumes et les fruits blancs composent un bouquet frais, que relaie une bouche ronde et charnue. Un vin équilibré, à boire à l'apéritif avec des gougères au fromage de chèvre.
❦ Milhade, 11, rue Jean-Milhade, 33133 Galgon,
tél. 05 57 55 48 90, proprietes@orange.fr,
☑ ♣ ⵋ t.l.j. sf sam. dim. 8h30-12h 13h30-17h; f. août

♥ JAILLANCE Cuvée de l'abbaye ★★

	n.c.	5 à 8 €

Originaire du Diois, cette maison de négoce bien connue commercialise aujourd'hui de nombreux effervescents d'appellation sous la marque Jaillance. Elle a racheté les caves Brouette de Bourg-sur-Gironde qui élaborent cette belle cuvée. Le meilleur crémant de la sélection qui magnifie l'expression du sémillon (60 % de l'assemblage) et du cabernet franc. La robe d'or élégant est parcourue par un cordon élégant de bulles fines et virevoltantes. Un assortiment de pêche jaune, de mirabelle, de groseille et de fleurs blanches compose un bouquet complexe, frais et délicat. En bouche, une mousse onctueuse accompagne un vin charnu, ample et intense mais toujours léger et vif. L'alliance remarquable de la puissance et de la finesse.
❦ Brouette-Jaillance, Caves du Pain de Sucre,
33710 Bourg-sur-Gironde, tél. 05 57 68 42 09,
fax 05 57 68 26 48, info@jaillance.com,
☑ ⵋ t.l.j. sf sam. dim. 9h-12h 14h-17h

Le Blayais et le Bourgeais

Blayais et Bourgeais, deux pays (plus de 9 000 ha) aux confins charentais de la Gironde que l'on découvre toujours avec plaisir. Peut-être en raison de leurs sites historiques, de la grotte de Pair-Non-Pair (avec ses fresques préhistoriques, presque dignes de celles de Lascaux), de la citadelle de Blaye (inscrite, avec d'autres fortifications, au patrimoine mondial par l'Unesco en 2008) ou de celle de Bourg, ou des châteaux et autres anciens pavillons de chasse. Mais plus encore parce que de cette région très vallonnée se dégage une atmosphère intimiste apportée par de nombreuses vallées, qui contraste avec l'horizon presque marin des bords de l'estuaire. Pays de l'esturgeon et du caviar, c'est aussi celui d'un vignoble qui, depuis les temps gallo-romains, contribue à son charme particulier. Pendant longtemps, la production de vins blancs a été importante ; jusqu'au début du XXᵉs., ils étaient utilisés pour la distillation du cognac. Mais aujourd'hui, ils sont réservés à une production d'AOC bordelaises.

On distingue deux grands groupes : celui de Blaye, aux sols assez diversifiés (calcaires, sables, argilo-calcaires), et celui de Bourg, géologiquement plus homogène (argilo-calcaires et graves).

Blaye

Superficie : 49 ha
Production : 2 100 hl

L'appellation, qui tire son nom de la fière citadelle construite par Vauban et qui s'étend dans trois cantons autour de la cité, connaît un regain d'intérêt depuis qu'en 2000 une nouvelle charte qualitative encourage la production de vins rouges charpentés et de garde, élevés dix-huit mois minimum.

CH. HAUT-COLOMBIER 2010 ★★

	7 000		11 à 15 €

Si le village de Cars est célèbre pour les tuiles vernissées de son clocher, c'est aussi un pays de vins aux qualités reconnues. Non moins reconnues sont celles de ce domaine de 34 ha, conduit par les frères Chéty ; on se souviendra d'un récent coup de cœur pour un 2009 rouge en blaye-côtes-de-bordeaux. C'est blaye qui est ici à l'honneur, le merlot aussi, un peu le malbec (10 % de l'assemblage), à travers une cuvée au bouquet très engageant et généreux de fruits mûrs, de violette, d'épices et de caramel au lait, longuement relayé par un palais ample, dense et chaleureux, soutenu par des tanins de garde. On patientera au moins cinq ou six ans avant d'ouvrir cette bouteille de caractère sur une belle pièce de gibier, un civet de chevreuil, par exemple.

☛ EARL Vignobles Jean Chéty et Fils, 1, Les Blancs, 33390 Cars, tél. 05 57 42 10 28, fax 05 57 42 17 65, chateau.hautcolombier@wanadoo.fr, ☑ ⚔ � t.l.j. 8h-12h 14h-18h; sam. dim. sur r.-v.

CH. MARQUIS DE VAUBAN La Cuvée du roy
Qualité vieilles vignes 2010

	52 000		11 à 15 €

Situé à quelques centaines de mètres de la Citadelle, ce vignoble fut la propriété du duc de Saint-Simon, auquel Louis XIV rendit plusieurs fois visite et dont il buvait aussi le vin, dit-on. Cette Cuvée du roy rend hommage au monarque, et le 2010 se pare d'une robe sombre pour l'occasion. Le nez mêle généreusement les fruits rouges mûrs, les épices et la torréfaction de la barrique, avec quelques notes plus évoluées à l'arrière-plan. Une gamme aromatique que l'on retrouve dans une bouche ronde, riche et chaleureuse, portée par une bonne structure. À boire dans deux ou trois ans sur une viande de bœuf longuement mijotée.

☛ SCEA Lepage-Macé, rte des Cônes, 33390 Blaye, tél. 05 57 42 80 37, fax 05 57 42 83 58, contact@decancave.fr, ☑ ⚔ � T t.l.j. 9h-12h 14h-19h

M DES MATARDS 2010 ★

	5 000		11 à 15 €

M comme Merlot. Le cépage compose 95 % de l'assemblage de cette cuvée, associé au cabernet-sauvignon. Ici, on maîtrise l'élaboration des vins secs mais aussi celle du pineau-des-charentes et du cognac. Le domaine répartit son vignoble de 70 ha entre la Gironde et la Charente-Maritime. Un petit hectare a été sélectionné pour produire cette cuvée confidentielle. Un vin rouge profond, au nez intense de fruits rouges mûrs, d'épices et de boisé toasté, rehaussé par une touche mentholée. La bouche apparaît ronde, ample et chaleureuse, les tanins se révèlent bien présents mais soyeux, la finale est longue et épicée. On pourra commencer à ouvrir cette bouteille dans deux ou trois ans ou l'attendre plus longtemps.

☛ SCEA Terrigeol et Fils, 27, av. du Pont-de-la-Grâce, Le Pas-d'Ozelle, 33820 Saint-Ciers-sur-Gironde, tél. 05 57 32 61 96, fax 05 57 32 79 21, info@chateau-des-matards.com, ☑ ⚔ � T t.l.j. 8h-12h30 13h30-18h30; dim. sur r.-v.

CH. MONCONSEIL-GAZIN Grande Réserve 2010 ★★

	19 000		11 à 15 €

L'accueillant village de Plassac est connu pour les ruines d'une villa gallo-romaine. On y découvre aussi quelques pépites viticoles, comme ce Monconseil-Gazin 2010, assemblage de merlot (60 %), de malbec et des deux cabernets. C'est un vin puissant, qui s'impose d'emblée par sa couleur rouge sombre et dense. Le nez mêle aux fruits noirs mûrs et à la violette un boisé expressif mais respectueux du vin, aux accents fumés et vanillés. Le palais dégage une impression de force tranquille, association de rondeur et de volume, de fruité généreux et d'épices, de tanins enrobés et soyeux et de boisé policé. Ce vin est armé pour la décennie mais pourra s'apprécier plus jeune, dans trois ou quatre ans, sur un rôti de bœuf sauce madère, par exemple.

☛ Vignobles Michel Baudet, 15, rte de Compostelle, 33390 Plassac, tél. 05 57 42 16 63, fax 05 57 42 31 22, chateau@monconseilgazin.com, ☑ ⚔ � T r.-v.

BORDELAIS

Ⓑ CH. MONDÉSIR-GAZIN 2010

| | 18 000 | ⅢⅠ | 11 à 15 € |

Les vignes du domaine se répartissent sur le coteau argilo-calcaire exposé au sud de Gazin et sur un versant tourné vers l'estuaire de la Gironde, le lieu-dit Mondésir. Une part non négligeable de malbec (35 %) entre dans l'assemblage de ce 2010, à dominante de merlot. Un vin au nez plaisant et assez complexe de fruits rouges, de boisé frais et épicé, agrémenté de notes mentholées et florales, au palais rond et équilibré, soutenu par des tanins souples et par une pointe de fraîcheur. À déguster sur une viande rouge dans deux ou trois ans.

☛ Marc Pasquet, 79, rte de l'Estuaire, 33390 Plassac, tél. 05 57 42 29 80, mondesirgazin@aol.com, ☑ ⚭ ⏲ r.-v.

L'ATTRIBUT DES TOURTES 2010 ★

| | 5 000 | ⅢⅠ | 11 à 15 € |

Cette petite cuvée (par le volume) est issue du merlot à (80 %) et du cabernet-sauvignon. Après dix-huit mois en fût comme il se doit, elle dévoile un nez complexe et chaleureux d'épices, de fumé, de fruits confiturés et de réglisse. Une même générosité caractérise la bouche, ample, riche et ronde, tapissée de tanins soyeux. Un vin puissant et gourmand à la fois, que l'on réservera pour une viande en sauce ou du gibier d'ici trois à cinq ans.

☛ EARL Raguenot-Lallez-Miller, 30, Le Bourg, 33820 Saint-Caprais-de-Blaye, tél. 05 57 32 65 15, fax 05 57 32 99 38, contact@vignoblesraguenot.fr, ☑ ⚭ ⏲ t.l.j. sf dim. 9h-12h 14h-18h30 ⊞ Ⓖ

Blaye-côtes-de-bordeaux

Superficie : 6 490 ha
Production : 335 000 hl (95 % rouge)

L'appellation produit des vins rouges assemblant merlot, cabernet-sauvignon, cabernet franc et malbec ainsi que quelques blancs, qui associent sauvignon, sémillon et muscadelle. Les seconds sont en général secs, et on les sert en début de repas, alors que les rouges, puissants et fruités, de moyenne garde, accompagnent les viandes et les fromages.

CH. ANGLADE-BELLEVUE Passion
Élevé en fût de chêne 2011 ★

| | 6 666 | ⅢⅠ | 5 à 8 € |

Les frères Mège se glissent à nouveau dans ce chapitre grâce à cette cuvée créée en 2011. Un premier millésime donc et une première étoile, qui distingue un vin à large dominante de merlot (associé au cabernet-sauvignon), marqué au nez par un boisé élégant (moka) qui n'écrase pas le fruit, légèrement confit. La bouche attaque avec franchise et fraîcheur, se montre ensuite conquérante, ample et généreuse, soutenue par de bons tanins. Une bouteille à laisser vieillir deux ou trois ans avant de lui réserver un rosbif au four.

☛ SCEA Mège Frères, Les Lamberts, 33920 Générac, tél. 05 57 64 73 28, scea-mege@mege-freres.fr, ☑ ⚭ ⏲ r.-v.

CH. LES BILLAUDS Élevé en fût de chêne 2011

| | 10 000 | ⅢⅠ | 5 à 8 € |

Après deux millésimes qui avaient mis en vedette ses blancs, ce petit cru renoue avec le rouge et propose un 2011 au nez bien fruité, accompagné par un boisé discret. Le palais se montre souple et gras, porté par des tanins veloutés qui autorisent une ouverture dès aujourd'hui, sur un rôti de veau en cocotte.

☛ SCEA Vignobles Plisson, 5, Les Billauds, 33860 Marcillac, tél. 05 57 32 77 57, vignobles.plisson@orange.fr, ☑ ⚭ ⏲ r.-v. ⊞ Ⓐ

CH. BOIS-VERT La Confidence de Bois-Vert 2010 ★★

| | 4 000 | ⅢⅠ | 11 à 15 € |

Les années se suivent et se ressemblent pour Patrick Penaud. Les étoiles continuent de briller au-dessus de ses vins. Deux au-dessus de cette cuvée plutôt confidentielle, née de 60 % de merlot et de 40 % de cabernet-sauvignon. Après dix-sept mois de barrique, elle se présente dans une robe rubis bordée de reflets grenat et dévoile un nez dominé par un boisé élégant, biscuité et toasté. Elle se révèle ample, charnue et généreuse en bouche, soutenue par des tanins serrés mais soyeux et par un boisé luxueux. Une belle image de ce millésime de puissance que fut 2010, à attendre quatre ou cinq ans pour l'apprécier pleinement. Le **2012 blanc (5 à 8 € ; 12 000 b.)**, élevé en cuve, fruité (agrumes, fruits à noyau), souple et rond, obtient une étoile.

☛ Patrick Penaud, 12, Bois-Vert, 33820 Saint-Caprais-de-Blaye, tél. et fax 05 57 32 98 10, p.penaud.boisvert@gmail.com, ☑ ⚭ ⏲ r.-v.

CH. BOURDIEU Élevé en fût de chêne 2011 ★★

| | 200 000 | ⅢⅠ | 5 à 8 € |

Ce château bâti en 1464, dont le nom débute sa vocation viticole dès cette époque (un « bourdieu » indiquant au Moyen Âge une exploitation tournée vers la vigne), domine un vignoble de 40 ha majoritairement planté de merlot. Dans le verre, ce 2011 affiche une belle profondeur. Au nez, les fruits peinent pour l'heure à exister face aux senteurs empyreumatiques de l'élevage. Un boisé élégant qui apporte également son soutien au palais, ample, dense, puissant et soyeux à la fois. Là, les fruits apparaissent avec plus de vigueur et s'imposent dans une longue finale. Déjà très plaisant, ce vin peut aussi attendre deux ou trois ans. Du même propriétaire, le **Ch. Luc de Beaumont 2011 rouge (122 000 b.)** fait jeu égal offrant bien des agréments : son bouquet complexe de fruits rouges confits, de tabac, de grillé et d'épices, son volume en bouche, son côté charnu et rond, et sa longueur. À boire dans les trois à cinq ans.

☛ SCEA Vignobles Luc Schweitzer, Ch. Bourdieu, 33390 Berson, tél. 05 57 42 68 71, fax 05 57 42 69 40, chateau.bourdieu@wanadoo.fr, ☑ ⚭ ⏲ r.-v.

CH. LA BRAULTERIE DE PEYRAUD Cuvée Prestige
Élevé en fût de chêne 2011

| | n.c. | ⅢⅠ | 5 à 8 € |

Après quinze ans de lutte raisonnée, ce domaine de 38 ha a pris le virage de l'agriculture biologique et en est à sa troisième année de conversion. Trois cépages sont à l'origine de ce vin rubis aux reflets cerise : le merlot (50 %), le malbec et le cabernet-sauvignon, à parts égales. Le nez généreux exprime les fruits rouges mûrs accompagné par un boisé léger. La bouche suit la même ligne aromatique, et ses tanins serrés promettent une garde de deux ou trois ans.

☛ SARL La Braulterie-Morisset, Les Graves, 33390 Berson, tél. 05 57 64 39 51, fax 05 57 64 23 60, braulterie@wanadoo.fr,

☑ ⚔ ⛉ t.l.j. sf sam. dim. 9h-12h30 14h-18h30

CH. LA **BRETONNIÈRE** Excellence 2010 ★

| ■ | 16 000 | ⬤ | 8 à 11 € |

Stéphane Heurlier est installé depuis 1992 à la tête d'un domaine de 15 ha, dont il consacre 3 ha à cette cuvée née sur les graves reposant sur les argiles de Mazion. Le merlot est associé à une touche (8 %) de cabernet-sauvignon dans ce 2010 grenat aux franges vives. Le nez mêle les fruits noirs mûrs et les notes boisées et épicées de l'élevage. Franc en attaque, le palais évolue ensuite avec ampleur, rondeur et générosité, bien structuré par des

tanins soyeux et un boisé maîtrisé. Ce vin déjà appréciable pourra être attendu encore deux ou trois ans. Un peu plus austère et dominé par le fût (seize mois d'élevage), le **grand vin 2010 rouge (11 à 15 € ; 5 000 b.)** obtient également une étoile. On lui accordera un ou deux ans supplémentaires de garde.

☛ Stéphane Heurlier, 1, La Bretonnière, D 137, 33390 Mazion, tél. 05 57 64 59 23, fax 05 57 64 67 41, sheurlier@cegetel.net,

☑ ⚔ ⛉ r.-v.

CH. **CAPVILLE** Cuvée Prestige 2011 ★

| ■ | 67 000 | | 5 à 8 € |

Issu d'un assemblage de merlot, de cabernet-sauvignon et d'un soupçon de malbec, cette cuvée de négoce s'annonce dans une jolie robe aux reflets violines. Le nez gourmand évoque les fruits rouges enrobés par des

Le Blayais et le Bourgeais

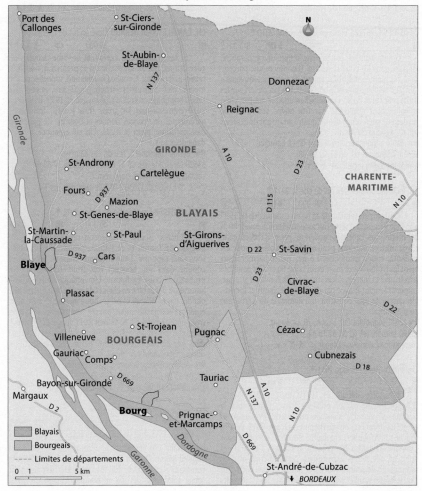

211   LE BORDELAIS

notes de caramel et d'épices douces. La chair est souple, suave et bien épaulée par des tanins fermes en fin de bouche. Tout cela demande encore un peu d'attente, un à trois ans.

☛ SARL Robin, 10, Champ-des-Aubiers, 33820 Saint-Aubin-de-Blaye, tél. 05 57 32 62 06, fax 05 57 32 73 73, jfr@grandmoulin.com

CH. LE CHAY Élevé en fût de chêne 2010 ★

■	12 000	⏸	5 à 8 €

Ce cru familial de 38 ha a sélectionné 2 ha pour élaborer ce 2010 né de deux tiers de merlot et d'un tiers de malbec. La robe est rubis intense. Le nez, encore sous l'emprise de la barrique, livre des parfums à dominante grillée et épicée. La bouche ample et solide s'appuie sur des tanins serrés encore un peu stricts, qui demandent trois ou quatre ans pour s'assouplir. Parfait pour une viande rouge grillée.

☛ Didier Raboutet, Ch. le Chay, 33390 Berson, tél. 05 57 64 39 50, fax 05 57 64 25 08, lechay@wanadoo.fr, ☑ ⚲ ⏁ t.l.j. sf dim. 8h-12h 14h-19h

CLOS DES CASTETS Vieilli en fût de chêne 2010 ★

■	2 400	⬛⏸	8 à 11 €

Ce cru familial, conduit par la huitième génération, est basé dans les côtes-de-bourg. Il consacre une parcelle de 1 ha plantée majoritairement de cabernet-sauvignon (80 %) à ce blaye-côtes-de-bordeaux.Un vin ouvert sur les fruits mûrs et le boisé vanillé, vif en attaque, ample, plein et solidement charpenté par des tanins serrés. On le gardera de préférence deux à quatre ans avant de le servir sur un agneau au thym.

☛ Favin – Vignobles Roy, 1, lieu-dit Le Bourdieu, 33710 Villeneuve, tél. 06 81 93 93 98, vignoblesroy@orange.fr, ☑ ⚲ ⏁ r.-v.

CH. FOMBRION Élevé en fût de chêne 2011 ★

■	20 000	⏸	5 à 8 €

Ce domaine familial de 25 ha est conduit depuis 1997 par Éric Sicaud. Le vigneron associe classiquement 80 % de merlot au cabernet-sauvignon pour élaborer cette cuvée mise en barrique pendant douze mois. La robe est brillante, rouge framboise. Le nez marie harmonieusement les fruits rouges mûrs et un boisé léger. Cet équilibre se retrouve et met en valeur une bouche ronde en attaque, ample et longue, étayée par des tanins élégants et fondus. Un ensemble bien construit, qui demande un à trois ans de patience.

☛ EARL Vignobles Éric Sicaud, 20, Le Bourg, 33390 Mazion, tél. 05 57 42 18 62, chateau-fombrion@wanadoo.fr, ☑ ⚲ ⏁ r.-v.

CH. FRÉDIGNAC Prestige 2011 ★

■	15 000	⬛⏸	5 à 8 €

L'histoire débute en 1919 lorsque Jean-Marie L'Amouller, Breton en escale à Blaye, tombe sous le charme du Blayais, s'installe au lieu-dit Frédignac et plante les premiers ceps du domaine. Depuis 2013, ce sont Vincent L'Amouller, cinquième du nom, et son épouse Ludivine Lemaître qui mènent la barque. Ce 2011 est donc né des mains expertes du père, Michel, et d'un assemblage de merlot (60 %) et des deux cabernets. Au nez, le boisé, vanillé et épicé, l'emporte sur les fruits noirs

mais sans les étouffer. La bouche se révèle ample et ronde, adossée à des tanins fins et soyeux et à un boisé élégant, réveillée en finale par un joli fruité acidulé. À boire dans deux ou trois ans sur une entrecôte à la bordelaise.

☛ EARL Vignobles L'Amouller, 7, rue Émile-Frouard, 33390 Saint-Martin-Lacaussade, tél. 05 57 42 24 93, fax 05 64 11 08 79, contact@chateau-fredignac.fr, ☑ ⚲ ⏁ t.l.j. 10h-12h30 14h-17h 🏠 ➋

CH. GARREAU 2011 ★

■	n.c.	⬛⏸	8 à 11 €

Un peu moins de cabernet-sauvignon dans ce millésime précédent (30 % contre 40 %), mais un vin tout aussi réussi. La robe est d'un seyant rubis, à la fois brillant et profond. Le bouquet marie un fruité généreux à un boisé fin. En bouche, l'équilibre est là : de la rondeur, du gras, des tanins bien présents, beaucoup de fruit et un boisé prometteur. Un bel ensemble à attendre deux ou trois ans.

☛ SCEA Ch. Garreau, 33710 Pugnac, tél. 05 57 68 90 75, fax 05 57 68 81 90, info@chateaugarreau.com, ☑ ⚲ ⏁ r.-v.

CH. CAMILLE GAUCHERAUD Élevé en fût de chêne 2010 ★

■	30 000	⏸	8 à 11 €

Si les Gaucheraud exploitent la vigne depuis cinq générations, Benoît Latouche est le premier à vinifier le raisin qu'il produit. Camille Gaucheraud, tonnelier de son métier, était son arrière-arrière-grand-père, auquel il a rendu hommage en créant ce domaine en 1999. Il signe un 2010 expressif, sur les fruits frais (cassis, framboise) agrémentés de nuances florales et boisées. Le palais est bien constitué, plein et fruité. Un vin équilibré, à boire dans deux ans.

☛ Benoît Latouche, 1, lieu-dit Les Barrières, 33620 Laruscade, tél. 05 57 68 64 54, fax 05 57 68 64 53, contact@camille-gaucheraud.com, ☑ ⚲ ⏁ t.l.j. 8h30-12h30 14h-19h; sam. dim. sur r.-v.

CH. GAUTHIER Élevé en fût de chêne 2011 ★

■	40 000	⏸	5 à 8 €

Alliance Bourg, groupement des coopératives de Pugnac, de Tauriac et de Lansac, propose un 2011 bien sous tous rapports. Un vin élégant dans sa robe cerise comme dans son bouquet très fruité (cassis, griotte, pruneau) et boisé en finesse. Une attaque ample et vive amorce un palais bien en chair et de bonne tenue, structuré par des tanins délicats et par un boisé mesuré. L'ensemble, équilibré et déjà charmeur, pourra aussi patienter deux ou trois ans en cave. Le **Ch. Glorit 2011 rouge (25 000 b.),** floral et fruité au nez, vif en attaque, plus rond et généreux dans son développement, porté par des tanins « actifs », obtient également une étoile.

☛ Alliance Bourg, Bellevue, 33710 Pugnac, tél. 05 57 68 81 01, fax 05 57 68 83 17, alliancebourg@orange.fr, ☑ ⚲ ⏁ r.-v.

CH. GIGAULT Cuvée Viva 2010 ★★

■	53 085	⏸	15 à 20 €

Ce domaine est décrit dans le Féret de 1870 comme le premier cru de Mazion. Christophe Reboul-Salze conduit aujourd'hui un vignoble de 18 ha, dont 10 ha sont consacrés à cette cuvée 100 % merlot. Derrière une robe rouge sombre se dévoile un bouquet intense de fruits, d'épices, de toasté et de vanillé. Lui fait écho un palais franc en attaque, volumineux et solidement structuré, long et chaleureux en finale. Un vin de caractère auquel on accordera trois à cinq ans de garde. La **cuvée classique 2011 rouge (5 à 8 € ; 39 895 b.)**, ronde, douce et fruitée, obtient une étoile, de même que le **Ch. les Grands Maréchaux 2010 rouge (8 à 11 € ; 66 716 b.)**, gras, ample et bien charpenté.

🍷 Christophe Reboul-Salze, Ch. Gigault, 33390 Mazion, tél. 05 57 32 62 59, fax 05 57 58 12 31, chateau.gigault@gmail.com, ☑ r.-v. 🏠 ❸

CH. LE GRAND-TRIÉ 2012 ★

12 000	🍴	5 à 8 €

Né de 90 % de sauvignon et d'une touche de muscadelle, ce 2012 très pâle est cristallin aux reflets verts de jeunesse. Agrumes, fruits exotiques, pierre à fusil et fleurs blanches composent un bouquet frais et intense. Une attaque nerveuse ouvre sur un palais souple et frais, floral et fruité, rehaussé par une finale épicée. Un ensemble friand et tonique, à découvrir au cours des deux prochaines années sur des fruits de mer ou sur un poisson grillé. Jany Haure signe aussi un vin réussi avec son **Ch. du Séguinier 2011 rouge (30 000 b.)**, finement fruité et boisé au nez, accompagné de nuances animales, souple et rond en bouche. À boire ou à attendre un an ou deux.

🍷 Jany Haure, Les Augirons, 33820 Saint-Ciers-sur-Gironde, tél. 05 57 32 63 10, fax 05 57 32 95 34, haurejany@orange.fr, ☑ ⚐ ⴼ r.-v.

CH. LES GRAVES 2012 ★

14 000	🍴	5 à 8 €

Si le seul sauvignon est indiqué sur l'étiquette, ce 2012 accueille aussi 10 % de muscadelle. Un vin jaune pâle aux reflets verts, équilibré au nez comme en bouche. Fleurs blanches, agrumes, fruits exotiques, pêche de vigne, le bouquet est des plus expressifs. La bouche ne manque ni de gras ni de soyeux, dynamisée par une belle fraîcheur citronnée. Un ensemble élégant et harmonieux, à déguster dès à présent sur un poisson sauce aux agrumes.

🍷 SCEA Pauvif, 15, rue Favereau, 33920 Saint-Vivien-de-Blaye, tél. 05 57 42 47 37, fax 05 57 42 55 89, info@cht-les-graves.com, ☑ ⚐ ⴼ t.l.j. sf dim. 9h-12h 14h-18h

💚 DOM. DES GRAVES D'ARDONNEAU Cuvée Prestige Élevé en fût de chêne 2011 ★★

55 000	🍷	5 à 8 €

Le blanc 2011 était à l'honneur dans l'édition précédente et décrochait un coup de cœur qui faisait écho à celui obtenu par la cuvée Prestige 2009. Vous l'aurez compris, ce domaine est une valeur sûre de l'appellation. À sa tête depuis 1981, Christian Rey, accompagné aujourd'hui par ses enfants Laurent et Fanny, perpétue une tradition vigneronne débutée au XVIIIᵉs. sur ces terres du hameau d'Ardonneau. Ce 2011 assemble 70 % de merlot, 25 % de cabernet-sauvignon et 5 % de malbec. La robe est sombre et profonde. L'annonce d'un bouquet puissamment boisé – un boisé élégant et chaleureux, aux accents torréfiés. Si le fruit peine à exister, il se révèle plus nettement en bouche, même si l'élevage imprime là aussi sa marque. Mais la matière est bien en place, riche et

dense, épaulée par des tanins gras et fondus, à même d'absorber cet élevage luxueux. Ce vin plein de promesses accompagnera un mets de caractère dans trois à cinq ans. La **cuvée Prestige Élevé en fût de chêne 2012 blanc (16 000 b.)**, expressive et complexe (agrumes, fruits jaunes, fleurs blanches, boisé), souple, soyeuse et fraîche en bouche, longuement épicée et fruitée en finale, obtient elle aussi deux étoiles.

🍷 EARL Simon Rey et Fils, Ardonneau, 33620 Saint-Mariens, tél. 05 57 68 66 98, fax 05 57 68 19 30, gravesdardonneau@wanadoo.fr, ☑ ⚐ ⴼ t.l.j. sf dim. 8h-12h30 14h30-19h

CH. HAUT-CABUT 2011 ★

63 000	🍴	5 à 8 €

Derrière ce domaine familial de 10 ha, propriété de la famille d'Alain Drop depuis un siècle et demi, se trouve la coopérative de Cars qui vinifie ici un vin bien construit de bout en bout. À l'intensité de la robe, grenat soutenu, répond celle du bouquet, harmonieusement partagé entre senteurs épicées et fruitées. Dans le même registre, la bouche se montre douce et souple en attaque, évoluant sur des tanins fermes qui lui donnent du volume et de la longueur. Cette bouteille gagnera à vieillir deux ou trois ans. Également vinifié par les Châteaux Solidaires, la **Ch. Montfollet 2011 rouge Le Valentin (8 à 11 € ; 80 000 b.)**, cuvée prestige de la cave très régulièrement distinguée dans ces pages, est cité pour son nez bien marié entre les fruits et le fût, pour son palais souple et rond en attaque, étayé par des tanins soyeux. Le boisé encore dominateur demande deux ou trois ans de garde pour se fondre.

🍷 Châteaux Solidaires, 9, Le Piquet, 33390 Cars, tél. 05 57 42 13 15, fax 05 57 42 84 92, d.raimond@chateaux-solidaires.com, ☑ ⚐ ⴼ t.l.j. sf dim. 9h-12h 14h-18h

CH. DU HAUT-GUÉRIN 2011 ★

50 000	🍴	8 à 11 €

Les frères Coureau signent un 2011 de caractère, né de 65 % de merlot et de 35 % des deux cabernets. Une robe rouge cerise habille ce vin au bouquet ouvert et généreux de fruits rouges et noirs mûrs, d'épices et de réglisse. La bouche attaque en rondeur et en souplesse, puis monte en volume et en puissance, portée par des tanins serrés et même un peu stricts en finale. Trois à cinq ans de garde assoupliront l'ensemble.

🍷 SARL Ch. du Haut-Guérin, 33920 Saint-Savin, tél. 05 57 58 40 47, fax 05 57 58 93 09, j.coureau@cgmvins.com, ☑ ⚐ ⴼ t.l.j. 9h-12h 14h-18h
🍷 Coureau

CH. HAUT-LA-VALETTE Distinction
Élevé en fût de chêne 2011 ★★

| ■ | 4 200 | ⅢⅢ | 5 à 8 € |

Jean-Michel Bergeron et son fils Cédric proposent avec cette cuvée mi-merlot mi-malbec un vin gourmand et très équilibré. La robe est d'un beau rouge profond et intense. Le bouquet mêle harmonieusement fruits mûrs et boisé. La bouche est à l'unisson : le fruité apparaît généreux, le boisé fondu, les tanins se révèlent solidement arrimés, la finale est longue et savoureuse. Une bouteille déjà très aimable, à découvrir dès aujourd'hui sur un rôti de bœuf au four.

☛ Jean-Michel Bergeron, 3, lieu-dit Les Martins, 33390 Cars, tél. 05 57 42 31 67, fax 05 57 420 31 67, jean-michel-bergeron@wanadoo.fr, ☑ ★ ⵝ r.-v.

♥ CH. HAUT-TERRIER Élevé en barrique neuve 2012 ★★

| | 4 600 | ⅢⅢ | 8 à 11 € |

Régulièrement distingué, le blanc de Haut-Terrier monte sur la plus haute marche dans sa version 2012. Bernard Denéchaud est installé depuis plus de trente ans sur ce domaine familial de 58 ha, fondé en 1850. Son vin issu de sauvignon se pare d'une superbe robe jaune intense et brillant. Au nez, il mêle les fleurs blanches et les fruits exotiques à un noble boisé aux accents grillés. Le palais se montre rond, gras et soyeux, sans jamais manquer de vivacité. Notes d'élevage et fruité sont là aussi en harmonie. La finale est longue et tonique, et l'ensemble remarquable d'équilibre et de volume. Viande blanche, volaille ou poisson en sauce, tout lui conviendra, aujourd'hui comme dans un an ou deux.

☛ EARL Vignobles Denéchaud, 181, av. Marc-Doulus, 33620 Saint-Mariens, tél. 05 57 68 53 54, fax 05 57 68 16 87, chateau-haut-terrier@wanadoo.fr, ☑ ★ ⵝ r.-v.

CH. LE JONCIEUX 2011

| ■ | 80 000 | ▌ | 5 à 8 € |

Ce domaine de 33 ha propose une cuvée à dominante de merlot (85 %) d'un seyant grenat intense. Le nez s'harmonise entre notes boisées et fruitées (fraise des bois). La bouche se révèle souple, douce et légère, structurée en finesse par les tanins soyeux. Un vin déjà plaisant, à boire sur le fruit.

☛ EARL Jullion, Beauséjour, 33390 Berson, tél. 06 86 98 14 23, fax 05 57 64 23 00, franck.jullion@wanadoo.fr, ☑ ★ ⵝ r.-v.

CH. LES JONQUEYRES 2010 ★

| ■ | 18 600 | ⅢⅢ | 15 à 20 € |

Le vin sera bio avec le millésime 2012 sur ce domaine familial de 11 ha, dont certaines vignes affichent l'âge canonique et pré-phylloxérique de cent cinquante ans. Celles à l'origine de ce 2010 ont cinquante ans, du merlot surtout (90 %), avec une touche de malbec et de cabernet-sauvignon. Le résultat est un vin richement doté au nez comme en bouche. À l'olfaction, de chaleureuses notes de cerise à l'eau-de-vie accompagnent les épices et un boisé léger. L'attaque franche ouvre sur un palais ample, charpenté et long, bien serré en finale. Deux à trois ans de garde porteront cette bouteille à son apogée.

☛ Montaut, 7, Courgeau, 33390 Saint-Paul-de-Blaye, tél. 05 57 42 34 88, fax 05 57 42 93 80, pascal@chateaulesjonqueyres.com, ☑ ★ ⵝ r.-v.

CH. LACAUSSADE-SAINT-MARTIN Trois Moulins 2011 ★

| | 20 000 | ⅢⅢ | 8 à 11 € |

Cet ancien domaine a été repris en 1991 par l'œnologue Jacques Chardat. Si 40 des 45 ha que compte le vignoble sont dédiés aux vins rouges, ce sont les cinq restant consacrés au blanc qui sont distingués. Ce vin fait la part belle au sémillon (90 % de l'assemblage aux côtés du sauvignon) et livre un bouquet intense et généreux de vanille, de brioche, d'orange et d'épices. La bouche se montre ronde, soyeuse et enrobée, tonifiée par une finale fraîche et fruitée. À réserver plutôt pour un poisson en sauce que pour des fruits de mer. La cuvée **Trois Moulins 2011 rouge (5 à 8 € ; 60 000 b.)**, bien équilibrée entre le bois et le fruit, structurée avec élégance et souplesse, obtient également une étoile. On l'attendra deux ou trois ans.

☛ SCEA Ch. Labrousse-M. Chardat, 8, rte de Labrousse, 33390 Saint-Martin-Lacaussade, tél. 05 57 32 51 61, fax 05 57 32 51 38, j.chardat@corlianges.com, ☑ ★ ⵝ r.-v.

CH. LARRAT Élevé en fût de chêne 2011 ★

| ■ | 3 528 | ▌ⅢⅢ | 5 à 8 € |

En 2000, Bernard Larrat a quitté la cave coopérative de Pugnac, dans le Bourgeais, pour vinifier les 19 ha que compte son vignoble. Ce 2011 est issu d'une petite parcelle blayaise de 60 ares exclusivement plantée de merlot. Paré d'une robe framboise, il marie au nez fruits rouges mûrs et boisé fondu. Une élégante structure tannique met en valeur un palais ample, gras et plein de fruit. À boire dans les deux ans sur un onglet de bœuf grillé.

☛ EARL Dom. de Grillet, 5, Grillet, 33710 Pugnac, tél. 06 16 60 91 17, fax 05 57 68 82 65, info@domainedegrillet.fr,
☑ ★ ⵝ t.l.j. sf dim. 8h-13h 14h-20h

CH. MAGDELEINE BOUHOU 2011 ★

| ■ | 50 000 | ⅢⅢ | 11 à 15 € |

Ici, le malbec a toujours eu sa place. Muriel Revaire, depuis 2004 à la tête de ce domaine ancien (1868), l'assemble à 90 % de merlot pour élaborer cette cuvée très sombre, tirant sur le noir. Le nez, intense et stimulant, mêle les fruits rouges et noirs, le moka et les épices. Ronde en attaque, la bouche affiche une belle puissance, un agréable côté charnu et un fruité généreux qui enrobent des tanins fermes, un rien sévères en finale. À déguster dans deux ou trois ans sur une entrecôte sauce au poivre.

☛ EARL Chaumet-Rousseau, 4, Bouhou, 33390 Cars, tél. 05 57 42 19 13, muriel.revaire@magdeleine-bouhou.com, ☑ ★ ⵝ r.-v.

☛ Muriel Revaire

CH. MAISON NEUVE 2011

■　　　90 000　　■ ❶❶　　5 à 8 €

Cette propriété, transmise de mère en fille depuis quatre générations, est conduite depuis 2006 par Alexia Eymas. Assemblage classique de merlot (85 %) et de cabernet-sauvignon, ce 2011 livre un bouquet de fruits rouges mûrs agrémentés des notes grillées et torréfiées de la barrique. Le palais, souple et rond en attaque, ne cache pas non plus son caractère boisé, soutenu par de bons tanins. Patientez deux ou trois ans avant d'ouvrir cette bouteille sur un rôti de veau braisé.

☛ SCEA Ch. Maison neuve, 18, La Garenne, 33820 Saint-Palais, tél. et fax 05 57 32 96 15, chateaumaisonneuve@hotmail.com,
☑ ⚔ ⚑ t.l.j. sf sam. dim. 9h-12h30 13h30-18h30

CH. DES MATARDS Cuvée Nathan 2011 ★★

■　　　30 000　　❶❶　　5 à 8 €

Le premier millésime de cette cuvée, créé à la naissance du deuxième fils de Christophe Terrigeol, date de 1995. Depuis, elle fréquente régulièrement ces pages et s'illustre à nouveau dans une version 2011 bien architecturée au nez comme en bouche. Pas de fausse note à l'olfaction, équilibrée entre un boisé discret et un fruité mûr. Aucune dissonance non plus au palais, rond, ample et doux, structuré par des tanins fins et par un merrain qui reste à sa place. Un vin à la fois riche et précis, à découvrir dans les trois ou quatre ans sur une viande rouge longuement mijotée.

☛ SCEA Terrigeol et Fils, 27, av. du Pont-de-la-Grâce, Le Pas-d'Ozelle, 33820 Saint-Ciers-sur-Gironde, tél. 05 57 32 61 96, fax 05 57 32 79 21, info@chateau-des-matards.com,
☑ ⚔ ⚑ t.l.j. 8h-12h30 13h30-18h30; dim. sur r.-v.

CH. MAYNE-GUYON 2011

■　　　215 000　　■　　5 à 8 €

Élevé quatorze mois en cuve, ce 2011 séduit d'emblée par son bouquet de fruits mûrs rehaussé d'épices. Tout aussi fruité, le palais se révèle souple et rond, porté par des tanins fondus et d'une longueur honorable. Un vin déjà appréciable, qui formera un bel accord avec une grillade au feu de bois.

☛ Cazeneuve, Ch. Mayne-Guyon, Maine-Guion, 33390 Cars, tél. 05 57 42 09 59, fax 05 57 42 27 93, mayne-guyon@wanadoo.fr, ☑ ⚑ r.-v.

CH. MONCONSEIL-GAZIN 2011 ★

■　　　84 000　　■　　5 à 8 €

Cet habitué du Guide propose un 2011 grenat intense, au nez non moins intense de fruits noirs mûrs enrobés de notes finement vanillées. Dans la même gamme aromatique, la bouche se montre concentrée, ample et riche. Les tanins sont soyeux, le boisé est intégré, la finale longue. L'ensemble est équilibré et armé pour trois à cinq ans de garde.

☛ Vignobles Michel Baudet, 15, rte de Compostelle, 33390 Plassac, tél. 05 57 42 16 63, fax 05 57 42 31 22, chateau@monconseilgazin.com, ☑ ⚔ ⚑ r.-v.

CH. MOULIN NEUF Élevé en fût de chêne 2011 ★

■　　　10 000　　■ ❶❶　　8 à 11 €

Les Glémet père et fils signent à partir de 2 ha de merlot une cuvée appréciée d'emblée pour sa robe sombre

et profonde. Le nez est aussi convaincant, intense, chaleureux, vanillé, toasté, poivré et fruité. La bouche se révèle ronde, ample et généreuse, adossée à des tanins serrés et à un boisé élégant qui assureront à ce vin une bonne tenue au vieillissement : on pourra l'attendre trois à cinq ans. Citée, la cuvée principale **2011 rouge (5 à 8 € ; 80 000 b.)**, bien équilibrée entre les notes d'élevage et les fruits, soyeuse, structurée par des tanins lissés, est à garder deux ou trois ans en cave.

☛ Vignobles Glémet, Le Moulin neuf, 33920 Saint-Christoly-de-Blaye, tél. 05 57 42 55 38, fax 05 57 42 56 01, chateau.moulin-neuf@orange.fr,
☑ ⚔ ⚑ t.l.j. sf dim. 8h-12h 14h-18h

CH. PATY-CLAUNE 2012 ★★

■　　　4 000　　■　　- de 5 €

Cette propriété familiale répartit son vignoble entre la Gironde (13 ha) et la Charente-Maritime (3 ha), où elle produit du pineau-des-charentes. Elle se distingue ici par un pur sauvignon, qui dévoile un bouquet complexe et engageant de fleurs blanches, de fruits exotiques et d'agrumes. Ample et intense dès l'attaque, le palais offre beaucoup de gras et de rondeur, étayé par une pointe de vivacité bienvenue.Un vin riche mais équilibré, à réserver pour une viande blanche ou pour un poisson en sauce. Le **2010 rouge Élevé en fût de chêne (5 à 8 € ; 12 000 b.)** reçoit une étoile pour ses parfums généreux de fruits confits, d'épices et de boisé et pour sa bouche croquante et très fruitée. À boire dans les deux ans sur une viande grillée.

☛ EARL Jean-Michel Bertrand, 3, Les Renauds, 33820 Saint-Ciers-sur-Gironde, tél. et fax 05 57 32 65 45, bertrand-jm2@wanadoo.fr,
☑ ⚔ ⚑ t.l.j. sf dim. 9h-12h30 14h-19h

CH. PETIT-BOYER La Passion 2011 ★

■　　　90 000　　❶❶　　5 à 8 €

Ce domaine familial de 33 ha a entamé sa seconde année de conversion à l'agriculture biologique. Il consacre 16 ha à cette cuvée assemblant deux tiers de merlot à un tiers de cabernet-sauvignon. Au nez, les fruits mûrs se mêlent aux notes grillées des sept mois de barrique. Ample, gras et long, le palais s'appuie sur un boisé maîtrisé et sur des tanins bien présents, qui s'affineront avec deux ou trois ans de garde. Proposé par la structure de négoce créée en 2006, la cuvée **Vieilles Vignes 2011 rouge (11 à 15 € ; 45 000 b.)** ajoute une pointe de malbec à l'assemblage. Dans un style proche, équilibrée entre une chair ronde, un élevage bien ajusté et des tanins fins, elle obtient également une étoile.

☛ Jean-Vincent Bideau, La Pistolette, 33390 Cars, tél. 05 57 42 19 40, fax 05 57 42 33 49, contact@petit-boyer.com,
☑ ⚔ ⚑ t.l.j. sf sam. dim. 9h-12h 14h-17h30 ⌂ Ⓑ

CH. RELAIS DE LA POSTE 2011

■　　　16 000　　■　　5 à 8 €

Ce 100 % merlot a vu le jour dans un ancien relais de poste datant de 1750. Il se présente dans une robe rubis intense, le nez empreint d'alléchantes notes fruitées et boisées agrémentées d'une touche végétale plus fraîche. La bouche affiche un bon volume souligné par des tanins élégants, que l'on découvre plus sévères en finale. Ils s'affineront d'ici un an ou deux.

☛ Vignobles Drode, Relais de la Poste, 33710 Teuillac, tél. 05 57 64 37 95, brunodrode@hotmail.fr, ☑ 🕏 ⟂ r.-v.

LA RÉVÉLATION 2011 ★★

| ■ | 15 000 | ⬧ | 8 à 11 € |

Cette Révélation fait la part belle au merlot – 90 % de l'assemblage, avec le cabernet-sauvignon en appoint. Cela donne sur ce terroir argilo-calcaire de Cars un vin rouge vif et brillant, aux parfums intenses de fruits rouges, de toasté et de menthol. Un caractère frais et dynamique que l'on retrouve dans un palais franc en attaque, épicé, fruité et charnu. Si ses tanins fondus autorisent une ouverture dans l'année, sa vivacité permettra une garde de deux ou trois ans. Du même propriétaire, le **Ch. Gardut Haut Cluzeau 2010 rouge cuvée Prestige (5 à 8 € ; 35 000 b.),** souple, rond, aux tanins policés et au boisé fondu, est lui aussi prêt à boire. Il obtient une étoile.
☛ Vignobles Denis Lafon, Bracaille 1, 33390 Cars, tél. 05 57 42 33 04, fax 05 57 42 08 92, denis-lafon@wanadoo.fr, ☑ 🕏 ⟂ r.-v.

CH. LES RICARDS 2011 ★

| ■ | 33 000 | ⬧ | 11 à 15 € |

Une équipe 100 % féminine dirige ce domaine établi sur le plateau de Cars. À sa tête depuis 1992, Corinne Chevrier-Loriaud, dont cette cuvée à dominante de merlot, complétée de malbec et de cabernet-sauvignon, retient l'attention. Les quatorze mois de barrique sont bien présents dans le verre, les fruits restant en retrait des senteurs grillées et vanillées. La bouche ronde et charnue évolue sur des tanins fermes qui lui confèrent du volume et de la puissance, et même un peu d'austérité en finale. On attendra trois ou quatre ans que l'ensemble s'assouplisse pour le servir sur du gibier en sauce, par exemple.
☛ SARL Chevrier-Loriaud, 1, les Ricards, 33390 Cars, tél. 06 89 90 20 04, fax 05 57 42 32 87, chateau.belair.la.royere@wanadoo.fr, 🕏 ⟂ r.-v.

CH. LA RIVALERIE Réserve 2010 ★

| ■ | 3 700 | ⬧ | 20 à 30 € |

Un assemblage original pour ce cru où le malbec et le cabernet-sauvignon font jeu égal (36 % chacun) et où le merlot tient le second rôle. Jérôme Bonaccorsi, à la tête de ce domaine de 35 ha depuis 2005, en tire un vin de garde, intense au nez, sur le moka, le grillé et les fruits noirs, et puissant en bouche, gras, fruité et boisé, soutenu par des tanins fermes. Encore un peu « brut de décoffrage » mais prometteur. On attendra trois ou quatre ans.
☛ Ch. la Rivalerie, 1, La Rivalerie, 33390 Saint-Paul, tél. 05 57 42 18 84, fax 05 57 42 14 27, contact@larivalerie.com,
☑ 🕏 ⟂ t.l.j. sf sam. dim. 8h30-12h30
☛ Bonaccorsi

CH. LA ROSE-BELLEVUE Prestige Fût de chêne 2011 ★

| ■ | 20 000 | ▮⬧ | 8 à 11 € |

Ce 2011 issu d'une sélection parcellaire assemble classiquement 75 % de merlot aux deux cabernets. Le nez s'ouvre sur un joli boisé vanillé, vite rejoint par les fruits noirs mûrs. La bouche se montre suave, ample et ronde, portée par des tanins soyeux et un boisé élégant, sans sécheresse. L'ensemble est assez puissant, complet et équilibré. Dans trois à cinq ans, cette bouteille sera à son apogée.

☛ EARL Vignobles Eymas et Fils, 5, Les Mouriers, 33820 Saint-Palais, tél. 05 57 32 66 54, fax 05 57 32 78 78, service.commercial@chateau-rosebellevue.com, ☑ 🕏 ⟂ t.l.j. sf dim. 9h-12h 14h-18h

CH. SIFFLE MERLE Cuvée Prestige
Élevé en fût de chêne 2011

| ■ | 10 000 | ⬧ | 8 à 11 € |

Franck Cot et sa fille Émeline proposent un pur merlot bien équilibré, au nez comme en bouche. L'olfaction révèle un bon boisé aux accents épicés et torréfiés associé à un fruité fin. Une même harmonie entre l'élevage et le fruit caractérise le palais, souple et soyeux. À boire ou à garder deux ans. La cuvée principale **2011 rouge** (5 à 8 € ; 15 000 b.), plus friande et fruitée (élevée en cuve), est également citée.
☛ Franck Cot, 1, Le Merle, 33860 Marcillac, tél. 05 57 32 41 34, fax 05 67 34 17 97, contact@chateau-siffle-merle.com, ☑ 🕏 ⟂ r.-v.

CH. TOUR SAINT-GERMAIN Cuvée du Moulin 2011

| ■ | 50 000 | ⬧ | 5 à 8 € |

Un vieux moulin qui trône toujours sur la propriété donne son nom au domaine, acquis par la famille Noël en 1891. Le seul merlot compose ce 2011 au nez plaisant de fruits rouges et d'épices douces. La bouche se montre souple et ronde, gourmande et fruitée, adossée à des tanins soyeux. À boire ou à attendre deux ou trois ans.
☛ EARL Noël Tour Saint-Germain, Saint-Germain, 33390 Berson, tél. 05 57 64 39 13, fax 05 57 64 24 47, contact@tour-saint-germain.com, ☑ 🕏 ⟂ r.-v.

♥ CH. DES TOURTES Cuvée Prestige 2011 ★★

| ■ | 15 000 | ⬧ | 8 à 11 € |

Ce coquet domaine de 60 ha est un habitué du Guide. Il a sélectionné 2,5 ha complantés de merlot (80 %) et de cabernet-sauvignon pour élaborer cette cuvée saluée pour son équilibre et son harmonie. Derrière une robe rouge cerise intense et brillant, on découvre un bouquet ouvert et élégant de fruits mûrs mariés à un boisé fondu et épicé. Franche en attaque, la bouche plaît par sa rondeur, ses tanins soyeux et enrobés, son boisé fin et respectueux du fruit et sa longue finale veloutée. On attendra deux ou trois ans avant d'ouvrir cette bouteille sur un mets de choix, un filet de bœuf sauce aux morilles, par exemple.
☛ EARL Raguenot-Lallez-Miller, 30, Le Bourg, 33820 Saint-Caprais-de-Blaye, tél. 05 57 32 65 15, fax 05 57 32 99 38, contact@vignoblesraguenot.fr, ☑ 🕏 ⟂ t.l.j. sf dim. 9h-12h 14h-18h30 🏠 🅖

LES VIGNERONS DE TUTIAC Excellence
Élevé en fût de chêne 2010

| ■ | 50 000 | ◫ | 5 à 8 € |

La coopérative de Marcillac a sélectionné 10 ha de merlot pour élaborer cette cuvée d'un rouge profond et intense, joliment bouquetée autour des fruits rouges frais, des épices et d'un boisé discret. La bouche se montre souple, charnue, structurée en finesse, épicée en finale. À déguster dans les deux ans sur un magret de canard.
☛ Les Vignerons de Tutiac, La Cafourche, 33860 Marcillac, tél. 05 57 32 48 33, fax 05 57 32 55 20, contact@tutiac.com, ☑ ⚭ ⏆ r.-v.

CH. VIEUX PLANTY Prélude 2010 ★

| ■ | 15 000 | ◫ | 5 à 8 € |

Arnaud Ovide s'est installé en 2001 sur les terres de Saint-Aubin-de-Blaye, où il exploite aujourd'hui 36 ha de vignes. Il a organisé ses différentes cuvées selon leurs profils aromatiques. Trois gammes en rouge, dont ce Prélude né de merlot (70 %) et de cabernet-sauvignon. Un vin dominé au nez par un boisé vanillé et grillé, plein, ample et tannique en bouche. Cette bouteille mérite deux à quatre ans de garde pour s'épanouir. On lui réservera alors une entrecôte à l'échalote.
☛ EARL Ovide et Fils, 10, Le Bourg, 33820 Saint-Aubin-de-Blaye, tél. et fax 05 57 32 67 35, chateauvieuxplanty@cario.fr, ☑ ⚭ ⏆ r.-v.

LES VIEILLES VIGNES DU CH. LE VIROU 2011 ★

| ■ | 90 000 | ◫ | 5 à 8 € |

De vieilles parcelles de merlot et de cabernet franc (35 %) plantées en 1967 sont à l'origine de ce 2011 né à l'emplacement d'un ancien monastère. Une cuvée « bien typée blayais », selon les dégustateurs ; entendez un vin au fruité frais, boisé sans excès, au nez comme en bouche, souple, rond et structuré par des tanins fins. Un ensemble équilibré, paré pour une garde de deux à quatre ans.
☛ SC Ch. Le Virou, 3, Le Virou, 33920 Saint-Girons-d'Aiguevives, tél. 06 87 31 12 86, fax 05 57 42 44 40, david.caillaud@chatgeauxenbordeaux.com, ☑ ⚭ ⏆ t.l.j. sf sam. dim. 9h-12h 15h-19h
☛ Bessède

CH. LA VOILE D'OR La Trinquette
Vieilli en fût de chêne 2011 ★

| ■ | 72 000 | ◫ | 5 à 8 € |

Ancienne propriété du duc de Saint-Simon, visitée en son temps par le Roi-Soleil qui en appréciait le vin. Trinquette ? La petite voile avant des bateaux (une référence au nom du domaine) mais aussi un appel non dissimulé au plaisir de... trinquer. Le fruité croquant, les nuances mentholées et le toasté qui composent le bouquet sont une invitation tentante à poursuivre la dégustation. Le palais ne déçoit pas : il est rond, généreux, charpenté par des tanins soyeux, boisé avec discernement, rehaussé par une finale poivrée. Un ensemble harmonieux, à déguster d'ici trois à cinq ans, entre amis donc et autour d'une bistrotière daube de bœuf.
☛ SCEA Lepage-Macé, rte des Cônes, 33390 Blaye, tél. 05 57 42 80 37, fax 05 57 42 83 58, contact@decancave.fr, ☑ ⚭ ⏆ t.l.j. 9h-12h 14h-19h

Côtes-de-bourg

Superficie : 3 920 ha
Production : 210 600 hl

L'AOC est située au sud du Blayais, sur la rive droite de la Gironde puis de la Dordogne. Avec le merlot comme cépage dominant, les rouges se distinguent souvent par leur couleur et leurs arômes typés de fruits rouges. Plutôt tanniques mais agréables dans leur jeunesse, ils peuvent vieillir de trois à huit ans. Peu nombreux, les blancs sont en général secs.

CH. BEAU SITE Élevé en fût de chêne 2010 ★

| ■ | 66 000 | ▥◫ | 5 à 8 € |

Né d'une sélection de 10 ha de merlot et d'un soupçon de malbec, ce 2010 paré de rouge sombre s'ouvre à l'aération sur les fruits cuits et la figue rehaussés de nuances poivrées. Vivifiée par une agréable fraîcheur et portée par des tanins aimables et ronds, la bouche se montre charnue, tendre et onctueuse, mais sans lourdeur, faisant preuve d'une réelle élégance. À déguster dans les cinq ans, sur un sauté de bœuf aux oignons.
☛ Roland Dumas, Ch. du Mass, 33240 Saint-Gervais, tél. 05 57 43 27 13, fax 05 57 43 64 67, domainesrolanddumas@orange.fr

CH. BÉGOT Élevé en fût de chêne 2010

| ■ | 6 000 | ◫ | 5 à 8 € |

Martine et Alain Gracia exploitent ce domaine familial de 17 ha depuis 1976. Ils proposent un 2010 qui fait la part belle au merlot (90 %), avec le cabernet-sauvignon en appoint. Les treize mois de barrique ont laissé une empreinte sensible au nez, qui pour l'heure masque quelque peu le fruit. En bouche, le vin se montre bien structuré par des tanins solides et épicés et par un boisé là aussi plutôt dominateur. Une bouteille d'un bon potentiel, à attendre trois ou quatre ans pour lui permettre de gagner en fondu.
☛ Alain et Martine Gracia, 5, Bégot, 33710 Lansac, tél. 05 57 68 42 14, chateau.begot@wanadoo.fr, ☑ ⚭ ⏆ t.l.j. 9h-12h 14h-18h; sam. dim. sur r.-v., f. 15-31 août

CH. BRÛLESÉCAILLE 2011 ★★

| ■ | 60 000 | ◫ | 8 à 11 € |

Ce domaine de 30 ha établi sur une croupe de calcaire à astéries est l'une des références de l'appellation. Ses vins fréquentent avec assiduité ce chapitre, et le plus souvent en excellente place. C'est encore le cas avec ce 2011 au nez puissant et complexe de fruits rouges et noirs, d'épices douces et de réglisse. Le palais associe rondeur, richesse et finesse tannique, fruité intense et boisé fondu. Un côtes-de-bourg de noble extraction, équilibré et goûteux, qu'il serait déjà fort tentant d'ouvrir. Patientez encore deux ou trois ans, le plaisir n'en sera que plus grand.
☛ GFA Rodet-Récapet, 29, rte des Châteaux, 33710 Tauriac, tél. 05 57 68 40 31, fax 05 57 68 21 27, cht.brulesecaille@orange.fr, ☑ ⚭ ⏆ t.l.j. sf dim. 9h-12h 14h30-19h ⌂ ☻

B CH. DE LA BRUNETTE Chêne de la Brunette 2010 ★★

| ■ | 6 100 | Ⅲ | 8 à 11 € |

Gil et Dorota Lagarde, enseignants convertis à la viticulture et à l'œnotourisme, exploitent depuis 1990 ce petit cru de 4,11 ha. Ils signent à partir du merlot (42 %), du malbec (38 %) et du cabernet-sauvignon un vin élégant de bout en bout. La robe est sombre, presque noire, ornée de reflets violines. Le nez mêle sans fausse note les fruits rouges et noirs aux épices douces (cannelle, vanille). Un bouquet envoûtant que prolonge un palais non moins charmeur, ample, rond, suave et gourmand, épaulé par des tanins soyeux et par un boisé fin. Déjà fort aimable, cette bouteille équilibrée pourra aussi rester trois ou quatre ans en cave.

🕿 SCEA Lagarde et Fils, Dom. de la Brunette, 33710 Prignac-et-Marcamps, tél. et fax 05 57 43 58 23, chateau.de.labrunette@wanadoo.fr, ☑ ⚥ ⵟ t.l.j. 10h-13h 14h-18h; sam. dim. sur r.-v.; f. 15-30 août 🏠 ❷ 🏠 🅐

CH. DE CANESSE Cuvée fruitée 2011

| ■ | n.c. | ■ | 5 à 8 € |

Dominique Boyer annonce clairement la couleur et revendique le fruit pour cette cuvée à dominante de merlot. De fait, derrière une robe rouge cerise, se dévoile un bouquet plaisant de fruits rouges et noirs (fraise, prune), relayé par un palais souple et frais. Un vin franc et harmonieux, à boire dans sa jeunesse.

🕿 Dominique Boyer, 2, Thioudat, 33710 Saint-Ciers-de-Canesse, tél. 06 62 15 95 26, chateau.decanesse@club-internet.fr, ☑ ⚥ ⵟ r.-v.

CH. CARPENA 2011

| ■ | 60 000 | Ⅲ | 5 à 8 € |

Ce vignoble reconstitué dans les années 1980 par Claude Carreau s'étend sur le plateau argilo-calcaire de Bayon. Le merlot (90 %) et le cabernet-sauvignon y ont donné naissance à ce vin au nez chaleureux de fruits à l'alcool sur fond boisé. Franc en attaque, d'un bon volume, le palais s'appuie sur des tanins serrés et encore un peu sévères, qu'adouciront deux ou trois ans de garde.

🕿 Vignobles Bayle-Carreau, Ch. Barbé, 33390 Cars, tél. 05 57 64 32 43, fax 05 57 64 22 74, contact@bayle-carreau.com, ☑ ⚥ ⵟ r.-v.

CH. DU CASTENET Désir pourpre 2010 ★

| ■ | 1 000 | Ⅲ | 15 à 20 € |

Un nouveau nom dans le Guide. Cette propriété de 12 ha dirigée par Olivier Noailles présente ici son premier millésime, un pur malbec très réussi, né sur un sol argilo-graveleux planté de ceps de cinquante-cinq ans. Paré d'une robe couleur cerise noire, ce vin déploie un bouquet intense de fruits rouges et noirs agrémenté des nuances torréfiées apportées par dix-huit mois de fût. On retrouve la marque de la barrique dans une bouche ample, dense et charnue, soutenue par une agréable fraîcheur et par une pointe de noble amertume qui confère un surcroît de complexité. À déguster dans trois ou quatre ans sur des travers de porc au caramel.

NOUVEAU PRODUCTEUR

🕿 Olivier Noailles, 4, Les Bourges, 33710 Teuillac, tél. 06 16 06 08 48, noailles.olivier@neuf.fr, ☑ ⚥ ⵟ t.l.j. sf dim. 9h30-12h30 14h-18h

CH. COLBERT Cuvée Prestige Élevé en fût de chêne 2011

| ■ | 15 000 | Ⅲ | 5 à 8 € |

Ce domaine de 22 ha est commandé par un château néogothique construit grâce à la prime versée en 1880 par l'armateur du Colbert : le navire, ensablé au pied du domaine, fut remis à flot grâce à l'ingéniosité du propriétaire de l'époque qui employa de ses barriques vides. Celles qui ont accueilli ce 2011 pendant douze mois ont donné naissance à un vin vanillé, toasté et épicé, gras et d'un bon volume en bouche, soutenu par des tanins fondus qui lui permettront d'être apprécié dès l'automne.

🕿 SCA Ch. Colbert, Ch. Colbert, 33, rte des Coteaux, 33710 Comps, tél. 05 57 64 95 04, fax 05 57 64 88 41, chateau-colbert@wanadoo.fr, ☑ ⚥ ⵟ r.-v.

CH. COUBET 2010 ★★

| ■ | 5 000 | ■ Ⅲ | 5 à 8 € |

Ce domaine familial semble obéir à un cycle de trente ans : le grand-père crée le domaine en 1936, sur environ 7 ha, le transmet à son fils en 1966, qui remet en 1996 les clés des désormais 15 ha à Michel Migné. Ce dernier signe un 2010 issu de merlot (70 %), de cabernet franc et de malbec, qui a fait l'unanimité pour son bouquet délicat et complexe de violette, d'épices et de fruits noirs sur un fond discrètement boisé. Vif et tonique en attaque, le palais suit l'olfaction et offre une évolution ample et ronde, porté par des tanins souples et par une fraîcheur qui donne de l'allonge à la finale. Un ensemble très harmonieux, gourmand et prêt à boire, qui ne devrait cependant rien perdre à attendre deux ou trois ans.

🕿 Michel Migné, Ch. Coubet, 33710 Villeneuve, tél. 05 57 64 91 04, coubet@orange.fr, ☑ ⚥ ⵟ r.-v.

B CH. FALFAS Le Chevalier
Élevé en fût de chêne 2010 ★

| ■ | 6 000 | Ⅲ | 20 à 30 € |

Depuis 1988, Véronique et John Cochran exploitent en biodynamie ce vignoble de 20 ha, ancienne terre des seigneurs de Lansac, commandé par un château construit en 1612 et classé Monument historique. À la noblesse des lieux répond celle de ce vin dominé par le cabernet-sauvignon (65 %). Ce Chevalier revêt une robe noire et dévoile un bouquet franc, bien équilibré entre fruité et boisé toasté. En bouche, il se révèle puissant, tannique, corpulent. Il baissera la garde après trois ou quatre ans de séjour en cave et accompagnera alors volontiers un plat de gibier.

🕿 Ch. Falfas, 2, Beychade, 33710 Bayon-sur-Gironde, tél. 05 57 64 80 41, fax 05 57 64 93 24, jvcochran@online.fr, ☑ ⚥ ⵟ r.-v.

🕿 V. Cochran

CH. LE FERREAU BELAIR 2011 ★

| ■ | 100 000 | ■ Ⅲ | 5 à 8 € |

Les sœurs Faure, Delphine et Agnès, exploitent depuis 2004 ce domaine acquis par leur père Alain. Elles proposent une cuvée née de merlot (60 %), de cabernet-sauvignon et de malbec qui séduit dès la présentation par sa robe rouge grenat ornée de lueurs violines. Le nez charme quant à lui par ses notes de fruits rouges frais et par son côté *After eight*, menthol et chocolat. L'opération séduction se poursuit dans une bouche ronde, douce et généreuse, au boisé bien maîtrisé. Plaisir garanti dans les deux ou trois ans à venir sur une viande en sauce.

Également propriété des Faure, le **Ch. Belair Coubet 2011 rouge cuvée Tradition (100 000 b.)**, ample et bien charpenté, est cité.

☛ SC Vignobles Plaisance, 33710 Villeneuve, tél. 05 57 42 68 84, chateau-plaisance-bourg@orange.fr, ☑ ⚔ ⵏ r.-v.

CH. FONT-GUILHEM Tradition 2011

■	18 000	▯	5 à 8 €

Créé en 2009, ce petit cru de 6 ha fait son entrée dans le Guide avec ce vin réussi, drapé dans une robe dense aux reflets violines, ouvert à l'olfaction sur les fruits noirs mûrs. La bouche ronde et charnue suit la même ligne aromatique et s'appuie sur des tanins soyeux et fondus, qui autorisent une dégustation dès l'automne.

NOUVEAU PRODUCTEUR

☛ Christian Bernier, Conilh, 33710 Bourg-sur-Gironde, tél. 05 57 68 45 76, fax 05 57 68 30 32, info@vins-scb.com, ☑ ⚔ ⵏ r.-v.

♥ ⑧ CH. FOUGAS Maldoror 2011 ★★

■	55 000	⑪	11 à 15 €

CHÂTEAU

FOUGAS

Maldoror

2011

GRAND VIN DE BORDEAUX
JEAN-YVES BÉCHET
VITICULTEUR À LANSAC (GIRONDE)

L'une des références de l'appellation, qui renoue avec le coup de cœur grâce à cette cuvée Maldoror, hommage au célèbre ouvrage d'Isidore Ducasse, dit Lautréamont. Le 2011 rejoint ainsi ses glorieux aînés de 2003, 2001, 1998 et 1995. Jean-Yves Béchet réserve 12 ha de ses vignes à son fleuron, né de ceps de merlot (75 %) et de cabernet-sauvignon cultivés en bio et, depuis 2010, en biodynamie. Le résultat est remarquable : robe rouge rubis aux reflets violines ; bouquet complexe de fruits noirs et rouges, de violette, de poivre, de réglisse et de cèdre ; bouche franche, ample et puissante mais sans dureté aucune, tapissée par des tanins ronds et soyeux qui laissent en finale une sensation de grande harmonie. Une bouteille de noble extraction, à encaver pour les trois à cinq ans à venir.

☛ Jean-Yves Béchet, Ch. Fougas, 33710 Lansac, tél. 05 57 68 42 15, fax 05 57 68 28 59, jybechet@fougas.com, ☑ ⚔ ⵏ t.l.j. sf sam. dim. 9h-12h 14h-17h

CH. GALAU Élevé en barrique de chêne 2011 ★★

■	40 000	⑪	5 à 8 €

Les vins de Galau laissent rarement indifférents, témoins les nombreux coups de cœur obtenus dans le Guide, le dernier en date pour le 2009 de cette même cuvée barrique de chêne. Le 2011 n'a pas grand-chose à lui envier. Issu de 60 % de merlot, le cabernet-sauvignon en complément, il déploie un bouquet intense et harmonieux de fruits noirs mûrs (cassis) mâtinés d'un boisé

fondu. Plein, riche, chaleureux mais sans mollesse, structuré par de bons tanins ronds et soyeux, le palais affiche un équilibre remarquable. Le type de vin que l'on peut apprécier aussi bien jeune que patiné par trois à cinq ans de garde.

☛ Magdeleine - Cénac, Ch. Nodoz, 18, chem. de Nodoz, 33710 Tauriac, tél. 05 57 68 41 03, fax 05 57 68 37 34, chateau.nodoz@wanadoo.fr, ☑ ⚔ ⵏ t.l.j. sf dim. 8h30-12h30 14h-18h30 🏠 ⑧

CH. GRAND-MAISON 2011 ★

■	8 500	⑪	11 à 15 €

Cette propriété étend son vignoble de 6,5 ha sur les hauteurs de l'appellation. Elle a sélectionné les meilleurs coteaux argilo-calcaires exposés au sud pour élaborer son grand vin. Le merlot donne le ton, avec le malbec et une pincée de cabernet franc en appoint. Au nez, les fruits rouges et noirs voisinent harmonieusement avec les tonalités toastées et torréfiées de la barrique. Ample, gras et bien en chair, le palais dévoile une solide structure tannique qui promet une bonne garde (trois ou quatre ans). Moins expressive et élégante, mais équilibrée et d'un bon volume, la **Cuvée spéciale 2011 rouge (8 à 11 € ; 25 000 b.)** est citée.

☛ Ch. Grand-Maison, Valades, 33710 Bourg-sur-Gironde, tél. et fax 05 57 64 24 04, cht.grandmaison-bourg@wanadoo.fr, ☑ ⚔ ⵏ r.-v.

☛ François Tailliez, Jean Mallet et Hervé Romat

CH. DE LA GRAVE Nectar 2010

■	n.c.	⑪	11 à 15 €

Ce vaste vignoble de 45 ha en coteaux entoure un joli château du XVᵉˢ. entièrement restauré. Souvent distingué pour sa cuvée Caractère, le cru s'illustre cette année avec ce Nectar à large dominante de merlot (90 %), le cabernet-sauvignon venant en appoint. Un vin sombre et dense tirant sur le noir, au nez chaleureux de fruits surmûris mâtinés de caramel, prolongé par un palais riche, suave et vineux qui lui confère un style presque méridional. À boire dans les trois ans sur un plat en sauce, une estouffade de bœuf par exemple.

☛ Philippe Bassereau, 1, lieu-dit La Grave, 33710 Bourg-sur-Gironde, tél. 05 57 68 41 49, fax 05 57 68 49 26, info@chateaudelagrave.com, ☑ ⚔ ⵏ r.-v. 🏠 ④

CH. LES GRAVES DE VIAUD Réserve 2010 ★

■	16 500	▯⑪	11 à 15 €

Sur ce domaine de 15 ha d'un seul tenant, établi au sommet du plateau de Pugnac, la vigne (11,5 ha) voisine avec les prés, les bois et l'eau ; un paysage agreste pour cette exploitation acquise en 2010 par Philippe Betschart, issu d'une ancienne famille de négociants bordelais. Cette cuvée est réservée aux meilleurs millésimes, et 2010 peut se ranger dans cette catégorie, assurément. Parée d'une robe pourpre profond, elle livre un bouquet de fruits noirs mûrs agrémenté de nuances de violette, de vanille et de mine de crayon. En bouche, elle offre de la richesse, de la concentration et de la mâche, soutenue par des tanins solides mais sans dureté et par une fine acidité. D'ici deux à trois ans, elle sera bonne à boire, et excellente sur un civet de marcassin ou toute autre pièce de gibier. À noter : la conversion bio et biodynamique est en cours.

➤ Dom. de Viaud, 1, lieu-dit Viaud, 33710 Pugnac,
tél. 06 73 18 28 12, info@lesgravesdeviaud.fr, ☑ ⚹ ⍓ r.-v.

CH. GRAVETTES-SAMONAC Cuvée Prestige
Élevé en fût de chêne 2011

| ■ | 20 000 | ⬤⬤ | 8 à 11 € |

Cette cuvée Prestige née de 70 % de merlot et des deux cabernets à parts égales livre des parfums harmonieux de grillé, d'épices et de fruits noirs. On retrouve ces sensations dans une bouche ronde et bien structurée. Un vin équilibré, à boire dans les trois ans à venir.
➤ Sylvie Giresse, Le Bourg, 33710 Samonac,
tél. 05 57 68 21 16, fax 05 57 68 36 43,
gravettes.samonac@orange.fr, ☑ ⚹ ⍓ r.-v.

CH. GROS MOULIN Les Lys du moulin 2012 ★

| ■ | 2 000 | ▮ | 5 à 8 € |

Voilà une première apparition dans le Guide qui ne passe pas inaperçue : dans un océan de vins rouges, Rémy Eymas s'invite avec une cuvée de pur sauvignon blanc. Le jeune homme a repris ce domaine familial en 2010 et représente la onzième génération sur ces terres de Bourg-sur-Gironde, la septième à cultiver la vigne. Des ceps de trois ans – on ne peut pas faire plus jeune – sont à l'origine de ce vin jaune pâle et limpide, porté à l'olfaction sur les fruits jaunes, les agrumes, le fruit de la Passion et les fleurs blanches, avec une originale touche réglissée en appoint. La bouche suit la ligne fruitée et s'équilibre entre rondeur et vivacité. Une bouteille harmonieuse, que l'on verrait bien sur des tagliatelles aux fruits de mer.
➤ Rémy et Jacques Eymas, Ch. Gros Moulin,
33710 Bourg-sur-Gironde, tél. 06 88 02 78 88,
chateau.gros.moulin@wanadoo.fr,
☑ ⚹ ⍓ t.l.j. sf dim. 9h-12h 14h-18h

CH. GUERRY 2011 ★

| ■ | 108 114 | ▮⬤⬤ | 5 à 8 € |

Bernard Magrez a investi en 2004 dans le Bourgeais et ce domaine de 19 ha à l'origine d'un seul et unique vin, né de merlot (55 %), de malbec (20 %) et des deux cabernets. Dans sa version 2011, cette cuvée livre des parfums de fruits noirs et de réglisse accompagnés d'une touche animale. La bouche ample, ronde et suave marie harmonieusement des tanins tendres, extraits avec doigté, à un boisé fondu. Un vin à la fois intense et doux, à déboucher dans deux ou trois ans.
➤ Bernard Magrez, Ch. Guerry, 26, rte du Guerrit,
33710 Tauriac, tél. 05 57 42 18 25, fax 05 57 42 15 86,
o.desmond@pape-clement.com

CH. GUIONNE Cuvée Renaissance 2010 ★

| ■ | 4 200 | ⬤⬤ | 11 à 15 € |

Vendu à un amateur chinois en décembre 2012, ce domaine est toujours conduit par son ancien propriétaire, Alain Fabre, garant de la continuité et de la qualité des vins régulièrement sélectionnés ici. Cette cuvée Renaissance met en avant le malbec – 40 % de l'assemblage aux côtés d'une même proportion de merlot et de 20 % de cabernet-sauvignon. Derrière son élégante robe grenat aux reflets rubis, elle dévoile des parfums boisés de moka et de vanille qui laissent la place aux fruits noirs. Soutenue par de bons tanins et un boisé appuyé sans être étouffant, la bouche se révèle douce, dense, charnue. Un vin qualifié de « moderne » et conseillé pour un émincé de bœuf au curry.

➤ SCEA Ch. Guionne, 1, Guionne, 33710 Lansac,
tél. 05 57 68 42 17, fax 05 57 68 29 61,
info@chateauguionne.com,
☑ ⚹ ⍓ t.l.j. sf dim. 10h-12h 14h-18h
➤ Xi Yanping

CH. HAUT-BAJAC Élevé en fût de chêne 2010 ★

| ■ | 6 500 | ▮⬤⬤ | 8 à 11 € |

Jacques Pautrizel s'est établi en 1996 sur le premier coteau dominant la Dordogne ; il est à la tête d'un domaine de 12,5 ha planté de merlot, de cabernets et de malbec. Régulièrement sélectionné dans le Guide, il signe un 2010 au nez franc et frais de fruits mûrs, cassis en tête, agrémenté de nuances légèrement grillées. On retrouve ce mariage harmonieux entre le fruit et le merrain dans une bouche à la fois ronde, fine et fraîche, soutenue par des tanins fermes mais sans dureté. À laisser vieillir encore deux ou trois ans.
➤ Jacques Pautrizel, Ch. Haut-Bajac,
33710 Bourg-sur-Gironde, tél. 05 57 68 35 99,
fax 05 57 68 32 15, e.jpautrizel@orange.fr,
☑ ⚹ ⍓ t.l.j. sf dim. 9h-12h 14h-18h

CH. HAUT-GUIRAUD Péché du roy 2011 ★

| ■ | 25 000 | ⬤⬤ | 11 à 15 € |

Cette propriété, dont les vins fréquentent avec constance les pages du Guide, est conduite par la famille Bonnet depuis 1876 et cinq générations. On raconte que Louis XIV, enfant, se serait délecté des pêches du domaine lors de sa visite à Bourg-sur-Gironde. Les dégustateurs ont quant à eux apprécié les fruits du merlot, du cabernet et du malbec, à l'origine de ce vin grenat porté sur le boisé, les fruits noirs pointant le bout du nez à l'aération. Une attaque souple ouvre sur une bouche ronde et charnue, épaulée par des tanins sans rudesse, enrobés par une note plus chaleureuse en finale. À boire dans deux ou trois ans. Des mêmes propriétaires, le **Ch. Castaing 2011 rouge Élevé en fût de chêne** (5 à 8 € ; 80 000 b.) est cité pour son boisé fondu et sa douceur. On pourra l'apprécier un peu plus tôt.
➤ EARL Bonnet et Fils, Ch. Haut-Guiraud,
33710 Saint-Ciers-de-Canesse, tél. 05 57 64 91 39,
bonnetchristophe@wanadoo.fr, ☑ ⚹ ⍓ r.-v. 🏠 Ⓓ

CH. HAUT-MACÒ Cuvée Jean Bernard 2010 ★

| ■ | 33 060 | ▮⬤⬤ | 5 à 8 € |

Anne et Hugues Mallet sont installés depuis 2004 à la tête de ce vignoble de 49 ha, dont ils ont réservé 6 ha de merlot (80 %) et de cabernet-sauvignon pour élaborer cette cuvée pourpre brillant, au nez bien ouvert et harmonieux de violette et de fruits noirs sur un fond légèrement boisé et épicé (cannelle, cardamone). La bouche se révèle ample et ronde, soutenue par des tanins souples et soyeux. Déjà très plaisant, ce 2010 pourra aussi patienter deux ou trois ans en cave.
➤ Anne et Hugues Mallet, Ch. Haut-Macô,
61, rue des Gombauds, 33710 Tauriac, tél. 05 57 68 81 26,
fax 05 57 68 91 97, hautmaco@wanadoo.fr, ☑ ⚹ ⍓ r.-v.

CH. HAUT-PRADIER Élevé en fût de chêne 2011 ★★

| ■ | 30 000 | ⬤⬤ | 8 à 11 € |

Carton plein pour la coopérative de Pugnac : quatre vins sont sélectionnés, dont ce Haut-Pradier mi-merlot mi-cabernets, finaliste au grand jury des coups de cœur.

Ses arguments : une jolie robe intense et brillante aux reflets violets, un bouquet naissant de bon merrain et de fruits confiturés, une bouche riche, ronde, fruitée, soutenue par des tanins souples et par un boisé remarquablement ajusté. Déjà très aimable, ce vin est armé pour bien vieillir les quatre ou cinq prochaines années. La **Closerie du Bailli 2011 rouge Grande Réserve (15 000 b.)**, plus marquée par le bois mais avec suffisamment de corps pour l'assimiler, obtient une étoile, de même que le **Ch. le Piat 2011 rouge Élevé en fût de chêne (5 à 8 € ; 25 000 b.)**, équilibré entre rondeur, fraîcheur, bois et tanins. Quant au **Ch. Perthus 2011 rouge (15 000 b.)**, bien structuré, il est cité.

☛ Alliance Bourg, Bellevue, 33710 Pugnac, tél. 05 57 68 81 01, fax 05 57 68 83 17, alliancebourg@orange.fr, ☑ ⚘ ⵝ r.-v.

CH. L'HOSPITAL 2012 ★

| | 2 000 | ⑪ | 20 à 30 € |

Un petit domaine de 7 ha établi sur les hauteurs de l'appellation, en un lieu qui fut au XVᵉs. une léproserie fondée par l'ordre de Saint-Lazare. Les blancs sont rares en côtes-de-bourg, et le plus souvent dominé par le sauvignon. Les Duhamel en proposent une version très réussie, mais à base de sémillon et de colombard. La robe est d'un beau jaune paille aux reflets dorés. Le nez mêle les agrumes et les fruits blancs à quelques nuances fumées et miellées. La bouche joue dans le registre de la rondeur, du soyeux et de la suavité, caractères soulignés par des arômes de fruits confits. Tout indiqué pour un poisson ou pour une volaille en sauce.

☛ EARL Alvitis, L'Hospital, 33710 Saint-Trojan, tél. 05 57 64 33 60, alvitis@wanadoo.fr, ☑ ⚘ ⵝ t.l.j. 10h-19h 🎫 ❸
☛ Christine et Bruno Duhamel

CH. JANSENANT 2011 ★

| | 100 000 | | 5 à 8 € |

Ce 2011 se présente dans une élégante robe sombre ornée de reflets brillants. Le nez mêle les fruits noirs à un boisé vanillé et chocolaté bien présent. La bouche se montre chaleureuse, riche et charnue, étayée par des tanins soyeux et par un boisé généreux mais élégant. À boire dans deux ou trois ans.

☛ SCEA Vignobles A. Faure, 33710 Saint-Ciers-de-Canesse, tél. 05 57 42 68 80, fax 05 57 42 68 81, belair-coubet@wanadoo.fr, ☑ ⚘ ⵝ r.-v.

CH. KALON NODOZ Vieilles Vignes 2011

| | 10 000 | ▤ | 5 à 8 € |

Repéré il y a de cela trois éditions, ce petit domaine de 8,6 ha confirme ses bonnes dispositions. Mi-merlot mi-malbec, ce 2011 à la fois dense et limpide livre un bouquet suave et charmeur de fruits rouges ponctués de nuances florales. La bouche, souple et ronde, affiche un bel équilibre entre tanins, alcool et fruit. Une bouteille d'une aimable simplicité, à boire dans sa jeunesse. La cuvée **Carpe Diem 2010 rouge (8 à 11 € ; 6 000 b.)**, élevée en fût, est également citée pour son fruité chaleureux, bien marié à un boisé fondu, et pour son palais dense et vineux soutenu par une fine acidité.

☛ Grégory Raoult, 14 bis, chem. de Nodoz, 33710 Tauriac, tél. 06 83 32 74 93, kalonnodoz@orange.fr, ☑ ⵝ r.-v.

CH. LAMOTHE Grande Réserve 2010 ★

| | 8 000 | ⑪ | 5 à 8 € |

Ce domaine, dans la famille Pessonnier depuis 1900, étend son vignoble sur 22 ha, dont 5 ha de merlot (60 %) et de cabernet-sauvignon consacrés à cette cuvée. La robe est jeune et vive. Le nez mêle les fruits rouges et noirs frais à la réglisse et à un boisé léger. La bouche, dans la continuité du bouquet, plaît par son équilibre et ses tanins fondus. Une bouteille bien construite, à boire dans deux ou trois ans.

☛ EARL Vignobles Ch. Lamothe, Anne Pousse-Pessonnier, 1, Ch. Lamothe, 33710 Lansac, tél. 05 57 68 41 07, fax 05 57 68 46 62, chateaulamothe@yahoo.fr, ☑ ⚘ ⵝ t.l.j. 9h-18h

LEMOINE DE LEUDONAT 2010

| | 12 000 | ⑪ | 5 à 8 € |

La coopérative de Gauriac propose ici un pur merlot de belle facture, d'un beau rouge profond. Le nez, d'abord fermé, s'ouvre à l'agitation sur des notes de fruits mûrs et sur un boisé léger. Souple en attaque, le palais offre un bon volume et s'appuie sur des tanins fondus, extraits avec mesure. À déguster dans les trois ans à venir. Également citée, la cuvée **2010 rouge Élevée en fût de chêne (1 800 b.)** se montre ronde, fruitée et boisée sans excès malgré un passage en barrique de vingt-quatre mois.

☛ Cave coop. du Bourgeais, 39, rte des Vignobles, 33710 Gauriac, tél. 05 57 64 87 45, fax 05 57 64 82 78, cavegauriac@orange.fr, ☑ ⚘ ⵝ t.l.j. sf sam. dim. 8h30-12h 14h-18h

CH. MARTINAT 2010 ★

| | 36 000 | ⑪ | 8 à 11 € |

Installé en 1994, Stéphane Donze et son épouse ont fait de ce domaine de 25 ha l'une des références de l'appellation. On se souvient notamment d'une remarquable série de coups de cœur pour les millésimes 2005, 2006 et 2007. Né de merlot (70 %), de cabernet-sauvignon et de malbec, le 2010 tient son rang. Paré de pourpre aux reflets brillants, il dévoile des parfums chaleureux de fruits cuits mariés à un boisé mesuré. Une attaque large et généreuse prélude un palais à l'unisson de l'olfaction, des arômes de fruits très mûrs enrobant des tanins soyeux. Son aménité autorise une dégustation dès l'automne, mais ce vin gagnera à vieillir deux ou trois ans. Bel accord en perspective avec une viande en sauce.

☛ SCEV Marsaux-Donze, Ch. Martinat, 33710 Lansac, tél. 05 57 68 34 98, fax 05 57 68 35 39, s.donze@chateau-martinat.com, ☑ ⚘ ⵝ r.-v.
☛ Stéphane Donze

CH. MERCIER Cuvée Prestige 2011 ★

| | 40 000 | ▤⑪ | 8 à 11 € |

La famille Chéty cultive la vigne depuis 1698 et treize générations sur ces terres de Saint-Trojan. À la tête du domaine depuis 1999, Christophe Chéty signe avec une belle constance des vins de qualité. Cette cuvée Prestige, fleuron de la maison, tient son rang. Née de merlot (75 %) et de cabernet-sauvignon, elle s'affiche dans une robe ajustée, rouge sombre aux reflets violines. Au nez, quelques nuances animales accompagnent de plus intenses notes de fruits noirs, d'épices, de vanille et de sous-bois. Une attaque ample et puissante ouvre sur un palais fermement charpenté, soutenu par un boisé de qualité

mais encore dominateur. La promesse d'une belle bouteille d'ici trois à cinq ans.

🍷 SCEA Famille Chéty, Ch. Mercier, 33710 Saint-Trojan,
tél. 05 57 42 66 99, fax 05 57 42 66 96,
vin@chateau-mercier.fr,
☑ 🍴 🍷 t.l.j. sf sam. dim. 8h-12h30 13h30-18h 🏛 ❷ 🏠 Ⓑ

CH. MONTAIGUT 2010 ★

■	5 170	ⅢⅢ	8 à 11 €

Acquis en 1970 par François de Pardieu, ce domaine
est aujourd'hui conduit par sa femme Stéphanie et son fils
Benoît. Malbec et merlot sont associés à parts égales dans
ce 2010 sombre aux reflets violines. Le nez mêle les fruits
noirs en confiture, la réglisse, les épices
et la vanille. Le palais se montre riche, dense, charnu,
soutenu par des tanins plutôt impérieux. Un bon vin de
garde, ample et bien charpenté, à remiser quatre ou cinq
ans en cave. Le **blanc 2012 (5 à 8 € ; 3 550 b.)** aux accents
de fleurs blanches et d'agrumes, souple et tendre en
bouche, est cité.

🍷 SCEA Vignobles de Pardieu, 2, Nodeau,
33710 Saint-Ciers-de-Canesse, tél. 05 57 64 92 49,
fax 05 57 64 94 20, contact@chateau-montaigut.com,
☑ 🍴 🍷 t.l.j. sf sam. dim. 8h-12h 14h-18h

CH. DE MONTEBERIOT 2010 ★★

■	15 000	🍴ⅢⅢ	5 à 8 €

Ce domaine tire son nom de Sulpicius de Montebe-
rio, moine du XIVᵉs. qui fonda le village de Mombrier.
Depuis 2002, il est la propriété d'un ancien décorateur
événementiel et d'une ex-commerciale dans le vin. Les
lecteurs les plus assidus se souviendront peut-être d'un
coup de cœur obtenu pour leur cuvée La Part des fées
2007. C'est leur cuvée principale, née de 80 % de merlot
associés au malbec et au cabernet franc, qui a la préférence
cette année. Jolie robe sombre aux reflets bleutés de
jeunesse, nez intense de raisin mûr et de bon bois, bouche
riche, dense, chaleureuse et solidement charpentée, tout
indique un beau vin de garde, à découvrir d'ici trois à cinq
ans, sur une lamproie à la bordelaise par exemple. Issue
de 90 % de merlot et d'une touche de malbec, **La Part des
fées 2010 rouge (11 à 15 € ; 8 600 b.)**, tannique et
consistante, obtient une même étoile. On lui réservera le même
temps de garde.

🍷 Ch. de Monteberiot, 2, Le Maine, 33710 Mombrier,
tél. 05 57 64 20 96, contact@monteberiot.com, ☑ 🍴 🍷 r.-v.

Ⓑ LA PETITE CHARDONNE 2010 ★

■	8 500	ⅢⅢ	8 à 11 €

Conduit depuis 2007 par Monique Marinier, fille de
Louis, ce domaine étend ses 25 ha de vignes sur les
communes de Berson et de Teuillac. Ce 2010 de couleur
rouge sombre déploie des parfums harmonieux de fruits
confits finement boisés et épicés, avec une touche de
violette en complément. Il se montre riche et chaleureux
en bouche, porté par des tanins tendres enrobés de fruits
gorgés de soleil. Un vin de maturité, au fruité cajoleur, à
déguster dans les trois ans à venir, pourquoi pas avec un
osso bucco.

🍷 SCEA Vignobles L. Marinier, Dom. Florimond-la-Brède,
33390 Berson, tél. 05 57 64 39 07, fax 05 57 64 23 27,
info@vignobleslouismarinier.com,
☑ 🍴 🍷 t.l.j. 8h30-12h30 14h-17h30; sam. dim. sur r.-v.

CH. PUYBARBE Cuvée Prestige
Élevé en fût de chêne 2010 ★

■	22 400	🍴ⅢⅢ	8 à 11 €

Longtemps associé à la coopérative de Bourg-
Tauriac, ce domaine familial s'est « émancipé » en 2001
en créant son propre chai. Depuis, les Orlandi font de
fréquentes apparitions dans le Guide. Ils signent ici une
cuvée dominée par le merlot (82 %) et, au nez, par son
élevage partiel en barrique de quatorze mois. Les notes
toastées et torréfiées de l'olfaction se retrouvent en
compagnie d'arômes de fruits noirs dans une bouche
ample et bien structurée par des tanins qui commencent
à se fondre. On attendra deux ou trois ans pour que
l'harmonie soit parfaite. La **cuvée Opéra 2011 rouge (11
à 15 € ; 1 600 b.)**, de bonne composition tannique, épicée,
boisée et fruitée, est citée.

🍷 SCEA Orlandi Frères, lieu-dit Puybarbe, 33710 Mombrier,
tél. et fax 05 57 64 37 41, chateaupuybarbe@orange.fr,
☑ 🍴 🍷 t.l.j. 9h-12h 14h-18h; sam.dim. sur r.-v.

Ⓑ CH. PUY D'AMOUR Cuvée Grain de folie n° 5
Élevé en fût de chêne 2010

■	4 000	🍴ⅢⅢ	5 à 8 €

Murielle et Johann Demel ont acquis ce domaine en
1998, après le départ à la retraite des anciens propriétaires.
Dès 2000, ils ont entrepris la conversion bio de leurs 14 ha
de vignes. Cinquième cuvée créée par le couple, ce Grain
de folie associe le cabernet et un soupçon de malbec à 80 %
de merlot. Cela donne un vin finement bouqueté autour
des fruits noirs, le cassis notamment, et de la vanille,
équilibré et d'un bon volume en bouche, bâti sur des tanins
fondus et sur un boisé ajusté. À boire dans les deux ou trois
ans à venir.

🍷 Johann et Murielle Demel, 5, Marchais,
33710 Saint-Seurin-de-Bourg, tél. et fax 05 57 68 38 01,
puydamour@orange.fr, ☑ 🍴 🍷 t.l.j. 9h-12h 14h-18h

CH. PUY DESCAZEAU Cuvée Cardinal
Élevé en fût de chêne 2011 ★

■	10 000	ⅢⅢ	8 à 11 €

Ce domaine de 11 ha est commandé par une élégante
chartreuse en pierre calcaire blonde de Bourg, et ses chais
sont alimentés en eau par un ancien puits maçonné de
35 m de profondeur. Pour sa cuvée Cardinal, Jean-Marc
Médio a sélectionné de vieux ceps de malbec associés à
40 % de merlot. Cela donne un vin rouge cerise, au nez
ouvert sur les fruits rouges et la réglisse vivifiés par des
nuances mentholées. La bouche se révèle à la fois ronde,
riche et fraîche, consolidée par des tanins de qualité qui
demandent encore à s'affiner : l'affaire de deux ou trois
ans de cave.

🍷 Martine et Jean-Marc Médio, Ch. Puy Descazeau,
23, rte des Vignobles, 33710 Gauriac, tél. 06 12 47 75 75,
fax 01 79 71 81 90, jmmedio@club-internet.fr, ☑ 🍴 🍷 r.-v.

CH. RELAIS DE LA POSTE Cuvée malbec 2011 ★

■	14 200	🍴ⅢⅢ	8 à 11 €

Les lecteurs se souviennent sans doute de l'exceptionnelle cuvée Malbec 2009, qui décrocha le coup de
cœur dans l'édition 2012. La version 2011 a de beaux
arguments à faire valoir : une ravissante robe rubis
limpide et brillant pour commencer ; un bouquet ouvert
sur les fruits rouges mûrs en second lieu ; une bouche

ronde, riche et charnue pour finir, bâtie sur des tanins de qualité, sur un boisé encore prégnant mais élégant et sur une fraîcheur agréable qui donne de l'allonge à la finale. À attendre trois ou quatre ans pour l'apprécier pleinement. La **Grande Cuvée 2011 rouge (5 à 8 € ; 118 000 b.)**, fruitée et bien structurée, est citée. On la boira plus jeune.

🍷 Vignobles Drode, Relais de la Poste, 33710 Teuillac, tél. 05 57 64 37 95, brunodrode@hotmail.fr, ☑ ⚹ ⊤ r.-v.

CH. DE REYNAUD La Volière 2011 ★

| ■ | | 3 900 | ▮⦙▯ | 8 à 11 € |

Après avoir exercé le métier de journaliste en région parisienne, Bernard Capdevielle est venu en 1999 exploiter la vigne sur ce petit cru de 5,5 ha. La reconversion est un succès, à en juger par les fréquentes sélections dans le Guide. Ici, un assemblage merlot (80 %) et cabernet-sauvignon, à l'origine d'un vin couleur cerise, au nez de griotte, de pain grillé et de vanille. En bouche, la rondeur de la chair et le boisé de la barrique font bon ménage, épaulés par des tanins fondus et une fine vivacité. Un vin équilibré et déjà aimable, auquel deux ou trois ans de garde apporteront un surcroît d'harmonie. La **cuvée principale 2011 rouge (5 à 8 € ; 15 700 b.)**, souple, ronde et boisée, est citée. Même temps de garde conseillé pour obtenir plus de fondu.

🍷 Bernard et Sandrine Capdevielle, Ch. de Reynaud, 33710 Bourg-sur-Gironde, tél. 05 57 68 44 13, chateau.reynaud@wanadoo.fr, ☑ ⚹ ⊤ r.-v.

CH. DE ROUSSELET Élevé en fût de chêne 2010

| ■ | | 12 000 | ⦙▯ | 5 à 8 € |

Régulièrement présent dans le Guide, ce domaine met le malbec à l'honneur avec ce 2010 élevé un an en barrique. Robe profonde et intense, nez réservé mais plaisant, qui libère des notes de quetsche à l'aération, bouche dense et structurée, mais encore un peu fermée, ce vin devra patienter deux ou trois ans pour révéler tout son potentiel. Le **2011 rouge (moins de 5 € ; 16 000 b.)**, élevé en cuve, est également cité pour sa fraîcheur et son fruité.

🍷 Emmanuel Sou, 6, Rousselet, 33710 Saint-Trojan, tél. 05 57 64 32 18, fax 05 57 64 26 10, chateau.de.rousselet@wanadoo.fr, ☑ ⚹ ⊤ r.-v.

♥ CH. ROUSSELLE 2010 ★★

| ■ | | 81 000 | ⦙▯ | 11 à 15 € |

Depuis son installation en 1999 sur ce domaine fondé en 1636, ancienne propriété de Messire Jean de Zorzaty, trésorier général de Guyenne au XVIIᵉ s., Vin-

cent Lemaitre voit ses efforts porter leurs fruits. Coup de cœur pour sa cuvée Prestige 2009 l'an dernier, il voit son 2010 monter sur la plus haute marche du podium. Et pour ne rien gâcher, son **Prestige 2010 rouge (15 à 20 € ; 10 500 b.)** a lui aussi concouru au grand jury : un vin élevé dix-huit mois en barrique, ample, rond, gras, puissant mais toujours élégant, porté par un riche boisé et des tanins denses et serrés. À laisser trois à cinq ans en cave. Dans un style proche mais jugé plus abouti encore, ce « 1er bourgeois », comme le qualifiait le Féret de 1868, emporte l'adhésion par son bouquet intense de café torréfié, de tabac blond et de fruits noirs bien mûrs, et par son palais ample, corpulent, gras et onctueux, solidement charpenté par des tanins enrobés et par un boisé luxueux. À déguster dans trois à cinq ans sur un mets de caractère, un gigot d'agneau aux cèpes par exemple.

🍷 Vincent Lemaitre, Ch. Rousselle, 33710 Saint-Ciers-de-Canesse, tél. 05 57 42 16 62, fax 05 57 42 19 51, chateau@chateaurousselle.com, ☑ ⚹ ⊤ r.-v. 🏨 ❹

CH. LE SABLARD Prestige 2011 ★★

| ■ | | 10 000 | ⦙▯ | 8 à 11 € |

Ce cru familial « à taille humaine » (8 ha) est conduit depuis 2001 par les jeunes trentenaires Catherine et Thomas Buratti-Berlinger. Régulier en qualité, il propose avec ce 2011 issu de merlot (80 %) et de cabernet franc un vin remarquable en tout point. À la densité et à la profondeur de la robe, tirant sur le noir, répond un bouquet intense et généreux de fruits mûrs et de boisé vanillé. Suit une bouche puissante et solidement charpentée, ample, charnue et concentrée. Une cuvée de caractère, à laisser en cave au moins quatre ou cinq années.

🍷 Catherine et Thomas Buratti-Berlinger, 7, Rioucreux, 33920 Saint-Christoly-de-Blaye, tél. 05 57 42 57 67, fax 05 57 42 43 06, chateau.le.sablard@orange.fr, ☑ ⚹ ⊤ t.l.j. 9h-12h30 14h30-18h ; sam. dim. sur r.-v.

CH. TERREFORT-BELLEGRAVE Cuvée Prestige 2011 ★★

| ■ | | 10 000 | ⦙▯ | 11 à 15 € |

La famille Briolais exploite la vigne sur ces terres de Teuillac depuis 1976. Sa cuvée Prestige met à l'honneur de vieux ceps de merlot âgés de soixante ans, avec une pincée de cabernet-sauvignon en appoint. Un vin rouge sombre au disque violine, qui est empreint des senteurs vanillées de la barrique (dix-huit mois) et de la douceur fruitée du merlot. La bouche tendre, suave et ronde, adossée à des tanins soyeux, place le fruit au premier plan et met le boisé en sourdine. Un vin charmeur et déjà prêt, mais suffisamment structuré pour être attendu trois ou quatre ans. Plus souple et « facile », le **Ch. Haut Mousseau 2011 rouge Cuvée Prestige (8 à 11 € ; 50 000 b.)** est cité.

🍷 Dominique Briolais, Ch. Haut Mousseau, 33710 Teuillac, tél. 05 57 64 34 38, fax 05 57 64 31 73, aurorebriolais@vignobles-briolais.com, ☑ ⚹ ⊤ t.l.j. 8h-12h 14h-17h30 ; sam. dim. sur r.-v. 🏨 ❶ 🏠 Ⓐ

BORDELAIS

CH. TOUR BIROL Hommage au roy 2011 ★

■ 2 000 ⬛ 11 à 15 €

Apparu pour la première fois dans le Guide l'an dernier, ce petit domaine de 6 ha créé en 2010 confirme son savoir-faire avec un pur malbec « net et sans bavure ». Robe avenante aux reflets violines, jolis parfums de fruits rouges mâtinés de notes de coing et de tabac blond, palais ample, gras, frais, fruité, boisé sans excès, aux tanins mûrs et souples, voilà un vin bien construit, à déguster dans les trois ans à venir.

➤ EARL Labiche Courjaud, 331, Birol, 33710 Samonac, tél. 05 57 32 69 72, earllabichecourjaud@orange.fr, ☑ ⚔ ⵌ r.-v.

CH. TOUR DE GUIET Excellence 2010 ★

■ 20 000 ⬛ 8 à 11 €

Ce domaine régulier en qualité signe deux vins aux assemblages inversés : primauté au merlot (94 %) dans cette cuvée Excellence, associé à une pointe de cabernet-sauvignon ; honneur au cabernet-sauvignon (93 %) dans le **Grand Vin 2010 rouge (11 à 15 € ; 5 000 b.)**, noté une étoile pour son équilibre fruit-merrain, pour sa richesse et sa bonne structure. L'Excellence séduit quant à elle par son bouquet expressif de fruits noirs agrémenté d'un boisé fin et de nuances animales, et par sa fermeté en bouche, soulignée par des tanins solides et prometteurs. À ouvrir dans deux ou trois ans.

➤ Stéphane Heurlier, 1, la Bretonnière, D 137, 33390 Mazion, tél. 05 57 64 59 23, fax 05 57 64 67 41, sheurlier@cegetel.net, ☑ ⚔ ⵌ r.-v.

CH. TOUR DES GRAVES Élevé en fût de chêne 2011

■ 15 000 ⬛ 8 à 11 €

Cette exploitation familiale de 21 ha tire son nom d'un ancien moulin datant de la Révolution française, « décapité » de sa partie supérieure. Installé en 2009, David Arnaud a sélectionné 60 % de merlot et 40 % de malbec pour élaborer cette cuvée au bouquet légèrement boisé, les fruits rouges et noirs pouvant librement s'exprimer. La bouche est également tournée vers le fruit et offre un bon équilibre entre des tanins agréables et sans dureté et une matière souple et ronde. Une pointe de sévérité en finale appelle toutefois une courte garde (un à trois ans).

➤ Vignobles Arnaud, Le Poteau, 33710 Teuillac, tél. 09 63 62 00 47, fax 09 70 62 19 50, vignoblesarnaud@orange.fr, ☑ ⚔ ⵌ t.l.j. 8h-12h 14h-19h

CH. LES TOURS SEGUY Mirandole 2011

■ 5 000 ⬛ 8 à 11 €

Ce domaine établi au cœur de l'appellation, sur le côté sud-ouest du plateau s'inclinant vers le village de Saint-Ciers-de-Canesse, fait depuis plusieurs années partie des valeurs sûres des côtes-de-bourg. Sa cuvée Mirandole 2010 fut d'ailleurs coup de cœur dans l'édition précédente. Moins ambitieuse mais fort plaisante, la version 2011 est retenue pour son bouquet bien équilibré entre nuances grillées, épicées et fruitées, et pour son palais rond et gras en première approche, plus austère et boisé en finale. Deux ans de garde devraient affiner l'ensemble.

➤ Jean-François Breton, lieu-dit Le Seguy, 33710 Saint-Ciers-de-Canesse, tél. 05 57 64 99 57, chateau-les-tours-seguy@wanadoo.fr, ☑ ⚔ ⵌ r.-v. 🏨 ❷ 🏠 ❽

TUTIAC 2011

■ 200 000 ⬛ - de 5 €

La coopérative de Marcillac propose un 100 % merlot couleur vermillon, au nez plaisant de fruits cuits et de vanille. La bouche se révèle dense, onctueuse et bien en chair, adossée à des tanins soyeux. Un vin harmonieux et avenant, à déguster dans les deux ans à venir.

➤ Les Vignerons de Tutiac, La Cafourche, 33860 Marcillac, tél. 05 57 32 48 33, fax 05 57 32 55 20, contact@tutiac.com, ☑ ⚔ ⵌ r.-v.

Le Libournais

Même s'il n'existe aucune appellation « Libourne », le Libournais est bien une réalité. Avec la ville filleule de Bordeaux comme centre et la Dordogne comme axe, il s'individualise fortement par rapport au reste de la Gironde en dépendant moins directement de la métropole régionale. Il n'est pas rare, d'ailleurs, que l'on oppose le Libournais au Bordelais proprement dit, en invoquant par exemple l'architecture moins ostentatoire des châteaux du vin ou la place des Corréziens dans le négoce de Libourne. Mais ce qui distingue le plus le Libournais, c'est sans doute la concentration du vignoble qui apparaît dès la sortie de la ville et recouvre presque intégralement plusieurs communes aux appellations renommées comme fronsac, pomerol ou saint-émilion, avec un morcellement en une multitude de petites ou moyennes propriétés ; les grands domaines, du type médocain, ou les grands espaces caractéristiques de l'Aquitaine étant presque d'un autre monde.

Le vignoble se différencie également par son encépagement dans lequel domine le merlot, qui donne finesse et fruité aux vins et qui leur permet de bien vieillir, même s'ils sont de moins longue garde que ceux d'appellations à dominante de cabernet-sauvignon. En revanche, ils peuvent être bus un peu plus tôt et s'accommodent de beaucoup de mets (viandes rouges ou blanches, fromages, et aussi certains poissons, comme la lamproie).

Canon-fronsac et fronsac

Bordé par la Dordogne et l'Isle, le Fronsadais offre des paysages tourmentés, avec deux tertres atteignant 60 et 75 m, d'où la vue est magnifique. Point stratégique, cette région joua un rôle important, notamment au Moyen Âge – une puissante forteresse, aujourd'hui disparue, y fut construite à l'époque de Charlemagne – puis lors

de la Fronde de Bordeaux. Le Fronsadais a gardé de belles églises et de nombreux châteaux. Très ancien, le vignoble produit sur six communes des vins de caractère, à la fois corsés, fins et distingués. Toutes ces localités peuvent revendiquer l'appellation fronsac, mais Fronsac et Saint-Michel-de-Fronsac sont les seules à avoir droit, pour les vins produits sur leurs coteaux (sols argilo-calcaires sur banc de calcaire à astéries), à l'appellation canon-fronsac.

Canon-fronsac

Superficie : 300 ha
Production : 16 200 hl

CH. BARRABAQUE Cuvée Hugo 2010 ★★

| | 15 000 | | 8 à 11 € |

L'incontournable château Barrabaque, propriété de la famille Noël depuis 1936, ne manque jamais le rendez-vous du Guide. De ses deux vins sélectionnés cette année, le préféré est cette cuvée issue de merlot (70 %) et des cabernets, élevée trois mois en barrique : un vin au fruité avenant (fraise des bois, cassis), fumé et épicé, au palais ample et soyeux étayé de par des tanins fins et serrés, au boisé si fondu qu'un dégustateur note « sans bois ». À apprécier dans deux ou trois ans, sur du petit gibier. La cuvée **Prestige 2010 (15 à 20 € ; 15 000 b.),** élevée dix-huit mois en fût et associant une pointe de malbec au merlot et au cabernet franc, est citée pour sa fraîcheur, pour son boisé bien intégré et pour ses tanins fermes.
SCEV Noël, Ch. Barrabaque, 33126 Fronsac, tél. 05 57 55 09 09, fax 05 57 55 09 00, chateaubarrabaque@yahoo.fr, ⊠ ⚹ ⏇ r.-v.

CH. BELLOY Cuvée Prestige 2010 ★★

| | n.c. | | 15 à 20 € |

Cette cuvée bien connue des lecteurs offre, aux côtés du merlot, une large place au cabernet franc (40 %). Parée d'une robe très sombre, elle délivre un bouquet intense de fruits noirs frais (cassis, mûre) accompagnés de notes truffées et torréfiées. En bouche, elle se montre puissante, tannique et longue, soutenue par une pointe de vivacité en finale. Un vin solide et de garde, à attendre quatre à six ans avant de le servir sur un rôti de bœuf aux champignons.
SAS Travers, BP 1, 33126 Fronsac, tél. 05 57 24 98 05, fax 05 57 24 97 79, htexier@vignobles-travers.com, ⊠ ⚹ ⏇ r.-v.
GAF Bardibel

♥ CH. CANON GUILHEM 2010 ★★

| | 10 000 | | 15 à 20 € |

Cette propriété de 15 ha, commandée par un château de style Empire, est établie sur le point culminant du plateau de Saillans, dominant la vallée de l'Isle. Jean-Marc Enixon, ingénieur agricole à sa tête depuis 2005, signe avec cet assemblage merlot-malbec (10 % pour ce dernier) un vin remarquable en tout point. La robe est d'un beau pourpre sombre. Le nez affiche une réelle complexité, mariant le cassis, la myrtille, la prunelle et des notes fumées. La bouche, ample et généreuse, s'adosse à des tanins soyeux, extraits avec douceur, qui portent loin la

finale aux accents fruités. Armé pour la garde, ce 2010 accompagnera une épaule d'agneau dans cinq à dix ans.
Jean-Marc Enixon, Ch. Puy Guilhem, 33141 Saillans, tél. 05 57 84 32 08, fax 05 57 74 36 45, puy.guilhem@infonie.fr, ⊠ ⚹ ⏇ r.-v. 🏠 🄴

CH. CANON LA VALADE 2010

| | 8 000 | | 11 à 15 € |

Hervé Roux, à la tête de ce domaine de 23 ha depuis 2005, présente un 2010 né du seul merlot. Ce nez marie aux fruits rouges des notes de cannelle, de vanille et de tabac. On retrouve ces arômes dans une bouche vive et structurée, qui appelle une garde de deux ou trois ans.
Hervé Roux, Ch. La Valade, 33126 Fronsac, tél. 06 98 89 30 08, chateaulavalade@orange.fr, ⊠ ⚹ ⏇ t.l.j. 9h-12h 14h-18h30

CH. CANON PÉCRESSE 2010 ★

| | 15 000 | | 15 à 20 € |

Propriété de la famille Pécresse depuis 1947, ce domaine propose un 2010 à large dominante de merlot (90 %), complété de cabernet franc. Fruits noirs et boisé mesuré composent un nez élégant. Le palais se montre souple et frais, étayé par des tanins soyeux. La finale, plus austère, appelle toutefois une garde de trois ou quatre ans.
SC des Grands Crus du Libournais, Ch. Canon Pécresse, 33126 Saint-Michel-de-Fronsac, tél. et fax 05 57 24 98 67, canon@pecresse.fr, ⚹ ⏇ r.-v.
Pécresse

🄱 L'ENCLOS DE CANON SAINT-MICHEL 2010 ★

| | 3 000 | | 15 à 20 € |

Ce domaine, certifié bio depuis 2009, convertit son vignoble à la biodynamie. Il propose une cuvée plutôt confidentielle, qui s'ouvre à l'aération sur les fruits noirs (cassis, myrtille) agrémentés de nuances torréfiées. La bouche se révèle ample et ronde, soutenue par d'élégants tanins, un peu plus serrés en finale. Un vin équilibré, à ouvrir dans les trois ou quatre ans à venir. Prête à boire, la cuvée principale **2010 (11 à 15 € ; 25 000 b.),** souple et fruitée, est citée.
Jean-Yves Millaire, Lamarche, 33126 Fronsac, tél. 06 08 33 81 11, fax 05 57 24 94 99, vignoblemillaire@aol.com, ⊠ ⚹ ⏇ t.l.j. 8h-13h 14h-19h

♥ CH. CAPET BÉGAUD 2010 ★★

| | 24 000 | | 8 à 11 € |

Cet ancien relais de poste situé sur la route de Compostelle aurait hébergé Hugues Capet. Depuis 1969, il appartient à la famille Roux, propriétaire de plusieurs domaines dans le Fronsadais. Assemblage classique de

merlot (80 %) et de cabernet-sauvignon, ce 2010 d'un seyant pourpre dense et profond livre à l'aération un bouquet de fruits noirs mûrs mâtiné de pain grillé. Ferme et fraîche en attaque, la bouche affiche une belle puissance, portée par de solides tanins et par un boisé élégant qui laisse le fruit s'exprimer dans une longue finale. De garde assurément, ce vin pourra sommeiller en cave cinq à dix ans. Des mêmes propriétaires, le **Ch. Coustolle 2010 (120 000 b.)**, ample, bien structuré, boisé avec mesure, obtient une étoile ; il pourra s'apprécier un peu plus tôt.

☛ SCEV Vignobles Alain Roux et Fils, Ch. Coustolle, 33126 Fronsac, tél. 05 57 51 31 25, fax 05 57 74 00 32, coustolle.fronsac@wanadoo.fr,

☑ ⚔ ⵏ t.l.j. 8h30-12h30 13h30-18h30; sam. dim. sur r.-v. 🏠 🅖

CH. GABY 2010 ★

| ■ | 45 000 | ◫ | 15 à 20 € |

Ce domaine ancien (1660) a connu nombre de propriétaires ; depuis 2006, David Curl est aux commandes. Il propose un 2010 de caractère : robe dense et sombre aux reflets violines de jeunesse ; boisé intense au nez, mais un boisé élégant qui laisse sa part au fruité ; bouche puissante, solide et concentrée. Autant d'arguments pour un long séjour en cave (cinq ans et plus).

☛ SCEA Vignobles famille Curl, Ch. Gaby, lieu-dit Gaby, 33126 Fronsac, tél. 05 57 51 24 97, fax 05 57 25 18 99, contact@chateau-dugaby.com, ☑ ⚔ ⵏ r.-v. 🏠 🅖

SÉBASTIEN GAUCHER Cuvée Jade 2010 ★

| ■ | 7 000 | ◫ | 8 à 11 € |

Depuis son installation en 2001, Sébastien Gaucher collectionne les étoiles du Guide, avec quelques coups de cœur à son actif, le dernier en date ayant été attribué à cette même cuvée Jade dans sa version 2009. Le millésime 2010 offre un vin moins ambitieux, mais tout de même très réussi : robe sombre et intense, nez complexe (fruits rouges, sous-bois, tabac, épices), bouche ample et fraîche, aux tanins jeunes et serrés. Un ensemble cohérent, à attendre trois ou quatre ans. Quant au **Ch. Saint-Bernard 2010 (11 à 15 € ; 1 800 b.)**, il est cité pour sa souplesse et sa fraîcheur.

☛ Sébastien Gaucher, 1, Nardon, 33126 Saint-Michel-de-Fronsac, tél. 06 13 80 33 62, fax 09 72 21 72 10, s.gaucher@free.fr, ☑ ⚔ ⵏ t.l.j. sf dim. 8h-12h 14h-19h

CH. GRAND RENOUIL 2010 ★★

| ■ | 12 000 | | 20 à 30 € |

Régulièrement présent dans le Guide, ce domaine, conduit par Michel Ponty depuis 1986, frôle le coup de cœur avec ce pur merlot. La robe est d'un beau grenat soutenu, signe de jeunesse. Le nez évoque les fruits rouges

et noirs mûrs agrémentés d'une touche d'amande. Franche et souple en attaque, la bouche enrobe ses tanins soyeux d'une chair tendre et douce. Déjà fort aimable, cette bouteille sera à son optimum dans quatre ou cinq ans. Souple, charnu et fondu, le **Ch. du Pavillon 2011 (11 à 15 € ; 20 000 b.)** obtient une étoile. Il est prêt.

☛ Michel Ponty, Les Chais du Port, BP 3, 33126 Fronsac, tél. 05 57 51 29 57, fax 05 57 74 08 47, ponty.dezeix@wanadoo.fr, ☑ ⚔ ⵏ r.-v.

CH. LAMARCHE CANON Candelaire Vieilles Vignes 2010 ★

| ■ | n.c. | ◫ | 11 à 15 € |

La robe profonde, couleur d'encre, de ce 2010 annonce un bouquet intense de fruits noirs écrasés, agrémenté de notes boisées et florales (violette). La bouche, à l'unisson, se montre ronde, généreuse, chaleureuse même, soutenue par des tanins mûrs. Une bouteille à boire ou à attendre deux ou trois ans, que l'on verrait bien sur une viande rouge en sauce.

☛ Julien, Ch. Lamarche, 33126 Fronsac, tél. et fax 05 57 51 28 13, chateau.lamarche.canon@wanadoo.fr, ☑ ⚔ ⵏ r.-v.

CH. LARIVEAU 2010

| ■ | 20 000 | ◫ | 11 à 15 € |

Un Bourguignon en Bordelais : Nicolas Dabudyk conduit depuis 2009 cet ancien domaine fondé par les chevaliers de l'ordre de Malte au XVIIᵉs. Les dégustateurs ont retenu deux cuvées issues du seul merlot. Élevé vingt-quatre mois en fût, ce 2010 livre un nez de fruits confiturés mâtiné de notes florales et boisées, relayé par un palais doux, gras et chocolaté, aux tanins encore assez vifs. À boire dans deux à trois ans. Élevé en cuve, le **Petit Canon de Lariveau 2010 (8 à 11 € ; 10 000 b.)**, fruité, rond, sans aspérités, est également cité.

☛ Ch. Lariveau, SARL Dabudyk, 4, Perron, 33126 Fronsac, tél. 06 70 79 09 79, sarl.dabudyk@cegetel.net, ☑ ⚔ ⵏ r.-v. ☛ N. Dabudyk

CH. MAZERIS-BELLEVUE 2010

| ■ | 35 000 | ◫ | 11 à 15 € |

Installée depuis un an à la tête du domaine familial, Aude Bussier signe un vin au fruité généreux, agrémenté de notes fumées et épicées. La bouche affiche un bon volume et une structure solide. Encore un peu austère en finale, ce 2010 est à attendre une paire d'années.

☛ SCEA Ch. Mazeris-Bellevue, Ch. Mazeris-Bellevue, 33126 Saint-Michel-de-Fronsac, tél. 05 57 24 98 19, fax 05 57 24 90 32, chateaumazerisbellevue@wanadoo.fr, ☑ ⚔ ⵏ t.l.j. 8h30-12h 14h-18h ☛ Famille Bussier

CH. MONTCANON 2010

| ■ | 10 000 | ◫ | 11 à 15 € |

Arnaud Roux-Oulié a repris en 2003 ce petit domaine de 4 ha, dont la moitié est dédiée à ce vin issu du seul merlot. La robe est grenat intense. Le nez mêle de fines notes de moka à des nuances de sous-bois. La bouche plaît par sa fraîcheur, sa souplesse et son boisé léger et épicé. À boire dans un an ou deux.

☛ Arnaud Roux-Oulié, Ch. Lagüe, 33126 Fronsac, tél. 05 57 51 24 68, arnaud.rouxoulie@gmail.com, ☑ ⚔ ⵏ r.-v. 🏠 🅔

CH. MOULIN PEY-LABRIE 2010 ★

	22 000	▥	20 à 30 €

Originaires du nord de la France, Bénédicte et Grégoire Hubau conduisent depuis 1988 ce domaine régulier en qualité, qui tire son nom d'un ancien moulin situé au cœur du vignoble. Le merlot, associé à une pointe de malbec, a donné naissance à un vin rubis soutenu, finement bouqueté (fruits noirs, épices, pointe de réglisse), frais, épicé, tannique et long en bouche. On attendra trois à cinq ans avant de le présenter à table, au côté d'une épaule d'agneau par exemple. À noter que le vignoble est en conversion bio.

☛ B. & G. Hubau, Moulin Pey-Labrie, 33126 Fronsac, tél. 05 57 51 14 37, moulinpeylabrie@wanadoo.fr, ☑ ⋏ ⊤ r.-v.

CH. PEY LABRIE Tradition 2010 ★★

	7 000	▤	5 à 8 €

Ce domaine, établi sur le site d'un ancien moulin, couvre 12,5 ha. Ses vignes sont implantées sur l'un des plus hauts coteaux de l'appellation. Ce pur merlot, admis au grand jury des coups de cœur, se présente dans une robe pourpre profond et dévoile des parfums intenses de fruits noirs mûrs agrémentés de touches toastées. En bouche, il se révèle rond et généreux en attaque avant de dévoiler une solide charpente de tanins fins et serrés et une longue finale épicée. À attendre trois à six ans. La cuvée **Cœur Canon 2010** (8 à 11 € ; 12 000 b.), chaleureuse, sur les fruits mûrs, les épices et le moka, obtient une étoile. Sa finale austère appelle une garde de deux ou trois ans.

☛ Éric Vareille, Ch. Pey Labrie, 10-12, lieu-dit Pey-Labrie, 33126 Fronsac, tél. et fax 05 57 25 35 87, vareille@pey-labrie.fr, ☑ ⋏ ⊤ t.l.j. sf dim. 10h-12h 15h-19h

CH. ROULLET 2010 ★

	6 600	▥	11 à 15 €

Un soupçon de cabernets (10 %) en complément du merlot pour ce vin issu d'un terroir argilo-calcaire. Un vin rubis éclatant, qui s'ouvre doucement sur les fruits rouges et noirs mûrs, la vanille et quelques nuances mentholées. La bouche, ample et concentrée, est bien bâtie autour de tanins corsés et d'un boisé marqué. À attendre trois à cinq ans pour obtenir plus de fondu.

☛ Vignobles Dorneau, Ch. la Croix, 33126 Fronsac, tél. 05 57 51 31 28, fax 05 57 74 08 88, scea-dorneau@wanadoo.fr, ☑ ⋏ ⊤ r.-v.

CH. TASTA T de Tasta Élevé en fût de chêne 2010 ★

	9 000	▤ ▥	11 à 15 €

Cette cuvée issue de merlot à 95 %, avec le cabernet franc en appoint, est née de plusieurs essais réalisés depuis 2005. Dans sa version 2010, elle séduit par son bouquet franc de fruits rouges mûrs agrémentés de notes cacaotées et épicées. En bouche, elle plaît par sa densité, ses tanins croquants et sa longueur. À boire ou à attendre trois à cinq ans.

☛ Patrice Chevalier, Ch. Tasta, 33126 Saint-Aignan, tél. et fax 05 57 24 97 62, chateau.tasta@wanadoo.fr, ☑ ⋏ ⊤ r.-v.

MT DE TOUMALIN 2010 ★

	23 346	▤ ▥	5 à 8 €

Nouveau propriétaire du domaine depuis 2008, Xavier Miravete signe un pur merlot à la robe sombre et dense. Le nez intense de fruits rouges cuits, de pruneau, de sous-bois et de noisette annonce une bouche chaleureuse, ample et charnue, étayée par des tanins encore fermes qui appellent une garde de trois à cinq ans. Tout indiqué pour une viande en sauce. Cité, le **Ch. Toumalin 2010** (8 à 11 € ; 18 790 b.), gras, boisé et structuré par des tanins encore sévères, attendra plus encore.

☛ SCEV CH. Toumalin, Toumalin, 33126 Fronsac, tél. 05 57 24 95 54, chateautoumalin@orange.fr, ☑ ⋏ ⊤ r.-v.

☛ X. Miravete

CH. VRAI CANON BOUCHÉ Le Tertre de Canon 2010

	6 000	▥	8 à 11 €

Valeur sûre de l'appellation, ce domaine établi sur le tertre de Canon livre une cuvée qui associe au merlot au cabernet franc un soupçon de malbec. Après douze mois de barrique, ce 2010 dévoile un nez boisé sans excès, fruité (fraise écrasée), agrémenté d'une note d'humus. Vive en attaque, la bouche s'appuie sur des tanins bien présents mais encore un peu sévères, qui s'affineront après deux ou trois ans de garde.

☛ EARL Vrai Canon Bouché, 1, le Tertre-de-Canon, 33126 Fronsac, tél. 05 57 24 39 91, contact@chateauvraicanonbouche.com

☛ de Haseth-Möller

Fronsac

Superficie : 830 ha
Production : 44 400 hl

CH. ARNAUTON 2010 ★★

	120 000	▤ ▥	8 à 11 €

Né sur les pentes sud du tertre de Fronsac, ce 2010 à forte dominante de merlot (2 % de cabernet franc) est le premier millésime des nouveaux propriétaires (français, les précédents étaient hollandais). Au premier essai, le vin a rejoint la table du grand jury des coups de cœur. Paré d'une seyante robe grenat aux reflets violines, il livre un bouquet intense de fruits noirs mûrs, d'épices et de café. La bouche se révèle riche, puissante et longue, bâtie sur des tanins veloutés et sur un boisé judicieux. Beaucoup d'harmonie dans ce fronsac, que l'on appréciera à son optimum dans quatre ou cinq ans. La **cuvée Grand Sol 2010** (11 à 15 € ; 10 500 b.), généreuse, ample, bien structurée et boisée, obtient une étoile.

☛ Ch. Arnauton, rte de Saillans, 33126 Fronsac, tél. et fax 05 57 55 06 00, info@chateau-arnauton.fr, ☑ ⋏ ⊤ t.l.j. 8h-12h 13h-16h; f. août

CH. BARBEY 2010 ★

	2 000	▥	11 à 15 €

Nec pluribus impar, lit-on sur l'étiquette de cette microcuvée associant 5 % de malbec au merlot. Est-ce au cépage-roi du Libournais que se réfère la devise de Louis XIV, signifiant peu ou prou « au-dessus de tous » ? Quoi qu'il en soit, ce vin affiche de beaux atouts : un nez fin de fruits noirs rehaussés de notes poivrées et boisées, relayé par une bouche souple, soyeuse et longue, aux tanins veloutés. S'il se montre déjà très agréable, ce fronsac gagnera à patienter deux ou trois ans en cave.

BORDELAIS

➼ Denis Trocard, Ch. Labory, 33141 Saillans,
tél. 05 57 84 40 58, levigneron@sfr.fr, ☑ ⚔ ⏷ r.-v.

CH. BARRAIL CHEVROL 2010

| ■ | 36 000 | ⬛ | - de 5 € |

Sélectionné par le négociant Yvon Mau, ce 2010
s'ouvre doucement, après agitation, sur des notes de fruits
noirs mâtinées d'une nuance de sous-bois. La bouche plaît
par son fruité avenant, sa fraîcheur et ses tanins encore
jeunes mais élégants. À attendre un à trois ans pour
obtenir un meilleur fondu.
➼ SA Yvon Mau, rue Sainte-Pétronille,
33190 Gironde-sur-Dropt, tél. 05 56 61 54 54,
fax 05 56 61 54 61, info@ymau.com

CH. BEAUSÉJOUR 2010

| ■ | 69 600 | ⬛⬛ | 8 à 11 € |

Ce domaine, autrefois planté de vergers remplacés
par la vigne dans les années d'après-guerre, est dans la
même famille depuis cinq générations. Il propose ici un
pur merlot joliment bouqueté autour des fruits rouges et
des épices, qui dévoile en bouche des tanins soyeux et un
agréable fruité croquant. Un vin simple et gourmand, à
boire dès aujourd'hui.
➼ SCEA Vignobles Sudrat-Melet, Ch. Bel-Air,
5, chem. de la Cabanne, 33500 Pomerol, tél. 05 57 51 02 45,
fax 05 57 51 96 65, vignsudrat-melet@wanadoo.fr,
☑ ⚔ ⏷ r.-v.

CH. DE CARLMAGNUS 2010

| ■ | 24 000 | ⬛⬛ | 15 à 20 € |

Ce domaine au nom inspiré par l'empereur Charlemagne, dont on dit qu'il passa par Fronsac, a été créé en
1998 par Arnaud Roux-Oulié. Le seul merlot est à l'origine
de ce 2010 finement fruité et un rien vanillé au nez, offrant
en bouche un bon volume, une structure serrée et un boisé
sans excès, le tout étayé par une fine acidité. Un vin
équilibré, mais dont la pointe d'austérité en finale appelle
une garde de trois ou quatre ans.
➼ Arnaud Roux-Oulié, Ch. Lagüe, 33126 Fronsac,
tél. 05 57 51 24 68, arnaud.rouxoulie@gmail.com,
☑ ⚔ ⏷ r.-v. 🏠 🅔

LE CLOS D'OSMIN 2010 ★

| ■ | n.c. | ⬛⬛ | 5 à 8 € |

Pendant vingt-sept ans, les Gomme ont livré leurs
raisins à la coopérative de Lugon ; depuis 2007 et l'arrivée
de Jean-François, le domaine vinifie en propre. Ce 2010
livre un agréable bouquet de fruits noirs associés à un
boisé discret et élégant. Dans la continuité du nez, la
bouche charme par son caractère charnu, ses tanins
fondus et sa jolie finale épicée. Un vin harmonieux, à boire
dans les trois ans à venir.
➼ Gomme, 13, Grillet, 33910 Saint-Martin-de-Laye,
tél. 06 77 85 66 93, fax 05 57 49 48 33, jfgomme@orange.fr,
☑ ⚔ ⏷ r.-v.

♥ CLOS DU ROY Cuvée Arthur 2010 ★★

| ■ | 12 000 | ⬛⬛ | 15 à 20 € |

Philippe Hermouet, après vingt-cinq années de viticulture, a récemment acheté le château Roc Saint-
Bernard, situé à Saillans, désormais incorporé au clos du

Roy et dont une partie des vignes a été intégrée à ce 2010
largement dominé par le merlot (95 %, le cabernet-
sauvignon en appoint). La robe est d'un superbe grenat
profond. Complexe et intense, le nez marie les fruits noirs
aux épices douces. La bouche affiche une réelle puissance,
beaucoup de richesse et de concentration, portée par des
tanins solides, extraits avec doigté. Un vin de garde
assurément, que l'on attendra au moins cinq ou six ans.
➼ Philippe Hermouet, Clos du Roy, 33141 Saillans,
tél. 05 57 55 07 41, fax 05 57 55 07 45,
contact@vignobleshermouet.com,
☑ ⚔ ⏷ t.l.j. sf sam. dim. 8h30-12h30 13h30-17h

CLOS LAGÜE 2010

| ■ | 10 000 | ⬛⬛ | 8 à 11 € |

Ce petit cru de 2 ha mitoyen du château Beau Site de
la Tour, également propriété de la famille de La Tour du
Fayet, est établi sur le tertre de Fronsac. Il propose un
2010 ouvert sur les fruits rouges et noirs agrémentés d'une
touche cacaotée, souple, frais et persistant en bouche. À
boire au cours des deux prochaines années.
➼ SCEV Hts de La Tour du Fayet, Ch. Gueyrot,
33330 Saint-Émilion, tél. 05 57 24 72 08, fax 05 57 24 67 51,
ets.delatourdufayet@orange.fr, ☑ ⚔ ⏷ r.-v.

CH. DES COMBES CANON 2010 ★

| ■ | 20 700 | ⬛⬛ | 8 à 11 € |

Après avoir exploité des fermes de grandes cultures
dans le nord de la France, Bénédicte et Grégoire Hubau
ont pris en 1990 la direction de Saint-Michel-de-Fronsac
et de cette ancienne propriété située dans une combe
donnant sur la Dordogne. Né du seul merlot, ce 2010 livre
un bouquet frais, fruité, épicé et mentholé, prolongé par
une bouche ample, dense et élégante, portée par des tanins
serrés et par une fine acidité. Il révélera tout son potentiel
d'ici deux à cinq ans.
➼ Bénédicte et Grégoire Hubau, Lariveau,
33126 Saint-Michel-de-Fronsac, tél. 05 57 51 14 37,
hautlariveau@orange.fr, ☑ ⚔ ⏷ r.-v.

CH. LA CROIX 2010

| ■ | 10 000 | ⬛⬛ | 8 à 11 € |

Cette propriété appartient à la famille Dorneau
depuis 1870. Son 2010 a su convaincre les dégustateurs
par son bouquet agréable et bien ouvert sur les fruits mûrs
et par son palais harmonieux, lui aussi bien fruité,
croquant et structuré par des tanins fins. Un vin d'une
aimable simplicité, à boire dès à présent.
➼ Vignobles Dorneau, Ch. la Croix, 33126 Fronsac,
tél. 05 57 51 31 28, fax 05 57 74 08 88,
scea-dorneau@wanadoo.fr, ☑ ⚔ ⏷ r.-v.

CH. LA CROIX DE ROCHE Collection privée 2010

| ■ | 3 600 | 🍾📖 | 11 à 15 € |

Plus connu des lecteurs pour ses bordeaux, bordeaux supérieur et crémants, ce domaine propose aussi du fronsac depuis quelques millésimes. Une petite vigne de merlot de quelque 50 ares a donné naissance à ce 2010 au nez délicat de fruits noirs rehaussés de nuances grillées, à la bouche souple, fraîche et fruitée. Un vin plaisant, à boire dans les trois à cinq ans.

↪ EARL la Croix de Roche, 17, rte de Marze, 33133 Galgon, tél. 05 57 84 38 52, chateau-la-croix-de-roche@wanadoo.fr,
☑ ⚔ ⏛ t.l.j. 9h-12h30 13h30-19h 🏠 ❸
↪ F. & R. Maurin

CH. DE LA DAUPHINE 2010 ★

| ■ | 80 000 | 📖 | 15 à 20 € |

Ce fronsac a vu le jour dans un bel écrin de 45 ha avec parc, jardins et plan d'eau, commandé par un château du XVIIIᵉs., propriété de la famille Halley depuis 2000. Après douze mois de fût, il livre un bouquet complexe de fruits noirs, de cannelle, de poivre noir et de coco. En bouche, il affiche une belle puissance tannique, de la richesse et un boisé bien présent mais élégant. Trois à cinq ans de garde et il atteindra sa pleine harmonie.

↪ SCEA Ch. de la Dauphine, rue Poitevine, 33126 Fronsac, tél. 05 57 74 06 61, fax 05 57 51 80 57, contact@chateau-dauphine.com,
☑ ⚔ ⏛ r.-v.
↪ Guillaume Halley

CH. FONTENIL 2010 ★★

| ■ | 28 300 | 🍾📖 | 20 à 30 € |

88 89 |90| 93 94 |95| 96 97 |98| 99 |00| |01| 02 03 |04| 05 06 08 09 10

Un domaine bien connu des lecteurs, dirigé depuis 1986 par les non moins célèbres Dany et Michel Rolland, œnologues à la renommée internationale. Ce 2010 a concouru pour le coup de cœur de l'appellation. Ses arguments ? Une élégante robe sombre et intense ; un bouquet fin de fruits noirs mûrs agrémentés de nuances boisées et réglissées ; un palais puissant, ample, charnu, boisé avec doigté. « Très fronsac », conclut un dégustateur, qui conseille d'attendre trois à cinq ans pour commencer à déguster ce vin.

↪ Michel et Dany Rolland, Cardeneau-Nord, 33141 Saillans, tél. 05 57 51 52 43, fax 05 57 51 52 93, contact@rollandcollection.com

♥ CH. HAUT CARLES 2010 ★★

| ■ | 38 000 | 🍾📖 | 20 à 30 € |

94 95 96 97 |98| |99| 00 01 |02| |03| 04 05 06 07 10

Au cours de la première décennie des années 2000, le domaine de Constance et Stéphane Droulers aura récolté pas moins de huit coups de cœur. Pour ce millésime 2010 de grande puissance, le rendement a été limité à 21 hl/ha et l'élevage poussé jusqu'à vingt-quatre mois. Le résultat est remarquable. Une robe dense et profonde annonce un bouquet intense et riche de fruits noirs, d'épices et de boisé vanillé. On retrouve ces sensations dans un palais ample, gras et robuste, soutenu par des tanins très serrés qui assureront à ce vin une garde d'au moins sept à huit ans.

Le Libournais

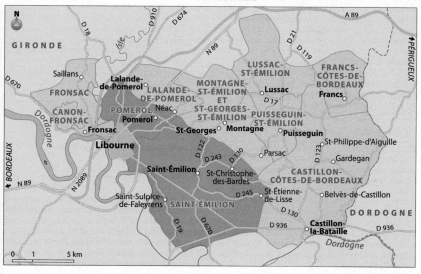

🍇 SCEV Ch. de Carles, 1, Carles, 33141 Saillans,
tél. 05 57 84 32 03, fax 05 57 84 31 91,
chateaudecarles@free.fr, ☑ ✻ ⍉ r.-v.
🍇 M. Droulers

CH. HAUT-PEYCHEZ 2010 ★

| ■ | 10 000 | ⊞ | 8 à 11 € |

Ce petit cru d'un peu plus de 3 ha appartient à la même famille depuis 1853. À sa tête depuis 2000, Éric Ravat signe un 2010 dense à l'œil, intense et complexe au nez (fruits noirs et rouges mûrs), réglisse, épices douces), ample, chaleureux et long en bouche, adossé à des tanins fondus. On pourra savourer cette bouteille dès l'automne ou l'attendre trois ou quatre ans.
🍇 Éric Ravat, 1, Peychez, 33126 Fronsac,
tél. 06 77 74 22 20, fax 05 57 74 30 72,
eric.ravat@wanadoo.fr, ☑ ✻ ⍉ r.-v.

CH. JEANDEMAN 2010

| ■ | 60 000 | ▌ | 11 à 15 € |

Ce domaine, distingué l'an dernier par un coup de cœur pour son 2009, signe un 2010 moins ambitieux mais qui fait valoir quelques atouts. Les dégustateurs ont notamment apprécié son bouquet harmonieux de fruits noirs, d'épices douces et de grillé, ainsi que sa fraîcheur et sa souplesse en bouche. À découvrir dans trois à cinq ans.
🍇 SCEV Roy-Trocard, Jeandeman, 33126 Fronsac,
tél. 05 57 74 30 52, fax 05 57 74 39 96,
roy.trocard@terre-net.fr, ☑ ✻ ⍉ r.-v.
🍇 Trocard

CH. DE MAGONDEAU Beau Site 2010 ★

| ■ | 35 000 | ⊞ | 11 à 15 € |

Maître Puiffe de Magondeau, notaire à Libourne et ancien propriétaire des lieux, a donné son nom à ce domaine de 18 ha entièrement dédié au merlot. Ce cépage a engendré un 2010 encore dominé par les douze mois d'élevage en barrique. Au nez, d'intenses notes vanillées et épicées accompagnent les parfums de fruits noirs. Le merrain s'impose aussi en bouche, mais celle-ci offre suffisamment de structure tannique et de matière pour permettre à ce vin de bien « digérer » le boisé. Une bouteille de caractère, à attendre trois à cinq ans.
🍇 Olivier Goujon, SCEV Vignobles Goujon et Fils,
1, le port de Saillans, 33141 Saillans, tél. 05 57 84 32 02,
fax 05 57 84 39 51, contact@chateaumagondeau.com,
☑ ✻ ⍉ t.l.j. 9h-12h 14h-18h ⌂ ℮

CH. MAYNE-VIEIL Cuvée Aliénor 2010 ★

| ■ | 20 000 | ⊞ | 8 à 11 € |

D'une belle régularité, ce cru de 47 ha est fidèle au rendez-vous du Guide avec ce pur merlot né sur un sol argilo-limoneux. Au nez, les fruits frais s'associent à d'intenses notes boisées apportées par douze mois de barrique. Dans la continuité du bouquet, le palais se révèle soyeux en attaque, avant de dévoiler des tanins robustes, enrobés de notes de cerise à l'alcool en finale. À attendre trois à cinq ans pour un meilleur fondu. La cuvée principale 2010 (5 à 8 € ; 120 000 b.), élevée en cuve, est citée pour sa souplesse et pour son fruité croquant.

🍇 SCEA du Mayne-Vieil, 4, rte de Saillans, 33133 Galgon,
tél. 05 57 74 30 06, fax 05 57 84 39 33, maynevieil@aol.com,
☑ ✻ ⍉ t.l.j. sf sam. dim. 9h-12h30 14h-17h30

CH. MOULIN HAUT-LAROQUE 2010 ★

| ■ | 56 000 | ⊞ | 20 à 30 € |

86 88 ⑧⑨ 90 95 96 97 |98| |99| |00| |01| 02 03 |04| 05
06 08 09 |10|

Ce cru de 16 ha, dont la première mise en bouteilles remonte à 1890, est l'une des valeurs sûres de l'appellation. Le merlot (65 %), les deux cabernets et une touche de malbec (5 %) sont à l'origine d'un vin joliment bouqueté, sur les fruits rouges frais accompagnés d'un boisé fin. Ronde en bouche, soutenue par des tanins fondus, c'est une bouteille déjà harmonieuse, que l'on pourra aussi attendre une paire d'années.
🍇 Jean-Noël Hervé, Ch. Moulin Haut-Laroque,
33141 Saillans, tél. 05 57 84 32 07, fax 05 57 84 31 84,
hervejnoel@wanadoo.fr, ✻ r.-v.

LE PETIT ÂNE DE LA MOULEYRE 2010 ★

| ■ | n.c. | | 8 à 11 € |

Anna et Jacques Favier, à la tête de ce petit cru depuis 2000, signent un second vin – le grand vin n'est pas produit tous les ans – bien sous tous rapports. La robe dense et sombre annonce un bouquet intense, bien équilibré entre fruits rouges mûrs et boisé fin. La bouche, à l'unisson, plaît elle aussi par son harmonie, soutenue par la fraîcheur caractéristique du millésime et par des tanins serrés. Déjà prêt, ce Petit Âne peut aussi sommeiller en cave trois à cinq ans.
🍇 SCEA Anna et Jacques Favier, 22 bis, rue Louise-Michel,
92300 Levallois, tél. 06 80 58 42 10,
jacques-favier@vieux-mouleyre.com

CH. PUY GUILHEM 2010 ★

| ■ | 40 000 | ⊞ | 11 à 15 € |

Le beau millésime 2010 a semble-t-il bien inspiré Jean-Marc Enixon, installé sur les terres de Saillans et sur ce domaine de 15 ha depuis 2005. Au coup de cœur obtenu dans l'appellation voisine de canon-fronsac s'ajoute une étoile pour ce fronsac né de merlot (90 %) et d'une pointe de malbec. Au nez, quelques nuances florales accompagnent les notes de fruits noirs et les senteurs boisées apportées par les douze mois de fût. La bouche associe un boisé dominant mais doux à un fruité élégant, soutenue par des tanins de qualité et par une agréable fraîcheur en finale. On attendra deux à cinq ans que l'ensemble s'harmonise.
🍇 Jean-Marc Enixon, Ch. Puy Guilhem, 33141 Saillans,
tél. 05 57 84 32 08, fax 05 57 74 36 45,
puy.guilhem@infonie.fr, ☑ ✻ ⍉ r.-v. ⌂ ℮

CH. RENARD MONDÉSIR 2010 ★

| ■ | 16 500 | ▌⊞ | 11 à 15 € |

Les Chassagnoux, marchands de vin corréziens, se sont installés en 1955 dans le Libournais, à Saint-Émilion, puis à Fronsac en 1979. Ils y conduisent un petit cru d'un peu plus de 6 ha, à l'origine d'un 2010 ouvert sur les fruits noirs et rouges très mûrs et les épices. Souple en attaque, le palais se révèle doux et rond, épaulé par des tanins soyeux et par un boisé ajusté, et déploie une longue finale finement fruitée et épicée. Déjà fort appréciable, ce vin gagnera toutefois à attendre deux à cinq ans.

☞ Xavier Chassagnoux, Ch. Renard Mondésir, 33326 La Rivière, tél. 05 57 24 96 37, fax 05 57 24 90 18, chateau.renard.mondesir@wanadoo.fr, ☑ ⚔ ⊥ r.-v.

CH. RICHELIEU 2010 ★

| | n.c. | 30 à 50 € |

Cette ancienne propriété du cardinal de Richelieu et de sa famille appartient depuis 2009 à un groupe hong-kongais dirigé par Mme An. On y découvre deux vins de belle facture, essentiellement destinés au marché asiatique. La cuvée principale se distingue par son bouquet naissant, frais et fruité, et par son palais plein et structuré par des tanins fermes, encore un peu stricts en finale. À attendre deux ou trois ans. **La Favorite de Richelieu 2010 (50 à 80 €)**, d'un style proche, un peu plus tannique, obtient également une étoile.

☞ SCEA Ch. Richelieu, 1, chem. du Tertre, 33126 Fronsac, tél. 05 57 51 13 94, fax 05 57 25 90 63, info@chateau-richelieu.com, ☑ ⚔ ⊥ r.-v. 🏨 ⑤
☞ Mme An

CH. DE LA RIVIÈRE 2010 ★

| | 147 000 | ⑪ | 15 à 20 € |

L'un des fleurons architecturaux du Fronsadais, construit au XVIᵉs. à l'emplacement d'une ancienne tour de guet élevée sous le règne de Charlemagne, restauré au XIXᵉs. par Viollet-le-Duc. Les lieux ont d'autres attraits, comme ce 2010 au nez intense de fruits frais et de fruits mûrs, souple en attaque, ample et fin dans son développement, soutenu par des tanins serrés et bien ciselés. À découvrir au cours des quatre ou cinq prochaines années. Plus boisée, tannique et concentrée, la cuvée **Aria 2010 (30 à 50 € ; 20 500 b.)**, dont la version 2009 décrocha un coup de cœur, obtient également une étoile. On pourra l'attendre un peu plus longtemps.

☞ SCA Ch. de la Rivière, 33126 La Rivière, tél. 05 57 55 56 56, fax 05 57 24 94 39, info@vignobles-gregoire.com, ☑ ⚔ ⊥ t.l.j. sf sam. dim. 9h-12h 14h-17h; l'hiver sur r.-v. 🏨 ⑤
☞ James Grégoire

CH. LA ROUSSELLE 2010 ★

| | 12 600 | ⑪ | 15 à 20 € |

Planté sur un sol calcaire au-dessus d'anciennes carrières, ce vignoble donne une part non négligeable au cabernet franc, représentant 40 % de l'assemblage de ce 2010 au côté du merlot. Le nez, complexe, évoque les fruits noirs, les épices (poivre), le cèdre et le toasté. Souple et soyeuse en attaque, la bouche dévoile une agréable rondeur et des tanins veloutés. Un vin harmonieux, à découvrir d'ici deux ou trois ans.

☞ Viviane Davau, Ch. la Rousselle, 1, Rousselle, 33126 La Rivière, tél. 05 57 24 96 73, fax 05 57 24 91 05 ☑ ⚔ ⊥ r.-v.

CH. SAINT-REMY 2010

| | 21 300 | ▮ | - de 5 € |

Présenté par le négociant Pierre Dumontet, ce 2010 exhale de plaisantes senteurs de fruits rouges et noirs mûrs. On retrouve ces sensations dans une bouche souple

et d'une honorable longueur. « Une bouteille agréable et sincère », conclut un dégustateur, à boire dès aujourd'hui.

☞ Pierre Dumontet, ZI La Mouline, 4, rue du Carbouney, BP 36, 33565 Carbon-Blanc Cedex, tél. 05 57 77 88 88, fax 05 57 77 88 99
☑ ⚔ ⊥ r.-v. (dégustation et vente au Ch. de Bordes à Saint-Vincent-de-Paul)

CH. SAINT-VINCENT 2010

| | 13 000 | ⑪ | 8 à 11 € |

Situé sur le point culminant du plateau de Fronsac, à 100 m d'altitude, ce vignoble de 8 ha est à l'origine d'un vin au nez discret, qui laisse poindre après aération de plaisantes notes de fruits noirs, d'épices et de toasté. La bouche, d'abord souple et ronde, se révèle un peu plus stricte en finale et appelle une petite garde d'un an ou deux.

☞ Nicolas Chevalier, 10 bis, lieu-dit Vincent, 33126 Saint-Aignan, tél. 05 57 24 02 21, sarl.odsv@gmail.com, ☑ ⚔ ⊥ t.l.j. 9h-20h

CH. TASTA Élevé en fût de chêne 2010 ★

| | 10 000 | ▮⑪ | 8 à 11 € |

Pour sa deuxième sélection dans le Guide, Patrice Chevalier confirme avec ce 2010 issu du seul merlot les qualités perçues dans la version 2009. D'agréables notes de fruits frais montent du verre. On retrouve ces sensations croquantes dans un palais élégant et fin, aux tanins fermes et serrés. De quoi faire des réserves pour les trois ou quatre prochaines années.

☞ Patrice Chevalier, Ch. Tasta, 33126 Saint-Aignan, tél. et fax 05 57 24 97 62, chateau.tasta@wanadoo.fr, ☑ ⚔ ⊥ r.-v.

CH. DU TERTRE 2010

| | 10 000 | ▮ | 8 à 11 € |

Ce petit domaine étend ses 3,5 ha de vignes en espaliers sur le tertre de Fronsac. Il propose un assemblage classique de merlot (80 %) et de cabernet-sauvignon, au nez plaisant de fruits mûrs, bien équilibré en bouche entre alcool et fraîcheur. À boire au cours des cinq prochaines années.

☞ Lagadec-Janoueix, rte de Saillans, 33126 Fronsac, tél. 05 57 25 54 44, fax 05 57 25 26 07, phbb@janoueixfrancois.com, ☑ ⚔ ⊥ t.l.j. sf dim. 9h-12h30 13h30-17h30; f. jan.

CH. TOUR DU MOULIN 2010 ★

| | 20 000 | ▮⑪ | 11 à 15 € |

Né à Saillans sur un sol argilo-calcaire, ce 2010 dévoile un nez plaisant de fruits noirs et rouges agrémenté d'épices douces. Dans la continuité du bouquet, la bouche, d'une aimable rondeur, s'appuie sur des tanins souples et élégants et sur un boisé mesuré. Un ensemble équilibré, à boire ou à attendre deux ou trois ans.

☞ SCEA Ch. Tour du Moulin, Le Moulin, 33141 Saillans, tél. et fax 05 57 74 34 26, chateau-tour-du-moulin@orange.fr, ☑ ⚔ ⊥ r.-v.

CH. LES TROIS CROIX 2010 ★

| | 56 000 | ⑪ | 15 à 20 € |

Vinificateur de renom (Mouton-Rothschild de 1985 à 2003, Opus One en Californie, Almaviva au Chili),

Patrick Léon a acquis en 1995 ce vignoble de 15,2 ha établi sur les communes de Fronsac, de Saillans et de Saint-Aignan. Son talent et celui de son fils Bertrand s'expriment à nouveau dans ce 2010 délicatement bouqueté autour des fruits noirs et d'un boisé bien dosé. En bouche, le vin se montre puissant, suave et généreux, étayé par des tanins fondus. Un peu plus strict en finale, il appelle une garde de deux ou trois ans.

☛ Famille Patrick Léon, 1, Les Trois Croix, 33126 Fronsac, tél. 05 57 84 32 09, fax 05 57 84 34 03, lestroiscroix@aol.com, ▣ ☀ ⍙ r.-v.

♥ CH. LA VIEILLE CURE 2010 ★★

	68 000		⦙⦙⦙	20 à 30 €

88	89	90	93	94	95	96	97	**98**	99	**00**	**01**	**02**	03	04
05	**06**	**07**	**08**	09	**10**									

Acquis en 1986 par des amis américains, ce cru très régulier en qualité, indiqué sur la carte de Belleyme de 1780, couvre 20 ha d'un seul tenant. Les vignes sont implantées sur des coteaux aux sols argilo-calcaires bien exposés et bien drainés dans la vallée de l'Isle. Le merlot et les deux cabernets ont donné naissance à ce 2010 de haut vol, paré d'une élégante robe sombre et dense. Fruits noirs (mûre, myrtille), épices douces et nuances florales composent un bouquet intense et fin. Le palais marie fraîcheur et concentration, finesse et puissance, bâti autour d'un fruité croquant, d'un boisé maîtrisé et de tanins serrés. Une bouteille de garde, à attendre cinq à dix ans.

☛ SNC Ch. la Vieille Cure, Coutreau, 33141 Saillans, tél. 05 57 84 32 05, fax 05 57 74 39 83, vieillecure@wanadoo.fr

CH. VILLARS 2010 ★

	78 000		⦙⦙⦙	15 à 20 €

93	**94**	**95**	96	**98**	**99**	**00**	**01**	**02**	03	04	05	06	**08**	**09**
10														

Les Gaudrie ont fêté en 2012 le bicentenaire de leur présence à la tête de ce cru de 30 ha. Régulier en qualité, ce dernier propose un 2010 de caractère, au nez intense de fruits mûrs (griotte, pruneau) agrémentés de notes de tabac et d'une petite pointe végétale pas désagréable. La bouche se révèle dense, puissante, généreuse, soutenue par des tanins robustes qui assureront à cette bouteille une bonne tenue dans le temps (trois à cinq ans au moins). Le **Ch. Moulin Haut Villars 2010** (8 à 11 € ; 32 500 b.), élégant, rond et soyeux, obtient également une étoile ; il pourra s'apprécier un peu plus jeune.

☛ SCEV Gaudrie et Fils, Villars, 33141 Saillans, tél. 05 57 84 32 17, fax 05 57 84 31 25, chateau.villars@wanadoo.fr, ▣ ☀ ⍙ r.-v.

Superficie : 785 ha
Production : 40 500 hl

Pomerol est l'une des plus petites appellations girondines et l'une des plus discrètes sur le plan architectural. Au XIX[e]s., la mode des châteaux du vin, d'architecture éclectique, ne semble pas avoir séduit les Pomerolais, qui sont restés fidèles à leurs habitations rurales ou bourgeoises. Néanmoins, l'aire d'appellation possède quelques demeures élégantes comme le château de Sales (XVII[e]s.), sans doute l'ancêtre de toutes les chartreuses girondines, ou le château Beauregard, l'une des plus charmantes constructions du XVIII[e]s., reproduite par les Guggenheim dans leur propriété new-yorkaise de Long Island.

Cette modestie du bâti sied à une AOC dont l'une des originalités est de constituer une sorte de petite république villageoise où chaque habitant cherche à conserver l'harmonie et la cohésion de la communauté ; un souci qui explique pourquoi les producteurs sont toujours restés réservés quant au bien-fondé d'un classement des crus.

La qualité et la spécificité des terroirs auraient pourtant justifié une reconnaissance officielle du mérite des vins de l'appellation. Comme tous les grands terroirs, celui de Pomerol est issu du travail d'une rivière, l'Isle, née dans le Massif central. Le cours d'eau a commencé par démanteler la table calcaire pour y déposer des nappes de cailloux, travaillées ensuite par l'érosion. Il en résulte un enchevêtrement de graves ou de cailloux roulés. La complexité des terrains semble inextricable : toutefois, il est possible de distinguer quatre grands ensembles : au sud, vers Libourne, une zone sablonneuse ; près de Saint-Émilion, des graves sur sables ou argiles (terroir proche de celui du plateau de Figeac) ; au centre de l'AOC, des graves sur ou parfois sous des argiles (Petrus) ; enfin, au nord-est et au nord-ouest, des graves plus fines et plus sablonneuses.

Cette diversité n'empêche pas les pomerol de présenter une analogie de structure. Très bouquetés, ils allient la rondeur et la souplesse à une réelle puissance, ce qui leur permet d'être de longue garde tout en pouvant être bus assez jeunes. Ce caractère leur ouvre une large palette d'accords gourmands, aussi bien avec des mets sophistiqués qu'avec des plats très simples.

CH. ALTIMAR 2010

	8 000		▮⦙⦙⦙	30 à 50 €

Un nouveau nom dans le Guide, mais une famille qui cultive la vigne depuis le début du XX[e]s., notamment en lalande-de-pomerol, au château Haut Chatain. Ce petit cru voisin de 6,2 ha a été créé en 2009 par l'arrière-petit-fils du fondateur, l'œnologue Martial Junquas (Altimar est l'anagramme de son prénom). Son 2010 est un pomerol aimable et sincère, le nez encore un peu dans la barrique, les fruits noirs et une touche de violette restant à l'arrière-plan. Souple en attaque, le palais montre plus de sévérité en finale. On attendra deux ou trois ans que l'ensemble se fonde.

🏵 SARL Ch. Altimar, Chatain, 33500 Néac,
tél. 05 57 25 98 48, v.mr@free.fr, ☑ 🕭 🍴 r.-v. 🏚 ⓪
🍷 Martine Rivière

CH. BEAUREGARD 2010 ★★

■		60 000		⬛	30 à 50 €

75 78 81 ⑧ 83 84 85 86 88 89 90 92 93 94 95 96 97 98 99 ⓪ |01| |02| |03| |04| 05 |06| |07| 08 09 **10**

Comme toujours à Beauregard, le cabernet franc ne fait pas que de la figuration. Il entre à hauteur de 30 % dans l'assemblage du 2010. Cela confère souvent au grand vin un côté un peu fermé et austère dans sa jeunesse, mais c'est aussi la promesse d'un avenir radieux. Et les dégustateurs ne s'y sont pas trompés. Ils décrivent un pomerol élégant dans sa robe noire et intense, certes sur la réserve au nez, mais qui laisse percevoir à l'aération un merrain de belle chauffe et un fruité frais. Après une attaque souple et ample, le palais monte en puissance, se révèle dense et vineux, structuré par des tanins virils mais sans dureté et par un boisé noble. Un pomerol de garde assurément, à laisser cinq à dix ans en cave.

🍷 SCEA Ch. Beauregard, 33500 Pomerol,
tél. 05 57 51 13 36

CH. BEAU SOLEIL 2010 ★

■	18 000	⬛	20 à 30 €

Ce domaine met en valeur le seul merlot. Le Médocain Thierry Rustmann, à sa tête depuis 2005, montre aussi ses aptitudes à mettre en musique le cépage-roi du Libournais. Ici, un 2010 en robe sombre, au nez intense et fin, porté sur les fruits rouges et sur les épices. Dès l'attaque, la bouche se montre chaleureuse et onctueuse, sur des notes persistantes de fruits à l'eau-de-vie qui enrobent des tanins bien présents en finale. Un vin... solaire, qui demande encore deux ou trois ans pour se fondre.

🍷 Thierry Rustmann, 26, chem. de Plince, 33500 Pomerol,
tél. 05 56 60 45 69, fax 05 57 25 54 09,
chateau.beausoleil@orange.fr, ☑ 🕭 🍴 r.-v.
🍷 GFV Beausoleil

CH. BEL-AIR 2010 ★

■	41 500	⬛	15 à 20 €

Ce domaine appartient à la famille Sudrat depuis un siècle. Situé dans le secteur de Cabannes, il est entièrement dédié au merlot. Le 2010 joue dans le registre des pomerol expressifs et de bonne garde. Le nez évoque une coupe de fruits rouges mûrs agrémentés d'amande douce et de réglisse. Elle aussi très fruitée, la bouche se révèle concentrée, chaleureuse et charnue, soutenue par de solides tanins boisés, qui lui permettront de bien évoluer au cours des trois à cinq prochaines années.

🍷 SCEA Vignobles Sudrat-Melet, Ch. Bel-Air,
5, chem. de la Cabanne, 33500 Pomerol, tél. 05 57 51 02 45,
fax 05 57 51 96 65, vignsudrat-melet@wanadoo.fr,
☑ 🕭 🍴 r.-v.

CH. LE BON PASTEUR 2010 ★★

■		30 000		⬛	50 à 75 €

78 79 81 ⑧ 83 85 86 88 89 90 92 93 94 ⑨ |96| 97 |98| |99| |00| |01| 02 |03| |04| **05** 06 08 09 **10**

Dans la famille Rolland depuis les années 1920, ce cru situé aux confins nord-est de l'appellation, dans le secteur de Maillet, est, signe des temps, passé sous pavillon chinois en mai 2013. Mais l'équipe technique reste en place, sous la direction de Dany et Michel Rolland. Le 2010 est bien dans le ton de la maison, très pomerol, mûr et concentré. Au nez domine un boisé intense mais élégant, aux accents de pain grillé, de crème brûlée, de noix muscade. L'entrée en bouche est suave et voluptueuse, la suite tout aussi onctueuse et déliée, soutenue par un bon boisé grillé et par de solides tanins. Un vin remarquablement équilibré, heureux mariage de la force et de la douceur, à laisser une cave au moins cinq à huit ans.

🍷 SCEA des Dom. Rolland, Maillet, 33500 Pomerol,
tél. 05 57 51 52 43, fax 05 57 51 52 93,
contact@rollandcollection.com, ☑ 🕭 🍴 r.-v.

CH. LE CAILLOU 2010

■	34 000	🍶 ⬛	20 à 30 €

Ce cru familial tire son nom de sa dénomination cadastrale, indiquant un terroir sablo-graveleux à base de crasse de fer ; le lieu de naissance de ce 2010 qui dégage une impression de « naturel », où rien n'est forcé. La robe est d'un beau rubis franc. Le nez, d'abord discret, s'ouvre à l'aération sur des notes de merlot bien mûr accompagné par un boisé vanillé. La bouche, souple et délicate en attaque, gagne en puissance avec le soutien de tanins frais. À déguster dans deux ou trois ans.

🍷 SARL André Giraud, Ch. le Caillou, 41, rue de Catusseau,
33500 Pomerol, tél. 05 57 51 06 10, fax 05 57 51 74 95,
giraud.belivier@wanadoo.fr, ☑ 🕭 🍴 r.-v.
🍷 GFA Giraud-Bélivier

CH. CERTAN DE MAY DE CERTAN 2010 ★★

■		24 000		⬛	+ de 100 €

85 86 88 89 ⑨ 94 95 96 97 98 99 |00| |01| |02| |03| 04 05 06 07 09 **10**

Un petit cru de 5 ha situé dans le secteur de Certan, au cœur de l'appellation. De May est le nom d'un Écossais à qui la Couronne de France offrit le domaine en échange de services rendus, au XVIe s. Odette Barreau-Badar et son fils Jean-Luc sont aujourd'hui aux commandes. Un encépagement équilibré – 70 % de merlot, 25 % de cabernet franc et une pointe de cabernet-sauvignon – issu de vignes de presque un demi-siècle est à l'origine de ce 2010 dense et profond à l'œil, qui s'ouvre à l'aération sur les fruits mûrs, les épices et un boisé élégant. Bâti sur des tanins fermes et croquants, le palais offre le même équilibre entre le merrain et le raisin, entre générosité et fraîcheur. Une belle garde en perspective (cinq à huit ans).

🍷 Mme Barreau-Badar, Ch. Certan, 33500 Pomerol,
tél. 05 57 51 41 53, fax 05 57 51 88 51,
chateau.certan-de-may@wanadoo.fr, ☑ 🕭 r.-v.

CH. CHANTALOUETTE 2010 ★★

■	76 000	20 à 30 €

Bruno de Lambert est à la tête depuis 1982 de ce vaste domaine familial de 47,5 ha, qui se transmet de génération en génération depuis 1464. Une large place est faite aux cabernets sur son terroir de sable et de graves fines : 16 %

de franc et 36 % de sauvignon, le merlot venant bien sûr en complément. Cela donne un 2010 sur la fraîcheur et le fruit (cerise notamment) à l'olfaction, plus rond et généreux en bouche, adossé à des tanins souples et fins qui permettront de l'apprécier dans les trois ans à venir.

🍷 Bruno de Lambert, 11, chem. de Sales, Ch. de Sales, 33500 Libourne, tél. 05 57 51 04 92, fax 05 57 25 23 91, chdesales@chateaudesales.fr, ☑ ⚔ ⵂ r.-v.

🍷 GFA de Sales

CH. CLINET 2010 ★

| ■ | 40 000 | ⑪ | + de 100 € |

Un domaine de notoriété ancienne (fondé au XIVᵉs.), très régulier en qualité et dont le nom rayonne autant à Pomerol qu'à l'étranger. Les 11,26 ha se partagent entre 85 % de merlot, 12 % de cabernet-sauvignon (plutôt rare dans l'appellation) et 3 % de cabernet franc. D'un beau classicisme, le 2010 s'ouvre à l'aération sur les fruits chauffés par le soleil et sur un boisé toasté élégant. Bois et raisin sont aussi bien mariés en bouche, dont la matière à la fois charnue, corsée et puissante, est adossée à des tanins fins et croquants. Un pomerol de caractère, armé pour la décennie.

🍷 Ch. Clinet, chem. de Feytit, 33500 Pomerol, tél. 05 57 25 50 00, fax 05 57 25 70 00, contact@chateauclinet.com, ☑ r.-v.

🍷 Famille Laborde

CLOS 56 2010

| ■ | 2 500 | 🗎⑪ | 75 à 100 € |

Si ce cru fait son apparition dans le Guide, la famille qui le conduit est installée depuis fort longtemps dans le Saint-Émilionnais (un ancêtre était jurat de la cité au Moyen Âge). En 2010, Pierre et Alexia Bouyer, propriétaires de 18 ha à Saint-Émilion, ont acquis une petite parcelle de 56 ares en Pomerol. Voici donc leur premier millésime de ce Clos 56, issu de 95 % de merlot planté sur un sol de sables, de graves et d'argiles. Au nez, les fruits noirs confits dominent. On les retrouve sous des accents de crème de cassis dans un palais solidement structuré et boisé avec mesure. À déguster dans deux ou trois ans.

🍷 SCEA des Domaines Bouyer, Ch. Milon, 33330 Saint-Christophe-des-Bardes, tél. 05 57 24 77 18, fax 05 57 24 64 20, milon-cure@wanadoo.fr, ☑ ⚔ ⵂ r.-v.

❤ CLOS DE LA VIEILLE ÉGLISE 2010 ★★★

| ■ | 9 000 | ⑪ | 50 à 75 € |

92 93 94 95 96 99 |00| 01 02 03 |04| 05 **06** 07 08 09 ⑩

Cette ancienne famille de vignerons est établie aux Artigues-de-Lussac, d'où elle commande plusieurs domaines dans les appellations libournaises, dont ce petit cru de 1,5 ha situé dans le Croissant d'or de Pomerol, sur le plateau de graves et d'argiles. Un encépagement traditionnel et équilibré de merlot (70 %) et de cabernet franc y donne naissance à des vins de grande expression, régulièrement salués dans ces pages. Le 2010 est un bijou. Paré d'une robe noire classique, très élégante, il dévoile un nez d'une grande complexité : cèdre, vanille, confiture de mûres, violette... La bouche impressionne elle aussi par son intensité aromatique (notes crémeuses de cappuccino, fruits mûrs, Zan, épices) et par l'équilibre qu'elle offre entre suavité et puissance, entre une chair douce et soyeuse et des tanins denses et ronds. L'archétype du grand pomerol, à laisser en cave au moins cinq à huit ans.

🍷 Jean-Louis Trocard, 1175, rue Jean-Trocard, 33570 Les Artigues-de-Lussac, tél. 05 57 55 57 90, fax 05 57 55 57 98, contact@trocard.com, ☑ ⚔ ⵂ t.l.j. 8h30-12h 14h-17h; sam. dim. sur r.-v.

LE CLOS DU BEAU-PÈRE 2010

| ■ | 18 000 | ⑪ | 30 à 50 € |

Jean-Luc Thunevin a l'esprit de famille : après avoir baptisé son (récent) 1ᵉʳ cru classé de Saint-Émilion du nom de sa femme (Valandraud, pour Muriel Andreau), c'est son beau-père auquel il fait honneur avec ce domaine créé en 2006. Il signe un 2010 au bouquet de fruits très mûrs souligné par un fin boisé, au palais suave, souple et charnu, rehaussé en finale par des tanins plus fermes et austères. On patientera deux ou trois ans pour que l'ensemble s'affine.

🍷 Thunevin, 6, rue Guadet, BP 88, 33330 Saint-Émilion, tél. 05 57 55 09 13, fax 05 67 67 03 07, thunevin@thunevin.com

CLOS DU CANTON DES ORMEAUX 2010 ★★

| ■ | 3 000 | ⑪ | 30 à 50 € |

Olivier Cazenave est producteur à Arveyres, sur la rive gauche de la Dordogne. En 2003, il a traversé la rivière pour reprendre cette petite vigne qui appartenait à son arrière-grand-père, également tonnelier. Son 2010, largement dominé par le merlot (95 %), a enthousiasmé les dégustateurs et frôle le coup de cœur. Ses arguments ? Une robe élégante et profonde, bordeaux foncé. Un bouquet complexe, riche en fruits mûrs, presque compotés, associés à un boisé fin et à des notes de violette, truffe et de poivre. Une bouche ample, à la fois puissante et charmeuse, bâtie sur des tanins bien enrobés par une chair soyeuse et douce, portée en finale par une agréable sensation de fraîcheur et de croquant. Un pomerol racé et complet, qui comblera aussi bien les amateurs de vins jeunes que de vins vieux (cinq à dix ans).

🍷 Olivier Cazenave, Ch. de Bel, 1, Malbatit, 33500 Arveyres, tél. 09 41 50 81 15, contact@chateaudebel.com, ☑ ⚔ ⵂ t.l.j. sf dim. 9h-18h; sam. sur r.-v. 🏠 ❷ 🏠 ❸

CLOS DU CLOCHER 2010 ★

| ■ | 22 900 | ⑪ | 50 à 75 € |

Les quais du Priourat sont à Libourne ce que les Chartrons sont à Bordeaux, le berceau du négoce des vins. C'est là qu'est établie la maison Bourotte-Audy, bien implantée dans le Pomerolais avec notamment ce Clos du Clocher, dont le nom révèle la situation et la nature : près de l'église du village et ceint de murets. Coup de cœur dans la précédente édition pour son 2009, le cru propose un

2010 en robe sombre, au nez boisé, réglissé et épicé, agrémenté de parfums de fruits noirs mûrs. Chaleureux, rond et suave, le palais s'appuie sur un boisé fondu et sur des tanins soyeux. Une bouteille armée pour une garde de trois à cinq ans. Le **Ch. Monregard La Croix 2010 (30 à 50 € ; 9 400 b.)**, un pur merlot fruité et épicé, souple et rond, aux tanins doux et veloutés, et le **Ch. Bonalgue 2010 (30 à 50 € ; 32 000 b.)**, fruité, mûr et dense, obtiennent eux aussi une étoile.

☛ SC Clos du Clocher, 35, quai du Priourat, BP 79, 33502 Libourne Cedex, tél. 05 57 51 62 17, fax 05 57 51 28 28, jbourotte@jbaudy.fr, ⚔ ⊤ r.-v.

☛ Famille Bourotte-Audy

CLOS L'ÉGLISE 2010 ★★

| ■ | 17 000 | ⫿ + de 100 € |

En 1997, Sylviane Garcin, déjà investie sur plusieurs vignobles bordelais, a acquis ce cru situé sur les graves argileuses du secteur de l'église de Pomerol. Elle signe un 2010 à 80 % du merlot, remarquable de bout en bout. La robe est sombre et jeune. Le nez, encore naissant, livre des parfums à la fois généreux et élégants de fruits noirs bien mûrs. La bouche se révèle elle aussi riche en fruits, ample, voluptueuse et puissante à la fois, soutenue par des tanins extraits avec finesse. « Du pomerol dans le texte », à déguster jeune (deux ou trois ans) ou plus âgé. Sélection parcellaire du grand vin, l'**Esprit de l'Église 2010 (30 à 50 € ; 3 600 b.)**, issu du seul merlot, est cité pour son boisé bien fondu et pour ses tanins suaves et fins. On pourra le boire dans sa jeunesse.

☛ SC Clos l'Église, 33500 Pomerol, tél. 05 56 64 05 22, fax 05 56 64 06 98, info@vignoblesgarcin.com

☛ Sylviane Garcin-Cathiard

CLOS PAYROL 2010 ★

| ■ | 1 322 | ⫿ 30 à 50 € |

Ce domaine de création récente (2006) revendique le titre de plus petit cru de l'appellation : avec 36 ares, on ne

le lui contestera pas. Les vignes de merlot sont plantées sur les graves argileuses du plateau de Pomerol. Avec ce cinquième millésime, Pascal Lagutère prouve que la qualité n'est pas fonction de la taille. Ce vin très coloré, presque noir, livre un bouquet naissant et profond de fruits noirs, d'épices et de violette. Velouté et soyeux en attaque, il se révèle charnu, ample et puissant en bouche, structuré par des tanins encore fermes en finale. Il devrait bien évoluer d'ici deux ou trois ans, et pourra tenir la décennie.

☛ Pascal Lagutère, 6, Lartigue, 33330 Saint-Émilion, tél. 05 57 24 64 63, pascal.lagutere@orange.fr, ☑ ⚔ ⊤ r.-v.

CLOS RENÉ 2010 ★★

| ■ | 65 000 | ⫿ 20 à 30 € |

« Reney » était déjà mentionné en 1764 sur la carte de Pierre de Belleyme. Jean-Marie Garde assure aujourd'hui la continuité du domaine et apporte une touche originale dans l'encépagement en associant un peu de malbec (10 %) aux traditionnels merlot et cabernet franc. Rubis aux reflets grenat, le 2010 offre un nez bien ouvert sur de douces notes fruitées et vanillées agrémentées d'une fine et fraîche nuance minérale. Souple en attaque, la bouche dévoile des tanins à la fois puissants et ronds, accompagnés par un boisé bien intégré qui n'écrase pas le fruit (cassis, cerise). Un vin équilibré, élégant et tout en force maîtrisée, qui, s'il semble déjà très abordable, gagnera à vieillir quatre ou cinq ans. Du même producteur et issu du même assemblage, le **Ch. Moulinet-Lasserre 2010 (25 000 b.)**, né dans le même secteur, présente un style proche, en un peu plus souple ; il obtient une étoile.

☛ SCEA Garde-Lasserre, Clos René, rue du Grand-Moulinet, 33500 Pomerol, tél. 05 57 51 10 41, fax 05 57 51 16 28 ☑ ⚔ ⊤ r.-v.

CLOS SAINT-ANDRÉ 2010 ★

| ■ | 2 500 | ⫿ 50 à 75 € |

Un microcru repris en 2004 par Jean-Claude Desmarty, une vigne créée par son arrière-grand-mère et

Le nord-ouest du Libournais

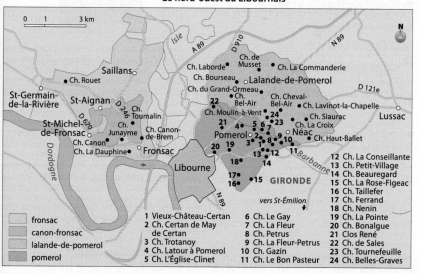

située sur les graves et argiles du secteur de Moulinet. Le 2010 est un vin concentré, à la robe vive et intense, qui s'ouvre à l'agitation sur les fruits mûrs rehaussés de nuances mentholées. Le palais se montre très dense, gras et puissant mais sans agressivité, porté par des tanins soyeux et un bon boisé fumé et torréfié. Ce pomerol généreux gagnera à vieillir deux ou trois ans.

🍷 Jean-Claude Desmarty, 7, imp. des Barrières, Grand-Moulinet, 33500 Pomerol, tél. 06 60 61 78 75, jcdesmarty@orange.fr, ☑ ⚤ � r.-v.

♥ CH. LA CONSEILLANTE 2010 ★★

■	42 000	⊞	+ de 100 €
82 85 88 89 90 93 95 96 98	99		00		01		02	03 04
⑤ 06 08 **09 10**

L'un des crus les plus anciens et les plus prestigieux de Pomerol, déjà connu au XVIIᵉs. lorsque Catherine Conseillan lui légua son nom ; il est dans la famille Nicolas depuis 1871. La qualité est toujours au rendez-vous, millésime après millésime. Le grand vin 2010 est dans la lignée du 2009, coup de cœur dans l'édition précédente. Un vin dense, noir d'encre, au bouquet naissant mais déjà complexe de fruits noirs confiturés, de vanille et d'épices (clou de girofle). La bouche se révèle opulente, ronde et concentrée, corsetée par de solides tanins et par un boisé élégant. Un grand pomerol à la fois subtil, soyeux et puissant. On attendra au moins une décennie pour l'ouvrir.

🍷 SC des Héritiers Nicolas, Ch. la Conseillante, 33500 Pomerol, tél. 05 57 51 15 32, fax 05 57 51 42 39, contact@la-conseillante.com, ⚤ r.-v.

CH. LA CROIX DU CASSE 2010

■	27 000	⊞	20 à 30 €

Dirigé par Philippe Castéja, de la très ancienne maison de négoce Borie Manoux, ce cru d'à peine 10 ha propose un 2010 généreusement fruité au nez (fruits noirs mûrs). La bouche est à l'unisson, chaleureuse, ronde, soutenue par des tanins souples et doux, qui permettront de boire ce vin dans sa jeunesse.

🍷 SCEA Ch. la Croix du Casse, 33500 Pomerol, tél. 05 56 00 00 70, fax 05 57 87 48 61 ☑ ⚤ X r.-v.

CH. LA CROIX TAILLEFER Romulus 2010 ★

■	3 000	▮⊞	30 à 50 €

Cette cuvée à forte dominante de merlot (98 %, avec un soupçon de cabernet franc) est, comme l'explique son élaborateur Romain Rivière, « un exercice de style », « une loupe sur une parcelle et sur un rendement plus serré ». Après un très long élevage en barrique, ce Romulus livre un bouquet intense de fruits surmûris et de boisé épicé et réglissé. Dans la continuité du nez, la bouche joue dans le registre de la richesse et de la puissance, mais

une puissance contenue, bâtie sur des tanins à la fois serrés, ronds et veloutés, et sur un boisé qui n'étouffe pas le fruit. On attendra trois à cinq ans pour apprécier pleinement cette bouteille.

🍷 SARL la Croix Taillefer, 56, rte de Périgueux, 33500 Pomerol, tél. et fax 05 57 51 26 35, la.croix.taillefer@wanadoo.fr, ☑ ⚤ X r.-v.

CH. LA CROIX-TOULIFAUT 2010 ★

■	9 000	⊞	30 à 50 €

À la tête de ce cru, l'une de ces nombreuses familles corréziennes devenues des acteurs incontournables du vignoble libournais. Le domaine doit son nom à une ancienne croix jalonnant le chemin de Compostelle, baptisée *tot li falt*, « tous y succombent » en occitan. Les nombreux promeneurs qui arpentent encore aujourd'hui ces chemins pourront aussi succomber aux charmes de ce 2010 rubis intense, riche en arômes boisés aux accents épicés et cacaotés. La bouche dévoile une structure ferme et fine à la fois, accompagnée par un boisé soutenu mais racé, qu'affineront deux ou trois ans de garde. Le **Ch. la Croix 2010 (33 700 b.)**, qui donne une large place aux cabernets (40 %), plus austère, est cité.

🍷 SCEA Ch. Jean-François Janoueix, 37, rue Pline-Parmentier, BP 192, 33506 Libourne Cedex, tél. 05 57 51 41 86, fax 05 57 51 53 16, info@j-janoueix-bordeaux.com, ☑ ⚤ X r.-v.

♥ CH. L'ENCLOS 2010 ★★★

■	35 700	⊞	30 à 50 €

Les Américains Denise et Stephen Adams, déjà propriétaires de *wineries* en Californie, investissent dans le Libournais depuis quelques années : Fonplégade, grand cru classé de Saint-Émilion, en 2004, et l'Enclos à Pomerol, en 2007. Ce dernier étend son vignoble de 9 ha répartis en trente-huit parcelles sur le coteau ouest du plateau. Plantés sur des sols sablo-graveleux, le merlot, le cabernet franc et un soupçon de malbec ont donné naissance à un 2010 majestueux, en robe de velours, couleur griotte. Le bouquet, naissant mais déjà complexe, évoque le sous-bois, les fruits rouges et noirs mûrs, la violette, le café torréfié. Le palais offre un équilibre parfait entre puissance et finesse, entre un raisin à point, un boisé de grande qualité et des tanins à la fois soyeux et serrés, le tout souligné par une fraîcheur stimulante. Un pomerol que l'on pourra apprécier aussi bien dans sa jeunesse (trois ans) que dans une décennie : la marque des grands.

🍷 SAS Ch. l'Enclos, 20, rue du Grand-Moulinet, 33500 Pomerol, tél. 05 57 74 43 11, fax 05 57 74 44 67, chateaufonplegade@fonplegade.fr, ☑ X r.-v.

🍷 M. et Mme Adams

CH. Enclos Haut-Mazeyres 2010 ★★

■   25 000   ⊪   20 à 30 €

Cette propriété, un clos d'une dizaine d'hectares d'un seul tenant, correspond à la partie haute du domaine de Mazeyres, dont il fut détaché en 1851 par la construction de la ligne de chemin de fer Paris-Bordeaux. Ici, « la vigne, bonsaï précieux qui a bravé plus de cinquante ans de tempêtes sèches ou mouillées, accepte de donner dans ses raisins la souvenance de ces ceps qui savent survivre » : Roland de Pedro a le verbe haut pour décrire le fruit de sa vendange. Des fruits de merlot (80 %), de cabernet et d'un peu de pressac (malbec), à l'origine d'un excellent 2010, au nez délicat de fruits mûrs agrémentés de notes torréfiées et chocolatées, au palais souple et rond en attaque, soutenu par des tanins fins extraits avec mesure. Un pomerol d'une grande élégance, à déguster dans les cinq ans à venir.

☛ Roland de Pedro, 51, chem. de Béquille, 33500 Libourne, tél. 05 57 51 16 69, fax 05 57 48 72 80, hautmazeyres@wanadoo.fr, ☑ ♣ ⵂ r.-v.

CH. L'ÉVANGILE 2010 ★★

■   n.c.   ⊪   + de 100 €

93 ⑨⑤ 96 ⑩⓪ |01| |02| 04 05 06 07 08 09 10

Entré dans le giron des domaines Barons de Rothschild Lafite en 1990, L'Évangile étend ses 16 ha de vignes au sud-est du plateau de Pomerol, limité au nord par Petrus, au sud par Cheval Blanc. Les ceps de merlot (88 % pour ce millésime, soit un peu moins que pour le 2009) et de cabernet franc s'enracinent dans un sol sablo-argileux mêlé de graves pures, au sous-sol riche en crasse de fer. Ils ont donné naissance à un 2010 en « robe de bure », sombre et dense, qui s'ouvre d'emblée sur des notes intenses de fruits noirs mûrs (cassis, prune) mêlés à un boisé fondu aux accents d'épices douces et de café. Le palais, ample et consistant, s'appuie sur des tanins puissants mais extraits avec finesse, au grain velouté, et s'achève par une longue finale aux tonalités fruitées. Un Évangile qui convertira plus d'un incroyant... dans dix ans. Le second vin, le **Blason de l'Évangile 2010 (20 à 30 €)**, exprime les fruits confits et confiturés rehaussés de notes épicées et mentholées à l'olfaction, et se montre frais et soyeux en bouche ; il obtient une étoile.

☛ Ch. l'Évangile, 33500 Pomerol, tél. 05 57 55 45 55, fax 05 57 55 45 56, levangile@lafite.com

☛ Dom. Barons de Rothschild (Lafite)

CH. Fayat 2010

■   55 000   ⊪   30 à 50 €

Ce cru récent, créé en 2009, rassemble en réalité les vignobles des châteaux La Commanderie de Mazeyres, Bourgneuf et Prieurs de la Commanderie, propriétés de Clément Fayat (La Dominique, grand cru classé de Saint-Émilion). Au total, 15 ha de vignes plantées sur des sols variés. Sur la réserve à l'olfaction, ce 2010 s'ouvre à l'aération, libérant des notes de fruits noirs et de violette. Il se montre suave et chaleureux en bouche, d'une longueur honorable, adossé à des tanins déjà bien affinés qui permettront de le boire assez vite, d'ici deux ou trois ans.

☛ Ch. Fayat, 18, av. Georges-Pompidou, 33500 Libourne, tél. 05 56 35 23 79, fax 05 57 25 71 22, contact@vignobles.fayat.com, ☑ ♣ ⵂ r.-v.

☛ VCF

♥ CH. Feytit-Clinet 2010 ★★

■   17 000   ⊪   50 à 75 €

Depuis 2000 et l'installation de Jérémy Chasseuil, ce cru joue dans la cour des grands. De nombreuses étoiles et un coup de cœur pour le 2008 attestent sa régularité. Le 2010 ne ternira pas sa réputation. L'ensemble du vignoble (6,5 ha) est ici représenté, planté à 95 % de merlot sur un beau terroir de graves. Rien ne manque dans ce superbe 2010, tout se trouve à un niveau de haute qualité. Une robe dense, sombre, tirant sur le noir. Un nez intense, concentré et plein de promesses, sur les fruits noirs et des senteurs torréfiées rehaussés d'épices et de notes truffées. Le palais est à l'unisson, très aromatique, ample, consistant, tannique mais soyeux, long, frais et croquant en finale. Un pomerol de noble expression, puissant et élégant à la fois, que l'on laissera sagement grandir encore une décennie.

☛ Chasseuil, 1, chem. de Feytit, 33500 Pomerol, tél. 05 57 25 51 27, fax 05 57 25 93 97, jeremy.chasseuil@orange.fr, ☑ ♣ ⵂ r.-v.

CH. La Fleur-Gazin 2010

■   n.c.   ⊪   30 à 50 €

Cette petite propriété de 8,5 ha située sur les pentes douces qui regardent la Barbanne appartient à Madame Delfour-Borderie ; elle est exploitée en métayage par les établissements Moueix depuis 1976. Le 2010, paré d'une élégante robe rubis foncé, exhale des parfums de raisin très mûr, de terre chaude après la pluie et d'épices (poivre et vanille). Chaleureux et épicé, le palais dévoile des tanins encore assez bruts, que deux ou trois ans de garde dégrossiront. On aura alors une jolie bouteille pour accompagner un plat en sauce.

☛ Éts Jean-Pierre Moueix, 54, quai du Priourat, BP 129, 33502 Libourne Cedex, tél. 05 57 51 78 96, fax 05 57 51 79 79, info@jpmoueix.com

☛ Mme Delfour-Borderie

♥ CH. La Fleur Petrus 2010 ★★★

■   n.c.   ⊪   + de 100 €

82 83 85 86 88 ⑧⑨ 90 95 96 98 99 |01| |02| |03| |04| 05 06 07 08 09 ⑩

Implanté sur un sol à dominante graveleuse, La Fleur Petrus, avec 14,5 ha, est le plus vaste des crus pomerolais de la galaxie Jean-Pierre Moueix (il a été agrandi en 1994 grâce à l'acquisition d'une butte graveleuse du château le Gay). Le merlot y cohabite avec 20 % de cabernet franc, qui, associés, donnent naissance à des vins réputés pour leur élégance. Le 2010 tient son rang, et plus encore. Paré d'une robe bordeaux soutenu à reflets

noirs, il dévoile un bouquet tout à la fois éclatant et élégant de fruits rouges frais, de poivre blanc, de rose et de violette, l'élevage restant bien en retrait. En bouche, il se révèle velouté en attaque, soutenu par des tanins serrés au grain fin jusque dans la longue finale harmonieuse. Un « pur pomerol », à la fois solide et soyeux, qui laisse l'image d'un promeneur tranquille et élégant. À déguster dans longtemps (cinq à dix ans), en prenant son temps.
☛ Éts Jean-Pierre Moueix, 54, quai du Priourat, BP 129, 33502 Libourne Cedex, tél. 05 57 51 78 96, fax 05 57 51 79 79, info@jpmoueix.com

CH. FRANC-MAILLET 2010

■		20 000	ⅲ	20 à 30 €

98	99	00	01	02	03	**04**	05	06	07	08	**09**	**10**

Sans atteindre le niveau du 2009, coup de cœur dans l'édition précédente, le 2010 de Franc-Maillet a retenu l'attention des dégustateurs. Paré d'une robe sombre tirant vers le noir, il livre des parfums intenses et généreux de fruits à l'alcool, de caramel et de fumé. Suivant la même ligne aromatique, la bouche se révèle vineuse, chaleureuse et riche, étayée par des tanins soyeux, un rien plus sévères en finale toutefois. À déguster au cours des prochaines années.
☛ EARL Vignobles G. Arpin, Chantecaille, 33330 Saint-Émilion, tél. 06 22 08 70 56, vignobles.g.arpin@wanadoo.fr, ☑ lun. mar. jeu. ven. 9h-12h 13h30-17h30

CH. LE GAY 2010 ★★

■		16 000	ⅲ	+ de 100 €

00	01	**02**	03	**04**	05	**06**	**07**	08	09	**10**

Valeur sûre de l'appellation, ce domaine fut propriété des demoiselles Robin pendant soixante ans. En 2002, Catherine Péré-Vergé, récemment disparue (voir le Ch. Montviel) reprit l'exploitation, qu'elle rénova entièrement. Son dernier Ch. Le Gay est un pomerol remarquable, dont la robe sombre et profonde laisse présager une belle concentration. De fait, au nez riche et intense, sur le moka, le pain grillé et les fruits noirs mûrs (cassis, myrtille), répond un palais aux accents mentholés en attaque, ample, riche, dense et voluptueux dans son développement, soutenu par des tanins veloutés et par un boisé élégant aux tonalités de cacao. On pourra commencer à apprécier cette bouteille dans cinq ou six ans. Issu du seul merlot, le second vin, le **Manoir de Gay 2010** (30 à 50 € ; 20 000 b.), est un pomerol fruité, avec juste ce qu'il faut de boisé, onctueux, souple, aux tanins enrobés. On pourra le servir plus jeune.
☛ SCEA Vignobles Péré-Vergé, Ch. le Gay, 33500 Pomerol, tél. 03 20 64 20 56, fax 03 20 64 18 99, communication@montviel.com, ☝ r.-v.

CH. GAZIN 2010 ★★

■		78 000	ⅲ	50 à 75 €

⑨⓪	**91**	**92**	**93**	**94**	⑨⑤	⑨⑥	**97**	**98**	**99**	**00**	01	**02**	03	**04**	05

⑥	07	**08**	09	10

Notoriété (il est exporté dans le monde entier), ancrage dans le passé (une ancienne possession des Hospitaliers de Jérusalem), surface (un peu plus de 26 ha), terroir (argiles et graves), tout fait de Gazin l'un des piliers de l'appellation. Mais c'est la qualité constante de son vin qui en fait un grand pomerol, dont ces pages rendent compte millésime après millésime. Le 2010 tient parfaitement son rang. À l'intensité de la robe, grenat foncé aux reflets brillants, répond un bouquet ouvert sur les fruits noirs et rouges mûrs (myrtille, bigarreau), sur la vanille et le poivre, accompagnés par une touche de cuir. Une harmonie entre le raisin et le bois que l'on retrouve dans un palais corpulent, ample et généreux, toujours frais et soyeux, porté par des tanins à la fois denses et caressants qui assureront une longue garde (cinq à dix ans au moins).
☛ GFA Ch. Gazin, 1, chem. de Chantecaille, 33500 Pomerol, tél. 05 57 51 07 05, fax 05 57 51 69 96, contact@gazin.com, ☝ ☍ r.-v.
☛ De Bailliencourt dit Courcol

♥ Ⓑ CH. GOMBAUDE-GUILLOT 2010 ★★

■		23 000	ⅲ	30 à 50 €

C'est l'arrière-grand-mère de Claire Laval, l'actuelle propriétaire, qui a fait entrer le domaine dans la famille, avec sa dot : un ancien bistrot en face de l'église et les vignes alentour, aujourd'hui réparties entre Gombaude-Guillot et Clos Plince, et certifiées bio. Les deux crus signent un 2010 remarquable, mais c'est au premier que va la préférence des dégustateurs – pour sa robe rubis éclatant ; pour son nez puissant, qui déploie une large palette d'arômes : fruits noirs, épices douces, toasté, touche animale... pour son palais imposant, à la fois dense, riche et d'une grande fraîcheur, bâti sur des tanins vigoureux mais élégants. Un pomerol expressif et équilibré, à déguster aussi bien jeune que patiné par quelques années de garde. Le **Clos Plince 2010** (20 à 30 € ; 6 800 b.) lui est très proche en qualité : deux étoiles et à deux doigts du coup de cœur. C'est un vin élégant, tendre, frais et fruité, au boisé et aux tanins bien intégrés, déjà charmeur, que l'on pourra apprécier prochainement. On pourra aussi l'attendre trois ou quatre ans.
☛ SCEA Famille Laval-Pomerol, 4, chem. Les Grand' Vignes, 33500 Pomerol, tél. 05 57 51 17 40, fax 05 57 51 16 89, gombaude@free.fr, ☑ ☝ ☍ r.-v.

BORDELAIS

CH. GRAND BEAU SÉJOUR 2010 ★

■   4 000   ⬛   30 à 50 €

Daniel Mouty, président des Vignerons indépendants d'Aquitaine, exploite 55 ha dans le Libournais. Depuis 1998, il cultive cette petite vigne de merlot située près du secteur de Figeac et plantée sur un terroir de graves. Son 2010 livre un bouquet riche en arômes de baies noires, d'épices douces, de toasté et de violette. Soyeux et velouté en attaque, le palais se révèle ample et charnu, étayé par un boisé généreux et par des tanins solides et frais. Un vin équilibré et élégant, à déguster aussi bien sur son fruit que plus âgé.

☛ SCEA Vignobles Daniel Mouty, Ch. du Barry, 19, rue de Merlande, 33350 Sainte-Terre, tél. 05 57 84 55 88, fax 05 57 74 92 99, contact@vignobles-mouty.com, ☑ ⚘ ⵏ t.l.j. sf sam. dim. 8h30-12h30 14h-18h

CH. GRAND MOULINET 2010 ★

■   18 000   ⬛   15 à 20 €

Cette famille, installée depuis cinq générations dans l'appellation voisine de Lalande, conduit une petite vigne de 3 ha en pomerol. Elle propose un 2010 bien sous tous rapports ; une robe intense et profonde aux reflets violines ; un bouquet puissant de fruits rouges confits ; une bouche à l'unisson, riche et onctueuse mais jamais pesante, épaulée par des tanins fermes et par un boisé fondu aux accents chocolatés. À attendre encore deux ou trois ans.

☛ GFA Ch. Haut-Surget, 18, av. de Chevrol, 33500 Néac, tél. 05 57 51 28 68, fax 05 57 51 91 79, chateauhautsurget@wanadoo.fr, ☑ ⚘ ⵏ r.-v.
☛ Fourreau

CH. LES GRANDS SILLONS 2010 ★

■   9 000   ⬛   20 à 30 €

Également productrice en montagne-saint-émilion, la famille Dignac exploite cette petite vigne d'à peine 3 ha depuis 1920. Dirigé aujourd'hui par Philippe et Stéphane Dignac (père et fils), ce domaine propose un pomerol en dentelle, ouvert à l'olfaction sur des notes de mine de crayon, de cassis et de violette, finement tannique et d'une grande fraîcheur en bouche. À déguster dans les trois ou quatre ans à venir.

☛ Dignac, 19, chem. de Jean-Lande, 33500 Pomerol, tél. 05 57 74 64 52, fax 05 57 74 55 88, philippe.dignac@cegetel.net,
☑ ⚘ ⵏ t.l.j. 9h30-12h 14h-18h30

CH. GRANGE-NEUVE 2010 ★★

■   20 000   ⬛   15 à 20 €

Ce cru familial de 7 ha a beaucoup progressé ces dernières années, avec en point d'orgue un coup de cœur pour le millésime 2009. Le 2010 est de la même veine. Après seize mois de fût, il délivre des parfums bien mariés de boisé chocolaté et de fruits rouges mûrs, rafraîchis par des nuances mentholées. Dans la continuité du bouquet, le palais se révèle concentré, gras, puissant, bien serré en finale, sans manquer ni de finesse ni de fraîcheur. Un ensemble harmonieux et prometteur, à attendre au moins quatre ou cinq ans.

☛ SCE Gros et Fils, 33, chem. des Ormeaux, 33500 Pomerol, tél. 05 57 51 23 03, chateau.grange.neuve@wanadoo.fr, ⚘ r.-v.

CH. LA GRAVE 2010 ★

■   n.c.   ⬛   30 à 50 €

82 83 86 88 89 ⑨⓪ |95| 98 99 |00| |01| |02| 03 |04| 06 08 10

Ce domaine de 8 ha établi sur le versant ouest du plateau de Pomerol est entré dans le giron des établissements Moueix en 1971. Issu de 85 % de merlot et de 15 % de cabernet franc, le 2010 se présente dans une robe sombre aux reflets bruns. Il dévoile un bouquet complexe et élégant de fraise confiturée, d'herbes fraîches, de tabac blond et d'épices douces. Soyeuse en attaque, la bouche offre un développement ample et généreux, adossé à des tanins vigoureux mais sans agressivité, et s'étire en finale sur de jolies notes poivrées. À attendre trois à cinq ans.

☛ Éts Jean-Pierre Moueix, 54, quai du Priourat, BP 129, 33502 Libourne Cedex, tél. 05 57 51 78 96, fax 05 57 51 79 79, info@jpmoueix.com

CH. GUILLOT CLAUZEL 2010 ★

■   4 400   ▮⬛   30 à 50 €

Ce petit vignoble implanté en pied de côte du plateau de Pomerol est entré dans la famille Clauzel dans les années 1950 ; depuis 2002, ce sont Catherine et Étienne Clauzel qui sont aux commandes. Le vin est né de vieux merlots de cinquante ans et de ceps de cabernet franc plus jeunes, plantés sur un terroir classique de graves et d'argiles à crasse de fer. Il se présente dans une robe d'ébène, le nez empreint de notes fruitées et boisées, mais aussi épicées et florales (rose). Il affiche une belle puissance et un volume certain au palais ; une pointe de sévérité en finale appelle une garde de trois à cinq ans.

☛ SCEA Consorts Clauzel, 72, rue Clément-Thomas, 33500 Libourne, tél. 06 15 45 34 99, etienne@consortsclauzel.com, ☑ r.-v.

CH. HAUT FERRAND 2010 ★★

■   15 000   20 à 30 €

Haut Ferrand n'est pas une sélection du château Ferrand, mais le fruit de vignes acquises au début des années 1970 par la famille Gasparoux, plantées sur le plateau (pourtant pas très haut) de Pomerol. Le merlot occupe 80 % de l'assemblage dans ce 2010 riche en arômes de fruits mûrs et de bon bois rehaussés de touches mentholées. Ample et puissant, le palais plaît par son fruité croquant, par son côté épicé et ses tanins fermes et denses que quatre ou cinq ans de garde finiront de polir. Le **Ch. Ferrand 2010** (15 à 20 € ; 63 400 b.), cité, fait une place importante au cabernet franc (40 %). Il s'ouvre à l'aération sur les fruits frais et sur un boisé délicat, se révèle vif et bien structuré en bouche. À servir dans deux ou trois ans.

☛ SCE Ch. Ferrand, chem. de la Commanderie, 33500 Libourne, tél. 05 57 51 21 67, fax 05 57 25 01 41, contact@chateau-ferrand.com, ☑ ⚘ r.-v.
☛ H. Gasparoux

CH. HOSANNA 2010 ★

■   n.c.   ⬛   + de 100 €

05 06 **07 08 09** 10

Petit cru de 4,5 ha correspondant à la partie la plus élevée de l'ancien château Certan-Giraud, acquis par les établissements Moueix en 1999, Hosanna est contigu à de prestigieux domaines : Petrus à l'est, Vieux Château Certan au sud, Lafleur au nord. On a connu pire voisinage... Ce qui ne l'empêche pas d'afficher sa personnalité propre, favorisée par un beau terroir de graves et d'argiles, et par un encépagement qui offre une place non négligeable au cabernet franc (30 %). Le 2010 porte beau dans sa robe très sombre, aux reflets bigarreau. Il se montre généreux à l'olfaction, mêlant les fruits rouges gorgés de soleil, le poivre et le caramel, avec un petit côté miellé. Un caractère chaleureux, « sudiste », qui n'est pas sans rappeler celui du château Providence et qui se prolonge dans un palais riche, soyeux et corpulent sans mollesse, étayé par des tanins bien présents. Un vin armé pour la décennie, que l'on pourra commencer à apprécier dans cinq ou six ans.

☛ Éts Jean-Pierre Moueix, 54, quai du Priourat, BP 129, 33502 Libourne Cedex, tél. 05 57 51 78 96, fax 05 57 51 79 79, info@jpmoueix.com

CH. LAFLEUR DU ROY 2010 ★★

■	20 000	▥	20 à 30 €

Yvon et Pâquerette Dubost sont venus à la viticulture par le biais de leurs pépinières. Les étiquettes de leur pomerol voient ainsi fleurir une nouvelle variété florale à chaque millésime : le 2010 arbore un joli gazania orangé. Dans le verre, un beau rouge incarnat aux reflets rubis et des parfums d'abord boisés, aux accents de moka et de chocolat, bientôt relayés par des notes de fruits confits et de cerise à l'eau-de-vie. Des sensations que l'on retrouve dans une bouche chaleureuse soutenue par des tanins aussi solides que soyeux et par une fine acidité qui lui confère une réelle élégance. Un pomerol de caractère, à déboucher dans quatre ou cinq ans.

☛ SARL L. Dubost, Catusseau, 33500 Pomerol, tél. 05 57 51 74 57, fax 05 57 25 99 95, sarl.dubost.l@wanadoo.fr, ▣ ✗ ⵣ r.-v.

CH. LAFLEUR GRANGENEUVE 2010

■	9 000	▤▥	20 à 30 €

La famille Estager, d'origine corrézienne, est établie depuis quatre générations dans le Libournais. Elle exploite à Pomerol un petit vignoble dans le secteur de Grangeneuve. Son 2010, pourpre foncé, livre un bouquet naissant de fruits rouges confits agrémenté de notes épicées et toastées de l'élevage. La bouche se montre consistante, structurée par des tanins encore un peu austères en finale et par un boisé marqué qui demandent deux à quatre ans de garde pour se fondre.

☛ Charles Estager, 1, Foujaille, 33500 Néac, tél. 05 57 51 35 09, fax 05 57 25 95 20, contact@estager-vin.com, ▣ ✗ ⵣ r.-v.

CH. LATOUR À POMEROL 2010 ★

■	n.c.		75 à 100 €

97 98 99 00 |01| |03| 05 06 07 08 09 10

Comme La Fleur-Gazin, ce petit domaine de 7,9 ha entourant l'église de Pomerol est exploité en fermage depuis 1963 par la société Jean-Pierre Moueix, pour le compte du Foyer de Charité de Châteauneuf-de-Galaure. Le merlot y règne en maître et entre à 90 % dans l'assemblage de ce 2010, avec le cabernet franc en complément. Cela donne un vin puissant et solide, qui annonce d'emblée la couleur avec sa robe sombre et profonde. Encore naissant, le bouquet est déjà plaisant par ses parfums doux de caramel au lait, de vanille et de fruits mûrs. Tonique dès l'attaque, le palais monte rapidement en puissance, se fait tannique et serré, avec en soutien une

belle fraîcheur qui lui donne de l'allonge et qui laisse augurer une bonne tenue à la garde (cinq ans et plus).

☛ Éts Jean-Pierre Moueix, 54, quai du Priourat, BP 129, 33502 Libourne Cedex, tél. 05 57 51 78 96, fax 05 57 51 79 79, info@jpmoueix.com

CH. MAZEYRES 2010

■	46 000	▥	20 à 30 €

92 93 **94 95** 96 97 00 |ⓒ| 02 03 |04| |05| |06| |07| 08 09 10

Un beau domaine de 25,5 ha situé aux portes de Libourne, commandé par un manoir de style Directoire. Depuis 1992, Alain Moueix est aux commandes. Il signe un 2010 plaisant, au bouquet de fruits rouges confits encore un peu masqué par un boisé grillé et accompagné par une touche de cuir. Dans la continuité du nez, la bouche se montre soyeuse, adossée à des tanins déjà bien assouplis qui permettront de boire ce pomerol sans trop attendre, dans les trois ou quatre ans.

☛ SC Ch. Mazeyres, 56, av. Georges-Pompidou, 33500 Libourne, tél. 05 57 51 00 48, fax 05 57 25 22 56, mazeyres@wanadoo.fr, ▣ ✗ ⵣ r.-v.

♥ CH. MONTVIEL 2010 ★★★

■	18 000	▥	30 à 50 €

Mise en Bouteilles au Château

Château Montviel

2010

Pomerol

Vignobles Péré-Vergé

Grande figure de Pomerol, Catherine Péré-Vergé, issue d'une famille de verriers du Nord, la célèbre cristallerie d'Arques, s'est éteinte en avril 2013, au moment même où ces lignes étaient écrites. Depuis 1985, elle exploitait trois domaines pomérolais réputés, les châteaux Montviel, établi sur les graves de Clinet, Le Gay, qu'elle réveilla de son sommeil, et le petit cru La Violette, qu'elle porta au plus haut rang. Magnifique héritage laissé aux œnophiles, son 2010 atteint une qualité exceptionnelle. Paré d'une somptueuse robe d'ébène aux reflets violets, il dévoile un bouquet intense et chaleureux de griotte à l'eau-de-vie, de cèdre et de réglisse. Le palais séduit par son velouté, sa rondeur, son boisé remarquablement fondu et son fruité savoureux qui s'attarde longuement en finale. Un pomerol sensuel et caressant, déjà délicieux et promis à un grand avenir (la décennie).

☛ SCEA Vignobles Péré-Vergé, Grand-Moulinet, 33500 Pomerol, tél. 03 20 64 20 56, fax 03 20 64 18 99, communication@montviel.com, ▣ ✗ r.-v.

CH. LE MOULIN 2010

■	12 000	▥	50 à 75 €

Depuis le coup de cœur obtenu pour son 2008, ce petit domaine (2,4 ha) situé tout près du Moulin de Lavaud s'invite régulièrement dans le Guide. Le 2010 séduit par son bouquet fin de petits fruits rouges relevés d'épices. Souple en attaque, toujours fruité et épicé, il montre plus de virilité en bouche, encore dominé par des tanins qui demandent trois à cinq ans pour se polir. Un bon pomerol de garde.

🍷 SCEA le Moulin de Pomerol,
chem. du Moulin-de-Lavaud, 33500 Pomerol,
tél. 05 57 55 19 60, fax 05 57 51 12 53,
contact@moulin-pomerol.com, ☑ ⚥ ⏛ r.-v.

🍷 Querre

CH. NÉNIN 2010 ★

■	50 000	◫	30 à 50 €

L'un des plus importants domaines de Pomerol, avec un vignoble de 34 ha situé à l'entrée de Catusseau. Le merlot domine, mais les propriétaires médocains (Léoville Las Cases à Saint-Julien) augmentent peu à peu la surface réservée au cabernet franc. Le grand vin 2010 en contient 18 % et dévoile la fraîcheur attendue. Au nez délicat, finement boisé et fruité succède une bouche tonique, « vivante » en attaque, soutenue de bout en bout par une belle vivacité et par des tanins fermes qui lui donnent du corps et du relief, ainsi qu'une réelle capacité de garde (la décennie). Le second vin, **Fugue de Nénin 2010 (15 à 20 € ; 80 000 b.)**, cité, accorde plus de place au merlot (92 %). C'est un vin élégant, charnu mais encore un peu sous l'emprise du merrain et de tanins encore austères. À attendre trois à cinq ans.

🍷 Ch. Nénin, 66, rte de Montagne, 33500 Pomerol,
tél. 05 56 73 25 26, fax 05 56 59 18 33,
contact@leoville-las-cases.com, ⚥ ⏛ r.-v.

🍷 Jean-Hubert Delon

♥ PETRUS 2010 ★★★

■	30 000	◫	+ de 100 €

85 86 87 ⑧⑧ 89 90 92 93 94 ⑨⑤ ⑨⑥ 97 ⑨⑧ 99 ⑩⑩ |01| 02 03 04 05 ⑩⑥ ⑩⑦ ⑩⑧ ⑩⑨ ⑩⑩

2008, 2009, 2010, trilogie magique pour Olivier Berrouet, qui a pris la suite de son père Jean-Claude, assurant ainsi une continuité qui fait souvent la réussite des grands domaines. Mais si 2010 offre un immense vin, le millésime fut bien différent de 2009, année solaire. Il fallut faire face à une climatologie un peu particulière : des précipitations au moment de la floraison en juin, entraînant des coulures et des rendements plus bas, de la sécheresse de janvier à mai et durant l'été, concentrant les raisins et compliquant la maturation des tanins, et enfin des nuits plus froides qu'à l'accoutumée en août, qui ont permis de préserver les arômes, de contrebalancer les excès de chaleur estivale en conférant une fraîcheur salutaire aux vins. De tout cela, Olivier Berrouet a tiré un Petrus d'exception, en robe rubis sombre moirée de reflets noirs. Le nez, concentré, ramassé même, évoque un buisson de mûres et de cerises noires délicatement mâtiné de violette et de notes empyreumatiques. Dès l'attaque, à la fois puissante et soyeuse, on sait que le vin sera grand. De fait, la suite confirme cette belle entrée en matière : c'est un pomerol tout en force maîtrisée, à la fois volumineux, riche, suave et pourtant d'une fraîcheur remarquable, offrant un fruité pur rehaussé de nuances florales et épicées (cumin, poivre). Dans vingt ou trente ans, on parlera encore de ce vin...

🍷 SC du Ch. Petrus, 3, rte de Lussac, 33500 Pomerol

CH. PLINCE 2010 ★

■	38 000	◫◫	20 à 30 €

Cette propriété familiale située à l'est de Libourne abrite un parc planté de marronniers, ce qui demeure assez rare à Pomerol, où même les jardins sont couverts de vignes... On s'approche ici du secteur de Figeac, ce qui explique peut-être la part relativement importante du cabernet franc (près de 30 % de l'assemblage de ce 2010). Cela explique aussi sans doute la finesse et la fraîcheur de ce vin, perceptible dès l'olfaction avec ses parfums élégants et bien mariés de boisé toasté et de fruits noirs. En bouche, la puissance du millésime est bien là, portée par des tanins fermes et serrés, et rafraîchie par une pointe de vivacité. Un vin ample, tonique et élégant, que l'on pourra commencer à déguster d'ici trois ou quatre ans.

🍷 SCEV Moreau, Ch. Plince, 33500 Libourne,
tél. 05 57 51 68 77, fax 05 57 51 43 39, plince@aliceadsl.fr,
☑ ⚥ ⏛ r.-v.

🍷 GFA Ch. Plince

CH. PLINCETTE 2010 ★★

■	8 700	◫◫	20 à 30 €

En 2010, Jean-Pierre Estager a subi une terrible catastrophe, son chai de Pomerol ayant été détruit par un incendie. Il a pu exceptionnellement élaborer ses vins dans celui, provisoire, construit pour l'occasion au château la Papeterie à Montagne-Saint-Émilion. De bons raisins et le talent du vinificateur ont permis d'élaborer trois beaux 2010. Le préféré est ce Plincette, né d'une petite vigne d'à peine 1,5 ha. Les dégustateurs ont apprécié son nez franc de fruits rouges confits légèrement épicés, tout comme son palais ample, doux, aux tanins mûrs et veloutés. Pour un plaisir immédiat ou pour la garde (quatre ou cinq ans). Le **Ch. la Cabanne 2010 (50 à 75 € ; 28 200 b.)**, riche, généreux et encore un peu anguleux en finale, est cité, de même que le **Ch. Haut-Maillet 2010 (30 à 50 € ; 14 500 b.)**, chaleureux, encore dominé par le bois et par des tanins un peu sévères mais de qualité.

🍷 Vignobles Jean-Pierre Estager, 35, rue de Montaudon,
33500 Libourne, tél. 05 57 51 04 09, fax 05 57 25 13 38,
estager@estager.com, ☑ ⚥ ⏛ r.-v.

DOM. DE LA POINTE 2010 ★★

■	7 000	◫	15 à 20 €

Si la famille Silvestrini est bien connue des lecteurs pour son domaine de Lussac-Saint-Émilion, le château Chéreau, elle l'est moins pour sa propriété de Pomerol, un petit vignoble de 1,18 ha qu'elle exploite depuis 1982. Elle propose un 2010 de haute volée, rubis soutenu, au nez complexe de fruits rouges, de violette, de lys et d'épices douces. Après une attaque suave et onctueuse, la bouche, à l'unisson de l'olfaction, monte en puissance, portée par des tanins serrés et par un boisé élégant. Un pomerol très harmonieux, qui s'appréciera aussi bien jeune que patiné par cinq ans de garde.

●↑ SCEA Vignobles Silvestrini, 8, Chéreau, 33570 Lussac, tél. 05 57 74 50 76, fax 05 57 74 53 22, vignobles.silvestrini@wanadoo.fr, ☑ ⚲ ⏆ r.-v.

CH. LA POINTE 2010 ★

		90 000	⏆	30 à 50 €

95 96 ⑱ 00 |01| |02| |03| |04| 05 **06** |07| 08 09 10

Ce domaine important (22 ha) doit son nom à sa situation à la sortie est de Libourne, dans l'angle aigu d'une patte-d'oie formée par les routes menant à Pomerol et à Catusseau. Un encépagement classique – merlot à 85 %, le cabernet franc en appoint – est à l'origine de ce 2010 dominé par la barrique au premier nez, qui s'ouvre plus nettement sur les fruits à l'aération. La bouche se révèle bien équilibrée ; d'abord souple et fruitée, elle monte en puissance en finale, portée par des tanins plus serrés et par un bon boisé qui demande encore deux ou trois ans pour se fondre.

●↑ Ch. la Pointe, 33500 Pomerol, tél. 05 57 51 02 11, fax 05 57 51 42 33, contact@chateaulapointe.com, ⚲ ⏆ r.-v.

CH. POMEAUX 2010 ★

		3 600	⏆	50 à 75 €

En 1808, ce petit domaine s'appelait Vieux Taillefer. En 1998, A.T. Powers et une petite équipe d'investisseurs passionnés l'ont acquis et renommé Pomeaux. Né sur un sol de crasse de fer, ce 2010 est un pur merlot, au premier nez boisé et épicé (poivre, clou de girofle), qui s'oriente vers les fruits confits et la cerise à l'eau-de-vie à l'aération. On retrouve ce boisé élégant et ce fruité chaleureux dans une bouche aux tanins encore bien présents, qui devraient s'assouplir avec deux ou trois ans de garde. Réservez alors à cette bouteille un faisan ou une pintade rôti(e).

●↑ Ch. Pomeaux, chem. de la Lamberte, 33500 Pomerol, tél. 05 57 51 98 88, fax 05 57 51 88 99, info@pomeaux.com, ☑ ⚲ ⏆ r.-v.

●↑ M. Powers

CH. PROVIDENCE 2010 ★

		n.c.	⏆	+ de 100 €

|05| |06| |07| 08 09 10

Établi au centre du plateau de Pomerol, à l'entrée du village et au pied du clocher, ce cru de poche (4 ha) est la dernière acquisition des établissements Jean-Pierre Moueix. Implantés sur un sol argilo-graveleux, le merlot (90 %) et le cabernet franc y donnent naissance à des vins généralement solides ; le 2010 est de ceux-là. Drapé dans une robe grenat profond, il dévoile un bouquet intense au boisé appuyé, relayé à l'aération par des sensations de fruits mûrs et de pruneau. On retrouve ces sensations presque « méridionales » de fruits cuits dans une bouche vineuse et suave, épaulée par de bons tanins encore fermes. Un pomerol chaleureux, à attendre cinq à dix ans.

●↑ Éts Jean-Pierre Moueix, 54, quai du Priourat, BP 129, 33502 Libourne Cedex, tél. 05 57 51 78 96, fax 05 57 51 79 79, info@jpmoueix.com

DOM. DU REMPART 2010

		2 400	⏆	30 à 50 €

Ce petit cru appartient depuis cinq générations à la famille de Marie-Françoise Paganelli-Estager. Il est situé

dans le secteur de Petrus, enclavé entre Gazin et l'Évangile. On a connu pire voisinage. La qualité du terroir se retrouve dans le verre avec ce 2010 finement bouqueté autour des fruits rouges mûrs. Un fruité qui se prolonge dans un palais ample et rond, aux tanins soyeux, un peu plus fermes en finale. Déjà appréciable, ce pomerol pourra aussi être attendu deux ou trois ans.

●↑ Françoise Paganelli-Estager, chem. de Chantecaille, 33330 Saint-Émilion, tél. 06 11 22 66 00, fax 04 94 95 19 37, vignoblejmestager@wanadoo.fr, ☑ ⚲ ⏆ r.-v.

CH. ROBERT 2010

		18 000	▮⏆	20 à 30 €

Dominique Leymarie exploite depuis 1983 ce petit cru d'un peu plus de 4 ha, implanté sur le secteur de Grangeneuve. Il signe un pomerol plein de fruits (fruits rouges, cassis) et tout en fraîcheur, souple, rond et plutôt léger en bouche. Un vin avenant, à déguster dans sa jeunesse.

●↑ Dominique Leymarie, BP 132, 33500 Libourne, tél. 05 57 51 07 83, fax 05 57 51 99 94, leymarie@ch-leymarie.com, ☑ ⏆ r.-v.

♥ CH. ROUGET 2010 ★★

		45 000	⏆	30 à 50 €

99 00 01 |02| 03 |04| 05 06 **07 08** 09 **10**

Près de 18 ha de vignes entourent ici une vaste demeure girondine et son parc aux arbres centenaires. En une vingtaine d'années, les Labruyère ont hissé ce cru parmi les grands de Pomerol, grâce à des vins d'une remarquable régularité. Le 2010 maintient le cap et décroche le cinquième coup de cœur du domaine depuis le millésime 1994. La robe est sombre et dense. Le nez, intense, mêle les fruits rouges mûrs et un boisé épicé. La bouche se montre riche, chaleureuse et charnue, étayée par un boisé luxueux et par une solide trame tannique qui donne beaucoup de volume et d'assise à l'ensemble. Un millésime bâti pour une longue garde.

●↑ SAS SGVP Ch. Rouget,
4-6, rte de Saint-Jacques-de-Compostelle, 33500 Pomerol, tél. 05 57 51 05 85, fax 05 57 55 22 45, chateau.rouget@orange.fr, ☑ ⚲ ⏆ r.-v.

●↑ Labruyère

CH. SAINT-PIERRE 2010 ★

		15 000	⏆	20 à 30 €

La famille de Lavaux est établie au château Martinet, à Libourne. De là, elle gère plusieurs vignobles, notamment à Pomerol, dont ce château Saint-Pierre implanté sur un terroir de sables et de graves riche en crasse de fer. Merlot et cabernet y ont donné naissance à un 2010 ouvert sur les fruits noirs mûrs et les épices, bien structuré en bouche, concentré et puissant sans pour autant perdre de son élégance. Un ensemble harmonieux, que l'on pourra commencer à boire dans deux ou trois ans. Cité, le **Ch. Haut Cloquet 2010 (15 à 20 € ; 15 000 b.)**, né d'un encépagement et d'un terroir très voisins, se montre souple et rond, porté par des tanins frais qui devraient s'affiner assez vite.

🕿 SCEA de Lavaux, 64, av. du Gal-de-Gaulle, 33500 Libourne, tél. 05 57 51 17 29, fax 05 57 74 05 89, contact@chateau-martinet.com,

☑ ⚹ ⵜ t.l.j. sf sam. dim. 8h-12h 13h-17h

CH. TAILLEFER 2010 ★★

		55 000		🍶 20 à 30 €

93	94	95	96	97	**00**	01	02	|03|	05	**06**	|07|	08	09	**10**

Ce domaine d'ancienne réputation (maison et vignes figurent sur la carte de Belleyme de 1764) étend ses 13,5 ha au sud du plateau de Pomerol, non loin de Figeac. La famille Moueix s'y est établie en 1923 et acquit là son premier vignoble. Catherine Moueix et ses enfants sont aujourd'hui aux commandes. Leur 2010, superbe, se pare d'une élégante robe bordeaux à reflets noirs. Intense et complexe, il mêle à l'olfaction les fruits noirs, la violette, le poivre et la vanille. Une attaque soyeuse ouvre sur un palais puissant, généreux, solidement charpenté par des tanins denses et mûrs, qui laisse une agréable impression de fraîcheur en finale. Un pomerol à la fois gourmand et racé, qui s'appréciera aussi bien jeune que patiné par dix ans de garde.

🕿 SC Bernard Moueix, Ch. Taillefer, BP 9, 33501 Libourne Cedex, tél. et fax 05 57 25 50 45, contact@moueixbernard.com, ☑ ⚹ ⵜ r.-v.

CH. TOUR MAILLET 2010 ★★

		13 000		🍶 20 à 30 €

99	⑴	02	03	04	|05|	|06|	|07|	**08**	09	**10**

Ce petit cru est une valeur sûre de l'appellation. Ses origines remontent aux lendemains de la Grande Guerre de 1914, lorsque Pierre Lagardère acquit un hectare de vigne dans le secteur de Maillet, près du la Barbanne. Ce sont aujourd'hui ses petit-fils et arrière-petit-fils Jean-Claude et Gaël qui conduisent le vignoble, 17 ha à Montagne, un peu plus de 2 ha à Pomerol, exclusivement plantés de merlot. Le 2010 se présente dans une robe sombre et jeune, le nez empreint de fruits confits, de réglisse, d'épices et de toasté. La bouche se montre chaleureuse, ample et charnue, adossée à des tanins enrobés, un boisé ajusté et à une fine vivacité. De quoi affronter sans crainte les cinq à dix prochaines années.

🕿 SCEV Lagardère, Négrit, 33570 Montagne, tél. 05 57 74 61 63, fax 05 57 74 59 62, vignobleslagardere@wanadoo.fr, ☑ ⚹ ⵜ r.-v.

CH. TROTANOY 2010 ★★★

		n.c.		🍶 + de 100 €

88	89	⑨	92	94	⑨	⑨	97	98	99	|00|	|01|	|02|	|03|	|04|
05	⑥	**07**	⑧	⑨	⑩									

Après des 2008 et 2009 « trois étoiles », 2010 poursuit une série de millésimes d'exception pour Trotanoy. Propriété de la société Jean-Pierre Moueix depuis 1953, ce domaine couvre 7,2 ha sur un terroir de graves argileuses et d'argiles noires ardu à travailler, mais qui donne sa force et sa profondeur au vin. Des caractères que l'on devine aisément en observant la robe dense et sombre aux reflets violets du 2010. Le vin se livre d'abord avec retenue ; puis l'aération libère des senteurs fraîches et avenantes de graphite et de fleurs, avant que n'apparaissent les fruits noirs mûrs et la confiture de cerises noires, "d'Itxassou", précise un dégustateur au nez aiguisé. Ample et fine en attaque, la bouche dévoile des tanins bien arrimés mais délicats, au grain très fin, et monte encore en puissance dans une finale riche et longue, aux accents de cerise cuite. Un pomerol « très Trotanoy », qui réussi à être imposant sans jamais se départir de sa prestance. À « oublier » en cave les dix prochaines années.

🕿 Éts Jean-Pierre Moueix, 54, quai du Priourat, BP 129, 33502 Libourne Cedex, tél. 05 57 51 78 96, fax 05 57 51 79 79, info@jpmoueix.com

CH. LA TRUFFE 2010 ★

		15 180		🍶 15 à 20 €

Ce petit vignoble de 2,4 ha appartient à la famille Peronneau, mais il est exploité par Jean-Paul Garde, vigneron à Lalande. Planté sur un sol argilo-graveleux très sec au sous-sol riche en oxyde de fer, le merlot (90 % de l'assemblage aux côtés des deux cabernets) a donné naissance à un 2010 rubis éclatant, au nez bien fruité et boisé avec mesure. En bouche, la texture se montre souple, riche et tendre ; on y retrouve le fruité de l'olfaction, souligné par une agréable fraîcheur et par des tanins mûrs qui n'écrasent pas le vin. Un pomerol ample et bien bâti, à déguster dans quatre ou cinq ans.

🕿 Jean-Paul Garde, Dom. du Grand Ormeau, 1, les Cruzelles, 33500 Néac, tél. 05 57 51 40 43, fax 05 57 51 33 93, garde@domaine-grand-ormeau.com, ☑ ⚹ ⵜ r.-v.

🕿 M. Peronneau

L'ÉCLAT DE VALOIS 2010

		n.c.		🍾🍶 50 à 75 €

Cette cuvée née du seul merlot est le second vin du château Valois. Elle livre un bouquet de baies noires, de caramel, d'épices et de noisette. Après une attaque chaleureuse et douce, le palais se montre plus viril et dévoile des tanins encore un peu austères, que deux à quatre ans de garde assoupliront.

🕿 EARL Vignobles Leydet, Rouilledimat, 33500 Libourne, tél. 05 57 51 19 77, fax 05 57 51 00 62, frederic.leydet@wanadoo.fr, ☑ ⚹ ⵜ r.-v.

CH. VIEUX MAILLET 2010 ★

		28 000		🍶 30 à 50 €

En quelques années, Griet et Hervé Laviale-Van Malderen ont investi dans plusieurs appellations libournaises, où ils associent viticulture et œnotourisme. Ici, nous sommes dans le secteur du Maillet, au terroir graveleux et sableux, sur un vignoble d'un peu plus de 8 ha planté aux trois quarts de merlot. Ce 2010 se présente dans une robe sombre qui annonce un bouquet concentré de fruits noirs mûrs, de griotte et de bois chaud et toasté. La bouche se montre généreuse, ample et corpulente, soutenue par des tanins serrés et persistants. L'ensemble demandera deux ou trois ans pour s'affiner et conviendra bien à des viandes tendres (agneau, veau).

🕿 SCEA Ch. Vieux Maillet, 16, chem. de Maillet, 33500 Pomerol, tél. 05 57 74 56 80, fax 05 57 74 56 59, info@chateauvieuxmaillet.com, ☑ ⚹ ⵜ r.-v.

🕿 Griet et Hervé Laviale-Van Malderen

DOM. VIEUX TAILLEFER 2010 ★

■   2 900   ▮▯   15 à 20 €

Cette petite vigne de 53 ares, acquise en 1861 par un aïeul de Sandrine Ybert-Bacles, est implantée sur les graves sablonneuses du lieu-dit Taillefer. Merlot et cabernet franc ont donné naissance à un 2010 bien dans le ton de l'appellation et du millésime. Derrière une robe grenat profond se dévoile un bouquet chaleureux et concentré de fruits noirs confiturés. Ample et tendre en attaque, la bouche se montre tout aussi généreuse, encadrée par des tanins denses et veloutés, et soutenue par une fine fraîcheur. À boire dès à présent ou à attendre cinq ans.
☛ SCEA Vignobles Daniel Ybert, lieu-dit La Rose, 33330 Saint-Émilion, tél. 05 57 24 73 41, fax 05 57 74 44 83, contact@vignoblesybert.fr, ☑ 𝘹 ⵏ r.-v.

CH. VRAY CROIX DE GAY 2010 ★

■   12 000   ▮▯   75 à 100 €

| 98 | 99 | 00 | 01 | 02 | 03 | 04 | **05** | **06** | 07 | 08 | 09 | 10 |

Petit par sa superficie (3,67 ha) mais grand par la renommée, ce cru est né en 1949 de la réunion de deux vignobles, l'un situé à proximité de Trotanoy et Le Pin, l'autre à côté de Petrus. Un voisinage de choix pour ce 2010 de belle extraction, au bouquet de fruits très mûrs, évoquant les raisins de Corinthe agrémentés d'un boisé délicat et épicé. Une attaque chaleureuse et boisée ouvre sur un palais riche, aux tanins serrés, qui s'étire en finale sur une jolie note poivrée. On attendra quatre ou cinq ans avant de servir cette bouteille bien construite.
☛ SCE Baronne Guichard, Ch. Siaurac, 33500 Néac, tél. 05 57 51 64 58, fax 05 57 51 41 56, info@baronneguichard.com, ☑ 𝘹 ⵏ r.-v.
☛ Aline et Paul Goldschmidt

Lalande-de-pomerol

Superficie : 1 130 ha
Production : 61 400 hl

Créé, comme celui de Pomerol qu'il jouxte au nord, par les Hospitaliers de Saint-Jean-de-Jérusalem (à qui l'on doit aussi l'église de Lalande qui date du XIIᵉs.), ce vignoble produit, à partir des cépages classiques du Bordelais, des vins rouges colorés, puissants et bouquetés qui jouissent d'une bonne réputation, les meilleurs pouvant rivaliser avec les pomerol et les saint-émilion.

CH. ALTIMAR 2010 ★

■   28 000   ▮▯   15 à 20 €

Nous sommes ici sur des vignes voisines du château familial Haut Chatain à Néac. Altimar est l'anagramme du prénom de Martial Junquas, qui a créé ce petit cru en 2009. Issu à parts quasi égales de merlot et de cabernets (franc surtout), ce 2010 couleur pourpre aux reflets grenat livre un bouquet frais de baies de sureau et de fruits rouges acidulés accompagnés par un boisé fin. Ronde, fruitée, boisée avec mesure, adossée à des tanins de bonne facture, la bouche se révèle équilibrée. Un lalande à déboucher dans les deux ou trois ans à venir. La **Réserve Marguerite Arnaud du Ch. Haut Chatain 2010 (20 à 30 € ;**

2 800 b.) obtient également une étoile. Ce vin concentré, solide et boisé honore la mémoire de l'aïeule ayant acheté les premières vignes du domaine en 1917. Le Ch. **Haut Chatain 2010 (11 à 15 € ; 20 000 b.)**, plus souple et « facile », est cité.
☛ SARL Ch. Altimar, Chatain, 33500 Néac, tél. 05 57 25 98 48, v.mr@free.fr, ☑ 𝘹 ⵏ r.-v. 🏠 ❹
☛ Martine Rivière

CH. ARNAUD DE GRAVETTE 2010

■   n.c.   ▯   8 à 11 €

Issu de la division de la propriété familiale, ce petit domaine de création récente (2009) fait sa seconde apparition dans le Guide. Son nom associe celui de son propriétaire et la nature graveleuse du sol ; le lieu de naissance de ce lalande agréable, fermé au premier abord, ouvert à l'aération sur les fruits noirs et un fin boisé. Franc en attaque, le palais offre un bon volume, de la fraîcheur et des tanins souples. À boire dans les deux ou trois ans à venir.
☛ Éric Arnaud, 16, la Coutaude, 33910 Saint-Denis-de-Pile, tél. 05 57 49 26 50, ericmh.arnaud@orange.fr, ☑ 𝘹 ⵏ r.-v.

CH. BOURSEAU 2010 ★

■   29 000   ▮▯   15 à 20 €

Depuis quelques années, ce cru familial s'impose comme une bonne référence de l'appellation, témoin le coup de cœur décroché dans l'édition précédente pour son 2009. Véronique Gaboriaud signe un 2010 qui, sans atteindre les mêmes sommets, tient son rang. Robe jeune et intense ; bouquet non moins intense et harmonieux mêlant fruits compotés, nuances mentholées et cacaotées ; bouche ample, riche, dense, boisée avec élégance et solidement charpentée, voire un peu austère en finale : tout laisse envisager un très joli vin d'ici trois à cinq ans. **La Croix de Bourseau 2010 (4 300 b.)**, dans un style assez proche, tannique et boisé, est citée. On lui réservera le même temps de garde.
☛ Vignobles Véronique Gaboriaud-Bernard, Ch. Bourseau, 33500 Lalande-de-Pomerol, tél. 05 57 51 52 39, fax 05 57 51 70 19, chateau.bourseau@wanadoo.fr, ☑ 𝘹 ⵏ r.-v.
☛ GFA Bourseau

CH. CANON CHAIGNEAU 2010 ★

■   15 000   ▮   15 à 20 €

Ce beau vignoble de plus de 20 ha entoure une longère girondine ornée d'un mascaron comme on en voit sur les quais de Bordeaux. Un peu moins classique est l'assemblage de ce 2010 qui associe aux habituels merlot (60 %) et cabernet une touche de pressac (nom local du malbec). Cela donne un vin sombre, au nez complexe et intense de fruits cuits, d'épices (poivre, clou de girofle) et de moka. Riche, ample et dense, la bouche s'appuie sur des tanins ronds, un peu plus stricts en finale. On pourra commencer à déboucher cette bouteille dans deux ou trois ans, sur un lièvre à la royale par exemple.
☛ SCEA Marin-Audra, Ch. Canon Chaigneau, Néac, BP 2, 33500 Néac, tél. 05 57 24 69 13, fax 05 57 24 69 11 ☑ 𝘹 ⵏ r.-v.

♥ CH. DE CHAMBRUN 2010 ★★

■   13 500   ▯   30 à 50 €

Silvio Denz, homme d'affaires suisse spécialisé dans le secteur du luxe, a investi depuis plusieurs années dans

CHÂTEAU DE CHAMBRUN
LALANDE-DE-POMEROL

2010

le monde du vin. Après avoir acquis en 2005 le château Faugères, grand cru classé de Saint-Émilion depuis le classement de 2012, il a racheté deux ans plus tard à Jean-Philippe Janoueix ce domaine de Lalande, qu'il porte au firmament de l'appellation avec ce 2010, synthèse remarquable de la puissance et de l'élégance. Une superbe robe de velours bordeaux habille le vin, qui s'ouvre à l'aération sur les fruits confits, la violette et un boisé discret. Le palais se révèle savoureux et corpulent, dense et charnu, adossé à des tanins fins et soyeux. Un grand et beau classique, à remiser deux à cinq ans en cave pour le déguster à son apogée.

☛ Ch. de Chambrun, 33500 Néac, tél. 05 57 40 34 99, fax 05 57 40 36 14, info@chateau-de-chambrun.com
☛ Silvio Denz

CH. CHATAIN PINEAU 2010

| ■ | n.c. | ■❚❚ | 11 à 15 € |

Cette propriété achetée par le grand-père au retour de la Grande Guerre est établie sur un dôme argileux difficile à travailler, au-dessus du hameau de Chatain, tout près de Pomerol. Y naît un joli vin de caractère, aux reflets violines de jeunesse, au nez discrètement boisé et bien fruité (fraise et cerise mûres). La bouche est très « nature », comprenez fraîche, fruitée et corsée, soutenue par des tanins de qualité, mais qui doivent encore s'arrondir. On attendra trois ou quatre ans avant d'ouvrir cette bouteille.

☛ Famille Micheau-Maillou, La Vieille-Église, 33330 Saint-Hippolyte, tél. 05 57 24 61 99, fax 05 57 74 45 37 ☑ 🕴 🍸 r.-v.

CLOS DES TUILERIES Le Bouquet 2010

| | 7 000 | ❚❚ | 8 à 11 € |

Établis depuis quatre générations dans la commune voisine de Saint-Denis-de-Pile, les Merlet cultivent aussi la vigne à Lalande. Ils proposent un 2010 sombre et profond, au nez encore un peu dans la barrique, mais qui s'ouvre à l'aération sur les fruits mûrs et la violette rehaussés de poivre noir. On retrouve ce boisé dominant aux côtés de tanins de qualité dans une bouche chaleureuse, riche et charnue. Une bouteille à laisser deux ou trois ans en cave avant de la servir sur un bœuf en daube, par exemple.

☛ SCEA Vignobles Francis Merlet et Fils, 46, rte de l'Europe, Goizet, 33910 Saint-Denis-de-Pile, tél. et fax 05 57 84 25 19, francis.merlet@dbmail.com, ☑ 🕴 🍸 r.-v.

CH. LA CROIX DE LA CHENEVELLE 2010 ★

| ■ | 10 000 | ❚❚ | 11 à 15 € |

On trouve de nombreuses croix dans cette région du Bordelais, lieu de passage des pèlerins de Saint-Jacques-de-Compostelle. Celle-ci devait d'après son nom se trouver près de vieux chênes. Monique Bedrenne y cultiva la vigne familiale depuis 2005 et signe ici un 2010 en robe noire, au nez ouvert sur le cassis, la cerise à l'eau-de-vie et la violette dans un fin sillage boisé et épicé. Ronde et onctueuse, la bouche joue dans le même registre floral et surtout fruité, adossée à des tanins « lissés » qui permettront de boire ce vin dans sa jeunesse, d'ici deux ou trois ans.

☛ Monique Bedrenne, 7, rue du 8 mai 1945, 33500 Lalande-de-Pomerol, tél. et fax 05 57 51 46 75, vignobles.bedrenne@orange.fr, ☑ 🕴 🍸 r.-v.

LA FLEUR DE BOÜARD 2010

| | 85 000 | ❚❚ | 20 à 30 € |

S'il veille précieusement sur Angelus à Saint-Émilion, Hubert de Boüard a aussi investi il y a une quinzaine d'années en lalande-de-pomerol, où il possède ce domaine de 20 ha à Néac. Dans son nouveau chai, les cuves tronconiques suspendues étonnent toujours, à tel point qu'on les appelle les « ovnis ». Le vin, lui, est bien identifiable, dans le ton de l'appellation et du millésime. Flatteur, le nez mêle les baies noires à un boisé fin. Encore dominé par l'élevage, le palais affiche une belle présence, du gras et de solides tanins, ainsi que de jolies notes fruitées qui ne demandent qu'à s'exprimer. À attendre au moins deux ou trois ans pour le laisser atteindre sa pleine d'harmonie.

☛ SC Ch. la Fleur Saint-Georges, lieu-dit Bertineau, BP 7, 33500 Pomerol, tél. 05 57 25 25 13, fax 05 57 51 65 14, contact@lafleurdebouard.com, ☑ 🕴 🍸 r.-v.
☛ Hubert de Boüard

♥ CH. GARRAUD 2010 ★★

| | 87 477 | ❚❚ | 15 à 20 € |

CHATEAU GARRAUD
LALANDE DE POMEROL
GRAND VIN DE BORDEAUX
2010

En trois générations, la famille Nony a constitué l'un des plus importants vignobles de l'appellation, dont les vins sont régulièrement sélectionnés dans ces pages. Elle a élaboré un 2010 de haut vol, qui plus est sur un volume très significatif, ce qui rend la performance plus méritoire encore. Paré d'une robe élégante mêlant le rubis et le grenat, le vin livre un bouquet fin et complexe de fruits noirs prolongés par un boisé *After eight*, chocolaté et mentholé. Franc et tonique dès l'attaque, le palais dévoile une chair dense qui enrobe des tanins fermes et serrés. La finale fraîche, intense et longue laisse le souvenir d'un vin puissant, équilibré et dynamique, qui pourra s'apprécier aussi bien jeune que patiné par cinq ou six ans de garde.

☛ Vignobles Léon Nony, Ch. Garraud, 33500 Néac, tél. 05 57 55 58 58, fax 05 57 25 13 43, info@vln.fr, ☑ 🕴 🍸 t.l.j. sf sam. dim. 9h-12h 14h-17h

CH. **GRAND ORMEAU** 2010 ★

■   55 000   ⅢⅠ   20 à 30 €

C'est aujourd'hui Françoise Beton qui conduit ce domaine familial, valeur sûre de l'appellation, acquis par son père Jean-Claude, fondateur du groupe Orangina. Ici, nul besoin de secouer la bouteille pour en apprécier le contenu, mais agiter le verre à dégustation permet d'en faire ressortir les parfums de bois frais, puis de fruits confits. Chaleureux, ample et puissant dès l'attaque, le palais est étoffé par une trame compacte de tanins denses mais enrobés. Ce vin gagnera à être attendu deux ou trois ans, et pourra s'apprécier pendant une décennie.

☛ Jean-Claude Beton, Ch. Grand Ormeau,
2, Grandes-Nauves, 33500 Lalande-de-Pomerol,
tél. 05 57 25 30 20, fax 05 57 25 22 80,
grand.ormeau@wanadoo.fr,
☑ ☂ ☗ t.l.j. sf ven. sam. dim. 9h-12h 14h-17h; f. août

CH. **LA GRAVIÈRE** 2010 ★★

■   4 000   ⅢⅠ   20 à 30 €

Récemment disparue, Catherine Péré-Vergé ne s'était pas trompée en achetant cette vigne de purs merlots, dont certains ceps très âgés ont échappé à la terrible gelée de 1956 grâce à leur exposition plein sud. Comme l'indique le nom du domaine, le sol est constitué de graves. Le cépage-roi du Libournais, le merlot, y puise les caractères remarquables présents dans ce 2010 sombre et profond, au nez épicé, fruité (cassis, mûre) et chocolaté. Le palais affiche beaucoup de présence et de volume, par ses arômes qui prolongent leur olfaction, par sa matière dense et concentrée et par ses tanins à la fois puissants et élégants. Un lalande de bonne garde (trois à cinq ans), qui n'a pas grand-chose à envier à ses voisins prestigieux de Pomerol.

☛ SCEA Vignobles Péré-Vergé, Grand-Moulinet,
33500 Pomerol, tél. 03 20 64 20 56, fax 03 20 64 18 99,
communication@montviel.com, ☑ ☂ r.-v.

CH. **LE GRAVILLOT** 2010 ★

■   6 600   ⅢⅠ   11 à 15 €

On a là affaire à un lalande de style saint-émilionnais, ce qui n'est pas surprenant lorsque l'on connaît les origines de son élaborateur, Vincent Brunot. Ce vin est un pur merlot né sur petites graves, paré d'une robe rubis soutenu aux reflets améthyste de jeunesse. Le premier nez, très boisé, s'ouvre à l'aération sur les senteurs fruitées d'un merlot très mûr et concentré. Ample et rond en attaque, le palais monte rapidement en puissance et déploie une réelle générosité, étayé par des tanins très solides, encore sévères, et par un boisé racé mais qui doit s'affiner. Deux ou trois ans de garde au minimum pour cette bouteille armée pour la décennie.

☛ SCEA J.-B. Brunot et Fils, Ch. Piganeau, 1, Jean-Melin, 33330 Saint-Émilion, tél. 05 57 55 09 99, fax 05 57 55 09 95, vignobles.brunot@wanadoo.fr, ☂ r.-v.

CH. **HAUT-GOUJON** 2010 ★

■   20 000   ⅢⅠ   15 à 20 €

Cette ancienne famille de vignerons est établie à Montagne mais elle possède aussi une grande vigne en lalande, dont elle a tiré cette cuvée qui fait classiquement la part belle au merlot (75 %). Ce 2010 dévoile un nez intense et frais d'épices (poivre), de fruits rouges et de menthol. En bouche, il se révèle ample, puissant et tannique, sous-tendu par une belle vivacité qui contribuera à son bon vieillissement (trois à cinq ans).

☛ SCEA Garde, Goujon, 33570 Montagne,
tél. 05 57 51 50 05, fax 05 57 25 33 93,
contact@chateauhautgoujon.com, ☑ ☂ ☗ r.-v. ⌂ Ⓑ

CH. **LES HAUTS-CONSEILLANTS** 2010 ★

■   51 500   ⅢⅠ   15 à 20 €

Léopold Figeac est à l'origine de la renaissance de ce cru au début des années 1970. C'est aujourd'hui son petit-fils, Jean-Baptiste Bourotte, d'ascendance corrézienne, qui en assure la gestion. Il signe un vin typiquement de garde. Paré de rubis intense aux reflets violines de jeunesse, ce 2010 dévoile un bouquet de fruits rouges frais et de violette. Après une attaque sur la rondeur, la bouche offre beaucoup de puissance et de mâche, adossée à des tanins nobles mais sévères, qui doivent encore s'affiner. Il faudra patienter trois ou quatre ans pour apprécier pleinement de cette bouteille.

☛ SAS Pierre Bourotte, 62, quai du Priourat, BP 79,
33502 Libourne Cedex, tél. 05 57 51 62 17,
fax 05 57 51 28 28, pbourotte@jbaudy.fr, ☂ ☗ r.-v.

CH. **HAUT-SURGET** 2010

■   120 000   ∎ⅢⅠ   11 à 15 €

La famille Ollet-Fourreau a constitué un beau vignoble de 35 ha répartis sur les différents terroirs de l'appellation, ce qui lui offre une belle palette pour élaborer ses vins. Ici, un 2010 en robe rouge foncé ornée de reflets mauves de jeunesse, dont le bouquet naissant demande un peu d'aération pour faire émerger un boisé encore dominant et des notes plus discrètes de fruits mûrs. Ferme dès l'attaque, le palais affiche un caractère solide et montant, bâti sur des tanins présents et « actifs » qui ferment la marche avec austérité. À attendre trois à cinq ans pour lui permettre de s'assouplir.

☛ GFA Ch. Haut-Surget, 18, av. de Chevrol, 33500 Néac,
tél. 05 57 51 28 68, fax 05 57 51 91 79,
chateauhautsurget@wanadoo.fr, ☑ ☂ ☗ r.-v.
☛ Fourreau

LUCANIACUS 2010

■   1 500   ⅢⅠ   15 à 20 €

Nous sommes ici sur la plus petite vigne (25 ares) parmi les 25 ha que la famille Saby exploite le long de la rive droite de la Dordogne. Elle porte le nom qu'Ausone, poète et consul (IVᵉ s.), avait donné à sa *villa* bordelaise. Le motif de l'étiquette représente une mosaïque trouvée sur la propriété. Dans le flacon, un vin bien contemporain, pourpre foncé traversé d'éclats grenat. Le bouquet, déjà expressif, associe le merlot bien mûr aux notes de vanille et de moka de la barrique. Le même compromis entre le bois et le fruit caractérise la bouche, ronde et souple, adossée à des tanins fins et soyeux, qui se font plus sévères en finale. Dans deux ans, cette bouteille donnera agréablement la réplique à une viande rouge, un steak au poivre par exemple.

☛ Vignobles Jean-Bernard Saby et Fils, Ch. Rozier,
33330 Saint-Laurent-des-Combes, tél. 05 57 24 73 03,
fax 05 57 24 67 77, info@vignobles-saby.com, ☑ ☂ ☗ r.-v.

CH. **LA MISSION** 2010 ★

■   10 000   ⅢⅠ   11 à 15 €

Dans le secteur de Pomerol et de Lalande, de nombreux crus font référence à des croix de pèlerinage ;

sur ce petit vignoble, il s'agit d'une croix de mission. Jean-Marie Garde associe une pointe de malbec au classique duo merlot-cabernet franc pour composer ce 2010 élégant dans sa robe grenat profond. Au nez s'exprime un fruité délicat de mûre et de myrtille accompagné de réglisse. La bouche séduit par sa rondeur, sa richesse et son côté charnu, sous-tendue par une belle fraîcheur qui apporte longueur et équilibre. Ses tanins fins et son boisé ajusté permettront à ce vin d'être dégusté aussi bien jeune qu'après cinq ans de garde.

☛ SCEA Garde-Lasserre, Clos René, rue du Grand-Moulinet, 33500 Pomerol, tél. 05 57 51 10 41, fax 05 57 51 16 28

☑ ⚔ ⊤ r.-v.

CH. MONCETS 2010

■   116 000   ▯▯   11 à 15 €

Un vrai château entouré d'un beau parc et d'un vignoble d'une vingtaine d'hectares, aux confins de Lalande, Pomerol, Saint-Émilion et Montagne. Son nom lui a été donné par le général de Moncets, propriétaire des lieux au XIXe s. Ce 2010 exhale des parfums discrets mais plaisants de fruits, de violette et de chocolat. La bouche est séveuse, riche et d'un bon volume, portée par des tanins fondus et un boisé léger. À boire d'ici deux ou trois ans.

☛ Ch. Moncets, 33500 Néac, tél. et fax 05 57 51 19 33, secretariat@moncets.com,

☑ ⚔ t.l.j. sf mer. sam. dim. 8h-17h

CH. LA MOTHE 2010 ★

■   75 000   ▯▯   15 à 20 €

Au cœur de son vignoble de Néac, François Janoueix a restauré une tour du XVIIIe s. bâtie en pierres de Saint-Émilion, qui offre une vue panoramique sur la cité médiévale, Pomerol et le tertre de Fronsac. Ce 2010 donne à voir quant à lui une belle expression du lalande-de-pomerol. C'est un vin rouge sombre et intense, sur les fruits noirs et rouges, le moka et le cacao, au palais riche et dense, finement tannique et boisé. Il pourra bientôt (deux ou trois ans) accompagner un canard aux truffes ou un carré d'agneau.

☛ SCEA Vignobles François Janoueix, 20, quai du Priourat, BP 135, 33502 Libourne Cedex, tél. 05 57 55 55 44, fax 05 57 51 83 70, vins@janoueixfrancois.com, ☑ ⚔ ⊤ r.-v.

♥ CH. PAVILLON BEAUREGARD Le Chapelain 2010 ★★

■   8 000   ▯▯   15 à 20 €

2010

CHATEAU
PAVILLON BEAUREGARD

" Le Chapelain "

LALANDE DE POMEROL

Sur les quelque 8 ha que possède le Crédit Foncier en lalande, Vincent Priou, directeur technique du domaine (ainsi que du Ch. Beauregard à Pomerol), a sélectionné 2 ha de merlot et de cabernet franc plantés sur graves argileuses pour élaborer cette superbe cuvée 2010. Parée d'une seyante robe bordeaux foncé, celle-ci dévoile

un bouquet déjà flatteur et complexe de fruits rouges et noirs concentrés, de pruneau, de réglisse et de boisé finement toasté. La bouche confirme les promesses de l'olfaction et séduit par sa rondeur avenante, par son caractère doux et onctueux qui enveloppe une solide charpente de tanins fermes et serrés. Tout en puissance maîtrisée, ce vin est armé pour affronter la garde (cinq à huit ans), mais il pourra aussi s'apprécier plus jeune (deux ou trois ans).

☛ SCEA Ch. Beauregard, 33500 Pomerol, tél. 05 57 51 13 36

CH. PERRON 2010

■   100 000   ▯▯   15 à 20 €

Cet important domaine, déjà mentionné en 1647, a été acquis dans les années 1950 par la famille Massonie, d'origine corrézienne comme beaucoup d'autres dans le Libournais. Il est situé à l'entrée du bourg de Lalande, non loin de l'église du XIIe s. Sa cuvée principale est un vin foncé qui laisse s'exprimer les fruits, rehaussés d'épices, le boisé restant discret à l'olfaction. La bouche se révèle riche et dense, charpentée par des tanins fermes qui devront s'affiner encore deux ou trois ans. Ce lalande gagnera à être carafé avant le service.

☛ SCEA Vignobles Michel-Pierre Massonie, Ch. Perron, BP 88, 33503 Lalande-de-Pomerol, tél. 05 57 51 40 29, vignoblesmpmassonie@wanadoo.fr, ☑ ⚔ ⊤ r.-v.

DOM. PONT DE GUESTRES
Élevé en fût de chêne 2010 ★★

■   10 110   ▯▯   15 à 20 €

Rémy Rousselot, connu pour ses vins du Fronsadais, exploite aussi la vigne du côté de Lalande, près du pont de Guîtres qui enjambe la Barbanne, ce ruisseau-frontière entre Pomerol et Lalande, entre Saint-Émilion et ses satellites, entre la langue d'oc et la langue d'oïl. Il signe un 2010 remarquable de bout en bout. Robe noire et dense ; bouquet intense et complexe de moka, de cassis, de violette et de menthol ; bouche riche, ample, corsée par des tanins puissants mais soyeux, sans dureté. Un vin de longue garde, armé pour la décennie.

☛ Rémy Rousselot, Ch. les Roches de Ferrano, 6, Signat, 33126 Saint-Aignan, tél. et fax 05 57 24 95 16, vignobles.rousselot@outlook.fr, ☑ ⚔ ⊤ r.-v.

CH. RÉAL-CAILLOU Élevé en fût de chêne 2010 ★

■   27 100   ▯▯   11 à 15 €

Ce cru exploité par le lycée viticole de Libourne-Montagne forme depuis 1969 les futurs professionnels de la viticulture. Les cours sont d'un excellent niveau semble-t-il, et les élèves ont été attentifs si l'on en juge par la qualité de ce 2010 issu de jeunes vignes de onze ans. Paré d'une robe très foncée, le vin livre un bouquet élégant de fruits rouges mûrs agrémentés d'un boisé mesuré. Soutenu par des tanins bien présents qui devraient se fondre assez rapidement, il emplit bien la bouche, qu'il tapisse de sa chair ronde, fruitée et vanillée. Deux ou trois ans de patience et il sera prêt.

☛ Lycée viticole Libourne-Montagne, 7, Grand-Barrail, 33570 Montagne, tél. 05 57 55 21 22, fax 05 57 55 13 53, expl.legta.libourne@educagri.fr,

☑ ⚔ ⊤ t.l.j. sf sam. dim. 8h30-12h 13h30-17h; f. 15 j. en août

DOM. DES SABINES 2010 ★

	20 000		20 à 30 €

En quelques années, Jean-Luc Thunevin s'est implanté dans nombre d'appellations libournaises. Il possède en lalande un petit cru d'un peu plus de 4 ha, planté sur graves légères du côté de Lalande et sur argile du côté de Néac. Cela donne un 2010 équilibré et élégant, en robe pourpre intense et au nez flatteur de baies noires finement boisées. On retrouve ces senteurs harmonieuses dans une bouche ronde et généreuse, relevée par une touche épicée et mentholée, soutenue par des tanins boisés déjà bien affinés qui permettront de boire ce vin dans les trois ans à venir.

☛ Thunevin, BP 88, 33330 Saint-Émilion,
tél. 05 57 55 09 13, fax 05 57 67 03 07,
thunevin@thunevin.com

CH. SAINT-JEAN DE LAVAUD 2010 ★

	5 400		15 à 20 €

De leur chai du château Vieux Maillet à Pomerol, les Laviale exploitent aussi une vigne en lalande, vers le moulin de Lavaud. Ils possèdent aussi Franc Mayne en saint-émilion grand cru classé et le château de Lussac en lussac-saint-émilion. Côté lalande, ils signent un 2010 qui n'a pas grand-chose à envier à ses « cousins » : robe dense et profonde ; nez intense et élégant de fruits mûrs et d'épices, avec un boisé léger à l'arrière-plan ; bouche ample, fraîche et charnue, bâtie sur des tanins élégants et enrobés. Un vin équilibré, à découvrir dans deux ou trois ans.

☛ SCEA Ch. Vieux Maillet, 16, chem. de Maillet,
33500 Pomerol, tél. 05 57 74 56 80, fax 05 57 74 56 59,
info@chateauvieuxmaillet.com, ☑ ⚔ ☍ r.-v.
☛ Griet Laviale-Van Malderen et Hervé Laviale

CH. SAMION 2010 ★

	8 000		11 à 15 €

Ancien directeur technique des établissements Jean-Pierre Moueix à Pomerol et vinificateur de grand talent, Jean-Claude Berrouet est aussi, on le sait moins, vigneron depuis 1978. Aujourd'hui, ses fils prennent la relève, notamment Jean-François, Olivier étant occupé à vinifier Petrus, à la suite de son père. Leur 2010 est un vin élégant et prometteur, issu du seul merlot. Au nez, les baies noires se mêlent à la réglisse, aux épices et à un boisé vanillé. La bouche se révèle ample, généreuse, puissante, soutenue par des tanins charnus, plus austères en finale. Un lalande bâti pour une garde de cinq ans et plus.

☛ Jean-Claude Berrouet, 1, Samion, 33570 Montagne,
tél. 05 57 74 59 80, fax 05 57 74 32 63,
chateau.samion@wanadoo.fr, ☑ ⚔ ☍ r.-v.

LA SERGUE 2010 ★

	19 000		20 à 30 €

Vinificateurs de talent (témoins les coups de cœur obtenus pour les millésimes 1999 et 2004), les Chatonnet père et fils ont remis en état de marche cette petite propriété de 5 ha après 2001. Ils signent un 2010 de belle facture, au nez généreux et ouvert de fruits confits bien mariés au boisé. Le palais, gras et ample, est empreint d'une grande douceur, soulignée par des tanins bien présents mais soyeux et par des arômes chaleureux de pruneau. Un vin suave, tout en puissance

maîtrisée, à déguster dans quatre ou cinq ans sur une viande en sauce.

☛ SCEV Vignobles Chatonnet, Ch. Haut-Chaigneau,
33500 Néac, tél. 05 57 51 31 31, fax 05 57 25 08 93,
contact@vignobleschatonnet.com, ☑ ⚔ ☍ r.-v. 🏨 ④

CH. SIAURAC 2010

	156 000	⬛	20 à 30 €

Acquis en 1832 par Pierre Buisson, arrière-arrière-grand-père d'Aline Guichard, l'actuelle propriétaire, Siaurac est le vaisseau amiral des différents vignobles du Libournais de la famille Guichard, le domaine le plus vaste de l'appellation avec 70 ha dont près de 50 ha de vignes. Ce lalande n'a donc rien de confidentiel. Paré d'une robe rubis intense, il livre à l'agitation des parfums boisés bientôt relayés par des notes de fruits confits et de noyau. Très chaleureux en attaque, la bouche se fait progressivement plus tannique, intense, et montre en finale un brin de sévérité. Elle gagnera en fondu au cours des deux ou trois prochaines années.

☛ SCE Baronne Guichard, Ch. Siaurac, 33500 Néac,
tél. 05 57 51 64 58, fax 05 57 51 41 56,
info@baronneguichard.com, ☑ ⚔ ☍ r.-v.

CH. TOURNEFEUILLE La Cure 2010 ★

	2 434		30 à 50 €

Tournefeuille figure déjà sur la carte de Belleyme de 1785. Son nom provient de son exposition plein sud, en surplomb de la Barbanne, ruisseau qui sépare Pomerol de Néac. L'été, par temps chaud et sec, les feuilles de vigne se retournent et les plus basses sèchent. La cuvée La Cure provient d'une parcelle plus argileuse et n'est élaborée que dans les grandes années : quatre millésimes à ce jour, 1998, 2001, 2009 et 2010. Ce dernier offre un vin très intéressant par sa finesse et son élégance. Derrière sa robe bordeaux traversée de reflets bruns, il livre au premier nez des parfums de moka, relayés à l'aération par des notes de fruits noirs mûrs. On retrouve ces sensations dans un palais ample, généreux sans lourdeur, étayé par des tanins soyeux, qui laisse le souvenir d'un vin délicat et velouté. Ce lalande donnera autant de plaisir aux amateurs de vins jeunes qu'à ceux qui préfèrent les boire vieux.

☛ SCEA Ch. Tournefeuille, 24, rue de l'Église, 33500 Néac,
tél. 05 57 51 18 61, fax 05 57 51 00 04,
chateautournefeuille@wanadoo.fr,
☑ ⚔ ☍ r.-v. 🏨 ④ 🏠 ⓔ
☛ É. Petit

CH. LA VALLIÈRE 2010 ★

	5 000		11 à 15 €

Laurent Dubost, également propriétaire à Pomerol, possède une petite vigne en lalande, à l'encépagement classique (80 % merlot, 20 % cabernets). Il signe un 2010 de bonne garde, paré d'une robe grenat sombre, au bouquet naissant de fruits noirs, de café torréfié et de vanille. Souple et fruité en attaque, le palais se montre ensuite plus corsé, dense, tannique et boisé. Son austérité finale appelle un séjour d'au moins trois ou quatre ans en cave. Tout indiqué pour un mets de caractère, un civet de sanglier par exemple.

☛ SARL L. Dubost, Catusseau, 33500 Pomerol,
tél. 05 57 51 74 57, fax 05 57 25 99 95,
sarl.dubost.l@wanadoo.fr, ☑ ⚔ ☍ r.-v.

CH. VIEUX CARDINAL LAFAURIE 2010

■ | | 39 000 | ⊞ | 8 à 11 €

Cheval Quancard, maison de négoce bien connue sur la place de Bordeaux, a acquis en 1978 ce vignoble, qui possède deux types de sols : des argilo-calcaires et des graves. Le cru est planté pour les deux tiers de merlot et pour un tiers en cabernets. Cela donne un 2010 misant sur la finesse. Le nez flatteur, vanillé et toasté de prime abord, s'oriente vers la framboise écrasée et la violette à l'agitation. La bouche se montre suave et délicate, soutenue par des tanins soyeux et par une agréable fraîcheur qui promettent une belle évolution pour les trois ou quatre ans à venir.

☛ Cheval Quancard, ZI La Mouline,
4, rue du Carbouney, BP 36, 33565 Carbon-Blanc Cedex,
tél. 05 57 77 88 88, fax 05 57 77 88 99,
chevalquancard@chevalquancard.com,
☑ ⚔ ⵣ r.-v. au Ch. de Bordes à Saint-Vincent-de-Paul

VIEUX CLOS CHAMBRUN 2010

■ | | 2 500 | ⫿⊞ | 30 à 50 €

Les vignerons normands existent ! Sylvie et Jean-Jacques Chollet vivent à Campround, dans la Manche, tout en exploitant un vignoble de poche (2,71 ha) à Néac, dans le Libournais. Ils y produisent du lalande depuis 1986, et plutôt bien à en juger par leurs sélections régulières dans le Guide. Ce 2010 à la robe foncée livre un bouquet expressif de baies des bois, de fleurs d'été et de bois épicé. La bouche offre du gras et du volume, portée par des tanins veloutés et fondus. Une bouteille harmonieuse, à boire dans sa jeunesse.

☛ Jean-Jacques Chollet, 15, La Chapelle, 50210 Campround,
tél. 02 33 45 19 61, fax 02 33 45 35 54,
cholletvin@hotmail.com, ☑ ⚔ ⵣ r.-v.

Saint-émilion et saint-émilion grand cru

Établi sur les pentes d'une colline dominant la vallée de la Dordogne, Saint-Émilion (3 300 habitants) est une petite ville viticole charmante et paisible. C'est aussi une cité chargée d'histoire. Étape sur le chemin de Saint-Jacques-de-Compostelle, ville forte pendant la guerre de Cent Ans et refuge des députés girondins proscrits sous la Convention, elle possède de nombreux vestiges évoquant son passé. La légende fait remonter le vignoble à l'époque romaine et attribue sa plantation à des légionnaires. Mais il semble que sa véritable origine se situe au XIIIᵉs. Quoi qu'il en soit, Saint-Émilion est aujourd'hui le centre de l'un des plus célèbres vignobles du monde qui, en 1999, a été incrit au Patrimoine mondial par l'Unesco. L'aire d'appellation, répartie sur 9 communes, comporte une riche gamme de sols. Tout autour de la ville, le plateau calcaire et la côte argilo-calcaire (d'où proviennent de nombreux crus classés) donnent des vins d'une belle couleur, corsés et charpentés. Aux confins de Pomerol, les graves produisent des vins d'une très grande finesse (cette région possédant aussi de nombreux grands crus). Mais l'essentiel de l'appellation est représenté par les terrains d'alluvions sableuses descendant vers la Dordogne, qui produisent de bons vins. Pour les cépages, on note une nette domination du merlot, complété par le cabernet franc, appelé bouchet dans cette région, et, dans une moindre mesure, par le cabernet-sauvignon.

L'appellation saint-émilion peut être revendiquée par tous les vins produits dans la commune et dans 8 autres villages environnants. La seconde appellation, saint-émilion grand cru, ne correspond pas à un terroir défini, mais à des critères d'élaboration plus exigeants : rendements plus faibles, élevage de dix-sept mois minimum, mise en bouteilles à la propriété obligatoire. C'est parmi les saint-émilion grand cru que sont choisis les châteaux qui font l'objet d'un classement. Ce dernier constitue l'une des originalités de la région de Saint-Émilion. Assez récent (il ne date que de 1955), il est régulièrement et systématiquement revu. La première révision a eu lieu en 1958 ; celle de 2006 a été contestée devant les tribunaux pour être, à l'issue d'une longue procédure, annulée par le tribunal administratif de Bordeaux. Pour mettre fin au vide juridique, le Parlement a voté en mai 2009 un article de loi rétablissant l'ancien classement de 1996 auquel s'ajoutent les promus de 2006, classement valable jusqu'à la récolte 2011 incluse. En 2012, un nouveau classement a été promulgué, lui aussi contesté à l'heure où nous mettons sous presse. Son fait marquant est la promotion de deux nouveaux 1ᵉʳˢ grands crus classés A : Angelus et Pavie.

Pour les saint-émilion grand cru, la dégustation Hachette s'est faite en distinguant les classés (y compris les premiers) des non-classés. Les étoiles et commentaires correspondent donc à ces deux critères.

Saint-émilion

Superficie : 5 400 ha (grands crus inclus)
Production : 51 000 hl

L'ARCHANGE 2010 ★★

■ | | 5 750 | ⊞ | 30 à 50 €

Bien connu des lecteurs, cet Archange – un pur merlot né sur une petite parcelle argilo-siliceuse de 1,21 ha située non loin de château Cheval Blanc – délivre un message qui ravira bien des palais. Du verre monte un boisé vanillé et épicé qui ne masque en rien un fruité intense (griotte, pruneau, cassis) agrémenté d'une touche florale. Puissante et ronde, concentrée et longue, la bouche tient la note fruitée et épicée, portée par des tanins élégants, un boisé judicieux et une belle fraîcheur. À attendre trois à cinq ans.

 SCEV Vignobles Chatonnet, Ch. Haut-Chaigneau, 33500 Néac, tél. 05 57 51 31 31, fax 05 57 25 08 93, contact@vignobleschatonnet.com, ☑ ⚐ ☰ r.-v. 🏠 ❹

CH. BARBEROUSSE 2010 ★

| ■ | 40 000 | 🍷 | 8 à 11 € |

Bergerac (Ch. Lamothe-Belair) ou saint-émilion, les vins de Stéphane Puyol fréquentent ces pages avec régularité, avec deux coups de cœur, un dans chaque AOC. Côté Libournais, le Barberousse 2006 fut consacré. Le 2010 fait belle impression : la robe est d'un beau grenat, le nez apparaît bien ouvert sur les fruits noirs et un boisé élégant, la bouche se montre douce, ronde et de bonne longueur, portée par des tanins souples. À boire ou à attendre (deux ou trois ans).

 SCEA des Vignobles Stéphane Puyol, Ch. Barberousse, 33330 Saint-Émilion, tél. 05 57 24 74 24, fax 05 57 24 62 77, chateau-barberousse@wanadoo.fr, ☑ ⚐ ☰ r.-v.

CH. BEAULIEU CARDINAL L'Or du temps 2010 ★

| ■ | n.c. | 🍷 | 11 à 15 € |

Macération en fût neuf de 500 l, élevage en barrique neuve pendant dix-huit mois, prédominance du cabernet franc (60 %) au côté du merlot, voilà de quoi signer une cuvée originale et très réussie, qui vise la longue garde. De beaux reflets rubis animent le verre. Au nez, la fraise confiturée, la violette et un boisé ajusté font bon ménage. En bouche, le vin est richement doté en tanins, mais leur trame est d'une belle finesse ; le bois bien présent apparaît élégant et respectueux du fruit (groseille, cassis), et une jolie trame acide donne de l'allonge à l'ensemble. Un saint-émilion appelé à bien vieillir, à ouvrir dans quatre ou cinq ans.

 Nathalie et Gérard Opérie, Ch. Haut-Fayan, 33570 Puisseguin, tél. 05 57 74 59 97, fax 05 57 74 54 82, sceavignobles.poitou-operie@wanadoo.fr, ☑ ⚐ ☰ t.l.j. 9h-19h 🏠 ❸ 🏠 🄳

♥ CH. LA CAZE BELLEVUE 2010 ★★

| ■ | 22 000 | ▮ | 5 à 8 € |

Le merlot (80 %) et le cabernet franc trouvent sur les sols sableux et graveleux de ce cru de 15 ha un remarquable terrain d'expression. Dix-huit mois en cuve ont dessiné une vin grenat sombre, au nez expressif et complexe mêlant fruits mûrs et épices (clou de girofle). Le palais a lui aussi bien des arguments à faire valoir : de la richesse, beaucoup de volume et de densité, une trame tannique solide mais soyeuse, de la longueur. Un saint-émilion plein d'élégance et de relief, que l'on pourra apprécier à son

optimum dans trois ou quatre ans, sur une épaule d'agneau aux épices douces par exemple.

 Philippe Faure, 7, rue de la Cité, 33330 Saint-Sulpice-de-Faleyrens, tél. 05 57 74 41 85, fax 05 57 74 42 39, vignobles.philippe.faure@wanadoo.fr, ☑ ☰ r.-v.

CLOS LE BRÉGNET 2010 ★

| ■ | 12 000 | ▮ | 8 à 11 € |

Une robe profonde, pourpre à reflets violets, habille ce 2010. Le nez livre des parfums élégants de cerise noire et d'épices douces. Une attaque chaude et voluptueuse ouvre sur un palais riche, plein, bâti sur des tanins serrés et porté en finale par une fine acidité. Un vin de bonne garde assurément, que l'on pourra attendre trois à cinq ans.

 EARL Vignobles Coureau, Le Brégnet, 33330 Saint-Sulpice-de-Faleyrens, tél. 05 57 24 76 43, clos-le-bregnet@wanadoo.fr, ☑ ⚐ ☰ t.l.j. sf dim. 8h30-18h30

DIVIN DE CORBIN 2010 ★★

| ■ | 16 000 | 🍷 | 15 à 20 € |

Le château Corbin (grand cru classé de Saint-Émilion) aurait été l'un des fiefs du Prince Noir, dont l'armure couleur corbeau aurait inspiré le nom du cru. Depuis 1999, Annabelle Cruse-Bardinet a pris la relève de quatre générations de femmes à la tête du domaine. Épaulée par son mari Sébastien, elle signe un 2010 dont le nez finement boisé laisse s'exprimer les fruits noirs mâtinés de touches épicées. La bouche séduit par son gras, par son volume et par ses tanins élégants et bien fondus. Un vin harmonieux, à attendre deux ou trois ans.

 SC Ch. Corbin, 33330 Saint-Émilion, tél. 05 57 25 20 30, fax 05 57 25 22 00, contact@chateau-corbin.com, ☑ ⚐ ☰ r.-v.

 Sébastien et Anabelle Bardinet

CH. DE LA COUR 2010 ★

| ■ | 10 000 | ▮ | 11 à 15 € |

Bruno Delacour a pris en 2010 la gérance du domaine, dans sa famille depuis 1994. Son directeur, Mathieu Bonté, signe à partir du merlot (90 %) et du cabernet franc un vin fruité à souhait et un rien épicé, frais, plein et structuré par une trame tannique bien intégrée. À boire dès aujourd'hui ou à attendre deux à trois ans.

 EARL du Chatel Delacour, 4, La Rouchonne, 33330 Vignonet, tél. 05 57 84 64 95, fax 09 70 06 19 86, contact@chateaudelacour.com, ☑ ⚐ ☰ r.-v.

 Bruno Delacour

CH. LE DESTRIER Cuvée Prestige
Élevé en fût de chêne 2010 ★

| ■ | 10 600 | 🍷 | 8 à 11 € |

Ce pur merlot livre un bouquet intense de fruits mûrs légèrement kirschés, mâtinés d'épices. La bouche se montre ronde, généreuse voire chaleureuse, portée par des tanins fondus qui appellent une dégustation dans les deux ans à venir.

 Vignobles Cheminade, Peyrouquet, 33330 Saint-Pey-d'Armens, tél. 05 57 47 15 39, fax 05 57 47 13 82, contact@vignobles-cheminade.com, ☑ ⚐ ☰ t.l.j. sf dim. 9h-12h30 14h-19h

DOURTHE La Grande Cuvée 2010 ★★

| ■ | 30 000 | ⊞ | 8 à 11 € |

La Grande Cuvée de la maison Dourthe est une habituée de ces pages. Parée d'une robe profonde aux reflets violets, la version 2010 ne déçoit pas ; elle livre un bouquet intense de fraise surmûrie, de groseille et de pain grillé. La bouche s'impose par sa puissance, son opulence, sa densité et son onctuosité. Ce vin richement bâti est encore sous l'emprise du chêne neuf : trois à cinq ans de garde au minimum sont recommandés. Élégante, soyeuse, portée par un boisé bien maîtrisé, la cuvée **Terroirs d'exception Croix des Menuts 2010 (11 à 15 € ; 45 000 b.)** obtient une étoile.

↬ Vins et Vignobles Dourthe,
35, rue de Bordeaux-Parempuyre, CS 80004,
33295 Blanquefort Cedex, tél. 05 56 35 53 00,
fax 05 56 35 53 29, contact@dourthe.com

DUVAL ET BLANCHET 2010 ★

| ■ | 35 000 | ▮ | 8 à 11 € |

Cette maison de négoce créée en 2008 par Olivier Duval et Aurélien Blanchet a fait son entrée dans ces pages l'an dernier, avec un sauternes et un médoc ; elle confirme son « jeune » savoir-faire avec ce saint-émilion de pur merlot. Au nez, du fruit (cerise, myrtille), quelques touches florales et un rien d'épices (girofle). En bouche, une attaque en douceur, une matière charnue portée par des tanins bien fondus et une juste fraîcheur en soutien. L'ensemble est équilibré et ne demande qu'à être dégusté, sur un tajine d'agneau par exemple.

↬ Duval et Blanchet, 160, cours du Médoc,
33300 Bordeaux, tél. 06 66 34 72 14,
olivier.duval@duvaletblanchet.com

CH. FLEUR DE LISSE 2010 ★★

| ■ | n.c. | ▮⊞ | 8 à 11 € |

Xavier Minvielle signe un 2010 remarquable en tout point. La robe séduit par sa couleur grenat soutenu ornée de franges vives. Le nez, complexe et ouvert, mêle les fruits noirs, la cerise à l'eau-de-vie et un bon boisé épicé. Ces arômes se retrouvent dans un palais franc en attaque, ample et plein, aux tanins mûrs, et épaulé par une élégante fraîcheur. Un ensemble équilibré, qui gagnera à attendre trois à cinq ans.

↬ Xavier Minvielle, 1, Giraud, Ch. Fleur de Lisse,
33330 Saint-Étienne-de-Lisse, tél. 05 57 40 18 46,
fax 05 57 40 35 74 ☑ ⚘ ⵂ r.-v.

FORTIN PLAISANCE 2010 ★

| ■ | 30 000 | ⊞ | 5 à 8 € |

Ce vin, proposé par la maison de négoce Cheval Quancard, est issu de raisins de plusieurs propriétés saint-émilionnaises. Un 2010 à la robe encore vive, grenat soutenu, au nez complexe et fin mêlant fruits noirs, fruits rouges, clou de girofle et boisé vanillé. Si en bouche le bois reste dominant, ce vin a la matière, le volume et la structure tannique pour le « digérer » sans encombre. À laisser en cave au moins jusqu'en 2015-2016.

↬ Cheval Quancard, ZI La Mouline,
4, rue du Carbouney, BP 36, 33565 Carbon-Blanc Cedex,
tél. 05 57 77 88 88, fax 05 57 77 88 99,
chevalquancard@chevalquancard.com,
☑ ⚘ ⵂ r.-v. au Ch. de Bordes à Saint-Vincent-de-Paul

CH. FRANCS-BORIES 2010 ★

| ■ | 49 300 | ▮ | 8 à 11 € |

Ce 2010 vinifié par la coopérative de Saint-Émilion a connu dix-huit mois de cuve avant de se présenter dans une robe grenat frangée de reflets rubis, le nez empreint de senteurs de fruits noirs rehaussés d'une pointe épicée. La bouche affiche un équilibre très réussi entre rondeur et structure tannique, entre douceur et puissance. D'une réelle élégance jusque dans sa finale tout en fruit, cette bouteille est déjà prête ; elle peut aussi patienter deux ou trois ans en cave.

↬ Union de producteurs de Saint-Émilion, Haut-Gravet,
BP 27, 33330 Saint-Émilion, tél. 05 57 24 70 71,
fax 05 57 24 65 18, contact@udpse.com, ☑ ⚘ ⵂ r.-v.

CH. GRAND BERT 2010 ★

| ■ | 36 000 | ▮ | 11 à 15 € |

Sophie et Laurent Lavigne-Poitevin signent à partir de 85 % de merlot, avec le cabernet franc en appoint, un 2010 au nez joliment fruité (groseille, framboise) et épicé. Le palais plaît par ses tanins enrobés, son soyeux, son fruité et sa fraîcheur mentholée. Un vin dynamique et harmonieux, à boire ou à attendre deux à trois ans.

↬ SCEA Lavigne, Ch. Grand Tuillac,
33350 Saint-Philippe-d'Aiguille, tél. 05 57 40 60 09,
fax 05 57 40 66 67, scea.lavigne@wanadoo.fr, ☑ ⚘ ⵂ r.-v.

CH. GRAND BOUQUEY 2010 ★

| ■ | 53 300 | ▮ | 8 à 11 € |

Paré d'une robe dense et foncée, ce saint-émilion livre un joli nez floral, fruité et fumé. Doux en attaque, il déploie en bouche des tanins bien présents, un rien austères, mais enrobés par ce qu'il faut de gras et de fruit.

La région de Saint-Émilion

1	Ch. Ausone	9	Ch. La Gaffelière
2	Ch. Cheval-Blanc	10	Ch. Magdelaine
3	Ch. Beauséjour-Bécot	11	Ch. Pavie
4	Ch. Beauséjour-Duffau	12	Ch. Trottevieille
5	Ch. Belair	13	Ch. Angélus
6	Ch. Canon	14	Ch. Pavie-Macquin
7	Clos Fourtet	15	Ch. Troplong-Mondot
8	Ch. Figeac		

Un vin bien construit, d'un bon volume, à boire dans les deux ans.

☛ Union de producteurs de Saint-Émilion, Haut-Gravet, BP 27, 33330 Saint-Émilion, tél. 05 57 24 70 71, fax 05 57 24 65 18, contact@udpse.com, ☑ ⚡ ⏳ r.-v.

CH. Hautes Graves du Rouy
Élevé en fût de chêne 2010 ★

| ■ | 8 200 | ⑪ | 5 à 8 € |

Ce 2010 est un pur merlot, et tout ici porte la marque du cépage roi du Libournais : la robe profonde et soutenue, le bouquet intense de fruits noirs (mûre, myrtille) agrémenté d'épices douces (cannelle, vanille), la bouche ample, gourmande et soyeuse, aux tanins à la fois corsés et veloutés. À garder deux à trois ans en cave.

☛ Vignobles Bernard Bouladou, 15, Le Bourg, 33330 Vignonet, tél. 05 57 74 90 59, vignobles.bouladou@gmail.com, ☑ ⚡ ⏳ r.-v.

CH. Hautes Versannes 2010 ★★

| ■ | 44 800 | ■ | 8 à 11 € |

Proposé par la coopérative de Saint-Émilion, ce 2010 associe les deux cabernets au merlot (85 %). D'abord discret, le nez s'ouvre à l'aération sur des notes de fruits rouges frais. Franche en attaque, la bouche séduit elle aussi par son fruité croquant et persistant, soutenu par des tanins soyeux et enveloppants. La finale, longue et veloutée, étire le plaisir procuré par ce vin harmonieux et tout en fruit. À boire dans les trois ou quatre ans à venir.

☛ Union de producteurs de Saint-Émilion, Haut-Gravet, BP 27, 33330 Saint-Émilion, tél. 05 57 24 70 71, fax 05 57 24 65 18, contact@udpse.com, ☑ ⚡ ⏳ r.-v.

CH. Martinet 2010 ★

| ■ | 100 000 | ⑪ | 8 à 11 € |

Issu de 65 % de merlot et de 35 % de cabernet franc, ce 2010 a connu dix-huit mois de fût. Au nez, les fruits rouges, griotte en tête, sont accompagnés de plaisantes notes épicées (paprika). La bouche se révèle bien structurée tout en affichant de la rondeur, soutenue par un boisé fondu, une jolie vivacité et une finale légèrement saline. À attendre deux ou trois ans.

☛ SCEA de Lavaux, 64, av. du Gal-de-Gaulle, 33500 Libourne, tél. 05 57 51 17 29, fax 05 57 74 05 89, contact@chateau-martinet.com, ☑ ⚡ ⏳ t.l.j. sf sam. dim. 8h-12h 13h-17h

CH. Moulin du Jura 2010 ★

| ■ | 15 600 | ■⑪ | 5 à 8 € |

Né sur les bords de la Barbanne, dans un ancien moulin à eau transformé en chai, ce 2010 livre un bouquet net et frais de fruits noirs mêlés de notes vanillées. En bouche, le vin se montre souple, fruité, boisé sans excès et de bonne longueur. Un saint-émilion équilibré, à boire ou à attendre deux à trois ans. La **cuvée Prestige 2010 Élevé en fût de chêne (8 à 11 € ; 11 500 b.)**, plus généreuse, riche, puissante et encore sous l'emprise du bois, frôle l'étoile et s'appréciera mieux dans trois à cinq ans.

☛ SCEA Moulin du Jura, 1, lieu-dit Le Moulin-du-Jura, 33570 Montagne, tél. 05 57 51 27 98, fax 05 57 74 18 96, moulindujura@orange.fr, ☑ ⚡ ⏳ r.-v.

RÉSERVE Mouton Cadet 2010 ★

| ■ | 265 000 | ■ | 15 à 20 € |

La maison de négoce Baron Philippe de Rothschild signe avec ce 2010 un saint-émilion bien typé. Derrière une robe grenat soutenu se dévoile un bouquet fort plaisant de fruits rouges et noirs mûrs à souhait relevé d'épices. Élégante et longue, la bouche offre du grain et du volume, de la rondeur et du fruit. Appréciable dès aujourd'hui, cette bouteille pourra aussi vieillir quelques années.

☛ Baron Philippe de Rothschild, 10, rue de Grassi, 33250 Pauillac, tél. 05 56 73 20 20, fax 05 56 73 20 44, webmaster@bpdr.com

DE Nerville 2010 ★★

| ■ | 2 500 | ■⑪ | 15 à 20 € |

Un hectare de vignes est à l'origine de cette microcuvée signée Marina et Caroline Gracia. *Small is beautiful* est-on tenté de dire avec cette cuvée créée en 2004, qui fleure bon les fruits rouges compotés mâtinés de notes florales, discrètement vanillées. Une attaque vive et puissante ouvre sur une bouche aux tanins fermes mais enrobés par une chair ronde et par un fruité généreux. Une longue finale conclut la dégustation de ce vin élégant, charmeur et plein de promesses pour les trois à cinq ans à venir.

☛ Michel Gracia, rue du Thau, 33330 Saint-Émilion, tél. 05 57 24 77 98, fax 09 66 91 59 91, michelgracia@wanadoo.fr, ⚡ ⏳ r.-v.

CH. Queyron Patarabet 2010 ★

| ■ | 13 330 | ■ | 8 à 11 € |

Le seul merlot est à l'œuvre dans ce vin d'une teinte profonde, au nez charmeur de fruits rouges (framboise, cerise) mêlés de touches mentholées. Le palais est bien construit autour de la fraîcheur, du fruité et de beaux tanins enveloppants qui étirent la finale. À boire au cours des deux prochaines années.

☛ Union de producteurs de Saint-Émilion, Haut-Gravet, BP 27, 33330 Saint-Émilion, tél. 05 57 24 70 71, fax 05 57 24 65 18, contact@udpse.com, ☑ ⚡ ⏳ r.-v.

CH. Rastouillet Lescure 2010 ★★

| ■ | 26 660 | ■ | 8 à 11 € |

Geneviève Dumery, propriétaire à Saint-Hippolyte, a confié ses raisins de merlot (75 %) et de cabernets à la coopérative de Saint-Émilion, qui en a tiré un vin remarquable en tout point, à l'image de la version 2009, coup de cœur. Expression d'un merlot mûr à souhait, ce 2010 offre un nez riche et opulent de fruits confiturés (fraise, framboise, mûre). Ample dès l'attaque, la bouche séduit par son fruité savoureux et persistant, porté par des tanins à la fois puissants et soyeux. Un vrai « vin plaisir », à déguster sans attendre, sur une entrecôte sauce marchand de vin.

☛ Union de producteurs de Saint-Émilion, Haut-Gravet, BP 27, 33330 Saint-Émilion, tél. 05 57 24 70 71, fax 05 57 24 65 18, contact@udpse.com, ☑ ⚡ ⏳ r.-v.

CH. La Rose Monturon 2010

| ■ | 10 000 | ⑪ | 11 à 15 € |

Avec son mari Stéphane, directeur technique viticole, Myriam Dubès a repris en 2005 une partie de l'exploitation familiale. Tous deux ont conservé leur activité professionnelle et travaillent leur vigne sur leur temps de loisir. Un sacerdoce qui porte ses fruits ; témoin cette cuvée généreusement fruitée, le boisé restant à l'arrière-plan, bien équilibrée entre rondeur et fraîcheur, portée par des tanins d'un beau grain. Un vin qualifié de « gourmand », que l'on appréciera dès aujourd'hui.

☛ Myriam Dubès, 1, les Places,
33330 Saint-Étienne-de-Lisse, tél. 05 57 24 69 33,
fax 05 47 84 84 00, contact@chateau-larosemonturon.com,
☑ ⚘ ⛓ t.l.j. 9h-12h 14h-18h

UNION DE PRODUCTEURS DE SAINT-ÉMILION 2010 ★

■	150 000	▮	8 à 11 €

Voilà une étiquette d'une simplicité biblique : Saint-Émilion par l'Union de producteurs... de Saint-Émilion. Mais rien de simpliste dans le verre : au nez, de petits fruits des bois et quelques notes épicées (clou de girofle) ; en bouche, de la fraîcheur en attaque, de bons tanins au grain serré, du volume et de la longueur. Bref, tout ce qui compose un vin équilibré, que l'on prendra plaisir à déguster dès aujourd'hui mais qui gagnera à attendre une paire d'années. La cuvée **Royal Saint-Émilion 2010 (40 000 b.)**, elle aussi élevée en cuve, vive, fruitée et bien structurée, fait jeu égal.

☛ Union de producteurs de Saint-Émilion, Haut-Gravet,
BP 27, 33330 Saint-Émilion, tél. 05 57 24 70 71,
fax 05 57 24 65 18, contact@udpse.com, ☑ ⚘ ⛓ r.-v.

CH. TOUR DE BEAUREGARD 2010

■	51 000	▮	11 à 15 €

Associé aux deux cabernets (15 % chacun), le merlot a donné ici naissance à ce vin encore un peu fermé au nez (notes discrètes de framboise et de cassis), plus expressif au palais. De bonne concentration, plein, bien structuré sans manquer de rondeur, ce dernier laisse augurer une bonne évolution au cours des trois ans à venir.

☛ SCEA des Vignobles Fritegotto, 4, Le Bibey,
33330 Saint-Émilion, tél. 05 57 24 73 15, fax 05 57 24 64 85,
fritegotto@wanadoo.fr, ☑ ⚘ ⛓ r.-v.

CH. TOUR PUYBLANQUET 2010 ★★

■	8 000	▮	5 à 8 €

En 2011, Corinne Lapoterie et son frère Philippe ont repris la propriété familiale, située non loin du célèbre château de Pressac, où prit fin la guerre de Cent Ans après la bataille de Castillon. Le domaine fait son entrée dans le Guide avec ce saint-émilion à la robe profonde, au nez riche et généreux de fruits confiturés (fraise, framboise, cassis) et de fruits à l'eau-de-vie. À cette approche chaleureuse fait écho une bouche puissante et onctueuse mais non dénuée de fraîcheur, soutenue par des tanins de très belle facture. Des accords gourmands ? Tarte au chocolat, daube de bœuf, tajine d'agneau... « selon l'humeur du cuisinier », conclut un juré.

☛ Corinne Lapoterie, Ch. Tour Puyblanquet, 3, Bouquet,
33330 Saint-Étienne-de-Lisse, tél. 05 57 40 18 32,
fax 05 57 40 17 11, chateau.tourpuyblanquet@orange.fr,
☑ ⚘ ⛓ r.-v.

CH. VIEUX LONGA 2010 ★

■	13 000	▮Ⅲ	8 à 11 €

Assemblage classique de merlot (80 %) et de cabernet franc, ce 2010 dévoile un nez complexe, à la fois boisé (vanille, moka, grillé), fruité et un rien végétal. Fruitée en attaque, la bouche s'appuie sur des tanins fermes et une belle nervosité qui lui donne de l'allonge. Un vin « sanguin », selon les dégustateurs, à conserver trois ou quatre ans pour l'apprécier à sa juste valeur.

☛ SCEA Ch. Vieux Longa, 192, Le Longa,
33330 Saint-Sulpice-de-Faleyrens, tél. et fax 05 57 24 74 31,
chateau-vieux-longa@voila.fr, ☑ ⚘ ⛓ t.l.j. 9h-12h 14h-19h
☛ Veyssière

♥ CH. LES VIEUX MAURINS 2010 ★★★

■	45 000		8 à 11 €

Conduit depuis 1984 par Michel Goudal – « fils de plâtrier de cinquante-quatre ans dont quarante ans passés dans la vigne » –, ce cru d'une grande régularité décroche ici son second coup de cœur après celui obtenu par sa cuvée Prestige 1998 dans l'édition 2002 du Guide. Merlot à 70 %, les deux cabernets en complément, ce 2010 revêt une élégante et scintillante robe rubis. Il livre un bouquet intense et complexe qui mêle à la réglisse les fruits cuits (griotte à l'alcool) et les fruits rouges frais. Autour de tanins mûrs et soyeux se développe une bouche puissante, goûteuse et toujours élégante, qui s'étire en finale sur les fruits confits. Un vin remarquablement équilibré entre structure et finesse, à découvrir dès aujourd'hui comme dans trois ou quatre ans, pourquoi pas sur du gibier en sauce. Deux étoiles sont également attribuées à la **cuvée Prestige Élevé en fût de chêne 2010 (11 à 15 € ; 5 000 b.)** pour sa douceur, sa rondeur, sa structure présente mais soyeuse, son boisé fondu et son fruité mûr. À boire dans les cinq ans à venir.

☛ Jocelyne et Michel Goudal, 187, Les Maurins,
Ch. les Vieux Maurins, 33330 Saint-Sulpice-de-Faleyrens,
tél. 05 57 24 62 96, fax 05 57 24 65 03,
les-vieux-maurins@wanadoo.fr

CH. YON SAINT-CHRISTOPHE 2010

■	9 600	Ⅲ	11 à 15 €

Ce petit domaine de 2,3 ha a été acheté par le GFA Rodet-Récapet en 1996 (propriétaire du château Brûlesécaille en côtes-de-bourg). Son 2010, d'une belle couleur pourpre, dévoile des notes de fruits rouges, de réglisse et de chocolat. Souple en attaque, le palais s'adosse à des tanins virils qui lui donnent de la tenue et à un boisé encore dominateur. À boire (pour les amateurs de vins boisés) ou à attendre deux ou trois ans.

☛ GFA Rodet-Récapet, 29, rte des Châteaux,
33710 Tauriac, tél. 05 57 68 40 31, fax 05 57 68 21 27,
cht.brulesaille@orange.fr,
☑ ⚘ ⛓ t.l.j. sf dim. 9h-12h 14h30-19h 🏠 Ⓑ

Saint-émilion grand cru

Superficie : 5 400 ha
Production : 72 000 hl

CH. ADAUGUSTA 2010

| ■ | | 5 800 | | 15 à 20 € |

Confirmation pour ce domaine créé en 2006 par les Canuel, qui avait fait son entrée dans le Guide avec le précédent millésime. Le 2010 plaît par son bouquet de fruits rouges frais agrémenté d'épices, de notes de coco et de sous-bois. L'attaque souple ouvre sur un palais gras, d'un bon volume et charpenté par des tanins serrés encore un peu sévères, qui demanderont deux ou trois ans de cave pour s'affiner.

� Gérard et Catherine Canuel, 1, lieu-dit Grand-Sable, 33330 Saint-Hippolyte, tél. 06 84 20 25 20, contact@chateauadaugusta.fr, ☑ ⚡ ⅄ r.-v.

CH. L'ARROSÉE 2010

| ■ Gd cru clas. | 38 230 | | 50 à 75 € |

Ce domaine, qui appartient à Pierre Magne, ministre de Napoléon III, est propriété de la famille Caille depuis 2002. À la vigne, les cabernets font jeu égal avec le merlot et donnent naissance à ce 2010 délicatement épicé, vanillé et fruité, ferme et homogène en bouche, de bon volume, qui requiert une garde de quatre ou cinq ans pour s'affiner. Le **Ch. l'Armont (20 à 30 € ; 10 840 b.)** est également cité. Plus souple et tendre, plus merlot, il s'ouvrira plus vite.

� EARL Famille Caille, Ch. l'Arrosée, 33330 Saint-Émilion, tél. 05 57 24 69 44, fax 05 57 24 66 46, chateau.larrosee@wanadoo.fr, ☑ ⚡ ⅄ r.-v.

CH. BALESTARD LA TONNELLE 2010 ★★

| ■ Gd cru clas. | 43 000 | | 30 à 50 € |
| 99 | 00 | 01 | 03 |04| 05 | 07 | **10** |

Un cru de très ancienne notoriété, connu dès le XVᵉˢ., témoins les vers de François Villon inscrits sur l'étiquette : « Ici bas, puisqu'il n'est permis/ De boire ce divin nectar/ Qui porte nom de Balestard... » Les chantres du domaine sont depuis 1923 les Capdemourlin, qui ont beaucoup œuvré pour l'appellation. Leur 2010 a fait belle impression. Le nez, intense et complexe, est ouvert sur les fruits noirs agrémentés de touches animales et crayeuses. La bouche se révèle charnue, séveuse et ronde, encadrée par des tanins sérieux qui appellent au moins quatre ou cinq ans de patience et ouvrent de larges perspectives de garde. Même note pour l'autre grand cru classé de la famille, détaché du château Soutard en 1850 : le **Ch. Petit Faurie de Soutard 2010 (35 000 b.)** est un vin riche, suave et dense, structuré par des tanins ronds, que l'on appréciera aussi bien jeune que vieux.

� Jacques Capdemourlin, SCEA Capdemourlin, Ch. Roudier, 33570 Montagne, tél. 05 57 74 62 06, fax 05 57 74 59 34, info@vignoblescapdemourlin.com, ☑ ⚡ ⅄ r.-v.

L'ESPRIT DE BARBEROUSSE 2010 ★

| ■ | 10 000 | | 11 à 15 € |

Les lecteurs connaissent bien le domaine de Stéphane Puyol, également producteur du Bergeracois (Lamothe Bellevue, Lamothe Belair). Son Barberousse est fidèle au rendez-vous avec cette cuvée 100 % merlot, née de vieux ceps de soixante ans. Dans le verre, le rubis étincelle. Le nez est encore un peu dans la barrique, les fruits se révélant à l'aération. Souple et onctueux dès l'attaque, le palais dévoile des tanins au grain croquant et une finale dominée par les notes toastées et les nuances de moka du fût. À boire dans deux ou trois ans sur un magret de canard.

� SCEA des Vignobles Stéphane Puyol, Ch. Barberousse, 33330 Saint-Émilion, tél. 05 57 24 74 24, fax 05 57 24 62 77, chateau-barberousse@wanadoo.fr, ☑ ⚡ ⅄ r.-v.

CH. BARDE-HAUT 2010 ★★

| ■ | 40 000 | | 30 à 50 € |

La famille Cathiard-Garcin s'investit depuis plusieurs années dans de prestigieuses appellations bordelaises (pessac-léognan, pomerol, saint-émilion grand cru). Sylviane Garcin a vu ses efforts récemment récompensés en 2012 avec l'accession de ce domaine, qu'elle conduit depuis 2000, au rang de grand cru classé. Si l'étiquette du 2010 ne peut encore afficher la prestigieuse mention, ce millésime a les qualités. La robe, d'un bordeaux foncé élégant et profond, annonce un bouquet intense et harmonieux de fruits noirs et rouges mûrs, d'épices douces et de café. À l'unisson, le palais fruité, épicé et boisé avec retenue, se révèle généreux, ample, dense et solidement arrimé à de beaux tanins serrés. Un vin à la fois puissant et élégant, armé pour une garde de cinq à dix ans.

� SAS Ch. Barde-Haut, 33330 Saint-Christophe-des-Bardes, tél. 05 57 25 72 55, fax 05 57 24 61 15, info@vignoblesgarcin.com, ☑ ⚡ ⅄ r.-v.

� Sylviane Garcin

CH. DU BARRY 2010 ★

| ■ | 500 000 | | 15 à 20 € |

Son grand-père Donat Mouty, venu d'Auvergne, a acquis ce cru en 1923. Cinquante ans plus tard, Daniel Mouty a pris en charge l'exploitation. Il est rejoint par ses deux enfants Sabine et Bertrand. Leur 2010 (une pointe de malbec aux côtés du merlot et du cabernet-sauvignon) se présente comme « un bon classique » : un vin joliment paré de grenat, le nez à la fois riche et fin de fruits noirs mûrs et de réglisse, doux et chaleureux en bouche mais toujours élégant, sans lourdeur, porté par des tanins soyeux. Une bouteille harmonieuse à apprécier sur le fruit ou patiné par trois à cinq ans de garde.

� SCEA Vignobles Daniel Mouty, Ch. du Barry, 19, rue de Merlande, 33350 Sainte-Terre, tél. 05 57 84 55 88, fax 05 57 74 92 99, contact@vignobles-mouty.com, ☑ ⚡ ⅄ t.l.j. sf sam. dim. 8h30-12h30 14h-18h

CH. BEAU-SÉJOUR BÉCOT 2010 ★

■ 1er gd cru clas. B	58 000		50 à 75 €
82	83	85	⑧⑥	**87**	**88**	**89**	90	93	**94**	**95**	**96**	97	98	|**99**| 00
	01		02		**03**		**04**	05	⑥⑥		07	08	09	10

Le domaine est situé au bord du plateau calcaire de Saint-Émilion que les Gallo-Romains creusèrent en surface pour y planter la vigne. C'est au Moyen Âge que le sous-sol fut, lui aussi, creusé pour en extraire la pierre des bâtisseurs. Aujourd'hui, ce sont les barriques qui reposent tranquillement dans ces galeries. Le grand vin 2010 se présente avec élégance, paré de reflets rubis. Le nez offre un subtil mariage de chaleur et de fraîcheur à travers des notes de cèdre, de sous-bois, de fraise écrasée et d'eucalyptus. Si la bouche tend plutôt vers le côté généreux, elle s'adosse à des tanins fermes et à un boisé frais qui lui donne du relief et de la tenue. Une bouteille qui s'appréciera aussi bien jeune (deux ou trois ans) que plus âgée (dix ans).

☛ Gérard et Dominique Bécot, Ch. Beau-Séjour Bécot, 33330 Saint-Émilion, tél. 05 57 74 46 87, fax 05 57 24 66 88, contact@beausejour-becot.com, ☑ ⚔ ⊤ r.-v.

CH. BELAIR-MONANGE 2010 ★★

■ 1er gd cru clas. B	n.c.	⊞	+ de 100 €

Acquis en 2008 par les établissements Jean-Pierre Moueix, ce cru de 12,5 ha fut alors rebaptisé Bélair Monange en l'honneur de l'épouse de Jean Moueix (grand-père de Christian, l'actuel dirigeant), Anne-Adèle Monange, première femme de la famille établie à Saint-Émilion en 1931. Le 2010, issu de 85 % de merlot et de 15 % de cabernet franc, séduit par son élégance tout au long de la dégustation. Robe dense et sombre aux éclats rubis, bouquet intense et racé de fruits mûrs, de menthol et d'épices (curry), palais à la fois tonique et tannique, voire austère, dynamisé par une finale soyeuse et poivrée, tout indique un vin de haute extraction que seul le temps domptera (huit à dix ans).

☛ Éts Jean-Pierre Moueix, 54, quai du Priourat, BP 129, 33502 Libourne Cedex, tél. 05 57 51 78 96, fax 05 57 51 79 79, info@jpmoueix.com

CH. BELLEFONT-BELCIER 2010 ★

■ Gd cru clas.	60 000	⊞	30 à 50 €

95 96 97 98 99 00 01 02 |04| 05 |06| ⑦ **08 09 10**

Ce cru (classé depuis 2006) fait partie de la trentaine de domaines bordelais passés au cours des cinq dernières années sous pavillon chinois. Songwei Wang est le premier à devenir propriétaire d'un grand cru classé de Saint-Émilion. La transaction a eu lieu fin 2012 entre le riche industriel spécialisé dans l'extraction de minerais de fer et le trio d'anciens propriétaires, Dominique Hébrard, Alain Laguillaumie et Jacques Berrebi. Le vignoble de 14 ha s'étend sur le coteau argilo-calcaire de Saint-Laurent-des-Combes. C'est donc ici l'un des derniers millésimes de l'ancienne équipe, même si le vinificateur Emmanuel de Saint-Salvy est maintenu à son poste. Un 2010 d'un style généreux, presque méditerranéen, dominé par les fruits à l'alcool, dense et riche en bouche, aux tanins fondus. À boire au cours des trois à cinq prochaines années, de préférence sur une viande en sauce.

☛ Ch. Bellefont-Belcier, 33330 Saint-Laurent-des-Combes, tél. 05 57 24 72 16, fax 05 57 74 45 06, chateau.bellefont-belcier@wanadoo.fr, ☑ ⚔ ⊤ r.-v.

BELLEVUE MONDOTTE 2010 ★

■	6 000	⊞	+ de 100 €

Ce petit cru de 2,5 ha en partie enclavé dans le vignoble de Pavie est le dernier en date des quatre grands crus saint-émilionnais acquis par Gérard Perse (2001). Le merlot y tient le haut du pavé (90 % aux côtés des deux cabernets, 5 % chacun). Le 2010, paré d'une élégante robe violine, d'abord discret, laisse percer un boisé vanillé léger et quelques notes épicées. L'aération le rend plus loquace et dévoile des parfums chaleureux de fruits rouges mûrs, évoquant la cerise à l'eau-de-vie. La bouche, souple et tendre en attaque, affiche un caractère généreux, souligné par des tanins « policés » et une finale épicée. Ce vin a du fond et du caractère, que l'on appréciera d'autant mieux après cinq ans de garde.

☛ SCA Ch. Pavie, 33330 Saint-Émilion, tél. 05 57 55 43 43, fax 05 57 24 63 99, contact@vignoblesperse.com, ☑ par correspondance
☛ Gérard Perse

CH. BERLIQUET 2010 ★

■ Gd cru clas.	25 000	⊞	20 à 30 €

Classé depuis 1986, ce cru qui figurait déjà sur les cartes de Belleyme en 1768, est situé sur le plateau de la Magdeleine. Ses 8 ha de vignes couvrent des coteaux exposés au sud-sud-ouest, proches de la cité de Saint-Émilion. À la tête du domaine, Patrick et Jérôme de Lesquen, accompagnés depuis 2008 par Nicolas Thienpont et Stéphane Derenoncourt. Leur 2010 livre un bouquet intense et élégant de fruits frais. La bouche est à l'unisson, vive, croquante et fruitée, portée par des tanins souples et fins et par une longue finale épicée. On pourra commencer à ouvrir cette bouteille dans trois ou quatre ans.

☛ Ch. Berliquet, 33330 Saint-Émilion, tél. 05 57 24 70 48, fax 05 57 24 70 24, chateau.berliquet@wanadoo.fr, ☑ ⚔ ⊤ r.-v.

CH. BERNATEAU 2010

■	62 000	▮⊞	15 à 20 €

Cette ancienne famille de vignerons, établie depuis huit générations aux environs de Saint-Émilion, dispose à Saint-Étienne-de-Lisse d'un vignoble de coteau et de plateau. En conversion à l'agriculture biologique, le merlot et 20 % de cabernet franc ont donné naissance à un 2010 ouvert sur les fruits au premier nez, sur les épices, le grillé et une touche crayeuse à l'aération. En bouche, les arômes sont en accord avec l'olfaction, et la structure tannique apparaît encore ferme. Dans deux ou trois ans, ce vin pour le moment austère se sera assoupli.

☛ SCEA Lavau et Fils, Bernateau, 33330 Saint-Étienne-de-Lisse, tél. 05 57 40 18 19, fax 05 57 40 27 31, contact@chateaubernateau.com, ☑ ⚔ ⊤ r.-v.

SANCTUS DE LA BIENFAISANCE 2010

■	9 500	⊞	30 à 50 €

Cette cuvée est une sélection parcellaire du château Bienfaisance, issue de vieilles vignes plantées sur le plateau argilo-calcaire de Saint-Christophe-des-Bardes, dans le secteur nord-est de l'appellation. Derrière une robe foncée, on découvre des parfums de fruits mûrs respectés par l'élevage en barrique. La bouche se révèle elle aussi bien fruitée, souple et équilibrée, portée par des tanins déjà affinés et par un boisé sans excès. À déboucher sans hâte dans deux ou trois ans.

☛ SA Ch. la Bienfaisance, 39, Le Bourg, 33330 Saint-Christophe-des-Bardes, tél. 05 57 24 65 83, fax 05 57 24 78 26, info@labienfaisance.com, ☑ ⚔ ⊤ r.-v.

CH. JACQUES BLANC 2010 ★

■	130 000	▮⊞	11 à 15 €

Deux crus des vignobles Blanc Tourans ont été sélectionnés pour leur 2010. En tête, ce château Jacques Blanc, vieux domaine établi au pied du coteau de Saint-Étienne-de-Lisse, à l'origine d'un vin bien coloré, fruité et épicé, chaleureux et charnu au palais, porté par de bons tanins qui lui assureront trois ou quatre ans de garde. Il devrait s'accorder avec un civet de lièvre. Né à Saint-Magne-de-Castillon, le **Ch.Tourans 2010** (11 à 15 €), noté une étoile également, dévoile un bouquet puissant de fruits à l'eau-de-vie, d'épices et de cuir, et une bouche chaleureuse, riche et soyeuse. À boire dans un an ou deux sur une viande en sauce.

☛ SCEA Blanc Tourans, rue de l'Église, BP 89, 33350 Saint-Magne-de-Castillon, tél. 05 57 40 08 88, fax 05 57 40 19 93, m.pellerin@rcrgroup.fr, ☑ ⚔ ⛋ r.-v.

CH. BOUTISSE 2010 ★

| ■ | 90 000 | ▮⓾ | 15 à 20 € |

La famille Milhade est présente sur plusieurs vignobles du Libournais. Deux d'entre eux ont retenu l'attention, notamment ce Ch. Boutisse dont les vins sont régulièrement sélectionnés. Ce 2010 grenat profond frangé de reflets mauves exhale d'intenses parfums de fruits noirs mûrs et de balsa torréfié rehaussés d'une touche poivrée. Suave dans son approche, la bouche se montre dense, ample et longue. Un vin bien typé, à déguster dans trois à cinq ans. Le **Ch. des Bardes 2010 (11 à 15 € ; 25 000 b.)**, dans un style proche mais moins boisé et moins compact, plus frais et facile d'accès, obtient lui aussi une étoile. À apprécier plus tôt, d'ici deux à trois ans.

☛ SARL Ch. Boutisse, Ch. Boutisse, 33330 Saint-Christophe-des-Bardes, tél. 05 57 50 33 33, fax 05 57 50 33 44, contact@chateau-boutisse.fr, ☑ ⚔ ⛋ r.-v.
☛ Xavier Milhade

CH. LES CABANNES 2010 ★

| ■ | 5 000 | ⓾ | 11 à 15 € |

D'origine canadienne, les œnologues Peter et Brigitte Kjellberg ont acquis ce domaine en 1997. Leur 2010 provient d'une parcelle de vieux merlots plantés sur une croupe de graves profondes. Sa couleur rouge intense annonce un vin encore jeune. Le nez, sur la réserve, dévoile à l'aération des notes de fruits noirs, d'épices et de toasté. La bouche se montre dense, suave, structurée par des tanins serrés et par un boisé élégant. Une bouteille de caractère, à attendre trois à cinq ans et plus encore.

☛ EARL Vignobles Kjellberg-Cuzange, Les Cabannes, 33330 Saint-Sulpice-de-Faleyrens, tél. 05 57 24 62 86, kjellberg.cuzange@orange.fr, ☑ ⚔ ⛋ r.-v.

CH. CADET-BON 2010 ★

| ◻ Gd cru clas. | 12 000 | ⓾ | 30 à 50 € |
| 90 93 **94** 95 |96| **97 98** 99 00 02 |03||05||06| 08 |09| 10 |

Établi au nord de Saint-Émilion, sur la butte de Cadet, le domaine est connu depuis le XVIII[e]s. En 2001, il est entré dans la famille Richard, qui a entrepris de nombreux travaux de rénovation à la vigne comme au chai. Des investissements payants, témoin la version 2009 du grand cru, coup de cœur dans l'édition précédente. Le 2010 fait belle impression : c'est un vin charmeur qui marie harmonieusement les fruits mûrs à un boisé fin, se montre dense et riche en bouche, plus serré et robuste en finale. Un ensemble équilibré, déjà agréable, que l'on appréciera d'autant mieux après deux ou trois ans de garde.

☛ SCEV Ch. Cadet-Bon, 1, Le Cadet, 33330 Saint-Émilion, tél. 05 57 74 43 20, fax 05 57 24 66 41, chateau.cadet.bon@orange.fr, ☑ ⚔ ⛋ r.-v.

♥ CH. CANON 2010 ★★

| ◻ 1er gd cru clas. B | 55 000 | ⓾ | + de 100 € |
| 89 90 96 97 **98** |99| |00| |01| 02 03 |04| **05 06** 07 08 09 10 |

Château Canon
1er Grand Cru Classé
Saint-Émilion Grand Cru
2010

Nous sommes ici dans le domaine du luxe. La maison Chanel est aux commandes depuis 1996, le prix est élevé, l'exigence de qualité aussi. Canon est l'archétype du grand cru classé où le terme « grand » est plus important que « classé ». Une implantation idéale sur un rocher calcaire qui n'accepte que la vigne, adossé au côté sud de la cité médiévale. En sous-sol, d'immenses caves souterraines creusées pendant des siècles pour bâtir Libourne et Bordeaux. John Kolasa, son directeur (également aux commandes de Rauzan-Ségla en margaux, des mêmes propriétaires), est à la tête de 12 ha supplémentaires depuis le rachat en 2011 du grand cru classé château Matras, situé en contrebas et qui alimente désormais le second vin, le Clos Canon. Le grand vin 2010 égale son devancier de 2009 et décroche lui aussi un coup de cœur. Il concentre toutes les qualités d'un millésime où s'équilibrent maturité, puissance et fraîcheur. La robe est sombre et dense, animée de reflets violines de jeunesse. Un boisé élégant aux accents de noisette grillée et de goudron se mêle aux parfums de fruits noirs mûrs. Fraîche et franche en attaque, la bouche monte en puissance, déployant beaucoup d'ampleur et de robustesse, étayée par des tanins à la fois serrés et veloutés. Une force tranquille, à laisser au repos dix à quinze ans. Cité, le **Clos Canon 2010 (30 à 50 € ; 25 000 b.)**, plus généreux et fondu, s'appréciera plus jeune, d'ici deux ou trois ans.

☛ Ch. Canon, lieu-dit Saint-Martin, 33330 Saint-Émilion, tél. 05 57 55 23 45, fax 05 57 24 68 00, contact@chateau-canon.com, ☑ ⚔ ⛋ r.-v.
☛ Groupe Chanel

CH. CANTIN 2010 ★★

| ■ | 58 676 | ▮⓾ | 20 à 30 € |

D'origine monastique, cette propriété acquise récemment par la Société fermière des Grands Crus de France propose un 2010 bien sous tous rapports, né sur les argiles de Saint-Christophe-des-Bardes. Un vin très coloré, intensément bouqueté autour des fruits mûrs, presque confits, et d'un élégant boisé, franc en attaque, puis plein de rondeur et de générosité, étayé par des tanins tendres et fins. Une bouteille harmonieuse, à déguster dans trois à cinq ans. Des mêmes propriétaires, le **Vieux Ch. des Combes 2010 (15 à 20 € ; 43 740 b.)**, encore sur la réserve au nez, plus ouvert en bouche, charnu et bien structuré, est cité. À attendre deux ou trois ans.

CLASSEMENT DES GRANDS CRUS DE SAINT-ÉMILION
(à jour au 13 mai 2009)

Les 2010 dégustés cette année sont régis par ce classement qui a été révisé en 2012.

SAINT-ÉMILION PREMIERS GRANDS CRUS CLASSÉS

A Château Ausone
Château Cheval Blanc

B Château Angelus
Château Beau-Séjour Bécot
Château Beauséjour
(Duffau-Lagarrosse)
Château Belair-Monange

Château Canon
Clos Fourtet
Château Figeac
Château La Gaffelière
Château Magdelaine
Château Pavie
Château Pavie-Macquin
Château Troplong Mondot
Château Trotte Vieille

SAINT-ÉMILION GRANDS CRUS CLASSÉS

Château L'Arrosée
Château Balestard La Tonnelle
Château Bellefont-Belcier
Château Bellevue
Château Bergat
Château Berliquet
Château Cadet-Bon
Château Cadet-Piola
Château Canon-La Gaffelière
Château Cap de Mourlin
Château Chauvin
Clos de L'Oratoire
Clos des Jacobins
Clos Saint-Martin
Château La Clotte
Château Corbin
Château Corbin-Michotte
Château La Couspaude
Couvent des Jacobins
Château Dassault
Château Destieux
Château La Dominique
Château Faurie de Souchard
Château Fleur Cardinale
Château Fonplégade
Château Fonroque
Château Franc-Mayne
Château Grand Corbin
Château Grand Corbin-Despagne

Château Les Grandes Murailles
Château Grand Mayne
Château Grand Pontet
Château Guadet
Château Haut-Corbin
Château Haut-Sarpe
Château Laniote
Château Larcis Ducasse
Château Larmande
Château Laroque
Château Laroze
Château La Marzelle
Château Matras
Château Monbousquet
Château Moulin du Cadet
Château Pavie-Decesse
Château Petit-Faurie-de-Soutard
Château Le Prieuré
Château Ripeau
Château Saint-Georges Côte Pavie
Château La Serre
Château Soutard
Château Tertre Daugay
Château La Tour du Pin
Château La Tour du Pin-Figeac
(Giraud-Belivier)
Château La Tour Figeac
Château Villemaurine
Château Yon-Figeac

🔑 Sté Fermière des Grands Crus de France,
33460 Lamarque, tél. 05 57 98 07 20, fax 05 57 98 07 35

CH. CARTEAU Côtes Daugay 2010 ★

| ■ | 50 000 | ⅢⅢ | 15 à 20 € |

Jacques Bertrand est bien connu dans le vignoble pour ses nombreuses responsabilités au sein du syndicat viticole et de la Jurade de Saint-Émilion. Depuis 1995, toute sa famille se mobilise autour de lui pour exploiter ses deux crus, l'un comme l'autre sélectionnés pour leur 2010. En tête, ce Ch. Carteau établi au pied du réputé tertre de Daugay, à l'origine d'un vin équilibré tout au long de la dégustation, tant au nez, partagé entre fines notes toastées et fruité mûr, qu'en bouche, où il se montre à la fois généreux, charnu, bien charpenté et boisé avec justesse. À découvrir dans trois ou quatre ans. Cité, le **Ch. Franc Pipeau 2010** (11 à 15 € ; 25 000 b.), né de l'autre côté de Saint-Émilion, à Saint-Hippolyte, est encore dominé par le fût, mais il offre suffisamment de structure et de volume pour bien « digérer » son élevage. À attendre deux ou trois ans.

🔑 Ch. Carteau Côtes Daugay, 33330 Saint-Émilion,
tél. 05 57 24 73 94, fax 05 57 24 69 07,
vignobles.jbertrand@wanadoo.fr, ✉ 术 Ⓣ r.-v.

🔑 Famille Bertrand

CH. CHANTE ALOUETTE 2010 ★

| ■ | 38 000 | ⅢⅢ | 15 à 20 € |

Benoît d'Arfeuille signe un 2010 de belle facture, né d'un assemblage classique de merlot (80 %) et de cabernet franc. Un vin authentique et complet, paré d'une intense couleur bordeaux. Le nez est encore un peu marqué par l'élevage, avec de jolies notes de baies noires en réserve. La bouche, souple et ample, apparaît plus fruitée, bâtie sur des tanins fermes et sur un boisé élégant. Un bon vin de garde, que l'on commencera à ouvrir dans deux ou trois ans, sur un sauté de veau.

🔑 d'Arfeuille, Ch. Chante Alouette, 33330 Saint-Émilion,
tél. 05 57 24 71 81, fax 05 57 24 74 82,
contact@chateau-chante-alouette.com,
✉ 术 Ⓣ t.l.j. 8h30-12h30 14h-19h

CH. CHAUVIN 2010 ★

■ Gd cru clas.	50 000	ⅢⅢ	30 à 50 €
85 86 **88 89** 90 93 94 96 98 99 00 **01** 02 03	04	
	05	06 07 08 09 10		

Marie-France Février et Béatrice Ondet, héritières de Victor Ondet, qui acquit le domaine en 1891, sont fidèles au rendez-vous avec leur 2010. Un beau classique, à dominante de merlot (80 %), bien coloré, couleur cerise noire, réservé au premier nez, s'ouvrant à l'agitation sur les fruits à noyau et le cèdre. Ronde en attaque, la bouche affiche rapidement de l'ampleur, de la puissance et des tanins serrés qui garantiront à ce vin une bonne garde (cinq à huit ans).

🔑 SCEA Ch. Chauvin, 1, Les Cabanes-Nord,
33330 Saint-Émilion, tél. 05 57 24 76 25, fax 05 57 74 41 34,
chateauchauvingcc@wanadoo.fr, ✉ 术 Ⓣ r.-v.

🔑 Ondet-Février

CH. CHÉRUBIN 2010 ★

| ■ | 8 000 | ⅢⅢ | 30 à 50 € |

Ce petit vignoble du secteur de Fonrazade est conduit depuis 2005 par l'œnologue Bertrand Bourdil,

dont les ambitions commerciales se situent à l'export et sur les tables étoilées. Son 2010 apparaît finement bouqueté, sur les fruits noirs (myrtille, mûre), le cacao et les épices. La bouche est à l'unisson, élégante, fraîche, fruitée, boisée avec discernement et bâtie sur des tanins fins et prometteurs qui permettront à ce vin de reposer trois à cinq ans en cave.

🔑 Bourdil, 5, Fonrazade, 33330 Saint-Émilion,
tél. 06 08 97 52 07, bbourdil@hotmail.com, ✉ 术 Ⓣ r.-v.

CH. CHEVAL BLANC 2010 ★★

■ 1er gd cru clas. A	n.c.	ⅢⅢ	+ de 100 €
61 64 66 69 70 71 75 76 78 79 80 81 82 83 85			
86 88 89 ⑨⓪ 92 93 94 |95| ⑨⑥ |97| |98| |99| |00| 01 |02|			
03 04 05 06 07 08 **09 10**			

Comme toujours à Cheval Blanc, l'originalité de l'encépagement fait la différence. Le 2010 associe ainsi au merlot 60 % de cabernet franc, cépage parfaitement adapté au terroir de graves et de sables anciens. De ce millésime aux saisons bien marquées – hiver rigoureux, printemps radieux, été sec aux nuits fraîches –, l'équipe de Pierre Lurton a tiré un grand vin, parfaitement dans le style du cru. La robe est carminée, profonde et gracieuse, ornée de reflets violines de jeunesse. Au nez, les fruits rouges frais, la framboise notamment, se mêlent à des nuances de mine de crayon et de feuille de cassis, avant que ne surgissent à l'aération des notes plus florales (violette). La bouche se révèle souple et soyeuse en attaque, puis monte en puissance doucement, sans à-coups, portée par des tanins au grain fin et velouté et par une belle fraîcheur en finale, qui confèrent au vin un caractère délié, d'une grande élégance ainsi qu'un potentiel de garde considérable (dix ans et plus). Le second vin, **Le Petit Cheval 2010** (plus de 100 €), ample, dense, chaleureux et structuré par des tanins bien enrobés et un boisé ajusté, obtient lui aussi deux étoiles. On pourra l'apprécier dans cinq ou six ans.

🔑 SC du Cheval Blanc, Ch. Cheval Blanc,
33330 Saint-Émilion, tél. 05 57 55 55 55, fax 05 57 55 55 50,
contact@chateau-chevalblanc.com

CHEVALIER DES ANGES 2010

| ■ | 7 100 | ⅢⅢ | 15 à 20 € |

Ce Chevalier des Anges est une petite cuvée sélectionnée sur les 13,5 ha du domaine familial de Saint-Sulpice-de-Faleyrens (Lagarde Bellevue), dans la partie sud de l'appellation. Il délivre des parfums intenses de fruits rouges macérés, avec quelques notes boisées et une pointe végétale. La bouche se montre souple, ronde et charnue, avant de dévoiler en finale des tanins encore un peu austères, qui s'adouciront après deux à trois ans de garde.

🔑 Richard Bouvier, 36 A, rue de la Dordogne,
33330 Saint-Sulpice-de-Faleyrens, tél. 05 57 24 68 83,
fax 05 57 24 63 12, so-vi-fa@wanadoo.fr, ✉ 术 Ⓣ r.-v.

CLOS DE LA CURE 2010 ★

| ■ | 35 000 | ⅢⅢ | 15 à 20 € |

Cette ancienne famille de vignerons (un ancêtre était jurat au Moyen Âge) conduit un domaine de 18 ha implanté sur le plateau et sur la côte argilo-calcaire de Saint-Christophe-des-Bardes et de Saint-Étienne-de-Lisse. De ce Clos, ancienne propriété de la paroisse (cure) de Saint-Christophe, est né un 2010 dont le nez chaleureux évoque les fruits confiturés et la griotte à l'eau-de-vie. Une générosité que l'on retrouve dans une bouche ample et structurée sans excès. À boire au cours des trois ou quatre prochaines années sur une viande rouge en sauce.

🕭 SCEA des Domaines Bouyer, Ch. Milon, 33330 Saint-Christophe-des-Bardes, tél. 05 57 24 77 18, fax 05 57 24 64 20, milon-cure@wanadoo.fr, ☑ ⚔ ⟋ r.-v.

CH. CLOS DE SARPE 2010

■	7 500	⏸	50 à 75 €

Depuis 2012, Jean-Guy Beyney est sans nul doute un homme heureux : il fait partie de ces « petits » vignerons (par la surface : 3,8 ha ici) qui ont pu croire le rang de cru classé inaccessible et sont récompensés par le classement de 2012. Le vignoble, dans sa famille depuis 1923, est bien placé, sur les argilo-calcaires de Sarpe, près de la route de Saint-Christophe-des-Bardes. Il a donné naissance à ce 2010 à la robe sombre, au nez chaleureux de fruits confits, de cerise à l'eau-de-vie et de toasté. Une générosité que l'on retrouve dans une bouche riche, onctueuse et vineuse, enrobant des tanins encore assez massifs, qu'on laissera se polir cinq ans au moins.

🕭 SCA Beyney, Jean-Guy Beyney, Ch. Clos de Sarpe, 33330 Saint-Christophe-des-Bardes, tél. 05 57 24 72 39, fax 05 57 74 47 54, chateau@clos-de-sarpe.com, ☑ ⚔ ⟋ r.-v.

CLOS DES BAIES 2010 ★★

■	1 800	⏸	20 à 30 €

Depuis une vingtaine d'années, Philippe Baillarguet dispense ses talents de maître de chai dans plusieurs grands crus classés de Saint-Émilion. En 2006, il a pris un petit fermage de 30 ares pour créer son propre vin, puis acheté 92 ares en 2010, dont 58 d'un terroir argilo-calcaire de Saint-Laurent-des-Combes, à l'origine de ce 2010. À l'intensité de la robe, pourpre profond aux reflets violines, répond celle du bouquet, richement fruité (griotte, cassis), finement boisé et épicé. Une attaque ample et ronde ouvre sur un palais savoureux, gras, concentré et généreux, aux tanins denses et élégants. Promis à un bel avenir, ce grand cru pourra patienter en cave huit à dix ans.

🕭 Philippe Baillarguet, 1, Montremblant, 33330 Saint-Émilion, tél. 06 88 67 16 68, philippe.baillarguet@orange.fr, ☑ ⚔ ⟋ r.-v.

CLOS DES JACOBINS 2010 ★

☐ Gd cru clas.	40 000	⏸	30 à 50 €

⟨01⟩ 02 03 04 05 ⟨07⟩ 08 09 10

La famille Decoster, auparavant à la tête d'une entreprise de porcelaine à Limoges, s'est établie en 2004 à la tête de ce cru classé. Son 2010 associe une touche de cabernet-sauvignon (2 %) aux classiques merlot (75 %) et cabernet franc. Le nez évoque le merlot très mûr (fruits rouges confits) et le merrain toasté. On retrouve ces sensations dans une bouche ample et riche, adossée à des tanins fondus et à un boisé élégant. Un vin harmonieux, que l'on pourra commencer à boire dans trois ou quatre ans.

🕭 Clos des Jacobins, 4, Gomerie, 33330 Saint-Émilion, tél. 05 57 24 70 14, fax 05 57 24 68 08, contact@closdesjacobins.com

🕭 Bernard Decoster

CLOS DES MENUTS L'Excellence 2010

■	n.c.		20 à 30 €

On trouve ici un document datant de 1538 attestant la vente d'une barrique de vin par les Frères mineurs, *Frey menuts* en gascon (les Franciscains). La famille Rivière

propose avec cette Excellence une cuvée de prestige issue des meilleures parcelles du domaine. Le nez mêle les petits fruits rouges à des notes poivrées et boisées. La bouche se montre souple et équilibrée, soutenue par des tanins fins. À boire dans deux ou trois ans.

🕭 SCEA Pierre Rivière, pl. du Chapitre, 33330 Saint-Émilion, tél. 05 57 55 59 59, priviere@riviere-stemilion.com, ☑ ⚔ ⟋ t.l.j. 10h-12h30 14h-18h

CLOS DUBREUIL 2010 ★

■	8 000	⏸	+ de 100 €

Depuis son installation en 2002 sur ce petit vignoble du plateau calcaire de Saint-Christophe-des-Bardes, Benoît Trocard a imposé son Clos Dubreuil comme l'une des valeurs sûres de l'appellation (quatre coups de cœur pour les millésimes 2002, 2003, 2008 et 2009). Son 2010, sans atteindre les mêmes sommets, fait valoir de beaux arguments : un bouquet fin de fruits confits, de réglisse, d'épices douces et de tabac blond, puis une bouche chaleureuse, douce et dense, rehaussée par une heureuse touche crayeuse qui apporte de la fraîcheur. Les tanins, puissants, assurent la garde sans rompre l'harmonie générale. À attendre au moins quatre ou cinq ans. On patientera aussi pour le confidentiel second vin, plus massif et tannique : la cuvée **Anna 2010 (30 à 50 € ; 2 000 b.)**, citée.

🕭 Benoît Trocard, 11, Jean-Guillot, Clos Dubreuil SAS, 33330 Saint-Christophe-des-Bardes, tél. 06 12 80 04 39, bt@trocard.com, ☑ ⚔ ⟋ r.-v.

CLOS FOURTET 2010 ★★

☐ 1er gd cru clas.	45 000	⏸	+ de 100 €

85 86 87 88 89 **90** 91 92 93 **94** ⟨95⟩ **96 97 98 99** |00| |01| |02| |03| 04 ⟨05⟩ |06| |07| 08 09 **10**

Cédé en 2001 par la famille Lurton à Philippe Cuvelier, cet illustre grand cru est un vrai clos, ceint de murs en moellons, établi à l'emplacement d'un fortin romain, face à la collégiale de Saint-Émilion. Voilà pour l'étymologie. Côté vigne, un terroir argilo-calcaire planté en large majorité de merlot (85 %), complété de 10 % de cabernet-sauvignon et d'un peu de cabernet franc, et entouré de grandes haies afin d'y maintenir la biodiversité. Au chai, chaque parcelle est vinifiée séparément. Le 2010 affiche d'emblée le caractère souvent un peu austère des vins de plateau lorsqu'ils sont jeunes. Mais ce sont autant de promesses, que l'on devine aisément à travers un bouquet encore réservé mais élégamment boisé et fruité, suivi d'un palais dense et solidement bâti, tout en présentant une texture d'une belle finesse. Un millésime armé pour la décennie.

🕭 SCEA Clos Fourtet, 1, Châtelet-Sud, 33330 Saint-Émilion, tél. 05 57 24 70 90, fax 05 57 74 46 52, closfourtet@closfourtet.com, ☑ ⚔ ⟋ r.-v.

🕭 Philippe Cuvelier

CLOS JUNET 2010 ★★

■	10 500	⏸	15 à 20 €

Ce petit domaine est né de trois parcelles acquises au XIXᵉˢ. Ancien directeur de l'Office de tourisme de la cité médiévale, Patrick Junet est à sa tête depuis 1992. Il signe régulièrement de jolis vins, à l'image de ce 2010 né d'un assemblage classique de merlot (70 %) et de cabernet franc. Un vin harmonieux de bout en bout, intense et brillant dans sa robe bordeaux, finement bouqueté autour des épices, de la réglisse, des fruits noirs et du toasté, ample, gras, onctueux et avenant en bouche, mais néanmoins bien charpenté. Une personnalité à la fois aimable et affirmée, qui permettra d'apprécier ce cru aussi bien jeune (deux ou trois ans) que plus vieux (huit à dix ans).

☛ Patrick Junet, 13, Berthonneau, 33330 Saint-Émilion, tél. 06 32 20 56 59, fax 05 57 51 16 39, patrick.junet@closjunet-saintemilion.com, ✉ ⚥ ⊺ r.-v.

CLOS LA MADELEINE 2010 ★

| ■ | 10 000 | 🍷 📖 | 30 à 50 € |

Ce petit clos est établi à l'ouest de la Gaffelière, au pied du coteau de la Madeleine, aux portes sud de la cité médiévale. Le merlot côtoie une part non négligeable de cabernet franc (40 %) dans ce 2010 élégant. Si le boisé est encore bien présent au premier nez (cacao, torréfaction), l'aération libère de jolies notes de fruits rouges, que l'on retrouve dans une bouche fraîche en attaque, puis plus riche et généreuse, soutenue par des tanins à la fois serrés et soyeux et par une longue finale. Un vin équilibré et déjà fort aimable, que l'on pourra aussi attendre trois ou quatre ans.

☛ SA du Clos La Madeleine, La Gaffelière-Ouest, 33330 Saint-Émilion, tél. 05 57 55 38 03, fax 05 57 55 38 01, clos.la.madeleine@wanadoo.fr, ✉ ⚥ ⊺ r.-v.

CLOS LA ROSE 2010 ★

| ■ | 24 000 | 🍷 📖 | 11 à 15 € |

La maison Carles exploite plusieurs petits vignobles sur les sables et les argilo-calcaires de Saint-Christophe-des-Bardes. Avec ce Clos La Rose, elle signe un 2010 bien dans son appellation, paré d'une robe pourpre sombre. À l'aération, le nez libère des senteurs boisées de caramel au lait bien mêlées aux nuances de fruits noirs compotés. Dans la continuité du bouquet, la bouche se révèle ronde et charnue, étayée par des tanins fins et serrés. Un très bon classique, à déguster dans trois à cinq ans. Des mêmes propriétaires, le confidentiel **Clos Jacquemeau 2010** (15 à 20 € ; 2 200 b.) offre un style assez proche. C'est un vin fruité, boisé avec mesure, épicé et un peu floral (violette), bien en chair mais sans mollesse. Une étoile également.

☛ Maison Carles, Panet, 33330 Saint-Christophe-des-Bardes, tél. 05 57 24 78 92, fax 05 57 24 79 19, contact@carles-diffusion.fr, ✉ ⚥ ⊺ t.l.j. sf sam. dim. 9h-12h 14h-17h

CH. CLOS SAINT-ÉMILION PHILIPPE 2010 ★

| ■ | 20 000 | 📖 | 15 à 20 € |

La moitié de ce vignoble de 8 ha, propriété de la même famille depuis 1927, est consacrée à ce grand cru. Merlot (80 %) et cabernet franc y ont donné naissance à un 2010 en robe bordeaux foncé, au nez profond et concentré de fruits mûrs encore un peu masqués toutefois par un boisé grillé et réglissé. On retrouve cette concentration et ces notes d'élevage dans une bouche corsée, serrée et solidement charpentée. Un bon représentant de l'appellation et du millésime, qui méritera une attente de cinq ans au mieux.

☛ Philippe, 2, lieu-dit Beychet, 33330 Saint-Émilion, tél. 06 88 08 14 03, fax 05 57 25 96 39, vignobles.philippe@wanadoo.fr, ✉ ⚥ ⊺ r.-v.

CH. LA CLOTTE 2010 ★

■ Gd cru clas.	14 000	📖	50 à 75 €
99 00 01 |03| |04| 05 06 **07** 08 09 10			

Si dans certaines régions, une « clotte » est un trou d'eau, ici, il s'agit d'une ancienne habitation troglodytique

attenante à la cave du domaine. La vigne alentour est disposée en terrasses sur le coteau faisant face à la cité de Saint-Émilion. Élevé au rang de cru classé dès 1955, sous la direction de Georges Chailleau, ce cru a été mis en fermage dans les années 1960, puis de nouveau exploité directement par la famille en 1990. Le 2010 tient son rang, grâce à un bouquet ouvert sur les fruits rouges et noirs et à un boisé élégant, et à une bouche ample, équilibrée, aux tanins jeunes et prometteurs, prolongée par une jolie finale onctueuse. On pourra commencer à l'apprécier dans deux ou trois ans.

☛ SCEA du Ch. la Clotte, 1, Bergat, 33330 Saint-Émilion, tél. 05 57 24 66 85, fax 05 57 24 79 67, chateau-la-clotte@wanadoo.fr, ✉ ⚥ ⊺ r.-v.

☛ Héritiers Chailleau

CH. CORBIN 2010 ★★

■ Gd cru clas.	55 000	📖	30 à 50 €
85 86 88 89 90 93 94 95 96 98 99 |00| |02| |03| |05| 06 09 **10**			

Tous deux issus d'anciennes familles bordelaises, Anabelle Cruse-Bardinet et son mari Sébastien ont repris en 1999 le vignoble familial acquis par les arrière-grands-parents d'Anabelle en 1924. Leur 2010 se présente dans une robe bordeaux sombre qui évoque la couleur corbeau de l'armure du Prince noir – à l'origine du nom du domaine. Le nez, exubérant, mêle les fruits noirs confiturés à un boisé élégant. À l'unisson, la bouche, ample et onctueuse, s'appuie sur des tanins denses qui confèrent beaucoup de puissance et de structure au vin. Un grand cru généreux et solidement bâti, que l'on pourra laisser en cave dix ou quinze ans.

☛ SC Ch. Corbin, 33330 Saint-Émilion, tél. 05 57 25 20 30, fax 05 57 25 22 00, contact@chateau-corbin.com, ✉ ⚥ ⊺ r.-v.

☛ Sébastien et Anabelle Bardinet

CH. CORBIN MICHOTTE 2010

| ■ Gd cru clas. | 40 000 | 🍷 📖 | 30 à 50 € |

Le nom de Corbin rappelle l'armure du Prince noir, couleur corbeau selon la tradition ; celui de Michotte, le métier d'un propriétaire du XVIIᵉ s., un boulanger. Depuis 1956, le cru appartient à la famille Boidron. Il propose un 2010 qui aiguise la curiosité par son bouquet de fruits mûrs, de grillé assez prononcé et de pierre à fusil. Déjà harmonieuse, la bouche évoque quant à elle les fruits confits, portée par des tanins fins et fondus qui autorisent à boire ce vin dans les deux ou trois ans.

☛ Jean-Noël Boidron, Ch. Corbin Michotte, 33330 Saint-Émilion, tél. 05 57 51 64 88, fax 05 57 51 56 30, vignoblesjnboidron@wanadoo.fr, ✉ ⚥ ⊺ r.-v.

CH. CÔTE DE BALEAU 2010

| ■ | 80 000 | 📖 | 15 à 20 € |

Sophie Fourcade dirige trois crus de Saint-Émilion, dont deux ont été ici retenus. Le tout jeune nouveau cru classé Côte de Baleau, intégré en 2012 (le 2010 ne peut donc pas porter la mention), se distingue par sa robe rouge éclatant qui annonce un bouquet frais de petits fruits rouges agrémenté de notes florales et vanillées ; une fraîcheur qu'il conserve dans une bouche souple et avenante. À attendre deux ou trois ans. Le **Clos Saint-Martin 2010** (50 à 75 € ; 6 000 b.), cru classé de l'ancienne petite vigne de la paroisse, est également cité. C'est un vin encore dominé par le merrain qui laisse apparaître quelques nuances fruitées à l'aération. Le palais apparaît lui aussi sous l'emprise de l'élevage, mais avec suffisamment de chair pour l'assimiler. Dans le style austère des vins du plateau, à attendre trois ou quatre ans.

🕭 SA Les Grandes Murailles, Ch. Côte de Baleau, 33330 Saint-Émilion, tél. 05 57 24 71 09, fax 05 57 24 69 72, lesgrandesmurailles@wanadoo.fr, r.-v.

🕭 Famille Reiffers

CH. CÔTES DE ROL 2010 ★

■	17 000	⑾	20 à 30 €

Ce petit cru de 3 ha appartient à Robert Giraud, producteur et négociant de Saint-André-de-Cubzac. Le vignoble est établi au nord de Saint-Émilion, au flanc de la butte de Rol, sur un terroir que la vigne semble particulièrement apprécier dans les millésimes de forte maturité, ce qui fut le cas de 2010. Le vin se présente dans une robe intense et brillante, le nez empreint d'arômes de fruits frais, de notes plus chaudes de cerise à l'eau-de-vie et d'un boisé discret. La bouche se montre elle aussi bien fruitée, ample et ronde dans son développement, plus vive et tannique en finale. Une bouteille à attendre deux à quatre ans pour lui permettre de gagner en harmonie.

🕭 EARL Vignobles Robert Giraud, Dom. de Loiseau, 33240 Saint-André-de-Cubzac, tél. 05 57 43 01 44, fax 05 57 43 08 75, direction@robertgiraud.com

CH. LA COUSPAUDE 2010

■ Gd cru clas.	38 000	⑾	30 à 50 €

85 **86** 88 ⑧⑨ 90 91 92 **93** 94 **95** 96 97 **98** 01 02 03 |04| 05 06 07 **09** 10

Dans la famille Aubert depuis plus d'un siècle, cette propriété située à quelques centaines de mètres de la cité de Saint-Émilion est commandée par une chartreuse du XVIIIᵉˢ. Elle a présenté un 2010 encore jeune, le nez encore dans la barrique, avec quelques notes de cuir et de fruits noirs, charnu et porté par des tanins de qualité mais un peu massifs en finale. Un vin à attendre trois ans pour lui permettre de gagner en rondeur. Dans un style assez proche, le **Ch. Saint-Hubert 2010 (20 à 30 € ; 15 000 b.)**, robuste et nerveux, est également cité.

🕭 Vignobles Aubert, Ch. la Couspaude, BP 40, 33330 Saint-Émilion, tél. 05 57 40 15 76, fax 05 57 40 10 14, vignobles.aubert@wanadoo.fr, ✉ r.-v.

COUVENT DES JACOBINS 2010 ★

■ Gd cru clas.	28 000	⑾	30 à 50 €

Jusqu'à la Révolution française, le couvent abritait des moines dominicains, qui ont contribué à l'épanouissement du vignoble saint-émilionnais. Depuis 1902, il est dans la famille de Rose Noëlle Borde, qui s'est associée en 2010 à Xavier Jean, fils de viticulteur local et analyste financier basé à Singapour, chargé notamment de prospecter les marchés asiatiques. Ce cru livre un vin jeune et plein de vigueur, au bouquet complexe de cassis, de notes toastées et fumées, offrant beaucoup de volume et des tanins serrés. Deux à quatre ans de garde affineront l'ensemble. Cité, **Le Menut des Jacobins 2010 (15 à 20 € ; 6 000 b.)** est un second vin plaisant, plus fruité, frais et friand, à boire au cours des deux ou trois prochaines années.

🕭 SCEV Joinaud-Borde, 10, rue Guadet, BP 81, 33330 Saint-Émilion, tél. 05 57 24 70 66, fax 05 57 24 62 51, couventdesjacobins@dbmail.com

CH. CROIX FIGEAC 2010 ★★

■	n.c.	▮⑾	15 à 20 €

Ce cru, régulier en qualité, est conduit depuis 2001 par Jean Dutruilh, ancien champion de ski à bosses. Il propose ici un vin complet, reflet des qualités du millésime et de son terroir de graves et d'argiles. La robe est intense, d'un beau rouge foncé. Le nez se révèle à la fois puissant et élégant, dominé par des notes fraîches de fruits rouges et de mine de crayon mâtinées par un bon boisé toasté. La bouche est à l'unisson, fruitée, boisée avec discernement, ample, charnue et longue. Ce vin, qui a frôlé le coup de cœur, devrait commencer à s'épanouir d'ici deux ou trois ans.

🕭 Dutruilh, 14, rue d'Aviau, 33000 Bordeaux, tél. 06 73 89 18 13, jdgammes@wanadoo.fr, ⊤ r.-v.

LA DAME DE ONZE HEURES 2010 ★

■	5 000	⑾	30 à 50 €

Un nouveau nom dans le Guide. Cette Dame de onze heures est née en 2007 d'une petite vigne de 1,22 ha. Son nom original fait référence à une fleur qui s'ouvre à 11 heures et symbolise la démarche bio et biodynamique du domaine (conversion en cours). Dans le verre, on découvre des parfums de raisin mûr accompagnés de notes boisées évoquant le cèdre, le tabac et la vanille. La bouche se montre fruitée (cerise), franche et ferme, soutenue par des tanins jeunes et frais. Ce vin pourra commencer à s'apprécier dans deux ou trois ans ; il formera un bel accord avec une poularde aux champignons.

NOUVEAU PRODUCTEUR

🕭 Vincent Rapin, 8, Petit-Gontey, 33330 Saint-Émilion, tél. 06 13 54 30 15, fax 05 57 74 48 92 ☑ ⚲ ⊤ r.-v. ⌂ ●

CH. DASSAULT 2010 ★★

■ Gd cru clas.	n.c.	⑾	50 à 75 €

98 99 |00| 01 02 03 |04| **07** 09 **10**

La famille Dassault est installée de longue date dans le Libournais, depuis 1955. L'avionneur y conduit un grand cru de près de 29 ha, implanté sur un glacis sableux. Le merlot et 30 % de cabernets ont donné naissance à un 2010 très coloré, dont le bouquet frais et fin évoque les fruits rouges et noirs, les épices et les sous-bois. La bouche offre beaucoup d'ampleur et de densité, soutenue par des tanins solides et par une finale longue et généreuse. Un vin tout en puissance continue, à laisser en cave pour la décennie. Le **D de Dassault 2010 (15 à 20 € ; 20 000 b.)** est un second vin très réussi qui, lui aussi, entre dans la catégorie des bons vins de garde grâce à ses tanins frais et à son boisé encore dominant. On l'attendra quatre ou cinq ans au moins.

🕭 SAS Ch. Dassault, 1, Couperie, 33330 Saint-Émilion, tél. 05 57 55 10 00, fax 05 57 55 10 01, lbv@chateaudassault.com, ☑ ⚲ ⊤ r.-v.

CH. DESTIEUX 2010 ★

■ Gd cru clas.	34 000	⑾	30 à 50 €

97 98 99 |03| |04| **06** 07 08 10

Christian Destieux conduit depuis 1971 ce cru classé en 2006 et implanté en haut du coteau argilo-calcaire de Saint-Hippolyte. Une situation idéale pour le merlot et les deux cabernets (17 % chacun), à l'origine d'un 2010 pourpre intense, encore dominé par le boisé torréfié de l'élevage, qui s'ouvre à l'aération sur les fruits frais et une petite prune animale. Franc en attaque, le palais se montre frais et tendu, adossé à des tanins fermes. Une sévérité qui s'adoucira après quatre ou cinq ans de garde. Le **Ch. Montlisse 2010 (15 à 20€ ; 35 000 b.),** plus centré sur le merlot (85 %), plus doux, plus rond, est cité. On l'appréciera plus tôt (deux ans).

🍷 Christian Dauriac, Ch. Destieux, 33330 Saint-Hippolyte, tél. 05 57 24 77 44, fax 05 57 24 18 79, contact@vignoblesdauriac.com, ☑ r.-v.

CH. LA DOMINIQUE 2010 ★

■ Gd cru clas.	90 000	ⅲ	30 à 50 €

⑧② 86 88 **89** 90 **93** 94 95 **96** 97 98 99 |00| 01 |02| 03 05 |06| 08 **09** 10

Depuis 1969, ce cru situé au nord-ouest de Saint-Émilion, au voisinage de Pomerol, appartient au puissant capitaine d'industrie Clément Fayat, par ailleurs investisseur important dans le vignoble girondin. Un domaine d'ancienne notoriété, auquel un riche marchand propriétaire des lieux au XVIIIᵉ s. aurait donné le nom d'une île des Caraïbes. Signe des temps et de la « guerre des chais » que se livrent les grands crus bordelais, les travaux d'un nouveau chai futuriste signé Jean Nouvel ont débuté. Nés sur des graves profondes et des sables anciens, le merlot, surtout, et le cabernet franc composent un 2010 élégant, au bouquet naissant et frais de fruits noirs agrémentés de notes de sous-bois, de pierre mouillée et de cacao. Le palais plaît par sa rondeur et son volume, par son côté frais (« terroité ») et épicé, par ses tanins jeunes et fins qui promettent une heureuse évolution à ce vin au cours des cinq ou six prochaines années.

🍷 Vignobles Clément Fayat, Ch. la Dominique, lieu-dit La Dominique, 33330 Saint-Émilion, tél. 05 56 51 23 79, fax 05 57 51 63 04, contact@vignobles.fayat.com, ☑ ⚤ ♟ r.-v.

💙 CH. EDMUS 2010 ★★

■	8 000	ⅲ	20 à 30 €

Depuis sa création en 2007 par Philip Edmundson et Éric Remus, ce cru confirme chaque année ses bonnes dispositions. De sélections en étoiles, il atteint (déjà) les sommets. Sur l'étiquette, un phénix renaissant de ses cendres et une devise (*Renascetur gloriosius*) figurent l'ambition des deux hommes de relever cet ancien vignoble issu d'une partie (5,81 ha) du château Lescours. Ils sont en bonne voie, à en juger par ce 2010 couleur cerise noire, dont les parfums intenses de cerise et de pruneau tiennent tête à un boisé appuyé mais élégant. On retrouve cet équilibre dans une bouche à la fois puissante, dense et veloutée, adossée à des tanins fermes, serrés, qui confèrent à ce vin un caractère solide et classique. À découvrir aussi bien jeune (deux ou trois ans) que vieux (huit ou dix ans).

🍷 SCEA Edmundson Remus Wines, 23, rue de Saint-Germain, 78230 Le Pecq, tél. 06 07 26 98 83, eremus@chateauedmus.com

CH. L'ÉTOILE DE CLOTTE 2010

■	15 000	ⅲ	15 à 20 €

Deuxième millésime et deuxième sélection pour ce cru acquis en 2009 par Jean-François Meynard, plus connu des lecteurs pour son château Roque le Mayne en castillon-côtes-de-bordeaux. Son 2010 répond bien au profil de l'appellation : couleur soutenue, bon mariage des raisins mûrs et du boisé, bouche charnue aux tanins fermes. Encore un peu fermé toutefois, il gagnera à vieillir un à trois ans.

🍷 SCEA des Vignobles Meynard, 10 av. de Labourrée, 33350 Saint-Magne-de-Castillon, tél. 06 89 87 82 99, fax 05 57 40 38 93, vignobles-meynard@wanadoo.fr, ☑ ⚤ ♟ r.-v.

CH. FAUGÈRES 2010 ★★

■	63 000	ⅲ	30 à 50 €

93 94 95 96 97 98 99 |00| |01| |02| 03 |04| **05** 06 **07** **09** **10**

Cet ancien domaine a été fondé en 1823 par la famille de Pierre-Bernard Guisez, l'homme qui donna dans les années 1980 ses premières lettres de noblesse au cru. Il est depuis 2005 propriété du Suisse Silvio Denz, homme d'affaires spécialisé dans le luxe et les parfums, qui a vu en septembre 2012 son « bijou » Faugères entrer dans la cour enviée des grands crus classés de Saint-Émilion. La dégustation montre que le 2010 est bien à ce niveau. Derrière une robe rubis intense, on découvre un bouquet fin et expressif de fruits rouges et d'épices relevé par une touche minérale. Dans la continuité du nez, la bouche se révèle charnue à souhait, ample, puissante, bâtie sur des tanins denses et soyeux, garants d'une bonne évolution au cours des dix ou quinze prochaines années.

🍷 SARL Ch. Cap de Faugères, 33350 Sainte-Colombe, tél. 05 57 40 34 99, fax 05 57 40 36 14, info@chateau-cap-de-faugeres.com, ☑ ⚤ ♟ r.-v.
🍷 Silvio Denz

CH. FIGEAC 2010 ★

■ 1er gd cru clas. B	100 000	ⅲ	+ de 100 €

62 64 66 ⑦⓪ **71** 74 75 76 77 **78** 79 80 **81** **82** 83 85 86 87 |88| **89** |90| |93| 94 ⑨⑤ |96| 97 |98| |99| |00| |01| |02| 04 05 06 07 09 10

Après le décès en 2010 de Thierry Manoncourt, qui dirigea ici plus de cinquante vendanges et façonna l'actuel grand cru, dans sa famille depuis 1892, cet important domaine de 54 ha est conduit par sa veuve Marie-France, ses quatre filles et son gendre Éric d'Aramon, rejoints récemment par Jean-Valmy Nicolas (cogérant de La Conseillante). Comme à son habitude, son assemblage aux forts accents médocains bien adapté à son terroir constitué de croupes de graves – 70 % de cabernet franc et de cabernet-sauvignon, associés à parts égales – confère au vin une réelle austérité dans sa jeunesse, que le temps finit toujours par adoucir, et vient alors la finesse. De fait, le vin offre pour l'heure un nez fermé, qui laisse poindre à l'aération le toasté de la barrique, les fruits rouges et, comme souvent, une touche animale. Le palais est dans la continuité du bouquet, dense, serré, sérieux, voire sévère. La patience est de rigueur, jusqu'à la prochaine décennie de préférence. **Le Petit Figeac 2010 (20 à 30 € ; 12 000 b.)** laisse encore moins de place au merlot (22 %)

et offre des airs de famille avec le grand vin. Très réussie elle aussi, c'est une bouteille de caractère, droite, structurée et de garde (cinq à six ans).

☛ Ch. Figeac, Ch. de Figeac, 33330 Saint-Émilion, tél. 05 57 24 72 26, fax 05 57 74 45 74, chateau-figeac@chateau-figeac.com, ☑ ⚲ ☒ r.-v.

☛ SCEA Famille Manoncourt

CH. LA FLEUR 2010 ★

	25 000	⑪	50 à 75 €

Représentant un mode d'exploitation devenu très rare en Gironde, Romain Depons est métayer de la famille Dassault. Sur ce vignoble de 8 ha, il signe, comme souvent, un vin intéressant. Ce 2010 déjà charmeur dévoile un bouquet épanoui et généreux de boisé grillé et de petits fruits confiturés, de cerise à l'eau-de-vie, rehaussé par des notes épicées et mentholées. La bouche se révèle fruitée, riche, ronde et charnue, portée par des tanins extraits avec mesure et par une finale pleine de fraîcheur. Un vin gourmand, à découvrir dans les cinq ans.

☛ Romain Depons, lieu-dit Merissac, 33330 Saint-Émilion, tél. 05 57 55 10 00, fax 05 57 55 10 01, lbv@chateaudassault.com, ☑ ⚲ ☒ r.-v.

CH. FLEUR CARDINALE 2010

Gd cru clas.	73 000	⑪	30 à 50 €

98 99 01 02 03 04 **05** |**06**| |07| |08| 09 10

Dominique et Florence Decoster ont acquis en 2001 ce cru de 23,5 ha implanté sur l'un des points hauts de l'appellation, à l'est de Saint-Émilion. Leurs efforts à la vigne et au chai ont porté rapidement leurs fruits, et le domaine est entré en 2006 dans le cercle des « classés ». Le 2010 tient son rang. Au boisé vanillé encore dominateur de l'olfaction fait écho un palais gras et chaleureux, bien charpenté autour de tanins solides et quelque peu austères en finale. À attendre quatre ou cinq ans.

☛ SCEA Ch. Fleur Cardinale, 7, Le Thibaud, 33330 Saint-Étienne-de-Lisse, tél. 05 57 40 14 05, fax 05 57 40 28 62, contact@fleurcardinale.com, ⚲ ☒ r.-v.

☛ Dominique Decoster

CH. LA FLEUR D'HORUS 2010

	1 600	▪⑪	20 à 30 €

Cette microcuvée est issue d'une petite parcelle d'un demi-hectare exclusivement plantée de merlot, propriété de Pierre Choukroun depuis 2002. Elle se présente dans une robe jeune, aux reflets violines. Le nez est encore dans la barrique mais livre à l'aération de plaisants parfums fruités et mentholés. Le boisé domine aussi en bouche, mais les fruits croquants ne rendent pas les armes, épaulés par des tanins fermes qui s'affineront d'ici deux à quatre ans.

☛ Vignobles Pierre Choukroun, lieu-dit Escardos, 33330 Vignonet, tél. 06 82 57 06 46, fax 05 57 74 15 27, contact@pomerol.com, ☑ ⚲ ☒ r.-v. 🏠 ❺

CH. LA FLEUR MORANGE 2010 ★★

	n.c.	⑪	50 à 75 €

Si, dans le Médoc, les classements sont gravés dans le marbre depuis 1855 (plus précisément depuis 1973 avec la promotion de Mouton-Rothschild), celui de Saint-Émilion, créé en 1955, est revu régulièrement. La dernière révision de 2012 a classé plusieurs domaines. Parmi eux, la Fleur Morange, le plus récent (créé en 1999 par les

époux Julien), certainement le plus petit (3,45 ha, 14 ares à ses origines) et le seul dans la commune excentrée de Saint-Pey-d'Armens, au sud-est de l'appellation. Du « vin de garage » au « classé », la *success story* est rapide, et le plus difficile commence, se maintenir. Peu de craintes à avoir au vu de ce 2010 (et de quelques autres millésimes sélectionnés dans le Guide), un vin complet, complexe et intense. Le nez marie la maturité du merlot (fruits confits) et la finesse du bouchet (nom local du cabernet franc), assemblés à parts égales, à un boisé vigoureux mais élégant. Dans la continuité du bouquet, la bouche se montre très généreuse, ample et bien en chair, soutenue par de solides tanins qui assureront une garde d'au moins cinq à dix ans.

☛ Véronique et Jean-François Julien, lieu-dit Ferrachat, 33330 Saint-Pey-d'Armens, tél. 06 62 40 37 86, fax 05 57 47 16 72, julienjf33@aol.com, ☑ ⚲ ☒ r.-v.

CH. LA FLEUR PEREY Cuvée Prestige
Élevé en fût de chêne 2010

	48 000	▪⑪	15 à 20 €

Héritiers d'une lignée vigneronne remontant à 1880, les Xans, frère et sœur, conduisent depuis 1989 le domaine familial d'une douzaine d'hectares, implanté sur les graves et sables de Saint-Sulpice-de-Faleyrens. Leur cuvée Prestige, régulièrement sélectionnée, se pare d'une robe rubis, limpide et brillante. Le bouquet, de bonne intensité, évoque les fruits noirs frais dans un sillage boisé, toasté et vanillé. La bouche, souple et fruitée, est soutenue par des tanins serrés, un peu stricts en finale, qui devraient s'affiner dans un an ou deux.

☛ EARL Vignobles Florence et Alain Xans, Ch. la Fleur Perey, 337, Bois-Grouley, 33330 Saint-Sulpice-de-Faleyrens, tél. 06 80 72 84 87, fax 05 57 24 63 61, alainxans@wanadoo.fr, ☑ ☒ r.-v.

CH. FOMBRAUGE 2010

	199 692	⑪	20 à 30 €

Ce vaste domaine, l'un des plus imposants de l'appellation et propriété depuis 1999 de l'incontournable Bernard Magrez, entrera à partir de la récolte 2012 dans le cercle fermé des grands crus classés. Ce « simple » grand cru, qui n'a rien de simpliste ni de confidentiel, dévoile un nez opulent de fruits très mûrs (pruneau, cassis) associés au vanillé de la barrique. La bouche est à l'unisson, riche, généreuse et enveloppante, portée par des tanins mûrs qui permettront d'apprécier ce vin assez rapidement, dans trois ou quatre ans.

☛ SAS Ch. Fombrauge, lieu-dit Fombrauge, 33330 Saint-Christophe-des-Bardes, tél. 05 57 24 77 12, fax 05 57 24 66 95, chateau@fombrauge.com, ☑ ⚲ ☒ r.-v.

☛ Bernard Magrez

CH. DE FONBEL 2010 ★★

	90 000	▪⑪	15 à 20 €

La famille Vauthier exploite plusieurs vignobles en saint-émilion, dont le célèbre Ausone, 1er grand cru classé A, et les 16 ha de ce château de Fonbel. Elle propose avec ce 2010 un assemblage original de merlot (65 %) associé aux très médocains cabernet-sauvignon, petit verdot et carménère. Un vin intense et complexe qui mêle au nez les fruits noirs en confiture à de délicates nuances fumées et à une touche minérale. On retrouve cette pointe de fraîcheur, aux côtés de tanins soyeux, dans un palais puissant, ample et charnu, qui s'étire en une longue et savoureuse finale pleine de fruits. Un grand cru de caractère, armé pour la décennie.

🍷 SCI Moulin Saint-Georges, 33330 Saint-Émilion, tél. 05 57 24 24 57, fax 05 57 24 24 58, chateau.ausone@wanadoo.fr

CH. FONPLÉGADE 2010 ★

■ Gd cru clas.	42 000	◫	50 à 75 €
00 01 |04| |05| |06| |07| 08 ⟨09⟩ 10			

De rachats en successions, ce cru de 18,5 ha établi sur le coteau sud du plateau de Saint-Émilion est entré en 2004 dans la famille Adams, qui convertit la totalité du vignoble au bio. Ce 2010 à forte dominante de merlot livre un bouquet intense aux accents empyreumatiques, les fruits mûrs restant en embuscade. Le palais se révèle ample, séveux et tannique. Un vin de caractère, à attendre huit à dix ans. Le second vin, **La Fleur de Fonplégade 2010 (20 à 30 € ; 18 000 b.)**, se montre plus fruité, plus souple et fondu. On le servira plus tôt, dans deux ou trois ans.

🍷 SAS Ch. Fonplégade, 1, Fonplégade, 33330 Saint-Émilion, tél. 05 57 74 43 11, fax 05 57 74 44 67, estelle.tehan@fonplegade.fr, ☑ 🖈 ⵏ r.-v.

🍷 M. et Mme Adams

Ⓑ CH. FONROQUE 2010

■ Gd cru clas.	56 800	◫	30 à 50 €

La chose est assez rare dans les grands crus bordelais pour être signalée : ce cru est conduit en bio (certifié en 2006) et en biodynamie (2008). Alain Moueix, Corrézien d'origine comme nombre de vignerons établis dans le Libournais, en est le propriétaire depuis 2001. Le 2010 est un vin chaleureux, dominé au nez comme en bouche par les fruits à l'eau-de-vie, aux tanins mûrs et fondus, rehaussé par une finale épicée. À boire dans les prochaines années.

🍷 SAS Alain Moueix, Ch. Fonroque, 33330 Saint-Émilion, tél. 05 57 24 60 02, fax 05 57 24 74 59, info@chateaufonroque.com, ☑ 🖈 ⵏ r.-v. 🏠 Ⓔ

CH. FRANC LARTIGUE 2010

■	33 000	◫	11 à 15 €

Jean-Pierre Toxé a pris la succession de son beau-père Marcel Petit en 1998. Il signe un 2010 né sur sables et graves, associant le merlot aux deux cabernets. Au nez, les fruits rouges sont relayés à l'aération par un boisé élégant. Franc en attaque, le palais dévoile sans tarder de solides tanins, qui s'affineront d'ici deux ou trois ans.

🍷 SCEA des Vignobles Marcel Petit, 6, chem. de Pillebois, 33350 Saint-Magne-de-Castillon, tél. 05 57 40 33 03, fax 05 57 40 06 05, contact@vignobles-petit.com, ☑ 🖈 ⵏ r.-v. 🏠 Ⓞ

🍷 Toxé

CH. FRANC MAYNE 2010 ★

■ Gd cru clas.	16 800	◫	30 à 50 €
85 86 88 89 90 95 96 **97** 98 99 00 01 02 |03| |04| |05| 06 08 **09** 10			

À leur arrivée en 2005, Griet et Hervé Laviale ont totalement rénové le domaine de 7 ha implanté sur le plateau calcaire de Saint-Émilion. Ils n'ont pas non plus négligé l'accueil et douze chambres tournées vers le vignoble peuvent accueillir les œnotouristes. Leur 2010 apparaît de belle facture. À forte dominante de merlot, il exprime des notes boisées marquées accompagnées de senteurs de fruits mûrs. La bouche, ronde en attaque, se

montre ensuite plus robuste, portée par des tanins encore un peu austères. À attendre quatre ou cinq ans. Même note et même garde à prévoir pour **Les Cèdres de Franc Mayne 2010 (15 à 20 € ; 2 000 b.)**, fruité, généreux et bien charpenté.

🍷 SCEA Ch. Franc Mayne, 14, la Gomerie, 33330 Saint-Émilion, tél. 05 57 24 62 61, fax 05 57 24 68 25, info@chateaufrancmayne.com, ☑ 🖈 ⵏ r.-v. 🏠 Ⓢ

🍷 Griet Van Malderen-Laviale et Hervé Laviale

CH. FRANC PATARABET Cuvée Les Menuts
Vieilles Vignes 2010

■	3 500	◫	15 à 20 €

Cette petite cuvée issue d'un hectare de vieilles vignes de merlot (90 %) et de cabernet franc a été vinifiée et élevée au cœur de Saint-Émilion, puis vieillie en bouteille dans la cave monolithe du domaine. Il en résulte un vin au bouquet fin de noyau de cerise et de tabac blond, au palais fruité, ample et charnu, adossé à des tanins enrobés. À boire d'ici un an ou deux.

🍷 GFA Faure-Barraud, 42, rue Guadet, BP 72, 33330 Saint-Émilion, tél. 05 57 24 65 93, fax 05 57 24 69 05 ☑ 🖈 ⵏ r.-v.

CH. LA GAFFELIÈRE 2010 ★★

■ 1er gd cru clas. B	53 000	◫	75 à 100 €
⟨82⟩ **83** 85 86 88 89 90 91 92 93 **94 95** 97 99 02 03 |04| **05** |06| 07 08 09 **10**			

Ici, on ne compte pas en années mais en siècles. Ancienne villa gallo-romaine au début de notre ère, le domaine aurait appartenu au poète Ausone ; son appartenance aux Malet-Roquefort depuis quatre siècles n'a, elle, rien d'hypothétique. Les racines historiques sont donc ici profondes ; celles des ceps de merlot et de cabernet franc de ce cru d'un peu plus de 17 ha plongent dans un sol argilo-calcaire pour donner naissance à un 2010 pourpre profond, finement bouqueté autour des fruits rouges (griotte) et des épices douces. Une même harmonie entre le bois et le fruit règne dans un palais doux et onctueux, tapissé de tanins veloutés. Un vin caressant, élégant et long, que l'on dégustera dans quatre ou cinq ans, et plus encore.

🍷 SARL Ch. la Gaffelière, BP 65, 33330 Saint-Émilion, tél. 05 57 24 72 15, fax 05 57 24 69 06, contact@chateau-la-gaffeliere.com, ☑ 🖈 ⵏ r.-v.

🍷 de Malet-Roquefort

GALIUS 2010 ★

■	23 060	🍶◫	15 à 20 €

Ce Galius, assemblage de terroirs divers (argilo-calcaires, argilo-siliceux), est l'une des marques de prestige de la coopérative de Saint-Émilion. Dans sa version 2010, il propose une bonne synthèse du millésime : une couleur intense, un fruité bien mûr souligné par un boisé discret, une bouche ample, généreuse, charnue, étayée par des tanins denses qui permettront à cette bouteille de bien vieillir. On pourra commencer à l'apprécier dans deux ou trois ans. Issu des raisins de la famille Dumon, établie à Saint-Étienne-de-Lisse, le **Ch. Viramière 2010 (11 à 15 € ; 62 660 b.)** obtient également une étoile pour ses arômes de raisin frais et de boisé fondu, et pour sa bouche charnue et fruitée portée par des tanins souples. À attendre deux ou trois ans. Une étoile aussi pour le **Ch. du Basque 2010 (11 à 15 € ; 40 000 b.)**, né sur les sables et argiles de Saint-Pey-d'Armens, au bouquet naissant de fruits mûrs souligné de discrètes notes boisées, rond en bouche, épaulé par des tanins fins. À boire dans un an ou deux. Le **Ch. Capet Duverger 2010 (11 à 15 € ; 20 000 b.)**, originaire de Saint-Hippolyte, est cité. Son palais dense et structuré par des tanins solides et un boisé dominant appellent une garde de trois à cinq ans.

☛ Union de producteurs de Saint-Émilion, Haut-Gravet, BP 27, 33330 Saint-Émilion, tél. 05 57 24 70 71, fax 05 57 24 65 18, contact@udpse.com, ☑ ⚘ ⅂ r.-v.

CH. GESSAN 2010

| ■ | 35 000 | ⅏ | 11 à 15 € |

Sur son vignoble de 27 ha, Patrick Gonzalès, fils de vignerons en Champagne, a sélectionné 8 ha de merlot pour élaborer ce 2010. Le nez, de bonne intensité, mêle notes vanillées et fruitées. La bouche se révèle fraîche et fruitée, adossée à des tanins fins qui autorisent une dégustation dès l'automne et une garde de deux ou trois ans.

☛ SCEV Gonzalès, 201, Canton de Bert, 33330 Saint-Sulpice-de-Faleyrens, tél. 05 57 74 44 04, fax 05 57 24 68 32, chateaugessan@wanadoo.fr, ☑ ⚘ ⅂ r.-v.

CH. GODEAU 2010 ★★

| ■ | 21 000 | ⅏ | 15 à 20 € |

Cette propriété, acquise en 2007 par deux industriels du nord de la France, Steve Filipov et Jean-Luc Parey, étend ses 5,65 ha de vignes sur le haut de Saint-Laurent-des-Combes, non loin de la petite église du village. Son vin à forte dominante de merlot (5 % de cabernet franc) s'invite régulièrement dans le Guide ; le 2010 ne fait pas exception. C'est un millésime harmonieux et prometteur, dont le nez, d'abord discret, s'ouvre à l'agitation sur les baies noires, la griotte, les épices et quelques notes d'encens. La bouche est à la fois dense, généreuse et fraîche, renforcée par des tanins élégants et soyeux. Déjà très équilibré, ce grand cru s'affirmera mieux après cinq à huit ans de garde.

☛ SAS Dom. de l'Amandière, Ch. Godeau, 33330 Saint-Laurent-des-Combes, tél. et fax 05 57 24 72 64, chateau.godeau@orange.fr, ☑ ⚘ ⅂ r.-v.
☛ Filipov

CH. LA GRÂCE DIEU Cuvée Passion 2 Femmes 2010 ★

| ■ | 3 600 | ⅏ | 20 à 30 € |

Ce vignoble de 13 ha, établi sur la route de Libourne, abritait au XIIIᵉ s. un prieuré cistercien nommé À la Grâce de Dieu. Les sœurs Pauty y ont sélectionné une petite parcelle de merlots de quarante ans pour élaborer cette cuvée au bouquet finement fruité souligné d'un boisé bien dosé, que relaie un palais à la fois frais et consistant, élégant et long. Une bouteille que l'on pourra apprécier jeune ou dans quatre à cinq ans, sur un parmentier de canard par exemple.

☛ Vignobles Pauty, Ch. la Grâce Dieu, 33330 Saint-Émilion, tél. 05 57 24 71 10, fax 05 57 24 67 24, contact@chateaulagracedieu.fr, ☑ t.l.j. sf sam. dim. 9h-12h 13h30-17h30

GRACIA 2010 ★★

| ■ | 5 400 | ⅏ | + de 100 € |

Quelques hectares de vignes héritées en 1994, un chai « lilliputien » au cœur de Saint-Émilion, dans une bâtisse

du XIIIᵉ s., un entrepreneur-tailleur de pierre converti à la vigne et au vin : voilà ce qui résume en quelques mots. Michel Gracia sculpte ici un 2010 bien ciselé. Le bouquet est à multiples facettes (notes de fruits rouges mûrs, de vanille et de toast), la bouche se montre à la fois douce et puissante, adossée à des tanins denses et soyeux qui assureront une bonne garde (cinq à huit ans). La cuvée **Les Angelots de Gracia 2010 (50 à 75 € ; 2 400 b.)**, chaleureuse (fruits à l'alcool), riche et boisée, portée par des tanins mûrs, décroche deux étoiles également. On pourra la boire un peu plus tôt.

☛ Michel Gracia, rue du Thau, 33330 Saint-Émilion, tél. 05 57 24 77 98, fax 09 66 91 59 91, michelgracia@wanadoo.fr, ⚘ ⅂ r.-v.

CH. GRAND BARRAIL LAMARZELLE FIGEAC 2010 ★

| ■ | 54 600 | ⅏ | 20 à 30 € |

Ce cru, situé sur la route menant de Libourne à Saint-Émilion, s'est constitué dans la deuxième moitié du XIXᵉ s. à partir d'anciennes métairies détachées du vaste château Figeac, Clos Lamarzelle Grand Barrail et Lamarzelle-Figeac, auxquelles fut adjoint un peu plus tard le domaine contigu du Clos Lamarzelle. Cette origine explique son nom quelque peu compliqué. Depuis 2005, la propriété appartient aux vignobles Dourthe. Le 2010 inspire confiance dans sa robe aux reflets pourpres et rubis. Le nez est encore un peu dans la barrique, mais c'est un boisé élégant qui monte du verre et qui laisse sa part aux fruits (rouges et mûrs). À l'unisson, la bouche se montre chaleureuse et charnue, soutenue par une jolie trame de tanins jeunes et prometteurs. Un vin bien construit, à attendre quatre ou cinq ans.

☛ Ch. Grand Barrail Lamarzelle Figeac, 33330 Saint-Émilion, tél. 05 56 35 53 00, fax 05 56 35 53 29, contact@dourthe.com, ☑ ⚘ ⅂ r.-v.
☛ Vignobles Dourthe

♥ CH. GRAND CORBIN-DESPAGNE 2010 ★★

| ■ Gd cru clas. | 90 000 | ⅏ | 20 à 30 € |

| 97 | 98 | 99 | |00| |01| **04** | 05 | 06 | |07| | 08 | **09** | **10** |

Coup de cœur pour son 2009, et de nouveau pour son 2010 : Grand Corbin-Despagne s'impose millésime après millésime comme l'une des valeurs sûres de l'appellation. La famille Despagne est établie sur les terres argilo-sableuses du vignoble depuis 1812, mais ses origines sont plus anciennes et remontent au XVIᵉ s. : brassiers, journaliers, laboureurs à bœufs, certains de ses ancêtres furent même métayers à Cheval Blanc. François Despagne, septième du nom, est arrivé en 1996 aux commandes du vignoble, qu'il convertit au bio depuis 2010. Sur ce terroir qui aime les années de grande maturité, il signe un « authentique saint-émilion grand cru », à la fois robuste et fin. La robe est d'un seyant bordeaux franc et limpide. D'abord sur la réserve, le bouquet s'ouvre à l'aération sur de délicates senteurs de baies rouges et noires mûres, agrémentées des notes toastées de la barrique. Ce mariage heureux de l'élevage et du fruit se retrouve dans une bouche puissante et séveuse, qui ne se départit jamais d'une réelle élégance et déroule une longue finale crayeuse et pleine de fraîcheur. Un vin de grande garde, armé pour dix, voire quinze ans de cave.

☛ Famille Despagne, Ch. Grand Corbin-Despagne, 33330 Saint-Émilion, tél. 05 57 51 08 38, fax 05 57 29 18, f-despagne@grand-corbin-despagne.com, ☒ ⚭ ⚓ r.-v.

CH. GRAND CORBIN MANUEL 2010 ★

| ■ | 35 000 | ▐ ⦿ | 15 à 20 € |

Situé dans le secteur des Corbin, au nord-est de la Saint-Émilion, ce vignoble de taille familiale (8 ha) est dirigé depuis 2005 par Yseult de Gaye. Ce 2010 est un bon vin de garde. Un vin sombre, dont le bouquet naissant libère des parfums chaleureux de fruits à l'eau-de-vie et de toasté. Ouverte sur les fruits à noyau mûrs et sur l'amande grillée, la bouche se révèle elle aussi généreuse, puissante, charpentée par de beaux tanins et par un élevage de qualité. Un classique, qui gagnera à vieillir au moins trois à cinq ans et qui se plaira sur du gibier.

☛ Ch. Grand Corbin Manuel, 33330 Saint-Émilion, tél. 05 57 25 09 68, fax 05 56 50 37 61, info@grandcorbinmanuel.fr, ☒ ⚭ ⚓ r.-v.
☛ Yseult de Gaye

CH. GRAND MAYNE 2010 ★★

| ■ Gd cru clas. | 48 000 | ⦿ | 30 à 50 € |
| 85 86 88 89 **90** 91 94 95 **96** 97 99 |00| 01 02 |03| |04| **05** 06 07 08 **10** |

Ce cru a conservé son ancien nom (« grand domaine » en vieux français) : au XIX[e]s., il constituait, avec ses 300 ha, la plus vaste propriété de Saint-Émilion. Aujourd'hui, les vignes couvrent les pentes douces à l'ouest du plateau, sur 17 ha. Le 2010 a fait grande impression. La robe est sombre, ornée de reflets acajou. Le nez mêle les fruits frais aux baies confites et à un boisé discret. Rond en attaque, le palais dévoile beaucoup de volume, de générosité et de puissance. Ses tanins denses et serrés en font un vin de garde, à conserver en cave une décennie.

☛ SCEV J.-P. Nony, Ch. Grand Mayne, 33330 Saint-Émilion, tél. 05 57 74 42 50, fax 05 57 74 41 89, contact@grand-mayne.com, ☒ ⚭ ⚓ r.-v.

CH. GRAND PEY LESCOURS Cuvée Prestige 2010 ★

| ■ | 18 400 | ⦿ | 15 à 20 € |

Le merlot et une pointe (5 %) de cabernet franc donnent ici un 2010 rubis intense, dont le bouquet naissant évoque d'abord le bois (café, cacao), puis à l'aération les fruits rouges et la violette. Dans le prolongement du nez, la bouche affiche une belle densité, du gras et des tanins bien présents. Un vin qui s'appréciera aussi bien jeune (deux ans) que plus évolué ; la pointe de sévérité présente en finale se sera alors estompée.

☛ SCEA Héritiers Escure, 103, Grand-Pey, 33330 Saint-Sulpice-de-Faleyrens, tél. 05 57 74 41 17, fax 05 57 24 67 81 ☒ ⚭ ⚓ t.l.j. sf sam. dim.9h-12h 14h-17h

♥ CH. GRAND-PONTET 2010 ★★★

| ■ Gd cru clas. | 54 000 | ⦿ | 30 à 50 € |
| 89 **90** 93 94 **95** 96 97 98 ⦵ |01| |02| |03| |04| 05 06 |
| 08 09 ⑩ |

GRAND CRU CLASSÉ

2010

CHATEAU
GRAND-PONTET

SAINT-ÉMILION GRAND CRU

Sylvie Pourquet-Bécot conduit depuis 2000 ce cru classé voisin de celui dirigé par ses frères, Beau-Séjour Bécot. Les terroirs sont proches, argilo-calcaires, et les cabernets ont une place non négligeable (30 %) dans l'assemblage du grand vin. Un grand vin dans tous les sens du terme que ce 2010, magnifique de bout en bout. La robe, sombre et dense, presque noire, miroite de reflets améthyste. Le bouquet, riche et ouvert, dévoile d'intenses parfums de fruits noirs mûrs et concentrés dans un élégant sillage boisé. On retrouve ces généreuses sensations fruitées dans un palais puissant, riche et charnu, adossé à des tanins fermes et serrés et à la longue finale ample et épicée. Un vin de garde par excellence (dix ans et plus), que l'on pourra aussi apprécier dans la fougue de sa jeunesse, pour sa vigueur et son fruité.

☛ Ch. Grand-Pontet, 33330 Saint-Émilion, tél. 05 57 74 46 88, fax 05 57 74 45 31 ☒ ⚭ ⚓ r.-v.

CH. LA GRANGÈRE 2010

| ■ | 10 608 | ⦿ | 15 à 20 € |

Implanté sur les argilo-calcaires de Saint-Christophe-des-Bardes, à l'est de l'AOC, ce petit domaine a engagé la conversion de ses 6 ha de vignes : le premier millésime « bio » est prévu pour la vendange 2013. Celle de 2010 a donné naissance à un vin expressif qui s'ouvre sur des notes de violette, de cassis et de pruneau confit agrémentées de nuances chocolatées. La bouche se révèle souple et généreuse, sans excès de puissance, adossée à des tanins aimables et soyeux. À apprécier d'ici un an ou deux.

☛ SCEA Le Bousquet, 3, Tauzinat-Est, 33330 Saint-Christophe-des-Bardes, tél. 05 57 74 43 07, fax 05 57 24 60 94, info@scealebousquet.com, ☒ ⚭ ⚓ r.-v.
☛ Patrice Bigou

CH. GRAVET 2010

| ■ | 11 000 | ⦿ | 11 à 15 € |

Philippe Faure a sélectionné deux des 16 ha de son vignoble pour élaborer ce 2010 né sur un sol de petites graves. La robe est sombre et intense. Le nez s'ouvre à l'aération sur de délicates notes fruitées et vanillées. Au palais, on découvre un vin souple, fruité, friand, soutenu par des tanins fins et soyeux. Un vin charmeur et gourmand, que l'on peut boire dès aujourd'hui.

☛ Faure, 7, rue de la Cité, 33330 Saint-Sulpice-de-Faleyrens, tél. 05 57 74 41 85, fax 05 57 74 42 39 ☒ ⚓ t.l.j. 8h-12h 14h-18h

CH. GUADET 2010 ★

■ Gd cru clas.   20 000   ⅢⅢ   30 à 50 €

Ce cru tient son nom de Marguerite Élie Guadet, avocat et député girondin pendant la Révolution française. Cet ami de Voltaire se serait réfugié dans les galeries souterraines qui courent sous le domaine. Mais il n'échappa pas à la Terreur et fut guillotiné à Bordeaux en 1794. Depuis 1844, la famille de Guy-Petrus Lignac est aux commandes de ce vignoble connu jusqu'en 2005 sous le nom de Guadet Saint-Julien. Issu du plateau argilocalcaire de Saint-Émilion, ce 2010 dévoile un bouquet naissant de baies mûres accompagnées par un boisé des plus discrets. La bouche se révèle dense et chaleureuse ; les tanins sont présents mais bien enrobés. L'ensemble harmonieux pourra se boire dans deux ou trois ans.

➦ Guy-Petrus Lignac, Ch. Guadet, 4, rue Guadet, 33330 Saint-Émilion, tél. 05 57 74 40 04, chateauguadet@orange.fr, ☑ ⚔ ⵙ r.-v.

Ⓑ CH. HAUT-BRISSON 2010

■   42 000   ⅢⅢ   20 à 30 €

L'achat de vignobles bordelais par des investisseurs asiatiques n'est pas nouveau ; le rachat de Haut-Brisson par le Taïwanais Peter Kwok et sa fille Elaine remonte à 1997. Le vin du cru est intéressant par son bouquet de fruits mûrs et d'épices associés à un discret boisé grillé. La bouche, fruitée et ronde, est étayée par une agréable fraîcheur et par des tanins encore un peu sévères en finale, qui s'assoupliront d'ici deux ou trois ans.

➦ Elaine Kwok, 5, Brisson, 33330 Vignonet, tél. 05 57 84 69 57, fax 05 57 74 43 57, haut.brisson@orange.fr, ☑ ⚔ ⵙ r.-v.

CH. HAUT-CORBIN 2010 ★

■ Gd cru clas.   36 000   ⅢⅢ   20 à 30 €

Propriété de la SMABTP depuis 1986, Haut-Corbin fusionne avec Grand-Corbin, cru mitoyen, acquis par l'assureur du bâtiment en 2010. La réunification sera officielle à partir de la vendange 2012, et n'existera plus alors que le grand cru classé Grand-Corbin. Ce 2010 est donc l'avant-dernier millésime étiqueté Haut-Corbin. Un vin éclatant dans sa robe rubis, qui dévoile de fines senteurs de pain grillé prolongées par un palais frais et franc en attaque, offrant progressivement plus de volume et de puissance, soutenu par des tanins nobles garant d'une bonne garde. Le **Ch. Grand-Corbin 2010 (85 000 b.)**, encore austère (il comprend plus de cabernets), est cité. Le grand cru (non classé) **Ch. le Jurat 2010 (72 000 b.)** obtient quant à lui une étoile pour son bouquet minéral et fruité et pour son côté charnu en bouche. Plus tannique en finale, il pourra vieillir quatre ou cinq ans.

➦ SCA Grand-Corbin, 5, Grand-Corbin, 33330 Saint-Émilion, tél. 05 57 24 70 62, fax 05 57 44 47 18, contact@hautcorbin.com
➦ SMABTP

CH. HAUTES GRAVES D'ARTHUS 2010

■   10 666   ⅢⅢ   11 à 15 €

Né de la fusion dans les années 1950 de deux propriétés familiales, ce cru étend ses vignes sur un peu plus de 12 ha au sud de l'appellation. Issu de 1,7 ha de merlot et (d'un peu) des deux cabernets, ce 2010 présente un bouquet encore fermé, qui laisse poindre à l'aération des notes fruitées, poivrées et toastées. Après une attaque fraîche, la bouche offre du volume, de la chair et des tanins

solides. Un vin qualifié de « démonstratif », à garder en cave quatre ou cinq ans.

➦ EARL des Vignobles J.-F. Musset, 20, d'Arthus, 33330 Vignonet, tél. et fax 05 57 84 53 15, jf.musset.darthus@wanadoo.fr, ☑ ⚔ ⵙ r.-v.

CH. HAUT-SARPE 2010 ★

■ Gd cru clas.   47 000   ⅢⅢ   30 à 50 €

Négociants-éleveurs et producteurs d'origine corrézienne, les Janoueix sont propriétaires de nombreux crus dans le Libournais, dont ce grand cru classé de 21 ha, leur fer de lance, qui donna naissance notamment à un superbe 2009, coup de cœur dans l'édition précédente. Le 2010 est loin de démériter, et affiche d'emblée toute son intensité dans un bouquet expressif de fruits noirs, d'amande grillée et de réglisse, relayé par une bouche puissante et élégante, à la fois corsée et fraîche. Une bouteille à garder en cave cinq ans au moins. Les grands crus **Ch. de Sarpe 2010 (15 à 20 € ; 13 400 b.)**, bien charpenté et de bonne garde, et le **Ch. Vieux Sarpe 2010 (20 à 30 € ; 19 600 b.)**, plus rond et plus charnu, à boire plus tôt, obtiennent également une étoile.

➦ SA SE du Ch. Haut-Sarpe, Ch. Haut-Sarpe, 13, rue Pline-Parmentier, BP 192, 33506 Libourne Cedex, tél. 05 57 51 41 86, fax 05 57 51 53 16, info@j-janoueix-bordeaux.com, ☑ ⚔ ⵙ r.-v.
➦ Jean-François Janoueix

CH. HAUT TROQUART LA GRÂCE DIEU
Cuvée Passion 2010 ★

■   4 500   ⅢⅢ   20 à 30 €

À côté du vignoble familial de La Grâce Dieu les Menuts, plus important, Odile Audier exploite depuis 1997 les 2,8 ha de Haut Troquart. Elle signe un 2010 encore un peu fermé, qui libère à l'aération des notes de fruits confits et d'épices douces soulignées par un boisé grillé. La bouche se révèle ample, charnue, généreuse, épaulée par des tanins bien enrobés, un peu plus sévères en finale toutefois. Une garde de trois à cinq ans affinera l'ensemble.

➦ Vignobles Pilotte-Audier, Ch. la Grâce Dieu les Menuts, 33330 Saint-Émilion, tél. 05 57 24 73 10, fax 05 57 74 40 44, chateau@lagracedieulesmenuts.com,
☑ ⚔ ⵙ t.l.j. 8h-12h 14h-18h

CH. HAUT VEYRAC 2010 ★★

■   24 000   ▮ⅢⅢ   15 à 20 €

Ce domaine de taille modeste (8 ha, dont 6 ha de merlot et 2 ha de cabernet franc) est la propriété depuis six générations des familles Claverie et Castaing. L'intégralité du vignoble est présente dans ce 2010 au bouquet déjà harmonieux de fruits mûrs associés à un fin boisé, toasté et cacaoté. Le palais onctueux et soyeux apparaît néanmoins puissant, bâti sur des tanins denses et serrés, enrobés par un fruité persistant. Les plus gourmands pourront apprécier cette bouteille dans un an ou deux, les autres attendront cinq ans et plus.

➦ Claverie, Ch. Haut Veyrac, 33330 Saint-Étienne-de-Lisse, tél. 05 57 40 02 26, contact@chateau-haut-veyrac.com, ☑ ⚔ ⵙ r.-v.

CH. L'HERMITAGE LESCOURS 2010 ★

■   11 000   ▮ⅢⅢ   11 à 15 €

Premier millésime pour Sébastien Xans, propriétaire depuis 2010 de cette petite vigne de 3,5 ha plantée dans un sol de sables sur gravettes, dans la partie sud-ouest de l'appellation. De couleur bordeaux foncé, ce vin dévoile des parfums de baies noires mûres agrémentés d'un fin boisé. La bouche se montre bien équilibrée, souple, douce, fruitée, portée par des tanins au grain fin. Une bouteille à découvrir d'ici deux ou trois ans, sur du gibier à plume. Née de vieux ceps de merlot plantés par les arrière-grands-parents, la **cuvée Entre amis 2010 (15 à 20 € ; 1 200 b.)** fait aussi belle impression et obtient une étoile, tant pour son nez richement fruité et délicatement boisé que pour son palais ample, généreux et pulpeux, charpenté par des tanins enrobés. Prévoir trois ou quatre ans de garde.

NOUVEAU PRODUCTEUR

☛ SCEA l'Hermitage Lescours, Les Grandes-Versannes, 33330 Saint-Sulpice-de-Faleyrens, tél. 05 57 24 10 10, fax 05 57 70 51 55, chateau-lhermitage-lescours@wanadoo.fr, ☑ ⚔ ⏀ r.-v.

CH. JUCALIS 2010 ★

| ■ | | 5 570 | ⏀ | 15 à 20 € |

Nous sommes ici au sud de l'appellation, à Saint-Sulpice-de-Faleyrens. La famille Visage, autrefois plus réputée pour sa charcuterie fine, brille depuis trois générations par la qualité de ses vins. Sur la dizaine d'hectares que compte le domaine, Isabelle Visage a sélectionné 1,7 ha de vieux merlots, à l'origine de ce 2010 très coloré, concentré au nez, libérant des arômes de fruits noirs bien présents derrière un boisé encore dominant. À l'unisson, la bouche se révèle ample, dense, puissante, solidement charpentée par des tanins boisés qui garantissent une bonne garde. Un vin sérieux, armé pour la décennie, à attendre au moins cinq ans.

☛ SCEA des Vignobles Visage, 193, Jupile, 33330 Saint-Sulpice-de-Faleyrens, tél. 05 57 24 62 92, fax 05 57 24 69 40, chateau.jupile.jucalis@orange.fr, ☑ ⚔ ⏀ r.-v.

CH. LARMANDE 2010 ★★

| ■ Gd cru clas. | 52 519 | ⏀ | 20 à 30 € |
| 90 93 94 96 98 99 |00||01||02| 03 04 05 **07 08 10** | | |

Mentionné dès le XVIᵉˢ., ce cru classé de 16 ha, installé sur trois types de sols (argilo-calcaires, argilo-siliceux, sables anciens), est depuis 1990 la propriété du groupe d'assurances AG2R La Mondiale, comme le Ch. Soutard, et il est vinifié par les mêmes équipes. Après dix-huit mois d'élevage en barrique, son 2010 s'impose par sa densité, sa charpente, sa puissance et sa concentration. Le nez affiche un début de complexité, exprimant le raisin mûr, le fruit noir confit et le merrain, avec une note minérale. Un vin bâti pour une longue garde : on l'oubliera dix ans en cave.

☛ SCEA Ch. Soutard, BP 4, 33330 Saint-Émilion, tél. 05 57 24 71 41, fax 05 57 74 42 80, contact@soutard.com, ☑ ⚔ ⏀ r.-v.

CH. LAROZE 2010

| ■ Gd cru clas. | 83 000 | ⏀ | 30 à 50 € |
| 98 99 00 01 |02||06||07| **09** 10 | | |

Cet important cru classé de 30 ha propose un 2010 bordeaux soutenu, aux reflets améthyste de jeunesse. Le boisé torréfié très présent au premier nez laisse percer à l'aération des notes de fruits mûrs. À l'unisson, le palais, d'un bon volume, s'appuie sur des tanins serrés, et livre une finale un peu austère qui appelle au moins trois ou quatre ans de garde. Également cité, le second vin, **La Fleur Laroze 2010 (15 à 20 € ; 25 000 b.)**, vanillé et un

rien giboyeux au nez, plus tendre et finement tannique, sera prêt plus tôt.

☛ SCE Laroze, 1, Gourdichau, 33330 Saint-Émilion, tél. 05 57 24 79 79, fax 05 57 24 79 80, info@laroze.com, ☑ ⚔ ⏀ r.-v.
☛ Meslin

CH. DES LAUDES 2010 ★

| ■ | | 4 000 | ⏀ | 30 à 50 € |

Nouveau venu à Saint-Émilion (2009), Bernard Artigue est plus connu comme viticulteur de l'Entre-deux-Mers et comme président de la Chambre d'agriculture de la Gironde. Conseillé par Stéphane Derenoncourt, son fils Antoine conduit ce petit vignoble de 3,8 ha. Il propose ici un vin élégant, au nez tout en fruits (mûrs et acidulés) associés à un bon boisé, équilibré, à la fois rond et bien charpenté. Un « classique », à découvrir d'ici un an ou deux.

☛ Bernard Artigue, Ch. La Guillaumette, 33370 Loupes, tél. 05 56 72 48 93, fax 05 56 72 92 97, b-artigue@wanadoo.fr, ☑ ⚔ ⏀ r.-v.

GABRIEL LAUZAT 2010 ★

| ■ | n.c. | ⏀ | 20 à 30 € |

Cette cuvée rend hommage à Gabriel Lauzat, l'aïeul de la famille Tribaudeau qui fut au XIXᵉˢ. un pionnier de la viticulture en Algérie. Au nez, elle délivre des parfums de fruits rouges, de cacao, de fumé et d'épices. La bouche est concentrée, dense, chaleureuse, avec en soutien une pointe de vivacité et des tanins sans aspérités. Un vin démonstratif et charmeur, à déguster dans quatre ou cinq ans, sur un curry thaïlandais par exemple.

☛ SCEA du Ch. Mauvinon, 217, lieu-dit Mauvinon, 33330 Saint-Sulpice-de-Faleyrens, tél. 05 57 24 64 79, chateaumauvinon@orange.fr, ☑ ⚔ ⏀ r.-v.

CH. LEYDET-VALENTIN 2010 ★

| ■ | | 30 000 | ▮⏀ | 15 à 20 € |

Depuis sa propriété de Libourne, la famille Leydet, établie sur ces terres depuis 1862, exploite près de 17 ha de vignes en saint-émilion grand cru et en pomerol. Elle propose ici deux vins très réussis, dont ce 2010 joliment bouqueté autour des fruits noirs, de la violette et de la vanille, avec une touche mentholée à l'arrière-plan, frais, fruité, finement boisé et bien structuré en bouche. Une bouteille élégante, à découvrir dans deux à trois ans, comme **L'Éclat de Valentin 2010 (30 à 50 € ; 1 900 b.)**, fruité, boisé avec discernement, fin et élégant en bouche.

☛ EARL Vignobles Leydet, Rouilledimat, 33500 Libourne, tél. 05 57 51 19 77, fax 05 57 51 00 62, frederic.leydet@wanadoo.fr, ☑ ⚔ ⏀ r.-v.

LYNSOLENCE 2010 ★★

| ■ | | 7 800 | ⏀ | 30 à 50 € |

Plus connu des amateurs pour son Ch. les Gravières (saint-émilion grand cru) et pour sa cuvée Haut-Renaissance (saint-émilion), Denis Barraud se distingue ici avec cette cuvée 100 % merlot créée en 1998. C'est à la fille du vigneron, graphiste, que l'on doit l'étiquette et le nom de ce vin né de vieilles vignes plantées sur graves sableuses. Le bouquet, opulent, mêle classiquement aux fruits noirs des notes toastées et vanillées stimulées par de fines senteurs poivrées. Une attaque « déterminée » mais sans agressivité ouvre sur un palais charnu et tonique à la fois, étayé par une belle fraîcheur et des tanins de qualité. Une bouteille à boire sur son fruit ou à attendre quatre ou cinq ans, et à réserver à un mets de caractère, une pièce de gibier par exemple.

🔻 SCEA des Vignobles Denis Barraud, Ch. les Gravières, 355, port de Branne, 33330 Saint-Sulpice-de-Faleyrens, tél. 05 57 84 54 73, fax 05 57 84 52 07, denis.barraud@wanadoo.fr, ☑ ☍ ☍ r.-v.

CH. MAGDELAINE 2010 ★★

■ 1er qd cru clas. B	n.c.	ⅢⅢ 75 à 100 €

Voici l'avant-dernier millésime produit sous l'étiquette Magdelaine, la propriété étant absorbée par Belair Monange à partir du millésime 2012. Sur les 11 ha de ce vignoble en forme de fer à cheval, voisin d'Ausone et de Canon, est produit un vin à forte dominante de merlot (90 %), avec le cabernet franc en appoint. Le 2010 se pare d'une somptueuse robe pourpre aux reflets brun orangé. Le nez, élégant, marie fruits rouges et noirs, boisé distingué et nuances mentholées. Ouverte sur des notes de fruits mûrs, d'épices et de café, la bouche se révèle ronde, ample et charnue, soutenue par des tanins fondus et soyeux et par une fine fraîcheur qui lui donne une belle allonge. Une bouteille de grande classe, armée pour une longue garde (cinq à dix ans).

🔻 Éts Jean-Pierre Moueix, 54, quai du Priourat, BP 129, 33502 Libourne Cedex, tél. 05 57 51 78 96, fax 05 57 51 79 79, info@jpmoueix.com

CH. MAGNAN-FIGEAC 2010

■	60 000	▮Ⅲ 15 à 20 €

Faisant autrefois partie du château Figeac, ce domaine familial de 20 ha a été repris en 2012 par Victor Moreaud et sa sœur Coraline. C'est donc la génération précédente, la troisième, qui est à l'origine de ce vin solide, rouge soutenu, aux arômes de fruits confits, d'épices et de réglisse, charpenté par des tanins fermes encore un peu bruts en finale. À attendre trois à cinq ans pour obtenir un meilleur fondu.

🔻 Moreaud, Ch. Cormeil-Figeac, 33330 Saint-Émilion, tél. 05 57 24 70 53, fax 05 57 24 68 20, moreaud@cormeil-figeac.com, ☑ ☍ ☍ r.-v.

💙 CH. MANGOT Todeschini 2010 ★★★

■	4 800	ⅢⅢ 30 à 50 €

En progrès depuis plusieurs années, ce cru fait mieux que confirmer son savoir-faire avec cette cuvée originale à dominante de cabernets (70 %). Un assemblage peu fréquent à Saint-Émilion, qui porte fièrement le nom des Todeschini, Jean-Guy, le père, et ses fils Karl et Yann, qui travaillent au domaine depuis 2008. Ce vin élaboré à six mains s'affiche dans une seyante robe bordeaux aux nuances noires et dévoile des parfums intenses et fins de pain

toasté et de vanille qui ne masquent pas les fruits, mûrs à souhait. Puissante, généreuse, explosive dès l'attaque, la bouche affiche beaucoup de densité et de volume, mis en valeur par des tanins extraits avec élégance. De grande garde assurément : au moins dix ans. En attendant, on dégustera la **cuvée Quintessence 2010 (12 000 b.)**, riche, ronde et bien charpentée, qui obtient une étoile.

🔻 Vignobles Jean Petit, Ch. Mangot, 33330 Saint-Étienne-de-Lisse, tél. 05 57 40 18 23, fax 05 57 56 43 97, chateau-labrande@wanadoo.fr, ☑ ☍ ☍ r.-v.

🔻 GFA du Ch. Mangot

CH. LA MARIOTTE 2010 ★

■	2 400	ⅢⅢ 15 à 20 €

Depuis trente ans, Abdon Maarfi est cuisinier au *Logis de la Cadène* (du nom de la chaîne qui permettait de se tenir pour descendre la rue la plus pentue de Saint-Émilion). De la gastronomie au vin, il n'y a qu'un pas, que le chef a franchi en 2007 en acquérant 1 ha de merlot à partir duquel il signe deux vins très réussis. Le préféré est ce Mariotte tout en fruits, souligné par un élégant boisé vanillé, charnu et gras en bouche, porté par des tanins frais qui lui donnent du dynamisme et une belle espérance de garde (quatre ou cinq ans au moins). Le **Moulin de Biguey 2010 (11 à 15 € ; 1 800 b.)** joue dans un registre fin et fruité, s'appuyant sur des tanins soyeux. À boire dans un an ou deux.

🔻 Maarfi, 3, Moulin de Biguey, 33330 Saint-Émilion, maarfi2@wanadoo.fr

CH. MARTINET 2010 ★

■	58 000	ⅢⅢ 15 à 20 €

Une élégante demeure du XVIIIe s. entourée d'un parc et d'une vingtaine d'hectares de vignes, au cœur de Libourne : la preuve d'une belle résistance à l'urbanisation. On pourra y découvrir un 2010 ouvert sur des parfums de fruits, de cassis et de menthol, agrémentés de notes plus chaudes de vanille et de toasté. Dans la continuité du nez, la bouche se distingue par sa fraîcheur et par sa densité, témoignant d'un mariage heureux du merrain et du fruit. Une bouteille équilibrée et dynamique, à ouvrir dans quatre ou cinq ans sur un sauté d'agneau aux herbes de Provence.

🔻 SCEA de Lavaux, 64, av. du Gal-de-Gaulle, 33500 Libourne, tél. 05 57 51 17 29, fax 05 57 74 05 89, contact@chateau-martinet.com, ☑ ☍ ☍ t.l.j. sf sam. dim. 8h-12h 13h-17h

CH. LA MARZELLE 2010 ★

■ Gd cru clas.	55 175	ⅢⅢ 30 à 50 €
99 00	01	02	04	05 07 08 10		

Cru classé depuis 1955 (date du premier classement de Saint-Émilion), la Marzelle est un domaine ancien, inscrit sur la carte de Belleyme de 1821. Entourant l'hôtel de luxe Grand Barrail, à mi-chemin entre Libourne et la cité médiévale, ses 17 ha de vignes sont plantés sur une étroite bande de terre constituant la haute terrasse de Saint-Émilion. Un terroir qui se rapproche de celui de Figeac, avec un encépagement qui donne lui aussi une part non négligeable aux cabernets : 30 % dans ce 2010 de caractère, rubis intense aux reflets carminés, ouvert sur les fruits rouges et sur un boisé aux accents de noisette et d'épices. Souple en attaque, le palais se montre rond et charnu, avant une finale plus tannique et sévère qui appelle trois à cinq ans de garde.

☛ SCEA Ch. la Marzelle, La Marzelle, 33330 Saint-Émilion, tél. 05 57 55 10 55, fax 05 57 55 10 56, info@lamarzelle.com, ☑ ⚘ r.-v.

☛ Sioen

CH. MILENS 2010 ★

| ■ | 15 000 | ⊞ | 30 à 50 € |

En 2006, Albert Bogé a passé le relais à Valérie et Ludovic Martin-Befve à la tête de ce domaine d'un peu plus de 6 ha établi dans la partie sud-est de l'appellation. Leur 2010 livre des parfums de fruits noirs et rouges soulignés par les accents empyreumatiques et épicés du merrain bien chauffé. Au palais, l'attaque souple laisse place à une chair dense, soutenue par un boisé toasté et par des tanins soyeux, un peu plus sévères en finale. Ce vin bien épaulé par l'élevage s'épanouira d'ici trois ou quatre ans, mais il pourra se garder plus longtemps.

☛ SARL Ch. Milens, lieu-dit Le Sème, 33330 Saint-Hippolyte, tél. 05 57 55 24 45, fax 05 57 55 24 44, chateau.milens@wanadoo.fr, ⚘ ⛾ r.-v.

CH. MONBOUSQUET 2010 ★

| ■ Gd cru clas. | 80 000 | ⊞ | 30 à 50 € |

95 96 **97** 98 99 00 **01** |02| |03| 04 05 |07| 08 **09** 10

Acquis en 1993 par Gérard Perse, Monbousquet étend ses 33 ha de vignes sur un terroir constitué en grande partie de graves chaudes propices à l'épanouissement des cabernets. C'est pourquoi ces derniers entrent à hauteur de 40 % dans la composition du vin (dont 30 % de cabernet franc). Le 2010 est un vin sombre, ouvert au premier nez sur le bois frais, la mine de crayon et les fruits rouges, plus floral (violette) à l'aération. Le palais se révèle plutôt souple à l'attaque, puis arrivent les tanins, aimables et ronds, accompagnés par un boisé chaleureux et épicé. L'ensemble est harmonieux, généreux et avenant. À déguster dans trois à cinq ans.

☛ SAS Ch. Monbousquet, 42, rte de Saint-Émilion, 33330 Saint-Sulpice-de-Faleyrens, tél. 05 57 24 67 19, fax 05 57 74 41 29, contact@chateaumonbousquet.com

CH. MONDORION 2010 ★

| ■ | 30 000 | ⊞ | 15 à 20 € |

Ce cru d'une douzaine d'hectares est établi sur les sables et les graves de Saint-Sulpice-de-Faleyrens. Il propose avec ce 2010 un vin au bouquet ouvert et complexe de fruits mûrs, de tabac blond, de thé et de violette. L'attaque généreuse introduit une bouche dense et charnue, soutenue par des tanins solides et même un peu austères, qui devraient s'affiner d'ici trois à cinq ans. À boire un peu plus tôt, la cuvée **Étoiles de Mondorion 2010** (15 à 20 € ; 11 000 b.), bien fruitée et finement boisée, avec une pointe de truffe, persistante en bouche, étayée par des tanins élégants, obtient la même note.

☛ SCEA Mondorion, 151 bis, Grand-Chemin, 33330 Saint-Sulpice-de-Faleyrens, tél. 05 57 24 76 11, fax 05 57 74 44 28, mondorion@aol.com, ☑ ⚘ r.-v.

CH. MONLOT 2010

| ■ | 17 400 | ▮⊞ | 30 à 50 € |

Ce domaine de 7 ha établi sur les coteaux de Saint-Hippolyte a été acquis en novembre 2011 par l'actrice chinoise Zhao Wei. Ce 2010 est le dernier millésime des anciens propriétaires. Un vin plaisant et classique, qui demande un peu d'aération pour s'ouvrir

sur les fruits rouges, cerise en tête. Après une attaque puissante et chaleureuse, le palais se montre charnu et plein, soutenu par des tanins frais qui gagneront à s'affiner deux ou trois ans.

☛ SAS Ch. Monlot, Le Conte, 33330 Saint-Hippolyte, tél. 05 57 74 49 47, fax 05 57 47 62 33, contact@chateaumonlot.com, ☑ ⚘ r.-v.

☛ Zhao Wei

Ⓑ CH. MOULIN DE LAGNET 2010 ★

| ■ | 6 000 | ▮⊞ | 11 à 15 € |

Issus d'une sélection de vieux merlot dans ce vignoble d'une dizaine d'hectares, le Moulin de Lagnet est le premier vin du domaine, le second étant en saint-émilion générique. Né d'un terroir, planté sur un terroir argilo-siliceux, ce 2010 très coloré, tirant sur le noir, livre un bouquet bien ouvert de fruits mûrs (cerise, cassis), de violette (signe d'un raisin à maturité), d'humus et de toasté. Dans la continuité du nez, la bouche se révèle très suave, généreuse et charnue, soutenue par des tanins mûrs et par un boisé encore un peu appuyé en finale. Un vin expressif et riche, à attendre deux à quatre ans avant de lui réserver du gibier à plume accompagné de pommes sarladaises.

☛ Chatenet – Goujon, 1, lieu-dit Larguet, 33330 Saint-Christophe-des-Bardes, tél. 05 57 74 40 06, fax 05 57 24 62 80, pierre.chatenet@wanadoo.fr, ☑ ⚘ ⛾ r.-v.

MOULIN GALHAUD 2010 ★

| ■ | 6 000 | ⊞ | 20 à 30 € |

Héritière d'une ancienne famille saint-émilionnaise, connue notamment pour son activité de pépiniériste viticole après la crise phylloxérique du XIXᵉs., Martine Galhaud est établie depuis 1996 dans le manoir familial, en plein cœur de la cité médiévale. On peut y visiter de belles caves souterraines, et aussi y déguster ce 2010 rubis intense, encore sous l'emprise du merrain au nez (pain grillé, torréfaction), mais d'un boisé qui respecte le fruit. La bouche se révèle ample, puissante et corpulente, sans toutefois tomber dans la lourdeur, gardant une élégante finesse jusqu'à la finale, longue et boisée. À attendre au moins trois ou quatre ans.

☛ Martine Galhaud, Le Manoir, 33330 Saint-Émilion, tél. 06 63 77 39 75, fax 05 57 55 80 74, mgalhaud@galhaud.com, ☑ ⚘ ⛾ r.-v.

CH. PAS DE L'ÂNE 2010

| ■ | 16 000 | ⊞ | 30 à 50 € |

Né d'une petite parcelle de 2,5 ha plantée de vieilles vignes, ce 2010 donne une place non négligeable au cabernet franc (45 %) au côté du merlot. Au nez, les notes toastées de la barrique dominent encore le fruit, tandis que la bouche se montre corsée, généreuse et charpentée. On la laissera s'affiner trois à cinq ans.

☛ SARL Pas de l'Âne, lieu-dit Le Cros, 33330 Saint-Émilion, tél. 09 62 18 10 87, fax 05 57 24 67 66, chateaupasdelane@orange.fr, ☑ ⚘ ⛾ r.-v.

♥ CH. PAVIE 2010 ★★★

| ■ 1er gd cru clas. B | 77 000 | ⊞ | + de 100 € |

85 86 88 ⑨⓪ **91 92** 93 94 95 |**96**| |98| |99| |**00**| |**01**| 02 **04 06** 07 **08** ⑨⑨ ⑩

Intégré dans le classement de 2012 au gotha des 1ᵉʳˢ grands crus classés A, Pavie ne doit pas cette

1ᵉʳ GRAND CRU CLASSÉ

Château Pavie

SAINT-ÉMILION GRAND CRU
Appellation Saint-Émilion Grand Cru Contrôlée

2010

C & G PERSE - VITICULTEURS

promotion à son antériorité, même si l'on suppute que la côte sud de Saint-Émilion, où de très nombreux crus classés ont un pied, était déjà exploitée au IVᵉs. Comme nombre de ses pairs, le domaine ne s'est vraiment constitué qu'au XIXᵉs. Il doit plutôt son élévation à d'indéniables atouts naturels mis en valeur avec une remarquable continuité et propulsé au sommet en vingt ans grâce à Gérard Perse, fils d'un peintre en bâtiment ayant fait fortune dans la grande distribution. Le grand vin 2010 – 70 % de merlot, 20 % de cabernet franc, 10 % de cabernet-sauvignon – justifie pleinement la promotion du cru. Après un élevage particulièrement long (trente mois), il se présente dans une robe d'un beau pourpre dense et profond, orné d'un disque violiné. L'annonce d'un bouquet concentré et puissant fait de fruits mûrs (prune, myrtille) mâtinés d'un doux boisé vanillé qui ne masque pas la pureté du fruit. Après une attaque tendre, presque moelleuse, le palais dévoile une structure imposante, bâtie sur des tanins à la fois solides et soyeux et sur un boisé luxueux, bien fondu dans l'alcool et le fruit. La longue finale fraîche et épicée, agrémentée d'une noble amertume qui lui donne du caractère, laisse le souvenir d'un vin monumental et de très grande garde, à la mesure d'un « premier A ».

🕿 SCA Ch. Pavie, 33330 Saint-Émilion, tél. 05 57 55 43 43, fax 05 57 24 63 99, contact@vignoblesperse.com,
☑ par correspondance
🕿 Gérard Perse

CH. PAVIE-DECESSE 2010 ★★

■ Gd cru clas.	8 000	⑪ + de 100 €

88 ⑧⑨ 90 92 93 94 96 97 98 99 |02| 04 06 07 **08 09 10**

Détaché de Pavie en 1885 par son propriétaire de l'époque, Ferdinand Bouffard, Pavie-Decesse a depuis longtemps acquis une personnalité propre, née d'un terroir spécifique, intégralement situé sur le plateau calcaire de Saint-Émilion mêlé d'argiles (là où son prestigieux voisin est établi sur trois types de terroirs), et d'un encépagement largement dominé par le merlot (90 %, pour 10 % de cabernet franc). Le 2010, paré d'une robe dense et profonde, livre un bouquet naissant déjà complexe de fruits noirs mûrs, de violette, d'épices (curry, poivre) et de chocolat. Frais et franc en attaque, le palais reste assez discret en matière aromatique, mais il offre beaucoup de volume, souligné par un boisé élégant et des tanins puissants et serrés. Un vin d'avenir assurément, à encaver une décennie.

🕿 SCA Ch. Pavie, 33330 Saint-Émilion, tél. 05 57 55 43 43, fax 05 57 24 63 99, contact@vignoblesperse.com,
☑ par correspondance
🕿 Gérard Perse

LA PERLE DU BRÉGNET Élevé en fût de chêne 2010 ★

■	3 600	⑪ 11 à 15 €

Le vignoble de la famille Coureau est pour l'essentiel de ses 13,5 ha dédié à l'AOC saint-émilion ; 70 ares sont consacrés à cette petite cuvée de grand cru. Un vin sombre et dense à l'œil, discret au nez (le fruit mûr apparaît à l'aération, accompagné d'une touche animale), souple et charnu en bouche, soutenu par des tanins onctueux et bien maîtrisés. Déjà très plaisant, il devrait l'être encore plus dans deux ou trois ans.

🕿 EARL Vignobles Coureau, Le Brégnet,
33330 Saint-Sulpice-de-Faleyrens, tél. 05 57 24 76 43, clos-le-bregnet@wanadoo.fr,
☑ 🍶 🍷 t.l.j. sf dim. 8h30-18h30

CH. PETIT FOMBRAUGE 2010 ★

■	7 000	⑪ 20 à 30 €

Producteur en castillon-côtes-de-bordeaux, Pierre Lavau possède aussi de petits vignobles implantés sur les argilo-calcaires de Saint-Christophe-des-Bardes, dans la partie nord-est de l'AOC. Ce Petit Fombrauge 2010 exprime le merlot bien mûr à travers des notes de fruits confiturés, relevées par des nuances épicées. Après une attaque souple, la bouche se révèle suave, dense et fruitée, avant de dévoiler en finale une trame tannique encore un peu sévère, qui s'affinera d'ici deux ou trois ans. Le **Ch. La Rose Piney 2010** (15 à 20 € ; 20 000 b.), tout en rondeur et en fruit, sans les excès boisés parfois constatés ailleurs, obtient également une étoile. On pourra l'apprécier un peu plus tôt.

🕿 Pierre Lavau, Ch. Petit Fombrauge, BP 20107,
33330 Saint-Émilion, tél. 05 57 24 77 30, fax 05 57 24 66 24, petitfombrauge@terre-net.fr, ☑ 🍶 🍷 r.-v.

♥ CH. PETIT GRAVET AINÉ 2010 ★★

■	8 000	⑪ 30 à 50 €

Château **Petit Gravet Ainé** 2010

SAINT-ÉMILION GRAND CRU
Appellation Saint-Émilion Grand Cru Contrôlée
MIS EN BOUTEILLE À LA PROPRIÉTÉ
SCEA VIGNOBLES J.J. NOUVEL À SAINT-ÉMILION - GIRONDE
FRANCE - PRODUIT DE FRANCE - GRAND VIN DE BORDEAUX
75 cl 15% vol.

Catherine Papon-Nouvel s'affirme millésime après millésime comme l'une des valeurs sûres de l'appellation, avec des vins largement au niveau de certains crus classés. Elle décroche son troisième coup de cœur d'affilée, après ceux obtenus pour son Clos Saint-Julien 2009 et pour son Petit Gravet Ainé 2008. Ce 2010 est issu d'un assemblage, peu fréquent en terres libournaises, à dominante de cabernet franc (80 %). La robe, dense et profonde, évoque la cerise noire. Un fruit que le nez met aussi en avant, accompagné d'un élégant boisé toasté et torréfié. La bouche affiche beaucoup de présence et de caractère, bâtie sur des tanins denses qui lui donnent du volume et de la puissance, les arômes de fruits mûrs apportant un peu de douceur à l'ensemble. Un grand cru abouti, complet, à attendre au moins trois ans et armé pour une bien plus longue garde. Donnant davantage d'importance au merlot, le **Ch. Gaillard 2010** (15 à 20 € ; 80 000 b.), séveux, fruité (prunelle, groseille, cassis) et bien structuré, obtient une étoile et sera prêt plus tôt. Une étoile enfin pour le **Clos Saint-Julien 2010 (3 000 b.)**, mi-merlot mi-cabernet franc, encore sous l'emprise du merrain, ample, riche et puissant, à attendre entre quatre et huit ans. À noter : les vignobles sont en cours de conversion bio.

☛ SCEA Vignobles Nouvel, Ch. Gaillard, BP 84, 33330 Saint-Hippolyte, tél. 05 57 24 72 44, fax 05 57 24 74 84, chateau.gaillard@wanadoo.fr, ☑ ⚶ ⏄ r.-v.

CH. PIPEAU 2010 ★

■		150 000	⏄⏄	20 à 30 €

| 86 | 88 | 89 | 95 | 98 | 99 | 00 | 01 | 02| |03| |04| | 06 | **08 09 10** |

Valeur sûre de l'appellation, ce domaine créé en 1929 et dirigé depuis 1986 par Richard Mestreguilhem tient son rang avec ce 2010 à forte dominante de merlot (90 %), les deux cabernets en appoint. Un vin complet, très coloré, au nez généreux de fruits mûrs et de toasté, tout aussi généreux en bouche, ample, rond et charnu. Une bouteille harmonieuse, à boire au cours des trois à cinq prochaines années.

☛ Richard Mestreguilhem, Ch. Pipeau, 12, Barbeyron, 33330 Saint-Laurent-des-Combes, tél. 05 57 24 72 95, fax 05 57 24 71 25, chateau.pipeau@wanadoo.fr, ☑ ⚶ ⏄ t.l.j. 8h-12h 14h-18h; sam sur r.-v.

LA PLAGNOTTE DE FOURCAUD-LAUSSAC 2010

■	2 000	⏄⏄	20 à 30 €

Nous sommes ici chez les descendants d'une ancienne et grande famille libournaise, les Fourcaud-Laussac, autrefois propriétaires de Cheval Blanc. Depuis 1990, Arnaud de Labarre perpétue la tradition viticole sur les coteaux de Saint-Christophe-des-Bardes, et signe avec cette cuvée confidentielle un bon vin de garde. Au nez, les fruits confits se mêlent aux accents vanillés et fumés de la barrique. La bouche, ample et concentrée, prolonge l'olfaction, portée par des tanins bien présents et par un boisé encore un peu proéminent. À attendre cinq ans et plus.

☛ SCEA Fourcaud-Laussac, Ch. Laplagnotte-Bellevue, 33330 Saint-Christophe-des-Bardes, tél. 05 57 24 78 67, fax 05 57 24 63 62, arnaud@laplagnotte.com, ☑ ⚶ ⏄ r.-v.

☛ de Labarre

CH. DE PRESSAC 2010

■	87 000	⏄⏄	20 à 30 €

Un domaine historique que ce vaste cru de 36 ha : c'est là que fut signée en 1453 la reddition des Anglais après la bataille de Castillon ; c'est là aussi que le cépage auxerrois, rebaptisé pressac puis malbec, fut introduit en Bordelais, au XVIIIᵉs. Propriété depuis 1997 de Jean-François Quenin, ancien cadre du groupe Darty et actuel président du Conseil des vins de Saint-Émilion, il a accédé en 2012 au statut de grand cru classé. Son 2010, en robe pourpre, exhale des parfums chaleureux de cerise à l'eau-de-vie. Le palais, souple, rond et suave dès l'attaque, renoue avec le généreux fruité de l'olfaction, avant de montrer plus de sévérité en finale ; cette austérité disparaîtra après une petite garde d'un à trois ans.

☛ GFA Ch. de Pressac, 33330 Saint-Étienne-de-Lisse, tél. 05 57 40 18 02, fax 05 57 40 10 07, contact@chateau-de-pressac.com, ☑ ⚶ ⏄ r.-v.

☛ Jean-François et Dominique Quenin

CH. LE PRIEURÉ 2010 ★

■ Gd cru clas.	14 146	⏄⏄	50 à 75 €

La famille Guichard est propriétaire depuis 1897 de plusieurs crus en Libournais. Le domaine saint-émilionnais est aujourd'hui dirigé par Paul Goldschmidt et par son épouse Aline Guichard. Le 2010 est un vin sérieux et homogène, un beau classique issu de 75 % de merlot. Le nez discret mais élégant mêle des notes vanillées et des senteurs de fruits frais. Le palais ample est structuré par des tanins solides, qui devront s'affiner encore trois à cinq ans.

☛ SCE Baronne Guichard, Ch. Siaurac, 33500 Néac, tél. 05 57 51 64 58, fax 05 57 51 41 56, info@baronneguichard.com, ☑ ⚶ ⏄ r.-v.

CH. QUERCY 2010 ★★

■	8 000	⏄⏄	30 à 50 €

Ce petit cru implanté sur les graves anciennes de Vignonet, dans la partie sud de l'appellation, a engagé la conversion au bio de ses 6,5 ha de vignes. Harmonieux de bout en bout, son 2010 a fait une belle impression. Un vin charmeur qui, derrière sa robe rubis intense, dévoile un bouquet flatteur de fruits rouges, de cuir, de violette et d'épices. La bouche ne déçoit pas, riche, ample, dense et savoureuse, étayée par des tanins puissants mais fins. Une bouteille armée pour une garde de dix ans et plus.

☛ GFA Ch. Quercy, 3, Grave, 33330 Vignonet, tél. 05 57 84 56 07, fax 05 57 84 54 82, chateauquercy@wanadoo.fr, ☑ ⚶ ⏄ r.-v.

☛ C. Apelbaum

CH. QUINAULT L'Enclos 2010 ★

■	n.c.	⏄⏄	20 à 30 €

Ce vignoble urbain de belle réputation, établi au cœur de Libourne et ceint de murs (d'où L'Enclos), est propriété du groupe LVMH (Cheval Blanc, La Tour du Pin) depuis 2008. Il pourra afficher « grand cru classé » sur la récolte 2012. Le 2010, encore estampillé « simple » grand cru, livre un bouquet puissant, boisé et fruité, agrémenté d'une touche de cuir. Le palais se révèle ample et souple en attaque, puis évolue vers plus de fermeté tannique, accompagné par un boisé encore dominateur. À attendre trois à cinq ans pour obtenir un meilleur fondu.

☛ SC Ch. Cheval Blanc, 30, rue Videlot, 33500 Libourne, tél. 05 57 55 55 55, fax 05 57 55 55 50, chaiquinault@orange.fr

CH. LES RELIGIEUSES 2010

■	30 000	⏄⏄	15 à 20 €

Si le triptyque de l'école de Bruges qui illustre l'étiquette a une connotation religieuse, le nom de ce domaine est celui d'une parcelle ceinte de murs en moellons. Plantés sur les sols argilo-calcaires de Saint-Christophe-des-Bardes, le merlot (85 %) et le cabernet franc ont donné naissance à un 2010 qui exhale des notes fumées et vanillées accompagnées de senteurs de fruits rouges et noirs. Rond et gras en attaque, le palais est étayé par des tanins boisés qui confèrent un cadre solide à ce vin, auquel trois ou quatre ans de garde apporteront la patine nécessaire.

☛ SCEA Les Religieuses de Larcis Jaumat, Ch. les Religieuses, 33330 Saint-Christophe-des-Bardes, tél. 06 08 89 06 58, fax 05 57 24 65 13, domainesrolanddumas@orange.fr, ☑ r.-v.

RÉSERVE DES JACOBINS 2010 ★★

■   5 052   ▥   30 à 50 €

Un 2010 proposé par une structure de négoce devenue un acteur important de la place de Bordeaux, née en 2000 de la fusion de deux maisons bicentenaires : Cordier (1886) et Mestrezat (1815). Il est remarquable de bout en bout : robe d'un superbe bordeaux intense ; bouquet naissant de fruits rouges mûrs mariés à un boisé fin, réglissé et légèrement toasté ; bouche ample, dense, longuement soutenue par des tanins élégants et prometteurs. Un grand cru armé pour la décennie.

➦ Grands Crus Cordier-Mestrezat, 109, rue Achard, BP 154, 33042 Bordeaux Cedex, tél. 05 56 11 29 00, fax 05 56 11 29 01, contact@cordier-wines.com

CH. LA RÉVÉRENCE 2010 ★★

■   n.c.   ▥   20 à 30 €

Établie depuis 1998 dans le Libournais, au château Tournefeuille (en lalande-de-pomerol), la famille Petit a repris en 2003 ce vignoble de poche : 3 ha de merlot et de cabernet franc. Assemblés à parts égales, les deux cépages ont donné naissance à ce vin de style pomerolais, très coloré, aux arômes de fruits confits, de cerise à l'eau-de-vie, de torréfaction et d'épices. En accord avec l'olfaction, le palais se révèle ample, charnu et gras, charpenté par des tanins serrés mais élégants qui autorisent une garde de dix ans. À vin de caractère, mets de caractère, un civet de lièvre par exemple.

➦ Éméric Petit, 26, rue de l'Église, 33500 Néac, tél. 05 57 51 18 61, fax 05 57 51 00 04, chateautournefeuille@wanadoo.fr, ☑ ☂ ▾ t.l.j. 8h-12h 13h-17h 🏧 🄖 🏠 🄔

CH. RIPEAU 2010

■ Gd cru clas.   58 000   ▥   20 à 30 €

Ce grand cru est traditionnellement conduit par des femmes : après sa mère Françoise, c'est Barbara Janoueix qui a repris le flambeau en 2004. Grand et second vins ont été également appréciés à la dégustation. Le premier pour sa robe sombre et intense, pour son bouquet frais, boisé et fruité, pour sa bouche franche et charpentée par des tanins encore un peu austères, à laisser mûrir trois ou quatre ans ; le second, **L'Ange de Ripeau 2010 (11 à 15 € ; 6 500 b.)**, pour sa structure à la fois ronde et puissante. Il devra lui aussi patienter quelques années en cave pour adoucir ses tanins.

➦ Famille de Wilde, SCEA Ch. Ripeau, 33330 Saint-Émilion, tél. 05 57 74 41 41, fax 05 57 74 41 57, chateauripeau@wanadoo.fr, ☑ ☂ ▾ r.-v.

♥ CH. ROC DE CANDALE 2010 ★★

■   15 600   ▤▥   15 à 20 €

Première vendange et premier coup de cœur pour ce tonnelier bien connu des vignerons bordelais et charentais. Jean-Louis Vicard a en effet repris en 2010 ce domaine, jusqu'alors propriété de la famille Adams. Le nom du cru proviendrait de Lady Marguerite de Suffolk Kandall, descendante d'Edouard III, roi d'Angleterre et duc d'Aquitaine, dont le mariage avec le comte Jean de Foix aurait permis à ce dernier de revêtir le titre de comte de Candale. Une histoire qui cadre bien avec ce 2010 « aristocratique », à la robe sombre et intense. Le bouquet expressif et élégant de cassis et de bon merrain (café, épices) est relevé par une fine minéralité, expression d'un terroir argilo-calcaire. On retrouve ces qualités dans une

bouche puissante, dense, riche et ample, soutenue par des tanins fermes et serrés. Cinq ans de garde seront un minimum, dix ans conseillés.

➦ Jean-Louis Vicard, 1, Grandes-Plantes, 33330 Saint-Laurent-des-Combes, tél. 05 57 51 19 91, fax 05 57 50 39 57, chateaudecandale@orange.fr, ☑ ☂ ▾ r.-v.

CH. ROCHEBELLE 2010 ★

■   14 000   ▥   30 à 50 €

Avec quelque 35 000 visiteurs par an, Rochebelle est sans doute le cru le plus visité de Saint-Émilion. Petit train, caves monolithes, jeux de lumière, musée, salle de dégustation-repas... les Faniest ont bien saisi le concept d'œnotourisme. Sur leur petit vignoble de 3 ha idéalement situé, dominant Pavie, ils résistent aux investisseurs et signent de jolis vins qui ont valu au domaine d'être promu en 2012 au rang de cru classé. Un tempérament « gaulois » que l'on retrouve dans ce 2010 de caractère, ample, gras et bien structuré, mais qui ne tombe jamais dans la lourdeur grâce à sa vivacité de bon aloi et à sa finesse aromatique (épices, fruits rouges). Un vin déjà aimable et harmonieux, à boire dans les trois ou quatre ans.

➦ SCEA Faniest, BP 73, 33330 Saint-Émilion, tél. 06 07 32 37 94, fax 05 57 51 01 99, faniest@wanadoo.fr, ☑ ☂ ▾ t.l.j. 9h-18h30 ; f. w-e du 11 nov. et de Pâques

CH. ROL VALENTIN 2010 ★

■   28 000   ▮▥   30 à 50 €

Acquis en 2008 par les Robin, un cru très régulier en qualité, ancienne propriété d'Éric Prissette. Associé à une pointe de cabernet franc, le merlot, planté sur les argilo-calcaires des Cabannes, a donné naissance à un vin rubis intense frangé de nuances brunes. Le premier nez propose un fin boisé toasté, puis apparaissent à l'agitation des arômes de fruits mûrs et de pruneau à l'alcool. Dès l'attaque, la bouche dévoile sa nature ample, généreuse et corsée, bâtie sur des tanins encore bien présents et prometteurs. Ce vin chaleureux, à attendre deux à cinq ans, accompagnera volontiers un bœuf en daube.

➦ SAS Vignobles Rol Valentin, 5, Les Cabannes-Sud, 33330 Saint-Émilion, tél. 05 57 40 13 76, fax 05 57 40 43 54, contact@vignoblesrobin.com, ☂ ▾ r.-v.
➦ Robin

CH. LA ROSE-TRIMOULET Cuvée Athénaïs 2010 ★

■   8 000   ▥   15 à 20 €

C'est en 1967, au décès de son père, que Jean-Claude Brisson a repris l'exploitation familiale, un petit vignoble de 5 ha aujourd'hui, établi au nord de Saint-Émilion. Sa cuvée Athénaïs, du nom de sa petite-fille née en 2010, assemble 75 % de merlot aux deux cabernets. Derrière une robe foncée, on découvre un nez aérien, floral (rose) et fruité, agrémenté de quelques notes boisées bien fondues. La bouche est souple et franche, bâtie sur des tanins fermes et frais, qui donnent un côté fringant au vin. Plus austère en finale, elle appelle une garde de trois ou quatre ans.

☞ Jean-Claude Brisson, Ch. la Rose-Trimoulet, 33330 Saint-Émilion, tél. 05 57 24 73 24, fax 05 57 24 67 08, brisson.jeanclaude@wanadoo.fr, ☑ ⚘ ⊤ r.-v.

CH. SAINT-GEORGES CÔTE-PAVIE 2010 ★

■ Gd cru clas.	n.c.	⅏	30 à 50 €

Ce domaine de 5,5 ha, accroché aux pentes argilo-calcaires du coteau de Pavie, est implanté à l'emplacement d'une ancienne villa gallo-romaine. C'est au Moyen Âge qu'il a pris le nom de Saint-Georges, emprunté à une église dépendante de l'abbaye de la Sauve Majeure. Il a été acquis en 1873 par un négociant corrézien natif d'Argentat, Jules Charoulet, dont les descendants mettent toujours en valeur l'héritage. Leur 2010 livre un bouquet expressif et fin de fruits noirs mûrs et de bois frais, rehaussé de notes poivrées. La bouche à l'unisson, fruitée, épicée et boisée avec mesure, plaît par son équilibre entre rondeur et fraîcheur et par ses tanins élégants, qui assureront à ce vin une bonne garde (quatre ou cinq ans).

☞ Famille Masson, Ch. Saint-Georges Côte Pavie, 33330 Saint-Émilion, tél. 05 57 74 44 23, fax 09 64 00 94 70, mariegabriellemasson@gmail.com, ☑ ⚘ ⊤ r.-v.

CH. SAINT-LÔ 2010 ★

■	60 000	⅏	15 à 20 €

Ce domaine, créé au XIXe s. par une famille originaire de la Manche, a été acquis en 1990 par des Thaïlandais, et son vin est servi sur la table du roi de Thaïlande. Ce 2010 a quelques beaux arguments à faire valoir : une belle robe bordeaux frangée de reflets améthyste ; un bouquet expressif de violette et de crème de cassis accompagnés par un boisé cacaoté ; une bouche douce et tendre, stimulée par des tanins encore jeunes et par une finale chaleureuse et épicée. À attendre deux ou trois ans.

☞ Les Vignobles réunis, Ch. Saint-Lô, 33330 Saint-Pey-d'Armens, tél. 05 33 20 01 64, fax 05 33 20 01 45, info@chateausaintlo.com, ☑ ⚘ ⊤ r.-v.

CH. SAINT-VALÉRY 2010

■	26 000	ⓘ ⅏	11 à 15 €

Ce domaine, acquis en 1997 par la famille Moquet, tire son nom de l'un des saints protecteurs de Saint-Émilion. Il étend son vignoble de 13 ha d'un seul tenant sur les sols sablo-graveleux de Saint-Sulpice-de-Faleyrens, dans la partie sud de l'appellation. Ce 2010 aux éclats grenat livre un nez encore dominé par le merrain et ses accents empyreumatiques, les fruits noirs apparaissant à l'agitation. La bouche s'appuie sur une pointe de vivacité et sur des tanins carrés qui appellent une garde de trois ou quatre ans.

☞ GFA Perey-Chevreuil, Ch. Saint-Valéry, 283, Perey, 33330 Saint-Sulpice-de-Faleyrens, tél. 06 77 81 64 61, fax 09 81 38 50 64, f.moquet@orange.fr, ⚘ ⊤ t.l.j. 8h-12h 14h-19h; f. 23 déc.-3 jan.

☞ Famille Moquet

CH. SANSONNET 2010 ★

■	13 600	ⓘ ⅏	30 à 50 €

Ancienne propriété du duc Decazes, ministre sous Louis XVIII, une valeur sûre de l'appellation acquise en 2009 par la famille Lefèvre. Le vignoble s'étend sur près de 7 ha, sur un terroir argilo-calcaire à l'encépagement classique : merlot (85 %) et cabernet franc. Le 2010 se présente dans une élégante robe bordeaux foncé aux reflets améthyste de jeunesse, le nez empreint de fruits mûrs soutenus par un boisé ajusté, relayé par une bouche concentrée, ronde et soyeuse. Un ensemble harmonieux, à déguster dans deux ou trois ans, avec un rôti de bœuf aux champignons, par exemple.

☞ SCEA Ch. Sansonnet, 1, Sansonnet, 33330 Saint-Émilion, tél. 09 60 12 95 17, fax 05 57 25 01 56, marie.lefevere@chateau-sansonnet.com, ☑ ⚘ ⊤ r.-v.

☞ M-B Lefèvère

♥ CH. SOUTARD 2010 ★★

■ Gd cru clas.	n.c.	⅏	30 à 50 €

Le groupe d'assurances AG2R La Mondiale possède deux importants grands crus classés, situés à environ 1 km au nord de la cité médiévale. Soutard étend ses vignes sur 22 ha d'un seul tenant, dont la grande majorité est implantée sur le plateau argilo-calcaire de Saint-Émilion, avec quelques hectares en pied de côte sableux et en coteaux argileux. Le merlot (70 %) et le cabernet franc ont donné naissance à un grand vin de garde pour au moins les dix prochaines années. Derrière une robe sombre et profonde se dévoile un bouquet à la fois puissant et frais de fruits noirs (cassis, mûre) sur un fond boisé très élégant. La bouche séduit d'emblée par sa rondeur avenante, par son fruité généreux et son élevage parfaitement maîtrisé, une fine fraîcheur ainsi que des tanins fermes et croquants apportant du volume et de la longueur. Un 2010 qui offre beaucoup de présence et de tenue.

☞ SCEA Ch. Soutard, BP 4, 33330 Saint-Émilion, tél. 05 57 24 71 41, fax 05 57 74 42 80, contact@soutard.com, ☑ ⚘ ⊤ r.-v.

☞ AG2R La Mondiale

CH. TERTRE DAUGAY 2010 ★

■ Gd cru clas.	41 293	ⓘ ⅏	15 à 20 €

| 90 | 96 | 98 | 99 | |00| | |02| | |03| | **04** | **05** | **07** | 08 | 09 | 10 |

Ce cru, qui appartenait aux Malet Roquefort, est depuis 2011 la propriété du prince Robert de Luxembourg, à travers les Domaines Clarence Dillon (Haut-Brion). Établi sur le « tertre du guet », point haut d'où l'on surveillait autrefois la vallée de la Dordogne. Il est éclairé la nuit, si bien qu'on l'aperçoit de la route Libourne-Bergerac. Mais c'est avant tout grâce à ses vins qu'il brille. Le 2010 se présente dans une robe sombre aux reflets acajou. Il présente un nez fin qui laisse d'abord percevoir des notes toastées avant de libérer à l'aération des nuances fruitées. La bouche se montre fraîche en attaque puis ample et onctueuse, soutenue par des tanins denses, garants d'une bonne garde : cinq ans et plus.

☛ SAS Quintus, 33330 Saint-Émilion, tél. 05 56 00 84 08, fax 05 56 98 75 14, contact@chateau-tertre-daugay.com

CH. TOUR DE CAPET 2010

■		60 000	▮◖▮	11 à 15 €

Construit au XVᵉs., Tour de Capet fut longtemps le four à pain communal de Saint-Hippolyte avant d'être transformé en chai de vinification. Depuis 2009, le domaine est entré dans le giron du groupe Advini et sa filiale Antoine Moueix. Au nez, ce 2010 offre un mariage réussi entre le raisin mûr et le bon bois, agrémenté d'une petite note lactée. Au palais, il se montre souple et rond, avant de dévoiler en finale des tanins encore sévères qui devraient s'affiner d'ici un an ou deux.

☛ Ch. Capet-Guillier, Capet, 33330 Saint-Hippolyte, tél. 05 57 55 58 00

☛ Antoine Moueix

CH. TOUR DES COMBES 2010 ★★

■		18 200	▮◖▮	11 à 15 €

Dans la même famille depuis 1841, ce domaine est conduit par Brigitte Darribéhaude depuis 1985. Il est implanté sur les terroirs variés de Saint-Laurent-des-Combes, au sud-est de la juridiction. Né d'un assemblage classique (merlot à 80 % et cabernets), ce 2010 se pare d'un seyant rouge grenat éclatant. Le nez, puissant, affiche un boisé appuyé aux accents toastés et épicés, auquel tiennent tête des parfums de cassis mûr. On retrouve cette intensité dans une bouche dense, riche, charnue et solidement charpentée. Un vin armé pour une garde de huit à dix ans, mais que l'on pourra aussi apprécier plus jeune (dans deux ou trois ans).

☛ SE des Vignobles Darribéhaude, 1, lieu-dit Le Sable, 33330 Saint-Laurent-des-Combes, tél. 05 57 24 70 04, fax 05 57 74 46 14 ☑ ☀ ☒ r.-v.

CH. LA TOUR DU PIN FIGEAC 2010 ★

■ Gd cru clas.	45 300	▮◖▮	30 à 50 €

Ce domaine, dans la famille Giraud-Bélivier depuis 1924, a été détaché du château Figeac en 1879. Sur son sol graveleux et argilo-siliceux, le merlot (80 %) et le cabernet franc ont donné naissance à un 2010 très sombre et profond, sur la réserve de prime abord. L'agitation libère des notes d'amande, de fruits à noyau et de toasté. La bouche se révèle charpentée, épicée, concentrée et encore assez austère en finale. Il faudra patienter trois à cinq ans pour que ce vin ferme et de caractère s'assouplisse.

☛ SARL André Giraud, Ch. le Caillou, 41, rue de Catusseau, 33500 Pomerol, tél. 05 57 51 06 10, fax 05 57 51 74 95, giraud.belivier@wanadoo.fr, ☑ ☀ ☒ r.-v.

CH. LA TOUR FIGEAC 2010 ★

■ Gd cru clas.	46 000	◖▮	50 à 75 €

82	83	85	86	89	90	93	94	95	96	97	98	01	02	03
04	05	06	07	08	09	10								

Comme plusieurs métairies de Figeac, ce vignoble de taille modeste (1,5 ha) s'est séparé du grand domaine, le château Figeac, en 1879. Otto Rettenmaier l'a acquis en 1973, son fils Otto Max a pris le relais en 1995. Nous retrouvons le terroir et l'encépagement caractéristiques de ce secteur : un sol argilo-sableux avec des graves et une présence non négligeable de cabernet franc. Le 2010 ac-

cueille 25 % de cépage : un vin frais, un peu austère mais élégant, dans un style presque médocain. Au nez, les fruits frais évoluent dans un sillage boisé discret. Le palais dévoile des tanins jeunes et serrés qui lui confèrent du volume, de la longueur et une bonne capacité de garde (cinq à huit ans).

☛ SC la tour Figeac, BP 007, 3, la Tour Figeac, 33330 Saint-Émilion, tél. 05 57 51 77 62, fax 05 57 25 36 92, latourfigeac@orange.fr, ☑ ☀ ☒ r.-v. 🏨 ⑤

☛ Rettenmaier

CH. TROPLONG MONDOT 2010 ★

■ 1er gd cru clas. B	n.c.	◖▮	+ de 100 €

82	83	85	86	88	89	⑨⑩	92	95	96	97	98	01	02	05
⑥	07	08	09	10										

Propriété de Xavier et de Christine Pariente depuis 1980, ce cru a accédé en 2006 au rang de 1ᵉʳ grand cru classé B. Établi idéalement en haut de la côte de Pavie, il propose régulièrement de très beaux vins, à l'image du 2009, coup de cœur de l'édition précédente. Le 2010 n'atteint pas le même niveau mais a quelques beaux arguments à faire valoir. Tout d'abord, un nez certes dominé par le boisé, mais par un boisé élégant, toasté et épicé qui laisse percer les fruits noirs à l'aération. Puis un palais vineux, chaleureux et bien charpenté, rehaussé par une pointe de vivacité bienvenue en finale. L'ensemble atteindra sa pleine harmonie dans quatre ou cinq ans.

☛ Xavier et Christine Pariente, Ch. Troplong Mondot, 33330 Saint-Émilion, tél. 05 57 55 32 05, fax 05 57 55 32 07, contact@chateau-troplong-mondot.com, ☀ ☒ r.-v. 🏨 ⑤

CH. TROTTE VIEILLE 2010 ★

■ 1er gd cru clas. B	28 000	◖▮	75 à 100 €

82	85	86	88	90	95	96	97	98	99	00	01	02	03	04
05	06	07	08	10										

Ce domaine d'une dizaine d'hectares est situé sur le coteau est du plateau calcaire de Saint-Émilion, d'où le regard embrasse la cité médiévale, la vallée de la Dordogne et les vignobles de Pomerol et de Fronsac. Administré par Philippe Castéja et conseillé par Denis Dubourdieu, c'est l'un des fleurons de la maison Borie-Manoux. Il présente un encépagement original, à parité entre le merlot et les cabernets. On retrouve cet accent médocain à la dégustation du 2010, un vin encore jeune et intense. Le nez mêle boisé soutenu (tabac, cacao) et fruits rouges et noirs frais. Dans la continuité du bouquet, la bouche offre une belle mâche, de la fraîcheur et des tanins serrés, encore un peu austères mais très prometteurs. On attendra au moins cinq ou six ans que l'élevage se fonde et que la structure s'affine. **La Vieille Dame de Trotte Vieille 2010 (30 à 50 € ; 2 000 b.)** est un second vin réussi, assez vif et solidement bâti, appelé à bien évoluer dans le temps (quatre ou cinq ans).

☛ SCEA Ch. TrotteVieille, 33330 Saint-Émilion, tél. 05 56 00 00 70, fax 05 57 87 48 61, domaines@borie-manoux.fr, ☑ ☀ ☒ r.-v.

CH. VALANDRAUD 2010 ★★

■	17 500	◖▮	+ de 100 €

Que de chemin parcouru en une vingtaine d'années par cet ancien salarié du Crédit agricole, qui avait installé un magasin de vins rue Guadet, à Saint-Émilion, et créé le premier « vin de garage » à partir de 1 ha de vignes baptisé du nom de son épouse, qui allait faire sa notoriété... Jean-Luc Thunevin est désormais à la tête d'un vignoble de près de 25 ha et son porte-étendard, Valandraud, vient d'être propulsé 1er grand cru classé B par le nouveau classement de 2012, sans passer par la case « classé ». Une sorte de « rêve américain » dans la vieille cité médiévale... Et le 2010 tient son rang. Derrière une robe rubis soutenu, se profile un bouquet épanoui de fruits mûrs agrémentés d'un doux boisé, grillé et vanillé. La bouche se révèle ample, généreuse et corsée, bâtie sur des tanins fermes et élégants. Agréable jeune, il sera tout aussi excellent vieux (dans dix ans). Cité, le second vin, **Virginie de Valandraud 2010 (30 à 50 € ; 28 000 b.)**, plus souple et plus fondu, s'appréciera aussi plus tôt (dans deux ou trois ans). Enfin, le **Clos Badon Thunevin 2010 (30 à 50 € ; 9 000 b.)**, dont la version 2009 fut élue coup de cœur, fait belle impression avec son nez intense de fruits noirs, de toasté et d'épices douces, et son palais dense et charpenté. Une étoile pour ce vin de garde 100 % merlot, à attendre au moins cinq ans.

☛ Thunevin, 6, rue Guadet, BP 88, 33330 Saint-Émilion, tél. 05 57 55 09 13, fax 05 67 67 03 07, thunevin@thunevin.com

VIEUX CHÂTEAU MAZERAT 2010 ★

| ■ | 19 916 | ⊞ | 50 à 75 € |

En une vingtaine d'années, le *winemaker* californien Jonathan Maltus a acquis une cinquantaine d'hectares et plusieurs crus en saint-émilion, dont 3,5 ha consacrés à ce 2010 issu de deux tiers de merlot et d'un tiers de bouchet (cabernet franc). Au nez, les notes toastées et vanillées de la barrique se mêlent aux fruits confiturés. La bouche se montre chaleureuse, concentrée et structurée par de bons tanins qui autorisent une garde de deux ou trois ans. La cuvée **Les Astéries 2010 (3 168 b.)**, née comme son nom l'indique sur le calcaire à astéries, fait plus de place au merlot et se distingue par sa charpente solide, par sa fraîcheur et son boisé bien intégré. Une étoile également. Quant à la cuvée **Le Carré 2010 (3 528 b.)**, elle est citée pour sa rondeur et ses tanins soyeux.

☛ Jonathan Maltus, Vignonet, 33330 Saint-Émilion, tél. 05 57 84 64 22, fax 05 57 84 63 54, info@maltus.com
☛ SCEA Teyssier

CH. DU VIEUX GUINOT Osage 2010 ★★

| ■ | 3 900 | ⊞ | 30 à 50 € |

Jean-Pierre Rollet, bien connu à Saint-Émilion, porteur de mémoire de l'appellation, signe un 2010 en tout point remarquable. Cette cuvée Osage – du nom de l'oranger qui donne un fruit particulièrement souple et intense – provient à 95 % de vieux merlots, avec quelques raisins de cabernet franc en complément. Parée d'une élégante robe bordeaux soutenu, elle dévoile d'attrayants parfums de baies mûres et fraîches à la fois, soulignés par un boisé discret. La bouche, dans la lignée de l'olfaction, se révèle concentrée, séveuse, apéritive, portée par des tanins serrés et par un élevage bien dosé, une touche crayeuse apportant une agréable pointe de fraîcheur. Un grand cru harmonieux, armé pour une décennie.

☛ SA Vignobles Rollet, Ch. Fourney , 33330 Saint-Pey-d'Armens, tél. 05 57 47 10 20, fax 05 57 47 10 50, contact@vignoblesrollet.com,
☑ ⚥ ⍊ r.-v.

CH. VILLEMAURINE 2010 ★

| ■ Gd cru clas. | 36 000 | ⊞ | 30 à 50 € |

Propriétaire depuis une dizaine d'années dans le Médoc (Branas Grand Poujeaux en AOC moulis), Justin Onclin a investi en saint-émilion en faisant l'acquisition en 2007 de ce domaine de 7 ha adossé aux douves de la cité médiévale. Connu pour ses magnifiques galeries souterraines, qui se visitent et qui accueillent un spectacle son et lumière, le cru a aussi quelques arguments à faire valoir en matière de vin. Son 2010 livre un bouquet discret mais plaisant de fruits confits, de réglisse et d'amande grillée. Une chair dense et ronde flatte le palais, soutenue par des tanins fins et une finale fraîche. Le tout devrait atteindre sa pleine harmonie dans quatre ou cinq ans. Le second vin, **Les Angelots de Villemaurine 2010 (20 à 30 € ; 15 000 b.)**, noté une étoile, est apprécié pour ses arômes de fruits noirs et de pain grillé, relayés par un palais souple et frais. À ouvrir prochainement, d'ici un an ou deux.

☛ Ch. Villemaurine, 23, Villemaurine-Sud, 33330 Saint-Émilion, tél. 05 57 74 47 30, fax 05 57 24 63 09, contact@villemaurine.com, ☑ ⚥ ⍊ r.-v.
☛ Onclin

CH. VILLHARDY 2010 ★★

| ■ | n.c. | ⊞ | 30 à 50 € |

Stéphane Bedenc est installé depuis 2001 sur les sables et les graves de Saint-Sulpice-de-Faleyrens. Ce 2010 confidentiel (70 ares) est issu à parts égales de vieilles vignes de merlot et de cabernet franc. Il s'impose d'emblée par sa robe dense et profonde et par son bouquet puissant de fruits confits et de boisé épicé. La bouche est tout aussi intense, généreuse, riche et solidement arrimée à des tanins serrés et élégants enrobés par des arômes de merlot bien mûr. Un vin complet et distingué, à attendre au moins cinq ans et armé pour une décennie. Le **Ch. Maro de Saint-Amant 2010 cuvée Léo (15 à 20 € ; 6 200 b.)**, livre un bouquet de baies noires très mûres et de pruneau, discrètement boisé, relayé par une bouche généreuse, structurée par des tanins et par un boisé qui doivent encore s'affiner deux ou trois ans.

☛ Stéphane Bedenc, 225, Destieu, 33330 Saint-Sulpice-de-Faleyrens, tél. 05 57 25 26 67, fax 05 57 25 50 85, vignobles-bedenc@wanadoo.fr,
☑ ⚥ ⍊ r.-v.

CH. JEAN VOISIN Cuvée Amédée 2010

| ■ | 21 000 | ▮⊞ | 15 à 20 € |

Cette cuvée, baptisée en hommage à l'aïeul qui acquit le domaine en 1955, n'est produite que les années jugées bonnes ; ce fut le cas, sans nul doute, de 2010. Le merlot (95 %, le cabernet franc en appoint) a donné naissance à un vin plaisant, tant par son bouquet de fruits frais et de boisé vanillé que par son palais équilibré, souple et rond, souligné par une vivacité de bon aloi. À boire dans deux ou trois ans.

☛ SCEA Ch. Jean Voisin, Les Cabannes, 33330 Saint-Émilion, tél. 05 57 24 70 40, fax 05 57 24 79 57, jeanvoisin.chassagnoux@orange.fr, ☑ ⚥ ⍊ r.-v.
☛ GFA Chassagnoux

CH. YON-FIGEAC 2010

| ■ Gd cru clas. | 55 000 | ⊞ | 20 à 30 € |

| 99 |00| 03 |05| |07| 09 10 |

Un nom prédestiné pour investir dans le Bordelais : l'industriel Alain Château a acquis en 2005 ce cru de 24 ha du secteur de Figeac. Conseillé par Stéphane Derenoncourt, il signe un 2010 encore jeune et droit. Très coloré, le vin livre d'intenses arômes boisés (cacao, torréfaction).

La bouche se révèle ample et vive, portée par des tanins stricts qui s'affineront après quatre ou cinq ans de garde. Le second vin, **Les Roches de Yon-Figeac 2010 (11 à 15 € ; 12 000 b.)**, plus avenant, plus rond et velouté, est également cité et à boire dans deux ou trois ans.

🦅 SA Ch. Yon-Figeac, 3, Yon, 33330 Saint-Émilion, tél. 05 57 84 82 98, fax 05 57 74 47 58, info@vignobles-alainchateau.com, ☑ ☀ r.-v.

🦅 Alain Château

Les autres appellations de la région de Saint-Émilion

Plusieurs communes, limitrophes de Saint-Émilion et placées jadis sous l'autorité de sa jurade, sont autorisées à faire suivre leur nom de celui de leur célèbre voisine. Toutes sont situées au nord-est de la petite ville, dans une région pleine de charme, rythmée par des collines dominées par de prestigieuses demeures historiques et des églises romanes. Les sols sont très variés et l'encépagement est le même qu'à Saint-Émilion ; aussi la qualité des vins est-elle proche de celle des saint-émilion.

Lussac-saint-émilion

Superficie : 1 440 ha
Production : 85 000 hl

Lussac-saint-émilion est l'une des aires du Libournais les plus riches en vestiges gallo-romains. Au centre et au nord de l'AOC, le plateau est composé de sables du Périgord alors qu'au sud le coteau argilo-calcaire forme un arc de cercle bien exposé.

1938 2010 ★

| ■ | | 10 000 | ⬛ | 11 à 15 € |

La coopérative de Puisseguin-Lussac-Saint-Émilion met à l'honneur le merlot (90 % de l'assemblage) avec ce 2010. Le travail au chai (remontages journaliers, délestages et micro-oxygénation, élevage en barrique neuve) a permis l'extraction d'arômes chaleureux de fruits mûrs assortis d'un boisé délicat. Ronde, bien équilibrée, stimulée par une agréable fraîcheur, la bouche est à l'unisson. Un vin agréable que l'on pourra garder en cave une petite décennie, et qui mettra en valeur une entrecôte grillée. Une étoile également pour la cuvée **Prémya 2010 (15 à 20 € ; 10 000 b.)**, qui plaît par son fruité et par son boisé élégant, et dont la solide structure est le gage d'un bon potentiel de garde.

🦅 Vignerons de Puisseguin-Lussac-Saint-Émilion, 1, lieu-dit Durand, 33570 Puisseguin, tél. 05 57 55 50 40, fax 05 57 74 57 43, accueil@vplse.com, ☑ ☀ ☗ r.-v.

CH. DE BARBE BLANCHE 2010 ★★

| ■ | | 70 000 | ⬛ | 11 à 15 € |

Le château de Barbe blanche, que le roi Henri IV apporta au royaume de France lors de son accession au trône, est la propriété d'André Lurton et d'André Magnon depuis 2000. Merlot (65 %) et cabernets ont donné naissance à un 2010 pourpre soutenu, qui dévoile un nez complexe de fruits confits, de notes boisées et mentholées. La bouche se révèle ronde et généreuse, portée par des tanins mûrs et par un boisé bien dosé, égayée par une finale pleine de fraîcheur. On attendra ce vin cinq ans et plus afin qu'il exprime au mieux son potentiel. On pourra alors le servir sur un rôti de bœuf en croûte.

🦅 André Lurton et André Magnon, Ch. Bonnet, 33420 Grézillac, tél. 05 57 25 58 58, fax 05 57 25 98 59, andrelurton@andrelurton.com, ☑ ☀ ☗ r.-v.

CH. BERTIN 2010 ★

| ■ | | 4 000 | ⬛ | 8 à 11 € |

Régulièrement mentionnés dans le Guide, les Vignobles Jean-Bernard Saby sont présents dans plusieurs appellations du Libournais. À Lussac, cette famille exploite un cru orienté plein sud, enraciné sur un sol argilo-calcaire. C'est sur ce terroir, favorable au merlot, qu'est né ce 2010 de caractère. Sa rencontre avec le chêne (seize mois) l'a pourvu de tanins solides et d'un boisé appuyé mais élégant. Ceux qui auront la patience de les laisser s'assagir quelques années goûteront alors un vin souple et rond, au fruité épanoui.

🦅 Vignobles Jean-Bernard Saby et Fils, Ch. Rozier, 33330 Saint-Laurent-des-Combes, tél. 05 57 24 73 03, fax 05 57 24 67 77, info@vignobles-saby.com, ☑ ☀ ☗ r.-v.

LE PRESTIGE DU CH. BONNIN 2010 ★★

| ■ | | 3 000 | ⬛ | 15 à 20 € |

Philippe Bonnin, à la tête du domaine depuis 1997, signe un pur merlot peaufiné par un long contact de quatorze mois avec le chêne. La robe rouge sombre aux reflets bigarreau annonce un nez intense de fruits à l'eau-de-vie relevés de notes de pain grillé et de cacao. Puis le vin, porté par de solides tanins, entame en bouche un long parcours où se mêlent des notes fruitées et légèrement boisées. Une bouteille de caractère, à découvrir dans quatre ou cinq ans avec un plat noble, comme un salmis de colvert ou un cuissot de chevreuil.

🦅 Patricia Bonnin, Pichon, 33570 Lussac, tél. 06 81 10 32 15, phbonnin@wanadoo.fr, ☑ ☀ ☗ r.-v. ⌂ ☻

L'ÉGÉRIE DU CH. CHÉREAU 2010

| ■ | | 13 000 | ⬛ | 8 à 11 € |

Une visite au château Chéreau vous dévoilera – peut-être (nous n'avons pas l'explication) – l'identité de cette Égérie qui a inspiré la famille Silvestrini pour l'élaboration de ce 2010. Né d'un assemblage de merlot et des deux cabernets, le vin présente un bouquet intense et élégant, dominé par les fruits rouges et noirs et stimulé par les épices. À la fois suave et concentrée, la bouche est soutenue par de beaux tanins qui autorisent une dégustation dès maintenant comme dans deux ans, avec un magret de canard par exemple.

🦅 SCEA Vignobles Silvestrini, 8, Chéreau, 33570 Lussac, tél. 05 57 74 50 76, fax 05 57 74 53 22, vignobles.silvestrini@wanadoo.fr, ☑ ☀ ☗ r.-v.

CH. LES COMBES Louis-Gabriel 2010 ★

| ■ | | 5 000 | ❙⬛ | 11 à 15 € |

Frédéric Borderie est à la tête depuis 2005 de cette propriété familiale, qu'il a récemment agrandie avec l'achat d'un domaine à Lalande-de-Pomerol. Cette cuvée portant le nom de son fils se pare d'une robe rubis et dévoile un nez complexe de fruits mûrs soulignés de nuances empyreumatiques (cacao, caramel). La bouche équilibrée, à la fois fraîche, souple et charnue, s'appuie sur des tanins qui demandent à s'assouplir deux ou trois ans. Parfait pour un civet de lièvre.

☛ EARL Vignobles Borderie, 117, rue de la République, 33230 Saint-Médard-de-Guizières, tél. 05 57 69 83 01, fax 05 57 69 72 84, jpborderie@wanadoo.fr, ☑ ☀ ☂ r.-v.

CH. DU COURLAT Cuvée Jean-Baptiste 2010 ★★

■	n.c.	�	11 à 15 €

Cette cuvée rend hommage à l'acquéreur du château, Jean-Baptiste Audy, arrière-grand-père de l'actuel propriétaire, également producteur en pomerol et en lalande-de-pomerol. Les jurés ont apprécié l'intensité de la robe pourpre, ainsi que le bouquet de fruits mûrs légèrement épicés de ce pur merlot. Ils ont également été séduits par la densité de son palais riche et plein, au boisé fondu, résultat d'un long élevage en fût (seize mois). Un vin en tout point remarquable, que l'on pourra déguster dès maintenant avec une pièce de gibier ou attendre trois à cinq ans.

☛ SAS Pierre Bourotte, 62, quai du Priourat, BP 79, 33502 Libourne Cedex, tél. 05 57 51 62 17, fax 05 57 51 28 28, pbourotte@jbaudy.fr, ☀ ☂ r.-v.

CH. LES COUZINS Cuvée Prestige 2010

■	12 000	�	8 à 11 €

Robert Seize, qui possède également une propriété viticole à Puisseguin (château Gabriel), signe un vin dont les qualités organoleptiques n'ont pas échappé aux dégustateurs. Ce 2010, issu de vieilles vignes de trente ans, livre des parfums de fruits noirs ponctués de notes empyreumatiques. La bouche se révèle fruitée, suave, soutenue par des tanins fondus et élégants qui permettront une garde d'au moins trois ans.

☛ Robert Seize, Les Couzins, 33570 Lussac, tél. 05 57 74 60 67, fax 05 57 74 55 60, les.couzins@wanadoo.fr, ☑ ☀ ☂ t.l.j. 9h-12h 14h-19h

LA CROIX DE PEYROLIE 2010 ★★

■	4 032	�	15 à 20 €

Cette cuvée monocépage est née de l'association entre Bernard Magrez (Pape Clément entre autres) et Gérard Depardieu, avec une autre célébrité, Michel Rolland, comme œnologue. « La quintessence du merlot », note un dégustateur à propos de ce vin séduisant dans sa limpide tenue myrtille, au bouquet intense de fruits rouges (cerise, groseille) mâtinés de notes toastées. La bouche, puissante et équilibrée, s'ouvre sur un agréable fraîcheur, puis déploie une avenante rondeur. Souple et charnue, elle offre une finale longue, légèrement boisée et épicée. De beaux accords en perspective avec une pièce de gibier au cours des cinq à huit prochaines années.

☛ SC Vignobles de Lussac, Ch. Fombrauge, 33330 Saint-Christophe-des-Bardes, tél. 05 57 24 77 12, fax 05 57 24 66 95, chateau@fombrauge.com

☛ Bernard Magrez et Gérard Depardieu

CH. CROIX DE RAMBEAU 2010

■	35 000	�	15 à 20 €

Issu d'une lignée de vignerons remontant à 1620, Jean-Louis Trocard propose cette année un 2010 à base de merlot (90 %) avec le cabernet franc en appoint. Paré

de reflets rubis, ce vin au nez de fruits rouges légèrement vanillés révèle une bouche fraîche, bien équilibrée entre rondeur et structure. On pourra le déguster dès à présent, après un passage en carafe, ou l'attendre deux ans pour le servir avec une viande en sauce.

☛ Jean-Louis Trocard, 1175, rue Jean-Trocard, 33570 Les Artigues-de-Lussac, tél. 05 57 55 57 90, fax 05 57 55 57 98, contact@trocard.com, ☑ ☀ ☂ t.l.j. 8h30-12h 14h-17h; sam. dim. sur r.-v.

CH. LA FLEUR CHAMBEAU 2010 ★

■	14 900	▯	5 à 8 €

Alain Baudet, à la tête de la propriété familiale depuis 1985, présente avec ce pur merlot un vin au nez flatteur de fruits noirs, dominé par la mûre. La bouche, structurée, intense, « conquérante », selon un dégustateur, joue avec une élégante fraîcheur fruitée qui lui donne de l'allonge. Un vin armé pour une garde de cinq ou six ans, que l'on verrait bien avec des cailles rôties aux raisins.

☛ Alain Baudet, Cornuaud, 33570 Montagne, tél. 05 57 74 51 10, fax 05 57 74 50 01

CH. LA GARENNE 2010

■	32 000	▯�	5 à 8 €

Ce 2010 d'agréable facture est issu d'un assemblage de merlot (66 %) et des deux cabernets, avec une nette présence du cabernet-sauvignon (32 %). Élevé pour partie en fût, il déploie à l'olfaction des arômes de petits fruits rouges nuancés de notes toastées. Le fruité se retrouve en bouche, appuyé par une agréable structure tannique. À ouvrir au cours des deux ou trois prochaines années.

☛ Marc Chasselinat, 33570 Lussac, tél. 05 57 55 50 40, fax 05 57 74 57 43, accueil@vplse.com, ☑ ☀ ☂ r.-v.

CH. DE LA GRENIÈRE Cuvée de la Chartreuse 2010

■	15 000	�	11 à 15 €

Acquis par la famille Dubreuil en 1914, ce vénérable domaine (XVIIᵉs.) propose un 2010 rouge sombre, qui s'ouvre sur les fruits rouges relevés d'une pointe de réglisse. La bouche est équilibrée, portée par des tanins qui devraient rapidement se fondre. On associera cette bouteille à une viande rouge grillée dans un an ou deux.

☛ Vignobles Dubreuil, 14, lieu-dit La Grenière, 33570 Lussac, tél. 05 57 24 16 87, fax 05 57 74 56 28, earl.dubreuil@wanadoo.fr, ☑ ☀ ☂ r.-v.

CH. JAMARD BELCOUR 2010 ★

■	22 500	▯	5 à 8 €

Issu d'un assemblage de merlot (90 %) et de cabernet franc, ce 2010 couleur rubis offre un bouquet de fruits noirs rehaussés d'une pointe de réglisse, relayé par un palais ample et charnu, aux tanins soyeux et élégants. Cette bouteille pourra être appréciée dès la sortie du Guide, ou conservée deux ans et plus. Elle devrait s'accorder avec un bœuf bourguignon.

☛ SCEV Despagne et Fils, 3, Bonneau, 33570 Montagne, tél. 05 57 74 60 72, fax 05 57 74 58 22, vieuxbonneau@orange.fr, ☑ ☀ ☂ r.-v.

CH. LA JORINE 2010

■	20 000	▯�	8 à 11 €

Régulièrement présents dans le Guide, les Vignobles Fagard proposent un 2010 qui séduit par sa robe pourpre et limpide, par son nez de fruits mûrs un brin épicés et par sa bouche ample, à la fois vive et concentrée. Un vin équilibré que l'on appréciera dans deux ans.

☙ Vignobles Henri-Louis Fagard, 8, Cornemps, 33570 Petit-Palais, tél. et fax 05 57 69 73 19, vignobles.fagard@wanadoo.fr, ☑ ⚔ 𝖸 r.-v.

♥ CH. DES LANDES Cuvée Prestige 2010 ★★

■				
	17 000	▮⑪	11 à 15 €	

Ce domaine familial, créé en 1952 par Paul Lassagne, est aujourd'hui conduit par son fils Daniel et par son petit-fils Nicolas. Travail des sols, utilisation de compost « maison » provenant de l'élevage de blondes d'Aquitaine, fermentation malolactique en barrique, élevage sur lies assorti de fréquents bâtonnages, ce 2010 né du seul merlot a bénéficié de tous les soins, et les dégustateurs ne s'y sont pas trompés. Derrière une robe sombre aux reflets carminés, on découvre un bouquet frais de fruits rouges et noirs imprégnés de fines notes boisées et réglissées. En bouche, le vin s'équilibre entre rondeur, fraîcheur et structure, étayé par de beaux tanins mûrs. On pourra le déguster dès maintenant, après un passage en carafe, ou dans cinq à dix ans, avec un rôti de bœuf aux cèpes par exemple. La cuvée **Grand Héritage 2010 (20 à 30 € ; 1 400 b.)** a elle aussi affronté le grand jury des coups de cœur ; elle obtient deux étoiles pour son bouquet intense de fruits très mûrs rehaussé d'une touche vanillée, et pour sa bouche ample, charnue, boisée avec discernement.

☙ EARL des Vignobles du Ch. des Landes, 5, Lagrenière, 33570 Lussac, tél. et fax 05 57 74 68 05, contact@chateaudeslandes.net, ☑ ⚔ 𝖸 t.l.j. 8h-12h 13h30-19h
☙ Daniel et Nicolas Lassagne

CH. LUCAS Grand de Lucas 2010

■				
	40 000	▮⑪	8 à 11 €	

Ce château, propriété de la famille Vauthier depuis le XVIe s., propose un 2010 composé à parts égales de merlot et de cabernet franc. Le vin dévoile un bouquet à la fois fruité et boisé, agrémenté de légères notes animales. En bouche, il se révèle souple et rond, équilibré, relevé par des nuances épicées. Marqué par des tanins plus austères en finale, il mérite d'être attendu quelques années (trois ans), avant d'être ouvert sur une viande rouge.

☙ Frédéric Vauthier, Ch. Lucas, 4, lieu-dit Les Vignes Normand, 33570 Lussac, tél. 05 57 74 60 21, fax 05 57 74 62 46, chateau.lucas.fred.vauthier@wanadoo.fr, ☑ ⚔ 𝖸 r.-v.

CH. LYONNAT Émotion 2010 ★

■				
	40 000	⑪	20 à 30 €	

Propriétaire de plusieurs châteaux en Bordelais, la famille Milhade s'est adjoint les services d'un consultant de renom pour cette cuvée : Hubert de Boüard, œnologue et propriétaire du château Angelus à Saint-Émilion. Ce 2010, entièrement issu de merlot planté sur une éminence aux sols argilo-calcaires, revêt une élégante robe pourpre. Au nez, les fruits mûrs sont nuancés par un boisé discret aux accents cacaotés et réglissés. La bouche, à la fois fraîche, onctueuse et structurée, dévoile des tanins encore sévères en finale, qui demandent cinq ou six ans de garde pour s'affiner. Le **Ch. la Rose Perruchon 2010 (5 à 8 € ; 13 000 b.)** récolte lui aussi une étoile pour sa bouche fruitée, tendre et charnue, soutenue par de fins tanins.

☙ SCEA Lyonnat, Lyonnat, 33570 Lussac, tél. 05 57 55 48 90, fax 05 57 84 31 27, milhade@milhade.fr, ☑ ⚔ 𝖸 r.-v.
☙ Brigitte et Gérard Milhade

CH. MAYNE-BLANC Cuvée Saint-Vincent 2010 ★★

■				
	22 000	⑪	11 à 15 €	

Cette exploitation familiale de 23 ha se transmet de père en fils depuis plusieurs générations. Habituée du Guide, elle se distingue par un 2010 issu de vignes de trente-cinq ans et élevé en barrique de chêne neuve. Le merlot est privilégié dans l'assemblage (80 % contre 15 % pour les deux cabernets) de cette cuvée à la robe dense, d'un rouge profond. Le nez s'ouvre sur de séduisantes notes de vanille, de café et de pain grillé. La bouche, ample, dense et riche, offre un fruité intense soutenu par des tanins joliment enrobés et souligné d'une élégante touche cacaotée en finale. On servira ce vin harmonieux, dès à présent ou dans deux à quatre ans, sur une lamproie à la bordelaise, par exemple.

☙ EARL Boncheau, Ch. Mayne-Blanc, 33570 Lussac, tél. 05 57 74 60 56, fax 05 57 74 51 77, info@chateaumayneblanc.fr, ☑ ⚔ 𝖸 r.-v.

CH. MUNCH L'Art 2010 ★★

■				
	1 500	⑪	20 à 30 €	

« L'art est long et le temps est court », écrivait Baudelaire. Il faudra pourtant prendre son temps avant d'ouvrir et de décanter ce vin en tout point remarquable, paré d'une superbe robe grenat sombre à reflets bigarreau. Le nez mêle les fruits rouges, les épices douces et des nuances cacaotées. La bouche, à l'unisson, s'adosse à des tanins robustes, enrobés de saveurs de fruits macérés, et livre une longue et élégante finale. « J'aime ! » affirme une dégustatrice, « on en redemande », écrit un autre juré. Un vin que l'on pourra attendre une petite décennie. La cuvée principale **2010 (11 à 15 € ; 13 000 b.)**, fruitée, ronde et souple, est citée.

☙ EARL Vignobles Munch, lieu-dit Bertineau, 33570 Montagne, tél. et fax 05 57 25 09 54, patrickmunch@hotmail.com, ☑ ⚔ 𝖸 r.-v.

CH. DE PILOT 2010

■				
	2 400	■	8 à 11 €	

Première apparition dans le Guide pour Dominique Croizet, maître de chai dans une exploitation de Puisseguin, à la tête de son propre vignoble depuis 2006. Il signe un 2010 au nez plaisant de petits fruits rouges (griotte), qui se prolonge dans une bouche tout en souplesse, structurée par des tanins fins. Un « vin plaisir » à boire dans les deux ans.

☙ Dominique Croizet, 7 bis, lieu-dit Pilot, 33570 Lussac, tél. 05 57 74 54 57, dominique.croizet33@orange.fr, ☑ 𝖸 r.-v.

CH. **Puy-Galland** 2010

■   1 000   ❚❙❚   8 à 11 €

    Ce domaine d'environ 8 ha, conduit par Bernard Labatut et, depuis 2010, par son fils David, propose une cuvée confidentielle, assemblage classique de merlot et de cabernet-sauvignon. Un vin bien construit : bel habit grenat aux reflets violets, nez de fruits mûrs agrémenté de notes toastées, bouche équilibrée entre le fruit et le bois, un rien austère en finale. À boire ou à garder deux ou trois ans.

☛ SCEA Vignobles Labatut, 12, Le Bourg, 33570 Saint-Cibard, tél. et fax 05 57 40 63 50, vignobleslabatut@orange.fr, ☑ ☀ ⊺ r.-v.

Roc de Giraudon 2010 ★

■   66 000   ■   5 à 8 €

    Élaboré par la cave des Vignerons de Puisseguin-Lussac-Saint-Émilion, ce 2010 séduit par un nez élégant de cerise noire confite, et par un palais souple, rond et généreux, adossé à des tanins fondus. Il s'accordera avec une viande rouge et se boira dans les quatre ans. La cuvée **Les Grands Champs 2010 (40 000 b.)**, notée une étoile également, offre un bouquet fruité, discrètement boisé et un bel équilibre en bouche. On la conservera en cave au moins trois ans.

☛ Vignerons de Puisseguin-Lussac-Saint-Émilion, 1, lieu-dit Durand, 33570 Puisseguin, tél. 05 57 55 50 40, fax 05 57 74 57 43, accueil@vplse.com, ☑ ☀ ⊺ r.-v.

CH. **la Rose Perrière** 2010 ★★

■   19 000   ❚❙❚   15 à 20 €

    Ici, vous pouvez déjeuner sur place dans un accueillant jardin d'hiver, puis vous initier à l'art de la tonnellerie en compagnie de Jean-Luc Sylvain, qui a racheté en 2003 ce cru d'origine monastique. Né de merlot (90 %) et de cabernet franc, son 2010 se pare d'une robe rubis intense. Discret au premier abord, le nez diffuse à l'aération des fragrances de fruits légèrement confits, relevées de notes épicées. Après une attaque souple, le vin monte en puissance, porté par de beaux tanins et par une élégante fraîcheur. Une bouteille subtile et remarquablement équilibrée, à déboucher dès maintenant ou à attendre quatre à cinq ans. Bel accord en perspective avec un carré d'agneau.

☛ Vignobles Jean-Luc Sylvain, Ch. la Perrière, 33570 Lussac, tél. 05 57 74 51 33, fax 05 57 74 52 14, mail@vignobles-jlsylvain.com, ☑ ☀ ⊺ r.-v. 🏠 ❺

CH. **Taureau** 2010 ★

■   40 000   ■   5 à 8 €

    Ce 2010 est issu d'un assemblage de merlot (56 %), de cabernet franc (36 %) et de cabernet-sauvignon. Il présente une élégante robe pourpre tirant sur le noir et un nez à la fois floral et fruité. La bouche, à l'unisson, se révèle grasse, complexe, soutenue par des tanins fins et serrés qui portent loin la finale. Un vin déjà plaisant, qui pourra se conserver six à sept ans, et que l'on pourra apprécier avec un civet de biche.

☛ SCE Ch. Taureau, 3, Coussillon, 33570 Puisseguin, tél. 05 57 55 50 40, fax 05 57 74 57 43, accueil@vplse.com, ☑ ☀ ⊺ r.-v.

☛ Alain Laborie

Vieux Ch. Chambeau 2010

■   125 000   ■❚❙❚   8 à 11 €

    Ce 2010 couleur rubis livre un bouquet encore dominé par le bois (vanille, grillé). Nuances que l'on retrouve aux côtés d'un discret fruité dans une bouche soyeuse et souple. Une garde de deux ou trois ans est conseillée pour affiner des tanins encore un peu sévères en finale.

☛ SC Ch. du Branda, lieu-dit Roques, 33570 Puisseguin, tél. 05 57 74 62 55, fax 05 57 74 57 33, chateau.branda@wanadoo.fr, ☑ ☀ ⊺ r.-v.

☛ Benjamin

Montagne-saint-émilion

Superficie : 1 600 ha
Production : 91 600 hl

Montagne dispose d'un riche patrimoine architectural et d'une église romane (Saint-Martin) qui constitue l'un des joyaux de la région. Ses terroirs sont variés : argilo-calcaires ou graves. Le visiteur pourra apprécier la vocation viticole du village dans l'écomusée du Libournais.

CH. **Acappella** Eugénie 2010 ★

■   6 000   ❚❙❚   11 à 15 €

    Les propriétaires du cru ont engagé la conversion du vignoble à l'agriculture biologique en 2008, introduit le cheval pour le travail des sols et vinifient dans le même esprit, sans levurage ni enzymage… Fruit d'un méticuleux travail à la vigne et au chai, ce 2010 issu de merlot (90 %), complété de cabernet franc, a séduit le jury dans sa robe grenat sombre. Le nez de fruits noirs relevés de légères notes grillées et poivrées est franc et concentré. Il prélude à un palais chaleureux, ample, rond, marqué par une fine nuance boisée et équilibré par une agréable fraîcheur. Les tanins, déjà soyeux, permettront d'ouvrir cette bouteille dès à présent, après un passage en carafe, mais on pourra aussi l'attendre deux ans et elle accompagnera volontiers un rôti de bœuf.

☛ GFA Vignobles Choisy, Le Puy Parsac, 33570 Montagne, tél. 06 18 02 06 14, christophe.choisy33@orange.fr, ☑ ☀ ⊺ r.-v. 🏠 🅱

CH. **de Beaulieu** 2010 ★

■   19 000   ■❚❙❚   11 à 15 €

    Quatre générations se sont succédé pour entretenir le vignoble, implanté sur un terroir argilo-siliceux de 3,5 ha. Les propriétaires ont engagé une rénovation de leur cru, sous les conseils avisés de l'œnologue Hervé Romat. Ils en recueillent aujourd'hui les fruits avec ce 2010 à la robe pourpre sombre, au bouquet de fruits noirs (pruneau, cassis) relevés d'épices (cannelle, clou de girofle et vanille). Souple en attaque, charnue et charpentée, la bouche évolue sur un bel équilibre entre fruité et boisé, étayée par une agréable fraîcheur. On laissera les tanins se polir environ deux ans et on ouvrira cette bouteille avec un rôti.

☛ SARL Vignobles Jean-Pierre Rivière, Ch. Haut-Piquat, 33570 Lussac, tél. 05 57 55 59 59, fax 05 57 55 59 51, jpriviere@riviere-stemilion.com, ☑ ☀ ⊺ t.l.j. 9h-19h; sam. dim. sur r.-v.; f. 15-31 août

CH. LA BERGÈRE 2010

■　　　　　　55 000　　🍴▥　　8 à 11 €

André Benoist, ingénieur agronome, et son fils Camille ont acquis cette propriété en 1998. À l'image de leur vignoble, implanté sur plusieurs types de sols, argileux ou légers, leur montagne est un vin bien équilibré. Le merlot mûr, escorté des deux cabernets, l'a pourvu de jolies notes de fruits noirs, tandis qu'un élevage de quinze mois en barrique lui a légué un boisé grillé, sans excès. L'ensemble ne s'impose pas par sa puissance, mais sait retenir l'attention par une attaque souple et par une belle trame tannique qui ne demandera que trois à cinq ans pour se fondre.

☛ SCEV Benoist, Ch. la Bergère, lieu-dit Tourteau, 33570 Montagne, tél. 05 57 74 61 61, fax 05 57 74 64 86, ablaunay@wanadoo.fr, ▥ 🇶 ▼ r.-v.

☛ GFA la Bergère

CLOS CROIX DE MIRANDE 2010 ★

■　　　　　　8 500　　　　　11 à 15 €

Après une longue expérience dans le négoce, Yvette et Michel Bosc ont constitué ce petit domaine (1,4 ha) en 1978. Ils ont vendangé à la main le merlot (85 %) et les cabernets qui le composent pour obtenir un vin croquant. « Du fruit, rien que du fruit ! » souligne l'un des jurés. En bouche, ce 2010 associe avec bonheur vinosité et fraîcheur et offre une texture soyeuse, sans manquer de fond. Sa finale droite laisse une impression flatteuse. Agréable dès aujourd'hui, cette bouteille pourra être laissée en cave quatre ou cinq ans.

☛ Bosc, 2, Mirande, Clos Croix de Mirande, 33570 Montagne, tél. 05 57 74 59 78, ml.bosc@orange.fr, ▥ 🇶 ▼ r.-v. 🏠 🅑

CLOS LA CROIX D'ARRIAILH 2010 ★

■　　　　　　5 000　　　🍴▥　　11 à 15 €

Cette sélection de vénérables vignes (plus de quatre-vingts ans) du château Croix Beauséjour, élevée en fût neuf (quatorze mois pour ce 2010) figure régulièrement en bonne place dans le Guide. Son originalité tient à la présence de 20 % de malbec en lieu et place des habituels cabernets. La barrique laisse ici s'exprimer le fruit : d'intenses et complexes senteurs de fruits rouges et noirs très mûrs annoncent un palais aux accents surmûris, ample et chaleureux, aux tanins déjà patinés. Une sensation de plénitude émane de cette bouteille que l'on pourra déguster dès aujourd'hui ou attendre deux ans. À signaler, des concerts et des expositions de peintures sur le domaine.

☛ EARL Ch. Croix-Beauséjour, Arriailh, 33570 Montagne, tél. 05 57 74 69 62, fax 05 57 74 59 21, vigne@chateau-croix-beausejour.com, ▥ 🇶 ▼ t.l.j. sf dim. 9h-12h 14h-17h 🏠 🅘

CLOS LES AMANDIERS 2010 ★★

■　　　　　　6 000　　　🍴▥　　5 à 8 €

Ce vin a suscité des commentaires flatteurs. Si les dégustateurs se sont plu à décrire sa « petite robe noire... fraîche et éclatante », ils ont surtout été charmés par son élégance, mot qui revient tout au long de la dégustation. Fin, droit et complexe, le bouquet mêle le fruit mûr du merlot (95 %) à un boisé discret et bien intégré. Quant au palais, il apparaît à la fois gourmand et dense, riche, fin et persistant. Les tanins, qui demandent encore à s'arrondir, se portent garants du potentiel de cette bouteille, que l'on pourra déboucher à partir de 2015 et jusqu'à 2020.

☛ SCEA des Amandiers, Musset, 33570 Montagne, tél. 05 57 24 74 99, fax 05 57 24 61 83, amandiers-poivert@orange.fr, ▥ 🇶 ▼ r.-v.

CH. CÔTES DE CHAMBEAU 2010

■　　　　　　61 860　　　　　5 à 8 €

Alain et Christophe Baudet ont pris la tête de la propriété familiale il y a plus de quinze ans. Ils ont élaboré un 2010 au nez de fruits noirs mâtinés de légères nuances de cuir et de toasté, à la bouche souple en attaque, friande et fraîche, étayés par des tanins qui demandent encore à se fondre. On ouvrira cette bouteille au cours des quatre prochaines années, avec du civet de marcassin, comme le propose un dégustateur.

☛ Alain et Christophe Baudet, Cornuaud, 33570 Montagne

CH. COUCY 2010

■　　　　　100 000　　🍴▥　　8 à 11 €

Ce domaine, ancienne propriété d'une lignée anglaise au XVᵉs., appartient depuis 2007 à la famille Bonfils. Il signe un 2010 grenat intense, au bouquet de petits fruits rouges vanillés, à la bouche ronde, fruitée, suave, étayée par des tanins fins. Un vin agréable, que l'on pourra apprécier au cours des quatre prochaines années.

☛ GFA Ch. Coucy, Coucy, 33570 Montagne, tél. 04 67 93 10 10, fax 04 67 93 10 05

☛ Bonfils

CH. LA COURONNE Réserve 2010

■　　　　　　46 000　　　▥　　11 à 15 €

Thomas Thiou est à la tête de cette propriété qu'il gère en autodidacte depuis 1994. Il propose une cuvée 100 % merlot, issue de vendanges manuelles et vinifié avec des levures indigènes. Paré de pourpre sombre, ce 2010 déploie à l'olfaction des notes de fruits rouges mûrs et d'épices. Ce fruité se prolonge dans un palais soutenu par des tanins encore un peu austères, accompagnés par de légères nuances cacaotées léguées par l'élevage en fût de chêne. Deux à trois ans de garde devraient permettre à ce vin de s'affiner.

☛ EARL Thomas Thiou, Ch. la Couronne, BP 10, 33570 Montagne, tél. 05 57 74 66 62, fax 05 57 74 51 65, lacouronne@aol.com, ▥ 🇶 ▼ r.-v.

CH. LA CROIX BONNEAU Renaissance 2010 ★★

■　　　　　　4 800　　　▥　　15 à 20 €

À la tête de ce domaine depuis 2005, la famille Salmon propose un 2010 composé presque exclusivement de merlot (95 %), issu de 1 ha de vignes plantées sur un sol argilo-calcaire. Élevée dix-huit mois en fût de chêne, cette cuvée affiche une jolie robe grenat. À l'agitation, elle dévoile un bouquet complexe de fruits noirs accompagnés de notes toastées. La bouche dévoile une matière dense, très bien équilibrée entre fruité et boisé, entre rondeur et fraîcheur. Riche, intense et suave, elle offre une finale longue, bien soutenue par des tanins mûrs. On pourra apprécier cette bouteille assez jeune (deux ans), mais ce millésime saura attendre quelques années.

☛ EURL Salmon et Fils, 1, lieu-dit Bonneau, 33570 Montagne, tél. 06 07 55 27 47, salmon.e@free.fr, ▥ 🇶 ▼ r.-v.

CH. LA CROIX DE MOUCHET
Élevé en fût de chêne 2010 ★

■   30 000   ⅢⅠ   5 à 8 €

Les propriétaires de ce domaine de 18 ha, acquis en 1947 par le grand-père, ont procédé à un assemblage de merlot (80 %) et de cabernet franc classique en Libournais pour élaborer ce 2010 prometteur. Élevé douze mois en barrique, ce vin grenat profond offre à l'olfaction de séduisantes notes de fruits rouges (griotte), rehaussées par un léger boisé. La bouche se révèle ample, riche, étayée par des tanins veloutés et mise en valeur par un boisé bien intégré. De beaux accords en perspective avec une pièce de gibier au cours des cinq prochaines années.
●┓ SCEA Ch. la Croix de Mouchet, 2, Mouchet, 33570 Montagne, tél. 05 57 74 62 83, fax 05 57 74 59 61, croixdemouchet@wanadoo.fr, ☑ ⋏ ⊤ r.-v.

L'ENVIE 2010

■   10 000   ⅢⅠ   11 à 15 €

Cette cuvée, née de vignes de cinquante ans cultivées à faible rendement, est issue d'un assemblage classique à dominante de merlot. Douze mois d'élevage en fût neuf l'ont pourvue de jolies notes épicées et boisées auxquelles se mêlent des nuances de fruits mûrs (cassis, mûre, cerise). Ample et souple en attaque, généreux, intensément fruité et long, le palais est marqué en finale par des tanins encore un peu austères. Un très beau vin en devenir qui fera une belle alliance avec un rôti de bœuf aux cèpes. Le **Ch. Vieux Bonneau 2010 (8 à 11 € ; 70 000 b.)** est également cité pour son bouquet de fruits noirs épicés et pour sa bouche ronde, équilibrée entre fruité et boisé.
●┓ SCEV Despagne et Fils, 3, Bonneau, 33570 Montagne, tél. 05 57 74 60 72, fax 05 57 74 58 22, vieuxbonneau@orange.fr, ☑ ⋏ ⊤ r.-v.

CH. FLAUNYS 2010

■   12 000   ▮ⅢⅠ   8 à 11 €

Constitué en 1960, ce domaine a été racheté en 2001 par François Linard et son épouse, tous deux ingénieurs. Ils signent un vin de pur merlot, cépage qui se plaît sur les terroirs de sables ferrugineux du cru. Ce 2010 s'annonce par un bouquet généreux aux nuances de fruits noirs. Souple et charnu à l'attaque, il finit sur des tanins austères qu'une courte garde (deux à trois ans) saura arrondir. Il accompagnera alors un sauté de veau Marengo.
●┓ François Linard, SCEA Claymore, Maison-Neuve, 33570 Lussac, tél. 05 57 74 67 48, fax 05 57 74 52 05, claymore@anavim.com,
☑ ⋏ ⊤ t.l.j. sf sam. dim. 8h30-12h 13h30-15h30

CH. LA FLEUR GRANDS-LANDES Cuvée Isabelle 2010 ★

■   n.c.   ▮ⅢⅠ   5 à 8 €

Maurice Carrère, ancien marin de La Royale, a repris cette exploitation en 1969. Depuis 1997, c'est sa fille Isabelle Fort, ancien professeur de viticulture et d'œnologie, qui est à la barre. Cette dernière signe une cuvée offrant les jolis arômes que dispensent les vins de merlot nés sur des terres graveleuses. Olfaction mûre et délicate centrée sur les fruits noirs, onctuosité d'une bouche révélatrice d'un travail d'extraction bien mené : ce vin charmeur semble presque tendre, et pourra être ouvert dès maintenant. Pourtant, il ne manque pas de structure et pourra tenir dans le temps (cinq ans et plus).

●┓ EARL Vignobles Carrère, 9, rte de Lyon, Lamarche, 33910 Saint-Denis-de-Pile, tél. 05 57 24 31 75, fax 05 57 24 30 17, vignoble-carrere@wanadoo.fr,
☑ ⋏ ⊤ r.-v.
●┓ Isabelle Fort

CH. GACHON 2010 ★

■   27 000   ▮ⅢⅠ   8 à 11 €

Le château porte le nom du lieu-dit où fut plantée la première vigne de la famille de Sylviane Arvouet qui, en se mariant à Guy Arpin, a ajouté à son exploitation des parcelles exploitées depuis le XIXᵉs. Ce 2010 à la robe pourpre révèle à l'olfaction des notes riches et complexes de fruits mûrs (cassis, mûre), soulignées de nuances empyreumatiques, vanillées et légèrement épicées. La bouche est à l'unisson, équilibrée entre rondeur et structure ; elle offre une finale longue et généreuse sur les fruits rouges. Un vin que l'on pourra apprécier dans les cinq prochaines années, sur un rosbif par exemple. La cuvée **Les Petits Rangas** est citée.
●┓ EARL Vignobles G. Arpin, Chantecaille, 33330 Saint-Émilion, tél. 06 22 08 70 56, vignobles.g.arpin@wanadoo.fr,
☑ lun. mar. jeu. ven. 9h-12h 13h30-17h30

CH. GRAND BARAIL 2010

■   42 600   ▮ⅢⅠ   8 à 11 €

N'offrant pas le profil attendu du millésime, ce 2010 ne s'impose pas par sa puissance. Il a pourtant intéressé les dégustateurs par sa fraîcheur aromatique. Le bouquet s'ouvre sur des notes de fruits mûrs assorties de quelques touches vanillées, toastées et épicées léguées par un court séjour dans le bois. La mise en bouche dévoile un vin fruité, souple et friand, dont les tanins fins laissent penser qu'il sera bon à boire dès la sortie du Guide.
●┓ SCEA Vignobles Devaud, 164, rue de l'Abbaye, 33570 Les Artigues-de-Lussac, tél. 05 57 24 31 39, fax 05 57 24 34 17, vignobles.devaud@wanadoo.fr,
☑ ⋏ ⊤ r.-v.

CH. GRAND BARIL Élevé en fût de chêne 2010

■   17 200   ⅢⅠ   8 à 11 €

Ce 2010 provient du vignoble de près de 40 ha qui sert aux travaux pratiques des étudiants du lycée viticole de Libourne-Montagne. Au nez, il se partage entre les fruits noirs et la framboise. En bouche, il se montre souple et soyeux à l'attaque, marqué cependant par son élevage d'un an en barrique et par des tanins un peu sévères en finale. Les amateurs de vins jeunes pourront l'ouvrir prochainement, en l'aérant avant le service ; les autres l'attendront un à trois ans. Apogée vers 2017.
●┓ Lycée viticole de Libourne-Montagne, 7, Grand-Barrail, 33570 Montagne, tél. 05 57 55 21 22, fax 05 57 55 13 53, expl.legta.libourne@educagri.fr,
☑ ⋏ ⊤ t.l.j. sf sam. dim. 9h-12h 14h-17h; 1ᵉʳ-15 août

CH. GRAND MOULIN MACQUIN 2010

■   15 000   ▮ⅢⅠ   5 à 8 €

De ce vignoble cultivé sur un terroir limono-argileux est né un 2010 à la robe rubis, issu d'un assemblage de merlot (55 %) et de cabernet-sauvignon (45 %). Le nez dévoile de délicats arômes de fruits rouges, soulignés par un léger toasté. Ronde en attaque, la bouche conjugue fruité et boisé, préférant la finesse à la puissance. Un « vin plaisir », à déguster avec des grillades.

☛ SCEA François Rambeaud, Ch. Corbin, 33570 Montagne, tél. 05 57 74 62 41, fax 05 57 74 55 91, info@chateaucorbin.fr, ☑ ⚔ ⊤ t.l.j. sf dim. 9h-12h 14h-18h

CH. GUADET PLAISANCE 2010 ★

| ■ | 40 000 | ⊞ | 11 à 15 € |

Séduit par la qualité de ce vignoble implanté sur un terroir argilo-limoneux, Pierre Taïx l'a acquis en 2008 et a immédiatement engagé sa conversion à l'agriculture biologique. Le merlot et les deux cabernets, vendangés à juste maturité, ont donné naissance à ce 2010 pourpre intense. À l'aération, le nez s'ouvre avec générosité sur des senteurs de fruits noirs mûrs (cassis, mûre) nuancées de notes épicées et grillées. La bouche, à l'unisson, suave et fruitée, ronde et persistante s'adosse à des tanins fondus. Un vin gourmand, qui pourra se conserver environ quatre ans et que l'on imaginerait bien avec un carré d'agneau.
☛ Pierre Taïx, Rigaud, 33570 Puisseguin, tél. 05 57 74 54 07, fax 05 57 74 50 97, rigaud@vignobles-taix.com, ☑ r.-v.

♥ CH. GUILLOU 2010 ★★

| ■ | 40 000 | ⊞ | 8 à 11 € |

Neuf générations se sont succédé sur le domaine depuis le XVIIIᵉs. Né d'un assemblage de merlot (80 %) et de cabernet franc d'un âge respectable (quarante ans), ce vin arbore une robe intense, presque noire. Le nez exprime des notes de fruits noirs confiturés mâtinées de nuances toastées et vanillées. La bouche confirme le bouquet, fruitée, ample, généreuse et persistante, structurée par des tanins enrobés et mise en valeur par un boisé maîtrisé. Un vin élégant, remarquablement équilibré, que l'on pourra garder quelques années et qui mérite un mets raffiné : une poularde truffée par exemple.
☛ Vignobles Jean-Bernard Saby et Fils, Ch. Rozier, 33330 Saint-Laurent-des-Combes, tél. 05 57 24 73 03, fax 05 57 24 67 77, info@vignobles-saby.com, ☑ ⚔ ⊤ r.-v.

CH. LESTAGE 2010 ★★

| ■ | 45 000 | ⊞ | 8 à 11 € |

Ce 2010 composé en majorité de merlot (82 %), complété de cabernet-sauvignon (14 %) et de cabernet franc, a été présenté au grand jury des coups de cœur. Il a d'emblée enthousiasmé les dégustateurs par sa séduisante robe grenat, presque noire, et par son nez mêlant des notes de fruits rouges confiturés à un boisé délicat. La bouche est avenante, ronde, chaleureuse, ample, portée par une solide structure qui garantit à ce vin une garde de deux à cinq ans. Bel accord en perspective avec un quasi de veau aux girolles. Pur merlot, le **Tage de Lestage 2010** (**11 à 15 € ; 12 000 b.**) est quant à lui cité pour son nez de

fruits mûrs et d'épices, et pour son palais ample, fruité, subtilement boisé, tonifié en finale par une belle fraîcheur. On pourra apprécier cette bouteille dès à présent, après un passage en carafe, ou l'ouvrir dans cinq ans.
☛ SCA Domaines Philippe Raoux, Ch. Lestage, 33570 Montagne, tél. et fax 05 57 74 66 41, cedric.gonthier@wanadoo.fr, ☑ r.-v.

CH. DE MAISON NEUVE 2010 ★

| ■ | 450 000 | ▮⊞ | 5 à 8 € |

Présente dans plusieurs appellations du Libournais, cette importante exploitation familiale a soumis au jury un vin agréable et de belle tenue, qui n'a rien de confidentiel. Ce 2010 déploie un bouquet avantageux, complexe et élégant, fait de fruits mûrs, voire confits, laissant percevoir un boisé délicat à l'arrière-plan. Ce fruité généreux, accompagné d'un boisé bien intégré, accompagne une bouche ample et ronde, soutenue par de bons tanins. Cette bouteille devrait s'entendre avec un rôti de bœuf aux cèpes – dans deux ou trois ans.
☛ Michel Coudroy, Maison-Neuve, 33570 Montagne, tél. 05 57 74 62 23, fax 05 57 74 64 18, michel-coudroy@wanadoo.fr, ☑ ⚔ ⊤ t.l.j. sf sam. dim. 8h-12h 14h-17h30; f. sem. 15 août

CH. MESSILE-AUBERT 2010 ★

| ■ | 40 000 | ⊞ | 11 à 15 € |

Les Vignobles Aubert sont présents dans plusieurs appellations du Bordelais et détiennent en particulier le Ch. la Couspaude, grand cru classé de Saint-Émilion. À Montagne-Saint-Émilion, la famille possède une propriété de 10 ha, dont le vignoble, planté sur un sol argilo-calcaire, a donné naissance à cette cuvée composée à 60 % de merlot, complétés par les deux cabernets. Ce 2010 couleur grenat intense livre un bouquet concentré de fruits mûrs agrémentés de vanille. Nuances que l'on retrouve dans une bouche ample, ronde, généreuse, étayée par des tanins fondus et élégants, qui permettront une garde d'au moins trois ans. Un vin harmonieux qu'un dégustateur suggère de servir avec des cailles aux figues.
☛ Vignobles Aubert, Ch. la Couspaude, BP 40, 33330 Saint-Émilion, tél. 05 57 40 15 76, fax 05 57 40 10 14, vignobles.aubert@wanadoo.fr, ☑ r.-v.

CH. DE MUSSET Les Colonnes Élevé en fût de chêne 2010

| ■ | 10 000 | ⊞ | 8 à 11 € |

Cette propriété familiale, où sept générations se sont succédé depuis le XIXᵉs., propose une cuvée issue du seul merlot, à la robe profonde, presque noire. À l'olfaction, le vin dévoile de puissants arômes de fruits mûrs, rehaussés d'une pointe de vanille. La bouche confirme le nez ; ample, ronde, portée par des tanins déjà bien fondus, elle déploie une longue finale finement boisée. À déguster dès à présent ou dans deux à trois ans, avec une cuisse de pintade aux cèpes, par exemple.
☛ SCEA Ch. de Musset, Musset, 33570 Montagne, tél. et fax 05 57 24 77 65, chateaudemusset@yahoo.fr, ☑ ⚔ ⊤ r.-v.
☛ Madame Gadenne

BORDELAIS

HÉRITAGE DE NÉGRIT 2010

■   5 000   ⑪   8 à 11 €

Né de 1 ha de merlot planté sur des sols argilo-calcaires, cette cuvée s'ouvre à l'agitation sur des notes complexes de raisin confit et de violette, assorties d'une originale touche de cédrat. Franche, volumineuse et charpentée, la bouche associe les fruits mûrs à des notes boisées. Un vin chaleureux et long qu'un dégustateur suggère de servir avec de la lotte. Il devrait se garder cinq ans.

☛ SCEV Lagardère, Négrit, 33570 Montagne,
tél. 05 57 74 61 63, fax 05 57 74 59 62,
vignobleslagardere@wanadoo.fr, ☑ ⚔ ⵎ r.-v.

CH. LA PAPETERIE 2010

■   29 000   ▐   15 à 20 €

Le consommateur trouvera représentée sur l'étiquette la jolie chartreuse du XVIIIᵉˢ., propriété de la famille Estager depuis 1934. Le jury, qui ne l'avait pas sous les yeux, a apprécié ce 2010 qui n'a pas connu le bois. Ce vin se présente dans une robe pourpre et offre à l'olfaction de plaisantes notes de fruits noirs. La bouche délivre des arômes fruités (pruneau) et se révèle ample, structurée par de fins tanins qui portent loin la finale et qui se portent garants de quelques années de garde (quatre ans environ).

☛ Vignobles Jean-Pierre Estager, 35, rue de Montaudon, 33500 Libourne, tél. 05 57 51 04 09, fax 05 57 25 13 38, estager@estager.com, ☑ ⚔ ⵎ r.-v.

CH. DE PARSAC 2010

■   70 000   ▐   11 à 15 €

La Compagnie vinicole du baron de Rothschild, à la tête du château de Parsac, propose un 2010 uniquement élevé en cuve, à la robe grenat intense. Le nez dévoile à l'agitation des notes de fruits rouges (framboise) soulignées de délicates nuances boisées (eucalyptus, cèdre). La bouche, riche et ample, dévoile des arômes de fruits surmûris, étayée par des tanins encore un peu stricts. On pourra servir cette bouteille dès à présent en la carafant, ou l'attendre trois ans.

☛ CV Baron Edmond de Rothschild, Ch. Clarke, 33480 Listrac-Médoc, tél. 05 56 58 38 00, fax 05 56 58 26 46, contact@cver.fr

PERACLOS 2010

■   40 000   ⑪   8 à 11 €

La coopérative de Puisseguin-Lussac-Saint-Émilion présente un 2010 très typé merlot (90 % de l'assemblage, complété par 10 % de cabernet franc) qui a bénéficié d'un remontage journalier et d'une micro-oxygénation lors de sa vinification. Grenat profond, ce vin offre à l'olfaction de puissantes notes de fruits noirs confiturés, légèrement épicés, mâtinés de discrètes nuances boisées. La bouche généreuse et ample déploie une avenante rondeur, soutenue par des tanins joliment enrobés. On pourra conserver cette bouteille au moins cinq ans.

☛ Vignerons de Puisseguin-Lussac-Saint-Émilion, 1, lieu-dit Durand, 33570 Puisseguin, tél. 05 57 55 50 40, fax 05 57 74 57 43, accueil@vplse.com, ☑ ⚔ ⵎ r.-v.

CH. PUYNORMOND 2010 ★

■   25 000   ▐   11 à 15 €

Ce domaine de 11 ha, conduit par Philippe Lamarque et par sa sœur Catherine, a été acquis en 1923 par leur arrière-grand-père. Implanté sur un sol argilo-calcaire favorable au merlot, le vignoble a donné naissance à une cuvée séduisante dans sa robe pourpre intense. Le nez dévoile à l'aération de plaisants arômes de fruits noirs que l'on retrouve dans une bouche suave, généreuse, soutenue par un léger boisé et portée par une agréable fraîcheur en finale. On pourra apprécier cette bouteille au cours des quatre prochaines années, avec un coq au vin par exemple.

☛ Vignobles Lamarque, BP4, 33570 Puisseguin,
tél. 05 57 74 66 69, fax 05 57 74 52 62,
contact@chateau-puynormond.com,
☑ ⚔ ⵎ t.l.j. sf dim. 9h30-12h30 13h30-19h

CH. ROC DE CALON Écrin 2010 ★

■   2 000   ⑪   15 à 20 €

Les Vignobles Laydis présentent une cuvée plutôt confidentielle, née d'un assemblage classique de merlot (80 %) et de cabernet-sauvignon. Grenat aux reflets bigarreau, ce 2010 livre de puissants arômes de fruits noirs soulignés par de fines nuances épicées et boisées. Le palais ample et chaleureux confirme le nez, bien équilibré entre fruité et boisé. On pourra déguster cette bouteille dès à présent ou dans deux ans, avec un rôti de veau aux girolles, par exemple. La **cuvée principale 2010 (8 à 11 € ; 50 000 b.)** est citée pour son attaque franche de fruits rouges (groseille), pour sa bouche structurée et sa finale persistante. On pourra l'ouvrir dans deux ans environ, le temps que les tanins s'assagissent un peu.

☛ SAS Vignobles Bernard Laydis, Ch. Roc de Calon, 3, Barreau, 33570 Montagne, tél. 05 57 74 63 99, fax 05 57 74 51 47, s.laydis@rocdecalon.com, ☑ ⚔ ⵎ r.-v.

CH. ROCHER CORBIN 2010 ★★

■   45 000   ⑪   11 à 15 €

Philippe Durand, propriétaire de ce domaine de 9,5 ha, propose une cuvée à base de merlot (90 %), complété à parts égales des deux cabernets. Ce vin, qui est passé devant le grand jury des coups de cœur, présente une robe pourpre intense et un nez riche sur les fruits noirs légèrement compotés, agrémenté de subtiles nuances épicées, boisées et grillées. Le palais se révèle ample, chaleureux, bien équilibré entre un fruité délicat et de fins tanins. On pourra ouvrir cette bouteille dès aujourd'hui, ou l'attendre deux à quatre ans. Bel accord en perspective avec une côte à l'os.

☛ SCE Ch. Rocher Corbin, Le Roquet, 33570 Montagne, tél. 05 57 74 55 92, fax 05 57 74 53 15, chateau-rocher-corbin@orange.fr, ☑ ⚔ ⵎ r.-v.
☛ Philippe Durand

CH. ROUDIER 2010 ★

■   108 000   ▐   11 à 15 €

Implanté sur le flanc sud de coteaux aux sols argilo-calcaire et argilo-siliceux, ce vignoble semble profiter d'un terroir optimal. Pour preuve ce beau 2010, issu de merlot (65 %), de cabernet franc (25 %) et de cabernet-sauvignon vendangés manuellement. Derrière une robe très sombre, on découvre des parfums de fruits mûrs vivifiés par une agréable note mentholée. Au palais, le vin se révèle conquérant, charnu, gorgé d'un fruité gourmand, équilibré par une fraîcheur ciselée. Les tanins, encore un peu austères, apportent une structure certaine à ce 2010 dans lequel s'exprime « la chaleur de l'été », selon un dégustateur. On pourra ouvrir cette bouteille après deux ou trois ans de garde, et à la déguster avec un plat épicé.

☎ Jacques Capdemourlin, SCEA Capdemourlin, Ch. Roudier, 33570 Montagne, tél. 05 57 74 62 06, fax 05 57 74 59 34, info@vignoblescapdemourlin.com, ✅ ☂ ☿ r.-v.

CH. TEYSSIER 2010

| ■ | 87 833 | ■ ◫ | 8 à 11 € |

Sur l'étiquette, on peut observer l'esquisse du château Teyssier, jolie chartreuse du XVIIIᵉ s. entourée d'un vignoble déjà présent au XVᵉ s. Issu d'un assemblage classique où le merlot est majoritaire (85 %), ce 2010 s'ouvre à l'aération sur les arômes gourmands de fruits rouges mûrs et de tarte à la myrtille. Au palais, le vin se révèle ample, rond et gourmand, marqué en finale par des tanins qui demandent encore quelque temps pour s'assouplir (trois ans environ). On pourra alors ouvrir cette bouteille sur des charcuteries fines ou des fromages secs.

☎ SD du GFA Ch. Teyssier, 33570 Puisseguin, tél. et fax 05 57 74 63 11, chateau.teyssier@orange.fr

♥ CH. TOUR BAYARD 2010 ★★

| ■ | 150 000 | ◫ | 8 à 11 € |

Régulièrement présente dans le Guide, Fanny Richard, à la tête d'une propriété familiale de 10 ha, signe un 2010 en tout point remarquable. Composé en majorité de merlot (90 %), ce millésime est issu d'un vignoble implanté sur un coteau orienté sud-sud-est qui bénéficie des meilleurs soins : sol alimenté en compost naturel, vendanges à la main... Le résultat est à la hauteur des efforts fournis. La robe profonde tire sur le noir et s'anime de reflets violines de jeunesse. Le nez déploie des arômes de fruits noirs (mûre) assortis de notes boisées. La bouche est à l'unisson, puissante, ronde, équilibrée. La longue finale soulignée par un boisé charmeur est portée par des tanins fondus et par une agréable fraîcheur. On attendra cette bouteille quelques années (jusqu'à quatre ans) avant de la servir sur un tournedos aux morilles.

☎ Fanny Richard, Bayard, 33570 Montagne, tél. 05 57 74 51 05, fax 05 57 74 53 10, richard@alienor.fr, ✅ ☂ ☿ r.-v.

LES DÉLICE DE LA TOUR MONT D'OR 2010

| ■ | 4 000 | ◫ | 11 à 15 € |

Issu de pur merlot, ce 2010 se pare d'une intense robe pourpre et dévoile à l'aération des notes de fruits rouges soulignées de nuances toastées et épicées. La bouche est souple, ronde, fruitée, portée par une élégante fraîcheur en finale. Un vin agréable que l'on pourra déguster dans un an ou deux avec des grillades.

☎ Groupe de producteurs de la Tour Mont d'Or, La Tour-Mont-d'Or, 33570 Montagne, tél. 05 57 74 62 15, fax 05 57 74 50 51, la.tour.mont.dor@wanadoo.fr, ✅ ☂ ☿ t.l.j. sf dim. 8h30-12h 14h-18h; sam. 8h30-12h

VIEUX CHÂTEAU DES ROCHERS Tradition 2010 ★

| ■ | 17 500 | ■ | 5 à 8 € |

Avec cette cuvée proche des deux étoiles, Jean-Claude Rocher montre que l'on peut obtenir un très bon vin sans avoir recours à la barrique. « Un vin plaisir, pour le vin ! » écrit une dégustatrice sous le charme. D'un grenat profond, ce 2010 déploie un bouquet intensément fruité et frais, sur la framboise et la cerise noire. On retrouve ces qualités dans une bouche franche, élégante et longue, assez concentrée mais sans surextraction. Ses tanins déjà soyeux permettront d'apprécier cette bouteille prochainement avec du gibier à plume. On pourra aussi la garder trois ans au moins. Mieux vaut attendre la **cuvée Prestige 2010 (8 à 11 € ; 3 600 b.)**, élevée un an en barrique (fruits noirs, vanille, café, grillé), notée une étoile. Un vin expressif et puissant, qui pourra rester trois ou quatre ans en cave.

☎ Jean-Claude Rocher, 16, Mirande, 33570 Montagne, tél. 06 80 64 49 75, vieuxchateaudesrochers@orange.fr, ✅ ☂ ☿ r.-v.

VIEUX CHÂTEAU SAINT-ANDRÉ 2010

| ■ | 40 000 | ■ ◫ | 11 à 15 € |

Jean-François Berrouet a repris en 2002 la propriété de son père Jean-Claude, dont le nom est associé à l'illustre Petrus de Pomerol. Il signe un élégant 2010, qui s'ouvre à l'aération sur les fruits rouges frais puis sur les fruits à l'eau-de-vie. La bouche est à l'unisson, ronde, structurée, tonifiée par une pointe de fraîcheur. On pourra déguster cette bouteille dès à présent ou la conserver quatre ans environ.

☎ Jean-Claude Berrouet, 1, Samion, 33570 Montagne, tél. 05 57 74 59 80, fax 05 57 74 32 63, chateau.samion@wanadoo.fr, ✅ ☂ ☿ r.-v.

Puisseguin-saint-émilion

Superficie : 745 ha
Production : 43 000 hl

La plus orientale des appellations voisines de Saint-Émilion est implantée sur des sols à dominante argilo-calcaire, avec quelques secteurs d'alluvions graveleux. Le vignoble est exposé au sud-sud-est.

CH. DE L'ANGLAIS 2010 ★★

| ■ | 18 000 | ■ ◫ | 11 à 15 € |

Lorsqu'un chef étoilé se met à fréquenter Bacchus jusqu'à devenir vigneron, cela donne souvent d'excellents résultats. Pour ce 2010, les viticulteurs du domaine de Pierre Troisgros et de ses associés ont accordé une confiance totale aux friandes séductions du merlot. Paré d'une élégante robe rubis, ce vin dévoile un bouquet puissant et riche, fruité et vanillé. La bouche fait preuve d'un juste équilibre entre rondeur et structure, boisé fondu et fruité. Un vin que l'on pourra apprécier au cours des cinq prochaines années avec une pièce de gibier.

➊ SARL du Ch. de l'Anglais, Langlais, 33570 Puisseguin, tél. et fax 05 57 74 58 94, francois.brissot@numericable.fr, ☑ ⚒ ⌁ r.-v.

➊ Troisgros

♥ CH. LE BERNAT 2010 ★★

■	20 400	▮▯	11 à 15 €

Propriétaire de ce domaine de près de 6 ha, dont les bâtiments ont été pour l'essentiel construits par des charpentiers canadiens au XIXᵉs., Pierre-Jean Le Roy est aussi poète à ses heures, auteur d'un recueil d'acrostiches. Il signe ici un 2010 en tout point remarquable, paré de grenat profond à nuances violines. Le nez conjugue puissance et élégance à travers des notes de baies noires mûres (liqueur de cassis notamment) assorties de nuances florales et épicées. Bien équilibrée, la bouche se révèle ample, ronde et avenante, portée par une solide structure qui garantira à ce vin une garde de deux ou trois ans, et plus encore. L'accompagnement ? *Ad libitum...*

➊ SARL Ch. le Bernat, 1, Champs-des-Boys, 33570 Puisseguin, tél. 05 57 74 58 54, fax 05 57 74 59 02 ☑ ⚒ ⌁ t.l.j. 10h-12h 14h-18h 🏠 ⓞ

➊ Le Roy

CLOS L'ÉGLISE 2010

■	46 000	▮	5 à 8 €

L'assemblage de ce 2010, à forte proportion de merlot (86 %), a donné naissance à un vin couleur rubis, au nez de fruits rouges confits, à la bouche souple, ronde et longue. Un vin courtois, bien dans la tradition bordelaise, qu'il conviendra d'attendre quelques années pour en ressentir au mieux les attraits, avec la traditionnelle lamproie, par exemple.

➊ Pascal Galineau, Au Bourg, 33570 Puisseguin, tél. 05 57 55 50 40, accueil@vplse.com, ☑ ⚒ ⌁ r.-v.

VIEUX CH. GUIBEAU 2010

■	105 000	▮▯	8 à 11 €

Henri Bourlon s'est toujours efforcé de produire sur les terres argilo-calcaires de son domaine des « vins de terroir », au plus près de la nature : il a donc engagé la conversion de son vignoble à l'agriculture biologique. Il signe un 2010 au bouquet de fruits rouges compotés qui s'expriment aussi dans un palais ample, soutenu par de beaux tanins. On ouvrira cette bouteille dans un ou deux, sur une entrecôte grillée.

➊ SCEA Bourlon-Destouet, Ch. Guibeau, 33570 Puisseguin, tél. 05 57 55 22 75, fax 05 57 74 58 52, vignobles.henri.bourlon@wanadoo.fr, ☑ ⚒ ⌁ t.l.j. sf sam. dim. 9h-12h 14h-18h; f. août 🏠 ⓔ

CH. HAUT-BERNAT 2010 ★

■	32 000	▮▯	11 à 15 €

On peut être « ch'ti » et aimer le vin. C'est le cas de Dominique Bessineau, amoureux des espaces viticoles du Libournais et installé à la tête de ce domaine de 7 ha depuis 1991. Ce 2010 à dominante de merlot (90 %), élevé pour partie en barrique neuve, se pare de pourpre intense et brillant, et offre un bouquet de fruits frais agrémenté d'une nuance de moka et d'une pointe de truffe. La bouche est à l'unisson : fraîche, gourmande et soyeuse. Un vin à découvrir dès aujourd'hui ou dans deux ou trois ans.

➊ SAS des Vignobles Bessineau, 8, Brousse, BP 42, 33350 Belvès-de-Castillon, tél. 05 57 56 05 55, fax 05 57 56 05 56, bessineau@cote-montpezat.com, ☑ ⚒ ⌁ r.-v.

CH. LANBERSAC 2010

■	51 383	▮▯	8 à 11 €

Une cuvée 100 % merlot, ample et souple en bouche, qui a hérité de sa rencontre avec le bois (neuf mois) de tanins quelque peu austères. Une courte garde (un an ou deux) devrait les assouplir. On dégustera ce 2010 en accompagnement de viandes rouges et de charcuteries fines.

➊ SCEV Lannoye, Le Chais, 33570 Puisseguin, tél. 05 57 55 23 28, fax 05 57 55 23 29, contact@vignobles-lannoye.com, ☑ ⚒ ⌁ r.-v.

CH. DES LAURETS 2010 ★★

■	234 806	▮▯	11 à 15 €

Le savoir-faire de la Compagnie vinicole Baron Edmond de Rothschild se traduit ici par deux très jolis vins. Le premier, ce 2010 remarquable d'équilibre, de densité et d'intensité aromatique, est une sorte d'archétype de l'élégance bordelaise : robe profonde, larmes généreuses sur la paroi du verre, nez de fruits mûrs agrémenté d'un fin boisé, bouche suave, charnue et bien structurée, portée par une élégante fraîcheur en finale. On le gardera au moins deux à trois ans avant de le servir avec une épaule d'agneau. Une étoile pour le second vin, **Les Laurets 2010 (30 à 50 € ; 10 800 b.)**, issu du seul merlot, élevé quinze mois en fût. Cette cuvée puissante, riche et généreuse dévoile elle aussi un bon potentiel de garde (quatre ou cinq ans).

➊ CV Baron Edmond de Rothschild, Ch. Clarke, 33480 Listrac-Médoc, tél. 05 56 58 38 00, fax 05 56 58 26 46, contact@cver.fr

CH. DE MÔLE 2010 ★

■	25 000	▯	11 à 15 €

Joli coup double pour les vins de la famille Auger, qui figurent régulièrement dans le Guide. Ce 2010 (85 % de merlot accompagné de cabernet franc) a été élevé quinze mois en fût. Il y a puisé des tanins ronds et croquants, qui viennent en soutien d'une bouche équilibrée et gourmande, sur un fruité mûr. Cette cuvée élégante appelle d'heureux accords, un cuissot de chevreuil par exemple. Quant au **Ch. Roc Saint-Jacques 2010 Élevé en fût de chêne (8 à 11 € ; 25 000 b.)**, noté une étoile également, il charme par le soyeux de ses tanins et par sa vigueur aromatique.

➊ SAS Famille Auger, Ch. de Môle, 33570 Puisseguin, tél. 05 57 74 60 86, fax 05 57 24 09 27, chateaudemole@orange.fr, ☑ ⚒ ⌁ t.l.j. sf dim. 9h-12h 14h-19h 🏘 ⑤

➊ Éric Auger

CH. DE PUISSEGUIN CURAT Cuvée Prestige
Élevé en fût de chêne 2010 ★

| | 5 000 | ▥ | 11 à 15 € |

Si la famille Robin est au service du vin depuis le XVIIIᵉˢ., ce n'est qu'en 1958 que ce château est entré dans leur patrimoine. Née sur un terroir argilo-calcaire, cette cuvée, à dominante de merlot, revêt une robe rubis intense et dévoile un nez de fruits mûrs agrémentés de notes toastées et vanillées. Le palais ample, équilibré, aux tanins souples, révèle un travail précis au chai (boisé mesuré, extractions justes). À boire dans les deux ans avec une pièce de gibier.
➥ EARL Ch. de Puisseguin Curat, Curat, 33570 Puisseguin, tél. 05 57 74 51 06, fax 05 57 74 54 29, chateau-de-puisseguin-curat@wanadoo.fr, ☑ ⚥ ⴲ t.l.j. sf dim. 9h-12h 14h-17h
➥ Robin

CH. RIGAUD 2010 ★★

| | 38 000 | ▥ | 8 à 11 € |

Pierre Taïx est depuis 2004 à la tête de ce domaine implanté sur des sols argilo-calcaires propices à la culture du merlot. Respectueux du terroir, il a engagé la conversion de son vignoble à l'agriculture biologique. Son millésime 2010, qui a participé à la finale du coup de cœur, a de quoi séduire : parure pourpre sombre ; nez aux accents chaleureux de fruits rouges kirschés, de boisé et de raisin de Corinthe ; bouche avenante, charnue et généreuse, soulignée par un élégant boisé vanillé et portée par une fine acidité. À déguster dans deux à trois ans sur un canard rôti. Quant au **Ch. Fongaban 2010 (48 000 b.)**, il se voit attribuer une étoile pour la richesse de son bouquet et l'élégance de sa bouche, fraîche et racée. À attendre deux ou trois ans également.
➥ Pierre Taïx, Rigaud, 33570 Puisseguin, tél. 05 57 74 54 07, fax 05 57 74 50 97, rigaud@vignobles-taix.com, ☑ r.-v.

SAINT-PIERRE L'ÉGLISE Cuvée Prestige 2010 ★

| | 1 500 | ▥ | 11 à 15 € |

La famille Leynier est propriétaire depuis 1952 du clos des Religieuses, qui dépendait des Ursulines de Saint-Émilion au XVIIᵉˢ. Issue d'un terroir où le merlot est privilégié, cette cuvée se présente dans une tenue pourpre et brillante. Offrant à l'olfaction de puissantes notes de fruits rouges et noirs légèrement toastées, elle déploie une bouche d'une avenante rondeur, souple et charnue, portée par des tanins qui demandent encore à s'assouplir. On pourra ouvrir cette bouteille dans un an ou deux, pour accompagner une entrecôte grillée sur un feu de sarments.
➥ SCEA Clos des Religieuses, 9, rue Alcide-Masseron, 33570 Puisseguin, tél. 05 57 74 67 52, fax 05 57 74 64 12, clos.des.religieuses@wanadoo.fr,
☑ ⚥ ⴲ t.l.j. 8h-12h30 13h30-19h30; sam. dim. sur r.-v. ⴲ ⊙
➥ Leynier

CH. LA VAISINERIE 2010 ★

| | 40 000 | ▥ | 8 à 11 € |

Ce vénérable domaine (1718), propriété de Dominique et Bernard Bessède depuis 2004, propose un vin à dominante de merlot (90 %), avec le cabernet franc en appoint, élevé un an en barrique de chêne français et américain. Le nez mêle aux parfums de fruits frais (cerise) des nuances florales et boisées. La bouche, suave, s'équi-

libre autour de tanins fins et d'une fraîcheur ciselée. On ouvrira cette bouteille après une petite garde de deux à trois ans, pour accompagner des grillades au feu de bois.
➥ SCEA la Vaisinerie, Ch. la Vaisinerie, 33570 Puisseguin, tél. 05 57 24 93 05, fax 05 57 24 61 43, bernard.bessede@chateauxenbordeaux.com,
☑ ⚥ ⴲ r.-v. ⴲ ⊙

LA VANNELLE 2010

| | 66 000 | ▣ | 5 à 8 € |

Voilà un vin bien construit, au fruité net et franc, agrémenté d'épices et de nuances mentholées. Les dégustateurs ont apprécié son attaque souple, son volume et sa bonne structure tannique. De beaux accords en perspective dans les deux ans à venir ; un dégustateur suggère du jambon de la vallée des Aldudes.
➥ Vignerons de Puisseguin-Lussac-Saint-Émilion, 1, lieu-dit Durand, 33570 Puisseguin, tél. 05 57 55 50 40, fax 05 57 74 57 43, accueil@vplse.com, ☑ ⚥ ⴲ r.-v.

Saint-georges-saint-émilion

Superficie : 200 ha
Production : 11 500 hl

Séparé du plateau de Saint-Émilion par la rivière Barbanne, le terroir de l'appellation saint-georges présente une grande homogénéité avec des sols presque exclusivement argilo-calcaires.

CH. CALON 2010

| | 40 000 | ▣▥ | 11 à 15 € |

Jean-Noël Boidron, figure bien connue du vignoble libournais, et son fils Hubert ont extrait des terres argilo-calcaires de Calon un beau vin de terroir, plaisant et équilibré. Au nez s'épanouissent des notes de petits fruits rouges et noirs accompagnées de nuances vanillées. La bouche se montre bien structurée, vive et longue, un rien sévère en finale. Pour une poitrine d'agneau farcie, d'ici deux ou trois ans.
➥ Jean-Noël Boidron, Ch. Calon, 33570 Montagne, tél. 05 57 51 64 88, fax 05 57 51 56 30, vignoblesjnboidron@wanadoo.fr, ☑ ⚥ ⴲ r.-v.

CH. CAP D'OR 2010

| | 33 000 | ▣▥ | 8 à 11 € |

Marqué par un boisé vigoureux, ce 2010 né de merlot (80 %) et des deux cabernets devra être attendu quatre ou cinq ans pour qu'il gagne en fondu et pour que ses tanins denses et serrés se polissent. On appréciera alors sa matière généreuse, son volume et sa vinosité – plutôt sur une viande rouge.
➥ SCEA Blanc Tourans, rue de l'Église, BP 89, 33350 Saint-Magne-de-Castillon, tél. 05 57 40 08 88, fax 05 57 40 19 93, m.pellerin@rcrgroup.fr, ☑ ⚥ ⴲ r.-v.
➥ RCR Group

CLOS ALBERTUS 2010 ★

| | 8 000 | ▥ | 11 à 15 € |

Une nouvelle étiquette dans ce chapitre avec ce Clos Albertus né sur une petite vigne (1,5 ha) reprise en 2010 par Jacques Rambeaud. Cette microcuvée est un vin courtois et équilibré qui, au nez, marie avec bonheur un fruité généreux (fruits rouges à l'eau-de-vie) à un boisé (grillé, vanille) élégant. En bouche, elle s'affirme par sa densité, son gras et ses tanins mûrs, soutenue par une agréable fraîcheur. Une bouteille de caractère que l'on proposera, pour un accord classique, avec une lamproie à la bordelaise.

☛ SCEA François Rambeaud, Ch. Corbin, 33570 Montagne, tél. 05 57 74 62 41, fax 05 57 74 55 91, info@chateaucorbin.fr, ☒ ⚗ ⵟ t.l.j. sf dim. 9h-12h 14h-18h

CLOS PAVILLON SAINT-GEORGES 2010 ★

| ■ | 3 600 | ▮⚱ | 30 à 50 € |

Nicole Tapon et Jean-Christophe Renaut conduisent depuis 2004 ce petit clos (0,62 ha) situé à proximité de l'église et du lavoir de Saint-Georges, sur le point culminant de l'appellation. Le merlot s'est bien épanoui sur les sols argilo-calcaires du domaine et a donné naissance à un 2010 rouge sombre aux reflets bleutés, ouvert sur les fruits rouges confiturés agrémentés de notes discrètes de torréfaction. La bouche, à l'unisson, se révèle à la fois ample, dense, fraîche et longue, soutenue par des tanins doux et soyeux et par un boisé élégant. Deux ou trois ans de garde affineront encore l'ensemble. Parfait sur une viande rouge ou, pourquoi pas, sur un dessert au chocolat.

☛ Nicole Tapon et Jean-Christophe Renaut, Clos du Pavillon Saint-Georges, 33570 Montagne, tél. 05 57 74 61 20, fax 05 57 74 61 19, information@tapon.net, ☒ ⚗ ⵟ r.-v.

CH. HAUT-SAINT-GEORGES 2010 ★

| ■ | 7 900 | ⚱ | 15 à 20 € |

Grand habitué du Guide, avec plusieurs coups de cœur à son actif, le Ch. Haut-Saint-Georges est fidèle au rendez-vous. Ce 2010 pourpre sombre a bien assimilé son long contact (dix-huit mois) avec le bois. Au nez, des notes toastées et épicées accompagnent les fruits mûrs et une pointe plus fraîche de mine de crayon. Dense, puissant, bâti sur des tanins arrondis et un boisé toujours présent, le palais confirme les bonnes impressions du bouquet. Un vin équilibré, bien construit autour d'un boisé dosé avec justesse. À attendre au moins deux ou trois ans.

☛ SCEA de la Grande Barde, 1, La Clotte, 33570 Montagne, tél. 05 57 74 64 98, fax 05 57 74 65 42, chateaulagrandebarde@wanadoo.fr, ☒ ⚗ ⵟ r.-v.

♥ CH. SAINT-GEORGES 2010 ★★

| ■ | 162 000 | ▮⚱ | 20 à 30 € |

Sixième coup de cœur pour le château Saint-Georges, l'un des domaines phare de l'appellation tant pour son architecture classique que pour ses vins. Au tableau d'honneur des Debois, propriétaires depuis 1891, le grand millésime 2010 rejoint ainsi les 1992, 1994, 1999, 2001 et 2005. Une imposante parure sombre orne le verre, accompagnée de lueurs indigo. Au nez, d'intenses senteurs de fruits noirs sont soulignées par des nuances d'épices douces et de jolies notes torréfiées. En bouche, des tanins mûrs et fondus s'associent à un boisé doux et patiné, et à une chair généreuse, riche et satinée, le tout traversé par une élégante touche minérale qui donne de la longueur et de la fraîcheur à l'ensemble. Un vin haut de gamme que l'on verrait bien sur un gigot d'agneau, aujourd'hui comme dans deux ou trois ans. Deux étoiles également et une place au jury des coups de cœur pour la Trilogie du Ch. Saint-Georges 2010 (20 à 30 € ; 3 600 b.), un vin ample, dense, gras, vineux sans lourdeur, boisé avec justesse. À attendre trois à quatre ans.

☛ SCE Ch. Saint-Georges, 33570 Montagne, tél. 05 57 74 62 11, fax 05 57 74 58 62, contact@chateau-saint-georges.com, ☒ ⚗ ⵟ r.-v.
☛ Famille Debois

CH. TROQUART 2010

| ■ | 28 000 | ▮⚱ | 8 à 11 € |

Ce 2010 né de merlot (70 %), de cabernets et de malbec arbore une tenue sombre frangée d'orangé, indice d'évolution. À l'olfaction, les baies noires (myrtille, mûre) s'associent à un vanillé discret. Ces sensations se retrouvent dans une bouche souple et ronde, étayée par une pointe de vivacité. Une bouteille équilibrée, à boire ou à attendre un an ou deux. Bel accord avec un civet de lapin.

☛ SCEA du Ch. Troquart, Troquart, 33570 Montagne, tél. 05 57 74 62 45, chateautroquart@gmail.com, ☒ ⚗ ⵟ r.-v.
☛ Grégoire

Castillon-côtes-de-bordeaux

Superficie : 3 000 ha
Production : 160 000 hl

Située à l'est du vignoble de Saint-Émilion et de ses satellites, l'appellation (anciennement bordeaux-côtes-de-castillon puis côtes-de-castillon) jouxte à l'ouest les vignobles périgourdins. Elle s'étend sur les neuf communes de Belvès-de-Castillon, Castillon-la-Bataille, Saint-Magne-de-Castillon, Gardegan-et-Tourtirac, Sainte-Colombe, Saint-Genès-de-Castillon, Saint-Philippe-d'Aiguilhe, Les Salles-de-Castillon et Monbadon. Les vins ont bénéficié en 1989 d'une appellation à part entière, les viticulteurs s'engageant à respecter des normes de production plus sévères, notamment en ce qui concerne les densités de plantation, fixées à 5 000 pieds par hectare.

CH. D'AIGUILHE 2010 ★★

| ■ | 130 000 | ⚱ | 20 à 30 € |

Propriété depuis 1999 du comte Stephan von Neipperg, également bien établi dans le Saint-Émilionnais avec

entre autres le grand cru classé Canon La Gaffelière, ce domaine est commandé par un ancien château fort du XIIes. Les chais sont, eux, du dernier cri et ont accueilli ce 2010 de haut vol, qui frôle les trois étoiles. Paré d'une robe rouge sombre aux reflets violets de jeunesse, ce vin offre un bouquet intense et élégant aux accents toastés, épicés et fruités (cassis). En bouche, il se montre très rond, généreux, doux et caressant, évoluant sur des tanins puissants mais soyeux, extraits avec beaucoup de doigté. Ce vin ample et long pourra affronter une décennie de garde.
🠒 SCEA du Ch. d'Aiguilhe, Ch. d'Aiguilhe, 33350 Saint-Philippe-d'Aiguille, tél. 05 57 40 60 10, fax 05 57 40 63 56, aiguilhe@neipperg.com, ☑ 🖈 ⵀ r.-v.
🠒 S. von Neipperg

CH. D'AIGUILHE QUERRE 2010
■   20 000   ⬤⬤   11 à 15 €
Établi sur le point culminant de l'appellation, un plateau calcaire bien exposé et bien drainé, ce petit cru de 4 ha propose un 2010 de belle facture, paré d'une robe pourpre sombre. Sur la réserve, le nez laisse percer à l'aération des notes toastées qui, pour l'heure, dominent le fruit. On retrouve cette dominante boisée dans un palais structuré par une fine vivacité et par des tanins de qualité, mais encore un peu austères. Un vin prometteur que trois ou quatre ans de garde affineront.
🠒 SCEA Ch. d'Aiguilhe Querre, Moulin-de-Lavaud, 33500 Pomerol, tél. 05 57 55 19 60, fax 05 57 51 12 53, contact@aiguilhe-querre.com, ☑ 🖈 ⵀ r.-v.

CH. ALBÀ Cuvée classique 2010 ★
■   12 000   🍾⬤⬤   11 à 15 €
Œnologue et ancien directeur du Ch. d'Aiguilhe, P. Meyrignac a créé ce domaine en 2006 à partir de parcelles de vieilles vignes bien exposées, plantées sur des argiles rouges riches en fer sur substrat calcaire. Il signe un 2010 grenat profond, au nez de fruits compotés (fraise, cassis) mâtinés de notes florales, boisées et d'une touche de cuir. Après une attaque franche et nerveuse, le palais se fait plus velouté, porté par les tanins patinés et par un boisé ajusté. Une pointe d'austérité en finale appelle toutefois deux ou trois ans de garde. La **Cuvée tradition 2010** (8 à 11 € ; 16 000 b.), plus tournée vers le fruit et la fraîcheur, soutenue par des tanins denses et serrés, obtient également une étoile. On pourra commencer à l'apprécier dès aujourd'hui.
🠒 SCEA Albà, 4, Grimon, 33350 Saint-Philippe-d'Aiguille, tél. et fax 05 57 40 69 34, chateau.alba@free.fr, ☑ 🖈 ⵀ r.-v.
🠒 P. Meyrignac

CH. AMPÉLIA 2010
■   26 000   ⬤⬤   11 à 15 €
François Despagne, propriétaire de Grand Corbin-Despagne, grand cru classé de Saint-Émilion, cultive une petite vigne de près de 5 ha en castillon-côtes-de-bordeaux, dont il a engagé la conversion bio pour révéler au mieux le caractère de ce terroir argilo-calcaire. Il signe un 2010 à forte dominante de merlot (95 %), avec le cabernet franc en appoint. À la jeunesse de sa robe rubis répond celle de son bouquet naissant de violette, de fruits rouges et de boisé toasté. La bouche se révèle souple et tendre en attaque, plus structurée dans son développement. Un vin équilibré et d'un bon potentiel, à boire dans deux ou trois ans.

🠒 François Despagne, 3, Barraillot, 33330 Saint-Émilion, tél. 06 09 08 77 08, fax 05 57 51 29 18, f-despagne@grand-corbin-despagne.com, ☑ 🖈 ⵀ r.-v.

LE PIN DE BELCIER 2010 ★
■   3 600   ⬤⬤   20 à 30 €
Ce château de style classique, construit à la fin du XVIIIes., est aujourd'hui propriété de la MACIF. Moins classique est l'assemblage de sa cuvée Le Pin de Belcier, régulièrement au rendez-vous du Guide : au merlot (60 %) sont associés 20 % de malbec et 20 % de cabernet franc. Cela donne un vin noir, puissamment bouqueté autour des fruits mûrs et du grillé de l'élevage. Une puissance qui caractérise aussi le palais, dense, ample et charnu, plus austère et serré en finale. On attendra trois à cinq ans que l'ensemble s'arrondisse. La cuvée principale **Ch. Belcier 2010** (11 à 15 € ; 145 280 b.), plus souple, est citée. On l'appréciera plus tôt.
🠒 SCA Ch. de Belcier, 1, Belcier, 33350 Les Salles-de-Castillon, tél. et fax 05 57 40 67 58, gironde-et-gascogne@wanadoo.fr, ☑ 🖈 ⵀ r.-v.

CH. LA BOURRÉE 2011 ★
■   60 000   🍾⬤⬤   5 à 8 €
Issu de 70 % de merlot et de 30 % de cabernet franc, ce 2011 se présente dans une élégante robe violette, intense et profonde. Au nez, les notes empyreumatiques de la barrique se marient harmonieusement à des senteurs fruitées plus fraîches. Souple et ronde en attaque, la bouche évolue vers plus de rigueur tannique, qui lui confère beaucoup de volume et un joli potentiel de garde. Dans trois ou quatre ans, ce vin sera bon à boire.
🠒 SCEA des Vignobles Meynard, 10 av. de Labourrée, 33350 Saint-Magne-de-Castillon, tél. 06 89 87 82 99, fax 05 57 40 38 93, vignobles-meynard@wanadoo.fr, ☑ 🖈 ⵀ r.-v.

CH. LA BRANDE Cuvée réservée 2010 ★
■   45 000   🍾⬤⬤   8 à 11 €
Cette propriété créée en 1973 étend ses 16 ha de vignes d'un seul tenant sur la commune de Belvès-en-Castillon. Le merlot (70 %) et les deux cabernets y ont donné naissance à ce 2010 rubis intense, porté à l'olfaction sur les fruits noirs et le toasté. Un équilibre entre le bois et le fruit que l'on retrouve dans une bouche ample, fraîche, bien charpentée et longue. Un beau vin en devenir, à sortir de cave dans trois ou quatre ans.
🠒 Vignobles Jean Petit, Ch. Mangot, 33330 Saint-Étienne-de-Lisse, tél. 05 57 40 18 23, fax 05 57 56 43 97, chateau-labrande@wanadoo.fr, ☑ 🖈 ⵀ r.-v.
🠒 GFA du Ch. Mangot

CH. BRISSON 2010
■   75 000   ⬤⬤   8 à 11 €
Les Valade père et fils proposent un 2010 grenat limpide qui s'ouvre à l'agitation sur un boisé toasté élégant et mesuré et sur les fruits rouges et noirs. On retrouve ces sensations harmonieuses dans un palais tendre et souple, un peu plus strict en finale. L'ensemble devrait être prêt d'ici un à trois ans. Des mêmes propriétaires, le **Ch. Le Peyrat 2010** (5 à 8 € ; 50 000 b.), dans un style proche, équilibré entre boisé et fruité, aimable et soyeux en bouche, s'appréciera lui aussi dans sa jeunesse.

☛ EARL P.-L. Valade, 1, Le Plantey,
33350 Belvès-de-Castillon, tél. 05 57 47 93 92,
fax 05 57 47 93 37, paul.valade@wanadoo.fr, ☑ ⋏ ⵏ r.-v.

CH. CANTEGRIVE Cuvée Rare 2010

■	2 000	▥	15 à 20 €

La rareté est en effet l'une des caractéristiques de
cette cuvée réalisée à 2 000 exemplaires. Peu de vin mais
du bon : robe rubis intense, nez à dominante boisée
(moka, toasté), fruitée et épicée à l'aération, bouche elle
aussi largement sous l'emprise du merrain, mais avec
suffisamment de matière et de bons tanins pour digérer
l'élevage. À attendre deux ou trois ans pour obtenir un
meilleur fondu.
☛ Ch. Cantegrive, lieu-dit Terrasson, 33570 Monbadon,
tél. et fax 05 57 40 60 48, contact@chateau-cantegrive.com,
☑ ⋏ ⵏ r.-v.
☛ Couleurs Doyard

CH. CAP DE FAUGÈRES 2010 ★★

■	100 000	▥	11 à 15 €

Silvio Denz (Ch. Faugères à Saint-Émilion) a acquis
ce domaine en 2005. Son savoir-faire en matière de grands
vins profite également à ce cru de 30 ha, qui livre un 2010
remarquable, passé tout près du coup de cœur (l'homme
d'affaires suisse pourra se « consoler » avec son
Ch. Chambrun 2010 en lalande-de-pomerol). Une robe
pourpre ourlée de reflets violines habille ce vin généreusement fruité, aux accents de merlot bien mûr, agrémenté
d'élégantes nuances boisées et d'une touche de cuir. Rond,
charnu, chaleureux, tapissé de tanins tendres et fins, le
palais prolonge l'olfaction et s'étire en une longue finale
aux tonalités grillées. Bien dans son appellation et dans
son millésime, ce vin donnera le meilleur de lui-même
après trois ou quatre ans de garde.
☛ SARL Ch. Cap de Faugères, 33350 Sainte-Colombe,
tél. 05 57 40 34 99, fax 05 57 40 36 14,
info@chateau-cap-de-faugeres.com, ☑ ⋏ ⵏ r.-v.

CH. CLAUD-BELLEVUE 2010 ★

■	27 000	▥	11 à 15 €

Premier millésime pour les Bockmeulen, installés en
2010 sur ce domaine créé dans les années 1960, et une
entrée très réussie dans le Guide grâce à ce vin couleur
bigarreau, au nez généreux de fruits rouges et noirs
agrémentés d'une note originale de noix. La bouche se
révèle ample, fraîche (nuances mentholées) et structurée
par des tanins fermes. Voilà qui promet une belle bouteille
dans deux ou trois ans.
☛ Bockmeulen, 31 le Bourg, 33350 Belvès-de-Castillon,
tél. 05 57 49 48 23, ana@chateauclaudbellevue.com,
☑ ⋏ r.-v. ⌂ ⑤

CLOS LA MADONNA 2010 ★

■	12 000	▪	5 à 8 €

Première apparition dans le Guide pour ce petit cru
de 1,75 ha, planté en 2003 par Philippe Escaiche sur le
coteau rocheux de Belvès. Une belle entrée avec ce pur
merlot rubis intense, au nez évocateur de cassis. Souple,
ample et tout aussi fruité en bouche, il est étayé par des
tanins soyeux qui lui confèrent un caractère velouté et
persistant. Un vin harmonieux, à déboucher dans les trois
ans à venir.

☛ Philippe Escaiche, 29, rue Montesquieu,
33350 Castillon-la-Bataille, tél. 06 11 72 73 67,
escaiche.philippe@neuf.fr, ☑ ⵏ r.-v.

⑧ CLOS PUY ARNAUD 2010 ★

■	27 300	▪▥	30 à 50 €

Bien connue à Saint-Émilion, où elle fut propriétaire
des châteaux Pavie et Troplong-Mondot, la famille Valette
conduit depuis 1999 ce cru de 12 ha en biodynamie. Le
2009 fut coup de cœur de l'édition précédente ; le 2010
tient bien son rang. Robe profonde tirant sur le noir,
bouquet complexe de fruits noirs, d'épices (poivre, clou de
girofle) et de boisé grillé, bouche généreuse, suave et
fraîche à la fois, aux tanins mûrs et fondus, tout indique
un vin d'une grande amabilité, à déguster dans les trois ans
à venir sur une viande rouge longuement mijotée. Le
second vin du château, le **Pervenche Puy Arnaud 2011**
(**11 à 15 € ; 12 000 b.**), à forte dominante de merlot, souple
et fruité, est cité.
☛ EARL Thierry Valette, 7, Puy-Arnaud,
33350 Belvès-de-Castillon, tél. 05 57 47 90 33,
fax 05 57 47 90 53, clospuyarnaud@orange.fr, ☑ ⋏ ⵏ r.-v.

CH. CÔTE MONTPEZAT Cuvée Compostelle 2010

■	64 000	▪▥	11 à 15 €

Établi sur l'une des voies dite « secondaire » de la
route de Compostelle, ce domaine ancien, fondé en 1620,
étend son vignoble sur 30 ha. Il propose un vin au nez
plaisant de fruits noirs agrémentés de nuances chocolatées. La bouche se révèle souple et fraîche, soutenue par
des tanins fondus. À boire dès à présent.
☛ SAS des Vignobles Bessineau, 8, Brousse, BP 42,
33350 Belvès-de-Castillon, tél. 05 57 56 05 55,
fax 05 57 56 05 56, bessineau@cote-montpezat.com,
☑ ⋏ ⵏ r.-v.

CH. LA CROIX DES FAURES 2010 ★

■	8 700	▪▥	- de 5 €

Transmis par les femmes depuis sept générations, ce
petit cru familial étend son vignoble sur 5,30 ha. Son 2010,
un pur merlot, est un vin de caractère, à la robe pourpre
foncé, au nez empyreumatique et fruité, solidement
structuré par des tanins serrés, par un boisé de qualité mais
encore dominant (noisette grillée, vanille, coco) et par une
fine acidité. Plaisir garanti après deux ou trois ans de
garde.
☛ Jeanine et Guy Latorre, 13, Bayard, 33570 Montagne,
tél. 05 56 71 54 51, fax 05 56 71 61 99,
mllatorre@netcourrier.com, ☑ ⋏ ⵏ r.-v.

CH. LA CROIX LARTIGUE 2010 ★

■	25 000	▥	20 à 30 €

Né en 2008 de l'association de trois œnologues
consultants, Stéphane Derenoncourt, Simon Blanchard et
Julien Lavenu, ce domaine signe un 2010 à la robe sombre
et intense, au nez bien ouvert sur les fruits rouges et le grillé
de la barrique. Le palais se montre charnu et puissant, bâti
sur des tanins soyeux, plus austères en finale. Une garde
de deux ou trois ans apportera une meilleure harmonie.
☛ SARL les Trois Origines, 11, Fillol,
33350 Sainte-Colombe, tél. 05 57 24 60 29,
fax 05 57 24 75 95, contact@derenoncourtconsultants.com,
☑ ⋏ r.-v.
☛ Fourcaud

CH. **FERRASSE** Cuvée des Moulins 2010

■	2 000	⊞	8 à 11 €

Cette propriété, dans la famille Massarin depuis 1951 et quatre générations, étend son vignoble de 33 ha en haut des coteaux de Castillon-la-Bataille. Elle propose un 2010 sombre, tirant vers le noir, au nez boisé (vanille) et un rien animal, plus fruité à l'aération. Souple en première approche, la bouche dévoile ensuite des tanins corsés et un peu austères, accompagnés par un boisé grillé qui doit encore se fondre. Ce vin a du potentiel ; il faudra l'attendre deux ou trois ans.

➤ Vignobles Massarin, 3, Ferrasse,
33350 Castillon-la-Bataille, tél. 05 57 40 06 12,
vignobles.massarin@orange.fr,
☑ ⚹ ⊤ r.-v.

♥ CH. **FONGABAN** 2010 ★★

■	100 000	⊞	5 à 8 €

Propriété de la famille Taïx depuis 1932, Fongaban est une valeur sûre en castillon-côtes-de-bordeaux, mais aussi en puisseguin-saint-émilion, son vignoble étant idéalement situé sur le plateau argilo-calcaire couvrant les deux secteurs. Pierre Taïx ajoute avec ce 2010 magnifique un quatrième coup de cœur à son palmarès (dans les deux appellations). La robe est noire, dense, profonde : l'annonce d'un bouquet naissant mais déjà complexe de fruits rouges et noirs en confiture, de réglisse et de boisé fumé et toasté. Suave et ronde en attaque, la bouche monte en puissance et se fait plus concentrée, portée par des tanins serrés et corsés et par un boisé très élégant qui ne maquille pas le vin. Un ensemble généreux et de longue garde, armé pour la décennie.

➤ Ch. Fongaban, Monbadon, 33570 Puisseguin,
tél. 05 57 74 54 07, fax 05 57 74 50 97,
fongaban@vignobles-taix.com, ☑ ⊤ r.-v.

➤ Pierre Taïx

L'ÂME DE **FONTBAUDE** 2010

■	2 500	⊞	15 à 20 €

Cette petite cuvée de merlot a connu dix-huit mois de barrique, un élevage ambitieux qui marque la dégustation de son empreinte toastée et vanillée, les fruits rouges mûrs perçant à l'aération. D'une bonne densité et étayé par des tanins fermes et serrés, le palais offre suffisamment de corps pour digérer le bois. Deux ou trois ans de garde seront nécessaires.

➤ GAEC Sabaté, 34, rue de l'Église,
33350 Saint-Magne-de-Castillon, tél. 05 57 40 06 58,
fax 05 57 40 26 54, chateau.fontbaude@wanadoo.fr,
☑ ⚹ ⊤ r.-v.

CH. **GOUBAU** La Source 2010 ★

■	17 517	⊞	11 à 15 €

Béatrice et Stéphane Goubau ont repris ce domaine d'une douzaine d'hectares en 2005, et lui ont donné leur nom (anciennement château Gerbaÿ). Ils ont restructuré le vignoble, l'ont converti au bio (certification prévue pour le millésime 2012), et modernisé les infrastructures de vinification et d'élevage. Leurs efforts ont rapidement porté leurs fruits, témoin le coup de cœur obtenu pour leur grand vin 2008. Cette cuvée, née en partie de parcelles voisines d'une source naturelle, a séduit les dégustateurs par sa robe pourpre intense, par ses parfums harmonieux de fruits noirs, d'épices et de boisé fin, et par son palais soyeux, gras, aux tanins enrobés. D'un caractère déjà aimable, elle s'appréciera mieux encore dans deux ou trois ans.

➤ SCEA des Vignobles Goubau, 78, Gerbaÿ,
33350 Gardegan-et-Tourtirac, tél. 05 57 40 27 16,
fax 05 57 40 66 39, bea.goubau@telenet.be, ☑ ⚹ ⊤ r.-v.

CH. **GRAND TERTRE** 2010

■	15 000		5 à 8 €

Ce 2010, né du seul merlot, se présente dans une robe grenat soutenu. Il dévoile un bouquet chaleureux de fruits noirs agrémentés de nuances toastées et épicées. La bouche, d'un bon volume, se montre elle aussi généreuse, portée par des tanins bien présents mais encore un peu austères. Deux ou trois ans de garde harmoniseront l'ensemble.

➤ SA Vignobles Rollet, Ch. Fourney ,
33330 Saint-Pey-d'Armens, tél. 05 57 47 10 20,
fax 05 57 47 10 50, contact@vignoblesrollet.com,
☑ ⚹ ⊤ r.-v.

CH. **GRIMON** Élevé en barrique de chêne 2010 ★

■	28 000	⊞	5 à 8 €

Gilbert Dubois signe un 2010 à forte dominante de merlot (90 %) qui séduit d'emblée par sa couleur rubis brillant. Le charme continue d'opérer à l'olfaction, portée sur les fruits frais (cassis, cerise) agrémentés d'une touche de tabac. Dans la continuité du bouquet, avec quelques notes épicées et vanillées en plus, la bouche suit une ligne souple et franche, sans à-coups, étayée par des tanins fins et par une jolie fraîcheur. Un vin équilibré, à boire dans les trois ans à venir.

➤ Gilbert Dubois, Ch. Grimon,
33350 Saint-Philippe-d'Aiguille, tél. 05 57 40 65 19,
chateaugrimon@orange.fr, ☑ ⊤ r.-v.

CH. **HYOT** 2011 ★

■	200 000	▮	- de 5 €

Cette ancienne propriété était déjà plantée de vignes sous le règne de Louis XVI, vignes dans lesquelles des députés girondins se cachèrent pendant la Révolution. Des ceps de merlot (60 %) et de cabernets (40 % de franc, 10 % de sauvignon) sont à l'origine de ce 2011 expressif, bien fruité, floral et épicé. Tout aussi aromatique (griotte, cassis) et sous-tendue par une agréable fraîcheur, la bouche plaît par son côté charnu, son volume et le soyeux de ses tanins. Une bouteille déjà très accorte, à déguster dans les deux ou trois ans à venir.

➤ Alain Aubert, 57 bis, av. de l'Europe,
33350 Saint-Magne-de-Castillon, tél. 05 57 40 04 30,
fax 05 57 56 07 10, domaines.a.aubert@wanadoo.fr

CH. LABESSE Élevé en fût de chêne 2010 ★

■	80 000	ⅢⅡ	5 à 8 €

Berceau de la famille Aubert depuis 1750, ce domaine propose un 2010 bien construit autour d'un assemblage classique de merlot et de cabernet franc (80/20). La robe est pourpre et dense. Le nez mêle les fruits noirs, les épices et une note fraîche de poivron bien typée cabernet. Le palais, à l'unisson, se montre souple en attaque, plus structuré dans son développement. Un vin équilibré, à ouvrir d'ici deux ou trois ans.

☛ Vignobles Aubert, Ch. la Couspaude, BP 40, 33330 Saint-Émilion, tél. 05 57 40 15 76, fax 05 57 40 10 14, vignobles.aubert@wanadoo.fr, ☑ r.-v.

CH. LAGRANGE-MONBADON 2010 ★★

■	120 000	ⅰ	- de 5 €

Ce domaine de 30 ha est situé autour de l'autre propriété des Montfort et dans la famille du propriétaire actuel depuis 1602, le château féodal de Monbadon, bâti au XIVᵉs. par Edouard III, roi d'Angleterre. Le merlot (70 %) et le cabernet, conduits en agriculture biologique (conversion en cours), y ont donné naissance à ce 2010 d'abord sur la réserve, ouvert sur le cassis après agitation. Ample et longue, la bouche dévoile une chair douce et généreuse qui enrobe des tanins puissants mais sans dureté. Dans deux ou trois ans, ce vin de caractère formera un bon accord avec du gibier en sauce. Le **Ch. Monbadon 2010 (5 à 8 € ; 40 000 b.)**, boisé, vigoureux, encore un peu sévère, obtient une étoile. On l'attendra un peu plus longtemps.

☛ SCEA Baron de Montfort, Ch. du Rocher, 33330 Saint-Étienne-de-Lisse, tél. 05 57 40 18 20, fax 05 57 40 37 26, contact@baron-de-montfort.com, ☑ ⚲ ⵎ r.-v.

CH. LAMARTINE L'Excellence 2010 ★

■	12 000	ⅢⅡ	8 à 11 €

Jérôme Gourraud a repris en 1990 ce vignoble familial créé en 1977, qui couvrait 4 ha à l'origine et en compte plus de 19 ha aujourd'hui. Il signe un 2010 de couleur rubis soutenu, au nez de fruits noirs mûrs, d'épices et de toasté. On retrouve ces sensations dans une bouche ronde et souple, aux tanins soyeux et fondus. Une bouteille harmonieuse, à déguster dans les deux ans à venir. Élevée en cuve, la **cuvée principale 2010 (5 à 8 € ; 80 000 b.)**, friande et fruitée, est citée et déjà prête.

☛ EARL Gourraud, 1, la Nauze, 33350 Saint-Philippe-d'Aiguille, tél. 05 57 40 60 46, fax 05 57 40 66 01, chateaulamartine@orange.fr, ☑ ⚲ ⵎ t.l.j. 9h-12h 14h-18h 🏠 ⑬

CH. LAPEYRONIE 2010

■	5 000	ⅢⅡ	8 à 11 €

Ce petit domaine familial de 4 ha est en conversion bio. Il permet à Hélène Thibaud-Lapeyronie, enseignante en œnologie, de passer de la théorie à la pratique. Le résultat est convaincant avec ce 2010 grenat intense, au bouquet délicatement fruité, agrémenté de nuances minérales et fumées. Généreuse et riche, la bouche suit la même ligne fruitée et finement boisée, soutenue par des tanins souples qui autorisent une dégustation dès l'automne.

☛ Jean-Frédéric Lapeyronie, 9, Zelatte, 33350 Gardegan-et-Tourtirac, tél. 05 57 40 19 27, chateaulapeyronie@hotmail.fr, ☑ ⚲ ⵎ r.-v.

♥ CH. DE LAUSSAC 2010 ★★

■	70 000	ⅢⅡ	11 à 15 €

GRAND VIN DE BORDEAUX

Château de Laussac

2010

Cette ancienne ferme construite au début du XXᵉs. s'est progressivement constituée en exploitation viticole, passant de trois barriques à ses débuts, en 1959, à 10 ha dans les années 1980, et enfin à 28 ha aujourd'hui. Depuis 2004, Alexandra Robin (Rol Valentin en saint-émilion grand cru, Clos Vieux Taillefer en pomerol) est aux commandes, avec deux autres associés. Les nombreux investissements réalisés à la vigne et au chai portent leurs fruits et, millésime après millésime, le domaine s'impose comme une valeur sûre de l'appellation. La consécration arrive avec ce 2010 en robe dense, noir d'encre, animée de reflets grenat. Le bouquet, intense, mêle les fruits noirs et rouges mûrs à souhait à un boisé élégant, qui reste sagement à sa place, au nez comme en bouche, appui et non maquillage. Tout aussi expansif, le palais se montre généreux, onctueux et gras, soutenu par des tanins puissants mais soyeux et par une acidité fine et fondue qui confère un surcroît de longueur et de vigueur à la finale. Un modèle d'équilibre en somme, qui a l'avenir (cinq à dix ans) devant lui. La **Cuvée Sacha 2010 (20 à 30 € ; 3 000 b.)**, ample, dense, riche et un rien plus boisée, a également participé au grand jury des coups de cœur. Elle obtient deux étoiles et pourra elle aussi patienter une décennie en cave.

☛ SARL la comtesse de Laussac, lieu-dit Laussac, 33350 Saint-Magne-de-Castillon, tél. 05 57 40 13 76, fax 05 57 40 43 54, contact@vignoblesrobin.com, ☑ ⚲ ⵎ r.-v.
☛ A. Robin, J. Guyon, Y. Vatelot

CH. MANOIR DU GRAVOUX Cuvée la Violette 2010 ★

■	15 000	ⅢⅡ	11 à 15 €

Lors de la création de cette cuvée en 2002 et des premières dégustations, Philippe et Séverine Émile ont perçu des senteurs de violette typiques du merlot (80 % de l'assemblage au côté du cabernet franc). Quant au 2010, les jurés y ont deviné des parfums de noyau de cerise, de cassis et de cacao. En bouche, ils ont décrit un vin opulent mais sans lourdeur, étayé par de solides tanins qui donnent du relief à la finale. Ils conseillent deux ou trois ans de garde pour l'apprécier pleinement.

☛ Philippe Émile, 5, Le Gravoux, 33350 Saint-Genès-de-Castillon, tél. et fax 05 57 47 93 32, emileseverine@yahoo.fr, ☑ ⚲ ⵎ t.l.j. sf dim. 9h-20h; f. fin août

CH. MOYA 2010 ★★

■	35 000	ⅢⅡ	11 à 15 €

Déjà remarqué l'an dernier pour son premier millésime sur ces terres acquises en 2009, David Curl (également propriétaire du Ch. Gaby à Fronsac) confirme le beau potentiel de ce domaine de 8 ha en conversion bio. Il signe un 2010 tout aussi remarquable, qui privilégie toujours autant le merlot (93 %) au côté du cabernet-sauvignon. La robe est profonde, sombre et dense. Le nez s'ouvre d'abord sur un boisé élégant, aux accents fumés, puis l'agitation révèle des parfums de noyau de cerise et de pruneau. D'une douceur presque moelleuse en attaque, le palais monte progressivement en puissance, porté par des tanins fins et veloutés. Un vin distingué et équilibré, à découvrir à partir de 2016.

☛ SCEA Vignobles Famille Curl, Ch. Gaby, lieu-dit Gaby, 33126 Fronsac, tél. 05 57 51 24 97, fax 05 57 25 18 99, contact@chateau-dugaby.com, ☑ 📍 ⵌ r.-v. 🏠 🅖

CH. LA NAUZE Identité 2010 ★★

■	6 000	📦 ⵌ	11 à 15 €

Depuis sa reprise en 2007 par les Verfaillie, anciens commerçants dans l'Oise, ce domaine vit une seconde jeunesse et s'impose comme l'une des valeurs sûres de l'appellation. Le nom du château rend hommage à Pierre Combret de La Nauze, ingénieur agronome qui, au XVIIIᵉ s., convertit à la viticulture les habitants de Puisseguin, alors plutôt tournés vers la culture du blé. Les ceps ont depuis largement colonisé le tertre parsemé d'anciennes carrières de pierre qui prolonge le plateau de Saint-Émilion. Jean-Marc Domme, œnologue placé à la tête de la propriété depuis 2008, y conduit un petit vignoble de 7,5 ha, dont 2 ha dédiés à cette cuvée née de vieux merlots (90 %) et de cabernets. Une superbe robe grenat foncé habille ce 2010 au nez de fruits noirs, de sous-bois et de toasté léger. Douce, ample et délicate, adossée à des tanins soyeux, la bouche maintient l'équilibre entre le fruité et le boisé et s'étire en une longue finale. Ce vin déjà harmonieux gagnera encore en complexité après deux à quatre ans de garde. Déjà prête, la cuvée **Premium 2010 (5 à 8 € ; 34 000 b.)**, riche, ronde et fruitée, obtient une étoile.

☛ SCEA Viticœur, rte de Monbadon, 33570 Puisseguin, tél. et fax 05 57 40 49 81, chateau-lanauze@orange.fr, ☑ 📍 ⵌ r.-v.
☛ Verfaillie

COLOMBE DE PEYROU 2010 ★

■	20 000	📦	8 à 11 €

Catherine Papon-Nouvel est bien connue des lecteurs pour ses saint-émilion grands crus souvent remarquables (Clos Saint-Julien, Petit Gravet Aîné, Gaillard). Elle a aussi fait de ce domaine de 10 ha l'une des références des castillon-côtes-de-bordeaux, quatre coups de cœur venant attester la qualité de ses vins (le dernier en date de l'an dernier pour la cuvée principale 2009). C'est la cuvée Colombe qui se distingue cette année : un 2010 à forte dominante de merlot (90 %), qui dévoile un nez chaleureux de fruits mûrs, cerise noire et cassis en tête. Une même intensité fruitée caractérise le palais, ample, gras, long et solidement structuré. Une bouteille qui prouve que le vin peut avoir du caractère sans passer par la barrique. Plus sévère et quant à elle dominée par le bois, la **cuvée principale 2010 (11 à 15 € ; 26 000 b.)** est citée. On lui laissera au moins deux ou trois ans pour s'affiner.

☛ Catherine Papon, 6 chem. de Peyrou, 33350 Saint-Magne-de-Castillon, tél. 06 11 91 03 54, catherine.peyrou@wanadoo.fr, ☑ 📍 ⵌ r.-v.

CH. LA PIERRIÈRE Cuvée prestige 2010 ★★

■	n.c.	ⵌ	5 à 8 €

L'une des plus anciennes propriétés du Castillonnais, commandée par un « vrai » château, dont les fondations datent du XIIIᵉ s. Le merlot (75 %) et le cabernet franc y ont donné naissance à un 2010 remarquable d'équilibre. La robe est d'un beau rouge limpide et brillant. Le nez, d'une grande netteté, mêle harmonieusement les fruits noirs mûrs à des nuances florales et à un boisé élégant et mesuré. Une même symphonie règne en bouche, entre le fruit et le merrain, entre la fraîcheur, l'alcool et les tanins, denses, puissants mais sans dureté. Un vin sans accroc, pur et complet, à déguster aussi bien jeune (deux ou trois ans) que vieux (huit à dix ans).

☛ Olivier de Marcillac, Ch. La Pierrière, 33350 Gardegan-et-Tourtirac, tél. 05 57 47 99 77, fax 05 17 47 47 02, contact@chateau-la-pierriere.com, ☑ 📍 ⵌ r.-v.
☛ GFA La Pierrière

CH. PILLEBOIS Vieilles Vignes 2010 ★

■	13 000	ⵌ	8 à 11 €

Acquis en 1986 par Marcel Petit, ce domaine de 11 ha est aujourd'hui conduit par son fils, Jean-Pierre Toxé. Une large place est faite au merlot dans ce 2010, le cépage entrant à hauteur de 90 % dans l'assemblage. Pourpre soutenu à l'œil, sur les fruits à l'alcool et le boisé vanillé à l'olfaction, gras et souple en bouche ; étayé par des tanins mûrs et sapides, ce vin bien typé sera prêt à boire dans deux ou trois ans.

☛ SCEA des Vignobles Marcel Petit, 6, chem. de Pillebois, 33350 Saint-Magne-de-Castillon, tél. 05 57 40 33 03, fax 05 57 40 06 05, contact@vignobles-petit.com, ☑ 📍 ⵌ r.-v. 🏠 🅓
☛ Jean-Pierre Toxé

CH. PUY-GALLAND Élevé en fût de chêne 2011 ★

■	1 000	ⵌ	5 à 8 €

Très régulier en qualité, les vins de Bernard Labatut et de son fils David, associés depuis 2010, sont souvent au rendez-vous du Guide. Ce pur merlot a fait belle impression. D'emblée charmeur dans sa robe dense aux reflets violines, il livre un bouquet épanoui et généreux de fruits rouges et noirs compotés. Ample et très expressif également, le palais offre un mariage très réussi entre puissance tannique et rondeur, entre fruité mûr et boisé fondu. Un vin plein et long, à attendre deux ou trois ans, et armé pour une plus longue garde.

☛ SCEA Vignobles Labatut, 12, Le Bourg, 33570 Saint-Cibard, tél. et fax 05 57 40 63 50, vignobleslabatut@orange.fr, ☑ 📍 ⵌ r.-v.

CH. PUY GARANCE 2011 ★

■	33 333	📦	- de 5 €

Racheté en 2011 par la famille Bockmeulen, ce cru de 17 ha propose un 2011 grenat dense et profond, qui séduit d'emblée par son bouquet épanoui de fruits noirs bien mûrs. Une impression de douceur fruitée que reprend à son compte une bouche ample et charnue, aux tanins souples et fondus. Un vin plein d'aménité, que l'on appréciera dès l'automne mais qui pourra se garder deux ou trois ans. Il devrait s'entendre avec une entrecôte sauce marchand de vin ou avec une terrine de gibier.

●┰ SCEA Vignobles Bockmeulen, Ch. Claud-Bellevue,
31, Le Bourg, 33350 Belvès-de-Castillon, tél. 05 57 49 48 23,
vignoblesbockmeulen@orange.fr

COUP DE FOUDRE BY ROC 2010 ★★

| ■ | 5 960 | ⦿ | 20 à 30 € |

Roc, petit domaine de 10 ha, a été acquis en 2008 par
Éric Prissette, ancien footballeur professionnel reconverti
dans la viticulture (il exploite aussi dans le Languedoc la
Villa Symposia). L'homme manie aussi bien le sécateur que
le ballon, et signe un très beau 2010 élevé exclusivement en
foudres de 30 hl. La robe est rubis soutenu. Le nez évoque
une corbeille de fruits rouges rehaussés d'une pointe d'épices et d'un fin vanillé. Dans le prolongement du bouquet, le
palais offre beaucoup de volume et de souplesse, soutenu
par des tanins soyeux et délicats. Un vin déjà très affable,
que l'on pourra laisser vieillir de trois à cinq ans pour lui
permettre de gagner en complexité. La cuvée classique
2010 (15 à 20 € ; 22 000 b.), plus boisée, est citée.
●┰ Éric Prissette, 1, Montpezat, 33350 Belvès-de-Castillon,
tél. et fax 05 57 40 07 31, vignoblesprissette@orange.fr,
☑ ⅄ ⅄ r.-v.

CH. LA ROCHE BEAULIEU 2010 ★

| ■ | n.c. | ■ | 5 à 8 € |

Jean-Claude Aubert (La Couspaude, grand cru
classé de Saint-Émilion) et Michel Querre (Le Moulin à
Pomerol) se sont associés en 2009 pour reprendre cette
propriété qu'ils restructurent à la vigne et au chai. Les
investissements portent rapidement leurs fruits, et voici un
2010 bien sous tous rapports : robe grenat aux reflets
bruns, nez ouvert sur les fruits et les épices, avec une
touche de poivron bien typée cabernet, bouche équilibrée,
souple, soyeuse et d'un bon volume. À boire d'ici deux ou
trois ans. La cuvée **Aster de Beaulieu 2010 (11 à 15 € ;
12 000 b.)**, sélection des meilleures parcelles du domaine
et élevée en fût, est citée pour son boisé vanillé bien
maîtrisé et pour ses tanins bien extraits.
●┰ SCEA Ch. la Roche Beaulieu,
chem. du Moulin-de-Lavaud, 33500 Pomerol,
tél. 05 57 55 19 60, fax 05 57 51 12 53,
contact@vignobles-querre.com, ☑ ⅄ ⅄ r.-v.

DOM. DES ROCHERS 2010

| ■ | 10 200 | ■ | 5 à 8 € |

Dans la famille Darribéhaude depuis sa création en
1860, ce domaine étend ses 18,88 ha de vignes sur les
coteaux et le plateau de Saint-Laurent-des-Combes où
affleure la roche. Le merlot y a donné naissance à ce 2010
plaisant, discrètement fruité à l'olfaction, plus expressif en
bouche, généreux, souple et suave. Un vin harmonieux et
prêt à boire.
●┰ SE des Vignobles Darribéhaude, 1, lieu-dit Le Sable,
33330 Saint-Laurent-des-Combes, tél. 05 57 24 70 04,
fax 05 57 74 46 14 ☑ ⅄ ⅄ r.-v.

♥ CH. LA RONCHERAIE 2010 ★★

| ■ | 3 000 | ⦿ | 15 à 20 € |

Acquis en 2010 par Jean-Claude Sarrouy, ce petit
domaine de 7,5 ha fait une entrée fracassante dans le Guide
et décroche un coup de cœur avec le premier millésime de
son nouveau propriétaire ! Issu de vignes de merlot âgées
de trente ans, ce vin se présente dans une élégante robe
pourpre sombre. Le bouquet, complexe, s'ouvre à l'aération sur les fruits rouges frais et sur les épices associés à un

GRAND VIN DE BORDEAUX

CHATEAU
LA RONCHERAIE

2010

VIGNOBLE SARROUY

boisé fin et bien ajusté. Souple et douce en attaque, la
bouche se montre généreuse et charnue, étayée par des
tanins puissants mais soyeux et par un boisé si fondu qu'il
est presque imperceptible. En finale, une fine vivacité vient
apporter un surcroît de dynamisme et de longueur, et laisse
augurer une belle garde (quatre ou cinq ans). La cuvée **Le
Paradoxe 2010 (8 à 11 € ; 24 000 b.)**, plus « facile », souple
et fruitée, est citée. On l'ouvrira dès l'automne.
NOUVEAU PRODUCTEUR

●┰ SCEA Ch. la Roncheraie, lieu-dit Terrasson,
33350 Belvès-de-Castillon, tél. 05 57 47 92 20,
fax 05 57 47 91 68, chateau.laroncheraie@wanadoo.fr,
☑ ⅄ ⅄ r.-v.
●┰ J.-C. Sarrouy

CH. ROQUEVIEILLE Cuvée Excellence 2010 ★

| ■ | 19 732 | ⦿ | 11 à 15 € |

Cette cuvée met le merlot à l'honneur (90 % de
l'assemblage, avec le cabernet franc en complément).
Parée d'une robe sombre, de couleur pruneau, elle livre
des parfums intenses de pain grillé hérités de douze mois
de barrique, accompagnés à l'aération de notes de fruits
noirs. La bouche attaque en souplesse et en douceur, puis
monte en puissance, portée par des tanins vigoureux mais
dénués d'agressivité. Un vin ample et bien structuré, à
attendre deux à quatre ans. La **cuvée principale 2010
(8 à 11 € ; 76 000 b.)** donne plus de place aux cabernets
(30 %) et affiche une belle charpente qui lui permettra de
rester en cave trois ou quatre ans.
●┰ Palatin, Ch. Roquevieille, 33350 Saint-Philippe-d'Aiguille,
tél. 05 57 40 67 27

VALMY DUBOURDIEU LANGE 2010 ★

| ■ | 10 000 | ■⦿ | 11 à 15 € |

Nous sommes ici au château de Chainchon, propriété de la famille Érésué depuis le XIXᵉs. Et c'est au
grand vin du domaine que nous avons affaire, un 100 %
merlot issu de vieilles vignes de quarante-cinq ans et une
valeur sûre de l'appellation. Le 2010 se présente dans une
robe intense et profonde, noir d'encre, et dévoile un
bouquet naissant de réglisse, de cuir, de fruits noirs et de
toasté. La bouche apparaît puissante et corsée, étayée par
des tanins serrés prometteurs pour la garde, enrobés des
notes cacaotées de la barrique. À attendre au moins deux
ou trois ans pour obtenir un meilleur fondu. On réservera
le même temps de garde au **Ch. Chainchon 2010 Le
Prestige (5 à 8 € ; 10 000 b.)**, plus souple, mais tout de
même solidement charpenté, dense et concentré, qui
obtient également une étoile.
●┰ Vignobles Érésué, Ch. de Chainchon,
33350 Castillon-la-Bataille, tél. 05 57 40 14 78,
fax 05 57 40 25 45, chainchon@wanadoo.fr, ☑ ⅄ ⅄ r.-v.

Francs-côtes-de-bordeaux

Superficie : 535 ha
Production : 28 125 hl (99 % rouge)

S'étendant à 12 km à l'est de Saint-Émilion, sur les communes de Francs, Saint-Cibard et Tayac, le vignoble de l'appellation (anciennement bordeaux-côtes-de-francs) bénéficie d'une situation privilégiée sur des coteaux argilo-calcaires et marneux parmi les plus élevés de la Gironde.

CH. LES CHARMES-GODARD 2011 ★

	12 000	⏸	15 à 20 €

Comme toujours, Nicolas Thienpont privilégie dans son blanc le sémillon, qui représente 70 % de l'assemblage au côté du sauvignon (25 %) et d'un soupçon de muscadelle. Et comme souvent, l'étoile est au rendez-vous. Elle distingue ici un vin jaune pâle au nez complexe de vanille, de cire d'abeille, de fleurs blanches et de fruits exotiques. Ample et frais en attaque, le palais, conformément au style recherché, offre ensuite plus de rondeur et de gras, rappelant la présence majoritaire du sémillon. Mais l'équilibre se maintient grâce à une fine vivacité en soutien. Une bouteille harmonieuse, à déguster dans les deux ou trois ans à venir, sur une volaille ou sur un poisson en sauce. Également signé Thienpont, le **Ch. la Prade 2010 rouge (11 à 15 € ; 18 000 b.)**, boisé sans excès, tannique sans dureté, frais et d'une bonne longueur, obtient lui aussi une étoile. À déboucher dans les trois ou quatre prochaines années.

☎ Ch. les Charmes-Godard, 33570 Saint-Cibard, tél. 05 57 56 07 47, fax 05 57 56 07 48, charmes-godard@nicolas-thienpont.com, ☑ ⚹ ⵏ r.-v.

☎ Nicolas Thienpont

♥ Ⓑ CH. CRU GODARD 2010 ★★

	50 000	▮	5 à 8 €

GRAND VIN DE BORDEAUX

CHATEAU

Cru Godard

2 0 1 0

FRANCS
CÔTES DE BORDEAUX

AB

CARINE & FRANCK RICHARD

Sur cette terre de rouges, ce cru s'illustre régulièrement par ses blancs ; les lecteurs se souviendront peut-être d'un coup de cœur pour un moelleux 2005 d'exception il y a quelques éditions de cela. Honneur au merlot et au cabernet cette année, cultivés en bio et associés à parts égales dans ce 2010. Pas de bois mais du fruit – beaucoup de fruit, c'est ce qui a séduit les dégustateurs. Derrière le pourpre éclatant de sa robe, ce vin déploie des parfums intenses – « très rive droite » selon un juré – de fruits rouges et noirs mûrs, presque confits. La bouche, ample et longue, affiche un fruité imposant aux accents de cerise cuite qui lui confère beaucoup de suavité et de délicatesse.

Déjà très accorte, ce vin pourra aussi patienter de trois à cinq ans en cave. On le verrait bien accompagner un cuissot de chevreuil aux airelles.

☎ Richard, Godard, 33570 Francs, tél. 05 57 40 65 94, fax 09 70 61 01 37, cru.godard@wanadoo.fr, ☑ ⚹ ⵏ r.-v.

CH. FRANC-CARDINAL 2010

▪	60 000	⏸	5 à 8 €

Acquis en 2001 par Philip Holzberg, Canadien d'origine et aujourd'hui disparu, ce petit domaine de 9,7 ha est conduit par son épouse Sophie. Celle-ci signe un 2010 issu à majorité de merlot, accompagné de cabernet franc et d'une pointe de malbec. Au nez, les petits fruits rouges frais se marient à un boisé fin. La bouche se révèle fraîche et souple, sans excès d'extraction. Un francs au style léger et gourmand, à déguster dès aujourd'hui sur un onglet sauce marchand de vin.

☎ EARL du Cardinal, 2, Nardou, 33570 Tayac, tél. 05 57 40 63 39, fax 05 57 40 61 75, sophie@chateau-franc-cardinal.com, ☑ ⚹ ⵏ r.-v.

☎ Holzberg

CH. DE FRANCS Les Cerisiers
Élevé en fût de chêne 2010 ★★

	75 000	⏸	8 à 11 €

L'appellation n'est malheureusement pas très connue, néanmoins quelques vignerons de renom ont depuis longtemps perçu le potentiel viticole, à l'image de Dominique Hébrard (un des anciens propriétaires de Bellefont-Belcier) et Hubert de Boüard (Angelus), propriétaires du château de Francs et de ses 37 ha de vignes depuis bientôt trente ans. Le Guide s'est fait le témoin de la qualité de leurs vins, avec plusieurs coups de cœur décernés. Le 2010 tient son rang. Après avoir bénéficié d'un élevage luxueux de dix-huit mois en barrique, ce vin issu à 90 % de merlot dévoile un bouquet de fruits rouges mûrs, de vanille et de toasté accompagnés par une petite touche de poivron typé cabernet. Fraîche et souple en attaque, la bouche monte en puissance, portée par des tanins vigoureux mais jamais agressifs, enrobés par une chair tendre et soyeuse. Un vin de garde assurément, armé pour la décennie.

☎ Hébrard – de Boüard, Ch. de Francs, 29, Le Bourg, 33570 Francs, tél. 05 57 40 65 91, fax 05 57 40 63 04, chateaudefrancs@terre-net.fr, ☑ ⚹ ⵏ r.-v.

L'EXCUSE DU CH. GARONNEAU
Élevé en fût de chêne 2010 ★

	6 000	⏸	8 à 11 €

À l'issue d'une dégustation de vins en barrique qui s'était quelque peu éternisée, l'un des invités de Jean-Michel Roussille avait pris un échantillon pour apporter à son épouse « l'excuse » de son retard. Cette cuvée était née. Elle associe 60 % de merlot et 40 % de cabernet-sauvignon. Parée d'une belle robe noire aux reflets violets, qui rappelle l'encre des écoles d'autrefois, elle dévoile des parfums subtils de crème de cassis, de chocolat et d'épices douces, que relaie un palais équilibré, adossé à des tanins fins. À boire dans trois ou quatre ans sur de la poitrine de veau farcie, par exemple.

☎ EARL Roussille, Ch. de Garonneau, 33570 Saint-Cibard, tél. et fax 05 57 40 60 74, chateaudegaronneau@wanadoo.fr, ☑ ⚹ ⵏ r.-v.

CH. GUILLON-NARDOU Élevé en fût de chêne 2010 ★

| ■ | 4 000 | ⏥ | 8 à 11 € |

Michel Guillon propose deux versions du 2010, l'une élevée en fût, l'autre en cuve. La première, née du merlot (70 %) et du cabernet-sauvignon, revêt une robe grenat aux éclats bleutés. Elle offre à l'olfaction un mariage heureux du bois (torréfaction) avec le fruit (cassis, mûre). La bouche se révèle enveloppante et suave, avec des tanins ronds et un boisé élégant en soutien, le tout souligné par une fine vivacité. Autant d'atouts pour un bon vieillissement (quatre ou cinq ans). La cuvée principale **2010 rouge (moins de 5 € ; 40 000 b.)** ajoute 20 % de cabernet franc à son assemblage. Elle est citée pour son fruité rehaussé d'épices et pour ses tanins caressants. On la boira plus jeune.

☛ Michel Guillon, Berlière, 33570 Montagne, tél. et fax 05 57 74 46 24, wine33@hotmail.fr, ☑ ⚔ ⏏ r.-v.

L'ÉDEN DE LAPEYRONIE 2010 ★

| ■ | 5 000 | ⏥ | 8 à 11 € |

Ce petit cru familial est un « terrain d'application » pour Hélène Thibaud-Lapeyronie. Cette enseignante en œnologie a engagé la conversion bio de son domaine – 2 ha de vignes équitablement réparties entre le merlot et les deux cabernets. La totalité de la vendange entre dans cet Éden qui s'ouvre à l'aération sur des notes de fruits rouges frais et d'épices douces. Franche et vive, portée par des tanins fins, la bouche garde le même ton fruité et épicé, des notes de truffe et de boisé fondu apportant un surcroît de complexité. Déjà fort plaisant, ce vin pourra être servi dès l'automne sur un rosbif et sa poêlée de cèpes.

☛ Jean-Frédéric Lapeyronie, 9, Zelatte, 33350 Gardegan-et-Tourtirac, tél. 05 57 40 19 27, chateaulapeyronie@hotmail.fr, ☑ ⚔ ⏏ r.-v.

☛ D. Charrier

CH. MARSAU 2010 ★

| ■ | 35 000 | ⏥ | 11 à 15 € |

Le terroir d'argiles souvent profondes et l'encépagement 100 % merlot ont convaincu Jean-Marie Chadronnier, négociant réputé de la place de Bordeaux, d'acquérir en 1994 ce domaine de 12 ha. Un vignoble conduit en famille – père, mère, fils et belle-fille – sous la responsabilité technique de Romaric Hardy. Ce dernier a vinifié un 2010 au bouquet discret mais non dénué de charme avec ses tonalités épicées (cannelle), vanillées et toastées. Le palais attaque sur la fraîcheur avant de dévoiler une chair ronde et veloutée adossée à des tanins souples et soyeux. Un vin équilibré et long, à remiser deux ou trois ans en cave.

☛ Famille Chadronnier, SC Ch. Marsau, Bernarderie, 33570 Francs, tél. 06 09 71 22 35, fax 05 56 44 30 49, jm.chadronnier@gmail.com, ☑ ⚔ ⏏ r.-v.

CH. LE PRIOLAT 2010 ★

| ■ | 24 000 | ■⏥ | 15 à 20 € |

Viviane et André Vossen originaires de Belgique sont, comme nombre de leurs concitoyens, amateurs de bordeaux ; ils aiment aussi les vieilles pierres. L'acquisition de ce très vénérable château (plus de mille ans d'histoire !) leur a permis de conjuguer ces deux passions. Côté cave, ils proposent un 2010 d'un beau pourpre soutenu au nez intense de fruits mûrs et de boisé torréfié agrémenté d'une originale touche iodée. La bouche se révèle à la fois vive, puissante et charnue, soutenue par des tanins de qualité prometteurs pour la garde. À attendre trois à cinq ans. Le ferme et tannique **Ad Francos 2010 (20 à 30 € ;**

6 000 b.)** est cité et patientera en cave pendant le même temps.

☛ SCEA Ad Francos, Ch. Ad Francos, 33570 Francs, tél. 0032 475 763682 ☑ ⚔ ⏏ r.-v.

☛ André et Viviane Vossen

CH. PUYANCHÉ 2011 ★

| ■ | 3 800 | ⏥ | 5 à 8 € |

Après un coup de cœur obtenu l'an dernier par leur rouge 2009 du château Godard-Bellevue, Joseph et Bernadette Arbo se distinguent cette année avec le blanc du château Puyanché, qui donne le premier rôle au sauvignon (85 %), avec le sémillon à son côté. Tout ici est affaire d'équilibre : au nez, entre le vanillé et le grillé de la barrique et les expressions florales et fruitées (fleurs blanches, pêche, agrumes, fruits exotiques) des cépages, ainsi qu'en bouche, entre la fraîcheur du sauvignon et le gras du sémillon. Un vin ample et harmonieux, à déguster dans les trois années à venir sur une viande blanche à la crème. Le **rouge 2010 Sélection (12 000 b.)**, fruité et bien structuré, est cité, de même que le **Ch. Godard-Bellevue 2010 rouge Élevé en fût de chêne (8 à 11 € ; 60 000 b.)**, généreusement bouqueté (fruits noirs, chocolat, épices) au nez, équilibré en bouche entre boisé fondu et tanins souples.

☛ EARL Arbo, Godard, 33570 Francs, tél. et fax 05 57 40 65 77, earl.arbo@wanadoo.fr, ☑ ⚔ ⏏ r.-v.

CH. PUY-GALLAND 2011 ★

| ■ | 24 000 | ⏥ | 5 à 8 € |

En 2010, Bernard Labatut et son fils David se sont associés pour créer les Vignobles Labatut et pour vinifier désormais dans trois appellations : francs-côtes-de-bordeaux (la partie principale du vignoble), castillon-côtes-de-bordeaux et lussac-saint-émilion. Fidèles au rendez-vous du Guide, ils signent un 2011 à dominante de merlot (90 %). Ce cépage et un élevage en barrique de douze mois confèrent au bouquet des accents de fruits mûrs, de violette, de pain d'épice et de caramel. En bouche, le vin apparaît structuré en souplesse, charnu, ample et généreux. Déjà plaisant, il pourra se révéler pleinement après deux ou trois ans de garde.

☛ SCEA Vignobles Labatut, 12, Le Bourg, 33570 Saint-Cibard, tél. et fax 05 57 40 63 50, vignobleslabatut@orange.fr, ☑ ⚔ ⏏ r.-v.

CH. PUYGUERAUD 2010

| ■ | 120 000 | ⏥ | 11 à 15 € |

Le bastion d'origine de la famille Thienpont, acquis en 1946 par Georges Thienpont, le père de Nicolas (voir Charmes Godard). Ce dernier, aux commandes depuis 1983, en a fait un cru incontournable de l'appellation. Le 2010 associe 75 % de merlot, 20 % de cabernet franc et une pincée de malbec. Après quatorze mois de barrique, le vin se présente dans une robe pourpre intense et profond, le nez empreint de senteurs fumées et de parfums de fruits mûrs. Souple en attaque, le palais montre rapidement les muscles, bâti autour de tanins solides et d'un boisé qui demande à se fondre. Le potentiel est là, il ne reste plus qu'à attendre (au moins deux ou trois ans) qu'il se révèle.

☛ Ch. Puygueraud, 33570 Saint-Cibard, tél. 05 57 56 07 47, fax 05 57 56 07 48, puygueraud@nicolas-thienpont.com, ☑ ⚔ ⏏ r.-v.

☛ Famille Thienpont

Entre Garonne et Dordogne

La région géographique de l'Entre-deux-Mers forme un vaste triangle délimité par la Garonne, la Dordogne et la frontière sud-est du département de la Gironde ; c'est sûrement l'une des plus riantes et des plus agréables de tout le Bordelais, avec ses vignes qui couvrent 23 000 ha, soit le quart de tout le vignoble. Très accidentée, elle permet de découvrir de vastes horizons comme de petits coins tranquilles qu'agrémentent de splendides monuments, souvent très caractéristiques (maisons fortes, petits châteaux nichés dans la verdure et, surtout, moulins fortifiés). C'est aussi un haut lieu de la Gironde de l'imaginaire, avec ses croyances et traditions venues de la nuit des temps.

Entre-deux-mers

Superficie : 1 480 ha
Production : 59 050 hl

L'appellation entre-deux-mers ne correspond pas exactement à l'Entre-deux-Mers géographique, puisque, regroupant les communes situées entre Dordogne et Garonne, elle en exclut celles qui disposent d'une appellation spécifique. Il s'agit d'une appellation de vins blancs secs dont la réglementation n'est guère plus contraignante que pour l'appellation bordeaux. Mais dans la pratique les viticulteurs cherchent à réserver pour cette appellation leurs meilleurs vins blancs. Aussi la production est-elle volontairement limitée. Le cépage le plus important est le sauvignon qui communique aux entre-deux-mers un arôme particulier très apprécié, surtout lorsque le vin est jeune. Sémillon et muscadelle complètent l'encépagement.

CH. LES ARROMANS 2012 ★★

| | 20 000 | ■ | - de 5 € |

Comme toujours, Joël Duffau bichonne ses entre-deux-mers (fermentation à basse température, élevage de trois mois sur lies fines, entre autres) et signe un 2012 festif et très harmonieux, issu à parts égales de sauvignon et de sémillon. Derrière une robe jaune serin strié de reflets vert tendre, on découvre une valse de fruits blancs (pêche) et d'agrumes. Gorgée de senteurs délicates de fruits exotiques, la bouche se révèle ample, ronde et souple, sans jamais manquer de fraîcheur. À découvrir dès à présent à l'apéritif ou sur un poisson grillé. Le **Ch. La Mothe du Barry 2012 cuvée French Kiss (25 000 b.)** ajoute une pointe de muscadelle dans son assemblage. Il obtient une étoile pour son fruité (agrumes) et son équilibre entre douceur et vivacité.

☛ Joël Duffau, 2, Les Arromans, 33420 Moulon, tél. 05 57 74 93 98, fax 05 57 84 66 10, joel.duffau@aliceadsl.fr, ☑ ⚥ ⏧ t.l.j. 8h-12h 14h-19h 🏠 ➍

CH. BEL AIR PERPONCHER Réserve 2012

| | 36 000 | ■ | 8 à 11 € |

La maison Despagne est fidèle au rendez-vous de deux cuvées réussies. Bel Air Perponcher, domaine acquis en 1990, propose un 2012 bien construit, pâle et brillant, discrètement floral (acacia) et fruité (agrumes) au nez, souple, aromatique et frais en bouche. Tout indiqué pour l'apéritif ou un poisson en sauce citronnée, comme le souple et sauvignonné **Ch. Rauzan Despagne 2012 Réserve (36 000 b.).**

☛ SCEA Vignobles Despagne, 33420 Naujan-et-Postiac, tél. 05 57 84 55 08, fax 05 57 84 57 31, contact@despagne.fr, ☑ ⚥ ⏧ r.-v.

♥ CH. BONNET 2012 ★★

| | 700 000 | ■ | 5 à 8 € |

L'une des nombreuses propriétés d'André Lurton (La Louvière, Couhins-Lurton...), une valeur sûre de l'appellation qui fait mouche avec son 2012 associant sauvignon (50 %), sémillon et muscadelle. Le vin se pare d'une robe pâle aux reflets verts d'un élégant classicisme. Il s'épanouit à l'olfaction sur des notes intenses de fruits exotiques (litchi), d'agrumes et d'herbe fraîche. Après une attaque franche et nerveuse, il déploie un palais ample et persistant, affichant beaucoup d'équilibre entre une vivacité sans excès et une matière riche et douce soulignée par une longue finale fruitée et charnue. Un entre-deux-mers de repas, à servir sur un gravelax de saumon. Le tonique et fruité **Ch. Tour de Bonnet 2012 (moins de 5 € ; 100 000 b.)** ne manque ni de chair ni de gras et obtient une étoile. Parfait pour un poisson en sauce.

☛ André Lurton, Ch. Bonnet, 33420 Grézillac, tél. 05 57 25 58 58, fax 05 57 74 98 59, andrelurton@andrelurton.com, ☑ ⚥ ⏧ r.-v.

CH. DE CASTELNEAU 2012

| | 38 000 | ■ | 5 à 8 € |

Les origines viticoles de ce domaine sont anciennes : le grand cartulaire de la Sauve-Majeure, recueil de privilèges des moines de l'abbaye, fait état d'un échange de vignes avec le château en 1244. Depuis 1988, le vicomte Loïc de Roquefeuil en est le propriétaire. Son 2012 est un bon classique, couleur jaune pâle, expressif (fruits blancs, agrumes), frais et de bonne longueur. À déguster sans attendre, autour d'un apéritif aux accents marins.

☛ Vicomte Loïc de Roquefeuil, 8, rte du Breuil, 33670 Saint-Léon, tél. 05 56 23 47 01, fax 05 56 23 01 31, castelneau-roquefeuil@wanadoo.fr, ☑ ⚥ ⏧ r.-v. 🏠 ➍ ⛪ 🅔

CH. CASTENET-GREFFIER 2012

| | 67 500 | 🗓 | 5 à 8 € |

Les Guennec, enfants de viticulteurs de la région, ont pris la suite en septembre 2010 de François Greffier, vigneron réputé désormais retiré des affaires. Ils proposent un 2012 floral et fruité (abricot mûr, agrumes), souple et suave en bouche, équilibré par une pointe de fraîcheur. À boire dès aujourd'hui sur un poisson grillé.

☎ EARL Castenet, 3, Castenet, 33790 Auriolles, tél. 05 56 61 40 67, fax 05 56 61 38 82, ch.castenet@wanadoo.fr, ☑ ⋀ ⊤ r.-v.

☎ M. et Mme Guennec

CH. CHATAGNAU 2012 ★

| | 2 333 | 🗓 | - de 5 € |

À ses origines orienté vers l'élevage de bœufs, ce domaine familial s'est tourné définitivement vers la vigne dans les années 1970. Nathalie et Jérôme Limouzin, installés en 2010, signent un pur sauvignon diaphane, le nez ouvert sur les fruits blancs, les agrumes et la fleur d'acacia. La bouche attaque sur le fruit, puis se montre gras et charnu, avant le retour du fruit en finale. L'ensemble est harmonieux et prêt à boire sur une viande blanche.

☎ Limouzin, 10, Le Bourg, 33410 Mourens, tél. et fax 05 56 61 97 37, gaecdechatagnau@gmail.com, ☑ ⊤ r.-v.

CH. DE FONTENILLE 2012

| | 85 000 | 🗓 | 5 à 8 € |

Issu de 40 % de sauvignon blanc associés à parts égales au sauvignon gris, au sémillon et à la muscadelle, ce 2012 mêle au nez d'harmonieuses notes florales (acacia) et fruitées (fruits blancs confits, citron). Le palais se révèle rond et gras, étayé par une fine acidité. Un vin d'une aimable simplicité, assez gourmand, à déguster sur un poisson en sauce citronnée.

☎ SC Ch. de Fontenille, 1315, rte de Grimard, 33670 La Sauve, tél. 05 56 23 03 26, fax 05 56 23 30 03, contact@chateau-fontenille.com, ☑ ⋀ ⊤ t.l.j. sf dim. 9h-12h 14h-18h; sam. sur r.-v.

☎ Defreine

CH. AU GRAND PARIS 2012

| | 45 000 | | - de 5 € |

Ce domaine familial de 35 ha propose avec ce 2012 la trilogie classique sauvignon-sémillon-muscadelle. Un vin jaune paille et brillant, au nez plaisant de fleurs blanches et de fruits mûrs (pêche, poire), quelques touches anisées en appoint. Nuances que l'on retrouve dans un palais rond et suave, sans heurts et plutôt délicat. Il décrochera son étoile dans l'année, sur un poisson en sauce crémée.

☎ GAEC des Trois Paris, 33790 Cazaugitat, tél. 05 56 71 80 94, fax 05 56 71 62 15, chateau.au-grand-paris@orange.fr, ☑ ⊤ r.-v.

☎ Castenet-Langel

CH. HAUT-DOMINGUE 2012

| | 21 600 | 🗓 | 5 à 8 € |

L'un des plus anciens domaines de la région, construit vers 1700, situé non loin du château féodal de Benauge. Huguette Acker, à sa tête depuis 1979, signe un entre-deux-mers bien sauvignonné au nez (agrumes, buis, fleurs blanches), souple, rond et bien calé par une pointe de vivacité. Un vin équilibré et « facile à boire ».

☎ Acker, Domingue, 33760 Arbis, tél. 05 56 23 62 89, fax 05 56 23 46 26, vignoblesacker33@gmail.com, ⋀ r.-v. 🏠 ➋

CH. HAUT-GARRIGA 2012 ★

| | 16 000 | 🗓 | - de 5 € |

Ce domaine régulier en qualité dispose d'un coquet vignoble de 75 ha, dont 2,35 ha à l'origine de cette cuvée. De beaux reflets dorés animent une robe jaune pâle. Buis, agrumes, fruits exotiques, pointe végétale : le bouquet évoque clairement le sauvignon, principal élément de l'assemblage aux côtés du sémillon et de la muscadelle. Franche et tonique dès l'attaque, la bouche suit une belle ligne droite, sans à-coups ni dureté, tendue par une élégante vivacité. Un vin bien typé, à découvrir sur des saint-jacques aux agrumes.

☎ EARL Vignobles Barreau et Fils, 1, Garriga, 33420 Grézillac, tél. 05 57 74 90 06, fax 05 57 74 96 63, chateau-haut-garriga@wanadoo.fr, ☑ ⋀ ⊤ r.-v.

CH. HAUT RIAN 2012 ★

| | 80 000 | 🗓 | - de 5 € |

Isabelle et Michel Dietrich, champenois et alsaciens d'origine, tous deux enfants de vignerons, s'installent à Rions en 1988. Ils exploitent aujourd'hui un vignoble de 80 ha et signent régulièrement de beaux blancs secs. Ici, un entre-deux-mers qui fait la part belle au sémillon (55 %). Mais si le cépage apporte sa rondeur, c'est la vivacité du sauvignon qui semble l'emporter, à travers d'intenses parfums d'agrumes agrémentés de nuances florales et exotiques et un palais frais et tonique. À réserver pour des fruits de mer ou un poisson grillé.

☎ EARL Michel Dietrich, 10, La Bastide, 33410 Rions, tél. 05 56 76 95 01, fax 05 56 76 93 51, chateauhautrian@wanadoo.fr, ☑ ⋀ ⊤ t.l.j. sf sam. dim. 9h-12h 14h-17h; f. 10-26 août

CH. LALANDE-LABATUT 2012 ★

| | 18 000 | 🗓 | 5 à 8 € |

Repris en 2005 par les enfants de Dominique Falxa, ce domaine propose un 2012 fortement dominé par les sauvignons blanc et gris (45 % chacun), le sémilllon et la muscadelle faisant de la figuration. La fraîcheur du bouquet ne surprend pas : zeste de citron, pamplemousse, touche florale. La bouche est à l'avenant, tendue vers la vivacité mais sans toutefois manquer de chair, des notes de fruits mûrs apportant une pointe de douceur. Une bouteille harmonieuse, que l'on prendra plaisir à ouvrir sur une terrine de poisson.

☎ SCEA Vignobles Falxa, 38, chem. de Labatut, 33370 Sallebœuf, tél. 05 56 21 23 18, fax 05 56 21 20 98, info@lalande-labatut.fr, ☑ ⋀ ⊤ t.l.j. 9h-12h30 15h-19h30

CH. LA LANDE DE TALEYRAN 2012

| | 41 000 | 🗓 | 5 à 8 € |

Après une expérience en tant que maître de chai aux États-Unis, Arnaud Burliga a rejoint son père Jacques en 2007 à la tête de cette propriété de 50 ha. Il vinifie ici un entre-deux-mers qui fait une place non négligeable à la muscadelle (20 %) aux côtés des traditionnels sauvignon et sémillon. Cela donne un vin jaune pâle, au nez expressif de fleurs blanches, d'agrumes et de rose, ample et souple en bouche, épaulé par une franche vivacité. L'ensemble est équilibré et prêt à boire sur des fruits de mer.

☛ GAEC La Lande de Taleyran, 6, rte de l'Église, 33750 Beychac-et-Caillau, tél. 05 56 72 98 93, fax 05 56 72 81 94, vignoblesburliga@orange.fr, ☑ ⚐ ⊺ r.-v.

☛ Burliga

CH. MARTINON 2012

▨	80 000	▮ 5 à 8 €

Le sémillon possède 60 % des parts de ce vin, le sauvignon, un bon tiers et la muscadelle, des queues de cerise. Le résultat est comme attendu, plutôt richement doté, avec un vin gras et « rondelet », floral (tilleul) et fruité (citron, pêche), une touche bienvenue de vivacité apportant l'équilibre. À ouvrir sur une viande blanche ou un poisson en sauce.

☛ EARL Trolliet Martinon, Ch. Martinon, 33540 Gornac, tél. 05 56 61 97 09, chateaumartinon@wanadoo.fr, ☑ ⚐ ⊺ r.-v.

CH. MONTLAU 2012

▨	14 000	▮ 5 à 8 €

Coup de cœur l'an dernier pour son 2011, Montlau revient avec un 2012 moins en verve mais néanmoins très plaisant. L'originalité de l'assemblage est maintenue : la muscadelle domine toujours l'ensemble (55 %), avec le sémillon en second rôle (35 %) et le sauvignon pour figurant. Cela donne un vin finement parfumé, sur les fleurs blanches, les agrumes et les fruits jaunes, plus sur la rondeur que sur la vivacité mais sans manquer d'équilibre. Parfait pour l'apéritif, autour de toasts au saumon.

☛ Armand Schuster de Ballwil, Ch. Montlau, 3, Montlau, 33420 Moulon, tél. 05 57 84 50 71, fax 05 57 84 64 65, contact@chateau-montlau.com, ☑ ⚐ ⊺ t.l.j. 9h-12h 13h-17h; sam. dim. sur r.-v.; f. déc.-jan.

CH. MYLORD 2012 ★

▨	120 000 - de 5 €

La muscadelle a ici la part belle avec 45 % de l'assemblage, devant le sauvignon (35 %) et le sémillon. Le résultat est un vin jaune pâle et limpide, finement bouqueté autour des fleurs blanches, des agrumes et des fruits à chair blanche. Quant au palais, il séduit par sa fraîcheur, son fruité élégant (citron, pêche) et sa finale suave et charnue. Un ensemble harmonieux, à déguster sans attendre sur des nouilles sautées au poulet et à la citronnelle.

☛ SCEA du Ch. Mylord, 1, Milord, BP 23, 33420 Grézillac, tél. 05 57 84 52 19, fax 05 57 74 93 95, large.chateau-mylord@wanadoo.fr, ☑ ⚐ ⊺ r.-v.

☛ Michel et Alain Large

♥ CH. NARDIQUE LA GRAVIÈRE 2012 ★★

▨	120 000	▮ 5 à 8 €

Cette propriété appartient à la même famille depuis 1920, Philippe Thérèse, installé depuis 1987, représentant la troisième génération. Pour élaborer son 2012, le vigneron a sélectionné 40 % de sauvignon blanc et autant de sémillon, qu'il a associés à la muscadelle. Intensité est le maître-mot de la dégustation. De la robe, jaune pâle et brillante comme il se doit. Du bouquet, aux accents floraux et fruités (citron, écorce de pamplemousse). Du palais, long, vif, dynamique, franc et très expressif, où l'on

Entre Garonne et Dordogne

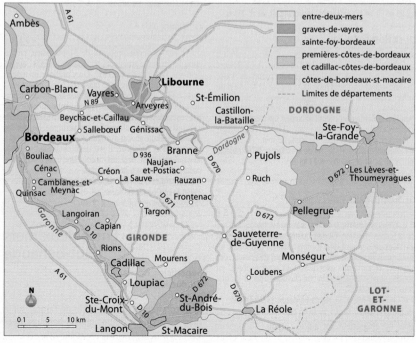

entre-deux-mers

graves-de-vayres

sainte-foy-bordeaux

premières-côtes-de-bordeaux et cadillac-côtes-de-bordeaux

côtes-de-bordeaux-st-macaire

---- Limites de départements

retrouve les agrumes et les fleurs blanches agrémentés de notes de fruit de la Passion, et qui dévoile en finale un côté charnu des plus gourmands. Une bouteille que l'on accompagnerait volontiers d'un plat exotique, un tajine de poulet au citron par exemple.

☛ EARL Vignobles Thérèse, Nardique la Gravière, 33670 Saint-Genès-de-Lombaud, tél. 05 56 23 01 37, fax 05 56 23 25 89, lesvignoblestherese@wanadoo.fr, ☑ ⚹ ⵜ t.l.j. 9h-12h 15h-17h

CH. JEAN DE PEY 2012

	8 000		- de 5 €

Annie Merlet-Brunet signe un 2012 classique dans son encépagement, avec 80 % de sauvignon et le solde en sémillon. Un classicisme que l'on retrouve en dégustation : robe jaune pâle et brillante, bonne intensité aromatique (fleurs blanches, agrumes), bouche à l'unisson, souple, tonique et fraîche, avec ce qu'il faut de gras. Un vin droit et équilibré, à servir sur un poisson grillé.

☛ Annie Merlet-Brunet, Jean de Pey, Le Puch, 33540 Sauveterre-de-Guyenne, tél. 05 56 71 55 58, fax 05 56 71 64 67, amerletbrunet@orange.fr, ☑ ⚹ ⵜ r.-v.

CH. LA ROSE DUPIN 2012

	65 600	🍷	- de 5 €

Associant les noms de deux lieux-dits, À La Rose et Le Pin de Cornet, ce domaine fait partie du vaste ensemble des vignobles Ducourt, composé de 440 ha et de treize châteaux, dans l'Entre-deux-Mers et le Saint-Émilionais. Il propose un 2012 d'une aimable simplicité, expressif à l'olfaction (fleurs blanches, agrumes), souple, frais et de bonne longueur en bouche. Un vin harmonieux, à réserver pour un plateau de fruits de mer.

☛ Vignobles Ducourt, 18, rte de Montignac, 33760 Ladaux, tél. 05 57 34 54 00, fax 05 56 23 48 78, ducourt@ducourt.com, ☑ ⚹ r.-v.

CH. SAINTE-MARIE Vieilles Vignes 2012 ★

	88 000		5 à 8 €

Ce domaine fut autrefois administré par les moines de la Sauve-Majeure. Depuis quatre générations, ce sont les Dupuch qui sont aux commandes. Ils proposent un 2012 agréablement floral et fruité, autour de l'acacia, des agrumes et des fruits exotiques, tout aussi expressif en bouche, frais et tonique. Un bon classique à servir sur une bourriche d'huîtres.

☛ Ch. Sainte-Marie, 51, rte de Bordeaux, 33760 Targon, tél. 05 56 23 64 30, fax 05 56 23 66 80, contact@chateau-sainte-marie.com

☛ Dupuch

CH. LES TUILERIES 2012 ★★

	60 000	🍷	5 à 8 €

Une belle unité de 50 ha, propriété de la famille Menguin depuis quatre générations qui en a confié la direction à Xavier Conti. Leur 2012 – assemblage classique sauvignon (70 %), sémillon et muscadelle – a concouru pour le coup de cœur de l'appellation. Ses arguments principaux : un jaune pâle élégant ; un nez qui « sauvignonne » à souhait autour du buis, des agrumes, des fleurs blanches et des fruits exotiques ; une bouche au diapason, très aromatique, longue, délicate et bien équilibrée entre suavité et fraîcheur citronnée. Apéritif, poisson grillé ou en sauce, volaille ou viande blanche, tout lui convient.

☛ SCEA des Vignobles Menguin, 194, Gouas, 33760 Arbis, tél. 05 56 23 61 70, fax 05 56 23 49 79, vignoblesmenguin@neuf.fr, ☑ ⚹ ⵜ r.-v.

CH. TURCAUD 2012 ★

	128 000	🍷	5 à 8 €

Abandon progressif du désherbage chimique, rendements limités, approche parcellaire pour chaque cuvée : la précision du travail d'Isabelle Le May et de son mari Stéphane, comme celle dont faisaient preuve avant eux les parents Simone et Maurice Robert, fait mouche une nouvelle fois. Cet entre-deux-mers possède toutes les qualités attendues : une robe limpide et lumineuse, un bouquet frais et croquant de fruits blancs, d'agrumes et de fleurs blanches, une bouche vive et fruitée, enrobée par un léger gras. L'ensemble est équilibré et s'appréciera sur des asperges en sauce mousseline.

☛ EARL Vignobles Robert, Ch. Turcaud, 1033, rte de Bonneau, 33670 La Sauve-Majeure, tél. 05 56 23 04 41, fax 05 56 23 35 85, chateau-turcaud@wanadoo.fr, ☑ ⚹ ⵜ r.-v.

CH. VIGNOL 2012 ★

	100 000		5 à 8 €

Cette ancienne propriété de Montesquieu, passée entre les mains d'armateurs bordelais au XIXe s., appartient aux Doublet depuis 1975. On y pratique un assemblage classique de sauvignon blanc (60 %) et quasiment à parts égales de sauvignon gris, de sémillon et de muscadelle, à l'origine d'un vin bien typé. La robe est jaune pâle aux reflets dorés, le nez intense et très ouvert sur les fruits exotiques (mangue, ananas) et les agrumes. La bouche dévoile le même accent exotique qui lui confère intensité, persistance et fraîcheur. Il y a de la chair aussi et de la suavité également. Bref, un vin équilibré, à déguster sur un tartare de saumon à la coriandre.

☛ Bernard et Dominique Doublet, Ch. Vignol, 33750 Saint-Quentin-de-Baron, tél. 05 57 24 12 93, chateauvignol@orange.fr, ☑ ⚹ ⵜ r.-v.

Entre-deux-mers haut-benauge

Superficie : 105 ha
Production : 5 310 hl

Neuf communes situées autour de Targon, sur la même aire que le bordeaux-haut-benauge, peuvent ajouter le nom de haut-benauge.

CH. HAUT-LA PÉREYRE 2012 ★★

| 21 500 | 5 à 8 € |

Olivier Cailleux a sélectionné 4 ha argilo-calcaires sur Escoussans, l'une des neuf communes à pouvoir revendiquer l'appellation Haut Benauge. Il assemble 20 % de sémillon au sauvignon pour élaborer un vin très pâle aux reflets verts, au nez complexe d'agrumes, de pierre à fusil et de fruits exotiques. Une attaque légèrement perlante apporte d'emblée une fraîcheur qui se prolonge jusqu'en finale et soutient une bouche dense et charnue. À boire dès à présent sur un plat exotique, un tajine de lotte par exemple. Du même propriétaire, le **Ch. Grand-Portail 2012 (9 000 b.)**, frais et fruité (agrumes, fruits blancs) à l'olfaction, nerveux, ample et persistant au palais, obtient une étoile.

☛ Olivier Cailleux, EARL DCOC, La Pereyre, 33760 Escoussans, tél. 05 56 23 63 23, fax 05 56 23 64 21
☑ ⚘ ⵣ r.-v.

Graves-de-vayres

Superficie : 660 ha
Production : 35 300 hl (85 % rouge)

Malgré l'analogie du nom, cette région viticole, située sur la rive gauche de la Dordogne, non loin de Libourne, est sans rapport avec la zone viticole des Graves. Les graves-de-vayres correspondent à une enclave relativement restreinte de terrains graveleux, différents de ceux de l'Entre-deux-Mers. Cette appellation a été utilisée depuis le XIXᵉ s., avant d'être officialisée en 1931. Initialement, elle correspondait à des vins blancs secs ou moelleux, mais la production des vins rouges, qui peuvent bénéficier de la même appellation, est devenue majoritaire. Une part importante des vins rouges est cependant commercialisée sous l'appellation régionale bordeaux.

CH. CANTELAUDETTE Cuvée Prestige 2012 ★★

| 40 000 | ⅏ | 5 à 8 € |

Ce château, dont le nom évoque la « langue d'oc » et le chant de l'alouette, fut construit en 1870 par l'aïeul de l'actuel propriétaire, Jean-Michel Chatelier. Ce dernier cultive la vigne avec le même soin méticuleux que déployait Voltaire dans son « jardin » de Ferney. Il signe des vins souvent jubilatoires, régulièrement sélectionnés dans ces colonnes et fréquemment en finale des coups de cœur, à l'image de cette remarquable cuvée née d'un millésime « difficile » qui a vu les bons vignerons faire la différence. Ce pur sémillon se présente dans une brillante parure jaune dorée et joue les séducteurs à l'olfaction, mêlant à de doux arômes de fruits blancs un léger toasté tiré d'un court passage de cinq mois en barriques. Cette présence empyreumatique s'affirme encore en bouche, sans pour autant nuire à son équilibre entre rondeur et fraîcheur fruitée aux accents de pamplemousse. Un vin distingué, que l'on verrait bien en compagnie d'un sauté de veau au curry.

☛ Jean-Michel Chatelier, 1, Cantelaudette, 33500 Arveyres, tél. 05 57 24 84 71, fax 05 57 24 83 41, jm.chatelier@wanadoo.fr, ☑ ⚘ ⵣ r.-v.

CH. LA CHAPELLE BELLEVUE Prestige
Élevé en barrique 2010 ★★

| 4 500 | ⅏ | 11 à 15 € |

Lisette Labeille a su tirer un admirable parti des ressources du merlot, présent à 100 % dans cette cuvée Prestige qui frôle le coup de cœur. Ce vin se montre délicat à l'olfaction, porté sur les fruits rouges mûrs bien mariés aux senteurs de la barrique. La bouche se révèle quant à elle riche, concentrée, solidement bâtie sur des tanins puissants mais sans dureté et sur un boisé fondu. Un vin au caractère affirmé qui donnera volontiers la réplique à du gibier à plume, d'ici deux ou trois ans au plus tôt.

☛ Lisette Labeille, Ch. la Chapelle Bellevue, chem. du Pin, 33870 Vayres, tél. 05 57 84 90 39, fax 05 57 74 82 40, lachapellebellevue@wanadoo.fr, ☑ ⚘ ⵣ r.-v. ⌂ ❸

CH. JEAN DUGAY Sauvignon 2012 ★

| 14 000 | ▮ | - de 5 € |

Les Ballet proposent un 100 % sauvignon élégant dans sa tenue jaune clair et brillante. Un vin qui met à l'honneur les qualités subtiles du cépage : point de pipi de chat ou de notes de buis humide ici, mais des notes fines et typées de bourgeon de cassis, d'agrumes et de fruits exotiques. À ce joli ballet olfactif répond une bouche harmonieuse, à la fois ronde et fraîche, dynamisée par une finale vive et tonique. Pour l'apéritif, suivi d'une bourriche d'huîtres.

☛ GFA Vignoble Ballet, 1, chem. de Caussade, 33870 Vayres, tél. 06 75 25 87 56, fax 09 70 63 19 74, contact@vignoble-ballet.fr, ☑ ⵣ t.l.j. 8h30-12h 14h-17h30

CH. GOUDICHAUD 2011 ★

| 80 000 | ⅏ | 5 à 8 € |

Cette belle propriété (50 ha de vignes, 60 ha de forêts et prairies) souvent présente dans le Guide est commandée par un château du XVIIIᵉ s. construit selon les plans de Victor Louis, architecte du Grand Théâtre de Bordeaux. Elle propose un 2011 issu de merlot et de cabernet-sauvignon assemblés à parité, qui offre au regard une seyante robe carminée. Dix mois d'élevage en fût font surgir à l'olfaction des arômes torréfiés et vanillés qui agrémentent une belle expression fruitée (cerise à l'eau-de-vie, fruits noirs). Souple et franche, la bouche est adossée à des tanins croquants mais sans agressivité. Un ensemble harmonieux pour accompagner une entrecôte bordelaise dans les deux ans à venir. Le **blanc sec 2012 (12 000 b.)**, cité, est construit « pour amateur de sauvignon variétal », observe un dégustateur ; une vivacité que l'on appréciera avec des coquillages.

☛ Ch. Goudichaud, 17, chem. de Goudichaud, 33750 Saint-Germain-du-Puch, tél. 05 57 24 57 34, fax 05 57 24 59 90, contact@chateaugoudichaud.fr, ☑ ⚘ ⵣ r.-v.

CH. HAUT GAYAT Quintessence 2010 ★

| 3 000 | ⅏ | 8 à 11 € |

Marie-José Degas se passionne pour la botanique. C'est pourquoi à chaque nouveau millésime sa cuvée Quintessence arbore une nouvelle fleur sur son étiquette – l'ornithogale, appelée aussi dame de 11 heures, pour le 2010. Les dégustateurs n'avaient eux qu'une bouteille anonyme devant les yeux lors de la sélection. Ils ont apprécié la robe rubis intense de ce vin né du seul merlot planté sur un hectare de fines graves. Le nez libère à l'aération de prometteurs arômes de fruits mâtinés de nuances boisées, que l'on retrouve dans une bouche charnue, épaulée par des tanins vifs et jeunes qu'une attente de quelques années devrait affiner. Ce vin sera alors parfait avec une viande en sauce. Plus souple et légère, la **cuvée principale rouge 2010 (5 à 8 € ; 33 000 b.)**, issue d'un assemblage de merlot et de cabernet-sauvignon, est citée. On la boira dans les deux ans.

📞 Marie-José Degas, 38, rte de Créon, 33750 Saint-Germain-du-Puch, tél. 05 57 24 02 44, vignobles.degas@yahoo.fr, ☑ ⚔ ⟍ t.l.j. sf sam. dim. 8h-12h 14h-18h

CH. HAUT-MONGEAT 2010 ★

| | 6 226 | ⊞ | 5 à 8 € |

Ce domaine de 21 ha, conduit depuis quatre générations par la famille Bouchon, est en cours de conversion vers l'agriculture biologique. Isabelle et son père Bernard signent un 2010 dominé par le merlot (80 %), le cabernet franc en appoint. À l'intensité de la robe, rouge vif et profond, répond celle de l'olfaction, généreusement fruitée, agrémentée de nuances de sous-bois et de merrain frais. On retrouve ces notes « barriquées » dans une bouche ample et charnue, où les tanins du bois et du raisin n'ont pas encore dit leur dernier mot. Bien que déjà appréciable, ce vin gagnera toutefois à passer deux ou trois ans en cave.

📞 Bouchon, 79, chem. de Mongeat, 33420 Génissac, tél. 05 57 24 47 55, fax 05 57 24 41 21, info@mongeat.fr, ☑ ⚔ ⟍ r.-v.

Ⓑ ♥ CH. LATHIBAUDE 2012 ★★

| | 10 800 | ⚱⊞ | 5 à 8 € |

La famille Gonet, originaire de Champagne, s'est forgé une solide renommée dans le Bordelais. Le fruit d'un travail aussi sérieux que constant, visible notamment en pessac-léognan ainsi que dans les vastes étendues des bordeaux et bordeaux supérieurs. Les châteaux Lathibaude et Lesparre sont devenus des références en graves-de-vayres. Cette année encore, un remarquable tir groupé en fait foi. Avec, coup de cœur enthousiasmant, le blanc sec 2012 du Château Lathibaude. Issu d'un assemblage équilibré de sémillon (60 %) et de sauvignon (40 %) cultivés « en bio », ce vin franc et gracieux arbore une tenue limpide très seyante. L'olfaction dévoile de beaux arômes floraux et fruités agrémentés de notes de vanille, résultat d'un élevage partiel au contact du chêne. Fraîche dès l'attaque, la bouche se révèle riche et harmonieuse, sans aucune lourdeur. La finale minérale est un joli clin d'œil au terroir de graves argileuses. Crustacés et coquillages lui donneront une courtoise réplique. Quant au **Ch. Lesparre blanc sec 2012 Vinifié en fût de chêne (8 à 11 € ; 11 260 b.)**, il obtient une étoile pour son équilibre entre fraîcheur, gras, boisé fondu et structure ferme. Même note enfin pour le **Ch. Lesparre rouge 2010 (100 000 b.)**, ample et bien structuré.

📞 SCEV Michel Gonet et Fils, Ch. Lesparre, 33750 Beychac-et-Caillau, tél. 05 57 24 51 23, fax 05 57 24 03 99, info@gonet.fr, ☑ ⚔ ⟍ r.-v.

CH. DU PETIT PUCH 2010 ★

| | 39 500 | ⊞ | 11 à 15 € |

Ce domaine, commandé par une maison noble édifiée par les seigneurs du Puch en 1337, délivre avec régularité des vins de qualité. Il tient son rang avec ce 2010 issu de merlot (80 %) et de cabernet-sauvignon conduits à petits rendements (26 hl/ha) et qui a reçu au chai des soins minutieux (pigeages manuels, longues cuvaisons, élevage en barriques). Paré d'une robe sombre aux reflets violacés, il exprime de bout en bout des arômes puissants de fruits mûrs. En bouche, il se révèle riche, charnu, opulent, chaleureux, soutenu par des tanins bien extraits. Un vin expressif et généreux, qui donnera le meilleur de lui-même après deux ou trois ans de garde.

📞 GFA du Petit Puch, 3, chem. du Petit-Puch, 33750 Saint-Germain-du-Puch, tél. 05 57 24 52 36, fax 05 57 24 01 82, chateaupetitpuch@yahoo.fr, ☑ ⚔ ⟍ r.-v. 🏠 ❹

CH. PICHON-BELLEVUE 2012

| | n.c. | ⚱ | - de 5 € |

Cette famille descend de l'écrivain-géographe Élisée Reclus, un brillant intellectuel acquis aux mêmes idées républicaines que le grand Victor Hugo. Nul doute que le célèbre ancêtre eût aimé ce blanc 2012 à dominante de sauvignon (70 %), aux accents variétaux (fleurs blanches, agrumes, buis) et « terroités », comprenez minéraux. Le cépage apporte sa vivacité fringante en bouche, le sémillon conférant quant à lui une aimable rondeur. Un vin de « franche lippée », à réserver pour un poisson grillé ou un plateau de fruits de mer.

📞 Ch. Pichon-Bellevue, 23, av. du stade, 33870 Vayres, tél. 05 57 74 84 08, fax 05 57 84 95 04, chateaupichonbellevue@orange.fr, ☑ ⚔ ⟍ r.-v.

CH. TOULOUZE Grande Cuvée
Élevage en demi-muids de chêne français 2010

| | n.c. | ⊞ | 8 à 11 € |

Ce domaine ancien, fondé en 1820, a été repris par les Cailley en 1985. Ces derniers signent un 2010 ouvert à l'olfaction sur les fruits mûrs, les sous-bois et un boisé fondu. La bouche se révèle souple et chaleureuse, adossée à des tanins fondus et veloutés. Plutôt « bien fait de sa personne », ce vin aimable est prêt à convoler en justes noces avec une lamproie à la Bordelaise.

📞 Yves et Alain Cailley, SC de Frégent, 12, rue de la Ruade, 33450 Saint-Sulpice-et-Cameyrac, tél. 05 56 30 85 47, fax 05 56 30 87 29, cailley@wanadoo.fr, ☑ ⚔ ⟍ t.l.j. 9h-12h 14h-17h30; sur r.-v. sam. dim. jours fériés.

LES VIGNERONS DE VAYRES Vendemia 2011

| | 65 000 | ⚱ | 5 à 8 € |

Cette Vendemia 2011 de la coopérative de Vayres associe une part non négligeable de cabernet (40 %) au merlot. Cela donne un vin rubis de belle intensité, au nez ouvert sur les fruits rouges et noirs confiturés agrémentés d'épices douces. Douce en attaque, la bouche se révèle tout aussi expressive, souple, friande et d'un bon volume. Un vin harmonieux et prêt à boire.

☛ SARL Vignerons de Vayres, 124, av. de Libourne, 33870 Vayres, tél. 06 88 70 44 01, vendemia@wanadoo.fr, ⌾ r.-v.

Sainte-foy-bordeaux

Superficie : 370 ha
Production : 17 250 hl (90 % rouge)

À l'extrémité orientale de l'Entre-deux-Mers et aux portes du Périgord, sur les rives de la Dordogne, la bastide médiévale de Sainte-Foy-la-Grande a donné son nom à un vignoble qui propose des rouges marqués par le merlot ainsi que quelques blancs, surtout secs.

♥ **CH. DES CHAPELAINS** La Découverte 2011 ★★

| | 6 000 | ⫘ | 8 à 11 € |

Pierre Charlot a fait le compte pour nous : ses vins sont présents chaque année dans le Guide depuis 1994. Cette constance rare fait de lui l'un des vignerons qui comptent dans l'appellation. Il nous propose en effet un bien belle découverte avec cette cuvée créée en 1998, assemblage de sauvignons blanc et gris (30 % chacun), de muscadelle et de sémillon. S'annonçant par une robe jaune brillant très engageante, ce 2011 livre des parfums complexes et frais de pêche, d'abricot, de fruits exotiques et de fleurs blanches mâtinés d'une légère touche boisée aux accents de coco. Ample et intense dès l'attaque, la bouche dévoile une chair ronde et soyeuse soutenue par une fraîcheur sauvignonnée remarquable. Un blanc d'un grand équilibre, à la fois caressant et tonique, que l'on pourra servir dès à présent ou attendre deux ou trois ans pour plus de complexité encore. La cuvée **Prélude 2012 blanc (5 à 8 € ; 80 000 b.)**, vive et fruitée, est par ailleurs citée, tandis que la même cuvée **2011 rouge (5 à 8 € ; 120 000 b.)**, dense, massive et puissante, obtient une étoile. On la remisera en cave pour trois ou quatre ans.

☛ Pierre Charlot, Les Chapelains, 33220 Saint-André-et-Appelles, tél. 05 57 41 21 74, chateaudeschapelains@wanadoo.fr, ⩗ ⚔ ⌾ t.l.j. sf sam. dim. 8h-12h 14h-18h

CH. L'ENCLOS Triple A 2010 ★★

| | 15 000 | ⬛⫘ | 15 à 20 € |

Triple A comme « Assemblage Authentique Ad'hoc », mais aussi sans nul doute un clin d'œil aux agences de notation, Éric Bonneville ayant d'abord exercé

dans la finance avant de se lancer dans la viticulture. Les dégustateurs du Guide attribuent quant à eux deux étoiles à ce 2010. Ses arguments ? Un bouquet d'une belle finesse, bien équilibré entre les notes chocolatées apportées par la barrique et les fruits mûrs issus du merlot (très majoritaire) et du cabernet franc ; une bouche souple et très fruitée, soutenue par des tanins élégants et sans dureté. Un sainte-foy harmonieux, à boire ou à attendre trois ou quatre ans.

☛ Éric Bonneville, 3, rte de Bergerac, 33220 Pineuilh, tél. et fax 05 57 46 55 95 ⩗ ⚔ ⌾ t.l.j. sf sam. dim. 8h-17h

CH. GRAND MONTET Élevé en fût de chêne 2011 ★★

| ⬛ | 12 500 | ⫘ | 5 à 8 € |

Ce cru de 30 ha, régulier en qualité depuis sa sortie en 2001 de la cave coopérative et coup de cœur pour son 2009, tient son rang avec cette cuvée à dominante de cabernet-sauvignon (60 %). Derrière une robe grenat foncé aux reflets carminés, on découvre un bouquet fin et séducteur de fruits rouges mûrs (fraise, framboise), qui laisse le bois à l'arrière-plan. Le charme continue d'opérer dans une bouche ample, ronde et riche, étayée par des tanins à la fois solides et soyeux. Un beau mariage de la puissance et de l'élégance, à découvrir dans deux ou trois ans sur un civet de lièvre. Issue du seul merlot, la **Cuvée Marius 2010 rouge Élevé en fût de chêne (11 à 15 € ; 1 500 b.)**, une étoile, a fréquenté plus longtemps la barrique (dix-huit mois contre douze) : un boisé épicé s'impose dès lors au nez comme en bouche, accompagné par une structure bien charpentée qui permettra à ce vin de digérer sans heurt son élevage d'ici trois ou quatre ans.

☛ Marie-France et Didier Roussel, EARL Les Deux Domaines, 6, le Grand-Montet, 33220 Saint-André-et-Appelles, tél. et fax 05 57 46 10 23, chateaugrandmontet@orange.fr, ⩗ ⚔ ⌾ r.-v. ⌂ ⓑ

CH. HOSTENS-PICANT Cuvée d'exception Lucullus 2011

| ⬛ | 8 500 | ⫘ | 30 à 50 € |

Ôde à l'épicurisme, cette cuvée représente sur son étiquette le consul romain Lucullus confortablement allongé, se faisant servir un verre de vin rouge par des jeunes femmes. Les dégustateurs étaient eux bien calés sur les chaises du lycée viticole de Montagne-Saint-Émilion, une bouteille anonyme face à eux, lorsqu'ils ont goûté ce 2011. Ils ont apprécié sa couleur grenat, son bouquet expressif de fruits noirs et d'épices, son boisé fin et son palais rond, d'un bon volume et bien structuré. Ils ont noté aussi une pointe de sévérité en finale leur suggérant une petite garde d'un an ou deux.

☛ SCEA Ch. Hostens-Picant, Grangeneuve-Nord, 33220 Les Lèves-et-Thoumeyragues, tél. 05 57 46 38 11, fax 05 57 46 26 23, chateauhp@aol.com, ⩗ ⚔ ⌾ r.-v.
☛ Yves Picant

♥ CH. MARTET Réserve de la Famille 2010 ★★

| ⬛ | 57 500 | ⫘ | 30 à 50 € |

Cette cuvée bien connue des lecteurs met le merlot à l'honneur. Enraciné depuis seize ans dans un sol de graves, le cépage donne naissance à un vin très élégant dans sa robe grenat, complexe et racé, mêlant à l'olfaction des notes de tabac, de cannelle et de fruits mûrs. La bouche prolonge ces sensations boisées et fruitées, sans que l'une prenne le pas sur l'autre, et séduit par sa richesse, son volume, sa longueur et ses tanins soyeux. Un sainte-foy qui joue plutôt dans le registre de la finesse et du

charme que dans celui de la puissance. À attendre deux ou trois ans pour en profiter à son optimum.

☛ Ch. Martet, 1, Martet, 33220 Eynesse,
tél. 05 57 41 00 49, fax 05 57 41 09 36,
info@chateaumartet.com, ☑ ⚭ ☥ r.-v.
☛ Patrick de Coninck

CH. VERRIÈRE BELLEVUE Cuvée des Demoiselles 2011 ★

■	2 800	5 à 8 €

Les Bessette ont vendangé en deux passages les raisins de sémillon (80 %) et de sauvignon à l'origine de ce moelleux, né sur des coteaux argileux bien exposés au sud-sud-ouest. Une petite cuvée par le volume mais pas par la qualité : belle robe dorée, intense et brillante, nez ouvert sur la poire et l'abricot confits, le miel et les agrumes, bouche à l'unisson, soyeuse et riche mais sans lourdeur aucune, vivifiée par une fraîcheur bien ajustée. À boire ou à attendre jusqu'en 2017. (Bouteille de 50 cl)

☛ EARL Mathieu et Jean-Paul Bessette,
Ch. Verrière Bellevue, 5, La Verrière, 33790 Landerrouat,
tél. 05 56 61 36 91, fax 05 56 61 41 12,
jeanpaul.bessette@wanadoo.fr, ☑ ⚭ ☥ r.-v.

Cadillac-côtes-de-bordeaux

Superficie : 2 975 ha
Production : 112 425 hl

L'appellation (anciennement premières-côtes-de-bordeaux rouges) s'étend sur une soixantaine de kilomètres le long de la rive droite de la Garonne, des portes de Bordeaux jusqu'à Verdelais. Les vignobles sont implantés sur des coteaux qui dominent le fleuve et offrent de magnifiques points de vue. Les sols y sont très variés : en bordure de la Garonne, ils sont constitués d'alluvions récentes ; sur les coteaux, on trouve des sols graveleux ou calcaires ; l'argile devient de plus en plus abondante au fur et à mesure que l'on s'éloigne du fleuve. Les vins ont acquis depuis longtemps une réelle notoriété. Ils sont colorés, corsés, puissants ; produits sur les coteaux, ils ont en outre une certaine finesse. Les vins blancs de cette zone, moelleux ou liquoreux, continuent d'être revendiqués en appellation premières-côtes-de-bordeaux.

♥ CH. BENEYT Grande Réserve 2010 ★★

■	1 200	11 à 15 €

Ce cru de 12 ha, propriété des Vrignaud depuis quatre générations, consacre une petite parcelle de 50 ares à cette cuvée. Le merlot y règne en maître (95 %), le cabernet franc jouant les seconds rôles. Le résultat est remarquable. Le bouquet évoque les fruits mûrs mâtinés d'un bon boisé vanillé et épicé. Le palais se révèle généreux, gras et corpulent, soutenu par des tanins soyeux qui promettent une bouteille particulièrement harmonieuse d'ici trois ou quatre ans. On lui réservera alors du gibier à plume ou un magret de canard.

☛ Joël Vrignaud, 2, les Graves-Ouest, 33410 Rions,
tél. 06 09 28 59 54, joelvrignaud@orange.fr,
☑ ⚭ ☥ r.-v. 🏠 Ⓑ

CH. BRETHOUS Cuvée Prestige 2010 ★

■	11 000	8 à 11 €

Acquis en 1963 par la famille Verdier, ce cru est conduit depuis 1999 par Cécile Mallié-Verdier et son mari Thierry, qui ont fait le choix de l'agriculture biologique et biodynamique (conversion en cours). Ils proposent avec cette cuvée Prestige un vin équilibré, qui développe une bouquet de fruits rouges, de pruneau et de vanille, et une structure harmonieuse, à la fois souple et suffisamment solide pour permettre une garde de deux ou trois ans.

☛ Cécile et Thierry Mallié-Verdier, Ch. Brethous,
28, chem. du Jonc, 33360 Camblanes-et-Meynac,
tél. 05 56 20 77 76, fax 05 56 20 08 45,
brethous@libertysurf.fr, ☑ ⚭ ☥ t.l.j. 8h-12h 14h30-19h

CH. CAMPET 2011

■	20 000	8 à 11 €

Commandé par une chartreuse qui a remplacé une ancienne maison noble, ce cru propose un vin de belle facture, qui se distingue par un bouquet riche, fruité et toasté, et par un palais long et savoureux, mais encore à parfaire. On attendra deux ou trois ans que tanins et bois se fondent.

☛ Famille Parlange, Ch. Campet,
33880 Saint-Caprais-de-Bordeaux,
contact@chateaux-castel.com

CH. CAYLA Élevé en fût de chêne 2011 ★

■	93 000	8 à 11 €

Les frères Gonfrier possèdent l'une des plus belles unités viticoles des coteaux de Garonne. Avec ce château Cayla, ils proposent un 2011 au bouquet vanillé et fumé, qui s'ouvre aux fruits mûrs à l'agitation. La bouche se révèle souple, ample et ronde, aux tanins enrobés. L'ensemble est harmonieux et à boire dans deux ou trois ans, le

BORDELAIS

temps que le boisé se fonde totalement. Assez proche, le **Ch. de Marsan 2011 (68 000 b.)** obtient également une étoile, tandis que le **Ch. de Lestiac 2011 Cuvée Prestige (46 000 b.)** et le **Ch. Tanesse 2011 (66 000 b.)** sont cités.

☜ SCEA Gonfrier Frères, Ch. de Marsan, BP 7, 33550 Lestiac-sur-Garonne, tél. 05 56 72 14 38, fax 05 56 72 10 38, gonfrier@wanadoo.fr, ☑ ⚒ ☉ t.l.j. 9h-17h30; sam. dim. sur r.-v.

CH. DES CÈDRES Cuvée Prestige
Élevé en fût de chêne 2011

■	30 000	ⅢⅢ	5 à 8 €

Le merlot et les deux cabernets ont donné naissance à cette cuvée qui surprend d'abord par son bouquet animal. L'aération révèle des parfums plus classiques de fruits mûrs, de réglisse et de moka, que l'on retrouve dans un palais souple, rond et d'un bon volume, porté par des tanins de qualité. À attendre deux ou trois ans.

☜ SCEA Vignobles Larroque, 15, allée de Gageot, 33550 Paillet, tél. 05 56 72 16 02, fax 05 56 72 34 44, vignobles.larroque@wanadoo.fr, ☑ ⚒ ☉ r.-v.

♥ CH. CLOS CHAUMONT 2011 ★★

■	25 000	ⅢⅢ	15 à 20 €

Château Clos Chaumont

2011

GRAND VIN DE BORDEAUX

PRODUIT DE FRANCE

Pieter Verbeek a repris en 1990 ce domaine alors étendu sur 6 ha ; le vignoble couvre aujourd'hui 13 ha. Une progression quantitative qui se conjugue à un réel savoir-faire à la vigne et au chai – Hubert de Boüard, copropriétaire d'Angelus, apporte sa touche « grand cru » – et qui se vérifie millésime après millésime avec des vins sortant de l'ordinaire. Ce 2011 tient son rang, et plus encore. Le nez, complexe et élégant, mêle les fruits rouges confits, le cassis, les épices et un boisé fin. Souple en attaque, le palais s'impose par son volume, sa richesse et sa générosité, porté par des tanins fermes mais sans excès de vigueur. Un fort bel ensemble, long et charmeur, qui donnera le meilleur de lui-même d'ici deux ou trois ans.

☜ Verbeek, EARL Ch. Clos Chaumont, 33550 Haux, tél. 05 56 23 37 23, fax 05 56 23 30 54, chateau-clos-chaumont@wanadoo.fr, ☑ ⚒ ☉ r.-v.

CH. COURRÈGES Cap de fer 2010 ★★

■	12 000	▐Ⅲ	11 à 15 €

Coup de cœur l'an dernier avec son Cap de fer 2009, ce cru passe tout près de la plus haute marche avec le 2010. Une cuvée qui sait faire oublier la rudesse de son nom par son élégance. Ample et concentrée, elle s'appuie sur des tanins enrobés et sur une expression aromatique complexe, qui mêle les fruits noirs (cassis, myrtille) et rouges (groseille) à un boisé fin et sans excès. Une bouteille harmonieuse, que l'on attendra trois ans avant de lui réserver une viande rouge ou du gibier en sauce.

☜ Vignobles Landeau, 40, av. Stephen-Couperie, 33440 Saint-Vincent-de-Paul, tél. 05 56 77 03 64, landeau.xavier@orange.fr, ☑ ⚒ ☉ r.-v.

CH. CROIX DE BERN Cuvée Julien 2010

■	15 000	ⅢⅢ	8 à 11 €

Élevée en fût pendant un an, cette cuvée affiche au nez un boisé encore dominateur, les fruits frais et la violette perçant à l'aération. En bouche, le vin dévoile un bon volume et des tanins arrondis, mais le merrain donne là aussi le tempo. On attendra deux ans qu'il se fonde.

☜ SCEA Vignobles Méric, Ch. Bel-Air, 33410 Sainte-Croix-du-Mont, tél. 05 56 62 01 19, fax 05 56 62 09 33, vignobles.meric@orange.fr, ☑ ⚒ ☉ t.l.j. 9h-12h 14h-18h

CH. LES GUYONNETS Cuvée Prestige
Élevé en fût de chêne 2011 ★

■	20 000	ⅢⅢ	8 à 11 €

En 2000, Sophie et Didier Tordeur, agriculteurs dans l'Oise, sont tombés sous le charme de cette propriété de Verdelais et de ses coteaux ensoleillés. Ils proposent avec cette cuvée un vin qui annonce sa jeunesse par l'intensité de sa robe. Au nez, elle associe un boisé fin et ajusté aux fruits à noyau et à la violette. Ample et plein, le palais est à l'unisson, bien équilibré entre l'apport de la barrique et ceux du raisin, frais et agrémenté d'un accent « terroité », soutenu par des tanins élégants. À déboucher entre 2015 et 2020, sur un gigot d'agneau.

☜ Sophie et Didier Tordeur, Ch. les Guyonnets, 33490 Verdelais, tél. et fax 05 56 62 09 89, didiertordeur@aol.com, ☑ ⚒ ☉ r.-v.

CH. LAGAROSSE 2011 ★

■	65 000	▐Ⅲ	11 à 15 €

Propriété fort ancienne, ce château a reçu en 1867 la visite de la princesse Clotilde Napoléon, fille du roi d'Italie, qui apprécia son beau parc arboré. Ces souvenirs royaux n'empêchent pas ce 2011 de cultiver un charme discret tout bourgeois, avec de délicats arômes de fruits mûrs agrémentés d'épices, de cuir et de tabac. La bouche séduit par sa rondeur et sa douceur, étayée par des tanins bien arrimés. Dans le ton de l'appellation et du millésime, cette bouteille gagnera à vieillir trois ou quatre ans. La cuvée **Les Comtes 2011 (15 à 20 € ; 30 000 b.)**, séveuse et bien structurée, est citée.

☜ SAS Ch. Lagarosse, 846, rte de Camail, 33550 Tabanac, tél. 05 66 67 58 90, fax 09 81 40 41 89, lagarosse@gmail.com, ☑ r.-v.

CH. LANGOIRAN Cuvée Prestige 2010 ★

■	60 000	ⅢⅢ	8 à 11 €

Les visiteurs apprécieront la vue sur la Garonne depuis la terrasse du château, un panorama qui en dit long sur la qualité de ce terroir argilo-calcaire et graves. Celle-ci se retrouve dans cette cuvée d'un beau grenat profond, au bouquet complexe de fruits rouges mûrs mâtinés d'un bon boisé aux accents de bacon, de café et de grillé. Un boisé bien présent mais respectueux du fruit qui s'invite aussi un palais ample, charnu, généreux, aux tanins fermes. L'ensemble sera à son apogée d'ici trois ou quatre ans.

☜ SC Ch. Langoiran, 16, rte du Château, 33550 Langoiran, tél. 05 56 67 08 55, fax 05 56 67 32 87, infos@chateaulangoiran.com, ☑ ⚒ ☉ t.l.j. 9h-12h 14h-17h
☜ Nicolas Filou

CH. LATOUR CAMBLANES 2011 ★

■   180 000   ⑪   8 à 11 €

Dans le giron du groupe Castel, ce domaine connaît une belle progression qualitative dont témoigne ce 2011 fort réussi : robe rubis, vive et soutenue ; joli bouquet de fruits rouges, d'épices, de vanille et de fumé ; bouche longue, ample et corpulente, encore un peu sévère en finale qui invite à un peu de patience, deux ou trois ans.
🍷 Ch. Latour Camblanes, 33360 Latresne,
tél. 05 56 35 72 73, fax 05 56 35 72 75,
contact@chateaux-castel.com

LA PARCELLE 045 2011

■   12 900   ▤   5 à 8 €

Un nouveau nom dans le Guide ; un nom original provenant du numéro cadastral de la parcelle d'un demi-hectare qui constitue le cœur historique de ce petit cru créé en 2011 par Emmanuel Tignol. Assemblage de merlot, de cabernet-sauvignon et de malbec, ce vin livre un bouquet fin de fruits rouges, relayé par un palais rond et velouté. Un caractère aimable à découvrir au cours des deux prochaines années.
NOUVEAU PRODUCTEUR

🍷 Emmanuel Tignol, 226, Collin-Dupin, 33550 Haux,
tél. 06 61 51 31 64, etignol@gmail.com, ⚔ ▼ r.-v.

CH. PASCOT Cuvée Vineola Élevé en fût de chêne 2010 ★

■   5 600   ▤⑪   11 à 15 €

Cette micro-cuvée a été créée pour célébrer les vingt ans de ce petit cru familial, propriété de Nicole et Frédéric Doermann, retraités de l'Éducation nationale. Mais c'est à leur fils Franck, pharmacien biologiste de métier et œnologue par passion, que l'on doit ce 2010 d'un beau rubis intense et brillant, finement bouqueté autour des fruits rouges et d'un boisé toasté et vanillé, généreux, suave et rond en bouche. Un vin déjà harmonieux, à boire dans sa jeunesse. La Cuvée Prestige 2010 (8 à 11 € ; 6 100 b.), bien équilibrée entre tanins ronds, boisé toasté et fruits mûrs, obtient également une étoile.
🍷 Franck Doermann, chem. de Saubiolle, 33360 Latresne,
tél. 05 56 20 78 19
☑ ⚔ ▼ t.l.j. 10h-12h 14h-18h; sam. dim. sur r.-v.

CH. PUY BARDENS Cadillac Prestige 2010

■   30 000   ▤⑪   - de 5 €

Sélection des meilleures parcelles du domaine, cette cuvée Prestige réussit à concilier rondeur et générosité (fruits confiturés, pruneaux, boisé toasté) à de bonnes perspectives de garde, grâce à des tanins mûrs mais bien présents, qui manifestent même un peu de sévérité en finale. Pour une viande en sauce, d'ici deux à quatre ans.
🍷 SCEA Ch. Puy Bardens, 101, Borie, 33880 Cambes,
tél. 05 57 55 22 25, fax 05 57 51 88 47,
luc@bonfilswines.com, ⚔ ▼ r.-v.
🍷 Bonfils

CH. DE SADRAN 2011 ★

■   106 000   ▤   - de 5 €

Propriété depuis 1968 de la famille Quancard, ce cru propose un 2011 qui porte beau dans sa robe rubis soutenu. Si le bouquet reste un peu timide (fruits rouges, épices douces), le palais, ample, gras et bâti sur des tanins serrés, se révèle plus expressif. Déjà plaisante, cette bouteille gagnera à attendre un à trois ans. Également

proposé par ces négociants bien connus de Carbon-Blanc, le Ch. de Paillet-Quancard 2010 (5 à 8 € ; 125 600 b.) est cité pour son nez agréable de fruits frais, d'épices et de notes fumées, et pour sa bouche bien structurée.
🍷 Cheval Quancard, ZI La Mouline,
4, rue du Carbouney, BP 36, 33565 Carbon-Blanc Cedex,
tél. 05 57 77 88 88, fax 05 57 77 88 99,
chevalquancard@chevalquancard.com,
☑ ⚔ ▼ r.-v. au Ch. de Bordes à Saint-Vincent-de-Paul

CH. SAINT-NICOLAS 2010 ★

■   50 000   ⑪   8 à 11 €

Coup de cœur dans l'édition précédente pour son 2009, ce cru familial conduit depuis 2004 par Chantal Larnaudie, avocate de formation, propose un 2010 qui a lui aussi de bons arguments à faire valoir, à commencer par une élégante robe grenat soutenu. Au nez, les fruits rouges mûrs s'associent à un boisé fin. On retrouve cet équilibre entre le raisin et la barrique dans un palais gras, rond, aux tanins soyeux. Déjà fort aimable, ce vin est aussi armé pour bien vieillir jusqu'en 2016-2018.
🍷 SARL NV Benito, Le Videau, 33410 Cardan,
tél. 05 56 76 72 37, fax 05 56 76 95 24, benitonv@free.fr,
☑ ⚔ ▼ r.-v.

CH. SUAU L'Artolie Élevé en fût de chêne français 2010 ★★

■   12 000   ⑪   20 à 30 €

Un bien joli nom pour cette cuvée, qui ferait penser à quelque récit tiré de la mythologie grecque s'il n'était en fait un vallon de la région de Capian. Monique Bonnet signe là un vin bien sous tous rapports, paré d'une robe profonde, au nez élégamment bouqueté autour des fruits rouges mûrs et d'un boisé discret, au palais harmonieux, bâti sur des tanins solides mais enrobés, et stimulé par une pointe de fraîcheur. Un ensemble déjà agréable, mais qui gagnera à être attendu deux ou trois ans, voire plus.
🍷 Monique Bonnet, Ch. Suau, 600, Suau, 33550 Capian,
tél. 05 56 72 19 06, fax 05 56 72 12 83,
bonnet.suau@wanadoo.fr, ☑ ⚔ ▼ r.-v.

Côtes-de-bordeaux-saint-macaire

Superficie : 53 ha
Production : 1 010 hl

Cette appellation qui prolonge, vers le sud-est, celle des premières-côtes-de-bordeaux, produit des vins blancs secs et liquoreux.

♥ CH. DE BOUILLEROT Le Palais d'or 2011 ★★

■   2 000   ⑪   8 à 11 €

Les années se suivent et se ressemblent pour Thierry Bos et son confidentiel, mais ô combien remarquable, Palais d'or : un nouveau coup de cœur pour ce 100 % sémillon après celui obtenu avec les millésimes 2010 et 2009, pour ne citer que les derniers. Dire de ce vin qu'il est la référence de l'appellation relève de la litote. Dans sa version 2011, il se présente dans une robe jaune dorée éclatante et dévoile un bouquet expressif et complexe d'abricot confit, de fruits exotiques, de figue, de brioche chaude, de vanille. Une même complexité caractérise le

CHATEAU DE BOUILLEROT

LE PALAIS D'OR

Côtes de Bordeaux
Saint-Macaire

2011

palais, rond et doux, onctueux et jamais lourd, stimulé par la juste acidité qui fait les grands liquoreux. Une gourmandise à savourer dès aujourd'hui, ou dans dix ans pour de nouvelles sensations.

☛ Thierry Bos, 8, Lacombe, 33190 Gironde-sur-Dropt, tél. 05 56 71 46 04, fax 08 11 38 21 94, info@bouillerot.com, ☑ ⚥ ⵗ r.-v.

CH. DE CAPPES Cuvée mordorée 2011 ★

| | 2 100 | ⅏ | 15 à 20 € |

Installé sur le domaine familial en 2010, Cédric Boulin exploite un vignoble de 26 ha. Il a sélectionné 2 ha de sauvignon (60 %) et de sémillon pour élaborer cette cuvée. Les deux cépages apportent chacun leurs particularités pour composer un vin équilibré. Au nez, le sauvignon mène la danse, offrant des parfums typés d'agrumes, de pêche et de fleurs blanches. En bouche, sa vivacité, bien présente, est compensée par le gras et la rondeur du sémillon. Au final, un vin flatteur et harmonieux, à déguster sur une cassolette de fruits de mers gratinés.

☛ EARL Boulin, 4, Bidalet, 33490 Saint-André-du-Bois, tél. 05 56 76 40 88, chateaudecappes@laposte.net, ☑ ⚥ ⵗ r.-v.

CH. GAYON Sélection Claude Darroze 2012

| | 4 000 | ⅏ | 8 à 11 € |

Ce domaine, propriété des Crampes depuis 1969, étend son vignoble sur 30 ha, dont 1 ha consacré au moelleux 2011 (5 à 8 € ; 6 000 b.), encore marqué par le bois mais séduisant par sa souplesse et sa fraîcheur, et 69 ares dédiés à ce blanc sec à dominante de sauvignon. Là aussi l'élevage est perceptible, à travers des notes fumées et vanillées, agrémentées de nuances florales et muscatées. La bouche se révèle puissante et vineuse, portée par un boisé soutenu que l'on devra laisser s'affiner un an ou deux.

☛ Crampes, 6, Ch. Gayon, 33490 Caudrot, tél. 05 56 62 81 19, fax 05 56 62 71 24, contact@chateau-gayon.com, ☑ ⚥ ⵗ t.l.j. 8h-12h 14h-18h; sam. dim. sur r.-v. 🏠 🄴

JAYLE 2012

| | 4 500 | ▪ | - de 5 € |

Denis Pellé signe un blanc sec 100 % sauvignon bien typé : robe or pâle, nez discret mais plaisant d'agrumes et de fleurs blanches, bouche vive, nette et citronnée. Un vin tout indiqué pour les fruits de mer. Le liquoreux 2011 (5 à 8 € ; 3 600 b.), 100 % sémillon, est également cité pour sa finesse et son équilibre douceur-fraîcheur.

☛ EARL Vignobles Pellé, 1-2, Jayle, 33490 Saint-Martin-de-Sescas, tél. 05 56 63 60 90, fax 05 56 62 71 60, contact@vignobles-pelle.com, ☑ ⚥ ⵗ r.-v. 🏠 🄾

SEMMACARI DE PONTET BEL AIR
Vinifié en fût de chêne 2012

| | 6 000 | ⅏ | 5 à 8 € |

Didier Cousiney signe un blanc sec issu de sauvignon et de muscadelle qui libère des parfums bien mariés d'amande, de pêche, de citron et de fleurs blanches. Dans la continuité, la bouche se montre souple et de bonne consistance, portée de bout en bout par une agréable vivacité et un boisé fondu. À boire dans l'année sur une volaille à la crème.

☛ Didier Cousiney, 6, chem. de l'Église, 33490 Le Pian-sur-Garonne, tél. 05 56 76 44 51, fax 05 56 76 47 08, didiercousiney@wanadoo.fr, ☑ ⚥ ⵗ r.-v.

CH. TOUR DU MOULIN DU BRIC 2012

| | 1 800 | ⅏ | 5 à 8 € |

Cette propriété familiale de 26 ha, qui a pour emblème un moulin à vent érigé devant l'exploitation, propose ici une microcuvée de pur sauvignon blanc en robe clair. L'olfaction révèle un joli fruité d'agrumes. Fraîche, nette et légère, la bouche suit la même ligne aromatique à dominante citronnée. Un vin d'une aimable vivacité, à déguster sur des fruits de mer ou un poisson grillé.

☛ SCEA Vignobles Faure, Moulin du Bric, 33490 Saint-André-du-Bois, tél. 05 56 76 40 20, fax 05 56 76 45 29, vignoblesfaure@wanadoo.fr, ☑ ⚥ ⵗ r.-v.
☛ Sylvie Thomasson

Côtes-de-Bordeaux

CH. DE BELLEGARDE 2011 ★

| | 3 500 | ▪⅏ | 8 à 11 € |

Autrefois présents dans le Guide avec le château la Chèze (en premières-côtes-de-bordeaux), les Sancier reviennent avec ce petit cru acquis en 2005 à l'occasion de leur départ à la retraite. Une retraite bien employée à en juger par ce vin mi-merlot mi-cabernet-sauvignon bien frais, fruité et discrètement boisé. Le palais se révèle ample, souple et rond, porté par des tanins soyeux et par une belle vivacité finale. Une bouteille harmonieuse, à boire ou à attendre deux ou trois ans.

☛ Ch. de Bellegarde, 2, chem. de Bellegarde, 33550 Lestiac-sur-Garonne, tél. 05 56 72 34 24, jps@chateau-de-bellegarde.com, ☑ ⚥ ⵗ r.-v. 🏠 🄷
☛ Claire et Jean-Pierre Sancier

BLASON DE GARDEGAN 2010 ★★

| | 40 000 | ▪ | - de 5 € |

La très qualitative coopérative de Puisseguin-Lussac-Saint-Émilion propose avec cette cuvée un côtes-de-bordeaux remarquable, né de merlot (80 %) et des deux cabernets. La robe est profonde et dense, le nez net et épanoui sur les fruits rouges confits (bigarreau), accompagnés de nuances florales et épicées. La bouche ? Une chair ronde et souple, et du fruit, du fruit, encore du fruit. Un vrai « vin plaisir », à déguster dès aujourd'hui sur une côte de bœuf. Dans un style boisé et plus structuré, la cuvée **Oryade 2010 (130 000 b.)** obtient une étoile. À boire ou à attendre deux ou trois ans.

☛ Vignerons de Puisseguin-Lussac-Saint-Émilion, 1, lieu-dit Durand, 33570 Puisseguin, tél. 05 57 55 50 40, fax 05 57 74 57 43, accueil@vplse.com, ☑ ⚥ ⵗ r.-v.

BORDELAIS

CH. CRABITAN-BELLEVUE Cuvée spéciale 2010

	26 350	⦀	5 à 8 €

Provenant des coteaux sud de la Garonne, cette Cuvée spéciale à forte dominante de merlot (90 %) livre un bouquet plaisant de fruits rouges et de toasté. La bouche se montre bien équilibrée, souple et fraîche. L'ensemble est suffisamment harmonieux pour être apprécié jeune.

☛ GFA Bernard Solane et Fils, 1, Crabitan, 33410 Sainte-Croix-du-Mont, tél. 05 56 62 01 53, crabitan.bellevue@orange.fr, ☑ ⚘ ⦅ r.-v.

CH. DUPLESSY 2010 ★★

	50 981	⦀	8 à 11 €

L'équilibre qui se dégage entre la chartreuse, les vignes et les bois de chêne de cette propriété des coteaux de Garonne se retrouve dans le vin. Son harmonie apparaît dès la présentation avec une élégante robe grenat et un bouquet complexe à souhait (fruits rouges mûrs, toast et chocolat). Elle se confirme au palais avec des tanins fondus accompagnés par un boisé bien intégré et enrobés par une chair riche et soyeuse, et par un fruité généreux. À déguster au cours des trois à cinq prochaines années.

☛ SC Ch. Duplessy, 1, av. de Bordeaux, 33360 Cénac, tél. 05 56 20 73 28, fax 05 56 20 77 03, contact@chateau-duplessy.fr, ☑ ⚘ ⦅ t.l.j. sf sam. dim. 8h-12h 14h-18h

CH. DU GARDE Cuvée Odette Élevé en fût de chêne 2010

	5 000	⬛⦀	11 à 15 €

Ce cru établi à Cénac, dans les coteaux de Garonne, propose une cuvée confidentielle née du seul merlot, qui n'a pas encore trouvé son expression aromatique définitive, l'empreinte du merrain dominant encore pour l'heure. C'est en bouche que ce vin affiche son caractère : un bon volume, du gras et des tanins solides qui lui garantissent une bonne marge de progression. À attendre deux ou trois ans pour plus d'harmonie.

☛ EARL Subra, 11, allée du Garde, 33360 Cénac, tél. 06 81 29 24 88, earl.subra@yahoo.fr, ☑ ⚘ ⦅ t.l.j. 10h-12h30 16h-19h30; dim. 10h-13h

CH. DU GRAND PLANTIER 2011 ★★

	20 000	⬛	- de 5 €

Comme beaucoup de producteurs à Monprimblanc, les vignobles Albucher proposent une large gamme de vins dans plusieurs appellations. Ce côtes-de-bordeaux 2011 n'est pas le moins réussi. Paré d'un beau rubis foncé, il se montre expressif et élégant à l'olfaction, porté sur les fruits rouges mûrs. Dans le prolongement, la bouche séduit par son volume, sa rondeur, sa concentration et ses tanins doux et soyeux. Déjà fort plaisant, ce vin s'appréciera mieux encore après deux à trois ans de garde, accompagné d'une belle entrecôte. Le 2010 Élevé en fût de chêne (5 à 8 € ; 8 000 b.), ample, charnu, corsé et boisé avec mesure, obtient une étoile.

☛ GAEC des Vignobles Albucher, Ch. du Grand Plantier, 33410 Monprimblanc, tél. 05 56 62 99 03, fax 05 56 76 91 35, chateaudugrandplantier@orange.fr, ☑ ⚘ ⦅ r.-v. 🏠 ⓔ

CH. LES HAUTS DE PALETTE Élevé en fût de chêne 2011

	26 000	⬛⦀	8 à 11 €

Né à Béguey, non loin de Cadillac, ce vin associe les deux cabernets au merlot majoritaire (60 %). Le passage en barrique a laissé une empreinte vanillée à l'olfaction, qui s'harmonise avec les fruits rouges et des notes de sous-bois. Souple, rond et bien équilibré, le palais s'appuie sur des tanins tendres, un rien plus sévères en finale, qui permettront à ce vin de bien évoluer au cours des trois prochaines années.

☛ SCEA Charles Yung et Fils, 8, chem. de Palette, 33410 Béguey, tél. 05 56 62 94 85, fax 05 56 62 18 11, r.yung@wanadoo.fr, ☑ ⚘ ⦅ t.l.j. sf sam. dim. 9h-12h30 13h30-18h; f. août

CH. LAGRANGE L'Enclos 2011 ★

	1 750	⦀	11 à 15 €

Ancien relais de chasse du duc d'Épernon, ce domaine étend ses vignes sur une quarantaine d'hectares. Les Bastide père et fils ont sélectionné un peu plus de 9 ha de merlot (deux tiers) et de cabernet franc pour élaborer ce 2011 resté dix-huit mois en barrique. S'ouvrant sur de belles notes boisées et épicées, le bouquet se tourne à l'aération vers les fruits (cerise noire) pour former un ensemble complexe. Le palais, chaleureux et concentré, révèle une structure solide qui laissera au bois le temps de se fondre. À sortir de cave d'ici deux à quatre ans.

☛ Alain Bastide, Ch. Bourdieu Lagrange, 33410 Monprimblanc, tél. 05 56 62 98 86, fax 05 56 62 92 21, sceabastide@hotmail.fr, ☑ ⚘ ⦅ r.-v.

CH. LAMOTHE DE HAUX Première Cuvée Vieillie en fût de chêne 2010 ★

	n.c.	⦀	8 à 11 €

Anciennement premières-côtes-de-bordeaux, ce vin a été élevé dans des carrières creusées à 20 m sous terre. Après un an passé « à la fraîche », il se présente dans une seyante robe rubis et développe un bouquet complexe de fruits rouges, de vanille, d'épices et de toasté. Il dévoile ensuite un palais souple en attaque, ample, frais et structuré par des tanins doux et ronds. Une bouteille harmonieuse, longue et goûteuse, à déboucher au cours des trois prochaines années.

☛ EARL les Caves du Ch. Lamothe, Ch. Lamothe, 33550 Haux, tél. 05 57 34 53 00, fax 05 56 23 24 49, info@chateau-lamothe.com, ☑ ⚘ ⦅ r.-v.

CH. LAROCHE 2010

	69 000	⬛⦀	5 à 8 €

Si le pittoresque château des XVIIe et XVIIIes. appartient toujours aux Palau, le vignoble a été racheté en 2009 par Jean Merlaut. Ce dernier signe un vin d'un beau rubis foncé, au bouquet généreux et plaisant de fruits rouges mûrs. Nerveux et vif en attaque, le palais évolue sur de solides tanins, encore un peu sévères en finale. Un vin bien dans le ton du millésime, à déguster dans deux ou trois ans.

☛ SARL Dudon, Ch. Dudon, 33880 Baurech, tél. 05 57 97 77 35, fax 05 57 97 77 39, info@jean-merlaut.com, ☑ ⚘ ⦅ r.-v.

☛ Jean Merlaut

CH. MONS LA GRAVEYRE 2010 ★

	11 000	⦀	8 à 11 €

Cette petite propriété familiale située à Cambes, dans l'ancienne appellation premières-côtes-de-bordeaux, est conduite depuis 2004 par Jean-Marc et Catherine Dumons. Issu d'une « vinification intégrale » avec élevage en fût de chêne de 400 l pendant neuf mois, ce 2010 est bien dans le ton des vins de côtes traditionnels, corsé et charpenté sans agressivité. Un vin « rustique, à l'ancienne », selon un dégustateur, qui conseille une garde de trois ou quatre ans.

☛ Dumons, Ch. Mons la Graveyre, La Taste, 33880 Cambes, tél. 06 70 48 72 20, fax 05 56 44 09 47, jean-marc.dumons@wanadoo.fr, ☑ ⚲ ⵙ r.-v.

CH. MONT-PÉRAT 2011 ★★

	180 000	▪▥	15 à 20 €

Propriété des Despagne depuis 1998, ce domaine est bien connu des œnophiles asiatiques depuis que le célèbre manga *Les Gouttes de Dieu* a comparé ce vin à un concert de Freddie Mercury. Il y a peu de volume disponible en France, et c'est bien dommage tant ce vin a séduit les dégustateurs par son bouquet intense de fruits noirs et rouges confits agrémentés de nuances de pain chaud, et par son palais ample, chaleureux, vineux et structuré par des tanins extraits avec élégance. Une belle bouteille de caractère, à attendre quatre ou cinq ans.

☛ SCEA Mont-Pérat, Le Touyre, 33420 Naujan-et-Postiac , tél. 05 57 84 55 08, fax 05 57 84 57 31, contact@despagne.fr, ☑ ⚲ ⵙ r.-v.

☛ Despagne

CH. DE POTIRON Cuvée Excellence 2010 ★

	83 000	▥	11 à 15 €

La cuvée Prestige de ce cru représente une large partie du vignoble : 19 sur les 20 ha que compte la propriété. Elle fait la part belle au cabernet-sauvignon (60 % de l'assemblage) aux côtés du merlot et du cabernet franc. Le résultat est un vin riche en fruits mûrs et en senteurs boisées à l'olfaction, ferme, charnu, corpulent et tout aussi boisé en bouche. On attendra trois ou quatre ans que l'ensemble s'affine.

☛ SCEA Ch. de Potiron, D 140, 33550 Capian, tél. 05 56 72 19 76, fax 05 56 72 33 57, chateau-de-potiron@dzwine.com, ☑ ⚲ ⵙ r.-v.

☛ Schmidt

CH. SAINT-OURENS Cuvée Nelly 2010 ★

	2 400	▪▥	11 à 15 €

Cette petite exploitation de 4 ha bien exposée sur les coteaux de Langoiran a été acquise en 1990 par Michel Maës, qui signe donc ici son vingtième millésime avec ce 2010 en robe sombre. Le nez, expressif et chaleureux, mêle les fruits mûrs à un boisé bien dosé et à des nuances florales. Souple, rond et doux, le palais évolue vers plus de fermeté en finale, porté par des tanins serrés et un boisé élégant. À attendre deux ou trois ans pour plus de fondu.

☛ Michel Maës, 57, rte de Capian, Saint-Ourens, 33550 Langoiran, tél. 05 56 67 39 45, maesmichel@hotmail.com, ☑ ⚲ ⵙ t.l.j. 9h-13h 13h30-19h

La région des Graves

Vignoble bordelais par excellence, les graves n'ont plus à prouver leur antériorité : dès l'époque romaine, leurs rangs de vignes ont commencé à encercler la capitale de l'Aquitaine et à produire, selon l'agronome Columelle, « un vin se gardant longtemps et se bonifiant au bout de quelques années ». C'est au Moyen Âge qu'apparaît le nom de Graves. Il désigne alors tous les pays situés en amont de Bordeaux, entre la rive gauche de la Garonne et le plateau landais. Par la suite, le Sauternais s'individualise pour constituer une enclave, vouée aux liquoreux, dans la région des Graves.

Graves et graves supérieures

S'allongeant sur une cinquantaine de kilomètres, la région des Graves doit son nom à la nature de son terroir : celui-ci est constitué principalement par des terrasses construites par la Garonne et ses ancêtres qui ont déposé une grande variété de débris caillouteux (galets et graviers originaires des Pyrénées et du Massif central).

Depuis 1987, les vins qui y sont produits ne sont pas tous commercialisés comme graves, le secteur de Pessac-Léognan bénéficiant d'une appellation spécifique, tout en conservant la possibilité de préciser sur les étiquettes les mentions « vin de graves », « grand vin de graves » ou « cru classé de graves ». Concrètement, ce sont les crus du sud de la région qui revendiquent l'appellation graves.

L'une des particularités de l'AOC réside dans l'équilibre qui s'est établi entre les superficies consacrées aux vignobles rouges et blancs secs. Les graves rouges possèdent une structure corsée et élégante qui permet un bon vieillissement. Leur bouquet, finement fumé, est particulièrement typé. Les blancs secs, élégants et charnus, sont parmi les meilleurs de la Gironde. Les plus grands, fréquemment élevés en barrique, gagnent en richesse et en complexité après quelques années de garde. On trouve aussi des vins moelleux qui ont toujours leurs amateurs et qui sont vendus sous l'appellation graves supérieures.

Graves

Superficie : 3 420 ha
Production : 138 835 hl (75 % rouge)

CH. D'ARCHAMBEAU 2011 ★

	26 000	▪▥	8 à 11 €

Ce domaine appartenant à la famille Dubourdieu est installé sur une colline aux sols de graves, localement argilo-calcaires, qui permet d'obtenir des vins intéressants dans les deux couleurs. Comme ce blanc, à majorité de sauvignon (70 %), aux frais arômes de fruits blancs (pêche), à peine boisé (trois mois de barrique), à la bouche mûre et à la très belle finale, suave, onctueuse et longue. Cité, le **rouge 2010 (80 000 b.)**, à légère dominante de merlot, offre un bouquet de fruits rouges vanillés et un palais rond, d'une bonne ampleur, encore tannique en finale : on l'attendra deux ans.

🕿 Jean-Philippe Dubourdieu, lieu-dit Archambeau, 33720 Illats, tél. 05 56 62 51 46, fax 05 56 62 47 98, chateau-archambeau@wanadoo.fr,

☑ ⚔ ⊤ t.l.j. 9h30-12h 14h-18h

CH. D'ARDENNES 2010 ★

| ■ | 50 000 | 🛢 🏭 | 11 à 15 € |

Les Dubrey, qui revendiquent fièrement le titre de vignerons, sont enracinés à Illats (non loin de Barsac) depuis le XVIIᵉˢ. Leur vin rouge est très souvent en bonne place dans le Guide. Le 2010 comprend, outre le merlot (45 %) et les deux cabernets, un soupçon de petit verdot. Sa robe grenat annonce un vin sérieux. Un peu discret au départ, le bouquet monte en puissance sur des notes de cannelle, de pain d'épice et de fruits mûrs. Le palais est étayé par des tanins bien présents, un peu stricts en finale, qui assureront une bonne garde. Frais, léger et élégant, le **blanc 2012 (8 à 11 € ; 20 000 b.)**, mi-sémillon mi-sauvignon, a également obtenu une étoile.

🕿 SCEA Ch. d'Ardennes, Ardennes, 33720 Illats, tél. 05 56 62 53 66, fax 05 56 62 43 67, contact@chateau-ardennes.com, ☑ ⚔ ⊤ r.-v.

🕿 Cyril Dubrey

CH. D'ARRICAUD 2010 ★★

| ■ | n.c. | 🏭 | 15 à 20 € |

Commandé par des bâtiments imposants d'un sobre classicisme, cette propriété fondée à la fin du XVIIIᵉˢ. offre une belle vue sur le Sauternais. Les Bouyx veillent sur le vignoble depuis trois générations. Valeur sûre, leur domaine a une nouvelle fois rendez-vous avec la réussite grâce à ce vin, assemblage mi-cabernet-sauvignon mi-merlot (avec un soupçon de petit verdot). Le bouquet expressif se partage entre les épices et les fruits rouges et noirs (griotte et cassis). Concentré, ample, structuré par des tanins déjà arrondis, le palais velouté et harmonieux autorise une consommation prochaine tout en ouvrant de belles perspectives de garde (sept ans). Moins dense et plus stricte mais de bonne tenue, la **cuvée Prestige rouge 2010 (11 à 15 €)** a été citée.

🕿 EARL Bouyx, Ch. d'Arricaud, 33720 Landiras, tél. 05 56 62 51 29, fax 05 56 62 41 47, chateaudarricaud@wanadoo.fr, ☑ ⚔ ⊤ r.-v.

CH. AUNEY L'HERMITAGE 2011 ★

| ▨ | 7 000 | 🏭 | 5 à 8 € |

Un nouveau cru ? Non, seulement un changement de nom. Le château le Chec, bien connu des lecteurs du Guide pour ses blancs, s'appellera Ch. Auney l'Hermitage à partir de ce millésime. Assemblage de sémillon (60 %), de sauvignon et de muscadelle, ce graves blanc délivre des parfums de pêche blanche, d'amande, de noisette et de fruits exotiques. Un ensemble expressif et déjà harmo-

nieux, même si une garde de quelques années est possible. Bel accord en perspective avec un plat au curry.

🕿 Christian Auney, La Girotte, 33650 La Brède, tél. 05 56 20 31 94, vignobles.auney@wanadoo.fr, ☑ ⚔ ⊤ r.-v.

CH. BEAUREGARD DUCASSE Albertine Peyri 2011

| | 12 000 | 🏭 | 8 à 11 € |

Également propriétaire en Sauternais, Jacques Perromat a reconstitué au sud des Graves un vignoble légué à sa famille par Albertine Peyri. Il rend hommage à son aïeule à travers cette cuvée de blanc élevée en fût. Sans être très puissant, ce 2011 sait retenir l'attention par ses frais arômes de fleurs blanches et d'agrumes soulignés d'un léger boisé toasté, par sa bonne structure et par sa finale savoureuse et longue. Un vin flatteur.

🕿 EARL Vignobles Jacques Perromat, Ducasse, 33210 Mazères, tél. 05 56 76 18 97, fax 05 56 76 17 73, jperromat@mjperromat.com,

☑ ⚔ ⊤ t.l.j. 9h-12h 14h-18h; f. 15 août-1ᵉʳ sept

CH. LE BOURDILLOT 2010 ★

| ■ | 8 000 | 🛢 🏭 | 11 à 15 € |

Depuis 1906, quatre générations se sont succédé sur ce cru régulier en qualité, comme l'attestent plusieurs coups de cœur obtenus tant par Patrice Haverlan que par son père. Avec ce vin bien structuré privilégiant le cabernet-sauvignon (65 %), ce graves s'inscrit dans la tradition, mais il surprend tout de même par la densité de sa robe noire, puis par son palais « énorme », puissant, dense, porté par de solides tanins. Ce côté massif, ainsi qu'un boisé très marqué au nez, incite à patienter deux ans. Il atteindra son optimum entre 2015 et 2018-20, voire davantage. Le merlot est majoritaire dans les deux autres cuvées, l'une comme l'autre marquées par le bois à attendre aussi deux ans. Bien équilibrée et bouquetée, la **cuvée Séduction rouge 2010 (5 à 8 € ; 40 000 b.)** a obtenu une étoile, tandis que la **cuvée Tentation rouge 2010 (8 à 11 € ; 40 000 b.)** a été citée.

🕿 EARL Patrice Haverlan, 11, rue de l'Hospital, 33640 Portets, tél. 05 56 67 11 32, fax 05 56 67 37 55, patrice.haverlan@orange.fr, ☑ ⚔ ⊤ r.-v.

♥ CAPRICE DE BOURGELAT 2011 ★★

| | 4 340 | 🏭 | 8 à 11 € |

Dominique Lafosse choie ses cépages blancs, qui occupent une bonne moitié de son domaine. Toujours fidèle à l'esprit de l'appellation, il n'a pas hésité à mettre en vedette le sémillon (90 %) dans son graves blanc, fermenté en barriques de chêne neuves et élevé sept mois sous bois. Le vin revêt une robe aux reflets dorés et délivre un bouquet intense et fin d'agrumes, d'abricot et de fleurs blanches miellées, souligné par un fin boisé aux nuances vanillées et toastées. L'attaque dévoile une bonne matière, ample et onctueuse, tendue par une belle vivacité qui donne du tonus à la finale marquée par un plaisant retour des agrumes. Une bouteille remarquable qui pourra être appréciée tout de suite ou laissée en cave jusqu'en 2017-2018. Le **Clos Bourgelat rouge 2010 (25 600 b.)** assemble le merlot à parité avec les cabernets. Malgré son élevage en barrique, il offre un nez très fruité, sur le cassis et la cerise, avec la touche végétale des cabernets. Souple en attaque, charnu, équilibré, puissant et épicé, il mérite largement une citation. On l'attendra un peu.

☛ EARL Dominique Lafosse, Clos Bourgelat, 4, Caulet-sud, 33720 Cérons, tél. 05 56 27 01 73, domilafosse@wanadoo.fr, ☑ ⚔ ⚲ t.l.j. sf dim. 10h-12h 14h-19h; f. août

CH. DE LA **Brède** 2011 ★

■	6 000	▥	20 à 30 €

Les amoureux des lettres et des vieilles pierres apprécieront ce château « gothique » – comme on disait au siècle des Lumières – où Montesquieu naquit et aimait séjourner, surveillant attentivement son domaine viticole. Ce vignoble a été replanté en 2008, puis confié en fermage à Dominique Haverlan (voir Ch. Grand Bourdieu et Vieux Ch. Gaubert), qui livre ici le premier millésime du fief de Montesquieu. Produit sur 4 ha, ce 2011 assemble cabernet-sauvignon et merlot presque à parité. Il se montre des plus agréable, tant par son bouquet aux notes de fruits rouges mûrs que par son palais, souple, assez ample, bâti sur de fins tanins. Un beau vignoble en puissance, qui devrait donner des vins encore plus intéressants dès qu'il aura pris de l'âge. Issu de la trilogie des cépages blancs bordelais, le **blanc 2011 (9 000 b.),** complexe et bien équilibré, a également obtenu une étoile.

☛ Ch. de la Brède, Vignobles Dominique Haverlan, 35, rue du 8-mai-1945, 33640 Portets, tél. 05 56 67 18 63, fax 05 56 67 52 76, dominique.haverlan@libertysurf.fr, ☑ ⚲ r.-v.

CH. **Brondelle** 2011 ★★

▨	10 000	▥	11 à 15 €

Une fois encore, Jean-Noël Belloc n'a pas manqué le rendez-vous du Guide. Il a su tirer le meilleur profit de son très beau terroir argilo-calcaire en élaborant ce graves blanc bien typé, mi-sauvignon mi-sémillon, dont le millésime précédent avait décroché trois étoiles. Très expressif, le bouquet joue sur les fleurs, les épices, la noisette et l'amande, relayé par un palais gras, équilibré par une belle fraîcheur. Déjà prêt et de garde, il accompagnera tout un

La région des Graves

La région des Graves

repas, des fruits de mer au fromage en passant par un poisson au four. À la fois traditionnel et moderne, le **rouge 2010 (12 000 b.)** se partage entre fruits rouges et boisé déjà fondu. Il est cité.

☞ Jean-Noël Belloc, Ch. Brondelle, 33210 Langon, tél. 05 56 62 38 14, fax 05 56 62 23 14, chateau.brondelle@wanadoo.fr, ☑ ⚔ ⌑ t.l.j. sf sam. dim. 9h-12h30 14h-17h30

CH. DE BUDOS Cuvée Darmajan 2011 ★

	1 650	⦿	8 à 11 €

Bien qu'il soit en ruines, le château de Budos, construit pour un neveu du pape Clément V, a toujours fière allure, avec ses hautes murailles cantonnées de tours et sa grande entrée centrale surmontée d'un donjon crénelé. Tout autour s'étend un vignoble de 25 ha exploité par la même famille depuis 1920. Bernard Boireau et Laurent Persan signent un graves blanc fermenté en barriques de chêne neuves et élevé sous bois. Mariant sauvignon blanc et sauvignon gris, ce vin sait montrer son caractère à l'olfaction par de jolies notes d'agrumes accompagnées de touches minérales, et, en bouche, par des nuances boisées. Gras et ample, le palais est tendu par une fraîcheur plutôt nerveuse en finale. De quoi accompagner des poissons cuisinés.

☞ SCEA Boireau-Persan, Les Marots, 33720 Budos, tél. 05 56 62 51 64, fax 05 56 62 48 07, chateaudebudos@free.fr, ☑ ⚔ ⌑ t.l.j. 8h-19h; dim. 9h-12h

CH. DE CALLAC Cuvée traditionnelle 2010 ★

	140 000	⦿	8 à 11 €

Ancien consultant, Mathieu Gufflet a changé de vie en rachetant ce domaine qui couvre 38 ha, non loin de Barsac et de Cérons. Le terroir argilo-calcaire a dicté l'encépagement : 65 % de merlot, complété par les deux cabernets. Ce vin justifie ce choix, tant par sa robe grenat sombre que par son bouquet très ouvert, bien fruité malgré l'élevage (il naît en barriques, neuves pour la moitié) : il mêle les fruits rouges, notamment la fraise des bois, à une touche de grillé. Franc et ample, voire opulent, le palais finit sur un beau retour fruité et grillé. Ses tanins soyeux autorisent une consommation prochaine, tout en permettant quelques années de garde.

☞ Gufflet, Ch. de Callac, 33720 Illats, tél. 06 85 06 43 37, callac-mg@orange.fr, ☑ ⚔ ⌑ r.-v.

CH. CARBON D'ARTIGUES 2011 ★

■	100 000	⦿	8 à 11 €

Proche de Sauternes, le vignoble aurait appartenu au Moyen Âge à un neveu du pape Clément V. Aujourd'hui, il couvre 24 ha. En sélectionnant les deux cuvées principales en rouge et en blanc, le jury a retenu la plus grande partie de la production du domaine. Le vin préféré est le rouge, qui met en vedette le merlot (90 %), à l'aise sur les sols argilo-calcaires du cru. La robe est dense, le bouquet dominé par un fruité aux nuances de cerise et de prune, complétées de la note grillée de l'élevage. Rond en attaque, gras, structuré et réglissé, le palais est bien équilibré. Ses tanins demandent environ trois ans pour s'assouplir. Léger, précis, minéral et bien équilibré, le **blanc 2012 (5 à 8 € ; 35 000 b.)**, dominé par le sémillon, offre de jolis arômes d'agrumes. Il est cité.

☞ Ch. Carbon d'Artigues, Lieu-dit Artigues, 33720 Landiras, tél. 05 56 62 53 24, fax 05 56 62 44 32, carbon.dartigues@libertysurf.fr, ☑ ⚔ ⌑ r.-v.

♥ CH. DE CAROLLE 2010 ★★

■	85 000	⦿	5 à 8 €

PRODUIT DE FRANCE
GRAND VIN DE BORDEAUX

CHATEAU DE CAROLLE
GRAVES
APPELLATION GRAVES CONTRÔLÉE
B.. D. ET P. GUIGNARD
VITICULTEURS-RÉCOLTANTS A MAZÈRES
GIRONDE · FRANCE
Mis en Bouteille par Château
2 0 1 0

Au sud du Sauternais, le village de Mazères mérite le détour pour son magnifique château de Roquetaillade, construit au XIVᵉs. pour un neveu du pape Clément V. Le vignoble, aujourd'hui dissocié de la forteresse, est conduit par les trois frères Guignard, Dominique, Bruno et Pascal. Cette partie méridionale des Graves est réputée pour ses blancs et le **Ch. Roquetaillade La Grange blanc 2012 (8 à 11 € ; 45 000 b.)**, gras et encore très boisé, a été cité. Le pays réserve aussi de belles surprises en rouge, témoin le coup de cœur décroché par ce 2010 mi-merlot mi-cabernets. Engageant dans sa robe rubis très sombre aux reflets brillants, ce vin séduit aussi par son bouquet intense de fruits noirs mûrs, en harmonie avec les notes torréfiées, cacaotées et vanillées du bois. En bouche, il s'impose par l'équilibre parfait de sa structure tannique, suave et puissante. Un graves tout à la fois charpenté et gourmand, très typé, qui sera agréable dans quatre ans comme après une garde de dix à quinze ans.

☞ GAEC Guignard Frères, La Grange, 33210 Mazères, tél. 05 56 76 14 23, fax 05 56 62 30 62, contact@vignobles-guignard.com, ☑ ⚔ ⌑ t.l.j. 9h-17h30; sam. dim. sur r.-v.

CH. DE CASTRES 2012 ★

	7 000	⦿	11 à 15 €

Fils d'un viticulteur originaire du Douro, José Rodrigues, d'abord ingénieur, est devenu œnologue. Il s'est pris de passion il y a une vingtaine d'années pour cette chartreuse du XVIIIᵉs. entourée d'un parc et d'un vignoble de 30 ha d'un seul tenant. La force de cette passion se lit dans la qualité de ce graves blanc, associant sauvignons (blanc et gris) et sémillon à parts presque égales, avec un soupçon de muscadelle. Mêlant agrumes, fleurs et fruits blancs, le bouquet de ce 2012 joue la carte de la finesse. On retrouve son élégance et sa fraîcheur au palais agrémenté d'une touche minérale. Le **Ch. Tour de Castres blanc 2012 (8 à 11 € ; 7 000 b.)** fait jeu égal. Proche du précédent tant par son assemblage que par son caractère, il se montre frais, franc, aromatique et harmonieux. Il sera parfait sur un plateau de fruits de mer ou à l'apéritif. Enfin, le **Ch. de Castres rouge 2011 (70 000 b)**, aux arômes de fruits compotés et épicés, bientôt prêt, a été cité.

☞ EARL Vignobles Rodrigues-Lalande, Ch. de Castres, 33640 Castres-Gironde, tél. 05 56 67 51 51, fax 05 56 67 52 22, contact@chateaudecastres.fr, ☑ ⚔ ⌑ r.-v.

CH. DE CHANTEGRIVE 2010 ★★

■   200 000   ◫   11 à 15 €

En moins de cinquante ans, cette propriété, fondée en 1967, est passée de 2 ha à 94 ha. Elle a gagné encore davantage en notoriété, proposant des vins salués par le public, comme en témoignent sept coups de cœur du Guide, dont trois consécutifs dernièrement. Couronné l'an dernier, ce cru offre à nouveau un graves rouge « haute couture » dans des volumes appréciables. Les promesses de la robe pourpre à reflets violets n'ont rien de « gascon », pour preuve le bouquet, puissant et racé, alliant les fruits noirs, les épices et des nuances empyreumatiques, puis le palais à la trame tannique serrée, soyeuse et bien enrobée. Charpentée, grasse et séveuse, cette bouteille de garde s'ouvre sur une large palette d'accords gourmands. Mais on attendra quatre ou cinq ans pour apprécier pleinement ses charmes qu'elle déploiera pendant une bonne décennie. Le **blanc 2011 cuvée Caroline (15 à 20 € ; 60 000 b.)** a obtenu une étoile.

☛ SAS Vignobles Lévêque, Ch. de Chantegrive, 33720 Podensac, tél. 05 56 27 17 38, fax 05 56 27 29 42, courrier@chateau-chantegrive.com,
☑ ⚔ ⊼ t.l.j. sf dim. 9h-12h30 13h30-17h

CH. CHERET-PITRES 2010 ★

■   30 000   ◫   5 à 8 €

Né dans un méandre de la Garonne, ce vin privilégie le merlot (60 %), assemblé au cabernet-sauvignon. Il se fait séducteur par sa robe aussi fraîche que profonde. Fruits noirs mûrs, fleurs, poivre, moka, réglisse, le bouquet se montre franc et assez généreux, et annonce la bonne tenue du palais. Souple en attaque, charnu, charpenté, bien équilibré et persistant, celui-ci invite à patienter deux ou trois ans avant d'ouvrir cette jolie bouteille sur des viandes rouges ou du petit gibier.

☛ Caroline Dulugat, 1, chem. de Pitres, 33640 Portets, tél. et fax 05 56 67 27 76, dulugat.caroline@9business.fr,
☑ ⚔ ⊼ r.-v.

CH. LES CLAUZOTS Cuvée Maxime 2010 ★

■   n.c.   ◫   8 à 11 €

Très souvent au rendez-vous du Guide, les vins de la famille Tach sont élaborés à l'extrême sud de l'appellation, près de Langon. Issue de raisins soigneusement sélectionnés, la cuvée Maxime est composée aux deux tiers de cabernet-sauvignon planté sur graves, le merlot faisant classiquement l'appoint. Après un élevage de six mois en cuve et de douze mois en barrique, elle séduit par sa robe pourpre profond, et par son bouquet de fruits confits (mûre, bigarreau), grillé, toasté et vanillé. Les tanins, suaves et veloutés en attaque, évoluent ensuite avec beaucoup de finesse, comme l'expression aromatique du palais. À boire dans les cinq ans. Un peu plus simple mais bien construite, la **cuvée principale rouge 2010 (5 à 8 €)** a été citée, alors que le **blanc 2011 (5 à 8 €)**, un vin ample et frais aux arômes d'acacia, de genêt et de fruits exotiques, marqué par le sauvignon majoritaire dans sa composition, obtient lui aussi une étoile.

☛ Frédéric Tach, 4, Camboutch, 33210 Saint-Pierre-de-Mons, tél. 05 56 63 34 32, fax 05 56 63 18 25, chateaulesclauzots@wanadoo.fr,
☑ ⚔ ⊼ r.-v.

CLOS DU HEZ 2010 ★★

■   7 865   5 à 8 €

S'ils sont surtout connus pour leur sauternes, second cru classé qui leur a valu un coup de cœur l'an dernier, les Guignard ne sont pas des novices en matière de graves rouge, en témoigne ce vin gourmand né tout près du Sauternais. Assemblant merlot et cabernet-sauvignon à parts égales, ce 2010 d'une belle couleur grenat développe un bouquet discret mais très agréable de cassis finement vanillé, avant de charmer par l'élégance de ses tanins et sa longueur. Déjà harmonieux, il pourra rester en cave trois ou quatre ans. On le verrait bien avec un confit de canard.

☛ GAEC Philippe et Jacques Guignard, Ch. Lamothe Guignard, 33210 Sauternes, tél. 05 56 76 60 28, fax 05 56 76 69 05, chateau.lamothe.guignard@orange.fr,
☑ ⚔ ⊼ t.l.j. 8h-12h 14h-18h; sam. dim. sur r.-v.

CLOS FLORIDENE 2010 ★

■   55 000   ◫   15 à 20 €

Constitué près de Barsac par Denis Dubourdieu, professeur d'œnologie bien connu, un des domaines en vue, avec quelque huit coups de cœur dans les deux couleurs. Après un blanc 2010 couronné l'an dernier, voici un fort joli rouge du même millésime, issu de sols argilo-calcaires et d'un assemblage dominé par le cabernet-sauvignon. Bien dans l'esprit du cru et de l'appellation, celui-ci se distingue par son élégance, tant au bouquet, où ressortent les fruits rouges et noirs, qu'au palais, dont on apprécie l'équilibre, l'ampleur et l'amabilité. Exploité par Denis Dubourdieu sur les croupes graveleuses d'Illats, le **Ch. Haura rouge 2010 (11 à 15 € ; 50 000 b.)** associe le cabernet-sauvignon (53 %) et le merlot presque à parité. Il obtient lui aussi une étoile pour son nez flatteur alliant les fruits rouges et noirs, le pruneau et les notes grillées et toastées de l'élevage, comme pour ses tanins soyeux rehaussés d'un fin boisé. Ces deux vins pourront être bus jeunes ou attendus jusqu'en 2020.

☛ EARL Denis et Florence Dubourdieu, Ch. Reynon, 21, rte de Cardan, 33410 Béguey, tél. 05 62 62 96 51, fax 05 56 62 14 89, reynon@wanadoo.fr,
☑ ⚔ ⊼ r.-v.

CLOS LAMOTHE 2012 ★

■   6 500   5 à 8 €

La famille Rouanet cultive la vigne depuis le XVIIᵉs., en vit depuis la fin de la Grande Guerre et a commencé la vente en bouteilles dans les années 1950. Aujourd'hui, elle exploite 14 ha. Son graves blanc n'a pas connu la barrique. C'est donc uniquement au sémillon (très majoritaire) qu'il doit son élégance et sa complexité aromatiques, ses jolies notes de fruits exotiques, de fruits blancs et d'agrumes. Séveux et fruité, le palais montre par son acidité de jeunesse et sa longueur qu'il possède un bon potentiel d'évolution (quatre ou cinq ans).

☛ SARL Clos Lamothe, 7, rte de Mathas, 33640 Portets, tél. 05 56 67 23 12, fax 08 11 48 62 77, sceacloslamothe@wanadoo.fr, ☑ ⚔ ⊼ r.-v.
☛ Rouanet

CH. DOMS 2011 ★

	30 000	5 à 8 €

Une chartreuse du XVIIes., anciens bâtiments monastiques transformés en chai et un vignoble de 28 ha. À sa tête, Hélène Durand et sa fille Amélie, ingénieur agronome et œnologue – le domaine est entre des mains féminines depuis cinq générations. Est-ce pour cette raison que ce graves blanc manifeste sa personnalité par le charme de ses arômes d'agrumes et de fruits exotiques (mangue-passion) et par sa matière ronde et élégante ? Une belle expression d'un sauvignon majoritaire, qui s'alliera à tous les produits de la mer et aux fromages de chèvre moelleux.

🔲 Hélène et Amélie Durand, Ch. Doms,
10, chemin de Lagaceye, 33640 Portets, tél. 05 56 67 20 12, fax 05 56 67 31 89, chateau.doms@wanadoo.fr, ☑ ☂ ☖ r.-v.

CH. DORLÉAC 2010 ★

	10 000	- de 5 €

La famille Lapouge, propriétaire à Sainte-Croix-du-Mont, a acquis en 2000 ce cru dans les Graves, sur l'autre rive de la Garonne. Un terroir de graves presque entièrement planté de merlot (98 %) à l'origine de ce joli vin aux tanins suaves et aux arômes fruités fort plaisants. S'y ajoute une petite note fumée typique des graves. On pourra consommer cette bouteille prochainement, mais elle devrait encore s'épanouir au cours des trois prochaines années.

🔲 Vignobles Labat-Lapouge, Les Arroucats,
33410 Sainte-Croix-du-Mont, tél. 05 56 62 07 37,
fax 05 56 76 71 80, chateau_arroucats@hotmail.com,
☑ ☂ ☖ t.l.j. 8h-12h 13h30-18h; sam. dim. sur r.-v.;
f. sem. du 15 août
🔲 Lapouge

CH. FERBOS 2010

	32 000	8 à 11 €

Depuis deux ans, Xavier Perromat et son épouse Caroline se sont lancés dans une rénovation complète de leurs crus, dont le château de Cérons est le plus célèbre. Avec succès, comme le montre ce 2010. D'une belle couleur rouge vif, il se montre très agréable par son bouquet qui fait la part belle aux fruits rouges et noirs (cerise et mûre). Fin et délicat, le palais séduit par son fruité intense et persistant. À déboucher dès la sortie du Guide.

🔲 Xavier Perromat, Ch. de Cérons, 1, Latour,
33720 Cérons, tél. 05 56 27 01 13, fax 05 56 27 22 17,
perromat@chateaudecerons.com, ☑ ☂ ☖ r.-v.

CH. LA FLEUR JONQUET 2010 ★★

	27 924	11 à 15 €

En mai 2013, Laurence Lataste, parce que ses enfants ne souhaitaient pas prendre sa suite, a vendu son exploitation située à Arbanats et à Portets au Chinois Wengcheng Li, architecte spécialisé dans la construction en Chine de châteaux de style classique et déjà propriétaire de deux crus dans le Libournais. Avec son mari, elle avait constitué ce domaine à partir de 1986 ; elle a été parmi les premières femmes à vinifier dans le Bordelais. Son 2010, issu d'une majorité de merlot, ne se contente pas de sa robe d'un grenat sombre et intense pour attirer l'attention. Son bouquet, encore discret, s'ouvre doucement sur des notes de moka sous lequel percent les fruits et les épices. Son palais, fin et élégant, étayé par des tanins mûrs et fondus, permettra d'apprécier cette bouteille assez rapidement. Il en sera de même du **Ch. de Giron rouge 2010**

(8 à 11 € ; 14 532 b.). Assez proche du précédent, il a obtenu une étoile, tout comme le **Ch. la Fleur Jonquet blanc 2011** (10 428 b.), fin, frais, équilibré et servi par de jolis arômes d'agrumes et de fruits exotiques.

🔲 Laurence Lataste, 5, rue Amélie, 33200 Bordeaux,
tél. 05 56 17 08 18, fax 05 57 22 12 54, l.lataste@wanadoo.fr,
☑ ☂ ☖ r.-v.

CH. DES FOUGÈRES Clos Montesquieu La Folie 2010 ★

	12 000	15 à 20 €

Le château des Fougères, à La Brède, n'appartient plus à la famille de Montesquieu. Le baron Henry de Montesquieu, qui l'avait réhabilité, l'a vendu en 2010 à Dominique Coutière, un ingénieur landais fondateur d'une entreprise spécialisée dans les matières premières naturelles destinées à la haute parfumerie : le secteur n'est pas si éloigné... Assemblage de cabernet-sauvignon (60 %) et de merlot, la production du cru garde une belle tenue, à en juger par cette cuvée. Le boisé toasté et fumé est encore dominant, mais le vin est bien présent, intense et soyeux, ce qui permettra à l'ensemble de se fondre d'ici deux à trois ans.

🔲 Dominique Coutière, Ch. des Fougères, rte du Peyret,
33651 La Brède Cedex, tél. 05 58 51 08 68,
fax 01 46 52 54 70, contact@chateaudesfougeres.fr,
☑ ☂ ☖ r.-v.

SENSATION DE CH. GRAND BOURDIEU
Élevé en fût de chêne 2010 ★★

	n.c.	8 à 11 €

Dominique Haverlan conduit avec maîtrise plusieurs belles unités dans les Graves (voir Vieux Château Gaubert). Cuvée de prestige, déjà remarquable dans le millésime précédent, ce vin a bénéficié de soins attentifs et d'un élevage entièrement mené en barrique (avec 20 % de fûts neufs). La matière apportée par le raisin étant suffisante, l'ensemble se montre puissant, au nez comme en bouche, tout en conservant une réelle harmonie. Le boisé, toasté, épicé et réglissé, laisse poindre le fruit rouge et noir ; les tanins sont déjà enrobés. Une bouteille pleine de charme, qu'il conviendra d'attendre deux ou trois ans, voire cinq à dix. Aromatique, la cuvée **Sensation blanc 2012** (5 à 8 € ; 20 000 b.) offre un joli nez, entre agrumes et ananas, et une bouche florale très élégante : une étoile. Le **Ch. Haut-Pommarède rouge 2011** (25 000 b.), dont c'est la première récolte depuis son achat par Dominique Haverlan, a été cité : un vin pour maintenant, souple et rond, aux arômes de fruits rouges, de violette et de vanille.

🔲 GFA Domaines Haverlan, 35, rue du 8-Mai-1945,
33640 Portets, tél. 05 56 67 18 63, fax 05 56 67 52 76,
dominique.haverlan@libertysurf.fr, ☂ ☖ r.-v.

GRAND ENCLOS DU CHÂTEAU DE CÉRONS 2010 ★

	37 972	15 à 20 €

Issue de l'ancien domaine appartenant au marquis de Calvimont, cette propriété a été rachetée en 2000 par Giorgio Cavanna, ingénieur et propriétaire d'un vignoble en Toscane. Bien conseillé, il en a fait un cru réputé, qui se montre une fois encore à la hauteur de sa renommée avec ce graves rouge composé aux deux tiers de merlot, complété par le cabernet-sauvignon. Le bouquet offre de beaux parfums de fruits mûrs que l'on retrouve au palais, accompagnés par une bonne présence tannique. Tous les dégustateurs s'accordent pour dire que ce millésime gagnera en expression et en harmonie avec le temps :

mieux vaut l'attendre trois à cinq ans. Discrètement fruité, élégant et typique, le **blanc 2011 (23 671 b.)** a obtenu la même note.

☛ SCEA du Grand Enclos de Cérons,
12, pl. Charles-de-Gaulle, 33720 Cérons, tél. 05 56 27 01 53, fax 05 56 27 08 86, grand.enclos.cerons@wanadoo.fr,
☑ ⚔ ⵊ r.-v.

☛ Cavanna

CH. DE LA GRAVELIÈRE 2012

	6 000	▮	8 à 11 €

Producteurs à Monprimblanc sur la rive droite de la Garonne, les Réglat possèdent des vignobles dans les Graves, dont celui-ci qui nous offre un vin gourmand et aromatique, né de pur sauvignon, cité pour ses arômes plaisants d'agrumes et de fruits exotiques. Pour l'apéritif, les fruits de mer et les poissons grillés.

☛ Guillaume et Caroline Réglat, Ch. de la Mazerolle, 33410 Monprimblanc, tél. 05 56 62 98 63,
fax 05 56 62 17 98, bernard.reglat@orange.fr, ☑ ⚔ ⵊ r.-v.

♥ CH. DES GRAVIÈRES 2012 ★★

	20 000	▮	5 à 8 €

Le domaine est dans la famille depuis sept générations, et la dernière, représentée par Denis et Thierry Labuzan, l'a beaucoup agrandi, faisant passer sa surface de 18 à 45 ha. Si l'exploitation a déjà été distinguée pour ses vins rouges, c'est la première fois qu'elle est sur le devant de la scène pour un blanc. Et avec panache, grâce à ce vin racé, mi-sémillon mi-sauvignon, qui a fait l'unanimité. Les fruits exotiques et les agrumes s'allient à des touches minérales dans un bouquet aussi intense qu'élégant. Charmeur dès l'attaque, gras et frais à la fois, le palais retrouve la même expression aromatique avant de s'étirer sur une très belle finale minérale. À déguster dans les cinq ans sur des fruits de mer ou sur une sole grillée. Bien construits, étoffés et très élégants eux aussi, le **Ch. des Gravières 2010 rouge (120 000 b.)** et le **Ch du Barrailh rouge 2010 (85 000 b.)**, qui privilégient le merlot, ont obtenu chacun une étoile (avec une petite préférence pour le dernier). Ils évolueront dans le bon sens au cours des quatre ou cinq prochaines années et méritent d'être attendus.

☛ EARL Vignobles Labuzan, 6C, rue du Mirail, 33640 Portets, tél. 05 56 67 15 70, fax 05 56 67 07 50, vignobles-labuzan@wanadoo.fr, ☑ ⚔ ⵊ r.-v.

CH. GUILLON 2011 ★

	n.c.	▮⬢	8 à 11 €

Comme beaucoup de propriétés situées à Castres, ce cru du groupe Castel bénéficie d'un très bon terroir. Ce 2011 mi-cuve mi-fût, asssemblage de merlot (60 %) et de cabernet-sauvignon, est une belle expression de ces graves – par sa couleur rubis intense ; par son bouquet qui dévoile à l'aération de frais arômes de groseille et de framboise ; et par sa bonne structure, dont les tanins serrés se portent garants d'une évolution intéressante pendant les deux ou trois prochaines années. Le **Ch. Ferrande blanc 2011 (11 à 15 € ; 50 000 b.)**, consistant et prometteur, est cité.

☛ SC Ch. Guillon, 33460 Castres-Gironde, tél. 05 56 35 66 05, fax 05 56 35 72 95, contact@chateaux-castel.com

CH. HAUT GRAMONS 2011 ★

	24 130	⬢	11 à 15 €

Fleuron des vignobles Boudat-Cigana, dont le siège est établi dans l'Entre-deux-Mers, ce cru propose un fort joli blanc 2011, où transparaissent, harmonieusement mariés, le boisé hérité d'un élevage de neuf mois en barrique, les arômes fruités du sauvignon (70 %) et la texture du sémillon. Ample, gras et onctueux, ce vin met bien en valeur son bouquet concentré et complexe (fruits exotiques, nuances végétales, notes grillées et fumées, pêche en bouche). On l'appréciera dans les trois ans à l'apéritif, sur du poisson ou sur des viandes blanches.

☛ Boudat Cigana, Ch. de Viaut, 33410 Mourens, tél. 05 56 61 31 31, fax 05 56 61 99 46, fboudat@orange.fr, ☑ ⚔ ⵊ r.-v.

CH. DU HAUT MARAY 2010

	11 000	⬢	11 à 15 €

Ce graves rouge provient d'un petit domaine acquis en 1996 par la famille Lucas et situé à l'extrémité sud de l'appellation, du côté de Langon. Si l'élevage en barrique, qui s'est prolongé vingt-deux mois, est encore sensible, ce vin est loin d'être dominé par le bois. Sa palette aromatique dévoile aussi des notes de fruits mûrs, de pruneau et une touche de cuir rappelant le merlot (70 % de l'assemblage). Ses tanins et sa belle finale laissent penser qu'il pourra évoluer favorablement après deux ou trois années de garde.

☛ Raymond Lucas, 1, lieu-dit Cadillac, 33210 Mazères, tél. 05 56 76 83 33, chateauduhautmaray@cegetel.net, ☑ ⚔ ⵊ r.-v.

CH. HAUT REYS Cuvée Paumarel 2010 ★

	8 000	⬢	15 à 20 €

Issus l'un comme l'autre d'un milieu viticole, Grégoire et Isabelle Gabin se sont installés en 1997 à la Brède, sur un domaine de 20 ha. Leur cuvée Paumarel est un vin de prestige, un pur merlot élevé un an en barrique neuve. Elle a obtenu deux étoiles l'an dernier. Le 2010 montre plus de rondeur, tout en affichant des tanins suffisamment fermes pour se porter garants de l'avenir. Confirmant ce potentiel, le bouquet apparaît complexe, pas le moins du monde écrasé par l'élevage : la framboise, la groseille, le raisin mûr s'allient au poivre et à la vanille. On attendra deux ou trois ans cette bouteille qui tiendra jusqu'à la prochaine décennie. Frais, tendre et souple, avec ce qu'il faut de vivacité citronnée, le **blanc 2011 (5 à 8 € ; 10 000 b.)**, qui fait la part belle au sauvignon, a été cité.

☛ Isabelle et Grégoire Gabin, 18, allée Perrucade, 33650 La Brède, tél. 05 56 20 38 29, gabin.earl@orange.fr, ☑ ⚔ ⵊ t.l.j. sf dim. 10h-12h 14h30-18h30

CH. HAUT SELVE 2011 ★

n.c.   ⊕   11 à 15 €

Créé de toutes pièces en 1993, ce cru va fêter son vingtième anniversaire. Il pourra ouvrir une bouteille de ce graves blanc associant 60 % de sauvignon (dont 15 % de sauvignon gris) au sémillon. La robe est d'un jaune assez soutenu, bien brillant. Le bouquet, complexe, exprime les agrumes (pamplemousse) et les fruits exotiques (mangue, fruit de la Passion), soulignés par un boisé discret. Frais et bien équilibré entre le gras et l'acidité, le palais laisse le souvenir d'un vin typique et complet qui mettra en valeur des spécialités chinoises ou thaï. Charmeur avec son bouquet épicé, son boisé bien maîtrisé laissant parler le fruit et ses tanins fondus, le **rouge 2010 (120 000 b.)** est cité. On pourra le servir dès 2014.

☛ Vignobles Lesgourgues, 285, rue Nationale, 33240 Saint-André-de-Cubzac, tél. 05 57 94 09 20, fax 05 57 94 09 30, contact@leda-sa.com, ☑ ⚘ ⊤ r.-v.

KRESSMANN Grande Réserve 2012 ★

30 000   ▯   5 à 8 €

La gamme Grande Réserve de Kressmann est destinée aux cavistes et aux restaurateurs. Son graves blanc privilégie le sémillon, qui représente les deux tiers de l'assemblage. Pourtant, ce sont les arômes du cépage minoritaire, le sauvignon, qui ressortent dans sa palette mêlant les agrumes, les fleurs blanches et le buis. Après une attaque ronde et souple, la bouche finit sur de fraîches impressions d'agrumes. À déboucher dès l'apéritif.

☛ Kressmann, 35, rue de Bordeaux-Parempuyre, CS 80004, 33295 Blanquefort Cedex, tél. 05 56 35 53 00, fax 05 56 35 53 29, contact@kressmann.com

CH. DE LANDIRAS 2011 ★

100 666   ⊕   8 à 11 €

Un domaine historique, qui garde le souvenir de Jeanne de Lestonnac, nièce de Montaigne et fondatrice de la Compagnie de Marie-Notre-Dame. Bien plus récemment, une propriété viticole mise en vedette il y a deux ans par le superbe 2009, coup de cœur du Guide. Sans prétendre rivaliser avec son aîné, le 2011 sait retenir l'attention. Privilégiant le merlot, il attire par sa belle robe rubis et par la finesse de son bouquet aux notes de pain grillé, de vanille, de mûre et de réglisse. Bien construit, rond, gras et savoureux, le palais n'est pas en reste. Deux ou trois ans de patience, et ce millésime donnera le meilleur de lui-même. Élégant et puissant, aromatique et boisé, frais marqué par le sauvignon, le **blanc 2012 (5 à 8 € ; 22 400 b.)** a lui aussi obtenu une étoile.

☛ SCA Dom. La Grave, Ch. de Landiras, 33720 Landiras, tél. 05 56 76 76 61, fax 05 56 76 76 62, chateau.landiras@wanadoo.fr, ☑ ⚘ ⊤ r.-v.

☛ M. Pelissié

CH. LANGLET 2010

25 000   ⊕   11 à 15 €

Si les Kressmann sont surtout implantés en appellation pessac-léognan, ils ne négligent pas pour autant ce cru, installé sur une belle croupe de graves de la commune forestière de Cabanac-et-Villagrains ; en témoigne ce joli vin né d'une majorité de merlot, dont la structure ronde et grasse soutenue par de fins tanins met en valeur le bouquet aux notes de réglisse, de cassis confituré, de vanille et d'épices douces. On le servira dans les cinq prochaines années, aussi bien sur des viandes rouges que sur des viandes blanches.

☛ SCEA Vignobles Jean Kressmann, 8, chem. de la Tour, 33650 Martillac, tél. 05 57 97 71 11, fax 05 57 97 71 17, latourmartillac@latourmartillac.com, ☑ ⚘ ⊤ r.-v.

CH. LUDEMAN LES CÈDRES 2012

12 000   ▯   5 à 8 €

Venu du sud de la région des Graves, une terre très favorable aux blancs, ce vin, mi-sauvignon mi-sémillon, est bien construit, assez gras et vif. D'une belle fraîcheur, son expression aromatique mêle les fleurs blanches et les agrumes, citron en tête, avec une touche acidulée de fruit de la Passion. Une bouteille à apprécier jeune, à l'apéritif, ou selon la suggestion du producteur, sur des anguilles à la persillade.

☛ SCEA Molinari et Fils, Ludeman, 33210 Langon, tél. 05 56 63 09 52, fax 05 56 63 13 47, chateaupontdebrion.com, ☑ ⚘ ⊤ r.-v.

CH. MAGNEAU Julien 2011 ★

13 000   ⊕   11 à 15 €

Viticulteurs de père en fils depuis des générations, les Ardurats sont des gens sérieux, comme en témoignent les étoiles attribuées régulièrement à leurs vins dans le Guide. Celle-ci distingue une fois de plus la cuvée Julien, un assemblage de sauvignon (60 %) et de sémillon. Ce blanc affirme avec force son caractère, tant par son bouquet élégant et complexe de fruit de la Passion, de pêche, de fleurs blanches et de vanille que par sa matière ample, onctueuse et longue. La finale fraîche, sur les agrumes, laisse une impression d'équilibre. Tout aussi équilibré, expressif et complexe, le **blanc 2012 (5 à 8 € ; 40 000 b.)**, élevé en cuve, a lui aussi reçu une étoile.

☛ Jean-Louis et Bruno Ardurats, 12, chem. Maxime-Ardurats, 33650 La Brède, tél. 05 56 20 20 57, fax 05 56 20 39 95, ardurats@chateau-magneau.com, ☑ ⚘ ⊤ t.l.j. sf sam. dim. 8h30-12h 14h-18h

CH. MARTIN 2012 ★

16 100   5 à 8 €

Issu d'un cru appartenant à un important producteur de Portets, ce graves blanc se distingue par sa complexité aromatique et par sa belle texture au palais. Gras et puissant, il se mariera bien avec des mets en sauce, viandes blanches ou poissons. Provenant d'un autre domaine des mêmes propriétaires, le **Ch. Prieuré les Tours blanc cuvée Clara 2012 (20 000 b.)** a obtenu une étoile. Sa bonne structure arrondie par le gras lui permettra d'être apprécié pendant trois ans. Une autre étoile va au **Ch. Prieuré les Tours rouge 2010 (130 000 b.)** pour sa matière élégante au boisé bien fondu et pour son beau potentiel, ainsi qu'au **Ch. Millet rouge 2010 (130 000 b.)**, un vin bien charpenté, lui aussi prometteur. Très réussi également, le **Ch. Millet blanc 2012 cuvée Henri (20 000 b.)**, aromatique et rond, plaira aux amateurs de vins blancs boisés.

⚓ EARL les Domaines de la Mette, 17, rte de Mathas, 33640 Portets, tél. 05 56 67 18 18, fax 05 56 67 53 66, domainesdelamette@wanadoo.fr, ☑ ⚓ ⚓ r.-v.

⚓ J.-B. Solorzano

CH. MÉJEAN 2010 ★

■	31 900	▮⬚	15 à 20 €

Fils d'épiciers, Bruno Géraud a dirigé une grande surface à Léognan avant d'acquérir en 2000 ce cru proche de la Brède. Il l'a réhabilité entièrement, des bâtiments au vignoble, tout en élevant des vaches bazadaises. Issu de très jeunes vignes, son vin privilégie le merlot (70 %). Sans être d'une grande puissance, il séduit par son côté gourmand, notamment par son bouquet de fruits rouges, de tabac, de vanille et de grillé. Son palais souple est porté par des tanins fins et élégants. Ce 2010 gagnera cependant à attendre deux ou trois ans, avant d'accompagner une pièce de bœuf, bazadais bien sûr.

⚓ Bruno Géraud, 6, av. du Petit-Breton, 33640 Ayguemorte-les-Graves, tél. 06 09 70 32 98, fax 05 56 67 69 16, chateau.mejean@wanadoo.fr, ☑ ⚓ ⚓ r.-v.

CH. MOURAS 2010 ★

■	30 000	⬚	8 à 11 €

Issu d'une propriété à cheval sur les Graves et le Sauternais, ce vin assemblant deux tiers de merlot aux cabernets se montre prometteur par sa robe d'un rubis intense. Il tient ensuite ses engagements, tant par la complexité de son bouquet mêlant fruits rouges confiturés, caramel et vanille que par son évolution au palais. Sa puissance généreuse, sa densité, son boisé appuyé et sa belle finale tannique appellent trois ou quatre ans de patience.

⚓ Ch. Laville, 33210 Preignac, tél. 05 56 63 59 45, fax 05 56 63 16 28, chateaulaville@hotmail.com, ☑ ⚓ ⚓ r.-v.

⚓ J.-C. Barbe

CH. MOUTIN 2011 ★

▨	5 500	⬚	8 à 11 €

Établis à Loupiac, sur la rive droite de la Garonne, les Darriet possèdent un réel savoir-faire en matière de vin blanc : Philippe Darriet, l'enologue, est professeur à l'Institut de la Vigne et du Vin et spécialiste du sauvignon. Ce graves 2011 doit justement beaucoup à ce cépage (90 %) et le proclame par son bouquet bien mûr marqué par de jolies notes de fruits exotiques (mangue, fruit de la Passion). Au palais apparaît une certaine minéralité, qui contribue à l'harmonie de ce blanc puissant et racé. Pour du poisson ou une entrée marine. Plus simple mais bien construit, le **rouge 2010 (11 à 15 €; 15 000 b.)**, qui privilégie le merlot, a été cité. À déguster dès la sortie du Guide.

⚓ SCJ Darriet, Ch. Dauphiné-Rondillon, 33410 Loupiac, tél. 05 56 62 61 75, fax 05 56 62 63 73, contact@vignoblesdarriet.fr, ☑ ⚓ ⚓ t.l.j. 8h30-12h30 14h-18h; sam. dim. sur r.-v.

CH. DE L'OMERTA Élevé en fût de chêne 2010 ★

■	33 000	▮⬚	5 à 8 €

Deux vins issus des confins sud-est de l'appellation, près de Langon. Ce graves rouge assemble le cabernet-sauvignon et le merlot à parts sensiblement égales, avec

une pincée de petit verdot. En dépit de son nom, l'Omerta, (dont on rêve d'avoir l'explication), et d'une réelle intensité, le rubis de sa robe n'a rien d'opaque ! Le bouquet marie avec bonheur des notes de fruits rouges et le toasté de la barrique, tandis que le palais, à la fois souple et ample, invite à une consommation prochaine (dans deux ou trois ans). Issu de sémillon majoritaire, le **blanc 2012 (moins de 5 €; 7 000 b.)**, rond et très marqué par l'élevage, a été cité.

⚓ SCEA Vignoble de l'Omerta, 5, rue de la Résistance, 33210 Preignac, tél. 06 12 33 51 36, fax 05 56 76 20 34, chateaudelomerta@hotmail.fr, ☑ ⚓ ⚓ r.-v.

⚓ Denis Roumégous

CH. PESSAN 2010 ★

■	8 000	▮⬚	11 à 15 €

Propriété acquise en 1999 par les comtes de Bournazel, également à la tête du château de Malle en Sauternais. Ce 2010 à dominante de merlot surprend par sa matière très mûre, qui se traduit par des arômes de fruits rouges compotés, confits, voire macérés, auquel répond un degré d'alcool élevé (14,5 % vol.). Une bonne garde – trois à cinq ans au moins – est à envisager avant d'ouvrir cette bouteille particulièrement puissante sur une daube ou un salmis de palombe. Plus souple, sur le fruit, avec une trame tannique assez légère, le **Ch. de Cardaillan rouge 2010 (35 000 b.)** a été cité. Il accompagnera dès aujourd'hui une entrecôte aux cèpes.

⚓ SCI Ch. Pessan, Ch. Pessan, 33640 Portets, tél. 05 56 62 36 86, fax 05 56 76 82 40, accueil@chateau-de-malle.fr

⚓ Comtes de Bournazel

CH. PEYREBLANQUE 2010 ★★

■	10 000	⬚	8 à 11 €

L'un des onze vignobles de la famille Médeville, dont le domaine couvre 180 ha sur les deux rives de la Garonne, avec pour berceau le château Fayau à Cadillac. Une unité de 7 ha d'un seul tenant, proche de Budos et du Sauternais, implantée sur un plateau riche en calcaires, d'où son nom « pierre blanche » (en gascon). Le cabernet-sauvignon (70 %) et le merlot s'y plaisent, à en juger par ce vin au bouquet aussi racé que complexe (raisin bien mûr et café grillé). Le palais monte en puissance avec élégance pour s'étirer sur une longue finale soulignée par des tanins soyeux. Cette bouteille sera à son optimum dans cinq ans. Léger et plaisant, le **blanc 2012 (5 à 8 € ; 4 500 b.)** a été cité.

⚓ SCEA Jean Médeville et Fils, Ch. Fayau, 33410 Cadillac, tél. 05 57 98 08 08, fax 05 56 62 18 22, medeville@medeville.com, ☑ ⚓ ⚓ t.l.j. sf sam. dim. 9h-12h 14h-17h

CH. PEYRON BOUCHÉ 2010 ★

■	80 000		8 à 11 €

Venu du sud de l'appellation, ce vin fait une belle entrée dans le Guide avec ce 2010, dont l'élégance apparaît dans la robe profonde, entre rouge et noir. Avec ses notes de cacao relayées par les fruits noirs, le bouquet n'est pas en reste. Le palais, aux arômes fruités et grillés, est dans le même esprit, comme la finale aux saveurs relevées. Cette bouteille pourra être servie prochainement.

⚓ Jean Sourget, Peyron, 33210 Saint-Pierre-de-Mons, tél. 06 08 68 62 97 ☑ r.-v.

BORDELAIS

♥ **CH. PIRON** Élevé en fût de chêne 2010 ★★

| ■ | 18 000 | � | 5 à 8 € |

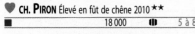

On voyait ce cru revenir avec plus d'assiduité dans ces pages ; il confirme son savoir-faire avec ce 2010. Le domaine est dans la famille depuis la fin du XVIIe s., mais sa vocation viticole est plus récente. Depuis 1999, il est géré par Lionel Boyreau, qui ne ménage pas les investissements. Bien fait et bien pensé, ce graves à dominante de merlot s'impose par sa finesse. Le bouquet de cerise noire et de tabac, plein d'une grande délicatesse, atteste une bonne maturité et une heureuse intégration de l'élevage. Souple et charnu, bien fruité, étayé par des tanins soyeux, le palais s'inscrit dans le droit fil de la présentation. Très harmonieux, ce millésime pourra être apprécié dès aujourd'hui ou attendu quatre ou cinq ans, voire bien davantage. Très marqué par la barrique, mais gardant une certaine fraîcheur et beaucoup de gras, le **blanc Terre d'aurore 2011 (8 à 11 € ; 3 000 b.)** a obtenu une étoile.
☎ EARL Famille Boyreau, Piron, 33650 Saint-Morillon, tél. et fax 05 56 20 22 94,
muriel.boyreau@chateau-piron.com,
☑ ⚥ ⏣ t.l.j. 9h-12h 13h-19h; dim. sur r.-v.
☎ GFA de Piron

♥ **CH. PONTET REYNAUD** 2011 ★★

| ■ | 50 000 | III | 8 à 11 € |

Un aïeul tonnelier a fondé le domaine au début du siècle dernier. Depuis 2006, ce sont Philippe et Patrice qui exploitent les 44 ha de la propriété. Ils ont inauguré en 2009 un nouveau chai ultramoderne et leurs cuvées bénéficient certainement de ces équipements. Après le Ch. des Places jugé remarquable l'an dernier, voici en vedette ce Pontet Reynaud, dont l'assemblage privilégie le merlot. Très plaisant par son bouquet de raisins mûrs, presque confits, rafraîchi par des touches mentholées, il évolue sans heurt au palais, où les tanins et le gras s'équilibrent harmonieusement. Un « vin plaisir » qui présente aussi un

réel potentiel. Le producteur suggère de le servir avec un chapon farci et sa poêlée de cèpes.
☎ Vignobles Reynaud, 46, av. Maurice-La-Châtre, 33640 Arbanats, tél. 05 56 67 20 13, fax 05 56 67 17 05, contact@vignobles-reynaud.fr,
☑ ⚥ ⏣ r.-v.

CH. DE PORTETS 2012 ★

| ■ | 22 000 | ▮ | 8 à 11 € |

« Ancienne baronnie de Gascq », l'étiquette rappelle la pérennité de ce domaine, commandé par une demeure classique, dont la vaste cour pavée et la grille en fer forgée évoquent tout à fait le château bordelais. Quant à ce vin, qui met à contribution les trois principaux cépages blancs de la région, il est bien typé graves, tant par sa teinte jaune pâle que par ses arômes de miel, de fruits mûrs, d'agrumes, de réglisse et de tilleul. Généreux au palais et suave en finale, marqué par un beau retour aromatique sur la verveine, il devrait s'entendre avec des crustacés ou du poisson en sauce.
☎ SCEA Théron-Portets, Ch. de Portets, 33640 Portets, tél. 05 56 67 12 30, fax 05 56 67 33 47, vignobles.theron@wanadoo.fr,
☑ ⚥ ⏣ r.-v.
☎ Marie-Hélène Yung-Théron

♥ **CH. RAHOUL** 2010 ★★

| ■ | 102 600 | III | 20 à 30 € |

Sur ce cru ancien (1646) appartenant depuis 1986 à Alain Thiénot, l'adéquation entre terroirs, porte-greffes et cépages ne doit rien au hasard. Et si la notoriété du domaine tient surtout à ses blancs (dont témoignent quatre coups de cœur), les rouges ne sont pas négligés. Celui-ci vaut à Rahoul d'être couronné pour la première fois dans cette couleur. Il met surtout à contribution le merlot, puis le cabernet-sauvignon, et incorpore un soupçon de petit verdot. Grenat sombre à reflets rubis, sa robe est prometteuse. La suite de la dégustation montre qu'elle n'est pas trompeuse. Le bouquet élégant et franc livre des parfums de fruits mûrs soulignés par de discrètes notes boisées (vanille, café). Quant au palais, racé et long, porté par une structure tannique onctueuse et charnue, il promet de s'épanouir d'ici deux ou trois ans. Classique et bien équilibré, le second vin, **l'Orangerie de Rahoul rouge 2010 (8 à 11 € ; 49 330 b.)**, a été cité. Quant au **blanc 2011 (12 000 b.)**, qui fait la part belle au sémillon, il obtient deux étoiles pour sa puissance et pour la complexité de sa palette aromatique, reflet d'un harmonieux mariage entre le fruit et le bois.
☎ Ch. Rahoul, 4, rte du Courneau, 33640 Portets, tél. 05 56 35 53 00, fax 05 56 35 53 29, contact@dourthe.com, ⚥ ⏣ r.-v.
☎ Alain Thiénot

CH. RESPIDE Callipyge Élevé en fût de chêne 2010 ★★

| ■ | 30 000 | ▮ ⦙Ⅱ | 11 à 15 € |

Ce domaine historique est entré dans la famille de Franck Bonnet en 1952. Ce dernier exploite les 76 ha du vignoble selon une démarche très raisonnée. Callipyge ? Le nom de la cuvée de prestige. Emprunté à la mythologie, il suggère... de belles rondeurs et une élégance sculpturale. De fait, ce 2010, assemblage original par la proportion de petit verdot (20 %, avec le merlot et le cabernet-sauvignon à parts égales), est un modèle d'élégance. Sa structure sait résister au merrain, et ses tanins sont d'une douceur qui laisse le champ libre aux arômes de tabac brun, de fruits rouges, de mûre et de vanille. On attendra trois ou quatre ans au moins avant d'ouvrir cette belle bouteille. Bien équilibrée, un peu stricte, la cuvée **Classic rouge 2010 Élevé en fût de chêne (8 à 11 € ; 100 000 b.)** a été citée. La cuvée **Callipyge blanc 2011 (8 à 11 € ; 24 000 b.)** a obtenu une étoile pour sa belle harmonie entre gras et fraîcheur et pour ses parfums printaniers et sauvignonnés (genêt, buis).

☛ SCEA Vignobles Bonnet, 2, Pavillon de Boyrein, 33210 Roaillan, tél. 05 56 63 24 24, fax 05 56 63 24 34, vignobles-bonnet@wanadoo.fr,
☑ ⚔ ⵢ t.l.j. sf sam. dim. 9h-12h 14h-17h; f. 15-31 août

CH. ROUGEMONT 2011 ★

| ■ | 2 600 | | - de 5 € |

Acquis par la famille des actuels propriétaires après le grand gel de 1956, ce cru jouxte le Sauternais. Régulier en qualité, il signe un blanc au bouquet très expressif de fleurs blanches et de lilas. Le palais donne une belle impression de fraîcheur, tandis que la finale persiste sur des saveurs de fruits jaunes. Discrètement épicé, souple, construit sur des tanins fins, le **rouge 2010 (5 à 8 € ; 1 000 b.)**, cité, est un vin pour les trois ou quatre prochaines années, qui pourra accompagner volailles et viandes blanches.

☛ Dominique Turtaut, 48, rue de Jean-Cabos, 33210 Toulenne, tél. 05 56 63 19 06 ☑ ⚔ ⵢ r.-v.

CH. SAINT-AGRÈVES 2010 ★

| ■ | 50 000 | ▮ ⦙Ⅱ | 5 à 8 € |

Portant le nom d'un archevêque de Bordeaux au XVIIᵉs., ce domaine appartient à la famille Landry depuis le XVIIIᵉs. Son graves rouge privilégie les cabernets (60 %, dont 30 % de cabernet franc). Avec ce 2010, Vincent Landry joue la carte du bouquet, qui exprime d'intenses arômes de fruits rouges et noirs. La bouche est suave et tout aussi fruitée, mais la trame tannique, loin d'être absente, invite à attendre deux ou trois ans pour apprécier pleinement cette bouteille.

☛ Vincent Landry, EARL Landry, 17, rue Joachim-de-Chalup, 33720 Landiras, tél. 05 56 62 50 85, saint.agreves@orange.fr, ☑ ⚔ ⵢ t.l.j. sf dim. 9h-19h

CH. SAINT-ROBERT Poncet-Deville 2010 ★★

| ■ | 27 000 | ⦙Ⅱ | 15 à 20 € |

La cuvée Poncet-Deville du Château Saint-Robert est l'une des plus en vue de l'appellation. Le Guide témoigne de sa qualité : elle a obtenu neuf coups de cœur au fil des éditions, le plus récent étant un blanc 2010. Voici, dans le même millésime, la version rouge, issue d'un assemblage classique (60 % de merlot, complété par le cabernet-sauvignon) et d'un élevage en barrique neuve. Sa teinte, plus noire que rouge, annonce un vin de caractère, tout comme le bouquet aux puissantes notes de cèdre et de confiture de mûres. Le palais fait retrouver ces accents particuliers de bois précieux, tandis que se développent des tanins bien mûrs qui ont encore besoin de se fondre. La finale encore stricte appelle un séjour en cave de deux ou trois ans, voire davantage. Gras et vif à la fois, puissant et expressif (pêche, pamplemousse, fruits de la Passion), le **Poncet-Deville blanc 2011 (11 à 15 € ; 16 000 b.)** a obtenu une étoile. Les cuvées principales **Ch. Saint-Robert rouge 2010 (11 à 15 € ; 80 000 b.)** et **blanc 2011 (8 à 11 € ; 15 000 b.)** ont chacune reçu une citation.

☛ SCEA de Bastor et Saint-Robert, Dom. de Lamontagne, 33210 Preignac, tél. 05 56 63 27 66, fax 05 56 76 87 03, bastor@bastor-lamontagne.com, ☑ ⚔ ⵢ r.-v.
☛ Gie Cellarmony

CH. DE SAUVAGE Manine 2010 ★

| ■ | 1 200 | ⦙Ⅱ | 15 à 20 € |

Issue d'un petit vignoble de clairière, d'où son nom de Sauvage dérivé des mots latins *silvaticus* (forestier) et *silva* (la forêt), cette cuvée de pur merlot porte encore l'empreinte d'un élevage de seize mois en barrique dans les notes toastées, cacaotées et vanillées de son bouquet, qui laisse cependant percer des parfums de fruits rouges et noirs. Cette présence du fruit, et l'équilibre du palais, puissant et bien charpenté, se portent garants du potentiel de cette belle bouteille. Mieux vaut l'attendre deux ou trois ans avant de la servir sur des magrets ou des entrecôtes. Le 2008 avait obtenu un coup de cœur.

☛ Dubourg, Ch. de Sauvage, lieu-dit Manine, 33720 Landiras, tél. 06 23 32 59 52, fax 05 53 94 80 03, info@chateaudesauvage.com, ☑ ⚔ ⵢ r.-v.

CH. TOUR DE CALENS 2010 ★

| ■ | 14 600 | ⦙Ⅱ | 8 à 11 € |

Propriétaires dans l'Entre-deux-Mers, Bernard et Dominique Doublet ont acquis en 1987 ce cru que les visiteurs n'auront pas de mal à trouver : il est situé au bord de la RD 1113 (l'ancienne nationale). On pourra s'y procurer ce 2010 qui privilégie dans son assemblage le cabernet-sauvignon. Bouquet partagé entre fruits rouges et moka, palais à la fois puissant et charnu, frais et fin : tout atteste une bonne maîtrise de la vinification et de l'élevage. Une bouteille à attendre deux ou trois ans.

☛ SCEA Bernard et Dominique Doublet, Ch. Tour de Calens, 33640 Beautiran, tél. 05 57 24 12 93, chateauvignol@orange.fr, ☑ ⚔ ⵢ r.-v.

CH. DU TOURTE 2010 ★★

| ■ | 24 000 | ⦙Ⅱ | 11 à 15 € |

Un vignoble proche de Langon, au sud du Sauternais, commandé par une sobre chartreuse. L'élégance des bâtiments se retrouve dans la robe de ce 2010 grenat profond, et dans son bouquet aux parfums d'orient : citron confit, gingembre et menthe fraîche viennent vivifier des parfums de fruits rouges (framboise) assortis des notes toastées léguées par un élevage de quinze mois en fût. On retrouve ces saveurs gourmandes au palais, où le vin apparaît bien marié avec le merrain. La trame tannique encore vive et jeune appelle deux ou trois ans de patience. Un cru décidément très régulier.

☛ Ch. du Tourte, 33210 Toulenne, tél. 06 60 68 40 08, fax 05 56 62 28 26 ☑ ⚔ ⵢ r.-v.
☛ Hubert Arnaud

CH. LE TUQUET 2010 ★

| | 30 000 | ⑪ | 8 à 11 € |

Acquis par la famille Ragon il y cinquante ans, un vaste cru (120 ha) commandé par une chartreuse néoclassique du XVIII°s., dont la façade sud est l'œuvre de Victor Louis, l'architecte du Grand Théâtre de Bordeaux. Le vin, mi-merlot mi-cabernets, se montre à la hauteur des lieux par son bouquet de fruits mûrs, d'amande grillée et de sous-bois, par ses saveurs fruitées et épicées, et par ses tanins ronds, soyeux et suaves. Témoignant d'une belle maîtrise de l'élevage, ce 2010 mérite d'attendre au moins trois ans et pourra se garder jusqu'à la prochaine décennie.

☛ SARL Paul Ragon, Ch. le Tuquet, 33640 Beautiran, tél. 05 56 20 21 23, fax 05 56 20 21 83, letuquet@orange.fr, ☑ ⚐ ⟂ r.-v.

VIEUX CHÂTEAU GAUBERT 2010 ★

| | 60 000 | ⑪ | 11 à 15 € |

Commandé par une superbe chartreuse construite au XVIII°s. par une famille d'armateurs, le domaine viticole a été constitué au cours des années 1980 par Dominique Haverlan, et ses graves figurent le plus souvent en très bonne place dans le Guide. Cette année, le rouge est en vedette. Mi-merlot mi-cabernet-sauvignon, ce 2010 marque d'abord sous l'emprise de l'élevage, libérant des notes fumées et toastées, avant de laisser percer des senteurs de fruits rouges et noirs nuancées d'une touche florale. Ce fruité s'épanouit en bouche, au sein d'une belle matière, structurée par une trame tannique enrobée et fondue jusqu'en finale. Plaisante dans sa jeunesse, cette bouteille peut attendre plus de cinq ans. Déjà prêt lui aussi tout en étant bien structuré, le second vin, **Benjamin de Vieux Ch. Gaubert rouge 2011 (8 à 11 € ; 100 000 b.)** est cité. Le **Benjamin de Vieux Ch. Gaubert blanc 2012 (5 à 8 € ; 25 000 b.)** obtient la même note pour son nez complexe (acacia, agrumes, mangue, fruit de la Passion...), pour son équilibre et pour sa présence en bouche.

☛ Dominique Haverlan, Vieux Ch. Gaubert, 33640 Portets, tél. 05 56 67 18 63, fax 05 56 67 52 76, dominique.haverlan@libertysurf.fr, ☑ ⚐ ⟂ r.-v.

Pessac-léognan

Superficie : 1 610 ha
Production : 71 145 hl (80 % rouge)

Correspondant à la partie nord des Graves (appelée autrefois Hautes-Graves), la région de Pessac et de Léognan constitue depuis 1987 une appellation communale, inspirée de celles du Médoc. Sa création, qui aurait pu se justifier par son rôle historique (c'est l'ancien vignoble périurbain qui produisait les clarets médiévaux), s'explique par l'originalité de son sol. Les terrasses que l'on trouve plus au sud cèdent la place à une topographie plus accidentée. Le secteur compris entre Martillac et Mérignac est constitué d'un archipel de croupes graveleuses qui présentent d'excellentes aptitudes vitivinicoles par leurs sols, composés de galets très mélangés, et par

leurs fortes pentes garantissant un excellent drainage. L'originalité des pessac-léognan a été remarquée par les spécialistes bien avant la création de l'appellation. Ainsi, lors du classement impérial de 1855, Haut-Brion fut le seul château non médocain à être classé (1er cru). Puis, lorsque en 1959 seize crus de graves furent classés, tous se trouvaient dans l'aire de l'actuelle appellation communale.

Les vins rouges possèdent les caractéristiques générales des graves, tout en se distinguant par leur bouquet, leur velouté et leur charpente. Quant aux blancs secs, ils se prêtent à l'élevage en fût et au vieillissement qui leur permet d'acquérir une très grande richesse aromatique, avec de fines notes de genêt et de tilleul.

CH. BARDINS 2010

| | 30 170 | ⑪ | 11 à 15 € |

Bardins fut d'abord un moulin, sur le cours de l'Eau Blanche. Un château Napoléon III, avec sa tourelle en poivrière, et une reproduction de la grotte de Lourdes, œuvre d'une propriétaire pieuse, composent le décor. Le cru est dans la famille Bernardy de Sigoyer depuis 1903. Mi-merlot mi-cabernets, son pessac rouge 2010 apparaît encore austère, mais sa bonne trame tannique permettra de l'attendre pour que son bouquet puisse s'ouvrir. À oublier sous quatre ans en cave, pour le moins.

☛ EARL du Ch. Bardins, 124, av. de Toulouse, 33140 Cadaujac, tél. 05 56 30 78 01, fax 05 56 30 04 99, chateau.bardins@free.fr, ☑ ⚐ ⟂ r.-v.
☛ de Sigoyer

CH. BARET 2010

| | 109 400 | ⑪ | 11 à 15 € |

À 7 km du centre de Bordeaux, cette ancienne terre noble a été acquise au début du XIX°s. par les Ballande, négociants et armateurs. Son vin rouge associe à parité le merlot et les cabernets. Sans chercher à rivaliser avec certains millésimes antérieurs, le 2010, grenat sombre, ne manque pas de caractère, à en juger par son bouquet puissant mêlant la griotte et le cassis, par son boisé fumé et toasté bien fondu, et par son palais structuré, expressif et long. La douceur des tanins permettra d'apprécier cette bouteille dès maintenant. On pourra aussi la garder trois ou quatre ans.

☛ Héritiers Ballande, 43, av. des Pyrénées, 33140 Villenave-d'Ornon, tél. et fax 05 56 87 87 71, chateaubaret@gmail.com, ☑ ⟂ r.-v.

CH. BOUSCAUT 2011 ★

| Cru clas. | 18 500 | ⑪ | 30 à 50 € |

98 **99** 00 **01** 03 04 |05| **06**| |07| 09 11

Beau vignoble d'un seul tenant, bordant la route de Toulouse, ce cru racheté en 1979 par Lucien Lurton est commandé par une superbe demeure du XVIII°s. entourée d'un parc aux arbres centenaires. Les propriétaires développent l'accueil, organisant des visites à thèmes et ateliers. Frais et harmonieux, avec ce qu'il faut de gras, leur 2011 blanc est un vrai vin gourmand, persistant, gras et vif à la fois, qui sait mettre en valeur son bouquet expressif et complexe où l'abricot sec s'allie au miel, à la cire et aux agrumes surmûris. Le second vin, **Les Chênes de Bouscaut 2011 blanc (15 à 20 € ; 14 200 b.)**, a également obtenu une étoile, tant pour sa jolie bouche ample et longue, équilibrée par ce qu'il faut de vivacité, que pour sa palette aromatique mêlant les fleurs blanches et le citron à un joli boisé aux nuances de réglisse et de brioche beurrée.

☛ Ch. Bouscaut, 1477, av. de Toulouse, 33140 Cadaujac, tél. 05 57 83 12 20, fax 05 57 83 12 21, cb@chateau-bouscaut.com, ☑ ☀ � r.-v. ⌂ Ⓔ

☛ S. et L. Cogombles

CH. BOUSCAUT 2010

■ Cru clas.	77 300	⊞	30 à 50 €

97 98 **99** 00 04 |05| |06| 07 08 09 10

Les vins rouges du château Bouscaut, assez riches en merlot (48 %), ont la particularité d'inclure dans leur assemblage 10 % de malbec. Après dix-huit mois d'élevage en barrique (dont 40 % neuves), le bouquet est nécessairement vanillé, mais les fruits rouges et noirs percent vite sous le bois, agrémentés d'épices douces comme la cardamome. L'attaque apparaît souple et la bouche est marquée par une belle expression aromatique, qui prolonge celle du bouquet. On oubliera cette bouteille trois ans en cave, puis on la servira avec des viandes rouges ou du gibier à plume.

☛ Ch. Bouscaut, 1477, av. de Toulouse, 33140 Cadaujac, tél. 05 57 83 12 20, fax 05 57 83 12 21, cb@chateau-bouscaut.com, ☑ ☀ � r.-v. ⌂ Ⓔ

☛ S. et L. Cogombles

CH. BRANON 2010 ★★

■	14 000	⊞	+ de 100 €

Ce petit cru au cœur de Léognan est l'un des joyaux des domaines appartenant à la famille Garcin, également propriétaire en saint-émilion et en pomerol. Bien dans le style de la propriété, son 2010 se distingue par sa mâche et par la richesse de sa matière, qualités annoncées par la profondeur de sa robe grenat. L'élégance est pourtant déjà au rendez-vous. Quant au bouquet, il mêle un joli fruit rouge à des notes réglissées et grillées agréables et bien intégrées. Bien présents, jeunes et harmonieux, les tanins signent une bouteille remarquable, qui devrait s'épanouir dans les trois à cinq années à venir. Un peu moins ambitieux, mais avec un potentiel intéressant et une très belle finale, le **Ch. Haut-Bergey 2010 rouge (30 à 50 € ; 107 000 b.)** a obtenu une étoile.

☛ SAS Ch. Haut-Bergey, 69, cours Gambetta, 33850 Léognan, tél. 05 56 64 05 22, fax 05 56 64 06 98, info@vignoblesgarcin.com, ☑ ☀ � r.-v.

☛ S. Garcin-Cathiard

CH. BROWN 2010 ★

■	89 000	⊞	20 à 30 €

La visite du cru réserve quelques jolies surprises comme un pigeonnier, une fontaine et un bassin datant d'avant la Révolution. Cette année, le rouge vole la vedette au blanc. Son assemblage privilégie le cabernet-sauvignon (60 %), associé au merlot et à un soupçon de petit verdot. D'une teinte profonde aux nuances vermillon, ce 2010 développe un bouquet fruité (cerise, noyau) et floral (pivoine), que complètent de petites touches de cuir et les notes toastées de l'élevage (quatorze mois). Rond et ample en attaque, soutenu en finale par des tanins vifs, le palais

se porte garant du potentiel de cette bouteille, à attendre deux ou trois ans, ou mieux, cinq à dix ans. Rond et souple, avec ce qu'il faut de fraîcheur en finale, le **blanc 2011 (22 000 b.)**, cité, est assez marqué par le merrain, qui ajoute ses notes de vanille et de viennoiserie aux arômes d'agrumes et de fruits exotiques. Il devrait gagner à patienter en cave deux ou trois ans.

☛ SCEA du Ch. Brown, allée John-Lewis-Brown, 33850 Léognan, tél. 05 56 87 08 10, fax 05 56 87 87 34, chateau.brown@wanadoo.fr, ☑ ☀ � r.-v.

☛ Mau et Dirkswager

CH. LE BRUILLEAU 2010 ★

■	58 400	⊞	11 à 15 €

Un petit domaine familial d'une dizaine d'hectares, au sud de l'appellation, près de la Brède. Les Bédicheau ne proposent qu'un vin (dans les deux couleurs), mais celui-ci est bon, à en juger par ce 2010, mi-cabernet-sauvignon mi-merlot, qui représente l'essentiel des surfaces. La robe pourpre sombre aux reflets violets est engageante ; très expressif à l'aération, le bouquet joue sur les petits fruits rouges bien mûrs et les épices (cumin), assortis des notes grillées de l'élevage et d'un léger côté cuir, legs du merlot. Les tanins, très présents mais veloutés, évoluent en douceur vers une finale harmonieuse et persistante. Une bouteille de caractère à ouvrir de préférence vers 2018-2020.

☛ SCEA Bédicheau, 12, chem. du Bruilleau, 33650 Saint-Médard-d'Eyrans, tél. et fax 05 56 72 70 45, chateau.lebruilleau@orange.fr, ☑ ☀ � r.-v.

CH. CARBONNIEUX 2010 ★

■ Cru clas.	n.c.	⊞	20 à 30 €

90 91 92 93 **94** 95 **96** 97 98 99 |00| 01 |02| |03| |04| 05 |06| 07 08 09 10

Résistant à la poussée de l'urbanisation, ce manoir d'époque médiévale, qui dépendit de l'abbaye de Sainte-Croix, a conservé un visage et un environnement authentiquement ruraux. Installé sur une croupe de graves, son vignoble ne couvre pas moins de 90 ha. Anthony Perrin l'a acquis après le grand gel de 1956, l'a replanté, réhabilité et transmis à ses fils Éric et Philibert. Leur Carbonnieux rouge, reflet de son lieu de naissance, est plein de charme, élégant, généreux et voluptueux, avec des arômes de venaison et cette note d'âtre, de fumée, que l'on retrouve souvent dans les graves. Souple, charnu et épicé, le **Ch. Tour Léognan 2010 rouge (11 à 15 € ; 75 000 b.)** offre lui aussi un bouquet attrayant et complexe, mêlant la cerise noire, le clou de girofle, le menthol et la fumée : même note.

☛ SCEA A. Perrin et Fils, Ch. Carbonnieux, 33850 Léognan, tél. 05 57 96 56 20, fax 05 57 96 59 19, info@chateau-carbonnieux.fr,

☑ ☀ � t.l.j. sf sam. dim. 8h30-12h 14h-17h

CH. LES CARMES HAUT-BRION 2010 ★

■	25 000	⊞	50 à 75 €

Enchâssé dans la ville de Bordeaux comme Haut-Brion, cet ancien vignoble des Carmes a été acquis après la Révolution par une famille de négociants, les Chantecaille, qui l'ont gardé jusqu'en 2010 (il est désormais propriété du groupe immobilier Pichet). Voici donc leur dernier millésime. Issu d'une courte majorité de merlot, ce vin a bénéficié d'un élevage luxueux de dix-huit mois en barrique (avec 50 % de barriques neuves). Son bouquet intéresse, mêlant un agréable boisé toasté et mentholé à des parfums de griotte et de mûre. Souple et fruité en attaque, le palais dévoile ensuite une belle charpente tannique. Encore un peu ferme, la finale appelle une garde de trois ou quatre ans pour s'affiner.

☛ Ch. les Carmes Haut-Brion, 20, rue des Carmes, 33000 Bordeaux, tél. 05 56 93 23 40, fax 05 56 93 10 71, chateau@les-carmes-haut-brion.com, ☑ ⚔ ⏐ r.-v.

🖤 DOM. DE CHEVALIER 2010 ★★★

	90 000	⏐⏐	50 à 75 €
Cru clas.			

90 91 92 93 94 96 97 98 99 |00| |01| 02 |03| |04| |05| |06| |07| 08 ⑨ ⑩

DOMAINE DE CHEVALIER
GRAND CRU CLASSÉ DE GRAVES
2010
FAMILLE BERNARD
PESSAC-LÉOGNAN
MIS EN BOUTEILLE AU CHÂTEAU

« Une clairière au milieu de la forêt » : ainsi Olivier Bernard définit-il son domaine, acquis par sa famille – des négociants – voilà juste trente ans (1983). Le maître des lieux a agrandi la clairière (45 ha) et réalisé après son arrivée d'importants investissements. Élu coup de cœur (le neuvième), ce 2010 renouvelle l'exploit du dernier millésime. Dans son assemblage, beaucoup de cabernet-sauvignon (65 %) associé au merlot et au petit verdot ; après un élevage de dix-huit mois en barriques (neuves à 50 %), le vin offre un bouquet intense et d'une rare complexité, entre fruits rouges mûrs, réglisse et épices. Ample, gras et rond, le palais est étayé par des tanins expressifs et harmonieux, reflets d'une très bonne maturité. Un flacon de grande classe, déjà séducteur en diable. Pourtant mieux vaut se garder de céder à ses charmes présents et l'attendre cinq ou six ans, plus sûrement dix à quinze. Second vin, L'Esprit de Chevalier 2010 rouge (15 à 20 € ; 80 000 b.), déjà très harmonieux, a obtenu une étoile, de même que le Ch. Lespault-Martillac 2010 rouge (20 à 30 €), plus modeste mais racé et promis à la garde (cinq ans).

☛ SC Dom. de Chevalier, 102, chem. de Mignoy, 33850 Léognan, tél. 05 56 64 16 16, fax 05 56 64 18 18, olivierbernard@domainedechevalier.com, ⚔ ⏐ r.-v.

☛ O. Bernard

DOM. DE CHEVALIER 2011 ★★

	18 000	⏐⏐	75 à 100 €
Cru clas.			

⑨ 91 92 93 94 95 96 97 98 ⑨ 00 01 02 04 |05| |07| 08 09 10 11

Il n'y a que 5 ha de vignes blanches à Chevalier, mais cette faible superficie permet de les choyer. Les vins sont fermentés en barrique, élevés sur lies avec bâtonnage puis restent dix-huit mois dans le bois. Le sauvignon est majoritaire. Le 2011 est un vin de caractère qui fait preuve d'une grande élégance tout au long de la dégustation. Sa teinte or pâle est aussi attrayante que le bouquet. D'une grande complexité, celui-ci est dominé par des notes de fruits frais (agrumes et pêche blanche), soulignées par la

vanille du merrain. Au palais, une fraîcheur constante se conjugue à une délicieuse sensation de douceur. Ce vin, qui laisse une impression de jeunesse, pourra attendre trois ou quatre ans. Le second vin, L'Esprit de Chevalier 2011 blanc (15 à 20 € ; 15 000 b.), une étoile, évoque avec complexité le cépage dominant par ses arômes de pamplemousse, de fruits exotiques et de buis. Il est frais et harmonieux. Quant au Ch. Lespault-Martillac 2011 blanc (20 à 30 €), aromatique, gras, frais et d'une grande élégance, il sera parfait dès l'apéritif. Il obtient également une étoile.

☛ SC Dom. de Chevalier, 102, chem. de Mignoy, 33850 Léognan, tél. 05 56 64 16 16, fax 05 56 64 18 18, olivierbernard@domainedechevalier.com, ⚔ ⏐ r.-v.

☛ O. Bernard

CLOS MARSALETTE 2011 ★★

	4 980	⏐ ⏐⏐	15 à 20 €

Une nouvelle fois, le très saint-émilionnais comte de Neipperg fait preuve d'un savoir-faire en matière de vin blanc avec ce 2011. Quel allant ! « La vivacité de A à Z », écrit un juré. On trouve aussi de la complexité dans cet assemblage de sauvignon et de sémillon à parts égales : au bouquet, du pamplemousse et du citron, une touche de fleurs du verger et de fruits blancs, le tout joliment appuyé par la vanille – sans excès (seul un tiers des volumes est élevé sous bois). Au palais, gras et fraîcheur, finesse et minéralité : une réelle harmonie, qui grandira pendant les trois ou quatre prochaines années. Mi-cabernet-merlot élevé dix-huit mois en barrique, le rouge 2010 (20 à 30 € ; 27 420 b.), noté une étoile, représente la majeure partie des surfaces du cru (5,46 ha). Fruits mûrs, fumée, réglisse, le bouquet est bien typé. Quant au palais, il conjugue une belle élégance et une structure de vin de garde. Déboucher ce flacon ou le conserver jusqu'à la fin de la décennie ? Vous avez le choix.

☛ SCEA Marsalette, rte de Tout-Vent, 33650 Martillac, tél. 05 57 24 71 33, fax 05 57 24 67 95, info@neipperg.com, ⚔ ⏐ r.-v.

CH. COUCHEROY 2011 ★★

	50 000	⏐⏐	8 à 11 €

Ce cru d'André Lurton propose avec ce 2011 une remarquable expression du sauvignon. Pâle, presque transparente, la robe présente un côté très net qui se retrouve dans le bouquet. D'une belle complexité, celui-ci fait la part belle aux fruits exotiques (ananas, litchi) et aux agrumes. Gras à l'attaque, le palais monte progressivement en puissance et en volume, tandis que des notes florales de chèvrefeuille viennent compléter la palette aromatique. La finale séduit par sa fraîcheur et sa longueur.

☛ André Lurton, Ch. Bonnet, 33420 Grézillac, tél. 05 57 25 58 58, fax 05 57 74 98 59, andrelurton@andrelurton.com, ☑ ⚔ ⏐ r.-v.

CH. COUHINS 2011 ★

	18 000	⏐ ⏐⏐	20 à 30 €
Cru clas.			

C'est à Couhins que fut mise au point la méthode de confusion sexuelle dans la lutte contre le ver de la grappe. Ce cru classé est en effet la propriété de l'INRA depuis 1968. L'institut maintient une exigence de qualité qui nous vaut des vins comme celui-ci, un pur sauvignon qui laisse une sensation d'élégance. Perceptible dès l'approche, grâce à une robe d'une grande limpidité et à un bouquet puissant et complexe, sur le buis, le citron et les fruits exotiques, cette impression d'harmonie se maintient au palais, où l'on retrouve une belle collection d'arômes et une matière fraîche et longue. Pour un poisson noble ou des saint-jacques.

☛ Ch. Couhins, chem. de la Gravette, BP 81, 33883 Villenave-d'Ornon Cedex, tél. 05 56 30 77 61, fax 05 56 30 70 49, couhins@bordeaux.inra.fr, ⚘ ⊤ r.-v.

☛ INRA

CH. COUHINS-LURTON 2010 ★

| ■ | 20 000 | ▥ | 20 à 30 € |

Si ce cru situé aux portes de Bordeaux n'est classé qu'en blanc, il se défend aussi en rouge, témoin ce millésime qui met en vedette le merlot (70 %). Moins ambitieux que le 2009 mais bien fait, ce 2010 s'annonce par une robe dense et sombre. Son bouquet complexe porte l'empreinte de la barrique dans ses notes de noisette grillée et de torréfaction, mais il laisse aussi apparaître des senteurs de fruits rouges et noirs mâtinées d'une touche de cuir. L'attaque révèle une belle matière, ronde et suave, étayée par des tanins mûrs et soyeux. Solide, sans dureté, droite en finale, cette bouteille évoluera dans le bon sens au cours des cinq prochaines années.

☛ André Lurton, Ch. Bonnet, 33420 Grézillac, tél. 05 57 25 58 58, fax 05 57 74 98 59, andrelurton@andrelurton.com, ☑ ⚘ ⊤ r.-v.

CH. COUHINS-LURTON 2011 ★★

| ▦ Cru clas. | 18 000 | ▥ | 20 à 30 € |

98 **99** 00 **01** **02** 03 04 **05** 06 **08** 09 10 **11**

Comme le château Coucheroy, ce cru appartient à André Lurton, le père de l'appellation pessac-léognan. Une fois encore, son vin blanc justifie son classement par la présence dont il fait preuve tout au long de la dégustation ; d'abord par la finesse et par la complexité de son bouquet, qui mêle fleurs printanières, fruits à chair blanche et une touche de minéralité ; puis par la rondeur, le gras et le volume du palais, équilibré par ce qu'il faut de fraîcheur. Tout est en place dans ce noble sauvignon, qui fera alliance avec des crustacés tout aussi nobles.

☛ André Lurton, Ch. Bonnet, 33420 Grézillac, tél. 05 57 25 58 58, fax 05 57 74 98 59, andrelurton@andrelurton.com, ☑ ⚘ ⊤ r.-v.

CH. DE CRUZEAU 2010 ★

| ■ | 130 000 | ▥ | 11 à 15 € |

André Lurton aurait découvert ce terroir au lendemain d'une tempête qui avait abattu des pins. Les racines des arbres arrachés retenaient de nombreux cailloux : un terroir de graves, délaissé après le phylloxéra. Il acheta en 1973 cet ancien vignoble qu'il réhabilita. Aujourd'hui, ce vaste domaine (97 ha) allie la qualité et la quantité. Le rouge, qui donne une courte majorité aux cabernets, apparaît bien bouqueté (fruits noirs confiturés sur un fond de boisé fin et d'épices), équilibré et soutenu par des tanins déjà policés, laissant le souvenir d'un ensemble élégant. On l'attendra cinq ans, son apogée devant se situer entre 2018 et 2025. Le **blanc 2011** (8 à 11 € ; 40 000 b.), un pur sauvignon, a également obtenu une étoile. Doté d'une belle palette aromatique (citron, ananas, vanille et grillé), il se montre riche, frais et long.

☛ André Lurton, Ch. Bonnet, 33420 Grézillac, tél. 05 57 25 58 58, fax 05 57 74 98 59, andrelurton@andrelurton.com, ☑ ⚘ ⊤ r.-v.

CH. D'ECK 2010 ★★

| ■ | 60 000 | ▥ | 15 à 20 € |

Ce cru appartient aujourd'hui à la famille Gonet, d'origine champenoise, dont les vignobles se partagent entre la Marne et la Gironde. Si son château, connu jadis sous l'étiquette des Freytets, a changé de nom au XIXᵉ s., il a gardé son aspect médiéval avec ses hauts murs et ses tours en poivrière. Le vin ? S'il ne manque pas de puissance, il s'impose surtout par l'élégance de son bouquet où la griotte se mêle aux épices, au sous-bois et au pain chaud. De même, la structure, étayée par un boisé de qualité et de tanins soyeux, se montre ronde, suave et charnue. Un vin de garde laissant une impression de finesse : on pourra le déboucher, sans hâte, dans deux ans.

☛ SCEV Michel Gonet et Fils, Ch. Lesparre, 33750 Beychac-et-Caillau, tél. 05 57 24 51 23, fax 05 57 24 03 99, info@gonet.fr, ☑ ⚘ ⊤ r.-v.

CH. FERRAN 2010

| ■ | 80 000 | ▥ | 11 à 15 € |

Longtemps restée l'une des « belles endormies » du Bordelais, cette propriété familiale, qui appartient à Montesquieu, est aujourd'hui en plein renouveau, produisant

LES CRUS CLASSÉS DES GRAVES

NOM DU CRU CLASSÉ	VIN CLASSÉ	NOM DU CRU CLASSÉ	VIN CLASSÉ
Château Bouscaut	en rouge et en blanc	Château Latour-Martillac	en rouge et en blanc
Château Carbonnieux	en rouge et en blanc	Château Malartic-Lagravière	en rouge et en blanc
Domaine de Chevalier	en rouge et en blanc	Château La Mission Haut-Brion	en rouge et en blanc
Château Couhins	en blanc	Château Olivier	en rouge et en blanc
Château Couhins-Lurton	en blanc		
Château Fieuzal	en rouge	Château Pape Clément	en rouge
Château Haut-Bailly	en rouge	Château Smith Haut Lafitte	en rouge
Château Haut-Brion	en rouge	Château La Tour-Haut-Brion	en rouge

des vins qui montrent son potentiel, comme ce pessac rouge dominé par le merlot. Un vin qui monte en puissance tout au long de la dégustation pour dévoiler un palais à la fois tannique et élégant, aux jolis arômes de petits fruits. Le bouquet apparaît encore fermé, mais tout est en place pour donner dans deux à trois ans une belle bouteille, à marier avec toutes les viandes, rouges ou blanches.

☛ SCEA Ch. Ferran, rte de Lartigue, 33650 Martillac, tél. 06 07 41 86 00, fax 05 56 72 62 73, ferran@chateauferran.com, ☑ ⚔ ⊤ r.-v.

☛ Lacoste

CH. DE FIEUZAL 2010 ★★

■ Cru clas.	n.c.	⬤⬤	30 à 50 €

⑨⓪ 91 **92 93 94** ⑨⑤ ⑨⑥ **97 98** 99 00 **01** 02 03 04 |**05**| |**06**| |**07**| **10**

Cette très ancienne propriété a été reprise au début de ce siècle par l'homme d'affaires Lochlann Quinn, qui ajoute son nom à la liste des nombreux Irlandais ayant contribué à l'histoire des châteaux du Bordelais. Les propriétaires nourrissent de grandes ambitions pour Fieuzal, qui a été doté d'un nouveau chai en 2011. Les rouges du cru, dominés par le cabernet-sauvignon (70 %) comportent aussi une part de petit verdot (15 %). Encore très jeune et fortement marqué par un boisé luxueux, le 2010 montre par sa solide structure tannique, par son volume et par ses arômes harmonieux de fruits mûrs, de cannelle, de cacao et de torréfaction qu'il a tout pour donner une très belle bouteille d'ici cinq à dix ans.

☛ SC Ch. de Fieuzal, 124, av. de Mont-de-Marsan, 33850 Léognan, tél. 05 56 64 77 86, fax 05 56 64 18 88, infochato@fieuzal.com, ⚔ ⊤ r.-v.

☛ Lochlann Quinn

CH. DE FIEUZAL 2011 ★

■	n.c.	⬤⬤	30 à 50 €

Produit sur 10 ha, le blanc de Fieuzal privilégie le sauvignon, qui représente 70 % de l'assemblage. Il reste environ un an en barriques (en majorité neuves). Il en résulte un bouquet marqué par des notes grillées, toastées et briochées, qui s'allient à des nuances très fraîches d'orange sanguine, d'ananas et de litchi. Rond, aimable et fort expressif lui aussi, le palais bénéficie d'un joli volume et d'une finale très agréable. Il fera merveille avec une sole ou un turbot.

☛ SC Ch. de Fieuzal, 124, av. de Mont-de-Marsan, 33850 Léognan, tél. 05 56 64 77 86, fax 05 56 64 18 88, infochato@fieuzal.com, ⚔ ⊤ r.-v.

☛ Lochlann Quinn

CH. LA GARDE 2010 ★

■	179 500	⬤⬤	20 à 30 €

Deux vins très réussis des propriétés de la maison Dourthe. Très bordelais par sa chartreuse du XVIIIᵉˢ., ce cru s'est aussi par la robe, rubis foncé, de son 2010, qui met en vedette le cabernet-sauvignon. Le nez associe des notes fraîches de fruits rouges réglissés et mentholés aux nuances racées, vanillées, épicées et toastées d'un élevage bien mené. Il annonce le côté charmeur du palais, ample et bien fondu jusqu'en finale. Ce vin pourra être savouré jeune, tout en étant apte à la garde. Le vignoble couvrant 50 ha, il n'a rien de confidentiel. Quant au **Ch. Naudin-Larchey 2010** rouge (11 à 15 € ; 15000 b.), il est cité pour sa structure généreuse et pour son bouquet complexe et

suave mêlant le noyau, les fruits rouges caramélisés, la torréfaction (café, chocolat) et l'âtre de cheminée.

☛ Ch. la Garde, Vignobles Dourthe, 1, chem. de la Tour, 33650 Martillac, tél. 05 56 35 53 00, fax 05 56 35 53 29, contact@dourthe.com, ⚔ ⊤ r.-v.

CH. GAZIN ROCQUENCOURT 2010 ★★

■	45 000	⬤⬤	20 à 30 €

Propriété d'Alfred Alexandre Bonnie comme le cru classé Malartic-Lagravière, ce vignoble d'une trentaine d'hectares atteint lui aussi un haut niveau qualitatif, à en juger par ce vin encore très jeune mais qui a tous les atouts pour bien vieillir. Donnant une courte majorité au cabernet-sauvignon, ce 2010 a été élevé vingt mois en barriques, neuves à 55 %. Il affiche clairement sa puissance, tant dans son bouquet de fruits rouges confits que dans sa structure, ample, grasse et charpentée par des tanins élégants et suaves. On l'oubliera en cave trois ou quatre ans et on pourra le garder une dizaine d'années. Un régal en perspective avec une volaille farcie.

☛ SC Ch. Malartic-Lagravière, 43, av. de Mont-de-Marsan, 33850 Léognan, tél. 05 56 64 75 08, fax 05 56 64 99 66, malartic-lagraviere@malartic-lagraviere.com, ⚔ ⊤ r.-v.

☛ A. A. Bonnie

DOM. DE GRANDMAISON 2011 ★

■	18 000	▮⬤⬤	11 à 15 €

D'une taille raisonnable (19 ha), ce domaine familial ne propose qu'un seul vin, issu néanmoins d'un réel savoir-faire, comme le montre ce blanc auquel collaborent sauvignons blanc et gris, avec un appoint de sémillon (20 %). Des notes vanillées se joignent à des senteurs plus fraîches de litchi et de pêche blanche pour composer un bouquet des plus plaisants. Rond à l'attaque, plein, élégant et long, le palais laisse le souvenir d'un ensemble raffiné. Le **rouge 2010 (85 000 b.)** correspond à la majeure partie du vignoble (16 ha sur 19). Assez simple mais élégant, il mérite d'être cité, tant pour son bouquet de cerise, de mûre et de boisé toasté que pour son attaque souple et ses tanins enrobés.

☛ François Bouquier, Dom. de Grandmaison, 182, av. de la Duragne, 33850 Léognan, tél. 05 56 64 75 37, fax 05 56 64 55 24, courrier@domaine-de-grandmaison.fr, ☑ ⚔ ⊤ t.l.j. sf dim. 8h30-12h 14h-18h30

CH. HAUT-BAILLY 2010 ★★

■ Cru clas.	85 000	⬤⬤	+ de 100 €

|**90**| **92 93 94** ⑨⑤ **96 97** |**98**| |**99**| 00 |**01**| 02 |**03**| 04 05 06 |**07**| 08 **09 10**

Ce cru porte le nom du banquier parisien qui contribua à le faire sortir de l'ombre au XVIIᵉˢ., Firmin Le Bailly. Depuis 1998, il est la propriété d'un banquier américain, Robert G. Wilmers. Le cru est commandé par un beau château campé au cœur d'un vignoble de 33 ha d'un seul tenant. Entièrement voué aux cépages rouges (du cabernet-sauvignon pour les deux tiers, du merlot et un soupçon de cabernet franc), celui-ci donne naissance année après année à des millésimes en très bonne place dans le Guide. Ici, un vin au bouquet flatteur de mûre et de fruits rouges confits, rehaussé d'une note d'élevage. Très riche, rond et aromatique, le palais se développe sans faiblesse et sans heurt, jusqu'en finale. Sa longueur et sa trame tannique laissent espérer une belle garde, et invitent à attendre au moins cinq ans avant d'ouvrir cette bouteille. Encore un peu strict mais expressif et bien construit, le

Ch. le Pape 2010 rouge (20 à 30 € ; 40 000 b.) a reçu une citation.

☎ SAS Ch. Haut-Bailly, 103, av. de Cadaujac, 33850 Léognan, tél. 05 56 64 75 11, fax 05 56 64 53 60, mail@chateau-haut-bailly.com, ⚲ ♈ r.-v.

☎ Robert G. Wilmers

♥ CH. HAUT-BRION 2010 ★★★

■ 1er cru clas.	n.c.	🍷 + de 100 €

⑧² 83 84 |85| |86| 87 |88| |89| ⑨⁰ 91 92 |93| |94| ㉟ ㊱
|97| ㊳ **99** ⑩⁰ **01** ⑩² **03** ⑩⁴ ⑩⁵ ⑩⁶ **07** ⑩⁸ ⑩⁹ ⑩

Le plus ancien des grands crus mythiques de Bordeaux, déjà célèbre au XVIIᵉ s., continue à nourrir sa légende avec des vins aussi exceptionnels que ce 2010. Un grand vin dans un grand millésime, qui a bénéficié à la fois d'une atmosphère très sèche favorisant la concentration en sucres et de nuits fraîches propices à la formation des polyphénols. Contrairement au 2009 où le merlot était très présent, le cabernet-sauvignon est ici largement mis à contribution dans l'assemblage (57 %), ainsi que le cabernet franc (20 %). Toute la subtilité et la complexité des grands bordeaux s'expriment dans son bouquet, qui allie les fruits (myrtille, griotte, mûre) au grillé, au sous-bois, au cèdre et à des touches empyreumatiques évoquant l'âtre de cheminée ; des arômes à la fois intenses et délicats. Rigoureux et caressant, le palais, lui aussi, réalise la synthèse de la finesse et de la générosité. Après une attaque puissante et vive, il va crescendo, dévoilant une belle mâche et des tanins au grain serré, et se déploie, dense et solide, fougueux et dynamique, avant de s'étirer sur une longue finale poivrée. Le début d'une longue vie : ce grand classique pour l'heure dans l'enfance n'atteindra pas l'âge adulte avant quinze ans.

☎ SAS Dom. Clarence Dillon, 135, av. Jean-Jaurès, 33608 Pessac Cedex, tél. 05 56 00 29 30, fax 05 56 98 75 14, info@domaineclarencedillon.com, ⚲ ♈ r.-v.

CH. HAUT-BRION 2011 ★★★

■	n.c.	🍷 + de 100 €

⑧² 83 85 87 88 |89| |90| 94 95 96 97 |98| ㉟ ⑩⁰ |01| |02|
|03| |04| |05| ⑩⁶ ⑩⁷ ⑩⁸ ⑩⁹ ⑩ ⑪

Même s'il n'est pas classé, le Haut-Brion blanc bénéficie d'autant de soins et d'application que le rouge de la part de l'équipe de Jean-Philippe Delmas. Un vin rare par ses volumes, les vignes blanches ne couvrant pas plus de 2,87 ha. Le sémillon l'emporte légèrement sur le sauvignon. Après une fermentation et un élevage en barriques (neuves à 50 %), le vin est admirable. Dès l'approche, il se fait séducteur, par sa belle teinte brillante, entre or et paille. L'élevage ne se traduit pas par un boisé envahissant, mais par un surcroît de complexité : le nez charme par la grande finesse de ses arômes floraux (aubépine) et fruités (agrumes), nuancés de touches fumées, épicées et d'une note de noisette. La fraîcheur et la complexité du bouquet se retrouvent en bouche. Ample et rond en attaque, le vin trace sa route, avec vivacité, réservant en finale une véritable queue de paon sur des accents de poivre blanc. Une élégance hors du commun.

☎ SAS Dom. Clarence Dillon, 135, av. Jean-Jaurès, 33608 Pessac Cedex, tél. 05 56 00 29 30, fax 05 56 98 75 14, info@domaineclarencedillon.com, ⚲ ♈ r.-v.

LE CLARENCE DE HAUT-BRION 2010 ★

■	n.c.	🍷 + de 100 €

Le second de Haut-Brion est élevé pour une partie (20 à 25 %) en barriques neuves, pour l'autre dans des fûts ayant servi l'année précédente à l'élevage du grand vin. En dépit d'une forte proportion de merlot (52 %), le 2010 offre un bouquet discret – ou, plus exactement, n'offre encore qu'un bouquet discret, car dès que l'on découvre la teinte vive et rutilante de ce millésime, on devine qu'il possède un réel potentiel. Ce que confirme l'aération : les parfums montent en puissance, des notes de fruits, de fruits rouges et de vendanges très mûres. Ronde en attaque, la bouche affiche ensuite de jeunes tanins vifs et fermes, qui donnent à l'ensemble un côté encore strict. Une bouteille racée, à attendre cinq ans.

☎ SAS Dom. Clarence Dillon, 135, av. Jean-Jaurès, 33608 Pessac Cedex, tél. 05 56 00 29 30, fax 05 56 98 75 14, info@domaineclarencedillon.com, ⚲ ♈ r.-v.

HAUT LAGRANGE 2010

■	43 000	🍶🍷 11 à 15 €

Entourée de crus prestigieux, cette propriété familiale couvre 8,5 ha. Son pessac rouge, qui donne une courte majorité au cabernet-sauvignon, a été élevé pour une moitié en cuve et pour l'autre en barrique neuve. Il offre un bouquet réservé mais franc, sur les petits fruits rouges, la torréfaction et le poivre. La rondeur et la souplesse de son attaque lui permettront d'être apprécié jeune, mais on pourra aussi le garder, grâce à ses tanins bien présents et vifs en finale.

☎ Ch. Haut Lagrange, 89, av. de la Brède, 33850 Léognan, tél. 05 56 64 09 93, fax 05 56 64 10 08, contact@hautlagrange.com, ✉ ⚲ ♈ t.l.j. sf sam. dim. 9h-17h

☎ F. Boutemy

ARPÈGE BY HAUT-NOUCHET 2010 ★

■	49 000	🍷 15 à 20 €

En 2008, cette propriété a été rachetée par la famille Briest, qui signe deux pessac de qualité. Né d'une majorité de merlots (60 %), celui-ci, d'un beau rubis aux nuances un peu évoluées, reste tout de même très jeune. Original dans son expression aromatique où l'iode et le silex viennent se greffer sur les fruits rouges, il se distingue ensuite par la fraîcheur et l'élégance de sa structure, avant de rappeler quant à sa finale qu'il mérite d'être attendu. Quant au grand vin **2010 rouge (20 à 30 € ; 51 000 b.)**, malgré son assemblage différent (cabernet-sauvignon à 60 %), il est assez proche du précédent, qui constitue le second vin. Frais, élégant et rond, il a été cité. Deux bouteilles à attendre trois ou quatre ans.

☎ SCEA Dom. HN, 3, chem. Latour, 33650 Martillac, tél. et fax 05 56 31 42 26, contact@hautnouchet.com, ✉ ⚲ ♈ r.-v.

CH. HAUT-PLANTADE 2010 ★

| ■ | 24 000 | ⊞ | 15 à 20 € |

Un ancêtre de l'actuel producteur était vigneron en Corrèze au XVIIIes. La famille s'est consacrée au négoce des vins vers la Belgique, puis a constitué ce domaine dans les années 1970. Vincent Plantade exploite aujourd'hui 7 ha dans l'appellation et exporte 60 % de ses vins. Sans rivaliser avec le remarquable 2009, le 2010 est typé et fort bien construit. D'une jolie couleur pourpre foncé, il développe un bouquet puissant et mûr, fait de cassis et de cerise sur fond de vanille. Au palais se révèle une belle matière, étayée par des tanins solides qui devraient se fondre d'ici quatre ou cinq ans.

☛ SCEA Plantade Père et Fils, Ch. Haut-Plantade, 33850 Léognan, tél. 06 03 01 15 34, hautplantade@wanadoo.fr, ☑ ⚔ ▼ r.-v.

CH. LAFARGUE Prestige 2010

| ■ | 8 800 | ⊞ | 20 à 30 € |

Jean-Pierre Leymarie était maraîcher à ses débuts. En 1983, quatre ans avant la reconnaissance de l'AOC pessac-léognan, il hérite de 2 ha de vignes et décide d'investir à fond dans la viticulture. Trente ans plus tard, il exploite 18,5 ha dans l'illustre appellation. Sa cuvée Prestige provient d'une matière première franche et mûre, bien élevée en barrique. De là ce bouquet de pain grillé et de vanille, dont la complexité va croissant au cours de la dégustation. Après une belle attaque, le vin progresse sereinement en révélant le volume et un bon équilibre. Mieux vaut l'attendre trois à quatre ans.

☛ Jean-Pierre Leymarie, 5, imp. de Domy, 33650 Martillac, tél. 05 56 72 72 30, fax 05 56 72 64 61, contact@chateau-lafargue.com, ☑ ⚔ ▼ t.l.j. sf sam. dim. 8h-12h 14h-17h

CH. LAFONT-MENAUT 2011 ★

| ■ | 16 000 | ▮⊞ | 8 à 11 € |

Propriété personnelle de Philibert Perrin (Carbonnieux), ce cru propose un blanc entièrement à base de sauvignon. Jaune à reflets verts et gris, le vin ne manque pas de caractère tant par son bouquet aux belles nuances variétales délicates et complexes (bourgeon de cassis, fruits exotiques, buis), teintées de miel, que par sa structure, tendre, ronde et tonifiée par une belle acidité. Une bouteille séductrice, que l'on pourra apprécier sans attendre, avec une sole grillée par exemple.

☛ SCEA Philibert Perrin, Ch. Lafont-Menaut, 33850 Léognan, tél. 05 57 96 56 20, fax 05 57 96 59 19, philibert.perrin@chateau-carbonnieux.fr, ☑ ⚔ ▼ r.-v.

CH. LARRIVET HAUT-BRION 2010 ★★

| ■ | 150 000 | ⊞ | 30 à 50 € |

Château, parc, environnement, nous avons déjà eu l'occasion de signaler le charme de cette belle unité (75 ha), de même que la régularité de sa production. Celle-ci se confirme une fois de plus avec ce vin, assemblage classique de deux tiers de cabernet-sauvignon et un tiers de merlot. La jeunesse de ce 2010 apparaît dans les reflets violets de sa robe. Délicatement chocolaté, grillé, vanillé, avec des notes de graphite et de petits fruits (cassis, mûre et griotte), le bouquet affirme lui aussi son caractère. Plein, rond et gras, le palais s'appuie sur des tanins déjà bien enrobés qui se portent garants d'une très jolie garde : une décennie pour le moins. Les plus impatients attendront cette bouteille deux à trois ans pour la laisser encore s'affiner.

☛ SCEA Ch. Larrivet Haut-Brion, 84, av. de Cadaujac, 33850 Léognan, tél. 05 56 64 75 51, fax 05 56 64 53 47, larrivethautbrion@wanadoo.fr, ☑ ⚔ ▼ r.-v.

CH. LATOUR-MARTILLAC 2010 ★

| ■ Cru clas. | 152 000 | ⊞ | 20 à 30 € |

90 91 92 **93 94 95** 96 **97** 98 99 |00| 01 |02| 03 |04|
05 **06** |07| **08 09** 10

Si beaucoup de grands noms du négoce bordelais traditionnel ont choisi de s'implanter en Médoc, les Kressmann, eux, ont opté pour les Graves en achetant ce cru en 1929. Leur connaissance du terroir leur permet d'offrir un pessac-léognan racé, assemblage de cabernet-sauvignon (55 %) et de merlot, qui incorpore un soupçon de petit verdot. Sombre, intense et profonde, la robe dit la jeunesse de ce vin, tandis que les arômes de toast, d'épices et de fruits mûrs annoncent la belle mâche et la vinosité du palais. Des saveurs de raisins mûrs et de pain d'épices, des tanins soyeux en finale donnent à cette bouteille un côté tendre et suave fort plaisant. Comme la plupart des vins de l'appellation, elle gagnera toutefois à être attendue quelques années (trois à cinq ans au moins). Élégant, fruité, vineux et bien équilibré, le second vin, **Lagrave-Martillac 2010 rouge (42 000 b.)**, a reçu la même note et attendra aussi en cave.

☛ SCEA Vignobles Jean Kressmann, 8, chem. de la Tour, 33650 Martillac, tél. 05 57 97 71 11, fax 05 57 97 71 17, latourmartillac@latourmartillac.com, ☑ ⚔ ▼ r.-v.

CH. LATOUR-MARTILLAC 2011 ★

| ■ Cru clas. | 37 000 | ⊞ | 30 à 50 € |

90 91 92 93 **94 95** 96 97 **98 99** (00) 01 **02** 03 |04|
|05| |06| |07| **08 09** 10 11

Au XIXes., ce cru était déjà réputé pour la qualité de ses vins blancs. Ceux-ci restent de très haut niveau, ce dont le Guide se fait le témoin année après année. La part du sauvignon dans le vignoble a augmenté : le cépage représente aujourd'hui environ les deux tiers des assemblages. Une fois de plus, Tristan et Loïc Kressmann signent un joli millésime. D'un jaune doré tout en nuances, ce 2011 développe un bouquet expressif associant des notes suaves de pêche, de fleurs jaunes, de miel et de caramel à des parfums plus frais de citron et de silex. Gras, doux, généreux et frais à la fois, le palais laisse une impression d'équilibre. Plus marqué par les agrumes mais assez proche du précédent, le **Lagrave-Martillac 2011 blanc (15 à 20 € ; 20 500 b.)**, second vin de la propriété, a également obtenu une étoile.

☛ SCEA Vignobles Jean Kressmann, 8, chem. de la Tour, 33650 Martillac, tél. 05 57 97 71 11, fax 05 57 97 71 17, latourmartillac@latourmartillac.com, ☑ ⚔ ▼ r.-v.

CH. LA LOUVIÈRE 2010 ★★

| ■ | 150 000 | ⊞ | 20 à 30 € |

(90) 92 **93 94** 95 96 97 98 **99** (00) **01** 02 03 |04| |05| |06|
|07| **08** 09 **10**

Le vin rouge de ce cru, qui ne s'appelait pas encore « pessac-léognan », fut l'un des trois coups de cœur de la région des Graves dans la première édition du Guide, en 1985. D'autres ont suivi... L'étiquette n'a guère changé : elle représente la façade du château, attribué à l'architecte Victor Louis. L'élégance de l'édifice se retrouve dans le vin ; d'abord dans le bouquet, où un riche apport du bois, aux accents torréfiés, vanillés et épicés laisse pleinement s'exprimer un fruit bien mûr (fruits noirs, prune et fraise) ainsi qu'une pointe de réglisse ; puis au palais, où les saveurs et les arômes s'équilibrent pour former un ensemble harmonieux, étayé par une trame de tanins déjà bien fondus. La finale suave, généreuse et longue fait la part belle aux fruits confiturés nuancés de notes d'épices, de chocolat et de tabac blond. Ce 2010 atteindra sa plénitude vers 2018 et son apogée durera de longues années. Plus simple mais bien typé, le **L de la Louvière 2010 rouge (11 à 15 € ; 80 000 b.)** a été cité.

🍷 André Lurton, Ch. Bonnet, 33420 Grézillac, tél. 05 57 25 58 58, fax 05 57 74 98 59, andrelurton@andrelurton.com, ☑ 🚶 🍴 r.-v.

CH. LA LOUVIÈRE 2011 ★★

	40 000	🍷	20 à 30 €
⑨⓪	91 92 93 94 95 96 **98 99** 00 01 **02 03** 04	05		06	
	07		08	09 10 11		

« La classe ! » Notre jury a particulièrement apprécié ce 2011. Ce n'est pas une surprise : les blancs de la Louvière récoltent très souvent les étoiles par paire. Comme dans tous les crus d'André Lurton, le sauvignon est prépondérant : 85 % ici. Intense et concentré, le bouquet penche vers le raisin et les agrumes confits, agrémentés d'une note vanillée. À la fois souple, ample et généreux, le palais fait preuve d'un équilibre parfait, avant de déboucher sur une puissante finale citronnée qui éclate comme un feu d'artifice. Un modèle d'élégance. Complexe, goûteux et charmeur, le **L de la Louvière 2011 blanc (11 à 15 € ; 20 000 b.)**, second vin de la propriété, a également décroché deux étoiles.

🍷 André Lurton, Ch. Bonnet, 33420 Grézillac, tél. 05 57 25 58 58, fax 05 57 74 98 59, andrelurton@andrelurton.com, ☑ 🚶 🍴 r.-v.

LES HALDES DE LUCHEY 2010 ★

	28 980	🍷	15 à 20 €

Un domaine enchâssé dans l'agglomération bordelaise, à cinq minutes du tramway. Il appartient depuis 1999 à Bordeaux Sciences Agro (anciennement Enita), qui a reconstitué le vignoble. Les vignes sont donc plutôt jeunes, mais les vins ont vite été remarqués. Issu d'une majorité de merlot (55 %), celui-ci séduit par son élégance, grâce à ses tanins bien fondus et à un bon équilibre entre les arômes de fruits mûrs et ceux du bois (vanille et toast). Une finale soyeuse conclut très agréablement la dégustation. Le grand vin du cru, le **Ch. Luchey Halde 2010 rouge (20 à 30 € ; 47 600 b.)**, encore un peu austère en raison de sa trame tannique assez ferme, est cité, de même que le **Ch. Luchey Halde 2011 blanc (20 à 30 € ; 4 480 b.)**, un peu léger mais bien équilibré.

🍷 Ch. Luchey-Halde, 17, av. du Mal-Joffre, 33700 Mérignac, tél. 05 56 45 97 19, fax 05 56 45 33 79, info@luchey-halde.com, ☑ 🚶 🍴 r.-v.

🍷 Bordeaux Sciences Agro

♥ CH. MALARTIC-LAGRAVIÈRE 2010 ★★★

Cru clas.	100 000	🍷	30 à 50 €
90 91 **92 93 95** 96 97 98 99 |00||01| ⑩②| |03||04| 05		
06 |07| 08 09 ⑩			

Le « navire amiral » des Bonnie, c'est ce cru classé à l'étiquette ornée des trois mâts. Depuis son acquisition par cette famille d'origine belge, Malartic a bénéficié d'investissements très importants. Personne ne contestera

GRAND CRU CLASSÉ DE GRAVES
PESSAC-LÉOGNAN

qu'ils auront été judicieux en dégustant ce superbe vin, né d'un assemblage mi-merlot mi-cabernet-sauvignon, avec un léger appoint de cabernet franc et de petit verdot. D'une belle teinte grenat, ce 2010 affirme une grande personnalité, très « graves » par l'élégance et la complexité de son bouquet : le fruit mûr (fraise) se mêle à l'amande et à la vanille, les vingt mois d'élevage en barrique ne cachant pas le fruit. Il confirme son caractère au palais où une trame tannique très serrée mais veloutée s'ouvre sur une longue finale savoureuse, épicée à souhait. Idéale pour la traditionnelle lamproie à la bordelaise, une bouteille racée, appelée à une grande garde, à attendre au moins cinq à sept ans. Le second vin, **La Réserve de Malartic Le Sillage 2010 rouge (15 à 20 € ; 70 000 b.)**, a été cité pour son harmonie au palais. On pourra le goûter dans un an ou deux.

🍷 SC Ch. Malartic-Lagravière, 43, av. de Mont-de-Marsan, 33850 Léognan, tél. 05 56 64 75 08, fax 05 56 64 99 66, malartic-lagraviere@malartic-lagraviere.com, 🚶 🍴 r.-v.

🍷 A.-A. Bonnie

CH. MALARTIC-LAGRAVIÈRE 2011 ★★

Cru clas.	15 000	🍷	50 à 75 €

Pour être très minoritaires en termes de volumes, les blancs de Malartic-Lagravière sont une valeur sûre du cru. Ils font la part belle au sauvignon, qui représente les quatre cinquièmes de l'assemblage. Le 2011, vêtu d'une robe paille d'une grande limpidité, laisse une agréable sensation de dynamisme. Son harmonie naît d'un bouquet complexe et séducteur, associant le grillé de l'élevage au citron et à des touches minérales, et d'un palais dans la même veine, ample et tonifié par une agréable nervosité qui souligne la longue finale. On l'appréciera sur des crustacés, sur une viande blanche ou, selon la suggestion d'un dégustateur, sur un tajine de poulet au citron confit. Vif et fruité, sur la pêche, les fleurs blanches et les agrumes, le second vin du cru, **La Réserve de Malartic Le Sillage blanc 2011 (20 à 30 € ; 5 000 b.)**, a été cité.

🍷 SC Ch. Malartic-Lagravière, 43, av. de Mont-de-Marsan, 33850 Léognan, tél. 05 56 64 75 08, fax 05 56 64 99 66, malartic-lagraviere@malartic-lagraviere.com, 🚶 🍴 r.-v.

🍷 A.-A. Bonnie

CH. MALLEPRAT Cuvée Clémence 2010

	20 000	🍷	15 à 20 €

Cette propriété familiale a été vendue en 2012 à Bernard Magrez, qui détient (parmi ses multiples domaines) le château Pape Clément. Proposée par les anciens propriétaires, cette cuvée est issue d'une sélection de vieilles vignes et met en vedette le merlot. Elle a pour atouts un bouquet intense aux fines notes de fruits rouges et une bonne structure tannique, encore austère en finale. On l'attendra deux ou trois ans.

☛ Jean-Claude Cots, Dom. de Malleprat, 33650 Martillac, tél. 05 56 72 71 16, fax 05 56 72 67 34, chateaumalleprat@aol.com, ☑ r.-v.

CH. LA MISSION HAUT-BRION 2010 ★★

■ Cru clas.	n.c.	ⅷ	+ de 100 €
82 83 84	85		86	87	88		89		90	92 93 94	95		96	97
	98		99		00	01 02 03 04	05	06 07 08 09 10

Si elle appartient depuis 1983 au même groupe que son prestigieux voisin Haut-Brion, la Mission s'individualise par son histoire et son terroir. Contrairement au millésime précédent, le 2010 mobilise dans son assemblage 62 % de cabernet-sauvignon, cépage qui ne représente qu'une petite moitié de l'encépagement du cru, le merlot assurant pour l'essentiel le complément. Le vin, fidèle à sa tradition, reste d'une grande élégance, tant dans sa robe, grenat foncé, que dans son bouquet et au palais. Au nez, un boisé très fin, légué par un élevage luxueux (environ vingt mois en barriques, neuves à 80 %), respecte les arômes de fruits mûrs (cerise noire). En bouche, on découvre une matière ronde, bien équilibrée, soutenue par une trame de tanins serrés. Puissant et d'une grande complexité aromatique, avec comme fil rouge une étonnante note poivrée, ce vin se distingue par son potentiel : il serait dommage de ne pas l'attendre une dizaine, voire une douzaine d'années. On patientera en ouvrant une bouteille de **La Chapelle de la Mission 2010 rouge**. Noté une étoile, le second vin, rond et structuré, pourra être débouché dans trois ans.

☛ SAS Dom. Clarence Dillon, 135, av. Jean-Jaurès, 33608 Pessac Cedex, tél. 05 56 00 29 30, fax 05 56 98 75 14, info@domaineclarencedillon.com, ⚔ ⵑ r.-v.

♥ CH. LA MISSION HAUT-BRION 2011 ★★

■ Cru clas.	n.c.	ⅷ	+ de 100 €
90 93 94 95 96 97	98	99	00		01		02		03	04	05	06
07 08 09 10 11

Issu de parcelles soigneusement sélectionnées pour leur aptitude à produire de grands blancs, ce millésime prouve à l'évidence que le choix a été fort judicieux. Dans son assemblage, le sémillon l'emporte (plus de 80 %) et l'élevage en barrique fait une part assez substantielle au bois neuf (un peu moins de la moitié). Étincelant dans sa robe à reflets dorés, ce 2011 développe un bouquet aussi frais qu'harmonieux, mêlant l'acacia et les agrumes (zeste de citron, écorce d'orange) à des notes beurrées et vanillées, le tout rehaussé d'une petite pointe grillée. La bouche conjugue ampleur, rondeur et générosité avec une grande fraî-

cheur, conciliant l'exubérance et l'élégance : un modèle d'équilibre. Déjà très agréable, cette bouteille se bonifiera encore au cours des cinq prochaines années. Rond et généreux, **La Clarté de Haut-Brion 2011**, second vin blanc commun à Haut-Brion et à La Mission, a été cité.

☛ SAS Dom. Clarence Dillon, 135, av. Jean-Jaurès, 33608 Pessac Cedex, tél. 05 56 00 29 30, fax 05 56 98 75 14, info@domaineclarencedillon.com, ⚔ ⵑ r.-v.

CH. OLIVIER 2011 ★★

■ Cru clas.	23 000	ⅷ	30 à 50 €
05 06 07 |08| |09| **10 11**			

Construit au XIIᵉs. et transformé aux XIVᵉ et XVIIIᵉs., ce château, qui a gardé son allure de forteresse, est l'un des plus anciens des Graves. Au XIVᵉs., il servit même de relais de chasse au Prince Noir au temps de l'apogée de l'Aquitaine médiévale. Il appartient à la famille de Bethmann depuis 1886. Après un coup de cœur décerné au 2010, ce 2011 reste de très haut niveau. Son expression aromatique surprend agréablement par sa complexité. Elle décline toutes les facettes du sauvignon (cépage majoritaire avec 78 %) : tomate verte, bourgeon de cassis et agrumes, en passant par quelques notes muscatées. Des touches de pain grillé et de miel complètent cette palette qui se retrouve au palais. Frais en attaque, gras et de belle longueur, l'ensemble laisse une réelle impression d'harmonie. Il se bonifiera au cours des trois prochaines années.

☛ Ch. Olivier, 175, av. de Bordeaux, 33850 Léognan, tél. 05 56 64 73 31, fax 05 56 64 54 23, mail@chateau-olivier.com, ☑ ⚔ ⵑ r.-v.

☛ de Bethmann

CH. PAPE CLÉMENT 2010 ★★

■ Gd cru clas.	95 000	ⅷ	+ de 100 €
82 83 85 86 87 88 89 90 91 92 93 94	95		96	97
	98		99		00	01 02 03 04 05 06 07 08 09 10

Comme son nom le rappelle, ce cru a appartenu à Bertrand de Goth, noble d'Aquitaine qui allait devenir le premier des papes d'Avignon sous le nom de Clément V ; le vignoble resta ensuite longtemps attaché à l'archevêché de Bordeaux. Cette ancienneté crée une obligation d'excellence dont s'acquitte scrupuleusement son propriétaire actuel, Bernard Magrez, qui ne lésine ni sur les investissements ni sur la main d'œuvre pour obtenir des millésimes accomplis. Classée en rouge, la propriété a déjà obtenu six coups de cœur dans cette couleur. Après une macération en cuve de bois et un élevage de dix-huit mois en barrique, le 2010 s'impose dès l'approche, tant par sa somptueuse robe entre grenat et noir que par son bouquet élégant et complexe, mariant les fruits noirs à un boisé toasté bien fondu. Conjuguant puissance et harmonie, le palais intègre des tanins très mûrs dans une trame boisée. Sa finale encore musclée laisse présager une très longue garde. Les dégustateurs suggèrent d'attendre cette bouteille sept à dix ans.

☛ Ch. Pape Clément, 216, av. Dr-Nancel-Penard, 33600 Pessac, tél. 05 57 26 38 38, fax 05 57 26 38 39 ☑ ⚔ ⵑ r.-v.

☛ Bernard Magrez

CH. DE QUANTIN 2011 ★★

	20 000	ⅷ	8 à 11 €

Présent avec une demi-douzaine de vins dès la première édition, André Lurton est un grand habitué du Guide. Cette sélection met en lumière un cru qui n'a guère été sur le devant de la scène. Son vignoble s'étend, comme celui de Cruzeau, au sud de l'appellation. Planté sur des graves, le sauvignon y a donné naissance à un vin blanc extrêmement agréable. On aime l'élégance de son nez mariant les fruits exotiques (mangue et litchi), les agrumes et les fruits blancs, vivifiés par une note mentholée. Peu de bois, car le séjour en barrique est bref (six mois) et partiel. En bouche, le vin conjugue gras et rondeur avec une belle fraîcheur. Autant de caractères qui suggèrent une alliance avec des produits de la mer.

☛ André Lurton, Ch. Bonnet, 33420 Grézillac, tél. 05 57 25 58 58, fax 05 57 74 98 59, andrelurton@andrelurton.com, ☑ ⚲ ☂ r.-v.

CH. ROCHE-LALANDE 2010 ★

| ■ | 20 000 | ⏸ | 15 à 20 € |

José Rodrigues Lalande, propriétaire du château de Castres (graves), détient aussi depuis dix ans ce vignoble en pessac-léognan. Assemblage de quatre cépages, merlot et cabernet-sauvignon en tête, son vin a belle allure dans sa robe bigarreau sombre. Son bouquet se montre déjà expressif, mêlant des senteurs de fruits noirs, de griotte, de cannelle et de cuir. Après une attaque souple et ronde, la bouche dévoile des tanins serrés, encore fermes, et finit sur une note fraîche d'eucalyptus. On laissera cette bouteille quatre ans en cave pour lui permettre de s'arrondir.

☛ EARL Vignobles Rodrigues-Lalande, Ch. de Castres, 33640 Castres-Gironde, tél. 05 56 67 51 51, fax 05 56 67 52 22, contact@chateaudecastres.fr, ☑ ⚲ ☂ r.-v.

CH. DE ROCHEMORIN 2010 ★

| ■ | 120 000 | ⏸ | 15 à 20 € |

Commandé par une ancienne ferme fortifiée ayant appartenu à Montesquieu, le château de Rochemorin faillit perdre son vignoble au début du XXᵉs., car ses propriétaires d'alors préféraient exploiter la forêt de pins. Racheté en 1973 par André Lurton, il dispose aujourd'hui d'un vaste vignoble. Ample et bien constitué, son vin sait se présenter. L'intensité de sa robe incite à découvrir son joli bouquet mêlant les fruits noirs aux épices et aux notes toastées de l'élevage. L'attaque se montre souple et élégante, et les tanins apparaissent déjà policés. Nul doute que cette bouteille gagnera en complexité d'ici trois à quatre ans. Très sauvignon par ses arômes d'agrumes, de pêche blanche et de buis légèrement boisés, le **blanc 2011 (11 à 15 € ; 70 000 b.)** est cité.

☛ André Lurton, Ch. Bonnet, 33420 Grézillac, tél. 05 57 25 58 58, fax 05 57 74 98 59, andrelurton@andrelurton.com, ☑ ⚲ ☂ r.-v.

CH. DE ROUILLAC 2011 ★

| ■ | 8 900 | ⏸ | 20 à 30 € |

Ancien footballeur devenu chef d'entreprise, Laurent Cisneros a vendu l'affaire familiale pour réaliser son rêve : gérer un domaine viticole et changer de cadre de vie. Propriétaire de Rouillac depuis 2010, il a entrepris immédiatement d'importants travaux pour améliorer la qualité du vin (nouveau cuvier HQE), tout en raisonnant les pratiques viticoles. Son blanc 2011, né de sauvignons (blanc et gris), montre qu'il est bien parti : frais et fin, le bouquet met en avant les fleurs blanches et les agrumes, soutenus par un boisé bien maîtrisé. Dans le même registre, le palais s'enrichit d'une note de fruits blancs et séduit par son volume et sa finale fraîche. Simple mais bien

constitué, **Le Baron de Rouillac 2010 rouge (15 à 20 € ; 37 000 b.)** a été cité.

☛ SCEA Ch. de Rouillac, 12, chem. du 20-août-1949, 33610 Canéjan, tél. 05 57 12 84 63, fax 05 57 12 83 51, info@chateauderouillac.com, ☑ ⚲ ☂ r.-v.

☛ L. Cisneros

CH. LE SARTRE 2011 ★

| ■ | 25 000 | ⏸ | 15 à 20 € |

Reconstitué dans les années 1980 par Antony Perrin (Carbonnieux) et sa sœur Marie-José Leriche, ce cru est aujourd'hui une valeur sûre, comme en témoignent les sélections multiples dans ces pages. En tête, le blanc, à majorité de sauvignon, offre des arômes charmeurs d'agrumes, d'ananas mûr et de litchi, et un palais d'une belle finesse, gras et frais à la fois, qui se conclut par une finale poivrée très stylée. Plus simple mais fort plaisant, **Le S du Sartre 2011 blanc (11 à 15 € ; 8 000 b.)** a été cité, comme le **Ch. le Sartre 2010 rouge (40 000 b.)**, très fruité, fumé et tannique, encore très jeune.

☛ SCEA du Ch. le Sartre, 78, chem. du Sartre, 33850 Léognan, tél. 05 56 64 08 78, fax 05 56 64 52 57, chateaulesartre@wanadoo.fr, ☑ r.-v.

☛ Marie-José Leriche

CH. SEGUIN 2010

| ■ | 53 000 | ⏸ | 20 à 30 € |

Élu coup de cœur dans le millésime précédent, ce cru reste fidèle au rendez-vous du Guide tout en affichant des ambitions plus modestes avec son 2010, qui sera de moins longue garde que son prédécesseur. C'est un vin rond et chaleureux, tant au bouquet, marqué par des notes de petits fruits très mûrs, voire confits, qu'en bouche où l'on retrouve cette belle expression aromatique au sein d'une matière ronde, gorgée de fruits. Ce vin sera très plaisant dans trois à cinq ans, sur un navarin d'agneau aux légumes de printemps par exemple.

☛ SC Dom. de Seguin, chem. de la House, 33610 Canéjan, tél. 05 56 75 02 43, fax 05 56 89 35 41, contact@chateauseguin.com, ☑ ⚲ ☂ r.-v.

☛ M. Darriet

CH. SMITH HAUT LAFITTE 2010 ★★

■ Cru clas.	120 000	⏸	75 à 100 €
90 91 92 93 94 95 96 97 98 99	00	01 02	03		04	
	05		06		07	08 09 10

Les Cathiard ont le sens de la communication : en aménageant cette année sur une ancienne gravière un chai dit « furtif » – un local écologique aux murs bardés de chêne et au toit végétalisé, destiné à l'élaboration des seconds vins –, ils ont été l'une des vedettes de Vinexpo. Toutefois, ils n'oublient pas l'essentiel : la qualité de leurs vins. Bien dans l'esprit et dans la tradition du cru, leur 2010 est un authentique vin de garde, qui fait la part belle au cabernet-sauvignon. La profondeur de sa robe laisse deviner. Son bouquet, très expressif, avec une dominante de fruits confits (cerise, mûre, cassis), complétée par des notes de sous-bois et de torréfaction, l'affirme. Sa présence tannique, bien enrobée par le gras, le confirme. Très proche, le **Ch. Cantelys 2010 rouge (11 à 15 € ; 50 000 b.)** a obtenu une étoile pour sa belle constitution, soyeuse et équilibrée, de même que le second vin, **Les Hauts de Smith 2010 rouge (15 à 20 € ; 60 000 b.)**, aux tanins veloutés.

●┑ Ch. Smith Haut Lafitte, 33650 Martillac,
tél. 05 57 83 11 22, fax 05 57 83 11 21,
f.cathiard@smith-haut-lafitte.com, ☑ ⚔ ⌶ r.-v.
●┑ SAS D. Cathiard

CH. SMITH HAUT LAFITTE 2011 ★

	38 000	▥	50 à 75 €

90 91 **92** 93 94 95 **96 97** ⑱ **99** 00 01 02 03 04 |05|
|06| |07| 08 **09 10 11**

Les fidèles du « Smith » blanc ne seront ni surpris, ni déçus par le 2011. Celui-ci reste dans la meilleure tradition du domaine par la richesse et la complexité de son bouquet, où la pêche blanche côtoie la cire d'abeille, l'ananas, les agrumes, le bourgeon de cassis, le buis, et l'on en passe... Encore plus expressif, le palais, frais, gras et puissant, permettra d'apprécier cette belle bouteille dans sa jeunesse. On pourra aussi l'attendre plusieurs années, car elle gagnera encore en complexité. Quel que soit le parti adopté, on choisira un mets raffiné : homard ou foie gras au torchon. Riche, dense et gourmand, le **Ch. Cantelys 2011 blanc (11 à 15 € ; 12 000 b.)** a obtenu une étoile, tout comme le second vin, **Les Hauts de Smith 2011 blanc (15 à 20 € ; 15 000 b.)**, lui aussi d'une grande fraîcheur et d'une réelle finesse aromatique.
●┑ Ch. Smith Haut Lafitte, 33650 Martillac,
tél. 05 57 83 11 22, fax 05 57 83 11 21,
f.cathiard@smith-haut-lafitte.com, ☑ ⚔ ⌶ r.-v.
●┑ SAS D. Cathiard

CH. LE THIL 2010 ★

■	40 000	▥	11 à 15 €

Belle unité de 11,6 ha, le château le Thil a été acheté en 2012 par son voisin, Smith Haut Lafitte. Ce domaine apporte aux Cathiard un beau potentiel, comme le montre ce 2010. La prédominance de l'argile dans le substrat a conduit ici à privilégier le merlot (70 %, avec le cabernet-sauvignon en appoint). Le vin se montre aussi puissant dans son expression aromatique (truffe, pruneau et toast) que dans sa structure. Ample et charnue, celle-ci est étayée par des tanins veloutés, encore fermes en finale. Un séjour en cave de deux à quatre ans s'impose.
●┑ Ch. le Thil, Ch. Smith Haut Lafitte, 33650 Martillac,
tél. 05 57 83 11 22, fax 05 57 83 11 21,
f.cathiard@smith-haut-lafitte.com, ☑ ⚔ ⌶ r.-v.
●┑ SAS D. Cathiard

CH. TRIGANT Cuvée Cachère 2010

■	18 000	▤▥	11 à 15 €

Propriété d'une vieille famille de Bordeaux, ce petit cru (3,45 ha) commandé par une chartreuse de la fin du XVIII[e]s. marque son originalité en proposant un vin cachère (élaboré sous contrôle rabbinique), associant le cabernet-sauvignon et le merlot à parts égales. Très frais dans son expression aromatique (confiture de fraises et baies de genièvre, assorties d'un boisé épicé), ce 2010 fait preuve d'une réelle élégance au palais. Assez proche, avec un peu moins de structure, la **cuvée principale 2010 rouge (15 000 b.)** a été citée.
●┑ GFA du Ch. Trigant, 149, av. des Pyrénées,
33140 Villenave-d'Ornon, tél. 05 56 48 25 52,
fax 05 56 75 82 49, chateautrigant@orange.fr, ☑ ⚔ ⌶ r.-v.
●┑ Famille Sèze

Le Médoc

Dans l'ensemble girondin, le Médoc occupe une place à part. À la fois enclavés dans leur presqu'île et largement ouverts sur le monde par un profond estuaire, le Médoc et les Médocains apparaissent comme une parfaite illustration du tempérament aquitain, oscillant entre le repli sur soi et la tendance à l'universel. Et il n'est pas étonnant d'y trouver aussi bien de petites exploitations familiales presque inconnues que de grands domaines prestigieux appartenant à de puissantes sociétés françaises ou étrangères.

S'en étonner serait oublier que le vignoble médocain (qui ne représente qu'une partie du Médoc historique et géographique) s'étend sur plus de 80 km de long et 10 km de large. Le visiteur peut donc admirer non seulement les grands châteaux du vin du siècle dernier, avec leurs splendides chais-monuments, mais aussi partir à la découverte approfondie du pays. Très varié, celui-ci offre aussi bien des horizons plats et uniformes (près de Margaux) que des croupes (vers Pauillac), ou l'univers tout à fait original du Médoc dans sa partie nord, à la fois terrestre et maritime. La superficie des AOC du Médoc représente environ 16 400 ha.

Pour qui sait quitter les sentiers battus, le Médoc réserve plus d'une heureuse surprise. Mais sa grande richesse, ce sont ses sols graveleux, descendant en pente douce vers l'estuaire de la Gironde. Pauvre en éléments fertilisants, ce terroir est particulièrement favorable à la production de vins de qualité, la topographie permettant un drainage parfait des eaux.

On a pris l'habitude de distinguer le Haut-Médoc, de Blanquefort à Saint-Seurin-de-Cadourne, et le nord Médoc, de Saint-Germain-d'Esteuil à Saint-Vivien. Au sein de la première zone, six appellations communales produisent les vins les plus réputés. Les soixante crus classés sont essentiellement implantés sur ces appellations communales ; cependant, cinq d'entre eux portent exclusivement l'appellation haut-médoc. Les crus classés représentent approximativement 25 % de la surface totale des vignes du Médoc, 20 % de la production de vins et plus de 40 % du chiffre d'affaires. Plusieurs caves coopératives existent dans les appellations médoc et haut-médoc, mais aussi dans trois appellations communales (listrac, pauillac, saint-estèphe).

Le vignoble du Médoc est réparti entre huit appellations d'origine contrôlées. Il existe deux appellations sous-régionales, médoc et haut-médoc (60 % du vignoble médocain), et six appellations communales : saint-estèphe, pauillac, saint-julien, listrac-médoc, moulis-en-médoc et margaux – l'appellation régionale étant bordeaux comme dans le reste du vignoble du Bordelais.

Cépage traditionnel en Médoc, le cabernet-sauvignon est probablement moins important qu'autrefois, mais il couvre 52 % de la totalité du vignoble. Avec 34 %, le merlot vient en deuxième position ; son vin, souple, est aussi d'excellente qualité et, d'évolution plus rapide, il peut être consommé plus jeune. Le cabernet franc, qui apporte de la finesse, représente 10 %. Enfin, le petit verdot et le malbec jouent le rôle de cépages d'appoint.

Les vins du Médoc jouissent d'une réputation exceptionnelle ; ils sont parmi les plus prestigieux vins rouges de France et du monde. Ils se remarquent à leur couleur grenat, évoluant vers une teinte tuilée, ainsi qu'à leur bouquet fruité dans lequel les notes épicées de cabernet se mêlent souvent à celles, vanillées, qu'apporte le chêne neuf. Leur structure tannique, dense en même temps qu'élégante, et leur parfait équilibre contribuent à une bonne tenue dans le temps : ils s'assouplissent sans maigrir et gagnent en richesse olfactive et gustative.

Médoc

Superficie : 5 700 ha
Production : 300 000 hl

L'ensemble du vignoble médocain a droit à l'appellation médoc, mais en pratique celle-ci n'est utilisée que dans le nord de la presqu'île, à proximité de Lesparre, les communes situées entre Blanquefort et Saint-Seurin-de-Cadourne pouvant revendiquer celle de haut-médoc ou des communales, dans le cadre de leurs zones délimitées spécifiques. Malgré cela, l'appellation médoc est la plus importante en superficie et en volume.

Les médoc se distinguent par une couleur très soutenue. Avec un pourcentage de merlot plus important que dans les vins du haut-médoc et des appellations communales, ils possèdent souvent un bouquet fruité et beaucoup de rondeur en bouche. Certains, provenant de croupes graveleuses isolées, associent aussi une grande finesse et une certaine richesse tannique.

♥ **THOMAS BARTON** Réserve privée 2010 ★★★

| ■ | 12 000 | ◫ | 20 à 30 € |

Avec cette Réserve, la doyenne des maisons de négoce de la place de Bordeaux rend hommage à son fondateur, un jeune Irlandais passionné de vin qui créa la structure en 1725. Et quel hommage ! Assemblage à parts égales de cabernet-sauvignon et de merlot, un soupçon de petit verdot pour faire l'appoint, ce 2010 livre un bouquet des plus harmonieux, qui marie les fruits rouges confits à un boisé très élégant, aux accents grillés. Somptueux de bout en bout, le palais se révèle ample, dense, charnu, massif mais sans dureté, porté par un boisé parfaitement dosé laissant libre cours à un fruité « explosif ». Un médoc de haute distinction, à remiser au moins cinq ans en cave et ne l'en sortir que pour une grande occasion. On prendra son mal en patience en ouvrant une bouteille de **Thomas Barton Réserve 2010** (11 à 15 € ; 36 000 b.), cité pour son fruité et sa rondeur, ou un flacon des **Charmes de Magnol 2010** (11 à 15 € ; 45 000 b.), également cité, pour son agréable expression florale et fruitée et ses tanins fermes. Deux cuvées à servir dans les deux ou trois ans à venir.

➥ Barton & Guestier, Ch. Magnol, 87, rue du Dehez BP 30, 33292 Blanquefort Cedex, tél. 05 56 95 48 00, fax 05 56 95 48 01, petra.frebault@barton-guestier.com

♥ **BEJAC ROMELYS** Cuvée prestige 2010 ★★

| ■ | 10 000 | ◫ | 11 à 15 € |

Xavier et Sylvie Berrouet se sont installés en 1986 sur les terres de Saint-Yzans-du-Médoc. Ils ont commencé par apporter leurs raisins à la coopérative, avant de créer leur cave en 1994. Ils conduisent aujourd'hui un vignoble de 20 ha, dont 3 dédiés à cette cuvée originale par son encépagement à dominante de petit verdot (60 %), qui n'existe que dans les millésimes favorables à ce cépage, de vieux ceps de cabernet-sauvignon et de merlot venant faire l'appoint. Après dix-huit mois d'élevage en barrique (le petit verdot a du répondant face au chêne), ce 2010 se présente dans une robe intense, rubis sombre. Tout aussi intense est le nez, ouvert sur les fruits noirs, le poivre, la vanille et le pain d'épice. Riche et plein, porté par une remarquable structure tannique et un boisé parfaitement maîtrisé, le palais monte en puissance pour s'ouvrir sur une longue finale qui laisse le souvenir d'un vin très harmonieux et abouti. Un beau vin de garde (cinq à huit ans), bien dans l'esprit médoc.

☛ Xavier et Sylvie Berrouet, 4, rue de Rigon, 33340 Saint-Yzans-de-Médoc, tél. 05 56 09 08 21, fax 05 56 73 60 95, romelys@sfr.fr, ☑ ⚐ ⛾ r.-v.

CH. BELLEGRAVE Vieilli en fût de chêne 2010

■	120 000 📖⬛	8 à 11 €

Possédant une jolie palette de terroirs, ce cru de 23 ha a opté pour un encépagement tripartite (merlot, cabernet-sauvignon et petit verdot). Agréable par son bouquet de fruits noirs légèrement rehaussé d'épices, son 2010 possède une structure bien équilibrée, souple et accompagnée par un boisé fondu. On pourra profiter de cette bouteille dès aujourd'hui comme dans deux ou trois ans.

☛ EARL Vignobles Caussèque, 1, rue de Janton, 33340 Valeyrac, tél. 05 56 41 53 82, fax 05 56 41 50 10, vignobles.causseque@wanadoo.fr,
☑ ⚐ ⛾ r.-v. 🏠 🅱

CH. BELLEVUE Élevé en fût de chêne 2010 ★

■	110 000 📖⬛	8 à 11 €

Bénéficiant d'un vignoble assez âgé (trente-cinq ans en moyenne), planté sur les terres hétérogènes des croupes de la Gironde, ce cru a pu élaborer un 2010 sérieux et bien armé pour la garde, issu d'un assemblage sensiblement équilibré entre le merlot et le cabernet-sauvignon, un soupçon de cabernet franc faisant l'appoint. Expressif et complexe (cassis, griotte, pivoine, quelques épices et un soupçon de rose), dense, concentré, bien bâti et frais, son développement lors de la dégustation laisse entrevoir un fort joli vin d'ici trois ou quatre ans.

☛ Régis Lassalle, 10, rue du 8-Mai-1945, 33340 Valeyrac, tél. 05 56 41 52 17, fax 05 56 41 36 64, earl.lassalle@wanadoo.fr,
☑ ⚐ ⛾ t.l.j. sf sam. dim. 8h-12h30

CH. LA BRANNE 2010 ★★

■	126 000 ⬛	8 à 11 €

Passé de 6 à 25 ha en un quart de siècle, ce cru apporte la preuve que l'augmentation de la taille des vignobles ne remet pas forcément en question la qualité de la production. S'annonçant par une robe d'un rouge soutenu, ce vin développe un bouquet riche et complexe (baies noires, épices, vanille, croûte de pain), avant de révéler une matière ample et dense, consolidée par des tanins mûrs et enrobés par un bon boisé. Trois ou quatre ans de garde permettront à cette belle bouteille d'exprimer pleinement sa personnalité. Plus simple mais charmeur par sa rondeur et son côté fruité, le **Ch. La Font Neuve 2010 (5 à 8 € ; 30 000 b.)** est cité.

☛ EARL Fabienne et Philippe Videau, 2, rte de Peyrere, 33340 Bégadan, tél. et fax 05 56 41 55 24, labranne@wanadoo.fr,
☑ ⚐ ⛾ t.l.j. sf dim. 9h-12h 14h-19h 🏠 🅱

CH. CAMPILLOT 2010 ★

■	26 470 📖⬛	8 à 11 €

Entré l'an dernier dans le Guide, ce « petit champ » (« campillot ») de 9 ha créé en 2005 confirme cette année avec un vin à dominante de merlot (60 %), qui joue résolument la carte du charme. Par son bouquet aux fines notes fruitées et toastées, comme par sa structure que portent des tanins délicats. Il promet d'être à son apogée entre 2015 et 2018.

☛ SCEA Videau-Roze des Ordons, 4, rte de Miqueu, 33340 Saint-Germain-d'Esteuil, tél. 06 03 01 13 04, fax 05 56 68 07 12, info@chateaucampillot.fr, ☑ ⚐ ⛾ r.-v.

CH. LA CARDONNE 2010 ★

■	200 000 📖⬛	11 à 15 €

Les Domaines CGR forment un bel ensemble de quelque 125 ha, dont la Cardonne constitue la pièce maîtresse (45 ha). Pas uniquement en raison du panorama qui s'étend sur plus de 30 km par temps clair, mais aussi par son vin. Véritable modèle de classicisme médocain, le 2010 est solidement bâti, comme le laisse supposer sa robe d'un rubis profond et son bouquet intense, fruité, boisé et épicé, et comme le confirme sa belle enveloppe tannique qui ne manque ni de fraîcheur ni de densité. On l'attendra deux à quatre ans pour permettre aux tanins de s'arrondir. Il en ira de même pour le **Ch. Grivière 2010 (180 000 b.)**. À la fois séducteur par son nez fruité et finement boisé et puissant par son palais ample, frais et charpenté, il obtient également une étoile.

☛ Les Domaines CGR, rte de la Cardonne, 33340 Blaignan, tél. 05 56 73 31 51, fax 05 56 73 31 52, cgr@domaines-cgr.com, ☑ ⚐ ⛾ r.-v.

CH. CASTERA 2010 ★

■	191 994 ⬛	15 à 20 €

Commandant un vaste domaine de 185 ha aux origines médiévales, ce château, qui abrita en son temps Étienne de la Boétie et Michel de Montaigne, jouit d'une bonne réputation, qu'il sait défendre une fois encore avec ce 2010. Le vin s'annonce par une belle robe d'un rubis limpide, avant de retenir l'attention par son bouquet bien équilibré entre fruité et toasté, comme par son palais à l'attaque séduisante et gourmande, ample, soutenu par des tanins fondus et par une jolie finale épicée. Un médoc d'une réelle harmonie, à déguster d'ici 2015-2016, sur un confit de canard aux navets par exemple.

☛ SARL Prestom, Ch. Castera, Le Bourg, 33340 Saint-Germain-d'Esteuil, tél. 05 56 73 20 60, fax 05 56 73 20 61, chateau@castera.fr,
☑ ⚐ ⛾ t.l.j. sf sam. dim. 9h-12h 14h-17h
☛ Thomas Press

CORAZON By Stéphane Courrèges 2010 ★★

■	20 000 📖⬛	8 à 11 €

Créée par l'œnologue Stéphane Courrèges en 2005, cette marque de négoce revendique « une esthétique contemporaine et un goût moderne », à savoir un vin fruité et charnu, facile d'accès. D'où sans doute le choix d'un merlot dominant (60 %) pour arrondir les angles. Les dégustateurs ont été séduits par ce 2010 d'une couleur fauve intense, qui marie subtilement au bouquet les fruits rouges et le bois, au palais suave, rond et épicé (poivre, cannelle), long et bien charpenté. Alliance réussie d'une belle vendange et d'un solide savoir-faire, ce médoc à la fois riche et fin s'appréciera d'ici deux ou trois ans. Plus portée sur le fruit, souple et fondue, la cuvée **Respect 2010 (40 000 b.)** obtient une étoile. On pourra la servir dès aujourd'hui.

☛ Courrèges Wines, 108 bis, av. Jean-Jacques Rousseau, 33160 Saint-Médard-en-Jalles, tél. 05 56 91 21 96, contact@courreges-wines.com

CH. DE LA CROIX 2010

| ■ | | 200 000 | ◫ | 8 à 11 € |

Quatre générations de Francisco ont œuvré sur ce vignoble de 32 ha situé sur l'un des points culminants du Médoc. Et bien œuvré comme le montre ce vin grenat intense à reflets pourprés. Suit un bouquet plaisant et élégant, fruité et poivré. Rond, souple, équilibré par une

Le Médoc et le Haut-Médoc

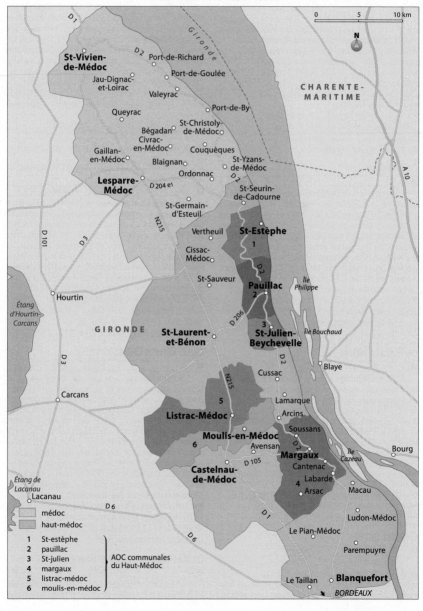

pointe de vivacité, le palais se révèle lui aussi charmeur. À boire dans les deux ans.

🍷 Ch. de la Croix, Jean Francisco, 6, chem. de la Croix, 33340 Ordonnac, tél. 05 56 09 04 14, fax 05 56 09 01 32, cdlc@chateau-de-la-croix.com,

☑ 🍴 ⓘ t.l.j. sf sam. dim. 9h-12h30 14h-18h

LA CROIX DE GADET Le Mystère d'Anaïs 2010 ★

| ■ | 10 000 | 🍷ⓘ | 8 à 11 € |

Cuvée prestige du Ch. Gadet Terrefort, ce vin se distingue d'emblée par sa belle robe, d'un rouge sombre, et par son bouquet expressif de fruits mûrs et de boisé épicé. Le charme opère aussi dans une bouche ronde et souple en attaque, au fruité charnu, bien bâtie autour de tanins soyeux et d'un boisé dosé avec mesure. Déjà plaisant, ce 2010 sera harmonieux dans trois ou quatre ans. Souple et franc, le **Ch. Gadet Terrefort 2010 (5 à 8 € ; 85 000 b.)** est cité, de même que le **Ch. Calmeyrac 2010 (5 à 8 € ; 4 000 b.)**, dans un style proche, qui fait son entrée dans le Guide.

🍷 EARL Christian Bernard, 7, rte de Vendays, 33340 Gaillan-en-Médoc, tél. 05 56 41 70 88, fax 05 56 41 76 70, claudine.gaye@wanadoo.fr,

☑ 🍴 ⓘ t.l.j. 9h-12h 14h-19h

CH. D'ESCURAC 2010 ★

| ■ | 100 000 | ⓘ | 11 à 15 € |

Valeurs sûres de l'appellation, les vins de Jean-Marc Landureau naissent sur une belle butte de graves argilo-graveleuses, l'une des plus élevées du Médoc. Mi-merlot mi-cabernet-sauvignon, ce 2010 d'un beau grenat s'ouvre sur un boisé soutenu mais élégant aux accents cacaotés et vanillés, les fruits frais apparaissant à l'aération. On retrouve ces notes d'élevage dominantes dans un palais ample et dense, bâti sur des tanins solides et prometteurs. Au final, un vin qui fait preuve d'un bel équilibre et offre un bon potentiel de garde de quatre ou cinq ans.

🍷 SCFED Landureau, Ch. d'Escurac, rte d'Escurac, 33340 Civrac-en-Médoc, tél. 05 56 41 50 81, fax 05 56 41 36 48, contact@chateaudescurac.com,

☑ 🍴 ⓘ r.-v.

CH. FLEUR LA MOTHE 2010 ★

| ■ | 60 000 | ⓘ | 11 à 15 € |

Un nouveau nom dans le Guide. En 2008, trois œnologues associés depuis vingt ans sont venus au chevet de cette propriété de 14 ha, déjà classée en cru bourgeois en 1932. Un encépagement parfaitement adapté au terroir argilo-calcaire du plateau de Saint-Yzans-en-Médoc (65 % de merlot, le solde en cabernet-sauvignon) donne naissance à ce 2010 rouge sombre aux reflets rubis, expressif et bien équilibré à l'olfaction entre fruits frais et boisé fondu, au palais ample et riche, longuement soutenu par des tanins soyeux. À déguster avec une tourte aux cèpes d'ici trois ou quatre ans.

🍷 SCEA des Œnologues, rte du Canyon, 33250 Pauillac, tél. 05 56 59 67 06, fax 05 56 59 67 07, contact@chateaufleurlamothe.fr, ☑ 🍴 ⓘ r.-v.

GINESTET 2010 ★

| ■ | 100 000 | | - de 5 € |

Marque de l'une des plus célèbres maisons de négoce de la place de Bordeaux, ce vin, provenant en majorité de cabernet-sauvignon (60 %), possède tous les atouts d'un médoc de bonne garde (de deux à cinq ans) : robe pourpre

sombre, bouquet expressif de petits fruits rouges (cassis) et de vanille, palais ample et souple, soutenu par des tanins charnus et une jolie fraîcheur. Plus boisé et vigoureux, le **Mascaron de Ginestet 2010 (5 à 8 € ; 50 000 b.)** est cité.

🍷 Maison Ginestet, 19, av. de Fontenille, 33360 Carignan-de-Bordeaux, tél. 05 56 68 81 82, fax 05 56 68 81 81, vincent.pensivy@ginestet.fr, 🍴 ⓘ r.-v.

CH. LA GORCE 2010 ★

| ■ | 200 000 | ⓘ | 11 à 15 € |

La dominante argilo-calcaire a entraîné une proportion plus élevée de merlot (55 %) afin de donner un maximum de maturité aux raisins. Ce 2010 en a bien profité, comme le montrent sa belle teinte rouge vif, son bouquet intense et délicat où cohabitent harmonieusement le fruit (myrtille, cassis) et le bois (épices, vanille), ainsi que sa bouche ample, riche et finement structurée par des tanins soyeux. Avec plus de cabernet-sauvignon, qui apporte une belle finesse tannique, le **Ch. Canteloup (8 à 11 € ; 100 000 b.)** est cité. Deux vins à boire dans deux ou trois ans.

🍷 Denis Fabre, Ch. la Gorce, 73, Canteloup Est, 33340 Blaignan, tél. 05 56 09 01 22, fax 05 56 09 03 27, info@chateaulagorce.com, ☑ 🍴 ⓘ t.l.j. 8h-12h 13h30-18h

CH. GRAND GALLIUS Cuvée des Impératrices romaines Julia Paula 2010

| ■ | 6 700 | 🍷ⓘ | 8 à 11 € |

Des vestiges trouvés sur la propriété témoignent d'une activité à l'époque gallo-romaine sur ces terres de Gaillan-en-Médoc. À chaque nouveau millésime, les Bernard donnent à leur cuvée de prestige le nom d'une impératrice romaine : Julia Paula, épouse éphémère de l'empereur Héliogabale de 219 à 220, pour le 2010. Ce vin retient l'attention pour son bouquet plaisant de fruits mûrs et de boisé fumé, pour sa bonne constitution et son équilibre en bouche. À boire dans les deux ou trois ans.

🍷 SCEA Grand Gallius, Marie-France Bernard, 7, rte du Portail-Rouge, 33340 Gaillan-en-Médoc, tél. 05 56 41 67 99, fax 05 56 41 64 90, chateau-grand-gallius@orange.fr, ☑ 🍴 ⓘ t.l.j. sf dim. 9h-19h

CH. LES GRANDS CHÊNES 2010 ★

| ■ | 80 000 | 🍷ⓘ | 11 à 15 € |

Bernard Magrez a le don de choisir de beaux terroirs ; ici, une croupe de graves dominant l'estuaire. Avec 63 % de merlot, 35 % de cabernet-sauvignon et 2 % de cabernet franc, l'encépagement est bien adapté. Le résultat est un vin très élégant dans sa robe bigarreau foncé, comme par son bouquet où les épices et la vanille accompagnent harmonieusement le fruit (mûre, cassis). Son côté gourmand se poursuit au palais, ample, dense, porté par des tanins soyeux et fondus, enrobés par un joli fruité. Une bouteille « bien dans sa peau », conclut un juré, qui recommande encore trois ou quatre ans de patience et un accord avec une volaille.

🍷 Bernard Magrez, Ch. les Grands Chênes, 13, rte de Lesparre, 33340 Saint-Christoly-Médoc, tél. 05 56 41 53 12, fax 05 56 41 39 06, chateaugrandschenes@orange.fr

CH. HAUT-BLAIGNAN Élevé en fût de chêne 2010

| ■ | 2 000 | ⓘ | 5 à 8 € |

Christelle Cahier signe un vin sérieux et authentique assemblant à parts égales merlot et cabernet-sauvignon.

D'une jolie couleur pourpre, ce 2010 dévoile un bouquet naissant de fruits noirs (mûre) bien soutenus par le merrain, relayé par une bouche équilibrée, souple et ronde, un peu plus ferme en finale. À boire dans les deux ans, sur une pièce de bœuf grillée.

🍷 EARL Brochard-Cahier, 1, rue de Verdun, 33340 Blaignan, tél. 05 56 09 02 57, fax 05 56 09 00 08, chateau.haut-blaignan@wanadoo.fr,
☑ ⚔ ⊤ t.l.j. 10h-12h 14h-18h

CH. HAUT CONDISSAS Prestige 2010 ★★

| ■ | 70 000 | ⊞ | 30 à 50 € |

Jean Guyon a placé, comme souvent, la barre haut avec cette cuvée dans laquelle 20 % de petit verdot, 10 % de cabernet-sauvignon et 10 % de cabernet franc épaulent 60 % de merlot. Très séduisant dans sa robe noire, ce 2010 annonce par l'équilibre et l'intensité de son bouquet (fruits rouges, épices, vanille, léger grillé) la belle concentration du palais. De fait, celui-ci se révèle ample, corpulent, puissant, renforcé par des tanins mûrs et par un boisé luxueux, avant de s'allonger dans une belle finale fruitée. Un vin de caractère et de bonne garde (cinq ans et plus), que l'on réservera à un mets de goût, une côte de bœuf par exemple. Plus porté sur le merlot (70 %), le **Ch. Rollan de By 2010 (15 à 20 € ; 324 000 b.)**, souple et doux en attaque, solidement structuré, frais et boisé avec élégance, obtient une étoile. On l'attendra deux ou trois ans. Bien structuré également, ferme et d'un beau volume, le **Ch. Tour Seran 2010 (15 à 20 € ; 62 600 b.)** est également jugé très réussi. Il restera trois à cinq ans en cave.

🍷 Jean Guyon, 3, rte du Haut-Condissas, 33340 Bégadan, tél. 05 56 41 58 59, fax 05 56 41 37 82, infos@rollandeby.com, ☑ ⚔ ⊤ r.-v.

CH. L'INCLASSABLE 2010 ★

| ■ | 60 000 | ⊞ | 15 à 20 € |

Rémy Fauchey conduit ce domaine familial depuis 1980, portant depuis longtemps une attention particulière au respect environnemental, qui l'a conduit aujourd'hui à la conversion à la biodynamie. Avec son Inclassable 2010, largement dominé par le cabernet-sauvignon (57 %), associé à une part non négligeable de petit verdot (18 %), il signe un vin bien dans le ton médocain. Un vin au nez réglissé, fruité et boisé, doté d'un solide potentiel de garde grâce à sa richesse et ses puissants tanins « à l'ancienne », qui pourront surprendre certains dégustateurs, mais promettent une belle bouteille d'ici deux ou trois ans. Plus modeste, mais frais et bien constitué, le **Ch. Fontaine de l'Aubier 2010 (8 à 11 € ; 50 000 b.)** est cité.

🍷 SCEA Vignobles Rémy Fauchey, 4, chem. des Vignes, Gautheys, 33340 Prignac-en-Médoc, tél. 05 56 09 02 17, fax 05 56 09 04 96, remy.fauchey@wanadoo.fr,
☑ ⚔ ⊤ t.l.j. sf sam. dim. 9h30-18h

CH. LABADIE 2010

| ■ | 240 000 | ⊞ | 8 à 11 € |

| ⑨⓪ | 97 | **98** | 99 | 00 | 01 | 02 | **03** | **04** | **05** | **06** | **07** | 08 | ⑨⑨ | 10 |

Ce cru fait partie de ceux qui ont souffert de la grêle en 2010, mais cela ne l'empêche pas de proposer un vin de belle facture, au bouquet riche mêlant fruits mûrs (cassis) et toasté de la barrique. Le palais, franc en attaque, avec une jolie note de truffe noire, s'appuie sur des tanins vigoureux qui, accompagnés d'une pointe de vivacité, garantissent à cette bouteille une belle tenue dans le temps (trois ou quatre ans).

🍷 Jérôme Bibey, 1, rte de Chassereau, 33340 Bégadan, tél. 05 56 41 55 58, fax 05 56 41 39 47, gfabibey@free.fr,
☑ ⚔ ⊤ t.l.j. sf sam. dim. 9h-12h 14h-17h30

CH. LACOMBE NOAILLAC 2010 ★

| ■ | 143 000 | ▮⊞ | 11 à 15 € |

Juché sur une croupe de graves dominant l'estuaire de la Gironde, ce vignoble privilégie le merlot (62 %). D'une belle couleur grenat à reflets cerise, son 2010 développe un bouquet aux fines notes de fruits rouges, de vanille et de toast. Le palais, puissant et long, révèle des tanins gras, soyeux, charnus qui lui confèrent un beau volume et un potentiel de garde certain. Encore jeune, cette bouteille d'avenir est à « oublier » deux à cinq ans dans sa cave. Également proposé par Jean-Michel Lapalu, le **Ch. Patache d'Aux 2010 (15 à 20 € ; 260 000 b.)** est cité pour son bouquet plaisant à fruits rouges et d'épices et pour sa bouche ronde et généreuse, soutenue par des tanins mûrs. **Le Hauts de Tousquiron 2010 Cuvée Lucie (7 000 b.)**, élaboré par Jean-Michel Lapalu pour le compte de la famille Beuvin, est également cité pour son boisé fin et son volume. À attendre deux ou trois ans.

🍷 SC Ch. Lacombe Noaillac, Le Broustera, 33590 Jau-Dignac-et-Loirac, tél. 05 56 41 50 18, fax 05 56 41 54 65, info@domaines-lapalu.com
🍷 Jean-Michel Lapalu

HIPPOCAMPUS DE LOUDENNE 2010 ★

| ■ | 13 860 | ⊞ | 30 à 50 € |

Cuvée prestige du Ch. Loudenne, cet Hippocampus rappelle que le domaine est établi au bord de l'estuaire de la Gironde, sur lequel a été aménagée une halte nautique. Il évoque aussi au propriétaire ses souvenirs d'enfance et la pêche de cet animal si intrigant. Ce 2010 joue résolument la carte de l'élégance, tant dans son développement aromatique, sur de fines notes boisées, épicées et fruitées, qu'en ce qui concerne son palais, solide mais sans dureté, ample et charnu, long et intense en finale. Autant d'atouts pour une bonne évolution dans les trois à cinq ans à venir. La cuvée principale, le **Ch. Loudenne 2010 (15 à 20 € ; 229 000 b.)**, dans un style plus gourmand, à la frais, rond et fruité, est citée. On l'appréciera dans sa jeunesse.

🍷 Ch. Loudenne, SCS Lafragette de Loudenne, 33340 Saint-Yzans-de-Médoc, tél. 05 56 73 17 88, fax 05 56 09 02 87, receptif@lafragette.com,
☑ ⚔ ⊤ t.l.j. 9h-18h30; nov.-mars sur r.-v. 🏚 ⑤

CH. LOUSTEAUNEUF 2010 ★

| ■ | 120 000 | ▮⊞ | 11 à 15 € |

Situé à la limite de Bégadan et de Valeyrac, sur des sols sablo-graveleux, ce cru a été créé par Danielle et Serge Segond à leur retour d'Algérie en 1962. Les raisins ont été portés à la coopérative de Bégadan jusqu'à la construction d'un nouveau chai en 1993 et l'arrivée de Bruno Segond. Ce dernier signe un 2010 dont le maître-mot est l'équilibre. Équilibre du bouquet, qui affirme sa puissance tout en conservant une réelle finesse grâce à une jolie palette de parfums (fleurs, fruits, terre chaude, vanille). Si le bois est encore présent au palais, celui-ci demeure rond et avenant jusqu'en finale, porté par des tanins mûrs. Un ensemble déjà harmonieux qui possède aussi un bon potentiel de garde (trois à quatre ans).

☛ Ch. Lousteauneuf, 2, rte de Lousteauneuf,
33340 Valeyrac, tél. 05 56 41 52 11, fax 05 56 41 38 52,
chateau.lousteauneuf@wanadoo.fr, ☑ ⚔ ⊤ r.-v.
☛ Bruno Segond

MICHEL LYNCH Réserve 2010

| ■ | n.c. | 11 à 15 € |

Marque de la famille Cazes, qui a développé une
activité de négoce à côté de ses nombreux crus, ce Michel
Lynch Réserve (du nom du fondateur de Lynch-Bages,
navire-amiral de Jean-Michel Cazes) ne cache pas ses
visées internationales : la contre-étiquette est rédigée en
anglais, et 85 % de la production franchit les frontières
nationales. Ce 2010 est un vin agréablement bouqueté
(fruits, notes fumées), d'une bonne tenue au palais,
soutenu par des tanins assez vigoureux qui permettront de
l'attendre deux ou trois ans.
☛ Jean-Michel Cazes Sélection, rte de Bordeaux,
33460 Macau, tél. 05 57 88 60 04, fax 05 57 88 03 84

CH. MAISON BLANCHE 2010

| ■ | 177 000 | ▮ ⏻ | 8 à 11 € |

Fait rare en Médoc, ce vignoble est planté de merlot
à 70 %, ce qui n'empêche pas son 2010 de présenter un
style classique. Robe bordeaux soutenu ; bouquet un peu
fermé, quelques notes de vanille, d'épices et de fruits
pointant à l'aération ; bonne structure tannique et fraîcheur en bouche : tout indique un vin encore en devenir,
mais bien constitué et prometteur. À ouvrir dans deux ou
trois ans.
☛ Famille Bouey Vignobles & Châteaux, 1, rue Lamena,
33340 Saint-Yzans-de-Médoc, tél. 05 56 09 05 01,
fax 05 56 09 06 31, ch.maisonblanche@wanadoo.fr,
☑ ⚔ ⊤ r.-v.

CH. LES MARCEAUX Cuvée Sélection 2010 ★

| ■ | 17 000 | ⏻ | 8 à 11 € |

Cuvée prestige de ce petit cru de 8,50 ha créé en
1997, ce vin associe, dans un style typiquement médocain,
65 % de cabernet-sauvignon au merlot. Il se présente dans
une jolie robe cerise noire à reflets brillants. Encore
dominé par le bois, le bouquet laisse percer des notes
fruitées à l'aération ; arômes qui s'affirment plus nettement dans un palais rond, gras, long et d'une bonne
puissance. Si l'ensemble est déjà harmonieux, il s'appréciera mieux après trois ou quatre ans de garde.
☛ Jean-Paul Aloird, 38, chem. des Carrières,
33340 Lesparre-Médoc, tél. et fax 05 56 41 27 90,
contact@chateau-les-marceaux.com, ☑ ⚔ ⊤ r.-v.

CH. MÉRIC 2010 ★

| ■ | 108 000 | ▮ | 11 à 15 € |

Ressuscité en 1999, ce cru bourgeois appartenant au
comte de Méric possède des vignes encore assez jeunes
(vingt-deux ans), mais qui sont en mesure de donner de
fort jolis vins, comme ce 2010 qui tient toutes les
promesses de sa robe élégante grenat. Ample, rond,
long, équilibré, doté d'une belle expression aromatique
(petits fruits noirs et notes fumées) et d'une structure
fondue, il offre tout ce qu'on attend d'un médoc. À boire
aussi bien jeune qu'assoupli par trois ou quatre ans de
garde.

☛ SCEA Ch. Méric, 19, rte de Vensac,
33590 Jau-Dignac-et-Loirac, tél. 05 57 75 01 55,
fax 05 57 75 01 57, info@chateaumeric.com, ☑ ⚔ ⊤ r.-v.
☛ Chala

CH. LES MOINES Prestige 2010

| ■ | 120 000 | ▮ ⏻ | 8 à 11 € |

Établi sur une croupe calcaire très filtrante propice
à la maturité du cabernet-sauvignon, ce cru associe 70 %
de ce cépage au merlot à un soupçon de cabernet franc.
Un assemblage des plus médocain qui donne un vin bien
bouqueté autour des fruits noirs (mûre) sur un fond
légèrement poivré. Le palais se révèle souple et rond,
adossé à des tanins et un boisé fondus, relancé en finale par
une pointe de vivacité. Un ensemble équilibré et déjà
plaisant, mais qui pourra aussi attendre deux ou trois ans.
☛ SCEA Vignobles Pourreau, 7, rue Charles-Plumeau,
33340 Couquèques, tél. 05 56 41 38 06, fax 05 56 41 37 81,
lesmoines@wanadoo.fr, ☑ ⚔ ⊤ r.-v.

CH. PIERRE DE MONTIGNAC 2010 ★★

| ■ | n.c. | ⏻ | 8 à 11 € |

D'année en année, cette propriété familiale est
devenue une référence dans l'appellation. Elle tient son
rang avec un 2010 parfaitement réussi. D'un beau rubis
intense, cet assemblage de merlot et de cabernet-
sauvignon à parts égales, une pointe de cabernet franc en
complément, fait preuve d'une réelle puissance aromatique, mariant harmonieusement les fruits noirs à un boisé
tendance moka. Souple, onctueuse et élégante, la bouche
joue résolument la carte de la séduction, tout en affichant
un caractère de vin de garde grâce à ses tanins à la fois
robustes et élégants. Un médoc de caractère, à servir dans
quatre ou cinq ans sur un pièce de bœuf ou du gibier.
☛ EARL de Montignac, 1, rte de Montignac,
33340 Civrac-en-Médoc, tél. et fax 05 56 73 59 08,
pierredemontignac@free.fr, ☑ ⚔ ⊤ r.-v. 🏠 ❷

ORMES SORBET 2010

| ■ | 80 000 | ⏻ | 15 à 20 € |

Cette propriété appartient à la famille Boivert depuis
1764. À sa tête depuis 1970, Hélène Boivert, aujourd'hui
épaulée par ses fils Vincent et François. Né sur un terroir
très particulier (une formation de calcaire coquiller, dit de
« Couquèques »), ce vin associe classiquement le
cabernet-sauvignon (65 %) au merlot et à une touche de
petit verdot. Paré d'une robe pourpre à reflets violines, il
se dévoile avec retenue au bouquet, à travers des notes de
fruits rouges mûrs rehaussés d'épices. Le palais, lui aussi
plutôt réservé sur le plan aromatique, se révèle souple en
attaque et plus vigoureux dans son développement. On
attendra deux ou trois ans que l'ensemble s'harmonise.
☛ Hélène Boivert, Ch. les Ormes Sorbet,
20, rue du 3-Juillet-1895, 33340 Couquèques,
tél. 05 56 73 30 30, fax 05 56 73 30 31,
ormes.sorbet@wanadoo.fr,
☑ ⚔ ⊤ t.l.j. 9h-12h 14h-18h; sam. dim. sur r.-v.

CH. DE PANIGON 2010 ★

| ■ | 170 000 | ▮ ⏻ | 8 à 11 € |

Ce domaine ancien (1855) revit depuis l'arrivée il y
a cinq ans de Georges Dadda et de Corinne Leveilley. Issu
d'une belle unité de 53 ha, ce vin n'a rien de confidentiel.
Par son volume de production, mais aussi par sa person-

nalité qui s'affirme dès le bouquet par de fins et subtils parfums de fruits mûrs, d'épices et de toast. Elle se confirme en bouche, à la fois puissante, dense et veloutée, fruitée et vanillée, dynamisée par une finale fraîche et épicée. Dans trois ou quatre ans, cette bouteille sera mise en valeur avec des viandes rouges ou des fromages corsés.

☞ SA DWL France, Ch. de Panigon, rte d'Escurac, 33340 Civrac-en-Médoc, tél. 06 86 18 63 85, fax 05 56 41 37 00, dwl.france@orange.fr, ☑ ♟ r.-v.

☞ Dadda-Leveilley

PAVILLON DE BELLEVUE Élevé en fût de chêne 2010 ★★

■   33 300   ⅢⅠ   5 à 8 €

Très beau tir groupé pour la coopérative Uni-Médoc avec ce beau millésime 2010 (voir aussi Pré la Rose). Celle-ci, mi-merlot mi-cabernet-sauvignon, a charmé les dégustateurs par son bouquet intense et complexe de fruits mûrs, d'épices et de menthe, relayé par un bouche douce et dense, soutenue par des tanins soyeux et par une fraîcheur qui confère à la finale longueur et élégance. Un vin remarquablement équilibré, armé pour bien vieillir (de deux à cinq ans). Sans rivaliser avec le 2009, coup de cœur de l'an dernier, l'**Esprit d'Estuaire 2010** (11 à 15 € ; 26 667 b.), une étoile, ne manque pas d'arguments : une robe grenat à reflets rubis ; un bouquet complexe (confiture de fraises, épices, vanille, café) ; un palais ample, gras et corsé qui demande encore entre trois et cinq ans pour se fondre. Dans un style proche, ferme et soutenu, le **Grand Art 2010** (48 000 b.) obtient également une étoile, de même que le **Merrain rouge 2010** (200 000 b.), ample, frais et bien structuré.

☞ Les Vignerons d'Uni-Médoc, 14, rte de Soulac, BP 25, 33340 Gaillan-en-Médoc, tél. 05 56 41 03 12, fax 05 56 41 00 66, cave@uni-medoc.com, ☑ ♟ ♟ t.l.j. sf dim. 8h30-12h30 14h-18h; sam. 9h-12h 14h-17h

CH. DU PERIER 2010 ★

■   30 000   ⅢⅠ   11 à 15 €

Créé en 1860 par le comte Henri du Périer de Larsan, député du Médoc de 1889 à 1903, maire de Soulac et défenseur du vignoble, ce cru est conduit depuis 1984 par Bruno Saintout. À assemblage équilibré (merlot et cabernet-sauvignon à 50-50), vin équilibré ? Pas toujours, mais c'est bien le cas avec ce 2010 harmonieusement bouqueté autour des fruits mûrs et des notes grillées de la barrique, ample et souple en attaque, plus robuste et serré dans son développement. La promesse d'un bel avenir pour cette bouteille de caractère, à découvrir dans quatre ou cinq ans. Le second vin, **la Gloire du Paysan 2010** (5 à 8 € ; 4 000 b.) fait jeu égal, dans un style un peu plus souple, mais sans mollesse, bâti sur des tanins fondus et un boisé élégant. À boire dans les deux ou trois ans.

☞ Vignobles Bruno Saintout, 20, Cartujac, 33112 Saint-Laurent-Médoc, tél. 05 56 59 91 70, bruno.saintout@wanadoo.fr, ☑ ♟ r.-v.

♥ PETIT MANOU 2010 ★★★

■   40 000   ⅢⅠ   8 à 11 €

Officiellement, Petit Manou est le second vin du Clos Manou de Françoise et Stéphane Dief. En réalité, il est pratiquement devenu une entité à part entière avec des vignes âgées (quarante ans en moyenne) exploitées sur

PETIT MANOU

MÉDOC

2010

Françoise et Stéphane Dief

7 ha, et n'a plus rien de confidentiel depuis quelques années déjà. Surtout, il s'impose millésime après millésime comme un réel grand vin, régulièrement distingué dans ces pages. La consécration arrive avec le 2010, qui conjugue au plus-que-parfait merlot et cabernets. L'intensité de sa robe grenat annonce celle de son bouquet, ouvert sur les baies noires, la réglisse et le cacao, associés dans un subtil équilibre. Une harmonie à laquelle fait écho un palais d'un volume et d'une densité exceptionnels, laissant le souvenir d'un vin rond, doux et soyeux. Un très grand médoc armé pour la décennie, mais que l'on pourra commencer à ouvrir d'ici deux à quatre ans.

☞ Françoise et Stéphane Dief, 7, rue du 19-Mars-1962, 33340 Saint-Christoly-Médoc, tél. 05 56 41 54 20, sogeviti.sf@wanadoo.fr, ☑ ♟ ♟ r.-v.

CH. LE PEY Grand vin 2010 ★

■   n.c.   ⅢⅠ   11 à 15 €

L'une des valeurs sûres de l'appellation, coup de cœur notamment pour son millésime 2009 dans l'édition précédente. Une fois encore la rigueur du travail à la vigne comme au chai permet à ce cru de proposer un vin de belle facture, qui associe une belle robe pourpre, un bouquet aux puissantes notes de moka, de toast, de mûre et de cassis, et un palais gras et bien structuré. Encore dominé par le merrain toutefois, on attendra deux ou trois ans pour qu'il se fonde et un peu plus pour son apogée. Également signé par Olivier Compagnet, associé ici avec son beau-frère sur ce petit cru de 4,50 ha, le **Ch. Grand Bertin de Saint-Clair 2010** (15 à 20 € ; 28 000 b.), puissant, ample et fin, obtient lui aussi une étoile. Issu d'un vignoble voisin au château le Pey, le **Ch. Moulin de Cassy 2010** (11 à 15 € ; 64 900 b.), encore sous l'emprise du bois mais bien structuré et corpulent, est cité.

☞ SCEA Compagnet, 10, rte de Lesparre, 33340 Bégadan, tél. 05 56 41 57 75, fax 05 56 41 53 22, contact@compagnetvins.com, ☑ ♟ ♟ t.l.j. 9h-12h 14h-19h

CH. LA PIROUETTE 2010 ★

■   20 000   ⅢⅠ   8 à 11 €

Michèle Roux respecte la tradition médocaine dans l'encépagement de son cru de 30 ha, avec 50 % de cabernet-sauvignon, 40 % de merlot et 10 % de petit verdot. Cela donne un vin sombre, couleur cerise noire, qui marie à l'olfaction un boisé toasté et vanillé qui n'écrase pas les fruits, noirs et mûrs. Ample et soutenu par de beaux tanins fondus, le palais affiche le même équilibre. Un médoc bien construit, à attendre de deux à quatre ans pour l'apprécier à son optimum.

☞ EARL Roux, 37, chem. de Semensan, 33590 Jau-Dignac-et-Loirac, tél. et fax 05 56 09 42 02, lapirouette@wanadoo.fr, ☑ ♟ ♟ r.-v.

CH. POITEVIN 2010 ★★

■   160 000   ⃙   11 à 15 €

Ce domaine familial a connu un beau succès lors des primeurs avec son 2010. Deux ans après le charme reste entier. Il séduit d'emblée par l'intensité de sa robe rubis sombre ornée de reflets violines en surface. Déjà très ouvert et complexe, le bouquet mêle les fruits rouges et noirs bien mûrs à des notes toastées, vanillées et épicées. Ample, charnu et puissant, le palais est doté d'un bel équilibre entre les tanins de raisins et ceux de la barrique. La finale, plus austère et boisée, appelle toutefois un peu de patience, au moins deux ou trois ans. Également signé Natacha et Guillaume Poitevin, le **Ch. Lamothe Pontac 2010 (8 à 11 € ; 60 000 b.)**, un peu plus souple et rond, obtient une étoile. Il s'appréciera dans les deux ans à venir, de même que le **Ch. Moulin de Canhaut 2010 Élevé en fût de chêne (40 000 b.)**, au style proche.

☛ EARL Poitevin, 14, rue du 19-Mars-1962, 33590 Jau-Dignac-et-Loirac, tél. 05 56 09 45 32, fax 05 56 09 03 75, contact@chateau-poitevin.com,

☑ ⚘ ⵝ r.-v.

CH. PONTEY 2010 ★

■   75 000   ⃙   8 à 11 €

Issu d'un vignoble à forte dominante de merlot, situé sur les hauteurs de Blaignan, ce vin s'annonce par une belle teinte pourpre et un bouquet aux notes puissantes de fruits noirs, de vanille et de café torréfié. On retrouve ces sensations, agrémentées de notes poivrées, dans un palais frais en attaque, ample et bien bâti. À boire dans les deux ou trois ans à venir.

☛ SARL Bruno de Bayle, 37, chem. du Bord-de-l'Eau, 33360 Latresne, tél. 06 03 42 45 83, fax 05 56 20 11 30, mplacoste@vitigestion.com

☛ GFA Ch. Pontey

CH. POTENSAC 2010 ★★

■   200 000   ⃙   20 à 30 €

Belle unité familiale transmise de génération en génération par les femmes, ce cru réputé conduit aujourd'hui par Jean-Hubert Delon (Léoville Las Cases), étend l'essentiel de son vignoble de 84 ha sur des buttes à sous-sol calcaire recouvert de croupes argilo-graveleuses. Tout est réuni pour donner un grand vin, et cette année encore Potensac offre un médoc des plus aboutis. Au bouquet puissant et complexe (fruits rouges mûrs, fumée et réglisse) répond un palais aromatique (fruits noirs), riche et plein, épaulé par des tanins à la fois fermes et fins, qui annoncent de belles perspectives d'avenir. On pourra commencer à ouvrir cette bouteille dans trois ans et la conserver en cave la décennie.

☛ Ch. Potensac, 33340 Ordonnac, tél. 05 56 73 25 26, fax 05 56 59 18 33, contact@leoville-las-cases.com, ⚘ ⵝ r.-v.

☛ Jean-Hubert Delon

PRÉ DE LA ROSE 2010 ★★

■   80 000   ⃙   5 à 8 €

Ce vin des vignerons d'Uni-Médoc (voir aussi Pavillon Bellevue) a bénéficié d'un travail particulièrement soigné. D'une grande élégance, il s'affiche dans une robe profonde et brillante et dévoile un bouquet fin de cerise noire, d'épices et de grillé. Remarquablement équilibré, à la fois riche et délicat, le palais poursuit dans le même registre, porté par des tanins soyeux et par une longue finale. Un beau classique du Médoc, à attendre quatre ou

cinq ans, voire plus. Également bien constitué, rond et généreux, le **Tradition des Colombiers 2010 Élevé en fût de chêne (33 333 b.)** obtient une étoile, de même que l'**Élite Saint-Roch 2010 Élevé en fût de chêne (33 200 b.)**, dense, riche, aux tanins fermes. Le **Ch. Genestras 2010 (96 667 b.)**, cru de Jean-Yves Merlet vinifié par la cave, souple et rond, est quant à lui cité.

☛ Les Vignerons d'Uni-Médoc, 14, rte de Soulac, BP 25, 33340 Gaillan-en-Médoc, tél. 05 56 41 03 12, fax 05 56 41 00 66, cave@uni-medoc.com,

☑ ⚘ ⵝ t.l.j. sf dim. 8h30-12h30 14h-18h; sam. 9h-12h 14h-17h

CH. PREUILLAC 2010 ★★

■   114 000   ⃙   11 à 15 €

Régulièrement distingué dans ces pages, ce cru d'ancienne réputation a trouvé une seconde jeunesse sous l'impulsion des familles Mau et Dirkzwager, propriétaires depuis 1998. Né sur un coteau argilo-calcaire et silico-graveleux, ce vin se montre à la hauteur de son terroir. Tant par sa robe, d'un seyant grenat foncé, que par son bouquet frais et fin, fruité (cerise) et boisé sans excès. Poursuivant dans le même esprit, le palais se révèle charnu, enveloppant et finement tannique. Un médoc élégant et déjà aimable, que l'on pourra aussi « oublier » trois à cinq ans en cave. Généreusement fruité, chaleureux et soyeux, L'**Esprit de Preuillac 2010 (8 à 11 € ; 13 000 b.)** est cité.

☛ SCF du Ch. Preuillac, 32, rte d'Ordonnac, 33340 Lesparre-Médoc, tél. 05 56 09 00 29, fax 05 56 09 00 34, chateau.preuillac@wanadoo.fr,

☑ ⚘ ⵝ r.-v.

☛ Familles Mau et Dirkzwager

CH. LE REYSSE 2010 ★

■   26 000   ⃙   11 à 15 €

Premier millésime pour Stefan Paeffgen, qui a acquis ce domaine en 2010, et premier succès avec un vin bien dans le ton de l'appellation. Robe intense et profonde, bouquet soutenu, sur les fruits noirs, les épices et le bois, bouche dense, généreuse et charpenté par de fins tanins. À ouvrir dans trois ou quatre ans sur une pièce de gibier.

☛ EARL Lassus-Le Reysse, 1, rte de Condissas, 33340 Bégadan, tél. 05 56 41 50 79, vignobles@paeffgen.org,

☑ ⚘ ⵝ r.-v.

☛ Stefan Paeffgen

CH. ROUSSEAU DE SIPIAN 2010 ★

■   77 000   ⃙   15 à 20 €

La demeure du XIX[e]s. impressionne par son architecture d'inspiration Renaissance et ses belles caves voûtées, témoignant d'un passé glorieux. Très élégant dans sa robe d'un rubis soutenu, son vin fait honneur aux lieux. Par son bouquet que domine encore le boisé, un boisé épicé et élégant, comme par son palais, souple et rond à l'attaque, montant ensuite en puissance pour s'achever avec intensité sur une belle finale tannique et serrée. À attendre de trois à cinq ans.

☛ Ch. Rousseau de Sipian, 26, rte du Port-de-Goulée, 33340 Valeyrac, tél. 05 56 41 54 92, fax 05 56 41 53 26, rousseaudesipian@orange.fr,

☑ ⚘ ⵝ t.l.j. sf sam. dim. 9h-12h 14h-17h 🏠 ⑤

☛ Racey

CH. **SAINT-CHRISTOLY** 2010

■   170 000   ▮◀❙❙   11 à 15 €

Sympathique petit port au bord de l'estuaire, Saint-Christoly est aussi un joli terroir viticole, dont Cathy et Sandrine Héraud ont su tirer un vin bien constitué. D'un bel aspect dans sa robe brillante, ce médoc développe une gamme aromatique complexe aux notes fruitées, fumées et truffées, avant de révéler un palais souple et fin, aux tanins bien extraits. Encore un peu sous l'emprise du bois toutefois, on attendra deux ou trois ans pour le déguster.

☛ EARL Héraud et Filles, 1 bis, imp. de la Mairie, 33340 Saint-Christoly-Médoc, tél. 05 56 41 82 01, fax 05 56 41 59 34, chateau.st.christoly@wanadoo.fr, ☑ ☀ ❤ t.l.j. 9h-12h 14h-17h

CH. **SAINT-YZANS** 2010 ★

■   5 000   ◀❙❙   5 à 8 €

Première apparition dans le Guide pour cette propriété de 21,5 ha établie au cœur du Médoc depuis 1960. Elle consacre une petite parcelle de 50 ares à ce Ch. Saint-Yzans, nécessairement confidentiel par son volume de production. Cela donne un vin expressif par son bouquet de fruits noirs et de vanille vivifié par des notes mentholées, comme par son palais ample et rond, sur les fruits mûrs et les épices, adossé à des tanins suaves. À boire dans les deux ans à venir.

☛ SCEA Vignobles Jacques Audebert, 5, rue des Sarments, 33340 Saint-Yzans-de-Médoc, tél. 06 76 40 53 23, fax 05 56 09 04 41, vignoble.j.audebert@orange.fr, ☑ ☀ ❤ t.l.j. sf dim. 9h-12h30 14h-18h

CH. **TARTUGUIÈRE** 2010 ★

■   200 000   8 à 11 €

Appartenant au vaste ensemble constitué par Castel aux portes de Lesparre, ce cru de 145 ha offre un vin qui se montre séducteur par son expression aromatique sur le café torréfié et les fruits noirs, puis par sa souplesse, sa douceur et sa richesse en bouche. Ses tanins bien extraits invitent à le boire dans les trois ans.

☛ Ch. et Dom. Castel, Ch. Tour Prignac, 33340 Prignac-en-Médoc, tél. et fax 05 56 41 02 19, contact@chateaux-castel.com

CH. LE **TEMPLE** 2010 ★

■   80 000   ▮◀❙❙   8 à 11 €

Ce cru régulier en qualité prouve une fois encore que son terroir de graves argileuses plaît à la vigne. D'un rubis scintillant, son 2010 développe un bouquet puissant de fruits rouges mûrs, d'épices et de toast grillé, relayé par une bouche ample et ronde, bâtie sur des tanins mûrs et un boisé cacaoté et gourmand. À boire dans deux ou trois ans.

☛ Denis Bergey, 30, rte du Port-de-Goulée, 33340 Valeyrac, tél. 05 56 41 53 62, fax 05 56 41 57 35, chateauletemple@orange.fr, ☑ ☀ ❤ t.l.j. 9h-12h30 13h30-18h30

CH. LA **TOUR DE BY** Héritage Marc Pagès 2010 ★

■   3 000   ◀❙❙   30 à 50 €

Cette cuvée d'exception fut créée en 1982 par Marc Pagès, propriétaire de ce cru réputé de Bégadan depuis 1965, et son ami et professeur d'œnologie de renom, Émile Peynaud. Une cuvée confidentielle, « tirée à 3 000 exemplaires » et née d'un hectare de cabernet-sauvignon

et de merlot plantés sur graves profondes. Le 2010 joue résolument la carte de la finesse. Dans sa présentation, avec une jolie robe grenat, dans son développement aromatique, aux tonalités vanillées et épicées (cannelle), et dans son palais, souple, frais et équilibré. On attendra deux ans avant de sortir cette cuvée de la cave. La cuvée principale, **Ch. la Tour de By 2010 (15 à 20 € ; 450 000 b.)**, est citée pour son harmonie entre fruité mûr, boisé ajusté et bonne structure.

☛ SC des Vignobles Marc Pagès, Ch. la Tour de By, 5, rte de la Tour-de-By, 33340 Bégadan, tél. 05 56 41 50 03, fax 05 56 41 36 10, info@latourdeby.fr, ☑ ☀ ❤ r.-v.

☛ Vignobles Marc Pagès

CH. LES **TUILERIES** 2010

■   90 000   ◀❙❙   11 à 15 €

Issu d'un terroir argilo-calcaire, qui a valu son nom à ce cru familial de 26 ha, ce vin se présente dans une robe ajustée, rouge soutenu, et dévoile un bouquet discrètement fruité et toasté. Le palais offre un bon volume, de la souplesse et un équilibre fruit-bois de bon aloi. Déjà appréciable, ce médoc gagnera à être attendu un an ou deux pour atténuer sa pointe d'austérité en finale.

☛ Jean-Luc Dartiguenave, Ch. les Tuileries, 6, rue de Lamena, 33340 Saint-Yzans-de-Médoc, tél. 05 56 09 05 31, fax 05 56 09 02 43, contact@chateaulestuileries.com, ☑ ☀ ❤ t.l.j. sf sam. dim. 9h-12h 14h-18h

VIEUX **CHÂTEAU LANDON** 2010 ★

■   150 000   ◀❙❙   11 à 15 €

Fidèle à la tradition médocaine par son encépagement (70 % de cabernet-sauvignon), ce vin riche et dense demande encore trois à cinq ans de patience pour s'exprimer pleinement, même si ses tanins soyeux et son bouquet chocolaté lui confèrent déjà un certain charme. « C'est du médoc », conclut un dégustateur.

☛ SCEA Laton, 6, rte du Ch. Landon, 33340 Bégadan, tél. 05 56 41 50 42, fax 05 56 41 57 10, chateau.landon@wanadoo.fr, ☑ ☀ ❤ r.-v.

CH. LE **VIEUX FORT** 2010 ★

■   100 000   ◀❙❙   5 à 8 €

S'il n'est pas très original, le nom de ce cru sonne mieux que celui de Ch. Laverdasse qu'il portait autrefois. Un nom en effet qui eût été peu adapté à l'élégance du bouquet de ce 2010, porté sur les fruits mûrs et confits agrémentés d'un boisé fin, aux tonalités toastées. Ample, consistant et charnu, le palais confirme les bonnes impressions de l'olfaction et s'appuie sur des tanins de belle extraction qui invitent à garder cette bouteille en cave encore trois ou quatre ans.

☛ Joël Bergey, 3, rte de Laverdasse, 33340 Valeyrac, tél. et fax 05 56 09 57 19, joel.bergey33@orange.fr, ☑ ☀ ❤ r.-v.

CH. **VIEUX ROBIN** 2010

■   52 000   ◀❙❙   15 à 20 €

Établi au cœur de l'appellation, à Bégadan, ce domaine familial étend ses quelque 18 ha à l'orée d'un bois. Il propose avec ce 2010 un vin bien typé cabernet-sauvignon par son bouquet marqué d'une note poivron. On perçoit aussi du fruit, des épices et un boisé fin. Le palais se révèle souple et rond en attaque, plus robuste et

BORDELAIS

frais dans son développement. Au final, un médoc bien constitué, qui pourra être attendu deux à quatre ans.

📞 Ch. Vieux Robin, 3, rte des Anguilleys, 33340 Bégadan, tél. 05 56 41 50 64, fax 05 56 41 37 85, contact@chateau-vieux-robin.com, ☑ ⚔ ⍭ r.-v.

📞 Maryse et Didier Roba

Haut-médoc

Superficie : 4 600 ha
Production : 255 000 hl

Le territoire spécifique de l'appellation haut-médoc serpente autour des appellations communales. Cette AOC est la seconde en importance de la presqu'île médocaine. Ses vins jouissent d'une grande réputation, due en partie à la présence de cinq crus classés dans l'aire d'appellation, les autres se trouvant dans les appellations communales.

En Médoc, le classement des vins a été réalisé en 1855, soit près d'un siècle avant celui des graves. Cette antériorité s'explique par l'avance prise par la viticulture médocaine à partir du XVIIIᵉs. ; car c'est là que s'est en grande partie produit « l'avènement de la qualité », lié à la découverte des notions de terroir et de cru, c'est-à-dire à la prise de conscience de l'existence d'une relation entre le milieu naturel et la qualité du vin.

Les haut-médoc se caractérisent par leur générosité, mais sans excès de puissance. D'une réelle finesse au nez, ils présentent généralement une bonne aptitude au vieillissement. Ils devront être bus chambrés et iront très bien avec les viandes blanches, les volailles ou le gibier à plume. Bus plus jeunes et servis frais, ils pourront aussi accompagner certains poissons.

CH. D'ARCINS 2010 ★★

| | 600 000 | 🍷 | 11 à 15 € |

La puissance financière du groupe Castel, propriétaire depuis 1971 de ce cru ancien (fondé au XIVᵉs. par les Templiers), a permis la rénovation et l'agrandissement du vignoble, aujourd'hui étendu sur 100 ha. D'un rubis sombre et profond, le 2010 (60 % de merlot et 40 % de cabernet-sauvignon) développe un bouquet intense et complexe de fruits noirs, d'épices et de sous-bois, qui annonce une belle concentration en bouche. De fait, celle-ci se révèle ronde, riche et dense en attaque, puis monte en puissance, portée jusque dans sa longue finale fruitée et épicée par des tanins francs et solides et par un boisé bien dosé. Un beau vin de garde, que l'on pourra commencer à ouvrir dans deux ou trois ans, mais qui gagnera à attendre plus longtemps. Autre cru du groupe Castel situé à Arcins, le **Ch. Barreyres 2010 (600 000 b.)** obtient une étoile. À la fois souple, tendre, finement boisé et charpenté par des tanins mûrs, c'est un vin séduisant, qui pourra être apprécié dans deux ans.

📞 Ch. et Dom. Castel, Ch. d'Arcins, 33460 Arcins, tél. 05 56 58 90 52, fax 05 57 88 50 26, contact@chateaux-castel.com, ☑ ⚔ ⍭ t.l.j. sf dim. 9h-12h 14h-17h30

CH. BEAUMONT 2010 ★

| ■ | 502 000 | 🍷 | 11 à 15 € |

Un cru peu ordinaire, aussi bien par l'architecture du château, à la Mansart, que par l'étendue de son vignoble (115 ha). Le 2010 joue lui aussi la carte du classicisme, dans son encépagement, dominé par le cabernet-sauvignon (53 %) comme à la dégustation : élégante robe rubis intense, bouquet boisé (toast, vanille, épices), fruité et un rien floral, palais riche, généreux, dense et charpenté par des tanins bien en place. Un vin typé, à garder au moins trois ans dans une bonne cave.

📞 SCE Ch. Beaumont, 28, Beaumont Nord, 33460 Cussac-Fort-Médoc, tél. 05 56 58 92 29, fax 05 56 58 90 94, beaumont@chateau-beaumont.com, ☑ ⚔ ⍭ r.-v.

📞 Grands Millésimes de France

CH. BEL AIR 2010 ★

| | 175 000 | 🍷 | 11 à 15 € |

Ce domaine de Cussac-Fort-Médoc est la propriété de la famille Martin, bien connue pour ses crus de Saint-Julien (Saint-Pierre et Gloria). Il étend son vignoble de 34 ha sur des croupes graveleuses dont le sous-sol partiellement constitué d'argile est réputé engendrer des vins riches et vineux. Le cabernet-sauvignon y règne en maître (65 %), le merlot faisant l'appoint. Il n'est dès lors pas étonnant d'y découvrir un 2010 de caractère : robe sombre, bouquet naissant de fruits noirs, de toast grillé et de café, palais plein et charnu, bâti sur des tanins qui s'expriment avec force et sous-tendu par une belle fraîcheur de jeunesse. Trois ou quatre ans de garde seront nécessaires pour que ce millésime gagne en amabilité.

📞 Domaines Martin, Ch. Gloria, 33250 Saint-Julien-Beychevelle, tél. 05 56 59 08 18, fax 05 56 59 16 18, contact@domaines-martin.com, ☑ ⚔ ⍭ r.-v.

CH. BELGRAVE 2010 ★

| ■ 5e cru clas. | 213 000 | 🍷 | 30 à 50 € |

83 85 86 89 ⑨⓪ 94 95 96 97 98 99 00 01 02 |03| 04 05 **06 07** 08 09 10

Remarquablement bien situé en bordure de Saint-Julien, ce cru, propriété de la maison Dourthe depuis 1979, étend son vignoble sur des croupes de graves et de galets au soubassement argileux propices à la maturité des cépages tardifs comme le cabernet-sauvignon et le petit verdot. Ces derniers entrent ainsi à hauteur de 70 % dans l'assemblage du grand vin (respectivement 65 % et 5 %), le merlot faisant l'appoint. Ils ont donné naissance à un 2010 d'une belle teinte noire ornée de reflets framboise, au bouquet complexe (torréfaction, vanille, épices, fruits mûrs), au palais ample, gras, solidement charpenté et long. Un ensemble de qualité qui mérite au moins trois ou quatre ans de patience. Plus souple mais bien constitué et d'une agréable fraîcheur, le second vin, **Diane de Belgrave 2010 (15 à 20 € ; 107 800 b.)**, est cité.

📞 Vignobles Dourthe, Ch. Belgrave, 33112 Saint-Laurent-Médoc, tél. 05 56 35 53 00, fax 05 56 35 53 29, contact@dourthe.com

CH. BELLEGRAVE DU POUJEAU 2010

■   20 000   ⬚   11 à 15 €

Au Pian-Médoc, commune située aux portes de Bordeaux, les vignes sont quelque peu cernées par l'agglomération. Heureusement, de nombreuses clairières aux sols de graves garonnaises, comme celle-ci, ont été préservées. Ici, 4 ha complantés de cabernet-sauvignon (50 %), de merlot (40 %) et de cabernet franc, à l'origine d'un 2010 plein de fougue et de jeunesse, joliment bouqueté autour de notes florales (rose), fruitées (cerise noire), réglissées et mentholées, solide et vigoureux en bouche. Encore un peu strict mais harmonieux, il a encore besoin de lisser ses tanins ; on l'attendra deux ou trois ans.

🕿 Vignoble Cantelaube, 433, chem. Duthil, 33290 Le Pian-Médoc, tél. et fax 05 56 39 22 98, vignoble.cantelaube@laposte.net, ☑ ⚓ 𝕐 r.-v.

CH. BELLE-VUE 2010 ★★

■   108 100   ⬚   15 à 20 €

Décédé en mai 2010, Vincent Mulliez n'a pu voir malheureusement cette belle vendange. Son épouse Isabelle et ses enfants poursuivent désormais son œuvre, avec la même exigence à en juger par ce 2010 remarquable. Paré d'une robe grenat foncé, dense et intense, le vin dévoile un bouquet gourmand de fruits noirs (myrtille), de vanille et de toasté, que prolonge un palais ample et gras, adossé à des tanins qui ont la douceur de la soie. Déjà délicieux, il mérite cependant trois à cinq ans de patience pour être apprécié à son optimum. S'il n'a pas encore trouvé complètement son équilibre, restant sous l'emprise du bois, le **Ch. de Gironville 2010 (40 620 b.)**, cité, se montre typé et doté de bons tanins qui lui permettront de bien évoluer.

🕿 SC de la Gironville, 103, rte de Pauillac, 33460 Macau, tél. 05 57 88 19 79, fax 05 57 88 41 79, contact@chateau-belle-vue.fr, ☑ 𝕐 t.l.j. sf sam. dim. 9h-12h 13h-17h

🕿 Isabelle Mulliez

LES BRULIÈRES DE BEYCHEVELLE 2010 ★★

■   25 600   ⬚   15 à 20 €

Comme celui de son glorieux « cousin » Beychevelle (cru classé de Saint-Julien), ce vignoble de 13 ha situé sur de belles croupes de graves à Cussac appartient à deux géants du monde viticole (Castel et Suntory) et bénéficie des mêmes soins que le « Versailles médocain » aux 365 fenêtres. Très élégant dans sa robe d'un rouge intense, son 2010 s'annonce autour d'un bouquet complexe où les fruits noirs et rouges s'harmonisent avec un boisé élégant. Des tanins souples et bien extraits soutiennent un palais suave et dense, qui s'étire en une finale chaleureuse, puissante et longue. Ce haut-médoc de noble extraction sera fort plaisant d'ici deux ans, tout en possédant un réel potentiel de garde.

🕿 SC Ch. Beychevelle, 33250 Saint-Julien-Beychevelle, tél. 05 56 73 20 70, fax 05 56 73 20 71, beychevelle@beychevelle.com, ☑ ⚓ 𝕐 r.-v.

CH. BIBIAN 2010

■   60 000   ⬚   11 à 15 €

À partir d'une majorité de merlot (60 %), d'un quart de cabernet-sauvignon et d'un soupçon de petit verdot et de cabernet franc, Nathalie Meyre a élaboré un vin d'une belle couleur grenat, où les arômes de cuir et de pruneau sont en harmonie avec des notes boisées vanillées. Les tanins amples et mûrs structurent avec élégance un palais d'une bonne puissance. À attendre deux ans.

🕿 Vignobles Alain Meyre, Ch. Cap Léon Veyrin, 54, rte de Donissan, 33480 Listrac-Médoc, tél. 05 56 58 07 28, fax 05 56 58 07 50, capleonveyrin@aol.com, ☑ ⚓ 𝕐 t.l.j. sf sam. dim. 9h-12h 14h-17h30 🏠 ➋

CH. BRAUDE FELLONNEAU 2010 ★

■   6 000   ⬚   15 à 20 €

Voisines de Cantemerle, les vignes de ce petit cru de 7,47 ha commandé par un château du XVIIIᵉs. comportent 70 % de cabernet-sauvignon et 30 % de merlot. Un encépagement bien adapté à son terroir de graves garonnaises, comme le montre ce 2010, sélection parcellaire du Ch. de Braude. Son bouquet complexe (fruits noirs, cuir et toast) est on palais plein, rond, charnu, bien bâti sur des tanins savoureux et extraits avec mesure annoncent une fort jolie bouteille dans trois ou quatre ans.

🕿 SCEA Mongravey, 8, av. Jean-Luc-Vonderheyden, 33460 Arsac, tél. 05 56 58 54 51, fax 05 56 58 83 39, chateau.mongravey@wanadoo.fr, ☑ ⚓ 𝕐 r.-v. 🏠 ➌

🕿 Bernaleau

CH. CAMBON LA PELOUSE 2010

■   200 000   ⬚   15 à 20 €

Né sur les graves sableuses aux gros galets des hauteurs de Macau (15 m au-dessus de la Gironde), en bordure de Margaux, ce vin affirme sa personnalité par son bouquet très concentré où les fruits noirs confits se marient bien aux notes boisées de l'élevage. Soutenu par une solide charpente encore stricte et imposante, il demande au moins deux ou trois ans de patience pour être pleinement apprécié.

🕿 SCEA Cambon la Pelouse, 5, chem. de Canteloup, 33460 Macau, tél. 05 57 88 40 32, fax 05 57 88 19 12, contact@cambon-la-pelouse.com, ☑ ⚓ 𝕐 r.-v.

🕿 Famille Marie

CH. DE CAMENSAC 2010 ★

■ 5e cru clas.   245 000   ⬚   20 à 30 €
⑨⑤ ⑨⑥ **97 98 99 00** 01 **02** 03 |04||05| |06| 07 08 09 10

Respectivement propriétaires des Ch. Chasse-Spleen (moulis-en-médoc) et Gruaud Larose (saint-julien), Céline Villars-Foubet et Jean Merlaut ont repris ce domaine en septembre 2005, succédant à la famille Forner, propriétaire depuis 1964. L'élégante sobriété de la chartreuse du XVIIIᵉs. qui commande ce vignoble de 75 ha se retrouve dans la présentation « prune noire » de ce vin, dont le bouquet intègre bien le bois, fondu dans des arômes de fruits rouges. Ample, charnu, concentré, étayé par des tanins serrés, le palais est « très typé Médoc » ; il demandera encore deux ou trois ans pour se fondre.

🕿 Ch. de Camensac, rte de Saint-Julien, 33112 Saint-Laurent-Médoc, tél. 05 56 59 41 69, fax 05 56 59 41 73, info@chateaucamensac.com, ☑ ⚓ 𝕐 r.-v.

🕿 Céline Villars-Foubet et Jean Merlaut

CH. **CANTEMERLE** 2010 ★

■ 5e cru clas.   400 000   ▮❙❙❘   30 à 50 €
83 ⑧⑤ 86 87 88 ⑧⑨ 90 91 92 93 94 95 96 97 98 99
00 |01| |04| 05 **06** |07| |08| 09 10

Difficile d'ignorer le superbe parc de 28 ha de Cantemerle quand on s'engage sur la route des vins du Médoc. Mais l'essentiel reste son vignoble de 90 ha installé sur de belles graves, complanté de cabernet-sauvignon (52 %), de merlot (35 %), de cabernet franc (8 %) et de petit verdot (5 %). Il nous gratifie à nouveau d'un fort joli vin avec ce 2010 couleur bigarreau, au bouquet riche et complexe de fruits mûrs et de boisé épicé et toasté, agrémenté d'une touche de venaison. Souple en attaque, bien équilibré entre les saveurs (fruits, épices) et une structure robuste et élégante, étiré en une longue finale, le palais laisse augurer une belle évolution dans le temps. D'ici trois à cinq ans, ce haut-médoc s'exprimera avec éloquence sur un rôti de veau aux cèpes. Charmeur par ses parfums de fruits confits et sa rondeur en bouche, le second vin, **les Allées de Cantemerle (15 à 20 € ; 160 000 b.)**, obtient une citation. On l'appréciera dans sa jeunesse.

☛ SC Ch. Cantemerle, 33460 Macau, tél. 05 57 97 02 82, fax 05 57 97 02 84, cantemerle@cantemerle.com,
☑ ⚹ ⵁ r.-v.
☛ SMABTP

CH. **CARONNE STE GEMME** 2010 ★

■   220 000   ❙❙❘   11 à 15 €

Issu d'un vignoble de clairière de 38 ha, implanté sur des graves profondes en bordure de Saint-Julien, ce cru bénéficie d'un beau terroir à l'origine de vins régulièrement au rendez-vous du Guide (les lecteurs se souviendront notamment du coup de cœur obtenu pour le 2008). Il tient son rang avec un 2010 élégamment vêtu dans sa robe grenat et tout aussi charmeur par son bouquet aux accents de figue, de fruits noirs et de toasté léger, signe d'un élevage bien maîtrisé. Le palais se révèle ample, dense, sans mollesse, bâti sur des tanins qui laissent présager une longue garde. Cinq ou six ans de patience s'imposent.

☛ Vignobles Nony-Borie, Caronne,
33112 Saint-Laurent-Médoc, tél. 05 57 87 56 81,
fax 05 56 51 71 51, jfnony@gmail.com, ⚹ ⵁ r.-v.

CH. DU **CARTILLON** 2010

■   71 333   ❙❙❘   11 à 15 €

Assez original par son encépagement (deux tiers de merlot, un tiers de petit verdot), ce vin né d'un vignoble en restructuration, ne se contente pas d'une jolie robe rubis à reflets pourpres pour séduire. Il flatte aussi par son bouquet chaleureux et ouvert sur des notes de pain frais et de torréfaction, et par son palais riche, bien structuré par des tanins serrés. Tout indique une jolie bouteille de garde, à ouvrir entre 2015 et 2017. Un vin proche de l'étoile.

☛ SCEA Société Fermière des Grands Crus de France, Ch. du Cartillon, 33460 Lamarque, tél. et fax 05 57 88 13 77, chateauducartillon@lgcf.fr, ⚹ ⵁ r.-v.

DOM. DE **CARTUJAC** 2010

■   30 400   ❙❙❘   11 à 15 €

Même si l'étiquette porte le label « cru bourgeois », les Saintout restent attachés à leurs origines paysannes (les ancêtres élevaient ici des moutons) et à leur implantation bi-séculaire sur les terres de Saint-Laurent-en-Médoc. Des terres argilo-graveleuses complantées de cabernet-sauvignon (48 %), de merlot et de petit verdot qui ont vu naître ce 2010 servi par un boisé agréable, affichant une bonne typicité, tant par sa structure tannique et son expression aromatique (jacinthe et fruits confiturés) que par sa jolie finale réglissée. À attendre deux ou trois ans.

☛ Vignobles Bruno Saintout, 20, Cartujac,
33112 Saint-Laurent-Médoc, tél. 05 56 59 91 70,
bruno.saintout@wanadoo.fr, ☑ ⚹ ⵁ r.-v.

DOM. **CHALET DE GERMIGNAN** 2010

■   6 000   ❙❙❘   8 à 11 €

Ce petit vignoble du Taillan (6,80 ha) est le témoin du passé viticole d'un secteur aujourd'hui rattrapé par l'urbanisation galopante de l'agglomération bordelaise. Certes, sa production nécessairement limitée ne déséquilibera pas le marché des vins de Bordeaux ; ce 2010 n'offre pas moins de bons arguments pour résister à la pression urbaine, arguments qui ont su aussi convaincre les dégustateurs : une jolie robe couleur cerise bigarreau ; un bouquet intense et généreux de fruits à l'eau-de-vie, agrémenté de notes vanillées ; une bouche consistante, soutenue par une belle trame tannique et par un boisé bien présent qui appellent une garde d'au moins deux ou trois ans.

☛ EARL Graveyron Monlun, 139, av. de la Boétie, Germignan, 33320 Le Taillan-Médoc, tél. 05 56 05 41 94, fax 05 56 95 82 34, monlun.luc@wanadoo.fr, ☑ ⚹ ⵁ r.-v.
☛ Luc Monlun

CH. **CHARMAIL** 2010 ★

■   115 000   ▮❙❙❘   15 à 20 €

Toujours très régulier en qualité, Charmail (acquis en 2008 par Bernard d'Halluin) signe un vin dans la lignée des millésimes antérieurs avec sa robe presque noire, et son bouquet fruité d'une grande fraîcheur. Puissant, riche et corpulent, porté par des tanins fins et serrés et par un boisé enjôleur, ce haut-médoc de caractère – « avec du corps et de l'esprit », résume un dégustateur – mérite une période de sommeil de trois ou quatre ans.

☛ SCA Ch. Charmail, 33180 Saint-Seurin-de-Cadourne, tél. 05 56 59 70 63, fax 05 56 59 39 20, charmail@chateau-charmail.fr, ☑ ⚹ ⵁ r.-v.
☛ d'Halluin

CH. **CITRAN** 2010 ★

■   390 100   ❙❙❘   15 à 20 €

Deux principautés de Monaco ou neuf cités du Vatican tiendraient dans ce domaine de 400 ha, dont un quart est consacré au vignoble... On ne s'étonnera dès lors que son vin n'ait rien de confidentiel. La preuve aussi que quantité peut rimer avec qualité, ce dont Citran nous a convaincus depuis longtemps. Son 2010, en robe rouge foncé, livre un bouquet d'une belle complexité (cassis, toast), que prolonge un palais charnu, structuré par des tanins jeunes et fermes. Encore quelque peu austère en finale, il appelle une garde de quatre ou cinq ans, et pourra même rester en cave la décennie.

☛ Ch. Citran, chem. de Citran, 33480 Avensan, tél. 05 56 58 21 01, fax 05 57 88 84 60, info@citran.com, ☑ ⚹ ⵁ r.-v.

CH. Clément-Pichon 2010

■　　　　　　　100 000　　**⦿**　　15 à 20 €

L'un des plus fastueux châteaux du XIX[e]s. en Gironde, riche d'une histoire multiséculaire. Ses origines remontent au XIV[e]s. et il connut son heure de gloire sous la tutelle de la famille Pichon (1601-1880). Détruite par un incendie, la bâtisse fut reconstruite en 1881 par la famille Durand-Dassier. Depuis 1976, un autre constructeur, Clément Fayat, est aux commandes et lui a redonné ses lettres de noblesse. Le 2010 se fait séducteur dans sa belle robe grenat sombre. Il charme aussi par son bouquet fruité (mûre, myrtille) relevé de notes de moka. Encore un peu austère, le palais montre par la densité de ses tanins qu'il possède un réel potentiel d'évolution. On attendra cette bouteille au moins quatre ou cinq ans.

☛ Vignobles Clément Fayat, Ch. Clément-Pichon,
30, av. Château-Pichon, 33290 Parempuyre,
tél. 05 56 35 23 79, fax 05 56 35 85 23,
contact@vignobles.fayat.com, ☑ ⚲ ⏸ r.-v.

Clos la Bohème 2010

■　　　　　　　12 000　　**⦿**　　15 à 20 €

Coincé entre la Lagune et Cantemerle - on a connu pire voisinage - ce petit cru macalais (3,5 ha) est conduit depuis 2003 par Christine Nadalié, qui l'a hérité de sa grand-mère paternelle. Le vignoble, en conversion bio, est planté sur un joli terroir de graves garonnaises, dont les qualités se reflètent dans la fine expression aromatique de ce 2010 (fruits, épices et toast) et dans le caractère ample et frais du palais, structuré par des tanins fermes qui demandent deux ou trois ans de garde pour s'assouplir.

☛ EARL Vignobles Christine Nadalié,
7, chem. du Bord-de-l'Eau, 33460 Macau-en-Médoc,
tél. 05 57 10 03 70, fax 05 57 10 02 00,
clos.la.boheme@nadalie.fr, ☑ ⚲ ⏸ r.-v.

CH. Colombe Peylande L'Aïeul Léontin 2010 ★

■　　　　　　　6 400　　**▤⦿**　　15 à 20 €

Petite cuvée spéciale d'un cru familial, conduit depuis 2009 par Fabrice Dedieu-Benoît, ce vin met en avant le cabernet-sauvignon (60 %), associé au merlot et au petit verdot. Il dévoile un joli bouquet de fruits rouges mûrs, d'épices et de vanille. Souple et frais en attaque, le palais monte doucement en puissance, porté par des tanins carrés jusqu'à la finale, longue et encore un peu austère. Un beau classique, dont la solide constitution lui permettra de se lisser sans heurt avec le temps (trois à cinq ans).

LE CLASSEMENT DE 1855 REVU EN 1973

PREMIERS CRUS
Château Haut-Brion (Pessac-Léognan)
Château Lafite-Rothschild (Pauillac)
Château Latour (Pauillac)
Château Margaux (Margaux)
Château Mouton-Rothschild (Pauillac)

SECONDS CRUS
Château Brane-Cantenac (Margaux)
Château Cos-d'Estournel (Saint-Estèphe)
Château Ducru-Beaucaillou (Saint-Julien)
Château Durfort-Vivens (Margaux)
Château Gruaud-Larose (Saint-Julien)
Château Lascombes (Margaux)
Château Léoville-Barton (Saint-Julien)
Château Léoville-Las-Cases (Saint-Julien)
Château Léoville-Poyferré (Saint-Julien)
Château Montrose (Saint-Estèphe)
Château Pichon-Longueville-Baron (Pauillac)
Château Pichon-Longueville
　　Comtesse-de-Lalande (Pauillac)
Château Rauzan-Gassies (Margaux)
Château Rauzan-Ségla (Margaux)

TROISIÈMES CRUS
Château Boyd-Cantenac (Margaux)
Château Calon-Ségur (Saint-Estèphe)
Château Cantenac-Brown (Margaux)
Château Desmirail (Margaux)
Château Ferrière (Margaux)
Château Giscours (Margaux)
Château d'Issan (Margaux)
Château Kirwan (Margaux)
Château Lagrange (Saint-Julien)
Château La Lagune (Haut-Médoc)
Château Langoa Barton (Saint-Julien)
Château Malescot-Saint-Exupéry (Margaux)
Château Marquis d'Alesme-Becker (Margaux)
Château Palmer (Margaux)

QUATRIÈMES CRUS
Château Beychevelle (Saint-Julien)
Château Branaire-Ducru (Saint-Julien)
Château Duhart-Milon-Rothschild (Pauillac)
Château Lafon-Rochet (Saint-Estèphe)
Château Marquis de Terme (Margaux)
Château Pouget (Margaux)
Château Prieuré-Lichine (Margaux)
Château Saint-Pierre (Saint-Julien)
Château Talbot (Saint-Julien)
Château La Tour-Carnet (Haut-Médoc)

CINQUIÈMES CRUS
Château d'Armailhac (Pauillac)
Château Batailley (Pauillac)
Château Belgrave (Haut-Médoc)
Château Camensac (Haut-Médoc)
Château Cantemerle (Haut-Médoc)
Château Clerc-Milon (Pauillac)
Château Cos-Labory (Saint-Estèphe)
Château Croizet-Bages (Pauillac)
Château Dauzac (Margaux)
Château Grand-Puy-Ducasse (Pauillac)
Château Grand-Puy-Lacoste (Pauillac)
Château Haut-Bages-Libéral (Pauillac)
Château Haut-Batailley (Pauillac)
Château Lynch-Bages (Pauillac)
Château Lynch-Moussas (Pauillac)
Château Pédesclaux (Pauillac)
Château Pontet-Canet (Pauillac)
Château du Tertre (Margaux)

●━ EARL Dedieu-Benoît, 6, chem. des Vignes,
33460 Cussac-Fort-Médoc, tél. 05 56 58 93 08,
fax 05 57 88 50 81, colombe-peylande@orange.fr,
☑ ⚔ ⬤ r.-v.

CH. COMTESSE DU PARC 2010 ★

| ■ | 50 000 | ⬤ | 8 à 11 € |

Dans la même famille depuis 1779, ce petit cru d'à
peine 9 ha a été entièrement replanté en 1986 sous la
houlette de Jean Anney et de son fils Christophe. Il
bénéficie des mêmes appuis que son « cousin » de Saint-
Estèphe, le Ch. Tour des Termes, également propriété des
Anney. Fidèle à son habitude, il propose un haut-médoc
de caractère, qui s'ouvre à l'aération sur des notes boisées
dominantes (grillé), accompagnées de nuances florales et
fruitées. Lui aussi sous l'emprise du merrain, mais un
merrain de qualité, le palais se révèle bien structuré par des
tanins jeunes et francs et par une fine acidité, qui laissent
augurer une bonne garde. On pourra commencer à servir
ce vin d'ici deux à trois ans.
●━ SCEA Vignobles Jean Anney, 2, rue du Pigeonnier,
Saint-Corbian, 33180 Saint-Estèphe, tél. 05 56 59 32 89,
fax 05 56 59 73 74, contact@chateautourdestermes.com,
☑ ⚔ ⬤ t.l.j. 8h30-12h 14h-17h

CH. CORCONNAC 2010 ★

| ■ | 28 000 | ⬤ | 11 à 15 € |

Également producteurs à Saint-Julien, les Pairault
exploitent des vignes à Saint-Laurent, en AOC haut-
médoc. D'importants investissements ont été réalisés en
2011 pour améliorer la qualité du vin et les conditions
d'accueil des visiteurs. Si ce millésime n'a pu en profiter,
il n'en affiche pas moins de nombreuses vertus. À commencer par sa robe, d'un rubis sombre prometteur, et
par son bouquet frais de fruits noirs et d'épices. Des
arômes que l'on retrouve dans un palais franc et vif en
attaque, puis charnu et d'une belle consistance tannique.
Au moins deux ou trois ans de patience sont recommandés avant d'ouvrir cette bouteille « sincère et généreusement dotée ».
●━ Ph. et F. Pairault, lieu-dit Corconnac,
33112 Saint-Laurent-Médoc, tél. 05 56 59 93 04,
fax 05 56 59 46 12, philetfab3@wanadoo.fr, ☑ ⚔ ⬤ r.-v.

CH. CROIX DU TRALE 2010 ★

| ■ | 35 000 | ⬤ | 5 à 8 € |

Depuis sa sortie de la cave coopérative en 1999, ce
domaine familial de 13 ha s'invite avec régularité dans le
Guide. L'équilibre de l'encépagement (merlot et cabernet-
sauvignon faisant jeu égal) et la diversité des terroirs
(graves et argilo-calcaires) sont à l'origine d'un vin complet et harmonieux. À l'intensité de la robe, d'un beau
rouge cornaline, fait écho celle du bouquet, généreux et
complexe (réglisse, grillé, fruits noirs à l'eau-de-vie), et du
palais. Ce dernier se révèle dense et gras, épaulé par des
tanins bien arrimés mais soyeux. La finale, longue et
épicée, laisse le souvenir d'un vin à la fois onctueux et
structuré, à boire aussi bien jeune que patiné par quatre
ou cinq ans de garde.
●━ EARL Stéphane Négrier, 3, rte du Trale,
33180 Saint-Seurin-de-Cadourne, tél. 05 56 59 72 73,
fax 05 56 59 75 70, chateaucroixdutrale@orange.fr,
☑ ⚔ ⬤ t.l.j. 9h-13h 14h-19h

CH. LA CROIX MARGAUTOT 2010 ★

| ■ | 30 400 | ⬛ | 5 à 8 € |

Élaboré par la maison de négoce Cheval Quancard,
ce vin, assemblage classique des cabernets (60 %) et du
merlot (40 %), a séduit par son harmonie. Celle de son
bouquet, mariage complexe de réglisse, de fruits noirs
mûrs, de vanille, d'humus. Celle du palais également,
souple et tendre, soutenu par des tanins mûrs et extraits
avec mesure. Un vin déjà fort aimable que l'on pourra
commencer à servir d'ici un ou deux ans sur une viande
en sauce. Également vinifiée par Cheval Quancard, la
cuvée **Club des Sommeliers 2010 (73 000 b.)**, une étoile,
séduit d'emblée par son nez avenant de noyau, de cerise
et d'amande. Corsé et séveux, soutenu par des tanins
serrés, le palais est d'une élégance toute médocaine. À
boire dans deux ou trois ans.
●━ Cheval Quancard, ZI La Mouline,
4, rue du Carbouney, BP 36, 33565 Carbon-Blanc Cedex,
tél. 05 57 77 88 88, fax 05 57 77 88 99,
chevalquancard@chevalquancard.com,
☑ ⚔ ⬤ r.-v. au Ch. de Bordes à Saint-Vincent-de-Paul

CH. DEVISE D'ARDILLEY 2010 ★

| ■ | 63 000 | ⬤ | 11 à 15 € |

Depuis sa reprise en 2000 par le couple Philippe
– Jacques, un ancien ingénieur passionné de vin qui
réalisait là son rêve, Madeleine, d'origine bordelaise, qui
retrouvait ses racines –, ce « jeune » cru (créé en 1991) fait
preuve d'une belle constance dans la qualité de ses vins.
Né sur une coupe de graves dominant Saint-Laurent-
Médoc, ce haut-médoc tient son rang avec le millésime
2010. Il se présente avec élégance dans une seyante robe
rubis et dévoile un bouquet non moins charmeur aux
tonalités de fruits rouges (groseille), de vanille et d'épices
qui mettent en confiance. Il tient ses promesses en bouche,
où il se révèle à la fois ample, rond et gourmand grâce à
son fruité généreux, à son boisé délicat et à ses tanins
veloutés. Il pourra être apprécié aussi bien dans sa
jeunesse (dans deux ans) que plus âgé (sept à huit ans).
●━ SAS Vignoble Vimes-Philippe, Ch. Devise d'Ardilley,
33112 Saint-Laurent-Médoc, tél. et fax 05 57 75 14 26,
devise.dardilley@terre-net.fr, ☑ ⚔ ⬤ t.l.j. 9h-12h 14h-18h

CH. DILLON 2010 ★

| ■ | | 220 000 | ⬛ ⬤ | 11 à 15 € |

| 90 | 95 | 96 | 97 | 98 | 99 | 00 | 01 | 02 | 03 | |04| | 05 | 06 | |07| | 08 |
| 09 | 10 |

Ce haut-médoc fait preuve d'un réel classicisme ; ce
qui est somme toute logique puisqu'il est signé par l'équipe
du lycée agricole de Blanquefort. Un beau modèle pour les
élèves que ce 2010 rouge foncé, franc et net à l'olfaction
(fruits, toasté, épices), tendu et carré dès l'attaque, « droit
dans ses tanins », mais sans dureté. À attendre deux ou
trois ans pour plus de fondu.
●━ EPLEFPA Bordeaux-Gironde, 84, av. du Gal-de-Gaulle,
33290 Blanquefort, tél. 05 56 95 36 75, fax 05 56 95 39 84,
chateau-dillon@chateau-dillon.com, ☑ ⚔ ⬤ r.-v.

CH. GRAND BRUN 2010 ★★

| ■ | 16 232 | ⬛ ⬤ | 8 à 11 € |

En un quart de siècle, ce cru familial créé en 1988
est passé de 6 ha à 13,38 ha, sans sacrifier la qualité de
sa production, bien au contraire. Olivier Brun, à la
tête du domaine depuis 2008, signe un 2010 de haute

expression. Après quatorze mois de cuve et huit mois de barrique, le vin se présente avec élégance dans sa robe cerise noire. Il dévoile un bouquet intense de cabernet bien mûr, aux accents de cassis et autres fruits noirs, mâtiné d'une touche vanillée. Le palais, généreusement fruité et épicé, se révèle ample, puissant, droit et sans fard. Un haut-médoc solide et sincère, dont les tanins, vigoureux et frais, lui permettront d'affronter une décennie de garde.

🍷 Olivier Brun, 31, av. du Fort-Médoc,
33460 Cussac-Fort-Médoc, tél. et fax 05 56 58 97 87, brun.olivier.33460@orange.fr, ☑ 🖈 🍸 t.l.j. sf dim. 15h-18h

EQUUS DU HÂ Cuvée Maurice Duhil 2010 ★

■	900	🍷	15 à 20 €

Issue de vignes âgées de quarante ans et d'une technique particulière (un bâtonnage sur lies avec apport d'oxygène et vingt-quatre mois d'élevage en barrique), cette microcuvée scintille de mille reflets rubis et grenat, avant de développer un bouquet particulièrement riche de fruits rouges acidulés, de boisé toasté et d'épices. Le palais, élégant et bien équilibré, exprime bien le terroir argilo-calcaire et l'encépagement (mi-merlot mi-cabernet) à travers une élégante fraîcheur et de savoureux tanins, ronds et veloutés. À servir dans trois ou cinq ans sur des gibiers ou des viandes rouges.

🍷 SARL Ch. du Hâ, 13, chem. du Hâ, 33250 Saint-Sauveur, tél. 05 56 59 50 52, fax 05 56 73 92 21, cedric.moreau7@wanadoo.fr, ☑ 🖈 🍸 r.-v. 🏠 ⓒ

CH. HAUT-BEYZAC 2010 ★

■	33 000	🍷	11 à 15 €

Établi à Vertheuil, au-dessus du marais de Reysson, ce cru régulier en qualité montre une fois encore ses bonnes dispositions avec ce 2010 prometteur, bien médocain dans son assemblage offrant une large place au cabernet-sauvignon (70 %). D'un beau rubis intense, le vin dévoile un bouquet qui évoque le sous-bois et les fruits mûrs. Fraîche et charnue à la fois, la bouche s'adosse à une solide structure tannique, épaulée par un boisé bien en place qui laisse s'exprimer le fruit. Autant d'atouts qui permettront d'apprécier cette bouteille aussi bien jeune qu'après un séjour en cave de cinq ans et plus.

🍷 EARL Raguenot-Lallez-Miller, Le Parc, 33180 Vertheuil, tél. 05 57 32 65 15, fax 05 57 32 99 38, chateau-des-tourtes@orange.fr, ☑ 🖈 🍸 r.-v. 🏠 ⓒ
🍷 Éric Lallez

CH. LACOUR JACQUET 2010 ★★

■	54 300	🍷	11 à 15 €

Créé en 1964, ce cru a été repris par la troisième génération en 1989 : Éric et Régis Lartigue avaient alors en charge une petite vigne de 4 ha ; ils exploitent aujourd'hui un joli vignoble de 16 ha. Poursuivant sa progression qualitative, le domaine propose un 2010 des plus réussis. La robe, sombre aux reflets bleutés, laisse deviner un vin jeune et intense. De fait, au bouquet naissant de raisins bien mûrs renforcé par un boisé judicieusement dosé répond un palais chaleureux, ample, puissant, soutenu par des tanins denses et mûrs et par un boisé luxueux. La longue finale confirme l'élégance de ce vin, au potentiel de garde certain. On pourra commencer

à l'ouvrir à l'horizon 2016-2017 et le servir encore dans une décennie.

🍷 GAEC Lartigue, Ch. Lacour Jacquet,
70, av. du Haut-Médoc, 33460 Cussac-Fort-Médoc, tél. 05 56 58 91 55, fax 05 56 58 94 82, lartigue.e@wanadoo.fr,
☑ 🖈 🍸 t.l.j. 10h-19h (11h-18h en hiver); sam. dim. sur r.-v.

♥ CH. LA LAGUNE 2010 ★★

■ 3e cru clas.	160 000	🍷	50 à 75 €

| 81 | 82 | 83 | 85 | 86 | 88 | 89 | 90 | 91 | 93 | 94 | 95 | 96 | 97 | 98 |
| 99 | 00 | 01 | 02 | 04 | 05 | 06 | 07 | 08 | 09 | 10 |

GRAND CRU CLASSÉ

CHATEAU LA LAGUNE

2010

HAUT-MÉDOC

Premier des grands crus classés que l'on rencontre en allant en Médoc par la route des châteaux, ce cru retient l'attention par sa chartreuse et ses nouveaux chais. Mais aussi et surtout par la qualité de son vin, dont le style, subtil mariage de force et d'élégance, est perpétué avec charme et talent par Caroline Frey, œnologue du domaine depuis 2004 et fille du propriétaire, Jean-Jacques Frey. Pas d'entorse à cette ligne directrice avec le 2010, modèle d'équilibre et de finesse, qui offre, comme il est de coutume ici, une place non négligeable au petit verdot (10 %) aux côtés des classiques cabernet-sauvignon (60 %) et merlot (30 %). S'annonçant par une robe profonde, il livre d'emblée des arômes de fruits rouges frais, d'épices et de fumée, avant de révéler des tanins denses, puissants, enrobés par une chair tendre, suave et délicate, aux accents réglissés et poivrés. Du corps et de l'esprit pour ce grand vin de longue garde (une décennie, et plus encore).

🍷 Ch. la Lagune, 81, av. de l'Europe, 33290 Ludon-Médoc, tél. 05 57 88 82 77, fax 05 57 88 82 70, contact@chateau-lalagune.com, ☑ 🖈 🍸 r.-v. 🏠 ⑤
🍷 Famille Frey

CH. DE LAMARQUE Héritiers des Marquis d'Évry 2010 ★

■	n.c.	🍷	15 à 20 €

Forteresse médiévale bâtie il y a mille ans pour résister aux invasions des Vikings, ce château a perdu sa sévérité originelle grâce à de nombreuses transformations au cours des siècles. Aucune sévérité non plus dans ce 2010 rouge sombre, au bouquet de fruits compotés et de bon bois, qui ne manque pas de charpente mais n'affiche aucune dureté, privilégiant la rondeur, la souplesse et la chair, soulignées par une finale pleine et savoureuse. Une amabilité qui en fera le complice des viandes rouges en sauce dans trois ou quatre ans.

🍷 Ch. de Lamarque, SC Gromand d'Évry, 33460 Lamarque, tél. 05 56 58 90 03, fax 05 56 58 93 43, lamarque@chateaudelamarque.fr, ☑ 🖈 🍸 r.-v.

CH. LAROSE-TRINTAUDON 2010 ★

| ■ | 875 000 | ⊞ | 8 à 11 € |

La plus vaste exploitation du Médoc avec 150 ha en production, pratiquement d'un seul tenant. Voici donc un vin n'ayant rien de confidentiel, tant par les volumes disponibles que par sa personnalité qui s'affirme dès la présentation, avec une robe rouge sombre, presque noire. Sa puissance se confirme à travers un bouquet intense d'épices, de fumée et de fruits cuits (pruneaux). Corsé, charnu, chaleureux, charpenté, le palais développe des flaveurs de cassis que relaie une longue finale. À attendre deux ou trois ans avant de lui réserver une viande rouge longuement mijotée. **Les Hauts de Trintaudon 2010 (5 à 8 € ; 110 000 b.)** sont cités : un vin épicé et bien structuré, lui aussi.

➽ SA Larose-Trintaudon, rte de Pauillac,
33112 Saint-Laurent-Médoc, tél. 05 56 59 41 72,
fax 05 56 59 93 22, info@trintaudon.com, ☑ ☀ ☂ r.-v.
➽ Allianz Fr

CH. LARRIVAUX 2010

| ■ | 53 000 | ⊞ | 11 à 15 € |

Ce cru, resté dans la même famille et transmis par les femmes depuis sa création en... 1580, offre un terroir argilo-calcaire favorable à l'épanouissement du merlot, qui représente 56 % de l'assemblage de ce 2010. Cela donne un vin généreusement bouqueté autour des fruits noirs mûrs et des épices, au palais ample, gras et chaleureux, qui s'achève sur de jolies notes grillées et fruitées. À ouvrir dans deux ans sur un plat goûteux, comme une épaule d'agneau longuement braisée.

➽ SARL des Dom. Carlsberg, Ch. Larrivaux,
23-25 rte de Larrivaux, 33250 Cissac-Médoc,
tél. 05 56 59 58 15, fax 05 56 73 93 41,
chateau.larrivaux@gmail.com, ☑ ☀ ☂ r.-v.

CH. DE LAUGA 2010 ★

| ■ | 38 000 | ⊞ | 8 à 11 € |

À la tête de ce petit cru de 8,8 ha depuis 2007, Charles Brun représente la septième génération de vignerons. Ce lien étroit avec le terroir de Cussac et ses graves garonnaises nous vaut un haut-médoc qualifié « d'authentique et sans maquillage ». Un vin d'une jolie teinte rouge vif, qui développe un bouquet complexe de truffe et de fruits mûrs (framboise écrasée) et offre un palais ample et équilibré, très médocain par ses tanins élégants, solides mais sans excès de vigueur. À boire dans trois ou quatre ans sur un faisan rôti aux champignons.

➽ Charles Brun, Ch. de Lauga, 13, chem. de la rue,
33460 Cussac-Fort-Médoc, tél. 05 56 58 92 83,
fax 05 56 58 97 88, chateau@lauga.com,
☑ ☀ ☂ t.l.j. sf dim. 9h-12h 14h-18h

CH. LIEUJEAN 2010 ★★

| ■ | 250 000 | ▮⊞ | 15 à 20 € |

Jadis réputé, ce cru, victime jadis de son enclavement, périclita quelques années, avant que le prince de Polignac et, depuis 1999, Jean-Michel Lapalu ne lui rendent ses lettres de noblesse. Témoin ce 2010 remarquable, d'un grenat profond, qui mêle à l'olfaction d'intenses notes fruitées aux senteurs grillées et épicées du merrain. Ample, généreux, puissant, bien équilibré entre le bois et le fruit, persistant, il affiche aussi beaucoup de personnalité en bouche. Il demande cependant à être attendu quatre ou cinq ans avant d'accompagner un

aloyau sur les sarments. Faisant également partie des Domaines Lapalu, le **Ch. Liversan 2010 (180 000 b.)**, consistant, plein et frais, obtient une étoile.

➽ SC Garri du Gai, 6, rte de la Chatole,
33250 Saint-Sauveur, tél. 05 56 41 50 18, fax 05 56 41 54 65,
info@domaines-lapalu.com
➽ J.-M. Lapalu

CH. DE MALLERET 2010

| ■ | 140 000 | ⊞ | 15 à 20 € |

Belle unité de 54 ha commandée par un vaste château, ce cru propose un vin d'une plaisante simplicité. Fruité et vanillé à l'olfaction, bien constitué, il est soutenu par des tanins très présents mais enrobés, un rien plus sévères en finale. Ce haut-médoc pourra être sorti de cave d'ici un an ou deux.

➽ SCEA Malleret, 33290 Le Pian-Médoc,
tél. 05 56 35 05 36, fax 05 56 35 05 38,
contact@chateau-malleret.fr, ☑ ☀ ☂ r.-v.
➽ Leroy

ⓑ CH. MICALET Vieilli en fût de chêne 2010

| ■ | 25 000 | ⊞ | 11 à 15 € |

L'un des rares haut-médoc bénéficiant de la certification en agriculture biologique, ce cru artisan est propriété de la famille Fédieu depuis 1970. Il confirme sa régularité avec ce vin aussi agréable à regarder qu'à humer avec ses notes de fruits rouges accompagnées d'une discrète touche beurrée et vanillée. Ample et bien structuré, il s'appuie sur des tanins de caractère qui demanderont un peu de temps (deux à quatre ans) pour s'affiner.

➽ EARL Fédieu, 10, rue Jeanne-d'Arc,
33460 Cussac-Fort-Médoc, tél. 05 56 58 95 48,
fax 05 56 58 96 85, earl.fedieu@wanadoo.fr,
☑ ☀ ☂ t.l.j. sf dim. 9h-12h 15h-19h;
sam. sur r.-v. 🏠 ⓓ

CH. MOULIN DE BLANCHON Élevé en fût de chêne 2010

| ■ | 120 000 | ⊞ | 8 à 11 € |

Une propriété créée *ex nihilo* par les Négrier en 1992, voisine de Sociando-Mallet, s'étendant aujourd'hui sur 26 ha. Médocain dans sa belle robe « sang de bœuf », ce 2010 proche de l'étoile s'affirme aussi par le caractère chaleureux et complexe de son bouquet (vanille, toasté et réglisse), prolongé par un palais d'un bon volume, gras et tannique. Il faudra savoir l'attendre, au moins quatre ou cinq ans : il le mérite.

➽ Henri Négrier, 3, rue des Casaillons,
33180 Saint-Seurin-de-Cadourne, tél. 05 56 59 38 66,
fax 05 56 59 32 31, earlvignoblesnegrier@terre-net.fr,
☑ ☀ ☂ t.l.j. 9h-12h 14h-19h

CH. DU MOULIN ROUGE Élevé 12 mois en fût de chêne 2010 ★

| ■ | 95 000 | ▮⊞ | 8 à 11 € |

Point de danseuse ici, mais un moulin à vent peint en rouge, construit en 1739 et toujours présent sur le domaine. C'est un rouge cerise, intense et profond, qui habille ce 2010 à la fois puissant et élégant. Le nez, déjà ouvert, mêle les fruits rouges (confiture de framboises) à des notes grillées et épicées. Tout aussi expressive et équilibrée entre fruité et boisé, dense, charnue et charpentée, la bouche n'est pas en reste. On attendra de deux à quatre ans avant d'apprécier cette bouteille de caractère sur du gibier ou sur une goûteuse viande rouge.

■━ Ribeiro-Pelon, Ch. du Moulin Rouge, 18, rue de Costes, 33460 Cussac-Fort-Médoc, tél. 05 56 58 91 13, fax 05 56 58 93 68, chateaudumoulinrouge@orange.fr, ☑ ★ ⲭ t.l.j. 9h-12h 13h30-17h30

CH. MURET 2010

| | | 120 000 | 🍷⊞ | 8 à 11 € |

Issu d'un joli vignoble d'un seul tenant couvrant 25 ha sur un plateau argilo-calcaire, ce vin montre qu'il est de bonne origine par son bouquet discret mais plaisant de fruits frais, avant de dérouler une finale boisée qui invite à l'attendre trois ou quatre ans.

■━ SCA de Muret, 2, rte de Muret, 33180 Saint-Seurin-de-Cadourne, tél. 05 56 59 38 11, fax 05 56 59 37 03, chateau.muret@sfr.fr, ☑ ★ ⲭ r.-v.

■━ Boufflerd

CH. PALOUMEY 2010 ★

| | | 110 000 | ⊞ | 15 à 20 € |

Un joli terroir sablo-graveleux situé entre les crus classés La Lagune et Cantemerle, des soins rigoureux à la vigne (taille très courte, effeuillage, éclaircissage si besoin, double tri à la vendange), une vinification tout aussi attentionnée, depuis la reprise de la propriété en 1990 par Martine Cazeneuve, ce cru à l'abandon a retrouvé petit à petit une seconde jeunesse, dont le Guide s'est fait témoin, avec en point d'orgue un coup de cœur l'an dernier pour le millésime 2009. Le 2010, sans atteindre les mêmes sommets, ne fait pas de la figuration. Non content d'être agréable à regarder dans sa livrée hésitant entre le pourpre et le rubis, il est fort plaisant à l'olfaction, dévoilant de jolies senteurs de fruits noirs rehaussées d'une note épicée. Tout aussi plaisant, le palais allie souplesse et volume, élégance et charpente serrée, avant de s'ouvrir sur une longue finale aux accents grillés et vanillés. Deux ou trois ans de garde sont requis, et plus encore pour un fondu optimal.

■━ SA Ch. Paloumey, 50, rue du Pouge-de-Beau, 33290 Ludon-Médoc, tél. 05 57 88 00 66, fax 05 57 88 00 67, info@chateaupaloumey.com, ☑ ★ ⲭ t.l.j. 10h-18h; sam. dim. sur r.-v.

■━ Martine Cazeneuve

CH. PEYRABON 2010 ★

| | | 187 524 | ⊞ | 11 à 15 € |

Depuis sa reprise en 1998 par Patrick Bernard, P.D-G de Millésima, qui a beaucoup investi à la vigne et au chai, ce cru au passé vénérable – pour l'anecdote, glorieuse, la reine Victoria fut reçue en ces lieux – affiche une belle régularité dans la qualité de ses vins, et même une progression. Il tient son rang avec un 2010 salué pour son équilibre et sa netteté. Robe rouge foncé tirant sur le noir ; nez intense et harmonieux de fruits mûrs et de boisé vanillé ; attaque ronde et pleine, ouvrant sur une bouche structurée par de beaux tanins dénués d'agressivité, débouchant sur une finale goûteuse et longue. Un vin franc, droit, sans à-coups, à remiser en cave pour quatre ou cinq ans, voire plus.

■━ Ch. Peyrabon, Vignes de Peyrabon, 33250 Saint-Sauveur, tél. 05 56 59 57 10, fax 05 56 59 59 45, contact@chateau-peyrabon.com, ☑ ★ ⲭ r.-v.

■━ Millesima

CH. PEYRAT-FOURTHON 2010 ★★

| | | 50 000 | ⊞ | 11 à 15 € |

Depuis son acquisition par les Narboni en 2004, ce cru, un ancien relais de chasse, s'affirme comme l'une des valeurs sûres de l'appellation, le fruit de gros investissements à la vigne (avec une approche raisonnée « tendance biodynamique ») et au chai. Issu de 50 % de cabernet-sauvignon et de 40 % de merlot, le solde en petit verdot, ce 2010 séduit par sa richesse aromatique qui mêle les fruits noirs cuits et un boisé élégant et par sa bouche ample, charnue, consistante et solidement charpentée. Un beau classique, typé et complet, à boire dans quatre ou cinq ans.

■━ Ch. Peyrat-Fourthon, 1, allée Fourthon, 33112 Saint-Laurent-Médoc, tél. 05 56 59 40 87, fax 05 56 59 92 65, pn@peyrat-fourthon.com, ☑ ★ ⲭ 🏠 ❺

■━ Pierre Nardoni

CH. PONTOISE CABARRUS 2010

| | | 56 000 | ⊞ | 11 à 15 € |

Régulier en qualité, ce cru bourgeois de 28 ha est propriété de la famille Tereygeol depuis 1959 et trois générations. La dernière, Laurent et Eric, signe un 2010 de bonne facture, à dominante de merlot (56 %), qui dévoile de plaisantes notes de fumée, d'épices et de fruits cuits. La bouche se révèle « costaude », voire sévère, mais avec suffisamment de sève pour bien affronter la garde (deux ou trois ans au moins).

■━ Ch. Pontoise Cabarrus, 27, rue Georges-Mandel, 33180 Saint-Seurin-de-Cadourne, tél. 05 56 59 34 92, fax 05 56 59 63 34, pontoisecabarrus@orange.fr, ☑ ★ ⲭ t.l.j. sf sam. dim. 9h-12h30 14h-18h; f. 15-31 août

■━ Tereygeol

HAUT DE POUJEAUX 2010 ★

| | | 20 000 | 🍷⊞ | 11 à 15 € |

Réalisé par l'équipe du château Poujeaux (Moulis-en-Médoc), ce vin, dominé par le merlot (55 %), affiche une belle personnalité. D'une gracieuse couleur rouge sombre, il se montre très plaisant d'emblée par son bouquet à la fois flatteur et distingué de fruits noirs et de pain grillé. Le palais n'est pas en reste et, après une attaque souple, monte en puissance et en volume, porté par des tanins encore jeunes mais de qualité. Ce haut-médoc promet de bien évoluer au cours des six ou sept ans à venir.

■━ Philippe Cuvelier, SCEA Ch. Poujeaux, 33480 Moulis-en-Médoc, tél. 05 56 58 02 96, fax 05 56 58 01 25, contact@chateau-poujeaux.com, ☑ ★ ⲭ r.-v.

CH. RAMAGE LA BATISSE 2010 ★

| | | 160 330 | ⊞ | 15 à 20 € |

Partie de 4 ha en 1962, cette propriété – propriété de la MACIF depuis 1986 – en compte 66 aujourd'hui, sans que la qualité n'ait eu à en souffrir, comme le montre, après beaucoup d'autres, ce 2010. Fidèle à l'esprit du cru, il révèle une belle puissance, soulignée par des tanins serrés et un boisé de qualité, qui incite à l'attendre trois ou quatre ans ; ce qui laissera au nez, à la complexité naissante (fruits noirs, épices et vanille à l'aération), le temps de s'ouvrir complètement.

■━ SCI Ch. Ramage la Batisse, 33250 Saint-Sauveur, tél. 05 56 59 57 24, fax 05 56 59 54 14, ramagelabatisse@wanadoo.fr, ☑ ★ ⲭ r.-v.

■━ MACIF

BORDELAIS

CH. DU RETOUT 2010 ★

■ | 120 000 | ▮▯ | 8 à 11 €

Même en Médoc, il est rare de trouver 84 % de cabernet-sauvignon dans l'encépagement. Ce vin en porte la marque, tant au bouquet, intense et expressif, à la fois fruité (myrtille confiturée), boisé et un rien végétal, qu'au palais, où sa puissance et sa densité s'expriment sans réserve. Ce caractère bien trempé invite à le remiser en cave trois ou quatre ans avant d'en profiter pendant une dizaine d'années.

☛ SCEA Vignoble Kopp, 4, rue du Bois-des-Andres, 33460 Cussac-Fort-Médoc, tél. et fax 05 56 58 91 08, contact@chateau-du-retout.com, ▣ ☂ ☂ r.-v.

CH. SAINT AHON 2010

■ | 87 000 | ▮▯ | 11 à 15 €

Outre un château second Empire de style Louis XIII, ce parc abrite un circuit œno-ludique dans son parc. Le vin ne manque pas d'attrait non plus : si la robe, d'une couleur soutenue, et le bouquet, aux notes de fruits compotés et de fleurs, sont déjà charmeurs, le palais, ample et généreux mais encore austère en finale, réclame, lui, de la patience (trois à cinq ans).

☛ Nicolas et Françoise de Courcel, Ch. Saint Ahon, 57, rue de Saint-Ahon, Caychac, 33290 Blanquefort, tél. 05 56 35 06 45, fax 05 56 35 87 16, info@saintahon.com, ▣ ☂ ☂ r.-v. ⌂ ●

CH. SAINT-PAUL 2010 ★

■ | 110 000 | ▮▯ | 11 à 15 €

Ce cru respecte la tradition avec un encépagement bien diversifié : merlot à 48 %, cabernet-sauvignon à 42 %, cabernet franc et petit verdot en complément. Encore un peu fermé, le bouquet développe à l'aération de jolis parfums de fruits rouges, relayés par un palais gras, ample et riche, soutenu par des tanins mûrs et élégants. Un joli retour aromatique fruité, réglissé et torréfié clôt la dégustation de ce vin, qui promet de belles choses d'ici deux ou trois ans.

☛ SC du Ch. Saint-Paul, 33180 Saint-Seurin-de-Cadourne, tél. 05 56 59 34 72, fax 05 56 59 38 35, chateaustpaul@orange.fr, ▣ ☂ ☂ t.l.j. sf sam. dim. 9h-12h 13h-17h; ven. 9h-12h

♥ CH. SOCIANDO-MALLET 2010 ★★

■ | 350 000 | ▯ | 30 à 50 €

⑧② 85 86 88 89 90 91 93 ⑨⑤ ⑨⑥ 97 ⑨⑧ 99 ⑪ ⑪ 01 02 03 04 05 06 07 09 10

Courtier chez Miailhe pendant dix ans, Jean Gautreau crée sa société de négoce à la fin des années 1950 pour vendre des grands crus sur les marchés belge et hollandais. Le succès est rapide. Chargé de prospecter une propriété pour le compte d'un de ses clients, il découvre Sociando et ses quelque 5 ha de vignes plantées sur une superbe croupe de graves à Saint-Seurin-de-Cadourne. Le client ne donnant pas suite, il acquiert le cru en 1969. Il agrandit peu à peu le vignoble (85 ha aujourd'hui) et fait de Sociando l'une des étiquettes les plus respectées du Médoc. La reproduction dans le Guide de celle du 2010 couronne un vin bien dans le ton de l'appellation et dans le style du cru, volontiers charpenté, voire austère parfois. Né de 55 % de cabernet-sauvignon, 40 % de merlot et 5 % de cabernet franc, ce millésime s'annonce par une superbe robe noire et développe un bouquet puissant et complexe où se distinguent des notes de boîte à cigares, d'épices et de fruits mûrs. Riche, dense, construit sur des tanins vigoureux mais élégants et sur une fine vivacité, le palais affiche une personnalité en effet très médocaine, qui demandera cinq ou six ans de garde au moins pour offrir un visage plus arrondi. Depuis le millésime 1995, Jean Gautreau élabore une petite cuvée, souvent remarquable, issue d'une partie de la vendange du grand vin (environ 1 %). La différence ? Un élevage en fût plus long (quinze mois de barrique) et une plus large place faite au cabernet-sauvignon. Grâce à quoi, le **Jean Gautreau 2010 (4 000 b.)** s'impose lui aussi comme un vin de grand caractère et frôle le coup de cœur. Élégante robe noire à reflets rouges ; bouquet complexe et harmonieux unissant les fruits au grillé soutenu de la barrique ; bouche intense, robuste et persistante : un long séjour en cave s'impose, avec un optimum qualitatif entre 2016 et 2025. Dans un style beaucoup plus friand et souple, le second vin du domaine, **La Demoiselle de Sociando-Mallet 2010 (15 à 20 € ; 150 000 b.),** est cité.

☛ SCEA Jean Gautreau, Ch. Sociando-Mallet, 33180 Saint-Seurin-de-Cadourne, tél. 05 56 73 38 80, fax 05 56 73 38 88, info@sociandomallet.com, ▣ ☂ ☂ r.-v. ⌂ ●

CH. DU TAILLAN 2010 ★

■ | 120 000 | ▮▯ | 15 à 20 €

Les cinq héritières de la famille Cruse qui ont en main la destinée de ce château chargé d'histoire et d'art ont à cœur de produire un vin à la hauteur des lieux. Avec succès si l'on en juge d'après ce 2010 parfaitement élaboré. Le vin séduit d'emblée par sa robe d'un seyant grenat profond et par son bouquet très fin, ouvert sur de riches notes de fruits mûrs (cerise confite) agrémentés d'épices. Dès l'attaque, se dévoile un palais bien constitué, ample, dense, solide, boisé. Du haut-médoc dans le texte, à découvrir après quatre ou cinq ans de garde, et plus encore.

☛ SCEA Ch. du Taillan, 56, av. de la Croix, 33320 Le Taillan-Médoc, tél. 05 56 57 47 00, fax 05 56 57 47 01, chateaudutaillan@wanadoo.fr, ▣ ☂ ☂ t.l.j. 10h-18h; dim. sur r.-v.

CH. LA TOUR CARNET 2010 ★★

■ 4e cru clas. | 380 000 | ▯ | 20 à 30 €

83 85 86 ⑧⑧ 89 90 93 94 ⑨⑥ 97 98 99 00 01 02 03 04 05 06 07 08 09 10

Bien situé, à côté de l'appellation saint-julien, ce cru classé historique – l'un des plus anciens domaines de Gironde, qui appartint un temps à la sœur de Michel de Montaigne – est la propriété de Bernard Magrez depuis 1999. Il bénéficie d'une belle croupe de graves plantée de merlot (53 % entrent dans le 2010), de cabernet-sauvignon

(40 %), de cabernet franc et de petit verdot à l'origine de vins volontiers généreux, expressifs, charpentés. Le 2010 est dans le ton de la maison : par sa robe rouge sombre et profonde à reflets noirs, par son bouquet flatteur de crème de cassis, de fruits noirs et de boisé toasté et grillé, par son palais ample, chaleureux et dense, accompagné par des tanins soyeux et élégants. Un vin à la fois puissant et affable, au réel potentiel de garde. On pourra commencer à déboucher les premiers flacons dans quatre ou cinq ans, et les apprécier pendant une dizaine d'années.

☛ Ch. la Tour Carnet, rte de Beychevelle, 33112 Saint-Laurent-Médoc, tél. 05 56 73 30 90, fax 05 56 59 48 54, latour@latour-carnet.com
☛ Bernard Magrez

CH. TOUR DU ROC 2010 ★

■	55 000	▤ ◖▯	8 à 11 €

Ce cru familial de 28 ha joue résolument la carte de l'expression aromatique avec ce 2010 au bouquet ouvert et intense de cerise, de cassis, de torréfaction et de vanille. Ces composantes se retrouvent dans un palais dense et charnu, qui offre suffisamment de matière pour permettre au bois, encore dominant, de se fondre. Prévoir une garde de trois à cinq ans.

☛ EARL Tour-du-Roc, 1, rue de l'Église, 33460 Arcins, tél. 05 56 58 90 25, fax 05 56 58 94 41, tourduroc@wanadoo.fr, ☒ ⚔ ⍃ r.-v.

CH. TROUPIAN 2010

■	119 940	▤	5 à 8 €

Issu d'un vignoble à forte majorité de cabernet-sauvignon (71 %), ce vin à la robe dense et profonde affiche clairement sa vocation à la garde. Si le nez est pour l'heure encore sur la réserve – des notes de petits fruits des bois et de fumée apparaissent à l'agitation –, le palais dévoile une belle mâche soulignée par de solides tanins et un boisé de qualité mais encore dominant. On attendra deux à quatre ans que l'ensemble s'harmonise ; le potentiel est là.

☛ SCEA Société Fermière des Grands Crus de France, Ch. Lestage Simon, 33180 Saint-Seurin-de-Cadourne, tél. et fax 05 56 73 64 34, chateaulestagesimon@lgcf.fr, ⚔ ⍃ r.-v.

VAL GOGUIN Cuvée Prestige 2010

■	20 000	◖▯	8 à 11 €

Œnologue conseil, Stéphane Courrèges s'est lancé dans l'activité de négociant-éleveur en 2009. Son premier vin, mi-merlot mi-cabernet-sauvignon, fait une belle entrée dans le Guide. Ce 2010 dévoile un bouquet à la complexité naissante (fruits rouges mûrs, toast, notes de cuir et de cèdre) et un palais d'un bon volume et finement structuré par des tanins serrés, qui s'achève sur un boisé doux. À boire dans deux ans.

☛ Courrèges Wines, 108 bis, av. Jean-Jacques-Rousseau, 33160 Saint-Médard-en-Jalles, tél. 05 56 91 21 96, contact@courreges-wines.com

CH. DE VILLEGEORGE 2010 ★

■	57 300	◖▯	11 à 15 €

90	93	94	95	**96**	97	98	99	00	**02**	03	|04|	05	06	|07|
08	**09**	10

Coup de cœur l'an dernier avec son 2009, un superbe vin aux tanins veloutés, Marie-Laure Lurton propose cette

année un autre registre s'appuyant sur une forte tannicité ; il faut dire que si le 2009 privilégiait le merlot, le 2010 fait la part belle au cabernet-sauvignon (79 %). Le résultat est donc un haut-médoc au caractère bien trempé, robuste et encore strict en bouche, sans manquer de chair ni de fraîcheur, qui reste dans la ligne élégante du domaine avec son bouquet subtilement fruité et boisé. La patience sera de rigueur (trois à cinq ans) pour apprécier ce vin à son optimum.

☛ Vignobles Marie-Laure Lurton, 17, chem. de Villegeorge, 33480 Avensan, tél. 05 56 58 22 01, fax 05 56 58 15 10, contact@marielaurelurton.com, ☒ ⚔ ⍃ r.-v.

Listrac-médoc

Superficie : 635 ha
Production : 25 205 hl

Correspondant exclusivement à la commune éponyme, listrac-médoc est l'appellation communale la plus éloignée de l'estuaire. Original, son terroir correspond au dôme évidé d'un anticlinal, où l'érosion a créé une inversion de relief. À l'ouest, à la lisière de la forêt, se développent trois croupes de graves pyrénéennes, dont les pentes et le sous-sol souvent calcaire favorisent le drainage naturel des sols. Le centre de l'AOC, le dôme évidé, est occupé par la plaine de Peyrelebade, aux sols argilo-calcaires. Enfin, à l'est, s'étendent des croupes de graves garonnaises.

Le listrac est un vin vigoureux ; toutefois, contrairement au style d'autrefois, sa robustesse n'implique plus aujourd'hui une certaine rudesse. Si certains vins restent un peu durs dans leur jeunesse, la plupart contrebalancent leur force tannique par leur rondeur. Tous offrent un bon potentiel de garde, jusqu'à quinze ans dans les grands millésimes.

Moulis et Listrac

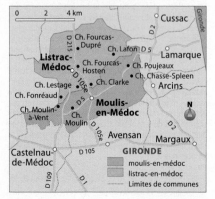

CH. CAPDET 2010 ★

| | 39 910 | ⬛ | 11 à 15 € |

Jean-Marie Raymond, propriétaire de ce cru depuis 1985, confie la vinification à la cave de Listrac. De régulières sélections dans ces pages justifient son choix. Ici, un 2010 d'une belle teinte presque noire, qui développe un bouquet complexe de fruits noirs confits, de pain d'épice et de brioche. Long, équilibré, charnu et porté par des tanins bien mûrs, le palais laisse le souvenir d'un vin déjà très harmonieux, avenant et néanmoins bien structuré. Deux ou trois ans de garde sont recommandés, et plus si affinité. Également vinifié par la coopérative de Listrac, le **Ch. Vieux Moulin 2010 (38 700 b.)** est destiné aux amateurs de vins puissants. Il obtient une étoile pour la solide charpente et l'intensité de son bouquet, sur les fruits noirs confits, la réglisse et la vanille. Un séjour en cave de quatre ou cinq ans s'impose. Plus simple mais très agréable par son équilibre rondeur-fraîcheur, le **Caravelle 2010 (15 à 20 € ; 21 880 b.)**, marque de la coopérative, est cité.
🍴 Cave Grand Listrac, 21, av. de Soulac,
33480 Listrac-Médoc, tél. 05 56 58 03 19, fax 05 56 58 07 22, grandlistrac@wanadoo.fr, ☑ ✕ ⊤ t.l.j. 9h-12h 14h-18h

CH. CAP LÉON VEYRIN 2010 ★

| | 70 000 | ⬛ | 11 à 15 € |

Authentique famille médocaine, les Meyre se sont distingués en figurant parmi les pionniers du tourisme viticole, mais sans rien sacrifier du travail à la vigne et au chai. Les vins sont ici d'une belle régularité, ce qu'illustre ce joli 2010 paré d'une seyante robe grenat, au bouquet intense de fruits noirs et de sous-bois. La bouche se révèle ronde, généreuse et consistante, étayée par des tanins fermes mais soyeux. Déjà fort courtois, ce listrac pourra aussi être attendu quatre ou cinq ans.
🍴 Vignobles Alain Meyre, Ch. Cap Léon Veyrin,
54, rte de Donissan, 33480 Listrac-Médoc,
tél. 05 56 58 07 28, fax 05 56 58 07 50,
capleonveyrin@aol.com,
☑ ✕ ⊤ t.l.j. sf sam. dim. 9h-12h 14h-17h30 🏠 ❷

CH. CLARKE 2010 ★★

| | 260 000 | ⬛ | 20 à 30 € |

⑧⑥ 88 89 90 95 96 97 98 99 00 01 |02||03||04| 05 06 07 08 09 10

Quand, il y a tout juste quarante ans, en 1973, le baron Edmond de Rothschild acquit le Château Clarke, il ne cachait pas ses ambitions pour ce cru fort ancien – les premières vignes y furent plantées par les Cisterciens de l'abbaye de Vertheuil au XIIᵉs. Après beaucoup d'autres, ce millésime atteste que l'objectif a été largement atteint. Rien de monacal dans ce vin, mais au contraire tout y semble accorte : la robe, superbe, aussi bien dans sa teinte rubis que dans sa limpidité ; le bouquet, profond et chaleureux, sur les fruits mûrs, la fraise écrasée et le café au lait ; le palais, ample, généreux, velouté, soutenu par des tanins soyeux qui montrent un caractère plus vigoureux dans une finale longue et puissante. Rien ne manque pour composer un vin de haute expression, à servir au plus tôt dans cinq ans, sur un mets de caractère de préférence.
🍴 Expl. Vinicole Edmond de Rothschild,
33480 Listrac-Médoc, tél. 05 56 58 38 00, fax 05 56 58 26 46, contact@cver.fr, ☑ t.l.j. sf sam. dim. 9h-12h 14h-17h

CH. L'ERMITAGE 2010 ★

| | 25 200 | ⬛ | 11 à 15 € |

Plus souvent sélectionné pour son Château Reverdi, cette propriété – dans la famille Thomas depuis trois générations – se distingue cette année avec son autre cru, plus petit (10 ha contre 18), par la taille seulement. Ce 2010 a su charmer les dégustateurs par son élégante robe rubis à reflets sombres, par son bouquet discret mais complexe de cassis, d'épices et de réglisse, comme par son palais rond et consistant, soutenu par des tanins mûrs et par une longue finale fruitée et épicée. Cette jolie bouteille mérite un séjour en cave de deux ou trois ans, et plus encore. Agréable par son expression aromatique (fraise, griotte, épices) et par sa bonne structure, le **Ch. Reverdi 2010 (38 400 b.)** est cité. On pourra l'apprécier plus tôt.
🍴 Vignobles Thomas, 11, rte de Donissan,
33480 Listrac-Médoc, tél. 05 56 58 02 25, fax 05 56 58 06 56, contact@chateaureverdi.fr,
☑ ✕ ⊤ t.l.j. sf dim. 9h-12h 14h-18h

CH. FONRÉAUD 2010 ★★

| | 144 000 | ⬛ | 15 à 20 € |

Pour ce millésime, Jean Chanfreau a renforcé la part du cabernet-sauvignon (53 %). Rien d'étonnant de trouver alors un vin promis à une garde certaine. À l'intensité de la robe, d'un beau pourpre, répond celle d'un bouquet, certes d'abord un peu fermé, mais qui s'épanouit à l'aération sur des notes complexes de poivre, d'épices douces, de chocolat, de café ou encore de figue et de cassis. Le palais se révèle riche, dense, ample, étayé par des tanins mûrs et par un fin boisé. Quatre ou cinq ans de patience seront nécessaires. On attendra un peu moins longtemps (deux ou trois ans) le **Clos des Demoiselles 2010 (15 à 20 € ; 18 000 b.)**, issu d'un petit cru acquis par les Chanfreau en 2002 ; un vin très réussi, équilibré, aromatique et charnu.
🍴 SC Ch. Fonréaud, 33480 Listrac-Médoc,
tél. 05 56 58 02 43, fax 05 56 58 04 33,
contact@vignobles-chanfreau.com,
☑ ✕ ⊤ t.l.j. 9h-12h 14h-17h; sam. dim. sur r.-v.

CH. FOURCAS-BORIE 2010 ★★

| | 50 000 | ⬛ | 11 à 15 € |

Si la propriété est ancienne, son apparition dans le Guide est récente ; elle a coïncidé avec l'arrivée à sa tête de Bruno-Eugène Borie en 2009. Elle confirme les bonnes dispositions perçues dans les deux éditions précédentes avec ce 2010 à forte majorité de merlot (70 %). Le vin attire l'œil avec son élégante robe pourpre brillant. D'une bonne intensité, mêlant senteurs vanillées, épices et fruits confits, le bouquet est lui aussi des plus captivants. Le palais se révèle chaleureux, dense et gras, bien structuré par des tanins solides mais élégants, qui montrent les muscles en finale et se portent garants du potentiel de cette belle bouteille, que l'on pourra commencer à ouvrir dans deux ou trois ans et attendre une décennie.
🍴 Ch. Fourcas-Borie, 12, rue Odilon-Redon,
33480 Listrac-Médoc, tél. 05 56 58 03 84, fax 05 56 58 01 20, info@chateau-fourcas-borie.com, ☑ ⊤ r.-v.

CH. FOURCAS DUPRÉ 2010

| | 198 677 | ⬛ | 15 à 20 € |

Comme souvent, ce cru propose un vin qui appelle la garde pour absorber un boisé encore très présent – le bouquet mêle d'intenses notes toastées et fumées aux fruits rouges et noirs – et « arrondir les angles » d'un palais puissant et tannique. La présence non négligeable des cabernets (47 % de cabernet-sauvignon et 8 % de cabernet franc) n'est sans doute pas étrangère à ce profil robuste et charpenté. Une bouteille de caractère, à attendre au moins trois à cinq ans.

☛ Ch. Fourcas Dupré, Le Fourcas, 33480 Listrac-Médoc, tél. 05 56 58 01 07, fax 05 56 58 02 27, info@fourcasdupre.com, ☑ ☂ ☂ t.l.j. 8h-12h 14h-17h ⌂ ⊜
☛ Famille Pages

CH. FOURCAS HOSTEN 2010 ★

| ■ | 155 000 | ⏍ | 15 à 20 € |

81 ⑧ 83 85 86 88 89 90 91 92 93 94 95 96 97 98 |99| |00| |02| |03| 04 05 06 07 08 09 10

Les investissements engagés par les frères Renaud et Laurent Momméja, qui ont acquis le domaine en 2006, commencent à porter leurs fruits. Témoin ce 2010 fort réussi, issu de 55 % de cabernet-sauvignon et de 45 % de merlot, qui « porte beau » dans sa robe rubis aux reflets carminés. Le bouquet, non moins élégant, mêle des parfums de fruits noirs mûrs et d'épices. Le palais ne déçoit pas : dense, puissant, séveux mais jamais « séchant », il affiche un caractère bien affirmé qui nécessite la patine du temps pour s'assouplir ; trois à cinq ans sont un minimum.
☛ Ch. Fourcas Hosten, 2, rue de l'Église, 33480 Listrac-Médoc, tél. 05 56 58 01 15, fax 05 56 58 06 73, contact@fourcas-hosten.com, ☑ ☂ ☂ r.-v.
☛ Momméja

CH. LAFON 2010

| ■ | 56 000 | ⏍ | 8 à 11 € |

Ce cru, l'une des plus anciennes propriétés viticoles de la commune, fait partie de la trentaine de vignobles de Gironde acquis depuis quelques années par des investisseurs chinois ; 99 % des quelque 56 000 flacons de ce 2010 partiront d'ailleurs aux confins de l'Asie... Simple mais bien fait, ce vin élaboré avant le changement de propriétaire en 2012 montre que le domaine possède un réel potentiel : robe limpide et brillante, nez plaisant de fruits noirs, palais rond et de bonne corpulence, mais encore sous l'emprise du merrain. À attendre deux ou trois ans.
☛ SCEA Ch. Lafon, lieu-dit Barateau, rte de Saint-Julien, 33112 Saint-Laurent-Médoc, tél. 05 56 59 42 07, fax 05 56 59 49 91, cb@chateau-barateau.com
☛ Li

CH. MARTINHO 2010 ★★

| ■ | 10 000 | ⏍ | 20 à 30 € |

Ce microcru créé en 2008 fait une entrée remarquée dans le Guide avec ce superbe 2010 issu à 80 % de merlot, dont la robe profonde, rubis à reflets violines, annonce la jeunesse et le potentiel. Le bouquet, puissant et complexe, offre un mariage heureux entre les fruits rouges, le toasté et la noix de coco (vingt mois de fût). Le palais confirme ces bonnes dispositions et s'impose par son volume, sa chair et sa solide structure tannique renforcée par un boisé luxueux. Cette bouteille au caractère bien trempé mais jamais austère mérite un repos de quatre ou cinq ans au moins avant d'écrire une belle page gourmande sur le livre de cave.
NOUVEAU PRODUCTEUR

☛ Afonso Miguel Martinho, 13, rte du Port, 33460 Lamarque, tél. et fax 05 56 58 95 81, contact@chateaumartinho.com, ☑ r.-v.

CH. ROSE SAINTE-CROIX 2010

| ■ | 17 000 | ⏍ | 8 à 11 € |

Un joli nom pour ce vin chaleureux et encore un peu sévère en finale, mais intéressant par sa texture ronde et par son fruité généreux aux nuances de fruits à l'alcool. Un vin vineux et d'une aimable simplicité, qui promet d'évoluer favorablement dans les trois ou quatre années à venir.
☛ SARL des Grands Crus, 2, rue du Général-de-Gaulle, BP 33, 33460 Margaux, tél. 05 56 58 35 77, fax 05 56 58 14 24, chateau@marojallia.com, ☑ ☂ ☂ r.-v.
☛ Porcheron

CH. SARANSOT-DUPRÉ 2010 ★

| ■ | 66 000 | ⎍⏍ | 11 à 15 € |

86 88 89 90 91 93 95 96 98 99 |00| 01 |02| |03| |05| 06 07 09 10

Ce cru familial (propriété des Raymond depuis 1754) et régulier en qualité étend son vignoble de 17 ha sur un sol argilo-calcaire comparable à celui de Saint-Émilion, ce qui explique la présence notable de merlot et de cabernet franc (58 et 16 %), accompagnés de cabernet-sauvignon et d'un soupçon de petit verdot et de carménère. Un encépagement diversifié qui donne naissance à un élégant 2010 pourpre à reflets violines, au nez de moka et de fruits rouges agrémenté d'une pointe animale. Ses tanins fins, présents sans excès, sa chair dense et soyeuse et sa belle finale épicée suggèrent de servir ce vin dans deux ou trois ans, sur un agneau rôti aux herbes par exemple. Un peu moins puissant mais bien constitué, rond et gourmand, le **Ch. Perac 2010** (8 à 11 € ; 9 500 b.) obtient également une étoile.
☛ Yves Raymond, 4, Grande-Rue, 33480 Listrac-Médoc, tél. 05 56 58 03 02, fax 05 56 58 07 64, y@saransot-dupre.com, ☑ ☂ ☂ r.-v.

Margaux

Superficie : 1 490 ha
Production : 60 900 hl

Margaux est le seul nom d'appellation à être aussi un prénom féminin. Est-ce un hasard ? Si les margaux présentent une excellente aptitude à la garde, ils se distinguent des autres grandes appellations communales médocaines par leur délicatesse que soulignent des arômes fruités d'une agréable finesse. Ils constituent l'exemple même des bouteilles tanniques généreuses et suaves.

Leur originalité tient à de nombreux facteurs. Les aspects humains ne sont pas à négliger. À l'écart de Saint-Julien, de Pauillac et de Saint-Estèphe, les viticulteurs margalais ont moins privilégié le cabernet-sauvignon : tout en restant minoritaire, le merlot prend ici une importance accrue. Par ailleurs, l'appellation, la plus vaste des communales du Médoc, s'étend sur le territoire de cinq communes : Margaux et Cantenac, Soussans, Labarde et Arsac. Dans chacune d'elles, seuls les terrains présentant les meilleures aptitudes viti-vinicoles font partie de l'AOC. Le résultat est un terroir homogène composé d'une série de croupes de graves. Celles-ci s'articulent en deux ensembles : à la périphérie se développe un système faisant penser à une sorte d'archipel continental, dont les « îles » sont séparées par des vallons, ruisseaux ou marais tourbeux ; au cœur de l'appellation, dans les communes de Margaux et de Cantenac, s'étend un plateau de graves blanches, d'environ 6 km sur 2, découpé en croupes par l'érosion. C'est dans ce secteur que sont situés nombre des 21 grands crus classés de l'appellation.

Remarquables par leur élégance, les margaux appellent des mets raffinés, comme le chateaubriand, le canard, le perdreau ou l'entrecôte à la bordelaise.

CH. ANGLUDET 2010

■	95 000	▮ Ⅲ	30 à 50 €

Cru commandé par une jolie chartreuse, Angludet propose un vin jouant lui aussi la carte de l'élégance et de la délicatesse. Paré d'une robe noire à reflets violets, le 2010 livre un bouquet discret mais avenant de fruits noirs rehaussés d'épices. Le palais se montre souple et moelleux en attaque, avant que les tanins ne fassent sentir leur présence, jusqu'en finale. Une garde de deux ou trois ans les assouplira.

☞ SCEA Ch. Angludet, 33460 Cantenac, tél. 05 57 88 71 41, fax 05 57 88 72 52, contact@chateau-angludet.fr, ☑ ⚤ ⵢ r.-v.
☞ Sichel

CH. BELLEVUE DE TAYAC 2010

■	9 000	ⅢⅢ	30 à 50 €

Né sur un petit vignoble de Soussans appartenant depuis 2006 à Jean-Luc Thunevin (Valandraud à Saint-Emilion), ce vin d'un rubis chatoyant se révèle fruité et très vanillé à l'olfaction, agrémenté de nuances animales. En bouche, on découvre un bon équilibre entre puissance tannique et fraîcheur, fruité mûr et boisé. Il laisse le souvenir d'une réelle harmonie, et deux ou trois ans de garde l'affineront encore.

☞ Thunevin, 6, rue Guadet, BP 88, 33330 Saint-Émilion, tél. 05 57 55 09 13, fax 05 67 67 03 07, thunevin@thunevin.com

CH. LA BESSANE 2010 ★★

■	10 000	ⅢⅢ	20 à 30 €

Complément margalais du Ch. Paloumey (haut-médoc), ce vignoble se distingue par son encépagement original donnant une part importante au petit verdot (24 %) et au merlot (52 %). Il en résulte un vin dont la puissance est annoncée par la robe profonde tirant sur le noir. Au bouquet d'une grande richesse (fruits noirs, épices, toast) se joint un palais ample, gras et athlétique pour composer un ensemble harmonieux et promis à un bel avenir. Une garde minimale de quatre ou cinq ans s'impose.

☞ SA Ch. Paloumey, 50, rue du Pouge-de-Beau, 33290 Ludon-Médoc, tél. 05 57 88 00 66, fax 05 57 88 00 67, info@chateaupaloumey.com,
☑ ⚤ ⵢ t.l.j. 10h-18h ; sam. dim. sur r.-v.
☞ Martine Cazeneuve

♥ CH. BOYD-CANTENAC 2010 ★★

■ 3e cru clas.	42 800	▮ ⅢⅢ	50 à 75 €

⑧² 83 85 86 88 89 90 95 96 97 98 |99| 00 |02| 03 |04| 05 06 07 08 ⑨ 10

Coup de cœur et grappe d'or du Guide l'an dernier pour son magnifique 2009, Lucien Guillemet se hisse à nouveau au sommet avec un 2010 non moins admirable. Comme toujours, l'élégance et l'authenticité sont privilégiées – « les vins résultent plus de la viticulture que de la création œnologique ; plus qu'à la puissance, nous sommes ici attachés à l'équilibre et à la finesse ». Fruit d'un assemblage classique qui privilégie le cabernet-sauvignon (73 %), ce margaux montre d'emblée sa force de séduction par sa robe sombre et profonde et par son bouquet complexe et intense de fruits mûrs, d'épices douces et de toasté léger. Ample, dense et suave, avec un boisé fondu qui respecte parfaitement le vin, le palais se signale par sa finesse et son harmonie, et déploie une très longue finale qui prend son temps sur un lit de tanins serrés et soyeux. Un millésime remarquablement réussi dans un style éminemment margalais, qui méritera un séjour en cave de cinq à dix ans.

☞ SCE Ch. Boyd-Cantenac et Pouget, 11, rte de Jean-Faure, 33460 Cantenac, tél. 05 57 88 90 82, contact@boyd-cantenac.fr, ☑ ⚤ ⵢ r.-v.
☞ Famille Guillemet

CH. BRANE-CANTENAC 2010 ★★

■ 2e cru clas.	150 000	ⅢⅢ	50 à 75 €

82 83 84 85 ⑧⁶ 87 88 89 90 93 94 95 ⑨⁶ 97 98 |99| |00| |03| |04| 05 06 07 08 09 10

Henri Lurton, qui a rendu tout son lustre à ce cru classé, élabore un vin dans l'esprit de l'appellation. Complexe et élégant, le nez dévoile des parfums bien mariés de fruits rouges et d'épices mêlés de toasté. Ample et équilibré, le palais possède juste ce qu'il faut de fraîcheur pour stimuler une matière riche et charnue, tissée de tanins solides mais fins, et dynamiser la finale. Une bouteille très élégante, à attendre cinq à dix ans. On patientera aussi avant d'ouvrir le second vin, le **Baron de Brane 2010 (15 à 20 € ; 150 000 b.)** ; dans un style plus « viril », il est cité.

☞ Société Viticole Henri Lurton, Ch. Brane-Cantenac, 33460 Margaux, tél. 05 57 88 83 33, fax 05 57 88 72 51, contact@brane-cantenac.com, ☑ ⚤ ⵢ r.-v.

BORDELAIS

L'AURA DE CAMBON LA PELOUSE 2010 ★★

| ■ | | 3 600 | ⅢⅠ | 30 à 50 € |

Né sur une petite parcelle cantenacaise jouxtant les vignobles de château Margaux et de Brane-Cantenac, au lieu-dit Bonita, ce vin montre le savoir-faire de Nicolas Marie et de l'équipe du château Cambon La Pelouse (haut-médoc). À un superbe bouquet, fin et complexe, qui mêle harmonieusement les fruits rouges, le cassis, le pruneau et le poivre, s'associe une bouche à la fois ronde et puissante, étayée par des tanins racés et fondus. L'ensemble est des plus harmonieux, soutenu par une belle vivacité qui garantit l'avenir de cette bouteille : on pourra laisser ce millésime en cave une dizaine d'années.

🗝 SCEA Cambon la Pelouse, 5, chem. de Canteloup, 33460 Macau, tél. 05 57 88 40 32, fax 05 57 88 19 12, contact@cambon-la-pelouse.com, ☑ ⚓ ⲧ r.-v.

🗝 Marie

CH. CANTENAC BROWN 2010 ★★

| ■ 3e cru clas. | | 125 000 | ⅢⅠ | 50 à 75 € |
| 82 83 85 86 88 89 ⑨ 91 92 93 94 95 96 97 98 99 |
| 00 02 03 04 05 06 07 08 **09 10** |

Depuis 2006, la famille Halabi et son directeur José Sanfins s'attachent à donner une nouvelle impulsion à ce grand cru classé célèbre pour son château néo-Tudor que fit construire le peintre animalier écossais John Lewis Brown, propriétaire du domaine au XIXᵉs. Après un 2009 remarquable, suit un non moins superbe millésime 2010, année sèche et de fort ensoleillement à l'origine de ce margaux d'un grand équilibre. Un vin au bouquet net et très typé de fruits et d'épices (clou de girofle). L'attaque, franche et soyeuse, ouvre sur un palais ample et tannique enrobé par une chair douce et délicate. Une belle fraîcheur allonge la finale sur des saveurs fruitées et épicées qui font écho à l'olfaction. De la puissance, de l'équilibre et de l'élégance : un vrai margaux qui mérite un séjour en cave d'au moins cinq ans ou six ans. D'un bon volume, suave et finement tannique, le second vin, le **Brio de Cantenac Brown 2010 (20 à 30 € ; 150 000 b.)**, obtient une étoile.

🗝 Ch. Cantenac-Brown, 33460 Cantenac, tél. 05 57 88 81 81, fax 05 57 88 81 90, contact@cantenacbrown.com, ☑ ⚓ ⲧ r.-v.

🗝 Famille S. Halabi

CLOS MARGALAINE 2010 ★

| ■ | | 16 800 | ⅠⅢⅠ | 20 à 30 € |

Issu d'un microcru de 4,5 ha, ce vin a bénéficié de soins attentifs et payants, comme en témoignent sa robe, aussi profonde que brillante, et son bouquet, aussi chaleureux que complexe : fruits noirs et rouges confits, épices, vanille. Cette complexité se retrouve au palais, porté par de beaux tanins gras et veloutés. Un margaux charmeur, pour un plaisir immédiat ou prochain.

🗝 SARL des Grands Crus, 2, rue du Général-de-Gaulle, BP 33, 33460 Margaux, tél. 05 56 58 35 77, fax 05 56 58 14 24, chateau@marojallia.com, ☑ ⚓ ⲧ r.-v.

Margaux

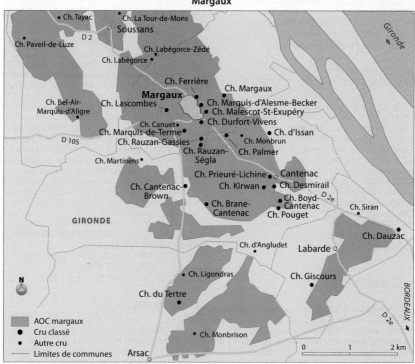

- AOC margaux
- ● Cru classé
- ● Autre cru
- --- Limites de communes

CH. DAUZAC 2010 ★

■ 5e cru clas.	110 000	Ⅲ	30 à 50 €

82 83 85 86 88 89 ⑨⓪ 92 93 95 96 97 98 99 00 |01| |02| 03 |04| 05 06 07 08 09 10

Si l'année 2010 à Dauzac a été marquée par un effort tout particulier porté vers l'accueil et l'œnotourisme, le travail de la vigne et du chai n'a pas eu à en souffrir. Ce vin harmonieux le prouve par son bouquet complexe aux accents de torréfaction, de fruits rouges et d'épices. Ample à l'attaque, le palais se révèle large d'épaule, mais il ne montre pas trop les muscles, enrobé qu'il est par une matière bien fruitée. Un margaux que l'on pourra apprécier aussi bien jeune (deux ou trois ans) que patiné par sept à huit ans de garde.

🔑 SCA Ch. Dauzac, 1, av. Georges-Johnston, 33460 Labarde, tél. 05 57 88 32 10, fax 05 57 88 96 00, chateaudauzac@chateaudauzac.com, ☑ ⚘ ⵏ r.-v.

🔑 MAIF

MAISON DELOR Héritage 1864 2010

■	26 000	▮	15 à 20 €

Intégré au groupe CVBG, la maison Delor est l'une des plus anciennes de la place de Bordeaux, fondée, comme l'indique cette gamme, en 1864. Elle propose ici un vin charmeur par ses arômes fruités (fraise) et grillés. Ample, souple et bien texturé, ce 2010 apportera du plaisir assez rapidement, tout en méritant d'être attendu trois ou quatre ans pour adoucir sa finale encore un peu stricte. Moins élégant mais bien constitué, le **Kressmann Grande Réserve 2010 (20 à 30 €; 10 000 b.)** est cité.

🔑 Maison Delor, 35, rue de Bordeaux-Parempuyre, CS 80004, 33295 Blanquefort Cedex, tél. 05 56 35 53 00, fax 05 56 35 53 29, sandrine.devant@cvbg.com

CH. DESMIRAIL 2010 ★★

■ 3e cru clas.	85 000	ⅢⅢ	30 à 50 €

Depuis 1992 sous la houlette de Denis Lurton, qui a pris le relais de son père Lucien, ce cru ancien (XVIIᵉs.) est en progrès constant. Témoin ce 2010 à la robe si profonde que l'on se perd dans ses reflets violets. Ramassé et intense, dominé par les parfums généreux de fruits mûrs, le bouquet est relayé par une attaque glorieuse que son gras rend très plaisante et qui ouvre sur un palais charnu, boisé avec élégance et solidement bâti. Un margaux déjà plein de charme que l'on serait tenté d'ouvrir dès à présent, mais qui pourra parfaitement affronter une longue garde. Délicat et plaisant, l'**Initial de Desmirail 2010 (15 à 20 €; 45 000 b.)** est cité.

🔑 SCEA Ch. Desmirail, 28, av. de la Vᵉ-République, 33460 Cantenac, tél. 05 57 88 34 33, fax 05 57 88 96 27, contact@desmirail.com, ☑ ⚘ ⵏ r.-v.

🔑 Denis Lurton

CH. DEYREM VALENTIN 2010 ★

■	69 400	ⅢⅢ	20 à 30 €

Si beaucoup de petits crus ont disparu, rachetés par des classés, certains résistent, à l'image de Deyrem Valentin, établi sur 15 ha à Soussans. Son principal atout est la qualité constante de sa production, qu'illustre ce vin issu d'un assemblage diversifié (cabernet-sauvignon à 50 %, merlot, carménère et petit verdot). Le bouquet évoque les fruits confiturés et les épices. Le palais se révèle équilibré entre la rondeur de la chair, des tanins bien en place, une juste vivacité et un boisé fondu. On attendra trois ou quatre ans pour qu'il atteigne sa pleine harmonie.

🔑 Jean Sorge, 1, rue Valentin-Deyrem, 33460 Soussans, tél. 05 57 88 35 70, fax 05 57 88 36 84, contact@chateau-deyrem-valentin.com, ☑ ⚘ ⵏ r.-v.

CH. FERRIÈRE 2010 ★

■ 3e cru clas.	45 000	ⅢⅢ	30 à 50 €

83 84 ⑧⑤ 86 87 88 89 92 93 94 95 96 97 98 99 00 |01| |02| 03 |04| 05 06 07 08 09 10

Confrontée à un millésime au très fort potentiel tannique, l'équipe de Claire Villars-Lurton a agi avec prudence, et avec raison, comme le montre ce vin dont on devine la belle concentration à la seule vue de la robe, d'un pourpre profond. Celle-ci est confirmée par le bouquet, intense et complexe, mariant les fruits rouges, le menthol, les épices et les notes empyreumatiques léguées par dix-huit mois en barrique. Le palais se montre puissant et gras, vivifié jusqu'en finale par une belle fraîcheur. Un margaux harmonieux et riche de promesses, que l'on pourra commencer à ouvrir dans deux ou trois ans et laisser en cave jusqu'à l'horizon 2018-2020. Frais et délicat, le **Ch. la Gurgue 2010 (15 à 20 €; 40 000 b.)** est cité.

🔑 Claire Villars-Lurton, 33 bis, rue de Trémoille, 33460 Margaux, tél. 05 57 88 76 65, fax 05 57 88 98 33, infos@ferriere.com, ⚘ ⵏ r.-v.

CH. GISCOURS 2010 ★★

■ 3e cru clas.	300 000	ⅢⅢ	50 à 75 €

82 83 85 ⑧⑥ 88 89 90 91 93 94 97 98 99 |00| |01| |02| |03| |04| 05 06 07 08 09 10

L'un des plus vastes domaines du Médoc, commandé par un palais néo-classique qui fait de Giscours un modèle d'élégance margalaise dans son architecture, mais aussi en écrou, dans son vin. Premier millésime vinifié avec le concours de Denis Dubourdieu, ce 2010 est issu d'une plus forte proportion de cabernet-sauvignon (71 %) que pour le 2009 - coup de cœur de l'édition précédente -, le merlot (25 %) et une pointe (4 %) de petit verdot faisant l'appoint. Très élégant dans sa présentation, avec une robe cerise burlat et un bouquet aussi concentré que complexe (fleurs, fruits noirs, kirsch et épices), il se développe harmonieusement au palais. Sa matière à la fois fraîche et riche et ses tanins bien présents, fins et enrobés forment un ensemble savoureux et prometteur, souligné par une finale puissante et longue. Un millésime armé pour une décennie. Porté par de solides tanins, le second vin, la **Sirène de Giscours 2010 (20 à 30 €; 150 000 b.)**, est cité.

🔑 SE Ch. Giscours, 10, rte de Giscours, 33460 Labarde, tél. 05 57 97 09 09, fax 05 57 97 09 00, giscours@chateau-giscours.fr, ☑ ⚘ ⵏ r.-v. 🏛 ⑤

CH. DES GRAVIERS 2010

■	42 000	ⅢⅢ	15 à 20 €

Ce petit domaine de 13 ha situé près de l'église d'Arsac, actuellement en conversion bio, présente un vin bien constitué, tant dans son expression aromatique, aux notes de fruits rouges, d'épices et de truffe, que dans sa robuste structure tannique, qui demandera deux ou trois ans pour s'arrondir.

☛ Ch. des Graviers, 52, rue du Gravier, 33460 Arsac, tél. 05 56 58 89 11, fax 05 57 88 20 34, chateau.des.graviers@orange.fr

CH. D'ISSAN 2010 ★

■ 3e cru clas.	106 000	ⅲ	50 à 75 €
82 **83** **85** **86** **88** 89 90 93 94 95 96 98 99 **00** |01|		
02 03 |04| 05 **06** 07 08 09 10			

L'un des domaines les plus charmants de l'appellation avec son manoir du XVIIᵉs. entouré de douves et flanqué de tours. Cette année, les Cruse ont vendu 50 % de leurs actions d'Issan à Jacky Lorenzetti, déjà solidement implanté en Médoc. Cela ne devrait rien changer au vin et ne concerne évidemment pas le 2010, qui se distingue par la complexité de sa palette aromatique, mêlant des notes de fumée, de fruits noirs et d'épices. Bien qu'encore un peu austère en finale, la bouche choisit plutôt le registre de la finesse que celui de la puissance. Un margaux bien typé, qui ne doit rien à la mode et qui ne rendra pas son verdict avant quatre ou cinq ans de garde. Rond, souple, fruité, charmeur, le second vin, le **Blason d'Issan 2010 (20 à 30 € ; 95 000 b.)**, obtient également une étoile. On pourra le consommer plus tôt.

☛ Ch. d'Issan, BP 5, 33460 Cantenac, tél. 05 57 88 35 91, fax 05 57 88 74 24, issan@chateau-issan.com, ☑ ⚊ ⵣ r.-v.

☛ SFV Cantenac

CH. KIRWAN 2010 ★

■ 3e cru clas.	110 000	ⅲ	50 à 75 €
82 83 **85** 86 88 **89** **93** 94 **95** **96** 97 98 **99** |00| 01 02			
|03| |04| **05** **06** **07** 08 09 10			

Commandé par une élégante chartreuse du XIXᵉs. entourée d'un parc de 2 ha aux arbres centenaires, le domaine, établi en haut du plateau de Cantenac, est depuis 1925 la propriété des Schÿler, négociants à Bordeaux depuis 1739, d'origine hanséate. Si Kirwan est un haut-lieu de l'œnotourisme médocain, c'est avant tout à la qualité de ses vins, d'une grande constance, que le domaine doit sa réputation. Sans rivaliser avec certains millésimes antérieurs, dont la superbe série de coups de cœur des 2005, 2006 et 2007, le 2010 tient son rang. D'un beau pourpre soutenu, il développe un bouquet discret, qui dévoile à l'aération des notes de fruits rouges concentrés et de chocolat. Plus expressif, bien ouvert sur le fruit, le palais apparaît souple et chaleureux en attaque, puis monte en puissance, se montrant plus ferme et charpenté. Il devrait s'assouplir avec quatre ou cinq ans de garde.

☛ Ch. Kirwan, 33460 Cantenac, tél. 05 57 88 71 00, fax 05 57 88 77 62, mail@chateau-kirwan.com, ☑ ⚊ ⵣ r.-v.

☛ Famille Schÿler

CH. LABÉGORCE 2010

■	120 000	ⅲ ⅲ	20 à 30 €

Bel édifice néoclassique s'élevant au cœur de son vignoble à la sortie de Margaux vers Pauillac, ce château a fière allure, tout comme la présentation du 2010, d'un seyant grenat. Le bouquet, associant les fruits rouges à une note de xérès et à un fin vanillé, met en confiance. Souple et franc en attaque, le palais s'affirme par une belle structure tannique, encore un peu stricte en finale, qui invite à une garde de quatre ou cinq ans.

☛ SC Ch. Labégorce, 1, rte de Labégorce, 33460 Margaux, tél. 05 57 88 71 32, fax 05 57 88 35 01, mdc@lesvignobleslabegorce.fr,

☑ ⚊ ⵣ t.l.j. sf sam. dim. 9h-12h 13h30-17h

☛ Famille Perrodo

♥ CH. LASCOMBES 2010 ★★★

■ 2e cru clas.	300 000	ⅲ	75 à 100 €
82 83 **85** ⑧⑥ **88** 89 90 95 96 97 98 00 02 03 |04| **05**			
06 07 08 09 ⑩			

CHÂTEAU
LASCOMBES

MARGAUX
GRAND CRU CLASSÉ

2010

Vaste demeure située au cœur du bourg de Margaux, ce château bénéficie d'un atout de poids : son vignoble est particulièrement morcelé, réparti sur une quarantaine de parcelles. Autant de terroirs sur lesquels chaque cépage a trouvé sa juste place (argilo-calcaire pour le merlot, graves pour le cabernet-sauvignon et le petit verdot) – grâce au vaste travail de replantation commencé en 2001 après le rachat du domaine par Colony Capital – et qui confèrent un surcroît de complexité au grand vin. Un avantage que l'équipe de Lascombes, sous la direction de Dominique Befve, a une nouvelle fois su parfaitement exploiter. La robe, d'un magnifique pourpre dense et profond, annonce la couleur. Très puissant et complexe, le bouquet mêle cuir, épices, grillé et fruits rouges mûrs pour composer une approche des plus flatteuses. Plein et frais en attaque, le palais confirme les impressions olfactives, mariage heureux du bois et du fruit. Concentré, riche, vigoureux sans sécheresse, il s'appuie sur des tanins mûrs et gras qui promettent une longue garde et déploie une élégante finale vanillée et veloutée laissant le souvenir d'une exceptionnelle harmonie. Une grande bouteille assurément, qui devra patienter en cave cinq à sept ans au moins et saura tenir bien plus longtemps.

☛ Ch. Lascombes, 1, cours de Verdun, BP 4, 33460 Margaux, tél. 05 57 88 70 66, fax 05 57 88 72 17, visite.lascombes@chateau-lascombes.fr, ☑ ⚊ ⵣ r.-v.

☛ MACSF

CH. MALESCOT SAINT-EXUPÉRY 2010 ★★

■ 3e cru clas.	98 000	ⅲ	75 à 100 €
82 **83** **85** **86** **88** 89 90 94 95 96 |98| 99 |00| |02| |03|			
|04| 05 06 ⑦ **08** ⑨ 10			

Les Zuger, originaires de Suisse, du canton de Zug, ont acquis Malescot en 1955 – du nom de Maître Simon Malescot, conseiller de Louis XIV et propriétaire des lieux à la fin du XVIIᵉs. « Saint-Exupéry » a été accolé plus tard, en 1827, par l'arrière-grand-père du célèbre aviateur, dont le train de vie dispendieux obligea sa veuve à vendre le domaine aux enchères une trentaine d'années plus tard... Un cru auquel les Zuger ont redonné toutes ses lettres de noblesse et qui s'affirme comme l'un des plus réguliers en

BORDELAIS

qualité. Après un 2008 et un 2009 de haut vol, le 2010 tient son rang, dans un style puissant, voire austère. La robe est profonde et dense. Le bouquet exprime d'abord des notes d'élevage (toasté, café), puis s'enrichit d'arômes de fruits bien mûrs, presque confits, qui apportent une sensation de douceur. Une attaque ample introduit un palais bien en chair et robuste, solidement épaulé par les tanins du bois et du raisin qui assurent un avenir confortable (cinq à dix ans) à ce margaux de caractère. Plus souple et soyeux, porté par une bonne matière et une fine acidité, le second vin, la **Dame de Malescot 2010 (20 à 30 € ; 53 900 b.),** obtient une étoile. On pourra le servir plus tôt.

📌 SCEA Ch. Malescot Saint-Exupéry, 33460 Margaux, tél. 05 57 88 97 20, fax 05 57 88 97 21, malescotsaintexupery@malescot.com, ☑ ⚘ ⵊ r.-v.

📌 J.-L. Zuger

M DE MALLERET 2010 ★★

■	15 000	⬛	20 à 30 €

Entré dans le Guide il y a deux ans, ce vin, élaboré par l'équipe du Ch. de Malleret (haut-médoc) à partir d'un petit vignoble intégralement planté de merlot, n'a pas laissé les dégustateurs insensibles ; le coup de cœur n'est pas passé loin... Parfaitement maîtrisé, l'élevage de douze mois en barrique a créé une réelle harmonie entre le bois et le fruit. Élégant, intense et complexe, le bouquet joue ainsi, sans fausse note, sur les fruits rouges, le cuir, les épices, le moka et le grillé. Souple en attaque, ample, concentré, puissant, le palais s'appuie sur des tanins mûrs et soyeux et offre un long retour aromatique épicé et torréfié. La promesse d'une fort belle bouteille à l'horizon 2018-2020.

📌 SCEA Malleret, 33290 Le Pian-Médoc, tél. 05 56 35 05 36, fax 05 56 35 05 38, contact@chateau-malleret.fr, ☑ ⚘ ⵊ r.-v.

♥ CH. MARGAUX 2010 ★★★

■ 1er cru clas.	n.c.	⬛	+ de 100 €

61	70	71	75	78	79	80	81		82		83	84		85			86		87		88	
89| |90|	91	92	|93|	|94|	|95|	|96|	|97|	|98|	|99|	|00|	**01**	**02**	**03**	**04**
	05			06		**07**		08			09			10	

Les conditions climatiques particulières de ce millésime, année très sèche comme 2009, mais plus fraîche, sans températures caniculaires pendant l'été, ont permis de construire le grand vin avec une très forte proportion de cabernet-sauvignon (90 %) laissant peu de place aux merlot (7 %), cabernet franc (1,5 %) et petit verdot (1,5 %). Dès le premier regard, on devine à la profondeur et au velouté de la robe, entre grenat et cerise burlat, que le 2010 sera grand. À l'olfaction, le petit fruit rouge se mêle à la mûre, à la myrtille, au cassis, au cuir de Russie et au graphite pour composer un ensemble aussi complexe que pur. Une pureté aromatique que l'on retrouve en bouche, dès l'attaque, ample et fine. Puis le vin se fait généreux, charnu, puissant mais sans opulence ni ostentation, étayé par des tanins serrés et soyeux, presque crémeux tant ils sont délicats. La finale, longue ligne droite d'une fraîcheur exceptionnelle, signe le millésime et un vin d'un rare équilibre, à la fois solide, énergique et élégant, classique au sens noble du terme, indémodable : la quintessence du cabernet-sauvignon.

📌 SCA du Ch. Margaux, BP 31, 33460 Margaux, tél. 05 57 88 83 83, fax 05 57 88 31 32, chateau-margaux@chateau-margaux.com

PAVILLON ROUGE DU CH. MARGAUX 2010 ★★

■	n.c.	⬛	+ de 100 €

| 82 | 83 | 84 | 85 | 86 | 88 | 89 | 90 | 93 | 95 | 96 | 97 | |98| | |99| | |00| |
| |01| | 02 | **03** | 04 | **05** | **06** | 07 | 08 | **09** | **10** |

En 2010, le Pavillon rouge a fait l'objet d'une sélection particulièrement rigoureuse (38 % de la récolte) et associe 66 % de cabernet-sauvignon, 30 % de merlot et 4 % de petit verdot. Le résultat ? Un vin paré d'une robe étincelante. Largement fruité (cassis, mûre, myrtille) agrémentée d'une touche de pivoine et de merrain frais, le bouquet n'est pas en reste. Quant au palais, frais, fruité et ferme dès l'attaque, il s'adosse à des tanins denses et soyeux enrobés par une chair suave, et s'étire en une belle finale aux accents épicés (cannelle, poivre blanc). Parfaitement équilibré, l'ensemble est de grande classe et donnera tout son potentiel après une garde de sept à dix ans.

📌 SCA du Ch. Margaux, BP 31, 33460 Margaux, tél. 05 57 88 83 83, fax 05 57 88 31 32, chateau-margaux@chateau-margaux.com

CH. MARQUIS D'ALESME 2010 ★★

■ 3e cru clas.	60 000	⬛⬛	30 à 50 €

| 96 | 97 | 99 | 00 | 01 | 03 | |04| | 05 | |07| | 08 | **09** | **10** |

Cru phare des vignobles Perrodo, également propriétaires de Labégorce, ce domaine continue sa progression depuis son rachat en 2006, sous la houlette de Nathalie Perrodo (fille d'Hubert, décédé en 2006) et de Marjolaine de Coninck, directrice générale (ancienne responsable de Fonplégade à Saint-Émilion). Le 2010, d'une belle teinte soutenue, développe un bouquet séveux qui révèle une harmonie remarquable entre les fruits noirs et le boisé vanillé. Une attaque ample ouvre sur un palais complet, gras et charnu, bâti sur une structure à la fois solide et soyeuse qui invite à découvrir cette belle bouteille dans trois ou quatre ans. À noter que le domaine a engagé un grand projet architectural en 2013 pour renouveler l'outil de production et de promotion, et nous donne rendez-vous en 2015...

📌 SC Ch. Labégorce, 1, rte de Labégorce, 33460 Margaux, tél. 05 57 88 71 32, fax 05 57 88 35 01, mdc@lesvignobleslabegorce.fr,
☑ ⚘ ⵊ t.l.j. sf sam. dim. 9h-12h 13h30-17h

📌 Famille Perrodo

♥ CH. MARQUIS DE TERME 2010 ★★

■ 4e cru clas.	110 000	⬛	30 à 50 €

| 82 | |83| | 85 | 86 | 89 | 90 | 93 | 94 | |95| | 96 | 97 | |98| | |99| | |00| | |01| |
| |02| | 03 | 04 | **05** | 06 | **08** | **09** | **10** |

Coup de cœur avec son 2000 d'exception, ce cru, propriété de la famille Sénéclauze depuis 1935, revient sur le devant de la scène avec un 2010 de haut lignage, sous

l'impulsion depuis 2009 d'un nouveau directeur, Ludovic David, ingénieur agronome qui a fait ses armes à Pomerol. Le grand vin assemble 60 % de cabernet-sauvignon, 35 % de merlot et 5 % de petit verdot. S'annonçant par une belle robe grenat, il déploie un bouquet fruité et grillé que rehaussent de subtiles notes épicées. Au palais, son expression aromatique monte en puissance tandis que s'affirme une superbe matière ample, ronde et riche. La finale prend ses aises sur un tapis de tanins denses et soyeux, qui invitent à faire preuve de patience pendant quatre ou cinq ans, ou plus, pour profiter pleinement de l'harmonie de cette bouteille.

☛ Ch. Marquis de Terme, 3, rte de Rauzan,
33460 Margaux, tél. 05 57 88 30 01, fax 05 57 88 32 51,
mdt@chateau-marquis-de-terme.com, ☑ ⚥ ♈ r.-v.

☛ Sénéclauze

GALLEN DE CH. MEYRE 2010

| ■ | 10 000 | ⅠⅠⅠ | 20 à 30 € |

Bien que situé à Avensan (AOC haut-médoc), le château Meyre possède quelques arpents dans l'appellation margaux, où il produit un 2010 joliment paré de grenat. D'une bonne complexité aromatique (fruits mûrs, épices et torréfaction), le vin dévoile un boisé encore sensible mais élégant, ainsi qu'une solide structure tannique, qui invitent à attendre au moins trois ans avant d'ouvrir cette bouteille élaborée avec beaucoup de sérieux.

☛ SAS Ch. Meyre, 16, rte de Castelnau, 33480 Avensan,
tél. 05 56 58 10 77, fax 05 56 58 13 20,
chateau.meyre@wanadoo.fr, ☑ ⚥ ♈ r.-v.

CH. MONBRISON 2010 ★

| ■ | n.c. | ⅠⅠⅠ | 30 à 50 € |

Ce cru arsacais réussit à résister à la double pression de la croissance urbaine et de l'expansionnisme de certains grands crus classés. On ne peut que s'en réjouir en découvrant ce vin à la robe grenat foncé et au bouquet parfaitement épanoui, penchant sur des notes de framboise, de groseille, de poivre blanc et de vanille. Onctueux, charnu, soutenu par des tanins soyeux et un boisé frais et délicat, le palais se révèle bien équilibré. Un margaux dans le ton, que l'on pourra commencer à servir dans deux ou trois ans.

☛ Laurent Vonderheyden, 1, allée de Monbrison,
33460 Arsac, tél. 05 56 58 80 04, fax 05 56 58 85 33,
lvdh33@wanadoo.fr, ☑ ⚥ ♈ r.-v.

CH. MONGRAVEY Cuvée spéciale Mongravey 2010 ★

| ■ | 3 600 | ⅠⅠⅠ | 30 à 50 € |

Microcuvée du Château Mongravey issue d'une sélection de parcelles et produite uniquement dans les meilleurs millésimes – et 2010 fait figure de grande année –, ce vin possède de réels atouts, à commencer par sa robe, d'un rubis brillant. Malgré un élevage luxueux de vingt-quatre mois en barriques neuves provenant de dix tonneliers, le bouquet, élégant, penche du côté des fruits rouges et noirs mûrs, agrémenté tout de même d'une touche toastée ainsi que de nuances florales. Ample et charnu, le palais tient la note fruitée et allie rondeur et finesse, porté par des tanins enrobés. S'il semble déjà fort plaisant, ce margaux gagnera en complexité et en harmonie avec deux ans de garde.

☛ SCEA Mongravey, 8, av. Jean-Luc-Vonderheyden,
33460 Arsac, tél. 05 56 58 54 51, fax 05 56 58 83 39,
chateau.mongravey@wanadoo.fr, ☑ ⚥ ♈ r.-v. ⌂ Ⓔ

☛ Bernaleau

CH. MOUTTE BLANC 2010 ★★

| ■ | 2 600 | ⅠⅠⅠ | 20 à 30 € |

Déjà présent dans le Guide avec son bordeaux supérieur et son haut-médoc, ce cru fait son entrée dans ce chapitre avec cette microcuvée 100 % merlot, dont le premier millésime date de 2007, date du classement en margaux de la petite parcelle de 40 ares qui l'a vue naître. C'est son fruité « explosif » qui a emporté l'adhésion. De fait, le bouquet livre sans réserve des parfums intenses de fruits noirs et rouges bien mûrs, le boisé restant sagement en retrait. Il en va de même, et plus encore, de la bouche, véritable friandise aux accents de fruits compotés, épaulée par des tanins souples et fondus et par un boisé tout aussi discret que celui perçu à l'olfaction. Un margaux charmeur en diable, que l'on pourra boire... sur son fruit, mais qui saura aussi affronter une garde de trois ou quatre ans.

☛ Patrice de Bortoli, Ch. Moutte Blanc,
6, imp. de la Libération, 33460 Macau,
tél. et fax 05 57 88 40 39, moutteblanc@wanadoo.fr,
☑ ⚥ ♈ r.-v.

♥ CH. PALMER 2010 ★★★

| ■ 3e cru clas. | n.c. | ⅠⅠⅠ | + de 100 € |

82 83 84 85 ⑧⑥ 88 89 90 91 92 93 94 |95| 96 97 98
|99| |00| |01| |02| |03| |04| 05 06 07 08 09 ⑩

L'histoire, certainement quelque peu enjolivée, veut que Charles Palmer (1777-1851), major général de l'armée britannique connu autant pour ses conquêtes militaires que féminines, ait, lors d'un voyage en France en 1814, succombé au charme d'une jeune veuve, Marie de Gascq, cherchant preneur pour sa propriété médocaine... Palmer était né et allait s'étendre jusqu'à 82 ha grâce aux acquisitions du général (55 ha aujourd'hui). Depuis 1938, le domaine appartient à quatre familles bordelaises, les

Mähler-Besse, Sichel, Mialhe et Ginestet, qui en 2004 ont confié la gestion à Thomas Duroux. Officiellement 3ᵉ cru classé, Palmer est généralement considéré comme un « super-second ». On comprend pourquoi en découvrant le grand vin 2010. À l'intensité de sa robe cerise noire moirée de reflets brillants répond celle du bouquet, expressif et complexe, qui mêle dans un parfait équilibre les fruits rouges et noirs (cassis, mûre, cerise) aux épices douces et à de subtiles notes boisées. Après une attaque souple et ronde, le palais se développe avec autant d'harmonie. Une chair suave et veloutée enrobe des tanins d'une rare finesse, et la finale, magistrale et fraîche, offre un superbe retour fruité mâtiné de réglisse. De la puissance et du relief. À mettre en bonne place dans sa cave pour les dix ou quinze ans à venir. Sans chercher à rivaliser avec lui, l'**Alter Ego 2010 (50 à 75 €)** est un second vin de belle facture, souple, tendre, boisé avec mesure et bien fruité. Il obtient une étoile.

🍷 Ch. Palmer, lieu-dit Issan, 33460 Cantenac, tél. 05 57 88 72 72, fax 05 57 88 37 16, chateau-palmer@chateau-palmer.com, ☑ ⚘ ⵣ r.-v.

CH. PONTAC-LYNCH Quintessence 2010 ★★

| ■ | 3 000 | ⏸ | 30 à 50 € |

Cuvée haut de gamme de ce domaine ancien, ce vin est issu d'une sélection parcellaire dominée par le cabernet-sauvignon. Délicatement fruité et boisé sans excès, le bouquet offre une belle entrée en matière. Le palais ne déçoit pas : ferme, « musclé » sans raideur, charnu et équilibré, boisé sans excès. Un margaux au caractère affirmé, qu'il faudra laisser mûrir sagement pendant quelques années (la décennie ne lui fera pas peur). Plus modeste mais élégante et racée, la cuvée principale **Ch. Pontac Lynch 2010 (20 à 30 € ; 40 600 b.)** obtient une étoile.

🍷 Ch. Pontac-Lynch, 28, rte du Port-d'Issan, 33460 Cantenac, tél. 05 57 88 30 04, fax 09 70 63 02 04, chateau-pontac-lynch@orange.fr, ☑ ⚘ ⵣ r.-v.

🍷 M.-C Bondon

CH. POUGET 2010 ★

■ 4e cru clas.	n.c.	⏸⏸	30 à 50 €
85 86 88 89 **90** 92 94 95 96 97 98	99	00	01		02	
03		04		05	06		07	08 09 10			

Propriété de Lucien Guillemet (Boyd-Cantenac), ce cru classé propose un 2010 qui s'inscrit pleinement dans l'esprit margaux. Par la finesse de son bouquet, tourné vers le toasté et les épices. Par le côté éminemment charmeur de son palais, rond, charnu, boisé avec mesure et soutenu sur des tanins « en dentelle », ce qui ne veut pas dire légers. Ce vin a suffisamment de coffre pour être maintenu en cave jusqu'à l'horizon 2020, mais l'on pourra commencer à l'apprécier dans trois ou quatre ans.

🍷 SCE Ch. Boyd-Cantenac et Pouget, 11, rte de Jean-Faure, 33460 Cantenac, tél. 05 57 88 90 82, contact@boyd-cantenac.fr, ☑ ⚘ ⵣ r.-v.

🍷 Famille Guillemet

CH. PRIEURÉ-LICHINE 2010 ★

■ 4e cru clas.	128 000	⏸⏸	50 à 75 €
82 83 86 88 89 90 92 93 96 97 ⑨⑧ 99 00 01 02			
03	04	05 06	07	08 09 10			

Fondé par les moines de l'abbaye de Vertheuil, l'ancien prieuré de Saint-Didier de Cantenac, qui produisait déjà du vin de belle réputation à ses origines, fut acquis par le « pape du vin » Alexis Lichine en 1951 ; était né Prieuré-Lichine, depuis 1999 dans le giron du groupe Ballande. Bien que situé au cœur du plateau de Cantenac-Margaux, ce cru signe un 2010 « plus typé saint-estèphe que margaux », selon les dégustateurs. De fait, après un élégant bouquet de fruits rouges mûrs rehaussé d'épices, on découvre un vin bâti sur une très solide charpente tannique qui demande à s'assouplir (au moins cinq ou six ans).

🍷 Ch. Prieuré-Lichine, 34, av. de la Vᵉ-République, 33460 Cantenac, tél. 05 57 88 36 28, fax 05 57 88 78 93, contact@prieure-lichine.fr, ☑ ⚘ ⵣ r.-v.

🍷 Ballande

CH. RAUZAN-GASSIES 2010 ★★

■ 2e cru clas.	80 000	⏸⏸	30 à 50 €
93 94 96 **97** 98 99 **00 01** 02 03 05 06 07 08 09			
10			

Ancien fief de la seigneurie de l'actuel château Margaux, la maison noble de Gassies fut acquise par Pierre de Rauzan au XVIIᵉs. et propriété de ses héritiers jusqu'à la Révolution, où le domaine fut scindé en deux : Rauzan-Ségla et Rauzan-Gassies. Ce dernier, dans le giron de la famille Quié depuis 1946, propose un 2010 remarquable, qui s'annonce par une robe dense, d'un beau pourpre profond. Le nez dévoile des parfums intenses de fruits (groseille, framboise) agrémentés d'un « boisé pertinent », aux tonalités torréfiées et grillées. Souple en attaque, la bouche monte rapidement en puissance, étayée par des tanins vigoureux mais jamais agressifs, accompagnés par un beau boisé, avec un point d'orgue une longue finale épicée. L'ensemble est solide, élégant, harmonieux et bâti pour une décennie.

🍷 Ch. Rauzan-Gassies, rue Alexis-Millardet, 33460 Margaux, tél. 05 57 88 71 88, fax 05 57 88 37 49, rauzangassies@domaines-quie.com, ☑ ⚘ ⵣ r.-v.

🍷 Jean-Michel Quié

CH. RAUZAN-SÉGLA 2010 ★★

■ 2e cru clas.	120 000	⏸⏸	+ de 100 €
82 **83** 85 ⑧⑥ **88** 89 90 91 **92** 93 94 95 ⑨⑥ **97** ⑨⑧ 99			
⑩⓪ **01 02** |03| 04 **05 06 07 08 09 10**			

Né au milieu du XVIIᵉs., ce cru est l'un des plus anciens de l'appellation. Son château actuel date de 1903, construit par son propriétaire de l'époque, Frédéric Cruse. Quelque peu endormi au cours du XXᵉs., le domaine s'est réveillé avec l'arrivée aux commandes en 1994 de la famille Wertheimer (maison Chanel), qui entreprit force travaux au château et au parc, mais aussi et surtout à la vigne et au chai. Depuis, Rauzan-Ségla, sous la direction de John Kolasa et de son maître de chai Henri de Ruffray, brille par sa constance, que ne dément pas le 2010. Le style du cru, fondé sur un savant mariage de la force et de l'élégance (avec un penchant pour le second trait de caractère), est respecté de bout en bout. Par la robe, d'un somptueux pourpre profond, comme par le bouquet, d'abord discret, qui s'ouvre progressivement sur des notes fruitées accompagnées d'un fin boisé aux accents grillés. Riche, dense, puissante et longue, la bouche ne laisse planer aucun doute sur l'avenir de cette bouteille déjà très harmonieuse, à attendre au moins cinq ou six ans et armée pour une bien plus longue garde. On patientera en ouvrant le **Ségla 2010 (20 à 30 € ; 150 000 b.)**, second vin du cru. Du même style que le grand vin, mais avec un peu moins de finesse et de chair, il obtient une étoile.

🔑 Ch. Rauzan-Ségla, rue Alexis-Millardet, BP 56, 33460 Margaux, tél. 05 57 88 82 10, fax 05 57 88 34 54, contact@rauzan-segla.com, ☑ ⚲ ⵖ r.-v.

🔑 Maison Chanel

CH. SIRAN 2010 ★

■ 66 000 ⅡⅠ 30 à 50 €

Propriété de la famille Miailhe depuis 1859 – le cru fut acheté au comte de Toulouse-Lautrec, grand-père du célèbre peintre –, Siran, implanté sur le plateau de Labarde, est « cerné » de crus classés. Son terroir de grande qualité lui aurait sans doute valu d'intégrer le fameux classement de 1855 si les Miailhe étaient arrivés plus tôt... De fait, les vins sont ici souvent au rendez-vous. Et si le domaine a investi dans l'œnotourisme (visites, dégustations, location de salles, gîte), il ne néglige pas pour autant l'essentiel, à savoir l'élaboration d'un vin de qualité. Ce 2010 en apporte la preuve par son bouquet discret mais élégant de vanille, de grillé, de framboise et de cassis, et par son palais, ample, dense, épicé et fruité, soutenu par des tanins souples et fins. Un margaux équilibré, à attendre au moins deux ou trois ans.

🔑 SC Ch. Siran, 13, av. Comte-J.-B.-de-Lynch, 33460 Labarde, tél. 05 57 88 34 04, fax 05 57 88 70 05, info@chateausiran.com, ☑ ⚲ ⵖ r.-v. 🏠 E

CH. TAYAC 2010 ★

■ 90 000 ⅡⅠ 20 à 30 €

Anciennement rattaché au château Desmirail, le cru date de 1891 et s'étend aujourd'hui sur 37 ha complantés de cabernet-sauvignon (50 %), de merlot (40 %) et de petit verdot. Y naît un 2010 d'une belle intensité colorante, dans les tons rubis, ouvert sans réserve sur les fruits rouges et noirs mûrs et la réglisse. Le palais se révèle ample, tendre et charnu, équilibré entre le fruit, les tanins, assez présents mais courtois, et le bois, bien ajusté. Voilà qui invite à ouvrir cette bouteille tant dans sa jeunesse (deux ou trois ans) que plus âgée.

🔑 SC Ch. Tayac, 5, rue des Chais, Tayac, 33460 Soussans, tél. 05 57 88 33 06, fax 05 57 88 36 06, chateau.tayac@wanadoo.fr, ☑ ⚲ ⵖ t.l.j. sf sam. dim. 10h-12h30 14h-17h30

CH. DU TERTRE 2010

■ 5e cru clas. 139 000 Ⅰ ⅡⅠ 30 à 50 €

Ce domaine, propriété comme Giscours d'Eric Albada-Jelgersma, étend ses 52 ha de vignes d'un seul tenant sur la commune d'Arsac, dont il est le seul cru classé. Premier millésime élaboré avec le concours de Denis Dubourdieu, ce 2010 se livre avec retenue à l'olfaction, s'ouvrant après aération sur les fruits rouges et noirs accompagnés d'un léger vanillé. On retrouve ces sensations aromatiques dans une bouche franche en attaque, souple et fine, qui intègre harmonieusement un bois bien dosé. À ouvrir à partir de 2015.

🔑 Ch. du Tertre, av. du Ligondras, 33460 Arsac, tél. 05 57 88 52 52, fax 05 57 88 52 51, receptif@chateaudutertre.fr, ☑ ⚲ ⵖ r.-v. 🏠 5

Moulis-en-médoc

Superficie : 630 ha
Production : 23 830 hl

Ruban de 12 km de long sur 300 à 400 m de large, moulis est la moins étendue des appellations communales du Médoc. Elle offre pourtant une large palette de terroirs.

Comme à Listrac, ceux-ci forment trois ensembles. À l'ouest, près de la route de Bordeaux à Soulac, le secteur de Bouqueyran présente une topographie variée, avec une crête calcaire et un versant de graves anciennes (pyrénéennes). Au centre, une plaine argilo-calcaire prolonge celle de Peyrelebade (voir listrac-médoc). Enfin, à l'est et au nord-est, près de la voie ferrée, se développent des croupes de graves du Günz (graves garonnaises) qui constituent un terroir de choix. C'est dans ce dernier secteur que se trouvent les buttes réputées de Grand-Poujeaux, Maucaillou et Médrac.

Charnus, les moulis se caractérisent par leur caractère suave et délicat. Tout en étant de garde (sept à huit ans), ils peuvent s'épanouir un peu plus rapidement que les vins des autres appellations communales.

CH. BOUQUEYRAN 2010

■ 22 000 ⅡⅠ 11 à 15 €

Un nom fleurant bon le Sud-Ouest pour ce vin signé Philippe Porcheron, propriétaire depuis 1995 de ce cru de 15 ha. Ce moulis se présente dans une belle robe grenat foncé. Déjà expressif et concentré, son bouquet associe le fruit noir à la vanille. Le palais joue sur des notes ensoleillées de fruits très mûrs, épaulé par des tanins bien présents et par une finale vive. Un ensemble harmonieux, que l'on pourra garder en cave durant les quatre ou cinq prochaines années.

🔑 SARL des Grands Crus, 2, rue du Général-de-Gaulle, BP 33, 33460 Margaux, tél. 05 56 58 35 77, fax 05 56 58 14 24, chateau@marojallia.com, ☑ ⚲ ⵖ r.-v.

🔑 Philippe Porcheron

CH. BRANAS GRAND POUJEAUX 2010 ★★

■ 50 000 ⅡⅠ 30 à 50 €

02 03 04 (05) |**06**| 07 **08** (09) **10**

Élu coup de cœur l'an dernier, ce cru régulier en qualité, confortablement établi sur 12 ha entre les prestigieux châteaux Chasse-Spleen et Poujeaux, signe une nouvelle fois un vin remarquable. Sa robe, magistrale, est d'un beau rubis profond. Son bouquet riche et complexe dévoile un fruit très mûr sur un fond grillé. Le palais offre beaucoup de volume et de densité, de la douceur aussi, et un équilibre entre les tanins du bois et ceux du raisin. La finale, élégante, persistante et serrée, est celle d'un vin de garde, à attendre cinq ans ou plus. Charnu, ample et porté par de fins tanins, le second vin, **Les Éclats de Branas 2010 (20 à 30 € ; 25 000 b.)**, obtient une étoile. On pourra le remiser lui aussi quatre ou cinq ans en cave.

●┐ Ch. Branas Grand Poujeaux, Grand-Poujeaux,
33480 Moulis-en-Médoc, tél. 05 56 58 93 30,
fax 05 56 58 08 62, contact@branasgrandpoujeaux.com,
⚘ ⏱ r.-v.

●┐ Vignobles Onclin

CH. CHASSE-SPLEEN 2010 ★★

■		400 000	⬛	20 à 30 €

82	⑧③	85	86	88	89	90	91	92	93	94	95	96	97	98	99
00	01	02	03	04	05	06	07	08	09	10					

En 1863, le peintre Odilon Redon, qui illustrait *Les Fleurs du mal* de Baudelaire, suggéra le nom de Chasse-Spleen au propriétaire du cru. Depuis, la magie de ce nom n'a jamais cessé d'opérer. Mais la renommée du cru tient aussi (surtout) à la qualité des vins, que le 2010 ne dément pas. Un moulis de haut rang, dont le bouquet expressif et complexe, sur le grillé, la torréfaction et les fruits mûrs, ouvre la voie à un palais épanoui, ample, riche et généreux. Des tanins soyeux et fondus, et un boisé luxueux concourent à l'harmonie de cette bouteille de bonne garde, à conserver cinq à huit ans avant d'en apprécier tout le potentiel.

●┐ Ch. Chasse-Spleen, 32, chem. de la Raze,
33480 Moulis-en-Médoc, tél. 05 56 58 02 37,
fax 05 57 88 84 40, info@chasse-spleen.com, ☑ ⚘ ⏱ r.-v.

●┐ Céline Villars-Foubet

CH. CHEMIN ROYAL 2010

■		34 000	▮⬛	15 à 20 €

Du même producteur que les châteaux Fonréaud et Lestage (listrac-médoc), ce cru s'était rappelé à notre bon souvenir l'an dernier, en décrochant deux étoiles pour son 2009. Le 2010, moins ambitieux, a quelques bons arguments à faire valoir, à commencer par un bouquet intense de fruits rouges (griotte) et d'épices accompagnés d'une pointe animale. Le palais se révèle riche et charnu, étayé par une belle fraîcheur et par des tanins fermes qui lui confèrent puissance et volume. Deux à cinq ans de garde sont à prévoir. Également proposé par la famille Chanfreau, le **Ch. Caroline 2010 (36 000 b.)** souple, rond et épicé, est cité. Il pourra s'apprécier un peu plus tôt.

●┐ SC Ch. Fonréaud, 33480 Listrac-Médoc,
tél. 05 56 58 02 43, fax 05 56 58 04 33,
contact@vignobles-chanfreau.com,
☑ ⚘ ⏱ t.l.j. 9h-12h 14h-17h; sam. dim. sur r.-v.

●┐ Famille Chanfreau

CH. DUTRUCH GRAND POUJEAUX 2010

■		120 000	▮⬛	15 à 20 €

Situé sur la croupe de Grand-Poujeaux, ce cru de 30 ha bénéficie d'un terroir de graves garonnaises de qualité, à l'origine de vins régulièrement sélectionnés dans ces pages. Il tient son rang avec le 2010 qui, s'il reste discret dans son expression aromatique, se montre élégant au palais, offrant une rondeur avenante, du fruit et un boisé bien fondu, le tout soutenu par des tanins fermes sans dureté. Une bouteille harmonieuse, à boire ou à attendre deux ou trois ans.

●┐ EARL François Cordonnier, Ch. Dutruch Grand Poujeaux,
10, rue de la Forge, 33480 Moulis-en-Médoc,
tél. 05 56 58 02 55, fax 05 56 58 06 22,
contact@chateaudutruch.com, ☑ ⚘ ⏱ r.-v.

CH. GRANINS GRAND POUJEAUX 2010 ★

■		33 000	⬛	11 à 15 €

Ce cru de 13 ha est conduit depuis 1993 par Marilyne Batailley, petite-fille du fondateur, Édouard Batailley, et par son mari Pascal Bodin. Si dans ce millésime la parité merlot-cabernet est strictement respectée (avec 45 % chacun), le petit verdot entre en jeu à hauteur de 10 %. Il en résulte un vin au bouquet élégant, qui s'ouvre peu à peu sur de fines notes de fruits rouges et d'épices. Souple et ronde en attaque, la bouche évolue ensuite vers plus de fermeté, portée par une solide charpente et par un boisé encore dominateur. On attendra deux ou trois ans que l'ensemble s'harmonise.

●┐ SCEA Granins Grand Poujeaux,
18, chem. de l'Ancienne-École, Grand-Poujeaux,
33480 Moulis-en-Médoc, tél. 05 56 58 05 82,
fax 05 47 25 93 61, contact@chateau-granins.fr,
☑ ⚘ ⏱ t.l.j. 9h-12h 14h-19h; sam. dim. sur r.-v.

CH. LESTAGE-DARQUIER Grand Poujeaux 2010

■		37 000	⬛	11 à 15 €

Brigitte et François Bernard sont les héritiers d'une famille vigneronne ancienne, établie sur les terres de Moulis depuis le début du XIX^e^s. Ils proposent un 2010 au bouquet agréable et fin de fruits noirs mâtinés du vanillé et du toasté de la barrique, lequel précède un palais souple et rond, un peu plus austère en finale. Cette bouteille équilibrée pourra être attendue deux ou trois ans pour permettre aux tanins de s'arrondir.

●┐ EARL Bernard, 42, chem. de Giron, Grand-Poujeaux,
33480 Moulis-en-Médoc, tél. 05 56 58 18 16,
fax 05 56 58 38 42, lestage.darquier@orange.fr, ☑ ⚘ ⏱ r.-v.

CH. LA MOULINE 2010 ★

■		80 000	▮⬛	15 à 20 €

De 4 ha 70 ares et 37 centiares en 1920, année de l'achat du domaine au vicomte de Courcelles par Ismaël Lasserre (dont les descendants sont toujours aux commandes), le vignoble est passé aujourd'hui à 22 ha, répartis sur la pente sud de deux croupes, l'une argilo-calcaire, l'autre à base de graves pyrénéennes. Jouant la carte de la souplesse et de la finesse, ce 2010 se montre charmeur, tant par ses arômes fruités soutenus par un bois finement dosé que par son palais rond et charnu aux tanins lisses et soyeux, qui autorisent une dégustation dès la sortie du Guide mais aussi une garde de trois à cinq ans. Des mêmes propriétaires, le **Dom. de Lagorce de la Mouline 2010 (8 à 11 €)**, ample et bien structuré, est cité.

●┐ SARL JLC Coubris, 90, rue Marcelin-Jourdan,
33200 Bordeaux, tél. 05 56 17 13 17, fax 05 56 17 13 18,
cedric.coubris@chateaulamouline.com,
☑ ⚘ ⏱ t.l.j. sf sam. dim. 8h-12h30 13h-16h; f. août

CH. MYON DE L'ENCLOS 2010

■		24 000	⬛	11 à 15 €

Principalement producteur à Listrac, Bernard Lartigue possède aussi des vignobles dans l'appellation « sœur » de Moulis. Il signe ici un 2010 quelque peu austère, qui devrait cependant donner une bouteille agréable dans deux ou trois ans si l'on en juge par sa couleur grenat intense aux reflets violines de jeunesse, par son bouquet de fruits mûrs et par sa bonne structure tannique que soutient un boisé de qualité.

🕊 Bernard Lartigue, 7, rte du Mayne, 33480 Listrac-Médoc,
tél. 05 56 58 27 63, blartigue2@wanadoo.fr,
☑ ⚘ ⟙ t.l.j. sf sam. dim. 9h-12h30 14h-17h30 🏛 🆂

CH. PEY BERLAND 2010 ★

| ■ | n.c. | ⬛ | 20 à 30 € |

Baptisé du nom d'un célèbre archevêque de Bordeaux du XVᵉ s., ce vin issu à 99 % de merlot flatte l'œil par sa couleur bordeaux vif. S'ouvrant sur de plaisantes notes fruitées, le bouquet fait ensuite la part belle au toasté du merrain. Rond, souple, généreusement fruité et épicé, le palais est étoffé par des tanins fins et « civilisés », qui promettent une fort jolie bouteille d'ici trois ou quatre ans.

🕊 SCEA Letournesol, 5, rte de la Fontaine,
33480 Moulis-en-Médoc, tél. 06 05 22 45 61, t.lefevre@live.fr,
☑ ⚘ ⟙ r.-v.

🕊 Charpentier

CH. POMEYS 2010 ★★

| ■ | 30 000 | ⬛ | 11 à 15 € |

Souvent représenté dans le Guide avec le Ch. Lalaudey (élu coup de cœur dans le millésime 2007), ce bel ensemble de crus l'est pour la première fois avec son Ch. Pomeys, un domaine de notoriété ancienne qui, de successions en reventes, est tombé dans l'escarcelle de Patrick Meynard en 2008, propriétaire de Lalaudey depuis 2007. Très réussi, ce 2010 mi-merlot mi-cabernet indique clairement sa jeunesse par la frange violine de sa robe. Des parfums soutenus de fruits rouges, de vanille, de toasté et de poivre composent un bouquet élégant et fort engageant. La bouche, intensément fruitée et boisée avec justesse, confirme les charmes de l'olfaction et dévoile une matière charnue, ronde et suave, étayée par des tanins à la fois serrés et soyeux. Du « moulis dans le texte », et la promesse d'une bien jolie bouteille dans trois ou quatre ans. Par ailleurs, le **Ch. Lalaudey 2010 (65 000 b.),** plus austère et boisé, est cité.

🕊 SCEA Vignobles Lalaudey et Pomeys, rte de Pomeys,
33480 Moulis-en-Médoc, tél. 05 57 88 57 57,
fax 05 56 58 06 00, lalaudey@chateau-lalaudey.fr,
☑ ⚘ ⟙ t.l.j. 9h30-17h30

💚 CH. POUJEAUX 2010 ★★

| ■ | 300 000 | 🍷⬛ | 30 à 50 € |

82 83 85 ⑧⑥ 87 88 89 90 93 94 95 96 97 |98| 99 |00|
|01| |02| |03| 04 05 06 07 08 09 10

Situé sur le très beau terroir de graves de Grand-Poujeaux, ce cru figure parmi les plus réputés du Médoc. Ancienne seigneurie dépendante de Latour Saint-Maubert, futur Château Latour, il fut durant la seconde moitié du XXᵉ s. propriété de la famille Theil, qui unifia le

vignoble – aujourd'hui 68 ha d'un seul tenant plantés à parts quasi égales de cabernet-sauvignon et de merlot (les petit verdot et cabernet franc ne représentant que 7 %) – et porta le domaine au firmament de l'appellation. Depuis 2008, il appartient à Philippe Cuvelier et à son fils Matthieu, également propriétaires du Clos Fourtet, 1ᵉʳ grand cru classé de saint-émilion. Une fois encore, il justifie sa renommée avec un 2010 admirable. À l'intensité et à l'élégance de la robe d'un beau grenat vif répondent celles d'un bouquet tout aussi séduisant avec ses parfums de fruits mûrs, de toasté et d'épices agrémentés de nuances florales. Bâtie sur un noble boisé et des tanins musclés, sans dureté, la bouche se révèle puissante et robuste, tout en conservant une réelle élégance et un équilibre remarquable. Un authentique grand vin de garde, qu'il serait dommage de servir avant au moins quatre ou cinq ans.

🕊 Philippe Cuvelier, SCEA Ch. Poujeaux,
33480 Moulis-en-Médoc, tél. 05 56 58 02 96,
fax 05 56 58 01 25, contact@chateau-poujeaux.com,
☑ ⚘ ⟙ r.-v.

Pauillac

Superficie : 1 215 ha
Production : 53 215 hl

À peine plus peuplé qu'un gros bourg rural, Pauillac est une vraie petite ville, agrémentée d'un port de plaisance sur la route du canal du Midi. C'est un endroit où il fait bon déguster, à la terrasse des cafés sur les quais, les crevettes fraîchement pêchées dans l'estuaire. C'est aussi, et surtout, la capitale du Médoc viticole, tant par sa situation géographique au centre du vignoble, que par la présence de trois 1ᵉʳˢ crus classés (Lafite, Latour et Mouton) complétés par une liste assez impressionnante de quinze autres crus classés. La commune compte aussi une coopérative qui assure une production importante.

L'aire d'appellation est coupée en deux en son centre par le chenal du Gahet, petit ruisseau séparant les deux plateaux qui portent le vignoble. Celui du nord, qui doit son nom au hameau de Pouyalet, se distingue par une altitude légèrement plus élevée (une trentaine de mètres) et par des pentes plus marquées.

Détenant le privilège de posséder deux 1ᵉʳˢ crus classés (Lafite et Mouton), il se caractérise par une parfaite adéquation entre sol et sous-sol, que l'on retrouve aussi dans le plateau de Saint-Lambert, au sud du Gahet. Ce dernier bénéficie de la proximité du vallon du Juillac, petit ruisseau marquant la limite méridionale de la commune, qui assure un bon drainage, et de ses graves de grosse taille, particulièrement remarquables sur le terroir du 1ᵉʳ cru de ce secteur, Château Latour.

Provenant de croupes graveleuses très pures, les pauillac allient la puissance et la charpente à l'élégance et à la délicatesse de leur bouquet. Comme ils évoluent très heureusement au vieillissement (jusqu'à vingt-cinq ans), il convient de les attendre. De tels vins peuvent affronter des plats forts en goût tels que le gibier, les viandes rouges, les préparations de champignons ou le foie gras.

CH. D'ARMAILHAC 2010 ★★

■ 5e cru clas.	n.c.	❚❚❚	50 à 75 €
82 83 84 85	86	87 88 89 90 92 93 94	95	96 97 98			
	99		00		01	02 03 04 **05** 06 07 08 **09 10**			

S'il a souvent changé de nom (Mouton d'Armailhac, Baron Philippe...), ce cru, acquis par Philippe de Rothschild dans les années 1930, reste régulier en qualité. Témoin ce 2010, typé et complet. Nos dégustateurs ont particulièrement apprécié ses arômes gourmands de fruits bien mûrs, de confiture (cerise noire) et de réglisse. Le palais montre une fort belle tenue : rond en attaque, il allie une puissance contenue, sans dureté, à un fruit persistant. La maturité se traduit tout au long de la dégustation par un côté onctueux, voire crémeux, qui se conjugue avec une trame tannique dense : on a affaire à un vin de garde de grande classe, à laisser vieillir au moins cinq à huit ans.
☎ Baron Philippe de Rothschild, 10, rue de Grassi, 33250 Pauillac, tél. 05 56 73 20 20, fax 05 56 73 20 44, webmaster@bpdr.com

CH. BATAILLEY 2010

■ 5e cru clas.	240 000	❚❚❚	50 à 75 €
82 83 85 86 88 89 90 92 93 95	96	97 98	99		00				
	01		02	03 04 **05** 06 07 08 09 10			

Médocains depuis le XVIe s., les Castéja restent toujours fidèles à Pauillac, même s'ils possèdent des fleurons en Libournais. S'il n'entend pas rivaliser avec certains millésimes antérieurs comme le 2005, le 2010 montre sa prestance dès le bouquet en conciliant élégance et puissance. Dominé pour l'heure par des notes d'élevage toastées et torréfiées évoquant le café grillé, le nez laisse percer des notes de fruits rouges et de violette. Rond et charpenté, le palais est, lui aussi, très distingué et d'une bonne complexité aromatique, sur le cassis, la vanille et le boisé. Une bouteille à attendre cinq à sept ans.
☎ Héritiers Castéja, 33250 Pauillac, tél. 05 56 00 00 70, fax 05 57 87 48 61, domaines@borie-manoux.fr, ▼ ★ ▼ r.-v.

CH. BELLEGRAVE 2010 ★

■	20 000	❚❚❚	20 à 30 €

Bien connus dans la vallée du Rhône, les Meffre ont pris pied en Médoc dans les années 1950, et ont acheté en 1998 ce cru situé au sud de l'appellation, non loin des châteaux Latour, Pichon Comtesse et Pichon Baron. Aux commandes, Ludovic et Julien Meffre ont su parfaitement exploiter la matière de leur vendange. Leur vin s'annonce par une robe presque noire. Au bouquet, les arômes intenses du bois (toast) sont bien mariés aux parfums de fruits qui s'affirment en bouche. La structure est riche sans être rustique. La pointe de sévérité en finale s'estompera avec l'âge. Ce vin très bien constitué mérite d'être attendu trois à cinq ans.

☎ Ch. Bellegrave, 22, rte des Châteaux, 33250 Pauillac, tél. 05 56 59 05 53, fax 05 56 59 06 51, contact@chateau-bellegrave.com, ▼ ★ ▼ r.-v.

CH. CLERC MILON 2010 ★★

■ 5e cru clas.	n.c.	❚❚❚	75 à 100 €
82 83 85 86 87 88 89 90 92 93 94	95		96	97 98			
	99	**00**	01	**02** 03 04 05 06 07 **08 09 10**			

Ancienne possession de Lafite, ce cru fut acquis à la Révolution par une famille Clerc qui ajouta à son nom celui d'un hameau de Pauillac. Il a été acheté par Philippe de Rothschild en 1970. Il suffit de rappeler que ce cru regarde Lafite et l'estuaire pour signifier que ce vignoble possède un terroir de choix. En outre, il est équipé d'un nouveau chai depuis 2011. Rien d'étonnant à y voir naître un très joli vin, qui comprend moins de cabernet-sauvignon que Mouton-Rothschild (50 %, complété par du merlot, du cabernet franc, et même un soupçon de petit verdot et de carménère). Ce 2010 réussit à surprendre par le caractère enjôleur de son bouquet, aux notes de fruits frais bien mûrs (cerise). Ronde et déjà aimable, la structure reste dans le même esprit avec des tanins d'une grande élégance. La superbe finale est croquante à souhait. Il serait toutefois fort dommage de ne pas attendre quatre ou cinq ans cette bouteille de belle garde.
☎ Baron Philippe de Rothschild, 10, rue de Grassi, 33250 Pauillac, tél. 05 56 73 20 20, fax 05 56 73 20 44, webmaster@bpdr.com

CH. CORDEILLAN-BAGES 2010 ★

■	n.c.	❚❚❚	75 à 100 €

S'il est surtout connu pour son restaurant de la chaîne Relais & Châteaux, où officie Jean-Luc Rocha, ce château possède aussi un vignoble régulier en qualité. Rond et porté par de bons tanins qui appellent la garde, son 2010 se montre parfaitement équilibré et sait fort bien mettre en avant ses arômes de fruits rouges, de toasté et d'épices. D'ici trois ou quatre ans, il sera prêt à paraître à table et s'accommodera autant d'une viande blanche que d'un rôti de bœuf ou d'un carré d'agneau.
☎ Jean-Michel Cazes, Ch. Cordeillan-Bages, rte des Châteaux, 33250 Pauillac, tél. 05 56 73 24 00, fax 05 56 59 26 42, infochato@cordeillanbages.com, ▼ r.-v.

CH. DUHART-MILON 2010 ★★

■ 4e cru clas.	n.c.	❚❚❚	+ de 100 €
81 82 83 85 86 87 88 89 90 91 92 93 94	95		96				
97 98	99		00	**01** 02 03 04 **05** 06 07 **08 09 10**			

Ce cru a été acquis par les barons de Rothschild en 1962 ; restructuré et agrandi, il couvre plus de 70 ha. Coup de cœur l'an dernier, Duhart nous offre une fois encore un vin remarquable qui justifie les investissements dont il bénéficie depuis des années. La robe est profonde, entre rouge et grenat, nuancée de reflets violines ; tout aussi profond, frais et bien typé, le bouquet mêle le cassis et la mûre à une touche de pivoine sur un fond boisé bien intégré ; charnu, puissant, structuré, solidement construit, le palais dévoile en finale une trame tannique tellement serrée qu'elle en paraît presque compacte. Tout, dans ce vin racé et dense, reflète un travail exemplaire. Une bouteille à laisser en cave une dizaine d'années.

BORDELAIS

- Ch. Duhart-Milon, rue Étienne-Dieuzède, BP 40,
33250 Pauillac, tél. 05 56 73 18 18, fax 05 56 59 66 68,
visites@lafite.com, ⚥ ⟂ r.-v.
- Dom. Barons de Rothschild (Lafite)

CH. LA FLEUR HAUT CARRAS 2010 ★

| ■ | 14 000 | ⊞ | 20 à 30 € |

Année du retour au travail mécanique du sol, 2010 est aussi celle d'un millésime fort réussi pour ce cru. Son pauillac naît d'un assemblage original dans l'appellation : 50 % de cabernet franc pour 45 % de merlot et un soupçon de cabernet-sauvignon. Il plaira aux amateurs de vins puissants et boisés qui apprécieront son bouquet intense dominé par des notes grillées, avec une touche de cèdre et des notes de fruits noirs à l'arrière-plan. Dans le droit fil de l'olfaction, la bouche ronde et ample est charpentée par des tanins mûrs et généreux. Ce caractère affirmé, ainsi que la longue finale au fruité presque confit, laissent augurer un bon avenir pour ce vin. À garder en cave au moins cinq ou six ans.

- Albert Tiffon, 10, rte du Junca, 33250 Saint-Sauveur, tél. 05 56 59 58 66, fax 05 56 59 56 95, albert.tiffon@wanadoo.fr, ☑ ⚥ ⟂ t.lj. sf dim. 11h-19h

CH. LA FLEUR PEYRABON 2010 ★★

| ■ | 47 100 | ⫧⊞ | 20 à 30 € |

Du même producteur que le château Peyrabon (haut-médoc), ce cru a pris ses habitudes dans le Guide. Son assemblage, bien médocain, comprend deux tiers de cabernet-sauvignon et 7 % de petit verdot, complétés par le merlot. Particulièrement abouti, le 2010 se distingue par son bouquet d'une réelle complexité où s'expriment d'abord des notes fruitées (griotte, amande), puis des nuances torréfiées et épicées (poivre), sur un fond animal. Le fruit mûr domine un palais concentré, soutenu par des tanins denses. Fruit, tanins, acidité, tout est en place, dans un parfait équilibre. De belles perspectives de garde pour cette bouteille, à attendre quatre ou cinq ans.

- Ch. Peyrabon, Vignes de Peyrabon, 33250 Saint-Sauveur, tél. 05 56 59 57 10, fax 05 56 59 59 45, contact@chateau-peyrabon.com, ☑ ⚥ ⟂ r.-v.
- Millésima

CH. GAUDIN 2010

| ■ | 82 000 | ⊞ | 20 à 30 € |

Constituée il y a un siècle, cette propriété familiale couvrant 11,38 ha ne propose qu'un seul vin, mais c'est du pauillac. Le vignoble n'est pas mal situé, sur le plateau de Saint-Lambert, non loin de Latour. Le 2010 se montre assez prometteur, même si son bouquet reste un peu timide. Souple et grasse, sa structure montre une bonne trame tannique, qui demande encore à s'arrondir ; ce sera l'affaire de quatre ou cinq ans.

- J.J. Mortier et Cie, 62, bd Pierre-1ᵉʳ, 33000 Bordeaux, tél. 05 56 51 13 13, fax 05 57 85 92 77, mortier@mortier.com, ☑ ⚥ ⟂ r.-v.
- Capdeville

CH. GRAND-PUY DUCASSE 2010 ★

| ■ 5e cru clas. | 120 000 | ⊞ | 20 à 30 € |

82	83	84	85	86	88	89	90	91	92	93	94	95	96	97
98	99	00	01	02	04	05	06	09	10					

Constituée pour l'essentiel au XVIIIᵉs. par l'avocat Arnaud Ducasse, la propriété a pris son nom actuel en

1932. Le château regardant la Gironde date, lui, de 1820. Trois grandes parcelles situées sur les principaux types de terroir de l'appellation forment ce cru de 40 ha. Rien d'étonnant à y voir naître un vin bien typé. Le bouquet complexe exprime surtout un boisé vanillé et épicé, légué par l'élevage de plus de dix-huit mois en barrique, mais il laisse aussi percer des notes fruitées évoquant la cerise noire. Souple à l'attaque, la bouche se montre charnue et longue, étayée par des tanins fins. Quatre ou cinq ans de garde permettront à cette bouteille de gagner en expression.

- SC Ch. Grand-Puy Ducasse, 4, quai Antoine-Ferchaud, 33250 Pauillac, tél. 05 56 59 00 40, fax 05 56 59 36 47, contact@cagrandscrus.fr
- CA Grands Crus

CH. HAUT-BAGES LIBÉRAL 2010 ★

| ■ 5e cru clas. | 110 000 | ⊞ | 30 à 50 € |

82	83	84	85	86	87	88	89	90	91	92	93	94	95	96
97	98	99	00	01	02	03	04	05	06	07	08	10		

Ce cru classé est dans la famille Villars depuis trente ans. Les circonstances familiales ont placé Claire Villars-Lurton très jeune à sa tête, ainsi qu'à la direction d'autres crus importants, comme Ferrière (cru classé de Margaux). Cuvier et chais ont été refaits il y a une douzaine d'années. Le 2010 annonce sa jeunesse par les reflets violacés de sa robe. Intense, limpide et brillante, celle-ci prépare à la découverte d'une belle charpente soyeuse. Le bouquet,

Pauillac

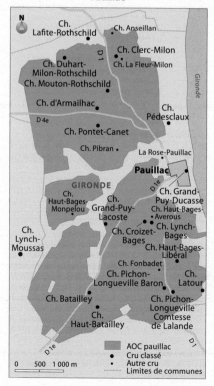

```
N
          Ch.
   Lafite-Rothschild        • Ch. Anseillan
                            • Ch. Clerc-Milon
          Ch. Duhart-       • Ch. La Fleur-Milon
          Milon-Rothschild
          Ch. Mouton-Rothschild
       Ch. d'Armailhac •
                                      Ch.
                                    • Pédesclaux
          Ch. Pontet-Canet
          • Ch. Pibran        • La Rose-Pauillac
                                  Pauillac ■
          GIRONDE              ■ Ch. Grand-
         Ch.                        Puy-Ducasse
       Haut-Bages-    Ch.     • Ch. Haut-Bages-
       Monpelou •  Grand-Puy- • Averous
                   Lacoste    • Ch. Lynch-
      Ch.          • Ch. Croizet- • Bages
   Lynch-             Bages   • Ch. Haut-Bages-
   Moussas •                    Libéral
              • Ch. Fonbadet
          Ch. Pichon-           • Ch.
        Longueville Baron •      Latour
     Ch. Batailley •          • Ch. Pichon-
                                Longueville
         Ch.                    Comtesse
     Haut-Batailley             de Lalande
 0   500  1 000 m
```

■ AOC pauillac
• Cru classé
· Autre cru
--- Limites de communes

complexe et élégant, porté sur le fruit plus que sur le merrain, est en harmonie avec un palais bien équilibré entre le gras, les tanins et les arômes de fruits mûrs. La longue finale complète le portrait d'un vin raffiné et prometteur, à attendre quelques années.

☛ Claire Villars-Lurton, 33250 Pauillac, tél. et fax 05 57 88 98 33, infos@ferriere.com, ☖ ♈ r.-v.

CH. HAUT-BAGES MONPELOU 2010 ★

| ■ | 45 000 | ⅲ | 20 à 30 € |

Une fois encore, les Castéja prouvent leur profond attachement à ce cru par la qualité de leur vin, qui assemble par tiers les deux cabernets et le merlot. D'un rubis profond aux nuances violettes, ce 2010 développe un bouquet intense, sur les fruits mûrs et le cassis, rehaussé de légères notes fumées, épicées et réglissées. L'attaque tout en douceur prélude à un palais ample, bien équilibré, à la fois souple et étoffé, bâti sur des tanins fins et vifs, boisé sans ostentation. La finale élégante et longue confirme le charme de l'ensemble. Cette bouteille sera aussi agréable dans deux ans que patinée par huit ou dix ans de garde.

☛ Héritiers Castéja, 33250 Pauillac, tél. 05 56 00 00 70, fax 05 57 87 48 61, domaines@borie-manoux.fr, ☑ ☖ ♈ r.-v.

CH. HAUT DE LA BÉCADE Élevé en fût de chêne 2010

| ■ | 45 000 | ⅲ | 20 à 30 € |

Ce petit cru familial est vinifié à la coopérative La Rose Pauillac. S'il n'entend pas rivaliser en puissance avec certains millésimes antérieurs particulièrement réussis, comme les 2009 et 2005, ce vin au bouquet partagé entre fruits noirs et merrain laisse le souvenir d'un ensemble rond, aimable et élégant. Sa finale tannique et austère appelle cependant un séjour en cave de quatre ou cinq ans.

☛ Ch. Haut de la Bécade, 44, rue du Mal-Joffre, BP 14, 33250 Pauillac, tél. 05 56 59 26 00, fax 05 56 59 63 58, larosepauillac@wanadoo.fr,

☑ ☖ ♈ t.l.j. sf dim. 9h-12h 14h-18h

☛ Rainaud

CARRUADES DE LAFITE 2010 ★★

| ■ | n.c. | ⅲ | + de 100 € |

85 86 88 **89** 90 92 93 94 **95** 96 97 98 |**99**||00||01| |02| 03 04 **05 06 07** 08 **09 10**

Provenant de parcelles bien identifiées, le second vin de Lafite comprend plus de merlot (30 à 50 %, contre moins de 20 % pour le grand vin) et peu de barriques neuves. Si l'on n'y retrouve pas la puissance du grand, ce 2010 presque noir aux reflets violines se montre d'une parfaite tenue, bien structuré et concentré. « Il frappe avant d'entrer », écrit un dégustateur. Entendez qu'il ne se livre pas d'emblée, et qu'il faut un peu le solliciter pour qu'il laisse découvrir son bouquet naissant, riche et vineux, mêlant le café torréfié de l'élevage à des nuances de fleurs, puis de fruits noirs très mûrs (cassis) et d'épices. Ample en attaque, le palais s'appuie sur des tanins serrés, fermes et ordonnés, aux saveurs de moka, et sur une bonne fraîcheur qui donne de l'allonge à la finale. Un ensemble de grande tenue, dont l'apogée ne débutera qu'à la fin de cette décennie.

☛ Dom. Barons de Rothschild, Ch. Lafite Rothschild, 33250 Pauillac, tél. 05 56 73 18 18, fax 05 56 59 26 83, visites@lafite.com, ☖ ♈ r.-v.

♥ CH. LAFITE ROTHSCHILD 2010 ★★★

| ■ 1er cru clas. | n.c. | ⅲ | + de 100 € |

59 |61| **64** 66 69 70 73 **75 76** 77 **78** 79 80 |81||82||83| 84 **85** |86| 87 |88||89| 90 92 93 **94** |95| |96| **97** |98| 90 |99| |00| **01** |02| |03| |04| |05| |06| |07| |08| |09| |10|

Certains critiques ont cru pouvoir expliquer le succès phénoménal de Lafite en Chine par la simplicité de son nom en mandarin : *Lafei*. Mais c'est faire peu de cas de vins comme celui-ci. Dès le premier regard, on devine que Charles Chevallier et l'équipe d'Éric de Rothschild ont su pleinement tirer profit des conditions favorables de l'été – qui ont amplement rattrapé un printemps plus que mitigé. La robe est en effet sombre, presque noire, avec des reflets mauves qui donnent l'impression qu'elle est en mouvement. On se laisse doucement envelopper par les fragrances subtiles d'un bouquet débordant de fruits noirs bien mûrs, de violette et des notes cacaotées d'un long élevage en barrique neuve. Le palais laisse un sentiment de totale plénitude, tant le vin s'y montre puissant, volumineux, rond, harmonieux et plein. Évidemment, les tanins arrivent au galop, en rangs serrés, mais ils gardent une texture onctueuse, avec à l'arrière-plan une fine vivacité, qui souligne la longue finale savoureuse et épicée, où le fruit fait son retour. Un ensemble d'une grande pureté, d'une persistance aromatique et d'une élégance exceptionnelles. Quinze, vingt, trente ans, cette bouteille a l'avenir devant elle.

☛ Dom. Barons de Rothschild, Ch. Lafite Rothschild, 33250 Pauillac, tél. 05 56 73 18 18, fax 05 56 59 26 83, visites@lafite.com, ☖ ♈ r.-v.

LAGNEAUX À PAUILLAC 2010 ★★

| ■ | 3 300 | ⅲ | 30 à 50 € |

La dernière création de Gaëtan Lagneaux, ce médecin belge qui avait posé son stéthoscope pour se faire vigneron dans le Médoc et créé le château Petit-Bocq en saint-estèphe avec le succès que l'on sait. Ce 2010 aura été son premier et dernier millésime en pauillac, car il est hélas décédé prématurément à la fin de l'année 2012. Il laisse une bouteille remarquable de bout en bout : une robe dense, grenat à reflets noirs ; un bouquet intense, encore dominé par un boisé vanillé, grillé et cacaoté, agrémenté de notes de réglisse, de tabac, de fruits rouges et noirs, et de pivoine ; une bouche souple et équilibrée, construite sur des tanins fins et élégants ; une finale aussi agréable que longue. L'ensemble appelle quatre ou cinq ans de patience.

☛ SCEA Lagneaux-Blaton, Ch. Petit Bocq, 3, rue de la Croix-de-Pez, 33180 Saint-Estèphe, tél. 05 56 59 35 69, fax 05 56 59 32 11 ☑ ☖ ♈ r.-v.

♥ CH. LATOUR 2010 ★★★

■ 1er cru clas.   n.c.   🍷 + de 100 €

⑥① 67 71 73 74 75 76 77 78 79 80 81 |82| |83| 84 |85|
|86| 87 |88| |89| |90| |91| 92 93 94 |95| |96| |97| |98| |99| ⓪⓪
01 ⓪② ⓪③ 04 ⓪⑤ ⓪⑥ 07 ⓪⑧ ⓪⑨ ⑩

GRAND VIN
DE
CHATEAU LATOUR
PREMIER GRAND CRU CLASSÉ
2010
PAUILLAC

Racheté il y a juste vingt ans (1993) par François Pinault, Latour a créé l'événement en avril 2012 en annonçant son retrait du système des primeurs à partir de 2014 (millésime 2013). Souhait d'écouler les vins de garde moins jeunes ou réaction à la spéculation observée à la revente ? Le 2010, millésime qui n'a évidemment pas été concerné par cette décision, avait été salué par la critique lors des primeurs en avril 2011. Lors de la dégustation du Guide, après un élevage de deux ans en barrique neuve, ce grand vin du 1er cru classé reste toujours aussi impressionnant. Issu à 90 % de cabernet-sauvignon, il affiche sa robe profonde, d'un grenat si sombre qu'elle en paraît noire, aux reflets violines de jeunesse. Puis il révèle toute sa race dans son bouquet aussi complexe que raffiné, où un boisé très fin se mêle harmonieusement au fruit : la palette aromatique allie les petits fruits bien mûrs (cassis et myrtille), le cuir, l'encens, les épices (vanille, poivre blanc) et le moka. Ample et plein en attaque, le palais dévoile d'emblée une matière riche, étayée par des tanins au grain fin, denses et savoureux, encore fermes et stricts. La finale très longue et d'une grande fraîcheur, sur des notes de réglisse et de cachou, signe un vin de classe, synthèse de la puissance et de l'élégance. On l'oubliera six ou sept ans en cave et l'on pourra l'apprécier jusque vers 2040, voire 2050.

☛ SCV du Ch. Latour, Saint-Lambert, 33250 Pauillac, tél. 05 56 73 19 80, fax 05 56 73 19 81, s.guerlou@chateau-latour.com
☛ F. Pinault

LES FORTS DE LATOUR 2010 ★★

■   n.c.   🍷 + de 100 €

82 83 85 86 87 88 89 90 92 94 |95| |96| 97 |98| |99|
|00| |01| |02| 03 04 **05 06** 07 08 09 **10**

Représentant plus du tiers de la production totale du château, avec une part moindre de cabernet-sauvignon (72,5 %) et une part de barriques neuves réduite à 50 % (ce qui reste important), le second vin de Latour est, lui aussi, bien typé pauillac par son élégance et sa puissance. Le bouquet déjà ouvert exprime le raisin mûr dans des notes de cerise et de fruits noirs, alliés à des épices douces (vanille, cannelle), de cuir et de tabac blond, tandis que le palais dévoile des nuances de pain grillé et de graphite. La bouche, par sa solidité tannique sensible dès l'attaque, rappelle le grand vin. Encore austère mais très intéressant dans son ample et généreuse finale réglissée, ce 2010

donnera le meilleur de lui-même d'ici quatre ou cinq ans et se gardera plus d'une décennie. Plus linéaire mais bien construit et intéressant par ses notes de cuir et de fruits mûrs, le **Pauillac de Latour 2010** a été cité.

☛ SCV du Ch. Latour, Saint-Lambert, 33250 Pauillac, tél. 05 56 73 19 80, fax 05 56 73 19 81, s.guerlou@chateau-latour.com
☛ F. Pinault

CH. LYNCH-BAGES 2010 ★

■ 5e cru clas.   n.c.   🍷 + de 100 €

|82| 83 84 85 86 87 88 89 90 91 92 93 94 95 |96| 97
|98| 99 |00| |01| |02| 03 04 05 06 07 08 09 10

Le nom de ce cru classé associe celui des négociants irlandais qui l'ont acquis au XVIIIe s. et celui d'un hameau de vignerons situé aux portes sud de Pauillac. Son histoire est liée depuis les années 1930 à la famille Cazes. Marqué par l'arrivée aux commandes de Jean-Charles Cazes, le fils de Jean-Michel, le 2010 est un vin prometteur, qui n'a pas dit son dernier mot. Un vin couleur cerise noire, encore réservé au bouquet, qui s'ouvre sur des arômes de fruits noirs (cassis) et de poivre. Le palais puissant, carré, plein de mâche, soutenu par une solide charpente tannique, traduit la forte présence du cabernet-sauvignon. Si l'on perçoit des arômes de fruits noirs, le boisé vanillé est très présent, relevé de touches de poivre fraîchement moulu. Montrant une forte extraction, ce vin laisse présager une grande garde et s'exprimera mieux avec le temps. On l'oubliera en cave cinq à sept ans.

☛ Jean-Michel Cazes, Ch. Lynch-Bages, BP 120, 33250 Pauillac, tél. 05 56 73 24 00, fax 05 56 59 26 42, infochato@lynchbages.com, ✉ 🍴 🍷 r.-v.

♥ CH. MOUTON ROTHSCHILD 2010 ★★★

■ 1er cru clas.   n.c.   🍷 + de 100 €

73 74 **75** 76 77 78 79 80 81 |82| |83| 84 |85| |86| 87
|88| |89| |90| 91 92 |93| 94 |95| |96| 97 |98| |99| |00| 01 02
03 04 ⓪⑤ ⓪⑥ 07 ⓪⑧ ⓪⑨ ⑩

2010
toute la récolte a été mise
en bouteilles dans le Château
Château
Mouton Rothschild
PAUILLAC
Baronne Philippine de Rothschild g.f.a.

En 2013, Mouton s'est doté d'un nouveau cuvier inauguré lors de Vinexpo : 70 m de long, sur deux niveaux, où s'alignent 44 cuves en chêne et 20 en Inox – un équipement jugé nécessaire pour vinifier les quelque 80 ha de ce cru. Mais c'est dans l'ancien que le 2010 a vu le jour, après une sélection rigoureuse, puisqu'un record a été battu dans la proportion de cabernet-sauvignon (94 %), les merlots ayant souffert du stress hydrique pendant cet été très sec. Rien d'étonnant donc que de découvrir un vin au très fort potentiel de garde. Mais s'il est riche, ample et solidement charpenté, ce millésime est aussi d'une très grande finesse, tant au bouquet, qui offre de surprenantes

notes de café crème, qu'au palais, construit sur des tanins savoureux et fins, qui soulignent la longue finale. L'amateur n'aura qu'un regret : il va devoir s'armer de patience pour apprécier cette bouteille exceptionnelle. Il serait vraiment dommage en effet d'ouvrir trop jeune un vin qui ne donnera sa pleine mesure que dans huit, dix ou quinze ans. En revanche, dans plus de trente ans, ce millésime sera toujours à son apogée. D'ici cinq ou six ans, on pourra ouvrir un flacon de **Baron Nathaniel 2010 (20 à 30 € ; 170 000 b.),** vin de marque de la maison de négoce Baron Philippe de Rothschild. Racé et de garde, il a obtenu une étoile. À signaler, à l'intention des œnosémiophiles (collectionneur d'étiquettes), que cette année, l'étiquette du grand vin de Mouton est illustré par Jeff Koons.
☛ Baron Philippe de Rothschild, 10, rue de Grassi, 33250 Pauillac, tél. 05 56 73 20 20, fax 05 56 73 20 44, webmaster@bpdr.com

CH. PÉDESCLAUX 2010 ★★

■ 5e cru clas.	200 000	ⅲ	30 à 50 €

98	99	00	**01**	**02**	03	|06| |07|	08	09	**10**

Françoise et Jacky Lorenzetti ont vendu leur réseau d'agences immobilières (Foncia) et racheté ce château en 2009. Ils ont entrepris de gros travaux pour redorer le blason de ce cru classé, fondé en 1810. Un nouveau chai devrait voir le jour cette année, mais leur premier millésime n'en a pas bénéficié. Drapé dans une belle robe carmin sombre, il inspire confiance pour l'avenir du cru. Très délicat, son bouquet distille des notes de fruits rouges accompagnées d'un boisé élégant qui évoque la fumée et le Zan. Après une attaque onctueuse, presque crémeuse, le palais se montre ample, gras et concentré, étayé par des tanins bien enrobés qui prolongent la finale aux saveurs de framboise. Déjà excellent et fort prometteur, ce 2010 mérite quatre ou cinq ans de garde, voire davantage. Également bien équilibré, le second vin, **Fleur de Pédesclaux 2010 (15 à 20 € ; 60 000 b.)** a obtenu une étoile.
☛ SCEA Ch. Pédesclaux, rte de l'Industrie, 33250 Pauillac, tél. 05 56 59 22 59, fax 05 56 59 63 19, contact@chateau-pedesclaux.com, ☑ ☩ ☨ r.-v.
☛ J. & F. Lorenzetti

♥ CH. PIBRAN 2010 ★★★

■	5 000	ⅲ	30 à 50 €

Pibran est vinifié par les mêmes équipes que le château Pichon Baron, également propriété d'Axa Millésimes. Entièrement restructuré après l'acquisition du cru voisin (Tour Pibran) par la compagnie d'assurances, ce cru se hisse maintenant au niveau des plus grands, à en juger par son vin qui sort du commun par sa prestance. Encore en formation mais déjà concentré et complexe, le bouquet mêle les fruits noirs très mûrs, presque confits, aux épices, à la réglisse et à des notes vanillées et toastées bien intégrées. On retrouve cette empreinte harmonieuse de l'élevage dans un palais ample et riche, aussi élégant que puissant. Persistante et expressive, la finale s'étire sur des tanins fins qui annoncent une belle garde. Cette bouteille se révélera davantage dans trois à cinq ans et pourra attendre une bonne décennie. À peine plus modeste, le massif **Ch. Tour Pibran 2010 (15 à 20 € ; 5 400 b.),** a obtenu deux étoiles. Il sera lui aussi de très bonne garde.
☛ Ch. Pibran, 33250 Pauillac, tél. 05 56 73 17 17
☛ Axa Millésimes

CH. PICHON-LONGUEVILLE BARON 2010 ★★★

■ 2e cru clas.	14 000	ⅲ	+ de 100 €

82	83	84	**85**	86	87	88	89	⑨⓪	91	92	93	94	|95|	⑨⑥
97	|98|	|99|	00	01	02	03	04	⑤	06	07	08	⑨	⑩	

Un château souvent photographié : inspiré de celui d'Azay-le-Rideaux, il est une belle illustration de l'éclectisme du Second Empire. Ses tours effilées, à poivrières, contrastent avec les lignes horizontales du chai en partie souterrain, construit après le rachat en 1987 de ce cru historique par Axa Millésimes. Si Pichon Baron est régulièrement à la hauteur de son classement, il se distingue tout particulièrement avec ce magnifique 2010, archétype du vin de grande classe, réunissant puissance, complexité et harmonie. Le bouquet offre une large palette d'arômes : fruits rouges et noirs, mûrs et confits, soulignés de notes boisées bien intégrées. Soyeux, veloutés et bien enveloppés par la chair, les tanins, d'une concentration remarquable, soulignent la persistance de la finale. Tout est déjà très plaisant, mais il serait dommage de ne pas attendre au moins sept à dix ans ce flacon, que la prochaine génération pourra savourer dans vingt-cinq ans ! Également à ouvrir dans quatre ou cinq ans, le second vin, les **Tourelles de Longueville 2010 (30 à 50 € ; 12 000 b.)** a obtenu une étoile pour son élégance et sa longueur.
☛ Ch. Pichon-Longueville, 33250 Pauillac, tél. 05 56 73 17 17, fax 05 56 59 64 62, contact@pichonlongueville.com, ☩ ☨ r.-v.
☛ Axa Millésimes

CH. PICHON-LONGUEVILLE COMTESSE DE LALANDE 2010 ★★

■ 2e cru clas.	160 000	ⅲ	+ de 100 €

82	83	84	**85**	⑧⑥	87	⑧⑧	89	90	91	92	93	94	|95|	|96|	97
98	99		00			01		02	03	04	05	06	07	08	09	10			

Fondé à la fin du XVIIe s., ce cru n'a connu en trois siècles que deux familles à sa tête : les Pichon Longueville et les Miailhe. En 2007, la famille Rouzaud, propriétaire du Champagne Roederer et de plusieurs autres vignobles de prestige, le rachète. De nombreux investissements sont alors réalisés, à commencer par un nouveau chai, bientôt inauguré. Remarquable, le 2010 s'annonce par une robe pourpre, dense et profonde, et par un bouquet naissant, riche et élégant, mariant harmonieusement les fruits rouges mûrs et confiturés aux nuances de moka, de vanille et d'épices légués par un élevage de dix-huit mois en barrique. Rond et gras en attaque, complexe et harmonieux, le palais révèle une matière de noble origine, bien travaillée. Il s'appuie sur de très beaux tanins serrés et sur une belle fraîcheur. La finale longue et racée confirme le solide potentiel de cette grande bouteille : une décennie. La **Réserve de la comtesse 2010 (50 à 75 € ; 150 000 b.)**

a été citée. Plus riche en merlot, élevé seulement un an sous bois, ce second vin est plus simple, mais il ne manque ni d'étoffe ni d'élégance.

☛ Famille Rouzaud,
Ch. Pichon-Longueville Comtesse de Lalande, 33250 Pauillac, tél. 05 56 59 19 40, fax 05 56 59 26 56, pichon@pichon-lalande.com, ⚒ ⟙ r.-v.

CH. PLANTEY 2010 ★

| ■ | 81 000 | 🍾🆔 | 15 à 20 € |

Ce cru familial est l'une des propriétés médocaines de la famille Meffre. Fidèle à sa tradition, elle propose un pauillac bien typé, qui assemble à parts égales le cabernet-sauvignon et le merlot. Le bouquet associe avec bonheur le sous-bois, les fruits rouges et noirs mûrs, les épices (cumin, clou de girofle) et le tabac. Dans le même registre aromatique, la bouche, ronde à l'attaque, s'appuie sur des tanins serrés. Le bois est bien fondu, mais la longue finale demande encore à s'arrondir, ce qu'elle pourra faire grâce à sa solide constitution, qui permettra d'attendre cette bouteille une dizaine d'années. À garder au moins trois ans en cave.

☛ SCE Ch. Plantey, Ch. la Commanderie,
33180 Saint-Estèphe, tél. et fax 05 56 59 32 30 ☑ r.-v.
☛ Claude Meffre

LA ROSE POURPRE 2010 ★

| ■ | 7 800 | 🆔 | 20 à 30 € |

Pauillac a ses premiers crus classés, et l'appellation a aussi une coopérative, fondée en 1933, qui permet à de petites exploitations de subsister. Cuvée spéciale plutôt confidentielle, sa Rose pourpre est originale par son assemblage, qui met en vedette le cabernet franc (65 %) et le petit verdot (25 %), le cabernet-sauvignon faisant de la figuration. On aime la finesse et la complexité de son expression aromatique. La barrique, très présente au nez comme en bouche, s'exprime en notes de cendre et de fumée, avec un fruité frais sous-jacent. Rond à l'attaque, le palais dévoile une trame tannique ferme et serrée, qui permettra d'attendre quatre ou cinq ans pour laisser au merrain le temps de se fondre. Bien équilibrée, **La Rose Pauillac 2010 cuvée Bois de rose** (15 à 20 € ; 78 000 b.) a été citée. On patientera deux ou trois ans avant de l'ouvrir.

☛ La Rose Pauillac, 44, rue du Mal-Joffre, BP 14,
33250 Pauillac, tél. 05 56 59 26 00, fax 05 56 59 63 58, larosepauillac@wanadoo.fr, ☑ ⚒ ⟙ t.l.j. 9h-12h 14h-18h

CH. TOUR SIEUJEAN 2010 ★

| ■ | 30 000 | 🍾🆔 | 20 à 30 € |

Ce cru se distingue par une tour carrée et trapue d'origine médiévale. Autre originalité, c'est l'un des derniers petits domaines familiaux de l'appellation, couvrant 8 ha en pauillac et en haut-médoc. S'annonçant par une robe grenat profond, son vin développe un bouquet tout en finesse, partagé entre un boisé vanillé et des senteurs de cerise confiturée, avant de surprendre par la force tannique de son palais, garante de l'avenir de cette bouteille. À attendre trois bonnes années.

☛ Stéphane Chaumont, Ch. Tour Sieujean,
11, rte de Pauillac, 33112 Saint-Laurent-Médoc, tél. 05 56 59 46 03, fax 05 56 59 41 40, tour-sieujean@orange.fr, ☑ ⚒ ⟙ r.-v.

Saint-estèphe

Superficie : 1 230 ha
Production : 54 200 hl

À quelques encablures de Pauillac et de son port, Saint-Estèphe affirme un caractère terrien avec ses rustiques hameaux pleins de charme. Correspondant (à l'exception de quelques hectares compris dans l'appellation pauillac) à la commune elle-même, l'appellation est la plus septentrionale des six AOC communales médocaines. L'altitude moyenne est d'une quarantaine de mètres et les sols sont formés de graves légèrement plus argileuses que dans les appellations plus méridionales. L'appellation compte cinq crus classés, et les vins qui y sont produits portent la marque du terroir. Celui-ci renforce nettement leur caractère, avec, en général, une acidité des raisins plus élevée, une couleur plus intense et une richesse en tanins plus grande que pour les autres vins du Médoc. Très puissants, ce sont d'excellents vins de garde.

CH. ANDRON BLANQUET 2010

| ■ | 89 000 | 🆔 | 15 à 20 € |

Voisin de Cos Labory et appartenant aussi aux domaines Audoy, ce cru propose un vin aux ambitions plus modestes que son prestigieux « cousin », mais qui possède lui aussi de jolis atouts, à commencer par sa robe d'encre teintée de pourpre. Le bouquet plaît par ses parfums de fruits, de cuir et de vanille. Souple, gras et rond, le palais se montre déjà charmeur. Une bouteille que l'on pourra apprécier sur son fruit ou après trois ou quatre ans de garde.

☛ SCE des Domaines Audoy, Ch. Andron Blanquet,
33180 Saint-Estèphe, tél. 05 56 59 30 22, fax 05 56 59 73 52, contact@cos-labory.com

CH. BEAU-SITE HAUT-VIGNOBLE 2010

| ■ | 57 000 | 🆔 | 15 à 20 € |

Avec quarante-cinq parcelles réparties sur l'ensemble des terroirs stéphanois, ce cru familial possède un atout qui a été bien exploité avec ce 2010. Un vin joliment bouqueté autour des fruits rouges frais et des épices, bien épaulé en bouche par une agréable fraîcheur et par des tanins solides, encore un peu austères en finale. De bonne constitution, cette bouteille est amenée à bien vieillir. On commencera à l'ouvrir à l'horizon 2016-2017.

☛ EARL Braquessac, 10, rte du Vieux-Moulin,
Saint-Corbian, 33180 Saint-Estèphe, tél. 05 56 59 30 40, fax 05 56 59 39 13, earl.braquessac@sfr.fr, ☑ ⚒ ⟙ r.-v.

CH. LE BOSCQ 2010

| ■ | 53 000 | 🆔 | 30 à 50 € |

| 90 | 95 | 96 | 97 | **98** | **99** | **00** | 01 | 02 | **03** | **04** | **05** | 06 | 07 | 08 | 09 | 10 |

Avec sa belle demeure de la fin du XIXes. et sa croupe de graves garonnaises sur argile regardant l'estuaire, ce cru ne manque pas d'intérêt. Mais le principal reste ses vins, d'une qualité constante. Le 2010 séduit par son bouquet intense d'épices, de fruits et de vanille. S'il manque un peu de chair, le palais intéresse par son côté souple et soyeux et par ses tanins bien en place, avant de finir sur une note chaleureuse. À attendre au moins deux ou trois ans pour une meilleure d'harmonie.

☛ Ch. le Boscq-Vignobles Dourthe, 33180 Saint-Estèphe, tél. 05 56 35 53 00, fax 05 56 35 53 29, contact@dourthe.com, ☑ ⚭ ⵏ r.-v.

☛ Vignobles Dourthe

CH. **Clauzet** 2010 ★

| ■ | | 100 000 | ⦾ | 20 à 30 € |

Si Maurice Velge s'attache à orienter ses vignobles vers la lutte raisonnée et le bio, il ne néglige pas non plus le travail au chai, témoin ce saint-estèphe à la fois riche et sérieux. Le bouquet, intense et complexe, mêle les fruits rouges (cerise et framboise) le thym, le cacao et le cuir. Bien équilibré, plein et doux, le palais s'appuie sur des tanins extraits avec justesse, qui assoient la structure du vin sans nuire à la rondeur de l'ensemble. Voilà qui promet une fort jolie bouteille d'ici quatre ou cinq ans. Charnu, puissant et long, le **Ch. de Côme 2010 (15 à 20 € ; 25 000 b.)** fait jeu égal et séjournera la même durée en cave.

☛ Maurice Velge, Ch. Clauzet, Leyssac, 33180 Saint-Estèphe, tél. 05 56 59 34 16, fax 05 56 59 37 11, clauzet@chateauclauzet.com, ☑ ⚭ ⵏ r.-v.

CH. **La Commanderie** 2010 ★

| ■ | | 47 000 | ▮⦾ | 15 à 20 € |

Depuis son installation en 1996, Claude Meffre fait progresser ce domaine, une ancienne commanderie des Templiers, rassemblant plusieurs parcelles dispersées dans les différents terroirs de l'appellation. Il signe un 2010 à dominante de merlot (60 %) qui allie dans une belle harmonie un bouquet intense, profond, toasté et torréfié et un palais puissant, ample, rond et gras, étayé par de solides tanins et une fraîcheur qui allonge la finale. Un très beau classique, à attendre quatre ou cinq ans pour l'apprécier au plus haut de son expression.

☛ EARL Ch. la Commanderie, Leyssac, 33180 Saint-Estèphe, tél. et fax 05 56 59 32 30 ☑ ⚭ ⵏ r.-v.

☛ Claude Meffre

CH. **Cos Labory** 2010 ★★

| ■ 5e cru clas. | 92 000 | ⦾ | 30 à 50 € |

82 **83 85 86** 88 89 ⑼⓪ 91 **92** 93 94 95 **96 97 98 99** |00| |01| |02| |03| |04| 05 **06** |07| **08 09 10**

Ici pas d'architecture exubérante pour retenir l'attention, mais un beau terroir de graves sur socle calcaire, voisin de Cos d'Estournel dont il fit partie à ses origines, et un travail en famille, conduit par Bernard Audoy. Rien d'ostentatoire non plus dans ses vins, mais de la rigueur, de la finesse et de la tenue. Le 2010 est dans le ton. Un vin qui s'annonce dans une robe dense, et livre un bouquet à la complexité naissante de fraise, de cerise noire, de cassis, de vanille, et de grillé. Le palais révèle une solide structure tannique, fine et serrée, épaulée par un boisé net et par une fraîcheur qui signe le millésime. Un ensemble construit avec mesure et sérieux, qui offre de belles perspectives de garde (cinq ou six ans au moins).

☛ SCE Domaines Audoy, Ch. Cos Labory, 33180 Saint-Estèphe, tél. 05 56 59 30 22, fax 05 56 59 73 52, contact@cos-labory.com, ☑ ⚭ ⵏ r.-v.

CH. **Coutelin-Merville** 2010

| ■ | | 100 000 | ⦾ | 20 à 30 € |

Intéressant par son volume de production, qui n'a rien de confidentiel, ce vin l'est aussi par son bouquet, qui marie les fruits noirs aux épices et à la vanille, ainsi que par sa structure bien en place, et même austère en finale, assistée par un bon boisé et une agréable fraîcheur. Encore un peu massif, ce saint-estèphe a les épaules larges et s'affinera après trois ou quatre ans à l'ombre de la cave.

☛ G. Estager et Fils, Blanquet, 33180 Saint-Estèphe, tél. et fax 05 56 59 32 10 ☑ ⚭ ⵏ r.-v.

CH. **Le Crock** 2010

| ■ | | 137 500 | ⦾ | 20 à 30 € |

Bien situé sur le haut de la croupe de Marbuzet, Le Crock, propriété de la famille Cuvelier (Léoville-Poyferré) depuis 1903, domine un splendide parc de 6 ha commandé par un château du XVIIIᵉs. Sans rivaliser avec certains millésimes antérieurs, le 2010 est fidèle à la tradition du cru avec son encépagement varié (petit verdot et cabernet franc entrent dans l'assemblage) et son profil très charpenté, et même sévère, étayé par une pointe d'acidité. On attendra quatre ou cinq ans qu'il s'assouplisse et permette à son expression aromatique encore réservée – fruits rouges, vanille et réglisse à l'aération – de s'épanouir.

☛ Domaines Cuvelier, Ch. le Crock, 1, rue Paul-Amilhat, 33180 Saint-Estèphe, tél. 05 56 59 73 05, fax 05 56 59 30 33, chateaulecrock@orange.fr, ☑ ⚭ ⵏ r.-v.

CH. **Graves de Pez** 2010

| ■ | | 20 000 | ▮⦾ | 15 à 20 € |

Petit-fils de Paul et Paulette Bussier, qui dirigèrent pendant trente-cinq ans Lafon-Rochet à la demande de la famille Tesseron, Maxime Saint-Martin, le plus jeune viticulteur de Saint-Estèphe, a repris fin 2008 le petit vignoble de 3 ha qu'ils avaient créé. Il fait une fort sympathique entrée dans le Guide avec ce 2010 finement bouqueté autour des fruits noirs et d'un boisé bien dosé, prolongé par un palais souple et rond aux tanins fondus et soyeux. Un saint-estèphe sur la finesse et la légèreté plutôt que sur la puissance. À boire dans les deux ou trois ans à venir.

☛ Maxime Saint-Martin, 7 bis, chem. de Saint-Seurin, 33460 Lamarque, tél. et fax 05 56 58 97 72, maximesaintmartin@laposte.net, ☑ ⚭ ⵏ r.-v.

CH. **Haut-Marbuzet** 2010 ★★

| ■ | | 360 000 | ⦾ | 30 à 50 € |

85 86 88 89 90 92 93 94 |95| 96 97 ⑼⑻| |99| |00| |01| |02| 03 04 05 06 **07** 08 09 10

Dans l'après-guerre, Hervé, le père d'Henri Duboscq, était sous-chef de gare à Langon. Pour améliorer l'ordinaire, il s'était établi représentant en bouchons. Une décision qui allait placer sa famille sur de bons rails. De voies en vin, il s'installa marchand de vin. Puis, de vin en vignes, il acquit, en 1952, une parcelle à Saint-Estèphe, 7 ha de l'ancienne propriété des Mac Carthy, des Irlandais émigrés en Bordelais (comme les Lynch, les Clarke et autres Barton), dont les héritiers avaient découpé le domaine en plusieurs parts pour les revendre. Cinquante ans durant, les Duboscq père et fils ont rassemblé une à une les pièces éparses et reconstitué peu ou prou le puzzle. Henri Duboscq a rejoint son père en 1962 et pris sa suite en 1974 ; ses fils Bruno et Hughes l'ont suivi. Le domaine est devenu l'une des références de l'appellation et, de millésime en millésime, les étoiles sont ici le plus souvent récoltées par paire. En voici deux de plus avec le 2010 qui, comme toujours ici, offre une place non négligeable au merlot (40 %). Jolie robe à reflets violets, bouquet intense de cassis, de vanille et de toasté agrémenté d'une touche animale, palais ample, frais et long, porté par des tanins fins et un boisé élégant : l'ensemble est remarquablement équilibré et a l'avenir devant lui. Encore dominé par le bois mais de bonne constitution, le **Ch. Chambert Marbuzet 2010 (15 à 20 € ; 33 000 b.)** est cité.

🍷 Henri Duboscq et Fils, Ch. Haut-Marbuzet, 33180 Saint-Estèphe, tél. 05 56 59 30 54, fax 05 56 59 70 87, infos@haut-marbuzet.net, ☑ 🍴 🍷 r.-v.

CH. L'INSOUCIANCE 2010 ★

■	8 700	🍾	20 à 30 €

C'est au départ à la retraite d'un coopérateur que cinq amis passionnés de vigne et de vin ont acquis ces terres sous le conseil avisé d'Éric Boissenot. Deuxième millésime et deuxième sélection pour ce microcru de 1,78 ha planté à 70 % de merlot. Le résultat est un vin complexe (fruits rouges, pain d'épices, menthol, café torréfié), séveux, charnu, soutenu par des tanins fins et soyeux, plus stricts en finale. Un saint-estèphe bien dans le ton, sans fard et armé pour bien vieillir. On pourra commencer à le déguster dans quatre ou cinq ans et l'attendre bien plus longtemps.

🍷 SARL Club 51, 17, rue Lestage, 33180 Saint-Seurin-de-Cadourne, tél. 06 11 02 99 30, chateau-l-insouciance@hotmail.fr, ☑ 🍴 🍷 r.-v.

CH. LAFON-ROCHET 2010 ★★

■ 4e cru clas.	130 000	🍾	30 à 50 €

85	**86**	88	89	90	**91**	**92**	93	94	⑼⑸	**96**	97	|98| ||99|| |00|

|01|| |02|| 03	**04**	05	06	07	**08**	**09**	**10**

Lafont-Rochet, idéalement situé entre Lafite Roths-child et Cos d'Estournel, est une belle unité de 45 ha d'un seul tenant, campée sur un plateau en forme de croupe aux sols d'argile et de graves. Un domaine que Basile Tesse-ron, aux commandes depuis 2008 à la suite de son père Michel, convertit depuis 2010 à la biodynamie, orienta-tion pour l'heure peu fréquente du côté des crus classés médocains. Après un 2009 de très belle facture, il tient son rang avec un 2010 tout aussi remarquable. Si le bouquet fait la part belle au bois avec de beaux arômes grillés et torréfiés, les fruits arrivent en force à l'agitation à travers des notes de cerise et de cassis. Souple et doux à l'attaque, le palais monte en puissance, porté par des tanins soyeux, pendant que la palette aromatique s'élargit à la réglisse et à la vanille. Concentration, finesse et harmonie, tout annonce une bouteille d'une grande élégance que l'on pourra ouvrir dans cinq ou six ans, mais qui supportera sans crainte une décennie et plus en cave.

🍷 Ch. Lafon-Rochet, lieu-dit Blanquet, 33180 Saint-Estèphe, tél. 05 56 59 32 06, fax 05 56 59 72 43, lafon@lafon-rochet.com, ☑ 🍴 🍷 r.-v.

🍷 Famille Tesseron

CH. LÉO DE PRADES 2010

■	35 000	🍾	15 à 20 €

Ce cru appartient à la coopérative de Saint-Estèphe propose un 2010 de belle facture, au nez flatteur de fruits rouges frais, de prune et d'épices (clou de girofle). Franche et vive en attaque, la bouche évolue en souplesse, étayée par des tanins et un boisé fondus. Simple mais efficace, ce vin, déjà prêt, pourra être remisé en cave deux ou trois ans.

🍷 Marquis de Saint-Estèphe, 2, rue du Médoc, 33180 Saint-Estèphe, tél. 05 56 73 35 30, fax 05 56 59 70 89, marquis.st.estephe@wanadoo.fr

☑ 🍴 t.l.j. sf sam. dim. 8h30-12h15 14h-18h

CH. LILIAN LADOUYS 2010 ★

■	240 000	🍾	15 à 20 €

Acquis en 2008 par Jacky et Françoise Lorenzetti, ce cru d'ancienne réputation poursuit sa marche en avant avec un 2010 issu de 60 % de cabernet-sauvignon, le solde en merlot, qui s'annonce dans une élégante robe grenat profond. Une élégance qui caractérise aussi le nez, ouvert sur les fruits noirs, les épices et un boisé ajusté aux tonalités vanillées et toastées. Ample et généreuse dès l'attaque, la bouche monte rapidement en puissance, adossée à des tanins déjà bien assagis et à un boisé fondu. La finale, longue et fruitée, laisse le souvenir d'un vin harmonieux et de belle noblesse. À mettre en cave au moins quatre ou cinq ans. Produit par Lilian Ladouys et diffusé par la maison Cordier-Mestrezat, le **Ch. La Rousselière 2010 (20 à 30 € ; 43 332 b.)**, plaisant par son expression aromatique et porté par une puissante structure tannique, obtient également une étoile.

Saint-Estèphe

1 Ch. Beau-Site	9 Ch. de Marbuzet
2 Ch. Phélan-Ségur	10 Ch. Mac Carthy
3 Ch. Picard	11 Ch. Le Crock
4 Ch. Beauséjour	12 Ch. Pomys
5 Ch. Tronquoy-Lalande	▨ AOC saint-estèphe
6 Ch. Houissant	● Cru classé
7 Ch. Haut-Marbuzet	• Autre cru
8 Ch. La Tour-de-Marbuzet	.... Limites de communes

➽ SAS Ch. Lilian Ladouys, Blanquet, 33180 Saint-Estèphe,
tél. 05 56 59 71 96, fax 05 56 59 63 19,
contact@chateau-lilian-ladouys.com,
☑ ⚔ ⵏ r.-v.
➽ Jacky et Françoise Lorenzetti

CH. MEYNEY 2010 ★

■	160 000	⬚	20 à 30 €

90 92 93 94 **95 96** 97 99 00 **01** 02 04 05 |06| **08**
09 10

Ancien prieuré des Couleys, couvent de l'ordre des Feuillants, ce cru voisin de Montrose serait l'un des berceaux de la viticulture stéphanoise ; il est depuis 2004 propriété du Crédit Agricole. Régulier en qualité, il signe un 2010 d'une belle finesse aromatique, un peu fermé pour l'heure mais qui laisse poindre à l'aération de jolies notes de cassis mûr mâtinées d'un boisé discret. Le palais joue lui aussi la carte de la finesse et de l'élégance, bâti sur une fine trame acide et sur des tanins soyeux, plus serrés et sévères en finale. Il conviendra d'attendre cinq ou six ans pour qu'il gagne en fondu.
➽ SC Prieuré de Meyney, 4, quai Antoine-Ferchaud,
33250 Pauillac, tél. et fax 05 56 59 00 40,
contact@cagrandscrus.fr
➽ Crédit Agricole Grands Crus

♥ CH. MONTROSE 2010 ★★

■ 2e cru clas.	n.c.	⬚	+ de 100 €

⑧② 83 85 86 87 88 89 90 91 92 93 94 95 96 97 98
|99| 00 |01| 02 03 04 05 06 07 08 09 10

Même s'il a changé de mains en 2006, passant de celles des Charmolüe (établis ici depuis la fin du XIXᵉs.) à celles des frères Bouygues, Montrose – 95 ha d'un seul tenant implantés sur une croupe graveleuse, ancienne lande de bruyères regardant la Gironde – reste toujours aussi régulier en qualité. Il justifie pleinement son rang de second cru classé avec ce 2010 admirable (64 % de cabernet-sauvignon, complété par le merlot, le cabernet franc et par un soupçon de petit verdot). Dès le premier coup d'œil, la profondeur de sa robe laisse augurer un grand vin. L'intensité du bouquet va dans le même sens, avec des notes de fruits bien mûrs (cassis, fruits rouges) sur fond de terre chaude, que soutiennent des notes grillées, réglissées et épicées, legs luxueux de dix-huit mois de fût. Puissant, riche, soyeux, presque moelleux, le palais est d'une grande homogénéité et garantit l'avenir (une décennie et plus encore) de cette superbe bouteille. Plus simple et plus souple mais d'une bonne tenue, le second vin, **La Dame de Montrose 2010** (30 à 50 €), est cité.

➽ Ch. Montrose, 33180 Saint-Estèphe, tél. 05 56 59 30 12,
fax 05 56 59 71 86, chateau@chateau-montrose.com,
☑ ⚔ ⵏ r.-v.
➽ Bouygues

CH. ORMES DE PEZ 2010 ★

■	200 000	⬚	20 à 30 €

89 **90** 95 96 97 98 99 **00 01** |02| 03 **04** 06 07 08
09 10

Coup de cœur l'an dernier avec son 2009, ce cru (propriété de Jean-Michel Cazes : Lynch-Bages à Pauillac) est un peu moins ambitieux cette année. Toutefois, une fois encore, le vin reflète la qualité de ce terroir de graves sablo-argileuses. Tant par son expression aromatique, mariant la cerise et la fraise aux épices, que par son palais, qui attaque avec franchise, offre du gras et une solide structure tannique. Encore un peu sévère en finale, il devra rester en cave au moins quatre ou cinq ans, le temps d'arrondir ses angles.
➽ Jean-Michel Cazes, Ch. Ormes de Pez,
33180 Saint-Estèphe, tél. 05 56 73 24 00, fax 05 56 59 26 42,
infochato@ormesdepez.com, 🏠 ❹

CH. PETIT BOCQ 2010

■	n.c.	⬚	15 à 20 €

94 95 96 **97** 98 99 |00| 01 02 |03| |04| **05** 06 ⑰ 08
09 10

Un domaine très morcelé (près de quatre-vingts parcelles vinifiées séparément avant d'être assemblées), d'une constance remarquable depuis sa reprise en 1993 par un médecin belge, Gaëtan Lagneaux récemment disparu. Sans prétendre rivaliser avec certains millésimes antérieurs, dont le 2007, coup de cœur du Guide, le 2010, mi-merlot mi-cabernet-sauvignon, semble encore sous l'emprise du merrain, perceptible dès le premier coup de nez (toast grillé, vanille). L'aération révèle un fruité plus marqué, évocateur de fruits confits mâtinés de réglisse. Après une attaque souple et moelleuse, le palais montre un peu plus les muscles, les tanins se font plus serrés et le boisé reste toujours bien présent. Ce vin a du potentiel, et il faudra au moins trois ou quatre ans pour qu'il s'harmonise.
➽ SCEA Lagneaux-Blaton, Ch. Petit Bocq,
3, rue de la Croix-de-Pez, 33180 Saint-Estèphe,
tél. 05 56 59 35 69, fax 05 56 59 32 11 ☑ ⚔ ⵏ r.-v.

CH. LA PEYRE 2010

■	35 000	⬚	15 à 20 €

Comme l'indique son nom, ce petit cru familial (8 ha) est implanté sur un terroir riche en cailloux et en pierres. Régulièrement présent dans ces colonnes, son vin est fidèle au rendez-vous avec un 2010 mi-merlot mi-cabernet-sauvignon qui dévoile un bouquet plaisant, toasté et fruité. Le palais est équilibré, offrant du gras, de la rondeur et une bonne structure tannique qui permettra à cette bouteille d'être attendue deux ou trois ans, le temps que le boisé, encore dominateur, s'efface au profit du vin.
➽ René et Dany Rabiller, 25, rte de Saint-Affrique,
33180 Saint-Estèphe, tél. 05 56 59 32 51, fax 05 56 59 70 09,
vignoblesrabiller@wanadoo.fr, ☑ ⚔ ⵏ r.-v.

CH. DE PEZ 2010

■	120 000	⬚	30 à 50 €

Vignoble d'un seul tenant de 38 ha situé à l'ouest de Saint-Estèphe, ce cru est l'un des plus anciens de l'appellation. Il se montre à la hauteur de son passé avec ce vin certes encore dominé par le bois de prime abord, plus ouvert sur le fruit à l'aération. Chaleureux et corsé en bouche, bien charpenté par des tanins encore un peu fermes mais prometteurs, il sera attendu trois à cinq ans pour permettre à sa texture de gagner en fondu.

☞ Famille Rouzaud, Ch. de Pez, 33180 Saint-Estèphe, tél. 05 56 59 30 26, fax 05 56 59 39 25, com@champagne-roederer.com, ⚥ ⊤ r.-v.

CH. PHÉLAN SÉGUR 2010 ★★

■	190 000	◫	50 à 75 €

88 89 90 91 93 94 95 96 97 98 99 |00| |01| |02| 03 |04| 05 06 |07| 08 09 10

Histoire, architecture (superbe château de style néo-classique dominant l'estuaire), vignoble (70 ha sur graves argileuses), sérieux du travail à la vigne comme au chai, et bien sûr qualité des vins, tout fait de Phélan Ségur un domaine qui compte dans l'appellation. Il le confirme une fois encore avec un 2010 de grande classe. Côté assemblage, un ballottage légèrement favorable au cabernet-sauvignon (51 %). Dans le verre, un vin qui charme dès le bouquet, où les fruits bien mûrs et les épices sont accompagnés de menthol et de réglisse. Le palais tient la note et révèle une très belle matière, riche et soyeuse, soutenue par des tanins puissants mais courtois, qui soulignent une longue finale. L'ensemble est à la fois harmonieux et intense, savant équilibre entre la structure et la finesse du cabernet et l'amabilité du merlot. De belles promesses pour les dix ans (et plus) à venir. Charnu, frais et d'une bonne puissance, le second vin, **Franck Phélan 2010** (20 à 30 € ; 140 000 b.), obtient une étoile.

☞ Ch. Phélan Ségur, rue des Écoles, 33180 Saint-Estèphe, tél. 05 56 59 74 00, fax 05 56 59 74 10, phelan@phelansegur.com, ⚥ ⚥ ⊤ r.-v.

☞ X. Gardinier

CH. LA ROSE BRANA 2010 ★★

■	n.c.	▮◫	15 à 20 €

Cinq générations ont œuvré sur ce domaine familial, créant une intimité avec le terroir qui se devine dans la dégustation de ce vin. Celui-ci charme d'emblée par les reflets brillants de sa robe, avant de captiver par la subtilité de son bouquet, où se croisent des notes de cerise noire, de confiture de fraises, de grillé et d'épices. Riche et plein, le palais s'adosse à des tanins fermes et bien ciselés et à un boisé élégant aux tonalités d'amande grillée et de vanille. Un saint-estèphe de haute tenue, solide et fin à la fois, à laisser reposer en cave au moins cinq ans.

☞ SCEA des Vignobles Ollier, 21, rue des Tilleuls, Leyssac, 33180 Saint-Estèphe, tél. 05 56 59 32 70, fax 05 56 59 39 97, contact@rosebrana.com, ⚥ ⊤ r.-v.

CH. SÉGUR DE CABANAC 2010 ★★

■	40 000	◫	20 à 30 €

95 96 **97** 98 |99| 00 |01| |02| **03** 04 05 06 |07| **08** 09 10

De noble origine, ce cru est composé de différentes parcelles dont certaines furent propriété du comte Joseph-Marie Ségur de Cabanac, le « Prince des Vignes » ; des bornes de pierre gravées à son nom existent d'ailleurs toujours dans le vignoble. Les Delon ont reconstitué

l'exploitation au milieu des années 1980 et en ont fait l'une des références de Saint-Estèphe. Ce que n'en démentira pas le 2010, séducteur en diable par son bouquet puissant et complexe de fruits rouges, d'épices, de notes empyreumatiques et toastées, comme par sa bouche, ample, dense, à la fois suave et fraîche, équilibrée en somme. Sa longue finale à peine plus sévère signe un magnifique saint-estèphe, que cinq à dix ans de garde rendront meilleur encore.

☞ SCEA Guy Delon et Fils, Ch. Ségur de Cabanac, 33180 Saint-Estèphe, tél. 05 56 59 70 10, fax 05 56 59 73 94, sceadelon@wanadoo.fr, ⚥ ⊤ r.-v.

CH. TOUR DE PEZ 2010 ★

■	95 000	◫	20 à 30 €

Un terroir de graves girondines et un encépagement diversifié (55 % de merlot, 38 % de cabernet-sauvignon, 4 % de petit verdot et 3 % de cabernet franc) donnent ici naissance à un 2010 à la fois puissant et généreux, fin et élégant. Certes aujourd'hui le bois (notes grillées et fumées) est toujours très présent, legs de dix-huit mois de barrique, mais l'expression aromatique n'est pas étouffée et le fruit respire à l'aération (cerise, cassis). Le palais se montre ample et solidement bâti, sans manquer ni de rondeur ni de fraîcheur. Un vin équilibré et armé pour une bonne garde d'au moins cinq ans.

☞ Ch. Tour de Pez, L'Hereteyre, 33180 Saint-Estèphe, tél. 05 56 59 31 60, fax 05 56 59 71 14, chtrpez@terre-net.fr, ⚥ ⚥ ⊤ r.-v.

☞ Ph. Bouchara

CH. TOUR SAINT FORT 2010

■	46 795	◫	15 à 20 €

Sans abandonner son activité de promoteur immobilier, Jean-Louis Laffort s'est lancé par pure passion dans le vin en 1992, acquérant une petite vigne de 4,2 ha. Aujourd'hui, le domaine s'étend sur un peu plus de 14 ha. Original par la place faite au petit verdot (12 % de l'encépagement), il a donné naissance à un 2010 au bouquet discret mais plaisant d'épices et de fruits mûrs, souple et frais en bouche, aux tanins suaves et bien enrobés. À attendre deux ou trois ans.

☞ SCA Ch. Tour Saint Fort, 5, rue du Golf, 33700 Mérignac, tél. 05 56 34 16 16, fax 05 56 13 05 54, contact@chateautoursaintfort.com, ⚥ ⚥ ⊤ r.-v.

CH. TRONQUOY-LALANDE 2010 ★

■	56 000	◫	30 à 50 €

93 94 95 96 98 99 00 01 |02| |03| 04 **05** |06| |07| 08 09 10

Appartenant à la famille Bouygues, comme Montrose, ce cru a bénéficié d'importants investissements qui lui permettent d'offrir aujourd'hui des vins bien typés, à l'image de ce 2010 d'une belle couleur rubis foncé, dont le bouquet charmeur marie la fraise, le cassis et la groseille à un boisé fondu et à une note menthologie. La bouche, ample et puissante, s'appuie sur des tanins encore jeunes, sérieux mais très fins, qui appellent une garde d'au moins quatre à cinq ans.

☞ Ch. Tronquoy-Lalande, 33180 Saint-Estèphe, tél. 05 56 59 61 05, fax 05 56 59 63 05, chateau@tronquoy-lalande.com, ⚥ ⚥ ⊤ r.-v.

☞ Martin Bouygues

Saint-julien

Superficie : 920 ha
Production : 41 775 hl

Pour l'une saint-julien, pour l'autre Saint-Julien-Beychevelle, saint-julien est la seule appellation communale du Haut-Médoc à ne pas respecter scrupuleusement l'homonymie entre les dénominations viticole et municipale. La seconde, il est vrai, a le défaut d'être un peu longue, mais elle correspond parfaitement à l'identité humaine et au terroir de la commune et de l'aire d'appellation, à cheval sur deux plateaux aux sols caillouteux et graveleux.

Situé exactement au centre du Haut-Médoc, le vignoble de Saint-Julien constitue, sur une superficie assez réduite, une harmonieuse synthèse entre margaux et pauillac. Il n'est donc pas étonnant d'y trouver onze crus classés, dont cinq seconds. À l'image de leur terroir, les vins offrent un bon équilibre entre les qualités des margaux (notamment la finesse) et celles des pauillac (la puissance). D'une manière générale, ils possèdent une belle couleur, un bouquet fin et typé, du corps, une grande richesse et de la sève. Mais, bien entendu, les quelque 6 millions de bouteilles produites en moyenne chaque année en saint-julien sont loin de se ressembler toutes, et les dégustateurs les plus avertis noteront les différences qui existent entre les crus situés au sud – plus proches des margaux – et ceux du nord – plus près des pauillac –, ainsi qu'entre ceux qui sont à proximité de l'estuaire et ceux qui se trouvent plus à l'intérieur des terres, vers Saint-Laurent.

CH. **BEYCHEVELLE** 2010 ★

■ 4e cru clas.	252 000	❚❚❚	75 à 100 €

82 83 85 86 88 ⑧⑨ 90 91 92 93 94 95 96 97 |98| |99| |00| |01| |02| |03| |04| 05 06 **07** 08 **09** 10

Surnommé sans doute avec un peu d'excès, le « Versailles bordelais », Beychevelle, dont la récente rénovation en fait un petit bijou d'architecture classique, est assurément l'un des fleurons du patrimoine médocain, et plus généralement girondin. Anciennement propriété de la mutuelle d'assurances GMF, il est entré en 2011 dans le giron des groupes Castel et Suntory (ce dernier étant déjà actionnaire sous le pavillon précédent). Pas de changement à la direction du cru en revanche, Philippe Blanc en est resté le gestionnaire. Côté cave, un vin toujours aussi élégant, qui a fière allure dans sa robe grenat aux reflets lumineux comme dans son bouquet naissant de fruits rouges mûrs nuancés d'un joli boisé. Plus ouvert, fruité et épicé, franc et très frais, le palais évolue sur une structure souple et soyeuse, sans dureté ni mollesse. Un vin dans le ton du millésime, bien équilibré entre une nette vivacité et des tanins présents sans excès, qui s'affirmera

pleinement dans quatre ou cinq ans. Dans un style proche mais moins complexe, le second vin, de bonne garde également, l'**Amiral de Beychevelle 2010** (8 à 11 € ; 120 000 b.), obtient lui aussi une étoile.

☛ SC Ch. Beychevelle, 33250 Saint-Julien-Beychevelle, tél. 05 56 73 20 70, fax 05 56 73 20 71, beychevelle@beychevelle.com, ☑ ☀ ☂ r.-v.

CH. **BRANAIRE-DUCRU** 2010 ★

■ 4e cru clas.	150 000	❚❚❚	50 à 75 €

82 83 85 86 88 89 90 93 **94 95** 96 97 98 99 |00| |01| 02 |03| |04| 05 **06** |07| **08** 09 10

Château et orangerie aux lignes épurées, les amateurs de l'architecture néoclassique seront comblés par la visite de Branaire-Ducru, propriété de la famille Maroteaux depuis 1988. Leur fibre œnophile sera quant à elle sensible aux charmes du grand vin. Un 2010 impressionnant dans sa robe noire nuancée de reflets d'acajou, dont le bouquet affiche lui aussi une forte personnalité avec sa dominante de fruits mûrs, voire surmûris, que renforcent les notes épicées et réglissées du bois. Puissante, dense et longue, soutenue de bout en bout par la fine fraîcheur qui signe le millésime, la bouche révèle une mâche et une étoffe qui font de ce vin un vrai saint-julien de garde et de classe. Plus modeste mais bien structuré et très plaisant par sa fraîcheur, le second vin, **Duluc de Branaire-Ducru 2010** (20 à 30 € ; 120 000 b.) est cité.

☛ Ch. Branaire-Ducru, 1, chem. du Bourdieu, 33250 Saint-Julien-Beychevelle, tél. 05 56 59 25 86, fax 05 56 59 16 26, branaire@branaire.com, ☀ ☂ r.-v.

CLOS DU MARQUIS 2010 ★★

■	150 000	❚❚❚	50 à 75 €

Souvent considéré comme le second vin de Léoville Las Cases, le Clos du Marquis est en réalité un cru distinct provenant, comme son nom l'indique, de parcelles ceintes de murs et situées plus à l'ouest que son glorieux cousin. Mais on décèle dans le vin un air de famille par l'élégance qu'il dégage. De fait, le 2010 a séduit avant tout par sa finesse. Le bouquet allie des notes de réglisse et d'épices aux fruits mûrs. Le palais se révèle ample, gras, charnu, avec en soutien des tanins délicats et une belle fraîcheur caractéristique du millésime. Un vin de garde très équilibré, à remiser en cave au moins cinq ou six ans.

☛ S.C. Ch. Léoville Las Cases, 33250 Saint-Julien-Beychevelle, tél. 05 56 73 25 27, fax 05 56 59 18 33, contact@leoville-las-cases.com, ☀ ☂ r.-v.

☛ Jean-Hubert Delon

CH. **GLORIA** 2010 ★

■	245 000	❚❚❚	30 à 50 €

82 83 84 85 86 87 **88** 89 90 91 93 94 **95** 96 97 98 99 |00| 01 02 |03| |04| ⑤ 06 |07| 08 09 10

Du même producteur que le Ch. Saint-Pierre, ce cru constitué progressivement par Henri Martin à partir de différentes parcelles provenant de grands crus classés couvre aujourd'hui 50 ha. Une origine hétéroclite, mais non moins noble, qui donne des vins d'une belle régularité. Le 2010 retient l'attention par sa robe brillante et son bouquet complexe qui marie subtilement le cassis, la mûre, la réglisse, le toasté et un soupçon de cacahuète grillée. Dense et charnu, accompagné d'un beau fruité et porté par des tanins serrés et encore un peu stricts, le palais laisse augurer une bonne tenue à la garde. Le second vin du domaine, le **Ch. Peymartin 2010 (11 à 15 € ; 25 000 b.)**, rond et généreux, est cité.

🍾 Domaines Martin, Ch. Gloria, 33250 Saint-Julien-Beychevelle, tél. 05 56 59 08 18, fax 05 56 59 16 18, contact@domaines-martin.com, ☑ ⚹ ☨ r.-v.

CH. GRUAUD LAROSE 2010 ★★

■ 2e cru clas.	173 000	⬜	30 à 50 €

82 83 84 85 ⑧⑥ 87 88 89 90 91 92 93 94 ⑨⑤ 96 97 |98| |99| ⑩⓪ |01| |02| 03 04 05 06 07 08 09 10

Si l'abbé Gruaud a initié l'histoire du cru dans la première moitié du XVIIIᵉ s., c'est son héritier Joseph-Sébastien de Larose qui lui a donné son nom et a bâti sa réputation. Depuis 1997, ce vaste domaine de 132 ha, dont 82 ha en production, est propriété de l'importante famille Merlaut. Avec le 2010, le cru reste fidèle au style du cru et à l'appellation par sa puissance et son harmonie. Des caractères qu'affiche sans réserve le bouquet, intense et frais, porté vers les fruits rouges, le chocolat, le grillé et l'humus. Le palais suit la même voie : ample, séveux, corsé, solidement structuré par des tanins serrés et par un boisé aux accents de fumée et de tabac blond, avec une belle fraîcheur à l'arrière-plan qui lui confère équilibre et persistance. La garde est de rigueur bien entendu, au moins cinq à sept ans. Porté lui aussi par une matière dense et des tanins élégants, le **Sarget de Gruaud Larose 2010 (20 à 30 €)** obtient une étoile.

🍾 Ch. Gruaud Larose, 33250 Saint-Julien-Beychevelle, tél. 05 56 73 15 20, fax 05 56 59 64 72, gl@gruaud-larose.com, ☑ ⚹ ☨ r.-v.

🍾 Famille Merlaut

LABOTTIÈRE 2010

■	12 000	⬜	30 à 50 €

Si le château Labottière existe bien à Bordeaux (actuel centre culturel de Bernard Magrez), il s'agit là d'une marque de la maison de négoce Cordier (aujourd'hui fusionnée avec Mestrezat). Ce vin s'ouvre sur un bouquet plaisant de fruits cuits et de fruits frais, de réglisse et de caramel. La bouche, à l'unisson, se révèle charnue, suave et généreuse, soutenue par des tanins ronds et soyeux. À ouvrir dans trois à cinq ans.

🍾 Grands Crus Cordier-Mestrezat, 109, rue Achard, BP 154, 33042 Bordeaux Cedex, tél. 05 56 11 29 00, fax 05 56 11 29 01, contact@cordier-wines.com

CH. LAGRANGE 2010 ★

■ 3e cru clas.	280 000	⬜	30 à 50 €

82 83 85 86 88 89 ⑨⓪ 91 92 93 94 95 |96| 97 |98| 99 |00| 01 02 |03| 04 05 06 07 08 09 10

"La grange", un nom modeste en apparence, désignait souvent au Moyen Âge un vaste domaine avec église, habitations et bâtiments d'exploitation. Plus que par sa lointaine origine, c'est par la qualité de sa production que ce vaste cru (160 ha, dont 113 de vignes) se distingue. Impressionnant dans sa robe d'un noir brillant, ce 2010 l'est aussi par la puissance et l'élégance de son bouquet composé de beaux arômes de cassis, de réglisse et d'épices, que rejoint une note fraîche et minérale. Cette fraîcheur se retrouve dans un palais qui révèle une extraction bien menée, à travers des tanins doux et enrobés d'une chair tendre et suave, et un élevage maîtrisé. Une très jolie bouteille en perspective d'ici trois à cinq ans.

🍾 Ch. Lagrange, Beychevelle, 33250 Saint-Julien-Beychevelle, tél. 05 56 73 38 38, fax 05 56 59 26 09, chateau-lagrange@chateau-lagrange.com, ⚹ ☨ r.-v.

🍾 Suntory Ltd

CH. LALANDE 2010 ★

■	64 000	⬜	15 à 20 €

Comme son nom l'indique, le terroir de ce cru détaché du château Lagrange en 1964 est assez pauvre. Un inconvénient pour toutes les autres cultures, mais un avantage pour la vigne de qualité. D'un bel aspect dans sa robe noire à reflets rubis, ce 2010 développe d'élégants arômes de réglisse, de noisette et de fruits mûrs, avant de dévoiler un palais équilibré, à la fois frais, gras et bien structuré. Déjà très plaisant, l'ensemble le sera plus encore après deux à quatre ans de garde. Également proposé par la famille Meffre, le **Ch. du Glana 2010 (20 à 30 € ; 118 000 b.)** est cité pour son nez délicat de fruits rouges, de vanille et de tabac, et pour sa bouche vive et ferme.

🍾 Ch. Glana, 5, Le Glana, 33250 Saint-Julien-Beychevelle, tél. 05 56 59 06 47, fax 05 56 59 06 51, contact@chateau-du-glana.com, ☑ ⚹ ☨ r.-v.

🍾 Meffre

CH. LANGOA BARTON 2010 ★★

■ 3e cru clas.	125 000	▮⬜	50 à 75 €

82 83 85 86 88 ⑧⑨ |90| 93 94 95 96 97 98 |99| 00 |01| |02| 03 |04| 05 07 08 09 10

Bel exemple de chartreuse du XVIIIᵉ s., ce château est depuis 1821 la propriété des Barton, d'origine irlandaise, ce qui fait de ce domaine l'un des seuls crus classés à être restés entre les mains de la même famille depuis le classement impérial de 1855 ; une tradition que perpétue Anthony Barton depuis le milieu des années 1980, aujourd'hui épaulé par sa fille Lilian. Si Langoa reste quelque peu dans l'ombre du prestigieux Léoville-Barton, il mérite lui aussi toute la lumière que prend avec grande élégance son superbe 2010. S'annonçant dans une robe d'un noir brillant, le vin dévoile un bouquet puissant et distingué, qui ajoute aux arômes de cassis, de réglisse et d'épices de fines nuances minérales et florales (violette). Cette fraîcheur et cette complexité se retrouvent

Saint-Julien

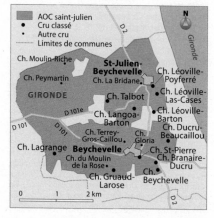

dans un palais dense et solidement arrimé à des tanins fins et bien serrés. La finale, très longue et intense, est la promesse d'un grand moment de dégustation dans la décennie à venir. L'ouvrir avant cinq ou six ans serait péché...

🔑 Famille Barton, Ch. Langoa Barton,
33250 Saint-Julien-Beychevelle, tél. 05 56 59 06 05,
fax 05 56 59 14 29, chateau@leoville-barton.com, ⚔ ⊥ r.-v.

♥ CH. LÉOVILLE-BARTON 2010 ★★

■ 2e cru clas.	163 000	▮⏷	75 à 100 €

82 83 85 86 88 |89| ⑨⓪ 91 93 94 95 |96| 97 |98| 99 00 |01| |02| 03 |04| ⑤ 06 07 08 09 10

Voisin de Langoa et appartenant également à la famille Barton, ce cru issu de la division en trois de l'ancien domaine de Léoville possède un vignoble distinct de son cousin : 50 ha complantés de cabernet-sauvignon (77 %), de merlot (21 %) et de cabernet franc. Il existe toutefois un air de famille entre les deux vins (tous deux vinifiés à Langoa), qui sont de vrais et nobles archétypes de l'appellation par leur caractère racé et leur capacité à marier force et finesse. Le Léoville 2010 ne fait pas exception. Il apparaît dans une somptueuse robe noire moirée de reflets brillants. Le bouquet se révèle aussi expressif que complexe : les fruits rouges et noirs (cassis, mûre, prune) se mêlent dans une harmonie remarquable à de subtiles notes boisées (épices douces, vanille, fumée, caramel doux). Le palais est lui aussi un modèle d'équilibre : du fruit et un boisé luxueux, des tanins denses et délicats enveloppés par une chair tendre et soyeuse conférant beaucoup de volume à l'ensemble, et cette fraîcheur « très 2010 » qui apporte à ce vin un caractère aérien et la certitude d'une longue vie.

🔑 Famille Barton, Ch. Léoville-Barton,
33250 Saint-Julien-Beychevelle, tél. 05 56 59 06 05,
fax 05 56 59 14 29, chateau@leoville-barton.com, ⚔ ⊥ r.-v.

♥ CH. LÉOVILLE LAS CASES 2010 ★★★

■ 2e cru clas.	160 000	⏷	+ de 100 €

⑥① 62 64 67 69 70 71 75 76 78 79 ⑧② ⑧③ 85 ⑧⑥ |88| |89| |90| 91 92 93 ⓪⓪ 01 02 ⓪③ 04 ⑤ 06 07 08 ⓪⑨ ⑩

Las Cases ne se contente pas de posséder les trois-cinquièmes de l'ancien domaine de Léoville – séparé entre les années 1826 et 1846 pour aboutir aux trois Léoville connus aujourd'hui –, le cru possède le cœur historique du vignoble, le Grand Clos : 60 ha d'un sol à la complexité rare, au voisinage de Latour et de la Gironde. À cet avantage s'ajoute celui d'être géré depuis 1900 par la même famille, les Delon (aujourd'hui Jean-Hubert). On comprend alors que tout est réuni pour donner des vins d'exception. Une catégorie dans laquelle entre indénia-

RÉCOLTE 2010
Grand Vin de Léoville
du Marquis de Las Cases
SAINT-JULIEN-MÉDOC

blement le 2010. Aussi puissant que fin, son bouquet jongle avec les fruits confits et le bois chaud. S'ouvrant sur une attaque pure et fraîche, le palais offre un volume, une concentration, une densité et une longueur rares, mais sans jamais se montrer belliqueux, bâti au contraire sur des tanins soyeux et savoureux qui laissent entrevoir un superbe potentiel de garde. On « oubliera » ce vin, si l'on ose dire, pendant au moins six ou sept ans ; une décennie serait préférable... Harmonieux, ample et fin, aux tanins bien enrobés, le second vin, le **Petit Lion du Marquis de Las Cases 2010 (30 à 50 € ; 100 000 b.)**, obtient une étoile.

🔑 S.C. Ch. Léoville Las Cases,
33250 Saint-Julien-Beychevelle, tél. 05 56 73 25 27,
fax 05 56 59 18 33, contact@leoville-las-cases.com,
⚔ ⊥ r.-v.

🔑 Jean-Hubert Delon

CH. LÉOVILLE POYFERRÉ 2010 ★★

■ 2e cru clas.	214 000	⏷	+ de 100 €

79 80 82 ⑧③ 85 86 88 89 90 91 93 94 95 96 97 98 99 |00| 01 |02| |03| |04| 05 06 07 08 09 10

Comme les deux autres crus issus de l'ancien domaine de Léoville, Poyferré – du nom du baron Jean-Marie Poyferré de Cerès, issu d'une maison noble d'Armagnac, qui hérita du vignoble via son épouse lors de la scission – bénéficie d'un terroir de choix composé de graves garonnaises et de sables éoliens. Des atouts qui ne seraient rien sans les suivis très méticuleux de la vigne et du travail au chai assurés sous la houlette de Didier Cuvelier depuis 1979, dont la famille, d'anciens négociants en vins à Lille, acquit le domaine en 1920. Grâce à quoi le 2010 rejoint la lignée des grands millésimes du domaine. Un vin sombre et profond, au bouquet concentré et complexe, généreusement fruité (cassis, cerise) et boisé avec discernement. Dense, riche et puissamment bâti sur des tanins serrés, épicé et chocolaté en finale, le palais est assurément celui d'un vin de longue garde.

🔑 SF du Ch. Léoville Poyferré, 38, rue de Saint-Julien,
33250 Saint-Julien-Beychevelle, tél. 05 56 59 08 30,
fax 05 56 59 60 09, lp@leoville-poyferre.fr, ⚔ ⊥ r.-v.

CH. SAINT-PIERRE 2010 ★★

■ 4e cru clas.	68 000	⏷	75 à 100 €

82 83 85 ⑧⑥ 88 89 |90| 93 94 ⑨⑤ ⑨⑥ 97 98 99 |01| |02| |03| |04| ⑤ 06 |07| 08 09 10

C'est un cru ancien (XVIIe s.) et totalement dispersé que reconstitua Henri Martin à partir de 1982. Aujourd'hui, le vignoble s'étend sur 17 ha conduits par Jean-Louis Triaud, par ailleurs président des Girondins de Bordeaux, avec lesquels il a eu cette année la satisfaction de remporter la Coupe de France de football contre... Évian. Ce sont deux étoiles qu'il récolte avec son 2010 issu de 78 % de cabernet-sauvignon (un peu moins que dans le 2009) et de 22 % de merlot. Paré d'une seyante robe rubis brillant, le vin se révèle déjà très expressif et complexe : fruits frais, cèdre, réglisse, vanille et grillé. Ample et charnu, gras et étoffé, le palais dévoile une mâche fondante. Longue et soyeuse, agrémentée d'une élégante pointe de fraîcheur, la finale confirme ce côté charmeur et prometteur. Toutefois, le bois, encore très présent, vient rappeler qu'il sera préférable d'attendre encore cinq ou six ans pour apprécier pleinement cette bouteille.

➥ Domaines Martin, Ch. Saint-Pierre,
33250 Saint-Julien-Beychevelle, tél. 05 56 59 08 18,
fax 05 56 59 16 18, contact@domaines-martin.com,
☑ ⚔ ⚓ r.-v.

♥ **CH. TALBOT** 2010 ★★

◼ 4e cru clas.	393 000	⬤	50 à 75 €

82 83 ⑧⑤ 86 88 89 90 93 94 95 96 97 98 99 |00||01|
02 |03| 04 05 06 07 08 |09| 10

Vaste domaine de 102 ha situé au cœur de l'appellation, ce cru bénéficie d'un terroir de choix, dont l'équipe conduite par Nancy Bignon-Cordier et Jean-Pierre Marty, conseillés par Stéphane Derenoncourt depuis le millésime 2008, sait tirer le meilleur avec des vins réputés pour leur caractère volontiers généreux et puissant. Le 2010 s'inscrit bien dans le style maison, avec un « supplément d'âme » en regard du 2009, déjà excellent. Annonçant sa jeunesse par une robe noire à reflets violets, il se distingue par son expression aromatique intense et complexe, subtil équilibre entre les arômes floraux (violette), fruités (fruits rouges et noirs confiturés) et boisés (tabac blond, cannelle, café torréfié). Un bouquet des plus raffinés qui trouve son prolongement dans une bouche à la fois dense et précise, riche et fraîche. « Très saint-julien de corps et d'esprit », conclut un dégustateur, qui voit dans ce vin puissant et distingué de belles promesses pour la décennie à venir. Le **Connétable Talbot 2010 (20 à 30 € ; 188 000 b.)**, l'un des plus anciens « seconds » du Médoc, créé dans les années 1960, est quant à lui cité pour sa solide structure et son volume intéressant. Un joli vin de caractère également, à attendre trois ou quatre ans.

➥ Ch. Talbot, 33250 Saint-Julien-Beychevelle,
tél. 05 56 73 21 50, fax 05 56 73 21 51,
chateau-talbot@chateau-talbot.com,
⚔ ⚓ r.-v.
➥ Mme Nancy Bignon-Cordier

CH. TEYNAC 2010 ★

◼	40 000	⬤	20 à 30 €

Si la cour d'entrée de ce domaine semble se donner des airs méditerranéens avec sa galerie, c'est bien un authentique vin médocain que nous propose ce cru, tant par sa robe rubis sombre que par sa structure racée et bâtie sur de fins tanins. Souple, rond et suave, le palais permet aux arômes de fruits frais de bien s'exprimer, avec un bon soutien du boisé aux accents de moka. Déjà harmonieux, ce vin fera une belle bouteille dans trois à cinq ans.

➥ EARL T. et C., Ch. Teynac, Grand-rue,
33250 Saint-Julien-Beychevelle, tél. 05 56 59 93 04,
fax 05 56 59 46 12, philetfab3@wanadoo.fr, ☑ ⚔ ⚓ r.-v.
➥ Ph. Pairault

Les vins blancs liquoreux

Quand on regarde une carte vinicole de la Gironde, on remarque aussitôt que toutes les appellations de liquoreux se trouvent dans une petite région située de part et d'autre de la Garonne, autour de son confluent avec le Ciron. Simple hasard ? Assurément non, car c'est l'apport des eaux froides de la petite rivière landaise, au cours entièrement couvert d'une voûte de feuillages, qui donne naissance à un climat très particulier. Celui-ci favorise l'action du *Botrytis cinerea*, champignon de la pourriture noble. En effet, le type de temps que connaît la région en automne (humidité le matin, soleil chaud l'après-midi) permet au champignon de se développer sur un raisin parfaitement mûr sans le faire éclater : le grain se comporte comme une véritable éponge, et le jus se concentre par évaporation d'eau. On obtient ainsi des moûts très riches en sucre.

Mais, pour obtenir ce résultat, il faut accepter de nombreuses contraintes. Le développement de la pourriture noble étant irrégulier sur les différentes baies, il faut vendanger en plusieurs fois, par tries successives, en ne ramassant à chaque fois que les raisins dans l'état optimal. En outre, les rendements à l'hectare sont faibles (avec un maximum autorisé de 25 hl à Sauternes et à Barsac). Enfin, l'évolution de la surmaturation, très aléatoire, dépend des conditions climatiques et fait courir des risques aux viticulteurs.

Cadillac

Superficie : 128 ha
Production : 6 000 hl

Ennoblie par son splendide château du XVIIᵉs., surnommé le « Fontainebleau girondin », la bastide de Cadillac est souvent considérée comme la capitale des Premières-Côtes. Elle est aussi, depuis 1980, une appellation de vins liquoreux.

CH. DE FONTENILLE 2010 ★

	1 800	⦙⦙	11 à 15 €

S'il ne constitue pas l'activité essentielle de Stéphane Defraine, plus connu des lecteurs pour ses entre-deux-mers ou pour ses bordeaux d'appellation régionale, ce vignoble cadillacais bénéficie de toutes ses attentions. Deux hectares à l'origine de ce 2010 aux parfums intenses et accueillants d'orange confite et de miel, au palais élégant et bien équilibré, d'une rondeur avenante sans manquer de fraîcheur. D'une bonne longueur, la finale confirme l'harmonie de l'ensemble. (Bouteilles de 50 cl.)
☛ SC Ch. de Fontenille, 1315, rte de Grimard, 33670 La Sauve, tél. 05 56 23 03 26, fax 05 56 23 30 03, contact@chateau-fontenille.com,
☑ ⚘ ⵏ t.l.j. sf dim. 9h-12h 14h-18h; sam. sur r.-v.
☛ Defraine

CH. DE GARBES Cuvée Grains nobles 2010 ★

	3 260	⦙⦙	8 à 11 €

Grâce à la construction d'une nouvelle salle de dégustation et d'un caveau de vente, la famille David – Jean-Luc et ses trois enfants – soigne l'accueil des clients et mise sur l'œnotourisme. Sans négliger pour autant le travail à la vigne et au chai, comme le rappelle ce vin particulièrement réussi. Une robe brillante, un bouquet ouvert et complexe mêlant les agrumes au miel et au pain d'épice, un « vrai palais de liquoreux », riche, ample et long. Cette bouteille mérite de reposer en cave pendant quatre ou cinq ans.
☛ Vignobles David Garbes, Jean-Luc David et ses enfants, 1, Garbes, 33410 Gabarnac, tél. 05 56 62 92 23, fax 05 56 62 91 51, contact@garbes.fr, ☑ ⚘ ⵏ r.-v.

CH. HAUT-MOULEYRE 2011 ★★

	7 384	⦙⦙	5 à 8 €

L'équipe de Vincent Cachau, l'œnologue maison, est sortie avec les honneurs de l'épreuve imposée par un millésime délicat. D'une bonne intensité, le bouquet de ce 2011 évoque classiquement les fruits confits et le miel. Il trouve un heureux prolongement dans une bouche montante, riche, ample et soyeuse, galvanisée par ce qu'il faut de vivacité. Un ensemble très harmonieux, à découvrir dès l'automne, comme dans cinq ans et plus encore, sur un fromage bleu et/ou une tarte aux fruits jaunes.
☛ Sté Fermière des Grands Crus de France, 33460 Lamarque, tél. 05 57 98 07 20, fax 05 57 98 07 35

CH. HAUT-VALENTIN 2010 ★★

	n.c.	ⓘ⦙⦙	15 à 20 €

Coup de cœur l'an dernier pour leur cuvée Prestige 2009, les Vignobles Méric sont passés à deux doigts du doublé avec le « simple » 2010, qui n'a pourtant rien de simpliste. D'une belle couleur vieil or, ce vin se distingue par son bouquet complexe de fleurs blanches, de pain d'épice, de fruits confits et de vanille. Bien équilibrée, à la fois fraîche et ronde, sans lourdeur ni mollesse, élégante et longue, la bouche est celle d'un vin au caractère affirmé. Déjà fort harmonieuse, cette cuvée mérite trois ou quatre ans de garde pour s'exprimer pleinement.
☛ SCEA Vignobles Méric, Ch. Bel-Air, 33410 Sainte-Croix-du-Mont, tél. 05 56 62 01 19, fax 05 56 62 09 33, vignobles.meric@orange.fr,
☑ ⚘ ⵏ t.l.j. 9h-12h 14h-18h

CH. MOULIN DE CORNEIL 2010 ★

	6 000	⦙⦙	11 à 15 €

Chez les Bonneau, on cultive la vigne depuis huit générations, ce qui facilite quelque peu la « relation clients ». Fidèle à son style, Jean-Marie Bonneau propose un authentique liquoreux (140 g/l de sucres résiduels) qui annonce la couleur par sa robe d'un beau jaune doré. Faisant la part belle aux notes confites (raisin, agrumes, poire) accompagnées d'un boisé bien fondu, le bouquet confirme le caractère du vin, que ne dément pas non plus le palais, rond, gras et long, soutenu par une fine acidité.
☛ SCEA Bonneau et Fils, 6, Corneil, 33490 Le Pian-sur-Garonne, tél. 05 56 76 44 26, fax 05 56 76 43 70, moulin-corneil@wanadoo.fr,
☑ ⚘ ⵏ t.l.j. sf dim. 8h30-12h 14h-19h

CH. DE TESTE Sélection de grains nobles 2011 ★

	10 000	ⓘ⦙⦙	11 à 15 €

L'une des valeurs sûres de l'appellation cadillac, et aussi de l'AOC sainte-croix-du-mont (Cru de Gravère), ce cru très régulier en qualité sait une fois encore tirer profit de l'âge respectable (soixante-dix ans) de ses vignes de sémillon. Il propose ici une Sélection de grains nobles dont le bouquet s'ouvre à l'aération sur des notes élégantes d'orange sanguine et de gâteau au miel. À l'unisson, le palais se révèle riche, soyeux et persistant, une juste fraîcheur équilibrant les sucres résiduels. Un beau classique, à boire ou à garder.
☛ EARL Vignobles Laurent Réglat, Ch. de Teste, 33410 Monprimblanc, tél. 05 56 62 92 76, fax 05 56 62 98 80, vignobles.l.reglat@wanadoo.fr,
☑ ⚘ ⵏ r.-v.

Loupiac

Superficie : 350 ha
Production : 12 550 hl

Entre Cadillac à l'ouest et Sainte-Croix-du-Mont à l'est, ce vignoble très ancien couvre les côtes de la rive droite de la Garonne, en face de Sauternes. Par son orientation, ses terroirs et son encépagement, il est très proche de celui de Sainte-Croix-du-Mont. Toutefois, comme sur la rive gauche, les vins produits vers le nord ont souvent un caractère plus moelleux que liquoreux.

CH. DU GRAND PLANTIER 2011 ★

| 40 000 | | 5 à 8 € |

Issus d'une très ancienne famille de producteurs de Monprimblanc, les Albucher sont des habitués du Guide, autant pour leurs liquoreux de Loupiac que pour leurs bordeaux secs. Ils proposent ici un vin issu de 85 % de sémillon et 15 % de muscadelle, d'une jolie complexité aromatique, avec des notes confites (abricot et orange) et des parfums de fleurs blanches. Ample, souple, long et soutenu par une pointe de vivacité, le palais est bien équilibré ; « celui d'un vrai liquoreux », conclut un dégustateur.

☛ GAEC des Vignobles Albucher, Ch. du Grand Plantier, 33410 Monprimblanc, tél. 05 56 62 99 03,
fax 05 56 76 91 35, chateaudugrandplantier@orange.fr,
☑ ⚥ ⵗ r.-v. ⌂ Ⓔ

CH. LOUPIAC-GAUDIET 2011 ★

| n.c. | | 8 à 11 € |

Ce cru familial de 24 ha est l'une des valeurs sûres de l'appellation, que les lecteurs connaissent sous l'étiquette Loupiac-Gaudiet ou château de Loupiac. Le sémillon (95 %) et un soupçon de sauvignon et de muscadelle composent ce liquoreux joliment paré de reflets dorés, au nez d'abord discret, qui s'ouvre à l'aération sur des notes d'abricot, d'orange et de cire d'abeille. Ample, riche mais sans lourdeur, avec le ressort apporté par une juste fraîcheur, le palais laisse le souvenir d'un ensemble suave et bien équilibré.

☛ SCEA Marc Ducau, Ch. Loupiac-Gaudiet,
52, rte de Saint-Macaire, 33410 Loupiac, tél. 05 56 62 99 88,
fax 05 56 62 60 13, ml@loupiacgaudiet.com,
☑ ⚥ ⵗ t.l.j. 9h-12h 14h-18h; sam. dim. sur r.-v.
☛ Daniel Sanfourche

CH. MASSAC 2010 ★

| 20 000 | | 8 à 11 € |

Coup de cœur l'an dernier avec son 2009, Jean-Yves Arnaud – plus connu des lecteurs pour son château Mazarin dans cette même appellation et pour son château Frappe-Peyrot en cadillac – propose cette année un loupiac moins ambitieux mais qui ne manque pas d'atouts : une robe élégante ; un bouquet qui s'ouvre progressivement sur des arômes d'amande grillée, de noisette, d'abricot confit, d'agrumes et de miel ; une bouche puissante, généreuse, riche et équilibrée. Tout annonce un vrai vin de garde, à savourer à l'apéritif, sur des viandes blanches ou du roquefort.

☛ SCEA des Vignobles Jean-Yves Arnaud, 16, La Croix, 33410 Gabarnac, tél. et fax 05 56 62 18 92,
jy-arnaud@yahoo.fr, ☑ ⚥ ⵗ r.-v.

CH. DE RICAUD 2011

| 6 000 | | 15 à 20 € |

Propriété d'Alain Thiénot (groupe CVGB, Canard-Duchêne...), ce domaine est commandé par un vrai château de conte de fées (tours crénelées, gargouilles...) datant du XIXᵉs. Côté cave, c'est un loupiac encore un peu boisé à l'olfaction que l'on découvre dominé par des notes empyreumatiques. La bouche se montre généreuse et d'un bon volume, la liqueur y est bien présente sans être lourde ni sirupeuse. Un ensemble harmonieux, que l'on pourra laisser vieillir un peu pour qu'il s'ouvre à l'olfaction. Côté négoce, la cuvée **Kressmann Grande Réserve 2011** (11 à 15 € ; 20 000 b.) est qualifiée

de « liquoreux moderne » ; comprenez un vin fruité, aimable et frais.

☛ Ch. de Ricaud, rte de Sauveterre, 33410 Loupiac, contact@dourthe.com, ⚥ ⵗ r.-v.
☛ Alain Thiénot

♥ CH. DE ROUQUETTE 2011 ★★

| 13 000 | | 8 à 11 € |

Les Darriet ne se contentent pas d'ouvrir leur cru – ancien, on en trouve trace dès 1732 – aux visiteurs, ils proposent aussi d'authentiques parcours œnotouristiques pour les familles, avec des ateliers pour « apprentis-vignerons ». Ceux-ci sont d'autant plus intéressants que le savoir-faire est ici incontestable, notamment en matière de liquoreux. Ultime consécration : l'apparition de l'autre domaine des Darriet, Dauphiné-Rondillon, dans le tome 24 du célèbre manga japonais *Les Gouttes de Dieu*... et un coup de cœur du Guide Hachette pour ce vin, subtil

Les vins blancs liquoreux

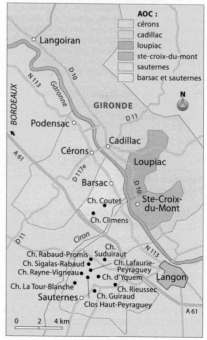

Les vins blancs liquoreux

mariage de l'élégance et de la puissance. La robe est d'un beau doré lumineux, assez pâle. Copieusement fruitée, l'olfaction évoque le coing, l'orange et l'abricot confits. Suivant la même ligne aromatique, le palais se révèle très intense, riche, gras, généreux sans jamais tomber dans la lourdeur grâce à la juste vivacité qui fait l'équilibre des grands liquoreux. Un loupiac de caractère qui séduira l'œnophile le plus exigeant. Née de ceps centenaires, la **Cuvée d'or du Ch. Dauphiné Rondillon 2010 (20 à 30 €; 8 000 b.)**, citée, est un « loupiac à l'ancienne », chaleureux, corsé, très liquoreux, sur les fruits très confits agrémentés de notes de rancio (noix). Pour amateurs de grandes douceurs.

☛ SCJ Darriet, Ch. Dauphiné-Rondillon, 33410 Loupiac, tél. 05 56 62 61 75, fax 05 56 62 63 73, contact@vignoblesdarriet.fr,

☑ ⚲ ⵢ t.l.j. 8h30-12h30 14h-18h; sam. dim. sur r.-v.

CH. SAINT-MARTIN Cuvée Nicolas 2010

		8 000	⬚	15 à 20 €

Cuvée de prestige issue entièrement de sémillon sélectionné par Nicolas, le fils de Pierre Bosviel, ce loupiac se montre déjà très plaisant par son expression aromatique bien typée (abricot confit, cire d'abeille, miel). Ample, chaleureux et concentré en bouche, il pourra être attendu quatre ou cinq ans.

☛ Pierre Bosviel, Ch. Saint-Martin, 33410 Cadillac, tél. 06 80 30 83 62, fax 05 56 76 93 50, chateau-saint-martin@wanadoo.fr, ☑ ⚲ ⵢ r.-v.

CH. SÉGUR DU CROS 2010 ★

		25 000	⬚	8 à 11 €

Si le château du Cros est un grand habitué du Guide et l'une des valeurs sûres de l'appellation, c'est la première fois qu'il nous présente cette cuvée. Bien lui en a pris puisque les dégustateurs ont apprécié son expression aromatique, portée vers les fleurs blanches, les agrumes et le miel. Ils ont aussi aimé son palais très équilibré, si bien bâti, frais et fin. Déjà fort courtois et parfait pour l'apéritif (il ne saturera pas trop les papilles), ce vin pourra s'apprécier dès aujourd'hui ou être attendu quatre ou cinq ans.

☛ Vignobles Boyer, Ch. du Cros, 33410 Loupiac, tél. 05 56 62 99 31, fax 05 56 62 12 59, contact@chateauducros.com,

☑ ⚲ ⵢ t.l.j. 8h-12h30 13h30-17h30; sam. dim. sur r.-v.

Sainte-croix-du-mont

Superficie : 400 ha
Production : 15 000 hl

Un site de coteaux abrupts dominant la Garonne, trop peu connu en dépit de son charme, et un vin ayant trop longtemps souffert (à l'égal des autres appellations de liquoreux de la rive droite, loupiac et cadillac) d'une réputation de vin de noces ou de banquets.

Pourtant, cette aire d'appellation située en face de Sauternes mérite mieux : à de bons terroirs, en général calcaires, avec des zones graveleuses, elle ajoute un microclimat favorable au développe-

ment du botrytis. Quant aux cépages et aux méthodes de vinification, ils sont très proches de ceux du Sauternais. Les vins, autant moelleux que véritablement liquoreux, offrent une plaisante impression de fruité. On les servira comme leurs homologues de la rive gauche, mais leur prix, plus abordable, pourra inciter à les utiliser pour composer de somptueux cocktails.

CH. DES ARROUCATS Sélection du Château 2010 ★★

		60 000	⬚	5 à 8 €

Belle propriété de 45 ha dominant la vallée de la Garonne face au Sauternais, ce cru nous offre une fois encore un vin des plus intéressants. Intense et complexe, le bouquet est bien typé avec ses notes de confiture d'abricot et d'orange confite. Le palais offre une belle envolée : bien enveloppé, gras, ample et long, il est stimulé en finale par une agréable fraîcheur. Un bon classique, équilibré et prêt à boire.

☛ Vignobles Labat-Lapouge, Les Arroucats, 33410 Sainte-Croix-du-Mont, tél. 05 56 62 07 37, fax 05 56 76 71 80, chateau_arroucats@hotmail.com, ☑ ⚲ ⵢ t.l.j. 8h-12h 13h30-18h; sam. dim. sur r.-v.; f. sem. du 15 août

CH. COULAC 2010

		6 600	⬚	11 à 15 €

Né du seul sémillon, ce vin met en confiance par sa robe bouton d'or. Son bouquet ne s'est pas encore totalement épanoui, mais on décèle déjà de plaisantes notes de miel et de fruits exotiques. Bien équilibré, souple, soyeux et chaleureux, le palais appelle deux ou trois ans de garde.

☛ SCEA des Vignobles Despujols, Ch. de l'Émigré, 33720 Cérons, tél. 05 56 27 25 38, fax 05 56 27 13 70, vignobles.despujols@orange.fr, ☑ ⚲ ⵢ r.-v.

BERNARD DAVIAUD 2010 ★

		2 100	⊞	11 à 15 €

Marque créée en 2009, ce vin fait une belle entrée dans le Guide avec ce 2010 à forte dominante de sémillon, un soupçon de sauvignon faisant l'appoint. D'une élégante couleur jaune d'or, il développe un bouquet fin et typé de miel, de fruits confits, de caramel et de toast. Riche, gras, concentré, ample et long, le palais permet d'envisager une garde de quatre ou cinq ans.

☛ Vignobles Fraigneau, village de Larrivat, 33410 Sainte-Croix-du-Mont, tél. 05 56 62 01 91
☑ ⚲ ⵢ r.-v.

CH. LA GRAVE Sentiers d'automne 2010 ★

		1 800	⊞	8 à 11 €

Cuvée prestige sélectionnée avec beaucoup de soins par Virginie Tinon, à la tête du domaine familial depuis 1999, ce vin ne se contente pas de porter un joli nom. Il présente un bouquet expressif et intense de fruits confits et d'épices. Après une attaque tout en souplesse, il montre un beau volume, de l'équilibre et une bonne présence aromatique en harmonie avec l'olfaction. La cuvée principale **Ch. la Grave 2010 (38 000 b.)**, savoureuse, riche sans excès, fruitée, obtient également une étoile.

☛ EARL Vignoble Tinon, Ch. la Grave, 33410 Sainte-Croix-du-Mont, tél. 05 56 62 01 65, tinon@terre-net.fr, ☑ ⚲ ⵢ t.l.j. 9h-18h ⌂ Ⓔ

CH. LES GUYONNETS 2011 ★★

| | n.c. | | 11 à 15 € |

Sophie et Didier Tordeur, anciens agriculteurs dans l'Oise, sont venus s'établir en Gironde en 2000, conquis par la région et cette belle propriété de 25 ha. Ils ont sélectionné 65 ares de sémillon pour élaborer ce 2011 séducteur en diable dans sa robe brillante et cristalline. Le bouquet charme tout autant par sa richesse et son caractère empyreumatique et miellé. À l'unisson, le palais se révèle gras, ample, liquoreux à souhait, fruité (ananas, orange) et bien épaulé par un boisé élégant et fondu. Un vin à la fois puissant et élégant, à garder en cave quatre ou cinq ans.

☛ Sophie et Didier Tordeur, Ch. les Guyonnets, 33490 Verdelais, tél. et fax 05 56 62 09 89, didiertordeur@aol.com, ☑ ⚔ ⵑ r.-v.

CH. HAUT-GOUTEY 2010 ★★

| | 20 000 | | 5 à 8 € |

Les lecteurs se souviendront sans doute d'un premières-côtes-de-bordeaux 2007 signé Denis Chassagnol, qui fut coup de cœur dans l'édition 2010. Ce sainte-croix-du-mont n'atteint pas la plus haute marche du podium, mais y a postulé. Ses arguments : une seyante robe dorée aux reflets vifs ; un bouquet aussi intense que frais, où les fleurs blanches, la pêche de vigne et les agrumes occupent une place de choix ; un palais à l'unisson, long, souple, soyeux et délicat. Déjà fort charmeur, il gagnera toutefois en complexité et en plénitude après trois ou quatre ans de garde.

☛ EARL Vignobles Denis Chassagnol, 8, Le Mathelot, 33410 Gabarnac, tél. 06 71 49 89 96, vins.chassagnol.denis@orange.fr, ☑ ⚔ ⵑ r.-v.

♥ CH. DU MONT Cuvée Pierre 2011 ★★

| | 10 000 | | 11 à 15 € |

CHÂTEAU DU MONT
Sainte-Croix-du-Mont
2011 CUVÉE PIERRE

Hervé Chouvac est un incorrigible récidiviste, et surtout un incomparable faiseur de liquoreux : coup de cœur l'an dernier avec cette même cuvée version 2010, pour ne citer que le dernier en date (car la liste est longue), il signe à nouveau un sainte-croix-du-mont de haute tenue. Un vin au bouquet intense et bien typé par ses notes d'abricot confit et de miel, prolongé par une bouche à l'unisson, ample, riche et généreuse, épaulée par un beau boisé et une fine fraîcheur. Déjà très plaisante, cette bouteille promet de l'être plus encore dans quatre ou cinq ans. Non moins remarquable et passé à un cheveu du coup de cœur, le **Ch. Valentin 2011 (5 à 8 € ; 45 000 b.)** séduira les palais les plus exigeants par sa complexité aromatique (abricot, figue sèche, écorce d'orange, grillé, poivre...), son volume et sa richesse. De bonne garde également.

☛ Claire et Hervé Chouvac, Ch. du Mont, lieu-dit Pascaud, 33410 Sainte-Croix-du-Mont, tél. 06 89 96 54 73, fax 05 56 62 07 65, chateau-du-mont@wanadoo.fr, ☑ ⚔ ⵑ r.-v.

CH. LA RAME Réserve du château 2011 ★★

| | 6 000 | | 15 à 20 € |

96 97 98 99 00 |01||02||03| 04 05 06 07 08 09 10 11

La réputation de cette propriété, dans la famille depuis huit générations, n'est plus à faire – les vins du domaine étaient déjà fort prisés au début du XXᵉ s. –, et ce cru est aujourd'hui encore l'un des porte-drapeaux de l'appellation. Les enfants d'Yves Armand (Angélique et Grégoire) poursuivent depuis 2009 l'œuvre paternelle avec un talent certain. Comme toujours ici, le vin a du relief et de la tenue. Cette Réserve 2011 se révèle très élégante et complexe dans son expression aromatique avec ses notes d'agrumes et d'abricot confits et de cire d'abeille agrémentées d'un fin boisé. Elle déploie la même élégance dans un palais riche, gras, puissant, bien habillé par le bois, qui prend des accents cacaotés en finale. C'est long, généreux mais jamais lourd ; un vin bâti pour durer. Des mêmes propriétaires, le **Ch. la Caussade 2011 (8 à 11 € ; 36 000 b.)**, dans un style plus souple et léger, obtient une étoile.

☛ GFA Ch. la Rame, 33410 Sainte-Croix-du-Mont, tél. 05 56 62 01 50, fax 05 56 62 01 94, dgm@wanadoo.fr, ☑ ⚔ ⵑ t.l.j. 9h-12h 13h30-17h30; sam. dim. sur r.-v.

DOM. DU TICH 2010

| | 12 000 | | 5 à 8 € |

Né dans le joli bourg de Verdelais, siège d'un important pèlerinage marial et village où repose Toulouse-Lautrec, ce vin a lui aussi des attraits multiples : une avenante robe jaune brillante ; un bouquet non moins charmeur de fruits confits et de notes miellées ; une bouche souple, fruitée et de bon volume. Tout indiqué pour un apéritif accompagné de toasts au foie gras.

☛ Thomas Fonteyreaud, 17, Mouliatte, Domaines Tich et Grava, 33490 Verdelais, tél. 06 30 82 43 57, fax 05 56 62 01 71, t73fc72b@gmail.com, ☑ ⚔ ⵑ r.-v.

Cérons

Superficie : 49 ha
Production : 1 335 hl

Enclavés dans les graves (appellation à laquelle ils peuvent aussi prétendre, à la différence des sauternes et des barsac), les cérons assurent une liaison entre les barsac et les graves supérieures, moelleuses. Là ne s'arrête pas leur originalité, qui réside aussi dans une sève particulière et une grande finesse.

GRAND ENCLOS DU CHÂTEAU DE CÉRON 2010 ★

| | n.c. | | 15 à 20 € |

Autrefois intégré au château éponyme, le Grand Enclos gagne son « indépendance » sous le Second Empire, lorsque les terres du domaine du marquis de Calvimont sont séparées en deux. Passé sous pavillon toscan en

2000 – Giorgio Cavanna est viticulteur dans le Chianti –, le domaine étend aujourd'hui son vignoble sur 27 ha, dont 3 ha réservés aux liquoreux. D'un brillant jaune doré, ce 2010 ne manque pas de panache dans sa présentation. Le bouquet, naissant, évoque la pêche, la fleur d'acacia et les agrumes confits agrémentés de nuances fumées. Ample, riche, long et élégant, le palais se révèle bien équilibré, même s'il penche pour l'heure encore du côté de la générosité plutôt que vers la fraîcheur. On attendra encore quelques années que l'ensemble s'harmonise : de belles promesses en perspective avec un foie gras ou du fromage persillé.

☛ SCEA du Grand Enclos de Cérons,
12, pl. Charles-de-Gaulle, 33720 Cérons, tél. 05 56 27 01 53, fax 05 56 27 08 86, grand.enclos.cerons@wanadoo.fr,
☑ ⚔ ⊺ r.-v.

♥ LE HAURET DU PIADA 2011 ★★

■	1 200	🔴⊞	15 à 20 €

Les Lalande sont producteurs en Sauternais, où ils s'illustrent régulièrement pour leur barsac (Ch. Piada). Leur vignoble de Cérons est pour le moins réduit (50 ares), mais cela ne les empêche pas de s'y investir pleinement, comme le prouve ce 2011, écho admirable au millésime 2007, également coup de cœur du Guide. De vieux sémillons de près de quarante-cinq ans sont à l'origine de ce vin jaune doré, « très sauternes », précise un dégustateur qui a l'œil. Le bouquet mêle de fines notes de fruits cuits, d'abricot notamment, de fruits exotiques et de fleurs blanches. Une attaque tout en souplesse introduit un palais expressif (les fruits confits, toujours), liquoreux à souhait, mais sans lourdeur aucune, équilibré par une vivacité parfaitement ajustée. Un ensemble élégant, frais, long et caressant, à servir de l'apéritif au dessert, aujourd'hui comme dans cinq ou sept ans. Un seul défaut à ce vin : son caractère confidentiel...

☛ EARL Lalande et Fils, Ch. Piada, 33720 Barsac,
tél. 05 56 27 16 13, fax 09 70 06 58 65,
chateau.piada@wanadoo.fr,
☑ ⚔ ⊺ t.l.j. 8h-12h 13h30-19h30; sam. dim. sur r.-v.

Barsac

Superficie : 480 ha
Production : 6 870 hl

Tous les vins de l'appellation barsac peuvent bénéficier de l'appellation sauternes. Barsac s'individualise cependant par un moindre vallonnement et par les murs de pierre entourant souvent les exploitations. Ses vins ont un caractère plus légèrement liquoreux que les sauternes mais ils appellent les mêmes accords gourmands. Comme les sauternes, ils peuvent être servis de façon classique avec un dessert ou, comme cela se fait de plus en plus, en entrée, sur du foie gras, ou bien en accompagnement de fromages bleus du type roquefort.

CH. COUTET 2010 ★

■ 1er gd cru	38 000	🔵⊞	50 à 75 €

89 90 95 96 97 99 |01| 02 03 04 **05** |06| 07 **09** 10

Cette forteresse anglaise bâtie au XIIIᵉs. est l'un des plus anciens domaines de Barsac, qui connut d'illustres propriétaires, notamment le marquis de Lur-Saluces : elle abrita les écuries du château d'Yquem, aujourd'hui transformées en chai. Le cru appartient depuis 1977 à la famille Baly, la société de négoce Baron Philippe de Rothschild en assurant la distribution exclusive, un atout certain lorsque l'on sait la difficulté à commercialiser les vins du Sauternais... Mais l'avantage le plus sûr reste de produire de bons vins ; le 2010 de Coutet (sémillon à 75 %, sauvignon à 23 % et muscadelle à 2 %) est très réussi : belle robe évoquant un soleil couchant ; élégance et complexité aromatique (fruits confits, abricot sec, miel, fruits exotiques, fleur d'acacia) ; palais ample, gras, riche, très concentré, au grain soyeux. S'il offre déjà un côté charmeur, il est bâti pour durer et pourra commencer à s'apprécier pleinement dans cinq ou six ans.

☛ Ch. Coutet, 33720 Barsac, tél. 05 56 27 15 46,
fax 05 56 27 02 20, info@chateaucoutet.com, ☑ ⚔ ⊺ r.-v.

CH. DOISY DAËNE 2010 ★★

■ 2e cru clas.	30 000	🔵⊞	30 à 50 €

50 71 75 75 76 78 79 80 **81 82** ⑧③ 84 85 **86** 88 89 |**90**| 91 94 95 |96| |**97**| |98| 00 |**01**| |02| |⑪③| |04| |05| **06 07** 08 09 **10**

Domaine acquis par les Duboudieu en 1924, Doisey Daëne est conduit depuis 2000 par Denis Dubourdieu, théoricien émérite (professeur d'œnologie à la faculté de Bordeaux), consultant international et praticien brillant de la vigne et du vin. Un talent qui saute aux yeux une nouvelle fois avec son grand vin 2010 (89 % de sémillon et 11 % de sauvignon blanc), paré d'une seyante robe jaune clair, presque cristalline. Qui saute au nez aussi, si l'on ose dire : en spécialiste de l'origine et de la préservation des arômes, le vinificateur a su exalter le fruit, sous la forme ici d'orange et de citron confits, et surtout la fleur (tilleul, acacia), soulignés par une fine touche iodée et par un discret boisé vanillé. À l'unisson, ample et très riche tout en restant délicat et léger, le palais séduit par son équilibre et par son côté déjà fort savoureux. Mais ce serait péché de ne pas attendre, au moins cinq ans.

☛ Pierre et Denis Dubourdieu, Ch. Doisy-Daëne,
33720 Barsac, tél. 05 56 62 96 51, fax 05 56 62 14 89,
reynon@wanadoo.fr, ☑ ⚔ ⊺ r.-v.

CH. JANY 2010

■	3 300	■	11 à 15 €

Vignoble familial à cheval sur les graves et sur la partie argilo-calcaire de l'appellation, ce cru propose un 2010 séduisant dans sa robe jaune pâle. Le bouquet marie harmonieusement les fruits exotiques, l'abricot, la fleur d'acacia et les épices. Tout aussi aromatique, à dominante exotique et épicée, le palais charme par sa fraîcheur et sa souplesse. Un barsac qualifié de « moderne », comprenez sans une grosse liqueur et plutôt tourné vers le fruit. Tout indiqué pour l'apéritif.

EARL du Vignoble Turtaut et Fils, 27, rue de la Gare, 33720 Barsac, tél. 05 56 27 03 26, vturtaut@wanadoo.fr, ☑ ⚔ ⛾ r.-v.

CH. DE ROLLAND 2010 ★

| | 6 000 | ⯑⏦ | 15 à 20 € |

Ce domaine ancien fut pendant trois siècles (1492-1797) propriété de la famille de Rolland. Depuis 1971, les Guignard sont aux commandes. Sauvé *in extremis* en 2008, un beau pigeonnier du XVᵉs. trône toujours sur le vignoble. Respectant la tradition par son encépagement (88 % de sémillon, 4 % de sauvignon et 8 % de muscadelle), ce 2010 dévoile une jolie palette aromatique (vanille, miel, tilleul en fleur, agrumes, litchi...). Dominée par des arômes flatteurs de fruits exotiques, la bouche se révèle ronde et riche mais sans lourdeur, étayée par une fine fraîcheur et un bon boisé qui épaule bien le vin sans l'étouffer. Recommandé sur un poulet, simplement rôti, ou accompagné d'une sauce au curry.

SCA Ch. de Rolland,
Lucie, François et Monique Guignard, 33720 Barsac,
tél. 05 56 27 15 02, fax 05 56 27 28 58,
info@chateauderolland.com,t.l.j. 9h-12h 14h-17h;
ven. 9h-12h; sam. dim. sur r.-v.

Sauternes

Superficie : 1 735 ha
Production : 34 260 hl

Si vous visitez un château à Sauternes, vous saurez tout sur ce propriétaire qui eut un jour l'idée géniale d'arriver en retard pour les vendanges et de décider, sans doute par entêtement, de faire ramasser les raisins surmûris malgré leur aspect peu engageant. Mais si vous en visitez cinq, vous n'y comprendrez plus rien, chacun ayant sa propre version, qui se passe évidemment chez lui. En fait, nul ne sait qui « inventa » le sauternes, ni quand ni où.

Si en Sauternais, l'histoire se cache toujours derrière la légende, la géographie, elle, n'a plus de secret. Chaque caillou des cinq communes constituant l'appellation (dont Barsac, qui possède sa propre appellation) est recensé et connu dans toutes ses composantes.

Il est vrai que c'est la diversité des sols (graveleux, argilo-calcaires ou calcaires) et des sous-sols qui donne un caractère à chaque cru, les plus renommés étant implantés sur des croupes graveleuses. Obtenus avec trois cépages – le sémillon (de 70 à 80 %), le sauvignon (de 20 à 30 %) et la muscadelle –, les sauternes sont dorés, à la fois onctueux et délicats. Leur bouquet « rôti » se développe et gagne en complexité avec le temps : miel, noisette et orange confite enrichissent sa palette. Les plus grandes bouteilles vivent des décennies. Il est à noter que les sauternes sont les seuls vins blancs à avoir été classés en 1855.

CH. L'AGNET LA CARRIÈRE 2011

| | 15 000 | ⏦ | 20 à 30 € |

Également producteur dans d'autres appellations, Laurent Mallard, basé à Escoussans dans l'Entre-deux-Mers, n'hésite pas à franchir la Garonne pour élaborer ce vin de conception moderne, qui se signale par la belle complexité du bouquet, floral, fruité, miellé et brioché. Friand, moelleux et frais à la fois, il est plus élégant que puissant en bouche, avec une finale vive qui fait ressortir le fruité. Le bois reste assez présent également, et quelques années de garde seront bienvenues pour lui permettre de se fondre.

Laurent Mallard, Ch. Naudonnet Plaisance,
33760 Escoussans, tél. 05 56 23 93 04, fax 05 56 23 97 94,
contact@laurent-mallard.com

CH. D'ARCHE 2010 ★

| 2e cru clas. | 30 000 | ⏦ | 20 à 30 € |

Bien situé au sommet d'une colline dominant le Ciron, ce cru fort ancien de 40 ha fut constitué au XVIIIᵉs. par les comtes d'Arche. Il est depuis les années 1980 propriété de Pierre Perromat, qui fut longtemps président de l'INAO, et est aujourd'hui conduit par sa fille Sabine et son gendre Jérôme Cosson. Ici, l'œnotourisme n'est pas un vain mot : visites libres ou guidées dans les vignes, visites « accords mets et vins » ou encore visites « dégustation verticale », sans compter l'hôtel aménagé dans une chartreuse du XVIIᵉs. Côté cave, un 2010 très élégant, d'une couleur jaune paille. Le bouquet, riche et intense, exprime des notes de fruits mûrs, de miel d'acacia et de vanille. Après une attaque ronde, le palais évolue avec finesse autour des fruits confits et des épices douces (cannelle), soutenu par une belle fraîcheur qui lui confère un aimable caractère aérien. Un sauternes net, tonique et équilibré.

SA Ch. d'Arche, 33210 Sauternes, tél. 05 56 76 66 55,
fax 05 56 76 34 68, chateaudarche@wanadoo.fr,
☑ ⚔ ⛾ r.-v.

CH. D'ARMAJAN DES ORMES 2010

| | 10 000 | ⯑⏦ | 20 à 30 € |

Un domaine commandé par un bel ensemble architectural girondin du XVIIᵉs., anobli en 1565 par la visite de Charles IX et de sa mère Catherine de Médicis, et propriété des Perromat depuis 1995. Issu de 10 ha de sémillon (70 % pour le 2010), de sauvignon (28 %) et d'un soupçon de muscadelle, ce sauternes jaune pâle brillant dévoile un nez encore un peu dominé par le bois, mêlant nuances résineuses et fruits mûrs. Le palais, à l'unisson, ne joue pas dans le registre de l'opulence et de la concentration, mais plutôt dans celui de fraîcheur et de la légèreté, ce qui le rend d'ores et déjà très plaisant et parfaitement indiqué pour l'apéritif.

☛ EARL Jacques et Guillaume Perromat, Ch. d'Armajan, 33210 Preignac, tél. 05 56 63 58 21, gperromat@mjperromat.fr, ☑ ⚔ ⏃ r.-v.

CH. BASTOR-LAMONTAGNE 2010 ★

	50 000	⏸	20 à 30 €

82 83 84 **85 86 88 89** ⑨⓪ **94 95 96 |97|** |98| |99| 00 |01| 02 |**03|** 04 |05| |06| 07 08 **09** 10

« Bastore », comme il est indiqué sur la carte de Belleyme, est déjà un domaine important au XVIIIᵉs. Plus orienté vers la polyculture, il se spécialise à partir de 1839 sous l'impulsion d'Amédée Larrieu, alors aussi propriétaire de Haut Brion. Désormais sous pavillon bancaire (Crédit Foncier), Bastor (qui a perdu voilà longtemps son « e » originel) s'est depuis quelque temps engagé dans la voie des sauternes dits « modernes », offrant moins de liqueur et plus d'arômes et de fraîcheur, une façon sans doute de conquérir de nouveaux et plus jeunes consommateurs moins « becs sucrés » que leurs aînés. Rien d'étonnant à trouver ici un vin au bouquet frais, certes un peu réservé mais élégant, floral et fruité (pêche confite), avec une pointe très « sauvignonnée » de buis à l'arrière-plan. Suave en attaque, le palais offre un bel équilibre sucre/alcool/acidité, et dévoile en finale la fraîcheur attendue. Tout cela pourra dérouter l'amateur de sauternes « classiques », même si l'ensemble reste fort séduisant et, somme toute, dans le canon de l'appellation ; cette bouteille pourra le convaincre en accompagnement d'un melon au sauternes ou de beignets de crevette sauce au gingembre. Allant plus loin encore dans ce nouveau style, le **SO sauternes 2010 (11 à 15 € ; 15 000 b.)**, cité, offre un caractère souple, fringant et fruité (fruits blancs, fruits exotiques), souligné par une finale minérale. Parfait pour un apéritif décontracté autour de produits de la mer.

☛ SCEA de Bastor et Saint-Robert, Dom. de Lamontagne, 33210 Preignac, tél. 05 56 63 27 66, fax 05 56 76 87 03, bastor@bastor-lamontagne.com, ☑ ⚔ ⏃ r.-v.

☛ GIE Cellarmony

CH. CANTEGRIL 2010

	30 000	▮⏸	30 à 50 €

Propriété de Denis Dubourdieu (Doisy-Daëne), Cantegril est un enclos de 22 ha établis sur le plateau calcaire du haut Barsac. Sémillon (91 %) et sauvignon blanc y ont donné naissance à ce 2010 qui a encore « le nez dans la barrique » (notes grillées et vanillées), les fruits confits et le miel n'apparaissant qu'à l'aération. En bouche, le bois reste bien présent mais on apprécie son volume et sa liqueur généreuse dynamisée par une finale fraîche, minérale et épicée. Il faudra attendre un peu que le merrain se fonde pour ouvrir cette bouteille, que l'on verrait bien sur une volaille en sauce.

☛ Pierre et Denis Dubourdieu, Ch. Doisy-Daëne, 33720 Barsac, tél. 05 56 62 96 51, fax 05 56 62 14 89, reynon@wanadoo.fr, ☑ ⚔ ⏃ r.-v.

CLOS HAUT-PEYRAGUEY 2010 ★★

▮ 1er qd cru clas.	27 000	⏸	30 à 50 €

82 83 **85 86 88 89 90** 91 94 95 |**96**| |**97**| |99| |01| 02| 03 |04| |**05**| |06| 07 **10**

Ce cru classé voisin d'Yquem, jadis rattaché, comme son nom l'indique, à Lafaurie-Péraguey, a été acquis par Bernard Magrez en décembre 2012. Mais c'est bien la famille Pauly, installée ici depuis 1914, qui a élaboré ce 2010. Un sauternes qui leur fait honneur par sa finesse

aromatique centrée sur la pêche, les fleurs blanches et les épices, complétés au palais par des arômes d'orange confite, d'abricot très mûr et de raisin rôti. Gras, riche, généreux sans jamais se montrer lourd, grâce à sa vivacité bien perceptible en finale, ce 2010 offre beaucoup de relief et invite à faire preuve de patience pendant au moins quatre ou cinq ans. Autre propriété de Bernard Magrez, le **Ch. Latrezotte cuvée Le Sauternes de ma fille 2011 (10 à 15 € ; 16 300 b.)** est cité pour son fruité délicat.

☛ SC Bernard Magrez, Clos Haut-Peyraguey, 33210 Bommes, tél. 05 56 76 61 53, fax 05 56 76 69 65, closhautpeyraguey@pape-clement.com, ☑ ⚔ ⏃ t.l.j. 9h-12h30 13h30-20h

CH. CLOSIOT 2010 ★★

▮	6 500	⏸	20 à 30 €

Pour exploiter ce cru familial, caractéristique de Barsac par sa taille humaine (4,5 ha), Françoise Sirot-Soizeau bénéficie de l'aide de son époux, journaliste bien connu de la presse vinicole belge. Coup de cœur sur le millésime 2008, Closiot propose un 2010 (90 % de sémillon, 5 % de sauvignon gris et autant de muscadelle) qui a peu à lui envier. Élégant et d'une belle complexité, le nez évoque tour à tour les fleurs blanches (aubépine), l'écorce d'orange, les épices, la vanille, le fumé... Une complexité que prolonge une bouche riche et concentrée, mais pas trop, douce et onctueuse, sans jamais perdre l'équilibre grâce à une fine vivacité qui rien acidulée en finale et à un fruité remarquable aux accents de mangue, d'ananas et d'abricot. Un sauternes qui cherche plus à séduire qu'à s'imposer, ce qui ne l'empêche pas d'être bien armé pour la garde.

☛ SCEA Ch. Closiot, lieu-dit Bonneau, 33720 Barsac, tél. 05 56 27 05 92, fax 05 56 27 11 06, chateau.closiot@orange.fr, ☑ ⚔ ⏃ t.l.j. sf sam dim. 10h-12h 14h-18h; f. jan.

☛ F. Sirot-Soizeau

♥ CH. DELMOND 2011 ★★★

	45 000	▮	11 à 15 €

Le second avant le premier, ce n'est pas si courant mais cela arrive et, en l'occurrence, ce n'est pas la première fois : reprenez l'édition 2011 du Guide, le 2008 de Delmond avait mis fin à une série remarquable de quatre coups de cœur d'affilée de son « grand frère » Laville (millésimes 2003, 2004, 2006 et 2007)... Le seconde étiquette remonte sur le podium avec un 2011 au potentiel impressionnant. Il est difficile de ne pas tomber sous le charme de sa robe dorée et ambrée comme de son bouquet expressif et complexe de coing, de fruits exotiques et de raisin confit presque muscaté. La même trame fruitée souligne le palais, savoureux, d'une grande richesse, à la fois tendre et puissant, étiré dans une longue finale fine et fraîche. Déjà charmeur, ce sauternes a un grand avenir devant lui (une décennie et plus encore). Moins subtil mais étonnant de caractère et de générosité, épaulé par un fin boisé – Delmond n'a connu que la cuve –, fruité (fruits exotiques, abricot) et floral, le **Ch. Laville 2011 (20 à 30 €ﾠ; 20 000 b.)** obtient une étoile.

☛ Ch. Laville, 33210 Preignac, tél. 05 56 63 59 45, fax 05 56 63 16 28, chateaulaville@hotmail.com, ☑ ⚘ ⵧ r.-v.

☛ Famille Barbe

MAISON DELOR Héritage 1864 2011

| ■ | 45 000 | 🍶 | 11 à 15 € |

Dans le giron du groupe CVBG (Dourthe Kressmann), cette ancienne maison de négoce (1864) propose un 2011 d'un jaune d'or léger, au nez de fruits confits, de pain chaud et d'amande douce. Bien fruitée (fruits exotiques, abricot), la bouche se distingue par son équilibre, offrant une agréable liqueur tempérée par juste ce qu'il faut d'acidité. Un sauternes qualifié de « moderne », sur la finesse et la légèreté plutôt que dans l'opulence. À boire dès aujourd'hui, à l'apéritif.

☛ Maison Delor, 35, rue de Bordeaux-Parempuyre, CS 80004, 33295 Blanquefort Cedex, tél. 05 56 35 53 00, fax 05 56 35 53 29, sandrine.devant@cvbg.com

☛ CVBG

CH. DOISY-VÉDRINES 2010 ★★

| ■ 2e cru clas. | 40 000 | ⪒ | 20 à 30 € |

⑧③ 86 88 90 95 97 98 00 |02| |03| |04| |05| 06 09 10

Des trois Doisy – Daëne, Dubroca et Védrines, les trois châteaux ne faisaient qu'un lors du classement de 1855 –, il est le plus grand (36 ha). Son nom lui a été donné en mémoire des chevaliers de Védrines, anciens propriétaires de ce domaine entré dans la famille Castéja au milieu du XVIIIᵉs. Le 2010 (80 % sémillon, 15 % sauvignon et 5 % muscadelle) est à la hauteur de la renommée du cru et tient son rang de classé. D'une délicate teinte jaune or, il dévoile un nez exquis et complexe de caramel au lait, de miel et de fruits confits. L'annonce d'un palais liquoreux et confit à souhait, dense, riche et rond, que stimule une fine vivacité et que soutient un boisé bien fondu. Un sauternes élégant et très équilibré, dont on pourra profiter sans attendre ou, plus judicieusement, que l'on attendra au moins trois à cinq ans.

☛ Ch. Doisy-Védrines, 33720 Barsac, tél. 05 56 27 15 13, fax 05 56 27 26 76, doisy-vedrines@orange.fr, ⚘ ⵧ r.-v.

☛ Héritiers P. Castéja

CH. DE FARGUES 2009 ★★

| ■ | 25 000 | ⪒ | + de 100 € |

83 84 85 86 87 88 |89| |90| 91 |94| |95| |96| |97| |98| 01 02 03 04 05 06 07 08 **09**

Forteresse ruinée par un incendie en 1687, Fargues est propriété des Lur-Saluces depuis 1472 et le berceau de cette illustre famille ; un exemple sans doute unique en Bordelais de longévité patrimoniale. Ne subsistent aujourd'hui que les solides murailles de cette ancienne baronnie, bâties sur une hauteur au milieu du vignoble, d'une quinzaine d'hectares aujourd'hui, complantés de sémillon (80 %) et de sauvignon. Encore dominé par le bois (trente mois d'élevage), la vanille masquant pour l'heure le fruit et le miel, ce 2009 est loin d'avoir trouvé sa pleine expression aromatique. Mais le potentiel est réel et sensible en bouche : une matière dense et ample, une solide structure et une longue finale sur les fruits confits en disent long sur les capacités de garde de ce sauternes de caractère, fruit d'un très beau botrytis, qui gagnera beaucoup au vieillissement.

☛ Alexandre de Lur-Saluces, Ch. de Fargues, 33210 Fargues, tél. 05 57 98 04 20, fax 05 57 98 04 21, fargues@chateau-de-fargues.com, ☑ ⚘ ⵧ r.-v.

CH. FILHOT 2010 ★

| ■ 2e cru clas. | 50 000 | 🍶⪒ | 30 à 50 € |

81 82 83 85 86 88 89 91 92 95 |96| |97| |98| |99| |00| |01| 03 |04| 05 **09** 10

Contrairement à ce qui se pratique dans la plupart des crus du Sauternais, on vinifie ici en cuve Inox, à basse température, et non dans le bois, l'idée étant de préserver le fruit et la fraîcheur, d'autant plus que l'encépagement offre une place non négligeable au sauvignon (36 %). Puis l'élevage se fait en barrique (un tiers neuve, un tiers d'un vin et un tiers de deux vins) et vient « arrondir » les angles de la liqueur. Le 2010 se présente dans une robe jaune paille brillant et livre un bouquet discret mais fin de fruits

LES CRUS CLASSÉS DU SAUTERNAIS EN 1855

PREMIER CRU SUPÉRIEUR	SECONDS CRUS
Château d'Yquem	Château d'Arche
	Château Broustet
	Château Caillou
PREMIERS CRUS	Château Doisy-Daëne
Château Climens	Château Doisy-Dubroca
Clos Haut-Peyraguey	Château Doisy-Védrines
Château Coutet	Château Filhot
Château Guiraud	Château Lamothe (Despujols)
Château Lafaurie-Peyraguey	Château Lamothe (Guignard)
Château Rabaud-Promis	Château de Malle
Château Rayne-Vigneau	Château Myrat
Château Rieussec	Château Nairac
Château Sigalas-Rabaud	Château Romer
Château Suduiraut	Château Romer du Hayot
Château La Tour-Blanche	Château Suau

blancs et d'agrumes soulignés par une note minérale. En bouche, l'expression aromatique évolue vers de délicates nuances de miel, de confiture et de fruits exotiques ; la liqueur est très agréable, sans lourdeur, apportant une rondeur aimable contrebalancée par une juste fraîcheur. L'ensemble laisse le souvenir d'un vin élégant et très équilibré, à laisser mûrir sagement jusqu'à l'horizon 2018-2020, et plus encore.

☙ SCEA du Ch. Filhot, Ch. Filhot, 33210 Sauternes, tél. 05 56 76 61 09, fax 05 56 76 67 91, filhot@filhot.com, ☑ ⚹ ☗ t.l.j. sf sam. dim. 9h-12h 14h-17h
☙ H. de Vaucelles

CH. **FONTEBRIDE** 2010 ★★

| | 20 000 | ▮▯ | 11 à 15 € |

Présents depuis longtemps dans le Guide avec le château Haut-Bergeron, les Lamothe se distinguent, une fois n'est pas coutume, avec leur château Fontebride, particulièrement réussi dans ce millésime. Un bouquet élégant et expressif de fruits confits, de fruits frais (abricot, fruits exotiques) et de fleurs blanches ; un palais tout aussi expressif et complexe, ample et puissant – « Une liqueur énorme ! », affirme un dégustateur –, bien équilibré par une fine vivacité et égayé en finale par des notes épicées. Tout s'accorde pour donner une très belle bouteille de caractère, à attendre un peu (trois, quatre ans) ou bien plus longtemps (la décennie). Rond, riche, étayé par une bonne acidité, le **Ch. Haut-Bergeron 2011 (20 à 30 € ; 24 000 b.)** obtient quant à lui une étoile, de même que le **Ch. Grand-Jauga 2010 cuvée Prestige (30 000 b.)**, très aromatique (agrumes confits, coing, fleurs blanches, grillé...) et bien balancé entre rondeur, richesse et fraîcheur.

☙ SCE Ch. Haut-Bergeron, 3, Piquey, 33210 Preignac, tél. 05 56 63 24 76, fax 05 56 63 23 31, haut-bergeron@wanadoo.fr, ☑ ⚹ ☗ t.l.j. 9h-12h 14h-18h
☙ Lamothe

CH. **GRILLON** 2010 ★★

| | 29 000 | ▮▯ | 15 à 20 € |

Comme beaucoup de crus situés à Barsac, Grillon est une propriété familiale à taille humaine, conduite par les Cameleyre depuis 1925. D'un beau jaune doré brillant, son 2010 (95 % de sémillon) met d'emblée en confiance avec ses parfums délicats de fruits confits, de vanille et de pain d'épice. On retrouve ces sensations dans un palais franc en attaque, ample, gras, nuancé par ce qu'il faut d'acidité et porté par un boisé fondu qui lui donne une belle assise. La longue finale veloutée laisse sur une impression d'harmonie et d'élégance. Déjà plaisante, cette bouteille acceptera sans problème la garde.

☙ Odile Roumazeilles-Cameleyre, Ch. Grillon, 33720 Barsac, tél. 05 56 27 16 45, fax 05 56 27 12 18
☑ ⚹ ☗ t.l.j. 8h30-12h 14h-18h

♥ CH. **HAUT COUSTET** 2010 ★★

| | 26 000 | ▮▯ | 15 à 20 € |

La famille Mercadier exploite plusieurs crus dans le Sauternais ; elle est à la tête de celui-ci depuis 1998. Les lecteurs les plus fidèles se rappelleront peut-être qu'elle avait fait une entrée remarquée dans ces colonnes avec son Ch. Veyres 2001, coup de cœur de l'édition 2005. Haut

Coustet 2010 rejoint son glorieux aîné. L'encépagement est classique : 80 % de sémillon, 10 % de sauvignon et 10 % de muscadelle, et le résultat remarquable de bout en bout. Arborant une belle livrée jaune d'or à reflets verts, ce sauternes déploie une large palette aromatique évoquant tour à tour les fruits secs, les fruits mûrs, le miel, le raisin de Corinthe et le pruneau. La fraîcheur, apportée par des arômes de fruit exotique (ananas) et d'agrumes, s'équilibre avec un boisé élégant et un moelleux savoureux et délicat pour créer un ensemble harmonieux, digne des plus grands. Élégant, expressif et équilibré, le **Ch. de Veyres 2010 (20 à 30 € ; 9 000 b.)** obtient une étoile, tandis que le **Ch. Tuyttens 2010 (16 000 b.)**, façonné par une liqueur généreuse contrebalancée par un petit élan de vivacité, est cité.

☙ SCEA du Clos de la Vicairie, Ch. Tuyttens, 33210 Fargues, tél. et fax 05 56 76 85 69, emercadier@vignoblesmercadier.com, ☑ ☗ r.-v.
☙ Mercadier

CH. **HAUT-MAYNE** 2010 ★

| | 26 000 | ▮▯ | 15 à 20 € |

Ancienne propriété du comte de Chalup, ce cru appartient à la famille Roumazeilles depuis 1929. Son 2010 se présente dans une robe jaune profond et intense, le nez ouvert sur d'élégants parfums de miel, de fleur d'acacia, de fruits confits et de vanille. La bouche offre un bel équilibre entre rondeur et vivacité, et distille de jolies notes confites en accord avec l'olfaction. Un sauternes qualifié de « gourmand », que l'on prendra plaisir à déguster aussi bien jeune que patiné par cinq ans de garde.

☙ EARL Roumazeilles, Ch. Haut-Mayne, 33210 Preignac, tél. et fax 05 56 27 12 18, julien.roumazeilles@wanadoo.fr, ☑ ⚹ ☗ t.l.j. 8h30-12h 14h-18h

CH. **LAFON** 2011 ★

| | 35 000 | ▮▯ | 15 à 20 € |

Né sur un petit vignoble (12 ha), dont une partie est enclavée dans celui d'Yquem, ce vin est de bonne origine et ne manque pas d'attraits, avec en tête des parfums intenses et complexes de pêche blanche, de kiwi, de fruits confits, de fleurs d'acacia et de bois frais. Le palais ? « Très long, très riche, très liquoreux, très mûr », résume un dégustateur ; un sauternes généreux, vous l'aurez compris, mais qui n'empâte pas, grâce à une fraîcheur sous-jacente qui apporte l'équilibre. Un beau classique, puissant et harmonieux, à remiser au moins quatre ou cinq ans dans sa cave.

☙ Fauthoux, Ch. Lafon, 33210 Sauternes, tél. et fax 05 56 63 30 82, olivier.fauthoux@wanadoo.fr, ☑ ⚹ ☗ r.-v.

BORDELAIS

CH. LAMOTHE DESPUJOLS 2009 ★

■ 2e cru clas.	7 134	▥ 20 à 30 €

Le château Lamothe, plusieurs fois découpé et autrefois uni à Lamothe-Guignard, est propriété des Despujols depuis 1961. Il s'élève sur un point stratégique de la région, qui accueillit des fortins et une motte féodale. Cette position plaît aujourd'hui à la vigne, comme le prouve ce 2009 élevé vingt-six mois en fût. Celui-ci se révèle lentement à l'olfaction, autour des fruits frais (abricot) et des fleurs blanches. Ample et persistant, le palais s'oriente vers la poire et le miel, et dévoile un équilibre très réussi entre l'acidité et la liqueur. Une bouteille harmonieuse, à servir aujourd'hui comme dans trois à cinq ans, sur des fromages ou une tarte aux fruits.
☞ Guy Despujols, 19, rue Principale, 33210 Sauternes, tél. 05 56 76 67 89, fax 05 56 76 63 77, contact@lamothe-despujols.com, ☑ ⚹ ⵀ r.-v.

CH. LIOT 2011 ★

■	n.c.	15 à 20 €

Belle unité située sur le plateau du haut Barsac, ce cru fait preuve d'une belle régularité. Le millésime 2011 ne dément pas cette tendance et séduit d'emblée par ses arômes de fruits blancs (pêche) et d'épices (vanille, clou de girofle). Onctueux et rond sans mollesse, gras sans lourdeur, le palais confirme les impressions olfactives. L'ensemble est homogène, équilibré et apte à une bonne garde de cinq ans et plus.
☞ SCEA J. et E. David, Ch. Liot, 33720 Barsac, tél. 05 56 27 15 31, fax 05 56 27 14 42, chateau.liot@wanadoo.fr, ☑ ⚹ ⵀ r.-v.

CH. DU MONT Cuvée Jeanne 2010 ★★

■	5 000	▥ 11 à 15 €

Coup de cœur l'an dernier – et trois étoiles, ce qui n'est pas si fréquent dans ce chapitre – pour cette même cuvée version 2009, Hervé Chouvac frôle le doublé, mais il se consolera sans doute avec son sainte-croix-du-mont... D'une belle couleur, entre jaune paille et or, ce 2010 issu du seul sémillon libère des parfums aussi fins que frais, la pêche et l'abricot confits se mêlant au miel, au pain frais et aux fleurs blanches, le tout agrémenté d'une pointe de menthol. À la fois souple et riche, adossé à un boisé modéré et à une belle vivacité finale, le palais joue lui aussi la carte de l'élégance et de l'équilibre plutôt que celle de l'opulence. Cet ensemble est déjà très plaisant mais il mérite amplement d'être attendu cinq ou six ans, et plus encore.
☞ Claire et Hervé Chouvac, Ch. du Mont, lieu-dit Pascaud, 33410 Sainte-Croix-du-Mont, tél. 06 89 96 54 73, fax 05 56 62 07 65, chateau-du-mont@wanadoo.fr, ☑ ⚹ ⵀ r.-v.

CH. DE MYRAT 2010

■ 2e cru clas.	30 000	▥ 30 à 50 €

Sans les efforts de Jacques et Xavier de Pontac (de la même famille que Jean de Pontac, fondateur de Haut Brion), ce cru classé que commande une belle chartreuse girondine aurait purement et simplement disparu à la fin des années 1980 ; en effet, leur père, Max avait fait arracher la totalité du vignoble au milieu des années 1970 face aux difficultés qu'il rencontrait pour vendre ses sauternes. Ses fils ont tout replanté en 1988, et le domaine a retrouvé ses 22 ha de vignes d'origine et son lustre d'antan. Un lustre que ne ternira pas ce 2010 élégant dans sa robe jaune à reflets dorés, bien bouqueté autour des fruits confits et des fruits secs, suave et bien équilibré en bouche par une finale vive et tonique. Déjà plaisant, ce vin pourra aussi être attendu quatre ou cinq ans.
☞ Jacques de Pontac, Ch. de Myrat, 33720 Barsac, tél. 05 56 27 09 06, fax 05 56 27 11 75, myrat@chateaudemyrat.fr, ☑ ⚹ ⵀ r.-v.

CH. PIADA 2011 ★

■	13 600	▤▥ 20 à 30 €

En 1941, une bouteille de Piada a fait partie de la brigade de flacons qui a permis au colonel Rémy de récupérer les plans de la base sous-marine de Lorient. Si le vin de l'époque ressemblait à ce 2011, on comprend que les sous-mariniers de la Kriegsmarine aient succombé à la tentation... Des arômes de fruits confits (ananas, abricot, orange, litchi) caractéristiques du botrytis montent du verre. Intense, opulent mais sans lourdeur, stimulé par une finale fraîche et acidulée, le palais affiche un bel équilibre. Un sauternes élégant et harmonieux, tout indiqué pour l'apéritif : il ne vous saturera pas les papilles.
☞ EARL Lalande et Fils, Ch. Piada, 33720 Barsac, tél. 05 56 27 16 13, fax 09 70 06 58 65, chateau.piada@wanadoo.fr, ☑ ⚹ ⵀ t.l.j. 8h-12h 13h30-19h30; sam. dim. sur r.-v.

CH. DE RAYNE-VIGNEAU 2010 ★

■ 1er cru clas.	90 000	▥ 30 à 50 €

Célèbre pour les cailloux (agates, quartz, onyx, topazes, améthystes...) trouvés dans ses vignes, ce cru fut propriété de la famille de Pontac – Catherine de Pontac devenue Mme de Rayne lui a donné son nom au XIXes. –, puis entra dans le giron du négoce Cordier Mestrezat, avant d'être acquis, en 2004, par le Crédit Agricole. Côté cave, on trouve d'autres pépites, comme ce 2010 salué pour son bel équilibre. Le bouquet mêle harmonieusement les agrumes confits au miel et à l'aubépine. Les mêmes saveurs douces et persistantes tapissent un palais rond, gras, savoureux, tonifié par une touche iodée. L'ensemble a beaucoup de tenue et mérite d'être attendu au moins quatre ou cinq ans.
☞ Ch. de Rayne-Vigneau, Haut-Bommes, 33210 Bommes, tél. 05 56 59 00 40, contact@cagrandscrus.fr, ☑ ⚹ ⵀ t.l.j. sf dim. lun. 10h-12h 13h-18h
☞ Crédit Agricole Grands Crus

CH. RIEUSSEC 2010 ★★

■ 1er cru clas.	n.c.	▥ 75 à 100 €

| 83 | 84 | 85 | 86 | 87 | 88 | 89 | ⑨⓪ | 92 | ⑨④ | ⑨⑤ | ⑨⑥ | ⑨⑦ | ⑨⑧ | ⑨⑨ |
| ⓪⓪ | ⓪① | 02 | 03 | 04 | 05 | 06 | 07 | 09 | 10 | | | | | |

En 1889, le prince Galitzine, président de la section des vins de l'Exposition universelle, organisa un concours informel entre un grand vin australien et un Rieussec. La conclusion, rapporta le chroniqueur du *Temps*, fut une victoire sans discussion du sauternes, car plusieurs « *siècles de civilisation et de culture se révélaient dans l'harmonie parfaite de tous ses éléments* ». Cette réflexion pourrait être reprise pour ce vin qui réserve une remarquable expression aromatique, toujours en mouvement, du bouquet à la finale : raisin frais, genêt, écorce d'orange confite, fruits exotiques, angélique, gingembre ; la dégustation devient un tour du monde des saveurs. Aérienne et légère dans son approche, la bouche monte ensuite en puissance, la liqueur s'affirme, le vin se fait ample, à la fois dense et très frais, puis s'étire dans une longue finale fruitée et épicée.

Un grand sauternes d'une pureté et d'un équilibre remarquables. Moins riche et complexe, mais très bien constitué et expressif (fleurs d'été, coing, miel et abricot), le second vin, **Carmes de Rieussec 2011 (11 à 15 € ; 95 000 b.)**, obtient une étoile.

☎ Ch. Rieussec, 34, rte de Villandraut, 33210 Fargues, tél. 05 57 98 14 14, fax 05 57 98 14 10, rieussec@lafite.com, ☑ ⚔ ⵏ r.-v.

☎ Domaines barons de Rothschild (Lafite)

BARON PHILIPPE DE ROTHSCHILD Baronne Pauline 2010 ★

■	6 200	⬛ 20 à 30 €

Marque de la maison Baron Philippe de Rothschild, faisant partie de la gamme Barons et Baronnes, cette Baronne Pauline se présente dans une robe dorée aux reflets vifs et s'annonce avec discrétion au premier nez, avant de dévoiler à l'aération des notes élégantes de figue sèche, de menthol et de rôti. Suivant lui aussi un développement aromatique progressif, sur les fruits secs et les agrumes confits, le palais se montre bien équilibré entre richesse et fraîcheur. Un sauternes bien typé, qui appelle une garde d'au moins un an ou deux, et qui pourra rester sagement en cave pendant plusieurs années.

☎ Baron Philippe de Rothschild, 10, rue de Grassi, 33250 Pauillac, tél. 05 56 73 20 20, fax 05 56 73 20 44, webmaster@bpdr.com

CH. ROÛMIEU-LACOSTE 2011 ★

■	10 000	⬛ 15 à 20 €

Coup de cœur l'an dernier avec son remarquable 2010, ce cru, propriété plus d'un siècle de la famille Dubourdieu, nous montre une fois de plus son savoir-faire avec ce sauternes 100 % sémillon. Un vin qui ne se contente pas d'être attrayant dans sa belle livrée jaune paille, mais qui charme aussi par son bouquet intense de fleurs et de fruits blancs agrémentés d'une pointe d'épices, douces (vanille) et moins douces (curry). La bouche y ajoute des touches de noisette et d'amande. Ample, ronde et tendre, elle s'appuie sur une fine vivacité qui tonifie sa finale et lui confère une longueur appréciable. Un sauternes à la fois séveux et dynamique, sans lourdeur, équilibré en somme, qui mérite au moins trois à cinq ans de patience, et qui pourra rester plus longtemps encore en cave.

☎ Hervé Dubourdieu, Ch. Roûmieu-Lacoste, 33720 Barsac, tél. 05 56 27 16 29, hervedubourdieu@aol.com, ☑ ⚔ ⵏ r.-v.

CH. SIGALAS RABAUD 2010 ★

■ 1er cru clas.	25 188	⬛	30 à 50 €

83 85 86 87 **88 89** 90 91 92 94 ⑨⑤ 96 **97 98 99** 00 |01| |02| |03| |04| |05| **06** 07 **08** 09 10

C'est en 1863 que le château Rabaud, acquis par Henri Sigalas, devient Sigalas Rabaud. En 1903, Pierre, fils d'Henri, cède à la famille Promis (d'où Rabaud-Promis, autre 1er cru classé) une trentaine d'hectares pour ne garder que « le bijou du terroir », soit les 14 ha actuels. Le domaine sera plus tard mis en fermage, notamment au profit des Ginestet, qui réuniront les deux Rabaud. En 1951, nouvelle séparation, Marie-Antoinette, marquise de Lambert des Granges, née Sigalas, reprend les terres familiales. Son fils Gérard est aujourd'hui le gérant, assisté depuis 2008 de sa fille Laure. Pour être complet, précisons que de 1995 à 2008 les vignes et les vinifications étaient prises en charge par le voisin Lafaurie-Peyraguey. Le 2010

est donc une œuvre « maison » : un vin jaune d'or soutenu aux reflets ambrés, au nez d'orange et d'ananas confits, de tilleul et d'amande douce sur un léger fond boisé, ample, riche et onctueux en bouche, plus chaleureux en finale. Un beau classique, à laisser vieillir quelques années.

☎ Ch. Sigalas Rabaud, 33880 Bommes, tél. 05 56 21 31 43, fax 05 56 78 71 55 ☑ ⚔ ⵏ r.-v.

CH. SUDUIRAUT 2010 ★★

■ 1er cru clas.	86 000	⬛	50 à 75 €

83 85 86 88 89 ⑨⓪ |96| ⑨⑦ **|99|** |01| |02| **04 05 06 07** 08 09 **10**

Sous le règne d'Henri IV, Suduiraut était un château médiéval et se nommait « cru du Roy ». Incendié pendant les guerres de Religion, il a été reconstruit en 1670, donnant le magnifique château que nous connaissons aujourd'hui, entouré de jardins imaginés par Le Nôtre. À leur image, ce vin, à la fois frais, gras et puissant, joue la carte de l'ordre, de la robustesse et de l'équilibre en évitant toute austérité. Très élégant tout au long de la dégustation, parfaitement équilibré, puissant, riche, rond, ragaillardi par une saine fraîcheur qui étire la finale, subtil dans son développement aromatique (fleurs et fruits blancs, caramel, cassonade, notes confites et rôties), il est déjà très agréable tout en affichant de sérieux atouts pour une longue garde. Comme souvent, le second vin, le **Castelnau de Suduiraut (20 à 30 € ; 78 000 b.)**, est assez proche du grand vin : expressif (fruits secs et agrumes confits, miel), plein, suave et généreux, il obtient une étoile.

☎ Ch. Suduiraut, 33210 Preignac, tél. 05 56 63 61 90, fax 05 56 63 61 93, contact@suduiraut.com, ⚔ ⵏ r.-v.

☎ Axa Millésimes

CH. LA TOUR BLANCHE 2010 ★

■ 1er cru clas.	50 000	⬛	30 à 50 €

83 85 86 88 89 90 91 94 **|95|** |96| **|97|** 99 |01| **|02|** 03 04 05 06 **07** 08 10

On pourrait croire que le nom du cru vient de la tour blanche (en fait, un pigeonnier autrefois) se trouvant sur le domaine. En réalité, il s'explique par le nom d'un ancien propriétaire, monsieur de Latourblanche, trésorier général de Louis XVI. Dans ce 1er cru classé et lycée viticole, les futurs professionnels, de France et d'ailleurs, trouvent un beau terrain d'apprentissage (42 ha de vignes) pour s'initier aux subtilités du *Botrytis Cinerea*. Le noble champignon a engendré un 2010 très réussi, dont le bouquet s'ouvre à l'aération sur des parfums délicats de fruits secs, d'agrumes confits et de fleurs blanches appuyés par quelques notes d'épices. Harmonieux, fin et frais, le palais se révèle tout aussi agréable, avec une liqueur mesurée et un bon équilibre. Ce vin laisse une sensation de légèreté un peu atypique pour l'appellation, mais qui fera merveille, aujourd'hui comme dans trois ou quatre ans, sur un poulet à la crème.

☎ Ch. la Tour Blanche, 33210 Bommes, tél. 05 57 98 02 73, fax 05 57 98 02 78, tour-blanche@tour-blanche.com, ☑ ⚔ ⵏ r.-v.

☎ Ministère de l'Agriculture

CH. VALGUY 2010 ★

■	8 200	⬛ 30 à 50 €

Très régulier en qualité, ce petit cru d'un peu plus de 8 ha, qui fut coup de cœur avec son 2007, offre une fois encore un sauternes qui séduit par son équilibre. Frais et fruité, son bouquet n'a pas encore totalement trouvé ses marques, mais déjà des notes de citron confit et de fruits blancs bien mûrs annoncent sa personnalité future. En bouche, il conjugue harmonieusement richesse, vivacité et longueur, fruité et boisé fin. À attendre de trois à cinq ans.

🐌 Grands Vignobles Loubrie, 4, chem. de Couitte, 33210 Preignac, tél. 05 56 63 58 25, fax 05 56 63 35 01, grandsvignoblesloubrie@orange.fr, ☑ ⚒ ⍙ r.-v.

♥ CH. D'YQUEM 2010 ★★★

◼ 1er cru clas. sup.	n.c.	⬤ + de 100 €

21 29 37 |45| 55 59 ⑥⑦ |75| 76 83 86 88 |89| 90 ⑨⑤ ⑨⑥ ⑨⑦ 98 99 ⓪⑴ |02| ⓪⑶ |04| ⓪⑸ 06 ⓪⑺ ⓪⑻ ⓪⑼ ⑽

À Yquem, plus que partout ailleurs, la précision des vendanges fait la grandeur du vin. Première trie du 20 au 22 septembre, suivie d'un deuxième passage rapproché, du 27 au 30 septembre. Puis longue pause, imposée par la sécheresse du début de l'automne. Reprise de la récolte le 14 octobre, après le retour des pluies nécessaires au développement du noble botrytis, suivies de soleil et de vents d'est qui concentrent parfaitement le sucre dans les baies. On entre alors véritablement de plain-pied dans le millésime. Nouvel arrêt le 18 octobre, la météo prévoyant des pluies pour le 24. Francis Mayeur, directeur technique du domaine, décide de patienter trois jours pour que les baies des meilleures parcelles se concentrent au maximum. Pas question de « moyenner la récolte » dans cette année opulente et quantitative ; l'idée est au contraire de faire des distinctions dans le parcellaire, avec des tries « sur mesure », jusqu'à sept à huit lots selon les terroirs, et de s'offrir ainsi une palette précise et diversifiée de raisins botrytisés à leur meilleur niveau. Nouvelle phase de tries avant les pluies à partir du 21 octobre, et pour trois jours : le pic de la vendange et le cœur du futur 2010. Il aura donc fallu jongler avec la météo, posséder un vignoble suffisamment étendu pour pouvoir faire dans la dentelle, et accepter de prendre des risques. Grâce à quoi, Sandrine Garbay, l'œnologue maison, a pu élaborer un vin d'un grand classicisme, sans nul doute l'un des plus aboutis de cette décennie. À un bouquet aussi subtil que complexe – fruits jaunes, orange confite, zeste de citron, brioche, léger vanillé – s'ajoute un palais d'une extrême élégance et d'un équilibre proche de la perfection. L'attaque est douce et ample, l'évolution soyeuse et délicate, offrant un touché très fin et, signature du millésime, une fraîcheur remarquable qui confère à l'ensemble un côté aérien et une longueur infinie. Une danseuse étoile.

🐌 SA du Ch. d'Yquem, 33210 Sauternes, tél. 05 57 98 07 07, fax 05 57 98 07 08, info@yquem.fr, ⚒ ⍙ r.-v.

🐌 LVMH

LA BOURGOGNE

CHABLIS POUILLY-FUISSÉ
GEVREY-CHAMBERTIN IRANCY
MUSIGNY MÂCON-VILLAGES
NUITS-SAINT-GEORGES
SAINT-VÉRAN RULLY BOUZERON
PULIGNY-MONTRACHET
MERCUREY CORTON BEAUNE

LA BOURGOGNE

Elle ne représente que 3 % du vignoble français, et une goutte dans la production mondiale. Et pourtant, de Chablis à Mâcon, la Bourgogne a contribué de longue date à l'image d'excellence de la production viticole nationale. Ses deux cépages principaux, le pinot noir pour les rouges et le chardonnay pour les blancs, sont à l'origine de crus si prestigieux qu'ils ont acquis une réputation mondiale. Le renom de la région bourguignonne ne tient pas qu'à ces deux variétés. À la simplicité de l'encépagement s'oppose l'extrême diversité de microterroirs, mis en valeur depuis le Moyen Âge et appelés ici *climats*. Connaître la Bourgogne, c'est explorer cette mosaïque de crus hiérarchisés et apprécier les mille nuances que prennent deux cépages suivant les sols, la pente, l'exposition.

Superficie
27 500 ha
Production
1 500 000 hl
Types de vins
Blancs secs (60 %), rouges (32 %), rosés (très rares), effervescents (crémant-de-bourgogne).
Sous-régions
Chablisien et Auxerrois, Côte de Nuits, Côte de Beaune, Côte chalonnaise, Mâconnais.
Cépages
Rouges : pinot noir principalement, gamay, césar (rare).
Blancs : chardonnay principalement, aligoté, sauvignon (à Saint-Bris), sacy, melon (très rares).

Depuis les confins auxerrois jusqu'aux monts du Beaujolais, tout au long d'une province qui relie les deux métropoles que sont Paris et Lyon, la vigne et le vin ont, dès la plus haute Antiquité, fait vivre les hommes, et vivre bien. Si l'on en croit l'écrivain Gaston Roupnel, qui fut aussi vigneron à Gevrey-Chambertin, auteur d'une *Histoire de la campagne française*, la vigne aurait été introduite en Gaule au VIe s. av. J.-C. « par la Suisse et les défilés du Jura », pour être bientôt cultivée sur les pentes des vallées de la Saône et du Rhône. Même si, pour d'autres, ce sont les Grecs qui sont à l'origine de la culture de la vigne, venue du Midi, nul ne conteste l'importance qu'elle a prise très tôt sur le sol bourguignon. Certains reliefs du musée archéologique de Dijon et des fouilles récentes en témoignent. Et lorsque le rhéteur Eumène s'adresse à l'empereur Constantin, à Autun, c'est pour évoquer les vignes cultivées dans la région de Beaune et qualifiées déjà d'« admirables et anciennes ».

À partir du Xe s., les moines jouèrent un rôle essentiel dans la mise en valeur du vignoble. Les Bénédictins de Cluny et les Cisterciens ont créé et exploité jusqu'à la Révolution la plus grande partie des vignobles illustres. Ces fleurons viticoles ont subsisté jusqu'à nos jours malgré leur sécularisation et leur morcellement. L'exemple le plus connu est sans doute le Clos de Vougeot. Ces vignerons exigeants ont grandement contribué à l'étude fine de leurs terroirs, dessinant peu à peu la palette de ses *climats* et de ses crus. C'est sous le règne des quatre puissants ducs de Bourgogne (1342-1477) que furent édictées les règles destinées à garantir un niveau qualitatif élevé. La plus connue est l'ordonnance de Philippe le Hardi qui bannit en 1395 le gamay de ses terres. Le rayonnement des vins de Bourgogne s'étendit alors jusque dans les Flandres. Les notables ont pris le relais. Le négoce-éleveur, apparu dès le XVIIIe s., s'est développé au siècle suivant. De nombreux vignerons entreprenants ont acquis des terres à la suite des crises du XXe s.

Pinot noir et chardonnay L'unité ampélographique de la Bourgogne – à l'exclusion, donc, du Beaujolais, planté de gamay noir – ne fait pas de doute : le chardonnay pour les vins blancs et le pinot noir pour les vins rouges y règnent aujourd'hui en maîtres. Le premier engendre des vins blancs à la fois gras et vifs, structurés et complexes, aux arômes d'agrumes, de fleurs blanches, de beurre et de noisette, parfois teintés de minéralité ou de sous-bois. Le second donne naissance à des vins rouges de garde, aux notes subtiles de griotte et de fruits rouges, qui se patinent et se font complexes avec le temps. Quelques variétés annexes existent encore, vestiges de pratiques culturales anciennes ou adaptations à des terroirs particuliers. En blanc, l'aligoté produit le bourgogne-aligoté, fréquemment employé dans la confection du kir (blanc-cassis) ; il atteint son sommet qualitatif dans le petit pays de Bouzeron (Saône-et-Loire) qui bénéficie d'une AOC communale. Le sauvignon est cultivé dans la région de Saint-Bris-le-Vineux, dans l'Yonne, où il donne le saint-bris qui a accédé à l'AOC. Le sacy disparaît au profit du chardonnay. En rouge, le césar, surtout cultivé dans l'Yonne, peut être assemblé au pinot noir dans l'appellation irancy. Le gamay, lui, fournit du bourgogne-grand-ordinaire et, associé au pinot noir, du bourgogne-passetoutgrain.

Les régions de la Bourgogne La Bourgogne des vins ne recouvre pas exactement la région administrative : les vignobles de la Nièvre (région Bourgogne) sont ainsi rattachés au Centre-Loire. Par ailleurs, le Beaujolais, qui empiète sur le département du Rhône (région Rhône-Alpes), appartient, lui, officiellement à la Bourgogne (on parle de Grande Bourgogne), si bien que certains de ses crus peuvent être vendus en appellation régionale bourgogne. Cependant, le Beaujolais, attaché à un cépage spécifique, le gamay, a acquis son autonomie : le Guide lui réserve un chapitre.

Dans une approche géographique, il est d'usage de distinguer, du nord au sud, quatre grandes zones au sein de la Bourgogne viticole : les vignobles de l'Yonne (ou de basse Bourgogne), de la Côte-d'Or (Côte de Nuits et Côte de Beaune), la Côte chalonnaise et le Mâconnais.

Le vignoble de l'Yonne, qui s'est beaucoup contracté après la crise phylloxérique avant de connaître une prudente renaissance, subit un climat plus rigoureux. Il a pour fleuron les vignobles de Chablis, où le chardonnay donne naissance à des vins vifs et minéraux. La Côte-d'Or commence au sud de Dijon. On distingue traditionnellement la Côte de Nuits, entre Marsannay-la-Côte et Corgoloin, et la Côte de Beaune, entre Ladoix-Serrigny et les Dezize-lès-Maranges. La Côte-de-Beaune est relayée au sud par la Côte chalonnaise, en Saône-et-Loire, puis par le Mâconnais, célèbre pour ses vins blancs. Si la Côte de Nuits est réputée pour ses grands crus rouges de garde comme le chambertin, et la Côte de Beaune renommée pour ses « grands crus blancs » comme le montrachet, toutes portent des vignes des deux couleurs qui donnent de grandes bouteilles.

Les Hautes-Côtes On replante peu à peu les secteurs en arrière de la Côte-d'Or : c'est la zone des hautes-côtes, où sont produites les AOC régionales bourgogne-hautes-côtes-de-nuits et bourgogne-hautes-côtes-de-beaune. L'aligoté y trouve son terrain de prédilection, qui met bien en valeur sa fraîcheur. Quelques terroirs y donnent d'excellents vins rouges issus de pinot noir, qui rappellent par leurs parfums les petits fruits rouges (framboise, cassis), spécialités de la Bourgogne, cultivés aussi dans ce secteur.

La mosaïque de la Côte-d'Or Le plateau de Langres, karstique et aride, passage traditionnel de toutes les invasions venues du nord-est, sépare le Chablisien, l'Auxerrois et le Tonnerrois de la Côte-d'Or, dite « Côte de pourpre et d'or » ou, plus simplement, « la Côte ». Au cours de l'ère tertiaire, consécutivement à la surrection des Alpes, la mer de Bresse qui couvrait cette région, battant le vieux massif hercynien du Morvan, s'effondra, déposant au fil des millénaires des sédiments calcaires de composition variée. De nombreuses failles parallèles de direction nord-sud datant de la formation des Alpes, puis des « coulements » des sols du haut vers le bas au moment des grandes glaciations tertiaires, et le creusement de combes par des cours d'eau alors puissants ont créé une mosaïque extraordinaire de terrains. Des terrains apparemment semblables en surface, à cause d'une mince couche arable, mais au potentiel viticole différent. Ainsi s'expliquent l'abondance des appellations d'origine – pas moins de cent en Bourgogne – et l'importance des *climats* qui affinent encore cette mosaïque.

Géologiquement plus simples, les autres parties de la Bourgogne sont aussi attachées à la notion de *climat*.

Les *climats* bourguignons En Bourgogne, le terme de « climat » acquiert un sens particulier, qui inclut la géologie. Au sens habituel du mot, le climat de Bourgogne se caractérise par une relative unité : il est globalement semi-continental. Plus que des données strictement météorologiques, c'est la juxtaposition d'affleurements géologiques variés qui imprime les caractères propres des très nombreux vins produits dans la région. Ce sont des variations pédologiques qui rendent compte de la notion de terroir (ou *climat*) précisant les caractères des vins au sein d'une même appellation.

On appelle *climat* « une entité naturelle s'extériorisant par l'unité du caractère du vin qu'elle produit... » (A. Vedel). Et l'on peut constater en effet qu'il y a parfois moins de différences entre deux vignes séparées de plusieurs centaines de mètres, mais à l'intérieur du même *climat*, qu'entre deux autres voisines mais dans deux *climats* différents. Chaque appellation communale comporte une multitude de ces surfaces officiellement délimitées, qui ne couvrent pas plus de quelques hectares, voire quelques « ouvrées » (4 ares, 28 centiares). On compte ainsi 27 dénominations différentes pour les seuls 1ers crus de la commune de Nuits-Saint-Georges, pour une centaine d'hectares seulement. Ces *climats*, portent des noms particulièrement évocateurs (la Renarde, Genevrières, Clos de la Maréchale, Montrecul...), consacrés depuis au moins le XVIIIe s. Ils figurent souvent sur l'étiquette, qui précise aussi si le *climat* en question est classé en 1er cru.

Une dégustation consistera souvent, en Bourgogne, à comparer deux vins de même cépage et de même appellation, mais provenant chacun d'un *climat* différent ; ou encore, à juger deux vins de même cépage et de même *climat*, mais d'années différentes. On tiendra compte, bien sûr, de la « touche » personnelle du vinificateur qui les présente. Cette multiplicité des *climats* rend la région difficile à aborder pour le néophyte mais elle passionne l'amateur...

La hiérarchie bourguignonne On dénombre quatre niveaux d'appellations dans la hiérarchie des vins : à la base, l'appellation régionale bourgogne (56 % de la production), puis les appellations communales, appelées ici *villages*, les 1ers cru (12 % de la production) et les grands crus (33 grands crus répertoriés à Chablis et en Côte-d'Or, 3 % de la production). Ce sont des critères morphologiques et physico-chimiques, tels que la pente, la pierrosité, les taux d'argile et de calcaire qui permettent le mieux de distinguer l'échelle des appellations.

L'étiquette des AOC régionales précise parfois le nom du cépage (aligoté) ou d'un secteur particulier (commune, comme Vézelay, ou groupe de communes, comme Côte du Couchois). À terme, certains de ces terroirs sont reconnus en AOC communales : c'est ainsi, par exemple, que le village d'Irancy (anciennement AOC bourgogne irancy) a été promu.

Un vignoble très morcelé Les hommes attachés à leur terroir le sont souvent ici depuis des siècles. Ainsi, les noms de nombreuses familles ont traversé cinq siècles. De même, la fondation de certaines maisons de négoce remonte parfois au XVIIIe s.

Morcelé, notamment en Côte-d'Or, le vignoble est constitué d'exploitations familiales de faible superficie. Un domaine de 5 à 6 ha suffit, en appellation communale (nuits-saint-georges, par exemple), à faire vivre un ménage. Le célèbre Clos Vougeot illustre le morcellement de la propriété : couvrant 50 ha, il compte plus de soixante-dix propriétaires ! La plupart des *climats* sont partagés entre plusieurs domaines, ce qui augmente encore la diversité des vins produits. Du point de vue technique, le vigneron bourguignon est très attaché au maintien des usages et traditions, ce qui ne signifie pas un refus absolu de la modernisation. C'est ainsi que la mécanisation de la viticulture se développe. Il est toutefois des traditions qui ne sauraient être remises en cause : l'un des meilleurs exemples en est l'élevage des vins en fût de chêne. L'agriculture biologique, en progrès dans la région, peut être interprétée comme un retour à une tradition bien comprise.

Économie et acteurs On recense environ 2 490 domaines vendant du vin en bouteille. Vingt-trois coopératives sont répertoriées ; le mouvement est très actif en Chablisien, en Côte chalonnaise et surtout dans le Mâconnais. Elles produisent environ 25 % des volumes de vin. Les négociants-éleveurs jouent un grand rôle depuis le XVIIIe s. Ils commercialisent plus de 60 % de la production et détiennent plus de 35 % de la surface totale des grands crus de la Côte de Beaune. Avec ses domaines, le négoce produit 8 % de la récolte totale bourguignonne.

L'importance de l'élevage (conduite d'un vin depuis sa prime jeunesse jusqu'à son optimal qualitatif avant la mise en bouteilles) met en évidence le rôle du négociant-éleveur : outre sa responsabilité commerciale, il assume une responsabilité technique. On comprend donc qu'une relation professionnelle harmonieuse se soit créée entre la viticulture et le négoce.

Le Bureau interprofessionnel des vins de Bourgogne (BIVB) met en œuvre des actions dans les domaines technique, économique et promotionnel. L'université de Bourgogne a été le premier établissement en France, du moins au niveau universitaire, à dispenser des enseignements d'œnologie et à créer un diplôme de technicien, en 1934. La même année était fondée la confrérie des Chevaliers du Tastevin, qui fait tant pour le rayonnement des vins de Bourgogne. Siégeant au château du Clos-de-Vougeot, elle contribue avec d'autres confréries locales à maintenir vivaces les traditions. L'une des plus brillantes est sans conteste la vente des hospices de Beaune, instituée en 1851, rendez-vous de l'élite internationale du vin et « Bourse » des cours de référence des grands crus ; avec le chapitre de la confrérie et la « Paulée » de Meursault, la vente est l'une des « Trois Glorieuses ». Mais c'est à travers toute la Bourgogne que l'on sait fêter joyeusement le vin, devant quelque « pièce » (228 litres) ou bouteille. Il n'en faut d'ailleurs pas tant pour aimer la Bourgogne et ses vins : n'est-elle pas tout simplement « un pays que l'on peut emporter dans son verre » ?

LA BOURGOGNE

Les appellations régionales de Bourgogne

Les appellations régionales bourgogne couvrent l'aire de production la plus vaste de la Bourgogne viticole. Elles peuvent être produites dans les communes traditionnellement viticoles des départements de l'Yonne, de la Côte-d'Or, de la Saône-et-Loire, et dans le canton de Villefranche-sur-Saône, dans le Rhône.

Compte tenu de la dispersion géographique de l'appellation régionale, celle-ci est souvent associée sur l'étiquette au nom de la zone de production (Côtes d'Auxerre, Chitry, Côtes du Couchois...).

La codification des usages et, plus particulièrement, la définition des terroirs par la délimitation parcellaire ont conduit à une hiérarchie au sein des appellations régionales. L'appellation coteaux bourguignons est la plus générale, la plus extensive. Avec un encépagement plus spécifique, on récolte dans les mêmes lieux le bourgogne-aligoté, le bourgogne-passetoutgrain et le crémant-de-bourgogne.

Bourgogne

Superficie : 3 200 ha
Production : 154 500 hl (65 % rouge)

L'appellation s'étend sur presque toute la superficie du vignoble régional : de l'Yonne et du Châtillonnais, au nord, au Mâconnais, au sud. Elle comprend même, en théorie, la zone des crus du Beaujolais, la plupart des appellations communales beaujolaises pouvant se « replier » en AOC bourgogne (ces bourgognes sont alors issus de gamay). Ceux qui sont produits en Bourgogne au sens strict naissent en rouge du pinot noir et en blanc du chardonnay (appelé autrefois beaunois dans l'Yonne). À côté des rouges et des blancs, l'appellation fournit de petits volumes de rosés et de clairets.

L'étendue du vignoble et la tradition régionale d'individualiser la production des terroirs et de *climats* a conduit à compléter le nom de « bourgogne » de ceux d'aires historiques beaucoup plus restreintes, toujours délimitées : lieux-dits (Le Chapitre à Chenôve, Montrecul à Dijon, La Chapelle Notre-Dame à Serrigny, La Côte Saint-Jacques à Joigny), villages ou zones plus étendues. Les coteaux de l'Yonne produisent ainsi le bourgogne Chitry, Épineuil, Tonnerre, Coulange-la-Vineuse, Côte d'Auxerre, Vézelay (ce dernier en blanc). Quant au bourgogne Côtes du Couchois, c'est un vin rouge provenant de six communes à l'extrémité nord de la Côte chalonnaise.

Les bourgognes offrent les arômes de leurs cépages, avec des nuances liées à leurs origines : fleurs blanches, fruits secs, agrumes, notes beurrées, parfois grillées et miellées chez les blancs, fruits rouges et noirs chez les rouges. Plus souples et moins complexes que les *villages* et les crus, ils sont de petite ou moyenne garde (deux à cinq ans).

♥ **DOM. DE L'ABBAYE DU PETIT QUINCY** Épineuil
L'Âme des Dannots 2011 ★★

| ■ | | 3 000 | ⅲ | 15 à 20 € |

Et un coup de cœur pour commencer la série des bourgognes ! Une belle récompense pour cet Épineuil signé Dominique Gruhier. Le vigneron, à la tête du domaine depuis 1990, a aussi redonné une âme à l'abbaye du Petit Quincy, fondée en 1212 par les moines cisterciens, qui abrite les plus belles caves de la région. Dix-huit mois d'élevage en fût et en demi-muid ont façonné ce vin équilibré, subtilement boisé, au nez de fruits noirs parsemé d'épices, gourmand et fruité à souhait en bouche. Une belle expression du terroir et un vrai régal en perspective avec un curry d'agneau dans les deux ans. Citée, la cuvée **Épineuil Côte de Grisey 2011 rouge (8 à 11 € ; 5 000 b.),** fruitée mais encore un peu dominée par le bois, pourra se garder un an ou deux en cave, le temps de s'assagir.

☞ Dominique Gruhier, rue du Clos-de-Quincy, 89700 Épineuil, tél. 03 86 55 32 51, fax 03 86 55 32 50, vin@bourgognevin.com,
☑ ⚥ ⍙ t.l.j. sf dim. 10h-12h30 14h-18h

DOM. ALEXANDRE 2011 ★

| | | 3 000 | ⅲ | 5 à 8 € |

Douze mois de fût pour ce chardonnay de la Bourgogne du sud. Le nez est engageant avec ses arômes d'ananas accompagnés de quelques nuances végétales. En bouche, le vin se montre fruité, rond et long, étiré par une fine minéralité qui confère une impression de légèreté. À la fois tendre et frais, cet agréable 2011 pourra patienter un an ou deux en cave.

☞ Dom. Alexandre Père et Fils, 1, pl. de la Mairie, 71150 Remigny, tél. et fax 03 85 87 22 61, domalexandre@orange.fr, ☑ ⍙ r.-v.

La Bourgogne

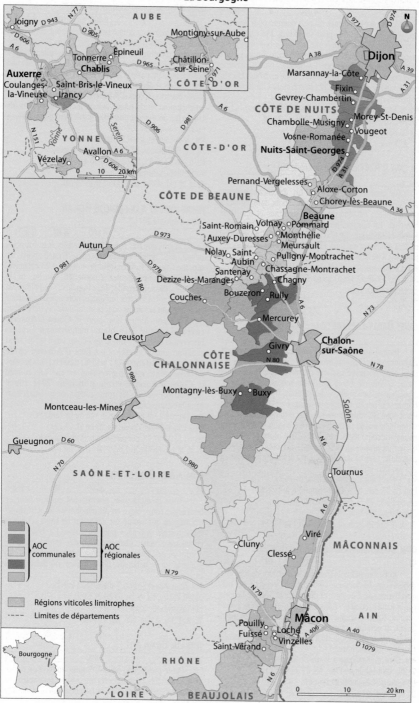

Auxerre
Joigny
Coulanges-la-Vineuse
Saint-Bris-le-Vineux
Irancy
Tonnerre
Épineuil
Chablis
Châtillon-sur-Seine
Montigny-sur-Aube
Avallon
Vézelay

AUBE
YONNE
CÔTE-D'OR

Dijon
Marsannay-la-Côte
Fixin
Gevrey-Chambertin
CÔTE DE NUITS
Chambolle-Musigny
Morey-St-Denis
Vougeot
Vosne-Romanée
Nuits-Saint-Georges

Pernand-Vergelesses
Aloxe-Corton
Chorey-lès-Beaune
CÔTE DE BEAUNE
Beaune
Saint-Romain
Volnay
Pommard
Auxey-Duresses
Monthélie
Meursault
Nolay
Saint-Aubin
Puligny-Montrachet
Santenay
Chassagne-Montrachet
Dezize-lès-Maranges
Chagny
Bouzeron
Rully
Couches
Mercurey
Autun

Le Creusot
Givry
Chalon-sur-Saône
CÔTE CHALONNAISE
Montagny-lès-Buxy
Buxy
Montceau-les-Mines

Gueugnon
SAÔNE-ET-LOIRE
Tournus

Viré
Cluny
Clessé
MÂCONNAIS

Mâcon
AIN
Pouilly
Loché
Fuissé
Vinzelles
Saint-Vérand
RHÔNE
LOIRE
BEAUJOLAIS

AOC communales
AOC régionales

Régions viticoles limitrophes
Limites de départements

Bourgogne

0   10   20 km

CHRISTOPHE AUGUSTE Coulanges-la-Vineuse 2012 ★

	14 000	▌	5 à 8 €

Coulanges-la-Vineuse est plus connue pour ses rouges, voire ses rosés, que pour ses blancs. Pour autant ce chardonnay, encore bien jeune, ne laisse pas indifférent grâce à son équilibre et à son intensité aromatique. Le nez floral annonce sa fraîcheur. La bouche, portée par une belle acidité, se révèle croquante, longue et droite. Un vin bien équilibré à découvrir dès la sortie du Guide sur des bouchées à la reine.

➟ SCEA Christophe Auguste, 55, rue André-Vildieu, 89580 Coulanges-la-Vineuse, tél. 03 86 42 35 04, fax 03 86 42 51 81

☑ ⚔ ⌂ r.-v.

LA CAVE D'AZÉ Élevé en fût de chêne 2011

	20 000	⬛	5 à 8 €

Ce chardonnay élevé en fût de chêne pendant dix mois dévoile un nez dominé par le bois, dans lequel les notes grillées laissent percer les agrumes et les fleurs blanches. En bouche, on découvre un vin de caractère, ample et structuré. Doté d'un bon potentiel de garde, il pourra donner la réplique à un saumon fumé au cours des trois ans à venir.

➟ Cave coopérative d'Azé, En Tarroux, 71260 Azé, tél. 03 85 33 30 92, fax 03 85 33 37 21, contact@caveaze.com,

☑ ⌂ r.-v.

CAVES BAILLY-LAPIERRE Côtes d'Auxerre 2011 ★

	35 000		5 à 8 €

Bailly-Lapierre, ce n'est pas seulement le crémant-de-bourgogne. Des vins tranquilles sont également élevés dans cette ancienne carrière de pierre, à l'image de ce Côtes d'Auxerre blanc qui offre toutes les vertus du chardonnay. Le vin libère des parfums frais à dominante florale. La bouche souple et délicate se déploie longuement, bien équilibrée entre rondeur et minéralité. Un 2011 d'une belle finesse, que l'on appréciera volontiers avec un plateau de coquillages. Le **Chitry 2011 blanc (25 000 b.)**, au nez élégant et un rien végétal, à la bouche fraîche et puissante, obtient une étoile. On l'associera volontiers à des gambas grillées.

➟ Caves Bailly Lapierre, hameau de Bailly, quai de l'Yonne, BP 3, 89530 Saint-Bris-le-Vineux, tél. 03 86 53 77 77, fax 03 86 53 80 94, nathaliec@bailly-lapierre.fr,

☑ ⚔ ⌂ t.l.j. 9h (sam. dim. 10h)-12h 14h-18h30

DOM. DU BEAUREGARD Côtes du Couchois 2011

	6 000	⬛	5 à 8 €

Appartenant à la famille Depernon depuis cinq générations, le domaine couvre 13 ha répartis sur neuf appellations du Couchois et du sud de la Côte de Beaune. Cette cuvée couleur rubis offre un fruité légèrement végétal. Rond et souple, le palais est adossé à des tanins nobles et persiste longuement. Privilégiant la finesse, ce vin sera le compagnon idéal des charcuteries régionales (jambon persillé, hure...).

➟ Dom. du Beauregard, 9, rue de Mercey, 71510 Saint-Sernin-du-Plain, tél. 03 85 45 55 17, domaine-du-beauregard@orange.fr,

☑ ⚔ ⌂ r.-v.

DOM. JEAN-LOUIS ET JEAN-CHRISTOPHE BERSAN
Côtes d'Auxerre Cuvée Louis Bersan 2011 ★

	6 500	⬛	8 à 11 €

Un boisé juste et une belle finesse pour cette cuvée issue des vieilles vignes plantées par Louis Bersan. Dix-huit mois d'élevage en fût ont conféré une belle structure à ce chardonnay élégant et racé. Le nez floral précède une bouche hésitant entre la fleur et le fruit, soulignée par une belle acidité. À découvrir dès à présent sur une volaille. La même cuvée en **Côtes d'Auxerre 2011 rouge (5 000 b.)** est citée pour sa puissance, autant au nez qu'en bouche. Un vin qui nécessitera une petite garde pour que ses tanins un rien austères se fondent.

➟ Jean-Louis et Jean-Christophe Bersan, 20, rue Dr-Tardieux, 89530 Saint-Bris-le-Vineux, tél. 03 86 53 33 73, fax 03 86 53 38 45, jean-louis.bersan@wanadoo.fr,

☑ ⚔ ⌂ t.l.j. sf dim. 8h-12h15 13h30-18h30

PIERRE-LOUIS ET JEAN-FRANÇOIS BERSAN
Côtes d'Auxerre 2011 ★★

	6 800	▌⬛	8 à 11 €

Un joli palmarès pour Pierre-Louis et Jean-François Bersan avec quatre cuvées retenues. Tout d'abord, un superbe Côtes d'Auxerre tout en finesse et en élégance. Des fruits blancs au nez comme en bouche, de la souplesse, de la minéralité, de la franchise : l'équilibre est très réussi. « Un vin très féminin », note une dégustatrice en soulignant ses notes douces et raffinées. À déboucher dès à présent. Même note pour le **Côtes d'Auxerre cuvée Marianne 2010 blanc**, exclusivement élevé en fût, dont le boisé bien fondu en fait un vin à la fois rond et d'une grande finesse. Le **Côtes d'Auxerre cuvée Marianne 2010 rouge (11 à 15 € ; 5 000 b.)**, aux arômes de cerise griotte, rond et gourmand, est cité, tout comme le **Côtes d'Auxerre cuvée principale 2011 rouge (25 000 b.)**, au nez de fruits rouges et au palais bien équilibré entre gras et structure.

➟ Dom. P.-L. et J.-F. Bersan, 5, rue du Dr-Tardieux, 89530 Saint-Bris-le-Vineux, tél. 03 86 53 07 22, fax 03 86 48 97 28, domainejfetplbersan@orange.fr,

☑ ⚔ ⌂ t.l.j. 8h30-12h 13h30-18h; dim. sur r.-v.

DOM. ALBERT BOILLOT 2011 ★

	2 200	⬛	5 à 8 €

Petite quantité mais nombreuses qualités pour un bourgogne rouge élevé en fût pendant un an. Un vin au nez élégant qui évolue sur les notes de fruits rouges et noirs (cerise, myrtille) puis animales. La bouche est concentrée, riche, soutenue par des tanins élégants, encore un peu sévères, sur un fond de réglisse. Pour des grillades sur le barbecue, dès à présent ou dans deux à trois ans.

➟ Dom. Albert Boillot, 2, ruelle Saint-Étienne, 21190 Volnay, tél. et fax 03 80 21 61 21, dom.albert.boillot@wanadoo.fr,

☑ ⚔ ⌂ t.l.j. sf dim. 10h-12h 15h-18h

JEAN-LUC BONIN 2011

	1 000	⬛	8 à 11 €

Petite production de chardonnay au pays du prestigieux meursault. Fumé, beurré et citronné : le nez est assez complexe. En bouche, c'est la fraîcheur qui domine. Il y a aussi du gras dans ce vin équilibré et bien structuré. Un 2011 très plaisant que l'on boira volontiers à l'apéritif, dans les deux ans.

🕿 Jean-Luc Bonin, 1, rue du Comte-Jules-Lafon, 21190 Meursault, tél. 06 19 11 35 63, fax 03 80 21 63 60, jl.bonin@wanadoo.fr, ☑ ⚲ ⵠ r.-v.

DOM. BORGNAT Coulanges-la-Vineuse
Tête de cuvée 2010 ★★

■	12 000	⑪	8 à 11 €

Établi à proximité d'un site archéologique gallo-romain à Escolives-Sainte-Camille, ce domaine familial a été repris par Églantine et Benjamin Borgnat en 2001. Ils signent un Coulanges-la-Vineuse de caractère qui invite à un joli voyage à travers les saveurs. Un nez de fruits rouges, d'épices et de grillé. Une bouche fruitée, ronde, équilibrée par une belle acidité et un boisé bien fondu. Un vin harmonieux qui pourra accompagner un jambon persillé dès à présent.

🕿 Dom. Borgnat, Ch. d'Escolives, 1, rue de l'Église, 89290 Escolives-Sainte-Camille, tél. 03 86 53 35 28, fax 03 86 53 65 00, eglantine@domaineborgnat.com, ☑ ⚲ ⵠ t.l.j. sf dim. 9h-12h 15h-19h; f. 1ᵉʳ-15 jan. 🏰 ❸ 🏠 ◐

BOUCHARD PÈRE ET FILS La Vignée 2011

■	n.c.	▮⑪	8 à 11 €

Un quart de fût, trois quarts de cuve, pour cette agréable cuvée. Un chardonnay assez subtil au nez qui butine entre le miel, les fruits exotiques et la noisette. La bouche est ample et délicate, avec une acidité qui stimule sa rondeur. Une bouteille plaisante et bien équilibrée que l'on débouchera dès à présent pour une friture de poissons.

🕿 Bouchard Père et Fils, Ch. de Beaune, 15, rue du Château, 21200 Beaune, tél. 03 80 24 80 24, fax 03 80 22 55 88, contact@bouchard-pereetfils.com, ☑ ⚲ ⵠ t.l.j. 10h-12h30 14h30-18h30; dim. 10h-12h30
🕿 Famille Henriot

CAVE DES VIGNERONS DE BUXY Clos de Chenôves 2010

■	31 186	⑪	5 à 8 €

La cave des Vignerons de Buxy est à la Côte chalonnaise ce que La Chablisienne est au vignoble chablisien : une coopérative qui a su rassembler et valoriser les producteurs d'un même terroir. Ce 2010 offre un nez de fruits mûrs mâtinés de notes boisées et épicées. La bouche est consistante, franche, très vineuse et équilibrée par une juste fraîcheur. Une agréable bouteille pour des œufs en meurette, à déboucher dans les deux ans.

🕿 Vignerons de Buxy, Les Vignes-de-la-Croix, 2, rte de la Croix, 71390 Buxy, tél. 03 85 92 03 03, fax 03 85 92 08 06, accueil@vigneronsdebuxy.fr, ☑ ⚲ ⵠ t.l.j. 9h-12h 14h-18h30

DOM. CAMU FRÈRES Vézelay 2011 ★★

■	30 000	▮	8 à 11 €

Il ne s'est pas trompé Hervé Eypert en vinifiant ce chardonnay ; un vin racé et franc qui est un véritable régal pour les papilles. Le nez est riche et complexe sur des arômes de fruits jaunes que l'on retrouve tapissant un palais ample et gras. Un vin harmonieux à servir dès à présent sur un feuilleté de saint-jacques. Un élevage plus

court (six mois) mais toujours en cuve pour le « générique » **2011 blanc (2 000 b.)**, un chardonnay fruité, fin et minéral, qui obtient une étoile. Même distinction pour le **2011 rosé (2 000 b.)**, friand, équilibré et très agréable en bouche.

🕿 Dom. Camu Frères, Le Clos, 89450 Vézelay, tél. 03 86 32 35 66, fax 03 86 32 35 91, camu.vezelay@domainecamu.fr, ☑ ⚲ ⵠ t.l.j. 10h-18h
🕿 de Ladoucette

CHRISTINE, ÉLODIE ET PATRICK CHALMEAU
Chitry 2011 ★★★

■	15 000	▮	5 à 8 €

Rejoints par leur fille Élodie en 2009, Christine et Patrick Chalmeau dirigent cette exploitation depuis 1977. Ils signent un Chitry somptueux, au bouquet de fruits exotiques. Le gras, la minéralité et la fraîcheur font un superbe numéro d'équilibre. Servez cette bouteille sans hésiter avec un homard grillé. Noté une étoile, le **Chitry 2011 rouge (15 000 b.)** offre un nez délicat de petits fruits rouges, tandis que la bouche se révèle d'un beau volume et plutôt tannique.

🕿 Christine, Élodie et Patrick Chalmeau, 76, rue du Ruisseau, 89530 Chitry, tél. 03 86 41 43 71, fax 03 86 41 47 51, chalmeau.patrick@wanadoo.fr, ☑ ⚲ ⵠ r.-v. 🏠 ◐

♥ DOM. EDMOND CHALMEAU ET FILS Chitry
Vieille Vigne d'Aimé 2011 ★★★

■	5 300	▮⑪	5 à 8 €

On ne s'en lasse pas de la Vieille Vigne d'Aimé, le trésor du domaine. Sous l'impulsion de Sébastien Chalmeau, ces quelque 70 ares de ceps cinquantenaires sont vendangés à la main et vinifiés en fût. Coup de cœur l'an dernier, ce Chitry obtient les mêmes éloges pour son millésime 2011. Un vin excellent, avec de la rondeur, une fraîcheur admirable et un fin boisé toasté. Autant de qualités qui en feront un parfait accompagnement pour un turbot grillé, dès la sortie du Guide. La cuvée **Les Trameurs Chitry 2011 rouge (8 à 11 € ; 7 520 b.)** n'a presque rien à lui envier ; son nez délicat de fruits noirs, sa bouche croquante et ronde lui valent deux étoiles. Le **2012 rosé (3 000 b.)** obtient une étoile pour sa fraîcheur et sa générosité.

🕿 Edmond Chalmeau et Fils, 20, rue du Ruisseau, 89530 Chitry-le-Fort, tél. 03 86 41 42 09, fax 03 86 41 46 84, domaine.chalmeau@wanadoo.fr, ☑ ⚲ ⵠ r.-v.

DOM. PHILIPPE CHARLOPIN 2010 ★

■	n.c.	⑪	11 à 15 €

Dans ce domaine en conversion bio, la recherche du terroir est une priorité. Quinze mois d'élevage en fût, cela laisse une empreinte, mais ici dans le bon sens du terme.

Car la trame boisée vient consolider la matière. Un 2010 agréable et distingué, au nez puissant et fruité. La bouche est franche et grasse, avec des tanins qui se fondent dans le fruit. À découvrir sur des charcuteries dans les deux ans.

🍷 Dom. Philippe Charlopin, 18, rte de Dijon, 21220 Gevrey-Chambertin, tél. 06 29 71 12 05

☑ ⚹ ⵢ t.l.j. sf dim. lun. 10h-19h (au Roupnel, 33, rue des Baraques)

CH. DE CÎTEAUX 2011 ★

		5 500	∎⚏	5 à 8 €

D'Aloxe-Corton à Santenay, une multitude de petites parcelles constitue cette propriété familiale. Philippe Bouzereau, à la tête du domaine, propose un 2011 frais et acidulé, au nez très pur de fleurs blanches et de citron. La bouche est bien équilibrée entre le fruit, la minéralité et un boisé discret. Un vin harmonieux qui pourra donner la réplique à des quenelles de brochet dans les deux ans.

🍷 Ch. de Cîteaux, 7, pl. de la République, 21190 Meursault, tél. 03 80 21 20 32, fax 03 80 21 64 34, contact@chateau-de-citeaux.com,

☑ ⚹ ⵢ t.l.j. sf dim. lun. 10h-13h 14h-18h

🍷 Philippe Bouzereau

♥ DOM. DU CLOS DU ROI Coulanges-la-Vineuse Coline 2010 ★★

	3 000	⚏	8 à 11 €

Un Coulanges-la-Vineuse qui adjoint 15 % de césar dans un pinot noir, un élevage en foudre de chêne pendant douze mois : Magali Bernard et son mari Arnaud sortent des sentiers battus. Pas étonnant que cette cuvée Coline (du nom de leur fille) ait obtenu un coup de cœur. Un vin en tout point remarquable, la délicatesse même. Le nez est bien typé, sur la cerise griotte. En bouche, c'est le paradis : une attaque douce, des tanins fins et racés, de la rondeur et de la finesse, une acidité parfaitement assimilée : « De la force dans l'équilibre », conclut un dégustateur. À découvrir sans attendre avec un carré d'agneau.

🍷 Clos du Roi, 17, rue André-Vildieu, 89580 Coulanges-la-Vineuse, tél. 03 86 42 25 72, fax 03 86 42 38 20, magali@closduroi.com,

☑ ⚹ ⵢ t.l.j. 8h-19h, dim. sur r.-v.

🍷 Magali Bernard

CLOSERIE DES ALISIERS 2011

∎	7 000	⚏	5 à 8 €

Avec sa robe brillante, légèrement violacée et son nez intense aux arômes de cerise, de moka et de sous-bois, ce pinot noir joue les séducteurs et a frôlé l'étoile. La bouche ne tourne pas les talons ; elle va dans le même sens, usant

de ses tanins pour interpeller les papilles. De l'ampleur, une belle longueur mais une finale encore un rien austère. Une garde de un à deux ans devrait permettre à ce 2011 de s'harmoniser davantage.

🍷 Closerie des Alisiers, Parc des Grands-Crus, 60 K, av. du 14-Juillet, 21300 Chenôve, tél. 03 80 52 07 71, fax 03 80 52 12 89, stephane.brocard@closeriedesalisiers.fr,

☑ r.-v.

♥ DOM. DU CLOS SAINT-JACQUES 2011 ★★

∎	40 000	∎	8 à 11 €

PROPRIÉTAIRE-RÉCOLTANT
à JOIGNY

DOMAINE
DU CLOS SAINT-JACQUES

BOURGOGNE
APPELLATION BOURGOGNE CONTRÔLÉE

CHARDONNAY

Désormais, c'est Manuel Janisson qui est aux commandes du Clos Saint-Jacques. Mais son ami Jean-Michel Lorain n'est jamais bien loin dès lors qu'il s'agit de goûter les vins de la côte Saint-Jacques. Il a dû apprécier ce chardonnay très harmonieux, tout comme le grand jury qui lui a décerné un coup de cœur. Un vin qui partage son nez entre les agrumes et la minéralité. Le palais se révèle gras, gourmand à souhait grâce à de jolis arômes de fruits frais et à une belle longueur. Un 2011 élégant que l'on dégustera volontiers à l'apéritif.

🍷 Dom. du Clos Saint-Jacques, Manuel Janisson, 14, fg de Paris, 89300 Joigny, tél. 03 86 62 06 70, contact@bourgogne-michel-lorain.com,

☑ ⚹ ⵢ r.-v.

DOM. MICHEL COLBOIS Chitry 2011 ★

∎	15 000	∎	5 à 8 €

Une étoile, comme pour les millésimes 2008 et 2010 dans les éditions précédentes du Guide. Le Chitry blanc de Michel Colbois est un grand classique. La nouveauté, c'est l'arrivée de son fils Benjamin sur l'exploitation familiale. Ce 2011, construit sur le fruit, vaut par son équilibre entre richesse et fraîcheur. Il saura accompagner des poissons grillés. Le **Chitry Les Dames 2011 rouge (8 000 b.)** est quant à lui cité pour sa puissance au nez et pour sa matière en bouche. Mais il va falloir être patient, deux ou trois ans, pour pouvoir l'apprécier.

🍷 EARL Dom. Michel Colbois, 69, Grande-Rue, 89530 Chitry, tél. 03 86 41 43 48, fax 03 86 41 46 40, contact@colbois-chitry.com,

☑ ⚹ ⵢ t.l.j. sf dim. 8h30-12h 13h30-18h

♥ MARC COLIN ET SES FILS La Combe 2011 ★★

∎	9 900	⚏	8 à 11 €

Caroline, Joseph et Damien Colin conduisent aujourd'hui ce domaine de 19 ha créé par leur père Marc : ces vignerons de la Côte de Beaune excellent aussi

VINS DE **2011** BOURGOGNE

PRODUIT DE FRANCE

Bourgogne

LA COMBE

APPELLATION BOURGOGNE CONTRÔLÉE
CHARDONNAY

MIS EN BOUTEILLE DANS NOS CAVES
MARC COLIN ET SES FILS
ÉLEVEURS À SAINT-AUBIN · CÔTE-D'OR · FRANCE

bien en grand cru qu'en appellation régionale. Comme ici, avec cette superbe cuvée qui a obtenu l'assentiment du grand jury. Beaucoup de rondeur et de complexité dans ce chardonnay élevé en fût pendant dix mois. Le nez est séduisant avec ses arômes de fleurs blanches et de fruits frais. La bouche est souple, ample et persistante avec du gras et de l'acidité, le tout dans un parfait équilibre. Un vin que l'on pourra garder quatre ou cinq ans.

🍇 Dom. Marc Colin, rue de la Chatenière,
21190 Saint-Aubin, tél. 03 80 21 30 43, fax 03 80 21 90 04,
marccolin@ymail.com, ☑ ⚘ ⧗ r.-v.

COMTE SENARD 2010 ★★

	1 300	🍷	8 à 11 €

Que du plaisir dans ce bourgogne blanc élevé en fût pendant douze mois. Les dégustateurs ont surtout mis en avant son nez de fruits mûrs agrémentés de nuances beurrées et grillées. La bouche d'une belle ampleur, élégante, est équilibrée par une fraîcheur minérale et des arômes d'agrumes. À boire dès la sortie du Guide avec une meunière comme le conseille un juré gourmet. Le **2011 rouge (1 500 b.)** est quant à lui cité pour son équilibre et ses tanins bien fondus.

🍇 SCE Dom. Comte Senard, 1, rue des Chaumes,
21420 Aloxe-Corton, tél. 03 80 26 40 73, fax 03 80 26 45 99,
office@domainesenard.com,
☑ ⚘ ⧗ r.-v.

LA CAVE DU CONNAISSEUR Coulanges-la-Vineuse 2011 ★

	3 000	▪	8 à 11 €

Cette maison de négoce créée par Laurent Camu en 1989, basée à Chablis, a été rachetée par le groupe Serge Cheveau en 2008. Voici un vin au joli nez de fruits rouges parsemés d'épices. Avec sa bonne présence tannique et une pointe d'acidité en fin de bouche, cette cuvée est bien structurée et sans détour. On l'appréciera dès à présent sur une viande rouge grillée.

🍇 La Cave du Connaisseur, rue des Moulins, BP 78,
89800 Chablis, tél. 03 86 42 87 15, fax 03 86 42 49 84,
connaisseur.france@wanadoo.fr,
☑ ⚘ ⧗ t.l.j. 10h-17h (18h en été)

DOM. DE LA COUR CÉLESTE Côtes d'Auxerre 2011 ★★

	2 400	▪🍷	5 à 8 €

Depuis 2008, Thomas Seguin et Arnaud Nahan conjuguent leurs talents à la tête de la Cour Céleste qui n'est autre que l'ancien domaine Seguin. Deux étoiles pour ce Côtes d'Auxerre puissant et élégant, qui a participé à la finale des coups de cœur. Ses arguments ? Un nez puissant et expressif (fleurs blanches, fruits, touche

empyreumatique) ; une bouche riche et bien structurée, épaulée par un boisé bien fondu et une acidité fine et persistante. Un très joli vin qui accompagnera à merveille un poulet aux morilles dans les deux à trois ans. Le **Côtes d'Auxerre rouge (2 400 b.)**, avec 10 % de césar, obtient une étoile pour son nez fruité et sa bouche gourmande sur les petits fruits rouges et noirs.

🍇 Dom. de la Cour Céleste, 3 bis, rue Haute,
89530 Saint-Bris-le-Vineux, tél. 03 86 53 37 39,
fax 03 86 53 61 12, domainecourceleste@hotmail.fr,
☑ ⚘ ⧗ t.l.j. 9h-12h 13h30-18h; sam. dim. sur r.-v.
🍇 Arnaud Nahan

DOM. LA CROIX MONTJOIE Vézelay
La Voluptueuse 2011 ★★

	5 000	🍷	11 à 15 €

Installés seulement depuis 2009 dans la commune de Tharoiseau, Sophie et Matthieu Woillez décrochent déjà deux étoiles pour leur première entrée dans le Guide. Plus que l'inspiration de la colline éternelle, c'est bien leur talent de vinificateurs qui est récompensé. Cette cuvée atteint des sommets d'élégance et de précision. Un élevage en fût de douze mois bien maîtrisé a donné naissance à un vin au nez finement floral et vanillé. La bouche, ample, onctueuse et gourmande, s'équilibre grâce à une belle fraîcheur. Une bouteille proche de la perfection, à servir sur un poisson gras dans les deux ans.

🍇 Dom. la Croix Montjoie, 50, Grande-Rue,
89450 Tharoiseau, tél. 03 86 32 40 94,
contact@lacroixmontjoie.com,
☑ ⚘ ⧗ t.l.j. 10h-19h; sur r.-v. de nov. à mars
🍇 Woillez

♥ ÉRIC ET EMMANUEL DAMPT 2011 ★★

	n.c.	▪🍷	5 à 8 €

PRODUIT DE FRANCE

Dampt
Éric et Emmanuel

BOURGOGNE
APPELLATION BOURGOGNE CONTRÔLÉE

PINOT NOIR

VIGNOBLE DAMPT - ÉLEVÉ ET MIS EN BOUTEILLE À LA PROPRIÉTÉ
89700 · COLLAN · FRANCE · www.dampt.com

Dans la famille Dampt, voici Éric, l'un des trois frères établis à Collan, qui signe un magnifique 2011. Préparez la pièce de bœuf pour ce vin gourmand et d'une grande richesse. Un élevage mixte (15 % de fût, 85 % de cuve) l'a parfaitement façonné. Le nez de fruits rouges est une invitation au voyage. La bouche, d'une belle ampleur, se régale des fruits bien mûrs et s'étire longuement. Tout est en harmonie dans ce bourgogne, que l'on pourra déguster dès à présent, tant il est profond et friand, ou laisser se bonifier deux ans de plus. Le **2011 rouge Vignoble Éric Dampt Épineuil Les Beaumonts (8 à 11 €)**, un vin discret au nez, rond et fruité en bouche, est cité. On l'appréciera sur des rognons de veau dès la sortie du Guide.

⚬┑ EARL Éric Dampt, 16, rue de l'Ancien-Presbytère, 89700 Collan, tél. 03 86 55 36 28, eric@dampt.com, ☑ ⚔ 𝕐 r.-v.

VIGNOBLE DAMPT 2011 ★★

	n.c.	▮ 5 à 8 €

Dans la famille Dampt, voici maintenant Hervé, lui aussi doublement étoilé mais avec un bourgogne blanc. Un chardonnay exclusivement élevé en cuve pour un très joli résultat qui allie puissance et fraîcheur. Le nez est élégant avec son bouquet de fleurs blanches. La bouche est riche, droite et franche, bien équilibrée par une agréable minéralité. Ce vin flatteur, « gourmand et complet » selon un dégustateur, trouvera sa place dès à présent auprès de viandes blanches.

⚬┑ EARL Hervé Dampt, rue de Fleys, 89700 Collan, tél. 03 86 55 29 55, vignoble@dampt.com, ☑ ⚔ 𝕐 t.l.j. 9h-12h 13h30-17h30

VIGNOBLE DAMPT Tonnerre Clos du Château 2011 ★★

	n.c.	▮⬗ 5 à 8 €

Quand ils se réunissent sous l'enseigne du Vignoble Dampt, les trois frères obtiennent encore deux étoiles grâce à ce blanc en tout point remarquable. Ce chardonnay de Tonnerre est un exemple d'équilibre et d'élégance. Une cuvée tirée à quatre épingles. Un nez expressif de miel, légèrement boisé ; une bouche à l'unisson, fruitée et ronde, soulignée par une gracieuse minéralité qui apporte de l'équilibre. C'est net et sans bavure. Tout comme l'élégant **2011 rouge Dom. Dampt Frères Épineuil**, qui obtient une étoile pour le fruité de son nez, la rondeur et la fraîcheur de sa bouche légèrement épicée.

⚬┑ Vignoble Dampt, rue de Fleys, 89700 Collan, tél. 03 86 55 29 55, vignoble@dampt.com, ☑ ⚔ 𝕐 r.-v.

DOM. DAMPT FRÈRES Racineuil 2011 ★★

	n.c.	▮⬗ 5 à 8 €

Emmanuel Dampt signe un bourgogne rouge franc et intense, très marqué par les fruits rouges. C'est surtout la bouche qui a « parlé » aux dégustateurs avec ses tanins bien fondus, sa longueur et sa fraîcheur. Ce vin va demander un peu de temps (un à deux ans) pour donner toute sa mesure avec des viandes rouges. Une étoile pour le **2011 rouge Vignoble Dampt Tonnerre Chevalier d'Éon**, un vin au nez frais, fruité et gourmand en bouche.

⚬┑ Emmanuel Dampt, 3, rte de Tonnerre, 89700 Collan, tél. 03 86 54 49 52, emmanuel@dampt.com, ☑ ⚔ 𝕐 t.l.j. 9h-12h 13h30-17h30

PHILLIPPE DEFRANCE Côtes d'Auxerre Signature 2009

▮	8 000	▮⬗ 5 à 8 €

Les caves voûtées de la maison Defrance datent des XIIᵉ et XIIIᵉs. et sont un véritable lieu de recueillement pour les dégustations. Vous y découvrirez ce Côtes d'Auxerre élevé en fût et en cuve pendant douze mois. Un vin dominé par les fruits rouges bien mûrs, tant au nez qu'en bouche, puissant, adossé à d'élégants tanins et rehaussé de notes poivrées. Pour un poulet fermier rôti dès à présent.

⚬┑ Philippe Defrance, 5, rue du Four, 89530 Saint-Bris-le-Vineux, tél. 03 86 53 39 04, fax 03 86 53 66 46, ph.defrance89@orange.fr, ☑ ⚔ 𝕐 r.-v.

DOM. DE LA DOUAIX Vieilles Vignes 2010

▮	1 100	▮⬗ 8 à 11 €

Un jeune domaine dirigé par Mark Moustie, à Arcenant, dans les hautes-côtes, et une petite production pour cette cuvée issue de vignes quarantenaires. Il va falloir de la patience pour pouvoir découvrir ce 2010 encore dominé par le bois, qui garde ses qualités sous le manteau. Fruits noirs et épices au nez, du fruit encore au cœur d'une bouche bien charpentée : ce millésime mérite d'attendre. Deux à trois ans de cave devrait lui permettre de révéler tout son potentiel.

⚬┑ Mark Moustie, Dom. de la Douaix, rue du Moutier, 21700 Arcenant, tél. 06 85 95 01 79, moustie.gilles@orange.fr, ☑ ⚔ 𝕐 r.-v. ⌂ ☻

DOM. RAYMOND DUPONT-FAHN
Chaumes des Perrières 2011

	n.c.	11 à 15 €

Ici, on touche le 1ᵉʳ cru Les Perrières de Meursault. Ce Chaumes des Perrières ne va pas se plaindre de son voisinage. Un chardonnay frais et friand, au nez de fleurs blanches et à la bouche vive et précise. Le fruit jaune est au cœur de ce vin gourmand. À déguster au cours des deux prochaines années.

⚬┑ Raymond Dupont-Fahn, 70, rue des Eaux, 21190 Tailly, tél. 06 14 38 53 21 ☑ ⚔ 𝕐 r.-v.

JEAN-CHARLES FAGOT Champs L'Huillier 2011 ★

	3 000	⬗ 8 à 11 €

Jean-Charles Fagot n'est pas seulement vigneron, il est aussi restaurateur depuis 1998... à l'*Auberge du Vieux Vigneron*. Son quotidien, c'est aussi l'accord des mets et des vins. Il propose d'ailleurs de servir ce chardonnay élevé en fût avec un gratin de queues d'écrevisses au marc de Bourgogne. Le nez est marqué par les fleurs blanches et la noisette. Un vin très agréable en bouche pour sa souplesse, sa rondeur et pour sa fraîcheur minérale qui équilibre l'ensemble. À conserver un à deux ans.

⚬┑ Jean-Charles Fagot, 5, rue de l'Église, 21190 Corpeau, tél. 03 80 21 30 24, fax 03 80 21 38 81, jeancharlesfagot@free.fr, ☑ ⚔ 𝕐 r.-v.

DOM. FÉLIX Côtes d'Auxerre 2011 ★

▮	7 000	▮⬗ 8 à 11 €

« Passion, patience et tradition », telle est la devise d'Hervé Félix, très attaché à produire « des vins de vigneron ». Ce Côtes d'Auxerre, élevé en fût pendant douze mois après une vinification en cuve, est bien ancré dans son terroir. Un vin qui a su trouver son équilibre entre un joli nez fruité et une bouche puissante, structurée par d'élégants tanins, le tout sur fond de fraîcheur. Oubliez-le en cave un an ou deux avant de le déguster avec un poulet rôti.

⚬┑ Dom. Félix, 17, rue de Paris, 89530 Saint-Bris-le-Vineux, tél. 03 86 53 33 87, fax 03 86 53 61 64, domaine.felix@wanadoo.fr, ☑ ⚔ 𝕐 t.l.j. sf dim. 9h-11h45 14h-18h30

NADINE FERRAND Ambre 2011

	2 500	▮⬗ 20 à 30 €

Voici un chardonnay qui vaut par son originalité. Tout simplement parce qu'il s'agit d'une vendange tardive (le 2 novembre). Pas étonnant que les dégustateurs se soient arrêtés sur son aspect liquoreux. Le nez est très concentré sur des arômes de miel. La surmaturité du fruit s'impose en bouche, laissant une toute petite place en finale à la minéralité. Un roquefort est tout désigné pour partager dès à présent la table avec ce vin généreux.

☛ Nadine Ferrand, 51, chem. du Voisinet, 71850 Charnay-lès-Mâcon, tél. 06 09 05 19 74, ferrand.nadine@wanadoo.fr, ☑ ⚹ ⵙ r.-v.

DOM. FICHET La Fraisière 2011 ★

■	6 000	⑪ 11 à 15 €

Deux frères, Pierre-Yves et Olivier Fichet, ont pris en mains le domaine familial en 1999, qui couvre aujourd'hui 31 ha. Ils ne produisent pas moins de quinze cuvées différentes à partir des quatre cépages de la Bourgogne. Ce pinot noir, élevé en fût, est très élégant avec son nez de fruits rouges. En bouche, les tanins souples sont en harmonie avec le fruit. Beaucoup de richesse et de fraîcheur dans ce 2011 bien équilibré, que l'on pourra apprécier dans les trois ans.

☛ EARL Pierre-Yves et Olivier Fichet, 651, rte d'Azé, Le Martoret, 71960 Igé, tél. 03 85 33 30 46, fax 03 85 33 44 45, domaine-fichet@wanadoo.fr, ☑ ⚹ ⵙ t.l.j. 8h-12h 13h-18h30; dim. sur r.-v.

DOM. FONTAINE DE LA VIERGE Chitry
Cuvée Éléa 2011 ★★

■	3 000	⑪ 5 à 8 €

Un chardonnay élevé en fût de chêne pendant dix-huit mois. Clément Biot, qui a repris l'exploitation familiale en 2007, ne s'est pas trompé dans l'élaboration de ce remarquable Chitry blanc. Le boisé est parfaitement maîtrisé. Il lègue des arômes toastés au nez et se mêle harmonieusement au fruit dans une bouche généreuse, sans nuire à sa fraîcheur. À boire sans attendre sur des anguilles poêlées. Une étoile pour le **Chitry 2010 rouge (4 000 b.)**, dominé par des notes croquantes de cassis.

☛ Clément Biot, 5, chem. des Fossés, 89530 Chitry, tél. 03 86 41 42 79, contact@biot-chitry.com, ☑ ⚹ ⵙ t.l.j. 8h30-12h 14h-18h30

DOM. DE LA GALOPIÈRE 2011 ★

■	3 100	⑪ 8 à 11 €

Gabriel Fournier a coutume de dire qu'il fait des vins qui lui ressemblent. Ceux qui le connaissent bien sont à même d'en juger. Pour leur part, les dégustateurs ont trouvé ce vin riche et gourmand. Le nez, encore discret, ne manque pas de charme avec ses notes de fleurs blanches, de miel et de fruits secs. La bouche est équilibrée entre la rondeur du fruit (abricot) et la vivacité apportée par la minéralité. À boire à l'apéritif.

☛ Claire et Gabriel Fournier, Dom. de la Galopière, 6, rue de l'Église, 21200 Bligny-lès-Beaune, tél. 03 80 21 46 50, fax 03 80 21 49 93, cgfournier@wanadoo.fr, ☑ ⚹ ⵙ r.-v.

ⓑ DOM. DES GANDINES 2011 ★★

■	3 414	⑪ 8 à 11 €

Les racines de ce pinot noir vont chercher le terroir. Adeptes de l'agriculture biologique, Robert et Benjamin Dananchet savent les vertus que cette démarche peut apporter à leurs vins. Ce bourgogne rouge 2011 se fait

remarquer par sa grande finesse. Le nez de fruits rouges est élégant et précis. La bouche est franche et gourmande avec des tanins bien fondus. Ce vin friand est un vrai régal. Réservez-le à une côte de bœuf grillée dans deux ou trois ans.

☛ EARL Robert et Benjamin Dananchet, rte de la Vigne-Blanche, 71260 Clessé, tél. 03 85 36 95 16, info@gandines.com, ☑ ⚹ ⵙ t.l.j. 10h-12h30 13h30-18h

ANDRÉ GOICHOT 2010

■	18 000	▮ 8 à 11 €

Un élevage exclusivement en cuve pour ce bourgogne rouge, ce n'est pas si courant en Côte de Beaune. Toujours est-il que ce vin simple mais pas simpliste est frais et expressif. Le nez n'est que cassis, agrémenté d'une touche de menthe. L'attaque en bouche est fraîche mais les tanins apportent rapidement leur sévérité. Il est préférable d'oublier ce 2010 en cave deux ou trois ans pour l'apprécier avec un peu plus de maturité.

☛ Maison André Goichot , av. Charles-de-Gaulle, 21200 Beaune, tél. 03 80 25 91 30, fax 03 80 25 91 29, infos@goichotsa.com, ☑ ⚹ ⵙ t.l.j. sf dim. 9h-12h 14h-18h

ⓑ GUILHEM ET JEAN-HUGUES GOISOT Côtes d'Auxerre
L'Empreinte du terroir 2011 ★★

■	28 000	▮⑪ 5 à 8 €

Remarquable ! C'est bien le mot qui convient pour qualifier ce superbe Côtes d'Auxerre blanc des Goisot père et fils. Cette cuvée porte bien l'empreinte du terroir, le nez n'est que minéralité. La finesse de la bouche se conjugue avec une belle puissance. Précis, racé et friand, ce vin se plaira volontiers avec des noix de Saint-Jacques. Tout aussi remarquable, le **Côtes d'Auxerre 2011 rouge La Ronce (11 à 15 € ; 5 000 b.)** est un vin intense au nez comme en bouche, dominé par les fruits mûrs. Le boisé bien maîtrisé souligne la rondeur de la matière. Un délice, à boire dès aujourd'hui.

☛ Guilhem et Jean-Hugues Goisot, 30, rue Bienvenu-Martin, 89530 Saint-Bris-le-Vineux, tél. 03 86 53 35 15, fax 03 86 53 62 03, domaine.jhg@goisot.com, ☑ ⵙ r.-v.

DOM. DE GRAND ROCHE Côtes d'Auxerre 2010 ★

■	9 000	▮ 8 à 11 €

Du fruit, du fruit et encore du fruit. Cerise et mûre dominent un nez légèrement beurré alors que la bouche n'est que gourmandise. De l'élevage en cuve pendant douze mois résulte une matière souple et onctueuse relevée par quelques notes poivrées. Un vrai « vin de plaisir » qui trouvera sa place autour d'un barbecue d'arrière-saison.

☛ Érick Lavallée, rte de Chitry, 89530 Saint-Bris-le-Vineux, tél. 03 86 53 84 07, fax 03 86 53 89 81, lavalleeeric@orange.fr, ☑ ⚹ ⵙ r.-v.

DOM. GUEUGNON REMOND Cuvée de l'Aurore 2011 ★

■	4 500	⑪ 8 à 11 €

Pourquoi l'Aurore ? Tout simplement parce que les raisins de cette cuvée sont récoltés très tôt le matin afin d'effectuer leur macération dans des conditions optimales. Le résultat est probant avec ce millésime 2011 d'une belle complexité aromatique. Un nez très plaisant d'aubépine et d'acacia ; une bouche ronde sur un boisé bien fondu ; ce vin très réussi peut être servi avec des fromages.

☞ Dom. Gueugnon Remond, 117, chem. de la Cave,
71850 Charnay-lès-Mâcon, tél. 03 85 29 23 88,
vinsgueugnonremond@free.fr, ☑ ⚔ ⵂ r.-v.

DOM. HEIMBOURGER 2011 ★

| ■ | 10 000 | ▯ | 5 à 8 € |

Un vin franc et droit, au nez frais et charmeur et à
la bouche gourmande d'agrumes. La minéralité apporte la
finesse et une jolie finale acidulée. Ce chardonnay est fait
pour un plateau de fruits de mer. Quant au **rouge 2011**
(10 000 b.), il est cité pour la fraîcheur de son bouquet et
la tendresse de son palais.
☞ Dom. Heimbourger, 5, rue de la Porte-de-Cravant,
89800 Saint-Cyr-les-Colons, tél. 03 86 41 40 88,
fax 03 86 41 48 83, heimbourger@wanadoo.fr, ☑ ⚔ ⵂ r.-v.

HUET L.B. 2010 ★

| ■ | 3 000 | ▯▯ | 5 à 8 € |

La terre rouge que contient le sol argilo-calcaire de
Clessé apporte sa pierre à l'édifice de ce pinot noir très
bien construit. « Un vin bien en place », note un dégustateur qui souligne le séduisant nez de fruits rouges,
légèrement épicé, et la bouche persistante qui navigue
entre la rondeur du fruit (framboise) et la fermeté des
tanins. Cette cuvée très élégante accompagnera un poulet
rôti.
☞ Huet L.B., rte de Germolles, 71260 Clessé,
tél. 03 85 36 96 99, fax 03 85 36 98 87,
laurent.huet16@wanadoo.fr, ☑ ⚔ ⵂ r.-v.

SÉVERINE ET LIONEL JACQUET Chitry 2011

| ■ | 1 300 | ▯ | 5 à 8 € |

Le millésime 2008 avait obtenu un coup de cœur. Le
2011, plutôt confidentiel, se contente cette année d'une
citation, mais il n'en reste pas moins un joli vin friand. Le
fruit rouge est le fil conducteur de cette cuvée fraîche au
nez, gourmande en bouche. Fraise et framboise mènent la
danse jusqu'à la plaisante finale. Parfait pour une assiette
de charcuteries.
☞ Dom. Jacquet, 7, rue de Beugnon, 89530 Chitry,
tél. 03 86 41 42 90, fax 01 77 72 59 35,
lj@domaine-jacquet.fr, ☑ ⵂ r.-v.

CHRISTOPHE LEPAGE 2011

| ■ | 2 400 | ▯ | 5 à 8 € |

Deux citations pour les vins de Christophe Lepage
qui a repris en 2009 l'exploitation familiale aux portes de
Joigny. Un encouragement pour ce jeune vigneron qui a
élaboré un chardonnay charmeur avec son nez de fleurs
blanches et sa bouche ample et friande. Tout aussi réussi,
le **Côte Saint-Jacques 2011 rosé (4 500 b.)**, issu de pinot
gris, est apprécié pour son bouquet floral et fruité et pour
son palais équilibré, à la fois frais et doux.
☞ Christophe Lepage, 9, rue Principale, Grand-Longueron,
89300 Champlay, tél. 03 86 62 05 58,
domaine_lepage@yahoo.fr, ☑ ⚔ ⵂ r.-v.

DOM. MARSOIF Épineuil La Rose Croix 2012 ★

| ■ | 3 000 | ▯ | 5 à 8 € |

La référence templière est toujours présente dans les
cuvées de Raphaël Masson. Cette Rose Croix est un rosé
gras et fruité, bien équilibré en bouche avec des saveurs de
fruits rouges très intenses. Un « vin de soif » à servir sur
un jambon persillé. L'**Épineuil rouge 2012 La Croix**

des **Templiers (5 000 b.)** est cité, bien que sa jeunesse ne
facilite pas sa dégustation. Si le nez est floral, la bouche est
encore marquée par les tanins. À déboucher dans un an
ou deux.
☞ Dom. Marsoif, 10-12, rue du Grand-Courtin,
89700 Serrigny, tél. et fax 03 86 55 16 13,
marsoif@marsoif.com, ☑ ⚔ ⵂ r.-v.
☞ Raphaël Masson

JEAN-PHILIPPE MARCHAND 2011

| ■ | 15 000 | | 11 à 15 € |

Un chardonnay au pays du chambertin, ce n'est pas
monnaie courante. Installé depuis 1984 dans une ancienne
fabrique de confitures, *Les Duchesses du Chambertin*,
Jean-Philippe Marchand a élaboré un vin où les agrumes,
agrémentés de quelques notes de fleurs blanches, dominent au nez. La bouche se distingue par sa souplesse,
équilibrée par une belle acidité. Un vin très plaisant, à
boire sans attendre.
☞ Maison Jean-Philippe Marchand, 4, rue Souvert, BP 41,
21220 Gevrey-Chambertin, tél. 03 80 34 33 60,
fax 03 80 34 12 77, contact@marchand-jph.fr, ☑ ⚔ ⵂ r.-v.

CATHERINE ET CLAUDE MARÉCHAL Gravel 2011 ★

| ■ | 21 000 | ▯▯ | 15 à 20 € |

On ne s'en lasse pas de cette cuvée Gravel de la
famille Maréchal, produite sur un sous-sol de graviers.
Une cuvée régulièrement « étoilée » dans le Guide. L'élevage en fût est parfaitement maîtrisé. Il souligne simplement les arômes de fruits rouges et noirs qui ont investi le
nez. La bouche se concentre sur le fruit, la vivacité
garantissant un bon potentiel de vieillissement. On appréciera ce 2011 avec un bœuf bourguignon dans deux ou
trois ans.
☞ EARL Catherine et Claude Maréchal, 6, rte de Chalon,
21200 Bligny-lès-Beaune, tél. 03 80 21 44 37,
fax 03 80 26 85 01, marechalcc@orange.fr, ☑ ⚔ ⵂ r.-v.

DOM. DE MAUPERTHUIS Grande Réserve 2011 ★

| ■ | 8 000 | ▯▯ | 5 à 8 € |

Les bourgognes génériques présentés par Laurent
Ternynck figurent régulièrement en bonne place dans le
Guide. Une étoile pour cette cuvée séduisante élevée onze
mois en fût. Le nez est léger, avec un plaisant fruité (fraise,
cassis). La bouche tendre plaît par sa rondeur savamment
boisée. Un vin très agréable, à consommer sans attendre
sur une viande rouge grillée.
☞ Dom. de Mauperthuis, Civry, 89440 Massangis,
tél. 03 86 33 86 24, fax 09 50 95 08 41,
ternynck@hotmail.com, ☑ ⵂ r.-v.
☞ Laurent et Marie-Noëlle Ternynck

LOUIS MAX Beaucharme 2011 ★

| ■ | 60 000 | ▯▯ | 11 à 15 € |

Ardent partisan de ce grand cépage qu'est le pinot
noir, le Bourguignon Philippe Bardet, à la tête de la
maison Louis Max depuis 2007, sait aussi valoriser le
chardonnay, et pas seulement dans les grands crus. Ainsi,
ce 2011 élevé moitié en cuve, moitié en fût, est d'une réelle
fraîcheur tant au nez qu'en bouche avec ses notes intenses
d'agrumes. Un vin d'une grande pureté construit autour
de la minéralité, qui sera parfait pour accompagner une
terrine de poisson.

➤ Louis Max, 6, rue de Chaux, 21700 Nuits-Saint-Georges, tél. 03 80 62 43 00, fax 03 80 62 43 16, louismax@louis-max.fr, ⚔ Ⴍ r.-v.

ÉVELYNE ET DOMINIQUE MERGEY Le Bouteau 2011 ★

| | 2 300 | ∎ | 5 à 8 € |

Le Bouteau, c'est tout simplement le nom de cette parcelle où 50 ares de vignes sont plantés en chardonnay. Évelyne Mergey a confié l'élaboration des vins à sa fille et à son gendre, du domaine Cheveau à Pouilly. Le résultat : un bourgogne blanc très harmonieux, au nez de fruits exotiques, à la bouche fruitée soulignée d'un trait de minéralité. Un bourgogne frais et très élégant.

➤ Évelyne Mergey, Le Bouteau, 71570 Leynes, tél. 03 85 23 80 87, fax 09 60 15 92 72, d.mergey@gmail.com, ⌸ ⚔ Ⴍ r.-v. 🏠 🅐

DOM. DES MOIROTS 2011 ★

| | 9 000 | ∎⍟ | 5 à 8 € |

Bissey-sous-Cruchaud, un joli nom pour ce village de la Bourgogne du sud, où Christophe Denizot exploite le domaine familial des Moirots en compagnie de sa sœur Muriel et de son cousin Patrice Denizot. Il propose ici un joli bourgogne rouge élevé en cuve de béton et en fût de chêne, un vin très élégant avec son nez de fruits rouges et sa bouche généreuse et équilibrée, longuement portée par des tanins soyeux. À boire sur son fruit.

➤ Christophe Denizot, EARL Dom. des Moirots, 14, rue des Moirots, 71390 Bissey-sous-Cruchaud, tél. 03 85 92 16 93, fax 03 85 92 09 42, domainedesmoirots@orange.fr, ⌸ ⚔ Ⴍ r.-v.

Ⓑ ARMELLE ET JEAN-MICHEL MOLIN 2010 ★

| | 1 500 | ⍟ | 8 à 11 € |

L'arrivée en 2004 d'Alexandre Molin, le fils de la maison, sur le domaine familial a sans doute précipité le passage à l'agriculture biologique. Le millésime 2010 a été le premier certifié AB. Un vin étonnant de délicatesse. Si le nez n'est pas des plus expressifs, malgré ses arômes de fruits rouges teintés d'épices, la bouche est un modèle d'équilibre entre la matière et la vivacité. Parfait avec des grillades.

➤ Dom. Armelle et Jean-Michel Molin, 54, rte des Grands-Crus, 21220 Fixin, tél. 03 80 52 21 28, domaine.molin@wanadoo.fr, ⌸ ⚔ Ⴍ r.-v.

JEAN-MICHEL MOREAU Épineuil 2012 ★

| | 2 500 | ∎ | 5 à 8 € |

C'est un rosé confidentiel qui vaut à Jean-Michel Moreau de figurer dans le Guide cette année ; un vin qui ne s'est pas éternisé en cuve (neuf mois). Pour autant, son nez de framboise est bien parfumé, tandis que la bouche montre une plaisante vivacité qui lui donne de la longueur. À boire sous la tonnelle avec un assortiment de viandes grillées.

➤ Jean-Michel Moreau, La Grange-Aubert, 89700 Tonnerre, tél. 03 86 55 23 37 ⌸ ⚔ Ⴍ t.l.j. 17h-20h

OLIVIER MORIN Chitry Olympe 2011 ★

| | 15 000 | ⍟ | 8 à 11 € |

Chez Olivier Morin, quand ce n'est pas la cuvée Constance qui est sélectionnée, c'est la cuvée Olympe. Ou les deux à la fois, comme pour le millésime 2011. Revenons donc à Olympe et à sa bonne étoile. Ce Chitry

blanc séduit par sa grande fraîcheur. Un nez de fruits blancs précède une bouche à la fois riche et vive, bien équilibrée en somme. Un ensemble très harmonieux idéal sur des noix de Saint-Jacques. Une étoile également pour le Chitry 2011 rouge Vau du Puits, un vin frais et subtil avec une jolie bouche de fruits rouges. Une citation enfin pour la cuvée Chitry 2011 rosé Constance (5 à 8 € ; 2 500 b.), fruitée et minérale.

➤ Olivier Morin, 2, chem. de Vaudu, 89530 Chitry, tél. 03 86 41 47 20, morin.chitry@orange.fr, ☑ ⚔ Ⴍ r.-v.

CHRISTIAN MORIN Chitry 2011 ★

| | 5 000 | ∎ | 5 à 8 € |

Les Morin, tout comme les Chalmeau ou les Giraudon, font partie des grandes familles viticoles de Chitry, une dénomination qu'ils ont su valoriser au fil des récoltes. Ce chardonnay de Christian Morin est typique de son terroir. Élevé en cuve pendant douze mois, il se distingue par son nez d'agrumes d'une grande pureté. C'est encore le pamplemousse qui domine une bouche charnue et bien équilibrée. À servir sans attendre sur des escargots.

➤ Christian Morin, 17, rue du Ruisseau, 89530 Chitry, tél. 03 86 41 44 10, fax 03 86 41 48 21, ch.morin.chitry@orange.fr, ☑ ⚔ Ⴍ r.-v.

DOM. DE LA MOTTE 2011

| | 2 800 | ∎ | 5 à 8 € |

Les producteurs de Chablis sont plus habitués à vinifier le chardonnay que le pinot noir. C'est pourtant avec ce cépage que Bernard Michaut avait obtenu un coup de cœur avec le millésime 2008. Élevé en cuve pendant six mois, ce 2011 est cité pour son nez discret mais fin et pour sa bouche gourmande et persistante.

➤ SCEA Dom. de la Motte, 35, Grande-Rue, 89800 Beine, tél. 03 86 42 43 71, fax 03 86 42 49 63, mottemichaut@wanadoo.fr, ☑ ⚔ Ⴍ t.l.j. 10h30-18h; mer. dim. sur r.-v.

➤ Michaut

DOM. DU MOULIN NEUF 2011 ★

| | 8 000 | ∎ | 5 à 8 € |

Un rouge de la Bourgogne du sud élevé en cuve, ce n'est pas monnaie courante. Pourquoi s'en priver ? D'autant que celui-ci présente des qualités certaines si l'on en croit les commentaires flatteurs du jury. Un vin élégant dont le nez « pinote » sur les fruits rouges. Beaucoup de fraîcheur et de franchise en bouche avec un joli fruit et une finale acidulée. Un « vin de plaisir » pour les viandes grillées que l'on pourra garder un an ou deux en cave.

➤ Danjean-Berthoux, Le Moulin-Neuf, 45, rte de Saint-Désert, 71640 Jambles, tél. 03 85 44 54 74, fax 03 85 44 33 46, danjean.berthoux@wanadoo.fr, ☑ ⚔ Ⴍ t.l.j. 8h-12h 13h30-19h; f. 10-25 août

MANUEL OLIVIER 2010

| | 10 000 | ∎ | 5 à 8 € |

Une macération courte, suivie d'un élevage en cuve pour conserver toutes les caractères du pinot noir, c'est ce que recherche Manuel Olivier. Son bourgogne rouge 2010 dévoile un nez complexe et généreux avec ses parfums de fruits mûrs et ses notes épicées. La bouche offre de l'ampleur, de la profondeur et une matière à maturité. Très agréable, cette bouteille est à découvrir sans attendre sur une volaille rôtie.

401

⌐┱ SARL Manuel Olivier, 7, rue des Grandes-Vignes,
hameau de Corboin, 21700 Nuits-Saint-Georges,
tél. 03 80 62 39 33, fax 03 80 62 10 47,
contact@domaine-olivier.com,
☑ ⚔ ⵑ t.l.j. 9h-12h 14h-19h 🏠 **C**

ANTOINE ET RACHEL OLIVIER Les 2 Dindes 2010

	18 000	▮▮	8 à 11 €

Négociants à Santenay, Antoine et Rachel Olivier ne
manquent ni d'humour ni d'amour pour leurs filles Jade
et Siam. Ce sont elles, les « 2 dindes » de cette cuvée de
bourgogne blanc 2010 dominée par la minéralité. Pour
aller plus loin dans la description, disons que « les 2
dindes » ont du charme, de la rondeur et de la fraîcheur.
On a vu pire dans les basses-cours. Un vin équilibré et
franc, à boire dès maintenant.

⌐┱ Antoine et Rachel Olivier, 3, rte de Chassagne,
21590 Santenay, tél. 03 80 20 61 35, fax 03 80 20 64 82,
domaineolivier@orange.fr, ☑ ⚔ ⵑ r.-v.

AGNÈS PAQUET 2011

	n.c.	▮	8 à 11 €

Douze mois d'élevage en cuve pour garder le fruit et
le croquant – c'est ce que recherche Agnès Paquet dans
l'élaboration de ses vins. C'est le cas avec ce bourgogne
rouge 2011 d'une grande vivacité. Le nez puissant et épicé
précède une bouche de structure légère, soutenue par une
bonne vivacité. Ce vin bien équilibré et dynamique est prêt
à boire.

⌐┱ Agnès Paquet, 10, rue du Puits-Bouret, 21190 Meloisey,
tél. 03 80 26 07 41, fax 03 80 26 06 41,
contact@vinpaquet.com, ☑ ⚔ ⵑ r.-v.

DOM. DES PERDRIX 2010 ★

	8 700	▮▮	15 à 20 €

Propriété de la famille Devillard, ce domaine doit
son nom au 1ᵉʳ cru Aux perdrix, considéré comme l'une
des plus belles parcelles de Nuits-Saint-Georges. Ici, il
s'agit bien d'un « simple » bourgogne rouge. Simple, mais
pas simpliste. Un vin puissant et généreux avec son nez
intense de fruits rouges et ses tanins bien en place qui lui
permettront d'être attendu deux ans avant d'être associé
à des œufs en meurette.

⌐┱ Dom. des Perdrix, rue des Écoles,
21700 Premeaux-Prissey, tél. 03 85 45 21 61,
fax 03 85 98 06 62, contact@domainedesperdrix.com,
☑ ⚔ ⵑ r.-v.

DOM. PIGNERET FILS 2011 ★

	23 500		5 à 8 €

Élevé exclusivement en cuve, ce chardonnay est bien
représentatif de son terroir. Œuvre des frères Pigneret,
Joseph et Éric, il est distingué pour son nez de fleurs
blanches et sa bouche bien structurée, fraîche et gourmande. Une belle acidité donne de la longueur à ce vin très
agréable, destiné aux fruits de mer.

⌐┱ Dom. Pigneret Fils, Vingelles, 71390 Moroges,
tél. 03 85 47 15 10, fax 03 85 47 15 12,
domaine.pigneret@wanadoo.fr, ☑ ⚔ ⵑ t.l.j. 9h-12h 14h-19h

DOM. POULLEAU PÈRE ET FILS 2011 ★

	5 850	▮▮	8 à 11 €

Quel que soit le vin, chez les Poulleau, le plus grand
soin est apporté à la récolte : vendange à la main, raisin trié

sur table. Ce ne sont donc que des baies saines qui sont
entrées dans les cuves avant un élevage en fût de douze
mois. Il en résulte un vin très séduisant par sa souplesse
et par sa fraîcheur, au nez fin de fruits rouges et à la bouche
gourmande qui a bien assimilé le boisé. Pour un rôti de
veau dans les deux ans à venir.

⌐┱ Dom. Michel Poulleau, 7, rue du Pied-de-la-Vallée,
21190 Volnay, tél. 03 80 21 26 52, fax 03 80 21 64 03,
domaine.poulleau@wanadoo.fr, ☑ ⚔ ⵑ r.-v.

DOM. DES REMPARTS Côtes d'Auxerre 2011 ★

	20 000	▮	5 à 8 €

Attention, à Saint-Bris-le-Vineux, un Sorin peut en
cacher un autre. Là, nous sommes au domaine des
Remparts, où exercent Patrick, Jean-Marc et Thomas
Sorin. Ce 2011 vinifié en cuve, puis élevé en foudre
pendant neuf mois, est un véritable « vin plaisir ». Fruité
au nez, gourmand en bouche, avec de jolies notes de
cerise, il est à boire dans sa jeunesse, sur une viande
blanche par exemple.

⌐┱ EARL Dom. des Remparts, 6, rte de Champs,
89530 Saint-Bris-le-Vineux, tél. 03 86 53 33 59,
fax 03 86 53 62 12, contact@domaine-des-remparts.com,
☑ ⚔ ⵑ t.l.j. sf dim. 9h-12h 14h-19h
⌐┱ Sorin

DOM. JOËL REMY 2011

	3 500	▮▮	11 à 15 €

Voici un vin bien charpenté avec plus de muscle que
de souplesse. Un vin élevé en fût pendant un an, au nez
fait de fleurs blanches et de notes vanillées, à la bouche
dominée par un boisé bien marqué qui relègue pour
l'heure la matière au second plan. Il faudra attendre deux
ans cette bouteille pour qu'elle s'assouplisse de corps et de
caractère.

⌐┱ Dom. Joël Remy, 4, rue du Paradis,
21200 Sainte-Marie-la-Blanche, tél. 03 80 26 60 80,
fax 03 80 26 53 03, domaine.remy@wanadoo.fr, ☑ ⚔ ⵑ r.-v.

DOM. ARMELLE ET BERNARD RION La Croix blanche Vieille Vigne 2011

	3 000	▮▮	11 à 15 €

Depuis 2008, c'est Alice, la fille de la maison, qui
vinifie les vins du domaine, en symbiose avec son père
Bernard, s'empresse-t-elle de préciser. Ce bourgogne
rouge La Croix blanche – du nom de la parcelle – va
réclamer un peu de patience. Son nez de fruits noirs
agrémenté de notes épicées est prometteur. L'attaque en
bouche est franche, la matière charnue, mais les tanins
encore un peu stricts le rendent quelque peu austère pour
l'instant.

⌐┱ Dom. Armelle et Bernard Rion, 8, rte Nationale,
21700 Vosne-Romanée, tél. 03 80 61 05 31,
fax 03 80 61 34 60, rion@domainerion.fr,
☑ ⚔ ⵑ t.l.j. 9h-18h; dim. et hiver sur r.-v.

DOM. DE ROCHEBIN Clos Saint-Germain 2011 ★★

	20 000	▮▮	5 à 8 €

Un habitué du Guide, ce Clos Saint-Germain du
domaine de Rochebin, avec ses bourgognes en blanc ou
en rouge. Le rouge 2011, élevé en fût pendant un an, est
un vin au caractère bien trempé et au bon potentiel de
garde. Raffiné au nez avec ses arômes de fruits rouges
légèrement confits, il se révèle surtout en bouche : de la

rondeur autour du fruit et un boisé bien maîtrisé. Sa solidité actuelle lui permettra de partager la table avec un gibier dès aujourd'hui et d'être attendu une paire d'années.

☛ SCEV Dom. de Rochebin, En Normont, 71260 Azé, tél. 03 85 33 33 37, fax 03 85 33 34 00, domaine-de-rochebin@orange.fr,
☑ ☀ ⊤ t.l.j. 9h-12h 17h-19h

DOM. DE ROTISSON Les Chères 2012 ★★

	9 000	▣	5 à 8 €

Didier Pouget a repris ce domaine situé dans le Rhône en 1998, dans l'idée de faire des vins de terroir. Généralement, le *climat* Les Chères offre du gras et de la rondeur au chardonnay. Dans ce millésime 2012, élevé seulement pendant six mois en cuve, c'est surtout la finesse et la fraîcheur que les dégustateurs ont retenues. Un caractère de jeunesse renforcé par un nez citronné avec des notes de fleur d'acacia et une bouche pure et fruitée. Cette très jolie bouteille s'accordera parfaitement avec des coquillages.

☛ SCEA Dom. de Rotisson, rte de Conzy, 69210 Saint-Germain-sur-l'Arbresle, tél. 04 74 01 23 08, fax 04 74 01 55 41, didier.pouget@domaine-de-rotisson.com,
☑ ☀ ⊤ t.l.j. 9h-12h 14h30-17h30; dim. sur r.-v.

DOM. SAINT-PANCRACE Côtes d'Auxerre
La Côte d'Or 2011 ★

	4 700	⬛	5 à 8 €

Xavier Julien est un adepte de l'élevage en fût pour cette cuvée qui tire son nom du lieu-dit où elle est née. Une cuvée jugée très réussie par son équilibre. Pas de fausse note effectivement dans l'élaboration de ce bourgogne riche en fruits mûrs, au nez comme en bouche, adossé à des tanins fondus à souhait. À découvrir dès aujourd'hui sur un fromage de la région, un soumaintrain par exemple.

☛ Dom. Saint-Pancrace, 17, rue Rantheaume, 89000 Auxerre, tél. et fax 03 86 51 69 71, domaine.saintpancrace@gmail.com,
☑ ⊤ r.-v.
☛ Xavier Julien

SIMONNET-FEBVRE Chitry 2011 ★★

	16 300	▣	5 à 8 €

Surtout connue pour ses chablis, la maison Simonnet-Febvre n'oublie pas Chitry, son fief, où elle a aussi pignon sur rue. Ce chardonnay est à la hauteur de ceux du prestigieux vignoble voisin. Un 2011 élevé en cuve pendant un an, très droit, bien ciselé et d'une grande pureté. « De la dentelle », souligne un dégustateur. Son nez est un bouquet de fleurs blanches. Sa bouche est à la fois délicate et racée, et surtout d'une grande fraîcheur. À servir sans attendre sur une sole meunière.

☛ Simonnet-Febvre, 30, rte de Saint-Bris, 89530 Chitry, tél. 03 86 98 99 00, fax 03 86 98 99 01, contact@simonnet-febvre.com,
☑ ⊤ t.l.j. sf dim. lun. 10h-12h30 14h-18h30; sur r.-v. hors saison

♥ DOM. SORIN DE FRANCE Côtes d'Auxerre 2011 ★★

⬛	41 000	▣⬛	5 à 8 €

Bis repetita pour le domaine Sorin De France et son 2011 honoré d'un coup de cœur comme le millésime

précédent. Une remarquable vinification est à l'origine de ce vin riche et généreux, subtilement boisé. Le nez intense de fruits noirs et de vanille annonce une bouche puissante, tannique, dense et droite à la fois, sous-tendue par une juste fraîcheur. Un vin superbe qu'il faudra savoir attendre deux ou trois ans avant de l'accompagner d'un canard laqué. Le **Côtes d'Auxerre 2011 blanc (21 000 b.)** est quant à lui cité pour sa minéralité et sa vivacité.

☛ Dom. Sorin DeFrance, 11 bis, rue de Paris, 89530 Saint-Bris-le-Vineux, tél. 03 86 53 32 99, fax 03 86 53 34 44, domaine.sorin.defrance@wanadoo.fr,
☑ ☀ ⊤ t.l.j. sf dim. 9h-12h 14h-18h30

DOM. DES TERRES DE VELLE 2011 ★

	5 900	⬛	11 à 15 €

Le domaine des Terres de Velle confirme son entrée réussie dans le Guide avec cette étoile qui fait suite à celle obtenue l'an dernier pour son rouge 2009. Sophie et Fabrice Laronze sont installés à Auxey-Duresses depuis 2009 et ils font appel au « bon sens paysan » dans l'élaboration de leurs vins. Résultat concluant avec ce chardonnay élevé onze mois en fût. Un vin frais et élégant qui s'ouvre sur des senteurs de fleurs blanches accompagnées de notes citronnées. La bouche est vive, sur les agrumes, jusqu'en finale. Parfait sur un fromage de chèvre ou sur du comté.

☛ Dom. des Terres de Velle, chem. Sous-la-Velle, 21190 Auxey-Duresses, tél. 03 80 22 80 31, fax 09 72 12 14 95, info@terresdevelle.fr, ☑ ☀ ⊤ r.-v.
☛ Laronze

DOM. DE LA TOUR Chitry 2011 ★

	4 700	▣	5 à 8 €

Si le domaine de la Tour est bien installé à Ligno-relles, dans le Chablisien, Vincent Fabrici garde un pied dans le vignoble voisin et beaucoup d'affection pour son bourgogne Chitry. Ce chardonnay 2011 est un véritable « vin plaisir ». Beaucoup de finesse et de subtilité au nez ; beaucoup de fraîcheur en même temps que de générosité en bouche : un équilibre très réussi et une grande élégance. On associera volontiers cette bouteille à une terrine de poisson.

☛ Dom. de la Tour, 3, rte de Montfort, 89800 Lignorelles, tél. 03 86 47 55 68, fax 03 86 47 55 86, ledomainedelatour@wanadoo.fr, ☑ ☀ ⊤ r.-v.
☛ V. Fabrici

BOURGOGNE

DOM. VERRET Côtes d'Auxerre 2011 ★★

	30 000	▮ ⏻	5 à 8 €

Il y a une grande harmonie dans ce chardonnay qui a bénéficié d'un élevage mixte (cuve et fût). Bruno Verret a encore visé juste et ces deux étoiles récompensent un véritable savoir-faire. Il y a tout dans ce vin : du fruit, de la vivacité, de la droiture et de l'équilibre. Au nez, la minéralité est confrontée à un léger boisé. Un boisé subtilement fondu en bouche, la dominante aromatique se faisant sur les agrumes. On attendra un peu avant de partager ce bourgogne avec une terrine de lapereau à l'estragon.

☛ SARL Bruno Verret, 13, rte de Champs, 89530 Saint-Bris-le-Vineux, tél. 03 86 53 83 98, dverret@domaineverret.com,
☑ ⚐ ⏸ t.l.j. sf dim. 8h-12h 14h-18h 🏠 ❸

LES VIGNES DE L'ORATOIRE 2012 ★

	100 000	▮ ⏻	5 à 8 €

Cette cave coopérative de la Bourgogne du sud exploite aujourd'hui 1 450 ha de vignes à travers deux cent quarante vignerons adhérents. L'étendue du « domaine » et sa disparité pourraient nuire à la qualité. Ce n'est pas le cas, et ce chardonnay des Vignes de l'Oratoire en apporte la preuve. Un vin très élégant avec son nez d'agrumes et de fleurs blanches. La bouche, franche et droite, s'exprime surtout sur le fruit. Un vin friand en diable, à consommer sans attendre avec des escargots.

☛ Cave de Lugny, 16, rue des Charmes, 71260 Lugny, tél. 03 85 33 22 85, fax 03 85 33 26 46, commercial@cave-lugny.com,
☑ ⚐ ⏸ t.l.j. 8h30-12h30 13h30-19h (18h l'hiver)

ALAIN VIGNOT Côte Saint-Jacques Les Ronces 2010

	8 000	⏻	8 à 11 €

Alain Vignot s'est retiré et son fils Julien a pris le relais des vinifications sur le domaine familial de la Côte Saint-Jacques. Élevage en fût pendant douze mois pour ce bourgogne rouge Les Ronces. Le résultat : un vin à la fois frais, rond et velouté. Le boisé bien maîtrisé ajoute du charme à ce vin sans détour et prêt à boire.

☛ Dom. Alain Vignot, 16, rue des Prés, 89300 Paroy-sur-Tholon, tél. 03 86 91 03 06, fax 03 86 91 09 37, alain-vignot@wanadoo.fr,
☑ ⚐ ⏸ t.l.j. sf dim. 9h-12h15 14h-19h

DOM. FABRICE VIGOT Les Lutenières 2011 ★

	3 000	▮ ⏻	11 à 15 €

Quand on est à Vosne-Romanée, on pourrait ne s'intéresser qu'aux grands crus de la Côte. Ce n'est pas le cas de Fabrice Vigot qui traite ses bourgognes génériques avec le même soin que ses prestigieuses appellations. Cette cuvée Les Lutenières est très plaisante avec son nez confituré, dominé par les fruits des bois. La bouche est riche en fruit, soutenue par des tanins fins qui contribuent à son équilibre. Un canard aux figues pourra donner la réplique à cette bouteille dès aujourd'hui.

☛ Dom. Fabrice Vigot, 20, rue de la Fontaine, 21700 Vosne-Romanée, tél. et fax 03 80 61 13 01, fabrice.vigot@wanadoo.fr, ☑ ⚐ ⏸ r.-v.

DOM. ÉLISE VILLIERS Vézelay Le Clos 2011 ★★

	4 000	▮ ⏻	5 à 8 €

« C'est à l'alliance de la pierre et du soleil, sur la colline de Vézelay, que le vin doit sa finesse et son esprit », affirme Élise Villiers, lyrique. Côté cave, la vigneronne ne peut faire référence qu'à son talent, à l'image de celui qu'elle exprime dans ce chardonnay né dans les clos de l'abbaye de Vézelay. Un vin de classe et surtout un grand vin de plaisir immédiat. Le nez s'éveille sur des arômes d'amande fraîche, que l'on retrouve dans une bouche vive, longue et parfaitement équilibrée. Ce vin charmeur est conseillé par un dégustateur gourmet sur des huîtres pochées avec julienne de légumes et poêlée de langoustines.

☛ Élise Villiers, 5, rue des Champs-Boulots, Précy-le-Moult, 89450 Pierre-Perthuis, tél. et fax 03 86 33 27 62, elisevilliers@yahoo.fr,
☑ ⚐ ⏸ t.l.j. 9h-19h; dim. sur r.-v. 🏠 ❸

Coteaux bourguignons

Superficie : 120 ha
Production : 5 000 hl (75 % rouge et rosé)

Cette appellation remplace l'AOC bourgogne grand-ordinaire, qui signifiait le « bourgogne du dimanche », tombée en désuétude en raison de son nom devenu peu commercial. À la base de la hiérarchie des AOC bourguignonnes, elle s'étend sur l'ensemble de la Bourgogne viticole (Beaujolais inclus) et produit des rouges, des clairets, des rosés et des blancs. Elle peut faire appel à tous les cépages de la région, y compris des variétés locales en voie de disparition comme le tressot et le melon (le cépage du muscadet). En blanc, les principaux sont le chardonnay et l'aligoté ; en rouge et en rosé, le pinot noir et surtout le gamay.

ALLIANCE DES VIGNERONS DU BEAUJOLAIS
Salamandre d'or 2012

	45 000	▮	8 à 11 €

Cette cuvée tire son nom d'une salamandre noire aux reflets dorés qui, de temps à autre, viendrait se promener dans le chai. Au nez, les fruits rouges sont de mise, framboise en tête. La bouche, fraîche et tonique, suit la même ligne aromatique, rehaussée d'une touche poivrée. Bref, un gamay bien typé, à boire sur son fruit.

☛ Alliance des Vignerons du Beaujolais, Les Michauds, 69840 Chénas, tél. 04 74 60 64 56, fax 04 74 66 96 53, alliance-vignerons-beaujolais@orange.fr, ☑ ⚐ ⏸ r.-v.

LA CAVE DU CONNAISSEUR 2011

	35 000	▮	- de 5 €

Cette maison créée en 1989 par Laurent Camu et depuis 2008 propriété du groupe Serge Cheveau, sis à Chablis. Pinot noir et gamay à parts égales sont à l'origine de cette plaisante cuvée au nez puissant de fruits mâtinés de notes vanillées. Franc en attaque, le palais s'appuie sur des tanins suaves et ronds. La longue finale laisse le dégustateur sur de plaisantes notes de pain grillé. « Un vin de caractère, rustique », conclut un dégustateur qui le verrait bien sur un bœuf bourguignon.

☛ La Cave du Connaisseur, rue des Moulins, BP 78, 89800 Chablis, tél. 03 86 42 87 15, fax 03 86 42 49 84, connaisseur.france@wanadoo.fr,

☑ ✕ ⏷ t.l.j. 10h-17h (18h en été)

LORON ET FILS Duc de Belmont 2011 ★

	15 000	▮	8 à 11 €

Cette maison de négoce a sélectionné 3 ha de chardonnay pour élaborer cette cuvée or pâle et brillante au nez expressif de fleurs blanches (aubépine) et de fruits exotiques. La bouche se révèle douce et ronde, vivifiée par une juste fraîcheur. Un vin équilibré, tout indiqué pour l'apéritif.

☛ Jean Loron, RN 6, 71570 Pontanevaux, tél. 03 85 36 81 20, fax 03 85 33 83 19, vinloron@loron.fr

DOM. DE ROTISSON Les Dalines 2012 ★

	9 000	▮	5 à 8 €

Cette cuvée était présente dans l'édition précédente ; elle revient cette année sous la nouvelle étiquette « coteaux bourguignons » remplaçant celle du « bourgogne-grand-ordinaire ». Elle séduit par son bouquet franc et frais de petits fruits rouges et de cassis, relayé par un palais non moins tonique et plaisant, agrémenté d'une touche réglissée. Un vin souple et gourmand, à déguster sans chichi sur une grillade au feu de bois.

☛ SCEA Dom. de Rotisson, rte de Conzy, 69210 Saint-Germain-sur-l'Arbresle, tél. 04 74 01 23 08, fax 04 74 01 55 41, didier.pouget@domaine-de-rotisson.com,

☑ ✕ ⏷ t.l.j. 9h-12h 14h30-17h30; dim. sur r.-v.

☛ Didier Pouget

Bourgogne-aligoté

Superficie : 1 590 ha
Production : 96 000 hl

Le cépage aligoté donne des vins plus vifs et plus précoces que le chardonnay, mais le terroir influe sur lui comme sur les autres cépages. Il y a ainsi autant de profils d'aligotés que de zones où on les élabore. Les aligotés de Pernand étaient connus pour leur souplesse et leur nez fruité (avant de céder la place au chardonnay) ; ceux des Hautes-Côtes sont recherchés pour leur fraîcheur et leur vivacité ; ceux de Saint-Bris dans l'Yonne semblent emprunter au sauvignon quelques traces de sureau, sur des saveurs légères.

Le bourgogne-aligoté constitue un excellent vin d'apéritif. Associé à de la liqueur de cassis, il devient alors le célèbre kir. L'appellation a trouvé ses lettres de noblesse dans le petit village de Bouzeron près de Chagny (Saône-et-Loire), où elle est devenue en 2001 une appellation *village*.

CHRISTOPHE AUGUSTE 2012 ★

	35 000	▮	- de 5 €

Établi dans la région d'Auxerre, Christophe Auguste consacre au cépage aligoté 3,8 ha, soit plus d'un dixième de la superficie de son domaine qui couvre 30 ha. Son 2012 apparaît intense et mûr au nez, jouant sur les fruits jaunes et la pêche. On retrouve ces fruits d'été au palais, au sein d'une matière plus vive, jeune et primesautière, légèrement perlante. Pour l'apéritif, avec ou sans liqueur de cassis.

☛ SCEA Christophe Auguste, 55, rue André-Vildieu, 89580 Coulanges-la-Vineuse, tél. 03 86 42 35 04, fax 03 86 42 51 81 ☑ ✕ ⏷ r.-v.

BOUCHARD PÈRE ET FILS 2011 ★

	n.c.	▮	5 à 8 €

Riche de 12 ha de grands crus, la vénérable maison beaunoise ne dédaigne pas pour autant les cépages plébéiens comme l'aligoté. Ses vinificateurs en ont tiré un vin or brillant, au nez élégant, suave et mûr, mêlant l'acacia, le miel, la pêche et l'abricot frais. L'attaque ronde et florale est relayée par une bouche à la fois vive, structurée et longue, un rien amère en finale. Un vin très équilibré, que l'on verrait plutôt accompagné d'un tourteau mayonnaise ou de canapés de saumon qu'additionné de liqueur de cassis.

☛ Bouchard Père et Fils, Ch. de Beaune, 15, rue du Château, 21200 Beaune, tél. 03 80 24 80 24, fax 03 80 22 55 88, contact@bouchard-pereetfils.com,

☑ ✕ ⏷ t.l.j. 10h-12h30 14h30-18h30; dim. 10h-12h30

DOM. MICHEL COLBOIS 2011 ★★

	9 000	▮	- de 5 €

Rejoint en 2009 par son fils Benjamin, Michel Colbois est établi depuis 1970 à Chitry-le-Fort, joli village de l'Yonne blotti au fond d'une cuvette dont les pentes sont couvertes de vignes et de cerisiers. Ses blancs sont en bonne place dans le Guide, qu'ils proviennent de chardonnay ou, comme ici, d'aligoté. Ce 2011 correspond tout à fait au profil du cépage, avec sa robe à reflets verts, son nez vif, partagé entre le pamplemousse et des notes minérales, et son palais frais, voire nerveux, aux nuances d'herbe anisée. Pour se mettre en appétit devant une demi-douzaine d'huîtres ou d'escargots.

☛ EARL Dom. Michel Colbois, 69, Grande-Rue, 89530 Chitry, tél. 03 86 41 43 48, fax 03 86 41 46 40, contact@colbois-chitry.com,

☑ ✕ ⏷ t.l.j. sf dim. 8h30-12h 13h30-18h

CLOTILDE DAVENNE 2011 ★

	n.c.	▮	5 à 8 €

Cette vigneronne œnologue a travaillé dans un grand domaine de Chablis avant de créer en 2005 une petite exploitation dans le même vignoble. Son aligoté né de très vieux ceps (soixante-quinze ans) se montre intense et vif au nez, sur le fruit blanc. Incisif à l'attaque, il dévoile une certaine richesse gourmande, soulignée par des notes d'abricot frais et de fruits blancs, heureusement soustendue par une ligne acide qui porte loin la finale. Typique et très équilibré, il fera merveille sur le célèbre jambon persillé ou sur des rillettes.

☛ Clotilde Davenne, 3, rue de Chantemerle, 89800 Préhy, tél. 03 86 41 46 05, info@clotildedavenne.fr,

☑ ✕ ⏷ t.l.j. sf mer. dim. 9h30-12h30 14h30-18h30

DOM. FONTAINE DE LA VIERGE 2011 ★

| | 5 000 | ∎ | 5 à 8 € |

La mère de Clément Biot était coiffeuse, et son père peintre en bâtiment. Ils ont repris le petit vignoble d'un viticulteur retraité. Leur fils a voulu avoir tous les atouts pour continuer leur œuvre avec professionnalisme, travaillant en voisin chez William Fèvre à Chablis après être passé par la « Viti » de Beaune. Installé en 2007, il signe un aligoté vif à souhait, aux arômes de pêche blanche. De quoi réveiller une douzaine d'escargots de Bourgogne.

☛ Clément Biot, 5, chem. des Fossés, 89530 Chitry, tél. 03 86 41 42 79, contact@biot-chitry.com,

☑ ⚔ ⊤ t.l.j. 8h30-12h 14h-18h30

ⒷDOM. JEAN FOURNIER Champ Forey Vieilles Vignes 2011 ★

| | n.c. | ∎⦀ | 8 à 11 € |

Un aligoté original : il provient de la Côte de Nuits, produit à Marsannay-la-Côte sur un *climat* non classé en appellation communale ; il naît de vieilles vignes de soixante-cinq ans ; enfin, il incorpore 5 % de melon de Bourgogne, cépage autochtone rarissime, plus connu dans la région de Nantes sous le nom de muscadet... Le nez est intéressant, sur les agrumes, la minéralité, les fleurs blanches, avec quelques touches plus suaves de miel. Fraîche, agréable et légère, la bouche aux nuances de citron et de pomme appelle une salade composée ou des crevettes.

☛ Dom. Jean Fournier, 29, rue du Château, 21160 Marsannay-la-Côte, tél. 03 80 52 24 38, fax 03 80 52 77 40, contact@domaine.fournier.com,

☑ ⚔ ⊤ r.-v.

OLIVIER GARD Vieilles Vignes 2011 ★

| | 4 000 | ∎ | 5 à 8 € |

Installé en 1990, Manuel Olivier est établi dans les Hautes-Côtes de Nuits, tout près de Vosne-Romanée. S'il s'est spécialisé dans la viticulture et a étendu son domaine (11 ha) dans la Côte, sa famille cultive toujours les petits fruits, écoulés en vente directe. Ces cassis, framboises et autres fraises sont la spécialité des Hautes-Côtes et produisent les liqueurs de fruits que l'on marie à l'apéritif pour faire le kir. L'aligoté, vous en trouverez ici : le vigneron en cultive 1 ha, à l'origine d'un blanc frais, minéral et mentholé, plus floral en bouche, franc et perlant.

☛ Dom. Olivier Gard, 7, rue des Grandes-Vignes, hameau de Corboin, 21700 Nuits-Saint-Georges, tél. 03 80 62 39 33, fax 03 80 62 10 47, contact@domaine-olivier.com,

☑ ⚔ ⊤ t.l.j. sf dim. 9h-12h 14h-19h 🏠 Ⓖ

DOM. GERMAIN PÈRE ET FILS 2011

| | 6 000 | ∎ | 5 à 8 € |

Les Germain sont établis à Saint-Romain, village de la Côte de Beaune qui bénéficie d'une appellation communale et dont les vins blancs de chardonnay sont fort prisés. Cela n'empêche pas la famille de réserver 1,15 ha sur ses 15 ha à l'aligoté. Arnaud Germain a tiré du cépage un vin au nez vif, entre agrumes et minéralité, à la bouche légère, où une touche mentholée vient ajouter sa note fraîche. On verrait bien cette bouteille à l'apéritif, avec des gougères.

☛ Dom. Germain Père et Fils, rue de la Pierre-Ronde, 21190 Saint-Romain, tél. 03 80 21 60 15, fax 03 80 21 67 87, contact@domaine-germain.com,

☑ ⚔ ⊤ t.l.j. sf dim. 8h30-12h 13h30-19h 🏠 Ⓖ

FRANCK GIVAUDIN 2011

| | 5 000 | ∎ | 5 à 8 € |

Créé il y a juste cinquante ans, ce domaine est implanté à Irancy dans l'Yonne ; il a bien sûr pour spécialité les vins rouges de l'appellation communale au nom du village. Franck Givaudin consacre pourtant à l'aligoté 2 ha, sur les 11 ha qu'il cultive. Son 2011, habillé d'or, livre des parfums subtils et élégants d'agrumes et de beurre, assortis d'une touche d'herbe fraîche agréable. La bouche est équilibrée, assez longue, avec ce qu'il faut de vivacité pour faire un bon aligoté.

☛ Franck Givaudin, sentier de la Bergère, 89290 Irancy, tél. 03 86 42 20 67, franck.givaudin@wanadoo.fr,

☑ ⚔ ⊤ r.-v.

ⒷGUILHEM ET JEAN-HUGUES GOISOT L'Empreinte du terroir 2011 ★

| | 33 000 | ∎ | 5 à 8 € |

Établie dans l'Yonne depuis l'époque de Philippe le Hardi, cette propriété est une valeur sûre du Guide, qui collectionne les coups de cœur depuis les plus anciennes éditions. Elle exploite son domaine de 28 ha en biodynamie, sous le label Demeter, et vinifie dans le même esprit. Sur sa contre-étiquette figure désormais le logo européen du « vin bio ». Cinq hectares du domaine sont consacrés à l'aligoté, qui avait engendré un blanc remarquable dans le millésime précédent. Ce 2011 reste de belle tenue, offrant au nez un joli cocktail de fruits exotiques avant de dévoiler une bouche vive, minérale et perlante.

☛ Guilhem et Jean-Hugues Goisot, 30, rue Bienvenu-Martin, 89530 Saint-Bris-le-Vineux, tél. 03 86 53 35 15, fax 03 86 53 62 03, domaine.jhg@goisot.com, ☑ ⊤ r.-v.

OLIVIER GUYOT 2011

| | 2 500 | ∎ | 5 à 8 € |

Olivier Guyot est installé à Marsannay, dans la Côte de Nuits, et fait figurer dans sa carte des vins des grands crus rouges. Il ne néglige pas pour autant l'aligoté, qui couvre 2 ha sur les 15 que compte son exploitation. Son vin est tout sauf mordant. Jaune paille, il mêle au nez des senteurs suaves de miel et de fruits au sirop à des notes plus vives d'agrumes et à une touche de minéralité. L'attaque ronde dévoile des arômes de fruits jaunes, contrebalancés par une vivacité citronnée qui apporte de l'équilibre. Pour un poisson grillé ou une viande blanche.

☛ Dom. Olivier Guyot, 39, rue de Mazy, 21160 Marsannay-la-Côte, tél. 03 80 52 39 71, fax 03 80 51 17 58, contact@domaineguyot.fr, ☑ ⚔ ⊤ r.-v.

SÉVERINE ET LIONEL JACQUET 2011

| | 800 | ∎ | 5 à 8 € |

La famille de ce jeune couple de vignerons s'agrandit, leur domaine aussi. En 2002, 3 ha ; aujourd'hui, 10 ha. Bientôt du chablis... À suivre. Leur chitry rouge 2008 avait été fort remarqué, et cet aligoté n'est pas mal du tout, vif et gras, très équilibré, fruité... Plutôt confidentiel ? Le domaine n'est pas gigantesque. On espère que toutes les autres cuvées sont de ce niveau.

☛ Dom. Jacquet, 7, rue de Beugnon, 89530 Chitry, tél. 03 86 41 42 90, fax 01 77 72 59 35, lj@domaine-jacquet.fr, ☑ ⌶ r.-v.

DOM. LE MEIX DE LA CROIX 2011 ★

| | 4 000 | ■ | 5 à 8 € |

Ces vignerons de la Côte chalonnaise signent un bel aligoté, au nez discret mais complexe alliant la suavité des fleurs blanches légèrement miellées à des notes plus fraîches, végétales, teintées de minéralité. De même, la bouche ronde et souple en attaque, sur les fruits jaunes, est tendue par une vivacité sous-jacente qui s'affirme dans une finale nerveuse aux accents de citron vert : bel accord en perspective avec des produits de la mer.

☛ Fabienne et Pierre Saint-Arroman, 10, rue du Meix-de-la-Croix, 71640 Saint-Denis-de-Vaux, tél. 03 85 44 34 33, fax 03 85 44 59 86, pierre@saint-arroman.com, ☑ ⚔ ⌶ r.-v.

CHRISTIAN MORIN 2011

| | 4 000 | ■ | - de 5 € |

Ces vignerons sont installés au centre du joli petit bourg de Chitry-le-Fort, dans l'Yonne, et figurent surtout en bourgogne Chitry blanc (chardonnay). Ils ont consacré près de 2 ha (sur leurs 10 ha de vignes) à cet aligoté de bonne facture. Si le nez d'amande et de beurre frais évoque presque un chardonnay, le fruit blanc entre en scène en bouche et l'ensemble est bien équilibré, avec une jolie finale.

☛ Christian Morin, 17, rue du Ruisseau, 89530 Chitry, tél. 03 86 41 44 10, fax 03 86 41 48 21, ch.morin.chitry@orange.fr, ☑ ⚔ ⌶ r.-v.

DOM. GÉRARD PERSENOT 2012

| | 50 000 | ■ | 5 à 8 € |

Ce domaine familial icaunais (de l'Yonne) consacre une belle surface à son aligoté. Celui-ci est bien représentatif de l'appellation avec son nez intense, frais et pur, sur les fruits jaunes et les fleurs blanches. La bouche reste fruitée, parfumée et gourmande, sur un fond de minéralité acidulée.

☛ SARL Gérard Persenot, 8, rte de Chitry, 89530 Saint-Bris-le-Vineux, tél. 03 86 53 61 46, fax 03 86 53 61 52, gerard@persenot.com, ☑ ⚔ ⌶ r.-v.

DOM. PIGNERET FILS 2011 ★

| | 3 000 | ■ | 5 à 8 € |

Un aligoté de la Côte chalonnaise, élaboré par les frères Éric et Joseph Pigneret, installés du côté de Givry. Le nez s'ouvre sur le citron, le pamplemousse, les fruits blancs et sur une légère touche de silex. Après une attaque souple, la vivacité reprend ses droits, en harmonie avec des arômes d'agrumes. Gras et minéral à la fois, frais et long, ce blanc donne une belle image de l'appellation. Pour un poisson grillé.

☛ Dom. Pigneret Fils, Vingelles, 71390 Moroges, tél. 03 85 47 15 10, fax 03 85 47 15 12, domaine.pigneret@wanadoo.fr, ⚔ ⌶ t.l.j. 9h-12h 14h-19h

DOM. ROLAND SOUNIT 2012 ★

| | 24 000 | ■ | 5 à 8 € |

Or pâle limpide, un aligoté au nez précis et délicat de chèvrefeuille, teinté de minéralité. S'il apparaît souple en attaque, il ne se perd pas en bouche et trace sa route, en

montrant une belle vivacité en finale. Une bouteille harmonieuse, que l'on verrait bien sur un jambon persillé ou sur des cuisses de grenouilles.

☛ Dom. Roland Sounit, 7, rte de Monthelie, 21190 Meursault, tél. 03 80 21 22 45, fax 03 80 21 28 05, severine.maitre@bejot.com

DOM. VERRET 2011 ★

| | 100 000 | ■ | 5 à 8 € |

L'aligoté coule à flot ! 100 000 bouteilles issues de l'activité de négoce de la famille Verret, qui cultive la vigne depuis deux siècles et demi dans l'Yonne. « Typique d'un bon aligoté de Bourgogne septentrionale », conclut un dégustateur perspicace, qui souligne la fraîcheur minérale de ce vin, du premier coup de nez à l'agréable finale acidulée. La bouche ne manque pas de fruit, du fruit blanc et de l'abricot sec, soulignés par cette belle vivacité. Les feuilletés et les charcuteries seront à la fête.

☛ SARL Bruno Verret, 13, rte de Champs, 89530 Saint-Bris-le-Vineux, tél. 03 86 53 83 98, dverret@domaineverret.com, ☑ ⚔ ⌶ t.l.j. sf dim. 8h-12h 14h-18h ⌂ ⊜

Crémant-de-bourgogne

Superficie : 1 935 ha
Production : 125 850 hl

Comme toutes les régions viticoles françaises ou presque, la Bourgogne avait son appellation pour les vins mousseux élaborés sur l'ensemble de son aire géographique. La qualité n'était pas très homogène et ne correspondait pas, la plupart du temps, à la réputation de la région, sans doute parce que les mousseux se faisaient à partir de vins trop lourds. Reconnue en 1975, l'appellation crémant-de-bourgogne a remplacé l'AOC bourgogne mousseux en 1984. Elle impose des conditions de production aussi strictes que celles de la région champenoise et calquées sur celles-ci. Elle connaît actuellement un bon développement. Un crémant-de-bourgogne peut être un blanc de blancs élaboré généralement par un assemblage de chardonnay et d'aligoté, ou assembler des cépages blancs avec le pinot noir et/ou le gamay vinifiés en blanc. Il existe aussi des rosés.

BACHELIER By Florence Bachelier ★

| ● | 5 160 | ■ | 11 à 15 € |

Vignerons de père en fils depuis 1833, les membres de la famille Bachelier ont intégré les mille et une ressources des terres argilo-calcaires du Portlandien où s'épanouissent leurs chardonnays. Leur crémant By Florence, paré de jaune pâle émoustillé de fines bulles, offre une belle palette d'expressions olfactives et gustatives, mêlant fruits blancs et touches miellées, fruits jaunes et brioche, richesse et vivacité. Bref, un vin équilibré et complexe, à servir de l'apéritif au dessert.

☛ Dom. Bachelier, 14, rue Genillotte, 89800 Villy, tél. 03 86 47 49 56, domaine.bachelier@wanadoo.fr, ☑ ⚔ ⌶ r.-v.

BAILLY LAPIERRE Vive-la-joie 2007 ★★

60 000 · 11 à 15 €

C'est ici – faut-il le rappeler ? – que bat le cœur de l'effervescence bourguignonne : c'est dans ces caves en pierre de Tonnerre que naquit le concept du crémant-de-bourgogne. Une cave coopérative qui, millésime après millésime, montre un bel enthousiasme pour valoriser une appellation qui a le vent en poupe. Vive la joie ! Cette cuvée portée jusqu'aux étoiles par les dégustateurs aurait pu être chantée par un Charles Trenet tant sa tenue gaillarde, ses ascensions de fines bulles et ses friandes saveurs vous poussent à roucouler un ardent « Y a d'la joie ! » Un bouquet complexe qui fleure bon la noisette, les fleurs blanches et le pain d'épice, le coing confit et la brioche ; une bouche équilibrée et primesautière malgré son âge, où la richesse le dispute à la vivacité : la signature d'un vin haut de gamme, qui a dû patienter trente-six mois sur lattes avant de pouvoir délivrer ses premières saveurs. Un crémant de gastronomie, assurément. Élégante, fraîche et précise, la cuvée **blanc de blancs** déploie de guillerettes saveurs citronnées et obtient une étoile. Même récompense pour le **blanc Réserve (5 à 8 € ; 200 000 b.)**, qui joue une partition enjôleuse sur des notes de pêche et de fleurs blanches.

🍷 Caves Bailly Lapierre, hameau de Bailly,
quai de l'Yonne, BP 3, 89530 Saint-Bris-le-Vineux,
tél. 03 86 53 77 77, fax 03 86 53 80 94,
nathaliec@bailly-lapierre.fr,
☑ ⚘ 🍸 t.l.j. 9h (sam. dim. 10h)-12h 14h-18h30

LOUIS BOUILLOT Perle rare 2009 ★

15 000 · 8 à 11 €

Avec trois crémants sélectionnés, la maison Louis Bouillot – reprise en 1997 par le groupe Boisset La Famille des Grands Vins – confirme ses hautes ambitions (récompensées entre autres par un coup de cœur dans l'édition 2013 pour le crémant rosé Perle d'aurore) et enfile les étoiles comme les perles. Une Perle rare pour commencer, assemblage de pinot noir (55 %) et de chardonnay : un crémant distingué par l'allure altière de sa livrée jaune pâle constellée de fines bulles, par son olfaction vineuse et par sa bouche ample, fraîche, fruitée et tendrement briochée en finale. Une **Perle d'aurore rosé (30 000 b.)** ensuite, qui décroche une étoile pour son élégance légère et sa finesse aromatique centrée sur les fruits rouges (framboise, griotte). Une **Perle de nuit blanc de noirs (10 000 b.)** enfin, florale (tilleul), fruitée (ananas, pomme, pêche) et un rien biscuitée, vive sans excès, qui est citée.

🍷 Maison Louis Bouillot, rue des Frères-Montgolfier,
21700 Nuits-Saint-Georges, tél. 03 80 62 61 44,
fax 03 80 62 37 38, info@louis-bouillot.com,
☑ ⚘ 🍸 t.l.j. 10h-13h 14h-19h; f. lun. de nov. à mars

❤ **CHEVALIER** ★★

29 000 · 5 à 8 €

Ce coup de cœur pour un effervescent mâconnais « pur jus » consacre une maison historique – aujourd'hui dans le giron du groupe Boisset, comme Louis Bouillot – fondée en 1920 par Eugène Chevalier, parti de Charnay, près de Mâcon, conquérir la Bourgogne « à coups de bulles », de Nuits-Saint-Georges à Rully, pour enfin revenir « évangéliser » sa région d'origine. Ce rosé de haute stature est majoritairement issu de pinot noir (70 %) ; lui ont été adjoints du chardonnay (10 %) et du gamay. Il a grande allure dans sa brillante parure rose pâle

parcourue par un cordon de fines bulles. Le contact olfactif est marqué par une élégante jeunesse fruitée, à dominante de petites baies rouges et de pêche blanche. Le prélude à un palais ample, tendre, délicat, stimulé par une jolie finale acidulée. Un crémant remarquablement équilibré, léger et aérien, résultat d'un dosage très adapté.

🍷 Chevalier, 5, quai Dumorey, 21700 Nuits-Saint-Georges,
tél. 03 80 62 61 44, fax 03 80 62 61 60, monniot.c@boisset.fr,
☑ ⚘ 🍸 t.l.j. 10h-13h 14h-19h

PAUL CHOLLET ★

29 360 · 8 à 11 €

Incontestablement, il existe un style Paul Chollet. Un style fait de retenue et d'équilibre qui se manifeste particulièrement dans l'élaboration de ses rosés, surtout lorsqu'ils naissent du seul pinot noir. Comme ce brut sec à peine dosé (7 g/l de sucres résiduels) qui parade dans sa superbe robe couleur chair discrètement saumonée. L'olfaction, franche et complexe, est un composé harmonieux de fleurs blanches et de fruité gourmand (framboise, pêche de vigne), que prolonge une bouche souple, fraîche et légère. Un crémant tout en fruit pour l'apéritif ou le dessert, avec une salade de fruits rouges.

🍷 Paul Chollet, 18, rue du Gal-Leclerc,
21420 Savigny-lès-Beaune, tél. 03 80 21 53 89,
fax 03 80 21 58 16, contact@paulchollet.fr,
☑ ⚘ 🍸 t.l.j. 9h-12h 14h-18h

DOM. FICHET Tradition

12 000 · 5 à 8 €

Sorti de la cave coopérative par Francis Fichet en 1976, ce domaine est depuis 1999 conduit par ses fils Pierre-Yves et Olivier, à la tête aujourd'hui de 31 ha de vignes. Une propriété bien connue des lecteurs pour ses mâcon et mâcon-villages, qui montre aussi son savoir-faire en matière de fines bulles. Ici, une cuvée à dominante de chardonnay (80 %), le pinot noir faisant l'appoint. Les parfums intenses de fleurs blanches, de poire et d'agrumes composent un bouquet fin et expressif. La bouche tient la note florale et fruitée, y ajoutant une touche de douceur beurrée, et séduit par sa fraîcheur et son dosage très mesuré. Apéritif, poisson grillé, tarte aux fruits, vous avez le choix.

🍷 EARL Pierre-Yves et Olivier Fichet, 651, rte d'Azé,
Le Martoret, 71960 Igé, tél. 03 85 33 30 46,
fax 03 85 33 44 45, domaine-fichet@wanadoo.fr,
☑ ⚘ 🍸 t.l.j. 8h-12h 13h-18h30; dim. sur r.-v.

LABOURE-GONTARD ★

130 000 · 8 à 11 €

Cette maison de négoce propose ici un brut issu de chardonnay (40 %) et de pinot noir (50 %), complétés par un appoint de gamay. C'est un crémant expressif, vif et équilibré, nuancé de rondeurs fruitées (pêche blanche, melon, mandarine), mais qui a tendance à s'évanouir un peu rapidement en finale. L'ensemble reste fort plaisant et pourra s'apprécier avec un poisson en sauce.

☛ Moingeon - La Maison du Crémant, D 974, 21190 Meursault, tél. 03 80 21 66 22, fax 03 80 21 28 05, cremant@moingeon.com

LEBEAULT ★

| | 79 500 | 📷 | 5 à 8 € |

Rully est l'un des hauts lieux d'élaboration du crémant et la famille Lebeault a été, dès 1934, une des toutes premières à s'investir dans la production de bourgognes mousseux. Bon sang ne saurait mentir : les petits-fils (Pierre et Gérard) de Maurice Lebeault, fondateur du domaine, perpétuent la tradition avec talent, témoin ces deux crémants très réussis. Le premier, né d'un assemblage de pinot noir, de chardonnay et d'aligoté, se pare d'or clair et s'épanouit sur des notes de coing, d'agrumes, de fleurs blanches et de pâtisserie. La bouche, à l'unisson, se révèle ample, nette, fraîche et longue. Un crémant équilibré et élégant que l'on pourra servir sur des produits de la mer ou au dessert. Une étoile également pour le **blanc de blancs (8 à 11 € ; 18 350 b.)**, subtilement floral et minéral, frais, « très féminin », selon l'un des jurés, qui l'imagine en compagnie d'un poisson à chair fine.

☛ Maison Lebeault, 1, rue des Buis, 71150 Rully, tél. 03 85 87 15 20, fax 03 85 87 26 47, contact@cremant-mlebeault.com, ☑ ⚔ ⏉ r.-v.

LOUIS LORON

| | 13 000 | 📷 | 5 à 8 € |

Un rosé d'inspiration « sudiste », proposé par la maison Loron, sise en Beaujolais. Pinot et gamay ont donné naissance à un crémant rose soutenu aux reflets orangés, animé de fines bulles. Légèrement tannique, la bouche s'équilibre, fraîche et tonique, autour de saveurs de raisins mûrs. Tout indiqué pour un apéritif ou un dessert. Clafoutis ? Salade de fruits rouges ? Les idées ne manquent pas...

☛ SAS Louis Loron et Fils, Le Vivier, 69820 Fleurie, tél. 04 74 04 10 22, fax 04 74 69 84 19, fernand.loron@wanadoo.fr, ☑ ⚔ ⏉ t.l.j. sf dim. 8h30-12h 13h30-18h; sam. 8h30-12h; f. sem. du 15 août

LES ESSENTIELLES DE MANCEY Blanc de blancs ★

| | 13 000 | 📷 | 8 à 11 € |

Ce blanc de blancs proposé par les vignerons de la cave de Tournus prouve, s'il le fallait, que le noble chardonnay et l'espiègle aligoté sont capables de s'assembler en toute harmonie. Ce crémant très réussi, d'un joli doré pâle, développe une mousse crémeuse et fine. Une délicatesse que confirme l'olfaction à travers des parfums de fleurs champêtres et de beurre frais agrémentés de nuances de coing mûr. Ce brut bien dosé, rond et souple en bouche, plus tonique et vif en finale, fait montre d'une aimable courtoisie et d'un bel équilibre. À boire en apéritif, accompagné de gougères et de toasts au foie gras.

☛ Cave des Vignerons de Mancey, RN 6, En Velnoux, BP 100, 71700 Tournus, tél. 03 85 51 00 83, fax 03 85 51 71 20, contact@cave-mancey.com, ☑ ⚔ ⏉ t.l.j. 8h-12h 14h-18h

MOULIN DES VERNY Cuvée Excellence ★★

| | 30 000 | 📷 | 5 à 8 € |

L'union faisant la force, Œdoria, qui regroupe les coopératives de Liergues et de Theizé, s'impose avec deux crémants. La palme revient à la Cuvée Excellence du Moulin des Verny, qui a participé à la finale des coups de cœur. Sa parure d'or clair éclatant est sillonnée d'éclairs de jade et dynamisée par des myriades de fines bulles. Élégamment fruité (pêche de vigne, agrumes), floral et mentholé (« After eight », note un juré), le nez se montre délicat, caressant même. La bouche affiche un équilibre remarquable : nerveuse en attaque, puis ample, charnue, dosée avec mesure et d'une grande fraîcheur jusqu'en finale. Une belle bouteille à ouvrir sur des crustacés. Le **blanc brut (16 000 b.)**, issu de pinot (60 %) et de chardonnay, fin, fruité et minéral, est jugé très réussi.

☛ Œdoria, 25, rte de Cottet, 69820 Theizé, tél. 04 74 71 48 00, fax 04 74 71 84 46, contact@oedoria.com, ☑ ⚔ ⏉ r.-v.

NOIROT ET FILS Blanc de noirs

| | n.c. | 📷 | 5 à 8 € |

Le blanc de noirs de la famille Noirot est un crémant qui d'emblée a surpris les dégustateurs par sa robe tirant vers le rosé (l'effet du pinot noir), « qui fait de l'œil » a-t-on coutume dire en Champagne. Sa palette intensément fruitée (fraise écrasée), mâtinée de nuances amyliques et mentholées, ne les a pas laissés insensibles non plus. La bouche se révèle ronde et douce (fruits cuits) mais maintient un bon équilibre grâce à une fine fraîcheur à l'arrière-plan. Accord gourmand en perspective avec un dessert au chocolat.

☛ SARL Noirot et Fils, Les Coteaux du Châtillonnais, Bellevue, 21400 Pothières, tél. et fax 03 80 81 92 38 ☑ ⚔ ⏉ r.-v.

MANUEL OLIVIER

| | 5 000 | 📷 | 8 à 11 € |

Sur un demi-hectare de terres argilo-calcaires, Manuel Olivier, vigneron plus connu des lecteurs pour ses vins nuitons que pour ses fines bulles, a sélectionné un panel ampélographique typiquement bourguignon, regroupant l'aligoté (25 %), le chardonnay (50 %) et le pinot noir (25 %). Il en a retiré 5 000 bouteilles d'un efferverscent qui se montre ample, puissant et frais en bouche, dominé par les saveurs d'agrumes et de fruits à chair blanche ; un crémant un peu atypique aussi – un dégustateur décèle à l'olfaction des parfums « de myrte » –, mais en tout état de cause expressif et agréable.

☛ SARL Manuel Olivier, 7, rue des Grandes-Vignes, hameau de Corboin, 21700 Nuits-Saint-Georges, tél. 03 80 62 39 33, fax 03 80 62 10 47, contact@domaine-olivier.com, ☑ ⚔ ⏉ t.l.j. 9h-12h 14h-19h 🏠 🏠 🅖

LOUIS PICAMELOT Les Terroirs

| | 79 661 | | 5 à 8 € |

Valeur sûre de la bulle bourguignonne, la maison Picamelot est fidèle au rendez-vous. Ce crémant brut non dosé a fait l'objet de soins très attentifs : vendange manuelle en petites caisses ajourées des pinots noirs (60 %), chardonnays (30 %) et aligotés, long vieillissement

BOURGOGNE

sur lattes (plus de vingt mois), assemblage de différents terroirs. Le résultat est un vin jaune pâle et brillant constellé de fines bulles, qui s'ouvre à l'olfaction sur des notes de fruits rouges, de noisette et de viennoiserie. La bouche, après une attaque dynamique, se fait plus tendre et riche, pour finir sur une agréable rondeur. L'ensemble est équilibré, et pourra s'apprécier sur une volaille.

📞 Maison Louis Picamelot, 12, pl. de la Croix-Blanche, 71150 Rully, tél. 03 85 87 13 60, fax 03 85 87 63 81, info@louispicamelot.com,

☑ ⚓ ⊥ t.l.j. sf dim. 8h-12h 13h30-17h; sam. 10h-13h 14h-18h

📞 P. Chautard

DOM. SAINT-PANCRACE Blanc de blancs
Julien-Dorard 2010 ★★

		1 400		8 à 11 €

Il a frôlé le coup de cœur, ce blanc de blancs issu de nobles chardonnays qui ont admirablement capté la minéralité des terroirs kimméridgiens de l'Auxerrois. Crémant « de niche » (la production est limitée à 1 400 bouteilles), il affiche la date d'un beau millésime : 2010. Paré d'un or vif et lumineux, il évolue au nez comme en bouche sur des arômes de fruits blancs tendrement miellés et stimulés d'une fine note citronnée. Très équilibré entre douceur et vivacité, il joue la carte de la finesse, soulignée par une finale saline. Un crémant festif et élégant, qui émoustillera nombre d'esthètes de l'effervescence autour d'un poisson grillé.

📞 Dom. Saint-Pancrace, 17, rue Rantheaume, 89000 Auxerre, tél. et fax 03 86 51 69 71, domaine.saintpancrace@gmail.com, ☑ ⊥ r.-v.

📞 Xavier Julien

Ⓑ CH. DE SASSANGY ★

		26 000	▮⬚	8 à 11 €

Cette vaste propriété (240 ha, dont 50 ha de vignes) située dans l'arrière-pays vallonné de Chalon-sur-Saône est dans la famille Musso depuis plus de trois siècles. Endormie après la crise phylloxérique, elle a été réveillée de son long sommeil par le couple Jean et Geno Musso à la fin des années 1970, qui a replanté le vignoble. Depuis lors, les vins du domaine sont régulièrement au rendez-vous. Ce crémant fait la part belle au pinot noir (50 %) et au chardonnay (30 %), accompagnés d'un soupçon d'aligoté et de gamay. Élevé sur lies fines, le vin de base a passé huit mois en fût. Autant de soins qui ont abouti à un brut jaune doré, au nez généreux de fruits cuits (coing notamment) agrémentés de notes boisées, au palais également boisé, rond et assez vineux. Un crémant complexe et de caractère, à servir sur une volaille en sauce crémée.

📞 Ch. de Sassangy, Le Château, 71390 Sassangy, tél. 03 85 96 18 61, fax 03 85 96 18 62, musso.jean@wanadoo.fr, ☑ ⚓ ⊥ r.-v. 🏠 Ⓒ

📞 Jean et Geno Musso

ALBERT SOUNIT ★★

		11 387	▮	8 à 11 €

Très beau tir groupé pour la maison Albert Sounit – cédée à son importateur danois en 1993 –, l'une des valeurs sûres de la Côte chalonnaise, en vins tranquilles comme en effervescents. Ce crémant, né du seul chardon-

nay, a participé à la finale des coups de cœur, recueillant nombre de commentaires favorables : « Très belle harmonie générale », s'enthousiasme un dégustateur, « un bel exemple de chardonnay », note un autre... Son élégance commence par la robe, limpide et brillante, animée de fines bulles et chapeautée par une mousse onctueuse. Elle se poursuit à l'olfaction, à travers des notes florales (acacia) et un fruité gourmand (coing), le tout sur un fond brioché. La bouche n'est pas en reste ; elle allie souplesse, finesse, longueur et vivacité. L'équilibre est remarquable. Plus simple mais franc d'allure et de goût, ample et frais, le **blanc de noirs (2 000 b.)** obtient une étoile, de même que le **rosé Châtaignier (4 060 b.)**, souple et tout en fruit.

📞 Maison Albert Sounit, 5, pl. du Champ-de-Foire, 71150 Rully, tél. 03 85 87 20 71, fax 03 85 87 09 71, albert.sounit@wanadoo.fr, ☑ ⊥ r.-v.

📞 K. Kjellerup

DOM. DE LA TOUR BAJOLE Blanc de blancs

		1 800		5 à 8 €

Au domaine de la Tour Bajole, la famille Dessendre cultive – c'est suffisamment rare pour être signalé – quelques-unes de ses vignes en lyre (en Y), conduite offrant une surface foliaire exposée au soleil plus importante. Des ceps d'aligoté (70 %) et de chardonnay sont à l'origine de ce crémant or aux reflets verts, porté sur les fruits confits, le miel et le coing, rond, riche et vineux en bouche. On l'ouvrira sur une viande blanche en sauce.

📞 Marie-Anne et Jean-Claude Dessendre, Dom. de la Tour Bajole, 11, rue de la Chapelle, 71490 Saint-Maurice-lès-Couches, tél. 03 85 45 52 90, domaine-de-la-tour-bajole@wanadoo.fr, ☑ ⚓ ⊥ r.-v.

DOM. ROLAND VAN HECKE ★★

		3 000	▮	5 à 8 €

À l'origine exploitation agricole, ce domaine du Châtillonnais a planté en 1991 ses premières vignes, qui s'étendent aujourd'hui sur 5 ha, principalement consacrées aux crémants. Ici, 1,3 ha d'argilo-calcaire planté de ceps de chardonnay de vingt ans à l'origine d'un effervescent remarquable de bout en bout. Robe jaune pâle animée de bulles légères et persistantes ; bouquet expressif d'une élégance toute printanière, floral et fruité (pâte de fruits, agrumes, pêche blanche) ; bouche à l'unisson, intense, délicate et d'une grande fraîcheur. « Tout en finesse et en féminité », conclut une dégustatrice. Un crémant qui conviendra pour tout un repas.

📞 Dom. Roland Van Hecke, 5, rue de l'Église, 21570 Grancey-sur-Ource, tél. et fax 03 80 93 79 07, roland.van-hecke@wanadoo.fr,

☑ ⚓ ⊥ lun. mer. sam. 9h-12h 14h-19h; mar. jeu. ven. dim. sur r.-v.

CH. DE LA VELLE ★★

		n.c.		8 à 11 €

Nous sommes ici à Meursault, chez Bernadette et Bertrand Darviot, où l'on « vigneronne » depuis neuf générations. Plus connu pour ses vins tranquilles (blancs et rouges) de la Côte de Beaune, ce domaine de belle réputation maîtrise aussi les bulles. Témoin ce magnifique crémant encensé par les dégustateurs et présent à la finale des coups de cœur. La parure se montre sous un beau jour avec sa teinte jaune pâle constellée de fines bulles. Le nez est avenant et complexe (pamplemousse, pomme, poire, senteurs briochées). La bouche, d'un équilibre remarquable, se révèle ample, consistante et intense, tout en conservant une réelle finesse, bien servie par une fraîcheur tonique et des notes élégantes d'agrumes et de noisette. À servir à table, sur un rôti de lotte par exemple.

📞 SARL Ch. de la Velle, 17, rue de la Velle, 21190 Meursault, tél. 03 80 21 22 83, fax 03 80 21 65 60, chateaudelavelle@darviot.fr, ☑ ⚭ ♈ r.-v. ⌂ ⒸⒼ

Veuve Ambal Grande Cuvée ★

○	400 000	8 à 11 €

Faut-il encore présenter cette maison, spécialiste éminente des effervescences distinguées ? Sa Grande Cuvée, dosée sans excès (10 g/l), se présente dans une belle tenue pâle striée d'émeraude et animée de fines bulles. Le bouquet, élégant, s'ouvre sur les fleurs blanches pour progresser vers les parfums de poire et de pêche. La bouche se distingue par son volume, sa finesse et sa franche vivacité qui lui confère beaucoup de « peps » et de longueur. Parfait pour les crustacés. La **Cuvée Or (11 à 15 €; 200 000 b.)**, plus ronde et gourmande (miel, brioche), obtient également une étoile. Plutôt pour les viandes blanches.

📞 Veuve Ambal, Le Pré-Neuf, 21200 Montagny-lès-Beaune, tél. 03 80 25 01 70, fax 03 80 25 01 79, contact@veuve-ambal.com,
☑ ⚭ ♈ t.l.j. 10h-13h 14h-19h; f. sam. dim. d'oct. à mars
📞 Éric Piffaut

♥ Vitteaut-Alberti Blanc de blancs 2010 ★★

○	20 000	▯	5 à 8 €

Un nouveau coup de cœur pour Vitteaut-Alberti : Agnès Vitteaut perpétue avec talent (depuis 2010) le bel héritage légué par son grand-père Lucien, fondateur de la maison de négoce en 1951, et par son père Gérard. Ce blanc de blancs, élaboré à partir de 80 % de chardonnay et de 20 % d'aligoté, se situe dans la lignée des « crémantissimes » de haute volée. Bulles fines et serrées parcourant une robe pâle tendrement nacrée ; nez impérial où fleurs blanches et fruits confits s'interpellent avec courtoisie ; bouche fine et ciselée, qui s'attarde sur des saveurs fruitées après une attaque ferme et tendue. « Un vin de terroir », note un dégustateur sensible au caractère pierreux transmis par le calcaire. Voilà un crémant parfaitement au point, que l'on servira avec des fruits de mer. Le **blanc brut 2010 (15 000 b.)**, bien équilibré entre douceur miellée, rondeur et vivacité, est cité.

📞 Vitteaut-Alberti, 16, rue de la Buisserolle, 71150 Rully, tél. 03 85 87 23 97, fax 03 85 87 16 24, contact@vitteaut-alberti.fr,
☑ ♈ t.l.j. sf dim. 8h-12h 14h-18h30

Le Chablisien

Malgré une célébrité séculaire qui lui a valu d'être imité de la façon la plus fantaisiste dans le monde entier, le vignoble de Chablis a bien failli disparaître. Deux gelées tardives, catastrophiques, en 1957 et en 1961, ajoutées aux difficultés du travail de la vigne sur des sols rocailleux et terriblement pentus, avaient conduit à l'abandon progressif de la culture de la vigne ; le prix des terrains en grands crus atteignait un niveau dérisoire, et bien avisés furent les acheteurs du moment. L'apparition de nouveaux systèmes de protection contre le gel et le développement de la mécanisation ont rendu ce vignoble à la vie.

L'aire d'appellation couvre les territoires de la commune de Chablis et de dix-neuf communes voisines dans les quatre appellations chablis. Les vignes dévalent les fortes pentes des coteaux qui longent les deux rives du Serein, modeste affluent de l'Yonne. Une exposition sud-sud-est favorise à cette latitude une bonne maturation du raisin, mais on trouvera plantés en vigne des « envers » aussi bien que des « adroits » dans certains secteurs privilégiés. Le sol est constitué de marnes jurassiques (kimméridgien, portlandien). Il convient admirablement à la culture du chardonnay, comme s'en étaient déjà rendu compte au XIIᵉs. les moines cisterciens de la toute proche abbaye de Pontigny, qui y implantèrent sans doute ce cépage, appelé localement beaunois. Celui-ci exprime ici plus qu'ailleurs ses qualités de finesse et d'élégance, qui font merveille sur les fruits de mer, les escargots, la charcuterie. Premiers et grands crus méritent d'être associés aux mets de choix : poissons, charcuterie fine, volailles ou viandes blanches, qui pourront d'ailleurs être accommodés avec le vin lui-même.

Petit-chablis

Superficie : 780 ha
Production : 46 000 hl

Cette appellation constitue la base de la hiérarchie bourguignonne dans le Chablisien et provient des parcelles installées à la périphérie des appellations plus prestigieuses. Moins complexe que le chablis, le petit-chablis possède une acidité un peu plus élevée. Autrefois consommé en carafe, dans l'année, il est maintenant mis en bouteilles. Victime de son nom, il a eu de la peine à se développer, mais il semble qu'aujourd'hui le consommateur ne lui tienne plus rigueur de son adjectif dévalorisant.

Bardet et Fils 2011 ★★

	3 500	🞃	5 à 8 €

L'avenir est assuré chez les frères Bardet. Après Alexandre, le fils de Michel, c'est Damien, le fils de Philippe, qui a rejoint la ferme de la Borde. Des bras supplémentaires pour exploiter ce petit domaine familial de 6,5 ha dédiés essentiellement au petit-chablis. Ce vin remarquable, généreux en fruit et parfaitement équilibré, dévoile un nez complexe sur les fruits frais et les notes briochées. La bouche est gourmande, imprégnée de fruits exotiques bien mûrs et soulignée par une belle acidité. À servir à l'apéritif.

☞ Bardet et Fils, ferme de La Borde, 89310 Noyers-sur-Serein, tél. et fax 03 86 82 61 49, vins.bardet@free.fr, ☑ ⚐ ⟟ r.-v.

Dom. Besson 2011 ★

	2 000	🞃	5 à 8 €

Six mois de cuve, il n'en faut pas plus pour obtenir ce petit-chablis d'une belle pureté. La minéralité en est le fil conducteur, tant au nez qu'en bouche. Elle s'associe aux notes florales et aux fruits frais du nez. La bouche se révèle vive et incisive. Cette tension n'exclut ni le fruit ni les saveurs épicées. Un profil bien typé, qui destine ce vin aux coquillages et crustacés, aujourd'hui ou dans deux ans.

☞ EARL Besson, 15, rue de Valvan, 89800 Chablis, tél. 03 86 42 40 88, fax 03 86 42 49 46, domaine-besson@wanadoo.fr, ☑ ⟟ r.-v.

La Chablisienne Pas si petit 2011 ★

	40 000	🞃	8 à 11 €

« Pas si petit », le petit-chablis de La Chablisienne ! Le clin d'œil est amusant, même si l'on sait depuis longtemps que bien des petit-chablis valent les Chablis. Celui-ci est dans la typicité de l'appellation avec sa fraîcheur et sa vivacité. Son nez puissant se partage entre la fleur et le fruit ; sa bouche se montre souple et légèrement acidulée. Il n'en faut pas plus pour se régaler en consommant ce vin sans attendre.

☞ La Chablisienne, 8, bd Pasteur, 89800 Chablis, tél. 03 86 42 89 89, fax 03 86 42 89 90, chab@chablisienne.fr, ☑ ⟟ t.l.j. 9h-12h30 14h-19h

Dom. des Chaumes 2011

	4 000	🞃	5 à 8 €

Citron, acacia, amande, le nez de cette cuvée est à la fois complexe et élégant. La bouche se distingue surtout par sa rondeur, son gras et un bon équilibre, même si certains dégustateurs auraient aimé davantage de nerf. Un petit-chablis classique, que l'on verrait bien avec un poisson de rivière au beurre blanc.

☞ Romain Poullet, Dom. des Chaumes, 6, rue du Temple, 89800 Maligny, tél. 03 86 98 21 83, domainedeschaumes@wanadoo.fr, ☑ ⟟ r.-v.

Dom. Chevallier 2011 ★

	5 000	🞃	5 à 8 €

Un élevage en cuve, sur lies fines, pendant onze mois pour un petit-chablis très réussi. Claude et Jean-Louis Chevallier savent faire de vrais « vins de plaisir ». C'est encore le cas avec cette cuvée à la fois fraîche et gourmande. Le nez est très marqué par les agrumes (pamplemousse, orange). Assez gras et fruité en bouche, ce 2011 est à déguster sur un plat de poisson.

☞ Dom. Chevallier, 6, rue de l'École, Montallery, 89290 Venoy, tél. 03 86 40 27 04, fax 03 86 40 27 05, domaine.chevallier.chablis@wanadoo.fr, ☑ ⚐ ⟟ t.l.j. sf dim. 8h-12h 13h30-18h; f. du 15 au 31 août

Christophe et Fils 2011 ★

	24 000	🞃	5 à 8 €

Établi depuis 1999 dans sa ferme des Carrières-de-Fyé, petit village proche de Chablis, Sébastien Christophe continue de décrocher les étoiles du Guide. Ce petit-chablis se révèle subtil, porté par une vivacité saline qui correspond bien à la typicité de l'appellation. Le nez se promène entre le fruit et la minéralité, et une belle tension s'exprime dans un palais étayé par une acidité qui domine la matière. À boire sur un fromage de chèvre chaud.

☞ Dom. Christophe et Fils, ferme des Carrières-de-Fyé, 89800 Chablis, tél. et fax 03 86 55 23 10, domaine.christophe@wanadoo.fr, ☑ r.-v.

Dom. du Colombier 2011 ★

	35 000	🞃	5 à 8 €

Les frères Mothe (Jean-Louis, Thierry et Vincent) n'y vont pas par quatre chemins : « Produire des vins blancs secs, limpides, vifs et légers, aux reflets blanc-vert. » C'est précis, et l'exercice est réussi avec ce millésime 2011. La bouche est plus expansive que le nez, encore discret (quelques notes iodées et de beurre salé pointent à l'aération). La minéralité vient y bousculer la rondeur pour apporter de la vivacité. Un ensemble bien équilibré, à servir dans l'année sur des sushis.

☞ Dom. du Colombier, Guy Mothe et ses Fils, 42, Grand-Rue, 89800 Fontenay-près-Chablis, tél. 03 86 42 15 04, fax 03 86 42 49 67, domaine@chabliscolombier.com, ☑ ⚐ ⟟ t.l.j. 8h-12h30 14h-18h; sam. dim. sur r.-v.

La Cave du Connaisseur 2011 ★

	10 000	🞃	8 à 11 €

Le groupe Serge Cheveau a repris en 2008 cette maison de négoce, et sa jolie cave du XIIIᵉs., fondée par Laurent Camu en 1989. Ce millésime 2011, très harmonieux, s'appuie sur « le » pilier des vins du Chablisien : la minéralité. Si le nez reste discret – l'aération révèle tout de même des nuances iodées, d'écorce de mandarine et d'amande –, la bouche s'affirme par sa grande fraîcheur aux accents du terroir. Une vivacité qui appelle un poisson de rivière grillé.

☞ La Cave du Connaisseur, rue des Moulins, BP 78, 89800 Chablis, tél. 03 86 42 87 15, fax 03 86 42 49 84, connaisseur.france@wanadoo.fr, ☑ ⚐ ⟟ t.l.j. 10h-17h (18h en été)

♥ Vignoble Dampt 2011 ★★

	n.c.	🞃	5 à 8 €

Un père, Bernard Dampt, vigneron à Collan de 1980 à 1998, comme ses parents, ses grands-parents et ses arrière-grands-parents ; trois frères, Éric, Emmanuel et Hervé ; cinq exploitations : une pour chaque frère, une pour la fratrie (Dampt Frères EARL), en association avec leur voisin Jacky Poussière, et Dampt-Dupas, créée en 2005 avec Mᵐᵉ Dupas. Vous suivez ? En clair, les frères sont indissociables, mais chacun a son rôle à jouer, et tous font leurs propres vins. Il y a du goût dans ce petit-chablis signé Hervé Dampt, le benjamin, arrivé sur le domaine

paternel en 1998 ; jusque sur l'étiquette. Une image moderne du vignoble Dampt pour un vin remarquable consacré premier de la classe, avec mention très bien. Un nez élégant qui s'exprime sur la minéralité et le fruit mûr. Une bouche associant, dans un parfait équilibre, rondeur, fraîcheur, fruité et notes « terroitées ». On se met à genoux devant un ensemble aussi harmonieux, en attendant un joli plat de poisson.

📞 Vignoble Dampt, rue de Fleys, 89700 Collan, tél. 03 86 55 29 55, vignoble@dampt.com, ☑ 🎎 🍷 r.-v.

VIGNOBLE **D**AMPT Vieilles Vignes 2011

| | n.c. | | 5 à 8 € |

Dans la famille Dampt, je voudrais... Éric, l'aîné des fils de Bernard, le premier des trois frères à être venu à la vigne, en 1985. Sa cuvée Vieilles Vignes est encore un peu sur la réserve et ne livre pas tous ses atouts. Au nez, la discrétion mais aussi la finesse (agrumes, fleurs blanches) ; en bouche, la fraîcheur et une belle persistance aromatique. L'ensemble est harmonieux mais doit encore se parfaire ; ce sera chose faite d'ici un an ou deux.

📞 EARL Éric Dampt, 16, rue de l'Ancien-Presbytère, 89700 Collan, tél. 03 86 55 36 28, eric@dampt.com, ☑ 🎎 🍷 r.-v.

AGNÈS ET DIDIER **D**AUVISSAT 2011 ★

| | 5 000 | | 5 à 8 € |

Neuf mois de gestation en cuve pour ce petit-chablis produit par Agnès et Didier Dauvissat, qui ont créé ce domaine *ex nihilo* en 1987. Le bébé se porte comme un charme. Minéral et floral, le nez est d'une grande finesse. En bouche, on croque dans le fruit (plutôt des agrumes), avant de rencontrer la minéralité. Un vin droit et franc,

BOURGOGNE

Le Chablisien

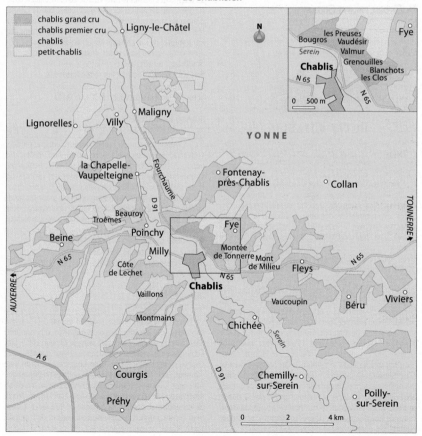

tout indiqué pour accompagner des noix de saint-jacques, dès aujourd'hui.

Agnès et Didier Dauvissat, chem. de Beauroy, Voie-du-Gain, 89800 Beine, tél. 03 86 42 46 40, fax 03 86 42 80 82, agnes-didier.dauvissat@wanadoo.fr, r.-v.

DOM. GEORGE 2011 ★

5 500 ■ 5 à 8 €

Seulement 1 ha de petit-chablis sur les 16 de l'exploitation familiale. Pour autant, cette appellation n'est pas délaissée si l'on en juge par la qualité de ce 2011. Une belle récompense pour la famille George et les deux fils, Jonathan et David, qui ont apporté leur savoir-faire. Le nez intense et élégant évoque les agrumes et la verveine. L'attaque se fait sur la fraîcheur, le milieu de bouche évolue vers plus de rondeur et de gras, agrémenté d'une touche miellée, sans perdre de sa vivacité minérale. Déjà plaisant, ce vin peut encore rester un an en cave pour s'aguerrir.

EARL Dom. George, 10, rue du Four-Banal, 89800 Courgis, tél. 03 86 41 40 06, fax 03 86 41 45 75, george.earl@wanadoo.fr, t.l.j. 9h-12h30 13h30-19h; dim. sur r.-v.

DOM. PHILIPPE GOULLEY 2011 ★★

15 000 ■ 11 à 15 €

Dans le Chablisien, Philippe Goulley est un pionnier de l'agriculture biologique certifiée, vers laquelle il a été le premier à se tourner, dès son installation en 1991. Après avoir quitté le domaine familial, il a souhaité retrouver (trouver ?) le « vrai goût du terroir dans les vins » ; il a créé son propre domaine avec « un œil nouveau et sans *a priori* ». Le résultat est là : ce 2011 droit, sincère et pur, respire le terroir. Le nez, d'une grande fraîcheur, évoque les agrumes et les fruits jaunes posés sur un fond de silex. La bouche se montre à la fois riche et vive, mentholée et citronnée, offrant un équilibre remarquable entre le fruit, la matière et la minéralité. Tout ce que l'on attend d'un petit-chablis. Charcuteries, poisson fin ou fruits de mer : c'est un vin polyvalent. Une autre signature de Philippe Goulley, cette fois-ci sur le domaine de son père, converti à l'agriculture biologique depuis 2005, obtient deux étoiles : le **Dom. Jean Goulley et Fils 2011 (35 000 b.)**. On retrouve dans ce vin l'intensité aromatique – fleurs blanches, fruits frais (pamplemousse, ici), minéralité – qui fait les grands petit-chablis. Celui-ci est aussi remarquable par sa pureté en bouche, par son équilibre entre vivacité et richesse. Il ne reste plus qu'à passer à table avec une truite saumonée saupoudrée d'amandes.

Dom. Philippe Goulley, 11 bis, vallée des Rosiers, 89800 La Chapelle-Vaupelteigne, tél. 03 86 42 40 85, fax 03 86 42 81 06, info@goulley.fr, r.-v.

DOM. DU GUETTE-SOLEIL 2011 ★

2 500 ■ 5 à 8 €

Un vin qui donne faim, qui aiguise les papilles, selon un membre du jury, proposant huîtres ou poissons grillés comme accompagnement. Ce 2011 des frères Vilain, créateurs en 1973 de ce domaine d'une trentaine d'hectares, présente toutes les caractéristiques d'un petit-chablis : nez très fin qui s'ouvre sur le fruit et la minéralité, bouche tendue mais équilibrée, où le gras et la vivacité se conjuguent à la fraîcheur du terroir. Un vin harmonieux et frais.

Dom. de Guette-Soleil, 20, rue du Pont, 89800 Chemilly-sur-Serein, tél. 03 86 42 16 91, fax 03 86 42 12 79, domaineguettesoleil@wanadoo.fr, r.-v.

DOM. JOLLY ET FILS 2011 ★

2 200 ■ 5 à 8 €

Un petit-chablis bâti sur la fraîcheur, mais pas seulement. Cette cuvée est aussi fruitée. De quoi répondre à l'attente des amateurs de « vins de soif ». Le nez s'étale sur un large éventail d'arômes avec des notes de citron, d'amande verte et surtout de mirabelle. La bouche, à la fois ronde et minérale, finit sur une pointe d'amertume qui lui apporte de la complexité et de la longueur. On accordera volontiers cette bouteille avec une andouillette... au chablis.

SCEA du Dom. Jolly et Fils, 2, rue Auxerroise, 89800 Maligny, tél. 03 86 47 42 31, fax 03 86 47 56 55, dom-jolly-fils@wanadoo.fr, r.-v.

ROLAND LAVANTUREUX 2011

30 000 ■ 5 à 8 €

Comme souvent, Roland Lavantureux est au rendez-vous avec son petit-chablis. Une valeur sûre, entretenue depuis 2010 par son fils Arnaud qui assure désormais les vinifications. Le nez est séducteur avec ses arômes de fleurs blanches. La bouche est douce, ronde et concentrée sur les fruits compotés, presque opulente pour un petit-chablis ; une pointe de fraîcheur eût été bienvenue. Mais le vin reste harmonieux et fort plaisant ; on l'associera volontiers à une volaille en sauce.

Roland Lavantureux, 4, rue Saint-Martin, 89800 Lignorelles, tél. 03 86 47 53 75, domaine.lavantureux@gmail.com, t.l.j. sf dim. 8h-19h

DOM. DES MALANDES 2011 ★

24 600 ■ 5 à 8 €

À la tête du domaine paternel depuis 1972, Lyne Marchive est une figure incontournable du vignoble chablisien, épaulée aux vinifications depuis 2007 par l'œnologue Guénolé Breteaudeau. Elle veut que ses petit-chablis soient simples, frais et joyeux, et elle ne s'est pas trompée avec ce 2011 qui se distingue par son étonnante fraîcheur. Citron vert, amande, pêche blanche, le nez offre un bouquet de senteurs qui invite à la dégustation. Fruit et fine acidité se donnent la réplique en bouche avant un final sur les amers. Conviendra à un plateau de fruits de mer.

☛ Dom. des Malandes, 63, rue Auxerroise, 89800 Chablis, tél. 03 86 42 41 37, fax 03 86 42 41 97, contact@domainedesmalandes.com, ☑ ⚔ ⍾ r.-v.

☛ Lyne Marchive

STÉPHANIE ET VINCENT MICHELET 2011 ★★★

	7 200	▮	5 à 8 €

Jean-Claude Courtault peut se frotter les mains, sa fille Stéphanie a épousé l'oiseau rare. Installé seulement depuis 2008, Vincent Michelet, qui vinifie chez son beau-père, a bien du talent. Trois étoiles pour un petit-chablis, excusez du peu ! À la fois tendu, puissant et gourmand, ce vin né de jeunes vignes de sept ans fait partie de ces (rares) petit-chablis qui gagnent à vieillir (deux à trois ans ici). Le nez, complexe, s'enivre de fruits exotiques (litchi) et d'abricot bien mûrs. Le palais, au diapason, se révèle rond et gras, soutenu par la minéralité attendue. Une cuvée d'une harmonie exceptionnelle, à réserver pour un poisson fin en sauce.

☛ Vincent Michelet, 6, rte d'Auxerre, 89230 Montigny-la-Resle, tél. 03 86 47 50 59, fax 03 86 47 50 74, vincent_michelet@yahoo.fr, ☑ ⚔ ⍾ t.l.j. 9h-12h 14h-18h; sam. dim. sur r.-v.

MOREAU-NAUDET 2011 ★

	17 700	▮	8 à 11 €

En 1950, Marie Naudet épouse René Moreau : Moreau-Naudet est né. Quarante ans plus tard, Stéphane Moreau arrive sur le domaine et ses 7 ha de vignes ; il en compte aujourd'hui vingt-deux. Le vigneron prend son temps pour ses petit-chablis : quatorze mois en cuve ; un bel élevage qui fait ressortir la maturité des raisins. Le nez se révèle ainsi très expressif et élégant, sur des notes minérales, florales et fruitées. Les fruits à chair blanche et les agrumes tapissent une bouche ample, vive et concentrée. Un vin très plaisant, à déguster dès maintenant sur un plat de poisson.

☛ Moreau-Naudet, 5, rue des Fosses, 89800 Chablis, tél. 03 86 42 14 83, fax 03 86 42 85 04, moreau.naudet@wanadoo.fr, ☑ ⚔ ⍾ r.-v.

DOM. DE LA MOTTE 2011 ★

	15 000	▮	5 à 8 €

De la fraîcheur, encore de la fraîcheur ! Ce petit-chablis de Bernard Michaut est un véritable « vin plaisir », comme toujours né d'un élevage court : quatre mois de cuve, pour favoriser ce profil dynamique. De fait, le nez se révèle frais, fruité (citron vert, pêche jaune) et mentholé. Le fruit est également très présent dans une bouche portée par une belle vivacité qui fait de ce 2011 un vin droit et tonique. À servir avec un carpaccio de saumon et sa marinade au citron vert.

☛ SCEA Dom. de la Motte, 35, Grande-Rue, 89800 Beine, tél. 03 86 42 43 71, fax 03 86 42 49 63, mottemichaut@wanadoo.fr, ☑ ⚔ ⍾ t.l.j. 10h30-18h; mer. dim. sur r.-v.

☛ Michaut

DOM. DE PERDRYCOURT 2011 ★

	50 000	▮	8 à 11 €

C'est en vinifiant son premier millésime (2007) que Rémi Courty, le fils de la maison, a obtenu son premier coup de cœur pour un petit-chablis. Pour le millésime 2011, on s'arrêtera à une étoile, signe que la cuvée est très

réussie, ce qui n'est pas rien. La bouche tendre, ample et gourmande, étayée par une juste vivacité, est précédée par un nez subtil, aux accents de fleurs blanches et de calcaire mouillé. Un vin expressif et équilibré, bien dans le ton de l'appellation, à servir dès l'automne pour un plateau de charcuteries.

☛ Dom. de Perdrycourt, 9, voie Romaine, 89230 Montigny-la-Resle, tél. 03 86 41 82 07, fax 03 86 41 87 89, domainecourty@orange.fr, ☑ ⚔ ⍾ t.l.j. 9h-19h; dim. 9h-12h 🏠 ⊙

ISABELLE ET DENIS POMMIER 2011 ★

	25 000	▮	5 à 8 €

Si le pommier est le symbole du couple – c'est bien normal –, la vigne est bien sa raison d'être. En conversion vers l'agriculture biologique, ce domaine de 17 ha créé en 1990 est très régulier en qualité. Il propose un petit-chablis bien équilibré. Le nez mêle le floral (jasmin), le fruité (agrumes) et le minéral. On retrouve tout cela dans une bouche « rondelette », tendue par une belle finale droite et fraîche. À servir en apéritif, avec des tuiles au parmesan.

☛ Isabelle et Denis Pommier, 31, rue de Poinchy, 89800 Chablis, tél. 03 86 42 83 04, fax 03 86 42 17 80, isabelle@denis-pommier.com, ☑ ⚔ ⍾ r.-v.

DENIS RACE 2011 ★★

	8 978	▮	5 à 8 €

Un petit-chablis qui sort du lot, signé Denis Race. Un vin remarquable, précis, séduisant et très harmonieux. Tout y est. Un joli nez d'agrumes (pamplemousse, mandarine), de fleur d'acacia, de mousseron. Des arômes que l'on retrouve au cœur d'une bouche gourmande, ronde à souhait, beurrée, briochée et surtout portée par une belle acidité qui donne de la longueur et ajoute de la fraîcheur. Un régal avec un poisson de rivière au beurre blanc.

☛ Denis Race, 5, rue de Chichée, 89800 Chablis, tél. 03 86 42 45 87, fax 03 86 42 81 23, domaine@chablisrace.com, ☑ ⚔ ⍾ t.l.j. sf dim. 9h-12h 14h30-17h30

RÉGNARD 2011

	70 000	▮	8 à 11 €

De beaux fruits mûrs, un élevage de six mois en cuve, et l'on obtient ce petit-chablis classique, typique de l'appellation. Un nez fin et floral ; une bouche avec une bonne persistance aromatique autour des agrumes ; de la fraîcheur et du plaisir immédiat. Un vin bien équilibré pour séduire une douzaine d'escargots (de Bourgogne, bien sûr).

☛ Régnard, 28, bd Tacussel, 89800 Chablis, tél. 03 86 42 10 45, fax 03 86 42 48 67, regnard.chablis@wanadoo.fr, ☑ ⚔ ⍾ t.l.j. 9h30-12h30 14h-18h

☛ de Ladoucette

DOM. ROY 2011

	3 000	▮	5 à 8 €

Fraîcheur et minéralité, c'est ce que les dégustateurs ont retenu de ce petit-chablis conforme à la typicité de l'appellation. Son nez d'agrumes (pamplemousse, écorce d'orange) et de pêche blanche libère quelques notes iodées. La bouche est vive, avec une acidité qui domine la matière. On retrouve encore ce fond iodé et un final salin qui destine cette bouteille à un plateau de fruits de mer.

➤ SCEA Dom. Roy, 71, Grand-Rue,
89800 Fontenay-près-Chablis, tél. 03 86 42 10 36,
fax 03 86 18 92 25, domaine.roy@orange.fr, ☑ ⚔ ꭱ r.-v.

FRANCINE ET OLIVIER SAVARY 2011

	35 000	▯	5 à 8 €

Un petit-chablis frais et fruité, soutenu par une belle acidité : toutes les qualités sont requises pour un vin réussi. Toutefois, la bouche a plus d'arguments à faire valoir que le nez, ce dernier étant plutôt discret et légèrement végétal. Le palais, en revanche, est franc et vif, avec un joli fruit qui s'appuie sur la minéralité pour offrir une finale acidulée. À associer à un carpaccio de saumon.
➤ Dom. Savary, 4, chem. des Hâtes, 89800 Maligny,
tél. 03 86 47 42 09, fax 03 86 47 55 80,
f.o.savary@wanadoo.fr,
☑ ⚔ ꭱ t.l.j. sf sam. dim. 8h-12h 13h30-17h30

DOM. SÉGUINOT-BORDET 2011 ★

	7 000	▯	5 à 8 €

L'une des valeurs sûres du Chablisien, dont le petit-chablis fut coup de cœur dans l'édition précédente. Pour donner plus de gras à ses vins, Jean-François Bordet les élève dans des cuves Inox horizontales : onze mois pour ce 2011 très réussi. Le nez est un concours d'élégance et de légèreté, un joli bouquet de fleurs blanches. En bouche, fraîcheur, finesse et longueur sont au rendez-vous. L'ensemble est harmonieux et sera parfait pour l'apéritif.
➤ Dom. Séguinot-Bordet, 8, chem. des Hâtes,
89800 Maligny, tél. 03 86 47 44 42, fax 03 86 47 54 94,
contact@seguinot-bordet.fr,
☑ ⚔ ꭱ t.l.j. sf dim. 8h-12h 13h30-18h; sam. sur r.-v.;
f. 10 août-1er sep.

VAL DE MERCY 2011 ★

	4 000	▯	5 à 8 €

Situé à Chitry, le château du Val de Mercy produit aussi du petit-chablis ; preuve que le vignoble de l'Yonne est une grande famille et qu'il fait fi des frontières liées aux appellations. Seul le résultat compte et, en l'occurrence, il est plutôt bon. Un nez qui hésite entre la fleur et le fruit. En bouche, plus de question : le fruit a pris le pouvoir sous la forme d'agrumes bien mûrs. La minéralité et la fraîcheur citronnée apportent une plaisante vivacité à ce vin, que l'on verrait bien accompagner des charcuteries.
➤ Val de Mercy Grands Vins, 8, promenade du Tertre,
89530 Chitry, tél. 03 86 41 48 00, fax 03 86 41 45 80,
roy@valdemercy.com, ☑ ꭱ r.-v.

Chablis

Superficie : 3 150 ha
Production : 187 000 hl

Le chablis doit à son sol ses qualités inimitables de fraîcheur et de légèreté. Les années froides ou pluvieuses lui conviennent mal, son acidité devenant alors excessive. En revanche, il conserve lors des années chaudes une fraîcheur et une minéralité que n'ont pas les vins blancs de la Côte-d'Or, également issus du chardonnay. On le boit jeune, mais il peut vieillir jusqu'à dix ans et plus, gagnant ainsi en complexité.

DOM. GUY ET OLIVIER ALEXANDRE 2011 ★★

	8 836	▯	8 à 11 €

Guy et Olivier, deux prénoms pour se faire un nom. À la tête d'un domaine de 13 ha, la famille Alexandre, qui a le chablis chevillé au corps, semble savoir tirer toutes les qualités du chardonnay et de son terroir. Témoin ce 2011 en tout point remarquable, qui s'illustre par son parfait équilibre entre matière et minéralité. Le nez, encore discret, évolue sur des senteurs florales. La bouche, beaucoup plus expressive, allie rondeur, finesse, fraîcheur et vivacité. « Un très bon chablis », conclut un dégustateur enthousiaste, « un chablis complet », renchérit un autre. Il ne manque que le plateau de fruits de mer pour prolonger le plaisir.
➤ Dom. Alexandre, 36, rue du Serein,
89800 La Chapelle-Vaupelteigne, tél. 03 86 42 44 57,
info@chablis-alexandre.com,
☑ ꭱ t.l.j. 9h-12h 14h-18h; dim. lun. sur r.-v.

DOM. BACHELIER Vieilles Vignes 2011 ★

	2 000	▥	8 à 11 €

Une cuvée Vieilles Vignes mérite d'être dorlotée. Une raison suffisante pour que François Bachelier assure un élevage en foudre pendant dix mois. Et l'on obtient ce vin déjà séduisant au nez et oscillant entre la fleur blanche et le fruit frais (poire). La bouche est un peu plus complexe, dominée par la vivacité. Un 2011 au potentiel certain, équilibré et élégant, à déguster dans les trois ans.
➤ Dom. Bachelier, 14, rue Genillotte, 89800 Villy,
tél. 03 86 47 49 56, domaine.bachelier@wanadoo.fr,
☑ ⚔ ꭱ r.-v.

DOM. JEAN-FRANÇOIS ET PIERRE-LOUIS BERSAN 2011 ★

	6 000	▯	8 à 11 €

Les Bersan ont deux passions : le vin et le rugby. Des terrains qui leur procurent le même plaisir. Plus habitués aux côtes-d'auxerre, ils ne sont pas pour autant maladroits avec le chablis. Cette cuvée 2011 est très typique de l'appellation avec une bouche franche, de la rondeur, du fruit et une belle acidité, qualités suffisantes pour faire oublier un nez trop discret. On pourra accorder ce vin dès l'automne sur une assiette de charcuterie.
➤ Dom. P.-L. et J.-F. Bersan, 5, rue du Dr-Tardieux,
89530 Saint-Bris-le-Vineux, tél. 03 86 53 07 22,
fax 03 86 48 97 28, domainejfetplbersan@orange.fr,
☑ ⚔ ꭱ t.l.j. 8h30-12h 13h30-18h; dim. sur r.-v.

DOM. BESSON 2011 ★

	4 600	▯	8 à 11 €

Avec Alain Besson, le vin ne perd pas son temps dans les cuves. Six mois seulement d'élevage avant la mise en bouteilles. Il en résulte une cuvée parfaitement équilibrée qui se distingue par son nez frais et élégant. Un chablis sans détour avec une attaque directe et une bouche gourmande qui s'appuie sur la minéralité. Un 2011 pur, vif et déjà bon à boire, parfait pour donner la réplique à un poisson grillé.

📞 EARL Besson, 15, rue de Valvan, 89800 Chablis,
tél. 03 86 42 40 88, fax 03 86 42 49 46,
domaine-besson@wanadoo.fr, ☑ ☥ r.-v.

SAMUEL BILLAUD 2011 ★

	35 000	🍴	8 à 11 €

Après avoir exercé son talent de vinificateur au
domaine familial, Samuel Billaud a créé sa propre marque
à partir d'une sélection parcellaire haut de gamme. Son
deuxième millésime est tout aussi réussi que le premier.
Un chablis très aromatique, avec de la rondeur et une belle
vivacité. La puissance du nez marqué par les agrumes
donne un avant-goût de ce vin racé, qui accompagnera
avec bonheur une andouillette au chablis.
📞 Samuel Billaud, 23, rue du Serein,
89800 La Chapelle-Vaupelteigne, tél. 03 86 51 00 07,
samuel.billaud@orange.fr, ☑ ☥ ☥ r.-v.

BLASON DE BOURGOGNE
Empreintes authentiques 2011 ★

	132 049	🍴	8 à 11 €

Un chablis qui vaut déjà par sa fraîcheur et par sa
délicatesse. La cuvée Empreintes authentiques de Blason
de Bourgogne est présentée par une union de plusieurs
caves coopératives. La Chablisienne est de celles-là et on
lui doit la vinification de ce vin bien équilibré. Un nez
d'agrumes et de fleurs blanches, et une bouche qui s'ouvre
sur la fraîcheur avant de dévoiler la belle matière persistante, il n'en faut pas plus pour apprécier ce vin… dans
deux ou trois ans.
📞 Union Blasons de Bourgogne, rue du Serein,
89800 Chablis, tél. 03 86 42 88 34, fax 03 86 42 83 75,
blasons@blasonsdebourgogne.fr

DANIEL BOCQUET 2011 ★

	n.c.	🍴	5 à 8 €

Pour Daniel Bocquet, les années se suivent et se
ressemblent, le Guide consacrant ses vins du Chablisien
d'une étoile, symbole d'une cuvée très réussie. Le millésime 2011 est dominé par la vivacité qui sied au chablis.
Le nez est complexe avec ses arômes de vanille et de
noisette. La bouche est franche et droite, portée par une
belle minéralité. Finesse et fraîcheur sont également
présentes dans ce vin que l'on servira sur un plat de
poisson.
📞 SCEA Daniel Bocquet, 11, Grande-Rue, 89700 Béru,
tél. 03 86 75 92 25, fax 03 86 75 97 27,
bocquet.daniel2@wanadoo.fr, ☑ ☥ ☥ t.l.j. 10h-12h 14h-18h

DOM. BOUSSARD 2011 ★

	8 000	🍴	5 à 8 €

L'exploitation d'Olivier Boussard se situe dans un
ancien corps de ferme, à la frontière du vignoble chablisien. Mais s'il n'a pas les pieds dans le terroir, il en maîtrise
bien la culture. Ce chablis 2011 en est la preuve. Un vin
très harmonieux mêlant vivacité, rondeur et fruité. Un
fruit mûr qui s'exprime dès l'examen olfactif. La bouche
est gourmande, la minéralité apportant juste ce qu'il faut
de fraîcheur et de finesse. À boire sans attendre avec une
douzaine d'escargots.
📞 Dom. Olivier Boussard, rte de Chablis, 89310 Nitry,
tél. 03 86 33 65 87, fax 03 86 33 62 06,
o.boussard@wanadoo.fr, ☑ ☥ t.l.j. 9h-19h

LA CHABLISIENNE Les Vénérables Vieilles Vignes 2010 ★★

	163 860	🍴🍶	15 à 20 €

On ne présente plus La Chablisienne, cave coopérative qui couvre un quart du vignoble. Ses Vénérables
avaient obtenu un coup de cœur dans le millésime 2007.
Le 2010 n'a pas à rougir de la comparaison : un superbe
vin distingué de deux étoiles. Le nez très frais est porté par
des notes iodées. La bouche est un régal : fraîcheur,
minéralité, fruité assortis d'un boisé bien fondu lui assurent un parfait équilibre. Délice et délicatesse, au service
d'un mets noble comme le homard. La cuvée **La Sereine
2010 (11 à 15 € ; 293 840 b.)** obtient une étoile. Un chablis
dominé par les agrumes au nez tandis que la bouche
s'exprime sur la rondeur et la vivacité.
📞 La Chablisienne, 8, bd Pasteur, 89800 Chablis,
tél. 03 86 42 89 89, fax 03 86 42 89 90,
chab@chablisienne.fr, ☑ ☥ t.l.j. 9h-12h30 14h-19h

DOM. EDMOND CHALMEAU ET FILS
Les Monts Perriers 2010

	3 980	🍴🍶	8 à 11 €

Franck Chalmeau ne se cantonne plus depuis longtemps au vignoble de Chitry. Ses chablis, et notamment
cette cuvée, bénéficient du savoir-faire de Sébastien, le fils
de la maison, qui développe l'élevage en fût. Si le nez ne
manque pas de fruit, la bouche, semblant davantage marquée par le bois, livre une matière équilibrée entre rondeur
et fraîcheur. Un 2010 qui ravira les amateurs de vins boisés.
📞 Edmond Chalmeau et Fils, 20, rue du Ruisseau,
89530 Chitry-le-Fort, tél. 03 86 41 42 09, fax 03 86 41 46 84,
domaine.chalmeau@wanadoo.fr, ☑ ☥ ☥ r.-v.

DOM. DE CHANTEMERLE 2011 ★

	52 000	🍴	5 à 8 €

Une étiquette à l'ancienne évoquant un parchemin
donne l'impression que le temps s'est arrêté au domaine
de Chantemerle. Mais il ne faut pas se fier aux apparences.
Pour Francis Boudin, l'important c'est ce qu'il y a dans la
bouteille. Et ce chablis 2011 est du meilleur tonneau,
même s'il a été élevé en cuve pendant neuf mois. Un nez
tout en fruits mûrs ; une bouche ample et grasse soulignée
par la minéralité. Un vin délicat qui convient à un jambon
au chablis.
📞 Dom. de Chantemerle, 3, pl. des Cotats et,
27, rue du Serein, 89800 La Chapelle-Vaupelteigne,
tél. 03 86 42 18 95, fax 03 86 42 81 60,
dom.chantemerle@orange.fr, ☑ ☥ ☥ r.-v.
📞 Francis Boudin

DOM. DU CHARDONNAY 2011 ★★

	49 000	🍴	8 à 11 €

Étienne Boileau, William Nahan et Christian Simon
viennent de porter leur millésime 2011 à l'une des
meilleures places. Deux étoiles pour ce chardonnay remarquable, séduisant dans l'instant et prometteur pour le
futur. Tout y est, le nez, le rondeur, la vivacité et la persistance.
Un vin qui trace comme une ligne droite, sans se
retourner. Un poisson en sauce saura l'inviter à sa table.
📞 Dom. du Chardonnay, moulin du Pâtis, 89800 Chablis,
tél. 03 86 42 48 03, fax 03 86 42 16 49,
info@domaine-du-chardonnay.fr,
☑ ☥ t.l.j. 9h-12h 13h30-17h; f. août
📞 É. Boileau, C. Simon, W. Nahan

BOURGOGNE

DOM. DES CHAUMES 2011

| | 10 000 | | 8 à 11 € |

Voici un vin complexe, qui a encore du mal à trouver sa place, notamment en bouche. Mais le nez a déjà annoncé la couleur en passant en revue des arômes aussi divers que le fenouil, le beurre frais, les fruits exotiques et les fleurs blanches. Pour autant, la bouche ne manque ni de charme ni de rondeur autour des fruits jaunes. On retiendra aussi sa longueur et sa finesse.

• Romain Poullet, Dom. des Chaumes, 6, rue du Temple, 89800 Maligny, tél. 03 86 98 21 83, domainedeschaumes@wanadoo.fr, ☑ ⊤ r.-v.

DOM. CHEVALLIER 2011

| | 20 000 | | 8 à 11 € |

C'est un vin de plaisir immédiat, conviennent les dégustateurs. Alors pourquoi attendre pour le servir à l'heure de l'apéritif avec quelques gougères bien croustillantes ? On appréciera son nez de fruits frais qui éveille les papilles. La bouche, moins expressive, laisse surtout le souvenir de sa fraîcheur et de sa souplesse.

• Dom. Chevallier, 6, rue de l'École, Montallery, 89290 Venoy, tél. 03 86 40 27 04, fax 03 86 40 27 05, domaine.chevallier.chablis@wanadoo.fr, ☑ ⚥ ⊤ t.l.j. sf dim. 8h-12h 13h30-18h; f. du 15 au 31 août

CHRISTOPHE ET FILS Vieilles Vignes 2011 ★

| | 7 500 | | 8 à 11 € |

La cuvée Vieilles Vignes, c'est un peu l'enfant chéri de Sébastien Christophe. Consacrée par un coup de cœur dans le millésime 2009, elle obtient ici une étoile. Ayant bénéficié d'un élevage mixte (cuve et fût) pendant douze mois, ce vin se distingue par sa persistance aromatique. Relayant un nez minéral et toasté, la bouche est portée par des saveurs citronnées et par une belle vivacité. Un 2011 gourmand et généreux qui se plaira bien sur une viande blanche en sauce.

• Dom. Christophe et Fils, ferme des Carrières-de-Fyé, 89800 Chablis, tél. et fax 03 86 55 23 10, domaine.christophe@wanadoo.fr, ☑ r.-v.

DOM. JEAN COLLET ET FILS Truffières 2011 ★★

| | 9 000 | | 8 à 11 € |

Depuis septembre 2009, Romain Collet est aux commandes de l'exploitation familiale. On lui doit donc cette cuvée remarquable qui est allée chercher ses racines sur une parcelle où l'on cavait les truffes. Du fruit en début de bouche et de la fraîcheur en finale : la formule résumerait de façon sommaire ce très joli vin. Car ce serait oublier la délicatesse de son nez qui se promène entre la fleur et le fruit. Ce serait aussi faire peu de cas d'une bouche ronde, fruitée et minérale d'une grande finesse. Osez servir ce chablis sur une omelette aux... truffes !

• Dom. Jean Collet et Fils, 15, av. de la Liberté, 89800 Chablis, tél. 03 86 42 11 93, fax 03 86 42 47 43, collet.chablis@wanadoo.fr, ☑ ⚥ ⊤ t.l.j. 9h-12h 13h-17h30

DOM. DU COLOMBIER 2011 ★

| | 250 000 | | 8 à 11 € |

La famille Mothe fait partie des incontournables du vignoble de Chablis, quelle que soit l'appellation. Le terroir est toujours bien présent dans la bouteille, comme dans ce 2011 d'une grande pureté. Le nez intense se nourrit de fruits frais. Il ne reste plus qu'à aller chercher la matière en bouche. Encore du fruit et une rondeur soutenue par la minéralité. Les arômes très persistants et un côté soyeux en font un vin gourmand, à servir sans attendre.

• Dom. du Colombier, Guy Mothe et ses Fils, 42, Grand-Rue, 89800 Fontenay-près-Chablis, tél. 03 86 42 15 04, fax 03 86 42 49 67, domaine@chabliscolombier.com, ☑ ⚥ ⊤ t.l.j. 8h-12h30 14h-18h; sam. dim. sur r.-v.

♥ DOM. DE LA CORNASSE 2011 ★★

| | 20 000 | | 8 à 11 € |

Un chablis qui frise la perfection ! Nathalie Geoffroy persiste et signe un millésime en tout point remarquable. Un coup de cœur qu'elle va fêter avec ses deux sœurs, Sylvie et Aurélie, au sein du domaine familial de la Cornasse. Alors, un « vin de femme », direz-vous ? Oui, si l'on ne retient que sa grâce et son élégance. Mais cette cuvée va bien au-delà de ces premières considérations. Le nez n'est que parfums de fleurs, et la bouche allie fraîcheur, rondeur et minéralité. Tout ceci fait la pureté d'une bouteille qui ne demande qu'à être partagée entre amis devant un joli plateau de fruits de mer.

• Dom. de la Cornasse, 4, rue de l'Équerre, 89800 Beine, tél. 03 86 42 43 76, fax 03 86 42 13 30, info@chablis-geoffroy.com, ☑ ⊤ t.l.j. sf sam. dim. 8h-12h 13h30-17h

• Nathalie Geoffroy

VIGNOBLE DAMPT 2011 ★★

| | n.c. | | 8 à 11 € |

Derrière cette vitrine du vignoble Dampt se cache Hervé Dampt, avec un chablis bien dans la tradition du terroir, distingué de deux étoiles. Une production qui ne se perd pas en considérations diverses : c'est droit et vif, d'une grande pureté. Tout ce que l'on attend d'un chablis. Ajoutez l'élégance d'un nez floral et la minéralité qui souligne une bouche racée, et vous avez tous les éléments d'un vin remarquable. Il ne manque que les crustacés pour ouvrir cette bouteille sans attendre.

• Vignoble Dampt, rue de Fleys, 89700 Collan, tél. 03 86 55 29 55, vignoble@dampt.com, ☑ ⚥ ⊤ r.-v.

DOM. SÉBASTIEN DAMPT 2011 ★★

| | 26 600 | | 8 à 11 € |

Sébastien Dampt ne se contente pas d'être le fils de Daniel Dampt, vigneron à Milly. Depuis 2007, il exploite son propre domaine de 6 ha, et ce, avec succès si l'on se réfère à ce 2011 jugé remarquable. Une cuvée très harmonieuse qui a trouvé son équilibre entre le fruit et la minéralité. Son nez est délicat et complexe : fleurs blanches et fruits secs. La bouche gourmande croque les agrumes bien mûrs. Des notes épicées et la minéralité finissent de ciseler ce très joli vin que l'on dégustera sur un plat de poisson.

☛ Dom. Sébastien Dampt, 23 C, rue du Château, Milly, 89800 Chablis, tél. 06 73 68 23 39, fax 03 86 42 46 41, sebastien@sebastien-dampt.com,
☑ ⚔ ♈ r.-v.

DOM. DANIEL DAMPT ET FILS 2011

	90 000	🔲	8 à 11 €

C'est ce qu'on appelle un chablis classique. Un vin typique de l'appellation, bien structuré et porté par la minéralité. Une minéralité que l'on découvre déjà au nez malgré sa discrétion. L'attaque en bouche est assez vive, toujours en raison de ces notes de pierre à fusil qui sont le véritable fil conducteur de cette cuvée et qui en assurent la droiture.

☛ Dom. Daniel Dampt et Fils, 1, rue des Violettes, 89800 Milly-Chablis, tél. 03 86 42 47 23, fax 03 86 42 46 41, domaine.dampt.defaix@wanadoo.fr, ☑ ⚔ ♈ r.-v.

DOM. DAMPT FRÈRES Les Beaumonts 2011 ★

	n.c.	🔲	8 à 11 €

Chez les frères Dampt de Collan, il y a l'œuvre collective et les productions individuelles. Pas toujours facile, pour le consommateur, de s'y retrouver. Mais ce qui compte, c'est bien ce qui sort des cuves. Et c'est plutôt très réussi en ce qui concerne ces Beaumonts. Un vin vif, équilibré et persistant. Le nez légèrement confituré invite à poursuivre les investigations. On découvre alors un palais d'une grande finesse porté par la fraîcheur. Un vrai régal avec un poisson grillé.

☛ EARL Dampt Frères, rue de Fleys, 89700 Collan, tél. 03 86 55 29 55, vignoble@dampt.com,
☑ ⚔ ♈ t.l.j. 9h-12h 13h30-17h30

AGNÈS ET DIDIER DAUVISSAT 2011 ★

	15 000	🔲	8 à 11 €

Comme bon nombre de vignerons, les Dauvissat ont compris que l'amélioration de la qualité passait aussi par le travail dans les vignes. C'est ainsi qu'ils sont revenus au labour pour préserver le terroir. Et le raisin ne va pas s'en plaindre. Toujours est-il que ce 2011 s'inscrit parfaitement dans la typicité de l'appellation. Un nez floral, une bouche souple soulignée par un trait de minéralité, il n'en faut pas plus pour obtenir la première étoile. À servir sur un plateau de charcuteries.

☛ Agnès et Didier Dauvissat, chem. de Beauroy, Voie-du-Gain, 89800 Beine, tél. 03 86 42 46 40, fax 03 86 42 80 82, agnes-didier.dauvissat@wanadoo.fr, ☑ ♈ r.-v.

CLOTILDE DAVENNE 2011 ★

	n.c.	🔲	11 à 15 €

Avec sa robe jaune pâle à reflets dorés, ce chablis joue les séducteurs. D'abord timide, le nez se porte sur des arômes de fruits, soulignés par une pointe d'acidité. Des fruits qui tapissent une bouche bien équilibrée. Un vin droit et précis qui peut paraître austère en raison de sa jeunesse. Mais la minéralité est bien présente, ce qui devrait garantir son évolution dans le bon sens. Ce 2011 frais et gourmand ne demande qu'à s'épanouir.

☛ Clotilde Davenne, 3, rue de Chantemerle, 89800 Préhy, tél. 03 86 41 46 05, info@clotildedavenne.fr,
☑ ⚔ ♈ t.l.j. sf mer. dim. 9h30-12h30 14h30-18h30

DOM. DE L'ÉRABLE 2010 ★

	3 300	🔲	8 à 11 €

Des vignes à Chassignelles ? Vous n'y pensez pas ! Mais un joli caveau de dégustation, si ! C'est en effet dans leur cave typiquement bourguignonne que Joël Bon et son fils Julien font découvrir leurs vins produits dans le vignoble chablisien. Une cuvée d'une belle intensité qui a trouvé son équilibre entre la fraîcheur minérale et la rondeur du fruit. Son nez d'agrumes est une bonne entrée en matière pour ce 2010 à servir en apéritif.

☛ Dom. de l'Érable, 1, rue Émile-Proudhon, 89160 Chassignelles, tél. 09 79 17 67 49, fax 03 86 75 05 12, bonj.erable@orange.fr, ☑ ⚔ ♈ r.-v.

WILLIAM FÈVRE 2011 ★

	n.c.	🔲	8 à 11 €

Élevage en cuve pour retrouver la typicité des terroirs : c'est la règle depuis des années au domaine William Fèvre. Avec, comme objectif, la minéralité et la fraîcheur. Ce 2011 est bien dans le style maison avec son nez citronné aux arômes de fleurs blanches. Souple en bouche, il montre un bel équilibre entre la rondeur et la vivacité. Un vin de plaisir qui ne manquera pas de vous séduire avec des poissons grillés.

☛ Dom. William Fèvre, 21, av. d'Oberwesel, 89800 Chablis, tél. et fax 03 86 98 98 98, contact@williamfevre.com,
☑ ⚔ ♈ t.l.j. 9h30-12h30 13h30-18h

DOM. FILLON ET FILS 2011 ★★

	7 000	🔲	5 à 8 €

Le chablis n'est pas la principale production du domaine Fillon installé à Saint-Bris-le-Vineux. Mais s'il n'y a pas la quantité, la qualité est bien au rendez-vous pour cette cuvée 2011. Un vin gourmand, plaisant et très cohérent entre le nez et la bouche. Nez de fruits mûrs, très intense. Bouche expressive et riche. Après une attaque franche, l'équilibre se fait entre les fruits jaunes et la vivacité, pour finir sur la rondeur. À servir dès maintenant, avec des escalopes à la crème.

☛ Dom. Fillon, 53, rue Bienvenu-Martin, 89530 Saint-Bris-le-Vineux, tél. 03 86 53 30 26, fax 03 86 53 63 88 ☑ ⚔ ♈ t.l.j. 9h-12h30 13h30-19h30

CH. DE FLEYS Vieilles Vignes 2011 ★

	n.c.	▥	8 à 11 €

Avec le nouveau chai du Château de Fleys, un ancien pavillon de chasse, les enfants Philippon ont un bel outil de travail. Béatrice, Benoît et Olivier ont repris le flambeau après le départ à la retraite d'André Philippon. Cette cuvée Vieilles Vignes, élevée en fût, s'accommode parfaitement d'un boisé bien fondu. Certes, le nez est toasté, mais il laisse percevoir des notes de fleurs blanches. En bouche, on retiendra surtout la vivacité au service du fruit. À déguster avec des fromages de chèvre.

☛ GAEC Dom. du Ch. de Fleys, 2, rue des Fourneaux, 89800 Fleys, tél. 03 86 42 47 70, fax 03 86 42 81 09, philippon.beatrice@orange.fr, ☑ ♈ r.-v.

BOURGOGNE

RAOUL GAUTHERIN ET FILS Cuvée Vieilles Vignes
Élevée en fût de chêne 2011 ★

	9 000	▮ ▥	8 à 11 €

« Cuvée Vieilles Vignes élevée en fût de chêne ». Dès l'étiquette, les Gautherin annoncent la couleur : on va trouver du bois. Mais un boisé bien maîtrisé qui ne va pas contrarier un nez de fruits confits teintés de vanille. En bouche, le vin se montre riche, fruité, équilibré entre rondeur et minéralité, le boisé apparaissant seulement en toile de fond. Une vinification réussie pour une jolie bouteille à servir avec un poulet à la moutarde, par exemple.

☛ EARL Raoul Gautherin et Fils, 6, bd Lamarque, 89800 Chablis, tél. 03 86 42 11 86, fax 03 86 42 42 87, domainegautherin@wanadoo.fr,
☑ ⚔ 〒 t.l.j. 8h30-12h 13h30-18h

DOM. DE LA GENILLOTTE 2011 ★

	15 000	▮	5 à 8 €

Pas de fût, simplement un élevage en cuve pendant dix mois : David Depuydt change son fusil d'épaule dans l'élaboration de ses vins. Ce qui donne un 2011 d'une grande finesse. Le nez intense et complexe s'ouvre sur les fruits blancs. Des fruits qui investissent rapidement une bouche ronde et gourmande. Un chablis élégant et bien équilibré que l'on peut déguster sans attendre à l'heure de l'apéritif.

☛ EARL Source-Depuydt, 11, rue Auxerroise, 89800 Lignorelles, tél. 03 86 47 44 44, fax 03 86 47 59 86, chandav@orange.fr, ☑ ⚔ 〒 r.-v.

Ⓑ DOM. DE LA GRANDE CHAUME
Le Grand Bois 2011 ★

	3 833	▮ ▥	11 à 15 €

Voici le deuxième millésime certifié bio de Romain Bouchard qui a repris le domaine de la Grande Chaume en 2005. Un vin élevé sur lies pendant douze mois, en fût de chêne (30 %) et en cuve Inox (70 %). Le boisé bien maîtrisé apporte un fond toasté au nez tandis que la bouche s'articule entre le fruit frais et la minéralité. Il en résulte un vin bien structuré qui flatte le palais.

☛ Dom. de la Grande Chaume, 1, pl. Émile-Lamotte, 89800 Chablis, tél. 03 86 42 18 64, fax 03 86 42 48 11, romain@romainbouchard.com,
☑ 〒 t.l.j. 10h30-12h30 14h-19h, au caveau, 5 bis, rue Porte-Noël à Chablis
☛ Romain Bouchard

DOM. GRAND ROCHE 2012 ★★

	35 000	▮	8 à 11 €

Coup de cœur l'an dernier avec le millésime 2010, Érick Lavallée a failli « récidiver » cette année en osant une cuvée 2012 tout juste sortie des cuves. Deux étoiles tout de même pour ce vin remarquable malgré sa jeunesse. Le nez se partage entre les arômes de fleurs et des notes de pierre à fusil. Une minéralité qui apporte de la vivacité en bouche alors que le fruit reste bien présent. Sa persistance aromatique en fait un chablis déjà très agréable à boire. Mais les années ne devraient pas nuire à son épanouissement.

☛ Érick Lavallée, rte de Chitry, 89530 Saint-Bris-le-Vineux, tél. 03 86 53 84 07, fax 03 86 53 89 81, lavalleeeric@orange.fr, ☑ ⚔ 〒 r.-v.

CORINNE ET JEAN-PIERRE GROSSOT 2011 ★

	40 000	▮	8 à 11 €

Corinne et Jean-Pierre Grossot peuvent être tranquilles, leur fille Ève va assurer la pérennité du domaine familial, en conversion bio depuis 2012. Ce chablis élevé en cuve pendant quinze mois est un modèle d'équilibre entre la rondeur et la minéralité. Le nez intense se partage entre les agrumes et les fleurs blanches. La bouche est franche en attaque, tandis que la finale appelle une petite garde s'harmoniser.

☛ Corinne et Jean-Pierre Grossot, 4, rte de Mont-de-Milieu, 89800 Fleys, tél. 03 86 42 44 64, fax 03 86 42 13 31, info@chablis-grossot.com, ☑ 〒 r.-v.

DOM. DE GUETTE-SOLEIL 2011 ★

	n.c.	▮	8 à 11 €

Chez les frères Vilain, c'est la vie de château – celui de Chemilly-sur-Serein –, devenu le siège de l'exploitation familiale en 1976. Aujourd'hui, c'est Loïc Vilain qui est à la manœuvre. Ce chablis a été élevé en cuve, sur lies fines, pendant dix mois. Pas de surprise : il est bien typique de l'appellation. Minéralité et fruits frais au nez ; minéralité et rondeur en bouche ; ce vin peut être servi sans attendre sur des viandes blanches.

☛ Dom. de Guette-Soleil, 20, rue du Pont, 89800 Chemilly-sur-Serein, tél. 03 86 42 16 91, fax 03 86 42 12 79, domaineguettesoleil@wanadoo.fr, ☑ ⚔ 〒 r.-v.

DOM. DES HÂTES 2011 ★

	1 200	▮	8 à 11 €

Exit le Domaine Laroche-Pierre, pour éviter toute homonymie. Bienvenue au Domaine des Hâtes avec ce premier millésime. Derrière ces deux structures, le même homme, Pierrick Laroche, un ancien adhérent de la cave coopérative. Et un vin de très bonne tenue. Au nez, les arômes de fruits mûrs sont soulignés par une pointe de miel. La bouche est ronde et charnue avec des saveurs de fruits confits. Un 2011 plus gourmand que vif, à boire sans attendre avec des crustacés.

☛ SCEV Laroche et Fils, 3, chem. des Hâtes, 89800 Maligny, tél. 06 73 67 33 47, fax 03 86 55 35 83, pierrick.laroche@aliceadsl.fr, ☑ ⚔ 〒 r.-v.

DOM. JEAN JACQUIN ET FILS 2011 ★

	1 760	▮	5 à 8 €

Jean Jacquin est parti à la retraite en 2007. Son fils a pris la relève en développant la vente en bouteilles. Son millésime 2011, très réussi, possède toute la typicité de l'appellation. Le nez complexe évoque à la fois les fleurs blanches, les agrumes et la minéralité. La bouche est portée par une belle vivacité qui lui procure finesse et élégance. Un vin d'une grande franchise qui séduira huîtres ou escargots.

☛ EARL Dom. Jean Jacquin et Fils, 32, rue de Chichée, 89800 Chablis, tél. et fax 03 86 42 16 32, domainejacquin@gmail.com, ☑ ⚔ 〒 r.-v.

THIERRY LAFFAY Vieilles Vignes 2010 ★

	n.c.		8 à 11 €

Cette parcelle de vieilles vignes est située sur le coteau des Vaillons et jouxte les 1ers crus. Une raison suffisante pour que ce vin ait du corps. Le nez n'est qu'un panier de fruits mûrs avec un zeste de minéralité. En bouche, il y a du volume, avec du gras, de la rondeur et un fruit qui ne demande qu'à être croqué. L'acidité n'est pas absente ; elle permet à cette cuvée de trouver son équilibre et contribue à son élégance.

🕭 Thierry Laffay, 20, rue Paul-Bert, 89800 Chablis, tél. 03 86 42 47 41, fax 03 86 42 83 15, laffay.thierry@free.fr, ☑ �🏃 ⊺ t.l.j. 9h-18h; sam. dim. sur r.-v.

LAMBLIN ET FILS 2011 ★

| | 30 000 | ∎ | 8 à 11 € |

La famille Lamblin : plus de trois siècles dans le vignoble et douze générations au service du chablis. Autant dire que la maison de négoce de Maligny fait partie des incontournables de l'aire d'appellation. Cette cuvée 2011 est un véritable vin de plaisir à ouvrir à l'heure de l'apéritif. Le nez est à la fois minéral et iodé. Une minéralité rafraîchissante qui donne de la longueur à une bouche franche et droite. S'il en reste après l'apéritif, vous pourrez toujours ouvrir quelques huîtres...

🕭 Lamblin et Fils, rue Marguerite-de-Bourgogne, 89800 Maligny, tél. 03 86 98 22 00, fax 03 86 47 50 12, infovin@lamblin.com, ☑ 🏃 ⊺ t.l.j. sf dim. 8h-12h 14h-17h; sam. 8h-12h

LESPRIT 2011

| | 5 000 | ∎ | 8 à 11 € |

Florent Lesprit est un jeune vigneron à la tête d'une exploitation de 8 ha depuis 2006. Il a vinifié ce chablis en cuve pendant douze mois. Ce 2011 s'ouvre sur des arômes de fleurs blanches tout en laissant s'exprimer quelques notes de fruits. La bouche, plus gourmande que vive, est bien équilibrée entre le fruit et la minéralité.

🕭 Florent Lesprit, 9, rue de Méré, 89800 Maligny, tél. 03 86 18 91 43, florentlesprit@yahoo.fr, ☑ 🏃 ⊺ r.-v.

DOM. DES MALANDES Cuvée Tour du Roy
Vieilles Vignes 2011 ★★

| | 12 000 | ∎ | 8 à 11 € |

Remarquables, ces Vieilles Vignes ! Lyne Marchive et son responsable de production, Guénolé Breteaudeau, ont su extraire toutes les richesses de leur terroir. Au nez, la minéralité aux accents de pierre à fusil, ce qui ne nuit en rien aux arômes de fleurs blanches qui jouent la carte de la séduction. La bouche est parfaitement structurée autour des agrumes (pamplemousse, clémentine) et d'un trait de minéralité qui contribue à son élégance. Un vin pur et bien ciselé qui fera des heureux avec un plat de poisson.

🕭 Dom. des Malandes, 63, rue Auxerroise, 89800 Chablis, tél. 03 86 42 41 37, fax 03 86 42 41 97, contact@domainedesmalandes.com, ☑ 🏃 ⊺ r.-v.

DOM. MAUPA 2011

| | 2 600 | ∎ | 5 à 8 € |

C'est le type de vin qu'il faut prendre le temps de déguster pour bien le comprendre, parce qu'il évolue au rythme de son aération. Le nez n'est pas des plus expansifs, mais les agrumes assurent son élégance. La bouche est nettement plus complexe. Si l'attaque manque un peu d'envergure, les fruits mûrs finissent par nourrir la matière. Tout compte fait, c'est un chablis gourmand qui réclame un peu de patience.

🕭 EARL du Maupa, 6, rte de Chablis, 89800 Chichée, tél. 06 25 08 85 75, fax 03 86 42 15 75, maupa.maurice@orange.fr, ☑ ⊺ r.-v.
🕭 Maurice

LA MEULIÈRE 2011

| | 69 000 | ∎ | 8 à 11 € |

Nicolas et Vincent Laroche signent un 2011 plutôt atypique, car il est dominé par les fruits mûrs (agrumes), la vivacité restant en retrait. Ce qui en fait un chablis gourmand et friand, à servir sans attendre sur un plateau de charcuteries.

🕭 La Meulière, 18, rte de Mont-de-Milieu, BP 25, 89800 Fleys, tél. 03 86 42 13 56, fax 03 86 42 19 32, contact@chablis-meuliere.com, ☑ 🏃 ⊺ t.l.j. 9h-12h30 13h30-18h
🕭 Laroche Frères

LOUIS MICHEL ET FILS 2011

| | n.c. | ∎ | 11 à 15 € |

Guillaume Michel dirige aujourd'hui ce domaine familial qui a pour tradition d'élever tous ses vins en cuve. Avec son nez floral et légèrement beurré, le 2011 est très typique de l'appellation. La bouche est bien équilibrée entre la rondeur de l'attaque et la minéralité qui apporte un zeste de vivacité en finale.

🕭 Louis Michel et Fils, 9, bd de Ferrières, 89800 Chablis, tél. 03 86 42 88 55, fax 03 86 42 88 56, contact@louismicheletfils.com, ☑ ⊺ t.l.j. sf sam. dim. 8h30-12h 14h-17h30; f. août

DOM. LOUIS MOREAU Biéville 2011 ★★

| | 124 000 | ∎ | 11 à 15 € |

Situé sur la commune de Viviers, le domaine de Biéville s'étend sur 65 ha d'un seul tenant. Il appartient à Louis Moreau, également installé à Beine. Ce 2011 est d'une grande richesse, comme le précisent les membres du jury. Le nez floral est souligné par juste ce qu'il faut de minéralité. La bouche est grasse, charnue, avec une belle matière. Le tout sur un fond de fraîcheur qui fait de ce chablis un vrai vin de plaisir. Pour en apprécier tous les charmes gustatifs, ouvrez cette bouteille à l'apéritif. Tout simplement. Le **Dom. Louis Moreau 2011** (125 800 b.) reçoit une étoile pour son nez minéral autour des agrumes (pamplemousse) et des fleurs blanches, et pour sa bouche gourmande.

🕭 SARL Louis Moreau, 10, Grande-Rue, 89800 Beine, tél. 03 86 42 87 20, fax 03 86 42 45 59, contact@louismoreau.com, ☑ 🏃 ⊺ t.l.j. sf sam. dim. 9h-12h 13h30-17h; f. 3 sem. en août

MOREAU-NAUDET Caractère 2010 ★

| | 4 000 | ∎ ⬤⬤ | 15 à 20 € |

Il a du caractère ce 2010 de la maison Moreau-Naudet. Spécialiste des élevages longs (ici vingt-deux mois, un tiers en fût, deux tiers en cuve), Stéphane Moreau produit des vins d'une belle complexité aromatique. Pêche jaune, citron, amande grillée, le nez passe en revue les arômes développés par un élevage mixte. Les notes de pierre à fusil apportent de la fraîcheur à une bouche grasse et beurrée. Un vin bien équilibré, idéal pour une andouillette... au chablis.

BOURGOGNE

○┐ Moreau-Naudet, 5, rue des Fosses, 89800 Chablis, tél. 03 86 42 14 83, fax 03 86 42 85 04, moreau.naudet@wanadoo.fr, ☑ ⚒ ⊥ r.-v.

CHRISTIAN MORIN 2011 ★

| | 2 000 | ∎ | 5 à 8 € |

Ce vigneron de Chitry connaît bien le chardonnay. Il suffit de franchir la colline pour se poser en terroir chablisien ! Quatorze mois en cuve pour obtenir ce vin bien équilibré et persistant en bouche avec de la rondeur et de la minéralité. Le nez est plus timide, ce qui ne l'empêche pas de s'ouvrir sur des notes florales. Attendez encore un peu avant de servir cette belle bouteille sur des escargots.
○┐ Christian Morin, 17, rue du Ruisseau, 89530 Chitry, tél. 03 86 41 44 10, fax 03 86 41 48 21, ch.morin.chitry@orange.fr, ☑ ⚒ ⊥ r.-v.

♥ DOM. DE LA MOTTE Cuvée Vieilles Vignes 2011 ★★

| | 30 000 | ∎ | 8 à 11 € |

Coup de cœur avec le millésime 2010 ; à nouveau coup de cœur avec le 2011 : au domaine de la Motte, on fait preuve de constance. Une double distinction qui n'est pas le fruit du hasard mais d'un raisin somptueusement travaillé par Bernard Michaut et son équipe. « Un chablis digne d'un 1er cru », s'exclame un dégustateur qui insiste sur la délicatesse et l'ampleur de cette cuvée. Le nez de fruits frais et de fleurs blanches éveille la curiosité. En bouche, tout y est : les fruits mûrs, la rondeur, quelques épices et une minéralité qui fait le lien entre tous les composants de cette superbe bouteille. Inutile d'attendre pour l'ouvrir sur un joli plateau de fruits de mer.
○┐ SCEA Dom. de la Motte, 35, Grande-Rue, 89800 Beine, tél. 03 86 42 43 71, fax 03 86 42 49 63, mottemichaut@wanadoo.fr, ☑ ⚒ ⊥ t.l.j. 10h30-18h; mer. dim. sur r.-v.
○┐ Michaut

DOM. CHARLY NICOLLE Ancestrum 2011 ★

| | 30 000 | ∎ ⬛ | 8 à 11 € |

Il sait ce qu'il veut, Charly Nicolle ! Ce n'est donc pas un hasard s'il a quitté le domaine familial de la Mandelière pour voler de ses propres ailes. Cette cuvée Ancestrum, issue de vieilles vignes (cinquante-cinq ans), est un échantillon de son savoir-faire. Le nez est un bouquet de fleurs blanches. En bouche, la minéralité apporte de la fraîcheur, de la finesse et une très bonne longueur. Un vin de garde qui accompagnera volontiers un plateau de fruits de mer.
○┐ Dom. Charly Nicolle, 17, rue des Prés-Girots, 89800 Fleys, tél. 03 86 42 80 08, fax 03 86 42 80 07, charlynicolle@gmail.com, ☑ ⊥ r.-v.

DOM. DE PERDRYCOURT Cuvée Élégance 2011 ★

| | 7 000 | ∎ | 11 à 15 € |

Désormais, c'est Rémi Courty, le fils de la maison, qui vinifie tous les vins du domaine familial. C'est le cas de cette cuvée Élégance qui présente la particularité d'être commercialisée dans des bouteilles blanches afin de mettre en valeur sa belle robe dorée. Le nez se promène entre le fruit, la minéralité et des notes beurrées. La bouche attaque sur la rondeur et finit sur la vivacité. Un chablis qui mérite de patienter deux à trois ans.
○┐ Dom. de Perdrycourt, 9, voie Romaine, 89230 Montigny-la-Resle, tél. 03 86 41 82 07, fax 03 86 41 87 89, domainecourty@orange.fr, ☑ ⚒ ⊥ t.l.j. 9h-19h; dim. 9h-12h ⌂ ⓖ
○┐ Arlette et Rémi Courty

MICHÈLE ET CLAUDE POULLET 2011 ★★

| | 4 500 | ∎ | 5 à 8 € |

Ce vin est une véritable ligne droite. Un équilibre parfait, une grande complexité et une belle longueur en bouche. On a envie de le redécouvrir quand il aura pris un peu de bouteille. Toujours est-il qu'il a un joli nez fruité et minéral. Au palais, une fine acidité souligne la rondeur et apporte délicatesse et tonus. Un 2011 parfaitement structuré, d'une grande élégance, qui trouvera sa place sur des bouchées à la reine ou sur un fromage au lait de vache de la région, comme le soumaintrain.
○┐ Claude Poullet, 6, rue du Temple, 89800 Maligny, tél. et fax 03 86 47 51 37, claude.poullet89@orange.fr, ☑ ⊥ r.-v.

DOM. DENIS RACE 2011

| | 31 054 | ∎ | 5 à 8 € |

De la finesse, de la délicatesse, de l'élégance. Il n'en faut pas plus pour qualifier ce vin bien équilibré, typique de l'appellation. Il lui manque juste la matière qui avait permis aux précédents millésimes de côtoyer les étoiles. Sinon, le nez de fleurs blanches est séduisant. Et la bouche montre une complète harmonie entre la minéralité et le fruit. Parfait pour accompagner un poisson en sauce.
○┐ Denis Race, 5, rue de Chichée, 89800 Chablis, tél. 03 86 42 45 87, fax 03 86 42 81 23, domaine@chablisrace.com, ☑ ⚒ ⊥ t.l.j. sf dim. 9h-12h 14h30-17h30

FRANCINE ET OLIVIER SAVARY 2011

| | 80 000 | ∎ | 8 à 11 € |

Pour une fois, ce ne sont pas les Vieilles Vignes élevées en fût qui sont en vedette mais un chablis tout simple qui a passé six mois en cuve. Un vin linéaire avec son nez délicat de fruits blancs, fruits que l'on retrouve en bouche où la minéralité ajoute de la vivacité. Il manque juste un zeste de persistance aromatique à cette cuvée déjà agréable à boire pour atteindre l'étoile.
○┐ Dom. Savary, 4, chem. des Hâtes, 89800 Maligny, tél. 03 86 47 42 09, fax 03 86 47 55 80, f.o.savary@wanadoo.fr, ☑ ⚒ ⊥ t.l.j. sf sam. dim. 8h-12h 13h30-17h30

DOM. SÉGUINOT-BORDET 2011

| | 70 000 | ∎ | 8 à 11 € |

Voilà quinze ans que Jean-François Bordet a repris l'exploitation de son grand-père, Roger Séguinot, figure du vignoble. Ses vins sont généralement élevés en cuves Inox horizontales, ce qui donne ici un chablis agréable sur des notes d'agrumes soutenues par une belle acidité. Citée aussi, la version **Vieilles Vignes 2011 (11 à 15 € ; 5 000 b.)** a quant à elle séjourné en fût pour obtenir plus d'ampleur et plus de gras. Son élégance se révèle surtout par son nez aux notes florales. Un vin qui pourra être servi sur une entrée chaude de poisson.

☛ Dom. Séguinot-Bordet, 8, chem. des Hâtes, 89800 Maligny, tél. 03 86 47 44 42, fax 03 86 47 54 94, contact@seguinot-bordet.fr,

☑ ☀ � t.l.j. sf dim. 8h-12h 13h30-18h; sam. sur r.-v.; f. 10 août-1er sept.

PHILIPPE TUPINIER 2010 ★

	8 000	▪	8 à 11 €

Il avait obtenu un coup de cœur pour son premier millésime (2008), un véritable encouragement pour ce vigneron de formation horticole. Pour autant, ce ne sont pas les notes florales qui dominent dans son millésime 2010 mais bien le fruit et plus précisément les agrumes. Un chablis séduisant, porté par une belle vivacité. Il n'en faut pas plus pour faire le choix de servir ce vin de plaisir à l'apéritif.

☛ SARL Philippe Tupinier, 7, Petite-Rue, 89230 Bleigny-le-Carreau, tél. 03 86 41 85 23, domainetupinier@orange.fr, ☑ ☀ � r.-v.

DOM. DE VAUROUX Vieilles Vignes 2011 ★

	15 000	▪	8 à 11 €

Dix-huit mois en cuve pour cette cuvée Vieilles Vignes. Olivier Tricon donne du temps au vin, ce qui n'enlève rien à sa vivacité, bien au contraire. Pour preuve, ce millésime 2011. Si le nez est encore discret, la bouche, en revanche, est très expressive. Du gras, du volume et une belle minéralité. L'équilibre est au rendez-vous. Ce chablis conviendra à un plat de poisson en sauce.

☛ SCEA Dom. de Vauroux, rte d'Avallon, 89800 Chablis, tél. 03 86 42 10 37, fax 03 86 42 49 13, maison.tricon@gmail.com, ☑ � r.-v.

♥ DOM. LE VERGER 2011 ★★

	60 000	▪	8 à 11 €

2011, un millésime béni des dieux pour Alain Geoffroy et sa famille. Nathalie Geoffroy et ses sœurs ont déjà obtenu un coup de cœur avec le domaine de la Cornasse. Et Nathalie est toujours là pour porter vers les sommets le chablis du domaine le Verger. Encore une cuvée remarquable, d'une grande fraîcheur aromatique, typique de l'appellation. Un vin brillant dans le verre. Un vin séduisant au nez avec ses arômes de fruits jaunes. Un vin

exubérant en bouche tant il a de choses à raconter. Des notes citronnées, acidulées, épousent parfaitement la minéralité. Un vrai vin de plaisir qui donnera la réplique à un plat épicé.

☛ Dom. Alain Geoffroy, 4, rue de l'Équerre, 89800 Beine, tél. 03 86 42 43 76, fax 03 86 42 13 30, info@chablis-geoffroy.com,

☑ � t.l.j. sf sam. dim. 8h-12h 13h30-17h

Chablis premier cru

Superficie : 770 ha
Production : 43 900 hl

Le chablis 1er cru provient d'une trentaine de lieux-dits sélectionnés pour leur situation et la qualité de leurs produits. Il diffère du précédent moins par une maturité supérieure du raisin que par un bouquet plus complexe et plus persistant, où se mêlent des arômes de miel d'acacia, un soupçon d'iode et des nuances végétales. Le rendement est limité à 50 hl à l'hectare. Tous les vignerons s'accordent à situer l'apogée du chablis 1er cru vers la cinquième année, lorsqu'il « noisette ». Les *climats* les plus complets sont Montée de Tonnerre, Fourchaume, Mont de Milieu, Forêt ou Butteaux, et Côte de Léchet.

DOM. GUY ET OLIVIER ALEXANDRE Fourchaume 2011 ★★

	6 610	▪	11 à 15 €

Proche des grands crus, le 1er cru Fourchaume offre un registre d'expression assez large que l'on retrouve dans cette superbe bouteille d'Olivier Alexandre. Un nez encore discret qui s'ouvre sur la fraîcheur, une attaque gourmande avec du fruit et de la minéralité. La vivacité arrive en fin de bouche sur fond d'agrumes et de notes iodées. Encore jeune, ce vin racé est promis à un bel avenir. Réservez-le dans deux à trois ans à un plateau de fruits de mer.

☛ Dom. Alexandre, 36, rue du Serein, 89800 La Chapelle-Vaupelteigne, tél. 03 86 42 44 57, info@chablis-alexandre.com,

☑ � t.l.j. 9h-12h 14h-18h; dim. lun. sur r.-v.

DOM. BESSON Montmains 2011 ★

	3 200	▪	8 à 11 €

Montmains, c'est la rive gauche du Serein, la rivière qui traverse Chablis. Voici un 1er cru très minéral élaboré par Alain Besson. Le nez plaisant s'ouvre sur les fruits mûrs. La bouche droite et franche montre un parfait équilibre entre le fruit et la minéralité. Un vin parfait pour accompagner un chapon rôti. Également cité, le **Vaillons 2011 (2 500 b.)** est gourmand et harmonieux ; il demande encore un peu de temps pour s'affirmer.

☛ EARL Besson, 15, rue de Valvan, 89800 Chablis, tél. 03 86 42 40 88, fax 03 86 42 49 46, domaine-besson@wanadoo.fr, ☑ � r.-v.

SAMUEL BILLAUD Montée de Tonnerre 2011 ★

	n.c.		15 à 20 €

Samuel Billaud signe son deuxième millésime pour son propre compte, avec une belle réussite dans la gamme des 1ᵉʳˢ crus. D'abord ce Montée de Tonnerre, un vin très harmonieux avec son nez de fleurs blanches et sa bouche délicate. Vif et gourmand, il ne trouvera pas meilleur compagnon qu'un plateau de fruits de mer. Une étoile aussi pour **Les Fourneaux 2011 (6 500 b.)**, un vin minéral et très fruité en bouche. Enfin, le **Mont de Milieu 2011 (4 900 b.)** est cité pour sa finesse et sa vivacité.

☛ Samuel Billaud, 23, rue du Serein, 89800 La Chapelle-Vaupelteigne, tél. 03 86 51 00 07, samuel.billaud@orange.fr, ☑ ⚔ ⚲ r.-v.

DOM. BILLAUD-SIMON Montée de Tonnerre 2011 ★★

	18 000	🍷	15 à 20 €

Coup de cœur l'an dernier avec un superbe Mont de Milieu, Bernard Billaud a failli « récidiver » avec son 1ᵉʳ cru Montée de Tonnerre 2011. Il se « contentera » de deux étoiles. Un vin remarquable par sa droiture et par sa précision. Le nez, d'une grande finesse, s'éveille sur les fleurs blanches. Quant à la bouche tout en rondeur, elle est soulignée par une pointe de vivacité. Une cuvée subtile que l'on verrait bien avec des crustacés. Le **Mont de Milieu 2011 (15 000 b.)** est seulement cité, trop fermé qu'il était au moment de la dégustation. Mais le potentiel est bien là pour cette cuvée en devenir.

☛ Dom. Billaud-Simon, 1, quai de Reugny, BP 46, 89800 Chablis, tél. 03 86 42 10 33, fax 03 86 42 48 77, catherine@billaud-simon.com, ☑ ⚔ ⚲ r.-v.

PASCAL BOUCHARD Montmains
Les Vieilles Vignes 2011 ★★

	4 398	🍷⬗	15 à 20 €

Pas moins de trois 1ᵉʳˢ crus sélectionnés pour Pascal Bouchard. Le préféré ? Ce 2011, élevé en fût sur lies fines, puis en cuve. Puissant et équilibré, il est en tout point remarquable. Son boisé bien ajusté apporte des notes grillées au nez, et il se fond entre la rondeur et l'acidité de la bouche. Un vrai régal. Produit sous la casquette du négoce DRB (Damien et Romain Bouchard), le **Montée de Tonnerre 2011 (4 009 b.)** obtient une étoile pour son équilibre et sa persistance aromatique, tout comme le **Vaillons 2011 (4 335 b.)**, élevé uniquement en cuve, droit et bien équilibré.

☛ Pascal Bouchard, 5 bis, rue Porte-Noël, 89800 Chablis, tél. 03 86 42 18 64, fax 03 86 42 48 11, romain@pascalbouchard.com, ☑ ⚲ t.l.j. 10h30-12h30 14h-19h

JEAN-MARC BROCARD Montmains 2011 ★

	n.c.	🍷	11 à 15 €

Un élevage en cuve pour ce 1ᵉʳ cru plaisant par sa vivacité. La minéralité soutient aussi bien les fleurs blanches au nez que les fruits à chair blanche en bouche. Un chablis friand et droit, parfait pour accompagner un poisson grillé. Dans un registre différent, le **Vaucoupin 2011 Pierre de Préhy** est également cité. Un vin rond et vif, déjà prêt à boire sur sa fraîcheur.

☛ Jean-Marc Brocard, 3, rte de Chablis, 89800 Préhy, tél. 03 86 41 49 00, fax 03 86 41 49 09, info@brocard.fr, ☑ ⚔ ⚲ t.l.j. sf dim. 9h30-13h 14h-18h30 ♨ ⑤ ⛩ ⓒ

LA CHABLISIENNE Mont de Milieu 2010

	35 465	🍷⬗	20 à 30 €

Le Mont de Milieu sépare les vins du Chablisien de ceux du Tonnerrois. Ce 1ᵉʳ cru a bâti sa réputation sur sa minéralité. Ce que confirme cette production de La Chablisienne, mais sans prendre de haut la matière riche et grasse qui nourrit la bouche. Un vin à la fois tendu et délicat, à déguster sur une volaille.

☛ La Chablisienne, 8, bd Pasteur, 89800 Chablis, tél. 03 86 42 89 89, fax 03 86 42 89 90, chab@chablisienne.fr, ☑ ⚲ t.l.j. 9h-12h30 14h-19h

DOM. DE CHANTEMERLE Fourchaume 2011 ★

	41 500	🍷	8 à 11 €

Ce Fourchaume est la vitrine de la famille Boudin, et Adhémar avait toujours une bouteille de L'Homme Mort, un lieu-dit du *climat* Fourchaume, à faire déguster. Francis Boudin, qui a repris les rênes de l'exploitation familiale, s'attache surtout à faire des vins qui parlent de leur terroir. Pari réussi avec ce 2011. La minéralité est sortie du sol. Elle côtoie les fleurs blanches au nez et le gras du fruit en bouche. Un 1ᵉʳ cru croquant et bien équilibré. Essayez-le avec du saumon fumé.

☛ Dom. de Chantemerle, 3, pl. des Cotats et, 27, rue du Serein, 89800 La Chapelle-Vaupelteigne, tél. 03 86 42 18 95, fax 03 86 42 81 60, dom.chantemerle@orange.fr, ☑ ⚔ ⚲ r.-v.

☛ Francis Boudin

DOM. DU CHARDONNAY Mont de Milieu 2011 ★

	5 000	🍷⬗	15 à 20 €

Le Mont de Milieu ne se livre pas facilement, il faut aller le chercher, voire lui tirer les arômes du nez, comme dans ce millésime 2011. On y trouve alors quelques fleurs blanches qui épousent les fruits jaunes. En bouche, l'attaque est plus franche. La rondeur est vite rattrapée par la minéralité. Un vin très plaisant, qui peut être bu sans attendre, en apéritif, avec des gougères bien croustillantes.

☛ Dom. du Chardonnay, moulin du Pâtis, 89800 Chablis, tél. 03 86 42 48 03, fax 03 86 42 16 49, info@domaine-du-chardonnay.fr,
☑ ⚲ t.l.j. 9h-12h 13h30-17h; f. août

☛ É. Boileau, C. Simon et W. Nahan

DOM. CHEVALLIER Montmains 2011 ★

	2 200	⬗	11 à 15 €

Un vin vinifié totalement en fût de chêne pendant onze mois. Pas étonnant que les dégustateurs aient décelé d'emblée le côté boisé, d'autant qu'il couvre au nez les notes florales et beurrées. Ces nuances s'estompent en bouche devant la rondeur de la matière et la finesse de la minéralité. Une bouteille très réussie, à découvrir dans deux ou trois ans sur des ris de veau, par exemple.

☛ Dom. Chevallier, 6, rue de l'École, Montallery, 89290 Venoy, tél. 03 86 40 27 04, fax 03 86 40 27 05, domaine.chevallier.chablis@wanadoo.fr,
☑ ⚔ ⚲ t.l.j. sf dim. 8h-12h 13h30-18h; f. du 15 au 31 août

CHRISTOPHE ET FILS Montée de Tonnerre 2011 ★★

	2 500	🍷⬗	11 à 15 €

Situé à l'est de la côte des grands crus, la Montée de Tonnerre est l'un des plus petits 1ᵉʳˢ crus mais aussi l'un des plus recherchés. Sébastien Christophe n'en produit que 2 500 bouteilles, mais quelles bouteilles ! Deux étoiles pour cette cuvée qui a bénéficié d'un élevage mixte (cuve et fût). Son nez délicat hésite entre la fleur et la minéralité. La bouche, ample, tendue, bien équilibrée, dévoile des notes vanillées et un boisé bien fondu. Un vin stylé, avec un gros potentiel.

🍷 Dom. Christophe et Fils, ferme des Carrières-de-Fyé, 89800 Chablis, tél. et fax 03 86 55 23 10, domaine.christophe@wanadoo.fr, ☑ r.-v.

DOM. MICHEL COLBOIS Côte de Jouan 2011 ★

8 300	▮	8 à 11 €

Benjamin Colbois a rejoint son père, Michel, sur l'exploitation familiale en 2009, apportant sa contribution aux vinifications. Ce millésime 2011 est plaisant et bien équilibré. En harmonie avec un joli nez de fruits frais, la bouche puissante et concentrée bénéficie d'une acidité qui apporte de la fraîcheur. On associera volontiers cette bouteille très séduisante avec un poisson en sauce.

🍷 EARL Dom. Michel Colbois, 69, Grande-Rue, 89530 Chitry, tél. 03 86 41 43 48, fax 03 86 41 46 40, contact@colbois-chitry.com, ☑ ⚒ ⛾ t.l.j. sf dim. 8h30-12h 13h30-18h

DOM. JEAN COLLET ET FILS Vaillons Sécher 2010 ★★

2 500	▮⬤	15 à 20 €

2010, c'est le deuxième millésime de Romain Collet qui vient de rejoindre le domaine familial. Un Vaillons élevé pendant seize mois (30 % en cuve et 70 % en fût), puissant et bien ciselé. Le boisé bien maîtrisé apporte des notes de noisette fraîche et de pain grillé tant au nez qu'en bouche. Les touches florales et la minéralité procurent de la fraîcheur. Cité, le **Montée de Tonnerre 2011 (11 à 15 € ; 16 000 b.)** se montre assez riche, mais encore trop marqué par le fût.

🍷 Dom. Jean Collet et Fils, 15, av. de la Liberté, 89800 Chablis, tél. 03 86 42 11 93, fax 03 86 42 47 43, collet.chablis@wanadoo.fr, ☑ ⚒ ⛾ t.l.j. 9h-12h 13h-17h30

DOM. DU COLOMBIER Vaucoupin 2011 ★

8 000	▮	11 à 15 €

Le Vaucoupin fait partie des 1ᵉʳˢ crus de la rive droite et il se situe sur la commune de Chichée. Un *climat* qui donne des vins alliant finesse au nez et richesse en bouche. Comme ce 2011 très agréable par sa palette mariant le cassis et les notes minérales. Un vin tendre, tout en rondeur et bien équilibré, à savourer sans attendre. Cité, le **Fourchaume 2011 (18 000 b.)**, est une cuvée discrète au nez, tendue en bouche.

🍷 Dom. du Colombier, Guy Mothe et ses Fils, 42, Grand-Rue, 89800 Fontenay-près-Chablis, tél. 03 86 42 15 04, fax 03 86 42 49 67, domaine@chabliscolombier.com, ☑ ⚒ ⛾ t.l.j. 8h-12h30 14h-18h; sam. dim. sur r.-v.

DOM. DE LA CORNASSE Beauroy 2011 ★

n.c.	▮	11 à 15 €

Quand on demeure à Beine, on a forcément du Beauroy dans sa cave : c'est le terroir de ce 1ᵉʳ cru de la rive gauche. Nathalie Geoffroy et ses deux sœurs, Sylvie et Aurélie, le connaissent bien. Il fait partie des grands classiques du domaine à l'origine de très jolis vins, tel le millésime 2009 qui avait obtenu un coup de cœur. Ce 2011 est encore réservé au nez mais plus expressif en bouche. De la vivacité, du fruit, de la rondeur et un bel équilibre : une jolie bouteille à attendre un peu (deux ou trois ans) avant de la servir sur des fruits de mer.

🍷 Dom. de la Cornasse, 4, rue de l'Équerre, 89800 Beine, tél. 03 86 42 43 76, fax 03 86 42 13 30, info@chablis-geoffroy.com, ☑ ⛾ t.l.j. sf sam. dim. 8h-12h 13h30-17h

JEAN-CLAUDE COURTAULT Beauroy 2011

1 900	▮	11 à 15 €

À Lignorelles, on connaît surtout Jean-Claude Courtault pour ses chablis et petit-chablis régulièrement étoilés. Son 1ᵉʳ cru Beauroy est seulement cité car il n'a pas atteint sa plénitude. Pour autant, il est plaisant avec son nez floral et élégant. La bouche vaut d'abord par sa vivacité, avec un côté salin en finale qui appelle les produits de la mer. Bien fait, ce vin révélera son potentiel dans deux ou trois ans.

🍷 Jean-Claude Courtault – Michelet, 1, rte de Montfort, 89800 Lignorelles, tél. 03 86 47 50 59, fax 03 86 47 50 74, jc.courtault@wanadoo.fr, ☑ ⚒ ⛾ t.l.j. 8h-12h 14h-18h; sam. dim. sur r.-v.

SÉBASTIEN DAMPT Les Vaillons 2011 ★

4 500	▮	11 à 15 €

Une étoile pour Les Vaillons, un vin frais et parfaitement équilibré. Le nez d'agrumes, avec des notes de miel, est séduisant. Tout comme la bouche qui allie la rondeur du fruit, une vivacité citronnée et une belle minéralité. Parfait sur un plateau de fruits de mer. Droit, vif, mais moins affirmé, le **Côte de Léchet 2011 (2 800 b.)** obtient une citation.

🍷 Dom. Sébastien Dampt, 23 C, rue du Château, Milly, 89800 Chablis, tél. 06 73 68 23 39, fax 03 86 42 46 41, sebastien@sebastien-dampt.com, ⚒ ⛾ r.-v.

DOM. VINCENT DAMPT Côte de Léchet 2011 ★

2 700	▮	11 à 15 €

Située entre Beauroy et Les Vaillons, la Côte de Léchet regarde du côté des grands crus. De quoi inspirer Vincent Dampt qui a très bien réussi son millésime 2011. Un vin tout en finesse et d'une grande droiture. Le nez est un véritable bouquet de fleurs blanches. Des nuances florales qui se prolongent dans un palais ample et vif. On gardera cette bouteille en cave trois à cinq ans avant de la servir sur un poulet de Bresse.

🍷 Dom. Vincent Dampt, 19, rue de Champlain, 89800 Milly, tél. 03 86 42 47 23, fax 03 86 42 46 41, vincent.dampt@sfr.fr, ☑ ⚒ ⛾ r.-v.

DANIEL DAMPT ET FILS Beauroy 2011

3 300	▮	11 à 15 €

Dix mois d'élevage en cuve pour ce Beauroy des plus classiques. Un vin encore timide au nez dont on retiendra surtout la finesse et la belle fraîcheur. Le **Côte de Léchet 2011 (21 000 b.)**, également cité, est plus expressif avec son nez de fleurs blanches et sa bouche franche dominée par la fraîcheur.

🍷 Dom. Daniel Dampt et Fils, 1, rue des Violettes, 89800 Milly-Chablis, tél. 03 86 42 47 23, fax 03 86 42 46 41, domaine.dampt.defaix@wanadoo.fr, ☑ ⚒ ⛾ r.-v.

BERNARD DEFAIX Fourchaume 2011 ★

3 000	⬤	20 à 30 €

C'est en tant que négociant que Bernard Defaix a élaboré ce Fourchaume, dans le même esprit que les vins du domaine. Cette cuvée au beau potentiel est encore marquée par son élevage de seize mois en fût. Le nez de fruits mûrs est marqué par une touche de caramel. La bouche, puissante, concentrée, penche vers la rondeur. Le **Côte de Léchet 2011 (50 000 b.)**, du domaine Bernard Defaix, est cité. Un 1ᵉʳ cru rond et harmonieux aux saveurs de noisette.

🍷 Bernard Defaix, 17, rue de Léchet, Milly, 89800 Chablis, tél. 03 86 42 40 75, fax 03 86 42 40 28, contact@bernard-defaix.com, ☑ ⚥ ⏁ r.-v.

♥ JEAN-PAUL ET BENOÎT DROIN Fourchaume 2011 ★★

3 000	▮ ⏻	15 à 20 €

Le Fourchaume de Benoît Droin est bien connu des lecteurs du Guide ! Et comme l'an dernier avec le millésime 2010, il décroche un coup de cœur. Ce 2011 est un vin d'une grande ampleur et d'une belle franchise qui a fait l'unanimité du jury. Le nez frais sur les agrumes annonce une bouche superbe campée sur ses deux piliers, fruit et minéralité. L'excellence est au rendez-vous, avec cette pointe iodée en finale qui incite à découvrir cette bouteille sur un plateau de fruits de mer. Une étoile pour le **Montée de Tonnerre 2011 (13 600 b.)**, un vin puissant et généreux, mais encore un peu austère. Et une citation pour le **Montmains 2011 (11 à 15 € ; 7 000 b.)**, élégant et frais.

🍷 Jean-Paul et Benoît Droin, 14 bis, av. Jean-Jaurès, BP 19, 89800 Chablis, tél. 03 86 42 16 78, fax 03 86 42 42 09, benoit@jeanpaulbenoit-droin.fr, ☑ ⏁ t.l.j. sf sam. dim. 8h30-12h 13h30-17h; f. août

DURUP Fourchaume 2011 ★

104 000	▮	11 à 15 €

À Maligny, le Fourchaume est roi. Aussi Jean et Jean-Paul Durup en ont-ils fait leur porte-drapeau. Élevé en cuve, ce millésime 2011 s'exprime avec bonheur sur la fraîcheur, avec une vivacité apportée au nez par les fleurs blanches et les fruits frais. En bouche, c'est la minéralité qui prend le relais. Elle confère de la tension et de la franchise à ce vin bien équilibré que l'on servira sur une viande blanche en sauce.

🍷 SA Jean Durup Père et Fils, 4, Grande-Rue, 89800 Maligny, tél. 03 86 47 44 49, fax 03 86 47 55 49, contact@domainesdurup.com, ☑ ⏁ t.l.j. sf sam. dim. 8h-12h 13h30-17h

DOM. NATHALIE ET GILLES FÈVRE Fourchaume 2011 ★★

20 000	▮	20 à 30 €

Encore un Fourchaume à l'honneur, avec deux étoiles pour ce millésime 2011 élevé en cuve pendant treize mois. Ce très joli 1ᵉʳ cru, vif et puissant, se montre d'une grande franchise. Au début, il y a le fruit, bien concentré, puis vient la minéralité, apportant fraîcheur et longueur en bouche. À servir sur des poissons grillés. Son homologue

du **Mont de Milieu 2011 (3 000 b.)**, situé de l'autre côté des grands crus, obtient une étoile. Un chablis fruité et minéral, parfaitement équilibré. Citation, enfin, pour le **Vaulorent 2011 (7 000 b.)**, un vin vif et léger.

🍷 Dom. Nathalie et Gilles Fèvre, rte de Chablis, 89800 Fontenay-près-Chablis, tél. et fax 03 86 18 94 47, fevregilles@wanadoo.fr, ☑ ⚥ ⏁ r.-v.

WILLIAM FÈVRE Montée de Tonnerre 2011 ★

n.c.	▮ ⏻	20 à 30 €

Un élevage mixte entre le fût et la cuve pour les 1ᵉʳˢ crus du domaine. Celui de ce 2011 d'une grande délicatesse est très réussi. Un nez de fleurs blanches légèrement mentholées et une bouche ronde mais fraîche et vive : ce vin séduisant mérite d'être oublié en cave trois ans. Deux autres cuvées du domaine sont citées : le **Montmains 2011 (15 à 20 €)**, un chablis agréable et vif, mais qui reste sur sa réserve ; le **Fourchaume 2011**, élégant et frais, porté par les agrumes.

🍷 Dom. William Fèvre, 21, av. d'Oberwesel, 89800 Chablis, tél. et fax 03 86 98 98 98, contact@williamfevre.com, ☑ ⚥ ⏁ t.l.j. 9h30-12h30 13h30-18h

🍷 Famille Henriot

DOM. FOURREY Côte de Léchet 2011 ★★

3 570	▮	11 à 15 €

Habituellement distingué avec son Mont de Milieu, Jean-Luc Fourrey a obtenu deux étoiles avec son Côte de Léchet 2011. Un retour sur son terroir d'origine pour ce vigneron de Milly qui a vinifié un 1ᵉʳ cru d'une très grande finesse. Un nez floral, une bouche minérale, les fondamentaux sont bien là. Ajoutons-y les saveurs de pêche de vigne et une finale acidulée, et l'on obtient ce vin somptueux, à associer à une blanquette de veau. Dans la même gamme, le **Vaillons 2011 (3 960 b.)**, plus tendre mais tout aussi minéral, reçoit une étoile alors que le **Mont de Milieu 2011 (3 295 b.)** est cité pour son équilibre.

🍷 Dom. Fourrey, 6, rue du Château, 89800 Milly, tél. 03 86 42 14 80, fax 03 86 42 84 78, domaine.fourrey@orange.fr, ☑ ⚥ ⏁ t.l.j. 8h30-12h 13h30-17h30; sam. dim. sur r.-v.

♥ GARNIER ET FILS Montmains 2011 ★★

4 000	▮ ⏻	15 à 20 €

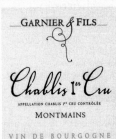

Il finit sur la plus haute marche du podium, ce superbe Montmains de Jérôme Garnier. Certes, les notes boisées, souvenir d'un élevage mixte (un tiers de cuve, deux tiers de fût), sont encore bien présentes. Gageons que les saveurs d'agrumes prendront rapidement le dessus. Car ce vin a un vrai potentiel avec son nez frais et mielleux et sa bouche fruitée, ronde et minérale. Il ne manque qu'un joli plat de poisson pour lui donner la réplique. Citation pour le **Mont de Milieu 2011 (8 500 b.)**, floral au nez et gourmand en bouche.

☛ Garnier et Fils, chem. de Méré, 89144 Ligny-le-Châtel, tél. 03 86 47 42 12, fax 03 86 98 09 95, info@chablis-garnier.com, ☑ Ⓨ r.-v.

RAOUL GAUTHERIN ET FILS Vaillons 2011 ★

	9 000		11 à 15 €

Parce qu'ils se distinguent par leur finesse et leur élégance, on a coutume de dire que les Vaillons sont des vins « féminins ». Ce millésime 2011 d'Alain Gautherin est, lui, très typé. Un nez d'aubépine qui se fond sur des notes de pierre à fusil. Une bouche très équilibrée entre la générosité du fruit et la vivacité de la minéralité. Un vin de plaisir qui trouvera facilement sa place auprès d'un plateau de fruits de mer.

☛ EARL Raoul Gautherin et Fils, 6, bd Lamarque, 89800 Chablis, tél. 03 86 42 11 86, fax 03 86 42 42 87, domainegautherin@wanadoo.fr, ☑ ⚘ Ⓨ t.l.j. 8h30-12h 13h30-18h

GAUTHERON Vaucoupin 2011 ★

	7 000		11 à 15 €

Une minéralité bien présente issue des coquillages du terroir, nous sommes en Vaucoupin. Cette cuvée 2011 est particulièrement réussie, même si le nez est encore timide. En bouche, il n'y a qu'à suivre la minéralité. Elle mène la danse en apportant de la vivacité à un joli fruité. Servez dès aujourd'hui ou dans deux ou trois ans cette bouteille sur un dos de cabillaud au beurre blanc. Moins complexe, sur des notes de fleurs et d'agrumes, mais tout aussi élégant, le **Mont de Milieu 2011 (6 000 b.)** est cité.

☛ Dom. Gautheron, 18, rue des Prégirots, 89800 Fleys, tél. 03 86 42 44 34, fax 03 86 42 44 50, vins@chablis-gautheron.com, ☑ ⚘ Ⓨ t.l.j. 8h30-12h 13h30-17h30; dim. sur r.-v.

CAVES GENDRAUD-PATRICE Beauroy 2011 ★

	940		11 à 15 €

Qui se cache derrière les caves Gendraud-Patrice qui ont désormais pignon sur rue à Beine ? Déjà un domaine, celui de Daniel Roblot, qui a été repris par Christophe Patrice et son épouse Aurélie, fille de Patrick Gendraud, le maire de Chablis. Vous suivez ? Voilà pour la petite histoire. Mais leur grande histoire, c'est bien celle du vin avec leurs premières étoiles pour le millésime 2011. Un Beauroy particulièrement harmonieux avec son nez de fruits blancs (pêche) et sa belle vivacité. Parfait dans deux ans sur un homard. Une étoile aussi pour le **Beauregard 2011 (990 b.)**, une cuvée plus puissante et gourmande portée par des notes de miel, et pour le **Montmains 2011 (550 b.)**, au bouquet floral et minéral.

☛ SARL Caves Gendraud-Patrice, 52, rte Nationale, 89800 Beine, tél. 03 86 52 17 42, christophe.patrice1@orange.fr, ☑ ⚘ Ⓨ t.l.j. sf mer. 9h-12h 13h-18h

DOM. DES GENÈVES Mont de Milieu 2011

	5 000		11 à 15 €

Il est encore discret, ce millésime 2011 de Stéphane Aufrère. Souvent un péché de jeunesse pour les Mont de Milieu, qui tardent à dévoiler leurs arômes. Pour autant, ce vin ne manque ni de finesse au nez, ni de fraîcheur en bouche. La matière bâtie autour de la minéralité est soutenue par une juste vivacité. Bel accord dans trois à quatre ans avec des noix de saint-jacques poêlées.

☛ SCEA Dom. des Genèves, 3, rue des Fourneaux, 89800 Fleys, tél. 03 86 42 10 15, fax 03 86 42 47 34, domainegeneves@wanadoo.fr, ☑ ⚘ Ⓨ t.l.j. sf dim. 8h30-12h 13h30-18h

ALAIN GEOFFROY Fourchaume 2011 ★★

	10 000		15 à 20 €

Une fois n'est pas coutume, c'est avec son Fourchaume que le domaine Alain Geoffroy obtient une haute distinction. Deux étoiles pour un vin remarquable d'équilibre et de droiture. Un nez très fin, partagé entre le fruit et la minéralité. Une bouche ample et expressive portée par de belles notes acidulées. Osez servir cette cuvée dès la sortie du Guide avec des huîtres chaudes. Le **Beauroy 2011 (11 à 15 € ; 30 000 b.)**, le « classique » de la maison, qui s'exprime sur la fraîcheur avec son nez d'agrumes et sa bouche minérale, est cité.

☛ Dom. Alain Geoffroy, 4, rue de l'Équerre, 89800 Beine, tél. 03 86 42 43 76, fax 03 86 42 13 30, info@chablis-geoffroy.com, ☑ Ⓨ t.l.j. sf sam. dim. 8h-12h 13h30-17h

CORINNE ET JEAN-PIERRE GROSSOT Fourchaume 2011 ★

	3 000		11 à 15 €

Quinze mois d'élevage en cuve pour ce Fourchaume de belle conception. Ève a rejoint ses parents Corinne et Jean-Pierre Grossot au sein du domaine familial – en conversion bio depuis 2012. Le vin est très aromatique avec son bouquet de fleurs et d'agrumes. La bouche harmonieuse s'étire longuement sur des notes citronnées qui apportent de la fraîcheur. Le **Fourneaux 2010 (5 000 b.)** est assez discret au nez, alors que le palais très minéral est riche et tendu ; il est cité.

☛ Corinne et Jean-Pierre Grossot, 4, rte de Mont-de-Milieu, 89800 Fleys, tél. 03 86 42 44 64, fax 03 86 42 13 31, info@chablis-grossot.com, ☑ Ⓨ r.-v.

DOM. DU GUETTE-SOLEIL Vosgros 2011

	n.c.		11 à 15 €

Dix mois d'élevage en cuve pour ce Vosgros bien construit mais plutôt svelte. Le nez est pourtant prometteur avec ses notes florales et sa finesse. En bouche, la minéralité domine le fruit. Un vin droit et tendu. Les frères Vilain ont également présenté le **Vosgros Fût de chêne 2011 du Ch. de Chemilly**, au boisé bien fondu. Pour sa fraîcheur et sa rondeur, il obtient aussi une citation.

☛ Dom. de Guette-Soleil, 20, rue du Pont, 89800 Chemilly-sur-Serein, tél. 03 86 42 16 91, fax 03 86 42 12 79, domaineguettesoleil@wanadoo.fr, ☑ ⚘ Ⓨ r.-v.

☛ Vilain Frères

LAMBLIN ET FILS Fourchaumes 2011 ★

	25 000		11 à 15 €

Dans la maison Lamblin, dont les origines remontent au XVIIes., le Fourchaumes porte la marque du pluriel, sans doute pour prendre en compte les différents lieux-dits qui constituent le célèbre *climat*. Toujours est-il que ce 2011 est très réussi, porté par une séduisante minéralité, bien présente au nez, plus discrète au palais. La bouche ronde et concentrée révèle une finale plus chaleureuse. Au singulier (sans « s » donc), le **Vaillon 2011 (10 000 b.)** est cité pour son bel équilibre entre le fruit frais et la minéralité, tout comme le **Mont de Milieu 2011 (2 500 b.)**, pour son bouquet de fleurs blanches et sa belle vivacité en bouche.

🐦 Lamblin et Fils, rue Marguerite-de-Bourgogne, 89800 Maligny, tél. 03 86 98 22 00, fax 03 86 47 50 12, infovin@lamblin.com,

☑ ✕ ⵏ t.l.j. sf dim. 8h-12h 14h-17h; sam. 8h-12h

DOM. **LAROCHE** Les Beauroys 2010 ★

▨	15 000	▌▥	20 à 30 €

L'Obédiencerie est l'un des sites remarquables de Chablis. C'est dans les caves de cet ancien monastère, dont les fondations encore visibles remontent au IXᵉˢ., que sont élevés 1ᵉʳˢ crus et grands crus, comme ce 2010 très séduisant dans sa robe limpide or jaune. Si le nez est timide, sur les fruits frais, la bouche riche est tendue par une belle minéralité. Une bouteille haut de gamme, idéale pour accompagner du foie gras. Deux autres vins du domaine se distinguent avec une citation : **Les Vaillons Vieilles Vignes 2010 (15 000 b.)**, une cuvée fruitée, plus gourmande que vive ; et **Les Vaudevey 2010 (15 000 b.)**, qui trouve son équilibre entre la tension et le gras.

🐦 Dom. Laroche, 22, rue Louis-Bro, 89800 Chablis, tél. 03 86 42 89 09, fax 03 86 42 89 29, chrystel.meunier@larochewines.com, ☑ ✕ ⵏ r.-v.

ROLAND **LAVANTUREUX** Fourchaume 2011

▨	3 300	▌▥	11 à 15 €

Roland Lavantureux est surtout connu des lecteurs pour ses chablis et ses petit-chablis. C'est la première fois qu'il présente un 1ᵉʳ cru (son second millésime dans cette AOC) dans le Guide. Un Fourchaume qui a bénéficié d'un élevage mixte, avec un séjour de cinq mois en fût dans le but de renforcer la structure. Ce 2011 est puissant et fruité, avec de la rondeur et du volume. On l'associera facilement à une volaille.

🐦 Roland Lavantureux, 4, rue Saint-Martin, 89800 Lignorelles, tél. 03 86 47 53 75, domaine.lavantureux@gmail.com, ☑ ✕ ⵏ t.l.j. sf dim. 8h-19h

---

OLIVIER **LEFLAIVE** Côte de Léchet 2010

▨	n.c.	▌▥	20 à 30 €

Le négociant de Puligny-Montrachet est habitué à vinifier les chardonnays, mais ceux du Chablisien dévoilent un autre terroir. La minéralité est de mise ; elle est même le fil conducteur de ce Côte de Léchet 2010. Une minéralité acidulée au nez, qui génère fraîcheur et vivacité en bouche. Dommage que la matière se fasse attendre. Un vin tranchant mais complexe.

🐦 Olivier Leflaive Frères, pl. du Monument, 21190 Puligny-Montrachet, tél. 03 80 21 37 65, fax 03 80 21 33 94, contact@olivier-leflaive.com, ☑ ✕ ⵏ r.-v.

DOM. DES **MALANDES** Montmains Vieilles Vignes 2011 ★

▨	9 100	▌▥	11 à 15 €

Il y a de la gourmandise dans ce vin habillé d'une jolie robe jaune aux reflets argentés. Deux tiers de cuve, un tiers de fût, pour ces Vieilles Vignes très aromatiques et bien équilibrées. Le nez se partage entre le fruit frais et la fleur blanche. L'attaque en bouche se fait sur le fruit avec de la puissance et de la vivacité. La minéralité souligne la fin de bouche de cette cuvée qui s'entendra bien avec une viande blanche.

🐦 Dom. des Malandes, 63, rue Auxerroise, 89800 Chablis, tél. 03 86 42 41 37, fax 03 86 42 41 97, contact@domainedesmalandes.com, ☑ ✕ ⵏ r.-v.

🐦 Lyne Marchive

LA **MEULIÈRE** Les Fourneaux 2011 ★

▨	14 800	▌	11 à 15 €

Nicolas et Vincent Laroche avaient obtenu un coup de cœur avec leur 1ᵉʳ cru Mont de Milieu 2008. Une étoile pour ce 2011 né sur les coteaux argilo-calcaires du village de Fleys. Vendanges manuelles, tri à la parcelle, élevage de douze mois en cuve : les soins prodigués à la vigne et aux raisins ont porté leurs fruits. Pour preuve, ce vin très agréable qui respire son terroir avec son nez de coquille d'huître. La bouche, riche et dense, se montre très fraîche. Pour des huîtres ou des charcuteries fines.

🐦 La Meulière, 18, rte de Mont-de-Milieu, BP 25, 89800 Fleys, tél. 03 86 42 13 56, fax 03 86 42 19 32, contact@chablis-meuliere.com, ☑ ✕ ⵏ t.l.j. 9h-12h30 13h30-18h

🐦 Laroche Frères

LOUIS **MICHEL ET FILS** Forêts 2010 ★

▨	n.c.	▌	15 à 20 €

Fraîcheur et précision, c'est le style des vins élaborés par Guillaume Michel. Ce Forêts 2010 est issu de la vallée froide des Montmains. Il mise sur la finesse avec son nez de fruits exotiques. Des fruits qui dominent aussi la bouche, franche en attaque et bien équilibrée. Une étoile également pour le **Montée de Tonnerre 2010 (20 à 30 €)**, un vin de caractère, ample et vif, avec des notes d'agrumes sur un fond minéral.

🐦 Louis Michel et Fils, 9, bd de Ferrières, 89800 Chablis, tél. 03 86 42 88 55, fax 03 86 42 88 56, contact@louismicheletfils.com, ☑ ⵏ t.l.j. sf sam. dim. 8h30-12h 14h-17h30; f. août

---

DOM. **LOUIS MOREAU** Vaillons 2010

▨	7 600	▌	15 à 20 €

Un 1ᵉʳ cru bien dans son millésime. Le nez puissant évoque les fruits bien mûrs (pâte de fruits). Après une attaque sur une pointe d'amertume, la bouche est tendue par une vivacité encore bien marquée. Il y a déjà beaucoup de fraîcheur dans ce vin persistant, mais il va falloir se montrer patient...

🐦 SARL Louis Moreau, 10, Grande-Rue, 89800 Beine, tél. 03 86 42 87 20, fax 03 86 42 45 59, contact@louismoreau.com, ☑ ✕ ⵏ t.l.j. sf sam. dim. 9h-12h 13h30-17h; f. 3 sem. en août

---

♥ J. **MOREAU ET FILS** Mont de Milieu La Croix Saint-Joseph 2010 ★★

▨	5 300	▌	11 à 15 €

C'est peut-être parce qu'il est exposé au plein sud que l'on se plaît à présenter le Mont de Milieu comme un « vin de soleil ». Ce 2010 de la maison J. Moreau et Fils a ensoleillé le palais des dégustateurs, qui lui ont attribué un coup de cœur. Une cuvée très élégante avec son nez floral et sa bouche bien ciselée. Du travail d'orfèvre avec de la finesse, de la précision, de la franchise mais aussi de la générosité. Sa belle minéralité fait de ce 1er cru un vin idéal pour les produits de la mer. Mais soyez patient !

☙ J. Moreau et Fils, rte d'Auxerre, 89800 Chablis, tél. 03 86 42 88 05, fax 03 86 42 88 08, depuydt.l@jmoreau-fils.com,

☑ ▼ t.l.j. sf sam. dim. 8h-12h 13h30-17h30; f. août

☙ FGV

MOREAU-NAUDET Montmains 2010 ★

| | 4 600 | 📖📕 | 20 à 30 € |

Stéphane Moreau, spécialiste des élevages longs (vingt-quatre mois) pour ses 1ers crus, a fait séjourner un tiers de cette cuvée en fût de chêne. C'est donc un 2010 qui a été présenté, un Montmains de garde, riche et bien structuré, avec un nez tout en finesse, une bouche franche et persistante. Ce vin de caractère sera un bon compagnon pour un plat en sauce. Même distinction pour les **Forêts 2010 (10 000 b.)**, un 1er cru proche des Montmains. Un joli nez de fruits jaunes, une bouche sur la pêche de vigne et un boisé encore marqué.

☙ Moreau-Naudet, 5, rue des Fosses, 89800 Chablis, tél. 03 86 42 14 83, fax 03 86 42 85 04, moreau.naudet@wanadoo.fr, ☑ ⚲ ▼ r.-v.

SYLVAIN MOSNIER Côte de Léchet 2011

| | 4 500 | 📖 | 11 à 15 € |

Depuis 2007, c'est Stéphanie Mosnier qui vinifie les vins du domaine familial. Deux de ses cuvées reçoivent une citation pour le millésime 2011 élevé en cuve pendant dix mois. La préférence va de peu à ce Côte de Léchet au nez beurré mais encore tendre en bouche. Le **Beauroy 2011 (7 500 b.)**, pour l'heure discret mais plutôt élégant, fait jeu égal. L'un et l'autre peuvent être servis sans attendre avec une viande blanche.

☙ EARL Sylvain Mosnier, 36, rte Nationale, 89800 Beine, tél. 03 86 42 43 96, fax 03 86 42 42 88, sylvain.mosnier@libertysurf.fr, ☑ ⚲ ▼ r.-v.

DOM. DE LA MOTTE Vau-Ligneau 2011

| | 15 000 | 📖 | 11 à 15 € |

Vau-Ligneau est devenu 1er cru à la suite d'un reclassement des parcelles de chablis. Bernard Michaut, connu des habitués du Guide, en possède presque la moitié. Son millésime 2011 offre un nez plutôt complexe, agréablement fruité, et une bouche franche avec de la matière. Cette bouteille équilibrée peut être servie maintenant avec du saumon fumé, mais un bref séjour en cave devrait lui permettre de se bonifier.

☙ SCEA Dom. de la Motte, 35, Grande-Rue, 89800 Beine, tél. 03 86 42 43 71, fax 03 86 42 49 63, mottemichaut@wanadoo.fr,

☑ ⚲ ▼ t.l.j. 10h30-18h; mer. dim. sur r.-v.

☙ Michaut

DOM. DE OLIVEIRA LECESTRE Fourchaume 2011 ★

| | 20 000 | 📖 | 11 à 15 € |

Créée par Lucien De Oliveira en 1955, cette exploitation est située à Fontenay-près-Chablis, au nord-est de Chablis, sur la rive droite du Serein. Minéral et salin sont les qualificatifs que les dégustateurs ont retenus pour caractériser ce Fourchaume typique de l'appellation. On n'oubliera pas pour autant ses arômes plaisants de fleurs blanches, sa rondeur et sa droiture. Un vin équilibré qui régalera vos amis à l'heure de l'apéritif, avec quelques gougères.

☙ Dom. De Oliveira Lecestre, 11, rue des Chenevières, 89800 Fontenay-près-Chablis, tél. 03 86 42 40 78, fax 03 86 42 83 72, gaecdeoliveira@wanadoo.fr,

☑ ⚲ ▼ t.l.j. sf sam. dim. 9h-12h 14h-17h; f. 15-30 août

DOM. OUDIN Vaucoupins 2011 ★

| | 3 000 | 📖 | 11 à 15 € |

Nathalie et Jean-Claude Oudin ont reçu du renfort avec l'arrivée d'Isabelle, la sœur de Nathalie, sur le domaine familial. Et quand on exploite à Chichée, on a forcément quelques ares de Vaucoupins. Pour une petite production (3 000 bouteilles) certes, mais de qualité. Un vin assez intense au nez, qui évoque les fleurs blanches relevées de notes poivrées. La bouche est puissante, droite et précise. L'équilibre est trouvé.

☙ EARL Dom. Oudin, 5, rue du Pont, 89800 Chichée, tél. 03 86 42 44 29, fax 03 86 42 10 59, domaine.oudin@wanadoo.fr, ☑ ⚲ ▼ r.-v.

DOM. DE PERDRYCOURT Fourchaume 2011

| | 4 000 | 📖 | 15 à 20 € |

Dix mois d'élevage en cuve, sur lies fines, pour ce Fourchaume, issu du plus vaste des 1ers crus. Une diversité de terroirs qui fait la complexité des cuvées. Celle-ci est plutôt agréable avec son bouquet frais d'agrumes et de fruits blancs. À l'unisson, la bouche présente une belle minéralité. Un vin qui accompagnera facilement coquillages et crustacés.

☙ Dom. de Perdrycourt, 9, voie Romaine, 89230 Montigny-la-Resle, tél. 03 86 41 82 07, fax 03 86 41 87 89, domainecourty@orange.fr,

☑ ⚲ ▼ t.l.j. 9h-19h; dim. 9h-12h 🏠 ☉

☙ Arlette et Rémi Courty

DOM. PINSON FRÈRES La Forêt 2011 ★

| | 4 700 | 📖 | 15 à 20 € |

Ils sont tous élevés de la même façon (neuf mois en fût), les 1ers crus des frères Pinson, avec un boisé différemment ressenti selon les cuvées. Celui-ci est complètement fondu dans La Forêt 2011 tant au nez, avec son côté beurré, qu'en bouche, où la vivacité vient souligner la matière. Il est un peu plus marqué au nez du **Montmain 2011 (4 700 b.)** distingue également d'une étoile. Persistante, la bouche est délicate avec ses notes d'agrumes soulignées d'un trait de minéralité. Le fût est très présent dans le **Fourchaume 2011 (2 788 b.)**, un vin onctueux, pour les amateurs de vins boisés, qui est cité.

☛ Dom. Pinson Frères, 5, quai Voltaire, BP 10, 89800 Chablis, tél. 03 86 42 10 26, fax 03 86 42 49 94, contact@domaine-pinson.com, ☑ ⊤ t.l.j. sf dim. 8h-12h 13h30-17h30; sam. sur r.-v.

ISABELLE ET DENIS POMMIER Côte de Léchet 2010

9 000	🖬 ⑪	11 à 15 €

Triple citation pour les 1ers crus 2010 de la famille Pommier. Bénéficiant d'un long élevage mixte (en cuve et en fût), ce 2010 séduit par son bouquet intense d'agrumes et de réglisse, et par sa vivacité. On retiendra l'empreinte assez marquée du bois, avec ses notes vanillées, qui invite à attendre cette bouteille trois à quatre ans pour lui laisser le temps d'atteindre sa pleine harmonie. Ce sont plus des notes torréfiées qui ont été remarquées dans le **Beauroy 2010 (9 000 b.)**, élevé également en fût et en cuve. Ce vin puissant et agréable est dominé par les fruits mûrs. Plus de tension et de vivacité dans le **Fourchaume 2010 (15 à 20 € ; 2 000 b.)**, élevé uniquement en cuve. Les parfums de fruits exotiques apportent un côté friand au nez, alors que la bouche est structurée autour de la minéralité.

☛ Isabelle et Denis Pommier, 31, rue de Poinchy, 89800 Chablis, tél. 03 86 42 83 04, fax 03 86 42 17 80, isabelle@denis-pommier.com, ☑ ⋏ ⊤ r.-v.

DOM. DENIS RACE Vaillons 2011

4 933	🖬	8 à 11 €

On a plus l'habitude de retrouver Denis Race pour ses Montmains. Cette année, c'est un 1er cru Vaillons qui est cité. Un vin de plaisir élevé en cuve pendant neuf mois. Comme tous les Vaillons, son nez est d'abord floral. La bouche est vive en attaque, la vivacité prenant le pas sur la matière. Un 2011 minéral et bien typé qui pourra être servi deux ans sur une andouillette.

☛ Denis Race, 5, rue de Chichée, 89800 Chablis, tél. 03 86 42 45 87, fax 03 86 42 81 23, domaine@chablisrace.com, ☑ ⋏ ⊤ t.l.j. sf dim. 9h-12h 14h30-17h30

RÉGNARD Montée de Tonnerre 2011

15 000	🖬	15 à 20 €

Cette maison chablisienne appartenant à Patrick de Ladoucette propose un 1er cru des plus classiques. Complexe aussi, c'est généralement le Montée de Tonnerre. L'élevage en cuve (un an) favorise sa fraîcheur. Le nez est élégant avec ses notes de fleurs blanches et de fruits frais. Rondeur et fraîcheur contribuent à l'équilibre d'une bouche dominée par les agrumes et des touches miellées.

☛ Régnard, 28, bd Tacussel, 89800 Chablis, tél. 03 86 42 10 45, fax 03 86 42 48 67, regnard.chablis@wanadoo.fr, ☑ ⋏ ⊤ t.l.j. 9h30-12h30 14h-18h
☛ de Ladoucette

SÉGUINOT-BORDET Vaillons 2011 ★★★

3 000	🖬	15 à 20 €

Trois étoiles, ce n'est pas courant. C'est pourtant la note que les dégustateurs ont attribuée à ce 1er cru Vaillons 2011. Qui n'atteint toutefois pas le coup de cœur que Jean-François Bordet avait obtenu pour le 2008. Pourtant, cette cuvée est bien exceptionnelle avec son nez d'une grande finesse : un peu de fruit, beaucoup de fleurs. La bouche incite au péché de gourmandise avec encore du

fruit, de la rondeur et une minéralité qui prolonge le plaisir en finale. Pour un poisson noble.

☛ SARL J.-F. Bordet, 8, chem. des Hâtes, 89800 Maligny, tél. 03 86 47 44 42, fax 03 86 47 54 94, contact@seguinot-bordet.fr, ☑ ⋏ ⊤ t.l.j. sf dim. 8h-12h 13h30-18h; sam. sur r.-v.; f. 10 août-1er sept.

DOM. SERVIN Montée de Tonnerre 2011 ★

20 000	🖬	11 à 15 €

Voici un 1er cru complexe, qui a quelque chose à dire et qui est déjà bon à boire, avec des escargots par exemple. Pour sortir des sentiers battus, un dégustateur lui a même trouvé un nez délicat de... fruits rouges ! La bouche est plaisante, bien équilibrée et tendre. Cité, le **Butteaux 2011 (3 200 b.)** charme par son nez beurré mâtiné de notes de confiseries, et par sa bouche ronde.

☛ Dom. Servin, 20, av. d'Oberwesel, BP 8, 89800 Chablis, tél. 03 86 18 90 00, fax 03 86 18 90 01, contact@servin.fr, ☑ ⋏ ⊤ t.l.j. sf. sam. dim. 8h-12h 13h30-17h30

♥ SIMONNET-FEBVRE Montée de Tonnerre 2011 ★★

5 670	🖬	15 à 20 €

CHABLIS
PREMIER CRU
MONTÉE DE TONNERRE
MILLÉSIME
2011
SIMONNET-FEBVRE
À CHABLIS

La Montée de Tonnerre 2011 est une marche triomphale pour la maison Simonnet-Febvre qui a élu domicile à Chitry. Coup de cœur donc pour ce millésime 2011 élevé en cuve pendant un an. Un vin remarquable par sa délicatesse, aussi bien au nez qu'en bouche. Les fleurs blanches et la minéralité apportent de la pureté à ce 1er cru droit et bien façonné. Un joli style et beaucoup de plaisir immédiat. Une citation pour le **Fourchaume 2011 (6 400 b.)**, tout en rondeur et bien structuré.

☛ Simonnet-Febvre, 30, rte de Saint-Bris, 89530 Chitry, tél. 03 86 98 99 00, fax 03 86 98 99 01, contact@simonnet-febvre.com, ☑ ⊤ t.l.j. sf dim. lun. 10h-12h30 14h-18h30; sur r.-v. hors saison
☛ Louis Latour

DOM. TESTUT 2010

5 000	🖬	11 à 15 €

Ce 1er cru est le fruit d'un assemblage entre deux 1ers crus (Vaillons et Forêts) de la rive gauche du Serein. Cette fantaisie donne un vin classique avec un nez dominé par les fleurs blanches et une bouche bien équilibrée. Fraîcheur et vivacité destinent ce 2010 à un plateau de fruits de mer. Mais dans quelques années.

☛ SCEA Testut, 38, rue des Moulins, 89800 Chablis, tél. 03 86 42 45 00, fax 03 86 42 14 75, domaine.testut@orange.fr, ☑ ⋏ ⊤ t.l.j. sf dim. 9h-18h

DOM. DE LA TOUR Côte de Jouan 2011 ★

1 910	■	11 à 15 €

Petite production à découvrir sans attendre, car ce 1er cru de la rive gauche du Serein ne manque pas de finesse, en raison notamment de son nez floral et de sa bouche minérale. On associera volontiers cette bouteille bien équilibrée à des fromages de chèvre. Vincent Fabrici, qui avait obtenu un coup de cœur l'an dernier pour son Montmains 2010, voit un autre de ses 1ers crus cité, le **Côte de Cuissy 2011 (1 350 b.)**. Une cuvée encore plus confidentielle, retenue pour sa délicatesse.

🔖 Dom. de la Tour, 3, rte de Montfort, 89800 Lignorelles, tél. 03 86 47 55 68, fax 03 86 47 55 86, ledomainedelatour@wanadoo.fr, ☑ ⚘ 🍷 r.-v.

🔖 V. Fabrici

DOM. GÉRARD TREMBLAY Fourchaume 2011

35 000	■ ⑩	11 à 15 €

Gérard Tremblay fait partie de ces vignerons peu interventionnistes qui laissent le terroir s'exprimer à travers le vin. Un élevage mixte (fût et cuve) pendant huit mois pour un Fourchaume bien équilibré. Son nez de fruits mûrs mêlé de notes florales est séduisant. On retrouve cette maturité à l'entrée d'une bouche ronde soulignée par un léger boisé. Un 1er cru gourmand, prêt à boire.

🔖 Dom. Gérard Tremblay, 12, rue de Poinchy, 89800 Chablis, tél. 03 86 42 40 98, fax 03 86 42 40 41, gerard.tremblay@wanadoo.fr,

☑ ⚘ 🍷 t.l.j. sf dim. 10h-12h 14h-18h; f. août et vac. scolaires

DOM. DE VAUROUX Montmains 2011 ★

13 000	■	11 à 15 €

Olivier Tricon, à la tête du domaine familial, présente un Montmains 2011, qui a bénéficié d'un élevage en cuve pendant neuf mois. Un vin très typé avec son nez floral et minéral, et sa bouche tendue, d'une grande précision. Beaucoup de vivacité pour cette bouteille qui se plaira bien avec un plateau de fruits de mer. Proposé par le négoce, le **Montmains 2011 Olivier Tricon (10 000 b.)** a bénéficié du même élevage que le précédent et il reçoit également une étoile pour son joli nez de fruits frais (pêche blanche) et pour sa fine minéralité.

🔖 SCEA Dom. de Vauroux, rte d'Avallon, 89800 Chablis, tél. 03 86 42 10 37, fax 03 86 42 49 13, maison.tricon@gmail.com, ☑ 🍷 r.-v.

DOM. VOCORET ET FILS Montée de Tonnerre 2011 ★★

n.c.	⑩	15 à 20 €

Il n'a pas obtenu de coup de cœur, comme pour sa cuvée 2008, mais il n'en était pas loin, Patrice Vocoret, avec ce Montée de Tonnerre 2011 distingué de deux étoiles. Un chablis superbe par sa structure comme par son élégance. Nez de fleurs blanches sur fond beurré ; bouche puissante qui trouve son équilibre entre le fruit et la minéralité : ce vin élevé en foudre a tout pour plaire. Sa fraîcheur et sa vivacité plairont dès aujourd'hui, à l'apéritif avec des toasts gourmands au saumon fumé.

🔖 Dom. Vocoret et Fils, 40, rte d'Auxerre, 89800 Chablis, tél. 03 86 42 12 53, fax 03 86 42 10 39, domaine.vocoret@wanadoo.fr, ☑ ⚘ 🍷 t.l.j. sf dim. 8h-12h 14h-18h

Chablis grand cru

Superficie : 103 hl
Production : 5 200 hl

Issu des coteaux les mieux exposés de la rive droite – divisés en sept lieux-dits : Blanchot, Bougros, Les Clos, Grenouille, Les Preuses, Valmur, Vaudésir –, le chablis grand cru possède à un degré plus élevé toutes les qualités des précédents, la vigne se nourrissant d'un sol enrichi par des colluvions argilo-pierreuses. Quand la vinification est réussie, un chablis grand cru est un vin complet, à forte persistance aromatique, auquel le terroir confère un tranchant qui le distingue de ses rivaux de la Côte-d'Or. Sa capacité de vieillissement stupéfie, car il exige huit à quinze ans pour s'apaiser, s'harmoniser et acquérir un inoubliable bouquet de pierre à fusil, voire, pour Les Clos, de poudre à canon !

DOM. BILLAUD-SIMON Les Preuses 2010 ★

2 800	■	30 à 50 €

« La bouche est salivante ; on suce le caillou », note un dégustateur. Un vin qui a le terroir au bout des racines. Le nez est puissant, ouvert aux notes minérales, voire végétales. La bouche ne se perd pas dans les détails. C'est une ligne droite guidée par la minéralité. Les fruits de mer devront attendre que la bouteille vieillisse (trois à cinq ans). **Les Blanchots Vieilles Vignes 2010 (1 200 b.)**, un vin qui a connu le fût mais encore trop fermé, tant au nez qu'en bouche, est cité. À attendre.

🔖 Dom. Billaud-Simon, 1, quai de Reugny, BP 46, 89800 Chablis, tél. 03 86 42 10 33, fax 03 86 42 48 77, catherine@billaud-simon.com, ☑ ⚘ 🍷 r.-v.

DOM. PASCAL BOUCHARD Les Clos 2010 ★

1 946	■ ⑩	30 à 50 €

Ah ! le bois ! Il peut être séduisant lorsqu'il est bien fondu dans la matière, comme il peut être dérangeant quand il tombe dans l'excès. Bien que fortement marqué par le fût, ce grand cru reste très bien fait. Le nez est élégant avec du fruit et des fleurs blanches. La bouche est fraîche, gourmande, parfaitement équilibrée, avec de la rondeur et de la vivacité sur fond boisé. À laisser en cave trois à cinq ans. Sous l'étiquette des fils de la maison, le **DRB Damien et Romain Bouchard Vaudésir 2011 (627 b.)** est cité. Un vin avec une belle matière, mais encore dominé par l'élevage en fût.

🔖 Pascal Bouchard, 5 bis, rue Porte-Noël, 89800 Chablis, tél. 03 86 42 18 64, fax 03 86 42 48 11, romain@pascalbouchard.com, ☑ 🍷 t.l.j. 10h30-12h30 14h-19h

DOM. JEAN COLLET ET FILS Valmur 2011 ★★

3 000	⑩	20 à 30 €

Depuis 2009, c'est Romain Collet qui est aux commandes du domaine familial, en conversion bio. Ce Valmur 2011 est très bien structuré, offrant de la puissance mais aussi beaucoup d'élégance. Le nez, encore discret, est légèrement boisé. La bouche gourmande, minérale, s'achève sur des notes vanillées. Un vin porté par la

BOURGOGNE

vivacité qui pourra accompagner, après un séjour de quelques années en cave (trois à quatre ans), des saint-jacques poêlées. Il était pressenti pour un coup de cœur.

🕭 Dom. Jean Collet et Fils, 15, av. de la Liberté, 89800 Chablis, tél. 03 86 42 11 93, fax 03 86 42 47 43, collet.chablis@wanadoo.fr, ☑ ✶ ⟙ t.l.j. 9h-12h 13h-17h30

DOM. DAMPT FRÈRES Bougros 2011 ★

| | n.c. | 📖⬗ | 20 à 30 € |

Les frères Dampt, de Collan, sont présents sur tous les fronts, y compris sur celui des grands crus. Ce Bougros 2011 s'exprime surtout sur la fraîcheur et sur la finesse. Le nez est assez intense et minéral, avec des notes épicées. Côté bouche, on retrouve toujours la minéralité mais aussi cette belle rondeur qui apporte du volume. Un vin bien équilibré.

🕭 Vignoble Dampt, rue de Fleys, 89700 Collan, tél. 03 86 55 29 55, vignoble@dampt.com, ☑ ✶ ⟙ r.-v.

CAVES JEAN ET SÉBASTIEN DAUVISSAT Les Preuses 2010

| | 2 600 | 📖⬗ | 20 à 30 € |

Un an en cuve et un an en fût : Sébastien Dauvissat donne au vin le temps de se faire. Mais aussi de s'imprégner d'un fond boisé qui ponctue la dégustation tant au nez qu'en bouche. Pour autant, ce grand cru est riche et agréable avec ses notes de miel et de vanille, sans oublier la minéralité qui souligne la bouche. Pourquoi pas avec un jambon à la chablisienne ?

🕭 Caves Jean et Sébastien Dauvissat, 3, rue de Chichée, 89800 Chablis, tél. 03 86 42 14 62, fax 03 86 42 45 54, jean.dauvissat@wanadoo.fr, ☑ ⟙ r.-v.

BERNARD DEFAIX Vaudésir 2011 ★★

| | 1 000 | ⬗ | 30 à 50 € |

Un très beau vin encore marqué par son élevage en fût (seize mois) mais qui promet un bel épanouissement par sa fraîcheur et sa grande finesse. Le nez élégant se partage entre la fleur (rose) et le fruit mûr. Dominée par le bois en attaque, la bouche harmonieuse est vite rattrapée par une minéralité qui apporte de la longueur et de la densité. Le **Bougros 2010 (3 000 b.)** est cité pour ses arômes de fleurs au nez et pour sa rondeur en bouche.

🕭 Bernard Defaix, 17, rue du Château, Milly, 89800 Chablis, tél. 03 86 42 40 75, fax 03 86 42 40 28, contact@bernard-defaix.com, ☑ ✶ ⟙ r.-v.

JEAN-PAUL ET BENOÎT DROIN Valmur 2011 ★

| | 7 400 | 📖⬗ | 20 à 30 € |

Trois grands crus du millésime 2011 décrochant chacun une étoile : Benoît Droin a réussi un joli tir groupé. Commençons par le Valmur, un vin élégant qui privilégie la finesse plutôt que la puissance. La bouche gourmande se nourrit de notes grillées et de minéralité, il n'en faut pas plus pour atteindre l'équilibre parfait. Un vin long et harmonieux qui s'entendra bien avec une viande blanche. Le **Grenouille 2011 (3 450 b.)** est différent. Il révèle davantage son terroir avec son nez minéral, son attaque fraîche, sa bouche vive et pulpeuse. Enfin, **Les Clos 2011 (10 000 b.)** se situe au même niveau de qualité. Belle concentration et beaucoup de persistance avant une finale pure et minérale.

🕭 Jean-Paul et Benoît Droin, 14 bis, av. Jean-Jaurès, BP 19, 89800 Chablis, tél. 03 86 42 16 78, fax 03 86 42 42 09, benoit@jeanpaulbenoit-droin.fr, ☑ ⟙ t.l.j. sf sam. dim. 8h30-12h 13h30-17h; f. août

DROUHIN-VAUDON Bougros 2011 ★

| | 2 350 | ⬗ | 30 à 50 € |

Le domaine Drouhin-Vaudon, vitrine chablisienne de la maison Joseph Drouhin, a brillé l'an dernier avec un coup de cœur pour son Bougros 2010. Cette année, il propose un 2011 réussi, minéral et rond après un élevage en fût de douze mois. Le nez élégant et minéral dévoile des arômes de fruits mûrs et des notes vanillées. La bouche, souple et ronde, vaut par sa franchise. Un vin sans détour, parfaitement équilibré, séduisant par ses saveurs exotiques et sa longue finale minérale. Idéal dans deux ans sur un rôti de porc en croûte.

🕭 Dom. Drouhin-Vaudon, rue du Serein, zone du Foulon, 89800 Chablis, tél. 03 80 24 68 88, fax 03 80 22 43 14, maisondrouhin@drouhin.com, ☑ ✶ ⟙ r.-v. 🏠 ⓓ

DOM. NATHALIE ET GILLES FÈVRE Les Preuses 2010 ★

| | 5 000 | 📖⬗ | 30 à 50 € |

Le grand cru Les Preuses, c'est un peu la carte de visite de Nathalie et Gilles Fèvre. Un vin régulièrement étoilé et honoré d'un coup de cœur pour le millésime 2008. Dans sa version 2010, on retrouve toute l'expression du terroir. Le nez, d'une belle finesse, est dominé par les fruits frais et les touches végétales. Quant à la bouche, elle s'ouvre sur des notes minérales qui apportent vivacité et longueur. Soyez patient – cinq ou six ans – avant de servir cette bouteille à des connaisseurs à l'heure de l'apéritif.

🕭 Dom. Nathalie et Gilles Fèvre, rte de Chablis, 89800 Fontenay-près-Chablis, tél. et fax 03 86 18 94 47, fevregilles@wanadoo.fr, ☑ ✶ ⟙ r.-v.

DOM. FOURREY Vaudésir 2011

| | 960 | 📖⬗ | 20 à 30 € |

Vinification en cuve, puis élevage en fût pendant six mois, Jean-Luc Fourrey cherche à faire des vins équilibrés et puissants. Son Vaudésir est plutôt confidentiel : moins de 1 000 bouteilles. Il n'en demeure pas moins très agréable avec son nez de fleurs blanches et de noisette. La bouche est ronde, grasse, et s'achève sur la minéralité. Un millésime déjà prêt à boire.

🕭 Dom. Fourrey, 6, rue du Château, 89800 Milly, tél. 03 86 42 14 80, fax 03 86 42 84 78, domaine.fourrey@orange.fr, ☑ ✶ ⟙ t.l.j. 8h30-12h 13h30-17h30; sam. dim. sur r.-v.

GARNIER ET FILS Vaudésir 2010 ★★

| | 1 520 | ⬗ | 30 à 50 € |

Dans le Guide, une année, c'est Les Clos, la suivante, c'est Vaudésir. Jérôme Garnier se fait paisiblement sa place dans le cercle restreint des producteurs de grands crus. Ce Vaudésir 2010 est en tout point remarquable. L'élevage en fût pendant deux ans lui a donné le temps de trouver son équilibre. Des fleurs, du fruit, du miel, le nez est fait pour les abeilles. Mais quand on a fini de butiner, le plaisir se renouvelle en bouche. De la rondeur autour d'un fruit légèrement confit, de la minéralité et, surtout, une grande fraîcheur. Une cuvée déjà très agréable à boire, mais il vaut mieux l'oublier en cave quatre à six ans.

🕭 Garnier et Fils, chem. de Méré, 89144 Ligny-le-Châtel, tél. 03 86 47 42 12, fax 03 86 98 09 95, info@chablis-garnier.com, ☑ ⟙ r.-v.

CH. GRENOUILLES 2009 ★

	42 081	🍷🍶	50 à 75 €

Ce 2009 est une cuvée issue de parcelles de vieilles vignes, sur le *climat* Grenouilles. C'est aussi le porte-drapeau de La Chablisienne, un vin choyé pour qu'il exprime une grande pureté. Son nez, d'une grande finesse, est un bouquet de fleurs blanches. La bouche est ronde et friande avec des saveurs de miel et de pain beurré. La finale minérale assure la longueur et l'équilibre de ce grand cru très réussi, à destiner à du foie gras.

🍷 La Chablisienne, 8, bd Pasteur, 89800 Chablis, tél. 03 86 42 89 89, fax 03 86 42 89 90, chab@chablisienne.fr, ☑ 🍷 t.l.j. 9h-12h30 14h-19h

LAMBLIN ET FILS Les Clos 2010

	1 200	🍶	20 à 30 €

C'est un cru qui a sans aucun doute un bon potentiel de garde mais qui divise les membres du jury à l'heure de la dégustation. Tous apprécient son nez d'agrumes légèrement beurré et sa bouche puissante, vive, minérale. Strict et rigoureux, voire austère malgré son boisé bien fondu, ce vin prometteur, qui devrait s'épanouir d'ici trois ans et plus, pourra être apprécié sur un plateau de fromages.

🍷 Lamblin et Fils, rue Marguerite-de-Bourgogne, 89800 Maligny, tél. 03 86 98 22 00, fax 03 86 47 50 12, infovin@lamblin.com, ☑ 🍴 🍷 t.l.j. sf dim. 8h-12h 14h-17h; sam. 8h-12h

LOUIS MICHEL ET FILS Grenouilles 2010 ★

	n.c.	🍷	30 à 50 €

Un grand cru qui échappe au bois. C'est la signature de Guillaume Michel, qui vinifie uniquement en cuve pour garder fraîcheur et précision. Pas étonnant que ce Grenouilles 2010 se distingue par sa pureté, sa puissance et sa minéralité. Tout ce que l'on attend d'un grand chablis. Citron, fruit exotique, coquille d'huître, le nez épouse un large éventail d'arômes. La bouche est riche, tendue, avec une belle matière qui s'appuie sur la minéralité et des notes iodées. Il ne manque que le plateau de fruits de mer.

🍷 Louis Michel et Fils, 9, bd de Ferrières, 89800 Chablis, tél. 03 86 42 88 55, fax 03 86 42 88 56, contact@louismicheletfils.com, ☑ 🍷 t.l.j. sf sam. dim. 8h30-12h 14h-17h30; f. août

♥ DOM. LOUIS MOREAU Vaudésir 2010 ★★

	1 850	🍷🍶	30 à 50 €

DOMAINE
LOUIS MOREAU

CHABLIS GRAND CRU
VAUDÉSIR
Appellation Chablis Grand Cru Contrôlée

Gardez bien cette bouteille remarquable pour le poisson noble que vous cuisinerez dans quelques années. Les jurés ont été conquis par ce Vaudésir élaboré par Louis Moreau. Un grand cru très harmonieux, parfaitement structuré, élégant avec son nez de fruits confits. La

bouche est un modèle de finesse, de fraîcheur et de précision, avec ce trait de minéralité qui apporte vivacité et longueur. À découvrir sur un bar aux gambas à partir de 2016. Le **Valmur 2010 (3 800 b.)** est cité. Un vin simple et droit, souligné par des notes minérales. Parfait avec des coquilles Saint-Jacques.

🍷 SARL Louis Moreau, 10, Grande-Rue, 89800 Beine, tél. 03 86 42 87 20, fax 03 86 42 45 59, contact@louismoreau.com, ☑ 🍴 🍷 t.l.j. sf sam. dim. 9h-12h 13h30-17h; f. 3 sem. en août

J. MOREAU ET FILS Vaudésir
La Croix Saint-Joseph 2010 ★★

	1 600	🍷🍶	20 à 30 €

« Un vin de gastronomie, pour faire la cour à un poisson en sauce », juge un dégustateur… et qui a toutes les qualités requises pour accompagner bien d'autres mets. Un grand chablis généreux avec de la maturité et une belle minéralité. Déjà, le nez est prometteur avec ses parfums de fruits mûrs. La bouche est dense et agréable en attaque. Elle se poursuit par des notes acidulées pour finir sur une vivacité qui tient longtemps en éveil ce vin superbe.

🍷 J. Moreau et Fils, rte d'Auxerre, 89800 Chablis, tél. 03 86 42 88 05, fax 03 86 42 88 08, depuydt.l@jmoreau-fils.com, ☑ 🍷 t.l.j. sf sam. dim. 8h-12h 13h30-17h30; f. août
🍷 FGV

DOM. PINSON FRÈRES Les Clos 2011

	6 588	🍶	30 à 50 €

Ce domaine a bien grandi depuis sa création en 1983, passant de 4 à 14 ha. C'est un vin très classique que proposent les frères Pinson, rejoints en 2008 par Charlène, la fille de Laurent. Après douze mois de fût, il a encore du mal à s'exprimer mais ne manque pas d'élégance. La bouche est puissante avec un boisé fondu qui soutient la matière. À découvrir dans trois à cinq ans.

🍷 Dom. Pinson Frères, 5, quai Voltaire, BP 10, 89800 Chablis, tél. 03 86 42 10 26, fax 03 86 42 49 94, contact@domaine-pinson.com, ☑ 🍷 t.l.j. sf dim. 8h-12h 13h30-17h30; sam. sur r.-v

RÉGNARD Grenouilles 2010

	4 000	🍷	30 à 50 €

Propriété de Patrick de Ladoucette depuis 1984, la maison Régnard élève ses grands crus en cuve afin d'en préserver la fraîcheur. Objectif atteint avec ce grand cru au nez à la fois floral et minéral. La bouche aussi joue la carte de la vivacité. Elle est gourmande, avec une pointe de minéralité qui apporte de l'élégance à ce vin bien équilibré.

🍷 Régnard, 28, bd Tacussel, 89800 Chablis, tél. 03 86 42 10 45, fax 03 86 42 48 67, regnard.chablis@wanadoo.fr, ☑ 🍴 🍷 t.l.j. 9h30-12h30 14h-18h

DOM. GUY ROBIN ET FILS Blanchot
Vieilles Vignes 2009 ★★

1 060	🏵 🍷	20 à 30 €

Décidément, le millésime 2009 réussit à Marie-Ange Robin, à la tête du domaine familial depuis 2007. L'an dernier, le grand cru Vaudésir lui avait valu un coup de cœur. Ici, ce sont deux étoiles qui sont décernées au remarquable Blanchot Vieilles Vignes. Un vin riche, rond et minéral, qui a séduit tous les palais. Ses parfums exotiques composent un nez délicat. La bouche est subtile et d'une grande pureté avec ses notes citronnées qui rivalisent avec la minéralité. Une étoile pour **Les Clos Vieilles Vignes 2009 (1 180 b.)**, plus rond et plus puissant mais tout aussi élégant.

🍷 EARL Dom. Guy Robin, 13, rue Berthelot, 89800 Chablis, tél. 03 86 42 12 63, fax 03 86 42 49 57, contact@domaineguyrobin.com, 🅥 🏃 ⊤ r.-v.

DOM. ROY Bougros Vieilles Vignes 2011 ★★

3 000	🏵	15 à 20 €

Tout est soigné au domaine Roy, même le nouvel habillage des bouteilles. Mais c'est bien le contenu qui nous intéresse et celui-ci est remarquable. Le terroir à l'état pur. Un vin de caractère, généreux et minéral. Des notes de pierre à fusil qui titillent un nez floral. En bouche, l'attaque fraîche, tranchante, incisive, « dévoile une jolie matière soulignée par la minéralité. «Avec une telle pureté, le futur est assuré », note, conquis, un dégustateur. Une étoile pour **Les Preuses 2011 (1 200 b.)**, plus léger mais tout aussi délicat.

🍷 SCEA Dom. Roy, 71, Grand-Rue, 89800 Fontenay-près-Chablis, tél. 03 86 42 10 36, fax 03 86 18 92 25, domaine.roy@orange.fr, 🅥 🏃 ⊤ r.-v.

SÉGUINOT-BORDET Vaudésir 2010

1 300	🏵 🍷	30 à 50 €

Avec ce Vaudésir, c'est Jean-François Bordet version négoce. L'achat de raisin lui permet en effet d'élargir sa gamme et de mettre sur le marché cette cuvée qui a passé six mois en cuve et douze mois en fût. Derrière son nez de fleurs blanches avec des notes grillées, la bouche est gourmande sur un fond boisé bien fondu. La finale est tendue. Un bon vin, qui n'a pas totalement assimilé son élevage. Parfait dans trois à cinq ans sur un plateau de fromages.

🍷 SARL J.-F. Bordet, 8, chem. des Hâtes, 89800 Maligny, tél. 03 86 47 44 42, fax 03 86 47 54 94, contact@seguinot-bordet.fr, 🅥 🏃 ⊤ t.l.j. sf dim. 8h-12h 13h30-18h; sam. sur r.-v.; f. 10 août-1er sept.

DOM. SERVIN Blanchot 2010 ★

3 200	🏵	20 à 30 €

Les vins de François Servin sont régulièrement étoilés dans le Guide. Après Les Clos, Bougros et Les Preuses, c'est le Blanchot 2010 qui est à l'honneur dans cette nouvelle édition du Guide. Un grand cru qui se distingue surtout par sa vivacité. Minéral et fruité, agrémenté de notes de noisette, le nez est très élégant. La bouche est gourmande et bien ciselée, avec une minéralité qui respire la franchise. L'élevage en cuve n'est pas étranger à cette pureté. Un vin bien dans son millésime.

🍷 Dom. Servin, 20, av. d'Oberwesel, BP 8, 89800 Chablis, tél. 03 86 18 90 00, fax 03 86 18 90 01, contact@servin.fr, 🅥 🏃 ⊤ t.l.j. sf. sam. dim. 8h-12h 13h30-17h30

SIMONNET-FEBVRE Les Clos 2010

6 900	🏵 🍷	30 à 50 €

Pas facile à déguster aujourd'hui, conviennent les membres du jury en soulignant la complexité de cette cuvée. Le nez est plutôt exotique avec des arômes boisés. Côté bouche, on a plus de lisibilité. Une belle rondeur et une acidité tranchante qui traverse la matière. Un vin riche au demeurant. Pour accompagner des langoustines dans quatre à cinq ans.

🍷 Simonnet-Febvre, 30, rte de Saint-Bris, 89530 Chitry, tél. 03 86 98 99 00, fax 03 86 98 99 01, contact@simonnet-febvre.com, 🅥 ⊤ t.l.j. sf dim. lun. 10h-12h30 14h-18h30; sur r.-v. hors saison
🍷 Louis Latour

DOM. VOCORET ET FILS Les Clos 2011 ★

n.c.		20 à 30 €

Élevage en foudre et en demi-muid, c'est la particularité du domaine Vocoret. Ces grands contenants assurent un boisé bien fondu au terme de l'élevage. C'est le cas pour ce grand cru délicat et très harmonieux. Le bois effleure un nez floral, légèrement beurré. L'élégance se confirme en bouche où l'on trouve de la rondeur, des saveurs de pain grillé et une minéralité qui prend le pouvoir en finale. Un vin racé qui conviendra à de la charcuterie fine, dès la sortie du Guide et pour les cinq ans à venir.

🍷 Dom. Vocoret et Fils, 40, rte d'Auxerre, 89800 Chablis, tél. 03 86 42 12 53, fax 03 86 42 10 39, domaine.vocoret@wanadoo.fr, 🅥 🏃 ⊤ t.l.j. sf dim. 8h-12h 14h-18h

Irancy

Superficie : 165 ha
Production : 6 800 hl

Ce petit vignoble situé à une quinzaine de kilomètres au sud d'Auxerre a vu sa notoriété confirmée, devenant AOC communale. Les vins d'Irancy ont acquis une réputation en rouge, grâce au césar (ou romain), cépage local datant peut-être du temps des Gaules. Ce dernier est assez capricieux ; lorsqu'il a une production faible à normale, il imprime un caractère particulier au vin et, surtout, il lui apporte un tanin permettant une très longue conservation. Lorsqu'il produit trop, il donne difficilement des vins de qualité ; c'est la raison pour laquelle il n'a pas fait l'objet d'une obligation dans les cuvées.

Le pinot noir, principal cépage de l'appellation, donne sur les coteaux d'Irancy un vin de qualité, très fruité, coloré. Les caractéristiques du terroir sont surtout liées à la situation topographique du vignoble, qui occupe essentiellement les pentes formant une cuvette au creux de laquelle se trouve le village. Le terroir déborde sur les deux communes voisines de Vincelotte et de Cravant, où les vins de la Côte de Palotte sont particulièrement réputés.

BENOÎT CANTIN 2011 ★

■	n.c.	▮⦀	8 à 11 €

Des fruits rouges et de la vivacité : voilà ce qui caractérise cet irancy élevé en fût pendant un an. Tout le terroir est dans la bouteille, les 10 % du cépage césar apportant une note racée et séduisante. La bouche est bien structurée sur un fond de tanins déjà fondus. Un vin prometteur qui atteindra sa plénitude d'ici trois à cinq ans. Également cité, le **Palotte 2011 (11 à 15 € ; 4 500 b.)** est rond en bouche mais encore trop dominé par le bois.

☛ Benoît Cantin, 35, chem. des Fossés, 89290 Irancy, tél. 03 86 42 21 96, cantinbenoit@orange.fr, ☑ ⚹ ⵗ t.l.j. 8h-12h 14h-19h

ANITA, JEAN-PIERRE & STÉPHANIE COLINOT
Les Cailles 2010 ★★

■	7 500	▮	11 à 15 €

Très belle performance de Stéphanie Colinot, vigneronne à Irancy, qui voit quatre de ses vins distingués. La cuvée Les Cailles, en tout point remarquable, séduit par sa bouche aux nuances fraîches (réglisse), avec des tanins qui se nourrissent du fruit. Un irancy minéral et fruité, véritable expression de ce terroir très caillouteux. Un vin de plaisir qui peut, déjà, accompagner des... cailles aux figues. Pour compléter la gamme, le **Palotte 2011 (15 à 20 € ; 1 800 b.)** et **Les Mazelots 2010 (10 000 b.)** obtiennent chacun une étoile ; le premier pour sa fraîcheur et son équilibre, le second pour sa puissance et son caractère. Cité, le **Côte du Moutier 2010 (3 800 b.)**, une autre cuvée au caractère bien trempé. Un intéressant voyage gustatif dans le vignoble.

☛ Anita, Jean-Pierre et Stéphanie Colinot, 1, rue des Chariats, 89290 Irancy, tél. et fax 03 86 42 33 25, vin@irancy-colinot.fr, ☑ ⚹ ⵗ t.l.j. sf dim. 9h-12h 14h-18h

CLOTILDE DAVENNE 2011

■	n.c.	▮	11 à 15 €

Ce n'est pas chez Clotilde Davenne que l'on trouvera du bois. Ses élevages se font en cuve, quel que soit le cépage, pour que toute la subtilité du terroir soit préservée. Partagée entre la fleur et le fruit au nez, cette cuvée développe aussi des notes végétales en bouche. Ce qui en fait un vin de plaisir immédiat, tout en fraîcheur et en finesse.

☛ Clotilde Davenne, 3, rue de Chantemerle, 89800 Préhy, tél. 03 86 41 46 05, info@clotildedavenne.fr, ☑ ⚹ ⵗ t.l.j. sf mer. dim. 9h30-12h30 14h30-18h30

FRANCK GIVAUDIN Palotte 2011

■	1 800	⦀	11 à 15 €

Quinze mois d'élevage en fût et un peu de césar pour compléter le pinot noir, il n'en faut pas plus pour faire de ce Palotte un vin de caractère. Au nez, un panier de fruits rouges. Des notes croquantes qui facilitent l'entrée en bouche de cette cuvée bien charpentée mais marquée aussi par une certaine fermeté. Il conviendra d'être patient pour apprécier cette bouteille à sa juste valeur d'ici quatre à cinq ans.

☛ Franck Givaudin, sentier de la Bergère, 89290 Irancy, tél. 03 86 42 20 67, franck.givaudin@wanadoo.fr, ☑ ⚹ ⵗ r.-v.

Ⓑ GUILHEM ET JEAN-HUGUES GOISOT
Les Mazelots 2011

■	3 000	⦀	11 à 15 €

Chaque année, Les Mazelots ont droit de cité dans le Guide. Le millésime 2011 n'est pas en reste. Très attachés à la culture biologique, les Goisot recherchent toujours l'équilibre entre la vie des sols, de la vigne et de son environnement. Le nez de cet irancy est marqué par la cerise, et la bouche, ample et fruitée, est encore dominée par un fond boisé. Un vin parfait pour accompagner dans deux ou trois ans un faisan, un canard ou un chevreuil.

☛ Guilhem et Jean-Hugues Goisot, 30, rue Bienvenu-Martin, 89530 Saint-Bris-le-Vineux, tél. 03 86 53 35 15, fax 03 86 53 62 03, domaine.jhg@goisot.com, ☑ ⵗ r.-v.

DOM. DE MAUPERTHUIS 2011 ★★

■	n.c.	⦀	8 à 11 €

Habitué des coups de cœur, ses millésimes 2009 (cuvée Palotte) et 2010 ayant été élus, Laurent Ternynck a frôlé cette distinction avec son irancy 2011. Cette constance dans la qualité fait de lui un vrai spécialiste du pinot noir. « Harmonieux, tout en finesse, bien ciselé », ces commentaires suffisent à caractériser ce vin remarquable. Le nez, d'une grande élégance, s'exprime sur les fruits rouges. Des fruits mûrs enrobés par des tanins bien fondus. La bouche est un régal, et le civet de lièvre qui pourra donner la réplique à une telle bouteille est sûr de son effet sur nos papilles.

☛ Dom. de Mauperthuis, Civry, 89440 Massangis, tél. 03 86 33 86 24, fax 09 50 95 08 41, ternynck@hotmail.com, ☑ ⵗ r.-v.
☛ Ternynck

THIERRY RICHOUX Veaupessiot 2010

■	14 000	▮⦀	11 à 15 €

Thierry Richoux peut être rassuré, Gabin et Félix, ses deux enfants, sont prêts à prendre le relais au sein du domaine familial. Ils continueront à mettre en valeur ce Veaupessiot, le plus ancien *climat* identifié du vignoble. Il est de nouveau remarqué cette année, après avoir obtenu un coup de cœur dans le millésime 2007. Un vin encore brut, sur les fruits rouges, marqué par des tanins pour l'heure austères en finale. Il faudra s'armer de patience (deux à cinq ans) avant de déboucher cette bouteille. L'irancy **2010 (8 à 11 € ; 70 000 b.)** est également cité pour son côté léger et fruité. Un bon classique de l'appellation.

☛ Thierry Richoux, 73, rue Soufflot, 89290 Irancy, tél. 03 86 42 21 60, irancy.richoux@orange.fr, ☑ ⚹ ⵗ t.l.j. sf dim. 9h-12h 14h-18h

DOM. SAINT-GERMAIN 2010 ★★

■	38 000	▮⦀	8 à 11 €

Christophe Ferrari a préparé la relève. Un premier fils a rejoint l'exploitation en 2012. Quand à ce remarquable 2010, il est à la fois gourmand et élégant : un vrai vin de plaisir immédiat. Si le nez n'est que cerise, la bouche, très raffinée, est beaucoup plus complexe. Vivacité, fraîcheur, typicité du terroir, tout est rassemblé, dans un parfait équilibre. Cette bouteille s'accordera dès cet

BOURGOGNE

automne à un coq au vin. Le **Paradis 2010 (15 à 20 € ; 3 000 b.)** a droit à une citation. De la fraîcheur, du fruit, mais une bouche encore marquée par le bois qui contribue à un beau potentiel de garde.

🕿 Christophe Ferrari, 7, chem. des Fossés, 89290 Irancy, tél. 03 86 42 33 43, irancy.ferrari@orange.fr,
☑ ✻ ☥ t.l.j. sf dim. 10h-12h 15h-19h 🏠 Ⓑ

VAL DE MERCY 2010 ★★

	5 000	⬛	8 à 11 €

En 1680, les vins étaient produits par le Clos du Château du Val de Mercy dans l'Auxerrois. Les siècles ont passé, et le nouveau propriétaire du château perpétue la tradition viticole bien au-delà de ses terres. Des irancy de qualité, si l'on en juge par ce 2010 élevé en fût pendant un an. Au nez, des notes épicées donnent la réplique aux arômes de fruits rouges. La bouche ronde et élégante dévoile une belle matière mûre qui se fond dans le boisé. Un vin assez puissant pour accompagner une côte de bœuf cuite sur la braise, d'ici un an ou deux.

🕿 Val de Mercy Grands Vins, 8, promenade du Tertre, 89530 Chitry, tél. 03 86 41 48 00, fax 03 86 41 45 80, roy@valdemercy.com, ☑ ☥ r.-v.

DOM. VERRET L'Âme du domaine 2010 ★★★

	6 000	⬛	11 à 15 €

Auteur d'un vin élu coup de cœur avec Sillage 2008 et d'un autre avec Palotte 2010, Bruno Verret aurait pu en obtenir un nouveau pour L'Âme du domaine 2010. D'autant qu'en lui attribuant trois étoiles, le jury a consacré un irancy exceptionnel. « Un régal ! » selon l'ensemble des dégustateurs. L'élégance apparaît dans la robe rouge à reflets noirs. Le nez puissant semble un panier de cerises bien mûres. Quant à la bouche, c'est un modèle d'équilibre entre la puissance, la rondeur et la minéralité. Grand vin mérite grande viande. Bruno Verret voit également une étoile décernée au Sillage 2010 (4 000 b.), un vin puissant mais soyeux. Le **2010 Élevé en fût de chêne (8 à 11 € ; 30 000 b.)** est cité pour sa bouche gourmande, ronde et soyeuse.

🕿 Dom. Verret, 7, rte de Champs, 89530 Saint-Bris-le-Vineux, tél. 03 86 53 31 81, fax 03 86 53 89 61, dverret@domaineverret.com, ☑ ✻ ☥ t.l.j. sf dim. 8h-12h 14h-18h 🏠 Ⓔ

Saint-bris

Superficie : 133 hl
Production : 7 950 hl

VDQS (1974) puis AOC (2001), les saint-bris proviennent essentiellement de la commune du même nom. L'appellation est réservée au sauvignon. Ce cépage est surtout planté sur les plateaux calcaires où il atteint toute sa puissance aromatique. Contrairement aux vins de sauvignon de la vallée de la Loire ou du Sancerrois, le saint-bris fait généralement sa fermentation malolactique, ce qui lui confère une certaine souplesse.

DOM. BERSAN Mont embrasé 2011

	6 500	⬛⬛	8 à 11 €

Issu d'un terroir calcaire, le Mont embrasé est une signature de Jean-Louis et Jean-Christophe Bersan. Leur domaine, en conversion à l'agriculture biologique depuis sa création en 2009, sait mettre en valeur ses racines. Le sauvignon trouve toute sa place dans cette cuvée élégante au nez légèrement vanillé. La bouche est chaleureuse sur son fruité de pomme jaune. Un vin complexe, pour accompagner dès à présent une cuisine asiatique.

🕿 Jean-Louis et Jean-Christophe Bersan, 20, rue Dr-Tardieux, 89530 Saint-Bris-le-Vineux, tél. 03 86 53 33 73, fax 03 86 53 38 45, jean-louis.bersan@wanadoo.fr,
☑ ✻ ☥ t.l.j. sf dim. 8h-12h15 13h30-18h30

P.-L. & J.-F. BERSAN Cuvée Marianne 2011 ★

	3 000	⬛⬛	8 à 11 €

Jean-François Bersan partage avec son fils Pierre-Louis une passion vigneronne ancrée dans la famille depuis le XVᵉs. Ils signent un saint-bris tout en élégance, précis, équilibré et minéral, et « surfant » sur la vivacité. Une bouteille que l'on aura plaisir à déboucher à l'heure de l'apéritif, avec quelques gougères. Citée, la **cuvée principale 2011 (30 000 b.)**, intense et florale au nez, s'exprime en bouche sur des notes d'agrumes acidulés, comme la clémentine ou l'orange sanguine. Plaisante et tout indiquée pour des fruits de mer.

🕿 Dom. P.-L. et J.-F. Bersan, 5, rue du Dr-Tardieux, 89530 Saint-Bris-le-Vineux, tél. 03 86 53 07 22, fax 03 86 48 97 28, domainejfetplbersan@orange.fr, ☑ ✻ ☥ t.l.j. 8h30-12h 13h30-18h ; dim. sur r.-v.

🖤 CLOTILDE DAVENNE Vieilles Vignes 2011 ★★

	n.c.	⬛	11 à 15 €

C'est avec les vieux pieds que l'on fait les meilleurs vins ! Clotilde Davenne le sait, elle qui est allée chercher ce coup de cœur dans ses vignes centenaires, à l'origine de cette magnifique cuvée. Un saint-bris très bien structuré, complexe, harmonieux, puissant et « salivant ». Tout ce que l'on attend d'un sauvignon. Derrière un nez minéral et crayeux, la douceur des agrumes (pamplemousse, orange) et de la pêche de vigne sont soulignée par un trait de minéralité. Un vin délicieux, à déguster dans les cinq ans, que l'on servira sans fausse note sur un poisson de rivière ou des sushis. Citée, la **cuvée principale 2012 (5 à 8 €)** est dominée par une vivifiante acidité et des notes végétales (mais nous ne sommes pas dans le même millésime que les vieilles vignes...).

☛ Clotilde Davenne, 3, rue de Chantemerle, 89800 Préhy, tél. 03 86 41 46 05, info@clotildedavenne.fr, ☑ ⚥ ⏆ t.l.j. sf mer. dim. 9h30-12h30 14h30-18h30

PHILIPPE DEFRANCE 2011 ★★

	3 800	∎	5 à 8 €

Coup de cœur dans le millésime 2010, cette cuvée signée Philippe Defrance, sans atteindre les mêmes sommets cette année, obtient le même deux étoiles dans sa version 2011. Ce n'est pas une surprise quand on sait que ce vigneron maîtrise le cépage et qu'il s'y entend pour restituer les qualités de son terroir. Voici un vin sans détour, qui s'exprime déjà au nez sur la minéralité. En bouche, ce sont les fruits jaunes qui prennent le pouvoir, pour le plus grand plaisir des dégustateurs. Remarquable par sa finesse, sa fraîcheur et sa franchise, cette cuvée s'épanouira davantage dans deux ou trois ans. Elle accompagnera des escargots ou un fromage de chèvre sec.
☛ Philippe Defrance, 5, rue du Four, 89530 Saint-Bris-le-Vineux, tél. 03 86 53 39 04, fax 03 86 53 66 46, ph.defrance89@orange.fr, ☑ ⚥ ⏆ r.-v.

WILLIAM FÈVRE 2011 ★

	n.c.	∎	5 à 8 €

On a plus l'habitude de voir le domaine William Fèvre mentionné pour son chardonnay que pour son sauvignon. Pour autant, Didier Seguier vinifie avec le même bonheur ces deux cépages et dans tous les cas, il recherche la pureté et la droiture. Ce 2011 n'échappe pas à la règle. Un nez minéral et une bouche florale qui croque aussi dans le citron et le pamplemousse. Il n'en faut pas plus pour se régaler de ce vin frais et bien structuré.
☛ Dom. William Fèvre, 21, av. d'Oberwesel, 89800 Chablis, tél. et fax 03 86 98 98 98, contact@williamfevre.com, ☑ ⚥ ⏆ t.l.j. 9h30-12h30 13h30-18h
☛ Famille Henriot

DOM. FILLON ET FILS 2011 ★

	15 000	∎	5 à 8 €

Le saint-bris, c'est la bonne étoile du domaine Fillon, et elle figure régulièrement au palmarès des vins très réussis. Du classique, certes, mais du bon classique. Le bourgeon de cassis ajouté aux fleurs blanches donne de l'intensité à un nez bien en place. La bouche trouve sa vivacité dans les fruits exotiques et un zeste de citron. Une cuvée très plaisante, à consommer sur sa fraîcheur avec un feuilleté de saint-jacques, par exemple.
☛ Dom. Fillon, 53, rue Bienvenu-Martin, 89530 Saint-Bris-le-Vineux, tél. 03 86 53 30 26, fax 03 86 53 63 88 ☑ ⚥ ⏆ t.l.j. 9h-12h30 13h30-19h30

DOM. ANNE ET ARNAUD GOISOT 2011 ★

	25 000	∎	5 à 8 €

Neuf mois de cuve : il n'en faut pas plus pour faire de ce sauvignon un vin typique de l'appellation. Si la robe est claire et brillante, le nez s'affirme sur des notes mentholées et sur juste ce qu'il faut de bourgeon de cassis pour faire honneur au terroir. Portée par une belle acidité, la bouche trouve son équilibre entre la minéralité, les fruits exotiques et des notes épicées (poivre blanc). À servir sur sa fraîcheur à l'heure de l'apéritif.

☛ Dom. Anne et Arnaud Goisot, 4 bis, rte de Champs, 89530 Saint-Bris-le-Vineux, tél. 03 86 53 32 15, fax 03 86 53 64 22, aa.goisot@wanadoo.fr, ☑ ⚥ ⏆ t.l.j. sf dim. 8h30-12h 13h30-18h30

CH. DU VAL DE MERCY 2011 ★★

	n.c.	∎	5 à 8 €

Ce domaine, régulièrement présent dans nos colonnes, démontre encore une fois sa polyvalence en matière de culture des cépages. Témoin, ce 2011 en tout point remarquable, qui a frôlé le coup de cœur. Élevé sur lies en cuve Inox, ce vin charme par son raffinement. Le nez s'égaye au-dessus d'un bouquet de fleurs blanches. La bouche ronde et grasse se nourrit d'agrumes acidulés, comme le citron, le pamplemousse et la clémentine, le tout souligné par une jolie minéralité. Un sain-bris d'ores et déjà équilibré et harmonieux. Mais soyez patient, car il procurera encore plus de plaisir dans une paire d'années.
☛ Val de Mercy Grands Vins, 8, promenade du Tertre, 89530 Chitry, tél. 03 86 41 48 00, fax 03 86 41 45 80, roy@valdemercy.com, ☑ ⏆ r.-v.

DOM. VERRET 2011 ★★

	35 000	∎	5 à 8 €

Encore du haut de gamme avec ce sauvignon de Bruno Verret qui figurait dans le dernier carré en lice pour un coup de cœur. Très représentatif de l'appellation, ce vin fait preuve d'une grande franchise à tous les stades de la dégustation. La rose apporte une part d'originalité à un nez très floral. Mais c'est bien la bouche qui est le véritable révélateur de cette cuvée élégante et harmonieuse. Les agrumes doux s'appuient sur un fond crayeux tandis que les notes épicées rehaussent une finale légèrement saline. Un saint-bris convivial, qui s'appréciera dans les quatre ans avec du poisson en papillote ou du fromage de chèvre.
☛ SARL Bruno Verret, 13, rte de Champs, 89530 Saint-Bris-le-Vineux, tél. 03 86 53 83 98, dverret@domaineverret.com, ☑ ⚥ ⏆ t.l.j. sf dim. 8h-12h 14h-18h 🏠 Ⓔ

La Côte de Nuits

La Côte de Nuits s'allonge jusqu'au Clos des Langres, dans la commune de Corgoloin. C'est une côte étroite (quelques centaines de mètres seulement), coupée de combes de style alpestre avec des bois et des rochers, et soumise aux vents froids et secs. Elle compte vingt-neuf appellations réparties selon l'échelle des crus, avec des villages aux noms prestigieux : Gevrey-Chambertin, Chambolle-Musigny, Vosne-Romanée, Nuits-Saint-Georges... Les 1ers crus et les grands crus (chambertin, clos-de-la-roche, musigny, clos-de-vougeot) se situent à une altitude comprise entre 240 et 320 m. C'est dans ce secteur que l'on trouve les plus nombreux affleurements de marnes calcaires, au milieu d'éboulis variés ; les vins rouges les plus structurés de toute la Bourgogne, aptes aux plus longues gardes, en sont issus.

BOURGOGNE

Bourgogne-hautes-côtes-de-nuits

Superficie : 657 ha
Production : 28 750 hl (80 % rouge)

L'appellation s'applique à des vins rouges, rosés et blancs nés dans 16 communes de l'arrière-pays, ainsi que sur les parties de communes situées au-dessus des appellations communales et des crus de la Côte de Nuits. Cette production a augmenté notablement depuis 1970, date avant laquelle ce secteur proposait des vins plus régionaux, bourgogne-aligoté essentiellement. C'est à cette époque que des terrains, plantés avant le phylloxéra, ont été reconquis. La reconstitution du vignoble s'est accompagnée d'un effort touristique, avec en particulier la construction d'une Maison des Hautes-Côtes où l'on peut découvrir les productions locales – dont les liqueurs de cassis et de framboise.

Les coteaux les mieux exposés donnent certaines années des vins qui peuvent rivaliser avec des parcelles de la Côte, notamment en blanc : le chardonnay, d'un millésime à l'autre, donne des vins d'une meilleure régularité que le pinot noir.

💜 **JEAN-LUC ET PAUL AEGERTER** Belle Canaille 2011 ★★

■	45 000	🍷	15 à 20 €

Jean-Luc Aegerter est Parisien d'origine. Après un parcours classique de bon élève (et un passage par Sciences Po), il devient directeur général adjoint de la maison Roederer. Chez les Champenois, il attrape le virus du vin puis s'installe en Bourgogne, lançant en 1988 sa maison de négoce. Il achète ses premières vignes en 1994, et son fils Paul le rejoint en 2001. La maison propose une vaste gamme de vins bourguignons, des « simples » AOC régionales aux grands crus, du Chablisien au Mâconnais en passant par les deux Côtes, des secs et des effervescents. Côté hautes-côtes-de-nuits, cette Belle Canaille a du caractère et décroche un coup de cœur enthousiaste. Parée d'une robe rubis intense, elle s'ouvre sur des notes boisées marquées aux accents grillés et chocolatés, où les fruits (cassis, framboise, liqueur de cerise) apparaissent plus nettement à l'aération. Elle poursuit en bouche dans le même registre fruité et boisé, et offre beaucoup de volume, de gras et de richesse, portée par des tanins élégants et soyeux. « Au-dessus de son rang », conclut un juré, qui

conseille d'attendre deux ou trois ans pour l'apprécier au mieux, et de l'accompagner d'un onglet sauce aux groseilles et confit d'échalotes.
🕭 Jean-Luc et Paul Aegerter, 49, rue Henri-Challand, 21700 Nuits-Saint-Georges, tél. 03 80 61 02 88, fax 03 80 62 37 99, infos@aegerter.fr

DOM. YVES BAZIN Vieilli en fût de chêne 2010 ★

■	2 190	🍷	8 à 11 €

Yves Bazin est installé à Villars-Fontaine, au cœur des Hautes-Côtes de Nuits. En bon spécialiste de l'appellation, il signe une cuvée qui, malgré un élevage de deux ans en fût, exprime de jolies notes de fruits noirs très mûrs, sans que le boisé n'apparaisse. Dans la continuité du nez, la bouche évoque la framboise et le kirsch, soutenue par des tanins élégants. Un vin généreux et gourmand, à déguster dans l'année. Le **blanc 2011 (2 385 b.)** est cité pour son boisé fin et délicat, et pour son équilibre entre le gras et la vivacité.
🕭 Yves Bazin, 2, rte de la Côte-de-Nuits, 21700 Villars-Fontaine, tél. 03 80 61 35 25, contact@domaine-bazin.fr, ☑ ☂ ♟ t.l.j. sf dim. 9h30-19h

JEAN-CLAUDE BOISSET Dames Huguettes 2011

■	2 000	🍷	11 à 15 €

La maison Jean-Claude Boisset propose ici un joli rouge à la robe rubis et au nez de griotte, dont les nuances de vanille et de noisette trahissent un élevage de douze mois en fût. À l'unisson, la bouche se montre nette et bien structurée, dévoilant en finale une légère amertume qui s'estompera avec un an de garde.
🕭 Maison Jean-Claude Boisset, Les Ursulines, 5, quai Dumorey, 21700 Nuits-Saint-Georges, tél. 03 80 62 61 61, fax 03 80 62 61 59, jcb@jcboisset.com, ♟ r.-v.

DOM. BONNARDOT Clos des Oiseaux 2011

■	3 530	🍷	5 à 8 €

Après vingt ans passés dans l'informatique et la finance, Danièle Bonnardot sent l'appel de la vigne et décide en 2008 de revenir au domaine où ont œuvré son arrière-grand-père, son grand-père, son père et son frère. Un domaine familial donc, dont l'un des clients fut le célèbre chanoine Kir, maire de Dijon, qui utilisait le hautes-côtes blanc des Bonnardot pour préparer son fameux apéritif. Drôle d'idée, à en juger par la qualité de ce blanc joliment bouqueté autour de fruits blancs agrémentés d'une note fumée, au palais consistant, frais et tonique. Ne gâchez donc pas votre plaisir en ajoutant une quelconque liqueur à ce vin, mais réservez-lui plutôt une belle volaille en sauce, aujourd'hui ou dans un an.
🕭 Dom. Bonnardot, 1, rue de l'Ancienne-Cure, 21700 Villers-la-Faye, tél. 03 80 62 91 27, fax 03 80 62 72 89, domaine.bonnardot@wanadoo.fr, ☑ ☂ ♟ t.l.j. 9h-12h 14h-18h30; dim. sur r.-v.

LOUIS CHAVY 2011

▨	40 000	🍷	11 à 15 €

Cette marque de négoce, qui est commercialisée par la Compagnie des Vins d'Autrefois, propose un vin blanc au nez exubérant d'aubépine, accompagné à l'aération par la vanille, les fruits mûrs et le citron. Dans la continuité de l'olfaction, la bouche se montre franche, vive, bien structurée et équilibrée. À boire dans les deux ans à venir sur des fruits de mer.

☛ Compagnie des Vins d'Autrefois, 3, pl. Notre-Dame, 21200 Beaune, tél. 03 80 26 33 00, fax 03 80 24 14 84, cva@cva-beaune.fr

CLOSERIE DES ALISIERS Les Dames Huguettes 2011

■   9 000   ▯   8 à 11 €

Venu du Chablisien, Stéphane Brocard a quitté en 2007 le domaine familial fondé par son père pour créer son négoce à Chenôve, aux portes sud de Dijon. Il propose une jolie gamme de vins dans une dizaine d'appellations, dont cette cuvée issue d'un des plus beaux terroirs des Hautes-Côtes, Les Dames Huguettes, un superbe coteau exposé au sud-est juste au-dessus des premiers crus de Nuits, en altitude. Robe rubis et nez de griotte, de cassis et de fraise mentholée : le vin n'a pas vu le fût et se révèle frais, pimpant et acidulé en bouche. Un « vin plaisir » épatant, à boire dans sa jeunesse sur un plat canaille, une tête de veau par exemple.

☛ Closerie des Alisiers, Parc des Grands-Crus, 60 K, av. du 14-Juillet, 21300 Chenôve, tél. 03 80 52 07 71, fax 03 80 52 12 89, stephane.brocard@closeriedesalisiers.fr, ☑ r.-v.

JULIEN CRUCHANDEAU Les Martennes 2011 ★

■   1 500   ▯▯   8 à 11 €

Julien Cruchandeau fait partie de la nouvelle génération de vignerons, ceux qui ont eu deux vies : viticulteur donc, et musicien jusqu'en 2010 pour se consacrer ensuite pleinement à son domaine créé en 2003. Après son hautes-côtes Les Valançons l'an dernier, place à ce premier millésime des Martennes : un vin au style proche d'ailleurs, « un hautes-côtes à l'ancienne », selon un juré ; comprendre : au nez boisé et fruité (griotte, cassis), et au palais charnu, plein, gras et tannique. À laisser vieillir trois ans.

☛ Dom. Julien Cruchandeau, 4, rue Robert, 21700 Chaux, tél. 03 80 62 16 50, domaine.cruchandeau@gmail.com, ☑ ⚔ 𝚻 r.-v.

DOM. DIGIOIA-ROYER 2011 ★

■   3 000   ▯▯   11 à 15 €

Plus connu des lecteurs pour ses chambolle-musigny, ce petit domaine de 4,5 ha, dont une bonne partie est dédiée aux appellations régionales et communales, est conduit depuis 1999 par Michel Digioia. Celui-ci signe un hautes-côtes proche des deux étoiles avec ce 2011 grenat soutenu au nez ouvert sur les fruits noirs, le cassis notamment, et agrémenté d'un boisé bien ajusté. Suivant la même ligne aromatique, le palais débute par une belle vivacité, puis dévoile des tanins bien présents mais charnus et enrobés qui lui confèrent beaucoup d'ampleur et de personnalité. Un vin complet, à déguster dans deux ou trois ans sur des tendrons de veau aux champignons.

☛ Dom. Digioia-Royer, 16, rue du Carré, 21220 Chambolle-Musigny, tél. et fax 03 80 61 49 58, micheldigioia@wanadoo.fr, ☑ ⚔ 𝚻 r.-v.

DOM. DE LA DOUAIX Clos des Fervelots 2010 ★★

■   1 676   ▯ ▯▯   11 à 15 €

Le jeune Gilles Moustie est arrivé en France à vingt-deux ans, sur les traces de son père, un Belge qui, après avoir réussi dans l'informatique, avait acquis en 1997 à Arcenant une petite ferme devenue maison de vacances, puis un lopin de vignes au début des années 2000. La famille s'est pris alors au jeu de la viticulture, a

créé le domaine en 2006, embauché Laurent Anginot pour les vinifications, et les voilà chaque année présents dans le Guide depuis leurs débuts, et dotés à présent d'un étonnant palmarès : deux coups de cœur en trois millésimes (2007 et 2009), et deux étoiles de plus avec ce quatrième ! Un parcours sans faute qui n'enivre pas pour autant le jeune vigneron, toujours en train d'apprendre quelque chose de ce métier chez les uns et les autres. La cuvée 2010 se présente dans une élégante robe violacée et livre un bouquet expressif et complexe, minéral, fruité et boisé (quatorze mois de fût). La bouche affiche une structure admirable et beaucoup de volume, épaulée par une belle fraîcheur et enrobée par des arômes gourmands de fruits rouges mûrs. À servir dans les trois ans à venir sur un coq au vin.

☛ Mark Moustie, Dom. de la Douaix, rue du Moutier, 21700 Arcenant, tél. 06 85 95 01 79, moustie.gilles@orange.fr, ☑ ⚔ 𝚻 r.-v. ⌂ E

DOM. MICHEL GROS 2011

■   35 000   ▯▯   11 à 15 €

Michel Gros est l'aîné des trois enfants de la famille, chacun d'eux étant à la tête d'un domaine : sa sœur Anne-Françoise (Domaine A.-F. Gros) et son frère Bernard (Domaine Gros Frère & Sœur), auxquels on peut ajouter leur cousine (Domaine Anne Gros). Il a débuté en 1979 avec 2 ha, justement en Hautes-Côtes. Depuis, il a agrandi son vignoble le portant à 22 ha. Ses vins sont régulièrement sélectionnés dans le Guide, notamment ses vosne-romanée et ses nuits-saint-georges. Toutefois, il ne néglige pas les hautes-côtes, tel ce 2011 de belle facture au nez de sous-bois, de framboise et de mousse verte, dense, solide et corsé en bouche. Un vin de caractère, à attendre au minimum deux ou trois ans.

☛ Dom. Michel Gros, 7, rue des Communes, 21700 Vosne-Romanée, tél. 03 80 61 04 69, fax 03 80 61 22 29, contact@domaine-michel-gros.com, ☑ 𝚻 r.-v.

♥ DOM. GROS FRÈRE ET SŒUR 2011 ★★

■   16 000   ▯ ▯▯   11 à 15 €

Que ce soit un grand cru ou une « simple » appellation régionale, Bernard Gros travaille sa vigne et son vin avec autant de soin, nombre d'étoiles et de coups de cœur pouvant en témoigner. On ne sera donc pas surpris de le voir coiffer une nouvelle couronne. Fait plus inhabituel, c'est un blanc qui est consacré. Si ces hautes-côtes issues de chardonnay ont déjà été sélectionnées ici, elles reçoivent leur premier coup de cœur. Élevé en fût pendant un an, ce 2011 dévoile un bouquet délicatement boisé (noisette, fumé), fruité (fruits exotiques bien mûrs) et floral. Il se révèle riche et charnu en bouche, sur le beurre frais, les épices et le pain grillé, avec une juste vivacité qui vient fort à propos contrebalancer cette générosité. S'il n'est pas le plus typique des chardonnays d'altitude, avec cette onctuosité solaire peu ordinaire, c'est un vin parfaitement équilibré, puissant et très gourmand. On le dégustera dans deux ans, sur une poularde aux cinq épices et aux champignons.

📞 Dom. Gros Frère et Sœur, 6, rue des Grands-Crus, 21700 Vosne-Romanée, tél. 03 80 61 12 43, fax 03 80 61 34 05, bernard.gros2@wanadoo.fr, ☑ ⚘ ⌁ r.-v.

DOM. ALAIN JEANNIARD Les Vignes blanches 2010 ★

| ■ | 5 000 | ⑪ | 11 à 15 € |

Après une carrière dans l'industrie, Alain Jeanniard est revenu à ses racines vigneronnes (qui remontent au XVIIIᵉs.) pour reprendre en 2000 le domaine de Morey : 0,5 ha à l'époque, 4 ha aujourd'hui. En parallèle, il a créé en 2003 une affaire de négoce et il vinifie aussi les grands crus mazis-chambertin et clos-de-la-roche pour le compte des Hospices de Beaune. Un talent reconnu, qui signe ici un hautes-côtes finement bouqueté autour des fleurs blanches et des fruits blancs mûrs rehaussés d'épices et de notes grillées, frais et net en bouche. Parfait pour un poisson en sauce, dans les deux ans.

📞 Dom. Alain Jeanniard, 4, rue aux Loups, 21220 Morey-Saint-Denis, tél. 06 84 56 13 89, fax 03 80 58 53 49, domaine.ajeanniard@wanadoo.fr, ☑ ⚘ ⌁ r.-v.

DOM. JOANNET 2011

| ■ | 10 000 | ⑪ | 8 à 11 € |

Michel Joannet et son fils Fabien sont des spécialistes des hautes-côtes puisqu'ils sont installés sur 15 ha de vignes à Marey-lès-Fussey, en plein cœur de ce terroir. Ils défendent une vision ambitieuse de cette appellation régionale qui représente près de la moitié de leur production, en lui appliquant dix-huit mois d'élevage en fût. Cela donne un 2011 violet foncé, à la robe profonde, au nez puissant, sur les fruits noirs, le musc et le cassis. La bouche est charnue, massive et chaleureuse, bien dans le style maison. Un beau vin de garde, plein et généreux, à oublier trois à cinq ans en cave.

📞 Dom. Michel Joannet, 76, Grande-Rue, 21700 Marey-lès-Fussey, tél. 03 80 62 90 58, domaine-michel.joannet@wanadoo.fr, ☑ ⚘ r.-v.

DOM. VINCENT LEGOU Le Corton 2010

| ■ | 7 000 | ⑪ | 11 à 15 € |

Vincent Legou, qui a repris le domaine familial en 2008, le convertit actuellement à l'agriculture biologique. Il exploite 11,5 ha entre Beaune et Gevrey, dont cette parcelle de 1,18 ha plantée de vieilles vignes âgées de soixante ans, à l'origine de ce hautes-côtes vinifié comme un « grand rouge » : macération préfermentaire à froid, cuvaison longue de trois semaines et élevage de dix-huit mois en fût. Cela donne ce vin expressif (fruits rouges, épices, boisé léger) au nez comme en bouche, charnu, doté d'une structure raffinée et stimulé en finale par une belle fraîcheur aux accents de groseille. À servir dans un an.

📞 Dom. Vincent Legou, hameau de Concœur, 21700 Nuits-Saint-Georges, tél. 03 80 62 53 73, fax 03 80 62 11 47, domaine.vincent.legou@gmail.com, ☑ ⚘ ⌁ r.-v. ⌂ ◐

JEAN-PHILIPPE MARCHAND 2011 ★

| ■ | 15 000 | ⑪ | 11 à 15 € |

C'est dans les Hautes-Côtes qu'a débuté en 1813 l'histoire vigneronne des Marchand, lorsque Pierre Marchand, petit vigneron à Reulle-Vergy, épousa Marie Jacotier qui apporta dans sa dot la propriété viticole paternelle. Sept générations plus tard, Jean-Philippe Marchand reprend en 1983 le domaine de Morey et l'agrandit par l'acquisition d'une ancienne maison de vigneron à Gevrey-Chambertin. Habitué du Guide avec son hautes-côtes, il signe un 2011 très plaisant. Le nez se révèle intense, sur les fruits rouges mûrs et sur les épices douces. La bouche affiche un bel équilibre entre chair soyeuse, vivacité fruitée, boisé et tanins fondus. À servir dans un an ou deux sur une terrine de lapin aux noisettes.

📞 Maison Jean-Philippe Marchand, 4, rue Souvert, BP 41, 21220 Gevrey-Chambertin, tél. 03 80 34 33 60, fax 03 80 34 12 77, contact@marchand-jph.fr, ☑ ⚘ ⌁ r.-v.

DOM. MOILLARD 2012 ★

| ■ | 35 000 | ⊟⑪ | 8 à 11 € |

Cinq mois de cuve, huit mois de fût, voilà un élevage court qui permet à ce 2012 d'être parmi les premiers sur les rangs. L'année 2012, c'est un printemps précoce suivi d'un un été froid et humide : un millésime difficile qui, néanmoins, s'affiche ici avec un nez vineux de petits fruits rouges mûrs et d'épices, relayé par une bouche généreuse, consistante et structurée sans dureté. À déguster dans les deux ou trois ans à venir avec un râble de lapin au bourgogne.

📞 Dom. Moillard, 7, rte de Monthelie, 21190 Meursault, tél. 03 80 21 99 51, fax 03 80 21 28 05, fanny.duvernois@bejot.com

NUITON-BEAUNOY Les Dames Huguettes 2011 ★★

| ■ | 20 266 | ⊟⑪ | 8 à 11 € |

Fondée en 1957, la Cave des Hautes-Côtes est la dernière coopérative de Côte-d'Or. Elle signe ici un splendide 2011 à la robe profonde, au nez floral, élégant, expressif, et à la bouche ronde, soyeuse et raffinée : réglisse, moka, café torréfié ; le boisé apporté par le passage en fût est remarquablement maîtrisé (d'ailleurs, la moitié de la cuvée seulement a été élevée en fût). C'est un très beau « vin plaisir », charmeur et gourmand, à servir dans deux ans sur un rôti de veau aux chanterelles.

📞 La Cave des Hautes-Côtes, 93, rte de Pommard, 21200 Beaune, tél. 03 80 25 01 00, fax 03 80 22 87 05, contact@cavesdeshautescotes.fr, ☑ ⌁ t.l.j. sf dim. 9h30-12h 14h-18h

OLIVIER GARD 2010

| ■ | 20 000 | ⊟⑪ | 8 à 11 € |

Selon Manuel Olivier, qui a aussi un pied dans la Côte de Beaune grâce à sa casquette de négociant, il est plus difficile de réussir un hautes-côtes qu'un vosne-romanée car le premier, souvent pénalisé par des tanins plus rustiques, demande plus de travail au vinificateur. Ces tanins, il a su très bien les dompter dans ce 2010 d'un grand classicisme, au nez intense et flatteur de cassis, souple, rond et débonnaire en bouche. La finale, un peu sévère, s'arrondira d'ici un an. À servir avec une rouelle de porc.

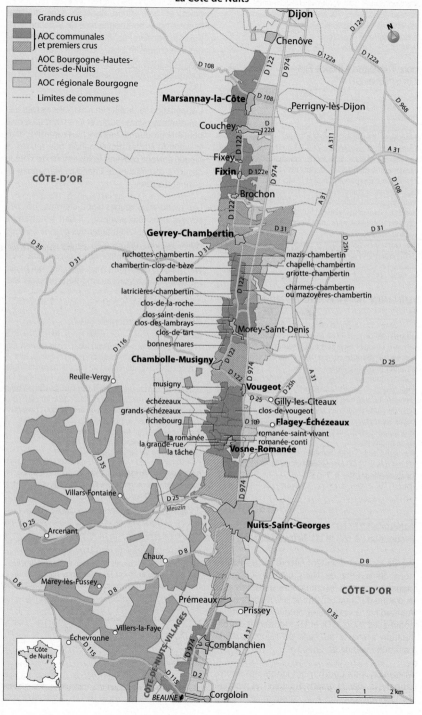

La Côte de Nuits

Légende :
- Grands crus
- AOC communales et premiers crus
- AOC Bourgogne-Hautes-Côtes-de-Nuits
- AOC régionale Bourgogne
- Limites de communes

Dijon
Chenôve
Marsannay-la-Côte
Perrigny-lès-Dijon
Couchey
Fixey
Fixin
Brochon
Gevrey-Chambertin
ruchottes-chambertin
chambertin-clos-de-bèze
chambertin
latricières-chambertin
clos-de-la-roche
clos-saint-denis
clos-des-lambrays
clos-de-tart
bonnes-mares
mazis-chambertin
chapelle-chambertin
griotte-chambertin
charmes-chambertin ou mazoyères-chambertin
Morey-Saint-Denis
Chambolle-Musigny
Reulle-Vergy
musigny
échézeaux
grands-échézeaux
richebourg
la romanée
la grande-rue
la tâche
Vougeot
Gilly-les-Cîteaux
clos-de-vougeot
Flagey-Échézeaux
romanée-saint-vivant
romanée-conti
Vosne-Romanée
Villars-Fontaine
Meuzin
Nuits-Saint-Georges
Arcenant
Chaux
Marey-lès-Fussey
Prémeaux
Prissey
Villers-la-Faye
Échevronne
Comblanchien
CÔTE DE NUITS-VILLAGES
BEAUNE
Corgoloin

CÔTE-D'OR

CÔTE-D'OR

Côte de Nuits

0   1   2 km

☛ Dom. Olivier Gard, 7, rue des Grandes-Vignes, hameau de Corboin, 21700 Nuits-Saint-Georges, tél. 03 80 62 39 33, fax 03 80 62 10 47, contact@domaine-olivier.com,
☑ ⚲ ▼ t.l.j. sf dim. 9h-12h 14h-19h ⌂ Ⓒ

DOM. THÉVENOT-LE BRUN & FILS
Clos du Vignon 2011 ★★

5 000	▮⊞	8 à 11 €

    Nicolas Thévenot est installé depuis 2007 à la tête du domaine familial situé à Marey-lès-Fussey, au cœur de l'appellation. Sur ce clos, le seul des Hautes-Côtes en monopole, il exploite de vieilles vignes à la cinquantaine flamboyante à en juger par ce 2011 qu'il a vinifié comme un « grand blanc » de la Côte : entonnage pour finir la fermentation en fût, 50 % de fûts neufs, bâtonnage. Il en résulte un vin expressif, floral et fruité, remarquablement équilibré entre gras et vivacité – « Il rebondit en bouche », note un juré ; « Quelle belle acidité salivante ! », précise un autre. La finale est soyeuse et longue. À déguster dans les deux ou trois ans à venir sur un curry de carrelet (conseil de la maison).
☛ Dom. Thévenot-Le Brun et Fils, 36, Grande-Rue, 21700 Marey-lès-Fussey, tél. 03 80 62 91 64, thevenot-le-brun@wanadoo.fr,
☑ ⚲ ▼ t.l.j. sf dim. 9h-12h 14h-18h; sam. sur r.-v.

JEAN-CLAUDE TRAPET Les Fournaches 2011 ★

1 760	⊞	11 à 15 €

    Jean-Claude Trapet est installé à Arcenant, un village un peu loin de tout, là où les routes rétrécissent délicieusement, l'un des plus jolis coins autour de Nuits-Saint-Georges à parcourir en vélo. Il a complanté son domaine en pinot noir, chardonnay et pinot beurot, fidèle en cela à la tradition des Hautes-Côtes. Il propose avec ces Fournaches – nom du lieu-dit provenant de « four », soit un endroit chaud bien exposé – un vin plaisant par son nez frais de fruits rouges acidulés et de menthol, et par son palais fruité, suave et souple, aux tanins doux et fondus. À boire au cours des deux prochaines années, sur un sauté de veau aux girolles.
☛ Jean-Claude Trapet, hameau de Chevrey , 10, rue d'Aval, 21700 Arcenant, tél. et fax 03 80 61 25 05, jctrapet@orange.fr, ☑ ⚲ ▼ r.-v.

Marsannay

Superficie : 227 ha
Production : 9 650 hl (85 % rouge et rosé)

Les géographes discutent encore sur les limites nord de la Côte de Nuits car, au XIXᵉs., un vignoble couvrant les communes situées de part et d'autre de Dijon constituait la Côte dijonnaise. Aujourd'hui, à l'exception de quelques vestiges comme les Marcs d'Or et les Montreculs, l'urbanisation a chassé les ceps de Dijon et de la commune voisine de Chenôve.

Marsannay, puis Couchey ont longtemps approvisionné la ville de grands ordinaires et manqué en 1935 le coche des AOC communales. Petit à petit, les viticulteurs ont replanté ces terroirs en pinot, et la tradition du rosé – vendu sous l'appellation « bourgogne rosé de Marsannay » – s'est développée. Puis ils ont de nouveau proposé des vins rouges et blancs comme avant le phylloxéra et, après plus de vingt-cinq ans d'efforts et d'enquêtes, l'AOC marsannay a été reconnue en 1987.

L'appellation se décline en « marsannay rosé » et « marsannay » (vins rouges et vins blancs). Le rosé peut être produit sur une aire plus extensive, dans le piémont sur les graves, tandis que rouges et blancs doivent provenir uniquement du coteau des trois communes de Chenôve, Marsannay-la-Côte et Couchey.

Les marsannay rouges sont charnus, un peu sévères dans leur jeunesse ; il faut les attendre quelques années. Peu répandus dans la Côte de Nuits, les vins blancs sont ici particulièrement recherchés pour leur finesse et leur solidité. Il est vrai que le chardonnay, mais aussi le pinot blanc, trouvent dans des niveaux marneux propices leur terroir d'élection.

AEGERTER Réserve personnelle 2011 ★

6 000	⊞	20 à 30 €

    Vingt-cinq ans d'existence pour cette maison nuitonne qui propose un marsannay de très bonne facture. À la robe rubis profond répond un nez discrètement fruité, qui évoque la cerise, la framboise et le cassis bien mûrs. On retrouve le fruit en attaque, puis très vite, les tanins boisés entrent en scène, ce qui donne à la bouche un côté strict et sévère. On attendra trois ou quatre ans pour permettre à cette bouteille de se polir et au boisé de s'intégrer.
☛ Jean-Luc et Paul Aegerter, 49, rue Henri-Challand, 21700 Nuits-Saint-Georges, tél. 03 80 61 02 88, fax 03 80 62 37 99, infos@aegerter.fr

DOM. CHARLES AUDOIN 2011

5 800	⊞	11 à 15 €

    Fondé en 1850, le domaine s'est agrandi, passant de 2,5 ha à 13,5 ha, mais reste un « spécialiste » du marsannay : c'est dans cette appellation qu'il a son siège et que la majeure partie de son vignoble est implantée. Cette année, Cyril Audoin a proposé un blanc élevé en fûts de 500 l pendant douze mois, assemblage de trois terroirs différents. Le nez, complexe, associe les fleurs blanches à un boisé toasté et épicé. Dans le même registre floral et boisé, la bouche est ronde, équilibrée et consistante. À apprécier dans les trois ans.
☛ Dom. Charles Audoin, 7, rue de la Boulotte, 21160 Marsannay-la-Côte, tél. 03 80 52 34 24, fax 03 80 58 74 34, domaine-audoin@wanadoo.fr, ☑ ⚲ ▼ r.-v.

DOM. BART Les Échezots 2011 ★

6 200	⊞	11 à 15 €

    Perpétuant une tradition vigneronne remontant à plusieurs générations, Martin Bart est installé au cœur de

Marsannay et cultive des parcelles dans de nombreux *climats* de la commune. Ses Échezots ouvrent sans doute les meilleures perspectives de garde : cinq ans, voire davantage. C'est un vin puissant, structuré et long, qui laisse transparaître son élevage sans oublier le fruit – de la cerise et de la framboise, au nez comme en bouche. Le **2011 rouge Les Longeroies (6 000 b.)** fait jeu égal. On aime la fraîcheur pimpante de ce vin au nez de fruits rouges épicés par le fût, et à la bouche bien équilibrée, ronde et vive à la fois, solide et boisée. Cités, les **Grands Vignes 2011 rouge (5 600 b.)** ne manquent ni de fruit ni d'étoffe et montrent de belles qualités de franchise ; une certaine sévérité tannique en finale leur donne un côté plus rustique. Toutes ces bouteilles méritent d'attendre au moins deux ans.

☛ Dom. Bart, 23, rue Moreau, 21160 Marsannay-la-Côte, tél. 03 80 51 49 76, fax 03 80 51 23 43, domaine.bart@wanadoo.fr, ☑ ⚘ ☔ r.-v.

BOUVIER 2012 ★

◼	12 000	◉	8 à 11 €

Installé depuis plus de trente ans, Régis Bouvier a agrandi son domaine, passé de 2 ha à près de 16. Il possède des parcelles jusqu'à Morey, tout en défendant avec brio les couleurs de son village, y compris le rosé, type moins courant que naguère. Avec sa robe saumon, son nez de bonbon et de litchi, sa fraîcheur et sa finale acidulée, celui-ci s'accordera avec de la charcuterie et du poulet épicé. Le **rouge Longeroies Vieilles Vignes 2011 (15 à 20 € ; 10 000 b.)** obtient lui aussi une étoile pour son nez de fruits noirs mûrs et pour son palais bien construit, tout en finesse, aux tanins fins et soyeux. Même note pour le **rouge Clos du Roy 2011 (15 à 20 € ; 12 000 b.)**, un des *climats* les plus réputés de l'appellation et une autre valeur sûre du domaine. Moins concentré que la cuvée 2010 présentée l'an dernier, il mise sur la séduction immédiate de ses arômes de fruits rouges bien épanouis et sur l'équilibre de sa bouche ronde et fraîche. Quant au **blanc Clos du Roy 2011 (11 à 15 € ; 3 000 b.)**, c'est un vin rond et gourmand aux arômes de fruits jaunes et de miel, et au boisé très appuyé : une citation.

☛ Dom. Régis Bouvier, 52, rue de Mazy, 21160 Marsannay-la-Côte, tél. 03 80 51 33 93, fax 03 80 58 75 07, dom.reg.bouvier@hotmail.fr, ☑ ⚘ ☔ r.-v.

CHANSON 2011 ★

◼	n.c.	◉◉	15 à 20 €

La célèbre maison beaunoise a élevé partiellement en fût ce marsannay frais et pimpant, au nez de cassis, de framboise et de groseille. Le fruit est encore très présent en bouche, alors que le boisé n'apparaît qu'en finale, à travers quelques notes grillées. Les tanins déjà soyeux permettront de déboucher cette bouteille dès 2014, sur une noisette de chevreuil ou sur un brie crémeux par exemple. On pourra la garder deux ou trois ans.

☛ Chanson Père et Fils, 10, rue Paul-Chanson, 21200 Beaune, tél. 03 80 25 97 97, fax 03 80 24 17 42 ☑ ⚘ ☔ r.-v.

DOM. PHILIPPE CHARLOPIN En Montchenevoy 2010 ★★

◼	n.c.	◉◉	20 à 30 €

Philippe Charlopin, aujourd'hui rejoint par son fils Yann, a agrandi le domaine familial, qui possède des parcelles jusqu'en Chablisien. Mieux, il en a fait une référence, non seulement pour les vins de Gevrey, commune où il est installé, mais aussi pour les marsannay rouges dont il fait de grands vins – notamment ceux de ce *climat* réputé –, qui ont quatre coups de cœur à leur actif, dans des millésimes aussi différents, par exemple, que 2007 et 2009. Le 2010 frôle cette distinction. Le jury a été séduit par son nez frais, ouvert, facile et pourtant profond, sur le cassis et la feuille froissée, avec un léger grillé. Rond en attaque, le palais se montre charnu et étoffé, étayé par des tanins déjà soyeux ; la finale très persistante est marquée par un retour des fruits noirs. Une bouteille de garde (cinq ans et plus) qui gagnera à rester deux ou trois ans en cave pour que son boisé s'estompe.

☛ Dom. Philippe Charlopin, 18, rte de Dijon, 21220 Gevrey-Chambertin, tél. 06 29 71 12 05 ☑ ⚘ ☔ t.l.j. sf dim. lun. 10h-19h (au Roupnel, 33, rue des Baraques)

HERVÉ CHARLOPIN Clos du Roy 2011 ★

◼	5 300	◉	8 à 11 €

Hervé Charlopin cultive près de 8 ha, notamment en fixin et en marsannay. Un petit hectare (91 ares) d'un des *climats* les plus réputés de l'appellation, bénéficiant d'une bonne exposition et de sols de graviers bien drainants, nous vaut cette belle bouteille. Un peu fermé, ce 2011 libère des parfums vifs de framboise, de cassis et de groseille, teintés de minéralité, de poivre et d'un léger boisé. Frais et fruité en attaque, il offre une belle mâche et une matière ample et élégante. Il se gardera cinq ans et gagnera à rester en cave jusqu'en 2015.

☛ Hervé Charlopin, 5, rue des Avoines, 21160 Marsannay-la-Côte, tél. 09 50 64 12 69, fax 03 80 51 44 49, charlopin.herve@free.fr, ☑ ⚘ ☔ r.-v.

DOM. COLLOTTE Le Clos de jeu 2011 ★

◼	4 000	◉◉	11 à 15 €

Philippe Collotte s'est formé sur le tas, sur l'exploitation familiale, où il a travaillé dès l'âge de seize ans. Le domaine a son siège à Marsannay, et les vins de cette AOC sont régulièrement au rendez-vous du Guide, notamment ceux de ce *climat*. Ce lieu-dit est situé au cœur de l'appellation, sur le coteau central dominant le village. Le vin offre le rubis profond typique du pinot noir. Discrètement fruité au nez, il séduit par sa matière ronde, équilibrée par une belle vivacité. Un vin friand, bientôt prêt, à boire dans les quatre ou cinq ans. Plus vif, le **rouge 2011 Champs Salomon (4 400 b.)** inspire confiance, bien qu'il apparaisse assez fermé et austère. On l'attendra deux ou trois ans.

☛ Dom. Collotte, 44, rue de Mazy, 21160 Marsannay-la-Côte, tél. 03 80 52 24 34, fax 03 80 58 74 40, domaine.collotte@orange.fr, ☑ ☔ r.-v.

DOM. DECELLE-VILLA Les Longeroies 2011 ★

◼	3 000	◉◉	15 à 20 €

La structure créée par Olivier Decelle (également propriétaire du Mas Amiel en Roussillon et de crus du Libournais) et par Pierre-Jean Villa (vigneron en côte-rôtie et en saint-joseph) prend ses marques dans le Guide. Les deux associés se sont intéressés aux Longeroies, l'un des *climats* de Marsannay les plus prisés. Ils signent un 2011 au nez élégant et fin de griotte, de kirsch et de fruits noirs mûrs. L'attaque dévoile une bouche étonnamment tendre, souple et veloutée. La finale épicée est soutenue par des tanins encore vifs. Misant sur la finesse, ce marsannay pourra sortir de cave dans deux ans. Il formera un bel accord avec de l'agneau grillé.

☎ Decelle-Villa, 3, rue des Seuillets, 21700 Nuits-Saint-Georges, tél. 03 80 53 74 35, contact@decelle-villa.com

DEREY FRÈRES 2011

	3 500	■ ①	11 à 15 €

Exploitant aussi les derniers vignobles de la ville de Dijon, Pierre Derey est établi à Couchey, l'une des communes de l'appellation marsannay. Cette année, les jurés ont cité son blanc – une couleur minoritaire dans l'appellation. Ce 2011 n'a séjourné que partiellement et brièvement (six mois) en fût, si bien que son boisé est assez ténu. Le nez, d'abord vineux, s'ouvre sur des fragrances d'acacia légèrement miellées, assorties d'une touche de noisette. Ronde et beurrée en attaque, la bouche est vivifiée par des impressions acidulées. La belle finale est légèrement toastée. Une bouteille équilibrée et franche, à servir dans les trois ou quatre ans sur une viande blanche ou sur un poisson au four.

☎ Derey Frères, 1, rue Jules-Ferry, 21160 Couchey, tél. 03 80 52 15 04, fax 03 80 58 76 70, derey-freres@wanadoo.fr, ☑ ⱂ r.-v.

♥ Ⓑ DOM. JEAN FOURNIER Les Longeroies 2011 ★★

	6 100	①	15 à 20 €

MARSANNAY
LES LONGEROIES

Domaine Jean Fournier
VIGNERON À MARSANNAY LA CÔTE . CÔTE D'OR . FRANCE

Parmi les coups de cœur, il en est que l'on voyait venir depuis longtemps. Ceux-ci – car Laurent Fournier en décroche deux – relèvent de cette catégorie. Ils reflètent un travail de fond (passage en bio en 2008, taille en cordon de Royat, effeuillage manuel...). Le jeune vigneron évite la surextraction et les maturités extrêmes, préférant exprimer le potentiel du terroir et du millésime. À la cave, il module la part de vendanges entières et l'élevage selon les terroirs et utilise des demi-muids de 600 l. La dégustation de ces rouges 2011 confirme l'intérêt de cette démarche : tous dévoilent des qualités d'authenticité et de finesse. Ces Longeroies s'annoncent par un nez très avenant, tout en petits fruits (framboise, groseille, fruits noirs), souligné d'un agréable boisé ; le fruité est relayé jusqu'en finale par une matière friande, fraîche et longue. Un vin sans artifices. Autre coup de cœur, le **rouge 2011 cuvée Saint-Urbain (11 à 15 € ; 18 000 b.)** ♥ affiche une complexité naissante dans ses parfums de mûre et de cerise vanillée. Plus vineux et ample en bouche que le précédent, il bénéficie d'une belle trame acide qui prolonge son fruité et laisse le souvenir d'une réelle élégance. Quant au **rouge 2011 Clos du Roy (6 100 b.)**, il obtient une belle étoile pour son extraction soignée, pour sa vivacité, son potentiel et pour son boisé grillé bien marié ; même note pour le **rouge 2011 Es Chezots (2 200 b.)**,

un vin de plaisir d'une belle finesse. Quatre vins bientôt prêts (2014-2015), en offrant un potentiel intéressant (cinq ans, voire plus pour les deux premiers).

☎ Dom. Jean Fournier, 29, rue du Château, 21160 Marsannay-la-Côte, tél. 03 80 52 24 38, fax 03 80 52 77 40, contact@domaine.fournier.com, ☑ ⱂ ⱂ r.-v.

JÉRÔME GALEYRAND Combe du Pré 2011 ★

	n.c.		15 à 20 €

Installé depuis une dizaine d'années à Gevrey-Chambertin, Jérôme Galeyrand cultive des parcelles dans une demi-douzaine d'appellations de la Côte de Nuits. En marsannay, cette Combe du Pré n'est pas une inconnue de nos lecteurs. Le jury a apprécié le 2011 pour son nez pimpant de cassis et de myrtille, souligné d'une touche de boisé grillé et fumé. La bouche ne déçoit pas, ample et veloutée, étayée par des tanins gras et mûrs, un peu plus austères en finale. Certains dégustateurs voient déjà ce vin à table, sur une côte de bœuf à la moelle. Pour l'apprécier à son optimum, mieux vaut l'attendre trois ans.

☎ Jérôme Galeyrand, 16, rue de Gevrey, Saint-Philibert, 21220 Gevrey-Chambertin, tél. 06 61 83 39 69, fax 03 80 34 39 69, jerome.galeyrand@wanadoo.fr, ☑ ⱂ ⱂ r.-v.

ALAIN GUYARD Les Etales 2011

	3 244	①	8 à 11 €

À la tête de l'exploitation familiale depuis plus de trente ans, Alain Guyard, établi à Marsannay, pratique l'appellation communale dans ses trois couleurs. Cette année, le jury a bien aimé ce blanc, qui provient d'un *climat* proche du village. Un chardonnay au nez acidulé, mêlant le bonbon et le fruit blanc à des touches minérales et à un léger grillé. On retrouve le fruit blanc dans une bouche vive et fraîche. Pour un poisson à la crème, dès maintenant. Également cité, le **rouge 2010 Charme aux prêtres (11 à 15 € ; 3 828 b.)**, à la fois souple et vif, est marqué par ses dix-huit mois de fût. On l'ouvrira lui aussi prochainement, sur des terrines ou des grillades.

☎ Alain Guyard, 10, rue du Puits-de-Têt, 21160 Marsannay-la-Côte, tél. 03 80 52 14 46, fax 03 80 52 67 36, domaine.guyard@orange.fr, ☑ ⱂ ⱂ t.l.j. sf dim. 8h-12h 13h30-19h

OLIVIER GUYOT La Montagne 2011

	4 500	①	15 à 20 €

Ce vigneron exploite plusieurs parcelles de vieilles vignes dans sa commune de Marsannay. Les plants les plus âgés sont ces pinots noirs perchés sur les hauteurs du village, dans un petit *climat* proche de Chenôve bien nommé la Montagne, exposés plein sud et rafraîchis par le courant d'air en provenance de la Combe du Pré. Ils ont engendré un 2011 qui s'ouvre à l'aération sur la cerise, les épices et le grillé. On retrouve le grillé dans une bouche équilibrée et fraîche, dont les tanins fermes suggèrent une petite garde (deux ou trois ans). On laissera le même temps en cave le **rouge 2011 Vieilles Vignes (11 à 15 € ; 6 000 b.)** : un vin fermé, épicé, suffisamment structuré et vif pour donner une bonne bouteille au vieillissement.

☎ Dom. Olivier Guyot, 39, rue de Mazy, 21160 Marsannay-la-Côte, tél. 03 80 52 39 71, fax 03 80 51 17 58, contact@domaineguyot.fr, ☑ ⱂ ⱂ r.-v.

HUGUENOT Champs Perdrix 2011 ★

| | 12 000 | | 15 à 20 € |

Philippe Huguenot appartient à l'une des plus vieilles familles de Marsannay. C'est aussi l'une des valeurs sûres de cette partie nord de la Côte de Nuits, qui collectionne les coups de cœur. Une distinction que le remarquable *climat* Champs Perdrix a obtenue pour ses millésimes 2007 et 2006. Le vigneron exploite 2,5 ha sur ce terroir en forte pente, exposé plein sud, voisin de Fixin – peut-être un futur 1er cru. Le 2011 présente un nez élégant, discrètement fruité, et une bonne matière, équilibrée et souple, qui permettra une dégustation dans un an. À noter que le domaine est en conversion bio.

🕿 Dom. Huguenot, 21160 Marsannay-la-Côte,
tél. 03 80 52 11 56, fax 03 80 52 60 47,
domaine.huguenot@wanadoo.fr, ☑ 🕴 ⟊ r.-v.

GHISLAIN KOHUT 2010

| | 6 000 | | 5 à 8 € |

À la tête du petit domaine familial (moins de 2 ha), Ghislain Kohut aime les vins « simples et sans chichis ». En blanc, il vendange tardivement et évite le levurage ; la moitié du vin est vinifiée et élevée dix-huit mois en fût, l'autre moitié reste le même temps en cuve. Il en résulte un nez élégant mêlant l'acacia, les fruits blancs et des notes d'élevage épicées et fumées, suivi d'une bouche souple sans lourdeur, à la finale fraîche. À déboucher dès l'apéritif.

🕿 Ghislain Kohut, 11, rue Raymond-Poincaré,
21160 Couchey, tél. 03 80 52 99 92,
contact@domaine-kohut.com, ☑ 🕴 ⟊ r.-v.

Ⓑ DOM. SYLVAIN PATAILLE Clos du Roy 2011 ★

| | 15 000 | | 20 à 30 € |

Une des valeurs sûres de Marsannay. Installé en 1999, Sylvain Pataille a réussi à agrandir son domaine (près de 15 ha aujourd'hui) tout en s'engageant dans la voie de l'agriculture biologique. Il excelle à vinifier les rouges, longuement élevés. Issu du *climat* le plus célèbre du village, le Clos du Roy est ici complexe au nez (pivoine, framboise, boisé empyreumatique), tendre, gourmand et charnu en bouche. Sans être d'une extrême concentration, il ne manque pas d'étoffe. On lui laissera le temps de polir sa finale : ce 2011 sera à son optimum à partir de 2016. On le verrait bien avec un paleron de bœuf aux carottes. Issue des plus vieilles vignes de la propriété et élevée deux ans en fût, **L'Ancestrale 2010 rouge (30 à 50 € ; 1 500 b.)** reçut un coup de cœur pour le 2008. Elle offre un nez légèrement boisé et suave, sur les fruits noirs compotés, la cerise macérée et la réglisse. Sa bouche expressive et dense demande elle aussi au moins trois ans pour se fondre. **rouge 2011 Longeroies (5 800 b.)** et le **rouge 2011 Clemengeots (5 000 b.)** sont cités. Ils devraient pouvoir se boire un peu plus tôt.

🕿 Sylvain Pataille, 14, rue Neuve,
21160 Marsannay-la-Côte, tél. 03 80 51 17 35,
domaine.sylvain.pataille@wanadoo.fr, ☑ 🕴 ⟊ r.-v.

Ⓑ DOM. HENRI RICHARD En Larrey 2011 ★

| | 1 500 | | 15 à 20 € |

Représentant la cinquième génération sur le domaine, Richard et Sarah Bastien en ont pris les rênes après le départ à la retraite de Patrick Maroiller. Ce dernier avait obtenu un coup de cœur pour le millésime 2009 de ce *climat* plutôt frais, situé en altitude, au débouché d'une petite combe. Le 2011 présente un nez épanoui sur la framboise et la cerise, avec des notes de tabac. Charnue et ample, évoluant sur des tanins fins et vifs, la bouche pinote elle aussi agréablement. Un vin d'une belle finesse, qui procurera un grand plaisir dans deux ans, servi avec un faux-filet grillé.

🕿 SCE Dom. Henri Richard, 75, rte de Beaune,
21220 Gevrey-Chambertin, tél. 09 62 08 00 17,
fax 03 80 34 35 81, info@domainehenririchard.com,
☑ ⟊ t.l.j. 9h-18h; sam. dim. sur r.-v.; f. 5-20 août
🕿 Bastien

DOM. SIRUGUE Les Champs Perdrix Vieilles Vignes 2011 ★

| | 6 000 | | 8 à 11 € |

Stéphane Brocard, le jeune négociant chablisien, a émigré dans le Sud (entendez... à Dijon !) et distribue les vins de vignerons installés dans toute la Côte. Ici, ce 2011 issu du plus prisé des *climats* de Marsannay, dominant Couchey au sud de l'appellation. Le nez frais mêle les fruits rouges (framboise, griotte) et l'amande. La bouche est souple, ronde, réglissée ; le boisé est discret, sur la vanille. Un joli vin, à servir dans trois à cinq ans.

🕿 Closerie des Alisiers, Parc des Grands-Crus,
60 K, av. du 14-Juillet, 21300 Chenôve, tél. 03 80 52 07 71,
fax 03 80 52 12 89, stephane.brocard@closeriedesalisiers.fr,
☑ r.-v.

♥ DOM. DU VIEUX COLLÈGE Les Clos du Roy 2011 ★★

| | 2 500 | | 15 à 20 € |

Installé en 2006 sur le domaine familial, Éric Guyard exploite plus de 25 ha en conversion bio. Le demi-hectare qu'il cultive sur les illustres Clos du Roy, ancien vignoble des ducs de Bourgogne, lui vaut cette année un coup de cœur. Moins massif que son devancier de 2010 (jugé déjà très réussi), le 2011 emporte l'adhésion. Le nez racé et mûr mêle les fruits rouges macérés, la crème de cassis et un boisé épicé. La bouche apparaît franche, charnue, ample, sans aspérités mais non sans caractère, soutenue par des tanins vifs. Un vin mûr, abouti, même si la finale demande à s'assouplir. On l'attendra deux ans, voire cinq. Accord parfait avec un coq au vin. Le **rouge 2011 Les Longeroies (11 à 15 € ; 4 500 b.)**, équilibré, étoffé, complexe et long, obtient une étoile et devra lui aussi rester en cave ; en revanche, le **blanc 2011 Les Vignes Marie (11 à 15 € ; 170 000 b.)**, un chardonnay opulent, sur le beurre et les fruits jaunes, est prêt à passer à table. Il obtient lui aussi une étoile.

🕿 Dom. du Vieux Collège, 4, rue du Vieux-Collège,
21160 Marsannay-la-Côte, tél. 03 80 52 12 43,
fax 03 80 52 95 85, jp-eric.guyard@wanadoo.fr, ☑ ⟊ r.-v.
🕿 Éric Guyard

BOURGOGNE

Fixin

Superficie : 95 ha
Production : 3 960 hl (95 % rouge)

Après avoir admiré les pressoirs des ducs de Bourgogne à Chenôve et dégusté le marsannay, on rencontre Fixin, qui donne son nom à une AOC où l'on produit surtout des vins rouges. Les fixin sont solides, charpentés, souvent tanniques et de bonne garde. Ils peuvent également revendiquer, au choix, à la récolte, l'appellation côte-de-nuits-villages.

Les *climats* Hervelets, Arvelets, Clos du Chapitre et Clos Napoléon, tous classés en 1ers crus, sont parmi les plus réputés, mais c'est le Clos de la Perrière qui en est le chef de file puisqu'il a même été qualifié de « cuvée hors classe » par d'éminents écrivains bourguignons et comparé au chambertin ; ce clos déborde un tout petit peu sur la commune de Brochon. Autre lieu-dit : Le Meix-Bas.

ⓑ DOM. BALLORIN ET F. Les Chenevières 2011

| | 600 | ⅰⅱ | 20 à 30 € |

Voilà huit ans que Gilles Ballorin a créé un domaine (6,3 ha) qu'il cultive en biodynamie. Les petites parcelles s'égrènent le long de la Côte de Nuits et la cave est à Morey-Saint-Denis. Une vigne de 35 ares plantée de vieux pinots est à l'origine de cette microcuvée au nez de cassis ourlé d'un léger boisé et à la bouche nette et ronde, que l'on débouchera d'ici cinq ans.
☛ Dom. Ballorin et F., 17, rue Ribordot, 21220 Morey-Saint-Denis, tél. 03 80 41 85 48, domaineballorin@orange.fr, ☑ ⚶ ⵙ t.l.j. 8h-12h 14h-18h

DOM. BART Hervelets 2011 ★

| ■ 1er cru | 8 000 | ⅰⅱ | 20 à 30 € |

Martin Bart et Pierre, son fils, sont installés à Marsannay et exploitent en voisins ce 1er cru, le plus vaste de Fixin. Un *climat* de bon renom dans l'appellation, valeur sûre du domaine, qui leur a valu un coup de cœur dans le solaire millésime 2009. Le 2011 est un vin harmonieux, complexe et mûr, que l'on devrait pouvoir déboucher avant son aîné. La robe rubis montre des reflets violets ; le nez est un panier de fruits rouges et noirs un rien confiturés, et nuancés d'une touche boisée. Souple à l'attaque, la bouche se montre dense et structurée, soutenue par des tanins qui commencent à se fondre. On laissera cette bouteille vieillir deux ans avant de la servir aussi bien avec de la volaille qu'avec du filet de bœuf.
☛ Dom. Bart, 23, rue Moreau, 21160 Marsannay-la-Côte, tél. 03 80 51 49 76, fax 03 80 51 23 43, domaine.bart@wanadoo.fr, ☑ ⚶ ⵙ r.-v.

VINCENT ET DENIS BERTHAUT Les Arvelets 2011

| ■ 1er cru | 4 400 | ⅰⅱ | 20 à 30 € |

Les frères Berthaut dans leurs terres de Fixin, qu'ils défendent avec constance. Ici, un fixin des Arvelets au nez discret de fruits noirs (cassis et mûre), assorti d'un boisé vanillé, à la bouche concentrée et structurée, très tannique,

marquée par un élevage de dix-huit mois dans le chêne (avec 20 % de fûts neufs). Derrière le bois, on sent beaucoup de vin. Le tout est sérieux, encore massif : le style de la maison. Cela vieillira bien : quatre ou cinq ans au moins.
☛ Denis Berthaut, 9, rue Noisot, 21220 Fixin, tél. 03 80 52 45 48, fax 03 80 51 31 05, denis.berthaut@wanadoo.fr,
☑ ⚶ ⵙ t.l.j. sf dim. 9h-12h 14h-18h; f. jan.

HERVÉ CHARLOPIN 2011

| | 7 900 | ⅰⅱ | 11 à 15 € |

Hervé Charlopin a monté sa cave en 1996 ; il exploite aujourd'hui un petit domaine de 7,71 ha, qu'il agrandit petit à petit. Les lecteurs fidèles connaissent ses marsannay et ses fixin. Dans une robe d'un pourpre intense et jeune à reflets violines, ce 2011 offre un nez franc et plaisant, sur la cerise et le kirsch. La bouche est structurée et dominée par le boisé, même si le fruit perce sous le fût. Un peu stricte et ferme, elle appelle une garde de trois ans.
☛ Hervé Charlopin, 5, rue des Avoines, 21160 Marsannay-la-Côte, tél. 09 50 64 12 69, fax 03 80 51 44 49, charlopin.herve@free.fr, ☑ ⚶ ⵙ r.-v.

DOM. COLLOTTE Les Crais de Chêne
Cuvée Vieilles Vignes 2011 ★

| | 1 800 | ⅰⅱ | 15 à 20 € |

Ce vigneron de Marsannay a porté la superficie du domaine familial de 3 à 13 ha et enrichi sa gamme en proposant des appellations communales – comme le fixin, qui lui a valu un coup de cœur pour le 2009 de cette même cuvée provenant d'un *climat* situé à l'est du village. Le 2011 mise sur l'élégance, même si la bouche ne manque pas d'étoffe. Le nez évoque les petits fruits du jardin (framboise, griotte et fraise), avec un élégant boisé toasté. Après une attaque fine et charnue, la bouche se montre plus stricte, et les tanins s'affirment, mais sans dureté. Tendue, presque minérale, cette cuvée est faite pour la garde. À déboucher sans hâte à partir de 2015.
☛ Dom. Collotte, 44, rue de Mazy, 21160 Marsannay-la-Côte, tél. 03 80 52 24 34, fax 03 80 58 74 40, domaine.collotte@orange.fr, ☑ ⵙ r.-v.

MICHEL DEFRANCE 2011

| | 9 000 | ⅰⅰⅱ | 8 à 11 € |

Le dernier millésime de Michel Defrance, vigneron à Fixin, retraité depuis. Un 2011 rubis, frais, fruité et léger au nez. La bouche est du même style, nette, franche et facile, avec son fruité direct et sa finale déjà bien ronde. Pour un coq au vin ou des fromages, tels que le chaource ou le brie, dès maintenant.
☛ Michel Defrance, 38-50, rte des Grands-Crus, 21220 Fixin, tél. et fax 03 80 52 84 67, defrance.michel@wanadoo.fr, ☑ ⚶ ⵙ r.-v. 🏠 ❷

DOM. GUY ET YVAN DUFOULEUR Clos du Chapitre 2010

| ■ 1er cru | 10 000 | ⅰⅰⅱ | 30 à 50 € |

La famille Dufouleur possède une maison de négoce à Nuits-Saint-Georges (Dufouleur Père et Fils) et des vignes familiales (partagées un temps entre Guy et son fils Yvan, puis regroupées en 2007). Depuis le décès de Guy en 2013, Yvan assure la direction de toute l'exploitation, dont ce Clos du Chapitre, monopole du domaine, est le fleuron : une parcelle de 4,78 ha de pinot noir ceinte de murs en pierre sèche. Le vigneron en a tiré ce vin au nez fruité et toasté, sur les fruits noirs et le moka, suave et élégant en bouche. On l'appréciera dans trois ans avec une terrine de gibier ou avec un pâté en croûte.

☞ Dom. Guy et Yvan Dufouleur, 17, rue Thurot, 21700 Nuits-Saint-Georges, tél. 06 13 27 15 59, fax 03 80 62 31 00, gaelle.dufouleur@21700-nuits.com, ☑ ☩ ⊥ r.-v.

JÉRÔME GALEYRAND Champs des charmes 2011 ★

	n.c.	20 à 30 €

Jérôme Galeyrand s'est installé en 2002 à Gevrey-Chambertin. Avec ce 2011 produit sur un *climat* aux sols riches en argiles, situé à l'est du village, il est resté fidèle à son style incisif, privilégiant les vins énergiques et tanniques. Le nez frais s'ouvre sur les fruits rouges et noirs, framboise et cassis, que l'on retrouve à la mise en bouche. Il annonce un palais vineux et étoffé reposant sur une trame de tanins fins et vifs, qui n'en laisse pas moins en finale une impression d'élégance. À oublier trois ans en cave et à carafer avant le service.

☞ Jérôme Galeyrand, 16, rue de Gevrey, Saint-Philibert, 21220 Gevrey-Chambertin, tél. 06 61 83 39 69, fax 03 80 34 39 69, jerome.galeyrand@wanadoo.fr, ☑ ☩ ⊥ r.-v.

DOM. PIERRE GELIN 2010 ★

	7 300	⅏	15 à 20 €

Pierre-Emmanuel Gelin représente la troisième génération sur ce domaine fondé en 1925 par Pierre Gelin. La plus grande partie des 13,5 ha de vignes de l'exploitation est implantée à Fixin. Autant dire que l'on a affaire à un spécialiste de l'appellation. Ce *village* est issu d'un assemblage de plusieurs parcelles bien réparties dans la commune. Intense au nez, il mêle les fruits noirs et la cerise à des notes épicées et boisées, souvenirs d'un séjour de vingt-deux mois en fût. Souple en attaque, franc et net au palais, il finit sur des tanins marqués : à laisser vieillir deux ans.

☞ Dom. Pierre Gelin, 22, rue de la Croix-Blanche, 21220 Fixin, tél. 03 80 52 45 24, info@domaine-pierregelin.fr, ☑ ☩ ⊥ t.l.j. sf dim. 9h-12h 14h-18h; sam. sur r.-v.

ALAIN GUYARD Les Chenevières 2010

	2 033	⅏	11 à 15 €

Installé à Marsannay, Alain Guyard figure fréquemment dans le Guide pour des vins de cette appellation. Il cultive aussi dans le village voisin de Fixin une parcelle en Chenevières, *climat* situé à l'est du village, dont les vins ont été plus d'une fois distingués. Le millésime 2010 mêle au nez la cerise, le sous-bois et le boisé de l'élevage (dix-huit mois de fût). On retrouve le fruit en attaque au sein d'une matière souple et ronde, avant l'entrée en scène de tanins boisés. Ceux qui apprécient ces saveurs de merrain pourront ouvrir cette bouteille prochainement, les autres l'attendront au moins deux ans.

☞ Alain Guyard, 10, rue du Puits-de-Têt, 21160 Marsannay-la-Côte, tél. 03 80 52 14 46, fax 03 80 52 67 36, domaine.guyard@orange.fr, ☑ ☩ ⊥ t.l.j. sf dim. 8h-12h 13h30-19h

HUGUENOT Petits Crais 2011 ★

	14 000	⅏	15 à 20 €

Quelques chiffres pour résumer ce domaine : dix générations d'exploitants, 23 ha, huit coups de cœur ; par conséquent, une valeur sûre de la Côte de Nuits, par ailleurs en conversion bio. Ces Petits Crais, dont le nom

suggère des sols caillouteux, avaient été couronnés dans le millésime 2009. Le 2011 affiche une robe profonde ; son nez, encore fermé, montre une complexité naissante dans ses parfums mêlant fruits rouges mûrs, voire confiturés, réglisse et fin boisé. Souple et suave en attaque, la bouche repose sur des tanins fins, plus fermes en finale. Fraîche et longue, elle laisse présager une bonne garde (cinq ans).

☞ Dom. Huguenot, 21160 Marsannay-la-Côte, tél. 03 80 52 11 56, fax 03 80 52 60 47, domaine.huguenot@wanadoo.fr, ☑ ☩ ⊥ r.-v.

Ⓑ ARMELLE ET JEAN-MICHEL MOLIN 2011

	3 200	⅏	11 à 15 €

Armelle et Jean-Michel Molin ont créé en 1987 ce domaine, qui couvre aujourd'hui 6,3 ha. Après l'arrivée de leur fils Alexandre (en 2004) sur l'exploitation, la conversion bio a été engagée. La dernière édition avait vu la propriété décrocher un double coup de cœur (millésimes 2009 et 2010). Avec le 2011, plus délicat, celle-ci tire son épingle du jeu en obtenant une citation. Ce *village* séduit par ses jolis parfums de fruits rouges compotés assortis de touches florales et épicées. La bouche, bien construite, fraîche et assez longue, renoue avec les épices en finale. On débouchera cette bouteille dans trois ans. Le 1ᵉʳ cru Les Hervelets 2010 (20 à 30 € ; 1 000 b.) est moins expansif, mais il offre une matière prometteuse.

☞ Dom. Armelle et Jean-Michel Molin, 54, rte des Grands-Crus, 21220 Fixin, tél. 03 80 52 21 28, domaine.molin@wanadoo.fr, ☑ ☩ ⊥ r.-v.

GÉRARD SEGUIN La Place 2011 ★

	3 000	⅏	11 à 15 €

À la fin du XIXᵉ s., Alexis Seguin a été l'un des premiers en Bourgogne à greffer des vignes sur des plants américains. À partir de 1950, la famille a commencé à agrandir son domaine, parcelle après parcelle, et, avec Gérard, a débuté la mise en bouteilles. Cette vigne de 55 ares du *climat* La Place, à Fixey, est une acquisition récente (2006), qui coïncide avec l'installation de Jérôme. Élevé pour partie en fûts neufs, ce vin n'est pas écrasé par le bois, mais laisse percer les petits fruits rouges et noirs. La bouche est équilibrée, savoureuse et tannique sans excès. À découvrir dès 2014, et dans les cinq années suivantes.

☞ Gérard Seguin, 11-15, rue de l'Aumônerie, 21220 Gevrey-Chambertin, tél. 03 80 34 38 72, fax 03 80 34 17 41, domaine.gerard.seguin@wanadoo.fr, ☑ ☩ ⊥ r.-v.

DOM. DU VIEUX COLLÈGE
Les Champs des Charmes 2011 ★

	7 500	⅏	11 à 15 €

En 2010, quatre ans après son installation, Éric Guyard a engagé la conversion bio de ce domaine familial d'une superficie non négligeable : plus de 25 ha. Cette année, deux de ses fixin aux qualités proches se sont joliment placés dans le Guide. Celui-ci « gagne » une étoile par rapport au millésime précédent. Son nez se partage entre les fruits rouges mûrs, la myrtille et un boisé toasté assez marqué. En bouche, ce vin offre comme son aîné une matière dense et puissante, bien équilibrée, un peu ferme et marquée par le fût en finale. Le rouge 2011 Vieilles Vignes (15 à 20 € ; 3 000 b.) reçoit également une étoile. Déjà expressif, fruité et boisé, il offre lui aussi la structure, la chair et la puissance d'un vin de garde, avec

BOURGOGNE

de la fraîcheur et de l'énergie. Deux bouteilles à garder trois ans en cave.

🍾 Dom. du Vieux Collège, 4, rue du Vieux-Collège, 21160 Marsannay-la-Côte, tél. 03 80 52 12 43, fax 03 80 52 95 85, jp-eric.guyard@wanadoo.fr, ☑ ⏐ r.-v.
🍾 Éric Guyard

Gevrey-chambertin

Superficie : 410 ha
Production : 17 280 hl

Au nord de Gevrey, trois appellations communales sont produites sur la commune de Brochon : fixin sur une petite partie du Clos de la Perrière, côte-de-nuits-villages sur la partie nord (lieux-dits Préau et Queue-de-Hareng) et gevrey-chambertin sur la partie sud. En même temps qu'elle constitue l'appellation communale la plus importante en volume, la commune de Gevrey-Chambertin abrite des 1ers crus tous plus grands les uns que les autres. La combe de Lavaux sépare la commune en deux parties. Au nord, on trouve, entre autres *climats*, les Évocelles (sur Brochon), les Champeaux, la Combe aux Moines (où allaient en promenade les moines de l'abbaye de Cluny qui furent au XIIIes. les plus importants propriétaires de Gevrey), les Cazetiers, le Clos Saint-Jacques, les Varoilles, etc. Au sud, les crus sont moins nombreux, presque tout le coteau étant en grand cru ; on peut citer les *climats* de Fonteny, Petite-Chapelle, Clos-Prieur, entre autres. Les vins de cette appellation sont solides et puissants dans le coteau, élégants et subtils dans le piémont. À ce propos, il convient de répondre à une rumeur erronée selon laquelle l'appellation gevrey-chambertin s'étendrait jusqu'à la ligne de chemin de fer Dijon-Beaune, dans des terrains qui ne le mériteraient pas. Cette information, qui fait fi de la sagesse des vignerons de Gevrey, nous donne l'occasion d'apporter une explication : la Côte a été le siège de nombreux phénomènes géologiques, et certains de ses sols sont constitués d'apports de couverture, dont une partie a pour origine les phénomènes glaciaires du quaternaire. La combe de Lavaux a servi de « canal », et à son pied s'est constitué un immense cône de déjection dont les matériaux sont semblables à ceux du coteau. Dans certaines situations, ils sont simplement plus épais, donc plus éloignés du substratum. Essentiellement constitués de graviers calcaires plus ou moins décarbonatés, ils donnent ces vins élégants et subtils dont nous parlions précédemment.

DOM. CHARLES AUDOIN 2010 ★

| ■ | 1 800 | ⏐⏐ | 20 à 30 € |

Si ce vigneron de Marsannay figure dans le Guide surtout – et en bonne place – pour les vins de son appellation, il exploite aussi des terres dans des communes proches, comme à Gevrey-Chambertin où une parcelle de 41 ares plantée de pinots d'un demi-siècle est à l'origine de ce vin consistant et prometteur. Le nez vanillé porte l'empreinte d'un élevage sous bois (20 % de fût neuf), mais les fruits noirs percent sous la barrique au deuxième nez et en rétro-olfaction. Après une attaque franche et ample, les tanins prennent le dessus : on laissera cette bouteille vieillir deux ou trois ans pour permettre à sa finale aujourd'hui stricte de s'arrondir. Bel accord en perspective avec du gibier à plume.

🍾 Dom. Charles Audoin, 7, rue de la Boulotte, 21160 Marsannay-la-Côte, tél. 03 80 52 34 24, fax 03 80 58 74 34, domaine-audoin@wanadoo.fr, ☑ ⚹ ⏐ r.-v.

JEAN BOUCHARD 2010

| ■ | 21 900 | ⏐⏐ | 20 à 30 € |

Fondée par Jean Bouchard au début du XXes., la maison est devenue une marque de négoce. Ce gevrey 2010 affiche une robe grenat et un nez intense alliant grillé et petits fruits noirs. On retrouve la torréfaction dans une bouche puissante, déjà harmonieuse. Les tanins enrobés permettront d'ouvrir cette bouteille dès 2014-2015. On pourra aussi la garder quelques années.

🍾 Maison Jean Bouchard, 6 bis, bd Jacques-Copeau, 21200 Beaune, tél. 03 80 24 37 37, fax 03 80 24 37 38

PHILIPPE BOUCHARD 2011 ★

| ■ | 14 900 | ⏐⏐ | 20 à 30 € |

Marque du groupe Corton André. Un vin de négoce vinifié par Ludivine Griveau et convaincant tout au long de la dégustation. L'œnologue et maître de chai de Corton André a suivi jusqu'aux vendanges les parcelles (2,82 ha) à l'origine de cette bouteille. La robe grenat est profonde ; le nez mêle le pinot – cerise mûre et pointe de cassis – à des notes de tabac blond et d'épices héritées d'un élevage de seize mois en fût (dont 30 % neufs). La bouche apparaît puissante, nette, ferme, voire austère, la longue finale montrant des tanins vifs. Pour une côte de bœuf, mais pas avant trois ans.

🍾 Philippe Bouchard, BP 10, 21420 Aloxe-Corton, tél. 03 80 25 00 00, fax 03 80 26 42 00, contact@philippe-bouchard.com
🍾 SAS Corton André

DOM. PHILIPPE CHARLOPIN
Cuvée Vieilles Vignes 2010 ★★

| ■ | n.c. | ⏐⏐ | 30 à 50 € |

Ce gevrey « a un caractère de chambertin » : voilà un beau compliment... Du bourgogne d'appellation régionale aux grands crus, Philippe Charlopin collectionne étoiles et coups de cœur. Ce 2010 ne ternira pas sa réputation. La robe se signale par sa densité. Dans le verre, on respire des parfums intenses et frais de fruits noirs (cassis notamment), puis les nuances vanillées et toastées de l'élevage. En bouche, le vin s'impose par son volume, ses tanins déjà enrobés et par sa finale soulignée d'un fin boisé. Il ne manque pas de réserves et devrait tenir une décennie dans une bonne cave. On serait tenté d'y goûter dès maintenant, mais mieux vaut patienter trois ans : cette bouteille gagnera en expression. On la servira sur des viandes délicates. Un dégustateur suggère même une matelote de poissons.

➤ Dom. Philippe Charlopin, 18, rte de Dijon, 21220 Gevrey-Chambertin, tél. 06 29 71 12 05
☑ ✗ ⍑ t.l.j. sf dim. lun. 10h-19h (au Roupnel, 33, rue des Baraques)

DOUDET-NAUDIN Vieilles Vignes 2011 ★

| ■ | | 1 500 | ⦀ | 20 à 30 € |

Fondé en 1849, ce petit négoce familial propose des cuvées issues de terroirs restreints. Il a tracé son bonhomme de chemin dans le Guide où il est présent chaque année grâce à des vins ambitieux, comme celui-ci, à propos duquel un juré écrit : « Je donnerais bien des 1ers crus pour ce simple *village*. » Issu de vieilles vignes, d'une cuvaison longue et d'un élevage de quinze mois sous bois, avec 20 % de fût neuf, c'est un vin jeune, fermé à double tour. Un soupçon de fruits noirs à l'aération, un palais encore brut, tannique et austère, mais imposant. À oublier cinq ans en cave.
➤ Doudet-Naudin, 3, rue Henri-Cyrot, BP 1, 21420 Savigny-lès-Beaune, tél. 03 80 21 51 74, fax 03 80 21 50 69, doudet-naudin@wanadoo.fr, ☑ ✗ ⍑ r.-v.

JOSEPH DROUHIN 2011 ★

| ■ | | 18 000 | ⦀ | 30 à 50 € |

Cette maison beaunoise est omniprésente dans le Guide, grâce à son vaste domaine et à son envergure. Elle signe ici un vin de négoce d'une belle qualité, qui n'a rien de confidentiel. La robe évoque la cerise noire, fruit que l'on respire aussi dans le verre mêlé de cassis frais et d'autres baies. La bouche confirme le nez, fruitée de l'attaque à la finale, mûre, tannique sans excès, épicée en finale : voilà un gevrey de bonne compagnie, à déguster dans deux ans sur une noisette de chevreuil.
➤ Maison Joseph Drouhin, 7, rue d'Enfer, 21200 Beaune, tél. 03 80 24 68 88, fax 03 80 22 43 14, maisondrouhin@drouhin.com, ☑ ✗ ⍑ r.-v. ⌂ ⓞ

DOM. FAIVELEY La Combe aux Moines 2011

| ■ 1er cru | | 7 335 | ⦀ | 30 à 50 € |

Dirigée par la septième génération, cette maison nuitonne dispose d'un vaste domaine (120 ha, dont 10 ha en grand cru et près de 25 ha en 1er cru). Parmi ces derniers, La Combe aux Moines est un terroir de Gevrey situé en altitude, à près de 400 m. Sans surprise, le vin explore donc plutôt le versant vif et fruité du pinot noir, avec son nez de feuille froissée, de bourgeon de cassis et de fruits rouges. La bouche est charnue, fraîche, et sera à son aise sur une terrine dans trois ans. La nervosité présente permet d'envisager une bonne garde (une dizaine d'années).
➤ Dom. Faiveley, rue du Tribourg, 21700 Nuits-Saint-Georges, tél. 03 80 61 04 55, fax 03 80 62 33 37, contact@bourgognes-faiveley.com

JÉRÔME GALEYRAND Billard 2011

| ■ | | n.c. | | 20 à 30 € |

Le premier millésime en gevrey de Jérôme Galeyrand, un 2002, figurait en bonne place dans le Guide. Le *climat* Billard est situé à la limite nord de Gevrey, sur les bords d'un cône de déjection, ce qui explique la nature caillouteuse des sols. Leur caractère drainant donne des vins bien mûrs. Jérôme Galeyrand confie que Billard représente l'archétype du gevrey qu'il aime : un vin gourmand. Les jurés confirment, à l'aveugle, que ce 2011 répond bien à ce profil, avec son nez tout en petits fruits rouges et noirs, un rien toasté, prélude à une bouche suave, souple à l'attaque, fraîche en finale, aussi fruitée que le nez. À servir dans trois ans – avec un canard à l'orange, selon la suggestion d'un juré.
➤ Jérôme Galeyrand, 16, rue de Gevrey, Saint-Philibert, 21220 Gevrey-Chambertin, tél. 06 61 83 39 69, fax 03 80 34 39 69, jerome.galeyrand@wanadoo.fr, ☑ ✗ ⍑ r.-v.

DOM. DOMINIQUE GALLOIS 2011

| ■ | | 13 000 | ⦀ | 20 à 30 € |

Établi à Gevrey-Chambertin, Dominique Gallois est à la tête d'un domaine de 4 ha où l'on peut trouver toute la hiérarchie bourguignonne, du simple bourgogne au grand cru. Cette cuvée de *village*, qui rassemble une dizaine de parcelles de trente ans d'âge, correspond à la moitié de sa production. Vinifiée dans la cuverie flambant neuve de l'exploitation, elle mêle au nez les fruits noirs, la framboise et des notes boisées. La cerise et les épices s'ajoutent à cette palette dans une bouche encore massive et tannique en finale. On ouvrira ce 2011 à partir de la fin 2014 et on le boira sans hâte sur des viandes rouges.
➤ Dom. Gallois, 9, rue du Mal-de-Lattre-de-Tassigny, 21220 Gevrey-Chambertin, tél. 03 80 34 11 99, fax 03 80 34 38 62 ☑ ✗ ⍑ r.-v.

CAMILLE GIROUD 2010 ★★

| ■ | | 2 997 | ⦀⦀ | 20 à 30 € |

Ce négociant beaunois est un spécialiste des grands crus, notamment de ceux de Gevrey-Chambertin – on se rappelle le coup de cœur décroché par un chambertin 2009. Ici, un gevrey *village* remarquablement réussi, élaboré par David Croix. Le nez, discret mais subtil, mêle les fruits rouges mûrs au grillé du fût. La bouche, ronde et souple en attaque, évolue avec élégance, soutenue par des tanins fins, soyeux et vanillés. La finale laisse le souvenir d'une réelle harmonie. Rond et gourmand, ce gevrey ne manque pas pour autant de profondeur. On serait tenté de le goûter dès maintenant, mais son fruit se révélera pleinement après une garde de deux à trois ans.
➤ Camille Giroud, 3, rue Pierre-Joigneaux, 21200 Beaune, tél. 03 80 22 12 65, fax 03 80 22 42 84, contact@camillegiroud.com, ☑ ⍑ r.-v.

S.C. GUILLARD Aux Corvées Vieilles Vignes 2010 ★

| ■ | | 4 000 | ⦀ | 15 à 20 € |

Le petit domaine de Michel Guillard (4,8 ha à Gevrey-Chambertin) est fidèle au rendez-vous du Guide. Le 1er cru Les Corbeaux 2010 (20 à 30 € ; 3 000 b.), *climat* qui touche les Mazis, est cité. Sa robe sombre aux reflets violets annonce un vin solide, puissant et massif, à attendre trois à cinq ans puis à servir sur un mets fort en goût, un cuissot de chevreuil par exemple. Cette année, c'est le *village* Aux Corvées qui obtient une étoile. Vieilles Vignes ? Plus jeunes que celles des Corbeaux (seulement une soixantaine d'années, contre plus de quatre-vingts...). Un autre vin de garde, comme l'annonce la robe profonde. Le nez, assez complexe, associe la torréfaction et la vanille du fût au cassis, à la cerise et au sous-bois. Après une attaque ronde, on découvre une matière puissante, solide et tendue où les tanins boisés font sentir leur présence jusqu'à la finale réglissée. À déboucher sans hâte à partir de 2015 et à servir sur des pigeons rôtis ou sur un magret.
➤ SCEA Guillard, 3, rue des Halles, 21220 Gevrey-Chambertin, tél. 03 80 34 32 44 ☑ ✗ ⍑ r.-v.

BOURGOGNE

JEAN-MICHEL GUILLON Les Champonnets 2011 ★★

■ 1er cru	4 200	⦀	30 à 50 €

Secondé depuis 2005 par Alexis, Jean-Michel Guillon a débuté en 1980 sur un domaine de 2,5 ha, dont il a porté la superficie à plus de 13 ha répartis dans dix-huit appellations. L'exploitation est une valeur sûre du Guide. Voisins du grand cru Ruchottes, Les Champonnets ont un *climat* d'altitude, assez pentu, situé autour de 280 m, d'exposition est-nord-est. Ils ne « sortent » pas souvent dans le Guide : voici l'occasion de les découvrir, à travers ce vin rouge foncé au nez réglissé et mentholé, qui s'ouvre à l'aération sur les fruits noirs et la prune. Puissant, gras, tendu et long, ce 2011 élevé en fût neuf montre aujourd'hui des tanins un peu abrupts qui suggèrent une garde d'au moins cinq ans. Il fera une grande bouteille que l'on verrait bien sur un filet de bœuf aux morilles.

☛ Jean-Michel Guillon, 33, rte de Beaune, 21220 Gevrey-Chambertin, tél. 03 80 51 83 98, fax 03 80 51 85 59, contact@domaineguillon.com, ☑ ✻ ⟟ r.-v. ⌂ ⓒ

♥ DOM. GUYON Les Platières 2011 ★★

■	2 900	⦀	20 à 30 €

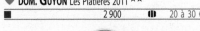

Le domaine Guyon est une valeur sûre du Guide pour ses vins rouges (beaucoup plus nombreux dans sa carte des vins). Jean-Pierre et Michel Guyon ont engagé la conversion bio de leurs 9 ha de vignes réparties dans la Côte de Nuits et dans la partie nord de la Côte de Beaune. Ils ont déjà obtenu une dizaine de coups de cœur ; cinq ont distingué des vins de leur village de Vosne, mais ils vinifient le pinot avec brio d'où qu'il vienne. C'est avec ce gevrey, déjà très réussi dans le millésime précédent, qu'ils sont une fois de plus couronnés. Ils travaillent le raisin en grappes entières : le but est de donner au vin une tension et une dimension supplémentaires, au risque d'obtenir des tanins plus revêches les premières années. Ici, le pari est réussi : le nez, intense, évoque les fruits noirs, et la bouche généreuse pinote elle aussi à merveille, sur des tons de cerise noire et de framboise. Les tanins sont certes un peu sévères en finale, mais leurs arômes de vanille et d'épices douces les rendent plaisants. Le tout vieillira bien pendant cinq ans. Bel accord en perspective avec une canette ou du petit gibier.

☛ EARL Dom. Guyon, 11-16, RD 974, 21700 Vosne-Romanée, tél. 03 80 61 02 46, fax 03 80 62 36 56, domaine.guyon@wanadoo.fr, ☑ ⟟ r.-v.

HARMAND-GEOFFROY 2011 ★★

■	21 000	⦀	20 à 30 €

Fondée à la fin du XIXᵉs., cette exploitation couvre 9 ha et propose essentiellement du vin de la commune réputée où elle est établie : Gevrey, du *village* au grand cru.

Avec trois coups de cœur récents (dont un, l'an dernier, pour un mazis), elle s'inscrit parmi les plus régulières de l'appellation. Ce 2011 est jugé remarquable, et pour un vin de propriété, il n'a rien de confidentiel, car il correspond à près de la moitié de la surface cultivée. Le vigneron dit privilégier le fruit et non le boisé dans ses vins, et c'est justement ce que nos dégustateurs ont aimé dans ce 2011 : la fraîcheur et la délicatesse du pinot noir, qui se traduit au nez par des arômes complexes de cerise, de cassis et de sous-bois, accompagnés par le moka de l'élevage, et en bouche par une structure élégante, fraîche et suave à la fois, qui monte en puissance tout en laissant une impression de finesse. Ce n'est pas tout : la cuvée **Vieilles Vignes 2011 (4 000 b.)** obtient une étoile pour son fruité, son équilibre et pour ses tanins fondus (deux traits de ce vin déjà élu deux fois coup de cœur). Le **1ᵉʳ cru La Perrière 2011 (30 à 50 € ; 1 300 b.)** fait jeu égal. Plus dense, plus tannique et plus boisé, il dévoile lui aussi des qualités d'élégance. Décidément les mêmes descriptifs reviennent, quel que soit le dégustateur : la preuve d'un style bien maîtrisé. Trois vins de garde : les deux premiers attendront deux à trois ans, le dernier cinq ans.

☛ Dom. Harmand-Geoffroy, 1, pl. des Lois, 21220 Gevrey-Chambertin, tél. 03 80 34 10 65, fax 03 80 34 13 72, harmand-geoffroy@wanadoo.fr, ☑ ⟟ r.-v.

DOM. HERESZTYN Vieilles Vignes 2011 ★

■	18 500	⦀	20 à 30 €

Le nom du domaine rappelle l'origine de son fondateur, un ouvrier venu de Pologne dans les années 1930, qui a préféré la viticulture à la mine et qui a fait souche à Gevrey. À présent, Bernard et Stanislas, rejoints par Florence, cultivent 11 ha de vignes en Côte de Nuits, et ils ont plus d'un coup de cœur à leur actif. Ce 2011, après dix-huit mois d'élevage en fût, offre un nez puissant et animal, qui s'ouvre sur des notes de fruits rouges. On retrouve en bouche les fruits rouges (cerise bien mûre et framboise) dès l'attaque, au sein d'une matière ample, tannique sans agressivité. Un vin harmonieux, à boire dans deux ans sur un tournedos ou sur un magret de canard.

☛ Dom. Heresztyn, 27, rue Richebourg, 21220 Gevrey-Chambertin, tél. et fax 03 80 34 13 99, domaine.heresztyn@orange.fr, ☑ ✻ ⟟ r.-v.

HUGUENOT Les Fontenys 2011 ★★

■ 1er cru	2 000	⦀	30 à 50 €

Installé à Marsannay, au nord de Gevrey, Philippe Huguenot obtient régulièrement des palmarès enviables. Cette édition ne fait pas exception : rien qu'en gevrey, trois des vins du domaine reçoivent un excellent accueil. Ce 1ᵉʳ cru Les Fontenys (*climat* jouxtant Les Mazis et Ruchottes), de couleur grenat sombre aux reflets bleutés, mêle au nez la rose et les fruits noirs à la note toastée d'un élevage de dix-huit mois. Souple et suave en attaque, élégant, il n'en offre pas moins la structure, la chair, l'ampleur et la tension d'un vin de garde : il attendra cinq ans, et pourrait voir la prochaine décennie. On laissera en cave deux à quatre ans le *village* **Les Crais 2011 (20 à 30 € ; 15 000 b.)**, qui reçoit la même note. Ce vin possède également une robe profonde, un nez complexe et riche, une bouche charnue, franche et équilibrée, soutenue par une bonne trame tannique dépourvue d'agressivité. De bonne facture, frais mais un peu plus simple et plus court en bouche, le *village* **Vieilles Vignes 2011 (20 à 30 € ;**

3 000 b.) pourra paraître à table vers 2014-2015. Il ne reçoit qu'une étoile... excusez du peu.

☛ Dom. Huguenot, 21160 Marsannay-la-Côte, tél. 03 80 52 11 56, fax 03 80 52 60 47, domaine.huguenot@wanadoo.fr, ▨ ⚔ ⵊ r.-v.

RÉMI JEANNIARD Vieilles Vignes 2011 ★

| ■ | 1 400 | ⫿ | 15 à 20 € |

Rémi Jeanniard a travaillé dix-huit ans aux côtés de son père avant de s'installer sur une partie de la propriété en 2004, et faire aménager cave et cuverie l'année suivante. Son domaine est plus souvent sélectionné pour des appellations de Morey, commune où il est établi. Voici pourtant un très beau gevrey issu d'une parcelle de 23 ares de vignes âgées de soixante-dix ans. Le nez s'ouvre sur les fruits noirs, la framboise, et sur une touche de feuille froissée. Fruitée à l'attaque, charnue, souple et fraîche à la fois, la bouche finit sur une note poivrée. On attendra cette bouteille encore un an pour la servir sur une omelette aux cèpes ou sur un canard aux girolles.

☛ Rémi Jeanniard, 21, rue de Cîteaux, 21220 Morey-Saint-Denis, tél. et fax 03 80 58 52 42, remijeanniard@orange.fr, ▨ ⚔ ⵊ r.-v.

DOM. FRANÇOIS LECLERC Les Corbeaux 2011

| ■ 1er cru | 750 | ⵊ⫿ | 50 à 75 € |

Installé à Gevrey en 2003, François Leclerc exploite 12 ares de ce 1er cru situé au bord de la route des Grands Crus et voisin de Mazis. Le premier nez, très boisé, avec des notes de fumé et de tabac, laisse percer après aération des senteurs de griotte et de fruits noirs. La bouche est étoffée, riche, profonde et assez longue, avec un bon niveau d'acidité et des arômes de fruits rouges. À servir à partir de 2015 et pendant plusieurs années sur du gibier ou sur une viande en sauce. François Leclerc vinifie de longue date avec son père René, qui habite au 27, route de Dijon. Le **Clos Prieur Dom. René Leclerc 2010 (30 à 50 € ; 1 800 b.)** est également tenté, tant pour son nez complexe mêlant le fruit rouge et le cuir que pour sa bouche souple à l'attaque, tendue et étoffée, « bien dans l'appellation ». À attendre deux ans.

☛ François Leclerc, 29 bis, rte de Dijon, 21220 Gevrey-Chambertin, tél. 06 31 05 68 50, francois.leclerc62@sfr.fr, ▨ ⚔ ⵊ t.l.j. 10h-19h: sur r.-v. de déc. à mars

DOM. VINCENT LEGOU 2010 ★

| ■ | 2 200 | ⫿ | 20 à 30 € |

Installé dans les Hautes-Côtes de Nuits, tout près de Nuits-Saint-Georges, Vincent Legou a pris en 2008 la suite de son père sur le domaine familial, qui couvre 11,5 ha entre Gevrey-Chambertin et Beaune, et dont il a engagé la conversion bio. Ses vins ont d'emblée été remarqués. C'est encore le cas de ce gevrey au nez d'abord marqué par la vanille de l'élevage (dix-huit mois de fût) puis libérant des fruits rouges, au palais ample et rond en attaque, puis strict en finale. Avec ses tanins serrés, il a le profil d'un vin de garde à oublier cinq ans en cave, pour qu'il ait le temps de se polir.

☛ Dom. Vincent Legou, hameau de Concœur, 21700 Nuits-Saint-Georges, tél. 03 80 62 53 73, fax 03 80 62 11 47, domaine.vincent.legou@gmail.com, ▨ ⚔ ⵊ r.-v. 🏠 🅞

MICHEL MAGNIEN Seuvrées Vieilles Vignes 2011 ★

| ■ | 8 800 | ⫿ | 30 à 50 € |

Michel Magnien a considérablement agrandi le domaine familial entre 1967 et la fin des années 1980. Son fils Frédéric, qui élabore depuis plus de vingt ans les vins de l'exploitation, dispose de 19 ha. Que ce soit sous le statut de négociant (*voir* Frédéric Magnien) ou comme vigneron (sous l'étiquette de Michel), il s'affirme comme une valeur sûre de la Côte de Nuits. Pas moins de cinquante-trois entrées sous l'étiquette de son père, et neuf coups de cœur ! Parmi ces derniers, le millésime 2005 de ce *climat* des Seuvrées – vaste rectangle de vignes situé sous la RD 974 à la lisière de Morey. Grenat foncé, le 2011 offre un nez intense et surmûri mêlant la framboise et la fraise à un boisé vanillé. Souple, rond et charnu, ce joli *village* pourra passer à table dès l'an prochain, servi sur du bœuf bourguignon.

☛ Dom. Michel Magnien, 4, rue Ribordot, 21220 Morey-Saint-Denis, tél. 03 80 51 82 98, fax 03 80 58 51 76, d-magnien@orange.fr, ▨ ⚔ ⵊ r.-v.

FRÉDÉRIC MAGNIEN Lavaut-Saint-Jacques 2011

| ■ 1er cru | 1 200 | ⫿ | 50 à 75 € |

Après avoir travaillé quatre ans sur le domaine de son père Michel, puis exercé un an dans des vignobles du Nouveau Monde (Californie, Australie) et passé un diplôme d'œnologie à Dijon, Frédéric Magnien a lancé en 1995 sa maison de négoce. Le Guide est témoin de son parcours fulgurant : en une décennie, cinquante entrées, dont trente-deux en grand cru, avec huit coups de cœur ! En gevrey, le palmarès est identique à celui de l'année précédente. Ce 1er cru s'ouvre sur des notes boisées appuyées qui laissent percer à l'aération des parfums de cerise noire, de groseille et de cassis confituré. L'attaque est suave, dans le même registre fruité et boisé, et la bouche fraîche, plus tannique en finale. Le *village* **Vieilles Vignes 2011 (30 à 50 € ; 4 800 b.)** obtient la même note pour ses arômes de fruits rouges et pour son palais rond et plein. Si ces 2011 n'ont pas une grande étoffe, ils satisferont néanmoins ceux qui trouvent les gevrey trop revêches dans leur jeunesse. Les Vieilles Vignes pourront paraître à table dès 2014, et le 1er cru à partir de 2015.

☛ Frédéric Magnien, 26, rte Nationale, 21220 Morey-Saint-Denis, tél. 03 80 58 54 20, fax 03 80 51 84 34, frederic@fred-magnien.com, ▨ ⚔ ⵊ r.-v.

DOM. MAREY La Justice 2011

| ■ | 7 700 | ⵊ⫿ | 15 à 20 € |

Ce domaine familial, qui couvre environ 50 ha et qui a son siège dans les Hautes-Côtes de Nuits, non loin de Nuits-Saint-Georges, est un véritable jardin : en plus du vin (18 ha de vignes), il produit concombres, melons, mâche, tomates, fraises, cerises et pêches de vigne. Né sur un vaste *climat* situé à l'est de la RD 974, ce 2011 s'annonce par un nez de fruits rouges frais typique du pinot noir. La bouche souple et riche dévoile une belle mâche tannique en finale. Pour l'heure un peu rustique, ce *village* ne manque pas de potentiel. On l'attendra au moins deux ans et on le servira sur un civet ou sur un coq au vin.

☛ EARL Dom. Marey, 12-14, rue Gabriel-Bachot, 21700 Meuilley, tél. 03 80 61 12 44, fax 03 80 61 11 31, dommarey@aol.com, ▨ ⚔ ⵊ r.-v.

ⓑ DOM. THIERRY MORTET 2011 ★

| | 15 000 | ▋⊞ | 20 à 30 € |

Thierry Mortet, qui figure souvent dans le Guide, a repris des vignes familiales il y a plus de vingt ans. Il a agrandi son domaine, l'amenant à 7,5 ha aujourd'hui, et l'a converti à l'agriculture biologique à partir de 2007. Il est particulièrement à l'aise sur les terroirs de son village, comme l'attestent les deux vins sélectionnés. Ce *village*, qui représente plus de 40 % de la surface de l'exploitation, s'annonce par un nez séducteur, très fruité, aux nuances de cassis, de framboise et de groseille. Dans le même registre fruité, la bouche se montre souple et franche. La finale vive et tannique appelle deux ans de garde. On attendra le même temps le **Vigne belle 2011** (30 à 50 € ; 4 000 b.), charnu, net et franc ; un joli gevrey, fruité et légèrement boisé, qui se gardera au moins cinq ans.

☛ Dom. Thierry Mortet, 16, pl. des Marronniers, 21220 Gevrey-Chambertin, tél. 03 80 51 85 07, fax 03 80 34 16 80, domainethierrymortet@hotmail.fr, ☑ ⚲ ⟙ r.-v.

NUITON-BEAUNOY Clos du Chapitre Monopole 2011

| ▋ 1er cru | 1 721 | ⊞ | 30 à 50 € |

Fondée en 1957, la Cave des Hautes-Côtes, qui affiche Nuiton-Beaunoy sur ses étiquettes, est la seule coopérative en Côte-d'Or : elle vinifie les 520 ha de ses 115 adhérents. Le 1er cru Clos du Chapitre est un petit *climat* de moins de 1 ha, bien abrité, qu'elle exploite en monopole depuis sa fusion en 1989 avec la cave coopérative de Gevrey-Chambertin. Une exposition est-sud-est et un sol rocheux et pauvre ont engendré ce vin au nez encore retenu, vif et structuré, à servir dans deux ans pour permettre à ses arômes de s'épanouir.

☛ La Cave des Hautes-Côtes, 93, rte de Pommard, 21200 Beaune, tél. 03 80 25 01 00, fax 03 80 22 87 05, contact@cavesdeshautescotes.fr, ☑ ⟙ t.l.j. sf dim. 9h30-12h 14h-18h

OLIVIER GARD 2010

| ▋ | 2 100 | ⊞ | 20 à 30 € |

« Il est plus difficile de réussir un bon hautes-côtes qu'un bon gevrey », déclare Manuel Olivier, qui a un pied dans les deux appellations, et les lecteurs du Guide connaissent d'ailleurs mieux ses hautes-côtes. À Gevrey, le vigneron exploite 35 ares de vignes à 260 m d'altitude, au lieu-dit La Brunelle, sur un sol argileux riche en fer. Il en a tiré ce vin au nez prometteur, encore fermé, discrètement torréfié. La bouche minérale, peu diserte mais harmonieuse, évolue sur des tanins déjà enrobés, plus fermes en finale. Ce 2010 devrait s'ouvrir au cours des deux prochaines années.

☛ Dom. Olivier Gard, 7, rue des Grandes-Vignes, hameau de Corboin, 21700 Nuits-Saint-Georges, tél. 03 80 62 39 33, fax 03 80 62 10 47, contact@domaine-olivier.com, ☑ ⚲ ⟙ t.l.j. sf dim. 9h-12h 14h-19h 🏠 ⓒ

GÉRARD QUIVY Les Évocelles 2011 ★★

| ▋ | 1 500 | ⊞ | 20 à 30 € |

Installé dans une vieille demeure de Gevrey, Gérard Quivy exploite 7 ha de vignes principalement situées dans la commune, et propose toute la hiérarchie bourgui-gnonne, de l'AOC régionale aux grands crus. Cette année, le jury a particulièrement apprécié ces Évocelles, qui proviennent d'un *climat* en altitude. Aussi intense à l'œil qu'au nez, ce 2011 associe un boisé torréfié et des notes de fruits mûrs rappelant la prune. Également marquée par l'élevage, la bouche se montre dense, tannique et longue. Tout est en place pour donner un vin superbe dans trois ans.

☛ Gérard Quivy, 7, rue Gaston-Roupnel, 21220 Gevrey-Chambertin, tél. 03 80 34 31 02, gerard.quivy@wanadoo.fr, ☑ ⚲ ⟙ t.l.j. 9h-12h 14h-18h

ⓑ DOM. HENRI RICHARD Aux Corvées 2010

| ▋ | 4 000 | ⊞ | 20 à 30 € |

Patrick Maroiller, le régisseur du domaine (4,5 ha de vignes certifiées bio), a cédé la place aux petits-enfants d'Henri Richard, Sarah et Richard Bastien. La première est diplômée en commerce international, le second est œnologue. Le tandem devrait développer la mise en bouteilles au domaine (dont la moitié de la production est actuellement vendue en vrac). Il propose ici ce gevrey au nez de fruits noirs, fin et délicat, fruité et souple, qui évoque un chambolle-musigny à un juré. À déboucher dans les quatre ou cinq ans.

☛ SCE Dom. Henri Richard, 75, rte de Beaune, 21220 Gevrey-Chambertin, tél. 09 62 08 00 17, fax 03 80 34 35 81, info@domainehenririchard.com, ☑ ⟙ t.l.j. 9h-18h; sam. dim. sur r.-v.; f. 5-20 août ☛ Bastien

PHILIPPE ROSSIGNOL Les Corbeaux Vieilles Vignes 2010 ★

| ▋ 1er cru | 2 000 | ⊞ | 20 à 30 € |

Philippe Rossignol et son fils Sylvain exploitent 7 ha de vignes partagées entre Gevrey et Fixin, le village voisin. Les dégustateurs ont retenu deux vins, issus l'un comme l'autre de ceps âgés de cinquante ans. Ce 1er cru Les Corbeaux provient de 67 ares d'un *climat* en pente douce situé au bord de la route des Grands Crus. Il s'annonce par un nez de fruits noirs mâtiné d'épices, suivi d'une bouche charpentée, massive, ferme et tannique. À oublier cinq ou six ans en cave. Le 1er cru **Estournelles Saint-Jacques Vieilles Vignes 2010** (1 000 b.), charpenté et strict, doit lui aussi impérativement attendre – au moins deux ans.

☛ Dom. Philippe Rossignol, 61, av. de la Gare, 21220 Gevrey-Chambertin, tél. et fax 03 80 51 81 17, sceaphilipperossignol@hotmail.fr, ☑ ⚲ ⟙ r.-v.

GÉRARD SEGUIN Les Crais 2011

| ▋ | 3 300 | ⊞ | 15 à 20 € |

Parcelle après parcelle, ce domaine s'est agrandi à partir des années 1950. Aujourd'hui, Gérard, Chantal et leur fils Jérôme exploitent 6 ha. Auteur d'un coup de cœur pour un gevrey 2010 issu de très vieilles vignes, Gérard Seguin reçoit cette année une citation pour Les Crais. Ce 2011 offre un nez fruité aux nuances de petits fruits rouges macérés, soulignés d'un léger boisé. Ce boisé s'affirme, sur des notes de caramel, dans une bouche vive. À découvrir sans hâte dans deux ans, et à servir avec des viandes rouges.

☛ Gérard Seguin, 11-15, rue de l'Aumônerie, 21220 Gevrey-Chambertin, tél. 03 80 34 38 72, fax 03 80 34 17 41, domaine.gerard.seguin@wanadoo.fr, ☑ ⚲ ⟙ r.-v.

DOM. **Tortochot** Champerrier Vieilles Vignes 2011

| | 4 000 | | 20 à 30 € |

Après avoir travaillé pendant quinze ans comme contrôleuse de gestion dans diverses entreprises de la région, Chantal Tortochot a souhaité reprendre le domaine familial de Gevrey, dont elle a engagé la conversion bio (troisième et dernière année). Issu de vignes âgées de soixante ans, ce *village* séduit par son nez complexe alliant la cerise, le fruit noir et des notes empyreumatiques (fumée) léguées par l'élevage de dix-huit mois en fût. L'attaque est à la fois nette, franche et suave ; la bouche équilibrée, déjà fondue, finit sur une note vanillée. À servir dans deux ou trois ans sur un pavé de bœuf.

Dom. Tortochot, 12, rue de l'Église,
21220 Gevrey-Chambertin, tél. 03 80 34 30 68,
fax 03 80 34 18 80, contact@tortochot.com,
☑ ⚰ ⚒ r.-v.

DOM. DES **Varoilles** La Romanée 2010 ★

| 1er cru | 4 500 | | 30 à 50 € |

Ce domaine de Gevrey dispose de 10 ha répartis dans de nombreux crus prestigieux de ce village, comme le grand cru charmes-chambertin, ou encore, en 1er cru, le Clos des Varoilles, dont le 2008 a décroché un coup de cœur. Quant à ce Romanée, souvent remarqué, il s'agit d'un petit *climat* de 1 ha jadis planté en blanc, en raison de son altitude (340 m). Le domaine l'exploite en monopole. Les vignes sont exposées plein sud, au-dessus du Clos des Varoilles, et donnent ce vin fort loué pour son nez de mûre et de cassis, mâtiné des nuances vanillées et grillées léguées par un séjour de quinze mois en fût. L'attaque dévoile un vin ample et souple, « sphérique » selon un dégustateur et doté d'une « élégante fermeté ». « Tout ce que l'on attend d'un 1er cru », conclut un autre. Sa rondeur s'accommodera de toutes les viandes et des fromages à pâte molle, dans deux à cinq ans. Frais, fruité et minéral, le *village* **Clos du Meix des Ouches 2010 (20 à 30 € ; 5 000 b.)**, cité, partage avec le précédent des qualités de rondeur et de finesse, en plus léger. On peut déjà l'inviter à sa table.

Dom. des Varoilles, 11, rue de l'Ancien-Hôpital,
et rue de la Croix-des-Champs, 21220 Gevrey-Chambertin,
tél. 03 80 34 30 30, fax 03 80 51 88 99,
contact@domaine-varoilles.com,
☑ ⚰ ⚒ r.-v.
Hammel Cheron

DOM. FABRICE **Vigot** 2011

| | 1 800 | | 20 à 30 € |

En Bourgogne, les terres sont rares et chères ; chaque centiare importe. Fabrice Vigot, qui a constitué son domaine à partir de vignes familiales autour de Vosne-Romanée, exploite 6 ha, 58 ares et 60 centiares répartis dans six appellations. Les terres de Gevrey représentent sa dernière acquisition : 79 ares 68 centiares. De vieilles vignes (soixante ans) qui ont engendré un vin plutôt fringant, au nez acidulé de cerise et de framboise, à la bouche équilibrée, fondue, fraîche et vive en finale. Un ensemble souple et plaisant, à servir dans trois ans sur un canard aux cerises.

Dom. Fabrice Vigot, 20, rue de la Fontaine,
21700 Vosne-Romanée, tél. et fax 03 80 61 13 01,
fabrice.vigot@wanadoo.fr, ☑ ⚰ ⚒ r.-v.

Chambertin

Superficie : 13 ha
Production : 437 hl

Bertin, vigneron à Gevrey, possédant une parcelle voisine du Clos de Bèze et fort de l'expérience qualitative des moines, planta les mêmes ceps et obtint un vin similaire : c'était le « champ de Bertin », d'où Chambertin.

♥ Ⓑ DOM. **Bertagna** 2011 ★★

| Gd cru | 600 | | + de 100 € |

Ce domaine de 21 ha est installé à Vougeot et rayonne sur un splendide patrimoine de cinq grands crus. Il est dirigé depuis 1982 par la famille mosellane Reh, et depuis 1988 par Eva Reh-Siddle. Plus connu des lecteurs pour ses vougeot, et notamment son monopole Clos de la Perrière, il s'impose cette année avec son chambertin, né sur une parcelle de 20 ares. Derrière le grenat soutenu aux reflets vifs de sa robe se dévoile un bouquet intense de feuilles séchées, de fruits rouges, de poivre et de vanille. Suave et rond en attaque, le palais déroule une structure tannique fine et serrée, épaulée par un boisé bien intégré. La finale, longue et fruitée, laisse le souvenir d'un vin d'une réelle élégance, à la fois sûr de lui et délicat. Un chambertin bien dans le ton, que trois à cinq ans de garde, et plus encore, rendront somptueux.

SARL Dom. Bertagna, 16, rue du Vieux-Château,
21640 Vougeot, tél. 03 80 62 86 04, fax 03 80 62 82 58,
contact@domainebertagna.com,
☑ ⚰ ⚒ t.l.j. sf dim. 10h-12h30 13h30-17h30
Eva Reh-Siddle

DOM. PIERRE **Damoy** 2010 ★

| Gd cru | 1 567 | | + de 100 € |

Pierre Damoy est le septième propriétaire en superficie de ce grand cru mythique, dont il exploite 48 ares. Il propose ici un 2010 fidèle à la réputation de son terroir : un nez de cuir et de civette (typique du domaine), une bouche robuste et charpentée. Grosse matière et gros tanins : l'équation est payante et définit un chambertin « napoléonien », qui s'affinera avec le vieillissement (cinq ans de cave, minimum).

Dom. Pierre Damoy,
11, rue du Mal-de-Lattre-de-Tassigny,
21220 Gevrey-Chambertin, tél. 03 80 34 30 47,
fax 03 80 58 54 79, info@domaine-pierre-damoy.com

CAMILLE GIROUD 2010

| ■ Gd cru | 904 | ■ ❙❙❙ | + de 100 € |

Vinificateur de la maison Camille Giroud, réputée pour ses grands crus, David Croix avait obtenu deux étoiles et un coup de cœur l'an passé pour un splendide 2009. Il propose ici un 2010 peu loquace à l'olfaction, laissant poindre des notes de fruits confiturés à l'aération, chaleureux, dense et serré en bouche, sans toutefois manquer de la finesse qui signe les beaux chambertin. À « oublier » en cave trois à cinq ans.

➦ Camille Giroud, 3, rue Pierre-Joigneaux, 21200 Beaune, tél. 03 80 22 12 65, fax 03 80 22 42 84, contact@camillegiroud.com, ☑ ❦ r.-v.

Chambertin-clos-de-bèze

Superficie : 15 ha
Production : 510 hl

Les religieux de l'abbaye de Bèze plantèrent en 630 une vigne dans une parcelle de terre qui donna un vin particulièrement réputé : ce fut l'origine de l'appellation. Les vins de cette aire AOC peuvent également s'appeler chambertin.

DOM. PIERRE DAMOY 2010 ★

| ■ Gd cru | 2 761 | ❙❙❙ | + de 100 € |

Producteur le plus richement doté en surface sur les grands crus de Gevrey-Chambertin, Pierre Damoy possède la plus vaste part du Clos de Bèze avec 5,36 ha, soit un tiers du total. Il en a tiré ce 2010 carminé, au noble nez de boisé, de sous-bois, d'épices et de fruits kirschés. Le palais se montre gras, charnu et concentré. Les tanins sont bien extraits et solidement arrimés, le fruit est « vivant » et la longueur appréciable. Voilà qui annonce un beau vin de garde, que l'on pourra commencer à servir dans quatre ou cinq ans sur un gibier en sauce ou sur un époisses.

➦ Dom. Pierre Damoy,
11, rue du Mal-de-Lattre-de-Tassigny,
21220 Gevrey-Chambertin, tél. 03 80 34 30 47,
fax 03 80 58 54 79, info@domaine-pierre-damoy.com

FRÉDÉRIC MAGNIEN 2011 ★

| ■ Gd cru | 1 000 | ❙❙❙ | + de 100 € |

Vinificateur de talent et fils de Michel, avec lequel il élabore les vins du domaine familial, Frédéric Magnien a créé une affaire de négoce en 1995 : 21 fûts au départ, un millier aujourd'hui. C'est avec sa casquette de négociant qu'il signe son clos-de-bèze. Le 2011 est un vin bien dans le style maison, à la fois puissant et élégant. Il se présente dans une tenue pourpre intense et profonde. Fermé au premier nez, dominé par le merrain, il s'ouvre à l'aération sur des notes de fruits rouges à l'alcool, de violette et d'épices douces. La bouche se montre riche, dense, généreuse, bâtie sur des tanins vigoureux mais fins et sur un noble boisé. Un grand cru au caractère bien trempé comme il se doit, qui s'affinera avec le temps : au moins six à huit ans de garde sont recommandés.

➦ Frédéric Magnien, 26, rte Nationale,
21220 Morey-Saint-Denis, tél. 03 80 58 54 20,
fax 03 80 51 84 34, frederic@fred-magnien.com,
☑ ❦ r.-v.

Autres grands crus de Gevrey-Chambertin

Autour des deux précédents, il y a six autres crus qui présentent des caractères proches. Les conditions de production sont un peu moins exigeantes, mais les vins montrent une solidité, une puissance et une plénitude comparables et offrent des arômes où domine la réglisse. Autant de traits qui permettent généralement de différencier les vins de Gevrey de ceux des appellations voisines : les Latricières, les Charmes, les Mazoyères, qui peuvent également s'appeler Charmes (l'inverse n'est pas possible) ; les Mazis, comprenant les Mazis-Haut et les Mazis-Bas ; les Ruchottes (venant de roichot, lieu où il y a des roches), toutes petites par la surface, comprenant les Ruchottes-du-Dessus (1 ha 91 a 95 ca) et les Ruchottes-du-Bas (1 ha 27 a 15 ca) ; les Griottes, où auraient poussé des cerisiers sauvages ; et enfin, la Chapelle, nom donné par une chapelle bâtie en 1155 par les religieux de l'abbaye de Bèze, rasée lors de la Révolution.

Latricières-chambertin

Superficie : 7 ha
Production : 275 hl

ALEX GAMBAL 2011

| ■ Gd cru | 1 000 | ■ ❙❙❙ | 75 à 100 € |

En 1997, le Bostonien Alex Gambal quitte le secteur de l'immobilier pour s'implanter dans cette Bourgogne qu'il affectionne et lance son affaire de négoce à Beaune. Il exploite aussi un vignoble en propre de 3,5 ha en conversion bio depuis 2010. Issu du négoce, ce latricières représente une parcelle de 17 ares et a été vinifié quinze mois en fût. Il en porte encore aujourd'hui une trace sensible, avec, tout au long de la dégustation, un boisé toasté et épicé marqué. Mais sa matière riche et dense ainsi que ses tanins fermes et solides lui permettront de bien évoluer les cinq à huit prochaines années. Un vin encore en pointillé, mais d'un bon potentiel.

➦ Maison Alex Gambal, 14, bd Jules-Ferry, 21200 Beaune, tél. 03 80 22 75 81, fax 03 80 22 21 66, info@alexgambal.com, ☑ ❦ r.-v.

DOM. CHANTAL REMY 2011

| ■ Gd cru | 1 650 | ■ ❙❙❙ | 75 à 100 € |

À la tête depuis 2009 de son propre domaine, créé à partir des vignes de Louis Remy, Chantal Remy, aujourd'hui rejointe par son fils, exploite près de 57 ares dans ce grand cru. Comme à son habitude, elle a pris le temps pour élever son vin : vingt-deux mois de fût. Elle obtient un 2011 au nez plutôt discret mais fin, aux accents fruités et épicés, relayé par un palais rond et soyeux, aux tanins souples. Un latricières qui joue dans le registre de la légèreté plutôt que dans celui de la puissance, ce qui permettra de l'apprécier sans trop attendre (deux à quatre ans).

☛ H.L.R. Héritière Louis Remy, 1, pl. du Monument, 21220 Morey-Saint-Denis, tél. et fax 03 80 34 32 59, domaine.chantal.remy@orange.fr, ☑ ⚹ ⌈ r.-v.

Chapelle-chambertin

Superficie : 5,5 ha
Production : 175 hl

DOM. PIERRE DAMOY 2010 ★★

	Gd cru	1 990		+ de 100 €

Pierre Damoy possède la part du lion de ce grand cru de 5,49 ha, avec 2,22 à lui seul, soit pas loin de la moitié. Il en a tiré ce vin rubis sombre, au nez de fruits rouges et de cuir, avec cette petite note animale que l'on retrouve parfois dans son chapelle-chambertin. Bien structuré, riche et puissant, long et complexe, c'est un vin ambitieux, en parfait accord avec son terroir. On peut le laisser vieillir au moins cinq à sept ans, avant de se faire plaisir sur un agneau de sept heures.
☛ Dom. Pierre Damoy, 11, rue du Mal-de-Lattre-de-Tassigny, 21220 Gevrey-Chambertin, tél. 03 80 34 30 47, fax 03 80 58 54 79, info@domaine-pierre-damoy.com

DOM. DROUHIN-LAROZE 2011 ★

	Gd cru	1 500		50 à 75 €

Les Drouhin semblent avoir été inspirés par le millésime 2011 avec plusieurs sélections pour des vins issus du négoce familial (Laroze de Drouhin) et de leur domaine, comme ce chapelle-chambertin né de 52 ares de vignes. Élégante, sa robe rubis brillant aux reflets violines donne envie de poursuivre. Et la séduction opère aussi à l'olfaction, discrète mais fine, portée sur les fruits rouges et noirs, la vanille et les épices. La bouche se montre vive et nette, voire crayeuse, et bien structurée. Un vin encore plein de fougue et de jeunesse, respectueux de son terroir et appelé à bien vieillir. À sortir de cave dans cinq ans, pour lui réserver un cuissot de chevreuil aux airelles.
☛ Dom. Drouhin-Laroze, 20, rue du Gaizot, 21220 Gevrey-Chambertin, tél. 03 80 34 31 49, fax 03 80 51 83 70, domaine@drouhin-laroze.com, ☑ ⚹ ⌈ r.-v.

Charmes-chambertin

Superficie : 29 ha
Production : 1 115 hl

Ⓑ DOM. ARLAUD 2011 ★

	Gd cru	5 200		75 à 100 €

L'une des valeurs sûres de l'appellation que ce domaine conduit depuis 2010 en bio certifié. La famille Arlaud, Hervé et ses trois enfants, exploite 1,14 ha sur le grand cru, planté de vignes âgées d'environ quarante ans. Le 2011 revêt une robe rubis foncé. Sur la réserve de prime abord, le nez s'entrouvre à l'agitation sur des notes vanillées, poivrées et fruitées (baies rouges). Comme souvent, le palais séduit par sa rondeur, sa finesse et son volume, étayé par une belle acidité et des tanins à la fois serrés et soyeux. Un beau vin d'avenir, que l'on pourra commencer à déguster dans quatre ou cinq ans.

☛ Dom. Arlaud, 41, rue d'Épernay, 21220 Morey-Saint-Denis, tél. 03 80 34 32 65, fax 03 80 34 10 11, contact@domainearlaud.com, ☑ ⚹ ⌈ r.-v.

♥ DOM. PHILIPPE CHARLOPIN 2010 ★★

	Gd cru	n.c.		+ de 100 €

Depuis sa création en 1977, ce domaine s'est agrandi pour s'étendre aujourd'hui sur une coquette superficie de 25 ha. Avec son fils Yann, Philippe Charlopin propose ainsi toute une palette de vins, qui vont de Chablis à la Côte. On ne compte plus les étoiles et les coups de cœur « vendangés » dans ce Guide, la liste est trop longue. Le dernier en charmes ? Pour le millésime 2004. Le 2010 rejoint ainsi son glorieux aîné en tant que classique incontournable du domaine. Il s'annonce sans tambour ni trompette mais avec élégance, à travers un bouquet complexe et racé évoquant la réglisse, le pain grillé, le caramel, la violette ou encore la cerise et la pivoine. La bouche s'ouvre avec gourmandise sur un joli moelleux, puis monte en puissance et en concentration, doucement, en finesse, sans jouer des épaules, jusqu'à la finale, longue, épicée et fruitée. Un charmes qui n'a jamais aussi bien porté son nom et que l'on pourra commencer à déguster dans quatre ou cinq ans, mais il mérite davantage de patience (la décennie, et plus encore).
☛ Dom. Philippe Charlopin, 18, rte de Dijon, 21220 Gevrey-Chambertin, tél. 06 29 71 12 05
☑ ⚹ ⌈ t.l.j. sf dim. lun. 10h-19h (au Roupnel, 33, rue des Baraques)

CAMILLE GIROUD 2010 ★★

	Gd cru	1 091		75 à 100 €

La maison brille souvent par ses grands crus, dont elle s'est fait une spécialité, sous la houlette talentueuse de David Croix, son directeur. Ici, un charmes d'un beau rubis brillant, au nez élégant de griotte et de violette souligné par des notes grillées et résinées. Une complexité et une finesse qui se manifestent aussi en bouche, où l'on apprécie l'attaque fondante, presque moelleuse, puis la montée en gamme sur des tanins consistants, mais qui commencent néanmoins à s'arrondir et qui confèrent beaucoup d'ampleur et de tenue à ce vin. La finale chaleureuse et poivrée n'est pas pour déplaire non plus. À servir dans cinq ans pour les moins patients, mais dix ans d'attente sont conseillés.
☛ Camille Giroud, 3, rue Pierre-Joigneaux, 21200 Beaune, tél. 03 80 22 12 65, fax 03 80 22 42 84, contact@camillegiroud.com, ☑ ⌈ r.-v.

LAROZE DE DROUHIN 2011 ★

	Gd cru	600		50 à 75 €

Caroline Drouhin signe de très beaux 2011 sous cette étiquette du négoce familial qui fonctionne en réalité comme un domaine, avec suivi des parcelles toute l'année

BOURGOGNE

et vendanges assurées par les Drouhin eux-mêmes. Le résultat est ici un charmes épatant au nez intense de fruits noirs et de vanille. La bouche, charnue et puissante, est en rapport. Ses beaux tanins au grain fin et serré lui permettront d'attendre cinq ans et plus encore.

☛ Maison Laroze de Drouhin, 2, rue du Chambertin, 21220 Gevrey-Chambertin, tél. 03 80 34 31 49, fax 03 80 51 83 70, laroze-de-drouhin@orange.fr, ☑ ⚔ ⚲ r.-v.

DOM. MICHEL MAGNIEN 2011 ★★

■ Gd cru	n.c.	⦀	+ de 100 €

Frédéric Magnien, fils de Michel, exploite 28 ares de ce grand cru, avec lesquels il signe des cuvées d'une constance remarquable en qualité. Le 2011 s'inscrit dans la lignée des meilleurs millésimes élaborés sous l'étiquette charmes. Un vin grenat intense au nez « cerise +++ », écrit un dégustateur, quelques notes douces de caramel en complément. La bouche, tout aussi fruitée, s'ouvre sur une impression de fraîcheur et de netteté, puis affiche beaucoup de consistance et de concentration, dynamisée de bout en bout par une fougue pleine de jeunesse. Du « potentiel +++ » également : prévoyez cinq à dix ans avant de déguster ce vin de haute expression.

☛ Dom. Michel Magnien, 4, rue Ribordot, 21220 Morey-Saint-Denis, tél. 03 80 51 82 98, fax 03 80 58 51 76, d-magnien@orange.fr, ☑ ⚔ ⚲ r.-v.

GÉRARD QUIVY 2011 ★★

■ Gd cru	200	⦀	75 à 100 €

Gérard Quivy possède une palette complète des *climats* de Gevrey allant des communales aux grands crus, dont cette petite parcelle de 8 ares côté charmes-chambertin. La production est nécessairement très limitée, et c'est bien là son seul défaut. Le vin est d'un beau violacé, intense et profond. Le nez se révèle d'abord boisé, puis se complexifie à l'aération, dévoilant des notes de pâtisserie, de poivre et de menthol. La bouche, quant à elle, se montre quelque peu « sauvage », entendez par là charpentée, massive, chaleureuse, avec une belle vivacité en soutien. Encore jeune et fougueux, ce grand cru est taillé pour un long vieillissement, d'au moins cinq à dix ans.

☛ Gérard Quivy, 7, rue Gaston-Roupnel, 21220 Gevrey-Chambertin, tél. 03 80 34 31 02, gerard.quivy@wanadoo.fr, ☑ ⚔ ⚲ t.l.j. 9h-12h 14h-18h

DOM. TORTOCHOT 2011

■ Gd cru	n.c.	▐⦀	50 à 75 €

Chantal Michel, née Tortochot, a repris en 1996 les vignes de son père Gabriel qui ne lui avait pas expliqué le métier, n'ayant pas imaginé que l'une de ses filles lui succéderait. Elle a donc appris sur le tas, et les nombreuses étoiles qui jalonnent ses millésimes montrent qu'elle est à son aise avec Gevrey et ses déclinaisons en grands crus. Si le mazis-chambertin tient le haut du pavé en termes de sélections, le charmes accède lui au devant de la scène dans sa version 2011. Ses atouts : un bouquet, certes « peu causant » au premier abord, mais plus prolixe à l'aération (poivre blanc et cerise), et un palais franc, frais et ferme. Une austérité de bon aloi pour un grand cru si jeune, que trois à cinq ans de garde commenceront à dompter.

☛ Dom. Tortochot, 12, rue de l'Église, 21220 Gevrey-Chambertin, tél. 03 80 34 30 68, fax 03 80 34 18 80, contact@tortochot.com, ☑ ⚔ ⚲ r.-v.

Ⓑ DOM. DE LA VOUGERAIE Les Mazoyères 2011

■ Gd cru	3 108	⦀	50 à 75 €

Le clou du domaine, c'est ce pressoir vertical italien, qui travaille lentement, favorisant une extraction douce et qualitative. Ce charmes 2011 en retire un nez plaisant et complexe de tabac, de violette, de pivoine et de sous-bois, et une bouche souple et croquante, adossée à une belle structure tannique. Que ces arômes séduisants ne trompent personne : certes friand dès aujourd'hui, ce vin a aussi du potentiel et il serait dommage de le déboucher avant quatre ou cinq ans.

☛ SCA Dom. de la Vougeraie, 7 bis, rue de l'Église, 21700 Premeaux-Prissey, tél. 03 80 62 48 25, fax 03 80 61 25 44, vougeraie@domainedelavougeraie.com, ☑ ⚔ ⚲ r.-v.

Mazis-chambertin

Superficie : 8,8 ha
Production : 275 hl

DOM. FAIVELEY 2011

■ Gd cru	5 526	⦀	+ de 100 €

Conduite depuis 2005 par Erwan Faiveley, cette maison réputée (négoce et domaine) exploite quelque 120 ha de vignes sur les trois Côtes (nuitone, beaunoise et chalonnaise) et dans le Chablisien, dont deux parcelles situées dans la partie haute de ce grand cru (1,20 ha au total), sur un sol très pauvre et peu profond. Y est né ce 2011 à la robe rubis vif et au nez mûr de vanille et de fruits noirs. La bouche s'avère dense et puissante, bâtie sur des tanins bien présents et un boisé encore dominateur. À revoir dans cinq ans pour plus de fondu.

☛ Dom. Faiveley, 8, rue du Tribourg, 21700 Nuits-Saint-Georges, tél. 03 80 61 04 55, fax 03 80 62 33 37, contact@bourgognes-faiveley.com

HARMAND-GEOFFROY 2011 ★

■ Gd cru	3 200	⦀	50 à 75 €

D'une constance remarquable, le domaine de Gérard et Philippe Harmand est sans conteste l'une des valeurs les plus sûres de l'appellation. De ses 76 ares de grand cru, il a extrait à nouveau un mazis très réussi (le 2010 fut coup de cœur dans l'édition précédente). Le nez, intense, mêle en toute harmonie le cassis et la vanille, agrémenté d'une touche un rien sauvage, signe de jeunesse. Une fougue que l'on retrouve dans un palais riche et puissant, soutenu par des tanins fins et une belle fraîcheur qui allonge la finale. Un vin harmonieux et complet, armé pour la décennie. On lui réservera un plat délicat, un pigeon au cassis par exemple.

☛ Dom. Harmand-Geoffroy, 1, pl. des Lois, 21220 Gevrey-Chambertin, tél. 03 80 34 10 65, fax 03 80 34 13 72, harmand-geoffroy@wanadoo.fr, ☑ ⚲ r.-v.

DOM. NEWMAN 2011 ★★

■ Gd cru	700	⦀	75 à 100 €

Ce domaine beaunois exploite un petit vignoble de 5,5 ha, avec un pied dans chaque Côte. 18 ares sont dédiés à ce grand cru, à l'origine d'un 2011 remarquable : robe rubis soutenu et brillante ; nez intense et racé, sur les fruits rouges frais (groseille, framboise) et le toasté ; bouche à l'unisson, portée par une pimpante vivacité et des tanins bien nets. Un mazis énergique et complet, bâti pour durer (la décennie). On pourra commencer à l'ouvrir dans quatre ou cinq ans sur un plat de caractère, un canard rôti ou, plus original, un brochet poché au vin rouge.

🕊 GFA Dom. Newman, 29, bd Clemenceau, 21200 Beaune, tél. 03 80 22 80 96, fax 03 80 24 29 14, info@domainenewman.com

DOM. HENRI REBOURSEAU 2010 ★

■ Gd cru	2 400	⑪ 75 à 100 €

Ce domaine fut créé en 1919 par le général Henri Rebourseau, qui regroupa les vignes de son père. Son arrière-petit-fils Jean de Surrel est aujourd'hui aux commandes d'un vignoble de 13 ha, dont un joli patrimoine de grands crus et une belle parcelle de près d'1 ha en mazis. Le 2010 se présente avec élégance dans une robe rouge cerise intense et brillante, le nez ouvert sur la fraise, la framboise, les épices et le toasté. Dans la continuité, la bouche offre du volume et de la puissance, se durcit quelque peu en finale, ce qui n'a rien d'étonnant pour un si jeune cru, avec en soutien une fraîcheur « terroitée » qui renforce son potentiel de garde ; cinq ans sont un minimum.

🕊 Dom. Henri Rebourseau, 10, pl. du Monument, 21220 Gevrey-Chambertin, tél. 03 80 51 88 94, fax 03 80 34 12 82, domaine@rebourseau.com, ☑ ⚥ ⏳ r.-v.

DOM. TORTOCHOT 2011 ★★

■ Gd cru	n.c.	🥄⑪ 50 à 75 €

Établie de longue date sur Gevrey, la famille Tortochot exploite un vignoble de 11,50 ha, conduit depuis 1997 par Chantal Michel, fille de Gabriel Tortochot. Le grand cru mazis, dont elle possède 42 ares de vieilles vignes de cinquante ans cultivées en bio (certification prévue pour 2013), est l'un de leurs fleurons, régulièrement sélectionné dans le Guide (le 2009 fut coup de cœur). Le 2011 tient son rang et séduit par son élégance et son équilibre. Les fruits rouges frais (groseille, framboise) accompagnés d'épices et de vanille composent un bouquet délicat. La bouche offre une très belle harmonie entre la rondeur de la chair, la finesse des tanins et la fraîcheur caractéristique de ce terroir peu épais de marnes bajociennes. Un vin ciselé qu'il est fort tentant de déguster dans sa jeunesse (trois ou quatre ans), mais les plus patients pourront l'attendre une décennie.

🕊 Dom. Tortochot, 12, rue de l'Église, 21220 Gevrey-Chambertin, tél. 03 80 34 30 68, fax 03 80 34 18 80, contact@tortochot.com, ☑ ⚥ ⏳ r.-v.

Mazoyères-chambertin

Superficie : 1,7 ha
Production : 65 hl

LAROZE DE DROUHIN 2011 ★★

■ Gd cru	600	⑪ 50 à 75 €

Si Philippe Drouhin et sa fille Caroline travaillent ensemble au domaine familial, Caroline vole de ses propres ailes sous la marque Laroze de Drouhin, petit négoce monté en 2008 afin d'enrichir la gamme de la maison. Ce 2011 séduit d'emblée par son intensité au nez (fruits rouges et noirs confiturés). Souple en attaque, la bouche se révèle corpulente, riche, puissante, encore

sévère, le gage d'une bonne tenue à la garde. Une bouteille racée, à attendre cinq à dix ans avant de lui réserver un plat de choix, un pigeon truffé ou un époisses affiné au chambertin.

🕊 Maison Laroze de Drouhin, 2, rue du Chambertin, 21220 Gevrey-Chambertin, tél. 03 80 34 31 49, fax 03 80 51 83 70, laroze-de-drouhin@orange.fr, ☑ ⚥ ⏳ r.-v.
🕊 Drouhin

Morey-saint-denis

Superficie : 96 ha
Production : 3 822 hl (95 % rouge)

Entre Gevrey-Chambertin et Chambolle-Musigny, Morey-Saint-Denis constitue l'une des plus petites appellations communales de la Côte de Nuits. Outre d'excellents 1ers crus (en majorité rouges), la commune possède cinq grands crus ayant une appellation d'origine contrôlée particulière : clos-de-tart, clos-saint-denis, bonnes-mares (en partie), clos-de-la-roche et clos-des-lambrays. Les vins rouges de cette commune apparaissent comme intermédiaires entre les puissants gevrey et les délicats chambolle. Les vignerons présentent au public les morey-saint-denis, et uniquement ceux-ci, le vendredi précédant la vente des Hospices de Nuits (3e semaine de mars) en un Carrefour de Dionysos, à la salle des fêtes communale.

DOM. PIERRE AMIOT ET FILS Les Millandes 2010

■ 1er cru	2 600	⑪ 30 à 50 €

Avec leurs modestes 4,2 ha, Les Millandes figurent pourtant parmi les plus vastes 1ers crus de Morey. Jean-Louis et Didier Amiot en exploitent 45 ares. Ils en ont tiré un vin subtil, au nez de fruits rouges discrètement vanillés, à la bouche ronde et soyeuse. Un peu plus de longueur lui aurait valu une étoile. À boire dans les deux ans, sur une viande rouge en sauce.

🕊 Dom. Pierre Amiot et Fils, 27, Grande-Rue, 21220 Morey-Saint-Denis, tél. 03 80 34 34 28, fax 03 80 58 51 17, domaine.amiot-pierre@wanadoo.fr, ☑ ⚥ ⏳ r.-v. 🏠 ⓔ

DOM. DES BEAUMONT 2011 ★

	4 500	⑪ 20 à 30 €

Thierry Beaumont laboure ses vignes, n'utilise plus de désherbant depuis cinq ans, envoie volontiers un petit coup de griffe envers le « bio-opportunisme » de certains, et n'exclut pas l'usage de pesticides quand cela semble indispensable : « une viticulture raisonnée et raisonnable ». Il est en tout cas présent avec une belle constance dans le Guide, signant encore une fois un morey d'excellente facture. Au nez de framboise, de cerise noire et de cassis répond une bouche riche, suave et concentrée, avec la juste vivacité de jeunesse qui donne l'équilibre et le tonus. Les tanins séduisent sans granulosité asséchante. Un beau vin d'avenir, à déguster après deux à quatre ans de garde. Le **1er cru Les Millandes 2011 rouge (30 à**

50 € ; 1 500 b.) obtient lui aussi une étoile, pour sa vinosité, ses tanins frais et « digestes ».

☛ Dom. des Beaumont, 9, rue Ribordot,
21220 Morey-Saint-Denis, tél. 03 80 51 87 89,
contact@domaine-des-beaumont.com, ☑ ⊺ r.-v.

DOM. CASTAGNIER 2011 ★

■   1 000   ⊞   15 à 20 €

Coup de cœur il y a deux éditions pour sa cuvée Gabin 2009, Jérôme Castagnier maintient la barre haute avec ce 2011, superbe de générosité et de fruit. La robe est grenat intense. Le nez, profond, évoque la griotte, le cassis et le boisé grillé (dix-huit mois de barrique avec 40 % de fût neuf). La bouche s'avère suave, délicate, aux tanins fondus, une fine vivacité apportant son soutien. C'est un vin élégant, à servir sur un onglet de bœuf dans un an ou deux.

☛ EARL Dom. Castagnier, 20, rue des Jardins,
21220 Morey-Saint-Denis, tél. 03 80 34 31 62,
fax 03 80 58 50 04, jeromecastagnier@yahoo.fr, ☑ ⋏ ⊺ r.-v.

DOM. BRUNO CLAIR En la Rue de Vergy 2010 ★

■   2 400   ⊞   30 à 50 €

En la Rue de Vergy est l'une des plus intéressantes dénominations communales : juste au-dessus du grand cru Clos de Tart, elle est située en altitude, à plus de 300 m, en pente, sur un sol pauvre. D'aucuns estiment d'ailleurs qu'elle mériterait de passer 1er cru. Le 2010 ici proposé séduit par son nez mûr d'épices et de cacao (dix-huit mois de fût). La bouche dévoile une belle matière, riche, chaleureuse et savoureuse, équilibrée par une pointe de fraîcheur. Ce morey a de la personnalité et s'appréciera dans deux ou trois ans sur un gigot d'agneau aux tomates et aux épices. Le **blanc 2010 En la Rue de Vergy (3 200 b.),** rareté des raretés, obtient aussi une étoile. Cette parcelle de 50 ares offre un vin au nez toasté, vif et enrobé d'un gras flatteur en bouche.

☛ Dom. Bruno Clair, 5, rue du Vieux-Collège,
21160 Marsannay-la-Côte, tél. 03 80 52 28 95,
fax 03 80 52 18 14, brunoclair@wanadoo.fr, ☑ ⊺ r.-v.

DECELLE-VILLA 2011

■   1 200   ⊞   20 à 30 €

Ce récent négoce nuiton, créé en 2011 par les expérimentés Olivier Decelle (Saint-Émilion, Roussillon) et Pierre-Jean Villa (Rhône nord), a pris ses marques dans la Côte. Il propose ici un morey encore un peu fougueux comme savent l'être les vins de ce terroir. Robe rubis intense, nez expressif de fruits frais et de fruits mûrs, de réglisse et de poivre, palais bien texturé, aux tanins présents mais veloutés, pour une finale vive et un brin austère, ce vin allie rigueur, chair et finesse. On le servira dans deux ou trois ans sur un civet de sanglier.

☛ Decelle-Villa, 3, rue des Seuillets,
21700 Nuits-Saint-Georges, tél. 03 80 53 74 35,
contact@decelle-villa.com

DOM. FOREY PÈRE ET FILS 2011 ★

■   3 900   ⊞   20 à 30 €

Ses nuits-saint-georges, vosne-romanée ou morey-saint-denis assurent à Régis Forey une présence très régulière dans le Guide. Ce 2011 a séduit par son bouquet complexe et élégant de fruits rouges et noirs et de violette. Fruité et net en attaque, il déploie ensuite une structure massive, « costaude », dit le jury, encore vive et quelque peu austère. Mais ce solide gaillard a de l'élégance, et vieillira bien. À revoir dans deux ans minimum, en compagnie d'un gibier à plume.

☛ Dom. Forey Père et Fils, 2, rue Derrière-le-Four,
21700 Vosne-Romanée, tél. 03 80 61 09 68,
fax 03 80 61 12 63, domaineforey@orange.fr, ⋏ ⊺ r.-v.

DOM. HERESZTYN Les Millandes 2010 ★★

■ 1er cru   2 000   ⊞   30 à 50 €

Les Millandes sont l'une des valeurs sûres du domaine, présentes avec régularité dans le Guide. C'est aussi l'un des 1ers crus les plus connus de Morey, car il figure avec ses 4,2 ha parmi les plus vastes, donc les plus souvent revendiqués. La famille Heresztyn en exploite 38 ares. Elle en propose ici une version des plus abouties : un vin complexe (cassis, fraise, cannelle, figue, boisé toasté), dense, puissant mais sans dureté, adossé à des tanins fins et veloutés. Une bouteille harmonieuse et déjà savoureuse, que l'on pourra servir aussi bien jeune que patinée par trois à cinq ans de garde. Pour un carré d'agneau rôti.

☛ Dom. Heresztyn, 27, rue Richebourg,
21220 Gevrey-Chambertin, tél. et fax 03 80 34 13 99,
domaine.heresztyn@orange.fr, ⋏ ⊺ r.-v.

RÉMI JEANNIARD Les Ruchots 2011

■ 1er cru   1 500   ⊞   15 à 20 €

Les Ruchots sont l'un des 1ers crus les plus intéressants de Morey, très bien situés sous le Clos de Tart, sur un terrain assez plat mais bien exposé. Leur petite taille (2,58 ha) les rend cependant peu visibles. Rémi Jeanniard donne ici une bonne occasion de les découvrir, avec ce vin au nez de cerise kirschée agrémentée d'une touche de violette qui évoque le village tout proche de Chambolle. Du fruit, un joli grain de tanins, de la souplesse, la bouche signe un « vin de plaisir », à boire dès aujourd'hui sur une grillade de bœuf.

☛ Rémi Jeanniard, 21, rue de Cîteaux,
21220 Morey-Saint-Denis, tél. et fax 03 80 58 52 42,
remijeanniard@orange.fr, ⋏ ⊺ r.-v.

MAISON JESSIAUME Les Herbuottes 2010 ★

■   1 100   ▮⊞   20 à 30 €

Les Herbuottes sont un *climat* de bas de pente, au sol plus profond que sur les hauts de coteaux, que Marc Jessiaume a vinifié avec légèreté, se contentant de dix mois de fût. Un choix heureux, qui boise ce 2010 sans excès, comme le montre le nez intense et élégant de cerise et d'épices agrémenté d'un vanillé léger. Dans une belle continuité, on croque le cassis et la griotte dans une bouche ample, concentrée, aux tanins fermes. « Un beau vin moderne », note le jury, qui l'imagine dans deux ans sur un canard aux airelles.

☛ SARL Maison Jessiaume, 10, rue de la Gare,
21590 Santenay, tél. 03 80 20 60 03, fax 03 80 20 62 87,
contact@domaine-jessiaume.com, ☑ ⋏ ⊺ r.-v.

☛ David Murray

FRÉDÉRIC MAGNIEN Ruchots 2011 ★

■ 1er cru   1 600   ⊞   50 à 75 €

Frédéric Magnien est un enfant du pays, et le morey, même avec sa casquette de négociant, lui est familier. Il propose ici un vin pourpre intense, au nez élégant de santal et de mûre, long, plein et généreux en bouche, épicé et finement tannique. À servir dans les trois ans à venir sur un escarbœuf.

☛ Frédéric Magnien, 26, rte Nationale,
21220 Morey-Saint-Denis, tél. 03 80 58 54 20,
fax 03 80 51 84 34, frederic@fred-magnien.com,
☑ ⚔ ⵗ r.-v.

DOM. STÉPHANE MAGNIEN
Cuvée Aux Petites Noix 2011 ★

■ 1er cru	1 800	ⵗ	30 à 50 €

Les Petites Noix ne sont pas le 21e nouveau *climat* de
Morey, mais une cuvée réalisée par Stéphane Magnien,
jeune vigneron installé en 2008 sur le domaine familial, à
partir de l'assemblage de trois 1ers crus : Clos Baulet, Les
Gruenchers et Monts Luisants. Autrement dit, une cuvée
alliant l'altitude des Monts Luisants à la position centrale,
et enviable, des deux premiers. Cela donne un vin rubis,
au nez de griotte et de crème de cassis, plein, gras et soyeux
en bouche, dans un style élégant et sans dureté. À déguster
dans les trois ans à venir sur une côte de bœuf à la moelle.
Le **1er cru Les Faconnières 2011 rouge (2 200 b.)**,
valeur sûre du domaine, né sur l'un des meilleurs *climats*
de Morey, est cité pour son côté également gourmand et
fruité (myrtille), sans manquer toutefois de fermeté. À
boire dans les deux ans sur une pièce de bœuf sauce
forestière.
☛ Dom. Stéphane Magnien, 5, ruelle de l'Église,
21220 Morey-Saint-Denis, tél. 03 80 51 83 10,
fax 03 80 58 53 27, mail@domainemagnien.com, ☑ ⵗ r.-v.

DOM. MARCHAND FRÈRES Les Faconnières 2011

■ 1er cru	1 500	▮ⵗ	20 à 30 €

Deux morey du domaine sont sélectionnés : ces
Faconnières, un des 1ers crus les mieux situés du village,
et le **Vieilles Vignes 2011 rouge (11 à 15 €)**, également
cité. Les Faconnières plaisent par leur nez discret, sur les
fruits rouges frais, et par leur palais équilibré, souple et fin,
aux tanins ronds. C'est un vin plaisant et suave, à savourer
dans les deux ans sur un civet de lapin de garenne. Dans
un style proche, prêt à boire, le second dévoile un joli
bouquet épicé et boisé, et une bouche tendre.
☛ Dom. Marchand Frères, 1, pl. du Monument,
21220 Gevrey-Chambertin, tél. 03 80 62 10 97,
fax 03 45 83 48 31, dmarc2000@sfr.fr, ☑ ⚔ ⵗ r.-v.

FRANÇOIS PARENT 2011 ★

■	590	ⵗ	30 à 50 €

Comme toujours, François Parent a opté pour un
élevage « luxueux » de dix-huit mois en barrique pour son
morey, issu de son négoce. Fin et ouvert, le nez puise son
inspiration dans les fruits rouges (groseille) et noirs
(cassis) frais, la cannelle et la vanille. La bouche offre la
même complexité et le même raffinement, se montrant
suave, ronde, tapissée de jolis tanins mûrs et fins qui lui
donnent de l'ampleur et un touché soyeux. Une bouteille
à boire aussi bien dans sa prime jeunesse que patinée par
la garde (cinq ans). Un coq au vin sera le bienvenu. Le seul
défaut de cette cuvée : sa confidentialité.
☛ François Parent, 14 bis, rue Pierre-Joigneaux,
21200 Beaune, tél. 03 80 22 61 85, fax 03 80 24 03 16,
francois@parent-pommard.com, ☑ ⵗ r.-v.

LOUIS REMY Clos des Ormes 2011 ★

■ 1er cru	900	▮ⵗ	50 à 75 €

Suite à une succession difficile en 2008, Chantal
Remy a créé l'année suivante sa propre société de négoce
en s'appuyant sur les achats de raisins, ce qui lui permet

d'écouler les stocks de l'ancien domaine Louis Remy. Elle
travaille, comme sur son domaine, à partir de cuvaisons
(trois semaines) et d'élevages longs (vingt-deux mois). Elle
a ainsi obtenu ainsi ce morey sombre, au nez racé de fruits
mûrs (myrtille, cassis, framboise) coiffé d'un boisé fin. La
bouche se révèle ample dès l'attaque, dense et concentrée,
ourlée de tanins à la fois fermes et soyeux. Un vin bâti pour
bien vieillir, que l'on laissera en cave encore trois ou quatre
ans avant de le déguster sur un civet de chevreuil.
☛ H.L.R. Héritière Louis Remy, 1, pl. du Monument,
21220 Morey-Saint-Denis, tél. et fax 03 80 34 32 59,
domaine.chantal.remy@orange.fr, ☑ ⚔ ⵗ r.-v.

Les grands crus de Morey-Saint-Denis

Parmi les grands crus de Morey-Saint-Denis, le
clos-de-la-roche et le clos-saint-denis ne sont pas
des clos, en dépit de leurs noms. Assez morcelés,
ils regroupent plusieurs lieux-dits et sont exploités par de nombreux propriétaires. Le clos-de-tart
est, lui, entièrement ceint de murs et exploité en
monopole. Également d'un seul tenant, le clos-
des-lambrays regroupe plusieurs parcelles et
lieux-dits : les Bouchots, les Larrêts ou Clos des
Lambrays, le Meix-Rentier.

Clos-de-la-roche

Superficie : 13,4 ha
Production : 450 hl

DOM. PIERRE AMIOT ET FILS 2010 ★★

■ Gd cru	3 400	ⵗ	50 à 75 €

Héritiers de quatre générations de vignerons sur ces
terres de Morey, Jean-Louis et Didier Amiot exploitent un
vignoble de 8 ha, dont une estimable parcelle de 1,2 ha de
vignes de quarante ans dans ce grand cru, l'une des valeurs
sûres du domaine. Le 2010 porte beau dans sa robe rubis
aux reflets cerise. Il séduit par son nez intense et fin, vanillé
et fruité. La bouche allie l'équilibre à l'élégance, soutenue
par des tanins soyeux et caressants, et laisse le souvenir
d'un vin abouti, tout en finesse et très avenant. Les plus
impatients pourront d'ores et déjà se délecter de cette
bouteille sur une volaille noble, mais elle est armée aussi
pour les cinq à huit ans à venir.
☛ Dom. Pierre Amiot et Fils, 27, Grande-Rue,
21220 Morey-Saint-Denis, tél. 03 80 34 34 28,
fax 03 80 58 51 17, domaine.amiot-pierre@wanadoo.fr,
☑ ⚔ ⵗ r.-v. ⌂ ⊕

JEAN-CLAUDE BOISSET 2011 ★

■ Gd cru	900	ⵗ	50 à 75 €

Grégory Patriat s'est installé avec aisance dans le
rôle du « viniculteur » que voulait lui faire tenir la maison
Boisset en lui confiant la mission de produire des petites
cuvées d'élite au sein de cette vaste structure de négoce.
Il propose ainsi, à partir de 40 ares de ce grand cru planté
de vignes de quarante ans, un bel exercice de style
bourguignon avec ce vin rubis au nez de fraise des bois et

BOURGOGNE

de petites baies noires, à la bouche franche, fraîche et bien structurée par les tanins du bois et du raisin. Un vin clair, net et précis, à servir dans quatre ou cinq ans sur un faisan rôti.

☛ Maison Jean-Claude Boisset, Les Ursulines, 5, quai Dumorey, 21700 Nuits-Saint-Georges, tél. 03 80 62 61 61, fax 03 80 62 61 59, jcb@jcboisset.com, ☖ r.-v.

♥ DOM. CASTAGNIER Hommage à Guy Castagnier 2011 ★★

| ■ Gd cru | 2 900 | ⦀ | 30 à 50 € |

Depuis quelques années déjà, le jeune Jérôme Castagnier s'invite avec une belle constance dans le chapitre « clos-de-la-roche ». Alors, il arrive ce qui devait arriver : il décroche un coup de cœur pour son 2011, né sur une parcelle de 60 ares plantée de pinot noir de soixante-cinq ans. Robe rouge sombre aux reflets rubis ; bouquet intense et d'une grande élégance, sur le cassis, la cerise et le moka ; bouche équilibrée, ample, riche, solidement bâtie et boisée avec discernement : tout indique un vin de grande classe, à la fois élégant et puissant, déjà aimable et armé pour une longue garde (cinq à dix ans).

☛ EARL Dom. Castagnier, 20, rue des Jardins, 21220 Morey-Saint-Denis, tél. 03 80 34 31 62, fax 03 80 58 50 04, jeromecastagnier@yahoo.fr, ☖ ☖ ☖ r.-v.

DOM. MICHEL MAGNIEN 2011 ★

| ■ Gd cru | n.c. | ⦀ | + de 100 € |

Les 39 ares du domaine sont situés à droite des Fremières, au centre du Clos, dans la partie historique la plus connue. Ils ont donné naissance à un 2011 au nez encore jeune, sur le noyau et quelques notes végétales, à la bouche généreuse, séveuse et longue, charpentée par des tanins vigoureux, ce qui est typique de ce grand cru réputé pour être le plus massif de Morey-Saint-Denis. On devra donc patienter au moins quatre ou cinq ans pour que l'ensemble s'arrondisse ; on lui réservera alors une viande goûteuse, une pintade aux raisins par exemple.

☛ Dom. Michel Magnien, 4, rue Ribordot, 21220 Morey-Saint-Denis, tél. 03 80 51 82 98, fax 03 80 58 51 76, d-magnien@orange.fr, ☖ ☖ ☖ r.-v.

GÉRARD RAPHET 2011 ★

| ■ Gd cru | 1 500 | ⦀ | 50 à 75 € |

Sur les 12 ha que compte le domaine, Gérard Raphet consacre 33 ares à son clos-de-la-roche. Il signe un 2011, dont les accents de poivre vert, de vanille et de fraise des bois composent une alliance complexe à l'olfaction, prélude à une bouche franche, fraîche et pourvue d'une bonne puissance, minérale et épicée, un soupçon d'amertume

accompagnant la finale. Un vin de caractère, comme escompté dans l'appellation, à attendre trois ou quatre ans au moins.

☛ Gérard Raphet, 25, rte des Grands-Crus, 21220 Morey-Saint-Denis, tél. 03 80 51 89 52, fax 03 80 51 84 25, gerard.raphet@wanadoo.fr, ☖ ☖ ☖ r.-v.

DOM. CHANTAL REMY 2011 ★★

| ■ Gd cru | 1 650 | ▌⦀ | 75 à 100 € |

Florian, le fils de Chantal Remy, est arrivé en 2011 dans cette jeune exploitation créée par sa mère en 2009 à partir de vignes héritées du domaine Louis Rémy (les lecteurs se rappellent sans doute d'un coup de cœur obtenu pour le Clos des Rosiers Monopole 2009 en morey-saint-denis). Ce 2011 est donc leur premier millésime vinifié en duo. Et c'est une franche réussite. La robe est d'un beau grenat, intense et profond. Le nez mêle avec justesse les fruits noirs (mûre, cassis), le poivre blanc et un boisé sans ostentation. La bouche se révèle très gourmande et soyeuse en attaque, puis monte en puissance, portée par des tanins robustes. Tout est équilibré, l'acidité répond bien à l'alcool, et le terroir massif du Clos de la Roche s'exprime dans le registre de l'élégance. Un beau vin, à boire au plus tôt dans trois ou quatre ans, voire dans une décennie pour de nouvelles sensations.

☛ H.L.R. Héritière Louis Remy, 1, pl. du Monument, 21220 Morey-Saint-Denis, tél. et fax 03 80 34 32 59, domaine.chantal.remy@orange.fr, ☖ ☖ ☖ r.-v.

Clos-saint-denis

Superficie : 6 ha
Production : 200 hl

ⓑ DOM. ARLAUD 2011 ★

| ■ Gd cru | 900 | ⦀ | + de 100 € |

Ce domaine familial de 15 ha conduit par Hervé Arlaud et ses trois enfants, Cyprien, Romain et Bertille, exploite 17 ares dans la partie originelle du Clos Saint-Denis, la plus intéressante. Ils la cultivent en bio depuis 2004 (certifié depuis le millésime 2010) et en biodynamie depuis 2009. Y a-t-il un rapport de cause à effet ? Le jury s'enthousiasme pour ce « très beau vin de terroir », célébrant son nez fin de rose ancienne, de griotte et de violette, et sa bouche gourmande et délicate, soutenue par des tanins très fins, un boisé élégant et une acidité fondue. Le vin n'est pas passé loin des deux étoiles, et sera splendide dans quatre ans sur une viande blanche.

☛ Dom. Arlaud, 41, rue d'Épernay, 21220 Morey-Saint-Denis, tél. 03 80 34 32 65, fax 03 80 34 10 11, contact@domainearlaud.com, ☖ ☖ ☖ r.-v.

DOM. BERTAGNA 2011 ★

| ■ Gd cru | n.c. | ⦀ | + de 100 € |

Ce domaine de 17 ha dirigé depuis 1988 par Eva Reh-Siddle, originaire de la Moselle allemande, est bien connu des lecteurs pour son monopole du Clos de la Perrière (clos-de-vougeot). Il détient aussi 55 ares en clos-saint-denis, à l'origine d'un 2011 de très belle facture, élégant dans sa robe rubis aux reflets violines de jeunesse. Les fruits rouges et noirs frais se mêlent aux épices et au toasté léger de la barrique pour composer un bouquet non moins gracieux. Portée par des tanins bien présents, mais soyeux, et par un boisé ajusté, la bouche tient bien la note fruitée et prolonge cette sensation de délicatesse perçue à l'olfaction. Ce vin complexe, long et racé pourra commencer à s'apprécier dans deux ou trois ans, mais gagnera à vieillir cinq ans et plus pour décrocher sa deuxième étoile.

☛ SARL Dom. Bertagna, 16, rue du Vieux-Château, 21640 Vougeot, tél. 03 80 62 86 04, fax 03 80 62 82 58, contact@domainebertagna.com, ☑ ⚲ ⏲ t.l.j. sf dim. 10h-12h30 13h30-17h30

DOM. CASTAGNIER 2011 ★

■ Gd cru	1 400	⏲	30 à 50 €

Jérôme Castagnier exploite 35 ares du grand cru dans la partie centrale du Clos, réputée la meilleure, dont il vinifie les fruits avec une macération préfermentaire à froid suivie d'une cuvaison de quinze jours et d'un élevage de dix-huit mois en fût. L'élégance est le maître mot du style du domaine, toujours à la recherche du fruit et de tanins soyeux. L'objectif est une nouvelle fois atteint avec ce 2011 au nez ouvert et délicat de framboise et de fraise des bois mâtiné de nuances de bois et de sous-bois. Fraîche et tonique en attaque, la bouche se révèle soyeuse, complexe (fruits rouges, épices, pointe minérale, boisé fin) et longue, étayée par des tanins au grain velouté. Un vin certes déjà séduisant mais qui gagnera encore en complexité avec quatre ou cinq ans de garde.

☛ EARL Dom. Castagnier, 20, rue des Jardins, 21220 Morey-Saint-Denis, tél. 03 80 34 31 62, fax 03 80 58 50 04, jeromecastagnier@yahoo.fr, ☑ ⚲ ⏲ r.-v.

HERESZTYN 2010 ★★

■ Gd cru	1 080	⏲	50 à 75 €

L'histoire du domaine débute dans les années 1930 lorsque Jan Heresztyn, émigre de sa Pologne natale vers le nord de la France pour travailler dans les mines, puis dans les champs, en Bourgogne. C'est là qu'à la force du poignet, il économise et réussit à acquérir ses premiers arpents de vigne. Aujourd'hui ses fils, Stanislas et Bernard, et sa petite-fille Florence dirigent une exploitation de 11 ha, dont 23 ares sont consacrés à ce grand cru auquel ils confèrent une personnalité comme toujours bien affirmée. Après dix-huit mois de fût, le 2010 se livre avec parcimonie au premier nez. L'aération l'ouvre sur les épices, les fruits rouges (griotte) et noirs (mûre) agrémentés de senteurs de fougère et d'une pointe végétale qui apporte de la fraîcheur et de la complexité. Franche en attaque, la bouche associe une vivacité minérale et épicée à de beaux tanins serrés qui assureront à ce vin une bonne tenue à la garde, durant au moins cinq à huit ans.

☛ Dom. Heresztyn, 27, rue Richebourg, 21220 Gevrey-Chambertin, tél. et fax 03 80 34 13 99, domaine.heresztyn@orange.fr, ☑ ⚲ ⏲ r.-v.

DOM. MICHEL MAGNIEN 2011

■ Gd cru	700	⏲	+ de 100 €

L'une des valeurs sûres de l'appellation, déjà titulaire de plusieurs coups de cœur. À sa tête, Frédéric Magnien, fils de Michel, qui conduit un vignoble de 19 ha, dont 14 ares dédiés à ce grand cru. Le vin affiche, comme souvent au domaine, un caractère bien trempé. Paré d'une robe pourpre intense, le 2011 livre un nez expressif et frais de cassis et de cerise, agrémenté d'une jolie pointe de menthol et de moka héritée du boisé. Structuré, puissant, à la fois charnu et austère, le palais est qualifié de

« moderne dans sa typicité ». On laissera vieillir ce vin trois ou quatre ans au moins pour qu'il s'adoucisse, et on pourra l'encaver bien plus longtemps.

☛ Dom. Michel Magnien, 4, rue Ribordot, 21220 Morey-Saint-Denis, tél. 03 80 51 82 98, fax 03 80 58 51 76, d-magnien@orange.fr, ☑ ⚲ ⏲ r.-v.

DOM. STÉPHANE MAGNIEN 2011

■ Gd cru	1 000	⏲	50 à 75 €

Quand Stéphane Magnien s'est installé en 2008 dans ce domaine familial ancien (quatre générations), il a hérité d'un vignoble qui n'avait jamais été désherbé – et il ne s'en plaint pas, car le sol reste ainsi vivant –, ni arraché : les vignes ont en moyenne quarante-cinq ans d'âge, et celles à l'origine de ce grand cru environ soixante. Son clos-saint-denis né sur une parcelle de 30 ares livre un bouquet expressif de fruits rouges frais accompagnés de quelques nuances épicées. La bouche se révèle franche et fraîche elle aussi, adossée à des tanins fins et à un boisé dont la légère amertume doit encore se fondre. À laisser au moins quatre ou cinq ans en cave.

☛ Dom. Stéphane Magnien, 5, ruelle de l'Église, 21220 Morey-Saint-Denis, tél. 03 80 51 83 10, fax 03 80 58 53 27, mail@domainemagnien.com, ☑ ⏲ r.-v.

Chambolle-musigny

Superficie : 152 ha
Production : 6 050 hl

Commune de grande renommée malgré sa petite étendue, Chambolle-Musigny doit sa réputation à la qualité de ses vins et à la notoriété de ses 1ers crus, dont le plus connu est le *climat* des Amoureuses. Tout un programme ! Mais Chambolle a aussi ses Charmes, Chabiots, Cras, Fousselottes, Groseilles et autres Lavrottes... Le petit village aux rues étroites et aux arbres séculaires abrite des caves magnifiques.

Toujours rouges, les chambolle sont élégants et subtils. Ils allient la force des bonnes-mares à la finesse des musigny, à l'image d'un pays de transition dans la Côte de Nuits.

DOM. DES BEAUMONT Les Chardannes 2011 ★

■	2 700	⏲	20 à 30 €

Thierry Beaumont exploite 47 ares de ce *climat* en pente douce situé en bas du village. Il signe un 2011 au nez discret, qui s'ouvre sur des tons de poivre et de sous-bois, puis évolue sur les fruits noirs. Vif en attaque, fruité et toujours frais en milieu de bouche, le vin dévoile en finale des tanins encore un peu sévères que deux ou trois ans de garde affineront.

☛ Dom. des Beaumont, 9, rue Ribordot, 21220 Morey-Saint-Denis, tél. 03 80 51 87 89, contact@domaine-des-beaumont.com, ☑ ⏲ r.-v.

ANNE ET SÉBASTIEN BIDAULT Les Herbues 2011

■	1 500	⏲	20 à 30 €

Sébastien et Anne Bidault se sont installés en 2000, cultivant alors un microvignoble de 5 ares de gevrey-

BOURGOGNE

chambertin ; ils ont 95 ares aujourd'hui, dont 24 ares de chambolle. Originaire de Puligny, pays des blancs, Sébastien sait aussi dompter le pinot, et dit aimer les vins sur le fruit. Son 2011 fait plutôt dans le style recherché, encore en devenir mais prometteur. Nez qui se livre avec retenue, sur la cerise croquante ; bouche à l'unisson, franche, fraîche et encore un peu austère côté tanins : on attendra deux ou trois ans pour le déguster.

⌐ Anne et Sébastien Bidault, 9, rue des Jardins, 21220 Morey-Saint-Denis, tél. 06 73 84 03 34, sebastienbidault@yahoo.fr, ☑ ⚘ ⋎ r.-v.

♥ JEAN-CLAUDE BOISSET Les Charmes 2011 ★★

■ 1er cru	200	ⅲ	30 à 50 €

Ce coup de cœur vient couronner le travail de fond entrepris par Grégory Patriat, le vinificateur de la maison de négoce depuis 2002, qui s'est attaché à élaborer des cuvées haut de gamme, dans une « approche domaine ». Mission accomplie avec ce Charmes à la robe d'un beau rubis étincelant, au nez flatteur et mûr de griotte à l'alcool et de sous-bois, émoustillé par une petite touche saline. On retrouve cette note vivifiante dans une bouche d'une grande finesse, nette, soyeuse, aérienne et suffisamment structurée pour affronter une longue garde (huit à dix ans). Un vrai chambolle. Un seul défaut : sa confidentialité.

⌐ Maison Jean-Claude Boisset, Les Ursulines, 5, quai Dumorey, 21700 Nuits-Saint-Georges, tél. 03 80 62 61 61, fax 03 80 62 61 59, jcb@jcboisset.com, ⋎ r.-v.

DOM. CASTAGNIER 2011

■	1 700	ⅲ	15 à 20 €

Jérôme Castagnier exploite une parcelle de 33 ares située juste en-dessous d'un 1er cru, et plantée de magnifiques vieilles vignes de quatre-vingts ans. Celles-ci ont donné naissance à ce vin qui s'ouvre doucement à l'olfaction sur les épices, la vanille et le fruit croquant. Il séduit en bouche par son fruité fin, sa fraîcheur, ses tanins serrés et sa concentration, sa « viscosité », dit le jury. Une bouteille bien construite, à laisser au moins deux ou trois ans en cave.

⌐ EARL Dom. Castagnier, 20, rue des Jardins, 21220 Morey-Saint-Denis, tél. 03 80 34 31 62, fax 03 80 58 50 04, jeromecastagnier@yahoo.fr, ☑ ⚘ ⋎ r.-v.

DOM. BRUNO CLAIR Les Veroilles 2010

■	5 900	ⅲ	30 à 50 €

Établi sur Marsannay depuis 1986, Bruno Clair est plus connu des lecteurs pour ses... marsannay. Il s'invite ici avec un chambolle au nez élégant de fruits noirs mâtinés de vanille, souple et finement tannique en bouche,

net et franc en finale. À servir dans deux ans sur une matelote d'anguille.

⌐ Dom. Bruno Clair, 5, rue du Vieux-Collège, 21160 Marsannay-la-Côte, tél. 03 80 52 28 95, fax 03 80 52 18 14, brunoclair@wanadoo.fr, ☑ ⋎ r.-v.

DOM. COLLOTTE Cuvée Vieilles Vignes 2011

■	3 200	ⅲ	20 à 30 €

Philippe Collotte est autodidacte, et fier de l'être, ayant quitté l'école à seize ans pour reprendre le domaine familial, à l'époque de 3 ha sur Marsannay, 13 ha aujourd'hui. Mais cela fait bien longtemps qu'il a obtenu son diplôme d'excellent vinificateur, en témoignent les nombreuses sélections dans le Guide, notamment dans son fief d'origine. Il obtient la mention « réussi » avec ce chambolle grenat aux reflets violines, au nez élégant et racé de pivoine, de chocolat et de kirsch. La bouche se montre fraîche, épicée et fruitée, bâtie sur des tanins fins, un peu plus stricts en finale ; une petite garde de deux ans affinera l'ensemble. « Dans son sujet », concluent les jurés.

⌐ Dom. Collotte, 44, rue de Mazy, 21160 Marsannay-la-Côte, tél. 03 80 52 24 34, fax 03 80 58 74 40, domaine.collotte@orange.fr, ☑ ⋎ r.-v.

DOM. DIGIOIA-ROYER 2011

■	5 000	ⅲ	20 à 30 €

Michel Digioia exploite un petit domaine de 4,5 ha sur Chambolle-Musigny, dont une bonne part est dédiée aux appellations régionales et communales. Il aime les élevages longs (ici de dix-huit mois) mais ne goûte guère le fût neuf, et quand on lui demande quelles nouveautés il a pu introduire en cave ces dernières années, il répond : « Peut-être une futaille renouvelée, en dix ans... » Pas de révolution, mais de la tradition, à l'image de ce chambolle bien dans le ton et proche de l'étoile. Robe grenat de belle intensité, ornée de reflets roses, nez délicat de cerise et de pivoine sur un fond boisé léger, bouche franche, consistante, aux tanins fins et serrés : une belle image de l'appellation, à découvrir dans deux ou trois ans sur, restons classiques, un coq au vin.

⌐ Dom. Digioia-Royer, 16, rue du Carré, 21220 Chambolle-Musigny, tél. et fax 03 80 61 49 58, micheldigioia@wanadoo.fr, ☑ ⚘ ⋎ r.-v.

JOSEPH DROUHIN 2011 ★★

■ 1er cru	5 000	ⅲ	50 à 75 €

La maison Drouhin est propriétaire de plusieurs parcelles de 1ers crus à Chambolle, trop petites pour être vinifiées séparément. Les climats assemblés (Noirots, Hauts Doix, Borniques, Plantes, Combottes) représentent ce que l'on appelle communément une « cuvée ronde », un bel échantillon aussi des terroirs du milieu de pente, exposés à l'est. Le résultat est un « sang mêlé » plein de noblesse et parfaitement représentatif de l'appellation : robe lumineuse, dans les tons rubis, bouquet délicat de fruits rouges, d'épices et de grillé léger, palais souple et franc, élégant et fondu, avec la solidité nécessaire pour affronter le temps (trois ans sont un minimum). « Un vrai chambolle ! », concluent les dégustateurs.

⌐ Maison Joseph Drouhin, 7, rue d'Enfer, 21200 Beaune, tél. 03 80 24 68 88, fax 03 80 22 43 14, maisondrouhin@drouhin.com, ☑ ⚘ ⋎ r.-v. ⌂ ◉

DOM. ANTONIN GUYON Clos du Village Monopole 2010

| ■ | 2 000 | 🍷 | 30 à 50 € |

À Chambolle, tout est minuscule, à commencer par les superficies des 1ers crus, nombreux : il ne reste donc presque rien « à se mettre sous la dent » en appellation communale, et on pourra longtemps s'user les yeux sur la carte pour trouver ce Clos du Village, un monopole de 48 ares situé dans le haut de l'appellation. En revanche, on ne se fatiguera pas les sens pour apprécier ce 2010 couleur rubis, au nez soutenu, boisé et épicé, à la bouche ample, puissante, concentrée, encore sévère en finale. Il est urgent d'attendre... trois à cinq ans au moins. Recommandé sur un pot-au-feu de canard.

🍷 Dom. Antonin Guyon, 21420 Savigny-lès-Beaune, tél. 03 80 67 13 24, fax 03 80 66 85 87, domaine@guyon-bourgogne.com, ☑ ⚘ ⏛ r.-v.

OLIVIER GUYOT Les Fuées 2011 ★

| ■ 1er cru | 1 000 | 🍷 | 30 à 50 € |

Olivier Guyot exploite 45 ares de ce superbe 1er cru situé juste à côté du grand cru Bonnes-Mares, soit 10 % de la superficie totale du *climat*. Les Fuées sont en pente, avec un « sommet » caillouteux et maigre, et un bas de pente plus riche. Ce 2011 à la robe rubis brillant livre un bouquet élégant qui évoque le sous-bois, les fruits rouges et la violette. Le palais, corsé et tannique, offre une belle mâche renforcée par un boisé noble qui laisse s'exprimer le fruit. Pour un pigeon au foie gras, dans quatre ou cinq ans.

🍷 Dom. Olivier Guyot, 39, rue de Mazy, 21160 Marsannay-la-Côte, tél. 03 80 52 39 71, fax 03 80 51 17 58, contact@domaineguyot.fr, ☑ ⚘ ⏛ r.-v.

DOM. HERESZTYN 2010 ★

| ■ | 3 000 | 🍷 | 20 à 30 € |

Les frères Bernard et Stanislas Heresztyn exploitent un parcellaire majoritairement planté sur Gevrey. À partir de 52 ares en chambolle, ils signent ici un 2010 à la typicité bien différente. Derrière la robe rubis se dévoile un nez à dominante boisée, laissant pour l'heure les fruits rouges au second plan. Le palais se révèle charnu et chaleureux, affiné et rafraîchi par une fine trame acide et de nobles amers en finale. Un vin équilibré et élégant, que l'on pourra commencer à ouvrir dans deux ou trois ans.

🍷 Dom. Heresztyn, 27, rue Richebourg, 21220 Gevrey-Chambertin, tél. et fax 03 80 34 13 99, domaine.heresztyn@orange.fr, ☑ ⚘ ⏛ r.-v.

PATRICK LAGRANGE Les Maladières 2011

| ■ | 600 | 🍷 | 20 à 30 € |

Depuis 2009, retraité de la restauration et de la commercialisation de caves à vins, Patrick Lagrange est devenu un négociant-éleveur confidentiel, qui grappille, de-ci de-là, des lots de vendanges intéressants pour les vinifier chez lui. Il fait son apparition dans le Guide avec cette microcuvée « de garage » née de raisins issus des Maladières, terroir jouxtant la route nationale. Cela donne un vin au nez fruité et empyreumatique, au palais charpenté mais sans excès, dans un style plus friand et souple que l'habituel. À boire dans les deux ou trois ans.

NOUVEAU PRODUCTEUR

🍷 Patrick Lagrange, Bourgogne Cave Passion, 22, rue de l'Abbé-Chevallier, 21220 Fixin, tél. 06 63 71 15 15, palagrange@wanadoo.fr, ☑ ⚘ ⏛ r.-v.

FRÉDÉRIC MAGNIEN Vieilles Vignes 2011 ★★

| ■ | 16 500 | 🍷 | 30 à 50 € |

Si ce n'est pas lui, c'est donc son voisin... Frédéric Magnien est un fin vinificateur de chambolle et l'une des valeurs sûres de l'appellation : après les deux étoiles obtenues pour son 1er cru Borniques l'an dernier, c'est au tour de son « simple » *village* né de vieux ceps encore flamboyants à en juger par le résultat, de décrocher la mention « remarquable ». Ses arguments : une superbe robe violine, un nez complexe et élégant de violette, de fruits rouges et de crème de café, un palais non moins gracieux, à la fois charnu, frais (pointe saline) et d'une grande finesse tannique. Un chambolle pur jus en somme, aérien et de belle garde (trois à dix ans). Le **1er cru Charmes Vieilles Vignes 2011** (75 à 100 € ; 1 900 b.), franc, fruité et bien charpenté, obtient une étoile, de même que le **1er cru Borniques 2011** (50 à 75 € ; 2 400 b.), pour sa fraîcheur et sa finesse.

🍷 Frédéric Magnien, 26, rte Nationale, 21220 Morey-Saint-Denis, tél. 03 80 58 54 20, fax 03 80 51 84 34, frederic@fred-magnien.com, ☑ ⚘ ⏛ r.-v.

LA POUSSE D'OR Les Charmes 2011 ★

| ■ 1er cru | 1 000 | ▮🍷 | 50 à 75 € |

Ce célèbre domaine volnaysien attaque la Côte de Nuits sur tous les fronts en 2011, avec une entrée remarquée dans les grands crus de Morey, et deux chambolle « étoilés » : ce Charmes, *climat* le plus célèbre du village, et le **1er cru Les Groseilles 2011** (1 900 b.). Tous deux sont en fait assez proches, tant au nez (cassis affirmé dans les deux cas) qu'en bouche (solide et charnue). Une pointe tannique sèche un peu plus sensible sur la finale des Groseilles a fait la différence auprès des dégustateurs. Dans les deux cas, les vins sont à laisser vieillir au minimum deux ou trois ans.

🍷 Dom. de la Pousse d'or, rue de la Chapelle, 21190 Volnay, tél. 03 80 21 61 33, patrick@lapoussedor.fr, ☑ r.-v.

🍷 Landanger

VINCENT RAVAUT Les Baudes 2010 ★

| ■ 1er cru | 2 400 | 🍷 | 30 à 50 € |

Vincent Ravaut est un négociant installé depuis peu (2009) à Ladoix, au pied du coteau de Corton, spécialiste des achats de raisins qu'il vinifie de façon douce, fuyant les vins extraits et concentrés. Avec ces 38 ares de Baudes, *climat* situé juste sous le grand cru Bonnes-Mares, il signe en effet un vin au nez frais et subtil de fruits rouges, une touche de moka et de sous-bois en accompagnement, plutôt souple et friand en bouche. La matière est bien là, encadrée par des tanins soyeux, et la finale réglissée charme sans dureté. Un joli vin à servir sur un magret de canard ou un camembert affiné dans trois ou quatre ans.

🍷 SARL Vincent Ravaut, 2, rte de Beaune, Cidex 27, 21550 Ladoix-Serrigny, tél. 03 80 26 62 28, fax 03 80 26 47 63, vincent.ravaut@wanadoo.fr, ☑ ⚘ ⏛ r.-v.

BOURGOGNE

DOM. ANNE ET HERVÉ SIGAUT Les Sentiers
Vieilles Vignes 2011

■ 1er cru	3 836	⊞	30 à 50 €

Coup de cœur l'an passé sur le millésime 2010, cette cuvée de vieilles vignes revient pour une citation proche de l'étoile en 2011. Le jury a apprécié son nez de fruits, de fleurs et de sous-bois, et souligne l'équilibre, la souplesse et la fraîcheur élégante du palais. Une bouteille que l'on peut déjà ouvrir, mais qui gagnera en complexité avec deux ou trois ans de garde. Le 1er cru les Fuées 2011 (2 852 b.), plus solide et plus extrait, et en cela fidèle à son terroir, est aussi cité.

☛ Dom. Anne et Hervé Sigaut, 12, rue des Champs, 21220 Chambolle-Musigny, tél. 03 80 62 80 28, fax 03 80 62 84 40, herve.sigaut@wanadoo.fr, ☑ ⚥ ⓨ r.-v.

Bonnes-mares

Superficie : 16 ha
Production : 520 hl

Cette appellation déborde sur la commune de Morey, le long du mur du Clos de Tart, mais la plus grande partie est située sur Chambolle. C'est le grand cru par excellence. Les bonnes-mares, pleins, vineux, riches, ont une bonne aptitude à la garde et accompagnent volontiers le civet ou la bécasse après quelques années de vieillissement.

Ⓑ **DOM. ARLAUD** 2011 ★

■ Gd cru	1 000		+ de 100 €

Cette propriété très régulière en qualité et bien connue des lecteurs, notamment pour ses grands crus, a très bien réussi ses 2011, à l'image de son bonnes-mares, dont Hervé Armaud et ses trois enfants (Cyprien, Romain et Bertille) exploitent 20 ares, certifiés bio depuis 2010. La parcelle est plantée pour les trois quarts sur de l'argilo-calcaire, et pour un quart sur de l'argile blanche, un terroir lourd et froid. Elle est labourée au cheval, comme six autres hectares du domaine, par la jeune Bertille. Le domaine en a extrait ce vin au nez de fruits rouges frais, de cerise et de fraise en particulier, mêlés à ces mêmes fruits mais en version marmelade. La bouche se révèle stricte, « monacale » même, comme toujours avec ce terroir, vive et longue. Le temps (trois à cinq ans au moins) fera son œuvre et domptera le caractère un peu sauvage de cette bouteille.

☛ Dom. Arlaud, 41, rue d'Épernay, 21220 Morey-Saint-Denis, tél. 03 80 34 32 65, fax 03 80 34 10 11, contact@domainearlaud.com, ☑ ⚥ ⓨ r.-v.

FRÉDÉRIC MAGNIEN 2011 ★

■ Gd cru	2 300		+ de 100 €

La parcelle que vinifie Frédéric Magnien avec sa casquette de négociant possède la particularité de se situer le long du Clos de Tart, donc du côté de Morey-Saint-Denis exclusivement, sur un terroir de terres blanches. Cela donne en 2011 un vin à la robe violacée, au nez complexe de mûre, de fruits rouges et de boisé toasté, relayé, avec quelques notes épicées et réglissées en plus, par une bouche ample et bien équilibrée entre son côté tendre et sa fraîcheur, aux tanins bien dessinés, annonciateurs d'une belle capacité de garde de cinq à sept ans.

☛ Frédéric Magnien, 26, rte Nationale, 21220 Morey-Saint-Denis, tél. 03 80 58 54 20, fax 03 80 51 84 34, frederic@fred-magnien.com, ☑ ⚥ ⓨ r.-v.

DOM. NEWMAN 2010 ★

■ Gd cru	600	⊞	75 à 100 €

Créé par Christopher Newman, le domaine est constitué de parcelles rachetées entre 1972 et 1974 à M. Newman père et à Alexis Lichin, et replantées à la même période. Des achats successifs ont abouti à une superficie totale de 5,5 ha, dont 33 ares sont situées sur le grand cru bonnes-mares. Le 2010 se présente dans une seyante robe rubis et offre un bouquet encore dominé par les senteurs chocolatées et grillées de la barrique, un dégustateur y percevant aussi une note originale de mandarine. La bouche se révèle fraîche, nette, évoquant le menthol, la fraise et la framboise. Ses tanins, fins et délicats, donnent l'image d'un vin subtil et charmeur, que l'on pourra commencer à ouvrir dans trois ou quatre ans.

☛ GFA Dom. Newman, 29, bd Clemenceau, 21200 Beaune, tél. 03 80 22 80 96, fax 03 80 24 29 14, info@domainenewman.com

DOM. DE LA POUSSE D'OR 2011

■ Gd cru	750	▮⊞	+ de 100 €

L'incursion de ce célèbre domaine volnaysien sur ces terres nuitonnes n'est pas fréquente. Elle se matérialise ici par un vin rubis intense porté au nez sur des notes de grillé, de sous-bois, de cassis et d'épices. La bouche se montre à la fois vive et séveuse, tendue par une belle acidité en finale et soutenue par des tanins fermes et encore serrés, auxquels on laissera cinq ans pour qu'ils s'arrondissent.

☛ Dom. de la Pousse d'or, rue de la Chapelle, 21190 Volnay, tél. 03 80 21 61 33, patrick@lapoussedor.fr, ☑ r.-v.
☛ Landanger

Ⓑ **DOM. DE LA VOUGERAIE** 2011

■ Gd cru	2 616	⊞	75 à 100 €

Ce domaine de création récente (1999) est né de l'assemblage de plusieurs vignes acquises au fil du temps par la famille de Nathalie et Jean-Charles Boisset, ses actuels propriétaires. Il s'étend sur 34 ha cultivés en biodynamie, vaste mosaïque de 67 parcelles (dont le célèbre Clos Blanc de Vougeot) avec une petite trentaine d'appellations sur les deux Côtes. Sont dédiés au bonnes-mares 70 ares, dont Pierre Vincent, en charge des vinifications, a extrait ce 2011 couleur cerise, au nez de réglisse, de griotte, de rose fanée et de toasté. L'attaque souple prélude à une bouche à la fois onctueuse et bien bâtie, où le vanillé du fût ne masque pas le fruit. Un vin équilibré et « lisible », que l'on pourra commencer à servir dans quatre ou cinq ans sur une viande blanche, un rôti de veau par exemple.

☛ SCA Dom. de la Vougeraie, 7 bis, rue de l'Église, 21700 Premeaux-Prissey, tél. 03 80 62 48 25, fax 03 80 61 25 44, vougeraie@domainedelavougeraie.com, ☑ ⚥ ⓨ r.-v.

Vougeot

Superficie : 16 ha
Production : 525 hl (70 % rouge)

C'est la plus petite commune de la côte viticole. Si l'on ôte de ses 80 ha les 50 ha 59 a 10 ca du Clos, les maisons et les routes, il ne reste que quelques hectares de vignes en vougeot, dont plusieurs 1ers crus, les plus connus étant le Clos Blanc (vins blancs) et le Clos de la Perrière.

♥ Ⓑ **DOM. DE LA VOUGERAIE**
Le Clos blanc de Vougeot Monopole 2010 ★★

| ▱ 1er cru | 6 968 | ▮◫ | 50 à 75 € |

Cette parcelle, cadastrée « La Vigne blanche » et autrefois appelée « Petit Clos blanc de Cîteaux », est aussi ancienne que le Clos de Vougeot lui-même, fondé par les cisterciens en 1110. Le chardonnay y a toujours été planté, les moines de Cîteaux ayant opté pour un vin de messe blanc... Jean-Claude Boisset, son propriétaire actuel, a fait ériger une splendide entrée en pierre de taille pour rappeler cet imposant passé. Le présent ? Un 2010 des plus remarquables, couronné par un coup de cœur qui vient saluer le travail soigneux de Pierre Vincent, vinificateur de la Vougeraie. Ce dernier se méfie toujours de l'opulence naturelle du chardonnay sur ce terroir particulier, et il fait donc tout pour préserver la fraîcheur et l'énergie naturelle du vin. Mission accomplie avec ce blanc à la robe argentée, au nez complexe d'agrumes, de vanille, de brioche et de fougère. La bouche se révèle ample et vive, nette et précise, longue et tonique, sans manquer toutefois de rondeur ni de chair. À servir dans deux ou trois ans sur un poisson noble, un filet de turbot et sabayon au vin blanc. Le **1er cru Les Cras 2011 rouge (30 à 50 € ; 2 239 b.)** est quant à lui cité pour sa matière mûre et soyeuse, soutenue par des tanins souples et fondus.
☛ SCA Dom. de la Vougeraie, 7 bis, rue de l'Église, 21700 Premeaux-Prissey, tél. 03 80 62 48 25, fax 03 80 61 25 44, vougeraie@domainedelavougeraie.com, ☑ ⚘ ⚌ r.-v.

Clos-de-vougeot

Superficie : 50 ha
Production : 1 630 hl

Tout a été dit sur le Clos ! Comment ignorer que plus de soixante-dix propriétaires se partagent ses quelque 50 ha ? Un tel attrait n'est pas dû au hasard ; c'est bien parce que le célèbre Clos produit du bon vin que tout le monde en veut ! Il faut faire la différence entre les vins « du dessus », ceux « du milieu » et ceux « du bas », mais les moines de Cîteaux, lorsqu'ils ont élevé le mur d'enceinte, avaient tout de même bien choisi leur lieu... Fondé au début du XIIes., le Clos atteignit très rapidement sa dimension actuelle ; l'enceinte d'aujourd'hui est antérieure au XVes. Quant au château, construit aux XIIe et XVIes., il mérite qu'on s'y attarde un peu. La partie la plus ancienne comprend le cellier, de nos jours utilisé pour les chapitres de la Confrérie des Chevaliers du Tastevin, actuel propriétaire des lieux, et la cuverie, qui abrite à chaque angle quatre magnifiques pressoirs d'époque.

DOM. CASTAGNIER 2011 ★

| ▰ Gd cru | 2 400 | ◫ | 30 à 50 € |

Jérôme Castagnier exploite en biodynamie 50 ares dans la partie haute du Clos, dans le lieu-dit de renom Grand-Maupertuis, à la limite des Échézeaux. Il voit cette cuvée sélectionnée chaque année depuis le millésime 2005 (qui obtint d'ailleurs un coup de cœur) ; voilà une régularité qui force l'admiration. Le 2011 est à la hauteur de ses devanciers. Il livre un bouquet intense de fruits mûrs, de café torréfié et de fumée, accompagné par une note de feuille verte froissée. Fraîche en attaque, la bouche se révèle, comme souvent ici, suave et fondue, adossée à des tanins soyeux, sans agressivité. Un vin à la fois fin et charnu, bien dans le ton du cru, à garder trois ou quatre ans avant de le servir sur un foie gras poêlé.
☛ EARL Dom. Castagnier, 20, rue des Jardins, 21220 Morey-Saint-Denis, tél. 03 80 34 31 62, fax 03 80 58 50 04, jeromecastagnier@yahoo.fr, ☑ ⚘ ⚌ r.-v.

DOM. PHILIPPE CHARLOPIN 2010 ★★

| ▰ Gd cru | n.c. | ◫ | + de 100 € |

« Mais Babette, qu'y a-t-il dans cette bouteille ? demanda-t-elle, la voix tremblante. Ce n'est pas du vin, j'espère ? – Du vin, Madame ? Non ! C'est un clos-de-vougeot 1845 ! » Les œnophiles-cinéphiles qui auront la chance de goûter au clos-de-vougeot 2010 de Philippe et Yann Charlopin pourront se remémorer cette réplique fameuse du film *Le Festin de Babette* de Gabriel Axel. Ce vin remarquable de bout en bout suscite l'émotion et séduit d'emblée par sa robe grenat soutenu, profonde et veloutée. Au nez, la framboise confiturée, le cassis et la prunelle se mêlent à d'élégantes nuances fleurs et de sucre roux, selon un dégustateur. À cette olfaction gourmande répond un palais ample, rond et généreux en tanins, mais sans dureté. Ceux-ci, déjà fondus, permettront aux moins patients de ne pas trop attendre (trois ou quatre ans) pour apprécier ce vin d'une belle noblesse... sur des cailles « en sarcophage » au foie gras et aux truffes.
☛ Dom. Philippe Charlopin, 18, rte de Dijon, 21220 Gevrey-Chambertin, tél. 06 29 71 12 05
☑ ⚘ ⚌ t.l.j. sf dim. lun. 10h-19h (au Roupnel, 33, rue des Baraques)

DOM. DROUHIN-LAROZE 2011

| Gd cru | 3 500 | ⏳ | 50 à 75 € |

Le millésime 2011 a souri à Philippe Drouhin, témoin les différentes sélections dans cette édition, ici sous son nom de domaine, mais aussi à plusieurs reprises sous l'étiquette du négoce familial (Laroze de Drouhin). Son clos-de-vougeot est d'un style robuste. Fermé de prime abord, il faut une bonne aération pour qu'apparaissent les fruits rouges (framboise) accompagnés d'une note musquée et truffée. La bouche se montre vineuse et très ferme. Encore dans sa prime jeunesse, ce vin a besoin de vieillir quatre ou cinq ans pour s'arrondir.

🍷 Dom. Drouhin-Laroze, 20, rue du Gaizot, 21220 Gevrey-Chambertin, tél. 03 80 34 31 49, fax 03 80 51 83 70, domaine@drouhin-laroze.com, ☑ 🏃 ⍥ r.-v.

GAMBAL 2011 ★

| Gd cru | 1 000 | 🍾⏳ | 75 à 100 € |

La maison Alex Gambal, créée en 1997, s'est constituée progressivement un petit domaine de 3,5 ha, et exploite 20 ares dans le Clos de Vougeot. Les deux tiers de la cuvée viennent de la partie haute du Clos, près du mur. Le reste vient du milieu du Clos, et le tout est issu de vieilles vignes. Cette provenance « haute » des raisins explique sans doute dans ce vin le caractère soyeux et élégant des tanins, très « typés chambolle ». Framboise, vanille et moka, la palette aromatique est tout aussi raffinée au nez qu'en bouche. L'ensemble s'avère harmonieux, à la fois riche, frais et fin. À servir dans quatre ou cinq ans sur un mets de choix, un tournedos Rossini par exemple.

🍷 Maison Alex Gambal, 14, bd Jules-Ferry, 21200 Beaune, tél. 03 80 22 75 81, fax 03 80 22 21 66, info@alexgambal.com, ☑ 🏃 ⍥ r.-v.

DOM. FRANÇOIS GERBET 2011

| Gd cru | 720 | 🍾⏳ | 50 à 75 € |

Marie-Andrée et Chantal nées Gerbet et filles de François, fondateur du domaine en 1947, exploitent 31 ares du Clos. Elles en tirent un 2011 au nez de feuille de cassis, de fougère et de fruits des bois, à la bouche ample, ferme et structurée, encore dominée par le bois. Ce vin strict mais prometteur aura besoin d'au moins cinq ans de garde pour s'arrondir.

🍷 Dom. François Gerbet, pl. de l'Église, 21700 Vosne-Romanée, tél. 03 80 61 07 85, fax 03 80 61 01 65, vins.gerbet@wanadoo.fr, ☑ 🏃 ⍥ t.l.j. sf dim. 10h-12h 14h-18h

JEAN-MICHEL GUILLON ET FILS 2011 ★★

| Gd cru | 810 | ⏳ | 50 à 75 € |

Sur les 13 ha que compte le domaine, Jean-Michel Guillon et son fils Alexis exploitent 17 ares situés sur ce Clos, au bord de la route nationale, dans des terrains assez argileux, côté Vosne. Avec ce 2011 de haut vol, ils ajoutent deux étoiles à leur palmarès pour le moins appréciable (voir le chapitre côtes-de-nuits-villages). Robe sombre et profonde ; nez intense et élégant aux accents de fruits rouges et noirs légèrement confiturés et de boisé épicé ; bouche ample, dense et fraîche aux tanins racés et soyeux, où l'on ne sent pas les 30 % de vendanges entières pourtant susceptibles de durcir le vin. Ce dernier exploite au contraire le registre de la délicatesse et sera à son aise après quatre ou cinq de garde sur un mets de choix, un filet de bœuf sauce au foie gras par exemple.

🍷 Jean-Michel Guillon, 33, rte de Beaune, 21220 Gevrey-Chambertin, tél. 03 80 51 83 98, fax 03 80 51 85 59, contact@domaineguillon.com, ☑ 🏃 ⍥ r.-v. 🏠 🄲

DOM. GUYON 2011 ★

| Gd cru | 750 | ⏳ | 75 à 100 € |

Jean-Pierre et Michel Guyon avaient obtenu deux étoiles l'an passé pour leur premier millésime dans l'appellation (le 2010). Pour mémoire : 31 ares de vignes âgées de soixante ans, macération en raisins entiers, élevage de quinze mois en fût. Ils ont renouvelé l'expérience en 2011, et signent un vin dont le boisé prononcé à l'olfaction (grillé) n'étouffe toutefois pas les fruits noirs ; « louis-quatorzien » en bouche – ou « cistercien », pour rester dans l'esprit des lieux –, comprenez austère, dense et tannique. On oubliera « sa majesté » pendant quatre ou cinq ans, avant de la servir sur une caille aux raisins.

🍷 EARL Dom. Guyon, 11-16, RD 974, 21700 Vosne-Romanée, tél. 03 80 61 02 46, fax 03 80 62 36 56, domaine.guyon@wanadoo.fr, ☑ ⍥ r.-v.

FRANÇOIS PARENT 2011 ★★

| Gd cru | 530 | ⏳ | + de 100 € |

Le 2010 fut coup de cœur de l'édition précédente ; le négoce de François Parent tient son rang avec le 2011. Paré d'une robe cerise noire, le vin dévoile un bouquet ouvert et complexe où l'on perçoit les fruits noirs, le café torréfié ou encore la truffe. La bouche se montre généreuse, bien texturée, tannique mais sans agressivité, et s'achève sur une longue finale poivrée. Une bouteille de noble extraction, à laisser vieillir au moins quatre ou cinq ans avant de la servir sur un lièvre à la royale.

🍷 François Parent, 14 bis, rue Pierre-Joigneaux, 21200 Beaune, tél. 03 80 22 61 85, fax 03 80 24 03 16, francois@parent-pommard.com, ☑ ⍥ r.-v.

RAPHET 2011

| Gd cru | 5 000 | ⏳ | 50 à 75 € |

Établi non loin du Clos de Vougeot – Morey est à 2 km –, Gérard Raphet exploite 1,5 ha de ce vaste grand cru. Il signe un 2011 paré de rubis vif, au nez intense de mûre, de fleurs et d'épices. Ronde, souple et discrètement tannique, la bouche joue plutôt dans le registre de la finesse que dans celui de la puissance. C'est pourquoi l'on pourra apprécier ce vin sans trop devoir attendre, d'ici deux ou trois ans.

🍷 Gérard Raphet, 25, rte des Grands-Crus, 21220 Morey-Saint-Denis, tél. 03 80 51 89 52, fax 03 80 51 84 25, gerard.raphet@wanadoo.fr, ☑ 🏃 ⍥ r.-v.

DOM. ARMELLE ET BERNARD RION Vieilles Vignes 2011

| Gd cru | 2 500 | ⏳ | 50 à 75 € |

Pas d'activité de négoce chez les Rion – Bernard, Armelle et leur fille Alice –, mais un domaine familial de 8 ha, dont 1 ha de vieilles vignes dédié au grand cru. Les lecteurs fidèles se souviendront sans doute du coup de cœur obtenu dans l'appellation pour le millésime 2007. Le 2011 a quelques bons arguments à faire valoir : une robe élégante pour commencer, d'un beau rubis soutenu ; un bouquet généreux de fruits confits (pruneau et cerise) ; une bouche solidement charpentée, d'une austérité encore un peu monacale, mais qui devrait s'arrondir avec quatre ou cinq ans de garde, ou plus encore. Plus de rondeur lui aurait valu une étoile...

Dom. Armelle et Bernard Rion, 8, rte Nationale,
21700 Vosne-Romanée, tél. 03 80 61 05 31,
fax 03 80 61 34 60, rion@domainerion.fr,
☑ ⚘ ⊤ t.l.j. 9h-18h; dim. et hiver sur r.-v.

CH. DE SANTENAY 2010 ★

■ Gd cru	977	🍶	50 à 75 €

Ce majestueux château, ancienne propriété de Philippe le Hardi, aujourd'hui dans le giron du Crédit Agricole, exploite 20 ares dans le Clos à l'origine de ce vin rubis au nez très cistercien de fruits noirs et de caillou calcaire, « adouci » par une touche de violette. L'austérité domine aussi dans une bouche ample aux tanins puissants et sévères, qui laissent entendre que le vin a besoin d'un très long recueillement en cave, cinq ans minimum, avant que la messe ne soit dite.

SAS Ch. de Santenay, 1, rue du Château,
21590 Santenay, tél. 03 80 20 61 87, fax 03 80 20 63 66,
contact@chateau-de-santenay.com, ☑ ⚘ ⊤ r.-v.

Échézeaux et grands-échézeaux

Au sud du Clos de Vougeot, la commune de Flagey-Échézeaux, dont le bourg est dans la plaine, tout comme celui de Gilly-lès-Cîteaux, est située en face du Clos de Vougeot. Elle n'en est pas moins viticole, et son vignoble grimpe jusqu'à la montagne. La partie du piémont bénéficie de l'appellation vosne-romanée. Sur le coteau se succèdent deux grands crus : le grands-échézeaux et l'échézeaux. Les vins de ces deux crus, dont les plus prestigieux sont les grands-échézeaux, sont très « bourguignons » : solides, charpentés et pleins de sève. Ils sont essentiellement exploités par les vignerons de Vosne et de Flagey.

Échézeaux

Superficie : 35 ha
Production : 1 235 hl

CAPITAIN-GAGNEROT 2011

■ Gd cru	1 500	🍶	50 à 75 €

Depuis le 1er janvier 2013, Pierre-François Capitain est seul maître à bord de ce vénérable domaine fondé en 1802 ; son père Patrice et son oncle Michel restant à l'écoute. Il propose un échézeaux au nez floral et friand de violette et de groseille. La bouche se montre dense et fine, élégante, révélant en finale des tanins affinés et délicats qui permettront de déguster ce vin sans trop attendre (deux à cinq ans).

Maison Capitain-Gagnerot, 38, rte de Dijon,
21550 Ladoix-Serrigny, tél. 03 80 26 41 36,
fax 03 80 26 46 29, contact@capitain-gagnerot.com,
☑ ⚘ ⊤ r.-v.

DOM. PHILIPPE CHARLOPIN 2010 ★★

■ Gd cru	n.c.	🍶	+ de 100 €

Philippe Charlopin et son fils Yann exploitent 33 ares dans ce grand cru, qu'ils travaillent volontiers avec un style délicat et fruité. Pour preuve cette cuvée au nez complexe de fruits rouges, de cassis et de sous-bois. La bouche est avenante, ronde et délicate, déroulant tanins fins et fondus et arômes fruités, elle se conclut sur une élégante vivacité qui confère une grande longueur et une belle espérance de garde. À encaver pour les cinq ou dix prochaines années.

Dom. Philippe Charlopin, 18, rte de Dijon,
21220 Gevrey-Chambertin, tél. 06 29 71 12 05
☑ ⚘ ⊤ t.l.j. sf dim. lun. 10h-19h (au Roupnel,
33, rue des Baraques)

DOM. FRANÇOIS GERBET 2011

■ Gd cru	882	🍶	50 à 75 €

De leurs 20 ares d'échézeaux, Marie-Andrée et Chantal Gerbet ont tiré ce 2011 en robe rouge profond, au nez juteux de fruits confiturés, de vanille et d'épices. Le style n'est pas dans la légèreté ni la finesse, mais plutôt dans la générosité, comme le centre le palais, plein, chaleureux et puissant, adossé à des tanins compacts. Trois à cinq ans de garde sont un minimum pour parfaire l'ensemble.

Dom. François Gerbet, pl. de l'Église,
21700 Vosne-Romanée, tél. 03 80 61 07 85,
fax 03 80 61 01 65, vins.gerbet@wanadoo.fr,
☑ ⚘ ⊤ t.l.j. sf dim. 10h-12h 14h-18h

♥ DOM. GUYON 2011 ★★

■ Gd cru	900	🍶	75 à 100 €

Les Guyon cultivent la vigne à Vosne-Romanée depuis 1938. Jean-Pierre et Michel Guyon ont repris le flambeau en 1991 et conduisent aujourd'hui un domaine de 9 ha, dont 20 ares de vignes de quarante-cinq ans situées contre les Grands Échézeaux, dans le cœur historique du *climat*. Le millésime 2011 semble leur avoir particulièrement réussi : un coup de cœur pour cet échézeaux et un autre pour leur gevrey Platières 2011. Le vin respire la générosité et l'élégance avec son nez expressif et élégant, fruité, boisé avec mesure et surtout floral, sur la rose ancienne, expression assez caractéristique de la vinification en raisins entiers. La bouche se révèle ronde, délicate, suave, presque sucrée. Long, enrobé de tanins fins, ce vin en dentelle, précis et gracieux, est à garder entre cinq et dix ans.

EARL Dom. Guyon, 11-16, RD 974,
21700 Vosne-Romanée, tél. 03 80 61 02 46,
fax 03 80 62 36 56, domaine.guyon@wanadoo.fr, ☑ ⊤ r.-v.

MAISON JESSIAUME 2010 ★

| ■ Gd cru | n.c. | ■ ❶❶ | + de 100 € |

Grâce à leur riche actionnaire, Sir David Murray, les Jessiaume ont la possibilité de « chasser » les belles cuvées pour leur affaire de négoce, créée en 2006 en appoint de leur vaste domaine de Santenay. Mais le talent y est aussi pour beaucoup, en l'occurrence celui de Marc et de Pascal, désormais épaulés par le jeune Jean-Baptiste Jessiaume (sixième génération). Ils signent un échézeaux au nez de fruits rouges et de caramel. La bouche se révèle intense, finement tannique et longue, un peu bousculée par une pointe d'austérité en finale. Un « défaut » de jeunesse qu'atténueront cinq ou six ans de cave.

🕿 SARL Maison Jessiaume, 10, rue de la Gare, 21590 Santenay, tél. 03 80 20 60 03, fax 03 80 20 62 87, contact@domaine-jessiaume.com, ☑ ⚤ ⊥ r.-v.

DOMINIQUE MUGNERET En Orveaux 2011

| ■ Gd cru | n.c. | ❶❶ | 50 à 75 € |

Dominique Mugneret exploite 40 ares des 5 ha que compte le *climat* En Orveaux, dont la partie supérieure est classée en premier cru, et qui repose, pour sa partie inférieure, sur un sol très pauvre. Régulièrement sélectionné sur cette appellation, le domaine propose un 2011 qui mêle au nez notes de sous-bois, de grillé, d'amande et de fruits noirs. D'un bon volume, souple et fin, le palais s'appuie sur des tanins de qualité et sur un boisé encore à fondre. Ce vin « a de la ressource », conclut un dégustateur, qui conseille d'attendre cinq ou six ans avant de l'ouvrir.

🕿 Dominique Mugneret, 9, rue de la Fontaine, 21700 Vosne-Romanée, tél. 06 63 32 79 72, dominique.mugneret@orange.fr, ☑ r.-v.

DOM. MICHEL NOËLLAT Du Dessus 2011

| ■ Gd cru | 2 500 | ❶❶ | 75 à 100 € |

Ce *climat*, cœur historique du grand cru, s'étend sur 3,55 ha, juste... au-dessus des Grands Échézeaux. Les frères Noëllat, Alain et Jean-Marc, le premier au commercial, le second à la vigne, les deux à la vinification, en exploitent 80 ares. Ils sont aujourd'hui épaulés par leurs enfants, Sébastien et Sophie. Leur 2011 dévoile un nez plaisant d'épices douces, de chocolat noir et de cerise à l'alcool. Après une attaque franche et fraîche, la bouche se révèle dense, ample et grasse, structurée par un boisé ajusté, aux accents vanillés, et par des tanins encore jeunes qui appellent trois à cinq ans de cave.

🕿 SCEA Dom. Michel Noëllat, 5, rue de la Fontaine, 21700 Vosne-Romanée, tél. 03 80 61 36 87, fax 03 80 61 18 10, domaine.michel-noellat@wanadoo.fr, ☑ ⚤ ⊥ r.-v.

DOM. DES PERDRIX 2010 ★

| ■ Gd cru | n.c. | ❶❶ | + de 100 € |

L'une des valeurs sûres de l'appellation, mais pas que : voyez les sélections en nuits-saint-georges notamment, et plus particulièrement son quasi-monopole Aux Perdrix, voyez encore les vosne-romanée. La famille Devillard, à la tête de ce domaine depuis 1996, exploite aussi 1,15 ha de ce grand cru, dont l'essentiel est situé dans le cœur du finage, les Échézeaux du dessus. Robert Vernizeau, le vinificateur, signe un 2010 dont le nez, intense et généreux, annonce la couleur : kirsch, chocolat, épices, sous-bois, pointe mentholée. Le prélude à un palais tout aussi soutenu, vineux, dense, massif, voire sévère. Un

solide gaillard, que l'on remisera en cave au moins six ou sept ans avant de le servir sur un agneau braisé.

🕿 Dom. des Perdrix, rue des Écoles, 21700 Premeaux-Prissey, tél. 03 85 45 21 61, fax 03 85 98 06 62, contact@domainedesperdrix.com, ☑ ⚤ ⊥ r.-v.

🕿 Famille Devillard

DOM. DE LA ROMANÉE-CONTI 2011 ★★

| ■ Gd cru | n.c. | ❶❶ | + de 100 € |

Réputé le moins complexe des grands crus du domaine, l'échézeaux de la Romanée-Conti, né sur 4,67 ha, a pourtant peu à envier à ses glorieux voisins. Peut-être un peu plus strict que le 2010, le 2011 livre un bouquet intense et expressif de fumée, d'épices et de fruits noirs mûrs. Une intensité qui annonce un palais puissant, dense et savoureux, sur le Zan et la violette, bâti sur des tanins serrés, bien présents, mais avec ce velouté et cette finesse qui caractérisent si bien les vins du domaine. La finale, aux accents de végétal noble (70 % de rafle), laisse le souvenir d'un échézeaux à la fois frais, massif et élégant.

🕿 SC du Dom. de la Romanée-Conti, 1, rue Derrière-le-Four, 21700 Vosne-Romanée, tél. 03 80 62 48 80, fax 03 80 61 05 72

Grands-échézeaux

Superficie : 7,5 ha
Production : 240 hl

DOM. DE LA ROMANÉE-CONTI 2011 ★★

| ■ Gd cru | n.c. | ❶❶ | + de 100 € |

Le domaine de la Romanée-Conti détient 3 ha 52 a et 63 ca des 8 ha de ce grand cru mitoyen du Clos de Vougeot, dont il est très proche par son terroir. Il fut lui aussi détenu jadis par l'abbaye de Cîteaux. On évoque souvent ses arômes suggérant le gibier et le sous-bois. Ce millésime dans son enfance tient un discours différent, printanier. D'une grande finesse, il s'exprime encore avec discrétion ; il a la modestie de la violette et la délicatesse de la rose ancienne, le tout assorti de nuances d'épices douces. L'iris vient s'ajouter à ce parterre, allié à la cerise noire dans un palais bien charnu : les tanins, très serrés, poivrés, laissent une impression de grande puissance, mais sans rien de raide, ni de hautain ou d'anguleux ; ils sont soyeux, délicats et déliés : la douceur même. Le côté animal apparaît en finale dans une touche de cuir. Complexe, solide et tendre, ce jeune vin est déjà grand. Une belle expression du millésime et du cru dans ce vin appelé à la longue vie de ses aînés.

🕿 SC du Dom. de la Romanée-Conti, 1, rue Derrière-le-Four, 21700 Vosne-Romanée, tél. 03 80 62 48 80, fax 03 80 61 05 72

Vosne-romanée

Superficie : 150 ha
Production : 5 955 hl

Là aussi, la coutume bourguignonne est respectée : le nom de Romanée est plus connu que celui de Vosne. Quel beau tandem ! Comme

Gevrey-Chambertin, cette commune est le siège d'une multitude de grands crus ; mais il existe à proximité des *climats* réputés, tels les 1ers crus Suchots, les Beaux-Monts, les Malconsorts et bien d'autres.

JEAN-LUC ET PAUL AEGERTER Réserve personnelle 2010

| ■ | 3 000 | ⅢⅠ | 50 à 75 € |

Cette Réserve personnelle s'affiche dans une belle robe rubis. Le nez apparaît élégant et fin, évoquant les fruits rouges (cerise, framboise) légèrement compotés. Dans le droit fil, la bouche se révèle mûre et fruitée, adossée à des tanins extraits avec mesure. Les notes de fougère en finale ne sont pas pour déplaire. À déguster après deux ou trois ans de garde.

☛ Jean-Luc et Paul Aegerter, 49, rue Henri-Challand, 21700 Nuits-Saint-Georges, tél. 03 80 61 02 88, fax 03 80 62 37 99, infos@aegerter.fr

DOM. PHILIPPE CHARLOPIN 2010 ★

| ■ | n.c. | ⅢⅠ | 30 à 50 € |

Philippe Charlopin et son fils Yann restent fidèles à leur style en proposant ce vosne à la robe profonde et intense, au nez de moka et de fruits noirs à maturité. Boisée avec élégance et solidement structurée, la bouche affiche une intensité flamboyante, soutenue par une fraîcheur qui fait l'équilibre. La finale ample et généreuse, sur le pruneau, laisse une impression de plénitude. Le mieux serait d'attendre de trois à cinq ans pour permettre à ce vin de s'épanouir.

☛ Dom. Philippe Charlopin, 18, rte de Dijon, 21220 Gevrey-Chambertin, tél. 06 29 71 12 05
☑ ⚔ ⵏ t.l.j. sf dim. lun. 10h-19h (au Roupnel, 33, rue des Baraques)

RAPHAËL DUBOIS 2010 ★

| ■ | 1 200 | ⅢⅠ | 20 à 30 € |

Le domaine Dubois est installé à Premeaux-Prissey, près de Nuits-Saint-Georges, et a développé une petite activité de négoce pour proposer un spectre plus large d'appellations. Ce vosne, représentant 23 ares de vignes de quarante-cinq ans, en est issu. Il offre une belle robe profonde, un nez élégant et fin, sur la vanille et le moka. Ronde et dominée par les fruits rouges confiturés, la bouche se montre tout aussi élégante, ciselée par une fine fraîcheur et agrémentée d'une légère pointe d'alcool en finale. À ne sortir de cave que dans deux ou trois ans au plus tôt.

☛ SARL Raphaël Dubois, 24, rue de la Courtavaux, 21700 Premeaux-Prissey, tél. 03 80 62 19 40, fax 03 80 61 24 07, rdubois@wanadoo.fr,
☑ ⚔ ⵏ t.l.j. 8h-11h30 13h30-17h30; sam. dim. sur r.-v.

CAMILLE GIROUD 2010 ★

| ■ | 1 734 | Ⅲ Ⅲ | 30 à 50 € |

David Croix a très bien réussi ses 2010, en gevrey-chambertin notamment. Il signe un vosne épatant, qui se fait d'emblée séducteur dans sa robe pourpre intense et profond. Le charme opère aussi à l'olfaction, subtil mariage du grillé de la barrique (seize mois) et des fruits frais, puis confits à l'aération. La bouche bien extraite, équilibrée entre fraîcheur et alcool, longue et boisée, appelle une garde d'au moins trois à cinq ans pour atteindre sa pleine harmonie.

☛ Camille Giroud, 3, rue Pierre-Joigneaux, 21200 Beaune, tél. 03 80 22 12 65, fax 03 80 22 22 42 84, contact@camillegiroud.com, ☑ ⵏ r.-v.

DOM. A.-F. GROS Aux Réas 2011 ★★

| ■ | 10 200 | ⅢⅠ | 30 à 50 € |

Coup de cœur sur le millésime précédent pour ses Maizières, François Parent brille ici sur Les Réas, un *climat* classé en communale et situé dans le bas de pente du Clos des Réas. Il en tire un vin rouge soutenu, au nez complexe, toasté, fruité, poivré et un rien animal. Discret en première approche, le palais monte en puissance, se fait riche et tannique, épaulé par un noble boisé. Un vin « haut en bouche », conclut un dégustateur, qui conseille d'attendre trois à cinq ans minimum avant de le servir sur un mets de choix, une poularde farcie aux cèpes et foie gras par exemple.

☛ Dom. A.-F. Gros, 5, Grande-Rue, 21630 Pommard, tél. 03 80 22 61 85, fax 03 80 24 03 16, af-gros@wanadoo.fr, ☑ ⵏ r.-v.

♥ DOM. GROS FRÈRE ET SŒUR 2011 ★★

| ■ 1er cru | 2 500 | Ⅲ Ⅲ | 30 à 50 € |

Triple ban pour Bernard Gros, qui réussit l'exploit spectaculaire de décrocher dans cette même édition un coup de cœur en hautes-côtes-de-nuits et deux en vosne ! Trois couronnes pour un domaine qui en compte déjà beaucoup d'autres. Ce 1er cru sans nom de *climat* représente 44 ares. Si la robe est quelque peu éteinte, sombre, dans les tons cerise noire, le nez transcende l'œil et révèle une complexité remarquable, mêlant les notes de cuir, de sous-bois, de poivre, de réglisse et de fruits noirs. Fraîche et tonique en attaque, la bouche dévoile ensuite une matière riche, dense et soyeuse. Un vin corpulent et distingué, à encaver pour les cinq à dix ans à venir. Le deuxième coup de cœur revient au « simple » *village* 2011 (12 500 b.) ♥. Mais rien de simpliste ici : clou de girofle, toasté, cerise, framboise, le bouquet impressionne. La bouche suit le nez, admirable d'équilibre entre l'intensité aromatique, la souplesse de sa chair et la fraîcheur de sa finale. À ouvrir dans trois à cinq ans, quand le boisé sera parfaitement fondu.

☛ Dom. Gros Frère et Sœur, 6, rue des Grands-Crus, 21700 Vosne-Romanée, tél. 03 80 61 12 43, fax 03 80 61 34 05, bernard.gros2@wanadoo.fr, ☑ ⚔ ⵏ r.-v.

ALAIN GUYARD Aux Réas 2010 ★

| ■ | 1 580 | ⅢⅠ | 20 à 30 € |

Alain Guyard est surtout connu pour ses marsannay. Le voici, une fois n'est pas coutume, sélectionné pour son vosne Aux Réas, un beau *climat* de « communale » situé dans le bas du 1er cru Le Clos des Réas. Il signe un vin harmonieux, qui s'ouvre à l'olfaction sur des notes boisées de moka et de grillé, bientôt accompagnées de fruits mûrs. Calée sur ces mêmes arômes, la bouche s'avère souple, fraîche et de bonne constitution tannique, la finale s'envolant sur une petite note acidulée qui renforce son caractère tonique. Prévoir deux ou trois ans en cave pour un épanouissement complet.

☛ Alain Guyard, 10, rue du Puits-de-Têt, 21160 Marsannay-la-Côte, tél. 03 80 52 14 46, fax 03 80 52 67 36, domaine.guyard@orange.fr, ☑ ⚲ ⛾ t.l.j. sf dim. 8h-12h 13h30-19h

DOM. GUYON Les Charmes de Mazières 2011 ★

■	1 900	�	30 à 50 €

Si Les Mazières sont un *climat* de niveau communal sur Vosne, ces Charmes n'existent pas au cadastre puisqu'ils représentent une sélection parcellaire du domaine : 60 ares de vignes de cinquante-cinq ans, millerandées, donc au rendement naturellement très bas. Elles ont été menées en bio (le domaine est actuellement en conversion) et vinifiées en grappes entières. Cela donne ce vin au nez concentré de fruits légèrement confits et d'épices douces, à la bouche gourmande, presque moelleuse, raffermie par les tanins et, pour l'heure, un peu « bousculée » par le boisé, mais dans quatre ans, l'équilibre sera parfait.

☛ EARL Dom. Guyon, 11-16, RD 974, 21700 Vosne-Romanée, tél. 03 80 61 02 46, fax 03 80 62 36 56, domaine.guyon@wanadoo.fr, ☑ ⛾ r.-v.

DOM. JOANNET Les Suchots 2011

■ 1er cru	1 800	⛁	30 à 50 €

Les Suchots sont l'un des plus beaux *climats* de Vosne, intercalés entre les grands crus romanée-saint-vivant et clos-de-vougeot. Michel Joannet, établi dans les Hautes-Côtes, en exploite 43 ares, dont les raisins ont été élevés dix-huit mois en fût. Le résultat est un vin au nez intense de fruits noirs, de griotte, de poivre blanc et de grillé, au palais massif, très tannique, qui laisse entrevoir un beau vin d'ici sept à dix ans.

☛ Dom. Michel Joannet, 76, Grande-Rue, 21700 Marey-lès-Fussey, tél. 03 80 62 90 58, domaine-michel.joannet@wanadoo.fr, ☑ ⚲ ⛾ r.-v.

DOM. VINCENT LEGOU 2010

■	3 600	⛁	20 à 30 €

Vincent Legou est installé dans les Hautes-Côtes, près du château de Meuilley, à la tête depuis 2008 du domaine créé par son père Jacky en 1984. Sur les 11,5 ha que compte le vignoble, 46 ares sont consacrés à ce vosne-romanée élevé dix-huit mois en fût. Un vin encore en devenir mais prometteur, au nez fermé et boisé, puissamment charpenté, sévère. À attendre vous l'aurez compris, quatre ou cinq ans au moins.

☛ Dom. Vincent Legou, hameau de Concœur, 21700 Nuits-Saint-Georges, tél. 03 80 62 53 73, fax 03 80 62 11 47, domaine.vincent.legou@gmail.com, ☑ ⚲ ⛾ r.-v. ⌂ Ⓓ

DOMINIQUE MUGNERET Alliance des terroirs 2011

■	6 000	⛁	20 à 30 €

Troisième sélection consécutive pour cette cuvée de Dominique Mugneret née d'un assemblage parcellaire représentant 1,4 ha. Le 2011 se présente dans une robe limpide, couleur rubis, le nez est de bonne intensité sur les fruits compotés (cassis, mûre, fraise) et les épices. Dans la

continuité, la bouche, vive et bien structurée, offre un bon volume et un joli fruité en finale. Un vosne d'un style plutôt souple et friand, à déguster dans deux à trois ans.

☛ Dominique Mugneret, 9, rue de la Fontaine, 21700 Vosne-Romanée, tél. 06 63 32 79 72, dominique.mugneret@orange.fr, ☑ r.-v.

DOM. MICHEL NOËLLAT 2011 ★

■	5 500	⛁	30 à 50 €

Héritiers d'un domaine fondé au XIXᵉs. par leur ancêtre Félix, les frères Alain et Jean-Marc Noëllat, fils de Michel, sont d'une remarquable constance sur cette appellation (coups de cœur récents pour leurs Beaux Monts 2009 et 2010), qui est aussi leur fief. Le premier gère le commercial, le second officie à la vigne et au chai. La succession semble assurée : Sébastien, fils de Jean-Marc, a rejoint le domaine en 2008, titulaire d'un BTS « viti-œno », Sophie, fille d'Alain, est arrivée en 2012, diplômée en commerce international. Côté cave, voici un vosne de caractère, dominé par le boisé à l'olfaction comme en bouche, mais la matière est là, riche, généreuse et tannique, apte à bien « digérer » l'élevage de seize mois. À attendre au moins trois ou quatre ans. Issu de parcelles de vieilles vignes de soixante ans situées entre la Romanée-Saint-Vivant et les Échézeaux le **1ᵉʳ cru Les Suchots 2011 (50 à 75 € ; 4 900 b.)** présente un style proche, étoffé, puissant, concentré, toasté, armé pour une longue garde. Il obtient également une étoile.

☛ SCEA Dom. Michel Noëllat, 5, rue de la Fontaine, 21700 Vosne-Romanée, tél. 03 80 61 36 87, fax 03 80 61 18 10, domaine.michel-noellat@wanadoo.fr, ☑ ⚲ ⛾ r.-v.

DOM. DES PERDRIX 2010 ★★

■	2 900	⛁	30 à 50 €

Un domaine bien connu des amateurs et des lecteurs du Guide, au palmarès éloquent : neuf coups de cœur sur les dix dernières années, dont trois pour la seule appellation vosne-romanée, sur laquelle la famille Devillard exploite 1 ha. Le 2010 entre dans la catégorie de leurs meilleurs millésimes. Un vin intensément fruité à l'olfaction, une pointe minérale et un boisé bien fondu à l'arrière-plan. Le palais se révèle ample et frais, bien consolidé par des tanins fermes et vigoureux mais sans agressivité et ne porte pas trace de son élevage en fût de dix-huit mois. Une cuvée parfaitement dans le ton de l'AOC, de garde assurément (la décennie), mais pouvant aussi être ouverte plus jeune, d'ici deux ans.

☛ Dom. des Perdrix, rue des Écoles, 21700 Premeaux-Prissey, tél. 03 85 45 21 61, fax 03 85 98 06 62, contact@domainedesperdrix.com, ☑ ⚲ ⛾ r.-v.
☛ Devillard

DOM. ARMELLE ET BERNARD RION Les Chaumes Vieilles Vignes 2011

■ 1er cru	2 500	⛁	30 à 50 €

Alice Rion et son père Bernard cultivent 46 ares de ce 1ᵉʳ cru planté de vénérables pinots de quatre-vingts ans. « Nous n'aimons pas les vins technologiques et recherchons toujours l'élégance et un beau potentiel de garde », expliquent-ils. Pour cela, ils ont opté ici pour une cuvaison de deux semaines et pour un élevage en fût relativement court de quinze mois. Ce 2011 en ressort couleur grenat limpide, le nez empreint de notes de cerise et de cassis, la bouche équilibrée, ronde, souple et fraîche. La finale, actuellement durcie par les tanins, appelle toutefois trois ou quatre ans de garde pour s'arrondir.

☛ Dom. Armelle et Bernard Rion, 8, rte Nationale, 21700 Vosne-Romanée, tél. 03 80 61 05 31, fax 03 80 61 34 60, rion@domainerion.fr, ☑ ⚲ ⚭ t.l.j. 9h-18h; dim. et hiver sur r.-v.

DOM. DE LA ROMANÉE-CONTI
Cuvée Duvault-Blochet 2011 ★★

■ 1er cru	n.c.	� + de 100 €

En 1817, Jacques-Marie Duvault (1789-1874), propriétaire-récoltant, négociant en vins et conseiller général de la Côte-d'Or, épouse Sophie Blochet. En 1867, il acquiert la Romanée-Conti, le rêve de sa vie. La branche de Villaine au sein du domaine puise là ses origines. Hommage à l'ancêtre, cette cuvée naît du deuxième passage des vendanges dans les grands crus de la propriété. Un vin de la plus haute extraction donc que ce 2011, synthèse unique du millésime sur ces nobles terres. Le vin livre un bouquet ouvert et expressif de cerise bigarreau, de poivre gris et de bois frais. Tout en séduction, la bouche se révèle à la fois généreuse, douce, mûre (cerise kirschée, pointe chocolatée) et tonique, étayée par de fins tanins et une vivacité élégante. D'heureuses perspectives à l'horizon 2018-2020.

☛ SC du Dom. de la Romanée-Conti, 1, rue Derrière-le-Four, 21700 Vosne-Romanée, tél. 03 80 62 48 80, fax 03 80 61 05 72

DOM. FABRICE VIGOT La Colombière 2011 ★

■	2 400	⚭ ⚭	30 à 50 €

Fabrice Vigot a adjoint deux nouvelles cuvées de vosne à sa carte, Les Jamaudes et Les Chalandins ; les premières étiquettes individualisées portant leur nom apparaîtront avec le millésime 2011. Mais c'est La Colombière, un troisième *climat*, qui est remarquée cette année, pour son nez intense de cassis et de poivre blanc et pour sa bouche fine, fraîche et épicée, adossée à un bon support tannique et boisé qui garantira une belle évolution à ce vin. À attendre au moins deux ou trois ans avant de lui réserver un rôti de bœuf aux champignons.

☛ Dom. Fabrice Vigot, 2, rue de la Fontaine, 21700 Vosne-Romanée, tél. et fax 03 80 61 13 01, fabrice.vigot@wanadoo.fr, ☑ ⚲ ⚭ r.-v.

Les grands crus de Vosne-Romanée

Tous sont des crus plus prestigieux les uns que les autres, et il serait bien difficile d'indiquer le plus grand... Certes, la romanée-conti jouit de la plus importante renommée, et l'on trouve dans l'histoire de nombreux témoignages de « l'exquise qualité » de ce vin. La célèbre pièce de vigne de la Romanée fut convoitée par les grands de l'Ancien Régime : ainsi Mme de Pompadour ne réussit pas à l'emporter contre le prince de Conti, qui put l'acquérir en 1760. Jusqu'à la Seconde

Guerre mondiale, la vigne de la romanée-conti et celle de la tâche restèrent non greffées, traitées au sulfure de carbone contre le phylloxéra. Mais il fallut alors les arracher.

La première récolte des nouveaux plants eut lieu en 1952. Ce romanée-conti, exploité en monopole, reste l'un des vins les plus illustres et les plus chers du monde. Les autres grands crus sont le richebourg, la romanée, romanée-saint-vivant, la grande-rue et la tâche – dernière-née des grands crus, reconnue en 1992. Comme dans tous les grands crus, les volumes produits sont de l'ordre de 20 à 30 hl par hectare selon les années.

Richebourg

Superficie : 7,5 ha
Production : 200 hl

♥ DOM. A.-F. GROS 2011 ★★

■ Gd cru	1 850	⚭ + de 100 €

Un autre héritage de Cîteaux, voisin du Clos de Vougeot. Anne-Françoise Gros en détient une jolie part : 60 ares, ce qui constitue une superficie importante pour un grand cru. Dans une année moyenne, cela donne 2 400 à 3 000 bouteilles par an. Il n'y aura que 1 850 flacons de ce 2011, les humeurs changeantes et orageuses de l'été étant certainement à l'origine d'une telle parcimonie. Et pourtant, ce richebourg s'est ri de ce millésime duquel il sort triomphant. La robe intense aux reflets rubis laisse des larmes sur les parois du verre. Tout aussi intense, le nez affiche une complexité captivante : on y respire du fruit noir, légèrement confit (pâte de cassis), de la rose et une touche de sous-bois moussu. Malgré les vingt mois d'élevage en fût, le bois n'a rien d'écrasant : au nez comme au palais, il se contente de souligner les parfums du pinot par ses fragrances épicées. La mise en bouche confirme les bonnes dispositions de ce vin qui conjugue la puissance du grand cru et une extrême finesse – le millésime ? Le doigté du vinificateur ? Toujours est-il que le dégustateur est comblé. La longueur atteste la grande réussite de ce richebourg, qu'il faudra laisser dormir pendant trois ou quatre ans pour le moins. On pourra encore l'apprécier en 2025. Les 1996 et 1998 avaient obtenu la même distinction, et déjà, on avait salué leur élégance.

☛ Dom. A.-F. Gros, 5, Grande-Rue, 21630 Pommard, tél. 03 80 22 61 85, fax 03 80 24 03 16, af-gros@wanadoo.fr, ☑ ⚭ r.-v.

DOM. DE LA ROMANÉE-CONTI 2011 ★★★

■ Gd cru	n.c.	ⅲ + de 100 €

Un grand cru mitoyen de la Romanée-Conti. Goûté dans son enfance, ce 2011 affiche néanmoins une très belle maturité, un nez à la fois bien ouvert et profond, réglissé et très poivré. Il montre le caractère athlétique et sanguin qu'on lui prête : la matière apparaît dense, aussi puissante que le nez, la trame tannique racée, ferme et cependant déliée, et soulignée par un boisé déjà bien fondu. La finale, encore stricte et minérale, est d'une rare longueur. Tous les attributs d'un millésime de garde. Le résultat de la météo précoce de l'année ? On se rappelle le printemps si radieux... De fait, les vendanges de ces 3 ha 51 a et 10 ca se sont déroulées les 7 et 8 septembre, soit une semaine avant celles du solaire 2009 et plus de quinze jours avant les vendanges de 2010. Toutefois, il conviendrait de saluer l'exigence du domaine, le savoir-faire des équipes de Nicolas Jacob, chef de culture, et de celles de Bernard Noblet, maître de chai. Car passé le printemps sec et presque idéal, les conditions atmosphériques instables et pluvieuses, favorables aux maladies, ont imposé une vigilance de tous les instants. Cette belle maturité tient aussi à la chance, si l'on en croit Aubert de Villaine. À la veille des vendanges, l'air était saturé d'humidité et de chaleur, et lourd de menaces orageuses. La fenêtre choisie pour les vendanges a-t-elle été la bonne ? « Jamais comme cette année-là, malgré les quelque quarante-six vendanges que j'ai déjà suivies en Bourgogne, je n'ai ressenti et compris l'importance de la chance et celle du pari dans la réussite ou l'échec du vigneron face à un millésime. »

☛ SC du Dom. de la Romanée-Conti,
1, rue Derrière-le-Four, 21700 Vosne-Romanée,
tél. 03 80 62 48 80, fax 03 80 61 05 72

Romanée-conti

Superficie : 1,63 ha
Production : 46 hl

DOM. DE LA ROMANÉE-CONTI 2011 ★★★

■ Gd cru	n.c.	ⅲ + de 100 €

84 |88| |89| 90 |91| 94 95 ⑨⑥ ⑨⑦ 98 01 03 ⑤ ⑥ ⑧ ⑨ ⑪

Ce domaine d'élite, qui refuse les facilités de la chimie, s'est trouvé confronté en 2011 aux défis posés par un millésime hors normes, à la précocité trompeuse. Un avril estival mais un juillet froid et ombrageux suivi d'un mois d'août instable, avec une alternance d'averses et d'épisodes caniculaires. Tout conspirait à perturber la maturation du raisin, et seul le botrytis était à la fête... Ici, pas de compromis avec la maturité : on attend le moment optimal. Même si l'orage gronde et qu'il frappe ici et là, tout près. Pour la romanée-conti, les sécateurs sont entrés en action le 6 septembre, profitant d'une brève accalmie. Les vendangeurs se sont faits orpailleurs, tant il fallait quêter le bon pinot parmi les baies grillées par un printemps trop sec et celles affectées par la pourriture, et parmi les grappes trop grosses, moins concentrées ou insuffisamment mûres. À la cave, autre tri : la nouvelle table vibrante a fait merveille. La récolte a été amputée de 30 %, mais Aubert de Villaine considère cette perte avec philosophie : « L'équivalent d'un éclaircissage favorable à la qualité. » Bernard Noblet et son équipe ont dû particulièrement surveiller les fermentations de vendanges chaudes, et ils ont procédé à de

longues cuvaisons (au moins trois semaines). L'été bourbeux de 2011 a finalement donné un vin superbe de délicatesse et d'élégance. Sans excès de couleur, « nature ». Dans le bouquet complexe, tout aussi subtil et frais, qui s'épanouit peu à peu, une note minérale, de la cerise bien mûre, juste cueillie, une touche fumée, de la rose, et même de la fleur blanche, de la fougère, du menthol et des épices douces. La bouche, à l'unisson, parle encore à mi-voix, mais son murmure aérien est doux, harmonieux, prégnant, continu et profond, sans vide ni à-coup, et finit sur une évocation de bois noble. Une voix à la fois terrienne et céleste, qui n'est pas près de s'éteindre.

☛ SC du Dom. de la Romanée-Conti,
1, rue Derrière-le-Four, 21700 Vosne-Romanée,
tél. 03 80 62 48 80, fax 03 80 61 05 72

Romanée-saint-vivant

Superficie : 9,3 ha
Production : 240 hl

DOM. FOLLIN-ARBELET 2011 ★

■ Gd cru	1 500	ⅲ + de 100 €

Franck Follin-Arbelet fut le premier de cette famille ancienne d'Aloxe-Corton à se lancer en 1990 dans la viticulture, après des études en géologie à Montpellier. Une parcelle d'aloxe pour commencer, puis des premiers crus, puis des grands crus. Sur les 9,3 ha que compte la Romanée Saint-Vivant, le domaine en exploite 50 ares, à l'origine d'un 2011 couleur rubis nuancé des reflets violines de la jeunesse. D'une remarquable complexité, le nez élégant et plutôt loquace évoque la cerise à l'alcool, la fraise des bois, les épices douces et le poivre. Le palais attaque en finesse et en fraîcheur, puis dévoile une matière ronde, fruitée et concentrée, adossée à des tanins nobles et doux, se montrant plus serrés en finale. Grâce et structure composent cette belle image du cru, à conserver avec précaution pour les dix ou quinze ans à venir.

☛ Dom. Follin-Arbelet, Les Vercots, 21420 Aloxe-Corton,
tél. 03 80 26 46 73, fax 03 80 26 43 32,
franck.follin-arbelet@wanadoo.fr, ☑ r.-v.

DOM. DE LA ROMANÉE-CONTI 2011 ★★★

■ Gd cru	n.c.	ⅲ + de 100 €

82 87 89 91 92 |95| |97| |98| 99 00 01 ⑬ ⑭ ⑤ ⑥ ⑧ ⑨ ⑩ ⑪

« Un *climat* est un être vivant doué d'une dynamique admirablement précise, qu'il faut respecter et préserver dans un esprit de grande modestie », affirme Aubert de Villaine, qui porte avec beaucoup de détermination la demande de classement des *climats* bourguignons au patrimoine mondial de l'Unesco. C'est ainsi que la Romanée-Conti est en bio depuis 1985 et entièrement en biodynamie depuis 2007, sans que cela soit clamé haut et fort ni érigé en argument commercial. Cette approche au plus près du sol lègue finesse, concentration et densité au vin, en révélant le terroir à la perfection. Et c'est bien cet équilibre subtil que l'on ressent dans ces 5 ha 28 a 58 ca mis en flacons. Un peu moins puisque seules les meilleures parcelles sont vinifiées en romanée saint-vivant. Ce cru, qui semble toujours plus abouti millésime après millésime, se dévoile d'abord avec parcimonie, abandonnant son austérité un rien monacale à l'aération pour devenir aérien : girofle, menthe poivrée, rose séchée, fruits noirs ou encore fumée. Le palais, porté de bout en bout par une élégante trame minérale, saline, marie la densité des tanins d'un grain très fin à une chair délicate et veloutée. Un vin tout en puissance maîtrisée, d'une élégance et d'une fraîcheur admirables.

☛ SC du Dom. de la Romanée-Conti,
1, rue Derrière-le-Four, 21700 Vosne-Romanée,
tél. 03 80 62 48 80, fax 03 80 61 05 72

La tâche

Superficie : 5 ha
Production : 95 hl

♥ DOM. DE LA ROMANÉE-CONTI 2011 ★★★

Gd cru	18 196		+ de 100 €

72 73 75 78 ⑦⑨ 80 |81| |82| |85| |87| 89 |91| |92| |96| ⑨⑦ ⑨⑧ ⑨⑨ 00 ⑩② ⑭ ⑤ 06 08 ⑨ ⑪

Ces quelque 6 ha de grands pinots noirs sont un autre monopole du domaine de la Romanée-Conti, qui bénéficie de la même exigence et du même savoir-faire. Précoce, le 2011 captive encore par sa densité résultant d'un tri draconien, tant sur pied au moment de la récolte qu'au chai, qui a éliminé près d'un tiers des raisins pourris ou insuffisamment mûrs. Rescapé des intempéries de l'été, ce vin montre toute la densité attendue de ce grand cru : c'est un pinot intense et sombre, moins par sa couleur que par sa profondeur et par sa tonalité aromatique : on y respire le fruit noir, un boisé épicé, fumé et torréfié, et ces nuances de goudron qui viendraient du terroir. Dans la continuité du bouquet, le palais dévoile une puissance peu commune alliée à un grain de tanin très serré. Mais le toucher velouté et soyeux apporte de l'aménité, et le cépage prend la fraîche saveur du fruit rouge juste cueilli et mêlé de végétal noble. Concentration, vivacité, élégance, pureté, persistance rare : l'esprit du cru est bien là.

☛ SC du Dom. de la Romanée-Conti,
1, rue Derrière-le-Four, 21700 Vosne-Romanée,
tél. 03 80 62 48 80, fax 03 80 61 05 72

Nuits-saint-georges

Superficie : 306 ha
Production : 12 030 hl (97 % rouge)

Cette bourgade de 5 500 habitants est l'une des petites capitales du vin de Bourgogne. Elle accueille le siège de nombreuses maisons de négoce et de liquoristes qui produisent le cassis de Bourgogne, ainsi que d'élaborateurs de vins mousseux qui furent à l'origine du crémant-de-

bourgogne. Elle a également son vignoble des Hospices, avec vente aux enchères annuelle de la production le dimanche précédant les Rameaux, et abrite le siège administratif de la confrérie des Chevaliers du Tastevin.

La cité donne son nom à l'appellation communale la plus méridionale de la Côte de Nuits. Cette dernière, qui déborde au sud sur la commune de Premeaux, n'engendre pas de grands crus comme ses voisines du nord, mais elle compte de très nombreux 1ers crus réputés, aux caractères fort divers selon leur situation au nord ou au sud de Nuits. Tous ces vins ont en commun une grande richesse tannique qui leur confère un solide potentiel de garde (de cinq à quinze ans).

Parmi les 1ers crus, les plus connus sont les Saint-Georges, dont on dit qu'ils portaient déjà des vignes en l'an mil, les Vaucrains, les Cailles, les Champs-Perdrix, les Porrets, sur la commune de Nuits, et les Clos de la Maréchale, des Argillières, des Forêts-Saint-Georges, des Corvées, de l'Arlot, sur Premeaux.

DOM. DE L'ARLOT Clos de l'Arlot 2010 ★

1er cru	4 200		30 à 50 €

Depuis 1987, Axa-Millésimes est propriétaire de ce domaine réputé, constitué au XVIIIᵉs. – le siège de l'exploitation date de cette époque –, dirigé depuis 2007 par Christine Seely. Jacques Devauges, l'actuel vinificateur, étant arrivé en août 2011, ce sont donc les vins d'Olivier Leriche, le précédent directeur technique, qui sont commentés ici. Le 1er cru Clos de l'Arlot, en blanc, provient du sud de l'appellation ; il évoque l'acacia, les agrumes et le fruit de la Passion. On aime sa belle rondeur en attaque et sa finale persistante. Le 2004 avait obtenu un coup de cœur. Le **1er cru rouge 2010 Clos de l'Arlot (4 000 b.)** fait jeu égal. Le nez exprime avec délicatesse les petits fruits, prélude à une bouche fraîche à la structure fine et élégante. À servir à partir de 2015 sur une viande blanche. Le **1er cru Clos des Forêts Saint-Georges 2010 rouge (19 000 b.)**, tout aussi emblématique du domaine, est un vin tannique marqué au nez comme en bouche par un boisé épicé et torréfié : une citation.

☛ Dom. de l'Arlot, RD 974, 21700 Premeaux-Prissey,
tél. 03 80 61 01 92, fax 03 80 61 04 22,
pauline.genot@arlot.fr, ✉ ⚹ ☂ r.-v.
☛ Axa-Millésimes

PHILIPPE BOUCHARD 2011 ★

	8 400		20 à 30 €

Philippe Bouchard est une marque de négoce de Corton-André destinée à la grande distribution. Les parcelles des apporteurs de raisins sont suivies pendant toute la maturation, et ce jusqu'aux vendanges, et les vins sont élaborés par les équipes de Corton-André. Ce 2011, issu de 4 ha de pinot noir, s'annonce par un nez de petits fruits rouges confiturés nuancés d'épices. La bouche est franche à l'attaque et soutenue par une trame de tanins serrés qui lui donne pour l'heure un côté sérieux, sinon

BOURGOGNE

austère. À déguster dans trois ans sur une pièce de bœuf rôtie ou sur du gibier à plume.

☎ Philippe Bouchard, BP 10, 21420 Aloxe-Corton, tél. 03 80 25 00 00, fax 03 80 26 42 00, contact@philippe-bouchard.com

☎ Corton-André

♥ **DOM. JEAN CHAUVENET** Les Damodes 2011 ★★

| ■ 1er cru | 1 200 | Ⅲ | 30 à 50 € |

Christine et Christophe Drag ont repris le domaine en 1994, à la suite du départ en retraite de Jean Chauvenet, le père de Christine. La double étoile revient au 1er cru Les Damodes, l'un des plus gracieux *climats* de Nuits, proche d'un lieu-dit de Vosne au nom très voisin, réputé donner des vins légers. Les Drag en respectent l'esprit, et livrent ici un vin au nez discret mais complexe de griotte et de fruits noirs assaisonnés d'épices douces (cannelle), et à la bouche déjà fondue, tendre et gourmande à souhait, qui ne manque pourtant pas d'étoffe. Un superbe vin de terroir élu coup de cœur, à attendre au moins deux ans. Trois autres vins de la propriété reçoivent une étoile : le 1er cru Les Perrières 2011 rouge (900 b.), pour son nez de fruits rouges confits, de violette et de moka, et pour sa bouche dense et complexe ; le 1er cru Les Bousselots 2011 rouge (1 300 b.), pour sa jolie matière soyeuse, acidulée et fruitée, expressive et corsée ; enfin, le simple *village* 2011 (20 à 30 € ; 15 000 b.), pour sa bonne structure tannique, marquée par l'extraction. Tous ces vins sont à garder quelques années en cave (deux à quatre ans).

☎ Dom. Jean Chauvenet, 6, rue de Gilly, 21700 Nuits-Saint-Georges, tél. 03 80 61 00 72, fax 03 80 61 12 87, domaine-jean.chauvenet@orange.fr, ☑ ⚷ ⟙ r.-v.

☎ Ch. Drag

CHAUVENET-CHOPIN Aux Argillas 2011 ★★

| ■ 1er cru | 1 500 | Ⅲ | 20 à 30 € |

Évelyne et Hubert Chauvenet exploitent 14,5 ha de vignes en Côte de Nuits, et proposent tout un éventail de *climats* en nuits-saint-georges. Cette année, deux crus ont été appréciés, l'un comme l'autre issus de la partie nord de l'appellation, vers Vosne. Le *climat* Les Argillas est pentu et assez haut perché. Son vin a conquis le jury dès l'approche, avec sa robe intense aux reflets bleutés et son nez complexe de cassis, de cerise noire et d'épices douces (vanille et cannelle). Étayée par une trame tannique serrée, la bouche n'en montre pas moins une réelle élégance, déployant une matière suave et veloutée. On verrait bien cette bouteille avec un filet de charolais aux cèpes, mais pas avant trois ou quatre ans. Le 1er cru Les Murgers 2011

rouge (1 800 b.) est cité pour son nez de fruits confits, un rien évolué, et pour sa bouche équilibrée et fraîche.

☎ Chauvenet-Chopin, 97, rue Félix-Tisserand, 21700 Nuits-Saint-Georges, tél. 03 80 61 28 11, chauvenet-chopin@wanadoo.fr, ☑ ⟙ r.-v.

DOM. CHEVILLON-CHEZEAUX Les Porêts 2011 ★★

| ■ 1er cru | 1 300 | Ⅲ | 20 à 30 € |

Représentant la cinquième génération sur le domaine, Claire Chevillon et son mari Philippe Chezeaux exploitent plus de 8,5 ha, avec des parcelles dans une demi-douzaine de *climats* de Nuits – notamment 24 ares sur ce 1er cru splendide : altitude idéale (250-270 m), pente parfaite (10 %), sous-sol de cailloux et d'argile. C'est l'archétype du vin de Nuits, volontiers sauvage dans sa jeunesse. Ici, le nez évoque les fruits noirs, cassis en tête, avec le boisé vanillé du fût. Ample à l'attaque, la bouche est ferme et fraîche, harmonieuse et longue. Cette bouteille formera un bel accord avec un carré de bœuf rôti, mais pas avant deux ans. *Climat* vedette de Nuits, le 1er cru 2011 Les Saint-Georges (30 à 50 € ; 1 500 b.) ne reçoit qu'une étoile, car il est plus introverti, mais il affiche de belles qualités de puissance, de vivacité et de profondeur qui lui permettront de prendre de l'ampleur et de s'épanouir. Même note pour le *village* 2011 Les Saint-Julien (15 à 20 € ; 1 500 b.) né en bas de coteau au nord de Nuits : plus accessible, il devra tout de même rester au moins deux ans en cave pour polir ses tanins.

☎ Dom. Chevillon-Chezeaux, 41, rue Henri-de-Bahèzre, 21700 Nuits-Saint-Georges, tél. et fax 03 80 61 13 57, chevillon.chezeaux@orange.fr, ☑ ⚷ ⟙ r.-v.

JÉRÔME CHEZEAUX Les Charbonnières Vieilles Vignes 2011

| ■ | 3 500 | Ⅲ | 20 à 30 € |

Jérôme Chezeaux a repris le vignoble familial il y a une vingtaine d'années, après la disparition de son père Bernard. Il est installé au sud de l'appellation et son domaine de 11 ha est principalement implanté en nuits-saint-georges. Issu d'un *climat* situé à Premeaux, ce 2011 présente un nez assez fermé, boisé, vanillé et torréfié, sur des notes de moka. On retrouve la torréfaction dans une bouche chaleureuse, tannique, très extraite. Le fruit rouge perce toutefois sous le bois, et la fraîcheur est sous-jacente. Le chevreuil qui accompagnera cette bouteille peut encore courir trois ans dans les bois.

☎ Jérôme Chezeaux, 6, rte de Nuits-Saint-Georges, 21700 Premeaux-Prissey, tél. 03 80 61 29 79, fax 03 80 62 37 72, jerome.chezeaux21@orange.fr, ☑ ⚷ ⟙ r.-v.

♥ **DOM. A. CHOPIN ET FILS** Les Murgers 2010 ★★

| ■ 1er cru | 1 500 | Ⅲ | 30 à 50 € |

Installé à l'extrême sud de la Côte de Nuits, Arnaud Chopin fréquente assidûment la rubrique « nuits-saint-georges » du Guide, pour des crus proches de Vosne-Romanée. Premier cru réputé, Les Murgers, toujours réussis, accèdent au coup de cœur (c'est d'ailleurs le deuxième, après un 1995). Ce *climat* au soubassement de calcaire rose bénéficie d'un sol pierreux et drainant qui donne des vins à la fois puissants et élégants. Celui-ci est plébiscité pour son nez profond, associant les fruits rouges et noirs très mûrs à une pointe d'épices, et pour sa bouche dans le même registre, remarquablement équilibrée, acidulée, complexe et puissante, où la cerise du pinot joue avec un boisé bien intégré qui souligne la longue finale. Un

vin bientôt prêt et apte à tenir jusqu'à la prochaine décennie. Autre vin très régulier, le *village* **Les Bas de combe 2010 (20 à 30 € ; 1 200 b.)** est cité pour sa matière charnue et friande. On l'attendra deux ans.

☛ Dom. A. Chopin et Fils, D 974, 21700 Comblanchien, tél. 03 80 62 92 60, domaine.chopin-fils@orange.fr, ☑ ⚘ ⌶ r.-v. 🏛 ❸

CLAVELIER 2010

■	1 800	⬤	30 à 50 €

Une maison de négoce locale fondée en 1935 par Antoine Clavelier et par un certain Jean Pinot. Entre-temps, l'affaire a changé plusieurs fois de mains. Elle est dirigée depuis 2001 par Henri-Noël Thomas. Sa carte propose des vins de toute la Côte et du Mâconnais. Son nuits est un vin vif aux tanins soyeux : on pourra le déboucher dès cette année sur un carré d'agneau ou sur un lapin sauté.

☛ Clavelier et Fils, 49, rte de Beaune, 21700 Comblanchien, tél. 03 80 62 94 11, fax 03 80 62 95 20, vins.clavelier@wanadoo.fr, ☑ ⌶ t.l.j. sf sam. dim. 9h-18h

DECELLE-VILLA Les Crots 2010 ★

■ 1er cru	n.c.	⬤	30 à 50 €

Situé dans la partie centrale de Nuits, un 1er cru aux sols superficiels et caillouteux, en forte pente, ce qui impose de cultiver les vignes en terrasses. Ses vins sont souvent massifs, voire brutaux, mais cette maison de négoce nuitonne créée en 2009 échappe au piège de l'extraction. Ce 2010 s'annonce par un nez épicé et vanillé, qui laisse percer le fruit. Franc à l'attaque, il se montre certes charpenté, mais les tanins sont déjà polis ; la finale est vive, sur le fruit rouge frais. Les amateurs de vins jeunes peuvent déjà le goûter ; les autres attendront au moins deux ans. Quant au *village* **2011 (20 à 30 € ; 1 800 b.)**, il obtient la même note pour son nez intense et élégant de petits fruits frais et pour sa bouche charnue et équilibrée. On pourra aussi l'ouvrir prochainement.

☛ Decelle-Villa, 3, rue des Seuillets, 21700 Nuits-Saint-Georges, tél. 03 80 53 74 35, contact@decelle-villa.com

R. DUBOIS ET FILS 2010

■	8 000	⬤	20 à 30 €

Béatrice Dubois travaille avec son frère Raphaël dans le domaine familial, qui ne couvre pas moins de 22 ha. Cas de figure plus fréquent que naguère, c'est Madame l'œnologue, et Monsieur le commercial ! Le tandem propose ce nuits à la robe magnifique, intense et limpide. Le nez est encore réservé, légèrement fruité et floral, avec une touche de boisé et d'épices. Vive, étoffée,

encore massive et fermée, la bouche appelle deux ans de garde.

☛ Dom. R. Dubois et Fils, 7, rte de Nuits-Saint-Georges, 21700 Premeaux-Prissey, tél. 03 80 62 30 61, fax 03 80 61 24 07, contact@domaine-dubois.com, ☑ ⚘ ⌶ t.l.j. 8h-11h30 13h30-17h30; sam. dim. sur r.-v.

DOM. GUY ET YVAN DUFOULEUR
Clos des Perrières 2010 ★

■ 1er cru	4 200	🍶⬤	30 à 50 €

Ce domaine perpétue une tradition vigneronne remontant à la fin du XVIes. Xavier et Guy (ce dernier disparu en 2013) ont passé le relais à Yvan, le fils aîné du second, qui conduit 26 ha de vignes réparties tout au long de la Côte-d'Or. Son Clos des Perrières est particulièrement plaisant. Les jurés apprécient le nez élégant de griotte et de mûre, nuancé de touches anisées et d'un léger boisé grillé et créosé. Au palais, tout est en place : le gras, la fraîcheur, les fruits rouges vanillés et les tanins fins et soyeux, plus sévères en finale. Un vin équilibré et long, qui sera à son optimum à partir de 2015. Il devrait s'entendre avec un magret de canard farci au foie gras. Le *village* **Aux Saint-Julien 2010 (20 à 30 € ; 2 400 b.)**, fruité et rond, est plus accessible.

☛ Dom. Guy et Yvan Dufouleur, 17, rue Thurot, 21700 Nuits-Saint-Georges, tél. 06 13 27 15 59, fax 03 80 62 31 00, gaelle.dufouleur@21700-nuits.com, ☑ ⚘ ⌶ r.-v.

DUFOULEUR FRÈRES Les Saint-Georges 2010 ★

■ 1er cru	482	⬤	30 à 50 €

Comme dans toute lignée ancienne (un du Fouleur cultivait déjà la vigne en 1596), la famille compte plusieurs branches. Il s'agit ici de la branche cadette. Une propriété complétée d'une structure de négoce et gérée par deux jeunes cousins, Marc et François-Xavier Dufouleur. Ces derniers présentent ici le cru le plus célèbre de l'appellation, dont la ville de Nuits a accolé le nom au sien pour accéder à la lumière. Ici, un vin massif, dense, mais « copieux », très typique d'un saint-georges dans sa jeunesse. Après vingt mois d'élevage en fût, le nez subtil et complexe s'exprime en notes de confiture de fruits rouges, de pruneau et de pain grillé. La bouche apparaît puissante, tannique, réglissée et boisée. Quatre à cinq ans de garde s'imposent. Cité, le *village* **2010 (20 à 30 € ; 1 797 b.)**, mêle le fruit du pinot aux épices et mise sur la finesse ; on pourra le goûter en 2015, voire plus tôt pour les amateurs de vins jeunes.

☛ Dufouleur Frères, Au Château, 1, rue de Dijon, BP 70005, 21700 Nuits-Saint-Georges, tél. 03 80 61 00 26, fax 03 80 61 36 33, contact@dufouleur-freres.com, ☑ ⚘ ⌶ r.-v.

DUPASQUIER ET FILS Les Chaînes Carteaux 2010

■ 1er cru	1 800	⬤	20 à 30 €

Ce domaine familial dispose d'une petite dizaine d'hectares autour de Nuits-Saint-Georges et de la Montagne de Corton. Son 1er cru Les Chaînes Carteaux provient d'un *climat* pentu situé au-dessus des Saint-Georges. Il présente une robe plutôt claire, prélude à un nez aérien associant les fruits noirs à un léger boisé et à une bouche souple et fruitée en attaque, tendue et encore tannique. Deux ans devraient suffire à la polir.

BOURGOGNE

☐⌐ SCEA Dom. Dupasquier et Fils, 47 B, rue Henri-Challand, 21700 Nuits-Saint-Georges, tél. 03 80 61 13 78, fax 03 80 61 05 08, dupasquier.domaine@wanadoo.fr, ☑ ⚹ ⏁ r.-v.

DOM. GACHOT-MONOT Les Poulettes 2010

■ 1er cru	1 143	⏣	20 à 30 €

Voilà vingt ans que Damien Gachot s'est installé dans le domaine familial : 15 ha au sud de la Côte de Nuits. *Climat* d'altitude, exposé au sud-est, le 1er cru Les Poulettes donne parfois des vins aux tanins durs et asséchants... Ce jeune vigneron en a tiré au contraire un 2010 au nez de petits fruits rouges légèrement confits et vanillés, et au palais rond, harmonieux, vif et fruité, sur la griotte. Il ne lui manque qu'un peu de gras pour décrocher une étoile. Les impatients pourront l'ouvrir jeune, mais ce millésime gagnera à attendre trois ou quatre ans.

☐⌐ EARL Dom. Gachot-Monot, 3, rue de la Bretonnière, 21700 Corgoloin, tél. 03 80 62 93 03, fax 03 80 62 77 47, contact@gachot-monot.com, ☑ ⚹ ⏁ r.-v.

PHILIPPE GAVIGNET Les Bousselots 2011

■ 1er cru	3 000	⏣	20 à 30 €

Philippe Gavignet, qui travaille depuis 1979 sur le domaine familial, en a pris la tête en 1992. Son vignoble de 10,8 ha est essentiellement implanté dans l'appellation nuits-saint-georges. Après un millésime 2010 particulièrement faste, salué par un double coup de cœur (notamment pour ces Bousselots), le suivant apparaît plus modeste. Rubis profond aux reflets violets, ce 2011 associe au nez la cerise noire bien mûre, une touche animale et une nuance de sous-bois. Le prélude à une attaque souple et à une bouche chaleureuse et vineuse aux tanins déjà enrobés. Un bon classique, qu'il vaut mieux attendre trois ans.

☐⌐ Dom. Philippe Gavignet, 36, rue du Dr-Louis-Legrand, 21700 Nuits-Saint-Georges, tél. 03 80 61 09 41, fax 03 80 61 03 56, contact@domaine-gavignet.fr, ☑ ⚹ ⏁ t.l.j. 9h-12h 14h-18h; sam. dim. sur r.-v.

CHRISTIAN GROS Les Poisets 2011

■	n.c.	⏣	20 à 30 €

Installé à l'extrémité sud de la Côte de Nuits, ce vigneron propose plutôt des vins du nord de la Côte de Beaune, autour de la Montagne de Corton. Ici, un nuits bien ouvert, sur le cassis et les fruits rouges mûrs, le boisé restant à l'arrière-plan. La bouche est ronde, soutenue par l'alcool, tandis que les tanins dessinent une finale vive et nette. À servir dans deux ans sur du gibier à plume ou sur un plateau de fromages.

☐⌐ Christian Gros, 5, rue de la Chaume, 21700 Premeaux-Prissey, tél. 06 09 94 28 08, christian.gros10@wanadoo.fr, ☑ ⚹ ⏁ r.-v.

DOM. MICHEL GROS 2011

■	4 000	⏣	20 à 30 €

Héritier d'une lignée bien connue en Côte-d'Or, Michel Gros a vinifié son premier millésime en 1979. Outre ses vosne, ses nuits sont bien connus de nos lecteurs. Déjà apprécié dans le millésime précédent, ce *village* naît de l'assemblage de quatre *climats* différents par leurs sols et par leur topographie, tous situés du côté de Vosne-Romanée. Le 2011 affiche une robe pourpre intense qui annonce une belle matière. Le premier nez est animal, sur la civette et le musc, puis le fruit noir se lie à un boisé aux

accents d'épices, de torréfaction et de tabac, légué par un élevage de dix-huit mois sous bois (avec environ 30 % de fûts neufs). Des tanins solides appellent une garde de trois ans. Bel accord en perspective avec du gibier à poil.

☐⌐ Dom. Michel Gros, 7, rue des Communes, 21700 Vosne-Romanée, tél. 03 80 61 04 69, fax 03 80 61 22 29, contact@domaine-michel-gros.com, ☑ ⏁ r.-v.

LOUIS JADOT Les Boudots 2009 ★

■ 1er cru	n.c.	⏣	30 à 50 €

La maison beaunoise propose une carte des vins impressionnante, dans des nouveaux coteaux bourguignons aux grands crus. Ici, un nuits né sur un 1er cru réputé, aux sols caillouteux, voisin des Malconsorts en vosne-romanée. C'est un 2009 qui montre déjà des reflets orangés et des arômes presque évolués de sous-bois. Cependant, il n'a pas dit son dernier mot, à en juger par sa matière serrée, sa fraîcheur et ses tanins soyeux. Son nez est joli : du sous-bois donc, avec du fruit rouge confit, de l'alcool de cerise, un fin boisé, et la bouche suit cette ligne aromatique. Une plaisante bouteille à déboucher sans hâte à partir de la fin 2013 sur un civet, ou à garder, en surveillant son évolution.

☐⌐ Louis Jadot, 21, rue Eugène-Spuller, 21200 Beaune, tél. 03 80 22 10 57, fax 03 80 22 56 03, maisonlouisjadot@louisjadot.com, ⚹ ⏁ r.-v.

☐⌐ Famille Kopf

DOM. FRANÇOIS LEGROS Les Perrières 2010 ★

■ 1er cru	1 300	⏣	20 à 30 €

Rejoint en 2009 par sa fille Charlotte, François Legros exploite environ 7 ha en Côte de Nuits et autour de Saint-Aubin. En nuits, il signe ces Perrières, un 1er cru qui porte d'autant mieux son nom qu'il est situé en contrebas de la route desservant la carrière de la commune. La pente y est raide, le sous-sol pierreux, faillé : la vigne peine à se nourrir et le vin y est souvent plus mince qu'ailleurs. Mais le vigneron a réussi à extraire des tanins soyeux et fondus. Le nez est certes encore fermé, mais la griotte et les fruits noirs commencent à sortir de leur gangue de bon boisé, épicé et cacaoté. Le vin s'ouvrira d'ici deux ans. Les dégustateurs lui prédisent une longue vie (sept ans, voire bien davantage).

☐⌐ EARL Dom. François Legros, 7, rue François-Mignotte, 21700 Nuits-Saint-Georges, tél. 03 80 62 36 60, fax 03 80 61 37 83, domaine.legros@wanadoo.fr, ☑ ⚹ ⏁ r.-v.

BERTRAND MACHARD DE GRAMONT
Les Hauts Pruliers 2010

■	1 500	⏣	20 à 30 €

Bertrand Machard de Gramont et sa fille Axelle, qui travaille depuis six ans avec lui, cultivent 6 ha de vignes principalement situées à Vosne-Romanée et à Nuits-Saint-Georges. Cette année, les dégustateurs ont cité deux de leurs *villages*. Ce *climat* des Hauts Pruliers est situé en altitude (au-dessus de 300 m), en pente raide, exposé à l'est-nord-est. Le vin présente un nez intense sur les fruits rouges très mûrs (cerise et fraise) et les épices, et dévoile un corps puissant, ample, à la finale fraîche. Le *climat* Aux Allots (3 600 b.) est situé côté Vosne, au nord de l'agglomération, et les vignes sont en pente très douce. Le vin s'annonce par un nez de sous-bois, assez végétal (bourgeon de cassis, fougère), et dévoile un palais suave, rond et réglissé, avec ce qu'il faut d'acidité. À attendre deux à trois ans.

☛ Bertrand Machard de Gramont, 13, rue de Vergy, 21700 Nuits-Saint-Georges, tél. 03 80 61 16 96, bertrandmacharddegramont@gmail.com, ☑ ⚥ ⟂ r.-v.

LOUIS MAX Les Damodes 2011 ★

■ 1er cru		⊞	30 à 50 €

Les Damodes (en nuits-saint-georges) et les Damaudes (en vosne-romanée) : un même terroir et deux orthographes différentes, car au milieu passe la frontière invisible entre les deux communes et appellations. Côté nuiton, le 1er cru a la réputation de donner des vins intéressants, plutôts fins. Le style Louis Max allant plutôt vers des vins boisés et énergiques, il en résulte un nuits au nez discret de framboise et de cerise acidulées, nuancé de notes d'élevage (vanille, clou de girofle, noix muscade, grillé), et au palais structuré, vif et riche. La finale austère appelle une garde d'au moins trois ans. Un bel accord en perspective avec un canard en civet.

☛ Louis Max, 6, rue de Chaux, 21700 Nuits-Saint-Georges, tél. 03 80 62 43 00, fax 03 80 62 43 16, louismax@louis-max.fr, ⚥ ⟂ r.-v.

DOM. ALAIN MICHELOT Vieilles Vignes 2010

■		3 500	⊞	20 à 30 €

Établis dans la commune de Nuits, Alain Michelot et sa fille Élodie ont pris leurs habitudes dans le Guide, et proposent un bel éventail des vins de leur appellation, notamment de 1ers crus. Après plusieurs millésimes fastes, celui-ci connaît un peu en retrait, mais ce village (dont le millésime 2000 avait reçu un coup de cœur) ne manque pas d'intérêt. D'un rubis soutenu, il mêle au nez des fruits rouges bien mûrs et des notes fumées et toastées, témoignage d'un élevage de vingt mois en fût (avec 20 % de fûts neufs). C'est un vin consistant, tannique et strict, dont la finale doit arrondir ses angles : trois ans de garde.

☛ Dom. Alain Michelot, 6, rue Camille-Rodier, 21700 Nuits-Saint-Georges, tél. 03 80 61 14 46, domalainmichelot@aol.com, ☑ r.-v.

♥ DOMINIQUE MUGNERET Aux Boudots 2011 ★★

■ 1er cru		2 100	⊞	30 à 50 €

GRANDS VINS DE BOURGOGNE
Dominique Mugneret
NUITS-SAINT-GEORGES
1ER CRU "AUX BOUDOTS"
Appellation Nuits-Saint-Georges 1er Cru Contrôlée
2011
Mis en bouteille au Domaine Dominique Mugneret, Propriétaire-Récoltant
Vosne-Romanée, Côte-d'Or, France

Dominique Mugneret, l'une des références du Guide en nuits-saint-georges, propose une lecture passionnante de ce 1er cru des Boudots – climat voisin des Malconsorts à Vosne –, réputé le plus noble des 1ers crus nuitons du secteur nord. On rêve d'en faire une dégustation verticale, car les millésimes 2005, 2007, 2008 et 2009 ont aussi obtenu un coup de cœur ! Voici donc le cinquième, grenat intense. Boisé vanillé, épicé (cannelle), mûre, myrtille, cassis... : le nez se montre épanoui et complexe. Il rappelle un vosne, tout comme la matière, ample, suave et généreuse, d'une belle finesse. Cependant, la trame tannique serrée, la fraîcheur, le gras, sont bien ceux d'un nuits. Si le palais se montre déjà soyeux, ce vin mérite d'attendre cinq ans. Il accompagnera volontiers un lièvre à la royale, ou encore une belle pièce de viande rouge. Le village 2011 (20 à 30 € ; 3 600 b.) obtient une étoile pour son nez flatteur et pour sa bonne tenue en bouche. On pourra le goûter prochainement.

☛ Dominique Mugneret, 9, rue de la Fontaine, 21700 Vosne-Romanée, tél. 06 63 32 79 72, dominique.mugneret@orange.fr, ☑ r.-v.

DOM. MICHEL NOËLLAT Les Boudots 2011 ★★

■ 1er cru		2 000	⊞	30 à 50 €

Jean-Marc et Alain Noëllat, fils de Michel, ont été rejoints en 2008 et en 2012 par leurs enfants respectifs, Sébastien et Sophie. L'équipe familiale exploite un vaste domaine de 27 ha, et dispose d'une cuverie flambant neuve aménagée en 2009. Les Boudots ? Le plus prestigieux des 1ers crus nuitons du secteur nord, vers Vosne, et une valeur sûre de la propriété. Le 2011 captive par sa palette aromatique alliant minéralité, moka, cerise et cassis. Une complexité rappelant celle des vosne tout proches. Concentré et long, avec une finale poivrée, il dévoile une trame tannique élégante qui en fait un beau vin de garde. On pourra le découvrir dans deux à trois ans, mais il se conservera une bonne décennie. Fondu, rond et plus court, le village 2011 (20 à 30 € ; 5 300 b.) est cité.

☛ SCEA Dom. Michel Noëllat, 5, rue de la Fontaine, 21700 Vosne-Romanée, tél. 03 80 61 36 87, fax 03 80 61 18 10, domaine.michel-noellat@wanadoo.fr, ☑ ⚥ ⟂ r.-v.

DOM. NUDANT 2010

■		2 200	⊞	20 à 30 €

Installé dans la partie nord de la Côte de Beaune, près de la Montagne de Corton, Guillaume Nudant est plutôt remarqué dans les appellations de ce secteur. Il a bien réussi ce vin à la robe grenat, au nez discret sur les notes fumées et grillées de l'élevage d'abord et sur des senteurs de fruits rouges ensuite, et au palais tannique et austère comme un nuits : à laisser vieillir deux ans.

☛ Dom. Nudant, 11, rte de Dijon, BP 15, 21550 Ladoix-Serrigny, tél. 03 80 26 40 48, fax 03 80 26 47 13, domaine.nudant@wanadoo.fr, ☑ ⚥ ⟂ t.l.j. sf dim. 8h-12h 14h-18h; sam. sur r.-v.

PATRIARCHE Vaucrains 2011

■ 1er cru		n.c.	⊞	20 à 30 €

Ce 1er cru est situé au-dessus des célèbres Saint-Georges. La maison beaunoise en a tiré un vin au nez partagé entre les fruits rouges et noirs, les notes d'élevage restant discrètes. L'attaque est souple, et la griotte du pinot, nuancée de réglisse, est bien présente. L'acidité et les tanins sont parfaitement en place, ces derniers sans rudesse, même si la finale est plus stricte. Une bouteille pour les années qui viennent.

☛ Patriarche, 5-7, rue du Collège, 21200 Beaune, tél. 03 80 24 54 05, fax 03 80 24 53 06, contact@patriarche.com, ⚥ ⟂ t.l.j. 9h-12h 14h-17h30

BOURGOGNE

♥ DOM. DES PERDRIX 2010 ★★

| ■ | 3 900 | ◫ | 30 à 50 € |

Une valeur sûre de la Côte de Nuits. Le 1er cru Aux Perdrix est le *must* du domaine (qui a obtenu quatre coups de cœur, dans des millésimes aussi différents que 2008, 2007, 2005 et 2003). Mais on aurait tort de négliger le simple *village*, dont le 2005 avait d'ailleurs aussi décroché un coup de cœur. Il renouvelle ici l'exploit. Le nez expressif mêle un cassis entreprenant escorté d'un boisé discret. La bouche ample, généreuse et puissante, porte avec élégance l'empreinte de l'élevage. L'harmonie est déjà là, et le vin soyeux : on serait tenté de le déguster dès maintenant, avec une dinde fermière par exemple. On pourra aussi le garder cinq ans. Quant au 1er cru Aux Perdrix 2010, il reçoit une étoile pour son équilibre et pour sa puissance, dans un style tannique très nuiton. Il se conservera jusqu'à la prochaine décennie, voire davantage dans une bonne cave.

☛ Dom. des Perdrix, rue des Écoles,
21700 Premeaux-Prissey, tél. 03 85 45 21 61,
fax 03 85 98 06 62, contact@domainedesperdrix.com,
☑ ⚔ ⏉ r.-v.
☛ Devillard

CH. DE PRÉMEAUX 2010

| ■ | 7 500 | ◫ | 15 à 20 € |

Arnaud Pelletier convertit au bio son domaine qui propose essentiellement du nuits-saint-georges, des hautes-côtes-de-nuits et des côtes-de-nuits-villages. Il signe un *village* mêlant au classique cassis des notes mentholées, fumées et même une touche originale de résine de pin. Souple et ronde jusqu'en finale, pas revêche pour deux sous, cette bouteille sera prête dès 2014 à accompagner un gigot d'agneau ou une volaille rôtie. On pourra aussi l'attendre quatre ans.

☛ Dom. du Ch. de Prémeaux, 9, rue de la Courtavaux,
21700 Premeaux-Prissey, tél. 03 80 62 30 64,
fax 03 80 62 39 28, chateau.de.premeaux@wanadoo.fr,
☑ ⚔ ⏉ t.l.j. 9h-12h 14h-17h30 ⌂ ◉
☛ Pelletier

HENRI ET GILLES REMORIQUET Les Saint-Georges 2010 ★

| ■ 1er cru | 790 | ◫ | 30 à 50 € |

Les ancêtres travaillaient la vigne au XVIIe s. pour les moines de l'abbaye de Cîteaux, et leurs descendants ont amassé un beau parcellaire, dont ces Saint-Georges splendides – le 1er cru le plus prestigieux de l'appellation, qui pourrait être promu en grand cru. La vigne du domaine jouxte Les Didiers et se situe donc au sud du terroir, sur un sol moins argileux et plus riche en calcaire oolithique que le cœur du *climat*. La cuvée qu'elle produit, au nez de

fruits confits et aux tanins mûrs et soyeux, d'une grande longueur, conjugue élégance et concentration. Le boisé sait se faire oublier, et le vin sera prêt dans quatre ou cinq ans. Il faudra aussi attendre le 1er cru Les Damodes 2010 (20 à 30 € ; 1 900 b.), puissant et vif, marqué par un boisé torréfié, aux nuances de café et de cacao, avec un fruit rouge discret à l'arrière-plan. Il est cité, tout comme le *village* Les Allots 2010 (15 à 20 € ; 1 400 b.), fruité et charnu.

☛ Dom. Remoriquet, 25, rue de Charmois,
21700 Nuits-Saint-Georges, tél. 03 80 61 08 17,
fax 03 80 61 36 63, domaine.remoriquet@wanadoo.fr,
☑ ⚔ ⏉ t.l.j. 8h-12h 14h-18h; sam. dim. sur r.-v.

DOM. ARMELLE ET BERNARD RION Les Murgers Vieilles Vignes 2011 ★

| ■ 1er cru | 2 300 | ◫ | 30 à 50 € |

Ce domaine de 8 ha propose de nombreuses appellations, du simple bourgogne au grand cru. Armelle et Bernard Rion sont secondés depuis 2006 par leur fille Alice qui s'est officiellement installée en 2008. La famille signe ici un vin au nez finement boisé : ses nuances d'épices, de vanille et de tabac blond laissent le fruité de cerise à l'arrière-plan (le vin a séjourné quinze mois en fût, dont 60 % étaient neufs). Après une attaque sur les fruits rouges, on retrouve le bois dans un palais riche et harmonieux. On pourra déboucher dans deux ans cette bouteille qui devrait se garder jusqu'à la fin de la décennie.

☛ Dom. Armelle et Bernard Rion, 8, rte Nationale,
21700 Vosne-Romanée, tél. 03 80 61 05 31,
fax 03 80 61 34 60, rion@domainerion.fr,
☑ ⚔ ⏉ t.l.j. 9h-18h; dim. et hiver sur r.-v.

DOM. DANIEL RION ET FILS Les Lavières 2010 ★

| ■ | 3 800 | ◫ | 20 à 30 € |

Ce sont les fils de Daniel Rion qui exploitent aujourd'hui le coquet domaine familial : 15 ha de vignes. Établis au sud de l'appellation nuits-saint-georges, ils proposent plusieurs vins dans cette AOC et cherchent à exprimer le caractère de chacun de leurs *climats*. Les dégustateurs, qui ont goûté trois crus, leur attribuent une étoile chacun. Situées côté Vosne, ces Lavières ont donné un joli vin au nez de cassis et de sous-bois, et à la bouche équilibrée et longue, aux arômes de fruits bien mûrs. Le 1er cru Les Vignerondes 2010 (30 à 50 € ; 2 600 b.) provient de la même zone. Au nez, son fruité confit s'accompagne d'un boisé vanillé qui marque aussi la bouche, dans une belle alliance avec le vin. Un nuits ample, à la structure tannique assez marquée, mais sans la moindre agressivité. Le 1er cru Les Hauts Pruliers 2010 (30 à 50 € ; 1 800 b.) naît, lui, dans la zone centrale de l'AOC, sur un coteau pentu situé au sud de la commune. Ses arômes de cassis et de cerise sont intenses, ses tanins déjà enrobés apportent à la bouche une bonne consistance. On pourra commencer à goûter ces trois vins dans deux ou trois ans.

☛ Dom. Daniel Rion et Fils, 17, RD 974,
21700 Premeaux-Prissey, tél. 03 80 62 31 28,
fax 03 80 61 13 41, contact@domaine-daniel-rion.com,
☑ ⚔ ⏉ r.-v.

PIERRE THIBERT 2010 ★

| ■ | 680 | ◫ | 15 à 20 € |

Établi à Corgoloin, à l'extrémité sud de la Côte de Nuits, Pierre Thibert a constitué son domaine en 1990, d'abord en louant des parcelles puis en en achetant quelques-unes. Il a été rejoint par son fils en 2011. Il propose un nuits issu de 40 ares de pinot. À la robe intense aux reflets violets répond un nez profond tourné vers les fruits noirs. Après une attaque souple et suave, la bouche évolue sur des tanins fins et déjà enrobés, vivifiée par une belle fraîcheur. Un joli *village*, dans un style svelte et élégant, que l'on pourra commencer à boire en 2015.

☛ Pierre Thibert, 76, Grande-Rue, 21700 Corgoloin, tél. 03 80 62 73 40, thibertpi@wanadoo.fr, ☑ ☀ ☗ r.-v.

Côte-de-nuits-villages

Superficie : 148 ha
Production : 6 345 hl (95 % rouge)

Cette appellation associe cinq communes situées aux deux extrémités de la Côte de Nuits : au nord, Fixin (qui a aussi sa propre appellation) et Brochon (dont une partie du vignoble est classée en gevrey-chambertin) ; au sud, aux portes de la Côte de Beaune, Premeaux, Prissey (commune fusionnée avec la précédente), Comblanchien, réputée pour son « marbre », une pierre calcaire extraite de son coteau, et enfin Corgoloin, qui marque la limite sud de l'appellation tout comme celle de la Côte de Nuits, au niveau du Clos des Langres. Dans ce dernier village, la « montagne » diminue d'altitude et le vignoble s'amenuise ; sa largeur ne dépasse guère 200 m. Rouges le plus souvent, les côtes-de-nuits-villages sont d'un bon niveau qualitatif et assez abordables.

MAISON AMBROISE 2011

■	8 000	ⅢⅠ	15 à 20 €

Cette petite maison de négoce familiale, adjointe au domaine, est dirigée depuis 2009 par François Ambroise et sa sœur Ludivine. Elle propose ici un 2011 plaisant à l'œil dans sa robe sombre aux reflets violets et au nez également, dont les parfums de fruits rouges et de pivoine se mêlent harmonieusement à ceux de la barrique. La bouche n'est pas en reste et plaît par son charnu, sa fraîcheur et ses tanins souples. Un vin équilibré, à boire dans les deux ans sur un poulet rôti ou des paupiettes de veau.

☛ Maison Ambroise, 8, rue de l'Église, 21700 Premeaux-Prissey, tél. 03 80 62 30 19, fax 03 80 62 38 69, contact@ambroise.com, ☑ ☀ ☗ r.-v.

DOM. A. CHOPIN ET FILS Les Monts de Boncourt 2010 ★

▨	4 500	ⅢⅠ	11 à 15 €

Arnaud Chopin exploite 60 ares de ce magnifique terroir des Monts de Boncourt, qui lui vaut des mentions régulières dans le Guide par lesquelles il met en valeur en même temps le visage blanc de cette appellation « monopolisée » par les rouges. Le 2010, couleur ou blanc, séduit à l'olfaction par un subtil vanillé hérité de quatorze mois de fût qui se marie à la fraîcheur des agrumes. La bouche se révèle souple, onctueuse, un rien épicée et dotée d'une délicate acidité. À servir dans les deux ans, sur un jambon persillé ou des saint-jacques sauce au citron. Le **rouge**

2010 Vieilles Vignes (4 000 b.), riche et tannique, est cité. On l'attendra deux ou trois ans pour plus d'harmonie.

☛ Dom. A. Chopin et Fils, D 974, 21700 Comblanchien, tél. 03 80 62 92 60, domaine.chopin-fils@orange.fr, ☑ ☀ ☗ r.-v. 🏠 ❸

DECELLE-VILLA Aux montagnes 2010

■	1 900	ⅢⅠ	20 à 30 €

Fondée en 2011 par deux associés étrangers à la Bourgogne : Pierre-Jean Villa (vallée du Rhône nord) et Olivier Decelle (Mas Amiel, Ch. Jean Faure à Saint-Émilion), cette maison de négoce est l'une des étoiles montantes du négoce nuiton. Elle confirme les bonnes impressions laissées par deux de ses vins sélectionnés dans l'édition précédente, en volnay et en nuits-saint-georges, en proposant ici un côte-de-nuits-villages au nez élégant et fin de fruits rouges mûrs, frais et bien structuré en bouche. Un vin équilibré, à déguster dans deux ou trois ans sur un jarret de veau aux lentilles.

☛ Decelle-Villa, 3, rue des Seuillets, 21700 Nuits-Saint-Georges, tél. 03 80 53 74 35, contact@decelle-villa.com

DÉSERTAUX-FERRAND Les Perrières 2010 ★

■	5 000	ⅢⅠ	11 à 15 €

Cuvée phare du domaine, ces Perrières de Vincent Desertaux produisent des vins généralement puissants et généreux. C'est bien le cas du 2010 qui, après un an de fût, se présente dans une robe grenat soutenu, le nez ouvert sur les fruits mûrs et sur un boisé épicé, gras et bien charpenté en bouche. Un beau classique, à servir dans les trois ans à venir sur un rôti de bœuf aux champignons. Cité, le **blanc 2011 (8 400 b.)**, qui associe 30 % de pinot blanc au chardonnay, plaît par son côté fleurs jaunes, miel et poire, et par sa bouche équilibrée entre richesse et fraîcheur. À boire dès à présent.

☛ Dom. Désertaux-Ferrand, 135, Grande-Rue, 21700 Corgoloin, tél. et fax 03 80 62 98 40, contact@desertaux-ferrand.com, ☑ ☀ ☗ r.-v. 🏠 Ⓔ

DOM. DE LA DOUAIX Vieilles Vignes 2010

■	2 021	ⅢⅠ	15 à 20 €

« L'élevage en fût peut et doit être long sur ce type de vin », explique Laurent Auginot, le vinificateur de ce domaine de création récente (2006) et déjà bien installé dans le Guide. Dont acte : dix-sept mois de fût ont donné naissance à ce vin plutôt discret à l'olfaction (fruits noirs, toasté), mais plus expressif en bouche, où il révèle un joli volume, une matière riche, un boisé affirmé et des tanins bien présents mais soyeux. Un vin de bonne garde, à attendre deux ou trois ans.

☛ Mark Moustie, Dom. de la Douaix, rue du Moutier, 21700 Arcenant, tél. 06 85 95 01 79, moustie.gilles@orange.fr, ☑ ☀ ☗ r.-v. 🏠 Ⓔ
☛ Moustie

DUPASQUIER ET FILS 2010

■	1 800	ⅢⅠ	8 à 11 €

Ce domaine de près de 10 ha a sélectionné 40 ares de sols argilo-calcaires plantés de pinot de quarante ans pour élaborer ce vin équilibré, qui explore au nez la palette des fruits rouges macérés à l'alcool accompagnés de nuances de vanille et de fougère. Fraîche dès l'attaque, la bouche conserve sa tonicité jusqu'en finale, adossée à des tanins souples et à un boisé ajusté qui laisse le champ libre aux fruits rouges. Un style léger et classique qui conviendra, dès à présent, à un coq au vin.

📞 SCEA Dom. Dupasquier et Fils, 47 B, rue Henri-Challand, 21700 Nuits-Saint-Georges, tél. 03 80 61 13 78, fax 03 80 61 05 08, dupasquier.domaine@wanadoo.fr, ☑ ⚹ ⍿ r.-v.

JEAN FÉRY ET FILS Clos de Magny 2010

■			
	3 700	▮▥	11 à 15 €

Ce vin a été élaboré par Pascal Marchand, le Québécois le plus célèbre de Bourgogne. Ancien régisseur de la Vougeraie jusqu'en 2006, il œuvre désormais à la vigne et en cave pour ce domaine familial établi à Échevronne. Robe rouge sombre, nez intense de sousbois, de fruits rouges et de cassis légèrement confits, bouche fraîche, fine et ferme, encore un rien sévère, voilà un pinot noir de belle facture, élégant, à attendre un an ou deux. Jolie perspective gourmande avec un rôti de veau Orloff.

📞 Dom. Jean Féry et Fils, 1, rte de Marey, 21420 Échevronne, tél. 03 80 21 59 60, fax 03 80 21 59 59, fery.vin@wanadoo.fr, ☑ ⚹ ⍿ r.-v. 🏠 🅒

DOM. GACHOT-MONOT Les Chaillots 2010

■			
	5 361	▥	11 à 15 €

Les Chaillots ? Des cailloux en patois, et c'est en effet un sol très pierreux qui porte les vignes à l'origine de cette cuvée. Damien Gachot, à la tête de ce domaine familial depuis 1993, signe un vin au nez fin de fruits rouges mûrs mâtinés d'un boisé discret. La bouche est nette, d'un bon volume, bien définie par des tanins sachant rester délicats. Un pinot élégant et mesuré, à déguster au cours des deux prochaines années sur une viande rouge grillée ou sur du petit gibier.

📞 EARL Dom. Gachot-Monot, 3, rue de la Bretonnière, 21700 Corgoloin, tél. 03 80 62 93 03, fax 03 80 62 77 47, contact@gachot-monot.com, ☑ ⚹ ⍿ r.-v.

♥ JÉRÔME GALEYRAND Vieilles Vignes 2011 ★★

■			
	n.c.	▥	15 à 20 €

JEROME GALEYRAND

COTE DE NUITS VILLAGES
Vieilles Vignes

2011

GRAND VIN DE BOURGOGNE

Jérôme Galeyrand est dans sa deuxième vie. Dans la première, il travaillait comme commercial au sein de la grande distribution. Passionné par le vin, ce Ligérien s'est laissé happer par la Bourgogne et, de vendanges en formations, il a appris auprès d'Alain Burguet (Gevrey) et de Roblet (Volnay), avant de s'installer à son compte en 2001. Il exploite 5 ha grappillés au fil des ventes et des locations. Pour ce côte-de-nuits-villages, il assemble différentes parcelles de Comblanchien et de Brochon, la plus ancienne datant de 1925. Le résultat est un vin strict, comme souvent chez le vigneron, mais ô combien prometteur ! Le nez, concentré, dévoile des notes de fruits noirs, de cassis notamment, accompagnées par un élégant boisé aux accents toastés. On retrouve ces sensations

aromatiques dans une bouche vive en attaque, solide, remarquablement équilibrée et très longue. Un vin encore jeune, à laisser évoluer trois à cinq ans pour l'apprécier à sa juste valeur.

📞 Jérôme Galeyrand, 16, rue de Gevrey, Saint-Philibert, 21220 Gevrey-Chambertin, tél. 06 61 83 39 69, fax 03 80 34 39 69, jerome.galeyrand@wanadoo.fr, ☑ ⚹ ⍿ r.-v.

♥ DOM. JEAN-MICHEL GUILLON ET FILS
Queue de hareng 2011 ★★

■			
	1 250	▥	11 à 15 €

récolte 2011

Queue de Hareng

Domaine
Jean-Michel Guillon & Fils
Côte de Nuits-Villages
appellation côte de nuits-village contrôlée

Il n'est pas une édition du Guide où Jean-Michel Guillon et son fils Alexis ne soient pas présents. Un parcours des plus remarquables depuis son installation – « difficile », dit-il – en 1980. Comptant 2,50 ha à son origine, le domaine s'étend aujourd'hui sur 13 ha et dix-huit appellations. Mazis, gevrey, morey, clos-devougeot... les sélections dans ces pages ne se comptent plus, quant aux coups de cœur, on en dénombre cinq avec celui-ci, qui a été ferré sec grâce à cette Queue de hareng à l'étiquette mémorable. Robe rouge cerise qui donne envie d'aller plus loin, nez ouvert et complexe de cassis, de myrtille, de fruits rouges et de sous-bois, bouche concentrée, charnue et finement tannique : un vin des plus aboutis, qui prendra son envol – Jean-Michel a une autre passion : l'aviation – d'ici deux ou trois ans et ravira les palais les plus exigeants sur un mets goûteux, des joues de bœuf longuement mijotées avec un vin rouge – de pinot bien sûr...

📞 Jean-Michel Guillon, 33, rte de Beaune, 21220 Gevrey-Chambertin, tél. 03 80 51 83 98, fax 03 80 51 85 59, contact@domaineguillon.com, ☑ ⚹ ⍿ r.-v. 🏠 🅒

ALAIN JEANNIARD 2010 ★

■			
	1 200	▥	15 à 20 €

Dans le cadre de son négoce d'achat de raisins, Alain Jeanniard propose une rareté avec ce chardonnay, l'appellation étant massivement dédiée au vin rouge. Le nez dévoile un boisé déjà fondu (douze mois de fût), puis évolue sur des notes de pêche blanche mûre. La bouche se révèle pleine, ample et riche, rafraîchie par une jolie touche de zeste d'agrumes en finale. Un vin opulent, toutefois sans lourdeur ni mollesse, que l'on appréciera au cours des deux prochaines années sur un dos de sandre au beurre blanc.

📞 SARL Alain Jeanniard, 4, rue aux Loups, 21220 Morey-Saint-Denis, tél. 06 84 56 13 89, fax 03 80 58 53 49, domaine.ajeanniard@wanadoo.fr, ☑ ⚹ ⍿ r.-v.

GILLES JOURDAN Monopole La Robignotte 2010 ★

| ■ | n.c. | ⅢⅢ | 11 à 15 € |

Avec le Clos des Langres, c'est l'un des deux monopoles de l'appellation, un *climat* de 60 ares situé à Corgoloin, exploité par Gilles Jourdan depuis 1988. C'est là qu'est né ce vin auquel l'élevage de seize mois en fût a laissé une empreinte boisée n'écrasant cependant pas le fruit, bien présent. Il en va de même dans une bouche franche en attaque, consistante et bien structurée, finissant sur une jolie note épicée. À boire dans deux ans sur un mets de caractère, un filet de chevreuil sauce grand veneur par exemple.

☛ Gilles Jourdan, 114, Grande-Rue, 21700 Corgoloin, tél. 06 60 85 76 31, fax 03 80 62 97 48, domaine.jourdan@wanadoo.fr, ☑ ⅋ r.-v.

FRÉDÉRIC MAGNIEN Croix-Viollette 2011 ★

| ■ | 8 600 | ⅢⅢ | 20 à 30 € |

C'est avec sa casquette de négociant que Frédéric Magnien propose cette Croix-Viollette bien sous tous rapports. Robe élégante et brillante, couleur rubis, nez pur et frais, fruité à souhait (cerise, cassis) et un rien épicé, bouche tout aussi expressive, tonique grâce à une fine acidité et bien balancée entre tanins serrés et boisé ajusté : un vin harmonieux, à servir dans un an ou deux sur une viande blanche ou une volaille.

☛ Frédéric Magnien, 26, rte Nationale, 21220 Morey-Saint-Denis, tél. 03 80 58 54 20, fax 03 80 51 84 34, frederic@fred-magnien.com, ☑ ⅋ r.-v.

DOM. HENRI NAUDIN-FERRAND 2010 ★

| ■ | n.c. | ⅢⅢ | 15 à 20 € |

Henri Naudin est décédé en 2013 à l'âge de 82 ans. Cette figure des Hautes-Côtes et du syndicalisme vigneron aimait son métier plus que tout. On le vit courbé sur les tables de tri jusqu'en 2012. Sa fille Claire, qui a repris le flambeau des vignes, du vin... et du syndicalisme dès 1994, perpétue avec talent l'œuvre de son père. Elle signe ici un 2010 net et élégant au nez frais de groseille et de framboise, franc, bien bâti et harmonieux en bouche, qui sera à l'aise aussi bien sur un tajine de sanglier aux petits légumes et au miel que sur un rôti de canard farci au foie gras (accords conseillés par les deux sœurs, Claire et Marie, fines cuisinières).

☛ Dom. Henri Naudin-Ferrand, 12, rue du Meix-Grenot, 21700 Magny-lès-Villers, tél. 03 80 62 91 50, fax 03 80 62 91 77, info@naudin-ferrand.com, ☑ ⅋ r.-v.

DOM. PETITOT Secrets de chardonnay 2011

| ▨ | 1 480 | ⅢⅢ | 8 à 11 € |

Hervé Petitot et son épouse Nathalie, œnologue, ont repris le domaine familial en 2002. Ils ont élevé onze mois en fût cette cuvée de chardonnay, qu'ils ont soigneusement bâtonnée pour lui donner du gras et de la rondeur. Mission réussie avec ce vin miellé, brioché, aux arômes de fleurs blanches, vivifié par une agréable fraîcheur citronnée en bouche. Équilibré, il est à boire dès maintenant sur des escargots en cassolette.

☛ Dom. Petitot, 26, pl. de la Mairie, 21700 Corgoloin, tél. 03 80 62 98 21, fax 03 80 62 71 64, domaine.petitot@wanadoo.fr, ☑ ⅋ r.-v.

DOM. PHILIPPE ROSSIGNOL 2010

| ■ | 5 000 | ⅢⅢ | 11 à 15 € |

Philippe Rossignol et son fils Sylvain travaillent ensemble depuis 2005 sur ce petit domaine de 7 ha créé de toutes pièces en 1976 à partir de 2,5 ha de vignes. Ils proposent ici un vin au nez grillé et épicé (vingt-deux mois de fût, qui dit mieux ?), vivifié par une touche mentholée. La bouche se révèle ample, ferme et croquante, mais encore un peu sévère en finale et dominée par le bois. À attendre deux ou trois ans en cave, le temps que l'ensemble se fonde.

☛ Dom. Philippe Rossignol, 61, av. de la Gare, 21220 Gevrey-Chambertin, tél. et fax 03 80 51 81 17, sceaphilipperossignol@hotmail.fr, ☑ ⅋ r.-v.

La Côte de Beaune

Plus large (un à deux kilomètres) que la Côte de Nuits, la Côte de Beaune est plus tempérée et soumise à des vents plus humides, ce qui entraîne une plus grande précocité dans la maturation. La vigne monte à une altitude plus élevée que dans la Côte de Nuits, à 400 m et parfois plus. Le coteau est coupé de larges combes, dont celle de Pernand-Vergelesses qui sépare la « montagne » de Corton du reste de la Côte. Géologiquement, la Côte de Beaune apparaît plus homogène que la Côte de Nuits : au bas, un plateau presque horizontal, formé par les couches du bathonien supérieur recouvertes de terres fortement colorées. C'est de ces sols assez profonds que proviennent les grands vins rouges (beaune Grèves, pommard Épenots...). Au sud de la Côte de Beaune, les bancs de calcaires oolithiques avec, sous les marnes du bathonien moyen recouvertes d'éboulis, des calcaires sus-jacents donnent des sols à vigne caillouteux, graveleux, sur lesquels sont récoltés les vins blancs parmi les plus prestigieux : premiers et grands crus des communes de Meursault, Puligny-Montrachet, Chassagne-Montrachet. Si l'on parle de « côte des rouges » et de « côte des blancs », il faut citer entre les deux le vignoble de Volnay, implanté sur des terrains pierreux argilo-calcaires et donnant des vins rouges d'une grande finesse.

Bourgogne-hautes-côtes-de-beaune

Superficie : 815 ha
Production : 39 500 hl (85 % rouge)

Cette appellation est située sur une aire géographique comprenant une vingtaine de communes et débordant sur le nord de la Saône-et-Loire.

BOURGOGNE

Comme celui des hautes-côtes-de-nuits, ce vignoble s'est développé depuis les années 1970-1975.

Le paysage est pittoresque et de nombreux sites méritent une visite, comme Orches, La Rochepot et son château, Nolay et ses halles. Enfin, les Hautes-Côtes, qui étaient autrefois une région de polyculture, sont restées productrices de petits fruits destinés à alimenter les liquoristes de Nuits-Saint-Georges et de Dijon. Cassis et framboise servent à élaborer des liqueurs et des eaux-de-vie d'excellente qualité. L'eau-de-vie de poire des Monts de Côte-d'Or trouve également ici son origine.

FRANÇOIS D' ALLAINES 2010 ★

| | 4 000 | | | 11 à 15 € |

Après une formation en école hôtelière, François d'Allaines crée son négoce en 1990, à Demigny, puis son domaine en 2009. Ses vins, issus de l'une ou de l'autre structure, sont régulièrement présents dans le Guide. Ce hautes-côtes fait belle impression. Paré d'une robe grenat profond, il délivre des parfums discrets mais délicats de fruits rouges comptés, de bois et de sous-bois. Une attaque franche ouvre sur un palais encore un peu sous l'emprise de la barrique, mais la matière est ample et dense, et les tanins du raisin, soyeux, sont suffisamment étoffés pour apprivoiser le merrain au cours des deux ou trois prochaines années. Bel accord en perspective avec des œufs en meurette sauce au bourgogne.

☛ François d'Allaines, 2, imp. du Meix-du-Cray, 71150 Demigny, tél. 03 85 49 90 16, francois@dallaines.com, ☑ ⚦ ⵂ r.-v.

DOM. BERGERET 2011

| | 40 000 | | | 8 à 11 € |

Sous cette étiquette, la maison beaunoise Jean Bouchard exploite 6 ha de pinot noir de ce domaine établi à Nolay, dans les Hautes Côtes. Elle en tire ce 2011 en robe foncée, qui garde à l'olfaction les empreintes toastées de ses dix-sept mois de barrique, le fruit restant pour l'heure en retrait. Le palais, lui aussi à dominante boisée, affiche une belle structure, encore à fondre, étayée par une pointe de vivacité. À déguster dans deux ans avec un bäckeofe.

☛ Maison Jean Bouchard, 6 bis, bd Jacques-Copeau, 21200 Beaune, tél. 03 80 24 37 37, fax 03 80 24 37 38

FRANÇOIS BERGERET Rondo Vieilles Vignes 2011

| | 1 200 | | | 8 à 11 € |

Ces vieilles vignes s'enracinent depuis soixante ans dans une parcelle de 40 ares. Elles donnent naissance à un vin d'un beau violet profond, qui s'ouvre à l'aération sur la cerise noire et la mûre. Tendu dès l'attaque, ferme et vif, le palais évolue dans le même registre aromatique, adossé à des tanins fondus qui autorisent une dégustation dans l'année. Également cité et prêt à boire, le **rouge 2011** (900 b.), sans nom de cuvée, est un vin souple, frais, bien équilibré entre fruits rouges et boisé.

☛ François Bergeret, 15, rue Franche, 21340 Nolay, tél. 06 87 58 23 45, bergeret.francois@orange.fr, ☑ ⚦ ⵂ r.-v.

DOM. BERTHELEMOT 2010 ★★

| | 4 160 | | | 8 à 11 € |

Un domaine de création récente (2006) ayant cependant déjà plusieurs étoiles à son actif et même un coup de cœur, pour un monthélie 2009. Voici deux étoiles de plus pour Brigitte Berthelemot et son chef d'exploitation Marc Cugney, qui exploitent un vignoble de 7,8 ha, dont 1,03 ha est dédié à ce hautes-côtes épatant. La robe est d'une engageante couleur cerise burlat animée de reflets roses. Le nez, tout aussi avenant, délicat et subtil, évoque les fruits rouges, le cassis et la violette. Franc en attaque, soyeux, frais et charnu, le palais offre un long écho à l'olfaction et laisse le souvenir d'un vin à la fois caressant et dynamique. Deux à cinq ans de cave le porteront à son apogée. On l'ouvrira alors sur une volaille noble aux champignons.

☛ Dom. Brigitte Berthelemot, 24, rue des Forges, 21190 Meursault, tél. 03 80 21 68 61, fax 03 80 21 94 07, contact@domaineberthelemot.com, ☑ ⚦ ⵂ r.-v.

DOM. BONNARDOT En Cheignot 2011

| | 4 500 | | | 8 à 11 € |

Installé en 2006 avec une petite surface de 40 ares, le jeune Ludovic Bonnardot a progressivement étoffé son parcellaire, s'étendant aujourd'hui sur 3,6 ha. De ces expériences dans des domaines conduits en culture biodynamique, il a conservé l'idée d'une viticulture raisonnée et raisonnable, limitant les produits œnologiques au seul apport de soufre. Il signe ici un vin vivant et tonique, dominé par des arômes de pomme verte et d'anis, au palais franc, minéral et frais, qui ne manque ni de gras ni de rondeur. Une bouteille harmonieuse que l'on verrait bien, dès l'automne, en compagnie d'une tourte aux crustacés.

☛ Ludovic Bonnardot, 27, Grande-Rue, 21250 Bonnencontre, tél. 03 80 36 31 60, fax 03 80 36 37 29, ludovic-bonnardot@orange.fr, ☑ ⚦ ⵂ r.-v. ⌂ ©

DOM. JEAN-FRANÇOIS BOUTHENET Sur Mercey 2011 ★

| | 1 900 | | | 5 à 8 € |

Deux cuvées, deux millésimes, deux couleurs, et une étoile pour chacune. Ce producteur basé dans le hameau de Mercey, à Cheilly-lès-Maranges, est en réussite avec cette appellation. Le **rouge 2010 Au paradis Vieilles Vignes** (2 800 b.) se pare de rubis et livre un nez frais de cerise et de cassis. On retrouve les fruits dans une bouche fraîche et légère, un rien plus tannique en finale. À boire dans les deux ou trois ans sur un plateau de charcuteries. Légère préférence est donnée au chardonnay : un vin jaune brillant au nez expressif, floral (aubépine, acacia) et fruité (agrumes), ample et frais dans une bouche tendue par des notes de citron et de silex. Parfait dès l'automne sur une poêlée de cuisses de grenouille à la persillade.

☛ Jean-François Bouthenet, 4, rue du Four, 71150 Cheilly-lès-Maranges, tél. 03 85 91 14 29, fax 03 85 91 18 24, bouthenetjf@free.fr, ☑ ⚦ ⵂ r.-v.

CHRISTOPHE BUISSON 2010

| | 1 150 | | | 11 à 15 € |

Ce domaine installé depuis 1996 à Saint-Romain a entamé en 2009 la conversion de ses 7 ha en agriculture biologique ; le millésime 2012 est certifié. Il récolte une

La Côte de Beaune

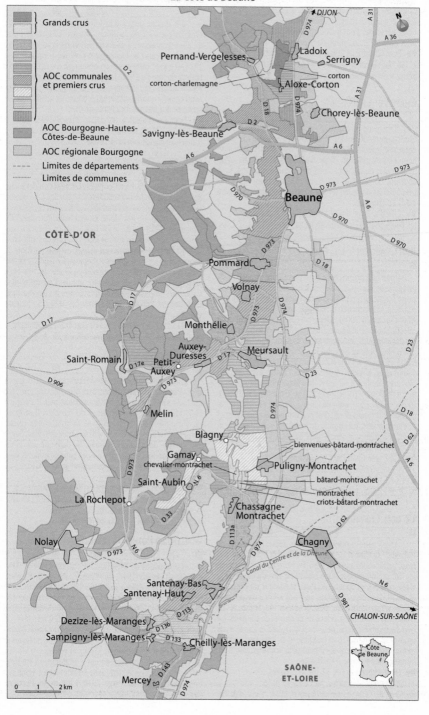

citation pour ce 2010 auréolé de reflets verts, au nez exubérant de poire et d'agrumes souligné par un boisé léger, et au palais fruité, souple et charnu, rehaussé par une finale nerveuse. Tout indiqué pour un plateau de fruits de mer, aujourd'hui comme dans deux ans.

🕊 Dom. Christophe Buisson, rue de la Tartebouille, 21190 Saint-Romain, tél. 03 80 21 63 92, fax 03 80 21 67 03, domainechristophebuisson@wanadoo.fr, ☑ ⵏ r.-v.

CHAPUIS ET CHAPUIS 2011

	2 400	🔢 ⵏ	8 à 11 €

Troisième millésime pour les frères Chapuis (Jean-Guillaume et Romain), petits-fils de vignerons installés comme négociants à Pommard depuis 2009. Ils signent un hautes-côtes plaisant, facile d'accès, sur les fruits mûrs agrémentés de parfums doux de viennoiserie, rond, gras et fruité en bouche. Un « vin plaisir », pour un futur immédiat et un déjeuner sur l'herbe avec quelques gougères au fromage.

🕊 Chapuis, 9, rue des Charmots, 21630 Pommard, tél. 06 89 56 05 12, r.chapuis@chapuisfreres.fr, ☑ ⵑ ⵏ r.-v.

JEAN CHARTRON Sous La Roche 2011 ★

	2 950	🔢 ⵏ	11 à 15 €

Bien que propriétaire d'un parcellaire important de grands crus sur la Côte de Beaune, Jean-Michel Chartron porte haut également les couleurs des hautes-côtes (on se souvient notamment d'un coup de cœur pour sa cuvée En Bois Guillemin 2006). Deux cuvées d'égale valeur sont sélectionnées cette année. Bien que difficiles à départager, les dégustateurs semblent avoir marqué une très légère préférence pour ce Sous La Roche 2011, un vin expressif, fruité et épicé à l'olfaction, finement tannique, long et équilibré en bouche. À servir dans l'année avec un petit salé aux lentilles. Issu aussi du village de Nantoux situé derrière Pommard, le **2011 blanc En bois Guillemin (6 200 b.)** a séduit, quant à lui, par son nez minéral, floral et fruité (agrumes confits) et par son palais gras, rond et finement miellé, une pointe de fraîcheur venant égayer la finale et équilibrer le vin. À boire lui aussi dans l'année, sur un tajine de poisson aux citrons.

🕊 EURL Jean Chartron, 8 bis, Grande-Rue, 21190 Puligny-Montrachet, tél. 03 80 21 99 19, fax 03 80 21 99 23, info@jeanchartron.com, ☑ ⵑ ⵏ t.l.j. 10h-12h 14h-18h; f. fin nov. à Pâques.

ⓑ DOM. CHEVROT 2011 ★

	6 000	ⵑ	8 à 11 €

Dans cette propriété familiale de 16 ha, les fils de Fernand et Catherine Chevrot cultivent l'héritage des deux générations précédentes. Le domaine est passé en agriculture biologique, et le cheval est revenu labourer la vigne comme à l'époque de Paul, fondateur du domaine en 1930. Des ceps de trente ans sont à l'origine de cette cuvée rouge cerise au nez généreux de fraise et de framboise confiturées, relevé de poivre et de cannelle. La bouche se révèle suave et tout aussi fruitée, adossée à des tanins fins et fondus. Son équilibre et sa longueur portent ce vin vers la garde, mais il peut déjà accompagner avec bonheur une bavette à l'échalote.

🕊 Dom. Chevrot et Fils, 19, rte de Couches, 71150 Cheilly-lès-Maranges, tél. 03 85 91 10 55, fax 03 85 91 13 24, contact@chevrot.fr, ☑ ⵑ ⵏ r.-v. 🏨 ❷

DOM. DEMANGEOT Cuvée Delphine Saint Ève 2011

	7 180	ⵑ	8 à 11 €

En quatre siècles d'histoire vigneronne, la famille Demangeot s'est déplacée de… quatre kilomètres ; dire qu'elle est enracinée dans les terres bourguignonnes relève de la litote. Jean-Luc Demangeot y cultive la vigne depuis 1985. Il a créé cette cuvée en hommage à sa grand-mère maternelle qui l'a élevé. Un vin jaune brillant nuancé de reflets ambrés, au nez minéral et floral, et au palais plus rond et large que droit et long. À boire sur une volaille en sauce plutôt que sur des fruits de mer.

🕊 Dom. Demangeot, 6, rue de Santenay, 21340 Change, tél. 03 85 91 11 10, fax 03 85 91 16 83, contact@demangeot.fr, ☑ ⵑ ⵏ r.-v.

DEVEVEY Les Chagnots 2010 ★

	3 000	ⵑ	11 à 15 €

Les cuvées de hautes-côtes constituent l'un des socles de la gamme de Jean-Yves Devevey : sur les 8 ha de son exploitation (en conversion bio), 2,5 ha sont consacrés à cette appellation. Ses deux cuvées sont retenues. Ce Chagnots 2010 – du nom des « petits chênes » qui poussent difficilement sur ces terres où la roche affleure – se pare d'une robe citron vert et livre de jolis parfums de fleurs jaunes, de beurre frais et d'épices. Le palais se révèle gras, corpulent, charnu et stimulé en finale par une belle vivacité. Un joli vin de caractère qui peut d'ores et déjà s'accorder avec une matelote d'anguille aux herbes marines. Le **Champs Perdrix 2010 blanc (10 000 b.)**, dans un style plus vif, est cité.

🕊 Jean-Yves Devevey, 31, rue de Breuil, 71150 Demigny, tél. 03 85 49 91 11, jydevevey@wanadoo.fr, ☑ ⵑ ⵏ r.-v.

DENIS FOUQUERAND ET FILS 2011

	2 068	ⵑ	5 à 8 €

La famille Fouquerand est viticultrice à La Rochepot depuis la Révolution. Laurent a pris la suite de son père en 2009, après avoir travaillé à ses côtés, puis il a engagé en 2011 la conversion biologique du vignoble. Il propose un vin d'une belle brillance dans sa robe rouge cerise, flatteur à l'olfaction avec ses parfums frais de fruits rouges agrémentés de nuances boisées. Si l'attaque est gourmande et fondue, la suite dévoile des tanins « athlétiques » qui réclament un peu de patience pour se fondre (deux ou trois ans).

🕊 EARL Denis Fouquerand et Fils, 10, rue de l'Orme, 21340 La Rochepot, tél. 03 80 21 88 62, fax 03 80 21 85 58, laurent.fouquerand@wanadoo.fr, ☑ ⵑ ⵏ t.l.j. 9h-12h 14h-19h 🏨 ❷ 🏨 ⓑ

GUILLEMARD-POTHIER La Dalignière 2010 ★

	3 800	ⵑ	5 à 8 €

Ce domaine de Meloisey, viticole depuis le XVII[e]s. et conduit depuis 1998 par Franck, Pascal et Chantal Guillemard, revendique une « viticulture traditionnelle », avec récolte manuelle et vinification en fût de chêne. Ici, des pinots âgés de soixante ans et un séjour de douze mois en barrique pour engendrer un vin paré d'un rubis vif seyant, délicatement floral (violette, pivoine), fruité (framboise) et boisé. Le palais laisse une impression de légèreté par sa fraîcheur et ses tanins soyeux et veloutés. « Un vin de ville », conclut un dégustateur – entendez un vin sans rusticité –, que l'on servira dans les deux ans à venir sur une volaille. Cité, le **rouge 2010 Clos de la Perrière (8 500 b.)**, expressif, doux et fondu, est prêt à boire.

☛ EARL Guillemard-Pothier, 4, chem. de Mavilly, 21190 Meloisey, tél. 03 80 26 01 11, fax 03 80 26 03 72, guillemard.pothier@wanadoo.fr, ☑ ⵏ r.-v.

DOM. LUCIEN JACOB Les Larrets blancs 2011

▢	5 500 ⵃ	8 à 11 €

Établis dans le village d'Échevronne depuis 1989, les Jacob sont au cœur des terroirs des hautes-côtes. Ils mettent ceux-ci en valeur en revendiquant, comme ici, le *climat* à l'origine de ce 2011 : « larret » pour un coteau à forte inclinaison, donc difficile à cultiver, et « blanc » pour la couleur de la terre. Ce 2011 revêt une robe pâle et brillante. Il délivre de jolis parfums de lilas, d'amande et de pêche. De bonne consistance, frais et persistant, le palais est encore sous l'emprise du merrain : on attendra un an ou deux pour en laisser les effets s'atténuer. Un poisson de rivière au beurre blanc sera alors bienvenu.

☛ Dom. Lucien Jacob, pl. de la Mairie, 21420 Échevronne, tél. 03 80 21 52 15, fax 03 80 21 55 65, lucien-jacob@wanadoo.fr, ☑ ⵏ ⵏ r.-v. ⌂ Ⓑ

FRANCIS LECHAUVE L'Éveil des sens 2011

▢	3 400 ⵃ	8 à 11 €

Derrière ce nom, L'Éveil des sens, se cache un vigneron propriétaire et négociant, qui a en responsabilité quelques vignes des Hospices de Beaune. Il signe ici un chardonnay d'or pâle au nez exotique (ananas, fruit de la Passion), beurré et toasté. La bouche est tendue par une fine acidité accompagnée de notes fraîches d'agrumes. Une bouteille à boire ou à attendre un an ou deux, et à réserver aux produits de la mer.

☛ SARL l'Éveil des sens, Francis Lechauve, 8, rue du Glacis, 21190 Meloisey, tél. 03 80 21 64 58, eveil.des.sens001@orange.fr, ☑ ⵏ r.-v.

♥ DOM. SÉBASTIEN MAGNIEN
Clos de la Perrière 2011 ★★

▢	n.c. ⵃⵃ	8 à 11 €

VIN DE BOURGOGNE
BOURGOGNE HAUTES-CÔTES DE BEAUNE
APPELLATION BOURGOGNE HAUTES-CÔTES DE BEAUNE CONTRÔLÉE
CLOS DE LA PERRIÈRE
2011
Domaine
SÉBASTIEN MAGNIEN
VITICULTEUR À MEURSAULT
MIS EN BOUTEILLE À LA PROPRIÉTÉ

Installé depuis 2004 à Meursault, Sébastien Magnien est originaire des Hautes-Côtes, où il se partage avec les Parigot ce clos situé à Meloisey. Le jeune homme se dit très interventionniste à la vigne – toute la palette des méthodes prophylactiques est utilisée : taille, ébourgeonnage sévère, palissage rigoureux, effeuillage... – et plus « traditionaliste » au chai (macérations longues mais sans surextraction, usage modéré des fûts neufs). Grâce à quoi, il signe régulièrement de belles cuvées, comme ce hautes-côtes élu coup de cœur dans le millésime 2005. Le 2011 joue dans la même cour (des grands) et s'annonce avec élégance paré d'une robe rubis intense, le nez ouvert

sur les fruits noirs soulignés par un élevage ajusté. Le palais est bien dans le ton, persistant, frais, appuyé par une solide structure tannique et un boisé luxueux. Fin 2015, ce vin sera à son apogée pour un accord avec un gigot d'agneau façon boulangère.

☛ Dom. Sébastien Magnien, 6, rue Pierre-Joigneaux, 21190 Meursault, tél. 03 80 21 28 57, fax 03 80 21 62 80, domainesebastienmagnien@orange.fr, ☑ ⵏ ⵏ r.-v.

DOM. MAZILLY PÈRE ET FILS La Dalignère 2011 ★

▪	3 300 ⵃ	8 à 11 €

Dix-huit hectares, ce n'est pas rien quand on exploite en Bourgogne ; cela vous classe en production parmi les plus grands domaines. Ces viticulteurs de Meloisey consacrent à cette cuvée une petite surface de 47 ares plantée de ceps cinquantenaires. Le résultat est séduisant. Belle robe rouge cerise foncé ; nez élégant et engageant de griotte et de vanille ; bouche ronde, charnue, expressive (cerise, réglisse, épices) et dotée de tanins robustes qui offrent une bonne perspective de garde. À servir sur un jarret de bœuf au thym, comme le suggère le vigneron, vers 2016-2017.

☛ Dom. Mazilly Père et Fils, 1, rte de Pommard, 21190 Meloisey, tél. 03 80 26 02 00, fax 03 80 26 03 67, bourgogne-domaine-mazilly@wanadoo.fr, ☑ ⵏ ⵏ r.-v.

CHRISTIAN ET PASCAL MENAUT La Jolivode 2010 ★

▪	10 100 ⵄⵃ	8 à 11 €

La Jolivode de Christian et Pascal Menaut n'est pas une inconnue, les lecteurs l'ont déjà croisée plus d'une fois, parfois même auréolée d'un coup de cœur, en hautes-côtes (millésime 2007) ou en beaune (millésime 1998). Elle prend racine sur 2 ha plantés de ceps âgés de quarante-cinq ans, une parcelle évoquant une « jolie source » d'où jaillit un vin grenat soutenu aux reflets violines, à l'olfaction complexe et expressive (fruits rouges, épices, réglisse). Un boisé fondu à souhait et des tanins fins et soyeux confèrent beaucoup d'élégance à un palais « dopé » par une rétro-olfaction mentholée. Une bouteille harmonieuse, à partager d'ici quatre ou cinq ans sur un porc laqué au caramel.

☛ EARL Menaut, 4, rue Chaude, 21190 Nantoux, tél. 03 80 26 07 72, fax 03 80 26 01 53 ☑ ⵏ ⵏ r.-v.

ALAIN ET GILLES MONTCHOVET Vieilles Vignes 2011 ★

▪	4 500 ⵃ	5 à 8 €

Gilles Montchovet a pris la suite de son père Alain en septembre 2006 à la tête des 12,42 ha familiaux, qu'il passe actuellement en culture raisonnée. Le premier pas vers le bio ? Il signe à partir de vieux ceps de soixante-dix ans un vin bien construit, dont le bouquet « pinote » à souhait (cerise, framboise), accompagné par un boisé qui sait rester à sa place. Franc en attaque, le palais dévoile des tanins extraits avec doigté, solides mais pas séchants. Déjà harmonieux et affable, ce hautes-côtes vieillira très bien et pourra s'apprécier pleinement à l'horizon 2015-2016, sur une épaule d'agneau aux cèpes par exemple. Cité, le **blanc 2011 (4 000 b.)** développe un nez de fleurs blanches (aubépine) et de miel. On retrouve ce dernier dans une bouche ronde et généreuse, équilibrée par une juste fraîcheur. À boire dans l'année.

☛ Alain et Gilles Montchovet, rue Rocault, 21190 Nantoux, tél. et fax 03 80 26 03 26, earl-montchovet-alain-et-gilles@orange.fr, ☑ ⵏ r.-v. ⌂ Ⓑ

NAUDIN-VARRAULT 2011

| ■ | 4 000 | ⊞ | 11 à 15 € |

Sous la marque Naudin-Varrault, les vins de cette maison de négoce, fondée en 1860 et basée à Santenay, sont vinifiés par Laurence Danel. Cette œnologue est aussi en charge des vinifications de la maison André Delorme à Rully, en Côte chalonnaise. Elle a élaboré un hautes-côtes de caractère, dont le profil aromatique évoque les fruits rouges en confiture et la mirabelle alliés à un boisé fin. La bouche, encore dominée par l'élevage, dévoile des tanins musculeux et une matière concentrée. Deux ou trois années en cave seront nécessaires pour harmoniser l'ensemble.

☛ Prosper Maufoux, maison des Grands Crus, 1, pl. du Jet-d'Eau, 21590 Santenay, tél. 03 80 20 60 40, fax 03 80 20 63 26, contact@prosper-maufoux.com, ☑ ⚔ ⍍ t.l.j. 10h-13h 14h-18h30; d'oct. à fin mars sur r.-v. 🏨 ❹

DOM. PANSIOT 2010 ★

| ■ | 4 000 | ▮ | 5 à 8 € |

Cette vaste exploitation de 21 ha reprise en 2001 par Émilie Pansiot a un pied dans chacune des Côtes, la beaunoise et la nuitonne. Elle réserve 1,15 ha à ce hautes-côtes bien né, qui porte beau dans sa robe jaune clair aux reflets verts. Le nez évoque les fruits mûrs, la poire notamment. Rond, souple, charnu et doté d'une belle persistance, fruité et un rien miellé, le palais se révèle harmonieux. On verrait bien cette cuvée accompagner l'automne un poisson en sauce, une raclette conseille-t-on au domaine.

☛ Dom. Pansiot, 21, imp. du Château-de-la-Chaume, 21700 Corgoloin, tél. 03 80 62 94 32, fax 03 80 62 73 14, domaine-pansiot@bbox.fr, ☑ ⚔ ⍍ r.-v.

DOM. PARIGOT Clos de la Perrière 2011

| ■ | 30 000 | ▮⊞ | 11 à 15 € |

Cette cuvée phare de la famille Parigot est l'une des références de l'appellation, déjà récompensée de plusieurs coups de cœur, dont trois successifs pour les millésimes 2007, 2008 et 2009. Le 2011 a de bons arguments à faire valoir : une jolie robe violine, un bouquet plaisant de petits fruits rouges sur un fond boisé, des tanins enrobés et une belle longueur en bouche. Un vin harmonieux, à boire dans les deux ans à venir.

☛ Dom. Parigot, 8, rte de Pommard, 21190 Meloisey, tél. 03 80 26 01 70, domaine.parigot@orange.fr, ☑ ⚔ ⍍ r.-v.

DOM. CHRISTIAN REGNARD 2011

| ■ | 1 800 | ⊞ | 8 à 11 € |

Ce domaine de Sampigny, l'un des trois villages de l'appellation maranges, avait fait une entrée remarquée dans le Guide 2012 en décrochant un coup de cœur en AOC bourgogne. Celui-ci fut suivi d'un autre à un passé pour cette même cuvée, version 2010. Florian Regnard, qui a rejoint son père Christian en 2010, a fait bouger les lignes ; même l'étiquette a eu droit à un lifting avec le 2011. Il signe ici un hautes-côtes proche de l'étoile, au nez discret de fruits exotiques (litchi) et de fleurs blanches sur un léger fond boisé. Le palais, qui évolue dans le registre de la générosité et de la rondeur plutôt que dans celui de la fraîcheur, est souligné par un fruité mûr et des nuances de caramel. À réserver, d'ici deux ans, à un poisson en sauce.

☛ Christian Regnard, 9, rue Saint-Antoine, 71150 Sampigny-lès-Maranges, tél. 03 85 91 10 43, regnardc@wanadoo.fr, ☑ ⚔ ⍍ r.-v.

REINE PÉDAUQUE 2011 ★★

| ■ | 11 440 | ⊞ | 11 à 15 € |

« Sans vin, il n'y a pas d'amour », écrivait Euripide ; les jurés ont décerné à celle-ci reine non pas un cœur mais deux étoiles, et une citation pour son homologue en pinot noir. Le chardonnay, ici âgé de quarante ans, a engendré un vin or pâle aux reflets verts, dont le bouquet mêle harmonieusement le parfum printanier du muguet et la douceur de l'amande et à la vivacité des agrumes et des notes calcaires du terroir. Vive, légère, délicate, la bouche est au diapason et laisse en finale une impression de fraîcheur mentholée et le souvenir d'un vin pur et net. À découvrir dès 2013 aussi bien sur une volaille noble que sur un poisson fin. Le rouge 2011 (8 à 11 € ; 78 260 b.) joue la carte du tendre et de la souplesse. Destiné à une courte garde et à un plat canaille, un petit salé aux lentilles par exemple.

☛ Reine Pédauque, 3, rue des Vercots, 21420 Aloxe-Corton, tél. 03 80 25 00 00, fax 03 80 26 42 00, reinepedauque@corton-andre.com, ☑ ⚔ ⍍ r.-v.
☛ Corton André

DOM. SAINT-MARC 2011 ★

| ■ | 1 150 | ▮⊞ | 8 à 11 € |

Le témoin est passé. Après un séjour en Californie, Arnaud Mitanchey est revenu au domaine familial épauler son père Jean-Claude sur le millésime 2011, et développer aussi la vente en bouteilles. Une entrée en matière convaincante avec ce hautes-côtes paré de grenat brillant, au bouquet harmonieux de fruits rouges et noirs mûrs mâtinés d'une touche d'épices. Droit et franc en attaque, le palais, de belle concentration, évolue sur des tanins fermes, encore un peu sévères en finale. Deux ans de garde affineront l'ensemble ; un soumaintrain fermier sera alors du meilleur effet.

☛ Dom. Saint-Marc, 1, rue de Nolay, 71150 Paris-L'Hôpital, tél. 03 85 91 13 14, fax 03 85 91 17 42, dne.saintmarc@wanadoo.fr, ☑ ⚔ ⍍ r.-v.
☛ Mitanchey

Ladoix

Superficie : 94 ha
Production : 4 065 hl (75 % rouge)

Porte de la Côte de Beaune, cette appellation mériterait d'être mieux connue. Elle porte le nom d'un des trois hameaux de la commune de Ladoix-Serrigny, situé sur la RN 74, les deux autres étant Serrigny, près de la ligne de chemin de fer, et Buisson. Ce dernier est situé exactement à la frontière géographique des Côtes de Nuits et de Beaune, marquée par la combe de Magny. Au-delà commence la montagne de Corton, aux grandes pentes à intercalations marneuses, constituant avec toutes ses expositions, est, sud et ouest, l'une des plus belles unités viticoles de la Côte.

Ces différentes situations contribuent à la variété des ladoix rouges, auxquels s'ajoute une production de vins blancs mieux adaptés aux sols marneux de l'argovien ; c'est le cas des Gréchons, par exemple, *climat* situé sur les mêmes niveaux géologiques que les corton-charlemagne, plus au sud, et qui donnent des vins très typés.

Autre particularité : bien que jouissant d'une classification favorable donnée par le Comité de viticulture de Beaune en 1860, Ladoix ne possédait pas de 1ers crus, omission qui a été réparée par l'INAO en 1978 : La Micaude, La Corvée et Le Clou d'Orge, aux vins de même caractère que ceux de la Côte de Nuits, Les Mourottes (basses et hautes), de tempérament sauvage, Le Bois-Roussot, Sur la Lave, sont les principaux de ces 1ers crus.

DOM. BONNARDOT Les Ranches 2010 ★

■	1 650	⬛	11 à 15 €

Deuxième millésime pour Danièle Bonnardot à la tête depuis 2008 de ce domaine familial des Hautes-Côtes de 20 ha. Les Ranches doivent leur nom aux ronces qui devaient autrefois coloniser cette parcelle située en bordure de la Route des vins. Ce 2010 livre des parfums intenses de petits fruits rouges. L'attaque est franche et fraîche, la suite, tendre, fine et fruitée, la trame tannique, ferme et serrée. Un ensemble élégant et harmonieux, à découvrir dans deux ans sur un lapin à la crapaudine ou un rôti de veau.

☛ Dom. Bonnardot, 1, rue de l'Ancienne-Cure, 21700 Villers-la-Faye, tél. 03 80 62 91 27, fax 03 80 62 72 89, domaine.bonnardot@wanadoo.fr,
☑ ⚘ ☙ t.l.j. 9h-12h 14h-18h30; dim. sur r.-v.

PHILIPPE BOUCHARD 2011 ★

■	3 600	⬛	11 à 15 €

Ludivine Griveau, l'œnologue en charge des vinifications de la maison de négoce Corton-André, a aussi la responsabilité d'une marque disponible en grande distribution. Elle signe un ladoix qui affiche une belle présence, à travers un nez généreux de fruits rouges et noirs mûrs associés à un boisé mesuré, et un palais ample, dense et riche, adossé à des tanins fermes et à une finale épicée. Ce vin gagnera à attendre deux ou trois ans. On le verrait bien avec des suprêmes de dinde au curry.

☛ Philippe Bouchard, BP 10, 21420 Aloxe-Corton, tél. 03 80 25 00 00, fax 03 80 26 42 00, contact@philippe-bouchard.com
☛ André Corton

♥ DOM. CACHAT-OCQUIDANT Les Madonnes Vieille Vigne 2011 ★★

■	4 500	⬛	15 à 20 €

À la frontière de la Côte de Nuits, le duo père-fils des Cachat constitue une valeur sûre de l'appellation, et ces Madonnes (1,24 ha) nées de vieux ceps sont ici une référence. Le coup de cœur, net et sans bavure, récompense un vin complet et racé, dont la robe grenat intense et profonde annonce un nez puissant de mûre sauvage et de cassis accompagnés d'un boisé de belle origine, aux

accents toastés. La bouche se révèle riche, ample et généreuse ; des tanins soyeux lui confèrent un caractère velouté et persistant. Ce 2011 se bonifiera jusqu'en 2016 au moins. Pour autant, vous pourrez déjà l'apprécier cet automne sur un lapin aux pruneaux.

☛ Dom. Cachat-Ocquidant, 3, pl. du Souvenir, Cidex 1, 21550 Ladoix-Serrigny, tél. 03 80 26 45 30, fax 03 80 26 48 16, domaine.cachat@wanadoo.fr,
☑ ⚘ ☙ r.-v.

CAPITAIN-GAGNEROT Les Hautes Mourottes 2011

1er cru	3 000	⬛	20 à 30 €

Ce *climat* situé sur les hauteurs de Ladoix et d'Aloxe-Corton possède cette particularité toute bourguignonne de répartir ses ceps entre les trois niveaux d'appellation ; en *village*, en 1er cru et en grand cru. La plus bicentenaire maison Capitain-Gagnerot (1802) y exploite une parcelle de 52 ha en 1er cru. Son 2011 s'ouvre sur le beurre frais et les fruits secs. La bouche dévoile une matière souple, soutenue par une touche minérale et citronnée qui lui donne du relief et de la fraîcheur. À boire dans un an ou deux sur des beignets de crevette.

☛ Maison Capitain-Gagnerot, 38, rte de Dijon, 21550 Ladoix-Serrigny, tél. 03 80 26 41 36, fax 03 80 26 46 29, contact@capitain-gagnerot.com,
☑ ⚘ ☙ r.-v.

DOM. CHEVALIER PÈRE ET FILS Les Corvées 2010 ★

1er cru	7 800	⬛	20 à 30 €

Prenant la suite de leur père Claude, encore actif, Chloé et Julie incarnent la cinquième génération de Chevalier à faire du vin, et veillent avec leurs maris respectifs sur les 14 ha du domaine. Les Corvées est le plus grand des 1ers crus de l'appellation avec 7,14 ha. La famille en possède une parcelle de 1,84 ha, à l'origine d'un vin dont le bouquet intensément fruité est repris, accompagné d'un léger grillé, par une bouche ample et ronde, aux tanins fondus. À servir à partir de 2016 sur un filet de bœuf en croûte. Le *village* rouge 2010 (15 à 20 € ; 19 000 b.), souple et fruité, s'appréciera dès aujourd'hui. Il obtient une citation, comme le floral et frais *village* blanc 2011 (15 à 20 €), issu de l'activité de négoce familiale.

☛ Chevalier Père et Fils, hameau de Buisson, Cidex 18, 21550 Ladoix-Serrigny, tél. 03 80 26 46 30, contact@domaine-chevalier.fr, ☑ ⚘ ☙ r.-v.

Ⓑ EDMOND CORNU ET FILS Vieille Vigne 2010

■	10 000	⬛	15 à 20 €

Sur 15,5 ha, la famille Cornu exploite ses vignes jusqu'à Meursault pour former une large palette d'appellations 100 % Côte de Beaune. Avec 2,75 ha, ce *ladoix village* issu de vignes de soixante-cinq ans constitue leur grande cuvée. La version 2010 plaît par son bouquet fruité (cassis, mûre, griotte) et par son palais souple et fin, rehaussé par une touche poivrée. À boire dans les deux ans sur une pièce de bœuf grillée.

●ᴛ Edmond Cornu et Fils, Le Meix-Gobillon, 6, rue du Bief, 21550 Ladoix-Serrigny, tél. 03 80 26 40 79, fax 03 80 26 48 34, cornu.pierre@voila.fr, ☑ ⚁ 𐄷 r.-v. 🏠 Ⓖ

DOM. DÉSERTAUX-FERRAND 2010

		4 300	⏸	11 à 15 €

Un domaine familial de 14 ha basé à Corgoloin, village-frontière avec la Côte de Nuits, conduit par Vincent Désertaux, son épouse Geneviève et sa sœur Christine. Ce ladoix offre un bouquet plaisant et frais de fruits rouges. On retrouve cette sensation de fraîcheur dans un palais souple et discrètement boisé. Une cuvée à déguster dans l'année sur un plat canaille, comme des rognons juste saisis au gril.

●ᴛ Dom. Désertaux-Ferrand, 135, Grande-Rue, 21700 Corgoloin, tél. et fax 03 80 62 98 40, contact@desertaux-ferrand.com, ☑ ⚁ 𐄷 r.-v. 🏠 Ⓔ

DOM. DE LA GALOPIÈRE 2011

		2 900	⏸	11 à 15 €

De son village de Bligny, Gabriel Fournier exploite des appellations de la Côte de Beaune, depuis Meursault jusqu'à Ladoix, un domaine familial qu'il n'a cessé d'agrandir depuis son arrivée en 1982, pour le porter aujourd'hui à 11,5 ha. Au nez, apparaissent d'agréables parfums de noisette et de fleurs jaunes. Le palais affiche un bon équilibre entre gras et acidité. Un vin déjà harmonieux, que l'on pourra aussi attendre deux ans pour que se fonde le boisé.

●ᴛ Claire et Gabriel Fournier, Dom. de la Galopière, 6, rue de l'Église, 21200 Bligny-lès-Beaune, tél. 03 80 21 46 50, fax 03 80 21 49 93, cgfournier@wanadoo.fr, ☑ ⚁ 𐄷 r.-v.

FRANÇOIS GAY ET FILS 2009 ★

■ 1er cru		2 690	⏸	11 à 15 €

Ce producteur basé à Chorey exploite une parcelle de 49 ares dans le piémont de la montagne de Corton. Il signe ici un ladoix au nez frais et élégant de fruits noirs accompagné de nuances de rose. La bouche dévoile une matière dense et serrée appuyée sur une solide charpente. Ce vin a de la mâche et de l'avenir. On l'attendra deux ou trois ans avant de le servir sur un civet de lièvre.

●ᴛ EARL François Gay et Fils, 9, rue des Fièttes, 21200 Chorey-lès-Beaune, tél. 03 80 22 69 58, fax 03 80 24 71 42, dom.gay.francois.fils@orange.fr, ☑ ⚁ 𐄷 r.-v.

LA MAISON BLEUE Gasset 2010

■ 1er cru		2 500	▌	30 à 50 €

Ce ladoix en robe grenat, intense et brillante, délivre un bouquet plaisant de baies rouges agrémenté d'un boisé vanillé assez discret. La bouche est à l'avenant, fruitée, ronde et gourmande. Un vin déjà aimable, mais que deux ans de garde porteront à son optimum.

●ᴛ Pierre Janny – La Maison bleue, La Condemine, 71260 Péronne, tél. 03 85 23 96 20, fax 03 85 36 96 58, contactjanny@orange.fr

DOM. MICHEL MALLARD ET FILS Le Clos Royer 2010 ★

■		1 200	⏸	15 à 20 €

Le domaine Mallard exploite 48 ares de ce *climat* de 1,5 ha situé sous les 1ᵉʳˢ crus d'Aloxe-Corton. Le 2009 fut coup de cœur l'an passé ; le 2010 fait très bonne figure avec son bouquet de fruits rouges qui pinote à souhait, avec son palais franc et finement structuré, épaulé par un boisé qui doit encore se fondre une paire d'années. Sont par ailleurs cités le puissant et fruité **1ᵉʳ cru La Corvée 2010 rouge** (30 à 50 € ; 3 000 b.), encore à parfaire deux ans, et le **1ᵉʳ cru Les Gréchons 2011 blanc** (20 à 30 € ; 3 000 b.), gras, floral et boisé, à attendre un an ou deux.

●ᴛ Dom. Michel Mallard et Fils, 43, rte de Dijon, Cidex 14, 21550 Ladoix-Serrigny, tél. 03 80 26 40 64, fax 03 80 26 47 49, domainemallard@hotmail.fr, ☑ ⚁ 𐄷 r.-v.

DOM. MARATRAY-DUBREUIL En Nagets Monopole 2011

■ 1er cru		3 500	⏸	15 à 20 €

Cette cuvée est née de raisins plantés au sommet de la colline de Corton, autour des 300 m d'altitude. À cette hauteur, l'oolithe ferrugineuse donne des sols complétés par des marnes calcaires. La famille Maratray y exploite un petit monopole de 53 ares où s'épanouit le chardonnay, à l'origine d'un vin mentholé et fruité au nez, tendre et frais en bouche. Tout indiqué pour un jambon persillé de Bourgogne dès cet automne. Le **1ᵉʳ cru Les Gréchons 2011 blanc** (6 000 b.), floral, fruité, équilibré et de bonne longueur, est également cité. À servir dans l'année sur une viande blanche ou un poisson en sauce.

●ᴛ Dom. Maratray-Dubreuil, 5, pl. du Souvenir, 21550 Ladoix-Serrigny, tél. 03 80 26 41 09, fax 03 80 26 49 07, contact@domaine-maratray-dubreuil.com, ☑ ⚁ 𐄷 t.l.j. sf sam. dim. 8h30-12h 14h-17h30

DOM. HENRI NAUDIN-FERRAND La Corvée 2011 ★★

■ 1er cru		3 160	⏸	30 à 50 €

Fille d'Henri, Claire Naudin dirige depuis vingt ans cette grande exploitation de 22 ha basée dans les Hautes-Côtes. De ce *climat* des hauteurs du hameau de Buisson, elle tire un 1ᵉʳ cru discret au premier nez. Un tour de verre et les fruits rouges, griotte en tête, se révèlent, accompagnés par une touche de bois neuf. Le palais attaque avec gourmandise, dévoile des tanins souples, en soutien d'une matière ronde et soyeuse. Un vin équilibré et long, à servir dans trois à cinq ans sur un tournedos Richelieu ou un carpaccio de canard, conseille la vigneronne.

●ᴛ Dom. Henri Naudin-Ferrand, 12, rue du Meix-Grenot, 21700 Magny-lès-Villers, tél. 03 80 62 91 50, fax 03 80 62 91 77, info@naudin-ferrand.com, ☑ ⚁ 𐄷 r.-v.

DOM. NUDANT Les Gréchons 2011

■ 1er cru		4 200	⏸	20 à 30 €

Ce *climat* est l'un des onze 1ᵉʳˢ crus que revendique Ladoix-Serrigny. Idéalement exposé entre 300 et 350 m au sommet de la montagne de Corton, il n'est planté qu'en chardonnay, une rareté dans cette appellation dominée par les rouges. Ce domaine familial en exploite 62 ares à l'origine de ce vin expressif (fleurs blanches, fruits jaunes, beurre), vif en attaque, plus rond et gras dans son développement, mais toujours dominé par la fraîcheur. Parfait pour un gratin de fruits de mer, dans l'année.

☛ Dom. Nudant, 11, rte de Dijon, BP 15, 21550 Ladoix-Serrigny, tél. 03 80 26 40 48, fax 03 80 26 47 13, domaine.nudant@wanadoo.fr, ☑ ⚘ ⏳ t.l.j. sf dim. 8h-12h 14h-18h; sam. sur r.-v.

DOM. PILLOT-HENRY 2011 ★

■	2 700	🗋	8 à 11 €

Constitué à l'origine de quelques ares de pommard 1er cru Les Charmots, ce domaine familial conduit par Thomas Henry s'est accru en 2008 grâce à l'achat d'une vigne à Comblanchien, et s'étend aujourd'hui sur 7,58 ha. Ce ladoix séduit par son bouquet ouvert de framboise et de griotte. Après une attaque franche, la bouche dévoile une chair dense et riche, qui enrobe des tanins mûrs et gras. Un vin au caractère affirmé, à ouvrir vers 2015-2016 sur un civet de biche.

☛ Pillot-Henry, ancienne rte d'Autun, 21630 Pommard, tél. 06 28 29 73 97, earl.pillot-henry@orange.fr, ☑ ⚘ ⏳ r.-v.

CH. DE POMMARD Les Gréchons 2010 ★

1er cru	1 880	🍷	30 à 50 €

Emmanuel Sala, maître de chai du château de Pommard, obtenait l'an passé l'un des deux coups de cœur de l'appellation avec cette cuvée issue d'achat de raisins. Ce *climat*, officiellement cadastré « Les Gréchons et Foutrières », associe le nom du propriétaire du bois qui domine la parcelle (« Gréchons ») à celui d'une carrière qui servait autrefois de remblai pour les pierres et d'autres terres (« Foutrières »). Au nez, les fruits jaunes se mêlent à des touches minérales et à des notes de viennoiserie. Fraîche et franche en attaque, la bouche dévoile ensuite une matière riche et tendre. L'ensemble est harmonieux et prêt à boire, avec une poêlée de gambas au wok par exemple.

☛ Ch. de Pommard, SARL Caves de la Propriété, 15, rue Marey-Monge, 21630 Pommard, tél. 03 80 22 72 33, fax 03 80 24 65 88, contact@chateaudepommard.com, ☑ ⚘ ⏳ t.l.j. 9h30-18h30

☛ M. Giraud

DOM. PRIN 2011 ★

■	2 600	🍷	11 à 15 €

Installé à la tête de ce domaine familial depuis vingt millésimes, Jean-Luc Boudrot récolte une étoile avec cette cuvée qui fut coup de cœur en 2009. Ici, les fruits noirs et rouges dominent le nez après aération. Dans le prolongement, la bouche se révèle ample, fine et longue, équilibrée par de bons tanins. Trois ans et un coq au vin le porteront à son sommet. Issu d'un *climat* dont le nom provient d'une ancienne carrière où les filles du pays se rendaient d'humeur joyeuse à leurs rendez-vous galants, le 1er cru Les Joyeuses 2011 rouge (15 à 20 € ; 1 190 b.) obtient également une étoile pour son joli bouquet de fruits des bois et pour son palais élégant et bien structuré. Déjà aimable, il se bonifiera avec trois ou quatre ans de garde et plaira sur un lapin aux airelles.

☛ Dom. Jean-Luc Prin-Boudrot, 2, rue Saint-Marcel, Cidex 44, 21550 Ladoix-Serrigny, tél. 03 80 26 45 83, domaineprin@yahoo.fr, ☑ ⚘ ⏳ r.-v.

Aloxe-corton

Superficie : 118 ha
Production : 4 380 hl (98 % rouge)

Encerclé par les vignes, Aloxe-Corton est l'un des trois villages établis au pied de la Montagne de Corton, à l'extrémité nord de la Côte de Beaune. Les terroirs les plus réputés sont situés sur la pente, en grand cru (corton et corton-charlemagne) et en 1er cru, sur des terrains marneux et calcaires. Parmi ces derniers, Les Maréchaudes, Les Valozières, Les Lolières (Grandes et Petites) sont les plus connus. Plusieurs châteaux aux tuiles vernissées méritent le coup d'œil.

BOUDIER PÈRE ET FILS 2011

■	5 000	🍷	11 à 15 €

Bouilleur de cru, l'arrière-grand-père de Pascal Boudier a acheté les premières parcelles. Aujourd'hui, le vigneron, installé à Pernand-Vergelesses, cultive 7 ha. Il reste fidèle à l'étiquette en forme de parchemin, qui n'a pas influencé les jurés, puisque la dégustation se déroule à l'aveugle. Derrière la robe cerise noire, on découvre des parfums de petits fruits noirs légèrement épicés. Ample à l'attaque, le palais, sans être un monstre de puissance, offre suffisamment de consistance et un bel équilibre entre rondeur et vivacité. Les tanins sont fondus, les petits fruits s'attardent en bouche. Une belle bouteille proche de l'étoile, que vous lui donnerez dans quelques mois ou dans trois ans, quand vous la goûterez sur une pièce de viande ou de gibier, ou avec un plateau de fromages.

☛ Pascal Boudier, 23, rue de Pralot, 21420 Pernand-Vergelesses, tél. et fax 03 80 21 56 43, domaine.boudier@orange.fr, ☑ ⚘ ⏳ r.-v.

DOM. CACHAT-OCQUIDANT 2011 ★

■	2 200	🍷	15 à 20 €

À la tête de 10 ha de vignes réparties tout autour de la montagne de Corton, Jean-Marc Cachat et son fils David figurent en bonne place dans le Guide, surtout pour leurs rouges, majoritaires dans leur carte des vins. Le 2009 de cet aloxe reçut un coup de cœur, et ce 2011 est plus qu'honnête : robe grenat profond, nez concentré, mêlant les fruits rouges aux épices (poivre, girofle), au sous-bois, à des touches fumées et à des évocations de tabac blond. « Proche d'un corton », note un juré. La matière tannique prend la bouche d'assaut et un côté solaire domine jusqu'en finale. Certains jurés trouvent même à cette bouteille un accent méridional. Entendez : ce vin est puissant et ne manque pas de tempérament. Il mérite de vieillir (jusqu'à cinq ans) et pourra donner la réplique à du gibier.

☛ Dom. Cachat-Ocquidant, 3, pl. du Souvenir, Cidex 1, 21550 Ladoix-Serrigny, tél. 03 80 26 45 30, fax 03 80 26 48 16, domaine.cachat@wanadoo.fr, ☑ ⚘ ⏳ r.-v.

DOM. CHEVALIER PÈRE ET FILS 2010 ★

■	6 200	🍷	20 à 30 €

Claude Chevalier exploite avec deux de ses cinq filles, Julie et Chloé, un coquet domaine de 14 ha situé au pied

BOURGOGNE

et sur les pentes de la montagne de Corton. Son domaine est une valeur sûre du Guide, notamment pour cet aloxe, qui provient d'une parcelle de près de 2 ha, soit plus de 10 % de la surface de l'exploitation. Le 2007 fut élu coup de cœur. Le 2010 ? À la fois profond et séducteur. De la cerise noire pour la robe, de la violette et de la mûre pour le nez, avec un rien de sous-bois. En bouche, le charme continue d'opérer : une attaque franche, de la matière, une belle trame tannique déjà veloutée et une finale persistante et suave. Dès 2015, on pourra servir cette bouteille avec une pièce de bœuf poêlée aux champignons des bois. On peut aussi la garder cinq ans, voire davantage.

🍷 Chevalier Père et Fils, hameau de Buisson, Cidex 18, 21550 Ladoix-Serrigny, tél. 03 80 26 46 30, contact@domaine-chevalier.fr, ☑ ⚔ Ⴎ r.-v.

COMTE SENARD 2010 ★★

| | 1 000 | ▥ | 30 à 50 € |

Ce domaine ancien et réputé, aujourd'hui conduit par Lorraine Sénard, couvre 9 ha et propose des vins rares, comme de grands crus de la montagne de Corton. Autre curiosité, cet aloxe blanc. On sait que les sols bruns et rougeâtres de la colline de Corton sont propices aux pinots noirs. Les blancs y sont rares. Celui-ci ne naît pas du chardonnay, mais d'un pinot... gris, que l'on appelle en Bourgogne « pinot beurot ». Sous une robe brillante, d'un jaune paille limpide, il exprime avec finesse les fleurs blanches, les agrumes et les fruits exotiques, avec un léger boisé plus sensible en bouche. L'attaque souple dévoile une matière onctueuse, consistante et ronde avec élégance, équilibrée par une fine acidité qui souligne la longue finale. Ce 2010 pourrait se garder jusqu'en 2020 dans une bonne cave. On l'attendra jusqu'en 2015 et on lui servira de la fricassée de lotte.

🍷 SCE Dom. Comte Senard, 1, rue des Chaumes, 21420 Aloxe-Corton, tél. 03 80 26 40 73, fax 03 80 26 45 99, office@domainesenard.com, ☑ ⚔ Ⴎ r.-v.

EDMOND CORNU ET FILS Les Valozières 2010

| ▣ 1er cru | 1 500 | ▥ | 30 à 50 € |

L'un des treize 1ers crus de l'appellation. Il tire son nom de sa topographie : un creux peuplé jadis de saules qui fournissaient de l'osier pour lier la vigne. La partie la plus élevée touche le grand cru Corton-Bressandes, et le pinot noir y a trouvé un bon terroir. Ces Valozières sont proches de Ladoix, où Edmond et Pierre Cornu sont établis. Ils y exploitent une parcelle de 43 ares, d'où ils ont tiré un vin grenat sombre, au nez partagé entre les baies sauvages et les fruits confits. La mise en bouche dévoile un corps rond et onctueux, vite défendu par une légion de jeunes tanins en ordre serré. Voilà une bouteille que l'on verrait bien avec un steak tartare relevé, mais dans trois ans.

🍷 Edmond Cornu et Fils, Le Meix-Gobillon, 6, rue du Bief, 21550 Ladoix-Serrigny, tél. 03 80 26 40 79, fax 03 80 26 48 34, cornu.pierre@voila.fr, ☑ ⚔ Ⴎ r.-v. ⌂ ⊙

DOM. DOUDET Les Boutières Vieilles Vignes 2011

| ▣ | 2 450 | ▥ | 20 à 30 € |

Quatre-vingts ans d'existence pour ce domaine qui couvre aujourd'hui 13 ha entre Beaune et Pernand-Vergelesses. À la direction, Emmanuel Berteloot ; à la cave, Charles Deschamps et Isabelle Doudet, œnologues. Le vignoble est conduit en lutte raisonnée avec des expérimentations en bio. Un demi-hectare de vieux plants (cinquante-cinq ans) de pinot noir, cultivés dans un *climat* proche de Pernand sont à l'origine de ce vin qui s'ouvre sur de subtils parfums de fruits noirs. Ample et consistant, le palais est équilibré par une acidité bienvenue et offre une longue finale légèrement poivrée. Un vin prometteur, mais encore peu disert et un rien austère. En 2015, on pourra commencer à l'ouvrir, sur du bœuf braisé par exemple.

🍷 Dom. Doudet, 5, rue Henri-Cyrot, 21420 Savigny-lès-Beaune, tél. 03 80 21 51 74, fax 03 80 21 50 69, doudet-naudin@wanadoo.fr, ☑ ⚔ Ⴎ r.-v.

BERNARD DUBOIS ET FILS Les Brunettes 2011

| ▣ | 4 700 | ▮▥ | 15 à 20 € |

Un joli nom pour ce *climat* situé non loin des maisons d'Aloxe. Des jeunes filles piquantes ? Pas du tout. Le toponyme dérive du mot gaulois *brenno* qui désignait des terrains humides. Le nom cadastral complet est d'ailleurs Brunettes et Planchots, les planchots étant des passerelles de bois utilisées pour traverser les zones boueuses. Laissons-là ce pointillisme érudit : ces Brunettes séduisent, notamment lorsqu'elles proviennent de l'hectare et demi exploité par cette famille de Chorey. Le 2011 a bien des atouts : un joli nez de framboise assorti de cassis et d'épices (noix de muscade), une bouche dans le même registre, ajoutant à cette palette une touche de tabac blond ; de la mâche, de la chair et de l'étoffe. Cette matière tannique pleine de promesses demande à s'affiner. Deux ans de garde et l'on pourra déboucher cette bouteille sur une viande rouge et, pourquoi pas, sur un tajine d'agneau.

🍷 Dom. Bernard Dubois, 14, rue des Moutots, 21200 Chorey-lès-Beaune, tél. 06 29 74 46 75, fax 03 80 24 61 43, domaine.dubois-bernard@wanadoo.fr, ☑ Ⴎ r.-v.

♥ DOM. DE LA GALOPIÈRE 2010 ★★

| ▣ | 2 000 | ▥ | 15 à 20 € |

DOMAINE DE La Galopière
2010
ALOXE-CORTON
APPELLATION ALOXE-CORTON CONTRÔLÉE
GRAND VIN DE BOURGOGNE

Installé il y a trente ans, Gabriel Fournier exploite 11,5 ha de vignes. Il se décrit modestement comme « un vigneron consciencieux qui semble ne jamais s'arrêter ». Tout ce labeur pour permettre à quelques heureux élus de s'arrêter, justement, afin de savourer les plaisirs de la vie. Comme cet aloxe. Regardez l'étiquette : la cavalière se présente la première sur la ligne d'arrivée. Au nez, ce 2010 offre toute une farandole de petits fruits rouges : fraise, framboise et groseille sont à la fête. En attaque, de nouveau le fruit dans toute sa franchise, puis une matière riche, ample, savoureuse et longue, aux tanins affables. Malgré une frange taillée sur sa robe cerise, les jurés prédisent à cette cuvée un vieillissement serein, jusqu'à la prochaine décennie. Mais ce vin est déjà si bon qu'on appréciera ses charmes présents. Une remarquable bouteille pour découvrir l'appellation, avec une pièce de bœuf ou des pigeons rôtis.

☛ Claire et Gabriel Fournier, Dom. de la Galopière, 6, rue de l'Église, 21200 Bligny-lès-Beaune, tél. 03 80 21 46 50, fax 03 80 21 49 93, cgfournier@wanadoo.fr, ☑ ⚔ ⊤ r.-v.

FRANÇOIS GAY ET FILS 2010 ★

■	1 100	⊞	15 à 20 €

Établis à Chorey-lès-Beaune, dans la plaine, ces vignerons exploitent aussi des vignes dans les communes voisines – notamment une belle parcelle de vieux plants de pinot couvrant 0,73 ha (un dixième de la superficie du domaine) qui leur vaut de très nombreuses distinctions en aloxe-corton. Ils pratiquent des élevages longs : dix-huit mois en fût pour ce 2010 qui en ressort vêtu d'une robe rouge profond et le nez presque fermé à double tour, surtout marqué par des notes fumées héritées du bois. C'est en bouche qu'il se révèle, dévoilant une matière équilibrée où la framboise et la griotte soulignent une pointe d'acidité. Ce fruité devrait s'épanouir assez vite : dès l'hiver 2013, on pourra déboucher cette bouteille et la servir avec un classique de la cuisine française, comme un rôti de bœuf.

☛ EARL François Gay et Fils, 9, rue des Fièrtes, 21200 Chorey-lès-Beaune, tél. 03 80 22 69 58, fax 03 80 24 71 42, dom.gay.francois.fils@orange.fr, ☑ ⚔ ⊤ r.-v.

MICHEL GAY ET FILS 2010 ★

■	6 000	⊞	15 à 20 €

Les Gay sont plusieurs à Chorey. Ici, c'est le domaine des fils de Michel : Sébastien, installé en 2000, et Laurent, l'œnologue, qui l'a rejoint en 2010 ; la quatrième génération sur le domaine, qui dispose de 15 ha à Chorey et dans les communes voisines, comme Aloxe-Corton, où elle cultive 1,2 ha de pinots âgés de soixante ans. Pour ce 2010, après un long élevage sous bois (dix-huit mois), la robe montre une belle profondeur, animée de reflets violets ; les parfums de fruits rouges, de cerise kirschée sont soulignés de touches boisées. Au palais, le vin pinote de plus belle sur de frais arômes de griotte qui s'attardent en finale, mis en valeur par des tanins soyeux. « On aurait envie d'en reprendre », conclut un dégustateur. Tout est dit. Bien faite, encore jeune et de garde, cette bouteille pourra voir la prochaine décennie. On la laissera deux ans en cave avant de la servir sur un rôti de bœuf en croûte.

☛ Dom. Michel Gay et Fils, 1, rue des Brenots, 21200 Chorey-lès-Beaune, tél. 03 80 22 22 73, fax 03 80 22 95 78, michelgayetfils@orange.fr, ☑ ⚔ ⊤ r.-v.

CH. GÉNOT-BOULANGER Clos du Chapitre 2011

■ 1er cru	4 000	⊞	30 à 50 €

Un aloxe proposé par un important domaine familial (22 ha, de Chambolle-Musigny à Mercurey) repris en 2008 par la dernière génération, qui expérimente la biodynamie. Au cœur du village d'Aloxe-Corton, ce *climat* de 1,9 ha est cadastré sous le nom des Meix. Aude et Guillaume Lavollée, qui sont établis à Meursault, en exploitent 1 ha complet, planté de ceps âgés de cinquante ans. Dans cette partie méridionale de l'AOC, les vins sont réputés plus structurés que ceux nés dans la zone septentrionale. C'est le cas de ce 2011 au nez penchant plutôt vers les fruits noirs que vers les fruits rouges, qui affiche surtout pour l'heure une trame de tanins denses. Un ensemble prometteur, à oublier quatre voire dix ans en cave.

☛ Ch. Génot-Boulanger, 25, rue de Cîteaux, 21190 Meursault, tél. 03 80 21 49 20, fax 03 80 21 49 21, contact@genot-boulanger.com, ☑ ⚔ ⊤ r.-v.

DOM. MAILLARD PÈRE ET FILS 2010 ★★

■	n.c.	⊞	20 à 30 €

Représentant la dixième génération sur le domaine, les frères Alain et Pascal Maillard disposent d'un coquet vignoble de 18 ha aux environs de la montagne de Corton – de la plaine autour de Chorey jusqu'aux grands crus. Alain est à la vigne, Pascal au chai. Dans le Guide, une belle collection de coups de cœur. Ce *village* s'est d'ailleurs placé sur les rangs pour cette haute distinction. Au grenat profond de la robe font écho des senteurs fines de fruits rouges et noirs mâtinées d'une touche de sous-bois. L'attaque vineuse est relayée par des tanins bien présents mais fort civils qui ne masquent pas le fruité vif de la griotte. Un vin remarquablement équilibré, chaleureux sans lourdeur, charpenté sans sécheresse, tendu sans agressivité. Avec toute son étoffe, il laisse une impression de légèreté. Mieux vaut l'attendre trois ans avant de lui offrir un coq au vin. On peut aussi l'oublier jusqu'à la prochaine décennie.

☛ Dom. Maillard, 2, rue Joseph-Bard, 21200 Chorey-lès-Beaune, tél. 03 80 22 10 67, fax 03 80 24 00 42, contact@domainemaillard.com, ☑ ⚔ ⊤ r.-v.

DOM. JEAN-PIERRE MALDANT Maréchaudes 2011

■ 1er cru	1 775	⊞	15 à 20 €

La partie nord de l'appellation aloxe-corton est incluse dans le village de Ladoix-Serrigny. On ne s'étonnera donc pas de voir de nombreux producteurs de Ladoix exploiter des vignes en aloxe. Jean-Pierre Maldant et son fils Pierre-François sont de ceux-là. Ils sont même installés à une centaine de mètres de ce 1er cru calé sous le grand cru Bressandes. De la charpente sous des fruits rouges, de la présence, de la finesse et de la longueur, voilà en résumé ces Maréchaudes. Un vin élégant, pourtant destiné à la garde : il gagnera en complexité, et sa finale en velouté, au cours des trois ou quatre prochaines années. Le 1er cru Valozières 2011 rouge (3 195 b.), issu d'un *climat* contigu, offre un profil proche : même note.

☛ Jean-Pierre Maldant, 30, rte de Beaune, Cidex 29 bis, 21550 Ladoix-Serrigny, tél. 03 80 26 44 50, fax 03 80 26 47 29, jeanpierremaldant@voila.fr, ☑ ⚔ ⊤ r.-v.

DOM. MEUNEVEAUX 2011

■	5 800	⊞	15 à 20 €

Installé à Aloxe-Corton depuis 1990, Didier Meunevaux exploite 6 ha, essentiellement des vignes implantées sur la montagne de Corton et « un bout de Beaune ». Il propose un *village* rubis tirant sur le violine, au nez bien ouvert sur le fraise légèrement confiturée. Un séjour de douze mois en fût lui a apporté de la rondeur sans écraser le moins du monde le fruit qui se pointe dès l'attaque et s'attarde en finale. La souplesse des tanins permettra de déboucher cette bouteille dès la fin de l'année 2013, sur un rôti de porc aux airelles, par exemple. On peut aussi la garder jusqu'en 2015.

☛ Meuneveaux, 9, rue Boulmeau, 21420 Aloxe-Corton, tél. 03 80 26 42 33, fax 03 80 26 48 60, tmeuneveaux@club-internet.fr, ☑ ⚔ ⊤ r.-v.

DOM. NUDANT Clos de la Boulotte Monopole 2010

■   5 500   ▮❶   20 à 30 €

En 1453, à l'époque de Charles le Téméraire, un Guillaume Nudant d'Aloxe-Corton était déjà vigneron. Guillaume, c'est aussi le nom du fils de Jean-René Nudant, qui seconde aujourd'hui son père sur le domaine familial. À Ladoix, un panneau au bord de la grand route annonce leur domaine qui jouxte la route des Vins. Un repère pour situer une partie des 16 ha de la propriété, dont ce *climat* de 1,12 ha, exploité en monopole. Le site était jadis planté de bouleaux, d'où le nom du lieu-dit. Et le vin ? Au nez, des arômes subtils de fruits rouges qui se prolongent dans un palais équilibré, encore jeune et tannique. Trois années de garde et ce millésime accompagnera un gigot d'agneau ou un rôti de veau.

☛ Dom. Nudant, 11, rte de Dijon, BP 15, 21550 Ladoix-Serrigny, tél. 03 80 26 40 48, fax 03 80 26 47 13, domaine.nudant@wanadoo.fr, ☑ ⚹ ⥿ t.l.j. sf dim. 8h-12h 14h-18h; sam. sur r.-v.

Ⓑ DOM. CHRISTIAN PERRIN Les Boutières 2011

■   3 500   ▮❶   15 à 20 €

Les noms anciens et mystérieux des *climats* bourguignons offrent matière à débat. Celui de Boutières, que d'aucuns rattachent à un lieu marécageux, dériverait selon d'autres du latin *buttis*, qui aurait donné « boute » en vieux français : une outre à vin. Ce lieu-dit garderait la mémoire d'une ancienne route servant aux charrois de vins. Pour passer des conjectures aux certitudes, on rappellera que les 94 ares détenus par Christian Perrin dans ce *climat* sont exploités en bio comme le reste du domaine (9 ha). Le vin ? Une robe rubis, d'où montent d'engageantes notes de clafoutis aux griottes avec une touche de kirsch. En bouche, une attaque souple, de la mâche et toujours la griotte, finement vanillée. On pourra apprécier ce 2011 dès la fin 2013 sur un canard aux cerises. Une petite garde est possible (trois à cinq ans).

☛ Dom. Christian Perrin, 14, av. de Corton, Cidex 5 bis, 21550 Ladoix-Serrigny, tél. 03 80 26 40 93, fax 03 80 26 48 40, domaine-perrin@orange.fr, ☑ ⚹ ⥿ t.l.j. sf dim. 8h-12h 14h-18h

ROMAIN PERTUZOT Les Brunettes 2011

■   580   ▮❶   20 à 30 €

Ce jeune vigneron s'est installé en 2008 sur une parcelle à Chorey. Une activité de négociant lui permet, comme à beaucoup de jeunes exploitants, de compléter sa gamme. Il propose ainsi une cuvée confidentielle issue d'une parcelle de très vieux pinots (soixante-quinze ans). On aime la fraîcheur aromatique du nez mêlant le cassis et la framboise à des touches florales. Les fruits rejoint les fruits dans une bouche marquée en finale par une forte présence tannique. Un jeune vin qui devrait évoluer dans le bon sens au cours des deux prochaines années. On suggère un accord avec un osso buco.

☛ Romain Pertuzot, 9, rue de Ley, 21200 Chorey-lès-Beaune, tél. 03 80 22 73 67, rpertuzot@wanadoo.fr, ☑ ⥿ r.-v.

💗 DOM. PRIN 2011 ★★

■   1 780   ▮❶   15 à 20 €

Troisième coup de cœur – et premier en aloxe - pour ce domaine établi à Ladoix-Serrigny et conduit par

Jean-Luc Boudrot depuis 1994. Ce *village*, déjà distingué dans les millésimes précédents, est cette année porté aux nues. Les arguments de ce 2011 ne s'arrêtent pas aux reflets violets de sa robe. On aime son nez précis de fruits rouges, sa matière ronde soutenue par des tanins déjà fondus, la persistance de son fruité souligné par un boisé légué par un séjour de huit mois en fût, qui donne également la finale épicée. Un vin de plaisir presque immédiat : nul besoin de l'attendre de longues années, dès 2015, on pourra le savourer sur du bœuf en daube.

☛ Dom. Jean-Luc Prin-Boudrot, 2, rue Saint-Marcel, Cidex 44, 21550 Ladoix-Serrigny, tél. 03 80 26 45 83, domaineprin@yahoo.fr, ☑ ⚹ ⥿ r.-v.

DOM. GEORGES ROY ET FILS Les Cras 2011

■   2 600   ▮❶   15 à 20 €

Le nom « Cras » désigne une hauteur pierreuse. En AOC aloxe, c'est le nom d'un lieu-dit aux sols constitués d'éboulis ayant dévalé la pente de la colline de Corton et de matériaux calcaires accumulés à la suite des gels et dégels de la dernière période glaciaire. À la tête de 9 ha de vignes, Vincent Roy s'est installé à Chorey, dans la plaine, mais son vignoble s'étend dans les AOC voisines. Il exploite ainsi un demi-hectare dans ces Cras souvent mentionnés dans le Guide. Brillance et limpidité de la robe accrochent le regard, tandis qu'au nez s'expriment doucement les fruits noirs. L'attaque friande et tonique introduit une bouche aux tanins souples, au fruité persistant et à la finale épicée. Déjà harmonieux, ce vin atteindra son apogée vers 2016.

☛ Dom. Georges Roy et Fils, 20, rue des Moutots, 21200 Chorey-lès-Beaune, tél. 03 80 22 16 28, fax 03 80 24 76 38, domaine.roy-fils@wanadoo.fr, ☑ ⚹ ⥿ r.-v.

Pernand-vergelesses

Superficie : 135 ha
Production : 5 640 hl (52 % rouge)

Situé à la jonction de deux vallées, exposé plein sud, le village de Pernand est sans doute le plus « vigneron » de la Côte. Rues étroites, caves profondes, vignes de coteaux, hommes de grand cœur et vins subtils lui ont fait une solide réputation, à laquelle de vieilles familles bourguignonnes ont largement contribué. Il possède le bois de Corton, ainsi qu'une partie des terroirs en grand cru de la célèbre « montagne ». Parmi les 1ᵉʳˢ crus, le plus réputé est l'Île des Vergelesses, qui donne des vins tout en finesse.

JONATHAN BONVALOT Sous Frétille 2011 ★★

1er cru	n.c.		15 à 20 €

Premier millésime pour Jonathan Bonvalot, jeune vigneron, qui a repris en 2011 le domaine paternel créé en 1976. Une exploitation de 1 ha au départ et de 3,5 ha de vignes à son arrivée, dont 43 ares consacrés à ce pernand. Un remarquable coup d'essai, qui a valu à ce 1ᵉʳ cru portant le nom de la colline qui surplombe le village une participation au jury des coups de cœur. Le nez mêle parfums frais de pêche blanche et notes florales. Au diapason, la bouche offre une belle densité, du gras et de la fraîcheur, bref de l'équilibre, et se conclut sur une longue finale épicée. Une bouteille à boire ou à attendre deux ou trois ans. Accord gourmand en perspective avec un sandre au beurre blanc et aux amandes grillées.

🕿 Jonathan Bonvalot, 35, rue de Bully, 21420 Pernand-Vergelesses, tél. 03 80 21 57 15, domainebonvalot@gmail.com, ☑ ✦ ⟂ r.-v.

MAXIME CHAMPAUD En Caradeux 2011 ★

1er cru	1 200		15 à 20 €

Cela fait cinq ans que cet ancien commercial en bouchons de vins a installé son négoce dans son village des Hautes-Côtes de Beaune. Adepte des vinifications et des élevages classiques, il avoue « privilégier le fruit et le soyeux du pinot noir ». Mais avec ce pernand, c'est le chardonnay qu'il fait briller d'une étoile d'après les dégustateurs. Ceux-ci ont apprécié son bouquet frais de pomme verte et de pêche blanche, et son palais gras, dense et souple. À découvrir dans un an ou deux sur un poisson en sauce crémée.

🕿 Maxime Champaud, 2, ruelle Saint-Roch, 21190 Nantoux, tél. 06 17 97 07 33, fax 03 80 26 05 12, maximewines@hotmail.fr, ☑ ✦ ⟂ t.l.j. 8h-19h

DOM. CHAMPY Les Vergelesses 2011 ★★

1er cru	7 200		30 à 50 €

Cette maison beaunoise de renom signe avec ce vergelesses issu de sa propriété un 1ᵉʳ cru remarquable en tout point. La robe est d'un seyant rouge cerise aux reflets violets. Le nez est puissant et frais, ouvert sur le cassis et la framboise. Le palais marie finesse et rondeur, boisé vanillé et fruité intense (on a l'impression de « croquer une grappe de pinot », selon un juré), tanins fondus et vivacité finale. Il sera de bon ton d'attendre ce vin encore trois ou quatre ans. Le **1ᵉʳ cru En Caradeux 2011** blanc (30 à 50 € ; 6 000 b.), souple et aromatique (vanille, pêche, fleurs blanches) est cité, de même que le *village* 2011 blanc (20 à 30 €), suave et généreux. On réservera le premier à un poisson grillé ou en sauce, le second à une blanquette de veau.

🕿 SCEV Dom. Champy, 3-5, rue du Grenier-à-Sel, 21200 Beaune, tél. 03 80 25 09 99, fax 03 80 25 09 95, contact@champy.com, ☑ ✦ ⟂ r.-v.

🕿 P. Meurgey et P. Beuchet

DOM. DENIS PÈRE ET FILS Les Vergelesses 2011

1er cru	2 500		15 à 20 €

Ce domaine régulier en qualité étend principalement ses 13 ha de vigne sur Pernand. Avec ce 1ᵉʳ cru phare du village, il propose un vin fruité (groseille, framboise) et réglissé au nez, souple et fin en bouche, où il marie les fruits rouges, les épices et un boisé bien dosé. À attendre deux ou trois ans pour en profiter pleinement et laisser s'adoucir la finale encore un peu austère.

🕿 Dom. Denis Père et Fils, 4, chem. des Vignes-Blanches, 21420 Pernand-Vergelesses, tél. 03 80 21 50 91, fax 03 80 26 10 32, denis.pere-et-fils@wanadoo.fr, ☑ ✦ ⟂ r.-v. ⟁ Ⓑ

DOUDET-NAUDIN 2011 ★

	2 700		15 à 20 €

Cette maison de négoce a su rester familiale depuis sa création à Savigny en 1849. Les vins y reposent dans de vastes caves, dont les plus anciennes datent de 1830. Des vignes de trente ans sont à l'origine de cette cuvée au nez concentré et généreux de fruits à l'alcool, au palais franc et vif en attaque, droit et consistant dans son déroulé, étayé par des tanins solides qui lui donnent un côté sérieux. On attendra trois ou quatre ans que l'ensemble s'affine et on lui réservera un navarin d'agneau.

🕿 Doudet-Naudin, 3, rue Henri-Cyrot, BP 1, 21420 Savigny-lès-Beaune, tél. 03 80 21 51 74, fax 03 80 21 50 69, doudet-naudin@wanadoo.fr, ☑ ✦ ⟂ r.-v.

P. DUBREUIL-FONTAINE PÈRE ET FILS Clos Berthet Monopole 2011

1er cru	5 000		20 à 30 €

Installée depuis 1991 à la tête de 20 ha de vignes familiales, Christine Dubreuil exploite 1 ha en monopole dans ce *climat* voisin de Sous-Frétille. Elle propose un 2011 au nez ouvert sur des notes fraîches de pamplemousse rose, au palais gras et rond, soutenu par une fine acidité qui lui donne de la nervosité. À boire dans les deux ans sur un poisson en sauce citronnée.

🕿 Dom. P. Dubreuil-Fontaine, rue Rameau-Lamarosse, 21420 Pernand-Vergelesses, tél. 03 80 21 55 43, fax 03 80 21 51 69, domaine@dubreuil-fontaine.com, ☑ ✦ ⟂ r.-v.

DUPASQUIER ET FILS 2010

	1 200		8 à 11 €

Deux vins sont retenus pour cette propriété nuitonne de 10 ha. Le *village* rouge évoque au nez le bourgeon de cassis et les fruits rouges (framboise, cerise). La bouche offre du charnu, des fruits mûrs et une certaine tension à l'arrière-plan. Un vin équilibré, à découvrir dans les deux ou trois ans à venir sur une viande rouge en sauce. Même note pour le *village* blanc 2010 (11 à 15 € ; 1 100 b.), encore assez boisé, bien équilibré entre rondeur et vivacité, à garder en cave un ou deux ans.

🕿 SCEA Dom. Dupasquier et Fils, 47 B, rue Henri-Challand, 21700 Nuits-Saint-Georges, tél. 03 80 61 13 78, fax 03 80 61 05 08, dupasquier.domaine@wanadoo.fr, ☑ ✦ ⟂ r.-v.

FRANÇOIS GAY ET FILS 2011

| | 2 600 | | 15 à 20 € |

Établie dans la plaine de Chorey, la famille Gay vendange aussi sur les coteaux allant de la colline de Corton à celle de Beaune. Cette cuvée née de jeunes ceps de sept printemps n'a connue que huit mois de vie en fût. Le résultat est un vin au nez de fleurs blanches, d'amande et de pêche, équilibré en bouche, offrant à la fois du gras et de la fraîcheur. À déboucher dans les deux ans, avec une blanquette de veau.

EARL François Gay et Fils, 9, rue des Fières, 21200 Chorey-lès-Beaune, tél. 03 80 22 69 58, fax 03 80 24 71 42, dom.gay.francois.fils@orange.fr, ✉ ♣ ❤ r.-v.

JEAN-JACQUES GIRARD Les Belles Filles 2011

| | 5 800 | | 11 à 15 € |

D'Aloxe-Corton au nord à Volnay au sud, le domaine étend ses vignes sur 18 ha. Chez les Girard, on vendange depuis 1529. La jeune génération est incarnée par Vincent, qui officie désormais avec son père à la vinification. Leurs Belles Filles évoque au nez les fleurs blanches, comme la chèvrefeuille. Le palais offre de la fraîcheur et du volume. L'ensemble est harmonieux et prêt à boire à l'apéritif ou sur un poisson grillé.

Dom. Jean-Jacques Girard, 16, rue de Cîteaux, 21420 Savigny-lès-Beaune, tél. 03 80 21 56 15, fax 03 80 26 10 08, contact@domaine-girard.com, ✉ ♣ ❤ r.-v.

DOM. ANTONIN GUYON Sous Frétille 2010 ★

| 1er cru | 5 800 | | 20 à 30 € |

Sous la férule de Dominique Guyon, fils d'Antonin, ce domaine de Savigny vinifie en propriété 48 ha allant de Gevrey-Chambertin à Meursault. En habitué du Guide, il obtient une étoile pour le 1er cru préféré des amateurs de pernand. La robe est d'un élégant jaune paille, clair et brillant. Le nez associe les fruits jaunes aux herbes sèches. La bouche se montre ronde, riche et fruitée, tout en gardant de la fermeté. Un vin équilibré, à boire dès maintenant.

Dom. Antonin Guyon, 21420 Savigny-lès-Beaune, tél. 03 80 67 13 24, fax 03 80 66 85 87, domaine@guyon-bourgogne.com, ✉ ♣ ❤ r.-v.

LOUIS JADOT Clos de la Croix de pierre 2010 ★

| | n.c. | | 20 à 30 € |

Cette cuvée de l'importante maison de négoce Louis Jadot fut coup de cœur dans l'édition 2012 avec le millésime 2008. La version 2010 a aussi de bons arguments, à commencer par une seyante robe jaune paille. Elle offre un nez élégant et ouvert, sur des notes de fleurs blanches et de fruits blancs. Des arômes de fruits mûrs et de fruits secs (noisette) soulignent la rondeur et le soyeux du palais, qui garde néanmoins suffisamment de fraîcheur. Un vin à apprécier dans les deux ans sur une viande blanche à la crème.

Louis Jadot, 21, rue Eugène-Spuller, 21200 Beaune, tél. 03 80 22 10 57, fax 03 80 22 56 03, maisonlouisjadot@louisjadot.com, ♣ ❤ r.-v.
Famille Kopf

DOM. FRANÇOISE JEANNIARD Cuvée Alexandra 2010 ★

| | 1 200 | | 15 à 20 € |

Au cœur du village-vigneron de Pernand, Françoise Arpaillanges incarne la quatrième génération à la tête de ce vignoble de poche de 2,5 ha cultivé sans désherbants mais avec beaucoup de labours et une lutte « très raisonnée » aux accents biodynamistes. C'est une jeune vigne de six ans plantée avec Alexandra, la fille de Françoise, qui a donné naissance à cette cuvée. Fleurs blanches et fruits mûrs composent un bouquet intense, tandis que le palais, plein et charnu, est épaulé par une fraîcheur citronnée et un boisé très léger. Un vin équilibré, qui se plaira dès cet automne sur un filet de saint-pierre aux herbes.

Dom. Françoise Jeanniard, 9, ruelle Curtil-des-Chambres, 21420 Pernand-Vergelesses, tél. 06 84 22 79 10, fax 03 80 26 54 92, francoise.arpaillanges@wanadoo.fr, ✉ ♣ ❤ t.l.j. 10h-12h30 15h-18h30

OLIVIER LEFLAIVE 2011 ★

| | 11 800 | | 15 à 20 € |

Ce négociant-éleveur réputé de Puligny dispose d'un hôtel quatre étoiles où il organise des déjeuners et dîners dégustations ; l'occasion peut-être de découvrir ce pernand issu de l'assemblage de sept vignes différentes âgées d'une trentaine d'années. C'est un vin floral et boisé, qui offre en bouche du peps et de la longueur, dynamisé par une belle fraîcheur et des notes fruitées de pomme verte et de fruits exotiques. Dans deux ans, il accompagnera parfaitement une langouste grillée.

Olivier Leflaive Frères, pl. du Monument, 21190 Puligny-Montrachet, tél. 03 80 21 37 65, fax 03 80 21 33 94, contact@olivier-leflaive.com, ✉ ♣ ❤ r.-v.

JEAN-PHILIPPE MARCHAND Les Terroirs Vieilles Vignes 2011

| 1er cru | 2 400 | | 20 à 30 € |

Cette maison est installée depuis 1984 dans une ancienne fabrique de confitures au cœur de Gevrey-Chambertin. Pas de parfum de confiture dans ce pernand, mais des arômes de petits fruits rouges et de kirsch, que l'on retrouve, persistants, dans une bouche ronde et charnue. Déjà bien équilibré, il pourra s'apprécier dès à présent comme dans trois ans sur un faisan au chou par exemple.

Maison Jean-Philippe Marchand, 4, rue Souvert, BP 41, 21220 Gevrey-Chambertin, tél. 03 80 34 33 60, fax 03 80 34 12 77, contact@marchand-jph.fr, ✉ ♣ ❤ r.-v.
Francis Sabrand

PIERRE MAREY ET FILS Les Belles Filles 2011 ★

| 1er cru | 8 500 | | 11 à 15 € |

Étendu sur un peu plus de 20 ha, ce *climat* communal ne connaît pas l'horizontalité mais part à l'assaut de la combe de Pernand, direction les Hautes-Côtes. Régulier en qualité, ce domaine propose un 2011 qui pinote sans détour, ouvert sur les petits fruits rouges. La bouche, ronde et charnue, évolue elle aussi sur ces fruits, accompagnés de nuances épicées et d'une légère salinité qui lui donne un côté aérien. Parfait avec un quasi de veau braisé au thym, dans les trois ans à venir.

EARL Pierre Marey et Fils, 5 et 6, rue Jacques-Copeau, 21420 Pernand-Vergelesses, tél. 03 80 21 51 71, fax 03 80 26 10 48, domaine.pierremareyfils@orange.fr, ✉ ♣ ❤ r.-v.

DOM. POISOT PÈRE ET FILS En Caradeux 2010 ★★

| ■ 1er cru | 1 585 | 🍷 | 15 à 20 € |

Les 5,23 ha du lieu-dit En Caradeux placés sur les hauteurs de la colline, côté Savigny, sont classés en appellation *village*, tandis que les 14,38 ha situés juste en dessous revendiquent le niveau de 1er cru. Rémi Poisot a repris en mars 2010 le vignoble de son père et de son grand-père, après un parcours de vingt-cinq ans en tant qu'officier de marine. Il signe donc ici son premier millésime avec ce pernand réussi, au nez fruité (cassis frais), floral (pivoine) et épicé. La bouche révèle un vin encore massif, puissant, un peu strict en finale, qui requiert trois ou quatre ans de garde pour s'affûter.
☎ Rémi Poisot, 14, av. Charles-Jaffelin, 21200 Beaune, tél. 08 80 21 16 91, remipoisot@domaine-poisot.fr,
☑ ⚔ ⊤ r.-v.

DOM. RAPET PÈRE ET FILS Les Vergelesses 2011 ★

| ■ 1er cru | 6 000 | 🍷 | 20 à 30 € |

Vincent Rapet, habitué des distinctions en chardonnay, vous ferait presque oublier qu'il est aussi un fin vinificateur de pinot noir, comme en témoignent les nombreuses étoiles reçues dans ces pages. Issu du plus vaste des 1ers crus de Pernand, ce Vergelesses ne déçoit pas dans sa version 2011. C'est un vin au nez intense de griotte agrémenté d'une touche de caramel, au palais riche en arômes de réglisse et de sous-bois, équilibré par des tanins fondus et une fine vivacité. Une bouteille de caractère, à attendre trois à cinq ans. Valeur sûre de l'AOC, le **1er cru Île des Vergelesses 2011 rouge (30 à 50 € ; 3 000 b.)** est cité pour ses parfums soutenus de groseille et de vanille, et pour sa fraîcheur et sa souplesse en bouche. À ouvrir dans deux ou trois ans.
☎ Dom. Rapet Père et Fils, 2, pl. de la Mairie, 21420 Pernand-Vergelesses, tél. 03 80 21 59 94, fax 03 80 21 54 01, vincent@domaine-rapet.com, ☑ ⊤ r.-v.

♥ DOM. ROLLIN PÈRE ET FILS 2011 ★★

| | 13 000 | 🍷 | 11 à 15 € |

Troisième coup de cœur d'affilée pour ce domaine familial, à chaque fois avec un pernand différent. Honneur au *village* 2011 après le 1er cru blanc Sous Frétille 2010 et le 1er cru rouge 2008 Île des Vergelesses. Paré d'une élégante robe d'or pâle, ce vin livre un pêle-mêle aromatique de fleurs blanches (acacia), de fruits exotiques, d'agrumes et de miel. Après une attaque pleine de fraîcheur, le palais déploie beaucoup de volume et de puissance, et conserve cette élégante vivacité jusqu'à la finale, longue, florale et minérale. On attendra deux à cinq ans pour apprécier ce vin à son apogée. Le **1er cru L'île des Vergelesses 2010 rouge (20 à 30 € ; 3 000 b.)** obtient une étoile pour ses arômes nets et frais de petits fruits rouges,

et pour son palais dense, plein et généreux en fruits, long et réglissé en finale. À garder jusqu'en 2016-2017. Le **1er cru Sous Frétille 2011 blanc (20 à 30 € ; 3 000 b.)** s'appréciera plus tôt, dans les deux prochaines années. Gras et rond, sur le beurre frais et les fruits blancs, il est cité.
☎ Rollin Père et Fils, 49, rte des Vergelesses, 21420 Pernand-Vergelesses, tél. 03 80 21 57 31, fax 03 80 26 10 38, contact@domaine-rollin.com,
☑ ⚔ ⊤ r.-v.

Corton

BOURGOGNE

Superficie : 95 ha
Production : 2 985 (95 % rouge)

Au nord de la Côte de Beaune, la « montagne de Corton » est constituée, du point de vue géologique, de différents niveaux auxquels correspondent plusieurs types de vins. Couronnées par le bois qui pousse sur les calcaires durs du rauracien (oxfordien supérieur), les marnes argoviennes laissent apparaître sur plusieurs dizaines de mètres des terres blanches propices aux vins blancs. Elles recouvrent la « dalle nacrée », calcaire en plaquettes qui recèle de nombreuses coquilles d'huîtres de grande dimension ; sur cette formation ont évolué des sols bruns propices au pinot noir.

L'appellation corton peut produire du vin blanc, mais elle est surtout connue en rouge. Les Bressandes naissent sur des terres rouges et allient la puissance à la finesse. En revanche, dans la partie haute des Renardes, les Languettes et du Clos du Roy, les terres blanches donnent en rouge des vins charpentés qui, en vieillissant, prennent des notes animales sauvages que l'on retrouve dans Les Mourottes de Ladoix. Le corton est le grand cru le plus important en volume.

DOM. ARNOUX PÈRE ET FILS Rognet 2011

| ■ Gd cru | 1 400 | 🍽🍷 | 30 à 50 € |

Ce *climat*, le plus vaste en superficie au sein de la colline de Corton, peut aussi être récolté en blanc, quelque 2,72 ha revendiquant l'appellation corton-charlemagne. La famille Arnoux y exploite 32 ares de pinot noir à l'origine d'un 2011 grenat aux reflets bleutés, qui mêle à l'olfaction des fruits rouges et noirs mûrs, les épices, la vanille et le grillé. La bouche, bien en chair, s'adosse à des tanins fermes et encore un peu sévères en finale, qui demandent une garde d'au moins quatre ou cinq ans pour s'affiner. Recommandé sur du gibier, une gigue de chevreuil en sauce par exemple.
☎ Arnoux Père et Fils, 5, rue de Ley, 21200 Chorey-lès-Beaune, tél. 03 80 22 57 98, fax 03 80 22 16 85, arnoux.pereetfils@wanadoo.fr, ☑ r.-v.

DOM. HENRI ET GILLES BUISSON Les Renardes 2009

| ■ Gd cru | n.c. | 🍷 | 50 à 75 € |

C'est avec l'arrivée sur le domaine de ses fils Franck et Frédérick, en 2009, que Gilles Buisson a engagé officiellement la conversion bio du vignoble, renouant ainsi avec les idées, à l'époque novatrices, de son père Henri qui, dès les années 1970, s'était tourné vers les principes de l'agriculture biologique. Peu au point techniquement, coûteuse en temps et en investissements, celle-ci avait été progressivement abandonnée. Les Buisson père et fils proposent ici un corton de belle facture au nez discret de fruits rouges, de vanille et de tabac blond, agrémenté d'une touche de bourgeon de cassis. L'attaque franche et fraîche ouvre sur un palais à l'aimable rondeur fruitée et aux accents confits en finale. Un vin généreux et déjà plaisant, à déguster dans les trois ou quatre ans à venir.

🕶 Dom. Henri et Gilles Buisson, imp. du Clou, 21190 Saint-Romain, tél. 03 80 21 22 22, fax 03 80 21 64 87, contact@domaine-buisson.com, ☑ ⚔ ⅂ t.l.j. sf dim. 9h-12h 14h-17h30 🏠 ⓞ

DOM. CACHAT-OCQUIDANT Clos des Vergennes Monopole 2011

| ■ Gd cru | 4 300 | ⑩ | 30 à 50 € |

Fer de lance de la famille Cachat-Ocquidant, ce clos monopolistique couvrant 1,42 ha est souvent au rendez-vous du Guide. Le 2011 revêt une robe grenat animée de reflets violines. Au nez, il évoque les fruits rouges mûrs sur un fond légèrement fumé. La bouche franche et engageante, sur le fruit en attaque, dévoile des tanins soyeux et un boisé sans excès. L'ensemble est équilibré, sans dureté ni mollesse, et peut être servi dans trois ou quatre ans sur un plateau de fromages à croûte lavée.

🕶 Dom. Cachat-Ocquidant, 3, pl. du Souvenir, Cidex 1, 21550 Ladoix-Serrigny, tél. 03 80 26 45 30, fax 03 80 26 48 16, domaine.cachat@wanadoo.fr, ☑ ⚔ ⅂ r.-v.

DOM. CHAMPY Bressandes 2011

| ■ Gd cru | 1 000 | ⑩ | 75 à 100 € |

Selon la légende, ce nom de *climat*, que l'on retrouve aussi à Beaune et à Aloxe-Corton, viendrait de trois demoiselles de la famille Bressand originaire de Saône-et-Loire, lesquelles auraient possédé cette terre. Plus prosaïquement, il serait un dérivé de « broussailles », celles-ci ayant peuplé le lieu avant la vigne. La maison Champy y exploite 25 ares de vignes, à l'origine d'un 2011 au nez discret de fruits rouges et de boisé grillé. À l'unisson, la bouche évolue dans un registre léger, adossée à des tanins soyeux, et finit sur une jolie note poivrée. Un vin équilibré et délicat, à déboucher entre aujourd'hui et 2015-2016.

🕶 SCEV Dom. Champy, 3-5, rue du Grenier-à-Sel, 21200 Beaune, tél. 03 80 25 09 99, fax 03 80 25 09 95, contact@champy.com, ☑ ⚔ ⅂ r.-v.
🕶 P. Meurgey et P. Beuchet

DOM. CHEVALIER PÈRE ET FILS Rognet 2010 ★

| ■ Gd cru | 3 400 | ⑩ | 50 à 75 € |

« Chevalier Père et Filles » devrait-on lire sur l'étiquette, deux des filles de Claude Chevalier œuvrant sur le domaine avec leur père. Une surface de 93 ares est dédiée à ce *climat* situé sur la commune de Ladoix, à l'origine d'un grand cru rubis profond, au nez élégant de griotte, de vanille et de café torréfié. Franche et fraîche en attaque, la bouche s'appuie sur des tanins fins qui commencent à se fondre et sur un boisé mesuré qui laisse le fruit s'exprimer. L'ensemble est harmonieux, ample, plein, et affiche une puissance maîtrisée. À déguster à partir de 2016-2017.

🕶 Chevalier Père et Fils, hameau de Buisson, Cidex 18, 21550 Ladoix-Serrigny, tél. 03 80 26 46 30, contact@domaine-chevalier.fr, ☑ ⚔ ⅂ r.-v.

COMTE SENARD Clos des Meix Monopole 2010 ★★

| ■ Gd cru | 3 000 | ⑩ | 50 à 75 € |

À la tête du domaine depuis 2005, Lorraine Senard-Perreira, qui a quitté sa cuverie des remparts de Beaune en 2011, en a retrouvé une nouvelle dans son village d'Aloxe-Corton. Elle signe un beau doublé dans cette édition avec, en tête, ce Clos des Meix, monopole de la famille depuis 1857. La robe rubis intense est ornée de nuances cuivrées. Les fruits rouges confiturés se mêlent à la cannelle, à la vanille et à quelques notes musquées pour composer un bouquet charmeur et complexe. Charnue et concentrée, la bouche s'appuie sur des tanins puissants mais fins qui lui confèrent beaucoup de présence et un solide potentiel de garde. On attendra au moins trois à cinq ans pour commencer à ouvrir cette bouteille de noble extraction sur un mets raffiné, un chapon aux châtaignes par exemple. Cité, le corton Les Paulands grand cru 2010 rouge (1 600 b.) est né sur un *climat* peu revendiqué car le plus petit de l'appellation avec ses 1,05 ha, la famille Senard en détenant plus des deux tiers. Vif, fruité mais encore austère, il demande lui aussi un peu de patience (deux ou trois ans au moins).

🕶 SCE Dom. Comte Senard, 1, rue des Chaumes, 21420 Aloxe-Corton, tél. 03 80 26 40 73, fax 03 80 26 45 99, office@domainesenard.com, ☑ ⚔ ⅂ r.-v.

LOU DUMONT 2010

| ■ Gd cru | 1 600 | ⑩ | 50 à 75 € |

Fondée en 2000 par le Japonais Koji Nakada, jadis sommelier, et son épouse Jae-Hwa Park, cette maison de négociant-éleveur crée un pont entre la Bourgogne et l'Asie, 98 % de la production partant à l'export. Ce corton couleur rubis dévoile un bouquet à dominante fruitée (noyau de cerise), relayé par un palais franc, vif et droit, soutenu par une bonne charpente tannique. Dans trois ou quatre ans, il sera à maturité pour accompagner une pièce de bœuf rôtie.

🕶 Maison Lou Dumont, 32, rue du Mal-de-Lattre-de-Tassigny, 21220 Gevrey-Chambertin, tél. 03 80 51 82 82, fax 03 80 51 82 84, info@loudumont.com, ☑ ⚔ ⅂ r.-v.
🕶 Nakada

DOM. FAIVELEY Clos des Cortons Faiveley Monopole 2011 ★

| ■ Gd cru | 14 100 | ⑩ | + de 100 € |

Depuis 2005, Erwan Faiveley pérennise à Nuit-Saint-Georges le métier de négociant-éleveur initié dans la famille il y a sept générations. Sur les 120 ha de vignes du domaine, il exploite dix grands crus, dont ce clos de 2,76 ha, la seule vigne monopolistique avec la Romanée-Conti à posséder depuis 1937 le privilège de porter le nom de son propriétaire. Le 2011 se pare d'une robe profonde, cerise noire, et dévoile un bouquet élégant de fruits frais (cassis notamment), agrémenté d'un boisé ajusté. Il déroule ensuite un palais rond, souple et soyeux, qui évolue dans le registre de la finesse plutôt que dans celui de la puissance. Déjà plaisant, il gagnera en complexité avec cinq à huit ans de garde.

🕶 Dom. Faiveley, 8, rue du Tribourg, 21700 Nuits-Saint-Georges, tél. 03 80 61 04 55, fax 03 80 62 33 37, contact@bourgognes-faiveley.com

DOM. FOLLIN-ARBELET 2011

| ■ Gd cru | 2 200 | ⊞ | 30 à 50 € |

Dans sa bâtisse à l'architecture typiquement bourguignonne liant maison et cuverie, Franck Follin-Arbelet vinifie quatre grands crus, dont ce corton né de 40 ares de pinot noir. La composition aromatique est à dominante fruitée, sur la groseille et la cerise mûre. La bouche se révèle équilibrée, fruitée, boisée avec justesse et finement tannique. À boire dans deux ou trois ans.

☞ Dom. Follin-Arbelet, Les Vercots, 21420 Aloxe-Corton, tél. 03 80 26 46 73, fax 03 80 26 43 32, franck.follin-arbelet@wanadoo.fr, ☑ r.-v.

CAMILLE GIROUD 2010 ★

| ■ Gd cru | 507 | ▯⊞ | 50 à 75 € |

Ce *climat* situé sur la commune de Ladoix est le plus vaste de la colline. La maison Camille Giroud en propose une version confidentielle (d'autant plus que 80 % de la production part à l'export) mais fort appréciée pour son harmonie. La robe d'un beau rubis soutenu flatte le regard. Le nez mêle un boisé vanillé et toasté à des notes de fruits confiturés, presque miellés, et de fleurs. On retrouve ces mêmes sensations aromatiques, agrémentées d'épices, dans une bouche longue, ample et riche, portée par une structure affinée et bien enrobée qui laisse entrevoir un potentiel de garde d'au moins quatre ou cinq ans.

☞ Camille Giroud, 3, rue Pierre-Joigneaux, 21200 Beaune, tél. 03 80 22 12 65, fax 03 80 22 42 84, contact@camillegiroud.com, ☑ ☍ r.-v.

DOM. PIERRE GUILLEMOT Le Rognet et Corton 2011 ★

| ■ Gd cru | 1 200 | ⊞ | 30 à 50 € |

Depuis son village de Savigny, Jean-Pierre Guillemot peut admirer toute la colline boisée de Corton, dont le sommet évoque une tonsure de moine. Il y exploite 30 ares du *climat* Le Rognet et Corton, plantés de ceps âgés de cinquante ans. Son 2011 revêt une robe carmin particulièrement brillante et dévoile un bouquet intense, empyreumatique, épicé (poivre) et fruité (cerise noire, mûre). La bouche se révèle puissante, tannique et boisée avec élégance. Un corton au caractère affirmé, à laisser vieillir encore quatre ou cinq ans au moins, et armé pour la décennie.

☞ SCE du Dom. Pierre Guillemot, 11, pl. Fournier, BP 18, 21420 Savigny-lès-Beaune, tél. 03 80 21 50 40, fax 03 80 21 59 98, domaine.pierre.guillemot@orange.fr, ☑ ⚘ ☍ r.-v.

MAISON JESSIAUME Rognet 2010 ★

| ■ Gd cru | 1 200 | ▯⊞ | 50 à 75 € |

Depuis la reprise de leur exploitation en 2006 par Sir David Murray, les frères Jessiaume, rejoints entre-temps par Jean-Baptiste, le fils de Marc, ont développé sous l'étiquette Maison Jessiaume une activité de négoce dont les vins sont régulièrement sélectionnés dans le Guide. Ce corton Rognet se pare d'une robe dense et concentrée qui annonce un bouquet puissant aux accents de cerise burlat compotée, de réglisse, de poivre et de pivoine. Après une attaque fraîche et dynamique, le palais monte en gamme, se fait riche et corpulent, porté par de solides tanins qu'il faudra laisser s'affiner au minimum quatre ou cinq ans. Pour un mets de caractère, un sauté de sanglier par exemple.

☞ SARL Maison Jessiaume, 10, rue de la Gare, 21590 Santenay, tél. 03 80 20 60 03, fax 03 80 20 62 87, contact@domaine-jessiaume.com, ☑ ⚘ ☍ r.-v.

DOM. MICHEL JUILLOT Les Perrières 2010 ★

| ■ Gd cru | 5 800 | ⊞ | 30 à 50 € |

Bien établis à Mercurey sur la Côte chalonnaise, les Juillot, en l'occurrence Laurent, le fils de Michel, aujourd'hui aux commandes, vendangent aussi du côté de la montagne de Corton, sur les 9,87 ha de ce *climat* dédié au pinot noir. Ils signent un 2010 grenat aux reflets cerise. Le nez expressif et racé mêle la griotte et la groseille à un boisé discret. Suivant la même ligne aromatique, le palais offre à la fois de la concentration et de la finesse, porté par des tanins serrés et une belle fraîcheur. Un vin équilibré et bien structuré, à laisser mûrir au moins trois à cinq ans avant de le servir sur un magret de canard aux airelles.

☞ Dom. Michel Juillot, 59, Grande-Rue, 71640 Mercurey, tél. 03 85 98 99 89, infos@domaine-michel-juillot.fr, ☑ ☍ t.l.j. 9h-12h 14h-18h; dim. 9h30-12h30

LALEURE-PIOT Rognet 2010

| ■ Gd cru | 1 200 | | 50 à 75 € |

Les 9,85 ha de ce domaine viticole de Pernand-Vergelesses ont été entièrement repris en 2010 par le négoce Champy. La vinification a été confiée à Dimitri Bazas, l'œnologue de la maison, qui a entamé avec son directeur Pierre Meurgey la conversion bio du domaine, comme le reste des vignes de la maison beaunoise. Ce Rognet s'affiche dans une robe pourpre, le nez léger et empreint de senteurs fruitées (griotte) agrémentées de nuances florales et épicées. Ronde et fine, la bouche est soutenue par des tanins aimables et par un boisé bien intégré. Déjà harmonieux, ce vin peut être servi dans l'année, avec un rosbif aux champignons, ou être attendu trois ou quatre ans.

☞ Laleure-Piot, 3-5, rue du Grenier-à-Sel, 21200 Beaune, tél. 03 80 25 09 99, fax 03 80 25 09 95, infosde@laleur-piot.com

☞ SAS Champy

DOM. MAILLARD PÈRE ET FILS Renardes 2011

| ■ Gd cru | n.c. | ⊞ | 30 à 50 € |

Ce *climat* situé à près de 300 m d'altitude sur la montagne de Corton offre un sol jurassique oxfordien au calcaire brun et aux marnes rougeâtres qui délivrent une forte teneur en potasse et contribuent à la typicité des vins. Celui-ci, né de vignes âgées de trente-cinq ans, s'affiche dans une robe grenat sombre aux reflets violets. Discret à l'olfaction, entre fruits rouges et nuances épicées, il dévoile une bouche équilibrée par un boisé chocolaté, un fruité frais et des tanins jeunes. Ces derniers, encore sévères en finale, appellent une garde de deux ou trois ans minimum.

☞ Dom. Maillard, 2, rue Joseph-Bard, 21200 Chorey-lès-Beaune, tél. 03 80 22 10 67, fax 03 80 24 00 42, contact@domainemaillard.com, ☑ ⚘ ☍ r.-v.

DOM. MARATRAY-DUBREUIL Bressandes 2010 ★★

| ■ Gd cru | 3 100 | ⊞ | 30 à 50 € |

La famille Maratray, originaire de Ladoix, est à la vigne une adepte de la lutte raisonnée. Côté vinification, elle a opté pour une macération de trois semaines suivie d'un séjour de dix-huit mois en barrique (dont 30 % de fûts neufs) pour faire naître ce Bressandes paré d'une seyante robe grenat, dense et profonde. Sur la réserve de prime abord, le nez se révèle plus prolixe à l'aération, laissant poindre de jolies notes de fruits frais (cassis, cerise noire). On retrouve ces fruits, avec une tendance confiturée, dans une bouche ample, consistante et solidement charpentée,

BOURGOGNE

qui termine sa course par une longue finale épicée. On attendra quatre ou cinq ans pour commencer à apprécier ce vin, auquel une décennie de garde ne fera pas peur. Filet de bœuf en croûte ou pavé de biche, réservez-lui une viande goûteuse.

🕭 Dom. Maratray-Dubreuil, 5, pl. du Souvenir, 21550 Ladoix-Serrigny, tél. 03 80 26 41 09, fax 03 80 26 49 07, contact@domaine-maratray-dubreuil.com, ☑ ⚑ ⚐ t.l.j. sf sam. dim. 8h30-12h 14h-17h30

ÉRIC MAREY 2011 ★

■ Gd cru	2 600	⦀	30 à 50 €

Éric Marey, issu d'une famille de Pernand, exploite un domaine d'une dizaine d'hectares, qu'il complète par une activité de négoce d'où provient ce corton couleur framboise, qui mêle au nez les fruits frais, les fruits mûrs et un léger torréfié. Dès l'attaque, le palais affiche de beaux tanins ronds et soyeux, qui « appuient la longueur » et laissent augurer une bonne tenue à la garde durant au moins quatre ou cinq ans.

🕭 SARL Éric Marey, 5 et 6, rue Jacques-Copeau, 21420 Pernand-Vergelesses, tél. 03 80 21 51 71, fax 03 80 26 10 48, domaine.pierremareyfils@orange.fr, ☑ ⚑ ⚐ r.-v.

VIRGINIE PILLET 2011 ★

■ Gd cru	4 000	⦀	30 à 50 €

Derrière la marque Virginie Pillet, distribuée par la société beaunoise Domaines et Châteaux de Bourgogne réunis, se cache la vinificatrice Christine Dubreuil du domaine Dubreuil-Fontaine. Elle signe un corton proche des deux étoiles, d'un beau grenat violacé dévoilant un nez délicat de cerise noire et de groseille relevé d'épices. Le palais plaît par sa structure élégante et fine, par son boisé non moins courtois et par son fruité frais agrémenté d'une touche réglissée du meilleur effet. Un vin que l'on pourra apprécier aussi bien dans sa jeunesse (deux ou trois ans) qu'après six à huit ans de garde.

🕭 Dom. P. Dubreuil-Fontaine, rue Rameau-Lamarosse, 21420 Pernand-Vergelesses, tél. 03 80 21 55 43, fax 03 80 21 51 69, domaine@dubreuil-fontaine.com, ☑ ⚑ ⚐ r.-v.

DOM. POISOT PÈRE ET FILS Les Bressandes 2010 ★

■ Gd cru	1 568	⦀⦀	30 à 50 €

Après vingt-cinq ans passés dans la marine, Rémi Poisot est revenu sur la terre ferme, notamment celle de ce petit domaine familial de 2 ha hérité en 1902 par Marie Poisot, fille de Louis Latour. Des terres nobles : un 1er cru en pernand et trois grands crus (corton, corton-charlemagne et romanée-saint-vivant). Premier millésime pour ce néo-vigneron et première étoile pour ce vin né de ceps de soixante ans. Robe sombre, parfums puissants et frais de cassis et de mûre, palais charnu, tannique et persistant sur le fruit : un corton de caractère, armé pour bien vieillir durant les cinq à huit ans à venir.

🕭 Rémi Poisot, 14, av. Charles-Jaffelin, 21200 Beaune, tél. 08 80 21 16 91, remipoisot@domaine-poisot.fr, ☑ ⚑ ⚐ r.-v.

LA POUSSE D'OR Bressandes 2011 ★

■ Gd cru	2 100	⦀⦀	50 à 75 €

Ce grand domaine volnaysien, qui pousse la vigne jusqu'au grand cru clos-de-la-roche à Morey, abrite parmi les 17 ha de son patrimoine deux parcelles en corton, toutes deux distinguées dans cette édition. Ce corton Bressandes, né de 48 ares de pinot noir, obtient une étoile pour sa présentation avenante dans les tons rubis, pour sa finesse aromatique (cerise, cassis, mûre, touches empy-reumatiques et épicées) et pour son palais non moins élégant, aux tanins à la fois fermes et fins. Trois à cinq ans de garde sont un minimum. Quant au **grand cru Clos du roi 2011 rouge (6 400 b.)**, il est cité pour son équilibre entre tanins et vivacité, et pour son fruité gourmand rehaussé d'épices à l'olfaction. À attendre aussi, quatre ou cinq ans.

🕭 Dom. de la Pousse d'or, rue de la Chapelle, 21190 Volnay, tél. 03 80 21 61 33, patrick@lapoussedor.fr, ☑ r.-v.

🕭 Landanger

DOM. PRIN Bressandes 2011 ★

■ Gd cru	1 680	⦀⦀	30 à 50 €

Parmi les vingt-cinq *climats* que peut revendiquer l'appellation, Les Bressandes est le plus vaste avec 17,4 ha. Sa position idéale à mi-coteau lui permet de bénéficier de la douceur de la pente ainsi que de plusieurs étages géologiques, qui le complexifient. Ce domaine de Ladoix y exploite 67 ares à l'origine de ce vin au nez « très pinot », selon un juré, qui mêle fruits rouges, vanille et épices. La bouche est à l'unisson, fruitée et boisée sans excès, portée par des tanins fins et fondus, et par une élégante vivacité qui lui donne de la longueur et du dynamisme. Un corton harmonieux, à déguster dans quatre ou cinq ans sur une gigue de chevreuil aux cèpes.

🕭 Dom. Jean-Luc Prin-Boudrot, 2, rue Saint-Marcel, Cidex 44, 21550 Ladoix-Serrigny, tél. 03 80 26 45 83, domaineprin@yahoo.fr, ☑ ⚑ ⚐ r.-v.

DOM. RAPET PÈRE ET FILS Pougets 2011 ★

■ Gd cru	2 100	⦀⦀	30 à 50 €

Dans le prolongement du grand cru corton-charlemagne, le *climat* des Pougets s'étend sur près de 2 ha, à environ 300 m d'altitude côté Aloxe. Son nom est un dérivé de « pouge », qui vient du latin *podium* signifiant « petite éminence ». Il est en quelque sorte le sommet de l'appellation. Vincent Rapet, vinificateur de talent (Grappe d'or de l'édition 2013 pour son corton-charlemagne 2010), en détient 50 ares. Il signe un vin équilibré et élégant au nez délicatement fruité avec une dominante de groseille et au palais souple, frais et un rien épicé. Un corton en finesse, que l'on pourra commencer à ouvrir dans cinq ans. Cité, le **grand cru rouge 2011 (3 000 b.)**, sans nom de *climat*, apparaît plus tannique et boisé.

🕭 Dom. Rapet Père et Fils, 2, pl. de la Mairie, 21420 Pernand-Vergelesses, tél. 03 80 21 59 94, fax 03 80 21 54 01, vincent@domaine-rapet.com, ☑ ⚐ r.-v.

DOM. DE LA ROMANÉE-CONTI 2011 ★★

■ Gd cru	n.c.	⦀⦀	+ de 100 €

Troisième millésime pour le corton de la Romanée-Conti issu de vignes des Bressandes, du Clos du Roi et des Renardes, sur un total de 2,28 ha exploités en fermage pour le compte du domaine Prince Florent de Mérode. Après deux cuvées de haut vol, le 2011 maintient le cap. Il ne se livre pas immédiatement et il faut une bonne aération pour libérer le grand cru de sa retenue initiale et humer d'élégants parfums de réglisse et de fruits noirs frais. On retrouve des notes de Zan dans une bouche alerte, tonique et dense, soulignée par des tanins au grain serré et surtout par une fraîcheur remarquable, qui lui confère un côté aérien et une grande longueur. Les promesses sont heureuses, mais le temps (cinq à dix ans) doit encore faire son œuvre.

☛ SC du Dom. de la Romanée-Conti,
1, rue Derrière-le-Four, 21700 Vosne-Romanée,
tél. 03 80 62 48 80, fax 03 80 61 05 72

Ⓑ DOM. DE LA VOUGERAIE Le Clos du Roi 2011 ★

| Gd cru | 1 908 | 🍷 | 50 à 75 € |

Les vignes de la couronne ducale de Bourgogne passèrent sous la bannière du domaine royal en 1477, à la mort de Charles le Téméraire ; à l'instar de ce *climat* situé à Beaune au-dessus des Blanches Fleurs, elles devinrent celles du roi Louis XI. C'est de la couronne du Guide qu'avait été coiffé le Clos du Roi de la Vougeraie dans sa version 2010 ; moins « royal » mais de belle noblesse lui aussi, le 2011 obtient une étoile. Il s'annonce dans une engageante robe rubis aux reflets violets et livre des parfums délicats et harmonieux de framboise, de groseille, de cacao et de narcisse. Fine et équilibrée, la bouche associe un beau boisé aux fruits rouges, le tout souligné par une élégante trame tannique. Vers 2016-2017, ce corton gracieux sera prêt pour accompagner une épaule d'agneau boulangère.

☛ SCA Dom. de la Vougeraie, 7 bis, rue de l'Église,
21700 Premeaux-Prissey, tél. 03 80 62 48 25,
fax 03 80 61 25 44, vougeraie@domainedelavougeraie.com,
☑ ⚥ ♈ r.-v.

Corton-charlemagne

Superficie : 52 ha
Production : 2 240 hl

Le grand cru corton-charlemagne provient de la partie haute de la « montagne de Corton », propice au chardonnay – cépage qui a aujourd'hui totalement remplacé l'aligoté, autorisé jusqu'en 1948. Il tire son nom de l'empereur carolingien qui, dit-on, aurait fait planter ici des vignes blanches pour ne pas tacher sa barbe. La plus grande partie de la production vient des communes de Pernand-Vergelesses et d'Aloxe-Corton. Vins de garde, les corton-charlemagne atteignent leur plénitude après cinq à dix ans.

JEAN-LUC ET PAUL AEGERTER 2011 ★

| Gd cru | 3 000 | 🍷 | + de 100 € |

Tout à la fois propriétaires, négociants et vinificateurs à Nuits-Saint-Georges, Jean-Luc et Paul Aegerter proposent une gamme allant du bourgogne d'appellation régionale aux grands crus, dont ce corton-charlemagne est un digne représentant. Après dix-huit mois d'élevage en fût neuf, le nez floral s'est enrichi de notes de café et de caramel. Le fruit blanc, la pomme et la poire entrent en scène dans une bouche équilibrée, souple à l'attaque et réveillée en finale par une fine acidité. Ce côté tonique fera merveille dans deux ans sur des langoustines grillées, quand le vin aura gagné en complexité.

☛ Jean-Luc et Paul Aegerter, 49, rue Henri-Challand,
21700 Nuits-Saint-Georges, tél. 03 80 61 02 88,
fax 03 80 62 37 99, infos@aegerter.fr

PIERRE ANDRÉ 2010 ★

| Gd cru | 6 833 | 🍷 | 50 à 75 € |

Pour être dans l'orbite d'un groupe bordelais, cette maison reste spécialiste du bourgogne et n'a pas quitté son siège. Celui-ci n'est ni à Beaune ni à Nuits, mais bien à Aloxe-Corton, dans le « Château jaune » acquis par Pierre André en 1927, tout près de la célèbre colline où naît le corton-charlemagne. Avec ce beau grand cru, elle est donc prophète en son pays. Le verre montre, sur ses parois, des larmes qui annoncent un palais riche et gras. On y respire les fleurs blanches un rien miellées, la pâte d'amandes et un boisé vanillé n'attendront d'un séjour de dix-sept mois en fût. En bouche, le boisé s'allie à une touche de minéralité au sein d'une matière puissante, équilibrée par une belle fraîcheur. Un agréable moment de dégustation qui deviendra mémorable dans trois ans avec une poularde de Bresse à la crème.

☛ Pierre André, Ch. de Corton-André, BP 10,
21420 Aloxe-Corton, tél. 03 80 26 44 25, fax 03 80 26 42 00,
info@corton-andre.com, ☑ ⚥ ♈ r.-v.

DOM. FRANÇOISE ANDRÉ 2010

| Gd cru | 1 578 | 🍷 | 75 à 100 € |

La vigne de Corton-Charlemagne fut offerte par l'empereur Charlemagne en 775 à la collégiale Saint-Andoche de Saulieu. Trente-cinq ares de cet illustre héritage ont échu à ce domaine familial géré par Lauriane André, fille de Françoise, qui a engagé la conversion bio de l'exploitation. Le chardonnay donne naissance au fleuron de la gamme. Le 2010 doit être sollicité pour libérer ses parfums, de subtiles fragrances d'agrumes et un boisé épicé et grillé légué par un élevage en fût de vingt-quatre mois. Après une attaque ronde et souple, des impressions de vivacité s'imposent. Un ensemble riche, présent et équilibré, qui mérite d'attendre deux ans pour que son boisé se fonde. Vers 2015, il complètera avec bonheur un tartare de saumon et de crabe avec son gaspacho d'agrumes.

☛ Dom. Françoise André, 7, rempart Saint-Jean,
21200 Beaune, tél. 06 24 66 38 86, fax 03 80 24 21 44,
andre.lauriane@yahoo.com, ☑ ⚥ ♈ r.-v.

DOM. D'ARDHUY 2010 ★

| Gd cru | n.c. | 🍷 | 30 à 50 € |

Vinifiée par l'œnologue Carel Voorhuis, régisseur du domaine depuis 2003, cette propriété dirigée par Mireille d'Ardhuy-Santiard dispose de 42 ha de vignes dans les deux Côtes. Son corton-charlemagne provient d'une parcelle de 30 ares située à Aloxe, au lieu-dit Le Rognet et Corton, qui bénéficie d'une exposition au sud-est et d'un terroir de calcaire et de marnes. Le fût, où le vin fermente et séjourne sur ses lies, est peu chauffé, et de réemploi pour 50 %. Il en résulte un 2010 or blanc qui n'a rien d'exubérant : au nez, de discrets agrumes, du citron, du boisé. Ces agrumes persistent et signent dans une bouche consistante et montante, qui s'étire en une longue finale acidulée et minérale. Déjà plaisante, cette bouteille s'épanouira au cours des deux prochaines années. Sa belle fraîcheur mettra en valeur un bar à l'oseille.

☛ Dom. d'Ardhuy, Clos des Langres, 21700 Corgoloin,
tél. 03 80 67 98 73, fax 03 80 62 95 15,
domaine@ardhuy.com, ☑ ⚥ ♈ t.l.j. 9h-12h 14h-18h

BOURGOGNE

DOM. CHAMPY 2011 ★

Gd cru	3 600	ⅢⅢ	75 à 100 €

À Beaune, capitale du vin de Bourgogne, les maisons de négoce ont dès l'origine été propriétaires de vignobles. La plus ancienne d'entre elles (1720) détient plus de 23 ha, dont 88 ares de chardonnay planté sur les marnes calcaires du *climat* En Charlemagne, dont les pentes dominent le village de Pernand-Vergelesses. Sous la houlette de Pierre Meurget et de Pierre Beuchet, l'œnologue Dimitri Bazas a affiné pendant quatorze mois en fût ce 2011. De teinte pâle, or clair aux reflets verts, ce grand cru entremêle des parfums délicats d'agrumes, de tilleul, de fleurs blanches, de brioche et de fruits blancs, avec une touche minérale. La bouche se partage entre fruits et fleurs, soulignés d'un fin boisé épicé. Ronde, charnue et mûre avec élégance, elle est vivifiée par une longue finale minérale. On rêve de revoir cette bouteille dans trois ans, avec un risotto aux saint-jacques et aux truffes.

☛ SCEV Dom. Champy, 3-5, rue du Grenier-à-Sel, 21200 Beaune, tél. 03 80 25 09 99, fax 03 80 25 09 95, contact@champy.com, ☑ ⚔ ⛾ r.-v.

☛ P. Meurgey et P. Beuchet

♥ JEAN CHARTRON 2011 ★★

Gd cru	560	ⅢⅢ	75 à 100 €

Fondée en 1859 et dirigée par Jean-Michel Chartron, cette maison est établie à Puligny-Montrachet, un des fiefs des grands blancs de la Côte de Beaune, et les blancs représentent la majeure partie de son offre. Dans la dernière édition, elle a brillé par ses grands crus de montrachet. Le millésime suivant met sur le devant de la scène l'autre grand terroir des blancs de la Côte : le corton-charlemagne, issu d'achats de raisins, a conquis le jury. Or brillant, il captive par la complexité et la délicatesse de son nez. Des fleurs ? Oui mais encore ? Aubépine et iris ; ajoutez des agrumes, du miel, un fin boisé vanillé hérité de douze mois d'élevage en fût. On retrouve cette complexité dans une bouche qui s'impose aussi par sa chair, sa densité, sa puissance et sa longueur. Reflet d'une belle maturité, ce vin sera toujours là en 2020, et il serait dommage de ne pas le laisser se bonifier au moins trois ans en cave. À son apogée, il pourra mettre en valeur du foie gras.

☛ EURL Jean Chartron, 8 bis, Grande-Rue, 21190 Puligny-Montrachet, tél. 03 80 21 99 19, fax 03 80 21 99 23, info@jeanchartron.com, ☑ ⚔ ⛾ t.l.j. 10h-12h 14h-18h; f. fin nov. à Pâques

♥ DOM. CHEVALIER PÈRE ET FILS 2011 ★★

Gd cru	1 800	ⅢⅢ	50 à 75 €

Claude Chevalier, rejoint par ses filles Julie et Chloé, exploite 14 ha. Ces vignerons sont installés à Ladoix, à l'est

de la montagne de Corton ; ils proposent surtout des vins de ce secteur - on ne s'en plaindra pas, car il s'agit d'un des hauts lieux du vignoble de la Côte. Après le coup de cœur obtenu en aloxe-corton par un 2007 rouge, en voici un autre décroché par ce grand cru blanc. Or limpide et brillant, ce 2011 livre des fragrances harmonieuses, complexes et gourmandes : un boisé aux nuances suaves de caramel, de cannelle et de fruits secs, bien marié à des parfums d'ananas et de miel. Riche avec finesse, puissant et persistant, le palais rallie déjà tous les suffrages, mais trois à cinq ans de garde lui donneront encore plus de panache. On ouvrira alors cette bouteille sur un feuilleté de homard aux asperges sauvages.

☛ Chevalier Père et Fils, hameau de Buisson, Cidex 18, 21550 Ladoix-Serrigny, tél. 03 80 26 46 30, contact@domaine-chevalier.fr, ☑ ⚔ ⛾ r.-v.

CAMILLE GIROUD 2010 ★

Gd cru	967	ⅢⅢ	75 à 100 €

Installée en 1865 non loin de la gare de Beaune - pour faciliter l'expédition des vins -, cette maison s'est spécialisée dans la vente de vieux millésimes. Elle exporte 70 % de ses bouteilles. David Croix, son œnologue, qui est aussi son premier ambassadeur, ne propose qu'une petite quantité de corton-charlemagne issu d'achats de raisins. Mais la qualité attendue d'un grand cru est au rendez-vous. Aubépine et acacia composent un nez très floral. Le palais tire son harmonie d'une grande richesse, équilibrée par une attaque fraîche et par une finale vive, sur les agrumes. Une bouteille à attendre deux ans avant de l'offrir à un mets de fête, comme une poularde aux morilles.

☛ Camille Giroud, 3, rue Pierre-Joigneaux, 21200 Beaune, tél. 03 80 22 12 65, fax 03 80 22 42 84, contact@camillegiroud.com, ☑ ⛾ r.-v.

DOM. ANTONIN GUYON 2010 ★

Gd cru	3 000	ⅢⅢ	75 à 100 €

En cinquante ans, ce domaine de Savigny-lès-Beaune s'est constitué un vignoble de près de 50 ha. Son fleuron : 55 ares de vignes en corton-charlemagne, principalement implantées sur les marnes blanches de la commune d'Aloxe-Corton, bénéficiant d'une exposition plein sud. Ses vins affichent un palmarès enviable : trois coups de cœur en une décennie. Après quinze mois d'élevage en fûts (neufs à 50 %), ce 2010 ressort avec un nez puissant et élégant, mêlant agrumes, beurre, miel et citronnelle à un fin boisé grillé. Sa qualité première en bouche est le gras, qu'une finale fraîche et minérale vient équilibrer. À déguster à partir de la fin de l'année 2015, avec une mousseline de brochet sauce Nantua par exemple.

☛ Dom. Antonin Guyon, 21420 Savigny-lès-Beaune, tél. 03 80 67 13 24, fax 03 80 66 85 87, domaine@guyon-bourgogne.com, ☑ ⚔ ⛾ r.-v.

DOM. JACOB 2011 ★

Gd cru	4 400	⊞	30 à 50 €

Le hameau de Buisson, établi sur une petite butte, à Ladoix-Serrigny, abrite surtout des familles de vignerons. Ces viticulteurs ont une vue imprenable sur la montagne de Corton. Raymond Jacob et son fils Damien pourraient presque voir leurs grappes mûrir sur les fortes pentes des Hautes et Basses Mourottes, *climat* perché sur cette colline, entre 300 et 330 m d'altitude. Le gourmand millésime 2011 a donné un grand cru ou clair aux reflets verts. Au nez, la poire mûre épouse les fleurs blanches, avec pour témoin un boisé grillé et cacaoté. La bouche trouve rapidement son équilibre entre acidité et rondeur. Très marquée par un boisé empyreumatique, cette bouteille mérite d'attendre deux à trois ans pour libérer toute sa puissance et livrer tous ses secrets. Bel accord avec une langouste grillée.

☙ Dom. Jacob, hameau de Buisson, Cidex 20 bis, 21550 Ladoix-Serrigny, tél. 03 80 26 40 42, fax 03 80 26 49 34, domainejacob@orange.fr, ☑ Ⓨ r.-v.

DOM. MICHEL JUILLOT 2010

Gd cru	3 300	⊞	50 à 75 €

Le domaine exploité par Laurent Juillot et son père Michel est établi à Mercurey, et la plus grande partie de ses 32,5 ha de vignes est implantée aux environs. Mais ce secteur de la Côte chalonnaise ne compte aucun grand cru. Faire une quarantaine de kilomètres pour travailler cette parcelle plantée en 1965 vaut la peine. Son vin, lui, vaut souvent le détour. Le 2010, s'il affiche une robe bien brillante, or jaune, n'est pour l'heure guère expansif : une fleur blanche discrète, un léger boisé aux nuances de pain grillé et d'eucalyptus. Après une attaque franche et citronnée, le bois revient en scène, bien intégré. Riche, équilibrée, fraîche et longue, la matière est surtout saluée pour son potentiel. Ce millésime se fera plus disert après deux ans de garde. Il donnera alors la réplique à un grenadin de veau et ses champignons des bois.

☙ Dom. Michel Juillot, 59, Grande-Rue, 71640 Mercurey, tél. 03 85 98 99 89, infos@domaine-michel-juillot.fr, ☑ Ⓨ t.l.j. 9h-12h 14h-18h; dim. 9h30-12h30

PIERRE MAREY ET FILS 2011

Gd cru	4 500	⊞	30 à 50 €

Ces vignerons sont établis à Pernand-Vergelesses, l'un des villages situés au pied de la montagne de Corton. Sur ses 11 ha de vignes, ils détiennent un trésor : un bel hectare de corton-charlemagne. Ce 2011 est bien différent du 2010 décrit dans la dernière édition. Si la robe or vert est classique, le nez complexe paraît déjà mûr : à des évocations d'agrumes et d'acacia se mêlent des parfums de fruits jaunes (abricot) et de fruits exotiques. En bouche, les sensations dominantes de gras et d'onctuosité ne sont guère conformes au profil d'un vin de garde dans l'enfance, mais rendent cette bouteille flatteuse. On appréciera ses charmes présents en la servant dès cet hiver sur une mousseline de homard.

☙ EARL Pierre Marey et Fils, 5 et 6, rue Jacques-Copeau, 21420 Pernand-Vergelesses, tél. 03 80 21 51 71, fax 03 80 26 10 48, domaine.pierremareyfils@orange.fr, ☑ ⚸ Ⓨ r.-v.

Ⓑ LUCIEN MUZARD ET FILS 2011

Gd cru	600	⊞	75 à 100 €

Vignerons-négociants, les frères Claude et Hervé Muzard exploitent en agriculture biologique le domaine familial, situé dans la partie sud de la Côte de Beaune. Ce corton-charlemagne provient d'achats de raisins récoltés dans des domaines en bio certifié. Dans le verre, un or pâle, brillant et limpide. Le nez complexe et délicat se promène entre la fleur blanche miellée, la noisette, les agrumes et des notes d'élevage. À l'unisson, le verger et le tilleul en fleur alliés à la vanille et au pain grillé du fût dessinent le profil aromatique d'un palais rond, gras et équilibré, tendu par une longue finale vive et minérale. Les dégustateurs conseillent d'attendre trois à cinq ans ce 2011 qui sera parfait sur un produit de la mer noble et simplement cuisiné, comme un homard à la nage.

☙ Lucien Muzard et Fils, 1, rue de la Chapelle, 21590 Santenay, tél. 03 80 20 61 85, fax 03 80 20 66 02, lucienmuzard@orange.fr, ☑ ⚸ Ⓨ r.-v.

FRANÇOIS PARENT 2011

Gd cru	870	⊞	+ de 100 €

Les lecteurs du Guide n'ont guère eu l'occasion de découvrir le travail de François Parent sur le chardonnay. Le grand cru élu coup de cœur dans la dernière édition devait tout au pinot noir : un clos-de-vougeot. Un double statut de vigneron et de négociant permet à la maison d'élargir sa gamme. Voilà donc un corton-charlemagne, confidentiel toutefois. Or limpide aux reflets verts, ce 2011 est dominé par un boisé beurré évoquant presque le caramel, qui laisse percer une touche florale et confite. Le palais ne laisse plus oublier un séjour de seize mois en fût. Il dévoile une sensation de gras et de tendre suavité équilibrée par une fine acidité. On laissera le boisé s'estomper deux ans en cave, avant de servir ce vin avec un soufflé de langouste.

☙ François Parent, 14 bis, rue Pierre-Joigneaux, 21200 Beaune, tél. 03 80 22 61 85, fax 03 80 24 03 16, francois@parent-pommard.com, ☑ Ⓨ r.-v.

Ⓑ DOM. PAVELOT 2011

Gd cru	n.c.	⊞	30 à 50 €

Héritiers d'une tradition vigneronne remontant au XVIIᵉˢ., Luc Pavelot et sa sœur Lise sont installés à Pernand-Vergelesses, au pied d'une des pentes de la montagne de Corton. Vignerons en bio, ils utilisent encore les traditionnels paniers d'osier pour vendanger, ce qui ne les a pas empêchés de moderniser, d'agrandir et de rationaliser leur cave. Or vert brillant, leur corton-charlemagne 2011 a trouvé accès dans le Guide grâce à son nez attirant aux multiples parfums : acacia, agrumes, beurre, pêche, réglisse et fin boisé. Riche, charnu et mûr, il ne manque ni de fraîcheur ni de persistance. On laissera cette bouteille en cave jusqu'en 2016 pour la déguster à son apogée.

☙ EARL Dom. Pavelot, Luc et Lise Pavelot, 6, rue du Paulant, 21420 Pernand-Vergelesses, tél. 03 80 26 13 65, fax 09 70 32 84 13, domaine.pavelot@orange.fr, ☑ Ⓨ r.-v.

DOM. RAPET PÈRE ET FILS 2011 ★

Gd cru	6 000	⊞	50 à 75 €

Conduisant avec talent ses 18 ha de vignes, de Pernand-Vergelesses – où il est installé – à Beaune, Vincent Rapet fait faire en quelque sorte tous les ans aux lecteurs du Guide un petit tour de sa propriété, car plusieurs de ses vins sont retenus, souvent en bonne place. Le corton-charlemagne est en blanc le fleuron du domaine. La famille ne détient pas moins de 3 ha de ce grand cru. Après un 2010 élu coup de cœur, le 2011 reste à un très bon niveau. D'un or brillant et limpide, il offre un profil aromatique floral (acacia), empruntant aussi au terroir une touche minérale, et au fût un léger boisé. D'une rondeur miellée en attaque, il trouve son équilibre dans une finale vive et toastée. Déjà harmonieux, il gagnera en expression au cours des prochaines années : on le gardera en cave jusqu'à 2017. Bel accord en perspective avec une truite aux amandes au beurre citronné.

🍷 Dom. Rapet Père et Fils, 2, pl. de la Mairie,
21420 Pernand-Vergelesses, tél. 03 80 21 59 94,
fax 03 80 21 54 01, vincent@domaine-rapet.com, ☑ ⏀ r.-v.

Savigny-lès-beaune

Superficie : 350 ha
Production : 13 350 hl (85 % rouge)

Au nord de Beaune, Savigny est un village vigneron par excellence. L'esprit du terroir y est entretenu, et la confrérie de la Cousinerie de Bourgogne est le symbole de l'hospitalité bourguignonne. Les Cousins jurent d'accueillir leurs convives « bouteilles sur table et cœur sur la main ».

« Nourrissants, théologiques et morbifuges » selon la tradition, les savigny sont souples, tout en finesse, fruités, agréables jeunes tout en vieillissant bien. Parmi les 1ers crus, on citera Aux Clous, Aux Serpentières, Les Hauts Jarrons, Les Marconnets, Les Narbantons.

CHRISTIAN BELLANG ET FILS 2011 ★

| | 900 | 🍶⏀ | 11 à 15 € |

En 2010, le fils de Christian Bellang, Christophe, a pris la relève. À partir d'une petite parcelle de 22 ares plantée en chardonnay, il signe un savigny couleur or pâle au nez frais et floral (camomille, chèvrefeuille). Le palais se révèle vif et tonique, sous-tendu par une fine trame minérale qui pousse loin la finale. Une bouteille harmonieuse et « vivante », à déboucher dans l'année sur une matelote d'anguille au beurre blanc.

🍷 Dom. Christian Bellang et Fils, 2 bis, rue de Mazeray,
21190 Meursault, tél. 03 80 21 22 61, fax 03 80 21 68 50,
domaine.bellang@orange.fr, ☑ ⏀ r.-v.

JEAN BOUCHARD 2011

| | 36 000 | ⏀ | 15 à 20 € |

Cette maison beaunoise fondée au début du XXᵉs. a misé sur la notoriété grandissante de l'appellation savigny. Elle décroche ici une citation proche de l'étoile avec cette importante cuvée née de 6 ha. Rubis aux reflets violines, celle-ci délivre des parfums plaisants de griotte, mâtiné d'un boisé léger aux accents grillés que les dix-sept mois de fût lui ont légué. En bouche, elle offre de la mâche et de la fraîcheur, des tanins encore un peu stricts et un boisé à fondre venant en soutien. On attendra deux ou trois ans que l'ensemble s'affine avant de lui réserver une dinde aux marrons.

🍷 Maison Jean Bouchard, 6 bis, bd Jacques-Copeau,
21200 Beaune, tél. 03 80 24 37 37, fax 03 80 24 37 38

Ⓑ DOM. CHAMPY Aux Fourches 2011

| | 6 000 | ⏀ | 20 à 30 € |

Aux Fourches est un *climat* de 7,25 ha situé au croisement des routes de Savigny, Pernand-Vergelesses et Chorey. Ces bifurcations ont inspiré son patronyme. Le domaine Champy y possède 1,4 ha de vignes, desquelles il a tiré ce vin grenat clair sur les fruits rouges et le moka, dont le palais souple et frais est adossé à des tanins légers, néanmoins un peu plus sévères en finale. À déguster dans les deux ans à venir sur un magret de canard aux griottes.

🍷 SCEV Dom. Champy, 3-5, rue du Grenier-à-Sel,
21200 Beaune, tél. 03 80 25 09 99, fax 03 80 25 09 95,
contact@champy.com, ☑ ⚔ ⏀ r.-v.
🍷 P. Meurgey et P. Beuchet

PASCAL CLÉMENT 2011 ★

| | 900 | ⏀ | 11 à 15 € |

Un nouveau négoce dans le Guide, qui n'a pas été créé par un inconnu, l'œnologue Pascal Clément ayant œuvré pendant sept ans au domaine Belleville à Rully. Fils de viticulteurs de la Côte de Beaune, il a fondé en 2012 sa propre maison à Savigny, avec laquelle il propose une gamme de vins allant du rully, au sud, au chambolle-musigny, au nord. Ici, une cuvée confidentielle de savigny parée d'une robe or clair aux reflets verts livrant un nez floral (tilleul) et boisé. Une attaque ronde et fruitée ouvre sur un palais ample, fin et frais. S'il peut déjà être bu, ce vin se bonifiera après deux ans de garde.

NOUVEAU PRODUCTEUR

🍷 Maison Pascal Clément, 13, rue de Citeaux,
21420 Savigny-lès-Beaune, tél. 06 14 99 15 27,
contact@maisonpascalclement.fr,
☑ ⚔ ⏀ t.l.j. 8h-12h 14h-19h

JULIEN CRUCHANDEAU Les Petits Picotins 2011 ★

| | 1 000 | ⏀ | 15 à 20 € |

Avec sept appellations et seulement 3 ha, le trentenaire Julien Cruchandeau récolte sur trois côtes viticoles : à Bouzeron en Côte chalonnaise, où il fait ses premières armes de vinificateur, en Côte de Nuits et, depuis 2010, à Savigny en Côte de Beaune. Il fait sa première apparition dans le chapitre beaunois avec ce *village* grenat brillant ouvert sur la cerise et le cassis mâtinés de légères nuances boisées. Franche en attaque, la bouche ample et ronde est soutenue par des tanins élégants et soyeux, et par un boisé fondu. Un vin équilibré, à ouvrir dans les deux ans à venir sur un magret de canard aux cerises.

🍷 Dom. Julien Cruchandeau, 4, rue Robert, 21700 Chaux,
tél. 03 80 62 16 50, domaine.cruchandeau@gmail.com,
☑ ⚔ ⏀ r.-v.

DECELLE-VILLA Les Gollardes 2011 ★

| | 2 200 | ⏀ | 15 à 20 € |

Decelle-Villa ou la rencontre entre un vigneron de la vallée du Rhône septentrionale, Pierre-Jean Villa, et un producteur du Languedoc-Roussillon et du Bordelais, Olivier Decelle, qui se sont réunis autour du pinot noir et du chardonnay pour créer en 2010 cette maison (négoce et domaine) à Nuits-Saint-Georges. Suppléés en cave par l'œnologue Jean Lupatelli, ils décrochent une étoile pour ce savigny issu de leur propriété. Griotte confiturée et fruits noirs composent un bouquet flatteur où le boisé se fait discret. Les fruits mûrs apportent aussi leur rondeur à une bouche persistante, ample et élégante, et adossée à des tanins fins et soyeux. Un vin équilibré, à déguster dans les deux ou trois ans à venir sur un mets délicat, des cailles au raisin par exemple.

☛ Decelle-Villa, 3, rue des Seuillets, 21700 Nuits-Saint-Georges, tél. 03 80 53 74 35, contact@decelle-villa.com

RODOLPHE DEMOUGEOT Les Bourgeots 2011

| ■ | n.c. | ⊞ | 15 à 20 € |

Ce *climat*, que l'on prononce localement *borgeot*, est situé en bordure du Rhoin. Quand ce petit cours d'eau sort de son lit au printemps, on dit de lui dans le patois bourguignon qu'il « borge ». Rodolphe Demougeot y exploite une parcelle de 48 ares à l'origine d'un vin aux reflets violines de jeunesse et au nez finement fruité (framboise), épicé et torréfié. Le palais se révèle consistant, tannique et même sévère, puis vivifié en finale par une fine touche minérale. Deux ou trois années de garde s'imposent avant une dégustation sur des rognons au gril sauce à l'époisses.

☛ EARL Dom. Rodolphe Demougeot, 2, rue du Clos-de-Mazeray, 21190 Meursault, tél. 03 80 21 28 99, fax 03 80 21 29 18, rodolphe.demougeot@orange.fr, ☑ ⟁ r.-v.

DOM. DE LA DOUAIX Dessus les Vermots 2010

| ■ | 1 400 | ⊞ | 11 à 15 € |

La source de la Douaix, à Arcenant dans les Hautes-Côtes de Nuits, a donné son nom au village de Ladoix et à ce domaine fondé en 2006 par des Belges passionnés de vin. Situé... au-dessus des Vermots, ce *climat* est, avec ses 13,11 ha, le second par sa surface dans l'appellation. Les Moustie y exploitent 28 ares de pinot noir, qui donnent naissance à ce 2010 discrètement fruité à l'olfaction (cerise), souple et frais en bouche, des tanins fins et un boisé léger en soutien. À boire dans l'année, sur un magret de canard.

☛ Mark Moustie, Dom. de la Douaix, rue du Moutier, 21700 Arcenant, tél. 06 85 95 01 79, moustie.gilles@orange.fr, ☑ ⟁ r.-v. ⟐ ⊜

DOM. BERNARD DUBOIS ET FILS Clos des Guettes 2011

| ■ 1er cru | 4 100 | ▮⊞ | 15 à 20 € |

À l'entrée de la combe de Barboron, à environ 300 m d'altitude, ce *climat* offre une vue panoramique sur le vignoble, comme il le permettait de voir venir des possibles assaillants aux époques où l'on guettait l'ennemi venant du nord. À l'intérieur des 13,54 ha des Guettes se trouve un clos exploité par plusieurs producteurs, dont cette famille de Chorey qui y possède 81 ares de pinot noir. Ce dernier donne naissance à un vin ouvert sur le cassis et le bourgeon de cassis, un léger toasté en appoint. La bouche se révèle ample, dense et fraîche, toutefois encore un peu austère. Le laisser reposer deux ans en cave avant de lui réserver un jarret de bœuf braisé.

☛ Dom. Bernard Dubois, 14, rue des Moutots, 21200 Chorey-lès-Beaune, tél. 06 29 74 46 75, fax 03 80 24 61 43, domaine.dubois-bernard@wanadoo.fr, ☑ ⟁ r.-v.

DOM. MICHEL ET JOANNA ÉCARD Les Narbentons Vieilles Vignes 2010

| ■ 1er cru | 600 | ⊞ | 15 à 20 € |

Avec cinq 1ers crus et deux *villages* sur 4 ha seulement, Michel et Joanna Écard se vouent entièrement à

l'appellation savigny. Ils exploitent 13 ares des Narbentons, l'un des crus les plus froids du secteur. Leur 2010 se présente dans une robe couleur cerise noire, le nez empreint de délicates senteurs de fruits rouges, de merise et d'épices. Après une attaque franche, il se montre souple et finement structuré. Déjà harmonieux, ce vin pourra être apprécié dès à présent sur un magret aux cerises par exemple, ou attendu encore deux ans.

☛ Dom. Michel et Joanna Écard, rue Boulanger-et-Vallée, 21420 Savigny-lès-Beaune, tél. 06 30 18 28 13, ecard.michel.joanna@orange.fr, ☑ ⟁ ⟁ r.-v.

JEAN-MICHEL GIBOULOT 2011 ★

| | 3 246 | ▮⊞ | 11 à 15 € |

Les 12,5 ha du domaine devraient être officiellement certifiés en agriculture biologique avec le millésime 2012. En attendant, voici un 2011 de belle tenue, élégant représentant de la version blanche de l'appellation. Derrière une robe or pâle, on découvre des notes de beurre frais et de vanille. En bouche, le vin se montre vif et tonique, adouci par une finale plus chaleureuse. À déguster dans les deux ans, sur un poisson en sauce. Le 1er cru 2011 rouge Les Peuillets (15 à 20 € ; 1 890 b.), souple et fruité, est cité.

☛ Jean-Michel Giboulot, 27, rue du Gal-Leclerc, 21420 Savigny-lès-Beaune, tél. 03 80 21 52 30, jean-michel.giboulot@wanadoo.fr, ☑ ⟁ r.-v.

DOM. PHILIPPE GIRARD Vieilles Vignes 2011

| | 18 000 | ⊞ | 11 à 15 € |

Arnaud Girard a rejoint il y a deux ans son père Philippe sur les 11 ha du domaine, et a contribué à la réussite du millésime 2011 des trois vins sélectionnés dans cette édition. Ce *village* a retenu l'attention par un bouquet floral et fruité bien typé, que relaie une bouche fine, fraîche et soyeuse, un rien plus austère en finale. Ce défaut de jeunesse s'atténuera après un an ou deux passés en cave. Le 1er cru 2011 rouge Les Peuillets (15 à 20 € ; 4 000 b.) est également cité pour son équilibre entre rondeur et vivacité. Sa pointe d'austérité finale appelle toutefois une garde de deux ans. Même note pour le souple et fin 1er cru 2011 rouge Les Narbantons (15 à 20 € ; 3 900 b.).

☛ Dom. Philippe Girard, 37, rue du Gal-Leclerc, 21420 Savigny-lès-Beaune, tél. 03 80 21 57 97, fax 03 80 26 14 84, contact@domaine-philippe-girard.com, ☑ ⟁ ⟁ t.l.j. sf dim. 8h-12h 14h-19h

VINCENT GIRARDIN Les Marconnets 2010 ★

| ■ 1er cru | 3 700 | ⊞ | 20 à 30 € |

En 2012, Jean-Pierre Nié, partenaire et distributeur historique de la maison Girardin, a repris l'activité de Véronique et de Vincent Girardin. Les équipes techniques et commerciales sont restées les mêmes, et les vins sont toujours vinifiés à Meursault. Situé dans le virage de la colline de Beaune, ce 1er cru est séparé de son homonyme beaunois par le ruban autoroutier. Le domaine y exploite une parcelle de 80 ares de pinot noir, dont il tire ce vin pourpre intense au nez discret de fruits rouges et d'amande grillée. La bouche se montre charnue et dense, étayée par une fine acidité et des tanins serrés qui doivent encore se fondre. Dans deux ans, cette bouteille accompagnera volontiers une volaille aux champignons.

SAS Vincent Girardin, ZA Les Champs-Lins,
21190 Meursault, tél. 03 80 20 81 00, fax 03 80 20 81 10,
vincent.girardin@vincentgirardin.com,
☑ par correspondance

CAMILLE GIROUD Les Feuillets 2010 ★

| ■ 1er cru | 2 031 | ▮❙▮ | 20 à 30 € |

À Beaune, cette maison fondée en 1865 est réputée
pour ses caves et ses vieux flacons qui traversent le temps.
David Croix, qui en est l'œnologue depuis 2001, a déjà été
de nombreux coups de cœur à son actif. Il obtient une
étoile pour le 1er cru paré de rubis foncé, dont le nez
d'abord réservé s'ouvre à l'aération sur des parfums
généreux de cerise et de cassis mûrs rehaussés de poivre.
Franc dès l'attaque, le palais prolongeant ces sensations
olfactives est porté par des tanins fins et soyeux qui lui
confèrent élégance et tenue, et poussent loin la finale.
Un vin prometteur encore en devenir, à attendre deux ou
trois ans.
Camille Giroud, 3, rue Pierre-Joigneaux, 21200 Beaune,
tél. 03 80 22 12 65, fax 03 80 22 42 84,
contact@camillegiroud.com, ☑ ⊤ r.-v.

DOM. A.-F. GROS Clos des Guettes 2011 ★

| ■ 1er cru | 3 900 | ▮▮ | 30 à 50 € |

Une femme sur l'étiquette, une femme aussi, Anne-
Françoise Gros, à la direction de ce domaine bien connu
des lecteurs, et un homme aux commandes de la cave et
des vinifications. François Parent signe un Clos des
Guettes plein de fruit à l'olfaction, les dix-huit mois de
barrique ne laissant qu'une empreinte très légère, délicatement vanillée. Des nuances de rose et de poivre viennent
compléter la palette aromatique dans une bouche équilibrée, longue, fraîche et bien structurée. Une bouteille
pleine de charme, à découvrir dans deux ans, pourquoi pas
sur un mets exotique – un cari d'agneau par exemple –
pour mettre en valeur son caractère épicé.
Dom. A.-F. Gros, 5, Grande-Rue, 21630 Pommard,
tél. 03 80 22 61 85, fax 03 80 24 03 16, af-gros@wanadoo.fr,
☑ ⊤ r.-v.

DOM. PIERRE GUILLEMOT Les Jarrons 2011 ★

| ■ 1er cru | 1 300 | ▮▮ | 20 à 30 € |

Ce producteur de Savigny est un habitué du Guide ;
les lecteurs les plus fidèles se souviendront peut-être d'un
coup de cœur pour ses Jarrons 2008. Ce 1er cru des
hauteurs tire son nom de « jarrie », ou broussaille, qui a
donné à la Provence le terme garrigue. Rien de méridional
ici toutefois, mais un vin bien bourguignon, qui « pinote »
à souhait à l'olfaction, autour de la cerise. On retrouve les
fruits rouges, en compagnie d'un boisé fondu, dans une
bouche ronde et concentrée. Un vin séducteur et gourmand, à déguster dès l'automne sur une volaille laquée.
SCE du Dom. Pierre Guillemot, 11, pl. Fournier, BP 18,
21420 Savigny-lès-beaune, tél. 03 80 21 50 40,
fax 03 80 21 59 98, domaine.pierre.guillemot@orange.fr,
☑ ⋏ ⊤ r.-v.

DOM. LUCIEN JACOB 2010

| ■ | 8 500 | ▮▮ | 8 à 11 € |

Cette exploitation familiale des Hautes-Côtes produit du vin dans les deux Côtes mais aussi des crèmes de
petits fruits traditionnelles. À sa tête depuis 1989, Chantal,
Jean-Michel et Christine Jacob obtiennent ici deux citations, une par cépage. Ce village rouge apparaît dans une
robe rubis aux reflets violines, qui dévoile des senteurs
expressives de petits fruits rouges rehaussés d'une pointe
épicée. Dans le prolongement, la bouche se montre souple
et fraîche, appuyée par des tanins fins. À servir dans les
deux ans avec des aiguillettes de canard. Le 1er cru 2011
blanc Les Vergelesses (15 à 20 € ; 1 900 b.) est, quant
à lui, un vin floral (chèvrefeuille) agrémenté d'une note de
noisette, fin et exprimant une agréable tension en bouche ;
une bouteille bien caractéristique de ce climat.
Dom. Lucien Jacob, pl. de la Mairie, 21420 Échevronne,
tél. 03 80 21 52 15, fax 03 80 21 55 65,
lucien-jacob@wanadoo.fr, ☑ ⋏ ⊤ r.-v. ⌂ Ⓑ

♥ PATRICK JAVILLIER Les Serpentières 2011 ★★

| ■ 1er cru | n.c. | ▮▮ | 15 à 20 € |

Dans le Guide, les apparitions de ce domaine
murisaltien sont rares en savigny (beaucoup plus fréquentes en meursault), mais elles n'y passent pas inaperçues. La
dernière en date concernait son village 2009 Grands
Liards, qui avait décroché un coup de cœur. Marion
Javillier et son père Patrick ont tout autant bichonné ce
1er cru né sur un climat exposé au plein sud, où les
couleuvres « serpentines » aiment à prendre le soleil. Un
climat qu'une de nos dégustatrices a reconnu, à l'aveugle !
La preuve, s'il le fallait, de la qualité des ses jurés et aussi
de la subtilité incomparable des terroirs bourguignons.
Les épices (cannelle et curry) se mêlent aux petits fruits
rouges pour composer un bouquet avenant et complexe.
Adossé à des tanins soyeux, le palais se révèle concentré,
riche et solide, toujours d'une grande finesse. Ce vin, qui
offre tous les attraits du savigny, est à boire aussi bien
jeune que patiné par quatre ou cinq ans de garde.
Dom. Patrick Javillier, 7, imp. des Acacias,
21190 Meursault, tél. 03 80 21 27 87, fax 03 80 21 29 39,
contact@patrickjavillier.com,
☑ ⊤ lun. ven. sam. 10h-12h 14h30-19h; dim. 10h-12h;
f. de déc. à mars

DOM. LEBREUIL Aux Peuillets 2011 ★

| ■ 1er cru | 1 500 | ▮▮ | 15 à 20 € |

Ce domaine familial de 11,5 ha exploite la vigne à
Savigny depuis 1935. Avec un peu plus de 16 ha, ce climat
est le deuxième plus vaste 1er cru de l'appellation et
sûrement le plus connu des œnophiles. Les Lebreuil en
proposent une version pourpre intense, sur la retenue à
l'olfaction, quelques notes de fruits rouges sur fond boisé
perçant à l'agitation. La bouche se révèle ample, puissante
et concentrée, et charpentée par de solides tanins. Un
savigny « à l'ancienne », selon les dégustateurs, clairement
taillé pour la garde (trois à cinq ans). Une étoile également
est attribuée au 1er cru 2011 rouge Aux Serpentières (20 à 30 € ; 1 500 b.) pour ses arômes finement floraux

et fruités, et pour sa bouche vive et tendue. À attendre deux ou trois ans.

🕳 Pierre et Jean-Baptiste Lebreuil, 17, rue Chanson-Maldant, 21420 Savigny-lès-Beaune, tél. 03 80 21 52 95, fax 03 80 26 10 82, domaine.lebreuil@wanadoo.fr, ☑ ⚔ 🍷 r.-v.

DOM. LUPÉ-CHOLET Les Picotins 2010

| ■ | 2 700 | 🍷 | 15 à 20 € |

L'association de deux aristocrates bourguignons, le comte Mayol de Lupé et le vicomte de Cholet, a donné naissance il y a tout juste cent dix ans à cette maison nuitonne, où la Côte de Beaune est également bien représentée. Témoin, ce *village* au bouquet franc et fruité (cassis, framboise), souple, frais et équilibré en bouche. Il a « le caractère pinot », conclut un dégustateur qui conseille de le servir dans les deux ans qui viennent avec une aumônière au fromage de Cîteaux.

🕳 Lupé-Cholet, 17, av. du Gal-de-Gaulle, 21700 Nuits-Saint-Georges, tél. 03 80 61 25 02, fax 03 80 24 37 38

DOM. MAILLARD PÈRE ET FILS 2011 ★★

| ■ | n.c. | 🍷 | 15 à 20 € |

« Le défaut de l'égalité est que nous ne la voulons qu'avec nos supérieurs », disait le dramaturge Henry Becque ; ce *village* fait, lui, jeu égal avec les 1ers crus du secteur et frôle le coup de cœur. Ce producteur voisin de Chorey et habitué du Guide signe un vin rubis profond, élégant, frais et fruité (cassis, cerise) à l'olfaction. Une attaque tout aussi tonique et expressive prélude à une bouche ample et finement tannique, qui s'étire dans une longue finale épicée. Un savigny harmonieux et racé, à laisser vieillir deux ou trois ans pour en profiter à son apogée.

🕳 Dom. Maillard, 2, rue Joseph-Bard, 21200 Chorey-lès-Beaune, tél. 03 80 22 10 67, fax 03 80 24 00 42, contact@domainemaillard.com, ☑ ⚔ 🍷 r.-v.

DOM. JEAN-PIERRE MALDANT Aux Fourneaux 2011

| ■ 1er cru | 1 500 | 🍷 | 11 à 15 € |

Les Maldant sont vignerons à Ladoix-Serrigny depuis 1895. Jean-Pierre, qui s'est installé en 1975 à la tête des 7,4 ha, passe aujourd'hui le témoin à son fils Pierre-François. Avec leurs ceps quinquagénaires plantés sur ce *climat* des hauteurs de Savigny, côté Pernand, ils glanent une citation pour ce vin fruité et épicé au palais riche et structuré, voire même un peu austère. Deux ou trois ans de garde lui apporteront l'harmonie.

🕳 Jean-Pierre Maldant, 30, rte de Beaune, Cidex 29 bis, 21550 Ladoix-Serrigny, tél. 03 80 26 44 50, fax 03 80 26 47 29, jeanpierremaldant@voila.fr, ☑ ⚔ 🍷 r.-v.

♥ DOM. MARATRAY-DUBREUIL
Les Vergelesses 2011 ★★

| ■ 1er cru | 1 700 | 🍷 | 15 à 20 € |

Plus connu des lecteurs pour ses ladoix, pour ses pernand ou ses grands crus corton et corton-charlemagne, ce domaine familial s'illustre cette année avec un remarquable 1er cru Les Vergelesses, *climat* commun au voisin Pernand. Ce lieu-dit est évoqué dans une charte de l'an 830 sous le nom de « Vergelosse » ; l'ancienne voie allant de Beaune à Vergy en serait à l'origine. Ce 2011 paré d'or vert emprunte quant à lui le chemin de l'élégance et de la complexité dès l'olfaction, à travers des notes minérales et

citronnées, nuancées de fruits secs et de grillé. Il suit la même ligne aromatique dans un palais à la fois ample, dense, gras, pourvu d'une grande finesse, qui déploie une longue finale saline. Un modèle d'équilibre, à découvrir au cours des deux ou trois prochaines années sur un mets raffiné, un filet de saint-pierre sauce aux agrumes par exemple.

🕳 Dom. Maratray-Dubreuil, 5, pl. du Souvenir, 21550 Ladoix-Serrigny, tél. 03 80 26 41 09, fax 03 80 26 49 07, contact@domaine-maratray-dubreuil.com, ☑ ⚔ 🍷 t.l.j. sf sam. dim. 8h30-12h 14h-17h30

DOM. CHANTAL ET MICHEL MARTIN Les Pimentiers 2010

| ■ | 1 840 | 🍷 | 11 à 15 € |

Après plusieurs années en lutte raisonnée, ce petit domaine de 4,6 ha verra sa conversion biologique actée avec le millésime 2012 et s'orientera ensuite vers la biodynamie. Avec 16 ha, les Pimentiers est le plus grand *climat* de l'appellation classé en *village*. Les Martin en exploitent 55 ares à l'origine d'un vin pourpre foncé, au nez plaisant de framboise, de cerise et d'épices (curry), soyeux en attaque, plus tannique et austère dans son développement. À ouvrir dans deux ou trois ans.

🕳 Chantal et Michel Martin, 4, rue d'Aloxe-Corton, 21200 Chorey-lès-Beaune, tél. 03 80 24 26 57, fax 03 80 24 99 12, info@domainemartin.fr, ☑ ⚔ 🍷 r.-v. 🏠 🄴

DOM. PARIGOT Les Peuillets 2011 ★

| ■ 1er cru | 1 200 | 🍷 | 15 à 20 € |

Ce domaine s'illustre régulièrement avec ces Peuillets, *climat* dont la particularité est d'être planté en appellation *village* et, majoritairement, en 1er cru. C'est, une fois n'est pas coutume, dans la partie classée *village* que brillent les Parigot, d'une étoile ici, pour un vin ouvert sur le floral (rose et violette) et le sous-bois à l'olfaction, et bien équilibré en bouche entre fruité et boisé, tanins fermes et fine vivacité. Une cuvée bâtie pour au moins deux ou trois ans de garde et pour faire front à une pièce de gibier.

🕳 Dom. Parigot, 8, rte de Pommard, 21190 Meloisey, tél. 03 80 26 01 70, domaine.parigot@orange.fr, ☑ ⚔ 🍷 r.-v.

♥ DOM. JEAN-MARC ET HUGUES PAVELOT
Les Serpentières 2010 ★★

| ■ 1er cru | 900 | 🍷 | 15 à 20 € |

Bis repetita pour les Pavelot, qui voient comme l'an dernier leur 1er cru Les Serpentières récompensé d'un coup de cœur. Le millésime 2010 nous permet de découvrir leur nouvelle étiquette, résolument moderne. Dans le flacon, un vin rubis, profond, dense et brillant. Au nez, des

BOURGOGNE

parfums intenses de mûre et de cerise en harmonie avec les nuances grillées de la barrique. En bouche, de la fraîcheur en attaque, de la corpulence et de la concentration, mais aussi beaucoup d'élégance, soulignée par des tanins nobles et une longue et belle finale épicée. Si vous avez la patience d'attendre trois à cinq ans (et la chance de dénicher l'une des rares bouteilles disponibles), ce vin n'en sera que meilleur. Le 1ᵉʳ cru 2010 rouge La Dominode (20 à 30 € ; 9 500 b.) vif, épicé et solide sans dureté, obtient quant à lui une étoile. On le mettra en cave deux ou trois ans, de même que le 1ᵉʳ cru 2010 rouge Aux Guettes (6 500 b.), cité pour sa droiture, sa fermeté et sa fraîcheur.

🕿 EARL Dom. Jean-Marc et Hugues Pavelot,
1, chem. des Guettottes, 21420 Savigny-lès-Beaune,
tél. 03 80 21 55 21, fax 03 80 21 59 73,
hugues.pavelot@wanadoo.fr, ☑ ⅄ ⅂ r.-v.

MAX ET ANNE-MARYE PIGUET-CHOUET
Les Planchots 2011 ★

	n.c.	🍷	11 à 15 €

Ce nom de *climat* mérite une explication. Dans le patois bourguignon, on appelle « planche » la passerelle servant au passage des hommes et des bêtes entre deux terrains. Les sols longeant le Rhoin étant humides, le dérivatif s'est installé dans le langage courant. Cette famille est venue d'Auxey-Duresses pour y vendanger le pinot noir et récolter une étoile décernée à ce vin rubis qui marie subtilement les petits fruits rouges aux nuances minérales du terroir et au boisé de la barrique. Le charme continue d'opérer dans une bouche persistante, ample et fraîche, aux tanins fins et serrés. Un savigny droit et profond, à encaver pour un minimum de deux ans.

🕿 Max et Anne-Marye Piguet-Chouet, rte de Beaune,
21190 Auxey-Duresses, tél. 03 80 21 25 78,
fax 03 80 21 68 31, piguet.chouet@wanadoo.fr, ☑ ⅄ ⅂ r.-v.

CH. DE POMMARD 2010 ★

	2 188	🍷	20 à 30 €

Les Caves de la Propriété sont la partie négoce du château de Pommard. Elles proposent une cuvée limpide et brillante dans sa robe d'or pâle. Au nez, les notes vives d'agrumes et de menthol se mêlent à des nuances plus chaudes de pain grillé et de miel. Un équilibre que met aussi en avant le palais, ample, rond et frais à la fois, étayé par un boisé soutenu qui se fondra après un an ou deux de garde.

🕿 SARL Caves de la Propriété, Ch. de Pommard,
15, rue Marey-Monge, 21630 Pommard, tél. 03 80 22 12 59,
fax 03 80 24 65 88, contact@chateaudepommard.com,
☑ ⅄ ⅂ t.l.j. 9h30-18h30
🕿 M. Giraud

DOM. DU PRIEURÉ Les Grands-Picotins 2011 ★

	4 800	🍷	11 à 15 €

Ce *climat* classé en appellation communale et situé à l'entrée du village est une plaine de 11,5 ha où l'on gardait autrefois les chevaux, qui étaient alimentés en « picotins » (mesures d'avoine). Jean-Michel Maurice et son fils Stephen y exploitent 1 ha de pinot noir à l'origine de ce 2011 grenat profond, au nez de griotte, de tabac blond et d'épices. Franche en attaque, la bouche se révèle ronde, ample et soyeuse, portée en finale par des tanins plus massifs qui appellent une garde de deux ou trois ans.

🕿 Dom. du Prieuré, 23, rte de Beaune,
21420 Savigny-lès-Beaune, tél. 03 80 21 54 27,
fax 03 80 21 59 77, maurice.jean-michel@wanadoo.fr,
☑ ⅄ ⅂ t.l.j. sf dim. 8h-12h 13h30-18h 🏠 ❷
🕿 Jean-Michel Maurice

DOM. RAPET PÈRE ET FILS Aux Fournaux 2011

1er cru	2 500	🍷	20 à 30 €

Des vestiges de fourneaux à charbon retrouvés sur cette parcelle ont inspiré le nom de ce 1ᵉʳ cru. Situé à la limite de la commune de Pernand et regardant le midi, il offre un sol graveleux avec des morceaux d'oolithe ferrugineux disséminés çà et là. C'est la dernière vigne acquise par Vincent Rapet, aujourd'hui à la tête de 20 ha. Ce domaine réputé et très régulier en qualité en tire un 2011 rubis profond ouvert sur les fruits rouges et noirs, agrémentés d'un boisé ajusté. La bouche, dense et fraîche, est rendue stricte par des tanins fermes et serrés qui suggèrent d'attendre trois à cinq ans ce vin encore un peu « cadenassé », mais prometteur.

🕿 Dom. Rapet Père et Fils, 2, pl. de la Mairie,
21420 Pernand-Vergelesses, tél. 03 80 21 59 94,
fax 03 80 21 54 01, vincent@domaine-rapet.com, ☑ ⅂ r.-v.

DOM. DES RIOTTES Les Peuillets 2011

1er cru	19 000	🍷	11 à 15 €

Sur les coteaux en pente douce de ces Peuillets, la terre est « amoureuse », comprenez qu'elle vous colle aux bottes si vous y allez juste après la pluie. Matthieu Carrara y cultive 3,7 ha de pinot noir à l'origine d'un vin au bouquet frais et fruité (cerise, groseille, mûre), accompagné d'un léger toasté, souple et rond au palais, soutenu par des tanins fins. Un 1ᵉʳ cru à découvrir dans l'année.

🕿 Dom. des Riottes, 7, rte de Monthélie, 21190 Meursault,
tél. 03 80 21 22 45, fax 03 80 21 28 05,
severine.maitre@bejot.com

♥ DOM. SEGUIN-MANUEL Goudelettes 2011 ★★

	2 100	🍷	20 à 30 €

C'est en 2004 que Thibaut Marion a repris cette maison fondée à Savigny en 1824 et aujourd'hui basée à Beaune. Ce coup de cœur sonne donc comme un retour aux sources. Situé à 350 m d'altitude, ce secteur des Goudelettes est réputé produire les meilleurs chardonnays du village : ce 2011 le confirme. Paré d'une robe d'or aux reflets verts, il délivre des parfums délicats de tilleul et de chèvrefeuille, de poire et de coing, le tout souligné par un élégant vanillé. Rond dès la mise en bouche, il s'équilibre remarquablement entre une douceur fruitée et miellée et une fine salinité. À déguster dans les deux ou trois ans à venir sur une blanquette de veau ou un poisson fin en sauce. Le 2011 rouge Godeaux (15 à 20 € ; 6 000 b.) obtient, quant à lui, une étoile pour son bouquet harmonieux de cassis mûr et de boisé vanillé et toasté, et pour sa

bouche ample aux tanins « aiguisés ». Le 1er cru 2011 rouge Lavières (3 600 b.), tannique et concentré, est cité. Deux vins que l'on remisera en cave deux ou trois ans.

☛ Dom. Seguin-Manuel, 2, rue de l'Arquebuse, 21200 Beaune, tél. 03 80 21 50 42, fax 03 80 21 59 38, contact@seguin-manuel.com, ☑ ☀ ☂ r.-v.

☛ Marion

DOM. FRANCINE ET MARIE-LAURE SERRIGNY
La Dominode 2010

■ 1er cru	2 400	◫	15 à 20 €

Ce *climat* de 6,71 ha est enclavé dans le 1er cru Les Jarrons. Les sœurs Marie-Laure et Francine Serrigny, à la tête du domaine familial depuis 1995, en signent une version 2010 plaisante par son bouquet fin de fraise et de cerise, et par son palais frais et léger. Un vin à servir dès cet hiver sur du bœuf mode.

☛ Francine et Marie-Laure Serrigny, 4, rue du Bouteiller, 21420 Savigny-lès-Beaune, tél. 03 80 26 11 75, fax 03 80 26 14 15, domaine.serrigny@orange.fr, ☑ ☀ ☂ r.-v.

RENÉ TARDY ET FILS Les Liards 2011 ★★

■	2 730	◫	11 à 15 €

Au bord du Rhoin, le ruisseau de Savigny, trois *climats* portent le nom de « Liards ». Si on les additionne, ils deviennent le plus important lieu-dit de l'appellation avec 18 ha. Ils tirent leur nom du mot gaulois *liga*, qui a donné « lie » et aussi « limon ». De ces terres profondes ce domaine nuiton a extrait un savigny grenat brillant au nez complexe, intense et fin à la fois de fruits rouges mûrs, de prune, d'épices douces et de sous-bois. La bouche offre une belle mâche, de la concentration et du volume, et s'appuie sur des tanins soyeux et un boisé vanillé bien fondu qui lui confèrent beaucoup de douceur et d'élégance. Déjà fort aimable, cette bouteille s'appréciera mieux encore après trois à cinq ans de garde.

☛ René Tardy et Fils, 77, rue Caumont-Bréon, 21700 Nuits-Saint-Georges, tél. 09 65 16 10 07, contact@renetardyetfils.com, ☑ r.-v.

HENRI DE VILLAMONT Les Vermots 2011 ★

	2 300	◫	11 à 15 €

Cette maison installée depuis 1880 à Savigny est entrée en 2006 dans le giron du groupe suisse Schenk, aujourd'hui dédié exclusivement au vignoble bourguignon. Elle propose avec ces Vermots – lieu-dit dédié aux deux cépages et longeant le Rhoin, le ruisseau local – un vin élégant dans sa robe or pâle aux reflets verts. Camomille et fruits secs (noisette, amande) composent un bouquet avenant et délicat relayé par une bouche fine et

fraîche. Un savigny gracieux, à déguster aujourd'hui ou dans deux ans sur une truite aux amandes.

☛ Henri de Villamont, rue du Dr-Guyot, BP 3, 21420 Savigny-lès-Beaune, tél. 03 80 21 50 59, fax 03 80 21 36 36, contact@hdv.fr, ☑ ☀ ☂ t.l.j. sf dim. 10h-12h 14h-17h

☛ Schenk

❸ DOM. DE LA VOUGERAIE Les Marconnets 2011 ★

■ 1er cru	7 797	▮	20 à 30 €

Ce domaine très régulier en qualité exploite un beau vignoble de 34 ha, dont 1,83 ha de ces Marconnets, qui conservent aussi leur nom en 1er cru dans la commune de Beaune. Paré d'une robe pourpre intense, ce 2011 prometteur libère des arômes de cassis, de mûre et de myrtille, que l'on retrouve dans une bouche longue, ample et ferme, encore un peu stricte en finale. Il s'assagira avec le temps, après deux ou trois ans de garde.

☛ SCA Dom. de la Vougeraie, 7 bis, rue de l'Église, 21700 Premeaux-Prissey, tél. 03 80 62 48 25, fax 03 80 61 25 44, vougeraie@domainedelavougeraie.com, ☑ ☀ ☂ r.-v.

Chorey-lès-beaune

Superficie : 134 ha
Production : 5 240 hl (95 % rouge)

Situé dans la plaine, près de Savigny-lès-Beaune et d'Aloxe-Corton, en face du cône de déjection de la combe de Bouilland, le village produit une majorité de vins rouges friands et faciles d'accès.

CHRISTIAN BELLANG ET FILS Poirier Malchaussé 2010

■	900	▮◫	8 à 11 €

Pour ce vin, une dénomination insolite évoquant un verger de poiriers, que des buttes de terre rendaient jadis « mal chaussé ». Avec 16,29 ha, c'est le troisième plus grand *climat* de cette appellation qui ne compte pas de premier cru. Avec ce millésime 2010, Christian Bellang a vu revenir son fils Christophe des lycées viticoles de Beaune et de Davayé. Ensemble, ils glanent une citation pour ce vin grenat profond au nez discret de fruits rouges agrémentés d'une touche chocolatée. Le palais dévoile une texture souple et légère soutenue par des tanins mûrs et soyeux qui autorisent une dégustation dès cet automne, avec un tajine de porc aux pruneaux par exemple.

☛ Dom. Christian Bellang et Fils, 2 bis, rue de Mazeray, 21190 Meursault, tél. 03 80 21 22 61, fax 03 80 21 68 50, domaine.bellang@orange.fr, ☑ ☂ r.-v.

MICHEL GAY ET FILS 2010 ★★

■	15 000	◫	11 à 15 €

Sébastien et Laurent Gay, les fils de Michel, arrivés respectivement sur le domaine en 2000 et 2010, signent le meilleur chorey de cette sélection. À partir de 5 ha de pinot noir, ils ont élaboré un vin rouge sombre aux reflets violines de jeunesse, qui dévoile des parfums intenses de fruits rouges et noirs accompagnés par un boisé léger et des nuances fraîches de bourgeon de cassis. À l'aération, le nez est agréablement stimulé par des notes épicées. Ample et franc en attaque, le palais révèle une texture ronde et soyeuse épaulée par des tanins fins et un boisé

BOURGOGNE

élégant aux accents de moka. En finale, les épices font un retour remarqué et fort plaisant. Armé pour bien vieillir durant trois à cinq ans, ce 2010 peut d'ores et déjà s'apprécier. Pourquoi pas avec un lapin aux pruneaux ?

☛ Dom. Michel Gay et Fils, 1, rue des Brenots, 21200 Chorey-lès-Beaune, tél. 03 80 22 22 73, fax 03 80 22 95 78, michelgayetfils@orange.fr, ☑ ⚤ ⌇ r.-v.

DANIEL LARGEOT 2010

| ■ | | 5 000 | ⏹ | 8 à 11 € |

Du couple Largeot, on connaît bien le terroir des Beaumonts, régulièrement distingué dans nos colonnes. Cette année, c'est leur cuvée issue de vignes classées en appellation communale (représentant un quart de leurs 12 ha) qui se distingue. Parée d'une robe grenat intense, elle dévoile des parfums soutenus de fruits rouges frais accompagnés d'une touche de moka apportée par quinze mois de fût. Suivant la même ligne aromatique, la bouche, d'un bon volume, s'appuie sur des tanins soyeux qui lui confèrent de la souplesse et un plaisant caractère velouté, même si la finale affiche un peu plus de sévérité. L'ensemble reste aimable et pourra être associé dès à présent à un jarret de porc aux clous de girofle.

☛ Dom. Daniel Largeot, 5, rue des Brenots, 21200 Chorey-lès-Beaune, tél. 03 80 22 15 10, fax 03 80 22 60 62, domainedaniellargeot@orange.fr, ☑ ⚤ ⌇ r.-v.

DOM. MAILLARD PÈRE ET FILS 2011

| ■ | | n.c. | ⏹ | 11 à 15 € |

Existant depuis 1766, ce domaine a plusieurs fois changé de villages avant d'installer cave et cuverie à Chorey-lès-Beaune en 1952. Avec son frère Alain, en charge de la vigne, Pascal Maillard vinifie aujourd'hui 18 ha répartis dans sept communes. Issue de 5,5 ha de pinot noir sur un sol argilo-calcaire, cette cuvée couleur pivoine dévoile au nez des parfums de crème de cassis et de fruits rouges. On retrouve ces sensations fruitées dans une bouche équilibrée entre une structure tannique bien en place et une agréable vivacité. Cette bouteille pourra être attendue deux ans et affronter les assauts épicés d'un chili con carne.

☛ Dom. Maillard, 2, rue Joseph-Bard, 21200 Chorey-lès-Beaune, tél. 03 80 22 10 67, fax 03 80 24 00 42, contact@domainemaillard.com, ☑ ⚤ ⌇ r.-v.

DOM. MARTIN-DUFOUR Les Beaumonts 2011

| ■ | | 5 600 | ⏹⏹ | 8 à 11 € |

Ce domaine du cru exploite 3,31 ha de pinot noir sur le terroir réputé des Beaumonts, *climat* formant une large incursion de 41 ha entre les vignobles d'Aloxe-Corton à l'ouest et de Savigny à l'est, et constituant ainsi à lui tout seul plus de 30 % de l'appellation chorey. Ce 2011 se présente dans une robe grenat clair et déploie un joli bouquet de fruits rouges agrémentés d'une nuance truffée. La bouche se révèle bien équilibrée, ronde, adossée à des tanins soyeux et vivifiée par une agréable fraîcheur. La bouteille idoine pour une découverte dès l'automne des vins rouges de l'appellation.

☛ Dom. Martin-Dufour, 4a, rue des Moutots, 21200 Chorey-lès-Beaune, tél. 03 80 22 18 39, domaine@martin-dufour.com, ☑ ⚤ ⌇ r.-v.

DOM. GEORGES ROY ET FILS 2011

| ▨ | | 2 300 | ⏹⏹ | 8 à 11 € |

Vincent Roy, le vinificateur, a été rejoint en 2012 par sa sœur Claire sur les 9 ha que compte l'exploitation familiale. Avec seulement 6,7 ha plantés de chardonnay, le blanc est un vin rare sur les sols à dominante marno-calcaire de Chorey-lès-Beaune. Mais les Roy s'en sont fait une spécialité, comme le prouvent leurs nombreuses sélections dans cette couleur. Cette édition ne fait pas exception, et ce 2011 cristallin séduit par son bouquet de fruits jaunes et de fleurs blanches agrémentés d'un boisé fondu. Le charme opère aussi dans une bouche vive et tonique, qui fait écho à l'olfaction. À déguster dans les deux ans à venir sur un poisson grillé.

☛ Dom. Georges Roy et Fils, 20, rue des Moutots, 21200 Chorey-lès-Beaune, tél. 03 80 22 16 28, fax 03 80 24 76 38, domaine.roy-fils@wanadoo.fr, ☑ ⚤ ⌇ r.-v.

Beaune

Superficie : 410 ha
Production : 15 650 hl (85 % rouge)

En termes de superficie, l'appellation beaune est l'une des plus importantes de la Côte. Beaune, ville d'environ 23 000 habitants, est aussi et surtout la capitale vitivinicole de la Bourgogne. Siège d'un important négoce, centre d'un nœud autoroutier, la cité possède un patrimoine architectural qui attire de nombreux touristes. La vente des vins des Hospices est devenue un événement mondial et représente l'une des ventes de charité les plus illustres. Les vins, essentiellement rouges, sont pleins de force et de distinction. La situation géographique a permis le classement en 1er cru d'une grande partie du vignoble : Les Bressandes, Le Clos du Roy, Les Grèves, Les Teurons et Les Champimonts figurent parmi les plus prestigieux.

DOM. ARNOUX PÈRE ET FILS En Genêt 2011

| ■ 1er cru | | 5 200 | ⏹⏹ | 20 à 30 € |

Sur ce *climat* qui voisine avec l'appellation savigny, Pascal Arnoux exploite une parcelle de 87 ares, à l'origine d'un 1er cru rouge sombre, qui exhale des parfums bien mariés de fruits compotés et de boisé. La bouche se montre plutôt consistante et bien charpentée ; encore un peu sévère en finale, il faudra la laisser s'assouplir un an ou deux.

☛ Arnoux Père et Fils, 5, rue de Ley, 21200 Chorey-lès-Beaune, tél. 03 80 22 57 98, fax 03 80 22 16 85, arnoux.pereetfils@wanadoo.fr, ☑ r.-v.

DOM. BERTHELEMOT Clos des Mouches 2010 ★

| ■ 1er cru | | 2 600 | ⏹ | 20 à 30 € |

Ce domaine de création récente (2006) est dirigé par Brigitte Berthelemot et administré par Marc Cugney. Un duo efficace à en juger par leur régularité depuis leur installation. Leur Clos des Mouches, l'un des 1ers crus les plus renommés de l'appellation, s'illustre dans les deux couleurs. La version pinot noir est un vin rubis limpide, au nez complexe de rose, de violette, de sous-bois et d'épices. Souple et fraîche en attaque, la bouche séduit par son côté aérien, « en dentelle », même si une petite touche d'austérité finale appelle une garde d'un an ou deux. Au nez, le **Clos des Mouches 2011 blanc (30 à 50 € ; 2 400 b.)** évoque « une promenade en forêt l'automne », selon un dégustateur inspiré (entendez sous-bois et fleurs), tandis que le palais se révèle rond et fin, accompagné de notes de poire, de beurre frais et de vanille.

🕯 Dom. Brigitte Berthelemot, 24, rue des Forges, 21190 Meursault, tél. 03 80 21 68 61, fax 03 80 21 94 07, contact@domaineberthelemot.com, ☑ ⚊ ⟟ r.-v.

DOM. BESSON Les Champs Pimont 2010

■ 1er cru	3 500	⏲	20 à 30 €

Guillemette et Xavier Besson, producteurs renommés de la Côte chalonnaise, avaient décroché un coup de cœur dans l'édition précédente pour cette même cuvée apportée avec la corbeille de mariage de madame. Le 2010 s'ouvre discrètement sur les fruits rouges. L'attaque, fraîche et fruitée, prélude à un palais fin aux tanins assouplis, rehaussé en finale par une touche épicée très beaunoise. Une cuvée à découvrir d'ici trois ans sur une daube de chevreuil.

🕯 Dom. Xavier et Guillemette Besson, 9, rue des Bois-Chevaux, 71640 Givry, tél. 03 85 44 42 44, xavierbesson3@wanadoo.fr, ☑ ⚊ ⟟ r.-v. 🏚 ➋

DOM. LES BLANCHES FLEURS
Champagne De Savigny 2011

■	2 200	⏲	15 à 20 €

Cette cuvée signée Christian Roux se présente dans une robe légère, le nez empreint de senteurs discrètes, vanillées et fruitées (pomme, agrumes). En bouche, la bouche s'équilibre entre gras et fraîcheur minérale. L'ensemble est harmonieux et prêt à boire sur un tajine de poisson au citron.

🕯 Dom. les Blanches Fleurs, 42, rue des Lavières, 21190 Saint-Aubin, tél. 03 80 21 32 92, fax 03 80 21 35 00, france@domaines-roux.com, ☑ ⟟ r.-v.

🕯 Roux

JEAN-CLAUDE BOISSET Les Grèves 2011 ★

■ 1er cru	n.c.	⏲	20 à 30 €

Ce 2011, né sur le plus grand des quarante-deux 1ers crus beaunois, est le dixième millésime de Grégory Patriat, le vinificateur de cette maison de négoce réputée, orientée « haute couture ». Objectif atteint avec ce beaune élevé sur la longueur (dix-huit mois), qui se présente dans un habit grenat sombre, et livre des parfums harmonieux de fruits rouges en confiture, de boisé et de sous-bois. La bouche attaque avec franchise, se montre consistante et structurée, portée par une fraîcheur élégante et des tanins bien ajustés, une pointe d'épices venant relever la finale. À découvrir dans sa prime jeunesse ou à encaver trois années.

🕯 Maison Jean-Claude Boisset, Les Ursulines, 5, quai Dumorey, 21700 Nuits-Saint-Georges, tél. 03 80 62 61 61, fax 03 80 62 61 59, jcb@jcboisset.com, ⟟ r.-v.

BOUCHARD AÎNÉ ET FILS Les Marconnets
Cuvée Signature 2011 ★

■ 1er cru	1 700	⏲	20 à 30 €

Dans le giron du groupe Boisset depuis vingt ans, ce vénérable négoce beaunois a été fondé en 1750 par Michel Bouchard et son fils aîné Michel. C'est dans l'historique hôtel du Conseiller du Roy que sont entreposés les fûts d'élevage de la maison, dont ceux de ce 1er cru né sur un *climat* proche de Savigny et situé au-dessus du Clos du Roy. Un vin qui « pinote » avec élégance à travers de délicates senteurs de fruits rouges légèrement confiturés, que prolonge une bouche ronde, fine et soyeuse en finale. On peut déjà l'ouvrir, sur une pintade rôtie par exemple, ou l'attendre deux ou trois ans.

🕯 Bouchard Aîné et Fils, Hôtel du Conseiller-du-Roy, 4, bd du Mal-Foch, 21200 Beaune, tél. 03 80 24 24 00, fax 03 80 24 64 12, bouchard@bouchard-aine.fr, ☑ ⚊ ⟟ t.l.j. 9h30-12h30 14h-18h30; f. lun. jan. fév.

BUTTERFIELD Les Boucherottes 2010 ★

■ 1er cru	1 180	⏲	20 à 30 €

Un B massif – comme Butterfield, Beaune, Boucherottes, Bourgogne... – illustre l'étiquette de ce négoce de création récente (2005). B comme bon aussi, témoin ce 1er cru d'un beau pourpre soutenu, qui s'ouvre à l'agitation sur des notes de fruits rouges, de sous-bois et de fleurs. Une attaque soyeuse prélude une bouche étayée par des tanins aimables et par un boisé fondu, des notes de fruits mûrs et d'épices apportant une touche agréable de sucrosité. Un vin élégant et équilibré, à déguster au cours des deux ou trois prochaines années sur un pâté en croûte ou une volaille.

🕯 David Butterfield, 24, av. du 8-Septembre, 21200 Beaune, tél. 03 80 24 69 36, info@butterfieldwine.com, ☑ ⚊ ⟟ r.-v.

DOM. CAPUANO-FERRERI Cuvée Jean-Marc Ferreri 2011 ★

■	n.c.	⏲	15 à 20 €

John Capuano, le gérant de ce domaine de Santenay, compte les étoiles accumulées depuis sa première participation au Guide Hachette. Il affirme avoir franchi le cap des 100 l'an passé. Nous n'avons pas compté mais le croyons sur parole. Il peut ajouter celle-ci, attribuée à ce beaune *village* signé par son associé Jean-Marc Ferreri (l'ancien footballeur). Un vin qui va droit au but (l'attaquant a d'ailleurs joué à l'OM), ouvert sans réserve sur des arômes de fruits noirs mûrs et de menthol. La bouche attaque elle aussi sur les fruits, bientôt relayés par des tanins qui ne se cachent pas et feront jouer les prolongations à ce vin, jusqu'en 2015-2016.

🕯 EARL Dom. Capuano-Ferreri, 14, rue Chauchien, 21590 Santenay, tél. 03 80 20 68 04, fax 03 80 20 65 75, john-capuano@wanadoo.fr, ☑ ⚊ ⟟ r.-v.

DOM. DENIS CARRÉ Les Tuvilains 2011 ★

■ 1er cru	n.c.		15 à 20 €

Ce 1er cru se présente dans une élégante robe cerise noire. D'abord discret, le nez s'ouvre à l'aération sur les fruits noirs mûrs, accompagnés par un boisé léger. Dans la continuité, la bouche, longue, ample et racée, est bâtie autour du fruit et de tanins fermes mais sans agressivité. Un ensemble harmonieux, à déguster d'ici deux à quatre ans sur une viande rouge en sauce.

BOURGOGNE

☛ Dom. Denis Carré, 1, rue du Puits-Bouret,
21190 Meloisey, tél. 03 80 26 02 21, fax 03 80 26 04 64,
domainedeniscarre@wanadoo.fr, ▣ ⚔ ☡ r.-v.

DOM. CAUVARD Clos de la Maladière Monopole 2010

■	3 000	⬛	15 à 20 €

La famille Cauvard, installée dans le faubourg de
Beaune, exploite la vigne depuis 1651. Elle exploite en
monopole ce clos de 1 ha dont le nom renvoie à une
ancienne léproserie. Son 2010 se montre discret au nez,
l'aération faisant apparaître quelques notes de griotte que
l'on retrouve plus expressives et accompagnées de nuances florales dans une bouche ronde et bien structurée. À
attendre un an ou deux avant de lui réserver un bœuf
bourguignon.
☛ Dom. Cauvard, 34 bis, rue de Savigny, 21200 Beaune,
tél. 03 80 22 29 77, fax 03 80 24 06 03,
domaine.cauvard@wanadoo.fr, ▣ ⚔ ☡ r.-v.

⑬ DOM. CHAMPY Les Champs Pimont 2011 ★

■ 1er cru	3 600	⬛	30 à 50 €

La plus ancienne maison de négoce bourguignonne
(1721) possède son siège dans les rues pavées du centre
historique de Beaune. Ce 1er cru provient toutefois de la
partie domaine et arbore le logo AB depuis la récolte 2011.
Paré d'une robe pourpre, il dévoile un nez bien typé aux
accents de fruits rouges, mâtinés d'un boisé fin. En
bouche, il se montre dense, rond et équilibré par une belle
vivacité finale. Un ensemble harmonieux et long, que l'on
pourra laisser vieillir quatre ou cinq ans.
☛ SCEV Dom. Champy, 3-5, rue du Grenier-à-Sel,
21200 Beaune, tél. 03 80 25 09 99, fax 03 80 25 09 95,
contact@champy.com, ▣ ⚔ ☡ r.-v.
☛ P. Meurgey et P. Beuchet

DOM. CHANSON Bastion 2009 ★

■ 1er cru	n.c.	⬛	20 à 30 €

Jean-Pierre Confuron, l'œnologue de cette maison
historique fondée en 1750, a assemblé sept 1ers crus de la
colline de Beaune pour composer ce Bastion. Après un
long élevage de vingt mois en barrique, le vin, d'un beau
rubis profond, livre un bouquet généreux de fruits rouges
à l'alcool accompagnés par un boisé léger, aux accents
chocolatés. Une même générosité caractérise la bouche,
ample et ronde, aux tanins fins et soyeux, réglissée en
finale. Un ensemble déjà aimable, que l'on pourra aussi
attendre deux ou trois ans, et plus encore. Une bécasse à
la royale sera un mets de choix pour ce joli flacon. Les
produits de la mer seront quant à eux les bienvenus avec
le **1er cru Clos des Mouches 2010 blanc (50 à 75 €)**, cité
pour ses parfums plaisants de fruits jaunes, de vanille et
d'amande et pour son palais frais et tonique.
☛ Chanson Père et Fils, 10, rue Paul-Chanson,
21200 Beaune, tél. 03 80 25 97 97, fax 03 80 24 17 42
▣ ⚔ ☡ r.-v.

CH. DE LA CHARRIÈRE Clos des Vignes franches 2011 ★

■ 1er cru	3 200	⬛	11 à 15 €

Cela fait dix ans qu'Yves Girardin a acquis ce
château, domaine familial situé dans le hameau de
Santenay-le-Haut. À la tête d'un vignoble de 22,5 ha (3 ha
à ses débuts en 1975), il propose un beaune 1er cru
d'emblée expressif, ouvert sur les fruits rouges mûrs,
griotte en tête, quelques notes de cuir et de merrain
apparaissant au deuxième nez. La bouche se montre

consistante et riche, soutenue par des tanins souples et
ronds. Dans deux ou trois ans, ce vin équilibré accompagnera volontiers une terrine de queue de bœuf.
☛ Yves Girardin, 1, rte de Dezize-lès-Maranges,
21590 Santenay, tél. 03 80 20 64 36, fax 03 80 20 66 32,
yves.girardin-domaine@orange.fr, ▣ ⚔ ☡ r.-v.

CLAVELIER ET FILS Perrières 2010

■ 1er cru	2 400	⬛	20 à 30 €

On retrouve le nom de ce *climat*, l'un des quarante-
deux 1ers crus que compte l'appellation, un peu partout en
Bourgogne, de Meursault à Nuits-Saint-Georges, en passant par Pommard. Cette maison de négoce nuitonne
possède 1,2 ha de celui de Beaune, sis à l'emplacement
d'une ancienne carrière de taille de calcaire. Fruits rouges
et légèreté sont les maîtres-mots de ce 2010 : légèreté de
la robe, couleur… cerise ; fruité du nez, aux accents de
framboise et de groseille (quelques notes de sous-bois
aussi) ; légèreté et fruité de la bouche enfin, posée sur une
fine trame tannique. Une bouteille harmonieuse, à boire
dans les deux ans.
☛ Clavelier et Fils, 49, rte de Beaune,
21700 Comblanchien, tél. 03 80 62 94 11,
fax 03 80 62 95 20, vins.clavelier@wanadoo.fr,
▣ ☡ t.l.j. sf sam. dim. 9h-18h

DOM. LOÏS DUFOULEUR Les Cent-Vignes 2010 ★

■	589	⬛	20 à 30 €

Philippe Dufouleur et son épouse Anne-Marie
veillent aux destinées de ce domaine intramuros, qui exploite plusieurs *climats* de sa commune ainsi qu'une vigne
sur Savigny. Orthographié « Sanvignes » au XIIIᵉ s., celui-ci désignait alors un hameau que a depuis disparu de la
colline, la vigne ayant chassé l'homme. C'est là qu'est née
cette microcuvée vêtue de rouge cerise, qui dévoile après
aération des notes de fruits rouges, d'amande grillée et de
sous-bois. La bouche se révèle ample et dense, soutenue par
des tanins soyeux. La finale se montre toutefois plus austère
et réclame une garde de trois ans pour s'adoucir. Un filet
mignon à la forestière sera alors le bienvenu.
☛ Dom. Loïs Dufouleur, 8, bd Bretonnière, 21200 Beaune,
tél. 06 73 85 11 47, domloisdufouleur@aol.com,
▣ ⚔ ☡ t.l.j. 9h-12h 15h-18h 🏠 🄎 🏠 🄴

ALEX GAMBAL Les Grèves 2011 ★

■ 1er cru	n.c.	⬛	30 à 50 €

Épaulé en cave par son œnologue Géraldine Godot,
Alex Gambal continue d'agrandir parcelle par parcelle
son domaine viticole créé en 2005 (3,5 ha à ce jour). Mais
c'est son activité de négociant qui se voit ici distinguée à
travers ces Grèves couleur cerise, au nez de fruits rouges
mûrs, à la bouche ronde, soyeuse et aimable. Les tanins
montrent un peu plus de sévérité en finale ; une garde de
deux ou trois ans devrait les amadouer.
☛ Maison Alex Gambal, 14, bd Jules-Ferry, 21200 Beaune,
tél. 03 80 22 75 81, fax 03 80 22 21 66,
info@alexgambal.com, ▣ ⚔ ☡ r.-v.

MICHEL GAY ET FILS Coucherias 2010 ★

■ 1er cru	4 000	⬛	15 à 20 €

Ce *climat* peu connu est le plus élevé des 1ers crus de
Beaune. Ses sols bruns peu épais et pentus bénéficient des
calcaires rauraciens du sommet de la « montagne ». La
famille Gay y cultive 70 ares de vieux ceps quarantenaires,
à l'origine d'un vin rubis brillant, aux parfums bien assortis

de fruits noirs et de boisé toasté, équilibré en bouche entre rondeur, tanins souples, fraîcheur et fruité. À découvrir au cours des trois prochaines années sur une viande rouge mitonnée. Le 1er cru **Coucherias** 2011 blanc (20 à 30 € ; 1 500 b.), frais, souple, floral et boisé sans excès, est cité. Vous pouvez d'ores et déjà apprécier sa fougue sur des sushis ou sur un poisson grillé.

🍷 Dom. Michel Gay et Fils, 1, rue des Brenots, 21200 Chorey-lès-Beaune, tél. 03 80 22 22 73, fax 03 80 22 95 78, michelgayetfils@orange.fr, ☑ ⚔ ⵃ r.-v.

GILBERT ET PHILIPPE GERMAIN 2011 ★

■		5 000	⬚	11 à 15 €

Ce domaine familial de 14 ha établi dans les Hautes-Côtes est dirigé depuis vingt ans par Philippe Germain, qui a initié la vente en bouteille et développé le parcellaire. Le vigneron dit vouloir chercher toujours plus de fruit et de souplesse dans ses vins, tout en gardant la générosité du terroir. Ce *village* 2011 est un bon compromis. On y perçoit du fruit en effet (airelles, fruits noirs), au nez comme en bouche, du gras et de la suavité, mais aussi de solides tanins. Au final, un ensemble bien construit, long et prometteur, à découvrir dans deux ou trois ans sur une gigue de sanglier aux pommes et cassis.

🍷 Gilbert et Philippe Germain, rue du Vignoble, 21190 Nantoux, tél. 03 80 26 05 63, fax 03 80 26 05 12, germain.vins@wanadoo.fr, ☑ ⚔ ⵃ r.-v.

JEAN-MICHEL GIBOULOT Clos du Roi 2011 ★

■ 1er cru		2 900	⬚⬚	20 à 30 €

Ce producteur de Savigny exploite un vignoble de 12,5 ha, qu'il convertit actuellement au bio. Ses 58 ares de Clos du Roi ont donné naissance à un vin élégant, sur les fruits secs (figue) et les fruits rouges, équilibré en bouche, à la fois frais, suave et fin. Sa vivacité finale laisse augurer un bon vieillissement pour les trois ou quatre prochaines années.

🍷 Jean-Michel Giboulot, 27, rue du Gal-Leclerc, 21420 Savigny-lès-Beaune, tél. 03 80 21 52 30, jean-michel.giboulot@wanadoo.fr, ☑ ⵃ r.-v.

♥ DOM. A.-F. GROS Les Boucherottes 2011 ★★

■ 1er cru		1 700	⬚	30 à 50 €

On ne compte plus les coups de cœur obtenus par ce domaine pommardois, la dizaine assurément. Le dernier en date concernait justement ces mêmes Boucherottes, version 2010, un nom de *climat* que l'on trouve aussi côté Pommard. Et il y a des airs de famille entre les deux millésimes. Une même finesse et une même intensité aromatiques, mêlant les petits fruits rouges confiturés aux notes grillées de la barrique. Une même fraîcheur et une même élégance aussi en bouche, où de délicats tanins

accompagnent une chair consistante, riche et souple. Le boisé est bien fondu, la finale longue et réglissée, et l'ensemble déjà très harmonieux. Deux ou trois ans de garde sont recommandés.

🍷 Dom. A.-F. Gros, 5, Grande-Rue, 21630 Pommard, tél. 03 80 22 61 85, fax 03 80 24 03 16, af-gros@wanadoo.fr, ☑ ⵃ r.-v.

JAFFELIN Sur les Grèves Clos Sainte-Anne Monopole 2010 ★

■ 1er cru		936	⬚	20 à 30 €

Ce *climat* est le plus important des 1ers crus beaunois, avec près de 32 ha, soit 10 % de la surface plantée à ce niveau de classement. Cette maison de négoce-éleveur y exploite en monopole une petite parcelle située sur les hauteurs. Son 2010 livre un bouquet agréable de fruits rouges un rien kirschés et accompagnés d'un boisé mesuré. La bouche se révèle tendre, dense et élégante, longue et fruitée. Un vin gourmand, à découvrir vers 2015-2016 sur un carré de veau.

🍷 Maison Jaffelin, 2, rue Paradis, 21200 Beaune, tél. 03 80 22 12 49, fax 03 80 25 90 89, jaffelin@maisonjaffelin.com, ☑ ⚔ ⵃ r.-v.

CLAUDIE JOBARD Les Épenotes 2011 ★

■ 1er cru		1 100	⬚⬚	15 à 20 €

Cette vigneronne trentenaire installée depuis 2006 dans le village de Demigny, en Saône-et-Loire, a repris les vignes de son grand-père Gabriel Billard, ajoutant ainsi à sa gamme de rully quelques arpents de pommard et de beaune 1er cru. Le tout fait aujourd'hui 9,5 ha. Ce 2011 aux reflets violines se livre avec retenue au nez, laissant poindre après aération quelques notes de fruits rouges. La bouche se montre moins fermée, dévoilant une fine charpente de tanins, un fruité en harmonie avec le boisé et une belle acidité en soutien. L'ensemble est équilibré et à déguster d'ici 2016.

🍷 Dom. Claudie Jobard, 5, rte de Beaune, 71150 Demigny, tél. 03 85 49 46 81, fax 03 85 49 48 63, contact@domaineclaudiejobard.fr, ☑ ⚔ ⵃ r.-v.

DANIEL LARGEOT Les Grèves 2010 ★★

■ 1er cru		2 000	⬚	15 à 20 €

Marie-France, fille de Daniel Largeot, et son mari Rémy Martin, fils de vigneron des Maranges, se sont installés en 2000 lorsque le domaine familial est aujourd'hui à la tête d'un vignoble de 12 ha. Ils signent avec ce 1er cru un vin d'une grande élégance, très équilibré, qui séduit d'emblée avec sa robe pourpre intense. Le charme continue d'opérer à l'olfaction, où l'on décèle de fines senteurs de petits fruits noirs et de fleurs accompagnées d'un boisé discret. La bouche déploie un beau volume, portée par des tanins soyeux et une fraîcheur qui lui donne de la droiture et de la longueur. Un beaune qualifié de « féminin », qui s'appréciera aussi bien jeune que plus âgé.

🍷 Dom. Daniel Largeot, 5, rue des Brenots, 21200 Chorey-lès-Beaune, tél. 03 80 22 15 10, fax 03 80 22 60 62, domainedaniellargeot@orange.fr, ☑ ⚔ ⵃ r.-v.

LOUIS LATOUR Vignes franches 2010

■ 1er cru		8 000	⬚	30 à 50 €

Si le berceau des vignobles Latour est la colline de Corton, cette vénérable et toujours indépendante maison (1797) étend ses 48 ha de vignes sur les deux Côtes, dont

BOURGOGNE

28 ha en grands crus, un record en Bourgogne. Elle exploite aussi une part importante (2,4 ha sur 8,5 ha) de ce 1er cru calé à mi-coteau tout près de Pommard. Son 2010 libère des arômes de fruits rouges mûrs nuancés de notes chocolatées. La trame tannique est fine et soyeuse, le fruité bien présent, tandis que la finale se montre un rien plus austère. Déjà agréable, cette bouteille peut reposer en cave deux années avant d'accompagner un civet de lièvre aux pruneaux.

☛ Maison Louis Latour, 18, rue des Tonneliers, 21200 Beaune, tél. 03 80 24 81 00, fax 03 80 22 36 21, louislatour@louislatour.com

CH. DE MARSANNAY Cuvée Marie-Sophie Grangier Vigne des Hospices de Dijon 2010

| ■ | 2010 | ◫ | 20 à 30 € |

Cette cuvée communale est issue d'une vigne de 83 ares achetée aux Hospices de Dijon. Elle porte le nom de sa donatrice, Marie-Sophie Grangier, comme c'est le cas pour chaque cuvée hospitalière. Elle se présente dans une robe rubis teintée de reflets orangés. Les fruits rouges (griotte et framboise) perçus au nez se retrouvent, accompagnés de quelques notes vanillées, dans une bouche ronde, souple et de bonne longueur. Pour une pintade rôtie, dès à présent.

☛ Ch. de Marsannay, rte des Grands-Crus, BP 78, 21160 Marsannay-la-Côte, tél. 03 80 51 71 11, fax 03 80 51 71 12, domaine@chateau-marsannay.com, ☑ ⚔ ⊤ t.l.j. 10h-12h 14h-18h30

DOM. CHANTAL ET MICHEL MARTIN Clos du roi 2010 ★

| ■ 1er cru | 2 730 | ◫ | 20 à 30 € |

Ce 1er cru appartenait, comme le *climat* homonyme situé à Aloxe-Corton, aux ducs de Bourgogne avant que Louis XI ne reprenne leurs domaines. La famille Martin en possède aujourd'hui une parcelle de 58 ares en conversion bio (sur 13,24 ha). Une étoile couronne leur 2010 d'un beau rouge profond, certes un peu discret au nez, mais au palais bien en chair et en fruit, épicé et réglissé en finale. Ses tanins arrondis autorisent une dégustation prochaine, dans les deux ou trois ans, avec une pièce de charolais en croûte.

☛ Chantal et Michel Martin, 4, rue d'Aloxe-Corton, 21200 Chorey-lès-Beaune, tél. 03 80 24 26 57, fax 03 80 24 99 12, info@domainemartin.fr, ☑ ⚔ ⚌ ⊤ r.-v. 🏠 🄴

DOM. MAZILLY PÈRE ET FILS Boucherottes 2011 ★

| ■ 1er cru | 1 500 | ◫ | 15 à 20 € |

Cette famille est installée depuis 1980 dans le charmant village de Meloisey, dans les Hautes-Côtes. Les Boucherottes, hérité du mot « buisson », partagent leur patronyme avec la vigne voisine située sur Pommard. Frédéric Mazilly et son fils Aymeric en proposent une version au caractère bien affirmé. La robe est couleur cerise noire. Le nez évoque avant tout le boisé (moka) de l'élevage. La bouche dévoile une matière ample, ferme et puissante, qu'il faudra laisser s'assouplir au moins trois ou quatre ans.

☛ Dom. Mazilly Père et Fils, 1, rte de Pommard, 21190 Meloisey, tél. 03 80 26 02 00, fax 03 80 26 03 67, bourgogne-domaine-mazilly@wanadoo.fr, ☑ ⚔ ⊤ r.-v.

CHRISTIAN ET PASCAL MENAUT 2010

| ■ | 5 600 | ▮◫ | 11 à 15 € |

Née d'une longue macération afin d'extraire les meilleurs tanins, cette cuvée ne se livre qu'avec parcimonie au nez. On y décèle une pointe minérale et une touche vanillée. La bouche attaque avec fermeté, livre des tanins puissants, encore un « brut de décoffrage », des notes de fruits rouges mûrs apportant un peu de douceur. Un vin à laisser trois à cinq ans en cave pour qu'il se fonde.

☛ EARL Menaut, 4, rue Chaude, 21190 Nantoux, tél. 03 80 26 07 72, fax 03 80 26 01 53 ☑ ⚔ ⊤ r.-v.

DOM. MEUNEVEAUX Reversées 2011 ★

| ■ 1er cru | 900 | ◫ | 20 à 30 € |

Ce *climat* est l'un des plus petits de l'appellation. Placé en bas de coteau, il est implanté sur un terrain calcaire mêlé d'argile. Les Meuneveaux, plus habitués aux sommets de la colline de Corton et de Pernand, y récoltent une étoile pour ce 2011 au premier nez discret, plus ouvert à l'agitation : fruits mûrs, poivre, touche de cuir. Le palais est consistant et concentré, sans astringence, porté par des tanins fondus et soyeux. Un vin de bonne garde (cinq ans et plus) mais qui peut aussi être apprécié dès l'automne.

☛ Meuneveaux, 9, rue Boulmeau, 21420 Aloxe-Corton, tél. 03 80 26 42 33, fax 03 80 26 48 60, tmeuneveaux@club-internet.fr, ☑ ⚔ ⊤ r.-v.

DOM. RENÉ MONNIER Les Toussaints 2011 ★★

| ■ 1er cru | 4 700 | ◫ | 20 à 30 € |

Cette parcelle de 81 ares classée en 1er cru est située à l'étage des marnes argoviennes, entre les Cent Vignes et Les Grèves. Cette cuvée Les Toussaints est une valeur sûre de l'appellation, et se voit, comme l'an passé, frôler le coup de cœur. La robe est limpide, rubis brillant. La myrtille tutoie le boisé et une touche de cuir pour composer un bouquet complexe et intense. L'attaque, souple et fruitée, ouvre sur un palais charnu et consistant, aux tanins fondus et soyeux. S'il semble aujourd'hui prêt à boire, ce vin pourra aussi bien vieillir. Apogée à envisager vers 2018.

☛ Dom. René Monnier, 6, rue du Dr-Rolland, 21190 Meursault, tél. 03 80 21 29 32, fax 03 80 21 61 79, domaine-rene-monnier@wanadoo.fr, ☑ ⚔ ⊤ t.l.j. sf sam. dim. 8h30-12h 14h-18h ☛ Xavier Monnot

ALBERT MOROT Toussaints 2010 ★

| ■ 1er cru | 3 000 | ◫ | 20 à 30 € |

Ce *climat* en forme de triangle, enclavé sous les Bressandes, est coincé entre les murets des plus connus Les Grèves et Les Cent Vignes. Ce domaine beaunois régulier en qualité et riche en 1ers crus y détient une parcelle de 77 ares plantés de pinot noir. Son vin délivre des parfums francs et frais de fruits noirs accompagnés d'un vanillé mesuré. Souple en attaque, il offre de la mâche, du corps et beaucoup de longueur, avec un côté suave et enveloppé que renforce un fruité chaleureux. Déjà un beau vin de plaisir (à carafer), armé aussi pour une garde de cinq ans et plus. Cité, le **1er cru Les Bressandes 2010 rouge** (5 000 b.) plaît par son nez floral et finement boisé, par sa finesse et son énergie en bouche. Ce beaune a du fond et s'appréciera dans deux ou trois ans.

☛ Dom. Albert Morot, Ch. de la Creusotte, 20, av. Charles-Jaffelin, 21200 Beaune, tél. 03 80 22 35 39, fax 03 80 22 47 50, albertmorot@aol.com, ☑ ⚔ ⊤ r.-v.

DOM. PASCAL MURE Les Beaux-Fougets 2010

| ■ | 1 200 | ◫ | 11 à 15 € |

Ce *climat* classé en communal touche les 1ers crus Boucherottes et Épenotes dans le piémont, côté Pommard. On a connu plus mauvais voisins de palier... Pascal Mure est établi non loin, à Volnay, au bord de la Route des vins. Son 2010 dévoile des parfums de fruits rouges, de fleurs et de vanille. Il se montre franc en attaque, fruité et bien charpenté jusqu'en finale. A déguster dans les deux ans, sur un filet mignon de porc en croûte.

🗝 Pascal Mure, 2, Grande-Rue, 21190 Volnay,
tél. et fax 03 80 21 61 15, contact@domaine-mure.com,
☑ 🕇 🍷 r.-v.

DOM. NEWMAN Les Grèves 2010 ★

■ 1er cru	750	🍷	30 à 50 €

Les vins beaunois de Christopher Newman, qui a aussi un pied dans les grands crus de la Côte de Nuits, sont régulièrement présents dans ce chapitre. Ici, un beaune Les Grèves né d'une petite parcelle de 35 ares. Le nez est à dominante vanillée mais n'oublie pas les fruits rouges. La bouche est ferme de bout en bout, bien structurée, sans perdre son caractère charnu et prodigue en fruits (framboise, cassis). On pourra commencer à déguster ce vin dans deux ans, sur un magret de canard au cassis, ou l'attendre trois ou quatre ans de plus. Le **1er cru Clos des Avaux 2010 rouge (20 à 30 € ; 1 900 b.)** est cité pour ses parfums généreux de fruits rouges accompagnés de notes de sous-bois et pour son élégance tannique. Sa finale plus austère appelle une attente d'un an ou deux.

🗝 GFA Dom. Newman, 29, bd Clemenceau, 21200 Beaune,
tél. 03 80 22 80 96, fax 03 80 24 29 14,
info@domainenewman.com

DOM. THIERRY PINQUIER Les Chaumes Gauffriots 2010

■	2 200	🍷🍷	11 à 15 €

Ce domaine murisaltien exploite une parcelle de ce *climat* des hauteurs, situé à 380 m au sommet de la colline de Beaune. Ce qui fut d'anciens champs et des friches a été depuis planté de vignes. Thierry Pinquier en possède 40 ares et signe un beaune proche de l'étoile pour son nez de petits fruits noirs rehaussés d'épices et pour sa matière souple et fruitée adossée à des tanins fins. La finale plus sévère atténue un peu l'harmonie, mais ce n'est que question de temps, un an ou deux, et ce vin s'accordera alors avec un bistrotier bœuf mode.

🗝 Thierry Pinquier, imp. des Belges,
5, rue Pierre-Mouchoux, 21190 Meursault,
tél. 03 80 21 24 87, fax 03 80 21 61 09,
domainepinquier@orange.fr,
☑ 🕇 🍷 t.l.j. 9h-12h 14h-19h; dim. 9h-12h 🏛 ❸

❽ DOM. ROSSIGNOL-TRAPET Les Teurons 2010 ★

■ 1er cru	6 000	🍷	20 à 30 €

Installé à Gevrey-Chambertin, ce duo de frères vignerons a aussi un pied en Côte de Beaune, dont 1,17 ha dans ce *climat* en forme de tertre placé au milieu de la colline de Beaune. Le pinot noir né sur ces terres rouges issues de l'oxfordien donne naissance à des 1ers crus réputés pour leur capacité de conservation. Celui-ci est bien dans le ton. C'est un vin fruité et poivré au nez, dense, long et ciselé par de fins tanins qui lui assureront une bonne tenue dans le temps. On commencera à l'ouvrir en 2014 et jusqu'en 2017.

🗝 Dom. Rossignol-Trapet, 4, rue de la Petite-Issue,
21220 Gevrey-Chambertin, tél. 03 80 51 87 26,
fax 03 80 34 31 63, info@rossignol-trapet.com, ☑ 🕇 🍷 r.-v.

DOM. GEORGES ROY ET FILS Les Champs Pimont 2011

■ 1er cru	1 600	🍷🍷	15 à 20 €

Vincent Roy, fils de Georges, a été rejoint par sa sœur Claire sur les 9 ha de l'exploitation familiale. Pimont ? Là où le « pied du mont » est en pente douce, pente qui s'accentue sur le *climat* Montée rouge situé au-dessus. C'est au pied de ceps quarantenaires que les Roy récoltent une citation proche de l'étoile pour ce 2011 au fruité chaleureux (fruits rouges à l'alcool), d'une texture souple et fine en bouche, tenue par de bons tanins et une pointe de vivacité. À servir dans les deux ou trois ans sur un sauté de veau à la tomate.

🗝 Dom. Georges Roy et Fils, 20, rue des Moutots,
21200 Chorey-lès-Beaune, tél. 03 80 22 16 28,
fax 03 80 24 76 38, domaine.roy-fils@wanadoo.fr,
☑ 🕇 🍷 r.-v.

CH. DE SANTENAY Clos du roi 2010

■ 1er cru	4 400	🍷	20 à 30 €

Ce château, ancienne propriété de Philippe le Hardi aujourd'hui dans le giron de l'une des banques favorites des vignerons, étend son coquet vignoble sur 98 ha. Ce 2010 est à l'image de la bâtisse, solide et carré. Au nez, il bataille entre les fleurs et les fruits rouges mûrs. Souple en attaque, il dévoile des tanins fermes et sévères, qui structurent une matière corpulente. La patience est de rigueur, trois à quatre ans d'attente au moins.

🗝 SAS Ch. de Santenay, 1, rue du Château,
21590 Santenay, tél. 03 80 20 61 87, fax 03 80 20 63 66,
contact@chateau-de-santenay.com, ☑ 🕇 🍷 r.-v.

DOM. SEGUIN-MANUEL Champimonts 2010

■ 1er cru	1 200	🍷	30 à 50 €

En parallèle à son activité de négoce, Thibaut Marion exploite ce domaine depuis 2004, qu'il a fait grandir de 3,5 à 6,5 ha aujourd'hui. Il y vinifie cinq appellations et douze *climats* différents, dont 32 ares de ces Champimonts à l'origine d'un vin encore fermé au nez. Si l'attaque se révèle soyeuse, la suite se montre plus solide et charpentée, accompagnée par un boisé ajusté. Ce 2010 a de la mâche, du corps et un avenir prometteur. On l'ouvrira entre 2016 et 2018.

🗝 Dom. Seguin-Manuel, 2, rue de l'Arquebuse,
21200 Beaune, tél. 03 80 21 50 42, fax 03 80 21 59 38,
contact@seguin-manuel.com, ☑ 🕇 🍷 r.-v.
🗝 Marion

CH. DE LA VELLE Clos des Monsnières 2010 ★

	n.c.	🍷	15 à 20 €

Ce domaine (et négoce) très régulier en qualité place trois cuvées dans cette sélection. En tête, ce *village* couleur paille, qui lie à l'olfaction des fleurs blanches au citron. Dans le prolongement, la bouche se révèle longue, fine et fraîche. Un vin équilibré, à déguster au cours des deux prochaines années. Le **1er cru Marconnets 2010 blanc (20 à 30 € ; 1 500 b.)** est cité pour son bouquet minéral, fruité (agrumes), un rien vanillé et pour sa fraîcheur en bouche. Egalement cité, le *village* **Vieille Vigne de Saint Désiré 2010 rouge (3 500 b.)** est un vin souple, frais et fruité, à boire dès aujourd'hui.

🗝 SARL Ch. de la Velle, 17, rue de la Velle,
21190 Meursault, tél. 03 80 21 22 83, fax 03 80 21 65 60,
chateaudelavelle@darviot.fr, ☑ 🕇 🍷 r.-v. 🏠 ❻

BOURGOGNE

ⓑ DOM. DE LA VOUGERAIE 2010

■	2 930	▥	20 à 30 €

À voir la ville de Beaune comme centre touristique et ville-étape sur la Route des vins, on en oublierait qu'elle est la troisième appellation de Bourgogne par sa surface plantée en pinot noir avec 362 ha, dont 281 ha classés en 1er cru. Ce domaine nuiton bien connu des lecteurs (notamment pour ses vougeot) y exploite plusieurs *climats*, en *village* et en 1er cru. Ici, un beaune communal né d'une parcelle de 69 ares, qui livre des parfums bien mêlés de fruits exotiques et de grillé, puis déploie un palais vif, tonique et long appelant une garde d'un an ou deux.

☛ SCA Dom. de la Vougeraie, 7 bis, rue de l'Église, 21700 Premeaux-Prissey, tél. 03 80 62 48 25, fax 03 80 61 25 44, vougeraie@domainedelavougeraie.com, ☑ ⚔ ⏷ r.-v.

Côte-de-beaune

Superficie : 35 ha
Production : 990 hl (70 % rouge)

À ne pas confondre avec le côte-de-beaune-villages, l'appellation côte-de-beaune ne peut être produite que sur quelques lieux-dits de la montagne de Beaune.

ⓑ DOM. DE LA VOUGERAIE Les Pierres blanches 2010 ★

■	3 964	▥	20 à 30 €

Ce *climat* situé à 350 m d'altitude au-dessus du fameux 1er cru Les Bressandes est l'un des plus haut de la colline de Beaune. Vinifiées par Pierre Vincent depuis le millésime 2006, les cuvées du domaine de la Vougeraie ne connaissent que la culture biodynamique. Ici, un côte-de-beaune en robe jaune paille aux reflets verts, qui dévoile un bouquet aux accents toastés et briochés apportés par dix-huit mois de fût. Fin et acidulé en attaque, le palais évolue vers la fraîcheur et la minéralité, avant de montrer plus de chaleur en finale. À servir dès cette année sur des quenelles de brochet.

☛ SCA Dom. de la Vougeraie, 7 bis, rue de l'Église, 21700 Premeaux-Prissey, tél. 03 80 62 48 25, fax 03 80 61 25 44, vougeraie@domainedelavougeraie.com, ☑ ⚔ ⏷ r.-v.

Pommard

Superficie : 320 ha
Production : 12 900 hl

C'est l'appellation bourguignonne la plus connue à l'étranger, sans doute en raison de sa facilité de prononciation... Les formations de calcaires tendres sont particulièrement favorables au pinot noir qui produit des vins colorés, solides, tanniques et de garde (jusqu'à dix ans). Les meilleurs *climats* sont classés en 1ers crus, dont les plus connus sont Les Rugiens et Les Épenots.

DOM. BERTHELEMOT Noizons 2010

■	3 600	▥	20 à 30 €

Ce domaine créé en 2006 s'est imposé en quelques années comme l'une des valeurs sûres de la Côte de Beaune. Dans sa nouvelle cuverie établie dans la plaine de Meursault, le tandem Berthelemot-Cugney a élaboré un pommard de caractère, qui libère des parfums intenses de framboise et de cassis associés à une touche épicée. Le palais s'affirme par sa vivacité et sa puissance, bâti sur des tanins jeunes, encore à parfaire. À servir dans trois ans sur un lièvre à la royale.

☛ Dom. Brigitte Berthelemot, 24, rue des Forges, 21190 Meursault, tél. 03 80 21 68 61, fax 03 80 21 94 07, contact@domaineberthelemot.com, ☑ ⚔ ⏷ r.-v.

DOM. BILLARD-GONNET Rugiens Bas 2010

■ 1er cru	1 200	▥	30 à 50 €

Cette propriété familiale exploite sur 10 ha huit 1ers crus de Pommard, dont ce Rugiens Bas, l'un des trois que les producteurs de l'appellation envisagent de faire classer en grand cru. Derrière une robe limpide, on découvre un nez discrètement fruité et agrémenté de notes de pain grillé. Au palais, le boisé et les tanins sont bien fondus, tandis que les fruits rouges apportent une fraîcheur agréable. Deux à trois ans suffiront à mettre ce vin en condition pour accompagner un tournedos Rossini.

☛ Dom. Billard-Gonnet, rte d'Ivry, 21630 Pommard, tél. 03 80 22 17 33, fax 03 80 22 68 92, billard.gonnet@wanadoo.fr, ☑ ⚔ ⏷ r.-v.

DOM. BILLARD PÈRE ET FILS Les Tavannes 2011

■	2 000	▥	20 à 30 €

Jérôme Billard, représentant la troisième génération à la tête du domaine familial, vous fera goûter ses crus dans la maison du tailleur de pierre qui participa autrefois à la reconstruction du château de La Rochepot, dans les Hautes Côtes de Beaune. L'occasion de découvrir ce pommard aux accents fruités, épicés (girofle) et vanillés, souple et rond en bouche, bâti sur des tanins fins. Il sera prêt dès 2014 pour accompagner un civet de lièvre.

☛ Dom. Billard Père et Fils, 1, rte de Chambéry, 21340 La Rochepot, tél. 03 80 21 87 94, fax 03 80 21 72 17, domainebillard21@orange.fr, ☑ ⚔ ⏷ r.-v.

ÉRIC BOIGELOT En Bœuf 2010 ★

■	2 850	▥	15 à 20 €

À la sortie de la combe de Pommard en direction des Hautes Côtes, le *climat* En Bœuf est avec ses 14,85 ha l'un des plus importants classé en appellation communale. Ce nom pour le moins original vient du mot *bus* (« bœuf », en patois bourguignon) et du lieu-dit *En aubue*, devenu « En Bœuf » dans le langage parlé. Ce producteur de Meursault n'utilise plus le bœuf pour tirer sa charrue, mais les chevaux de son tracteur. Il signe ici un pommard aimable, sur les fruits rouges et la myrtille au nez, accompagnés en bouche de senteurs de réglisse et de cuir. Les tanins sont lissés et fondus, la longueur est appréciée et l'équilibre assuré. À découvrir dans deux ans sur une pièce de bœuf aux champignons.

☛ Éric Boigelot, 21, rue des Forges, 21190 Meursault, tél. 03 80 21 65 85, fax 03 80 21 66 01 ☑ ⚔ ⏷ r.-v.

DOM. PHILIPPE BOIRE Les Poutures 2011

| ■ 1er cru | 900 | ◫ | 20 à 30 € |

Cinquième millésime pour ce domaine de création récente (2006), fondé *ex nihilo* par Philippe Boire, géologue de formation, aujourd'hui à la tête de 3,2 ha répartis sur neuf appellations. Ce « non-interventionniste » au chai (pas de contrôle des températures, levures indigènes, pas de collage ni de filtration) signe un 1er cru qualifié de « masculin », un vin sombre, encore sous l'emprise des dix-huit mois d'élevage, frais, dense et tannique, à attendre de trois à cinq ans pour moins d'austérité.

☛ Philippe Boire, hameau de Melin, 21190 Auxey-Duresses, tél. 06 62 31 84 63, philippe-boire@orange.fr, ☑ ⚘ ⵣ r.-v.

DOM. LAURENT ET KAREN BOUSSEY 2011 ★★

| ■ | 800 | ◫ | 15 à 20 € |

Depuis son installation en 2003 sur son propre domaine, Laurent Boussey, fils de vigneron de Monthelie, fait de régulières apparitions dans le Guide. Avec le millésime 2011, il présente une nouvelle étiquette à la découpe moderne, sur laquelle il n'a pas omis d'ajouter le prénom de son épouse Karen. Cette étiquette a bien failli illustrer ce chapitre, ce pommard ayant concouru à la finale des coups de cœur. Ses atouts ? Une élégante robe grenat brillant ; un nez suave et non moins distingué de fruits rouges rehaussés d'épices ; une bouche fraîche, dense et longue, portée en finale par une belle trame minérale. Comptez cinq années pour dompter ce *village* équilibré et « franc du collier ».

☛ Laurent Boussey, rue du Château-Gaillard, 21190 Monthelie, tél. 03 80 21 28 42, laurent.boussey@sfr.fr, ☑ ⚘ ⵣ r.-v.

DOM. CAPUANO-FERRERI Vieilles Vignes 2011 ★★

| ■ | n.c. | ◫ | 15 à 20 € |

Le Ferreri de l'étiquette est bien l'ancien buteur d'Auxerre, de Bordeaux et de Marseille, trente-trois sélections dans l'équipe nationale de football. Capuano est le nom de famille de John, dont le père Gino a créé le domaine en 1987. L'association est payante, témoin les nombreuses sélections dans ces pages. Ici, un pommard bien typé, au bouquet intense de fruits noirs mûrs (cassis, notamment) agrémentés d'un boisé bien ajusté. En bouche, des notes réglissées et fruitées accompagnent des tanins fermes et fins qui contribuent à l'élégance, au volume et à la persistance de ce vin que l'on mettra en cave pendant trois à cinq ans avant de lui proposer un filet de bœuf aux champignons.

☛ EARL Dom. Capuano-Ferreri, 14, rue Chauchien, 21590 Santenay, tél. 03 80 20 68 04, fax 03 80 20 65 75, john-capuano@wanadoo.fr, ☑ ⚘ ⵣ r.-v.

DOM. COSTE-CAUMARTIN 2011

| ■ | 8 000 | ◫ | 20 à 30 € |

Un domaine ancien, entré dans la famille de Jérôme Sordet en 1793. Jadis directeur d'une usine d'imprégnation du bois, ce dernier officie depuis 1988 à la tête d'un vignoble de 12,2 ha. Il signe un pommard bien construit, fruité au nez, soyeux en attaque, plus ferme et tannique dans son développement, et même un peu sévère en finale. Un vin à attendre deux ans avant de le servir sur une pièce de bœuf.

☛ Dom. Coste-Caumartin, 2, rue du Parc, BP 19, 21630 Pommard, tél. 03 80 22 45 04, fax 03 80 22 65 22, coste.caumartin@wanadoo.fr

☑ ⚘ ⵣ t.l.j. 10h-12h 14h-19h; dim. sur r.-v.

☛ Jérôme Sordet

DECELLE-VILLA 2011

| ■ | 1 200 | ◫ | 20 à 30 € |

Épaulés par leur œnologue Jean Lupatelli, Olivier Decelle, producteur en Roussillon (Mas Amiel) et à Saint-Émilion (château Jean Faure), et le vigneron Pierre-Jean Villa (Rhône nord) ont mis leurs compétences en commun en 2009 et développé une gamme de vins allant des marsannay aux saint-véran. Leur pommard a retenu l'attention pour son bouquet fruité et épicé, et pour sa bouche fraîche et souple aux tanins légers. Un vin qualifié de « plaisant et rectiligne », à déguster dans les deux ou trois ans à venir sur un filet mignon aux pruneaux.

☛ Decelle-Villa, 3, rue des Seuillets, 21700 Nuits-Saint-Georges, tél. 03 80 53 74 35, contact@decelle-villa.com

RODOLPHE DEMOUGEOT 2011

| ■ | 5 800 | ◫ | 20 à 30 € |

Producteur basé à Meursault depuis 1992, Rodolphe Demougeot possède deux parcelles à Pommard, et en consacre 90 ares à ce *village* issu de vignes de cinquante-cinq ans. Derrière une robe rubis intense et limpide percent des arômes de fruits compotés, de torréfaction et de sous-bois. Dès la mise en bouche, les tanins se montrent francs et encore assez austères, accompagnés par une touche épicée et une pointe de fraîcheur. Deux années de garde en feront une bouteille tout indiquée pour une noisette de chevreuil aux champignons.

☛ EARL Dom. Rodolphe Demougeot, 2, rue du Clos-de-Mazeray, 21190 Meursault, tél. 03 80 21 28 99, fax 03 80 21 29 18, rodolphe.demougeot@orange.fr, ☑ ⵣ r.-v.

CH. GÉNOT-BOULANGER Vieilles Vignes 2011 ★

| ■ | 5 000 | ◫ | 20 à 30 € |

En 2008, Aude et Guillaume Lavollée ont pris la direction de cet important domaine de Meursault qui exploite pas moins d'une trentaine d'appellations sur 22 ha, dont trois grands crus. Vinifié par Nicolas Ludwig, ce pommard est né de ceps de soixante-dix ans. Il livre un bouquet de fruits rouges mûrs presque compotés, relayé par un palais vigoureux, solidement structuré par des tanins prometteurs qui doivent s'affiner encore trois ou quatre ans. Il accompagnera aussi volontiers un fromage de caractère, un époisses par exemple.

☛ Ch. Génot-Boulanger, 25, rue de Cîteaux, 21190 Meursault, tél. 03 80 21 49 20, fax 03 80 21 49 21, contact@genot-boulanger.com, ☑ ⚘ ⵣ r.-v.

ALETH GIRARDIN Les Épenots 2010 ★

| ■ 1er cru | 900 | ◫ | 30 à 50 € |

Depuis 1985, Aleth Girardin conduit le domaine familial et produit essentiellement du pommard, appellation dédiée au seul pinot noir et souvent associée à la masculinité en raison de la virilité de ses tanins. Issus de vignes plantées en 1906, ces Épenots sont bien dans le ton, avec un nez soutenu aux accents chocolatés, fruités et un rien épicés, et avec une bouche ample et ferme mais sans

BOURGOGNE

agressivité, bâtie sur des tanins fins. À découvrir dans trois ans sur un gibier aux saveurs automnales. Cité, le **1er cru Les Rugiens-Bas 2010** (50 à 75 € ; 900 b.) est un vin bien équilibré entre puissance tannique, fruité mûr, fraîcheur et gras. L'ensemble a du volume et s'appréciera encore mieux dans deux ou trois ans.

☞ Aleth Girardin, 21, rte d'Autun, BP 9, 21630 Pommard, tél. 03 80 22 59 69, fax 03 80 24 96 57, alethgirardin@orange.fr, ☑ ⚥ ⟙ r.-v.

CAMILLE GIROUD Clos du Verger 2010

| ■ 1er cru | 1 469 | ⚑⚏ | 30 à 50 € |

Le Clos du Verger constitue avec ses 12,22 ha l'un des plus petits *climats* de Pommard. Le Tourangeau d'origine David Croix, directeur et œnologue du négoce Camille Giroud, signe un vin bien bouqueté autour des fruits rouges, rond et équilibré en bouche, travaillé en finesse plutôt qu'en force. Une aménité qui autorise une ouverture dès aujourd'hui sur un plat canaille. Que diriez-vous d'une queue de bœuf mitonnée ?

☞ Camille Giroud, 3, rue Pierre-Joigneaux, 21200 Beaune, tél. 03 80 22 12 65, fax 03 80 22 42 84, contact@camillegiroud.com, ☑ ⟙ r.-v.

DOM. A.-F. GROS Les Pézerolles 2011

| ■ 1er cru | 1 800 | ⚏ | 30 à 50 € |

Un domaine bien connu des amateurs de vins bourguignons, propriété d'Anne-Françoise Gros et de François Parent son époux et maître de chai (voir plus loin), dont on ne compte plus les étoiles et les coups de cœur, et ce dans les deux Côtes. Ici, un pommard au nez discret de fruits rouges et de boisé toasté, équilibré en bouche autour de notes fruitées et épicées et de tanins élégants. À découvrir dans deux ou trois ans sur une terrine de perdreau.

☞ Dom. A.-F. Gros, 5, Grande-Rue, 21630 Pommard, tél. 03 80 22 61 85, fax 03 80 24 03 16, af-gros@wanadoo.fr, ☑ ⟙ r.-v.

CLAUDIE JOBARD Les Vaumuriens 2011 ★

| ■ | 1 500 | ⚑⚏ | 15 à 20 € |

Si les amateurs connaissent les rully de Claudie Jobard, ils pourront désormais s'initier à ses cuvées de pommard et de beaune. En 2011, la vigneronne a en effet ajouté les vignes de son grand-père à son domaine, qui s'étend aujourd'hui sur 9,5 ha. Elle signe un vin ouvert sur les fruits rouges et les épices, que relaie un palais suave et fin, aux tanins élégants. Un pommard qualifié de « féminin », que l'on appréciera à son optimum dans deux ans.

☞ Dom. Claudie Jobard, 5, rte de Beaune, 71150 Demigny, tél. 03 85 49 46 81, fax 03 85 49 48 63, contact@domaineclaudiejobard.fr, ☑ ⚥ r.-v.

JEAN-LUC JOILLOT Les Petits Épenots 2010 ★

| ■ 1er cru | 1 800 | ⚏ | 30 à 50 € |

Ces Épenots, *climat* bien connu des œnophiles, n'ont de petit que le nom. Jean-Luc Joillot, vigneron du cru dont les vins sont régulièrement distingués ici, y exploite une parcelle de 48 ares à l'origine d'un vin rouge cardinal au nez ouvert sur la griotte à l'eau-de-vie, la framboise et la mûre. On retrouve ces sensations généreusement fruitées dans un palais complet, à la fois gras, frais et bien structuré. On attendra ce vin trois ou quatre ans avant de le servir sur un canard aux figues. Le *village* **Les Rugiens 2010** (1 400 b.), fruité, frais et consistant, est cité. Ses

tanins encore un peu austères appellent une garde de trois à cinq ans.

☞ Jean-Luc Joillot, 6, rue Marey-Monge, 21630 Pommard, tél. et fax 03 80 24 20 26, joillot@vin-pommard.com, ☑ ⚥ ⟙ r.-v.

VINCENT LAHAYE Les Vignots 2011 ★

| ■ | 4 000 | ⚏ | 20 à 30 € |

Belle constance pour ces Vignots de Vincent Lahaye, installé à Pommard depuis 1986. Cette cuvée née sur les hauteurs de la colline de Beaune est fidèle au rendez-vous avec un 2011 encore en devenir fort prometteur. Le nez, sur la réserve, évoque discrètement les fruits rouges compotés mêlés à un boisé léger. La bouche, ample et longue, affiche des tanins bien présents mais fins, gage d'un bon vieillissement. Un vin solide et élégant, à servir dans trois à cinq ans sur un pavé de bœuf sauce au poivre. Autre vin de caractère, le tannique et encore austère *village* **Les Trois Follots 2011** (15 à 20 € ; 1 400 b.) est cité. Patientez quatre ou cinq ans avant de l'ouvrir sur une pièce de gibier.

☞ Vincent Lahaye, 7, pl. de l'Église, 21630 Pommard, tél. 03 80 22 86 49, fax 03 80 20 02 97, vincent_lahaye@orange.fr, ☑ ⚥ ⟙ r.-v.

DOM. LAMBERT Les Rugiens 2010 ★

| ■ | 1 200 | ⚏ | 20 à 30 € |

Si les amateurs connaissent bien le 1er cru des Rugiens, l'un des trois de Pommard à viser un classement en grand cru, peu connaissent la version *village*, qui s'étend sur 77,28 ares au-dessus du 1er cru. Avec 52,21 ares, le domaine d'Aleth et de Michel Lambert en est le principal exploitant. Si un quart de la parcelle a été planté en 1905, le reste affiche entre vingt et soixante printemps. Ces vénérables ceps donnent naissance à un vin dont le nez « pinote » à souhait (cerise) et qui se montre frais, ferme et droit en bouche. Un pommard sérieux et classique, à découvrir vers 2017-2018 sur une côte de bœuf au gril.

☞ Lambert, 1, rue des Chaponnières, 21630 Pommard, tél. 03 80 22 81 97, aleth.lambert@bbox.fr, ☑ ⚥ ⟙ r.-v.

FRANCIS LECHAUVE Cuvée Vieilles Vignes 2011

| ■ | 1 700 | ⚏ | 15 à 20 € |

Sous le nom évocateur L'Éveil des Sens se cache l'un des vignerons des hospices de Beaune. Francis Lechauve a créé en 2007 son propre domaine, où il vinifie en AOC hautes-côtes, ainsi qu'une structure de négoce d'où provient ce pommard. Un vin issu de vieux ceps de soixante-dix ans, qui libère des parfums intenses de fruits noirs mâtinés d'épices, puis dévoile un palais franc en attaque, rond dans son développement et structuré en finesse. Déjà prêt, il pourra aussi patienter deux ans en cave.

☞ SARL l'Éveil des sens, Francis Lechauve, 8, rue du Glacis, 21190 Meloisey, tél. 03 80 21 64 58, eveil.des.sens001@orange.fr, ☑ ⚥ ⟙ r.-v.

DOM. LEJEUNE Les Trois Follots 2011 ★★

| ■ | 4 500 | ⚏ | 20 à 30 € |

Depuis 1850, ce domaine est transmis par les femmes mais administré et vinifié par les hommes : aujourd'hui, Aubert Lefas et son beau-père François Jullien de Pommerol. Les pommard constituent le cœur des vins du domaine et de ses 9,5 ha de vignes. Trois sont ici sélectionnés, dont ces Trois Follots (« amandiers », en patois bourguignon) arrivés en finale des coups de cœur. Un vin très pommard, sombre et profond, au nez bien engageant, même si encore assez réservé, et au palais ample, dense et corpulent. Beaucoup de matière et de tenue pour ce vin de garde armé pour la décennie, que l'on pourra néanmoins commencer à apprécier dans trois ou quatre ans. Le 1er cru Les Rugiens 2011 (50 à 75 € ; 1 200 b.), riche, généreux, charpenté par des tanins serrés, obtient une étoile. On l'attendra trois à cinq ans, et plus encore. Le 1er cru Les Argillières 2011 (30 à 50 € ; 6 600 b.), cuvée importante pour ce domaine qui exploite le tiers des 4 ha de ce *climat*, est un vin plus souple et fondu, à boire un peu plus tôt.

☛ Dom. Lejeune, 1, pl. de l'Église, 21630 Pommard, tél. 03 80 22 90 88, fax 09 72 29 22 73, commercial@domaine-lejeune.fr,

☑ ⚹ ☕ t.l.j. sf dim. 9h-12h 14h-18h 🏠 ☉

☛ Famille Jullien de Pommerol

DOM. SÉBASTIEN MAGNIEN Les Perrières 2010

■	n.c.	🍷 ⬛	20 à 30 €

On trouve un peu partout en Bourgogne ce nom de *climat* qui désignait jadis d'anciennes carrières. À Pommard, Les Perrières sont situées à la sortie du cône de déjection de la colline. Sébastien Magnien y cultive un demi-hectare à l'origine d'un vin ouvert sur les fruits mûrs enrichis d'une touche de violette, révélant des tanins ronds et offrant une bonne mâche. Un pommard aimable qui s'annonce « sans tambour ni trompette », à ouvrir dans deux ans.

☛ Dom. Sébastien Magnien, 6, rue Pierre-Joigneaux, 21190 Meursault, tél. 03 80 21 28 57, fax 03 80 21 62 80, domainesebastienmagnien@orange.fr, ☑ ⚹ ☕ r.-v.

CATHERINE ET CLAUDE MARÉCHAL La Chanière 2011 ★

■	3 000	⬛	30 à 50 €

Le couple Maréchal, installé dans la plaine de Pommard depuis 1981, fait partie des valeurs sûres de l'appellation, et leur cuvée Chanière est régulièrement distinguée dans ces colonnes. La version 2011 se présente dans une robe pourpre soutenu. Le nez, d'abord sur la réserve, s'ouvre à l'aération sur les fruits rouges et un boisé vanillé. Ronde et douce en attaque, la bouche évolue vers plus de fermeté et prend même des allures « cisterciennes » en finale, portée par des tanins bien présents qui doivent encore se fondre. D'ici deux à quatre ans, ce beau classique accompagnera un tournedos Rossini.

☛ EARL Catherine et Claude Maréchal, 6, rte de Chalon, 21200 Bligny-lès-Beaune, tél. 03 80 21 44 37, fax 03 80 26 85 01, marechalcc@orange.fr, ☑ ⚹ ☕ r.-v.

DOM. MAZILLY PÈRE ET FILS Les Poutures 2011

■ 1er cru	2 100	⬛	20 à 30 €

Ce *climat* tire son nom d'anciens marécages situés au pied du coteau. De ces sols argileux, donc hydrophobes, le pinot noir extrait une belle expression à travers ce 1er cru ouvert sur les fruits rouges et noirs mûrs, mâtinés de quelques notes végétales. La bouche se révèle ferme et bien structurée, mais sans excès tannique. Attendre ce pommard deux ou trois ans pour qu'il atteigne plus d'harmonie.

☛ Dom. Mazilly Père et Fils, 1, rte de Pommard, 21190 Meloisey, tél. 03 80 26 02 00, fax 03 80 26 03 67, bourgogne-domaine-mazilly@wanadoo.fr, ☑ ⚹ ☕ r.-v.

JEAN-LOUIS MOISSENET-BONNARD Les Pézerolles 2011 ★

■ 1er cru	1 100	⬛	30 à 50 €

Jean-Louis Moissenet a vu revenir en 2012 sa fille Emmanuelle-Sophie après deux années d'enseignement au lycée viticole. Fidèle à ses (bonnes) habitudes, il place plusieurs vins dans cette sélection. Il préféré est ce Pézerolles, né sur un *climat* où l'on cultivait autrefois les... pois chiches, avant que la famille Brunet n'y plante la vigne vers 1700. Ici, des ceps de cinquante-cinq ans à l'origine d'un vin sérieux au nez vineux, épicé et un rien balsamique, ample, dense et « carré » en bouche, soutenu par de solides tanins qui lui garantissent une bonne évolution pour les trois à cinq prochaines années. Dans un style proche, ferme et charpenté par des tanins serrés, le *village* Les Cras 2011 (20 à 30 € ; 2 000 b.) obtient également une étoile. On lui réservera la même attente. Cité, le 1er cru Les Épenots 2011 (2 800 b.) se montre plus rond, étayé par des tanins fondus. Encore sous l'emprise du bois, il patientera toutefois deux ou trois ans en cave.

☛ SARL Jean-Louis Moissenet-Bonnard, rue des Jardins, 21630 Pommard, tél. 03 80 24 62 34, fax 03 80 22 30 04, jean-louis.domaine-moissenet-bonnard@wanadoo.fr, ☑ ⚹ ☕ r.-v.

DOM. RENÉ MONNIER Les Vignots 2011

■	4 700	⬛	20 à 30 €

Avec ses 15,44 ha, ce *climat* est le plus vaste de l'appellation au niveau communal et il dépasse aussi le plus grand des 1ers crus, Les Petits Épenots (15,14 ha). Ce domaine murisaltien fondé il y a près de trois cents ans y exploite une belle parcelle de 70 ares, d'où est né ce bon classique qui cache derrière sa robe rubis un bouquet empyreumatique et fruité. La bouche est franche en attaque, ample et fine dans son développement, encore un rien sévère en finale. On laissera cette bouteille se bonifier en cave deux ou trois ans. Le vigneron vous conseille un sanglier à la bourguignonne ; on serait tenté de le suivre.

☛ Dom. René Monnier, 6, rue du Dr-Rolland, 21190 Meursault, tél. 03 80 21 29 32, fax 03 80 21 61 79, domaine-rene-monnier@wanadoo.fr,

☑ ⚹ ☕ t.l.j. sf sam. dim. 8h30-12h 14h-18h

☛ Xavier Monnot

DOM. MUSSY Épenots 2011 ★

■ 1er cru	2 600	⬛	30 à 50 €

Sur les 6 ha que compte le domaine (dont deux tiers en 1ers crus), Odile et Michel Meuzard n'exploitent pas moins de douze appellations ; un bon aperçu du parcellaire bourguignon. Ils perpétuent depuis 1987 une entreprise familiale démarrée en... 1650 : un bon aperçu de l'histoire viticole bourguignonne. Ce pommard, né sur l'un des 1ers crus les plus renommés parmi les vingt-sept de l'appellation, offre lui un bon aperçu de l'appellation. Il marie au nez les fruits en compote à un boisé épicé, avant de dévoiler un palais équilibré, bien structuré et persistant. Il se révélera complètement d'ici trois à cinq ans. Le *village* Les Petits Noizons 2011 (20 à 30 € ; 1 200 b.), fruité et plus léger en bouche, est cité.

☛ Dom. Mussy, 12, anc. rte d'Autun, 21630 Pommard, tél. 03 80 22 89 11, fax 03 80 24 79 79, domaine.mussy@free.fr, ☑ ⚹ ☕ r.-v.

☛ Meuzard

BOURGOGNE

AGNÈS PAQUET Les Combes 2011

■	3 000	▥	20 à 30 €

Fait suffisamment rare pour qu'on le signale, cette vigneronne a créé son domaine *ex nihilo* en 2000. Son pommard a déjà brillé dans ces pages, notamment le millésime 2009, qui obtint un coup de cœur. La version 2011 de ces Combes partie basse (la partie haute est classée en 1ᵉʳ cru) n'atteint pas les mêmes sommets, mais elle séduit par son bouquet de petits fruits rouges mûrs agrémentés de nuances mentholées et toastées, et par son palais frais soutenu par un boisé élégant et des tanins fins. Un pommard convivial et plaisant, à boire dans les trois ans sur un bœuf bourguignon.

☛ Agnès Paquet, 10, rue du Puits-Bouret, 21190 Meloisey, tél. 03 80 26 07 41, fax 03 80 26 06 41, contact@vinpaquet.com, ▣ ⚔ ⏆ r.-v.

DOM. PARENT Les Chaponnières 2010 ★

■ 1er cru	3 700	▥	30 à 50 €

Le domaine des sœurs Anne et Catherine Parent, une des valeurs sûres de l'appellation, s'invite cette année avec deux 1ᵉʳˢ crus. Le *climat* Les Chaponnières tient son nom de boutures, nommées « chapons » en patois bourguignon, que l'on plantait directement en terre jusqu'à ce que le phylloxéra vienne causer les dégâts que l'on sait. Il donne naissance à ce 2010 net et sérieux, « droit dans ses tanins », rehaussé de notes minérales et épicées. Un pommard solide, à laisser en cave encore trois à cinq ans avant de le servir sur du gibier, un faisan aux airelles par exemple. Le très confidentiel 1ᵉʳ cru Les Rugiens 2010 (300 b.), issu de l'activité de négoce du domaine, est cité pour son bouquet de fruits frais mâtinés d'épices et de réglisse, et pour ses tanins fermes et serrés : un vin qui « a les pieds dans la terre », écrit un dégustateur, à ouvrir dans trois ou quatre ans.

☛ SAS Jacques Parent, 3, rue de la Métairie, 21630 Pommard, tél. 03 80 22 15 08, fax 03 80 24 19 33, contact@domaine-parent-bourgogne.com, ▣ ⚔ r.-v.

FRANÇOIS PARENT Les Arvelets 2011 ★

■ 1er cru	1 700	▥	30 à 50 €

Les incontournables François et Anne-Françoise Parent (*voir* Dom. A.-F. Gros), propriétaires-récoltants de 10 ha à Pommard, vendent 90 % de leur production à l'étranger, dans plus de trente pays. François Parent possède aussi, à Beaune, son vignoble et son négoce en propre, d'où est issu ce 2011. La truffe, dont le parfum singulier caractérise parfois les vieux pommard, orne toujours l'étiquette, que les jurés du Guide n'avaient bien sûr pas sous les yeux à l'heure de la dégustation. Ces derniers ont découvert un vin d'abord sous l'emprise de la barrique, plus ouvert sur les fruits rouges confits après aération, doté d'un palais dense, ample, vineux et solidement charpenté. Un pommard bien typé, à attendre de deux à cinq ans.

☛ François Parent, 14 bis, rue Pierre-Joigneaux, 21200 Beaune, tél. 03 80 22 61 85, fax 03 80 24 03 16, francois@parent-pommard.com, ▣ ⏆ r.-v.

DOM. PARIGOT Les Riottes 2011 ★

■	4 500	▮▥	20 à 30 €

Cette famille affiche un palmarès rare avec douze coups de cœur dans ses appellations de la Côte et des Hautes-Côtes. Le dernier provenait l'an passé du terroir des Charmots. Ce sont les Riottes qui se distinguent cette année, un lieu-dit qui voit apparaître par intermittence des résurgences d'eau venant de la combe de Pommard, d'où son nom. Le 2011 laisse parler les fruits noirs, sans hausser le ton, avec finesse et discrétion. En bouche, il étaye sa chair ronde et fruitée par une agréable fraîcheur et des tanins encore un peu stricts en finale. La promesse d'un plaisir gourmand dans deux ou trois ans avec une pièce de bœuf. Cité, le 1ᵉʳ cru Charmots 2011 (2 800 b.) est un vin souple et soyeux aux tanins fondus, à découvrir dans deux ans.

☛ Dom. Parigot, 8, rte de Pommard, 21190 Meloisey, tél. 03 80 26 01 70, domaine.parigot@orange.fr, ▣ ⚔ ⏆ r.-v.

MICHEL PICARD 2011 ★

■	5 000	▥	20 à 30 €

Francine Picard, fille de Michel, fondateur de ce négoce, a pris les rênes en 2006 avec son frère Gabriel. Dans les caves du château de Chassagne, siège de la maison, dorment les fûts de cette cuvée qui complète la gamme de la propriété. Après quatorze mois de barrique, le vin présente un nez dominé par les notes grillées de l'élevage, relayées à l'aération par les fruits rouges mûrs. Le palais séduit par son équilibre entre une matière ample et dense, et des tanins solidement arrimés. Un beau représentant de l'appellation, à découvrir d'ici trois ans sur un civet de lièvre.

☛ Michel Picard, 5, rue du Château, 21190 Chassagne-Montrachet, tél. 03 80 21 98 57, fax 03 80 21 98 56, contact@michelpicard.com, ▣ ⚔ ⏆ t.l.j. 10h-18h 🏨 ⑤

GRAND VIN DU CH. DE POMMARD 2010 ★

■	65 000	▥	50 à 75 €

Depuis son rachat en 2003 par Maurice Giraud, ce château emblématique de la Côte de Beaune a misé sur l'œnotourisme et la vente au domaine : chaque année, ce sont 35 000 œnophiles qui franchissent les portes du clos de 22,5 ha et achètent 90 % de la production. Aux commandes du chai depuis 2007, Emmanuel Sala sélectionne le meilleur des sept parcelles du domaine pour élaborer ce Grand Vin. Un esprit bordelais, qui donne une cuvée des plus bourguignonnes, au nez expressif de fruits rouges et de cassis agrémentés d'épices, au palais constamment frais, consistant, puissant sans agressivité, doté de tanins souples et soyeux. À déguster à partir de 2015-2016 sur un pavé de bœuf sauce au poivre vert.

☛ SCEA Ch. de Pommard, 15, rue Marey-Monge, 21630 Pommard, tél. 03 80 22 12 59, fax 03 80 24 65 88, contact@chateaudepommard.com, ▣ ⚔ ⏆ t.l.j. 9h30-18h30
☛ Maurice Giraud

LA POUSSE D'OR Les Jarollières 2011 ★

■ 1er cru	4 700	▮▥	30 à 50 €

Ce domaine historique possède près de la moitié des 3,24 ha que comptent les Jarollières. Un *climat* qui révèle une histoire originale : au Moyen Âge, on pensait qu'ici rôdaient des esprits malins (« varrol », en ancien français) transformés en loups... C'est un esprit bien plus convivial qui règne aujourd'hui sur les lieux, et sur ce vin bien bouqueté autour du moka, des épices et des fruits rouges. On retrouve tout cela dans une bouche ronde et riche, épaulée par une agréable fraîcheur et un boisé encore à fondre. À déguster d'ici 2018 sur un paleron de bœuf braisé aux carottes.

☞ Dom. de la Pousse d'or, rue de la Chapelle, 21190 Volnay, tél. 03 80 21 61 33, patrick@lapoussedor.fr, ☑ r.-v.
☞ Patrick Landanger

VINCENT PRUNIER Les Chaponnières 2010 ★

| | 1er cru | 1 180 | | 20 à 30 € |

Cela fait cinq millésimes que ce vigneron d'Auxey-Duresses a créé son activité de négoce pour compléter sa gamme de vins ancrée en Côte de Beaune. Les lecteurs fidèles se souviendront notamment d'un coup de cœur reçu récemment avec cette nouvelle casquette pour un chassagne-montrachet 2007. Il obtient ici une étoile pour ce pommard né côté Volnay. Un vin de caractère encore sous l'emprise des accents toastés de la barrique, mais un boisé ambitieux et de qualité, que l'on retrouve dans un palais frais, dense et puissant. Pour amateurs de vins de garde (cinq à dix ans).
☞ SARL Vincent Prunier, rte de Beaune, 21190 Auxey-Duresses, tél. 03 80 21 27 77, fax 03 80 21 68 87, domaine.prunier.vincent@wanadoo.fr, ☑ ♣ ♈ r.-v.

MICHEL REBOURGEON Rugiens 2010 ★

| | 1er cru | 950 | | 30 à 50 € |

Ce domaine installé au cœur de Pommard depuis 1964 est conduit aujourd'hui par la troisième génération, soit Delphine Whitehead et son mari. Cette cuvée confidentielle, née de 18 ares de pinots de vingt-cinq ans d'âge, exhale des parfums élégants de fruits noirs et d'épices. Douce, presque moelleuse en attaque, la bouche dévoile une texture dense et des tanins fermes et fins, qui garantiront à ce vin une bonne évolution d'ici trois à cinq ans. Accord gourmand en perspective avec un civet de lièvre ou un filet de bœuf Wellington.
☞ Dom. Michel Rebourgeon, 7, pl. de l'Europe, 21630 Pommard, tél. 03 80 22 22 83, fax 03 80 22 90 64, michel.rebourgeon@wanadoo.fr, ☑ ♣ ♈ t.l.j. 10h-12h 14h-17h

DOM. JOËL REMY Les Vignots 2011 ★

| | | | n.c. | | 20 à 30 € |

Vers le milieu du XVe s., les vignobles bourguignons furent presque entièrement détruits par des insectes. Selon l'abbé Farraud, il ne resta sur la montagne de Pommard qu'un petit bosquet de vigne, auquel on attribua le nom de « Petit Vignot ». Ce producteur installé dans la vaste plaine de Pommard y récolte une étoile grâce à ce 2011 épicé et fruité, bien équilibré entre une chair ronde, des tanins fondus et des arômes qui font écho à l'olfaction. Un ensemble harmonieux, à découvrir vers 2014-2015 sur une bécasse rôtie.
☞ Dom. Joël Remy, 4, rue du Paradis, 21200 Sainte-Marie-la-Blanche, tél. 03 80 26 60 80, fax 03 80 26 53 03, domaine.remy@wanadoo.fr, ☑ ♣ ♈ r.-v.

DOM. ROSSIGNOL-FÉVRIER PÈRE ET FILS Chanlin 2011

| | | | 800 | | 20 à 30 € |

La famille Rossignol exploite 15 ares de ce *climat* voisin du 1er cru éponyme. Elle en tire un *village* au nez fruité et épicé, frais et rectiligne en bouche. Encore sur la réserve toutefois, ce vin devra patienter deux ou trois ans pour révéler tout son potentiel.

☞ EARL Rossignol-Février, 7, rue du Mont, 21190 Volnay, tél. 03 80 21 62 69, fax 03 80 21 67 74, rossignol-fevrier@wanadoo.fr, ☑ ♣ ♈ r.-v.

DOM. VINCENT SAUVESTRE Clos de la Platière 2011 ★

| | | 23 000 | | 15 à 20 € |

Avec sa casquette de vigneron, Vincent Sauvestre exploite la totalité de ce clos situé dans le *village* classé en 1er cru, et en communal dans ses hauteurs. C'est dans cette partie de vignes trentenaires qu'est né ce pommard couleur cerise noire, dont les fragrances fruitées rehaussées d'épices composent un bouquet des plus agréables. Portée par des tanins fins et élégants, la bouche suit une longue ligne droite, sans à-coup, qui laisse entrevoir un bel horizon de deux à cinq ans de garde.
☞ Dom. Vincent Sauvestre, 7, rte de Monthelie, 21190 Meursault, tél. 03 80 21 22 45, fax 03 80 21 28 05, severine.maitre@bejot.com

SEGUIN-MANUEL Clos Blanc 2010

| | 1er cru | 600 | | 30 à 50 € |

Depuis 2004, à la tête de cette maison de négoce ancienne (1824), Thibaut Marion bénéficie dans son siège de Beaune de cinq caves enterrées en enfilade qui sont autant de refuges pour ses tonneaux, dont ceux de ce Clos Blanc, le premier *climat* replanté après le phylloxéra. Sur cette terre blanche et fine, le pinot a donné naissance à une cuvée rubis brillant au nez intense de fruits mûrs. Le palais, ample et consistant, s'appuie sur des tanins déjà bien assouplis et s'éveille en finale dans une note poivrée. L'ensemble est déjà séduisant, mais il s'appréciera mieux dans deux ou trois ans sur un filet de biche sauce forestière.
☞ Dom. Seguin-Manuel, 2, rue de l'Arquebuse, 21200 Beaune, tél. 03 80 21 50 42, fax 03 80 21 59 38, contact@seguin-manuel.com, ☑ ♣ ♈ r.-v.
☞ Marion

♥ RENÉ TARDY ET FILS 2011 ★★★

| | | 2 730 | | 15 à 20 € |

L'unique coup de cœur de l'appellation, décerné à un viticulteur nuiton et, fait rare, avec la notation maximale. À l'origine du domaine, deux familles, les Grivot et les Tardy. L'histoire débute en 1950 lorsque René Tardy structure le vignoble ; il est rejoint en 1978 par ses fils, Jacques et Joël, et les étiquettes porteront dès lors le nom de « Tardy et Fils ». C'est aujourd'hui Pierre Revenet qui est en charge de la vinification des 5 ha du domaine. Né d'une vigne de soixante-dix ans, ce vin se présente dans une robe rubis aux reflets violets. Des fragrances de pivoine, de rose, de moka, de clou de girofle et de fruits mûrs composent un bouquet des plus complexes et distingués. Suavité et plénitude caractérisent une bouche longue, ample, structurée par des tanins d'une grande finesse. Un pommard luxueux et savoureux, à remiser au moins trois à cinq ans, et même la décennie, à l'ombre de votre cave.

☛ René Tardy et Fils, 77, rue Caumont-Bréon, 21700 Nuits-Saint-Georges, tél. 09 65 16 10 07, contact@renetardyetfils.com, ☑ r.-v.

CHRISTOPHE VAUDOISEY Les Chanlins 2011 ★

■ 1er cru	n.c.	⏻	20 à 30 €

Pierre Vaudoisey a rejoint son père Christophe à la tête des 11 ha du domaine familial, perpétuant ainsi une histoire vigneronne débutée en 1804. Ils signent un pommard grenat intense, largement ouvert sur les fruits rouges, souple, tendre et long en bouche. Un vin élégant et équilibré, à déguster dans deux à quatre ans. Que diriez-vous d'un peu d'exotisme avec un canard laqué à l'orange ?

☛ Christophe Vaudoisey, 1, rue de la Barre, 21190 Volnay, tél. 03 80 21 20 14, fax 03 80 21 27 80, christophe.vaudoisey@wanadoo.fr, ☑ ☂ ☥ r.-v.

THIERRY VIOLOT-GUILLEMARD Rugiens 2011

■ 1er cru	2 300	⏻	30 à 50 €

Qu'ils soient « Hauts » ou « Bas », les Rugiens tirent leur nom d'un sol contenant des nodules de fer qui lui donnent sa teinte rouge. Ici, pas de précision sur la partie du *climat* concernée, mais pour l'œnophile, c'est avant tout un Rugiens, – réussi selon nos dégustateurs. Un vin au nez engageant de cassis mûr, au palais souple et équilibré entre tanins, fraîcheur minérale et fruité. À déguster dans un an ou deux.

☛ Thierry Violot-Guillemard, 7, rue Sainte-Marguerite, 21630 Pommard, tél. 03 80 22 49 98, fax 03 80 22 94 40, violot.pommard@cegetel.net, ☑ ☂ ☥ r.-v. 🏠 ❹

Volnay

Superficie : 207 ha
Production : 7 735 hl

Blotti au creux du coteau, le village de Volnay évoque une jolie carte postale bourguignonne. Moins connu que Pommard son voisin, le vignoble n'a rien à lui envier. Ses vins sont tout en finesse ; ils vont de la légèreté des Santenots, situés sur la commune voisine de Meursault, à la solidité et à la vigueur du Clos des Chênes ou des Champans. Nous ne citerons pas tous ses trente 1ers crus, de peur d'en oublier... Le Clos des Soixante Ouvrées y est également très connu et donne l'occasion de définir cette mesure : 4 ares et 28 centiares, unité de base des terres viticoles, correspondant à la surface travaillée à la pioche par un ouvrier au Moyen Âge dans sa journée.

ALBERT BOILLOT Les Petits Poisots 2011

■	2 400	⏻	15 à 20 €

Ce domaine, établi depuis la fin du XVIIe s. à Volnay, étend son petit vignoble sur 4 ha, dont 37 ares de ce *climat*

qui tire son nom d'un ruisseau prenant sa source dans les Grands Poisots. Il propose ici un 2011 qui « pinote » agréablement à l'olfaction à travers de plaisantes senteurs de fruits rouges accompagnées par un boisé léger. Le palais, à l'unisson, se révèle souple, frais et fin, un rien plus austère en finale. À servir dans les trois ans à venir sur un filet mignon de veau aux champignons.

☛ Dom. Albert Boillot, 2, ruelle Saint-Étienne, 21190 Volnay, tél. et fax 03 80 21 61 21, dom.albert.boillot@wanadoo.fr, ☑ ☂ ☥ t.l.j. sf dim. 10h-12h 15h-18h

DOM. RÉYANE ET PASCAL BOULEY
Clos des chênes 2010 ★

■ 1er cru	1 800	⏻	20 à 30 €

Ce *climat* situé sous la petite montagne du Chaignot doit son nom aux chênes qui le surplombent. La famille Bouley, les parents et leur fils Pierrick, bientôt prêt à prendre la relève, en possèdent 35 ares, à l'origine d'un 2010 de caractère. À l'intensité de la robe, grenat aux reflets violets, répond celle du bouquet, ouvert sur les fruits mûrs (cerise, cassis) agrémentés de notes de sous-bois, comme celle de la bouche, généreuse, puissante mais sans agressivité, soutenue par des tanins qui commencent à se fondre. On attendra trois à cinq ans pour que ces derniers s'affinent complètement. Une cuisse de dinde au four sera alors bienvenue. Né un peu plus bas dans la pente, le 1er cru Champans 2010 (1 200 b.) obtient également une étoile. Prune, réglisse et épices composent un nez des plus attrayants. Le palais affiche un caractère tendre, souple et fin, bien dans l'esprit souvent qualifié de « féminin » de l'appellation. On pourra laisser vieillir cette bouteille encore deux ou trois ans et la servir avec un coq... au volnay.

☛ Dom. Réyane et Pascal Bouley, 5, pl. de l'Église, 21190 Volnay, tél. 03 80 21 61 69, fax 03 80 21 66 44, bouleypascal@wanadoo.fr, ☑ ☂ ☥ r.-v.

DOM. LAURENT ET KAREN BOUSSEY Les Mitans 2011 ★

■ 1er cru	360	⏻	20 à 30 €

En 2013, Laurent Boussey fête les dix ans de son installation à Monthelie. Parti avec 5 ha transmis par sa famille, il exploite aujourd'hui 7,25 ha, de Meursault à Aloxe-Corton. S'il ne possède que 8 ares de ce 1er cru, il a su en tirer un vin certes très confidentiel (360 bouteilles !), mais des plus aboutis. Paré de rubis intense, ce volnay livre un bouquet généreux et flatteur de pâte de fruit et de fleurs. La bouche se révèle corsée, ample et ronde, étayée par une fine vivacité, des tanins bien ciselés et un boisé sensible mais élégant. Tout indique un vin de bonne garde, à attendre au moins trois ans pour qu'il donne sa pleine mesure, avec une volaille farcie aux marrons.

☛ Laurent Boussey, rue du Château-Gaillard, 21190 Monthelie, tél. 03 80 21 28 42, laurent.boussey@sfr.fr, ☑ ☂ ☥ r.-v.

DOM. JEAN-MARIE BOUZEREAU Champans 2010 ★

■ 1er cru	3 000	⏻	20 à 30 €

Plus connu des lecteurs pour ses meursault, Jean-Marie Bouzereau, établi depuis 1994 à la tête du domaine familial (8,6 ha), exploite 65 ares de ce 1er cru sur Volnay. Il en tire un 2010 très ouvert sur les fruits rouges, la griotte notamment, associés à un boisé léger. Le palais suit la même ligne aromatique et déploie des tanins serrés qui confèrent une belle mâche à ce vin et une bonne capacité de garde. On pourra commencer à l'apprécier dans deux ou trois ans.

🌡 Jean-Marie Bouzereau, 5, rue de la Planche-Meunière, 21190 Meursault, tél. 03 80 21 62 41, fax 03 80 21 24 39, jm.bouzereau@club-internet.fr, ☑ 🕴 ⵘ r.-v.

CHAPUIS ET CHAPUIS Chanlin 2011

| ■ | 900 | 🍷⵮ | 15 à 20 € |

Jean-Guillaume et Romain Chapuis, petits-fils de vignerons d'Aloxe-Corton, ont fondé leur structure de négoce en 2009 et signent leur deuxième millésime avec ce 2011. Un volnay rubis aux reflets bleutés, au nez élégant et délicat de fruits rouges agrémentés d'un boisé épicé et de nuances florales. La bouche se montre souple et fondue, adossée à des tanins fins et charmeurs. Une belle expression de l'appellation, élégante et déjà appréciable. On pourra aussi attendre ce vin deux ou trois ans.

🌡 Chapuis, 9, rue des Charmots, 21630 Pommard, tél. 06 89 56 05 12, r.chapuis@chapuisfreres.fr, ☑ 🕴 ⵘ r.-v.

DOM. BERNARD DELAGRANGE 2011

| ■ | 8 000 | ⵮ | 15 à 20 € |

Si l'on ne sait pas qui fit construire les bâtiments de ce domaine murisaltien, on sait en revanche qu'il fut la propriété au XVᵉ s. de l'un des médecins personnels de Charles le Téméraire, un certain Lobot. Autre particularité du domaine : ses caves à double étage, où l'on entreposait déjà les vins à l'époque des ducs de Bourgogne. Depuis 1972, c'est la famille Bernard qui officie en ces lieux. Elle propose un volnay qui ne laisse pas insensible, un vin de caractère qui, derrière sa robe rubis foncé, livre un bouquet intense et concentré de fruits rouges agrémentés d'une touche végétale, prolongé par une bouche ample, puissante, extraite (trop pour certains). Trois années de conservation seront nécessaires pour l'adoucir.

🌡 Dom. Bernard Delagrange, 10, rue du 11-Novembre, 21190 Meursault, tél. 03 80 21 22 72, fax 03 80 21 68 70, bernard.delagrange@wanadoo.fr, ☑ 🕴 ⵘ r.-v.

DOM. SÉBASTIEN DESCHAMPS Clos des Chênes 2011

| ■ 1er cru | 1 500 | ⵮ | 15 à 20 € |

Cela fait dix ans cette année que Sébastien Deschamps a repris les 6,3 ha du domaine familial. Il signe un 1ᵉʳ cru de belle facture, pourpre intense, ouvert sur les fruits rouges confits enrobés d'une note de caramel. Le palais séduit par son équilibre : rond et soyeux, bien fruité et boisé sans excès, soutenu par une fine fraîcheur. Un volnay sans aspérité, à servir vers 2015-2016 avec des cailles aux raisins.

🌡 Sébastien Deschamps, Grande-Rue, 21190 Monthelie, tél. 03 80 24 27 41, mireilledeschamps@sfr.fr, ☑ 🕴 ⵘ r.-v.

💚 MAISON FATIEN PÈRE ET FILS 2010 ★★

| ■ | 775 | ⵮ | 20 à 30 € |

775 bouteilles précisément, indique l'étiquette : Charly Fatien, jeune négociant-éleveur à la tête de cette maison familiale depuis 2000, fait dans la « haute-couture ». Les lieux splendides s'y prêtent – un hôtel particulier chargé d'histoire qui héberge aujourd'hui de luxueuses chambres d'hôtes –, et la fraîcheur des caves

voûtées favorise l'épanouissement serein des vins. Ce 2010 s'y est reposé deux ans en fût et livre une pièce en trois actes, avec un fil conducteur : l'élégance. Acte I : une robe rubis, dense et profonde. Acte II : un bouquet complexe et concentré de cerise agrémenté de nuances balsamiques. Acte III : un palais ample, tendre et soyeux, bâti sur un boisé net et des tanins qui, s'ils n'ont pas la rigueur cistercienne des piliers qui soutiennent la cave du domaine, montrent suffisamment de solidité pour permettre à ce vin d'affronter sereinement la garde (cinq ans et plus) et suffisamment d'amabilité pour offrir aux plus impatients une dégustation dans deux ans. Quand le rideau tombe, après un final intense aux accents de cerise et de cassis, reste le souvenir d'un volnay remarquable d'équilibre.

🌡 Maison Fatien Père et Fils, 15, rue Sainte-Marguerite, 21200 Beaune, tél. 03 80 22 82 83, fax 03 80 22 98 71, maisonfatien@wanadoo.fr, ☑ 🕴 ⵘ r.-v., 🏨 ⑤

CAMILLE GIROUD Caillerets 2010

| ■ 1er cru | 830 | 🍷⵮ | 30 à 50 € |

Les communes de Chassagne, Puligny, Meursault et Volnay se partagent ce nom de *climat* qui renvoie ici à un terrain gagné sur des anciennes carrières. Il est le troisième 1ᵉʳ cru de l'appellation par sa surface (11,94 ha). La maison Giroud qui, pour vous donner une idée de sa philosophie, a produit 60 000 bouteilles sur trente appellations en 2011, en achète une partie en raisins. Elle en extrait ce vin rubis brillant au nez de petits fruits, de toasté et d'amande grillée. Le palais suit la même ligne aromatique, soutenu par des tanins fondus qui lui confèrent un caractère tendre et soyeux. Vu comme « féminin et tout en dentelle » par les dégustateurs, ce volnay devrait ravir bien des palais dès l'automne.

🌡 Camille Giroud, 3, rue Pierre-Joigneaux, 21200 Beaune, tél. 03 80 22 12 65, fax 03 80 22 42 84, contact@camillegiroud.com, ☑ ⵘ r.-v.

DOM. BERNARD ET THIERRY GLANTENAY
Les Santenots 2011 ★

| ■ 1er cru | 1 400 | 🍷⵮ | 20 à 30 € |

Installé depuis 2005 à la suite de Bernard, Thierry conduit un vignoble de 7,45 ha, dont 67 ares consacrés à ce *climat* partagé avec l'appellation meursault. Il signe un 2011 d'un beau grenat velouté aux reflets bleutés, qui laisse deviner une belle concentration. De fait, au bouquet généreux de toasté, de cassis et de cerise confiturés répond un palais plein, riche, aux tanins corsés mais soyeux, qui permettront une bonne garde de trois à cinq ans. Un lièvre à la royale serait une belle idée d'accord.

🌡 EARL Bernard et Thierry Glantenay, 3, rue de Vaut, 21190 Volnay, tél. 03 80 21 62 20, fax 03 80 21 67 78, glantenay@free.fr, ☑ 🕴 ⵘ r.-v.

DOM. GLANTENAY 2010 ★

■   5 000   ▐ 🍾   15 à 20 €

Ce domaine de 7,79 ha est conduit depuis quatre siècles par la famille Glantenay, qui accueille une nouvelle génération en la personne de Guillaume, fils de Pierre. Il propose ici un *village* bien construit de bout en bout : robe grenat élégante, nez intense de fruits mûrs (cassis, cerise), bouche au diapason, tout en fruit, souple, suave, portée par des tanins fins et fondus. S'il peut déjà être apprécié, ce volnay ne sera que meilleur après deux ans de cave.

☛ Georges Glantenay et Fils, rue de la cave, 21190 Volnay, tél. 03 80 21 61 82, cecileglantenay@orange.fr,
☑ ✗ ⍦ t.l.j. sf dim. 10h-19h 🏠 🄴

Ⓑ DOM. HUBER-VERDEREAU Les Robardelles 2011

■   2 300   20 à 30 €

Le domaine (9,57 ha) est certifié bio depuis 2001 et en biodynamie depuis 2005. Thibault Huber exploite 60 ares de ce lieu-dit situé en bas de coteau, qui a la particularité d'être classé pour partie en 1er cru et l'autre, comme ici, en *village*. Il signe un 2011 rouge foncé, au nez de framboise et de cassis rehaussés d'épices. Le palais se révèle ample, charnu et bien étoffé, marqué en finale par des tanins stricts que deux ou trois ans de cave affineront.
☛ Dom. Huber-Verdereau, 3, rue de la Cave, 21190 Volnay, tél. 03 80 21 64 37, fax 03 80 22 48 32, contact@huber-verdereau.com, ☑ ✗ ⍦ r.-v.

♥ LOUIS LATOUR En Chevret 2010 ★★

■ 1er cru   13 000   🍾   30 à 50 €

GRAND VIN DE BOURGOGNE

Volnay
EN CHEVRET
APPELLATION VOLNAY 1ᴱᴿ CRU CONTRÔLÉE

Louis Latour

75cl   MIS EN BOUTEILLE À BEAUNE PAR LOUIS LATOUR NÉGOCIANT-ÉLEVEUR   Alc. 12,5% vol.

A BEAUNE - CÔTE-D'OR - FRANCE
PRODUIT DE FRANCE

Négociant-éleveur à Beaune depuis 1797, à la tête du plus vaste patrimoine de grands crus de la Côte d'Or (28,63 ha sur les 50 que compte le domaine), la maison Latour est, s'il fallait encore le préciser, l'un des acteurs incontournables de la Bourgogne viticole, une entreprise familiale indépendante et historique, dirigée par dix générations de Latour. Elle possède en outre sa propre tonnellerie, dans laquelle a séjourné pendant douze mois ce 1er cru monté sur la plus haute marche du podium lors du grand jury des coups de cœur. Paré de rubis intense et brillant, ce volnay dévoile un bouquet expressif de fruits rouges mâtinés de fines notes vanillées et toastées. La bouche se révèle ronde et très fruitée (griotte, framboise), réglissée en finale, bâtie sur des tanins soyeux et sur un boisé « pointilliste », présent par petites touches discrètes. Une bouteille d'un grand équilibre et déjà fort appréciable, mais armée pour une longue garde (cinq à huit ans).

☛ Maison Louis Latour, 18, rue des Tonneliers, 21200 Beaune, tél. 03 80 24 81 00, fax 03 80 22 36 21, louislatour@louislatour.com

DOM. LEBREUIL Vieilles Vignes 2011 ★

■   600   🍾   20 à 30 €

La famille Lebreuil est installée à Savigny depuis 1935. Jean-Baptiste, qui incarne la troisième génération, est aux commandes des 11,5 ha depuis 2000. Il signe à partir de ceps de cinquante ans un « volnay de rugbyman », plaisante un dégustateur, comprenez un volnay tout en puissance, que sa robe dense et profonde laisse présager. Le bouquet n'est pas en reste et dévoile d'intenses fragrances de cannelle et de réglisse. La bouche se révèle ample et très robuste, bâtie sur des tanins vigoureux mais élégants et de qualité. Le gage d'un bon vieillissement d'au moins quatre ou cinq ans. Des ris de veau aux girolles composeront un bel accord gourmand.

☛ Pierre et Jean-Baptiste Lebreuil,
17, rue Chanson-Maldant, 21420 Savigny-lès-Beaune, tél. 03 80 21 52 95, fax 03 80 26 10 82, domaine.lebreuil@wanadoo.fr, ☑ ✗ ⍦ r.-v.

OLIVIER LEFLAIVE Clos des Angles 2010

■ 1er cru   n.c.   ▐ 🍾   30 à 50 €

Derrière le nom Olivier Leflaive se cache un propriétaire et un négociant réputé de la Côte de Beaune. À la baguette des vinifications, l'œnologue Franck Grux signe les vins avec son comparse Philippe Grillet. Les Angles est un *climat* qui, comme son nom l'indique, se présente en forme de triangle et fait l'angle entre les 1ers crus Clos de la Barre et Les Fremiets. Ceux de ce 2010 auront besoin d'être arrondis quelque peu. Accompagnée par un boisé soutenu et un fruité frais (fruits noirs et griotte), les tanins sont en effet bien présents en bouche, mais sans dureté, offrant une belle mâche et de la consistance. Dans deux ou trois ans, on pourra servir ce vin sur un filet de bœuf aux girolles.
☛ Olivier Leflaive Frères, pl. du Monument, 21190 Puligny-Montrachet, tél. 03 80 21 37 65, fax 03 80 21 33 94, contact@olivier-leflaive.com, ☑ ✗ ⍦ r.-v.

NUITON-BEAUNOY 2011

■   12 638   🍾   11 à 15 €

Située à l'entrée de Beaune, la cave coopérative des Hautes-Côtes a fait peau neuve dans ses bâtiments et dans son nom, qui marie les deux Côtes sur lesquelles elle récolte pas moins de 500 ha. Cette cuvée, issue d'un assemblage de différentes parcelles, revêt une avenante robe rubis aux reflets roses. Elle dévoile un bouquet non moins plaisant de fraise écrasée et de framboise mûre agrémenté d'une touche de vanille, que relaie un palais souple, aux tanins ronds et fondus. Un volnay aérien et léger, à déguster dès cet automne.
☛ La Cave des Hautes-Côtes, 93, rte de Pommard, 21200 Beaune, tél. 03 80 25 01 00, fax 03 80 22 87 05, contact@cavesdeshautescotes.fr,
☑ ⍦ t.l.j. sf dim. 9h30-12h 14h-18h

♥ PIERRE OLIVIER 2011 ★★

■   17 000   🍾   15 à 20 €

« Le vin est ce qu'il y a de plus civilisé au monde », écrivait François Rabelais ; au rang des vins civilisés, on peut classer les volnay parmi les premiers. Celui-ci, proposé par un négociant-éleveur dans le giron du groupe murisaltien Béjot, suivi en cave par Dominique Glardon et l'œnologue Matthieu Carrara, est un modèle du genre. Vêtu d'une seyante robe grenat qualifiée de classique (ce

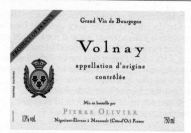

Grand Vin de Bourgogne

Volnay

appellation d'origine
contrôlée

Mis en bouteille par
PIERRE OLIVIER
13% vol. Négociant-Éleveur à Meursault (Côte-d'Or) France 750 ml

n'est pas un défaut...), ce 2011 dévoile un bouquet élégant et « très pinot » de petits fruits rouges et noirs mâtinés d'une pointe discrète de vanille. La bouche allie dans une parfaite harmonie fraîcheur, finesse tannique, boisé ajusté et chair ronde et soyeuse. S'il se montre déjà charmeur en diable, ce volnay s'appréciera mieux encore après deux ou trois ans de garde et pourra être attendu une dizaine d'années. Sous l'étiquette **Dom. des Riottes 2011** (3 000 b.), la même équipe signe un *village* cité pour son caractère souple et gourmand.

☛ Pierre Olivier, 7, rte de Monthelie, 21190 Meursault, tél. 03 80 21 99 51, fax 03 80 21 28 05, fanny.duvernois@bejot.com

JACQUES PARENT Clos des Chênes 2010 ★

| ■ 1er cru | 900 | ⅲ | 30 à 50 € |

Depuis 1998, les filles de Jacques Parent, Catherine et Anne, ont pris la conduite de ce domaine historique de Pommard (fondé en 1803), qui possède une belle collection de *villages* et de 1ers crus dans cette appellation. Outre ses talents de vinificatrice, Anne Parent est une figure de la viticulture bourguignonne : après avoir fondé en 2000 l'association Femmes et vins de Bourgogne, elle vient de prendre la présidence de l'union nationale (Cercle Femmes de Vin). Côté cave (et négoce), elle propose un 1er cru plein de charme, on n'oserait dire « féminin ». La robe est d'un élégant rouge profond et velouté. Le nez évoque les fruits rouges mûrs. La bouche se révèle à la fois ample et délicate, finement tannique et fruitée (griotte, framboise). Bien que déjà très équilibrée, cette cuvée gagnera encore en complexité avec deux ou trois ans de garde, et plus encore. Recommandé sur une gigue de chevreuil aux airelles.

☛ SAS Jacques Parent, 3, rue de la Métairie, 21630 Pommard, tél. 03 80 22 15 08, fax 03 80 24 19 33, contact@domaine-parent-bourgogne.com, ☑ ⚘ ⍾ r.-v.

POULET PÈRE ET FILS Clos des Chênes 2011 ★

| | 912 | ⅲ | 50 à 75 € |

Cette vénérable maison de vins fondée en 1747 à Beaune est depuis 1982 dans le giron du négoce nuiton Louis Max et désormais établie sur les hauteurs de Nuits-Saint-Georges. Elle a vinifié les raisins de 13 ares du Clos des Chênes, qui clôt l'appellation sur son côté ouest. Douby Perrin, l'œnologue maison, a élaboré un vin au nez gourmand de fruits rouges et de vanille, au palais dense et tannique, mais sans sécheresse, sous-tendu par une élégante fraîcheur. À attendre au moins deux ou trois ans avant de servir cette bouteille sur un croustillant de cailles.

☛ Poulet Père et Fils, 6, rue de Chaux, 21700 Nuits-Saint-Georges, tél. 03 80 62 43 01, fax 03 80 62 43 16 ⚘ ⍾ r.-v.

DOM. POULLEAU PÈRE ET FILS Vieilles Vignes 2011 ★

| ■ | 1 500 | ⅲ | 20 à 30 € |

En 2013, la famille Poulleau célèbre les trente ans du domaine. Le grand-père de Thierry, l'actuel propriétaire, avait initié auparavant une petite activité de vigneron que son fils Michel a étendue au moment de son mariage, en reprenant des vignes sur Aloxe-Corton et Chorey-lès-Beaune. Aujourd'hui, l'exploitation s'étend sur 7,4 ha et consacre 38 ares de vieilles vignes à ce 2011 couleur framboise, au nez élégant de petits fruits rouges mâtinés d'un léger grillé. À l'unisson, étayé par des tanins fins, le palais se montre frais, ample et long. Ce vin a de la réserve et pourra être remisé encore quatre ou cinq ans en cave. On pourra toutefois commencer à l'apprécier dans deux ans, sur un époisses ou du gibier.

☛ Dom. Michel Poulleau, 7, rue du Pied-de-la-Vallée, 21190 Volnay, tél. 03 80 21 26 52, fax 03 80 21 64 03, domaine.poulleau@wanadoo.fr, ☑ ⚘ ⍾ r.-v.

LA POUSSE D'OR Clos de la Bousse d'or Monopole 2011 ★

| ■ 1er cru | 7 600 | ⅲⅲ | 50 à 75 € |

Commandé par une large bâtisse blanche qui accroche la lumière, le domaine historique de la Pousse d'Or – ses origines connues remontent aux ducs de Bourgogne – essaime son vignoble de 17,5 ha sur les deux Côtes. Sous la mairie de Volnay, ce Clos, l'un des trois monopoles de la propriété avec le Clos des 60 ouvrées et le Clos d'Audignac, étend ses 2,13 ha jusqu'au bord de la route d'Autun. Patrick Landanger, son propriétaire, y récolte une étoile avec son 2011. Un vin tout en finesse, grenat intense et profond, au nez floral et réglissé, souple, délicat et soyeux en bouche, sans aspérité tannique et d'une belle longueur. « Du volnay dans le texte », conclut un dégustateur, qui invite à boire ce vin entre 2014 et 2018, sur une dinde laquée.

☛ Dom. de la Pousse d'or, rue de la Chapelle, 21190 Volnay, tél. 03 80 21 61 33, patrick@lapoussedor.fr, ☑ r.-v.

☛ Landanger

VINCENT PRUNIER Les Mitans 2010 ★

| ■ 1er cru | 1 200 | ⅲⅲ | 15 à 20 € |

Vincent Prunier, à la tête d'un domaine de 12,5 ha a basé sur la commune d'Auxey-Duresses, a développé une petite activité de négoce à partir de 2007. C'est de cette structure que provient ce volnay qui se présente dans une étonnante robe sombre, tirant vers le noir, peu classique pour l'appellation. Au nez, les douze mois de fût ont laissé une empreinte légère qui n'étouffe pas le fruit. En bouche, les tanins sont ronds et fins, les fruits mûrs bien présents. La finesse « volnaysienne » est au rendez-vous. À boire ou, de préférence, à attendre deux à quatre ans. Accord gourmand en perspective avec un filet de bœuf en croûte.

☛ SARL Vincent Prunier, rte de Beaune, 21190 Auxey-Duresses, tél. 03 80 21 27 77, fax 03 80 21 68 87, domaine.prunier.vincent@wanadoo.fr, ☑ ⚘ ⍾ r.-v.

BOURGOGNE

DOM. REBOURGEON-MURE Les Mitans 2011 ★

■ 1er cru	1 800	⬛ 20 à 30 €

Cette exploitation de Pommard exploite des vignes, comme c'est souvent le cas en Bourgogne, dans l'appellation voisine ; avec le même talent, témoins les nombreuses sélections dans les deux AOC. Plus souvent mis en avant pour son 1er cru Caillerets, c'est avec Les Mitans qu'elle s'illustre cette année ; un *climat* qui, comme son nom l'indique, offre une position à mi-coteau, au milieu d'autres 1ers crus. Ce 2011 grenat soutenu dévoile des parfums de cassis et de fruits rouges frais légèrement vanillés, que l'on retrouve dans une bouche « coulante », comprenez souple et soyeuse, portée par des tanins fermes mais sans dureté. On laissera à ces derniers le temps de se patiner : comptez trois ou quatre ans. Dans un style plus puissant et corsé, le **1er cru Caillerets 2011 (1 800 b.)** obtient également une étoile. À ouvrir dans quatre ou cinq ans.

🕯 Dom. Rebourgeon-Mure, 6, Grande-Rue, 21630 Pommard, tél. 03 80 22 75 39, fax 03 80 22 71 00, rebourgeon.mure@orange.fr, ☑ ☀ ♈ r.-v.

Ⓑ DOM. RÉGIS ROSSIGNOL-CHANGARNIER
Les Brouillards 2010

■ 1er cru	2 000	⬛ 20 à 30 €

Ce vigneron a débuté en 1966, et les 7,2 ha de son domaine connaissent toujours le bruit de ses pas entre les rangs de vignes. Sur la route des vins en direction de Pommard, le *climat* des Brouillards termine Volnay en pente douce. Il tire son nom du mot « Breuil », venant lui-même de « bois taillis, bois humide et marécageux ». Régis Rossignol y exploite 39 ares, à l'origine d'un 2010 rubis clair, au nez expressif et bien « typé pinot » de cassis et de cerise griotte, tout aussi fruité en bouche, souple et léger. À boire dans les deux ans à venir sur une volaille.

🕯 Régis Rossignol, 3, rue d'Amour, 21190 Volnay, tél. et fax 03 80 21 61 59, regisrossignol@free.fr, ☑ ☀ ♈ r.-v.

DOM. ROSSIGNOL-FÉVRIER PÈRE ET FILS
Clos de la Cave 2011

■	1 192	⬛ 15 à 20 €

Ce domaine familial a fêté en 2010 ses cinq siècles de présence vigneronne à Volnay. Une longue histoire perpétuée depuis 2000 par Frédéric Rossignol, aujourd'hui à la tête d'un vignoble de 7,5 ha, dont 31 ares de ce *climat* communal qui, derrière les dernières maisons du village, part à l'assaut de la montagne du Chaignot. Le vin se présente dans une robe rouge vif, mêlant à l'olfaction notes boisées et épicées. Sans manquer d'élégance, il dévoile une bouche solide, voire sévère, structurée par des tanins serrés qu'il faudra savoir attendre au moins jusqu'en 2016-2017. À réserver pour une viande de caractère.

🕯 EARL Rossignol-Février, 7, rue du Mont, 21190 Volnay, tél. 03 80 21 62 69, fax 03 80 21 67 74, rossignol-fevrier@wanadoo.fr, ☑ ☀ ♈ r.-v.

DOM. MARC ROUGEOT Santenots 2011

■ 1er cru	3 400	⬛ 20 à 30 €

S'il existe des divergences sur l'origine du nom de ce *climat*, il n'y aucun doute sur la qualité de ce 1er cru situé sur la commune de Meursault qui, lorsqu'il est planté de pinot noir, devient volnay. Ce producteur murisaltien, plus coutumier du Guide pour ses... meursault (et saint-romain), en exploite un hectare, à l'origine d'un 2011 rubis limpide, discrètement vanillé, floral et fruité. Dans la continuité, le palais se révèle souple et rond, enrobé par une chair moelleuse, avant de « montrer les muscles » en finale. « Un volnay féminin dans son approche, viril dans sa conclusion », résume un dégustateur. On attendra deux ou trois ans pour qu'il trouve sa voie.

🕯 Dom. Marc Rougeot, 6, rue André-Ropiteau, 21190 Meursault, tél. 03 80 21 20 59, fax 03 80 21 66 71, domaine.rougeot@wanadoo.fr, ☑ ☀ ♈ r.-v.

DOM. DES TERRES DE VELLE Ez Blanches 2010 ★

■	1 800	⬛ 20 à 30 €

Entre 330 et 350 m, ce *climat* communal forme la limite haute du vignoble volnaysien et coiffe de ses 3,32 ha le célèbre Clos des Chênes. Le couple Laronze, Sophie et Fabrice, épaulé de leur bras droit japonais Junji Hashimoto à la tête de leur petit et récent (2009) domaine de 6 ha – pour treize appellations, bel exemple de « mosaïque à la bourguignonne » –, viennent depuis leur village d'Auxey-Duresses y travailler 34 ares. Ils signent un volnay finement texturé, souple et aimable, parfumé de senteurs balsamiques fruitées et vanillées, au nez comme en bouche. On pourra envisager une garde d'au moins deux ans ou apprécier ce vin élégant dès l'automne. Une étoile également pour le **1er cru Le Ronceret 2010 (de 30 à 40 € ; 1 150 b.)**, bien équilibré mais plus fougueux et boisé, qui patientera en cave au moins jusqu'en 2015.

🕯 Dom. des Terres de Velle, chem. Sous-la-Velle, 21190 Auxey-Duresses, tél. 03 80 22 80 31, fax 09 72 12 14 95, info@terresdevelle.fr, ☑ ☀ ♈ r.-v.

🕯 Laronze

CHRISTOPHE VAUDOISEY 2011

■ 1er cru	n.c.	⬛ 15 à 20 €

Les Vaudoisey sont viticulteurs à Volnay depuis 1804. Christophe incarne la huitième génération, aujourd'hui rejoint par son fils Pierre sur les 11 ha du vignoble. Ce domaine est l'une des bonnes références de l'appellation, qui décrocha notamment deux coups de cœur pour ses 1ers crus Les Mitans 2008 et 2005. Ici, un honorable *village* paré d'une robe violet sombre, dense et profonde. Le nez dévoile des senteurs concentrées de cassis, accompagnées par des arômes de poivre et de fruits rouges dans une bouche vive, tendue et solidement charpentée. Il conviendra de laisser vieillir ce vin au moins trois ans afin qu'il se patine.

🕯 Christophe Vaudoisey, 1, rue de la Barre, 21190 Volnay, tél. 03 80 21 20 14, fax 03 80 21 27 80, christophe.vaudoisey@wanadoo.fr, ☑ ☀ ♈ r.-v.

Monthélie

Superficie : 120 ha
Production : 4 745 hl (85 % en rouge)

Moins connu que ses voisins, Volnay au nord et Meursault au sud, le village de Monthélie est installé à l'entrée de la combe de Saint-Romain qui sépare les terroirs à rouges des terroirs à blancs ; ses coteaux exposés au sud donnent des vins d'excellente qualité.

ÉRIC BOIGELOT Les Hauts Brins 2010 ★

	16 000		11 à 15 €

Si le domaine familial fêtera ses cent ans en 2014, c'est en 1990 qu'Éric Boigelot s'est installé à Monthelie. D'une parcelle de 3 ha dominant le village, il tire une cuvée grenat limpide, finement bouquetée autour des fruits rouges et noirs agrémentés de nuances florales. La bouche, souple et fraîche, adossée à des tanins veloutés, apparaît « conforme à l'image de l'appellation », selon une dégustatrice – entendez que ce 2010 privilégie plus l'élégance que la puissance. Une bouteille tout indiquée pour s'initier à l'AOC, dans les deux ou trois années à venir.

☛ Éric Boigelot, 21, rue des Forges, 21190 Meursault, tél. 03 80 21 65 85, fax 03 80 21 66 01 ☑ ⚭ ⏋ r.-v.

DOM. ÉRIC BOUSSEY Les Riottes 2011 ★

■ 1er cru	1 800		11 à 15 €

Si vous cherchez un Boussey à Monthélie, ne vous trompez pas de prénom car ils sont trois à produire du vin sous ce patronyme. Éric s'est installé en 1981 dans la Grande Rue du village, et a complété son activité en 2007 par une structure de négoce. Mais c'est avec sa casquette de vigneron qu'il voit ici deux de ses vins retenus. Le préféré est ce Riottes (« petite rue », en ancien français), qui s'ouvre sur des notes de crème de cassis, de fumé et de tabac frais. La bouche est ronde et généreuse, soutenue par des tanins aimables. Un vin gourmand, à découvrir dès aujourd'hui et jusqu'en 2018. Même attente à prévoir pour le **2011 rouge Les Toisières (8 à 11 € ; 3 000 b.)** fruité, souple et finement boisé, qui obtient également une étoile.

☛ Dom. Éric Boussey, 21, Grande-Rue, 21190 Monthelie, tél. 03 80 21 60 70, fax 03 80 21 26 12, ericboussey@orange.fr, ☑ ⚭ ⏋ t.l.j. 8h-12h 13h30-19h; dim. sur r.-v.; f. 15-30 août

DOM. LAURENT ET KAREN BOUSSEY Sur la Velle 2011

■ 1er cru	1 900		15 à 20 €

Comme annoncé, un Boussey peut en cacher un autre à Monthelie (voir ci-avant). Ici, nous sommes chez Laurent et Karen, installés depuis 2003. Une nouvelle étiquette, plus moderne, orne les bouteilles du domaine. Mais c'est bien sûr à l'aveugle que nos dégustateurs ont jugé ce 1er cru « des hauteurs ». Ils ont aimé sa robe carminée, son bouquet frais de cassis et de pain d'épice, son palais souple et avenant. À boire dans les deux ou trois ans à venir, sur un civet de lièvre.

☛ Laurent Boussey, rue du Château-Gaillard, 21190 Monthelie, tél. 03 80 21 28 42, laurent.boussey@sfr.fr, ☑ ⚭ ⏋ r.-v.

BUTTERFIELD 2010 ★

	900		15 à 20 €

Après différentes expériences en Bourgogne et en Nouvelle-Zélande, David Butterfield a posé ses valises à Beaune en 2005 pour y monter un négoce. Aujourd'hui, il commercialise l'essentiel de sa production à l'étranger et il signe ici un *village* élégant dans sa robe limpide d'or pâle, au nez délicat de fleurs et de fruits blancs agrémentés d'une pointe anisée. La bouche mêle fruité acidulé et notes toastées de la barrique, avant de déployer une belle finale minérale et fraîche. À servir dès aujourd'hui, à l'apéritif ou sur un poisson grillé.

☛ David Butterfield, 24, av. du 8-Septembre, 21200 Beaune, tél. 03 80 24 69 36, info@butterfieldwine.com, ☑ ⚭ ⏋ r.-v.

LES CHAMPS DE L'ABBAYE Les Sous-Roches 2011 ★

	1 000		20 à 30 €

Alain et Isabelle Hasard ont créé ce domaine en 1997, 6 ha de vignes conduits en bio (conversion en cours) et essentiellement dédiés à la Côte chalonnaise (rully, mercurey, bourgogne-côte-chalonnaise), avec un pied en Côte de Beaune depuis 2009 grâce à 35 ares de monthélie. Ce 2011 se pare d'une élégante robe rouge vif aux reflets brillants et offre un nez ouvert sur les fruits rouges mâtinés d'un léger boisé grillé. Le palais évolue en finesse, porté par une jolie fraîcheur minérale et par des tanins bien présents mais fondus. Une petite pointe de sévérité toutefois vient titiller la finale et appelle un court séjour en cave de la à trois ans.

☛ Les Champs de l'Abbaye, 9, rue des Roches-Pendantes, 71510 Aluze, tél. et fax 03 85 45 59 32, alainhasard@wanadoo.fr, ☑ ⚭ ⏋ r.-v.
☛ Alain Hasard

DOM. CHANGARNIER Champs Fulliot 2011 ★

■ 1er cru	1 000	■	15 à 20 €

Les lecteurs se rappelleront sans doute le succès remporté l'an passé par les cinq 2010 de ce domaine régulier en qualité. Deux cuvées sont retenues cette année, avec ce Champs Fulliot en tête. Un vin équilibré de bout en bout, floral et fruité au nez comme en bouche, adossé à des tanins soyeux et un boisé bien fondu. À découvrir d'ici 2018. Une étoile va également au **1er cru Meix Bataille 2011 rouge (900 b.)**, pour son fruité large et ses tanins veloutés. Un vin déjà aimable, à ouvrir dans les trois ans.

☛ Dom. Changarnier, pl. du Puits, 21190 Monthelie, tél. 03 80 21 22 18, fax 03 80 21 68 21, contact@domainechangarnier.com, ☑ ⚭ ⏋ r.-v.

DOM. DUBUET-MONTHELIE Les Longènes 2011 ★

	1 800		8 à 11 €

Premier millésime en solo pour David Dubuet, qui a pris la suite de son père Guy à l'été 2011. En bon « régional de l'étape », il bichonne ses monthélie (prononcer « montli »), notamment ce Longènes, du nom d'un *climat* qui fait référence à une vigne plus longue que large et qui suit une partie de la combe de Danay. Notes de cassis, de cèdre et de ronce composent un bouquet complexe et fin. Doté selon un dégustateur d'une « configuration sphérique », le palais s'appuie sur des tanins soyeux et un boisé encore un peu dominateur, que deux ou trois ans de garde atténueront. Né sur le *climat* emblématique de l'appellation, le **1er cru Les Champs Fulliots 2011 rouge (15 à 20 € ; 1 600 b.)**, fruité et chocolaté au nez, suave et équilibré en bouche, est cité.

☛ Dubuet-Monthelie et Fils, 1, rue Bonne-Femme, 21190 Monthelie, tél. 06 64 46 10 17, fax 03 80 21 29 79, david.dubuet@orange.fr, ☑ ⚭ ⏋ r.-v.

DOM. DUJARDIN 2011

	3 000		11 à 15 €

Sur l'étiquette, les Bouzerand ont cédé la place à Ulrich Dujardin, qui a repris le domaine en 1990 et vinifie dans les mêmes caves avec le même élevage traditionnel en fût. Il propose avec ce *village* un vin or pâle au nez franc et frais d'agrumes, quelques notes plus douces de vien-

BOURGOGNE

noiserie en appoint, bien équilibré entre gras et vivacité en bouche. Déjà prompt à dynamiser un apéritif, ce 2011 saura aussi patienter deux ou trois ans en cave pour en ressortir assagi.

☛ Dom. Dujardin, 1, Grande-Rue, 21190 Monthelie, tél. 03 80 21 20 08, fax 03 80 21 28 16, domaine.dujardin@bbox.fr, ☑ ⚔ ☖ r.-v.

DOM. PAUL GARAUDET Château Gaillard 2010 ★

▬ 1er cru	200	⊞	15 à 20 €

Avec 48,57 ares, ce *climat* est l'un des plus petits de Monthelie classés en 1er cru. Il tient son nom d'une grande habitation où les femmes de petite vertu accueillaient des... gaillards. Ce négociant-éleveur en exploite 24 ares, dont il tire un vin élégant, qui mêle au nez les fleurs blanches et quelques touches épicées et qui séduit en bouche par son équilibre entre densité, richesse et vivacité. Il sera d'ores et déjà un parfait compagnon pour un tajine de poisson, mais il pourra aussi patienter deux à quatre ans en cave. Le **1er cru Le Meix Bataille 2010 rouge (2 100 b.)** obtient aussi une étoile pour son bouquet de sous-bois et de fruits rouges légèrement confits, pour sa rondeur et ses tanins fondus. À déguster avec un lièvre à la royale, au cours des deux prochaines années.

☛ Garaudet Père et Fils, rue des Toisières, 21190 Monthelie, tél. 03 80 21 28 78 ☑ ⚔ ☖ r.-v.

DOM. FLORENT GARAUDET Les Riottes 2010 ★

▬ 1er cru	1 200	⊞	15 à 20 €

Florent Garaudet a créé cette exploitation il y a cinq ans à partir de vignes familiales. Il propose un 2010 de caractère, dominé au nez par les fruits rouges écrasés, ample et solidement charpenté en bouche. On attendra deux ou trois ans pour apprécier ce vin à son optimum. Même note pour le très confidentiel (étiquettes numérotées) **2010 rouge Le Mons Hélios (30 à 50 € ; 600 b.)**, puissant, tannique et chaleureux, à encaver au moins trois ou quatre ans. Le *village* 2010 rouge (de 11 à 15 € ; 2 100 b.), lui aussi bien structuré, persistant sur le fruit, est cité. On pourra l'apprécier plus tôt.

☛ Florent Garaudet, 3, rue du Château-Gaillard, 21190 Monthelie, tél. 06 87 77 01 28, florentgaraudet@orange.fr, ☑ ⚔ ☖ t.l.j. sf 8h-12h 13h30-18h

GILBERT ET PHILIPPE GERMAIN 2011

▬	2 000	⊞	11 à 15 €

Pour Philippe Germain, producteur dans les Hautes-Côtes de Beaune, le fruit et la souplesse doivent être au cœur des vins, ceux-ci exprimant aussi « la générosité des terroirs ». Ce 2011 est à l'unisson : un vin fruité (pomme, poire) au nez comme en bouche, révélant de la souplesse et un bon volume en bouche. À boire dans l'année, sur un croustillant de bleu de Bresse.

☛ Gilbert et Philippe Germain, rue du Vignoble, 21190 Nantoux, tél. 03 80 26 05 63, fax 03 80 26 05 12, germain.vins@wanadoo.fr, ☑ ⚔ ☖ r.-v.

DOM. GLANTENAY Les Champs Fulliots 2010

▬ 1er cru	1 700		15 à 20 €

Les Glantenay cultivent la vigne depuis quatre siècles à Volnay. Guillaume, qui a pris la suite de son père Pierre, exploite 7,79 ha, dont 21 ares sont consacrés à ce monthélie de bonne facture, épicé, floral et fruité au nez, ferme et frais en bouche. Un vin droit et équilibré, à boire dès à présent. Pourquoi pas sur une gibelotte de lapin ?

☛ Pierre Glantenay, rue de la Cave, 21190 Volnay, tél. 03 80 21 61 82, fax 03 80 21 68 66, cecileglantenay@orange.fr, ☑ ⚔ ☖ r.-v.

DOM. NEWMAN 2010 ★

▬	2 900	⊞	15 à 20 €

Basé à Beaune, le domaine de Christopher Newman répartit ses 5,5 ha de vignes entre deux grands crus de la Côte de Nuits (mazis-chambertin et bonnes-mares) et plusieurs appellations de la Côte de Beaune. Son monthélie 2009 avait brillé dans ces pages l'an dernier et décroché le seul coup de cœur de l'AOC. Le 2010, sans atteindre les mêmes sommets, fait aussi très bonne figure. Il mêle au nez les fruits rouges et noirs à la réglisse, et déploie au palais des tanins bien présents mais fins, épaulés par une agréable vivacité. Il gagnera sa deuxième étoile d'ici deux ou trois ans, sur un filet de bœuf aux champignons.

☛ GFA Dom. Newman, 29, bd Clemenceau, 21200 Beaune, tél. 03 80 22 80 96, fax 03 80 24 29 14, info@domainenewman.com

PATRIARCHE PÈRE ET FILS 2010

▬	2 690	⊞	20 à 30 €

Ce négociant beaunois propose un monthélie de bonne facture, paré d'une jolie robe grenat aux nuances bleutées. Le nez, élégant, associe les fruits rouges au boisé vanillé et grillé de la barrique. Dans la continuité, la bouche se révèle franche et équilibrée, portée par des tanins fins qui montrent un peu les muscles en finale. À attendre deux ans.

☛ Patriarche, 78, rte de Challanges, 21200 Beaune, tél. 03 80 24 53 75, fax 03 80 24 53 03, contact@patriarche.com, ☑ ⚔ ☖ t.l.j. 9h-12h 14h-17h30

VINCENT PRUNIER Sur la Velle 2010 ★

▬ 1er cru	1 700	▮⊞	11 à 15 €

Ce *climat* situé au-dessus du village (*velle* signifie « village » en ancien français) est, avec un peu plus de 6 ha, le troisième plus vaste 1er cru de l'appellation. C'est avec sa casquette de négociant (structure créée en 2007) que Vincent Prunier, producteur bien connu d'Auxey-Duresses, présente ce monthélie d'abord sur la réserve, qui s'ouvre à l'aération sur le cassis (feuille et fruit). La bouche offre de la rondeur et du corps, charpentée par des tanins soyeux et fondus. Un ensemble harmonieux, à découvrir d'ici 2015-2016 sur un magret de canard et ses pommes de terre à la sarladaise.

☛ SARL Vincent Prunier, rte de Beaune, 21190 Auxey-Duresses, tél. 03 80 21 27 77, fax 03 80 21 68 87, domaine.prunier.vincent@wanadoo.fr, ☑ ⚔ ☖ r.-v.

DOM. JEAN-PIERRE ET LAURENT PRUNIER
Les Vignes rondes 2011

▬ 1er cru	2 100	⊞	8 à 11 €

Ces Vignes rondes, trente-cinq ans d'âge moyen, ont donné naissance à une cuvée plaisante d'emblée par son bouquet frais de fruits rouges et noirs mâtinés d'une touche de Zan. La bouche est à l'avenant, fruitée, souple, sans tanins tapageurs. À boire dans les deux ans à venir sur une bonne grillade.

☛ Dom. Jean-Pierre et Laurent Prunier, rue Traversière, 21190 Auxey-Duresses, tél. et fax 03 80 21 27 51, domaine-prunier@wanadoo.fr, ☑ ☖ r.-v.

PASCAL PRUNIER-BONHEUR Les Toisières 2011 ★★

■	1 200	⭐	15 à 20 €

Un joli patronyme que connaissent bien les amateurs de vins d'auxey-duresses et de monthélie (entres autres). Pascal Prunier et son épouse Christine Bonheur, à la fois propriétaires et négociants, placent deux vins dans cette sélection, les deux meilleurs de la série. Le préféré est cette cuvée Les Toisières — d'un lieu-dit où l'on extrayait jadis les laves qui servaient aux toitures — issue de l'activité de négoce. Un vin complexe, ouvert sur les fruits blancs (pomme golden, poire), le coing et la confiture de reines-claudes, quelques nuances florales et vanillées en appoint ; un vin franc et frais en attaque, plus moelleux et gras dans son développement, qui ne cède toutefois jamais à la lourdeur. Beaucoup de charme et d'équilibre pour ce 2011 que l'on pourra d'ores et déjà apprécier sur une terrine de saumon, ou attendre sans crainte quatre ou cinq ans. Côté propriété, le 1er cru Les Vignes Rondes 2011 rouge (20 à 30 € ; 2 400 b.) décroche lui aussi deux étoiles pour son bouquet élégant et tout en fruits (cerise, framboise, mûre) et pour sa bouche généreuse, riche et veloutée, aux tanins soyeux. Déjà plaisant, il a les armes pour bien vieillir quatre ou cinq ans, et plus encore.

☛ Maison Pascal Prunier-Bonheur, 23, rue des Plantes, 21190 Meursault, tél. 03 80 21 66 56, pascal.prunier-bonheur@wanadoo.fr, ☑ ⋌ r.-v.

DOM. SAINT-FIACRE 2011 ★

■	1 760	⭐	11 à 15 €

Établis dans la plaine de Tailly, Aline et Joël Patriarche sont à la tête de 5,5 ha de vignes. Ils signent un 2011 joliment fruité (cerise), rond et soyeux en bouche, porté par des tanins fondus et une fine vivacité. S'il peut déjà être dégusté, ce vin atteindra son apogée après trois ou quatre ans de cave.

☛ Dom. Saint-Fiacre, Aline et Joël Patriarche, 21190 Tailly, tél. 03 80 26 84 38, fax 03 80 26 87 97, domaine.stfiacre@orange.fr, ☑ ⋌ ⋋ r.-v.

Auxey-duresses

Superficie : 135 ha
Production : 5 840 hl (65 % rouge)

Le village d'Auxey-Duresses se niche dans un vallon qui conduit vers les Hautes-Côtes. Son vignoble couvre les deux versants de la combe et se répartit en trois îlots : sur la pente nord, il prolonge le terroir de Monthelie et porte des 1ers crus rouges exposés au midi, comme les Duresses ou le Val, fort réputés ; au fond de la combe, il jouxte des parcelles de Saint-Romain ; sur le versant de Meursault, au sud, il produit d'excellents vins blancs.

ARTHUR BAROLET ET FILS La Canée 2011

■	3 000	⭐	11 à 15 €

Sous cette étiquette se trouve la maison de négoce Henri de Villamont, de Savigny-lès-Beaune. Pour cette cuvée, elle a récolté 50 ares de raisins sur l'un des plus petits *climats* de la commune (85,4 ares), situé dans le prolongement du coteau de Meursault et dédié au chardonnay. Cela donne un vin limpide, couleur or vert, au nez floral, fruité (agrumes) et un peu beurré. Le palais se montre bien équilibré, à la fois rond, gras et frais. À déguster courant 2014 sur une cassolette d'écrevisses et sa polenta aux herbes.

☛ Arthur Barolet, rue du Dr-Guyot, BP 3, 21420 Savigny-lès-Beaune, tél. 03 80 21 50 59, fax 03 80 21 36 36, contact@hdv.fr, ☑ ⋌ ⋌ t.l.j. sf dim. 10h-12h 14h-17h
☛ Schenk

FRANÇOIS BERGERET 2011

■	500	⭐	8 à 11 €

Ce producteur a juste à descendre de sa colline de Nolay pour venir récolter sa parcelle d'auxey-duresses. Cette vigne de trente ans a donné naissance à un 2011 très confidentiel, couleur cerise, au nez frais de groseille relayé par une bouche ronde et charnue, agrémentée de notes de fougère. À servir dans les deux ou trois ans à venir sur des suprêmes de volaille à la crème.

☛ François Bergeret, 15, rue Franche, 21340 Nolay, tél. 06 87 58 23 45, bergeret.francois@orange.fr, ☑ ⋌ ⋌ r.-v.

CHRISTOPHE BUISSON 2010

■	3 000	⭐	15 à 20 €

Ce vigneron de Saint-Romain a créé une petite activité de négoce en 2007. Il pratique des élevages longs en fût neuf et met en bouteilles en fonction des rythmes lunaires. Cet auxey a connu le chêne pendant seize mois. Il délivre des parfums de groseille, d'humus et de grillé. La bouche se révèle ronde et charnue, tapissée de fruits confits et soutenue en finale par une fine acidité. Un ensemble équilibré, que l'on laissera toutefois vieillir encore deux ou trois ans pour l'apprécier à son optimum, avec une gigue de chevreuil par exemple.

☛ SARL Christophe Buisson, rue de la Tartebouille, 21190 Saint-Romain, tél. 03 80 21 63 92, fax 03 80 21 67 03, sarlchristophebuisson@wanadoo.fr, ☑ ⋌ r.-v.

CHRISTIAN CHOLET-PELLETIER 2011 ★★

■	1 800	⭐	11 à 15 €

Producteur dans la plaine de Meursault, Christian Cholet a commencé son métier avec le millésime 1976, qui fut l'un des plus chauds de l'histoire de la Bourgogne avec sa canicule estivale. Plus tempéré, 2011 lui a très bien réussi, témoin ce vin d'un seyant jaune brillant et limpide. Le nez mêle les agrumes, les fruits blancs mûrs et les fleurs, que prolonge un palais ample, souple, rond et gras, étiré en longueur par une belle finale saline. Une superbe expression du chardonnay, à découvrir sur une truite fario aux amandes, aujourd'hui comme dans deux ou trois ans.

☛ Christian Cholet, 40, rue de la Citadelle, 21190 Corcelles-les-Arts, tél. et fax 03 80 21 47 76
☑ ⋌ ⋌ r.-v.

CH. DE CÎTEAUX 2011 ★

■	3 500	⬛⭐	11 à 15 €

Installé en 1995 dans ce château ayant appartenu aux moines de l'abbaye de Cîteaux, Philippe Bouzereau père y a cumulé une activité de négoce en plus des 16 ha que compte son exploitation viticole. Depuis 2006, Philippe Bouzereau fils est aux commandes. Issu de la partie domaine, ce 2011 se présente dans une robe dorée et

BOURGOGNE

délivre d'intenses parfums de fleurs blanches et d'abricot accompagnés d'un fin boisé. Ample et harmonieuse, la bouche offre un bel équilibre entre vivacité et rondeur. À déguster dès l'automne sur un brochet à l'aneth. Issu de l'activité de négoce et né au sommet de la montagne du Bourdon, dans le prolongement du vignoble de Monthelie, le **1er cru rouge 2011 Les Duresses (15 à 20 € ; 3 000 b.)** obtient également une étoile, pour son bouquet soutenu de fruits noirs prolongé par un palais souple et rond, rehaussé par des notes épicées en finale. À déguster sur un filet mignon en croûte vers 2015-2016.

☛ Ch. de Cîteaux, 7, pl. de la République, 21190 Meursault, tél. 03 80 21 20 32, fax 03 80 21 64 34, contact@chateau-de-citeaux.com,

☑ ✷ ⟙ t.l.j. sf dim. lun. 10h-13h 14h-18h

☛ Philippe Bouzereau

DOM. DICONNE 2010 ★

| | 2 800 | ⬛⬛ | 11 à 15 € |

Christophe Diconne a succédé à son père Jean-Pierre en 2005 sur le domaine familial, dont le vignoble s'étend sur un peu plus de 10 ha. Il a sélectionné 1,8 ha de pinot noir planté sur marnes calcaires pour élaborer ce 2010 d'un beau rouge soutenu, au nez intense de fruits rouges, ample, droit et solidement structuré en bouche. Un coq au vin fera un bon partenaire de table d'ici deux ou trois ans. Le *village* blanc 2010 Vieilles Vignes **(2 400 b.)** est quant à lui cité pour ses parfums avenants d'agrumes et de fleurs blanches, et pour sa belle vivacité. Cette nature tonique lui permettra de patienter un an ou deux en cave.

☛ Christophe Diconne, rue de la Velle, 21190 Auxey-Duresses, tél. 03 80 21 25 60, fax 03 80 21 26 80, contact@domaine-diconne.fr,

☑ ✷ ⟙ r.-v.

RAYMOND DUPONT-FAHN Les Vireux 2011

| | 5 000 | ⬛⬛ | 11 à 15 € |

Ce producteur établi à Tailly, dans la plaine agricole de Meursault, exploite 1 ha des 3,85 que compte ce *climat* situé à la frontière de Meursault et à la lisière du bois. Ici, le chardonnay va de soi et a donné naissance à ce vin d'or vert étincelant, aux senteurs florales, fruitées et un rien épicées. Gras et rond de prime abord, le palais s'équilibre grâce à une finale acidulée. À boire dans l'année, sur un poisson en sauce.

☛ Raymond Dupont-Fahn, 70, rue des Eaux, 21190 Tailly, tél. 06 14 38 53 21 ☑ ✷ ⟙ r.-v.

DOM. JESSIAUME Les Écusseaux 2010

| ⬛ 1er cru | 1 500 | ⬛⬛ | 20 à 30 € |

Ce *climat* possède la particularité d'être planté pour moitié en appellation *village* et pour moitié en 1er cru. Cette famille de Santenay en exploite une partie en chardonnay, une autre en pinot noir. Ce dernier, âgé de cinquante-cinq ans, a donné naissance à un auxey rubis franc, au nez généreux de fruits très mûrs rehaussés d'épices, ample en bouche, bâti sur des tanins fondus. Il est prêt à boire, sur une pintade aux girolles par exemple.

☛ Dom. Jessiaume, 10, rue de la Gare, 21590 Santenay, tél. 03 80 20 60 03, fax 03 80 20 62 87, contact@domaine-jessiaume.com, ☑ ✷ ⟙ r.-v.

☛ Sir David Murray

HENRI LATOUR ET FILS 2011

| | 2 390 | ⬛⬛ | 11 à 15 € |

François Latour, qui a fêté en 2012 les vingt ans de son installation, est le septième du nom à cultiver la vigne sur Auxey-Duresses. L'appellation ne compte qu'une petite quarantaine d'hectares de chardonnay (dont seulement 2 ha en premier cru), mais à l'instar du reste de la Côte de Beaune, ce cépage progresse encore. Ici, il revêt une robe or pâle et délivre des parfums de fleurs blanches, de fleurs d'oranger et de fruits du verger (pêche, abricot). Sa bouche vive soulignée par des nuances citronnées doit encore être domptée : deux ou trois années de cave affineront l'ensemble.

☛ Henri Latour et Fils, rte de Beaune, 21190 Auxey-Duresses, tél. 03 80 21 65 49, h.latour.fils@wanadoo.fr, ☑ ✷ ⟙ r.-v.

CATHERINE ET CLAUDE MARÉCHAL 2011

| | 2 600 | ⬛⬛ | 20 à 30 € |

La recherche de la maturité optimale a souvent conduit les époux Maréchal sur le chemin des coups de cœur. Leur domaine de 13 ha offrant un large panel d'appellations, ils n'ont jamais eu besoin de créer une structure de négoce pour agrandir leur carte des vins. Ici, un auxey rouge grenat de belle facture, bien bouqueté autour des fruits noirs, du pruneau et du grillé de la barrique, rond et charnu en bouche sans toutefois manquer de fermeté grâce à de bons tanins qui lui permettront de bien évoluer au cours des deux ou trois prochaines années. On lui réservera alors un sauté de coq aux champignons.

☛ EARL Catherine et Claude Maréchal, 6, rte de Chalon, 21200 Bligny-lès-Beaune, tél. 03 80 21 44 37, fax 03 80 26 85 01, marechalcc@orange.fr, ☑ ✷ ⟙ r.-v.

MOREY-BLANC 2010

| | 900 | ⬛⬛ | 15 à 20 € |

Depuis 1992, Pierre Morey veille sur son domaine de Meursault. Il a complété sa gamme avec une activité de négoce. En bon spécialiste du chardonnay, il a sélectionné le terroir d'Auxey-Duresses pour diversifier sa carte. Ce blanc se présente dans une robe dorée aux reflets verts, le nez empreint de fleurs jaunes et d'un fin boisé apporté par vingt mois de fût. Le palais est agréable, vif et de bonne longueur. On pourra servir cette bouteille dès l'automne, sur un brochet sauce curry par exemple.

☛ Morey-Blanc, 13, rue Pierre-Mouchoux, 21190 Meursault, tél. 03 80 21 21 03, fax 03 80 21 66 38, morey-blanc@wanadoo.fr, ☑ r.-v.

AGNÈS PAQUET 2011

| | 7 500 | ⬛⬛ | 11 à 15 € |

Bien qu'installée (depuis 2000) derrière Pommard, dans un village des Hautes-Côtes de Beaune, Agnès Paquet exploite une grande partie de ses vignes sur le hameau de Melin, qui fait partie de la commune d'Auxey-Duresses. Elle a réservé 1,5 ha de ceps de cinquante ans à ce 2011 rouge grenat, au nez plaisant de griotte confite, au palais rond, charnu et de bonne longueur, un peu plus tannique en finale. Une bouteille équilibrée, à déboucher dans deux ans sur une pièce de bœuf en croûte. Né d'une vigne de quatre-vingt-cinq ans, le *village* blanc 2011 **(15 à 20 € ; 13 000 b.)** est également cité, pour son équilibre entre boisé et fruité, et pour son palais gras et soyeux. À découvrir dans l'année avec une cassolette de langoustines.

☛ Agnès Paquet, 10, rue du Puits-Bouret, 21190 Meloisey, tél. 03 80 26 07 41, fax 03 80 26 06 41, contact@vinpaquet.com, ⊠ ⚹ ⵟ r.-v.

MAX ET ANNE-MARYE PIGUET-CHOUET Le Val
Cuvée Stéphane 2011

■ 1er cru	2 400	⊞	15 à 20 €

Le mot famille prend tout son sens chez ces producteurs d'Auxey-Duresses. Si les parents sont les metteurs en scène, les trois fils sont les acteurs : ils ont chacun droit à leur cuvée, avec leur prénom sur l'étiquette. Ce 1er cru, né sur l'un des meilleurs finages de l'appellation, met Stéphane à l'honneur à travers un vin fruité (fruits rouges), floral (rose) et épicé, rond et plein en bouche, bâti sur des tanins de bonne facture. À déguster dans deux ans sur un pigeon et sa purée de châtaignes.
☛ Max et Anne-Marye Piguet-Chouet, rte de Beaune, 21190 Auxey-Duresses, tél. 03 80 21 25 78, fax 03 80 21 68 31, piguet.chouet@wanadoo.fr, ⊠ ⚹ ⵟ r.-v.

DOM. JEAN-PIERRE ET LAURENT PRUNIER
Cuvée d'antan 2011 ★

■	2 400	⊞	8 à 11 €

Il n'existe pas de guide parlant d'Auxey-Duresses sans que l'on y trouve un Prunier viticulteur. Laurent, fils de Jean-Pierre, fait partie des valeurs sûres de l'appellation. Il fête avec le millésime 2011 sa vingtième vinification et signe une nouvelle cuvée très réussie. Les petits fruits rouges donnent le ton de l'olfaction, accompagnés par un boisé assez présent. En bouche, après une attaque souple, les tanins montrent les muscles mais sans trop en faire, soutenus par une belle fraîcheur et un fruité intense. « Du niveau d'un 1er cru », selon un juré, ce vin devra être attendu au moins deux ou trois ans pour être pleinement apprécié. Le 1er cru rouge 2010 Le Val (11 à 15 € ; 1 500 b.) est cité pour sa longueur en bouche et sa bonne structure. Vers 2016, il sera à son meilleur.
☛ Dom. Jean-Pierre et Laurent Prunier, rue Traversière, 21190 Auxey-Duresses, tél. et fax 03 80 21 27 51, domaine-prunier@wanadoo.fr, ⊠ ⵟ r.-v.

VINCENT PRUNIER Les Duresses 2010

■ 1er cru	1 180	⫸⊞	11 à 15 €

Vincent Prunier a créé cette petite structure de négoce en 2007 en complément de son domaine. Il propose un auxey né de vignes de cinquante ans, qui mêle au nez la framboise et le grillé du merrain chauffé. Dans le prolongement, le palais, d'un bon volume, dévoile des tanins vigoureux qu'il faudra laisser s'affiner encore trois ans. Un lapin à la crapaudine fera un bel accord.
☛ SARL Vincent Prunier, rte de Beaune, 21190 Auxey-Duresses, tél. 03 80 21 27 77, fax 03 80 21 68 87, domaine.prunier.vincent@wanadoo.fr, ⊠ ⚹ ⵟ r.-v.

DOM. PRUNIER-BONHEUR 2011

■	2 500	⊞	15 à 20 €

Pascal Prunier et son épouse Christine font partie des habitués du Guide. Ils sont fidèles au rendez-vous avec deux cuvées sélectionnées. Ce village tout d'abord, un vin couleur cerise foncé, au nez intense de fruits rouges et noirs mûrs, rond et charnu en bouche, avec ce qu'il faut de fraîcheur en soutien. À boire dans l'année. Le 1er cru 2011 rouge Les Duresses (20 à 30 € ; 2 400 b.) ensuite, empyreumatique et fruité à l'olfaction,

d'un bon volume et bien structuré, également cité. À attendre deux ans.
☛ Dom. Prunier-Bonheur, 23, rue des Plantes, 21190 Meursault, tél. 03 80 21 66 56, fax 03 80 21 67 33, pascal.prunier-bonheur@wanadoo.fr, ⊠ ⵟ r.-v.

DOM. MICHEL PRUNIER ET FILLE Clos du Val 2010 ★

■ 1er cru	2 640	⊞	20 à 30 €

Cela fait désormais huit vendanges qu'Estelle Prunier a pris la suite de son père Michel. Elle exploite la moitié de l'unique clos situé à l'intérieur du climat du Val, soit 46 ares de pinot noir. Y est né un 2010 d'une belle intensité colorante, d'une belle intensité olfactive également, tournée vers les fruits rouges. Fruits que l'on retrouve dans une bouche ample, structurée par des tanins sans dureté. Une bouteille harmonieuse, à déguster dès à présent. Issu d'un assemblage de parcelles, et donc sans nom de climat, le 1er cru 2010 rouge (15 à 20 € ; 2 300 b.), dominé au nez par des notes de sous-bois et de poivre, généreusement fruité et bien équilibré entre rondeur et fraîcheur en bouche, est cité.
☛ Dom. Michel Prunier et Fille, rte de Beaune, 21190 Auxey-Duresses, tél. 03 80 21 21 05, fax 03 80 21 64 73, domainemichelprunier-fille@wanadoo.fr, ⊠ ⚹ ⵟ r.-v.

JEAN-MARC VINCENT Les Bretterins 2010 ★

■ 1er cru	760	⊞	15 à 20 €

Avoisinant le climat réputé du Val, celui des Bretterins est l'un des neuf 1ers crus de l'appellation. Ce domaine de 6,5 ha basé à Santenay en a extrait une microcuvée élégante dans sa robe rubis intense. Au nez, la griotte et la framboise sont accompagnées de notes fraîches de fougère. En bouche, le vin se montre rond, charnu, long et très fruité, avant de s'attarder en finale sur des notes de réglisse. Un auxey gourmand, à déguster dans les trois ou quatre ans à venir sur des brochettes de poulet marinées.
☛ Anne-Marie et Jean-Marc Vincent, 3, rue Sainte-Agathe, 21590 Santenay, tél. et fax 03 80 20 67 37, vincent.j-m@wanadoo.fr, ⊠ ⚹ ⵟ r.-v.

Saint-romain

Superficie : 96 ha
Production : 3 900 hl (55 % blanc)

À l'ouest de Meursault, le site mérite une excursion : le village de Saint-Romain se blottit au fond d'une combe, adossé à de superbes falaises. Son vignoble est situé dans une position intermédiaire entre la Côte et les Hautes-Côtes. Les vins rouges sont fruités et gouleyants ; les terrains argileux, avec des bancs marno-calcaires, conviennent bien au chardonnay.

CHRISTOPHE BUISSON Sous le château 2010

■	1 700	⊞	15 à 20 €

Christophe Buisson est chez lui à Saint-Romain, et les vins produits sur son fief natal sont régulièrement sélectionnés dans ces pages, parfois aux meilleures places, à l'image du 2009 Sous le château, coup de cœur dans l'édition précédente. La version 2010 se présente dans une

BOURGOGNE

robe grenat intense et livre un bouquet plaisant de fruits rouges confits. Franc en attaque, le palais se révèle souple et bien équilibré entre la douceur des fruits mûrs, des tanins nets et une pointe de vivacité. À déguster au cours des deux ou trois prochaines années, sur une blanquette de veau par exemple.

🍷 SARL Christophe Buisson, rue de la Tartebouille, 21190 Saint-Romain, tél. 03 80 21 63 92, fax 03 80 21 67 03, sarlchristophebuisson@wanadoo.fr, ☑ ⊤ r.-v.

DOM. HENRI ET GILLES BUISSON La Perrière
Élevé en fût de chêne français 2011 ★

	n.c.		⊞	15 à 20 €

Les Buisson – Gilles et ses deux fils – exploitent 19 ha de vignes en conversion bio, prolongement (naturel) de ce qu'avait initié puis abandonné Henri, le père de Gilles, dans les années 1970. Ils signent un 2011 pâle et limpide, qui dévoile des parfums de fleurs blanches (tilleul) agrémentés de notes d'agrumes et de vanille. Souple en attaque, la bouche s'équilibre ensuite entre rondeur et vivacité, renouant en finale avec les notes citronnées perçues à l'olfaction. Une bouteille à attendre un an ou deux pour que le bois se fonde, avant de la servir sur une dorade royale farcie à la coriandre fraîche.

🍷 Dom. Henri et Gilles Buisson, imp. du Clou, 21190 Saint-Romain, tél. 03 80 21 22 22, fax 03 80 21 64 87, contact@domaine-buisson.com, ☑ ⚒ ⊤ t.l.j. sf dim. 9h-12h 14h-17h30 🏠 ⑩

DOM. DENIS CARRÉ Le Jarron 2011 ★

	n.c.		11 à 15 €

Ce Jarron – un nom de *climat* que l'on retrouve aussi à Savigny-lès-Beaune – est né sur les hauteurs pierreuses et boisées de Saint-Romain. Paré d'une robe cerise noire, il dévoile un nez charmeur de griotte et de fruits noirs, une pointe vanillée en appoint. Dans la continuité, la bouche dévoile des tanins encore un peu stricts mais de qualité, qui se patineront d'ici deux ou trois ans. Une côte de veau accompagnée de légumes au wok sera alors la bienvenue.

🍷 Dom. Denis Carré, 1, rue du Puits-Bouret, 21190 Meloisey, tél. 03 80 26 02 21, fax 03 80 26 04 64, domainedeniscarre@wanadoo.fr, ☑ ⚒ ⊤ r.-v.

DOM. DE LA CRÉA Sous roche 2011

	5 300		⊞	15 à 20 €

Les vins du domaine sont vinifiés et distribués par la maison de négoce nuitone Louis Max depuis 2008. Cette cuvée d'un élégant jaune clair mêle au nez notes florales (aubépine), vanillées et grillées. Encore sous l'emprise du fût, la bouche se révèle vive et séveuse. On attendra deux ans pour que le boisé se fonde.

🍷 Dom. de la Créa, 6, rue de Chaux, 21700 Nuits-Saint-Georges, tél. 03 80 62 43 00, fax 03 80 62 43 16 ⚒ ⊤ r.-v.

FOURÉ-ROUMIER-DE FOSSEY 2011

	1 200		⊞⊞	11 à 15 €

Depuis sa création en 2006 par trois amis (Denis Roumier, Bruno Mathieu de Fossey et Gaël Fouré), cette maison de négoce fréquente avec assiduité les pages du Guide. Elle propose ici un saint-romain à la robe pâle et limpide, au nez discret mais fin d'agrumes et de notes boisées, au palais vif, franc et fruité. À déguster dès aujourd'hui, avec des gambas au beurre d'agrumes.

🍷 Maison Fouré-Roumier-de Fossey, 2, pl. de l'Europe, BP 18, 21190 Meursault, tél. 06 12 23 87 42, foure.gaelodie@wanadoo.fr, ☑ ⚒ ⊤ r.-v.

♥ ALAIN GRAS 2011 ★★

	n.c.		⊞⊞	15 à 20 €

Les vins d'Alain Gras, l'une des figures de proue de l'appellation, garnissent nombre de caves de restaurants étoilés. Deux étoiles d'un autre genre brillent au-dessus de ce saint-romain si remarquable que les palais experts du Guide lui ont attribué un coup de cœur. La robe est d'un seyant jaune pâle cristallin. Aux notes de pain grillé héritées de onze mois de barrique succèdent à l'aération d'élégantes senteurs de fleurs blanches et de fruits jaunes. On retrouve tout cela dans une bouche longue, ample, fine et fraîche, saline et un rien réglissée en finale. « Bonne cuisine et bon vin, c'est le paradis sur terre », disait le roi Henri IV, dont la fameuse poule au pot trouvera ici le compagnon idéal, dans un an ou deux.

🍷 Dom. Alain Gras, rue Sous-la-velle, 21190 Saint-Romain, tél. 03 80 21 27 83, fax 03 80 21 65 56, gras.alain1@wanadoo.fr, ☑ ⊤ r.-v.

DOM. SÉBASTIEN MAGNIEN Sous le château 2010

	1 800		⊞⊞	15 à 20 €

Ce 2010 se présente dans une élégante robe jaune vif, le nez empreint de notes fruitées (poire, coing) accompagnées de nuances de fougère et de beurre. Le palais se révèle souple, gras et fruité, rehaussé par une pointe de vivacité. Un ensemble équilibré, à boire dans les deux ans sur un saumon en croûte de sel.

🍷 Dom. Sébastien Magnien, 6, rue Pierre-Joigneaux, 21190 Meursault, tél. 03 80 21 28 57, fax 03 80 21 62 80, domainesebastienmagnien@orange.fr, ☑ ⚒ ⊤ r.-v.

DOM. DU CH. DE MELIN Sous Château 2011

	4 000		⊞	11 à 15 €

Arnaud Derats, originaire de Sampigny-lès-Maranges, a créé ce domaine en 2003 : 22 ha conduits en agriculture biologique (certification prévue pour le millésime 2012) répartis sur vingt-deux appellations (essentiellement beaunoises) en seize *villages*, dont 1,1 ha consacrés à ce saint-romain. Au nez, les fleurs blanches se mêlent à de légères nuances acidulées. Le palais se montre ferme et franc, dominé par des arômes de fruits jaunes et dévoile une pointe d'amertume en finale. Un vin plaisant, à boire dans les deux ans à venir.

🍷 SCEA Ch. de Melin, Ch. de Melin, 21190 Auxey-Duresses, tél. 03 80 21 21 19, fax 03 80 21 21 72, derats@chateaudemelin.com, ☑ ⚒ ⊤ t.l.j. sf dim. 10h-12h 14h-18h 🏠 ⑤
🍷 Derats

DAVID MORET 2011

| | 3 000 | 🍷 | 11 à 15 € |

Installé dans la confidence de ses caves beaunoises depuis 2000, ce négociant régulier en qualité signe un saint-romain plaisant par son bouquet intense de fruits exotiques (ananas) et d'agrumes agrémentés d'une touche de feuille de cassis. La bouche se montre assez tranchante, soutenue par une bonne vivacité et une finale saline, fruitée et boisée. À découvrir dans les deux ans, sur un wok de crevettes aux agrumes.

☛ SARL David Moret, 1-3, rue Émile-Goussery, 21200 Beaune, tél. 03 80 24 00 70, fax 03 80 24 79 65, moret.nomine@wanadoo.fr

DOM. NICOLAS PÈRE ET FILS En Chevrot 2011 ★

| | 1 500 | 🍷 | 11 à 15 € |

Parmi les 17 ha que compte ce domaine établi sur les hauteurs de Nolay, dans les Hautes-Côtes beaunoises, 30 ares sont consacrés à un « bout de saint-romain », comme disent les Bourguignons des petites surfaces. Ce 2011 or pâle livre de fines senteurs de fleurs blanches, d'agrumes, de vanille et de grillé. Une finesse aromatique que l'on perçoit aussi dans une bouche élégante, longue et bien équilibrée entre gras et vivacité. À boire dans les deux ou trois ans.

☛ Dom. Nicolas Père et Fils, 38, rte de Cirey, 21340 Nolay, tél. 03 80 21 82 92, fax 03 80 21 85 47, nicolas-alain2@wanadoo.fr, 🅜 ⚲ ⵏ t.l.j. 9h-12h 13h30-19h

VINCENT PRUNIER 2010 ★

| | 1 180 | 🍷🍷 | 11 à 15 € |

Vincent Prunier a adjoint en 2007 une petite structure de négoce à son domaine établi à Auxey-Duresses. C'est de cette activité qu'est issu ce 2010 jaune brillant, au premier nez dominé par le bois, plus ouvert sur les fruits et le beurre frais à l'aération. Le palais plaît par son côté ferme, serré et tonique. S'il peut déjà être débouché, ce saint-romain gagnera à attendre deux années en cave.

☛ SARL Vincent Prunier, rte de Beaune, 21190 Auxey-Duresses, tél. 03 80 21 27 77, fax 03 80 21 68 87, domaine.prunier.vincent@wanadoo.fr, 🅜 ⚲ ⵏ r.-v.

DOM. RAPET 2011 ★

| | 3 000 | 🍷 | 8 à 11 € |

En entrant dans le village de Saint-Romain, sur votre droite, vous trouverez la maison de maître, autrefois moulin, qui abrite ce domaine familial de 13 ha. François Rapet consacre 4,5 ha à ce 2011 paré d'or pâle, au nez finement fruité de pomme, de poire et d'agrumes, rehaussé par une pointe minérale. Le palais se montre vif en attaque, plus rond et chaleureux dans son développement, et de belle longueur en finale. À boire dans les deux ans à venir sur une pochouse bourguignonne.

☛ Dom. François Rapet, rue Sous-le-Château, 21190 Saint-Romain, tél. 03 80 21 22 08, fax 03 80 21 60 19, domainerapetfrancois@orange.fr, 🅜 ⚲ ⵏ t.l.j. 9h-12h 14h-18h

♥ DOM. DE LA ROCHE AIGUË
Le Bas de Poillanges 2011 ★★

| | 3 210 | 🍷 | 11 à 15 € |

Les Guillemard, établis à la sortie d'Auxey-Duresses depuis 1995, conduisent un vignoble de 13 ha et consa-

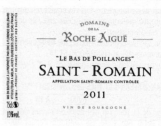

crent 45 ares à ce *climat* situé non loin de leur hameau de Melin. Adeptes des élevages courts (une année tout de même pour ce 2011, dont 20 % de fût neuf) afin de préserver le fruit, ils signent un saint-romain remarquable par son intensité et sa complexité aromatique : pêche, ananas, tilleul, boisé fondu. Le palais n'est pas en reste : il ne manque ni de consistance, ni de rondeur, ni de fruit, ni de vivacité. Bref, il offre un équilibre admirable et s'étire dans une longue finale aux accents beurrés et vanillés. Une bouteille déjà aimable, que l'on pourra aussi attendre deux ou trois ans. Une truite aux amandes serait une belle idée gourmande.

☛ EARL La Roche Aiguë, Melin, 21190 Auxey-Duresses, tél. 03 80 21 28 33, fax 03 80 21 63 55, guillemarderic@wanadoo.fr, 🅜 ⚲ ⵏ r.-v.
☛ Éric et Florence Guillemard

BOURGOGNE

Meursault

Superficie : 395 ha
Production : 18 540 hl (98 % blanc)

La commune chevauche une vallée qui prolonge celle d'Auxey-Duresses et marque une sorte de frontière : avec Meursault commence la véritable production de grands vins blancs. Certains de ses 1ers crus sont mondialement réputés : Les Perrières, Les Charmes, Les Poruzots, Les Genevrières, Les Gouttes d'Or... Ils allient la subtilité à la force, la fougère à l'amande grillée, l'aptitude à être consommés jeunes au potentiel de garde. Si Meursault est bien la « capitale des vins blancs de Bourgogne », elle n'en fournit pas moins quelques vins rouges, issus des terroirs voisins de Volnay, au nord. Ses « petits châteaux » attestent une opulence ancienne. La Paulée, qui a pour origine le nom du repas pris en commun à la fin des vendanges, est devenue une manifestation qui clôt en novembre les « Trois Glorieuses », journées au cours desquelles se déroule la vente des Hospices de Beaune.

BACHEY-LEGROS ET FILS Les Grands Charrons 2011 ★

| | 2 100 | 🍷🍷 | 20 à 30 € |

Issu de l'activité de négoce des frères Bachey-Legros, créée en 2008, ce meursault prend ses aises dans le Guide : quatrième sélection consécutive, avec ici un 2011 bien sous tous rapports. Robe jaune pâle des plus gracieuses ; nez joliment fruité encadré par un boisé qui sait rester à sa place ; bouche fine et fraîche, qui ne manque ni de gras ni de fruit ni de longueur. Un vin équilibré en somme, à boire aujourd'hui comme dans deux ans, sur une viande blanche ou du poisson.

🕿 Dom. Bachey-Legros et Fils, 12, rue de la Charrière, 21590 Santenay, tél. et fax 03 80 20 64 14, christiane.bachey-legros@wanadoo.fr, ☑ ⚚ ⛾ r.-v.

CHRISTIAN BELLANG ET FILS Les Tillets 2011 ★

1 200	🖩⓵	15 à 20 €

Née de la réunion des deux domaines des grands-parents, cette propriété est conduite depuis 2009 par Christophe Bellang, fils de Christian. 48 ares de ceps de cinquante ans sont à l'origine de ces Tillets. Un vin jaune brillant, au nez discret mais plaisant de pamplemousse et de fruits jaunes mûrs agrémentés d'une touche exotique. Du volume dès l'attaque, du gras et de la rondeur, une pointe de fraîcheur en soutien, la bouche séduit par son équilibre. L'ensemble est prêt à boire, sur une douzaine d'escargots (de Bourgogne évidemment).

🕿 Dom. Christian Bellang et Fils, 2 bis, rue de Mazeray, 21190 Meursault, tél. 03 80 21 22 61, fax 03 80 21 68 50, domaine.bellang@orange.fr, ☑ ⛾ r.-v.

JEAN-CLAUDE BOISSET Le Limozin 2011

n.c.	⓵	20 à 30 €

Cette célèbre maison de négoce nuitonne voit son meursault sélectionné pour la deuxième année consécutive. Une lumineuse robe dorée habille ce vin, qui offre une complexité aromatique naissante (vanille, beurre frais, fleurs blanches, fougère), de la fraîcheur et de la finesse en bouche, soulignées par des notes de fruits secs et d'agrumes. Un ensemble harmonieux, à déguster dans les deux ans à venir.

🕿 Maison Jean-Claude Boisset, Les Ursulines, 5, quai Dumorey, 21700 Nuits-Saint-Georges, tél. 03 80 62 61 61, fax 03 80 62 61 59, jcb@jcboisset.com, ⛾ r.-v.

PHILIPPE BOUCHARD Genevrières 2011 ★

1er cru	4 500	⓵	30 à 50 €

Derrière cette étiquette, une marque de la maison de négoce Corton André. Dans le verre, un vin jaune pâle aux reflets verts, qui livre des parfums de boisé grillé et de fruits frais (agrumes notamment). On retrouve ces sensations dans une bouche ample et élégante, vivifiée par une jolie fraîcheur minérale. « Du fond et de la forme », conclut un dégustateur, qui verrait bien ce vin accompagner un bar sauce à l'oseille, aujourd'hui ou dans trois ans.

🕿 Philippe Bouchard, BP 10, 21420 Aloxe-Corton, tél. 03 80 25 00 00, fax 03 80 26 42 00, contact@philippe-bouchard.com

🕿 Corton André

BOUCHARD PÈRE ET FILS 2011

n.c.	🖩⓵	20 à 30 €

Cette vénérable maison fondée en 1731 est à la tête d'un vaste vignoble de 130 ha, dont une large part consacrée aux 1ers et aux grands crus. Mais c'est avec un *village* qu'elle s'illustre en meursault. Un vin au teint clair, couleur or blanc, qui dévoile un bouquet plaisant de fleurs blanches, d'agrumes et de fruits secs. L'approche en bouche est franche et droite, la suite plus ronde et fruitée, une agréable fraîcheur venant en soutien. À boire dès maintenant sur un poisson en sauce crémée.

🕿 Bouchard Père et Fils, Ch. de Beaune, 15, rue du Château, 21200 Beaune, tél. 03 80 24 80 24, fax 03 80 22 55 88, contact@bouchard-pereetfils.com, ☑ ⚚ ⛾ t.l.j. 10h-12h30 14h30-18h30; dim. 10h-12h30

🕿 Famille Henriot

DOM. DENIS BOUSSEY Vieilles Vignes 2011

3 000	⓵	15 à 20 €

Denis Boussey signe un meursault de belle facture, né de ceps cinquantenaires enracinés sur une parcelle de 75 ares. La robe est brillante, dans les tons or pâle. Le nez se livre avec parcimonie, l'aération faisant apparaître un boisé élégant et des notes de fruits frais. La bouche se révèle chaleureuse et riche, adoucie par une touche miellée puis stimulée par une finale plus vive aux accents du terroir. À boire dans les deux ans.

🕿 Dom. Denis Boussey, 1, rue du Pied-de-la-Vallée, 21190 Monthelie, tél. 03 80 21 21 23, fax 03 80 21 62 46, domaine.denisboussey@wanadoo.fr, ☑ ⚚ ⛾ t.l.j. sf dim. 8h-12h 13h30-18h; f. 5-20 août

PHILIPPE BOUZEREAU Genevrières 2011 ★★

1er cru	1 500	🖩⓵	30 à 50 €

À Meursault, si vous cherchez un Bouzereau, pensez à donner le prénom. Ici, nous sommes chez Philippe, propriétaire du château de Cîteaux, qui commercialise sous son nom des vins issus de son négoce créé en 2006. Ici, un meursault bien né, paré d'or pâle, au nez élégant et profond, vanillé, floral et fruité, au palais à la fois franc, vif, dynamique et gras. De l'harmonie à revendre et un potentiel certain (trois à cinq ans). Réservez-lui un mets délicat : un filet de turbot avec un sabayon au vin blanc (de Bourgogne) par exemple.

🕿 Philippe Bouzereau, 7, place de la République, 21190 Meursault, tél. 03 80 21 20 32, fax 03 80 21 64 34, contact@chateau-de-citeaux.com, ☑ ⛾ t.l.j. sf dim. lun. 10h-13h 14h-18h

DOM. JEAN-MARIE BOUZEREAU Goutte d'or 2010 ★★

1er cru	600	⓵	30 à 50 €

Coup de cœur l'an dernier pour son meursault *village* 2009, Jean-Marie Bouzereau revient auréolé de deux belles étoiles pour cette Goutte d'or bien nommée : 10 ares et quelque 600 flacons d'un nectar précieux, couleur... or pâle. Au nez, une touche fumée accompagne des senteurs douces de brioche, d'amande et fleurs blanches. En bouche, de la densité, du volume, aucune lourdeur ni mollesse, un fond pierreux apportant ce brin de fraîcheur qui fait l'harmonie. Un vin d'une grande élégance et d'un équilibre indéniable, à boire dès l'automne ou à l'horizon 2020 pour d'autres saveurs. Ris de veau, poularde, filet de bar... optez pour un mets délicat.

🕿 Jean-Marie Bouzereau, 5, rue de la Planche-Meunière, 21190 Meursault, tél. 03 80 21 62 41, fax 03 80 21 24 39, jm.bouzereau@club-internet.fr, ☑ ⚚ ⛾ r.-v.

DOM. VINCENT BOUZEREAU Les Charmes 2010 ★★

1er cru	2 000	⓵	30 à 50 €

Issu d'une ancienne famille de vignerons et installé dans l'ancien prieuré du château de Meursault, dont l'un de ses ancêtres était propriétaire, Vincent Bouzereau cultive la vigne depuis 1990... et moissonne les étoiles du Guide. Un coup de cœur tombe aussi parfois dans le panier à vendange, comme l'an dernier avec ce même meursault Charmes, version 2009. Le 2010 a de la tenue et les dégustateurs y ont été sensibles. Au nez, finesse et discrétion : une pointe saline, une touche de vanille, des nuances de pomme et d'agrumes. En bouche, de la finesse, toujours, de l'équilibre aussi, entre une fringante fraîcheur minérale et une rondeur délicate, entre le bois et le fruit, du volume et de la puissance, et une belle vivacité en finale. À attendre deux ou trois ans pour une harmonie complète. Le 1er cru Goutte d'Or 2011 (1 200 b.), fruité, floral (rose), ample et élégant, obtient également une étoile, tandis que le *village* 2011 (20 à 30 € ; 12 000 b.), vif et fruité, est cité.

🔍 Vincent Bouzereau, 25, rue de Mazeray, 21190 Meursault, tél. 03 80 21 61 08, fax 03 80 21 65 97, vincent.bouzereau@wanadoo.fr, ☑ ⚹ ▼ r.-v.

DOM. HUBERT BOUZEREAU-GRUÈRE ET FILLES
Charmes 2010 ★

	1er cru	2 200	ⅲ	30 à 50 €

Amateurs de vin et de cinéma, passez une tête chez Hubert Bouzereau, vigneron de son état et figurant dans *La Grande Vadrouille*, il vous racontera sans nul doute quelques anecdotes croustillantes sur le tournage. Il sera aussi certainement intarissable sur les qualités de ce meursault né sur l'un des plus beaux *climats* de l'appellation. Ici, 30,07 ares de Charmes Dessus (pour la vivacité) et 30,99 ares de Charmes Dessous (pour la concentration). Résultat : un 2010 en effet bien équilibré, entre une matière dense, chaleureuse et charnue et une stimulante fraîcheur minérale et fruitée (fruits blancs, agrumes). Auparavant, on aura apprécié la finesse du bouquet, délicatement floral, fruité et vanillé. Déjà très aimable, ce vin peut aussi être remisé deux ou trois ans en cave. Le 2011 Les Tillets (20 à 30 € ; 2 500 b.), gras, rond et encore dominé par le bois, est cité. On l'attendra deux ou trois ans pour plus de fondu.

🔍 Hubert Bouzereau-Gruère et Filles, 22 A, rue de la Velle, 21190 Meursault, tél. 03 80 21 20 05, fax 03 80 21 68 16, bouzereau.gruere@aliceadsl.fr, ☑ ⚹ ▼ r.-v. 🏠 ❷

DOM. BUISSON-BATTAULT Limozin 2010

		n.c.	🍷ⅲ	20 à 30 €

Comme un pont entre deux éminentes spécialités bourguignonnes, le chardonnay de Buisson-Battault est travaillé dans une ancienne moutarderie, où a été installé le domaine en 2005. C'est ici la douceur de l'aubépine, de l'amande et du beurre frais qui monte au nez des dégustateurs, émoustillé aussi par un soupçon d'agrumes et d'ananas. En bouche, si le toasté de la barrique est encore sensible et doit se fondre, le vin affiche également une souplesse et une fraîcheur qui lui confèrent une agréable finesse. Attendez deux ans avant de servir cette bouteille sur une blanquette de veau (ou de poisson).

🔍 Buisson-Battault, 5, rue du 11-Novembre, 21190 Meursault, tél. 03 80 21 29 26, fax 03 80 21 63 23, buisson-battault@club-internet.fr, ☑ ▼ r.-v.

BUTTERFIELD 2010

		2 040	ⅲ	20 à 30 €

Avant de créer son négoce en 2005, David Butterfield a fait ses armes dans plusieurs domaines renommés de Bourgogne et de Nouvelle-Zélande. Site Internet épuré, étiquette résolument moderne, l'homme a du goût assurément ; son meursault aussi. Robe dorée, nez d'agrumes agrémenté d'une pointe anisée et d'un léger grillé, bouche

ample, suave et souple, où l'on retrouve les parfums de l'olfaction : un ensemble harmonieux, élégant et déjà très plaisant. Une viande blanche ou une volaille seront en charmante compagnie.

🔍 David Butterfield, 24, av. du 8-Septembre, 21200 Beaune, tél. 03 80 24 69 36, info@butterfieldwine.com, ☑ ⚹ ▼ r.-v.

DOM. DU CERBERON Les Cras 2010 ★

	1er cru	n.c.	🍷ⅲ	20 à 30 €

Nous sommes ici dans le cœur originel de ce petit domaine de 2,84 ha, créé en 1929 à partir de cette parcelle des Cras. Aujourd'hui, l'affaire est assurée entre cousins germains. 60 ares de chardonnay à l'origine d'un 2010 brillant, au sens propre et figuré. Au nez, agrumes, fleurs blanches et notes minérales. Un bouquet frais et délicat auquel fait écho une bouche ample et fraîche, tendue jusqu'en finale par une fine acidité. Deux ou trois ans d'attente sont conseillés pour une dégustation optimale. Un brochet au beurre blanc sera le bienvenu.

🔍 Dom. du Cerberon, 18, rue de Lattre-de-Tassigny, 21190 Meursault, tél. et fax 03 80 21 65 00, domaine.cerberon@wanadoo.fr, ☑ ⚹ ▼ r.-v.

JEAN CHARTRON Les Pierres 2011 ★

		1 100	🍷ⅲ	20 à 30 €

Plus connu des lecteurs pour ses grands crus de Puligny-Montrachet, Jean-Michel Chartron s'invite dans le chapitre « Meursault » avec un « simple » *village* qui n'a rien de simpliste. Un or éclatant teinté de vert anime le verre, parfumé avec discrétion et distinction (fougère, fleur d'acacia, fruits jaunes mûrs). Une belle présence en bouche, immédiate et calibrée avec justesse : de la rondeur et de la richesse mais pas trop, un fruité délicat et une fraîcheur friande en appui. « Une personnalité très attachante, qui ne cherche pas la surexposition », conclut un dégustateur, « une belle image de l'appellation », ajoute un autre. À découvrir dans les deux ou trois ans à venir sur un mets raffiné ; que diriez-vous d'un filet de bar à l'orange sauce hollandaise ?

🔍 EURL Jean Chartron, 8 bis, Grande-Rue, 21190 Puligny-Montrachet, tél. 03 80 21 99 19, fax 03 80 21 99 23, info@jeanchartron.com, ☑ ⚹ ▼ t.l.j. 10h-12h 14h-18h; f. fin nov. à Pâques.

CHRISTIAN CHOLET-PELLETIER 2011 ★

		1 000	ⅲ	11 à 15 €

« De l'équilibre et du caractère », c'est ainsi que les jurés synthétisent la dégustation de ce 2011 signé Christian Cholet, vigneron dans la plaine de Meursault depuis 1976. Pain grillé et vanille pour le bois, citron, fleurs blanches et amande pour le cépage, minéralité pour le terroir, l'équilibre commence par le nez. Il caractérise aussi le palais, écho élégant à l'olfaction, franc, souple et frais. L'ensemble a du caractère en effet et se plaira, aujourd'hui ou dans deux ans, sur un noble crustacé.

🔍 Christian Cholet, 40, rue de la Citadelle, 21190 Corcelles-les-Arts, tél. et fax 03 80 21 47 76 ☑ ⚹ ▼ r.-v.

PASCAL CLÉMENT 2011 ★

		900	ⅲ	15 à 20 €

Un nouveau nom dans le Guide, ce n'est pas fréquent sur Meursault. Pascal Clément signe ici son premier millésime et décroche sa première étoile avec un meursault généreux. La robe est profonde et dorée. Le nez, tout en douceur, évoque le miel d'acacia, la vanille, la noix et la pomme cuite au four. Ample, gras, riche mais sans lourdeur, rehaussé par une jolie finale épicée aux accents de poivre et de girofle, le palais est dans le ton. Poularde, blanquette, poisson en sauce, cette bouteille fait vibrer la sensibilité gastronomique des dégustateurs, qui conseillent en outre de ne pas attendre.

NOUVEAU PRODUCTEUR

🍇 Maison Pascal Clément, 13, rue de Cîteaux, 21420 Savigny-lès-Beaune, tél. 06 14 99 15 27, contact@maisonpascalclement.fr,
☑ ⚔ 🍷 t.l.j. 8h-12h 14h-19h

DOM. DE LA CONFRÉRIE Les Cras 2010

| | 1er cru | 900 | ⬛ | 20 à 30 € |

« Labour des vignes, respect de la nature, mon but est de laisser s'exprimer au maximum la matière première », ainsi Christophe Pauchard résume-t-il sa démarche. En l'occurrence, une vigne de chardonnay dans la fleur de l'âge (trente ans), à l'origine d'un meursault jaune pâle, au nez bien typé (poire et pêche mûres, fleurs blanches, vanillé léger, noisette), au palais ample, souple et de bonne fraîcheur. Pour des noix de Saint-Jacques, dès l'automne. Le *village* 2010 (15 à 20 € ; 1 700 b.), vif et fin, est également cité.

🍇 Christophe Pauchard, Dom. de la Confrérie, Cirey, 37, rue Perraudin, 21340 Nolay, tél. 03 80 21 89 23, fax 03 80 21 70 27, info@domaine-pauchard.fr, ☑ ⚔ 🍷 r.-v.

RAYMOND DUPONT-FAHN Les Tillets 2011 ★

| | 2 000 | ⬛⬛ | 15 à 20 € |

Un domaine régulier en qualité, établi dans la plaine de Meursault. Sur les 10 ha que compte le vignoble, 50 ares sont réservés à ces Tillets. La robe est cousue à l'or fin. Le nez évoque les fleurs blanches plutôt que les fruits (touche d'agrumes), une note de pain grillé rappelant l'élevage en fût de douze mois. La bouche, équilibrée, associe une chair ronde et riche à une fine tension qui apporte longueur et fermeté, ce qui permettra à ce vin de bien vieillir deux ou trois ans supplémentaires.

🍇 Raymond Dupont-Fahn, 70, rue des Eaux, 21190 Tailly, tél. 06 14 38 53 21 ☑ ⚔ 🍷 r.-v.

JEAN-CHARLES FAGOT 2011 ★

| | 1 500 | ⬛ | 20 à 30 € |

En plus d'être un bon faiseur de vins, le négociant-éleveur (et propriétaire de 3 ha de vignes) Jean-Charles Fagot est un gastronome. La maison familiale est ainsi devenue une auberge où il propose une cuisine du terroir. Côté cave, il signe ici un meursault généreux qui mêle à l'olfaction fruits jaunes mûrs, miel et fleurs blanches. La bouche, à l'unisson, se fait ronde, chaleureuse et charnue. « De très belles proportions dans un format approprié pour l'appellation », résume un dégustateur. Recommandé sur des saint-jacques poêlées au caramel d'agrumes, conseil d'aubergiste...

🍇 Jean-Charles Fagot, 5, rue de l'Église, 21190 Corpeau, tél. 03 80 21 30 24, fax 03 80 21 38 81, jeancharlesfagot@free.fr, ☑ ⚔ 🍷 r.-v.

JOSEPH FAIVELEY Blagny 2011 ★★

| | 1er cru | 6 500 | ⬛ | 30 à 50 € |

Si ses origines sont nuitonnes, cette maison de haute réputation a un pied dans les deux Côtes, dans les trois même puisqu'elle propose aussi des vins de la Côte chalonnaise. Dirigée depuis 2005 par Erwan Faiveley, septième du nom, elle signe ici l'un des meilleurs vins de la sélection à partir d'1,16 ha de vignes plantées sur Blagny, les blancs de ce hameau pouvant revendiquer les appellations meursault ou puligny-montrachet selon leur commune de production. La robe est d'un élégant et lumineux jaune pâle orné de reflets verts. Une même élégance caractérise le bouquet, mariage heureux des agrumes et du bois. La bouche offre beaucoup de volume et de longueur, de chair et de fraîcheur, aiguillonnée par une finale vive et saline. Déjà appréciable, ce vin s'appréciera mieux encore après deux à quatre ans de garde.

🍇 Dom. Faiveley, 8, rue du Tribourg, 21700 Nuits-Saint-Georges, tél. 03 80 61 04 55, fax 03 80 62 33 37, contact@bourgognes-faiveley.com

FOURÉ-ROUMIER-DE FOSSEY 2011

| | 1 000 | ⬛⬛ | 15 à 20 € |

Née en 2006 de l'association de trois amis, cette petite maison de négoce fait parler d'elle chaque année. Ici, un meursault de belle intensité colorante, dans les tons dorés, discrètement mais finement bouqueté (menthol, touche minérale, fleurs blanches), d'une aimable rondeur en bouche, avec ce qu'il faut de gras et de fraîcheur. Un vin équilibré et prêt à boire, sur un poisson ou une volaille en sauce.

🍇 Maison Fouré-Roumier-de Fossey, 2, pl. de l'Europe, BP 18, 21190 Meursault, tél. 06 12 23 87 42, foure.gaelodie@wanadoo.fr, ☑ ⚔ 🍷 r.-v.

DOM. DE LA GALOPIÈRE Les Chevalières 2010

| | 1 000 | ⬛ | 20 à 30 € |

Installés en 1982, Claire et Gabriel Fournier exploitent un vignoble de 11,5 ha, de Meursault jusqu'à la colline de Corton. Ils ont soumis au jury un meursault riche et généreux, au nez comme en bouche. La palette aromatique mêle les fruits jaunes, la chèvrefeuille, le miel et la vanille, prélude à un palais ample, gras, chaleureux, tapissé de fruits mûrs (pêche, ananas). « Une poule au pot », conseille un dégustateur, « une blanquette », suggère un autre ; pour aujourd'hui ou dans deux ans.

🍇 Claire et Gabriel Fournier, Dom. de la Galopière, 6, rue de l'Église, 21200 Bligny-lès-Beaune, tél. 03 80 21 46 50, fax 03 80 21 49 93, cgfournier@wanadoo.fr, ☑ ⚔ 🍷 r.-v.

MAURICE GAVIGNET 2010

| | 1 820 | ⬛ | 15 à 20 € |

L'histoire débute au début du XIX^{e}s., lorsque Honoré Gavignet, vigneron à la Romanée-Conti, fonde son domaine à Nuits-Saint-Georges. Maurice, son fils, prendra la suite, puis son petit-fils Jean-Claude à la fin des années 1970 et enfin, en 2008, le fils de ce dernier, Arnaud. Voilà pour la généalogie. Côté cave, un meursault en robe claire. Le nez, bien ouvert, allie des senteurs d'agrumes (citron, pamplemousse) et de fleurs blanches. La bouche dévoile un vin frais, mentholé et légèrement boisé, quelques notes de miel apportant la douceur. L'ensemble est harmonieux et à boire au cours des deux ou trois prochaines années.

🍇 Maurice Gavignet, 71, rue Félix-Tisserand, 21700 Nuits-Saint-Georges, tél. 03 80 61 03 87, fax 03 80 62 14 69, contact@maurice-gavignet.com, ☑ ⚔ 🍷 t.l.j. sf dim. 9h-12h 14h-18h

VINCENT GIRARDIN
Les Charmes-Dessus 2010 ★

1er cru	2 400	⏸	30 à 50 €

Vincent Girardin et son épouse Véronique ont décidé en 2012 de vendre leur domaine à l'un de leur partenaire historique, la Compagnie des Vins d'Autrefois. Un changement dans la continuité puisque l'équipe technique dirigée par Éric Germain reste en place, pour le bonheur des œnophiles, plus particulièrement des amateurs de santenay, appellation dans laquelle ce négociant-éleveur a souvent brillé (coup de cœur dans l'édition précédente pour son 1er cru La Maladière 2009, pour ne citer que le dernier). Côté meursault, ce 2010 revêt une robe or pâle et livre un bouquet complexe de fruits mûrs, d'épices douces et de grillé sur un fond délicatement minéral (coquille d'huître). Le charme se confirme en bouche, dont on apprécie la consistance, la fraîcheur et la persistance, sur des arômes en harmonie avec l'olfaction. Un vin équilibré et élégant, qui s'appréciera aussi bien jeune qu'après trois ou quatre ans de garde. Une rareté à découvrir également : l'autre visage, beaucoup plus confidentiel, de l'appellation avec le 1er cru Les Cras 2010 rouge (20 à 30 € ; 3 000 b.), une étoile pour son fruité intense et sa fraîcheur en bouche. À boire au cours des trois ou quatre prochaines années.
🕿 SAS Vincent Girardin, ZA Les Champs-Lins, 21190 Meursault, tél. 03 80 20 81 00, fax 03 80 20 81 10, vincent.girardin@vincentgirardin.com, ☑ par correspondance

CAMILLE GIROUD 2010 ★★

	1 597	⏸	30 à 50 €

Plus habituée de nos colonnes pour ses grands crus, dont elle s'est fait une spécialité, la maison Camille Giroud ne néglige pas ses « simples » *villages*. Ici, un meursault « pur jus », en robe cristalline. Certes encore jeune et taciturne à l'olfaction – l'aération dévoile toutefois une complexité naissante autour de jolies senteurs de citron, de noisette et de grillé –, mais plus loquace en bouche, où le vin se fait ample, tendre, gras et très long. On laissera cette bouteille grandir au moins quatre ou cinq ans pour qu'elle s'exprime pleinement.
🕿 Camille Giroud, 3, rue Pierre-Joigneaux, 21200 Beaune, tél. 03 80 22 12 65, fax 03 80 22 42 84, contact@camillegiroud.com, ☑ 🍷 r.-v.

ANDRÉ GOICHOT Les Vireuils 2010 ★

	1 300	⏸	15 à 20 €

Cette maison de négoce familiale fondée en 1947 s'illustre plus souvent dans le Guide pour ses montagny (avec le château de la Guiche, dont elle est propriétaire) ou ses santenay. Son meursault *village* a séduit par son élégance et sa fraîcheur. Paré d'une robe légère, il évolue à l'olfaction dans un registre floral (acacia, églantine) et brioché. Le palais fait écho au bouquet, ajoutant des notes d'agrumes, et offre un bel équilibre entre une chair moelleuse et tendre et une fine acidité qui permettra à ce vin de bien vieillir les trois ou quatre prochaines années. On pourra aussi l'apprécier dès l'automne sur une poularde à la crème ou une sole meunière.
🕿 Maison André Goichot , av. Charles-de-Gaulle, 21200 Beaune, tél. 03 80 25 91 30, fax 03 80 25 91 29, infos@goichotsa.com, ☑ 🏃 🍷 t.l.j. sf dim. 9h-12h 14h-18h

MAISON JESSIAUME Les Charmes 2010 ★★

1er cru	600	▮⏸	30 à 50 €

Jessiaume se décline en Domaine – propriété depuis 2006 de l'industriel écossais Sir David Murray, sur laquelle les frères Marc et Pascal continuent d'exercer leur talent (voir notamment leurs santenay) –, et en Maison, négoce créé en 2007 et orienté haut de gamme. C'est de cette dernière que provient ce Charmes en robe légère, or pâle, au nez intense et délicat de fleurs blanches, de vanille, de grillé et de pain d'épice. Frais en attaque, il se révèle d'une rondeur caressante en milieu de bouche, soutenu de bout en bout par une trame minérale qui lui confère beaucoup de finesse et de persistance. Un meursault précis et très élégant, que l'on pourra boire dès l'automne comme l'attendre trois ou quatre ans, et plus encore.
🕿 SARL Maison Jessiaume, 10, rue de la Gare, 21590 Santenay, tél. 03 80 20 60 03, fax 03 80 20 62 87, contact@domaine-jessiaume.com, ☑ 🏃 🍷 r.-v.
🕿 Sir David Murray

DOM. MICHEL LAHAYE Sous la Velle 2010 ★

	1 200	⏸	15 à 20 €

Michel Lahaye cultive la vigne depuis 1970, sur environ 5,5 ha à Pommard, Meursault et Beaune. Côté Meursault, il exploite 35 ares de cette parcelle située juste en dessous du château de la Velle, l'un des plus anciens terroirs viticoles de la commune. Il en a tiré ce vin or pâle, au nez floral (aubépine, tilleul) et un rien végétal. On retrouve les fleurs, accompagnées de fruits blancs et de beurre frais, dans une bouche fine et souple, bien balancée entre vivacité et gras, qui termine sa longue course sur les amers et le grillé. On peut d'ores et déjà profiter de cette bouteille, mais deux à quatre ans de garde lui permettront d'atteindre la plénitude.
🕿 Michel Lahaye, 5, pl. de l'Église, 21630 Pommard, tél. 03 80 22 52 22, michel.lahaye2@sfr.fr, ☑ 🏃 🍷 r.-v.
🕿 Cordillot

LOUIS LATOUR Goutte d'or 2010

1er cru	3 000	⏸	50 à 75 €

Cette noble maison fondée en 1797 revendique avec 28 ha l'un des plus vastes parcellaires de grands crus de la Côte d'Or. Elle possède aussi 75 ares de ce « petit » 1er cru (5 ha), qui tirerait son nom de la forme et de la couleur des nombreux silex qui composent son sol. Un *climat* réputé produire des vins de belle tenue et de longue garde, que prisait particulièrement Thomas Jefferson. Ici, une version or pâle et limpide, au nez généreux de fleurs blanches, d'abricot sec, de noisette et vanille, souple et riche en bouche, soutenu par une pointe de fraîcheur que certains dégustateurs auraient aimée plus intense. L'ensemble reste bien équilibré, plus large que long. À ouvrir au cours des trois ou quatre prochaines années, sur des pinces de crabe farcies ou plus classiquement sur une volaille à la crème.
🕿 Maison Louis Latour, 18, rue des Tonneliers, 21200 Beaune, tél. 03 80 24 81 00, fax 03 80 22 36 21, louislatour@louislatour.com

♥ VINCENT LATOUR Charmes 2010 ★★

1er cru	1 000	▮⏸	30 à 50 €

Si le domaine – Latour-Labille et Fils devenu Domaine Vincent Latour en 2011 – est ancien (1792), la partie négoce (Maison Vincent Latour) est bien plus récente (2008). Ce Charmes en est issu. Un vin d'emblée

BOURGOGNE

séduisant dans sa robe d'or pur et brillant, conquérant dans son bouquet intense de bois vanillé, de fleurs blanches, de fruits secs et de fruits jaunes frais. Franche et tonique en attaque, la bouche dévoile un boisé luxueux, bien intégré à une chair fruitée, tendre, riche et soyeuse. Une élégante note saline « dope » la finale et laisse le souvenir d'un vin complet, à la fois frais, puissant et délicat. « Un meursault qui regarde du côté des Charmes », conclut un dégustateur perspicace, qui n'avait pourtant qu'un flacon masqué sous les yeux. La preuve de l'expertise des jurés certes, mais aussi de la typicité remarquable de ce vin, que l'on laissera mûrir encore deux ou trois ans (et plus encore) avant de lui réserver une sole à la crème ou un noble crustacé. Sous l'étiquette domaine, Vincent Latour signe un *village 2011 Clos des Meix Chavaux* (20 à 30 € ; 15 000 b.) lui aussi bien dans le ton de l'appellation, un vin floral, gras et charnu, avec ce qu'il faut de fraîcheur pour garder l'équilibre, ainsi qu'un confidentiel 1er cru Gouttes d'or 2010 (600 b.), ample, tendre et frais à la fois, floral, fruité et finement boisé. Les deux obtiennent une étoile.

☛ Maison Vincent Latour, 6, rue du 8-Mai, 21190 Meursault, tél. 03 80 21 22 49, fax 03 80 21 67 86, latourlabillefils@wanadoo.fr, ☑ ⚲ ⍭ r.-v. 🏠 🄴

OLIVIER LEFLAIVE 2010 ★★

	25 000	🍶🍶	30 à 50 €

L'une des références de l'appellation, et plus largement de la Côte de Beaune et du Chablisien, qui collectionne les étoiles, côté cave (négoce et domaine), mais aussi côté hôtellerie : quatre pour son hôtel de Puligny, deux pour ce meursault *village* qui n'a rien de confidentiel. Un vin en robe claire et limpide, au nez discret mais subtil d'agrumes et de fleurs blanches, prélude à une bouche remarquable d'équilibre et d'élégance : souplesse de la chair, finesse aromatique (tilleul, aubépine, miel), fraîcheur minérale, finale suave et longue. Déjà bon à boire, il peut aussi affronter sans crainte une garde de trois à cinq ans.

☛ Olivier Leflaive Frères, pl. du Monument, 21190 Puligny-Montrachet, tél. 03 80 21 37 65, fax 03 80 21 33 94, contact@olivier-leflaive.com, ☑ ⚲ ⍭ r.-v.

MAISON AYMERIC MAZILLY Charmes 2011 ★★

1er cru	600	🍶🍶	30 à 50 €

Cette jeune maison de négoce a été créée en 2004 par Aymeric Mazilly, originaire des Hautes-Côtes (il travaille aussi sur le domaine familial avec son père Frédéric), qui vinifie et élève ses vins dans toute la gamme bourguignonne, des *villages* aux grands crus. Ici, un 1er cru au... charme certain : jolie robe doré soutenu ; nez élégant de pierre à

fusil, de fruits exotiques et de boisé grillé ; bouche intense et fraîche, tendue jusqu'en finale par une fine trame acide qui lui donne de la vitalité et laisse augurer une belle perspective de garde. On attendra au moins deux ou trois ans pour le déguster, et on pourra le garder en cave jusqu'en 2018-2020.

☛ Maison Aymeric Mazilly, 3, pl. de l'Europe, 21190 Meursault, tél. 03 80 26 02 00, claudinemazilly@orange.fr, ☑ ⚲ ⍭ r.-v.

♥ DOM. DU CH. DE MEURSAULT
Clos des Grands Charrons Monopole 2010 ★★

	3 452	🍶🍶	30 à 50 €

L'emblématique château de Meursault, haut-lieu du tourisme bourguignon et du folklore vineux – on y célèbre la fameuse Paulée le lendemain de la vente des Hospices de Beaune – a souvent changé de mains : famille de Pierre de Blancheton jusqu'à la Révolution ; famille Serre au XIXe s., qui développa considérablement le domaine viticole ; famille du comte de Moucheron ; famille Boisseaux (Maison Patriarche) à partir de 1973, qui le fit entrer dans l'ère moderne, à la vigne, au chai, et aussi en matière d'œnotourisme. En décembre 2012, nouveau changement : la famille Halley acquiert le domaine, les Boisseaux restant toutefois propriétaires des 60 ha de vignes. Des vignes dont 85 ares de ce Clos ont donné naissance à un admirable 2010. Robe d'or pâle ; nez discret mais délicat d'agrumes, de fleurs blanches, de noisette et de grillé ; palais soyeux et caressant, riche et gras mais sans mollesse, stimulé jusqu'en finale par une fine vivacité et structuré sans excès par un boisé élégant. Un grand meursault assurément, pour un plaisir immédiat ou différé (cinq ans et plus). Le domaine n'est pas en reste puisque son 1er cru Charmes 2010 (50 à 75 € ; 10 068 b.), assemblage des meilleurs fûts de quatre parcelles de ce *climat* réputé, décroche deux étoiles et frôle le coup de cœur. C'est un meursault de grand équilibre, à la fois très gras et très frais, très fin et très long. De garde lui aussi mais déjà si tentant... Deux étoiles enfin pour le 1er cru Perrières 2010 (75 à 100 € ; 4 412 b.), pour sa complexité aromatique (fruits mûrs, viennoiserie, boisé léger), pour son volume, sa richesse et sa fraîcheur minérale. Quelle moisson !

☛ Dom. du Ch. de Meursault, rue du Moulin-Foulot, BP6, 21190 Meursault, tél. 03 80 26 22 75, fax 03 80 26 22 76, domaine@chateau-meursault.com, ☑ ⚲ ⍭ t.l.j. 9h30-12h 14h30-18h

DOM. JEAN MONNIER ET FILS Genevrières 2010

1er cru	1 600	🍶🍶	30 à 50 €

Belle vendange 2010 pour ce domaine familial de 15 ha avec trois citations proches de l'étoile. En tête, ce 1er cru au nez floral, beurré et vanillé, au palais généreux, riche et rond. Un meursault qualifié de « gourmand et chaleureux », à réserver pour une volaille en sauce crémée.

Le 1er cru **Charmes 2010 (20 à 30 €ᅳ; 1 600 b.)** propose un style plus strict et vif, plutôt destiné aux produits de la mer. Le *village* **2010 Les Chevalières (20 à 30 €ᅳ; 2 400 b.)** se révèle plus mûr et gras. Trois cuvées que l'on pourra déboucher dès l'automne, avec une garde de deux ou trois ans conseillée pour le Charmes toutefois.

☙ SCEA Dom. Jean Monnier et Fils,
20, rue du 11-Novembre, 21190 Meursault,
tél. 03 80 21 22 56, fax 03 80 21 29 65,
contact@domaine-jeanmonnier.com,
☑ ⍫ t.l.j. 10h-12h 13h30-18h au caveau
pl. de l'Hôtel-de-Ville; f. 15 nov.-15 avr.

MOREY-BLANC Genevrières 2010 ★

1er cru	1 150	⑪	50 à 75 €

Ce meursault provient de l'activité de négoce développée par Pierre Morey en 1992 pour étendre la gamme de son domaine. Un vin « une étoile et demie », certains l'ayant jugé « très réussi » (un rien de longueur en plus aurait fait pencher la balance), d'autres « remarquable ». En tout état de cause, un 2010 fort recommandable, à commencer par sa robe brillante et limpide, ornée de reflets verts. Suit un bouquet aux accents floraux, surtout, beurrés aussi, et subtilement boisés, auquel fait écho un palais élégant, fin et équilibré (du gras et une jolie fraîcheur saline en finale). À boire dès la sortie du Guide ? Oui. À attendre ? Oui aussi (deux à quatre ans)... À vous de voir.

☙ Morey-Blanc, 13, rue Pierre-Mouchoux, 21190 Meursault,
tél. 03 80 21 21 03, fax 03 80 21 66 38,
morey-blanc@wanadoo.fr, ☑ r.-v.

MANUEL OLIVIER 2010

1er cru	n.c.	⑪	30 à 50 €

Issu de son activité de négoce, créée en 2007, ce meursault signé du quarantenaire Manuel Olivier, établi dans les Hautes-Côtes de Nuits, n'affiche pas de nom de *climat* car il assemble deux 1er crus. Mais un seul mot pour résumer la dégustation de ce 2010 : fraîcheur. Les jurés ont été plus prolixes sur les fiches et signalent aussi une belle robe or pâle, un bouquet discret mais fin, floral et minéral, une longueur appréciable. À boire dès l'automne ou à attendre, sa vivacité lui permettant de séjourner confortablement en cave au moins deux ou trois ans.

☙ SARL Manuel Olivier, 7, rue des Grandes-Vignes,
hameau de Corboin, 21700 Nuits-Saint-Georges,
tél. 03 80 62 39 33, fax 03 80 62 10 47,
contact@domaine-olivier.com,
☑ ⍫ ⍫ t.l.j. 9h-12h 14h-19h 🏠 🄖

💙 ANTOINE ET RACHEL OLIVIER Les Pellands 2010 ★★

	1 500	🄙⑪	20 à 30 €

Antoine et Rachel Olivier ont développé en 2005 une activité de négoce-éleveur pour compléter la gamme du domaine familial, dont le cœur historique est le village de Santenay. Mais c'est de Meursault qu'ils portent haut les couleurs cette année, et même très haut puisque ce 2010 a surclassé tous ses « concurrents » lors de la finale des

coups de cœur qui, pour mémoire, réunit les palais les plus experts de la dégustation, autant dire du sévère et du pointu. « Oui, oui, oui », écrit un juré non moins chevronné lors du « premier tour ». Le vin illumine le verre d'un bel or blanc orné de reflets verts. Les agrumes, les fruits exotiques, les fleurs blanches, la vanille, l'amande et le pain grillé composent un bouquet diablement ensorceleur. La bouche est un modèle d'équilibre : beaucoup d'ampleur dès l'attaque, une expression aromatique aussi complexe et séductrice que celle perçue à l'olfaction, du gras et de la vivacité. Un grand classique en somme, que l'on peut certes apprécier dès aujourd'hui, mais qu'il serait dommage de ne pas attendre encore trois à cinq ans.

☙ Antoine et Rachel Olivier, 3, rte de Chassagne,
21590 Santenay, tél. 03 80 20 61 35, fax 03 80 20 64 82,
domaineolivier@orange.fr, ☑ ⍫ ⍫ r.-v.

PIERRE OLIVIER 2011

	12 000	⑪	20 à 30 €

Après seize mois de barrique, ce 2011 se présente dans une livrée claire et limpide, le nez empreint de senteurs... boisées, mais aussi florales (aubépine) et fruitées. La bouche évoque la cannelle, la poire et l'amande amère. Elle offre également un bon équilibre entre une rondeur aimable et enveloppante et une fraîcheur assez soutenue. Un beau représentant de l'appellation, à découvrir au cours des deux ou trois prochaines années.

☙ Pierre Olivier, 7, rte de Monthelie, 21190 Meursault,
tél. 03 80 21 99 51, fax 03 80 21 28 05,
fanny.duvernois@bejot.com

CH. PERRUCHOT Chevalières 2010

	3 600	⑪	30 à 50 €

Natif de Santenay, Georges Prieur créa ce domaine dans les années 1930, l'une des bonnes références de l'appellation. Ici, un 2010 cristallin dans sa robe jaune clair. Au nez, fleurs blanches, pomme et abricot, un zeste d'orange amère et une touche de vanille. En bouche, de la finesse et de la souplesse plutôt que de la puissance et du volume, et une belle vivacité en soutien. Ce vin est prêt à boire, mais il peut attendre deux ans.

☙ G. Prieur, Ch. Perruchot, Santenay-le-Haut,
21590 Santenay, tél. 03 80 21 23 92, fax 03 80 20 64 31

MAX ET ANNE-MARYE PIGUET-CHOUET Les Narvaux 2011

	2 500	⑪	20 à 30 €

Lui est fils de boulanger et de viticultrice, elle, petite-fille de la plus ancienne famille vigneronne de Meursault, les deux se sont unis en 1981 pour fonder ce domaine 100 % familial, les deux fils Stéphane et William ayant rejoint leurs parents en 2004. Ils signent un 2011 agréable à l'œil dans sa robe jaune pâle, plaisant à l'olfaction également avec ses parfums de fruits secs (noisette) et de fruits frais. La bouche n'est pas en reste et séduit par son approche fruitée et miellée ainsi que par son équilibre gras-acidité. À boire dans les deux ans à venir sur, conseil de la maison, un comté affiné de vingt mois ou une lotte à l'armoricaine.

☙ Max et Anne-Marye Piguet-Chouet, rte de Beaune,
21190 Auxey-Duresses, tél. 03 80 21 25 78,
fax 03 80 21 68 31, piguet.chouet@wanadoo.fr, ☑ ⍫ ⍫ r.-v.

DOM. JACQUES PRIEUR Santenots 2010 ★

1er cru	1 400	⑪	30 à 50 €

Un domaine de belle notoriété, établi de longue date à Meursault (fin du XVIII^{e}s.), 22 ha de vignes pour

22 appellations, exclusivement des 1ers et des grands crus (hormis son meursault Clos de Mazeray, conduit en monopole). À sa tête depuis 1988, la famille Labruyère, également propriétaire à Pomerol (château Rouget) et dans le Beaujolais, son fief d'origine (domaine Labruyère en moulin-à-vent). Elle possède 25 ares des Santenots, dont la particularité est d'afficher volnay 1er cru sur l'étiquette lorsque la parcelle est plantée en pinot. Côté chardonnay, et meursault donc, le 2010 revêt une seyante robe or-vert. Une dominante florale, une pointe minérale et mentholée, une touche de douceur miellée et vanillée, c'est un bouquet délicat qui s'échappe du verre. La bouche se révèle bien texturée, offrant de jolies rondeurs, mais c'est surtout sa fraîcheur soulignée d'agrumes qui emporte l'adhésion et donne un côté croquant au vin. On peut le boire dans les deux ans à venir, ou l'attendre trois à cinq ans.

☛ Dom. Jacques Prieur, 6, rue de Santenots, 21190 Meursault, tél. 03 80 21 23 85, fax 03 80 21 29 19, info@prieur.com
☛ Famille Labruyère

DOM. VINCENT PRUNIER 2010 ★

▦	5 000	▤ ▥	15 à 20 €

Surtout connu des lecteurs pour ses auxey-duresses et chassagne rouges, Vincent Prunier prouve avec ce meursault bien né qu'il sait jouer du chardonnay. Un vin jaune clair et cristallin, au nez bien fruité (agrumes, abricot, pomme) et un peu miellé, au palais frais, tonique et long, qui ne manque ni de gras ni de générosité. Un beau *village* pour le présent et pour l'avenir ; on conseillera toutefois d'attendre deux à quatre ans pour déguster ce vin à son optimum.

☛ EARL Dom. Vincent Prunier, rte de Beaune, 21190 Auxey-Duresses, tél. 03 80 21 27 77, fax 03 80 21 68 87, domaine.prunier.vincent@wanadoo.fr, ▨ ⚥ ▼ r.-v.

ROUX PÈRE ET FILS Clos des Poruzots 2011

1er cru	1 650	▥	30 à 50 €

La famille Roux exploite un coquet vignoble de 32 ha (auquel s'ajoute une activité de négoce) répartis sur quelque 35 appellations et une cinquantaine de cuvées. Plusieurs d'entre elles sont régulièrement sélectionnées dans ce Guide, notamment en saint-aubin, puligny, chassagne ou encore meursault. Ce 2011 est né sur 22 ares de ce *climat* situé entre Les Genevrières et Les Gouttes d'Or. Il se présente dans une robe pâle et limpide et se livre avec parcimonie à l'olfaction, l'aération dévoilant quelques notes de fruits mûrs. Il se montre plus loquace en bouche, autour de la pêche notamment, offre un bon volume, du gras et ce qu'il faut de vivacité. Un vin équilibré, à déguster dans deux ou trois ans pour plus d'expression aromatique.

☛ Dom. Roux Père et Fils, 42, rue des Lavières, 21190 Saint-Aubin, tél. 03 80 21 32 92, fax 03 80 21 35 00, france@domaines-roux.com, ▨ ⚥ ▼ r.-v.

CHRISTOPHE VAUDOISEY Les Vireuils 2011

▦	n.c.	▥	15 à 20 €

Si les lecteurs connaissent bien les vins de Volnay (la famille y est installée depuis 1804) de Christophe Vaudoisey, ils ont rarement l'occasion de lire nos commentaires sur son meursault. Ils découvriront donc avec plaisir ce 2011 en robe dorée, au nez intense de fruits mûrs (agrumes, poire), de vanille et de viennoiserie. On retrouve ces sensations aromatiques dans une bouche riche, ronde et ample, une touche de fraîcheur minérale (silex) apportant l'équilibre. Un vin harmonieux, à boire dans les deux ou trois ans à venir.

☛ Christophe Vaudoisey, 1, rue de la Barre, 21190 Volnay, tél. 03 80 21 20 14, fax 03 80 21 27 80, christophe.vaudoisey@wanadoo.fr, ▨ ⚥ ▼ r.-v.

CH. DE LA VELLE Clos de la Velle 2011

▦	2 500	▥	20 à 30 €

Dans la famille Darviot depuis neuf générations, ce domaine est commandé par une demeure seigneuriale du XVes. classée Monument historique. Son vignoble s'étend sur 9 ha, dont 50 ares consacrés à ce Clos, à l'origine d'un meursault joliment paré d'or pâle, au nez expressif de fleurs blanches et de toasté agrémenté d'une pointe anisée. Le palais se révèle rond, suave (note miellée) et chaleureux, équilibré par une finale plus souple et fraîche. Prêt à boire, ce vin pourra aussi patienter trois ou quatre ans en cave.

☛ Bertrand Darviot, 17, rue de la Velle, 21190 Meursault, tél. 03 80 21 22 83, fax 03 80 21 65 60, chateaudelavelle@darviot.fr, ▨ ⚥ ▼ r.-v. ⌂ ⊙

Puligny-montrachet

Superficie : 208 ha
Production : 10 850 hl (99 % blanc)

Centre de gravité des vins blancs de Côte-d'Or, serrée entre ses deux voisines Meursault et Chassagne, cette petite commune tranquille ne représente en surface de vignes que la moitié de Meursault, ou les deux tiers de Chassagne, mais se console en possédant les plus grands crus blancs de Bourgogne, dont le montrachet (en partage avec Chassagne). La position géographique de ces grands crus, selon les géologues de l'université de Dijon, correspond à une émergence de l'horizon bathonien, qui leur confère plus de finesse, plus d'harmonie et plus de subtilité aromatique qu'aux vins récoltés sur les marnes avoisinantes. Les vins issus des autres *climats* dévoilent fréquemment des senteurs végétales à nuances résineuses ou terpéniques qui leur donnent beaucoup de distinction.

AU PIED DU MONT CHAUVE La Garenne 2011 ★

1er cru	1 500	▥	30 à 50 €

Le mont Chauve ? Le nom ancien de la célèbre colline du Montrachet – « rachet » signifiant « chauve » –, dont le sommet évoque la tonsure d'un moine. À ses pieds, Francine Picard, fille du négociant Michel Picard, administre un domaine de 35 ha créé en 2011 et réparti sur les communes de Chassagne, de Puligny et de Saint-Aubin. Du *climat* La Garenne, elle possède une parcelle de

33 ares, à l'origine de ce joli vin qui lui permet de faire une entrée très réussie dans le Guide. La robe est d'un élégant jaune pâle aux reflets verts. Le nez mêle parfums d'aubépine, de tilleul, de vanille et de beurre frais. Le palais se révèle bien équilibré, à la fois rond, soyeux et frais, mariant à une fine acidité citronnée un boisé toasté sans excès. Un puligny-montrachet séduisant et élégant, à déguster dans les deux ans avec des joues de loup aux agrumes et aux mangues.

NOUVEAU PRODUCTEUR

🔨 Au Pied du mont Chauve, 5, chem. du Château, 21190 Chassagne-Montrachet, tél. 03 80 21 98 57, fax 03 80 21 98 56, contact@michelpicard.com, ☑ ⚥ ⌾ t.l.j. 10h-18h 🏛 ⑤
🔨 Famille Picard

JEAN-CLAUDE BACHELET ET FILS Sous le puits 2010 ★★

	1er cru	n.c.	ⓤ	30 à 50 €

Les deux frères Bachelet, à la tête de 10 ha de vignes répartis entre Saint-Aubin, Chassagne et Puligny, exploitent 24 ares de ce *climat* situé en lisière de forêt, sur lequel autrefois un puits a dû servir à alimenter le hameau de Blagny tout proche. La version 2010 a concouru pour le coup de cœur. Ses arguments ? Une seyante robe d'or aux reflets verts et brillants ; un nez complexe, généreux et délicat de fruits au sirop, de fleurs blanches et d'épices douces ; une bouche tout aussi expressive, ample, dense et riche, étirée en longueur par une fine minéralité. Une cuvée à partager dès maintenant ou dans deux ou trois ans sur un bar grillé aux herbes.
🔨 Dom. Jean-Claude Bachelet et Fils, 1, rue de la Fontaine, hameau de Gamay, 21190 Saint-Aubin, tél. 03 80 21 31 01, fax 03 80 21 91 71, info@domainebachelet.fr, ☑ ⌾ r.-v.

DOM. DE BLAGNY Hameau de Blagny 2011

	1er cru	1 150	ⓤ	20 à 30 €

Dans le hameau de Blagny, situé entre 340 et 400 m, les 4,79 ha de vignes (dont 4,11 en 1er cru) possèdent la particularité d'être plantés dans les deux couleurs. En rouge, le vin prend le nom de blagny, mais en blanc, il devient meursault ou puligny. Ce domaine de 6 ha (intégralement en 1er cru) possède 1 ha de ce *climat*, dont il a tiré ce vin vêtu d'or, au nez plaisant de pamplemousse, de miel et de fleurs blanches, bien équilibré en bouche entre rondeur et vivacité. Tout indiqué pour un jambon persillé, dès cet automne.
🔨 Dom. de Blagny, hameau de Blagny, 21190 Meursault, tél. et fax 03 80 21 30 35, jean-louis.de-montlivault@orange.fr, ☑ ⚥ ⌾ r.-v.
🔨 De Montlivault

DOM. BONNARDOT La Garenne 2010

	1er cru	900	ⓤ	30 à 50 €

Ce 1er cru de 9,86 ha est le second de l'appellation par la taille. Il tient son nom du droit de chasse qu'avaient les moines de l'abbaye de Maizières, située dans le hameau de Blagny, une « varenne » ou « garenne » désignant l'espace boisé réservé à cet effet. Ce petit domaine y exploite 20 ares de chardonnay, à l'origine d'une cuvée nécessairement confidentielle. Un vin frais à l'olfaction (agrumes, fruits blancs), quelques nuances florales et boisées en appoint ; frais en bouche également, porté par les mêmes senteurs fruitées que celles perçues au nez. À déguster dans sa jeunesse, sur un poisson grillé.

🔨 Ludovic Bonnardot, 27, Grande-Rue, 21250 Bonnencontre, tél. 03 80 36 31 60, fax 03 80 36 37 29, ludovic-bonnardot@orange.fr, ☑ ⚥ ⌾ r.-v. 🏠 Ⓒ

CHRISTOPHE BUISSON 2010 ★

		1 150	ⓤ	20 à 30 €

111,15 ha, c'est la superficie plantée en appellation communale à Puligny. On trouve même 1,26 ha de pinot noir dans ce pays de chardonnay, essentiellement dans le hameau de Blagny. Pour élaborer ce vin, Christophe Buisson a vendangé une parcelle de 20 ares, cultivés en bio (la certification du vignoble sera effective sur le millésime 2012). Ce 2010 couleur or aux reflets argentés livre un bouquet expressif et complexe, oscillant entre minéralité, notes d'amande et de pamplemousse. La bouche se montre vive et tendue dès l'attaque, une sensation de fraîcheur qui persiste jusqu'en finale, accompagnée de légères nuances boisées. Un vin tonique, à déguster au cours des deux prochaines années sur une aumônière de poisson.
🔨 Dom. Christophe Buisson, rue de la Tartebouille, 21190 Saint-Romain, tél. 03 80 21 63 92, fax 03 80 21 67 03, domainechristophebuisson@wanadoo.fr, ☑ ⌾ r.-v.

💚 JEAN CHARTRON 2011 ★★

		7 800	🍾ⓤ	30 à 50 €

Grand Vin de Bourgogne
2011
PULIGNY-MONTRACHET
— Jean Chartron —

Le « simple » puligny n'est jamais simpliste chez Jean-Michel Chartron, qui étend la majeure partie de ses 13 ha sur la commune qui l'a vu naître. De lui, on se souvient notamment du Clos du Cailleret et du Clos de la Pucelle, qui ont obtenu chacun un coup de cœur dans de récentes éditions. Nous le retrouvons avec un *village* plein d'éclat. De celui de sa robe aux reflets verts à celui de son palais, à la fois vif et concentré, riche et droit, en passant par celui de son bouquet frais et complexe de fruits exotiques et de vanille. Un éclat qui brillera encore dans deux ou trois ans lorsque vous servirez ce vin d'une grande élégance sur des saint-jacques poêlées aux agrumes. Le monopolistique **1er cru Clos de la Pucelle 2011 (50 à 75 € ; 5 000 b.)** est cité pour sa fraîcheur et sa finesse, au nez (pêche, beurre, fleurs blanches) comme en bouche. On l'appréciera au cours des deux ou trois prochaines années sur un saumon en croûte de sel.
🔨 EURL Jean Chartron, 8 bis, Grande-Rue, 21190 Puligny-Montrachet, tél. 03 80 21 99 19, fax 03 80 21 99 23, info@jeanchartron.com, ☑ ⚥ ⌾ t.l.j. 10h-12h 14h-18h; f. fin nov. à Pâques

JEAN-LOUIS CHAVY 2011 ★★

		15 000	🍾ⓤ	15 à 20 €

Ce vigneron de Puligny, qui exploite 6,5 ha sur la commune et ses environs, fête en 2013 les dix ans de son

BOURGOGNE

installation. Il décroche deux étoiles avec cette importante cuvée de *village* qui a participé au jury des coups de cœur. Au nez, les fleurs blanches se mêlent à de fines notes boisées apportées par dix mois de barrique. Vive dès l'attaque, la bouche se révèle ample, fine et élégante, et maintient jusqu'en finale cette sensation de fraîcheur. Un vin « en dentelle », déjà fort plaisant, mais armé aussi pour durer (trois à cinq ans). Une belle finesse caractérise aussi le **1er cru 2011 Les Folatières (20 à 30 € ; 8 500 b.)**, floral, boisé avec discernement, frais et long en bouche. Il reçoit une étoile.

☎ Jean-Louis Chavy, 27, rue de Bois, 21190 Puligny-Montrachet, tél. 03 80 21 38 85, fax 03 80 21 39 89, jeanlouis.chavy@wanadoo.fr, ☑ �илиr.-v.

MARC COLIN ET SES FILS La Garenne 2011

1er cru	2 000	ⅲ	30 à 50 €

On retrouve le 1er cru La Garenne de Caroline, Joseph et Damien, les enfants de Marc et Michèle Colin, dont la version 2009 fut coup de cœur du Guide. Pour la petite histoire, le mot « garenne » vient de « varenne », qui désignait au Moyen Âge un lieu boisé réservé à la chasse d'un seigneur ou d'un monastère. La présence de l'abbaye de Maizières sur le hameau voisin de Blagny confirme cette hypothèse. Ce 2011 proche de l'étoile a séduit les dégustateurs par la brillance de sa robe jaune citron, la finesse de son bouquet de fleurs blanches agrémentées d'une touche miellée, et par le côté aérien et minéral de son palais. À déguster dans deux ans, sur un bar grillé aux amandes.

☎ Dom. Marc Colin, rue de la Chatenière, 21190 Saint-Aubin, tél. 03 80 21 30 43, fax 03 80 21 90 04, marccolin@ymail.com, ☑ �илиr.-v.

RAYMOND DUPONT-FAHN Les Charmes 2011 ★

	2 000	▮ ⅲ	20 à 30 €

Trente ares de Charmes, ce n'est pas énorme, mais ce n'est pas rien. Un vigneron de Bourgogne vous dira qu'il préfère en avoir « un ch'tiot bout » que pas de vigne du tout ! Avec cette cuvée 2011, Raymond Dupont-Fahn arbore une nouvelle étiquette. Dans le verre, un vin or pâle qui exhale des parfums floraux, beurrés et boisés (douze mois de barrique). En bouche, il se montre « joyeux », pour reprendre le qualificatif d'un dégustateur, entendez frais, friand, minéral et fruité. Une tonicité qui lui permettra de bien vieillir deux ou trois ans de plus et d'accompagner avec bonheur un homard thermidor.

☎ Raymond Dupont-Fahn, 70, rue des Eaux, 21190 Tailly, tél. 06 14 38 53 21 ☑ �илиr.-v.

JEAN-CHARLES FAGOT 2011 ★★

	600	ⅲ	20 à 30 €

Ce 2011 a disputé la finale des coups de cœur, qui a confronté pas moins de six cuvées. Son vinificateur, Jean-Charles Fagot, est à la fois vigneron et négociant sur Corpeau, commune voisine de Chassagne. C'est avec sa seconde casquette qu'il propose ce puligny au nez intense de fleurs blanches mâtinées par un fin boisé. Onctueux, riche et long, le palais s'appuie sur une belle fraîcheur minérale qui porte loin la finale et laisse le souvenir d'une bouteille élégante et équilibrée. « Un vin fidèle à son terroir », conclut un dégustateur, qui le conseille d'ici 2016 sur des ris de veau poêlés en persillade.

☎ Jean-Charles Fagot, 5, rue de l'Église, 21190 Corpeau, tél. 03 80 21 30 24, fax 03 80 21 38 81, jeancharlesfagot@free.fr, ☑ ☙ �илиr.-v.

JEAN FÉRY ET FILS Les Nosroyes 2010

	3 500	▮ ⅲ	20 à 30 €

Ce *climat* s'étend sur 5,51 ha au pied de la colline de Blagny, côté Meursault. Son nom renvoie à une forme dérivée du mot « noyer » en ancien français. On retrouve aussi ces arbres au milieu des vignes à Pommard (Les Noizons), ou encore à Gevrey et à Chambolle-Musigny (Les Noirets). Côté puligny, ce producteur des Hautes-Côtes en exploite 70 ares à l'origine d'un vin en robe jaune doré. Un bouquet aux accents pâtissiers et miellés annonce une bouche ronde, bientôt vivifiée par une trame minérale qui se prolonge jusqu'en finale. À boire dès aujourd'hui sur un poisson en sauce.

☎ Dom. Jean Féry et Fils, 1, rte de Marey, 21420 Échevronne, tél. 03 80 21 59 60, fax 03 80 21 59 59, fery.vin@wanadoo.fr, ☑ ☙ ☙ ☛ ☙

FLORENT GARAUDET 2010 ★

	3 000	ⅲ	20 à 30 €

Florent Garaudet met en valeur la célèbre devise « In Vino Veritas » sur son étiquette. S'il n'y a pas de vérité absolue à la dégustation, nos jurés ont unanimement jugé très réussi ce 2010, troisième millésime pour ce vigneron de Monthélie. Ils ont apprécié sa robe brillante aux reflets argentés, son bouquet ouvert et élégant de fleurs blanches agrémentées de nuances pâtissières, ainsi que son palais riche, ample et soyeux, rehaussé par une finale un rien saline. Laissez fondre son fin boisé encore un an ou deux et vous pourrez déguster cette jolie bouteille sur un bar grillé aux amandes.

☎ Florent Garaudet, 3, rue du Château-Gaillard, 21190 Monthelie, tél. 06 87 77 01 28, florentgaraudet@orange.fr, ☑ ☙ ☛ t.l.j. sf 8h-12h 13h30-18h

♥ CH. GÉNOT-BOULANGER Les Folatières 2011 ★★

1er cru	2 000	ⅲ	50 à 75 €

CHÂTEAU
Génot-Boulanger
2011
PULIGNY-MONTRACHET
PREMIER CRU - LES FOLATIÈRES
GRAND VIN DE BOURGOGNE
PROPRIÉTAIRE - RÉCOLTANT

Depuis leur prise en main du domaine familial en 2008, Aude et Guillaume Lavollée perpétuent avec talent l'œuvre des trois générations précédentes. Ils ont également entrepris, pour l'heure à titre expérimental, la conversion bio et biodynamique de leurs 28 ha de vignes ventilés sur une trentaine d'appellations, dont trois grands crus et treize 1ers crus. Honneur ici à leurs 35 ares de Folatières, *climat* des hauteurs tirant son nom des zones de brouillard qui s'y dévoilent parfois, les « follots ». Paré d'une élégante robe jaune pâle et brillante, ce 2011 livre des parfums délicats de chèvrefeuille, d'acacia et de miel accompagnés d'un léger toasté-vanillé. Riche, ronde et douce, la bouche trouve son équilibre grâce à une fine vivacité qui l'étaye de bout en bout, jusque dans sa longue finale aux accents d'agrumes. Déjà très ouvert et harmonieux, ce vin pourra dès à présent accompagner un poisson fin ou une viande blanche ; deux ou trois ans de garde ne gâcheront pas non plus votre plaisir.

☛ Ch. Génot-Boulanger, 25, rue de Cîteaux, 21190 Meursault, tél. 03 80 21 49 20, fax 03 80 21 49 21, contact@genot-boulanger.com, ☑ ⚥ ⵍ r.-v.

DOM. GUILLEMARD-CLERC Le Meix 2011 ★★

1er cru	600	🍷 ⫼	30 à 50 €

Ce domaine de 10 ha a été créé de toutes pièces en 1990 par les époux Guillemard et Clerc, à partir de 19,79 ares hérités de la grand-mère paternelle de l'un d'eux. Il propose aujourd'hui deux grands crus, un pied dans les bienvenues-bâtard-montrachet et l'autre en Côte de Nuits avec une parcelle de clos-de-vougeot. Cette cuvée communale située sous Les Pucelles a fait belle impression. Derrière sa robe claire et brillante se dévoile un bouquet charmeur et délicat de fleurs blanches (acacia), d'amande et d'agrumes. Une attaque souple et fraîche prélude à un palais d'une grande finesse, soyeux, long et frais, qui laisse une impression d'élégance et de légèreté. Ce puligny ravira vos papilles, aujourd'hui comme dans trois ans, sur des saint-jacques simplement poêlées au beurre salé. Le *village* 2011 Les Enseignières (20 à 30 € ; 600 b.), consistant mais encore dominé par le bois, est cité. À garder deux ans.

☛ Dom. Guillemard-Clerc, 19, rue Drouhin, 21190 Puligny-Montrachet, tél. 03 80 21 34 22, fax 03 80 21 91 84, guillemard-clerc.domaine@wanadoo.fr, ☑ ⚥ ⵍ r.-v. 🏡 ❸

LOUIS JADOT La Garenne 2010 ★★

1er cru	n.c.		30 à 50 €

La maison Louis Jadot est l'un des plus anciens négoces de Bourgogne et possède, à l'instar de nombre de ses confrères, plusieurs vignes en propriété. Ce 1er cru, qui a brigué le coup de cœur, en fait partie. Drapé dans une robe pâle et brillante, il dévoile un bouquet élégant et subtil de fleurs blanches, d'agrumes et de grillé. Sur le fruit et les épices douces, la bouche se révèle ample, puissante et d'une fraîcheur remarquable. Un séjour de deux à trois ans en cave permettra à ce vin encore jeune et fougueux de s'assagir.

☛ Louis Jadot, 21, rue Eugène-Spuller, 21200 Beaune, tél. 03 80 22 10 57, fax 03 80 22 56 03, maisonlouisjadot@louisjadot.com, ⚥ ⵍ r.-v.

☛ Famille Kopf

JAFFELIN 2011

	870	⫼	20 à 30 €

Cette maison de négoce implantée à Beaune depuis 1816 appartient à la galaxie des vins Boisset de Nuits-Saint-Georges. Elle conserve son autonomie d'achat avec à sa tête Marinette Garnier, une jeune œnologue. Celle-ci a élaboré un puligny discret de prime abord, qui s'ouvre à l'aération sur les fleurs blanches, la pierre à fusil et le toasté. Une attaque franche annonce un palais souple, frais et tendu, accompagné de notes de fruits secs

et de grillé. À servir dans les deux ans, avec une volaille en sauce.

☛ Maison Jaffelin, 2, rue Paradis, 21200 Beaune, tél. 03 80 22 12 49, fax 03 80 25 90 89, jaffelin@maisonjaffelin.com, ☑ ⚥ ⵍ r.-v.

DOM. SYLVAIN LANGOUREAU La Garenne 2011 ★

1er cru	3 800	⫼	15 à 20 €

Sylvain Langoureau s'est installé en 1988 à la tête de ce domaine familial, dont les bâtiments datent de 1647. Il exploite 55 ares de ce 1er cru, dont il a tiré un vin expressif, sur les agrumes, la fleur d'acacia et la vanille. La bouche est à l'unisson, florale, fruitée et boisée avec mesure, soutenue de bout en bout par une fraîcheur qui lui confère finesse et persistance. Un puligny équilibré, à déguster au cours des deux ans à venir sur un turbot à la crème.

☛ Dom. Sylvain Langoureau, 20, rue de la Fontenotte, 21190 Saint-Aubin, tél. et fax 03 80 21 39 99, domaine.sylvain.langoureau@cegetel.net, ☑ ⚥ ⵍ r.-v.

DOM. LARUE Le Trézin 2011 ★

	3 000	⫼	20 à 30 €

Ce secteur de Puligny, établi à 320 m d'altitude, forme un chapeau au sommet de la colline de Blagny. Les frères Larue, producteurs de Saint-Aubin à la tête d'un vignoble de 17 ha, en possèdent 2 ha. Paré d'une robe claire à reflets verts, leur 2011 délivre de jolies notes florales accompagnées d'une touche de noisette et de beurre. Passé une attaque franche et fruitée, le palais se révèle ample et gras, sans toutefois perdre de sa vivacité, bien marquée en finale. Une cuvée équilibrée, à déguster dans deux ou trois ans sur des tagliatelles à la crème et aux pointes d'asperges.

☛ Dom. Larue, 32, rue de la Chatenière, 21190 Saint-Aubin, tél. 03 80 21 30 74, fax 03 80 21 91 36, dom.larue@wanadoo.fr, ☑ ⚥ ⵍ r.-v.

OLIVIER LEFLAIVE 2010

	39 000	🍷 ⫼	30 à 50 €

Si cette importante cuvée, fruit d'un assemblage de trente-cinq parcelles, obtient une citation, son élaborateur, Olivier Leflaive, ne manque pas d'étoiles, dans ces pages, mais aussi sur la façade de son hôtel de luxe. Vous pourrez y découvrir les vins de ce propriétaire-négociant lors d'un déjeuner-dégustation, et notamment ce 2010 dominé par les senteurs grillées du fût au premier nez, plus fruité à l'aération. Le palais se révèle souple et rond, avant de s'orienter vers plus de fraîcheur en finale grâce à la vivacité des agrumes. Un puligny aimable et équilibré, à boire dès aujourd'hui, sur une blanquette de veau aux morilles par exemple.

☛ Olivier Leflaive Frères, pl. du Monument, 21190 Puligny-Montrachet, tél. 03 80 21 37 65, fax 03 80 21 33 94, contact@olivier-leflaive.com, ☑ ⚥ ⵍ r.-v.

DOM. ANDRÉ MOINGEON ET FILS 2011 ★

	2 400	⫼	15 à 20 €

Ce domaine de Saint-Aubin célèbre ses trente ans en 2013. Un anniversaire qu'André Moingeon et son fils

BOURGOGNE

Florent pourront fêter dignement avec ce 2011 de caractère, au nez généreux et riche de fleurs blanches, de fruits mûrs et de notes beurrées. Ample, gras et intense, le palais tient bien la note, dynamisé en finale par une pointe d'acidité bienvenue qui lui donne du peps et de la longueur. « Plus meursault que puligny », conclut un dégustateur, qui conseille d'ouvrir cette bouteille dans les deux ans à venir sur des ris de veau à la crème et aux morilles.

➤ André Moingeon et Fils, Gamay, 2, rue de la Fontaine, 21190 Saint-Aubin, tél. 03 80 21 93 67, fax 03 80 21 93 11, scemoingeon@gmail.com, ▣ ⏉ r.-v.

LUCIEN MUZARD ET FILS 2011 ★

		1 200	⏸	30 à 50 €

Bien connus des lecteurs, notamment pour leurs santenay rouges, les frères Muzard savent travailler le chardonnay et pas seulement sur leur appellation natale ; témoin ce puligny très réussi, issu de leur activité de négoce. La robe est d'un bel or vert. Le nez évoque la mie de pain et les agrumes dans une jolie harmonie entre douceur et fraîcheur, et si l'attaque est vive et tonique, la bouche dévoile ensuite un côté gras et concentré, avant de renouer avec plus de vigueur en finale. Un vin équilibré, à déguster au cours des deux ou trois prochaines années. Une suggestion gourmande originale ? Essayez-le avec des noix de saint-jacques poêlées accompagnées d'un sorbet au citron pour un accord sucré-salé et chaud-froid.

➤ Lucien Muzard et Fils, 1, rue de la Chapelle, 21590 Santenay, tél. 03 80 20 61 85, fax 03 80 20 66 02, lucienmuzard@orange.fr,
▣ ⚘ ⏉ r.-v.

PAUL PERNOT ET SES FILS Folatières 2011

1er cru		n.c.	⏸	30 à 50 €

Ce « régional de l'étape » propose un 1er cru né de ceps de chardonnay de cinquante ans idéalement exposés au sud/sud-est, qui profitent ainsi du soleil une majeure partie de la journée. Paré d'une robe jaune citron aux reflets verts, ce vin exhale des parfums discrètement floraux et fruités. En bouche, il se montre rond et onctueux, équilibré par une juste acidité. Gourmand et déjà harmonieux, il pourra être servi dès l'automne sur un poisson en sauce.

➤ Paul Pernot et ses Fils, 7, pl. du Monument, 21190 Puligny-Montrachet, tél. 03 80 21 32 35, fax 03 80 21 94 51 ▣ ⏉ r.-v.

DOM. GÉRARD THOMAS ET FILLES La Garenne 2011

1er cru		3 000	⏸	20 à 30 €

Le « Et Filles » de l'étiquette concerne Isabelle et Anne-Sophie Thomas, qui ont rejoint leurs parents sur les 12 ha du domaine familial de Saint-Aubin, établi sur la colline du Montrachet. À quelques dizaines de mètres plus haut que le célèbre grand cru, La Garenne dévoile son sol de limon argilo-marneux. Les Thomas y cultivent 57 ares de chardonnay, qui ont donné naissance à ce vin jaune pâle, au nez intense de fruits exotiques et d'agrumes accompagnés des notes grillées de la barrique. Suivant la même ligne aromatique, le palais séduit par sa finesse et sa fraîcheur minérale. Une bouteille déjà plaisante, que l'on verrait bien accompagner un poulet au citron.

➤ Dom. Gérard Thomas, 6, rue des Perrières, 21190 Saint-Aubin, tél. 03 80 21 32 57, domaine.gerard.thomas@orange.fr, ▣ ⚘ ⏉ r.-v.

Montrachet, chevalier, bâtard, bienvenues-bâtard, criots-bâtard

Montrachet et ses grands crus (chevalier-montrachet, bâtard-montrachet, criots-bâtard-montrachet, bienvenues-bâtard-montrachet) fournissent des vins blancs secs de notoriété mondiale. Pourtant, ils s'inscrivent avec discrétion dans le paysage. Implantées sur le versant d'une colline exposé au sud-sud-est, les vignes se répartissent sur les communes de Puligny-Montrachet et de Chassagne-Montrachet. La particularité la plus étonnante de ces grands crus contigus, et dont la superficie globale n'atteint pas 32 ha, est de se faire attendre plus ou moins longtemps avant de d'atteindre leur plénitude : dix ans pour le « grand » montrachet, cinq ans pour le bâtard et les autres crus ; seul le chevalier-montrachet semble s'ouvrir plus rapidement. Tous ces vins structurés et d'une captivante complexité peuvent vivre une décennie, et jusqu'à trente ans dans les grands millésimes.

Montrachet

Superficie : 8 ha
Production : 350 hl

EURL JEAN CHARTRON 2011 ★

Gd cru		300	▮⏸	+ de 100 €

Fondé en 1859 par le tonnelier Jean-Édouard Dupard, ce domaine de 13 ha est bien implanté dans les grands crus de Puligny-Montrachet, et de nombreuses sélections dans ces pages témoignent de la qualité constante des vins. Les lecteurs se souviennent sans doute du remarquable coup double réussi par Jean-Michel Chartron l'an dernier dans le millésime 2010 : un coup de cœur pour son Clos des Chevaliers (chevalier-montrachet) et un autre pour son montrachet. Le 2011, sans atteindre les mêmes sommets, a séduit les experts du Guide par sa robe d'or aux reflets argentés. Le charme opère aussi à l'olfaction : fruits jaunes, pâte de coings, agrumes, brioche, noisette... Une belle complexité et un caractère généreux auquel fait écho un palais onctueux, dense, opulent même, vivifié par une heureuse fraîcheur un rien saline et calcaire. Un grand cru d'une belle puissance, à remiser en cave pendant les cinq prochaines années, voire davantage.

➤ Dom. Chartron-Dupard, 8 bis, Grande-Rue, 21190 Puligny-Montrachet, tél. 03 80 21 99 19, fax 03 80 21 99 23, info@jeanchartron.com,
▣ ⚘ ⏉ t.l.j. 10h-12h 14h-18h; f. fin nov. à Pâques

Bâtard-montrachet

Superficie : 11,2 ha
Production : 475 hl

JEAN CHARTRON 2011 ★

	Gd cru	700	🔲 🍷 + de 100 €

Dans ce grand cru, le domaine Jean Chartron exploite précisément 12 à 84 ca de ceps de chardonnay plantés en 1960. Après douze mois de fût, le 2011 se présente dans une robe brillante, illuminée par de beaux reflets argentés. Le nez s'ouvre sur un boisé toasté soutenu, avant que l'aération ne fasse apparaître une réelle complexité : fleurs blanches, pâte à pain, caillou chaud, agrumes, abricot... Tendue en attaque, la bouche offre de la puissance, de la densité et une belle énergie soulignée par une fine trame saline. Ce vin très équilibré, élégant et persistant, est armé pour une longue garde, mais on pourra commencer à l'apprécier dans trois à cinq ans.
⚓ Dom. Chartron-Dupard, 8 bis, Grande-Rue,
21190 Puligny-Montrachet, tél. 03 80 21 99 19,
fax 03 80 21 99 23, info@jeanchartron.com,
☑ ✦ 🍷 t.l.j. 10h-12h 14h-18h; f. fin nov. à Pâques

DOM. COFFINET-DUVERNAY 2011 ★

	Gd cru	n.c.	🍷 75 à 100 €

Ce domaine, établi dans un ancien relais de chasse du XIXᵉ s., se transmet dans la famille Coffinet depuis 1860. Exploité jusque dans les années 1980 par Fernand Coffinet et son épouse Cécile, il est conduit à partir de 1989 par leur fille Laura Coffinet et son mari Philippe Duvernay. Des 12 ha que compte le vignoble, quelques 13 ares sont dédiés au bâtard. Le 2011, paré d'or blanc, livre un bouquet discret d'amande, de fleurs blanches et de pain chaud. Une même réserve caractérise l'attaque en bouche, puis le vin se dévoile à mi-parcours, gras, dense, toasté, beurré et fruité (fruits jaunes). Ce grand cru a de la réserve, qu'il révélera avec le temps (au moins quatre ou cinq ans).
⚓ Dom. Coffinet-Duvernay, 7, pl. Saint-Martin,
21190 Chassagne-Montrachet, tél. 03 80 21 32 12,
fax 03 80 21 91 69, coffinet.duvernay@orange.fr, ☑ 🍷 r.-v.

♥ MARC COLIN ET SES FILS 2011 ★★

	Gd cru	550	🍷 + de 100 €

Créé à la fin des années 1970 par Marc Colin et son épouse Michèle, à partir de 6 ha environ, ce domaine étend aujourd'hui ses vignes sur 19 ha et 26 appellations, avec à sa tête Caroline, Joseph et Damien, les « Fils » de l'étiquette. Plantés sur 9 ares, des ceps d'une trentaine d'années sont à l'origine de ce 2011, dont l'excellence fait écho au coup de cœur obtenu par le 2008. Même robe d'or pâle aux reflets argentés, même complexité aussi à l'olfaction, où le toasté de la barrique se mêle à l'orange amère, la camomille ou encore la brioche chaude. Un mariage heureux du bois et du chardonnay que l'on retrouve dans une bouche à la fois dense et puissante en attaque, fine et aérienne dans son développement, portée jusqu'en finale par une fraîcheur minérale aux accents calcaires et salins qui laisse le souvenir d'un vin d'une grande élégance, promis à un bel avenir.
⚓ Dom. Marc Colin, rue de la Chatenière,
21190 Saint-Aubin, tél. 03 80 21 30 43, fax 03 80 21 90 04,
marccolin@ymail.com, ☑ ✦ 🍷 r.-v.

ALEX GAMBAL 2011

	Gd cru	445	🔲 🍷 + de 100 €

Cette maison beaunoise créée en 1997 exploite un petit vignoble de 3,5 ha à côté de sa structure de négoce. La part du bâtard-montrachet couvre 17 ares. Elle donne naissance à un 2011 or vert, au nez de fruits jaunes (mirabelle), de coing et de miel, agrémenté de notes chaudes de toast grillé et plus vives de pierre à fusil. Le palais, encore sous l'emprise du merrain, se révèle chaleureux, opulent et gras, avec une pointe iodée en soutien qui lui apporte équilibre et fraîcheur. « Un bâtard qui a du corps et de la chair, et qui a conservé son âme minérale », résume un dégustateur, tout en recommandant une garde d'au moins deux ou trois ans.
⚓ Maison Alex Gambal, 14, bd Jules-Ferry, 21200 Beaune,
tél. 03 80 22 75 81, fax 03 80 22 21 66,
info@alexgambal.com, ☑ ✦ 🍷 r.-v.

Criots-bâtard-montrachet

Superficie : 1,6 ha
Production : 75 hl

DOM. ROGER BELLAND 2011 ★★

	Gd cru	2 000	🍷 + de 100 €

89	94	95	96	⑱	99	00	|01| |02| |03|	04	05	|06|	07	08
09	**10**	**11**											

Pas de bio affiché ici, pas de certification, « aucune obédience », précise Roger Belland, mais « une viticulture raisonnée et maîtrisée » qui se traduit notamment par un enherbement total du vignoble (24 ha) qui favorise la vie microbienne des sols et entraîne la suppression des désherbants chimiques. Grâce à quoi les ceps plongent leurs racines le plus profondément possible et retirent la « substantifique moelle » de chaque terroir. En clair, les Belland sont convaincus que les grands vins se font d'abord à la vigne. Au chai, ils pratiquent des fermentations à basse température sur de très longues durées et diminuent aujourd'hui la part de fûts neufs dans l'élevage pour accentuer l'expression des cépages. Ici, un chardonnay à la soixantaine flamboyante, qui donne un vin paré d'une robe d'un or éclatant, ornée de reflets verts et argentés. Au nez, le toasté et la noisette grillée se mêlent aux agrumes, à l'églantine et à la fleur d'oranger. L'attaque, suave et chaleureuse, introduit un palais ample, généreux et dense, dynamisé par une fine salinité en finale. Un noble cru, à la fois puissant et élégant, riche et fin. À garder précieusement en cave pendant au moins cinq ans.
⚓ Dom. Roger Belland, 3, rue de la Chapelle,
21590 Santenay, tél. 03 80 20 60 95, fax 03 80 20 63 93,
belland.roger@wanadoo.fr, ☑ ✦ 🍷 r.-v.

BOURGOGNE

Chassagne-montrachet

Superficie : 300 ha
Production : 15 660 hl (65 % blanc)

Le village de Chassagne est situé au sud de la Côte de Beaune, entre Puligny, Montrachet et Santenay. Exposé est-sud-est, le vignoble se partage entre pinot noir et chardonnay. La combe de Saint-Aubin, parcourue par la RN 6, forme à peu près la limite méridionale de la zone des vins blancs. Les Clos Saint-Jean et Morgeot, qui donnent des vins solides et vigoureux, sont les 1ers crus les plus réputés de la commune.

JEAN-LUC ET PAUL AEGERTER Les Morgeots
Réserve personnelle 2010

1er cru	2 400		50 à 75 €

Cette maison nuitonne fondée en 1988 propose une large gamme de vins de Bourgogne, du crémant au grand cru, en passant par un bourgogne rouge bio depuis 2010. Ici, un chassagne de belle facture, couleur or soutenu, au nez expressif de fleurs blanches et de fruits jaunes agrémentés d'une touche boisée. La bouche se montre souple, ronde et douce en attaque, plus vive et citronnée en finale. L'ensemble est équilibré mais s'appréciera mieux dans deux ans, sur des quenelles de brochet par exemple.
☛ Jean-Luc et Paul Aegerter, 49, rue Henri-Challand, 21700 Nuits-Saint-Georges, tél. 03 80 61 02 88, fax 03 80 62 37 99, infos@aegerter.fr

AU PIED DU MONT CHAUVE En Pimont 2011 ★

	13 000		30 à 50 €

En 2008, Francine Picard, propriétaire-négociante du château de Chassagne, a pris la suite de son père Michel à la tête du négoce fondé par son grand-père Louis-Félix. L'étiquette a changé avec le millésime 2011, et le nom du domaine est devenu Au Pied du mont Chauve en référence à l'emplacement du château. Dans le flacon, un vin jaune pâle aux reflets dorés, né d'une vigne située au bas de la Grande Montagne de Chassagne. Le nez mêle des parfums délicats d'agrumes, d'acacia, d'amande et de vanille, prolongés par une bouche ample, souple, ronde et persistante. Un vin élégant, qui sera à son zénith pour un saumon à l'unilatérale d'ici deux à trois ans.

NOUVEAU PRODUCTEUR

☛ Au Pied du mont Chauve, 5, chem. du Château, 21190 Chassagne-Montrachet, tél. 03 80 21 98 57, fax 03 80 21 98 56, contact@michelpicard.com, ☑ ⚔ ⛾ t.l.j. 10h-18h 🏠 ⑤

VINCENT BACHELET Les Benoîtes 2011

■	6 000		11 à 15 €

Originaire des Maranges, Vincent Bachelet s'est installé en 2008 à Chassagne, dans les anciens bâtiments du négociant De Marcilly. Comme l'an passé, il obtient une citation pour ses Benoîtes, un vin à l'aspect pourpre velouté, ouvert sur les baies rouges et la vanille. Souple et franc en attaque, le palais offre un bon volume et s'appuie sur des tanins encore un peu sévères en finale. Une cuvée à ouvrir dans deux ans, sur un filet de bœuf en croûte.

☛ Bachelet, 27, rte de Santenay, 21190 Chassagne-Montrachet, tél. 03 80 21 37 27, fax 03 85 91 16 93, bacheletvincent1@wanadoo.fr, ☑ ⚔ ⛾ r.-v.

BACHELET-RAMONET 2011

	3 000		15 à 20 €

Depuis 1984, Alain Bonnefoy et son épouse veillent sur les 13 ha de ce domaine familial basé dans le quartier du vieux Saint-Jean à Chassagne-Montrachet. Régulièrement sélectionnés pour leurs chassagne mais aussi pour leurs grands crus (notamment bâtard et bienvenues-bâtard), ils reviennent avec ce 2011 dont le nez avenant de miel, d'agrumes et de grillé annonce la richesse du palais, gras, rond et d'un bon volume. Un vin généreux, à boire dans les trois ans sur une côte de veau à la crème. Le 1er cru 2011 blanc Les Grandes Ruchottes (20 à 30 € ; 1 500 b.), dans un style rond et boisé, égayé par une juste vivacité, est également cité. Recommandé par un juré gourmet avec une recette antillaise, le poulet grillé sauce chien. Voyage gustatif garanti.
☛ Bachelet-Ramonet Père et Fils, 11, rue du Parterre, 21190 Chassagne-Montrachet, tél. 03 80 21 32 49, fax 03 80 21 91 41, bachelet.ramonet@wanadoo.fr, ☑ ⛾ r.-v.

DOM. BACHEY-LEGROS Les Plantes momières
Vieilles Vignes 2010 ★

■	n.c.	■	15 à 20 €

Situées sur la commune de Remigny mais en appellation chassagne, Les Plantes momières offrent une étoile aux frères Samuel et Lénaïc Legros, qui perpétuent l'exploitation viticole maternelle de Santenay. Le pinot noir se plaît sur ces sols argileux profonds et livre un vin au nez délicatement boisé et fruité (petits fruits rouges). La bouche se montre dense et généreuse, étayée par des tanins élégants. À ouvrir d'ici deux ans sur un rôti de bœuf charolais. Le 1er cru blanc 2011 Morgeot Vieilles Vignes (30 à 50 € ; 4 000 b.), grillé, beurré et citronné à l'olfaction, frais et soyeux en bouche, est cité. Encore marqué par l'élevage, il est à attendre un an ou deux.
☛ Dom. Bachey-Legros et Fils, 12, rue de la Charrière, 21590 Santenay, tél. et fax 03 80 20 64 14, christiane.bachey-legros@wanadoo.fr, ☑ ⚔ ⛾ r.-v.

ROGER BELLAND Morgeot – Clos Pitois Monopole 2011 ★

1er cru	8 000		30 à 50 €

La famille Belland détient le monopole de ce 1er cru de mi-coteau, situé à la frontière avec le village de Santenay. La particularité de ce clos fondé par les moines en 1422 est de partager sa terre de marnes argoviennes entre 1,44 ha de chardonnay et 1,71 ha de pinot noir âgés de soixante ans. Avec le millésime 2011, les jurés n'ont pas choisi et ont sélectionné les deux couleurs. En version chardonnay, vanille, agrumes et fleurs blanches composent un nez fin que relaie une bouche consistante, à laquelle donne du relief une belle vivacité. Un vin harmonieux, à servir dans les deux ans avec une langouste grillée. Le 1er cru Morgeot-Clos Pitois Monopole 2011 rouge (20 à 30 € ; 9 000 b.) est quant à lui cité pour son fruité (cassis, mûre, fruits rouges) et sa souplesse.
☛ Dom. Roger Belland, 3, rue de la Chapelle, 21590 Santenay, tél. 03 80 20 60 95, fax 03 80 20 63 93, belland.roger@wanadoo.fr, ☑ ⚔ ⛾ r.-v.

DOM. HUBERT BOUZEREAU-GRUÈRE ET FILLES

Les Blanchots Dessous 2011 ★

	1 500		20 à 30 €

Sur 1,85 ha, Les Blanchots Dessous ont pour voisin le prestigieux grand cru criots-bâtard-montrachet. On a connu faire voisinage. Hubert Bouzereau et deux de ses trois filles y exploitent 23 ares de chardonnay, à l'origine de ce vin paille clair, au nez encore sous dominante boisée, des notes d'épices, de poire et de citron perçant à l'aération. En bouche, la fraîcheur est de mise, soutenant une chair fine et sans aspérité, laissant l'impression d'un vin tout en puissance contrôlée. Déjà harmonieux, il accompagnera dès cet hiver une truite aux amandes.

☛ Hubert Bouzereau-Gruère et Filles, 22 A, rue de la Velle, 21190 Meursault, tél. 03 80 21 20 05, fax 03 80 21 68 16, bouzereau.gruere@aliceadsl.fr, ☑ ✴ ⏍ r.-v. 🏠 ❷

♥ CAPUANO-FERRERI Morgeot 2011 ★★

1er cru	n.c.		20 à 30 €

Ce domaine de 12 ha est né à Santenay en 1987 de la rencontre entre le viticulteur Gino Capuano – son fils John Capuano a pris la suite en 2009 – et l'ancien footballeur Jean-Marc Ferreri. Ce Morgeot va droit au but, avec une rare élégance. Paré d'une robe dorée d'une limpidité parfaite, il dévoile un bouquet frais et délicat porté sur les agrumes, la vanille et la minéralité. Tendu par une fine vivacité, il offre une texture soyeuse qui tapisse longuement le palais. Un vin d'une grande harmonie, à la fois « franc du collier » et raffiné, à déguster dans les cinq ans à venir sur une sole meunière aux amandes.

☛ EARL Dom. Capuano-Ferreri, 14, rue Chauchien, 21590 Santenay, tél. 03 80 20 68 04, fax 03 80 20 65 75, john.capuano@wanadoo.fr, ☑ ✴ ⏍ r.-v.

BERNARD CARRÉ Bouchon de corvée 2011

	900		15 à 20 €

La Bourgogne est une région particulièrement inventive pour la dénomination de ses parcelles de vignes, tel ce Bouchon de corvée, issu du mot « bois » et indiquant la présence de buissons sur les 3,64 ha de cette terre collante et usante pour les pieds des vignerons. Ce producteur des Hautes-Côtes y cultive 15 ares de chardonnay, dont il a extrait ce vin généreusement fruité (pêche, abricot), floral et un rien boisé, rond en milieu de bouche et plus vif en finale. À déguster dans l'année sur un taboulé de la mer.

☛ Bernard Carré, 4, rue du Puits-Bouret, 21190 Meloisey, tél. 03 80 26 07 76, bernard.carreregazzoni@sfr.fr, ☑ ✴ ⏍ r.-v.

JEAN CHARTRON Les Benoîtes 2011

	3 174		30 à 50 €

Ce domaine d'une grande régularité exploite 55 ares de chardonnay sur le plus vaste *climat* classé en *village* de l'appellation (9,07 ha). Il en a tiré un 2011 clair et brillant, au nez discret mais élégant d'agrumes, de poire et de fleurs blanches, souple et fin en bouche. À déguster vers 2015 sur un poisson en sauce.

☛ Dom. Chartron-Dupard, 8 bis, Grande-Rue, 21190 Puligny-Montrachet, tél. 03 80 21 99 19, fax 03 80 21 99 23, info@jeanchartron.com, ☑ ✴ ⏍ t.l.j. 10h-12h 14h-18h; f. de fin nov. à Pâques

CH. DE CHASSAGNE-MONTRACHET 2010 ★

	10 000		20 à 30 €

La famille Bader-Mimeur exploite 98 % des vignes du château de Chassagne depuis 1919 : 4,96 ha plantés dans l'enceinte du château et équitablement répartis entre pinot noir et chardonnay. Si la récolte 2010 fut petite, Alain Fossier en a tout de même extrait un vin très réussi. La robe est brillante, couleur or pâle, et le nez floral et miellé, plus boisé à l'aération. La bouche tient bien la note et séduit par sa rondeur avenante, tonifiée par une pointe acidulée en finale. Parfait sur une escalope de veau à la crème d'ici deux ans.

☛ Bader-Mimeur, 1, chem. du Château, 21190 Chassagne-Montrachet, tél. 03 80 21 30 22, info@bader-mimeur.com, ☑ ✴ ⏍ r.-v.
☛ M.-P. Fossier

DOM. COFFINET-DUVERNAY Les Caillerets 2011 ★★

1er cru	1 500		30 à 50 €

Récemment rejoint par son fils Bastien, Philippe Duvernay, amateur de football, passe près du « coup du chapeau » – lui qui avait remporté le coup de cœur lors des deux dernières éditions – mais échoue en finale avec ses Caillerets. Reste deux étoiles tout de même et les félicitations du jury pour sa robe engageante, limpide et brillante, pour son nez intense et complexe de fleurs blanches, d'agrumes, de beurre frais et de vanille, et pour sa bouche à la fois dense et soyeuse, fraîche et riche. À déguster dans les trois ans à venir sur une noisette de veau au poivre vert. Le *village* blanc 2011 Les Blanchots Dessous (20 à 30 € ; 3 000 b.), qui a pour voisin le grand cru criots-bâtard-montrachet, obtient une étoile pour son bouquet expressif d'agrumes, de fleurs blanches et de vanille, et pour son palais frais et consistant. Deux années et une sole meunière plus tard, on s'en souviendra encore. Sont par ailleurs cités le frais et acidulé 1er cru 2011 blanc Les Fairendes (1 800 b.) et le plus généreux 1er cru 2011 blanc Les Blanchots Dessus (1 200 b.), tous deux à attendre un an ou deux.

☛ Dom. Coffinet-Duvernay, 7, pl. Saint-Martin, 21190 Chassagne-Montrachet, tél. 03 80 21 32 12, fax 03 80 21 91 69, coffinet.duvernay@orange.fr, ☑ ⏍ r.-v.

BRUNO COLIN En Remilly 2010 ★

1er cru	1 800		30 à 50 €

Ce *climat* a la particularité de partager son nom avec le 1er cru de Saint-Aubin qui le touche. Situé au sommet de la colline du Montrachet, il voisine aussi avec la partie haute du chevalier-montrachet, à 300 m d'altitude. Bruno Colin y a vendangé 22 ares de chardonnay et signe un 2010 floral (aubépine, acacia), fruité (abricot sec) et miellé à l'olfaction. La bouche révèle un fruité croquant souligné

BOURGOGNE

par une belle fraîcheur minérale. Un chassagne dynamique, persistant et élégant, à servir dans les trois ans à venir sur une terrine aux deux saumons et à l'aneth.

☛ Dom. Bruno Colin, 3, imp. des Crêts,
21190 Chassagne-Montrachet, tél. 03 80 24 75 61,
fax 03 80 21 93 79, contact@domainebrunocolin.com,
☑ ⚥ ⏃ r.-v.

MARC COLIN ET FILS Les Champs Gain 2011

1er cru	3 500	⏭	30 à 50 €

Cette famille de Saint-Aubin a une partie de ses racines à Chassagne, où elle exploite entre autres 47 ares de ce *climat*, qui tire son nom de « regain », ou le fait de laisser l'herbe repousser sur ces terres riches après la moisson. En 2011, la vendange a donné naissance à ce vin au nez floral, fruité et vanillé, fin, souple et frais en bouche. Un chassagne équilibré et déjà plaisant, que l'on servira dans les deux ans sur un soufflé au crabe.

☛ Dom. Marc Colin, rue de la Chatenière,
21190 Saint-Aubin, tél. 03 80 21 30 43, fax 03 80 21 90 04,
marccolin@ymail.com, ☑ ⚥ ⏃ r.-v.

JEAN-CHARLES FAGOT 2011

	900	⏭	20 à 30 €

Ce producteur-négociant de Corpeau n'a qu'à traverser la route nationale pour aller ramasser ses raisins de chassagne issus d'achat. Il en a tiré ce vin à la robe paille claire, au nez discret d'agrumes mâtinés d'un boisé léger. En bouche, le gras de l'alcool et les nuances de caramel de la barrique enrobent une fine minéralité qui confère de la longueur à la finale. Une cuvée équilibrée, à déboucher dans les deux ans sur une volaille en sauce.

☛ Jean-Charles Fagot, 5, rue de l'Église, 21190 Corpeau,
tél. 03 80 21 30 24, fax 03 80 21 38 81,
jeancharlesfagot@free.fr, ☑ ⚥ ⏃ r.-v.

DOM. JEAN FÉRY ET FILS Abbaye de Morgeot 2010 ★

1er cru	3 000	▥ ⏭	30 à 50 €

Quand vous êtes à Morgeot, vous êtes à Chassagne. Et quand vous êtes sur le *climat* Abbaye de Morgeot, vous êtes au centre de l'appellation. Cette ancienne abbaye de 1150 à l'abandon est entourée de vignes comme l'est un château bordelais. Sauf qu'ici, il y a plus d'un propriétaire pour se partager ses 8,55 ha. Ce producteur des Hautes-Côtes en possède 1 ha duquel il a extrait ce vin finement bouqueté autour de l'aubépine, du chèvrefeuille, de la poire et de la noisette. Vive en attaque, la bouche offre de la consistance, de la fraîcheur et une belle expression aromatique à dominante florale et fruitée. Fin 2015, cette bouteille accompagnera volontiers une raie aux câpres.

☛ Dom. Jean Féry et Fils, 1, rte de Marey,
21420 Échevronne, tél. 03 80 21 59 60, fax 03 80 21 59 59,
fery.vin@wanadoo.fr, ☑ ⚥ ⏃ r.-v. ⌂ ⊙

VINCENT GIRARDIN La Maltroie 2010 ★

1er cru	3 000	⏭	20 à 30 €

Le nom de ce lieu-dit vient du terme latin « mareturetum » évoquant les nécropoles primitives et ici un cimetière chrétien du IVᵉˢ. depuis longtemps colonisé par la vigne. Une origine quelque peu macabre pour un vin des plus joyeux, joliment paré de rubis brillant, au nez floral, vanillé et un rien poivré, gourmand et rond en bouche, aux tanins bien fondus. Une bouteille à déboucher entre 2015 et 2016 sur des suprêmes de dinde au curry.

☛ SAS Vincent Girardin, ZA Les Champs-Lins,
21190 Meursault, tél. 03 80 20 81 00, fax 03 80 20 81 10,
vincent.girardin@vincentgirardin.com,
☑ par correspondance

CAMILLE GIROUD Tête du Clos 2010 ★

1er cru	751	▥ ⏭	50 à 75 €

Cette maison de vins beaunoise, propriété d'actionnaires américains et dirigée au quotidien par David Croix, célèbrera bientôt ses cent cinquante ans. Elle présente à sa carte de nombreux grands crus, régulièrement sélectionnés dans ces pages, mais aussi de « simples » 1ᵉʳˢ crus comme ce chassagne pâle et brillant, au nez élégant de fleurs blanches agrémentées de touches grillées. On retrouve fines sensations florales et boisées aux côtés de nuances beurrées dans une bouche ample, riche et ronde, stimulée en finale par une touche de vivacité. Accord très gourmand en perspective avec des coquilles Saint-Jacques safranées, dès l'automne ou d'ici trois à quatre ans.

☛ Camille Giroud, 3, rue Pierre-Joigneaux, 21200 Beaune,
tél. 03 80 22 12 65, fax 03 80 22 42 84,
contact@camillegiroud.com, ☑ ⏃ r.-v.

DOM. GABRIEL ET PAUL JOUARD 2010

	3 000	▥ ⏭	11 à 15 €

Proposer deux cuvées de rouge dans un pays de blanc est assez rare pour être souligné ; ce producteur du cru place les deux dans cette sélection, et cela est d'autant plus notable que les deux parcelles réunies représentent un dixième des 10,5 ha du domaine. Ce 2010 se distingue d'emblée par son nez généreusement fruité (framboise et cerise noire). La bouche suit la même ligne aromatique, soutenue par des tanins fermes qui permettront à cette bouteille de bien résister à deux ou trois ans de garde. Cité, le *village* 2010 rouge Vieilles Vignes (3 000 b.), assemblage des trois parcelles plus anciennes, élevé vingt mois en fût, est un vin ample, structuré et boisé, à attendre une paire d'années.

☛ Dom. Gabriel et Paul Jouard, 3, rue du Petit-Puits,
21190 Chassagne-Montrachet, tél. et fax 03 80 21 30 30,
paul.jouard@orange.fr, ☑ ⚥ ⏃ r.-v.

HUBERT LAMY Le Concis du champs 2011

	2 500	⏭	30 à 50 €

Dans le Morvan et l'Auxois, le concis - mot dérivé du latin « consisa » qui veut dire « taillé » - désignait un verger clos par des haies. Olivier Lamy produit sur 70 ares de ce *climat* un chassagne paré d'or blanc à reflets verts, au nez d'agrumes, de fleurs blanches et de pain grillé. On retrouve ces arômes dans une bouche rectiligne et minérale mais encore un peu dominée par le bois. À attendre deux ou trois ans.

☛ Dom. Hubert Lamy, 20, rue des Lavières,
21190 Saint-Aubin, tél. 03 80 21 32 55, fax 03 80 21 38 32,
domainehubertlamy@wanadoo.fr, ☑ r.-v.

LAMY-PILLOT 2011

	12 500	⏭	20 à 30 €

Depuis 1997, les filles de René Lamy ont pris la suite sur les 18 ha du domaine, Florence et son mari Sébastien Caillat à la vinification, Karine et son époux Daniel Cadot en charge du commercial. Elles proposent ici une importante cuvée communale issue de 1,25 ha, parée d'or pâle, au nez discret de fleurs blanches agrémentées d'une touche de pain d'épice. La bouche s'équilibre entre la rondeur de la chair et la vivacité apportée par des notes de citron vert et de minéralité. À boire dans les deux ou trois ans à venir.

☛ Lamy-Pillot, 31, rte de Santenay, 21190 Chassagne-Montrachet, tél. 03 80 21 30 50, fax 03 80 21 30 02, caillatlamy@yahoo.fr, ☑ ♈ r.-v.

VINCENT LATOUR Morgeot 2010 ★

1er cru	900	▐▌❶▯	30 à 50 €

Vincent Latour, viticulteur de Meursault, a monté en 1998, avec son épouse Cécile, une activité de négoce pour compléter sa gamme de vins blancs du sud de la Côte de Beaune. Ce 1er cru en est issu et séduit d'emblée par la brillance de sa robe jaune pâle aux reflets verts de jeunesse. Au nez, le floral (rose, acacia) se mêle à la fraîcheur minérale du terroir et au boisé léger des douze mois de barrique. Le palais, aux accents de caramel, de beurre et de fleurs, plaît par sa rondeur, affinée par une touche de vivacité bien sentie. Un chassagne en finesse, que l'on verrait bien accompagner des anguilles en persillade, aujourd'hui comme dans trois ans.

☛ Maison Vincent Latour, 6, rue du 8-Mai, 21190 Meursault, tél. 03 80 21 22 49, fax 03 80 21 67 86, latourlabillefils@wanadoo.fr, ☑ ⚎ ♈ r.-v. ⌂ ❺

DOM. MOREY COFFINET 2011 ★

▐	2 700	❶▯	15 à 20 €

Cette cuvée de *village* est la plus importante en volume de ce domaine du cru : 1,18 ha des 8,5 ha que compte le vignoble. Hébergé en fût pendant douze mois dans les caves en ogives adossées à la roche mère du Clos Saint-Jean, ce 2011 se présente dans une robe rubis clair, offrant une belle intensité aromatique à dominante fruitée. Frais et franc dès l'attaque, le palais s'appuie sur des tanins fins et fermes mais sans dureté, qui lui confèrent du volume et du charme. Un vin « attachant par sa sincérité », conclut un dégustateur, qui conseille d'attendre deux ou trois ans pour l'apprécier sur un quasi d'agneau aux herbes.

☛ Dom. Morey-Coffinet, 6, pl. du Grand-Four, 21190 Chassagne-Montrachet, tél. 03 80 21 31 71, morey.coffinet@wanadoo.fr, ☑ ⚎ ♈ r.-v. ⌂ ❺

AGNÈS PAQUET Les Battaudes 2011

▐	1 200	❶▯	20 à 30 €

Depuis son village des Hautes-Côtes, Agnès Paquet exploite une petite parcelle de 14 ares de ce *climat* dont le sol alterne entre marnes et sables délités. Elle signe ici un 2011 au nez discret mais fin de fleurs blanches et de vanille. À l'unisson, la bouche évolue dans le registre de la rondeur et de la générosité, stimulée toutefois par une pointe bienvenue de vivacité qui lui apporte finesse et équilibre. À boire dans les deux ans, sur un feuilleté de saumon aux épinards.

☛ Agnès Paquet, 10, rue du Puits-Bouret, 21190 Meloisey, tél. 03 80 26 07 41, fax 03 80 26 06 41, contact@vinpaquet.com, ☑ ⚎ ♈ r.-v.

FERNAND ET LAURENT PILLOT Morgeot 2011 ★

1er cru	2 200	❶▯	20 à 30 €

Laurent Pillot, quatrième du nom à vinifier sur Chassagne, fait partie, autre tradition familiale, de la fanfare municipale. Mais c'est sans tambours ni trompettes que s'annonce ce Morgeot jaune pâle, discrètement parfumé de beurre frais, d'agrumes et de vanille. Souple

et franc en attaque, le palais se montre ample et bien équilibré entre gras et fraîcheur, mais encore dominé par le bois. Un caractère de jeunesse qui s'atténuera avec deux ans de garde ; des gambas grillées seront alors bienvenues. Le 1er cru 2011 blanc Grandes Ruchottes (30 à 50 € ; 2 400 b.), fruité (fruits exotiques), miellé et toasté au nez, frais en bouche, est cité, de même que le 1er cru 2011 blanc Vide Bourse (30 à 50 € ; 3 100 b.), plus riche et généreux.

☛ Fernand et Laurent Pillot, 2, pl. des Noyers, 21190 Chassagne-Montrachet, tél. 03 80 21 99 83, fax 03 80 21 92 60, contact@vinpillot.com, ☑ ♈ r.-v.

ROUX PÈRE ET FILS Les Macherelles 2011

1er cru	3 300	❶▯	30 à 50 €

Créé par Louis Roux en 1885, ce domaine vinifie quelque trente-cinq appellations et une cinquantaine de cuvées. Dans cette vaste gamme, les chassagne ont une place de choix, et ces Macherelles n'en sont pas à leur première sélection. Ici, un 2011 porté sur les fleurs blanches, la poire et quelques notes briochées. Une attaque vive et tranchante prélude à une bouche d'un bon volume, tonique et fruitée. À marier dès l'automne avec un poisson en sauce.

☛ Dom. Roux Père et Fils, 42, rue des Lavières, 21190 Saint-Aubin, tél. 03 80 21 32 92, fax 03 80 21 35 00, france@domaines-roux.com, ☑ ⚎ ♈ r.-v.

Saint-aubin

Superficie : 162 ha
Production : 8 265 hl (75 % blanc)

Saint-Aubin est dans une position topographique voisine des Hautes-Côtes ; mais une partie de la commune joint Chassagne au sud et Puligny et Blagny à l'est. Le 1er cru Les Murgers des Dents de Chien se trouve même à faible distance des Chevalier-Montrachet et des Caillerets. Le vignoble s'est un peu développé en rouge, mais c'est en blanc qu'il atteint le meilleur.

JEAN-CLAUDE BACHELET ET FILS Derrière la tour 2010 ★

▐ 1er cru	n.c.	❶▯	11 à 15 €

Établis dans le hameau de Gamay – un souvenir du temps où le cépage n'était pas considéré par Philippe le Hardi comme « vil et déloyal » ? –, les frères Bachelet, fils de Jean-Claude, exploitent 10 ha de vignes, dont 1,25 ha dédié à ce 1er cru. Au nez, le boisé vanillé se mêle à la cerise kirschée. On retrouve ces notes d'élevage et cette générosité dans une bouche dense et soyeuse, soutenue par des tanins déjà aimables mais qui pourront encore s'affiner deux ou trois ans. Cité, le 1er cru En Remilly 2010 blanc (15 à 20 €), gras, charnu mais encore sous l'emprise du merrain, est également à attendre une paire d'années.

☛ Dom. Jean-Claude Bachelet et Fils, 1, rue de la Fontaine, hameau de Gamay, 21190 Saint-Aubin, tél. 03 80 21 31 01, fax 03 80 21 91 71, info@domainebachelet.fr, ☑ ♈ r.-v.

DOM. BOHRMANN En Remilly 2011 ★

▐ 1er cru	2 500		20 à 30 €

Dixième millésime pour la Belge Sofie Borhmann, épaulée par Dimitri Blanc, son complice de vigne et de

BOURGOGNE

chai. En agriculture biologique depuis 2007 (sans certification), le domaine a choisi la voie de la biodynamie. Plus connu des lecteurs pour ses meursault et pommard, il s'illustre ici avec un saint-aubin bien sous tous rapports : une élégante robe jaune d'or ; de fines senteurs florales et minérales au nez ; une bouche ronde, riche et ample, équilibrée par une juste vivacité. Parfait pour une poularde de Bresse à la crème et aux morilles, au cours des trois prochaines années.

☛ SCEA Dom. Bohrmann, 9, rue de la Barre, 21190 Meursault, tél. 03 80 21 60 06, domaine.bohrmann@wanadoo.fr, ☑ ⚥ ⊤ r.-v.

JEAN CHARTRON Perrières 2011

1er cru	1 072	🔲🎔	20 à 30 €

Doté d'un parcellaire rare en grands et premiers crus, ce domaine fondé en 1859 a son nom gravé dans la pierre, plus précisément dans celle du porche de son grand cru chevalier-montrachet (monopole du Clos des Chevaliers). À une colline de là, Les Perrières s'étendent sur 5,24 ha au soleil du Midi. Jean-Michel Chartron en exploite 20 ares, dont il tire un vin expressif, sur les agrumes, les fleurs blanches et le pain grillé, franc et vif en bouche, nerveux même. Prévoir deux ou trois ans de garde pour apprécier ce 2011 à son optimum.

☛ Dom. Chartron-Dupard, 8 bis, Grande-Rue, 21190 Puligny-Montrachet, tél. 03 80 21 99 19, fax 03 80 21 99 23, info@jeanchartron.com, ☑ ⚥ ⊤ t.l.j. 10h-12h 14h-18h; f. de fin nov. à Pâques

FRANÇOISE ET DENIS CLAIR
Les Murgers des Dents de chien 2011 ★

1er cru	5 000	🎔	20 à 30 €

Le trentenaire Jean-Baptiste Clair, fils de Denis, conserve, comme souvent, son étoile avec ses « dents de chien », un raccourci couramment utilisé par les producteurs locaux pour qualifier ce *climat* réputé de Saint-Aubin. Rien de mordant dans ce 2011, mais plutôt de la rondeur, du gras, du soyeux, des parfums bien mariés de fleurs blanches et de vanille, et une pointe de vivacité accompagnant toutefois la finale, et amenant équilibre et longueur. Un vin harmonieux, à boire dès à présent.

☛ Françoise et Denis Clair, 14, rue de la Chapelle, 21590 Santenay, tél. 03 80 20 61 96, fdclair@orange.fr, ☑ ⊤ r.-v.

JEAN-CHARLES FAGOT 2011 ★

1er cru	600	🎔	15 à 20 €

Vigneron, négociant-éleveur et restaurateur : Jean-Charles Fagot a plusieurs cordes à son arc et va ainsi de la vigne au verre et à la table, celle de son Auberge du vieux vigneron. C'est de la partie négoce qu'est issu ce 1er cru, dont le bouquet, d'abord boisé, s'ouvre après aération sur les agrumes et les fleurs blanches. Après une attaque franche et tendue, le palais se montre dense et structuré, puis s'étire dans une longue finale fraîche et citronnée. De quoi patienter encore deux ou trois ans avant de servir cette bouteille de caractère sur un filet de sandre et émulsion de pain d'épices (conseil de vigneron).

☛ Jean-Charles Fagot, 5, rue de l'Église, 21190 Corpeau, tél. 03 80 21 30 24, fax 03 80 21 38 81, jeancharlesfagot@free.fr, ☑ ⚥ ⊤ r.-v.

ALEX GAMBAL Les Murgers des Dents de chien 2011

1er cru	4 100	🔲🎔	20 à 30 €

L'Américain et négociant (depuis 1997) Alex Gambal a pris définitivement la « nationalité bourguignonne » en 2005, en achetant ses premiers plants de vignes. Secondé en cave par son œnologue Géraldine Godot, il se distingue ici avec le fruit de 57 ares de ses *climats* les plus réputés de Saint-Aubin. À l'olfaction, ce 2011 ne cache pas ses seize mois de fût, avec de plaisantes notes florales en appoint, et offre un bon équilibre entre la rondeur de l'attaque et du milieu de bouche et la vivacité de la finale. On attendra deux ans que le boisé se fonde totalement pour l'apprécier sur des quenelles de brochet.

☛ Maison Alex Gambal, 14, bd Jules-Ferry, 21200 Beaune, tél. 03 80 22 75 81, fax 03 80 22 21 66, info@alexgambal.com, ☑ ⚥ ⊤ r.-v.

JANOTSBOS En Créot 2010 ★

1er cru	1 500	🔲🎔	20 à 30 €

Une confirmation : installés en 2005 à Meursault en tant que négociants-éleveurs, le Néerlandais Richard Bos et le Bourguignon Thierry Janots s'invitent pour la troisième année consécutive dans le Guide (ils obtinrent un coup de cœur l'an dernier pour un bourgogne blanc 2009). Né sur ce *climat* dont le nom vient de la contraction de « crais hauts », ce saint-aubin a séduit par son bouquet fin et ouvert de fruits blancs et jaunes et de viennoiserie, et par son palais gras et charnu, étayé par une agréable fraîcheur citronnée. Tout indiqué pour une truite meunière, aujourd'hui ou dans deux ans.

☛ JanotsBos, 2, pl. de l'Europe, 21190 Meursault, tél. 06 72 16 92 04, info@janotsbos.eu, ☑ ⚥ ⊤ r.-v.

DOM. LAMY-PILLOT Les Pucelles 2011 ★

	5 500	🎔	15 à 20 €

Amateur de chassagne-montrachet et de saint-aubin, ce domaine est une valeur sûre dans les deux appellations. Il est conduit par les filles de René Lamy, Florence et Karine, et leurs maris Sébastien Caillat (à la vigne) et Daniel Cadot (au commercial). Avec ces Pucelles, il propose un vin au nez délicat de fleurs blanches (aubépine) et de vanille, au palais souple, doux et rond, avec une pointe de vivacité en finale. Une bouteille à servir dans un à trois ans sur un saumon à la plancha. Le *village* rouge 2011 Les Argilliers (11 à 15 € ; 2 000 b.), né sur l'autre versant des Pucelles, obtient également une étoile pour sa persistance, ses tanins veloutés et son volume. À attendre jusqu'en 2015-2016.

☛ Lamy-Pillot, 31, rte de Santenay, 21190 Chassagne-Montrachet, tél. 03 80 21 30 50, fax 03 80 21 30 02, caillatlamy@yahoo.fr, ☑ ⊤ r.-v.

DOM. SYLVAIN LANGOUREAU Le Champlot 2011 ★

1er cru	2 800	🎔	15 à 20 €

Coup de cœur l'an passé pour son 1er cru blanc Les Frionnes 2010, Sylvain Langoureau place à nouveau trois vins dans cette édition. Il obtient une étoile avec ce Champlot, *climat* exposé aux vents d'ouest et placé sur le coteau derrière sa maison. Parfums de pêche de vigne et d'agrumes et nuances beurrées composent un nez élégant. Après une attaque franche, la bouche offre un bon équilibre entre gras et vivacité. À boire cet hiver sur des gambas flambées au marc de Bourgogne. Le 1er cru blanc 2011 Bas de Vermarain à l'est (2 200 b.) est cité pour son nez floral, fruité (agrumes) et légèrement grillé, et pour son palais fin et tendu. À boire dans l'année. Également cité, le **1er cru blanc Les Frionnes 2011 (1 900 b.)**.

🕊 Dom. Sylvain Langoureau, 20, rue de la Fontenotte, 21190 Saint-Aubin, tél. et fax 03 80 21 39 99, domaine.sylvain.langoureau@cegetel.net, ☑ ⚔ ⏷ r.-v.

DOM. VINCENT LATOUR Cuvée Thomas 2011 ★★

	1 200	🍶🍶	11 à 15 €

Vincent Latour conduit une douzaine d'hectares qui s'égrènent tout au long de la ceinture blanche de la Côte de Beaune. Née de 25 ares sur Saint-Aubin, sa cuvée Thomas livre un bouquet intense et complexe de fruits exotiques, de pêche et de pamplemousse. La bouche se révèle ronde et soyeuse, parfumée de notes fruitées (abricot) et miellées, la longue finale apportant un heureux surcroît de fraîcheur. D'ici deux ou trois ans, ce 2011 sera parfait sur un homard en sauce mousseline.

🕊 Maison Vincent Latour, 6, rue du 8-Mai, 21190 Meursault, tél. 03 80 21 22 49, fax 03 80 21 67 86, latourlabillefils@wanadoo.fr, ☑ ⚔ ⏷ r.-v. 🏠 Ⓔ

MAISON AYMERIC MAZILLY Les Castets 2011

1er cru	1 800	🍶🍶	15 à 20 €

Cette jeune maison de négoce a été créée en 2004 par Aymeric Mazilly, dont le domaine familial est établi dans les Hautes Côtes de Beaune. Ce *climat*, dont la partie haute est classée en *village*, tiendrait son nom de « castel », une petite forteresse qui, de sa position haute, permettait d'observer la route. Au nez, ce 2011 mêle notes empyreumatiques et nuances fraîches de feuille de cassis, et dévoile en bouche du volume et de la vivacité. À boire dès l'automne avec des gambas flambées au pastis.

🕊 Maison Aymeric Mazilly, 3, pl. de l'Europe, 21190 Meursault, tél. 03 80 26 02 00, claudinemazilly@orange.fr, ☑ ⚔ ⏷ r.-v.

♥ DOM. DES MEIX
Les Murgers des Dents de chien 2010 ★★

1er cru	6 100	🍶🍶	11 à 15 €

Christophe Guillo, établi à Combertault dans la plaine de Beaune, détient 1,9 ha de ce *climat* parmi les plus calcaires du secteur. Sur ce lieu-dit dédié au chardonnay et à ses vins « mordants », il conduit en monopole 80 ares de pinot noir. Ces ceps de cinquante ans ont donné naissance au **1er cru 2010 rouge Les Murgers des Dents de chien Monopole (4 100 b.)**, proposé en finale du coup de cœur (deux étoiles) : un vin finement bouqueté, sur les fruits mûrs (fraise des bois, cerise kirschée) et la vanille, au palais rond, soyeux, long et élégant, à déguster sur une pièce de bœuf rôtie d'ici trois ou quatre ans. Mais c'est le blanc qui finit sur la plus haute marche pour sa

remarquable finesse aromatique (pêche, acacia), pour son palais ample, dense et frais, étoffé par un boisé bien fondu et par une finale généreuse. Une bouteille armée pour une garde de trois à cinq ans.

🕊 Christophe Guillo, Dom. des Meix, 5, rte de Bourguignon, 21200 Combertault, tél. 03 80 26 67 05, guillo-c@wanadoo.fr, ☑ ⚔ ⏷ r.-v.

DOM. PATRICK MIOLANE Les Perrières 2011 ★★

1er cru	900	🍶🍶	15 à 20 €

En 2007, Barbara a rejoint son père Patrick Miolane sur les 9 ha de l'exploitation familiale. Le duo place trois vins dans cette sélection. En tête, ce 1er cru élégant, dont les parfums de fleurs blanches, d'agrumes et de boisé finement grillé trouvent écho dans une bouche ronde et charnue. Un vin équilibré, à attendre deux ou trois ans. Né de très jeunes vignes de six ans, le *village* blanc 2010 **(8 à 10 € ; 7 000 b.)** obtient une étoile pour son nez vif d'agrumes adouci par des notes beurrées, et pour son palais fin et frais, au boisé bien intégré. Un an ou deux en cave sont recommandés. Cité, le **1er cru blanc 2010 Sur le sentier du clou (11 à 15 € ; 2 500 b.)** est un vin souple et charnu, égayé par une vivacité citronnée.

🕊 Patrick Miolane, 2, rue des Perrières, 21190 Saint-Aubin, tél. 03 80 21 31 94, fax 03 80 21 30 62, domainepatrick.miolane@wanadoo.fr, ☑ ⚔ ⏷ r.-v.

POULEAU-PONAVOY Les Pucelles 2010 ★

	850	🍶🍶	11 à 15 €

Un petit domaine de 4,26 ha, établi non loin du château aux tuiles vernissées et de l'église romane qui font la renommée de La Rochepot. 14 ares sont dédiés à ce 2010 apprécié pour son bouquet élégant et frais de pamplemousse, de fleurs blanches et de vanille comme pour son palais tout en finesse, souple et floral. À garder deux à trois ans en cave avant de lui réserver une volaille à la crème.

🕊 EARL Pouleau-Ponavoy, 25, rue Saint-Georges, 21340 La Rochepot, tél. 03 80 21 84 36 ☑ ⚔ ⏷ t.l.j. 9h-12h 16h-18h

HENRI PRUDHON ET FILS En Remilly 2011 ★

1er cru	1 800	🍶🍶	15 à 20 €

Vincent et Philippe Prudhon épaulent leur père Gérard, par ailleurs maire de la commune, à la tête de ce domaine de 15 ha. Ils proposent avec ce 1er cru un vin cristallin, au nez élégant de fleurs blanches et de vanille, ample, long et tendu en bouche. À servir dans deux ou trois ans, sur un croustillant de saumon par exemple. Le **1er cru blanc 2011 Les Murgers des Dents de chien (1 520 b.)**, rond, boisé avec justesse, fruité (fruits exotiques) est cité. À découvrir d'ici 2015.

🕊 Henri Prudhon et Fils, 32, rue des Perrières, 21190 Saint-Aubin, tél. 03 80 21 31 33, fax 03 80 21 91 55, henri-prudhon@wanadoo.fr, ☑ ⚔ ⏷ r.-v.

♥ DOM. VINCENT PRUNIER Les Combes 2010 ★★

1er cru	2 800	🍶🍶	11 à 15 €

Vincent Prunier a créé ce domaine en 1988, trois ans après sa sortie du lycée viticole de Beaune. Ses vins fréquentent depuis longtemps et avec régularité les pages du chapitre Côte de Beaune. Celui-ci est né de ceps cinquantenaires, dans un *climat* situé au sortir de la combe de Saint-Aubin. Au nez, prune et cerise s'associent au moka et au toasté. En bouche, de puissants tanins et une fine acidité

soutiennent une chair ronde et consistante. Ce vin complet, intense et jeune est à attendre trois à cinq ans. On le verrait bien en compagnie d'un bœuf braisé en cocotte.

☛ EARL Dom. Vincent Prunier, rte de Beaune, 21190 Auxey-Duresses, tél. 03 80 21 27 77, fax 03 80 21 68 87, domaine.prunier.vincent@wanadoo.fr, ☑ ⚘ ⵗ r.-v.

ROUX PÈRE ET FILS Les Cortons 2011 ★★

■ 1er cru	10 000	⦿	20 à 30 €

Ce domaine bien connu des lecteurs place trois de ses saint-aubins dans cette sélection. Le préféré est 1er cru or pâle, au nez élégant de fleurs blanches rehaussé d'une note minérale, au palais frais, dense et fin, floral et vanillé. On pourra le boire dès à présent ou l'attendre trois ou quatre ans avant de lui réserver une volaille à la crème. Le vif et léger *village* blanc 2011 La Pucelle (15 à 20 € ; 3 700 b.) est cité. Également proposé par les Roux, le **Dom. la Citadelle 1er cru rouge 2010 Sur le sentier du clou** (15 à 20 € ; 3 200 b.) obtient une étoile pour son joli nez fruité, réglissé et toasté et pour son palais consistant et montant, encore un peu sévère en finale. On l'appréciera à son meilleur d'ici deux à trois ans.

☛ Roux Père et Fils, 42, rue des Lavières, 21190 Saint-Aubin, tél. 03 80 21 32 92, fax 03 80 21 35 00, france@domaines-roux.com, ☑ ⚘ ⵗ r.-v.

CH. DE SANTENAY En Vesvau 2011

	25 700	⦿	15 à 20 €

Le château, qui fut la propriété de Philippe le Hardi, accueille touristes mais aussi manifestations vineuses et mariages. Il sert aussi de cuverie à ce 2011 qui n'a rien de confidentiel, né de 4,11 ha de plants de chardonnay de quinze ans. Au nez, des parfums vifs de pamplemousse se mêlent au grillé de la barrique et à quelques notes d'amande. La bouche se montre droite, fraîche et fruitée. Recommandé sur un vol-au-vent de crabe, vers 2016-2017.

☛ SAS Ch. de Santenay, 1, rue du Château, 21590 Santenay, tél. 03 80 20 61 87, fax 03 80 20 63 66, contact@chateau-de-santenay.com, ☑ ⚘ ⵗ r.-v.

DOM. GÉRARD THOMAS ET FILLES Champ Tirant 2011 ★

	6 000	⦿	11 à 15 €

Ce domaine régulier en qualité, fondé il y a vingt ans par Gérard Thomas, est désormais conduit par ses filles Anne-Sophie et Isabelle. Des trois saint-aubin retenus, ce Champ Tirant a eu la préférence des dégustateurs. Ses arguments : une robe brillante et pâle ; un bouquet plaisant de vanille, de grillé et de pamplemousse ; un palais ample et rond soutenu par une belle vivacité et par un boisé encore bien présent, qui se patinera après deux ou trois ans de garde. Une étoile également pour le **1er cru blanc 2011 Murgers des Dents de chien** (15 à 20 € ; 12 000 b.), né au-dessus du grand cru montrachet, dans l'un des *climats* les plus réputés de l'appellation ; un vin frais et intense, soyeux et équilibré, relevé par une finale minérale. À boire ou à garder trois ou quatre ans, comme

le **1er cru blanc 2011 Sous Roche Dumay** (15 à 20 € ; 3 000 b.), cité pour son côté tonique et citronné.

☛ Dom. Gérard Thomas, 6, rue des Perrières, 21190 Saint-Aubin, tél. 03 80 21 32 57, domaine.gerard.thomas@orange.fr, ☑ ⚘ ⵗ r.-v.

Santenay

Superficie : 330 ha
Production : 14 040 hl (85 % rouge)

Dominé par la montagne des Trois-Croix, le village de Santenay est devenu, grâce à sa « fontaine salée » aux eaux les plus lithinées d'Europe, une ville d'eau réputée... C'est donc un village polyvalent, puisque son terroir produit également d'excellents vins. Les Gravières, la Comme, Beauregard en sont les crus les plus connus. Comme à Chassagne, le vignoble présente la particularité d'être souvent conduit en cordon de Royat, élément qualitatif non négligeable.

ABBAYE DE SANTENAY Gravières 2011 ★

■ 1er cru	2 500	⦿	11 à 15 €

Aujourd'hui géré par Madame Clair et sa fille Anne, ce domaine santenois convertit ses 14 ha de vignes à l'agriculture biologique. Né d'un *climat* bien connu, leur 1er cru Gravières revêt une robe violine et mêle au nez des fragrances de pâte de fruits rouges à un léger boisé toasté. Une attaque tendre, une matière charnue et des tanins bien présents composent une bouteille de qualité qui gagnera à attendre au moins un an (elle peut rester en cave cinq à huit ans).

☛ Michel Clair et Fille, abbaye de Santenay, 2, rue de Lavau, 21590 Santenay, tél. 03 80 20 62 55, fax 03 80 20 65 37, domaine-michel.clair@wanadoo.fr, ☑ ⚘ ⵗ t.l.j. 8h-12h 14h-18h

FRANÇOIS D'ALLAINES Les Bras 2010 ★

	600	⦿	20 à 30 €

Ce négociant se constitue depuis quatre ans un vignoble en propre, d'où provient ce santenay blanc. Les Bras ? Un *climat* situé sur les pentes de la montagne des Trois Croix, vers 400 m d'altitude. Constitué de calcaires gris blanc, il jouxte le vignoble des Maranges. D'un jaune pâle aux reflets verts, ce 2010 dévoile un trio de parfums : chèvrefeuille, tilleul et camomille. Un peu d'amande grillée témoigne des dix-huit mois de fût. Fin et élégant en bouche, joliment salin, puis vif, ce chardonnay tient la distance en finale. Un vin jeune qui sera à son apogée dans deux ans. Il devrait bien s'entendre avec un vol-au-vent de poisson.

☛ François d'Allaines, 2, imp. du Meix-du-Cray, 71150 Demigny, tél. 03 85 49 90 16, francois@dallaines.com, ☑ ⚘ ⵗ r.-v.

DOM. BACHEY-LEGROS Clos Rousseau Vieilles Vignes 2011 ★

■ 1er cru	6 500	⦿	15 à 20 €

Les 19 ha de ce domaine sont exploités par deux frères, Lénaïc et Samuel Legros, qui ont pris la suite de leur mère Christiane. Comme l'an passé, leur Clos Rousseau reçoit une étoile. La robe est grenat profond. Mûre et myrtille se lient à la violette pour composer un bouquet intense et élégant, nuancé par les notes toastées et vanillées de l'élevage. En bouche, on découvre une matière franche, charnue, aux tanins bien présents, réglissés et toastés. Une cuvée de garde que l'on pourra sortir de la cave dans trois ans. Belle entente en perspective avec un canard laqué. Le *village* blanc **2011 Sous la Roche (4 000 b.)**, cité, mise sur la finesse. Il mêle au nez les fleurs blanches et les fruits jaunes nuancés d'une touche boisée. Fruité, rond et gras en attaque, il offre une finale fraîche sur les agrumes. Dans une petite année, il accompagnera un moelleux fromage de chèvre à peine affiné.

🍷 Dom. Bachey-Legros et Fils, 12, rue de la Charrière, 21590 Santenay, tél. et fax 03 80 20 64 14, christiane.bachey-legros@wanadoo.fr, ☑ ⚥ ⵝ r.-v.

BAUTISTA Les Gravières 2011

1er cru		1 000	⬛	15 à 20 €

Le plus vaste des 1ers crus de Santenay. Est-ce pour cette raison que ce *climat* des Gravières est le plus réputé ? En tout cas, on s'y intéresse, même si l'on est installé à Mercurey, comme Manu Bautista. Ce producteur de la Côte chalonnaise le propose dans sa carte de vins de négoce. Un 2011 bien doré, aux parfums d'agrumes et de vanille teintés de minéralité et à la bouche tendue par une belle vivacité. On imagine cette bouteille donner la réplique (vers 2015 ou 2016) à un couscous de poisson ou à une blanquette.

🍷 SARL Bautista, 17, rue de la Cure, 71640 Mercurey, tél. 03 85 45 26 38, fax 03 85 45 27 99, tupinier.bautista@wanadoo.fr, ☑ ⚥ ⵝ r.-v.

JEAN-BAPTISTE BÉJOT 2011 ★

		33 000	⬛	8 à 11 €

Vincent Sauvestre vend sous sa marque une large gamme de vins de Bourgogne et détient aussi la maison Jean-Baptiste Béjot, acquise par son père. Il obtient une étoile pour cette importante cuvée de *village* dont la robe or pâle brillant dit la jeunesse. De discrets effluves de fleurs blanches et de fruits d'été, mêlés à un boisé toasté, s'échappent du verre. Simple mais bien dessiné, rond en attaque et frais en finale, ce chardonnay déjà harmonieux sera encore meilleur en 2015. On pourra penser à cette bouteille pour un vol-au-vent de volaille.

🍷 Jean-Baptiste Béjot, RD 974, 21190 Meursault, tél. 03 80 21 22 45, fax 03 80 21 28 05, severine.maitre@bejot.com

JULES BELIN La Comme 2010 ★

1er cru		5 000	⬛	15 à 20 €

Sous le nom d'une vénérable maison fondée en 1817 se cache l'affaire de négoce nuitonne Louis Max, qui a racheté la société. Celle-ci établit des contrats en achat de raisins avec des viticulteurs de vingt appellations. Cette cuvée représente 1,23 ha en pinot noir. Rubis limpide, elle dévoile des parfums de cassis et de griotte assortis d'une touche de boisé fondu. Gourmand en attaque, équilibré et consistant, voilà un vin de caractère que l'on attendra deux à cinq ans. Que diriez-vous d'une fondue bourguignonne ?

🍷 Jules Belin, 6, rue de Chaux, 21700 Nuits-Saint-Georges, tél. 03 80 62 43 01, fax 03 80 62 43 16 ⚥ ⵝ r.-v.

ROGER BELLAND Charmes 2011

⬛		6 000	⬛	20 à 30 €

Chez les Belland, la robe de velours est une signature. La signature est depuis dix ans celle de Julie, qui représente la sixième génération. Les Charmes ? On ne parle pas ici d'arbres : ce mot ancien désigne un champ, comme à Chambolle-Musigny. La version 2011 de ce *climat* est citée pour ses jolis arômes de pinot (cerise, fruits rouges), mariés aux épices douces léguées par l'élevage, et pour sa bouche aux tanins fondus et à la finale gourmande. Un vin expressif, à boire dans les cinq ans. Le **1er cru Beauregard 2011 rouge (17 000 b.)** provient d'un lieu-dit des hauteurs, dont la famille ne possède pas moins de 3,2 ha (il lui a valu cinq coups de cœur). Il offre un profil bien différent du précédent avec sa robe grenat sombre, son nez intense de fruits confits et sa matière puissante, suave et équilibrée qui appelle une garde d'au moins deux ans. Un juré gourmet suggère de le servir avec un tajine d'agneau aux fruits secs.

🍷 Dom. Roger Belland, 3, rue de la Chapelle, 21590 Santenay, tél. 03 80 20 60 95, fax 03 80 20 63 93, belland.roger@wanadoo.fr, ☑ ⚥ ⵝ r.-v.

DOM. BORGEOT Les Gravières 2010 ★★

⬛ 1er cru		4 900	⬛	15 à 20 €

Remigny est un village de plaine séparé de la Côte de Beaune par la Dheune, si bien que l'on oublie parfois qu'une partie de son territoire est classée en AOC chassagne et santenay. C'est d'ailleurs dans la zone viticole de cette commune que sont installés les frères Borgeot, Pascal et Laurent, qui conduisent un domaine de 19 ha. Avec cette cuvée, ils sont arrivés jusqu'à la finale du coup de cœur. Pivoine à l'œil, violette, mûre, framboise et réglisse au nez, ce 2010 se dévoile en bouche, complexe et consistant, épicé en finale. Son fruité gourmand n'a d'égal que sa finesse tannique. On l'ouvrira à partir de 2015, en osant une matelote d'anguilles au vin rouge.

🍷 Dom. Borgeot, 8, rte de Chassagne, 71150 Remigny, tél. 03 85 87 19 92, fax 03 85 87 19 95 ☑ ⚥ ⵝ r.-v. 🏠 🇪

PHILIPPE BOUCHARD 2011 ★

		7 600	⬛	11 à 15 €

Une œnologue trentenaire, Ludivine Griveau, tient depuis une dizaine d'années les clés de la cave de cette maison appartenant au groupe Corton André. Ce négoce, qui exporte 60 % de sa production, réussit avec ce santenay blanc une importante cuvée de *village*. D'un jaune pâle limpide et brillant, ce 2011 libère des senteurs engageantes, tout en finesse, de fruits et de fleurs blanches. Fraîcheur, longueur et générosité résument cette bouteille qui vous donnera du plaisir dès l'été 2014, sur une entrée aux crevettes par exemple.

🍷 Philippe Bouchard, BP 10, 21420 Aloxe-Corton, tél. 03 80 25 00 00, fax 03 80 26 42 00, contact@philippe-bouchard.com
🍷 André Corton

MARC BOUTHENET Clos Rousseau 2010

⬛ 1er cru		1 600	⬛	8 à 11 €

Antoine Bouthenet, le fils de Marc, est arrivé au domaine familial pour participer à la création du millésime 2009. Il compte développer la vente en bouteilles grâce à un nouveau caveau installé à Mercey, un hameau de Cheilly-lès-Maranges. C'est un 1er cru 2010 qui lui vaut cette citation. D'un rubis aux nuances violettes, ce vin offre un nez discret partagé entre le cassis et des notes boisées. Après une attaque souple, les tanins semblent en chaise longue... On pense alors à un accord transatlantique avec un hamburger fait maison (sans abus de moutarde de Dijon ou de ketchup). Pas plus tard que dans deux ans.

☛ Dom. Marc Bouthenet, 11, rue Saint-Louis, Mercey, 71150 Cheilly-lès-Maranges, tél. 03 85 91 16 51, fax 03 85 91 13 52, earlmarcbouthenet@orange.fr, ☑ ⚔ ⏂ t.l.j. sf dim. 8h-12h30 14h-19h

DOM. DE LA BUISSIÈRE Beaurepaire 2010 ★

| ■ 1er cru | 3 000 | ⦿⫿◖ | 15 à 20 € |

David Moreau, vigneron trentenaire, a repris en août 2009 les 9 ha de ses grands-parents paternels – un héritage végétal rare car le vignoble est issu de sélection massale, sans clones. Rubis intense, son 1er cru Beaurepaire exprime avec générosité des senteurs de fruits rouges et noirs assorties d'une légère touche fumée. Si l'attaque est gourmande, un bataillon de tanins vifs entrent vite en scène : on attendra cette bouteille jusqu'à la fin 2016 avant de la partager sur un quasi de bœuf braisé au thym.

☛ Jean Moreau, Dom. de la Buissière, 4, rue de la Bussière, 21590 Santenay, tél. 03 80 20 61 79, fax 03 80 20 73 39, jean-moreau@wanadoo.fr, ☑ ⚔ ⏂ r.-v.

CAPUANO-FERRERI La Comme 2011 ★

| ■ 1er cru | n.c. | ⦿⫿◖ | 15 à 20 € |

De la rue principale de Santenay, John Capuano veille sur un domaine de 12 ha dont les parcelles s'égrènent de Beaune à Mercurey. Le mot « Comme » désigne en patois bourguignon une combe. Un 1er cru habillé ici de rubis, qui livre une corbeille de petits fruits rouges et noirs : cerise, mûre et framboise. Des tanins serrés, sans agressivité mais encore fermes, donnent à la bouche une consistance certaine qui appelle la garde. À partir de la fin 2015, on débouchera sans hâte cette bouteille pour la servir avec une viande rouge mijotée, une joue de bœuf braisée aux carottes, par exemple.

☛ EARL Dom. Capuano-Ferreri, 14, rue Chauchien, 21590 Santenay, tél. 03 80 20 68 04, fax 03 80 20 65 75, john.capuano@wanadoo.fr, ☑ ⚔ ⏂ r.-v.

CH. DE LA CHARRIÈRE Sous la Roche 2011 ★

| ■ | 2 700 | ⦿⫿◖ | 11 à 15 € |

Producteur à Santenay depuis 1975, Yves Girardin connaît bien ses terroirs pour exploiter 22,5 ha entre Savigny, les Maranges et Santenay. Voilà dix ans qu'il a acquis ce château où l'exploitation a son siège. La vendange 2011 lui apporte deux cuvées notées l'une comme l'autre une étoile. La première provient d'un *climat* majoritairement planté en chardonnay, le sol y étant calcaire. Un vin or pâle aux reflets verts, charnu, rond et persistant, aux parfums de poire et de fruits jaunes rafraîchis par une pointe de menthe. On le servira dans les trois ans, par exemple avec une lotte en sucré-salé. Le **1er cru Clos Rousseau 2011 rouge (2 600 b.)** offre un nez vineux de fruits rouges et noirs aux nuances boisées, un palais gras et consistant, étayé par une bonne trame tannique. Il accompagnera dans trois ans des fromages onctueux comme le pont-l'évêque.

☛ Yves Girardin, 1, rte de Dezize-lès-Maranges, 21590 Santenay, tél. 03 80 20 64 36, fax 03 80 20 66 32, yves.girardin-domaine@orange.fr, ☑ ⚔ ⏂ r.-v.

DOM. CHEVROT Clos Rousseau 2010 ★★

| ■ 1er cru | 3 900 | ⦿⫿ | 15 à 20 € |

Installés il y a quelques années sur l'exploitation familiale, les frères Vincent et Pablo Chevrot ont engagé en 2008 la conversion bio de leur domaine de 16 ha et ont réintroduit le cheval pour labourer leurs vignes. Avec succès, à en juger par ce 1er cru qui se hisse jusqu'en finale des coups de cœur. Au pourpre foncé de sa robe répondent des arômes flatteurs de griotte et de fruits noirs légèrement épicés que l'on retrouve en bouche. Après une attaque gourmande, des tanins aux angles déjà arrondis mais encore fermes entrent en scène et s'attardent jusqu'à la finale teintée de minéralité. On débouchera cette bouteille sans hâte, à partir de 2014 ou 2015, et on la servira sur un plat de caractère, comme un civet de sanglier aux marrons.

☛ Dom. Chevrot et Fils, 19, rte de Couches, 71150 Cheilly-lès-Maranges, tél. 03 85 91 10 55, fax 03 85 91 13 24, contact@chevrot.fr, ☑ ⚔ ⏂ r.-v. 🏨 ❷

DOM. DE LA CHOUPETTE La Comme 2011

| ■ 1er cru | 1 000 | ⦿⫿ | 11 à 15 € |

Voilà déjà vingt millésimes que les jumeaux Gutrin ont créé leur domaine qui couvre 14 ha répartis dans les AOC santenay, maranges, chassagne et puligny-montrachet. Jouxtant Chassagne, le *climat* La Comme, avec ses 21,61 ha, figure au deuxième rang des 1ers crus de Santenay par sa superficie. Le lieu de naissance de ce 2011 rubis brillant, au nez bien fruité, entre bourgeon de cassis et cerise. Ce fruité se prolonge dans une bouche encadrée par des tanins fermes que quatre années de cave poliront.

☛ EARL Dom. de la Choupette Gutrin Fils, 2, pl. de la Mairie, 21590 Santenay, tél. 03 80 20 65 17, gutrinfils@orange.fr, ☑ ⚔ ⏂ t.l.j. 10h-18h

FRANÇOISE ET DENIS CLAIR Clos Genêt 2011 ★

| ■ | 3 000 | ⦿⫿ | 11 à 15 € |

C'est Jean-Baptiste Clair, le fils, qui travaille sur l'exploitation depuis 2000 et vinifie tous les vins de la propriété depuis 2011. La famille cultive 1,2 ha des 8,23 ha du Clos Genêt, *climat* attenant à sa maison. Le 2011 est tout aussi apprécié que le millésime précédent. De sa robe soutenue s'élèvent des senteurs de fruits confits, prélude à un palais rond, ample et mûr, au boisé encore appuyé. Un bon classique de l'appellation, à partager vers 2018 sur un faisan rôti.

☛ Françoise et Denis Clair, 14, rue de la Chapelle, 21590 Santenay, tél. 03 80 20 61 96, fdclair@orange.fr, ☑ ⏂ r.-v.

MARC COLIN ET SES FILS Les Champs Claude Vieilles Vignes 2011

| ■ | 3 000 | ⦿⫿ | 11 à 15 € |

Situé dans le bas de Santenay, ce *climat* se partage entre cette commune et celle de Chassagne. Les Colin, installés à Saint-Aubin et bien connus des lecteurs pour leurs grands blancs de la Côte de Beaune, en ont tiré un vin rouge au fruité mûr, plutôt tendre et rond en bouche, reposant sur des tanins déjà souples. Ce caractère déjà avenant permettra de déboucher cette bouteille dès aujourd'hui, même si on peut l'attendre deux ans. Bel accord en perspective avec une fricassée de lapin.

☛ Dom. Marc Colin, rue de la Chatenière, 21190 Saint-Aubin, tél. 03 80 21 30 43, fax 03 80 21 90 04, marccolin@ymail.com, ☑ ⚔ ⏂ r.-v.

MAISON COLIN-SEGUIN Clos Roussot 2011 ★

| 1er cru | 4 500 | 11 à 15 € |

L'un des douze 1ers crus de Santenay, situé en hauteur. Ici, il est élevé en fût de chêne américain par une maison de négoce fondée en 2005 et installée à Nuits-Saint-Georges. D'un rubis brillant, ce 2011 délivre des parfums de fruits rouges (framboise et cerise) associés à un boisé toasté. Bien charpenté et persistant, ce santenay typique doit dormir en cave au moins cinq ans avant d'accompagner du veau marengo.

☛ Maison Colin-Seguin, 4, rte de Dijon, 21700 Nuits-Saint-Georges, tél. 03 80 30 20 20, fax 03 80 50 15 72, olivier.seguin@maison-colin-seguin.com, ☑ ☓ r.-v.

CH. DE LA CRÉE Gravières 2010 ★

| 1er cru | 6 100 | 15 à 20 € |

Nicolas et Béatrice Ryhiner ont acheté en 2004 ce château situé à Santenay-le-Haut, et l'ont agrandi (10 ha). Ils sont épaulés par Aline Beauné à la cave et par Nicolas Perrault à la vigne. Au programme de la propriété : cours de cuisine et dégustations. Cette année, trois 1ers crus se distinguent. Ce blanc des Gravières, 1er cru en coteau, s'annonce par un nez flatteur dominé par un riche boisé toasté assorti d'une nuance d'abricot. Il attaque avec fraîcheur et se montre gras et vif à la fois, minéral et long. Déjà agréable, il se bonifiera avec deux ans de cave. Même note pour le **1er cru Beauregard 2010 blanc (1 193 b.)**, un chardonnay doré soutenu, dont le nez boisé évoquant la viennoiserie prélude à un palais gras, riche, concentré et long. À boire dans les trois ans. Cité, le **1er cru Clos Faubard 2010 rouge (1 708 b.)** est un vin solide et sérieux, au nez de fruits cuits relevés d'épices et aux tanins encore sévères. On le débouchera vers 2015 sur un plat fort en goût, comme une daube de sanglier.

☛ SARL Ch. de la Crée, 11, rue Gaudin, 21590 Santenay, tél. 03 80 20 63 36, fax 03 80 20 65 27, la.cree@orange.fr, ☑ ☓ ☓ t.l.j. 9h-12h 14h-17h
☛ M. Ryhiner

♥ MAURICE GAVIGNET Clos Rousseau 2011 ★★

| 1er cru | 1 200 | 15 à 20 € |

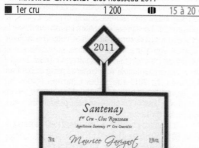

La maison a été fondée à Nuits-Saint-Georges par un ancien vigneron au domaine de la Romanée-Conti, qui ne devait pas manquer d'ambition. Son arrière-petit-fils, à la tête de l'exploitation depuis 2008, emporte le seul coup de cœur de l'appellation – hélas confidentiel : il est né d'une parcelle de 20 ares d'un 1er cru bien connu. L'intensité de la robe grenat aux reflets violets n'a d'égale que sa brillance. Les 50 % de fût neuf s'imposent au nez, marqué par de riches arômes de vanille, de caramel et de pain grillé. Le fruit entre en scène au palais : les fruits noirs, la myrtille nuancée de réglisse percent au sein d'une matière puissante, soutenue par une trame de tanins denses qui signent un vin de garde. Ce 2011, qui verra la prochaine décennie, est à oublier en cave au moins quatre ans. Un flacon précieux qui mettra en valeur un magret de canard.

☛ Maurice Gavignet, 71, rue Félix-Tisserand, 21700 Nuits-Saint-Georges, tél. 03 80 61 03 87, fax 03 80 62 14 69, contact@maurice-gavignet.com, ☑ ☓ ☓ t.l.j. sf dim. 9h-12h 14h-18h

VINCENT GIRARDIN Clos de Tavannes 2010

| 1er cru | 2 000 | 20 à 30 € |

Vincent Girardin, créateur du domaine, l'a vendu en 1992 à la Compagnie des Vins d'autrefois. Son responsable de cave, Éric Germain, est fidèle au poste et veille sur les mille tonneaux de la cave. La maison a proposé un vin blanc issu d'un 1er cru bien connu jouxtant l'AOC chassagne. Son nom viendrait de la famille de Saulx Tavannes, qui eut une seigneurie à Chambolle-Musigny. Le vin ? Une robe dorée, un nez discret et une matière vive, franche et persistante. Une cuvée élégante à apprécier dès l'hiver 2013 sur un risotto aux champignons.

☛ SAS Vincent Girardin, ZA Les Champs-Lins, 21190 Meursault, tél. 03 80 20 81 00, fax 03 80 20 81 10, vincent.girardin@vincentgirardin.com, ☑ par correspondance

JACQUES GIRARDIN Les Terrasses de Bievaux 2011

| | 15 000 | 11 à 15 € |

Les Terrasses de Bievaux ? Un *climat* perché entre 300 et 400 m d'altitude, si pentu qu'il a fallu l'aménager en terrasses. D'un or brillant, ce santenay blanc se partage au nez entre les fleurs blanches et les agrumes, avec une touche de boisé. Gras, riche et rond, équilibré par ce qu'il faut d'acidité, il atteindra sa pleine harmonie dans deux ans. Un accord innovant ? Un wok de canard aux pousses de bambou. À noter que Justin, le fils de Valérie et de Jacques Girardin, s'est installé en 2013 sur le domaine, qui couvre 17 ha.

☛ Jacques Girardin, 13, rue de Narosse, 21590 Santenay, tél. 03 80 20 60 12, fax 03 80 20 64 96, jacques.girardin@wanadoo.fr, ☑ ☓ ☓ r.-v.

ANDRÉ GOICHOT La Maladière 2011 ★

| 1er cru | 4 700 | 15 à 20 € |

Au-dessus du centre thermal de Santenay, ce *climat* exposé au sud tire son nom d'une ancienne maladrerie. Plus tard, les curistes aimaient y prendre le soleil. Aujourd'hui, ce sont les raisins qui profitent de ses rayons. Comme le pinot noir à l'origine de ce santenay rouge proposé par cette maison de négoce beaunoise aujourd'hui dirigée par Arnauld Goichot. D'un rubis tirant sur le grenat, ce 2011 s'ouvre sur les fruits noirs frais nuancés d'épices. Étayé par des tanins francs et élégants, il sera à son apogée dans trois à quatre ans.

☛ Maison André Goichot , av. Charles-de-Gaulle, 21200 Beaune, tél. 03 80 25 91 30, fax 03 80 25 91 29, infos@goichotsa.com, ☑ ☓ ☓ t.l.j. sf dim. 9h-12h 14h-18h

BOURGOGNE

JAFFELIN Passetemps 2011

1er cru	1 560	20 à 30 €

Passetemps ? Un nom évocateur de plaisirs, mais il suffit de regarder les coteaux longs et pentus de ce *climat* pour comprendre que ce 1er cru a été ainsi nommé parce que les vignerons « passaient du temps » à le travailler... Il est planté des deux cépages bourguignons. Ici, un chardonnay s'ouvrant sur les fleurs blanches, le miel et l'amande. Après une attaque souple, la bouche séduit par son fruité, sa franchise, son boisé fondu et sa finale pleine de charme. On appréciera cette bouteille dans l'année qui vient avec une aile de raie au beurre.

☛ Maison Jaffelin, 2, rue Paradis, 21200 Beaune, tél. 03 80 22 12 49, fax 03 80 25 90 89, jaffelin@maisonjaffelin.com, ☑ ⚐ ⛾ r.-v.

DOM. JESSIAUME Gravières 2010

1er cru	3 700	⚑ ⬛	30 à 50 €

Le millésime 2010 signe l'arrivée de la cinquième génération, Jean-Baptiste, sur le domaine familial qui compte 14 ha. Le 1er cru Gravières est le vin emblématique de la maison. Si les Jessiaume en cultivent 4,76 ha plantés en pinot noir, ce sont les 80 ares de chardonnay qui sont à l'origine de cette citation (et d'un coup de cœur dans le millésime précédent). Un vin doré aux fragrances délicatement florales, équilibré et tendu en bouche. Déjà harmonieux, il sera excellent avec une volaille fermière en sauce crémée. Également cité, le **Clos du Clos Genêt Monopole 2010** rouge (15 à 20 € ; 1 450 b.) provient d'un clos en monopole de 53 ares, au sein du Clos Genêt. On aime son nez de cerise noire et de framboise, assorti d'une touche chocolatée, son attaque franche et fruitée. Ses tanins devraient se fondre d'ici la fin 2015.

☛ Dom. Jessiaume, 10, rue de la Gare, 21590 Santenay, tél. 03 80 20 60 03, fax 03 80 20 62 87, contact@domaine-jessiaume.com, ☑ ⚐ ⛾ r.-v.
☛ Sir David Murray

MARINOT-VERDUN 2011

	5 800	⬛	8 à 11 €

À quelques kilomètres de Santenay, aux confins du Couchois, le négociant Jacques Marinot met en valeur les terroirs du sud de la Côte de Beaune. Son santenay rouge 2011 tire son épingle du jeu dans un millésime où il a fallu jouer avec un été pluvieux. Au rubis intense de la robe répond un nez de fruits rouges et noirs bien mûrs. Frais à l'attaque, le palais se montre gras et fruité. Un vin facile d'accès qui ne manque pas pour autant de caractère. Il n'aura besoin que de trois petites années de cave avant de paraître à son meilleur.

☛ Marinot-Verdun, cave de Mazenay, 71510 Saint-Sernin-du-Plain, tél. 03 85 49 67 19, fax 03 85 45 57 21, marinot-verdun@wanadoo.fr, ☑ ⚐ ⛾ t.l.j. sf dim. 8h-12h 14h-18h

Ⓑ **LUCIEN MUZARD ET FILS** Clos de Tavannes 2011 ★

1er cru	1 500	⬛	20 à 30 €

Le domaine a été fondé par le Santenois Lucien Muzard, récemment disparu. Ses fils Hervé et Claude Muzard ont depuis longtemps pris la relève, avec brio et en bio : leurs vins collectionnent les coups de cœur du Guide (dont un l'an dernier pour un santenay). Qu'il s'agisse des vins de la propriété ou du négoce, tous les raisins proviennent de l'agriculture biologique et sont vinifiés dans le même esprit. Cette année encore, quatre cuvées sont dis-

tinguées. Emblématique de la propriété, ce 1er cru allie au nez les fruits rouges confits à un boisé toasté avec finesse ; ample en attaque, robuste et charnu, montrant un joli grain de tanins, il tient son rang. Les impatients l'attendront au moins un an, les autres cinq ans au minimum. Les autres cuvées sélectionnées présentent le même profil de vins de garde boisés et demandent elles aussi à se patiner en cave – deux à trois ans pour le moins. Côté négoce, le *village* **Vieilles Vignes 2011** rouge (15 à 20 € ; 10 000 b.) obtient la même note pour son petit nez entre cerise et fût, pour son attaque soyeuse et pour ses tanins bien extraits ; côté domaine, encore deux vins cités : le *village* **Champs Claude Vieilles Vignes 2011** rouge (15 à 20 € ; 3 500 b.), solide et structuré, long et jeune ; et le **1er cru Maladière 2011** rouge (14 000 b.) au nez intense de cassis, de mûre et de myrtille, prélude à une bouche puissante, charpentée et persistante, fruitée, vanillée et réglissée.

☛ Lucien Muzard et Fils, 1, rue de la Chapelle, 21590 Santenay, tél. 03 80 20 61 85, fax 03 80 20 66 02, lucienmuzard@orange.fr, ☑ ⚐ ⛾ r.-v.

DOM. OLIVIER Les Coteaux sous la roche 2010

	15 000	⚑ ⬛	15 à 20 €

Antoine Olivier, producteur santenois, se flatte d'être le plus important producteur de santenay blanc, avec 2,2 ha. On le croira sur parole et on se fiera au verdict de nos experts qui ouvrent à ce chardonnay les colonnes du Guide avec une citation. Son nez évoque la fleur blanche, rehaussé de nuances boisées (douze mois de fût) rappelant le pain grillé et la vanille. Sa matière dense offre une saveur boisée et réglissée bien mariée et ce qu'il faut de vivacité. Pour une poule au pot, dès cet automne. Consistant et déjà fondu, le **1er cru Beaurepaire 2010** (20 à 30 € ; 3 000 b.) pourra être débouché lui aussi prochainement, dans un an ou deux.

☛ Dom. Olivier, 5, rue Gaudin, 21590 Santenay, tél. 03 80 20 61 35, fax 03 80 20 64 82, domaineolivier@orange.fr, ☑ ⚐ ⛾ r.-v.

DOM. PONSARD-CHEVALIER Les Daumelles 2011

	2 000	⬛	11 à 15 €

Conduit par Michel Ponsard, ce domaine signe un santenay blanc très souvent retenu dans le Guide ; le millésime 2011 ne fait pas exception. La robe est dorée, le nez fin, bien ouvert, entre fruits jaunes, coing frais et fleurs blanches. Après une attaque franche, la bouche suit la même ligne fraîche et finit sur un joli retour fruité. Proche de l'étoile, ce chardonnay se dégustera à partir de 2014 sur des sushis. Le **2011 rouge Les Charmes** (4 000 b.) penche vers le cassis et pinote agréablement une fois en bouche. On laissera ses tanins se polir pendant deux ans, puis on le servira sur un rosbif.

☛ Dom. Ponsard-Chevalier, 2, Les Tilles, 21590 Santenay, tél. 03 80 20 60 87, fax 03 80 20 61 10, michelponsard@aol.com, ☑ ⚐ ⛾ r.-v.

LA POUSSE D'OR Clos Tavannes 2011

1er cru	5 800	⚑ ⬛	20 à 30 €

Propriété de Patrick Landanger depuis 1997, ce domaine réputé détient des vignes dans des appellations illustres : corton, puligny-montrachet... À Santenay, il exploite plus de 2 ha dans les 1ers crus les plus renommés, comme ce Clos Tavannes. D'un pourpre intense aux reflets violacés, le 2011 libère des senteurs de cerise noire relevées de touches d'épices léguées par un élevage de quinze mois en fût. Un beau fruité cassis-framboise, des tanins fondus et une pointe réglissée rendent sa matière charmeuse, mais on fera preuve de patience en oubliant ce vin en cave au moins deux ans. Pour un civet de lièvre.

☛ Dom. de la Pousse d'or, rue de la Chapelle, 21190 Volnay, tél. 03 80 21 61 33, patrick@lapoussedor.fr, ☑ r.-v.

☛ Landanger

DOM. PRIEUR-BRUNET Clos Faubard
Hommage à Guy Prieur 2010 ★

1er cru	600		20 à 30 €

Ce domaine familial installé dans le hameau de Santenay-le-Haut dispose de 18 ha de vignes exploitées par la septième et la huitième générations. Né d'un 1er cru situé dans les hauteurs et bien exposé au sud, le Clos Faubard a engendré une fois de plus un vin blanc fort apprécié. Un parfum élégant de fleurs blanches et de pierre à fusil se cache derrière une robe jaune clair. L'attaque est souple, en harmonie avec un boisé fondu, et la bouche fait preuve d'une belle longueur. À partager dès aujourd'hui à l'apéritif.

☛ Dom. Prieur-Brunet, rue de Narosse, 21590 Santenay, tél. 03 80 20 60 56, fax 03 80 20 64 31, uny-prieur@prieur-santenay.com, ☑ ⚥ ⏺ r.-v.

☛ Dominique Prieur

JEAN-CLAUDE REGNAUDOT ET FILS 2011

	1 500		8 à 11 €

Installé avec son fils Didier sur la colline de Dezize-lès-Maranges, Jean-Claude Regnaudot brille dans l'appellation maranges, collectionnant les coups de cœur. Ses santenay rouges de l'AOC voisine figurent aussi très souvent dans le Guide. C'est encore le cas cette année avec ce *village* issu de vignes de cinquante ans. Pourpre aux reflets violacés, ce 2011 libère un parfum suave et fruité, entre fruits rouges et boisé. Après une attaque franche et souple où l'on retrouve les fruits rouges, une certaine fermeté tannique se fait sentir. On attendra cette bouteille deux ans avant de la servir aux premiers frimas, avec un pot-au-feu.

☛ Jean-Claude Regnaudot et Fils, 6, Grande-Rue, 71150 Dezize-lès-Maranges, tél. 03 85 91 15 95, fax 03 85 91 16 45, regnaudot.jc-et-fils@orange.fr, ☑ ⏺ r.-v.

Ⓑ DOM. DES ROUGES-QUEUES 2011

	1 500		11 à 15 €

Appelé parfois rossignol des murailles, le rouge-queue se plaît sûrement dans les terrains pierreux et riches en murs de la Bourgogne. Le petit passereau niche dans ce domaine de quelque 6 ha établi dans les Maranges, qui a engagé en 2008 sa conversion bio. Isabelle et Jean-Yves Vantey signent un santenay rouge plutôt fermé au nez, mais séducteur en bouche par son attaque souple aux saveurs de cerise et par sa finale assez longue. Après une garde de deux ou trois ans qui permettra à ses tanins vifs de se polir, on débouchera cette bouteille sur un magret de canard aux cerises, par exemple.

☛ Dom. des Rouges-Queues, Isabelle et Jean-Yves Vantey, 10, rue Saint-Antoine, 71150 Sampigny-lès-Maranges, tél. 03 85 91 18 69, rougesqueues@gmail.com, ☑ ⚥ ⏺ r.-v.

DOM. SAINT-MARC Les Chainey 2011

	1 500		15 à 20 €

Arnaud Mitanchey, après des études viticoles à Beaune et un séjour en Californie, a rejoint le domaine créé par son père avec un associé trente ans plus tôt et l'a agrandi, portant sa surface à 7 ha. Son premier millésime, né dans un *climat* pentu au-dessus des 1ers crus, côté Maranges, obtient une citation. D'un rubis limpide, ce 2011 pinote agréablement sur des notes de fraise et de framboise, nuancées d'un joli boisé. Sa rondeur est soulignée par une certaine sucrosité et par une trame tannique déjà bien fondue. Un vin facile d'accès, que l'on verrait bien dès la sortie du Guide accompagner des œufs en meurette. On peut aussi le garder quatre ou cinq ans.

☛ Dom. Saint-Marc, 1, rue de Nolay, 71150 Paris-L'Hôpital, tél. 03 85 91 13 14, fax 03 85 91 17 42, dne.saintmarc@wanadoo.fr, ☑ ⚥ ⏺ r.-v.

☛ Mitanchey

SORINE ET FILS En Charron 2011 ★

	2 800		8 à 11 €

Moulin Sorine, lieu-dit Derrière chez Sorine... De nombreux toponymes de Santenay attestent l'enracinement de cette famille dans la commune. Faute de place dans le village, Christian et Emma Sorine ont créé un second site à Cheilly-lès-Maranges où ils accueillent leurs clients. Ils proposent un santenay blanc mêlant au nez l'acacia, les fruits jaunes et un brin d'épices. L'attaque est fraîche, la bouche se montre équilibrée, dévoilant des notes de pamplemousse rose et des arômes plus confits. À déboucher dès la sortie du Guide.

☛ Sorine et Fils, 1, pl. de la Poste, 71150 Cheilly-lès-Maranges, tél. 03 85 87 18 07, christian.sorine@orange.fr, ☑ ⚥ ⏺ r.-v.

JEAN-MARC VINCENT Le Beaurepaire 2010 ★

1er cru	2 600		20 à 30 €

Anne-Marie et Jean-Marc Vincent cultivent 6,5 ha selon une démarche bio (non certifiée) et vinifient dans le même esprit, sans levurage. Ce 1er cru Le Beaurepaire fait partie des immanquables de l'appellation. 2001, 2006, 2009 ont été élus coups de cœur – en rouge, certes, mais ces vignerons ont aussi été couronnés pour leur chardonnay. Ce 2010 libère des parfums naissants d'agrumes, de miel et de pain grillé. Ample dès l'attaque, il développe une matière onctueuse avant de finir sur des notes fraîches d'agrumes. Suggestion d'accord : des anguilles en persillade.

☛ Anne-Marie et Jean-Marc Vincent, 3, rue Sainte-Agathe, 21590 Santenay, tél. et fax 03 80 20 67 37, vincent.j-m@wanadoo.fr, ☑ ⚥ ⏺ r.-v.

Maranges

Superficie : 170 ha
Production : 7 450 hl (95 % rouge)

Situé en Saône-et-Loire, à l'extrémité sud de la Côte de Beaune, le vignoble des Maranges regroupe les trois communes de Chailly, Dezize et Sampigny-lès-Maranges qui avaient leur propre appellation jusqu'en 1989. Il comporte six 1ers crus. Les vins rouges ont droit également à l'AOC côte-de-beaune-villages. Fruités, corpulents et charpentés, ils peuvent vieillir de cinq à dix ans.

DOM. JEAN-LOUIS BACHELET Les Clos Roussots 2010

| ■ 1er cru | 2 400 | ▐ ◖◗ | 11 à 15 € |

Issu de vieilles vignes dont les raisins ont passé douze mois en fût et quatre en cuve, ce 1er cru couleur rouge cardinal dévoile un nez de cassis frais et de mûre, agrémenté d'une fine touche boisée. On retrouve l'empreinte du merrain, plus soutenue, dans une bouche ample et vive, bâtie sur des tanins fermes et vigoureux, qui signent une bouteille bien dans le ton de l'appellation. On attendra au moins trois ou quatre ans pour assouplir sa musculature.

☛ Jean-Louis Bachelet, pl. Saveron,
71150 Dezize-lès-Maranges, tél. 03 85 47 73 81,
fax 03 85 49 57 62, jean-louis_bachelet@orange.fr,
☑ ⚘ ⵜ r.-v.

DOM. BONNARDOT Sur le bois 2011

| ■ | 1 800 | ◖◗ | 8 à 11 € |

Ce *climat*, le plus important de l'appellation en niveau *village*, partage équitablement ses 21 ha entre ses parties nord et sud, que coupe une ancienne voie de chemin de fer transformée en voie verte pour les promeneurs. Ludovic Bonnardot, jeune vigneron originaire des Hautes-Côtes de Beaune, y possède 40 ares « originels » qui constituent, avec une vigne à Santenay, ses premiers arpents à l'origine de sa petite exploitation de 3,60 ha créée en 2006. Il signe un 2011 proche de l'étoile, où la robe rouge cerise aux reflets vermillon et son bouquet frais de groseille et de fraise. Vive et dynamique en attaque, la bouche se révèle souple et légère, adossée à des tanins bien fondus, qui autorisent une consommation dès l'automne comme dans deux ou trois ans.

☛ Ludovic Bonnardot, 27, Grande-Rue,
21250 Bonnencontre, tél. 03 80 36 31 60,
fax 03 80 36 37 29, ludovic-bonnardot@orange.fr,
☑ ⚘ ⵜ r.-v. ⌂ Ⓖ

MARC BOUTHENET Clos des Loyères 2010

| ■ 1er cru | 700 | ◖◗ | 8 à 11 € |

Épaulé depuis 2009 par son fils Antoine, Marc Bouthenet conduit un coquet vignoble, à l'échelle bourguignonne, de 21 ha. En attendant la première récolte en maranges blanc, c'est un 1er cru rouge rubis aux arômes intenses de cassis, de fruits rouges et de réglisse qui a séduit les dégustateurs. Ces derniers ont aussi apprécié le palais, souple et vif en attaque, ferme et encore un peu austère en finale. Deux années de cave domestiqueront cette austérité de jeunesse, et un poulet tandoori composera alors un accord atypique et intéressant.

☛ Dom. Marc Bouthenet, 11, rue Saint-Louis, Mercey,
71150 Cheilly-lès-Maranges, tél. 03 85 91 16 51,
fax 03 85 91 13 52, earlmarcbouthenet@orange.fr,
☑ ⚘ ⵜ t.l.j. sf dim. 8h-12h30 14h-19h

DOM. MAURICE CHARLEUX ET FILS Le Clos des Rois 2011

| ■ 1er cru | 1 500 | ◖◗ | 11 à 15 € |

De ce 1er cru situé sur la commune de Sampigny et jouxtant l'appellation santenay, Vincent Charleux exploite deux parcelles pour un total de 30 ares, l'une d'elles ayant été plantée par son grand-père Joseph en 1954. Il en tire un 2011 de belle facture qui, derrière sa robe pourpre aux reflets violets, dévoile, avec parcimonie, un bouquet de fruits rouges mâtinés d'un boisé ajusté. On retrouve ces arômes dans une bouche franche et longue, étayée par des tanins fins, un rien plus sévères en finale. Déjà harmonieux, ce vin ne sera que meilleur après deux ou trois ans de garde. Le 1er cru 2011 rouge Les Clos Roussots (5 430 b.), dans un style rond et plus léger, est également cité. On pourra d'ores et déjà l'apprécier ou le laisser mûrir deux ou trois ans en cave.

☛ Maurice Charleux et Fils, 1, Petite-Rue,
71150 Dezize-lès-Maranges, tél. 03 85 91 15 15,
fax 03 85 91 11 81, domaine.charleux@wanadoo.fr,
☑ ⚘ ⵜ r.-v.

DOM. CHEVROT La Fussière 2010

| ■ 1er cru | 1 800 | ◖◗ | 15 à 20 € |

Ce domaine fut l'un des premiers à vendre le maranges en bouteilles et non plus en vrac. Les fils Chevrot, Vincent et Pablo, ont, semble-t-il, bien appréhendé le millésime 2010, témoins ces deux vins rouges retenus dans cette édition. En tête, ce 1er cru qui frôle l'étoile ; un vin rubis foncé, joliment bouqueté autour des fruits rouges et noirs, frais, ferme et consistant en bouche. Trois ou quatre ans d'attente sont recommandés, et davantage encore pour les plus patients. Le *village* Sur le Chêne 2010 rouge (11 à 15 € ; 6 000 b.), finement fruité, épicé, suave et rond en bouche, fait jeu égal. On peut le boire ou l'attendre deux à trois ans pour adoucir sa finale encore un peu austère. Par ailleurs, le blanc 2011 (5 000 b.), frais, minéral, fruité et d'un bon volume, obtient également une citation.

☛ Dom. Chevrot et Fils, 19, rte de Couches,
71150 Cheilly-lès-Maranges, tél. 03 85 91 10 55,
fax 03 85 91 13 24, contact@chevrot.fr, ☑ ⚘ ⵜ r.-v. ⌂ Ⓞ

DOM. BRUNO COLIN La Fussière 2010 ★

| ■ 1er cru | 1 200 | ◖◗ | 15 à 20 € |

Ce viticulteur de Chassagne vient chercher dans les Maranges quelques raisins rouges pour ses clients majoritairement étrangers (80 % de la production est exportée) ; 39 ares en l'occurrence pour ce 1er cru grenat sombre, ouvert à l'olfaction sur le cassis et la mûre. Ample et douce de prime abord, la bouche évolue vers plus de fermeté, mais sans dureté aucune, soutenue par des tanins souples et par une fine fraîcheur qui lui donne une belle allonge en finale. Un vin qualifié de « représentatif et de complet », que l'on pourra apprécier aussi bien jeune que patiné par trois ou quatre ans de garde.

☛ Dom. Bruno Colin, 3, imp. des Crêts,
21190 Chassagne-Montrachet, tél. 03 80 24 75 61,
fax 03 80 21 93 79, contact@domainebrunocolin.com,
☑ ⚘ ⵜ r.-v.

MAISON COLIN-SEGUIN Fussière Excellence 2011

| ■ 1er cru | 4 500 | ◖◗ | 15 à 20 € |

Cette maison de négoce nuitonne fondée par Pierre Colin et Olivier Seguin en 2005 est aussi devenue « éleveur » à partir du millésime 2008. Épaulés par leur œnologue Olivier Bosse-Platière, ils ont sélectionné 1 ha de vignes de trente-cinq ans pour élaborer ce 1er cru en robe claire et brillante, au nez discrètement boisé et épicé, frais en attaque, plus rond et enveloppant en milieu de bouche, étayé par de fins tanins. Le boisé encore dominant et la finale plus austère appellent toutefois une garde de deux ou trois ans pour plus de fondu.

☛ Maison Colin-Seguin, 4, rte de Dijon,
21700 Nuits-Saint-Georges, tél. 03 80 30 20 20,
fax 03 80 50 15 72, olivier.seguin@maison-colin-seguin.com,
☑ ⟂ r.-v.

DOUDET-NAUDIN Clos Roussot 2011

■ 1er cru	3 004	⫴	15 à 20 €

Cette maison de négoce familiale de Savigny-lès-Beaune, fondée en 1849, s'illustre avec une belle régularité dans le Guide. Elle propose ici un maranges de belle facture, qui flirte avec l'étoile. Paré de rouge sombre, ce 2011 livre un bouquet d'abord un rien animal, qui s'ouvre à l'aération sur des nuances florales et fruitées (cerise et cassis mûr). On retrouve ces sensations aromatiques dans un palais riche et consistant, épaulé par des tanins fondus. Une bouteille harmonieuse, à découvrir entre 2014 et 2016 accompagnée d'une côte de veau forestière.
☛ Doudet-Naudin, 3, rue Henri-Cyrot, BP 1,
21420 Savigny-lès-Beaune, tél. 03 80 21 51 74,
fax 03 80 21 50 69, doudet-naudin@wanadoo.fr,
☑ ⚗ ⟂ r.-v.

MARINOT-VERDUN La Fussière 2011

■ 1er cru	9 000	⫴	8 à 11 €

Jacques Marinot, négociant établi dans le Couchois, ayant des attaches familiales dans les Maranges, signe ici un 1er cru d'un beau rouge profond, ouvert sur les fruits rouges et noirs compotés agrémentés d'une touche plus fraîche de feuille de cassis. La bouche se révèle vive et bien charpentée mais sans agressivité, offrant un portrait bien représentatif de l'appellation. D'ici deux à trois ans, ce vin sera prêt à boire, et pourra séjourner en cave jusqu'à l'horizon 2017-2018.
☛ Marinot-Verdun, cave de Mazenay,
71510 Saint-Sernin-du-Plain, tél. 03 85 49 67 19,
fax 03 85 45 57 21, marinot-verdun@wanadoo.fr,
☑ ⚗ ⟂ t.l.j. sf dim. 8h-12h 14h-18h

PROSPER MAUFOUX 2010 ★

■	4 500	⫴	11 à 15 €

Cette maison de négoce reprise en 2009 par la famille Piffaut (Veuve Ambal, André Delorme) a hébergé au XIXᵉs. les vins de la Romanée-Conti, lorsque le propriétaire du célèbre cru nuiton, Jacques-Marie Duvault-Blochet, habitait cet ancien hôtel particulier. D'autres vins de Bourgogne dorment aujourd'hui dans les anciennes caves voûtées de 1838. Ce maranges y a séjourné quatorze mois en barrique. Il en ressort paré d'une élégante robe pourpre aux reflets violets, le nez encore empreint des senteurs torréfiées et cacaotées du merrain, accompagnées de notes de sous-bois et de cassis. Le palais se révèle ample, dense et rond, soutenu par des tanins solides mais fins. Un beau classique de l'appellation, à servir dans deux ou trois ans sur un civet de lièvre.
☛ Prosper Maufoux, maison des Grands Crus,
1, pl. du Jet-d'Eau, 21590 Santenay, tél. 03 80 20 60 40,
fax 03 80 20 63 26, contact@prosper-maufoux.com,
☑ ⚗ ⟂ t.l.j. 10h-13h 14h-18h30;
d'oct. à fin mars sur r.-v. ⛶ ❹

DOM. EDMOND MONNOT ET FILS La Fussière 2011

■ 1er cru	4 500	⫴	11 à 15 €

2011 est le cinquième millésime de Stéphane Monnot depuis que son père Edmond a pris sa retraite. Depuis 2009, il vinifie dans une nouvelle cuverie qui lui permet de travailler par gravité et vendange depuis 2011 en caisses de 50 l afin de mieux respecter le raisin et de l'apporter intact sur la table de tri. Ce maranges a donc bénéficié de ces soins attentionnés et a séduit d'emblée par sa robe jaune pâle et brillante. Le charme opère aussi à l'olfaction, portée sur les fleurs blanches et la noisette fraîche agrémentées d'une touche briochée. Le palais, à l'unisson, se révèle suave et soyeux avant de dévoiler une finale plus vive, aux accents acidulés. Un vin équilibré, à boire dès à présent sur un poisson de rivière ou des noix de Saint-Jacques.
☛ Dom. Edmond Monnot et Fils, 11, rue de Borgy,
71150 Dezize-lès-Maranges, tél. 03 85 91 16 12,
domaine.monnotetfils@free.fr, ☑ ⚗ ⟂ r.-v.

Ⓑ LUCIEN MUZARD ET FILS 2011

■	2 700	⫴	15 à 20 €

Si les frères Muzard récoltent les étoiles du Guide avec la même constance qu'ils vendangent leurs vignes de Santenay, ils signent aussi de belles cuvées dans l'appellation voisine. Ici, un *village* de caractère, paré d'une robe grenat limpide et brillante, bien fruité à l'olfaction (cassis, mûre), vif et solidement charpenté en bouche. Deux ou trois ans de garde sont un minimum pour atténuer sa fougue. On le servira alors avec un bœuf bourguignon.
☛ Dom. Lucien Muzard et Fils,
11 bis, rue de la Cour-Verreuil, 21590 Santenay,
tél. 03 80 20 61 85, fax 03 80 20 66 02,
lucienmuzard@orange.fr, ☑ ⚗ ⟂ r.-v.

NICOLAS PERRAULT Le Clos des Loyères 2010 ★

■ 1er cru	n.c.	⫴	11 à 15 €

Cumulant son métier de vigneron avec un poste de chef de culture au château de la Crée à Santenay, Nicolas Perrault exploite en propre un petit vignoble de 4 ha, la partie la plus qualitative de l'exploitation familiale créée par son grand-père à la fin des années 1950. Un parcellaire qu'il conduit selon une orientation bio et (un peu) biodynamique, mais sans cahier des charges ni certification. Une approche « haute couture » en somme, qui permet un travail soigné. Avec le délicat millésime 2010, il place trois 1ers crus dans cette sélection. Les Loyères, *climat* le plus au sud de l'appellation, sont à l'origine d'un vin rubis soutenu, aux senteurs de framboise tirant vers le kirsch à l'aération, épicé, frais et consistant en bouche. Un vin armé pour une longue garde (six ou sept ans au moins), qui commencera à donner sa pleine mesure dans trois ou quatre ans. Une étoile également pour **Les Clos Roussots rouge 2010**, équilibré, ferme et dense, un peu plus souple que le précédent mais de bonne garde également. Quant au **Clos des Rois rouge 2010 (3 000 b.)**, il est cité pour son nez plaisant de réglisse et de fruits noirs et pour sa bouche ample et douce, soutenue par des tanins fins. Il pourra s'apprécier plus tôt (deux ou trois ans).
☛ Nicolas Perrault, 3, rue du Four,
71150 Dezize-lès-Maranges, tél. 03 85 91 14 67,
perraultn@wanadoo.fr, ☑ ⚗ ⟂ r.-v.

CH. DE POMMARD 2010 ★

■	4 161	⫴	15 à 20 €

« Le pied de la mer », telle est la définition étymologique de l'appellation maranges. Du haut de la montagne des Trois Croix, on imagine bien en effet la mer qui venait lécher de ses vagues ce qui était autrefois une côte.

La partie négoce du Château de Pommard vient s'y procurer la récolte de 75 ares de vignes de vingt-cinq ans, à l'origine de cette cuvée au caractère affirmé. Robe profonde, couleur cerise noire ; nez intense de fruits rouges et de cassis bien mariés aux senteurs boisées de l'élevage ; bouche équilibrée, fraîche et vigoureuse : un vin bien dans le ton de l'appellation, à déguster dans deux ou trois ans de préférence, mais déjà fort appréciable.

☛ Ch. de Pommard, SARL Caves de la Propriété, 15, rue Marey-Monge, 21630 Pommard, tél. 03 80 22 72 33, fax 03 80 24 65 88, contact@chateaudepommard.com, ☑ ⚔ 🍷 t.l.j. 9h30-18h30

DOM. PONSARD-CHEVALIER Clos des Rois 2011

■ 1er cru	2 000	⦀	11 à 15 €

Du pied à mi-coteau, ce 1er cru de « sang royal » se situe sur Sampigny, l'une des trois communes qui forment l'appellation maranges. Michel Ponsard, est établi dans ce *climat* en particulier, dont il exploite 33 ares. Il obtient avec le gourmand millésime 2011 un joli vin rubis, qui dévoile un bouquet plaisant de fruits rouges finement épicés par la cannelle et le poivre. Après une attaque suave et souple, le palais se fait nettement plus tannique et sévère. Un « défaut » (qui n'en est pas un) de jeunesse qu'atténueront deux ou trois ans de garde.

☛ Dom. Ponsard-Chevalier, 2, Les Tilles, 21590 Santenay, tél. 03 80 20 60 87, fax 03 80 20 61 10, michelponsard@aol.com, ☑ ⚔ 🍷 r.-v.

BERNARD REGNAUDOT Clos des Rois 2011

■ 1er cru	n.c.	⦀	8 à 11 €

Ce domaine, très régulier en qualité, s'illustre à nouveau dans son fief des Maranges avec ce 1er cru dont il détient 92 ares des 7,1 ha que compte le *climat*. Son 2011 se présente dans une livrée pourpre aux reflets rubis et dévoile un nez discret mais élégant de groseille et de cassis. Franc et vif en attaque, le palais séduit par sa finesse et son fruité, prolongement harmonieux de l'olfaction. Sa pointe d'austérité finale appelle toutefois une petite garde d'un an ou deux, même si les plus pressés d'entre vous peuvent d'ores et déjà ouvrir sans crainte cette bouteille équilibrée sur une volaille rôtie.

☛ Bernard Regnaudot, 14, rte de Nolay, 71150 Dezize-lès-Maranges, tél. 03 85 91 14 90, bernard.regnaudot@orange.fr, ☑ 🍷 r.-v.

JEAN-CLAUDE REGNAUDOT ET FILS
Les Clos Roussots 2011 ★

■ 1er cru	1 800	⦀	11 à 15 €

La famille Regnaudot est, comme toujours, au rendez-vous du Guide. Avec le millésime 2011, le duo père-fils réalise un nouveau triplé, certes moins prestigieux que celui de l'an passé (le maranges *village* 2010 avait obtenu un coup de cœur), mais qui prouve, s'il le fallait, que leurs vins font partie des références de l'appellation. Cette année, trois 1ers crus sont à l'honneur. Les Clos Roussots 2011, nés de vignes de quarante ans, dévoilent un bouquet flatteur de vanille, de poivre et de fruits rouges. Renforcée par quinze mois passés en tonneaux, la bouche se révèle dense et puissante, portée par des tanins vigoureux mais sans « sécheresse ». Dans deux ou trois ans, ce vin se sera affiné et accompagnera volontiers un mets gourmand, un jarret de porc aux choux par exemple. Une étoile également est attribuée au 1er cru 2011 rouge Clos

des Loyères (1 200 b.), pour son fruité intense (mûre, cerise) et son palais souple et fondu. À boire ou à attendre jusqu'en 2015. Cité, le 1er cru La Fussière 2011 rouge (2 400 b.), plus corpulent, chaleureux et tannique, fait jeu égal. On le laissera mûrir en cave trois à cinq ans avant de lui réserver une viande en sauce.

☛ Jean-Claude Regnaudot et Fils, 6, Grande-Rue, 71150 Dezize-lès-Maranges, tél. 03 85 91 15 95, fax 03 85 91 16 45, regnaudot.jc-et-fils@orange.fr, ☑ 🍷 r.-v.

Ⓑ DOM. DES ROUGES-QUEUES 2011

■	4 500	⦀	11 à 15 €

À la tête de 6 ha, pour quatre appellations, Isabelle et Jean-Yves Vantey ont trouvé leur bonheur dans le pittoresque village de Sampigny-lès-Maranges. Convertis à la viticulture biologique dès 1998, ils sont aujourd'hui passés en mode biodynamique. Ils consacrent 1,50 ha de vignes de soixante ans à cette cuvée rouge profond, qui dévoile un bouquet expressif de cassis et de mûre agrémenté de notes de bois et de sous-bois. La bouche se montre à la fois fine et ferme, émoustillée en finale par une jolie note poivrée. Un vin harmonieux et de bonne longueur, à déguster au cours des deux ou trois prochaines années.

☛ Dom. des Rouges-Queues, Isabelle et Jean-Yves Vantey, 10, rue Saint-Antoine, 71150 Sampigny-lès-Maranges, tél. 03 85 91 18 69, rougesqueues@gmail.com, ☑ ⚔ 🍷 r.-v.

DOM. DU VIEUX PRESSOIR La Fussière 2011

■ 1er cru	2 500	⦀	8 à 11 €

Cette cuvée est issue du plus connu et plus vaste (40 ha) des sept 1ers crus de l'appellation. Son vinificateur, Éric Duchemin, vigneron des Maranges, l'a composée à partir de ceps de quarante-cinq ans et signe ici un joli vin grenat limpide, au nez discret mais élégant de cassis et de cerise, agrémenté de senteurs des sous-bois. L'attaque charnue ouvre sur un palais corpulent et tannique, encore quelque peu austère. Deux à trois ans de cave seront nécessaires pour affiner ce vin, qui mettra alors en valeur un plat bourguignon, des œufs en meurette par exemple.

☛ Éric Duchemin, Dom. du Vieux Pressoir, 16, Grande-Rue, 71150 Sampigny-lès-Maranges, tél. 03 85 91 12 71, domaine.vieux.pressoir@wanadoo.fr, ☑ ⚔ 🍷 r.-v.

DOM. DES VIGNES DE L'ANGE 2011 ★

■	6 300	⦀	11 à 15 €

Les Vignes de l'Ange de la Maison André Delorme, spécialisée dans les crémants et les vins de la Côte chalonnaise, sont depuis 2005 la propriété de la famille Piffaut, qui possède en outre les maisons de négoce Prosper Maufoux et Veuve Ambal. Elle a donc aussi un pied dans les Maranges avec cette cuvée communale née de ceps de soixante ans. Des senteurs de fraise et de framboise s'associent à une note originale de coriandre pour composer un nez frais et de bonne intensité. La bouche se révèle vive, dense, tannique et persistante sur le fruit. Une bouteille de caractère assurément, à laisser mûrir au moins deux ou trois ans, avant de la déguster sur un filet de bœuf ou du gibier.

☛ André Delorme, Le Meix, 11, rue des Bordes, 71150 Rully, tél. 03 85 87 10 12, fax 03 85 87 04 60, contact@andre-delorme.com, ☑ ⚔ 🍷 t.l.j. sf dim. 10h-12h 14h-17h30

La Côte chalonnaise

Le paysage s'épanouit quelque peu dans la Côte chalonnaise (4 500 ha) ; la structure linéaire du relief s'y élargit en collines de faible altitude s'étendant plus à l'ouest de la vallée de la Saône. La structure géologique est beaucoup moins homogène que celle du vignoble de la Côte-d'Or ; les sols reposent sur les calcaires du jurassique, mais aussi sur des marnes de même origine ou d'origine plus ancienne, lias ou trias. Des vins rouges d'AOC *village* et premier cru sont produits à partir du pinot noir au Mercurey, Givry et Rully, mais ces mêmes communes proposent aussi des blancs de chardonnay, cépage qui devient unique pour l'appellation montagny située un peu plus au sud ; c'est aussi là que se trouve Bouzeron, à l'aligoté réputé. Il faut enfin signaler un bon vignoble aux abords de Couches, que domine le château médiéval. D'églises romanes en demeures anciennes, chaque itinéraire touristique peut d'ailleurs se confondre ici avec une route des vins.

Bourgogne-côte-chalonnaise

Superficie : 460 ha
Production : 24 150 hl (75 % rouge et rosé)

Située entre Chagny et Saint-Gengoux-le-National (Saône-et-Loire), la Côte chalonnaise possède une identité qui lui a permis d'être reconnue en AOC en 1990. L'appellation produit une majorité de rouges assez fermes dans leur jeunesse, quelques rosés et des blancs de style léger.

DOM. BERNOLLIN Les Corbaisons 2011 ★

	9 401		11 à 15 €

Habitué du Guide, ce négociant éleveur propose une cuvée de belle facture, parée d'une robe rouge cerise à franges violacées. Le nez, discret au premier abord, laisse toutefois présager du plaisir grâce à des arômes de sous-bois et d'épices, nuancés par un fin boisé. La chair, le fruité et la structure tannique emplissent voluptueusement le palais. Persistante sur les notes chocolatées, la finale destine dès maintenant ce joli 2011 à une entrecôte grillée marchand de vin.
☛ Maison Albert Sounit, 5, pl. du Champ-de-Foire, 71150 Rully, tél. 03 85 87 20 71, fax 03 85 87 09 71, albert.sounit@wanadoo.fr, ☑ ☗ r.-v.
☛ K. Kjellerup

VIGNERONS DE BUXY Buissonnier 2011 ★

	24 153		5 à 8 €

Située au cœur de la Côte chalonnaise, cette coopérative a été constituée en 1931, sous l'impulsion de vignerons solidaires soucieux de défendre leurs intérêts communs et de mieux affronter la situation économique difficile de l'époque. Jaune paille limpide, ce 2011 dévoile des senteurs de fleurs blanches et de fruits blancs mûrs, signes d'une belle maturité du chardonnay. De constitution volumineuse, il est malgré tout équilibré et intense, et persiste en finale sur des arômes de pêche et d'abricot. « Belle réussite, sans trop d'artifices », conclut un juré, qui préconise d'associer cette bouteille à un brochet au beurre blanc.
☛ Vignerons de Buxy, Les Vignes-de-la-Croix, 2, rte de la Croix, 71390 Buxy, tél. 03 85 92 03 03, fax 03 85 92 08 06, accueil@vigneronsdebuxy.fr, ☑ ☗ ☗ t.l.j. 9h-12h 14h-18h30

JOCELYNE CHAUSSIN La Fortune 2011

	1 200		5 à 8 €

Un minuscule domaine de 1,33 ha, aux mains de Jocelyne Chaussin, qui a pris la suite de son père et de son grand-père en 1988. À l'origine de ce vin, une parcelle de 19 ares de vieux chardonnays plantés en 1957 et travaillée selon les principes de l'agriculture biologique, mais sans certification. Vêtu d'une robe doré intense, ce 2011 développe au nez des arômes d'évolution (cire et miel) mêlés à des notes acidulées (fruits exotiques) et florales (tilleul). Une maturité qui s'apprécie également dans un palais gras, long et équilibré. Un rouget à la tapenade conviendra parfaitement à cette bouteille.
☛ Jocelyne Chaussin, 3, rue des Dames, 71150 Bouzeron, tél. 03 85 87 09 01, jeanlouis.chaussin@orange.fr, ☑ ☗ ☗ r.-v.

DOM. MICHEL GOUBARD ET FILS Mont-Avril 2011

	14 000		5 à 8 €

Au cœur de la Côte chalonnaise, découvrez les doux coteaux du mont Avril, comme le fit l'abbé Courtépée, célèbre historien bourguignon, à qui les étiquettes du domaine rendent hommage. Profitez-en pour déguster ce 2011 élaboré par les Goubard, vignerons de père en fils depuis le XVIIe s. Jaune paille étincelant, ce vin donne dans le fruit mûr : pêche jaune, abricot, mirabelle, mais aussi dans le fruit à coque : noisette et amande. Une belle mâche introduit une bouche généreuse, équilibrée par une agréable vivacité. À déguster sur une volaille de Bresse crémée.
☛ EARL Michel Goubard et Fils, 6, rue de Basseville, 71390 Saint-Désert, tél. 03 85 47 91 06, fax 03 85 93 43 53, earl.goubard@wanadoo.fr, ☑ ☗ ☗ t.l.j. 9h-12h 14h-18h; sam. dim. sur r.-v.

♥ DOM. DE LA MONETTE 2011 ★★

	1 966		5 à 8 €

GRAND VIN DE BOURGOGNE

BOURGOGNE 2011

Domaine de la Monette

Depuis sa reprise en 2008 par Roelof Ligtmans et Marlon Steine, un couple de Néerlandais sous le charme de la Bourgogne, ce vignoble de 5 ha est travaillé selon les principes de la culture biologique. Ce n'est qu'après un an d'essai, en janvier 2010, que la conversion a pu démarrer auprès de l'organisme de certification ; elle devrait entrer en vigueur pour la récolte 2013. Il n'empêche que cette cuvée 2011 s'est classée bien au-dessus du lot. Une robe rubis brillant met en valeur à l'olfaction un ensemble aromatique complexe où le fruit rouge côtoie harmonieusement un plaisant boisé. Au palais, le vin impressionne par sa densité, sa chair et son équilibre parfait, tout en montrant une élégance distinguée. « Un monument ! » conclut un dégustateur.

☛ Dom. de la Monette, Roelof Ligtmans, 15, rue du Château, Chamirey, 71640 Mercurey, tél. 03 85 98 07 99, vigneron@domainedelamonette.fr, ☑ ✦ ⌶ r.-v.

Ⓑ DOM. A. ET P. DE VILLAINE La Digoine 2011

■	7 000 ⊞	11 à 15 €

Pierre de Benoist, neveu d'Aubert et de Pamela de Villaine, dirige depuis 2007 cette propriété qui compte aujourd'hui 23 ha de vignes. Situé à Bouzeron, le vignoble a obtenu la certification biologique en 1997. Deux vins de ce domaine de référence ont séduit les dégustateurs. Ce rouge tout d'abord, dont l'olfaction dominée par les fruits rouges évoque la cerise burlat mûre. En bouche, une belle structure de tanins fermes suggère un joli potentiel d'évolution. Encore un peu sur la réserve, cette bouteille méritera d'être mise en cave environ trois ans. La cuvée **Les Clous 2011 blanc (15 000 b.)**, tendue et fraîche, bien dans son millésime, est également citée.

☛ Dom. de Villaine, 2, rue de la Fontaine, 71150 Bouzeron, tél. 03 85 91 20 50, fax 03 85 87 04 10, contact@de-villaine.com, ☑ ✦ ⌶ r.-v.

Bouzeron

Superficie : 47 ha
Production : 2 450 hl

Petit village situé entre Chagny et Rully, Bouzeron est de longue date réputé pour ses vins d'aligoté. Cette variété occupe la plus grande partie du vignoble communal. Planté sur des coteaux orientés est-sud-est, dans des sols à forte proportion calcaire, ce cépage à l'origine de vins blancs vifs s'exprime particulièrement bien, donnant naissance à des vins complexes d'une « rondeur pointue ». Les vignerons du lieu, après avoir obtenu l'appellation bourgogne aligoté bouzeron en 1979, ont réussi à hisser l'aire de production au rang d'AOC communale.

DOM. BORGEOT Les Tournelles 2011 ★

	n.c. ■	5 à 8 €

Ce vignoble étend ses 19 ha aux confins de la Saône-et-Loire et de la Côte-d'Or. Son caractère morcelé est typique de la Bourgogne. Laurent et Pascal Borgeot ont récolté manuellement 60 ares d'aligoté pour élaborer ce 2011 vêtu d'or blanc et nuancé de pointes vertes. Le nez s'exprime joliment sur des notes de fleurs blanches, de citron et de miel. La bouche, à la minéralité dominante, dévoile des nuances plus portées sur les agrumes, qui apportent de la tonicité à ce vin plein et rond. Une belle bouteille à boire dès aujourd'hui sur du jambon persillé.

☛ Dom. Borgeot, 8, rte de Chassagne, 71150 Remigny, tél. 03 85 87 19 92, fax 03 85 87 19 95 ☑ ✦ ⌶ r.-v. 🏠 Ⓔ

DOM. CHANZY Clos de la Fortune 2011 ★

	25 000	8 à 11 €

Implanté au cœur du bourg de Bouzeron, le domaine de 36 ha (en Côte chalonnaise, avec aussi un pied en Côte de Beaune et en Côte de Nuits) est exploité par Bertrand Lacour, son régisseur. La culture est raisonnée, le travail du sol généralisé, les rendements sont maîtrisés et la cuverie a été rénovée. Des investissements qui portent leurs fruits, témoin ce 2011 or clair, très brillant, ouvert sur des senteurs de pêche blanche et des notes iodées. L'attaque est percutante ; s'ensuit un équilibre très réussi entre rondeur et minéralité, des nuances citronnées venant prolonger le plaisir et dynamiser la finale.

☛ Dom. Chanzy, 1, rue de la Fontaine, 71150 Bouzeron, tél. 03 85 87 23 69, fax 03 85 87 62 12, domaine@chanzy.com, ☑ ✦ ⌶ t.l.j. sf sam. dim. 8h-12h 13h30-17h30

CH. SAINT-MICHEL 2011

	9 500 ■	5 à 8 €

Repris par un enfant du pays, Jean-Michel Belleville, le château Saint-Michel, établi à Rully, possède dans son parcellaire 1,48 ha d'aligoté à Bouzeron. Élevé onze mois en cuve, ce vin brillant et limpide se révèle d'une belle intensité aromatique : fleurs blanches, écorce d'orange, fruits jaunes et minéralité s'entremêlent aussi bien au nez qu'en bouche. La finale franche, nette et acidulée s'accordera parfaitement avec des crustacés.

☛ Dom. Manigley, 2, rue de Cloux, 71150 Rully, tél. 03 85 87 12 94, fax 03 85 87 13 48, domaine.manigley@gmail.com, ☑ ✦ ⌶ r.-v.

☛ Jean-Michel Belleville

Rully

Superficie : 357 ha
Production : 16 050 hl (65 % blanc)

La Côte chalonnaise assure la transition entre le vignoble de Côte-d'Or et celui du Mâconnais. L'appellation rully déborde de sa commune d'origine sur celle de Chagny, petite capitale gastronomique. Nés sur le jurassique supérieur, les rully sont aimables et généralement de bonne garde. Certains lieux-dits classés en 1er cru ont déjà accédé à la notoriété.

FRANÇOIS D'ALLAINES 2010

	5 000 ■ ⊞	11 à 15 €

Adepte des élevages longs en fût, François d'Allaines propose au jury un 2010 surprenant. Jaune pâle et frêle à l'œil, le vin semble en demi-teinte. Le nez, de belle intensité, fait de beurre frais, de poire, de fruits secs et teinté de minéralité, s'offre sans complexe et semble contredire l'approche visuelle. La bouche, ample et généreuse, est à l'unisson, réveillée en finale par une vivacité qui lui donne de l'allonge. Un rully harmonieux, à savourer dès maintenant sur une lotte en sauce.

☛ François d'Allaines, 2, imp. du Meix-du-Cray, 71150 Demigny, tél. 03 85 49 90 16, francois@dallaines.com, ☑ ✦ ⌶ r.-v.

Le Chalonnais et le Mâconnais

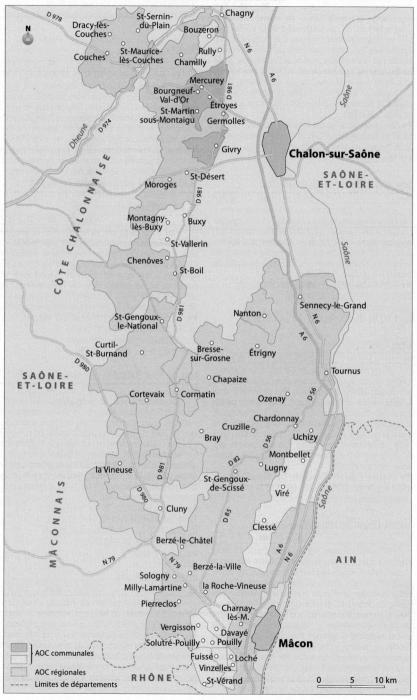

- D 978
- N
- Dracy-lès-Couches
- St-Sernin-du-Plain
- Chagny
- Bouzeron
- N 6
- A 6
- Couches
- St-Maurice-lès-Couches
- Rully
- Chamilly
- Mercurey
- Bourgneuf-Val-d'Or
- D 981
- Étroyes
- St-Martin-sous-Montaigu
- Germolles
- Chalon-sur-Saône
- Saône
- SAÔNE-ET-LOIRE
- Givry
- Dheune
- D 974
- CÔTE CHALONNAISE
- St-Désert
- Moroges
- D 981
- Montagny-lès-Buxy
- Buxy
- St-Vallerin
- Chenôves
- St-Boil
- Saône
- D 981
- St-Gengoux-le-National
- Nanton
- Sennecy-le-Grand
- N 6
- Curtil-St-Burnand
- D 980
- Bresse-sur-Grosne
- Étrigny
- A 6
- SAÔNE-ET-LOIRE
- Chapaize
- Tournus
- Cortevaix
- Cormatin
- Ozenay
- D 56
- Chardonnay
- Cruzille
- D 56
- Uchizy
- Bray
- D 82
- Montbellet
- la Vineuse
- D 981
- Lugny
- St-Gengoux-de-Scissé
- Viré
- D 980
- M Â C O N N A I S
- Cluny
- D 85
- Clessé
- A 6
- N 6
- Saône
- Berzé-le-Châtel
- AIN
- N 79
- N 79
- Berzé-la-Ville
- Sologny
- la Roche-Vineuse
- Milly-Lamartine
- Pierreclos
- Charnay-lès-M.
- Vergisson
- Davayé
- Solutré-Pouilly
- Pouilly
- Mâcon
- Fuissé
- Loché
- Vinzelles
- RHÔNE
- St-Vérand

- ■ AOC communales
- □ AOC communales
- ■ AOC régionales
- --- Limites de départements

0 5 10 km

DOM. BELLEVILLE La Pucelle 2011

1er cru	n.c.		15 à 20 €

Depuis la récolte 2011, un nouvel œnologue, Charles Nebout, est aux commandes de ce domaine de 15,7 ha. Pour sa première réalisation, et malgré le « coup de grêle » de l'été, il signe avec talent ce 1er cru La Pucelle, issu de l'un des meilleurs terroirs de l'appellation. Élevé sur lies fines pendant dix mois, ce 2011 revêt une élégante robe jaune pâle et offre un bouquet délicatement boisé. La bouche se révèle fine, fraîche et légère. Un rully plaisant et harmonieux, à boire dans un an sur une côte de veau à la crème.

☛ Dom. Belleville, 5, rue des Bordes, 71150 Rully, tél. 03 85 91 06 00, fax 03 85 91 06 01, vin@demessey.com, ☑ ☀ ⏲ r.-v.

☛ Marc Dumont

DOM. MICHEL BRIDAY Clos de Remenot 2011

	8 600		15 à 20 €

D'un jaune d'or soutenu, ce 2011 peut être apprécié dès aujourd'hui, notamment à l'apéritif, en accompagnement d'un jambon persillé, conseillent les dégustateurs. Son bouquet discret mêle les fleurs blanches aux touches boisées de l'élevage. En bouche, la vanille « éclate » en attaque, puis laisse la place aux notes plus minérales du terroir. Un vin frais et équilibré.

☛ Dom. Michel Briday, 31, Grande-Rue, 71150 Rully, tél. 03 85 87 07 90, fax 03 85 91 25 68, domainemichelbriday@orange.fr,

☑ ⏲ t.l.j. 9h-12h 14h-18h; sam. dim. sur r.-v. 🏠 Ⓑ

LOUIS CHAVY 2011

	5 000		8 à 11 €

S'il est installé à Beaune, en Côte-d'Or, ce négociant s'approvisionne également dans le département voisin, et notamment à Rully. Il propose un 2011 de bon aloi, dont la belle couleur or flatte le regard, tandis que la palette aromatique fruitée et nuancée de notes de brioche et de frangipane invite à aller plus loin. La bouche se révèle bien équilibrée, fraîche et légère, et dévoile une finale un rien salée, agréablement surprenante. On servira cette jolie bouteille dès cet automne, sur un vol-au-vent sauce financière, par exemple.

☛ Compagnie des Vins d'Autrefois, 3, pl. Notre-Dame, 21200 Beaune, tél. 03 80 26 33 00, fax 03 80 24 14 84, cva@cva-beaune.fr

MAISON COLLIN-SEGUIN Excellence 2011 ★★

	4 500		8 à 11 €

Négociants-éleveurs depuis 2008, Pierre Colin et Olivier Seguin ont une ambition : élaborer des vins à l'image de leur clientèle, jeune et dynamique. Cette cuvée, qui porte bien son nom, a été vendangée manuellement début septembre, vinifiée de manière traditionnelle, puis élevée dix mois en fût de chêne américain. Arborant une belle transparence dans le verre et ornée d'or fin, elle se révèle de fait aérienne et tonique, soulignée par des arômes complexes d'agrumes, de fleurs blanches, avec une touche de minéralité. La bouche riche, ample, ronde, concentrée, développe des saveurs de fruits mûrs dominées par l'abricot et la pêche blanche. Une élégante pointe acidulée en finale confère à ce 2011 une légèreté « qui va bien ». Un régal pour des noix de Saint-Jacques.

☛ Maison Colin-Seguin, 4, rte de Dijon, 21700 Nuits-Saint-Georges, tél. 03 80 30 20 20, fax 03 80 50 15 72, olivier.seguin@maison-colin-seguin.com, ☑ ⏲ r.-v.

DEVEVEY 2010

	9 000		11 à 15 €

Ce domaine exporte 80 % de sa production vers d'autres contrées, principalement anglo-saxonnes. Ceux qui auront la chance de trouver cette bouteille apprécieront sans nul doute sa belle robe limpide ornée de légers reflets dorés, son bouquet déjà épanoui de fruits jaunes, de viennoiserie et de miel, ou encore son attaque franche, prélude à une bouche bien équilibrée, avec ce qu'il faut de fraîcheur. La finale sur l'amande et le pain d'épice suggère un accord gourmand avec une poularde de Bresse rôtie.

☛ Jean-Yves Devevey, 31, rue de Breuil, 71150 Demigny, tél. 03 85 49 91 11, jydevevey@wanadoo.fr, ☑ ☀ ⏲ r.-v.

CH. D'ETROYES Les Fromanges 2010

	7 000		11 à 15 €

Paré d'une étoffe vieil or, ce rully offre un bouquet complexe de champignon frais, de pain grillé et de poire. Gras et plaisant dès l'attaque, imprégné de saveurs de coing et de miel, le palais laisse supposer que ce vin a été vendangé à belle maturité. Un bon support acide lui permet de tenir la distance dans une finale sur les fruits secs et les fleurs jaunes. Prometteur, ce vin gagnera son étoile d'ici deux ans et la célébrera avec un poisson noble.

☛ Ch. d'Etroyes, Dom. M. Protheau, 71640 Mercurey, tél. 03 85 45 10 84, fax 03 85 45 26 05, contact@domaine-protheau-mercurey.fr, ☑ ☀ ⏲ t.l.j. sf dim. 10h-12h 14h-19h

DOM. DU FOUR BASSOT En Varot Vieilles Vignes 2011

	n.c.		8 à 11 €

Dès son arrivée à la tête du vignoble familial en 1999, Sébastien Gault n'a pas lésiné sur les investissements, tant à la vigne qu'en cuverie, pour augmenter la qualité des vins. En 2011, il a repris 4 ha dans l'appellation rully qu'il s'évertue à remettre en état (repiquage, arrachage, fumure après analyse des sols...). Rubis clair dans le verre, ce 2011 développe un nez frais de framboise et de groseille. Facile d'approche, il affiche une jolie vivacité en bouche, et les fruits persistent longuement en finale. On le servira dès cet automne sur un poulet rôti.

☛ Dom. du Four Bassot, 35, rue des Fougères, 71640 Saint-Mard-de-Vaux, tél. 03 85 45 29 10, fax 03 85 45 26 52, earldufourbassot@orange.fr, ☑ ☀ ⏲ t.l.j. sf dim. 9h-12h 14h-20h

☛ J.-J. et S. Gault

ULYSSE JABOULET 2011

	25 000		8 à 11 €

Fondée en 1834 par Antoine Jaboulet à Tain l'Hermitage, dans la vallée du Rhône, cette maison de négoce s'étend dès la fin du XIXes. vers le nord, pour atteindre la Bourgogne septentrionale. Elle propose ici un rully encore marqué par son élevage et offrant néanmoins d'excellentes qualités qui devraient l'aider à traverser le temps. Rubis foncé à reflets violines, ce vin dévoile un nez puissant de fruits noirs et de sous-bois évoluant vers des notes fraîches et minérales. L'attaque franche ouvre sur une bouche riche mais encore austère, qui devrait s'assouplir avec trois ou quatre années de garde.

☛ Ulysse Jaboulet, 6, rue de Chaux, 21700 Nuits-Saint-Georges, tél. 03 80 62 43 00, fax 03 80 62 43 16 ⚔ ⛨ r.-v.

DOM. JAEGER-DEFAIX Mont-Palais 2011

1er cru	2 300	⏛	15 à 20 €

Hélène Jaeger a repris en 2005 la propriété familiale de Rully. Elle convertit l'ensemble de son vignoble à l'agriculture biologique et propose avec régularité des vins de belle tenue. Évoquant la couleur de la paille fraîche par ses reflets blonds, ce 2011 très engageant au nez offre une palette aromatique mêlant fleurs blanches, agrumes confits et tabac blond. Ample et riche, la bouche est bien soutenue par une fine fraîcheur qui lui apporte équilibre et longueur. Le **1er cru rouge 2011 Clos du Chapitre (20 à 30 € ; 2 900 b.)** est cité pour ses senteurs épicées et framboisées, mais il reste encore un peu anguleux au palais. On l'attendra un an ou deux.

☛ Dom. Jaeger-Defaix, 20, rue des Buis, 71150 Rully, tél. 03 86 42 40 75, fax 03 86 42 40 28, helene.jaeger@wanadoo.fr, ⚔ ⛨ r.-v.

JAFFELIN Les Villages de Jaffelin 2011

	2 904	11 à 15 €

Cette maison de négoce signe un joli rully blanc, qui brille dans sa robe jaune ourlée de reflets d'or. Tout en finesse, le nez s'ouvre doucement sur des arômes de fleurs blanches et de gousse de vanille. Après une attaque franche et souple se dévoile une bouche bien constituée, dans laquelle on retrouve une amertume et une acidité propres au millésime 2011 et dont la finale développe une légère touche saline. Un vin prêt à boire, que l'on verrait bien accompagner une cuisse de dinde aux épices.

☛ Maison Jaffelin, 2, rue Paradis, 21200 Beaune, tél. 03 80 22 12 49, fax 03 80 25 90 89, jaffelin@maisonjaffelin.com, ☑ ⚔ ⛨ r.-v.

CLAUDIE JOBARD Montagne La Folie 2011 ★

	15 000	▮⏛	8 à 11 €

Claudie Jobard s'est installée en 2006 sur le domaine familial de Demigny, puis elle a repris en 2011 le vignoble de son grand-père à Pommard, portant ainsi à 9,5 ha la superficie totale cultivée. Elle a consacré 2,5 ha à ce rully doré à souhait, au nez floral (bergamote) souligné de fines notes boisées. La bouche, au fruité dominant, exprime des nuances plus minérales qui apportent de la tonicité et de la fraîcheur destinant ce vin à un poisson noble. Le **rouge 2011 La Chaume (10 000 b.)** dévoile une agréable palette aromatique de fruits rouges et noirs, et d'épices, ainsi qu'une structure tannique puissante mais équilibrée. Une étoile également pour cette cuvée que l'on pourra garder en cave cinq à six ans.

☛ Dom. Claudie Jobard, 5, rte de Beaune, 71150 Demigny, tél. 03 85 49 46 81, fax 03 85 49 48 63, contact@domaineclaudiejobard.fr, ☑ ⚔ ⛨ r.-v.

DOM. LABORBE-JUILLOT Les Saint-Jacques 2011 ★★

	15 335	▮	8 à 11 €

Établi dans le hameau de Poncey à Givry, ce domaine est entré à la cave coopérative de Buxy il y a une dizaine d'années. Depuis décembre 2007, le vignoble de près de 10 ha est devenu une filiale de la cave, qui le gère

de façon indépendante avec l'aide de Laurent Grosbois, chef de culture. Ourlée d'or, cette cuvée laisse échapper des senteurs suaves de pain grillé et de fruits secs mêlées à des notes plus fraîches de minéralité, que soulignent la citronnelle et l'aubépine. Le palais se distingue par son équilibre entre richesse et fraîcheur, sans prédominance de l'acidité. Une bouteille très élégante et harmonieuse, qui fera bonne figure sur un poisson fin légèrement crémé.

☛ SCEA Laborbe-Juillot, 2, rte de Chalon, 71390 Buxy, tél. 03 85 92 03 03, fax 03 85 92 08 06, accueil@vigneronsdebuxy.fr, ☑ ⚔ ⛨ t.l.j. 9h-12h 14h-18h30

☛ Gérard Maitre

MANOIR DE MERCEY Cuvée Louise 2011 ★

	3 000	⏛	8 à 11 €

Depuis vingt-cinq ans, Gérard Berger-Rive met l'accent sur l'équilibre agronomique de ses sols, notion fondamentale pour élaborer des vins de terroir. À cet effet, il bêche ses vignes afin de les aider à puiser au mieux les richesses du sol et du sous-sol, et d'optimiser ainsi le potentiel gustatif de ses cuvées. Celle-ci, en hommage à sa fille, se présente vêtue d'or clair et diffuse d'intenses senteurs rappelant le pain grillé, les fruits secs et les fleurs blanches. La bouche se singularise par une chair dense et puissante, imprégnée d'arômes de miel et de beurre frais mêlés à des notes plus gourmandes encore de frangipane. La touche citronnée en finale apporte du punch et de la longueur. Un rully déjà bon à boire, mais qui tiendra également le cap pendant quatre à cinq ans.

☛ Dom. Gérard Berger-Rive et Fils, Manoir de Mercey, 2, rue Saint-Louis, 71150 Cheilly-lès-Maranges, tél. 03 85 91 13 81, fax 03 85 91 17 06, contact@berger-rive.fr, ☑ ⚔ ⛨ r.-v.

☛ Xavier Berger

DOM. NINOT Grésigny 2011

1er cru	2 500	▮⏛	11 à 15 €

Les Ninot sont tonneliers et vignerons depuis le XIVe s. Le grand-père fut l'un des fers de lance de l'appellation quand celle-ci était encore méconnue du grand public. À son décès, la propriété fut divisée entre les cinq enfants. L'un d'eux a tout fait pour maintenir cet héritage dans la famille, mais il n'a pu sauver que sa part et a dû tout recommencer. Depuis 2003, c'est sa fille Erell, rejointe depuis peu par son frère Flavien, qui gère les 13 ha du domaine. Dans les vignes, tous deux ont modernisé les méthodes... en retrouvant les savoir-faire du passé (arrêt des herbicides, baisse des rendements), et ils s'orientent progressivement vers la culture biologique. Ils proposent trois cuvées de belle facture. D'abord ce Grésigny blanc, qui a séduit le jury par sa richesse, ses gras et ses arômes de fruits mûrs et d'agrumes confits. Ensuite, le **rouge 2011 Chaponnière (3 100 b.)**, bien dans son millésime, cité pour sa palette aromatique (cerise, mûre, cassis). Enfin, le **Dom. du Meix Guillaume Vieilles Vignes 2011 blanc (13 000 b.)**, également cité, un vin souple et frais, floral et boisé avec mesure.

☛ Dom. Ninot, 2, rue de Chagny, 71150 Rully, tél. 03 85 87 07 79, fax 03 85 91 28 56, ninot.domaine@wanadoo.fr, ☑ ⚔ ⛨ r.-v.

DOM. PAGNOTTA La Crée 2011

	1 500	⏛	8 à 11 €

Créé au début des années 1970 dans l'appellation rully, ce domaine s'est diversifié depuis 1989 vers d'autres

AOC de la Côte chalonnaise et de la Côte de Beaune. Rocco Pagnotta est aujourd'hui à la tête de 34 ha. Il a consacré 1,7 ha à ce 2011 en robe dorée, au nez intense d'agrumes et de fruits jaunes mûrs. Une attaque suave et accueillante prélude à une bouche riche et charnue, égayée par une vivacité bienvenue. Un vin équilibré, à réserver pour l'apéritif.

☛ Dom. Pagnotta, 1, rue de Chaudenay, 71150 Chagny, tél. 03 85 87 22 08, fax 03 85 87 03 22, domaine.pagnotta@wanadoo.fr, ☑ ⚒ ⵟ r.-v.

PIGNERET FILS 2011 ★

	1 490		8 à 11 €

Les frères Éric et Joseph Pigneret, quatrièmes du nom à conduire le domaine familial, ont créé la marque Pigneret Fils pour enrichir leur gamme. Ils achètent ainsi des raisins et des moûts qu'ils vinifient et élèvent dans leur chai. Sous cette étiquette, ils proposent ce rully 2011 finement doré, au nez intense de fleurs blanches et de caramel au lait. Souple, rond et bien constitué, le palais oscille entre le citron et la minéralité, gardant une belle vivacité sur un fond vanillé.

☛ Dom. Pigneret Fils, Vingelles, 71390 Moroges, tél. 03 85 47 15 10, fax 03 85 47 15 12, domaine.pigneret@wanadoo.fr, ☑ ⚒ ⵟ t.l.j. 9h-12h 14h-19h

♥ JEAN-BAPTISTE PONSOT Molesme 2011 ★★

■ 1er cru	5 600	▮❶	15 à 20 €

Bernard Ponsot, « encyclopédie vivante » de l'histoire de Rully, connaît sur le bout des doigts les anecdotes qui se rapportent aux villageois et au vignoble : date de la plantation de chaque parcelle, porte-greffe, succession des propriétés... En 2000, il a légué son domaine à son fils Jean-Baptiste, qui décide de vendre en bouteilles la totalité de la récolte jusqu'alors cédée au négoce bourguignon. Depuis, ce dernier n'a eu de cesse d'améliorer la qualité des vins, avec en point d'orgue ce brillant coup de cœur qui fait écho à celui obtenu pour le Molesme 2009. Vêtue de rubis foncé, la version 2011, encore timide, présente de jolis attraits : petits fruits rouges et notes vanillées, à l'olfaction tout en discrétion. La bouche se montre plus loquace et généreuse : une fraîcheur vivifiante s'associe à une matière riche et enveloppante, qui s'étire longuement sur une note de poivre noir conférant à la finale un caractère à la fois tonique et chaleureux. D'une belle texture, ce rully sera le compagnon idéal d'une pintade rôtie et pourra être servi jusqu'au plateau de fromages. Le 1er cru Molesme 2011 blanc (6 200 b.) obtient une étoile pour le joli mariage du chardonnay avec la note de chêne et pour son palais à la fois ferme et charnu. Quant au *village* 2011 rouge (11 à 15 € ; 1 050 b.), fruité, finement boisé et bien structuré, il est cité. On pourra l'attendre deux ou trois ans.

☛ Jean-Baptiste Ponsot, 26, Grande-Rue, 71150 Rully, tél. et fax 03 85 87 17 90, domaine.ponsot@orange.fr, ☑ ⵟ r.-v.

DOM. ROIS MAGES Les Cailloux 2010

	4 000	❶	11 à 15 €

Né de ceps de chardonnay plantés sur argilo-calcaires, ce vin issu d'une récolte manuelle a été vinifié et élevé en fût de chêne pendant douze mois. Félix Debavelaere, associé depuis un an à sa mère Anne-Sophie, recherche dans ce type d'élevage le phénomène d'oxydo-réduction propice à l'extraction des notes du terroir. Paré d'une robe dorée et brillante, ce 2010 dévoile de fait un nez minéral et fruité qui annonce une bouche plaisante. Celle-ci ne déçoit pas : après une attaque vive et fraîche, elle offre une matière dense et complexe, soutenue par des arômes de noyau de pêche et de fougère. De bonne longueur, ce rully attendra deux ou trois ans avant d'être servi avec un homard. Le 1er cru 2010 rouge Les Pierres (1 500 b.), souple, frais et fruité, est également cité.

☛ Félix Debavelaere, 21, rue des Buis, 71150 Rully, tél. 03 85 48 65 64, as.debavelaere@gmail.com, ☑ ⚒ ⵟ r.-v.

CH. DE RULLY 2011

	60 000	▮❶	11 à 15 €

Commandé par le magnifique château de Rully, dont les origines remontent au XIIᵉs., ce vignoble de 19 ha a subi le 12 juillet 2011, comme près de 80 % du vignoble de l'appellation, un violent orage de grêle, qui a en partie détruit la récolte. Mais grâce à la persévérance et à un tri sévère, la vendange, moins quantitative, s'est révélée de très belle qualité. Témoin ce vin couleur soleil, limpide et brillant, au nez ouvert sur les fleurs jaunes, l'ananas et les fruits confits. De la rondeur sans lourdeur, un fruité généreux avec de la fraîcheur en soutien : ce joli rully est bien représentatif de son appellation. À savourer dès maintenant à l'apéritif, en accompagnement d'un fromage de chèvre frais.

☛ Ch. de Rully, 71640 Mercurey, tél. 03 85 98 18 06, fax 03 85 45 25 49, duthey.m@rodet.com, ☑ ⵟ t.l.j. sf sam. dim. 9h-12h 14h-18h; f. début sept.

DOM. DE RULLY SAINT-MICHEL Champs Cloux 2010

■ 1er cru	5 500	❶	15 à 20 €

Autrefois rattaché au château Saint-Michel, d'où son nom, ce domaine créé par le Grand Argentier de Napoléon III, le comte Yvert de Saint-Aubin, est géré par ses lointains descendants, Solange des Déserts et Emmanuel de Bodard. Il a conservé de superbes caves en « H » creusées dans la roche, où peuvent reposer 1 million de cols ! Le vignoble s'étend aujourd'hui sur 13 ha, dont 2,89 ha sont consacrés à ce vin très coloré, rubis foncé, qui libère d'intenses parfums frais et fruités de framboise, de fraise et de cassis. L'attaque en bouche introduit une matière finement structurée, tendre et souple. Une aimable bouteille que l'on appréciera dès aujourd'hui sur un poulet rôti.

☛ GFA Dom. Rully Saint-Michel, 4, rue du Château, 71150 Rully, tél. 03 85 91 28 63, fax 03 85 87 12 12, domainerullysaintmichel@hotmail.fr, ☑ ⚒ ⵟ t.l.j. 10h-12h 14h-17h
☛ de Bodard

VIGNOBLE DU DOM. SAINT-JACQUES La Fosse 2011

1er cru	2 600		15 à 20 €

Les caves voûtées du XIVe s. de ce domaine créé en 1955 méritent le détour autant que ce pinot noir issu de vignes cinquantenaires vendangées à la main. Élevé six mois en cuve et douze mois en fût, ce rully se présente dans une robe foncée, grenat. Le bouquet est déjà bien ouvert avec ses arômes de fruits noirs (cassis, cerise) qui se fondent dans des notes toastées. Riche, complexe et boisée, la bouche dévoile des tanins fermes qui assureront à ce vin une garde de trois à quatre ans.

☞ Christophe Grandmougin, 11, rue Saint-Jacques, 71150 Rully, tél. 09 65 04 01 54, fax 03 85 87 23 79, stjacques.71@orange.fr, ☑ ☀ �ం r.-v.

CH. SAINT-MICHEL Rabourcé 2011

1er cru	3 100		11 à 15 €

Né sur un terroir argilo-calcaire, ce rully élevé pendant dix mois en barrique se présente dans une robe jaune paille aux reflets dorés et dévoile d'intenses senteurs florales et d'agréables notes fruitées. Riche, rond et suave, il tapisse la bouche d'arômes élégants qui font écho à l'olfaction. Un vin harmonieux que l'on servira à l'apéritif. Le 1er cru 2011 blanc Les Cloux (3 500 b.) obtient également une citation pour son agréable fruité (mirabelle et pamplemousse) et son caractère soyeux.

☞ Dom. Manigley, 2, rue de Cloux, 71150 Rully, tél. 03 85 87 12 94, fax 03 85 87 13 48, domaine.manigley@gmail.com, ☑ ☀ �ం r.-v.

☞ J.-M. Belleville

♥ ALBERT SOUNIT La Pucelle 2010 ★★

1er cru	3 040		15 à 20 €

Produce of France

Rully 1er Cru
La Pucelle
Appellation Rully 1er Cru Contrôlée
GRAND VIN DE BOURGOGNE
Mis en bouteille par

750 ML.   ALBERT SOUNIT   11.35 ALC/ BY VOL.
Négociant-Éleveur à Rully - France

Née d'achats de raisins récoltés manuellement, cette cuvée porte haut les couleurs de l'appellation. Elle a grandi dans le silence presque « religieux » des caves voûtées, hautes de 4 m et longues de 200 m, de cette vénérable maison fondée en 1851 par Florian Jeunet et reprise dans les années 1930 par la famille Sounit, qui la céda en 1993 à son importateur danois. Paré d'une robe d'un vieil or superbe, ce 2010 livre d'intenses parfums de fruits jaunes mûrs presque confiturés, mêlés à la vanille et au citron confit. Le palais, ample et gras, puissant et long, stimulé par une fraîcheur acidulée, laisse en finale le souvenir d'un vin d'une rare élégance. À boire dans quatre ou cinq ans sur une poularde de Bresse à la crème.

☞ Maison Albert Sounit, 5, pl. du Champ-de-Foire, 71150 Rully, tél. 03 85 87 20 71, fax 03 85 87 09 71, albert.sounit@wanadoo.fr, ☑ �ం r.-v.

☞ K. Kjellerup

Mercurey

Superficie : 645 ha
Production : 27 700 hl (80 % rouge)

Situé à 12 km au nord-ouest de Chalon-sur-Saône, Mercurey jouxte au sud le vignoble de Rully. C'est l'appellation communale la plus importante en volume de la Côte chalonnaise. Le vignoble s'étage entre 250 et 300 m d'altitude autour de Mercurey (fusionné avec Bourgneuf-Val-d'Or) et de Saint-Martin-sous-Montaigu. Plus charpentés sur marnes, plus fins sur sols cailouteux, les vins sont en général solides et aptes à la garde (jusqu'à six ans, voire davantage). Parmi trente-deux *climats* classés en 1ers crus, on citera Les Champs Martin, Clos des Barrault ou encore Clos l'Évêque.

JEAN BOUCHARD 2011 ★

	26 600		11 à 15 €

La maison Jean Bouchard, négociant éleveur beaunois, a élaboré un vin typique de l'appellation, issu de terroirs argilo-calcaires de Mercurey. Sous des apparences rubis à reflets violines, ce 2011 livre un nez équilibré entre les fruits rouges du cépage (cerise et framboise) et le bois de l'élevage (vanille et fumée). La bouche, à l'approche tonique et jeune par sa structure tannique, offre les mêmes sensations aromatiques que celles perçues à l'olfaction, et ce jusqu'en finale. Une bouteille à garder une ou deux années avant de la servir sur une côte de bœuf.

☞ Maison Jean Bouchard, 6 bis, bd Jacques-Copeau, 21200 Beaune, tél. 03 80 24 37 37, fax 03 80 24 37 38

DOM. CAPUANO-FERRERI Clos du Paradis 2011 ★★

1er cru	n.c.		15 à 20 €

Associé au célèbre footballeur Jean-Marc Ferreri (37 sélections en équipe de France), John Capuano cultive un vignoble de 12 ha répartis entre la Côte de Beaune et la Côte chalonnaise. Régulièrement retenu dans le Guide, le domaine a atteint l'an dernier le cap des cent étoiles décernées à ses vins (il les a comptées pour nous...). En voici deux supplémentaires pour ce Clos du Paradis qui a d'emblée charmé le jury par sa robe sombre et intense frangée de violet. Son nez séduisant rappelle le café et la réglisse mais aussi la framboise et la cerise. Puissant, le palais ne manque ni de finesse ni de rondeur, et son boisé bien dosé met en évidence le fruité et l'onctuosité de sa matière. Un mercurey plaisant et enjoué, que l'on associera au cours des deux ou trois prochaines années à du gibier en sauce.

☞ EARL Dom. Capuano-Ferreri, 14, rue Chauchien, 21590 Santenay, tél. 03 80 20 68 04, fax 03 80 20 65 75, john-capuano@wanadoo.fr, ☑ ☀ �ం r.-v.

CH. DE CHAMILLY Clos La Perrière Monopole 2010

	12 200		11 à 15 €

Véronique Desfontaine est à la tête de l'ancienne demeure du marquis de Chamilly depuis 1995. En 2007, ses fils l'ont rejointe et ils exploitent ensemble un coquet vignoble de 25 ha. De vieux ceps de pinot noir âgés de cinquante ans ont donné naissance à ce 2010 de belle facture. Le nez s'affirme par des senteurs intenses de fruits rouges rappelant la griotte. La bouche se révèle souple et franche, épaulée par une bonne structure tannique. Ce vin a du fond et de la réserve : on l'associera dans deux ans à un bœuf bourguignon.

🍷 Véronique Desfontaine, 7, allée du château, 71510 Chamilly, tél. 03 85 87 22 24, fax 03 85 91 23 91, contact@chateaudechamilly.com, ☑ 🍴 🍷 r.-v.

CH. DE CHAMIREY En Pierrelet 2011

■	4 500	🍾	20 à 30 €

Précurseur de la mise en bouteilles à la propriété, ce château fait partie des domaines emblématiques de la Bourgogne. Robe dorée à l'or fin et lumineuse, nez élégant sur les fruits mûrs et les agrumes, ce 2011 flatte également le palais par sa texture soyeuse et sa noble minéralité. Une belle bouteille à accorder avec des saint-jacques, mais pas avant 2015. Une citation également pour le 1er cru blanc 2010 La Mission Monopole (7 000 b.), qui a connu le fût pendant quinze mois. Il en garde un boisé appuyé qui devrait s'atténuer avec le temps. Prometteur, il sera dégusté dans une année sur un poulet de Bresse à la crème.

🍷 Ch. de Chamirey, BP 5, 71640 Mercurey, tél. 03 85 45 21 61, fax 03 85 98 06 62, contact@chamirey.com, ☑ 🍴 🍷 t.l.j. sf dim. 10h-19h

🍷 Devillard

Ⓑ LES CHAMPS DE L'ABBAYE Les Marcoeurs 2011 ★★

■	1 800	🍾	20 à 30 €

Isabelle et Alain Hasard, ni Bourguignons ni vignerons, mais passionnés de vin, s'installent en 1997 et créent ce domaine de toutes pièces. Après un parcours difficile, notamment dans l'accès au foncier, ils exploitent aujourd'hui 6 ha en Côte chalonnaise, qu'ils travaillent en culture biologique et commercialisent en totalité par la vente directe. À la recherche « de simplicité et de naturel », ils n'ont recours à aucun produit œnologique et ne pratiquent aucune manipulation thermique. Le résultat ? Un vin somptueux, qui finit au pied du podium des coups de cœur. Pourpre très soutenu et orné de reflets améthyste, ce 2011 se montre impétueux dès le premier nez (épices et touches balsamiques), puis s'ouvre après aération sur des notes plus fines de cassis et de griotte. On retrouve au palais cette symphonie aromatique, à laquelle s'ajoute une matière riche et charnue. Un beau vin de garde, à servir dans trois ans sur une côte de bœuf de Charolles.

🍷 Alain Hasard, 9, rue des Roches-Pendantes, 71510 Aluze, tél. et fax 03 85 45 59 32, alainhasard@wanadoo.fr, ☑ 🍴 🍷 r.-v.

DOM. DAVANTURE 2011 ★★

■	2 600	🍾	8 à 11 €

Vendangé à la main le 29 août sous un soleil resplendissant, ce 2011 des frères Davanture (Xavier, Damien et Éric) a séduit le jury par sa finesse et son élégance. D'un brillant, rouge vif aux nombreux reflets rubis, il offre au nez une riche composition de fruits rouges : d'abord frais, avec une évocation de groseille et de framboise, puis confits, le tout finement relevé de senteurs de violette et de poivre noir. La bouche, tout aussi distinguée, se montre à la fois vive et souple en attaque, puis développe une matière suave aux tanins fondus et enrobés

de fruits et d'épices. « Un vin élégant, qui devrait en ravir plus d'un », conclut une dégustatrice sous le charme. On conseille de le boire dès la sortie du Guide avec des côtes d'agneau grillées.

🍷 Dom. Davanture, rue de la Messe, Cidex 1516 n° 26, 71390 Saint-Désert, tél. et fax 03 85 47 95 57, domaine.davanture@orange.fr, ☑ 🍴 🍷 r.-v.

🍷 GAEC des Murgers

ANDRÉ DELORME 2011 ★

■ 1er cru	4 500	🍾	11 à 15 €

Ces pinots noirs ont vu le jour il y a cinquante ans et depuis, ils se plaisent à merveille sur ce terroir argilo-calcaire de Mercurey. Cueillette manuelle, macération préfermentaire à froid, cuvaison longue et élevage de quatorze mois en tonneau de chêne ont donné naissance à ce 2011 pourpre profond qui, à l'œil, pourrait passer pour un vin de la Côte de Nuits. Le nez, peu « causant » de prime abord, s'ouvre après aération sur la confiture de fraises. Riche et dense, le palais signe un fort travail sur l'extraction qui lui a apporté puissance et longueur. Un mercurey pas encore tout à fait en place, mais prometteur : apogée prévu entre 2016 et 2020.

🍷 André Delorme, Le Meix, 11, rue des Bordes, 71150 Rully, tél. 03 85 87 10 12, fax 03 85 87 04 60, contact@andre-delorme.com, ☑ 🍴 🍷 t.l.j. sf dim. 10h-12h 14h-17h30

CH. D'ETROYES Cuvée Signature 2009

■ 1er cru	6 960	🍾	20 à 30 €

Cette cuvée Signature n'est produite que les grandes années : jusqu'ici, 2005 et 2009. Elle est élaborée à partir d'un assemblage de treize pièces (fûts) des différents 1ers crus qu'exploite le château d'Etroyes. Habillé de grenat, ce mercurey offre un nez discret de petits fruits rouges et d'épices. Son palais, bien équilibré entre le moelleux et la vivacité, possède une matière dense et des tanins fermes. Un vin de caractère, à boire dans trois ou quatre ans sur un coq au vin.

🍷 Ch. d'Etroyes, Dom. M. Protheau, 71640 Mercurey, tél. 03 85 45 10 84, fax 03 85 45 26 05, contact@domaine-protheau-mercurey.fr, ☑ 🍴 🍷 t.l.j. sf dim. 10h-12h 14h-19h

DOM. DE L'EUROPE Les Chazeaux 2011

■	1 200	🍾	11 à 15 €

L'appellation mercurey, outre ses 32 climats classés en 1ers crus, n'offre pas moins de 85 lieux-dits, qui peuvent être revendiqués par les vignerons. C'est le cas de ces vignes des Chazeaux, qui ont séduit le jury aussi bien en rouge qu'en blanc. Des chardonnays trentenaires cueillis à la main ont donné naissance à un vin d'un bel or soutenu, fruité et floral, dont la bouche souple et chaleureuse perdure longuement sur des notes de pêche et d'abricot soulignées d'un soupçon de bois. Cette bouteille devra être attendue un an ou deux pour un meilleur fondu ; une pintade aux champignons la sublimera. Une corbeille de fruits rouges, au nez comme en bouche, caractérise le rouge 2011 Les Chazeaux (6 000 b.), à boire dès à présent.

🍷 Guy et Chantal Cinquin, Dom. de l'Europe, 7, rue du Clos-Rond, 71640 Mercurey, tél. 06 08 04 28 12, fax 03 85 45 23 82, cote.cinquin@wanadoo.fr, ☑ 🍴 🍷 t.l.j. 8h-20h 🏠 ⊙

DOM. DE L'ÉVÊCHÉ Les Murgers 2011

■	4 800	8 à 11 €

Vincent et Sylvie Joussier sont à la tête de ce domaine de 13 ha depuis 1985. Ils ont fait une sélection rigoureuse de pinots noirs pour élaborer ce 2011 rouge groseille aux jolies jambes rubis. D'intenses parfums de fruits acidulés introduisent une bouche légère et « frivole », dans laquelle on retrouve la cerise et la framboise. Un mercurey de bon aloi, à boire dès à présent.

🍷 EARL Vincent Joussier, 6, rue de l'Évêché, 71640 Saint-Denis-de-Vaux, tél. 03 85 44 30 43, vincentjoussier@cegetel.net,
☑ ♔ ♊ t.l.j. 8h-19h; dim. sur r.-v.; f. 15-31 août 🏠 Ⓑ

MAISON FATIEN PÈRE ET FILS 2011 ★

■	847	15 à 20 €

La maison Fatien est une jeune affaire de négoce familiale, créée au cœur de Beaune en 2000. C'est Charly Fatien, épaulé par sa famille, qui sélectionne les jus et vinifie les vins dans de magnifiques caves voûtées soutenues par des piliers cisterciens. De couleur or pâle, ce 2011 mêle les fleurs (chèvrefeuille et rose) et la minéralité sur un fond boisé. La bouche, pleine de fraîcheur, suit le même registre aromatique, agrémentée de puissantes saveurs d'agrumes. Un mercurey agréable et bien né, qui devrait encore gagner en souplesse dans les deux ans. À servir avec un chèvre frais du Mâconnais.

🍷 Maison Fatien Père et Fils, 15, rue Sainte-Marguerite, 21200 Beaune, tél. 03 80 22 82 83, fax 03 80 22 98 71, maisonfatien@wanadoo.fr, ☑ ♔ ♊ r.-v. 🏠 Ⓢ

DOM. DU FOUR BASSOT Clos de la Chiquette 2011 ★

■	3 300	11 à 15 €

À partir de ses 45 ares de chardonnay plantés entre les quatre murs du Clos de la Chiquette, la famille Gault propose un mercurey bien construit et plaisant. Paré d'une robe bouton d'or, ce vin libère un bouquet intense, savant mélange d'abricot, de beurre et d'épices douces. Ronde et enveloppée, la bouche se montre harmonieuse et bien équilibrée par des saveurs acidulées. Une poularde de Bresse à la crème fera honneur à cette bouteille dès l'automne et au cours des deux prochaines années. Une étoile est également attribuée au **1ᵉʳ cru Les Croichots 2011 rouge**, bien élevé, aux tanins souples et fins.

🍷 Dom. du Four Bassot, 35, rue des Fougères, 71640 Saint-Mard-de-Vaux, tél. 03 85 45 29 10, fax 03 85 45 26 52, earldufourbassot@orange.fr, ☑ ♔ ♊ t.l.j. sf dim. 9h-12h 14h-20h
🍷 Jean-Jacques et Sébastien Gault

DOM. DE LA FRAMBOISIÈRE Clos des Myglands 2011 ★

■ 1er cru	35 000		15 à 20 €

En 2005, Erwan Faiveley, septième du nom, succède à son père à la tête de cet immense domaine de plus de 120 ha de vignes répartis dans toute la Bourgogne. Une belle parcelle de plus de 6 ha de pinot noir est à l'origine de ce mercurey qui s'affiche dans une robe grenat parcourue d'étincelles rubis. Du verre s'échappent des parfums subtils et typiques du cépage : framboise et épices. La bouche tendre se montre ronde et sans accroche, portée par des tanins fins. Une belle volaille rôtie lui siéra à merveille, aujourd'hui ou dans deux ans.

🍷 Dom. Faiveley, 8, rue du Tribourg, 21700 Nuits-Saint-Georges, tél. 03 80 61 04 55, fax 03 80 62 33 37, contact@bourgognes-faiveley.com

DOM. GOUFFIER Clos l'Évêque 2011 ★★

■ 1er cru	2 000		15 à 20 €

Ancien directeur administratif de la cave coopérative La Chablisienne, Frédéric Gueugneau a repris ce domaine en 2012, après deux années de collaboration avec la famille Gouffier. Des pinots noirs âgés de cinquante ans, plantés sur un sol argilo-calcaire et récoltés à la main, ont donné naissance à ce vin rubis intense animé de reflets violacés. Sur les fruits bien mûrs et le poivre noir, ce 2011 séduit par son volume, son gras et sa vivacité, le tout épaulé par des tanins de qualité et porté par une belle persistance. Un vin de caractère, au fort potentiel de garde, que l'on pourra attendre cinq à six ans. Une citation pour le **1ᵉʳ cru rouge 2011 Champs Martin (1 000 b.)** qui, encore sous l'emprise de ses tanins, possède néanmoins une jolie matière fruitée. À attendre également, quatre à cinq ans.

🍷 Dom. Gouffier, 11, Grande-Rue, 71150 Fontaines, tél. 06 47 00 01 04, domaine@domainegouffier.fr, ☑ ♔ ♊ r.-v.

DOM. PATRICK GUILLOT Clos des Montaigu 2011 ★

■ 1er cru	6 580		11 à 15 €

Patrick Guillot a pris en main ce vignoble de 6 ha en 1988, représentant ainsi la troisième génération de la famille à exploiter le domaine. Riche et bien équilibré, ce 2011 élevé un an en fût de chêne, dont 25 % de neufs, a séduit le jury. Vêtu d'un pourpre soutenu, il dévoile un bouquet de fruits noirs, qui « sonnent la charge de la cavalerie légère », explique un juré en verve. Le palais se révèle plein, gourmand et velouté. « Voilà une interprétation moderne mais très réussie du terroir de Mercurey », conclut un autre dégustateur. Un vin flatteur auquel fait écho le très confidentiel **blanc 2011 Les Saumonts (950 b.)**, élevé en demi-muid (barrique de 500 l), qui délivre des arômes bien mariés de citron vert, de pamplemousse et de miel, et qui offre en bouche un bel équilibre entre gras et vivacité. Il obtient également une étoile.

🍷 Dom. Patrick Guillot, 9 A, rue de Vaugeailles, Chamirey, 71640 Mercurey, tél. 03 85 45 27 40, fax 03 85 45 28 57, domaine.pguillot@orange.fr, ☑ ♊ r.-v.

♡ DOM. MICHEL JUILLOT En Sazenay 2011 ★★

■ 1er cru	n.c.		15 à 20 €

Domaine Michel Juillot
Mercurey 1ᵉʳ Cru
"En Sazenay"
APPELLATION MERCUREY 1ᵉʳ CRU CONTRÔLÉE
2011
75cl
13% vol.
LAURENT JUILLOT, VITICULTEUR À MERCUREY, S.-&-L., FRANCE
PRODUIT DE FRANCE

Valeur sûre de l'appellation, le domaine Juillot affiche un beau palmarès et signe cette année le meilleur blanc de la dégustation. Paré d'une robe or clair, ce mercurey est étincelant et lumineux. Au nez, les fleurs blanches et l'anis se mêlent aux notes fraîches du citron. La bouche se révèle ronde et gourmande, soutenue par une fine vivacité et un boisé ajusté, puis longue et savoureuse en finale. Un grand vin blanc racé, persistant et équilibré, à associer à un poisson noble, turbot ou saint-pierre par exemple. Le **blanc 2011 Les Vignes de Maillonges (11 à 15 €)**, finement boisé et harmonieux, pourra être servi dans un an sur des calamars à la plancha. Le **1er cru Les Champs Martins 2010 rouge (20 à 30 €)**, dense et corpulent, structuré sans dureté, promet dans quelques années de belles perceptions ; comme le précédent, il obtient une étoile. Le **1er cru Clos des Barraults 2011 rouge (20 à 30 €)**, tannique et frais, ne se révélera pleinement qu'après plusieurs années de cave. Il est cité.

📧 Dom. Michel Juillot, 59, Grande-Rue, 71640 Mercurey, tél. 03 85 98 99 89, infos@domaine-michel-juillot.fr, ☑ ⚤ ⛷ 🍷 t.l.j. 9h-12h 14h-18h; dim. 9h30-12h30

Ⓑ DOM. MENAND Clos des Combins Provinage 2011 ★

■ 1er cru	7 000	🍾 20 à 30 €

Installé en 1997 sur le domaine familial, Philippe Menand oriente rapidement son vignoble vers la culture biologique puis vers la vinification biologique sans intrants. Issu d'un des plus beaux terroirs de Mercurey, ce 2011 couleur grenat s'illumine de reflets rubis. Dominée par le bois de l'élevage, l'olfaction reste discrète, tandis que la bouche monte en puissance tout au long de la dégustation. D'abord souple et acidulée, soulignée par les fruits rouges, celle-ci dévoile ensuite une solide et noble trame tannique. Un vin puissant, qui demande deux à trois ans pour s'affiner.

📧 Dom. Menand, 8, rue des Combins, 71640 Mercurey, tél. 03 85 45 19 19, fax 03 85 45 10 23, domaine-menand@orange.fr, ☑ ⚤ ⛷ 🍷 r.-v.

CH. DE MERCEY 2010

	7 000	🍾 15 à 20 €

Dans le giron des vignobles Boisset, célèbre négociant de Bourgogne, le château de Mercey est conduit par Arnaud Boué. Il propose un 2010 de belle facture, or pâle, brillant et limpide, d'une intéressante diversité aromatique à l'olfaction : abricot sec, brioche, beurre frais et fleurs blanches. La bouche se montre légère, aérienne, avec une finale tendue. À boire dans l'année sur un plateau de fruits de mer.

📧 Ch. de Mercey, 71150 Cheilly-lès-Maranges, tél. 03 85 98 18 06, fax 03 85 45 25 49, duthey.m@rodet.com, ☑ ⛷ 🍷 t.l.j. sf sam. dim. 9h-12h 14h-18h chez Antonin Rodet à Mercurey; f. début sep.

DOM. DE LA MONETTE Les Obus 2011

	3 028	🍾 11 à 15 €

Dès son installation en 2008, la famille Ligtmans a fait le choix de travailler en culture biologique. Après un an d'essai concluant, elle a engagé la conversion en 2010 pour l'ensemble du vignoble, qui sera donc certifié à la récolte 2013. Or blanc à reflets verts, ce 2011 libère des senteurs de litchi et de jasmin, le tout serti de bois fin. Bien équilibré et gourmand, délicat et aérien, le palais présente une belle délicatesse qui fera de ce vin le compagnon idéal d'un bar grillé dans l'année à venir.

📧 Dom. de la Monette, Roelof Ligtmans, 15, rue du Château, Chamirey, 71640 Mercurey, tél. 03 85 98 07 99, vigneron@domainedelamonette.fr, ☑ ⚤ 🍷 r.-v.

DOM. DE LA PERRIÈRE Le Clos L'Évêque 2011

■ 1er cru	3 000	🍾 11 à 15 €

Ce domaine fut créé en 1970 par Jean Duvernay qui, après vingt ans passés dans diverses exploitations bourguignonnes, loua quelques parcelles de vignes à Mercurey. Ses deux fils Jean-Luc et Christophe l'ont rejoint ensuite. Ils conduisent aujourd'hui 18 ha de vignes, dont 70 ares de ce 1er cru à l'origine de 3 000 flacons d'un rubis intense. Le nez déjà bien ouvert évoque le sous-bois, les épices douces, le poivre noir et le havane. Une attaque épicée introduit une bouche consistante aux tanins souples et francs. « Beau vin, j'achète ! », conclut un dégustateur enthousiaste. On réservera cette bouteille à du gibier dans deux ou trois ans.

📧 EARL Duvernay Père et Fils, Dom. de la Perrière, 6, rue du Closeau, 71640 Mercurey, tél. 03 85 45 12 56, domaine.duvernay@orange.fr, ☑ ⚤ 🍷 t.l.j. sf dim. 10h-12h 14h-19h; f. 10-30 août

JEAN-MICHEL ET LAURENT PILLOT 2011 ★

	3 848	🍾 11 à 15 €

Les frères Pillot présentent un blanc né de ceps de chardonnay plantés sur argilo-calcaires. Une vendange manuelle et une année d'élevage en fût de chêne ont conféré une belle teinte or vert à ce vin. Le nez mêle intensément les fleurs blanches au minéral et aux agrumes, souligné d'un léger boisé. Tout en souplesse et en finesse, la bouche confirme cette puissance aromatique, en y ajoutant des notes de pamplemousse. À servir dans l'année avec des sushis.

📧 Dom. Jean-Michel et Laurent Pillot, 97, rue des Vendangeurs, 71640 Mellecey, tél. et fax 03 85 45 20 48, domaine.pillot@club-internet.fr, ☑ ⚤ 🍷 r.-v.

FRANÇOIS RAQUILLET Les Vasées 2011 ★★

■ 1er cru	6 000	🍾 15 à 20 €

Héritiers de dix générations de vignerons, François et Emmanuelle Raquillet sont à la tête du domaine familial depuis 1990 et signent avec constance des cuvées de belle facture. C'est de nouveau le cas avec ce 2011 paré de rubis qui libère des senteurs intenses de fruits noirs (myrtille, cassis) et d'amande. La bouche se livre sans réserve : elle apparaît ronde et bien étayée par sa structure tannique, et la finale fruitée laisse le souvenir d'un vin gourmand. Framboise et bonbon composent le bouquet aromatique du **rouge 2011 Vieilles Vignes (7 000 b.)**, dont le palais, encore un peu serré, devrait s'assouplir d'ici deux à trois ans. Une citation.

📧 François Raquillet, 19, rue de Jamproyes, 71640 Mercurey, tél. 03 85 45 14 61, fax 03 85 45 28 05, francoisraquillet@club-internet.fr, ☑ ⚤ 🍷 t.l.j. sf sam. dim. 9h-12h 14h-18h

CH. DE SANTENAY 2011

	52 000	🍾 15 à 20 €

Ce vaste domaine de 98 ha, ancienne propriété de Philippe le Hardi aujourd'hui dans le giron du groupe

Crédit Agricole, s'est engagé dans une démarche d'agri-culture raisonnée. Un premier pas vers la certification bio ? Ce 2011 or pâle présente un nez expressif, floral et minéral, agrémenté de notes de citron. La bouche se révèle vive et intense dès l'attaque, dévoilant d'intenses saveurs d'agrumes. Un vin tonique, que l'on verrait bien sur un pavé de saumon ou un fromage de chèvre frais. Plein, charnu et rectiligne, le **rouge 2010 Héloïse (11 à 15 € ; 45 800 b.)** est cité.

☛ SAS Ch. de Santenay, 1, rue du Château, 21590 Santenay, tél. 03 80 20 61 87, fax 03 80 20 63 66, contact@chateau-de-santenay.com, ☑ ⚘ ⊺ r.-v.

💜 MICHEL SARRAZIN ET FILS La Perrière 2011 ★★

| | 8 000 | ⊞ | 11 à 15 € |

Régulièrement distingués dans leur fief d'origine de Givry, les frères Sarrazin, Guy et Jean-Yves, sont également au rendez-vous du Guide dans l'appellation voisine de Mercurey. Ils obtiennent la plus haute récompense avec ce vin à la robe pourpre intense parcourue de reflets chatoyants. Du verre s'élèvent des parfums puissants de griotte, de poivre et de cannelle, que l'on retrouve dans une bouche mûre et soyeuse, épaulée par des tanins souples et ronds, et par un boisé parfaitement fondu. La finale laisse le souvenir d'un superbe ensemble, gourmand, long et très expressif, apte à un vieillissement en cave de deux à cinq ans. Digne d'un filet de bœuf en croûte.

☛ SARL Michel Sarrazin et Fils, 26, rue de Charnailles, 71640 Jambles, tél. 03 85 44 30 57, fax 03 85 44 31 22, sarrazin@wanadoo.fr,
☑ ⚘ ⊺ t.l.j. 9h-19h; dim. matin sur r.-v.

Ⓑ CH. DE SASSANGY 2011

| | 11 000 | ⊞ | 11 à 15 € |

Édifié au cœur de vallons riants dans l'arrière-pays de Chalon-sur-Saône, entre vignobles et prairies, le majestueux château de Sassangy offre un cadre romantique avec son parc à l'anglaise. Au sein de ce vaste domaine agricole de 240 ha, Jean et Geno Musso exploitent depuis 1979 un vignoble de 50 ha conduit en bio. Ils signent ici un vin rubis brillant, qui dévoile un bouquet fin de fruits rouges confiturés et de poivre noir. La minéralité du terroir sous-tend un palais équilibré, à la fois rond et frais. À savourer dès aujourd'hui sur un filet mignon de veau ou un saint-nectaire.

☛ Ch. de Sassangy, Le Château, 71390 Sassangy, tél. 03 85 96 18 61, fax 03 85 96 18 62, musso.jean@wanadoo.fr, ☑ ⚘ ⊺ r.-v. 🏠 Ⓒ
☛ Jean et Geno Musso

DOM. DE SUREMAIN En Sazenay 2010 ★

| ■ 1er cru | n.c. | 🍶⊞ | 15 à 20 € |

Dans le beau paysage caractéristique du val d'Or, au cœur du village de Mercurey, vous trouverez le château du Bourgneuf, fief de la famille de Suremain depuis sept générations. Élevé dans les caves des XVIIᵉ et XIXᵉs., ce 2010 carminé à souhait révèle à l'olfaction un boisé subtil qui rivalise avec les petits fruits rouges. Une matière ferme et puissante compose une bouche dont la finale aux accents « terroités », calcaires, fait saliver. « Long et large à la fois, il possède une nature forte qui tient le palais en haleine », conclut un dégustateur enthousiaste. À boire en 2015 sur un bœuf bourguignon. Un parfum de pur pinot et une mâche concentrée, proche de la pulpe de raisin, caractérisent le **1ᵉʳ cru La Bondue 2010 rouge (6 380 b.)**, cité.

☛ Dom. de Suremain, Ch. du Bourgneuf, 71, Grande-Rue, 71640 Mercurey, tél. 03 85 98 04 92, fax 03 85 45 17 88
☑ ⚘ ⊺ r.-v.

💜 DOM. THEULOT JUILLOT
Lieu-dit Château Mipont 2011 ★★

| | 3 400 | ⊞ | 11 à 15 € |

Auteurs d'un vin élu coup de cœur dans l'édition précédente avec le 2010, Nathalie et Jean-Claude Theulot réitèrent l'exploit cette année et s'affirment en valeur sûre de l'appellation. Ils signent un 2011 joliment paré d'un pourpre aux reflets sombres, dont le nez, subtil et élégant, associe un boisé fin et des parfums de petits fruits rouges à des notes de sous-bois. Le plaisir se prolonge en bouche : après une attaque franche surgit une matière à l'accent fruité et épicé, bien épaulée par une trame tannique au grain délicat. Prometteur, ce vin pourra être attendu deux ou trois ans avant d'être servi avec du gibier. Des escargots à la persillade feront de bons compagnons pour la cuvée **Les Chenaults 2011 blanc (3 500 b.)**, une étoile, bien équilibrée entre rondeur et vivacité, boisée avec mesure, florale et fruitée. La poire, la pêche de vigne et la minéralité du terroir se retrouvent dans le **1ᵉʳ cru Les Saumonts 2011 blanc (15 à 20 € ; 1 300 b.)**, cité.

☛ Nathalie et Jean-Claude Theulot, Dom. Theulot Juillot, 4, rue de Mercurey, 71640 Mercurey, tél. 03 85 45 13 87, fax 03 85 45 28 07, e.juillot.theulot@wanadoo.fr,
☑ ⚘ ⊺ t.l.j. 8h-12h 13h30-18h; sam. dim. sur r.-v.

DOM. TUPINIER-BAUTISTA Vieilles Vignes 2011 ★★

| | 5 000 | ⊞ | 11 à 15 € |

Manuel Bautista, personnage haut en couleur, poursuit depuis 1997 l'œuvre de sa belle-famille, les Tupinier, vignerons à Mercurey depuis 1770. Il propose un 2011 d'un seyant grenat intense animé de reflets violets. Le nez ne cache pas son élevage en fût de chêne, et mêle aux classiques notes de fruits rouges des arômes secondaires (tabac et cuir). En bouche aussi, le mariage bois-fruit est réussi. La puissance et l'ampleur dominent l'attaque, puis de nobles tanins attisent les papilles et offrent une belle mâche. Un « seigneur » de l'appellation, à boire dans cinq ans sur un coq au vin. Le 1er cru **En Sazenay 2011 rouge (6 000 b.)**, une étoile, évoque la framboise et le chocolat noir à l'olfaction et dévoile un palais riche et chaleureux, étayé par des tanins fondus. Il s'appréciera dans deux ou trois ans sur une viande en sauce. Quant au 1er cru **Les Vellées 2011 rouge (15 à 20 € ; 2 000 b.)** au nez épanoui d'épices et de cerise, ferme et équilibré au palais, il est cité.

Dom. Tupinier-Bautista, 21, rue de la Cure, 71640 Mercurey, tél. 06 87 16 02 14, fax 03 85 45 27 99, tupinier.bautista@wanadoo.fr, ☑ ⚞ ☗ r.-v.

DOM. DE LA VIEILLE FONTAINE Les Crêts 2011

■ 1er cru	2 400	15 à 20 €

Installé depuis 1996 à Bouzeron, David Déprés a repris en 2004 une partie du domaine de Jean-Pierre Meulien à Mercurey. Travail du sol, lutte raisonnée, vendanges manuelles et élevage en fût de chêne sont les procédés utilisés pour élaborer cette jolie cuvée. Ce 2011 rubis étincelant se montre fort aimable dès le premier nez, offrant une multitude de senteurs : noyau de cerise, fraise des bois, framboise, vanille. Il séduit en bouche par son attaque corsée et sa matière chaleureuse soutenue par des tanins fins et fondus. Sa finale qui se confit le destine à un plat en sauce (coq au vin, bœuf bourguignon...).

Dom. de la Vieille Fontaine, 3, rue du Clos-L'Évêque, 71640 Mercurey, tél. 03 85 87 02 29, david.depres@bbox.fr, ☑ ⚞ ☗ r.-v.
David Déprés

ⓑ DOM. A. ET P. DE VILLAINE Les Montots 2011 ★★

■	7 700	15 à 20 €

Les Montots est un lieu-dit aux coteaux assez prononcés et exposés au sud, plantés d'un pinot noir en provenance de Nuits-Saint-Georges choisi pour ses qualités aromatiques et son rendement modéré. Pierre de Benoist et son oncle Aubert de Villaine — cogérant, faut-il le rappeler, de la Romanée-Conti — signent un 2011 qui séduit d'emblée par sa robe rubis intense, brillante et limpide. Ses senteurs discrètes de fruits noirs introduisent un palais gras et puissant, avec de la mâche et des tanins solides mais nobles. Un excellent mercurey de garde, qui frôle le coup de cœur. À boire dans cinq ans sur un faisan aux champignons des bois, par exemple.

Dom. de Villaine, 2, rue de la Fontaine, 71150 Bouzeron, tél. 03 85 91 20 50, fax 03 85 87 04 10, contact@de-villaine.com, ☑ ⚞ ☗ r.-v.

DOM. VOARICK Clos du Paradis 2011 ★

■ 1er cru	6 000	15 à 20 €

Né sur un sol où se mêlent argile et calcaire et de raisins récoltés à la main puis élevés quatorze mois en fût de chêne, ce 2011 a d'abord séduit le jury par sa robe jaune d'or intense puis par son nez discrètement beurré et accompagné de senteurs de poire juteuse. Caractérisée par une belle consistance et par un boisé soutenu, la bouche révèle des saveurs mentholées et minérales qui l'équilibrent et la dynamisent. Expressive jusque dans sa finale toastée et vanillée, cette cuvée s'accordera maintenant comme dans trois ans avec des escargots de Bourgogne en persillade.

Dom. Émile Voarick, rue de la Croix-Reuchou, 71640 Saint-Martin-sous-Montaigu, tél. 03 80 21 98 57, fax 03 80 21 98 56, contact@michelpicard.com, ☑ ⚞ ☗ r.-v. ☗ ⑤
Famille Picard

Givry

Superficie : 270 hl
Production : 12 580 hl (80 % rouge)

À 6 km au sud de Mercurey, cette petite bourgade typiquement bourguignonne est riche en monuments historiques. Le givry rouge, la production principale, aurait été le vin préféré d'Henri IV. Mais le blanc intéresse aussi. L'appellation s'étend principalement sur la commune de Givry, mais « déborde » aussi légèrement sur Jambles et Dracy-le-Fort.

DOM. BESSON Les Grands Prétans 2011 ★

■ 1er cru	10 000	15 à 20 €

Ce 2011 a séduit le jury par son élégance et sa finesse. La délicatesse de la robe rubis aux reflets grenat n'a d'égale que celle du nez, où l'on perçoit des parfums de cerise juteuse et charnue rehaussés d'épices orientales. Gourmand et riche, tout en affichant une jolie vivacité, le palais offre une belle structure tannique, typique de l'appellation. On vous conseille « d'oublier » deux ou trois ans en cave ce vin prometteur et de caractère, avant de le servir sur une pintade rôtie aux épices. Le 1er cru **Les Bois Gautiers 2011 rouge (1 500 b.)**, aux notes vanillées et fruitées et à la bouche croquante, obtient une citation. Deux belles réalisations de Guillemette et Xavier Besson, partenaires du Festival Musicaves : tous les ans, ils accueillent des concerts dans leur magnifique cave du XVII^{e}s., inscrite à l'inventaire supplémentaire des Monuments historiques.

Dom. Xavier et Guillemette Besson, 9, rue des Bois-Chevaux, 71640 Givry, tél. 03 85 44 42 44, xavierbesson3@wanadoo.fr, ☑ ⚞ ☗ r.-v. ☗ ②

RENÉ BOURGEON En Choué 2011

■ 1er cru	n.c.	11 à 15 €

Régulièrement sélectionné dans le Guide, René Bourgeon est de nouveau remarqué pour deux jolies cuvées. Le blanc **2010 Clos de la Brûlée (8 à 11 €)**, cité, est à déguster sans attendre si l'on veut profiter de son fruit et de sa jeunesse. Quant à ce 1er cru paré d'une jolie robe grenat, il évoque au nez une corbeille de fruits où l'on perçoit la mûre, le cassis, la cerise ou encore la framboise. Fraîcheur et vivacité introduisent une bouche bien construite autour de tanins soyeux. « Prometteur ! On a envie d'y revenir sans tarder », conclut un jury séduit, qui recommande de boire ce vin dans les deux ans à venir.

EARL René Bourgeon, 2, rue du Chapitre, 71640 Jambles, tél. 03 85 44 35 85, fax 03 85 44 57 80, gaec.renebourgeon@wanadoo.fr, ☑ ⚞ ☗ t.l.j. 8h-19h30; dim. sur r.-v.

VIGNERONS DE BUXY Buissonnier 2011 ★

■ 1er cru	1 733	▯	5 à 8 €

La coopérative de Buxy propose un excellent givry or clair, au nez expressif d'agrumes. On retrouve cette fraîcheur en soutien d'une bouche grasse, longue et fruitée. La finale sur l'amande verte agrémentée d'une pointe minérale en fait un vin séduisant, qui fleure bon le terroir. À servir dès cet automne sur un brochet au beurre blanc. Cité, le 1er cru Laborbe-Juillot 2011 rouge Clos Marceaux Monopole (11 à 15 € ; 12 132 b.) est issu d'un domaine de près de 10 ha conduit par Laurent Grosbois et vinifié par la cave. Robe rouge profond, nez racé, crayeux et fruité, bouche dense et puissante aux tanins massifs et au boisé encore bien présent : une cuvée au fort potentiel de garde (quatre à cinq ans).

☛ Vignerons de Buxy, Les Vignes-de-la-Croix, 2, rte de la Croix, 71390 Buxy, tél. 03 85 92 03 03, fax 03 85 92 08 06, accueil@vigneronsdebuxy.fr, ☑ ⚔ ⍦ t.l.j. 9h-12h 14h-18h30

DOM. CHOFFLET-VALDENAIRE Clos de Choué 2011 ★

■ 1er cru	20 000	▯ ⑴	15 à 20 €

Denis Valdenaire a repris le domaine de son beau-père en 1987. Récolte mécanique, macération à froid de cinq jours, fermentation de dix jours, suivis d'un élevage de seize mois ont donné ce givry agréable, fruité et épicé à l'olfaction. Ronde, charnue, de bonne intensité et bien structurée, la bouche s'étire longuement sur une finale minérale et épicée. Un « vin plaisir » à servir sur une viande rouge dans les trois ans à venir. Le 1er cru Les Galaffres 2011 blanc (6 000 b.), fruité (agrumes, pomme verte), boisé sans excès, souple et frais, est cité.

☛ Dom. Chofflet-Valdenaire, Russilly, 71640 Givry, tél. 03 85 44 34 78, chofflet.valdenaire@wanadoo.fr, ☑ ⚔ ⍦ r.-v.

CLOS SALOMON 2011 ★★

■ 1er cru	26 000	⑴	15 à 20 €

Ce 1er cru, monopole de la famille du Gardin depuis 1632, fait partie des valeurs sûres de l'appellation. À sa tête, Ludovic, l'héritier, et son associé Fabrice Perrotto, lyonnais d'origine, mettent un point d'honneur à conserver les traditions bourguignonnes : rendements faibles, vendanges manuelles, élevage en pièces de 228 l... Cela donne un 2011 paré d'une tenue pourpre sombre aux reflets noirs. Le nez franc et complexe évoque un panier de fruits frais rehaussés de notes boisées (santal, vanille...). Dans une belle continuité, le palais se révèle bien structuré par un « grain » fin et soyeux. Charnu et long, ce vin équilibré est déjà appréciable, mais on pourra aussi l'attendre cinq à dix ans.

☛ Dom. du Clos Salomon, 16, rue du Clos-Salomon, 71640 Givry, tél. et fax 03 85 44 32 24, clos.salomon@wanadoo.fr, ☑ ⍦ t.l.j. sf dim. 9h-12h 14h-18h

DOM. DAVANTURE 2010

■	5 300	▯ ⑴	8 à 11 €

Ces pinots noirs de quarante ans s'associent aux terrains argilo-calcaires et siliceux de Givry pour donner naissance à cette cuvée rouge vif au léger disque orangé. Le nez, d'abord fermé, dévoile après aération une palette aromatique complexe et avenante de réglisse, de framboise et de thym. La bouche, élégante, séduit par sa persistance et sa trame tannique encore bien présente,

gage d'un bon vieillissement de deux ou trois ans. Un passage en carafe avant la dégustation est recommandé.

☛ Dom. Davanture, rue de la Messe, Cidex 1516 n° 26, 71390 Saint-Désert, tél. et fax 03 85 47 95 57, domaine.davanture@orange.fr, ☑ ⚔ ⍦ r.-v.

☛ GAEC des Murgers

DELIANCE FRÈRES Clos de la Servoisine 2010

■ 1er cru	1 200	▯ ⑴	8 à 11 €

Créée en 1947 par Marcel Deliance, cette maison a fondé sa réputation sur ses vins mousseux. En 1972, Gérard et Philippe, les fils, reprennent l'exploitation et agrandissent le vignoble, qui passe de 1,5 ha alors à 16,8 ha aujourd'hui. Vinifié dans un ancien monastère du XVIIe s., ce vin a séduit le jury par sa robe or vert, par son nez tendre d'amande et de chèvrefeuille, et par sa bouche agréable et suave, étayée par une belle vivacité qui permet d'envisager une petite garde de un an ou deux.

☛ Dom. Deliance, 24, Le Buet, 71640 Dracy-le-Fort, tél. 03 85 44 40 59, fax 03 85 44 36 13, domaine.deliance@wanadoo.fr, ☑ ⚔ ⍦ t.l.j. sf dim. 8h30-18h

DOM. MICHEL GOUBARD ET FILS 2011

■	10 400	▯	8 à 11 €

Vignerons de père en fils depuis 1600, les Goubard sont très bien implantés en Côte chalonnaise, avec pas moins de 38 ha de vignes dans leur escarcelle. Rubis clair aux reflets orangés, ce givry présente un nez encore discret, qui s'ouvre après aération sur des notes de griotte et de mûre. La bouche se révèle friande, souple et légère. Un vin à apprécier dès aujourd'hui sur la charcuterie.

☛ EARL Michel Goubard et Fils, 6, rue de Bassevelle, 71390 Saint-Désert, tél. 03 85 47 91 06, fax 03 85 93 43 53, earl.goubard@wanadoo.fr, ☑ ⚔ ⍦ t.l.j. 9h-12h 14h-18h; sam. dim. sur r.-v.

MARINOT-VERDUN 2011

■	5 000	▯ ⑴	8 à 11 €

Élevé pour moitié en fût de chêne, ce givry blanc est bien représentatif de son appellation et de son millésime. Or clair brillant, il dévoile au nez des senteurs de fleurs blanches et de pomme verte. Frais dès l'attaque, il développe ensuite un joli gras tonifié par des notes minérales et de vivifiantes saveurs d'agrumes. Un vin à boire dans sa jeunesse, à l'apéritif, en accompagnement de verrines de saumon et d'avocat, de gougères et de jambon persillé.

☛ Marinot-Verdun, cave de Mazenay, 71510 Saint-Sernin-du-Plain, tél. 03 85 49 67 19, fax 03 85 45 57 21, marinot-verdun@wanadoo.fr, ☑ ⚔ ⍦ t.l.j. sf dim. 8h-12h 14h-18h

DOM. MASSE PÈRE ET FILS Le Creuzot Monopole 2011

■	3 300	⑴	11 à 15 €

Le domaine Masse est une exploitation familiale de près de 10 ha située à l'est de Givry, dans le petit village de Barizey. À sa tête, Fabrice Masse, neveu du régisseur des Hospices de Beaune, travaille dans une logique de rendements faibles et de respect de l'environnement, même si le domaine n'est pas certifié en agriculture biologique. Vêtue d'une robe violine aux reflets brillants, cette cuvée offre après aération une jolie palette aromatique : fruits rouges, cassis, mûre, épices. De bonne consistance et d'une longueur honorable, le palais est bâti autour d'une fine trame tannique, d'un boisé fondu et d'une agréable vivacité. Un vin à carafer avant de le servir, aujourd'hui ou dans deux ans, sur une souris d'agneau aux épices douces.

☛ Dom. Masse Père et Fils, hameau de Theurey, 71640 Barizey, tél. et fax 03 85 44 36 73, domainemasse@wanadoo.fr, ☑ ⚘ ⊺ r.-v.

PASCAL MELLENOTTE Champ Nalot 2011

| | 1 000 | ⬛ | 8 à 11 € |

Issu de vendanges mécaniques et élevé neuf mois en fût de chêne, ce 2011 doré à l'or fin présente un nez intensément boisé libérant des notes empyreumatiques dominantes. En revanche, la bouche se révèle plus aimable, avec une attaque franche et un développement plein et équilibré tout au long de la dégustation. Un givry en devenir, à garder deux ou trois ans avant de l'apprécier sur un sandre au beurre blanc.

☛ Pascal Mellenotte, rue du Martray, 71640 Mellecey, tél. 03 85 45 15 64, pascal.mellenotte@wanadoo.fr, ☑ ⚘ ⊺ t.l.j. sf dim. 10h-12h 14h-18h

DOM. MOUTON La Grande Berge 2011 ★

| ⬛ 1er cru | 7 500 | ⬛ | 15 à 20 € |

Des pinots noirs de cinquante ans d'âge récoltés manuellement et élevés une année en fût de chêne ont donné naissance à ce vin fort plaisant, au profil classique, qui sera en bonne compagnie avec un filet de bœuf en croûte. D'un rouge rubis étincelant, ce 1er cru mêle harmonieusement à l'olfaction les fruits rouges et noirs aux notes épicées de l'élevage sous bois. Adossée à une trame tannique fondue, la bouche, longue, intense et épicée, dévoile une matière soyeuse et enrobée, qui lui confère rondeur et élégance. À boire d'ici 2015-2016. Le **1er cru rouge Les Grands Prétans 2011 (3 500 b.)**, à l'aspect velouté, aux parfums de cassis et au palais encore austère, est cité.

☛ SCEA Dom. Mouton, 6, rue de l'Orcène, Poncey, 71640 Givry, tél. 03 85 44 37 99, domaine-mouton@vin-givry.com, ☑ ⚘ r.-v.

PARIZE PÈRE ET FILS Champ Nalot La Sauleraie 2011

| ⬛ 1er cru | 8 800 | ⬛ | 11 à 15 € |

L'histoire de la famille Parize en terre givrotine remonte à 1890, lorsque les aïeux de Laurent s'installent à Poncey, alors commune indépendante de Givry. Ce dernier conduit le domaine depuis 1983. Cueillis à la main, ses pinots noirs âgés de trente ans plantés sur 1,5 ha de ce 1er cru ont donné naissance à un vin couleur rubis animé de reflets violets. Des parfums de fruits frais et d'épices introduisent une bouche ample, souple et bien équilibrée. Autant d'atouts pour une garde de deux ou trois ans. Encore sur la réserve, le **1er cru Champ Nalot 2011 blanc (2 000 b.)** devrait s'épanouir d'ici une petite année.

☛ EARL Parize Père et Fils, 18, rue des Faussillons, 71640 Givry, tél. 03 85 44 38 60, fax 09 70 62 94 97, laurent.parize@wanadoo.fr, ☑ ⚘ ⊺ t.l.j. 9h-19h

DOM. PELLETIER-HIBON Vieilles Vignes 2011

| ⬛ | 6 000 | ⬛⬛ | 8 à 11 € |

La propriété n'a cessé de se développer depuis qu'André Pelletier (1898-1953) a acquis quelques parcelles à Givry. Henri, son fils, qui a poursuivi son œuvre

jusqu'à sa retraite en 2005, s'est associé avec son gendre Luc Hibon en 2001. Depuis, Luc et son épouse Karine exploitent la propriété familiale qui compte aujourd'hui 6 ha. Ils ont élaboré un vin rubis profond, au bouquet prometteur de bourgeon de cassis et de cerise. Agréable, vive et déjà d'une longueur appréciable, la bouche devrait encore s'épanouir. On pourra attendre 2015.

☛ Dom. Pelletier-Hibon, rue de la Planchette, Poncey, 71640 Givry, tél. 03 85 94 87 42, pelletier.hibon@club-internet.fr, ☑ ⚘ ⊺ r.-v. 🏠 Ⓑ

DOM. DES PIERRES SAUVAGES 2011

| ⬛ | 11 000 | ⬛⬛ | 8 à 11 € |

Un nouveau nom dans le Guide : ce domaine d'à peine 3 ha est vinifié au sein de la cave des Vignerons de Genouilly. Le vigneron, fils de l'un des coopérateurs, est installé depuis trois ans sur plusieurs appellations de la Côte chalonnaise et il participe aux travaux de vinification. Ce type de coopération est mis en avant par cette petite cave, qui voit là un avenir prometteur, la production de cette propriété étant vendue à 70 % en bouteilles, donc bien valorisée. Paré d'une robe grenat limpide, ce 2011 offre un nez encore discret qui laisse percevoir après aération des notes plaisantes de framboise et de kirsch. La bouche se révèle ronde en attaque, bien construite autour de tanins fondus. Un vin déjà agréable, à boire sur un filet mignon au roquefort. À découvrir par ailleurs à la coopérative, le **rouge 2011 Cave de Genouilly (11 000 b.)**, cité pour ses senteurs de cerise, de violette et de réglisse, et pour sa bouche bien structurée aux tanins encore fermes : un vin à attendre de un à trois ans.

☛ Cave des Vignerons de Genouilly, allée du 19-Mars-1962, 71460 Genouilly, tél. 03 85 49 23 72, fax 03 85 49 23 58 ☑ ⚘ ⊺ t.l.j. sf dim. 8h-12h 14h-18h

PIGNERET FILS Clos de la Brûlée 2011 ★

| ⬛ | 3 860 | | 8 à 11 € |

Pas de certification d'agriculture biologique chez les Pigneret, les frères Éric et Joseph, mais une démarche respectueuse de la nature : enherbement du vignoble en prévention des problèmes d'érosion des sols, fabrication « maison » des composts et traitements raisonnés. Issu de la structure de négoce, ce givry blanc, couleur or clair égayée de reflets cristallins, présente un nez expressif et fin, floral et fruité. La bouche, mâtinée de fleur d'oranger, se révèle vive et tonique, bien construite et longue. Un vin harmonieux, que l'on verrait bien accompagner un plateau de coquillages et de crustacés. Le **Dom. Pigneret Fils 2010 rouge (21 000 b.)**, rond et chaleureux, est cité.

☛ Dom. Pigneret Fils, Vingelles, 71390 Moroges, tél. 03 85 47 15 10, fax 03 85 47 15 12, domaine.pigneret@wanadoo.fr, ☑ ⚘ ⊺ t.l.j. 9h-12h 14h-19h

DOM. RAGOT Vieilles Vignes 2011 ★★

| ⬛ | 9 000 | ⬛⬛ | 11 à 15 € |

En 2003, Nicolas Ragot, cinquième du nom, a pris le relais de son père à la tête de ce domaine familial de 9 ha établi au cœur de Givry. Il signe un superbe 2011 issu de vieux pinots noirs vendangés manuellement et élevé dans la plus pure tradition bourguignonne. Une belle robe rubis habille ce givry au bouquet intense, floral et épicé. Frais en bouche, ce vin s'appuie sur une structure imposante mais sans dureté, bâti sur des tanins soyeux qui le classent parmi les meilleurs de l'appellation. Des arômes persistants de cassis et de mûre sauvage complètent le palais à l'harmonie remarquable. Proche du coup de cœur, cette bouteille sera servie aux grandes occasions. De petites fleurs blanches et une bouche douce et agréable caractérisent le 1er cru blanc Crausot 2011 (15 à 20 € ; 1 400 b.), cité.

🍷 Dom. Ragot, 4, rue de l'École, 71640 Givry, tél. 03 85 44 35 67, fax 03 85 44 38 84, vin@domaine-ragot.com, ☑ ⚲ ⊤ t.l.j. sf dim. 8h-20h ⌂ ☉

💜 MICHEL SARRAZIN ET FILS Champs Lalot 2011 ★★

	1er cru	16 000	⬚	11 à 15 €

MICHEL SARRAZIN
De Père en Fils Depuis 1671

GIVRY 1er CRU
CHAMP LALOT
APPELLATION GIVRY 1er CRU CONTRÔLÉE

Mis en bouteille par
MICHEL SARRAZIN ET FILS
Propriétaires-Récoltants à Charnailles-Jambles par Givry - France

750 ML   PRODUIT DE FRANCE   ALC 13% BY VOL
NET CONTENTS   Vin de Bourgogne   RED WINE

Ce Champs Lalot confirme, s'il en est besoin, qu'il s'agit bien de l'un des meilleurs terroirs de l'appellation... a fortiori lorsqu'il passe dans les mains de Guy et Jean-Yves Sarrazin. Le 2010 fut élu coup de cœur l'an dernier et les frères Sarrazin font aussi bien avec le 2011, tout en élégance et en fluidité. En robe pourpre dense, ce givry offre un nez de petits fruits rouges délicatement vanillés. La bouche dévoile une superbe trame tannique enrobée par une chair souple et très croquante. Un vin racé et prêt à boire, qui saura également patienter dans votre cave une année ou deux. Le 1er cru Champs Lalot 2011 blanc (4 000 b.), franc et bien en chair, puissant et tendu, pourra lui aussi être attendu quelque temps avant d'être servi sur des quenelles de brochet. Il obtient une étoile. Quant au 1er cru La Grande Berge 2011 rouge (4 000 b.), il est cité pour sa belle harmonie entre le fruit (cerise burlat) et l'élevage en fût, même s'il nécessite encore deux ou trois ans de garde.

🍷 SARL Michel Sarrazin et Fils, 26, rue de Charnailles, 71640 Jambles, tél. 03 85 44 30 57, fax 03 85 44 31 22, sarrazin@wanadoo.fr,
☑ ⚲ ⊤ t.l.j. 9h-19h; dim. matin sur r.-v.

Montagny

Superficie : 310 ha
Production : 17 000 hl

Entièrement vouée aux blancs, Montagny est l'appellation la plus méridionale de la Côte chalonnaise et elle annonce déjà le Mâconnais. Ses vins peuvent être produits sur quatre communes : Montagny, Buxy, Saint-Vallerin et Jully-lès-Buxy. Plusieurs 1ers crus (Les Coères, Les Burnins, Les Platières...) sont délimités sur la commune de Montagny. Assez subtils, avec des arômes d'agrumes et une touche de minéralité, de bonne garde, les montagny mériteraient d'être mieux connus.

DOM. BERTHENET Vieilles Vignes 2011

	1er cru	11 000	⬚	11 à 15 €

Comme souvent, Jean-Pierre Berthenet place plusieurs vins dans la sélection du Guide. En tête, ces Vieilles Vignes très aromatiques (florales, minérales et encore boisées), riches, souples et persistantes au palais, rehaussées par une franche vivacité finale. Une cuvée à la forte personnalité. Également cité, le 1er cru Saint-Morilles 2011 (8 à 11 € ; 9 000 b.) plaît par son nez fin de noisette et d'orange, par sa rondeur et la pointe d'amertume qui lui permettra de bien vieillir durant deux ou trois ans. Le 1er cru Symphonie 2011 (15 à 20 € ; 3 600 b.) est aussi réussi. Élevé douze mois en fût de chêne, il séduit par ses arômes de fruits secs et de beurre, que l'on retrouve dans une bouche fraîche et longue. On l'attendra trois à cinq ans avant de le servir sur un poisson noble.

🍷 Dom. Berthenet, rue du Lavoir, 71390 Montagny-lès-Buxy, tél. 03 85 92 17 06, fax 09 70 06 91 70 ☑ ⚲ ⊤ t.l.j. sf dim. 9h-12h 13h30-18h

PHILIPPE BOUCHARD 2011

	1er cru	13 095	▯	11 à 15 €

Cette marque destinée à la grande distribution en France et à l'étranger appartient à la maison de négoce Corton André depuis une quinzaine d'années. Issu d'achats de chardonnays récoltés à la main, ce vin orné d'or offre une olfaction de bonne intensité, qui rappelle les agrumes, le miel et les épices. Après une attaque fraîche se développe une bouche ronde et de bonne longueur, imprégnée de fruits mûrs. À boire dès aujourd'hui, sur une poularde aux girolles.

🍷 Philippe Bouchard, BP 10, 21420 Aloxe-Corton, tél. 03 80 25 00 00, fax 03 80 26 42 00, contact@philippe-bouchard.com

VIGNERONS DE BUXY Buissonnier 2010 ★

	1er cru	n.c.	▯	5 à 8 €

D'un rapport qualité-prix défiant toute concurrence, le 2010 proposé par cette coopérative d'importance en Côte chalonnaise a séduit le jury à plus d'un titre. Par sa robe, tout d'abord, jaune paille, qui se pare de reflets bronze intenses. Par sa palette aromatique ensuite, qui oscille entre les agrumes et les fruits exotiques, tandis qu'en bouche, c'est la pêche blanche qui s'exprime, avec persistance. Plein et charnu, ce vin se révèle tonique sans être acide. Sa longueur et sa vivacité laissent présager un bel épanouissement (dans deux à trois ans).

🍷 Vignerons de Buxy, Les Vignes-de-la-Croix, 2, rte de la Croix, 71390 Buxy, tél. 03 85 92 03 03, fax 03 85 92 08 06, accueil@vigneronsdebuxy.fr, ☑ ⚲ ⊤ t.l.j. 9h-12h 14h-18h30

CH. DE CHAMILLY Les Jardins 2011

	1er cru	5 500	▯⬚	11 à 15 €

En 2007, les deux fils de Véronique Desfontaine, Xavier et Arnaud, reviennent au domaine et reprennent les vignes du château de Cary-Potet situé à Buxy. Ils agrandissent alors leur superficie de 14 ha en montagny, et consacrent 71 ares à ce 1er cru Les Jardins. Une robe

BOURGOGNE

pâle à reflets verts et un nez intense de noisette, de fleurs blanches et de beurre frais introduisent une douceur légèrement perlante, joliment constituée par un gras et une acidité qui s'équilibrent. À déboucher dans deux ans sur un jambon persillé.

📞 Véronique Desfontaine, 7, allée du Château, 71510 Chamilly, tél. 03 85 87 22 24, fax 03 85 91 23 91, contact@chateaudechamilly.com, ☑ ★ ▼ r.-v.

ANDRÉ DELORME 2010

1er cru	2 500	⬚	11 à 15 €

Éric Piffaut a acquis en 2005 la maison André Delorme, spécialisée dans le crémant-de-bourgogne et les vins de la Côte chalonnaise. Il l'a dotée d'une cuverie moderne, de belles caves voûtées pour l'élevage en fût et de 3 000 m² enterrés pour le vieillissement en bouteilles. C'est là qu'est né ce 2010 séduisant dans sa robe or pâle, de bonne intensité à l'olfaction : on y devine l'aubépine, les agrumes et la minéralité du terroir. L'attaque souple prélude à une bouche finement boisée, équilibrée par ce qu'il faut d'acidité. Une jolie bouteille, qui gagnera en harmonie au cours des trois prochaines années.

📞 André Delorme, Le Meix, 11, rue des Bordes, 71150 Rully, tél. 03 85 87 10 12, fax 03 85 87 04 60, contact@andre-delorme.com,
☑ ★ ▼ t.l.j. sf dim. 10h-12h 14h-17h30

DOM. FEUILLAT-JUILLOT Les Coères 2011 ★

1er cru	11 000	⬚	11 à 15 €

Depuis 2009, Françoise Feuillat-Juillot développe la réception de clients particuliers au domaine. Elle pratique une forme d'œnotourisme très prisée des amateurs de vins : dîner-dégustation, voire pique-nique-dégustation, avec parcours à travers les treize 1ers crus qu'elle exploite. En robe jaune paille, ces Coères distillent d'intenses senteurs florales, des nuances de noisette fraîche et de fruits exotiques. La bouche se montre puissante, riche et bien équilibrée par une vivacité revigorante. À déguster aujourd'hui ou dans deux ans, sur une blanquette de veau à l'ancienne. En devenir, le *village* Les Crêts 2011 (8 à 11 € ; 5 000 b.) obtient également une étoile pour sa fraîcheur et sa persistance. Le 1er cru Les Jardins 2011 (3 000 b.), vif, minéral et fruité, est cité.

📞 Dom. Feuillat-Juillot, rte de Montorge, BP 13, 71390 Montagny-lès-Buxy, tél. 03 85 92 03 71, fax 03 85 92 19 21, domaine@feuillat-juillot.com, ☑ ★ ▼ t.l.j. 9h-12h 14h-18h; sam. dim. sur r.-v.

CH. DE LA GUICHE 2011 ★

	n.c.	📖⬚	11 à 15 €

Le château de la Guiche, fleuron de la maison Goichot, est situé sur la commune de Jully-lès-Buxy. La récolte 2011 des 70 ares de chardonnay a été vinifiée et élevée pour moitié en fût de chêne pendant douze mois dans les caves du château. Habillé d'une lumineuse robe ourlée d'or blanc, ce vin livre un bouquet riche et intense de citron, d'abricot et de pêche de vigne. La bouche se montre fine, longue et bien équilibrée. La finale fruitée et minérale confère à cette cuvée puissance et caractère. À savourer sur un saumon en papillote.

📞 Maison André Goichot, av. Charles-de-Gaulle, 21200 Beaune, tél. 03 80 25 91 30
☑ ★ ▼ t.l.j. sf dim. 9h-12h 14h-18h

♥ OLIVIER LEFLAIVE 2011 ★★

1er cru	6 500	📖⬚	15 à 20 €

PRODUIT DE FRANCE
MONTAGNY 1ER CRU
Olivier Leflaive
GRAND VIN DE BOURGOGNE

Pour réussir un grand vin en appellation communale, rien ne vaut le vieux principe bourguignon de la « cuvée ronde », à savoir l'assemblage de vins de parcelles différentes et complémentaires. Olivier Leflaive et Franck Grux, le maître de chai, jouent sur une palette idéale où leur intuition et leur savoir-faire font naître des cuvées remarquables, à l'image de ce 1er cru issu de trois parcelles récoltées mécaniquement et vinifiées durant trois mois avant la mise en bouteilles. On appréciera d'abord le brillant de la robe or vert, ainsi que les intenses senteurs d'agrumes, de fleurs blanches et d'amande grillée. On savourera ensuite une chair parfaitement équilibrée entre le gras et la vivacité. La longue finale citronnée destine ce montagny à un produit de la mer, une terrine de poisson par exemple, aujourd'hui ou dans trois ans.

📞 Olivier Leflaive Frères, pl. du Monument, 21190 Puligny-Montrachet, tél. 03 80 21 37 65, fax 03 80 21 33 94, contact@olivier-leflaive.com, ☑ ★ ▼ r.-v.

PIGNERET FILS Les Coères 2011

1er cru	3 000		8 à 11 €

Ce montagny des frères Pigneret, Éric et Joseph, livre un ensemble olfactif des plus intéressants : il mêle habilement l'églantine au pain grillé, dans l'environnement minéral si typique de l'appellation. L'entrée en bouche se montre flatteuse, le développement se fait autour d'une chair ample et ronde, tandis que l'acidité finale apporte un surcroît de longueur et de vivacité. Un bel ensemble de facture classique, à déguster dès la sortie du Guide avec un plateau de fruits de mer.

📞 Dom. Pigneret Fils, Vingelles, 71390 Moroges, tél. 03 85 47 15 10, fax 03 85 47 15 12, domaine.pigneret@wanadoo.fr, ☑ ★ ▼ t.l.j. 9h-12h 14h-19h

CH. DE LA SAULE Les Burnins 2010

1er cru	4 000	⬚	11 à 15 €

Des doux coteaux de Montagny aux sols argilo-calcaires, plus précisément de 1 ha de vignes du *climat* Les Burnins, Alain Roy a tiré un vin d'un beau jaune canari, qui associe au nez fleurs blanches légères, agrumes et touches minérales. On retrouve cette discrète minéralité dans une bouche vive et tonique. Un vin fringant pour les fruits de mer. Le 1er cru Château de la Saule 2010 (22 000 b.), de bon aloi, vif et fruité, est cité.

📞 Alain Roy, Ch. de la Saule, 71390 Montagny-lès-Buxy, tél. 03 85 92 11 83, fax 03 85 92 08 12 ☑ ▼ r.-v.

Le Mâconnais

Jeu de collines découvrant souvent de vastes horizons, où les bœufs charolais ponctuent de blanc le vert des prairies, le Mâconnais (5 700 ha en production) cher à Lamartine – Milly, son village, est vinicole, et lui-même possédait des vignes – est géologiquement plus simple que le Chalonnais. Les terrains sédimentaires du triasique au jurassique y sont coupés de failles ouest-est. 20 % des appellations sont communales, 80 % régionales (mâcon blanc et mâcon rouge). Sur des sols bruns calcaires, les blancs les plus réputés, issus de chardonnay, naissent sur les versants particulièrement bien exposés et très ensoleillés de Pouilly, Solutré et Vergisson avec les AOC pouilly-fuissé, pouilly-vinzelles, pouilly-loché, saint-véran. Ils sont remarquables par leur aptitude à une longue garde. Les rouges et rosés proviennent du pinot noir pour les vins d'appellation bourgogne, et de gamay noir à jus blanc pour les mâcons issus de terrains à plus basse altitude et moins bien exposés, aux sols souvent limoneux où des rognons siliceux facilitent le drainage.

Mâcon et mâcon-villages

Production : 29 400 hl (85 % en rouge)

L'aire de production est assez vaste : du nord au sud, de la région de Tournus jusqu'aux environs de Mâcon, une cinquantaine de kilomètres sur une quinzaine de kilomètres d'est en ouest. À la diversité des situations répond celle des vins. Les appellations mâcon ou mâcon suivi de la commune d'origine sont utilisées pour les rouges, rosés et blancs. Les deux premiers sont le plus souvent issus de gamay, les troisièmes de chardonnay. Les vins blancs peuvent s'appeler aussi mâcon-villages.

VINS AUVIGUE Fuissé Le Moulin du pont 2011 ★

| | 10 000 | ▮ | 5 à 8 € |

Succédant à plus de cinq générations de producteurs, Michel et Jean-Pierre Auvigue n'en pratiquent pas moins depuis 1982 l'achat de raisins, à l'origine de ces deux vins. Ils ont transformé un ancien moulin à huile en chai de vinification et d'embouteillage. La robe brillante, jaune à reflets verts, et le nez floral et fruité de ce Fuissé préludent à une bouche soyeuse, ample et dense, bien équilibrée entre gras et acidité. La finale longue et citronnée destine ce vin aux coquillages. Une étoile également pour le **mâcon-villages 2011 Moulin du pont (15 000 b.),** franc et tonique.

☛ Vins Auvigue, 3131, rte de Davayé, 71850 Charnay-lès-Mâcon, tél. 03 85 34 17 36, fax 03 85 34 75 88, vins.auvigue@wanadoo.fr, ☑ ⚦ ⚲ r.-v.

CÉDRIC ET JEAN-MARC BALANDRAS Serrières Les Gravières 2011

| | 3 500 | ▮ | 5 à 8 € |

Les sols granitiques de Serrières sont le berceau du gamay noir à jus blanc. Ici, des ceps âgés de cinquante ans sont à l'origine de cette cuvée qui, après une vendange manuelle et une macération en grappes entières, a été élevée une année en cuve. Une robe rouge cerise éclatante annonce un nez discret de fruits mûrs. On appréciera l'équilibre et le fondu apportés par des tanins souples et soyeux. La finale fraîche et fruitée donne à cette bouteille un air de jeunesse. Un ensemble harmonieux et prêt à boire.

☛ Cédric et Jean-Marc Balandras, Les Guérins, 71960 Serrières, tél. 03 85 35 72 94, fax 03 85 35 70 82, jmcbalandras@orange.fr, ☑ ⚦ ⚲ r.-v. ⌂ ⓑ

DOM. DU BICHERON Péronne Cuvée Vieilles Vignes 2011 ★

| | 5 000 | ▮ | 5 à 8 € |

La quatrième génération de Rousset est actuellement à la tête de cet important vignoble de 46 ha. Elle signe ici un mâcon à l'allure brillante et aux reflets argent. Riche et harmonieux, le nez dévoile des parfums principalement fruités (pêche de vigne) agrémentés de notes de fougère. Le palais se révèle frais et rond, bien équilibré en somme, floral et citronné. Cette bouteille s'accordera parfaitement à un plateau de fruits de mer dès cet hiver.

☛ Dom. du Bicheron, Saint-Pierre-de-Lanques, 71260 Péronne, tél. 03 85 36 94 53, fax 03 85 36 99 80, domainedubicheron@wanadoo.fr, ☑ ⚦ ⚲ r.-v.

JEAN-CLAUDE BOISSET Igé Château London 2011 ★

| | 11 399 | ▯ | 8 à 11 € |

La maison Jean-Claude Boisset est installée au cœur de Nuits-Saint-Georges dans l'ancien couvent des Ursulines. Depuis 2002, cet important négociant bourguignon a mis en place une politique d'approvisionnement rigoureuse, dans une optique « domaine » et pour des vins « haute couture ». Ce mâcon, issu de l'un des meilleurs terroirs d'Igé, a été vendangé à la main, puis élevé sept mois en fût. Encore marqué par l'élevage, il possède néanmoins de sérieux atouts pour grandir. Derrière sa robe jaune clair aux reflets dorés se dévoile un élégant bouquet d'épices, de vanille et de fruits blancs, relayé par une bouche équilibrée, à la fois ronde et fraîche, qui s'étire longuement en finale sur des notes boisées. À attendre un an ou deux pour plus de fondu.

☛ Maison Jean-Claude Boisset, Les Ursulines, 5, quai Dumorey, 21700 Nuits-Saint-Georges, tél. 03 80 62 61 61, fax 03 80 62 61 59, jcb@jcboisset.com, ⚲ r.-v.

DENIS BOUCHACOURT Solutré 2011

| | 3 000 | ▮ | 5 à 8 € |

Fermenté et élevé en cuve durant une année, ce 2011 à la robe dorée offre un nez discret et fin de fruits blancs. Classique dans son approche en bouche, il est équilibré, frais, constant et fidèle à l'image connue du vin blanc du Mâconnais, agrémenté en finale par une jolie note sur la pêche de vigne. Parfait pour des gougères ou des fromages de chèvre secs lors d'un apéritif.

☛ Denis Bouchacourt, Les Gerbeaux, 71960 Solutré-Pouilly, tél. 03 85 35 81 88, denbouc@free.fr, ☑ ⚦ ⚲ r.-v.

BOURGOGNE

BOUCHARD PÈRE ET FILS 2011 ★★

| | n.c. | ▮ | 5 à 8 € |

Ce négoce beaunois, aux magnifiques caves situées dans les bastions et les galeries de l'ancien château de Beaune, propose un non moins superbe mâcon-villages doré à l'or fin. Le nez offre des notes de fleurs blanches et de pêche de vigne. La bouche est imposante, construite sur une matière dense et charnue, et la finale fraîche allège et vivifie l'ensemble. Large et équilibré, ce vin accompagnera dès la sortie du Guide une truite meunière ou des escargots de Bourgogne.

📞 Bouchard Père et Fils, Ch. de Beaune,
15, rue du Château, 21200 Beaune, tél. 03 80 24 80 24,
fax 03 80 22 55 88, contact@bouchard-pereetfils.com,
☑ ⚲ ⥙ t.l.j. 10h-12h30 14h30-18h30; dim. 10h-12h30
📞 Famille Henriot

DOM. BOURDON Vergisson 2011 ★

| | 1 850 | ▮ | 5 à 8 € |

Installés au pied des roches de Solutré et de Vergisson, Sylvie et François Bourdon représentent la cinquième génération à la tête de ce domaine d'un peu plus de 13 ha. Née d'une petite parcelle de 64 ares située sur les pentes dominées par la roche de Vergisson, cette cuvée se pare d'une robe d'or pâle cristalline. Son nez ouvert sur le citron et des nuances minérales annonce une bouche gourmande, fraîche et longue, une touche florale venant agrémenter la finale. À ouvrir dans un an sur un poisson de rivière.

📞 EARL François et Sylvie Bourdon, rue de la Chapelle, 71960 Solutré-Pouilly, tél. 03 85 35 81 44,
fax 03 85 35 85 42, francoisbourdon2@wanadoo.fr,
☑ ⚲ ⥙ r.-v.

DOM. CARRETTE Solutré Les Condemines 2011 ★

| | 1 500 | ▮ | 5 à 8 € |

Des ceps de chardonnay âgés de trente ans plantés sur un sol argileux, récoltés à la machine, puis fermentés avec les levures indigènes et élevés sur lies, ont donné ce vin à la robe jaune d'or intense. Tout aussi intense, la palette aromatique évoque les fruits secs, le chèvrefeuille, la poire ou encore la pêche. La bouche, harmonieuse et complexe, se révèle équilibrée de la première gorgée jusqu'à la finale, subtile, tendre et florale. Un dégustateur taquin propose un accord gourmand avec « tout ce qui va avec... et même plus ! »

📞 GAEC Dom. Carrette, 39, rte des Crays, 71960 Vergisson, tél. 06 71 58 90 50, domaine.carrette@yahoo.fr, ☑ ⚲ ⥙ r.-v.

CHANSON La Roche Vineuse 2011 ★★

| | n.c. | ▮ | 11 à 15 € |

En 1750, Simon Verry fonde une maison de négoce de vins de Bourgogne qu'il abrite dans le site historique du bastion de l'Oratoire, ancienne tour de défense de la ville de Beaune. Au XIXᵉs., la structure continue de se développer sous la houlette d'Alexis Chanson et étend son domaine. En 1999, la maison Chanson Père et Fils intègre le groupe familial des champagnes Bollinger. Voilà pour l'histoire. Côté cave, voici une cuvée à la robe d'une belle brillance parcourue d'étincelles dorées. Le bouquet évoque la brioche, les agrumes et les fleurs blanches. Vive dès l'attaque, la bouche évolue sur une superbe matière, ample et fraîche. Un vin harmonieux, à déguster dès aujourd'hui sur un parfait de foies de volaille façon foie gras.

📞 Chanson Père et Fils, 10, rue Paul-Chanson,
21200 Beaune, tél. 03 80 25 97 97, fax 03 80 24 17 42
☑ ⚲ ⥙ r.-v.

CH. DE CHASSELAS Les Theus 2011

| | 1 500 | ⬤ | 8 à 11 € |

Le château de Chasselas, repris en 1999 par Jean-Marc Veyron La Croix et Jacky Martinon, s'inscrit dans une démarche respectueuse de l'environnement : labour, griffage, lutte raisonnée, amendement naturel (fumier de bovins, poudre de plumes...) et gestion optimisée des effluents viticoles. Issue de ceps de gamay âgés de soixante-quinze ans, cette cuvée rouge vif donne dans le fruité à l'olfaction (cerise, fraise et framboise) et séduit en bouche par sa fraîcheur et sa souplesse. Un vin friand, à servir dans l'année sur une assiette de charcuteries ou une viande rouge grillée.

📞 Ch. de Chasselas, En Château, 71570 Chasselas, tél. 03 85 35 12 01, fax 03 85 35 14 38,
chateauchasselas@aol.com,
☑ ⚲ ⥙ t.l.j. 10h-12h 14h-18h 🏠 🄴

DOM. CHÊNE La Roche Vineuse Cuvée Prestige 2011 ★

| | 15 000 | ▮⬤ | 5 à 8 € |

Bien connu des lecteurs du Guide, le domaine Chêne collectionne les étoiles, notamment avec cette bien nommée cuvée Prestige, coup cœur dans l'édition précédente. La version 2011 fait belle impression. La robe cristalline, dorée à souhait, annonce un bouquet complexe et typique : raffinement de la minéralité, fraîcheur du citron et exubérance du fruit exotique, l'ensemble étant enrobé de miel d'acacia. La bouche, vive et fruitée, révèle un équilibre très réussi entre rondeur et fraîcheur. Fin et élégant, ce vin s'appréciera dès à présent sur un plateau de fruits de mer.

📞 Dom. Chêne, Ch. Chardon, 71960 La Roche-Vineuse, tél. 03 85 37 65 30, fax 03 85 37 75 39,
domainechene@orange.fr, ☑ ⚲ ⥙ t.l.j. 9h30-12h 14h30-19h

DOM. DES CHENEVIÈRES Les Saints-Jean 2011 ★★

| | 2 420 | ▮ | 8 à 11 € |

Deux approches d'élevage différentes de l'appellation, avec ces mâcon-villages produits par la famille Lenoir. Tous deux sont nés de chardonnays plantés sur un terroir argilo-calcaire. **Les Poncemeugnes 2011 blanc (5 à 8 € ; 4 605 b.)** ont passé sept mois en cuve avant d'être mis en bouteilles ; un vin que le jury a apprécié pour son intense olfaction de pêche de vigne, de poire et de pomme granny-smith, et pour sa minéralité. Il est cité. En revanche, cette cuvée Les Saints-Jean a connu le fût durant neuf mois, avec bâtonnage régulier. Elle en garde de beaux parfums boisés et surtout une bouche ample, structurée et persistante. Un 2011 harmonieux, fruit d'une parfaite maîtrise de l'élevage, qui offrira dans les deux ans à venir un bel accord avec une blanquette de veau à l'ancienne.

📞 Dom. des Chenevières, Le Bourg,
71260 Saint-Maurice-de-Satonnay, tél. et fax 03 85 33 31 27, domaine.chenevieres@orange.fr,
☑ ⚲ ⥙ t.l.j. 9h-12h 14h-19h

COLLOVRAY ET TERRIER Chardonnay Grand' Va 2009 ★

| | 5 000 | ⬤ | 15 à 20 € |

Collovray et Terrier sont le nom des familles à l'origine du domaine des Deux Roches à Davayé. C'est également la carte de visite d'une activité de négoce en vins du Mâconnais qui complètent la gamme du domaine. Grand' Va désigne une parcelle de vieilles vignes située dans le village de Chardonnay. Elle est exposée au sud, sur un versant ensoleillé et ventilé qui favorise une grande maturité des raisins. Élevé pendant dix mois en fût de chêne, ce 2009 livre des parfums complexes de vanille, de réglisse et de toast grillé. Après une attaque riche et puissante, le palais se montre gras, plein et généreux. Un mâcon « solaire », à boire dès la sortie du Guide sur un foie gras. Côté cave particulière, le **mâcon-villages 2011 Dom. des Deux Roches cuvée Plants du carré (8 à 11 € ; 60 000 b.)**, cité, sent bon les petites fleurs blanches des haies (églantine, chèvrefeuille) et la pêche blanche. En bouche, c'est la finesse et l'élégance qui dominent, sans opulence aucune. Une belle bouteille d'apéritif.

⌐ Collovray et Terrier, La Cuette, 71960 Davayé, tél. 03 85 35 86 51, fax 03 85 35 86 12, info@collovrayterrier.com, ☑ ⚘ ⊤ r.-v.

COTEAUX DES MARGOTS Grands Buys 2011 ★

	2 000	⫴	5 à 8 €

Pas moins de trois cuvées retenues pour ce domaine de Pierreclos. Le **mâcon rouge 2010 cuvée Margot (2 000 b.)** est cité : fruité et franc, complet, riche et fondu, il est à boire dès la sortie du Guide sur de la charcuterie et du fromage. Le **mâcon-villages 2011 (3 000 b.)** se révèle fin et élégant. Des petites fleurs blanches rehaussées de citron animent une bouche équilibrée et persistante. Il obtient une étoile. Quant à ce Grands Buys 2011, il se pare d'une belle robe d'or bordée de reflets verts. Au nez, les agrumes se nuancent de touches vanillées, témoignage d'un passage de neuf mois en fût. Le palais, encore sur la réserve, possède néanmoins tous les atouts pour plaire d'ici un an ou deux : vivacité, matière, structure fine et saveurs élégantes de citron confit.

⌐ Dom. Coteaux des Margots, 219, rue des Margots, 71960 Pierreclos, tél. 06 25 56 23 08, domainecoteauxdesmargots@wanadoo.fr, ☑ ⚘ ⊤ t.l.j. 9h-13h 17h-20h 🏠 Ⓑ

⌐ Duroussay

♥ MARCEL COUTURIER
Loché Les Longues Terres 2011 ★★

	6 000	⫴	5 à 8 €

MÂCON-LOCHÉ
LES LONGUES TERRES
Marcel Couturier

Marcel Couturier revendique une viticulture proche de l'agrobiologie, sans pour autant passer à la certification. La récolte manuelle de ses vieux chardonnays âgés de soixante-dix ans a eu lieu à la mi-septembre. Elle a été suivie d'une vinification et d'un élevage précis de onze mois en pièce bourguignonne. Le résultat est une cuvée de haute volée, or pâle aux reflets argentés, qui chatouille agréablement le nez avec sa palette aromatique complexe : chèvrefeuille, brioche beurrée et craie. L'attaque est franche et vive, le palais se révèle dense et charnu,

agrémenté de notes de jasmin et de citron vert. La finale élégante et structurée confère de la noblesse à ce mâcon. On le verrait bien accompagner une blanquette de veau ou un poulet à la crème, aujourd'hui comme dans trois ou quatre ans.

⌐ Dom. Marcel Couturier, Les Pelées, 71960 Fuissé, tél. 06 23 97 23 21, fax 03 85 35 63 27, domainemarcelcouturier@orange.fr, ☑ ⚘ ⊤ r.-v.

Ⓑ DOM. DE LA CROIX SENAILLET Davayé 2011 ★

	20 000	▮	8 à 11 €

À la recherche de la meilleure expression possible des terroirs mâconnais, les frères Richard et Stéphane Martin, codirigeants de ce domaine, ont opté pour sa conduite en culture bio. Les visites-dégustations qu'ils proposent en saison permettent de mieux en comprendre les méthodes et leur incidence sur les vins. Ce 2011 est un bon ambassadeur de ces pratiques. Paré d'une robe or pâle, il livre un nez gourmand et expressif dans lequel on décèle des notes fruitées classiques et d'autres, plus originales, de confiserie. La bouche suit la même ligne aromatique et offre une vivacité chantante en finale. Un digne représentant de l'appellation, à déguster sur une petite friture de poissons de la Saône, par exemple.

⌐ Dom. de la Croix Senaillet, GAEC Richard & Stéphane Martin, En Coland, 71960 Davayé, tél. 03 85 35 82 83, accueil@domainecroixsenaillet.com, ☑ ⚘ ⊤ t.l.j. 8h-12h 13h30-17h30; sam. dim. sur r.-v.

⌐ GAEC Martin

DOM. DE LA DENANTE Davayé 2011 ★

	9 000	▮	5 à 8 €

Robert Martin, qui s'investit depuis de nombreuses années dans des missions syndicales viticoles, a été rejoint sur le domaine par son fils Damien. Ensemble, ils ont construit une cuverie moderne afin d'améliorer la vinification des 12 ha qu'ils exploitent. Habillé d'un jaune pâle brillant, ce 2011 se révèle intense et fin à la fois, ouvert sur des notes de poire, de menthe sauvage et de mangue. Au palais, rondeur et fruit s'assemblent harmonieusement, tandis qu'en finale, les papilles sont titillées par une agréable pointe de vivacité. Idéal à l'heure de l'apéritif.

⌐ Damien Martin, Les Gravières, 71960 Davayé, tél. 03 85 35 82 88, fax 03 85 35 86 71, martin.denante@wanadoo.fr, ☑ ⚘ ⊤ t.l.j. 8h-19h; dim. sur r.-v.

DOM. DENUZILLER Solutré 2011 ★

	4 000	▮	5 à 8 €

Au cœur du village de Solutré, la famille Denuziller conduit ce domaine depuis 1919. Blottis au pied de la célèbre roche, les 14 ha de chardonnay sont exploités par Gilles et Joël, qui se sont associés en 1986 et ont développé la commercialisation en bouteilles (jusqu'alors, la production était vendue en vrac aux négociants locaux). Ils proposent ici un vin d'un or vert éclatant, qui diffuse d'agréables senteurs de pêche, de pomme et de poire. L'attaque, tout en souplesse, est le prélude à une bouche fruitée, fraîche et acidulée. « Bien mâconnais », déclare un juré conquis.

⌐ Dom. Denuziller, imp. de l'Église, 71960 Solutré-Pouilly, tél. 03 85 35 80 77, fax 03 85 35 83 38, domaine.denuziller@orange.fr, ☑ ⚘ ⊤ r.-v.

♥ DOM. PIERRE DESROCHES Solutré 2011 ★★

| 4 100 | ■ | 5 à 8 € |

Associé à sa compagne Stéphanie Saumaize, Pierre Desroches cultive leurs 7 ha de chardonnay dans le respect de l'environnement et du terroir ; le couple a notamment réintroduit les labours et l'enherbement. Les raisins cueillis à belle maturité sont ensuite vinifiés en cuve afin de conserver fraîcheur et complexité aromatique. Ce 2011, sublimé par une robe à reflets dorés, offre un nez pur et droit ; il fait défiler les senteurs du terroir (craie, pierre à fusil), puis celles du cépage (pêche de vigne, acacia, chèvrefeuille). Cette large palette se retrouve dans une bouche élégante, ample et fraîche, étayée par des saveurs minérales typiques qui lui donnent une belle allonge. Un vin harmonieux, frais et fin, qui se suffit à lui-même et qui s'appréciera dès aujourd'hui.

☛ Dom. Pierre Desroches, Les Berthelots, 71960 Solutré-Pouilly, tél. 06 21 85 67 60, pierredesroches@hotmail.fr, ☑ ⚥ ⏉ r.-v.

DOM. THIERRY DROUIN Vergisson La Roche 2011 ★

| 3 000 | ⏛ | 8 à 11 € |

Ce domaine établi sur les argilo-calcaires de Vergisson propose un 2011 de belle facture qui, après dix mois d'élevage en fût, se présente dans une robe jaune d'or soutenu. Le nez est encore légèrement dominé par le bois, mais on distingue déjà des parfums flatteurs de minéralité, de fruits compotés et de fleurs blanches. La bouche, quant à elle, s'équilibre parfaitement entre matière et vivacité, boisé et fruité, une touche de noisette venant souligner la longue finale. On servira volontiers ce vin sur une timbale de saint-jacques à la crème. À découvrir également, du même producteur, le **mâcon Bussières 2011 blanc Dom. du Vieux Puits (12 000 b.)**, qui obtient une étoile pour son harmonie entre les fruits et les épices.

☛ Thierry Drouin, Le Grand-Pré, 71960 Vergisson, tél. 03 85 35 84 36, contact@domaine-drouin.com, ☑ ⚥ ⏉ r.-v.

GEORGES DUBŒUF 2011

| 6 000 | ■ | 5 à 8 € |

La structure de négoce Les Vins Georges Dubœuf, créée en 1964, a réalisé 63 millions d'euros de chiffre d'affaires en 2011, dont 75 % à l'international, dans 120 pays. Elle compte 115 salariés, travaille avec près de 400 vignerons et 20 caves coopératives, et commercialise 21 millions de bouteilles par an. Un acteur de poids dans le paysage viticole, faut-il le préciser... Seules 6 000 bouteilles de cette aimable cuvée sont produites. Parée d'une lumineuse robe d'or, elle délivre d'intenses parfums de fruits mûrs (pêche de vigne, poire). Confirmant cette palette aromatique, la bouche est tapissée par une chair dense rehaussée d'un trait vif et citronné. À boire à l'apéritif, avec des gougères et des « boutons de culotte » bien secs.

☛ Les Vins Georges Dubœuf, 208, rue de Lancié, 71570 Romanèche-Thorins, tél. 03 85 35 34 20, fax 03 85 35 34 24, gduboeuf@duboeuf.com, ☑ ⚥ ⏉ t.l.j 10h-18h au hameau

♥ DOM. ELOY Milly Lamartine 2011 ★★

| 1 600 | ■ | 5 à 8 € |

De souche vigneronne, Jean-Yves Eloy s'est installé en 1987 au cœur de Fuissé, à quelques encablures de Pierreclos, son village d'origine. Aujourd'hui à la tête d'un domaine de 23 ha, il a repris avec son épouse l'ancien hôtel *La Vigne Blanche* pour y aménager des chambres d'hôtes. Mais revenons au vin et à ce 2011 qui a fait l'unanimité au sein du grand jury des coups de cœur. Brillant et limpide, ourlé d'or et de bronze, il offre un véritable panier de fruits : pêche de vigne, abricot, mirabelle, orange ou encore citron vert. Plein et gras, le palais se dévoile avec intensité et équilibre, et le fruité perçu au nez revient au galop dans une finale explosive et gourmande. En résumé, cette bouteille a tout pour plaire – même son prix – et devrait s'accorder à merveille avec un tajine aux amandes et aux abricots. Le **mâcon-villages 2012 (30 000 b.)**, complexe (miel, fleurs blanches, pistache, agrumes), rond et délicat, obtient une étoile.

☛ Jean-Yves Eloy, Le Plan, 71960 Fuissé, tél. 03 85 35 67 03, fax 03 85 35 67 07, domaine.eloy@9business.fr, ☑ ⚥ ⏉ r.-v. 🏠 ❷

♥ FICHET Igé La Cra Cuvée Prestige 2011 ★★

| 8 000 | ⏛ | 11 à 15 € |

En 1976, Francis Fichet se retire de la cave coopérative du village à laquelle sa famille adhérait depuis deux générations. En 1999, il passe les rênes à ses deux fils Pierre-Yves et Olivier qui, depuis lors, n'ont eu de cesse d'agrandir le domaine passé de 11 à 26 ha aujourd'hui. Le tandem a consacré 1,5 ha à ce millésime d'emblée charmeur par l'or jaune de sa robe, puis par le mariage réussi des raisins bien mûrs (pâte de coings) avec un boisé très fin qui sait se montrer discret. Cette harmonie se prolonge au palais, où la chair riche et ronde est relevée par une fine vivacité minérale. « Les arômes vivent et évoluent au fur et à mesure de la dégustation, c'est un régal ! » conclut un juré enchanté.

☛ EARL Pierre-Yves et Olivier Fichet, 651, rte d'Azé, Le Martoret, 71960 Igé, tél. 03 85 33 30 46, fax 03 85 33 44 45, domaine-fichet@wanadoo.fr, ☑ ⚔ ⌇ t.l.j. 8h-12h 13h-18h30 ; dim. sur r.-v.

DOM. OLIVIER FICHET Burgy Les Verchères 2011 ★★

	2 500	⦿	11 à 15 €

C'est en 2005 qu'Olivier Fichet acquiert cette exploitation (il gère aussi le domaine familial avec son frère Pierre-Yves) située à Burgy et spécialisée dans la production de crémant-de-bourgogne. Il décide de produire uniquement des vins tranquilles, sélectionne les parcelles et crée trois vins : un primeur blanc, un mâcon-villages en bouteilles à vis destiné à l'export et cette cuvée Les Verchères issue de ceps âgés de plus de soixante ans enracinés sur l'un des plus beaux terroirs de Burgy. Ce 2011 est, comme souvent, remarquable : robe or pâle à reflets argent ; nez précis et joliment boisé, dans lequel on distingue d'intenses arômes de fruits mûrs et de brioche ; palais tout aussi aromatique, charnu et long, qui complète le portrait de ce mâcon des plus harmonieux. « Un grand vin de belle origine ! » concluent les dégustateurs, qui conseillent de le servir sur une volaille à la crème, au cours des deux prochaines années.

☛ Dom. Olivier Fichet, Vignoble de Burgy, 71960 Igé, tél. 06 85 60 11 13, fax 03 85 33 44 45, olivier.fichet@wanadoo.fr, ☑ ⚔ ⌇ t.l.j. sf dim. 8h-18h30

DOM. MARC GREFFET Solutré-Pouilly 2011

	n.c.	⦿	5 à 8 €

N'ayant pas de mâcon blanc dans son escarcelle, le père de Marc Greffet décide à la fin des années 1960 de vendre ses vaches qui paissaient dans les prés au pied de la célèbre roche de Solutré, et de planter ceux-ci en chardonnay. Ces raisins donnent ici naissance à une cuvée dorée, limpide et brillante, qui libère peu à peu des notes de fruits exotiques et d'agrumes mêlées au boisé de l'élevage. Après une attaque franche apparaissent en bouche d'agréables saveurs florales. L'ensemble est harmonieux et plaisant, et prêt à boire.

☛ Marc Greffet, rte de la Roche, 71960 Solutré-Pouilly, tél. 03 85 35 83 82, fax 03 85 35 84 24, dom.marc.greffet@club-internet.fr, ☑ ⚔ ⌇ r.-v.

LUDOVIC GREFFET 2011 ★★

	1 000	⬛⦿	5 à 8 €

Élevé à la vigne par son père dès son plus jeune âge et fort de plusieurs expériences auprès de vignerons de Savigny-lès-Beaune et de Châteauneuf-du-Pape, Ludovic Greffet, quatrième du nom, s'est installé en 2000 à la tête du domaine familial. Il signe un mâcon superbe, orné d'or, qui a attiré l'attention du jury par l'intensité de sa palette aromatique à dominante de beurre frais et de fruits blancs, ainsi que par sa minéralité. En bouche se mêlent harmonieusement richesse et fraîcheur, soulignées par des arômes de fruits blancs. Ce vin d'une rare intensité pourra accompagner un poisson noble ou un homard, dès aujourd'hui.

☛ Ludovic Greffet, Impasse du Forgeron, 71960 Solutré-Pouilly, tél. 06 23 75 35 22, ludo.greffet@orange.fr, ☑ ⚔ ⌇ r.-v.

CH. DE LA GREFFIÈRE Serrières La Croix 2011 ★

	1 500	⦿	8 à 11 €

La visite du musée du château de la Greffière et des caves vous fera découvrir le métier de vigneron, de la vigne à la bouteille, et par là-même la passion d'Isabelle et de Vincent Greuzard depuis le début du siècle dernier. Vous pourrez y voir les outils des métiers d'autrefois (forgeron, tonnelier...). En clôture, les visiteurs sont invités à déguster les vins du domaine. Demandez à goûter cet excellent mâcon rouge profond à reflets auburn. L'olfaction décline des notes aimables de fruits rouges et de noisette. Le palais, tout en légèreté, marie harmonieusement les saveurs de cerise burlat et de framboise à une trame tannique en dentelle. Un 2011 très agréable, à boire sur son fruit avec charcuteries et viandes grillées. Encore austère mais bien « vivant » et frais, le **mâcon blanc 2011 La Roche Vineuse Les Ronzettes (11 à 15 € ; 1 500 b.)** est cité.

☛ Ch. de la Greffière, rte de Verzé, 71960 La Roche-Vineuse, tél. 03 85 37 79 11, fax 03 85 36 62 88, chateaudelagreffiere@free.fr, ☑ ⚔ ⌇ t.l.j. sf dim. 9h-12h 14h-18h

DOM. GUERRIN ET FILS Vergisson Les Rochers 2011 ★★

	15 000	⬛	5 à 8 €

Maurice Guerrin, épaulé depuis peu par son fils Bastien, cultive chaque terroir indépendamment pour « plus de précision et d'authenticité », affirme-t-il. À la vigne, il limite les rendements, travaille le sol et éclaircit les ceps. En cave, il laisse faire les choses lentement ; les levures sont celles du terroir, et il se montre le moins interventionniste possible. Le résultat est ici remarquable avec cette cuvée d'un bel or limpide et brillant, qui a vu le jour sur le calcaire et qui a grandi dans l'Inox en présence des lies. Le nez s'ouvre sur des notes d'agrumes et de fruits exotiques. Après une attaque vive et tonique se développe une matière à dominante fruitée, dynamisée par une finale fraîche et persistante. On appréciera ce vin dès à présent, à l'apéritif, avec des toasts au saumon et des gougères.

☛ Dom. Maurice Guerrin et Fils, 572, rte des Bruyères, 71960 Vergisson, tél. 03 85 35 80 25, guerrin.maurice@wanadoo.fr, ☑ ⚔ ⌇ r.-v.

DOM. GUEUGNON REMOND Charnay Vieilles Vignes 2011

	4 700	⦿	8 à 11 €

Les vieux chardonnays plantés en 1947 se sont bien épanouis sur les sols à dominante calcaire des coteaux de Charnay, bourgade limitrophe de la préfecture, Mâcon. Ils ont donné naissance à ce 2011 paré d'une robe d'or lumineuse, qui exhale d'intenses parfums d'abricot et de pêche soulignés de notes vanillées. La bouche se révèle chaleureuse et puissante, dans un environnement encore marqué par le bois. Deux ans de garde offriront à ce vin un épanouissement complet.

☛ Dom. Gueugnon Remond, 117, chem. de la Cave, 71850 Charnay-lès-Mâcon, tél. 03 85 29 23 88, vinsgueugnonremond@free.fr, ☑ ⚔ ⌇ r.-v.
☛ J.-C. Remond

DOM. MARC JAMBON ET FILS Pierreclos
Cuvée Fût de Chêne 2011 ★

	4 660	⦿	8 à 11 €

Ce domaine est l'une des valeurs sûres de l'appellation (il a d'ailleurs obtenu la Grappe de bronze de l'édition 2012 pour son Pierreclos rouge 2009). Habillé d'or, le blanc version 2011 fait belle figure et dévoile un bouquet expressif sur les fruits mûrs, la brioche et le beurre frais, signes d'un boisé bien dosé. À la fois gras et frais, le palais au bel équilibre livre d'intenses arômes d'agrumes et une pointe de vanille en finale. Fruit d'un mariage très réussi entre le vin et le fût, pas toujours facile à réaliser en mâcon, cette cuvée s'appréciera volontiers sur un foie gras poêlé. Bien bâti, généreux et gourmand, riche de senteurs de griotte et de framboise, le **mâcon Pierreclos Cuvée classique 2011 rouge (5 à 8 €; 1 268 b.)** obtient également une étoile.

🕯 Dom. Marc Jambon et Fils, 38, imp. de la Roche, 71960 Pierreclos, tél. 03 85 35 73 15, domainemarcjambon@orange.fr, ☑ ⚥ 𝚈 r.-v.

DOM. LACHARME ET FILS La Roche Vineuse
Sélection de vieilles vignes 2011

■	3 820	⬚	5 à 8 €

Les sols argilo-calcaires des collines de La Roche Vineuse accueillent ces gamays plantés en 1953, année de la création du domaine par Blanche et Maurice Lacharme. C'est aujourd'hui leur fils aîné Gérard et leur petit-fils Sébastien qui président aux destinées de la propriété. D'un rouge dense orné d'un halo violet, ce 2011 dévoile des parfums de fraise et de framboise nuancés de notes de pain grillé et relayés par une bouche tannique, ferme et généreuse. Une bouteille à attendre un an ou deux avant de la servir sur un onglet de bœuf au piment d'Espelette.

🕯 Dom. Lacharme et Fils, Le Pied-du-Mont, 71960 La Roche-Vineuse, tél. 03 85 36 61 80, fax 03 85 37 77 02, domlacharme@hotmail.com, ☑ ⚥ 𝚈 r.-v.

LORON & FILS Fuissé 2011

■	10 000	▯	11 à 15 €

Maison de négoce bien connue, spécialisée dans les vins du Beaujolais et du Mâconnais, Loron propose un mâcon simple et classique, qui s'affiche dans une robe brillante, jaune clair, le nez franc et empreint de notes de fleurs blanches et de fruits jaunes. L'équilibre est présent en bouche autour d'une vivacité primesautière qui apporte dynamisme et persistance. À apprécier dès aujourd'hui avec des cuisses de grenouilles.

🕯 Jean Loron, RN 6, 71570 Pontanevaux, tél. 03 85 36 81 20, fax 03 85 33 83 19, vinloron@loron.fr
🕯 Xavier Barbet

DOM. ROGER LUQUET Les Mulots 2011

■	21 000	▯	5 à 8 €

Ce domaine familial établi au cœur du village de Fuissé exploite 27 ha de vignes, exclusivement en chardonnay. La parcelle Les Mulots est située à Cortevaix, petit village entre Cluny et Cormatin, à 30 km de Fuissé. Cortevaix était, il y a cinquante ans, un village viticole à part entière. Mais les difficultés économiques ont eu raison de la vigne, que les viticulteurs ont progressivement abandonnée au profit d'autres cultures (céréales). Roger Luquet et ses enfants ont relevé le défi en recréant à partir de 1992 le paysage viticole d'autrefois. D'une grande clarté, ce 2011 tonique offre un nez frais et citronné relayé par une bouche d'une belle tenue, notamment par sa matière fruitée et florale, et par sa finale vive et minérale.

🕯 Dom. Roger Luquet, rue du Bourg, 71960 Fuissé, tél. 03 85 35 60 91, fax 03 85 35 60 12, domaine@domaine-luquet.com, ☑ ⚥ 𝚈 t.l.j. sf dim. 8h-18h

DOM. DES MAILLETTES Davayé Les Belouzes 2011 ★

	12 000	■	5 à 8 €

Touché dès son plus jeune âge par le virus de la viticulture en accompagnant ses parents dans les vignes, Guy Saumaize s'est tout naturellement orienté vers le métier de vigneron, mais il a également créé une pépinière, reconnue et fréquentée par de nombreux producteurs de la région. Depuis sa disparition brutale au printemps dernier, son fils Guillaume a repris le flambeau, épaulé par Annie, sa mère. Ce 2011 à la teinte d'or s'ouvre sur des senteurs à la fois toniques et gourmandes de pêche blanche et de fleurs blanches (acacia, aubépine et chèvrefeuille). Franc en attaque, le palais se fait rond et souple, avant de dévoiler une finale pleine de fraîcheur. Pour un tartare de cabillaud au citron vert et à l'avocat, par exemple.

🕯 Guy Saumaize, Dom. des Maillettes, 71960 Davayé, tél. 03 85 35 82 65, fax 03 85 35 86 69, guy.saumaize.maillette@wanadoo.fr, ☑ ⚥ 𝚈 t.l.j. sf dim. 9h-12h30 13h30-19h; f. août

VIGNERONS DE MANCEY Chardonnay 2011

	9 300	▯	8 à 11 €

Fondée en 1929, la coopérative de Mancey est établie à quelques kilomètres de Tournus et de la Saône. Son terroir occupe la pointe des collines du Mâconnais, région ouverte, faite de douceur et de courbes sur lesquelles grimpent les vignes et paissent les chèvres. La cave mène un important travail de sélection des meilleures parcelles et propose ici un mâcon or pâle au nez complexe dominé par l'élevage en fût (vanille, toast grillé), qui laisse néanmoins poindre aussi les accents du terroir (minéralité) et du cépage (fruits blancs). Tous ces arômes se retrouvent dans une bouche fraîche de bonne longueur. On attendra une année ou deux que l'ensemble s'affine, avant de lui réserver un saumon fumé ou gravlax.

🕯 Cave des Vignerons de Mancey, RN 6, En Velnoux, BP 100, 71700 Tournus, tél. 03 85 51 00 83, fax 03 85 51 71 20, contact@cave-mancey.com, ☑ ⚥ 𝚈 t.l.j. 8h-12h 14h-18h

JEAN MANCIAT Charnay Vieilles Vignes 2011

	2 080	▯	11 à 15 €

Après des études à la « Viti » de Beaune, Jean Manciat revient en 1985 dans le petit domaine familial de 3 ha. Il renouvelle alors les trois quarts du vignoble avec des sélections massales et clonales de chardonnay. Par la suite, il élimine certaines pratiques culturales peu écologiques, comme les herbicides, et maintient une lutte « plus risquée que raisonnée », comme il se plaît à le dire. Le prélude à un passage en culture biologique ? Après une récolte manuelle, un pressurage en grappes entières, une vinification avec levures indigènes, sans enzymes ni adjuvants œnologiques hormis le soufre, cette cuvée a été élevée onze mois en fût. Elle se présente dans une attrayante robe jaune d'or. Le nez reste sous l'emprise du bois, même si l'on distingue de beaux arômes fruités en formation. Même constat au palais, où le boisé domine, mais la matière et la fraîcheur du terroir sont là pour bien « digérer » le fût. Il faut seulement accorder un peu de temps à ce vin prometteur – un an au plus.

🕯 Jean Manciat, Levigny, 557, chem. des Gérards, 71850 Charnay-lès-Mâcon, tél. 03 85 34 35 50, dom.jeanmanciat@orange.fr, ☑ ⚥ 𝚈 r.-v.

MARIE-PIERRE MANCIAT Les Morizottes 2011 ★

| | 6 000 | | 8 à 11 € |

Héritière de cinq générations de vignerons, Marie-Pierre Manciat a suivi la trace de ses aïeux en reprenant en 2002 ce domaine familial de 22 ha. Exportant près de 90 % de sa production à l'étranger, elle a tout de même souhaité proposer ces Morizottes au jugement des dégustateurs du Guide. Ces derniers ont apprécié une belle parure dorée d'où s'échappent de fines senteurs florales agrémentées de notes d'ananas et de fruit de la Passion. L'attaque sur la fraîcheur, met en évidence un équilibre réussi entre vivacité et rondeur, entre fruits exotiques et citron vert. Ce vin « fond dans la bouche », conclut un juré, et il sera parfait pour l'apéritif.
➥ Marie-Pierre Manciat, 217, rue Saint-Vincent, 71570 Chaintré, tél. 03 85 35 61 50, mpmanciat@orange.fr, ☑ ⚥ Ⓨ r.-v.

MANOIR DU CAPUCIN Solutré-Pouilly Délice 2011 ★

| | 7 600 | | 8 à 11 € |

Arrière-petite-fille du fondateur du domaine Antoine Forest, Chloé Bayon s'est associée à son ami Guillaume Pichon, rencontré lors de ses études de viticulture-œnologie, pour reprendre en 2002 ce vignoble de 12,5 ha jusqu'alors exploité par des métayers. Depuis, elle s'invite régulièrement dans ces pages et signe ici un 2011 séduisant. La robe est d'un seyant jaune vif. Le nez, ouvert et complexe, rappelle les fleurs blanches et les fruits exotiques. L'attaque tout en fraîcheur introduit une matière charnue et fruitée, soutenue en finale par une minéralité de belle origine. Un vin bien représentatif du Mâconnais, à servir sans trop attendre sur un poisson en papillote.
➥ Chloé Bayon, Le Plan, 71960 Fuissé, tél. et fax 03 85 35 87 74, manoirducapucin@yahoo.fr, ☑ ⚥ Ⓨ r.-v.

DOM. MATHIAS Chaintré 2011 ★

| | 12 000 | | 5 à 8 € |

L'année 2013 marque la fin de la conversion bio du domaine de Gilles Mathias. Installé depuis 1992, le vigneron s'est persuadé après vingt ans de métier qu'il y avait une autre voie possible, même si le pas allait être difficile à franchir. Pari réussi avec ce millésime 2011 finement taillé. Paré d'une délicate robe or pâle, il offre des senteurs de petites fleurs et de citron. Sa bouche, légèrement perlante, se montre ample et vive. Un vin dynamique, à garder une année avant de le servir à l'apéritif sur de petits fromages de chèvre.
➥ Dom. Mathias, 225, rue Saint-Vincent, 71570 Chaintré, tél. 03 85 27 00 50, contact@domaine-mathias.fr, ☑ ⚥ Ⓨ t.l.j. 10h-19h

ÉVELYNE ET DOMINIQUE MERGEY Fuissé
Les Grandes Bruyères 2011 ★

| | n.c. | | 8 à 11 € |

Évelyne et Dominique Mergey ont deux passions communes : le vin et... les 2 CV Citroën ; passions qu'ils mêlent en proposant aussi aux clients du domaine des randonnées en voiture à travers les merveilleux paysages du Beaujolais et du Mâconnais, et plus particulièrement ces Grandes Bruyères à Fuissé, lieu de naissance de cette cuvée. Vêtue d'or pâle, celle-ci brille dans le verre. Son nez de grande intensité allie la vanille de l'élevage en foudre sur lies fines aux fleurs blanches du cépage. La bouche se montre tout aussi loquace et offre un bel équilibre entre le

bois, le gras et la fraîcheur. Son harmonie permettra de se faire plaisir dès aujourd'hui, mais cette bouteille pourra également vieillir sagement au fond de votre cave une ou deux années supplémentaires.
➥ Évelyne Mergey, Le Bouteau, 71570 Leynes, tél. 03 85 23 80 87, fax 09 60 15 92 72, d.mergey@gmail.com, ☑ ⚥ Ⓨ r.-v. 🏠 ➍

JEAN-PIERRE MICHEL Terroir de Quintaine 2011 ★★

| | n.c. | | 8 à 11 € |

Jean-Pierre Michel, qui a acquis sa première parcelle en 1981, travaille depuis, à la vigne comme au chai, avec une technique des plus respectueuses du terroir et des raisins : labour total (buttage, débuttage, sarclage), pas d'utilisation d'herbicides chimiques, vendanges manuelles, pressurage par grappes entières et triées, pas de chaptalisation... Bref, une démarche qu'il définit comme « réfléchie et pragmatique ». Il signe ici un vin exemplaire par son côté aérien, dans lequel les notes de fougère et de clémentine apportent fraîcheur et finesse, au nez comme en bouche. Une élégante pointe minérale en finale participe à cette légèreté et conclut plaisamment la dégustation. « Super harmonie, à faire pâlir certains voisins plus prestigieux ! », écrit un juré enthousiaste, qui conseille de boire ce mâcon-villages dès maintenant avec un poisson grillé.
➥ Jean-Pierre Michel, pl. de Quintaine, 71260 Clessé, tél. et fax 03 85 23 04 82, vinsjpmichel@orange.fr, ☑ ⚥ Ⓨ r.-v.

DOM. PAIRE Azé 2011 ★

| | 29 000 | | 5 à 8 € |

Cette maison de négoce dirigée par Jean-Pierre Nié est installée à Beaune. Elle propose un mâcon rouge dont les raisins de gamay provenant du domaine Paire, à Azé, ont été vinifiés à la cave coopérative du village. Rouge rubis à l'œil, ce 2011 développe un nez intéressant de fruits noirs (myrtille et mûre) associés à des notes de sous-bois. Le palais est rond, gourmand et fruité à souhait. À servir accompagné de charcuteries fines (terrines, pâtés, jambons...) ou d'une salade estivale.
➥ Compagnie des Vins d'Autrefois, 3, pl. Notre-Dame, 21200 Beaune, tél. 03 80 26 33 00, fax 03 80 24 14 84, cva@cva-beaune.fr

PASCAL PAUGET Terroir de Prety 2011 ★★

| | 3 000 | | 11 à 15 € |

Si le vignoble du Mâconnais est entièrement situé à l'ouest de la Saône, un petit éclat de calcaire à l'est de Tournus, rive gauche, a servi de berceau au gamay noir à jus blanc qui a contribué à l'élaboration de ce 2011 d'un beau pourpre puissant souligné de rubis. À l'olfaction se dévoilent d'intenses parfums de fruits rouges et de fleurs fraîches qui mettent l'eau à la bouche. Pas de déception au palais : il attaque en fanfare, révélant une matière opulente étayée par une structure tannique fine et veloutée. La finale majestueuse s'étire longuement sur des notes de cerise croquante. Accord très gourmand en perspective avec une côte de bœuf grillée, d'ici deux ou trois ans.
➥ Pascal Pauget, Les Crets, 71700 Ozenay, tél. 03 85 32 53 15, pauget.pascal@wanadoo.fr, ☑ ⚥ Ⓨ r.-v.

CAVE DU PÈRE TIENNE Milly-Lamartine Élevé en fût 2010 ★

| | 20 000 | | 5 à 8 € |

Le domaine, créé de toutes pièces en 1992, étend aujourd'hui ses vignes sur 5 ha, dont 4,7 ha de gamay noir à jus blanc. Ce cépage fait la réputation de la Cave du Père Tienne, conduite par Agnès et Éric Panay, et régulièrement sélectionnée dans ces colonnes. Une gageure dans une région surtout renommée pour ses vins blancs... Une seyante robe rouge vif en évolution introduit un bouquet mûr de petits fruits rouges et noirs soulignés de touches minérales et fumées. Franche, ronde et bien fondue, la bouche offre un bel équilibre, portée par des tanins doux, et l'harmonie règne de l'attaque à la finale. Un mâcon à savourer dès aujourd'hui sur des grives rôties, bien qu'il soit aussi apte à la garde (deux à cinq ans).

☞ Cave du Père Tienne, Le Clos, 71960 Sologny, tél. 03 85 37 78 05, fax 03 85 37 75 95, caveduperetienne@wanadoo.fr,

☑ ⚒ ⏄ t.l.j. 8h-19h; f. du 15 au 31 janv.

L'ŒUVRE DE PERRAUD La Roche Vineuse 2011 ★

| | 2 700 | ⏛ | 11 à 15 € |

Nés sur les coteaux calcaires de La Roche Vineuse, les raisins de cette cuvée ont bénéficié d'une belle maturité, comme en témoigne la palette fruitée du nez auquel la vinification et l'élevage en fût confèrent une empreinte vanillée et beurrée. Le palais se révèle ample et gourmand, soutenu par une belle trame boisée qui sert de fil conducteur tout au long de la dégustation. Un joli mariage d'un chardonnay de bonne origine et d'un élevage sous bois bien réussi. À réserver toutefois aux amateurs de vins boisés.

☞ Perraud, Nancelle, 71960 La Roche-Vineuse, tél. 03 85 32 95 12, fax 03 85 32 95 14, domaineperraud@gmail.com, ☑ ⚒ ⏄ r.-v.

DOM. CHRISTOPHE PERRIN Bray La Guenon 2011

| | 2 300 | ⏛ | 5 à 8 € |

Originaire de Chambolle-Musigny, Christophe Perrin a travaillé dix ans à Vosne-Romanée dans deux domaines viticoles avant de s'installer en 2009 sur ses 3,4 ha de vignes à Bray, dans le Clunysois. Il propose un 2011 issu de gamays âgés de quarante ans, drapé dans une robe rouge à reflets violets. D'abord discret, le nez s'ouvre doucement sur des notes de petits fruits rouges. La bouche, agréable et équilibrée, charme par sa simplicité.

☞ Christophe Perrin, Chazeux, 71460 Chissey-lès-Mâcon, tél. 03 85 50 05 23, domaine.christopheperrin@orange.fr, ☑ ⚒ ⏄ t.l.j. 8h-12h 13h30-19h30

DOM. LES PERSERONS Charnay-lès-Mâcon
Vieilles Vignes 2011 ★★

| | 8 789 | ⏛⏛ | 5 à 8 € |

Créée en 1929, la cave coopérative de Charnay-lès-Mâcon regroupe un vignoble de près de 120 ha qui s'étend sur les coteaux calcaires du Mâconnais. Elle propose ici deux cuvées de belle facture. Un élevage de sept mois sous bois a donné naissance à ce vin couleur vieil or au nez intense et complexe de citron, de pâtisserie et de litchi. La bouche ample et ronde est parcourue par une fine acidité aux accents minéraux qui l'équilibre et l'allonge. Une belle bouteille, tout en finesse, à boire pour elle-même ou sur des cuisses de grenouilles. Le **mâcon Charnay-lès-Mâcon 2011 blanc (11 000 b.)**, élevé en cuve, obtient quant à lui une étoile pour son étoffe dorée, son olfaction minérale et citronnée, et pour son équilibre entre gras et acidité.

☞ Cave de Charnay-lès-Mâcon, En Condemine, 71850 Charnay-lès-Mâcon, tél. 03 85 34 87 32, michael.dafre@cave-charmay.com, ☑ ⚒ ⏄ r.-v.

DOM. DANIEL POLLIER Fuissé 2011 ★

| | 8 088 | 🍶 | 5 à 8 € |

Ce domaine familial d'un peu plus de 13 ha, exploité depuis quatre générations par la famille Pollier, est situé au cœur du bucolique village de Fuissé. Adepte de la modernité, avec une approche très technique du métier de vigneron, Daniel Pollier récolte ses chardonnays à la machine, puis vinifie et élève son vin dix mois en cuve. Il en résulte un mâcon jaune clair brillant et au nez frais de fruits blancs et de fruits exotiques. La bouche, ronde et tout aussi aromatique, s'enrichit de saveurs de poire en finale. Un joli 2011 à boire dès aujourd'hui, avec une terrine de poisson.

☞ EARL Dom. Daniel Pollier, Le Bourg, 71960 Fuissé, tél. et fax 03 85 35 66 85, domaine.daniel.pollier@club-internet.fr, ☑ ⚒ ⏄ r.-v. 🏠 ➍

DOM. ROMANIN 2012 ★

| | 4 000 | 🍶⏛ | 5 à 8 € |

Le chardonnay semble s'être bien épanoui sur ce sol argilo-calcaire. Après une vendange mécanique en septembre, ses raisins ont été vinifiés puis élevés pour partie en fût durant quatre mois. Cela donne un 2012 pâle, fringant et expressif, qui offre un nez simple, mais intense, de fleurs blanches. La bouche, droite et vive, finit sur un panier de fruits frais. Un mâcon sans forfanterie et très agréable, que l'on réservera pour l'apéritif dès la sortie du Guide.

☞ Dom. Romanin, Le Bourg, 71960 Fuissé, tél. 06 85 42 09 62, fax 03 85 32 90 22, domaine.romanin@orange.fr, ☑ ⚒ ⏄ r.-v.

☞ Vervier

DOM. DE LA SARAZINIÈRE Bussières Les Devants 2011 ★

| | 7 000 | ⏛ | 8 à 11 € |

Philippe Trébignaud, valeur sûre de l'appellation, voit deux de ses cuvées saluées dans cette édition. Les lecteurs fidèles se souviennent sans doute d'un coup de cœur pour ce même Bussières rouge dans sa version 2009. Le domaine tient son rang avec le 2011 né de ceps de soixante-quinze ans plantés sur un sol argilo-calcaire. Les raisins, cueillis à la main, ont été égrappés pour une cuvaison longue et une fermentation naturelle. L'élevage de douze mois en fût n'a pas laissé de trace. Rouge rubis à reflets violets, le vin mêle délicatement à l'olfaction les épices douces aux fruits noirs, tandis que la bouche, équilibrée et bien construite, s'étire longuement sur des notes gourmandes de mûre. Le **mâcon Bussières Le Pavillon 2010 blanc (6 000 b.)**, élevé dix-huit mois en cuve, expressif et charmeur (tilleul, confiture de cynorhodons et fleurs blanches de printemps), obtient également une étoile.

☞ Philippe Trébignaud, Dom. de la Sarazinière, 71960 Bussières, tél. 06 11 96 85 27, philippe.trebignaud@wanadoo.fr, ☑ ⚒ ⏄ r.-v.

♥ JACQUES SAUMAIZE Bussières Montbrison 2011 ★★

| | 4 900 | ⏛ | 8 à 11 € |

Vignerons unanimement reconnus pour leur savoir-faire et la qualité de leur production, Jacques et Nathalie Saumaize excellent une fois de plus avec ce magnifique Bussières. Ce 2011 est issu d'une parcelle située à la limite de l'appellation pouilly-fuissé, sur un sol composé de limons purs avec un recouvrement plus argileux et une forte présence de cailloux. Drapé d'un or blanc éclatant, il dévoile un bouquet puissant qui mêle intimement des

MÂCON-BUSSIÈRES

APPELLATION MÂCON-BUSSIÈRES PROTÉGÉE

"MONTBRISON"

2011

JACQUES SAUMAIZE

senteurs très gourmandes d'agrumes et de friandises. La même palette aromatique, agrémentée de notes minérales, parcourt longuement une bouche tout à la fois dense, riche, dynamique et tonique, qui finit sur une fraîche note citronnée. Déjà plaisant aujourd'hui à l'apéritif, ce vin pourra être conservé deux ou trois ans ; il tiendra alors tête à des mets riches, comme une poularde de Bresse à la crème et aux morilles.

☛ Jacques Saumaize, 746, rte des Bruyères, 71960 Vergisson, tél. 03 85 35 82 14, jacquessaumaize@orange.fr, ☑ ⚷ Ⲧ r.-v.

GÉRALD & PHILIBERT TALMARD Chardonnay
Cuvée Joseph Talmard 2011

	113 000	∎	5 à 8 €

Cette cuvée rend hommage au grand-père Joseph, fondateur du domaine. Elle porte beau dans sa robe jaune clair au liséré doré. Au nez, les agrumes mènent la danse, puis font un pas de deux avec les fleurs blanches dans une bouche vive et tonique, voire un peu nerveuse en finale. L'ensemble reste harmonieux et s'appréciera dans les deux ou trois ans à venir avec les produits de la mer.

☛ EARL Gérald Talmard, rue des Fosses, 71700 Uchizy, tél. 03 85 40 53 18, fax 03 85 40 53 52, gerald.talmard@wanadoo.fr, ☑ ⚷ Ⲧ t.l.j. 8h30-18h30; dim. 8h30-12h

MALLORY ET BENJAMIN TALMARD 2011 ★

	40 000	∎	5 à 8 €

Au XVIIᵉs., on mentionne déjà le patronyme Talmard dans les annales viticoles d'Uchizy. En 1997, Paul Talmard a passé le relais à sa fille Mallory et à son gendre Benjamin, qui lui ont succédé avec succès. Témoin ce mâcon délicat et complexe, qui mêle au nez des parfums de fruits croquants et juteux, et de guimauve. La bouche affiche un bel équilibre entre rondeur, suavité et vivacité. Un joli 2011 à servir à l'apéritif.

☛ Mallory et Benjamin Talmard, rte de Chardonnay, 71700 Uchizy, tél. 03 85 40 55 57, fax 03 85 40 54 81, paul.talmard@wanadoo.fr, ☑ ⚷ Ⲧ t.l.j. 8h-12h 13h30-18h

DOM. DES TEPPES DE CHATENAY 2011 ★

	20 000	∎	8 à 11 €

Cet ancien vignoble des moines de Cluny, situé à Azé, fut dévasté par le phylloxéra et laissé en friche pendant plus d'un siècle, avant que Jean-Pierre Teissèdre le replante de chardonnays en 1985. Rejoint par son fils, ce dernier a engagé la conversion de l'ensemble de ses 8 ha à l'agriculture biologique. Il récolte une étoile avec cette cuvée à la robe dorée nuancée de reflets vert tendre. Le nez marie de façon harmonieuse des notes minérales de pierre à fusil aux agrumes et à l'aubépine. Ces arômes se retrouvent en bouche, où puissance et rondeur sont équilibrées par la présence de touches citronnées et de saveurs d'ananas. Ce vin vineux et généreux s'accordera parfaitement avec un mets riche, comme un poulet de Bresse à la crème.

☛ Jean-Pierre Teissèdre, Les Grandes-Bruyères, 69460 Saint-Étienne-des-Oullières, tél. 04 74 03 48 02, fax 04 74 03 46 33, jp-teissedre.earl@wanadoo.fr, ☑ ⚷ Ⲧ t.l.j. 9h30-12h 14h-18h; sam. dim. sur r.-v.

THÉVENET & FILS Serrières
Vieilles Vignes Fût de chêne 2011

	2 664	▥	5 à 8 €

L'arrière-grand-père était vigneron au château de Pierreclos. Le grand-père paternel créa l'exploitation en 1952, après s'être remis de la déportation. Le père Jean-Claude Thévenet reprit le domaine en 1971 et développa la vente en bouteilles. Il fit prospérer l'entreprise, pour la porter de 3 ha à son début, à 30 ha en 2008, année de son décès. Aujourd'hui, ce sont ses fils Benjamin, Jonathan et Aurélien qui poursuivent l'œuvre familiale. Ils signent ici une cuvée jugée atypique, qui a connu le fût pendant une année. Elle en garde quelques souvenirs, notamment un nez vanillé et toasté. La bouche se révèle agréable et gourmande, offrant un joli grain de tanin. À boire dès à présent avec une entrecôte charolaise.

☛ Vignobles Thévenet et Fils, Le Bourg, 200, rte de Serrières, 71960 Pierreclos, tél. 03 85 35 72 21, fax 03 85 35 72 03, thevenetetfils@orange.fr, ⚷ Ⲧ t.l.j. 7h30-12h 13h30-18h; sam. dim. sur r.-v.

DOM. JEAN TOUZOT Vieilles Vignes 2011 ★★★

	24 000	∎	5 à 8 €

Bourgogne de Vigne en Verre est le prolongement commercial de dix-huit domaines bourguignons qui se sont regroupés pour faciliter la distribution de leur production. L'un des adhérents est la Cave des Vignerons de Mancey, qui propose cet exceptionnel mâcon, produit par le domaine Jean Touzot. Tout commence en 1946. Louis Touzot cultive alors 3 ha de vignes mais élève également quelques vaches. En 1969, son fils Jean et son épouse Josiane s'installent à leur tour et agrandissent de 3 ha le domaine, dont la récolte est livrée à la cave coopérative de Mancey. Frédéric rejoint ses parents en 2001 avec 4 ha de plus. Ce vin se distingue d'emblée par son éclat d'or et par son olfaction riche et complexe : minéralité, pêche, abricot et crème fraîche. L'attaque se fait en douceur, puis arrive une fine vivacité en soutien d'une matière ample et charnue. Un mâcon expressif et frais, d'un équilibre parfait, à savourer dès maintenant sur un risotto crémeux aux saint-jacques. Également proposés par Bourgogne de Vigne en Verre, le **mâcon-villages Dom. des Verchères 2011** (36 000 b.), équilibré, frais et persistant, décroche deux étoiles, tandis que le **mâcon Mancey Dom. Chapuis 2011 rouge** (5 000 b.), fruité et épicé, obtient une étoile.

☛ Bourgogne de Vigne en Verre, BP 100, RN 6, 71700 Tournus, tél. 03 85 51 00 83, fax 03 85 57 71 20, contact@bourgogne-vigne-verre.com, ☑ Ⲧ r.-v.

DOM. VAUPRÉ Solutré Cuvée Prestige 2011 ★★

	4 650	🍶	5 à 8 €

Depuis l'arrivée du fils Florent en 2009, l'ensemble du vignoble familial est labouré ou enherbé, les traitements sont raisonnés, la vinification se fait avec les levures indigènes, et les élevages sur lies se sont allongés jusqu'à la mise en bouteilles. Teinté d'un or aux reflets vert « fluo », ce 2011 envoûte par sa riche palette aromatique où l'on distingue les agrumes, le menthol et la fougère. Son attaque souple et agréable est relayée par une matière riche et dense, qui s'achève en beauté dans une finale fraîche et persistante. « Le consommateur ne sera pas déçu par cette bouteille très typique et de bonne origine », conclut un juré.

☛ Dom. Vaupré, le Bourg, 71960 Solutré-Pouilly, tél. 03 85 35 85 67, fax 03 85 35 86 63, dominique.vaupre@club-internet.fr, ☑ ☂ 🍷 r.-v.

Ⓑ DOM. DE LA VERPAILLE Vieilles Vignes 2011

	14 000	▮	5 à 8 €

Estelle et Baptiste Philippe ont repris en 2004 ce vignoble de 20 ha situé à Viré, et l'ont conduit d'emblée selon les principes de l'agriculture biologique. Ils signent ici un 2011 à la robe jaune d'or, moirée de reflets pistache particulièrement brillants. Le bouquet allie harmonieusement les fleurs blanches et les fruits exotiques à une touche de pamplemousse. À l'amertume légère de l'attaque succède une bouche dense et chaleureuse, imprégnée de saveurs d'amande. Un mâcon généreux, qualifié « d'original », à déguster dans les deux ou trois ans à venir sur une viande blanche en sauce.

☛ Baptiste et Estelle Philippe, Au Buc, 71260 Viré, tél. 03 85 33 14 47, domainedelaverpaille@gmail.com, ☑ ☂ 🍷 r.-v.

Ⓑ LES VIGNES DE JOANNY Davayé 2011

	30 000	▮	8 à 11 €

C'est Julien Collovray, un des enfants du domaine des Deux Roches, qui se cache derrière Les Vignes de Joanny, hommage à son arrière-grand-père, fondateur de la lignée de vignerons. Conduit en agriculture biologique, ce vignoble de 7 ha de chardonnay est principalement implanté à Davayé. Cette cuvée aux reflets dorés présente un nez discret mais plaisant, qui mêle fruits et nuances végétales. Après une attaque souple et suave, le palais se révèle plus vif et tendu, pour finir sur une belle note de fruits blancs.

☛ Les Vignes de Joanny, La Cuette, 71960 Davayé, tél. 03 85 35 86 51, fax 03 85 35 86 12, jcollovray@collovrayterrier.com, ☑ ☂ 🍷 r.-v.

CAVE DE VIRÉ Cuvée Levrouté Douceur automnale 2010 ★

	8 000	▮	11 à 15 €

La cave de Viré renoue avec la tradition de ces vins issus de raisins « levroutés », la couleur des baies surmûries évoquant celle du petit levreau... Le raisin récolté à la main s'est concentré naturellement. La fermentation est arrêtée quand le rapport optimal entre le sucre, l'acidité et l'alcool est atteint (30 g/l de sucres résiduels pour ce 2010). D'un bel or ambré teinté de roux, le vin dévoile des parfums généreux de fruits confits, de cire, de miel et d'abricot mûr. Gras et moelleux, le palais présente un très bel équilibre, avec une juste acidité en soutien. Un mâcon

« hors catégorie » et singulier, qui a néanmoins séduit le jury. Celui-ci recommande de le servir à l'apéritif ou au dessert.

☛ Cave de Viré, En Vercheron, 71260 Viré, tél. 03 85 32 25 50, fax 03 85 32 25 55, cavedevire@orange.fr, ☑ ☂ 🍷 t.l.j. 9h-12h 14h-18h

Viré-clessé

Superficie : 390 ha
Production : 22 000 hl

Appellation communale récente née en 1998, viré-clessé a de solides ambitions en matière de vins blancs. Elle a fait disparaître les dénominations mâcon-viré et mâcon-clessé avec le millésime 2002.

DOM. ANDRÉ BONHOMME Le Coteau de l'Épinet 2010

	1 000	🍶	15 à 20 €

Ce domaine de très bonne réputation a la chance de posséder une parcelle plantée de chardonnays âgés de quatre-vingt-dix ans actuellement en conversion vers l'agriculture biologique, comme l'ensemble du vignoble. Après une récolte manuelle et un pressurage lent, le jus obtenu, ni chaptalisé ni levuré, est élevé vingt-quatre mois en fût de chêne. Il en résulte ce vin or jaune au nez discret de pain grillé et de fruits jaunes mûrs auxquels s'ajoutent des notes de craie. Son équilibre gustatif se fait entre le gras et l'acidité, en association avec les saveurs minérales du terroir. À ouvrir dès la sortie du Guide, sur une petite friture de la Saône.

☛ Dom. André Bonhomme, rue Jean-Large, 71260 Viré, tél. 03 85 27 93 93, fax 03 85 27 93 94, earl.bonhomme.andre@terre-net.fr, ☑ ☂ 🍷 t.l.j. 8h30-12h 13h30-18h30
☛ E. Palthey

NATHALIE ET PASCAL BONHOMME Empreintes 2010

	1 400	🍶	11 à 15 €

À l'approche des dix ans de la création du domaine (2001), Nathalie et Pascal Bonhomme ont souhaité produire une cuvée différente. Ils ont judicieusement choisi leur plus vieille vigne de chardonnay, plantée en 1932, qu'ils ont évidemment vendangé à la main, avant un élevage de douze mois en pièce bourguignonne (228 l). Drapé d'or vert, ce vin laisse monter du verre d'intenses arômes mêlant les agrumes et la poire mûre. Le gras et la richesse caractérisent le palais, une pointe de vivacité et une légère amertume venant en soutien de cette matière dense. À boire dès maintenant, sur une sole meunière.

☛ Pascal Bonhomme, rue du 19-Mars-1962, Vérizet, 71260 Viré, tél. et fax 03 85 33 10 27, bonhommepascal@aliceadsl.fr, ☑ ☂ 🍷 t.l.j. sf dim. 8h-12h 13h30-18h30; dim. 9h-12h

LES VIGNERONS DE LA CAVE DE CLESSÉ Châtenay 2010

	12 000	▮	8 à 11 €

Paré d'une robe d'or blanc brillant plutôt atypique pour ce millésime, ce vin de la coopérative de Clessé dévoile un bouquet discret qui s'ouvre après aération sur des notes d'agrumes. Sa bouche, légèrement perlante en attaque, se révèle bien fruitée et s'étire dans une jolie finale minérale. Un vin tout en fraîcheur, à boire dans sa jeunesse, sur un plateau de fruits de mer, après carafage.

☛ Cave de Clessé, rte de la Vigne-Blanche, 71260 Clessé, tél. 03 85 36 93 88, fax 03 85 36 97 49, cavecooperative.vigneblanche@wanadoo.fr, ☑ ⚐ ☂ t.l.j. 9h-12h 14h-18h

COLLOVRAY & TERRIER Tradition 2011

6 000	☐ ⅏	8 à 11 €

Les raisins sélectionnés par ces négociants, par ailleurs vignerons (domaine des Deux Roches), proviennent de terroirs qu'ils connaissent parfaitement et dont ils savent qu'ils conféreront une belle personnalité au vin. C'est bien le cas pour ce 2011 ourlé d'or fin, qui possède un charme discret à l'olfaction, autour de parfums de poire mûre et de minéralité, et qui plaît par son côté friand et frais en bouche. À boire dès aujourd'hui sur une dorade grillée.

☛ Collovray et Terrier, La Cuette, 71960 Davayé, tél. 03 85 35 86 51, fax 03 85 35 86 12, info@collovrayterrier.com, ☑ ⚐ ☂ r.-v.

DOM. GONDARD PERRIN Cuvée Tradition 2010

5 000	☐	8 à 11 €

De création récente (2008), ce domaine de 11,5 ha est installé dans le village typiquement vigneron de Viré, à l'habitat regroupé et aux magnifiques maisons de pierres blanches (les craies). D'ailleurs, le sol qui accueille le chardonnay à l'origine de ce vin est lui aussi d'origine calcaire. Ce 2010 jaune à reflets dorés libère de plaisants parfums de pomme verte et d'agrumes, mais aussi de minéralité et de fleurs blanches. L'attaque souple ouvre sur une bouche où la sucrosité résiduelle (9 g/l) est naturellement équilibrée par une minéralité vivifiante. À déguster dès aujourd'hui sur un fromage de chèvre frais. Une citation pour **Le Clos de Chapotin 2010 (11 à 15 € ; 1 100 b.)**, plaisant, frais et citronné.

☛ Pierre Gondard, Les Cochets, 71260 Viré, tél. 03 85 33 12 47, mylene.gondard@dbmail.com, ☑ ⚐ ☂ t.l.j. 9h-19h30

♥ DOM. MICHEL 2011 ★★★

45 000	☐	11 à 15 €

On ne présente plus ce domaine réputé, tant pour son excellence que pour sa longévité (fondation en 1840) : les générations se succèdent, et le niveau qualitatif des vins

reste au zénith. D'un jaune ambré aux reflets cuivrés, ce 2011 libère d'intenses parfums révélant une belle maturité et se distingue par sa complexité, avec des notes rappelant le gingembre et l'écorce d'orange confite. À la suavité du nez succède une bouche vive, ample et étoffée, signature d'un élevage précis et maîtrisé. La finale majestueuse et saline laisse le souvenir d'un viré-clessé tonique, à l'équilibre parfait, qui s'accordera merveilleusement avec un jarret de veau au citron, dès aujourd'hui mais aussi dans... dix ans. La cuvée **La Barre 2010 (15 à 20 € ; 10 000 b.)** douce, ronde et riche, et la cuvée **Vieilles Vignes 2010 (15 à 20 € ; 25 000 b.)**, souple et plaisante, recueillent chacune une citation.

☛ Dom. Michel, Cray, Cidex 624, 71260 Clessé, tél. 03 85 36 94 27, fax 03 85 36 99 63, domainemichelclesse@orange.fr, ☑ ⚐ ☂ r.-v.

JEAN-PIERRE MICHEL Terroirs de Quintaine 2011 ★★

30 000	☐	11 à 15 €

Souvent distingué dans les précédentes éditions du Guide, Jean-Pierre Michel voit son 2011 finir au pied du podium des coups de cœur. Le soin apporté aux vignes sexagénaires, l'exposition idéale du coteau de Quintaine et la vendange manuelle à maturité se révèlent dans ce vin à la robe lumineuse cousue d'or. Le nez évoque les agrumes, les petites fleurs blanches et les fruits mûrs, la poire notamment. La bouche, généreuse et ronde, est portée de bout en bout par une belle vivacité qui lui confère de la longueur. Un beau produit, fin et délicat, à marier dès maintenant avec des quenelles de brochet sauce Nantua. Éclatant à l'œil, le **2011 Sur le chêne (15 à 20 € ; 8 000 b.)**, soyeux et élégant, demande un peu de temps (deux ans) pour assimiler le bois de son élevage. Il est cité.

☛ Jean-Pierre Michel, pl. de Quintaine, 71260 Clessé, tél. et fax 03 85 23 04 82, vinsjpmichel@orange.fr, ☑ ⚐ ☂ r.-v.

♥ DOM. MONTBARBON Les 3 Terroirs 2011 ★★★

16 500	☐	5 à 8 €

Éclatante réussite pour Martine et Jacky Montbarbon, sortis de la cave coopérative de Viré en 2008. Ils accomplissent l'exploit de placer leurs trois vins à un très haut rang et de décrocher deux coups de cœur ! Le grand jury a d'abord couronné avec deux étoiles le **Quintaine La Chapelle Saint-Trivier 2011 (8 à 11 € ; 3 300 b.)** ♥. Du verre jaillissent d'intenses senteurs exotiques rappelant le fruit de la Passion, la mangue et l'ananas mûr, mais aussi des fragrances florales comme l'iris et le lilas. Incisif en attaque et gourmand par sa nature généreuse, il saura grandir noblement. Mais c'est cette cuvée Les 3 Terroirs qui finit sur la plus haute marche du podium. Vêtue d'un or vif rendu presque fluorescent par son disque vert, elle a conquis les dégustateurs avec sa palette aromatique des plus séduisantes (chèvrefeuille, abricot et figue) et son

BOURGOGNE

palais aussi large que long, ample et puissant, doté d'une véritable typicité. Ce vin complet et racé, d'un rare équilibre, formera un accord idéal avec un brochet au beurre nantais. À noter, en outre, son excellent rapport qualité/prix. Deux étoiles sont attribuées par ailleurs au **2011 Élevé en fût de chêne (8 à 11 € ; 2 919 b.)**, tout en finesse et en élégance.

🕿 Dom. Montbarbon, chem. des Vignes, 71260 Viré, tél. et fax 03 85 33 16 98, jacky.montbarbon@orange.fr, ☑ ⚘ ⵏ t.l.j. 13h30-19h; sam. 9h-18h; dim. sur r.-v.

DOM. DU MORTIER 2011 ★

	1 060	▮	5 à 8 €

Par un concours de circonstances, l'ancien informaticien Renaud Chandioux prend en 2000 les rênes de ce domaine d'un peu plus de 11 ha répartis sur différents terroirs aux expositions variées. À défaut d'une conversion bio officielle, il a pour l'instant mis en place une lutte raisonnée rigoureuse. Il en résulte un beau vin or clair au nez de crème fouettée à la vanille et de fleur d'acacia, signature d'un élevage soigné. La bouche est plaisante, à la fois riche et tendue, agrémentée d'arômes de pêche jaune et de citron vert. Franc et courtois, ce 2011 vous fera la conversation de l'entrée au fromage.

🕿 Renaud Chandioux, Le Mortier, 71260 Péronne, tél. et fax 03 85 36 98 93, chandiouxdomainedumortier@orange.fr, ☑ ⚘ ⵏ r.-v.

🕿 GFA du Mortier

ANTONIN RODET L'Épinet 2011

	45 000	▮	5 à 8 €

Sélectionné par la maison de négoce Antonin Rodet à Mercurey, ce 2011 se présente dans une parure d'un or lumineux qui attire l'œil. Son olfaction laisse libre cours aux fleurs blanches et aux fruits jaunes qui semblent jouer à cache-cache. Le palais se révèle rond et fruité, porté sur les fruits jaunes et l'abricot sec, avant de distiller une fine acidité en finale. Un beau vin d'apéritif, qui accompagnera huîtres et autres fruits de mer.

🕿 Antonin Rodet, 55, Grande-Rue, 71640 Mercurey, tél. 03 85 98 18 06, fax 03 85 45 25 49, duthey.m@rodet.com, ☑ ⚘ ⵏ t.l.j. 9h-12h 14h-18h; f. sam. dim. de nov. à fin mars

Ⓑ DOM. SAINTE-BARBE L'Épinet 2011 ★

	4 000	ⵙ	11 à 15 €

Ce domaine de référence est conduit depuis de nombreuses années en agriculture biologique. Les rendements sont maîtrisés, les vendanges manuelles, et l'élevage de douze mois est réalisé en pièce bourguignonne (228 l). Le résultat est ici un vin d'un jaune aussi franc que pur, aux parfums de chèvrefeuille et d'abricot sec. L'attaque se montre ferme et fraîche, puis s'adoucit par la présence d'une matière assez riche. Ce vin possède un fort caractère minéral et une matière imposante, et il aura besoin d'être carafé pour chanter son terroir. **La Perrière 2011 (4 000 b.)**, une étoile, révèle un beau potentiel dans sa structure comme dans ses arômes, mais ce vin demande du temps pour se fondre. À boire en 2015 sur des gambas grillées.

🕿 Jean-Marie Chaland, En Chapotin, Cidex 2163, 71260 Viré, tél. 09 64 48 09 44, fax 03 85 33 94 08, jean-marie.chaland@orange.fr, ☑ ⚘ ⵏ r.-v. 🏠 Ⓐ

DOM. DE SEILLENAT 2010

	5 000	▮	8 à 11 €

Sylvain Loup représente la quatrième génération de vignerons à la tête de la propriété ; auparavant livrés à la cave coopérative, les raisins sont, depuis 2008, vinifiés dans un chai flambant neuf. Fermentés avec les levures indigènes sans chaptalisation, de jeunes raisins de chardonnays âgés de cinq ans ont été ensuite élevés quinze mois en cuve sur lies fines. Il en ressort un vin or blanc au nez explosif rappelant le muscat et les fruits exotiques, et à la bouche suave (5 g/l de sucres résiduels – le vigneron classe d'ailleurs son vin en moelleux), vivifiée par une agréable fraîcheur. Un vin exubérant, pas forcément typique mais très agréable, qui offre à ce domaine sa première sélection dans le Guide.

🕿 Sylvain Loup, moulin de Seillenat, 71870 Laizé, tél. 06 81 59 69 21, domaine.de.seillenat71@gmail.com, ☑ ⚘ ⵏ r.-v.

DOM. DES TERRES DE CHATENAY
Terroir de Quintaine 2011 ★★

	4 400	▮ⵙ	8 à 11 €

Après dix-huit ans passés comme chef de cave à la coopérative voisine de Viré, Jean-Claude Janin a créé avec sa femme en 2006 ce domaine de 8,8 ha. Cette cuvée est issue de quatre parcelles plantées de ceps de soixante ans d'âge moyen, toutes situées dans le hameau de Quintaine à Clessé. Ornée de reflets verts, elle se pare d'une robe d'or et laisse s'exprimer au nez comme au palais de nombreux parfums floraux et fruités. D'abord câline, la bouche monte en puissance et se fait plus concentrée, sans lourdeur aucune, jusqu'à la finale minérale et saline, entraînante et dynamique. De la classe et de l'élégance dans ce vin digne d'un homard. Sous une robe solaire, le **Fontenay 2011 (3 500 b.)** offre des fragrances de beurre frais agrémentées d'une pointe de vanille et d'acacia. Après une attaque riche et opulente, il libère en milieu de bouche des arômes d'abricot qui persistent longuement en finale. Un vin déjà fort gourmand, qui possède assez de coffre pour un long séjour en cave (jusqu'en 2016). Il reçoit une étoile.

🕿 Dom. des Terres de Chatenay, Les Picards, 71260 Péronne, tél. 03 85 36 94 01, janinmojc@wanadoo.fr, ☑ ⚘ ⵏ r.-v.

🕿 Jean-Claude et Marie-Odile Janin

DOM. LE VIROLYS Pommetin 2011 ★

	5 000	▮	8 à 11 €

Laurent Gondard a créé sa cave de vinification en 2008, après avoir longtemps livré ses raisins à la cave coopérative du village, comme l'avaient fait avant lui ses ancêtres. À la vigne, il travaille en lutte raisonnée : seuls les engrais produits par l'exploitation sont utilisés, et les sols sont labourés. La vendange manuelle d'une vigne âgée de quatre-vingts ans et un élevage de neuf mois en cuve ont conféré à cette cuvée une belle personnalité : superbe couleur or vert, nez fruité (pêche blanche) et floral (aubépine et lilas), bouche ample et généreuse rafraîchie par une fine minéralité. Accord gourmand en perspective avec un poulet de Bresse à la crème.

🕿 Laurent Gondard, Aux Mares, 71260 Viré, tél. 06 08 73 30 87, laurent.gondard071@orange.fr, ☑ ⚘ ⵏ r.-v.

Pouilly-fuissé

Superficie : 760 ha
Production : 39 150 hl

Le profil des roches de Solutré et de Vergisson s'avance dans le ciel comme la proue de deux navires ; à leur pied, le vignoble le plus prestigieux du Mâconnais, celui du pouilly-fuissé, se développe sur les communes de Fuissé, de Solutré-Pouilly, de Vergisson et de Chaintré.

Les pouilly-fuissé ont acquis une très grande notoriété, notamment à l'exportation, et leurs prix ont toujours été en compétition avec ceux des chablis. Ils sont vifs, pleins de sève et complexes. Élevés en fût de chêne, ils acquièrent avec l'âge des arômes d'amande grillée ou de noisette.

JEAN-PIERRE ET MICHEL AUVIGUE La Frérie 2011

3 000	⊞	11 à 15 €	

Convenant à l'apéritif ou sur une entrée « de la mer », cette cuvée proposée par la solide Maison Auvigue séduira les amateurs de pouilly-fuissé. Jaune clair à reflets argent, ce 2011 évoque au nez la pâtisserie (brioche, beurre frais) et les fruits secs (amande, noisette). Au palais, il est vif en attaque puis développe une matière concentrée teintée de minéralité. Un bel ensemble arrivé à maturité.
🍾 Vins Auvigue, 3131, rte de Davayé, 71850 Charnay-lès-Mâcon, tél. 03 85 34 17 36, fax 03 85 34 75 88, vins.auvigue@wanadoo.fr, ☑ ⚲ ⵑ r.-v.

BARON VEYRON LA CROIX Les Cras 2011 ★

1 800	⊞	15 à 20 €	

Un *wine shop* contemporain a vu le jour au sein de ce château des XIVe et XVIIIes. Vous y trouverez, outre les cuvées du domaine, les vins de la famille des propriétaires ainsi que des accessoires de dégustation (carafes, verres...). L'accueil peut y être individuel ou en groupe (jusqu'à 200 personnes) et la visite peut se faire en anglais, en allemand ou en espagnol. Venez faire un tour et demandez à goûter cet excellent 2011 qui s'ouvre sur de discrets parfums d'acacia et de chèvrefeuille, puis évolue sur le fruit frais et la minéralité. Le palais, souple et équilibré, ne manque pas de chair et s'attarde longuement sur des notes de miel et d'arnica. À servir avec une araignée de mer ou un tourteau.
🍾 Ch. de Chasselas, En Château, 71570 Chasselas, tél. 03 85 35 12 01, fax 03 85 35 14 38, chateauchasselas@aol.com,
☑ ⚲ ⵑ t.l.j. 10h-12h 14h-18h ⌂ ⓔ

EVENING LAND AU CH. DE BLIGNY 2011

30 600	⊞	11 à 15 €	

Une ambition fut à la source de cette maison de négoce Evening Land : découvrir aux États-Unis les meilleurs terroirs pour produire des pinot noir et chardonnay de grande qualité. Sous cette impulsion, en 2005, Evening Land a acquis sa première parcelle dans le vignoble de Sonoma Coast. Puis au fil des années, le domaine s'est peu à peu étendu dans l'Oregon (Santa Rita Hills), avant de s'installer au cœur de la Bourgogne au château de Bligny-lès-Beaune pour y développer une activité de négoce. Celle-ci a été confiée à Christophe Vial, qui a proposé son premier millésime en 2008. Ce 2011, à la robe légère, livre des nuances florales et miellées, tandis que la bouche s'avère simple mais bien équilibrée. « J'achète ! » s'exclame un juré conquis.
🍾 Evening Land Vineyards, 14, Grande-Rue, 21200 Bligny-lès-Beaune, tél. 03 80 20 70 27, apiot@elvwines.com, ☑ ⚲ ⵑ r.-v.

DENIS BOUCHACOURT Climat "En Servy" 2010 ★

1 600	▮	15 à 20 €	

Répertoriées parmi les plus nobles de l'appellation, les parcelles sises En Servy auront peut-être la possibilité d'apposer la mention 1er cru sur leurs étiquettes, lorsque la commission d'enquête diligentée par l'INAO aura rendu son verdict. Denis Bouchacourt, en tant qu'ex-président de l'appellation, œuvre dans ce sens en proposant un vin très réussi issu de ce *climat*. Une robe or blanc et un nez complexe, subtil et dentelé, ont d'emblée retenu l'attention du jury. Ample et équilibrée, la bouche n'est pas en reste ; elle s'étire de façon harmonieuse, soutenue en finale par des notes acidulées qui apportent de la fraîcheur. Un vin gracieux à accorder à un wok de crevettes aux épices douces.
🍾 Denis Bouchacourt, Les Gerbeaux, 71960 Solutré-Pouilly, tél. 03 85 35 81 88, denbouc@free.fr, ☑ ⚲ ⵑ r.-v.

DOM. CARRETTE Les Crays 2011 ★★

1 000	⊞	11 à 15 €	

Ce domaine familial, géré par Jean-Michel Carrette, son fils Hervé et leurs épouses respectives, est situé à Vergisson, joli village qui a pour cadre les somptueuses roches calcaires de Solutré et de Vergisson. Cette cuvée, qui a grandi sur le calcaire, affiche une robe jaune doré intense. Au nez, elle dévoile un fin boisé nuancé de notes de beurre et de fruits mûrs. Ample et concentré, ce pouilly-fuissé, à la finale fraîche et persistante trouvera sa place sur un poisson noble.
🍾 GAEC Dom. Carrette, 39, rte des Crays, 71960 Vergisson, tél. 06 71 58 90 50, domaine.carrette@yahoo.fr, ☑ ⚲ ⵑ r.-v.

DOM. DE LA CHAPELLE Vieilles Vignes 2011 ★

9 000	⊞	11 à 15 €	

La marque Domaine La Chapelle a été créée en 1904 et a même été déposée à l'INPI, mais à l'époque elle n'appartenait pas encore à la famille Rollet. Ce n'est qu'en 2005 que Catherine et Pascal Rollet ont acquis les vignes qu'ils travaillaient en métayage depuis 1982 ; des vignes d'un âge respectable (soixante ans) plantées sur de magnifiques coteaux orientés au sud-sud/est à Pouilly, au hameau de Solutré. Des reflets d'or animent la robe jaune clair ; le bouquet fin évoque la brioche, le pain grillé, l'ananas frais et les fleurs blanches. Ample et gourmand, le palais s'étire longuement sur des notes d'amande fraîche. Une citation pour la cuvée **Aux Bouthières 2011** (15 à 20 € ; 2 400 b.), qui devra attendre quelques années que le boisé se fonde.
🍾 EARL Pascal Rollet, hameau de Pouilly, 71960 Solutré-Pouilly, tél. 03 85 35 81 51, fax 03 85 35 86 43, rolletpouilly@wanadoo.fr, ☑ ⚲ ⵑ r.-v.

BOURGOGNE

CHÂTEAU-FUISSÉ Les Brûlés 2011 ★

		4 000	🍶	20 à 30 €

Ce domaine emblématique de Fuissé exploite aujourd'hui 35 ha de chardonnay sur les meilleurs terroirs de l'appellation. Antoine Vincent, l'actuel vinificateur, est ingénieur agronome et œnologue. Il a su appliquer son savoir en respectant les traditions viticoles qui ont contribué à la renommée internationale des vins de l'exploitation (80 % à l'export). Dorée comme la paille, cette cuvée livre un bouquet boisé agrémenté de notes minérales. À la fois vive et riche en bouche, elle répond à « ce que l'on attend d'un pouilly-fuissé », selon un dégustateur qui recommande de la servir avec une langouste grillée. La cuvée **Tête de cru 2011 (5 500 b.)** est citée pour la finesse de ses arômes (amande et brioche), mais il va lui falloir un peu de temps (deux ou trois ans) pour qu'elle trouve sa pleine harmonie.

🍷 Ch. de Fuissé, Le Plan, 71960 Fuissé, tél. 03 85 35 61 44, fax 03 85 35 67 34, domaine@chateau-fuisse.fr,

☑ 🍴 🍷 t.l.j. 8h-12h 13h30-17h30; sam. dim. sur r.-v.
🍷 Famille Vincent

CHÂTEAU-POUILLY Cuvée 1551 2009

		19 900	🍶🍷	15 à 20 €

Entouré de son vignoble (7 ha), ce château médiéval, l'un des plus anciens domaines du sud de la Bourgogne, a réalisé sa première vendange en 1551. Cette cuvée porte un drapé doré intense et dévoile un nez très ouvert, marqué par la maturité du raisin, qui offre des senteurs de miel d'acacia et d'ananas. Le palais se montre riche, soutenu par une matière fruitée, plus chaleureuse en finale.

🍷 Château-Pouilly, rue du Château, 71960 Solutré-Pouilly, tél. 06 71 77 21 41, fax 03 85 35 83 65, chateau@chateaupouilly.fr, ☑ 🍴 🍷 r.-v.

DOM. CHEVEAU Les Vieilles Vignes 2011 ★★

		8 000	🍶	11 à 15 €

Représentant la troisième génération, Nicolas Cheveau et son épouse Aurélie ont développé le domaine en superficie et ont également privilégié le commerce de leurs vins en bouteille afin de valoriser leurs terroirs et leur savoir-faire. Jaune profond, ce 2011, assemblage de huit parcelles de chardonnays âgés de cinquante à soixante-dix ans, est déjà prêt à boire. Le bouquet évoque l'aubépine, les fruits mûrs et le beurre frais, relayé par un palais ample, rond et persistant. **Aux Bouthières 2011 (15 à 20 € ; 1 900 b.)**, né d'un *climat* qui pourrait être promu en 1er cru, est cité. Il dévoile une palette aromatique encore sous l'emprise du fût et pourra dignement figurer sur votre table dans un an ou deux.

🍷 Dom. Cheveau, rue de la Chapelle, 71960 Solutré-Pouilly, tél. 03 85 35 81 50, fax 03 85 35 87 88, domaine@vins-cheveau.com, ☑ 🍴 🍷 r.-v.

CLOSERIE DES ALISIERS Trilogie de terroirs 2011

		6 000	🍶	11 à 15 €

À la tête de cette jeune maison de négoce, Stéphane Brocard, issu d'une célèbre famille de vignerons de Chablis, joue avec ce 2011 réussi, il marche sur les traces de son père. D'une belle couleur cristalline, cette cuvée livre un bouquet délicat de fruits secs, agrémenté de notes minérales. La bouche, vive et élégante, se montre équilibrée, même si la finale est aujourd'hui encore un peu

austère. Il est nécessaire d'attendre cette bouteille deux ans avant de la proposer à l'heure de l'apéritif.

🍷 Closerie des Alisiers, Parc des Grands-Crus, 60 K, av. du 14-Juillet, 21300 Chenôve, tél. 03 80 52 07 71, fax 03 80 52 12 89, stephane.brocard@closeriedesalisiers.fr, ☑ r.-v.

♥ COLLOVRAY ET TERRIER Vieilles Vignes 2011 ★★

		20 000	🍶	15 à 20 €

En arrivant à Davayé, à l'entrée du village, vous ne pourrez pas manquer ce complexe viticole, siège de l'exploitation du domaine des Deux Roches, mais également de la marque Collovray & Terrier, des mêmes propriétaires. Créé en 1995, ce négoce s'appuie sur des achats de raisins auprès de vignerons voisins, encadrés par un cahier des charges de production précis et sévère, suivi tout au long de l'année. Il en résulte l'un des plus beaux pouilly-fuissé de cette sélection. L'or est lumineux. Le bouquet complexe évoque les fruits mûrs et le miel d'acacia, soulignés par un boisé léger. La bouche, riche et soyeuse, laisse entrevoir des notes d'épices et de réglisse, souvenirs de l'élevage en fût de chêne. Un seigneur de l'appellation qui trouvera sa place sur vos tables de fête.

🍷 Collovray et Terrier, La Cuette, 71960 Davayé, tél. 03 85 35 86 51, fax 03 85 35 86 12, info@collovrayterrier.com, ☑ 🍴 🍷 r.-v.

DOM. CORSIN Vieilles Vignes 2011 ★

		19 400	🍶🍷	15 à 20 €

Maintes fois distingué dans le Guide, ce domaine propose de nouveau deux belles cuvées dans le millésime 2011. Ces Vieilles Vignes, parées d'une robe or vert, offrent des notes fines et délicates de fleurs blanches et de fruits frais. Vif dès l'attaque, le palais, tonique et acidulé, s'achève sur de légères touches de pamplemousse. Un vin franc et « vivant » qui trouvera sa place aux côtés d'un plateau de fruits de mer. **Aux Chailloux 2011 (5 200 b.)** a, selon le jury, besoin de temps pour s'épanouir. Son nez discret se montre floral et minéral, et la bouche apparaît active et fruitée.

🍷 Dom. Corsin, Les Plantés, 71960 Davayé, tél. 03 85 35 83 69, fax 03 85 35 86 64, jjcorsin@domaine-corsin.com, ☑ 🍷 r.-v.

DOM. MARCEL COUTURIER Les Scellés 2011

		1 300	🍶	11 à 15 €

Ce coteau des Scellés a la particularité de posséder un sol de schistes, un caractère original par rapport à l'ensemble des terroirs de l'appellation plutôt calcaires ou argileux. Élevé onze mois en fût, ce vin or blanc limpide égrène des notes empyreumatiques mariées aux fruits jaunes mûrs et aux fleurs blanches. Une jolie bouche, ronde, souple et agréable précède une finale toastée. Un vin à boire sans attendre, sur un poulet aux écrevisses par exemple.

🕭 Dom. Marcel Couturier, Les Pelées, 71960 Fuissé, tél. 06 23 97 23 21, fax 03 85 35 63 27, domainemarcelcouturier@orange.fr, ☑ ⚘ ⵊ r.-v.

DOM. DELORME ET FILS La Maréchaude 2010 ★

| | 3 000 | ⓘⅢ | 15 à 20 € |

La Maréchaude prend racine dans un sol calcaire, sur un coteau plein sud escarpé (30 % de pente). Depuis plusieurs générations, elle est reconnue comme étant la plus qualitative du domaine. Aussi, cette cuvée est récoltée manuellement et élevée un an et demi en fût de chêne. Jaune doré limpide, elle dévoile une palette aromatique fruitée : mangue, pêche, abricot, le tout sur fond boisé. La bouche ample et harmonieuse s'étire longuement. À boire dès la sortie du Guide sur un foie gras poêlé.

🕭 Dom. Delorme et Fils, 90, rte de Pierreclos, 71960 Vergisson, tél. 03 85 35 84 50, domainedelormeetfils@gmail.com, ☑ ⚘ ⵊ t.l.j. 10h-12h 14h-19h

DOM. PIERRE DESROCHES 2011

| | 5 000 | ⓘⅢ | 11 à 15 € |

Cette cuvée, dorée aux reflets jaune serin, est d'emblée séduisante. Dans le verre, des arômes de pain grillé et de réglisse. En bouche, l'attaque puissante introduit une matière dense et riche, mais la finale est encore dominée par le bois de l'élevage. Il sera nécessaire d'accorder du temps (deux à cinq ans) à cette bouteille pour l'apprécier pleinement.

🕭 Dom. Pierre Desroches, Les Berthelots, 71960 Solutré-Pouilly, tél. 06 21 85 67 60, pierredesroches@hotmail.fr, ☑ ⚘ ⵊ r.-v.

DOM. THIERRY DROUIN La Vieille Vigne du bois d'Ayer 2010

| | 3 000 | Ⅲ | 11 à 15 € |

En 2014, Thierry Drouin fêtera les trente ans passés à la tête de ce domaine de près de 10 ha. Il propose un 2010 séduisant dans sa robe dorée aux reflets ambrés. Le nez, montrant une certaine évolution, libère des notes chaleureuses de vanille et de malt rafraîchies par des touches minérales. La bouche ronde et épicée fait de ce millésime un vin de plaisir immédiat, pour accompagner une volaille de Bresse à la crème et aux champignons.

🕭 Thierry Drouin, Le Grand-Pré, 71960 Vergisson, tél. 03 85 35 84 36, contact@domaine-drouin.com, ☑ ⚘ ⵊ r.-v.

P. FERRAUD ET FILS L'Entreroches 2012 ★

| | 8 000 | ⓘ | 11 à 15 € |

Située sur la commune de Vergisson, cette maison de négoce appartient à la même famille depuis cinq générations. Son vignoble s'étend sur 4 ha aux pieds des deux célèbres roches jumelles de Solutré et de Vergisson. Encore fougueux, ce 2012 fin et net dévoile un bouquet partagé entre le citron, la minéralité et les fleurs blanches. Il offre une bouche souple et ronde, avec une pointe de fraîcheur en finale. À découvrir dans deux ans sur un sandre grillé.

🕭 P. Ferraud et Fils, 31, rue du Mal-Foch, BP 194, 69823 Belleville Cedex, tél. 04 74 06 47 60, fax 04 74 66 05 50, ferraud@ferraud.com, ☑ ⚘ ⵊ r.-v.

DOM. J.-A. FERRET Les Perrières Tête de cru 2011 ★

| | 9 400 | ⓘⅢ | 20 à 30 € |

Ce domaine a été fondé en 1840 par Jean Ferret. Il a acquis sa notoriété avec Jeanne Ferret, femme avant-gardiste et opiniâtre, puis avec sa fille Colette, qui a su conserver le prestige du domaine. C'est aujourd'hui encore dans un même esprit de droiture et de qualité que la maison Louis Jadot (actuelle propriétaire des lieux, avec à sa direction Audrey Braccini) s'emploie à perpétuer le travail de mise en valeur des parcelles du domaine. La cuvée présentée a de beaux arguments à faire valoir : bonne matière, richesse, densité et longueur, qui permettent d'envisager son avenir avec sérénité.

🕭 SCEA Ferret-Lorton, rue du Plan, 71960 Fuissé, tél. 03 85 35 61 56, fax 03 85 35 62 74, ferretlorton@orange.fr, ☑ ⚘ ⵊ r.-v.

🕭 Maison Louis Jadot

ÉRIC FOREST Les Crays 2010 ★

| | 6 000 | ⓘⅢ | 15 à 20 € |

Ce 2010 issu du fameux *climat* Les Crays est à son apogée. Des reflets argent dansent sur la robe d'or. Le nez d'abord discret s'ouvre à l'aération sur de jolies senteurs de pâtisserie au beurre et d'abricot mûr vivifiées par des notes minérales. La bouche, ample, concentrée, ronde et fraîche à la fois, s'achève sur des notes de curry. Savoureuse et équilibrée, cette bouteille s'accordera dès à présent avec un homard breton.

🕭 Éric Forest, 56, rue du Martelet, 71960 Vergisson, tél. 06 22 41 42 55, contact@ericforest.fr, ☑ ⚘ ⵊ r.-v.

♥ DOM. DES GERBEAUX Vers Cras 2010 ★★

| | 1 000 | Ⅲ | 15 à 20 € |

On ne compte plus les étoiles et les coups de cœur de ce domaine, toujours à la recherche de l'excellence. Issue de très vieilles vignes (soixante-quinze ans) plantées sur sols calcaires, cette cuvée a passé une année en barrique. Jaune doré, elle dévoile un nez puissant de beurre frais, agrémenté de petites fleurs blanches. La bouche, riche et d'un volume imposant, est équilibrée par une juste acidité qui la porte en longueur. Une bouteille à savourer dès à présent sur un foie gras. Très réussie, la **cuvée Jacques Charvet 2010 (2 000 b.)**, qui rend hommage au grand-père fondateur du domaine en 1896, charme par ses arômes grillés et toastés, et par sa matière dense mais encore marquée par l'élevage. Même note enfin pour les **Vieilles Vignes Terroirs de Pouilly et Fuissé 2011**

(11 à 15 € ; 10 000 b.). Frais et citronné, ce vin, déjà prêt, accompagnera des gougères à l'apéritif.

🍷 Dom. des Gerbeaux, Les Gerbeaux, 71960 Solutré-Pouilly, tél. 03 85 35 80 17, fax 03 85 35 87 12, j-michel.drouin.gerbeaux@wanadoo.fr, ☑ 🕴 r.-v.

🍷 Drouin

PIERRE ET VÉRONIQUE GIROUX 2010

	2 600	🚩🍷	11 à 15 €

Sous une douce robe jaune clair à reflets dorés, le nez développe de tendres senteurs florales (chèvrefeuille et aubépine), agrémentées de notes citronnées. Vive et franche, la bouche donne une impression de fraîcheur, tout en gardant la trame aromatique découverte au nez. Un vin agréable, à boire maintenant.

🍷 Pierre Giroux, Le Plan, imp. Marie-Cahille, 71960 Fuissé, tél. 03 85 35 66 07, girouxpierre@wanadoo.fr, ☑ 🕴 r.-v.

DOM. MAURICE GUERRIN ET FILS
La Maréchaude 2011 ★★

	3 500	🍷	15 à 20 €

À la recherche de précision et d'authenticité, Maurice Guerrin, associé à son fils Bastien, a gardé la tradition de la vendange manuelle et de l'élevage en fût. Tous deux signent un 2011 aux beaux reflets verts et au nez complexe d'abricot et de pêche blanche. Ample et très fruité en attaque, le palais se révèle souple, riche et rond, puis s'étire longuement en finale sur de belles notes gourmandes. Ce vin est prêt à accompagner une blanquette de veau à l'ancienne.

🍷 Dom. Maurice Guerrin et Fils, 572, rte des Bruyères, 71960 Vergisson, tél. 03 85 35 80 25, guerrin.maurice@wanadoo.fr, ☑ 🕴 🍷 r.-v.

DENIS JEANDEAU Vieilles Vignes 2011

	8 500	🍷	20 à 30 €

Enracinées sur les coteaux de Pouilly, ces vieilles vignes âgées d'une cinquantaine d'années bénéficient d'un terroir argilo-calcaire très caractéristique. Cueillis à la main, ces chardonnays sont pressurés en grappes entières, et la vinification en barrique se fait avec les levures indigènes du terroir. Vif et doré à l'œil, ce 2011 livre un bouquet délicat évoquant la noisette, le beurre frais et le citron. Fraîcheur et chair dense se mêlent harmonieusement dans une bouche ample et puissante, qui s'achève sur une longue note d'agrumes et de minéralité. « Beaucoup de caractère pour ce vin très typique », conclut un dégustateur enthousiaste.

🍷 Denis Jeandeau, Le Bourg, 71960 Fuissé, tél. et fax 03 85 40 97 55, denisjeandeau@yahoo.fr, ☑ 🕴 🍷 r.-v.

🅒 CH. DE LAVERNETTE Vers Châne 2010 ★

	2 500	🍷	15 à 20 €

Propriété de la famille de Boissieu depuis 1596, ce domaine pratique la culture biodynamique depuis 2005 et la certification est acquise depuis 2010. Plantés en 1968 sur un sol à dominante argilo-calcaire, avec une veine granitique, ces chardonnays ont été récoltés manuellement avant d'être pressurés en grappes entières puis élevés vingt-deux mois en barrique. Il en résulte un vin jaune d'or intense, au nez complexe et puissant, évoquant les fruits mûrs, la pierre à fusil et la vanille, le tout souligné d'un trait de miel d'acacia. Le palais se montre plein, rond et charnu,

équilibré par une fine vivacité. Un vin racé, à servir tout au long d'un repas asiatique.

🍷 Ch. de Lavernette, La Vernette, 71570 Leynes, tél. 03 85 35 63 21, fax 03 85 35 67 32, chateau@lavernette.com, ☑ 🕴 🍷 t.l.j. sf dim. 9h-12h 13h30-18h

🍷 de Boissieu

LORON ET FILS Les Vieux Murs Vieilles Vignes 2011 ★

	7 000	🚩🍷	15 à 20 €

Les Vieux Murs est une cuvée présentée par la maison Loron, négociant en vins haute couture. Jolie robe brillante à reflets verts limpides ; nez séduisant d'épices, de vanille et de fleurs blanches ; bouche opulente et charmante soulignée de notes minérales : ce 2011 associe la puissance et la rondeur des vins de Fuissé à la vivacité et la minéralité de ceux de Solutré. À recommander sur une poêlée de cuisses de grenouilles. Le **Dom. des Sansonnets 2012 (5 000 b.),** produit par la marque Jacques Charlet (propriété de la maison Loron), est cité pour son équilibre.

🍷 Jean Loron, RN 6, 71570 Pontanevaux, tél. 03 85 36 81 20, fax 03 85 33 83 19, vinloron@loron.fr

🍷 Xavier Barbet

MANOIR DU CAPUCIN Quintessence 2011 ★

	1 500	🍷	15 à 20 €

Le manoir à colonnes toscanes, avec ses caves et son clos, fut au XVIIᵉs. la demeure du capucin Luillier, auteur des *Noëls mâconnais*. Chloé Bayon et son compagnon Guillaume Pichon, heureux propriétaires de cet édifice, en ont entrepris la rénovation afin de pouvoir l'habiter. La cuvée Quintessence, harmonieuse, dévoile un joli bouquet d'agrumes et de fleurs blanches sur fond boisé. C'est une belle bouteille, à la fois vive et ronde, à boire dès maintenant. La cuvée **Aux Morlays 2011 (11 à 15 € ; 1 800 b.),** aux senteurs vanillées, reçoit également une étoile pour sa fraîcheur et pour son équilibre. À vous de choisir.

🍷 Chloé Bayon, Le Plan, 71960 Fuissé, tél. et fax 03 85 35 87 74, manoirducapucin@yahoo.fr, ☑ 🕴 🍷 r.-v.

GILLES MORAT Aux Vignes Dessus 2011 ★★

	5 000	🍷	15 à 20 €

Vigneron appliqué et bien connu des habitués du Guide, Gilles Morat propose toujours d'excellents pouillyfuissé. Dorée à reflets verts, cette cuvée évoque l'abricot, la mangue et la vanille, le tout souligné d'un soupçon de noix de coco. Au palais, elle se montre riche, puissante et bien structurée avec une finale acidulée rafraîchissante. Une jolie bouteille pour accompagner un poulet de Bresse à la crème. Encore dominée par le bois, la cuvée **Bélemnites 2011 (8 500 b.)** a suffisamment de « coffre » pour assimiler son élevage. On l'attendra une année ou deux. Plaisant, équilibré et de bonne fraîcheur, **Sur la Roche 2011 (5 000 b.)** est cité.

🍷 Gilles Morat, Dom. Chataigneraie-Laborier, Les Bruyères, 71960 Vergisson, tél. 03 85 35 85 51, fax 03 85 35 82 42, gil.morat@wanadoo.fr, ☑ 🍷 r.-v.

GILLES NOBLET La Collonge 2011 ★

	10 600	🍷	11 à 15 €

Gilles Noblet possède un vignoble de près de 14 ha sur les meilleurs crus de Fuissé. Cette cuvée récoltée mécaniquement fin août a bénéficié d'un élevage en foudre et fût de chêne pendant une année. Il n'en fallait pas moins pour donner à la robe de ce 2011 cette belle couleur d'or brillant et limpide. Tout en nuances de fleurs blanches et de poire juteuse, le nez introduit une bouche bien équilibrée, agréable dans sa minéralité. Elle peut être appréciée dès aujourd'hui sur un poisson grillé.

☛ Gilles Noblet, rue En-Collonge, 71960 Fuissé, tél. 03 85 35 63 02, fax 03 85 35 67 70, gillesnoblet.fr@wanadoo.fr, ☑ ⚲ ⍟ r.-v.

PASCAL RENAUD Aux Chailloux 2011 ★★

| | 3 700 | ⫴ | 11 à 15 € |

Issus d'une très ancienne lignée de vignerons de Pouilly, Pascal et Mireille Renaud ont repris en 1986 en fermage l'exploitation familiale de 5 ha en pouilly-fuissé appartenant à la famille Balladur, qu'ils ont acquise ensuite (en 1998). Dix ans plus tard, leur fils Guillaume les a rejoints, apportant dans l'escarcelle 3 ha en pouilly-fuissé et 40 ares en mâcon-Solutré. Au total, la famille est aujourd'hui à la tête de 15 ha. Trois cuvées ont séduit le jury. Ces Chailloux possèdent une robe dorée intense, un nez parfumé de poire, de coing et de pierre à fusil. La bouche se montre, dès l'attaque, complexe et équilibrée, d'une grande pureté minérale. Un vin remarquable par sa finesse et sa subtilité, à servir sur un bar de ligne. **Aux Insards 2011 (3 000 b.)**, élaboré avec délicatesse, se révèle floral et fruité. Il accompagnera dans deux ans des saint-jacques snackées. Il obtient une étoile. La cuvée **Aux Bouthières 2011 (15 à 20 € ; 800 b.)** est citée pour sa puissance mais elle garde encore la marque de l'élevage. À conserver deux ans avant de l'ouvrir.

☛ Pascal Renaud, Pouilly, 71960 Solutré-Pouilly, tél. 03 85 35 84 62, domainerenaudpascal@wanadoo.fr, ☑ ⚲ ⍟ r.-v.

ÈVE ET MICHEL REY La Maréchaude 2011 ★

| | 1 050 | ⫴ | 15 à 20 € |

Sur le petit domaine de 3 ha géré par Ève et Michel Rey depuis 1988, le travail des vignes s'accomplit dans un grand respect de l'environnement et de la nature des sols. Les soins prodigués à la vinification et à l'élevage sont à l'origine de vins authentiques, qui révèlent l'expression et la complexité des terroirs d'origine. Telle cette Maréchaude jaune clair à reflets verts, au bouquet chaleureux alliant la vanille Bourbon à des notes florales. L'attaque, riche et puissante, révèle un bon équilibre entre le bois et le vin. Cete bouteille a du relief et de la tenue ; on l'associera dès la sortie du Guide à une lotte à l'armoricaine. Citée, la cuvée **En Buland 2011 (1 400 b.)** est construite sur la minéralité. Elle se plaira avec des huîtres.

☛ Ève et Michel Rey, 35, chem. du Sabotier, 71960 Vergisson, tél. 03 85 35 85 78, michel.rey19@wanadoo.fr, ☑ ⚲ ⍟ r.-v.

DOM. SANGOUARD-GUYOT Authentique 2011 ★

| | 4 600 | ▮ | 11 à 15 € |

En 2011, Pierre-Emmanuel Sangouard a construit un nouveau tinailler (de « tine » : ancienne cuve de bois). Le tinailler, terme localement utilisé en Mâconnais et en Beaujolais, est un vaste bâtiment qui rassemble les cuves et le pressoir, où se déroulent toutes les opérations de réception de la vendange et de vinification. Or blanc à reflets verts, ce 2011 séduit par son nez fin de fleurs blanches mêlées aux notes minérales du terroir. Quant à la bouche, vive et fruitée, elle persiste longuement. Pas tout à fait prête, la cuvée **Ancestral 2011 (5 000 b.)** possède toutefois de nombreux atouts, notamment une matière riche et dense, pour s'épanouir harmonieusement dans deux ou trois ans. Elle est citée.

☛ Dom. Sangouard-Guyot, 83, rue du Repostère, 71960 Vergisson, tél. 03 85 35 89 45, domaine@sangouard-guyot.fr, ☑ ⚲ ⍟ r.-v.

JACQUES SAUMAIZE La Maréchaude 2011 ★★

| | 2 000 | ⫴ | 15 à 20 € |

Un terroir de marnes et d'éboulis calcaires associé au talent de Nathalie et de Jacques Saumaize a donné naissance à ce vin remarquable qui séduit dès le premier regard par sa belle robe or à reflets vert vif. Intense, le nez livre une ribambelle d'arômes : petites fleurs blanches, poire juteuse, beurre frais et silex. La bouche tout en dentelle se révèle aérienne et équilibrée, et sa finale racée s'étire longuement sur la minéralité. Un vin gourmand, à servir dès maintenant sur un turbot ou un saint-pierre rôtis. Plus léger, sur des notes citronnées, **Sur la Roche 2011 (7 500 b.)** est cité.

☛ Jacques Saumaize, 746, rte des Bruyères, 71960 Vergisson, tél. 03 85 35 82 14, jacquessaumaize@orange.fr, ☑ ⚲ ⍟ r.-v.

DOM. JEAN-PIERRE SÈVE Aux Chailloux
Élevé en fût de chêne 2011 ★★

| | 8 600 | ⫴ | 11 à 15 € |

Jean-Pierre Sève voit trois de ses vins sélectionnés dans cette édition du Guide. La cuvée **Terroir 2011 (13 000 b.)** est citée pour sa large palette aromatique (citron, fruits blancs et chèvrefeuille) et pour sa tonicité incisive. La cuvée **Anthilde 2011 (15 à 20 €)** est jugée remarquable et conseillée aux amateurs de vins boisés. Quant à cette cuvée Aux Chailloux, subtilement ambrée, elle offre un nez puissant d'une grande maturité, qui oscille entre le bois et les fruits blancs. Après une attaque franche et soyeuse, la bouche se révèle dense et patinée par le merrain, mais elle laisse les fruits mûrs conclure cette belle symphonie. Parfait pour des saint-jacques marinées.

☛ Jean-Pierre Sève, rue Adrien Arcelin, 71960 Solutré-Pouilly, tél. 03 85 35 80 19, fax 03 85 35 80 58, domaine@vins-seve.com, ☑ ⚲ ⍟ r.-v.

DOM. SIMONIN Vieilles Vignes 2011 ★

| | 4 000 | ▮⫴ | 15 à 20 € |

Vergisson, paisible village viticole blotti aux pieds des Roches, mérite un détour pour son superbe panorama sur la vallée de la Saône et la chaîne des Alpes. Jacques Simonin y possède 5,19 ha de vignes, qu'il travaille de façon traditionnelle. Le 2011 a reçu un bon accueil du jury. Il faut dire que son habit d'or est attrayant. Au nez, une explosion de fleurs blanches, de citron, d'épices et de craie. En bouche, de la tonicité, de la fraîcheur et une longue finale tendue. La cuvée **Les Ammonites 2011 (20 à 30 € ; 1 000 b.)** est citée ; elle a du potentiel, mais celui-ci est pour l'instant dissimulé sous une importante empreinte boisée. À garder quatre ou cinq ans.

☛ Jacques Simonin, 94, rue Froide, 71960 Vergisson, tél. 03 85 35 84 72, domsimonin.ja@wanadoo.fr, ☑ ⍟ r.-v.

TRÉNEL Les Tillers 2011

	3 500	🔳	11 à 15 €

En 1928, Claude-Henri Trénel crée un commerce de liqueurs de fruits. Il va par monts et par vaux, en Bourgogne et en Beaujolais, à la recherche des meilleures baies qu'il transforme en fines liqueurs dans son site de Charnay-lès-Mâcon. Il se tourne ensuite naturellement vers l'achat de raisins. Son fils André lui succède et bâtit la solide réputation de cette maison, en France comme à l'étranger, avec ses vieux marcs de Bourgogne, ses fines liqueurs de fruits de Bourgogne, ses crus du Beaujolais et ses vins du Mâconnais. Aujourd'hui, ses successeurs proposent un pouilly-fuissé de bon aloi, doré à l'or fin. C'est un vin agréable, délicatement fruité, qui possède une rondeur plaisante signe d'une bonne maturité des raisins.
☛ Trénel Fils, 33, chem. de Buéry, 71850 Charnay-lès-Mâcon, tél. 03 85 34 48 20, fax 03 85 20 55 01, contact@trenel.fr, ☑ ⚒ 𝕋 t.l.j. 8h-12h 14h-18h

DOM. TROUILLET Les Vignes de Jean 2011 ★

	32 000	🍶	11 à 15 €

Cette cuvée très réussie est issue d'un assemblage des plus beaux *climats* de Solutré et de Pouilly exploités de 1958 à 2000 par le grand-père de William Trouillet. Du verre couleur vieil or s'échappent des notes de beurre frais, d'amande grillée et d'aubépine. Ample et puissante, la bouche se révèle suave, ronde et persistante. Une belle bouteille à ouvrir sur un plateau de fromages affinés : époisses, chèvre de la région, brie de Meaux.
☛ Dom. Trouillet, rte des Concizes, 71960 Solutré-Pouilly, tél. 03 85 35 80 04, fax 03 85 35 86 03, domaine.trouillet@wanadoo.fr, ☑ ⚒ 𝕋 t.l.j. sf. dim 9h-12h 14h-18h; f. 1er au 15 août

DOM. VAUPRÉ L'Excellence 2010 ★

	1 100	🍶	15 à 20 €

Cette cuvée est issue d'un élevage de plus de dix-huit mois en fût de chêne. Sa parure dorée aux reflets ambrés attire l'œil. Le nez est un savant mélange de notes fruitées (pêche de vigne et mirabelle) et boisées (toast grillé et vanille). L'attaque en bouche est agréable, la suite ronde et équilibrée. Un vin de charme à boire à la sortie du Guide sur une volaille de Bresse à la crème.
☛ Dom. Vaupré, le Bourg, 71960 Solutré-Pouilly, tél. 03 85 35 85 67, fax 03 85 35 86 63, dominique.vaupre@club-internet.fr, ☑ ⚒ 𝕋 r.-v.

CH. LA VERNALLE 2012 ★

	4 000	🔳	11 à 15 €

Du verre, or vert aux reflets argent, s'échappent des notes de fleurs blanches et de minéralité, caractéristiques d'un vin jeune. Rond et souple, doté d'une trame aromatique identique à celle du nez, ce 2012 pourra être servi à l'apéritif dès la sortie du Guide ou un peu plus tard. Une bouteille que l'on doit à l'honorable maison de négoce Collin-Bourisset, qui a pignon sur rue depuis 1821.
☛ Collin-Bourisset, rue de la Gare, 71680 Crèches-sur-Saône, tél. 03 85 36 57 25, fax 03 85 37 15 38, bienvenue@collinbourisset.com, ☑ 𝕋 t.l.j. 8h30-11h30 14h-17h; f. août

DOM. VESSIGAUD Vieilles Vignes 2011 ★★

	35 000	🍶	15 à 20 €

Ce domaine de référence en Mâconnais est en conversion à l'agriculture biologique depuis 2010. Rapport de cause à effet ? Cette superbe cuvée à la teinte bronze a fait mouche. Le nez traduit un mariage idyllique entre le bois (dix-huit mois de fût) et des notes fruitées (pêche de vigne et abricot). Impressionnante par sa richesse et par sa puissance, la bouche, longue et persistante, reste encore marquée par son berceau boisé. « Vin splendide de belle origine, toutefois le bois doit se fondre », conclut un dégustateur qui conseille de le boire à l'horizon 2015-2016. Du même style mais un peu moins intense, **Vers Agnières 2011 (20 à 30 € ; 2 500 b.)** reçoit une étoile. Il devra lui aussi patienter en cave trois à quatre ans.
☛ Dom. Pierre Vessigaud, hameau de Pouilly, 71960 Solutré-Pouilly, tél. 03 85 35 81 18, fax 03 85 35 84 29, contact@vins-pierrevessigaud.fr, ☑ ⚒ 𝕋 t.l.j. 9h-12h 13h30-19h; dim. sur r.-v.

DOM. LES VIEUX MURS 2011 ★

	14 000	🍶	11 à 15 €

Jean-Paul Paquet a repris le domaine familial en 1978, après le décès prématuré de son père. Il propose ici un pouilly-fuissé de garde, vêtu d'une robe or blanc étincelante. Le bouquet est bâti autour de la minéralité et des fruits blancs. Après une attaque suave, la bouche développe une belle matière, équilibrée et persistante. Un vin de bonne envergure, à associer dans un an avec un poisson ou des crustacés.
☛ Jean-Paul Paquet, Les Molards, 71960 Fuissé, tél. 03 85 27 01 06, fax 03 85 27 01 07, fussiacus@wanadoo.fr, ☑ ⚒ 𝕋 r.-v.

Pouilly-loché et pouilly-vinzelles

Moins connues que leur voisine, ces petites appellations situées sur le territoire des communes de Loché et de Vinzelles produisent des vins blancs secs de même nature que le pouilly-fuissé, avec peut-être un peu moins de corps.

Pouilly-loché

Superficie : 32 ha
Production : 1 500 hl

DOM. DU CLOS DES ROCS Monopole n°2 2011 ★

	n.c.		15 à 20 €

Olivier Giroux s'inscrit dans une démarche respectueuse de l'environnement et il a engagé une conversion de son vignoble à l'agriculture biologique. Il signe un 2011 aux fines notes de fruits mûrs presque confits et de petites fleurs blanches. Racée, à la fois minérale et riche, la bouche séduit par son équilibre et sa longueur. Un fromage de chèvre local fera un excellent compagnon. Citée, la cuvée **Monopole 2010**, au nez floral, au palais souple et équilibré, est à boire dès à présent.

•⊤ Clos des Rocs, SCEA Vignoble du Clos des Rocs,
64, chem. de la Colonge, 71000 Loché, tél. 03 85 32 97 53,
fax 03 85 35 69 83, vin@closdesrocs.fr, ☑ ⚓ ☗ r.-v.
•⊤ Olivier Giroux

MARCEL COUTURIER Le Bourg 2011 ★

	6 180	⊞	8 à 11 €

À l'origine de cette cuvée, de vieux chardonnays plantés vers 1934 qui ont pris racine dans ce joli terroir argilo-calcaire de Loché. Après une cueillette manuelle et un pressurage délicat, Marcel Couturier les vinifie et les élève en fût de chêne, sans trop d'intervention. La robe montre des nuances bronze élégantes ; la palette aromatique se révèle large : fruits à chair blanche, miel, agrumes et fruits secs. La bouche présente de jolies rondeurs et une belle fraîcheur : de l'équilibre en résumé. « Vin fait pour plaire et ça marche ! » conclut un juré qui conseille de le servir sur une sole meunière. La cuvée **Vieilles Vignes 2011 (11 à 15 € ; 2 200 b.)**, souple et bien équilibrée, est citée.
•⊤ Dom. Marcel Couturier, Les Pelées, 71960 Fuissé,
tél. 06 23 97 23 21, fax 03 85 35 63 27,
domainemarcelcouturier@orange.fr, ☑ ⚓ ☗ r.-v.

DOM. DES DUC 2011

	4 000	▤⊞	8 à 11 €

Bien que ce domaine ne soit pas converti à l'agriculture biologique, il exploite cette parcelle de pouilly-loché, éloignée de son fief du Beaujolais, selon ces mêmes principes. Ce 2011 à la jolie teinte dorée offre à l'olfaction une trame fine et minérale qui s'enrichit de notes de pêche, de citron et de vanille. Équilibrée, riche et étoffée, la bouche libère des saveurs épicées soulignées de boisé bien dosé. Un vin idéal pour accompagner une truite meunière.
•⊤ GAEC des Duc, La Piat, 71570 Saint-Amour-Bellevue,
tél. 03 85 37 10 08, fax 03 85 36 55 75,
domaine.des.duc@gmail.com,
☑ ⚓ ☗ t.l.j. 8h-12h30 14h-19h

CAVE DES GRANDS CRUS BLANCS Vieilles Vignes 2011

	8 000		8 à 11 €

Ce 2011 vendangé à la machine sur le lieu-dit Les Barres est issu d'une sélection parcellaire parmi les meilleurs terroirs de l'appellation. Les vignes plantées sur un sol majoritairement argilo-siliceux avec 40 % de graviers sont âgées de quarante à soixante-dix ans. Doré à reflets verts, le vin offre un nez puissant et exubérant rappelant les fruits exotiques, l'iris et les agrumes. Ronde et consistante, la bouche se révèle à la fois riche et vive. À déguster sans attendre sur une andouillette mâconnaise.
•⊤ Cave des Grands Crus Blancs, 71680 Vinzelles,
tél. 03 85 27 05 70, fax 03 85 27 05 71,
contact@lesgrandscrusblancs.com,
☑ ☗ t.l.j. 9h-12h30 13h30-18h30

Pouilly-vinzelles

Superficie : 52 ha
Production : 1 700 hl

GEORGES BURRIER Les Buchardières 2011

	3 500	⊞	8 à 11 €

Les Buchardières, coteau argilo-calcaire profond exposé au plein est, sert de berceau à ces chardonnays trentenaires, vendangés à la main, fermentés et élevés en pièces bourguignonnes durant une année. Ce vin se présente vêtu d'une robe d'or intense. Le premier nez, d'abord discret, s'ouvre à l'aération sur de petites notes beurrées et des nuances de fruits surmûris (raisin sec, abricot confit, coing). Après une attaque ample, les saveurs éclatent dans une bouche riche et puissante. Un style de vin très mûr qui ne correspond peut-être pas aux « canons » de l'appellation, mais qui laisse augurer beaucoup de plaisir dans une ou deux années.
•⊤ Maison Georges Burrier, Rouette du Clos, 71960 Fuissé,
tél. 03 85 35 60 76, fax 03 85 35 66 04,
joseph.burrier@wanadoo.fr, ☑ ⚓ ☗ r.-v.

CAVE DE CHAINTRÉ 2011 ★

	4 245	▤	5 à 8 €

Créée en 1928 à l'emplacement d'une villa gallo-romaine, qui fut à l'époque l'un des domaines viticoles les plus importants de la région, la Cave de Chaintré est l'une des plus anciennes coopératives de France. Un nouvel espace de vente, au centre duquel trônent des vestiges de la villa, a été inauguré en 2010. En bonne place, vous trouverez cette séduisante cuvée dorée et brillante. Le nez sur les fleurs blanches puis des notes acidulées introduit une bouche vive et franche, épicée et florale. Bien construit, ce vin gagnera à être attendu deux ou trois ans.
•⊤ Cave de Chaintré, Le Clos Reyssier, 180, rte de Juliénas,
71570 Chaintré, tél. 03 85 35 61 61, fax 03 85 35 61 48,
cavedechaintre@wanadoo.fr, ☑ ☗ t.l.j. 9h-12h 14h-18h

JACQUES CHARLET Les Mûriers 2012

	12 000	▤	11 à 15 €

Au XVIIIᵉs., la famille Charlet était déjà propriétaire et faisait le commerce des vins en saint-amour et juliénas, à la frontière du Mâconnais et du Beaujolais. Aujourd'hui dans le giron de la maison Loron à Pontanevaux, ce négociant propose un 2012 vif et tendu sur des notes citronnées. Il sera sage de faire vieillir deux ou trois ans cette bouteille avant de la servir à l'apéritif.
•⊤ Jacques Charlet, RN 6, 71570 La Chapelle-de-Guinchay,
tél. 03 85 36 82 41, fax 03 85 33 83 19, vinloron@loron.fr
•⊤ Xavier Barbier

DOM. DE FUSSIACUS 2011

	2 600		8 à 11 €

Jean-Paul Paquet est à la tête de cette propriété familiale depuis 1978. Au cours de sa carrière, il s'est appliqué à faire connaître cette appellation trop méconnue du grand public. Très expressif avec ses notes de miel, de beurre frais et de chèvrefeuille, ce vin séduit par son palais vif, qui s'arrondit au fur et à mesure de la dégustation. Il est à boire dès la sortie du Guide, de préférence à l'apéritif avec une petite friture de la Saône.
•⊤ Jean-Paul Paquet, Les Molards, 71960 Fuissé,
tél. 03 85 27 01 06, fax 03 85 27 01 07,
fussiacus@wanadoo.fr, ☑ ⚓ ☗ r.-v.

CAVE DES GRANDS CRUS BLANCS
Vieilli en fût de chêne 2011

	4 800	⊞	8 à 11 €

Élevé sur lies fines en fût de chêne durant onze mois, ce vin affiche une robe jaune doré brillant. Le nez profond livre un fruité complexe, à la fois sec (amande, noisette) et exotique (mangue). La bouche souple et beurrée offre des nuances aromatiques variées. La finale n'est pas des plus longues mais elle présente un caractère plaisant. Parfait pour accompagner un jambon persillé.

🍷 Cave des Grands Crus Blancs, 71680 Vinzelles, tél. 03 85 27 05 70, fax 03 85 27 05 71, contact@lesgrandscrusblancs.com,
☑ 🍷 t.l.j. 9h-12h30 13h30-18h30

DOM. PERRATON FRÈRES Les Buchardières 2011

2 000		8 à 11 €

Christophe et Franck Perraton exploitent une douzaine d'hectares de vignes autour de Chaintré, mais également 18 ha de céréales. Jaune pâle dans le verre, ce pouilly-vinzelles s'ouvre progressivement sur des nuances végétales et florales. Après une attaque ferme et vive, le palais se fait corpulent et long, développant une certaine puissance. La finale d'agrumes, pleine de verve, invite à tenter un mariage avec des harengs marinés.

🍷 Dom. Perraton Frères, rue du Paradis, 71570 Chaintré, tél. 03 85 35 67 45, domaine@perratonfreres.fr, ☑ 👤 🍷 r.-v.

FRÉDÉRIC TROUILLET Les Quarts 2010 ★

1 450		8 à 11 €

Basé à Pouilly, hameau de Solutré, ce domaine exploite près de 14 ha de chardonnay, classés principalement en pouilly-fuissé, mais aussi sur les appellations satellites pouilly-loché et pouilly-vinzelles. Seuls 19 ares d'argile et de calcaire sont dévolus à cette cuvée d'un jaune soutenu. De beaux arômes de fleurs blanches, de citron et d'anis composent le nez, d'une grande puissance. Équilibré et riche, le palais est tout aussi expressif : pêche jaune, raisin blanc. La finale, de belle harmonie, achève de convaincre. Une jolie bouteille à partager dès aujourd'hui autour de mézés grecs.

🍷 Dom. Trouillet, rte des Concizes, 71960 Solutré-Pouilly, tél. 03 85 35 80 04, fax 03 85 35 86 03, domaine.trouillet@wanadoo.fr,
☑ 👤 🍷 t.l.j. sf. dim 9h-12h 14h-18h; f. 1er au 15 août

Saint-véran

Superficie : 680 ha
Production : 37 500 hl

Implantée surtout sur des terroirs calcaires, l'appellation, reconnue en 1971, constitue la limite sud du Mâconnais, entre les AOC pouilly-fuissé, pouilly-vinzelles et beaujolais. Elle est réservée aux vins blancs produits dans huit communes de Saône-et-Loire. Légers, élégants, fruités, les saint-véran accompagnent bien les débuts de repas. Ils sont intermédiaires entre les pouilly-fuissé et les mâcon suivis d'un nom de village.

JEAN BARONNAT Le Respect du vin 2011

n.c.	8 à 11 €

Cette affaire familiale de négoce créée au début du XXes. est actuellement dirigée par Jean-Jacques Baronnat, petit-fils du fondateur. Spécialisée dans la clientèle traditionnelle, elle n'hésite cependant pas à exporter ses produits vers des destinations originales : Lituanie, Turquie, Géorgie, Saint-Pierre-et-Miquelon... Ce 2011 ou vert pâle plaira sans nul doute au-delà de nos frontières par sa fine minéralité, son équilibre et sa longueur. Un vin d'une aimable vivacité, à déguster sur un poisson cuisiné.

🍷 Jean Baronnat, 491, rte de Lacenas, 69400 Gleizé, tél. 04 74 68 59 20, fax 04 74 62 19 21, info@baronnat.com,
☑ 🍷 r.-v.

JEAN BERNARD Clos des Juillys 2011 ★

15 000		5 à 8 €

La famille Bernard dirige depuis plus de deux siècles cette exploitation qui compte aujourd'hui plus de 25 ha de vignes. Sur le balcon du château aux colonnes typiquement mâconnaises trônent les armoiries du domaine : deux lions avec la devise « D'azur à trois faces d'or ». « Typiquement saint-véran » est ce vin drapé d'or, aux parfums intenses de pêche très fraîche, ciselés de minéralité. Derrière une attaque légèrement perlante, la bouche se révèle printanière, équilibrée entre l'abricot et le citron, entre le gras et la vivacité. Le jury conseille de carafer cette bouteille avant de la servir. Le **Ch. des Correaux Vieilles Vignes 2011** (de 8 à 11 € ; 10 000 b.) et le **Ch. des Correaux En Faux 2010** (11 à 15 € ; 2 100 b.), ronds, fruités et boisés sont cités.

🍷 Jean Bernard, Les Correaux, 71570 Leynes, tél. 03 85 35 11 59, fax 03 85 35 13 94, bernardleynes@yahoo.fr,
☑ 👤 🍷 t.l.j. 9h-12h 13h30-17h 🏠 ➋ 🏠 ➌

DOM. BOURDON 2011

6 780		8 à 11 €

Une agréable réalisation proposée par François Bourdon, propriétaire-récoltant à Pouilly, petit hameau de Solutré. Vêtu d'une robe jaune canari à reflets verts, le vin libère des parfums de pomme, de poire et de fleurs blanches mêlés à une touche minérale. La bouche se révèle vive, linéaire, longue, bien équilibrée. Cette bouteille, encore un peu sur la réserve, devrait atteindre son apogée dans trois ans.

🍷 EARL François et Sylvie Bourdon, rue de la Chapelle, 71960 Solutré-Pouilly, tél. 03 85 35 81 44, fax 03 85 35 85 42, francoisbourdon2@wanadoo.fr,
☑ 👤 🍷 r.-v.

CLAUDE BROSSE Terroirs et Talents 2012 ★

10 000		8 à 11 €

En 1660, Claude Brosse, vigneron à Chasselas, conçut le hardi projet d'aller jusqu'à la capitale vendre son vin. Il lui fallut pas moins de trente-trois jours pour arriver avec sa charrette, tirée par deux bœufs, au château de Versailles. Là, au cours d'une messe, il fut, grâce à sa très grande taille, remarqué par le roi en personne qui lui demanda une dégustation. Louis XIV jugea son vin bien meilleur que celui servi à la Cour ; tous les courtisans demandèrent alors à Claude Brosse les vins de sa production. C'est en souvenir de cette légende, racontée de génération en génération, que Pierre Dupond, négociant du Beaujolais, nomma cette cuvée. Or jaune soutenu, celle-ci diffuse d'intenses senteurs de fruits mûrs et de fleurs blanches. Vive et fraîche, structurée en bouche, elle bénéficie d'un bel équilibre entre gras et acidité. Un vin typé, à servir bien frais, accompagné de fromages de chèvre.

🍇 Terroirs et Talents, La Terrière, 69220 Cercié,
tél. 04 74 66 77 80, fax 04 74 66 77 85,
christelle@terroirs-et-talents.fr,
☑ 🍴 🍷 t.l.j. sf sam. dim. 8h-12h

DOM. DE LA CHARMERAIE Le Clos Cuvée Prestige
Élevé en fût de chêne 2011

	850	🍶	8 à 11 €

C'est dans le petit village de Chânes, aux portes du
Beaujolais, que vous trouverez ce domaine géré par Anny
Dumoux, qui a pris la suite de son père en 1995. Elle signe
un vin or pâle au bouquet intense de citron et de pain grillé,
qui libère après aération des nuances de fruits exotiques.
La bouche, bien équilibrée, laisse parler la minéralité du
terroir et le boisé de l'élevage, tout cela dans une belle
harmonie.
🍇 Dom. de la Charmeraie, En Bossu, 71570 Chânes,
tél. 03 85 37 48 96, fax 03 85 37 48 93,
dumoux.maurice@orange.fr, ☑ 🍷 r.-v.
🍇 Anny Dumoux

DOM. CHATAIGNERAIE-LABORIER 2011

	5 000	🍶	8 à 11 €

Une jolie robe or vert habille ce 2011 issu de
chardonnays cultivés selon les principes de l'agriculture
biologique, sans certification, et élevé de façon traditionnelle en cuve Inox. Le nez, intense, mêle notes florales et
nuances d'agrumes. Frais dans son attaque, le vin révèle
une bouche droite et tendue, soulignée d'un trait d'amertume appréciable. Une agréable bouteille à associer à des
langoustines.
🍇 Gilles Morat, Dom. Chataigneraie-Laborier, Les Bruyères,
71960 Vergisson, tél. 03 85 35 85 51, fax 03 85 35 82 42,
gil.morat@wanadoo.fr, ☑ 🍷 r.-v.

DOM. CORDIER PÈRE ET FILS En Faux 2011 ★

	10 000	🍷	15 à 20 €

Basé à Fuissé, Christophe Cordier est à la tête d'un
vignoble de 25 ha et d'une affaire de négoce. Proposée par
le domaine, cette cuvée habillée d'ambre brille de mille
feux. Derrière des notes boisées intenses, les dégustateurs
ont décelé quelques effluves de fruits mûrs. Après une
attaque tonique, c'est encore le bois qui parle dans une
bouche dense et riche. Un vin de caractère, bien structuré,
à conserver deux ou trois ans en cave afin qu'il « digère »
son élevage de seize mois en barrique. La cuvée **Vieilles
Vignes 2011** (6 000 b.), issue du négoce, présente un
profil similaire. Un vin riche et d'avenir, à ouvrir dans un
an ou deux. Une étoile également.
🍇 Dom. Cordier, 71960 Fuissé, tél. 03 85 35 62 89,
fax 03 85 35 64 01, domaine.cordier@wanadoo.fr,
☑ 🍴 🍷 r.-v.

DOM. CORSIN Vieilles Vignes 2011

	37 200	🍶🍷	8 à 11 €

Cette cuvée est issue d'un assemblage des plus vieilles
vignes de ce domaine réputé, d'une moyenne d'âge de
quarante ans. Après une cueillette manuelle et un pressurage en vendange entière, le vin est fermenté et élevé
pendant huit mois en cuves thermorégulées et en pièces
bourguignonnes (fûts de 228 l). Jaune pâle aux légers
reflets verts, le vin offre un nez généreux de fruits secs,
nuancé d'arômes de beurre frais. La bouche, précise, nette
et équilibrée, demandera à s'épanouir davantage, deux à
trois ans ; elle en a le potentiel.

🍇 Dom. Corsin, Les Plantés, 71960 Davayé,
tél. 03 85 35 83 69, fax 03 85 35 86 64,
jjcorsin@domaine-corsin.com, ☑ 🍷 r.-v.

DOM. DE LA CREUZE NOIRE La Côte 2011

	5 000	🍶	8 à 11 €

La Côte est un terroir tardif de Chasselas, au sol
argilo-calcaire, donnant des vins d'une grande minéralité,
souvent très équilibrés, qui ont le mérite de bien vieillir.
C'est le cas de ce 2011, à l'allure jaune citron, et aux
nombreux reflets dorés. Au départ peu disert au nez, il
délivre après aération des notes florales et minérales. En
bouche, il se révèle ample et frais, à la fois concentré et vif.
Quelques saveurs muscatées originales et des touches de
caillou mouillé prolongent le plaisir en finale. Pour un
apéritif ou un dessert à l'abricot.
🍇 Dominique et Christine Martin, La Creuze-Noire,
71570 Leynes, tél. 03 85 37 46 43, fax 03 85 37 44 17,
martin.dcm@orange.fr, ☑ 🍴 🍷 t.l.j. sf dim. 8h-12h 14h-19h

Ⓑ DOM. DE LA CROIX SENAILLET Sur la carrière 2011 ★

	900	🍷	15 à 20 €

Selon la croyance, la Croix Senaillet, bénite en 1867,
apporterait protection et prospérité à ceux qui la croisent.
Ce domaine est situé au pied de la Roche de Solutré,
labellisée Grand Site de France au printemps dernier.
Quant au vin, il plaît d'emblée par sa robe jaune clair
cousu d'or vert. Le nez discret évoque les petites fleurs
blanches des haies mais aussi le litchi, le tout souligné
d'une belle minéralité. La bouche se révèle ronde et de
bonne longueur, vivifiée par une finale citronnée. Équilibrée, la **cuvée principale 2011 (de 8 à 11 € ; 80 000 b.)**
devrait s'affiner davantage dans les deux ans à venir. Elle
est citée, tout comme la cuvée **Les Buis 2011 (de 11 à
15 € ; 3 000 b.)**, à la palette aromatique harmonieuse, sur
la poire williams et le citron.
🍇 Dom. de la Croix Senaillet, GAEC Richard & Stéphane
Martin, En Coland, 71960 Davayé, tél. 03 85 35 82 83,
accueil@domainecroixsenaillet.com,
☑ 🍴 🍷 t.l.j. 8h-12h 13h30-17h30; sam. dim. sur r.-v.
🍇 GAEC Martin

DOM. DE LA DENANTE 2011 ★

	n.c.		8 à 11 €

Robert Martin et son fils Damien sont établis à
Davayé, village pittoresque situé dans la partie septentrionale de l'appellation saint-véran. Ils signent un 2011
ourlé d'or vert, qui livre un nez d'une belle intensité,
mariant fleurs blanches et fruits frais à un soupçon de
pierre à fusil. Le palais offre de la rondeur et du gras, bien
équilibré par une fine acidité. Un vin ample, élégant, à
boire ou à garder un an ou deux en cave.
🍇 Damien Martin, Les Gravières, 71960 Davayé,
tél. 03 85 35 82 88, fax 03 85 35 86 71,
martin.denante@wanadoo.fr,
☑ 🍴 🍷 t.l.j. 8h-19h; dim. sur r.-v.

♥ JOSEPH DESHAIRES Réserve 2011 ★★

	15 000	🍶🍷	8 à 11 €

Présente dans le vignoble de Bourgogne du sud
depuis près de cinq siècles, la famille Deshaires-Burrier
possède un important domaine de 43 ha. À partir de 1945,
afin de compléter la production, un vendangeoir a été
ouvert à Fuissé pour vinifier des raisins achetés à d'autres

GRAND VIN DE BOURGOGNE

JOSEPH　　　　　DESHAIRES

Saint-Véran

RÉSERVE

APPELLATION SAINT-VÉRAN CONTRÔLÉE

2011

75 cl　　ÉLEVÉ ET MIS EN BOUTEILLE PAR JOSEPH DESHAIRES　　13 % Vol.
M.J.B. À F 71960 FRANCE
PRODUIT DE FRANCE

viticulteurs de la région. Peu interventionniste, Frédéric Marc Burrier vinifie naturellement et élève pour partie en fût sur lies fines. Grâce à quoi, le caractère « naturel » de cette cuvée, habillée d'or blanc étincelant, a conquis le grand jury. La palette aromatique allie de fines senteurs de fleurs blanches à des notes fraîches de menthe et de fenouil sauvage. La bouche riche et souple se révèle bien construite, fraîche et structurée. Un très bon support minéral lui donne de la longueur et de la typicité. Une belle œuvre à apprécier dès cet automne sur un plateau de fruits de mer.

☛ Joseph Deshaires, Dom. de Beauregard, 71960 Fuissé, tél. 03 85 35 60 76, fax 03 85 35 66 04, joseph.burrier@wanadoo.fr, ✉ ⚔ 🍴 r.-v.

☛ Famille Burrier

DOM. PIERRE DESROCHES 2011

| | 5 800 | 🍶 | 8 à 11 € |

Dirigé par un jeune couple de vignerons, ce domaine propose un agréable 2011 à la robe jaune paille. Le vin offre un nez fin et fruité mêlant les agrumes et la nectarine à des notes plus végétales telles que la fougère. Au palais, il se montre équilibré, net et élégant. Une belle expression de l'appellation à servir à l'apéritif.

☛ Dom. Pierre Desroches, Les Berthelots, 71960 Solutré-Pouilly, tél. 06 21 85 67 60, pierredesroches@hotmail.fr, ✉ ⚔ 🍴 r.-v.

DOM. DES DEUX ROCHES La Côte rôtie 2010 ★★

| | 3 000 | 🍷 | 15 à 20 € |

Joli palmarès pour ce domaine incontournable de l'appellation, dont ce 2010 s'est retrouvé en finale des coups de cœur. Côte rôtie ? Nous ne sommes pas dans la vallée du Rhône nord, mais bien en Bourgogne, sur un majestueux coteau sud situé sur les pentes abruptes de la roche de Vergisson. Jaune d'or éclatant, ce saint-véran est à la hauteur des lieux. Il offre un nez à la fois fruité (fruits mûrs et confits) et finement empyreumatique (fumée). L'équilibre au palais est parfaitement atteint, donnant un petit avantage à la minéralité, qui souligne une finale saline et iodée digne des plus grands. Un vin noble et racé, à réserver à un turbot rôti ou à un poulet de Bresse à la crème. Encore sous l'emprise de son élevage boisé, la cuvée **Les Vignes derrière la maison 2011 (6 000 b.)** possède néanmoins l'ampleur et la densité nécessaires pour être présentée sur une belle table (dans trois ou quatre ans). Elle obtient une étoile. La cuvée **Vieilles Vignes 2011 (11 à 15 € ; 25 000 b.)**, structurée, légèrement vanillée, séduisante, est citée. Présenté par la partie négoce et récompensé par deux étoiles, le **Collovray et Terrier Tradition 2011 (8 à 11 €)**, aux arômes de pêche blanche et de

chèvrefeuille, livre un palais à la fois crémeux et vif, qui s'étire longuement sur des saveurs de poire williams et d'abricot mûr. Il permet d'envisager de beaux accords gourmands, avec un tajine de volaille aux épices douces par exemple.

☛ Dom. des Deux Roches, La Cuette, 71960 Davayé, tél. 03 85 35 86 51, fax 03 85 35 86 12, info@collovrayterrier.com, ✉ ⚔ 🍴 r.-v.

☛ Collovray et Terrier

DOM. ELOY 2011 ★★

| | 1 216 | 🍶 | 5 à 8 € |

Une belle réalisation signée Jean-Yves Eloy, vigneron à Fuissé. Le jury a été conquis par ce 2011 jaune clair pailleté d'or. Au nez, un caractère de fruits frais rappelant la poire et la pêche se marie harmonieusement à des notes florales (chèvrefeuille, acacia) et minérales. Le palais enchante par sa belle trame aromatique et par son équilibre remarquable entre rondeur et fraîcheur. Bien structuré, ce vin est armé pour une garde de quelques années, même si l'on peut d'ores et déjà l'apprécier, sur des escargots de Bourgogne par exemple.

☛ Jean-Yves Eloy, Le Plan, 71960 Fuissé, tél. 03 85 35 67 03, fax 03 85 35 67 07, domaine.eloy@9business.fr, ✉ ⚔ 🍴 r.-v. 🏠 ❷

NADINE FERRAND 2011 ★★

| | 3 000 | 🍶 | 8 à 11 € |

Les étoiles brillent pour cette vigneronne de Charnay-lès-Mâcon, à la tête du domaine familial depuis 2000. Régulièrement mentionnée dans le Guide, elle obtient deux étoiles cette année pour ce joli 2011, qualifié d'« ambassadeur de l'appellation » par un dégustateur enthousiaste. Brillant de mille feux, ourlé de vert pistache, ce saint-véran développe un nez franc et net composé de pivoine, de rose, de pêche de vigne et de pierre à fusil. La bouche, en cohérence avec l'olfaction, se révèle grasse, longue et parfaitement équilibrée. Sa finale fruitée et minérale enchante les papilles. Ce vin accompagnera dans un an un fromage de chèvre mâconnais, affiné de préférence. Il saura également attendre sagement au fond de la cave ; il en a la carrure.

☛ Nadine Ferrand, 51, chem. du Voisinet, 71850 Charnay-lès-Mâcon, tél. 06 09 05 19 74, ferrand.nadine@wanadoo.fr, ✉ ⚔ 🍴 r.-v.

LUDOVIC GREFFET 2011 ★

| | 1 800 | 🍶 | 8 à 11 € |

Ludovic Greffet exploite depuis 2000 les 6,3 ha de vignes familiales, poursuivant ainsi le travail entrepris par ses ancêtres. Après une récolte mécanique, la vinification s'avère très traditionnelle, en foudre de chêne thermorégulé, suivie d'un élevage sur lies fines en cuve pendant huit mois. Jaune clair brillant, ce vin allie avec élégance des arômes de pêche et d'abricot à des nuances florales. Comparée à une ballerine qui danse sur le *Lac des cygnes* par une dégustatrice inspirée, la bouche est portée par une matière fine et légère, et livre une finale élégante. Heureux accords en perspective avec un bar de ligne grillé.

☛ Ludovic Greffet, Impasse du Forgeron, 71960 Solutré-Pouilly, tél. 06 23 75 35 22, ludo.greffet@orange.fr, ✉ ⚔ 🍴 r.-v.

DOM. DES MAILLETTES En Pommard 2011 ★

| | 7 000 | ▮ | 5 à 8 € |

Guy Saumaize a su tirer le meilleur du chardonnay sur le coteau réputé d'En Pommard avec ce vin d'or éclatant. De subtils parfums évoquent les fleurs blanches typiques du cépage et la minéralité propre au terroir calcaire de Davayé. Le palais, à l'unisson, plaît par son côté charnu et sa richesse. Un ensemble harmonieux que l'on associera à un sandre ou à un brochet après un léger carafage.

☎ Guy Saumaize, Dom. des Maillettes, 71960 Davayé, tél. 03 85 35 82 65, fax 03 85 35 86 69, guy.saumaize.maillette@wanadoo.fr, ☑ ⚔ ⵐ t.l.j. sf dim. 9h-12h30 13h30-19h; f. août

JEAN MANCIAT 2011 ★

| | 2 250 | ⬛ | 11 à 15 € |

Jean Manciat représente la troisième génération de vignerons sur ces terres familiales. Autrefois destinés au négoce local, les vins sont aujourd'hui vendus directement, avec 50 % du volume exporté. Paré d'or pâle, ce 2011 libère des arômes de fleurs blanches et de vanille qui ouvrent le nez, puis arrivent en fanfare des notes de lait de coco et de fruits confits. La bouche montre de l'ampleur, bien étayée par une fine structure boisée, avec une trame fraîche en soutien. Un bel ensemble à accorder avec des poissons et des crustacés.

☎ Jean Manciat, Levigny, 557, chem. des Gérards, 71850 Charnay-lès-Mâcon, tél. 03 85 34 35 50, dom.jeanmanciat@orange.fr, ☑ ⚔ ⵐ r.-v.

LOÏC MARTIN 2011 ★★

| | 5 000 | ▮ | 5 à 8 € |

Loïc Martin, jeune vigneron installé en 2009, exploite un domaine de 4 ha. Né sur la partie méridionale de l'appellation, à Leynes plus exactement, ce 2011, récolté manuellement, a été élevé simplement en cuve sur lies fines pendant six mois. Vêtu d'une robe d'or aux reflets bronze, il délivre des senteurs chaudes d'abricot confit et d'épices au premier nez, puis s'ouvre sur les fruits frais et les fleurs blanches. Le palais, aromatique, ample et concentré, s'inscrit dans le même registre. De fines notes minérales lui confèrent de la longueur et de la noblesse. Une belle bouteille à apprécier dans sa jeunesse, sur des mets riches, une volaille à la crème par exemple.

☎ Loïc Martin, La Creuze-Noire, 71570 Leynes, tél. 03 85 37 46 43, fax 03 85 37 44 17, loic.martin@gmail.com, ☑ ⚔ ⵐ t.l.j. sf dim. 9h-12h 14h-19h

SYLVAINE ET ALAIN NORMAND 2011 ★

| | 2 000 | ▮⬛ | 8 à 11 € |

Sylvaine et Alain Normand participent à l'opération « Pique-nique chez le vigneron » lancée il y a trois ans par les Vignerons Indépendants. Le principe est simple, apportez votre pique-nique, le vigneron vous offre le vin et vous fait partager son savoir-faire. Voici l'occasion de déguster ce joli 2011. Dans le verre, un or jaune lumineux des plus engageants. Des parfums élégants de pierre à fusil et de vanille caractéristiques d'un chardonnay élevé en fût s'en échappent. La bouche, fine, délicate, persistante, est en accord avec l'olfaction. L'ensemble est harmonieux et se plaira sur une sole meunière.

☎ Sylvaine et Alain Normand, chem. de la Grange-du-Dîme, 71960 La Roche-Vineuse, tél. 03 85 36 61 69, fax 03 85 51 60 97, vins@domaine-normand.com, ☑ ⵐ r.-v.

DOM. PERRAUD 2011 ★

| | 8 000 | ▮ | 11 à 15 € |

Après des études au lycée viticole Lucie Aubrac de Davayé, Jean-Christophe Perraud a repris les rênes du domaine familial et retiré les 29 ha de vignes de la cave coopérative de Prissé. Il propose ici un 2011 d'un bel or vert aux parfums délicats de fleurs blanches associés à des notes de fruits frais alléchantes. En harmonie avec le nez, le palais offre un équilibre remarqué entre chair et acidité, et s'étire dans une longue et savoureuse finale.

☎ Perraud, Nancelle, 71960 La Roche-Vineuse, tél. 03 85 32 95 12, fax 03 85 32 95 14, domaineperraud@gmail.com, ☑ ⚔ ⵐ r.-v.

DOM. DES PIERRES ROUGES Vieilles Vignes 2011 ★

| | 2 000 | ▮ | 11 à 15 € |

Installé à proximité du magnifique château de Chasselas, ce domaine de 11 ha signe un 2011 issu de vignes de quarante ans plantées sur 50 ares d'un un sol argilocalcaire. Couleur or à reflets verts, le vin s'ouvre lentement sur des senteurs originales mêlant le champignon frais à la minéralité du terroir, les fleurs blanches aux fruits du verger. Gourmand et séduisant, soutenu par une fine trame acidulée, il se maintient longuement en bouche grâce à de généreuses saveurs de fruits confits (poire et abricot). On le servira dès à présent avec une volaille de Bresse aux girolles. La cuvée Mont Saint Pierre 2011 (8 à 11 € ; 5 000 b.), ample, ronde et équilibrée par une pointe de fraîcheur, est citée.

☎ Jullin et Fils, La Place, 71570 Chasselas, tél. 03 85 35 12 25, fax 03 85 35 10 96, dom.pierres.rouges@terre-net.fr, ☑ ⚔ ⵐ r.-v.

♥ DOM. DES PONCETYS Classic 2011 ★★

| | 56 000 | ▮ | 8 à 11 € |

À la sortie de Davayé, vous ne pourrez pas manquer le lycée viticole Lucie Aubrac, qui se dresse fièrement au-dessus des coteaux du village, où bon nombre de vignerons de la région et même de France ont été formés. Le domaine des Poncetys est l'exploitation pédagogique de l'établissement, et son Classic 2011 pourra faire office de modèle aux futurs professionnels de l'appellation, et d'ailleurs. Un modèle d'élégance par son étoffe dorée comme par son bouquet intense et complexe de petites fleurs blanches, de poire williams et de brioche beurrée. Un modèle d'harmonie en bouche, où se conjuguent richesse, rondeur, volume, fruité mûr et très fine acidité. Un vin « didactique » qui aura toute sa place dans un repas de fête, de l'apéritif au dessert. Deux étoiles également pour **Le Clos des Poncetys 2011** (11 à 15 € ; 4 000 b.), gourmand, ample et généreux, à réserver pour du foie gras.

🕊 Dom. des Poncetys, Les Poncetys, 71960 Davayé, tél. 03 85 33 56 22, fax 03 85 35 86 34, domaineponcetys@free.fr,

☑ ⚹ ⊤ t.l.j. sf sam. dim. 8h-12h 14h-18h

PASCAL RENOUD-GRAPPIN Vieilles Vignes 2011

| | 2 100 | 🍾⑴ | 8 à 11 € |

Pascal Renoud-Grappin s'est installé en 1996 avec seulement 20 ares de vignes et il exploite aujourd'hui 11 ha. Encore dépendant du négoce pour l'achat de ses vins en vrac, il développe cependant la vente en bouteille en France et aux clients particuliers. Nul doute que cette cuvée issue de vieilles vignes de soixante-dix ans plaira : un habit or clair parsemé de reflets argentés, un développement aromatique intense de pêche, de poire et de citron, une bouche suave et équilibrée. Que demander de plus ? Une andouillette à la mâconnaise pour l'accompagner !

🕊 Pascal Renoud-Grappin, Les Plantes, 71960 Davayé, tél. 03 85 35 81 35, rg.pascal@orange.fr, ☑ ⚹ ⊤ r.-v. 🏠 ⑧

JACQUES SAUMAIZE Poncetys 2011

| | 5 000 | ⑴ | 11 à 15 € |

Jacques Saumaize, à la tête du domaine familial depuis trente ans, a été rejoint en 2012 par son fils Anthony. De nouvelles parcelles ont été acquises et seront travaillées dans la même démarche écologique que les précédentes. Un sol argileux l'accueille, de vieux chardonnays l'ont enfanté, des fûts de chêne l'ont bercé : ce 2011 de belle naissance brille dans sa robe jaune clair. D'intenses effluves de pain grillé et de noisette caractérisent l'olfaction, tandis que la bouche, ronde, beurrée et de bonne longueur, laisse présager une garde de deux ou trois ans.

🕊 Jacques Saumaize, 746, rte des Bruyères, 71960 Vergisson, tél. 03 85 35 82 14, jacquessaumaize@orange.fr, ☑ ⚹ ⊤ r.-v.

TERRES SECRÈTES 2011 ★

| | 50 000 | 🍾 | 5 à 8 € |

Les Vignerons des Terres secrètes sont les héritiers du mouvement coopératif qui s'est constitué au début du XXᵉs. en Mâconnais. Ils proposent un 2011 de bonne facture, clair et limpide. Le nez, frais et tonique, rappelle le citron, les petites fleurs blanches et la pêche de vigne. Même fraîcheur au palais, avec une attaque acidulée, suivie d'un développement aromatique fruité et d'une finale légèrement perlante qui apporte un surcroît de « peps ». Flatteur et agréable, ce vin est prêt à boire et s'accordera parfaitement avec un brochet mayonnaise.

🕊 Vignerons des Terres secrètes, Les Grandes Vignes, 71960 Prissé, tél. 03 85 37 88 06, fax 03 85 37 61 76, contact@terres-secretes.fr, ☑ ⚹ ⊤ t.l.j. 9h-12h30 13h30-19h

DOM. DES VALANGES Les Cras 2011 ★

| | 9 000 | 🍾⑴ | 11 à 15 € |

Fervent défenseur de l'appellation saint-véran, Michel Paquet aime les vins à forte personnalité. Ce 2011, qui porte encore les traces de son élevage en fût de chêne, possède un caractère bien trempé qui lui permettra de traverser les années. Une robe or clair annonce un bouquet intense, dominé par des arômes boisés, mais dans lequel on distingue déjà de gourmandes notes de poire et de cannelle. La bouche, elle aussi marquée par le fût, est structurée, intense et longue, dévoilant en finale de plaisantes nuances de fruits du verger. Encore jeune, cette bouteille promet d'ici trois ou quatre ans un heureux accord avec une volaille de Bresse à la crème et aux morilles.

🕊 Michel Paquet, Dom. des Valanges, 71960 Davayé, tél. 03 85 35 85 03, fax 03 85 35 86 67, domaine-des-valanges@wanadoo.fr, ☑ ⚹ ⊤ r.-v.

⑧ LES VIGNES DE JOANNY 2011 ★

| | 20 000 | 🍾⑴ | 11 à 15 € |

L'exploitation de Julien Collovray compte un peu plus de 7 ha de vignes, pour la plupart situées à Davayé, son village d'origine. Ce 2011 provient d'un assemblage de parcelles, Les Châtaigniers sur le dos de la roche de Vergisson, Les Pragnes à Solutré et Les Personnets à Davayé. Cultivés selon les principes de l'agriculture biologique, ces terroirs ont donné naissance à des chardonnays mûrs, vinifiés pour un tiers en barrique, sans adjonction de levures exogènes ni d'enzymes. Ce vin jaune d'or aux reflets argentés laisse beaucoup de larmes sur le verre, signe de richesse. L'approche au nez est particulièrement agréable, à travers des notes de fruits à chair blanche et d'agrumes. En bouche, c'est une explosion de saveurs dans un environnement charnu mais équilibré par une finale fraîche, légèrement mentholée.

🕊 Les Vignes de Joanny, La Cuette, 71960 Davayé, tél. 03 85 35 86 51, fax 03 85 35 86 12, jcollovray@collovrayterrier.com, ☑ ⚹ ⊤ r.-v.

D'YS Les Condemines 2010 ★★

| | 2 000 | 🍾⑴ | 11 à 15 € |

Dominant le pré de Stella, la jument percheronne partenaire de Yann Desgouille dans les vignes, ce *climat* Les Condemines, offert aux rayons du soleil, est situé sur un coteau escarpé. Après une cueillette manuelle, le chardonnay est vinifié en fût de chêne, élevé sur lies fines pendant un an, puis soutiré pour un ultime élevage de six mois en fût. Il en résulte une cuvée paille aux reflets dorés, aux senteurs de miel, de pain d'épice et de fruits secs. Le palais gras et onctueux est rafraîchi par un trait acidulé et par une finale minérale. Un vrai vin de terroir, à servir dès la sortie du Guide avec une dorade grillée au fenouil sauvage. Comparée à « une jolie fille qui porte une robe vert printemps », la cuvée **Les Jullys 2011** (15 à 20 € ; 2 000 b.) est citée pour son juste équilibre entre gras et vivacité.

🕊 Yann et Stéphanie Desgouille, Les Pasquiers, 71570 Leynes, tél. 09 77 96 52 44, contact@dys-vins.com, ☑ ⚹ ⊤ r.-v.

LA CHAMPAGNE

ROSÉ-DES-RICEYS BSA
COTEAUX-CHAMPENOIS MILLÉSIMÉ
EXTRA-BRUT DEMI-SEC BLANC DE
BLANCS BLANC DE NOIRS CÔTE DES
BLANCS CÔTE DES BAR MONTAGNE
DE REIMS VALLÉE DE LA MARNE
CHARDONNAY PINOT NOIR

LA CHAMPAGNE

Superficie
33 350 ha
Production
320 000 000 bouteilles
ou 2 400 000 hl
Types de vins
Blancs ou rosés effervescents
pour l'essentiel. Quelques vins
tranquilles rouges, blancs et rosés
(AOC coteaux-champenois et
rosé-des-riceys)
Principales régions
Montagne de Reims, Côte
des Blancs, vallée de la Marne, Aube.
Cépages
Blancs : chardonnay pour l'essentiel
(pinot blanc, pinot gris, arbane, petit
meslier très rarement).
Rouges : pinot noir, pinot meunier.

C'est dans le vignoble le plus septentrional du pays qu'a été mise au point la méthode champenoise, à l'origine d'un des vins les plus prestigieux du monde, le vin des rois devenu celui de toutes les fêtes. Un vin unique, nulle autre production ne pouvant usurper ce nom ; mais pluriel, en raison de l'étendue de l'aire d'appellation et de la diversité des assemblages qui lui donnent naissance. Vins tranquilles produits en petite quantité, les coteaux-champenois et le rosé-des-riceys viennent rappeler que jusqu'à la fin du XVIIe s., le vin de Champagne ne moussait pas, sinon par accident...

Naissance du champagne On fait du vin en Champagne au moins depuis l'époque gallo-romaine. Ce vin fut blanc, puis rouge et enfin gris, issu de pressurage de raisins noirs. Il avait la fâcheuse habitude de mousser dans les tonneaux. Ce fut sans doute en Angleterre que l'on commença à mettre systématiquement en bouteilles ces vins instables qui, jusque vers 1700, étaient livrés en fût ; ce conditionnement permit au gaz carbonique de se dissoudre dans le vin pour se libérer au débouchage : le vin effervescent était né. Et dom Pérignon, à qui la tradition attribue la paternité du champagne ? Ce moine bénédictin, contemporain de Louis XIV et procureur de l'abbaye de Hautvillers, fut avant tout un technicien avant la lettre : il perfectionna l'art du pressurage et de l'assemblage et produisait les meilleurs vins de la région, vendus le plus cher.

En 1728, le conseil du roi autorise le transport du vin en bouteilles ; un an plus tard, la première maison de vin de négoce est fondée : Ruinart. D'autres suivent (Moët en 1743), mais c'est au XIXe s. que la plupart des grandes maisons se créent ou se développent. Au cours du même siècle, l'élaboration du champagne se perfectionne et différents styles de champagnes s'affirment. En 1804, Mme Clicquot lance ainsi le premier champagne rosé, et, dès 1830, apparaissent les premières étiquettes. À partir de 1860, Mme Pommery élabore des « bruts », à l'encontre du goût majoritaire de l'époque, tandis que, vers 1870, sont proposés les premiers champagnes millésimés. Raymond Abelé invente, en 1884, le banc de dégorgement à la glace, avant que le phylloxéra puis les deux guerres ne ravagent les vignobles. Depuis 1945, les fûts de bois ont souvent cédé la place aux cuves en acier inoxydable. Remuage, dégorgement et finition sont automatisés.

Si le vignoble s'identifie au champagne, il compte deux autres AOC : les coteaux-champenois et le rosé-des-riceys ; ces dernières ne produisent qu'une centaine de milliers de bouteilles.

De part et d'autre de la Marne, Reims et Épernay sont le siège de nombreuses maisons ; les visiteurs peuvent y découvrir l'univers surprenant de caves parfois fort anciennes. En outre, Reims, qui fut la ville des Sacres, compte de nombreux monuments et musées.

Un vignoble septentrional Située à moins de 200 km au nord-est de Paris, la Champagne est la plus septentrionale des régions viticoles de France. Elle s'étend dans les départements de la Marne, de l'Aisne et de l'Aube, avec de modestes extensions en Seine-et-Marne et en Haute-Marne. Le vignoble est soumis à une double influence climatique, océanique et continentale. La première apporte de l'eau en quantité régulière ; la seconde, si elle favorise l'ensoleillement l'été, entraîne des risques de gel – à une telle latitude, les gelées de printemps sont fréquentes. Ces vagues de froid sont un obstacle à la régularité de la production. Les écarts climatiques sont cependant atténués par la présence d'importants massifs forestiers ; ceux-ci équilibrent la douceur atlantique et la rigueur continentale, en entretenant une relative humidité. L'absence d'excès de chaleur est également un élément déterminant de la finesse des vins.

Les régions du vignoble Un même paysage de coteaux se révèle dans tout le vignoble, où l'on distingue cependant plusieurs régions : la Montagne de Reims (6 814 ha) où certaines vignes sont implantées sur des sols sablonneux et orientées au nord ; la Côte des Blancs (3 150 ha) bénéficiant, au sud d'Épernay, d'une relative régularité climatique ; la Grande Vallée de la Marne (1 876 ha) et les deux rives de la vallée de la Marne (5 152 ha), prolongées par le vignoble de l'Aisne et de la vallée du Surmelin (2 989 ha), dont les pentes sont couvertes de vignes, la qualité de la production ne variant guère selon l'orientation au nord ou au sud ; enfin, à l'extrême sud-est et séparé des autres secteurs par une zone de 75 km où la vigne n'est pas cultivée, le vignoble de l'Aube (7 099 ha). Plus élevé et davantage exposé aux gelées de printemps, ce dernier n'en produit pas moins des vins de qualité ; c'est là que se trouve la seule appellation communale : celle du rosé-des-riceys. On citera encore : la région d'Épernay, les vallées de la Vesle et de l'Ardre, les régions de Congy, de Sézanne et de Vitry-le-François.

De la craie, du calcaire et des marnes La mer, en se retirant il y a quelque 70 millions d'années, a laissé un socle crayeux dont la perméabilité et la richesse en principes minéraux apportent leur finesse aux vins de la Champagne ; ce substrat crayeux a également facilité le percement des galeries où mûrissent longuement des millions de bouteilles. Une couche argilo-calcaire recouvre le socle crayeux sur près de 60 % des terroirs actuellement plantés. Dans l'Aube, les sols marneux sont proches de ceux de la Bourgogne voisine.

Géologiquement, le vignoble correspond aux lignes de côtes concentriques de l'est du Bassin parisien : la côte d'Île-de-France regroupe la Montagne de Reims, la vallée de la Marne, la Côte des Blancs et celle du Sézannais. La côte de Champagne porte quelques vignes, autour de Vitry-le-François (Marne) et de Montgueux (Aube). Enfin, la Côte des Bar est occupée par la plus grande partie des vignobles de l'Aube (autour de Bar-sur-Seine et de Bar-sur-Aube). Les fronts de côte sont constitués de couches dures de calcaire ou de craie, les pentes des coteaux, où est installée la vigne, de formations plus tendres, crayeuses, marneuses ou sableuses.

Le choix des cépages, bien sûr, s'adapte aux variations pédologiques et climatiques. Pinot noir (13 111 ha), pinot meunier (11 000 ha), chardonnay (9 950 ha) ainsi que d'autres rares variétés – pinot blanc, pinot gris, petit meslier, arbane (95 ha) – se partagent les surfaces plantées. Le pinot noir est surtout cultivé sur les coteaux de la Montagne de Reims et de l'Aube ; le meunier, sur ceux de la Marne, tandis que le chardonnay a donné son nom à la Côte des Blancs.

Une économie florissante Vin de prestige, le champagne contribue pour près du tiers des exportations de vins en valeur. Son élaboration particulière sur plusieurs années (en moyenne trois ans) oblige à un stockage supérieur à 1 milliard de bouteilles. La viticulture et l'élaboration des vins occupent environ 30 000 personnes, dont 15 600 vignerons exploitants, parmi lesquels 4 750 récoltants-manipulants. La région compte aussi 340 négociants et 136 coopératives (dont 42 vendent au public). Le négoce assure plus de 80 % des exportations.

Pour les deux tiers, les vignerons champenois sont des apporteurs de raisins, des «vendeurs au kilo» : ils cèdent tout ou partie de leur production aux grandes maisons qui élaborent et commercialisent le champagne. Cette pratique a conduit l'Interprofession à proposer – les lois de la concurrence interdisant de fixer un prix obligé – un prix recommandé des raisins et à attribuer à chaque commune une cotation en fonction de la qualité de sa production : c'est l'échelle des crus, apparue dès la fin du XIXᵉ s. Les vins issus des communes cotées 100 % ont droit au titre de «grand cru», ceux cotés de 99 à 90 % bénéficient de la mention «premier cru», la cotation des autres s'échelonnant de 89 à 80 %. Le rendement maximum à l'hectare est modulé chaque année, alors que 160 kg de raisins ne permettent pas d'obtenir plus d'un hectolitre de moût apte à être vinifié en champagne.

Champagne

Production : 2 640 000 hl

Un pressurage rigoureux
La singularité du champagne apparaît dès les vendanges. La machine à vendanger est interdite ; toute la cueillette est manuelle, car il est essentiel que les grains de raisin parviennent en parfait état au lieu de pressurage. On remplace les hottes par de petits paniers, afin que le raisin ne soit pas écrasé. Il a fallu aussi créer des centres de pressurage disséminés au cœur du vignoble afin de raccourcir le temps de transport du raisin. Pourquoi tous ces soins ? Parce que le champagne étant un vin blanc issu en majeure partie de raisins

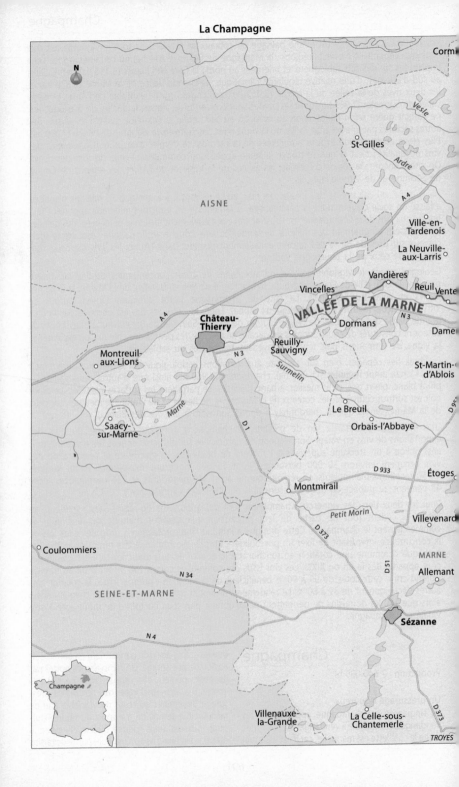

La Champagne

N

Cormi

Vesle

St-Gilles

Ardre

A 4

AISNE

Ville-en-
Tardenois

La Neuville-
aux-Larris

Vandières

Reuil   Vente

Vincelles   **VALLÉE DE LA MARNE**

A 4   Dormans   N 3

**Château-
Thierry**   Dame

N 3   Reuilly-
Sauvigny

Montreuil-
aux-Lions   St-Martin-
d'Ablois

Surmelin   D 9

Marne   Le Breuil

Saacy-
sur-Marne   Orbais-l'Abbaye

D 1   D 933   Étoges

Montmirail

Petit Morin   Villevenard

D 373

Coulommiers   MARNE

N 34   D 51   Allemant

SEINE-ET-MARNE

N 4   Sézanne

Champagne

Villenauxe-
la-Grande   La Celle-sous-
Chantemerle   D 373

TROYES

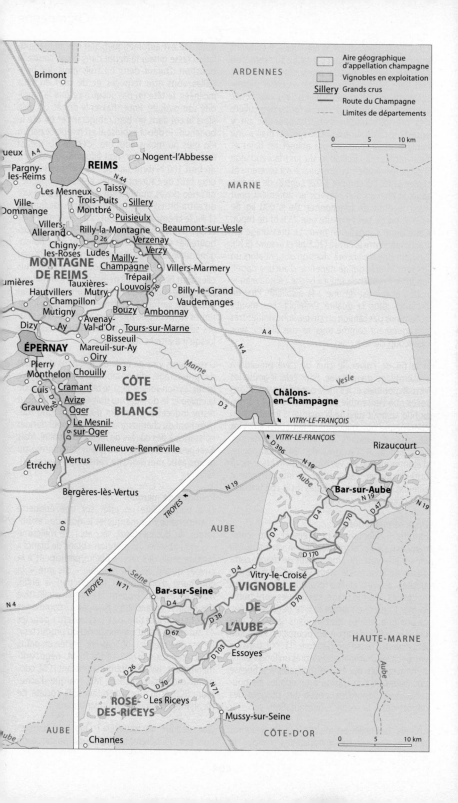

noirs – pinot noir et pinot meunier –, il convient que le jus incolore ne soit pas taché au contact de l'extérieur de la peau. Le pressurage, lui, doit se faire sans délai et permettre de recueillir successivement et séparément le jus issu des zones concentriques du grain ; d'où la forme particulière des pressoirs traditionnels champenois : on y entasse le raisin sur une vaste surface, mais à une faible hauteur, pour ne pas abîmer les baies et pour faciliter la circulation du jus ; la vendange n'est jamais éraflée. Le pressurage est sévèrement réglementé. On compte 1 929 centres de pressurage, et chacun doit recevoir un agrément pour avoir le droit de fonctionner. De 4 000 kg de raisins, on ne peut extraire que 25,5 hl de moût. Cette unité s'appelle un marc. Le pressurage est fractionné entre la cuvée (20,5 hl) et la taille (5 hl). On peut presser encore, mais on obtient alors un jus sans intérêt qui ne bénéficie d'aucune appellation, la « rebêche » (on a « bêché » à nouveau le marc), et qui est destiné à la distillerie. Plus on pressure, plus la qualité s'affaiblit. Les moûts, acheminés par camion au cuvier, sont vinifiés très classiquement comme tous les vins blancs, avec beaucoup de soin.

À la fin de l'hiver, le chef de cave procède à l'assemblage de la cuvée. Pour cela, il goûte les vins disponibles et les mêle dans des proportions telles que l'ensemble soit harmonieux et corresponde au goût suivi de la marque. S'il élabore un champagne non millésimé, il fait appel aux vins de réserve, produits des années précédentes. Légalement, il est possible, en Champagne, d'ajouter un peu de vin rouge au vin blanc pour obtenir un ton rosé (ce qui est interdit partout ailleurs). Cependant, quelques rosés champenois sont obtenus par saignée.

Deux fermentations

Ensuite, l'élaboration proprement dite commence. Il s'agit de transformer un vin tranquille en vin effervescent. Une liqueur de tirage, composée de levures, de vieux vins et de sucre est ajoutée au vin, et l'on procède à la mise en bouteilles : c'est le tirage. Les levures vont transformer le sucre en alcool et il se dégage du gaz carbonique qui se dissout dans le vin. Cette deuxième fermentation en bouteilles s'effectue lentement à basse température (11 °C), dans les vastes caves champenoises. Après un long vieillissement sur lies, qui est indispensable à la finesse des bulles et à la qualité aromatique, les bouteilles sont dégorgées, c'est-à-dire purgées des dépôts dus à la seconde fermentation.

Chaque bouteille est placée sur les célèbres pupitres (ou sur des gyropalettes, lorsque le remuage est automatique), afin que la manipulation fasse glisser le dépôt dans le col, contre le bouchon. Durant deux ou trois mois, les bouteilles vont être remuées et de plus en plus inclinées, la tête en bas, jusqu'à ce que la limpidité soit parfaite. Pour chasser le dépôt, on gèle alors le col dans un bain réfrigérant et on ôte le bouchon ; le dépôt expulsé, il est remplacé par un vin plus ou moins édulcoré : c'est le dosage. Si l'on ajoute du vin pur, non édulcoré, on obtient un brut 100 % (brut sauvage de Piper-Heidsieck, ultra-brut de Laurent-Perrier, et les champagnes dits non dosés, aujourd'hui appelés bruts nature ou extra-bruts). Si l'on ajoute très peu de liqueur (1 %), le champagne est brut ; 2 à 5 % donnent les secs, 5 à 8 % les demi-secs, 8 à 15 % les doux. Les bouteilles sont ensuite poignettées pour homogénéiser le mélange et se reposent encore un peu pour laisser disparaître le goût de levure. Puis elles sont habillées et livrées à la consommation. Dès lors, le champagne est prêt à être apprécié au mieux de sa forme. Le laisser vieillir trop longtemps ne peut que lui nuire : les maisons sérieuses se flattent de ne commercialiser le vin que lorsqu'il a atteint son apogée.

D'excellents vins de belle origine issus du début de pressurage, de nombreux vins de réserve (pour les non-millésimés), le talent du créateur de la cuvée et le dosage, qui doit être minimal pour rester indécelable, s'allient donc à un long mûrissement du champagne sur ses lies pour donner naissance à des cuvées de meilleure qualité. Mais il est peu fréquent que l'acheteur soit informé, du moins avec précision, de l'ensemble de ces critères.

Politique de marque

Que peut-on lire en effet sur une étiquette champenoise ? La marque et le nom de l'élaborateur ; le dosage (brut, sec, etc.) ; le millésime – ou son absence ; la mention « blanc de blancs » lorsque seuls des raisins blancs participent à la cuvée ; quand cela est possible – cas rare –, la commune d'origine des raisins ; parfois enfin, mais cela est peu fréquent, la cotation qualitative des raisins : « grand cru » pour les 17 communes qui ont droit à ce titre, ou « premier cru » pour les 41 autres. Le statut professionnel du producteur, lui, est une mention obligatoire, portée en petits caractères sous forme codée : NM, négociant-manipulant ; RM, récoltant-manipulant ; CM, coopérative de manipulation ; MA, marque d'acheteur ; RC, récoltant-coopérateur ; SR, société de récoltants ; ND, négociant-distributeur.

Que déduire de tout cela ? Que les Champenois ont délibérément choisi une politique de marque ; que l'acheteur commande du Moët et Chandon, du Bollinger, du Taittinger, parce qu'il préfère le goût suivi de telle ou telle marque. Cette conclusion est valable pour tous les champagnes de négociants-manipulants, de coopératives et des marques auxiliaires, mais ne concerne pas les récoltants-manipulants qui, par obligation, n'élaborent de champagne qu'à partir des raisins de leurs vignes, souvent groupées dans une seule commune. Ces champagnes sont dits monocrus, et le nom de ce cru figure en général sur l'étiquette.

Variété des styles

En dépit de l'appellation unique champagne, il existe un très grand nombre de champagnes différents, dont les caractères organoleptiques variables sont susceptibles de satisfaire tous les usages et tous les goûts. Ainsi, le champagne peut-il être blanc de blancs ; blanc de noirs (de pinot meunier, de pinot noir ou des deux) ; issu du mélange de blancs et de noirs, dans toutes les proportions imaginables ; d'un seul cru ou de plusieurs ; originaire d'un grand cru, d'un premier cru ou de communes de moindre prestige ; millésimé ou non (les non-millésimés peuvent être composés de vins jeunes, ou faire appel à plus ou moins de vins de réserve ; parfois ils sont le produit de l'assemblage d'années millésimées) ; non dosé ou dosé très variablement ; mûri brièvement ou longuement sur ses lies ; dégorgé depuis un temps plus ou moins long ; blanc ou rosé (rosé obtenu par mélange ou par saignée)... La plupart de ces éléments pouvant se combiner entre eux, il existe donc une infinité de champagnes. Quel que soit son type, on s'accorde à penser que le meilleur est celui qui a mûri le plus longtemps sur ses lies (cinq à dix ans), consommé dans les six mois suivant son dégorgement.

En fonction de ce qui précède, on s'explique mieux que le prix des bouteilles puisse varier de un à huit, et qu'il existe des hauts de gamme ou des cuvées spéciales. Dans les grandes marques, les champagnes les moins chers sont les moins intéressants. En revanche, la grande différence de prix qui sépare la gamme intermédiaire (millésimés) de la plus élevée ne traduit pas toujours rigoureusement un saut qualitatif.

Le service

Le champagne se boit entre 7 et 9 °C, frais pour les blancs de blancs et les champagnes jeunes, moins rafraîchi pour les millésimés et les champagnes vineux. La bouteille sera refroidie progressivement par immersion dans un seau à champagne contenant de l'eau et de la glace. Pour la déboucher, on enlèvera ensemble muselet et habillage. Si le bouchon tend à être expulsé par la pression, on le laissera venir avec habillage et muselet. Lorsque le bouchon résiste, on le maintient d'une main alors que l'on fait tourner la bouteille de l'autre. Le champagne ne doit pas être servi dans des coupes, mais dans des verres, étroits et élancés, secs, non refroidis par des glaçons, exempts de toute trace de détergent qui tuerait les bulles et la mousse. Il se boit aussi bien en apéritif qu'avec les entrées et les poissons maigres. Les vins vineux, à majorité issus de noirs, et les grands millésimés sont souvent servis avec les viandes en sauce. Au dessert et avec les mets sucrés, on boira un demi-sec plutôt qu'un brut, le sucre renforçant trop la sensibilité du palais à l'acidité.

Les derniers millésimes : 1982, grand millésime complet ; 1983, droit, sans artifices ; 1984 n'est pas un millésime, n'en parlons pas ; 1985, grandes bouteilles ; 1986, qualité moyenne, rarement millésimé ; 1987, un mauvais souvenir ; 1988, 1989, 1990, trois belles années ; 1991 : faible, généralement non millésimé ; 1992, 1993, 1994 : années moyennes ; 1995 : la meilleure année depuis 1990 ; 1996 : grande année millésimée ; 1997 : rarement millésimé ; 1998 : bon millésime ; 1999 : parfois millésimé ; 2000 : honorable, surtout connu comme le millésime du millénaire ; 2001 : à oublier ; 2002 : superbe, souvent millésimé ; 2003 : qualité moyenne ; 2004 : abondant et de qualité, nombreuses cuvées millésimées ; 2005 : belle année pour les chardonnays ; 2006 : honorable, meilleur pour les pinots noirs ; 2007 : généreux en volume, moyen en qualité, peu de millésimés.

ACHILLE PRINCIER Grande Tradition ★★

	30 000	▮	11 à 15 €

Gilles Mansard et ses fils perpétuent une tradition familiale débutée en 1901. Installés à Cerseuil, un hameau de Mareuil-le-Port, sur la rive gauche de la Marne, ils cultivent un coquet vignoble de 24 ha. Assemblant les trois cépages avec deux tiers de noirs, leur cuvée Grande Tradition se montre bien structurée, conjuguant force et finesse. Sa robe dorée invite à humer des parfums d'agrumes et de fruits blancs, que l'on retrouve en bouche. Agréable à l'attaque, ample, suave et équilibrée, cette bouteille tiendra son rang aussi bien à l'apéritif qu'à table. Le **rosé Grande Tradition (15 à 30 € ; 3 000 b.)** comprend une majorité de noirs (dont 50 % de pinot noir) et tire sa couleur saumonée de 15 % de vin rouge. Son nez floral nuancé de notes d'agrumes et de grillé, sa bouche équilibrée, fraîche et longue lui valent une étoile. Mi-chardonnay mi-pinot noir, la cuvée **Grand Art (15 à 20 € ; 5 000 b.)** est citée pour ses arômes beurrés et toastés ainsi que pour sa bouche vineuse. (RM)

CHAMPAGNE

☛ SCEV Gilles Mansard, 4, rue de Tirvet,
51700 Mareuil-le-Port, tél. 03 26 52 74 59,
fax 03 26 57 85 20, maxime.mansard@yahoo.fr, ☑ ⚲ ⌁ r.-v.

YANN **ALEXANDRE** Cuvée Rubis ★★

● 1er cru	2 500	📷 🍷	20 à 30 €

Dès 1720, un Ponce Alexandre cultivait la vigne. Ses descendants se sont lancés dans la manipulation en 1933, et Yann Alexandre conduit l'exploitation depuis 2001. Ses assemblages comprennent des vins élevés sous bois, comme cette cuvée Rubis, qui a fait grande impression. Il s'agit d'un rosé d'assemblage issu des trois cépages champenois à parts sensiblement égales, auquel le vin rouge de meunier (30 %) donne une teinte éclatante aux reflets framboise et grenat. D'emblée, le nez libère des notes flatteuses et complexes de fruits rouges. Le charme se confirme en bouche dont on apprécie la belle vinosité, l'équilibre et le fruité compoté qui emporte loin la finale. De la couleur, mais aussi de la délicatesse. À servir avec des viandes blanches, du petit gibier ou des desserts aux fruits rouges. Le blanc de blancs 2007 (2 500 b.) obtient la même note. Il délivre à l'agitation des arômes briochés et toastés que l'on retrouve dans une bouche complexe, riche et équilibrée, à la finale fraîche. (RM)
☛ Yann Alexandre, 3, rue Saint-Vincent, 51390 Courmas, tél. 03 26 04 66 50, yann.alexandre@wanadoo.fr, ☑ ⚲ ⌁ r.-v.

A**LLOUCHERY-PERSEVAL** ★

● 1er cru	8 000		15 à 20 €

De souche vigneronne, Émilien Allouchery s'est installé en 2006 après ses études à Avize et à Beaune, suivies d'expériences en Afrique du Sud et en Nouvelle-Zélande. Implanté sur la Montagne de Reims, le domaine familial couvre 8 ha. Issu majoritairement (80 %) de blanc de pinot noir teinté par 10 % d'un vin rouge du même cépage, ce rosé tout en finesse lui permet de faire son entrée dans le Guide. Il porte une robe saumon pâle aux reflets orangés, un parfum floral nuancé de fruits rouges, et se montre harmonieux et vif. Citée, la cuvée Tradition 1er cru (11 à 15 € ; 30 000 b.), née de pur pinot noir, est charnue, riche et fraîche en finale. Sa palette complexe (fruits confits, fruits secs, pêche, brioche) traduit un début d'évolution. (RC)
☛ Émilien Allouchery, 11, rue de l'Église, 51500 Écueil, tél. 03 26 49 74 61, fax 03 26 49 27 70, contact@alloucheryperseval.com, ☑ ⚲ ⌁ r.-v.

DE L'**ARGENTAINE** Réserve spéciale ★

●	5 000	📷	11 à 15 €

Située sur la rive droite de la Marne, la coopérative de Vandières a été créée en 1956 ; elle regroupe aujourd'hui cent soixante-quinze adhérents et vinifie autant d'hectares de vignes. Sa Réserve spéciale porte la marque du pinot noir, cépage qui constitue l'écrasante majorité de l'assemblage (85 %) : c'est un champagne intense, puissant et vineux. La petite touche de chardonnay lègue une pointe miellée. Un vin de caractère destiné au repas. Un dégustateur le verrait bien sur du gibier – un faisan aux raisins par exemple. (CM)
☛ Coop. vinicole l'Union, Cidex 318, 51700 Vandières, tél. 03 26 58 68 68, fax 03 26 58 68 69, delargentaine@wanadoo.fr, ☑ ⚲ ⌁ r.-v.

MICHEL **ARNOULD ET FILS** La Grande Cuvée

● Gd cru	6 500	📷	20 à 30 €

Établie sur le versant nord de la Montagne de Reims, à Verzenay, village classé en grand cru, la famille Arnould travaille la vigne depuis cinq générations et commercialise sa propre marque depuis 1961. Plusieurs fois retenue dans des éditions antérieures, la Grande Cuvée, issue de vieilles vignes, assemble 70 % de pinot noir de Verzenay et 30 % de chardonnay du Mesnil-sur-Oger (grand cru de la Côte des Blancs). Agrumes et fleurs se partagent le nez et accompagnent un palais riche, aux notes évoluées, qui finit sur une pointe acidulée. (RM)
☛ Michel Arnould et Fils, 28, rue de Mailly, 51360 Verzenay, tél. 03 26 49 40 06, fax 03 26 49 44 61, info@champagne-michel-arnould.com, ☑ ⚲ ⌁ t.l.j. 9h-12h 14h-17h; dim. 9h-12h

ASPASIE 2007 ★

●	10 000	📷	20 à 30 €

Installé à Brouillet, petit village de la vallée de l'Ardre, Paul-Vincent Ariston a repris en 2011 la totalité de l'exploitation familiale qui couvre 12 ha. Il commercialise la marque Aspasie, qui rend hommage à une aïeule née en 1855. Associant par tiers les trois cépages champenois, son 2007 mêle au nez de riches arômes de fruits confits, de cacao et de miel qui lui donnent un caractère gourmand. La mise en bouche dévoile une matière puissante et équilibrée, bien dosée, à la finale fraîche et persistante. À servir dès maintenant sur un poisson cuisiné ou de la volaille. (RM)
☛ Paul-Vincent Ariston, 4, Grande-Rue, 51170 Brouillet, tél. 03 26 97 43 46, fax 03 26 97 49 34, contact@champagneaspasie.com, ☑ ⚲ ⌁ r.-v.

AUTRÉAU DE CHAMPILLON Réserve ★★

● Gd cru	30 000	📷	15 à 20 €

Les Autréau sont établis depuis le XVIIe s. à Champillon, village dominant Épernay et les coteaux environnants, entre Hautvillers et Aÿ. Née il y a juste soixante ans de quelques hectares de vignes, la maison a connu une belle croissance : dans les années 1980, la famille cultivait 15 ha ; aujourd'hui, trois générations exploitent plus de 30 ha et gèrent une activité de négoce. Chardonnay et pinot noir récoltés en 2008 se partagent à égalité cette cuvée Réserve jugée remarquable. Les fleurs séchées, la violette et les agrumes composent un nez d'une grande finesse, prélude à une bouche élégante, intense, franche, complexe et de belle longueur. On pourra ouvrir cette bouteille à l'apéritif et la terminer sur une entrée, une terrine de lapin ou de poisson par exemple. Le brut 1er cru (220 000 b.) privilégie les noirs (80 % des deux pinots à parité). De bonne tenue, c'est un champagne d'apéritif frais et fruité, qui reçoit une étoile. (NM)
☛ Autréau de Champillon, 7, rue René-Baudez, 51160 Champillon, tél. 03 26 59 46 00, fax 03 26 59 44 85, champagne.autreau@wanadoo.fr, ☑ ⚲ ⌁ t.l.j. 8h-12h 14h-18h; sam. dim. sur r.-v.

AUTRÉAU-LASNOT Carte bleue ★

●	24 000	📷	11 à 15 €

À partir des années 1930, la famille Autréau a constitué son vignoble aux environs de Venteuil, sur la rive droite de la Marne. Le domaine s'étend aujourd'hui sur 16 ha, dont 3 sont destinés à la production de la cuvée Carte bleue composée essentiellement de meunier (85 %).

De caractère juvénile, ce champagne présente une robe claire, des arômes d'agrumes, de fleurs blanches et d'ananas qui soulignent sa fraîcheur. Deux autres cuvées sont citées, proches de l'étoile. Avec une dominante de blancs (60 %, les deux pinots à égalité en complément) et quelques années de plus, la **Carte d'or (30 000 b.)** séduit par son élégance, sa finesse et son équilibre frais qui la destinent à l'apéritif. Issu des trois cépages à égalité, le **rosé (12 000 b.)** sera quant à lui servi au repas. C'est un champagne puissant, aux arômes intenses de fleurs, de noyau, de fraise écrasée et de fruits compotés. (RM)

☛ Autréau-Lasnot, 6, rue du Château, 51480 Venteuil, tél. 03 26 58 49 35, fax 03 26 58 65 44, info@champagne-autreau-lasnot.com,
☑ ✕ ⅂ t.l.j. 9h-12h 14h-17h30; dim. 10h-12h

AYALA Blanc de blancs 2005 ★

| | 30 000 | ■ | 30 à 50 € |

La maison Ayala ne tire pas son nom de la commune d'Aÿ, où elle a son siège, mais du patronyme de son fondateur : elle est née en 1860 après la rencontre de Raphaël-Edmond-Louis Gonzague de Ayala, fils d'un diplomate colombien, et de Berthe-Gabrielle d'Albrecht, nièce du vicomte de Mareuil. Elle appartient aujourd'hui au Champagne Bollinger. Caroline Latrive est chef de cave. Issu de grands crus de la Côte des Blancs, ce 2005 s'annonce par une robe dorée et par un nez bien ouvert aux nuances de beurre, de vanille et de caramel qui traduisent sa maturité. Le palais, vineux et bien équilibré, offre une finale sur les agrumes. Un ensemble harmonieux à marier à un fin poisson au beurre blanc. Cité, le **Brut nature (20 à 30 € ; 60 000 b.)** assemble un tiers de chardonnay aux deux pinots. Libérant à l'aération des notes florales, fruitées et toastées, il dévoile une attaque fraîche et une pointe d'amertume en finale. (NM)

☛ Ayala, 1, rue Edmond-de-Ayala, BP 6, 51160 Aÿ, tél. 03 26 55 15 44, fax 03 26 51 09 04, contact@champagne-ayala.fr, ☑ ⅂ r.-v.
☛ Bollinger

JEAN BAILLETTE-PRUDHOMME Réserve ★

| 1er cru | 23 000 | ■ | 11 à 15 € |

Un trio de femmes gère cette exploitation proche de Reims : après le décès de Jean Baillette en 2005, Marie-France et ses deux filles Laureen et Justine continuent à assumer l'exploitation des 5 ha de vignes, l'élaboration et la commercialisation des cuvées. Celle-ci est issue des trois cépages champenois à parts égales. Elle offre un nez flatteur et élégant d'aubépine et fait preuve d'équilibre et de persistance en bouche, laissant une impression de finesse. Cité, le **1er cru Héritage Élevé en fût de chêne (20 à 30 € ; 1 500 b.)** privilégie le chardonnay (80 %), associé au pinot noir. Le séjour de douze mois en fût des vins de base lui a légué un nez complexe, boisé, biscuité et miellé. La marque du fût est très sensible en finale. Un champagne de repas. (RM)

☛ EARL Jean Baillette et ses Filles, 4, rue de la Gare, 51500 Trois-Puits, tél. 03 26 82 37 14, champagnejbp@yahoo.fr, ☑ ✕ ⅂ r.-v.

ALAIN BAILLY Tradition ★★

| | 51 414 | ■ ◫ | 11 à 15 € |

La famille Bailly est établie à Serzy-et-Prin, dans la vallée de l'Ardre. Son vignoble couvre près de 12 ha, répartis sur quatre communes : Serzy-et-Prin et Savigny,

aux environs de l'exploitation, Sacy et Villedommange, sur la Montagne de Reims. Cette année, c'est le brut Tradition qui est à l'honneur. Le pinot meunier compose 90 % de ce champagne, le chardonnay faisant l'appoint. Complexe et délicat, le nez mêle les fruits confits, le miel, le tabac, le pain d'épice et la brioche. L'attaque fraîche et la bouche structurée confirment l'élégance et la complexité de cette bouteille, qui pourra accompagner une volaille. (RM)

☛ Alain Bailly, 3, rue du Tambour, 51170 Serzy-et-Prin, tél. 03 26 97 41 58, fax 03 26 97 44 53, champagne.bailly@wanadoo.fr, ☑ ✕ ⅂ r.-v.

PAUL BARA Bouzy Réserve ★

| Gd cru | 60 000 | | 15 à 20 € |

Issu d'une lignée de vignerons remontant à 1833, Paul Bara est un éminent spécialiste des vins de Bouzy, l'un des grands crus de la Montagne de Reims, terre d'élection du pinot noir. Sa fille Chantale lui a succédé à la tête de l'exploitation – pas moins de 11 ha situés en grand cru. Essentiellement né de pinot noir (80 %, le chardonnay venant en complément), le brut Réserve n'a pas fait sa fermentation malolactique. À ses arômes de groseille tout en finesse répond une bouche de belle tenue, fraîche et longue. Un champagne de caractère que l'on peut déjà servir sur un poisson au beurre, mais qui devrait pouvoir se garder quelques années. (RM)

☛ Paul Bara, 4, rue Yvonnet, 51150 Bouzy, tél. 03 26 57 00 50, champagne.paul.bara@wanadoo.fr, ☑ ✕ ⅂ r.-v.

BARBIER-LOUVET Prestige ★★

| Gd cru | 6 500 | ■ | 11 à 15 € |

Voilà plus de cent quatre-vingts ans que les Barbier travaillent la vigne. Aujourd'hui, David Barbier s'appuie sur un vignoble d'environ 7 ha implanté sur la Montagne de Reims, avec des parcelles dans plusieurs grands crus et 1ers crus, comme Bouzy et Louvois, d'où proviennent le pinot noir (60 %) et le chardonnay mis à contribution pour cette cuvée. Ce champagne à la robe or pâle parcourue d'un fin cordon a conquis le jury. Ses arômes francs et flatteurs de mirabelle et d'agrumes donnent un côté gourmand à une matière généreuse, équilibrée par une belle fraîcheur. La longue finale laisse une impression de finesse. Pour accompagner cette bouteille, un dégustateur suggère des brochettes de saint-jacques, mais ce brut sans année charmeur trouvera sa place en toute occasion. (RM)

☛ EARL Barbier-Louvet, 8, rue de Louvois, 51150 Tauxières-Mutry, tél. 03 26 57 04 79, fax 03 26 52 60 18, barbierserge@wanadoo.fr, ☑ ✕ ⅂ t.l.j. 9h-12h 14h-17h30

BARDOUX PÈRE ET FILS 2006 ★

| 1er cru | 1 145 | ■ | 20 à 30 € |

Déjà vignerons avant la Révolution, les Bardoux lancé leur champagne en 1929. À la tête de l'exploitation familiale depuis quarante ans, Pascal Bardoux exploite 4 ha sur la Montagne de Reims, autour de Villedommange, joli village classé en 1er cru. Mi-pinot noir mi-chardonnay, son 2006 offre un nez puissant de fruits mûrs (abricot, pêche, prune) et de beurre, auquel répond un palais rond et gourmand, où l'acidité réapparaît en finale. On le servira plutôt à table, tout comme le brut **1er cru (15 à 20 € ; 7 880 b.)**, cité par le jury. C'est un champagne évolué, aux notes briochées et grillées, ample et vineux en bouche. (RM)

☙ Pascal Bardoux, 5-7, rue Saint-Vincent, 51390 Villedommange, tél. 03 26 49 25 35, contact@champagne-bardoux.com, ☑ ⚔ ⊺ r.-v. ⌂ Ⓑ

DE BARFONTARC Cuvée Sainte-Germaine 2007 ★

| | 29 750 | | 11 à 15 € |

En 1962, des viticulteurs de Baroville, de Fontaine et d'Arconville, dans la région de Bar-sur-Aube, ont créé cette coopérative et lancé la marque Barfontarc, dérivée des noms de leurs communes. Aujourd'hui, la cave vinifie les 112 ha de ses adhérents. Elle signe un 2007 au nez d'une rare complexité : sur les fiches de dégustateurs très diserts, on relève le beurre, l'orange, l'amande, le coing, les fruits jaunes et le cuir. Un cran en dessous, le palais reste riche, franc à l'attaque, équilibré par ce qu'il faut de fraîcheur. Un vin de repas, pour une volaille ou – accord local – pour une andouillette de Troyes gratinée au chaource. Cité, le rosé (23 990 b.) associe 82 % de pinot noir au chardonnay. Discrètement floral et fruité au nez, franc et vif au palais, il pourrait accompagner une charlotte aux framboises. (CM)

☙ De Barfontarc, 18, rue de Bar-sur-Aube, 10200 Baroville, tél. 03 25 27 07 09, fax 03 25 27 23 00, champagne@barfontarc.com, ☑ ⚔ ⊺ r.-v.

BARNAUT Blanc de noirs ★

| Gd cru | 20 000 | | 15 à 20 € |

Courtier-pressureur pour les grandes maisons de Champagne, Edmond Barnaut décide en 1874 d'élaborer et de commercialiser ses propres cuvées. Philippe Secondé, son descendant, suit œuvre grâce à un coquet vignoble de 17 ha. Issu du seul pinot noir, ce blanc de noirs est élaboré avec 50 % de vins de réserve. À la robe dorée répond un nez expressif, légèrement évolué, livrant des notes de fruits à noyau que l'on retrouve dans une bouche souple et sans lourdeur. Bien typé blanc de noirs, ce champagne est destiné à la table. (RM)

☙ Barnaut, 2, rue Gambetta, 51150 Bouzy, tél. 03 26 57 01 54, fax 03 26 57 09 97
☑ ⊺ t.l.j. sf dim. 9h30-12h30 13h30-17h30
☙ P. & E. Secondé

CLAUDE BARON Cuvée Saphir

| | 50 000 | | 11 à 15 € |

Installés à Charly-sur-Marne, à l'ouest de Château-Thierry, Claude et Régine Baron sont de vieilles connaissances de nos fidèles lecteurs. Avec leurs trois filles, ils ont créé en 2006 une structure de négoce tournée notamment vers les cavistes et l'export. Lise, œnologue, est à la cave. Associant deux tiers de noirs (dont 56 % de meunier) et un tiers de blancs, sa cuvée Saphir offre de fraîches senteurs de fruits mêlés (fruits exotiques, agrumes) et une bouche dans le même registre jeune et vif : un champagne en devenir qui peut attendre deux à trois ans. La cuvée Perle rose rosé (15 à 20 € ; 5 000 b.) est née d'un assemblage proche du précédent et tire sa couleur rose pâle de 8 % de vin rouge. Son nez expressif et sa belle structure lui valent aussi une citation. (NM)

☙ Claude Baron, La Pierre des Fées, 1, rue des Chaillots, 02310 Charly-sur-Marne, tél. 03 23 69 22 91, fax 03 23 82 17 48, lapierredesfees@orange.fr, ☑ ⚔ ⊺ r.-v.

BARON ALBERT ★★

| | 30 000 | ▮ ⬗ | 15 à 20 € |

Fondée en 1947 par Albert Baron près de Château-Thierry, cette affaire de négoce familiale dispose de 45 ha de vignes. Vinifiés sans fermentation malolactique, les champagnes élaborés par Lise Baron cultivent la fraîcheur. Ce rosé en robe saumonée, issu de sept crus différents, privilégie les noirs (76 %), meunier en tête (63 %). Des senteurs de fleurs blanches et de noisette, une bouche équilibrée, puissante, onctueuse et longue composent une remarquable bouteille que l'on pourra servir au repas. Le meunier est encore plus en vedette (90 %) dans les deux autres champagnes sélectionnés : le brut Jean de La Fontaine (11 à 15 € ; 30 000 b.) obtient lui aussi deux étoiles pour son nez alliant grillé et sous-bois, et pour son palais riche et enrobé, partagé entre fruits rouges et torréfaction. Une dégustatrice l'imagine avec un clafoutis aux cerises. Quant au brut Cuvée particulière (11 à 15 € ; 70 000 b.), c'est un champagne équilibré et de bonne longueur, aux arômes de fleurs blanches et de pamplemousse : une étoile. (NM)

☙ Baron Albert, 1, rue des Chaillots, Grand-Porteron, 02310 Charly-sur-Marne, tél. 03 23 82 02 65, fax 03 23 82 02 44, champagnebaronalbert@wanadoo.fr, ☑ ⚔ ⊺ r.-v.

BARON-FUENTÉ Grande Réserve ★

| | 400 000 | ▮ | 20 à 30 € |

Depuis plus de trente ans, la famille Baron cultive la vigne dans la vallée de la Marne. Créée en 1967, la maison résulte du mariage de Gabriel Baron et de Dolorès Fuenté, originaire d'Andalousie. Elle est aujourd'hui gérée par leurs enfants, Sophie et Ignace, qui s'appuient sur un domaine de 35 ha. Leur Grande Réserve met en vedette les raisins noirs (70 %, essentiellement du meunier). À son nez de belle intensité, légèrement minéral, répondent une attaque franche et une bouche persistante aux nuances d'agrumes : parfait pour l'apéritif. Autre étiquette de la société, le brut grand cru Monthuys Père et Fils (20 000 b.) associe 60 % de chardonnay et 40 % de pinot noir récoltés en 2004. Un champagne gourmand, encore frais, qui dévoile sa maturité par des notes de torréfaction et de raisin sec. Il est cité, comme la cuvée Réserve Monthuys Père et Fils (15 à 20 € ; 200 000 b.), dominée par le meunier (60 %, le solde en chardonnay) ; un brut sans année équilibré, fruité, légèrement grillé. (NM)

☙ Baron-Fuenté, 21, av. Fernand-Drouet, 02310 Charly-sur-Marne, tél. 03 23 82 01 97, fax 03 23 82 12 00 ☑ ⊺ t.l.j. sf dim. 8h-18h

BAUCHET PÈRE ET FILS Séduction ★

| | 10 000 | ▮ | 15 à 20 € |

Viticulteurs, les Bauchet sont devenus récoltants-manipulants dans les années 1960, tout en constituant un domaine qui couvre aujourd'hui 34 ha. Deux cousins, Bruno Bauchet et Florence Bauchet-Labelle, appuyés à la cave par Bruno Charlemagne, représentent la dernière génération, installée en 2010. Assemblage étonnant, leur rosé Séduction comprend une forte proportion de chardonnay (85 %) ; il tire sa couleur de pinot noir vinifié en rouge. Si sa teinte est légère, pétale de rose, le nez apparaît vineux, sur les fruits rouges et la prune. Dans le même registre, la bouche se montre harmonieuse et nette. À découvrir dès maintenant à l'apéritif ou sur des fruits rouges. (RM)

☛ SAS Bauchet, 4, rue de la Crayère, 51150 Bisseuil,
tél. 03 26 58 92 12, fax 03 26 58 94 74,
bauchet.champagne@wanadoo.fr, ☑ ⚘ ⵣ r.-v.

BAUDRY Tradition ★

| | 40 000 | 🔋 | 11 à 15 € |

José et Armel Baudry exploitent un vignoble de plus
de 20 ha, implanté dans la Côte de Bar. Représentatif de
ce secteur aubois, l'encépagement de leur domaine fait
une très large place au pinot noir, complété par le
chardonnay. Le pinot règne sans mélange dans la cuvée
Tradition qui mêle au nez les fruits confits et des notes plus
fraîches d'agrumes. On retrouve les agrumes dans un
palais vif à l'attaque, équilibré et long. Un champagne
d'apéritif qui peut attendre deux ou trois ans. Le brut
Privilège (110 000 b.) marie 20 % de chardonnay au pinot
noir. Avec sa robe dorée aux reflets cuivrés, ses arômes de
fruits rouges, sa bouche ronde et équilibrée, il obtient une
citation. (RM)
☛ Baudry, 70, Grande-Rue, 10250 Neuville-sur-Seine,
tél. 03 25 38 20 59, fax 03 25 38 23 15,
champagne.baudry@cegetel.net, ☑ ⚘ ⵣ r.-v.

HERBERT BEAUFORT Blanc de blancs Cuvée du Mélomane

| ◯ Gd cru | 25 000 | 🔋📶 | 20 à 30 € |

Le domaine de la famille Beaufort – Henry, Hugues
et Ludovic – couvre 12 ha ; il est essentiellement implanté
à Bouzy, à Ambonnay et à Tours-sur-Marne, grands crus
de la Montagne de Reims mettant en vedette le pinot noir.
Surprise, il propose un blanc de blancs de Bouzy. De telles
exceptions existent dans la Montagne de Reims, moins
monolithique dans son encépagement que la Côte des
Blancs ; l'exploitation des Beaufort compte ainsi 3 ha de
chardonnay. Vinifiée sans fermentation malolactique,
élevée six mois en fût, cette cuvée dévoile un nez intense
et une bouche fraîche, à la finale citronnée. Un champagne
d'apéritif. (RM)
☛ Herbert Beaufort, 32, rue de Tours-sur-Marne, BP 7,
51150 Bouzy, tél. 03 26 57 01 34, fax 03 26 57 09 08,
beaufort-herbert@wanadoo.fr,
☑ ⚘ ⵣ t.l.j. 9h30-12h30 14h30-17h30; f. dim. du 15 oct.
au 31 mars ⌂ ☺

BEAUGRAND 2005 ★★

| ◯ | 6 810 | | 20 à 30 € |

Depuis quatre générations, la famille Beaugrand
exploite un vignoble à Montgueux (Aube). Située aux
portes de Troyes, cette commune est dotée d'un coteau
aux sols calcaires, bien exposé au sud-est, où le chardonnay mûrit à merveille et règne en maître. Il permet à cette
propriété de faire son entrée dans le Guide avec un
superbe 2005. L'olfaction, où la noisette fraîche, la
pomme, le beurre et les fruits secs se fondent avec une
grande délicatesse, charme par son élégance. À la fois
puissant, gras et frais, le palais confirme ces plaisantes
impressions. Une rare harmonie, à apprécier sur un
poisson noble. Citée, la **cuvée Tradition (15 à 20 € ;
8 435 b.)** associe au chardonnay 35 % de pinot noir. Un
champagne d'apéritif aérien, sur les fleurs et les fruits
blancs, à la finale gourmande et briochée. (RM)
☛ Beaugrand, 4, rue Léon-Beaugrand, 10300 Montgueux,
tél. 03 25 79 85 11, fax 03 25 74 67 07,
champagne.beaugrand@club-internet.fr, ☑ ⚘ ⵣ r.-v.

BEAUMONT DES CRAYÈRES Nostalgie 2002 ★★

| ◯ | 10 000 | | 50 à 75 € |

Fondée en 1955, la coopérative de Mardeuil, installée aux portes d'Épernay, vinifie les 90 ha de ses nombreux
adhérents. Elle apparaît avec une belle régularité dans les
sélections du Guide. Mariant deux tiers de chardonnay à
un tiers de pinot noir, sa cuvée Nostalgie est un champagne millésimé élaboré seulement les bonnes années. De sa
robe jaune d'or s'échappent des parfums flatteurs de fruits
jaunes légèrement compotés (abricot, pêche). La torréfaction s'ajoute à cette palette dans une bouche encore
fraîche, d'un bel équilibre et d'une longueur appréciable.
Bel accord en perspective avec un filet mignon de veau et
sa poêlée de girolles. (CM)
☛ Beaumont des Crayères, 64, rue de la Liberté,
51530 Mardeuil, tél. 03 26 55 29 40, fax 03 26 54 26 30,
contact@champagne-beaumont.com,
☑ ⵣ t.l.j. sf sam. dim. 8h30-12h 13h30-17h

GÉRARD ET OLIVIER BELIN

| | 3 000 | 🔋 | 15 à 20 € |

Olivier et Katty Belin ont repris en 1997 le domaine
familial qui couvre près de 8 ha autour d'Essômes-sur-
Marne, village très étendu en aval de Château-Thierry. Les
coteaux environnants sont couverts majoritairement de
meunier, cépage majoritaire (60 %) dans ce rosé, complété
par le pinot noir et le chardonnay à parts égales. D'un
rose orangé, ce champagne offre un fruité discret, mais
gourmand, sur la cerise et les agrumes, et se montre bien
équilibré en bouche. (RM)
☛ Gérard et Olivier Belin, 30A, Aulnois,
02400 Essômes-sur-Marne, tél. 03 23 70 88 43,
fax 03 23 83 10 97, info@champagne-belin.fr, ☑ ⚘ ⵣ r.-v.

L. BÉNARD-PITOIS

| ◯ 1er cru | 2 530 | 🔋📶 | 20 à 30 € |

Installé à Mareuil-sur-Aÿ, Laurent Bénard exploite
11 ha de vignes réparties sur 40 parcelles situées dans deux
grands crus de la Côte des Blancs et dans quatre 1ers crus.
Il vinifie ses vins de base en petite cuve ou en fût. Le boisé
ne passe pas inaperçu dans ce rosé qui met à contribution
une majorité de pinot noir (75 %), le chardonnay et le
meunier faisant l'appoint. L'élevage renforce l'impression
de puissance procurée par ce champagne. Une année ou
deux de cave pourrait permettre à l'empreinte du fût de se
fondre davantage. À déboucher dès maintenant, la **Réserve 1er cru (15 à 20 € ; 27 000 b.)**, née d'un assemblage
similaire, fait jeu égal. On apprécie son fruité mêlant la
pêche et l'abricot aux agrumes, et sa bouche fraîche et
acidulée. (RM)
☛ EARL Bénard-Louis, 23, rue Duval, 51160 Mareuil-sur-Aÿ,
tél. 03 26 52 60 28, fax 03 26 52 60 12,
benard-pitois@wanadoo.fr,
☑ ⚘ ⵣ t.l.j. sf dim. 10h-12h 13h30-17h; sam. sur r.-v.

F. BERGERONNEAU-MARION Blanc de blancs ★

| ◯ 1er cru | 15 000 | 🔋 | 20 à 30 € |

Récoltant-manipulant à Villedommange, au nord-
ouest de la Montagne de Reims, Florent Bergeronneau
peut s'appuyer sur une expérience de plus de trente ans.
Arrivé en tête des cuvées présentées, ce blanc de blancs,
de belle maturité, exprime des notes d'agrumes confits et
de fruits mûrs que l'on retrouve en bouche. Si le dosage
est assez généreux, il équilibre sa franche acidité. Une
cuvée tonique, pour l'apéritif. Cité, le **Clos des Berge-**

ronneau 1er cru (50 à 75 € ; 5 000 b.) est un pur meunier de la récolte 2007. Complexe et nettement évolué avec ses nuances de grillé, de pomme mûre et de noix, c'est un champagne vineux, équilibré par une fraîcheur de bon aloi. À déguster rapidement. Également citée, la **Grande Réserve** 1er cru (15 à 20 € ; 25 000 b.) privilégie les noirs (90 %, dont 60 % de meunier). On aime sa palette aromatique faite de fruits rouges, d'écorce d'orange et de grillé, son attaque franche et son équilibre entre rondeur et fraîcheur. On pourra la garder deux ans. (RM)

➼ Florent Bergeronneau, 22, rue de la Prévôté, 51390 Villedommange, tél. 03 26 49 75 26, fax 03 26 49 20 85, contact@florent-bergeronneau-marion.fr, ☑ ⚔ ⵢ t.l.j. 9h-12h 14h-18h; f. 15 août-1er sep.

PAUL BERTHELOT Réserve

○	38 000 ■	15 à 20 €

Établis à Dizy près d'Épernay, Émile et Georges Berthelot commencèrent à élaborer du champagne dès la deuxième moitié du XIXe s. Paul, le fils de Georges, développa l'affaire et lança la marque à son nom. Aujourd'hui, son petit-fils Arnaud Berthelot exploite 16 ha de vignes entre Dizy, Avenay-Val-d'Or (1ers crus) et Aÿ (grand cru). La cuvée Réserve, issue des trois cépages champenois, donne une nette majorité aux noirs (80 % des deux pinots à parts égales). Un champagne flatteur aux nuances de fleurs blanches, de beurre et de fruits mûrs, à la fois ample et frais, qui finit sur une note d'abricot confit. (NM)

➼ Berthelot, 889, av. du Gal-Leclerc, 51530 Dizy, tél. 03 26 55 23 83, fax 03 26 54 36 31, champagneberthelotpaul@orange.fr, ☑ ⚔ ⵢ r.-v.

MICHEL BERTHELOT 2004 ★

○	5 000 ■	15 à 20 €

Créé en 1997, ce domaine est implanté à Champillon, village dominant Épernay et la vallée de la Marne. Il est conduit par Michel Berthelot, épaulé depuis 2008 par son fils Geoffrey. Les champagnes de la propriété sont élaborés à la coopérative d'Aÿ. Mariant pinot noir (55 %) et chardonnay presque à parts égales, ce 2004 s'annonce par un nez agréable et fin, au fruité riche (agrumes, coing, pêche, poire) nuancé de notes plus évoluées de miel et de brioche. Une attaque fraîche et une bouche équilibrée, bien fruitée elle aussi, devraient autoriser une garde de trois ans. (RC)

➼ Michel Berthelot et Fils, 24, rue Bel-Air, 51160 Champillon, tél. 03 26 59 47 41, champagne.berthelot@orange.fr, ☑ ⵢ r.-v.

CHRISTOPHE BERTIN 2007 ★

○	3 700 ■	20 à 30 €

Christophe Bertin est établi à la source d'un ruisseau tributaire de la Marne, sur sa rive gauche. Il confie la récolte de ses 2 ha de vignes au Centre vinicole de Chouilly. Il a un faible pour les millésimés ; en voici deux, issus l'un comme l'autre des trois cépages champenois à parts égales. Le préféré est ce 2007. Équilibré, gourmand, acidulé, il séduit par son fruité puissant et complexe (fruits frais, zeste d'agrumes confits, pâte de fruits). Le **2006** **(2 300 b.)** possède lui aussi des qualités d'équilibre et de fruité (agrumes, pêche blanche), avec moins de présence : il est cité, tout comme le **rosé (3 200 b.)**. Ce dernier est le fruit d'un assemblage dominé par les noirs (85 % des deux pinots). De couleur saumon pâle, il offre un nez de

fruits blancs, d'aubépine et de bonbon anglais. Jeune, il montre une belle fraîcheur, en harmonie avec des arômes de groseille et de framboise. (RC)

➼ Christophe Bertin, Le Clos Milon, 51700 Igny-Comblizy, tél. 06 71 84 17 88, bertin.christophe@hotmail.fr, ☑ ⵢ r.-v.

BERTRAND Cuvée Prestige 2005 ★

○	3 000 ■	15 à 20 €

La famille Bertrand élabore ses champagnes depuis 1946. Depuis 1982, Thérèse est aux commandes, rejointe par son fils Bertrand. La propriété est installée à Cumières, 1er cru de la Grande Vallée de la Marne connu pour sa précocité : c'est dans ce village que les vendangeurs donnent les premiers coups de sécateurs. Mi-blancs minoirs (pinot noir), la cuvée Prestige 2005 affirme son âge par ses notes de fruits mûrs, de prune, de « pomme d'automne » et de miel. À ce nez expressif fait suite une bouche charnue, dans le même registre plutôt évolué, mais fraîche. La finale sur la poire est saluée pour sa longueur. Assemblant 60 % de pinots (les deux pinots à parité) au chardonnay, le **brut sans année 1er cru (11 à 15 € ; 8 000 b.)**, qui fait jeu égal, est lui aussi champagne mûr, aux arômes de fruits à l'eau-de-vie, d'herbe sèche et de tabac. Ces deux cuvées pourront être servies à table. (RM)

➼ Pierre Bertrand, 166, rue Louis-Dupont, 51480 Cumières, tél. 03 26 54 08 24, bertrand.pierre7@wanadoo.fr, ☑ ⚔ ⵢ r.-v.

BIARD-LOYAUX Blanc de blancs ★★

○	3 000 ■⬤	11 à 15 €

Créé en 1947 et conduit depuis 2005 par Laurent Biard, ce domaine est implanté sur la rive droite de la Marne. Ce secteur privilégie le meunier ; pourtant, c'est encore le chardonnay de la propriété qui reçoit la meilleure note. Aromatique au nez, il se partage entre fleurs blanches et pâte d'amandes. Miel et fleurs séchées s'allient dans une bouche agréable par sa texture, équilibrée et longue. Ce champagne, qui peut attendre deux ou trois ans, formera un bel accord avec les crustacés. Notée une étoile, la **Cuvée de prestige (15 à 20 € ; 3 000 b.)** assemble à parts égales les blancs et les noirs (les deux pinots) et a connu le bois. Élégante et fraîche, elle mêle la fleur blanche, le beurre et la brioche. L'élevage ne transparaît que par des notes vanillées discrètes et bien fondues. À marier avec des saint-jacques ou un vol-au-vent. Pour l'apéritif, on choisira la **Grande Réserve (3 000 b.)**, citée, dominée par les noirs (75 %, dont 50 % de pinot noir) : un peu courte, mais bien équilibrée, elle offre une jolie palette aromatique : pêche, coing, tilleul, verveine... (RM)

➼ Biard-Loyaux, 1-2, rue du Château, 02850 Passy-sur-Marne, tél. 03 23 70 35 66, fax 03 23 70 31 72, jbiard@wanadoo.fr, ☑ ⚔ ⵢ t.l.j. 8h-17h; sam. dim. sur r.-v.

MARC BIJOTAT Tradition ★

○	60 000	11 à 15 €

Marc Bijotat et ses deux enfants, Vanessa et Alexandre, s'activent sur le domaine qui couvre près de 13 ha sur les coteaux de la vallée de la Marne situés dans l'Aisne. Construit sur le meunier (80 %, avec les deux autres cépages en appoint), leur brut Tradition reflète l'encépagement du vignoble. Un champagne doré, harmonieux et long, aux arômes d'abricot compoté nuancés de notes florales et grillées. Né d'un assemblage et d'une majorité de chardonnay, le **rosé (15 à 20 € ; 5 000 b.)** fait jeu égal. Orangé aux reflets cuivrés, il séduit par ses parfums de fruits confits, et par son palais vineux et onctueux. Agréable à l'apéritif, il saura également accompagner bon nombre de desserts. (RM)

☛ Marc Bijotat, 70 bis, rte Nationale,
02310 Romeny-sur-Marne, tél. 03 23 70 18 42,
champagne-marc-bijotat@hotmail.fr,
☑ ⏆ t.l.j. 9h-17h; sam. dim. sur r.-v.

BERNARD BIJOTAT ★

	55 119	🗑	11 à 15 €

Bernard et Sébastien Bijotat cultivent 10 ha aux environs de Romeny-sur-Marne, village qui longe un méandre de la Marne, en aval de Château-Thierry. Dominé par les raisins noirs (70 %, meunier en tête), leur brut sans année libère de puissants parfums de fruits mûrs et de fruits secs. De l'attaque à la finale assez longue, il laisse une impression d'harmonie. Polyvalent, il trouvera sa place à l'apéritif comme au repas et pourra rester en cave quelques années. (RM)

☛ Bernard Bijotat, 2, rte Nationale,
02310 Romeny-sur-Marne, tél. 03 23 70 12 51,
contact@champagne-bernard-bijotat.com,
☑ 🕴 ⏆ r.-v. 🏠 Ⓐ
☛ BBS

ARNAUD BILLARD Vieilles Vignes ★

	3 000	🗑	15 à 20 €

Tourné vers le midi, le coteau de Reuil domine la Marne. Arnaud Billard y cultive 7,5 ha. Sa cuvée Vieilles Vignes est un blanc de noirs (meunier et pinot noir à parts égales) de la seule année 2006. La mouture 2005 avait obtenu trois étoiles, et cette cuvée n'est pas sans rappeler sa devancière. Expressif et complexe, son nez mêle des notes pâtissières (beurre, brioche) et fruitées. Sa matière équilibrée dévoile des saveurs de fleurs séchées et de fruits secs qui signent un champagne à son apogée. À servir dès la sortie du Guide. Le propriétaire le sert comme un vin rouge, sur un civet de chevreuil, tandis qu'un juré suggère un pâté chaud en croûte. Sous une autre étiquette familiale, le brut **2007 Billard Père et Fils (6 000 b.)**, construit sur le chardonnay (60 %), n'est pas très puissant, mais il se montre aromatique et frais : une citation. (RM)

☛ Arnaud Billard, 4, rue Bacchus, hameau de l'Échelle,
51480 Reuil, tél. 03 26 58 66 60, fax 03 26 57 65 30,
info@domaine-bacchus.com,
☑ 🕴 ⏆ t.l.j. 8h30-11h30 13h30-17h; dim. 8h30-11h30
🏠 Ⓖ

HUBERT BILLARD Cuvée Privilège ★★

1er cru	9 305	🗑	15 à 20 €

Un vigneron installé sur le versant sud de la Montagne de Reims (Avenay-Val-d'Or et Ambonnay). Découvert l'an dernier avec cette même cuvée construite sur le pinot noir (80 %, le solde en chardonnay), il confirme son talent avec la version issue des années 2009 et 2008. Le style est le même : robe d'un or soutenu, palette aromatique étendue, mûre et gourmande (pomme cuite, beurre, réglisse, notes confites et nuances empyreumatiques), bouche ample et longue. La note supérieure est atteinte grâce à un supplément d'harmonie et de complexité. Un champagne de table, comme la **cuvée Le Gaulois 1er cru (3 333 b.)** qui comprend un peu plus de chardonnay (40 %) que la précédente ; issue de vins plus âgés, elle a

bénéficié d'un passage partiel en fût. Son nez puissant mêlant les fruits confits et le boisé vanillé de l'élevage, son équilibre et sa finale fraîche lui valent une étoile. À servir sans attendre. (RM)

☛ Hubert Billiard, rte de Fontaine, 51160 Avenay-Val-d'Or,
tél. 03 26 52 36 72, fax 09 70 70 06 56 15,
champagne.hubert.billiard@orange.fr, ☑ 🕴 ⏆ r.-v.

DAVID BILLIARD Cuvée Prestige Élevé en fût de chêne

1er cru	1 500	🗑 🍶	20 à 30 €

Représentant la sixième génération d'une lignée de viticulteurs, David Billiard cultive ses vignes dans un 1er cru de la vallée de la Marne (Cumières) et du flanc sud de la Montagne de Reims (Avenay-Val-d'Or) – secteur parfois appelé Grande Vallée de la Marne. Il développe depuis un an une petite activité de négoce. Sa cuvée Prestige, à 90 % issue de chardonnay, lui permet de faire son entrée dans le Guide. Un séjour en fût lui a enrichi sa palette de notes grillées, bien mariées à des arômes délicats de fruits blancs très mûrs, et lui a légué une rondeur suave, qui contrebalance sa fraîcheur originelle. On pourra déguster ce champagne en début de repas. (NM)

☛ David Billiard, 60, rue d'Avenay, 51160 Fontaine-sur-Aÿ,
tél. 03 26 52 33 01, db.champ@wanadoo.fr, ☑ 🕴 ⏆ r.-v.

BLAISE-LOURDEZ Charme

	2 000	🗑	20 à 30 €

Ce domaine dispose d'un vignoble de 8 ha dans la vallée de la Marne. Il est dirigé depuis dix ans par Bruno Blaise qui conduit toutes ses vinifications sans fermentation malolactique, pour préserver la vivacité de ses cuvées. Celle-ci, un rosé, a la particularité d'être presque entièrement composée de chardonnay, n'incorporant qu'un petit 4 % de vin rouge qui lui donne une couleur très pâle, églantine. Le chardonnay est élevé un an sur lies fines régulièrement bâtonnées. Il en résulte un rosé discret mais délicat, équilibré entre rondeur et fraîcheur, à la finale douce. Un champagne qui mise plus sur la finesse que sur la puissance. (RM)

☛ Bruno Blaise, 2, rue des Longues-Raies, 51480 Damery,
tél. 03 26 59 48 23, fax 03 26 52 82 21,
bruno@champagneblaise.fr, ☑ 🕴 ⏆ r.-v. 🏠 Ⓞ

CH. DE BLIGNY Blanc de blancs

	35 000	🗑	20 à 30 €

Acquise en 1999 par la famille Rapeneau, cette propriété est commandée par un élégant château construit à la fin du XVIIIᵉs. par le marquis de Dampierre. Elle abrite la source du Landion, petit cours d'eau qui rejoint l'Aube quelques kilomètres plus loin, en aval de Bar-sur-Aube. Dans ce secteur, le pinot noir est roi ; pourtant, c'est le seul chardonnay qui est à l'œuvre dans cette cuvée. Il trouve ici une expression presque sudiste, faite de notes de fruits exotiques et d'une vivacité modérée, qui le destinent à une viande ou un poisson en sauce. À déguster dans les trois années à venir. (RM)

☛ Ch. de Bligny, 10200 Bligny, tél. 03 25 27 40 11,
fax 03 25 27 04 52, lbn@chateaumartel.com

H. BLIN Blanc de blancs Blin's Édition limitée

	3 000	🗑	30 à 50 €

En 1947, dans les temps difficiles de l'après-guerre, une trentaine de vignerons, autour d'Henry Blin, fondent la « coop » de Vincelles. La cave regroupe aujourd'hui une centaine d'adhérents qui apportent le produit de leurs

110 ha de vignes. Bien que l'exercice ne soit pas aisé, le chardonnay étant minoritaire dans le secteur, la cave a réussi à élaborer un blanc de blancs de bonne facture. Ouvert, complexe et évolué par ses arômes, il intéresse par son attaque agréable, son fruit gourmand et par son ampleur. Une touche de minéralité souligne la finale. (CM)
🐎 H. Blin, 5, rue de Verdun, 51700 Vincelles, tél. 03 26 58 20 04, fax 03 26 58 29 67, contact@champagne-blin.com,
☑ ⵏ t.l.j. sf dim. 9h-12h 14h-18h; f. sam. de janv. à mars ; f. 11-24 août

BLONDEL Carte d'or

1er cru	100 000	▬	15 à 20 €

Constituée au début du XXᵉs. par l'arrière-grand-père de Thierry Blondel, qui était notaire, cette structure s'appuie sur un vignoble de 11 ha de vignes d'un seul tenant – une rareté sur la Montagne de Reims où les successions ont morcelé les domaines. Ce brut Carte d'or assemble deux tiers de pinot noir et un tiers de chardonnay et, comprend 50 % de vins de réserve. Complexe, sa palette aromatique décline les fruits confits, les fruits blancs et les fruits secs, avec des nuances d'herbe coupée, de brioche et de beurre. Discret à l'attaque, bien équilibré entre ampleur et vivacité, le palais finit sur une légère pointe d'amertume. Pour l'apéritif ou pour une viande blanche. (NM)
🐎 Blondel, Dom. des Monts-Fournois, BP 12, 51500 Ludes, tél. 03 26 03 43 92, fax 03 26 03 44 10, contact@champagneblondel.com, ☑ ⵏ ⵏ r.-v.

BOCHET-LEMOINE 2008

	7 615	▬	15 à 20 €

Nouveau venu dans le Guide, ce domaine a été constitué en 1992 à la suite du mariage de Jacky Bochet et de Valérie Lemoine : après la réunion de vignobles issus des deux familles, la propriété couvre plus de 8 ha sur la rive droite de la Marne, le long d'un ruisseau perpendiculaire à la rivière. Mi-pinot noir mi-chardonnay, son 2008 s'annonce par de subtiles senteurs de fruits exotiques (ananas confit), prélude à une attaque vive et à une bouche équilibrée s'étirant en une longue finale acidulée et minérale (RM)
🐎 EARL Bochet-Lemoine, 3, rue Dom Pérignon, 51480 Cormoyeux, tél. 03 26 58 64 11, fax 03 26 58 61 23, bochet.lemoine@wanadoo.fr,
☑ ⵏ ⵏ t.l.j. sf dim. 9h-12h 14h-18h; f. 10-25 août 🏠 ⓖ

PIERRE BOEVER ET FILS 2008 ★

Gd cru	5 000	▬	15 à 20 €

Fils et petit-fils de vignerons, Sébastien Boever a pris les rênes de l'exploitation en 2004 après vingt ans de collaboration avec son père. Entrée dans le Guide l'an dernier avec un millésime 2006, la propriété a présenté pour cette édition un 2008 qui fait jeu égal, recevant une étoile. Année qualifiée d'excellente en Champagne, 2008 a souvent produit de jolis vins de garde. Cet assemblage mi-pinot noir mi-chardonnay ne déroge pas à la règle et offre un nez fin et une matière tendue. Ses notes subtiles de tilleul et d'aubépine se mêlent à des touches de miel et de poire. Fraîche et droite, délicate, la bouche laisse augurer une bonne évolution pendant plusieurs années. (RM)
🐎 SCEV Boever-Denancy, rue du Champ-Neuville, 51150 Tauxières, tél. et fax 03 26 57 04 20, boever@cegetel.net, ☑ ⵏ r.-v.

BOIZEL Réserve

	300 000	▬	20 à 30 €

Fondée il y a près de cent quatre-vingts ans, cette maison sparnacienne a vu se succéder cinq générations. Peu après la disparition prématurée de son père et de son frère en 1972, Évelyne Roques-Boizel a pris les commandes, avec son mari Christophe Roques. Le brut sans année de Boizel associe les trois cépages champenois, les noirs étant majoritaires (70 %, dont 55 % de pinot noir). Le nez se partage entre les fleurs (tilleul) et les fruits confits ou compotés, tandis que le palais se montre vif à l'attaque comme en finale, avec des touches d'agrumes et une petite pointe végétale. Un champagne qui gagne à l'aération dans le verre. (NM)
🐎 Boizel, 46, av. de Champagne, 51200 Épernay, tél. 03 26 55 21 51, fax 03 26 54 31 83, boizelinfo@boizel.fr
🐎 Lanson-BCC

♥ BOLLINGER La Grande Année 2004 ★★

	n.c.	▬	75 à 100 €

Nombre de négociants allemands considèrent la Champagne comme une terre promise au XVIIIᵉ et au XIXᵉs. Joseph Bollinger, originaire du Wurtemberg, est de ceux-là. Il fonde sa maison en 1829. La société est toujours familiale, même si, depuis 2008, pour la première fois de son histoire, elle est présidée par une personne extérieure à la famille, Jérôme Philipon. Ici, l'exigence et la tradition ne sont pas de vains mots, comme le prouve l'attachement aux tonneaux anciens pour l'élevage des vins (la maison possède son atelier de tonnellerie). Quant aux vins de réserve, ils sont conservés en magnum sous « petite mousse », et le tirage se fait sous bouchage liège. La Grande Année 2004 marie deux tiers de pinot noir et un tiers de chardonnay de seize crus différents (surtout des grands crus), vinifiés en fût de chêne ; elle repose sur lattes plus de six ans. Ce champagne doré, presque paille, déploie au nez des senteurs de pâte de fruits, de noyau et des nuances fumées et boisées avant de dérouler en bouche une trame vineuse, ample et vive à la fois, d'une rare persistance. Pour la poularde des fêtes. Le **Special Cuvée (30 à 50 €)**, le brut le plus diffusé de la maison, obtient la même note. Ses raisins noirs (75 %, dont 60 % de pinot noir) et blancs fermentent dans de petites cuves ou des tonneaux anciens. Il retire de cet élevage une robe dorée d'où s'échappent des parfums intenses, élégants et complexes de fruits mûrs et confits, avec des nuances d'eau-de-vie et de foin chaud. Dans le même registre, la bouche apparaît ample, ronde, un rien tannique, mais jamais lourde, et très longue. Un champagne puissant, à la forte personnalité, que nos jurés suggèrent de servir avec des cailles aux raisins, une canette aux cerises ou un chaource. Lorsqu'il assemble 5 % de vin rouge au Special Cuvée, le chef de cave obtient le **Special Cuvée rosé (50 à 75 €)**. Cet apport de vin rouge donne une robe saumonée légère et des arômes de fruits rouges sans changer l'équilibre souverain d'une bouche puissante et ferme, qui s'accordera avec le saumon, les crustacés et de la cuisine japonaise : une étoile. (NM)

🕊 Bollinger, 16, rue Jules-Lobet, 51160 Aÿ,
tél. 03 26 53 33 66, fax 03 26 54 85 59,
contact@champagne-bollinger.fr

BONNAIRE Blanc de blancs ★★

● Gd cru	n.c.	🗓	20 à 30 €

Comme plus d'un viticulteur champenois, le grand-père de l'actuel exploitant a pris son indépendance vis-à-vis du négoce à la suite de la crise de 1929 et s'est lancé dans la manipulation en 1932. Aujourd'hui, Jean-Louis Bonnaire et ses deux fils disposent de 22 ha de vignes. Si quelques parcelles sont situées dans la vallée de la Marne, ces récoltants sont établis dans la Côte des Blancs, et les blancs de blancs sont nombreux à figurer dans leur carte des vins. Deux champagnes de cette catégorie reçoivent de nouveau un très bon accueil. Issu principalement de la récolte 2006, ce grand cru dévoile une belle évolution dans ses arômes de fruits confits, compote d'oranges, en harmonie avec une bouche fraîche à l'attaque, équilibrée et de belle longueur. **Le blanc de blancs Variance**, vinifié en fût, obtient une étoile. Il affiche un caractère plus jeune ; la sensation de fraîcheur est soulignée par des notes d'agrumes, de fruits blancs et par un côté minéral assorti d'une touche beurrée. (RM)

🕊 Bonnaire, 120, rue d'Épernay, 51530 Cramant,
tél. 03 26 57 50 85, fax 03 26 57 59 17,
info@champagne-bonnaire.com, ✉ ⚒ ⍓ r.-v. 🏠🏠 ④

ALEXANDRE BONNET Perle rosée ★

●	100 000	🗓	15 à 20 €

Située à l'extrême sud de la Champagne, aux portes de la Bourgogne, la commune des Riceys est intéressante, tant par la beauté de son cadre que par son vignoble – le plus étendu de la région, planté essentiellement de pinot noir –, qui bénéficie d'une AOC supplémentaire, le rosé-des-riceys. Acquise en 1998 par le groupe devenu Lanson BCC, la maison auboise A. Bonnet s'appuie sur plus de 40 ha de vignes. Cette année, deux de ses cuvées reçoivent une étoile. Composée exclusivement de pinot noir, cette bien nommée Perle rosée est tout en élégance, avec des bulles fines parcourant une robe d'un rose léger ; elle exhale un parfum discret de fruits rouges. Plutôt fraîche, gentiment enrobée, un peu fugace, sa bouche finit sur une agréable amertume qui rappelle le pamplemousse. Construite celle aussi sur le pinot noir (75 %, avec les deux autres cépages en appoint), la **Grande Réserve (200 000 b.)** apparaît jeune dans sa robe d'or pâle aux reflets verts ; une impression confirmée par le nez citronné et floral, et par la bouche fraîche, équilibrée et longue. Le **blanc de noirs (100 000 b.)** manque un peu d'ampleur pour un pur pinot noir, mais ses arômes de fruits confits et sa bouche fraîche lui valent une citation. (NM)

🕊 SAS Maison Alexandre Bonnet,
138, rue du Gal-de-Gaulle, 10340 Les Riceys,
tél. 03 25 29 30 93, fax 03 25 29 38 65,
info@alexandrebonnet.com, ✉ ⚒ ⍓ r.-v.

BONNET-LAUNOIS Les Palis

●	9 000		20 à 30 €

Implanté à quelques kilomètres en amont de Château-Thierry (Aisne), le domaine, conduit depuis treize ans par Arnaud Robert, a ses origines à Vertus, si bien que le vignoble se partage entre deux secteurs : la Côte des Blancs et la vallée de la Marne. Cette cuvée Les Palis est issue des trois cépages champenois (55 % des deux pinots, 45 % de chardonnay) ; 5 % des vins de base ont été élevés en fût. Sa robe est dorée, sa palette aromatique décline les fruits mûrs, le raisin sec, le beurre et des notes toastées. Des arômes que l'on retrouve dans une bouche plutôt vive. De couleur saumon pâle, le **rosé Réserve (15 à 20 €)**, qui assemble pinot noir, meunier et chardonnay à parts sensiblement égales, est cité pour ses arômes de fruits rouges, son équilibre et sa fraîcheur. (RM)

🕊 Bonnet-Launois, Le Sablon, 02650 Fossoy,
tél. 03 23 71 59 44, fax 03 23 71 59 41,
contact@bonnet-launois.fr,
☑ ⍓ t.l.j. sf dim. lun. 9h-12h 14h-17h
🕊 A. Robert

BONNET-PONSON Blanc de noirs Extra-brut Jules Bonnet 2006 ★

● 1er cru	8 000	⊞	20 à 30 €

Les Bonnet sont vignerons depuis six générations dans la « Petite » Montagne de Reims, au sud-ouest de la cité des Sacres. Aujourd'hui, Thierry et Cyril gèrent un vignoble de 10,5 ha : 70 parcelles en 1er cru et en grand cru. Ils rendent hommage à leur aïeul à travers cette cuvée millésimée qui avait également obtenu une étoile pour plusieurs millésimes antérieurs, notamment le 2005. La recette est la même : des moûts de pinot noir fermentés en barrique, élevés neuf mois en fût et mis en bouteilles sans collage ni filtration. Il en résulte un champagne mûr, vineux et droit, aux arômes briochés, compotés et légèrement boisés. Un champagne de caractère destiné à la table. Le propriétaire suggère pour l'accompagner une terrine de faisan. (RM)

🕊 Bonnet-Ponson, 20, rue du Sourd, 51500 Chamery,
tél. 03 26 97 65 40, fax 03 26 97 67 11,
champagne.bonnet.ponson@wanadoo.fr,
☑ ⍓ ⚒ t.l.j. sf dim. lun. 9h-12h 13h30-17h 🏠 Ⓐ

FRANCK BONVILLE Blanc de blancs Prestige ★★

● Gd cru	40 000	🗓	15 à 20 €

Créé en 1926, le domaine a commercialisé ses premières bouteilles après la seconde guerre mondiale. Il est aujourd'hui dirigé par Olivier Bonville, le petit-fils de Franck, qui dispose de 18 ha de vignes dans trois grands crus de la Côte des Blancs : Avize, Cramant et Oger. Un vignoble enviable qui permet d'élaborer des blancs de blancs de très belle facture, comme les cuvées sélectionnées. On débouchera dès l'apéritif ce Prestige à la robe claire et au nez aérien et complexe, floral et fruité. À l'unisson, sa bouche se montre soyeuse et fraîche sur toute sa longueur. « J'en prendrais volontiers une petite coupe », déclare un dégustateur. Noté une étoile, le **blanc de blancs grand cru Les Belles Voyes (30 à 50 € ; 4 000 b.)** est né d'une parcelle située entre Avize et Oger, en plein cœur du terroir des grands blancs. Vinifié en fût et élevé longuement, il offre un caractère ample et des arômes boisés et évolués, empyreumatiques, beurrés, briochés et vanillés. Un champagne de table. (RM)

🕊 Franck Bonville, 9, rue Pasteur, 51190 Avize,
tél. 03 26 57 52 30, fax 03 26 57 59 90,
contact@champagne-franck-bonville.com, ☑ ⚒ ⍓ r.-v.

CHAMPAGNE

BOREL-LUCAS Blanc de blancs Sélection ★★

Gd cru	9 000		15 à 20 €

Jean-Marie et Christophe, Roseline et Céline Crépaux gèrent ensemble le domaine familial, fondé en 1929. Leur vignoble de 13 ha se partage entre vallée de la Marne, Côte des Blancs et terroir d'Étoges – commune où l'exploitation est installée (à deux pas du beau château Louis XIII). Le vinificateur, méticuleux, est fidèle au pressoir traditionnel. Après une série de cuvées remarquables dans les trois dernières éditions, le revoilà avec ce blanc de blancs de noble origine : le chardonnay, des récoltes 2008 et 2009, provient de Cramant et de Chouilly, grands crus de la Côte des Blancs. Reflet parfait de son lieu de naissance, cette cuvée offre un nez intense, minéral et fruité (fruits mûrs et fruits secs). Les agrumes s'ajoutent à la noisette et à l'amande dans un palais libéré, gourmand et persistant. Un vrai plaisir à apprécier dès aujourd'hui, à l'apéritif ou sur un poisson cuisiné. (RM)
🍷 Borel-Lucas, 3, rue Richebourg, 51270 Étoges, tél. 03 26 59 30 46, fax 03 26 59 69 65, champagneborellucas@orange.fr,
☑ ⚐ ⌶ t.l.j. 9h-12h 14h-19h; dim. 9h-12h; f. 15-30 août

BOUCANT-THIERY Cuvée de réserve ★★

	25 000	▣	11 à 15 €

Emmanuel Boucant gère ce domaine familial qui s'est agrandi dans les années 1970 et élabore ses champagnes depuis vingt ans. Il est installé à Bonneil, village exposé au sud et dominant l'un des plus jolis méandres de la Marne, en aval de Château-Thierry. Majoritairement composée de meunier (60 %), tout en laissant une place non négligeable aux autres cépages (15 % de pinot noir, 25 % de chardonnay), sa Cuvée de réserve séduit. Son bouquet puissant et complexe évoque un panier de fruits (fruits blancs, groseille). On retrouve avec plaisir ces arômes dans un palais harmonieux et long. Un brut accompli que l'on pourra garder deux à trois ans et qui s'adaptera à une grande variété de mets : on le verrait bien marier un risotto de saint-jacques ou un foie gras en croûte. (RM)
🍷 SARL Boucant-Thiery, 9, rte de Moucherelle, Mont de Bonneil, 02400 Bonneil, tél. 06 78 14 31 18, fax 03 23 82 31 17, manu.boucant@orange.fr, ☑ ⚐ ⌶ r.-v.

BOUCHÉ PÈRE ET FILS Cuvée réservée ★★

	200 000	▣	15 à 20 €

Maison familiale établie à Pierry, à la porte sud d'Épernay. Elle est dirigée par l'œnologue Nicolas Bouché, dont le grand-père a débuté la commercialisation à la fin de la seconde guerre mondiale. Très classique dans son assemblage, la Cuvée réservée assemble par tiers les trois cépages champenois et les années 2007 et 2008. Complexe, elle associe de légères notes de torréfaction (café grillé, fruits secs) aux fruits blancs et à la mirabelle, et fait preuve d'une superbe présence en bouche. Sa matière ronde, fruitée, équilibrée s'étire longuement. « Elle donne beaucoup de plaisir », conclut un juré. (NM)
🍷 Bouché Père et Fils, 10, rue du Gal-de-Gaulle, 51530 Pierry, tél. 03 26 54 12 44, fax 03 26 55 07 02, info@champagne-bouche.fr,
☑ ⚐ ⌶ t.l.j. sf dim. 8h-12h 14h-17h30; f. août

FRANCIS BOULARD Extra-brut Mailly-Champagne

Gd cru	14 000	◧	20 à 30 €

Fils de Raymond Boulard, habitué du Guide, Francis Boulard a monté avec sa fille Delphine une affaire de négoce. Le duo dispose d'un domaine propre de 3 ha, en conversion bio, complété de 65 ares en fermage à Mailly-Champagne, grand cru de la Montagne de Reims d'où provient le pinot noir qui compose 90 % de cet extra-brut, le chardonnay faisant l'appoint. Si la cuvée a été vinifiée sous bois, les barriques anciennes ne laissent guère d'empreinte dans le vin. Seule une discrète évolution et une légère (et agréable) amertume laissent deviner le séjour dans le bois, tant la matière reste franche, tonique et élégante. Les mêmes techniques ont été appliquées à l'**extra-brut Vintage 2006 (4 640 b.)** qui dévoile des qualités similaires, la longueur en moins. Il accompagnera des amuse-bouche feuilletés, tandis que le grand cru sera servi avec poissons cuisinés ou viandes blanches. (NM)
🍷 Francis Boulard, Vendangeoir du Luxembourg, RD 944, 51220 Cauroy-lès-Hermonville, tél. 03 26 61 52 77, contat@francis-boulard.com, ☑ ⚐ ⌶ r.-v.

BOULARD-BAUQUAIRE Blanc de blancs Trépail Vieilles Vignes

1er cru	3 000	▣	15 à 20 €

Aux confins de l'Aisne, Cormicy est le village viticole le plus septentrional du vignoble. C'est là qu'est installée la famille Boulard, qui exploite près de 8 ha dans le massif de Saint-Thierry (au nord-ouest de Reims) ainsi qu'à Trépail, 1er cru de la Montagne de Reims et l'une des rares communes de ce secteur à privilégier les blancs. C'est le lieu de naissance de ce blanc de blancs, dont le nez, partagé entre les fleurs printanières (acacia, aubépine) et les fruits (abricot, citron, citron vert), annonce une bouche fine et fraîche. Un vin jeune, que l'on peut servir dès maintenant avec des fruits de mer ou garder deux à trois ans, voire plus. (RM)
🍷 Boulard-Bauquaire, 30, rue du Petit-Guyencourt, 51220 Cormicy, tél. 03 26 61 30 79, fax 03 26 61 34 40, info@champagne-boulard-bauquaire.fr, ☑ ⚐ ⌶ r.-v.

DOMINIQUE BOULARD ET FILLES Tradition

	4 000	▣	20 à 30 €

Dominique Boulard est l'un des trois enfants de Raymond Boulard, récoltant bien connu des anciens lecteurs du Guide, et l'héritier d'une lignée de vignerons remontant à 1792. En 2009, il a créé avec filles et gendres une structure de négoce implantée à La Neuville-aux-Larris, entre la vallée de la Marne et celle de l'Ardre. Son brut Tradition privilégie le chardonnay (60 %), assemblé au pinot noir (30 %) et au meunier. Fin et franc, il s'annonce par un nez discret d'agrumes. La bouche, homogène et élégante, soulignée par un soupçon de minéralité, est rafraîchie par de beaux amers en finale. Un champagne que l'on pourra déboucher à l'apéritif et finir à table. (NM)
🍷 Dominique Boulard, 13, pl. du Gal-de-Gaulle, 51480 La Neuville-aux-Larris, tél. 03 26 51 46 31, fax 09 65 38 40 68, dominboulard@orange.fr,
☑ ⌶ t.l.j. 9h-12h 13h30-17h

JEAN-PAUL BOULONNAIS ★

1er cru	3 000	▣	15 à 20 €

Frédéric Boulonnais, viticulteur et négociant à Vertus, dispose en propre d'un vignoble de 5 ha implanté exclusivement dans ce 1er cru situé dans la partie sud de la Côte des Blancs. Le chardonnay est à la base des cuvées de la maison ; il compose 80 % de ce rosé, auquel un peu de pinot noir donne sa couleur rose pâle. Un champagne au nez gourmand d'épices, de moka et de beurre, à l'attaque souple et au palais ample. Bel accord en perspective avec une viande blanche. (NM)

☛ Jean-Paul Boulonnais, 14, rue de l'Abbaye, 51130 Vertus, tél. 03 26 52 23 41, fax 03 26 52 27 55, jean-paul.boulonnais@wanadoo.fr, ☑ ⚔ Ⴀ r.-v.

EDMOND BOURDELAT Réserve ★

	20 000	11 à 15 €

À deux pas d'un château d'origine médiévale, le vignoble de Brugny-Vaudancourt est au cœur des coteaux sud d'Épernay. Bruno et Sandrine Bourdelat exploitent près de 5 ha de vignes aux environs. Ils ont proposé deux cuvées qui font jeu égal, avec une étoile pour chacune. Celle-ci assemble quatre parts de meunier et une de chardonnay, et comprend des vins de réserve élevés en fût de chêne. Elle mêle des senteurs d'agrumes et des nuances plus mûres d'abricot, de fruits à noyau. Ce fruité se retrouve à l'attaque, relayé par des notes minérales et des touches d'herbe coupée et de menthol. Une fraîcheur très bien intégrée apporte finesse et élégance à l'ensemble. Privilégiant le chardonnay (60 %, pour 30 % de pinot noir et 10 % de meunier), la cuvée **Prestige (15 à 20 € ; 5 000 b.)** n'a pas connu le bois. Encore plus vive que la précédente, dominée par des arômes d'agrumes, elle trouvera sa place à l'apéritif. (RM)

☛ EARL Albert Bourdelat, 3, rue des Limons, 51530 Brugny-Vaudancourt, tél. 03 26 59 95 25, fax 03 26 59 05 16, contact@champagne-edmond-bourdelat.fr, ☑ ⚔ Ⴀ r.-v.

R. BOURDELOIS Réserve ★

1er cru	21 000	15 à 20 €

Créée il y a plus d'un siècle, cette exploitation familiale est dirigée par Françoise Renoir (la fille de Raymond Bourdelois), son mari et sa fille. Elle dispose d'un vignoble de près de 6 ha implanté sur les coteaux d'Épernay et à Aÿ. Assemblage classique dominé par les noirs (70 %, les deux pinots à égalité), le brut Réserve mise moins sur la puissance que sur la finesse et l'élégance. Sa palette aromatique, légère mais complexe, s'ouvre à l'aération sur de multiples senteurs : agrumes confits, fleurs séchées, fruits secs (noisette), miel... que l'on retrouve au palais après un temps d'aération. Vive, assez ample, bien construite, la bouche devrait gagner en intensité au cours des trois ans à venir. La **cuvée Prestige (4 250 b.)** privilégie, elle, le chardonnay (60 %) complété par les deux cépages noirs à parité. Elle est citée pour son équilibre et sa générosité. (RM)

☛ SCEV Renoir-Bourdelois, 737, av. du Gal-Leclerc, 51530 Dizy, tél. 03 26 55 23 34, fax 03 26 55 29 81, champagnebourdelois@hotmail.fr, ☑ ⚔ Ⴀ t.l.j. 8h30-12h 13h30-18h

☛ Renoir

BOURGEOIS-BOULONNAIS Grande Réserve ★

1er cru	n.c.	▮	15 à 20 €

Établie à Vertus, dans la partie sud de la Côte des Blancs, la famille Bourgeois dispose d'un vignoble de plus de 5 ha implanté uniquement sur cette vaste commune classée en 1er cru. Le chardonnay est à la base de ses cuvées et compose exclusivement ce brut Grande Réserve. Issu des récoltes 2003 et 2005, c'est un champagne à son apogée, vineux et équilibré, aux séduisants arômes de

fruits secs (figue) et de torréfaction. On le dégustera de préférence sur une viande blanche. Le brut **Tradition 1er cru (11 à 15 €)**, plus jeune, comprend 20 % de pinot noir aux côtés du chardonnay. Plus discret et léger que le précédent, il n'en reste pas moins agréable et bien équilibré : une citation. (RM)

☛ Bourgeois-Boulonnais, 8, rue de l'Abbaye, 51130 Vertus, tél. 03 26 52 26 73, fax 03 26 52 06 55, bourgeoi@hexanet.fr, ☑ ⚔ Ⴀ r.-v.

BOURGEOIS-DIAZ Cuvée distinguée

	4 452	▮ ◫	15 à 20 €

Après une première vie comme commercial dans l'industrie, Jérôme Bourgeois a repris le domaine familial, qui couvre près de 7 ha autour de Crouttes-sur-Marne, à l'ouest de Château-Thierry. À nouvelle génération, nouvelles ambitions. Dès la première année, le récoltant quitte la coopérative pour élaborer lui-même ses cuvées, abandonne les désherbants en 2005 et travaille les sols ; il a engagé une conversion progressive du domaine vers la biodynamie en 2009. Assemblage dominé par les noirs (65 %, dont 40 % de pinot noir), son rosé se montre équilibré et frais. Un séjour partiel en fût lui a légué un surcroît de complexité, avec des touches grillées, réglissées et une note boisée en finale. (RM)

☛ EARL Bourgeois-Diaz, 43, Grande-Rue, 02310 Crouttes-sur-Marne, tél. 03 23 82 18 35, bourgeois-diaz@wanadoo.fr, ☑ ⚔ Ⴀ r.-v.

☛ Bourgeois

CH. DE BOURSAULT 2000 ★★

	1 710	▮	20 à 30 €

Au XVe s., les barons de Boursault possédaient sur la rive gauche de la Marne une forteresse entourée de vignes. Au fil des siècles, la forteresse a disparu et la forêt a remplacé les vignes. Barbe Nicole Clicquot y fit construire en 1843 un château de style néo-Renaissance. Il fallut attendre 1969 pour que la famille Fringhian, propriétaire depuis 1927, replante le vignoble. Assemblage de chardonnay (60 %) et de pinot noir, le 2000 du Ch. de Boursault connaît un bel apogée. Son nez élégant et d'une rare complexité décline les fruits compotés, le miel, le pralin, le raisin sec et des notes empyreumatiques (fève de cacao). La bouche est tout aussi aromatique, riche, ample et toujours tonique. Pour une volaille noble à la crème, à la fin de l'année 2013. Plus sur trois cépages champenois, la cuvée **Tradition (15 à 20 € ; 70 000 b.)** donne une courte majorité aux noirs. Équilibrée et fraîche, elle offre une finale acidulée qui lui donne des vertus apéritives. (NM)

☛ Ch. de Boursault, 2, rue Maurice-Gilbert, 51480 Boursault, tél. 03 26 58 42 21, fax 03 26 58 66 12, info@champagnechateau.com, ☑ Ⴀ r.-v.

BOUTILLEZ-GUER Tradition ★

1er cru	13 000	▮	11 à 15 €

La famille Boutillez est enracinée depuis cinq siècles à Villers-Marmery, 1er cru de la Montagne de Reims où le chardonnay est roi. Ce cépage domine aussi l'encépagement de l'exploitation, ainsi que l'assemblage de cette cuvée, où il est complété par 20 % de pinot noir. Il s'impose à la dégustation. Cultivé sur des sols à dominante calcaire, il manifeste sa minéralité, associée à des notes d'agrumes, d'épices, à des nuances grillées et bien entendu à une fraîcheur agréable. Idéal à l'apéritif. (RM)

☎ Boutillez-Guer, 38, rue Pasteur, 51380 Villers-Marmery, tél. 03 26 97 91 38, fax 03 26 97 94 95, boutillez.guer@wanadoo.fr, ☑ ⚁ ⛾ r.-v.

R. BOUTILLEZ-MARCHAND Blanc de blancs 2004 ★

1er cru	2 439		20 à 30 €

Cru à part dans la Montagne de Reims, le terroir de Villers-Marmery est voué au seul chardonnay, le pinot noir, omniprésent presque partout ailleurs, n'occupant que 3 % des surfaces de ce village. Autre particularité : les Boutillez y sont nombreux. Cette branche de la famille cultive 6,4 ha du cépage aux grappes dorées. Contrairement à l'année précédente, les raisins blancs n'ont pas manqué en 2004 ; une récolte abondante et de qualité a permis de produire nombre de jolies cuvées millésimées. Celle-ci ne déroge pas à la règle. Son nez ouvert et complexe mêle fruits mûrs, beurre, brioche et notes d'évolution. Ample et équilibré par une agréable vivacité, c'est un champagne élégant qui pourra accompagner tout un repas. À déboucher dès maintenant. (RM)

☎ Boutillez-Marchand, 21, rue Pasteur, 51380 Villers-Marmery, tél. 06 71 04 81 76, fax 03 26 97 92 51, champagne-boutillezmarchand@orange.fr, ☑ ⚁ ⛾ r.-v.

G. BOUTILLEZ-VIGNON Cuvée Prestige ★

1er cru	12 000		15 à 20 €

À Villers-Marmery, il n'y a que quelques pas à faire pour se rendre de chez un Boutillez à l'autre. Gérard et Colette Boutillez ont créé leur marque en 1976 et mettent en valeur leur domaine de 5 ha avec l'aide de leurs filles. Majoritairement composé de chardonnay (60 %), cépage omniprésent dans ce village de la Montagne de Reims, ce brut reçoit l'appui du pinot noir et de vins de réserve vieillis en fût de chêne. Harmonieux, fin, frais, discrètement floral, fruité, vanillé et minéral, il est agréable aujourd'hui, mais un rien austère ; il se montrera plus séducteur encore dans un ou deux ans. (RM)

☎ EARL Boutillez-Vignon, 26, rue Pasteur, 51380 Villers-Marmery, tél. 03 26 97 95 87, champagne.g.boutillez.vignon@orange.fr, ☑ ⚁ ⛾ r.-v.

OLIVIER ET BERTRAND BOUVRET Tradition

	18 000		11 à 15 €

L'aventure de ce jeune domaine aubois débute en 1986 par l'installation d'Olivier Bouvret et ses premières plantations. Bertrand le rejoint en 2001. Les vignerons construisent alors leur cave, portent le vignoble à 3,2 ha et prennent leur indépendance vis-à-vis du négoce. Ils apparaissent avec constance dans le Guide. On retrouve leur brut Tradition, constitué pour les deux tiers de pinot noir, complété par le chardonnay. La récolte 2010 constitue la base de la cuvée, on découvre un champagne juvénile, pâle de couleur, réservé, discrètement fruité, ferme et tendu en bouche. L'ensemble ne manque ni d'équilibre ni de finesse, mais demande encore quelque temps de maturation, deux ans peut-être. À mettre en cave. (RM)

☎ GAEC des Blés d'or, 39, rue de l'Église, 10110 Merrey-sur-Arce, tél. 03 25 29 90 43, bertrand.bouvret@wanadoo.fr, ☑ ⚁ ⛾ r.-v.

LAURENT BOUY 2007

	2 600		15 à 20 €

Laurent Bouy a pris la tête en 1977 de ce domaine familial de la Montagne de Reims. Trente ans plus tard, il a sélectionné des raisins de chardonnay (80 %) et de pinot noir pour élaborer cette cuvée millésimée qu'il nous présente aujourd'hui. Très fin, ce 2007 développe de légères fragrances d'acacia et d'agrumes, accompagnées de touches fumées. Une attaque tout en fraîcheur inaugure une bouche équilibrée et longue. Également cité, l'**extra-brut (11 à 15 € ; 1 000 b.)** est un mi-blancs mi-noirs qui assemble au 2007 des années antérieures, ce qui lui confère une palette aromatique évoluée (fleurs séchées, épices, miel) et un corps ample et puissant. Il sera plus à l'aise à table qu'à l'apéritif. À boire. (RM)

☎ Laurent Bouy, 7, rue de l'Ancienne-Église, 51380 Verzy, tél. 06 42 78 95 59 ☑ ⚁ ⛾ r.-v.

BRATEAU-MOREAUX Tradition ★

	46 339		11 à 15 €

Les coteaux de Leuvrigny dominent un petit cours d'eau, le Flagot, qui se jette dans la Marne, sur la rive gauche. C'est aux environs que Dominique Brateau cultive un vignoble de presque 8 ha. Sa cuvée Tradition reçoit une étoile comme l'an dernier. Elle est vinifiée sans fermentation malolactique et présente les caractéristiques attendues du meunier, le seul cépage qui la compose. Sa robe est dorée, et le nez est gourmand, fruité et légèrement évolué, évoquant les fruits jaunes et les fruits secs. D'une belle rondeur, la bouche a gardé suffisamment de fraîcheur. Un brut généreux pour accompagner un repas. (RM)

☎ Dominique Brateau, 12, rue Douchy, 51700 Leuvrigny, tél. 03 26 58 00 99, fax 03 26 52 83 61, champagnebrateau-moreaux@orange.fr, ☑ ⚁ ⛾ r.-v.

SÉBASTIEN BRESSION Tradition ★

	10 000		11 à 15 €

Le très joli château d'Étoges était sous l'Ancien Régime une halte pour les rois en route vers l'est du royaume ; les séjours y sont devenus plus démocratiques depuis qu'il a été transformé en hôtel-restaurant de charme. Non loin de là, on trouvera le domaine de Sébastien Bression, à la tête depuis douze ans du domaine familial : 3,6 ha de vignes dispersées entre Côte des Blancs et Sézannais, ainsi qu'à Dizy, près d'Épernay. Son brut Tradition est délicatement parfumé de pomme fraîche, de poire et d'épices. Frais à l'attaque, il prend de l'ampleur et impose sa rondeur au palais. Un champagne souple que l'on conseille pour le repas, et qu'un juré verrait même sur une tarte Tatin. (RM)

☎ Sébastien Bression, La Haie Carbon, 51270 Étoges, tél. 03 26 53 76 67, champagnebression.s@orange.fr, ☑ ⚁ ⛾ r.-v.

BRETON FILS Blanc de blancs

	20 000		15 à 20 €

Parti de presque rien dans les années 1950, Ange Breton a vaillamment développé son domaine pendant un demi-siècle. Siégeant à Congy, entre Côte des Blancs et Sézannais, l'exploitation, forte d'un vignoble de 17 ha répartis sur onze communes, est dirigée par ses enfants, dont Reynald, qui officie à la cave. Ce dernier a présenté un blanc de blancs floral et fin à l'olfaction, souple et gourmand en bouche, agréable en finale. Un peu fugace, mais subtil et harmonieux, un champagne proche de l'étoile. (RM)

☛ Breton Fils, 12, rue Courte-Pilate, 51270 Congy, tél. 03 26 59 31 03, fax 03 26 59 30 60, contact@champagne-breton-fils.fr, ☑ ⚤ ⏻ t.l.j. 9h-12h 13h30-17h30

BRICE Bouzy ★

● Gd cru	15 000	🍾	20 à 30 €

Fondée en 1994 par Jean-Paul Brice et gérée depuis 2009 par son fils Jean-René, cette maison dispose de 8 ha sur le terroir de Bouzy et s'approvisionne dans d'autres grands crus grâce à son statut de négociant. Elle propose des cuvées issues de grands crus affichés sur l'étiquette. Le jury a particulièrement apprécié celle originaire de Bouzy, assemblage majoritaire de pinot noir (80 %) complété de chardonnay. Fruits confits, fleurs, amande douce flattent le nez. La bouche harmonieuse évolue sur des notes de fruits jaunes et finit sur une touche de miel. À déboucher dès la sortie du Guide sur une viande blanche ou une volaille. (NM)

☛ Brice, 22, rue Gambetta, 51150 Bouzy, tél. 03 26 52 06 60, fax 03 26 57 05 07, contact@champagne-brice.com, ☑ ⚤ ⏻ t.l.j. 9h-17h; sam. dim. sur r.-v.

PIERRE BROCARD Limited Edition blended Vieilli en fût de chêne ★★

●	1 500	🍾🍶	30 à 50 €

Installée à Celles-sur-Ource, dans l'Aube, la famille Brocard se flatte d'être dans la viticulture depuis le XIᵉs. Pierre et son fils Thibault exploitent un vignoble de 8 ha qu'ils font découvrir au volant de véhicules militaires américains de la seconde guerre mondiale. Limited Edition blended ? L'édition est effectivement limitée pour cet assemblage mi-pinot noir mi-chardonnay. Après fermentation alcoolique en cuve, le vin est entonné en fûts neufs où il effectue sa fermentation malolactique et séjourne huit mois. Il en résulte un nez intense, fruité et empyreumatique, sur la pomme mûre, la mirabelle, la griotte, l'amande, le raisin sec, le pain grillé... Dans le même registre, la bouche se montre vineuse, marquée par une légère amertume et une certaine vivacité en finale. Un champagne séduisant, riche et complexe, qui trouvera naturellement sa place à table. (NM)

☛ Pierre Brocard, 10, chem. du Bruyant, 10110 Celles-sur-Ource, tél. 03 25 38 55 05, fax 03 25 38 55 23, pierrebrocard@champagnebrocardpierre.fr, ☑ ⚤ ⏻ t.l.j. 9h-12h 13h-18h

LOUIS BROCHET 2006 ★

●	9 600	🍾	15 à 20 €

Alain Brochet conduit aujourd'hui l'exploitation familiale avec son fils Louis, comme lui œnologue, qui s'apprête à prendre la succession. La famille dispose de 13 ha de vignes implantées à Écueil et aux environs, à quelques kilomètres au sud-ouest de Reims. Le pinot noir, majoritaire (70 %), est associé au chardonnay dans ce 2006 délicatement évolué. Abricot, poire, agrumes, prune et fleurs se mêlent au nez et se prolongent en bouche. Tendre en attaque, élégant et persistant, ce champagne brille par sa complexité. On l'appréciera dès maintenant, à l'apéritif ou sur un poisson en sauce (RM).

☛ Alain Brochet, 12, rue de Villers-aux-Nœuds, 51500 Écueil, tél. 03 26 49 77 44, fax 03 26 49 77 17, contact@champagne-brochet.com, ☑ ⚤ ⏻ r.-v.

VINCENT BROCHET Espionne 2002 ★

● 1er cru	3 000	🍾	30 à 50 €

La famille Brochet débute la culture de la vigne au milieu des années 1940 et lance la marque Brochet-Hervieux, défendue avec brio par Alain Brochet, bien connu des fidèles lecteurs du Guide. À présent, ses fils Louis et Vincent exploitent leurs propres marques, le second depuis 2010. Comme son père, il est installé à Écueil, village situé au flanc sud de la Montagne de Reims, au sud-ouest de la cité des Sacres. Chardonnay et pinot noir sont pratiquement à égalité dans ce 2002 aux arômes intenses et riches de torréfaction, de pâte de fruits, de caramel. L'attaque fraîche apporte finesse à ce champagne puissant et évolué, destiné au repas. À déboucher dès maintenant, sur un canard à l'orange par exemple. (RM)

☛ Vincent Brochet, 28, rue de Villers-aux-Nœuds, 51500 Écueil, tél. 03 26 49 24 06, fax 03 26 49 77 94, contact@champagne-vincent-brochet.com, ☑ ⚤ ⏻ r.-v.

ÉDOUARD BRUN L'Élégante ★

● Gd cru	n.c.	🍾🍶	30 à 50 €

Fondée en 1898, une maison de négoce familiale implantée à Aÿ, sans doute le cru le plus célèbre de Champagne. Elle porte le nom de son créateur, un ancien tonnelier. Les fûts ou foudres sont toujours utilisés pour la vinification de certaines cuvées, mais il s'agit de fûts âgés. C'est dans de tels contenants qu'a séjourné le vin rouge de pinot noir qui donne sa couleur à ce rosé de prestige, avant d'être assemblé à un chardonnay (80 %). Saumoné léger, ce champagne se montre jeune et frais. Au nez, il mêle la groseille et la framboise à une note miellée. La bouche ajoute à cette palette une touche de pain grillé interprétée par les dégustateurs comme une empreinte d'élevage. La **Cuvée spéciale (15 à 20 € ; 90 000 b.)** met, elle, les noirs en vedette (80 %, dont 60 % de meunier). Florale et fruitée, plutôt vive, elle est citée. (NM)

☛ Édouard Brun et Cie, 14, rue Marcel-Mailly, 51160 Aÿ, tél. 03 26 55 20 11, fax 03 26 51 94 29, contact@champagne-edouard-brun.fr, ☑ ⚤ ⏻ r.-v.

G. BRUNOT Grande Réserve

● 1er cru	10 000	🍾	11 à 15 €

Yves Brunot a été maire de Dizy, village limitrophe d'Épernay. Il a transformé la ferme familiale en exploitation viticole (4 ha aujourd'hui). En 2004, sa petite-fille Nathalie s'est installée sur le domaine dont elle a pris les rênes en 2010. Sa Grande Réserve permet à la maison de faire son entrée dans le Guide. Avec 40 % de blancs et 60 % de noirs (les deux pinots à égalité), l'assemblage reflète l'encépagement de son vignoble. Le nez s'ouvre sur de légères senteurs de fruits compotés et de miel. Une expression de maturité que l'on retrouve dans une bouche ronde en attaque, fraîche et longue, marquée en finale par une pointe d'amertume. On pourra déboucher ce champagne à l'apéritif et le finir sur une viande blanche. (RM)

☛ Guy Brunot, 130, rue Neuve, 51530 Dizy, tél. 03 26 55 23 24, fax 03 26 54 90 96, champagne.brunot@wanadoo.fr, ☑ ⚤ ⏻ r.-v.

☛ Nathalie Brunot

PIERRE CALLOT Blanc de blancs Vignes anciennes 2007

| Gd cru | 3 150 | | 20 à 30 € |

Implanté à Avize, dans la Côte des Blancs, ce domaine est conduit depuis 1996 par Thierry Callot, fils de Pierre. Le chardonnay compose la base des cuvées de la propriété. Ce millésimé, issu de chardonnays âgés d'un demi-siècle, revêt une robe or pâle ; il tire son agrément d'un nez élégant et mûr de fruits confits et d'une bouche fraîche, expressive et de bonne tenue. Issu d'un lieu-dit situé en haut de coteau, à Avize, le **grand cru blanc de blancs Clos Jacquin (30 à 50 €)** obtient la même note. Marqué par son élevage de douze mois en fût, il n'en est pas moins complexe, mêlant des notes boisées et briochées, et apparaît riche et assez vif. Un champagne de repas. (RM)
🍷 Pierre Callot et Fils, 100, av. Jean-Jaurès, 51190 Avize, tél. 03 26 57 51 57, fax 03 26 57 99 15, thierry.callot@wanadoo.fr, ☑ ⚲ ⟊ r.-v.

Ⓑ CANARD-DUCHÊNE Authentic Green ★★★

| | 75 000 | | 20 à 30 € |

Dans l'orbite du groupe Thiénot depuis 2003, cette maison fondée en 1868 par Victor Canard et Léonie Duchêne a son siège et ses caves à Ludes, dans la Montagne de Reims. Sa cuvée Authentic Green a été plébiscitée. Son originalité : provenir de raisins issus de l'agriculture biologique (certification Ecocert). Des raisins blancs et noirs (40 % de meunier, 10 % de pinot noir) assemblés à parts égales. Le nez charmeur, aux nuances d'abricot, de pêche et de miel, séduit autant que le palais subtil et d'une rare élégance. Pour l'apéritif ou un dessert peu sucré. Un dégustateur le verrait bien avec un sabayon aux mirabelles. Le **blanc de blancs Charles VII Grande Cuvée des Lys (30 à 50 € ; 65 000 b.)** obtient une étoile. Partagé entre les agrumes, l'acacia et la fleur d'oranger, le nez prélude à un palais équilibré, à la fois ample et vivifiant, qui finit sur une touche épicée. On le servira à l'apéritif ou sur des entrées raffinées. (NM)
🍷 Canard-Duchêne, 1, rue Edmond-Canard, 51500 Ludes, tél. 03 26 61 11 60, fax 03 26 61 13 90, info@canard-duchene.fr, ☑ ⚲ ⟊ r.-v.
🍷 Alain Thiénot

JEAN-YVES DE CARLINI Blanc de noirs ★

| Gd cru | 12 000 | | 15 à 20 € |

La famille de Carlini élabore ses champagnes depuis les années 1950. Sur l'étiquette, seul le prénom a changé : après Roger, Jean-Yves, qui a pris la relève à partir de 1972. Sa fille Aude l'a rejoint sur l'exploitation. Le vignoble couvre 7 ha autour de Verzenay, grand cru de la Montagne de Reims où prospère le pinot noir. Ce cépage engendre ici des blancs de noirs souvent salués par nos dégustateurs. C'est encore le cas de celui-ci, un champagne de repas qui séduit par ses notes de poire et de coing, par sa rondeur gourmande et par sa persistance aromatique. (RM)
🍷 EARL Jean-Yves de Carlini, 13, rue de Mailly, 51360 Verzenay, tél. 03 26 49 43 91, fax 03 26 49 46 46, champagne.decarlini@orange.fr, ☑ ⚲ ⟊ r.-v.

DE CASTELLANE

| | n.c. | | 20 à 30 € |

Fondée en 1895 par le vicomte Florens de Castellane et aujourd'hui dans le giron du groupe Laurent-Perrier, cette maison sparnacienne a deux emblèmes : la tour-beffroi qui se dresse au bout de l'avenue de Champagne, point de repère pour les visiteurs, et la croix rouge de Saint-André ornant ses étiquettes. De couleur saumonée, son rosé donne la majorité aux deux pinots (70 %, dont 40 % de pinot noir). Ses parfums discrets de fruits jaunes et de raisin s'accompagnent de quelques touches miellées. L'attaque d'une belle fraîcheur précède un palais ample, fondu et assez long. (NM)
🍷 De Castellane, 63, av. de Champagne, 51200 Épernay, tél. 03 26 51 19 19, fax 03 26 54 24 81, olivier.kanengieser@castellane.com, ☑ ⚲ ⟊ t.l.j. 10h-12h 14h-18h; f. 30 déc.-15 mars
🍷 Laurent-Perrier

DE CASTELNAU 2004 ★★

| | n.c. | | 30 à 50 € |

La coopérative régionale des vins de Champagne, fondée il y a un demi-siècle, vinifie aujourd'hui la récolte de 900 ha et ses caves stockent 29 millions de bouteilles en cours de maturation ! Elle a repris en 2003 l'étiquette De Castelnau, fondée en 1916 en l'honneur d'un général de la Grande Guerre. Si le côté martial de la marque s'est aujourd'hui estompé, de Castelnau arbore très souvent deux étoiles... C'est encore le cas cette année, où deux de ses millésimés atteignent cette note élevée. Ce 2004 assemble à parts égales les blancs et les noirs (30 % de pinot noir). Son nez tout en finesse allie de subtiles notes de fruits secs, de café grillé et de moka. Les dégustateurs sont conquis par sa richesse, son équilibre, sa longueur et son potentiel. On pourra déguster cette cuvée pour elle-même, à l'apéritif. Le **blanc de blancs 2000** est lui aussi remarquable de complexité, tant au nez qu'en bouche. On y respire le sous-bois, la truffe et les fruits exotiques surmûris. Bien construit et persistant, le palais dévoile une matière à la fois élégante et étoffée : une belle évolution. (CM)
🍷 De Castelnau, 5, rue Gosset, 51066 Reims Cedex, tél. 03 26 77 89 00, fax 03 26 77 89 01, ac.allart@crvc.fr, ☑ t.l.j. sf sam. dim. 8h30-12h 14h-17h30
🍷 CRVC

CATTIER Blanc de noirs ★

| | 15 000 | | 30 à 50 € |

Les origines de cette maison remontent au XVIIIᵉs. et les premières bouteilles ont été vendues en 1918. La société a son siège à Chigny-les-Roses, au cœur de la Montagne de Reims, et dispose d'un vignoble en propre de 33 ha. Son blanc de noirs fait appel aux deux pinots : pinot noir (70 %) et meunier. Léger au nez, il associe l'aubépine et les fruits mûrs. En bouche, il se montre à la fois charpenté, équilibré et harmonieux. Il sera excellent au repas ou sur du fromage. Le **blanc de blancs 1ᵉʳ cru (60 000 b.)** fait jeu égal. Avec sa robe or pâle aux reflets verts, son bouquet délicat mêlant fleurs blanches, agrumes et amande fraîche, sa bouche suave, intense et fruitée, aux arômes de pêche blanche et de miel, il est bien typé du chardonnay : un joli vin de poisson. (NM)
🍷 Cattier, 12, rue de la Belle-Image, 51500 Chigny-les-Roses, tél. 03 26 03 42 11, fax 03 26 03 43 13, champagne@cattier.com, ☑ ⟊ t.l.j. sf sam. dim. 8h-12h 14h-18h

CLAUDE CAZALS Blanc de blancs Carte or

| Gd cru | n.c. | | 20 à 30 € |

Un nom du Midi : Ernest Cazals, le fondateur du domaine, tonnelier de son état, quitta l'Hérault pour venir s'installer en 1897 au Mesnil-sur-Oger. Olivier lui succéda, puis Claude, génial inventeur du gyropalette. Depuis 1996, c'est sa fille Delphine qui dirige l'exploitation : 9 ha sur la Côte des Blancs. Elle a soumis aux jurés un blanc de blancs au nez expressif d'aubépine, d'orange et de fruits à l'eau-de-vie, prélude à une bouche fraîche, un rien minérale, dans le même registre aromatique. Un champagne de caractère qu'un dégustateur verrait bien sur un canard à l'orange. (RC)

☛ Delphine Cazals, 28, rue du Grand-Mont, 51190 Le Mesnil-sur-Oger, tél. 03 26 57 52 26, fax 03 26 57 78 43, cazals.delphine@wanadoo.fr, ☑ ⚹ ☂ r.-v.

CHARLES DE CAZANOVE Grand Apparat ★

| ◐ | 200 000 | ■ | 30 à 50 € |

Cette maison de négoce rémoise fondée en 1811 par Charles Gabriel de Cazanove est restée dans la famille jusqu'au milieu du XXᵉs. Depuis 2004, elle fait partie du groupe Rapeneau. Élu coup de cœur dans l'édition précédente et souvent distingué, le brut Grand Apparat ne manque pas le rendez-vous du Guide. Complétés par le chardonnay, les deux pinots (65 %, dont 45 % de pinot noir) sont à leur avantage dans cette cuvée spéciale. Le nez gourmand mêle fruits des bois, agrumes et touches grillées. Après une attaque souple, la bouche dévoile une matière charpentée, équilibrée, à la finale légèrement acidulée. On pourra ouvrir cette bouteille à l'apéritif et la finir au repas. Le brut **Tradition Père et Fils 1ᵉʳ cru (20 à 30 € ; 90 000 b.)**, issu d'un assemblage similaire, est cité pour son bouquet floral et printanier, et pour sa bouche fraîche. (NM)

☛ Charles de Cazanove, 8, pl. de la République, 51100 Reims, tél. 03 26 88 53 86, fax 03 26 05 00 96, ibn@champagnemartel.com, ☑ ⚹ ☂ t.l.j. 10h-19h

PIERRE CELLIER Prestige ★

| ◐ | 20 000 | ■ | 20 à 30 € |

Le domaine Philippe Gonet est bien connu au Mesnil-sur-Oger, dans la Côte des Blancs. Fort de 19 ha de vignes, il est géré depuis 2001 par les enfants de Philippe, Pierre (à la vigne et à la cave) et Chantal (au commercial). Sous l'étiquette de négoce de la famille ont été présentés deux champagnes qui ont trouvé bon accueil auprès des jurés. Le préféré est ce brut Prestige qui assemble 70 % de noirs (surtout du pinot noir) et 30 % de blancs. Les fleurs et les fruits blancs se partagent le nez. La mise en bouche dévoile une expression vive, droite, équilibrée. On y retrouve les nuances florales de l'olfaction, alliées à des notes d'abricot confit. Un ensemble élégant et fin, destiné à l'apéritif. Autre vin d'apéritif, le **blanc de blancs (10 000 b.)** est cité pour sa fraîcheur et pour son fruité élégant. (NM)

☛ SAS Philippe Gonet, 1, rue de la Brèche-d'Oger, 51190 Le Mesnil-sur-Oger, tél. 03 26 57 53 47, fax 03 26 57 51 03, office@champagne-philippe-gonet.com, ☑ ⚹ ☂ t.l.j. 8h-12h 14h-17h; sam. dim. sur r.-v.; f. sem. du 15 août

JACQUES CHAPUT Chardonnay Le Mythic Brut nature

| ◐ | 5 000 | ■ | 15 à 20 € |

Implanté près de Bar-sur-Aube, le domaine a été fondé dans les années 1950 par Jacques Chaput, auquel ont succédé ses fils Jean-Paul et Jacky, qui s'appuient sur un vignoble de 14 ha. Ces derniers ont soumis aux dégustateurs un blanc de blancs brut nature, c'est-à-dire non dosé, sans sucre ajouté après le dégorgement. Un nez de fruits blancs, un palais fruité, nerveux et épicé incitent à servir cette bouteille à l'apéritif ou sur des produits de la mer : tartare de saint-jacques, sushis, coquillages. (NM)

☛ Jacques Chaput, 1, rue Blanche, 10200 Arrentières, tél. 03 25 27 00 14, fax 03 25 27 01 75, contact@jacques-chaput.com, ☑ ⚹ ☂ r.-v.

CHAPUY Tradition

| ◐ | 8 000 | ■ | 15 à 20 € |

Un ancêtre des Chapuy fut maire d'Oger pendant la Révolution : la famille est enracinée dans la Côte des Blancs. En 1952, Serge Chapuy a lancé son champagne. La maison est maintenant conduite par son fils Arnold Chapuy, rejoint par ses propres filles Élodie et Aurore – sa seconde à la cave. Elle signe un rosé d'assemblage mariant 52 % de chardonnay à 48 % de pinot noir. Du vin rouge (16 %) donne sa délicate robe rose tendre à cette bouteille harmonieuse, partagée au nez comme en bouche entre la cerise, le noyau et les fleurs (pivoine). Un ensemble harmonieux que l'on pourra servir à l'apéritif ou avec des crustacés. (NM)

☛ Chapuy, 10, rue de Champagne, 51190 Oger, tél. 03 26 57 51 30, fax 03 26 57 59 25, contact@champagne-chapuy.com, ☑ ⚹ ☂ r.-v.

GUY CHARBAUT Cuvée de réserve ★★

| ◐ 1er cru | 9 000 | ■ | 15 à 20 € |

La famille Charbaut élabore ses champagnes depuis les années 1930. Son vignoble, qui s'est beaucoup agrandi dans les années 1960, s'étend principalement sur des terroirs classés en 1ᵉʳ cru. Depuis 1996, Xavier Charbaut, le fils de Guy, perpétue la marque. Mariant deux tiers de pinot noir à un tiers de chardonnay de la vendange 2006 vieillie quarante-huit mois sur lies, sa Cuvée de réserve a charmé les dégustateurs par son nez intense et complexe où se mêlent les fruits jaunes à des notes de pâtisserie et de fruits confits. La bouche, d'une belle richesse, se montre gourmande et harmonieuse. Sa longueur hors du commun emporte l'adhésion. On pourra déboucher cette bouteille à l'apéritif et la finir au repas. (NM)

☛ SARL Guy Charbaut, 12, rue du Pont, 51160 Mareuil-sur-Aÿ, tél. 03 26 52 60 59, fax 03 26 51 91 49, champagne.guy.charbaut@wanadoo.fr, ☑ ⚹ ☂ t.l.j. sf dim. 9h-12h 14h-17h 🏠 ➌

ÉRIC CHARBONNIER Cuvée Réserve ★

| ◐ | 7 545 | ■ | 11 à 15 € |

Bligny, dans la Marne, est un village d'une centaine d'habitants niché dans la vallée de l'Ardre, entre Épernay et Fismes. L'exploitation d'Éric Charbonnier, aussi modeste par sa superficie (moins de 2 ha), fut néanmoins d'une taille suffisante pour permettre à ce vigneron de lancer son champagne en 2000. Sa cuvée Réserve doit presque tout au meunier (95 %), associé à un soupçon de chardonnay. Son fruité complexe, mûr et confit, son palais puissant et rond, équilibré par ce qu'il faut d'acidité, sont fort appréciés. La **cuvée Émotion blanc de noirs (2 361 b.)** a su séduire une fois de plus. Elle assemble 60 % de pinot noir à 40 % de meunier. Équilibrée et longue, elle atteint sa maturité sans avoir perdu de sa fraîcheur. Un champagne de repas. (RM)

☛ Éric Charbonnier, 29, rue de la Barbe-aux-Cannes, 51170 Bligny, tél. 03 26 49 77 28, eric.charbonnier0124@orange.fr, ☑ ⚹ ☂ r.-v.

CHAMPAGNE

GUY CHARLEMAGNE Blanc de blancs Réserve ★

| Gd cru | 40 000 | ▮ | 15 à 20 € |

Fondée en 1892 et conduite depuis 1988 par Philippe Charlemagne, cette propriété s'étend sur 15 ha autour du Mesnil-sur-Oger, au cœur de la Côte des Blancs. Elle exporte 70 % de sa production. Si elle détient quelques parcelles dans d'autres secteurs (Sézannais, Vitriat, coteaux d'Épernay), le chardonnay est largement majoritaire dans ce vignoble et constitue la base des cuvées du domaine, notamment la cuvée millésimée grand cru Mesnillésime, dont le dernier millésime, 2004, a été apprécié (voir édition précédente). Ce blanc de blancs Réserve, lui, a été distingué pour son bouquet de verger en fleurs, de pain frais, d'agrumes et de pêche blanche. Nerveux à l'attaque, vif et élégant, il trouvera sa place aussi bien à l'apéritif que sur les produits de la mer. (SR)

🍷 Guy Charlemagne, 4, rue de La Brèche-d'Oger,
51190 Le Mesnil-sur-Oger, tél. 03 26 57 52 98,
fax 03 26 57 97 81, champagneguycharlemagne@orange.fr,
☑ ⊼ t.l.j. sf dim. 8h-12h 14h-18h; sam. mat. sur r.-v.; f. août

ROBERT CHARLEMAGNE Blanc de blancs Privilège ★

| Gd cru | 3 000 | ▮ | 15 à 20 € |

Gérée par Sophie et Didier Delavier-Chaillot, les petits-enfants de Robert Charlemagne, l'exploitation couvre un peu plus de 4 ha aux environs du Mesnil-sur-Oger, grand cru de la Côte des Blancs. Les blancs de blancs constituent bien entendu une part importante de l'offre de cette propriété, dont le 2004 fut un des coups de cœur de la dernière édition. Ce Privilège vinifié partiellement sans fermentation malolactique apparaît un peu généreusement dosé, mais il reste séducteur grâce à son nez délicat de fleurs blanches et à son palais franc, plein et élégant, aux nuances d'agrumes et de fruits exotiques. (RM)

🍷 Robert Charlemagne, 5 bis, av. Eugène-Guillaume,
51190 Le Mesnil-sur-Oger, tél. 03 26 57 51 02,
fax 03 26 57 58 05,
info@champagne-robert-charlemagne.com, ☑ ⊼ ⊻ r.-v.

CHARLOT-TANNEUX Blanc de blancs Cuvée Élia ★

| 1er cru | 2 000 | ◫ | 20 à 30 € |

Une exploitation implantée à Mardeuil, près d'Épernay, et dirigée depuis 2001 par Vincent Charlot, qui s'est lancé dans l'élaboration des champagnes. Figurant parmi les rares propriétés champenoises conduites en biodynamie, elle a obtenu sa certification bio en 2013. Le logo n'apparaît pas sur l'étiquette de ce blanc de blancs issu de la récolte 2006. Les vins de base, vinifiés sans fermentation malolactique, ont séjourné plusieurs mois sur lies en barrique avec bâtonnage. Le champagne montre à la dégustation un discret boisé vanillé qui souligne ses arômes d'agrumes et de fruits blancs assortis de touches miellées. Un ensemble bien construit, fondu et flatteur. (RM)

🍷 Vincent Charlot, 23, rue des Semons, 51530 Mardeuil,
tél. et fax 03 26 51 93 92, champcharlottanneux@free.fr,
☑ ⊼ ⊻ r.-v.

J. CHARPENTIER Réserve ★★

| | 30 000 | ▮◫ | 15 à 20 € |

Dans les années 1920, Pierre Charpentier fournissait le négoce et produisait du vin rouge. Les mauvaises années, le tonneau valait plus cher que le vin... Aujourd'hui, Jean-Marc Charpentier, œnologue également diplômé en droit et en marketing, dispose d'un

vignoble de 13 ha dans la vallée de la Marne. Il élève une partie de ses vins en foudre et en fût de chêne. Après un remarquable rosé Prestige, son brut Réserve est couvert d'éloges. C'est un blanc de noirs qui privilégie le meunier (80 %), majoritaire dans le secteur. Sa robe or pâle est traversée d'une bulle légère. Ses senteurs de pâte d'amandes et de miel annoncent un palais puissant, rond et harmonieux, grâce à une belle fraîcheur. On pourra servir cette bouteille sur un crumble aux fruits. Le 2005 (9 700 b.) mobilise les trois cépages en donnant une courte majorité aux noirs (55 %). Rond et frais à la fois, légèrement grillé, il obtient une étoile. (RM)

🍷 J. Charpentier, 88, rue de Reuil,
51700 Villers-sous-Châtillon, tél. 03 26 58 05 78,
fax 03 26 58 36 59, info@jcharpentier.fr,
☑ ⊼ ⊻ t.l.j. 9h-12h 14h-17h; dim. sur r.-v. ⌂ Ⓐ

GUY DE CHASSEY ★

| 1er cru | 4 000 | ▮ | 15 à 20 € |

Cette propriété familiale implantée sur le flanc sud de la Montagne de Reims dispose de 9,5 ha de vignes réparties sur les communes prestigieuses de Bouzy, de Louvois (grands crus) et de Tauxières-Mutry (1er cru). Remarqué comme l'an dernier, ce rosé d'assemblage, vinifié sans fermentation malolactique, assemble pinot noir (70 %) et chardonnay. On apprécie l'élégance et la finesse de son nez, ses arômes de petits fruits rouges légèrement compotés et sa longueur. Un rosé expressif, qui s'accordera avec un dessert aux fruits rouges. (RM)

🍷 Guy de Chassey, 1, pl. de la Demi-Lune, 51150 Louvois,
tél. 03 26 57 04 45, fax 03 26 57 82 08,
info@champagne-guy-de-chassey.com,
☑ ⊼ ⊻ t.l.j. 10h-12h 14h-17h30; dim. sur r.-v.

CHAUDRON Grande Réserve ★

| | n.c. | | 15 à 20 € |

Vers 1820, la famille Chaudron s'installe à Verzenay, grand cru de la Montagne de Reims. Aujourd'hui, Luc Chaudron est à la tête (depuis 2000) d'une affaire de négoce exportant la moitié de sa production. Les trois cépages champenois collaborent à cette Grande Réserve dominée par le pinot noir (60 %) et le chardonnay (36 %). Intense et complexe, le nez mêle les fruits rouges (mûre, cassis) à de subtiles notes épicées et grillées. L'attaque franche dévoile un palais charnu, équilibré et bien fruité. Une étoile également pour le **blanc de blancs grand cru**. Son bouquet floral et citronné, son palais dynamique, complexe et bien construit en font un plaisant champagne d'apéritif. (NM)

🍷 Chaudron, 2, rue de Beaumont, 51360 Verzenay,
tél. 03 26 66 66 60, fax 03 26 64 19 47,
commercial.chaudron@orange.fr,
☑ ⊻ t.l.j. sf sam. dim. 9h-12h 13h-17h; f. août

A. CHAUVET Blanc de blancs Cachet vert

| 1er cru | 10 000 | | 15 à 20 € |

Fondée en 1848 et dirigée par la famille Paillard-Chauvet, cette maison est établie à Tours-sur-Marne, à l'est d'Épernay. Elle dispose de 10 ha de vignes réparties dans sept grands crus ou 1ers crus. Ce blanc de blancs 1er cru a été vinifié sans fermentation malolactique. Expressif au nez, il livre de délicats parfums toastés et torréfiés qui se prolongent dans une bouche franche à l'attaque et bien équilibrée. Un juré suggère un mariage avec un chèvre. L'accord peut paraître insolite, mais on gardera à l'esprit que la vivacité des champagnes s'accorde avec de nombreux fromages, dont le chaource. (NM)

☛ A. Chauvet, 41, av. de Champagne,
51150 Tours-sur-Marne, tél. 03 26 58 92 37,
fax 03 26 58 96 31, contact@champagnechauvet.fr,
☑ ⚔ ⏳ r.-v.

☛ Famille Paillard-Chauvet

HENRI CHAUVET ★

| | 9 000 | 📦 | 15 à 20 € |

Henri Chauvet, qui cultivait vers 1900 des plants greffés nécessaires à la reconstitution du vignoble dévasté par le phylloxéra, a fondé le domaine. Aujourd'hui, Mathilde et Damien exploitent quelque 8 ha à deux pas de Reims. Valeur sûre, leur rosé 100 % pinot noir est très souvent retenu par les jurés. Cette version naît de la récolte 2010. Sa robe soutenue et son nez expressif, sur les fruits rouges, annoncent une bouteille qui joue avant tout sur la vivacité. Elle trouvera sa place au repas ou avec une salade de fruits rouges. (RM)

☛ Damien Chauvet, 6, rue de la Liberté,
51500 Rilly-la-Montagne, tél. 03 26 03 42 69,
contact@champagne-chauvet.com, ☑ ⚔ ⏳ r.-v.

MARC CHAUVET ★★

| | 9 500 | 📦 | 15 à 20 € |

Un Nicolas Chauvet repose depuis 1529 dans l'église de Rilly-la-Montagne, village situé à quelques kilomètres au sud de Reims. Aujourd'hui, Nicolas (à la vigne) et sa sœur Clotilde (à la cave) perpétuent depuis 1996 le domaine créé en 1964 par leur père Marc. Les vins de la propriété sont vinifiés sans fermentation malolactique. Cette année, le rosé a été plébiscité. Les raisins noirs composent près des trois quarts de cette cuvée (pinot noir 45 %, meunier 25 %), complétés par le chardonnay. La robe cuivre rouge est animée d'une bulle fine et persistante. La palette aromatique fait la part belle aux petits fruits rouges confiturés, soulignés de notes minérales. La bouche, à l'unisson, montre un équilibre étonnant entre fraîcheur et générosité. Mi-blancs mi-noirs (pinot noir), le brut **Sélection (20 000 b.)** est cité pour ses parfums de fruits jaunes et de brioche, et pour sa fraîcheur au palais. (RM)

☛ SCEV Marc Chauvet, 3, rue de la Liberté,
51500 Rilly-la-Montagne, tél. 03 26 03 42 71,
champagnemarcchauvet@gmail.com,
☑ ⚔ ⏳ t.l.j. 8h30-12h 13h30-17h30; sam. dim. sur r.-v.

ÉTIENNE CHÉRÉ Cuvée Marie 2006 ★

| | 1 000 | 🍾 | 20 à 30 € |

Située dans la vallée du Petit Morin, au sud de la Côte des Blancs et au nord du Sézannais, la propriété de Damien Chéré couvre 6 ha. Issue de la récolte 2006 et d'une vinification en fût, sa cuvée Marie privilégie le chardonnay (60 % complétés par le pinot noir). Les dégustateurs soulignent la finesse de son nez mariant les agrumes, le coing et l'abricot sec. L'attaque souple dévoile un palais ample et suave, avec ce qu'il faut de fraîcheur. Un champagne à son apogée, à déboucher dès la sortie du Guide. (RM)

☛ Étienne Chéré, 1, rue des Vignes-Basses,
51270 Courjeonnet, tél. 06 14 15 24 84,
champagnechere@yahoo.fr, ☑ ⚔ ⏳ r.-v.

CHEURLIN-DANGIN Cuvée spéciale ★

| | 40 000 | 📦 | 15 à 20 € |

Descendant d'une lignée de vignerons remontant au XVIIIᵉˢ. et fort d'un vignoble implanté sur les coteaux de l'Ource (Aube), Thomas Cheurlin a créé en 2012 une maison de négoce. Il vend ses champagnes sous deux étiquettes. Cheurlin-Dangin est la marque familiale. Mi-blancs mi-noirs (pinot noir), cette cuvée spéciale a été appréciée pour son nez d'agrumes confits et pour son palais dense, équilibré et long. Elle conviendra aussi bien pour l'apéritif que pour le repas. La cuvée **Spéciale Comte de Cheurlin (20 à 30 € ; 20 000 b.)** assemble 60 % de pinot noir et 40 % chardonnay. Elle obtient la même note pour ses arômes de fruits jaunes, sa rondeur et sa finale longue et suave. Elle pourra accompagner un dessert peu sucré, comme une tarte aux mirabelles. (NM)

☛ SARL le Suchot, 5, rue des Jardins,
10110 Celles-sur-Ource, tél. 03 25 38 50 26,
fax 03 25 38 58 51, contact@cheurlin-dangin.fr,
☑ ⚔ ⏳ t.l.j. sf dim. 9h-12h 14h-18h

M. CHEVROLAT Cuvée florale ★

| | 3 500 | 📦🍷 | 15 à 20 € |

La commune auboise des Riceys, où Michel Chevrolat est établi, est presque entièrement vouée au pinot noir. Cette variété ne compose pourtant que la moitié de cette cuvée, complétée par le chardonnay. Le cépage blanc laisse une empreinte discrète dans la palette aromatique de fleurs blanches, de mie de pain et d'agrumes. La bouche est vive, franche et élégante. Sa nervosité révèle un réel potentiel. On pourra servir ce champagne dès maintenant, à l'apéritif, voire sur des entrées marines, ou l'attendre un à deux ans. Le pinot noir est majoritaire (85 %) dans l'**extra-brut (2 000 b.)** très peu dosé. Il s'affiche au nez comme en bouche dans cette cuvée à la fois pleine, gourmande, charpentée et dynamique, qui conviendra pour l'apéritif comme pour la table. (RM)

☛ EARL Michel Chevrolat, 7 bis, rue du Pont,
10340 Les Riceys, tél. 03 25 29 99 64,
champagne.mchevrolat@cder.fr, ☑ ⚔ ⏳ r.-v.

JULIEN CHOPIN Extra-brut Blanc de noirs Les Originelles ★

| | 7 000 | 📦 | 20 à 30 € |

Implanté à Monthelon, près d'Épernay, ce domaine se partage entre les coteaux sud d'Épernay et la Côte des Blancs. Distingué l'an dernier pour un blanc de blancs, Emmanuel Chopin a soumis cette année aux jurés un blanc de noirs. Les deux pinots sont mis à contribution, le pinot noir étant majoritaire (60 %). Faiblement dosé (extra-brut), ce champagne offre un nez de fruits cuits (pomme, mirabelle, fruits jaunes...) ou macérés, et se montre tout aussi fruité et agréable au palais, dans un style cossu et généreux. Un champagne gourmand pour toutes les occasions. (RC)

☛ Emmanuel Chopin, 3, rue Gaston-Poittevin,
51530 Monthelon, tél. 03 51 40 92 35,
info@champagnejulienchopin.com,
☑ ⚔ ⏳ t.l.j. 9h-12h 14h-18h

CHARLES CLÉMENT Gustave Belon

| | n.c. | 📦 | 15 à 20 € |

Marque de la coopérative de Colombé-le-Sec créée en 1956 près de Bar-sur-Aube, aux confins de la Haute-Marne. La cave compte une soixantaine d'adhérents et vinifie le produit de 112 ha de vignes. Plus d'une fois remarquée, cette cuvée est un blanc de blancs, dont la mention n'apparaît pas sur l'étiquette. Issue des récoltes 2005 et 2004, elle livre d'agréables senteurs de poire et de mirabelle, et dévoile une matière fine, bien construite, à la finale suave. Le brut **Tradition (11 à 15 €)** fait appel aux trois cépages champenois, dont deux tiers de noirs (40 % de pinot noir, 25 % de meunier). Très vineux au nez comme en bouche, ample, il exprime des arômes d'évolution : fruits mûrs, pain d'épice, beurre et caramel. On le servira plutôt au repas. (CM)

☛ Sté coopérative vinicole de Colombé-le-Sec et Environs, 33, rue Saint-Antoine, 10200 Colombé-le-Sec, tél. 03 25 92 50 71, fax 03 25 92 50 79, champagne-charles-clement@fr.oleane.com, ☑ ⚊ ⚊ t.l.j. 8h-12h 14h-18h; dim. sur r.-v. ⛺ ❸

J. CLÉMENT Blanc de blancs 2008

○	2 000	🅸	15 à 20 €

Fidèle au rendez-vous du Guide, ce domaine familial implanté dans la vallée de la Marne est dirigé depuis une dizaine d'années par Fabien Clément. Si l'exploitation est souvent distinguée pour un blanc de noirs millésimé, c'est le blanc de blancs qui est en vedette cette année. Une cuvée très appréciée, tant pour ses nuances odorantes (beurre frais, agrumes, fleurs et fruits blancs) que pour son attaque tout en fraîcheur, prélude à un palais d'une belle harmonie. On peut attendre cette bouteille au moins deux ans. Les raisins blancs dominent aussi l'assemblage (70 %, avec du pinot noir) du brut **Prestige (15 000 b.)**, un vin or pâle, au joli bouquet d'aubépine, qui séduit par sa fraîcheur, son fruité et par son équilibre aérien. Deux champagnes d'apéritif. (RM)

☛ Fabien Clément, 16, rue des Vignes, 51480 Reuil, tél. 03 26 51 05 62 ☑ ⚊ ⚊ r.-v.

PAUL CLOUET

○ Gd cru	n.c.	🅸	20 à 30 €

Implantée à Bouzy, célèbre commune classée en grand cru, cette exploitation familiale fondée en 1907 dispose de presque 6 ha partagés entre ce village dédié aux « grands noirs » et la Côte des Blancs. Marie-Thérèse Clouet-Bonnaire, qui en a pris les rênes il y a une vingtaine d'années, a lancé la marque Paul Clouet en hommage à son grand-père. Ses vins sont élaborés par son mari Jean-Louis Bonnaire, par ailleurs récoltant à Cramant. Le pinot noir, ultramajoritaire dans l'assemblage (80 %, le solde en chardonnay), donne une structure dense à ce champagne équilibré et fondu, aux arômes complexes de fruits confits et de fruits secs. (RM)

☛ SCEV Paul Clouet, 10, rue Jeanne-d'Arc, 51150 Bouzy, tél. 03 26 57 07 31, fax 03 26 58 26 36, contact@champagne-paul-clouet.com, ☑ ⚊ ⚊ r.-v. ⛺ ❹

POL COCHET ★

○	24 000	🅸	15 à 20 €

Arrière-petit-fils de Pol Cochet, négociant à Ambonnay, et héritier d'une lignée de professionnels du vin, Éric Petitjean s'est associé à l'élaborateur aubois Grémillet pour proposer des cuvées sous la marque Pol Cochet. Il a soumis aux jurés un brut sans année de bonne facture, assemblage classique de pinot noir (60 %) et de chardonnay. Le nez délicat associe les fleurs blanches (acacia), les agrumes et les fruits secs. La bouche équilibrée et longue

laisse une impression d'élégance. À choisir pour l'apéritif, les entrées froides et les produits de la mer. (MA)

☛ Pol Cochet, 64, rue de Champrot, 51200 Épernay, tél. 06 85 05 54 36, fax 03 26 56 97 81, contact@champagne-pol-cochet.com, ☑ ⚊ ⚊ r.-v.

☛ E. Petitjean

BENOÎT COCTEAUX Tradition ★★

○	8 000	🅸	11 à 15 €

Benoît Cocteaux est installé depuis 1998 sur le vignoble familial planté par son père et son grand-père dans les années 1970. Le siège du domaine se trouve aux confins de la Seine-et-Marne, à l'extrémité sud du département de la Marne, mais le vignoble se répartit dans le Sézannais, la vallée de la Marne et le Barséquanais (Aube). Mi-pinot noir mi-chardonnay, née de la récolte 2009, sa cuvée Tradition a séduit les dégustateurs, qui soulignent la distinction des nez de fruits frais et de viennoiserie, et l'harmonie de sa bouche, vive à l'attaque, vineuse, puissante et équilibrée. On pourra l'ouvrir à l'apéritif et la finir sur des noisettes de veau au citron confit, selon la suggestion du producteur. (RM)

☛ Benoît Cocteaux, 11, rue du Château, 51260 Montgenost, tél. 03 26 81 80 30, fax 03 26 42 36 69, cocteaux.benoit@orange.fr, ☑ ⚊ r.-v.

COESSENS Blanc de noirs Lieu-dit Largillier

○	8 100	🅸	30 à 50 €

Chef de culture dans un grand groupe, Jérôme Coessens rêvait d'élaborer ses cuvées. C'est chose faite depuis 2006. Il faut dire qu'il dispose d'un vignoble familial de 6,5 ha couvrant les coteaux de l'Arse, petit affluent de la Seine. Le pinot noir, cépage roi dans la plupart des secteurs de l'Aube, est la variété exclusive de ce blanc de noirs issu du lieu-dit Largillier, qui tire son nom de la richesse en argile de ses sols. Né de la vendange 2008, c'est un champagne expressif aux arômes de fruits blancs et de fruits jaunes, qui offre l'ampleur et la structure caractéristique de la variété d'où il est issu. (RM)

☛ Jérôme Coessens, 2, chem. du Canal, 10260 Fouchères, tél. 03 25 40 77 74, jerome.coessens@wanadoo.fr, ☑ ⚊ ⚊ r.-v.

COLLARD-CHARDELLE Cuvée Prestige ★

○	43 417	⫿⫿	15 à 20 €

Ce domaine de la vallée de la Marne est bien connu de nos lecteurs, notamment grâce à cette cuvée. Régulièrement distingué, parfois aux meilleures places, ce brut résume le style de la maison : les vins de base sont vinifiés sans fermentation malolactique et longuement élevés en foudre de chêne. L'assemblage est constant : 50 % de noirs (dont 30 % de meunier) et 50 % de blancs. La robe d'un jaune doré annonce un nez complexe dominé par les fruits jaunes (pêche, mirabelle), le miel et la pâte de fruits. Vive à l'attaque, la bouche est ample et équilibrée. Le chardonnay domine (80 %), le pinot noir en appoint, dans le brut **Saveurs d'antan 2002 (30 à 50 € ; 9 500 b.)**, qui a connu lui aussi le bois et a vieilli en bouteille sous bouchage liège (au lieu de l'habituelle capsule). Un vin généreux, dont la palette (agrumes confits, fruits secs, léger boisé épicé) reflète l'élevage, tout en dévoilant un joli caractère d'évolution. Un vin à la fois riche et élégant : une étoile également. (RM)

●━ Collard-Chardelle, 68, rue de Reuil,
51700 Villers-sous-Châtillon, tél. 03 26 58 00 50,
fax 03 26 58 34 76,
champagne.collard.chardelle@wanadoo.fr,
☑ ⚓ ⌁ r.-v. ⌂ ⓓ
●━ Daniel Collard

COLLIN-GUILLAUME Blanc de blancs ★

| | 3 000 | ∎ | 15 à 20 € |

Didier Collin et son épouse Dominique exploitent 8 ha de vignes. S'ils sont installés dans la Montagne de Reims, le vignoble familial comporte aussi des parcelles dans l'Aube et autour de Vitry-le-François. La vendange est confiée à la coopérative régionale des vins de Champagne. Issu de la récolte 2008, ce blanc de blancs a intéressé les dégustateurs par son nez épanoui où le pain frais s'allie aux fruits jaunes. Ces belles impressions olfactives se retrouvent dans une bouche bien équilibrée, empreinte de grillé et de minéralité. (RC)
●━ Collin-Guillaume, 3, rue de la Vesle, 51500 Sillery, tél. 03 26 49 16 75, fax 03 26 49 11 32, dcollinguillaume@free.fr,
☑ ⚓ ⌁ t.l.j. 9h-12h 14h-18h; dim. sur r.-v.

COMTE STANISLAS Cuvée Sélection ★★

| | 100 000 | | 15 à 20 € |

Sous ses différentes marques, telles que Comte Stanislas, la coopérative de Mardeuil, implantée près d'Épernay, apparaît avec une belle constance dans la section « champagne » du Guide. Voyez cette cuvée Sélection, que plusieurs jurés ont proposée pour un coup de cœur. Elle privilégie les noirs (75 %), meunier en tête (55 %). Les dégustateurs louent son nez intense et complexe, mêlant le beurre, les fleurs blanches et le sous-bois. En bouche, les fruits jaunes, le miel et les épices viennent enrichir cette palette au sein d'une matière puissante, fraîche, harmonieuse et longue. (CM)
●━ Comte Stanislas, 64, rue de la Liberté, 51530 Mardeuil, tél. 03 26 55 29 40, fax 03 26 54 26 30

JACQUES COPIN 2004 ★

| | 5 500 | ∎ | 15 à 20 € |

Le domaine élabore ses champagnes depuis 1978. Installé en 1995, Bruno Copin, fils de Jacques, exploite 10 ha de vignes dans la vallée de la Marne. Son 2004 accueille à parts égales chardonnay et pinot noir vinifiés en cuve. Le nez libère d'intenses senteurs de pâte de fruits, de fleurs séchées et de grillé, nuances d'évolution que l'on retrouve dans une bouche structurée, où l'impression dominante est celle d'une belle fraîcheur. On pourra servir dès l'apéritif ce champagne qui devrait tenir au moins deux ans. (RM)
●━ Bruno Copin, 23, rue de la Barre, 51700 Verneuil, tél. 03 26 52 92 47, fax 03 26 52 94 13, champagne.copin@wanadoo.fr, ☑ ⚓ ⌁ t.l.j. 8h-12h 14h-18h

♥ JACQUES COPINET Blanc de blancs ★★

| | 30 000 | ∎ | 15 à 20 € |

En 1975, Jacques Copinet a commercialisé ses premières bouteilles. Aujourd'hui, sa fille Marie-Laure et son gendre Alexandre Kowal exploitent un domaine de 9 ha. S'ils détiennent des parcelles dans l'Aube et dans la vallée de la Marne, leur vignoble est principalement situé au sud du Sézannais, une terre propice au chardonnay.

Après nombre de cuvées très remarquées, la propriété décroche un coup de cœur – le second, se souviendront les fidèles lecteurs. Un blanc de blancs, encore. Celui-ci assemble trois années (2008 à 2006). Mariant onctuosité soyeuse et nervosité, il fait preuve d'un remarquable équilibre qui a enthousiasmé les dégustateurs. Ses arômes expressifs de fleurs des champs et de brioche beurrée, assortis d'une touche de minéralité, participent à l'harmonie de ce champagne qui tiendra sa place aussi bien à l'apéritif qu'avec un poisson cuisiné. (RM)
●━ EARL Copinet, 11, rue de l'Ormeau, 51260 Montgenost, tél. 03 26 80 49 14, info@champagne-copinet.com,
☑ ⚓ ⌁ r.-v.
●━ Alexandre Kowal

AMAURY COUTELAS Cuvée 1809 2002 ★★

| | 10 000 | ⅏ | 30 à 50 € |

Installé depuis 2005, Damien Coutelas exploite un domaine dans la vallée de la Marne. Il a pris en 2011 le statut de négociant pour commercialiser ses cuvées sous la marque Amaury Coutelas. Son style : des vins vinifiés en fût sans fermentation malolactique. 1809 ? La date de création du vignoble familial. Privilégiant le chardonnay (80 %, le solde en pinot noir), cette cuvée spéciale a séjourné neuf mois dans le chêne. Les jurés ont décelé l'empreinte d'un élevage sous bois bien maîtrisé dans ce champagne élégant aux subtiles notes florales, fruitées et fumées, qui laisse une impression de légèreté. Cité, le rosé **Élixir (15 à 20 € ; 10 000 b.)** a connu lui aussi le bois ; il assemble le meunier (80 %) au chardonnay et résulte pour moitié d'une saignée et pour moitié d'un assemblage. D'une couleur soutenue, il se montre puissant et complexe, sur la cerise, le noyau et la fraise. Vinifié en cuve, le brut **Origin' (15 à 20 € ; 20 000 b.)**, qui marie 60 % des deux pinots au chardonnay, est frais et gourmand : même note. (ND)
●━ Amaury Coutelas, imp. des Vergers, 51700 Villers-sous-Châtillon, tél. 06 78 28 19 31, champagne.amaury.coutelas@gmail.com,
☑ ⚓ ⌁ r.-v. ⌂ ⓓ

COMTE AUDOIN DE DAMPIERRE Blanc de blancs Prestige 2002 ★

| Gd cru | 10 000 | | 75 à 100 € |

Cette vieille famille s'intéresse au champagne depuis quatre générations. Audoin de Dampierre a créé en 1986 une maison de négoce située dans le massif de Saint-Thierry, au nord-ouest de Reims. Après un blanc de blancs 2005, coup de cœur de la dernière édition, voici un 2002 vieilli dix ans sur lies et vinifié partiellement sans fermentation malolactique. Un peu fermé au nez, il se partage entre fleurs et fruits mûrs. C'est en bouche qu'il se révèle. L'attaque souple découvre une bouche fine, onctueuse, fondue et persistante. À déguster à l'apéritif ou sur des produits de la mer. Autre bon champagne d'apéritif, la **Grande Cuvée** (**15 à 20 € ; 65 000 b.**) réunit les trois cépages, dont 60 % de raisins noirs. Son nez d'agrumes et de poire confite, son attaque franche et son palais fruité, légèrement citronné et long, lui valent aussi une étoile. (NM)

🍷 SAS Comte Audoin de Dampierre, 3, pl. Boisseau, 51140 Chenay, tél. 03 26 03 11 13, fax 03 26 03 18 05, champagne@dampierre.com, ☑ ⵏ r.-v.

PAUL DANGIN ET FILS Prestige 2006 ★

	20 000		15 à 20 €

Les Dangin ont leurs racines dans la Côte des Bar (Aube). Fondée par Paul Dangin en 1947, leur maison de négoce gérée par la troisième génération a bien réussi ses 2006 : après un blanc de blancs Carte blanche de ce millésime, fort loué l'an dernier, elle a soumis au jury deux vins de cette même année, qui reçoivent une étoile chacun. Ce brut Prestige, qui mobilise 60 % de chardonnay et 40 % de pinot noir, développe un fruité complexe (agrumes, poire, mirabelle, fruits secs) et se montre vineux en bouche : il conviendra aussi bien à l'apéritif qu'à table. Quant au brut **Tradition 2006 Cuvée élaborée en fût de chêne** (**6 300 b.**), il s'agit d'un pur chardonnay au nez intense de fruits jaunes. En bouche, sa palette s'enrichit de notes torréfiées et vanillées qui témoignent de son séjour dans le bois. Un champagne de repas. (NM)

🍷 SARL Paul Dangin et Fils, 11, rue du Pont, 10110 Celles-sur-Ource, tél. 03 25 38 50 27, fax 03 25 38 58 08, contact@champagne-dangin.com, ☑ ⵏ t.l.j. sf sam. dim. 8h-12h 13h30-18h

DAUBY Flore ★

Gd cru	5 000	⬛⬙	20 à 30 €

Francine (depuis 1990) et Flore (depuis 2009) : un tandem mère-fille conduit cette exploitation qui a commercialisé son champagne dès 1956. Le domaine couvre 8 ha autour d'Aÿ, célèbre grand cru de noirs. Mi-pinot noir mi-chardonnay, la cuvée Flore incorpore dans son assemblage des vins de réserve élevés en fût. L'empreinte du bois n'a pas échappé à nos dégustateurs, qui ont souligné dans ce champagne la charpente et les arômes de pain grillé, de caramel au lait et de vanille contribuant à son harmonie. Le fruit est là aussi, mûr et confit. Cette cuvée spéciale devrait atteindre son apogée dans deux ans. Le pinot noir (80 %, le solde en chardonnay) est largement mis à contribution dans le brut **Réserve 1er cru** (**15 à 20 € ; 25 000 b.**). Un vin plaisant par son côté beurré et épicé, par son équilibre et son ampleur : une citation. Deux champagnes de repas à marier à du foie gras poêlé ou à des coquilles Saint-Jacques. (RM)

🍷 Dauby, 22, rue Jeanson, 51160 Aÿ, tél. 03 26 54 96 49, fax 03 26 55 54 05, champagne.dauby@wanadoo.fr, ☑ ⵏ r.-v. 🏠 🄲

HENRI DAVID-HEUCQ Cuvée de réserve ★

	60 000	⬛	11 à 15 €

Cette famille installée dans la vallée de la Marne commercialise ses champagnes depuis les années 1970. Henri David, rejoint par ses fils Olivier et Maxime, exploite 9,5 ha de vignes. Le meunier, majoritaire dans leur vignoble comme dans ce secteur, représente 85 % des deux cuvées suivantes, les deux autres cépages ne faisant que de la figuration (10 % de chardonnay, 5 % de pinot

noir). Cette Cuvée de réserve est arrivée à maturité. C'est un champagne gourmand apprécié pour ses arômes de fleurs séchées, de pêche et de poire, et pour son palais frais et long. À déboucher dès la sortie du Guide. Le **rosé** (**15 à 20 € ; 8 000 b.**), cité, s'annonce par une robe délicate, saumon pâle, à laquelle répond un nez subtilement floral et fruité suivi d'un palais bien structuré. (NM)

🍷 SARL David-Heucq & Fils, 3, rte de Romery, 51480 Fleury-la-Rivière, tél. 03 26 58 47 19, fax 03 26 52 36 25, contact@davidheucq.com, ☑ ⵏ r.-v.

ÉLISE DECHANNES ★

	2 117	⬛	15 à 20 €

Une nouvelle venue dans ces pages : Élise Dechannes. Cette dernière a abandonné une carrière dans la banque pour reprendre en 2007 l'exploitation de ses parents, qui couvre 4,6 ha dans le joli village des Riceys (Aube), réputé pour son rosé tranquille. Largement majoritaire dans ce secteur méridional du vignoble, le pinot noir seul est à l'origine de ce champagne rosé, issu de macération. Cette vinification par saignée a donné une robe d'un rose profond, et un fruité intense, sur la fraise, la cerise et la groseille, qui se prolonge dans un palais plaisant par sa fraîcheur. Pour l'apéritif ou une salade de fruits rouges pas trop sucrée. (RM)

🍷 Élise Dechannes, 1, pl. des Héros-de-la-Résistance, 10340 Les Riceys, tél. 03 52 63 20 36, elise.dechannes@sfr.fr, ☑ ⵏ r.-v.

PHILIPPE DECHELLE Cuvée Prestige ★

	20 000	⬛	11 à 15 €

Après la crise phylloxérique, le vignoble sur les coteaux proches de Château-Thierry avait régressé, et les parents de Philippe Dechelle vivaient de viticulture et de maraîchage. À la faveur des Trente Glorieuses, les ceps ont reconquis les pentes et dès les années 1980, Philippe Dechelle a pu réaliser son rêve : élaborer du champagne à sa marque. Cette année, le jury a apprécié sa cuvée Prestige, qui marie par tiers les trois cépages champenois. Le nez subtil mêle les fleurs et le pamplemousse à des notes plus mûres : abricot sec, nuances toastées et grillées. Quant à la bouche, franche à l'attaque, elle se distingue par sa matière souple et ample. Pour un apéritif raffiné ou une entrée. (RM)

🍷 Philippe Dechelle, 20, rue Paul-Doumer, 02400 Brasles, tél. 03 23 69 95 95, fax 03 23 85 21 64, ph.dechelle@wanadoo.fr, ☑ ⵏ t.l.j. 9h30-12h30 14h-19h 🏠 🄱

JACQUES DEFRANCE 2004 ★

	5 000	⬛	20 à 30 €

Succédant à trois générations de vignerons, Christophe Defrance conduit le vignoble familial qui couvre 12 ha autour des Riceys. Le pinot noir, qui a la faveur des viticulteurs de ce secteur de l'Aube, s'associe à 55 % de chardonnay dans ce 2004. De ce mariage résulte une robe or pâle à reflets verts, des senteurs fraîches (fleurs blanches et fruits jaunes) et un palais onctueux et élégant, évoluant entre agrumes et abricot. On verrait bien cette bouteille accompagner du foie gras. (RM)

🍷 Jacques Defrance, 28, rue de la Plante, 10340 Les Riceys, tél. 03 25 29 32 20, fax 03 25 29 77 83, champagne-jacques-defrance@wanadoo.fr, ☑ ⵏ r.-v.

MARCEL DEHEURLES & FILS 2005 ★★

| | 6 900 | ∎ | 11 à 15 € |

Benoît Deheurles cultive 9 ha de vignes sur les coteaux dominant la vallée de l'Ource, dans le Barséquanais, et propose aux randonneurs un gîte de groupe. Il réalise un joli palmarès en plaçant trois de ses cuvées dans la sélection. La préférée est ce 2005, qui met à contribution 75 % de chardonnay et 25 % de pinot noir. Une mousse persistante dans une robe d'un bel or vert, un nez élégant de fleurs et de fruits blancs, une bouche équilibrée et mûre aux nuances d'agrumes confits, de miel et de brioche composent un champagne harmonieux et complexe. La cuvée **Opale et Sens (15 à 20 € ; 1 560 b.)** et le brut **Prestige (15 à 20 € ; 9 360 b.)** obtiennent chacun une étoile. La première est un chardonnay expressif aux arômes de fruits exotiques et d'épices, idéal pour le poisson ; le second est un assemblage de pinot noir (70 %) et de chardonnay équilibré et franc, au nez élégant d'acacia et de poire cuite, et à la longue finale fruitée. (RM)

☛ EARL Marcel Deheurles, 3, rue de l'École, 10110 Celles-sur-Ource, tél. 06 07 96 38 85, contact@champagne-deheurles.fr, ☑ ⚁ ⚂ r.-v.

DÉHU PÈRE ET FILS Prestige ★★

| | 10 000 | ∎ | 20 à 30 € |

Les ancêtres de Benoît Déhu cultivaient déjà la vigne à la fin du XVIIIᵉs. Installé à Fossoy, en amont de Château-Thierry, ce récoltant a de nouveau proposé un rosé Prestige plein de séduction. Le meunier, cépage majoritaire dans le secteur, en est encore la vedette (82 %, pour 18 % de chardonnay), 18 % de vin rouge lui donnant sa couleur. On aime le nez raffiné alliant la framboise, la groseille et d'autres petits fruits, et la bouche ample et fruitée, d'une étonnante longueur. On verrait bien ses bulles au dessert, sur un bavarois à la framboise ou sur une tarte aux fraises. Quant au brut **Grande Réserve (3 006 b.)**, qui assemble trois quarts de noirs (du meunier essentiellement) et un quart de blancs, il obtient une étoile. Plein, équilibré, assez long, c'est un champagne tout en finesse aux jolis arômes de fruits confits et de fraise des bois. (SR)

☛ Déhu Père et Fils, 3, rue Saint-Georges, 02650 Fossoy, tél. 03 23 71 90 47, fax 03 23 71 88 91, contact@champagne-dehu.com, ☑ ⚁ ⚂ r.-v.

V. DELAGARDE Tradition ★★

| | 40 000 | ∎ | 11 à 15 € |

Établis dans la vallée de l'Ardre, Valérie et Vincent Delagarde exploitent un vignoble de 8 ha. Majoritaire dans la propriété, le meunier entre à la base de leurs cuvées. Il représente ainsi 80 % de cette cuvée Tradition, complété par le chardonnay et le pinot noir à parts égales. Aussi intense à l'olfaction qu'au palais, ce brut est fort loué pour son nez gourmand de fruits confits, de miel et de pain grillé. En bouche, ses arômes toastés et sa longue finale fraîche laissent le souvenir d'un ensemble harmonieux. Idéal pour le repas, mais aussi pour un fromage à croûte fleurie. Notées chacune une étoile, deux autres cuvées résultent d'un assemblage similaire, avec 20 % de noirs vinifiés en rouge pour le **rosé (4 000 b.)**. D'un rose cuivré, celui-ci est un champagne flatteur et long, qui évoque la groseille mûre avec élégance. Quant au brut **Tradition Yves Delozanne (25 000 b.)**, il est fruité au nez, vif à l'attaque, vineux et charpenté en bouche : un autre champagne de table. (RM)

☛ Vincent Delagarde, 67, rue de Savigny, 51170 Serzy-le-Prin, tél. 03 26 97 40 18, fax 03 26 97 49 14, contact@champagne-delagarde-delozanne.fr, ☑ ⚁ ⚂ r.-v.

DELAHAIE Brut Premier ★★

| | 52 000 | ∎ | 11 à 15 € |

Dirigée par Jacques Brochet, cette structure de négoce à Épernay s'est signalée ces dernières années par de belles cuvées. Le Brut Premier, fort loué, est très marqué par les raisins noirs (80 %, les deux pinots à parts égales). Il dévoile une belle maturité dans ses arômes de poire, de fruits exotiques confits et de noisette que l'on retrouve dans un palais expressif, ample et long. Quant au brut **Prestige (15 à 20 € ; 12 000 b.)**, qui associe 60 % de pinot noir et 40 % de chardonnay, il est cité pour son nez floral et pour sa bouche franche et bien structurée. (NM)

☛ Jacques Brochet, 16, allée de la Côte-des-Blancs, 51200 Épernay, tél. 03 26 54 08 74, fax 03 26 54 34 45, champagne.delahaie@wanadoo.fr, ☑ ⚁ ⚂ r.-v.

DELAVENNE PÈRE & FILS Tradition ★

| Gd cru | 30 000 | ∎ | 11 à 15 € |

Maëlle et Jean-Christophe Delavenne perpétuent le vignoble familial de 9 ha fort bien situé, partagé entre Bouzy, Ambonnay (deux grands crus de noirs sur la Montagne de Reims) et Cramant (grand cru de la Côte des Blancs). Leur brut Tradition assemble 60 % de pinot noir et 40 % de chardonnay. Fin, fruité et brioché au nez, il offre une bouche aérienne, équilibrée, fondue, fraîche et assez longue : autant de caractéristiques qui le destinent à l'apéritif. (RM)

☛ Delavenne Père et Fils, 6, rue de Tours, 51150 Bouzy, tél. 03 26 57 02 04, fax 03 26 58 82 93, champagnedelavenne@orange.fr, ☑ ⚁ ⚂ r.-v.

DELFOUR ★

| | 12 000 | ∎ | 11 à 15 € |

Établie à Baroville, près de Bar-sur-Aube, la maison Philippe Fourrier dispose de 20 ha de vignes et exploite diverses marques. Sous l'étiquette Delfour, elle propose un rosé de pur pinot noir, cépage majoritaire dans l'Aube. Les dégustateurs saluent sa robe d'un joli rose soutenu, presque cerise – teinte caractéristique d'un rosé de saignée –, qui annonce un nez intense, sur les fruits rouges frais, et une bouche ample et harmonieuse, un rien tannique. Un rosé équilibré et gourmand, qui pourra accompagner un dessert aux fruits rouges. (NM)

☛ SARL Fourrier-Delmotte, 39, rue de Bar-sur-Aube, 10200 Baroville, tél. 03 25 27 13 44, fax 03 25 27 12 49, contact@champagne-fourrier.fr

DELOUVIN-BAGNOST Tradition ★★★

| | 97 000 | ∎ | 11 à 15 € |

Déjà vignerons au XVIIᵉs., les Delouvin ont vendu leurs premières bouteilles dans les années 1930. Installé en 2005, Jérôme Delouvin est à la tête de 8 ha de vignes dans la vallée de la Marne. Issu des trois cépages champenois récoltés en 2008, son brut Tradition privilégie le meunier (70 %). Il permet au domaine de faire son entrée dans le Guide par la grande porte. Les dégustateurs louent la grande finesse de ce vin, ses senteurs de fleurs, de fruits exotiques et de pâtisserie, son équilibre et sa rémanence. Un superbe champagne de repas, à servir avec des saint-jacques ou du poisson en sauce. Quant à la **cuvée Louis V (20 à 30 € ; 2 500 b.)**, de la vendange 2009, elle assemble les trois cépages par tiers. Ses arômes d'agrumes et de fruits blancs, son équilibre entre fraîcheur et vinosité lui valent une étoile. (RM)

☎ Delouvin-Bagnost, 35, rue Bailly, 51700 Vandières, tél. 03 26 58 03 91, fax 03 26 58 31 15, champagne.delouvin-bagnost@wanadoo.fr, ☑ ⚎ ⏲ t.l.j. 8h-20h

SERGE DEMIÈRE Blanc de blancs ★★

● 1er cru	9 000	▮	11 à 15 €

Installé en 1976, Serge Demière exploite 7 ha sur la Montagne de Reims. Son blanc de blancs a conquis les dégustateurs. Or soutenu, il offre un nez flatteur et gourmand mariant les fruits confits, l'amande fraîche, des notes de crème et de pâtisserie. Dans le même registre, le palais séduit par son équilibre entre la fraîcheur et l'onctuosité. Un champagne de table à la fois riche et élégant. Lui aussi destiné au repas, noté une étoile, le brut **Tradition (24 000 b.)** met en œuvre 60 % de pinot noir et 40 % de chardonnay. Avec ses arômes de fruits cuits et de miel, et sa bouche souple et persistante, il est prêt à passer à table. (RM)

☎ Serge Demière, 7, rue de la Commanderie, 51150 Ambonnay, tél. 03 26 57 07 79, fax 03 26 57 82 15, serge.demiere@wanadoo.fr, ☑ ⚎ ⏲ r.-v.

M. DEMIÈRE ET FILS Blanc de blancs ★

●	3 000	▮	15 à 20 €

Matthieu Demière s'est installé en 2012 sur le vignoble constitué par ses parents aux environs de Trépail, village dédié au chardonnay dans une Montagne de Reims vouée au pinot noir. Après le coup de cœur de l'édition 2012, voici la dernière version du blanc de blancs sans année de la propriété. Riche, puissante, mais harmonieuse, cette cuvée offre tous les caractères d'un chardonnay de la « côte des noirs ». Nos dégustateurs saluent la délicatesse de son nez et la finesse de ses arômes de beurre frais, de noisette et de brioche chaude. Un champagne de repas. (RM)

☎ Matthieu Demière, 2, allée du Jardinot, 51380 Trépail, tél. 03 26 57 06 23, fax 03 26 57 83 04, michel.demiere@wanadoo.fr, ☑ r.-v.

DEMILLY DE BAERE Cuvée pure

●	7 500	▮	20 à 30 €

Installés dans la Côte des Bar (Aube), Gérard et Françoise Demilly ont fondé en 1978 leur maison de champagnes sur le site d'un ancien château fort. Après avoir fait ses classes dans le Nouveau Monde, leur fils Vincent les a rejoints. La Cuvée pure met à contribution le pinot noir et le chardonnay à parts égales. Elle se distingue par une fraîcheur soulignée de touches discrètes de fruits blancs et d'agrumes confits. Sa finesse et sa légèreté la destinent à l'apéritif. (NM)

☎ Gérard Demilly, Dom. de la Verrerie, 1, rue du Château, 10200 Bligny, tél. 03 25 27 44 81, fax 03 25 27 45 02, champagne-demilly@wanadoo.fr, ☑ ⚎ ⏲ r.-v.

GASTON DERICBOURG Cuvée Harmonie 2006 ★

●	15 000	▮	30 à 50 €

Gaston Dericbourg a été maire de Pierry, près d'Épernay. Sans enfant, il a transmis à la famille Mandois sa maison de champagnes et ses vignes. Issue de pinot meunier, la cuvée Harmonie 2006 libère des parfums plaisants de fruits blancs, d'agrumes et de pain grillé qui révèlent une belle évolution. Frais, ample et bien équilibré, le palais finit

sur une touche iodée et une pointe d'amertume agréable. Deux autres cuvées sont citées, qui mobilisent les trois cépages en privilégiant les raisins noirs (seulement 20 à 30 % de chardonnay) : le **1er cru (33 000 b.)**, fin et élégant, et la **Cuvée de réserve (20 à 30 € ; 130 000 b.)**, florale et fruitée, justement dosée. Ces trois champagnes conviendront aussi bien pour l'apéritif que pour des crustacés. (NM)

☎ Dericbourg, 66, rue du Gal-de-Gaulle, BP 9, 51530 Pierry, tél. 03 26 54 03 18, fax 03 26 51 53 66, info@champagne-dericbourg.fr

☎ Mandois

DÉROUILLAT Blanc de blancs L'Esprit

● 1er cru	12 000	▮	15 à 20 €

Petite généalogie des marques champenoises : au fil des mariages, le champagne familial a été successivement vendu sous les étiquettes Dérouillat-Bauchet, Dérouillat-Franquet, Dérouillat-Franquet et fils. Luc Dérouillat a préféré simplifier. Il exploite 5,5 ha de vignes sur les coteaux d'Épernay et la Côte des Blancs. Souvent sélectionnée, sa cuvée L'Esprit est un blanc de blancs. La dernière version, assemblage des récoltes 2010 et 2009, offre un nez discrètement floral, une attaque fraîche, prélude à un palais franc, précis et équilibré. À marier à une sole grillée. (RM)

☎ Luc Dérouillat, 23, rue des Chapelles, 51530 Monthelon, tél. 03 26 59 76 54, fax 03 26 59 77 27, champagne.derouillat@wanadoo.fr, ☑ ⚎ ⏲ r.-v.

E. DESAUTEZ ET FILS Tradition ★

● Gd cru	24 000	▮	11 à 15 €

Fondé en 1905 et géré depuis 1975 par Patrick Deibener, ce domaine dispose de près de 4 ha répartis sur trois grands crus voisins de la Montagne de Reims : Verzenay, Mailly-Champagne et Verzy. Tous sont propices au pinot noir, cépage majoritaire dans les deux cuvées sélectionnées. Ce brut Tradition incorpore 25 % de chardonnay. De couleur or pâle, il offre un nez complexe et engageant de fruits secs et de fruits blancs bien mûrs, et une matière ample et ronde qui laisse une impression de finesse et d'harmonie. Citée, la **Grande Cuvée Saint-Nicolas (15 à 20 € ; 3 000 b.)** contient un peu plus de chardonnay (40 %). Réservée en approche, cette cuvée de prestige ou pâle et discrètement florale s'affirme en bouche et séduit par ses arômes de fruits exotiques et de caramel au lait. (RM)

☎ EARL Desautez et Fils, 22, rue de Mailly, 51360 Verzenay, tél. 03 26 49 40 59, fax 03 26 49 46 88, desautezetfils@free.fr, ☑ ⚎ ⏲ r.-v.

☎ Patrick Deibener

DESBORDES-AMIAUD Tradition

● 1er cru	15 000	▮ ⦇⦈	15 à 20 €

Propriété de 9 ha aujourd'hui gérée par Élodie et Patrice Pouillon, fille et gendre de Marie-Christine Desbordes, qui détiennent un autre domaine (voir R. Pouillon et Fils). Le vignoble est implanté près de Reims, autour d'Écueil. Ce 1er cru est réputé pour son pinot noir, lequel, complété par le chardonnay, occupe une place de choix (85 %) dans cette cuvée qui a vu le bois. D'une belle maturité, le nez se partage entre des notes fruitées et vanillées. L'attaque franche introduit une bouche fraîche, équilibrée et ronde, aux arômes de fruits jaunes confits. Un champagne structuré et harmonieux, pour l'apéritif comme pour la table. (RM)

☙ Desbordes-Amiaud, 2, rue de Villers-aux-Nœuds, 51500 Écueil, tél. 03 26 49 77 58, fax 03 26 49 27 34, champagne.desbordes@orange.fr, ☑ ⏀ r.-v.

A. DESMOULINS ET CIE Cuvée Prestige ★

○	18 000	20 à 30 €

Fondée en 1908, cette petite structure sise à Épernay, qui mise beaucoup sur la vente directe, est gérée par Jean et Virginie Bouloré, petit-fils et arrière-petite-fille d'Albert Desmoulins. Sa cuvée Prestige associe le chardonnay (70 %) au pinot noir. L'élégance du nez aux nuances de noisette grillée se retrouve dans une bouche charnue à la finale fraîche et minérale. Un champagne de caractère qui trouvera sa place aussi bien à l'apéritif qu'au repas. (NM)
☙ A. Desmoulins, 44, av. Foch, 51200 Épernay, tél. 03 26 54 24 24, fax 03 26 54 26 15, champagne.desmoulins@orange.fr, ☑ ⚲ ⏀ r.-v.

PAUL DÉTHUNE Princesse des Thunes Cuvée Prestige ★

○ Gd cru	2 500	⏀	30 à 50 €

Descendant d'une lignée remontant au début du XVIIᵉs., Pierre Déthune dispose de 7 ha de vignes aux environs d'Ambonnay, grand cru réputé pour son pinot noir. Il a installé des panneaux photovoltaïques, qui lui permettent de produire une partie de son électricité, et récupère les eaux de pluie. Dans ses caves anciennes, il élève une partie de ses vins en foudre de chêne. Deux de ses cuvées reçoivent chacune une étoile. L'une comme l'autre assemblent pinot noir et chardonnay à parts égales et comprennent 30 % de vins de réserve – élevés sous bois pour cette cuvée Prestige souvent appréciée. Son séjour dans le chêne et un long vieillissement en bouteilles lui ont légué une robe somptueuse, or soutenu, un nez riche mêlant la brioche et les fruits secs, et un palais franc, frais, bien dosé et long. Le brut **grand cru (20 à 30 € ; 20 000 b.)** est un champagne harmonieux, souple et persistant, aux arômes d'écorce d'orange et de pamplemousse. La première cuvée s'accordera avec un feuilleté au saumon, la seconde avec les crustacés. (RM)
☙ EARL Paul Déthune, 2, rue du Moulin, 51150 Ambonnay, tél. 03 26 57 01 88, fax 03 26 57 09 31, info@champagne-dethune.com, ☑ ⚲ ⏀ r.-v.

DEUTZ Amour de Deutz 2005 ★

○	45 000	▮	+ de 100 €

Originaires d'Aix-la-Chapelle, deux négociants en vins, William Deutz et Pierre-Hubert Geldermann, ont fondé en 1838 cette prestigieuse maison entrée en 1993 dans le groupe Roederer. Deutz a son siège à Aÿ, dans la Grande Vallée de la Marne, et s'approvisionne dans un rayon restreint de 30 km autour de cette commune réputée pour son pinot noir qui mûrit à la perfection sur un coteau exposé plein sud. Mais la Côte des Blancs n'est pas très éloignée d'Aÿ, et c'est du chardonnay de noble origine qui est à l'origine d'une des cuvées de prestige de la maison, Amour de Deutz. Les jurés ont goûté le 2005, auquel ils donnent une belle étoile. Le nez bien ouvert dévoile des nuances empyreumatiques, des notes de fruits secs (noisette) et de beurre. Le palais ample et gourmand en fait un champagne très flatteur : pour un apéritif chic. Issu d'un assemblage par tiers des trois cépages champenois, le brut **Classic (30 à 50 €)** est, lui, un très beau classique du champagne, une valeur sûre. Il fait jeu égal. Les dégustateurs ont apprécié son nez expressif, sur les fleurs (rose, angélique), les fruits blancs et les fruits confits, et son palais d'une grande finesse, très bien équilibré, élégant et persistant. (NM)
☙ Deutz, 16, rue Jeanson, 51160 Aÿ, tél. 03 26 56 94 00, fax 03 26 56 94 13, france@champagne-deutz.com, ☑ r.-v.

PASCAL DEVILLIERS Grande Réserve ★

○ 1er cru	n.c.	▮	15 à 20 €

Installé dans la Montagne de Reims, ce récoltant cultive les trois cépages champenois à Villedommange, village classé en 1ᵉʳ cru. La prédominance des noirs dans l'encépagement de l'exploitation se reflète dans cette Grande Réserve où les deux pinots (à parts égales) représentent 70 % de l'assemblage. Ce brut a intéressé les dégustateurs par son nez de fruits secs et de miel, prélude à une bouche ronde aux nuances de pêche jaune et d'abricot sec. Un champagne de repas. Mi-blancs mi-noirs (pinot noir), le **1ᵉʳ cru R B 2005 (20 à 30 €)** est côté. Un peu dosé, il n'en demeure pas moins fruité, vif et harmonieux. (RM)
☙ Pascal Devilliers, 8, rue de Saint-Lié, 51390 Villedommange, tél. 03 26 49 26 08, contact@champagne-devilliers.com, ☑ ⚲ ⏀ r.-v.

DIDIER-DUCOS L'Ablutien ★

○	40 000	11 à 15 €

Ce domaine a été fondé après la dernière guerre par Adrien Didier et Yvonne Ducos, les grands-parents de Nicolas Didier, qui conduit l'exploitation avec Clotilde depuis les années 2000. L'Ablutien ? Comprenez : « de Saint-Martin-d'Ablois ». C'est dans ce village des coteaux sud d'Épernay que sont établis ces récoltants, et l'assemblage de leur cuvée reflète l'encépagement de la commune : beaucoup de meunier (80 %), un peu de chardonnay (15 %) et un soupçon de pinot noir. Il en résulte un champagne or soutenu, très fruité, puissant et long, et mâtiné de notes fumées et grillées. Une bouteille de caractère destinée au repas. (RM)
☙ EARL Didier-Ducos, 9 bis, rue Julien-Ducos, 51530 Saint-Martin-d'Ablois, tél. 03 26 59 93 39, fax 03 26 52 35 09, champagnedidierducos@orange.fr, ☑ ⚲ ⏀ r.-v.

FRANÇOIS DILIGENT Pinot blanc ★

○	10 000	▮	30 à 50 €

Vignerons depuis près de quatre siècles à Buxeuil, village situé en amont de Bar-sur-Seine, les Moutard (alliés aux Diligent) ont constitué un coquet domaine de 22,5 ha. Fondée en 1927, la maison de négoce est aujourd'hui dirigée par François Moutard. Les spécialités de la maison ? Les marcs et eaux-de-vie, et la culture de cépages rares et anciens, tel ce pinot blanc, variété confidentielle en Champagne. Une bulle fine et rapide parcourt la robe or pâle. Le bouquet associe les fruits blancs et des notes biscuitées. La bouche, à la fois ronde et fraîche, est équilibrée et longue. De couleur saumonée, le **rosé Épiphanie (10 000 b.)**, issu de l'assemblage par tiers des trois pinots (le noir, le blanc et le meunier), est cité pour ses jolis arômes de petits fruits rouges. Vineux, il conviendra au repas. (NM)
☙ François Diligent, 6, rue des Ponts, 10110 Buxeuil, tél. 03 25 38 50 73, fax 03 25 38 57 72

DOM CAUDRON Cuvée Cornalyne ★

○	7 649	▮⏀	20 à 30 €

Marque de la coopérative de Passy-Grigny choisie en hommage au fondateur de la cave, l'abbé Caudron, jadis

curé de ce village de la vallée de la Marne. Sa cuvée Cornalyne doit tout au meunier vinifié et élevé (pour 50 %) en fût de chêne. Les dégustateurs ne s'y sont pas trompés en décrivant un nez complexe mêlant la vanille au miel, au sirop d'érable et aux agrumes confits. Ces jolis caractères d'évolution se confirment dans une bouche vive et puissante. Cette bouteille est à conseiller aux amateurs de champagnes boisés, idéale pour accompagner une blanquette de veau. Le 2006 (8 033 b.) conviendra aussi pour le repas. Mariant le meunier et le chardonnay à parts égales, il est cité pour ses arômes de pain d'épice et de brioche, et pour sa finale harmonieuse et longue. (CM)

☛ Coopérative vinicole, 22, rue Jean-York, 51700 Passy-Grigny, tél. 03 26 52 45 17, fax 03 26 51 75 85, champagnedomcaudron@hexanet.fr, ☑ ⚘ ⌣ r.-v.

DOM GEMME Faveurs ★★

	4 742	🍾	20 à 30 €

Situé à l'extrême sud du Sézannais, le coteau de La Celle-sous-Chantemerle domine la vaste plaine de la Champagne crayeuse, aux confins de la Marne, de la Seine-et-Marne et de l'Aube. C'est là qu'Élizabeth Jamain-Donna conduit depuis 1985 le vignoble de 3,5 ha constitué par son père. Sa fille Caroline élabore les cuvées de la propriété, dont ce blanc de blancs fort remarqué. Une bulle rapide traverse la robe limpide, et pâle. Au nez, des senteurs de brioche, d'agrumes et d'acacia. La mise en bouche dévoile un vin gourmand, aux jolis arômes de fruits exotiques confits. Un champagne à la fois puissant et aérien, équilibré et persistant, pour l'apéritif. (RM)

☛ Pierre Jamain, 1, rue des Tuileries, 51260 La Celle-sous-Chantemerle, tél. 03 26 80 21 64, fax 03 26 80 29 32, caroline@champagnejamain.com, ☑ ⚘ ⌣ r.-v.

PIERRE DOMI Blanc de blancs

1er cru	9 000	🍾	11 à 15 €

Créée en 1947, cette exploitation familiale aujourd'hui conduite par la troisième génération a son siège à Grauves, à l'ouest de la Côte des Blancs, et un vignoble qui s'étend aussi sur les coteaux d'Épernay. Or pâle à reflets verts, ce blanc de blancs présente un style intense et puissant, avec un nez sur les fruits blancs et jaunes auquel répond un palais riche et rond, avec ce qu'il faut de fraîcheur. Pour l'apéritif ou un poisson cuisiné. Une fois de plus apprécié, le Cœur de rosé 1er cru (15 à 20 € ; 5 700 b.) est dominé par le chardonnay (90 %). Du vin rouge de pinot noir lui donne sa teinte rose orangé. Facile et agréable, il conviendra à l'apéritif. (RM)

☛ EARL Domi, 10, rue Bruyère, 51190 Grauves, tél. 03 26 59 71 03, fax 03 26 52 86 91, contact@champagne-domi.com, ☑ ⚘ ⌣ r.-v.

♥ DOM PÉRIGNON Vintage 2002 ★★

	n.c.	🍾	+ de 100 €

1980, 1982, 1983, 1985, 1988, 1995, 1996 (en blanc) ; 1985, 1986, 1990, 2000 et ce 2002 (en rosé). Voilà les coups de cœur décernés au fil des éditions par nos dégustateurs, qui couvrent régulièrement d'éloges cette cuvée toujours millésimée et devenue le symbole d'un champagne de prestige. Elle a pris le nom du célèbre moine cellérier de l'abbaye de Hautvillers, qui, pendant plus de quatre décennies, porta à un haut degré cet art de l'assemblage des crus et des cépages à l'origine des grands champagnes. Son lointain successeur, depuis les années 1990, est le Vertusien Richard Geoffroy. La composition précise du Dom Pérignon reste secrète. Tout au plus sait-on qu'il met à contribution du chardonnay et du pinot noir provenant des grands crus de la Côte des Blancs et de la Montagne de Reims, ainsi que de Hautvillers, en souvenir de dom Pérignon. Rose clair et brillant, légèrement tuilé, ce rosé est salué pour son nez fin et racé mêlant les petits fruits rouges surmûris à des touches minérales. Vif à l'attaque et doté d'une étonnante fraîcheur en bouche, il dévoile une matière friande et une finale persistante, finement grillée. Quant au Vintage blanc 2003, il joue sur des notes empyreumatiques (café grillé) et des évocations de fruits secs. La canicule de l'année n'apparaît pas dans cette superbe bouteille (deux étoiles également) ; si la matière est là, ce millésime laisse avant tout le souvenir d'une finesse et d'une élégance exemplaires. On pourra le déguster dès l'apéritif. (NM)

☛ Dom Pérignon, 20, av. de Champagne, 51200 Épernay, tél. 03 26 51 20 00

DOM RUINART 1998 ★★

	n.c.	🍾	+ de 100 €

La plus ancienne maison de champagne a été fondée en 1729 – un an après l'arrêté royal autorisant le commerce du vin mousseux en bouteilles – par Nicolas Ruinart, alors marchand drapier à Épernay, qui délaissa très vite le textile. Son champagne de prestige tire son nom du moine dom Ruinart, contemporain de dom Pérignon. Très présent dans les assemblages de la maison, le chardonnay compose 85 % de ce rosé 1998, complété par 15 % de pinot noir. Dans une robe saumon clair raffiné, c'est un champagne de caractère, fin, élégant et complexe, où la fraise des bois bien mûre côtoie des notes grillées et des nuances de fruits secs. Très bien conservé, ce millésimé est à son apogée. Il sera à l'aise à table. On suggère pour l'accompagner des gambas à la coriandre ou des ris de veau caramélisés aux artichauts confits et girolles. Pour le Dom Ruinart 2002 (une étoile), on conseille des saint-jacques : c'est un blanc de blancs puissant, toasté et grillé, qui trouvera lui aussi sa place à table. (NM)

☛ Ruinart, 4, rue des Crayères, 51100 Reims, tél. 03 26 77 51 51, fax 03 26 82 88 43, wines@ruinart.com, ⚘ ⌣ r.-v.

☛ LVMH

DIDIER DOUÉ Prestige ★★

	5 000	🍾	15 à 20 €

Didier Doué a converti au bio son vignoble de 5 ha sur le coteau de Montgueux, à l'ouest de Troyes. Pas encore de logo, les champagnes faisant appel à des années antérieures à la certification, mais les pratiques sont conformes à la démarche et à l'esprit de la biodynamie (interventions en fonction des cycles lunaires). Le brut Prestige privilégie le chardonnay (60 %), cépage roi à Montgueux, le pinot noir faisant l'appoint. Une fois de plus, cette cuvée, dont la dernière version associe les vendanges 2007 à 2005, a enchanté les dégustateurs. Au nez, elle marie harmonieusement l'aubépine, le citron confit et le beurre frais. Finesse, élégance et fraîcheur résument ce remarquable champagne à servir à l'apéritif ou avec des fruits de mer. Quant au **blanc de blancs 2005** (**3 700 b.**), il est un peu réservé, mais son fruité et sa minéralité lui valent une étoile. (RM)

🐓 Didier Doué, 3, voie des Vignes, 10300 Montgueux, tél. 03 25 79 44 33, doue.didier@wanadoo.fr, ☑ ⚔ ⏳ r.-v.

ÉTIENNE DOUÉ Extra-brut Il était une fois ★

	1 200	30 à 50 €

À l'ouest de Troyes, le village de Montgueux domine un coteau crayeux presque intégralement planté de chardonnay. C'est là qu'Étienne Doué, ancien salarié viticole, a constitué à partir de 1972 un vignoble qui compte aujourd'hui un peu plus de 6 ha. Une fois de plus au rendez-vous du Guide, il a soumis aux dégustateurs un blanc de blancs extra-brut (très peu dosé) bien dans le type, qui marie au nez les fleurs et les agrumes à des notes lactées et fumées. D'une belle fraîcheur à l'attaque, équilibrée, la bouche finit sur une agréable amertume évoquant le zeste d'agrumes. Le chardonnay domine également (60 %) dans le brut **Sélection** (**11 à 15 € ; 21 500 b.**), complété par le pinot noir. Floral, citronné, minéral et frais, ce champagne obtient une citation. (RM)

🐓 Étienne Doué, 11, rte de Troyes, chem. du Petit-Tot, 10300 Montgueux, tél. 03 25 74 84 41, fax 03 25 79 00 47, virginie@champagneetiennedoue.com, ☑ ⚔ ⏳ r.-v.

DOURDON-VIEILLARD Grande Réserve ★

	30 000	▮	20 à 30 €

Dans cette famille établie dans la vallée de la Marne, on cultive la vigne depuis deux siècles et l'on commercialise du champagne depuis 1958. Fabienne Dourdon a pris en 2008 les rênes de l'exploitation qui couvre près de 10 ha. Sa Grande Réserve privilégie le chardonnay (65 %, vinifié sans fermentation malolactique), les deux pinots faisant l'appoint. C'est un champagne à la robe claire et à la bulle fine ; ses arômes de fruits blancs (pomme, poire, pêche) s'épanouissent longuement dans une bouche gourmande, équilibrée et fraîche, légèrement épicée. La récoltante suggère de le servir à l'apéritif ou sur un poisson grillé, ou encore sur du fromage (chaource ou brie). (RM)

🐓 Dourdon-Vieillard, 8, rue des Vignes, 51480 Reuil, tél. 03 26 58 06 38, dourdonvieillard@aol.com, ☑ ⚔ ⏳ r.-v.

DOYARD-MAHÉ ★

1er cru	n.c.	▮ ⏻	15 à 20 €

Philippe Doyard est l'un des petits-fils de Maurice Doyard, qui participa activement à la naissance de l'organisation professionnelle du champagne. Depuis 1988, ce récoltant, secondé par sa fille Carole, exploite 6 ha de vignes autour de Vertus, sur la Côte des Blancs. Son rosé d'assemblage fait évidemment la part belle au chardonnay (88 %) associé à 12 % de vin rouge de pinot noir élevé en fût. Alliant fraîcheur et vinosité, il fait preuve

d'un bel équilibre. Ses arômes de griotte, de fraise et de groseille accompagneront avec bonheur une salade de fruits rouges. Cité, le **blanc de blancs 1er cru Carte d'or** est discret, minéral et acidulé. On peut le servir dès maintenant à l'apéritif ou l'attendre un an ou deux. (RC)

🐓 Philippe Doyard, Moulin d'Argensole, 28, chem. des Sept-Moulins, 51130 Vertus, tél. 03 26 52 23 85, fax 03 26 59 36 69, champagne.doyard-mahe@wanadoo.fr, ☑ ⚔ ⏳ t.l.j. sf dim. 10h-12h 14h-17h30

DRAPPIER Blanc de blancs Signature ★

	35 000	30 à 50 €

Parmi les ancêtres, au XVIIe s., un marchand drapier rémois, Rémy Drappier. Mais la maison n'a été fondée qu'en 1808. En deux siècles, elle a constitué un vignoble de 55 ha aux environs de Bar-sur-Aube, dont la production est complétée par des achats de raisins et de moûts. Les bouteilles de prestige vieillissent dans les vénérables caves construites par les moines cisterciens de la proche abbaye de Clairvaux. Depuis plus de trente ans, Michel Drappier est aux commandes. À la cave, il évite les filtrations et use avec modération du soufre. Le blanc de blancs Signature a l'originalité de contenir un zeste (5 %) de pinot blanc, cépage confidentiel en Champagne. Sa robe jaune doré annonce un nez expressif aux nuances d'abricot sec et de grillé, prélude à une bouche vivifiante et fruitée. Champagne de prestige, qui a partiellement connu le bois, le **rosé Grande Sendrée 2005** (**50 à 70 € ; 10 000 b.**), presque complètement issu de la macération du pinot noir, incorpore 8 % de chardonnay. Saumoné, franc et équilibré, suave et gras, il évolue sur des arômes de fruits rouges mûrs et d'épices (cannelle). Ce rosé de table s'entendra avec un poisson cuisiné. Il obtient une étoile. (NM)

🐓 Drappier, rue des Vignes, 10200 Urville, tél. 03 25 27 40 15, fax 03 25 27 41 19, info@champagne-drappier.com, ☑ ⚔ ⏳ t.l.j. sf dim. 8h-12h 14h-18h

DRIANT-VALENTIN

1er cru	15 000	▮	15 à 20 €

Implantée à Grauves, village situé dans un vallon tout près de la Côte des Blancs, cette propriété de 6,5 ha est gérée par Jacques Driant et son fils David. Très remarquée grâce à deux coups de cœur consécutifs, elle revient avec une cuvée moins ambitieuse. Il s'agit du même 1er cru assemblant 60 % de chardonnay et 40 % de pinot noir. La différence tient aux années d'assemblage : 2007 et 2006. S'annonçant par une robe jaune d'or, ce brut vire au nez comme en bouche sur des arômes de fruits jaunes confits, avec des touches de miel et une pointe de minéralité. Ce côté souple, mûr et rond, le destine au repas. (RM)

🐓 Jacques et David Driant, 4, imp. de la Ferme, 51190 Grauves, tél. 03 26 59 72 26, fax 03 26 59 76 55, contact@champagne-driant-valentin.com, ☑ ⚔ ⏳ r.-v. 🏠 ⓒ

GÉRARD DUBOIS Prestige Tradition 2000 ★★★

Gd cru	2 000	▮	20 à 30 €

À l'heure où le prix du foncier en Champagne atteint des sommets, la trajectoire des Dubois laisse rêveur... Rescapé de la Grande Guerre, le grand-père, cocher chez un châtelain à Avize, décide de se mettre à son compte. Il achète un cheval, puis un deuxième, puis quatre, pour transporter les vins clairs chez les négociants. Il a besoin de fourrage : pourquoi ne pas acquérir des terres autour d'Avize pour faire pousser de l'avoine ? C'est ainsi que Gérard Dubois est aujourd'hui en mesure de vous proposer un grand cru de la Côte des Blancs. Et ce vin, qui a frôlé le coup de cœur, a beaucoup à raconter : « Une véritable histoire ! » écrit un juré conquis. Vinifié sans fermentation malolactique, ce chardonnay présente une robe or pâle et un nez superbe partagé entre raisins secs macérés et léger grillé. L'attaque introduit une bouche fraîche, vineuse sans excès et remarquable de longueur et d'élégance. Le **blanc de blancs Réserve grand cru (15 à 20 € ; 3 000 b.)** obtient une étoile. Un peu évolué, il n'en demeure pas moins plaisant au nez, intense, beurré et fruité en bouche. (RM)

☞ Gérard Dubois, 67, rue Ernest-Vallé, 51190 Avize, tél. 03 26 57 58 60, fax 03 26 57 41 94, gerarddubois@wanadoo.fr, ☑ ⚘ ⍨ r.-v.

HERVÉ DUBOIS Blanc de blancs 2003 ★★

● Gd cru	2 000	▮	20 à 30 €

Hervé Dubois a repris en 1980 l'exploitation familiale : 7 ha autour d'Avize, grand cru de la Côte des Blancs. Il vinifie tous ses vins de chardonnay sans fermentation malolactique, ce qui a dû contribuer à préserver la fraîcheur de cette cuvée issue de l'année de la canicule. Ce 2003, qui provient d'une parcelle de vignes plantées dans les années 1950, a été tiré sous liège. Ses arômes de biscuit, de fruits confits et de miel traduisent une belle évolution. L'attaque souple dévoile une matière assez cossue, vineuse sans excès : un remarquable champagne de repas. (RM)

☞ Hervé Dubois, 67, rue Ernest-Vallé, 51190 Avize, tél. 03 26 57 52 45, fax 03 26 57 99 26, champagne.dubois@gmail.com, ☑ ⚘ ⍨ r.-v.

DUMANGIN-RAFFLIN ★

● 1er cru	10 000	▮	11 à 15 €

Un nouveau nom dans le Guide, mais l'exploitation n'est pas née d'hier : Daniel Dumangin conduit depuis 1975 les vignes héritées de sa famille. Son domaine est implanté à Chigny-les-Roses, 1er cru de la Montagne de Reims. Nos dégustateurs ont apprécié deux de ses cuvées qui résultent du même assemblage : 60 % de raisins noirs (dont 40 % de meunier) et 40 % de blancs. Ce brut sans année s'habille d'une robe jaune doré et se parfume de pêche, de fleurs blanches et d'amande. Franc à l'attaque, il séduit autant par son équilibre que par sa finale agréable et fruitée. Le **1er cru Réserve (15 à 20 € ; 5 000 b.)** fait jeu égal. Il provient d'une récolte plus ancienne (2007, au lieu de 2009) et dévoile des arômes plus évolués de coing, de brioche et de fruits secs, suivis d'une bouche tout en rondeur et en fruits confits. On le verrait bien avec une brioche ou un cake. (RM)

NOUVEAU PRODUCTEUR

☞ Dumangin-Rafflin, 42, rue Georges-Legros, 51500 Chigny-les-Roses, tél. 03 26 03 48 21, fax 03 26 03 41 42, d.dumangin@aliceadsl.fr, ☑ ⚘ ⍨ t.l.j. 9h-12h 14h-18h; f. jan. et août

DUMÉNIL Grande Réserve ★

● 1er cru	20 000	▮	15 à 20 €

Arrière-petite-fille du fondateur Élie Duménil, Frédérique Poret exploite le domaine familial avec son mari

Hugues : 8 ha à Chigny-les-Roses, Ludes et Rilly, 1ers crus de la Montagne de Reims. Leur Grande Réserve assemble par tiers les trois cépages champenois. De couleur jaune doré, elle séduit par son bouquet expressif et s'épanouit en bouche sur des notes de fruits jaunes confits. Son dosage perceptible n'altère en rien son harmonie ni son côté gourmand. Le **blanc de noirs Amour de cuvée (20 à 30 € ; 3 000 b.)** assemble pinot noir et meunier à parts égales. Frais, charnu, équilibré, il est cité. (RM)

☞ Duménil, 15, rue des Vignes, 51500 Chigny-les-Roses, tél. 03 26 03 44 48, fax 03 26 03 45 25, info@champagne-dumenil.com, ☑ ⍨ r.-v.

☞ F. Poret

ARNAUD DUMONT Rosé de saignée ★★

●	1 500	▮	15 à 20 €

Implantée du côté de Bar-sur-Seine (Aube), cette propriété de 13 ha constituée à partir des années 1970 a été reprise en 2010 par Arnaud Dumont, qui s'est lancé dans la manipulation. Déjà remarqué l'an dernier, son rosé a « changé de recette » et « gagne » une étoile supplémentaire. Il provient d'une macération de pur pinot noir récolté en 2010. Sa couleur soutenue annonce un nez intense de petits fruits (cassis) et un palais puissant au dosage bien maîtrisé. Un juré verrait bien ce champagne accompagner du boudin blanc. (NM)

☞ SARL Dumont et Fils, 14, rue de la Véreille, 10250 Gyé-sur-Seine, tél. 06 72 74 44 84, arnaudumont@gmail.com, ☑ ⚘ ⍨ r.-v. 🏠 Ⓑ

R. DUMONT ET FILS 2000 ★★

●	3 003	▮	30 à 50 €

Installés dans un petit village des environs de Bar-sur-Aube, les Dumont perpétuent une tradition viticole qui remonte au XVIIIes. La dernière génération a constitué un coquet vignoble (23 ha) et fait construire un chai moderne inspiré de l'architecture locale avec ses parements de brique. Bernard Dumont, dont le 2004 avait brillé, se distingue à nouveau avec ce 2000 de pur pinot noir – cépage dominant de l'Aube. Très présent, le nez montre une belle évolution dans ses nuances de fruits macérés, de moka, d'amande et de grillé. Riche en fruit, à la fois chaleureuse et délicate, parfaitement équilibrée, longue et bien dosée, la bouche a gardé sa fraîcheur. Un champagne de garde, très représentatif du millésime. Pour un repas raffiné. Privilégiant le pinot noir (80 %) allié au chardonnay, le **brut nature (15 à 20 € ; 5 000 b.)**, non dosé, apparaît charnu, vif et net, complexe et toasté. Il est cité. (RM)

☞ R. Dumont et Fils, rue de Champagne, 10200 Champignol-lez-Mondeville, tél. 03 25 27 45 95, fax 03 25 27 45 97, rdumontetfils@wanadoo.fr, ☑ ⚘ ⍨ t.l.j. 9h-12h 14h-18h; sam. dim. sur r.-v.

DUVAL-LEROY Fleur de Champagne ★

● 1er cru	350 000	▮	20 à 30 €

Fondée en 1859, cette société est dirigée depuis 1991 par Carol Duval-Leroy. Son vignoble de 200 ha en fait la plus importante maison de champagnes de la Côte des Blancs. Si le chardonnay est souvent l'unique représentant de ses cuvées, celle-ci admet entre 15 % de pinot noir aux côtés des raisins blancs. Tous ont de nobles origines : grands crus et 1ers crus de la Montagne de Reims, de la Grande Vallée de la Marne et de la Côte des Blancs. Une très belle étoile brille sur ce champagne délicatement floral et minéral au nez, qui dévoile au palais des arômes d'agrumes, de fruits blancs et de chèvrefeuille au sein d'une matière très équilibrée. Un champagne d'apéritif harmonieux. (NM)

☛ Duval-Leroy, 69, av. de Bammental, 51130 Vertus, tél. 03 26 52 10 75, fax 03 26 52 37 10, champagne@duval-leroy.com, ☑ ☘ ☂ r.-v.

XAVIER DUVAT & FILS Tête de cuvée Prestige 2009 ★

	10 000	⊞	15 à 20 €

Entre Côte des Blancs et Sézannais, cette exploitation familiale, qui dispose de 10 ha de vignes, élabore son champagne depuis la fin des années 1950. À sa tête depuis 1978, Xavier Duvat a été rejoint en 2010 par son fils Léonard, chargé de l'élaboration des cuvées. Les 2009 sont rares dans la sélection. Celui-ci assemble 70 % de chardonnay et 30 % de pinot noir. Le nez, discret mais complexe, mêle les agrumes, les fruits à noyau et l'amande. Ces impressions se confirment dans une bouche mûre, ronde et longue. Un champagne gourmand, à déboucher maintenant. Le brut **Albéric Duvat Carte noire (11 à 15 € ; 20 000 b.)** fait jeu égal. Les cépages noirs sont majoritaires (60 %, meunier surtout) dans ce brut sans année un peu dosé, mais frais et droit, à la finale légèrement épicée. (RM)

☛ SAS Xavier Duvat et Fils, 20, Grande-Rue, 51270 Fèrebrianges, tél. 03 26 59 35 69, fax 03 26 59 34 04, xduvat@wanadoo.fr, ☑ ☘ ☂ r.-v. ⌂ ☺

EDWIGE-FRANÇOIS Magic Vintage 2005

	1 000	▪	15 à 20 €

Représentant la cinquième génération, Ludovic, fils d'Edwige et de François Remiot, a rejoint ses parents sur le domaine de 8 ha implanté à Charly-sur-Marne, la commune viticole la plus importante de l'Aisne, en aval de Château-Thierry. Majoritaire dans ce secteur, le meunier compose 60 % de ce 2005, associé au chardonnay. Un assemblage réussi où chaque cépage joue sa partition. Le nez d'abord discret s'ouvre sur des notes de figue et de mirabelle. Plus expressif, le palais livre une matière souple, ample, vineuse, à la finale légèrement torréfiée. Bel accord en perspective avec une volaille. Le **rosé Flatteuse 2008 (20 à 30 € ; 1 200 b.)** est un rosé de saignée du seul meunier. Rose bonbon, il obtient la même note pour sa finesse et pour sa fraîcheur. (RM)

☛ EARL Val des Haïs, 68, av. Fernand-Drouet, 02310 Charly-sur-Marne, tél. et fax 03 23 82 11 26, contact@champagne-edwige-francois.fr, ☑ ☘ ☂ r.-v. ⌂ ❷

CHARLES ELLNER Séduction 2002 ★

	10 000	▪ ⊞	20 à 30 €

Cette affaire familiale fondée à la Belle Époque s'est constitué un vignoble qui s'étend aujourd'hui sur une cinquantaine d'hectares répartis dans de nombreux crus de la région délimitée. Elle signe un 2002 dominé par le chardonnay (60 %, avec le pinot noir en complément). Légèrement évolué au nez, ce millésimé mêle les fruits jaunes et la cire, tandis qu'en bouche, il évoque le miel et les fruits secs. Équilibré et doté d'une belle structure, ce champagne mûr est à servir dès la sortie du Guide. On pourra le déboucher à l'apéritif et le finir à table. Le **rosé (15 à 20 € ; 20 000 b.)** est issu d'un assemblage de chardonnay et de pinot noir à parité. Fin au nez, franc au palais, il est cité. (NM)

☛ SAS Ellner, 6, rue Côte-Legris, 51200 Épernay, tél. 03 26 55 60 25, fax 03 26 51 54 00, info@champagne-ellner.com, ☑ ☘ ☂ r.-v.

ESTERLIN Blanc de blancs ★

	70 000	▪	20 à 30 €

Marque de la coopérative de Mancy créée en 1948 dans le secteur des coteaux sud d'Épernay. La cave vinifie les vendanges de quelque 120 ha pour le compte de cent soixante-cinq adhérents. Ses approvisionnements comptent près de 50 % de chardonnay, cépage qui règne sans partage dans ce blanc de blancs. Le nez fin et élégant associe les fleurs blanches et les agrumes. Ces arômes se retrouvent dans un palais agréablement fruité, frais et long, à la finale minérale et citronnée. Un champagne d'apéritif. Le brut **Sélection (180 000 b.)** donne l'avantage aux noirs (60 %, meunier en tête). Il est cité pour ses jolis arômes d'abricot et de pêche de vigne, bien présents au palais. (CM)

☛ CVM Champagne Esterlin, 25, av. de Champagne, 51200 Épernay, tél. 03 26 59 71 52, fax 03 26 59 77 72, contact@champagne-esterlin.fr

CHRISTIAN ÉTIENNE Cuvée Tradition ★

	60 000	▪ ⊞	11 à 15 €

Installé dans la Côte des Bar (Aube), ce domaine d'une dizaine d'hectares conduit par Christian Étienne est très souvent distingué dans le Guide. La cuvée Tradition, composée à 70 % de pinot noir et à 30 % de chardonnay, a de nouveau séduit. L'élevage d'une partie des vins de base sous bois pendant un an participe à sa personnalité, sans toutefois transparaître à l'excès dans la palette aromatique. Le nez, bien fruité, marie la prune et la griotte confiturée. De belle tenue, le palais se montre frais, charnu et assez persistant. Ce champagne trouvera sa place aussi bien à l'apéritif qu'avec un poisson en sauce. (RM)

☛ Christian Étienne, 12, rue de la Fontaine, 10200 Meurville, tél. 03 25 27 46 66, fax 03 25 27 45 84, champagneesperance@orange.fr, ☑ ☘ ☂ r.-v.

DANIEL ÉTIENNE 2007 ★

1er cru	2 476	▪	15 à 20 €

Établie à Cumières, sur la rive droite de la Marne, à deux pas de Hautvillers, berceau du champagne, la famille Étienne élabore du champagne depuis une cinquantaine d'années. Jean-Marie, bien connu de nos lecteurs, a pris sa retraite. Ses deux fils, qui travaillaient depuis longtemps à ses côtés, signent aujourd'hui leurs champagnes, chacun à la tête de son exploitation. Daniel a élaboré son 2007 en assemblant 60 % de pinot noir à 40 % de chardonnay. Le jury a apprécié le nez complexe, légèrement grillé et la bouche souple et harmonieuse persistant longuement sur des arômes de fruits mûrs et de fleurs séchées. Un vin encore frais, qui pourra être servi à l'apéritif ou, comme le suggère un dégustateur, sur un pâté de lapin en croûte. (RM)

☛ Étienne, 166, rue de Dizy, 51480 Cumières, tél. 03 26 55 14 33, champagne.etiennedaniel@wanadoo.fr, ☑ ☘ ☂ r.-v. ⌂ ❹

PASCAL ÉTIENNE Grande Cuvée

	5 500	▪	11 à 15 €

Après avoir travaillé à partir de 1993 dans l'exploitation de son père Jean-Marie, retiré en 2010, Pascal Étienne commercialise ses cuvées désormais sous son seul nom. Il s'est installé à Mardeuil, tout près d'Épernay ; son domaine couvre 5 ha de vignes réparties principalement sur les communes de Cumières, de Damery et d'Hautvillers. Le chardonnay est largement à son avantage (80 %, avec le pinot noir en appoint) dans cette Grande

CHAMPAGNE

Cuvée au nez expressif et délicat mêlant les fruits exotiques à des touches épicées. L'attaque franche introduit un palais vif, équilibré et de bonne longueur. À déboucher dès l'apéritif. (RM)

➽ Pascal Étienne, 39, rte Nationale, 51530 Mardeuil, tél. et fax 03 26 54 49 60, champagne-pascal-etienne@orange.fr, ☑ ⚘ ⲓ r.-v.

FRANÇOIS FAGOT 2005 ★

	8 800	▮	15 à 20 €

Installé à Rilly-la-Montagne, à 12 km au sud de la cathédrale de Reims, François Fagot exploite un domaine de 6 ha sur le flanc nord de la Montagne de Reims. Il signe un 2005 presque entièrement composé de raisins noirs (95 %, dont 80 % de pinot noir). Ce millésimé à la robe joliment dorée exprime avec distinction des senteurs de pâtisserie, de caramel, de beurre frais et de fruits confits. La bouche n'est pas en reste : puissante, vineuse, suave et parfaitement dosée, elle offre une longue finale fraîche et citronnée. On pourra apprécier ce champagne dès maintenant. Accord suggéré : une caille aux raisins. (NM)

➽ SARL François Fagot, 26, rue Gambetta, 51500 Rilly-la-Montagne, tél. 03 26 03 42 56, fax 03 26 03 41 19, info@champagne-francois-fagot.com, ☑ ⲓ r.-v.

MICHEL FALLET Blanc de noirs Carte d'or ★

	10 000	▮	11 à 15 €

Ce domaine implanté à Charly-sur-Marne, à une dizaine de kilomètres au sud-ouest de Château-Thierry (vallée de la Marne), couvre 4,23 ha. Il propose un blanc de noirs né des deux pinots (60 % de meunier). Brioché, grillé, torréfié, il dévoile au nez un caractère d'évolution. Il conjugue rondeur et fraîcheur dans une belle complexité, mêlant en bouche les arômes de l'olfaction, le coing, la pâtisserie et les agrumes. Un champagne plaisant, que l'on pourra déboucher à l'apéritif puis servir avec des noix de Saint-Jacques cuisinées. (RM)

NOUVEAU PRODUCTEUR

➽ Michel Fallet, 4, rue des Clos-du-Mont, Drachy, 02310 Charly-sur-Marne, tél. 03 23 82 02 55, fax 03 23 82 21 96, fallet-michel@wanadoo.fr, ☑ ⚘ ⲓ r.-v.

NATHALIE FALMET Le Val Cornet

	6 000	▮⬮	30 à 50 €

Proche de Bar-sur-Aube, aux confins de la Haute-Marne, cette propriété de 3,5 ha est conduite par Nathalie Falmet, « vigneronne-œnologue », comme le précise l'étiquette. Avec ce Val Cornet (du nom d'un lieu-dit épousant un coteau), elle propose un blanc de noirs mariant à parité meunier et pinot noir. Un assemblage rare dans l'Aube, où la seconde variété est largement majoritaire. Le nez s'ouvre sur des notes d'agrumes confits et de fruits jaunes. Le palais se montre souple, rond, équilibré par une fine acidité. Bel accord avec une viande blanche à la crème. (RM)

➽ Nathalie Falmet, 1, rue Saint-Maurice, 10200 Rouvres-les-Vignes, tél. 06 07 02 74 27, fax 03 25 27 16 28, nathalie.falmet@orange.fr, ☑ ⚘ ⲓ r.-v.

SERGE FAŸE La Louve 2008 ★

1er cru	3 000	▮	20 à 30 €

Voilà trente ans que Serge Faÿe élabore les champagnes. Son domaine (5 ha) est implanté sur le versant sud de la Montagne de Reims. La Louve ? L'étiquette repro-

duit la mère nourricière de Romulus et Rémus, mais le propriétaire a aussi songé aux loups qui hantaient jadis la forêt du village. Quoi qu'il en soit, cette cuvée spéciale n'est pas une inconnue : elle avait obtenu la même note pour le millésime 2004. Comme sa devancière, elle assemble à parité chardonnay et pinot noir. Il en résulte une robe cristalline or pâle, un nez floral très agréable et une bouche charnue, généreuse et assez longue, sur la framboise et l'anis. Un champagne équilibré et intense, qui trouvera sa place dans toutes les occasions. (RM)

➽ SCEV Serge Faÿe, 40, rue Michel-Letellier, 51150 Louvois, tél. 03 26 57 81 66, fax 03 26 59 45 12 ☑ ⚘ ⲓ r.-v.

FENEUIL-POINTILLART Cuvée Louis 2005 ★

1er cru	3 000		15 à 20 €

Les familles Feneuil et Pointillart sont enracinées depuis le XVIIe s. à Chamery, village classé en 1er cru et situé sur le flanc nord de la Montagne de Reims. Daniel Feneuil, qui a lancé son champagne au début des années 1970, a transmis en 2011 le vignoble, qui couvre près de 7 ha, à son fils Benjamin. Nommée en hommage à deux aïeux, cette cuvée millésimée privilégie le chardonnay (60 %), associé au pinot noir et à un soupçon de meunier ; les vins ne font pas leur fermentation malolactique. Le 2005 s'annonce par un nez empyreumatique aux senteurs de café torréfié et de moka, prélude à une bouche ample, subtile, fraîche et longue. Sa puissance et sa complexité permettent qu'il soit servi avec des entrées raffinées, des toasts au foie gras par exemple. (RM)

➽ Feneuil-Pointillart, 21, rue du Jard, 51500 Chamery, tél. 03 26 97 62 35, fax 03 26 97 67 70, champagne.fp@wanadoo.fr, ☑ ⚘ ⲓ r.-v. ⌂ Ⓖ

FÉRAT-CROCHET Cuvée de réserve ★

	15 419	▮	11 à 15 €

Un nouveau nom dans le Guide : celui d'une propriété de quelque 4,3 ha située dans un village niché dans la vallée du Petit Morin, entre la Côte des Blancs, au nord, et le Sézannais, au sud. Constituée par Patrick Férat dans les années 1970, elle a été reprise en 2006 par son fils Jérôme. La Cuvée de réserve assemble 80 % des deux pinots à parts égales, complétés par le chardonnay. Les cépages noirs ont légué à ce champagne une robe or jaune, un nez aromatique, partagé entre les fruits jaunes et les fruits rouges bien mûrs, un palais assez vineux et une finale persistante et fraîche. Bon mariage en perspective avec une volaille rôtie ou un brie de Meaux. (RM)

NOUVEAU PRODUCTEUR

➽ Jérôme Férat, 5, rue du Gué-Renard, 51270 Talus-Saint-Prix, tél. 03 26 52 81 76, fax 03 26 51 58 34, feratcrochet@wanadoo.fr, ☑ ⚘ ⲓ r.-v.

NICOLAS FEUILLATTE Grande Réserve ★

	n.c.	▮	20 à 30 €

Basé à Chouilly, le Centre Vinicole, fondé en 1972, produit la marque Nicolas Feuillatte. Cette union de producteurs regroupe quatre-vingt-deux coopératives et 5 000 coopérateurs au minimum, qui cultivent plus de 2 200 ha répartis dans toute l'aire délimitée de la Champagne. Assemblage privilégiant les pinots (75 %, dont 40 % de pinot noir), la Grande Réserve, déjà fort remarquée dans le Guide 2012, a une fois encore séduit. Le nez élégant libère d'agréables senteurs de fleurs et de fruits blancs frais. En bouche, la longue finale fraîche, sur le pamplemousse, laisse le souvenir d'un champagne harmonieux et tonique, qui conviendra aussi bien à l'apéritif qu'à table. Le **rosé (30 à 50 €)** marie 90 % de cépages noirs (dont 60 % de pinot noir) et 10 % de chardonnay. Un fruité discret aux nuances de petits fruits rouges et une certaine finesse : une citation. (CM)

🐦 Nicolas Feuillatte, Centre Vinicole Champagne, CD 40A Chouilly, 51200 Épernay, tél. 03 26 59 64 61, fax 03 26 59 55 82 ☑ ⚔ ⏇ r.-v.

DANY FÈVRE 2004 ★

	n.c.	▮	15 à 20 €

Ce récoltant a lancé sa marque en 1990. Il dispose de 8 ha de vignes implantées sur les coteaux de l'Arce, à l'est de Bar-sur-Seine (Aube). Cépage dominant dans le Barséquanais, le pinot noir représente 60 % de l'assemblage de ce 2004, complété par le chardonnay. D'un bel or à reflets verts, il offre un nez complexe de fruits confits et de brioche beurrée. La bouche se montre à la fois vive, intense, ample et longue. Expressif et doté d'une belle fraîcheur, ce vin pourra être servi aussi bien à l'apéritif qu'au repas, sur une volaille par exemple. On l'ouvrira dès maintenant. (RM)

🐦 Dany Fèvre et Évelyne Penot, 8, rue Benoit, 10110 Ville-sur-Arce, tél. 03 25 38 76 63, fax 03 25 38 78 52, champagne.fevre@wanadoo.fr, ☑ ⚔ ⏇ r.-v.

JEAN-MARIE FÉVRIER Sélection ★

	100 000	▮	15 à 20 €

Implanté dans l'Aube au sud de Bar-sur-Seine, ce domaine a commercialisé ses premières bouteilles avec Jean-Marie Février en 1980. Ce dernier, épaulé depuis 1995 par ses fils, dispose d'un coquet vignoble de 20 ha. Constitué à une écrasante majorité du pinot noir (90 %) complété par le chardonnay, ce brut Sélection intéresse par ses parfums puissants empreints de minéralité et de notes citronnées. Vif en attaque, il se montre équilibré, fruité, long et bien dosé. Son côté acidulé pourra fort bien convenir à l'apéritif. (NM)

🐦 Jean-Marie Février, 5, rue des Vignes, 10250 Gyé-sur-Seine, tél. 03 25 38 23 93, fax 03 25 29 94 58, champagne-fevrier@orange.fr, ☑ ⚔ ⏇ r.-v.

BERNARD FIGUET Cuvée spéciale ★

	90 000	▮	11 à 15 €

Installé à Saulchery, en aval de Château-Thierry dans la vallée de la Marne, le domaine des Figuet compte 12,5 ha de vignes. Dirigée par Éric et son épouse Isabelle, la propriété élabore actuellement 125 000 bouteilles par an. Sa Cuvée spéciale provient à 90 % de raisins noirs (dont 75 % de meunier). Elle a séduit par son nez subtil de fleurs, de pêche et d'agrumes, et par son palais délicat. Elle constituera dès maintenant un apéritif haut de gamme et devrait bien vieillir. La **Cuvée de réserve (20 000 b.)** accorde une place plus importante au chardonnay (50 %), celui-ci étant complété par les deux pinots. Elle est citée pour ses arômes d'agrumes un rien épicés. (RM)

🐦 Bernard Figuet, 144, rte Nationale, 02310 Saulchery, tél. 03 23 70 16 32, fax 03 23 70 17 22, champagne.bfiguet@wanadoo.fr, ☑ ⏇ t.l.j. 9h-12h 14h-18h

♥ Ⓑ FLEURY Extra-brut Sonate n° 9 ★★★

	4 000	▮	50 à 75 €

Au fil des éditions du Guide, on retrouve cette célèbre maison auboise fondée en 1895. Robert Fleury

commercialise les premières bouteilles en 1929. Jean-Pierre, le petit-fils du fondateur, convertit le domaine à la biodynamie dès 1989. À partir de 2009, les enfants entrent en scène : Jean-Sébastien élabore les vins, Morgane gère à Paris une cave spécialisée dans les vins bio, Benoît conduit le vignoble avec le chef d'équipe. Troisième coup de cœur pour les Fleury, et une fois de plus pour une cuvée originale : après un 1993, un 1997 doux, voici un champagne vinifié en extra-brut sans soufre ajouté. Son nom évoque l'année de récolte (2009) du pinot noir qui le compose. Les fruits exotiques accompagnés de notes de tabac blond, de pain d'épice et de clou de girofle composent un nez magnifique. L'attaque souple introduit un palais gras, ample, à la finale fraîche, qui laisse une impression de plénitude. À déguster pour lui-même, en bonne compagnie – « au coin de la cheminée », écrit un juré. Quant au brut **blanc de noirs (20 à 30 € ; 110 000 b.)**, charnu, vif et bien équilibré, il est cité. (RM)

🐦 Fleury, 43, Grande-Rue, 10250 Courteron, tél. 03 25 38 20 28, fax 03 25 38 24 65, champagne@champagne-fleury.fr, ☑ r.-v.

FLEURY-GILLE 2002 ★★

	8 800	▮	15 à 20 €

De vieille souche vigneronne, la famille Fleury exploite un vignoble d'un peu plus de 8 ha dans la vallée de la Marne. Si le 2000 et (dans une moindre mesure) le 2001 se sont distingués, le millésime 2002 a charmé les membres du jury. Mi-blancs mi-noirs (pinot noir), ce brut offre un nez intense aux élégantes nuances d'agrumes, de fruits blancs mûrs (poire) et d'abricot. Tout aussi complexe, le palais se révèle fondu, frais et long. Doté d'un équilibre rare, ce très beau vin pourra être servi à l'apéritif comme au repas, sur un poisson fin grillé par exemple. (RM)

🐦 Fleury-Gille, 23, rue Pascal, Courcelles, 02850 Trélou-sur-Marne, tél. 03 23 70 83 99, fax 03 23 70 14 91, fleury-gille@wanadoo.fr, ☑ ⚔ ⏇ r.-v. ⌂ Ⓒ

FLUTEAU Blanc de noirs ★

	30 000	▮	11 à 15 €

La maison a été créée en 1935 par Émile Hérard, vigneron, associé à son gendre Georges Fluteau, fils d'un courtier en vins. Il s'agissait alors d'une affaire de négoce. Thierry Fluteau, lui, a préféré le statut de récoltant. Avec son épouse américaine Jennifer, et leur fils, il conduit 9 ha de vignes implantées à l'extrémité sud du vignoble aubois. Apprécié une fois de plus, son blanc de noirs (100 % pinot noir) séduit par la vinosité de son nez alliant les fruits rouges mûrs et des notes confites, arômes qui se prolongent dans un palais de belle tenue, puissant et frais. Un dégustateur le verrait bien avec du gibier. Quant à la **Cuvée réservée (10 000 b.)**, qui associe pinot noir (85 %) et chardonnay, elle est citée pour son fruité frais et pour son équilibre. (RM)

🍾 EARL Thierry Fluteau, 5, rue de la Nation, 10250 Gyé-sur-Seine, tél. 03 25 38 20 02, champagne.fluteau@wanadoo.fr, ☑ ⟂ r.-v.

FOISSY-JOLY Grande Cuvée ★★

	6 000	▮	11 à 15 €

Domaine viticole aubois dirigé aujourd'hui par Frédéric Joly. Déjà appréciée l'an dernier, sa Grande Cuvée mérite bien son nom, car elle « gagne » cette année une étoile supplémentaire. Composée de pinot noir (70 %) et de chardonnay, elle se pare d'une robe or pâle traversée d'un train de bulles fines. Le nez se partage entre le citron vert, les fruits jaunes, la brioche et des notes plus subtiles de fleurs séchées et de grillé. L'attaque souple dévoile une matière charnue, structurée et longue, dont le bel équilibre résulte d'un dosage judicieux. Un ensemble très plaisant, que l'on pourra servir aussi bien à l'apéritif qu'au repas, avec des noix de saint-jacques par exemple. (RM)

🍾 Foissy-Joly, 2 et 4, rue de Chatet, 10360 Noé-les-Mallets, tél. 03 25 29 65 24, fax 03 25 38 67 28, contact@champagne-foissy-joly.com, ☑ ⟂ r.-v.

FOLLET-RAMILLON 2006 ★

	4 000	▮	15 à 20 €

Épaulé à la cave par son fils Nicolas, œnologue, Joël Follet exploite le vignoble familial implanté dans la vallée de la Marne et la Montagne de Reims. Le domaine signe un 2006 dominé par les raisins noirs (60 % des deux pinots, meunier en tête, et 40 % de chardonnay). Le nez s'ouvre à l'agitation sur des senteurs d'amande douce et de brioche beurrée agrémentées de notes de fruits secs torréfiés. La bouche est tout aussi agréable par sa souplesse à l'attaque, sa fraîcheur et sa bonne tenue. Autre champagne haut de gamme, issu de l'année 2005, le brut **Harmonie Élaboré en fût de chêne (3 300 b.)** obtient également une étoile. Il assemble lui aussi les trois cépages, mais dans des proportions inverses (65 % de chardonnay), et les vins de base ont séjourné sept mois sous bois. Son nez mêle le caramel, la viennoiserie et la vanille. Ses belles notes d'évolution en font un champagne de table. (RM)

🍾 SCEV Follet-Ramillon, 29, Grande-Rue, 51480 Belval-sous-Châtillon, tél. 03 26 58 11 68, champagne.follet-ramillon@wanadoo.fr, ☑ ⟂ r.-v. 🏠 ⓒ

FOREST-MARIÉ Cuvée Saint-Crespin ★★

1er cru	12 000	▮	15 à 20 €

Depuis plus de trente ans, Thierry Forest conduit le domaine familial, dont le vignoble se partage entre deux secteurs proches de la cité des Sacres : Écueil, 1er cru de la Montagne de Reims, et Trigny, dans le massif de Saint-Thierry. Le pinot noir, majoritaire à Écueil, est l'unique cépage de cette cuvée spéciale plus d'une fois saluée dans ces pages. Sa palette aromatique complexe mêlant la brioche, l'amande douce et les fruits exotiques attire. Son équilibre, sa fraîcheur, son harmonie emportent l'adhésion. On pourra servir ce champagne avec des viandes blanches et du petit gibier. Le brut **Tradition (11**

à 15 € ; 63 000 b.) assemble 70 % des deux pinots et 30 % de chardonnay. Il est cité pour sa belle fraîcheur et sa structure affirmée. (RM)

🍾 SCEV Forest-Marié, 20, rue de la Chapelle, 51140 Trigny, tél. 03 26 03 13 23, fax 03 26 03 19 72, champagne-forest-marie@orange.fr, ☑ ⟂ r.-v.

JEAN FORGET Cuvée Andréa ★

● 1er cru	n.c.	▮	15 à 20 €

Ce domaine familial a son siège à Ludes, commune classée en 1er cru sur le flanc nord de la Montagne de Reims. Deux de ses champagnes ont intéressé les dégustateurs. Le préféré est le rosé, qui associe au chardonnay 85 % des deux pinots (dont 70 % de meunier). De couleur saumon clair, il offre un nez suave et expressif annonçant une bouche gourmande, à la fois ronde et fraîche, aux arômes de pêche jaune mûre et de pâte d'amandes, que s'oriente vers le pamplemousse en finale. Pour un dessert fruité. Mi-chardonnay mi-pinot noir, le brut **Réserve 1er cru (1 000 b.)** est cité pour son fruité agréable (agrumes et fruits jaunes) et pour son équilibre. (RM)

🍾 Christian Forget, 2, rue Nationale, 51500 Ludes, tél. 03 26 61 81 96, champagnesforget@aol.com, ☑ ⟂ r.-v.

FORGET-CHEMIN Spécial Club 2008 ★

	5 080	▮	20 à 30 €

Œnologue, Thierry Forget dirige depuis 1991 une exploitation familiale qui couvre 13 ha, répartis en dix crus dans la Montagne de Reims, la vallée de la Marne et celle de l'Ardre. Il est membre du club Trésors de Champagne qui propose sous l'étiquette « Spécial Club » des vins de récoltants millésimés. Avec ce 2008, le viticulteur a voulu proposer un champagne « gourmand ». Objectif atteint, car c'est bien ce qualificatif que l'on trouve sur les fiches des dégustateurs de ce brut mi-chardonnay mi-pinot noir qui sont séduits par le nez où ils trouvent de la viennoiserie, de l'abricot sec, de l'ananas et du citron. Le palais vif et bien construit assure un bon potentiel à cette bouteille encore jeune. On pourra la servir dès maintenant, à l'apéritif ou sur du poisson en sauce, ou la laisser vieillir deux ou trois ans. Structurée et jeune, elle aussi, la cuvée **Carte blanche (11 à 15 € ; 80 000 b.)**, qui assemble les trois cépages par tiers, est citée. (RM)

🍾 Forget-Chemin, 15, rue Victor-Hugo, 51500 Ludes, tél. 03 26 61 12 17, fax 03 26 61 14 51, champagne.forget.chemin@gmail.com, ☑ ⟂ t.l.j. 9h-12h 13h-16h30 ; sam. dim. sur r.-v.

THIERRY FOURNIER Réserve ★

	60 000	▮	11 à 15 €

Thierry et Murielle Fournier sont établis à Festigny, sur la rive gauche de la Marne depuis 1983. Entre-temps, la surface de leur vignoble a presque triplé (près de 11,5 ha aujourd'hui). Cépage dominant dans la vallée de la Marne, le meunier représente 85 % de l'assemblage de ce brut Réserve, complété de 10 % de chardonnay et d'un soupçon de pinot noir. De couleur or jaune, ce champagne délivre des arômes de pain grillé et de cuir agrémentés de touches de beurre et de fruits confiturés. Puissant et étoffé, il conviendra pour le repas. (RM)

🍾 Thierry Fournier, 8, rue du Moulin, hameau de Neuville, 51700 Festigny, tél. 03 26 58 04 23, fax 03 26 58 09 91, thierry.fournier7@wanadoo.fr, ☑ ⟂ r.-v.

FRANÇOIS-BROSSOLETTE Tradition

	49 500	🗒	11 à 15 €

François Brossolette est installé à Polisy, village situé à la confluence de la Seine et de la Laigne, dans l'Aube. Il exploite depuis 1991 un coquet vignoble de 14 ha. Son brut Tradition met en vedette le pinot noir (80 %), complété par les deux autres cépages. Discret mais élégant, sur des nuances de tilleul, de fruits frais (agrumes) et d'herbe coupée, il se montre frais en bouche : un champagne d'apéritif. (RM)

🕯 François-Brossolette, 42, Grande-Rue, 10110 Polisy, tél. 03 25 38 57 17, fax 03 25 38 51 56, francois-brossolette@wanadoo.fr, ☑ ⚒ ⏚ r.-v.

DENIS FRÉZIER Extra-brut 2005 ★

	1 000	🗒	15 à 20 €

Les Frézier sont vignerons de père en fils depuis huit générations. Aujourd'hui, Sébastien Frézier, installé à Monthelon (coteaux sud d'Épernay), exploite 5,6 ha de vignes. Si la vinification est assurée par une union de producteurs, la famille se charge de l'élaboration du champagne. Son 2005 extra-brut privilégie le chardonnay (60 %), complété des deux pinots à parts égales. Mêlant au nez le beurre et les fruits mûrs, charnu et complexe, il bénéficie d'une finale fraîche. Le producteur suggère pour l'accompagner des makis de saint-jacques. Noté lui aussi une étoile, le brut **Réserve (11 à 15 € ; 18 000 b.)** associe deux tiers de meunier au chardonnay. Son nez de fruits exotiques confits (ananas) et son palais vineux, rond et bien dosé, lui permettront d'être servi à table, avec une poularde par exemple. (RC)

🕯 SCEV Denis Frézier, 50, rue Gaston-Poittevin, 51530 Monthelon, tél. 03 26 59 70 16, fax 09 55 19 64 87, contact@champagne-frezier.com, ☑ ⚒ ⏚ t.l.j. 10h-12h 14h-18h; dim. 10h-12h

FROMENTIN-LECLAPART Tradition ★

Gd cru	31 008	🗒	11 à 15 €

Jean-Baptiste Fromentin a pris en 2005 la suite du domaine familial constitué dans les années 1950. Son vignoble de 5 ha est implanté à Ambonnay et à Bouzy, deux grands crus de noirs de la Montagne de Reims. La gamme des champagnes de la propriété est donc dominée par le pinot noir. Ce brut Tradition en compte 70 %, complétés par le chardonnay. Le résultat est convaincant : un nez fruité et floral tout en finesse, une bouche aux arômes d'agrumes qui conjugue fruité, vivacité, structure et générosité. La fraîcheur de cette bouteille permettra de l'ouvrir à l'apéritif, et sa corpulence de la servir au repas. (RM)

🕯 Fromentin-Leclapart, 1, rue Paul-Doumer, 51150 Bouzy, tél. 03 26 57 06 84, fax 03 26 57 83 68, contact@champagne-fromentin-leclapart.fr, ☑ ⚒ ⏚ r.-v.

MICHEL FURDYNA La Loge 2004 ★

	5 005	🗒	20 à 30 €

Ouvriers viticoles d'origine polonaise, les parents de Michel Furdyna ont constitué peu à peu un vignoble dans l'Aube. Ce dernier, installé en 1976, exploite 9,5 ha dans plusieurs communes de la Côte des Bar. Il signe un 2004 qui doit tout au pinot noir, cépage réputé et très cultivé – dans le département. Vinifié sans fermentation malolactique, ce millésimé a bénéficié d'un long élevage sur lattes. Le nez marie les fleurs, les agrumes confits et des notes biscuitées et briochées. L'attaque vive dévoile une matière

gourmande, structurée et très aromatique. Encore frais, fin et élégant, ce champagne peut attendre deux ans. On peut aussi le servir dès maintenant à l'apéritif ou sur du poisson. (RM)

🕯 EARL Furdyna, 13, rue du Trot, 10110 Celles-sur-Ource, tél. 03 25 38 54 20, fax 03 25 38 25 63, champagne.furdyna@wanadoo.fr, ☑ ⚒ ⏚ r.-v.

R. GABRIEL-PAGIN FILS Grande Réserve ★

1er cru	n.c.	🗒⏸	15 à 20 €

Fondée en 1947, cette exploitation familiale a son siège dans la Grande Vallée de la Marne et dispose d'un vignoble de près de 10 ha dans deux 1ers crus (Avenay-Val-d'Or et Mutigny) et deux grands crus (Avize et Cramant, dans la Côte des Blancs). Elle a aménagé un gîte d'étape pouvant accueillir douze personnes. Sa Grande Réserve marie 70 % de chardonnay à 30 % de pinot noir. Elle livre des senteurs de miel, de sous-bois et d'épices, prélude à une bouche puissante, complexe et vineuse, encore vive. Un champagne de table, qui formera un bel accord avec des coquilles Saint-Jacques à la crème. (RM)

🕯 M.-C. Gabriel, 4, rue des Remparts, 51160 Avenay-Val-d'Or, tél. 03 26 52 31 03, fax 03 26 58 87 20, gabriel.pagin@wanadoo.fr, ☑ ⚒ ⏚ r.-v.

GALLIMARD PÈRE ET FILS Cuvée Prestige 2006 ★

	7 000	🗒	15 à 20 €

Gallimard paraît souvent chez Hachette... dans le Guide Hachette. On parle d'un domaine viticole fondé au XIXᵉ s., qui commercialise ses champagnes depuis 1930. Depuis trente ans, c'est Didier qui dirige la propriété, 10 ha autour des Riceys, village bien connu où le pinot noir est réputé. Ce cépage compose 65 % de ce 2006, complété par le chardonnay. Le nez exprime les fruits cuits, la pomme au four, le caramel, arômes que l'on retrouve dans une bouche charnue et généreuse. Un champagne de repas. Le **rosé (10 000 b.)** fait jeu égal et met également en vedette le pinot noir (90 %, le solde en chardonnay). Très vif, il n'en charme pas moins les dégustateurs par ses parfums intenses de fraise et par sa bouche à la fois délicate et gourmande. Il sera excellent à l'apéritif ou avec un dessert aux fruits rouges. (NM)

🕯 EARL Gallimard Père et Fils, 18-20, rue Gaston-Cheq-le-Magny, BP 23, 10340 Les Riceys Cedex, tél. 03 25 29 32 44, fax 03 25 38 55 20, champ.gallimard@wanadoo.fr, ☑ ⚒ ⏚ t.l.j. sf sam. dim. 9h-12h 14h-17h; f. 15-31 août

GATINOIS Aÿ

Gd cru	5 000	🗒	20 à 30 €

Une ancienne propriété et un jeune vigneron de trente-deux ans, Louis Cheval-Gatinois, qui, après un premier parcours comme ingénieur hydrogéologue, a repris en 2010 l'exploitation familiale : 6 ha autour d'Aÿ, l'un des grands crus les plus célèbres, à la gloire du pinot noir. Son rosé comprend 90 % de ce cépage, dont 6 % vinifiés en rouge, le chardonnay faisant l'appoint. De couleur saumon intense aux légers reflets ambrés, il allie puissance et élégance dans un bel équilibre. On le débouchera à l'apéritif, avec des copeaux de parmesan par exemple. (RM)

🕯 Gatinois, 7, rue Marcel-Mailly, 51160 Aÿ, tél. 03 26 55 14 26, contact@champagne-gatinois.com, ☑ ⏚ r.-v.

🕯 Louis Cheval

BERNARD GAUCHER Réserve

| 90 000 | ▮ | 11 à 15 € |

Agriculteur et viticulteur, Georges, le père de Bernard, hérite après guerre d'une parcelle dans la région de Bar-sur-Aube. Las ! C'est du gamay, longtemps toléré dans le département et finalement banni. Il faut arracher. La famille vend alors des poulets sur les marchés. L'activité, fructueuse, lui permet d'acheter des vignes. Voilà comment Bernard Gaucher, rejoint par son fils, exploite aujourd'hui 23 ha – du pinot noir surtout, qui, complété par le chardonnay, compose 80 % de ce brut Réserve. La prédominance des noirs se traduit par des arômes de fruits jaunes, agrémentés d'une touche briochée. L'ensemble est agréable et frais. Une citation encore pour le **brut Prestige** (15 à 20 € ; 15 000 b.), assemblage classique de pinot noir (60 %) et de chardonnay, fruité et miellé. Deux champagnes de repas. (RM)

☛ SCEV Bernard Gaucher, 27, rue de la Croix-de-l'Orme, 10200 Arconville, tél. 03 25 27 87 31, fax 03 25 27 85 84, bernard.gaucher@wanadoo.fr, ☑ ⚔ ⵑ r.-v.

GAUDINAT-BOIVIN Tradition ★

| 25 000 | ▮ | 11 à 15 € |

De vieille souche vigneronne, Hervé et David Gaudinat sont installés sur la rive gauche de la Marne, où ils cultivent 6 ha de vignes à Festigny, Leuvrigny et Œuilly. La famille élabore ses champagnes depuis les années 1950 – sous la marque Gaudinat-Boivin depuis 1970. L'assemblage de son brut Tradition reflète l'encépagement du domaine : 85 % de noirs (du meunier surtout) et 15 % de blancs. Encore discret, le nez associe d'élégantes notes de pêche jaune, de pomme et de poire. Vif et structuré, bien fruité, le palais bénéficie d'une belle harmonie. (RM)

☛ EARL Gaudinat-Boivin, 6, rue des Vignes, Le Mesnil - Le Huttier, 51700 Festigny, tél. 03 26 58 01 52, fax 03 26 58 97 46, ch.gaudinat.boivin@wanadoo.fr, ☑ ⚔ ⵑ r.-v.

MICHEL GAWRON Cuvée Prestige ★★

| 1 000 | | 15 à 20 € |

Établi dans le massif de Saint-Thierry, au nord-ouest de Reims, Michel Gawron conduit une petite exploitation (près de 2 ha), perpétuant une lignée de viticulteurs qui remonte au XVIIᵉ s. Il fait des débuts prometteurs dans le Guide avec cette cuvée Prestige, composée de quatre parts de pinots (les deux variétés à parité) pour une de chardonnay. Un vin puissant arrivé à maturité : la robe est d'un doré soutenu ; le nez intense mêle les agrumes, les fruits jaunes et le caramel. Vineux, ample et persistant, le palais associe dans un bel équilibre des arômes évolués et une fraîcheur préservée. Un champagne de repas, qui donnera la réplique à une volaille à la crème. Composé exclusivement de raisins noirs (meunier surtout), le **brut Tradition** (11 à 15 € ; 4 000 b.), cité, offre un nez miellé et torréfié suivi d'une bouche franche, crémeuse et structurée. (RM)

☛ Michel Gawron, 9, rue de Villers, 51220 Pouillon, tél. 06 19 62 25 34, msg@champagne-gawron.fr, ☑ ⚔ ⵑ r.-v.

MICHEL GENET Blanc de blancs
Prestige de la cave 2006 ★★

| Gd cru | 3 800 | ▮ | 20 à 30 € |

Michel Genet a lancé son champagne en 1965. Ce sont maintenant ses enfants, Vincent, Antoine et Agnès, qui perpétuent l'exploitation. Le vignoble s'étend sur 9 ha, dont 7 implantés dans les prestigieux grands crus de Cramant et de Chouilly, dans la Côte des Blancs. C'est de ce dernier cru que provient cette cuvée de prestige qui obtient deux étoiles comme le blanc de blancs Esprit l'an dernier, confirmant la réputation de la propriété. D'un or vert brillant traversé de bulles fines, ce 2006 fait d'emblée bonne impression. Ses parfums de fleurs blanches, de beurre frais et de caramel au lait sont d'une rare élégance. Complexe, fraîche, équilibrée et persistante, la bouche finit sur une belle minéralité. Un accord gourmand ? Le producteur et un dégustateur sont du même avis : du homard – de préférence breton au beurre demi-sel. (RM)

☛ Michel Genet, 27-29, rue des Partelaines, 51530 Chouilly, tél. 03 26 55 40 51, fax 03 26 59 16 92, champagne.genet.michel@wanadoo.fr, ☑ ⚔ ⵑ r.-v.

GEOFFROY Rosé de saignée ★

| 1er cru | 22 000 | ▮ | 20 à 30 € |

Jean-Baptiste Geoffroy, fils de René, exploite plus de 13 ha sur les coteaux de Cumières, qui dominent la Marne face à Épernay. Ses installations de pressurage et de vinification sont aujourd'hui logées dans les locaux d'une ancienne coopérative à Aÿ. À Cumières, les raisins noirs dominent. Le pinot noir engendre chez les Geoffroy un rosé de saignée déjà très apprécié l'an dernier. Issu de la récolte 2010, le raisin a macéré pendant 72 heures pour donner un champagne bien coloré. À la robe d'un rose soutenu aux reflets grenadine répond un nez intense de cerise, de fraise et de cassis. On retrouve ce fruité dans une bouche à la fois fraîche, vineuse et chaleureuse. Cité, l'**extra-brut 2004** (30 à 50 € ; 6 000 b.) assemble deux tiers de chardonnay au pinot noir. Grillé, complexe et gourmand, gardant une agréable fraîcheur, il pourra accompagner un poisson en sauce. (RM)

☛ René Geoffroy, 4, rue Jeanson, 51160 Aÿ, tél. 03 26 55 32 31, fax 03 26 54 66 50, info@champagne-geoffroy.com, ☑ ⚔ ⵑ r.-v.

GEORGETON-RAFFLIN Réserve ★

| 1er cru | 10 000 | ▮ | 11 à 15 € |

Aujourd'hui rejoint par son fils Rémi, Bruno Georgeton exploite le domaine constitué en 1976 avec son épouse Monique Rafflin grâce à des vignobles familiaux. La propriété couvre un peu plus de 3 ha à Ludes, 1er cru de la Montagne de Reims. Les noirs sont très en vue (80 %, pinot noir et meunier à parité) dans sa cuvée Réserve. Le nez expressif évoque les fruits frais et le biscuit, avec une note florale. L'attaque franche dévoile une matière agréable, fondue, bien équilibrée. Une longue finale sur les agrumes conclut la dégustation. Cité, le **1er cru 2007** (15 à 20 € ; 1 500 b.) comprend davantage de chardonnay (40 %, complété par les deux pinots, du noir surtout). Son nez de viennoiserie et de noisette, sa bouche charnue et généreuse aux arômes de pêche cuite et de mirabelle en font un vin de repas. (RC)

☛ Georgeton-Rafflin, 25, rue Victor-Hugo, 51500 Ludes, tél. 03 26 61 13 14, champagne.georgeton.rafflin@wanadoo.fr, ☑ ⵑ t.l.j. 8h-19h

PIERRE GERBAIS Cuvée de réserve

| 100 000 | ▮ | 11 à 15 € |

Depuis quatre générations, les Gerbais cultivent la vigne près de Bar-sur-Seine, dans l'Aube. C'est aujourd'hui Pascal, le fils de Pierre, qui conduit le domaine : pas moins de 18 ha en propre. Le pinot blanc, variété rare en Champagne, tient une place privilégiée dans l'encépagement du vignoble. Cette cuvée en contient 25 %, assemblés à 25 % de chardonnay et à 50 % de pinot noir. Le résultat ne manque pas d'intérêt : nez subtil, aux nuances de fruits blancs, de pralin et de noisette ; bouche fraîche, déliée, charnue et flatteuse. Un joli champagne d'apéritif. (NM)

⌖ Pierre Gerbais, 13, rue du Pont, BP 17, 10110 Celles-sur-Ource, tél. 03 25 38 51 29, fax 03 25 38 55 17, champ.gerbais@orange.fr, ☑ ⚔ � r.-v.

PIERRE GIMONNET ET FILS Blanc de blancs
Cuvée Fleuron 2006 ★★

● 1er cru	38 722	⬛	20 à 30 €

Didier et Olivier Gimonnet, les petits-fils de Pierre, sont à la tête d'un vaste domaine (28 ha) planté pour l'essentiel en chardonnay grand cru et 1er cru. Toutes leurs cuvées mettent en vedette le chardonnay de la Côte des Blancs, servi par un dosage faible : 6 g/l par exemple pour ce blanc de blancs 2006, qui provient des terroirs illustres de Cramant, de Chouilly et d'Oger (grands crus), ainsi que de Cuis (1er cru). Or à reflets verts, ce vin séduit par ses senteurs de fruits blancs, d'amande, d'agrumes confits et de fruits macérés. La bouche n'est pas en reste, structurée, ronde et harmonieuse. Le **Spécial Club 2005 Grands Terroirs de chardonnay (30 à 50 € ; 25 407 b.)** provient majoritairement de grands crus et de vieilles vignes. Il intéresse par son nez complexe mêlant les fleurs, la cire et les agrumes. Son équilibre entre ampleur et vivacité le rend très flatteur : une étoile. Deux champagnes à goûter pour eux-mêmes, à l'apéritif. On pourra les finir sur un fin poisson. (RM)

⌖ Pierre Gimonnet et Fils, 1, rue de la République, 51530 Cuis, tél. 03 26 59 78 70, fax 03 26 59 79 84, info@champagne-gimonnet.com, ☑ � r.-v.

GIMONNET-GONET Blanc de blancs Carat du Mesnil ★

● Gd cru	2 500	⬛	30 à 50 €

Philippe Gimonnet épouse Anne Gonet. Tous deux sont d'ascendance vigneronne, originaires de la Côte des Blancs. Ils lancent en 1986 un champagne à leurs noms et agrandissent leur domaine. Celui-ci couvre 13 ha. Carat du Mesnil ? Le nom de cette cuvée exprime l'ambition de ce champagne, joyau du domaine, et son origine, Le Mesnil-sur-Oger, village classé en grand cru où l'on trouve le siège de l'exploitation. Il provient de vieux plants de chardonnay vendangés en 2005, reste au moins cinq ans en cave, et son dosage est faible. Le nez séduisant libère des nuances d'agrumes et de noisette. Dans le même registre, la bouche se montre fraîche, équilibrée et bien dosée. Sa vivacité laisse deviner un intéressant potentiel de garde : cette bouteille pourrait gagner à attendre deux à trois ans avant d'être servie à l'apéritif ou sur un poisson en sauce. (RM)

⌖ Philippe et Anne Gimonnet-Gonet, 225, rue du Bas-des-Auges, 51190 Le Mesnil-sur-Oger, tél. 03 26 57 51 44, fax 03 26 58 00 03, charlanne.gimonnet@wanadoo.fr, ☑ ⚔ � r.-v.

DOM. B. GIRARDIN Vibrato ★

●	3 120	⬛	20 à 30 €

Sandrine Girardin a repris en 1998 le domaine constitué par son père à partir des années 1970. Le vignoble est principalement implanté sur les coteaux sud d'Épernay. Le goût de la propriétaire pour la musique se reflète dans le nom de ses cuvées et le graphisme de ses étiquettes. Cuvée spéciale, Vibrato est un pur chardonnay issu de la vendange 2007. Le nez délicat et complexe enchante par ses jolies notes de fleurs séchées, de réglisse, de fruits secs et de caramel. Les fleurs séchées se mêlent à des nuances plus vives d'agrumes dans une bouche fraîche et élégante. À servir dès maintenant sur un poisson cuisiné. Citée, la cuvée **Appoggiature (15 à 20 € ; 21 000 b.)** assemble 55 % de chardonnay à 45 % de raisins noirs (meunier surtout). Fine et florale au nez, vive au palais, elle trouvera sa place à l'apéritif. (RM)

⌖ Sandrine Girardin, Dom. B. Girardin, 14, Grande-Rue, 51530 Mancy, tél. 03 26 59 70 78, info@champagne-bgirardin.com, ☑ ⚔ � r.-v. 🏠 ❷

PHILIPPE GLAVIER Blanc de blancs Réserve ★

● Gd cru	15 000		15 à 20 €

Implantée au cœur de la Côte des Blancs, cette exploitation est conduite depuis 1995 par Philippe Glavier, qui s'est retiré de la coopérative pour élaborer ses cuvées. Son épouse Véronique l'a rejoint. Le couple dispose d'un peu plus de 4 ha, ce qui n'est pas négligeable si l'on considère que les vignes sont situées en grand cru. Il signe deux cuvées qui font jeu égal, avec une étoile. D'un jaune pâle aux reflets verts, ce brut Réserve offre un bouquet subtil d'aubépine et de poire, associées à des nuances mentholées et grillées. Dans le même registre, la bouche est fraîche à l'attaque et persistante. Agréable sur un filet mignon au miel, ce blanc de blancs fera aussi un bon champagne d'apéritif. Le **blanc de blancs cuvée Prestige grand cru (1 700 b.)** vieillit au moins trente-six mois sur lattes. Subtil, minéral, harmonieux et long, il mettra en appétit avant le repas. (RM)

⌖ Philippe Glavier, 82, rue Nestor-Gaunel, 51530 Cramant, tél. 03 26 57 58 86, fax 03 26 59 28 03, info@champagne-philippe-glavier.com, ☑ ⚔ � r.-v.

J. GOBANCÉ Carte blanche ★★

●	25 000		11 à 15 €

Un nouveau nom dans le Guide : celui des Gobancé, établis dans la vallée de l'Ardre. La famille cultive la vigne depuis cinquante ans et a lancé son champagne en 1990. Cédric a repris l'exploitation en 2010 et a soumis à nos dégustateurs cette cuvée qui les a impressionnés. Construite sur le meunier (85 %), complété par les deux autres cépages, cette Carte blanche est pratiquement un blanc de noirs, à 5 % de chardonnay près. Jaune paille à reflets dorés, elle offre une palette aromatique complexe mêlant les fruits jaunes mûrs, les fleurs et la mie de pain. Après une attaque fraîche, le palais se montre structuré, gourmand et long, dans le même registre que le nez. Un vin très bien fait et polyvalent, qui tiendra sa place aussi bien à l'apéritif que sur un poisson grillé ou une viande blanche. (RM)

⌖ Joël Gobancé, 17, pl. Saint-Martin, 51170 Savigny-sur-Ardres, tél. 03 26 97 42 39, fax 03 26 97 44 60, contact@champagne-gobance.fr, ☑ ⚔ � r.-v.

GERVAIS GOBILLARD Cuvée Prestige 2008 ★

●	60 000	⬛	20 à 30 €

Fondée par Gervais Gobillard en 1945, cette structure de négoce est conduite depuis 1982 par la troisième génération. Elle est implantée à Hautvillers, village de la Grande Vallée de la Marne abritant l'abbaye où dom Pérignon fut cellérier. La maison a deux marques : J.-M. Gobillard et Fils, et Gervais Gobillard. Sous cette dernière étiquette, elle a présenté deux cuvées de belle tenue. Le chardonnay compose 60 % de leur assemblage, complété par le pinot noir. La préférée, ce millésimé blanc, porte la marque du cépage principal dans sa robe jaune pâle à reflets verts et dans son nez fin et élégant où les fleurs s'allient aux agrumes et aux fruits blancs. Fraîche, ample et crémeuse, la bouche se prolonge par une finale agréablement citronnée. Ce 2008 trouvera sa place à l'apéritif ou sur des produits de la mer ; il peut vieillir trois ans. Citée la **cuvée Prestige rosé 2009** (20 000 b.) s'annonce par une robe rose pâle et un nez fin et charmeur. Son attaque vive, sa bouche tendue et dynamique dévoilent un vin encore jeune, que l'on peut inviter à l'apéritif ou faire vieillir un an ou deux. (NM)

☛ Gervais Gobillard, 38, rue de l'Église, 51160 Hautvillers, tél. 03 26 51 00 24, contact@champagne-gobillard.com, ☑ ⟟ r.-v.

PIERRE GOBILLARD Cuvée Prestige ★

● 1er cru	30 000	▮	20 à 30 €

Établis à Hautvillers, « berceau du champagne » où officia dom Pérignon, Hervé et Florence Gobillard dirigent leur affaire de négoce depuis 1990. Leur cuvée Prestige assemble 70 % de chardonnay à 30 % de pinot noir. D'une belle maturité, le nez laisse pointer de fines notes de fruits secs, de brioche et de miel. Ce côté complexe, vineux sans excès, se prolonge dans un palais équilibré, à la fois ample et frais. Un beau champagne d'apéritif. Le **rosé 1er cru** (15 à 20 € ; 30 000 b.) marie 65 % de chardonnay, 25 % de pinot noir et 10 % de vin rouge. Il reçoit lui aussi une étoile pour ses frais parfums de pêche de vigne et pour sa bouche harmonieuse et longue. (NM)

☛ Pierre Gobillard, 341, rue des Côtes-de-l'Héry, 51160 Hautvillers, tél. 03 26 59 45 66, fax 09 70 63 18 31, info@champagne-gobillard-pierre.com, ☑ ⚡ ⟟ r.-v.

GODMÉ PÈRE ET FILS Extra-brut ★

● Gd cru	8 000	▮ ⬚	20 à 30 €

Constitué de 84 parcelles, ce domaine situé dans la Montagne de Reims couvre 12 ha, répartis dans trois grands crus (Verzenay, Verzy et Beaumont-sur-Vesle) et deux 1ers crus (Villedommange et Villers-Marmery). Depuis 2010, il s'oriente vers le bio. Son extra-brut associe 60 % de pinot noir et 40 % de chardonnay. La majeure partie (80 %) des vins a été vinifiée en fût sans fermentation malolactique. Faiblement dosé, ce champagne mêle des senteurs de pomme verte et d'agrumes à des nuances plus mûres de fruits secs. Ces arômes se confirment dans un palais frais, fin et droit. Un vin qui a du charme, et dont le côté incisif s'accordera avec un poisson en sauce. Pur pinot noir, le **blanc de noirs grand cru** (15 à 20 € ; 12 000 b.) a connu lui aussi (à 50 %) le bois. Il offre une expression flatteuse, vineuse et gourmande. Même s'il manque un peu de fraîcheur en finale, il dévoile une belle personnalité avec ses arômes de fruits mûrs et de brioche : une étoile également. (RM)

☛ Godmé Père et Fils, 10, rue de Verzy, 51360 Verzenay, tél. 03 26 49 48 70, contact@champagne-godme.fr, ☑ ⚡ ⟟ r.-v.

PAUL GOERG Blanc de blancs ★

● 1er cru	120 000	▮	20 à 30 €

Installée à Vertus, cette coopérative créée en 1950 a d'abord élaboré du champagne pour le compte de viticulteurs. En 1984, elle a lancé sa marque qui rend hommage à un ancien maire de la commune. La cave vinifie les 120 ha de ses adhérents installés pour la plupart sur le vaste terroir de cette petite ville du sud de la Côte des Blancs, dont le vignoble est classé en 1er cru. Le chardonnay joue le premier rôle dans ses cuvées. Celle-ci, un blanc de blancs, a été fort appréciée pour son nez partagé entre fruits exotiques, notes fumées et épicées, et pour son palais bien ouvert, dense, équilibré et frais. À marier à tous les poissons, y compris ceux préparés en sushis. (CM)

☛ Paul Goerg, 30, rue du Gal-Leclerc, 51130 Vertus, tél. 03 26 52 15 31, fax 03 26 52 23 96, info@champagne-goerg.com,

☑ ⟟ t.l.j. sf sam. dim. 9h-12h 14h-17h

☛ SCEA la Goutte d'Or

MICHEL GONET Blanc de blancs Prestige 2004 ★

● Gd cru	45 000	▮	30 à 50 €

Avec plusieurs châteaux bordelais, la maison Gonet est devenue un petit empire viticole. Le domaine champenois, lui, est installé à Avize, grand cru de la Côte des Blancs, et dispose d'un vignoble considérable (40 ha), constitué en deux siècles. Michel Gonet a lancé sa marque en 1973. Sa fille Sophie Signolle conduit la propriété depuis 1991. Son blanc de blancs grand cru 2004 allie des arômes d'une belle maturité à une fraîcheur préservée en bouche. Intense et riche, la palette aromatique décline les fruits mûrs et compotés, l'amande grillée, le miel et les fruits macérés dans l'alcool. Le palais n'est pas très long, mais il séduit par son équilibre. Une bouteille qui vieillit bien et qui formera un bel accord avec une terrine de poisson ou un brie de Meaux. (RM)

☛ SCEV Michel Gonet et Fils, 196, av. Jean-Jaurès, 51190 Avize, tél. 03 26 57 50 56, fax 03 26 57 91 98, info@champagnegonet.com,

☑ ⚡ ⟟ t.l.j. 9h-12h30 13h30-17h; sam. dim. sur r.-v.; f. 3 sem. en août 🏛 ❷

GONET SULCOVA Blanc de blancs ★★

	35 000	▮	15 à 20 €

Originaire du Mesnil-sur-Oger dans la Côte des Blancs, Vincent Gonet s'installe à Épernay dans les années 1980 et crée sa marque avec son épouse, Davy Sulcova. Karla et Yan-Alexandre, leurs enfants, ont repris le domaine, qui couvre 16 ha entre Côte des Blancs et Aube. Ce blanc de blancs assemble du chardonnay du Mesnil-sur-Oger (grand cru) et de Montgueux, excellent terroir proche de Troyes. « La quintessence du blanc de blancs », écrit un dégustateur sous le charme. Les jurés soulignent la finesse et l'élégance de ce champagne. Ils trouvent l'empreinte du cépage dans son nez frais et subtil où les agrumes (citron, pamplemousse) et l'ananas se mêlent à des senteurs plus discrètes de fleurs blanches. Bien typée elle aussi, la bouche se montre vive à l'attaque, précise, fruitée et laisse une impression de légèreté. Son potentiel lui permettra pourtant d'attendre un à deux ans. L'archétype du blanc de blancs, pour l'apéritif ou les fruits de mer. (RM)

☛ SCEV Beauregard, 13, rue Henri-Martin, 51200 Épernay, tél. 03 26 54 37 73, fax 03 26 54 87 73, gonet.sulcova@wanadoo.fr, ☑ ⚡ ⟟ r.-v.

GOSSET Grand Millésime 2004 ★

| | 70 000 | | 50 à 75 € |

Pour le 425ᵉ anniversaire de sa fondation, la maison Gosset, qui avait jusqu'alors son siège à Aÿ, a fait l'acquisition d'un nouveau site d'exploitation à Épernay : sur 2 ha, un parc arboré, des bâtiments du XIXᵉˢ., une cuverie de 26 000 hl et 1,7 km de caves pouvant accueillir 2,5 millions de cols. La maison écoule plus d'un million de cols par an. Ses vins sont vinifiés sans fermentation malolactique et assez faiblement dosés. Au fil des éditions du Guide, ils ont décroché onze coups de cœur. Ce n'est pas le cas cette année, mais deux cuvées obtiennent chacune une étoile. Le Grand Millésime 2004 tire sa noblesse d'un assemblage de chardonnay (55 %) et de pinot noir, tous en provenance de grands crus et de 1ᵉʳˢ crus. Il charme par son nez complexe et fin, où les fruits confits voisinent avec la brioche, le café grillé, le moka. Une belle attaque introduit une bouche tout aussi complexe, harmonieuse, élégante et longue. La **Grande Réserve** (30 à 50 € ; 350 000 b.) donne une courte majorité aux deux pinots (57 %, dont 42 % de pinot noir), complétés par le chardonnay. Ses arômes délicats d'agrumes et de fruits rouges s'allient à un palais équilibré et frais. Deux bouteilles idéales pour un apéritif dînatoire. (NM)

☛ Gosset, 12, rue Godart-Roger, 51200 Épernay, tél. 03 26 56 99 56, fax 03 26 51 55 88, info@champagne-gosset.com,

☑ t.l.j. sf sam. dim. 8h30-11h45 14h-17h

☛ Renaud Cointreau

J.-M. GOULARD Prestige ★

| | 12 900 | | 15 à 20 € |

Installés dans le massif de Saint-Thierry, au nord-ouest de Reims, ces viticulteurs commercialisent leur production depuis 1960. D'abord coopérateurs, ils élaborent maintenant leurs cuvées. Le domaine réunit aujourd'hui Jean-Marie, sa femme Martine (à la gestion) et ses trois fils aux compétences complémentaires. Sébastien, œnologue, est à la cave. Une fois de plus apprécié, le brut Prestige de la propriété marie à parts égales les trois cépages champenois. Le jury souligne l'intensité de ses arômes des fleurs, de beurre frais et de fruits mûrs. L'ensemble, de bonne tenue, apparaît franc, équilibré et frais. Blanc de noirs privilégiant le meunier (70 %), le brut **Tradition (11 à 15 € ; 42 000 b.)** est cité. Il est frais, fruité, facile, équilibré. Ces deux champagnes pourront être servis à l'apéritif. (RM)

☛ EARL Goulard, 13, Grande-Rue, 51140 Prouilly, tél. 03 26 48 21 60, fax 03 26 48 23 67, contact@champagne-goulard.com,

☑ ⚐ 🍷 r.-v. 🏠 ❷ 🏠 Ⓓ

J.-L. GOULARD-GÉRARD Grande Réserve ★

| | 25 000 | | 15 à 20 € |

Établie dans le massif de Saint-Thierry, au nord-ouest de Reims, cette propriété créée en 1960 est conduite par Jean-Luc et Florence Goulard, rejoints en 2008 par leurs enfants Lucile et Pierre. Leur Grande Réserve assemble par tiers les trois cépages champenois – des vins de base de la récolte 2010 associés à des vins de réserve des trois années antérieures. Il en résulte un champagne vif et harmonieux, aux délicats arômes de cerise et de raisin frais. Pour l'apéritif. (RM)

☛ J.-L. Goulard-Gérard, 4, rue de la Couture, 51140 Trigny, tél. 03 26 03 18 78, fax 03 26 03 02 47, champagnejlgoulard@orange.fr,

☑ ⚐ 🍷 t.l.j. sf dim. 8h30-12h30 14h-18h30

DIDIER GOUSSARD Terroir Tentation

| | 7 800 | | 11 à 15 € |

Après avoir travaillé sur l'exploitation familiale, Didier Goussard, œnologue, et sa femme Marie-Hélène ont constitué leur propre domaine en 2007. Installé aux Riceys, le village aubois qui possède le plus vaste vignoble de la Champagne, le couple cultive 3 ha de vignes. Très en vue dans l'Aube, le pinot noir règne sans partage dans cette cuvée or paille. Si l'étiquette n'en fait pas état, le cépage trahit sa présence au nez par des notes de fruits rouges accompagnées par une touche de fougère. Un champagne d'apéritif frais, élégant et persistant. (RM)

☛ Didier Goussard, 69, rue du Gal-de-Gaulle, 10340 Les Riceys, tél. et fax 03 25 38 65 25, champagne.didier.goussard@orange.fr, ☑ ⚐ 🍷 r.-v.

GOUSSARD ET DAUPHIN Tradition ★

| | 6 800 | | 15 à 20 € |

Didier Goussard, œnologue, dirige cette maison auboise qui a pris il y a quelques années le statut de négociant et oriente le vignoble familial vers le bio, pratiquant notamment la confusion sexuelle, le labour et l'enherbement. Il signe un blanc de noirs de pur pinot noir, ce qui n'a rien d'étonnant dans ce secteur proche des Riceys, tout acquis à ce cépage. Le nez gourmand, aux nuances de pomme et de coing, prélude à une bouche équilibrée, soyeuse et structurée. Une belle étoile pour cette cuvée à servir à l'apéritif. (NM)

☛ Didier Goussard, SARL du Val de Sarce, 2, chem. Saint-Vincent, 10340 Avirey-Lingey, tél. 03 25 29 30 03, fax 03 25 29 85 96, du-val-de-sarce@orange.fr, ☑ ⚐ 🍷 r.-v.

H. GOUTORBE Cuvée Prestige ★

| 1er cru | n.c. | | 15 à 20 € |

Au début du XXᵉˢ., à l'époque où le vignoble champenois, dévasté par le phylloxéra puis par la Grande Guerre, devait se reconstituer, Émile Goutorbe était pépiniériste viticole. C'est l'origine de ce domaine, géré aujourd'hui par René et ses enfants Élisabeth et Étienne, qui ont aussi créé un hôtel trois étoiles. Le vignoble ne compte pas moins de 22 ha aux environs d'Aÿ, célèbre village de la Grande Vallée de la Marne. Choyé à Aÿ, le pinot noir compose 70 % de l'assemblage de cette cuvée, complété par 25 % de chardonnay et 5 % de meunier. Un nez de fruits exotiques et d'agrumes confit suivi d'un palais franc, chaleureux, complexe, bien équilibré entre fraîcheur et vinosité composent un champagne élégant, qui se plaira à table. (RM)

☛ SARL Goutorbe et Fils, 9 bis, rue Jeanson, 51160 Aÿ, tél. 03 26 55 21 70, fax 03 26 54 85 11, info@champagne-henri-goutorbe.com, ☑ ⚐ 🍷 r.-v.

THIERRY GRANDIN Cuvée Marcel Jardin ★

| 1er cru | 20 000 | | 11 à 15 € |

Un nouveau nom dans le Guide : celui de Thierry Grandin, installé dans un petit village entre la vallée de l'Ardre et celle de la Marne. Président de la coopérative

CHAMPAGNE

Champagne

de La Neuville-aux-Larris, il porte sa récolte à la cave. Son domaine, constitué en 1982, couvre environ 4 ha répartis sur plusieurs communes de la vallée de la Marne et à Villedommange, 1ᵉʳ cru de la Montagne de Reims. C'est de ce village que provient cette cuvée élaborée en hommage à son grand-père. Assemblant par tiers les trois cépages champenois, elle offre un nez agréable et tout en finesse, fait d'amande, de mie de pain et de fruits blancs. Franche à l'attaque, élégante, finement grillée, elle formera un bel accord avec un poisson en sauce. (RC)

📞 Thierry Grandin, 10, rue de la Mairie, 51480 Champlat, tél. 03 26 58 11 71, fax 03 26 57 00 26, grandin.constant@orange.fr, ☑ ⚔ ⍵ r.-v.

GRANZAMY PÈRE ET FILS Prestige

| ○ | 27 000 | ▯ | 15 à 20 € |

Installés dans la vallée de la Marne, Béatrice et Raphaël Lamiraux ont repris l'exploitation familiale au début des années 2000. Leur brut Prestige associe 60 % des deux pinots (à parts égales) et 40 % de chardonnay. Il mêle au nez des notes fraîches d'agrumes et de fruits exotiques, accompagnées de touches beurrées et épicées. La bouche se montre ronde et persistante, d'une belle intensité aromatique. Un champagne polyvalent, qui sera aussi à l'aise à l'apéritif qu'à table. (NM)

📞 SAS Granzamy, 15, rue de Champagne, 51480 Venteuil, tél. 03 26 58 60 62, fax 03 26 51 10 21, champ.granzamy@orange.fr, ☑ ⚔ ⍵ r.-v.

♥ ALFRED GRATIEN Cuvée Paradis ★★

| Gd cru | 50 000 | ⑪ | 50 à 75 € |

Maison fondée en 1864 à Épernay par Alfred Gratien. En 2000, après un siècle et demi de gestion familiale, elle est rachetée par le groupe allemand Henkell & Cᵒ, qui regroupe de nombreuses sociétés européennes dédiées aux effervescents. Les nouveaux propriétaires laissent en place le chef de cave – ils se succèdent de génération en génération –, ne modifiant en rien l'état d'esprit de cette maison traditionnelle attachée aux vinifications en pièces champenoises (de réemploi), sans fermentation malolactique. Après un séjour de six mois en fût et un élevage de sept ans sur lattes, cette cuvée Paradis, qui assemble deux tiers de chardonnay à un tiers de pinot noir, enthousiasme les jurés. Son harmonie et sa complexité valent à la maison son sixième coup de cœur. Subtil, le bouquet marie les fleurs blanches et les agrumes à des touches vanillées et mentholées. La bouche apparaît structurée, gourmande, finement boisée, fraîche et d'une étonnante longueur. Un champagne de connaisseurs à marier avec un poisson cuisiné, lotte ou turbot. Le **brut**

(30 à 50 € ; 150 000 b.) assemble presque à parité blancs et noirs (54 % des deux pinots). On apprécie ses arômes intenses et frais de citron et de pamplemousse, son équilibre et sa longueur : une étoile. (NM)

📞 Alfred Gratien, 30, rue Maurice-Cerveaux, BP3, 51201 Épernay Cedex, tél. 03 26 54 38 20, fax 03 26 54 53 44, contact@alfredgratien.com, ☑ ⍵ r.-v.

GÉRARD GRATIOT ★

| ○ | 9 700 | | 15 à 20 € |

Le gros bourg de Charly-sur-Marne est situé sur la rive droite de la Marne, à une dizaine de kilomètres en aval de Château-Thierry. C'est dans cette commune que sont installés Sandrine et Rémy Gratiot, à la tête de 17 ha de vignes. Leur rosé est composé de 65 % de meunier, cépage roi dans ce secteur, allié à 25 % de chardonnay et à 10 % de pinot noir. Il en résulte une robe soutenue aux reflets cuivrés, des arômes de fruits rouges nuancés de touches de pruneau, un palais équilibré et savoureux. À déboucher à l'apéritif ou sur des fruits rouges. (RM)

📞 Gérard Gratiot, 27, av. Fernand-Drouet, 02310 Charly-sur-Marne, tél. 03 23 82 06 89, fax 03 23 82 08 18, contact@champagne-gratiot.fr, ☑ ⍵ t.l.j. sf sam. dim. 9h-12h 14h-18h

GRATIOT-PILLIÈRE Blanc de blancs ★

| ○ | 1 800 | ▯ | 15 à 20 € |

Implanté dans la vallée de la Marne, à l'ouest de Château-Thierry, ce domaine de 18 ha est géré depuis 1991 par Olivier et Sébastien Gratiot qui confient leur récolte à la Covama, important groupe coopératif du secteur. Trois cuvées présentées, une étoile pour chacune. Ce blanc de blancs, issu de la récolte 2009, sera idéal à l'apéritif, avec son nez mariant les fleurs blanches et les agrumes, et sa bouche nette, fraîche, élégante et longue. Le brut **Tradition** (11 à 15 € ; 83 000 b.) privilégie les noirs (87 %, du meunier surtout). Intense, fruité et rond, il accompagnera volontiers des toasts au foie gras. Issu de quatre parts de meunier pour une de chardonnay, le **rosé** (11 à 15 € ; 12 000 b.) séduit par sa robe saumonée, sa vinosité et ses généreux arômes de fruits rouges. (RC)

📞 SCEV Gratiot-Pillière, 8-10, av. Fernand-Drouet, 02310 Charly-sur-Marne, tél. 03 23 82 08 68, fax 03 23 82 73 98, info@champagne-gratiot-pilliere.com, ☑ ⍵ t.l.j. sf dim. 9h-18h

GRUET Cuvée des 3 blancs ★★

| ○ | 50 700 | ▯ | 15 à 20 € |

Implanté dans la Côte des Bar (Aube), ce domaine a été fondé en 1975 par Claude Gruet, de vieille souche vigneronne. Ce dernier est toujours à la tête de la maison, qui dispose d'un vignoble de 20 ha et d'une structure de négoce. Cuvée des 3 blancs ? Un champagne très particulier. L'assemblage ne comprte en effet que 25 % de l'habituel chardonnay, complété par 25 % de pinot blanc, beaucoup plus rare, et par 50 % d'arbane, cépage champenois historique, qui ne couvre plus que quelques hectares. Tardive, peu productive, cette variété a fait place en blanc au chardonnay. Ce blanc de blancs original a charmé les dégustateurs. Le nez mêle le pain frais, les fleurs et la pêche blanche. La bouche est bien construite, ample et persistante. Un vin à la fois généreux et frais, qui pourra accompagner une volaille de fête. (NM)

640

☛ SARL Gruet, 48, Grande-Rue, 10110 Buxeuil,
tél. 03 25 38 54 94, fax 03 25 38 51 84,
contact@champagne-gruet.com,
☑ ⚄ ⵣ t.l.j. sf sam. dim. 8h-12h 13h30-17h30;
f. sem. du 15 août

MAURICE GRUMIER Ultra-brut Instant Nature ★★

	1 500	⬛⬤	20 à 30 €

Installé à Venteuil dans la vallée de la Marne, Fabien Grumier a pris la suite de trois générations d'élaborateurs de champagne. Il cultive 8 ha de vignes et commercialise ses cuvées sous le nom de son grand-père. Celle-ci est un ultra-brut (non dosé) issu des trois cépages champenois assemblés par tiers. Elle a été élevée en fût de chêne avant de vieillir cinq ans sur lattes. D'un doré soutenu, la robe est parcourue d'une bulle fine. Le nez élégant, tout en finesse, mêle les fleurs et les fruits exotiques, nuancés de notes toastées et torréfiées. Après une attaque franche, la bouche se montre ronde, ample et longue. Un champagne de repas, pour une viande blanche en sauce. (RM)
☛ Fabien Grumier, 13, rte d'Arty, 51480 Venteuil,
tél. 03 26 58 48 10, champagnegrumier@wanadoo.fr,
☑ ⵣ ⵣ r.-v.

PATRICE GUAY Cuvée Tradition

	24 049	⬛	11 à 15 €

Un nouveau nom dans le Guide. La famille a commercialisé (sous un autre nom) ses premières bouteilles en 1930. Patrice Guay a repris le domaine en 1983 et a lancé un champagne à son nom en 2000. Son vignoble couvre 5 ha dans la vallée de la Marne. La cuvée Tradition réunit 75 % des deux pinots (meunier surtout) à 25 % de chardonnay de la récolte 2008. Le jury a apprécié son nez beurré et brioché, sa bouche charnue, bien équilibrée, aux arômes persistants de pêche, d'abricot et de fruits blancs. Un champagne d'apéritif frais et gourmand. (RM)
☛ Patrice Guay, 15, rue de Bel-Air, 51700 Festigny,
tél. 03 26 57 67 66, guaypatrice@wanadoo.fr,
☑ ⵣ ⵣ t.l.j. 8h30-12h 14h-18h

♥ RENÉ GUÉ Blanc de blancs
Les Confidences de Victoire ★★

	750		20 à 30 €

Philippe Gué est à la tête d'un vignoble de 6 ha qui a son siège à Chouilly, dans la Côte des Blancs. Dédiée à sa petite-fille Victoire, cette cuvée de prestige a fait sensation. Il s'agit d'un blanc de blancs vinifié sans fermentation malolactique. Subtile, complexe et harmonieuse, sa palette déploie des nuances de beurre, de brioche, de sous-bois, de réglisse et d'épices. L'attaque précise précède une bouche ample, bien fondue, fraîche et longue, tout aussi complexe et fine que le nez. Idéal pour accompagner une poularde à la crème ou un foie gras poêlé. Un défaut ? Ces « Confidences » sont vraiment... confidentielles ! (RM)
☛ René Gué, rue de Monthelon, 51530 Chouilly,
tél. 03 26 54 50 32, fax 03 26 54 01 45,
philippegue.chouilly@orange.fr, ☑ ⵣ ⵣ r.-v.

GUILLETTE-BREST ★

	15 000	⬛	11 à 15 €

Le village de Monthelon domine son vignoble et la région des coteaux sud d'Épernay. C'est dans cette commune qu'est installé Maxime Guillette, à la tête depuis les années 2000 des 4,5 ha du vignoble familial. Majoritaire dans le secteur, le meunier joue le premier rôle dans son brut sans année, complété par le pinot noir (10 %) et le chardonnay (30 %). Avec son fruité d'agrumes et son palais à la fois rond et frais, ce champagne est un classique dans le bon sens du terme. Il trouvera sa place à l'apéritif. (RM)
☛ Guillette-Brest, 14, rue Gaston-Poittevin,
51530 Monthelon, tél. 03 26 59 73 38, fax 03 26 51 96 99,
max_4848@hotmail.fr, ☑ ⵣ ⵣ r.-v.

GYÉJACQUOT FRÈRES Réserve

	13 000	⬛	11 à 15 €

Deux frères ont planté en 1970 les premières vignes. En 2013, ce sont toujours deux frères, Frédéric et Cyril Gyéjacquot, qui gèrent cette maison et son vignoble de 9,5 ha implanté sur les coteaux de l'Ource, dans le Barséquanais. Deux de leurs cuvées sont citées. Privilégiant le pinot noir (70 %), elles ont la particularité d'incorporer, aux côtés du chardonnay, 20 % de pinot blanc, cépage cultivé dans l'Aube. Ce brut Réserve séduit par son nez franc, floral (muguet), un rien citronné, et par sa bouche souple, fruitée et bien équilibrée, aux arômes de poire : une agréable fraîcheur. Quant au rosé (11 500 b.), de couleur soutenue, il a été apprécié pour son nez puissant et pour sa bouche vineuse et longue. (NM)
☛ SARL Gyéjacquot, 4, chem. de l'Huilerie,
10110 Celles-sur-Ource, tél. 03 25 38 56 07,
fax 03 25 38 79 97 ☑ ⵣ ⵣ r.-v.

JEAN HANOTIN Tradition ★

Gd cru	35 000	⬛	11 à 15 €

Valérie Hanotin, fille de Jean, a pris en 1991 la tête du domaine familial, qui couvre 6 ha sur le territoire de Verzy – l'un des grands crus de la Montagne de Reims, au sud-est de la cité des Sacres. Deux tiers de pinot noir et un tiers de chardonnay composent son brut Tradition à la robe or pâle et au nez de fruits rouges compotés. Frais à l'attaque, assez charpenté, de bonne longueur, le palais finit sur un agréable retour fruité. Un dosage juste contribue à l'équilibre de cette bouteille que l'on débouchera à l'apéritif. (RM)
☛ Jean Hanotin, 9, rue de Villers, 51380 Verzy,
tél. 03 26 97 93 63, fax 03 26 97 95 17,
champagne.hanotin@wanadoo.fr, ☑ ⵣ ⵣ r.-v.

JEAN-NOËL HATON Noble Vintage 2005 ★★

	40 000	⬛	20 à 30 €

Fondée en 1928 par Octave Haton, l'un des pionniers de la manipulation à Damery (vallée de la Marne),

CHAMPAGNE

cette affaire de négoce est aujourd'hui dirigée par Jean-Noël Haton et son fils Sébastien. Leur structure dispose d'un vignoble de 20 ha et d'une cuverie récente permettant de vinifier les crus séparément et d'élever certains vins de réserve en fût de chêne. Ce 2005, qui réunit 60 % de chardonnay et 40 % de pinot noir, a enchanté les dégustateurs. D'un or brillant, il libère de puissants parfums de brugnon et de petits fruits rouges, en harmonie avec une bouche ronde et équilibrée. Quant à la cuvée **Héritage (30 000 b.)**, mi-pinot noir mi-chardonnay, c'est un bon classique, plaisant et brioché : une citation. (NM)

🕯 Jean-Noël Haton, 5, rue Jean-Mermoz, 51480 Damery, tél. 03 26 58 40 45, fax 03 26 58 63 55, contact@champagne-haton.com, ☑ ⊤ r.-v.

JEAN-POL HAUTBOIS Grande Réserve ★

| | 15 000 | ▪ | 15 à 20 € |

Gérée par Jean-Pol Hautbois, rejoint par ses enfants Sandrine et Fabien, cette maison de négoce familiale a son siège à Pévy, dans le massif de Saint-Thierry, à l'ouest de Reims, et dispose d'un vignoble de 6 ha. Elle distribue sous sa marque toute une gamme de champagnes élaborés à la coopérative La Vigneronne Serzy-et-Prin. Mi-chardonnay mi-pinot noir, cette Grande Réserve lui permet de faire son entrée dans le Guide. Ses parfums intenses de fruits jaunes mûrs et de brioche chaude se prolongent dans une bouche fraîche, équilibrée, élégante et persistante. (ND)

🕯 Jean-Pol Hautbois, 17, rue des Vignes, 51140 Pévy, tél. 03 26 48 20 98, fax 03 26 48 53 59, champagne.hautbois@wanadoo.fr, ☑ ⚔ ⊤ r.-v.

HÉBRART Extra-brut Rive gauche Rive droite 2006 ★

| Gd cru | 3 000 | | 30 à 50 € |

Constituée dans les années 1960 par Marc Hébrart, l'exploitation est conduite depuis 1997 par son fils Jean-Paul. Rive gauche Rive droite ? La dernière création de la propriété déjà distinguée dans le millésime précédent. Ce champagne tire son nom de l'assemblage à parité de chardonnay en provenance d'Oiry et de Chouilly, grands crus de la Côte des Blancs – sur la rive gauche de la Marne –, et de pinot noir d'Aÿ, grand cru de la rive droite. L'étiquette blanche et noire, sobre et graphique, symbolise bien la cuvée, dont les vins ont effectué leur fermentation alcoolique en fût de chêne. Habillé d'or, ce 2006 séduit tant par ses senteurs de fruits compotés et de caramel au lait que par sa bouche conjuguant ampleur, rondeur et délicatesse. Les dégustateurs suggèrent de le marier avec une escalope à la crème et aux champignons. (RM)

🕯 Marc Hébrart, 18, rue du Pont, 51160 Mareuil-sur-Aÿ, tél. 03 26 52 60 75, fax 03 26 52 92 64, champagne.hebrart@wanadoo.fr, ☑ ⚔ ⊤ r.-v.

CHARLES HEIDSIECK 2000 ★★

| | 100 000 | | 75 à 100 € |

La saga des Heidsieck commence avec Florens Louis Heidsieck, originaire d'Allemagne, qui fonde en 1785 une structure à l'origine de toutes les maisons Heidsieck. Celle-ci voit le jour en 1851, créée par son petit-neveu Charles Camille. Ce dernier achète 47 crayères remontant à l'Antiquité pour laisser reposer les innombrables bouteilles qu'il ambitionne d'écouler. Il se fait l'ambassadeur de la maison et tisse des liens particuliers avec l'Amérique. Comme Piper Heidsieck, la marque appartient depuis 2011 au groupe EPI. Ce 2000 assemble 58 % de pinot noir et 42 % de chardonnay. Après plus

d'une dizaine d'années de maturation dans les crayères de la maison, il a rejoint la lumière sous laquelle scintille sa robe doré intense. Éclatante, la palette aromatique offre un florilège de notes empyreumatiques – café, feuilles mortes, fruits secs, grillé –, auxquelles s'ajoutent le tilleul et les épices. La bouche, à l'unisson, est équilibrée, encore fraîche, et brille par sa longueur. Le brut **Réserve (30 à 50 € ; 500 000 b.)** marie les trois cépages à parité et associe 60 crus. Il reste trois ans sur lattes. Son nez mûr, beurré et toasté, sa bouche ample, équilibrée par une finale tonique lui valent une étoile. Deux cuvées mises sur le marché à leur apogée. (NM)

🕯 PH-CH, 12, allée du Vignoble, 51100 Reims, tél. 03 26 84 43 00, fax 03 26 84 43 86, alexandra.rendall@champagnes-ph-ch.com

🕯 EPI

HEIDSIECK ET Cⁱᵉ MONOPOLE Gold Top 2007

| | n.c. | | 30 à 50 € |

Les origines de cette maison remontent à Florens Louis Heidsieck, d'origine allemande, qui fonda en 1785 une maison de vins et de draps. Son neveu Christian, associé à Henri-Guillaume Piper, allait la faire prospérer au XIXᵉs. La marque appartient depuis 1996 au groupe Vranken-Pommery. Sa cuvée Gold Top est bien connue des fidèles lecteurs du Guide, car les dégustateurs ont retenu des millésimes antérieurs, comme les 2005, 2004, 2002 et 2000. Associant pinot noir et chardonnay, le 2007 reste sur sa réserve avant de libérer des senteurs de fruits secs. Il s'affirme en bouche sur des notes de pain d'épice et d'abricot sec. S'il n'est pas très long, il apparaît bien équilibré, mûr et rond. (NM)

🕯 Vranken Pommery Production, 5, pl. du Gᵃˡ-Gouraud, 51100 Reims, tél. 03 26 61 62 63, fax 03 26 61 63 98, domaine@vrankenpommery.fr

🕯 Vranken Pommery Monopole

PASCAL HÉNIN Blanc de blancs ★

| Gd cru | 2 500 | | 15 à 20 € |

Installés à Aÿ, célèbre village classé en grand cru et proche d'Épernay, Delphine et Pascal Hénin exploitent 7,5 ha de vignes sur la Côte des Blancs, la Montagne de Reims et dans la vallée de la Marne. Leur blanc de blancs grand cru s'ouvre sur de fines notes beurrées et briochées. Il séduit aussi par son équilibre au palais et par sa finale fraîche, sur les agrumes et les fruits exotiques. On le verrait bien avec une tourte au lapin. Une étoile va également au brut **Réserve (3 000 b.)**, qui marie 60 % de noirs (dont 40 % de pinot noir) et 40 % de blancs. On aime son nez finement citronné et sa bouche structurée et fraîche. Cité, le brut **Tradition (11 à 15 € ; 25 000 b.)** naît d'un assemblage identique au précédent, mais de vins plus jeunes (2010 et 2009). Léger et fin, fruité et plaisant, il offre tout ce que l'on attend d'un brut sans année. (RM)

🕯 Pascal Hénin, 22, rue Jules-Lobet, 51160 Aÿ, tél. 03 26 54 61 50, fax 03 26 51 69 25, pascal.henin@orange.fr, ☑ ⚔ ⊤ r.-v.

HÉNIN-DELOUVIN Rosé de saignée 2010 ★★

| 1er cru | 5 032 | ▪ | 15 à 20 € |

Christine Delouvin et Jacky Hénin ont uni leurs destinées et lancé leur marque en 1990. Ils exploitent un vignoble d'environ 7 ha implanté notamment à Aÿ et à Chouilly (grands crus), ainsi qu'à Cerseuil, dans la vallée de la Marne. Leur rosé de saignée, un pur pinot noir de

Champagne

la récolte 2010, a été unanimement loué. Il résulte d'une cuvaison de vingt-quatre à trente-six heures de raisins égrappés et d'une vinification sans fermentation malolactique pour la préservation d'une bonne fraîcheur. D'un joli rose saumoné, ce champagne libère de puissants parfums de fraise et de framboise, que l'on retrouve dans une bouche fraîche et harmonieuse. Ce vin appelle un dessert aux fruits rouges, mais pourrait former aussi un bel accord avec une volaille ou un sorbet au pamplemousse. (RM)

⚲ Hénin-Delouvin, 22, quai du Port, 51160 Aÿ, tél. 03 26 54 01 81, fax 03 26 52 80 54, champagne-henin-delouvin@hexanet.fr, ☑ ☆ ☂ r.-v.

HENRIET-BAZIN Cuvée Carte or 2007

| Gd cru | 10 700 | ▮ | 15 à 20 € |

Depuis 1991, c'est Marie-Noëlle Rainon qui gère ce domaine implanté sur le flanc nord-est de la Montagne de Reims. Ses 7,5 ha de vignes sont répartis en 37 parcelles situées à Villers-Marmery, 1er cru planté de chardonnay, et dans les villages voisins de Verzy et de Verzenay, dédiés au pinot noir. Ce 2007 comprend 60 % de ce cépage marié au chardonnay. Son nez de fruits mûrs précède un palais souple, un peu grillé, qui finit sur une pointe amère pas désagréable. Un champagne à la fois vineux et frais, qui pourra accompagner une viande blanche. Cité, le **blanc de blancs Fleur de vigne Marie-Amélie 2008 (20 à 30 € ; 5 600 b.)** mêle au nez l'amande, les fleurs et une touche végétale de thé vert. En bouche, il apparaît rond, vineux, assez bien dosé. Il s'accordera avec un carpaccio de saint-jacques. (RM)

⚲ Henriet-Bazin, 9, rue des Mises, 51380 Villers-Marmery, tél. 03 26 84 07 79, marie-noelle@champagne-henrietbazin.com, ☑ ☆ ☂ r.-v.
⚲ Rainon-Henriet

HENRIOT Blanc de blancs ★

| | n.c. | ▮ | 30 à 50 € |

Les Henriot ont fait souche en Champagne au XVIIe s. Négociants en draps et en vins, ils se sont intéressés au champagne dès le XVIIIe s., mais la marque remonte à une veuve champenoise, Apolline Godinot, qui lança en 1808 la marque Veuve Henriot Aîné. Restée dans la même famille, la maison s'est étendue dans d'autres vignobles. Né essentiellement de la récolte 2006, son blanc de blancs provient de crus divers : Côte des Blancs, mais aussi Trépail, Montgueux, Épernay, Vitry. Il vieillit en cave de trois à cinq ans. Il en résulte une robe dorée et un nez dont les nuances de torréfaction se prolongent dans un palais volumineux. La finale très agréable, persistante et acidulée, laisse le souvenir d'un champagne harmonieux. À déboucher à l'apéritif et à finir sur un confit de lapereau au serpolet et aux mirabelles, selon une suggestion de la maison. (NM)

⚲ Henriot, 81, rue Coquebert, 51100 Reims, tél. 03 26 89 53 00, fax 03 26 89 53 10, contact@champagne-henriot.com

DIDIER HERBERT Blanc de blancs Herbert Private
Vieilli en fût de chêne 2006 ★

| Gd cru | 4 000 | ▯▯ | 20 à 30 € |

En 1982, Didier Herbert a repris l'exploitation familiale. Il dispose aujourd'hui de plus de 6 ha dans la Montagne de Reims, en 1er cru (Rilly-la-Montagne, notamment) et en grand cru (Verzenay et Mailly-

Champagne). Après avoir aménagé un bâtiment de pressurage et une cuverie en 2000, il a introduit les barriques pour élaborer cette cuvée, dont le millésime 2004 fut élu coup de cœur. Pas mal du tout, le 2006 formera un accord parfait avec une viande blanche. Vinifié sans fermentation malolactique, ce champagne d'une belle fraîcheur livre des senteurs de fruits jaunes assorties de notes boisées rappelant le café grillé. Au palais, il se montre ample, complexe et miellé ; la finale citronnée est d'une étonnante longueur. « Un vin bien travaillé, au boisé bien fondu et judicieusement dosé », conclut un dégustateur. Avis aux placomusophiles, ce négociant multiplie les capsules. (NM)

⚲ Didier Herbert, 32, rue de Reims, 51500 Rilly-la-Montagne, tél. 03 26 03 41 53, fax 03 26 03 44 64, infos@champagneherbert.fr, ☑ ☆ ☂ t.l.j. sf dim. 9h-17h; f. août

CHARLES HESTON L'Agat ★

| | 8 000 | ▮ | 15 à 20 € |

Marque de la coopérative des Six Coteaux, fondée en 1951 dans le massif de Saint-Thierry, au nord-ouest de Reims. Cuvée spéciale, L'Agat est un blanc de noirs (60 % de meunier, 40 % de pinot noir), ce que l'étiquette n'affiche pas. À l'aveugle, nos dégustateurs l'ont deviné, soulignant la rondeur et la vinosité de ce champagne. Ses atouts ? Ses parfums subtils de poire et de fruits macérés, son équilibre et son dosage bien maîtrisé. Un champagne de repas, qui formera un bel accord avec un risotto aux morilles. La **cuvée Tradition (11 à 15 € ; 80 000 b.)** privilégie elle aussi les noirs (75 %, du meunier surtout). Équilibrée, franche et fruitée, elle est citée. (CM)

⚲ Coopérative les Six Coteaux, rte de Thil, 51220 Villers-Franqueux, tél. 03 26 03 08 78, fax 03 26 88 22 43, champagne-charlesheston@orange.fr, ☑ ☆ ☂ t.l.j. sf sam. dim. 9h-12h30 14h-18h

FRANÇOIS HEUCQ Réserve ★★

| | 20 000 | ▮ | 11 à 15 € |

François Heucq a pris en 1974 la tête du domaine familial : 6 ha aux environs de Fleury-la-Rivière, village situé dans une vallée tributaire de la Marne, sur la rive droite. Associant deux tiers de pinots (les deux cépages à parts égales) et un tiers de chardonnay, son brut Réserve a convaincu. Expressif, complexe, d'une belle élégance, le nez mêle les fruits confits, l'acacia, la brioche et la vanille. Des touches de miel et de beurre s'ajoutent à cette palette dans un palais gras, onctueux et équilibré. Un champagne de table que l'on verrait bien avec des toasts au foie gras. La **cuvée Valériane (3 500 b.)**, de l'année 2006, obtient une étoile. Expressive au nez, elle décline les fleurs, les fruits secs, le pain d'épice, avec des touches grillées et mentholées. Si elle n'est pas des plus longues, elle laisse une impression d'harmonie. À déboucher dès maintenant. (RM)

⚲ SARL François Heucq et Fils, 3, impasse de l'École, 51480 Fleury-la-Rivière, tél. 03 26 58 60 20, fax 03 26 57 12 96, champagne.francoisheucq@gmail.com, ☑ ☆ ☂ r.-v.

Des recettes de cuisine et des idées d'accords sur HACHETTE VINS.com

CHAMPAGNE

M. HOSTOMME Blanc de blancs 2006

| Gd cru | 10 000 | | 20 à 30 € |

À la fin du XIXᵉs., Paul Hostomme abandonne la polyculture ; vers 1930, il incite son fils Marcel à élaborer ses cuvées. Aujourd'hui, c'est Laurent, l'arrière-petit-fils de Paul, et son épouse Chrystelle, installés à Chouilly (Côte des Blancs), qui gèrent la maison et son vignoble de 13 ha. Leur blanc de blancs 2006 offre un joli fruité sur la mirabelle, un palais d'une belle vivacité aux nuances de fleurs du verger et de kiwi se prolongeant dans une finale acidulée. Un champagne d'apéritif, comme le **rosé (15 à 20 €)**, frais et fruité, issu d'une courte macération des deux pinots à parité. (NM)

🍾 Hostomme, 5, rue de l'Allée, 51530 Chouilly, tél. 03 26 55 40 79, fax 03 26 55 08 55, contact@champagnehostomme.fr, ☑ ⚔ ⵣ r.-v.

L. HUOT FILS Brut zéro Cuvée Initiale ★

| | 3 500 | | 15 à 20 € |

En 1950, Louis Huot, héritier d'une lignée de viticulteurs, lance son champagne. En 2000, ce sont ses arrière-petits-enfants, Virginie et Olivier Huot, qui reprennent le domaine, fort d'un vignoble de 7 ha sur les coteaux sud d'Épernay. Déjà remarquée l'an dernier, leur cuvée Brut zéro assemble 60 % de noirs (les deux pinots à parts égales) au chardonnay. Comme son nom l'indique, elle n'a reçu aucune liqueur d'expédition, afin de mettre en lumière les arômes et l'équilibre originel du vin. À la robe or jaune répond un nez puissant mêlant les fruits jaunes et une touche de minéralité, suivi d'une bouche plaisante, charnue, dévoilant en finale une pointe d'amertume plutôt agréable. Arrivée à maturité, cette bouteille accompagnera des fruits de mer ou des copeaux de parmesan. (RM)

🍾 L. Huot Fils, 27 rue Julien-Ducos, 51530 Saint-Martin-d'Ablois, tél. 03 26 59 92 81, fax 03 26 59 45 05, champagne.huot@wanadoo.fr, ☑ ⚔ ⵣ r.-v.

HURÉ FRÈRES Extra-brut Réserve

| | 5 000 | | 20 à 30 € |

Raoul Huré et son fils François dirigent cette maison fondée dans les années 1960 et implantée à Ludes, dans la Montagne de Reims. Ils disposent d'un vignoble de 10 ha et d'une structure de négoce. L'extra-brut est un champagne très faiblement dosé (ici, 3 g/l). Celui-ci met en vedette les raisins noirs, qui représentent 85 % de l'assemblage (dont 45 % de meunier). Ces pinots ont légué au vin une robe or jaune, des arômes de fruits confits, une bouche soyeuse, bien équilibrée et fraîche. Un vin arrivé à maturité, à servir à table sur du poisson cuisiné. (NM)

🍾 Huré Frères, 2, imp. Carnot, 51500 Ludes, tél. 03 26 61 11 20, fax 03 26 61 13 29, hure-freres@wanadoo.fr, ☑ ⚔ ⵣ r.-v.

FERNAND HUTASSE ET FILS 2002 ★★

| | 13 490 | | 15 à 20 € |

Conduite par Rudy et Nathalie Hutasse, cette propriété fondée dans les années 1930 dispose d'un vignoble de 11 ha autour de Bouzy, célèbre grand cru de la Montagne de Reims. Elle s'est distinguée il y a deux ans par un brut sans année élu coup de cœur. Pas de couronne pour ce 2002, mais autant d'étoiles que pour son devancier et beaucoup d'éloges. Assemblant pinot noir et chardonnay à parts égales, ce champagne revêt une robe d'un jaune doré brillant et s'annonce par un nez mûr et élégant, qui allie l'abricot sec, la cannelle, les fruits macérés et le pain d'épice. Cette richesse se confirme dans un palais miellé, à la fois gras et vif, harmonieux et bien dosé. (RM)

🍾 Rudy et Nathalie Hutasse, rue du Haut-Petit-Chemin, 51150 Bouzy, tél. 03 26 57 08 58, fax 03 26 57 06 62
☑ ⚔ ⵣ t.l.j. 9h-12h 13h30-17h

ÉRIC ISSELÉE Blanc de blancs ★

| Gd cru | 6 500 | | 15 à 20 € |

Voir la Côte des Blancs se déployer jusqu'à la vaste plaine, au soleil levant. Vous pourrez profiter de ce spectacle chez ces récoltants, qui ont aménagé gîtes et chambres d'hôtes. Si la météo est adverse, il restera le champagne. Le vignoble d'Éric Isselée est principalement situé à Cramant, Chouilly et Oiry, villages classés en grand cru. Parmi ses cuvées, les dégustateurs ont distingué ce blanc de blancs né de la récolte 2008. La robe or pâle à reflets verts fait bonne impression, tout comme le nez joliment subtil mariant les fleurs blanches et les fruits frais à quelques notes de fruits secs. Cette complexité se retrouve dans un palais à la fois riche et fin, rafraîchi par une belle acidité. Pour l'apéritif. (RM)

🍾 Éric Isselée, 350, rue des Grappes-d'Or, 51530 Cramant, tél. 03 26 57 54 96, fax 03 26 53 91 76, champagneisselee.e@wanadoo.fr,
☑ ⚔ ⵣ r.-v. 🏠 ❷ 🏠 ⓓ

♥ JACQUART Tradition ★★

| | n.c. | | 15 à 20 € |

Créée il y a un demi-siècle, cette coopérative est devenue d'autant plus importante qu'elle est rattachée à Alliance Champagne, groupement qui compte 1 800 adhérents. Le vignoble destiné à la marque Jacquart couvre 350 ha répartis dans plus de 60 crus situés dans les quatre grands secteurs de la région. Cette cuvée, plébiscitée pour son élégance, assemble les trois cépages champenois en faisant la part belle aux raisins noirs (40 % de pinot noir, 35 % de meunier, 25 % de chardonnay des années 2009 à 2007). À une robe dorée répond un nez intense, mûr et élégant, sur les fruits confits, la brioche et l'amande grillée. Dans le même registre, la bouche charme par son attaque suave, sa rondeur, sa fraîcheur et sa longueur. Ce champagne trouvera sa place à l'apéritif comme au repas, et sera facile à marier avec les mets : poissons fins, crustacés, ris de veau… Quant au brut **Mosaïque (20 à 30 €)**, qui contient plus de chardonnay (40 %, aux côtés des deux pinots), il obtient une belle étoile pour son nez légèrement grillé et pour son palais ample et frais. (CM)

🍾 Jacquart, 34, bd Lundy, BP 2725, 51100 Reims Cedex, tél. 03 26 07 88 40, fax 03 26 07 12 07, contact@jad.fr
🍾 Alliance Champagne

ANDRÉ JACQUART Blanc de blancs
Expérience 2006 ★

	Gd cru	8 000	🍷	30 à 50 €

Marie et Benoît Doyard, petits-enfants d'André Jacquart, le premier récoltant-manipulant de la famille, sont aux commandes depuis 2004 d'un important vignoble : pas moins de 24 ha, dont la plus grande partie est située à Vertus et au Mesnil-sur-Oger, 1er cru et grand cru de la Côte des Blancs. Ils ont imprimé à leurs champagnes un style particulier : ceux-ci sont vinifiés et élevés en barriques de deux vins, sans fermentation malolactique, et ils vieillissent longuement sur lattes (cinq ans au minimum pour les millésimés) ; le dosage est mesuré. Les mots qui se bousculent sous la plume des dégustateurs traduisent la complexité de ce champagne à la fois puissant et subtil. Le nez généreux s'ouvre sur des senteurs de vanille et des notes empyreumatiques léguées par l'élevage (café grillé, chocolat, et même cappuccino), mêlées de touches de miel d'acacia. Tout aussi complexe, fondu, ample et droit, le palais offre une finale fraîche, citronnée et vanillée. Un beau champagne d'apéritif, qui se plaira aussi sur un feuilleté de ris de veau. Les 2004 et 2005 de cette cuvée avaient obtenu un coup de cœur. (RM)

📞 André Jacquart, 63, av. de Bammental, 51130 Vertus, tél. 03 26 57 52 29, fax 03 26 57 78 14, contact@a-jacquart-fils.com, ☑ ⚔ 🍷 r.-v.

📞 Couleurs Doyard

CAMILLE JACQUET Blanc de blancs Excellence ★

	Gd cru	n.c.	🍷	15 à 20 €

Marque de la maison de négoce Jean Pernet, qui commercialise ses champagnes sous deux étiquettes. L'affaire dispose d'un vignoble de 17 ha majoritairement implanté dans la Côte des Blancs, sur les coteaux d'Épernay et dans la vallée de la Marne. Elle signe un blanc de blancs en provenance de grands crus de la Côte des Blancs (Le Mesnil-sur-Oger, Oger et Chouilly). Floral et fruité au nez, sur la pêche et les agrumes, équilibré et fin en bouche, ce champagne flatteur conviendra à l'apéritif. (NM)

📞 Camille Jacquet, 3, Le Pont-de-Bois, 51530 Chavot-Courcourt, tél. 03 26 57 54 24, fax 03 26 57 96 98, champagne.pernet@orange.fr, ☑ ⚔ 🍷 r.-v.

CHRISTOPHE JANISSON Cuvée So secret ★

	Gd cru	3 000	🍷	30 à 50 €

Installé depuis 1984 à Mailly-Champagne (Montagne de Reims), Christophe Janisson a proposé deux cuvées qui, avec une étoile, font jeu égal. L'une comme l'autre ont été vinifiées sans fermentation malolactique. Elles réduisent le chardonnay à la portion congrue, privilégiant le pinot noir, cépage choyé dans la « Montagne ». Celui-ci représente 90 % de cette cuvée So secret (étiquette noire), fruitée, équilibrée, fraîche et longue, aux arômes de fleurs et de fruits blancs, de tilleul et de mie de pain. Un champagne alliant élégance et persévérance. La cuvée So secret grand cru étiquette grise (20 à 30 € ; 3 000 b.) comprend un peu plus de chardonnay (20 %). Son nez frais et délicat de fruits exotiques et d'agrumes, son attaque ferme et sa vivacité citronnée la destinent à l'apéritif. (RM)

📞 Christophe Janisson, 20, rue Kellermann, 51500 Mailly-Champagne, tél. 03 26 49 46 82, christophe.janisson@wanadoo.fr, ☑ ⚔ 🍷 r.-v.

JANISSON-BARADON ET FILS Grande Réserve ★

	58 330	🍷	20 à 30 €

Implanté sur les hauteurs d'Épernay, ce domaine fondé en 1922 par un remueur et un tonnelier est aujourd'hui conduit par leurs descendants, Maxence et Cyril Janisson, qui disposent de 9,3 ha de vignes. Un joli palmarès pour ce tandem cette année : trois cuvées présentées, une étoile à chacune. Mi-pinot noir mi-chardonnay, cette Grande Réserve incorpore 30 % de vins de réserve vieillis en fût. Elle séduit par sa matière persistante et par ses arômes d'agrumes confits et de brioche. Le brut Sélection (36 618 b.) résulte d'un assemblage similaire, mais il a vieilli moins longtemps en cave (trois ans au lieu de cinq). À la fois riche et frais, il est équilibré et bien dosé. Quant au brut Tradition (15 à 20 € ; 25 513 b.), il marie deux tiers de noirs (50 % de pinot noir, 15 % de meunier) et un tiers de blancs. Fruité, fin et élégant, il trouvera sa place à l'apéritif comme les deux autres cuvées, qui pourront aussi être débouchées avant le repas. (RM)

📞 Janisson-Baradon, 2, rue des Vignerons, 51200 Épernay, tél. 03 26 54 45 85, fax 03 26 54 25 54, info@champagne-janisson.com, ☑ 🍷 r.-v.

📞 Frères Janisson

JANISSON ET FILS ★★

	Gd cru	n.c.	20 à 30 €

Voilà quatre-vingt-dix ans que l'un des grands-pères de Manuel Janisson a commercialisé sa première bouteille. Aujourd'hui, le domaine a son siège à Verzenay, et le vignoble est surtout implanté dans la Montagne de Reims, où le pinot noir est particulièrement choyé. Ce cépage compose 60 % du brut grand cru, complété par le chardonnay. Les vins n'ont effectué que partiellement leur fermentation malolactique. Or pâle, ce champagne offre au nez des expressions évoluées de fruits secs, de viennoiserie et de café grillé. Les petits fruits rouges entrent en scène au palais, au sein d'une matière complexe, ample et généreuse, rafraîchie en finale par une touche mentholée. Pour l'apéritif ou pour un poisson en sauce. (NM)

📞 Janisson et Fils, 6 bis, rue de la Procession, 51360 Verzenay, tél. 03 26 49 40 19, fax 03 26 49 43 58, champagne@janisson.com, ☑ 🍷 r.-v.

ABEL JOBART Prestige ★

	5 000	🍷	15 à 20 €

Thierry, Laurent et Vincent Jobart ont repris en 2002 le domaine de 13 ha créé en 1975 par leur père Abel dans la vallée de l'Ardre, au sud-ouest de Reims. Élaboré à 60 % à partir de cépages noirs (dont 40 % de meunier), ce brut Prestige s'épanouit sur des nuances délicates de fleurs blanches, de fruits jaunes et de miel. Structuré, frais et persistant, il conviendra parfait à l'apéritif dînatoire. Le brut Réserve (11 à 15 € ; 12 000 b.) marie le meunier (60 %) et le chardonnay. Aromatique, fruité et épicé, équilibré et assez long, il obtient la même note. (RM)

📞 Abel Jobart, 4, rue de la Sous-Préfecture, 51170 Sarcy, tél. 03 26 61 89 89, fax 03 26 61 89 90, contact@champagne-abeljobart.com, ☑ 🍷 r.-v.

RENÉ JOLLY Blanc de noirs

	30 000	🍷	15 à 20 €

Conduit depuis 2000 par Pierre-Éric Jolly, ce vignoble familial est implanté à Landreville, dans la vallée de l'Ource. Après des études de commerce international, l'actuel récoltant a développé l'export qui représente plus de 40 % des ventes. Majoritaire dans son exploitation comme dans tout ce secteur du Barséquanais, le pinot noir compose entièrement cette cuvée qui a séjourné six mois en fût. Le nez exprime de fraîches nuances de fruits à noyau (mirabelle) assorties d'une pointe de minéralité. Le palais affiche un côté gourmand grâce à sa matière souple vivifiée par une finale acidulée. Bel accord avec une salade de homard à la mangue et au vinaigre balsamique. (RM)

🠶 René Jolly, 10, rue de la Gare, 10110 Landreville, tél. 03 25 38 50 91, fax 03 25 38 30 51, contact@jollychamp.com, ☑ ⚹ � r.-v.

JOSEPH PERRIER Cuvée Joséphine 2004 ★

	n.c.	▮ + de 100 €

À la fin du XIXᵉ s., les vignes entourant Châlons-en-Champagne, qui ont aujourd'hui cédé la place à la ville, étaient réputées, et une dizaine de maisons de champagne avaient pignon sur rue dans la préfecture de la Marne. Il ne subsiste plus désormais que celle-ci, fondée en 1825 par Joseph Perrier. Elle est présidée par Jean-Claude Fourmon, l'arrière-petit-fils de Paul Pithois qui avait pris le contrôle de l'affaire en 1888. La maison débute la commercialisation de ses 2004, une récolte abondante après le chiche 2003. Deux bruts de ce millésime ont reçu une étoile. Cette cuvée de prestige, mi-chardonnay mi-pinot noir, au nez très aromatique, encore frais, et à la bouche bien équilibrée entre puissance et finesse. Sa fraîcheur conviendra à l'apéritif ou au début du repas. Mariant deux tiers de noirs (61 % de pinot noir et 6 % de meunier) et un tiers de blancs, le **rosé 2004 (50 à 75 €)** s'habille d'une robe saumon clair à laquelle répond un nez discrètement parfumé, sur les fruits rouges surmûris. Le palais montre une puissance contenue par une acidité tonique. Il s'accordera bien à la cuisine méditerranéenne ou asiatique. La **Cuvée royale (20 à 30 €)**, qui privilégie elle aussi les noirs (65 % des deux pinots), est citée pour son fruité gourmand et pour sa bouche ample et acidulée. Un champagne d'apéritif. (NM)

🠶 Joseph Perrier, 69, av. de Paris, 51016 Châlons-en-Champagne Cedex, tél. 03 26 68 29 51, fax 03 26 70 57 16, contact@josephperrier.fr, ☑ ⚹ � r.-v.

♥ KRUG 2000 ★★

	n.c.	⧈ + de 100 €

Fondée en 1843 par Joseph Krug, cette maison entrée dans la légende est passée en 1999 sous le contrôle de LVMH, mais elle est restée maîtresse de son savoir-faire et n'a pas changé le style de ses champagnes : elle ne propose que des cuvées haut de gamme, fruits d'assemblages minutieux et savants de vins vinifiés en fût de 205 l identifiés par le cru. Le vieillissement sur pointe dure six ans au minimum. Il en résulte des champagnes complexes, de garde, qui valent à la maison d'être l'une des plus

distinguées du Guide, si l'on se réfère au nombre des coups de cœur. Le Krug 2000 garde son rang d'excellence. D'un jaune doré intense parcouru d'une fine effervescence, sa robe offre un nez enchanteur et complexe, où des nuances empyreumatiques se mêlent à des senteurs de miel et de fruits confits. Soyeuse, veloutée, d'un équilibre rare et d'une longueur étonnante, la bouche est splendide. Issu des trois cépages, le **rosé**, également remarquable, offre une robe distinguée, saumon très pâle, un nez délicatement fruité sur la fraise des bois et la cerise. En bouche, il se montre gourmand et frais, tenu et très bien dosé. On le destinera à l'apéritif, à un plat délicatement épicé ou à un dessert pas trop sucré. (NM)

🠶 Krug Vins fins de Champagne, 5, rue Coquebert, 51100 Reims, tél. 03 26 84 44 20, fax 03 26 84 44 49, krug@krug.com

LABBE ET FILS Blanc de blancs ★

○ 1er cru	n.c.	15 à 20 €

Depuis le XIXᵉ s., les Labbe se succèdent de père en fils sur leurs terres de Chamery, village au sud de Reims, sur le flanc nord de la « Montagne ». L'exploitation, qui couvre aujourd'hui 10 ha de vignes, est dirigée par Didier Labbe depuis 1975. Il a présenté deux cuvées qui brillent par leur fraîcheur et qui font jeu égal, avec une étoile : ce chardonnay, fin, franc, très vif, destiné à l'apéritif, et le **brut Prestige 1ᵉʳ cru**, mi-blancs mi-noirs (pinot noir), brioché, équilibré et long que l'on servira plutôt à table. (RM)

🠶 Labbe et Fils, 5, chem. du Hasat, 51500 Chamery, tél. 03 26 97 65 45, fax 03 26 97 67 42, champagne.labbe@wanadoo.fr, ☑ ⚹ � t.l.j. sf dim. 9h-12h 14h-18h30; f. 5-31 août

LACOMBE Blanc de blancs ★

	25 000	▮ 20 à 30 €

Marque créée en 2004 par Francis Tribaut, également à la tête du Champagne Lallier. Son blanc de blancs est issu d'un assemblage des années 2008 à 2005 ; il développe des arômes intenses de pain grillé et de torréfaction. La bouche, gourmande, vineuse, offre une finale fraîche. La **Grande Cuvée (15 à 20 € ; 100 000 b.)** associe deux tiers de noirs (les deux pinots) et un tiers de blancs. Équilibrée et fraîche, dominée par des arômes de fruits secs, elle obtient une citation. (NM)

🠶 Georges Lacombe, 4, pl. de la Libération, 51160 Aÿ, tél. 03 26 55 43 40, fax 03 26 55 79 93, contact@champagne-lacombe.fr, ☑ � r.-v.
🠶 Francis Tribaut

LACROIX Millésime 2006 ★

	9 000	▮⧈ 15 à 20 €

Jean Lacroix, aujourd'hui rejoint son fils Anthony, s'est installé en 1968 à Châtillon-sur-Marne, sur la rive droite de la Marne, et a commencé la commercialisation de ses cuvées en 1974. Le domaine couvre 10 ha. Mi-blancs mi-noirs (les deux pinots à parité), son 2006 déploie des nuances de fleurs blanches, d'amande douce, de tilleul et de pain grillé d'une grande finesse. Dans le même registre, la bouche fait preuve d'un bel équilibre. Issu d'un assemblage similaire, mais des années 2009 et 2008, le brut **Réserve (15 000 b.)** apparaît réservé avant de s'ouvrir sur des parfums de fleurs, de grillé et d'épices. Charnu et frais à l'attaque, il dévoile une bouche vineuse et renoue en finale avec les épices. Deux champagnes d'apéritif. (RM)

☛ Lacroix, 14, rue des Genêts, Montigny-sous-Châtillon, 51700 Châtillon-sur-Marne, tél. 03 26 58 35 17, fax 03 26 58 36 39, champlacroix2@wanadoo.fr, ☑ ⚔ ⊥ r.-v.

LACULLE ★

●	10 000	📗	15 à 20 €

1789 : une date historique pour les Laculle – entre autres ; c'est cette année-là que cette famille s'est installée à Chervey, paisible village de la vallée de l'Arce, dans la Côte des Bar. Les descendants, qui cultivent un vignoble de 11 ha, ont créé leur marque en 2000 et confient l'élaboration de leurs champagnes à la famille Moutard-Diligent à Buxeuil. Issu du seul pinot noir, leur rosé brille par sa vinosité. De sa robe orange assez soutenu s'élèvent des senteurs de fruits rouges et d'épices que l'on retrouve au sein d'une matière structurée, presque tannique, équilibrée par une fraîche acidité. Ce champagne se révélera à table en accompagnant petit gibier, chaource ou desserts aux fruits rouges. (RM)
☛ Laculle, 1, rue du Vieux-Château, 10110 Chervey, tél. 03 25 38 78 17, fax 03 25 38 59 82

LAGILLE ET FILS Grande Réserve ★

○	n.c.	📗	15 à 20 €

Installé à Treslon dans la vallée de l'Ardre, Bernard Lagille exploite près de 7 ha. Claire et Maud, ses filles, l'ont rejoint en 2005 puis Vincent, le fils, en 2012. Issue du seul terroir de Treslon, leur Grande Réserve naît des trois cépages champenois à parts égales. Complexe et subtil, le nez se partage entre fleurs blanches, agrumes et notes minérales. Après une attaque vive et harmonieuse, la bouche se montre dense, droite, mais assez fermée : ce champagne devrait gagner en expression au cours des trois prochaines années. La cuvée **Reflet d'une passion 2008** (4 250 b.) provient essentiellement du chardonnay (90 %), complété par le pinot noir. Florale et fruitée, elle laisse une impression de finesse, d'élégance et d'équilibre malgré un dosage un peu trop présent : une citation. (RM)
☛ Lagille et Fils, 49, rue de la Planchette, 51140 Treslon, tél. 03 26 97 43 99, fax 03 26 97 48 58, contact@champagne-lagille.com,
☑ ⚔ ⊥ t.l.j. 8h-12h 13h30-18h; dim. sur r.-v.

PHILIPPE LAMARLIÈRE Grande Réserve

○	100 000	📗	15 à 20 €

La marque appartient à la maison Tribaut-Schloesser de Romery, dans la vallée de la Marne. Sa Grande Réserve naît des trois cépages champenois, avec une dominante de pinot noir (70 %). Discret mais complexe, ce brut laisse poindre au nez des notes fruitées (pomme, pamplemousse) et florales qui gagnent en intensité au palais à la faveur d'une effervescence et d'une acidité bien présentes. Sous une autre marque de la maison, le **blanc de blancs Seuvre** (20 à 30 € ; 20 000 b.) est également cité. Beurré et citronné au nez, équilibré et frais en bouche, il fera un joli champagne d'apéritif. (NM)
☛ SARL SVR – Philippe Lamarlière, 8, rue des Gais-Hordons, 51480 Romery, tél. 03 26 58 64 21, fax 03 26 58 44 08, contact@svromery.fr
☛ Tribaut

LAMBLOT 2005 ★

○	5 000	📗	15 à 20 €

Entre Ardre et Vesle, l'îlot viticole de Janvry annonce la Montagne de Reims. Alexandre Lamblot repré-sente la treizième génération au service du vin depuis Drouin Lamblot, qui cultivait la vigne du vivant de dom Pérignon. Mi-pinot noir mi-chardonnay, son 2005 affiche sa maturité dans un nez de noisette et une bouche miellée et briochée, agréablement souple sans manquer de corps ni de fraîcheur. Il atteint son apogée. Cité, le brut **Tradition** (11 à 15 € ; 10 000 b.) est un blanc de noirs dominé par le meunier (80 %), ce qui lui donne un franc caractère fruité, avec des senteurs fraîches de poire et d'agrumes et, en bouche, des arômes plus suaves de pêche, de coing et de mangue. On le servira à l'apéritif, et l'on réservera au dessert le **demi-sec cuvée Caroline** (500 b.), issu des trois cépages récoltés en 2004, ce dernier se montre empyreumatique et suave, tout en évitant le piège de la lourdeur. (RM)
☛ Lamblot, 9, rue Saint-Vincent, 51390 Janvry, tél. 03 26 03 80 00, fax 03 26 03 62 12, contact@champagne-lamblot.fr,
☑ ⚔ ⊥ t.l.j. 8h30-18h30; dim. 9h30-14h

LAMIABLE Cuvée Les Meslaines 2007 ★★

○ Gd cru	4 000	📗	20 à 30 €

Les premières vignes du domaine sont plantées dans les années 1950 par quatre frères Lamiable. En 1972, Jean-Pierre reprend l'exploitation et lance son champagne. Aujourd'hui, Orianne, à la vente, et Ophélie, aux vignes et à la cave, sont venues le seconder. La propriété signe une cuvée de pur pinot noir, issue de vignes de soixante ans, notée une étoile dans le millésime précédent. Or soutenu, le 2007 flatte le nez par sa puissance aromatique, déclinant des senteurs de fruits secs et grillés, d'agrumes, de miel et de fleurs. Bien structuré, intense et long, le palais dévoile une pointe minérale agréable et étonnante pour un blanc de noirs. Plaisante dès aujourd'hui, cette bouteille saura également attendre trois ans dans une bonne cave. (NM)
☛ Lamiable, 8, rue de Condé, 51150 Tours-sur-Marne, tél. 03 26 58 92 69, fax 03 26 58 76 67, lamiable@champagnelamiable.com,
☑ ⚔ ⊥ r.-v.

JEAN-JACQUES LAMOUREUX ★★

○	9 942	📗	11 à 15 €

À l'extrême sud de la Champagne, la commune des Riceys est l'une des plus étendues du vignoble ; le pinot noir y est roi ; il donne aussi bien des rosés tranquilles (AOC rosé-des-riceys) que des champagnes. Parmi ces derniers, ce rosé est donc étonnant pour le secteur : il comprend 40 % de meunier et 10 % de chardonnay au sus du pinot noir. Le résultat est convaincant. La robe est rose soutenu ; le nez frais, sur les fruits rouges (groseille et framboise), conjugue intensité et finesse ; la bouche, expressive, longue et précisément dosée, est d'une remarquable harmonie. La **cuvée Saint-Vincent 2007** (15 à 20 € ; 6 235 b.) reçoit une étoile. L'assemblage à parité du pinot noir et du chardonay a engendré un champagne équilibré, alliant au nez fruits et fleurs et en bouche structure et fraîcheur. Bel accord en perspective avec un fin poisson blanc. (RM)
☛ EARL Jean-Jacques Lamoureux, 27 bis, rue du Gal-de-Gaulle, 10340 Les Riceys, tél. 03 25 29 11 55, fax 03 25 29 69 22, champlamoureux@orange.fr,
☑ ⚔ ⊥ t.l.j. 14h-18h; sam. 10h-18h

CHAMPAGNE

VINCENT LAMOUREUX Réserve ★★

| | 4 675 | ▪ | 15 à 20 € |

Implanté sur les coteaux des Riceys dans l'Aube, ce domaine est né en 1987 de l'union de Sylviane Vincent et de Jean-Michel Lamoureux. Ces récoltants exploitent en viticulture raisonnée un vignoble de 8 ha. Leur cuvée Réserve assemble 60 % de pinot noir au chardonnay. Or très pâle, elle s'annonce par un nez léger de fruits mûrs, arômes qui s'épanouissent en bouche, accompagnés de notes miellées et de touches de noisette. Puissante et fraîche, sa matière tient longtemps au palais et pourra s'accommoder des mets les plus variés. Noté une étoile, le **rosé (11 à 15 € ; 6 070 b.)** est issu d'une saignée de pur pinot. D'un rose soutenu, il offre un nez intense de fruits rouges et une bouche ronde, structurée, légèrement tannique, aux nuances beurrées. Il pourra donner la réplique à une viande rosée. (RM)

☛ EARL Vincent Lamoureux, 2, rue du Sénateur-Lesaché, 10340 Les Riceys, tél. 03 25 29 39 32, fax 03 25 29 80 30, lamoureux-vincent@wanadoo.fr, ☑ ⚔ ⍸ r.-v.

GUY LAMOUREUX Cuvée Mlle Bouquet Pur pinot noir 2007 ★

| | 2 500 | ▪ | 15 à 20 € |

Les Lamoureux sont installés de longue date aux Riceys dans la partie méridionale de la Champagne. Aujourd'hui, Stéphane et Alexandre Lamoureux exploitent un vignoble de plus de 8 ha et mettent en valeur la marque créée en 1970 par Guy Lamoureux. À travers cette cuvée millésimée, ils rendent hommage à l'épouse de ce dernier : Bouquet était son nom de jeune fille. Il s'agit d'un blanc de noirs de pur pinot noir, cépage majoritaire dans l'Aube. Ce 2007 demande un peu d'aération pour dévoiler ses nuances beurrées, toastées et enfin fruitées. C'est en bouche qu'il montre sa séduction : ample, gras et long, il se parfume de coing, de miel et d'une agréable touche vanillée. On le servira bien frais sur un poisson en sauce ou une viande blanche. Le brut **Tradition (11 à 15 € ; 26 650 b.)** doit lui aussi tout au pinot noir. Frais, citronné et équilibré, il est cité. (RM)

☛ Guy Lamoureux, 10, rue de Frolle, 10340 Les Riceys, tél. 03 25 29 34 39, fax 03 25 29 93 62, champagneguylamoureux@wanadoo.fr, ☑ ⚔ ⍸ r.-v.

LANCELOT-PIENNE Cuvée Marie Lancelot 2008 ★

| Gd cru | 2 500 | ▪ | 20 à 30 € |

L'union d'Albert Lancelot et de Brigitte Pienne, suivie de la mise en commun de leurs vignobles respectifs, est à l'origine de la marque (1970). Le fils Gilles, œnologue, est entré en 2006 à la tête de la propriété, sise à Cramant dans la Côte des Blancs. Issue d'une sélection de quatre parcelles de chardonnay situées dans ce grand cru, sa cuvée Marie a été dosée en extra-brut (4 g/l.), afin de mettre en valeur sa finesse. Objectif atteint : les jurés soulignent l'élégance et la délicatesse de ce blanc de blancs qui a aussi pour atouts ses arômes gourmands : noisette, pain grillé, pêche, chocolat blanc. Pour l'apéritif, avec des crevettes marinées. Même note pour le brut **Sélection (15 à 20 € ; 10 000 b.)**, qui assemble 70 % de noirs (meunier surtout) et 30 % de blancs. Les vins de réserve sont conservés par un original système de solera emprunté à l'élevage du xérès. Sa puissance et sa rondeur permettront à ce champagne d'accompagner des viandes blanches. (RM)

☛ Lancelot-Pienne, 1, pl. Pierre-Rivière, 51530 Cramant, tél. 03 26 59 99 86, fax 03 26 57 53 02, contact@champagne-lancelot-pienne.fr, ☑ ⚔ ⍸ r.-v.

Y. LANCELOT-WANNER Chardonnay Réserve ★

| Gd cru | 30 000 | ▪ | 15 à 20 € |

Après études et stages en Nouvelle-Zélande, Philippe Lancelot a rejoint ses parents en 2004 et a pris les rênes du domaine en 2007. À la tête de 4,6 ha de vignes dans la Côte des Blancs, il cherche à élaborer des vins de garde dignes de ce terroir. Son Chardonnay Réserve obtient une étoile pour la troisième édition consécutive. Cette année, on lui trouve des qualités de jeunesse qui permettront de l'oublier deux ans en cave : une robe très pâle aux reflets verts, des senteurs d'agrumes (citron, pamplemousse), qui gagnent en précision dans une bouche nerveuse et structurée. Quant à la **Cuvée chardonnay grand cru L'Atypique 2003 (20 à 30 € ; 1 789 b.)**, elle tire son nom d'un millésime hors normes, celui de la canicule. Citron mûr, miel et coing au nez, elle se montre gourmande, ronde et vineuse jusqu'en finale : elle est citée, comme le **Rosé des lys extra-brut grand cru Philippe Lancelot Édition 2008 (20 à 30 € ; 3 000 b.)**. Teinté par du vin rouge de Bouzy, c'est un rosé pâle, vineux, à son apogée. (RM)

☛ Y. Lancelot-Wanner, 155, rue de la Garenne, 51530 Cramant, tél. 03 26 57 58 95, fax 03 26 57 00 30, philippe@champagnelancelot.com, ☑ ⚔ ⍸ r.-v.

LANSON Blanc de blancs Noble Cuvée 2000 ★★

| | 50 000 | ▪ | + de 100 € |

Maison fondée à Reims en 1760 par un propriétaire de vignes à Cumières, dénommé Delamotte. Jean-Baptiste Lanson prit le contrôle de l'affaire en 1837, lui donna son nom et une dimension internationale en commerçant vers l'Europe du Nord. La marque est aujourd'hui le fleuron du groupe Lanson-BCC. Le style maison se caractérise par une grande vivacité due à des vinifications sans fermentation malolactique. La Noble Cuvée, issue de grands crus, ne déroge pas à la règle et garde beaucoup de fraîcheur en bouche. Toutefois, la richesse de sa matière et sa maturité donnent à ce blanc de blancs un caractère affable, mis en valeur par une palette aromatique élégante et complexe, sur le beurre, le caramel et des notes grillées. Pour un apéritif de grande classe. Harmonieux et équilibré, le **blanc de blancs Extra Age (50 à 75 €)**, longuement vieilli sur lies, reçoit une étoile. Quant au **rosé Label (30 à 50 €)**, auquel collaborent les trois cépages champenois (avec deux tiers de noirs), il est cité pour sa finesse et sa franchise. (NM)

☛ Lanson, 66, rue de Courlancy, 51100 Reims, tél. 03 26 78 50 50, fax 03 26 78 50 99, info@lanson.fr, ☑ ⚔ ⍸ r.-v.

☛ Lanson-BCC

GUY LARMANDIER Blanc de blancs Cramant ★★

| Gd cru | 14 000 | ▪ | 15 à 20 € |

Une des branches de la famille Larmandier dans la Côte des Blancs. Les enfants de Guy et Colette, Marie-Hélène et François, sont aux commandes du domaine, dont le siège est au centre de Vertus, face à l'église du XIes. Ils cultivent un vignoble de 9 ha implanté à Vertus (1er cru), à Chouilly et à Cramant (grand cru). Provenant de ce village, les raisins de chardonnay ont donné un vin or pâle, au nez expressif de fruits mûrs, voire confits, nuancés de touches iodées. Le palais ample, parfaitement équilibré par la fraîcheur, s'épanouit sur des notes gourmandes de fruits exotiques et d'épices. Signature des grands terroirs, la persistance est remarquable. Parfait pour l'apéritif ou des fruits de mer. Le **blanc de blancs grand cru Cuvée perlée (7 950 b.)** reçoit une étoile pour sa palette aromatique complexe et pour sa finesse en bouche. Il livre des notes de fleurs blanches, d'amande fraîche, de menthol et de pierre à fusil que l'on retrouve au palais dans une matière vive et longue. Bel accord avec des crustacés et des poissons blancs grillés ou à la crème. (RM)

🍷 Guy Larmandier, 30, rue du Gal-Kœnig, 51130 Vertus, tél. 03 26 52 12 41, fax 03 26 52 19 38, guy.larmandier@wanadoo.fr, ☑ 🍷 r.-v.

LARMANDIER PÈRE ET FILS Blanc de blancs
Perlé de Larmandier 2008 ★

● 1er cru	12 000	🍾	20 à 30 €

Descendant d'une longue lignée de vignerons de la Côte des Blancs, Françoise Larmandier a épousé Pierre Gimonnet de Cuis. Leurs fils ont développé la marque Pierre Gimonnet et Fils, mais la marque initiale a été conservée. Sous cette étiquette, voici un « perlé » : il s'agit d'un champagne tiré en « petite mousse », c'est-à-dire à moindre pression ; on appelait « crémant » ce style de vin, avant que cette mention soit réservée aux effervescents issus de la méthode traditionnelle élaborés hors de Champagne. Ces cuvées ont souvent été rebaptisées en des termes évoquant les perles - une mention non juridique. Celle-ci assemble cinq crus de la Côte des Blancs. Très fine comme il se doit, l'effervescence traverse la robe or pâle aux reflets verts. Le nez léger délivre des notes d'agrumes et de fleurs, prélude à une bouche tonique et fraîche. Un vin au potentiel évident, mais dont on pourra apprécier dès aujourd'hui l'élégance à l'apéritif. (RM)

🍷 Larmandier Père et Fils, 1, rue de la République, 51530 Cuis, tél. 03 26 57 52 19, champagne.larmandier@wanadoo.fr, ☑ 🍷 r.-v.

LARNAUDIE-HIRAULT 2006 ★

● 1er cru	n.c.		20 à 30 €

Un nouveau nom dans le Guide. Installés à Trois-Puits, 1er cru situé aux portes de Reims, Yves et Marie-Thérèse Larnaudie ont lancé leur champagne en 1975 et ont été rejoints en 2006 par leur fils Mickaël. Ils disposent de près de 7 ha et commercialisent environ 40 000 bouteilles par an. Mi-pinot noir mi-chardonnay, ce 2006 a connu très partiellement le fût, ce qui a été détecté par nos dégustateurs ; les jurés relèvent au nez un subtil boisé vanillé aux côtés de notes miellées. La bouche encore fraîche dévoile une légère astringence en finale. Un champagne harmonieux, à servir sans attendre. (RM)

🍷 Larnaudie-Hirault, 20, Grande-Rue, 51500 Trois-Puits, tél. 03 26 85 47 14, champagne.larnaudie-hirault@wanadoo.fr, ☑ 🍷 r.-v.

LÉON LAUNOIS Blanc de blancs

● Gd cru	10 000		20 à 30 €

Marque de la Côte des Blancs rachetée il y a une dizaine d'années par le Champagne Charles Mignon, affaire de négoce d'Épernay. Un blanc de blancs grand cru mêlant au nez notes de torréfaction et touches minérales,

ample, structuré et long en bouche, avec ce qu'il faut de fraîcheur. À servir dès maintenant. (NM)

🍷 Léon Launois, 3, allée des Coteaux-Est, ZAC Terres Rouges, 51200 Épernay, tél. 03 26 58 33 33, fax 03 26 51 54 10, info@champagne-mignon.fr, ☑ 🍷 r.-v.

🍷 Mignon

LAUNOIS PÈRE ET FILS Veuve Clémence ★

● Gd cru	30 000	🍾	15 à 20 €

Domaine fondé en 1872 au Mesnil-sur-Oger, au cœur de la Côte des Blancs. Il est dirigé depuis quatre décennies par Bernard Launois, bien épaulé par filles et gendres, qui ne manquent pas de projets pour développer l'œnotourisme. Un musée de la Vigne et du Vin, au sein de la propriété, permet d'accueillir toute l'année le visiteur curieux. Implantés majoritairement en Côte des Blancs et en Sézannais, les 21 ha du vignoble sont dominés par le chardonnay. Ce brut est un blanc de blancs au nez agréable et frais, et à la bouche structurée et complexe, équilibrée par une franche vivacité. (RM)

🍷 Launois Père et Fils, 2, av. Eugène-Guillaume, 51190 Le Mesnil-sur-Oger, tél. 03 26 57 50 15, fax 03 26 57 97 82 ☑ 🍷 r.-v.

PAUL LAURENT Cuvée Prestige L'Essentiel ★★

●	30 000	🍾	15 à 20 €

Lorsque Gilbert Gruet et son épouse Danielle créent leur exploitation à Bethon, en 1952, les coteaux du Sézannais, dans le sud-ouest de la Marne, ne portent que peu de ceps. Depuis, la viticulture s'est fortement développée dans la région, et la maison, devenue Champagne Paul Laurent en 1993, a pris le statut de négociant. Elle est dirigée par deux des enfants des fondateurs. L'Essentiel, leur cuvée de prestige, reçoit deux étoiles. Construit sur le chardonnay, ce champagne affiche une belle complexité, déployant des arômes miellés, épicés (safran), grillés, beurrés et fruités (pomme et fruits jaunes). Ample, vineux et aromatique au palais, il est équilibré par une belle vivacité. Dominée par le pinot noir (80 %, avec le chardonnay en complément), la **Cuvée du Fondateur (11 à 15 € ; 300 000 b.)** se partage au nez entre la pêche et la brioche. Dans le même registre, la bouche harmonieuse attaque avec souplesse et finit sur des notes persistantes d'amande. Ces deux champagnes peuvent convenir à table. (NM)

🍷 Paul Laurent, 4, rue des Pressoirs, 51260 Bethon, tél. 03 26 81 91 11, fax 03 26 81 91 22, champagne.paul.laurent@wanadoo.fr, ☑ r.-v.

LAURENT-GABRIEL Grande Réserve

● 1er cru	13 300	🍾 🍶	15 à 20 €

Une étiquette créée par Daniel Laurent en 1982 - un millésime mémorable. Depuis 2001, Marie-Marjorie Laurent, sa fille, pilote la vinification des raisins produits sur les vignes familiales d'Avenay-Val-d'Or, dans la Grande Vallée de la Marne (près d'Épernay), et d'Avize, en Côte des Blancs. Les vins ne font pas leur fermentation malolactique et sont élevés partiellement sous bois. Issue des trois cépages champenois, cette Grande Réserve privilégie son vin (80 %, pinot noir en tête). Au nez comme au palais, elle est dominée par des notes empyreumatiques léguées par le fût (vanille, grillé). Vineuse, charpentée, la bouche est agréable malgré un dosage qui semble assez généreux. Un champagne de repas. (RM)

CHAMPAGNE

➤┓ EARL Laurent-Gabriel, 2, rue des Remparts,
51160 Avenay-Val-d'Or, tél. 03 26 52 32 69,
email@laurent-gabriel.com, ☑ ⚔ 𝚼 r.-v.

LAURENT-PERRIER ★

	n.c.	▮	30 à 50 €

Une célèbre maison, créée en 1812 à Tours-sur-Marne. Son nom associe, selon une tradition régionale, deux patronymes, celui de Mathilde Perrier et celui d'Eugène Laurent, son époux. L'affaire, qui s'est d'abord appelée Veuve Laurent-Perrier après le décès du second en 1887, et à la veille de la Grande Guerre. Après la disparition sans héritier de Mathilde Laurent-Perrier en 1925, la société est finalement rachetée en 1939 par Marie-Louise de Nonancourt, née Lanson. La marque a retrouvé son rang sous la direction de Bernard de Nonancourt (1920-2010). Laurent-Perrier crée sa gamme, des cuvées et des styles de champagnes et devient un groupe d'importance, détenant des marques comme Salon et Delamotte. Cœur de la production maison, ce brut sans année est un mi-blancs mi-noirs (35 % de pinot noir et 15 % de meunier) issu d'une bonne cinquantaine de crus. Il ne connaît pas le bois, la maison ayant adopté les cuves Inox dès la fin des années 1950, et vieillit trois ans en cave. D'un jaune doré, il s'ouvre sur des arômes de fruits mûrs qui se prolongent dans une matière à la fois fraîche et vineuse. Un champagne savoureux et long en bouche, qui laisse un sillage de fruits frais. Il trouvera sa place aussi bien à l'apéritif qu'au repas. (NM)

➤┓ Laurent-Perrier, Dom. Laurent-Perrier,
51150 Tours-sur-Marne, tél. 03 26 58 91 22,
fax 03 26 58 77 29,
direction.communication@laurent-perrier.fr

LAVAURE-HUBER Tradition ★

	n.c.		11 à 15 €

Vigneron à Chavot-Courcourt dans l'entre-deux-guerres, Diogène Tissier fut père d'une famille très nombreuse : il est à l'origine de plusieurs maisons de ce village des coteaux sud d'Épernay. Celle-ci est née en 1999 de l'union de sa petite-fille Isabelle Huber avec Patrick Lavaure. Leur cuvée Tradition associe 60 % de raisins noirs (meunier surtout) et 40 % de blancs. De couleur jaune pâle, elle évoque le beurre frais au nez ; les fruits s'épanouissent au palais, donnant un côté gourmand à une matière très bien équilibrée, à la fois ample et vive. Un champagne frais et harmonieux. Le brut Sélection, dont l'assemblage privilégie encore davantage les noirs (75 %, dont 40 % de meunier), est cité pour son nez fin d'agrumes et pour sa bouche fraîche. (NM)

➤┓ Lavaure-Huber, 4, Le Pont-de-Bois,
51530 Chavot-Courcourt, tél. 03 26 54 57 95,
champagne-lavaure-huber@orange.fr, ☑ 𝚼 r.-v.

NOËL LEBLOND-LENOIR Réserve ★

	7 261		11 à 15 €

La plupart des vignes champenoises sont implantées sur des coteaux calcaires. Dans l'Aube, où est situé ce domaine, les affleurements calcaires plus ou moins marneux datent du Kimméridgien, comme à Chablis. Installé à Buxeuil depuis 1969, Noël Leblond-Lenoir, secondé par ses filles Mélaine et Élise, exploite 13 ha sur des parcelles très cailouteuses. Mi-pinot noir mi-chardonnay, son brut Réserve provient de la récolte 2009. Il affiche une robe jaune paille et des senteurs briochées et toastées avant de

révéler sa vivacité et sa longueur, mises en valeur par un dosage imperceptible. Bel accord avec les poissons nobles, comme le turbot. Citée, la cuvée Perle de Dizet (15 à 20 € ; 3 700 b.) est un blanc de blancs rare et singulier, élaboré à partir du seul pinot blanc, cépage parfois cultivé dans le sud de la Champagne. Son nez complexe et fruité précède une matière équilibrée, vive à l'attaque, plus ronde ensuite. (RM)

➤┓ Noël Leblond-Lenoir, 3, rue de la Fontaine-Saint-Loup,
10110 Buxeuil, tél. 03 25 38 53 33, fax 03 25 38 59 31,
noel.leblond@wanadoo.fr, ☑ ⚔ 𝚼 r.-v.

PASCAL LEBLOND-LENOIR Grande Réserve ★

	7 560	▮	11 à 15 €

Deux familles Leblond-Lenoir sont établies à Buxeuil, sur les hauteurs de la Seine, à l'extrême sud de la Champagne. Pascal s'est installé en 1974 et a lancé sa marque six ans plus tard. Avec ses enfants Claire et Julien, il cultive un vignoble de 10 ha dont une partie est dédiée au rare pinot blanc. Ce cépage accompagne le pinot noir (70 %) et le chardonnay (15 %) dans cette cuvée issue de la récolte 2008. Sa couleur jaune pâle aux reflets verts annonce un nez discret mais complexe, mêlant agrumes, fruits jaunes, nuances beurrées et grillées, suivi d'une bouche à la fois ronde et fraîche. On peut servir cette bouteille à l'apéritif dès maintenant, ou l'attendre quelques années. Partagé entre pinot noir et chardonnay, le 2009 (15 à 20 € ; 24 730 b.) est cité pour son nez fin et élégant, et pour sa bouche fruitée et équilibrée. À déguster à l'apéritif ou avec du poisson. (RM)

➤┓ Pascal Leblond-Lenoir, 49, Grande-Rue, 10110 Buxeuil,
tél. 03 25 38 54 04, fax 03 25 38 57 50,
pascal.leblondlenoir@free.fr, ☑ ⚔ 𝚼 r.-v.

ALAIN LEBOEUF Blanc de blancs Réserve ★★

	7 800	▮	11 à 15 €

Fils et petit-fils de vignerons, Alain Leboeuf a signé sa première déclaration de récolte en 1986 avant de prendre les rênes de la propriété familiale trois ans plus tard. Il exploite un vignoble de 7 ha autour de Colombé-la-Fosse, village aubois situé à l'extrême sud-est de la Champagne, aux confins de la Haute-Marne. Sa cuvée Réserve, pur chardonnay au nez légèrement grillé, brille par son parfait équilibre entre rondeur et acidité. On pourra la déboucher à l'apéritif et la terminer à table, sur poissons et viandes blanches. La cuvée Prestige (8 900 b.) marie 70 % de pinot noir au chardonnay. Discrète au nez, ronde et fruitée en bouche, sur les fruits exotiques, elle reçoit une étoile. Quant au rosé (8 796 b.), qui doit presque tout au pinot noir, c'est un champagne rose bonbon, léger, souple et agréable, aux arômes de fruits rouges : une citation. (NM)

➤┓ SCEV Alain Leboeuf, 1, rue du Moulin,
10200 Colombé-la-Fosse, tél. 03 25 27 11 26,
fax 03 25 27 17 23, scevleboeuf@wanadoo.fr,
☑ ⚔ 𝚼 r.-v.

PAUL LEBRUN Extra-brut Blanc de blancs ★

	10 000	▮ ◖	11 à 15 €

Née en 1902 avec Henri Lebrun, l'exploitation a gardé la marque Paul Lebrun, fils du précédent, qui a lancé son champagne en 1931. Aujourd'hui, Nathalie et Jean Vignier, les petits-enfants de Paul, installés au cœur de la Côte des Blancs, exploitent 16,5 ha de chardonnay en Côte des Blancs et en Sézannais. Ils sont donc spécialisés dans les blancs de blancs. Celui-ci a été élaboré pour obtenir un extra-brut (très peu dosé, à 4 g/l) ; il a connu le bois. Discrètement toasté et brioché au nez, il dévoile une bouche flatteuse, charnue et fraîche, en harmonie avec l'olfaction. Un champagne à maturité, qui pourra accompagner une cassolette de saint-jacques ou un homard sur lit d'endives. (RM)

⚲ SA Vignier Lebrun, 35, rue Nestor-Gaunel, 51530 Cramant, tél. 03 26 57 54 88, fax 03 26 57 90 02, champagne.vignier-lebrun@wanadoo.fr, ☑ ⚹ ⛾ r.-v.

LE BRUN DE NEUVILLE Cuvée authentique

| | 10 000 | 🍶🍷 | 20 à 30 € |

Lorsqu'il y a juste cinquante ans, une vingtaine de viticulteurs se regroupent pour fonder cette coopérative, les coteaux au sud de Sézanne ne portent que peu de vignes. La structure se développe au rythme des plantations. Elle regroupe aujourd'hui 150 adhérents qui livrent la récolte d'autant d'hectares. Principal cépage cultivé dans le secteur, le chardonnay entre à hauteur de 70 % dans ce champagne, complété par du pinot noir. Cette cuvée a été élevée sous liège, c'est-à-dire que les bouteilles ont été obturées pour la prise de mousse par un bouchon en liège, et non par l'habituelle capsule métallique. Une petite oxydation a donné des reflets dorés à la robe et légué quelques notes d'évolution (pomme cuite) à la fraîche palette aromatique, ainsi que de l'ampleur en bouche. Ces caractères permettront de servir cette bouteille avec une volaille. (CM)

⚲ Le Brun de Neuville, rte de Chantemerle, 51260 Bethon, tél. 03 26 80 48 43, fax 03 26 80 43 28, contact@lebrundeneuville.fr, ☑ ⚹ ⛾ t.l.j. sf dim. 9h-12h 14h-18h

LE BRUN SERVENAY Vieilles Vignes Millésime 2004

| | 10 000 | | 20 à 30 € |

Patrick Le Brun, qui présida un temps le syndicat général des vignerons de Champagne, représente la cinquième génération à la tête de ce domaine familial de la Côte des Blancs. Après un coup de cœur l'an dernier pour la cuvée Exhilarante qui assemblait 20 % de pinot noir au chardonnay, voici un pur blanc de blancs millésimé issu de trois grands crus : Oger, Avize et Cramant. Encore sur la réserve, il ne livre que de discrets arômes citronnés qui parfument une matière tout en légèreté et en fraîcheur. On le servira à l'apéritif ou avec des produits de la mer. (RM)

⚲ SCEV Le Brun Servenay, 14, pl. Léon-Bourgeois, 51190 Avize, tél. 03 26 57 52 75, fax 03 26 57 02 71, contact@champagnelebrun.com, ☑ ⚹ ⛾ r.-v.

LECLAIRE-THIEFAINE Sainte-Apolline

| Gd cru | 10 000 | | 15 à 20 € |

Cette exploitation familiale de la Côte des Blancs est dirigée par Reynald Leclaire, également courtier en vins et propriétaire de la maison de Meric qui reçut un coup de cœur l'an dernier pour sa cuvée Chardonnay vieillie en fût de chêne. Toujours du raisin blanc, mais pas de bois pour cette cuvée Sainte-Apolline déjà citée l'an dernier (avec des années d'assemblage différentes). Un champagne au nez subtil d'agrumes et de pêche blanche qui s'enrichit à l'aération de nuances grillées et briochées. L'attaque assez vive est relayée par des impressions d'ampleur et de suavité. Son côté léger et agréable, un peu fugace, destine cette bouteille à l'apéritif. (RM)

⚲ Reynald Leclaire, Le Village, 26, rue Sadi-Carnot, 51160 Mareuil-sur-Aÿ, tél. 03 26 52 88 65, fax 03 26 58 87 71, champagne.leclaire.thiefaine@wanadoo.fr, ☑ ⚹ ⛾ r.-v.

DANIEL LECLERC ET FILS Tradition ★

| | 60 000 | | 11 à 15 € |

Actrice incontournable de la bulle champenoise, la Côte des Bar fournit le quart des vins de la région. Les vignobles s'étendent autour de deux pôles : Bar-sur-Aube, la cité des foires, au nord-est, et Bar-sur-Seine au sud-ouest, où l'on trouve de nombreuses maisons à pans de bois. C'est au sud de cette dernière cité que les Leclerc mettent en valeur 8 ha de vignes. Ils font leur entrée dans le Guide grâce à leur brut Tradition, un champagne qui doit presque tout au pinot noir, n'incorporant que 5 % de chardonnay. Assez puissant, le nez délivre des notes fraîches d'agrumes et de beurre qui laissent augurer une prise en bouche vive et ronde. C'est bien cette impression de fraîcheur qui prévaut au palais, jusqu'à la finale aérienne laissant une impression d'élégance. Parfaite pour l'apéritif, cette bouteille pourra être attendue quelques années. (RM)

⚲ EARL Daniel Leclerc, Maison-Rouge, 10110 Polisot, tél. 03 25 38 51 12, fax 03 25 38 24 07, champagne.daniel.leclerc@orange.fr, ☑ ⚹ ⛾ r.-v. 🏠 Ⓐ

LECLERC-MONDET Blanc de blancs ★★

| | 5 000 | | 15 à 20 € |

Un domaine de la rive droite de la Marne créé en 1952 par Henry Leclerc et son épouse Renée Mondet, qui lancent leur marque dix ans plus tard. Aujourd'hui, ce sont leurs petits-fils qui tiennent la barre. Cédric conduit les 9 ha du vignoble dont le produit est vinifié par l'œnologue de la famille, son frère Fabien, leur mère Jacqueline suivant la commercialisation. Le chardonnay occupe une place secondaire dans la vallée de la Marne, ce qui ne l'empêche pas de donner de bons résultats, témoin ce blanc de blancs que l'on pourrait décrire en trois mots : élégance, finesse et fraîcheur. Élégance du nez de pêche et d'abricot frais, finesse de la matière pourtant riche, fraîcheur contrôlée par un dosage parfait. Pour l'apéritif. (RM)

⚲ Leclerc-Mondet, 5, rue Beethoven, 02850 Trélou-sur-Marne, tél. 03 23 70 23 39, fax 03 23 70 10 59, leclerc-mondet@orange.fr, ☑ ⚹ ⛾ t.l.j. 9h-12h 14h-19h

ÉMILE LECLÈRE 5 Générations ★

| | 2 000 | 🍶🍷 | 20 à 30 € |

Situé à Mardeuil, village limitrophe d'Épernay, ce domaine fondé par Émile Leclère dispose de 12 ha de vignes sur les coteaux environnants. La cinquième génération signe cette cuvée, un blanc de blancs mi-cuve mi-fût. Parfaitement maîtrisé, l'élevage sous bois n'a pas « fatigué » le vin, mais lui a légué un surcroît de complexité et de puissance pour en faire un champagne abouti, harmonieux et long. Le brut **Réserve (11 à 15 €)**, qui fait la part belle au meunier (80 %, pour 20 % de chardonnay), a reçu la même note. Malgré un dosage généreux, il séduit par sa vinosité et par son fruité intense évoquant l'abricot, la mirabelle et les fruits secs. Autre étiquette familiale, le brut

Vincent Delouvin (11 à 15 €; 15 000 b.), un pur meunier, brille par sa rondeur et par son joli nez floral et fruité : une citation. (RM)

📮 Émile Leclère, 15, rue Victor-Hugo, 51530 Mardeuil, tél. 03 26 55 24 45, fax 03 26 55 05 13, info@champagne-leclere.com,

☑ ⚔ 🍷 t.l.j. 8h30-12h 13h30-17h30; dim. sur r.-v. 🏠 Ⓑ

📮 Delouvin

HERVÉ LECLÈRE Esprit de tradition ★

1er cru	21 000	▪	11 à 15 €

Hervé Leclère s'est installé en 1980 sur l'exploitation familiale sise à Écueil, 1er cru tout proche de la cité des Sacres. Il dispose d'un vignoble de 4 ha implanté sur les différents coteaux qui bordent la ville, de Trigny (massif de Saint-Thierry) à Verzenay, sur le flanc nord de la Montagne de Reims. Comme l'an dernier, son brut Esprit de tradition obtient une étoile. Il s'agit pratiquement d'un blanc de noirs (95 % de pinot noir). Expressif et élégant, le nez délivre des senteurs briochées et toastées, puis s'oriente vers la pêche et la poire bien mûres. Ample à l'attaque, gourmande, sa matière laisse pourtant une impression de légèreté. La cuvée **Reflet de sélection (15 à 20 €; 6 200 b.)** marie 75 % de pinot noir et 25 % de chardonnay. Discrète et élégante au nez, fraîche et fruitée en bouche, elle est citée. (RC)

📮 Hervé Leclère, 2, rue Saint-Vincent, 51500 Écueil, tél. 03 26 49 76 64, herve.leclere@wanadoo.fr, ☑ ⚔ 🍷 r.-v.

LECLÈRE-POINTILLART 2005 ★

1er cru	2 000	▪	15 à 20 €

Installé depuis plus de trente ans à Écueil, au sud-ouest de Reims, Patrice Leclère cultive un vignoble de 10 ha. Son millésime 2005 assemble chardonnay et pinot à parts égales. Très expressif, il livre au nez des senteurs fruitées (agrumes, petits fruits, amande fraîche) nuancées de notes d'évolution. Ce côté aromatique persiste dans une bouche tonique, harmonieuse et longue. La cuvée **Sélection (11 à 15 €; 15 000 b.)**, qui marie quatre cinquièmes de pinot noir et un cinquième de chardonnay, fait jeu égal. Plus discrète, franche et vive, elle peut vieillir encore un an ou deux. (RC)

📮 Patrice Leclère, 3, Grande-Rue, 51500 Écueil, tél. 03 26 49 77 47, fax 03 26 49 27 46, leclpoint@aol.com, ⚔ 🍷 t.l.j. sf dim. 9h-12h 13h30-18h

XAVIER LECONTE Cuvée Prestige

	8 500	▪ 🍶	15 à 20 €

Xavier Leconte prend en 1978 la suite de ses parents sur le domaine familial : 10,5 ha implantés sur la rive gauche de la Marne. Il entreprend de sortir de la coopérative et devient en 1985 totalement indépendant. Vinifiée pour moitié en cuve Inox, pour moitié en fût, puis élevée un an en foudre, sa cuvée Prestige est un blanc de noirs (75 % de pinot noir, le solde en meunier). Son nez fin mêle les fruits blancs, la noisette et la brioche. La bouche se montre bien présente, plutôt souple, équilibrée et fruitée. Agréable et bien fait, ce champagne accompagnera aussi bien du foie gras poêlé qu'une tarte aux fruits. (RM)

📮 Xavier Leconte, 7, rue des Berceaux, hameau Bouquigny, 51700 Troissy, tél. 03 26 52 73 59, fax 03 26 52 71 81, contact@champagne-xavier-leconte.com, ☑ ⚔ 🍷 r.-v. 🏠 Ⓑ

LECONTE-AGNUS Prestige ★

	8 928	15 à 20 €

La cinquième génération est aux commandes de ce vignoble de 9 ha implanté dans la vallée de la Marne. Bien connue de nos lecteurs, sa cuvée Prestige, logée dans une bouteille sérigraphiée, naît des trois cépages champenois à parts égales et des récoltes 2010 et 2009. La dernière version de ce brut, réservée au nez, séduit en bouche, dévoilant une matière agréablement fruitée, équilibrée, fraîche et longue. Elle devrait être à son optimum dans deux ou trois ans et pourra alors être servie à l'apéritif, sur des gougères. Tirant sa teinte saumon soutenu de 15 % de vin rouge, le **rosé (11 à 15 €; 5 947 b.)**, issu de pur meunier, se montre plus exubérant, sans tomber dans la lourdeur. Ses arômes de cerise et de fraise lui valent d'être cité. (RM)

📮 Leconte-Agnus, 3 rue des Grèves, Bouquigny, 51700 Troissy, tél. 03 26 52 70 24, fax 03 26 52 76 13, champagne.leconte.agnus@wanadoo.fr, ☑ ⚔ 🍷 r.-v.

LEFEBVRE Cuvée Réserve

	100 000	▪ 🍶	11 à 15 €

Une maison située à Hourges, îlot viticole entre le val de Vesle et la vallée de l'Ardre, à l'ouest de Reims. Elle a été reprise en 2000 par la maison Cuperly de la Montagne de Reims. Issue des trois cépages champenois (70 % de noirs), partiellement vinifiée en fût, cette cuvée livre au nez un fruité intense, sur les fruits jaunes, qui se prolonge dans une bouche corsée et fraîche à la fois. Le boisé, bien fondu, est sensible en finale. Un champagne de repas. (NM)

📮 Lefebvre, 51140 Hourges, tél. 03 26 48 53 33, champagne.lefebvre@wanadoo.fr, ☑ ⚔ 🍷 r.-v.

PIERRE LEFRANC ★

1er cru	20 000	▪	15 à 20 €

Fondée en 1948 entre Épernay et la Côte des Blancs, la coopérative de Grauves propose des champagnes sous six marques différentes. Sous l'étiquette Pierre Lefranc, ce 1er cru assemble 50 % de noirs (dont 35 % de meunier) et 50 % de blancs pour donner une cuvée or pâle, au nez intense et nuancé. Les pinots lui ont légué des arômes de noyau et de fruits jaunes, le chardonnay sa fraîcheur dans une matière équilibrée et longue : un ensemble gourmand. Le **rosé 1er cru Royal Coteau (12 000 b.)**, d'un saumon soutenu, est cité pour son nez de fruits rouges et pour sa finesse en bouche. La cave élabore le **1er cru Frerejean Frères (20 à 30 €; 30 000 b.)**, un champagne mi-blancs mi-noirs (30 % de pinot noir) aromatique (pêche jaune, agrumes, amande...), souple à l'attaque, franc et frais au palais : une citation. (CM)

📮 Le Royal Coteau, 11, rue de la Coopérative, 51190 Grauves, tél. 03 26 59 71 12, fax 03 26 59 77 66, champagneleroyalcoteau@wanadoo.fr, ☑ ⚔ 🍷 r.-v.

LEGOUGE-COPIN ★

	1 500	▪	11 à 15 €

Jocelyne, fille de Serge Copin, et son époux Jean-Marc Legouge ont repris en 1989 le domaine familial qui couvre près de 5 ha de vignes principalement implantées dans la vallée de la Marne. Après un rosé de saignée fort loué l'an dernier, voici un rosé d'assemblage, associant 20 % de chardonnay et 80 % de pinot noir, dont 22 % vinifiés en rouge. Au nez, les fruits rouges et le coing dominent ; ils se prolongent dans une bouche riche, qui prend du tonus grâce à sa finale mentholée et fraîche. Ce champagne trouvera sa place de l'apéritif au dessert (si ce dernier est fruité). Noté lui aussi une étoile, le brut **Réserve (5 000 b.)** résulte d'un assemblage similaire, sans vin rouge. Élégant, un rien citronné, il dévoile au palais des notes d'orange et de pamplemousse qui contribuent à sa grande fraîcheur. Parfait pour l'apéritif. (RC)

☛ Legouge-Copin, 6, rue de l'Abbé-Bernard, 51700 Verneuil, tél. 03 26 52 96 89, boutique@champagne-legouge-copin.fr, ☑ ⚔ ⲧ r.-v.

ÉRIC LEGRAND Cuvée Prestige ★

	7 000	▮	15 à 20 €

Éric Legrand a repris l'exploitation familiale il y a plus de trente ans. Il dispose aujourd'hui d'un vignoble de 15,5 ha dans la région de Bar-sur-Seine. Les blancs de blancs sont rares dans ce secteur de l'Aube et pourtant, ils ne manquent pas d'intérêt, à en juger par celui-ci. Si le nez est tendre, discrètement floral, la bouche équilibrée impose sa fraîcheur minérale. Bel accord en perspective avec des queues d'écrevisse à la crème. (RM)

☛ Éric Legrand, 39, Grande-Rue, 10110 Celles-sur-Ource, tél. 03 25 38 55 07, fax 03 25 38 56 84, champagne.legrand@wanadoo.fr, ☑ ⚔ ⲧ t.l.j. sf sam. dim. 9h-12h 13h30-17h30; f. août

PIERRE LEGRAS Blanc de blancs Cuvée spéciale ★★

◯ Gd cru	10 000	▮⳩	20 à 30 €

Des vignes couvrent les coteaux de Chouilly depuis bien longtemps ; à l'époque où dom Pérignon, jeune moine, étudiait la théologie, un Pierre Legras leur prodiguait ses soins. Installé depuis 2002, Vincent Legras, son lointain descendant, met en pratique son savoir-faire d'œnologue pour valoriser les 9 ha du patrimoine familial situés principalement dans la Côte des Blancs. Les vins de base à l'origine de sa Cuvée spéciale ont été vinifiés en fût pendant un an, puis élevés deux ans en cuve. Ce blanc de blancs en tire une grande complexité, laissant percevoir au nez des senteurs flatteuses d'agrumes, de beurre, de brioche et d'épices, et en bouche des nuances torréfiées et minérales. Équilibré, frais et long, avec un boisé bien fondu, c'est un champagne de garde que l'on pourra aussi déguster dès maintenant sur un turbot. Équilibré et fruité, le **brut sans année (15 à 20 € ; 20 000 b.)** est cité. (NM)

☛ Pierre Legras, 28, rue de Saint-Chamand, 51530 Chouilly, tél. 03 26 56 30 97, contact@champagne-pierre-legras.com, ☑ ⚔ ⲧ r.-v.

LEGRAS & HAAS Extra-brut Blanc de blancs

◯ Gd cru	14 000	▮	20 à 30 €

On trouve nombre de Legras à Chouilly, grand cru de la Côte des Blancs. Cette branche cultive la vigne depuis sept générations. Le domaine a été fondé par François en 1991. Ses fils, Rémi, Olivier et Jérôme, ont pris le relais. Ils cultivent séparément leurs parcelles de vigne et, pour élaborer leurs champagnes, mettent en commun leurs récoltes et celles de quelques autres. Leur blanc de blancs extra-brut (dosage à 2 g/l) montre des reflets verts et offre un nez léger, sur les fleurs blanches et les agrumes. Il attaque avec vivacité, impose sa fraîcheur et finit sur une pointe d'amertume. On le servira à l'apéritif ou au début du repas, tout comme la cuvée **Exigence n° 7 grand cru Vieilles Vignes (30 à 50 € ; 3 300 b.)**, qui fait jeu égal. Cet assemblage mi-pinot mi-chardonnay apparaît également vif, mais il offre aussi des senteurs briochées. (NM)

☛ Legras et Haas, 9, Grande-Rue, 51530 Chouilly, tél. 03 26 54 92 90, fax 03 26 55 16 78, direction@legras-et-haas.com, ☑ ⲧ r.-v.

LEGRAS-NOËL Chouilly Blanc de blancs

◯ Gd cru	5 000		15 à 20 €

La marque est née à Chouilly, il y a une quarantaine d'années : selon la tradition régionale, elle associe les patronymes des époux. Elle est aujourd'hui commercialisée par leur fille, Marie-Astrid Legras, qui propose pour la première fois ce blanc de blancs, issu de la récolte 2006. Un champagne mûr, aux arômes de brioche, de cire, de fleurs séchées et de fruits compotés, qui s'exprime davantage en bouche, dans le même registre. À servir sans trop tarder sur une viande blanche ou sur un poisson en sauce (NM)

☛ SARL Arnaud Bagnost, 30, rue du Gal-de-Gaulle, 51530 Pierry, tél. 03 26 54 10 59, marie_astrid@orange.fr, ☑ ⲧ r.-v.

JEAN-PIERRE LEGRET Grande Réserve ★★

◯	8 000	▮	15 à 20 €

Situé sur une ancienne voie romaine, aujourd'hui route départementale, le village de Saint-Prix dans la vallée du Petit Morin fut détruit pendant les guerres de Religion. Ne subsiste de ces temps anciens qu'une église dont le clocher incliné n'a rien à envier à la tour de Pise. Installé dans le nouveau village à quelques centaines de mètres de là, Alain Legret, découvert en 2007, brille une fois de plus dans le Guide. Après un coup de cœur l'an passé pour son rosé, il décroche deux étoiles pour cette cuvée, assemblage de chardonnay (60 %) et de pinot noir des années 2008 et 2007. Un nez intense de beurre et de brioche, d'amande et d'agrumes prélude à une bouche bien présente et persistante, dont la souplesse est équilibrée par une agréable fraîcheur. (RM)

☛ Alain Legret, 6, rue de Bannay, 51270 Talus-Saint-Prix, tél. 03 26 52 81 41, fax 03 26 52 99 50, alain-legret@wanadoo.fr, ☑ ⚔ ⲧ r.-v.

CLAUDE LEMAIRE Tradition Élevé en fût de chêne ★★

◯	2 000	⳩	15 à 20 €

Louis Lemaire, dès les années 1920, puis Claude, et aujourd'hui Patrice, ce dernier représentant la troisième génération de récoltants-manipulants. Il est installé à Boursault, sur la rive gauche de la Marne, et commercialise ses bouteilles sous son nom ou sous celui de son père (comme pour les trois cuvées retenues). Issue du seul chardonnay, celle-ci a connu le bois. Assez pâle, elle brille par son nez complexe d'agrumes, de fruits exotiques et de beurre, avant de séduire par sa présence au palais. Après une attaque vive, elle déploie une matière riche, équilibrée et persistante. Le **brut Tradition (11 à 15 € ; 18 000 b.)** assemble 60 % des deux pinots au chardonnay ; gourmand et frais, il trouvera sa place dès l'apéritif ; il obtient une étoile, tout comme la **Grande Réserve Vieilles Vignes (3 000 b.)**. Ce pur meunier partiellement vinifié en fût (15 %) offre un nez puissant et complexe sur la pomme au four et le pain grillé. Sa bouche vineuse appelle volaille ou plats en sauce. (RM)

☛ Patrice Lemaire, 9, rue Croix-Saint-Jean, 51480 Boursault, tél. 03 26 58 40 58, champagne.lemaire@wanadoo.fr, ☑ ⚔ ⲧ r.-v.

FERNAND LEMAIRE ★

◯ 1er cru	29 200	▮	11 à 15 €

Situé dans le cœur historique de la Champagne viticole, Hautvillers a présenté avec les communes voisines un dossier de candidature en vue d'un classement au patrimoine mondial de l'Unesco. Installé depuis 1984 dans ce célèbre village où officia dom Pérignon, Frédéric Lemaire est le petit-fils de Fernand Lemaire, créateur du domaine (1903). Son brut 1er cru naît de la récolte 2010 et des trois cépages champenois à parts égales. Aérien au nez, il mêle fruits frais (agrumes et pomme), fleurs blanches et sous-bois. Frais et franc en attaque, aromatique et équilibré au palais, il trouvera sa place à l'apéritif. (RM)

🍷 Fernand Lemaire, 120, rue des Buttes, 51160 Hautvillers, tél. 03 26 59 40 44, fax 03 26 51 88 97, champagne-lemaire@wanadoo.fr, ☑ ⚹ ☓ r.-v.

ALEXANDRE LENIQUE Cuvée Excellence ★★

○	10 100	▪	15 à 20 €

Dans l'arbre généalogique des Lenique, la branche viticole remonte au début du XVIIIᵉs., et la famille élabore du champagne de longue date. Michel Lenique, son gendre Bertrand Robinet et son fils Alexandre Lenique dirigent une maison établie sur les coteaux sud d'Épernay, qui dispose d'un vignoble de 9 ha. C'est le fils, responsable des vinifications, qui signe cette cuvée, née des trois cépages champenois. Le chardonnay (70 %) donne le ton : la robe est or aux reflets verts. Le nez s'ouvre sur les agrumes, les fleurs et les fruits blancs (pêche, pomme). La nervosité de l'attaque est contrebalancée par une matière riche, qui apporte l'équilibre. On verrait bien cette bouteille au repas, sur une viande blanche. Noté une étoile, le blanc de noirs Michel Lenique (9 800 b.), fait de deux pinots à parité, est structuré, discret, fruité et frais. On le servira à l'apéritif. (NM)

🍷 Alexandre Lenique, 20, rue du Gal-de-Gaulle, 51530 Pierry, tél. 03 26 03 63, fax 03 26 51 57 14, salenique@wanadoo.fr, ☑ ⚹ ☓ r.-v.

LENOBLE Blanc de blancs ★

○ Gd cru	45 000	▪ ⊞	20 à 30 €

À la tête de cette maison de Damery créée en 1920, Anne et Antoine Malassagne sont les arrière-petits-enfants du fondateur Armand-Raphaël Graser, un marchand de vins alsacien venu s'installer en Champagne en 1915. La maison signe un blanc de blancs né à Chouilly, le grand cru le plus au nord de la Côte des Blancs. L'élevage en fût des vins de réserve a légué à ce vin de la complexité aromatique (notes de fruits secs, de café, d'épices) ainsi qu'un surcroît de charpente et d'onctuosité s'associant avec bonheur à la vivacité naturelle du chardonnay : un harmonieux champagne d'apéritif. Cité, le rosé Terroirs (30 à 50 € ; 25 000 b.), qui assemble 12 % d'un vin rouge de pinot noir et 88 % de chardonnay de Chouilly, porte aussi la marque du bois. Son fruité primaire se nuance de touches empyreumatiques et épicées (vanille, cannelle...), et sa matière franche et équilibrée finit sur une légère amertume : un rosé de repas. (NM)

🍷 A.R. Lenoble, 35-37, rue Paul-Douce, 51480 Damery, tél. 03 26 58 42 60, fax 03 26 58 65 57, antoine.malassagne@champagne-lenoble.com

🍷 Malassagne

CHARLES LEPRINCE Grande Réserve 2003 ★

○	25 000		20 à 30 €

Marque de la coopérative de Mardeuil, qui vinifie 90 ha de vignes implantées principalement sur les coteaux d'Épernay. Issue des trois cépages champenois, la Grande Réserve est un champagne mi-blancs mi-noirs du millé-sime de la canicule. Le nez exubérant marie les fruits blancs à des notes d'évolution évoquant les fruits confits. La bouche vineuse et chaleureuse, aux nuances de fruits macérés, reflète cet été très chaud, mais elle garde de la fraîcheur. Un dégustateur suggère de marier ce 2003 avec une pintade aux morilles. La Grande Réserve (15 à 20 € ; 100 000 b.) réunit trois quarts de noirs (55 % de meunier) et un quart de blancs. Très appréciée pour son fruité intense et complexe (fleurs et fruits blancs, noyau, fruits jaunes) et pour sa longueur, elle obtient elle aussi une étoile. (CM)

🍷 Charles Leprince, 64, rue de la Liberté, 51530 Mardeuil, tél. 03 26 55 29 40, fax 03 26 54 26 30

LAURENT LEQUART Cuvée Prestige ★★★

○	1 500	⊞	20 à 30 €

La Semoigne, petit cours d'eau, rejoint la Marne à Verneuil, en passant par Passy-Grigny. C'est sur les coteaux de ces deux communes, aux confins de la Marne et de l'Aisne, que les Lequart cultivent leur vignoble. Installé en 1987, Laurent Lequart met en valeur 10 ha. C'est la coopérative de Passy-Grigny qui vinifie le produit de sa vendange, avec un grand savoir-faire, à en juger par ses cuvées qui exaltent le meunier, cépage choyé dans la vallée de la Marne. Vinifiée et élevée six mois en fût, cette cuvée Prestige mêle au nez la poire williams, le litchi et la viennoiserie, arômes mis en relief par de discrètes notes boisées. D'un rare équilibre entre structure et fraîcheur, elle reste longuement en bouche, laissant une impression d'harmonie. Un vin de repas proche du coup de cœur. La cuvée Vieilles Vignes meunier (15 à 20 € ; 2 500 b.) a obtenu une étoile. Issue de vins plus jeunes (2010) vinifiés en cuve, elle offre un nez discret d'agrumes, prélude à une bouche gourmande et fraîche au dosage un peu généreux. (RC)

🍷 Laurent Lequart, 17, rue Bruslard, 51700 Passy-Grigny, tél. 03 26 58 97 48, laurent.lequart@wanadoo.fr, ☑ ⚹ ☓ r.-v.

LEQUEUX-MERCIER Blanc de blancs Cuvée de réserve ★

○	6 979	▪	15 à 20 €

Michel Lequeux représente la troisième génération sur ce domaine familial qui couvre 6 ha de vignes, en aval de Dormans. Si le pinot meunier domine l'encépagement du secteur, ce sont les deux autres cépages champenois qui lui valent de figurer dans ce chapitre : son blanc de blancs a été apprécié pour son nez intense aux arômes de torréfaction (pain grillé), d'épices et de viennoiserie, et pour sa bouche vineuse et expressive, d'une étonnante longueur. Un champagne de caractère, que les initiés apprécieront pour lui-même et qui pourra aussi accompagner volaille et viande blanche. Quant au blanc de noirs (2 950 b.), il est issu du seul pinot noir : un champagne charpenté et chaleureux aux nuances de fruits secs, qui trouvera également sa place au repas. (RM)

🍷 Lequeux-Mercier, 3, rue de Champagne, 02850 Passy-sur-Marne, tél. 03 23 70 35 32, fax 03 23 70 16 39, champagnelequeuxmercier@voila.fr, ☑ ⚹ ☓ t.l.j. 9h-12h 14h-16h

LEQUIEN ET FILS Cuvée de réserve ★

○	n.c.	▪	11 à 15 €

Philippe Lequien reprend l'exploitation familiale en 1995, y installe des pressoirs et quitte la coopérative. Il est établi à Chavot-Courcourt, village des coteaux sud d'Épernay, célèbre pour son église romane, qui campée sur les hauteurs d'un coteau fait le bonheur des photographes. Mi-blancs mi-noirs (avec une dominante de meunier), cette cuvée est agréablement fruitée, beurrée et briochée. Ronde à l'attaque, riche et pleine, elle est équilibrée par une vivacité et une effervescence qui lui donnent du tonus. Harmonieux mariage en perspective avec un poisson en sauce. (RM)

☛ Lequien et Fils, 1, rue d'Ilbesheim, 51530 Chavot-Courcourt, tél. 03 26 54 95 84, fax 03 26 55 40 50, champagne.lequien.et.fils@wanadoo.fr, ☑ ⚥ ⊺ r.-v.

PAUL LEREDDE 2008

| | 7 100 | ▬ | 15 à 20 € |

Paul Leredde, récoltant-coopérateur à Crouttes-sur-Marne, a lancé sa marque en 1960. En reprenant dix-neuf ans plus tard l'exploitation familiale (6,5 ha dans la vallée de la Marne), son fils Jean-Yves débute la manipulation. Il a composé son 2008 avec les trois cépages champenois à parts égales. Ce millésimé livre un nez frais, discrètement citronné, et conjugue en bouche vivacité, ampleur et onctuosité. Le dosage, perceptible, n'affecte en rien l'équilibre de cette cuvée qui finit sur une touche grillée. À servir à l'apéritif ou sur des entrées raffinées, des noix de Saint-Jacques par exemple. (RM)

☛ Paul Leredde, 33, Grande-Rue, 02310 Crouttes-sur-Marne, tél. 03 23 82 09 41, fax 03 23 82 00 22, contact@champagne-paul-leredde.com, ☑ ⚥ ⊺ r.-v.

GILBERT LESEURRE ★

| ○ | 5 000 | ▬ | 11 à 15 € |

Dans la Côte des Bar (Aube), il a deux Bar : Bar-sur-Seine, au sud-ouest, et Bar-sur-Aube, au nord-est. C'est à proximité de la seconde ville que Gilbert Leseurre exploite depuis plus de trente ans les 7 ha du domaine familial, répartis sur cinq communes. Il signe un rosé de noirs, assemblage de meunier (30 %) et de pinot noir. Si la robe soutenue tire sur le rouge grenadine, le nez, peu disert, a besoin d'aération pour libérer ses arômes de petits fruits rouges. C'est au palais que ce vin s'impose : son attaque apparaît franche, ses arômes s'épanouissent et son acidité lui confère beaucoup de fraîcheur et de finesse. À déguster très frais à l'apéritif ou sur un dessert aux fruits rouges. (RM)

☛ Gilbert Leseurre, 3, rue Blanche, 10200 Arrentières, tél. 03 25 27 17 56, fax 03 25 27 77 49, contact@champagne-leseurre.com, ☑ ⚥ ⊺ r.-v.

GILLES LESEURRE 100 % chardonnay

| ○ | 4 000 | ▬ | 11 à 15 € |

Un nouveau nom dans le Guide : Gilles Leseurre s'est installé en 1976, mémorable « année de la sécheresse », et signe ses bouteilles depuis 1982. Son vignoble s'étend sur 6 ha aux alentours de Bar-sur-Aube. Les blancs de blancs sont rares dans ce secteur. Celui-ci a le caractère « méridional » des chardonnays de la région : il évoque les fruits très mûrs, la prune, les fruits jaunes, voire les fruits rouges, et dévoile en bouche de l'onctuosité. La fraîcheur champenoise est surtout sensible dans la longue finale. Un style qui plaît aux uns et moins aux autres, et qui destine plutôt ce champagne à des viandes blanches ou à des poissons en sauce. (RM)

☛ Gilles Leseurre, 14, rue du Gal-de-Gaulle, 10200 Bar-sur-Aube, tél. 03 25 27 15 49, fax 03 25 27 36 87, earlleseurre.gilles@orange.fr, ☑ ⚥ ⊺ r.-v.

LÉTÉ-VAUTRAIN Traditionnel ★

| | 60 000 | ▬ | 15 à 20 € |

Un monument américain sur les hauteurs de Charly-sur-Marne rappelle que beaucoup de soldats tombèrent sur ces coteaux en 1918 pendant la seconde bataille de la Marne. Dans un environnement que l'on espère pacifié pour longtemps, cette exploitation familiale aujourd'hui présidée par Ignace Baron (Baron Fuenté) couvre 8 ha. Mariant trois quarts de noirs (dont 50 % de meunier) au chardonnay, son brut Traditionnel a une fois de plus intéressé un jury séduit par ses qualités aromatiques. Le nez élégant s'ouvre sur des senteurs citronnées, puis s'oriente vers des notes plus complexes de fruits confits et de brioche que l'on retrouve en bouche. Malgré un dosage plutôt marqué, l'ensemble est agréable, équilibré et long. (RM)

☛ Lété-Vautrain, 21, av. Fernand-Drouet, 02310 Charly-sur-Marne, tél. 03 23 82 01 97, fax 03 23 82 12 00, contact@lete-vautrain.com, ☑ ⊺ t.l.j. sf dim. 8h-18h

L'HOSTE PÈRE ET FILS Prestige

| ○ | 30 000 | ▬ | 11 à 15 € |

Peu évocateur pour l'amateur de vins, le nom de Vitry-le-François l'est beaucoup plus pour l'amoureux de l'habitat traditionnel en raison de ses maisons à pans de bois, ou pour le mordu de pêche et de sports nautiques à cause du lac du Der tout proche. Pourtant, la culture de la vigne (du chardonnay, surtout) s'est développée dès les années 1970 sur les coteaux environnants. Le domaine l'Hoste, l'un des rares élaborateurs dans ce secteur, s'appuie sur un vignoble de 14 ha. Son blanc de blancs Prestige dévoile les qualités attendues de ce style de champagne : finesse du nez de fruits blancs et d'agrumes, matière délicate et fraîche, suffisamment structurée pour une belle tenue en bouche. (NM)

☛ L'Hoste Père et Fils, rue de Vavray, 51300 Bassuet, tél. 03 26 73 94 43, fax 03 26 73 97 21, champagnelhoste@wanadoo.fr, ☑ ⚥ ⊺ t.l.j. 8h30-12h 14h-19h; dim. sur r.-v.

LIÉBART-RÉGNIER Chardonnay ★★

| | 1 900 | | 15 à 20 € |

Régulièrement mentionnée dans le Guide, l'exploitation conduite par Laurent et Valérie Liébart dispose de 10 ha de vignes sur les deux rives de la vallée de la Marne. Cépage « tout terrain », le chardonnay trouve des intonations intéressantes dans ce terroir traditionnellement dévolu au meunier. Déjà très apprécié l'an dernier, ce blanc de blancs est remarquable. Son nez séducteur et complexe allie puissance et délicatesse. Tendu et très sec, le palais persiste sur des notes minérales qui mettent en valeur sa franche vivacité. Poissons et fruits de mer seront à la fête. Pour un poisson en sauce, on pourra servir le **brut sans année (11 à 15 € ; 45 000 b.)** issu à 90 % de raisins noirs, meunier en tête. Floral au nez, équilibré et très long, il peut être oublié en cave un an ou deux. (RM)

☛ Liébart-Régnier, 6, rue Saint-Vincent, 51700 Baslieux-sous-Châtillon, tél. 03 26 58 11 60, fax 03 26 52 34 60, liebart-regnier@orange.fr, ☑ ⚥ ⊺ r.-v. 🏠 Ⓑ

CHARLES-LOUIS DES LIVRY Blanc de noirs ★

Gd cru	3 500	▮	15 à 20 €

Cette propriété de plus de 10 ha est implantée au cœur de la Montagne de Reims ; elle dispose de parcelles dans quatre grands crus dédiés au pinot noir, dont celui de Verzenay où l'exploitation a son siège. C'est dans ce célèbre grand cru que naît cette cuvée de blanc de noirs (100 % pinot noir), dont le nom accole le prénom de l'arrière-grand-père et celui du grand-père. Le nez délivre des senteurs de fruits jaunes mûrs, tandis que le palais évolue sur des notes empyreumatiques (grillé) et des arômes d'agrumes confits. Puissant, expressif et persistant, ce champagne accompagnera une terrine ou une volaille rôtie. (RM)

☞ SCEV Ludovic Hatté et Fils, 3, rue Thiers, 51360 Verzenay, tél. 03 26 49 43 94, fax 03 26 49 81 96, champagneludovichatte@orange.fr, ☑ ⚲ ⛾ r.-v.

LOMBARD & CIE Tanagra

Gd cru	· n.c.	▮⬗	50 à 75 €

Maison de négoce familiale fondée en 1925, sise à Épernay et dirigée par Thierry Lombard. Tanagra ? Des statuettes grecques en terre cuite fabriquées en modèle, mais toujours proche de la perfection. C'est le nom donné à cette cuvée de prestige, construite sur le chardonnay (70 %, avec le pinot noir en complément) et partiellement élevée sous bois. Notes minérales, nuances de torréfaction et de viennoiserie composent un nez d'une belle intensité. La bouche, un ton en dessous, est équilibrée et fraîche : à déboucher dès l'apéritif. Également cité, le brut grand cru (20 à 30 €) assemble chardonnay et pinot noir à parité. Un champagne franc et assez bien structuré dévoilant des arômes déjà évolués de brioche beurrée, d'épices, de toast et de caramel au lait. (NM)

☞ Lombard & Cie, 1, rue des Cotelles, 51200 Épernay, tél. 03 26 59 57 40, fax 03 26 54 16 38, info@champagne-lombard.com, ☑ r.-v.

BERNARD LONCLAS Extra-dry Cuvée Prestige ★

	12 000	▮	15 à 20 €

Bernard Lonclas a planté ses premiers ceps en 1974 dans le Vitryat – la région de Vitry-le-François à l'est du département de la Marne –, le secteur viticole le plus jeune de la Champagne, constitué majoritairement de chardonnay. Avec sa fille Aurélie, il exploite 8,5 ha de vignes. Après un extra-brut (très peu dosé) l'an dernier, voici un extra-dry, un peu plus dosé qu'un brut. Or pâle aux reflets verts, cette cuvée libère des senteurs élégantes de fruits blancs et de pain frais. La fraîcheur de l'attaque équilibre la douceur du dosage. Un champagne harmonieux. Exercice délicat également réussi : le choix de l'assemblage pour l'élaboration d'un extra-dry ; ici, deux tiers de chardonnay et un tiers de meunier. Quant au brut blanc de blancs (11 à 15 € ; 66 000 b.), il offre une attaque franche et des arômes originaux de pêche, de fruits blancs à l'alcool : une citation. (NM)

☞ Bernard Lonclas, chem. de Travent, 51300 Bassuet, tél. 03 26 73 98 20, fax 03 26 73 16 17 ☑ ⚲ ⛾ t.l.j. sf mar. dim. 9h-12h 14h-20h

MICHEL LORIOT Extra-brut Blanc de blancs
Les Sources du Flagot 2004

	4 300	▮	20 à 30 €

On retrouve des ancêtres de Michel Loriot au XVIIᵉs., à l'époque de dom Pérignon. En 1903, les arrière-grands-parents Palmyre et Léopold sont les premiers vignerons à installer leur pressoir au village. En 2008, Marie, œnologue et fille de la maison, et son mari Alban ont rejoint l'exploitation pour épauler Michel et Martine. Pur chardonnay, ce 2004 provient de la rive gauche de la Marne. Autre originalité, les bouteilles vieillissent ici en musique, bercées par des morceaux de Mozart, de Beethoven ou de Brahms ! Le nez complexe associe des tons chauds de mirabelle et de miel à des notes minérales. Quant à la bouche, elle apparaît compotée, miellée, plutôt évoluée et délicate. Harmonieuse ? C'est un qualificatif qu'on lit sur les fiches des dégustateurs. Pour l'apéritif ou une entrée de poisson. (RM)

☞ Michel Loriot, 13, rue de Bel-Air, 51700 Festigny, tél. 03 26 58 34 01, fax 03 26 58 03 98, contact@michelloriot.com, ☑ ⚲ ⛾ r.-v.

LOUIS-PHILIPPE Brut-tendre ★

	n.c.		20 à 30 €

Une marque de la maison Lombard et Médot à Épernay. Mariant 70 % de noirs (les deux pinots) et 30 % de blancs, ce brut dit « tendre » n'a rien d'un mou. Son nez, fin et élégant, évoque les fruits blancs, arômes qui donnent le ton d'une bouche marquée par une grande fraîcheur. Un ensemble équilibré montrant une belle harmonie entre l'olfaction et le palais. Cité, le brut Maison du roy (15 à 20 €), qui privilégie davantage les noirs (90 %, meunier en tête), mêle au nez les agrumes à la cerise du pinot et offre une matière structurée et fraîche. Même note pour le rosé cuvée des Étoiles, assemblage par tiers des trois cépages : un champagne saumon pâle au nez complexe (fruits blancs, rose, touche mentholée) et à la bouche charpentée. (NM)

☞ Louis-Philippe, 41, rue de la Chaude-Ruelle, 51200 Épernay, tél. 03 26 59 57 40, fax 03 26 54 16 38, info@champagnelouisphilippe.com

YVES LOUVET Cuvée de réserve ★

	6 000	▮	11 à 15 €

Installé à Tauxières sur le flanc sud-est de la Montagne de Reims, entre Bouzy et Aÿ, Frédéric Louvet a succédé à son père Yves en 2004. Il exploite 11 ha dans cinq villages des environs ainsi qu'au Mesnil-sur-Oger (Côte des Blancs). Majoritaire dans son vignoble, le pinot noir contribue pour les trois quarts aux cuvées sélectionnées, complété par le chardonnay. Une fois de plus appréciée, la Cuvée de réserve naît de la récolte 2007. Elle offre un nez intense de fruits mûrs ou macérés, d'abricot sec, suivi d'une bouche harmonieuse, fruitée et fraîche, à la finale fraîche. Cité, le 2005 (15 à 20 € ; 3 000 b.) révèle une agréable évolution dans ses arômes de fruits blancs confits, légèrement mentholés, et dans sa bouche souple et crémeuse. Même note pour la Cuvée de sélection (30 000 b.) issue de la vendange 2009 : fruité, beurré et torréfié, un champagne expressif, frais et long. (RM)

☞ Frédéric Louvet, 21, rue du Poncet, 51150 Tauxières-Mutry, tél. 03 26 57 03 27, fax 03 26 57 67 77, yves.louvet@wanadoo.fr, ☑ ⚲ ⛾ r.-v.

DE LOZEY Tradition ★

	50 000	▮	15 à 20 €

Philippe Cheurlin représente la quatrième génération à la tête de cette petite structure de négoce installée dans le Barséquanais (Aube). Une maison très souvent présente dans le Guide. Cette année, trois de ses cuvées reçoivent chacune une étoile. Pur pinot noir de la vendange 2009, le brut Tradition offre une olfaction délicate et complexe faite de fleurs et de fruits blancs, de beurre et de citron, et conjugue en bouche puissance et finesse. Un champagne harmonieux plutôt destiné à l'apéritif. Le pinot noir (70 %) s'allie au chardonnay dans le brut **Réserve (30 000 b.).** Florale et minérale, légèrement beurrée et réglissée à l'aération, cette cuvée dévoile une bouche fraîche qui fait d'elle un modèle de brut sans année. Mi-pinot noir mi-chardonnay des années 2005 et 2006, la **cuvée Prestige (20 à 30 € ; 15 000 b.)** mêle minéralité et agrumes dans un bel équilibre et livre une finale agréable. (NM)

☛ De Lozey, 72, Grande-Rue, 10110 Celles-sur-Ource, tél. 03 25 38 51 34, fax 03 25 38 54 80, de.lozey@wanadoo.fr, ☑ ⚲ ⏳ r.-v.

☛ Ph. Cheurlin

MACQUART-LORETTE Réserve ★★

●	1er cru	13 338	11 à 15 €

Installé près de Reims, André Macquart a repris dans les années 1970 l'exploitation de son grand-père, qu'il transmet depuis 2006 à son fils Clément. Il cultive du chardonnay et du pinot noir, ce dernier, très présent au village d'Écueil, compose 90 % de sa cuvée Réserve qui assemble des vins de l'année 2009 à la récolte 2010. C'est une grande séductrice qui offre au nez une corbeille d'agrumes, de fleurs et de fruits blancs (pêche et poire), et s'insinue en bouche avec finesse et fraîcheur, y installant durablement ses saveurs gourmandes. Pour l'apéritif ou des mets raffinés – pourquoi pas un homard ? Issue de la vendange 2007, la **cuvée Prestige 1er cru (15 à 20 € ; 3 408 b.)** comprend davantage de chardonnay (40 %). Citronnée, florale, équilibrée et de bonne longueur, elle obtient une étoile. Comme la Réserve, elle conviendra pour l'apéritif et des entrées marines. (RC)

☛ André Macquart, 6, chem. des Glaises, 51500 Écueil, tél. 03 26 49 74 42, fax 03 26 49 77 42, contact@champagne-macquart.fr,
☑ ⚲ ⏳ t.l.j. sf dim. 8h-12h15 13h30-19h

MICHEL MAILLIARD La Justice Vieilles Vignes 1999 ★

●		3 000	30 à 50 €

On ne compte plus les étoiles pour ce domaine qui a décroché trois coups de cœur en dix ans, et ce grâce à ses chardonnays, l'exploitation étant implantée à Vertus, à la pointe sud de la Côte des Blancs. Son vignoble de 14 ha compte une parcelle de vieux ceps de ce cépage, à l'origine de ce 1999. Après plus de dix ans de vieillissement, sa robe a évidemment pris des tons dorés et ses arômes vanillés et biscuités des nuances évoluées de fruits confiturés et de fleurs séchées ; bien entendu, sa bouche s'est assouplie et dévoile des accents épicés, tout en conservant une légèreté, une finesse et une fraîcheur qui font de ce millésime un vrai vin de plaisir que l'on ne se contentera pas de goûter par curiosité, du bout des lèvres. (RM)

☛ Michel Mailliard, 52, av. de Bammental, 51130 Vertus, tél. 03 26 52 15 18, fax 03 26 52 24 05, info@champagne-michel-mailliard.com,
☑ ⚲ ⏳ r.-v. 🏠 ❹

MAILLY GRAND CRU 2006 ★

●	Gd cru	30 000	30 à 50 €

Ici, la marque n'est pas seulement une dénomination commerciale, elle représente le fondement de l'identité du produit : tous les raisins pressés, vinifiés et commercialisés par cette coopérative fondée en 1929 proviennent de l'unique finage de Mailly-Champagne, village classé en grand cru sur le flanc nord de la Montagne de Reims, où prospère le pinot noir. Trois quarts de ce cépage et un quart de chardonnay composent ce 2006 doré aux reflets roses, au fruité évolué (prune, pêche et abricot mûrs) et à la bouche gourmande et ronde, sans aucune lourdeur. Un champagne de repas à marier à un turbot ou à une volaille aux morilles. Issu du pur pinot noir, le **blanc de noirs (25 000 b.)** obtient également une étoile. Dans le même registre fruité que le précédent, complexe et vineux, il tiendra lui aussi sa place à table. (CM)

☛ Mailly Grand Cru, 28, rue de la Libération, 51500 Mailly-Champagne, tél. 03 26 49 41 10, fax 03 26 49 42 27, contact@champagne-mailly.com,
☑ ⏳ r.-v.

ÉRIC MAÎTRE Sélection ★★

●		14 000	▮ 15 à 20 €

L'Ource, qui se jette dans la Seine à quelques kilomètres en amont de Bar-sur-Seine, dans l'Aube, a vu les coteaux qui la dominent se couvrir de vignes à partir des années 1960. Éric Maître cultive aux environs un vignoble de 8 ha où le pinot noir est roi. C'est d'ailleurs le seul cépage qui compose les deux cuvées sélectionnées. Ce brut Sélection séduit par la grande finesse de sa palette aux nuances de fruits rouges et d'agrumes, arômes qui se prolongent dans une bouche franche, fraîche, structurée et de belle longueur, ce qui ajoute à son charme. Le **rosé (3 500 b.)** est issu d'une saignée. Intensément coloré et fruité, un peu confit, bien structuré, il présente une finale un peu sévère : une citation. (RM)

☛ Éric Maître, 32, Grande-Rue, 10110 Celles-sur-Ource, tél. 03 25 38 58 69, champagne.ericmaitre@wanadoo.fr,
☑ ⚲ ⏳ t.l.j. 9h-12h 13h30-16h30

MALARD Extra-brut LadyStyle ★★

●		n.c.	50 à 75 €

Originaire d'Épernay, Jean-Louis Malard a créé en 1996 cette maison qui a son siège à Aÿ. Ce grand sportif, amateur de rugby, a épousé Natacha, native de Kiev, ancienne internationale de volley-ball et mannequin. C'est elle qui signe cette cuvée à vocation haut de gamme, dont le flacon est habillé d'une étiquette à la fois « glamour » et épurée évoquant le cuir de serpent. Les dégustateurs du Guide, qui n'ont vu qu'un cache ingrat de plastique noir pour préserver l'anonymat, ont trouvé cet extra-brut bien séduisant. De sa robe claire et lumineuse montent des fragrances florales nuancées de notes d'agrumes et de viennoiserie, et son corps, élancé et équilibré, montre beaucoup de fraîcheur et de légèreté. Parfait pour un cocktail chic. Cité, le **grand cru blanc de blancs (20 à 30 €)** apparaît fin et frais malgré un dosage sensible. (NM)

☛ Malard, 23, rue Jeanson, 51160 Aÿ, tél. 03 26 32 40 11, fax 03 26 32 41 92 ☑ ⚲ ⏳ t.l.j. sf dim. lun. 10h-18h

FRÉDÉRIC MALÉTREZ Vieille Réserve 2000

●	1er cru	3 100	20 à 30 €

En 1982, Frédéric Malétrez reprend l'exploitation familiale située à Chamery, un 1er cru de la Petite Montagne de Reims au sud de la cité des Sacres. Il débute la vinification deux ans plus tard. Sa Vieille Réserve, du millésime 2000, est arrivée à maturité. Habillée d'une robe dorée, elle affiche un nez opulent d'amande, de fruits blancs et de fruits macérés, arômes que l'on retrouve avec plus de complexité dans une bouche ronde et douce. Plus discrète à l'olfaction, la cuvée **Carte d'or 1er cru (15 à 20 € ; 8 100 b.)**, bien équilibrée, est également plus fraîche. Elle obtient elle aussi une citation. (RM)

☛ Frédéric Malétrez, 11, rue de la Bertrix, 51500 Chamery, tél. 03 26 97 63 92, fax 03 26 97 66 40, champagne.maletrez.f@orange.fr, ☑ ⚥ ⏃ r.-v.

MANDOIS Grande Réserve ★

| | 66 000 | ▮ | 30 à 50 € |

L'histoire du champagne doit beaucoup à des veuves et à des hommes d'Église – comme le frère Jean Oudart, contemporain de dom Pérignon. Responsable jadis du vignoble ecclésiastique de Pierry, il serait l'inventeur de la liqueur de tirage et aurait introduit le liège pour le bouchage. Il repose dans l'église de Pierry sous laquelle ont été creusées au XVIIIᵉˢ. les caves de la maison Mandois. Son brut rosé assemble deux tiers de noirs (50 % de pinot noir) et 35 % de blancs. D'une teinte saumonée très pâle, il dévoile un nez fin et une bouche légère, franche et fruitée : un champagne aérien et facile à boire. Cité, le **2006 (70 000 b.)** délivre de puissants parfums de pêche de vigne, d'abricot et de raisin, et se montre opulent en bouche. « Il est riche en pinot », écrivent les dégustateurs. Exact : il en comprend 80 % (pinot noir surtout). On le servira de préférence à table. (NM)

☛ Mandois, 66, rue du Gal-de-Gaulle, BP 9, 51530 Pierry, tél. 03 26 54 03 18, fax 03 26 51 53 66, info@champagne-mandois.fr, ☑ ⚥ ⏃ r.-v.

MARC Grande Cuvée

| | 5 000 | ▮ | 15 à 20 € |

Patrice Marc perpétue une lignée de vignerons qui remonte à 1625. Il est installé à Fleury-la-Rivière, dans une petite vallée perpendiculaire à la Marne, sur la rive droite. Assemblage des trois cépages des années 2007 et 2008, sa Grande Cuvée se partage équitablement entre raisins blancs et noirs (40 % de pinot noir). Des arômes frais de citron apportent de la finesse à l'olfaction et donnent un côté tonique à une bouche aux nuances de fleurs blanches. Une cuvée polyvalente, que l'on pourra déboucher à l'apéritif ou servir à table. (RM)

☛ Marc, 1, rue du Creux-Chemin, 51480 Fleury-la-Rivière, tél. 03 26 58 46 88, fax 03 26 59 48 21, contact@champagne-marc.fr, ☑ ⚥ ⏃ r.-v.

D. MARC Tradition ★★

| | 25 000 | ▮ | 11 à 15 € |

Les Marc sont plusieurs à Fleury-la-Rivière ; ils ont les mêmes ancêtres, qui cultivaient déjà la vigne il y a près de quatre siècles. Didier exploite 4 ha, dont trois sont consacrés à cette cuvée associant les trois cépages, avec une dominante de meunier (70 %), variété prépondérante sur le domaine. Non millésimé, ce champagne a vieilli trois ans sur lattes. Expressif et complexe, il s'ouvre sur les fleurs, puis s'épanouit sur les fruits (prune, notamment mirabelle) et enfin sur la brioche. La bouche équilibrée et longue affiche une belle évolution et renoue en finale avec la mirabelle, alliée à la pêche. Proche du coup de cœur, cet excellent champagne tiendra sa place à l'apéritif comme à table. (RM)

☛ Didier Marc, 11, rue Dom-Pérignon, 51480 Fleury-la-Rivière, tél. 03 26 58 60 69, fax 03 26 52 84 20, champagnedidiermarc@free.fr, ☑ ⚥ ⏃ t.l.j. sf dim. 10h-18h; f. août

MARIN-LASNIER Prestige ★

| | 2 000 | ▮ | 15 à 20 € |

En 2000, Guillaume Marin et son épouse reprennent les 3,3 ha de l'exploitation familiale située dans l'Aube. Nouvelles plantations, terres en location : le domaine couvre aujourd'hui 5,3 ha et élabore ses champagnes depuis une dizaine d'années. Avec trois quarts de chardonnay et un quart de pinot noir de la récolte 2008, sa cuvée Prestige se montre à la fois florale et fruitée (fruits blancs, agrumes, prune) ; le palais est puissant sans manquer de fraîcheur. Citée, la cuvée **Pur blanc (11 à 15 € ; 3 000 b.)** associe chardonnay (70 %) et pinot blanc, cépage uniquement cultivé dans l'Aube. Fraîche et fruitée au nez, elle offre une bouche riche et tout en rondeur. (RM)

☛ Marin-Lasnier, 17, rue des Herbues, 10110 Polisot, tél. 03 25 29 02 98, fax 03 25 29 77 00, marinlasnier@orange.fr, ☑ ⚥ ⏃ r.-v.

JEAN MARNIQUET Blanc de blancs

| 1er cru | 4 300 | ▮ | 15 à 20 € |

Brice Marniquet a conservé la marque de son grand-père et gardé, sur ses étiquettes, deux ailes dorées qui rappellent que Jean Marniquet fut aviateur au début des années 1920. L'exploitation compte plus de 6 ha en grands crus et en 1ᵉʳˢ crus de la Montagne de Reims et de la Côte des Blancs. Ce blanc de blancs est un assemblage de chardonnay d'Oger (grand cru) et d'Avenay-Val-d'Or (1ᵉʳ cru). Les fleurs blanches et les agrumes se prolongent dans une bouche équilibrée, ample et onctueuse. Un bon champagne d'apéritif. (RM)

☛ EARL Brice Marniquet, 12, rue Pasteur, 51160 Avenay-Val-d'Or, tél. 03 26 52 32 36, fax 03 26 52 65 89, contact@marniquet.fr, ☑ ⚥ ⏃ r.-v.

JEAN-PIERRE MARNIQUET Tradition

| | 50 000 | ▮ | 15 à 20 € |

Bon nombre de vignerons se sont lancés dans la manipulation lors de la crise des années 1930. Le grand-père de Jean-Pierre Marniquet était de ceux-là. Situé sur la rive droite de la Marne, le domaine dispose d'un vignoble de 7 ha. Le jury s'est de nouveau intéressé à sa cuvée Tradition, assemblage dominé par les raisins noirs (65 %) et construit sur le meunier (50 %). Le nez est réservé, discrètement floral. Le corps aux arômes de fruits blancs apparaît équilibré et fin, exprimant une franche vivacité. Pour l'apéritif ou les produits de la mer. (RM)

☛ Jean-Pierre Marniquet, 8, rue des Crayères, 51480 Venteuil, tél. 03 26 58 48 99, fax 03 26 58 45 21, jp.marniquet@cder.fr, ☑ ⚥ ⏃ r.-v.

MARQUIS DE GOUWROL Prestige ★

| | 14 700 | ▮ | 11 à 15 € |

Une nouvelle étiquette dans le Guide : la marque des Rolet, établis dans la région de Bar-sur-Aube. Ces récoltants ont pris il y a une vingtaine d'années la suite de leurs parents et grands-parents, vendeurs de raisins, et décidé d'élaborer leurs champagnes. Celui-ci assemble 70 % de pinot noir à 30 % de chardonnay issus principalement de la récolte 2009. Une bouteille harmonieuse, tant par ses arômes d'agrumes, de fruits secs et de biscuit que par son palais frais, charnu, équilibré et long. (RM)

☛ SCEV de Gouwrol, 20, rue de Clairvaux, 10200 Baroville, tél. 03 25 27 19 43, de-gouwrol@orange.fr, ☑ ⚥ ⏃ r.-v.

☛ Rolet

MARQUIS DE POMEREUIL Les Fondateurs

| | 8 600 | | 15 à 20 € |

Créée en 1922, la coopérative des Riceys, dans l'Aube, est l'une des plus anciennes de la Champagne ; elle vinifie les 82 ha de ses adhérents. La marque Marquis de Pomereuil a été lancée dans les années 1970. Hommage aux créateurs, cette cuvée privilégie le chardonnay (66 %) complété par le pinot noir. Elle mêle des notes tertiaires de pain grillé, de viennoiserie et de beurre qui se rejoignent dans une bouche ronde et ample. Également cité, le **blanc de noirs (3 000 b.)**, né de pur pinot noir, associe des arômes de pâtisserie et de fruits blancs ; la bouche, équilibrée, offre une sensation légèrement tannique. (CM)
☛ Marquis de Pomereuil, 3-5, rte de Gyé, 10340 Les Riceys, tél. 03 25 29 32 24, fax 03 25 38 59 86, marquis.de.pomereuil@hexanet.fr,
☑ ⊤ t.l.j. sf dim. 8h30-12h 14h-18h

OLIVIER ET LAËTITIA MARTEAUX Réserve

| | 30 000 | | 11 à 15 € |

Épousant la forme d'un demi-cercle ouvert vers le midi, le coteau de Bonneil, en aval de Château-Thierry, offre une vue imprenable sur la vallée de la Marne. Depuis 1998, Olivier Marteaux reprend progressivement le vignoble familial, qui couvre aujourd'hui 5 ha. La marque a été lancée récemment (2009). Issu de trois années et des trois cépages champenois, noirs en tête (80 %, essentiellement du meunier), le brut Réserve délicatement floral et fruité au nez gagne en intensité et complexité en bouche, pour laisser une impression générale d'équilibre et de fraîcheur fruitée. Il pourra accompagner un repas. (RM)
☛ Olivier Marteaux , 6, rte de Bonneil, 02400 Azy-sur-Marne, tél. 03 23 82 92 47, contact@champagnemarteaux.com, ☑ ⊀ ⊤ r.-v.

P. LOUIS MARTIN Chardonnay Bouzy
Cuvée Vincent 2008 ★

| Gd cru | 1 130 | | 20 à 30 € |

Une exploitation d'une dizaine d'hectares créée en 1864 à Bouzy, grand cru situé sur le versant sud de la Montagne de Reims. Elle est contrôlée par la famille Rapeneau, mais c'est Vincent Martin, descendant du fondateur, qui signe les cuvées. Celle-ci, bien que Bouzy soit célèbre pour son pinot noir, doit tout au chardonnay. Née d'un millésime de grande réputation, elle évoque la panification, les fleurs et les fruits blancs. Son nez, tout en fraîcheur, précède une attaque franche et un palais de texture crémeuse équilibré par son agréable vivacité. Autant de qualités qui destinent cette bouteille à l'apéritif. (RM)
☛ Paul-Louis Martin, 3, rue d'Ambonnay, 51150 Bouzy, tél. 03 26 57 01 27, fax 03 26 57 83 25, lbn@champagnemartel.com.com, ☑ ⊀ ⊤ t.l.j. sf dim. lun. 10h-18h

GUY MÉA ★★

| 1er cru | n.c. | | 15 à 20 € |

Située au cœur de la Montagne de Reims, cette exploitation familiale met son champagne en bouteilles sous la marque Guy Méa depuis 1953. Le domaine frôle le coup de cœur pour ce brut assemblant chardonnay (60 %) et pinot noir. Son joli nez frais d'agrumes et de fruits exotiques acidulés (mandarine, ananas) se prolonge dans un palais franc à l'attaque et persistant, élégamment

équilibré entre ampleur et vivacité. Deux étoiles également pour le brut **Tradition 1er cru (11 à 15 €)**, qui assemble pinot noir et chardonnay dans des proportions inverses. Floral, beurré, il brille par son harmonie et sa finesse. Tout comme le précédent, il sera à l'aise aussi bien à l'apéritif qu'à table. Nos jurés ont également apprécié le style juvénile et fruité du **rosé** issu d'un assemblage dominé par les blancs : une étoile. (RM)
☛ SCE La Voie des Loups, 2, rue de l'Église, 51150 Louvois, tél. 03 26 57 03 42, champagne.guy.mea@wanadoo.fr, ☑ ⊀ ⊤ t.l.j. 9h-12h 14h-18h

ALAIN MERCIER ET FILS Blanc de noirs 2007

| | 2 600 | | 15 à 20 € |

Un nouveau nom dans le Guide. Alain, c'est le père ; Romain, c'est le fils, installé en 2010, soit cent ans après la fondation de l'exploitation familiale. Implantée aux confins des départements de la Marne et de l'Aisne, l'exploitation couvre 9 ha partagés à égalité entre les trois cépages. Ce 2007 doré soutenu est un pur pinot noir. Les parfums de fruits mûrs (coing), de miel et d'épices se confirment en bouche, la finale toastée et épicée dessinant le profil d'un champagne de table à son apogée, que l'on appréciera dans l'année. (RM)
☛ Alain Mercier et Fils, 14, rte du Champagne, 02850 Passy-sur-Marne, tél. 03 23 70 35 48, fax 03 23 70 36 20, alain.mercier.champ@wanadoo.fr, ☑ ⊀ ⊤ r.-v.

MÉTÉYER PÈRE ET FILS Carte d'argent

| | 18 000 | | 15 à 20 € |

Depuis 1998, Franck Météyer est à la tête de ce domaine familial fondé en 1860 et situé à Trélou-sur-Marne, premier village axenais (du département de l'Aisne) sur la rive droite de la Marne après Dormans. Les trois cépages sont à égalité dans l'assemblage de cette cuvée. Ses parfums chaleureux de fumé, d'épices et de brioche sont suivis d'une bouche ronde et bien fruitée aux accents de « noirs » (fruits jaunes, fruits rouges). Un accord suggéré : du petit gibier à plume. (RM)
☛ Météyer Père et Fils, 39, rue de l'Europe, 02850 Trélou-sur-Marne, tél. 03 23 70 26 20, fax 03 23 70 14 26, champagnemeteyer@wanadoo.fr, ☑ ⊀ ⊤ t.l.j. sf dim. 9h-12h 13h30-18h

E. MICHEL Réserve Extra Qualité

| | n.c. | | 15 à 20 € |

Établie à Vertus, à la pointe sud de la Côte des Blancs, cette maison de négoce n'en a pas moins pour spécialité le pinot noir. Neuf parts de ce cépage pour une de chardonnay composent ce champagne habillé d'or clair et parfumé de vanille et de pêche. Un peu court, il ne manque toutefois pas d'atouts : franc à l'attaque, il est expressif, aromatique et bien équilibré. (NM)
☛ E. Michel, 69, av. de Bammental, 51130 Vertus, tél. 03 26 52 14 91, fax 03 26 52 12 93 ☑ ⊤ r.-v.

JEAN MICHEL Cuvée spéciale 2002

| | 4 000 | | 30 à 50 € |

Olivier Michel cultive un vignoble de 12 ha au sud d'Épernay. Sa Cuvée spéciale marie le chardonnay et le meunier à parts égales. L'an dernier, il avait présenté son millésime 2005, considérant que son 2002 offrait un meilleur potentiel de garde. Nos jurés sont d'accord. Ils avaient d'ailleurs déjà apprécié ce champagne en 2007. Six ans plus tard, ils conseillent une à deux années de cave encore pour ce beau millésime au nez d'agrumes dont la bouche équilibrée et fraîche est à peine patinée par ses dix ans d'élevage. Du même domaine, le jury a cité le brut **Export Michel Houdart (15 à 20 € ; 20 000 b.)** fruité et équilibré, qui comprend un peu plus de meunier, et le **rosé brut Export Michel Houdart (15 à 20 € ; 10 000 b.)**, né des trois cépages, vif, minéral et long. (RM)

🏠 EARL Jean Michel, 15, rue Jean-Jaurès, 51530 Moussy, tél. 03 26 54 03 33, fax 03 26 51 62 66, champagnejeanmichel@yahoo.fr, ☑ 🏃 🍴 r.-v.

PAUL MICHEL Pur chardonnay
Grande Réserve 2004 ★★

⬤ 1er cru	6 000	▮ 20 à 30 €

Au sud d'Épernay, Cuis, un 1er cru, est l'un des premiers villages de la Côte des Blancs, que l'on aperçoit de loin grâce à son église romane dominant le coteau. C'est là qu'est établie cette exploitation de 20 ha fondée en 1952 et aujourd'hui dirigée par Philippe, Denis et Didier Michel. Ces derniers ont présenté deux blancs de blancs qui ont reçu l'un comme l'autre deux étoiles. Le 2004 à la robe jaune d'or et au nez élégant d'amande et de fruits confits s'impose en bouche par sa fraîcheur, sa finesse et sa longueur. Encore en devenir, la cuvée **Carte blanche Pur chardonnay 1er cru (15 à 20 € ; 100 000 b.)** libère des parfums élégants de fleur de vigne et de pêche blanche nuancés d'épices et de tabac blond. Une touche minérale, crayeuse, accompagne une bouche onctueuse vivifiée par les bulles et l'acidité. L'archétype du bon blanc de blancs, selon un de nos jurés. Deux champagnes à servir à l'apéritif ou pour une entrée. Quant à la cuvée **Carte blanche 1er cru rosé (15 à 20 € ; 8 000 b.)**, elle est citée pour son nez délicat, fruité et floral, et pour sa bouche concentrée. (RM)

🏠 Paul Michel, 20, Grande-Rue, 51530 Cuis, tél. 03 26 59 79 77, fax 03 26 59 72 12, champagne-p.michel@orange.fr, ☑ 🍴 t.l.j. sf sam. dim. 9h-12h 14h-17h; f. août

CHARLES MIGNON Premium Réserve

⬤	500 000	15 à 20 €

Une jeune maison de négoce créée en 1995 à Épernay. Elle a pris ses marques dans le Guide grâce, notamment, à cette cuvée Premium Réserve qui comprend trois quarts de pinot noir et un quart de chardonnay. D'un jaune pâle limpide, ce brut offre un nez complexe mêlant fleurs blanches, agrumes et fruits secs. L'ensemble est un peu fugace, mais équilibré. La **cuvée Comte de Marne grand cru (20 à 30 € ; 30 000 b.)**, qui associe 55 % de pinot noir et 45 % de chardonnay, fait jeu égal. Elle brille surtout par la finesse aromatique de son nez de fleurs blanches teinté d'une touche minérale. Elle devrait s'épanouir au vieillissement. (NM)

🏠 Charles Mignon, 7, rue Irène-Joliot-Curie, 51200 Épernay, tél. 03 26 58 33 33, fax 03 26 51 54 10, info@champagne-mignon.fr, ☑ 🏃 🍴 r.-v.

PIERRE MIGNON Prestige

⬤	80 000	15 à 20 €

Installée dans la vallée du Surmelin, affluent de la Marne, la famille Mignon commercialise ses champagnes sous cette étiquette depuis les années 1970 et ne manque jamais le rendez-vous du Guide. La maison dispose de 15 ha de vignes entre vallée de la Marne, Côte des Blancs et coteaux d'Épernay. Le meunier compose 55 % de ce brut Prestige, complété par le pinot noir (10 %) et le chardonnay. Discrètement vêtue d'or pâle et parfumée de fleurs, cette cuvée impose à la mise en bouche sa rondeur et ses arômes de pomme coupée, trouvant son équilibre grâce à sa finale acidulée. On peut la déguster aujourd'hui à l'apéritif ou l'attendre quelques mois, pour qu'elle s'ouvre un peu. (NM)

🏠 Pierre Mignon, 5, rue des Grappes-d'Or, 51210 Le Breuil, tél. 03 26 59 22 03, fax 03 26 59 26 74, info@pierre-mignon.com, ☑ 🍴 r.-v.

JEAN MILAN Glamour

⬤	10 000	▮ 20 à 30 €

Située à Oger, grand cru de la Côte des Blancs, l'exploitation familiale remonte au XIXe s., la cave ayant, elle, existé dès 1864. Elle est dirigée par Caroline et Jean-Charles Milan qui vous montreront leur très rare pressoir traditionnel rectangulaire avant de vous faire découvrir ce rosé. Un rien (10 %) de pinot noir vinifié en rouge donne sa teinte saumon pâle à ce vin de chardonnay. Pas de quoi alourdir le nez, délicat. Tout juste a-t-il apporter un soupçon de tanins dans la finale de ce champagne équilibré. Assez réservé, mais franc, le brut **Spécial blanc de blancs grand cru (15 à 20 € ; 10 000 b.)** constitue un joli vin d'apéritif. Même note. (NM)

🏠 Jean Milan, 6, rue d'Avize, 51190 Oger, tél. 03 26 57 50 09, fax 03 26 57 78 47, info@champagne-milan.com, ☑ 🍴 r.-v. 🏆 ❸

ALBERT DE MILLY

⬤ 1er cru	15 000	▮ 11 à 15 €

D'abord vinificateur itinérant, Alain Demilly a pu agrandir le vignoble familial grâce à cette activité puis déposer sa marque en 1994. Il est aujourd'hui épaulé par son fils Thomas. Le pinot noir (60 %) s'allie au chardonnay dans ce brut issu de raisins récoltés dans la Grande Vallée de la Marne : Bisseuil, Avenay-Val-d'Or (1ers crus) et Aÿ (grand cru). Libérant des senteurs de fleurs et de pêche mûre, ce champagne dévoile sa maturité par la richesse de son corps. On pourra le servir à table. (NM)

🏠 SARL A. Demilly, lieu-dit La Maladrie, rte d'Épernay, 51150 Bisseuil, tél. 03 26 52 33 44, fax 03 26 58 94 00, contact@demilly.com, ☑ 🏃 🍴 r.-v.

💜 MOËT ET CHANDON Rosé impérial ★★

⬤	n.c.	▮ 30 à 50 €

« La Grande Maison », tel est le surnom respectueux que les Champenois donnent à la société fondée en 1743 par Claude Moët. Ses successeurs ont assuré à la marque un triomphe : des dizaines de millions de cols vendus chaque année. Les chefs de cave qui se sont succédé ont maintes fois prouvé que volumes gigantesques ne sont pas incompatibles avec la qualité, et les trois bruts présentés pour cette édition ont obtenu deux étoiles chacun. Tous assemblent les trois cépages champenois, avec une nette dominante de noirs. Ce rosé voit sa jolie teinte rose pâle traversée par un train de fines bulles. Le nez de rose et de framboise offre un mariage subtil de l'intensité et de la finesse. Cette palette aromatique s'épanouit dans une matière à la fois crémeuse et fraîche, qui donne en attaque l'impression de croquer dans un fruit rouge frais. Un ensemble élégant et charmant. Un coup de cœur pour un tête-à-tête amoureux ? Le brut **Impérial** impose avec puissance ses senteurs printanières. Vif et riche au palais, il constitue un excellent apéritif. Quant au **Grand Vintage Collection 1993 (plus de 100 €)**, il éveille la curiosité, car cette année-là n'a pas été la plus millésimée. Dégorgé en novembre 2011, il présente une effervescence légère et une robe encore bien claire. Son nez apparaît évolué, mais derrière les notes de fruits surmûris et compotés, on lui découvre d'intéressantes nuances iodées et pétrolées. L'attaque est franche et la trame reste d'une étonnante fraîcheur après deux décennies. Avec un peu plus de complexité aromatique, il aurait pu décrocher un coup de cœur. (NM)

☛ Moët et Chandon – MHCS, 20, av. de Champagne, 51200 Épernay, tél. 03 26 51 20 00, info@moet.fr,
☑ ☀ ⵏ r.-v.
☛ LVMH

PIERRE MONCUIT Blanc de blancs 2004

Gd cru	22 700	20 à 30 €

Fondé à la fin du XIX^{e}s., ce domaine familial choie les blancs de blancs grâce à son vaste vignoble (20 ha) partagé entre Côte des Blancs et Sézannais. Il est dirigé par Yves et Nicole Moncuit, se chargeant des vinifications. Goûté en 2010, ce 2004 avait été jugé bien construit et vif, et l'on conseillait alors de l'attendre. Aujourd'hui, il est prêt. Le nez complexe mêle des notes de fruits blancs, de brioche et d'amande qui se retrouvent dans une bouche riche et généreuse. On pourra entamer cette bouteille à l'apéritif et la terminer à table. (RM)

☛ Pierre Moncuit, 11, rue Persault-Maheu, 51190 Le Mesnil-sur-Oger, tél. 03 26 57 52 65, fax 03 26 57 97 89, contact@pierre-moncuit.fr,
☑ ☀ ⵏ t.l.j. sf dim. 9h-12h 14h-17h30; f. août

ROBERT MONCUIT Blanc de blanc

Gd cru	52 000	15 à 20 €

« Propriétaire de vignes au Mesnil-sur-Oger depuis 1889 », annonce fièrement l'étiquette. Que dire de plus ? Forte de 8 ha de vignes sur la Côte des Blancs, l'exploitation, qui est dirigée par Pierre Amillet – le petit-fils de Robert Moncuit qui commercialisa ses premières bouteilles en 1928 –, propose essentiellement des blancs de blancs. Celui-ci assemble la récolte 2010 (80 %) à des vins de réserve élevés en fût. Son nez plutôt évolué de coing, de miel et de caramel contraste avec une bouche ferme et juvénile. La belle longueur signe la noblesse du terroir et laisse augurer une meilleure harmonie dans les années qui viennent. Issu du seul Mesnil-sur-Oger, le **blanc de blancs grand cru 2007 (20 à 30 €; 6 000 b.)** offre un nez complexe de fruits blancs mûrs, de brioche et de fleurs. Franc en attaque, ample et vineux, il accompagnera les produits de la mer cuisinés. (RM)

☛ Pierre Amillet, 2, pl. de la Gare, 51190 Le Mesnil-sur-Oger, tél. 03 26 57 52 71, fax 03 26 57 74 14, contact@champagnerobertmoncuit.com,
☑ ☀ ⵏ r.-v.

MONDET Grande Réserve

	78 630	11 à 15 €

Francis Mondet et ses filles exploitent 11 ha de vignes sur les coteaux de Cormoyeux et de Romery, non loin d'Hautvillers. Ils élèvent leurs vins dans des galeries creusées au XIX^{e}s. dans la craie, à 20 m de profondeur. Leur Grande Réserve mobilise les trois cépages champenois, avec une nette prédominance des noirs (85 %) et notamment du meunier (65 %). Floral, grillé et brioché, c'est un brut gourmand, plutôt charpenté, que l'on aura plaisir à déguster au cours d'un repas. (NM)

☛ SARL Francis Mondet, 2, rue Dom-Pérignon, 51480 Cormoyeux, tél. 03 26 58 64 15, fax 03 26 58 44 00, champagne.mondet@wanadoo.fr,
☑ ☀ ⵏ t.l.j. 9h-12h 14h-18h; sam. dim. sur r.-v.; f. 10-31 août

MONIAL Sylves

	4 000	20 à 30 €

Le champagne, selon la tradition, est né dans une abbaye. Dans la Côte des Bar, les cuvées d'Emmanuel Calon vieillissent sous les voûtes en ogive d'un cellier classé Monument historique, ancienne dépendance du monastère cistercien de Clairvaux. Elles portent des noms latins. Sylves ? Voilà qui évoque la forêt et donc une élaboration partielle en fût. Le pinot noir, assemblé au chardonnay, séjourne dans le bois. Le nez intense, sur le beurre et la noisette, est suivi d'une bouche à la fois vineuse et fraîche, qui finit sur un soupçon d'amertume. Un champagne de repas, pour les jours gras. (NM)

☛ Emmanuel Calon, Le-Cellier-aux-Moines, 10200 Colombé-le-Sec, tél. et fax 03 25 27 02 04, calon.emmanuel@wanadoo.fr,
☑ ☀ ⵏ t.l.j. 9h-12h 14h-18h; de nov. à mars sur r.-v. 🏠 Ⓑ

MONTAUDON Grande Rose ★

	n.c.	20 à 30 €

Créée en 1891, cette maison de négoce rémoise est restée dans la famille du fondateur pendant quatre générations avant de rejoindre il y a trois ans le puissant groupe coopératif Alliance Champagne, qui exploite aussi la marque Jacquart. Née des trois cépages champenois, avec 50 % de chardonnay et 15 % de vin rouge, cette Grande Rose aux légers reflets pelure d'oignon joue sur un registre évolué : subtiles notes empyreumatiques, caramel, fruits bien mûrs, épices se mêlent dans une bouche ample. Du caractère et de la complexité. Bel accord en perspective avec un plat épicé. (CM)

☛ Montaudon, 1, rue Kellermann, BP 2742, 51061 Reims Cedex, tél. 03 26 79 01 01, fax 03 26 47 88 82
☛ Alliance Champagne

MONT-HAUBAN Blanc de blancs ★★

	n.c.	20 à 30 €

Née en 1947, la cave coopérative de Monthelon-Morangis commercialise sous la marque Mont-Hauban des champagnes produits à partir des 86 ha de ses adhérents. Elle est située sur un coteau parallèle à la Côte des Blancs – une proximité qui permet à ses dirigeants d'avoir une idée juste du « bon » blanc de blancs. Celui-ci marie quatre récoltes (2008 à 2005). Sa robe est pâle, nuancée de reflets verts – un caractère juvénile confirmé par le nez subtilement floral et par la bouche fraîche. De délicates notes toastées, briochées et épicées et une certaine rondeur traduisent la présence de vieux vins. Reflet d'un réel savoir-faire, ce chardonnay mettra en valeur des noix de Saint-Jacques au safran. Mariant le chardonnay (60 %) et le meunier, le **Brut supérieur (15 à 20 €)**, cité, est un champagne discret, fin, équilibré et frais, pour l'apéritif. (CM)

🐓 Coopérative Monthelon-Morangis, 3, rte de Mancy, 51530 Monthelon, tél. 03 26 59 70 27, fax 03 26 59 77 26, accueil@champagnemonthauban.com,
☑ ⊤ t.l.j. sf sam. dim. 9h-12h 13h30-17h30

MOREL PÈRE ET FILS Réserve ★

	17 000	▮	15 à 20 €

Pascal Morel cultive 7,5 ha aux Riceys – la surface peut paraître importante, mais on gardera à l'esprit que la superficie du vignoble de cette commune auboise dépasse les 800 ha. Vigneron depuis quarante ans, il est l'un des spécialistes du rosé local (AOC rosé-des-riceys), ce qui n'empêche pas son brut Réserve d'être très souvent retenu dans le Guide. Sans surprise, c'est le pinot noir, majoritaire dans le secteur, qui mène la danse avec neuf parts, contre une de chardonnay, dans cet assemblage de quatre années. Séducteur, complexe et mûr, le nez mêle les fruits secs et les fruits confits. Ample et riche, sa bouche ne manque pas pour autant de fraîcheur : ce qu'on appelle l'équilibre. (RM)

🐓 Morel Père et Fils, 93, rue du Gal-de-Gaulle, 10340 Les Riceys, tél. 03 25 29 10 88, fax 03 25 29 66 72, morel.pereetfils@wanadoo.fr, ☑ 🍴 ⊤ r.-v.

MORIZE PÈRE ET FILS Réserve ★

	19 014	▮	15 à 20 €

La famille Morize est installée aux Riceys, dans l'Aube, depuis 1830. Bien connu dans le Barséquanais, le père de Guy Morize, l'actuel exploitant, était constructeur des charrues de vignes « Morize ». Cépage dominant du vignoble aubois, le pinot noir joue le rôle principal dans cette cuvée (85 %), le chardonnay lui donnant la réplique. La récolte 2007 est assemblée aux quatre années antérieures. Au nez, ce brut dévoile de discrets arômes fumés, épicés et des nuances de fruits blancs ; souple et rond à l'attaque, il ne manque pas de fraîcheur. (RM)

🐓 Morize Père et Fils, 122, rue du Gal-de-Gaulle, 10340 Les Riceys, tél. 03 25 29 30 02, fax 03 25 38 20 22, champagnemorize@wanadoo.fr, ☑ 🍴 ⊤ r.-v.

MOUTAUX Carte blanche ★★

	8 500	▮	11 à 15 €

Une nouvelle étiquette dans le Guide. Implantée dans la Côte des Bar, cette exploitation familiale de 13 ha y fait une entrée remarquée, grâce à ce brut privilégiant le chardonnay (80 %, le pinot noir faisant l'appoint). D'emblée, ce champagne dévoile un côté gourmand et flatteur avec son nez de beurre, de crème fraîche et de brioche. Ces arômes se prolongent en bouche, où des nuances plus fruitées et grillées viennent apporter de la complexité. Ample et riche sans lourdeur, le palais fait aussi preuve

d'une belle longueur. Un ensemble très agréable, qui sera mis en valeur par des saint-jacques à la crème. (RM)

🐓 EARL Moutaux, 2, rue des Ponts, 10200 Bligny, tél. 03 25 27 40 25, champagne.moutaux@orange.fr, ☑ 🍴 ⊤ r.-v.

MOUZON-LEROUX ET FILS Cuvée Mouzon-Juillet ★

Gd cru	1 700	▥	15 à 20 €

Installé à Verzy, célèbre pour ses faux, hêtres tortillards uniques en Europe, Philippe Mouzon descend d'une longue lignée de vignerons. Il a élaboré une belle cuvée qui porte le nom de ses grands-parents : trois quarts de chardonnay et un quart de pinot noir ; des vins de base des récoltes 2006 et 2004 vinifiés sans fermentation malolactique et un élevage majoritaire en fût. Il en résulte un champagne évolué, de caractère, au nez de pomme et de noix fraîche, sur un fond beurré et mentholé. Sa grande ampleur est équilibrée par une franche vivacité. Bel accord en perspective avec une terrine de lapin. Le **grand cru Mouzon-Leroux 2007 (7 500 b.)** privilégie lui aussi les blancs (70 %). Élégant, expressif, sur les fruits blancs et la noisette, il apparaît nettement moins évolué que le précédent et rafraîchit la bouche de sa vivacité tonique. Il est cité, comme le **rosé 1er cru** issu d'un assemblage des trois cépages. Un champagne rose pâle, entre fruits rouges et amande, équilibré et long. (NM)

🐓 SARL Mouzon-Leroux, 16, rue Basse-des-Carrières, 51380 Verzy, tél. 03 26 97 96 68, fax 03 26 97 97 67, champagne-mouzon-leroux@wanadoo.fr, ☑ 🍴 ⊤ r.-v.

♥ G.-H. MUMM Blanc de blancs Mumm de Cramant ★★

	n.c.	▮	50 à 75 €

Comme d'autres grands noms de la Champagne, la maison Mumm est d'origine allemande. Elle fut fondée en 1827 par les trois frères Mumm, fils d'un négociant de Cologne. Symbole de la marque, le cordon rouge fut lancé en 1875. Forte d'un vignoble en propre de 218 ha, la société constitue depuis 2005 le fleuron champenois du groupe Pernod Ricard. À l'origine réservé aux amis et aux meilleurs clients, son blanc de blancs de Cramant remonte à 1882. Il provient évidemment de chardonnays nés sur le prestigieux grand cru de la Côte des Blancs. C'est un champagne à demi-mousse d'une pression inférieure à celle des autres champagnes, et son dosage est très mesuré pour un brut (6 g/l). Habillé d'une robe d'or pâle et paré d'un collier de très fines bulles, il délivre des parfums intenses et élégants, fumés et grillés. Très présent au palais grâce à son volume et à son équilibre, il finit son œuvre de séduction par sa longue finale vanillée. Pour un apéritif de grande classe, des fruits de mer ou du poisson cru. (NM)

🐓 G.-H. Mumm, 29, rue des Champs-de-Mars, 51100 Reims, tél. 03 26 49 59 69, fax 03 26 40 46 13, mumm@mumm.com, ☑ 🍴 ⊤ r.-v.

🐓 Pernod Ricard

NAPOLÉON Tradition ★

| | 70 000 | | 20 à 30 € |

Le champagne Napoléon a été lancé par la maison Ch. & A. Prieur de Vertus, elle-même aujourd'hui propriété de la coopérative La Goutte d'or installée dans la même commune. Issue de pinot noir et de chardonnay, cette cuvée Tradition a mûri quatre ans sur lattes. Cette durée respectable a permis au vin d'acquérir ces plaisantes senteurs de miel d'acacia et de torréfaction qui s'échappent de sa robe dorée, portées par une bulle fine. D'une belle tenue, équilibré et long, ce champagne tiendra sa place à table, avec un vin de viande blanche, par exemple. (NM)
🍇 Napoléon, 30, rue du Gal-Leclerc, 51130 Vertus, tél. 03 26 52 11 74, fax 03 26 52 29 10, info@champagne-napoleon.fr,
☑ ⊤ t.l.j. sf sam. dim. 9h-12h 14h-18h

BERNARD NAUDÉ Tradition ★

| | 40 814 | | 11 à 15 € |

En aval de Château-Thierry, Charly-sur-Marne offre au visiteur, entre autres curiosités, la tour Napoléon et le « tombeau Cornette ». Ancien officier de la Grande Armée, Armand Prosper Cornette avait fait ériger en 1830 ce monument en hommage à son héros. La tour comme la tombe se trouvent sur la propriété de Bernard Naudé. Lancé en 1972, le champagne Bernard Naudé est élaboré sur l'exploitation depuis 1983. Le meunier est majoritaire sur le vignoble de 8 ha. Ce cépage compose 86 % de ce brut encore sur la réserve : robe claire, nez léger, discrètement citronné, bouche tout en fraîcheur. Le dosage parfaitement réussi contribue à l'impression de vivacité. (RM)
🍇 EARL la Tour Napoléon, 12, av. Fernand-Drouet, BP 61, 02310 Charly-sur-Marne, tél. 03 23 82 09 26, fax 03 23 82 85 62, info@champagne-bernard-naude.com,
☑ ⚘ ⊤ t.l.j. sf dim. 9h30-12h 13h30-18h30

ALAIN NAVARRE Prestige

| | 4 000 | | 15 à 20 € |

Alain Navarre a repris l'exploitation familiale en 1980. Il cultive près de 7 ha sur les bords de la Marne, en amont de Château-Thierry. Sa cuvée Prestige assemble pinot noir et chardonnay à parts égales. Elle livre des senteurs délicates de citron, de beurre et de grillé. Franche à l'attaque, elle conjugue au palais une matière ample et une bonne vivacité. Cet équilibre lui permettra de tenir sa place aussi bien à l'apéritif qu'au repas. (RM)
🍇 Alain Navarre, 14, rue de la Marne, 02850 Passy-sur-Marne, tél. 03 23 70 35 12, fax 03 23 70 64 97, contact@champagne-navarre.fr,
☑ ⚘ ⊤ r.-v.

LOUIS NICAISE Cuvée Louis par Laure 2005 ★

| 1er cru | 8 000 | | 15 à 20 € |

En 1928, Lucien Nicaise s'installe à Hautvillers avec l'intention d'élaborer son propre champagne. Depuis 2012, c'est son arrière-petite-fille, Laure, qui est à la tête de ce domaine de 9 ha, après avoir épaulé son père Régis pendant dix ans. La cuvée 2005 privilégie le chardonnay (80 %), le pinot noir venant en complément. Le nez délicat, élégamment floral, contraste avec la bouche, puissante et charpentée. Un vin de repas. Nouveauté dans la gamme, la cuvée **1er cru les Noces blanches (20 à 30 € ; 1 300 b.)**,

citée, est un pur chardonnay issu de Chouilly et de Hautvillers. La moitié du vin a été élevée sous bois pendant neuf mois – les fûts, de réemploi, n'ont laissé aucune empreinte aromatique sur ce champagne au caractère fruité (fruits blancs et agrumes) et minéral, qui prend de l'ampleur après la mise en bouche. (RM)
🍇 Louis Nicaise, 11, pl. de la République, 51160 Hautvillers, tél. 03 26 59 40 21, fax 03 26 52 06 96, champagnelouisnicaise@hotmail.fr, ☑ ⊤ r.-v.

NICOLAS NOBLE Cuvée Privilège ★

| | 50 000 | | 11 à 15 € |

Viticulteurs depuis le XVIIIe s., les Gremillet commercialisent leurs champagnes depuis 1979. Aujourd'hui vignerons et négociants, ils exportent les deux tiers de leur production. Parmi leurs diverses marques, celle-ci diffuse des cuvées provenant du coquet domaine familial : 39 ha, non loin des Riceys dans l'Aube. Le pinot noir, majoritaire dans le secteur, compose 80 % de cette cuvée, complété par le chardonnay. De plaisants parfums d'agrumes frais et de fruits jaunes annoncent une attaque franche, une bouche dynamique, bien construite, au dosage maîtrisé. (RM)
🍇 SCEA le Clos des Vignes, rte de Bagneux, 10110 Balnot-sur-Laignes, tél. 03 25 29 37 91, fax 03 25 29 30 69, info@champagnegremillet.fr, ☑ ⚘ ⊤ r.-v.
🍇 Jean-Michel Gremillet

CAROLE NOIZET Sélection Fleur de vigne ★★

| | 6 000 | | 11 à 15 € |

Carole Noizet s'est installée en 2000 sur les 5,5 ha de l'exploitation familiale dans le massif de Saint-Thierry, au nord-ouest de Reims. Sa cuvée Sélection Fleur de vigne assemble par tiers les trois cépages champenois. Elle présente un nez délicat qui n'a rien de floral : il se partage entre la poire et l'amande, arômes que l'on retrouve dans une bouche franche et d'une grande élégance. Les deux pinots à parts égales composent la **Perle noire (15 à 20 € ; 3 000 b.)**, notée une étoile. Un blanc de noirs au nez beurré s'ouvrant sur les fruits frais, le miel et le tilleul. Sa bouche vive incite à le déboucher dès l'apéritif, mais son côté gourmand pourrait être intéressant à table. (RC)
🍇 Carole Noizet, 1, rte de Thil, 51220 Saint-Thierry, tél. 03 26 97 77 45, fax 03 26 08 05 78, carole.noizet@orange.fr, ☑ ⊤ r.-v.

NOMINÉ-RENARD Spécial club 2008

| | 2 000 | | 30 à 50 € |

Le haut « menhir » en béton teinté de rouge de Mondement commémore la première bataille de la Marne qui se déroula à ses pieds en 1914. Dominant le marais de Saint-Gond, il fait face aux coteaux viticoles de Villevenard qui prolongent au sud-ouest la Côte des Blancs. Une partie des 20 ha du vignoble des Nominé sont implantés sur ces pentes, le reste dans le Sézannais et la vallée de la Marne. Claude et Simon, le père et le fils, nous ont présenté ce 2008 resté cinquante mois sur lattes. Complété par le pinot noir, le chardonnay compose les quatre cinquièmes de ce champagne aux nuances d'abricot, d'agrumes, de fruits mûrs, légèrement miellées. Structuré et riche, il reste pourtant élégant et s'étire en bouche sur des impressions de fraîcheur. (RM)

Nominé-Renard, 32, rue Vigne-l'Abbesse,
51270 Villevenard, tél. 03 26 52 82 60, fax 03 26 52 84 05,
contact@champagne-nomine-renard.com,
☑ ☗ t.l.j. 8h-16h30; sam. dim. sur r.-v.

CHARLES ORBAN Carte noire ★

○	32 000	▮	15 à 20 €

Les Orban sont plusieurs dans la vallée de la Marne,
où l'on trouve cette famille dès le XVIII°s. Dans les années
1950, Charles Orban quitte la coopérative pour lancer sa
marque. L'exploitation a été acquise en 1997 par la famille
Rapeneau. Son brut Carte noire assemble 60 % des deux
pinots (à parité) à 40 % de chardonnay. Il s'ouvre sur une
note fumée avant de s'épanouir sur des notes d'évolution
où l'on reconnaît la cire, la mirabelle et le coing. Souple
à l'attaque, ronde avec ce qu'il faut de fraîcheur, la bouche
reprend cette palette et l'enrichit d'une note poivrée en
finale. Un champagne gourmand qui fera merveille lors
d'un apéritif en plein air. (RM)
Charles Orban, 44, rte de Paris, 51700 Troissy,
tél. 03 26 52 70 05, fax 03 26 52 74 66,
lbn@champagnemartel.com, ☑ ⚔ ☗ r.-v.

LUCIEN ORBAN Carte d'or ★★

○	13 000	▮	11 à 15 €

Depuis 1991, Hervé Orban dirige l'exploitation
fondée par son grand-père et commercialise ses champagnes sous l'étiquette créée par son père Lucien. Pour
trouver son village, Cuisles, il suffit de longer la Marne sur
sa rive droite, entre Épernay et Dormans, et de tourner à
droite lorsqu'on aperçoit la statue monumentale du pape
Urbain II. Très présent dans son vignoble, le meunier
compose 90 % de cette cuvée, le pinot noir faisant
l'appoint. Les jurés ont beaucoup apprécié son nez floral
et surtout fruité, panier de fruits exotiques, d'agrumes,
d'abricots et mirabelles. Après une attaque fraîche, ces
arômes gourmands parfument longuement une matière
ample à souhait. Le rosé Carte d'or Cuvée de réserve
(5 000 b.) résulte d'un assemblage similaire, additionné de
vin rouge au tirage. Il reçoit une étoile pour son nez de
framboise et de chèvrefeuille et pour sa bouche équilibrée
et fraîche. Bel accord avec un dessert glacé. (RM)
SCEV Hervé Orban, 11, rue du Gal-de-Gaulle,
51700 Cuisles, tél. 03 26 58 16 11, fax 03 26 52 84 82,
herve.orban@wanadoo.fr, ☑ ⚔ ☗ r.-v.

BRUNO PAILLARD Blanc de blancs Réserve privée ★★

Gd cru	n.c.	▮◗	30 à 50 €

Cette affaire de négoce se définit comme la plus
récente des grandes maisons. Descendant de vignerons,
Bruno Paillard l'a fondée en 1981 avec pour ambition
l'exportation de cuvées haut de gamme. Deux décennies
plus tard, les champagnes qui sortent de la cuverie ultramoderne sont exportés à 75 %. Toutes les cuvées comprennent au moins 20 % de vins vinifiés en fût, et leur dosage est
mesuré. Celle-ci offre toute la distinction attendue d'un pur
chardonnay. Elle a été tirée « en petite mousse » : ce sont
des bulles fines qui s'élèvent dans sa robe claire. Le nez
élégant conjugue délicatesse et puissance ; il mêle des
fragrances florales et toastées. La bouche, à l'unisson, allie
ampleur soyeuse et tension. Un champagne distingué,
pour l'apéritif. Issu des trois cépages, le brut Première
Cuvée, équilibré et long, est cité. (NM)

Bruno Paillard, av. de Champagne, 51100 Reims,
tél. 03 26 36 20 22, fax 03 26 36 57 72,
info@brunopaillard.com

PALMER & C⁰ Réserve ★

○	200 000	▮	20 à 30 €

Fondée en 1947 par sept vignerons de la Côte des
Blancs et de la Montagne de Reims, cette coopérative a
bénéficié de l'expansion du champagne et connu un bel
essor, franchissant le cap du million de cols au milieu des
années 1980. Son approvisionnement couvre aujourd'hui
370 ha. Le brut Réserve de la cave a de nouveau séduit.
Mi-blancs mi-noirs (40 % de pinot noir), il emprunte au
chardonnay son nez d'agrumes et de beurre, et aux pinots
sa vinosité et sa rondeur en bouche. Son ampleur équilibrée par ce qu'il faut de vivacité lui permettra de briller à
table ; un gastronome audacieux suggère une alliance avec
du gibier. Le blanc de blancs 2007 (30 à 50 € ; 40 000 b.)
montre la fraîcheur aérienne typique du millésime : une
citation. (CM)
Palmer, 67, rue Jacquart, 51100 Reims,
tél. 03 26 07 35 07, fax 03 26 07 45 24,
contact@champagne-palmer.fr,
☑ ☗ t.l.j. sf sam. dim. 8h-12h 14h-18h

PAQUES ET FILS Origine Élevé en fût de chêne 2006 ★

1er cru	4 000	▮◗	20 à 30 €

Une exploitation familiale fondée en 1905 sur le versant nord de la Montagne de Reims. L'arrière-grand-père
de l'actuel récoltant possédait déjà son pressoir. Installé en
1995, Philippe Paques dispose d'un vignoble de plus de
10 ha. Le jury a apprécié sa cuvée de prestige : ce brut
Origine, qui assemble huit parts de chardonnay pour deux
parts de pinot noir, vinifié sans fermentation malolactique
avec un élevage de six mois en fût. Un champagne ample,
équilibré et long, à la palette aromatique complexe : fruits
confits, brioche, noisette et vanille. Il devrait se garder
plusieurs années et se plaira avec une volaille truffée. (RM)
Paques et Fils, 1, rue Valmy, 51500 Rilly-la-Montagne,
tél. 03 26 03 42 53, fax 03 26 03 40 29,
phil.paques@wanadoo.fr, ☑ ⚔ ☗ r.-v.

SÉBASTIEN PASCAL Perle de Rosé ★

○	3 000	▮	15 à 20 €

En 2000, Sébastien Pascal reprend le domaine
familial, crée sa marque et s'installe au château de Cuisles,
sur la rive droite de la Marne, où il aménage des chambres
d'hôtes. Il signe un rosé né des trois cépages champenois
à parts égales. À la robe saumonée répond un nez flatteur,
précis et tout en finesse, sur la griotte. On retrouve ce fruité
dans une bouche équilibrée et persistante. Quant à la
Grande Cuvée grand cru Pascal-Mercier (11 à 15 € ;
6 000 b.) mi-blancs mi-noirs, elle est citée. Son nez sur
la pâtisserie et les fruits blancs, sa bouche plutôt discrète, mais fraîche, la destinent à l'apéritif ou à un début
de repas. (NM)
Sébastien Pascal, 4, RD 224, 51700 Cuisles,
tél. 03 26 51 74 89, fax 03 26 51 94 73,
spascal.mercier@wanadoo.fr,
☑ ⚔ ☗ t.l.j. 8h-12h 14h-18h 🏠 ❺

DENIS PATOUX ★★★

○	n.c.	▮	15 à 20 €

Les Patoux sont viticulteurs depuis plus d'un siècle
sur la rive droite de la Marne et commercialisent leurs

champagnes depuis 1945. Denis Patoux, qui a pris les rênes de l'exploitation en 1976, dispose d'un vignoble de 8,5 ha. Son rosé d'assemblage a fait l'unanimité. Il marie 50 % de pinot noir, 30 % de chardonnay et 20 % de meunier, et tire sa couleur de 15 % de meunier vinifiés en rouge. La robe rose brille sous une mousse crémeuse. Le nez flatteur est tout en fruits rouges frais. Pareillement enjôleuse, croquante, la bouche, mise en valeur par un dosage précis, montre un parfait équilibre entre ampleur et vivacité. Sa longue finale fraîche fait durer le plaisir. (RM)

☎ Denis Patoux, 1, rue Bailly, 51700 Vandières, tél. 03 26 58 36 34, fax 03 26 59 16 10, denis.patoux@wanadoo.fr, ☑ ⚹ ☗ r.-v.

JEAN-MICHEL PELLETIER Sélection ★

○	9 000	▮	11 à 15 €

Jean-Michel Pelletier a repris le domaine familial à partir de 1982 et porté sa superficie à près de 5 ha. Diplômé en œnologie, il participe aux assemblages à la coopérative de Passy-Grigny qui vinifie sa production. Dominée par les raisins noirs (50 % de meunier, 35 % de pinot noir), sa cuvée Sélection est particulièrement loquace : au premier nez, des agrumes relayés par les fruits à l'alcool, puis la crème pâtissière, et enfin des notes grillées et toastées. La bouche, tout aussi expressive, est vineuse et longue. Bel accord avec des gougères, à l'apéritif, ou avec une viande blanche. Issu d'un assemblage également dominé par les noirs, le **rosé (3 000 b.)** obtient la même note pour ses arômes de fruits rouges et de beurre, et pour son attaque nette et ronde. (RC)

☎ EARL Jean-Michel Pelletier, 22, rue Bruslard, 51700 Passy-Grigny, tél. et fax 03 26 52 65 86, champagnejmpelletier@wanadoo.fr, ☑ ⚹ ☗ r.-v.

JEAN PERNET Blanc de blanc Réserve ★

○ Gd cru	45 000	▮ 🍶	15 à 20 €

Un ancêtre de Christophe et Frédéric Pernet cultivait la vigne au début du XVIIᵉs. Le tandem dirige aujourd'hui une petite maison de négoce forte d'un domaine réparti entre vallée de la Marne, coteaux d'Épernay et Côte des Blancs. C'est de ce dernier secteur et, plus précisément, du Mesnil-sur-Oger que proviennent les raisins blancs à l'origine de cette cuvée. Une bulle fine traverse la robe or clair, portant au nez des nuances de fleurs et de fruits blancs, avec des touches grillées. Tout aussi aromatique, la bouche brille par son équilibre. Bel accord en perspective avec un sandre au beurre blanc. (NM)

☎ Jean Pernet, 6, rue de la Brèche-d'Oger, 51190 Le Mesnil-sur-Oger, tél. 03 26 57 54 24, fax 03 26 57 96 98, champagne.pernet@orange.fr, ☑ ⚹ ☗ r.-v.

PERNET-LEBRUN Cuvée Tradition

○	52 246	▮	15 à 20 €

Janick Pernet a repris l'exploitation familiale en 1990 : 12 ha sur les coteaux sud d'Épernay. Mariant deux tiers de meunier et un tiers de chardonnay de la récolte 2009, sa cuvée Tradition présente un nez assez évolué, partagé entre les fruits confits et l'amande. Plus jeune, la bouche se déploie avec équilibre sur des nuances de fruits blancs ou jaunes ; une touche fumée marque la finale. (RM)

☎ Pernet-Lebrun, Ancien-Moulin, 51530 Mancy, tél. 03 26 59 71 63, fax 03 26 57 10 42, contact@champagne-pernetlebrun.com, ☑ ⚹ ☗ t.l.j. 10h-12h 14h-18h; sam. dim. sur r.-v.; f. 10-25 août

♥ PERRIER-JOUËT Belle Époque 2004 ★★

○	n.c.	▮	+ de 100 €

Le XIXᵉs. fut un siècle de conquête pour nombre de négociants en vins de Champagne, comme les Perrier-Jouët. Fondée sous le Premier Empire (1811), la maison se développa notamment en Angleterre, où elle devint le fournisseur de la reine Victoria. Elle est depuis 2005 l'un des fleurons du géant Pernod Ricard. Sérigraphiées sur la bouteille, les anémones Art nouveau dessinées en 1902 par Émile Gallé ornent la cuvée millésimée Belle Époque, haut de gamme de la marque. Les dégustateurs ont goûté de nouveau le **2004 blanc (plus de 100 €)** et sa version rosé. Ce millésime est décidément à la hauteur du superbe habillage de la bouteille : le blanc, comme le rosé, a obtenu deux étoiles. Issues d'un assemblage mi-blancs mi-noirs (du pinot noir et un soupçon de meunier), les deux cuvées conjuguent ampleur et finesse, maturité aromatique et fraîcheur. Elles apparaissent finalement proches, à peine différenciées par la nuance de la robe (saumon pâle ou melon dans un cas, or vert dans l'autre) et par quelques subtilités aromatiques (un peu plus de noyau et de la fraise des bois pour le rosé, de la fleur séchée et du fruit confit pour le blanc). Deux champagnes gourmands, qui pourront accompagner un repas entier. (NM)

☎ Perrier-Jouët, 28, av. de Champagne, 51200 Épernay, tél. 03 26 53 38 00, fax 03 26 54 54 55, info@perrier-jouet.fr
☎ Pernod Ricard

PERSEVAL-FARGE 2002 ★★★

○ 1er cru	2 000		20 à 30 €

Isabelle et Benoist Perseval exploitent 4 ha sur les coteaux de Chamery, joli village sur le versant nord de la Montagne de Reims. Leurs cuvées ont une fois de plus séduit. La préférée est ce 2002, assemblage des trois cépages champenois (chardonnay 51 %) : une robe jaune paille au cordon persistant, des arômes complexes et mûrs de coing, de tabac, de café et de vanille, un un palais à la fois puissant et équilibré composent un millésime accompli, à son apogée. Cité, le **1er cru Terre de sables (15 à 20 € ; 6 000 b.)** associe par tiers les trois cépages et tire son nom de son terroir d'origine. C'est un champagne puissant, vineux, aux arômes évolués. Même note pour le **1er cru C. de pinots (15 à 20 € ; 6 000 b.)**, un blanc de noirs issu des deux pinots et élevé douze mois en fût. On lui trouve aussi des qualités de puissance ; une pointe boisée sur des tons d'épices douces (muscade) vient enrichir sa palette fruitée (poire et pomme mûres) et biscuitée. (RM)

CHAMPAGNE

🕊 Benoist Perseval, 12, rue du Voisin, 51500 Chamery,
tél. 03 26 97 64 70, fax 03 26 97 67 67,
champagne.perseval-farge@orange.fr, ☑ ⚔ ⊤ r.-v.

PERTOIS-MORISET Extra-brut Blanc de blancs
Cuvée extra ★

● Gd cru	n.c.	🍾	15 à 20 €

Aux origines de ce champagne lancé en 1952, le mariage d'Yves Pertois, de Cramant, avec Janine Moriset, du Mesnil-sur-Oger. Aujourd'hui, Dominique Pertois et sa fille Cécile exploitent 18 ha dans la Côte des Blancs et dans le Sézannais : le chardonnay est très présent dans leur carte des vins. Il se décline en trois styles différents dans les cuvées suivantes, toutes retenues avec une étoile. Cuvée extra ? Un extra-brut au nez de fleurs blanches et d'amande, étonnamment tendre et charnu pour un blanc de blancs si peu dosé. Bien plus généreux en sucres, le **blanc de blancs grand cru 2006 (20 à 30 €)** est arrivé à son apogée. Son nez beurré, marqué par des notes d'évolution (fruits très mûrs, torréfaction) et sa bouche ronde et ample le destinent à la table, où il s'accordera avec un poisson cuisiné. Quant à la **Grande Réserve grand cru**, née de la récolte 2009, elle est appréciée pour sa palette aromatique (pêche, acacia, viennoiserie, notes grillées) et pour sa bouche équilibrée, légèrement acidulée. (RM)
🕊 Pertois-Moriset, 13, av. de la République,
51190 Le Mesnil-sur-Oger, tél. 03 26 57 52 14,
fax 03 26 57 78 98, info@champagne-pertois-moriset.com,
☑ ⊤ t.l.j. 9h-12h 14h-17h; sam. dim. sur r.-v.

TH. PETIT ★★★

● Gd cru	18 000	🍾	15 à 20 €

C'est Théophile Petit qui décide, pour pallier les effets de la crise de 1929, de commercialiser son champagne. Son fils André prend la relève en 1948 et profite des Trente Glorieuses pour porter le vignoble de 1 à 6,3 ha. À partir de 1995, il forme sa nièce Bénédicte Bérard-Meuret, qui gère l'exploitation. Le domaine s'étend autour d'Ambonnay, grand cru de la Montagne de Reims, fief du pinot noir. Complété par le chardonnay, ce cépage compose les trois quarts de cette cuvée. Derrière une robe d'un or limpide couronnée d'une effervescence tonique, on découvre des senteurs intenses, complexes et subtilement évoluées : pêche, poire, kirsch, prune, brioche beurrée... Dans le même registre, la bouche se montre ample, ronde et longue, suffisamment fraîche pour ne rien céder sur l'élégance. Pour l'apéritif, du poisson cuisiné et – pourquoi pas ? – de la cuisine asiatique ou un fondant au chocolat. Mi-blancs mi-noirs, la **cuvée Prestige 2004 grand cru (20 à 30 € ; 3 000 b.)**, notée une étoile, brille par son nez torréfié et beurré, et gagne en complexité au palais. Un champagne harmonieux et épanoui. (RC)
🕊 Bénédicte Bérard-Meuret, 11, rue Colbert,
51150 Ambonnay, tél. 03 26 57 01 13, fax 03 26 58 37 18,
champagneth.petit@wanadoo.fr,
☑ ⚔ ⊤ t.l.j. 10h-12h30 14h-16h30; sam. dim. sur r.-v.;
f. août, 16-24 fév. 🏠 Ⓓ

PETIT ET BAJAN Cuvée Ambrosie ★

● Gd cru	4 000	🍾	30 à 50 €

Un nouveau domaine dans le Guide : la propriété, toute récente, a été créée en 2010. Son nom réunit le patronyme de deux familles vigneronnes alliées, et son siège est à Avize, grand cru de la Côte des Blancs. Issue de l'année 2009 et d'une majorité de chardonnay (70 %) accompagné

de pinot noir, cette cuvée Ambrosie est puissante et vineuse. Son attaque franche et une certaine nervosité reflètent sa jeunesse. Quant au **grand cru Nuit blanche (2 500 b.)**, une étoile également, c'est un pur chardonnay au nez discrètement floral, grillé et citronné, et au palais bien structuré, qui pourra accompagner un repas. (RM)

NOUVEAU PRODUCTEUR

🕊 Richard et Véronique Petit, 10,rue d'Oger, 51190 Avize,
tél. 03 26 52 79 97, champpetitetbajan@sfr.fr, ☑ ⚔ ⊤ r.-v.

PETITJEAN-PIENNE Cœur de chardonnay

● Gd cru	15 000	🍾	15 à 20 €

De vieille souche vigneronne, Denis et Dominique Petitjean exploitent avec leur fille Marie un vignoble de près de 4 ha ; à l'origine de cette cuvée issue de la récolte 2010 et de vins de réserve de 2009, 2,4 ha de chardonnay planté sur la Côte des Blancs. Un nez d'agrumes et de beurre prélude à une bouche acidulée, encore un peu nerveuse. Cette bouteille, qui peut s'accorder dès maintenant avec des produits de la mer, devrait gagner à attendre deux ans. (RM)
🕊 Denis Petitjean, 4, allée des Bouleaux, 51530 Cramant,
tél. 03 26 57 58 26, fax 09 70 32 31 62,
petitjean.pienne@wanadoo.fr, ☑ ⚔ ⊤ r.-v. 🏠 ❶ 🏠 Ⓓ

DANIEL PÉTRÉ & FILS Blanc de blancs Cuvée Marie ★

	6 000	🍾	15 à 20 €

Daniel, Vincent et Marie-Christine Pétré exploitent un vignoble de 18 ha sur la Côte des Bar. L'élaboration de leurs cuvées est confiée au savoir-faire du Centre vinicole de la Champagne à Chouilly. Celle-ci est un blanc de blancs au nez de fruits blancs frais. La bouche intense allie une fraîcheur agréable et des arômes briochés. (RC)
🕊 Daniel Pétré et Fils, 2, chem. de la Voie-aux-Chèvres,
10110 Ville-sur-Arce, tél. et fax 03 25 38 77 23,
contact@champagne-petre.com, ☑ ⚔ ⊤ r.-v.

PHILBERT ET FILS ★

● 1er cru	4 000	🍾	15 à 20 €

Sur le versant nord de la Montagne de Reims, le village de Rilly-la-Montagne n'a pas été épargné par l'Histoire : ruiné à la fin de la première guerre mondiale puis bombardé pendant la seconde, car des bombes V1 allemandes étaient stockées dans un tunnel tout proche. Mais les vignerons ne se sont pas découragés. Chez les Philbert, Henri, Claude et Jérôme ont pris la suite de Victor. Le champagne a été lancé en 1950 par Henri, et son petit-fils conduit aujourd'hui plus de 9 ha de vignes. Il signe un rosé saumon très pâle au nez fin de petits fruits rouges et à la bouche équilibrée et fraîche. (RM)
🕊 Jérôme Philbert, 17, rue Carnot,
51500 Rilly-la-Montagne, tél. 03 26 03 42 58,
fax 03 26 03 46 36, contact@champagnephilbert.com,
☑ ⚔ ⊤ t.l.j. sf mer. sam. dim. 9h-12h 14h-17h; f. août

MAURICE PHILIPPART 2004 ★★

● 1er cru	2 310	🍾	15 à 20 €

Un Nicaise Philippart cultivait déjà la vigne sur la Montagne de Reims sous le règne de Charles X, mais c'est seulement cent ans plus tard, en 1930, que Maurice Philippart commercialisa les premières bouteilles. Son petit-fils, Franck, secondé par Christophe, conduit un petit domaine de 3 ha et a pris le statut de négociant en 2011. Il a présenté un 2004 largement dominé par le chardonnay

(90 %, pour 10 % de pinot noir). Un nez flatteur de fruits blancs et d'agrumes mûrs nuancé de légères notes toastées prélude à une bouche riche, bien équilibrée par son acidité. Des chardonnays de cette même année 2004 sont à l'origine du **1er cru blanc de blancs (2 179 b.)**, cité pour ses arômes complexes et évolués. (NM)

🕭 SARL Maurice Philippart, 3, rue des Vignes, BP 11, 51500 Chigny-les-Roses, tél. 03 26 03 42 44, fax 03 26 03 46 05, contact@champagne-mphilippart.com, ☑ ⚓ ⚑ r.-v.

♥ **PHILIPPONNAT** Clos des Goisses 2003 ★★

	8 384	▮▯	+ de 100 €

Les Philipponnat, déjà propriétaires à Aÿ au XVIᵉ s., élaborent leurs champagnes depuis le Second Empire. Charles Philipponnat dirige la maison, aujourd'hui dans l'orbite du groupe Lanson-BCC. Acquis en 1935, le Clos des Goisses est à l'origine de la cuvée phare de la maison : une vigne de 5,5 ha ceinte de murs, exposée plein sud et caractérisée par une déclivité impressionnante : les ceps semblent se précipiter dans la Marne. Son champagne (65 % de pinot noir, 35 % de chardonnay) a eu une bonne demi-douzaine de coups de cœur, même dans des millésimes difficiles. En 2003, après le gel de printemps et la canicule, les raisins furent peu nombreux en Champagne, et la maison ne put tirer que la moitié de la production habituelle de cette cuvée. Rares sont ceux qui pourront apprécier ce champagne doré au nez puissant de poire mûre et de torréfaction, qui s'enrichit en bouche de nuances miellées et fumées. Grand terroir oblige, sa matière ample et souple ne pâtit pas d'un manque d'acidité, mais brille par son équilibre. Nos jurés le répètent : « C'est tout simplement excellent. » Un qualificatif qui s'applique également au **grand cru 2004 cuvée 1522 (50 à 75 € ; 10 400 b.)**, assemblage privilégiant les noirs (70 %), qui reçoit également deux étoiles. Au nez comme en bouche, de la griotte, accompagnée de notes toastées ; au palais, richesse et fraîcheur, dans un bel équilibre. Les dégustateurs verraient bien un accord ton sur ton avec un dessert aux cerises. Même prédominance des noirs dans la **Royale Réserve Non dosé (30 à 50 € ; 50 000 b.)**, notée une étoile, qui a divisé le jury, en raison d'une pointe d'amertume. Son nez évolué, son attaque charnue et son corps rond conviendront bien à un poulet aux morilles. (NM)

🕭 Philipponnat, 13, rue du Pont, 51160 Mareuil-sur-Aÿ, tél. 03 26 56 93 00, fax 03 26 56 93 18, info@philipponnat.com, ☑ ⚓ ⚑ r.-v.

🕭 Lanson-BCC

JACQUES PICARD Brut nature ★

	5 000	▮	20 à 30 €

Stratégique (et dévasté) pendant la Grande Guerre, le mont de Berru s'élève dans la plaine, à l'est de Reims.

Ses flancs portent des vignes plantées, entre autres, par le grand-père et le père de Sylvie et Corinne Picard, qui conduisent aujourd'hui la propriété (17 ha) avec leurs conjoints. Trois chiffres pour résumer leur brut nature : 75 % de vins de réserve, 70 % de chardonnay et nulle liqueur de dosage. De fines bulles traversent une robe pâle portant de légères senteurs de fleurs blanches assorties de notes poivrées et fumées et d'une élégante nuance iodée. La bouche ronde, équilibrée par une belle fraîcheur, appelle les fruits de mer. La cuvée **Henri de Berr (11 à 15 € ; 20 000 b.)** privilégie plus le chardonnay (60 %), le meunier faisant l'appoint, comme pour le vin précédent. Elle séduit par ses arômes intenses et complexes (agrumes, fruits jaunes, brioche et miel) qui se prolongent dans une bouche équilibrée, structurée, longue et d'une belle finesse. Un assemblage similaire est à l'origine du **Corinne Picard (11 à 15 € ; 20 000 b.)**, cité par le jury. Un champagne expressif, ample, frais et long, à servir sur un poisson grillé. (RM)

🕭 Jacques Picard, 12, rue de Luxembourg, 51420 Berru, tél. 03 26 03 22 46, fax 03 26 03 26 03, champagnepicard@aol.com, ☑ ⚓ ⚑ r.-v.

PICARD ET BOYER Réserve de famille ★

	10 000		20 à 30 €

En 1994, Antoine Picard et Francis Boyer se sont associés pour exploiter un vignoble de presque 14 ha dans la vallée de la Marne. En 2010, Axel Picard, fils d'Antoine, a repris le flambeau. Il a présenté ce brut issu de la récolte 2007, élaboré avec une majorité de chardonnay élevé en fût et assemblé à du pinot noir. Sensible sans être écrasant, le boisé donne du relief aux arômes fruités. La bouche fait preuve d'une franche vivacité qui laisse augurer une bonne garde. Mise en cuve en 2008 avec 50 % de vins de réserve, la cuvée **Esprit de famille (15 à 20 € ; 16 000 b.)** marie le meunier (70 %) et le chardonnay. Évoluée et complexe, sur le beurre et le miel, elle a su garder une belle fraîcheur en bouche : une citation. (RM)

🕭 Picard, chem. de Vrilly, 51100 Reims, tél. 03 26 85 11 69, axel.picard@gmail.com, ☑ ⚓ r.-v.

PIERSON-CUVELIER Cuvée Tradition

Gd cru	30 000	▮	11 à 15 €

Installé à Louvois, dans la Montagne de Reims, François Pierson possède encore le journal de vendange tenu par son arrière-grand-mère : le début, la durée, le rendement, la maturité, l'état sanitaire des vendanges depuis 1860. Le domaine a vendu ses premières bouteilles en 1928. Ses cuvées sont construites sur le pinot noir, cépage roi de ce secteur. Complété par le chardonnay, il compose 85 % de la cuvée Tradition, une vieille connaissance de nos lecteurs. La dernière version présente un nez floral (aubépine, tilleul) et une bouche au dosage un peu marqué, mais acidulée et de bonne tenue. Quant au **rosé 1er cru (16 000 b.)**, également cité, il s'agit d'un rosé de saignée discret juste au bon moment pour que la couleur, les tanins et le « goût de rouge » ne soient pas trop appuyés. Un champagne harmonieux, acidulé lui aussi, qui peut convenir à l'apéritif ou sur une viande blanche. (RM)

🕭 Pierson-Cuvelier, 4, rue de Verzy, 51150 Louvois, tél. 03 26 57 03 72, fax 03 26 51 83 84, pierson-cuvelier@orange.fr, ☑ ⚓ ⚑ t.l.j. 9h30-11h30 14h-17h30

PIÉTREMENT-RENARD Blanc de blancs ★★

n.c.	11 à 15 €

Le Petit Morin naît en plaine, entre Côte des Blancs et Sézannais. Peinant à s'écouler dans ses premiers kilomètres, il forme une vaste tourbière : le marais de Saint-Gond. Un milieu naturel unique, riche d'espèces protégées, dominé par les coteaux calcaires de Villevenard couverts de ceps. Installée dans ce village, cette exploitation dispose d'un vignoble de 12 ha implanté aux environs et dans le Sézannais. Elle est dirigée par Emmanuel Piétrement, devenu président de la coopérative locale. Une nomination qui débute sous de bons auspices, car ce blanc de blancs vinifié par la cave a fait l'unanimité. La robe or pâle est animée de bulles fines qui laissent monter des senteurs intenses et fraîches d'agrumes et de fleurs. La bouche dévoile une matière parfaitement équilibrée, ample et vive à la fois. L'archétype du vin d'apéritif. (RC)

☛ Piétrement-Renard, 30, rue des Hauts-de-Saint-Loup, 51270 Villevenard, tél. 03 26 52 83 03, fax 03 26 52 84 25, pietrement-renard@terre-net.fr, ☑ ⚔ ⌶ r.-v.

PIOT-SÉVILLANO Tradition ★★

35 000	11 à 15 €

Après la crise phylloxérique, on a récolté ici de la cerise de Montmorency, puis la propriété s'est vite spécialisée. La famille Piot de Vincelles a collé en 1955 ses premières étiquettes, sur seulement 500 bouteilles. Avec Christine Sévillano et Vincent Scher, la troisième génération de récoltants-manipulants s'est installée en 2007. Elle exploite 8 ha de vignes et commercialise plus de 40 000 bouteilles. Le meunier (70 %) y est assemblé au chardonnay et au pinot noir à parts égales. Brioche, fruits secs, écorce d'orange s'entremêlent au nez. Tout aussi complexe, structuré, le palais montre un très bel équilibre et finit sur des notes de compote de framboises. Bel accord avec un canard aux fruits. (RM)

☛ Piot-Sévillano, 23, rue d'Argentelle, 51700 Vincelles, tél. 03 26 58 23 88, fax 03 26 58 21 90, piot-sevillano@orange.fr, ☑ ⚔ ⌶ r.-v.

☛ Vincent Scher

PIPER-HEIDSIECK Rare 2002 ★★

60 000	+ de 100 €

Jadis, la Champagne occupait une place de choix dans le commerce de la laine. Attiré par cette richesse, Florens Louis Heidsieck arriva de sa Westphalie natale en 1777. Il s'intéressa rapidement à la seconde richesse locale et fonda en 1785 sa maison de négoce en vins. Il fit venir d'Allemagne ses neveux, qui sont à l'origine des différentes marques Heidsieck. Aujourd'hui, Piper-Heidsieck et Charles-Heidsieck font partie du groupe EPI (depuis 2011). L'excellente année 2002 a donné lieu chez Piper-Heidsieck à un millésime mémorable, salué pour son caractère expressif. Une cuvée qui privilégie le chardonnay (70 %) complété par le pinot noir. Dorée, traversée de bulles fines, elle libère des notes de fruits mûrs, de torréfaction (cacao), de caramel au lait et de fumée qui s'épanouissent dans une bouche ample, ronde et vineuse. La finale longue et fraîche est marquée d'une agréable pointe d'amertume. Un champagne dans sa plénitude, pour une volaille de fête. Deux autres cuvées bien connues, issues de trois cépages, mettent en valeur les pinots (au moins 85 % de noirs). Le **Rosé sauvage (30 à 50 € ; 1 000 000 b.)** obtient une étoile. Sa robe très soutenue est évocatrice d'arômes intenses et de puissance.

Aucune surprise, les notes fruitées, la structure et la persistance sont bien là. Un sauvage robuste, « civilisé » par son équilibre. Le **brut (30 à 50 € ; 2 000 000 b.)** est cité pour son nez complexe et pour la richesse de sa matière. (NM)

☛ PH-CH, 12, allée du Vignoble, 51100 Reims, tél. 03 26 84 43 00, fax 03 26 84 43 86, alexandra.rendall@champagnes-ph-ch.com

☛ EPI

POINTILLART ET FILS Sélection ★★

9 000	15 à 20 €

Anthony Pointillart a repris l'exploitation familiale en 2006 : 6 ha de vignes couvrant les coteaux d'Écueil, qui offrent un panorama sur la cité des Sacres et la cathédrale situées à quelques kilomètres au nord du village. La marque a été créée en 1946 par Jean Pointillart, le grand-père. Très présent à Écueil, le pinot noir compose les trois quarts de cette cuvée, complété par le chardonnay – raisins de la récolte 2008 alliés à des vins de réserve de 2006 (60 %). Un nez d'agrumes et d'acacia tout en finesse, une bouche mûre et équilibrée dessinent le portrait d'un champagne harmonieux, à son apogée. (RM)

☛ Anthony Pointillart et Fils, 10, Grande-Rue, 51500 Écueil, tél. 03 26 49 74 95, fax 03 26 49 75 02, anthony@champagnepointillartetfils.com, ☑ ⚔ ⌶ r.-v.

RÉGIS POISSINET Prestige ★★

6 000	15 à 20 €

En suivant le Belval, affluent de la Marne, on arrive sur la rive droite au village de Cuchery, où s'est installé Régis Poissinet. Le meunier, très cultivé dans ce secteur, compose 70 % de sa cuvée Prestige, allié au chardonnay. Or clair aux reflets verts, ce brut offre un nez flatteur, suave et gourmand aux nuances d'abricot sec et de tabac blond. La bouche, à l'unisson, est crémeuse, beurrée et équilibrée. Un champagne frais, fin et élégant, que l'on aimera partager à l'apéritif. Cité, le **rosé Poissinet-Ascas (4 000 b.)** doit presque tout au meunier (90 %, avec un soupçon de pinot noir). On aime son nez délicatement torréfié suivi d'un palais frais, précisément dosé, délivrant des arômes de fruits rouges. À servir à l'apéritif ou en entrée. (RM)

☛ SARL Poissinet et Fils, 10 bis, rue de Ménicourt, 51480 Cuchery, tél. 03 26 58 12 93, fax 03 26 52 03 55, regis.poissinet@champagne-poissinet-ascas.fr, ☑ ⚔ ⌶ r.-v.

GASTON POITTEVIN ★

1er cru	17 542	11 à 15 €

Entre les deux guerres, un Gaston Poittevin fut député de la Marne. Son descendant, prénommé lui aussi Gaston, exploite 5,8 ha à Cumières, 1er cru de la vallée de la Marne, sur la rive droite. Dans sa cave, on pratique encore le remuage à la main. Le brut 1er cru du domaine privilégie les raisins noirs, pinot noir (60 %) et meunier (40 %). Il présente un joli nez de fleurs blanches (acacia), de miel et de café, et séduit en bouche par son harmonie et sa longueur. Le **1er cru cuvée Perle d'or (4 264 b.)** est un pur chardonnay, franc, sur la fraîcheur des agrumes : une citation. (RM)

☛ EARL Gaston Poittevin, 129, rue Louis-Dupont, 51480 Cumières, tél. 03 26 55 38 37, fax 03 26 54 30 89, gaston.poittevin@wanadoo.fr, ☑ ⚔ ⌶ r.-v.

♥ **POL ROGER** Blanc de blancs Extra
Cuvée de réserve 2002 ★★

○	n.c.	📖	50 à 75 €

EXTRA CUVÉE DE RÉSERVE
CHAMPAGNE
Pol Roger
PRODUCT OF FRANCE BLANC DE BLANCS
2002
BRUT ÉLABORÉ PAR POL ROGER, ÉPERNAY, FRANCE
ALC.12%BY.VOL. PRODUCED & BOTTLED BY POL ROGER, ÉPERNAY, FRANCE 750 ML.
EXCLUSIVE AGENTS FREDERICK WILDMAN & SONS, LTD, NEW YORK, N.Y.

Fondée en 1849, cette maison sparnacienne s'appuie sur un vignoble de 90 ha. Elle a tissé des liens privilégiés avec l'Angleterre, et Winston Churchill affichait sa préférence pour le champagne Pol Roger. Dès la première édition du Guide, elle a décroché deux coups de cœur, pour un brut 1979 et pour un blanc de blancs 1975. Issu de l'excellente année 2002, ce blanc de blancs lui vaut une fois de plus la même distinction. La robe or aux reflets verts est traversée d'une fine effervescence. Complexe, vif, à la fois puissant et élégant, le nez joue sur les fruits blancs et les agrumes ; il annonce une bouche vive en attaque, toujours fruitée (agrumes et abricot), qui s'impose par son équilibre et par sa longueur. Après plus d'une décennie, ce champagne apparaît toujours très jeune... Il peut encore attendre plusieurs années, mais les impatients l'apprécieront dès maintenant à l'apéritif, sur du poisson, des terrines ou même du fromage. Champagne de prestige de la maison, mariant chardonnay et pinot noir, la **cuvée Sir Winston Churchill 2000 (plus de 100 €)** est notée une étoile ; elle développe des notes grillées, miellées et florales, et dévoile une bouche souple en attaque, bien structurée et très ronde : elle est à son apogée. Noté lui aussi une étoile, le **demi-sec Rich Extra Cuvée de réserve (30 à 50 €)**, assemblage des trois cépages, délivre des arômes complexes de fleurs blanches, de fruits blancs confits et de brioche chaude, et séduit par son équilibre. (NM)

☛ SA Pol Roger, 1, rue Winston-Churchill, 51200 Épernay, tél. 03 26 59 58 00, fax 03 26 55 25 70, polroger@polroger.fr, ☑ r.-v.

POMMERY Brut royal ★

○	n.c.	📖	30 à 50 €

Installée dans la cité des Sacres, la maison Pommery occupe sur la butte Saint-Nicaise d'imposants bâtiments de style néogothique anglais, conformes au goût de Louise Pommery qui, après son veuvage, donna dès 1858 une impulsion magistrale à la société. On lui doit aussi l'aménagement des crayères monumentales où sont élevés les vins. Depuis 2002, Pommery appartient au groupe Vranken Monopole. Issu des trois cépages champenois, son Brut royal s'ouvre sur un fruité gourmand ; la bouche équilibrée offre une longue finale teintée d'une plaisante amertume aux accents de pamplemousse. Quant au **2005 grand cru (50 à 75 €)**, qui marie pinot noir et chardonnay, il s'annonce par un nez élégant alliant minéralité et fruits secs, avant de délivrer une attaque vive et des nuances de torréfaction. Une étoile également. (NM)

☛ Vranken Pommery Production, 5, pl. du Gal-Gouraud, 51100 Reims, tél. 03 26 61 62 63, fax 03 26 61 63 98, domaine@vrankenpommery.fr, ☑ ⚹ ⏛ r.-v.

☛ Vranken Pommery Monopole

PONSART-DELAGARDE Cuvée Prestige ★

	10 000	📖	15 à 20 €

Pascal Ponsart et Isabelle Delagarde, tous deux enfants de vignerons, s'unissent en 1982 et créent leur marque. Aujourd'hui, ils exploitent 7 ha dans le secteur de Janvry, entre vallée de l'Ardre et Montagne de Reims. Assemblant les trois cépages champenois à parts égales, leur cuvée Prestige séduit par la finesse de son nez aux nuances de fruits secs (noisette et cacahouète), tandis que la bouche affiche sa puissance sur des notes évoluées de miel. (RC)

☛ Pascal Ponsart, 2, rue des Vignes, 51390 Janvry, tél. 03 26 03 64 23, fax 03 26 03 61 80, champagne.ponsart-delagarde@orange.fr, ☑ ⚹ ⏛ r.-v.

PASCAL PONSON Prestige ★★

1er cru	80 000	📖	11 à 15 €

La famille Ponson exploite plus de 13 ha de vignes réparties dans cinq villages classés en 1er cru, dans le pays parfois appelé « Petite Montagne de Reims », au sud-ouest de la toute proche cité des Sacres. Son brut Prestige est construit sur le meunier, associé aux deux autres cépages. Très séduisant, il offre toute la rondeur fruitée que l'on prête au cépage dominant. Le nez s'ouvre à l'aération sur de jolies notes de poire mûre, de fruits jaunes, avec des nuances de brioche et d'amande. Dans une belle continuité, le fruité s'épanouit en bouche, au sein d'une matière tout en souplesse ; la fraîcheur est là, sous-jacente, qui assure un bel équilibre et donne de l'allonge à la finale. (RM)

☛ Pascal Ponson, 2, rue du Château, 51390 Coulommes-la-Montagne, tél. 03 26 49 00 77, fax 03 26 49 76 48, ponson@wanadoo.fr, ☑ ⚹ ⏛ t.l.j. sf sam. dim. 9h-12h 14h-18h; f. 14-31 août

R. POUILLON ET FILS Cuvée de Réserve ★

	40 000	📖🍷	15 à 20 €

À partir de quelques ares de vignes à Mutigny, Roger Pouillon a lancé son champagne en 1947. Aujourd'hui, son petit-fils Fabrice, après son mariage avec Élodie Desbordes originaire d'Écueil (Champagne Desbordes-Amiaud), exploite 15 ha de vignes réparties dans douze communes. Il est attaché à l'élevage sous bois, et sa Cuvée de réserve, assemblage dominé par les raisins noirs (85 %, dont 70 % de pinot noir), a été vinifiée et élevée partiellement en barrique. Ce séjour dans le chêne n'a guère marqué le vin dont l'approche est discrète, sur des notes de fruits exotiques (ananas, kiwi), puis de fruits à chair jaune. La bouche reste d'une belle fraîcheur, assez puissante et de bonne longueur. (RM)

☛ R. Pouillon et Fils, 3, rue de la Couple, 51160 Mareuil-sur-Aÿ, tél. 03 26 52 60 08, fax 03 26 59 49 83, contact@champagne-pouillon.com, ☑ ⚹ ⏛ r.-v.

YVELINE PRAT Tradition

	25 000	📖	11 à 15 €

Établis entre Côte des Blancs et Sézannais en bordure des marais de Saint-Gond, Yveline et Alain Prat ont constitué à partir de 1975 un coquet domaine de 12 ha. Un tiers de blancs et deux tiers de noirs (les deux pinots à parité) s'allient dans ce brut au nez de beurre, de mie de pain et de fruits frais. Après une attaque souple, la bouche ronde et équilibrée évolue sur des notes de fruits rouges. Un brut sans année de bonne facture. (RM)

CHAMPAGNE

➦ Yveline Prat, 9, rue des Ruisselots, 51130 Vert-Toulon,
tél. 03 26 52 12 16, fax 03 26 52 03 04,
info@champagneprat.com, ☑ ⚥ ⏇ r.-v.

PRESTIGE DES SACRES Extra-brut ★

| | 5 000 | ▮ 15 à 20 € |

Fondée en 1961, à l'ouest de Reims, la coopérative
de Janvry commercialise ses champagnes depuis 1974.
Elle a deux marques bien connues de nos lecteurs :
Prestige des Sacres et Ch. de l'Auche. Sous la première
étiquette, cet extra-brut provient des trois cépages champenois à parts égales. Ses arômes de beurre et de fruits
mûrs et confits lui donnent un caractère évolué. Charnu
à l'attaque, rond et persistant, le palais appelle une
poularde aux morilles. Issu du même assemblage, mais
dosé à 11 g/l, le brut **Prestige (80 000 b.)** est cité pour ses
notes plaisantes de fruits jaunes et d'agrumes. Il conviendra lui aussi pour le repas. Une citation encore pour **Ch.
de l'Auche Cuvée du Chapitre (20 à 30 € ; 6 000 b.)**, un
pur meunier remarqué pour sa puissance et son fruité, et
pour le **rosé Prestige (10 000 b.)**, un champagne
d'assemblage aromatique et de bonne tenue. (CM)
➦ Prestige des Sacres, rue de Germigny, 51390 Janvry,
tél. 03 26 03 63 40, fax 03 26 03 66 93
☑ ⚥ ⏇ t.l.j. 8h-12h30 13h45-18h

YANNICK PRÉVOTEAU Carte d'or ★

| | 60 000 | ▮ 11 à 15 € |

L'exploitation a son siège à Damery, sur la rive
droite de la Marne, à quelques kilomètres en aval d'Épernay. Deux frères, Yannick et Éric Prévoteau, en conduisent les 10 ha de vignes réparties sur neuf communes.
Leurs vins sont vinifiés sans fermentation malolactique.
La Carte d'or, assemblage des trois cépages champenois,
comprend trois quarts de noirs (dont 40 % de meunier).
Derrière sa robe or pâle, on découvre une palette dominée
par les fleurs, le foin coupé et le tilleul. Un vin plein
d'énergie avec une belle structure. Destiné à l'apéritif, il
peut attendre quatre ou cinq ans. Une citation pour **La
Perle des treilles (15 à 20 € ; 8 000 b.)**, qui marie pinot
noir (60 %) et chardonnay : un champagne puissant, équilibré et torréfié. (RM)
➦ Yannick Prévoteau, 4 bis, av. de Champagne,
51480 Damery, tél. 03 26 58 41 65, fax 03 26 58 61 05,
yannick.prevoteau@orange.fr,
☑ ⚥ ⏇ t.l.j. sf dim. 8h-12h 14h-17h30

PRÉVOTEAU-PERRIER Adrienne Lecouvreur ★

| | 40 000 | 15 à 20 € |

Marque créée en 1946, après l'union d'Alice Perrier
avec Henri Prévoteau. Aujourd'hui, c'est leur petite-fille
Delphine et son époux Christophe Boudard qui dirigent
l'exploitation. La maison dispose de 22 ha de vignes en
propre dans la vallée de la Marne, sur les coteaux sud
d'Épernay et à Chouilly. Adrienne Lecouvreur ? Une
tragédienne célèbre au XVIIIᵉs., qui joua dans les pièces
de Voltaire. Elle naquit à Damery, et la famille lui rend
hommage à travers cette cuvée mi-pinot noir mi-
chardonnay. Un nez de fleurs blanches, de fruits blancs ou
jaunes, suivi d'une bouche fraîche, sur la pomme verte : un
champagne d'apéritif. (NM)
➦ Prévoteau-Perrier, 15, rue André-Maginot,
51480 Damery, tél. 03 26 58 41 56, fax 03 26 58 65 88,
champagneprevoteau-perrier@wanadoo.fr, ☑ ⚥ ⏇ r.-v.
➦ Christophe Boudard

PHILIPPE PRIÉ Tradition ★

| | n.c. | 11 à 15 € |

Héritière d'une tradition vigneronne remontant au
XVIIIᵉs., Fabienne Prié dirige depuis 1999 cette structure
de négoce forte d'un vignoble de 16 ha dans la Côte des
Bar, au sud de la Champagne. Le pinot noir (80 %) et le
chardonnay collaborent à cette cuvée Tradition. La fraîcheur constitue le maître mot de la dégustation de ce
champagne, tant au nez qu'en bouche. Il ne manque pas
pour autant de rondeur et offre une jolie finale gourmande, torréfiée et chocolatée. Un beau mariage en
perspective avec du poisson cuisiné. (NM)
➦ SARL Prié, 33, Grande-Rue, 10250 Neuville-sur-Seine,
tél. 03 25 38 21 51, fax 03 25 38 21 73,
fprie@champagne-prie.com,
☑ ⚥ ⏇ t.l.j. sf dim. 9h-12h 14h-18h; sam. 9h-12h; f. août

CH. ET A. PRIEUR Grand Prieur ★

| | 60 000 | ▮ 20 à 30 € |

Né en 1825, Jean-Louis Prieur fonde à Vertus la
première maison de champagnes de la Côte des Blancs. Il
la nomme Ch. & A. Prieur en hommage à ses fils Charles
et Alphrède. En 2005, la société devient la propriété de la
coopérative La Goutte d'Or à Vertus. Les vins vieillissent
ici trois ans sur lattes, et le dosage est mesuré. Le Grand
Prieur brut mêle au nez des notes complexes d'évolution
(biscuit, pâte d'amande, fruits mûrs et grillé) et de fruits
à chair blanche. La bouche, minérale et fruitée, est
équilibrée et longue. La cuvée **Grand Prieur blanc de
blancs (20 000 b.)**, citée, est un champagne chaleureux
aux arômes de fruits confits, de fleurs blanches et de
sous-bois. On verrait bien ces champagnes au repas, avec
des poissons ou des viandes blanches en sauce. (NM)
➦ Ch. et A. Prieur, 30, rue du Gal-Leclerc, 51130 Vertus,
tél. 03 26 52 37 61, fax 03 26 52 29 10,
info@champagne-prieur.com,
☑ ⏇ t.l.j. sf sam. dim. 9h-12h 14h-17h

CLAUDE PRIEUR Cuvée de réserve ★

| | 5 000 | 11 à 15 € |

Claude Prieur exploite un vignoble de plus de 9 ha
au sud de Bar-sur-Aube, un secteur particulièrement
éprouvé par un orage de grêle durant l'été 2012. Mais les
Champenois peuvent jouer sur plusieurs millésimes. Cette
Cuvée de réserve, des récoltes 2007 et 2006, privilégie le
pinot noir (60 %), complété par le chardonnay. Intense au
nez, elle dévoile son caractère évolué tant par des notes de
pain d'épice, de noisette et de cacao, que par sa vinosité.
Un champagne néanmoins équilibré et gourmand. Mêmes compliments et même étoile pour le **2004 (15 à 20 € ;
2 000 b.)**. Mi-pinot noir mi-chardonnay, ce millésime
libère après aération des senteurs de fleurs blanches, avec
une pointe citronnée, et des touches de pain grillé. Des
notes plus évoluées de miel d'acacia et d'abricot sec
apparaissent en bouche, où une belle attaque fraîche
équilibre les impressions de maturité. (RM)
➦ Claude Prieur, 2, rue Gaston-Cheq, 10200 Bergères,
tél. 03 25 27 44 01, fax 03 25 92 80 84, champrieur@free.fr,
☑ ⚥ ⏇ r.-v.

SERGE RAFFLIN Belle Tradition ★

| | 30 000 | 11 à 15 € |

Les Rafflin étaient déjà vignerons à Ludes sous le
règne de Louis XV et l'exploitation devrait perdurer, car
la dixième génération vient d'arriver en renfort. Denis

Rafflin, l'actuel récoltant, cultive 8 ha de vignes et préside le conseil d'administration de la coopérative de Chigny-les-Roses (Montagne de Reims), qui a vinifié ce champagne. Assemblage privilégiant les raisins noirs (75 %, dont 45 % de meunier), cette cuvée affiche un nez de fruits secs (raisin, figue) et de caramel traduisant une belle évolution. Ces arômes lui donnent un caractère gourmand que l'on retrouve au palais. Assez fin, équilibré et long, ce brut bénéficie en outre d'un dosage juste et bien intégré. On le servira sur une viande en sauce à la crème. (RC)

⌐┐ EARL Serge Rafflin, 1A, rue de Chigny, 51500 Ludes, tél. 03 26 61 12 84, fax 03 26 61 14 07, contact@champagnesergerafflin.fr, ☑ ⚮ ⊤ r.-v.

DIDIER RAIMOND Grande Réserve

○	1 000	▪️⬛	11 à 15 €

Grâce à sa situation centrale dans l'appellation et à la présence de nombreuses maisons et instances administratives liées au vin, Épernay fait figure de capitale du champagne. À la tête de l'exploitation familiale depuis 1984, Didier Raimond cultive 6 ha de vignes sur les coteaux environnants. Mi-pinot noir mi-chardonnay, sa Grande Réserve s'habille d'une robe dorée et se parfume de senteurs beurrées et miellées qui traduisent un début d'évolution. La bouche, nerveuse à l'attaque, s'assagit ensuite pour laisser une impression d'ensemble agréable. À servir à l'apéritif, avec des petits-fours feuilletés par exemple. (RM)

⌐┐ Didier Raimond, 39, rue des Petits-Prés, 51200 Épernay, tél. et fax 03 26 54 51 70, champagnedidier.raimond@wanadoo.fr, ☑ ⚮ ⊤ r.-v.

ERNEST RAPENEAU Sélection ★

○	150 000	▪️	15 à 20 €

Une marque du groupe Martel, contrôlé par la famille Rapeneau. Six parts de pinot noir, trois de meunier et une de chardonnay, issues de l'année 2010, collaborent à cette cuvée élaborée par l'équipe technique de la maison. Intenses et fins, plutôt fruités, les arômes du nez se prolongent dans une matière équilibrée qui laisse une impression d'harmonie. Un champagne bien fait et agréable que l'on servira à l'apéritif. (NM)

⌐┐ Martel et Cⁱᵉ, 69, av. de Champagne, BP 101, 51318 Épernay, tél. 03 26 51 06 33, fax 03 26 54 41 52, lbn@champagnemartel.com, ☑ ⚮ ⊤ t.l.j. 10h-19h

LOUIS RÉGNIER Grande Réserve ★★

○	n.c.	▪️	20 à 30 €

Un rosé que nos jurés ont une fois de plus apprécié. Il est élaboré par Jean-Noël Haton, un négociant de Damery, village situé sur la rive droite de la Marne à quelques kilomètres d'Épernay. Assemblant les trois cépages à parité, il se pare d'une robe églantine aux reflets cuivrés et délivre de légères senteurs de fruits rouges (groseille) et de noyau. Franche et agréable, la bouche conjugue rondeur et fraîcheur avec élégance. Un champagne harmonieux que l'on verrait bien lors d'un déjeuner raffiné sous la tonnelle. Le **chardonnay (10 000 b.)** a également obtenu deux étoiles. Si son nez est franc, il apparaît un peu fermé ; c'est surtout le parfait équilibre de son palais, son dosage judicieux et sa longue persistance qui ont emporté l'adhésion. (NM)

⌐┐ SAS Louis Régnier, 10, av. de Champagne, 51480 Damery, tél. 06 32 18 31 95

BERNARD REMY Chardonnay

○ Gd cru	10 000	▪️	15 à 20 €

Perché sur son coteau, dans le Sézannais, le village d'Allemant voit se dévoiler à ses pieds l'immense plaine champenoise portant des centaines d'éoliennes. C'est là que, en 1968, Bernard Remy a lancé son affaire, reprise quarante ans plus tard par son fils Rudy. Ce dernier dispose d'un vignoble de 11 ha répartis dans de nombreux secteurs de l'aire d'appellation, ainsi que d'une structure de négoce. Ce chardonnay provient du Mesnil-sur-Oger, grand cru de la Côte des Blancs. De couleur or vert, il libère après aération des notes de fruits blancs et des senteurs grillées. Équilibré, fin et frais au palais, il laisse une bonne impression. Pour des fruits de mer. (NM)

⌐┐ Bernard Remy, 19, rue des Auges, 51120 Allemant, tél. 03 26 80 60 34, info@champagnebernardremy.com, ☑ ⚮ ⊤ r.-v.

ERNEST REMY Rosé de saignée ★

○ Gd cru	5 000	▪️	30 à 50 €

Alice, la petite-fille d'Ernest Remy, et son époux Tarek Berrada sont à la tête de cette maison fondée en 1883 à Mailly-Champagne. Ils disposent d'un vignoble de 15 ha dans les grands crus de la Montagne de Reims, et le pinot noir est à la base de leurs cuvées. Issu de la récolte 2009, leur rosé de saignée est aussi réussi que l'an dernier. La recette est la même : une macération à froid de pinot noir, un écoulage des jus lorsque couleurs et arômes sont obtenus puis une vinification sans fermentation malolactique. La robe rose soutenu montre des reflets tuilés ; les arômes évoquent un panier de cerises et de petits fruits noirs que l'on retrouve au sein d'une matière structurée et fraîche, légèrement tannique en finale. Bel accord avec les viandes grillées, le melon ou des desserts aux fruits. Le **blanc de noirs grand cru 2004 (20 à 30 € ; 7 000 b.)**, un pur pinot noir, est cité pour sa complexité, sa vinosité et sa fraîcheur. (NM)

⌐┐ Ernest Remy, 1, rue Aristide-Bouché, 51500 Mailly-Champagne, tél. 03 26 97 63 55, contact@ernest-remy.fr, ☑ ⚮ ⊤ r.-v.

♥ F. REMY-COLLARD Cuvée Prestige ★★

○	8 000	⬛	15 à 20 €

Vigneron depuis 1997, Fabrice Remy a épousé Sophie Collard (de la famille Collard-Chardelle du même village). Ils exploitent plus d'une dizaine d'hectares dans la vallée de la Marne et ont mis en commun leur nom et leur savoir-faire pour développer leur marque, créée en 2006. Fabrice a élaboré ses deux cuvées en foudres de chêne, en bloquant la fermentation malolactique (une vinification pratiquée avec succès chez les Collard-Chardelle). Issu des trois cépages champenois, le brut Prestige allie la puissance à la finesse. Profond et complexe, le nez déploie des senteurs de fruits blancs, de fruits secs (noisette), de croûte de pain, de grillé et de miel, conciliant ce registre évolué avec une agréable fraîcheur. Vineuse et structurée, la bouche bénéficie elle aussi d'une franche vivacité qui lui donne du tonus et allonge sa finale. Un joli vin de repas. Le **blanc de blancs (20 à 30 € ; 2 000 b.)** a eu des partisans enthousiastes et fait jeu égal. Ce champagne à l'effervescence légère séduit par son plaisant boisé vanillé, par son équilibre et sa longueur. Il est à son apogée. (RM)

☛ F. Remy-Collard, 41, rue du Jardin-Neuf, 51700 Villers-sous-Châtillon, tél. 03 26 59 44 56, fax 03 26 51 67 53, remy-collard@orange.fr, ☑ ⚘ ⵠ r.-v. 🏠 🅞

LA DAME DE LA RENAISSANCE Blanc de blancs 2006 ★

Gd cru	3 000	▮	20 à 30 €

Nelly Dhondt s'est lancée dans la manipulation en 1974. Elle a transmis à son fils Michel son vignoble, qui couvre 8 ha autour d'Oger, grand cru de la Côte des Blancs. Les deux cuvées retenues par nos dégustateurs naissent donc de chardonnays de noble origine. Le cépage s'exprime pleinement dans ce 2006 aux arômes d'acacia, d'agrumes et de pêche blanche, plutôt souple en bouche. Un caractère que l'on retrouve dans le **blanc de blancs Champagne de la Renaissance Fleuron (15 à 20 € ; 10 000 b.)**, issu de plusieurs grands crus, qui offre au palais une matière fondue, ample, soyeuse et longue, en accord avec des arômes de fruits mûrs, voire compotés. Bel accord en perspective avec un poisson en sauce, et même avec une tarte au citron. (RM)

☛ Nelly Dhondt, EARL Dame de la Renaissance, 2, rue d'Avize, 51190 Oger, tél. 03 26 57 53 90, nelly.dhondt@wanadoo.fr, ☑ ⚘ ⵠ r.-v.

VINCENT RENOIR Tradition

Gd cru	18 000		11 à 15 €

Les grands-parents de Vincent Renoir, qui a repris l'exploitation en 1983, ont débuté la manipulation dans les années 1940. Aujourd'hui, ce récoltant cultive 5 ha aux alentours de Verzy, grand cru de la Montagne de Reims. Son brut Tradition assemble pinot noir et chardonnay à parts égales. D'une couleur or pâle, il attire par son nez subtil aux nuances d'orange confite et de beurre. Dans le même registre plaisant et frais, la bouche se montre équilibrée entre rondeur et acidité. Un champagne à son apogée, à marier avec la volaille des fêtes de fin d'année ou avec un fin poisson cuisiné. (RM)

☛ Vincent Renoir, 19, rue de la Gare, 51380 Verzy, tél. 03 26 97 95 59, vincent.renoir51@orange.fr, ☑ ⚘ ⵠ r.-v.

F. RICHOMME Blanc de blancs Cuvée Marie-Sophie ★

Gd cru	5 000	▮	15 à 20 €

Jules Richomme, le père, Moïse, le fils, et Marie-Sophie, la belle-fille, lancent en 1951 la marque, reprise par Franck Richomme en 1998. Ce dernier exploite un vignoble situé dans la Côte des Blancs, ainsi que dans le Sézannais et dans la vallée de la Marne. Hommage à sa grand-mère, sa cuvée Marie-Sophie est élaborée à partir de vieux ceps de chardonnay. Arrivée à maturité, elle se pare d'une robe d'un or soutenu parcourue de fines bulles et déploie des parfums de fruits mûrs, de beurre et

de pâtisserie. Ample, vineuse et riche sans lourdeur, la bouche reste harmonieuse et gagne même en complexité grâce à une note épicée et à une sensation saline et iodée qui souligne la finale. C'est bon, et c'est à boire maintenant, avec un vol-au-vent aux fruits de mer par exemple. (RM)

☛ EARL Franck Richomme, 306, rue du Moutier, 51530 Cramant, tél. 03 26 57 52 93, fax 03 26 57 97 15, franck.richomme@wanadoo.fr, ☑ ⚘ ⵠ r.-v.

CLAUDE RIGOLLOT 2000 ★★

	2 000		15 à 20 €

Claude Rigollot a débuté sa carrière de vigneron dans les années 1960 avec seulement quelques ares de vignes dans le Bar-sur-Aubois. En 2009, à son installation, son fils Emmanuel disposait de près de 7 ha. Le centre vinicole de Chouilly assure pour lui les vinifications. Une collaboration fructueuse, à en juger par ce 2000 au nez très agréable et d'une grande complexité alliant fruits compotés, fleurs blanches, fruits secs et une fraîche touche mentholée. La bouche, plus torréfiée, déploie des notes de café, de caramel et d'épices au sein d'une matière capiteuse et ample, un peu généreusement dosée, marquée par une fine et noble amertume. La **Cuvée spéciale (2 000 b.)**, citée tant pour ses parfums de fruits blancs et d'agrumes que pour sa bouche charnue et ronde, fera un bon champagne d'apéritif. (CM)

☛ Emmanuel Rigollot, 5, rue des Vignes, 10200 Bergères, tél. 03 25 27 43 18, contact@champagne-rigollot.com, ☑ ⵠ r.-v.

A. ROBERT Cuvée Le Sablon

Gd cru	15 000		20 à 30 €

Des Robert cultivaient déjà la vigne à Fossoy – près de Château-Thierry – en 1722, à l'époque où le champagne commençait à prendre mousse. Installé sur l'exploitation familiale en 2000, Arnaud Robert détient des parcelles dans douze communes de la vallée de la Marne et de la Côte des Blancs. Il a présenté deux cuvées au caractère évolué, qui assemblent l'une comme l'autre les trois cépages de la région. Ce Sablon est une cuvée de prestige, mêlant au nez les fruits blancs, la cire d'abeille et le miel. Riche et intense en bouche, il garde une belle fraîcheur. Il accompagnera une viande blanche. Encore plus évoluée, ronde et équilibrée, la **cuvée 1722 (20 000 b.)** n'attend plus que de passer à table. (RM)

☛ A. Robert, Le Sablon, 02650 Fossoy, tél. 03 23 71 59 40, fax 03 23 71 59 41, contact@champagne-robert.fr, ☑ ⚘ ⵠ t.l.j. sf dim. lun. 9h-12h 14h-17h

VALÉRY ROBERT 2004 ★★

	700	▮	20 à 30 €

Huit cent soixante-six. C'est le nombre d'hectares en appellation champagne que compte la plus étendue des communes viticoles champenoises : Les Riceys, dans l'Aube. La commune abrite plusieurs dizaines de récoltants, dont les Robert, qui signent ce 2004 très expressif, malheureusement confidentiel. Né du pinot noir et du chardonnay, ce millésimé offre un nez gourmand et élégant de fruits confits et de noyau, qui s'enrichit en bouche de notes miellées, beurrées, briochées et épicées. Un remarquable équilibre entre ampleur et finesse. Le **rosé cuvée Prestige (11 à 15 € ; 12 000 b.)**, issu de pinot noir, se montre franc, équilibré et frais : une étoile. (RM)

☛ Robert, 8, rue de Bagneux, 10340 Les Riceys,
tél. 03 25 29 10 33, fax 03 25 29 12 64,
champagnerobert@wanadoo.fr,
☑ ⚔ ⛾ t.l.j. sf sam. dim. 9h-12h 14h-17h

ROBERT-ALLAIT Cuvée Jordan 2006 ★

○	4 500	▮	15 à 20 €

Sylvie et Régis Robert ont repris en 1979 l'exploitation familiale sise à Villers-sous-Châtillon. Avec l'aide de leur fille Stéphanie et de son mari Aurélien, ils cultivent 13 ha de vignes dans la vallée de la Marne. Assemblant les trois cépages champenois à parité, cette cuvée dédiée à leur fils n'a pas fait sa fermentation malolactique. Elle mêle des notes évoluées d'abricot confit et de grillé à des senteurs plus fraîches de fruits blancs. Des touches florales et mentholées s'ajoutent à cette palette dans une bouche plutôt riche et longue. Quant à la **cuvée Stéphanie chardonnay 2007 (4 000 b.)**, citée, les dégustateurs, qui n'avaient pas son étiquette fleurie sous les yeux, l'ont trouvée plus fruitée que florale. Un champagne vif qui mérite d'attendre deux ans pour gagner en expression. (RM)
☛ Régis Robert, 6, rue du Parc,
51700 Villers-sous-Châtillon, tél. 03 26 58 37 23,
fax 03 26 58 39 26, champagne.allait@wanadoo.fr,
☑ ⚔ ⛾ t.l.j. sf dim. 9h-11h30 14h-17h30; f. 5-20 août

JACQUES ROBIN Tradition

○	56 727	▮	11 à 15 €

La famille Robin fête en 2013 les quarante ans de l'exploitation. Le domaine couvre 9 ha, répartis sur vingt-quatre parcelles situées dans neuf communes auboises différentes. Le pinot noir (95 %) a laissé son empreinte sur cette cuvée à la bulle très légère, au nez discret mais complexe de reine-claude, de réglisse et menthol. Ample, rond et très fruité, c'est un champagne de repas qui accompagnera un chapon aux airelles ou une côte de veau aux cèpes. (RM)
☛ SCEA Jacques Robin, 23, rue Deuxième-D.B.,
10110 Buxières-sur-Arce, tél. 03 25 38 76 25,
fax 03 25 38 75 28, ajrobin@orange.fr, ☑ ⚔ ⛾ r.-v.

THIERRY ROBION Réserve

○	5 000	▮	11 à 15 €

Un nouveau nom dans le Guide : Thierry Robion, établi à Lhéry, tout petit village dont les coteaux dominent un affluent de l'Ardre, à l'ouest de Reims. Il a repris en 1991 les 9 ha du domaine familial et confie à la coopérative de Sermiers l'élaboration de ses cuvées. Celle-ci privilégie les noirs (85 %, dont 55 % de pinot noir), offre un nez de fruits secs (noisette) et une bouche ample à la finale agréable. Également citée, la **Spéciale (15 à 20 € ; 3 000 b.)** est un champagne mi-blancs mi-noirs (les deux pinots) ; il montre un bon équilibre et une évolution subtile dans ses arômes de beurre, de brioche et de fruits secs. (RC)
☛ Thierry Robion, 1, rue Principale, 51170 Lhéry,
tél. 03 26 97 43 36, fax 03 26 97 44 62,
contact@champagne-thierry-robion.fr, ☑ ⚔ ⛾ r.-v.

MICHEL ROCOURT Blanc de blancs ★

○ 1er cru	18 000		11 à 15 €

Florence, la fille aînée de Michel Rocourt, s'est installée en 2006 sur l'exploitation familiale, qui couvre plus de 7 ha dans la Côte des Blancs. Son blanc de blancs 1er cru provient de la commune de Vertus et met à contribution les années 2010 et 2009. Il est encore juvénile, comme le montre sa robe brillante à reflets verts animée d'une fine bulle. Ses parfums évoquent le beurre, la poire mûre et les fleurs blanches ; de l'attaque à la finale, la bouche montre une grande vivacité : un champagne d'apéritif. Pour le repas, on pourra servir le **blanc de blancs grand cru (15 à 20 € ; 2 000 b.)**, cité, qui est né au Mesnil-sur-Oger des récoltes 2008 et 2007. Plus mûr, ce vin s'annonce par une robe jaune paille et par des arômes miellés, torréfiés et confits qui se prolongent dans une bouche vineuse. (RM)
☛ SCEV les Zalieux, 1, rue des Zalieux,
51190 Le Mesnil-sur-Oger, tél. 03 26 57 94 99,
fax 03 26 57 78 33, michelrocourt@wanadoo.fr, ☑ ⚔ ⛾ r.-v.

ÉRIC RODEZ Blanc de blancs

○	50 000	▮⏣	20 à 30 €

Éric Rodez s'est installé en 1984 sur l'exploitation familiale (6 ha) et s'oriente vers la démarche biodynamique. Ses champagnes proviennent d'assemblages savants de vins élaborés en cuve ou en fût, ayant fait ou non leur fermentation malolactique, issus au moins de cinq récoltes. Trois d'entre eux sont cités. Ambonnay est un fief du pinot noir, mais nos jurés retiennent avec régularité le blanc de blancs du domaine. Celui-ci dévoile à l'agitation des notes de fruits mûrs et de vanille. Le boisé se précise en bouche et enrobe une matière vineuse, à la finale ciselée. La **cuvée des Crayères (15 000 b.)** donne une courte majorité au pinot noir (55 %), complété par le chardonnay. Son nez frais se partage entre les fruits rouges et des nuances empyreumatiques complexes, qui se prolongent dans une bouche à la fois élégante et structurée. La palette aromatique intense du **blanc de noirs (10 000 b.)** s'épanouit au palais et laisse une expression de complexité, de fraîcheur et minéralité. Ces trois champagnes sauront vieillir et apporteront beaucoup de plaisir à table. (RM)
☛ Éric Rodez, 4, rue de Isse, 51150 Ambonnay,
tél. 03 26 57 04 93, fax 03 26 57 02 15,
e.rodez@champagne-rodez.fr, ☑ ⚔ ⛾ r.-v.

LOUIS ROEDERER Cristal 2002 ★★

○	n.c.	▮⏣	+ de 100 €

Louis Roederer hérita d'une affaire fondée en 1776, lui légua son nom et lui fit prendre son envol. C'est toujours un de ses descendants, Frédéric Rouzaud, qui la gère. Il est à la tête d'un groupe détenant Deutz, ainsi que de nombreux crus de prestige, du Médoc à la Provence, du Portugal à la Californie. En Champagne, Roederer s'appuie sur un vaste vignoble de 230 ha qui représente les deux tiers de ses approvisionnements. Cuvée de prestige millésimée, élaborée pour le tsar Alexandre II à l'époque où la Russie était le premier marché pour Roederer, la cuvée Cristal, dans sa version 2002, naît de 55 % de pinot et de 45 % de chardonnay ; pas de fermentation malolactique, et une vinification pour 20 % en foudre, plus de cinq ans en cave. On apprécie son nez délicat et complexe, le fruit confit et l'amande ; on admire son équilibre parfait, signe des grands vins dans les grands millésimes. On dégustera encore ce 2002 dans une ou deux décennies. La grandeur d'une maison se juge à la qualité de son brut sans année, dit-on. Le **Brut premier (30 à 50 €)** reçoit lui aussi deux étoiles. Il assemble 40 % de pinot noir, 40 % de chardonnay et 20 % de meunier, dont 5 % vinifiés en

CHAMPAGNE

foudre de chêne et 10 % de vins de réserve élevés sous bois. On aime sa palette délicate et complexe qui s'épanouit après aération : agrumes, fruits jaunes, mangue, fleurs, nuances crémeuses et briochées. Ces arômes se prolongent dans une bouche à la fois ample et vive. (NM)

⌁ Louis Roederer, 21, bd Lundy, 51100 Reims, tél. 03 26 40 42 11, fax 03 26 61 40 35, com@champagne-roederer.com

⌁ Rouzaud

ROGGE-CERESER Réserve ★

○	20 000	▯	11 à 15 €

L'œnophile peut trouver dans la vallée de la Marne d'aimables paysages et nombre de récoltants qui ouvrent volontiers leur domaine, comme Benjamin Rogge, qui propose en outre des chambres d'hôtes. Nos dégustateurs ont apprécié ce brut né des trois cépages champenois (70 % de noirs, dont 40 % de pinot noir). De sa robe jaune pâle parcourue d'un fin cordon montent des parfums agréablement floraux, qui prennent en bouche des accents d'agrumes confits et de beurre. Souple à l'attaque, frais au palais, c'est un champagne gourmand qui laisse une impression de légèreté. (RM)

⌁ Rogge-Cereser, 1, imp. des Bergeries, 51700 Passy-Grigny, tél. 03 26 52 96 05, fax 03 26 52 07 73, info@rogge-cereser.fr, ☑ ⚥ ⚔ r.-v. ⌗ ❷

DANIEL ROLLIN Cuvée spéciale ★

○	8 918	▯	11 à 15 €

Bragelogne-Beauvoir est situé à l'extrémité sud de la Champagne, non loin des Riceys (Aube). La famille Rollin y reçoit sa clientèle et commercialise sa marque depuis 1982. Elle fait son entrée dans le Guide avec ce brut qui fait la part belle au pinot noir (80 %), cépage majoritaire dans cette région du Barséquanais. À la fois subtil et gourmand, le nez associe les fruits frais, la viennoiserie et le pain grillé, arômes que l'on retrouve dans une bouche ample et équilibrée. Un beau vin qui tiendra sa place aussi bien à l'apéritif que sur des mets pas trop riches. (RM)

⌁ D. Rollin, 41, Grande-Rue, 10340 Bragelogne-Beauvoir, tél. 03 25 29 10 13, fax 03 25 29 02 47, champagne-daniel.rollin@hotmail.fr, ☑ ⚥ ⚔ r.-v.

ROMELOT-POUPART L'Âme

	1 500	15 à 20 €

Les ancêtres de ce récoltant cultivaient la vigne au XVIIIᵉs. Ils se sont spécialisés dans les années 1930, et la première vendange Romelot-Poupart a été mise en bouteilles en 1974. Fabrice Romelot a pris les commandes en 2011 du vignoble familial : 7,5 ha aux environs de Charly-sur-Marne, dans l'Aisne. Élaborée à la coopérative de Château-Thierry, la Covama, sa cuvée L'Âme privilégie le meunier (76 %), associé au pinot noir et au chardonnay. Citée pour ses délicates senteurs de fruits à chair blanche, pour sa franchise et sa finale longue et nette, elle lui permet de faire son entrée dans le Guide. (RC)

⌁ Romelot-Poupart, 4, rue Leduc-de-la-Tournelle, 02310 Charly-sur-Marne, tél. 03 23 82 07 62, fax 03 23 82 71 41, contact@champagneromelotpoupart.fr, ☑ ⚔ r.-v.

OLIVIER ROUSSEAUX Tradition ★

○ Gd cru	15 048	▯	11 à 15 €

Arrivé à la tête de l'exploitation familiale au décès de son père, en 1985, Olivier Rousseaux dispose de 4,85 ha

bien situés dans la Montagne de Reims. Sa cuvée Tradition met en vedette le pinot noir (85 %). La robe or pâle aux reflets verts annonce un nez intense de fruits blancs, qui prend à l'aération des tonalités plus évoluées de fruits secs et confits. Au palais apparaissent des touches de fruits jaunes et un soupçon de miel, qui donnent un caractère très gourmand à ce champagne. La bouche montre de belles rondeurs et s'ouvre avec l'ampleur caractéristique du pinot noir, équilibrée par l'apport du chardonnay. Cette bouteille pourra être attendue deux à quatre ans. Issue du seul pinot noir, la **cuvée Prestige grand cru 2008 (15 à 20 € ; 1 558 b.)**, citée, est un champagne puissant, intense et complexe, dont le côté légèrement évolué et la belle finale feront merveille sur du gibier. (RM)

⌁ Olivier Rousseaux, 21, rue de Mailly, 51360 Verzenay, tél. 03 26 49 40 50, fax 03 26 49 45 32, orousseaux@wanadoo.fr, ☑ ⚥ ⚔ r.-v.

JEAN-JACQUES ET SÉBASTIEN ROYER Sélection ★

○	3 500	▯	11 à 15 €

En 2003, Jean-Jacques Royer et ses enfants Sébastien et Carine, établis dans l'Aube, se lancent dans l'élaboration de leurs champagnes. Cette année, deux de leurs cuvées, issues de la récolte 2009, reçoivent chacune une étoile. Ce brut Sélection assemble 80 % de pinot noir et 20 % de chardonnay. Subtil et léger, le nez évoque les agrumes. L'attaque souple, sur des nuances de poire et de fruits exotiques, introduit une bouche agréable et plutôt ronde. Né de pur pinot noir, le brut **Tradition (10 800 b.)** mêle au nez des notes gourmandes de fleurs, de pralin et de caramel au lait, arômes qui se prolongent dans une bouche vineuse, équilibrée, à la finale fraîche et assez longue. Deux cuvées polyvalentes, que l'on pourra déboucher à l'apéritif et terminer au repas. (RM)

⌁ Jean-Jacques et Sébastien Royer, 18, rue de Viviers, 10110 Landreville, tél. 03 25 38 52 62, fax 03 25 29 16 62, champagne.royerjjs@orange.fr, ☑ ⚥ ⚔ t.l.j. 8h30-12h 13h30-17h30; sam. 10h30-12h 14h30-16h30; dim. sur r.-v.

ROYER PÈRE ET FILS Réserve ★★★

○	162 000	▯	11 à 15 €

Les Royer sont plusieurs à Landreville, petit village des bords de l'Ource, tout près de Bar-sur-Seine dans l'Aube. Franck et Jean-Philippe sont les petits-fils de Georges Royer, le fondateur de l'exploitation en 1960. Ils disposent d'un coquet vignoble de 28 ha dans lequel le pinot noir trouve une large place. Composant les trois quarts de ce brut, il est associé au chardonnay. Ce duo de cépages a donné une superbe cuvée. La robe claire et brillante est parcourue d'une effervescence dynamique qui transporte à la surface des senteurs d'amande fraîche et d'abricot. Ce fruité s'enrichit de notes épicées dans une bouche intense à l'attaque, persistante, alliant vinosité et élégance. Une dégustatrice verrait bien ce champagne avec un poisson blanc cuisiné au poivron rouge et à la coriandre fraîche. Équilibré et d'un naturel très gourmand avec ses arômes de pâte de fruits et d'abricot, le **rosé (15 à 20 € ; 17 000 b.)** obtient une citation. Quant à la cuvée **Prestige (15 à 20 € ; 14 500 b.)**, c'est un blanc de blancs léger et fin, pour l'apéritif. (RM)

⌁ Royer et Cie, 120, Grande-Rue, 10110 Landreville, tél. 03 25 38 52 16, fax 03 25 38 37 17, infos@champagne-royer.com, ☑ ⚥ ⚔ r.-v.

RUELLE-PERTOIS Blanc de blancs Cuvée de réserve ★★

1er cru	10 000	🍴	15 à 20 €

Un domaine familial de 6 ha implanté sur la Côte des Blancs et sur les coteaux d'Épernay et repris en 2002 par Virginie et Benoît Ruelle. Déjà goûté pour des éditions précédentes, ce champagne d'un jaune d'or brillant aux reflets verts porte à un haut degré les qualités de complexité déjà repérées auparavant, mêlant au nez les fleurs, les fruits secs (amande), la torréfaction, la minéralité et les agrumes. Tout aussi complexe, la bouche se révèle agréablement fraîche et de belle longueur. Un blanc de blancs que l'on appréciera dès la sortie du Guide, aussi bien sur des produits de la mer (poisson grillé, sole meunière ou scampis flambés à l'anis) que sur une viande blanche. (RM)

☛ SCEV Ruelle-Pertois, 11, rue du Champagne, 51530 Moussy, tél. 03 26 54 05 12, fax 03 51 08 15 48, ruellemi@wanadoo.fr, ☑ ⚔ 🍷 r.-v.

RUFFIN ET FILS L'Âme de Jean Vinifié en fût de chêne ★★

	5 000	🍷	30 à 50 €

Au centre de la ligne de coteaux qui s'étire des marais de Saint-Gond au sud de la Côte des Blancs, Étoges, grâce à son château, était une étape royale sur la route de Strasbourg. Établie dans ce bourg, la maison Ruffin et fils a pris le statut de négociant en 1995, à l'arrivée d'Alexandre. Le jeune homme, associé à son oncle Dominique, responsable des vinifications, a présenté une cuvée qui rend hommage à son grand-père. Né des trois cépages champenois, ce brut donne la majorité (57 %) aux noirs. Les vins ont tous séjourné en fût de 220 l et n'ont pas fait leur fermentation malolactique. Il en résulte un nez élégant, d'une rare complexité (fleurs, abricot, boisé) et un palais structuré et riche, auquel une belle arête acide confère un superbe équilibre. Un champagne complet qui saura affronter quelques années de garde et qui s'accordera avec un filet mignon aux amandes. Notée une étoile, la cuvée **Chardonnay d'or (15 à 20 € ; 40 000 b.)** n'a pas vu le bois. Elle dispense des arômes de fruits mûrs, de beurre, de brioche et de fumée qui se prolongent dans une bouche généreuse et équilibrée. Cette bouteille devrait atteindre sa plénitude dans un an ou deux. (NM)

☛ Ruffin et Fils, 20, Grande-Rue, 51270 Étoges, tél. 03 26 59 30 14, fax 03 26 59 34 96, contact@champagnes-ruffin.com, ☑ ⚔ 🍷 t.l.j. sf sam. dim. 8h-12h 14h-17h

RENÉ RUTAT Blanc de blancs

1er cru	20 000	🍴	15 à 20 €

Les grands-parents de Michel Rutat, viticulteurs, apportaient leur récolte à la coopérative de Vertus, dans la partie sud de la Côte des Blancs. Son père, René Rutat, devint récoltant-manipulant. En 1985, l'actuel exploitant reprit le domaine et modernisa l'outil de travail. Son blanc de blancs sans année offre le profil archétypique d'un chardonnay né sur un terroir à dominante calcaire, avec son nez sur la minéralité, les fleurs et les fruits blancs ; des arômes un peu plus évolués, briochés et miellés, s'expriment au palais, soulignant une sensation de gras. Un champagne de gastronomie, à marier par exemple à un poulet au champagne. (RM)

☛ René Rutat, 27, av. du Gal-de-Gaulle, 51130 Vertus, tél. 03 26 52 14 79, fax 03 26 52 97 36, champagne-rutat@wanadoo.fr, ☑ ⚔ 🍷 r.-v.

SADI MALOT Blanc de blancs Vieille Réserve

1er cru	10 000	🍴	15 à 20 €

Les générations passent et les prénoms changent chez les Malot : le premier du nom, dans les années 1880, s'appelait Socrate, et la fille de Franck répond aujourd'hui au nom de Cindy. Quant au fondateur de la marque, il avait été ainsi prénommé Sadi en souvenir d'un oncle tombé au front, lui-même baptisé en hommage au président Sadi-Carnot... Parler de ce vin sera plus simple : il s'agit d'un blanc de blancs en provenance de Villers-Marmery, un 1er cru de la Montagne de Reims réputé pour ses chardonnays. Il exprime bien le cépage par son nez léger et par sa bouche équilibrée et vive. (RM)

☛ Malot, 35, rue Pasteur, 51380 Villers-Marmery, tél. 03 26 97 90 48, fax 03 26 97 97 62, sadi-malot@wanadoo.fr, ☑ ⚔ 🍷 t.l.j. sf dim. 9h-12h 14h-19h

SAINT-CHAMANT Blanc de blancs Carte or

	11 430	🍴	20 à 30 €

À quatre-vingt-deux ans, Christian Coquillette, qui commercialise ses champagnes sous la marque Saint-Chamant, est toujours en activité. Le siège de l'exploitation se trouve à Épernay ; tandis que les installations, récemment modernisées, sont à quelques kilomètres de là, à Chouilly. Son vignoble couvre 11,5 ha, entre coteaux d'Épernay et Côte des Blancs, et les blancs de blancs dominent sa production. Celui-ci, issu de la récolte 2007, offre un nez tout en finesse, alliant notes minérales et fleurs printanières. Nerveuse et minérale, la bouche persiste sur des notes légèrement amères d'agrumes, de pamplemousse. Également cité, le **blanc de blancs Carte crème (16 380 b.)** naît de la vendange 2005 et dévoile des caractères plus marqués d'évolution, avec des nuances de grillé, de fruits, mûrs ou confits. Quant au **blanc de blancs 2004**, il offre un nez riche, sur le beurre et le pain d'épice, tandis que la bouche apparaît franche et vive. (RM)

☛ Christian Coquillette, champagne Saint-Chamant, 50, av. Paul-Chandon, 51200 Épernay, tél. 03 26 54 38 09, fax 03 26 54 96 55, champagnesaintchamant@orange.fr, ☑ r.-v.

SALMON Sélection montgolfière ★

	19 500	🍴	15 à 20 €

Remarqué dans la précédente édition du Guide, le rosé avait obtenu un coup de cœur. Olivier Salmon, installé dans la vallée de l'Ardre, a deux passions qu'il a transmises à ses enfants : le champagne et la montgolfière, ce qui explique le nom de cette cuvée. Elle réunit les trois cépages champenois à parts égales, et les dégustateurs sentent la présence des trois variétés : le nez est un panier de fruits frais, qui mêle le noyau, la framboise et les agrumes. Après une belle attaque, la bouche se montre structurée et fraîche. La finale agréable et fruitée laisse une impression d'harmonie. (RM)

☛ EARL Salmon, 21-23, rue du Capitaine-Chesnais, 51170 Chaumuzy, tél. 03 26 61 82 36, fax 03 26 61 80 24, info@champagnesalmon.com, ☑ ⚔ 🍷 t.l.j. 9h-18h

CHAMPAGNE

DENIS SALOMON ★

| | 4 632 | 15 à 20 € |

Nicolas Salomon, fils de Denis, a pris en 2003 les rênes de l'exploitation familiale dont le siège est à Vandières, derrière les remparts médiévaux du village. Son rosé est issu de pur meunier, cépage très majoritaire dans ce secteur de la vallée de la Marne. Il séduit par son nez subtil de fruits et d'épices, arômes qui se mêlent délicatement dans une bouche équilibrée et longue. (RM)

☎ Denis Salomon, 5, rue Principale, 51700 Vandières, tél. 03 26 58 05 77, fax 03 26 58 00 25, info@champagne-salomon.com, ☒ ☀ ☏ r.-v. ⌂ ⊜

♥ **SALON** Blanc de blancs Le Mesnil 1999 ★★

| | n.c. | + de 100 € |

À la fin du XIXᵉs., Eugène-Aimé Salon, fils d'un charron champenois, part pour la capitale, plein d'enthousiasme, et gravit les échelons dans une entreprise de fourrure. Épicurien, il revient dans son pays natal pour créer un champagne de rêve. Avec l'aide de son beau-frère, chef de cave, il choisit le terroir : le Mesnil-sur-Oger ; les meilleures parcelles : celles du haut de l'église ; son premier millésime, 1905, sera réservé à sa consommation personnelle. La maison (dans l'orbite du groupe Laurent-Perrier depuis 1988) naît en 1920. Elle est célèbre pour ne proposer qu'une cuvée de blanc de blancs millésimé élaborée uniquement les bonnes années et issue exclusivement du Mesnil-sur-Oger, grand cru de la Côte des Blancs. Le 1999 est le trente-septième et dernier millésime en date. Il n'a pas vieilli et offre la complexité d'un grand champagne, mêlant minéralité, fruits secs, fruits exotiques et notes de torréfaction. Tout aussi complexe, le palais conjugue souplesse et puissance, et montre une rare persistance. Son harmonie laisse les jurés sous le charme : coup de cœur ! Un champagne de repas, digne d'un bar et son risotto à la truffe. (NM)

☎ Salon, 5, rue de la Brèche-d'Oger, 51190 Le Mesnil-sur-Oger, tél. 03 26 57 51 65, fax 03 26 57 79 29, champagne@salondelamotte.com

☎ Laurent-Perrier

SANCHEZ-LE GUÉDARD Grande Réserve ★

| | 25 000 | ▮▯ | 15 à 20 € |

Après la dernière guerre, certains salariés viticoles, comme Bernard Le Guédard, ont pu se constituer parcelle après parcelle une exploitation en Champagne. Aujourd'hui, Patricia et José Sanchez, rejoints par leur fils Sébastien, disposent de 5 ha aux environs de Cumières ; ils élaborent leurs cuvées et commercialisent la totalité de leur production. La Grande Réserve, souvent retenue, est dominée par les noirs (60 % de pinot noir et 20 % de meunier) ;

elle a connu le bois mais n'affiche pas son élevage. Fleur, miel, grillé, poivre traduisent au nez une noble évolution ; les fruits (cerise et fruits blancs) apparaissent au palais au sein d'une matière bien équilibrée. (RM)

☎ Sanchez-Le Guédard, 106, rue Gaston-Poittevin, 51480 Cumières, tél. et fax 03 26 51 66 39, champagne.sanchezleguedard@orange.fr, ☒ ☀ ☏ t.l.j. sf dim. 10h-12h 15h-18h

SANGER Louise Eugénie ★

| | 3 000 | ◫ | 20 à 30 € |

En 1952, d'anciens élèves du lycée viticole d'Avize (rebaptisé récemment Viti Campus) se regroupent et créent la coopérative des Anciens. Aujourd'hui, plus de deux cents élèves, étudiants, apprentis et stagiaires participent à l'ensemble des travaux de la vigne et du vin. La cuvée Louise Eugénie, qui obtient une belle étoile, rend hommage à Madame Puisard, donatrice des biens immobiliers qui constituent le lycée et la cave. Issue de la récolte 2007, elle assemble 60 % de chardonnay aux deux pinots à parité. Les vins de base ont été vinifiés sous bois. Au nez, des arômes de fruits blancs et jaunes se mêlent à des nuances pâtissières. Ample et élégante, la bouche suit le même registre aromatique, avec des notes légèrement toastées qui se prolongent en finale. On pourra déboucher ce champagne à l'apéritif et le terminer au repas, sur une viande blanche ou un poisson cuisiné. (CM)

☎ Coopérative des Anciens, 33, rempart du Midi, 51190 Avize, tél. 03 26 57 79 79, fax 03 26 57 78 58, contact@sanger.fr, ☒ ☀ ☏ t.l.j. sf sam. dim. 9h-12h 14h-18h

CAMILLE SAVÈS Bouzy Cuvée Anaïs Jolicœur 2008 ★

| Gd cru | 4 246 | ◫ | 20 à 30 € |

Ingénieur agronome, Eugène Savès, fondateur du domaine, fut le premier à Bouzy à installer des vignes palissées, afin de faciliter le passage du cheval. Aujourd'hui, Hervé et Arthur Savès exploitent 9 ha en grand cru et en 1er cru. Rendant hommage à l'épouse d'Eugène, fille d'un vigneron de Bouzy, cette cuvée donne la vedette au pinot noir (90 %) ; elle n'a pas fait sa fermentation malolactique et a séjourné huit mois en pièce champenoise. Arômes citronnés et de fruits mûrs s'expriment finement au nez. La bouche est la fraîcheur même ; elle finit sur des évocations persistantes de fruits blancs et de pamplemousse. Ce champagne, qui peut attendre deux à trois ans, devrait s'entendre avec des crustacés au beurre blanc. (RM)

☎ Camille Savès, 4, rue de Condé, 51150 Bouzy, tél. 03 26 57 00 33, fax 03 26 57 03 83, champagne.saves@hexanet.fr, ☒ ☀ ☏ r.-v.

SECONDÉ-SIMON Cuvée Nicolas

| Gd cru | 10 000 | ▮ | 15 à 20 € |

J.-L. Secondé est installé à Ambonnay, grand cru situé sur les flancs est et sud-est de la Montagne de Reims. Construite en 1860, la première cave de la famille assura longtemps le pressurage pour le négoce champenois. Ce n'est qu'en 1947 que débuta la commercialisation. Mariant deux tiers de pinot noir et un tiers de chardonnay, ce grand cru livre au nez de discrètes senteurs de fleurs blanches teintées de minéralité. Après une attaque franche, le dosage perceptible procure une sensation de douceur et d'onctuosité sur des notes de pêche un rien miellées. Ce caractère suave permettra de servir ce brut sur un dessert fruité pas trop sucré.

➤ EARL J.-L. Secondé-Simon, 3, rue Henri-III,
51150 Ambonnay, tél. et fax 03 26 53 13 02,
jl.seconde@orange.fr,
☑ ⚔ ⲧ t.l.j. sf sam. dim. 9h-12h 14h-17h

SÉLÈQUE Sérénade rosée ★

◯ 1er cru	2 500	▮⏻	30 à 50 €

Faisant face à l'église de Chavot, cette exploitation
familiale, qui a son siège à Pierry aux portes d'Épernay,
élabore ses champagnes depuis la fin des années 1970. À
la cave officient Richard Sélèque et son fils Jean-Marc, qui
élaborent en barrique leurs vins de réserve. Leur Sérénade
rosée associe un rosé de saignée à 15 % de chardonnay
vinifié en barrique. D'une robe assez soutenue aux reflets
orangés s'échappent des senteurs de fruits rouges (groseille, fraise) et de crème pâtissière. La bouche, vineuse et
charpentée, permettra de servir ce champagne avec des
filets de canard ou des plats relevés. (RM)
➤ Sélèque, 10, rue de l'Égalité, 51530 Pierry,
tél. 03 26 54 06 43, champagne-seleque@orange.fr,
☑ ⚔ ⲧ r.-v.

CRISTIAN SENEZ Carte verte ★

◯	100 000	▮	11 à 15 €

En 1950, Cristian Senez acquiert ses premières
parcelles, et commence à défricher et à planter son
vignoble. Aujourd'hui, sa fille et son gendre, Angélique et
Frédéric Roger, disposent d'un coquet vignoble de 28 ha.
Leur cuvée Carte verte n'a pas fait sa fermentation
malolactique, selon la pratique de la maison. Issue de
pinot noir et de chardonnay à parts égales, elle exprime
surtout le premier de ces cépages, car son nez évoque la
fraise et la cerise. La bouche est fraîche et équilibrée,
plutôt chaleureuse en finale. À déboucher à l'apéritif et à
finir à table, sur de la volaille par exemple. (NM)
➤ Senez, 6, Grande-Rue, 10360 Fontette,
tél. 03 25 29 60 62, fax 03 25 29 64 63,
contact@champagne-senez.com, ☑ ⚔ ⲧ r.-v. ⌂ ☉

SERVEAUX FILS Pur Chardonnay ★

◯	10 093	▮	15 à 20 €

Sur la rive droite de la Marne, entre Dormans et
Château-Thierry, Pascal Serveaux, aidé de ses fils Nicolas
et Hugo, cultive 15 ha de vignes implantées sur les coteaux
de Passy-sur-Marne. Le domaine signe un blanc de blancs
(« pur chardonnay », comme on lit maintenant assez
souvent sur les étiquettes champenoises) très réussi. Les
parfums mûrs et agréables évoquent les fruits jaunes
(pêche, abricot, mirabelle) ; ces arômes se nuancent de
notes d'agrumes et d'épices (vanille) dans une bouche à la
finale fraîche. (RM)
➤ Pascal Serveaux, 2, rue de Champagne,
02850 Passy-sur-Marne, tél. 03 23 70 35 65,
fax 03 23 70 15 99, serveaux.p@wanadoo.fr, ☑ ⚔ ⲧ r.-v.

SERVENAY ET FILS Demi-sec

◯	850	▮	11 à 15 €

Installé à Trélou-sur-Marne, dans l'Aisne, en aval de
Dormans, Philippe Servenay travaille, avec Antonin, sur
l'exploitation familiale qu'il a reprise en 1986. Lancée en
2008, la marque fait son entrée dans le Guide avec un
demi-sec, catégorie devenue très minoritaire. Les trois
cépages champenois sont réunis dans cette cuvée qui
dévoile au nez des caractères agréables de jeunesse,
mêlant l'orange amère, les fruits blancs et une pointe

végétale. La douceur vient judicieusement équilibrer l'acidité, créant ainsi une belle harmonie. (RM)
➤ Philippe Servenay, 22, rue Kennedy,
02850 Trélou-sur-Marne, tél. 03 60 38 52 24,
fax 03 23 70 29 40, champagneservenayetfils@hotmail.fr,
☑ ⚔ ⲧ t.l.j. 8h-17h30

SIMON-DEVAUX 2005 ★

◯	1 500	▮	15 à 20 €

Les 7 ha du vignoble sont répartis sur huit communes
de la Côte des Bar. La marque a été lancée en 1990 par
la mère d'Alain Simon, qui apportait ses raisins à la
coopérative locale. Dès son arrivée sur l'exploitation en
1996, le jeune homme investit dans un pressoir. Il a vinifié
sa première cuvée en 2003. Mi-chardonnay mi-pinot noir,
son 2005 revêt une robe pâle traversée d'un cordon de
bulles fines. Riche et gourmand, fait de fruits confits, de
pâte de coings, de fruits secs et de miel, le nez évoque la
maturité, tandis que le palais a gardé toute sa fraîcheur
avec des notes d'agrumes, son attaque fine et sa finale vive.
Pour surprenant qu'il soit, cet écart entre le nez et la
bouche est agréable. (RM)
➤ Simon-Devaux, 4, rue du Clamart,
10110 Celles-sur-Ource, tél. 03 25 29 00 35,
simon-devaux@neuf.fr, ☑ ⚔ ⲧ r.-v.
➤ Alain Simon

JACQUES SONNETTE Tradition ★★

◯	42 000	▮	11 à 15 €

C'est dans un hameau de Charly-sur-Marne – le
village viticole le plus proche pour le visiteur parisien –
que réside Jacques Sonnette, fort d'une expérience de quarante ans. Son vignoble de 8 ha est implanté sur des sols
sablo-calcaires qui rappellent la proximité de la rivière.
Sans surprise, son brut Tradition privilégie le meunier
(80 %), cépage majoritaire dans ce secteur. Il s'ouvre à
l'aération sur un fruité plutôt discret, mais très élégant. La
bouche, elle aussi, brille par sa finesse ; on apprécie sa
longueur et son équilibre entre richesse et fraîcheur, qui
permettra à ce champagne de trouver sa place aussi bien
à l'apéritif que pendant le repas. Le **rosé (5 100 b.)** marie
le meunier et le chardonnay à parts quasi égales et tire sa
teinte soutenue d'un apport de 11 % de vin rouge. Ses
arômes francs de petits fruits et d'agrumes, et sa bouche
équilibrée et longue lui valent une étoile. (RM)
➤ Jacques Sonnette, 2, rue du Port-Picard, Porteron,
02310 Charly-sur-Marne, tél. 03 23 82 05 71,
fax 03 23 82 71 89, contact@champagnesonnette.com,
☑ r.-v.

♥ SOURDET-DIOT ★★

◯	6 500	▮⏻	15 à 20 €

Après plusieurs cuvées très bien notées, Patrick
Sourdet reçoit pour cette édition un coup de cœur qui
prouve la bonne forme du domaine. Fondée en 1962 par
Raymond Sourdet à la Chapelle-Monthodon – îlot viticole
tourné vers le sud, entre les vallées du Surmelin et de la
Marne –, l'exploitation a été reprise en 1975 par son fils
Patrick qui s'est lancé graduellement dans la manipulation. Ludivine, la fille de Patrick, et son époux Damien
ont rejoint la propriété. Assemblage privilégiant le chardonnay (60 % complétés par 40 % des pinots), leur
rosé s'annonce par une délicate robe pâle aux jolis reflets
couronnée d'une belle mousse. Son nez expressif et
élégant prélude à une bouche harmonieuse, à la fois

ample, onctueuse, vigoureuse et intensément fruitée. On pourra servir ce champagne tout au long d'un repas. La **Cuvée de réserve (11 à 15 € ; 25 000 b.)**, à dominante de meunier (70 %, le solde en chardonnay), est citée pour son fruité, son équilibre et sa fraîcheur. (RM)

☚ EARL Sourdet-Diot, 1, hameau de Chézy, 02330 La Chapelle-Monthodon, tél. 03 23 82 46 18, fax 03 23 82 18 82, info@champagnesourdet.com, ☑ ⚘ 🍷 r.-v.

SOUTIRAN Blanc de blancs

Gd cru	8 000	▮	30 à 50 €

Fille et petite-fille de vignerons, Valérie Renaux-Soutiran dirige une petite structure familiale à Ambonnay. Elle dispose d'un vignoble de 6 ha et d'une activité de négoce pour étoffer sa gamme de champagnes. Son blanc de blancs s'annonce par un nez gourmand, beurré et brioché. Dans le même registre aromatique, le palais offre une attaque franche, une matière équilibrée et une finale sur les agrumes. Malgré un dosage qui semble généreux, l'ensemble apparaît flatteur. (NM)

☚ Soutiran, 3, rue de Crilly, 51150 Ambonnay, tél. 03 26 57 07 87, fax 03 26 57 81 74, info@soutiran.com, ☑ 🍷 r.-v. 🏨 ❷

♥ TAITTINGER Blanc de blancs
Comtes de Champagne 2004 ★★★

	n.c.	▮Ⅲ	+ de 100 €

Alexandre Fourneaux produisait des vins tranquilles à Rilly-la-Montagne. Son fils créa sa maison de négoce dès 1734. Deux siècles plus tard, Pierre Taittinger devint l'actionnaire principal de l'affaire, à laquelle il donna son nom. Pierre-Emmanuel Taittinger, son descendant, préside aujourd'hui la maison. La cuvée Comtes de Champagne tire son nom de l'hôtel classé Monument historique que possède la société. Du 1976 au 2004, ce blanc de blancs de prestige a obtenu quatorze coups de cœur au fil des éditions du Guide. Le millésime change, le style reste. Une collerette de fines bulles couronne la robe or pâle. Le

nez, après aération, révèle toute la classe aromatique des grands chardonnays : des senteurs de fruits blancs (poire), d'agrumes et de torréfaction (grillé, vanille, bois noble...) se livrent avec intensité, mais sans lourdeur. Quant à la bouche, elle envoûte les dégustateurs, charmés par son équilibre parfait entre onctuosité et fraîcheur, par son toucher soyeux, sa droiture et sa finale éclatante. « Une cuvée précieuse, tout en délicatesse », conclut un membre du jury. Un de ces champagnes que l'on peut carafer pour lui permettre d'exprimer toute sa complexité. (NM)

☚ Taittinger, 9, pl. Saint-Nicaise, 51100 Reims, tél. 03 26 85 45 35, marketing@taittinger.fr, ☑ ⚘ 🍷 t.l.j. 9h30-13h 14h-17h; f. sam. dim. de mi-nov. à mi-mars

TANNEUX-MAHY 100 % 2007 ★★

	2 000	Ⅲ	30 à 50 €

Établie à Mardeuil, commune jouxtant Épernay, cette exploitation, conduite par Christophe Tanneux depuis 2009, est implantée sur les deux rives de la Marne. 100 % ? Ce champagne qui provient d'une seule année, est issu de 100 % de pinot noir récolté sur le grand cru d'Aÿ (classé 100 % sur l'échelle des crus) et vinifié entièrement en bois. Les jurés louent sa robe paille, son nez complexe mêlant harmonieusement la pêche jaune, les fruits exotiques, les épices (vanille) et des nuances empyreumatiques complexes. Très fondu en bouche, le boisé n'altère pas la fraîcheur et l'équilibre de l'ensemble en évitant toute amertume. Sa longueur et sa vivacité prédisent à ce 2007 un bel avenir. On pourra le déguster de l'apéritif au fromage. Plus conforme au style de la maison, la **Cuvée de réserve (11 à 15 € ; 15 000 b.)** associe 60 % de noirs (les deux pinots) et 40 % de blancs. Elle obtient une étoile pour son nez d'agrumes, de fleurs et de fruits blancs, auquel répondent une attaque vive et un palais frais. Pour l'apéritif ou des fruits de mer. (RM)

☚ Christophe Tanneux, 2, rue Jean-Jaurès, 51530 Mardeuil, tél. 03 26 55 24 57, champagne.tanneux@orange.fr, ☑ ⚘ 🍷 t.l.j. sf dim. 9h-12h 13h30-19h; f. août

SÉBASTIEN TAPRAY Prestige ★

	9 000		15 à 20 €

Viticulteur depuis 2000 à Colombé-la-Fosse, non loin de Bar-sur-Aube, Sébastien Tapray apporte la récolte du domaine familial à la coopérative de Colombé-le-Sec, qui a élaboré cette cuvée assemblant 70 % de chardonnay et 30 % de pinot noir. Un brut de caractère au nez puissant et complexe, floral et fruité, et à la bouche équilibrée et longue, qui peut rester deux ou trois ans en cave. On le servira de préférence sur une viande blanche. (RC)

☚ Sébastien Tapray, 29, Grande-Rue, 10200 Colombé-la-Fosse, tél. 03 25 27 99 12, fax 03 25 27 99 17 ☑ 🍷 r.-v.

TARLANT Extra-brut Prestige 2000 ★

	3 000	▮Ⅲ	30 à 50 €

Déjà vignerons du vivant de dom Pérignon, les Tarlant ont marqué l'histoire viticole d'Œuilly, village de la rive gauche de la Marne. Le domaine est conduit par la douzième génération, représentée par Benoît et Mélanie, les enfants de Jean-Mary Tarlant, qui préside la maison. Benoît se charge de l'élaboration et défend une approche naturelle de la viticulture (traitements par tisanes de plantes) et de la vinification. Ses vins ne font pas la fermentation malolactique, connaissent le bois et sont faiblement dosés, voire « nature » (non dosés). Sa cuvée Prestige 2000 est un extra-brut vinifié en tonneau. Le chardonnay, qui compose 90 % de l'assemblage (avec le pinot noir en appoint), imprime fraîcheur et finesse à une matière vineuse, parfumée d'abricot et d'agrumes confits. Un champagne évolué et gourmand, à déboucher à la fin de l'année, sur une poularde par exemple. Citée, la cuvée **Zéro brut nature (20 à 30 € ; 100 000 b.)**, issue des trois cépages à égalité, étonne et séduit : elle offre une palette aromatique évoluée, mêlant la cerise à l'eau-de-vie et le cacao, en contraste avec la fraîcheur de la bouche. (RM)

☛ Tarlant, 21, rue de la Coopérative, 51480 Œuilly, tél. 03 26 58 30 60, champagne@tarlant.com, ☑ ☀ ⊺ t.l.j. sf dim. 10h-12h 13h30-17h30

♥ J. DE TELMONT O.R 1735 2002 ★★

	5 000	▥	50 à 75 €

1, avenue de Champagne : une adresse qui en impose, même si cette avenue-là est située à Damery, sur la rive droite de la Marne. Fondée par Henry Lhopital, la société est restée familiale, gérée par Bertrand Lhopital et sa sœur Pascale Parinet qui représentent la quatrième génération. Elle dispose de 36 ha en propre, complétés par des contrats d'approvisionnement pour 110 ha. Avec un millésimé de l'excellente année 2002, la maison renoue avec les coups de cœur (c'est son troisième). Issue de chardonnay, cette cuvée a connu le bois. Elle en a tiré un surcroît de rondeur et des nuances toastées, qui soulignent ses parfums de fleurs blanches et de citron. Du premier coup de nez à la finale, les mêmes mots reviennent sous la plume des dégustateurs : élégance, subtilité, fraîcheur et harmonie. Un champagne de référence qui formera un bel accord avec une poularde aux girolles. (NM)

☛ J. de Telmont, 1, av. de Champagne, 51480 Damery, tél. 03 26 58 40 33, fax 03 26 58 63 93, commercial@champagne-telmont.com, ☑ ⊺ t.l.j. sf dim. 9h30-12h 14h-18h; sam. 10h-17h

V. TESTULAT Prestige ★

	12 000	▮	15 à 20 €

Une maison d'Épernay fondée en 1862 par Vincent Testulat. Cinq générations plus tard, c'est toujours un Vincent Testulat qui signe les cuvées. Celle-ci, mi-blancs mi-noirs (meunier et pinot noir à parité), porte une robe dorée et un parfum léger et élégant, plutôt floral. Sa prise en bouche se fait avec nervosité, puis le champagne gagne en finesse et en équilibre, dévoilant des arômes toastés et citronnés qui persistent longuement en bouche. Un brut sans année gourmand et flatteur, qui saura mettre en valeur poissons et crustacés. (NM)

☛ V. Testulat, 23, rue Léger-Bertin, 51200 Épernay, tél. 03 26 54 10 65, fax 03 26 54 61 18, vtestulat@champagne-testulat.com, ☑ ⊺ r.-v.

ÉRIC THERREY Cuvée spéciale ★

	20 000		11 à 15 €

Ancienne cité des foires de Champagne, Troyes est dominée à l'ouest par une butte calcaire où excelle le chardonnay. Jacky Therrey s'y est installé dans les années 1960. Après vingt ans de collaboration familiale, son fils Éric a pris seul la direction du domaine en 2006 et a rajeuni l'outil de production en 2011. Sa Cuvée spéciale fait, bien entendu, la part belle au raisin blanc (90 %), complété de pinot noir, et comprend 40 % de vins de réserve. Le nez est aérien, tout en finesse, et la bouche se montre à la fois élégante et ferme. On peut encore attendre cette bouteille un an ou deux avant de la servir à l'apéritif ou sur une entrée raffinée. (RM)

☛ Éric Therrey, 6, rte de Montgueux, La Grange-au-Rez, 10300 Montgueux, tél. et fax 03 25 70 30 25, contact@champagne-therrey.fr, ☑ ☀ ⊺ t.l.j. sf dim. 9h-12h 14h-18h

THÉVENET-DELOUVIN Cuvée insolite Chardonnay Extra-brut ★★★

	1 000	▥	20 à 30 €

Xavier et Isabelle Thévenet sont l'un comme l'autre issus de familles vigneronnes. Xavier s'est installé en 1989, rejoint par son épouse, auparavant ingénieur-conseil viticole. Leur haute technicité leur permet de préserver au mieux l'identité de chacune de leurs parcelles, implantées sur les deux rives de la Marne et à Grauves, au sud d'Épernay. Issue de la récolte 2006, leur cuvée Insolite provient de vins de base élevés en fût. Sa robe or pâle est traversée de fines bulles qui mettent en évidence un nez tout en finesse, empyreumatique et boisé, évoquant la vanille, le cacao, le beurre et le pralin, avec une touche de miel. Tout aussi complexe, l'attaque dévoile une matière puissante, qui trouve très vite un superbe équilibre grâce à une belle acidité. Un vin de repas, qui formera un accord idéal avec une viande blanche aux morilles. Privilégiant les noirs (70 %, meunier surtout), le brut **Réserve (11 à 15 € ; 11 000 b.)** reçoit une étoile pour son nez gourmand de brioche et de fruits blancs, pour son équilibre et sa longueur. On le servira à l'apéritif. (RM)

☛ Isabelle et Xavier Thévenet, 28, rue Bruslard, 51700 Passy-Grigny, tél. 03 26 52 91 64, fax 03 26 52 97 63, xavier.thevenet@wanadoo.fr, ☑ ☀ ⊺ r.-v. ⌂ ◍

THIÉNOT Cuvée Alain Thiénot 2002 ★★

	28 000		50 à 75 €

Aujourd'hui appuyé par ses enfants Stanislas et Garance, Alain Thiénot est à la tête d'un groupe qui coiffe des maisons de Champagne (Joseph Perrier, Marie Stuart, Canard-Duchêne) et du Bordelais. Il a créé sa marque en 1985. La cuvée Alain Thiénot n'est élaborée que dans les grands millésimes, comme 2002. Au cours du mois de septembre ensoleillé et frais de cette année ont été récoltés le pinot noir (54 %) et le chardonnay à l'origine de ce champagne à la bulle fine et à la robe encore jeune, pâle aux reflets verts. Le nez assume son âge et découvre des arômes puissants d'abricot, de fruits confits et de fruits secs qui se prolongent dans une bouche à l'équilibre idéal entre fraîcheur, structure et finesse. Une belle longueur ajoute à l'harmonie de ce champagne, qui accompagnera volontiers du foie gras poêlé. Mi-chardonnay mi-pinot noir, le **Vintage 2005 (30 à 50 € ; 15 000 b.)** développe un nez intense, fumé, fruité, brioché et une bouche vive et longue. Il obtient une étoile. Le **brut sans année (20 à**

30 € ; 350 000 b.) donne une courte majorité aux noirs (55 % des deux pinots) ; il est cité pour son nez discret et élégant, sur la pêche et la fleur blanche, et pour sa bouche équilibrée et gourmande. (NM)

☞ Thiénot, 4, rue Joseph-Cugnot, 51500 Taissy, tél. 03 26 77 50 10, fax 03 26 77 50 19, infos@thienot.com, ☑ r.-v.

J. M. TISSIER Apollon 2006

	2 800		20 à 30 €

Jacques Tissier est l'un des petits-enfants de Diogène Tissier, vigneron de Chavot-Courcourt devenu récoltant-manipulant dans les années 1930. Installé en 1993, il exploite 5 ha de vignes au sud d'Épernay et a dédié sa marque à son père Jean-Marie. Mi-blancs mi-noirs (35 % meunier, 15 % pinot noir), son 2006 offre une effervescence fine et persistante. Il doit être aéré avant de libérer des notes grillées, toastées et confites traduisant une certaine évolution. Puissante, tout aussi mûre, la bouche est vineuse et équilibrée. Un champagne à déguster sans attendre, avec du foie gras. Également cité, le brut **Réserve (15 à 20 € ; 10 000 b.)** assemble lui aussi les trois cépages, avec un peu plus de chardonnay que le précédent (60 %). Frais et équilibré, il conviendra à l'apéritif. (RM)

☞ SAS J.M. Tissier, 9, rue du Gal-Leclerc, 51530 Chavot-Courcourt, tél. 03 26 54 17 47, fax 09 70 32 07 15, contact@champagne-jm-tissier.com, ☑ ⚔ ☗ r.-v.

DIOGÈNE TISSIER ET FILS Blanc de noirs Saveur de Juliette

	9 000		15 à 20 €

Diogène ? Le fondateur de la société en 1931, qui eut neuf enfants, dont trois suivirent les traces. Vincent Huber est son petit-fils, installé comme lui à Chavot-Courcourt, au sud d'Épernay. Deux de ses champagnes ont été retenus. Dédié à la grand-mère, ce blanc de noirs (70 % meunier, 30 % pinot noir) est un champagne aromatique, aux arômes de beurre frais, de pêche et de fruits noirs, frais à l'attaque et toujours bien fruité en bouche. La **Cuvée de réserve (30 000 b.)** fait jeu égal. Le chardonnay domine (60 %), accompagné de 25 % de meunier et de 15 % de pinot noir ; 20 % des vins de réserve ont séjourné en fût. Il en résulte un nez beurré, miellé, grillé et une bouche ronde, puissante et vineuse. (NM)

☞ Diogène Tissier et Fils, 10, rue du Gal-Leclerc, 51530 Chavot-Courcourt, tél. 03 26 54 32 47, fax 03 26 54 32 48, diogenetissier@hexanet.fr, ☑ ⚔ ☗ r.-v.

☞ Huber

LOUIS TOLLET La Grande Cuvée ★★

1er cru	4 000		20 à 30 €

Louis Tollet est une des marques de la maison Charles Mignon, structure familiale établie à Épernay. La Grande Cuvée s'attire souvent beaucoup d'éloges. Cet assemblage de chardonnay et de pinot noir à égalité attire par sa robe pâle et son effervescence délicate et convainc par sa belle présence. On aime son nez discret, mais délicat et complexe, fait de fleurs et de fruits blancs, de prune, avec des touches épicées et fumées. Enfin, on loue son attaque franche, sa matière onctueuse, aromatique et fraîche ainsi que sa finale intense et longue. On conseille de servir cette bouteille à l'apéritif ou en accompagnement d'un poisson raffiné, un pavé de bar au jus de coquillages par exemple. Le 1er **cru (120 000 b.)**, qui marie trois

quarts de pinot noir et un quart de chardonnay, est un champagne rond et facile, aux arômes de fleurs miellés et de fruits blancs, pour l'apéritif et les entrées chaudes. Il est cité. (NM)

☞ Charles Mignon, 7, rue Irène-Joliot-Curie, 51200 Épernay, tél. 03 26 58 33 33, fax 03 26 51 54 10, info@champagne-mignon.fr, ☑ ⚔ ☗ r.-v.

FRÉDÉRIC TORCHET ★

	2 500		15 à 20 €

Établi dans l'unique village aubois du Sézannais, Villenauxe-la-Grande, Frédéric Torchet exploite 5 ha de chardonnay – cépage dominant de ce secteur – ainsi que 2 ha de pinot noir implantés à l'autre extrémité du département, à Essoyes et aux Riceys, villages distants d'une centaine de kilomètres. Issu de chardonnay et de 12 % de vin rouge, son rosé brille, tant par sa robe que par sa finesse. Fleurs blanches et fruits s'expriment avec délicatesse, introduisant une bouche équilibrée, d'une grande délicatesse, à la finale légèrement minérale. Mi-blancs mi-noirs (pinot noir), la cuvée **Tradition (11 à 15 € ; 10 500 b.)** est un vin puissant et structuré, marqué en finale par des nuances d'agrumes : une étoile également. Quant au **blanc de blancs (13 500 b.)**, il est cité pour la franchise et la finesse de ses arômes d'amande et de mandarine. (RM)

☞ Frédéric Torchet, 12-14, rue Saint-Vincent, 10370 Villenauxe-la-Grande, tél. 03 25 21 36 15, torchet.f@wanadoo.fr, ☑ ⚔ ☗ t.l.j. 9h-12h 14h-18h

OLIVIER TOURNANT Prestige ★★

	2 000		11 à 15 €

En 2007, Olivier Tournant a reçu de ses parents 6 ha de vignes et a lancé son étiquette. Il est installé à Vandières, bourg dominant la Marne sur la rive droite, aux coteaux orientés au sud. Son rosé Prestige provient de l'assemblage des trois cépages champenois (70 % des deux pinots, meunier en tête) ; l'apport de vin rouge lui donne sa teinte rose. Un joli cordon de bulles porte au nez d'agréables notes florales, épicées et fruitées (fruits exotiques et fruits rouges). Cette complexité aromatique donne de la présence à une bouche structurée et élégante. Un champagne harmonieux que l'on servira plutôt au repas. (RM)

☞ Olivier Tournant, 4, rue du Moulin, 51700 Vandières, tél. 03 26 59 12 86, otournant@wanadoo.fr, ☑ ⚔ ☗ r.-v.

♥ TRIBAUT-SCHLOESSER Blanc de chardonnay ★★

	30 000		15 à 20 €

Deux coups de cœur consécutifs, voilà qui n'est pas si fréquent en Champagne. C'est la performance réalisée par Jean-Marie Tribaut, qui préside la société familiale fondée en 1929 et forte d'un vignoble de 20 ha. Si les jurés ont admiré la bulle fine de ce champagne et sa robe d'un

or pâle limpide, ils ont surtout apprécié son nez aérien et son palais précis, conjuguant dans un parfait équilibre un caractère gourmand, une belle ampleur et une fraîcheur citronnée. Un vin ciselé, tout en finesse et persistant, qui tiendra toujours sa place, que ce soit à l'apéritif, sur un plateau de fruits de mer ou sur une viande blanche. Citée, la **cuvée René (20 à 30 € ; 10 000 b.)** fera le même usage. Associant au chardonnay 30 % de pinot noir, elle provient de vins de réserve vieillis en foudre. Briochée, confite et florale, riche, bien structurée et assez harmonieuse, elle peut vieillir deux ou trois ans. (NM)

🍷 Tribaut-Schloesser, 21, rue Saint-Vincent, 51480 Romery, tél. 03 26 58 64 21, fax 03 26 58 44 02, contact@champagne-tribaut.com, ☑ 🅰 🍷 r.-v.

🍷 M. Tribaut

TRICHET-DIDIER 2006 ★★

| 1er cru | 1 890 | 🔳🔳 | 20 à 30 € |

Le village de Trois-Puits résiste à l'avancée de l'agglomération rémoise toute proche. C'est là qu'Antoinette Trichet plante ses premiers ceps en 1947. Son fils, uni à une demoiselle Didier, se lance dans la manipulation. Depuis 1986, Pierre Trichet perpétue l'exploitation, qui couvre 4 ha. Son 2006 et sa **Cuvée spéciale 1er cru (15 à 20 € ; 5 150 b.)** ont obtenu deux étoiles chacun. Malgré leur composition différente, le premier assemble 40 % de pinot noir au chardonnay tandis que le second est un blanc de blancs, les deux champagnes ont en commun un caractère évolué et torréfié (café, cacao), un bon dosage, une bouche harmonieuse et longue. Le 2006 penche vers les fruits mûrs et la brioche, tandis que le blanc de blancs est plus floral et frais. On n'hésitera pas à les servir tous deux à table, le 2006 sur du gibier, la Cuvée spéciale sur une viande blanche. Le brut sans année **grand cru (15 à 20 € ; 3 000 b.)** est un pur pinot noir au nez de fruits mûrs mentholés et à la bouche structurée ; il reçoit une étoile. (NM)

🍷 Pierre Trichet, 11, rue du Petit-Trois-Puits, 51500 Trois-Puits, tél. 03 26 82 64 10, trichet-didier@orange.fr, ☑ 🅰 🍷 r.-v. 🏠 ❸

ALFRED TRITANT Cuvée Prestige ★

| Gd cru | 4 400 | | 15 à 20 € |

Un domaine créé en 1929 sur le versant sud de la Montagne de Reims, plus précisément à Bouzy, l'un des grands crus célèbre pour ses « grands noirs ». Deux tiers de pinot noir et un tiers de chardonnay composent cette cuvée au bouquet délicatement floral et à la bulle fine, mais bien présente en bouche. L'effervescence se marie à la fraîcheur pour affiner une matière puissante et donner de l'élégance à ce champagne. Long et bien dosé, il convaincra le plus grand nombre à l'apéritif. Le **rosé grand cru (3 000 b.)**, qui donne lui aussi la majorité au pinot noir, est cité. On lui trouve aussi des qualités d'élégance et d'équilibre. (RM)

🍷 Alfred Tritant, 23, rue de Tours, 51150 Bouzy, tél. 03 26 57 01 16, fax 03 26 58 49 56, champagne.tritant@free.fr, ☑ 🅰 🍷 r.-v. 🏠 ❻

TROUILLARD Extra Sélection ★★

| | 100 000 | | 15 à 20 € |

Une maison fondée en 1896 par Lucien Trouillard, alors jeune caviste, et reprise en 2006 par la famille Gobillard installée à Hautvillers. Les trois cépages de la région, avec une dominance de noirs (70 % des deux pinots

à parts égales), collaborent à cette cuvée au nez citronné, nuancé d'acacia et de brioche. Souple à l'attaque, la bouche montre des arômes d'évolution miellés et toastés, qui équilibrent harmonieusement sa vivacité soulignée de notes d'agrumes. Un champagne frais, ample et long, que l'on servira dès l'apéritif. (NM)

🍷 Trouillard, 38, rue de l'Église, 51160 Hautvillers, tél. 03 26 55 37 55, fax 03 26 55 46 33, champagnetrouillard@free.fr, ☑ 🍷 r.-v.

TSARINE

| 1er cru | n.c. | 30 à 50 € |

L'une des plus anciennes maisons de champagne : c'est sous le règne de Louis XV, en 1730, que les frères Chanoine fondèrent leur société et obtinrent de la ville d'Épernay l'autorisation de creuser la première cave. Quant à la marque Tsarine, elle rappelle que la Russie des tsars était le principal marché étranger au XIXe s. La maison Chanoine comme la marque Tsarine sont aujourd'hui rattachées au vaste groupe Lanson-BCC. Isabelle Tellier est la chef de cave. L'assemblage du 1er cru de la gamme (étiquette verte) privilégie le pinot noir (86 %), complété de meunier et de chardonnay. Le nez délicat se partage entre fleurs blanches et agrumes, agrumes que l'on retrouve dans une bouche fraîche à l'attaque et persistante. Une belle harmonie. Une citation pour la cuvée **Tzarina nᵒ 1 (50 à 75 €)**, un champagne mi-pinot mi-chardonnay, au nez de brioche et de poire et à la bouche à la fois riche et fraîche. (NM)

🍷 Tsarine, allée du Vignoble, 51100 Reims, tél. 03 26 78 50 08, fax 03 26 78 50 99, contact@champagnetsarine.com, ☑ r.-v.

🍷 Lanson-BCC

JEAN VALENTIN Blanc de blancs Saint-Avertin ★★

| 1er cru | 5 000 | | 15 à 20 € |

La grand-mère du récoltant actuel s'est lancée dans la commercialisation du champagne en 1922. Implanté majoritairement dans des 1ers crus de la Montagne de Reims, le vignoble (5,5 ha) est aujourd'hui conduit par Gilles Valentin, qui a gardé la marque de son père. Le blanc de blancs Saint-Avertin est une fois de plus apprécié, cette dernière version assemblant les récoltes 2009 et 2008. Sa robe jaune doré annonce un nez délicat et complexe, mêlant l'aubépine, les agrumes confits et les fruits exotiques à des notes beurrées et mentholées. À la fois ample et vivifiante, la bouche évolue sur des saveurs compotées et biscuitées. Un réel plaisir à l'apéritif ou sur un carpaccio de saint-jacques. (RM)

🍷 EARL les Coteaux Valentin, 9, rue Saint-Rémi, 51500 Sacy, tél. 03 26 49 21 91, fax 03 26 49 27 68, givalentin@wanadoo.fr, ☑ 🅰 🍷 r.-v.

♥ VARNIER-FANNIÈRE Cuvée Saint-Denis ★★

| Gd cru | 7 000 | | 20 à 30 € |

Jean Fannière fut le premier récoltant-manipulant de la famille, après la dernière guerre. Guy Varnier, son gendre, lui a succédé. C'est lui qui a créé cette cuvée à la naissance de son fils Denis, dans l'espoir d'inciter son rejeton à perpétuer le domaine. Inspiré par son saint patron ou par des considérations plus temporelles, ce dernier s'est installé à la fin des années 1980. Cette cuvée lui vaut son troisième coup de cœur. Ses atouts ? Le vignoble (environ 4 ha), très bien situé sur des terroirs de la Côte des Blancs classés en grand cru ; une belle parcelle

partagé entre les communes de Dizy (1er cru) et d'Aÿ (grand cru). Il signe un 2005 construit sur le pinot noir, avec le chardonnay en appoint. Des notes empyreumatiques, des senteurs de fruits confits et de fruits à l'alcool se mêlent au nez, prélude à un palais d'une belle richesse, rafraîchi par une longue finale acidulée. Chaleureux et expressif, vif et gourmand, ce champagne s'accordera avec des crustacés cuisinés. (RM)

☛ Vautrain-Paulet, 195, rue du Colonel-Fabien, 51530 Dizy, tél. 03 26 55 24 16, fax 03 26 51 97 42, contact@champagne-vautrain-paulet.fr, ☑ ⚔ ⊺ r.-v.

DE VENOGE Cordon bleu Brut sélect ★★

| | 600 000 | ▮ | 20 à 30 € |

Si les fondateurs de maisons venus d'outre-Rhin sont légion, Henri-Marc de Venoge est le seul à être originaire du canton de Vaud, en Suisse. Il fonde en 1837 sa maison et son successeur introduit sur les étiquettes le cordon bleu emblématique. La maison, qui a son siège dans la splendide avenue de Champagne d'Épernay, appartient depuis 1998 au groupe Lanson-BCC. Très souvent apprécié, le brut sans année Cordon bleu s'attire cette année tous les éloges. Il naît d'un assemblage classique de 75 % de noirs (dont 50 % de pinot noir) et de 25 % de blancs. D'un or pâle limpide, aromatique et complexe, il développe de belles notes d'abricot et de pêche jaune ; ces arômes se prolongent dans une bouche encore fraîche et tonique. Un champagne à servir à l'apéritif ou sur des noix de Saint-Jacques poêlées. (NM)

☛ De Venoge, 46, av. de Champagne, 51200 Épernay, tél. 03 26 53 34 34, fax 03 26 53 34 35, infos@champagnedevenoge.com, ☑ r.-v.

J.-L. VERGNON Extra-brut Blanc de blancs Expression 2006 ★

| | n.c. | ▮ | 30 à 50 € |

L'exploitation, constituée en 1950 par Jean-Louis Vergnon, élabore ses champagnes depuis les années 1980. Des blancs de blancs, car les 5 ha du vignoble sont situés autour du Mesnil-sur-Oger, grand cru de la Côte des Blancs. Les vins de la propriété offrent un caractère frais et vif : ils ne font pas leur fermentation malolactique, et le style extra-brut (très peu dosé) est recherché. C'est le cas de ce 2006 mûri six années sur lattes. À la fois intense et subtil au nez, il marie le beurre au miel et aux fruits jaunes mûrs. Frais à l'attaque, il développe une matière ample, expressive et persistante. Un champagne de repas qui allie dans une belle harmonie la vivacité et la maturité. Le blanc de blancs grand cru Conversation (20 à 30 € ; 30 000 b.) est un vin d'apéritif, cité pour son nez floral et pour son palais frais et fruité. (NM)

☛ J.-L. Vergnon, 1, Grande-Rue, 51190 Le Mesnil-sur-Oger, tél. 03 26 57 53 86, fax 03 26 52 07 06, contact@champagne-jl-vergnon.com, ☑ ⚔ ⊺ r.-v.

VERRIER ET FILS Cuvée Tradition

| | 12 000 | ▮ | 15 à 20 € |

Établis à Étoges, entre Côte des Blancs et Sézannais, les Verrier ont commercialisé leurs premiers champagnes en 1929. Depuis 2009, Emmanuel gère en solo l'exploitation (5 ha), qui couvre les coteaux environnant Étoges. Son brut Tradition privilégie les noirs (80 % de meunier et un soupçon de pinot noir). Sa robe claire, traversée de fines bulles, annonce de fines senteurs d'écorce d'agrumes. Dans le même registre, la bouche, nerveuse à

---

de 80 ares plantée de chardonnays de soixante-cinq ans, l'un des fleurons de la propriété. Assemblage des récoltes 2009 et 2008, la cuvée a été plébiscitée pour son nez délicat où se déploient fleurs et fruits blancs, pêche de vigne et touches minérales et vanillées. Dans le même registre, le palais est à la fois généreux, crémeux et frais, très bien dosé. La longue finale mentholée achève de convaincre. Un champagne d'apéritif exemplaire. (RM)

☛ Varnier-Fannière, 23, Rempart-du-Midi, 51190 Avize, tél. 03 26 57 53 36, fax 03 26 57 17 07, avize@orange.fr, ☑ ⚔ ⊺ r.-v.

VARRY-LEFÈVRE

| 1er cru | 12 000 | ▮ | 11 à 15 € |

Cette famille de récoltants établie à Écueil, 1er cru de la Montagne de Reims, a commercialisé ses premières bouteilles en 1948. À la tête de l'exploitation, Christophe Lefèvre cultive 4,2 ha de vignes et fait son entrée dans le Guide grâce à deux cuvées que le jury a citées. L'une comme l'autre mettent surtout à contribution le pinot noir, majoritaire dans ce village, qui représente 85 % de ce brut sans année, complété par les deux autres cépages. Plutôt léger mais frais au nez, sur les fruits à noyau et les épices, ce champagne se montre rond, équilibré et assez long. Pur pinot noir, le 1er cru Sélection (3 500 b.) offre un nez fin, légèrement beurré, un palais franc, frais et fruité : un champagne flatteur, pour l'apéritif. (RC)

☛ EARL Anselme Lefèvre, 11, Grande-Rue, 51500 Écueil, tél. 03 26 49 74 47, fax 03 26 49 26 83, champagnelefevre@wanadoo.fr, ☑ ⚔ ⊺ t.l.j. 8h-12h30 13h30-19h

MARCEL VAUTRAIN Blanc de blancs

| Gd cru | n.c. | ▮ | 15 à 20 € |

Créé en 1945 par Marcel Vautrain, le domaine est aujourd'hui conduit par Christian et Michel Vautrain, rejoints par la troisième génération. Le vignoble de 6,5 ha est implanté essentiellement à Dizy (1er cru) et à Aÿ (grand cru), dans la Grande Vallée de la Marne. Le terroir d'Aÿ, réputé de très longue date pour son pinot noir, recèle des parcelles plantées en chardonnay. Voici donc un original chardonnay d'Aÿ, au nez discret d'agrumes empreint de minéralité et à la bouche fruitée, ample et persistante. (RM)

☛ Marcel Vautrain, 207, rte de Reims, 51530 Dizy, tél. 03 26 55 29 89, fax 03 26 52 87 61, christianvautrain@yahoo.fr, ☑ ⊺ r.-v.

VAUTRAIN-PAULET 2005 ★

| 1er cru | n.c. | ▮ | 15 à 20 € |

Représentant la cinquième génération sur le domaine, Arnaud Vautrain dispose d'un vignoble de 11 ha

l'attaque, évolue sur d'agréables notes de fruits acidulés (citron, pamplemousse, pomme verte). Malgré un dosage perceptible, elle reste équilibrée. Sa vivacité destine cette bouteille à l'apéritif. (NM)

🐦 Verrier et Fils, rue des Rochelles, 51270 Étoges, tél. 03 26 59 32 42, champagne.verrier@orange.fr,
☑ ⚐ ⍾ r.-v.

LES VERTUS D'ÉLISE Extra-brut Blanc de blancs
Cuvée Solal 2005 ★

| 1er cru | 1 500 | ▮⍾ | 15 à 20 € |

Après ses études de « viti-œno » au lycée d'Avize, Cédric Guyot a obtenu un diplôme de sommellerie, puis a finalement repris en 2002 le domaine fondé en 1920 par son arrière-grand-mère Élise autour de Vertus. Ses premières cuvées ont été fort louées. Ce 2005 est la version ultra-brut (dosage à 3 g/l) d'un blanc de blancs élu coup de cœur l'an dernier. Autre différence, 30 % des vins ont fermenté sous bois sans fermentation malolactique. Le résultat ? De la vivacité, de l'élégance et une belle finesse aromatique. Au nez, des effluves pleins de fraîcheur : fleurs blanches, pomme, poire, pamplemousse, citron vert ; en bouche, de la vivacité, ce qu'il faut de rondeur et des touches épicées qui suggèrent un accord avec des crustacés un peu relevés. Cité, le **rosé cuvée Nina** (11 à 15 € ; 2 500 b.) naît d'une saignée de pinot noir récolté en 2009 et a vu le bois. Coloré, charpenté, vineux, il offre au nez comme en bouche des arômes évolués de cerise à l'alcool, de pruneau et d'amande. Pour un canard aux cerises. Même note pour le **1er cru Sélection Guyot-Poutrieux** (11 à 15 € ; 6 500 b.), assemblage de chardonnay (60 %) et de pinot noir, souple, floral et fruité. (RM)

🐦 SCEV les Vertus d'Élise, 12, rue du Dr-Bonnet, 51130 Vertus, tél. 06 70 72 84 87, fax 03 26 32 39 46, lesvertusdelise@yahoo.fr,
☑ ⚐ ⍾ t.l.j. 10h-12h 14h-17h; sam. dim. sur r.-v.
🐦 Cédric Guyot

MAURICE VESSELLE ★

| Gd cru | 5 000 | | 20 à 30 € |

Les Vesselle sont plusieurs à Bouzy. Didier et Thierry, les fils de Maurice, sont attachés aux pratiques traditionnelles d'entretien des sols et labourent l'ensemble de leur vignoble. Celui-ci, entièrement situé à Bouzy, grand cru de la Montagne de Reims, privilégie le pinot noir. Leur rosé, fort apprécié, a été obtenu par macération de raisins égrappés et la fermentation malolactique a été évitée. Sa robe est d'un rose soutenu, grenadine, à reflets cuivrés. Le nez, complexe et suave, marie les petits fruits rouges frais (fraise, cerise) à des notes anisées et mentholées. Au palais, la fraise côtoie les fruits noirs au sein d'une matière structurée, élégante et longue, au dosage bien maîtrisé. (RM)

🐦 Maurice Vesselle, 2, rue Yvonnet, 51150 Bouzy, tél. 03 26 57 00 81, fax 03 26 57 83 08, champagne.vesselle@wanadoo.fr, ☑ ⍾ r.-v.

GEORGES VESSELLE Cuvée Juline ★

| Gd cru | 4 000 | ▮ | 30 à 50 € |

Les deux fils de Georges Vesselle, Bruno et Éric, dirigent aujourd'hui cette maison de négoce implantée à Bouzy, célèbre grand cru de la Montagne de Reims. Leurs cuvées sont construites sur le pinot noir, cépage phare de la commune. Il s'exprime pleinement dans cette cuvée

spéciale où il entre à hauteur de 80 %, complété par le chardonnay. Un champagne aux puissants parfums de fruits mûrs et de miel, franc à l'attaque, vineux et charpenté, à la finale chaleureuse teintée de minéralité. Sa structure permettra de le servir au repas sur une viande blanche ou sur du foie gras poêlé. (NM)

🐦 Georges Vesselle, 16, rue des Postes, 51150 Bouzy, tél. 03 26 57 00 15, fax 03 26 57 09 20, contact@champagne-vesselle.fr,
☑ ⍾ t.l.j. sf sam. dim. 9h-12h 14h-17h 🏠 ⑤

VEUVE A. DEVAUX Blanc de noirs ★

| | 80 000 | | 20 à 30 € |

La veuve A. Devaux a existé : elle gérait au XIXe s. une maison de champagnes à Épernay. Le dernier Devaux, sans héritier, a cédé en 1987 la marque à l'Union Auboise, coopérative fondée en 1957 à Bar-sur-Seine. La cave signe un blanc de noirs de pur pinot noir, cépage dominant dans ce secteur de l'Aube. Au nez, quelques effluves d'agrumes, puis des nuances de pain d'épice. Le champagne s'affirme en bouche, où l'on retrouve les agrumes, agrémentés de notes de poire puis, en finale, d'une touche d'amande grillée. Un ensemble franc, rond, harmonieux et long. Le **D rosé** (30 à 50 € ; 50 000 b.) assemble pinot noir et chardonnay à parts égales. De couleur pêche, expressif, délicat et frais, il conviendra à l'apéritif. (CM)

🐦 Devaux, Dom. de Villeneuve, 10110 Bar-sur-Seine, tél. 03 25 38 30 65, fax 03 25 29 73 21, mariegillet@champagne-devaux.fr,
☑ ⚐ ⍾ t.l.j. sf dim. 10h-18h; f. sam. oct.-avr.
🐦 Union Auboise

♥ VEUVE CLICQUOT PONSARDIN
La Grande Dame 2004 ★★

| | n.c. | | + de 100 € |

En 1772, Philippe Clicquot, banquier, négociant en textiles et propriétaire de vignes, fonde sa maison de champagne. Il meurt prématurément en 1805 et c'est sa veuve qui, assumant la responsabilité de l'affaire pendant une bonne partie du XIXe s., passe à la postérité. Car elle se révèle une femme d'affaires accomplie. Un de ses hauts faits : exporter ses champagnes en Russie en bravant le blocus continental de Napoléon. Elle étend le vignoble, qui couvre aujourd'hui 388 ha. Lancée en 1972, année du bicentenaire de la marque, la Grande Dame est la cuvée de prestige millésimée de la maison. Déjà goûté pour l'édition précédente, le 2004 reste au sommet, décrochant même un coup de cœur. Provenant des meilleurs crus (Verzenay et Avize, notamment), il privilégie le pinot noir (61 %), complété par le chardonnay. Le nez élégant gagne en complexité à l'aération, libérant des senteurs délicieuses de caramel au lait, de miel et de pain grillé, accompagnées de touches fumées et mentholées. La bouche, où l'on retrouve la torréfaction, mêlée à la pêche, à la brioche et à la vanille, touche à la perfection. D'une étonnante fraîcheur, elle fait preuve d'une longueur impressionnante. Sa finesse se prêtera à l'apéritif, tandis que son côté gourmand permettra un accord avec une viande blanche. Le brut **Carte jaune (30 à 50 €)**, noté une étoile, assemble plus de cinquante crus différents ; il associe deux tiers de noirs (dont au moins 50 % de pinot noir) en un tiers de blancs. Frais, droit, minéral et intense, il pourra rester quelques années en cave. (NM)

☞ Veuve Clicquot Ponsardin, 12, rue du Temple, BP 2714, 51100 Reims, tél. 03 26 89 54 40, fax 03 26 40 60 17
☑ ⚐ ☖ r.-v.

VEUVE DOUSSOT Brut nature L by VD

○	2 900	🗓	30 à 50 €

C'est à Noé-les-Mallets, à l'est de Bar-sur-Seine, que Stéphane Joly dirige la petite affaire de négoce familiale créée il y a une quarantaine d'années. Il organise des parcours dans les vignes, mettant sans doute au programme le point de vue unique sur le vignoble aubois offert par le plateau de Blu. Cuvée spéciale, sa cuvée L by VD est issue de pinot noir en conversion bio, récolté en 2008 ; vinifiée sans dosage (brut nature), elle dévoile un nez discrètement floral et un palais dynamique aux arômes de fruits blancs et d'agrumes. Équilibrée, encore jeune, elle trouvera sa place à l'apéritif. (NM)

☞ SARL Chatet – Veuve Doussot, 1, rue Chatet, 10360 Noé-les-Mallets, tél. 03 25 29 60 61, fax 03 25 29 11 78, champagne.veuve.doussot@wanadoo.fr, ☑ ⚐ ☖ t.l.j. sf dim. 9h-12h 14h-17h30; sam. 9h30-12h30
☞ Stéphane Joly

VEUVE MAÎTRE-GEOFFROY Carte rouge ★

○ 1er cru	50 000	🗓	11 à 15 €

Thierry Maître et son fils Maxime perpétuent l'exploitation fondée en 1878 par son aïeule après le décès de son mari. Situé dans la Grande Vallée de la Marne, le domaine couvre 12 ha et a son siège à Cumières, un 1er cru réputé pour sa précocité. La cuvée Carte rouge assemble 60 % de noirs (les deux pinots à parité) et 40 % de chardonnay. Le nez évoque les fruits confits, arômes complétés en bouche par des notes florales et minérales. L'ensemble est charpenté avec élégance et de bonne longueur. (RM)

☞ Veuve Maître-Geoffroy, 116, rue Gaston-Poittevin, 51480 Cumières, tél. 03 26 55 29 87, fax 03 26 51 85 77, th.maitre@wanadoo.fr, ☑ ⚐ ☖ r.-v.

VEUVE MAURICE LEPITRE 2002 ★

○ 1er cru	1 800	🗓	15 à 20 €

Créée en 1905 par Maurice Lepitre, perpétuée à partir de 1926 par sa veuve, la propriété est conduite depuis 1981 par son descendant, Bernard Milliex. Ce dernier exploite 7 ha de vignes dans la Montagne de Reims. Son 2002, goûté en 2010 par nos jurés, avait obtenu une étoile. Une partie de la vendange a été gardée sur lies en raison de son potentiel. Voici donc une nouvelle version de ce millésime. L'assemblage est le même : pinot noir et chardonnay à 40 % chacun, avec le meunier en complément. La robe dorée annonce des arômes de maturité : fruits secs, croûte de pain, fleurs séchées et brioche. La bouche apparaît puissante et ronde, tout en surprenant par sa fraîcheur. Un champagne de repas qui pourra aussi s'accorder avec un fromage puissant comme un époisses. (RM)

☞ Maurice Lepitre, 26, rue de Reims, 51500 Rilly-la-Montagne, tél. 03 26 03 40 27, fax 03 26 03 45 76, mlepitre@free.fr, ☑ ⚐ ☖ r.-v.

VIGNON PÈRE ET FILS Réserve Les Marquises ★

○ Gd cru	4 500	🍴	15 à 20 €

Ce domaine familial couvre près de 7 ha de vignes autour de Verzenay, grand cru de la Montagne de Reims. Fort de la tradition familiale et d'une expérience acquise en Bourgogne et en Alsace, chez René Muré, Stéphane Vignon vinifie et élève ses vins de base en fût, sans levurage, ni collage, ni filtration et ses dosages sont mesurés. Déjà appréciée auparavant, cette cuvée assemble 65 % de pinot noir et 35 % de chardonnay. Le nez puissant mêle la crème, le beurre, la vanille et la fraise surmûrie. Fruité et finement boisé et épicé, le palais mise sur la puissance, mais il garde l'équilibre grâce à un dosage maîtrisé et à une finale fraîche. Pour une viande blanche. (RM)

☞ Vignon Père et Fils, 10, rue Collet, 51360 Verzenay, tél. 09 61 49 05 71, fax 03 26 49 46 20, vignon.marquises@orange.fr, ☑ ⚐ ☖ r.-v.

VILMART ET CIE Cœur de cuvée 2005 ★★★

○ 1er cru	7 000	🍴	50 à 75 €

Implanté à Rilly-la-Montagne, près de Reims, ce domaine a été fondé en 1890 par Désiré Vilmart. Un siècle plus tard, son arrière-arrière-petit-fils, Laurent Champs, en a pris les rênes. Il dispose d'un domaine de 11 ha partagé entre chardonnay (majoritaire) et pinot noir. À la cave, il évite la fermentation malolactique et, comme les vignerons du XVIe s. représentés sur les stalles de l'église de Rilly, est attaché au bois pour l'élevage de ses vins. Il obtient la note maximale de trois étoiles et frôle le coup de cœur pour cette cuvée née de vignes âgées d'un demi-siècle, du chardonnay surtout (80 %). Issu d'un millésime d'une excellente maturité, ce champagne a séjourné en fût pendant dix mois. La robe jaune clair aux reflets verts s'orne d'un joli cordon de fines bulles. Le nez élégant et subtil décline les agrumes, l'amande fraîche, la brioche et le tilleul. Des touches vanillées viennent compléter cette palette dans une bouche ample, onctueuse et longue. On trouve une même empreinte du chardonnay et du fût dans deux autres cuvées 1er cru qui rappellent quelque peu la précédente : le **Grand Cellier d'or 2008 (30 à 50 € ; 8 580 b.)** et le **Grand Cellier (20 à 30 € ; 20 260 b.)**. Deux champagnes harmonieux, notés l'un comme l'autre une étoile. (RM)

☞ Vilmart et Cie, 5, rue des Gravières, 51500 Rilly-la-Montagne, tél. 03 26 03 40 01, fax 03 26 03 46 57, laurent.champs@champagnevilmart.fr, ☑ ⚐ ☖ t.l.j. sf sam. dim. 9h-12h 14h-17h30
☞ Laurent Champs

VINCENT D'ASTRÉE Empreinte du temps 2005 ★

○ 1er cru	25 000	🗓	20 à 30 €

Marque de la coopérative de Pierry, près d'Épernay, fondée en 1956. La cave dispose des 80 ha de ses adhérents qui cultivent leur vignoble dans cette commune ou celle, voisine, de Moussy. Elle ne dévoile pas l'assemblage à l'origine de cette 2005 Empreinte du temps, cette cuvée millésimée étant suivant les cas monocépage ou le produit d'un assemblage. Elle a intéressé les dégustateurs par ses arômes d'agrumes confits et de fruits blancs et par son palais frais, structuré et long. Quant à la cuvée **Gouttes d'or brut zéro (15 à 20 € ; 50 000 b.)**, c'est un pur meunier non dosé. Elle est citée pour sa belle vivacité et pour ses arômes de petits fruits et d'épices. (CM)

☛ Vincent d'Astrée, 32, rue Léon-Bourgeois, 51530 Pierry, tél. 03 26 54 03 23, fax 03 26 54 66 33, celliers@vincentdastree.com, ☑ ⚥ ⊤ r.-v.

VOLLEREAUX Réserve ★

○	194 512	▮	15 à 20 €

Établie à Pierry, au sud d'Épernay, la famille Vollereaux cultive la vigne depuis plus de deux siècles et a commercialisé ses premières bouteilles en 1923. Aujourd'hui, Pierre Vollereaux dirige la maison qui dispose d'un important domaine (42 ha) ; son fils Franck élabore toute une gamme de champagnes, dont ce brut sans année que l'on peut résumer avec le chiffre 3 : les trois cépages champenois assemblés par tiers, trois récoltes (2009 et 2007), trois ans de stockage en cave. Une cuvée dont le dosage semble un peu appuyé, mais appréciée pour sa complexité et pour sa belle évolution. On aime ses senteurs de fruits secs et de froment et sa matière ronde, équilibrée, à la finale finement grillée. Bel accord en perspective avec une viande blanche. (NM)

☛ Vollereaux, 48, rue Léon-Bourgeois, 51530 Pierry, tél. 03 26 54 03 05, fax 03 26 54 88 36, contact@champagne-vollereaux.fr, ☑ ⚥ ⊤ r.-v.

VRANKEN Grande Réserve ★

○	n.c.	20 à 30 €

En 1976, l'homme d'affaires belge Paul-François Vranken a lancé un champagne à son nom. Depuis lors, il s'est taillé un empire, grâce aux acquisitions successives de maisons comme Charles Lafitte, Heidsieck et Cᵒ Monopole, Pommery et de domaines viticoles en Languedoc, en Provence et au Portugal (Rozès). La maison ne communique pas de chiffres sur cette Grande Réserve issue des trois cépages champenois, mais nul doute qu'elle n'a rien de confidentiel. Tant mieux, car les dégustateurs ont apprécié la finesse et la complexité de son nez à dominante de fruits jaunes (mirabelle, reine-claude), avec une pointe de minéralité, tout comme sa tenue au palais. D'une belle fraîcheur à l'attaque, la bouche évolue sur de suaves arômes de fruits blancs compotés, jusqu'à une finale marquée par une pointe de fraîcheur. Un très bon champagne d'apéritif. (NM)

☛ Vranken, 56, bd Henry-Vasnier, 51100 Reims, tél. 03 26 61 62 63, fax 03 26 61 63 98 ☑ ⊤ r.-v.
☛ Vranken Pommery Monopole

WARIS ET FILLES ★

○ Gd cru	10 000	▮ 11 à 15 €

Bertrand et Virginie Waris représentent la cinquième génération sur le domaine, qui couvre 7 ha et qui a son siège à Avize, grand cru de la Côte des Blancs. Leur grand cru provient de chardonnays plantés dans ce village et celui, voisin, de Cramant. Il a charmé le jury par son nez de fleurs blanches teinté de minéralité, arômes qui se confirment dans une bouche droite et dynamique. Un vin qui a du relief et du potentiel. On peut le servir dès maintenant, à l'apéritif ou sur des coquillages. (RM)

☛ Waris et Filles, 6, rue d'Oger, 51190 Avize, tél. 04 67 77 21 42, fax 04 67 00 07 37, virginie.waris@wanadoo.fr, ☑ ⚥ ⊤ r.-v.

ALAIN WARIS ET FILS La Rose des desserts ★

○	n.c.	15 à 20 €

Depuis 1997, ce sont Odile et Alain Waris qui conduisent le domaine fondé par un des arrière-grands-pères d'Alain un siècle plus tôt : 6 ha de vignes autour d'Avize, grand cru de la Côte des Blancs. Cette année, deux cuvées font jeu égal avec une étoile pour chacune. Ce rosé, né de pur pinot noir, est l'un des rares de la sélection à être vinifié en demi-sec, d'où le nom de la cuvée. De couleur saumonée, il offre un nez flatteur, intensément floral, et une bouche harmonieuse, à la fois vineuse et fraîche, sur la cerise. Laissant une impression de finesse, il accompagnera non seulement les desserts aux fruits rouges, mais aussi des plats sucrés-salés. Élu coup de cœur l'an dernier, le **blanc de blancs cuvée Étrusque (20 à 30 €)** fait toujours très bonne impression : or pâle à reflets verts, il offre un nez floral et brioché que prolonge une bouche ample, ronde et persistante. (RM)

☛ Alain Waris et Fils, 6, rue d'Oger, 51190 Avize, tél. 03 26 57 87 35, fax 03 26 51 61 45, champagne.alain.waris@orange.fr,

☑ ⚥ ⊤ t.l.j. sf dim. 9h30-12h 14h30-17h; f. août

WARIS-HUBERT Blanc de blancs Équinoxe ★

○ Gd cru	1 500	❶❶	20 à 30 €

À la tête du domaine familial depuis plus de quinze ans, Olivier Waris et son épouse Stéphanie conduisent un vignoble de près de 9 ha dans divers secteurs de la région : Côte des Blancs (où l'exploitation a son siège), Sézannais, vallée de l'Ardre et Côte des Bar (Aube). Cette cuvée spéciale de blanc de blancs a une noble origine : elle naît d'un demi-hectare de vénérables vignes âgées de plus de soixante-dix ans, plantées sur le coteau d'Avize, grand cru de la Côte des Blancs. Elle a été vinifiée en fût, sans fermentation malolactique. Les dégustateurs décèlent l'empreinte du bois dans ce champagne mêlant au nez le tilleul et la poire aux notes fumées et vanillées du fût. Quant au palais, franc à l'attaque, il apparaît encore jeune et vif et appelle une garde d'un an ou deux. Un champagne de repas, à marier avec poisson ou fromage. (RM)

☛ Waris-Hubert, 227, rue du Moutier, 51530 Cramant, tél. 03 26 58 29 93, fax 03 26 51 26 57, olivier.waris@orange.fr,

☑ ⚥ ⊤ t.l.j. 9h-12h 14h-18h; f. 15-31 août

WARIS-LARMANDIER Blanc de blancs 2006

○ Gd cru	3 500	▮	20 à 30 €

Domaine familial exploité par Marie-Hélène Waris-Larmandier, associée à ses trois enfants. Son frère François Larmandier et son fils aîné Jean-Philippe se chargent de l'élaboration des cuvées : toute une gamme de blancs de blancs provenant d'un vignoble de près de 7 ha implanté essentiellement dans la Côte des Blancs ; comme ce 2006, dont la robe jaune pâle à reflets verts est parcourue d'une effervescence extrêmement fine. Le nez, intense, associe les fruits mûrs, la brioche et des notes toastées et grillées. Souple, ample, équilibrée, la bouche finit sur une pointe acidulée. Pour l'apéritif ou le repas. Également cité, le **blanc de blancs grand cru (15 à 20 € ; 18 000 b.)**, issu de la récolte 2009, se montre floral, frais, gourmand et élégant. (RM)

☛ EARL Waris-Larmandier, 608, rempart du Nord, 51190 Avize, tél. 03 26 57 79 05, fax 03 26 52 79 52, earlwarislarmandier@wanadoo.fr, ☑ ⚥ ⊤ r.-v. ⌂ ⓑ

CHAMPAGNE

Coteaux-champenois

Production : 550 hl

Appelés à l'origine vins nature de Champagne, ils devinrent AOC en 1974 et prirent le nom de coteaux-champenois. Tranquilles, ils sont souvent rouges, plus rarement blancs ou rosés ; on les boira avec respect et curiosité historique, en songeant qu'ils sont la survivance de temps antérieurs à la naissance du champagne. Comme ce dernier, ils peuvent naître de raisins noirs vinifiés en blanc (blanc de noirs), de raisins blancs (blanc de blancs) ou encore d'assemblages.

Le coteaux-champenois rouge le plus connu porte le nom de la célèbre commune de Bouzy (grand cru de pinot noir). Dans cette commune, on peut découvrir l'un des deux vignobles les plus étranges au monde (l'autre est situé à Aÿ) : de « vieilles vignes françaises préphylloxériques », conduites en foule, selon une technique immémoriale abandonnée partout ailleurs. Tous les travaux sont exécutés artisanalement, à l'aide d'outils anciens. C'est la maison Bollinger qui entretient ce joyau destiné à l'élaboration d'un rare champagne.

Les coteaux-champenois se boivent jeunes ; à 7-8 °C et avec les plats convenant aux vins très secs pour les blancs ; à 9-10 °C et avec des mets légers (viandes blanches et... huîtres) pour les rouges que l'on pourra, pour quelques années exceptionnelles, laisser vieillir.

HERBERT BEAUFORT Bouzy 2008 ★

| | 4 000 | | 15 à 20 € |

Exposé au sud, le grand coteau de Bouzy, où prospère le pinot noir, a fourni des vins rouges réputés avant que le champagne ne prît mousse. Henry Beaufort et ses fils Hugues et Ludovic, dont le vignoble de 12,5 ha est essentiellement implanté dans des grands crus de noirs, perpétuent cette tradition des vins tranquilles, réservant à cette production les vieilles vignes situées au cœur du terroir. Proposés dans les millésimes favorables, leurs bouzy rouges figurent souvent dans le Guide. Après le 2005 l'an dernier, voici un 2008. Le mode d'élaboration reste le même : une vinification en cuve et un élevage en fût de vingt-quatre mois. Il en résulte un vin intense, tant par sa robe pourpre que par ses senteurs de fruits noirs et de cuir enrichies de notes mentholées et réglissées. Gourmand, puissant, mais vif, il demande quelques années de garde pour atteindre son apogée. Pour une viande blanche.

☛ Herbert Beaufort, 32, rue de Tours-sur-Marne, BP 7, 51150 Bouzy, tél. 03 26 57 01 34, fax 03 26 57 09 08, beaufort-herbert@wanadoo.fr,
☑ ⚐ ☂ t.l.j. 9h30-12h30 14h30-17h30; f. dim. du 15 oct. au 31 mars ⌂ ☺

FROMENTIN-LECLAPART Bouzy ★★

| Gd cru | 1 200 | | 11 à 15 € |

Découvert il y a trois ans, ce récoltant semble prendre ses marques dans le Guide. Jean-Baptiste Fromentin a pris en 2005 les rênes du domaine familial, qui couvre 5 ha sur les coteaux de Bouzy et d'Ambonnay, sur le flanc sud de la Montagne de Reims. Comme les champagnes, les coteaux-champenois peuvent assembler des millésimes. C'est le cas de ce bouzy rouge qui associe 70 % de 2011 et 30 % de 2009. L'élevage se déroule en fût pour 40 % des vins, en cuve pour les 60 % restants. Ce savant assemblage a engendré un vin bien structuré et parfaitement équilibré. D'un rubis limpide, ce « coteaux » séduit par son nez expressif de cerise, de noyau et de cassis, puis par son palais fin, élégant et suave qui finit sur des touches chocolatées et minérales. Pour accompagner un coq au vin, dès la sortie du Guide.

☛ Fromentin-Leclapart, 1, rue Paul-Doumer, 51150 Bouzy, tél. 03 26 57 06 84, fax 03 26 57 83 68, contact@champagne-fromentin-leclapart.fr, ☑ ⚐ ☂ r.-v.

GEOFFROY Cumières ★

| | 4 000 | | 15 à 20 € |

Si les Geoffroy sont installés aujourd'hui à Aÿ, dans les locaux spacieux d'une ancienne coopérative, leurs racines sont à Cumières où ils cultivent de vieilles vignes de pinot noir. Ce cépage tardif apprécie les coteaux exposés au sud de ce village des bords de Marne, où il arrive à une bonne maturité. Jean-Baptiste Geoffroy a vinifié de la façon la plus traditionnelle les raisins, en cuve de chêne ouverte à chapeau immergé, avec plusieurs remontages quotidiens, puis il a élevé le vin douze mois en fût. Il a assemblé trois années, selon des usages reconnus en Champagne, pour obtenir ces « coteaux » rubis. Des touches de cacao léguées par son séjour dans le chêne soulignent ses arômes de mûre. Charnue, gourmande, racée, cette bouteille sera prête à la sortie du Guide.

☛ René Geoffroy, 4, rue Jeanson, 51160 Aÿ, tél. 03 26 55 32 31, fax 03 26 54 66 50, info@champagne-geoffroy.com, ☑ ⚐ ☂ r.-v.

♥ LELARGE-PUGEOT Vrigny 2008 ★★

| | 600 | | 15 à 20 € |

Issu d'une lignée de vignerons remontant à la fin du XVIIIe s., Dominique Lelarge s'est marié avec Dominique Pugeot et a lancé un champagne à leur marque. Les champagnes de la propriété manquent rarement le rendez-vous du Guide. Cette année, la famille s'est taillé un beau succès avec un « coteaux » rouge issu de son vignoble de Vrigny, aux portes ouest de la cité des Sacres. Une cuvée hélas confidentielle... Obtenue par une macération de raisins égrappés en cuve ouverte, elle a été élevée dix-huit mois en fût de chêne. À la robe profonde, d'un pourpre soutenu, répond un nez de petits fruits rouges et noirs soulignés de notes fumées et vanillées. L'attaque nette dévoile une matière dense, concentrée et veloutée, d'une rare complexité : on y retrouve les fruits noirs mâtinés de notes cacaotées. Ce vin remarquable pourra donner la réplique à une viande en sauce épicée dès la sortie du Guide.

☛ Dominique Lelarge, 30, rue Saint-Vincent, 51390 Vrigny, tél. 03 26 03 69 43, fax 03 26 03 68 93, contact@champagnelelarge-pugeot.com, ☑ ⚘ ⍾ t.l.j. sf dim. 9h-12h 14h-18h

Rosé-des-riceys

Production : 360 hl

Les trois villages des Riceys (Haut, Haute-Rive et Bas) sont situés à l'extrême sud de l'Aube, non loin de Bar-sur-Seine. La commune accueille les trois appellations : champagne, coteaux-champenois et rosé-des-riceys. Ce dernier est un vin tranquille, l'un des meilleurs rosés de France. Déjà apprécié par Louis XIV, il aurait été apporté à Versailles par les canats, spécialistes réalisant les fondations du château, originaires des Riceys.

Ce rosé est issu de la vinification par macération courte de pinot noir, dont le degré alcoolique naturel ne peut être inférieur à 10 % vol. Il faut interrompre la macération – saigner la cuve – à l'instant précis où apparaît le « goût des Riceys » (un goût d'amande et de fruits rouges) qui, sinon, disparaît. Ne sont labellisés que les rosés marqués par ce goût spécial. Élevé en cuve, le rosé-des-riceys se boit jeune, à 8-9 °C, à l'apéritif ou en entrée ; élevé en pièce, il mérite d'attendre entre trois et cinq ans, et on le servira alors à 10-12 °C pendant le repas.

GALLIMARD PÈRE ET FILS 2011 ★

■	2 300	▮	11 à 15 €

Didier Gallimard conduit depuis une trentaine d'années le domaine familial : 10 ha plantés majoritairement de pinot noir. Les lecteurs du Guide connaissent ses champagnes, mais quelques parcelles sont dédiées à l'appellation rosé-des-riceys, dont nous découvrons un représentant. Ce 2011 affiche une robe soutenue et un nez franc, bien ouvert sur les fruits rouges. Dans le même registre, le palais est frais, équilibré, empreint de minéralité. Un vin jeune à déguster à l'apéritif, ou avec un chaource, fromage en AOP produit non loin des Riceys.

☛ EARL Gallimard Père et Fils, 18-20, rue Gaston-Cheq-le-Magny, BP 23, 10340 Les Riceys Cedex, tél. 03 25 29 32 44, fax 03 25 38 55 20, champ.gallimard@wanadoo.fr, ☑ ⚘ ⍾ t.l.j. sf sam. dim. 9h-12h 14h-17h; f. 15-31 août

VINCENT LAMOUREUX 2009 ★

■	2 106	▮▯	11 à 15 €

Sylviane Vincent et Jean-Michel Lamoureux ont réuni en 1987 leurs exploitations situées l'une comme l'autre aux Riceys, gros village qui possède le plus vaste terroir de la Champagne. Ils produisent les trois AOC de la Champagne – champagne, coteaux-champenois et rosé-des-riceys –, ce qui leur vaut d'être souvent mentionnés dans le Guide, leurs cuvées étant de qualité. Le domaine comporte des parcelles très pentues et ensoleillées, idéales pour faire mûrir le pinot noir, cépage phare de ce secteur aubois. Celui qui est à l'origine de ce 2009 a été vinifié en macération carbonique. Il présente une robe tuilée, un nez de petits fruits rouges à l'alcool, prélude à un palais souple, frais et soyeux. On le verrait bien avec une quiche lorraine ou du boudin blanc.

☛ EARL Vincent Lamoureux, 2, rue du Sénateur-Lesaché, 10340 Les Riceys, tél. 03 25 29 39 32, fax 03 25 29 80 30, lamoureux-vincent@wanadoo.fr, ☑ ⚘ ⍾ r.-v.

MOREL PÈRE ET FILS 2009 ★

■	8 000	▯	15 à 20 €

Cette propriété réputée figure très souvent dans la section « rosé-des-riceys » du Guide, car elle élabore des rosés tranquilles depuis une quarantaine d'années, alors qu'elle ne s'est lancée dans l'élaboration des champagnes que plus tard (elle est aussi largement représentée dans cette rubrique). Son 2009 a été vinifié traditionnellement, par macération en grappes entières de pinot noir pendant environ cinq jours, puis a été élevé onze mois durant en fût de réemploi. Ce vin séduit par sa robe rose orangé, par ses parfums de fruits noirs légèrement épicés et par sa bouche expressive et dense. Un « vin plaisir », pour maintenant.

☛ Morel Père et Fils, 93, rue du Gal-de-Gaulle, 10340 Les Riceys, tél. 03 25 29 10 88, fax 03 25 29 66 72, morel.pereetfils@wanadoo.fr, ☑ ⚘ ⍾ r.-v.

CHAMPAGNE

LE JURA, LA SAVOIE ET LE BUGEY

CÔTES-DU-JURA ARBOIS
L'ÉTOILE CHÂTEAU-CHALON
CRÉMANT MACVIN
VIN-DE-SAVOIE ROUSSETTE
BUGEY CERDON VIN JAUNE
VIN DE PAILLE SAVAGNIN
MONDEUSE

LE JURA

Faisant pendant à celui de la Bourgogne, le vignoble du Jura, soumis à un climat plus continental, est plus limité en superficie. Pinot noir et chardonnay, les cépages du vignoble bourguignon, y prospèrent, donnant aussi bien des vins tranquilles que le crémant-du-jura, qui a trouvé son public. Cependant, le Jura choie également des cépages autochtones : en rouge, le trousseau et le poulsard ; en blanc, le savagnin. Les amateurs prisent particulièrement des productions aussi originales que confidentielles, telles que le vin de paille, le macvin et le vin jaune.

Superficie
1 950 ha
Production moyenne
86 000 hl
Types de vins
Blancs pour les deux tiers, rouges et rosés (un tiers), effervescents.
Spécialités : vins jaunes (vins de voile) et liquoreux (vins de paille).
Cépages
Rouges : pinot noir, poulsard (ou ploussard), trousseau.
Blancs : chardonnay, savagnin.

Face à la Côte d'Or Le vignoble, situé sur la rive gauche de la Saône, occupe les pentes qui descendent du premier plateau des monts du Jura vers la plaine, selon une bande nord-sud traversant tout le département, de la région de Salins-les-Bains à celle de Saint-Amour. Ces pentes, beaucoup plus dispersées et irrégulières que celles de la Côte-d'Or, se répartissent sous toutes les expositions, à une altitude se situant entre 250 et 400 m.

Nettement continental, le climat voit ses caractères accusés par l'orientation générale en façade ouest et par les traits spécifiques du relief jurassien, notamment l'existence des « reculées » ; les hivers sont très rudes et les étés très irréguliers, mais avec souvent beaucoup de journées chaudes. La vendange se prolonge parfois jusqu'à novembre en raison des différences de précocité entre les cépages. Les sols marneux et argileux sont en majorité issus du trias et du lias, surtout dans la partie nord, ainsi que des calcaires qui les surmontent, surtout dans le sud du département. Les cépages locaux sont parfaitement adaptés à ces terrains. Ils nécessitent toutefois un mode de conduite assez élevé au-dessus du sol, pour éloigner le raisin d'une humidité parfois néfaste à l'automne. C'est la taille dite « en courgées », longs bois arqués que l'on retrouve sur les sols semblables du Mâconnais. La culture de la vigne est ici très ancienne : elle remonte au moins au début de l'ère chrétienne si l'on en croit les textes de Pline ; et il est sûr que le vin du Jura, qu'appréciait tout particulièrement Henri IV, était fort en vogue dès le Moyen Âge.

Pleine de charme, la vieille cité d'Arbois, si paisible, est la capitale de ce vignoble ; on y évoque le souvenir de Pasteur qui, après y avoir passé sa jeunesse, y revint souvent. C'est là, de la vigne à la maison familiale, qu'il mena ses travaux sur les fermentations, si précieux pour la science œnologique ; ils devaient, entre autres, aboutir à la découverte de la « pasteurisation ».

Des vins originaux Des cépages locaux voisinent avec d'autres, issus de la Bourgogne. Le poulsard (ou ploussard) est propre aux premières marches des monts du Jura ; il n'a été cultivé, semble-t-il, que dans le Revermont, ensemble géographique incluant également le vignoble du Bugey, où il porte le nom de mècle. Ce raisin à gros grains oblongs, très parfumé et peu coloré, contient peu de tanin. C'est le cépage type des vins rosés, vinifiés ici le plus souvent comme des rouges. Le trousseau, autre cépage local, est en revanche riche en couleur et en tanin. Il donne naissance à des vins rouges caractéristiques des appellations d'origine du Jura. Le pinot noir, venu de la Bourgogne, est utilisé en assemblage ou vinifié seul. Il contribue aussi, avec le chardonnay, au crémant-du-jura. Le chardonnay, comme en Bourgogne, réussit ici parfaitement sur les terres argileuses, où il apporte aux vins blancs leur bouquet inégalable. Le savagnin, cépage blanc local, cultivé sur les marnes les plus ingrates, donne, après plus de six ans d'élevage spécial dans des fûts en vidange (non ouillés), le vin jaune, un vin de garde vif, riche et complexe, fruit d'une patiente vinification sous voile du savagnin. Le vin de paille, un liquoreux, et le macvin, un vin de liqueur, sont deux autres productions réputées du Jura.

Les vins blancs et rouges sont de style classique, mais, du fait semble-t-il d'une attraction pour le vin jaune, on cherche à leur donner un caractère très évolué, presque oxydé. Au début du XXᵉs., on trouvait même des vins rouges de plus de cent ans, mais on est maintenant revenu à des évolutions plus normales.

Le rosé, quant à lui, est en fait un vin rouge peu coloré et peu tannique, qui se rapproche souvent plus du rouge que du rosé des autres vignobles. De ce fait, il est apte à un certain vieillissement. Il ira très bien sur les mets assez légers, les vrais rouges – surtout issus de trousseau – étant réservés à des viandes rouges. Le blanc a les usages habituels, viandes blanches et poissons ; s'il est vieux, il sera un bon partenaire du comté. Le vin jaune excelle sur ce fromage, mais aussi sur le roquefort et sur le célèbre poulet au vin... jaune.

Arbois

Superficie : 812 ha
Production : 30 000 hl (54 % rouge et rosé ; 45 % blanc et jaune ; 1 % vin de paille)

La plus connue des appellations d'origine du Jura s'applique à tous les types de vins produits sur douze communes de la région d'Arbois. Il faut rappeler l'importance des marnes triasiques dans cette zone, et la qualité toute particulière des « rosés » de poulsard qui sont issus des sols correspondants. Réputé justement pour ses vins de poulsard, le village de Pupillin peut faire figurer son nom sur les étiquettes à côté de celui d'Arbois.

♥ **FRUITIÈRE VINICOLE D'ARBOIS** Vin jaune 2006 ★★

| 30 000 | ⊞ | 20 à 30 € |

Louis Pasteur, qui résida et travailla à Arbois, était disparu depuis quelques années quand quelques vignerons décidèrent de fonder une cave coopérative. Né cent ans plus tard très exactement, ce vin jaune vient démontrer le professionnalisme de ses vignerons, de ses dirigeants et de ses salariés. Il s'ouvre sur un nez franc, fait de noix verte et de pain d'épice à peine marqué d'une touche minérale. Chaleureuse, tout en élégance, la bouche affiche un beau volume, avec une acidité de bon aloi, bien enrobée d'un gras flatteur. Aromatique et délicat, cet arbois pourra frayer en toute harmonie avec une truite des montagnes jurassiennes toutes proches. Et cerise sur le gâteau, ce 2006 peut être dégusté sans qu'il soit besoin d'attendre.
☛ Fruitière vinicole d'Arbois, 2, rue des Fossés, 39600 Arbois, tél. 03 84 66 11 67, fax 03 84 37 48 80, contact@chateau-bethanie.fr, ☑
⚲ ⵣ t.l.j. 10h-12h 14h-18h

CAVEAU DE BACCHUS Réserve du caveau
Cuvée des Docteurs 2011 ★

| 3 200 | ⊞ | 5 à 8 € |

Toutes les vinifications de cette cave, bien connue de nos lecteurs, sont pratiquées en foudre, avec des levures indigènes. Nul besoin de carte vitale pour apprécier cette cuvée des Docteurs 100 % ploussard. Rouge pâle à l'œil, c'est un vin riche et expressif au nez, entre framboise, cerise et bonbon anglais. Acidulée, la bouche nous plonge aussi dans un panier de fruits rouges pour notre plus grand plaisir. Idéal pour des repas en plein air. Tout aussi fruitée, la **cuvée des Géologues 2011 rouge** (15 à 20 € ; 3 200 b.) reçoit également une étoile. Pur trousseau, c'est un vin au nez de fruits rouges légèrement torréfiés. Le fruit est sur la jeunesse, dans une bouche équilibrée et longue. Une certaine gouleyance invite à boire cette bouteille dès aujourd'hui, sur des charcuteries ou même à l'apéritif. La **cuvée des Géologues 2009 rouge** (11 à 15 € ; 3 000 b.) est citée. Rouge cerise aux reflets violets, elle offre une explosion de fruits rouges confiturés au nez. La bouche est plus en retrait. Un vin de repas assurément, pour viande rouge.
☛ EARL Caveau de Bacchus, La Boutière, 39600 Montigny-lès-Arsures, tél. et fax 03 84 66 11 02
☑ ⚲ ⵣ r.-v.
☛ Vincent Aviet

PAUL BENOIT ET FILS Pupillin Chardonnay 2011 ★

| 3 000 | ⊞ | 8 à 11 € |

Le petit village de Pupillin domine le vignoble d'Arbois et contribue à sa notoriété au point de pouvoir depuis 1970 associer son nom à celui de l'appellation arbois. Or pâle, ce chardonnay s'annonce par un nez fruité, discret mais fin. L'attaque en bouche est franche, relayée par un palais ample et gras à la finale beurrée. Notée une étoile elle aussi, **La Grande Chenevière 2011 rouge** (20 à 30 € ; 2 000 b.) est un vin de pinot noir vinifié en cuve Inox, puis élevé huit mois en pièces neuves. Le boisé est encore assez présent.
☛ Paul Benoit et Fils, 4, rue du Chardonnay, La Chenevière, 39600 Pupillin, tél. 03 84 37 43 72, fax 03 84 66 24 61, paul-benoit-et-fils@orange.fr,
☑ ⚲ ⵣ r.-v.

DOM. DE LA BORDE Pupillin Chardonnay
Sous la roche 2010 ★★

| 2 000 | ⊞ | 5 à 8 € |

Le nom de cette cuvée traduit bien la situation du lieu-dit d'où elle est issue, au pied d'une falaise calcaire. En conversion à l'agriculture biologique, le domaine offre là une belle expression du chardonnay en terroir jurassien.

Jaune clair aux reflets verts, cette cuvée chante au nez la partition du floral et du fruité. La vanille joue à cache-cache avec la rhubarbe tandis que la bouche nous entraîne dans une belle longueur sur des tons toastés-grillés. Une bonne acidité est tempérée par un certain gras. À apprécier tout de suite, sous la tonnelle. Un air à entendre aux « Vinprovisations », concerts organisés en juin, juillet et août sur l'exploitation.

☛ Julien Mareschal, 11, rue des Vignes, 39600 Pupillin, tél. 06 62 63 32 34, julien.mareschal@free.fr, ☑ ⚔ ⛾ t.l.j. sf dim. 8h-12h 13h-19h30; f. 1ᵉʳ-15 jan.

ⓑ DOM. BRÉGAND 2011

■		
	5 000	20 à 30 €

Cette propriété d'Henri Maire a été convertie à l'agriculture biologique en 1998. Riche en couleur, cette cuvée de pinot noir issue d'une vigne d'une trentaine d'années a un bien joli nez sur tons de framboise nuancés de notes animales. Tannique mais sans excès, la bouche est encore fermée, mais on sent une matière dense, bien travaillée et qui devrait s'exprimer d'ici un an. Ce vin fera alors un bon allié d'une assiette de charcuterie.

☛ Henri Maire, Dom. de Boichailles, 39600 Arbois, tél. 03 84 66 12 34, fax 03 84 66 42 42, info@henri-maire.fr, ☑ ⚔ ⛾ t.l.j. 9h-19h en été, 9h30-12h 14h-19h en hiver

PH. BULABOIS Savagnin 2008 ★★

■		
	n.c.	11 à 15 €

Philippe Bulabois s'est fait une spécialité du savagnin. Ce cépage occupe la majorité de son exploitation, travaillée en partie avec des chevaux comtois que vous pourrez peut-être apercevoir sur les coteaux longeant la N83. Vinifié ici en cuve et élevé sous bois au grenier, sans ouillage, ce vin nous reçoit dans sa robe jaune clair aux reflets verts. « Comtois, rend toi, nenni ma foi », dit le nez dans la toute-puissance de la noix. La pomme et le raisin participent à la charge olfactive. Noix verte et fruits secs caractérisent une bouche franche et de bonne longueur. Le mieux serait d'attendre trois à quatre ans.

☛ Philippe Bulabois, 51, rte de Villette, 39600 Arbois, tél. 03 84 66 03 42, pbulabois.vigneron@orange.fr, ☑ ⚔ ⛾ r.-v.

DOM. DANIEL DUGOIS Vin de paille 2008 ★★

■		
	1 500	15 à 20 €

Philippe Dugois est désormais à la tête du domaine, son père étant à la retraite. Mais il est associé à la gestion de l'exploitation depuis 2007 et conduit les vinifications depuis 2005. Les raisins de trousseau, de chardonnay, de ploussard et de savagnin ont séché cinq mois avant de donner ce vin de paille ambré clair. Fin, très complexe, le nez puise son inspiration dans le foin, le tabac blond, le thé ou encore le thym, coiffé d'un trait de boisé. Équilibrée, la bouche est à la fois vive et ronde. La finale, sur la noix, la noisette et la vanille, confirme la très haute tenue de l'ensemble. (Bouteilles de 37,5 cl.) La cuvée de **trousseau Grevillière 2010** (8 à 11 € ; 6 000 b.) est citée. Avec 40 % de l'encépagement du domaine, c'est le produit phare. Puissamment aromatique au nez (amande, gibier, cerise), c'est un arbois un peu sévère, qui accompagnera agréablement du gibier pas trop fort en goût.

☛ Dom. Daniel Dugois, 4, rue de la Mirode, 39600 Les Arsures, tél. 03 84 66 03 41, fax 03 84 37 44 59, daniel.dugois@wanadoo.fr, ☑ ⚔ ⛾ r.-v. �🔾 ⓐ

DOM. MARTIN FAUDOT Chardonnay 2010 ★★

■		
	4 000	8 à 11 €

Fermenté à basse température, ce chardonnay a ensuite été élevé seize mois en fût. Or intense à l'œil, il est évolué au nez. La bouche offre une très jolie matière, ample et riche, entre noix vanillée et caramel au lait. Une belle vivacité dynamise cet ensemble chaleureux qui peut être apprécié tout de suite mais qui saura aussi attendre. Nos dégustateurs conseillent un feuilleté de ris de veau aux girolles. Le **Rouge Tradition 2010** (11 à 15 € ; 3 300 b.), une étoile, assemble 45 % de poulsard, 40 % de trousseau et 15 % de pinot noir ; c'est un vin plutôt souple, à la finale nette et chaleureuse, facile à accorder avec les mets.

☛ Dom. Martin Faudot, 19, rue Bardenet, 39600 Mesnay, tél. 03 84 66 29 97, fax 03 84 66 29 84, info@domaine-martin.fr, ☑ ⚔ ⛾ r.-v. �🔾 ⓔ

RAPHAËL FUMEY ET ADELINE CHATELAIN
Vin jaune 2005 ★★

■		
	1 500	20 à 30 €

Logés dans une belle maison comtoise dans le quartier Saint-Laurent à Montigny-lès-Arsures, Raphaël Fumey et Adeline Chatelain proposent un vin jaune expressif, qui s'ouvre avec intensité sur les fruits secs, la noix mûre et le grillé. Cette même ligne aromatique perdure au sein d'une bouche fraîche mais dotée d'un beau volume. S'il y a encore au palais une certaine sévérité du millésime, une belle continuité avec le nez laisse finalement une impression de grande satisfaction. Pour un traditionnel coq ou un plus exotique homard crémé. Noté une étoile, le **chardonnay 2010** (5 à 8 € ; 4 000 b.) joue

Le Jura

▨	côtes-du-jura
1	arbois
2	château-chalon
3	l'étoile

une tout autre partition. Vanille, bergamote et rhubarbe occupent le nez tandis qu'un bel équilibre est trouvé en bouche. La finale acidulée sur des notes d'agrumes n'est pas pour déplaire. Le **pinot noir 2011 (5 à 8 € ; 3 500 b.)** obtient la même note. On y décèle des tanins nets, encore légèrement rugueux, une matière riche et un caractère costaud. Une agréable densité.

☛ Raphaël Fumey et Adeline Chatelain, quartier Saint-Laurent, 39600 Montigny-lès-Arsures, tél. 03 84 66 27 84, fax 03 84 66 18 72, contact@fumey-chatelain.fr,
☑ ⵌ t.l.j. sf dim. 10h30-12h 13h30-18h30

DOM. HORDÉ Chardonnay Les Fouilles 2011

| | 1 190 | | 5 à 8 € |

C'est en 1999 qu'Yves Hordé a acquis une vigne sur le coteau du village de Port-Lesney. Tout en habitant à Reims à l'époque, il a travaillé la vigne et produit son vin, puis s'est pris au jeu et a loué d'autres parcelles. Il réside depuis 2007 dans le Jura. Ce chardonnay, qui n'a connu que la cuve, est discret au nez mais offre une belle fraîcheur sur des tons de pomme verte et de vanille. La bouche est équilibrée et franche. Un arbois qui peut être bu tout de suite.

☛ Yves Hordé, 14, rue du Port, 39600 Port-Lesney, tél. 03 84 73 89 24, yves.horde39@orange.fr, ☑ ⵌ r.-v.

HUGHES-BÉGUET Pupillin Côte de Feule 2011

| | 1 500 | | 11 à 15 € |

La conversion à l'agriculture biologique du domaine, créé en 2009, se poursuit. Une belle robe rubis, brillante et limpide, pour ce vin de poulsard. Sauvage, le nez confine au réduit. La bouche aux tanins mûrs est étonnante, notamment en matière aromatique. On croirait presque un vin de pinot noir. La cuvée **So true 2011 rouge (1 000 b.)** est également citée. C'est un assemblage de trousseau (85 %) et de poulsard (15 %) au fruité dense. Elle offre elle aussi une bouche étonnante, sur les agrumes, qui ferait presque « rosé ». Pour l'apéritif.

☛ Dom. Hughes-Béguet, 1, rue Bardenet, 39600 Mesnay, tél. et fax 03 84 66 26 39, patrice@hughesbeguet.com, ☑ ⵌ r.-v.

DOM. LIGIER PÈRE ET FILS Chardonnay Vieilles Vignes 2011

| | 2 000 | | 8 à 11 € |

Ce sont ces 50 ares de vieilles vignes de chardonnay qui sont à l'origine de la création en 1986 de ce domaine, qui atteint désormais 10 ha. Chaleureux, le nez de ce 2011 s'ouvre sur des tons de fleurs, d'alcool de prune, puis évolue sur le litchi. La bouche, vive, est encore assez boisée (élevage en fût pendant douze mois). Pour un saumon à la crème.

☛ Dom. Ligier, 56, rue de Pupillin, 39600 Arbois, tél. 03 84 66 28 06, fax 03 84 66 24 38, gaec.ligier@wanadoo.fr, ☑ ⵌ t.l.j. sf dim. 9h30-18h30

FRÉDÉRIC LORNET Chardonnay 2011 ★★

| | 7 000 | | 8 à 11 € |

C'est plutôt rare pour un viticulteur de travailler sur le site d'une abbaye cistercienne du XIIes. et il n'est pas donné non plus à tous les amateurs de vin de déguster dans une ancienne chapelle. Pas monacal pour un sou, cet arbois est vif au nez, beurré à souhait. La bouche, riche et souple, allie gras et vivacité. Une verticalité qui remplit

horizontalement la bouche ! Doté d'un réel potentiel de garde (une dizaine d'années), ce joli blanc se verrait bien avec un crabe. Rubis aux reflets violacés, le **trousseau 2011 (4 000 b.)** est cité. C'est un rouge franc et agréable.

☛ Frédéric Lornet, L'Abbaye, 39600 Montigny-lès-Arsures, tél. 03 84 37 44 97, fax 03 84 37 40 17, frederic.lornet@orange.fr, ☑ ⵌ ⵌ t.l.j. 10h30-12h 15h-18h

ⓑ DOM. OVERNOY-CRINQUAND
Pupillin Trousseau 2011 ★

| | 2 400 | | 8 à 11 € |

Le domaine Overnoy-Crinquand, aussi connu sous la dénomination GAEC de la Bidode, pratique l'agriculture biologique depuis 1999. Ce trousseau, légèrement trouble, est d'une couleur rouge très pâle aux reflets violacés. Une petite note de réduit s'efface rapidement à l'aération, laissant place à un vent de griotte bienvenu. Équilibrée et longue, la bouche délivre de beaux arômes de cerise à l'alcool, à l'abri de jolis tanins soyeux. À aérer avant le service. Le **pupillin ploussard 2011 (5 à 8 € ; 3 000 b.)** obtient lui aussi une étoile. Vinifié en foudre, c'est un vin au fruité agréable et à la jolie présence. Il est à boire, sur un poulet rôti par exemple. Le **pupillin chardonnay Vieilles Vignes 2009 (11 à 15 € ; 2 000 b.)** est cité. Le boisé est encore assez marqué.

☛ Dom. Overnoy-Crinquand, chem. des Vignes, 39600 Pupillin, tél. 03 84 66 01 45, domaine_overnoycrinquand@yahoo.fr, ☑ ⵌ ⵌ t.l.j. 9h-12h 13h30-18h; dim. sur r.-v.

ⓑ DOM. DE LA PINTE Savagnin 2006

| | 9 673 | | 15 à 20 € |

La moitié de ce domaine conduit en agriculture biodynamique est plantée en savagnin. Ce 2006 issu de vignes de quarante-cinq ans a vieilli dans l'une des trois caves voûtées, uniques dans le Jura, construites en 1953 par Roger Martin. Doré, ce 2006 sent bon le miel, la pomme compotée et le raisin. Franche, la bouche est agréable et persiste sur les fruits secs. Le coing marque le nez du **pupillin chardonnay Fonteneille 2010 (8 à 11 € ; 4 800 b.)**, également cité. Presque un nez de vin de paille. La bouche, douce, est très riche. Surprenants arômes d'abricot et de fruits secs ! Pas vraiment représentatif du cépage mais agréable à l'apéritif.

☛ Dom. de la Pinte, rte de Lyon, 39600 Arbois, tél. 03 84 66 06 47, fax 03 84 66 24 58, contact@lapinte.fr, ☑ ⵌ ⵌ t.l.j. 9h-12h 14h-18h; sam. dim. sur r.-v.
☛ Martin

AUGUSTE PIROU 2011 ★

| | 16 000 | | 5 à 8 € |

Henri Maire s'est servi de son surnom, Auguste Pirou, pour créer une marque destinée à la grande distribution. Composée de trousseau, de pinot noir et de poulsard, cette cuvée violine « pinote » bien au nez avec ses notes de cassis, de violette et de confiture de raisins. Boisée, la bouche a encore des tanins fermes, mais la matière laisse deviner un bon potentiel. Fruits rouges, épices et praline occupent agréablement l'espace aromatique. Cinq ans seront nécessaires pour parfaire cette bouteille qu'il conviendra de carafer avant le service. Rosé de saignée, la cuvée **Fériales 2012 (10 000 b.)** est cité. Assemblage de 80 % de poulsard et de 20 % de pinot noir, c'est un vin peu typique du terroir jurassien mais aguicheur dans son style bonbon anglais et pamplemousse. Un côté gouleyant qui s'appréciera sans attendre.

☙ Auguste Pirou, Les Caves Royales, 39600 Arbois, tél. 03 84 66 42 70, fax 03 84 66 42 71, info@auguste-pirou.fr

JACQUES PUFFENEY Poulsard M 2011 ★★

■	8 000	⊞	8 à 11 €

« M » comme Michelle, Margaux, Monique ? Non, « M » comme Montigny-lès-Arsures, village bien-aimé de Jacques Puffeney. C'est qu'il y a de l'amour dans ce vin de poulsard, et comme dans toute belle histoire d'amour, il y a quelque chose de charmant et de positivement surprenant à la fois. Rouge aux reflets orangés, c'est une bouteille au nez fort agréable de fraise bien mûre et de framboise auxquelles les épices se mêlent dans une rare complexité. Ce velours olfactif trouvera une belle résonance dans une bouche aux tanins soyeux, à la fois structurée et délicate. Un remarquable vin de poulsard qui procurera un plaisir immédiat sur un lapin en sauce, mais qui saura attendre cinq à dix ans. Le **2011 trousseau cuvée Les Bérangères (15 à 20 € ; 6 666 b.)** est cité. Bourgeon de cassis au nez, il dévoile des tanins charnus en bouche. Le **vin jaune 2005 (30 à 50 € ; 5 000 b.)** a partagé les dégustateurs entre ceux qui y ont décelé une marque tannique et ceux qui ont apprécié une bouche de très belle facture.

☙ Jacques Puffeney, 11, quartier Saint-Laurent, 39600 Montigny-lès-Arsures, tél. 03 84 66 10 89, fax 03 84 66 08 36, jacques.puffeney@orange.fr, ☑ ⵙ r.-v.

FRUITIÈRE VINICOLE DE PUPILLIN Pupillin Pinot noir 2011

■	10 000	⊞	5 à 8 €

Fondée en 1909 par une poignée de vignerons du village, cette coopérative compte désormais 70 ha pour quarante-cinq adhérents et sept salariés. Couleur rubis, cette cuvée de pinot noir nous aborde par un premier nez fruité et floral, puis tend vers des tons plus boisés. Massive, la bouche révèle aussi l'élevage sous bois de dix mois. À boire sur une viande en sauce.

☙ Fruitière vinicole de Pupillin, 35, rue du Ploussard, 39600 Pupillin, tél. 03 84 66 12 88, fax 03 84 37 47 16, info@pupillin.com, ☑ ⵙ ⵙ t.l.j. 9h-12h 14h-18h

DOM. DE LA RENARDIÈRE Pupillin Grande Réserve 2010 ★

■	2 000	⊞	8 à 11 €

Tous les samedis de juin, Laurence et Jean-Michel Petit organisent des « tours de vignes » qui permettent de visiter différentes parcelles avec explications sur la géologie, dégustation de vins de chacune de ses parcelles et mâchon vigneron. Peut-être y découvrirez-vous ce pinot noir à la robe rubis tirant sur le grenat. Pimpant au nez avec ses notes de griotte, il est aussi friand en bouche. Rond et flatteur, c'est un vin pas du tout sophistiqué, dans un style fruité qui conviendra bien à un rôti de veau.

☙ Dom. de la Renardière, rue du Chardonnay, 39600 Pupillin, tél. 03 84 66 25 10, renardiere@libertysurf.fr, ☑ ⵙ ⵙ t.l.j. 9h-12h 14h-19h; dim. sur r.-v.

☙ Jean-Michel Petit

RÉGINE ET JEAN RIJCKAERT Chardonnay En Paradis Vieilles Vignes 2010 ★★

■	3 800	⊞	11 à 15 €

La maison de négoce Rijckaert est implantée en Saône-et-Loire et produit également des vins du Mâconnais. Jaune aux reflets verts, ce chardonnay a été élevé en fût pendant vingt mois. Il développe un fruité intense au nez, ainsi qu'un beau côté minéral. L'attaque est très franche, sur un très joli vanillé. Rond, le palais n'en possède pas moins une belle acidité qui lui procure un excellent équilibre. La puissante rétro-olfaction sur les fruits exotiques mûrs et des notes beurrées procure un plaisir renouvelé. Une bouteille appréciable immédiatement. Le **savagnin 2009 Grand Élevage Vieilles Vignes (2 000 b.)** est cité. Bien que peu représentatif de ce type de produit, c'est un vin séduisant par sa bouche aux arômes intenses de fruits mûrs.

☙ Rijckaert, Correaux, 71570 Leynes, tél. 03 85 35 15 09 ☑ ⵙ r.-v. 🔔 ❹

ROLET PÈRE ET FILS Vin jaune 2005 ★

■	12 000	▮⊞	20 à 30 €

Cet important domaine de la place d'Arbois offre vraiment une gamme très complète de vins, notamment des demi-bouteilles du fameux vin jaune, pratiques pour la découverte ou pour les tête-à-tête. Dans sa version 62 cl, car c'est la contenance de la bouteille dite « clavelin », ce 2005 est expressif au nez, d'une grande minéralité, avec des notes sous-jacentes de curry. Si elle n'est pas très longue, la bouche est cependant bien structurée, donnant un vin droit et cohérent. Vinifiée et élevée une année en barrique neuve, la cuvée **chardonnay Harmonie 2011 (8 à 11 € ; 12 000 b.)** est citée. Le cépage s'y dévoile entre fruité (poire) et vanillé, avec une certaine vivacité, la marque du fût étant encore présente. C'est une bouteille qu'on peut apprécier maintenant, mais qui pourrait vieillir.

☙ Rolet Père et Fils, Montesserin, rte de Dole, 39600 Arbois, tél. 03 84 66 00 05, fax 03 84 37 47 41, rolet@wanadoo.fr, ☑ ⵙ ⵙ t.l.j. 9h-12h 14h-18h30

DOM. DU SORBIEF Naturé 2011 ★

	n.c.	⊞	20 à 30 €

Né en 1917, Henri Maire fut le pionnier de la vente de vin, grâce à laquelle il fit prospérer après guerre la petite maison de négoce. Également propriétaire de vignes, l'entreprise a été reprise en 2010 par un holding Verdoso Industries et signe désormais ses bouteilles « Domaines et Châteaux HM ». Le naturé est synonyme du cépage savagnin ; celui-ci a été élevé en fût douze mois. Issu de l'école bourguignonne, le nouveau responsable de chai (Emmanuel Laurent) donne ici une partition très florale de cette variété, donc très éloignée de l'archétype des vins « oxydatifs ». Discret, le nez n'en est pas moins fin, sur des notes de fleurs blanches. Moelleuse et franche, la bouche est très expressive, offrant une belle persistance aromatique. Pour une entrée de poisson.

☙ Domaines et Châteaux HM, Boichailles, 39600 Arbois, info@domaine-du-sorbief.fr

JEAN-LOUIS TISSOT Chardonnay 2010

■	2 500	▮	5 à 8 €

Le domaine, créé en 1965, regroupe deux propriétés et vignobles : une maison du XVIᵉs. d'un côté et une jolie demeure du XIXᵉs. de l'autre. Jaune clair, ce chardonnay laisse percevoir des senteurs de fruits blancs et des notes miellées. Si l'acidité est assez présente en bouche, elle est bien tempérée par un joli gras. Le **trousseau 2010 (8 à 11 € ; 6 000 b.)** est cité lui aussi. Rouge soutenu, c'est un vin assez fermé au nez, un rien végétal qui finit sur la cerise noire. À attendre quelques années.

☙ Jean-Louis Tissot, Vauxelles, 39600 Montigny-lès-Arsures, tél. 03 84 66 13 08, fax 03 84 66 08 09, jean.louis.tissot.vigneron.arbois@wanadoo.fr, ☑ ⵙ t.l.j. 9h-12h 14h-18h

JURA

JACQUES TISSOT Chardonnay 2009 ★★

| | 14 000 | ▮◫ | 5 à 8 € |

Jacques Tissot a débuté sur une parcelle héritée de son père en 1962. Il est aujourd'hui à la tête d'un domaine d'une trentaine d'hectares qu'il conduit avec son fils, Philippe. Après vingt-quatre mois de cuve et douze mois de fût, ce chardonnay présente une robe couleur citron. Puissant et complexe, le nez joue à la fois sur la minéralité et les fleurs blanches. La bouche vive et droite traduit une belle évolution. À apprécier dès aujourd'hui. Nécessairement plus confidentiel, le vin de paille 2007 (20 à 30 € ; 3 000 b.) est cité. Né du savagnin et du poulsard, il est ouvert au nez (vanille, noisette, pâte d'amandes). La bouche, presque plus proche d'un macvin que d'un vin de paille, est ronde, avec une discrète pointe de marc. Sans grande complexité, elle est cependant bien sucrée. (Bouteilles de 37,5 cl.)

☛ Dom. Jacques Tissot, 39, rue de Courcelles, 39600 Arbois, tél. 03 84 66 24 54, fax 03 84 66 25 15, courrierjt@yahoo.fr, ▣ ⚥ ☂ t.l.j. 10h-12h 14h15-19h

MICHEL TISSOT ET FILS Pupillin 2011 ★★

| | 33 000 | | 5 à 8 € |

La maison Michel Tissot a été fondée en 1896 au pied de Château-Chalon où sont encore situées les caves. La gamme est gérée par l'entreprise Henri Maire depuis 1995. Assemblage de pinot noir, de trousseau et de poulsard, voici un vin rubis dense, fruité du nez jusqu'en finale ; il offre un style assez nature, légèrement tannique, mais avec une matière bien charnue. Une jolie bouteille qu'il convient d'attendre trois à quatre ans et qui ira bien tout au long du repas, de la viande rouge au plateau de fromages.

☛ Michel Tissot et Fils, BP 40012, 39601 Arbois Cedex, tél. 03 84 66 47 97, fax 03 84 66 47 75, info@michel-tissot.fr

DOM. DE LA TOURAIZE Trousseau Les Corvées 2011 ★

| | 2 400 | ◫ | 8 à 11 € |

Le lieu-dit d'où est issue cette cuvée appartenait avant la Révolution à une abbaye d'Arbois. Les paysans allaient y faire « la corvée ». Cela n'en sera pas une que de déguster ce vin rubis au beau nez de fruits rouges, légèrement confituré. Le boisé s'y décèle à peine. Rien n'accroche, dans cette bouche franche aux tanins bien présents. Les arômes boisés y sont plus marqués qu'au nez (douze mois de fût), mais les fruits rouges sont bien là, dans une belle puissance et une bonne persistance. Un vin de plaisir avec viandes rouges.

☛ Dom. de la Touraize, 69, rue de Courcelles, 39600 Arbois, tél. 06 83 41 74 60, aj.morin@wanadoo.fr, ▣ ⚥ ☂ r.-v.

☛ André-Jean Morin

Château-chalon

Superficie : 48 ha
Production : 1 620 hl

Le plus prestigieux des vins du Jura est exclusivement du vin jaune, le célèbre vin de voile élaboré en quantité limitée selon des règles strictes. Le raisin est récolté sur les marnes noires du lias, dans un site remarquable : un vieux village établi sur des falaises. La mise en vente s'effectue six ans et trois mois après la vendange. Il est à noter que, dans un souci de qualité, les producteurs eux-mêmes ont refusé l'agrément en AOC pour les récoltes de 1974, 1980, 1984 et 2001.

BAUD PÈRE ET FILS 2005 ★★

| | 3 500 | ▮◫ | 30 à 50 € |

Quand Jean-François Baud a créé le domaine familial en 1542, les abbesses de Château-Chalon étaient encore là. Elles ne partirent du promontoire rocheux que deux cent quarante-huit ans plus tard. Jean-Michel et Alain Baud, aujourd'hui à la tête de la propriété, présentent un 2005 à la jolie robe or vert. Le nez, d'abord discret, s'ouvre lentement sur des notes complexes de noix verte et d'épices. Cette montée en puissance retrouve dans une bouche minérale et équilibrée, qui laisse finalement une impression de richesse. Un bon caractère de « jaune » qui pourra être apprécié dès à présent mais qu'une garde d'une dizaine d'années bonifiera.

☛ Dom. Baud Père et Fils, 222, rte de Voiteur, 39210 Le Vernois, tél. 03 84 25 31 41, fax 03 84 25 30 09, info@domainebaud.fr, ▣ ⚥ ☂ t.l.j. sf dim. 9h-12h 14h-18h

DOM. BERTHET-BONDET 2005 ★★

| | 10 000 | ◫ | 30 à 50 € |

Les caves de cette exploitation se situent au cœur du très beau village de Château-Chalon dont la visite est hautement recommandée. La propriété signe un 2005 au nez très « jaune » d'amande, de noix fraîche et d'épices, juste souligné de quelques notes minérales. Une bouche tendue et portée par une finale minérale fait dire à l'un de nos dégustateurs : « Austérité des nonnes de Château-Chalon et respect des fidèles... » ! Une fermeté et une structure que l'on prendrait certes bien pour religion !

☛ Dom. Berthet-Bondet, rue de la Tour, 39210 Château-Chalon, tél. 03 84 44 60 48, fax 03 84 44 61 13, berthet-bondet@orange.fr, ▣ ⚥ ☂ r.-v. ⌂ Ⓔ

♥ PHILIPPE BUTIN 2005 ★★★

| | 1 000 | ◫ | 30 à 50 € |

2005
CHATEAU CHALON
Appellation Château Chalon Contrôlée
℗Ⓑ
VIN JAUNE
Mis en Bouteille à la Propriété par
EARL Philippe Butin Vigneron
F-39210 Lavigny tél. 03.84.25.24.25
PRODUIT DE FRANCE

Une production modeste en volume mais régulièrement remarquée dans le Guide, le dernier coup de cœur pour ce producteur, dans cette appellation, étant attribué au millésime 2003. Avec ce 2005 doré aux reflets argentés, le discret vigneron de Lavigny fait encore parler de lui. Un subtil mélange de noix mûre et de minéralité pénètre immédiatement le nez avec finesse et élégance. La bouche est doublement fraîche : d'abord par sa vivacité puis par un côté noix verte très marqué. Sans exubérance, mais terriblement racé, ce vin ample et droit finit sur une note de fleur d'acacia. Une parfaite harmonie.

☛ Philippe Butin, 21, rue de la Combe, 39210 Lavigny, tél. 03 84 25 36 26, fax 03 84 25 39 18, ph.butin@wanadoo.fr, ☑ ☆ ☂ r.-v.

CAVEAU DES BYARDS 2005 ★

	n.c.	▮◗	30 à 50 €

Sur les 22 ha que la petite cave coopérative vinifie, seuls 12 ares sont en appellation château-chalon, le reste étant utilisé pour produire la gamme complète des AOC du terroir viticole jurassien. Ce 2005 a séduit le jury par sa robe dorée et son nez de noix mûre, de fruits secs et d'épices. Souple mais bien constituée, la bouche se montre puissante et ample. La matière est bien présente, la finale chaleureuse mais agréable. Un vin élaboré avec soin qui n'attend qu'un comté de trente mois pour ravir les palais.

☛ Caveau des Byards, rte de Voiteur, 39210 Le Vernois, tél. 03 84 25 33 52, fax 03 84 25 38 02, info@caveau-des-byards.fr, ☑ ☆ ☂ t.l.j. 9h-12h 14h-18h

MARIE ET DENIS CHEVASSU 2004 ★

	1 200	▮◗	20 à 30 €

L'été dernier, les propriétaires ont accueilli les visiteurs au sein de leur cave autour d'un repas champêtre, concocté par un chef étoilé, avec pour slogan : « Osez l'accord ! » À cette occasion, un château-chalon a été servi avec un médaillon de truite sur biscuit de gaudes avec morilles. Et si vous tentiez l'expérience avec ce 2004 à la fois fumé et mentholé ? Si elle n'est pas des plus puissantes, la bouche demeure bien équilibrée, élégante et livre une longue finale. Un joli vin, harmonieux et typé.

☛ Chevassu-Fassenet, Les Granges-Bernard, 39210 Menétru-le-Vignoble, tél. et fax 03 84 48 17 50, mpchevassu@yahoo.fr, ☑ ☆ ☂ r.-v.

DOM. COURBET 2005 ★

	2 415	◗	20 à 30 €

Après le départ à la retraite de ses parents, Damien Courbet, diplômé d'œnologie, a pris les rênes du domaine familial en 2011. Il propose un 2005 or clair, né dans l'ancienne église du village transformée en cave en 1982 : à déguster religieusement... Le nez s'ouvre à l'aération sur des notes boisées pour ensuite délivrer une palette de « jaune » assez évoluée et des nuances de cire d'abeille. Droit, de l'attaque à la finale, c'est un vin équilibré qui persiste sur une agréable fraîcheur. On conseille d'attendre environ cinq ans avant d'ouvrir cette bouteille sur une spécialité jurassienne.

☛ Dom. Courbet, 1130, rte de la Vallée, 39210 Nevy-sur-Seille, tél. 03 84 85 28 70, fax 03 84 44 68 88, dcourbet@hotmail.com, ☑ ☆ ☂ r.-v. ⌂ ฿

DOM. JEAN-CLAUDE CREDOZ 2005 ★

	2 200	◗	20 à 30 €

Installé à son compte depuis une bonne dizaine d'années, Jean-Claude Credoz a d'abord été associé à ses deux frères. Il signe un 2005 au bouquet typé et assez complexe de fruits secs et de cire. La bouche suit cette ligne aromatique dans un bel élan de noix verte, de caramel au lait et de chocolat blanc. Équilibrée et harmonieuse, elle offre une belle rondeur. « Image plaisante de l'appellation », comme le souligne un dégustateur, ce vin

atteindra son apogée vers 2030 ; toutefois, les plus pressés pourront l'apprécier dans trois ans.

☛ Dom. Jean-Claude Credoz, 3, rue des Chèvres, 39210 Château-Chalon, tél. 03 84 44 64 91, fax 03 84 44 98 76, domjccredoz@orange.fr, ☑ ☆ ☂ t.l.j. 8h-12h 13h-19h

DOM. GENELETTI Vignes aux Dames 2006 ★

	n.c.	◗	30 à 50 €

Les propriétaires ont récemment acquis une jument de trait, de race comtoise évidemment, avec laquelle ils se réapproprient les gestes et façons ancestraux de cultiver la vigne. Est-ce que la « belle blonde », puisqu'elle est ainsi dénommée, arpente le coteau des vignes aux Dames sur lequel est né ce 2006 ? Jaune d'or aux reflets argentés, ce château-chalon s'ouvre petit à petit sur des notes d'amande, de noix et de fumé. L'approche en bouche est d'emblée harmonieuse. L'attaque puissante mais équilibrée laisse place à une belle plénitude sur la noix. Un vin typé et élégant qui pourra être dégusté dès à présent ou être oublié une dizaine d'années en cave.

☛ Dom. Geneletti, rue Saint-Jean, 39210 Château-Chalon, tél. 03 84 44 95 06, contact@domaine-geneletti.net, ☑ ☆ ☂ t.l.j. sf dim. 10h-12h 14h-18h30

DOM. GRAND En Beaumont 2006

	2 700	◗	30 à 50 €

Sur les 130 000 bouteilles que produit cette cave, seulement 2 700 portent l'appellation château-chalon. Soutenu à l'œil avec sa robe d'or foncé, ce 2006 est ouvert au nez, sur la noix et l'amande. La bouche ample, aromatique, apparaît en finale encore un peu marquée par la vivacité. Un vin déjà harmonieux, mais qui s'affinera au cours des cinq à dix prochaines années.

☛ Dom. Grand, 139, rue du Savagnin, 39230 Passenans, tél. 03 84 85 28 88, fax 03 84 44 67 47, domaine-grand@wanadoo.fr, ☑ ☆ ☂ t.l.j. sf dim (hors jui.-août) 9h-12h 14h-18h; sam. dim. sur r.-v. en jan.-fév.

DOM. MACLE 2005

	5 000	◗	30 à 50 €

Un tiers de l'exploitation est consacré à l'appellation château-chalon, fierté de cette ancienne maison constituée en 1850 et développée à partir de 1966. Après avoir contemplé la robe vieil or, les dégustateurs ont apprécié un nez d'une bonne intensité sur fond de noix mûre et d'épices. Relayant une attaque pleine de sève étayée par une légère acidité, la bouche révèle de jolis arômes de vin jaune qui restent présents longuement. Un ensemble harmonieux et typé qu'une garde d'une dizaine d'années devrait mettre davantage en valeur.

☛ Dom. Macle, rue de la Roche, 39210 Château-Chalon, tél. 03 84 85 21 85, fax 03 84 85 27 38, maclel@wanadoo.fr, ☑ ☆ ☂ r.-v.

JEAN-LUC MOUILLARD 2006 ★★

	1 700	◗	20 à 30 €

Si la commune de Mantry n'est pas située dans la zone de l'AOC château-chalon, Jean-Luc Mouillard a la chance d'exploiter 70 ares dans cette prestigieuse appellation, voisine de son domicile. Il propose un 2006 vieilli dans une cave du XVIe s. Le nez très fin de fleurs et de tabac est agrémenté de notes minérales et de la traditionnelle noix, sans qui ce joli tableau ne serait pas complet. Contre

JURA

toute attente, la bouche évolue sur des nuances très citronnées, offrant ainsi une rétro-olfaction des plus fraîches. Un ensemble un peu surprenant mais aromatique et gourmand, qui pourra être bu sans attendre.

🔒 Jean-Luc Mouillard, 379, rue du Parron, 39230 Mantry, tél. 03 84 25 94 30, domaine-mouillard@hotmail.fr, ☑ ⚹ 🍷 r.-v. 🏨 ❷

DOM. DÉSIRÉ PETIT 2005 ★★

	n.c.	🍷 20 à 30 €

Anne-Laure et Damien ont repris l'exploitation en 2009 : ce vin est donc encore de l'ère de Gérard et Marcel, fils du fondateur du domaine. Vieil or, ce 2005 n'est pas du genre timide. Le nez s'affiche entre la puissance, entre arômes de noix et de grillé. La bouche suit cette veine avec un équilibre de haute tenue entre alcool et acidité. Sa solide charpente est l'écrin d'une expression racée. Un vin taillé pour la garde (apogée entre 2015 et 2025) qui pourra s'accommoder aussi bien du traditionnel vieux comté que d'un foie gras.

🔒 Dom. Désiré Petit, rue du Ploussard, 39600 Pupillin, tél. 03 84 66 01 20, fax 03 84 66 26 59, contact@desirepetit.com, ☑ ⚹ 🍷 t.l.j. 8h30-12h 14h-18h30

FRUITIÈRE VINICOLE DE VOITEUR 2006 ★

	20 000	🍷 20 à 30 €

Du caveau de cette coopérative, rénové et réaménagé en 2010, vous pourrez découvrir un panorama sur le vignoble de Château-Chalon. Le 2006 proposé offre un nez assez discret de noix. La bouche, bien que légère, délivre de jolies notes d'amande amère. Ne cherchez pas la puissance mais plutôt la finesse dans cette cuvée, à apprécier sur un vieux comté.

🔒 Fruitière vinicole de Voiteur, 60, rue de Nevy, 39210 Voiteur, tél. 03 84 85 21 29, fax 03 84 85 27 67, voiteur@fvv.fr, ☑ 🍷 t.l.j. 8h30-12h 13h30-18h; dim. 10h-12h 14h-18h

Côtes-du-jura

Superficie : 528 ha
Production : 20 540 hl (70 % blanc et jaune ; 28 % rouge et rosé ; 2 % vin de paille)

L'appellation englobe toute la zone du vignoble de vins fins et produit tous les types de vins jurassiens, à l'exception des effervescents.

DOM. DE L'AIGLE À DEUX TÊTES Derrière la roche 2010 ★

	1 500	🍾🍷 11 à 15 €

L'aigle à deux têtes regarde vers l'orient (Grusse) et l'occident (Vincelles) où se trouvent les parcelles du domaine. Issu de vignes d'une cinquantaine d'années, ce vin a été fermenté et élevé en pièces bourguignonnes. On n'est pas ici en présence d'un vin dit « typé », issu d'un élevage sous voile dont Henri le Roy n'est pas vraiment un adepte. On ne s'étonnera donc pas de trouver au nez des tons floraux et une pointe d'agrumes. Franche et fraîche, la bouche retrouve les agrumes en attaque pour finir sur un joli vanillé. Un vin facile à boire, juste pour le plaisir.

🔒 Dom. de l'Aigle à deux têtes, 3, rte de Grusse, 39190 Vincelles, tél. 06 08 09 81 68 ☑ r.-v.

🔒 Henry le Roy

💙 DOM. BADOZ Chardonnay Vignoble les Roussots 2011 ★★★

	2 500	🍷 5 à 8 €

Le terroir des Roussots et ses marnes grises ont trouvé là un ambassadeur de choix. Jaune pâle aux reflets verts, ce vin de chardonnay élevé en cuve pendant un an a l'élégance des grands. Violette, bonbon anglais et fleurs blanches se partagent un nez d'une grande finesse. Si la bouche montre une certaine puissance, elle est aussi bien tempérée par une fine acidité. Le gras tapisse le palais avec beaucoup de douceur. Nul doute que saumon fumé et sole grillée trouveront dans ce remarquable blanc le partenaire rêvé. Dans un tout autre registre, le **vin jaune 2006 (20 à 30 € ; 7 000 b.)** reçoit une étoile. Puissant au nez, il est chaleureux en bouche mais reste typé.

🔒 Benoit Badoz, 3, av. de la Gare, 39800 Poligny, tél. 03 84 37 18 00, fax 03 84 37 11 18, contact@benoit-badoz.com, ☑ ⚹ 🍷 t.l.j. sf dim. 9h-12h 14h-19h

BAUD Chardonnay Cuvée Flor 2011 ★★

	6 000	🍾🍷 5 à 8 €

Flor, pour floral. C'est ainsi qu'Alain et Jean-Michel Baud ont voulu ce chardonnay. But atteint, au nez en tout cas, avec des senteurs de fleurs blanches qui côtoient cependant le boisé (élevage en fût pendant douze mois). Vanillée, la bouche est aussi délicatement acidulée d'une belle longueur. La matière, assez présente, n'en est pas lourde pour autant : une fine acidité la dynamise. Parfait sur un poisson en sauce, voire grillé, et à boire sans trop attendre.

🔒 Dom. Baud Père et Fils, 222, rte de Voiteur, 39210 Le Vernois, tél. 03 84 25 31 41, fax 03 84 25 30 09, info@domainebaud.fr, ☑ ⚹ 🍷 t.l.j. sf dim. 9h-12h 14h-18h

💙 DOM. BERTHET-BONDET Chardonnay 2011 ★★

	3 000	🍷 8 à 11 €

Les vins de ce domaine seront normalement bientôt estampillés « bio », l'exploitation étant en conversion. Totalement convertis sommes-nous déjà à ce côtes-du-jura or pâle aux reflets verts. Frais et élégant, le nez dispense de très belles notes d'agrumes qui se marient agréablement à des tons grillés et à des nuances de pêche blanche. Bien structurée, la bouche reste sur le fruit et se révèle en parfaite harmonie avec le nez. Une réelle maîtrise de la vinification, notamment de la fermentation en fût (15 % de fûts neufs). Assemblage de savagnin (30 %) et de char-

donnay (70 %), la cuvée **Tradition 2009** (8 à 11 € ; 10 000 b.) reçoit une étoile. Elle adopte un tout autre registre, celui de la puissance des vins sous voile, tout en étant bien équilibrée, avec des tons de pomme et de marc ; pour un coq à la crème.

☛ Dom. Berthet-Bondet, rue de la Tour, 39210 Château-Chalon, tél. 03 84 44 60 48, fax 03 84 44 61 13, berthet-bondet@orange.fr, ☑ ⚐ ⵝ r.-v. ⌂ ⓔ

JOËL BOILLEY Vin de paille 2009

▨	13 000	15 à 20 €

C'est en 1986, à l'âge de trente-six ans, que Joël Boilley a repris une ferme céréalière et une exploitation viticole. Après un incendie en 2010, la cave a été reconstruite en 2012. Enfant chéri des lieux, le vin de paille est produit à partir de raisins de chardonnay (80 %), de savagnin (10 %) et de trousseau (10 %). Cuivré aux reflets rosés, c'est un vin fruité au nez (litchi, orange confite) et souple en bouche. L'alliance avec un dessert à base de chocolat noir mettra bien en valeur son petit côté mandarine et abricot sec.

☛ Joël Boilley, 18, rue Marius-Pieyre, 39100 Dole, tél. 06 81 66 87 20, fax 03 84 72 70 90, joel.boilley@gmail.com, ☑ ⚐ ⵝ r.-v.

PHILIPPE BUTIN Trousseau 2010

▨	2 500	8 à 11 €

Si Philippe Butin apparaît très régulièrement dans le Guide, c'est généralement pour ses vins blancs et ses vins jaunes. Mais les coteaux de Lavigny portent aussi du trousseau qui a donné ici un vin rouge sombre aux reflets violets, robe assez soutenue pour le cépage. Le nez, assez puissant, puise l'inspiration dans les petits fruits rouges (fraise, groseille). La bouche reste agréable même si les tanins sont denses.

☛ Philippe Butin, 21, rue de la Combe, 39210 Lavigny, tél. 03 84 25 36 26, fax 03 84 25 39 18, ph.butin@wanadoo.fr, ☑ ⚐ ⵝ r.-v.

CLOS DE JERMINY 2011 ★

▨	5 000	8 à 11 €

Le domaine a engagé une conversion à l'agriculture biologique il y a trois ans. Issu d'une parcelle de la commune de Beaufort, dans la région du sud Revermont, ce chardonnay clair a été élevé en fût pendant seize mois. Une pointe de noisette et quelques notes de fruits exotiques forment un nez élégant. Ces mêmes nuances aromatiques poursuivent leur chemin au sein d'une bouche ronde à souhait. Même si la persistance n'est pas très grande, un côté friand rend ce vin très réussi.

☛ Gilles Wicky, 13, rue Principale, 39190 Sainte-Agnès, tél. 03 84 25 10 96, gilles.wicky@wanadoo.fr, ☑ ⚐ ⵝ r.-v.

ⓑ CLOS DES GRIVES Vin jaune 2005

▨	1 500	20 à 30 €

Claude Charbonnier a vendu les vignes du Clos des Grives en juin 2007, mais ce vin jaune à la robe prononcée est antérieur à cette cession. Mûr et intense, le nez est sur la noix. Une partition identique se joue en bouche, où la matière s'exprime avec force, dans un style typé et assez masculin. Une bonne persistance aromatique.

☛ Claude Charbonnier, GAEC Clos des Grives, 204, Grande-Rue, 39570 Chille, tél. 03 84 47 23 78

DOM. COURBET Savagnin 2009 ★★★

▨	3 500	11 à 15 €

La vinification sous voile, on connaît dans cette maison qui produit le célèbre château-chalon, et ce depuis cinq générations. Ici élevée au rang d'art, elle donne un vin jaune d'or à vert pâle selon la lumière, qui nous mène tout de suite aux fondamentaux : la noix, verte ou sous un côté brou de noix, est omniprésente au nez. Bien équilibrée, avec cette fine acidité caractéristique du savagnin, la bouche n'est que finesse et élégance. Avec ses notes de vin jaune, elle continue ostensiblement le parcours de la noix dans tous ses états. Les dégustateurs ont été unanimes pour recommander des coquilles Saint-Jacques crémées à l'appui de ce très digne représentant des vins jurassiens. Le **vin de paille 2009** (15 à 20 € ; 1 250 b.) ferait presque pâle figure à côté de ce géant. Noté une étoile, c'est un vin à la sucrosité marquée, mais complet, sur fond de pâte de coing.

☛ Dom. Courbet, 1130, rte de la Vallée, 39210 Nevy-sur-Seille, tél. 03 84 85 28 70, fax 03 84 44 68 88, dcourbet@hotmail.com, ☑ ⚐ ⵝ r.-v. ⌂ ⓑ

DOM. JEAN-CLAUDE CREDOZ Chardonnay
Vieilli en fût de chêne 2011 ★★

▨	7 000	5 à 8 €

Si cette vigne avait été plantée en savagnin, elle aurait pu avoir droit à l'AOC château-chalon, car elle est dans l'aire de cette appellation. Avec le chardonnay, et dans l'AOC côtes-du-jura donc, elle donne un vin accompli. Au nez, le bonbon anglais aime la compagnie de la réglisse et côtoie agréablement le sureau. Ce bouquet n'a rien d'explosif mais séduit par sa subtilité. La bouche, toujours réglissée, ajoute une touche d'agrumes à ce bel élan aromatique. Équilibré, avec une trame de fine acidité, cet élégant blanc ira bien avec une volaille en sauce ou du saumon fumé. Le **vin de paille 2008** (15 à 20 € ; 1 400 b.) est cité. Un vin discret mais élégant.

☛ Dom. Jean-Claude Credoz, 3, rue des Chèvres, 39210 Château-Chalon, tél. 03 84 44 64 91, fax 03 84 44 98 76, domjccredoz@orange.fr, ☑ ⚐ ⵝ t.l.j. 8h-12h 13h-19h

♥ DOM. GRAND Vin jaune 2006 ★★

▨	3 400	20 à 30 €

D'abord installée à Saint-Lothain, la famille Grand s'est déplacée sur le village voisin de Passenans. Sébastien et Emmanuel perpétuent une tradition vigneronne familiale qui remonte à 1692. Ce côtes-du-jura est le témoin glorieux de ces savoir-faire transmis de génération en génération. Limpide, brillante et intensément dorée, sa robe en est le premier reflet éclatant. Complexe et très élégant, le nez allie le style de la noix, la rondeur du miel, l'originalité de la bergamote et la vitalité du gingembre. La première approche de la bouche est très minérale mais très

2006

rapidement la noix entre en scène, rejointe par les agrumes et enfin par l'amande. Équilibre, puissance, qualité et persistance aromatiques font de ce vin jaune une remarquable représentation de l'appellation. Le **vin de paille 2009 (6 500 b.)** est cité pour sa bouche chaleureuse.

🔍 Dom. Grand, 139, rue du Savagnin, 39230 Passenans, tél. 03 84 85 28 88, fax 03 84 44 67 47, domaine-grand@wanadoo.fr,
☑ ⚔ ⵏ t.l.j. sf dim (hors jui.-août) 9h-12h 14h-18h; sam. dim. sur r.-v. en jan.-fév.

LES GRANGES PAQUENESSES
Savagnin La Pierre 2011 ★★

	4 000	ⵏ	8 à 11 €

L'aventure de Loreline Laborde commence en 2010 dans une ferme délabrée du XVIIᵉ s., avec 1,7 ha de vignes. Si les premières vinifications de 2010 ont eu lieu dans des conditions difficiles, ce 2011 a bénéficié d'un chai opérationnel. La surface exploitée est désormais de 3,5 ha, avec conversion bio et traction animale prévues. Ce savagnin a fermenté puis a été élevé en fût. Il a été régulièrement ouillé pendant les douze mois d'élevage. Aux délicats effluves de fleurs blanches du nez s'ajoute un fruité tout aussi séduisant. Ronde, dotée d'une fine acidité et d'un élégant boisé, la bouche est une invitation au poisson grillé.

🔍 Loreline Laborde, Les Granges Paquenesses, 39800 Tourmont, tél. 06 23 87 65 19, contact@granges-paquenesses.fr, ☑ ⚔ ⵏ r.-v. 🏠 🅱 🄴

Ⓑ DIDIER GRAPPE Savagnin ouillé 2011

	3 300	ⵏ	8 à 11 €

Didier Grappe est un viticulteur bio militant. Avant même que ne paraisse le règlement bio relatif à la vinification, il a pris le parti de réduire au maximum les doses de soufre dans ses vins. Son savagnin est ouillé, ce qui signifie qu'il n'a pas fait l'objet d'un élevage en fût sous voile ; il est resté dix mois en cuve. Fleurs blanches au nez, c'est un vin à la structure vive, renforcée par un côté citronné en bouche. Bel accord avec des cuisses de grenouilles.

🔍 Didier Grappe, 81, rte du Revermont, 39230 Saint-Lothain, tél. 03 84 37 19 21, didier.grappe@orange.fr, ☑ ⚔ ⵏ t.l.j. 9h-12h 14h-19h

DOM. HORDÉ Trousseau 2011

	800	ⵏ	8 à 11 €

Edgar Faure, homme politique et orateur hors pair, fut célèbre pour certains aphorismes comme « Ce n'est pas la girouette qui tourne, c'est le vent ». Il fut aussi le maire de Port-Lesney où se trouve Yves Hordé. Grenat, ce trousseau élevé en cuve est encore fermé au nez. À l'aération, il ose quelques notes plutôt animales. Puissante et

structurée, la bouche n'en dit pas beaucoup plus que le nez sur le plan aromatique. S'ouvrira-t-elle ? C'est la question.
🔍 Yves Hordé, 14, rue du Port, 39600 Port-Lesney, tél. 03 84 73 89 24, yves.horde39@orange.fr, ☑ ⚔ ⵏ r.-v.

CLAUDE ET CÉDRIC JOLY Chardonnay 2008 ★

	2 900	ⵏ	5 à 8 €

Cette société a été créée en 2000 à partir d'un domaine fondé à la fin des années 1960 par Claude Joly. Élevé sans ouillage pendant trente-six mois, ce vin limpide à la couleur claire est encore jeune au nez, entre pamplemousse et noix. Assez présent en bouche, il débute sur des notes de pomme et une acidité fraîche qui finit sur des nuances de noisette. Là aussi, la jeunesse se fait sentir. Attendons donc trois à quatre ans. Il n'en sera que mieux.
🔍 EARL Claude et Cédric Joly, chem. des Patarattes, 39190 Rotalier, tél. 03 84 25 04 14, fax 03 84 25 14 48, cc.joly@wanadoo.fr, ☑ ⚔ ⵏ r.-v.

DOM. LABET Fleur de marne La Bardette 2010 ★★

	2 500	ⵏ	15 à 20 €

Les domaines d'Alain et de Julien Labet ont été réunifiés et une société a été créée entre les enfants : Julien, Romain et Charline. Ce trio nous présente une trilogie de chardonnays à laquelle la famille Labet nous a habitués déjà depuis de nombreuses années pour notre plus grand bonheur. Le premier d'entre eux a été élevé en fût, sur lies, pendant dix-huit mois. L'intensité du nez (amande, noisette, fruits exotiques) n'a d'égale que la richesse de la bouche. Très aromatique, celle-ci allie souplesse et légère acidité. Vite, un brochet ! La cuvée **Fleur de chardonnay 2011 (4 000 b.)** reçoit une étoile. Élevé douze mois en fût, c'est un vin vanillé au nez et d'une très bonne tenue en bouche. Fruité et floral, il est d'une fraîcheur éclatante. Enfin, la cuvée **Fleurs 2011 (11 à 15 € ; 4 000 b.)** est un assemblage de jeunes vignes de chardonnay de quatre lieux-dits complémentaires. Noté une étoile lui aussi, c'est un vin subtil et délicat au nez, sur des notes vanillées, et très souple en bouche, alliant agrumes, fruits mûrs et boisé. Quel bouquet !
🔍 EARL Dom. Labet, 14, montée des Tilleuls, 39190 Rotalier, tél. 03 84 25 11 13, fax 03 84 25 06 75, domaine.labet@yahoo.fr, ☑ ⵏ r.-v.

DOM. LIGIER PÈRE ET FILS
Savagnin Les Chassagnes 2009 ★

	3 000	ⵏ	11 à 15 €

Les Ligier sont d'Arbois mais ils exploitent cependant des vignes dans l'AOC côtes-du-jura, vendangées aussi manuellement. Élevé trois ans et demi sous voile, ce vin jaune clair a l'attribut aromatique classique de ce type d'élevage : la noix, sèche en l'occurrence. La bouche, légèrement amère, montre aussi un petit côté acidulé et une bonne longueur. Déjà bon à boire mais pouvant se bonifier avec l'âge, ce 2009 s'accordera avec une escalope à la crème ou une fondue.
🔍 Dom. Ligier, 56, rue de Pupillin, 39600 Arbois, tél. 03 84 66 28 06, fax 03 84 66 24 38, gaec.ligier@wanadoo.fr, ☑ ⚔ ⵏ t.l.j. sf dim. 9h30-18h30

♥ DOM. MACLE 2009 ★★★

	20 000	ⵏ	11 à 15 €

Deux coups de cœur dans la précédente édition du Guide, un autre cette année : quelle vendange ! Une « recette » quasiment identique de millésime en millésime

2009

Côtes du Jura

APPELLATION CONTRÔLÉE

Domaine MACLE

VIGNERON

CHÂTEAU-CHALON - JURA - FRANCE

13,5%vol   Mis en bouteille à la propriété   75cl.

(85 % de chardonnay, 15 % de savagnin élevé sous voile) ; mais comme à tout plat correspond un fameux cuisinier, les beaux raisins n'auraient pas donné un si beau résultat s'il n'y avait pas eu un talent de vinificateur-éleveur. Doté d'une belle robe d'or, cet assemblage est marqué par son élevage. Très aromatique, il sent « le jaune » au nez dans ses tons d'amande grillée, de noisette, de noix et de cire. L'attaque en bouche, très douce, précède une montée en puissance, où l'alcool est parfaitement tempéré par l'acidité. La noix sèche éclate dans un élan renouvelé. Un grand vin d'une grande année.

☛ Dom. Macle, rue de la Roche, 39210 Château-Chalon, tél. 03 84 85 21 85, fax 03 84 85 27 38, maclel@wanadoo.fr, ☑ ⚘ ⧓ r.-v.

DOM. DES MARNES BLANCHES
Empreinte Tradition 2009 ★★

| | 2 500 | ⧓ | 8 à 11 € |

Pauline et Géraud Fromont sont tous les deux œnologues et se sont connus sur les bancs de l'école. Une belle rencontre aussi que celle du chardonnay et du savagnin élevés séparément en fût, sous voile, pendant trente-six mois, puis assemblés. De cette union est né un vin couleur or, au nez puissant, toasté, avec des notes de noix mûre et de marc de raisin. Ronde et puissante, la bouche exprime avec grâce la noix mûre. Déjà prête mais pouvant se bonifier, cette cuvée appelle un foie gras poêlé ou des écrevisses.

☛ Pauline et Géraud Fromont, 3, Les Carouges, 39190 Sainte-Agnès, tél. et fax 03 84 25 19 66, contact@marnesblanches.com, ☑ ⚘ ⧓ t.l.j. 8h-20h

CH. DE MIÉRY Savagnin 2005 ★

| | 1 300 | ⧓ | 11 à 15 € |

Les 2 ha plantés en 1985 (trois quarts en chardonnay et un quart en savagnin) ont permis à Philippe de Buhren d'avoir d'abord la satisfaction de boire ses vins. La famille n'arrivant pas à tout consommer, les amis-clients peuvent aussi en profiter. Son pur savagnin a été élevé sans ouillage et sous voile pendant six ans et demi. Mais la longueur de l'élevage ne rend pas ce côtes-du-jura sénile pour autant. Il est au contraire d'une grande jeunesse par ses nuances de réglisse, de noix verte et par sa fraîcheur en bouche. On comprend que monsieur de Buhren soit heureux quand il ouvre une de ses bouteilles !

☛ Ch. de Miéry, 4, rue de la Croix, Miéry, 39800 Poligny, tél. 03 84 37 31 28, fax 01 45 00 21 88, philippe.debuhren@hotmail.fr, ☑ ⚘ ⧓ r.-v.

DOM. MOREL-THIBAUT Vin de paille 2009 ★

| | 4 200 | ⧓ | 15 à 20 € |

Les associations hors champ familial ne sont pas si courantes que cela. Jean-Luc Morel et Michel Thibaut cultivent ensemble l'amitié depuis leur enfance et la vigne depuis vingt-cinq ans déjà. Assemblage de 40 % de chardonnay, de 30 % de poulsard, de 25 % de savagnin et de 5 % de trousseau, leur vin de paille est le fruit d'un long processus qui a amené à un vin joliment doré. Très élégamment fruité au nez (poire mûre, vanille, écorce d'orange), il conserve finesse et charme dans une bouche souple et légère. À déguster avec un foie gras poêlé ou tout seul, pour le plaisir.

☛ Dom. Morel-Thibaut, 8, rue Coittier, 39800 Poligny, tél. 03 84 37 07 61, fax 09 64 35 54 79, domaine.morelthibaut@orange.fr, ☑ ⚘ ⧓ t.l.j. 15h-19h ; sam. dim. 10h-12h

JEAN-LUC MOUILLARD Chardonnay 2011

| | 4 000 | ⧓ | 5 à 8 € |

Cette cuvée de chardonnay a fait l'objet d'une fin de fermentation en fût de 228 litres et un ouillage pendant douze mois. Légèrement boisé, le nez délivre de jolies notes de fruits mûrs. Moins dynamique que le nez mais agréable cependant, la bouche ne renie pas son élevage en fût par ses notes boisées et vanillées. Un vin à déguster sans attendre, sur des viandes blanches.

☛ Jean-Luc Mouillard, 379, rue du Parron, 39230 Mantry, tél. 03 84 25 94 30, domaine-mouillard@hotmail.fr, ☑ ⚘ ⧓ r.-v. ⧓ ❷

DOM. CHRISTIAN ET PATRICIA PÊCHEUR
Savagnin 2008 ★★

| | 3 000 | ⧓ | 11 à 15 € |

Il aura fallu trois ans de vieillissement en fût avant de mettre en bouteille ce 2008. Douze saisons où le jus rustique du savagnin se sera métamorphosé en ce beau vin doré. La noix verte et la noisette rivalisent au sein d'un nez racé, frais et intense. La bouche invite à la dégustation prolongée tant ses facettes aromatiques sont multiples et variées : fraîcheur du côté minéral, de la pierre à fusil et du citron, fruité de la noisette. C'est un vin de repas qui appelle les traditionnels plats franc-comtois, comme les volailles à la crème ou encore les fromages.

☛ Dom. Christian et Patricia Pêcheur, rue Philibert, 39230 Darbonnay, tél. 03 84 85 50 19, fax 03 84 25 94 39 ☑ ⚘ ⧓ t.l.j. 8h30-12h 13h30-19h ; dim. sur r.-v.

PHILIPPE ET CHRISTINE PELTIER Chardonnay 2011 ★

| | 6 000 | ⧓ | 5 à 8 € |

À 393 m d'altitude, le petit village de Menétru-le-Vignoble s'étend sur un coteau où alternent vignes, bois et prairies. Une partie de la commune est dans l'aire de l'AOC château-chalon. Fermenté en cuve et vieilli en fût sans ouillage, ce chardonnay sent bon les fleurs blanches et la pomme bien mûre. Les agrumes et une touche minérale donnent à la bouche une fraîcheur sympathique, en accord avec une fine acidité. Volailles mais aussi poissons y trouveront leur compte.

☛ Philippe Peltier, rte des Granges, 39210 Menétru-le-Vignoble, tél. et fax 03 84 44 90 79, phpeltier@orange.fr, ☑ ⚘ ⧓ t.l.j. sf dim. 9h-12h 14h-19h

DOM. DE LA PETITE MARNE Chardonnay floral 2011 ★

| | 4 000 | ⧓ | 5 à 8 € |

Le père de Jean-Yves et de Philippe Noir livrait ses raisins à la cave coopérative de Poligny du temps où celle-ci était encore indépendante. Voilà dix ans qu'ils ont fait le choix de vinifier et de commercialiser en direct leurs produits. Un nouveau site internet vient d'ailleurs d'être créé. Vinifié en fût de chêne de 228 l et élevé sur lies fines

JURA

pendant quatre mois, ce chardonnay est agréable au nez dans ses tons confits nuancés de notes de foin. Le développement en bouche se fait sur la fraîcheur. Pomme, pain grillé et notes beurrées nous accompagnent tout au long d'une dégustation franche.

☛ Dom. de la Petite Marne, RN 83, 39800 Poligny, tél. 06 83 33 88 74, petitemarne.noir@wanadoo.fr, ☑ ☩ ⌶ ven. sam. 10h-12h 14h-19h

☛ Noir Frères

Ⓑ DOM. PIGNIER Chardonnay À la percenette 2011 ★

■ 4 000	◫	15 à 20 €

Bouse de corne, silice, lactosérum, décoction de prêle, tisane d'ortie, de bardane, de sauge : tous les ceps de vigne ne sont pas habitués à être soignés de la sorte, et pourtant la biodynamie progresse et passe de l'ésotéro-folklorisme à une perception plus nuancée. Dans le cas présent, les résultats sont là. Après un coup de cœur l'an dernier, cette cuvée livre avec ce millésime une belle expression du chardonnay. Au nez fruité succède une bouche souple où les fruits mûrs et la gelée de coing sont légion. Déjà complètement ouvert, voire assez évolué, c'est un vin à déguster sans tarder, avec une tête de veau par exemple.

☛ Dom. Pignier, 11, pl. Rouget-de-Lisle, 39570 Montaigu, tél. 03 84 24 24 30, fax 03 84 47 46 00, contact@domaine-pignier.com, ☑ ☩ ⌶ t.l.j. sf dim. 10h-12h 14h-19h

DOM. QUILLOT 2010 ★

■ 5 500	❚◫	5 à 8 €

La Maison du vigneron, négociant à Crançot, vinifie les vins de ce domaine. Ce trousseau est un grand charmeur. Délicat, le nez va tout de suite droit au but : du fruit rouge, rien que du fruit rouge. L'attaque en bouche est très douce. Les tanins sont fondus, la matière apparaît bien présente et la finale soyeuse. La fraise continue son numéro, à peine troublée par le jeu des épices. Inutile de garder ce vin trop longtemps, il est prêt. Élevé dix-huit mois en fût, le chardonnay 2010 (25 000 b.) est cité. Fruits mûrs et notes florales au nez, c'est un vin frais et acidulé en bouche.

☛ Dom. Quillot, rte de Champagnole, 39570 Crançot, tél. 03 84 87 61 30, fax 03 84 48 21 36, posturiale@lgcf.fr

XAVIER REVERCHON Vin de paille 2009 ★

■ 1 200	❚◫	20 à 30 €

Pour Xavier Reverchon, le vin se fait d'abord à la vigne et passe par de la rigueur et de la sélection. Les vignes labourées depuis quatre générations ne reçoivent ni désherbant chimique, ni insecticide, ni acaricide, ni engrais chimique. Ce vin de paille a été élaboré surtout à partir de cépages blancs (60 % de savagnin, 30 % de chardonnay) et un peu de cépage rouge (10 % de poulsard). Pourvu d'une robe joliment ambrée, discrètement vanillé au nez, très liquoreux en bouche, il donne dans la pâte de coing, l'écorce d'orange ou encore le caramel, avec une certaine puissance. Un vin de dessert.

☛ Xavier Reverchon, 2, rue du Clos, 39800 Poligny, tél. 03 84 37 02 58, fax 03 84 37 00 58, reverchon.chantemerle@wanadoo.fr, ☑ ☩ ⌶ r.-v.

PIERRE RICHARD Tradition 2008 ★

■ 6 300	◫	8 à 11 €

Ce beau vin couleur paille est issu de l'assemblage, avant mise en bouteilles, de chardonnay élevé en foudre

et de savagnin élevé sous voile pendant trois ans et demi. Vin qualifié « de découverte » par un dégustateur, il embrasse les accents aromatiques des deux types d'élevage, avec la noisette, la tisane de verveine et une pointe de noix fraîche. Un vin équilibré mais qui est cependant dans la retenue. À ouvrir dès à présent ou à garder trois à quatre ans.

☛ Pierre Richard, 93, rue Florentine, 39210 Le Vernois, tél. 03 84 25 33 27, fax 03 84 25 36 13, domainepierrerichard@wanadoo.fr, ☑ ☩ ⌶ r.-v.

RÉGINE ET JEAN RIJCKAERT Chardonnay Vigne des Voises Vieilles Vignes 2010

■ 3 000	◫	11 à 15 €

Négociants-vinificateurs dans le Mâconnais, Régine et Jean Rijckaert ont travaillé un vin plaisant, au nez évoluant de la gelée de coing au citron, en passant par la pomme mûre. Un peu déséquilibrée, la bouche arrive difficilement à faire une synthèse entre gras et acidité mais continue un joli périple aromatique.

☛ Rijckaert, Correaux, 71570 Leynes, tél. 03 85 35 15 09 ☑ ⌶ r.-v. 🏠 ❹

DOM. DES RONCES Trousseau 2011

■ 1 500		5 à 8 €

Michel Mazier a engagé une conversion de son vignoble à l'agriculture biologique. Son trousseau, peu coloré, a été élevé en fût pendant douze mois. Fraise, cerise, framboise et groseille forment un nez joliment fruité. La matière est légère en bouche mais le même profil aromatique qu'au nez et un bon équilibre rendent ce vin agréable. Sa fraîcheur sera mise en valeur sur des grillades.

☛ Michel Mazier, 9, imp. du Rochet, 39190 Orbagna, tél. et fax 03 84 25 09 76, maziermichel@wanadoo.fr, ☑ ☩ ⌶ r.-v.

DOM. DE SAVAGNY Vin jaune 2006

■ 5 000	◫	20 à 30 €

Les vignes de savagnin qui ont permis d'élaborer ce vin jaune joliment doré sont situées à Lavigny. Discret, le nez est cependant agréable dans ses notes de noix verte. La bouche est équilibrée, avec une acidité de bon augure pour la garde et une belle partition aromatique autour de la pomme et de la noisette. Un bon ensemble.

☛ Dom. de Savagny, rte de Champagnole, 39570 Crançot, tél. 03 84 87 61 30, fax 03 84 48 21 36, mbailly@lgcf.fr, ☑ ☩ ⌶ t.l.j. sf sam. dim. 9h-12h 14h-18h

FRUITIÈRE VINICOLE DE VOITEUR Vin jaune 2006 ★

■ 30 000	◫	20 à 30 €

L'étiquette de ce vin produit en cave coopérative le rappelle à raison : le vin jaune se déguste chambré. Si le nez de ce côtes-du-jura est assez peu développé, il n'en est pas moins fin, sur fond de pomme verte. L'attaque en bouche est fraîche, presque gouleyante. L'évolution se montre agréable, sur des notes de frangipane, dans une belle souplesse. Il y a une touche presque aérienne dans ce vin qui le destine autant à l'apéritif qu'au repas.

☛ Fruitière vinicole de Voiteur, 60, rue de Nevy, 39210 Voiteur, tél. 03 84 85 21 29, fax 03 84 85 27 67, voiteur@fvv.fr, ☑ ⌶ t.l.j. 8h30-12h 13h30-18h; dim. 10h-12h 14h-18h

Crémant-du-jura

Production : 19 700 hl (93 % blanc)

Reconnue en 1995, l'AOC crémant-du-jura s'applique à des mousseux élaborés selon les règles strictes des crémants (la méthode traditionnelle), à partir de raisins récoltés à l'intérieur de l'aire de production de l'AOC côtes-du-jura. Les cépages rouges autorisés sont le poulsard (ou ploussard), le pinot noir (appelé localement gros noirien) et le trousseau ; les cépages blancs sont le chardonnay (appelé aussi melon d'Arbois ou gamay blanc), le savagnin (appelé localement naturé) et le pinot gris (rare).

DOM. BAUD PÈRE ET FILS Brut sauvage ★★

7 000	8 à 11 €

La maison Baud s'est déjà fait remarquer par de très beaux crémants, dont un coup de cœur dans l'édition 2012 du Guide. « Ah, le bon sauvage ! » pourrait-on dire à propos de ce vin peu dosé (5 g/litre), issu d'un assemblage de chardonnay (70 %) et de pinot noir (30 %). Car s'il est extra-brut sur le papier, c'est en fait un gros dur au cœur tendre. Les délicates touches d'agrumes et d'aubépine du nez en témoignent. Cette ligne aromatique perdure dans une bouche vive mais très équilibrée qui sera très appréciée à l'apéritif mais aussi avec un beau plateau de fruits de mer.
🍴 Dom. Baud Père et Fils, 222, rte de Voiteur, 39210 Le Vernois, tél. 03 84 25 31 41, fax 03 84 25 30 09, info@domainebaud.fr, ☑ ⚲ ⊺ t.l.j. sf dim. 9h-12h 14h-18h

ANDRÉ BONNOT Prestige

4 000	5 à 8 €

Cette petite affaire familiale de négoce est installée au cœur du vignoble. Elle préfère assurer la vinification et l'élevage plutôt que d'acheter des vins prêts à être conditionnés. Cet assemblage de pinot noir (66 %) et de chardonnay (34 %) offre un joli nez de litchi. Foisonnante, la mousse est cependant évanescente. La bouche est toujours aromatique mais peu tendue. Un ensemble plaisant.
🍴 André Bonnot, 75, rte du Revermont, 39230 Saint-Lothain, tél. 03 84 37 10 89, fax 03 84 37 10 64, vins-bonnot@orange.fr, ☑ ⚲ ⊺ r.-v.

CAVEAU DES BYARDS ★

9 000	5 à 8 €

Cette petite cave coopérative produit toute la gamme des vins du Jura dont ce crémant rosé élaboré à partir de pinot noir (60 %), de poulsard (20 %) et de trousseau (20 %). Rose bonbon aux reflets de grenadine, ce crémant pousse la bulle dans un joli cordon très actif. Fruité du premier nez jusqu'en finale, tonique, c'est un vin plein de bonne humeur. On le verrait bien avec une charlotte à la framboise.
🍴 Caveau des Byards, rte de Voiteur, 39210 Le Vernois, tél. 03 84 25 33 52, fax 03 84 25 38 02, info@caveau-des-byards.fr, ☑ ⚲ ⊺ t.l.j. 9h-12h 14h-18h

♥ MARCEL CABELIER 2011 ★★

550 000	5 à 8 €

Négociant-vinificateur depuis 1986, la Maison du vigneron est le plus gros opérateur de crémant-du-jura : 1,5 million de bouteilles sortent de ses caves. Elle a

d'abord été baptisée « Compagnie des grands vins du Jura ». Ce crémant or pâle, issu principalement de chardonnay (95 %) et d'un soupçon de pinot noir (5 %), prouve que quantité peut rimer avec qualité. Une fine mousse composée de bulles abondantes forme une jolie collerette. Très aromatique, le nez affiche une grande élégance dans ses tons de fleurs, de fruits blancs et d'agrumes. Une belle fraîcheur se dégage d'une bouche très élégamment vanillée. Pour un apéritif remarqué.
🍴 La Maison du vigneron, rte de Champagnole, 39570 Crançot, tél. 03 84 87 61 30, fax 03 84 48 21 36, pespitalie@lgcf.fr, ☑ ⚲ ⊺ t.l.j. sf sam. dim. 9h-12h 14h-18h

DENIS ET MARIE CHEVASSU ★

5 000	5 à 8 €

Marie-Pierre Chevassu, qui nous avait présenté pour la précédente édition du Guide un crémant très remarqué, cherche à récolter au plus près de la maturité, de façon à obtenir un vin aux notes de fruits mûrs. Objectif totalement atteint. Il y a ici du fruité à tous les étages : citron, autres agrumes et litchi sont omniprésents. Dotée d'un très bel équilibre, la bouche porte ces notes aromatiques avec légèreté mais présence. Décidément, un bien beau représentant de l'appellation.
🍴 Chevassu-Fassenet, Les Granges-Bernard, 39210 Menétru-le-Vignoble, tél. et fax 03 84 48 17 50, mpchevassu@yahoo.fr, ☑ ⚲ ⊺ r.-v.

DOM. GRAND Prestige ★

50 000	8 à 11 €

Quand on vous parle de « panier percé », vous savez que cela n'est pas forcément très élogieux, mais si on vous rappelle la nécessité d'une caisse percée pour la vendange du crémant, vous saurez que c'est un gage de qualité. Évidemment soumis à cette exigence, ce crémant est né sous les meilleurs auspices. Une mousse très fine s'échappe d'une robe claire aux reflets de paille. Vif, le nez nous entraîne vers le citron, la pomme et les fleurs blanches. En bouche, l'équilibre entre volume et fraîcheur devrait bien s'associer avec des gougères.
🍴 Dom. Grand, 139, rue du Savagnin, 39230 Passenans, tél. 03 84 85 28 88, fax 03 84 44 67 47, domaine-grand@wanadoo.fr, ☑ ⚲ ⊺ t.l.j. sf dim (hors jui.-août) 9h-12h 14h-18h; sam. dim. sur r.-v. en jan.-fév.

DOM. DES MARNES BLANCHES 2010

6 000	5 à 8 €

Les vignes de ce domaine, en conversion vers l'agriculture biologique, sont situées dans trois communes différentes (Sainte-Agnès, Vincelles et Cesancey), ce qui permet l'expression de différents terroirs (calcaires, marneux...). Blanc de blancs, ce crémant bien effervescent est agréable au nez (fleur, poire, vanille). Vif mais équilibré, c'est un vin d'apéritif.

☛ Pauline et Géraud Fromont, 3, Les Carouges, 39190 Sainte-Agnès, tél. et fax 03 84 25 19 66, contact@marnesblanches.com, ☑ ☀ ☖ t.l.j. 8h-20h

CH. DE MIÉRY 2009 ★

| | 4 900 | | 8 à 11 € |

En prenant comme base un vin de chardonnay ayant fait sa fermentation malolactique, Philippe de Buhren a souhaité, par ailleurs, élaborer un crémant extra-brut. La liqueur d'expédition a donc été dosée à 0,3 g de sucre/litre. De jolies petites bulles dynamiques parsèment une robe d'or aux reflets verts. D'abord fermé, le nez s'ouvre petit à petit sur les fruits à chair blanche et les agrumes. D'une agréable vivacité de l'attaque jusqu'en finale, la bouche offre une belle présence aromatique sur le citron et le pamplemousse.

☛ Ch. de Miéry, 4, rue de la Croix, Miéry, 39800 Poligny, tél. 03 84 37 31 28, fax 01 45 00 21 88, philippe.debuhren@hotmail.fr, ☑ ☀ ☖ r.-v.

☛ Philippe de Buhren

JEAN-LUC MOUILLARD 2011 ★

| | 9 000 | | 5 à 8 € |

Une belle effervescence anime ce blanc de blancs de couleur jaune paille dont les raisins ont été récoltés le premier jour du mois de septembre 2011. Le nez est vif, sur les fleurs blanches et la pomme. La bouche, fruitée, est élégante. Une finesse qui s'accordera fort bien avec des noix de Saint-Jacques à la crème.

☛ Jean-Luc Mouillard, 379, rue du Parron, 39230 Mantry, tél. 03 84 25 94 30, domaine-mouillard@hotmail.fr, ☑ ☀ ☖ r.-v. 🏠 ⊘

PHILIPPE ET CHRISTINE PELTIER ★★

| | n.c. | | 5 à 8 € |

Les vignes de chardonnay trentenaires de Menétru sont à l'origine de ce crémant encore fermé au nez, qui s'ouvre petit à petit sur les fruits blancs et les agrumes. La bouche, équilibrée, n'est pas du tout agressive. Une belle acidité forme un fond de vivacité très apprécié. On retrouve les agrumes et les fruits à chair blanche dans une finale à la fois délicate et fraîche. Si les dégustateurs voient ce crémant à l'apéritif, Philippe Peltier suggère de le servir en milieu d'après-midi. Pourquoi pas avec une charlotte aux framboises pour le goûter ?

☛ Philippe Peltier, rte des Granges, 39210 Menétru-le-Vignoble, tél. et fax 03 84 44 90 79, phpeltier@orange.fr, ☑ ☀ ☖ sf dim. 9h-12h 14h-19h

DÉSIRÉ PETIT 2011

| | 20 000 | | 5 à 8 € |

Un crémant rosé proposé par Anne-Laure et Damien Petit, qui ont pris depuis quelques années les rênes de ce domaine fondé par leur grand-père en 1932. De très fines bulles s'épanouissent dans une robe aux reflets saumonés. Ce vin issu de pinot noir tire sur les fruits rouges au nez, avec une note de cerise porteuse de fraîcheur. L'attaque en bouche est vive, la finale un peu moins. Pour l'apéritif ou pour un barbecue.

☛ Dom. Désiré Petit, rue du Ploussard, 39600 Pupillin, tél. 03 84 66 01 20, fax 03 84 66 26 59, contact@desirepetit.com, ☑ ☀ ☖ t.l.j. 8h30-12h 14h-18h30

FRUITIÈRE VINICOLE DE PUPILLIN Cuvée du siècle

| | 8 500 | ⬛ | 8 à 11 € |

Cette cuvée a été lancée à l'occasion du centenaire de cette cave coopérative, forte de 45 adhérents et d'une production annuelle de 3 500 hl en moyenne, exclusivement en AOC. Le vin de base a été élevé en fût de trois à cinq vins pendant six mois. Le caractère boisé se retrouve tant au nez qu'en bouche, dans ce crémant d'une vivacité modérée, à travers notamment des arômes de torréfaction. Un ensemble qui peut surprendre mais qui trouvera ses amateurs.

☛ Fruitière vinicole de Pupillin, 35, rue du Ploussard, 39600 Pupillin, tél. 03 84 66 12 88, fax 03 84 37 47 16, info@pupillin.com, ☑ ☀ ☖ t.l.j. 9h-12h 14h-18h

DOM. DE LA RENARDIÈRE Blanc de blancs 2010

| | 2 500 | ⬛ | 5 à 8 € |

Comment manquer Pupillin quand le nom de ce village apparaît en grosses capitales sur le coteau qui regarde la route nationale 83 ? C'est là qu'est né ce crémant issu du chardonnay, au joli cordon de bulle. Sur le plan aromatique, les fruits secs accompagnent toute la dégustation. Équilibré, c'est cependant un vin de dessert.

☛ Dom. de la Renardière, rue du Chardonnay, 39600 Pupillin, tél. 03 84 66 25 10, renardiere@libertysurf.fr, ☑ ☀ ☖ t.l.j. 9h-12h 14h-19h; dim. sur r.-v.

DOM. PIERRE RICHARD 2010

| | 10 600 | | 5 à 8 € |

Robe jaune très pâle, petites bulles dynamiques : on aime l'entrée en matière. Le nez est moins exubérant mais de bonne facture cependant : floral et vanillé. Fraîche, avec une dominante d'agrumes, la bouche est agréable. Pas très démonstratif mais vif, ce crémant de style classique ira bien à l'apéritif.

☛ Pierre Richard, 93, rue Florentine, 39210 Le Vernois, tél. 03 84 25 33 27, fax 03 84 25 36 13, domainepierrerichard@wanadoo.fr, ☑ ☀ ☖ r.-v.

ROLET PÈRE ET FILS Cuvée Cœur de chardonnay 2010

| | 24 000 | ⬛ | 11 à 15 € |

Si la maison Rolet produit un crémant à base d'un assemblage de cépages rouges et blancs, elle vise ici à restituer la noblesse du chardonnay. Les dégustateurs relèvent la belle finesse du nez et son caractère, très aromatique, sur les agrumes et le litchi. Plutôt légère, la bouche est cependant agréable par son côté citronné.

☛ Rolet Père et Fils, Montesserin, rte de Dole, 39600 Arbois, tél. 03 84 66 00 05, fax 03 84 37 47 41, rolet@wanadoo.fr, ☑ ☀ ☖ t.l.j. 9h-12h 14h-18h30

CELLIER SAINT-BENOIT 2010

| | 2 000 | ⬛ | 5 à 8 € |

La fraîcheur même. C'est ainsi qu'un dégustateur qualifie le nez de ce crémant qui, tout frais qu'il soit, sait aussi être très élégant. Citron et pomme verte savent se tenir en présence de notes briochées. L'acidité, bien contrôlée aussi en bouche, tonifie ce vin qui sera très agréable à déguster en soirée... à la fraîche.

☛ Cellier Saint-Benoit, 36, rue du Chardonnay, 39600 Pupillin, tél. 03 84 66 06 07, celliersaintbenoit@wanadoo.fr, ☑ ☀ ☖ r.-v.

☛ Denis Benoit

MICHEL TISSOT ET FILS ★

18 000	5 à 8 €

Des Tissot, il y en a plusieurs dans le vignoble, notamment du côté d'Arbois. Ici, c'est désormais une marque de la maison Henri Maire. Très présente dans ce crémant, la bulle fine parcourt une belle robe d'or. Agréable, le nez est beurré, sur la noix et la noisette, dans un registre évolué. Typée, la bouche dévoile des tons très jurassiens de noix, qui pourront peut-être étonner. Certains de nos dégustateurs ont adoré, d'autres moins.

☛ Michel Tissot et Fils, BP 40012, 39601 Arbois Cedex, tél. 03 84 66 47 97, fax 03 84 66 47 75, info@michel-tissot.fr

DOM. PHILIPPE VANDELLE 2010 ★

22 000		5 à 8 €

Aménagé en 2011, le gîte de l'Encrine peut accueillir jusqu'à six personnes au sein du domaine. Un bon moyen de découvrir une magnifique région et ce crémant or aux reflets verts. Fine et légère, la mousse forme un beau liseré. Vivacité, intensité et franchise sont les caractéristiques du nez floral et citronné. Bien proportionnée, la bouche offre une belle palette aromatique (pomme, citron, menthol). L'ensemble est riche et élégant. De quoi satisfaire ses invités à l'apéritif.

☛ Dom. Philippe Vandelle, 186, rue Bouillod, 39570 L'Étoile, tél. 03 84 86 49 57, fax 03 84 86 49 58, info@vinsphilippevandelle.com,
☑ ⚘ ⵏ t.l.j. sf dim. 9h-12h 14h-19h 🏠 Ⓑ

FRUITIÈRE VINICOLE DE VOITEUR ★

91 000	5 à 8 €

Cette coopérative n'est fermée que le jour de Noël et le 1er janvier, jours de grande consommation de crémant, mais les 363 autres jours de l'année devraient permettre de s'approvisionner. Si la mousse est ici très fine, la bulle est elle aussi en mode « jour férié », c'est-à-dire relativement peu active. Mêlant fleurs, agrumes et pomme verte, le nez est impeccable. Explosif en bouche, ce crémant allie matière et fraîcheur. Et si vous l'essayiez avec des huîtres ?

☛ Fruitière vinicole de Voiteur, 60, rue de Nevy, 39210 Voiteur, tél. 03 84 85 21 29, fax 03 84 85 27 67, voiteur@fvv.fr,
☑ ⵏ t.l.j. 8h30-12h 13h30-18h; dim. 10h-12h 14h-18h

L'étoile

Superficie : 56 ha
Production : 2 345 hl

Le village doit son nom à des fossiles, segments de tiges d'encrines (échinodermes en forme de fleurs), petites étoiles à cinq branches. Son vignoble produit des vins blancs, jaunes et de paille.

CH. L'ÉTOILE Cuvée des Ceps d'or 2010

25 500		8 à 11 €

Cette cuvée mythique du château de l'Étoile est essentiellement composée de chardonnay auquel est ajouté un soupçon de savagnin (5 %). Les Ceps d'or, la cinquantaine flamboyante, ont donné un vin qui a divisé le jury. Pas au sujet du nez dont tout le monde reconnaît la finesse (noisette et champignon), mais au sujet de la bouche que certains voudraient plus précise quand d'autres louent sa finesse aromatique. Une bouteille, en tout cas, à boire sans attendre.

☛ EARL Ch. de l'Étoile, G. Vandelle et Fils, 994, rue Bouillod, 39570 L'Étoile, tél. 03 84 47 33 07, fax 03 84 24 93 52, info@chateau-etoile.com,
☑ ⚘ ⵏ r.-v.

DOM. GENELETTI PÈRE ET FILS Au Désaire 2011 ★★

26 000		8 à 11 €

Le domaine d'origine, sur l'appellation l'étoile, s'est agrandi il y a quelques années dans les AOC château-chalon et arbois. Le Désaire n'a rien de sec. Au contraire, cette toponymie évoquerait une « montagne du désir ». Désirable en effet, ce 100 % savagnin vieilli, très limpide dans sa robe dorée aux reflets verts. Le joli nez évolue très favorablement ; pêche, abricot, mandarine laissent la place à l'aubépine. Il y a quelque chose du viognier dans ce jurassien pur souche, plutôt atypique. Après une belle vivacité à l'attaque, la bouche se montre d'une ampleur limitée mais d'une belle longueur. Sa qualité aromatique est excellente, son fruité alléchant. La cuvée **Vieilles Vignes 2010 blanc (20 000 b.)** est citée. Issue de vignes complantées, elle est le fruit d'un assemblage de 60 % de chardonnay et de 40 % de savagnin. Le nez s'ouvre sur des notes de fleurs, d'épices et de champignon. La bouche est équilibrée mais un peu monolithique. Pour une terrine de lapin. Le **vin de paille 2009 (15 à 20 € ; 8 000 b.)** est également cité. Une facture classique et une présence discrète.

☛ Dom. Geneletti, rue Saint-Jean, 39210 Château-Chalon, tél. 03 84 44 95 06, contact@domaine-geneletti.net,
☑ ⚘ ⵏ t.l.j. sf dim. 10h-12h 14h-18h30

DOM. DE MONTBOURGEAU L'Étoile 2010 ★

30 000		8 à 11 €

Propriété de caractère, Montbourgeau est à la fois un lieu de travail et de vie, les chais entourant la maison d'habitation. Les clients sont ainsi reçus « comme à la maison ». Pur chardonnay vinifié en cuve Inox mais vieilli en foudre et barrique de 230 l, ce vin est assez complet au nez (fleurs, amande, notes végétales). Très fraîche, la bouche montre un beau potentiel de développement, mais d'ores et déjà on se laisse séduire par l'harmonie, l'équilibre et la belle longueur de ce vin. Cassolette d'escargots ou quenelles seront de bons compagnons de cette bouteille. Le **vin de paille 2009 (20 à 30 € ; 2 500 b.)** est cité. Né de l'assemblage du chardonnay, du savagnin et du poulsard, il est tellement onctueux qu'il prendrait presque de l'embonpoint. Pour les amateurs de vins très liquoreux. (Bouteilles de 37,5 cl.)

☛ Dom. de Montbourgeau, 53, rue de Montbourgeau, 39570 L'Étoile, tél. 03 84 47 32 96, fax 03 84 24 41 44, domaine@montbourgeau.com,
☑ ⚘ ⵏ t.l.j. 9h-12h 14h-18h30; dim. sur r.-v.
☛ Nicole Deriaux

JURA

CH. DE QUINTIGNY Savagnin 2009 ★

| | 5 000 | ⅲ | 11 à 15 € |

Sébastien Cartaux travaille avec sa femme Sandrine sur un domaine d'environ 16 ha, dont la moitié est située dans l'AOC l'étoile. Cuverie et caves sont implantées à Arlay mais aussi au château de Quintigny (village voisin), qui est ouvert l'été. Fermenté en cuve puis élevé en fût sous voile pendant trois ans, ce vin est intense au nez, sur des tons de noix verte, de raisin sec, de pomme verte et d'amande. Minérale à l'extrême, la bouche a du caractère. L'acidité arrive à tempérer une nature plutôt chaleureuse, et la longue finale est des plus agréables. Obtenant la même note, la cuvée d'assemblage chardonnay-savagnin 2009 (8 à 11 € ; 6 000 b.) est tout aussi intense sur le plan aromatique, mais dans un registre plus doux de beurre, de tilleul et de foin. Grasse et ronde, la bouche anisée et torréfiée appelle du poisson.

🍷 Dom. Cartaux-Bougaud, 5, rue des Vignes, Juhans, 39140 Arlay, tél. 03 84 48 11 51, contact@vinscartaux.fr, ☑ ♈ ⵌ r.-v.

MICHEL TISSOT ET FILS Floral 2011 ★

| | 14 000 | | 5 à 8 € |

La maison Henri Maire est aujourd'hui propriétaire de cette marque plus que centenaire. Le nez de ce pur chardonnay est de bon augure : agrumes et notes anisées se développent à l'agitation du verre, tandis que s'installent des senteurs de tilleul et de pain d'épice. La bouche est fluide mais bien présente, avec une petite pointe de perlant. Agrumes et beurre participent à un élan aromatique assez complexe. Ce beau vin d'apéritif gagnera à attendre encore un à deux ans.

🍷 Michel Tissot et Fils, BP 40012, 39601 Arbois Cedex, tél. 03 84 66 47 97, fax 03 84 66 47 75, info@michel-tissot.fr

♥ **DOM. PHILIPPE VANDELLE** Vieilles Vignes 2010 ★★★

| | 11 000 | ⅰⅲ | 8 à 11 € |

Installé dans le village de L'Étoile, Philippe Vandelle aime travailler les vins sous voile. Celui-ci est un assemblage de chardonnay (80 %) et de savagnin qui a été élevé vingt-quatre mois en fût sans ouillage. Notre vigneron met un point d'honneur à n'utiliser que très peu de soufre. Une technique maîtrisée qui donne un vin resplendissant, or aux reflets verts. Le nez, très expressif, marque une appartenance totale à l'AOC l'étoile dans ses notes de noix verte, d'amande, de vanille et de morille. L'attaque en bouche est ferme mais sans agressivité. Le développement se fait dans la puissance et l'équilibre. Le champ aromatique est de la plus belle composition : noix, amande, biscuit, cacao. Agréable tout de suite, ce 2010 n'atteindra son apogée qu'entre 2015 et 2020. Il formera une alliance admirable avec une croûte aux morilles.

🍷 Dom. Philippe Vandelle, 186, rue Bouillod, 39570 L'Étoile, tél. 03 84 86 49 57, fax 03 84 86 49 58, info@vinsphilippevandelle.com,
☑ ♈ ⵌ t.l.j. sf dim. 9h-12h 14h-19h 🏠 🅱

Macvin-du-jura

Superficie : 69 ha
Production : 4 095 hl (92 % blanc)

Tirant probablement son origine d'une recette des abbesses de l'abbaye de Château-Chalon, l'AOC macvin-du-jura – anciennement maquevin ou marc-vin-du-jura – a été reconnue en 1991. C'est en 1976 que la Société de Viticulture engagea pour la première fois une démarche de reconnaissance en AOC pour ce produit très original. L'enquête fut longue. En effet, au cours du temps, le macvin, d'abord vin cuit additionné d'aromates ou d'épices, est devenu mistelle, élaboré à partir du moût concentré par la chaleur (cuit), puis vin de liqueur muté soit au marc, soit à l'eau-de-vie de vin. C'est cette dernière méthode, la plus courante, qui a été finalement retenue pour l'AOC. Vin de liqueur, le macvin met en œuvre du moût ayant subi un léger départ en fermentation, muté avec une eau-de-vie de marc de Franche-Comté à appellation d'origine issue de la même exploitation que le moût. Ce dernier doit provenir des cépages et de l'aire de production ouvrant droit à l'AOC. L'eau-de-vie doit être « rassise », c'est-à-dire vieillie en fût de chêne pendant dix-huit mois au moins.

Après cette association réalisée sans filtration, le macvin doit « reposer » pendant un an en fût de chêne, puisque sa commercialisation ne peut se faire avant le 1er octobre de l'année suivant la récolte. Apéritif d'amateur, il rappelle les produits jurassiens à forte influence du terroir.

CH. D'ARLAY

| ■ | 4 000 | ⅲ | 20 à 30 € |

Le tourisme œnologique, on le pratique depuis fort longtemps au château d'Arlay. Outre la dégustation des vins, on propose la visite du château (et de la cave), classés Monument historique, et du jardin, remarquable. Cette rare production de macvin rouge a été obtenue par mutage d'un moût de pinot noir. Impressionnante robe grenat aux reflets violacés ! Franc et intense, le nez est un mélange de cerise à l'eau-de-vie, de raisin sec et de marc. La bouche est moins harmonieuse, mais l'ensemble est original. Pour une forêt-noire.

🍷 Ch. d'Arlay, 2, rte de Proby, 39140 Arlay, tél. 03 84 85 04 22, chateau@arlay.com, ☑ ⵌ t.l.j. sf dim. 10h-12h 14h-18h
🍷 A. de Laguiche

DOM. DE LA BORDE ★

| | 1 500 | | 11 à 15 € |

Étymologiquement parlant, le macvin, c'est le « marc-vin ». Sensoriellement, c'est ici un nez de fruits secs et d'abricot. La bouche fait la part belle au sucre, avec beaucoup de fruité : confiture de prunes, pruneau, abricot, fruits secs, fruits mûrs. L'ensemble n'est pas très puissant mais bien fondu, avec une finale particulièrement agréable.

☛ Julien Mareschal, 11, rue des Vignes, 39600 Pupillin, tél. 06 62 63 32 34, julien.mareschal@free.fr, ☑ ⚹ ⴵ t.l.j. sf dim. 8h-12h 13h-19h30; f. 1er-15 jan.

PHILIPPE BUTIN Vieilli en fût de chêne ★

| | 1 200 | | 11 à 15 € |

Pour la précédente édition du Guide, Philippe Butin nous avait présenté un beau macvin rosé. Ici, c'est un moût de chardonnay qui a été muté. Pas trop marqué par l'alcool, le nez est très fruité (abricot, pêche, fruits confits, fruits secs), mais aussi légèrement cacaoté. L'attaque en bouche puissante et chaleureuse laisse la place à la richesse du sucre. De belles notes de mirabelle se développent et la finale est fraîche. Un très beau macvin qui ira aussi bien avec un fromage persillé qu'avec une tarte au citron.

☛ Philippe Butin, 21, rue de la Combe, 39210 Lavigny, tél. 03 84 25 36 26, fax 03 84 25 39 18, ph.butin@wanadoo.fr, ☑ ⚹ ⴵ r.-v.

MARIE ET DENIS CHEVASSU

| | 1 500 | | 11 à 15 € |

Aux Granges-Bernard, le macvin vieillit tranquillement en fût dans l'ombre de caves fraîches. La sérénité des lieux saurait-elle faire oublier que l'obtention de l'AOC pour le macvin-du-jura fit l'objet de longs débats ? Sans ajout d'aromates aucun, conformément aux canons de l'appellation, le nez de celui-ci puise dans le travail de ses ingrédients, moût de chardonnay et marc, tous les arômes, notamment d'épices. Ronde, la bouche est aussi aromatique (torréfaction, fruits confits, raisin sec, agrumes).

☛ Chevassu-Fassenet, Les Granges-Bernard, 39210 Menétru-le-Vignoble, tél. et fax 03 84 48 17 50, mpchevassu@yahoo.fr, ☑ ⚹ ⴵ r.-v.

DIDIER GRAPPE ★

| | 680 | | 11 à 15 € |

« C'est une triste chose de songer que la nature parle et que le genre humain n'écoute pas ». Quand on imprime cette citation de Victor Hugo sur ses étiquettes, c'est que l'agriculture biologique, on y croit (conversion en cours) ! Voilà un macvin qui parle et des dégustateurs qui écoutent : prune fraîche, verveine, citronnelle et abricot forment un message olfactif des plus compréhensibles. La bouche est à la fois onctueuse, chaleureuse et douce sans être alcooleuse. Un équilibre et une finesse qui font honneur au vigneron et à ses pratiques.

☛ Didier Grappe, 81, rte du Revermont, 39230 Saint-Lothain, tél. 03 84 37 19 21, didier.grappe@orange.fr, ☑ ⚹ ⴵ t.l.j. 9h-12h 14h-19h

FRÉDÉRIC LAMBERT

| | 2 500 | | 11 à 15 € |

Œnologue, Frédéric Lambert s'est installé il y a une dizaine d'années, mais il avait acheté des vignes en production et des terrains dès 1993. Le nez de son macvin fait bien la synthèse entre alcool et fruité. La bouche, miellée, est puissante. Vivacité et rondeur sont au rendez-vous. Une bonne longueur aussi.

☛ Frédéric Lambert, 14, Pont-du-Bourg, 39230 Le Chateley, tél. et fax 03 84 25 97 83, domainefredericlambert@orange.fr, ☑ ⚹ ⴵ r.-v.

DOM. DES MARNES BLANCHES

| | 2 000 | | 11 à 15 € |

Au domaine des Marnes blanches, en conversion à l'agriculture biologique, il y a bien sûr des sols de marnes mais aussi des calcaires et autres substrats qui permettent des expressions différentes des vignes qu'ils portent. Expressif, il l'est, ce macvin vieil ou ambré. Le nez puissant est marqué par l'alcool, mais d'intéressants arômes de cèdre et de bonbon à la sève de sapin s'en dégagent. Légèrement amère (orange amère, quinquina), la bouche est puissante.

☛ Pauline et Géraud Fromont, 3, Les Carouges, 39190 Sainte-Agnès, tél. et fax 03 84 25 19 66, contact@marnesblanches.com, ☑ ⚹ ⴵ t.l.j. 8h-20h

CH. DE MIÉRY ★

| | 900 | | 11 à 15 € |

Une petite production de macvin, mais il faut dire que la propriété ne compte que 2 ha de vignes. Celui-ci est né d'un jus de savagnin du millésime 2008 muté avec du marc distillé en 2001 et vieilli sept ans. L'assemblage a séjourné quatre ans en fût de chêne. Amande, abricot, pêche, épices, résineux et foin sec composent la palette complexe d'un nez prometteur. Dans cette même veine aromatique, la bouche séduit par un bel équilibre alcool/sucre. Une bouteille subtile pour foie gras distingué ou chocolat délicat.

☛ Ch. de Miéry, 4, rue de la Croix, Miéry, 39800 Poligny, tél. 03 84 37 31 28, fax 01 45 00 21 88, philippe.debuhren@hotmail.fr, ☑ ⚹ ⴵ r.-v.

JEAN-LUC MOUILLARD ★

| | 3 000 | | 11 à 15 € |

Point de menteries à Mantry ! Ici, tout sent le terroir au sens propre du terme. Le nez de ce macvin distille un parfum de « blanche », comme le dit un dégustateur, c'est-à-dire d'alcool non vieilli. Mais on y respire aussi les effluves mêlés de raisin sec et de grain de raisin. La bouche suit cette ligne aromatique sur un fond de boisé, dans une belle harmonie générale. Melon ou gâteau au chocolat sont conseillés en accompagnement.

☛ Jean-Luc Mouillard, 379, rue du Parron, 39230 Mantry, tél. 03 84 25 94 30, domaine-mouillard@hotmail.fr, ☑ ⚹ ⴵ r.-v. 🏠 ❷

DOM. DÉSIRÉ PETIT ★

| | 8 000 | | 11 à 15 € |

La troisième génération de la famille Petit continue l'œuvre que le grand-père a commencée en 1932, année où il planta ses premières vignes dans la « côte de Feule ». Fruité et alcool sont ici bien mariés au nez, avec une légère touche de caramel et de boisé. Acidulée, la bouche est également puissante mais elle reste bien équilibrée. Poire chaude, amande et raisin sec s'invitent en bouche. À l'apéritif, avec de petits toasts au roquefort, ce sera divin.

☛ Dom. Désiré Petit, rue du Ploussard, 39600 Pupillin, tél. 03 84 66 01 20, fax 03 84 66 26 59, contact@desirepetit.com, ☑ ⚹ ⴵ t.l.j. 8h30-12h 14h-18h30

JURA

DOM. DE SAVAGNY

■	4 000	⊞	15 à 20 €

La Maison du vigneron, négociant établi à Crançot, possède deux domaines, dont celui de Savagny qui couvre 13 ha. Jaune pâle, ce macvin n'est pas d'une grande puissance au nez, mais il reste bien présent, libérant de jolies notes de fruits secs, d'écorce d'agrumes, de figue et bien sûr de marc. Sucre et acidité sont en équilibre dans une bouche de bonne longueur, où miel, raisin et fruits secs forment le fond aromatique.

☛ Dom. de Savagny, rte de Champagnole, 39570 Crançot, tél. 03 84 87 61 30, fax 03 84 48 21 36, mbailly@lgcf.fr,
☑ ⚔ ⍚ t.l.j. sf sam. dim. 9h-12h 14h-18h

DOM. VAPILLON ★

■	1 200	⊞	11 à 15 €

Jean-Yves Vapillon est un vigneron de la « préfecture ». Les bâtiments familiaux sont en effet situés dans la première ville du Jura ; quant aux vignes, elles sont essentiellement implantées dans l'AOC l'étoile, toute proche. Vieil or, le macvin du domaine présente un côté chaud au nez, à travers la cire d'abeille, la touche lactée, mais aussi un ton plus frais avec le citron vert. Vigoureuse à l'attaque, la bouche est équilibrée dans une bonne puissance, sur des arômes de miel, de fruits à l'alcool (framboise) et d'agrumes. Caractère et subtilité peuvent qualifier ce beau produit d'apéritif.

☛ Jean-Yves Vapillon, 120, rte de Macornay, 39000 Lons-le-Saunier, tél. 06 08 64 90 70, jean-yves.vapillon@wanadoo.fr,
☑ ⚔ ⍚ r.-v.

♥ CHRISTELLE ET GILLES WICKY ★★

■	1 000	⊞	11 à 15 €

C'est ce qui s'appelle s'imposer. Déjà distingués par un coup de cœur dans la précédente édition du Guide, Christelle et Gilles Wicky voient leur macvin à nouveau plébiscité par le jury. Peut-être pourrez-vous découvrir ce macvin vieil or aux portes ouvertes qu'ils organisent le premier week-end de décembre et discuter de la conversion à l'agriculture biologique qu'ils ont engagée ? Épatant, ce nez qui mêle le marc de raisin aux fruits secs (noix, noisette, abricot) et aux fruits confits. Dès l'attaque, sucre, acidité et alcool sont en parfait équilibre. Des notes de chocolat, de noisette, de figue et de raisin sec tapissent la bouche dans une grande élégance. Caractère, harmonie et puissance : à ne pas manquer, votre tarte Tatin n'en sera que meilleure.

☛ Gilles Wicky, 13, rue Principale, 39190 Sainte-Agnès, tél. 03 84 25 10 96, gilles.wicky@wanadoo.fr,
☑ ⚔ ⍚ r.-v.

LA SAVOIE ET LE BUGEY

Superficie
2 170 ha
Production
140 000 hl
Types de vins
Blancs majoritairement (70 %), secs pour la plupart ; rouges et quelques rosés. Quelques blancs effervescents.
Cépages
Rouges : mondeuse ; gamay ; pinot noir.
Blancs : jacquère (majoritaire) ; altesse ; bergeron (roussanne) ; chasselas ; chardonnay ; molette ; gringet.

Du lac Léman à la rive droite de l'Isère, dans les départements de la Haute-Savoie, de l'Ain, de l'Isère et surtout de la Savoie, ce vignoble s'éparpille en îlots le long des vallées, borde les lacs ou s'accroche aux basses pentes les mieux exposées des Préalpes. Il fournit surtout des vins friands à boire jeunes au bas des pistes ou sous la tonnelle, blancs secs pour les deux tiers, mais les sélections du Guide montrent l'existence de vins de caractère, voire de garde.

La vigne, la montagne et l'eau Le vignoble savoyard est principalement situé à proximité du lac Léman ou de celui du Bourget, ou le long des rives du Rhône et de l'Isère. Les barrières rocheuses des Bauges et de la Chartreuse, les lacs et les cours d'eau tempèrent la rudesse du climat montagnard.

Des cépages typiques Du fait de la grande dispersion du vignoble, ils sont assez nombreux. Certains sont rares : le pinot et le chardonnay, notamment, et des variétés locales comme la molette ou le gringet. Les principales variétés sont au nombre de deux en rouge et de quatre en blanc. En rouge, le gamay, importé du Beaujolais voisin après la crise phylloxérique, donne des vins vifs et gouleyants, à consommer dans l'année. La mondeuse, cépage local, fournit des vins rouges bien charpentés, notamment à Arbin ; c'était, avant le phylloxéra, le cépage le plus important de la Savoie ; elle connaît un regain d'intérêt mérité, car ses vins ont de la personnalité et du potentiel. En blanc, la jacquère et le chasselas (ce dernier cultivé sur les rives du lac Léman) sont à l'origine de vins blancs frais et légers. L'altesse est un cépage très fin, typiquement savoyard, celui de l'appellation roussette-de-savoie. La roussanne, appelée localement bergeron, donne également des vins blancs de haute qualité, spécialement à Chignin (chignin-bergeron).

Vin-de-savoie

Superficie : 1 980 ha
Production : 129 000 hl (70 % blanc)

Le vignoble donnant droit à l'appellation est installé le plus souvent sur les anciennes moraines glaciaires ou sur des éboulis. La dispersion géographique s'ajoute à ce facteur géologique pour expliquer la diversité des vins savoyards, souvent consacrée par l'adjonction d'une dénomination locale à celle de l'appellation régionale (ex. : vin-de-savoie Apremont). Au bord du Léman, à Marin, Ripaille, Marignan et Crépy (ex-AOC), comme sur la rive suisse, c'est le chasselas qui règne. Il donne des vins blancs légers, à boire jeunes, souvent perlants. Les autres zones ont des cépages différents et, selon la vocation des sols, produisent des vins blancs ou des vins rouges. On trouve ainsi, du nord au sud, Ayze, au bord de l'Arve, et ses vins blancs pétillants ou mousseux, puis, au bord du lac du Bourget (et au sud de l'appellation seyssel), la Chautagne, et ses vins rouges au caractère affirmé. Au sud de Chambéry, les bords du mont Granier recèlent des vins blancs frais, comme le cru Apremont et celui des Abymes, vignoble établi sur le site d'un effondrement qui, en 1248, fit des milliers de victimes. En face, Montminod, envahi par l'urbanisation, a malgré tout conservé un vignoble qui donne des vins remarquables ; il est suivi de ceux de Saint-Jeoire-Prieuré, de l'autre côté de Challes-les-Eaux, puis de Chignin, dont le bergeron a une renommée justifiée. En remontant l'Isère par la rive droite, les pentes sud-est sont occupées par les crus de Montmélian, Arbin, Cruet et Saint-Jean-de-la-Porte.

Les vins de la région sont surtout consommés jeunes, sur place, la demande dépassant parfois l'offre. Les blancs, majoritaires, vont bien sur les produits des lacs ou de la mer, et les rouges issus de gamay s'accordent avec beaucoup de mets. Il est cependant dommage de consommer jeunes les vins rouges de mondeuse, qui ont besoin de plusieurs années pour s'épanouir et s'assouplir : ces bouteilles de haut niveau conviendront aux plats puissants, au gibier et aux fromages locaux tels que la tomme de Savoie et le reblochon.

DOM. DES ANGES Plaisir des anges 2012 ★★

	13 000	5 à 8 €

Les frères Michel et Joseph Angelier, à la tête d'un domaine de 8 ha, reviennent avec leur cuvée phare issue de 1,8 ha d'aligoté. Leur marque de fabrique est ce côté onctueux et gras, inhabituel pour ce cépage bourguignon réputé vif et acidulé. Si le nez, expressif, dévoile des notes fraîches de pierre à fusil, la bouche s'installe dans un confortable ampleur et puis une générosité renforcée par une pointe moelleuse en finale. Ce vin prendra donc ses aises au moment de l'apéritif. Le **rosé 2012 (moins de 5 € ; 4 000 b.)** est, quant à lui, cité pour son fruité et pour son équilibre.

☛ Angelier Frères, hameau de Mure, 73800 Les Marches, tél. 06 75 76 13 11, fax 04 79 71 52 59, domainedesanges@wanadoo.fr, ☑ ⚱ ⵘ t.l.j. 8h-12h 14h-19h

DOMINIQUE BELLUARD Le Feu Gringet 2011

	9 500	15 à 20 €

Dominique Belluard n'a eu de cesse de reconvertir les vergers familiaux en vignes jusqu'à obtenir un domaine de 10 ha, dont 8,5 sont conduits en biodynamie. Il a pris pour blason le cépage gringet, que l'on a longtemps pris pour un cousin du savagnin, probablement en raison de son arôme floral de jasmin. Ici, le fruit semble déjà quelque peu patiné au nez (notes de coing et de pomme, traces d'une évolution déjà amorcée). La bouche se révèle équilibrée, ample, plaisante et longue, évoquant la pâte de fruit. À servir dans l'année.

☛ Dom. Belluard, 283, Les Chenevaz, 74130 Ayse, tél. 04 50 97 05 63 ☑ ⵘ ⚱ r.-v.

DENIS ET DIDIER BERTHOLLIER Chignin Bergeron 2012 ★★

	n.c.	11 à 15 €

Les frères Berthollier cultivent une passion familiale pour la Savoyarde, ce morceau de montagne calcaire que l'on dirait coiffé comme une dame, sur les flancs de laquelle ils exploitent des vignes en pente raide. Des parcelles qu'ils ont défrichées et plantées, poursuivant l'œuvre de leur père Alexis, fervent défenseur de ces coteaux abandonnés durant un siècle, parce que trop pénibles à cultiver. L'exposition au sud et le sol très calcaire sont toujours à l'origine de grandes maturités, donnant des vins généreux, tel ce chignin bergeron d'une rare harmonie, au nez intense de fruits confits, d'abricot et de violette des montagnes, et à la bouche, ronde et opulente. Tout indiqué pour une volaille à la crème. La **mondeuse 2012 (5 à 8 € ; 4 500 b.)**, tout aussi aboutie, reçoit également deux étoiles pour son bouquet gourmand, fruité et un rien animal, et pour son palais rond et délicat.

☛ Denis et Didier Berthollier, Dom. la Combe des Grand'Vignes, Le Viviers, Cidex 4000, 73800 Chignin, tél. 04 79 28 11 75, fax 04 79 28 16 22, contact@chignin.com, ☑ ⚱ t.l.j. 8h-11h30 13h30-18h30 ; f. 15-25 août

PHILIPPE BETEMPS Apremont Sélection 2012

▨	3 000	▮	- de 5 €

Philippe Betemps voit deux de ses vins cités : cet apremont 2012 et la **méthode traditionnelle 2011 blanc** (5 à 8 € ; 6 000 b.), un mousseux souple et rond rehaussé par une finale saline. Né sur les contreforts graveleux du mont Granier, l'apremont est un vin plaisant, au nez d'agrumes et à la bouche vive, minérale, relevée d'une pointe citronnée en finale. Tout indiqué pour les fruits de mer, dès à présent.

☛ Philippe Betemps, Saint-Pierre, 73190 Apremont,
tél. 06 09 05 24 95, philippebetemps@orange.fr,
☑ ☥ ⌶ t.l.j. sf sam. dim. 8h-12h 14h-18h

DOM. BLARD ET FILS Méthode traditionnelle Brut alpin ★★

◗	4 000		8 à 11 €

La Savoie est en ordre de marche pour sa prochaine appellation de crémant. Jean-Noël Blard, qui vinifie désormais ses mousseux en suivant le futur cahier des charges (pas de fermentation malolactique, douze mois sur lattes), en démontre de façon éclatante les mérites. Le vin libère un nez pimpant de pamplemousse et d'agrumes puis dévoile une bouche tout aussi fruitée, fine, droite, longue et élégante. Le **blanc 2012 Abymes Vieilles Vignes** (5 à 8 € ; 3 100 b.) est cité pour ses arômes plaisants de pêche et pour son palais chaleureux, riche et gras, atypique pour ce cru.

☛ Blard et Fils, 706, rte de Chapareillan,
73800 Les Marches, tél. et fax 04 79 28 01 35,
blardsavoie@yahoo.fr, ☑ ☥ r.-v.

FRANÇOIS CARREL ET FILS Jongieux Gamay Vieilles Vignes 2012 ★

■	15 000	▮	5 à 8 €

Éric Carrel voit deux de ses vins sélectionnés, ce gamay et son **jongieux pinot noir 2012 (6 000 b.)**, cité pour ses tanins serrés et pour son nez de fruits rouges. Il a vinifié à la bourguignonne son hectare de pinot noir. Quant aux 2 ha à l'origine de ce gamay, ils ont été vinifiés à la beaujolaise, en grappes entières. Le fruit, grâce à la macération semi-carbonique, a développé de jolies notes de framboise, de cassis et de groseille, relayées par une bouche ronde, souple, équilibrée et longue. Cette cuvée bien typée et harmonieuse séduira dès cette année sur des grillades.

☛ François et Éric Carrel, Le Haut, 73170 Jongieux,
tél. 04 79 33 18 48, fax 04 79 33 10 90,
gaec-la-rosiere@wanadoo.fr, ☑ ☥ ⌶ r.-v.

DOM. EUGÈNE CARREL ET FILS Jongieux Gamay Vieilles Vignes 2012

■	14 000	▮	5 à 8 €

Olivier Carrel a isolé 2 ha de vieilles vignes de gamay âgées de soixante-cinq ans sur son vaste parcellaire de 24 ha. Il les vinifie à la beaujolaise, en vendanges entières qui macèrent pendant dix à douze jours. Il obtient ici un jongieux souple et gouleyant, dominé au nez comme en bouche par des notes de fruits rouges et de bonbon acidulé. Un vin typique de bouchon lyonnais, à boire sans chichi sur une assiette de charcuterie.

☛ Dom. Eugène Carrel et Fils, Le Haut, 73170 Jongieux,
tél. 04 79 44 00 20, fax 04 79 44 03 06,
carrel-eugene@wanadoo.fr,
☑ ☥ ⌶ t.l.j. 8h-12h 14h-17h45; dim. sur r.-v.

PHILIPPE CHAPOT Apremont 2012 ★

▨	30 000	▮	- de 5 €

Cet apremont de Philippe Chapot, régulièrement sélectionné dans le Guide, s'inscrit pleinement dans son appellation et dans son cépage, la jacquère, avec sa robe très pâle, ses arômes de pierre à fusil et de citron, et sa fraîcheur. À déguster dans l'année sur une friture de poissons.

☛ Philippe Chapot, La Serraz, 73190 Apremont,
tél. 04 79 28 26 20, p.chapot@orange.fr,
☑ ☥ ⌶ r.-v.

CAVE DE CHAUTAGNE Chautagne Cuvée Exception 2012 ★

■	2 110 000		5 à 8 €

Cette étoile fera-t-elle taire les polémiques nées en 2012 dans la région au sujet d'un millésime difficile pour le gamay confronté à des maladies cryptogamiques ? La cave de Chautagne, grâce à un travail de qualité à la vigne, a pu proposer une cuvée très réussie, au nez pimpant de cassis et de framboise, et à la bouche aromatique (violette, groseille) et fraîche, dotée de tanins présents sans dureté. Un vin équilibré, à déguster dans l'année sur des grillades.

☛ Cave de Chautagne, lieu-dit Saumont, 73310 Ruffieux,
tél. 04 79 54 27 12, fax 04 79 54 51 37,
info@cave-de-chautagne.com, ☑ ☥ ⌶ t.l.j. 9h-12h 14h-18h

CHEVALLIER-BERNARD Jongieux Mondeuse 2012 ★

■	16 000	▮	5 à 8 €

Jean-Pierre Bernard a apporté du Beaujolais sa connaissance du gamay quand il s'est installé en 1996 à Jongieux sur la petite exploitation de son beau-père. Depuis, le domaine signe avec régularité des vins de qualité, à l'image du **jongieux gamay 2012 (moins de 5 € ; 12 000 b.)** vinifié à la beaujolaise, qui reçoit une étoile pour son nez de bonbon anglais et de fruits rouges, et pour son palais souple, frais et fruité. Un « vin plaisir », à boire sur le fruit. À l'inverse, cette mondeuse se révèle intense et généreuse à l'olfaction (fruits mûrs, réglisse, violette), riche et robuste en bouche. Un vin de caractère, à déguster dans deux ou trois ans sur des diots savoyards accompagnés d'une polenta.

☛ Dom. Chevallier-Bernard, Le Haut, 73170 Jongieux,
tél. et fax 04 79 44 00 33 ☑ ☥ ⌶ r.-v.

DOM. DE CHEVIGNEUX Chautagne Gamay 2012 ★★

■	22 500	▮⬤	8 à 11 €

Lisa Gilmore est née et a grandi sur l'île de Man, un territoire vennue de 40 km de long au large de l'Irlande. Voilà qui forge le caractère. Depuis 2003, elle habite en Savoie et a fait plusieurs stages en viticulture et œnologie avant d'acheter ce domaine avec ses associés en 2007. Les vinifications sont assurées par Fabio Negri, œnologue italien arrivé en 2010. Le domaine pratique les vendanges les plus tardives possible, des sélections parcellaires et un élevage quasi systématique en fût de chêne. Cela donne ici un gamay au nez intense de fruits noirs et de violette mâtiné de vanille, et au palais rond et long, adossé à des tanins soyeux et à un boisé fondu. Un vin équilibré et bien structuré, à déguster au cours des deux prochaines années.

☛ EARL les Terroirs de Chevigneux,
747, rue de Chevigneux, 73310 Chindrieux,
tél. 04 79 54 24 01, fax 04 79 54 56 05,
domainedechevigneux@orange.fr,
☑ ☥ ⌶ t.l.j. 9h-12h 14h-18h; sam. dim. sur r.-v.
☛ Lisa Gilmore

DOM. DU COLOMBIER Apremont 2012 ★★

| ▦ | 13 400 | ▮ | 5 à 8 € |

Patrick Tardy aime bien vendanger tard. Ainsi, il a attendu la bonne « fenêtre météo » à la fin septembre pour récolter ses jacquères 2012, dans une année difficile où les raisins tardaient à mûrir. Il en tire un vin au nez typique de pierre à fusil, de pêche et d'abricot, et au palais long et bien équilibré entre la générosité des fruits mûrs, une agréable rondeur et une franche vivacité. Un vin complexe, bien dans le ton de l'apremont, à servir dès cette année sur un poisson ou sur une viande blanche.

↝ Patrick Tardy, 230, chem. de la Grue, Saint-André, 73800 Les Marches, tél. 04 79 28 04 92, fax 04 79 71 57 64, patrick@lesvinstardy.fr, � ⚹ ▼ r.-v.

DOM. DELALEX Marin Cuvée Tradition 2012 ★

| ▦ | 30 000 | ▮ | 5 à 8 € |

Le cru Marin est un délicieux coteau d'une vingtaine d'hectares planté de chasselas, au bord du lac Léman. Une poignée de producteurs y vivent de la vigne, dont Samuel Delalex, locomotive du cru et très souvent présent dans le Guide. En matière de vinification, pas de fermentation malolactique ni de sucres résiduels : le viticulteur fait la chasse à la lourdeur. Son 2012 se révèle ainsi expressif au nez comme en bouche (poire, agrumes et violette), rond et gras mais sans excès. À servir dans l'année, sur un poisson ou une volaille en sauce.

↝ Dom. Delalex – La Grappe dorée, 108, chemin des Noyereaux, 74200 Marin, tél. 04 50 71 45 82, fax 04 50 71 06 74, samueldelalex@hotmail.fr, � ⚹ ▼ t.l.j. sf dim. 14h-19h

💜 **SAMUEL ET FABIEN GIRARD-MADOUX**
Chignin Bergeron 2012 ★★

| ▦ | 6 400 | | 8 à 11 € |

Ce petit domaine (5,5 ha) est tenu par les frères Samuel et Fabien Girard-Madoux. Le premier s'est destiné d'emblée à la vigne, le second a fait un détour par la

La Savoie et le Bugey

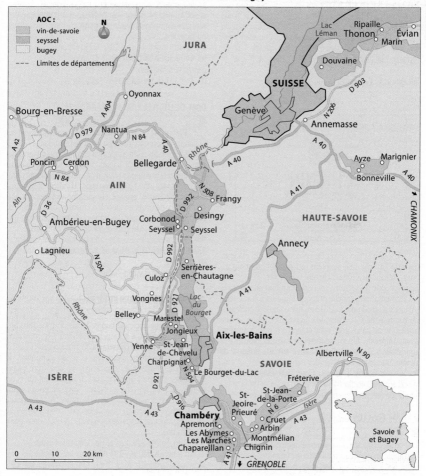

boulangerie avant de s'installer en 2001. Avec une si petite superficie, ils maîtrisent tout, surveillent tout, et vendangent tout à la main. Ils ont ainsi récolté le 10 octobre cette vigne de roussanne en surmaturité, obtenant des arômes de fruits jaunes mûrs (pêche des vignes et abricot) rehaussés par une touche minérale qui donne de la fraîcheur au bouquet. Une fraîcheur que l'on retrouve dans une bouche fruitée, franche et remarquablement équilibrée, fine et élégante. À servir dans deux ans, sur une volaille ou un poisson à la crème. Le **chignin mondeuse 2012 (5 à 8 € ; 4 400 b.)** obtient une étoile pour son nez chaleureux d'épices, de violette, de pivoine et de fruits compotés, et pour sa bouche puissante et tannique. Un vin typé, jeune et prometteur, à attendre deux ou trois ans.

☛ Samuel et Fabien Girard-Madoux, Cave Plantin, Tormery, 73800 Chignin, tél. 04 79 28 11 76 ⬛ ⚔ 🍷 r.-v.

💜 **CHARLES GONNET** Chignin 2012 ★★

60 000	🍶	- de 5 €

Un domaine en progression constante, qui place en haut de l'affiche une jacquère remarquable de bout en bout. Véronique Gonnet cherche à aller vers encore plus de respect de ses terroirs, tout en contrôlant au plus près ses fermentations, qu'elle pratique toujours à basse température. Cela donne un 2012 au nez complexe et élégant de pierre à fusil et d'amande, agrémenté d'une touche miellée, et au palais gras, rond et long, vivifié par une fine trame minérale. Un vin séducteur en diable, typé et très équilibré, à déguster dans l'année sur un poisson de rivière, une truite aux amandes par exemple.

☛ Charles Gonnet, Chef-Lieu, Cidex 3500, 73800 Chignin, tél. 06 80 74 08 46, fax 04 79 71 55 91, veronique.gonnet@bbox.fr, ⬛ r.-v.

PHILIPPE GRISARD Arbin Vertige 2011

3 500	🍶⬛	11 à 15 €

Aux dernières vendanges, Philippe Grisard a photographié un porteur fatigué assis sur un muret de terrasse dans les vignes, montrant fixés à ses chaussures des crampons d'alpiniste pleins de terre : le nom de cette cuvée, vous l'aurez compris, n'est pas usurpé ! Ces vignes en pente usent les hommes mais fournissent des raisins mûrs, témoin ici ce vin au nez expressif et complexe de truffe, d'olive noire, de moka et de griotte, patiné, doux et fondu en bouche. Une mondeuse prête à boire – sur une soupe aux choux, conseille un dégustateur.

☛ Philippe Grisard, 33, pl. du Maréchet, Saint-Laurent, 73800 Cruet, tél. 04 79 84 30 91, fax 04 79 84 30 50, vins@philippegrisard.com, ⬛ ⚔ 🍷 r.-v.

DOM. GRISARD Persan 2012 ★

⬛ 4 000	⬛	11 à 15 €

Il a fallu le réchauffement climatique pour ressusciter le persan, cépage savoyard confidentiel, dont Jean-Pierre Grisard exploite 50 ares à Fréterive. Car cette variété donne des vins volontiers tanniques, parfois âpres et alcooleux, de longue garde – « gros degrés et grosse acidité », pour résumer. Le domaine l'a dompté grâce à un élevage de onze mois en fût, qui a poli les tanins et donné ce vin à la robe presque noire et au nez de fruits rouges et de caramel, doux, dense et rond en bouche. Si cette cuvée est déjà plaisante, son ADN un rien rustique se fait tout de même un peu sentir ; on pourra la faire vieillir deux ou trois ans.

☛ Dom. Grisard, Le Chef-Lieu, 73250 Fréterive, tél. 04 79 28 54 09, fax 04 79 71 41 36, gaecgrisard@aol.com, ⬛ ⚔ 🍷 t.l.j. sf dim. 8h30-12h 13h30-18h

DOM. DE L'IDYLLE Arbin Mondeuse 2012

⬛ 12 000	🍶⬛	5 à 8 €

Philippe et François Tiollier ont accueilli au domaine la jeune génération revenue pour les vendanges 2012 après des études d'œnologie. Un coup de main bienvenu pour ce domaine de 21 ha aux multiples talents, puisque ses blancs et ses rouges se retrouvent indifféremment dans le Guide avec une belle constance. Honneur à la mondeuse cette année, avec ce vin en robe violacée, au nez chaleureux de fruits à l'alcool, d'épices et de caramel, et au palais structuré par des tanins solides et austères qui devront s'affiner. On patientera deux ou trois ans.

☛ Dom. de l'Idylle, 245, rue Croix-Lormaie, Saint-Laurent, 73800 Cruet, tél. 04 79 84 30 58, tiollier.idylle@wanadoo.fr, ⬛ ⚔ 🍷 r.-v.

☛ Philippe et François Tiollier

DOM. EDMOND JACQUIN ET FILS Mondeuse 2012 ★

⬛ 18 000	⬛	5 à 8 €

Issu d'une ancienne famille locale, Patrice Jacquin, maire de Jongieux, a entrepris de défendre le coteau de Marestel et obtenu un classement de protection au Conseil d'État, fait rarissime pour une si petite commune. Il travaille en binôme au domaine avec son frère Jean-François, et leurs vins figurent très souvent dans le Guide, le plus souvent en blanc. Place au rouge cette année avec cette mondeuse ouverte sur les fruits rouges et noirs, relevés d'épices, et à la bouche ronde, dense et charnue, aux tanins souples et fondus. À boire dans deux ou trois ans.

☛ Dom. Edmond Jacquin et Fils, Jongieux-le-Haut, 73170 Jongieux, tél. 04 79 44 02 35, fax 04 79 44 03 05, jacquin4@wanadoo.fr, ⬛ ⚔ 🍷 t.l.j. 9h-12h 14h-18h 🏨 ❷

CH. DE MÉRANDE Arbin Mondeuse
La Belle Romaine 2012 ★★

| ■ | 30 000 | ■ | 11 à 15 € |

Le domaine (12 ha) est passé à l'agriculture bio, et sa conversion à la biodynamie est en cours. En avril 2012, Yann Pernuit postait sur sa page Facebook la photo d'un banal sarclage de printemps pour arracher les mauvaises herbes. Banal partout ailleurs, sauf à Arbin, où il s'effectue à l'aide d'un treuil sur une pente vertigineuse, l'homme devant s'arc-bouter contre l'engin entre deux rangs secs et caillouteux. Le vin né sur un pareil terroir ressort nécessairement concentré ; c'est le cas de cette mondeuse d'un pourpre sombre aux reflets violets, au nez intense et chaleureux d'olive noire, d'épices, de kirsch et de cuir, et au palais dense, plein et bien structuré. À servir au cours des trois ou quatre prochaines années sur une viande rouge en sauce.

➴ Ch. de Mérande, chem. de Mérande, 73800 Arbin, tél. 04 79 65 24 32, domaine.genoux@wanadoo.fr, ☑ ⋏ ⊥ r.-v. ⌂ ⓞ

MICHEL ET XAVIER MILLION-ROUSSEAU
Jongieux Gamay 2012

| ▨ | 6 000 | ■ | 5 à 8 € |

Michel Million-Rousseau et son fils Xavier conduisent un vignoble de 8 ha établi sur le coteau de Monthoux. Plantées entre 300 et 500 m d'altitude, les vignes s'étagent en forte pente sur un sol de marnes caillouteuses et de dépôts glaciaires, exposées au sud-sud-ouest. Cela ne rend pas le travail aux vignes facile, loin de là, mais les vins en ressortent fruités, comme ici ce gamay aux arômes de fruits confits, souple, rond et harmonieux en bouche. À boire dans l'année sur une grillade.

➴ Michel et Xavier Million-Rousseau, Monthoux, 73170 Saint-Jean-de-Chevelu, tél. 04 79 36 83 93, fax 04 79 36 80 08, vinsmillionrousseau@orange.fr, ☑ ⊥ t.l.j. sf dim. 8h-12h 14h-19h

LE CELLIER DU PALAIS Apremont Vieilles Vignes 2012

| ▨ | n.c. | ■ | 5 à 8 € |

Béatrice Bernard consacre une majorité de son domaine à cette parcelle de jacquère, soit 5 ha sur les 8 que compte le vignoble. Elle signe un vin aux arômes ciselés et typés d'amande verte, de pierre à fusil, d'aubépine et de zeste de citron, qui se prolongent dans une bouche équilibrée, intense et fraîche. À déguster dans l'année sur un poisson grillé.

➴ Béatrice Bernard, Le Cellier du Palais, village de l'Église, 73190 Apremont, tél. 04 79 28 33 30, fax 04 79 28 28 61 ☑ ⋏ ⊥ r.-v.

GILBERT PERRIER Apremont Fleur de jacquère 2012 ★

| ▨ | 20 000 | ■ | 5 à 8 € |

Proposée par la structure de négoce de ce domaine familial, cette Fleur de jacquère est issue d'une sélection parcellaire de vieilles vignes bien exposées. Le nez, intense, mêle des notes d'agrumes et de pierre à fusil. La bouche se montre fraîche, souple et longue, rehaussée par une jolie finale acidulée. Un vin tendu, typé et équilibré, tout indiqué pour les fruits de mer.

➴ SAS Jean Perrier et Fils, ZA Plan-Cumin, 73800 Les Marches, tél. 04 79 28 11 45, fax 04 79 28 09 91, info@vins-perrier.com, ☑ ⋏ ⊥ t.l.j. sf dim. 8h-12h 14h-17h; sam. sur r.-v.

LA CAVE DU PRIEURÉ Jongieux Mondeuse 2012 ★★

| ■ | 25 000 | ■ | 5 à 8 € |

Noël et Julien Barlet, le père et le fils, font preuve d'un talent particulier avec leur mondeuse, qui fréquente très souvent les pages du Guide. Ils l'ont superbement vinifiée en 2012, année pourtant difficile. Les arguments de ce millésime ? Une jolie robe aux reflets violines, un nez de violette, de cerise et de myrtille, une bouche charpentée et réglissée, portée par des tanins fins qui enrobent d'un joli grain la finale. Ce vin généreux pourra être attendu deux ans et servi sur un pot-au-feu.

➴ Raymond Barlet et Fils, La Cave du Prieuré, 73170 Jongieux, tél. 04 79 44 02 22, fax 04 79 44 03 07, caveduprieure@wanadoo.fr, ☑ ⋏ ⊥ t.l.j. sf dim. 14h-18h30

LES FILS DE RENÉ QUÉNARD Chignin-Bergeron
La Bergeronnelle 2011 ★

| ▨ | 8 000 | ■ | 11 à 15 € |

Philippe Viallet a racheté en 2008 ce domaine de 18 ha, dont 15 ha de bergeron, avec Claire Taittinger, de la famille bien connue en Champagne. Les associés ont installé sur place un régisseur, Alexis Cote, qui signe ce chignin-bergeron au nez friand d'abricot agrémenté de notes fraîches de coquille d'huître, net, droit et long en bouche. À servir dans l'année sur un plateau d'huîtres. Le **chignin mondeuse 2011 (8 à 11 € ; 4 000 b.)** est cité, tant pour son nez complexe de poivre et de violette, que pour sa bonne structure.

➴ Les Fils de René Quénard, Le Villard, Cidex 4707, 73800 Chignin, tél. 04 79 28 01 15, fax 04 79 28 18 98, fils.rene.quenard@wanadoo.fr, ☑ ⋏ ⊥ r.-v.

ANDRÉ ET MICHEL QUÉNARD Chignin Mondeuse
Vieilles Vignes 2012 ★

| ■ | 10 000 | 8 à 11 € |

Une valeur sûre de l'appellation que ce domaine conduit par Michel Quénard et son fils Guillaume. Deux grands classiques sont à nouveau sélectionnés cette année : cette mondeuse et le **chignin-bergeron Les Terrasses 2012 (11 à 15 € ; 20 000 b.)**, fleuron blanc du domaine, cité pour son bouquet élégant de fruits jaunes ponctué de nuances minérales, rond et doux en bouche. Quant à cette mondeuse née de ceps de soixante ans, elle plaît par son nez fruité, floral, épicé et vanillé, et par son palais rond et charnu aux tanins trapus mais sans agressivité. À boire maintenant ou à attendre deux ou trois ans pour un meilleur fondu.

➴ André et Michel Quénard, Torméry, 73800 Chignin, tél. 04 79 28 12 75, fax 04 79 28 19 36, am.quenard@wanadoo.fr, ☑ ⋏ ⊥ r.-v.

♥ DOM. PASCAL ET ANNICK QUÉNARD Chignin Bergeron
Cuvée Noé 2012 ★★

| ▨ | 2 000 | ■ | 11 à 15 € |

Pascal Quénard concentre tout son savoir-faire dans cette cuvée phare de son domaine. En 2012, il a vendangé en deux tries les 30 ares de roussanne, la dernière ayant fourni des raisins surmûris qu'on appellerait vendange tardive dans d'autres vignobles : c'est la particularité de cette cuvée Noé, du nom de son fils (et du « premier vigneron » de l'Histoire). Un coup de cœur qui distingue un vin paré d'une seyante robe jaune paille, au nez expressif et intense de fruits confits et de silex, et au palais remarquablement équilibré, à fois rond

CHIGNIN-BERGERON

Cuvée Noé

DOMAINE
PASCAL & ANNICK
QUENARD

et frais, qui s'étire dans une finale suave et longue. Parfait pour un foie gras poêlé, une volaille ou un poisson en sauce crémée.

☛ Dom. Pascal et Annick Quénard, Le Villard, Cidex 4800, 73800 Chignin, tél. 04 79 28 09 01, fax 04 79 28 13 53, pascal.quenard.vin@wanadoo.fr, ☑ ⚹ ⵣ r.-v.

PASCAL RAVIER Chignin 2012 ★★

■	30 000		5 à 8 €

Pascal Ravier signe un beau chignin né de ceps de jacquère de vingt ans d'âge, dont le nez intense évoque les fruits exotiques et les agrumes. Dans la continuité de l'olfaction, la bouche, agrémentée d'une touche miellée, se révèle dense, fraîche et longue. Un vin harmonieux, à déguster dans les deux ans à venir. Pourquoi pas sur une terrine de poisson ?

☛ Pascal Ravier, Chacuzard, 73800 Myans, tél. et fax 04 79 28 10 97, veronique.ginet@wanadoo.fr, ☑ ⵣ r.-v.

PHILIPPE ET SYLVAIN RAVIER
Saint-Jean-de-la-Porte Mondeuse 2012 ★

■	3 000	▮	5 à 8 €

Philippe Ravier et son fils Sylvain conduisent un domaine de 25 ha, dont 40 ares sont dédiés à cette mondeuse bien typée, au nez de poivre vert, de mûre et prunelle. La bouche se révèle ample, dense et fraîche (touche végétale), charpentée par des tanins vigoureux auxquels on laissera au moins deux ou trois ans pour se fondre. Le **blanc 2012 Apremont Clos Saint-André Vieilles Vignes (30 000 b.)** est cité pour son caractère intense et frais, bien typé jacquère.

☛ EARL Philippe et Sylvain Ravier, 68, chem. du Cellier, 73800 Myans, tél. 04 79 28 17 75, fax 04 79 28 51 73, vinsdesavoie@wanadoo.fr, ☑ ⵣ r.-v.

CH. DE RIPAILLE Ripaille 2012

■	130 000	▮	5 à 8 €

Les 18 ha consacrés à cette cuvée et plantés de ceps de chasselas de vingt ans d'âge entourent le château, construit en 1434 par les ducs de Savoie, puis détenu par les Chartreux au XVIIe s. et par la famille Necker en 1892. Au nez, ce 2012 livre des parfums discrets mais plaisants d'agrumes. La bouche se montre vive, nette, relevée d'une touche de zeste de citron en finale. Un chasselas d'une année froide, à déguster dès à présent sur un poisson grillé.

☛ Louis Necker, GFA Ripaille, Dom. de Ripaille, 83 av. de Ripaille, 74200 Thonon-les-Bains, tél. 04 50 71 75 12, fax 04 50 71 72 55, domaine@ripaille.fr, ☑ ⵣ t.l.j. sf dim. 10h-12h 14h-17h; sam. 10h-12h

PRESTIGE DES ROCAILLES Le Rosé 2012 ★

■	20 000	▮	5 à 8 €

Alban Thouroude et Guillaume Durand proposent ici un rosé à la robe saumon et au nez expressif de fraise, de chèvrefeuille et de violette. Le palais apparaît rond, gras, long et tout aussi aromatique. Parfait pour un saumon grillé. Le **blanc 2012 Apremont Prestige des Rocailles (60 000 b.)**, minéral, fruité, frais et équilibré, est cité.

☛ Les Rocailles, 2492, rte du Lac, Saint-André, 73800 Les Marches, tél. 04 79 28 14 50, fax 04 79 28 16 82, contact@lesrocailles.fr, ☑ t.l.j. sf dim. 8h-12h 13h30-17h

Ⓑ CH. LA TOUR DE MARIGNAN Méthode traditionnelle
La Perle 2009 ★

○	6 000	⫙	11 à 15 €

Les moines, qui se trompaient rarement en la matière, ont valorisé dès le XIIIe s. le coteau de Boisy, au bord du lac Léman, d'où est issu ce mousseux de méthode traditionnelle. Olivier Canelli y exploite en bio (certifié depuis 1993) un petit domaine de 5 ha. Il a élevé sur lattes plus de deux ans ce vin au nez déjà un peu patiné d'amande, de brioche et de coing. L'année solaire 2009 a conféré au palais beaucoup de richesse. Un beau mousseux sur la douceur et la générosité, à déguster à l'apéritif ou au dessert.

☛ Canelli-Suchet et Fils, Ch. la Tour de Marignan, 74140 Sciez, tél. 04 50 72 70 30, fax 04 50 72 36 02, ocanelli@hotmail.com, ☑ ⚹ ⵣ t.l.j. 8h-12h 13h-19h

CHANTAL ET GUY TOURNOUD Abymes 2012

■	15 000		- de 5 €

Plus connu des lecteurs pour ses apremont, Guy Tournoud se distingue ici avec un abymes séduisant par son nez expressif d'agrumes, de citron et d'orange, et par sa bouche riche et aromatique (mandarine), vivifiée par une fine trame minérale et acidulée. L'**apremont 2012 (6 000 b.)** vif, minéral et fruité (agrumes), est également cité.

☛ Guy Tournoud, rue Basse-du-Château-Fort, hameau de Bellecombe, 38530 Chapareillan, tél. et fax 04 76 45 22 05, ch.g.tournoud@hotmail.fr, ☑ ⚹ ⵣ r.-v.

LES FILS DE CHARLES TROSSET
Arbin Mondeuse Harmonie 2012 ★★

■	12 000	▮	11 à 15 €

Vigneron n'est pas son métier officiel : passionné de botanique et de géologie, Louis Trosset est professeur de biologie végétale à l'université de Savoie. Il décrit ainsi sa propriété, avec précision : « Une mosaïque de petites parcelles de 15 à 45 ares, exposées plein sud sur de fortes pentes, avec des sols variables de terres rouges argileuses, de terres blanches plus marneuses, le tout très pierreux. » Il vinifie l'ensemble avec la même minutie, et ses mondeuses sont des références. Le Guide s'en fait le témoin depuis de nombreuses années, et cette édition n'échappe pas à la règle. Issue d'un assemblage de deux parcelles, la cuvée Harmonie se révèle comme à son habitude complexe (cumin, poivre, violette, petits fruits noirs), tannique, bâtie sur une « grosse structure », affichant concentration, puissance et élégance. À attendre trois ou quatre ans. Également née d'une sélection parcellaire, tout aussi complexe (violette, cerise, prune, fumé) mais plus ronde et charnue, l'**arbin mondeuse 2012 Prestige des Ar-**

pents **(12 000 b.)** obtient une étoile. On l'appréciera un peu plus tôt.

☛ SCEA Les Fils de Charles Trosset, rue de la Charrière, 73800 Arbin, tél. et fax 04 79 84 30 99, louis.trosset@univ-savoie.fr, ☑ r.-v.

FABIEN TROSSET Arbin Mondeuse 2012

| ◼ | 4 000 | ▯ | 5 à 8 € |

Installé en juillet 2011 sur un domaine de 7 ha à Arbin, le jeune Fabien Trosset se voit cité dès ses débuts pour une mondeuse aux reflets fauves et violines, au nez gourmand de fleurs, de fruits cuits et de poivre blanc, au palais doux, rond et « joufflu », selon un dégustateur qui apprécie aussi son joli volume et le travail soigneux du vinificateur. Un vin avenant, à boire dès à présent sur une tartiflette.

NOUVEAU PRODUCTEUR

☛ Dom. Fabien Trosset, 142, chem. des Moulins, 73800 Arbin, tél. 06 03 75 56 14, trosset.fabien@sfr.fr, ☑ ⚔ ☏ t.l.j. sf dim. 8h-12h 13h30-18h30

ADRIEN VACHER Chignin Cuvée exclusive 2012 ★

| ◼ | 13 000 | ▯ | - de 5 € |

Charles-Henri Gayet est à la fois négociant et propriétaire (*voir* Ch. de la Violette). Ici, c'est avec sa structure de négoce qu'il propose ce chignin au nez de pierre à fusil et d'amande, au palais de bonne intensité, franc et équilibré. À boire dès à présent, sur une friture de poissons.

☛ Maison Adrien Vacher, ZA Plan-Cumin, 177, rue de la Mondeuse, 73800 Les Marches, tél. 04 79 28 11 48, fax 04 79 28 09 26, charleshenri.gayet@wanadoo.fr, ☑ r.-v.

DOM. VIALLET Chignin-Bergeron Les Bouillettes 2012 ★

| ◼ | 11 800 | ▯ | 8 à 11 € |

Cette cuvée Les Bouillettes signée Philippe Viallet, homme à la double casquette de vigneron et de négociant, est ici proposée par la coopérative d'Apremont. En plus de son joli nez de fruits blancs, d'amande, d'abricot et de beurre frais, cette roussanne offre une bouche équilibrée, à la fois ronde, franche, fraîche et fruitée. À boire ou à attendre deux ou trois ans. Proposé par la structure de négoce, l'**arbin mondeuse 2012 Clos de la Galèze Cuvée des moines (8 à 11 € ; 8 000 b.)**, cité, dévoile un nez chaleureux d'épices douces et de fruits mûrs, et un palais rond, qui se fait plus sévère en finale. À boire ou à attendre deux ou trois ans.

☛ SICA Les Vignerons des TS, rte de Myans, Le Clos-Réserve, 73190 Apremont, tél. 04 79 28 33 29, fax 04 79 28 20 68, viallet-vins-qualite@wanadoo.fr

LE VIGNERON SAVOYARD Apremont 2012 ★★

| ◼ | 17 000 | | 5 à 8 € |

Cette cave coopérative fondée en 1966 et réunissant une dizaine de vignerons propose avec cette cuvée née de 19 ha de jacquère un vin au nez intense de fruit de la Passion, d'agrumes et de pierre à fusil, agrémenté d'une petite note pétrolée. La bouche se révèle ample, ronde et douce, étayée par ce qu'il faut d'acidité. Un vin équilibré et persistant, à déguster dès aujourd'hui sur des filets de sole. Cité, le **Dom. des Ophrys 2012 Apremont (17 700 b.)** est un blanc intense, frais et fruité à l'olfaction (fruits exotiques, agrumes), souple et léger en bouche. Un vin bien typé jacquère, à servir sur une friture de poissons.

☛ Le Vigneron savoyard, rte du Crozet, 73190 Apremont, tél. 04 79 28 33 23, fax 04 79 28 26 17, vigneron.savoyard@wanadoo.fr, ☑ ☏ t.l.j. sf sam. dim. 8h-12h 14h-18h

CH. DE LA VIOLETTE Mondeuse 2012 ★

| ◼ | 16 600 | ▯ | 5 à 8 € |

Propriétaire depuis 2000 de ce domaine dont il a porté le vignoble à 20 ha, Charles-Henri Gayet est aussi négociant (*voir* Adrien Vacher). Il réalise un joli triplé dans cette édition, avec en tête cette mondeuse élégante, au nez complexe de violette et de fruits rouges, souple, friande et soyeuse en bouche. Nulle sévérité ici, le registre est celui du plaisir immédiat. Le **gamay 2012 (13 000 b.)** obtient également une étoile pour son bouquet flatteur de fruits rouges et noirs, de violette et de fumé, et pour son palais fin, frais et équilibré. Enfin, l'**apremont 2012 (24 000 b.)**, cité, est une jacquère vive et pimpante, fruitée et acidulée.

☛ SCEA Vins Ch. de la Violette, le Bourg, 73800 Les Marches, tél. 04 79 28 13 30, fax 04 79 28 09 26, achgayet@aol.com, ☑ ⚔ r.-v.

☛ Charles-Henri Gayet

Roussette-de-savoie

Superficie : 48 ha
Production : 2 425 hl

Issue aujourd'hui du seul cépage altesse, la roussette-de-savoie est produite à Frangy, le long de la rivière des Usses, à Monthoux et à Marestel, au bord du lac du Bourget. L'usage qui veut que l'on serve jeunes les roussettes de ce cru est regrettable, puisque, bien épanouies avec l'âge, elles font merveille sur du poisson, des viandes blanches ou encore avec le beaufort local.

FRANÇOIS CARREL ET FILS Marestel La Marété 2012 ★

| ◼ | 10 200 | ▯⬭ | 8 à 11 € |

Situées sur le bas du coteau, les vignes du domaine bénéficient d'un sol drainant de galets reposant sur un lit de sable, vestiges d'un torrent. Elles donnent naissance à La Marété, l'une des valeurs sûres du domaine, plusieurs fois distinguée dans le Guide. Élevé en cuve et en fût (neuf mois chacun), le vin est mûr, complexe, évoquant les fruits confits au nez. Quant à la bouche, riche et gourmande, elle séduit par son équilibre. Cette bouteille pourra attendre deux ans en cave avant d'accompagner un sauté de veau.

☛ François et Éric Carrel, Le Haut, 73170 Jongieux, tél. 04 79 33 18 48, fax 04 79 33 10 90, gaec-la-rosiere@wanadoo.fr, ☑ ⚔ r.-v.

EUGÈNE CARREL ET FILS
Marestel Cuvée Eugène Marc 2011

| ◼ | 2 000 | ⬭ | 11 à 15 € |

Des 2 ha qu'il exploite sur le splendide coteau de Marestel, Olivier Carrel isole 30 ares d'altesse destinés à cette cuvée. Un 2011 puissant, au bouquet intense de coing et d'amande, au palais délicatement boisé (souvenir d'un séjour de trois mois en fût), gras et opulent mais équilibré, d'une bonne longueur. À déguster dès la sortie du Guide.

☛ Dom. Eugène Carrel et Fils, Le Haut, 73170 Jongieux,
tél. 04 79 44 00 20, fax 04 79 44 03 06,
carrel-eugene@wanadoo.fr,
☑ ⚔ ⏧ t.l.j. 8h-12h 14h-17h45; dim. sur r.-v.

DOM. PHILIPPE CHAPOT 2012

	4 000	🍽	5 à 8 €

Philippe Chapot est un maître ès jacquère, mais cette distinction prouve qu'il s'en sort bien aussi avec l'altesse, qu'il vinifie à basse température et dont il bloque la fermentation malolactique afin que le vin conserve une certaine vivacité. Cette cuvée livre un nez d'agrumes, de fleurs blanches et de miel, prélude à une bouche grasse et vive. On aime – ou pas – ce style bonbon anglais énergique ; quoi qu'il en soit, ce vin sera parfaitement à son aise sur des tapas.

☛ Philippe Chapot, La Serraz, 73190 Apremont,
tél. 04 79 28 26 20, p.chapot@orange.fr, ☑ ⚔ ⏧ r.-v.

Ⓑ DOM. GIACHINO 2012 ★

	4 000	🍽	8 à 11 €

Les deux frères, Frédéric et David Giachino, ont le label bio selon le cahier des charges Nature & Progrès, plus strict que la mention officielle, notamment en matière d'additifs (soufre et autres) dans le vin. Ils ont vendangé tard, le 4 octobre, pour obtenir une bonne maturité en dépit d'un millésime difficile. Ensuite ils ont vinifié en cuve... en laissant faire la nature. En 2012, les fermentations se sont donc étirées en longueur et, en février 2013, aux dernières nouvelles, la cuve d'altesse clapotait toujours doucement pour finir ses sucres... Cela donne ce 2012 discret au nez car en devenir, mais dont le jury a apprécié le bel équilibre et la typicité du palais. Fruité, sec et long, c'est un vin prometteur à déboucher dans deux ans.

☛ Dom. Giachino, La Palud, 38530 Chapareillan,
tél. et fax 04 76 92 37 94, domaine-giachino@orange.fr,
☑ ⚔ ⏧ r.-v.

FLORENT HÉRITIER Frangy Confession d'Etrable 2012

	6 000	🍽	5 à 8 €

Florent Héritier s'est installé en 2005 en achetant un peu plus de 2 ha sur un coteau qu'il a défriché, nivelé et planté. Il travaille deux cépages essentiellement : l'altesse en blanc et la mondeuse en rouge. Il s'est lancé, en 2010, dans le bio. « Les plantes soignent les plantes », dit-il pour expliquer son recours aux tisanes d'ortie et autres préparations. De même, en cave, il respecte son terroir en laissant faire les levures indigènes : c'est tout une logique qui se dessine en vue de la future certification bio. Le résultat plaît : un bouquet complexe de caramel au lait et de fleurs blanches, un palais plein et puissant. Encore jeune, ce vin mérite de séjourner deux ans en cave. À servir sur un poisson grillé.

☛ Florent Héritier, 160, rte d'Annecy, 74270 Frangy,
tél. 04 50 44 52 56, florent@vin-savoie-heritier.fr,
☑ ⚔ ⏧ r.-v.

DOM. DE L'IDYLLE 2012 ★

	10 000	🍽	5 à 8 €

Philippe et François Tiollier ont accueilli le fils de Philippe, Sylvain, sur le domaine pour les vendanges 2012 – la relève arrive ! Le trio est à l'origine de cette cuvée au nez à la fois puissant et fin de fleurs, d'épices douces et de gingembre. La bouche est tout aussi complexe, explorant

le miel, l'abricot, l'acacia et le coing. Puissant, chaleureux et soyeux, c'est un vin de terroir à découvrir dans deux ans sur un dos de sandre au beurre noir.

☛ Dom. de l'Idylle, 245, rue Croix-Lormaie, Saint-Laurent, 73800 Cruet, tél. 04 79 84 30 58, tiollier.idylle@wanadoo.fr,
☑ ⚔ ⏧ r.-v.

☛ Philippe et François Tiollier

GUY JUSTIN Marestel 2011 ★

	1 800	🍽	8 à 11 €

Emmanuelle Justin aide son père Guy au domaine : à lui le tracteur et les vinifications, à elle le commerce et les marchés. Le domaine est spécialiste de l'altesse, qui occupe près des deux tiers de sa superficie totale (12 ha). Ce marestel, né sur un terroir profond d'éboulis calcaires, au bas du coteau, reçoit une étoile pour son nez complexe de fruits jaunes, de pâte de coing et de noisette, et pour son palais gras, puissant et long. C'est un beau vin tout en rondeur, affichant son sucre résiduel (7 g/l), qui devra séjourner deux ans en cave pour que l'ensemble se fonde. La **Cuvée gastronomique 2011 (5 à 8 € ; 10 000 b.)** reçoit elle aussi une étoile pour son nez intense et friand de miel et d'épices, pour sa bouche ronde et soyeuse, et pour sa finale intense et fraîche.

☛ EARL Guy Justin, La Touvière, 73170 Billième,
tél. 04 79 36 81 61, justin.emmanuelle@live.fr, ☑ ⏧ r.-v.

DOM. LUPIN Frangy Cuvée du Pépé 2011

	3 000	🍽	5 à 8 €

Sur ce terroir de moraine glaciaire, exposé plein sud, Bruno Lupin n'exploite que de l'altesse. Le pépé, c'est son grand-père, qui a planté ces 50 ares de vignes sans savoir qu'elles reviendraient un jour à son petit-fils. Lequel, en ancien œnologue, a une devise : surtout... ne rien faire (et ne pas appeler l'œnologue !). Il préfère laisser le vin mûrir à son rythme, obtenant ici une altesse au nez de caramel, de noisette et de fruits secs, à la bouche grasse et ronde. À déguster dès à présent sur un filet de truite sauce au beurre.

☛ Bruno Lupin, rue du Grand-Pont, 74270 Frangy,
tél. 04 50 32 29 12, fax 04 50 44 75 04,
lupin.bruno@aliceadsl.fr,
☑ ⏧ t.l.j. sf dim. lun. 8h30-14h30 17h-20h

DOM. JEAN MASSON ET FILS
Cuvée exceptionnelle 2012 ★

	1 900	🍽	11 à 15 €

Jean Masson a vendangé le 13 octobre, à la main, 45 ares de trente ans. Cette jolie roussette, élevée en cuve sur lies fines pendant dix mois, charme par son nez expressif d'épices douces et par sa bouche ample et minérale. Un vin prometteur, apte à une garde de cinq ans. Il s'accordera parfaitement avec un foie gras.

☛ Dom. Jean Masson et Fils, Le Villard, 73190 Apremont,
tél. 04 79 28 23 02, dom.jeanmassonetfils@wanadoo.fr,
☑ ⏧ r.-v.

LA CAVE DU PRIEURÉ 2012 ★★

	14 000	🍽	5 à 8 €

Noël et Julien Barlet, le père et le fils, sont aussi à l'aise en rouge qu'en blanc. En témoigne chaque année la présence de leurs cuvées « étoilées » dans le Guide. Remarquable, leur roussette, qu'ils ont prudemment vendangée tard (à la main), le 2 octobre 2012, en raison d'un millésime pluvieux et long à mûrir, a conquis le jury. Dans sa robe pâle animée de reflets or, elle offre un superbe nez de poire, de mirabelle et d'épices douces. Le palais se montre d'une rare richesse ; s'il est relativement sec (5 g/l), sa faible acidité fait ressortir la douceur : à servir sur un dessert.

☞ Raymond Barlet et Fils, La Cave du Prieuré, 73170 Jongieux, tél. 04 79 44 02 22, fax 04 79 44 03 07, caveduprieure@wanadoo.fr, ✉ ⚘ ⌾ t.l.j. sf dim. 14h-18h30

DOM. DE ROUZAN 2012 ★

	4 500	▮	5 à 8 €

Denis Fortin est installé à Saint-Badolph, à l'entrée de Chambéry, et il vient d'aménager une ferme pédagogique pour expliquer son métier de vigneron aux enfants. Il voit deux de ses vins sélectionnés : une roussette et un apremont. La première plaît par son nez délicat de fleurs blanches et de miel. Le charme se prolonge dans une bouche puissante, fraîche et complexe, sur des arômes de cire d'abeille et d'épices douces. C'est un beau vin typique de l'appellation, à carafer une heure avant de le servir à l'apéritif. L'**apremont 2012 (12 000 b.)** est cité pour son style acidulé sur des tons de pomme verte.

☞ Fortin, 152, chem. de la Mairie, 73190 Saint-Baldoph, tél. 04 79 28 25 58, fax 04 79 28 21 63, denis.fortin@wanadoo.fr, ✉ ⚘ ⌾ r.-v.

Ⓑ DOM. SAINT-GERMAIN 2012

	6 000	▮	11 à 15 €

Étienne et Raphaël Saint-Germain ont obtenu la certification bio cette année et conduisent maintenant en biodynamie leur domaine de 11 ha. Ils sont installés à Saint-Pierre-d'Albigny, sur le côté « Bauges » du vignoble, exposé au sud-est et implanté sur le cône de déjection argilo-calcaire et caillouteux de la montagne. Leurs vignes d'altesse ont vingt-cinq ans et donnent naissance à ce vin qui figure très souvent dans le Guide. Après fermentation malolactique, celui-ci a été élevé sur lies fines. Le résultat : un nez puissant, floral et capiteux, une bouche ronde, mais courte, qui s'épanouira dans les mois qui viennent. À servir dès cette année.

☞ Dom. Saint-Germain, rte du Col-du-Frêne, 73250 Saint-Pierre-d'Albigny, tél. et fax 04 79 28 61 68, vinsstgermain1@aol.com, ✉ ⚘ ⌾ r.-v.

Seyssel

Superficie : 83 ha
Production : 4 455 hl

Occupant les deux rives du Rhône entre Haute-Savoie et Ain, cette AOC produit des vins blancs tranquilles, à base du seul cépage altesse, et des vins mousseux associant cette variété à la molette ; les effervescents sont commercialisés trois ans après leur prise de mousse. Les cépages locaux donnent aux seyssel un fin bouquet aux nuances de violette.

AIMÉ BERNARD ET FILS
Brut Méthode traditionnelle 2009 ★★

	6 750	▮	5 à 8 €

2009 restera dans les mémoires à Seyssel comme un millésime de grande classe, solaire et lumineux. Les deux jeunes frères Bernard ont d'ailleurs dû vendanger leur molette (90 % de la cuvée) « à la fraîche », à l'aube, pour ne pas récolter des raisins trop chauds qu'ils auraient ensuite dû refroidir. On se laisse charmer par les arômes de brioche et de fruits mûrs de ce vin à la robe dorée et aux bulles légères. La bouche, à l'unisson, rappelle que le millésime était propice aux vins ronds et généreux, sans lourdeur aucune ici, à boire sur le fruit. Tout indiqué pour un dessert, une tarte au sucre par exemple.

☞ GAEC Aimé Bernard et Fils, Sylans, 205, rue des Vignes, 01420 Corbonod, tél. et fax 04 50 56 19 18, gaec.bernard.fils@gmail.com, ✉ ⚘ ⌾ t.l.j. sf dim. 9h-12h 14h-19h

DOM. DE LA TRILLE 2011

	25 000		- de 5 €

L'appellation seyssel est l'une des plus petites de France. Elle s'étend sur les coteaux des deux moitiés de la commune séparées par le Rhône, l'une dans l'Ain et l'autre en Haute-Savoie. La maison Gallice est installée côté Ain, à Corbonod, depuis 1920. Elle propose ici un vin au nez discret, où l'on perçoit des notes végétales et fumées accompagnées de noisette grillée. Le palais se révèle souple et gras, équilibré par une pointe de fraîcheur bienvenue.

☞ Gallice, 236, rue des Peupliers, 01420 Corbonod, tél. 04 50 59 25 73, fax 04 50 56 15 48, mgallice@orange.fr, ✉ ⚘ ⌾ t.l.j. sf dim. 9h-12h 13h30-19h

Bugey

Superficie : 490 ha
Production : 30 335 hl (55 % rouge et rosé)

Dans le département de l'Ain, le vignoble du Bugey occupe les basses pentes des monts du Jura, dans l'extrême sud du Revermont, de Bourg-en-Bresse à Ambérieu-en-Bugey, ainsi que celles qui, de Seyssel à Lagnieu, descendent vers la rive droite du Rhône. Autrefois important, il est aujourd'hui réduit et dispersé. En 2009, il a accédé à l'AOC.

Il est établi le plus souvent sur des éboulis calcaires assez escarpés. L'encépagement reflète la situation de carrefour de la région : en rouge, le poulsard jurassien – limité à l'assemblage des effervescents de Cerdon – y voisine avec la mondeuse savoyarde, le pinot et le gamay de Bourgogne ; de même, en blanc, la jacquère et l'altesse sont en concurrence avec le chardonnay – majoritaire – et l'aligoté, sans oublier la molette, cépage local surtout utilisé dans l'élaboration des vins effervescents.

DOM. OLIVIER BARDET Cerdon Méthode ancestrale 2012

	10 000	▮	5 à 8 €

Olivier Bardet s'est lancé en 2007 avec 3 ha. En cinq ans, le domaine n'a grandi que d'un hectare et le vigneron compte en rester là pour sa seule exploitation conserve une taille humaine et qu'il puisse se concentrer sur son unique production : le cerdon méthode ancestrale. Ses vignes sont situées autour du village de Mérignat. Cette année, il a isolé sa récolte de poulsard et l'a vinifiée à part, avant de l'assembler à 80 % de gamay. Cela donne ce vin au nez de bourgeon vert et à la bouche vive et marquée d'une note de brioche. À découvrir sur un dessert aux fruits rouges ou au chocolat.

☛ Olivier Bardet, Le Village, 01450 Mérignat, tél. 06 19 18 25 74, olivier.bardet01@orange.fr, ☑ ⚹ ⊺ t.l.j. 9h-18h, f. nov..

DOM. YANNICK BLANCHET Cerdon Méthode ancestrale Vieilles Vignes 2012 ★

| | 2 700 | | 5 à 8 € |

Yannick Blanchet a pris en 2006 les rênes de ce petit domaine créé dans les années 1920 par son arrière-grand-père. Les vignes plantées à cette époque sur les meilleurs terroirs produisaient du vin rouge jusque dans les années 1970. Depuis, la production des effervescents a pris le dessus. Ce millésime représente 50 ares de vieilles vignes vendangées à la main. Issu d'un assemblage de 80 % de gamay complété de poulsard, il offre à l'olfaction des nuances de framboise, de fraise et de caramel au lait. Ronde et fine, la bouche est tout aussi gourmande. Parfait pour accompagner les galettes au sucre.

☛ Yannick Blanchet, Chaux, pl. du Plâtre, 01640 Jujurieux, tél. 04 37 86 55 69, blanchetyannick.viticulteur@orange.fr, ☑ ⚹ ⊺ r.-v.

DANIEL BOCCARD Cerdon Méthode ancestrale Demi-sec 2012 ★

| | 85 920 | | 5 à 8 € |

Déjà remarqué dans les éditions précédentes, notamment pour un superbe 2009, Daniel Boccard revient avec ce cerdon. Les raisins (90 % de gamay complétés de poulsard) ont été vendangés manuellement, puis vinifiés à basse température. Cette cuvée affiche une bonne vigueur dans sa robe soutenue aux beaux reflets cerise. Le nez expressif, sur les petits fruits et le bonbon anglais, annonce une bouche équilibrée et persistante. Un très joli vin demi-sec (55 g/l de sucres résiduels) à servir sur un dessert.

☛ Daniel Boccard, Poncieux, 01640 Boyeux-Saint-Jérôme, tél. et fax 04 74 36 84 34, caveau@daniel-boccard.com, ☑ ⚹ ⊺ r.-v.

CAVEAU SYLVAIN BOIS Roussette du Bugey 2012 ★

| | 4 800 | | - de 5 € |

Après douze années d'efforts, Sylvain Bois, jeune vigneron de la trentaine, a doté en 2012 son domaine d'une cuverie flambant neuve. Ses lombaires lui disent merci, les raisins aussi, car une cuverie bien conçue signifie moins de fatigue mais aussi des grappes et des moûts mieux traités. Cette roussette issue du coteau de Chambon est la cuvée phare du domaine, distinguée dans le Guide pour son exubérance aromatique, marque de fabrique. Le nez se montre à la hauteur de cette réputation, évoquant les fruits exotiques et les fleurs. La bouche, franche et fruitée, équilibrée et acidulée, est friande – « un vin de plaisir », dit le jury. Même distinction pour le **chardonnay 2012 (13 000 b.)** qui séduit par sa vivacité, soulignée par des arômes d'agrumes et de citron vert. Le **pinot noir Coteau de Chambon 2012 (5 300 b.)**, frais, fruité et simple, est cité pour son nez de cerise et de cassis.

☛ Sylvain Bois, 11, rte de Bourgogne, 01350 Béon, tél. 06 88 49 03 95, fax 04 79 87 23 26, cavesylvainbois@yahoo.fr, ☑ ⊺ t.l.j. sf dim. 9h-12h 14h-18h; f.1er-17 août

CHRISTIAN BOLLIET Cerdon Méthode ancestrale Demi-sec 2012 ★

| | 29 000 | | 5 à 8 € |

Christian Bolliet a un pied dans la viticulture, un pied dans l'élevage, car il a longtemps pratiqué les deux, comme souvent dans le Bugey. Quand il coiffe sa casquette de vigneron, il offre deux vins de Cerdon à la typicité affirmée : un 95 % gamay et une **Cuvée spéciale Cerdon méthode ancestrale 2012 (2 600 b.)** 95 % poulsard. Les deux sont sélectionnés cette année dans le Guide, avec une toute petite préférence pour le gamay qui reçoit une étoile. Tout oppose ces cuvées : robe profonde et rubis pour celui à dominante gamay, pelure d'oignon et abricot pour le poulsard. Le nez diffère aussi : fraise et note amylique pour le premier, cerise, griotte et lilas pour le second. Les deux sont acidulés, ronds et charmeurs. À servir à l'apéritif ou au dessert.

☛ Christian Bolliet, hameau de Bôches, 438, rte de Cerdon, 01450 Saint-Alban, tél. 06 61 88 42 23, fax 04 74 37 37 69, vignoblesbolliet@hotmail.fr, ☑ ⚹ ⊺ r.-v.

MAISON BONNARD FILS Mondeuse 2011 ★★

| | 6 800 | | 8 à 11 € |

Frédéric Bonnard exploite ses 12 ha en agriculture bio, mais sans certification. Il voit deux de ses vins notés deux étoiles chacun : une mondeuse et une roussette. La première, qui a passé douze mois en fût, séduit le jury par ses arômes de framboise et de cassis, de violette et de bouquet vanillé. Sa matière structurée, riche et équilibrée, sera parfaite dans deux ans sur un rôti de boeuf. La **roussette de Montagnieu 2011 (3 200 b.)** est née de jeunes vignes d'altesse plantées sur un terroir de marnes argileuses assez froid. Le résultat : un vin floral et miellé, à la jolie bouche ronde parfumée de notes de jasmin et d'acacia. Une pointe de sucres résiduels enrobe le vin de gras : idéal sur des cuisses de grenouilles.

☛ GAEC Bonnard Fils, Crept, 01470 Seillonnaz, tél. et fax 04 74 36 14 50, bonnardfils@orange.fr, ☑ ⚹ ⊺ r.-v.

LE CAVEAU BUGISTE Machuraz Chardonnay 2012 ★

| | 4 000 | | 8 à 11 € |

Deux vins de cette toute petite coopérative (45 ha), regroupant quatre producteurs, sont sélectionnés : ce chardonnay Machuraz et le chardonnay Vieilles Vignes. Machuraz est le nom du *climat* sur lequel la cave exploite en monopole, au pied du château éponyme, de petites parcelles de 1,5 ha de chardonnay et de mondeuse. Il a été vendangé pour la première fois en 2012. Cela donne un vin au nez beurré et au palais miellé, ample, gras et rond. La cuvée **chardonnay Vieilles Vignes 2012 (5 à 8 € ; 30 000 b.)** est une habituée du Guide. Avec son nez minéral et sa bouche tonique, à peine marquée par trois mois de fût, elle est cité.

☛ Le Caveau bugiste, 326, rue de la Vigne-du-Bois, 01350 Vongnes, tél. 04 79 87 92 32, fax 04 79 87 91 11, caveau-bugiste@wanadoo.fr, ☑ ⚹ ⊺ t.l.j. 9h-12h 14h-19h 🏠 🅱

♥ **P. CHARLIN** Montagnieu Brut 2010 ★★

| | 23 000 | | 5 à 8 € |

Patrick Charlin s'impose comme l'un des chefs de file de ce petit vignoble de Montagnieu, un bijou de 6 ha de vignes accrochées aux pentes du coteau. Il en consacre

VIN DU BUGEY
Appellation d'origine Protégée

MONTAGNIEU
P. CHARLIN

EARL P. CHARLIN
à 01680 GROSLÉE
Tél. 04 74 39 73 54
PRODUCE OF FRANCE
75 cl 12 % Vol.
BRUT

trois à la production de cet effervescent souvent remarqué dans le Guide. Il obtient son deuxième coup de cœur avec ce 2010 à base de mondeuse, d'altesse et surtout de chardonnay. La robe d'un jaune pâle brillant est animée d'un fin chapelet de bulles. Le nez bien ouvert mêle fraîcheur et fruité. La bouche florale garde cette même intensité. Complexe, minéral et racé, le vin « donne envie de finir son verre », conclut le jury. À servir cette année à l'apéritif.

🍷 Patrick Charlin, Le Richenard, 01680 Groslée, tél. 06 25 90 50 67 ☑ ⚘ ♈ r.-v. 🏠 ©

DOM. DU CLOS DE LA BIERLE Cerdon Méthode ancestrale 2012 ★★

| | | 69 000 | | 5 à 8 € |

Thierry Troccon place deux de ses vins dans la sélection. Le plus abouti est ce cerdon 2012, un gamay à la robe intense et au nez élégant de framboise et de rose ancienne. On retrouve les fruits rouges dans une bouche persistante et bien équilibrée entre douceur (65 g/l de sucres résiduels) et fraîcheur. Un vin harmonieux, à déguster sur un framboisier. Le **chardonnay brut méthode traditionnelle 2010 (2 860 b.)** vineux, fruité et bien structuré, est quant à lui cité.

🍷 Thierry Troccon, Leymiat, Clos de la Bierle, 01450 Poncin, tél. 04 74 37 25 55, fax 04 74 37 28 82, cerdon@closdelabierle.fr, ☑ ⚘ ♈ t.l.j. 830h-19h30

PIERRE DUCOLOMB Méthode traditionnelle 2011

| | | 23 000 | | 5 à 8 € |

Plus connu des lecteurs pour ses mondeuses, Pierre Ducolomb s'illustre cette année avec une méthode traditionnelle issue du seul chardonnay. Un vin au nez fin et floral, bien équilibré en bouche entre douceur et fraîcheur. La **mondeuse 2012 (8 000 b.)**, chaleureuse et charpentée, est également citée. On attendra deux ou trois ans qu'elle s'affine.

🍷 Pierre Ducolomb, Vernans, 01680 Lhuis, tél. et fax 04 74 39 82 58, pierre.ducolomb@wanadoo.fr, ☑ ⚘ ♈ t.l.j. sf dim. 8h-12h 14h-19h

DUPORT ET DUMAS Clos du colombier 2011 ★

| | | 3 200 | | 5 à 8 € |

Cette maison de négoce bien connue des lecteurs propose avec ce Clos du colombier un blanc né du seul chardonnay, au nez caractéristique du cépage, brioché et floral et au palais rond, gras et boisé avec mesure. À boire dans l'année, sur une volaille ou un poisson en sauce. Le **pinot noir 2012 (3 800 b.)**, fruité et légèrement boisé à l'olfaction, ample et bien structuré, obtient également une étoile. On pourra le boire dès à présent ou l'attendre un an ou deux.

🍷 Duport Dumas, Pont-Bancet, 01680 Groslée, tél. 04 74 39 75 19, duportdumas.vinsdubugey@orange.fr, ☑ ⚘ ♈ r.-v.

CAVE LAURENCIN Roussette du Bugey Montagnieu 2011 ★

| | | 3 000 | | 5 à 8 € |

Jacqueline Laurencin propose ici une roussette au nez discret, qui s'ouvre à l'aération sur d'élégantes notes florales et une pointe de salinité. En bouche, le vin se montre fin, droit et frais, souligné par une finale longiligne. Une bouteille harmonieuse et gracieuse, à servir cette année sur un poisson de rivière.

🍷 Jacqueline Laurencin, Le Village, 01470 Seillonnaz, tél. 04 74 36 78 53, cavelaurencin@orange.fr, ☑ ⚘ ♈ r.-v.

LINGOT-MARTIN Cerdon Méthode ancestrale Demi-sec Classic 2012 ★

| | | 90 000 | | 5 à 8 € |

Le Cellier Lingot-Martin est un domaine regroupant aujourd'hui quatre familles et 30 ha de vignes, avec Jean-Luc Guillon à la vinification. Régulièrement présent dans le Guide avec son cerdon, il propose ici une cuvée construite sur le gamay. Parée d'une robe rubis, elle affiche un nez de fruits rouges, de pomme et de pêche, et dévoile un palais tout aussi expressif et fruité, plein de fraîcheur et de dynamisme malgré son caractère demi-sec (45 g/l de sucres résiduels). Tout indiqué pour une salade de fraises relevée d'un tour de poivre du moulin.

🍷 Cellier Lingot-Martin, ZA sous la côte Menestruel, 01450 Poncin, tél. 04 74 39 97 77, fax 04 74 39 94 55, lingot-martin.isa@orange.fr, ☑ ⚘ ♈ t.l.j. 8h-12h 13h30-18h

GEORGES MARTIN Cerdon Méthode ancestrale Demi-sec Cuvée spéciale 2012

| | | 4 000 | | 5 à 8 € |

Depuis son installation en 2008, Laure Martin a vu son assemblage de vieilles vignes de gamay et de poulsard retenu plus souvent que sa Cuvée spéciale issue du seul gamay. Le cépage confère un caractère pimpant et fruité (fraise compotée) à l'olfaction, agrémentée d'une touche de pomme. La bouche se révèle plus riche et douce (70 g/l de sucres résiduels), vivifiée par une touche amylique. Pour un dessert aux fruits rouges.

🍷 Laure Martin, Vieillard, 01640 Jujurieux, tél. 04 74 36 84 44, vins.georges.martin@wanadoo.fr, ☑ ⚘ ♈ t.l.j. 8h-12h 14h-18h

NICOLAS MAZZUCHELLI Cerdon Méthode ancestrale Demi-sec 2012 ★

| | | 24 000 | | 5 à 8 € |

Nicolas Mazzuchelli a repris en 2001 les vignes de son père. En 2006, il a aussi récupéré celles d'un vigneron partant à la retraite. Il s'est ainsi constitué un petit domaine de 3 ha, qu'il agrandit chaque année en plantant quelques ares. Il propose ici un cerdon pratiquement de pur gamay (avec un soupçon de poulsard en complément), d'un joli rose pâle aux reflets orangés, au nez de framboise et de caramel agrémenté de nuances florales, bien équilibré entre sucrosité et vivacité en bouche (55 g/l de sucres résiduels). À servir sur un fondant au chocolat parsemé de fruits rouges.

🍷 Nicolas Mazzuchelli, rue des Vignes, 01450 Cerdon, tél. 04 74 39 95 31, vins.mazzuchelli@orange.fr, ☑ ⚘ ♈ r.-v.

SAVOIE-BUGEY

DOM. MONIN Les Batardes Cuvée Vieilles Vignes 2011 ★

	10 400	🍾	5 à 8 €

Ce domaine commandé par une ancienne maison forte du XVᵉs. est d'une constance à toute épreuve. Hubert et Philippe Monin voient trois de leurs vins distingués cette année, avec en tête ce blanc né de chardonnay, salué tout au long de la dégustation pour son élégance et sa finesse, pour son boisé subtil (pain grillé) et bien marié aux arômes briochés et fruités (agrumes), pour sa bouche épurée, délicate et fraîche. Un classique à déguster cette année. Le bugey **La Récamière cuvée Vieilles Vignes 2011 rouge (6 400 b.)**, issu du seul pinot noir et élevé en fût, obtient également une étoile pour son nez de cerise confite et de réglisse, et pour son palais ample, soyeux et élégant. Quant au **manicle 2011 rouge (11 à 15 € ; 6 267 b.)**, chaleureux, charnu et boisé, il est cité.

📮 Dom. Monin, 204, rue de la Vigne-du-Bois, 01350 Vongnes, tél. 04 79 87 92 33, fax 04 79 87 93 25, info@domaine-monin.fr, ☑ ☂ t.l.j. 9h-12h30 14h-19h 🏠 ⓓ

💜 **CAVEAU D'ONCIN** Roussette du Bugey Montagnieu 2011 ★★

	1 821	▮	5 à 8 €

Benoît Dumont exploite un vignoble de poche de 3,2 ha, dont 1,59 ha sont plantés de ces vieilles vignes âgées de plus de cinquante ans, qui donnent un très faible rendement (20 hl/ha, un tiers de ce qui se pratique dans la région). Il signe un vin à la robe pâle, au nez floral et délicat de miel et de noisette, et à la bouche remarquablement équilibrée entre cette même douceur miellée et une élégante trame minérale qui lui confère ce qu'il faut de vivacité et de peps. Une superbe expression du cépage et de l'appellation, que l'on appréciera dès cette année sur des fromages à pâte pressée ou sur une blanquette de veau.

📮 Benoît Dumont, vers Oncin, 01470 Montagnieu, tél. et fax 04 74 36 72 23, caveau-oncin@wanadoo.fr, ☑ ☂ r.-v. 🏠 ⓑ

DOM. PERDRIX Altesse 2012 ★

	2 100	▮	5 à 8 €

Philippe Perdrix et son épouse Corinne sont à la fois vignerons et négociants. Sur leur domaine, ils ont vendangé à la main 43 ares d'altesse à l'origine de ce vin minéral et citronné à l'olfaction, tout en finesse et bien équilibré entre rondeur et vivacité au palais. Une bouteille élégante que l'on verrait bien sur un poulet aux écrevisses.

📮 Philippe Perdrix, 283, rue du Creux-des-Vignes, 01300 Saint-Benoît, tél. et fax 04 74 39 74 24, vin.philippeperdrix@wanadoo.fr, ☑ ☂ r.-v.

ⓑ **RENARDAT-FACHE** Cerdon Méthode ancestrale 2012 ★★

	85 000		5 à 8 €

Alain Renardat-Fache et son fils Élie sont passés au bio, certifié en 2008, et ils s'essaient à la biodynamie depuis 2012. Un millésime qui « n'a pas été clément », selon les vignerons, les rendements ayant chuté de 30 % cette année-là. Toujours est-il que le terroir de Mérignat où ils sont installés et un assemblage de gamay (70 %) et de poulsard ont donné naissance à un cerdon remarquable, qui représente la totalité des 12,5 ha du domaine. Le nez subtil de framboise, de fraise et d'agrumes trouve écho dans une bouche fraîche, fine et persistante, délicatement acidulée. Un vin très équilibré, qui sera à son aise à l'apéritif.

📮 Alain et Élie Renardat-Fache, Le Village, 01450 Mérignat, tél. 04 74 39 97 19, fax 04 74 39 93 39, cerdon.renardat-fache@wanadoo.fr, ☑ ☂ r.-v.

BERNARD RONDEAU Cerdon Méthode ancestrale 2012 ★

	53 000		5 à 8 €

Bernard Rondeau propose un cerdon issu de gamay (90 %) et de poulsard. La robe est d'un rosé marqué. Le nez se révèle fruité à souhait, évoquant notamment la pomme verte, les agrumes et la framboise. La bouche se montre franche, vive, et même un peu acidulée en finale. Une bouteille qui se mariera bien avec tous les desserts aux fruits rouges.

📮 Marjorie et Bernard Rondeau, hameau de Cornelle, 01640 Boyeux-Saint-Jérôme, tél. 04 74 37 12 34, bernard.rondeau01@orange.fr, ☑ ☂ r.-v.

THIERRY TISSOT Roussette du Bugey Mataret 2009 ★★★

	5 200	▮	5 à 8 €

Thierry Tissot décroche trois étoiles pour cette roussette ; une performance unique dans cette sélection, qui repose sur les 1,46 ha d'altesse qu'il a replantée sur le coteau de Mataret à partir de 2001, dès son installation. Il a proposé un 2009, ce qui n'est pas commun dans cette région où les vins sont en général consommés dans les six mois après leur mise sur le marché. On garde dans le Bugey le souvenir d'un millésime splendide, solaire et mûr à souhait. Le jury est tombé sous le charme de cette cuvée, vantant une robe d'or pâle, un nez intense porté sur des notes beurrées et grillées, une bouche puissante, riche et fruitée offrant une fine trame acide en soutien. Bref, un vin très équilibré, que l'âge a bonifié et que l'on verrait bien accompagné d'un tajine de poulet aux citrons confits.

📮 Thierry Tissot, 42, quai du Buizin, 01150 Vaux-en-Bugey, tél. 06 81 14 02 17, tissot.bugey@gmail.com, ☑ ☂ r.-v.

LE LANGUEDOC ET LE ROUSSILLON

CORBIÈRES LIMOUX

CÔTES-DU-ROUSSILLON MUSCAT

SYRAH GRENACHE

MINERVOIS COLLIOURE

RIVESALTES BANYULS

LA CLAPE PICPOUL-DE-PINET

MAURY PIC SAINT-LOUP

LE LANGUEDOC

Superficie
246 000 ha
Production
12,7 Mhl (toutes catégories
confondues) ; 1 245 000 hl (AOC du
Languedoc).
Types de vins
Rouges majoritaires, rosés et blancs
secs ; effervescents (à Limoux) ; vins
doux naturels (muscats).
Cépages principaux (en AOC)
Rouges : grenache noir, syrah,
carignan, mourvèdre, cinsault,
cabernet-sauvignon.
Blancs : grenaches gris et blanc,
macabeu, clairette, bourboulenc,
vermentino (rolle), muscat à petits
grains, muscat d'Alexandrie,
marsanne, roussanne, piquepoul,
chardonnay, mauzac, chenin,
ugni blanc.

Plus de deux mille ans d'histoire pour cette région viticole, sous le même soleil méditerranéen. Et pourtant, que de mutations ! Aucun vignoble de France n'a connu de tels bouleversements. Naguère symbole de la viticulture de masse, il fournit encore un tiers de la production française. Si, depuis les années 1980, il se contracte comme peau de chagrin, depuis la première édition en 1985, il s'étoffe dans le Guide ! La preuve de son ascension qualitative. En une génération, le « gros rouge » a fait place à des rouges multiples, tour à tour profonds, veloutés, épicés, ronds, suaves, fringants, aux arômes de cerise, de garrigue, de réglisse... Les vins doux naturels sont toujours superbes, mais la région fournit désormais des blancs vifs, avec ou sans bulles, et des rosés pimpants.

De la montagne à la mer Entre la bordure méridionale du Massif central, les Corbières et la Méditerranée, le Languedoc est formé d'une mosaïque de vignobles répartis dans trois départements côtiers : le Gard, l'Hérault et l'Aude. On y distingue quatre zones successives : la plus haute, formée de régions montagneuses, notamment de terrains anciens du Massif central ; la deuxième, région des Soubergues (coteaux pierreux) et des garrigues, la partie la plus ancienne du vignoble ; la troisième, la plaine alluviale, assez bien abritée et présentant quelques coteaux peu élevés (200 m) ; et la quatrième, la zone littorale formée de plages basses et d'étangs où le développement concerté du tourisme balnéaire dans les années 1960 n'a pas fait totalement disparaître la viticulture.

L'héritage de l'Antiquité La vigne est ici chez elle, léguée par les Grecs dès le VIIIe s. av. J.-C., puis par les Romains, qui font la conquête des terres bordant le golfe du Lion dès le IIe s. av. J.-C. Le vignoble se développe rapidement et concurrence même celui de la péninsule. Affecté par les incursions sarrasines plus que par les grandes invasions, il connaît un début de renaissance au IXe s. grâce aux monastères. La vigne occupe alors surtout les coteaux, les plaines étant vouées aux cultures vivrières. Le commerce du vin s'étend aux XIVe et XVe s. Aux XVIIe et XVIIIe s., l'essor économique donne une nouvelle impulsion à la viticulture. Création du port de Sète, ouverture du canal des Deux Mers... ces nouvelles infrastructures encouragent les exportations. Avec le développement des manufactures de tissage de draps et de soieries, une certaine prospérité règne. Le vignoble commence alors à se répandre dans la plaine. Le frontignan est réputé jusqu'en Europe du Nord.

De la viticulture de masse à la recherche des terroirs L'essor du chemin de fer, entre les années 1850 et 1880, assure l'ouverture de nouveaux marchés urbains dont les besoins sont satisfaits par l'abondante production de vignobles reconstitués après la crise du phylloxéra. C'est la grande époque du « vin de consommation courante », avec ses crises de surproductions récurrentes, qui ne décline qu'à partir du milieu du XXe s., et surtout du milieu des années 1970. Une telle production ne correspond plus au goût du consommateur. Institué en 1949, le statut VDQS, catégorie un peu moins contraignante que l'AOC, a permis à ses vignobles de progresser par paliers : un grand nombre sont devenus AOVDQS. Leur reconnaissance par étapes en AOC a jalonné leurs progrès. Grâce à ses bons terroirs situés sur les coteaux, au retour à des cépages traditionnels, le Languedoc viticole produit aujourd'hui des vins de qualité. En 2009, les vins sans indication géographique comptent pour moins de 10 % (encore 20 % en 2000), les vins de pays (IGP) représentent 70 %

de la production et les AOC 27 %. Le Languedoc est aussi première région pour le bio. Depuis 2007 et la création d'une appellation régionale languedoc (qui s'étend aux Pyrénées-Orientales), la profession cherche à hiérarchiser ses appellations, comme c'est le cas dans les anciens vignobles tel le Bordelais.

Des terroirs variés Les différentes appellations du Languedoc se trouvent dans des situations très variées quant à l'altitude, à la proximité de la mer et aux terroirs. Les sols peuvent être ainsi des schistes de massifs primaires comme dans certains secteurs des Corbières, du Minervois et de Saint-Chinian ; des grès du lias et du trias (alternant souvent avec des marnes) comme en Corbières et à Saint-Jean-de-Blaquière ; des terrasses et cailloux roulés du quaternaire, excellent terroir à vignes, comme dans le Val d'Orbieu (Corbières), à Caunes-Minervois, dans la Méjanelle ; des terrains calcaires à cailloutis souvent en pente ou situés sur des plateaux, comme en Corbières, en Minervois ; des terrains d'alluvions récentes dans les coteaux du Languedoc.

Un climat méditerranéen Assurant l'unité du Languedoc, ce climat a ses contraintes et ses accès de violence. C'est la région la plus chaude de France, avec des températures pouvant dépasser 30 °C en juillet et en août ; les pluies sont rares, irrégulières et mal réparties. La belle saison connaît toujours un manque d'eau important du 15 mai au 15 août. Dans beaucoup d'endroits, seule la culture de la vigne et de l'olivier est possible. La pluviométrie peut varier cependant du simple au triple suivant l'endroit (400 mm au bord de la mer, 1 200 mm sur les massifs montagneux). Les vents viennent renforcer la sécheresse du climat lorsqu'ils soufflent de la terre (mistral, cers, tramontane) ; au contraire, ceux qui proviennent de la mer modèrent les effets de la chaleur et apportent une humidité bénéfique. Souvent transformées en torrents après les orages, souvent à sec en période de sécheresse, les rivières ont contribué à l'établissement du relief et des terroirs.

Un encépagement très varié À partir de 1950, l'aramon, cépage des vins de table légers planté au XIX[e]s., a progressivement laissé la place aux variétés traditionnelles du Languedoc-Roussillon comme le grenache noir ; venus des autres régions françaises, des cépages comme les cabernet-sauvignon, cabernet franc merlot et chardonnay, se sont également répandus, notamment pour produire des vins de pays. Dans le vignoble des vins d'appellation, les cépages rouges sont le carignan qui apporte au vin structure, tenue et couleur ; le grenache, qui donne au vin sa chaleur, participe au bouquet mais s'oxyde facilement avec le temps ; la syrah, cépage de qualité, qui apporte ses tanins et des arômes qui s'épanouissent au vieillissement ; le mourvèdre, qui donne des vins élégants et de garde ; le cinsault enfin, qui, cultivé en terrain pauvre, donne un vin souple au fruité agréable. Ce dernier entre surtout dans l'assemblage des vins rosés.

Les blancs sont produits à base de grenache blanc pour les vins tranquilles, de piquepoul, de bourboulenc, de macabeu, de clairette. Le muscat à petits grains est à l'origine d'une production traditionnelle de vins doux naturels – les vins liquoreux, riches en sucres et en alcool, se conservaient bien, même sous les climats chauds, ce qui explique leur naissance sur des terres méditerranéennes. Marsanne, roussanne et vermentino se sont ajoutés plus récemment à ce riche éventail de cépages blancs. Pour les vins effervescents, on fait appel au mauzac, au chardonnay et au chenin.

Cabardès

Superficie : 400 ha
Production : 18 000 hl

Rouges ou rosés, les cabardès proviennent de dix-huit communes situées au nord de Carcassonne et à l'ouest du Minervois. Implanté dans la partie la plus occidentale du Languedoc, le vignoble subit davantage l'influence océanique que les autres appellations. C'est pourquoi les cépages autorisés comprennent des cépages atlantiques comme le merlot et le cabernet-

sauvignon à côté de variétés méditerranéennes comme le grenache noir et la syrah.

L'Autre Château du Donjon 2010 ★

| | 10 000 | 5 à 8 € |

L'« autre » château du Donjon ? Entendez l'autre partie du vignoble de Jean Panis, en AOC cabardès. Le producteur est installé au nord-est de Carcassonne, dans la partie ouest du Minervois. Commercialisés sous l'étiquette « Château du Donjon », ses minervois sont bien connus de nos lecteurs, qui découvriront ici l'un de ses cabardès, issu, lui, du nord-ouest de la cité cathare. Un 2010 de très bonne facture, mariant syrah, grenache noir et merlot. La robe engageante s'anime de brillants reflets rubis ; le nez est élégant et réglissé ; la cannelle et le tabac agrémentent une bouche souple et gouleyante, dont les tanins soyeux invitent à déboucher cette bouteille dès maintenant.

☛ Jean Panis, Ch. du Donjon, 11600 Bagnoles, tél. 04 68 77 18 33, fax 04 68 72 21 17, jean.panis@wanadoo.fr,
☑ ⚔ ￦ t.l.j. 10h-12h 15h-19h; sam. dim. sur r.-v.

Ⓑ DOM. GUILHEM BARRÉ La Dentelle 2011 ★

■	3 000	▬	8 à 11 €

Comment faire pour s'installer dans le Midi en 2008 ? - l'année même où la Commission européenne débloquait 1 milliard d'euros pour... faire arracher 175 000 ha de vignes ! D'abord, rester modeste : 5 ha en cabardès. Miser sur le bio. Murmurer à l'oreille des chevaux (de labour). Viser l'authenticité... et les étoiles du Guide. Telle a été la démarche avisée de ce jeune vigneron. Ici, tout est fait pour respecter l'intégrité du raisin, de la vendange manuelle en caissettes jusqu'à la cave semi-enterrée. Le résultat ? Une étoile pour un 2008, un coup de cœur pour un 2009. Le vignoble est maintenant en bio certifié. De nouveau, un assemblage de syrah (60 %) et de merlot. Un nez intense, sur le cassis et la violette, une bouche élégante, aux tanins souples, d'une grande jeunesse aromatique, dessinent les contours d'un « vin plaisir », fait pour maintenant.

☛ Guilhem Barré, chem. de Montolieu, 11610 Ventenac-Cabardès, tél. 06 32 38 72 55, guilhem.barre@voila.fr, ☑ ⚔ ￦ r.-v.

DOM. DE CABROL Vent d'est 2011 ★★

■	n.c.		15 à 20 €

Un des champions de l'appellation, avec neuf coups de cœur à son actif. Un domaine de 150 ha, où la vigne n'occupe qu'une vingtaine d'hectares, inscrite dans un paysage de garrigue et de bois. Une fois de plus, le talent de Claude Carayol s'exprime dans sa cuvée Vent d'est, mariage de la syrah (60 %, vinifiée en macération carbonique) et des deux cabernets à parts égales. La lente maturation des raisins, à une altitude assez élevée, favorise la finesse des arômes et des tanins. Le 2011 s'habille d'une robe profonde et séduit par l'intensité de ses parfums de fruits noirs, escortés de notes de cacao. Avec sa bouche ample et longue, ses tanins soyeux et son fruité complexe, il offre le profil d'un « vin moderne », selon les jurés. Déjà prêt, il est aussi de garde.

☛ Claude Carayol, Dom. de Cabrol, D 118, 11600 Aragon, tél. 04 68 77 19 06, cc@domainedecabrol.fr,
☑ ⚔ ￦ t.l.j. 11h-12h 15h-19h; dim. sur r.-v.

CH. JOUCLARY Cuvée Guilhaume de Jouclary 2010 ★★★

■	3 000	▥	11 à 15 €

La cuvée reine de ce domaine de 60 ha, fondé au XVIᵉs. par un consul de la proche cité de Carcassonne, qui a légué son nom à la propriété. Elle naît d'une sélection des meilleures vignes de la famille Gianesini : du merlot et de la syrah à égalité, complétés par 10 % de grenache. La plupart des cinq coups de cœur attribués à des cuvées de l'exploitation ont couronné des Guilhaume de Jouclary. Le 2010 obtient la note maximale. Son attrayante robe rubis montre de légers reflets d'évolution. L'élevage sous bois apporte au nez de la complexité, des notes épicées alliées au fruité du raisin. On retrouve ce boisé élégant dans une bouche d'un rare équilibre, à la longue finale fraîche. Un vin de garde que l'on pourra aussi déguster bientôt sur des viandes rouges grillées ou rôties.

☛ Gianesini, Ch. Jouclary, rte de Villegailhenc, 11600 Conques-sur-Orbiel, tél. 04 68 77 10 02, fax 04 68 77 00 21, chateau.jouclary@orange.fr, ☑ ⚔ ￦ t.l.j. sf dim. 11h-19h

♥ CH. LALANDE Vieilli en fût de chêne 2010 ★★★

■	60 000		5 à 8 €

Une bâtisse historique : Paul Riquet y dessina au XVIIᵉs. les plans du canal du Midi, qui borde ce vaste vignoble. Le domaine est aujourd'hui la propriété du Belge Pierre Degroote, ingénieur agronome et œnologue. On connaissait ses vins de pays ; on guettera aussi ses cabardès, car ce 2010 a décroché un coup de cœur dès la première présentation. Assemblage de cabernet, de syrah, de merlot et de grenache (par ordre d'importance), ce millésime a bénéficié non seulement des connaissances du vinificateur, mais aussi d'un matériel de pointe à la cave. Il en résulte un vin d'une grande richesse, au nez complexe, qui laisse percevoir des notes de truffe, de cacao et de lilas. Ample, généreux et onctueux, le palais évolue sur des tanins très fins, qui permettront d'apprécier cette bouteille dès maintenant tout en lui ouvrant pour longtemps les portes de la cave.

☛ Degroote, SCEA Ch. de Lalande, Dom. de la Grangette, 34440 Nissan-lez-Ensérune, tél. 04 67 37 22 36, fax 04 67 37 65 90, domainelanguedorie@wanadoo.fr

MAS VENTENAC 2010 ★

■	10 000	▥	20 à 30 €

Voilà juste quarante ans qu'Alain Maurel a constitué ce domaine, plantant les vignes à haute densité (6 500 pieds/ha). Un beau patrimoine de 90 ha, qu'il transmet à ses enfants. Le Mas Ventenac est la cuvée d'élite de la propriété, issue de faibles rendements, d'une longue cuvaison et d'un élevage d'un an en demi-muid. Le cabernet franc, très présent dans l'assemblage (40 %, avec 50 % de syrah et 10 % de merlot), apporte son originalité à ce vin sombre aux reflets grenat, dont le nez intense et épicé dévoile de surprenantes senteurs d'eucalyptus. D'une belle finesse et d'une agréable fraîcheur, la bouche laisse le souvenir d'un vin élégant.

☛ SARL Vignobles Alain Maurel, 4, rue des Jardins, 11610 Ventenac-Cabardès, tél. 04 68 24 93 42, fax 04 68 24 81 16, accueil@vignoblesalainmaurel.fr, ☑ ￦ t.l.j. sf sam. dim. 8h-12h 13h30-18h

NOTRE-DAME DE LA GARDIE 2012 ★

■	3 200	▬	- de 5 €

En Languedoc, chaque village a longtemps eu sa coopérative. En 2008, la cave de Conques-sur-Orbiel

(1929), celles de Salsigne et de Villegailhenc ont fusionné pour constituer la cave du Triangle d'Or, qui reste proche de son vignoble et dispose pour son approvisionnement des 611 ha de ses adhérents. Sa politique rigoureuse de sélection nous vaut ce rosé de belle facture, issu du pressurage de la syrah (60 %), du cinsault et du cabernet-sauvignon. La robe pâle montre des reflets argentés ; le nez, très expressif, se partage entre la pêche blanche et les fruits exotiques. Ample et fraîche à la fois, la bouche est d'une belle longueur. À déboucher à l'apéritif et à finir sur des saucisses grillées.

☛ SCAV Vignerons du Triangle d'Or,
11600 Conques-sur-Orbiel, tél. 04 68 77 12 90,
fax 04 68 77 14 95, admin@v-triangle-or.com, ☑ ⚔ ⟙ r.-v.

L'ESPRIT DE PENNAUTIER 2010 ★★

■	6 000	⊞ 15 à 20 €

Un Versailles en Languedoc, construit au Grand Siècle à la gloire des seigneurs de Pennautier, trésoriers des États du Languedoc. Le Vau et Le Nôtre y travaillèrent. Louis XIII vint sur ces terres, puis Molière. Bornant les immenses boulingrins, des ceps bien ordonnés. Les descendants des bâtisseurs s'investissent dans le tourisme et dans le vin, grâce à un vaste vignoble et à une structure de négoce. L'Esprit de Pennautier, qui provient des domaines familiaux, est une cuvée haut de gamme. Marié à la syrah, le cabernet-sauvignon représente 65 % de l'assemblage et assure à ce vin une longue garde. La robe sombre, encore très jeune, montre des reflets violines. Intense et complexe, le nez dévoile de belles senteurs d'élevage (grillé, cacao, pain d'épice). Le palais, plein et puissant, est étayé par une solide charpente tannique. Un vin de gibier et autres viandes de goût.

☛ Vignobles Lorgeril, BP 4, Ch. de Pennautier,
11610 Pennautier, tél. 04 68 72 65 29, fax 04 68 72 65 84, marketing@lorgeril.com,
☑ ⚔ ⟙ t.l.j. sf dim. 10h-18h (ven. sam. 22h) ⌂ ☺

DOM. SESQUIÈRES 2012 ★★

■	3 500	■ 5 à 8 €

Situé au pied de la Montagne Noire, le domaine vivait au XIXᵉ s. de la vente de bois de chauffage et de fagots de bruyère aux localités moins pourvues en forêts. Les premières vignes remontent ici au début du XXᵉ s. À présent, la famille Lagoutte exploite 20 ha dans un environnement de garrigue, sur un terroir calcaire exposé au sud. Les cépages méditerranéens s'y trouvent fort à l'aise. Grenache et syrah s'allient à 30 % de merlot dans ce rosé intense à l'œil, floral au nez, nuancé de notes d'agrumes et de fruits rouges. Le palais volumineux est vivifié par une légère fraîcheur qui donne à cette bouteille équilibre et élégance.

☛ EARL Sesquières, Dom. Sesquières, 11170 Alzonne,
tél. 06 08 45 96 83, fax 04 68 76 92 77,
lagouttegerard@wanadoo.fr, ☑ ⚔ ⟙ r.-v.
☛ Gérard Lagoutte

Clairette-du-languedoc

Superficie : 60 ha
Production : 2 487 hl

Les vignes du cépage clairette sont cultivées dans huit communes de la vallée moyenne de l'Hérault. Après vinification à basse température avec le minimum d'oxydation, on obtient un vin blanc généreux, à la robe jaune soutenu. Il peut être sec, demi-sec ou moelleux. En vieillissant, il acquiert un goût de rancio.

ADISSAN 2012 ★★

■	30 000	■ - de 5 €

Son classicisme fait de cette cuvée une référence de l'appellation, régulièrement sélectionnée dans ces pages. La version 2012 se pare d'une élégante robe jaune paille ornée de reflets verts qui traduisent sa jeunesse. Une jeunesse que l'on retrouve dans la palette aromatique, portée sur les fruits à chair blanche et la prune. Dans le prolongement, le palais se révèle frais, élégant et harmonieux. Ce vin accompagnera volontiers des canapés aux anchois ou une truite aux amandes.

☛ Cave coop. La Clairette d'Adissan,
2, av. du Gal-de-Gaulle, 34230 Adissan, tél. 04 67 25 01 07,
fax 04 67 25 37 76, clairette.adissan@wanadoo.fr,
☑ ⟙ t.l.j. sf dim. 9h-12h 15h-18h; sam. 9h-12h

DOM. LA CROIX CHAPTAL Clairette blanche 2010 ★

■	5 400	■ ⊞ 8 à 11 €

Créé par les moines bénédictins de l'abbaye de Gellone au Xᵉ s., ce domaine se répartit entre bois (11 ha) et vignes (20 ha). Depuis 1999, il revit sous l'impulsion de Charles-Walter Pacaud. À travers cette cuvée vinifiée pour une partie en cuve, pour l'autre en fût, puis lentement élevée pendant dix-huit mois sur lies fines, ce vigneron prouve que la clairette-du-languedoc peut aussi résister au temps. Parée d'une robe jaune paille, cette cuvée livre un bouquet à la fois floral et fruité, minéral et réglissé. En bouche, c'est la rondeur qui domine, comme un écho aux galets de la terrasse villafranchienne sur laquelle s'épanouit la clairette blanche. Mais aucune lourdeur ici, grâce à une fine vivacité qui vient dynamiser l'ensemble. À marier aujourd'hui ou dans deux ou trois ans sur une cuisine de la mer, des tellines au beurre d'ail ou une baudroie au bacon par exemple.

☛ Pacaud-Chaptal, Dom. la Croix Chaptal,
hameau de Cambous, 34725 Saint-André-de-Sangonis,
tél. 06 82 16 77 82, fax 04 67 16 09 36,
lacroixchaptal@wanadoo.fr,
☑ ⚔ ⟙ r.-v.

LES HAUTS DE SAINT-ROME
Cabrières Moelleux 2012 ★★

■	100 000	■ - de 5 €

Issue de parcelles sélectionnées sur les fameux schistes gris de Cabrières, cette cuvée présente, comme souvent, une belle complexité. Derrière sa robe pimpante couleur jaune pâle, elle dévoile de délicats parfums fruités aux accents de pêche, de fruit de la Passion et de banane séchée, accompagnés par des notes acidulées de bonbon. La bouche, élégante, offre un subtil équilibre entre moelleux et acidité. Pour un prix très doux, cette clairette composera un bel accord avec un foie gras mi-cuit et sa confiture de fruits jaunes.

☛ Caves de l'Estabel, rte de Roujan, 34800 Cabrières,
tél. 04 67 88 91 60, fax 04 67 88 00 15,
sca.cabrieres@wanadoo.fr,
☑ ⚔ ⟙ t.l.j. 9h-12h 14h-18h

Corbières

Superficie : 13 000 ha
Production : 461 000 hl

VDQS depuis 1951, reconnus en AOC en 1985, les Corbières constituent une région typiquement viticole, et ce massif montagneux aride, qui sépare le bassin de l'Aude des plaines du Roussillon, n'offre guère d'autres possibilités de culture. Cette vaste appellation s'étend sur 87 communes. Les corbières rouges, majoritaires, ont en commun un côté chaleureux et souvent charpenté. Ils assemblent aux traditionnels carignan et grenache noir la syrah, le cinsault, le mourvèdre, le lladoner pelut... L'appellation produit aussi des rosés et des blancs ; ces derniers mettent à contribution les cépages grenache, macabeu, bourboulenc, marsanne, roussanne et vermentino. Corbières maritimes au sud-est, hautes Corbières au sud, Corbières centrales faites de terrasses et de collines, montagne d'Alaric au nordouest... la région présente un relief très compartimenté et des terroirs divers par leur altitude, leurs sols, l'influence méditerranéenne plus ou moins dominante. Ce cloisonnement des sites a conduit à une réflexion sur les spécificités des terroirs de l'AOC, notamment ceux de Durban, Lagrasse et Sigean.

ABBAYE DE FONTFROIDE Ocellus 2012 ★★

8 000	5 à 8 €

Affiliée aux Cisterciens au XIIᵉs., Fontfroide devint une vraie puissance, fer de lance de la reconquête catholique en terre cathare. Aujourd'hui propriété privée, c'est un site splendide, où s'organisent de nombreuses manifestations culturelles. L'abbaye a vu son vignoble renaître à partir de 1990 ; la cave, installée dans une ancienne grange de l'abbaye à Saint-Julien-de-Septime, a été rénovée entre 2000 et 2005. C'est là qu'a été vinifié ce blanc, assemblage de marsanne, de rolle et de grenache blanc. D'une présentation irréprochable, il exprime les agrumes avec finesse et élégance et se montre flatteur, ample et printanier en bouche. Le **rouge 2010 Deo Gratias (11 à 15 €) b.)** est tout aussi remarquable. Ses parfums de fruits noirs (cassis) bien mûrs, voire confits, offrent une belle expression des cépages qui le composent, la syrah (65 %) et le grenache, tandis qu'un boisé bien dosé marque la finale. Déjà prête, cette bouteille se gardera jusqu'en 2015.

☛ Abbaye de Fontfroide, RD 613, 11100 Narbonne, tél. 04 68 45 50 65, fax 04 68 45 50 69, nlcv@fontfroide.com, ☑ ⚔ ⏰ t.l.j. sf dim. 10h-12h30 14h-18h; f. jan. 🏠 🅖

ABBAYE DES CHANOINES DE LAGRASSE
Sicut vitis 2012 ★

3 000	5 à 8 €

Fondée à la fin du VIIIᵉs., l'abbaye bénédictine de Sainte-Marie d'Orbieu, à Lagrasse, accueille de nouveau une communauté monastique, depuis 2004. Elle a toujours son vignoble, exploité par Philippe Estrade. Après s'être distingué en rouge, ce dernier a soumis aux jurés une petite cuvée de blanc baptisée « À l'image de la vigne » (traduction du latin *Sicut vitis*). Une bouteille originale par sa composition (du macabeu et un soupçon de muscat), par sa vinification en barrique et par les sensations qu'elle procure. Avec son joli boisé épicé, c'est un vin flatteur et élégant. Un vin de messe que les laïcs pourront apprécier avec des tapas légèrement relevées ou avec une anchoïade.

☛ Philippe Estrade, Ch. Lalis, 2, rue des Fleurs, 11220 Ribaute, tél. 04 68 43 19 50, lalis@orange.fr, ☑ ⚔ ⏰ r.-v. 🏠 🅑

CH. AIGUILLOUX Cuvée Trois Seigneurs 2010 ★

■	n.c.	8 à 11 €

Un domaine à taille humaine (36 ha d'un seul tenant), des ceps bien exposés dominés par des collines calcaires couvertes de garrigue, une belle allée de pins : voilà le château Aiguilloux, en conversion bio. Une borne médiévale y marque le point de rencontre de trois fiefs : voilà l'origine du nom de cette cuvée très souvent décrite dans le Guide, assemblage de carignan (50 %), de grenache et de syrah. Le 2010 affiche une robe profonde aux reflets dorés, signe de maturité. Sa riche palette aromatique associe les fleurs, les fruits rouges confits, un soupçon de pruneau et juste ce qu'il faut de boisé épicé. Frais en attaque, ample, le palais dévoile progressivement sa trame tannique et le boisé s'affirme, plus présent qu'au nez. Un vin homogène, franc et raffiné.

☛ Lemarié, Ch. Aiguilloux, 11200 Thézan-des-Corbières, tél. 04 68 43 32 71, fax 04 68 43 30 66, aiguilloux@wanadoo.fr, ☑ ⚔ ⏰ r.-v.

CH. D'AUSSIÈRES 2011 ★★

■	110 000	15 à 20 €

Ce domaine, l'un des plus vastes du Languedoc-Roussillon (167 ha plantés), tire sa réputation non des volumes produits, comme c'était le cas des grandes propriétés languedociennes au début du XXᵉs., mais de sa qualité. Racheté en 1999 par les Domaines Barons de Rothschild (Lafite), il est en de bonnes mains... Les vignes ont été entièrement replantées, l'encépagement tenant compte du sol. Les deux vins distingués assemblent l'un comme l'autre grenache noir, carignan, mourvèdre et syrah (66 % pour celle-ci). Le château d'Aussières affiche une robe noir d'encre, tandis que son nez gracieux mêle le fruit confit, le pruneau et la myrtille ; ample et élégant, un rien chaleureux, le palais s'appuie sur des tanins soyeux et montre un plaisant retour aromatique dans sa longue finale. Noté une étoile, le **Blason d'Aussières 2011 rouge (11 à 15 € ; 5 500 000 b.)** est considéré comme le « second vin ». Avec moins de syrah, un élevage en fût plus court, il se montre encore fermé au nez et apparaît plus frais en bouche que le « château ». Un accord gourmand ? Parmentier de canard pour le premier, lapin en gelée pour le second.

☛ SAS Aussières, RD 613, 11100 Narbonne, tél. 04 68 45 17 67, fax 04 68 45 76 38, aussieres@lafite.com, ☑ ⚔ ⏰ r.-v.
☛ Domaines Barons de Rothschild (Lafite)

🅑 CH. LA BARONNE Les Chemins 2011

■	50 000	11 à 15 €

Toute une famille vouée à la médecine... et au vin ! André Lignères et son fils Jean sont médecins, Paul est dentiste, et Geneviève pharmacienne-biologiste... Le vignoble s'étend au pied de la montagne d'Alaric. À l'origine de ce 2011, quatre cépages languedociens, cultivés en bio et vinifiés dans le même esprit (levures indigènes, élevage de quatre mois en cuve et de huit mois en fût sur lies sans collage ni filtration). D'une belle couleur grenat, le vin exprime au nez des notes grillées d'élevage, avec à l'arrière-plan du fruit noir très mûr (cassis). Dans le même registre aromatique, le palais apparaît tout en rondeur, plutôt chaleureux, construit sur des tanins un peu marqués en finale.

☛ SCEA Suzette Lignères, Ch. la Baronne,
11700 Fontcouverte, tél. 04 68 43 90 20, fax 04 68 43 96 73, info@chateaulabaronne.com, ☑ ⚔ ⍓ r.-v.

CH. LA BASTIDE L'Optimée 2010 ★

| ■ | 30 000 | ▥ | 11 à 15 € |

Implanté à quelques kilomètres au nord-ouest de Lézignan-Corbières, un vaste domaine tourné vers l'exportation. Son terroir, proche du Minervois, est particulier : il s'agit d'une terrasse ancienne de l'Aude, riche en galets ; son encépagement, lui, est « moderne », faisant la part belle à la syrah (70 %), complétée par le grenache. Si l'on ajoute la patte de l'œnologue Claude Gros, on obtient une robe d'un pourpre très sombre mais limpide, un nez penchant avec finesse vers le fruit mûr, le pruneau, un palais gras, onctueux et puissant, évoquant presque un vin doux, dont les tanins poivrés soutiennent une longue finale. Une bouteille généreuse, à ouvrir en 2014 sur une viande en sauce ou sur un magret de canard.

☛ Ch. la Bastide, 11200 Escales, tél. 04 68 27 08 47, fax 04 68 27 26 81, chateaulabastide@wanadoo.fr,
☑ ⚔ r.-v.

☛ Guilhem Durand

CH. DE BELLE-ISLE Rosé de l'Isle 2012 ★

| ■ | 40 000 | ▤ | 5 à 8 € |

Oui, le château de Belle-Isle a bien un rapport avec Belle-Île-en-Mer : l'île bretonne, acquise par Nicolas Fouquet, fut cédée par le petit-fils du surintendant des Finances déchu. Le montant de la vente servit notamment à acheter ces terres en Corbières... Aujourd'hui, ce domaine de 43 ha est géré par six amis, tous professionnels du vin. Ceux-ci proposent un rosé à majorité de grenache. La teinte très pâle est celle d'un gris. Le nez, lui aussi, est discret, subtil, gracieux, tout en nuances ; la bouche, à l'unisson, se montre délicate, suave et vive à la fois. À servir bien frais. Les producteurs suggèrent le menu : apéritif, terrine de lapereau au basilic, pélardon, soupe de fraises.

☛ SCEA du Ch. de Belle-Isle, Ch. de Belle-Isle, chem. Paul-Pugnaud, 11200 Lézignan-Corbières, tél. 06 81 00 06 07, fax 04 68 27 90 46, chateau.belle-isle@wanadoo.fr, ☑ ⚔ ⍓ r.-v.

DOM. DES BLANQUIÈRES 2012 ★★

| ■ | 30 000 | | 5 à 8 € |

Un rosé proposé par la coopérative de Névian, commune située à l'ouest de Narbonne, qui possède un parc éolien visible de loin. Rattachée au groupement du val d'Orbieu, la cave est dirigée avec compétence par Sophie Pujol. Maîtrise de la sélection des parcelles de cinsault (50 %) et de grenache noir (45 %), complétés par un soupçon de syrah, et le résultat est là : une robe plutôt

soutenue, brillante, aux reflets bleutés ; un nez intensément floral ; une bouche équilibrée, à la fois souple et vive, auquel un petit côté tannique confère de la tenue et de la persistance. De quoi donner la réplique à des viandes ou à des poissons grillés.

☛ Les Vignerons coopérateurs de Névian,
7, rue de la Coopérative, 11200 Névian, tél. 04 68 93 60 62, fax 04 68 93 48 00, coop.nevian@wanadoo.fr,
☑ ⚔ ⍓ t.l.j. sf dim. lun. 10h-12h30 16h-18h30

☛ Val d'Orbieu

CH. LE BOUÏS La Cigale 2011 ★

| ■ | 13 000 | ▤ | 5 à 8 € |

Les Corbières côté est, avec vue sur la mer, le secteur où les estivants troquent avec plaisir le vacarme de la cité contre le tapage des cigales, à l'ombre des pins. Dominée par la syrah, la cuvée La Cigale ne vous cassera pas les oreilles, mais flattera vos autres sens : la vue, avec sa robe vive et brillante, entre grenat et pourpre ; le nez, avec ses parfums pimpants, intenses et élégants de petits fruits noirs bien mûrs (cassis) ; le toucher, avec ses tanins satinés, son palais ample, tout en rondeur, friand et aromatique. Initiative sympathique : dans un carton de six, la cigale très *fashionista* apparaît dans une tenue différente sur l'étiquette de chaque bouteille. Mettant surtout en vedette le grenache et le carignan, la **cuvée R 2011 (8 à 11 € ; 23 600 b.)**, plus structurée et marquée par un boisé bien intégré, obtient la même note.

☛ Ch. le Bouïs, rte Bleue, 11430 Gruissan, tél. 04 68 75 25 25, fax 04 68 75 25 26, contact@chateaulebouis.com,
☑ ⚔ ⍓ t.l.j. 10h-13h 15h-19h30; oct. à mai sur r.-v. 🏚 ❹

CASTELMAURE La Pompadour 2011 ★★

| ■ | 150 000 | ▥ | 8 à 11 € |

Une nouvelle fois, les vignerons d'Embres-et-Castelmaure sont en vedette. Les raisons d'un tel succès ? Derrière ce vin, il y a un authentique terroir, celui des hautes Corbières ; avec des vignerons et de bonnes techniques qui respectent le raisin – pour cette cuvée, du carignan (50 %), escorté du grenache et de la syrah. Grenat limpide, ce 2011 offre un nez captivant, alliant finesse et caractère, entre fruit et pierre chaude ; la bouche, à l'unisson, conjugue suavité, volume, structure et tanins serrés, avec une touche boisée judicieuse et un côté friand et élégant. Notée une étoile, la **Grande Cuvée 2011 rouge (11 à 15 € ; 100 000 b.)** marie grenache et syrah à parts égales et a, elle aussi, connu le bois. Moins ambitieuse, plus facile, tout en rondeur, elle est prête. Pour la première, un poulet fermier sauté aux morilles ; pour la seconde, un magret de canard au poivre vert.

☛ SCV Castelmaure, Cave Coopérative,
4, rte des Cannelles, 11360 Embres-et-Castelmaure, tél. 04 68 45 91 83, fax 04 68 45 83 56, vins@castelmaure.com, ☑ ⍓ t.l.j. 10h-12h 15h-18h

LA CENDRILLON 2010 ★★

| ■ | 5 000 | ▥ | 30 à 50 € |

Descendant d'un consul originaire d'Ornaisons, village situé au pied du massif de Fontfroide, à l'ouest de Narbonne, Robert Joyeux est un enfant du pays. Entrepreneur, il a repris le domaine familial, avec pour ambition de produire de « grands vins ». Il s'est entouré de techniciens reconnus et n'a pas lésiné sur les investis-

LANGUEDOC

sements : nouvelles plantations, aménagement de chais, conversion bio (certification en 2012). Assemblage de grenache (50 %), de syrah et de mourvèdre, ce 2010, après un élevage de dix-huit mois en barrique, apparaît jeune et en devenir : sa robe montre des reflets violines et son nez, alliant fruits rouges compotés et pointe de cacao, reste sur sa réserve. Suave en attaque, ample et chaleureux, le palais reflète un élevage sous bois maîtrisé. Déjà agréable, cette bouteille sera à son apogée à partir de la fin 2014.

☛ Dom. la Cendrillon, rte de Narbonne, 11200 Ornaisons, tél. 09 61 37 85 51, fax 04 68 48 80 62, lacendrillon@orange.fr, ▧ ⚔ ⚓ r.-v.

☛ Robert Joyeux

CH. DU CERBIER Cuvée Indiana 2011 ★★

| ■ | 7 800 | ▮ | 5 à 8 € |

« Néo-vigneronne », Carol Bloch, juriste de formation, obtient une note enviable avec ce 2011. Pour cette cuvée, elle a choisi non le carignan, mais le grenache noir (80 %), prometteur dans ce millésime, qu'elle a complété avec de la syrah. La robe est irréprochable, colorée et lumineuse ; le nez, encore réservé, laisse percevoir des notes de garrigue, avec une touche plus fraîche évoquant les agrumes. Après une attaque ronde, le palais dévoile une bonne charpente. La pointe tannique en finale donne à cette bouteille du relief et de la personnalité. On peut la servir dès l'hiver 2013, sur daubes et gibiers, en la carafant pour une meilleure expression de ses arômes.

Le Languedoc

Carol Bloch, 5, portail de la Trinité, BP 2,
11200 Fabrezan, tél. 04 68 43 55 31, fax 04 68 43 55 30,
domaineducerbier@free.fr, ☑ ⚘ ☨ r.-v.

CLOS CANOS 2012 ★★

| | 85 000 | | 5 à 8 € |

À la tête de près de 25 ha de vignes, Pierre Galinier a parié sur le rosé, un vin qui a le vent en poupe et qui représente les trois quarts de sa production. Il considère qu'il s'agit là d'un vrai vin, avec ses caractéristiques et sa noblesse. Il excelle dans son élaboration, à en juger par de nombreuses étoiles dans le Guide. Issu de pressurage direct, celui-ci donne la vedette (75 %) aux grenaches – les trois couleurs (noir, gris et blanc) assemblées à parité, la syrah faisant l'appoint. Un rosé pivoine limpide aux reflets scintillants : la présentation est engageante. L'olfaction, sur le fruit rouge, la fraise et la framboise, conjugue puissance, finesse et fraîcheur. Le palais n'est pas en reste, plein, élégant et long, avec ce qu'il faut de vivacité. Bel accord avec un tartare de saumon.

Pierre Galinier, Dom. de Canos, 11200 Luc-sur-Orbieu, tél. 04 68 27 00 06, fax 04 68 27 61 08, chateau-canos@wanadoo.fr, ☑ ☨ r.-v.

Ⓑ CLOS DE L'ANHEL Les Terrassettes 2011 ★★

| | 18 000 | | 8 à 11 € |

Après avoir fait du vin pour les autres, Sophie Guiraudon, œnologue, a voulu faire le sien. Elle s'installe en

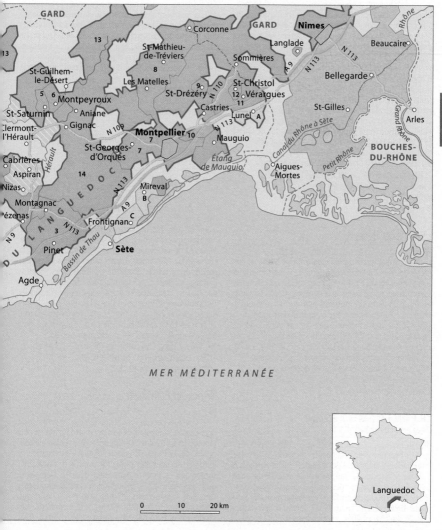

2000. Peu de vignes (9 ha), juste ce qu'il faut pour cultiver, vinifier, élever et vendre toute seule. Des plantations... d'arbres pour attirer les oiseaux. Sophie veut préserver la biodiversité, aime la faune – sauf les sangliers ! Le bio est pour elle une évidence. Le vin ? Un assemblage mettant en valeur le carignan (60 %), associé à la syrah et à un soupçon de grenache. Pourpre foncé, ce 2011 a pour atouts un nez flatteur et intense, sur la violette, la réglisse et les fruits cuits, et un palais plutôt friand et charmeur, ce qui ne l'empêche pas d'être concentré et charpenté, étayé par des tanins courtois. De quoi faire une entrée remarquée dans le Guide.

☛ Sophie Guiraudon, 2, rue Montlauriers, 11220 Montlaur, tél. 04 68 43 18 12, anhel@wanadoo.fr, ☑ ⌁ r.-v.

DOM. LA COMBE GRANDE 2012 ★

| ■ | 12 000 | | - de 5 € |

La montagne d'Alaric, où cette famille est installée depuis le début du siècle dernier, offre de très bons terroirs, et ce domaine familial, géré par Christophe Sournies et son cousin Jacques Tibie, prend ses marques dans le Guide. Cette année, deux de ses cuvées font jeu égal, avec une étoile. Le rosé s'appuie sur le solide grenache noir (95 %), complété par la syrah, et résulte d'une saignée. D'un rose brillant aux reflets argentés, il plaît par l'intensité et la fraîcheur de sa palette mêlant les fruits rouges juste cueillis aux agrumes, arômes que l'on retrouve avec plaisir au palais. Un rosé sincère, convivial et « tout-terrain », pour l'apéritif comme pour la table. La **cuvée Ramonetage rouge 2010 Élevé en fût de chêne (5 à 8 € ; 30 000 b.)** séduit par son beau fruit allié à une trame tannique dense.

☛ Dom. la Combe Grande, chem. de Garrigue-Plane, 11200 Camplong-d'Aude, tél. et fax 04 68 75 38 28, domaine.combegrande@orange.fr,
☑ ⌁ t.l.j. sf sam. dim. 8h-12h 14h-18h
☛ Tibie-Sournies

L'ENCLOS DES ROSES 2011 ★

| ■ | 45 000 | ▮▯ | 5 à 8 € |

Cette coopérative établie dans l'AOC signe un corbières des plus traditionnels, assemblant à parts pratiquement égales le carignan (40 %), le grenache noir et la syrah. La vendange est égrappée, et la cuvaison de trois semaines est suivie d'un élevage partiel en barrique. D'où vient son originalité ? Du terroir : cette cuvée naît dans la région la plus typique des Corbières, aux confins du Roussillon, entre schistes et calcaires, là où le sol aride limite la production de chaque souche. De l'élégance, du fruit, du fût, du volume : un vin complet et digne de son origine.

☛ SCA Mont Tauch, 2, rue Cave-Coopérative, 11350 Tuchan, tél. 04 68 45 41 08, fax 04 68 45 45 29, contact@mont-tauch.com, ☑ ⌁ r.-v.

CH. FABRE CORDON Fleur de chêne
Élevé en fût de chêne 2010 ★

| ■ | 700 | ▯ | 15 à 20 € |

À l'époque gallo-romaine, les terres de ce domaine, situé dans la zone côtière des étangs, faisaient partie de la villa de la Bendarelle, qui bordait la voie Domitienne, entre Italie et Espagne ; des vestiges de cette époque ont été découverts lors des travaux d'aménagement de l'autoroute A9. C'est là qu'Henri Fabre, ancien coopérateur, a installé son chai en 2001, avec en ligne de mire le bio (la conversion est en cours). Sa Fleur de chêne porte l'empreinte de la syrah qui la compose presque en totalité (10 % de carignan) : ses arômes intenses évoquent le fruit très mûr et la violette, et la bouche, sur le cassis, se montre dense, étayée par des tanins serrés, un peu sévères : le gage d'une bonne tenue dans le temps.

☛ Fabre, Ch. Fabre Cordon, L'Oustal-Nau, 11440 Peyriac-de-Mer, tél. et fax 04 68 42 00 31, chateaufabrecordon@gmail.com, ☑ ⌁ r.-v. ⌂ ●

LE VIGNOBLES FONCALIEU La Lumière 2011

| ■ | 6 400 | ▯ | 11 à 15 € |

Cette union de caves coopératives du Languedoc propose des vins d'un très grand Sud qui s'étend de la Gascogne à la vallée du Rhône, ce qui ne l'empêche pas d'individualiser des parcelles cultivées par trois vignerons des Corbières pour élaborer cette cuvée. Cet assemblage dominé par la syrah (80 %, avec le carignan en appoint) séduit par son nez intense associant le fruit noir (myrtille) et la violette au pain grillé et à la vanille de l'élevage. Le palais n'est pas en reste, gras en attaque, puis tannique, offrant un joli retour aromatique. Laissons quelques mois à cette bouteille pour permettre au boisé encore très marqué de se fondre.

☛ Les Vignobles Foncalieu, Dom. de Corneille, 11290 Arzens, tél. 04 68 76 73 96, fax 04 68 76 32 01, contact@foncalieu.com

CH. FONTENELLES Cuvée Renaissance
Élevé en fût de chêne 2011 ★★★

| ■ | 30 000 | ▯ | 15 à 20 € |

Voilà vingt ans que Thierry Tastu met en valeur le domaine familial, qu'il a fait passer de 7 à 40 ha tout en améliorant son encépagement et la qualité des vins, sans parler de ses efforts en matière d'environnement. Son palmarès dans le Guide reflète ses efforts. Après deux coups de cœur récents, cette cuvée obtient la note maximale. Elle assemble la syrah (55 %), le grenache et de vieux mourvèdres et carignans. D'une magnifique présentation, elle exprime au premier nez des notes d'élevage, puis sa palette se diversifie, évoquant les fruits noirs, l'écorce d'orange et le laurier. L'attaque ample et soyeuse introduit une bouche équilibrée, suave, soyeuse et longue, où les tanins du bois ne nuisent en rien à la complexité aromatique, laissant percer le fruit. La **cuvée Notre-Dame 2011 (11 à 15 € ; 35 000 b.)**, issue des mêmes cépages mais élevée partiellement en cuve, obtient une étoile.

☛ Thierry Tastu, Ch. Fontenelles, 78, av. des Corbières, 11700 Douzens, tél. et fax 04 68 79 12 89, t.tastu@fontenelles.com, ☑ ⌁ r.-v.

♥ DOM. DE FONTSAINTE La Demoiselle 2010 ★★★

| ■ | n.c. | ▮▯ | 8 à 11 € |

Conduit par une ancienne famille vigneronne, le domaine est implanté à Boutenac, dans la partie la plus réputée des Corbières. À partir de 1971, Yves Laboucarié, rejoint en 1995 par Bruno, a agrandi l'exploitation et introduit de nouvelles pratiques comme la macération carbonique – d'une exigence dans cette cuvée. Sa Demoiselle est... très vieille. C'est le nom de la parcelle, plantée de carignans centenaires qui composent 60 % de ce vin, complétés par le grenache (30 %) et le mourvèdre. Les vendanges ont été retardées jusqu'au 1er octobre. Il en

résulte un vin grenat foncé ourlé de pourpre, qui captive par son bouquet enlevé, généreux et varié, explorant successivement la garrigue, les fruits surmûris, le fenouil, avec des notes empyreumatiques léguées par l'élevage. Le palais, à l'unisson, se montre ouvert, ample, concentré, solidement bâti sur des tanins élégants et suaves. Un beau retour aromatique et une longue finale sur l'amande grillée concluent la dégustation. Déjà excellent, et prêt à affronter plusieurs années.

🔑 EARL Laboucarié – Fontsainte, 11200 Boutenac, tél. 04 68 27 07 63, fax 04 68 27 62 01, earl.laboucarie@aliceadsl.fr,
☑ ⚔ ▼ t.l.j. sf dim. 9h30-11h30 14h-17h30

CH. GLÉON La Clef 2010 ★★
| ▪ | 15 000 | ▪ | 8 à 11 € |

Un domaine très ancien et prestigieux, aux portes des hautes Corbières ; on peut y admirer une chapelle préromane du Ve s., classée Monument historique. Quant à la clef, qui donne son nom à cette cuvée, c'est le chef-d'œuvre d'un compagnon serrurier, conservé dans la propriété. Elle donne accès à un corbières très traditionnel, assemblant par ordre décroissant le carignan, la syrah, le cinsault, le grenache et le mourvèdre ; tous ces cépages, vendangés manuellement, sont égrappés et mis à macérer sans foulage. Encore réservé au nez, le vin montre une complexité naissante, laissant percer des notes de fruits frais (groseille) et d'épices. Le palais attaque avec souplesse avant d'afficher une structure pleine de promesses et une finale longue et harmonieuse. Un vin qui accompagnera tout un repas, de la salade composée au fromage, en passant par le poulet rôti ou les grillades.

🔑 Ch. Gléon, EARL Ch. Gléon Montanié, 11360 Villesèque-des-Corbières, tél. 04 68 48 28 25, fax 04 68 48 83 39, info@gleon-montanie.com,
☑ ⚔ ▼ t.l.j. 10h-12h30 13h30-19h
🔑 Ph. Montanié

♥ DOM. DU GRAND ARC En sol majeur 2011 ★★★
| ▪ | 10 000 | ⏚ | 11 à 15 € |

Bruno et Fabienne Schenck ont changé de vie. Pour lui, fini l'emploi de cadre aux usines Renault, en Normandie. Toute la famille s'installe dans les hautes Corbières, au pied des citadelles cathares. Premières vendanges il y a une vingtaine d'années, et aujourd'hui, un domaine de référence. Assemblage de grenache (60 %) et de syrah, la cuvée En sol majeur obtient son deuxième coup de cœur. Quel éclat, quelle profondeur dans sa robe pourpre qui accroche la lumière ! Quelle intensité dans son bouquet, quelle élégance, et que de nuances : fruits mûrs, épices, cacao, réglisse, vanille, le tout bien marié. Gra-

cieux, séducteur, charnu, le palais laisse apparaître une trame dense de tanins courtois, lisses et satinés, et les arômes reviennent longuement en finale. Issue de quatre cépages, la cuvée **La Rose des sables 2011 rouge (15 à 20 € ; 5 000 b.)** obtient quant à elle deux étoiles, tant pour son nez de garrigue et d'olive noire que pour son équilibre penchant vers la fraîcheur.

🔑 Dom. du Grand Arc, 15, chem. des Métairies-du-Devez, 11350 Cucugnan, tél. 04 68 45 01 03
☑ ⚔ ▼ t.l.j. 9h-12h 14h-18h
🔑 Bruno Schenck

CH. DU GRAND CAUMONT Cuvée Tradition 2011 ★
| ▪ | 97 400 | ▪ | 5 à 8 € |

Propriété depuis plus d'un siècle de la famille Rigal, qui détient aussi des caves de roquefort, cette vaste unité (une centaine d'hectares) a été constituée au milieu du XIXe s. Le vignoble est implanté sur des terrasses aux sols argilo-calcaires et sur des graves très filtrantes. Les vieux carignans sont récoltés manuellement et vinifiés en raisins entiers, syrah et grenache noir complètent l'encépagement et le tout se retrouve dans cette cuvée à la présentation irréprochable et au nez intense, d'une belle finesse, sur le fruit cuit et la mûre. Une belle entrée en matière pour ce vin rond et bien équilibré, étayé par des tanins de qualité. On retrouve en bouche les arômes de baies noires qui montent en intensité, alliés au cacao et à la réglisse. Ce vin généreux devrait s'entendre avec une épaule d'agneau.

🔑 SARL FLB Rigal, Ch. du Grand Caumont, 11200 Lézignan-Corbières, tél. 04 68 27 10 82, fax 04 68 27 54 59, chateau.grand.caumont@wanadoo.fr,
☑ ⚔ ▼ t.l.j. sf dim. 8h-12h 13h-18h; sam. sur r.-v. 🏠 🅴

CH. HAUTE-FONTAINE Cuvée Tradition 2010
| ▪ | 10 667 | ▪ | 5 à 8 € |

Paul et Pénélope Dudson sont passionnés par les terroirs, et pour cause : ils sont tous deux géologues. Après avoir exploré plus de cinquante vignobles pendant deux ans, ils ont jeté leur dévolu sur ce domaine qui domine l'étang de Bages, et ont engagé très vite sa conversion bio. Pénélope est à la vinification. Assemblage de quatre cépages languedociens, ce vin rouge couleur bigarreau déploie un bel éventail de parfums, mêlant les fruits frais ou légèrement confiturés et des notes grillées. Un vin accueillant, gourmand, rond avec élégance, étayé par des tanins avenants.

🔑 Paul Dudson, Ch. Haute-Fontaine, Dom. de Java, Prat-de-Cest, 11100 Narbonne, tél. 04 68 41 03 73, haute-fontaine@wanadoo.fr,
☑ ⚔ ▼ t.l.j. sf dim. 10h-12h 14h-19h; jan. sur r.-v.
🏠 ❹ 🏠 🅴

LANGUEDOC

CH. HAUTERIVE LE HAUT La Garrigue 2012

◼ 9 500 - de 5 €

Comme beaucoup de domaines des Corbières, le château de Hauterive était une dépendance de l'abbaye de Fontfroide. Le vignoble est dans la famille de Jean-Marc Reulet depuis quarante ans. Cette année, c'est le rosé qui se distingue. Issu de la trilogie grenache-syrah-cinsault, ce vin est plaisant par sa palette fruitée, un rien amylique, et par sa bouche élégante, vive en attaque et plus ronde en finale.
☛ SCEA Reulet, 1, ancien chem. de Ferrals, 11200 Boutenac, tél. 04 68 27 62 00, fax 04 68 27 12 73, hauterive-le-haut@orange.fr, ☑ ↟ ⊤ r.-v.

CH. HAUT GLÉON 2012 ★

◼ 11 000 ⬗ 11 à 15 €

De vieilles pierres bien restaurées, aujourd'hui destinées à l'hébergement des visiteurs : ce domaine, situé à l'entrée de la vallée de Paradis, non loin de Durban-Corbières, a beaucoup investi dans l'œnotourisme. On y produit un peu d'huile d'olive et du vin. Vous pourrez y découvrir ce blanc, qui porte la marque des cépages entrant dans sa composition (roussanne à 70 %, complétée par le grenache et par la marsanne) et de son élevage en fût. La robe est soutenue, jaune d'or ; le nez penche vers la pêche et l'abricot, avec une note de jasmin et une pointe vanillée. En bouche, le vin apparaît chaleureux et d'une grande suavité, presque doux. Mieux vaut l'attendre jusqu'à la fin 2014. Bel accord avec de la volaille ou de la lotte au safran.
☛ Ch. Haut Gléon, Dom. de Gléon-le-Haut, 11360 Villesèque-des-Corbières, tél. 04 68 48 85 95, fax 04 68 48 46 20, contact@hautgleon.com, ↟ ⊤ t.l.j. 9h-12h 14h-18h; dim. 14h-18h 🏬 🅐 🏠 🅔

♥ CH. DE LASTOURS Grande Réserve 2010 ★★★

◼ 27 500 ⬗ 15 à 20 €

Château de Lastours
2010
MIS EN BOUTEILLE AU CHÂTEAU
Cette bouteille porte le N° 00041

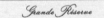

Grande Réserve

Dominant l'étang de Bages, cette propriété historique, rachetée en 2004 par des courtiers en assurances, a plusieurs facettes : le vin, l'œnotourisme et les sports mécaniques. Ses vastes étendues de garrigue sont sillonnées par plus de 100 km de pistes à parcourir en quad ou en 4x4 ; on trouve sur le domaine restauration et hébergement. Le vin ? Le vignoble couvre plus de 100 ha. Les investissements n'ont pas manqué : plantations après étude des sols, de leur orientation et de l'altitude, aménagement d'un chai moderne. Le résultat ? Cette Grande Réserve, issue du quatuor carignan-grenache-syrah-mourvèdre, qui s'impose à la dégustation. D'un grenat intense, jeune et vif, ce 2010 séduit d'emblée par son nez élégant mariant les fruits confits, la pierre chaude et les accents toastés de l'élevage. L'attaque dévoile une bouche

parfaite : volume, finesse des tanins, finale délicatement vanillée, tout est admirable. Deux étoiles encore pour le **Ch. des Aladères 2011 rouge Sélection Vieilles Vignes (5 à 8 € ; 80 000 b.)** qui, élevé en cuve, offre une remarquable expression de fruits mûrs.
☛ Famille P. et J. Allard, Ch. de Lastours, 11490 Portel-des-Corbières, tél. 04 68 48 64 74, fax 04 68 40 06 94, contact@chateaudelastours.com, ☑ ↟ ⊤ t.l.j. sf sam. dim. 9h-12h30 13h30-18h

CH. MANSENOBLE Réserve 2011

◼ 10 000 ⬗ 15 à 20 €

Une maison de maître dans le village de Moux, avec une cave voûtée. Les parcelles sont au pied de l'Alaric. Voilà vingt ans que cet ancien domaine a été repris par le Belge Guido Jansegers, vingt ans que le courtier en assurance s'est fait vigneron avec succès. Assemblant quatre cépages languedociens, sa cuvée Réserve, élevée un an en barrique, fait preuve d'un bel équilibre entre fruits rouges et boisé, tant au nez qu'au palais. Bien construite, dense, avec ce qu'il faut de chair, elle donnera le meilleur d'elle-même carafée avant le service.
☛ Ch. Mansenoble, 15, av. Henri-Bataille, 11700 Moux, tél. 04 68 43 93 39, fax 04 68 43 97 21, mansenoble@wanadoo.fr, ☑ ↟ ⊤ t.l.j. 9h30-12h 14h30-17h30; sam. dim. sur r.-v. 🏠 🅓
☛ Jansegers

Ⓑ DOM. MARTINOLLE-GASPARETS 2010 ★★

◼ 9 000 ⬗ 5 à 8 €

Au cœur des Corbières, sur le terroir de Boutenac, ce domaine est attaché à la tradition ; pour cette cuvée, de vieilles vignes de grenache noir (50 %), du carignan tout aussi âgé (30 %) et de la syrah ; des vendanges manuelles et un chai « à l'ancienne », ce qui ne l'empêche pas de parfaitement fonctionner. Il en résulte un corbières authentique, bien coloré, au nez affirmé de fruits cuits et de cacao, avec une touche de gibier et de sous-bois. Après une attaque séduisante par sa fraîcheur, la palette offre une matière à la fois arrondie et charpentée, un peu austère en finale. Un vin sincère.
☛ Dom. Martinolle-Gasparets, 27, av. Frédéric-Mistral, 11200 Lézignan-Corbières, tél. 04 68 27 10 45, pierre.martinolle@domaine-martinolle.com, ☑ ↟ ⊤ t.l.j. 8h-20h

♥ Ⓑ CH. MONTFIN Cuvée Saint-Jacques Élevé en fût de chêne 2012 ★★★

◼ 3 000 ⬗ 8 à 11 €

Si la commune où est établi Jérôme Estève s'appelle Peyriac-de-Mer, elle doit son charme aux étangs littoraux où l'on peut apercevoir des flamants roses, à la garrigue, aux pinèdes et à la vigne. Les vins de ce domaine cultivé en bio valent aussi le détour, notamment ce blanc superbe, assemblage dominé par la roussanne (80 %, avec le grenache blanc en appoint). Intense et captivante, la palette aromatique associe le miel, les épices, la garrigue et la touche toastée du fût, reflet d'un élevage en barrique bien mené. Le palais attaque avec franchise et vivacité, puis se développe avec ampleur sur des notes de fruits jaunes (pêche, abricot) soulignées de la touche discrète d'un boisé aux accents de noisette. Cette cuvée Saint-Jacques appelle une salade... de noix de saint-jacques poêlées au romarin. Elle sera de garde.

CHÂTEAU MONTFIN
SAINT JACQUES
CORBIÈRES
APPELLATION CORBIÈRES CONTRÔLÉE

☞ SCEA Ch. Montfin, 10, rue du Rec-de-l'Aire,
11440 Peyriac-de-Mer, tél. 04 68 41 93 30,
fax 04 68 45 36 26, info@chateaumontfin.com,
Ⓥ ⚑ Ⓣ t.l.j. 10h-12h30 15h-18h30; sam. dim. sur r.-v.
☞ Jérôme Estève

DOM. DU PECH DE L'ESCALE Cuvée particulière Schurando
Élevé en fût de chêne 2010 ★

	2 200	▮▥	11 à 15 €

Un nouveau nom dans le Guide : celui de Michel Romieu, ancien coopérateur qui a voulu faire son vin. Il a soumis à nos dégustateurs une cuvée de son premier millésime élaboré en cave particulière, qui lui permet d'entrer par la grande porte dans le chapitre corbières. Pour l'assemblage, il a uni du carignan et du grenache vinifiés en macération carbonique à de la syrah et du mourvèdre vinifiés de façon classique. Le long élevage de dix-huit mois s'est déroulé pour moitié en fût. Il en résulte un boisé très marqué, du premier coup de nez à la finale vanillée. Le fruit perce en bouche, dans des tons surmûris. Un vin plein, volumineux, aux tanins fermes et solides, reflétant moins le terroir qu'un élevage bien mené.

Nouveau producteur

☞ Michel Romieu, 6, rue de Fabrezan,
11220 Saint-Laurent-de-la-Cabrerisse, tél. 06 08 77 25 31,
fax 04 68 44 03 75, domaine@pechdelescale.fr, Ⓥ ⚑ Ⓣ r.-v.

Ⓑ CH. PECH-LATT Tamanova 2011 ★★

	6 000	▮	15 à 20 €

Dans les Corbières, bien des propriétés sont d'origine monastique ; c'est le cas de Pech-Latt, vaste unité de 135 ha : le domaine dépendait de l'abbaye de Lagrasse, toute proche, qui détenait déjà des vignes à la fin du VIIIᵉˢ. Philippe Mathias est aujourd'hui le régisseur de l'exploitation, qui appartient au groupe bourguignon Louis Max. Assemblage par tiers de grenache, de syrah et de carignan, cette cuvée aux nuances violines n'est pas avare de parfums de fruits rouges et noirs bien mûrs, nuancés d'une touche de tabac blond. On retrouve cette richesse aromatique dans un palais rond et harmonieux, construit sur des tanins souples, qui laisse en finale une impression de puissance. On verrait bien cette bouteille sur du gibier en sauce.

☞ Ch. Pech-Latt, 11220 Lagrasse, tél. 04 68 58 11 40,
fax 04 68 58 11 41, chateau.pechlatt@louis-max.fr,
Ⓥ ⚑ Ⓣ t.l.j. 8h-12h 13h30-17h; sam. dim. sur r.-v.
☞ Louis Max

Ⓑ CH. PRADINES D'AMONT Cuvée Vénus 2011 ★

	1 300	▮	15 à 20 €

Ce domaine fut à l'origine une grange de l'abbaye de Fontfroide. Il a été repris en 2002 par les Bordon qui l'exploitent en biodynamie. Le vignoble, en pente douce,

couvre 13 ha, encadré par des barres rocheuses. Les propriétaires sont très attachés au cépage carignan, qui constitue le cœur de cette cuvée (50 %), complété par la syrah, qui lègue ses arômes et sa structure, et par un peu de cinsault, qui apporte de la souplesse. Un vin authentique, sympathique et gourmand, sur des tons de réglisse et de grillé.

☞ M & D Bordon, Dom. Pradines d'Amont,
Pradines-le-Haut, 11200 Saint-André-de-Roquelongue,
tél. 06 30 94 89 51, pradines-d-amont@orange.fr, ⚑ Ⓣ r.-v.

Ⓑ DOM. PY Antoine 2011

	21 500	▮▥	5 à 8 €

Premier millésime en bio certifié pour Jean-Pierre Py, installé depuis dix ans sur son domaine implanté sur le flanc nord de la montagne d'Alaric. Première vinification en macération carbonique pour cet assemblage de syrah (45 %), de grenache et de carignan. Le vigneron est satisfait du résultat, et nos dégustateurs aussi, ce qui vaut au récoltant sa première mention dans le Guide. La cuvée Antoine (du nom d'un de ses fils) a la couleur du corbières ; il en a les arômes de fruits cuits ou confits et se montre équilibré et droit en bouche, à la fois ample, concentré et frais. Pour des grillades, dès maintenant.

☞ Jean-Pierre Py, 114, av. des Corbières, 11700 Douzens,
tél. 06 07 45 49 63, fax 04 68 78 95 59,
domaine.py@orange.fr, Ⓥ ⚑ Ⓣ r.-v. ⌂ Ⓒ

DOM. RÉGAZEL Petites Mains 2012 ★

	2 093	▮	5 à 8 €

Un nouveau nom dans le Guide : celui d'Adrian et de Michel Moréno, qui se flattent d'être des « artisans » (d'où sans doute le nom de leur cuvée), ayant pour ambition de proposer des vins de terroir. Leurs parcelles sont situées sur les coteaux de l'Alaric, entre garrigue, oliviers et chênes truffiers. Le jury a apprécié leur corbières blanc, issu d'un assemblage classique largement dominé par le grenache blanc, la roussanne venant en appoint. Le nez flatteur à l'accent de la garrigue caillouteuse : on y respire le romarin, mâtiné de coing ; vive et gourmande, la bouche finit sur des sensations d'ampleur et de souplesse. Un vin authentique.

Nouveau producteur

☞ Dom. Régazel, 1, hameau Le Pessou, 11700 Comigne,
tél. 06 82 14 02 95, domaine.regazel@live.fr, Ⓥ ⚑ Ⓣ r.-v.

CH. DU ROC La Fleur 2011 ★★

	6 600	▮	8 à 11 €

Créé au début du XVIIIᵉ s., le château du Roc est exploité par la même famille depuis dix générations. On comprend que Jacques Bacou et sa fille Marie (installée en 2010) connaissent toutes les subtilités de leurs parcelles. Le domaine s'affirme comme une valeur sûre du Guide. Voyez cette cuvée La Fleur, assemblage dominé par le grenache (80 %), complété par la syrah. Discrètement... florale au nez, c'est en bouche qu'elle s'impose. Franche, généreuse sans lourdeur, elle dispense son fruité sans compter et se développe avec souplesse sur de gentils tanins : le « vin plaisir » par excellence. Vieille connaissance de nos lecteurs (coup de cœur pour les 2007 et 2008), la cuvée **Excelsius** 2010 (11 à 15 € ; 17 000 b.) assemble syrah et grenache dans des proportions inverses. Son élevage en fût neuf en fait un vin plus ambitieux, très boisé, qui obtient une étoile pour sa charpente.

LANGUEDOC

☛ Bacou, Ch. du Roc, 11700 Montbrun-des-Corbières, tél. 04 68 32 84 84, fax 04 68 32 84 85, chateauduroc@sfr.fr, ☑ ⚔ ⛨ r.-v.

ROQUE SESTIÈRE Vieilles Vignes 2012 ★

◼	13 000	🍾 5 à 8 €

Vous le cherchiez, eh bien, vous l'avez retrouvé ! La propriété est fidèle au rendez-vous. Ancien instituteur installé sur le domaine de son beau-père, Roland Lagarde a réduit la superficie cultivée pour s'attacher à la qualité. Les blancs constituent la spécialité de cette exploitation, alors qu'ils représentent une petite minorité de la production en corbières. La cuvée Vieilles Vignes mobilise des plants de maccabeu, de grenache blanc et de roussanne âgés d'un demi-siècle. Jaune pâle aux reflets tilleul, elle livre des parfums assez complexes de fruits blancs et d'acacia. D'une belle franchise en bouche, elle conjugue harmonieusement fraîcheur et richesse, puissance et charme. Apéritif ou fruits de mer ?

☛ EARL Roland Lagarde, Dom. Roque Sestière, 8, rue des Étangs, 11200 Luc-sur-Orbieu, tél. 04 68 27 18 00, fax 04 68 27 04 18, roque.sestiere@wanadoo.fr, ☑ ⚔ ⛨ t.l.j. sf dim. 10h-18h

DOM. ROUÏRE-SÉGUR Tradition 2012

◼	20 000	5 à 8 €

Installé depuis une dizaine d'années sur le domaine familial, à deux pas de Lagrasse, Nicolas Bourdel propose souvent des rosés de bonne facture. C'est encore le cas cette année avec ce 2012 issu d'une saignée et d'un assemblage dominé par la syrah (90 %), le grenache noir venant en complément. La teinte est jolie, plutôt pâle ; le nez discret, mais précis. Les fruits rouges s'épanouissent dans une bouche ample, élégante et longue, qui laisse une impression de générosité. On verrait bien cette bouteille accompagner de la cuisine asiatique.

☛ Dom. Rouïre-Ségur, Nicolas Bourdel, 12, rue des Fleurs, 11220 Ribaute, tél. 06 84 53 58 79, nicolasbourdel@orange.fr, ☑ ⚔ ⛨ r.-v.

DOM. LA RUNE Berkano 2011

◼	5 000	🍷 11 à 15 €

La Rune ? Un clin d'œil aux amateurs d'ésotérisme, aimantés par le pays cathare ? Pas vraiment : c'est le nom du lieu-dit où a été construite la cave. Cette mythologie nordique n'en a pas moins inspiré à Xavier Rémon et à Dominique Mestre les noms de leurs cuvées. Leur fils Manuel, œnologue, vient de les rejoindre : cette cuvée Berkano, assemblage de syrah (60 %), de grenache et de carignan est son œuvre. Le nez ouvert et élégant reflète l'élevage sous bois, avec ses notes de pignon grillé et de toast. L'attaque ronde introduit un palais étoffé, équilibré, avec du gras, de la fraîcheur et un joli fruit. Les tanins sont fondus, plus sévères en finale. Une belle tenue.

☛ Xavier Rémon, Dom. de la Rune, 7, rue de l'Église, 11220 Talairan, tél. 04 68 44 04 99, contact@domainelarune.com, ☑ ⚔ ⛨ r.-v. 🏠 ➋

DOM. SAINTE-MARIE-DES-CROZES
Les Mains sur les hanches 2011 ★

◼	10 000	🍷 8 à 11 €

Christelle, la plus jeune des filles de Bernard Alias, vient de rejoindre le domaine après avoir vinifié à l'étranger. Est-ce elle qui a eu l'idée du nom de cette cuvée, et de son étiquette sensuelle ? Dominé par le grenache (90 %,

avec un soupçon de syrah), ce 2011 est un bon exemple du corbières moderne : sa robe est intensément colorée, avec des reflets violets ; son nez mêle les fruits noirs confiturés et la garrigue au caramel légué par un court séjour dans le bois. En bouche, on apprécie sa franchise et sa droiture. À noter que le domaine, initialement en agriculture raisonnée, a engagé sa conversion bio.

☛ Bernard Alias, 36, av. des Corbières, 11700 Douzens, tél. 04 68 79 09 00, fax 04 68 79 20 57, d.alias11@orange.fr, ☑ ⚔ ⛨ t.l.j. sf sam. dim. 14h-18h ; sur r.-v. en dehors des horaires

CH. SAINT-ESTÈVE 2011 ★★★

◼	147 200	🍾 5 à 8 €

Dans la famille Latham, on trouve Hubert, qui tenta pour la première fois de traverser la Manche en avion ; Henri de Montfreid, célèbre explorateur et écrivain, le grand-père d'Éric. Ce dernier, après avoir exporté du café et du cacao de Côte-d'Ivoire, a acquis en 1984 le château Saint-Estève, rattaché jadis à l'abbaye de Fontfroide. Il signe une grande cuvée, tant par son volume que par la qualité. La robe en impose par sa profondeur. Les parfums pimpants et jeunes de petits fruits rouges s'allient à un boisé bien dosé aux accents beurrés et grillés. Ample, gras et généreux en attaque, le palais séduit lui aussi par sa présence aromatique. Il dévoile une belle charpente de tanins déjà polis et s'étire en une longue finale. Cette superbe bouteille procurera un grand plaisir dès la fin 2013 si l'on prend soin de la carafer une heure avant le service.

☛ Éric Latham, GFA Ch. Saint-Estève, 11200 Thézan-des-Corbières, tél. 04 68 43 32 34, fax 04 68 43 75 63, contact@chateau-saint-esteve.com, ☑ ⛨ t.l.j. 10h-12h 14h-18h 🏠 ➌

DOM. SERRES-MAZARD Joseph 2010 ★★

◼	18 000	🍷 11 à 15 €

Cette exploitation familiale, où s'activent Jean-Pierre et Annie Mazard, Damien et Marie-Pierre, a développé l'accueil, ouvrant des gîtes et des sentiers botaniques, comme celui des Orchidées qui permet de découvrir la flore sauvage. Le vin n'est pas oublié. Assemblage de syrah (60 %), de carignan et de grenache, la cuvée Joseph est fort louée. Sa couleur sombre, tirant sur le noir, évoque la mûre. Sa palette aromatique se fait méridionale, associant le cassis et les fruits rouges à l'olive noire et à la garrigue. Dans une belle continuité aromatique, la bouche se montre ample et profonde, laissant une impression d'harmonie. Une remarquable expression du corbières.

☛ Famille Mazard, 6, pl. Fontvieille, 11220 Talairan, tél. 04 68 44 02 22, mazard.jeanpierre@free.fr, ☑ ⚔ ⛨ t.l.j. 9h-19h ; hiver sur r.-v. 🏠 ➌

TERRE D'EXPRESSION
Les Plaisirs de Joseph Delteil 2011 ★

◼	3 300	🍷 8 à 11 €

Appelée désormais Terre d'Expression Créateurs de Vins, la cave de Fabrezan dispose pour son approvisionnement d'une des 1 400 ha de ses adhérents. Elle produit quelque 8 millions de bouteilles, parmi lesquelles des cuvées emblématiques... et confidentielles, dédiées à de grandes figures de la région. Comme celle-ci, hommage à Joseph Delteil, poète-vigneron anticonformiste, passionné de vin et de cuisine. Assemblage de grenache, de carignan et de syrah, ce 2011 séduit par son bouquet poivré, nuancé de touches délicatement végétales et boisées. Dans la même tonalité, la bouche est équilibrée, ample et longue. Le **Ch. Serviès 2011 (5 à 8 € ; 7 600 b.)**, élevé en cuve, doit presque tout à la syrah (95 %). Il reçoit la même note pour ses arômes de fruits cuits, sa sincérité et son agréable finale.

☞ Terre d'Expression Créateurs de Vins,
5, rue des Coopératives, 11200 Fabrezan, tél. 04 68 43 61 18, fax 04 68 43 51 88, info@terredexpression.fr,
☑ ☀ ☗ t.l.j. sf dim. 8h-12h 14h-18h

CH. VAUGELAS Cuvée Prestige 2011 ★

| ■ | 300 000 | ☐ ⑪ | 5 à 8 € |

Cet ancien et vaste domaine (200 ha) est principalement implanté sur une terrasse de l'Orbieu, entre mont Alaric et Montagne Noire. Repris en 2000 par la famille Bonfils, il est devenu une valeur sûre du Guide, qui récolte souvent les étoiles par paires. Son chai recèle deux cuves tronconiques en bois de 80 hl qui facilitent le travail de pigeage et plus de 400 barriques. Assemblage de syrah, de carignan et de grenache, sa cuvée Prestige provient de 80 ha de vignes et n'a donc rien de confidentiel. Pourpre aux nuances violines, elle offre un nez de bonne intensité, épicé et fumé, qui reflète une vinification partielle en fût. Rond à l'attaque, franc et consistant, le palais dévoile un boisé fondu et une harmonieuse finale où l'on retrouve les épices.

☞ SCEA Ch. de Vaugelas, Dom. de Vaugelas,
11200 Camplong-d'Aude, tél. 04 68 43 68 41,
fax 04 68 43 57 43 ☑ ☀ ☗ r.-v. ⌂ Ⓓ
☞ Jérôme Bonfils

CH. DU VIEUX PARC La Sélection 2011

| ■ | 26 000 | ⑪ | 8 à 11 € |

Cinq générations se sont succédé sur ce domaine proche de Lézignan-Corbières, qui a commencé la vente en bouteilles en 1975. Aujourd'hui, Louis Panis exploite 60 ha de vignes, épaulé par son fils Guillaume. Souvent appréciée de nos dégustateurs, cette cuvée Sélection trouve encore sa place. Elle associe 40 % de carignan vinifié en macération carbonique à autant de syrah, le grenache et le mourvèdre faisant l'appoint. Boisée au premier nez, elle laisse percer des senteurs de garrigue ; étoffée, charpentée sans rudesse, étayée par des tanins boisés bien intégrés, elle apparaît à la fois énergique et élégante.

☞ Louis Panis, 1, av. des Vignerons,
11200 Conilhac-Corbières, tél. 04 68 27 47 44,
fax 04 68 27 38 29, louis.panis@orange.fr, ☑ ☀ ☗ r.-v.

Corbières-boutenac

Superficie : 245 ha
Production : 8 926 hl

Le terroir de Boutenac (dix communes de l'Aude) fait depuis 2005 l'objet d'une AOC à part entière pour des vins rouges comportant une proportion notable de carignan (30 à 50 %).

GÉRARD BERTRAND La Forge 2011 ★★★

| ■ | n.c. | ⑪ | 30 à 50 € |

Les années se suivent et se ressemblent pour Gérard Bertrand, enfant des Corbières, et pour cette cuvée de

référence ayant pour berceau le fameux lieu-dit La Forge, quintessence du terroir de Boutenac. Un conseil : allez voir ces parcelles et goûtez le vin ensuite, vous comprendrez tout. L'intensité de la robe, animée de reflets violets, annonce la profondeur du vin. Cassis mûr, notes poivrées et boisé fin composent un bouquet d'une grande élégance. Plein, corpulent, charnu, mais jamais lourd, le palais propose un équilibre parfait entre alcool, tanins du bois et du raisin. Un grand boutenac, à réserver pour un mets de caractère, un civet de sanglier par exemple.

☞ Gérard Bertrand, Ch. l'Hospitalet,
rte de Narbonne-Plage, 11100 Narbonne, tél. 04 68 45 57 57, fax 04 68 45 28 77, j.sauzet@gerard-bertrand.com,
☑ ☀ ☗ t.l.j. 9h-19h

Ⓑ CH. DES CARAGUILHES Solus 2011 ★

| ■ | 23 000 | ☐ ⑪ | 15 à 20 € |

Imposant domaine commandé par un imposant château, Caraguilhes, avec 500 ha de garrigue et 100 ha de vignes d'un seul tenant, est aussi une exploitation pionnière qui a adopté l'agriculture biologique dès 1958. Emblème de la propriété, le soleil facilite cette démarche bio (tout comme la tramontane, qui souffle du nord-ouest et limite les maladies). Assemblage de syrah (40 %), de carignan et de mourvèdre, ce boutenac affiche une robe sombre, presque noire, aux reflets violets. Sa palette aromatique variée s'agrémente d'un léger boisé vanillé. Le palais est charnu, aimable, plutôt frais, équilibré, avec un boisé bien dosé. Le **corbières Prestige 2011 (11 à 15 €)**, issu d'un assemblage proche contenant un peu plus de syrah (50 %), présente un nez plus épicé et une trame tannique plus dense. Une étoile également.

☞ Ch. de Caraguilhes,
11220 Saint-Laurent-de-la-Cabrerisse, tél. 04 68 27 88 99, fax 04 68 27 88 90, katherine@caraguilhes.fr,
☑ ☀ ☗ t.l.j. sf sam. dim. 9h-12h 14h-18h
☞ P. Gabison

♥ CELLIER DES DEMOISELLES Messaline 2010 ★★★

| ■ | 10 000 | | 11 à 15 € |

CORBIÈRES BOUTENAC
sans collage ni filtration

La coopérative de Saint-Laurent-de-la-Cabrerisse a choisi comme emblème pour cette cuvée la troublante et scandaleuse Messaline, troisième épouse de l'empereur romain Claude et mère de Britannicus. Ce 2010 a émoustillé les sens des dégustateurs. La robe est dense et profonde, entre noir et pourpre. Le bouquet intense et complexe (fruits rouges mûrs, garrigue, truffe, réglisse, vanille...) éveille la curiosité. La bouche, franche et engageante dès l'attaque, poursuit l'opération de séduction : du volume, de la générosité, des tanins soyeux qui assoient sans dureté la structure du vin, avec toutefois une pointe de sévérité en finale offrant un surcroît de personnalité et laissant augurer une bonne tenue dans le temps. Un vin à la fois consistant et voluptueux.

🍷 Cellier des Demoiselles, rue de la Cave, 11220 Saint-Laurent-de-la-Cabrerisse, tél. 04 68 44 02 73, fax 04 68 44 07 05, coop.stlaurent@wanadoo.fr, ☑ ⚔ ⵊ t.l.j. sf dim. 9h-12h 14h-18h

CH. GRAND MOULIN 2010 ★

■	15 000	⦿	11 à 15 €

Jean-Noël Bousquet, à la tête d'un vaste domaine de 115 ha, œuvre dans un chai où se côtoient tradition et modernité, bois, pierre et inox, et reçoit les œnophiles dans un caveau de dégustation et un espace vente des plus accueillants. Il signe avec ce 2010 un boutenac bien dans le ton, né de mourvèdre (60 %) et de carignan. Bouquet fin et modéré aux tonalités fruitées, teinté de nuances de chocolat et de moka ; palais riche et de belle tenue, porté par des tanins souples et un boisé épicé et cacaoté : tout indique un vin bien élevé, à déguster au cours des deux ou trois prochaines années. À découvrir également, le **corbières 2011 rouge Terres rouges (8 à 11 € ; 15 000 b.)**, qui obtient une étoile pour son fruité soutenu mâtiné de senteurs de garrigue et pour son équilibre en bouche.

🍷 Ch. Grand Moulin, 6, av. Gallieni, 11200 Lézignan-Corbières, tél. 04 68 27 40 80, fax 04 68 27 47 61, contact@chateaugrandmoulin.com, ☑ ⚔ ⵊ t.l.j. sf dim. 9h-19h

CH. MAYLANDIE Villa Ferrae Élevé en fût de chêne 2011

■	6 600	▮⦿	11 à 15 €

Créé par Jacques Maymil dans les années 1950, ce domaine est mis sur orbite par son fils Jean dans les années 1980. Depuis 2007, Delphine, fille de Jean, et son compagnon Éric Virion sont aux commandes ; la première a quitté le milieu de la communication culturelle, le second celui de la gestion et de la finance pour exploiter ce vignoble de 23 ha. Ils ont sélectionné 2 ha de grenache, de carignan et de syrah à parts quasi égales pour élaborer cette Villa Ferrae (nom romain de Ferrals-les-Corbières), qui a séduit les dégustateurs par son intensité colorante et olfactive (fruits confits, caramel, écorce d'orange), son volume et ses tanins souples. Un boutenac accorte, à servir dans les deux ans sur un plat en sauce, un osso bucco par exemple.

🍷 Delphine Maymil et Éric Virion, Ch. Maylandie, 18, av. de Lézignan, 11200 Ferrals-les-Corbières, tél. 04 68 43 66 50, fax 04 68 43 69 42, contact@maylandie.fr, ☑ ⚔ ⵊ t.l.j. 10h-12h 15h-19h 🏠 ➌

CELLIERS D'ORFÉE B de Boutenac 2010 ★★★

■	n.c.	▮⦿	11 à 15 €

Le charme continue d'opérer avec ce B de Boutenac, qui dans sa version 2009 avait décroché un coup de cœur. La coopérative d'Ornaisons signe en effet un 2010 séducteur dans sa robe rubis éclatant, gracieux par son bouquet évoquant le sous-bois, le pruneau et le grillé de la barrique. La bouche, ronde, souple et généreuse, dévoile de beaux tanins caressants, extraits avec doigté et enrobés par un fruité mûr et avenant. Un vin élégant et profond, armé pour bien vieillir. Le **corbières rouge 2011 L'Infernale (5 à 8 € ; 80 000 b.)** se présente sans fard, très « nature » (élevé en cuve), puissant et fruité au nez, étoffé et généreux en bouche. Ce vin qualifié de « moderne » obtient deux étoiles.

🍷 Celliers d'Orfée, 53, av. des Corbières, 11200 Ornaisons, tél. 04 68 27 09 76, fax 04 68 27 58 15, contact@celliersdorfee.com, ☑ ⚔ ⵊ r.-v.

CH. LA VOULTE-GASPARETS
Cuvée Romain Pauc 2011 ★★

■	37 000	⦿	15 à 20 €

Conduite de main de maître depuis plus de trente ans par Patrick Reverdy, aujourd'hui épaulé par son fils Laurent, la Voulte-Gasparets est un domaine qui compte dans les Corbières, témoin les nombreux coups de cœur et les étoiles en pagaille de son palmarès. En voici deux supplémentaires pour ce 2011 issu du traditionnel carignan (50 %) associé, par ordre d'importance, au grenache, au mourvèdre et à la syrah. Une teinte sombre aux reflets brillants anime le verre. Au nez, les fruits mûrs se mêlent à une touche musquée et aux nuances toastées de la barrique. La bouche, ample, longue et solide, s'adosse à des tanins robustes, enveloppés par un boisé fin et fondu. Un vin sans aspérité, dont le seul défaut sera de nous faire patienter au moins un an ou deux.

🍷 Patrick Reverdy, Ch. la Voulte-Gasparets, 13, rue des Corbières, 11200 Boutenac, tél. 04 68 27 07 86, fax 04 68 27 41 33, chateaulavoulte@wanadoo.fr, ☑ ⚔ ⵊ t.l.j. 9h-12h 14h-18h

Faugères

Superficie : 2 004 ha
Production : 68 733 hl (99 % rouge et rosé)

Reconnus en AOC depuis 1982 comme les saintchinian leurs voisins, les faugères sont produits sur sept communes situées au nord de Pézenas et de Béziers et au sud de Bédarieux. Les vignobles sont plantés sur des coteaux à forte pente, d'altitude relativement élevée (250 m), dans les premiers contreforts schisteux peu fertiles des Cévennes. Produits à partir des cépages grenache, syrah, mourvèdre, carignan et cinsault, les faugères rouges sont bien colorés, chaleureux, avec des arômes de garrigue et de fruits rouges. L'appellation produit aussi des rosés et de rares blancs.

⑧ ABBAYE SYLVA PLANA La Closeraie 2011 ★

■	50 000	▮	11 à 15 €

Vous pourrez aisément repérer la tour capitulaire de cette ancienne abbaye cistercienne au sein de laquelle on explore les secrets du terroir de schistes depuis plus de huit siècles. Ce vin à la robe très profonde dévoile un nez typé par les épices et les plantes de la garrigue. Sa grande douceur en son caractère soyeux témoignent d'une bonne maturité des raisins, et sa structure solide lui permettra d'être attendu deux ou trois ans avant d'accompagner un mets de caractère, un civet de sanglier par exemple.

🍷 Nicolas Bouchard, 13 bis, ancienne rte de Bédarieux, 34480 Laurens, tél. 04 67 24 91 67, fax 04 67 24 94 21, info@vignoblesbouchard.com, ☑ ⚔ ⵊ t.l.j. 9h-12h 13h-17h30 🏠 ➍

ABBOTTS & DELAUNAY Boréas 2010 ★

| ■ | 3 000 | ⊞ | 15 à 20 € |

Née de la rencontre de deux œnologues, la maison de négoce Abbotts et Delaunay s'est spécialisée dans les AOC du Languedoc-Roussillon. Ce faugères issu à parts égales de grenache, de mourvèdre et de syrah entre en scène dans une robe pourpre brillante à légers reflets tuilés. Intense au nez, il évoque les fruits rouges et le sous-bois. Élégant, fondu et souple en bouche, c'est un vin presque aérien qui flattera un carré d'agneau.

☛ Abbotts & Delaunay, 32, av. du Languedoc, 11800 Marseillette, tél. 04 68 79 00 00, fax 04 68 79 93 66, contact@abbottsetdelaunay.com

CH. DES ADOUZES Plô de Figues 2009 ★

| ■ | 7 194 | ⊞ | 15 à 20 € |

Depuis ce lieu-dit dénommé Plô de Figues, vous apercevrez la Méditerranée et la chaîne des Pyrénées. Dans cette cuvée, syrah, carignan et grenache sont associés et mettent en exergue la typicité de ce terroir de schistes. Paré d'une robe sombre à reflets noirs, ce 2009 est mûr et prêt à boire : arômes de tapenade et de griotte, bouche ronde aux tanins soyeux et discrets. Servez-le sur un canard aux olives ou, pourquoi pas, sur un fondant au chocolat.

☛ Jean-Claude Estève, Tras-du-Castel, 34320 Roquessels, tél. 04 67 90 24 11, fax 04 67 90 12 74, adouzes@aliceadsl.fr, ☑ ☂ t.l.j. sf dim. 9h-12h 14h-18h30

☛ GFA des Adouzes

♥ LES AMANTS DE LA VIGNERONNE
De Chair et de sang 2011 ★★★

| ■ | 7 000 | ⊞ | 11 à 15 € |

Christian & Régine Godefroid

R DE CHAIR ET DE SANG

Les Amants de la Vigneronne à Faugères

Ce domaine de petite taille (8 ha) confirme son immense talent. Ses deux cuvées de rouge 2011 décrochent les plus belles palmes : un coup de cœur et trois étoiles pour l'une, deux étoiles pour l'autre. Avec ce 2011, le terroir de schistes sublimé par le « sang » du mourvèdre et la « chair » du grenache. Sous une robe grenat sombre aux reflets de velours, un nez enchanteur dévoile progressivement ses plus beaux atours : senteurs de fruits noirs et d'épices, effluves de garrigue, notes minérales toniques. Concentration et finesse rivalisent dans une bouche suave aux tanins enrobés, avant qu'une délicate fraîcheur ne donne la touche finale. Une belle bouteille que l'on pourra garder sans crainte mais non sans impatience... La cuvée **Dans la peau 2011 rouge (20 à 30 € ; 3 000 b.)**, issue d'une majorité de syrah aux côtés du mourvèdre, ronde, gourmande, soyeuse et bien équilibrée, révèle elle aussi la magie du lieu et frôle la plus haute distinction. Entre ces deux bouteilles, le cœur des dégustateurs a balancé...

☛ Les Amants de la Vigneronne, 1207, rte de Pézenas, 34600 Faugères, tél. 04 67 95 78 49, fax 04 67 95 79 20, lesamantsdelavigneronne@yahoo.fr, ☑ ☀ ☂ t.l.j. 10h-19h; f. déc.-janv. 🏠 ❸

☛ Godefroid

DOM. BALLICCIONI Orchis 2011

| ■ | 5 000 | ▮⊞ | 8 à 11 € |

Ce 2011 à la robe pourpre évoque la couleur d'une orchidée rare, l'orchis, qui pousse sur les Canaques de Piana en Corse. Le nez libère des notes fruitées, grillées et épicées. La bouche, plus discrète que celle du millésime précédent, allie rondeur et élégance. Cette bouteille accompagnera un sauté de veau aux girolles et mérite d'être débouchée quelques heures à l'avance pour s'épanouir davantage.

☛ Véronique et André Balliccioni, 1, chem. de Ronde, 34480 Autignac, tél. 04 67 90 20 31, fax 04 26 30 38 96, ballivin@sfr.fr, ☑ ☀ ☂ r.-v.

Ⓑ DOM. DE CÉBÈNE Felgaria 2011

| ■ | 3 600 | ⊞ | 20 à 30 € |

Pour les vins de ce domaine situé à 320 m d'altitude, la finesse est de rigueur. Ce 2011 ne démentira pas cette réputation avec sa robe pourpre élégante, ses arômes délicats de fruits rouges, d'épices douces et ses effluves de garrigue rappelant le romarin et le menthol. La bouche, discrète et subtile, affiche des tanins de velours qui flatteront un salmis de pintade. Un vin déjà prêt à boire, mais sa belle persistance aromatique laisse imaginer qu'il pourra s'épanouir encore dans les années à venir.

☛ Brigitte Chevalier, ancienne rte de Béziers, 34600 Bédarieux, tél. 06 74 96 42 67, bchevalier@wanadoo.fr, ☑ ☀ ☂ r.-v.

CH. CHENAIE Les Ceps d'Émile 2011 ★

| ■ | 3 000 | ⊞ | 8 à 11 € |

Ce château au donjon toujours dressé était au Moyen Âge un poste de surveillance pour le passage de la montagne du Carroux à la plaine méditerranéenne. Cette cuvée est bien la preuve qu'aux côtés de la syrah, les vieux carignans trouvent ici leur terroir de prédilection. Elle se révèle séductrice à l'olfaction avec ses arômes de grillé, de cacao et de cuir. La bouche délivre une matière onctueuse qui enrobe des tanins déjà soyeux. À déguster au cours des deux années à venir sur une fricassée d'agneau.

☛ EARL André Chabbert et Fils, 2, rue des Noyers, 34600 Caussiniojouls, tél. 04 67 95 48 10, fax 04 67 95 44 98, chateauchenaie@orange.fr, ☑ ☂ t.l.j. 10h-11h 15h-17h30; f. du 15 juin au 31 août

CLUB DES SOMMELIERS 2011 ★

| ■ | 80 000 | | - de 5 € |

Cette cuvée, vendue en grande distribution (Casino), est le fruit d'un partenariat entre des vignerons de Faugères et l'entreprise Moncigale. Parée d'une robe profonde à reflets violets, elle dévoile des arômes de fruits mûrs mâtinés de notes minérales. Tout est soyeux, rond et équilibré en bouche. Un vin gourmand que l'on pourra déguster sans attendre sur des grillades aux sarments de vigne.

☛ SAS Moncigale, 6, quai de la Paix, 30300 Beaucaire, tél. 04 66 59 74 39, fax 04 66 59 74 27, pmartin@mabriz.com

LANGUEDOC

B CH. DES ESTANILLES Inverso 2012 ★★

2 000		15 à 20 €

Coup de cœur l'an dernier avec son faugères 2010 rouge, Julien Seydoux l'a frôlé cette année avec ce blanc issu de marsanne et de roussanne. Vêtu d'une chatoyante robe dorée à reflets verts, le vin dévoile un bouquet non moins éclatant d'agrumes, de fleurs blanches et de miel mâtinés d'un élégant boisé. Intense en bouche, gras et vif à la fois, ce vin n'en finit plus. Il s'accordera, aujourd'hui ou dans deux ans, avec de nombreux mets comme des gambas grillées par exemple. La cuvée **Le Clos du Fou 2011 rouge (20 à 30 € ; 4 000 b.)**, généreuse, structurée, encore un peu jeune et marquée par l'élevage en fût mais au potentiel indéniable, obtient une étoile.

☛ SCEA Ch. des Estanilles, Lentheric, 34480 Cabrerolles, tél. 04 67 90 29 25, fax 04 67 90 10 99, contact@chateau-estanilles.com, ☑ ⚒ � r.-v.
☛ Seydoux

♥ CH. DE LA LIQUIÈRE Cistus 2011 ★★

17 000		15 à 20 €

Depuis le début des années 1960, ce domaine est l'un des fleurons de l'appellation, présent dans le Guide avec une régularité sans faille et souvent aux meilleures places. À sa disposition, un terroir magnifique : soixante-dix petites parcelles disséminées sur les schistes, plantées de vignes qui, dans les zones les plus pentues, suivent les courbes de niveau et façonnent le paysage. Ce Cistus, qui fait la part belle à la syrah (65 %), est sa cuvée phare. L'intensité de sa robe, sombre et profonde, est déjà un beau présage. Le nez dévoile une farandole de parfums : du poivre, des fruits mûrs puis des notes de violette et de vanille. Au palais, on découvre un travail d'orfèvre : de la chair, du corps, de la puissance mais aussi beaucoup d'élégance et de subtilité. Vous pouvez l'attendre quelques années, mais en aurez-vous la patience ? Quant à la cuvée **Nos Racines 2011 rouge (11 à 15 € ; 5 000 b.)**, une étoile, riche, harmonieuse, d'une belle longueur, elle démontre avec brio la belle adaptation des vieux carignans (plus de cent ans !) sur ce terroir.

☛ Ch. de la Liquière, La Liquière, 34480 Cabrerolles, tél. 04 67 90 29 20, fax 04 67 90 10 00, info@chateaulaliquiere.com,
☑ � t.l.j. 9h30-12h30 14h30-18h30; sam. dim. sur r.-v.
☛ Vidal-Dumoulin

B MAS DES CAPITELLES Vieilles Vignes 2011 ★

30 000		8 à 11 €

C'est sur la commune même de Faugères qu'est né ce 2011 issu de vignes de quarante ans de mourvèdre, de carignan et de syrah. Les dégustateurs ont été séduits par la complexité du bouquet dans lequel se mêlent la mûre, la réglisse, l'olive noire et le laurier. Un vin à la bouche structurée et puissante, qui conviendra parfaitement sur un civet de sanglier après un à deux ans en cave, lorsque les tanins et les notes boisées seront fondus.

☛ Jean Laugé et Fils, Mas des Capitelles, 34600 Faugères, tél. 04 67 23 10 20, fax 04 67 95 78 32, mas.des.capitelles@laposte.net, ☑ ⚒ �
☐ t.l.j. 9h-19h

DOM. DU MÉTÉORE Les Léonides 2012 ★

5 000		5 à 8 €

Une météorite serait tombée ici il y a plus de dix mille ans, d'où le nom de ce domaine. Au fond du cratère encore bien visible se niche une vigne, curiosité à ne pas manquer. Cette cuvée vaut le détour également : robe dorée, arômes de fleurs, de fruits secs et d'épices, bouche suave dynamisée par une finale fraîche. Un vin équilibré et complet, à déguster sur un saumon mariné.

☛ Geneviève et Guy Libes, Dom. du Météore, 34480 Cabrerolles, tél. 04 67 90 21 12, domainedumeteore@wanadoo.fr,
☑ ☐ juil-août t.l.j. sf sam. dim. 10h-12h 15h30-19h; sept-juin sur r.-v.

DOM. OLLIER TAILLEFER Grande Réserve 2011 ★★

30 000		8 à 11 €

Si vos promenades vous mènent jusqu'à Fos, vous tomberez certainement sous le charme de ce village fleuri du haut Languedoc... et de cette cuvée. Sans parler des échanges passionnés sur le vin que vous pourrez avoir avec Françoise et Luc Ollier. Un quatuor de cépages fait chanter le terroir à travers ce 2011 à la robe sombre violacée, aux arômes de fruits mûrs, de réglisse et de pierre à fusil qui caractérise souvent les vins de ce vignoble sur schistes. Attaque ample, belle texture, tanins fins et serrés, fraîcheur très agréable en finale, voici une jolie bouteille à servir dès aujourd'hui, comme dans trois ans sur un tajine d'agneau.

☛ Dom. Ollier-Taillefer, rte de Gabian, 34320 Fos, tél. 04 67 90 24 59, fax 04 67 90 12 15, ollier.taillefer@wanadoo.fr,
☑ ⚒ ☐ t.l.j. sf dim. 11h-12h 14h30-18h; 15 oct.-15 avr. sur r.-v. ⌂ ☺

DOM. DES PRÉS LASSES Chemin de ronde 2010 ★

28 000		8 à 11 €

À la tête de ce vignoble depuis 1999, Denis Feigel a été rejoint par son fils Boris en 2005. Il assemble cinq cépages pour élaborer ce 2010 et vise ainsi la complexité. Objectif atteint avec ce vin en robe pourpre, au nez de fruits noirs nuancé de touches minérales. Ample, persistant et harmonieux le palais dévoile un beau grain et une longue finale réglissée. Un grand plaisir dès aujourd'hui comme dans deux ans.

☛ Dom. des Prés Lasses, 26, av. de la Liberté, 34480 Autignac, tél. 04 67 90 21 19, info@pres-lasses.com,
☑ ⚒ ☐ r.-v.

DOM. DE LA REYNARDIÈRE Tradition 2011 ★

22 000		5 à 8 €

Ce domaine d'une soixantaine d'hectares mène avec réussite le faugères en rouge et en rosé. D'abord, ce 2011 aux reflets noir profond, aux senteurs de garrigue, d'olive noire et d'épices, qui séduit en bouche par sa texture fine, son équilibre, sa rondeur et sa pointe de fraîcheur en finale. Un vin que l'on pourra servir dès à présent sur un sauté de veau aux olives. La cuvée **Prestige 2012 rosé (3 000 b.)**, une étoile également, rappelle bien les précédents millésimes avec sa robe grenadine, ses arômes de fruits rouges frais et sa bouche gourmande. On ne la boit pas, on la croque comme un beau fruit.

🕊 Dom. de la Reynardière, 7, cours Jean-Moulin, 34480 Saint-Geniès-de-Fontedit, tél. 04 67 36 25 75, fax 04 67 36 15 80 ☑ ⚘ ⵣ t.l.j. sf dim. 9h-12h 14h30-18h30
🕊 Mégé

DOM. LA SARABANDE 2011

	5 636	🔲 🕮	11 à 15 €

Ce domaine situé à Laurens – l'une des sept communes de l'appellation – a été repris en 2009 par Paul Gordon, Australien, et sa femme Isla, Irlandaise. Un beau potentiel dans ce vin à la robe très sombre, au nez puissant d'épices, de grillé et de vanille. La bouche, ample à l'attaque, s'appuie sur une solide structure tannique. De beaux fruits noirs apparaissent en fin de dégustation aux côtés de notes boisées. L'ensemble a du caractère et mérite d'être attendu une paire d'années pour plus de fondu.

🕊 Dom. la Sarabande, 14, ancienne rte Nationale, 34480 Laurens, tél. 09 63 68 22 68, pauldouglasgordon@gmail.com, ☑ ⚘ ⵣ r.-v.
🕊 Gordon

SCHISTERELLE Ômage 2011 ★

	1 600	🕮	11 à 15 €

Cette cuvée, née sur un terroir de schistes comme tous les faugères, fait la part belle au grenache épaulé par le mourvèdre. Elle se pare d'une belle robe grenat et dévoile un nez très méditerranéen de menthol et de garrigue. Le palais ample et gras témoigne d'un élevage en barrique maîtrisé et s'adosse à des tanins soyeux. Un vin harmonieux qui fera merveille dans deux ou trois ans sur un gigot d'agneau à la fleur de thym.

🕊 Cabanel, SCEA Schisterelle, 27 bis, av. de Béziers, 34480 Laurens, tél. 06 03 22 16 56 ☑ ⵣ r.-v.

TERRASSES DU RIEUTOR Élevé en fût de chêne 2012

	7 000	🔲 🕮	5 à 8 €

Issu de trois cépages – marsanne, roussanne et grenache –, ce 2012 se présente dans une robe claire à reflets verts. Ses arômes de fleurs blanches et de grillé épousent une bouche ample, riche et bien équilibrée. Encore marqué en finale par son élevage en fût, le vin va rapidement prendre le dessus et pourra accompagner dans un an une volaille à la crème ou un saint-nectaire.

🕊 Les Crus Faugères, Mas Olivier, 34600 Faugères, tél. 04 67 95 08 80, fax 04 67 95 14 67, contact@lescrusfaugeres.com, ☑ ⚘ ⵣ t.l.j. 9h-12h 14h-18h

Fitou

Superficie : 2 590 ha
Production : 90 023 hl

L'appellation fitou, la plus ancienne AOC rouge du Languedoc-Roussillon (1948), est située dans la zone méditerranéenne de l'aire des corbières ; elle comprend à l'est le fitou maritime qui borde l'étang de Leucate, séparé par un plateau calcaire du fitou de l'intérieur situé dans le massif des Corbières, à l'abri du mont Tauch. L'AOC s'étend sur neuf communes qui ont également le droit de produire les vins doux naturels rivesaltes et muscat-de-rivesaltes. Le carignan trouve ici son terroir de prédilection. Il peut être complété par le grenache noir, le mourvèdre et la syrah. Élevé au moins neuf mois, le fitou affiche une couleur rubis foncé et un corps puissant et charpenté.

CH. ABELANET Cuvée Patrimoine Roma 2010

	2 000	🕮	15 à 20 €

Rencontrer Régis Abelanet est toujours l'occasion de passer un bon moment empreint de culture et de tradition. Il a désormais passé le témoin à son épouse Marie-Françoise et compte sur son fils Romain pour prendre la succession et poursuivre ainsi une tradition familiale qui remonte à 1697. Cette cuvée Roma, hommage à leurs enfants Romain et Marie, a été vinifiée intégralement en barrique, avec un procédé innovant qui permet d'effectuer l'élevage dans le même récipient. En appliquant cette technique à la récolte de très vieilles vignes de carignan, on obtient ce vin pourpre aux légers reflets tuilés, au bouquet intense de cassis mâtiné de notes vanillées et réglissées. Ces sensations se retrouvent dans une bouche de bonne longueur, aux tanins fermes, mais qui doit encore se mettre en place. Un fitou de garde, vinifié dans cette optique, que l'on pourra « oublier » cinq ans et plus avant de le servir sur un lièvre à la royale.

🕊 Marie-Françoise Abelanet, 7, av. de la Mairie, 11510 Fitou, tél. 04 68 45 76 50, fax 04 68 45 64 18 ☑ ⚘ ⵣ r.-v.

GÉRARD BERTRAND 2011

	n.c.	🕮	8 à 11 €

Imprégné des valeurs de l'ovalie (il fut rugbyman à Narbonne, sa ville natale, et au Stade toulousain) et initié dès son plus jeune âge aux plaisirs de la vigne par son père Georges, au domaine familial de Villemajou, Gérard Bertrand est devenu en vingt ans une figure incontournable des vins sudistes. Il signe ici un fitou issu de son négoce qui a séduit les dégustateurs par sa robe pourpre intense, son bouquet de cassis, de mûre et d'olive noire et par sa bouche ronde et fruitée, structurée par des tanins fondus. À boire dans les deux ans à venir sur un tournedos de Charolais aux échalotes confites et gratin de blettes. La cuvée **Art de vivre Réserve 2011 (5 à 8 €)**, élevée en barrique, plus chaleureuse et tannique, est également citée.

🕊 Gérard Bertrand, Ch. l'Hospitalet, rte de Narbonne-Plage, 11100 Narbonne, tél. 04 68 45 57 57, fax 04 68 45 28 77, j.sauzet@gerard-bertrand.com, ☑ ⚘ ⵣ t.l.j. 9h-19h

DOM. BERTRAND-BERGÉ Ancestrale 2011 ★

	15 000	🔲 🕮	11 à 15 €

Il y a près de vingt ans que Jérôme Bertrand a décidé de quitter le système coopératif pour vinifier ses propres vins, comme un devoir envers ses ancêtres. Il a cru très tôt dans la qualité des terroirs rudes de Fitou, révélé et valorisé les vins du cru, puis hissé son domaine parmi les grands, ce dont le Guide se fait le témoin depuis de nombreuses années. Une étoile vient s'ajouter au long palmarès de cette cuvée Ancestrale née d'un assemblage à parts sensiblement égales entre le carignan, le grenache, la syrah et le mourvèdre. Ce vin pourpre intense s'ouvre sur des notes giboyeuses et de sous-bois avant d'évoluer vers des parfums de myrtille et de pruneau. Un élevage délicat en barrique confère au palais une aimable rondeur, que soulignent des tanins soyeux enrobés de fruits noirs mûrs. La finale, teintée de fraîcheur, apporte le juste équilibre. À marier d'ici 2016 avec un tajine de poulet aux dattes. La cuvée **Les Mégalithes 2011 (10 000 b.)**, élevée en cuve, fait jeu égal. Elle met en vedette le carignan, cépage-roi de l'appellation, et séduit par son fruité généreux rehaussé d'épices, par son volume et sa douceur.

↪ Dom. Bertrand-Bergé, 38, av. du Roussillon, 11350 Paziols, tél. 04 68 45 41 73, fax 04 68 45 03 94, bertrand-berge@wanadoo.fr,

☑ ⚒ ☏ t.l.j. 9h-12h 14h-18h ⌂ Ⓑ

DOM. DU CAPITAT Cuvée Chautrus 2010

| ■ | 8 000 | ■ | 5 à 8 € |

Pierre Abelanet est un homme du cru bien implanté, qui, après avoir œuvré pour la cave coopérative de Fitou, s'installa en association avec d'autres vignerons, avant de créer ce domaine en 2001. Les sols sont majoritairement argilo-calcaires, mais on trouve également quelques parcelles de schistes. Pour compléter le grenache et l'incontournable carignan, le mourvèdre a été préféré à la syrah, comme souvent dans le secteur maritime de l'appellation. La cuvée Chautrus est constituée de ces trois cépages à parts égales. Drapée dans une robe noire, elle offre un bouquet plaisant de fruits rouges confiturés et de sous-bois. En bouche, elle se révèle équilibrée, portée par des tanins fondus et extraits avec retenue. À boire dans les deux ans avec des grillades aux sarments de vigne.

↪ Pierre Abelanet, Dom. du Capitat, 39, rte D 6009, 11510 Fitou, tél. 04 68 45 76 98, pierre.abelanet@wanadoo.fr,

☑ ⚒ ☏ t.l.j. 9h30-12h30 14h30-18h30

LES VIGNERONS DU CAP LEUCATE Le Maritime
Élevé en fût de chêne 2010

| ■ | 13 000 | ■ ◍ | 5 à 8 € |

Les vignerons du Cap Leucate sont désormais bien installés dans leur nouvel outil de production construit en 2010, qui leur offre une meilleure maîtrise des vinifications. Au cœur d'un projet dédié à l'œnotourisme, cette zone compte bien être une vitrine de l'appellation aux yeux des nombreux touristes venant chercher le soleil et consommer des vins rouges « authentiques », telle cette cuvée Le Maritime qui fait la part belle au mourvèdre, cépage aujourd'hui bien implanté sur ces terroirs proches des fraîcheurs marines. La robe s'orne de reflets rubis. Le nez mêle les fruits rouges, les épices et la vanille. La bouche se révèle plutôt légère, adossée à des tanins souples et à un boisé sans excès. Un vin équilibré, à servir dès l'automne sur une fricassée de volaille fermière.

↪ Vignobles Cap Leucate, Chai La Prade, 11370 Leucate, tél. 04 68 33 20 41, fax 04 68 33 08 82, cave-leucate@wanadoo.fr, ☑ ⚒ ☏ t.l.j. 9h-12h 16h-19h

LES MAÎTRES VIGNERONS DE CASCASTEL L'Extravagant
Vieilles Vignes 2011 ★★

| ■ | 160 000 | ◍ | 5 à 8 € |

Lors des inondations de 1999, la coopérative de Cascastel fut durement touchée. Cette épreuve, pour difficile qu'elle fut, a été l'opportunité d'un nouveau départ, avec de nouvelles installations et un chai digne des plus grands. Aujourd'hui, les vins de la cave sont reconnus comme le fleuron de ces terres des hautes Corbières. Cette cuvée, prétendante au coup de cœur, est issue en majorité de carignan et née sur des terroirs de calco-schistes. Elle se présente dans une robe couleur cerise pourprée et dévoile un bouquet complexe de garrigue, d'épices, de moka, de chocolat et de cuir. La bouche offre beaucoup de volume, lequel est souligné par des tanins bien présents mais fins et par un boisé très maîtrisé. Un vin équilibré, à ouvrir dans les deux ou trois ans à venir. Un accord original ? Essayez une brochette de lotte lardée et son jus au romarin. Deux autres vins sont retenus : la cuvée **Sélection vieilles vignes 2011 (8 à 11 € ; 145 000 b.)**, élevée en fût, une étoile pour son palais gras et onctueux et pour son boisé de qualité, et la **Réserve de Fonsalis Vieilles Vignes 2011 (100 000 b.)**, élevée en cuve, citée pour sa souplesse et son fruité.

↪ Les Maîtres Vignerons de Cascastel, Grand-Rue, 11360 Cascastel-des-Corbières, tél. 04 68 45 91 74, fax 04 68 45 82 70, jeromedupont@cascastel.com, ☑ ⚒ ☏ t.l.j. 8h-12h 14h-18h

CH. CHAMP DES SŒURS La Tina 2011 ★★

| ■ | n.c. | ■ ◍ | 11 à 15 € |

Difficile d'aller dans le village de Fitou sans croiser Laurent Maynadier, vigneron incontournable, qui trace sa route tant sur la toile que dans les vignes. Déterminé, il suit son chemin et ses pensées, accompagné par son épouse Marie Valette aux commandes des « vinifs ». Après avoir expérimenté l'immersion de leurs corbières et fitou en Bretagne, en Auvergne et dans la région méditerranéenne pour en apprécier l'évolution, les époux Maynadier sont revenus à des pratiques plus classiques pour élaborer cette cuvée La Tina issue de vieux carignans. La couleur est sombre, soutenue et profonde. Le nez, intense, mêle des notes de fruits mûrs, le cassis notamment, d'épices, de tabac blond et de chocolat. Étayée par des tanins souples et soyeux, la bouche, ronde et charnue, est équilibrée par ce qu'il faut de fraîcheur et déroule une finale longue et délicate aux accents de mûre qui laissent une impression de délicatesse. Bâti pour bien vieillir jusqu'en 2017-2018, ce vin harmonieux formera un bel accord avec une pizzetta d'automne au foie gras et aux girolles. Plus simple et souple, la **cuvée principale 2011 (5 à 8 € ; 25 000 b.)** est citée.

↪ Laurent Maynadier, 19, av. des Corbières, 11510 Fitou, tél. et fax 04 68 45 66 74, laurent.maynadier@orange.fr, ☑ ⚒ ☏ r.-v.

DOM. LOU COURTAL DES VIDALS Cuvée Jean Marais 2010

| ■ | 10 000 | | 5 à 8 € |

« Pour mes amis Vidal, chez qui j'ai été si heureux », telle est la dédicace laissée par Jean Marais sur une nappe en papier lors de son passage à l'auberge Lou Cortal des Vidal. Une ode à la vie de fêtes, de convivialité, d'amitiés véritables entre gourmets et épicuriens, fièrement affichée sur l'étiquette. La robe de ce « vin d'aubergiste » (ce n'est pas péjoratif) est d'un rouge intense et limpide. Le bouquet marie les fruits rouges et les épices. La bouche répond aux attentes du nez, avec persistance, et dévoile des tanins fondus. Un fitou aimable et sincère, que l'on accordera à un bon classique de la cuisine française, et de l'auberge : le tournedos Rossini.

☛ Thierry Vidal, 28, rue du Pla, 11510 Fitou,
tél. et fax 04 68 45 66 32
☑ ✴ ⵎ t.l.j. 10h-12h 14h-19h30 🏠 ❷ 🏠 Ⓐ

CUVÉE DES ABRIGANS DES ERLES 2011 ★

| ■ | 6 000 | ▮ | 8 à 11 € |

Quand au milieu des années 1980 François Lurton s'intéresse au terroir languedocien, son but est certes d'y produire des vins de qualité, mais également de concurrencer ceux du Nouveau Monde. Il y découvre, entre autres, les grands terroirs de Fitou, ses schistes noirs alternant avec une mosaïque de sols complexes donnant aux vins une qualité et une finesse inespérées. Le jury a salué sa cuvée des Abrigans des Erles, issue de vendanges manuelles et vinifiée en cuve béton. La robe rubis aux reflets violets invite à poursuivre. Le nez mêle la groseille et le cassis à des notes de cacao et d'épices. La bouche, ronde et soyeuse, est soutenue par des tanins souples et fondus, et offre en finale des senteurs bien méridionales d'épices douces et de garrigue. Un vin équilibré et avenant que l'on verrait bien accompagner, au cours des deux prochaines années, un plat de pommes de terre, escargots et chorizo. La **cuvée des Ardoises des Erles 2011 (11 à 15 € ; 42 000 b.)**, élevée neuf mois en fût, plus charpentée, nécessitera au trois ans de garde ; elle obtient également une étoile.
☛ SA François Lurton, Dom. de Poumeyrade, 33870 Vayres, tél. 05 57 55 12 12, communication@francoislurton.com

DOM. MARIA FITA 2007 ★

| ■ | 4 295 | ▮⵿ | 11 à 15 € |

De vraies personnalités que Marie et Jean-Michel Schmitt, anciens restaurateurs du côté de Gordes, qui se sont investis dans ces terres des Corbières comme on rentre en religion, pour « faire un vin à [leur] image, libre et différent ». Depuis 2001, ils manient le sécateur plutôt que la cuillère et signent ici un vin qui ne laisse pas indifférent. Après un long élevage, ce 2007 issu de grenache (60 %), de carignan, de syrah et, moins fréquent, de lledoner pelut se présente dans une robe rouge intense aux reflets tuilés. Le nez se révèle riche et complexe : fruits des bois, sous-bois, touche de cuir, notes fumées. On retrouve ces sensations dans une bouche d'une belle puissance, étayée par des tanins bien en place et un élevage dompté. Un « fitou équilibré et bien conservé pour son âge », concluent les dégustateurs, qui conseillent de l'ouvrir dès à présent en accompagnement d'un parmentier de confit de canard sauce au rivesaltes. La cuvée **MF 2009 (20 à 30 € ; 2 004 b.)**, élevée vingt mois en fût, ne semble pas encore totalement épanouie, mais on devine un grand potentiel dans ce vin qualifié « hors normes », tannique, vif et boisé. À conserver quatre ou cinq ans en cave. Une étoile également.
☛ Dom. Maria Fita, 10, av. du Pont-Neuf, 11360 Villeneuve-les-Corbières, tél. 04 68 45 81 21, mariafita@wanadoo.fr, ☑ ⵎ r.-v.
☛ EARL Schmitt

DOM. LA GARRIGO Vin de terre 2 2010

| ■ | 1 200 | ▮⵿ | 15 à 20 € |

Ce domaine pratique depuis un certain temps l'agriculture biologique, même si la certification ne date que de 2011. À la recherche du goût authentique, Christian Coteill pratique depuis quelques millésimes déjà une méthode d'élevage originale : les barriques sont enterrées et profitent de ce traitement en étant exemptes de soufre. Ce vin surgi de terre se présente dans une robe rubis nuancée de reflets ambrés. Le nez, d'abord dominé par le bois, est soutenu à l'aération par des notes fruitées (prune, cassis), florales et épicées. Adossé à des tanins fondus, le palais respire le terroir, stimulé par une franche vivacité, gage d'un bon vieillissement d'au moins quatre ou cinq ans. À réserver pour une viande goûteuse, une côte de bœuf à la moelle par exemple.
☛ Christian Coteill, 10, rue des Condomines, 11510 Fitou, tél. 04 68 45 00 69, christian.coteil@wanadoo.fr, ☑ ✴ ⵎ r.-v.

❸ DOM. GRAND GUILHEM Angels 2011 ★

| ■ | 1 138 | ⵿ | 20 à 30 € |

Séverine et Gilles Contrepois sont des gens de goût à en juger par leurs gîtes et chambres d'hôtes de charme, par leurs étiquettes, originales et évocatrices, et surtout par leurs vins, à l'image de cette cuvée Angels, du nom de l'auteur du dessin ornant le flacon. Un fitou vinifié en barrique alliant intensité et élégance, paré d'une seyante robe violine, au bouquet avenant et subtil de prune, d'épices et de vanille. L'attaque ronde et souple ouvre sur un milieu de bouche plus tannique et serré, qui s'orchestre autour d'arômes de fruits noirs et de senteurs de garrigue. Un vin symphonique que ses créateurs nous invitent à accompagner de la sonate pour violoncelle en *la* majeur de César Franck, une œuvre puissante et séduisante. La **cuvée principale 2011 (11 à 15 € ; 10 000 b.)**, élevée en cuve, obtient également une étoile pour sa gourmandise et son fruit.
☛ Dom. Grand Guilhem, 1, chem. du Col-de-la-Serre, 11360 Cascastel-des-Corbières, tél. 04 68 45 86 67, fax 04 68 45 29 58, gguilhem@aol.com,
☑ ✴ ⵎ t.l.j. 11h-13h 17h30-19h30 🏠 ❺ 🏠 Ⓔ
☛ Contrepois

CH. DE LA GRANGE Via Fonteius 2010 ★

| ■ | 13 000 | ⵿ | 11 à 15 € |

Avec cette cuvée Via Fonteius (évocation de la voie romaine qui reliait Narbonne à l'Espagne), les frères Dell'Ova signent un fitou maritime qui, comme souvent dans ce cas, associe le mourvèdre aux cépages traditionnels que sont le carignan et le grenache. Le vin se pare d'une élégante robe grenat foncé et dévoile des parfums soutenus de fruits noirs confits et d'épices douces. En bouche, il se montre ample et rond, adossé à une solide structure tannique, en bon fitou qui se respecte. À déguster d'ici 2015 avec un navarin d'agneau.
☛ GAEC Dell'Ova Frères, Cabanes-de-la-Palme, BP 5, 11480 La Palme, tél. 04 68 48 17 88, fax 04 68 48 24 59, dellovafreres@orange.fr,
☑ ✴ ⵎ t.l.j. sf dim. 10h-12h 14h-18h

DOM. IZARD 2011 ★

| ■ | 30 000 | ▮ | 5 à 8 € |

Après un passage en coopérative, cette propriété familiale renoue en 1994 avec la vinification au domaine. Maguy, Alain et Alban Izard y exploitent 30 ha de vignes implantées sur un terroir de schistes qui constituent la trame de leurs vins. La technique de la macération carbonique a permis d'exalter des arômes riches et intenses de fruits confiturés, de sous-bois et de poivre pour ce 2011. Souple en attaque, la bouche dévoile une élégante fraîcheur issue des coteaux en altitude de Villeneuve-les-Corbières, qui s'associe à des tanins solides

LANGUEDOC

sans dureté pour composer un vin équilibré et de belle tenue. À boire d'ici 2015-2016 avec des râbles de lièvre aux champignons. Des mêmes propriétaires, le **Dom. de l'Ardoisière 2011 (30 000 b.)**, franc et frais, est cité. À découvrir au retour d'une des balades à cheval proposées aux visiteurs.

➤ EARL Costo Soulano, 1, chem. de Pech-de-Gril, 11360 Villeneuve-les-Corbières, tél. 04 68 45 95 47, domlerys@aol.com, ☑ ✦ ⵏ t.l.j. 10h-18h ⌂ ➊

DOM. **LEPAUMIER** Élevé en fût de chêne 2010

■	5 000 ⬤	8 à 11 €

Ce domaine est ancré dans le paysage fitounais depuis plusieurs générations. C'est dans un bâtiment très ancien que Christophe Lepaumier effectue ses vinifications avec minutie et application, à l'origine de vins fort typés. Celui-ci est bien dans le ton et se veut une ode au grand cépage local, le carignan (70 % de l'assemblage aux côtés des grenache et mourvèdre). Il offre un bouquet subtil de fruits noirs et de tapenade, puis déploie un palais frais, corsé et puissant qui lui permettra de bien résister à l'épreuve de la garde (quatre ou cinq ans). Un fitou « de tradition », que l'on servira avec des ris d'agneau panés, aujourd'hui ou dans deux ans.

➤ Dom. Lepaumier, 15, av. de la Mairie, 11510 Fitou, tél. et fax 04 68 45 66 95 ☑ ⵏ t.l.j. 10h-12h15 14h-18h30

DOM. **MAMARUTA** Cacahuète 2011 ★

■	2 400	11 à 15 €

La Palme, entre garrigue, étang et mer. Marc Castan s'y installe en 2003 et crée sa propre cave en 2009. Pour tirer le meilleur de ces sols argilo-calcaires très variés, ce jeune vigneron opte pour la conversion au bio, s'essaye avec succès à la biodynamie et propose des vins authentiques et originaux qui renouvellent le « style fitou ». Sa cuvée Cacahuète 2011 (c'est le surnom du motoculteur !) est de ceux-là, un vin violine aux reflets pourpres, au nez un rien oxydatif, épicé et surtout bien fruité (cassis), au palais soutenu par une jolie trame tannique et empreint d'une réelle fraîcheur qui lui donne de l'allonge. Un vin prometteur, que l'on attendra deux ou trois ans (et plus encore) avant de le servir avec un agneau des prés-salés rôti aux herbes de Provence.

➤ Marc Castan, 10, rue Dr-Ferroul, 11480 La Palme, tél. 06 83 24 90 92, marccastan@hotmail.fr, ☑ ✦ ⵏ r.-v.

DOM. DE **MANDRAOU** 3 D 2010

■	4 000 ■	8 à 11 €

Une destinée viticole toute tracée pour Éric et Évelyne Suzanne, lui, fils de viticulteurs à Fitou, elle, fille d'un producteur à Monbazillac : un rapprochement entre le Midi et le Sud-Ouest à l'origine de ce domaine de 20 ha créé en 2000. 3 D ? Comme les trois « dimensions » indissociables que sont le terroir, la vigne et le vigneron. Et une première apparition dans le Guide pour ce vin en robe rouge violacé, au nez intense de fruits noirs (cassis, notamment) agrémenté de nuances poivrées, au palais épicé et équilibré entre puissance tannique et fraîcheur. La promesse d'une jolie bouteille d'ici 2016-2017 et d'un accord réussi avec une côte de bœuf du Charolais.

➤ Suzanne, 20, rue de l'Abreuvoir, 11510 Fitou, tél. 07 86 18 89 00, fax 04 68 45 63 31, evelyne.suzanne@wanadoo.fr, ☑ ⵏ t.l.j. 10h-12h 14h-18h

⑬ **MIREILLE ET PIERRE MANN** Oufti ! 2011 ★★

■	6 000 ■⬤	8 à 11 €

Certes, ils n'ont pas l'accent du Sud, mais Mireille et Pierre Mann, originaires d'Alsace, ont trouvé leur coin de bonheur à Leucate, où la vigne tutoie la mer sur un plateau calcaire et s'enracine profondément dans les schistes des coteaux. Ces deux enfants de vignerons ont été restaurateurs de qualité, et l'alchimie du vin était la suite naturelle. Ils ont fait leurs premières armes à la « coop » du village, puis se sont lancés en solo à partir de 2009. Avec leur seconde apparition dans le Guide, ils confirment les bonnes dispositions relevées l'an dernier. Animée de reflets violines, leur cuvée Oufti !, anagramme de « fitou », se montre d'abord réservée à l'olfaction, avant de s'épanouir à l'aération sur des parfums de fruits surmûris. Une attaque ample et ronde prélude à une bouche élégante, fruitée et réglissée, étayée par des tanins soyeux, puis ponctuée en finale par une jolie note minérale. Un vin d'une grande classe, qui se mariera d'ici 2017 avec une fricassée d'agneau.

➤ Mas des Caprices, 5, imp. de la Menuiserie, 11370 Leucate, tél. 06 89 15 18 50, fax 04 68 40 96 19, masdescaprices@free.fr,
☑ ✦ ⵏ t.l.j. 18h-20h; dim. 11h-13h; hiver sur r.-v.
➤ Pierre et Mireille Mann

♥ DOM. LES **MILLE VIGNES** Atsuko 2011 ★★★

■	3 000 ■	30 à 50 €

DOMAINE
Les Mille Vignes
2011
APPELLATION FITOU CONTRÔLÉE
Atsuko
MIS EN BOUTEILLE À LA PROPRIÉTÉ
EARL DOMAINE LES MILLE VIGNES
VALÉRIE GUÉRIN A F11400 LA PALME
PRODUIT DE FRANCE
750 mL 13,5%Vol.

« Du travail d'auteur ou du travail d'orfèvre » sont les termes qui reviennent souvent lorsque l'on évoque ce domaine créé en 1979 par Jacques Guérin, professeur de « viti » au lycée d'Orange, et conduit depuis 2006 par sa fille Valérie. Petit vignoble (11 ha) afin d'exploiter au mieux les qualités de chaque parcelle, petits volumes et petits rendements, soins très attentifs à la vigne et au chai avec de longues macérations : les vins des Mille Vignes sont bichonnés et côtoient aujourd'hui nombre de grandes tables étoilées de France et d'ailleurs. Ils côtoient aussi les étoiles du Guide, à l'image de cette cuvée dont le nom évoque le raffinement japonais, qui met en avant le grenache, le carignan et le mourvèdre faisant l'appoint. La robe, flamboyante, est d'un majestueux rouge sang. Le nez, ample et complexe, libère des arômes de sous-bois, d'épices douces, de poivre ou encore de fruits rouges confiturés. Le grenache apporte sa rondeur et son velouté à un palais souple, plein et mûr à souhait, tapissé de notes de fruits rouges mêlées de thym et de romarin. L'ensemble est d'une grande précision, très respectueux du fruit, onctueux et puissant à la fois, et d'une longueur exceptionnelle. Accord très gourmand en perspective avec un jarret de porc laqué au curry, d'ici 2018.

➤ Dom. les Mille Vignes, 24, av. Saint-Pancrace, 11480 La Palme, tél. et fax 04 68 48 57 14, les.mille.vignes@free.fr, ☑ ✦ ⵏ r.-v.
➤ V. Guérin

MONT TAUCH 2011 ★★

| ■ | 100 000 | 🍾 | - de 5 € |

C'est au moment des pires crises que l'on reconnaît la valeur des hommes. Ceux, nombreux (quelque deux cents adhérents), du Mont Tauch affrontent avec détermination les difficultés du moment et répondent de la meilleure des façons, en offrant des vins à la hauteur de leur terroir, telle cette cuvée *smooth and fruity*, comme l'annonce l'étiquette. Promesse tenue : une variation de fruits noirs et rouges (cassis, mûre, framboise) compose un bouquet des plus gourmands. Souple et gras, une juste vivacité en soutien, le palais y ajoute les saveurs de la garrigue, ce qui confère à ce vin le caractère méditerranéen « qui va bien ». Et pour ne rien gâcher, tout cela à prix doux. Que diriez-vous d'un accord original avec un délicieux mafé de bœuf ? La cuvée **Vieilles Vignes Élevé en fût de chêne 2011 (5 à 8 € ; 80 000 b.)** obtient une étoile pour son volume et son équilibre entre bois, alcool et tanins. Le chaleureux et rond **Dom. du Vieux Moulin 2011 Élevé en fût de chêne (5 à 8 € ; 30 000 b.)** est cité.

☛ SCA Mont Tauch, 2, rue Cave-Coopérative, 11350 Tuchan, tél. 04 68 45 41 08, fax 04 68 45 45 29, contact@mont-tauch.com, ☑ ⚹ ⟊ r.-v.

DOM. DE LA ROCHELIERRE Cuvée Privilège
Élevé en fût de chêne 2011 ★

| ■ | 14 700 | ⦿ | 8 à 11 € |

Jean-Marie Fabre est un vigneron engagé et déterminé. Outre ses responsabilités dans la filière viti-vinicole, il sait depuis longtemps que son terroir constitue sa richesse et il met tout en œuvre pour le préserver : ses vignes n'ont pas vu de produits chimiques depuis près de trente-cinq ans (méthode Cousinié). Cette cuvée Privilège a bénéficié d'un élevage en fût de onze mois bien adapté à sa puissance. Derrière une robe rubis se dévoile un bouquet intense de cassis et de sous-bois. Mais c'est en bouche que le vin se révèle : ample, gras, concentré et tannique, voilà un beau classique à la fois élégant et robuste, que l'on verrait bien au cours des quatre ou cinq prochaines années accompagner une palette de porc aux échalotes caramélisées. La **cuvée Tradition 2011 (5 à 8 € ; 16 000 b.)**, élevée en cuve, est citée pour sa finesse et son aimable simplicité.

☛ Fabre, Dom. de la Rochelierre, 17, rue du Vigné, 11510 Fitou, tél. et fax 04 68 45 70 52, la.rochelierre@orange.fr, ☑ ⚹ ⟊ t.l.j. 9h-12h 14h-18h; jan.-fév. 14h-19h; f. dim. (hiver)

DOM. DE ROUDÈNE Cuvée Jean de Pila 2011 ★★

| ■ | 5 000 | 🍾 | 5 à 8 € |

Au cœur des Corbières, au pied du mont Tauch se niche le village de Paziols, où parfois le temps semble s'être arrêté. C'est là qu'est établi depuis 1986 Jean-Pierre Faixo, qui connaît son terroir sur le bout des doigts. Passionné d'hydrogéologie, il vous expliquera que la sécheresse des garrigues et la modestie des cours d'eau en été ne doivent leurrer personne, car quelques pluies suffisent à réveiller ces derniers et à multiplier les résurgences. Cette terre difficile et exigeante est le berceau de vins de caractère, comme cette cuvée Jean de Pila à la robe grenat. Le nez évoque les fruits frais, le maquis et les fleurs, et trouve un écho harmonieux dans une bouche remarquablement équilibrée entre volume, tanins et fraîcheur. On appréciera cette bouteille d'ici 2016 sur des grillades de jeunes gibiers. La cuvée **Sélection 2011 (5 000 b.)**, plus chaleureuse, est citée.

☛ Bernadette et Jean-Pierre Faixo, 5, espace des Écoles, 11350 Paziols, tél. et fax 04 68 45 43 47, domainederoudene@orange.fr, ☑ ⚹ ⟊ t.l.j. 8h30-12h30 14h-19h 🏠 ⓑ

CH. SAINT-MARTIN 2011 ★★

| ■ | 20 000 | ⦿ | 8 à 11 € |

Comme le château féodal du XIIᵉs. qu'entoure le vignoble, la famille Daurat-Fort est bien campée sur son terroir, unie autour d'un savoir-faire transmis de père en fils. Côté cave, on sent une sérénité de plus en plus évidente dans les vins, à l'image des trois cuvées sélectionnées cette année. Comme l'an dernier, c'est le château Saint-Martin qui est adoubé. Un vin de haut vol, reflet d'un travail de fond tant à la vigne qu'au chai. À l'intensité de la robe, rouge profond, répond celle du bouquet ouvert sur les fruits confiturés et les épices. L'attaque souple et ronde dévoile un palais expressif, sur les fruits noirs agrémentés de notes fumées, dont les atouts majeurs sont l'élégance et l'équilibre de cette fraîcheur si caractéristique des terroirs austères du Haut Fitou. À déguster d'ici 2016 sur une poularde au citron confit en cocotte lutée. Les **Ch. de Nouvelles 2011 cuvée Vieilles Vignes 2011 (11 à 15 € ; 20 000 b.)** et **Ch. de Nouvelles 2011 cuvée Gabrielle (11 à 15 € ; 8 000 b.)**, tous deux élevés en fût, riches et amples, obtiennent une étoile et confirment la progression constante du domaine.

☛ SCEA R. Daurat-Fort, Ch. de Nouvelles, 11350 Tuchan, tél. 04 68 45 40 03, fax 04 68 45 49 21, daurat-fort@terre-net.fr, ☑ ⚹ ⟊ t.l.j. 9h-12h 14h-18h; sam. dim. sur r.-v. 🏠 ⓓ

CH. WIALA Harmonie 2010

| ■ | 8 000 | ⦿ | 8 à 11 € |

Alain Voorons et Wiebke Seubert se sont rencontrés sur les bancs d'une formation agricole à Narbonne et, animés par la même passion, se sont lancés en 2001 dans la création d'un vignoble. Depuis, leurs vins sont régulièrement sélectionnés dans ce Guide. Ici, une cuvée Harmonie couleur rubis aux légers reflets tuilés, qui libère des parfums de fruits rouges et de sous-bois agrémentés d'une touche florale (violette) apportée par les 20 % de syrah, le carignan et le grenache complétant l'assemblage. La bouche, d'une honorable longueur, se révèle souple et légère, dynamisée par une agréable fraîcheur qui signe son caractère « montagnard ». À boire dès l'automne, avec une andouillette au four ou sa purée de pommes de terre.

☛ SCEA Seubert, 3, rue de la Glacière, 11350 Tuchan, tél. 04 68 45 49 49, fax 04 68 45 92 13, vins@chateau-wiala.com, ☑ ⚹ ⟊ t.l.j. 16h-20h

Languedoc

Superficie : 9 522 ha
Production : 398 780 hl (85 % rouge et rosé)

En 2007, l'appellation coteaux-du-languedoc s'est élargie et a pris le nom de languedoc. L'ancienne AOC était formée de terroirs disséminés en Languedoc, dans la zone des coteaux et des garrigues, entre Narbonne et Nîmes, du pied de la montagne Noire et des Cévennes à la mer Méditerranée – d'anciennes aires VDQS promues en AOC en 1985. Elle a fait place à partir du millésime 2006 à une vaste appellation régionale incluant toutes les aires d'appellation du Languedoc et du Roussillon, jusqu'à la frontière espagnole – à l'exception de Malepère : près de cinq cents communes (122 dans les Pyrénées Orientales, 195 dans l'Aude, 160 dans l'Hérault et 19 dans le Gard). Les AOC existantes (corbières, faugères, côtes-du-roussillon, etc.) subsistent. Quant au nom « coteaux-du-languedoc », il peut figurer sur les étiquettes jusqu'en 2012 pour les vins provenant de l'aire historique de l'appellation.

Six cépages dominent la production des vins rouges (majoritaires) et des rosés : carignan et cinsault (limités à 40 %) complétés par les grenache noir, lladoner, mourvèdre et syrah ; en blanc, grenache blanc, clairette, bourboulenc, marsanne, roussanne et vermentino sont les principaux cépages, le piquepoul étant également utilisé. Ce dernier, qui donne un vin vif, est la variété exclusive du Picpoul-de-Pinet, produit autour du bassin de Thau. Six autres dénominations géographiques correspondent à un terroir particulier et affichent des conditions de production plus restrictives que dans le reste de la région : La Clape où l'on produit les trois couleurs, le Pic-Saint-Loup pour les rouges et les rosés, les Grès de Montpellier, Pézenas et les Terrasses du Larzac pour les rouges, ainsi que Sommières depuis 2009. En outre, certaines dénominations liées à une ancienne renommée peuvent figurer sur l'étiquette des rouges et des rosés : Cabrières, célèbre pour ses rosés, Montpeyroux, Saint-Saturnin, Saint-Georges-d'Orques, La Méjanelle, Quatourze, Saint-Drézéry, Saint-Christol et Vérargues.

DOM. LES ANGES DE BACCHUS Grès de Montpellier Alycia 2010 ★

| | 1 000 | | 15 à 20 € |

Ce jeune domaine a été créé en 2008 par David Mouysset, qui a remis en activité la cave familiale, en sommeil depuis 1956. Le résultat est déjà probant avec cette cuvée riche en syrah complétée de grenache, qui témoigne d'un élégant élevage en fût de près d'un an et demi. Arômes de fruits rouges confits, d'épices douces et de vanille annoncent une bouche ample et généreuse, marquée par des tanins encore présents. Un vin qui appelle une cuisine de terroir, comme un civet de lapin ou un salmis de pintade.
☛ Les Anges de Bacchus, Les Plans, 59, rue des Verdales, 34570 Vailhauquès, tél. 06 17 31 57 18, lesangesdebacchus@yahoo.fr

CH. D'ANGLÈS La Clape 2011 ★

| | 7 000 | | 11 à 15 € |

C'est en 2002 qu'Éric Fabre, après une longue expérience dans le Médoc, eut le coup de foudre pour La Clape, terroir emblématique déjà couvert de vignes du temps de Jules César. Il s'adapte aux traditions du lieu et valorise l'incontournable bourboulenc qui, aux côtés des grenache, roussanne et marsanne, confère sa typicité aux blancs du cru. Une robe bien dorée introduit ce vin aux parfums subtils de fruits exotiques et de noisette. La bouche se révèle ronde et fraîche à la fois, soutenue par une fine trame minérale. Une jolie cuvée équilibrée et prête à boire, mais vous pouvez aussi l'attendre un an ou deux pour plus de complexité. Pour des anchois marinés (de Gruissan) ou des fromages bien affinés.
☛ Éric Fabre, Ch. d'Anglès, 11560 Saint-Pierre-la-Mer, tél. 04 68 33 61 33, fax 04 68 33 90 32, info@chateaudangles.com,
☑ ☂ ☓ t.l.j. sf dim. 9h-19h ⌂ Ⓔ

L'AS DE BAYLE Grès de Montpellier 2011 ★★

| | 1 000 | | 11 à 15 € |

Céline Michelon, œnologue et agronome, a repris le domaine familial en 2002, et perpétue une tradition initiée en 1907 par son arrière-grand-père. Elle s'est employée à développer le blanc et le rosé, et a mis en place un système de management environnemental visant à pratiquer une agriculture durable. Née d'un assemblage de syrah et de grenache, cette cuvée témoigne d'une approche respectueuse du terroir et de la volonté de produire des vins à la fois typés et délicats. La robe est d'un pourpre profond, et le nez exprime des notes de fruits noirs très mûrs, agrémentés d'un caractère oriental qui rappelle les épices douces et d'une touche de tapenade. En bouche, le vin se révèle puissant, bien structuré, ample et d'une grande fraîcheur. Très persistant, il offre un bon potentiel de garde, et s'accordera, après une aération en carafe, avec un tajine, un pigeon rôti ou encore un gigot d'agneau en croûte.
☛ Mas de Bayle, 34560 Villeveyrac, tél. 04 67 78 06 11, fax 04 83 07 57 30, contact@masdebayle.com, ☑ ☂ ☓ r.-v.

♥ DOM. LES AURELLES Pézenas Solen 2010 ★★

| | 11 000 | | 15 à 20 € |

SOLEN
2010

PÉZENAS
LANGUEDOC
APPELLATION LANGUEDOC CONTRÔLÉE

DOMAINE LES AURELLES
PRODUIT DE FRANCE
MIS EN BOUTEILLE AU DOMAINE
GAEC LES AURELLES 34320 NIZAS

Basile Saint-Germain, habitué des distinctions du Guide depuis l'édition 2009, s'illustre à nouveau avec cette cuvée enthousiasmante, dont la finesse, l'élégance et le respect de son terroir de galets villafranchiens constituent le fil conducteur. Sa réussite, c'est d'arriver année après année à trouver le subtil compromis entre l'aptitude du vin à la garde, au minimum cinq ans ici, et le régal des papilles dès la commercialisation. Il a pris le temps d'élever ce 2010 plus de trois ans en cuve, afin de conférer leur soyeux aux tanins, et de développer des arômes élégants. Dans sa robe brillante presque noire, ce Pézenas dévoile un nez d'une belle complexité et livre des notes de fruits noirs, de fumé, d'épices douces, de réglisse, soutenues par une pointe tonique de menthol. D'une belle ampleur en bouche, riche, puissant, à la finale réglissée, il permettra des accords gourmands audacieux, allant du rouget de roche au gigot d'agneau en croûte aux herbes.

☛ Basile Saint-Germain, 8, chem. des Champs-Blancs, 34320 Nizas, tél. 04 67 25 08 34, fax 04 67 25 00 38, contact@les-aurelles.com, ☑ ⚥ ⊤ r.-v.

CH. BAS D'AUMELAS Grès de Montpellier 2011 ★

| | 20 000 | 🍴 ⑪ | 8 à 11 € |

Ce château du XVIᵉs., qui commande 17 ha de vignes en cours de conversion à l'agriculture biologique, est situé à 300 m d'altitude, ce qui en fait le plus haut vignoble de la dénomination Grès de Montpellier. Il se distingue cette année avec ce 2011 aux notes puissantes de fruits rouges, de cassis, de poivre et de garrigue. La bouche se caractérise par une matière souple, dense et généreuse, étayée par une agréable fraîcheur. Même distinction pour le **2011 blanc Grès de Montpellier (5 000 b.)**, qui dévoile une jolie palette aromatique de tilleul, d'abricot et de pêche de vigne et qui offre un équilibre séduisant entre gras et vivacité.

☛ Geoffroy d'Albenas, Ch. Bas d'Aumelas, 34230 Aumelas, tél. 04 30 40 60 29, fax 04 67 96 83 40, contact@chateaubasaumelas.fr, ☑ ⚥ ⊤ t.l.j. sf dim. lun. 9h-12h30 14h-19h

BEAUVIGNAC Picpoul-de-Pinet 2012 ★★

| | 390 000 | 🍴 ⑪ | - de 5 € |

La cave de Pomerols, fondée en 1932, regroupe aujourd'hui près de quatre cents viticulteurs exploitant environ 1 600 ha de vignes. Vendangée de nuit, chacune des multiples parcelles concourt à fournir un raisin à maturité optimale qui se décline au nez sur des notes de fleurs blanches et d'abricot. La bouche livre de beaux arômes de citron et de pamplemousse, et révèle la fameuse arête acide, caractéristique des Picpoul-de-Pinet, tempérée par une belle rondeur. Un 2012 idéal sur les poissons grillés de toute nature.

☛ EURL Beauvignac, av. de Florensac, 34810 Pomerols, tél. 04 67 77 01 59, fax 04 67 77 77 21, info@cave-pomerols.com, ☑ ⊤ t.l.j. sf dim. 8h30-12h 14h-18h

BERGERIE DU CAPUCIN Pic Saint-Loup Larmanela 2010 ★

| | 5 000 | ⑪ | 15 à 20 € |

Après dix ans passés en cave coopérative, Guilhem Viau a recréé en 2008 la structure de vinification et propose des cuvées qui rendent hommage à l'histoire de la famille. Il présente ici une cuvée, du nom du lieu-dit sur lequel se situent les pâturages de la bergerie, riche en syrah, au nez compoté de fruits noirs, et de cerise à l'eau-de-vie et de cacao. La bouche est ronde, grasse et puissante, sur des tanins encore un peu serrés, et déroule une longue finale harmonieuse. À déguster dans un an ou deux, le temps que le vin s'assagisse.

☛ Bergerie du Capucin, Mas de Boisset, 34270 Valflaunès, tél. 04 67 59 01 00, fax 04 99 62 56 16, contact@bergerieducapucin.fr, ☑ ⊤ r.-v.
☛ Guilhem Viau

GÉRARD BERTRAND Pic Saint-Loup Art de vivre 2011 ★

| | n.c. | ⑪ | 5 à 8 € |

Gérard Bertrand, important viticulteur-négociant du Languedoc, propose une large gamme de vins issus

de vastes vignobles dans plusieurs appellations. Il présente ici un Pic Saint-loup à la robe intense ornée de reflets grenat, qui livre un nez expressif et riche de petits fruits rouges, d'épices douces, de tapenade et de réglisse. La bouche est structurée autour de tanins doux, ronds et harmonieux, et laisse entrevoir un bon potentiel de garde de trois à quatre ans.

☛ Gérard Bertrand, Ch. l'Hospitalet, rte de Narbonne-Plage, 11100 Narbonne, tél. 04 68 45 57 57, fax 04 68 45 28 77, j.sauzet@gerard-bertrand.com, ☑ ⚥ ⊤ t.l.j. 9h-19h

DOM. BORT Saint-Christol N°1 2011 ★

| | 10 000 | | 11 à 15 € |

Chacune des parcelles qui constituent les 55 ha de ce domaine a été progressivement acquise pour constituer ce jeune domaine en 2009 doté d'une cave particulière de vinification très moderne. Voici donc son troisième millésime, issu majoritairement de syrah, complété de grenache. Derrière la belle intensité de sa robe, le vin libère des arômes de fruits mûrs, de grillé et de cacao. Une matière suave se déploie en bouche – ce qui n'est pas étonnant pour ce terroir de Saint-Christol qui regarde la Méditerranée. Le beau grain des tanins en finale est le signe que ce vin se gardera deux à trois ans sans difficulté.

☛ SCEA Dom. Bort, 154, av. Les Platanes, 34400 Saint-Christol, tél. 04 67 86 06 03, fax 09 70 62 44 79, sceadomainebort@orange.fr, ☑ ⚥ ⊤ t.l.j. sf dim. 9h-12h 14h-19h

CH. CAPITELLE DES SALLES Terrasses du Larzac Hommage 2011 ★

| | 2 700 | | 11 à 15 € |

La capitelle est cette petite construction en pierre sèche érigée grâce au lent et laborieux épierrement des parcelles entrepris par les anciens. Avec cette cuvée, Estelle et Frédéric Salles souhaitent rendre hommage au travail de leurs prédécesseurs. Ils signent un assemblage de grenache, de syrah et de carignan qui conjuguent leur expression dans un bouquet intense de fruits rouges confiturés, de cacao et d'épices douces. La bouche se révèle droite, fraîche, structurée sans excès par des tanins fondus. À son optimum d'ici deux à trois ans, cette cuvée peut néanmoins accompagner d'ores et déjà un agneau du Larzac aux herbes, un lièvre ou un tournedos de bœuf.

☛ Estelle Salles, 6, rte de Rabieux, 34700 Saint-Jean-de-la-Blaquière, tél. 06 86 98 33 48, estelle@capitelle-des-salles.com, ☑ ⚥ ⊤ t.l.j. 9h-20h 🏠 🅑

CHÂTEAU-ABBAYE DE CASSAN
Le Jardin du labyrinthe 2010 ★

| | 1 033 | 🍴 ⑪ | 8 à 11 € |

Le château-abbaye de Cassan, classé Monument historique, est un ancien prieuré royal, qui abrite aujourd'hui le siège de la Confrérie de Cassan Vigne et Olivier, qui prônent les produits régionaux et plus largement la culture languedocienne. Pour sa première apparition dans le Guide, il présente une élégante cuvée, hommage au jardin qui servait autrefois de halte aux pèlerins. Le vin, d'un grenat rutilant, offre un bouquet intense mariant les épices, le thym et le cacao à des notes de cassis et de cerise à l'eau-de-vie. La bouche répond au nez, appuyée par une structure tannique soyeuse. Un joli vin, bien équilibré, à déguster dès à présent.

LANGUEDOC

☛ SNC Château-Abbaye de Cassan, rte de Gabian, 34320 Roujan, tél. 04 67 24 52 45, fax 04 67 24 52 46, info@cassan.org, ☑ ☨ r.-v.
☛ Sercib

DOM. CASTAN Terroir du Lias 2010 ★★

| ■ | 3 900 | ⬤ | 8 à 11 € |

Sur ce terroir argilo-calcaire de la période du Lias, le grenache et la syrah – très majoritaire dans l'assemblage et qui confère au vin cette couleur pourpre presque noire – sont cultivés en agriculture raisonnée. Vinifiée dans une cave du XIXᵉs., cette cuvée livre au nez une gamme d'arômes intenses et complexes qui décline les fruits rouges très mûrs, la violette, la réglisse et les épices (témoins des douze mois d'élevage en fût). Puissant, riche, équilibré par une belle fraîcheur, le palais est marqué par une structure tannique très présente, qui s'affinera dans le temps. Doté d'un beau potentiel de garde, ce 2010 sera idéal pour les plats d'hiver en sauce, ou sur un tournedos.
☛ André Castan, 26 bis, av. Jean-Jaurès, 34370 Cazouls-lès-Béziers, tél. et fax 04 67 93 54 45, domandrecastan@aol.com,
☑ ⚹ ☨ t.l.j. sf dim. 10h-12h30 16h-19h30 🏠 🄴

ⒷDOM. DU CAUSSE D'ARBORAS 2012 ★

| ■ | 6 000 | | 5 à 8 € |

Ce vin est né de vignes de grenache et de cinsault plantées à 350 m d'altitude sur le causse d'Arboras, au pied du pic Baudile. Les amateurs de rosés tendres et subtils seront séduits par ce 2012 à la robe pâle, vinifié par saignée. Du verre s'échappent des notes de petits fruits rouges et de fruits secs, vivifiées par une plaisante nuance mentholée. Équilibré, frais et élégant, le palais affiche un joli grain en lien avec son terroir. À déguster dans sa jeunesse sur des calamars à la plancha.
☛ Dom. du Causse d'Arboras, Le Mas de Cazes, 477, rue Georges-Cuvier, 34090 Montpellier, tél. 06 11 51 08 41, fax 04 67 04 11 40, causse-arboras@wanadoo.fr, ☑ r.-v.
☛ Jean-Louis Sagne

ⒷCH. DE CAZENEUVE Pic Saint-Loup 2011 ★★

| ■ | 15 000 | ■ | 11 à 15 € |

Régulièrement mentionné dans le Guide, André Leenhardt fait partie des vignerons emblématiques de la dénomination Pic Saint-Loup. Il propose un assemblage de syrah, de grenache et de mourvèdre cultivés sur 12 ha de sols argilo-calcaires. Il en résulte une cuvée rouge profond aux reflets pourpres, au nez intense et complexe de fruits rouges, de violette, de vanille et de réglisse. La bouche livre une matière à la fois ronde et puissante, aux accents de garrigue, soutenue par des tanins soyeux. Persistant et d'une remarquable fraîcheur minérale, ce vin fin et élégant est la preuve que l'on peut élaborer des vins de gastronomie sans élevage en fût.
☛ André Leenhardt, 34270 Lauret, tél. 04 67 59 07 49, fax 04 67 59 06 91, andre.leenhardt@wanadoo.fr, ☑ ⚹ ☨ r.-v.
☛ Cazeneuve

DOM. DU CHÂTEAU Picpoul-de-Pinet
Cuvée des comtesses 2012 ★

| ■ | 20 000 | ■ | 5 à 8 € |

Au château de Pinet, après deux cent cinquante ans de transmission de père en fils, c'est le premier relais

mère-fille qui s'opère entre Simone et Anne-Virginie Arnaud-Gougal. Un savoir-faire transmis aussi pour l'élaboration de ce classique de la dénomination Picpoul-de-Pinet, issu de parcelles historiques au cœur de l'appellation. Sa robe jaune pâle aux reflets verts révèle sa jeunesse, et il faut prendre le temps de l'aération pour profiter de petites notes iodées, d'agrumes et de fruits à chair blanche. L'arête acide caractéristique est bien présente, soulignée par le citron mûr et contrebalancée par une belle rondeur. Un vin harmonieux, à déguster en apéritif ou sur des sardines grillées.
☛ Simone et Anne-Virginie Arnaud-Gaujal, Ch. de Pinet, 34850 Pinet, tél. 04 68 32 16 67, chateaudepinet@voila.fr, ☑ ⚹ ☨ r.-v.

LE CHEMIN DES RÊVES Pic Saint-Loup La Soie 2010 ★

| ■ | 700 | ■⬤ | 20 à 30 € |

Depuis 2004, Benoît Viot est un vigneron heureux ! Après une première vie professionnelle consacrée au travail de bureau et aux voyages, ce Tourangeau revendique aujourd'hui une « vie de passion », se préparant à produire son dixième millésime. C'est en hommage à sa famille, autrefois vouée au travail de la soie, qu'il a créé cette cuvée à la robe profonde et au nez typé de garrigue. Le palais dense et enrobé, soutenu par des tanins fondus, est prolongé par une agréable fraîcheur, accompagnée de notes de cuir et de réglisse. Heureux accord en perspective avec un canard au miel et aux épices.
☛ Benoît Viot, 218, rue de la Syrah, 34980 Saint-Gély-du-Fesc, tél. 04 99 62 74 25, fax 04 67 10 09 84, contact@chemin-des-reves.com, ☑ ⚹ ☨ t.l.j. sf dim. 16h-19h

LES CHEMINS DE CARABOTE Terrasses du Larzac
Chemin faisant 2011 ★

| ■ | 3 500 | ■ | 11 à 15 € |

Si vous passez, chemin faisant, entre le village de Saint-André-de-Sangonis et le hameau de Cambous, vous découvrirez les fameux galets roulés qui constituent le terroir à l'origine de cette deux cuvées. Il faudra prendre le temps de déguster ce 2011 dont la robe grenat est une invitation à découvrir la subtile complexité du bouquet : fruits noirs et rouges, mandarine confite, figue et une pointe de fleurs du bouquet intense. Si la bouche se révèle riche et onctueuse, la finale offre la fraîcheur typique des contrastes climatiques des terrasses du Larzac. Les papilles seront également à la fête avec la cuvée **Terrasses du Larzac Les pierres qui chantent 2010 rouge** (15 à 20 € ; 4 500 b.), qui obtient la même distinction pour ses arômes de fruits frais et d'épices, et pour son palais gourmand et frais, bien structuré par des tanins fermes. À déguster après un passage en carafe sur un tajine au coing ou sur un dessert au chocolat.
☛ Jean-Yves Chaperon, Mas de Navas, 34150 Gignac, tél. 06 07 16 76 13, fax 04 67 55 50 27, contact@carabote.com, ☑ ⚹ ☨ r.-v.

CH. CLAUD BELLEVUE Grès de Montpellier
Seignorie 2011 ★

| ■ | 3 200 | ■ | 8 à 11 € |

En vigneron passionné, Pierre de Boisgelin a entrepris dès 2009 de rénover le vignoble de ce domaine familial ancien, pour aboutir avec le millésime 2013 à sa labellisation en agriculture biologique. Cette cuvée, qui ne porte pas le logo AB mais qui a été élaborée selon les mêmes principes, offre un nez puissant de fruits rouges confits, d'épices douces et de garrigue. La bouche bien équilibrée, fraîche et savoureuse déploie une plaisante longueur. Un vin élégant, parfait pour accompagner un gigot d'agneau rôti dans les trois ans.

☙ SCEA de Boisgelin, Dom. le Claud,
12, av. Georges-Clemenceau, 34430 Saint-Jean-de-Védas,
tél. 04 67 27 63 37, fax 04 99 52 99 12,
pierre.deboisgelin@free.fr,
☑ ☆ ℡ t.l.j. sf dim. 10h-12h30 16h-19h 🏚 ❷

CLAUSADE MONTLONG Élevé en fût de chêne 2012 ★

| | 2 500 | 🍷 | 5 à 8 € |

La cave des vignerons de Saint-Félix-de-Lodez produit des vins typés issus de l'un des plus beaux terroirs du Languedoc. Elle propose une cuvée élaborée à base de grenache blanc et de rolle, qui a fait l'objet d'une vinification et d'un élevage en barrique. Le nez libère de séduisants parfums d'agrumes, de fruits exotiques et de pain toasté, avant de laisser place à une bouche bien équilibrée entre rondeur et vivacité. Le vin idéal pour accompagner poissons grillés et crustacés.

☙ Vignoble des Deux Terres, 21 bis, av. Marcelin-Albert,
34725 Saint-Félix-de-Lodez, tél. 04 67 96 60 61,
fax 04 67 88 61 77, info@vignerons-saintfelix.com,
☑ ℡ t.l.j. 9h-12h 14h-18h

Ⓑ DOM. PIERRE CLAVEL Terroir de la Méjanelle Copa Santa 2011 ★

| | 26 000 | 🍷🍷 | 15 à 20 € |

Pierre Clavel, vigneron réputé du Languedoc, se distingue cette année avec l'une de ses cuvées les plus prisées. Copa Santa est issue du terroir historique de la Méjanelle, élaborée à partir de la syrah assemblée au grenache noir. La robe est d'un grenat profond aux reflets violines. Le nez exprime des arômes puissants de fruits rouges, de cuir et d'épices douces. Frais et dense en bouche, ce vin complexe demandera à séjourner un à deux ans minimum en cave pour exprimer tout son potentiel.

☙ Dom. Pierre Clavel, Mas de Périé, rte de Sainte-Croix,
34820 Assas, tél. 04 99 62 06 13, fax 04 99 62 06 14,
info@vins-clavel.fr, ☑ ☆ ℡ t.l.j. sf dim. 14h-19h

CLOS DE L'AMANDAIE 2011 ★★

| | 15 000 | 🍷 | 8 à 11 € |

Philippe Peytavy, à la tête de ce vignoble depuis 2002, a développé une activité œnotouristique dans son nouveau caveau en pierre du Gard à travers des concerts, des expositions, ou encore des cafés philosophiques. Vous pourrez peut-être y déguster ce 2011 qui a su tirer le meilleur de son terroir et d'un quatuor « de choc » avec syrah, grenache, carignan et cinsault. Au nez, le vin exhale des parfums de fruits noirs, de griotte, de cade et d'épices douces. La bouche est à l'unisson, adossée à des tanins racés et fondants. Une belle cuvée qui marie concentration et élégance, et que l'on appréciera aussi bien sur son fruit qu'après quelques années de garde. La cuvée **Huis Clos 2011 blanc (15 à 20 € ; 4 000 b.)** est quant à elle citée pour son nez de coing et son palais gras, équilibré par une agréable fraîcheur minérale. Un vin de repas, à apprécier dès à présent.

☙ Philippe Peytavy, Clos de l'Amandaie,
rte de Montpellier, 34230 Aumelas, tél. 06 86 68 08 62,
fax 04 67 88 72 37, closdelamandaie@free.fr,
☑ ☆ ℡ t.l.j. sf dim. 17h30-19h; sam. 14h-19h

CLOS DE LUNÈS Secrets du Languedoc 2011 ★

| | 60 000 | 🍷 | 5 à 8 € |

Les anciens appellent ce causse le « désert » d'Aumelas. Ce domaine de 75 ha, le premier de la famille Jeanjean, a été conquis sur la garrigue sauvage servant de réserve de chasse. Syrah et grenache font bonne équipe au cœur de ce 2011 à la robe grenat violacée. Le nez libère des notes de confiture de fruits rouges, complétées de nuances de grillé. La bouche est à l'unisson, friande et harmonieuse, dotée de tanins soyeux et enrobés. Un vin que l'on pourra dès à présent servir sur un agneau de sept heures.

☙ SARL Mas de Lunès, BP 1, 34725 Saint-Félix-de-Lodez,
tél. 04 67 88 80 00, fax 04 67 88 45 79,
elise.bellot@jeanjean.fr,
☑ ℡ t.l.j. sf dim. 9h30-12h30 13h30-19h

LE CLOS D'ISIDORE Les Sentiers pourpres 2010 ★

| | 1 258 | 🍷🍷 | 11 à 15 € |

Si vous passez par Murviel-lès-Montpellier, l'une des cinq communes de la dénomination Saint-Georges-d'Orques, garez-vous à la fontaine romaine pour découvrir l'oppidum d'Altimurium, vestiges datant du IIᵉˢ. avant notre ère. Sur ce terroir, syrah et mourvèdre ont donné naissance à cette cuvée couleur rubis, aux arômes de cerise noire, d'épices et de sous-bois. Derrière une attaque puissante, chocolatée, se profilent des tanins encore un peu fermes qui nécessiteront un peu de temps pour s'adoucir. Un vin de caractère pour un mets de goût, un osso bucco par exemple.

☙ Antherieu, 1, pl. Clément-Bécat,
34570 Murviel-lès-Montpellier, tél. 04 67 47 20 58,
joel.antherieu@orange.fr,
☑ ☆ ℡ t.l.j. sf dim. 17h-20h; sam. 10h-13h

CH. CONDAMINE BERTRAND Pézenas 2011

| | 4 000 | 🍷 | 15 à 20 € |

Cette cuvée née sur le terroir de galets roulés qui surplombe le château est issu d'un assemblage de syrah et de grenache. Elle libère un nez de cerise et de fraise finement boisé. La bouche est à l'unisson, ample, fruitée, vanillée et épicée, soutenue par des tanins de qualité. Une bouteille à déboucher à l'avance ou à attendre deux à trois ans pour qu'elle atteigne sa plénitude.

☙ Ch. Condamine Bertrand, 2, av. d'Ormesson,
34120 Lézignan-la-Cèbe, tél. 04 67 25 27 96,
fax 04 67 25 07 55, export@condamine-bertrand.com,
☑ ℡ t.l.j. 8h-12h 13h-17h
☙ Bruno Andreu

DOM. DE LA COSTE-MOYNIER Saint-Christol Cuvée sélectionnée 2011 ★

| | 20 000 | 🍷 | 5 à 8 € |

L'ordre des Chevaliers de Saint-Jean-de-Jérusalem (ordre de Malte) développait déjà la vigne sur ce magnifique terroir de galets roulés de Saint-Christol. Depuis 1975, Luc et Élisabeth Moynier perpétuent cette tradition et recherchent sans relâche ce qui permet d'exprimer la magie du lieu. Cette cuvée bien connue des lecteurs est un bel exemple de leur savoir-faire. Robe grenat dense et profond rappelant un velours soyeux, nez intense de fruits compotés et d'épices (poivre, cannelle), bouche charnue et suave en finale : un vin généreux et très méditerranéen, qui pourra se confronter dès aujourd'hui à du gibier à plume.

☞ Élisabeth et Luc Moynier, Dom. de la Coste-Moynier, 34400 Saint-Christol, tél. 04 67 86 02 10, fax 04 67 86 07 71, luc.moynier@wanadoo.fr,
☑ ✦ ⵏ t.l.j. sf dim. 9h-12h30 13h30-17h30

Ⓑ DOM. DE COSTES-CIRGUES 2010

		3 200	▮ ◍	15 à 20 €

Béatrice Althoff conduit depuis 2003 son vignoble en biodynamie et propose ici une cuvée née de syrah et de grenache, vinifiée sans sulfites. Un vin à la robe intense, presque noire, qui libère après aération des notes de fruits confits et d'épices douces, qui atteindra son apogée vers 2016. Ceux qui aiment les vins puissants et de grande maturité l'apprécieront sans attendre sur une gardiane de taureau. Les plus audacieux l'essaieront sur un fondant au chocolat.
☞ Béatrice Althoff, Dom. de Costes-Cirgues, 1531, rte d'Aubais, 30250 Sommières, tél. 06 77 14 09 69, fax 04 66 80 58 72, althoff.beatrice@orange.fr,
☑ ✦ ⵏ r.-v. 🏠 Ⓔ

LES COTEAUX DE THONGUE ET PEYNE 2012 ★

		100 000	▮	5 à 8 €

Longtemps dévolue à la commercialisation de vins en vrac, cette coopérative, issue de la fusion des caves de Pouzolles, de Roujan et d'Abeilhan, consacre dorénavant une partie de sa production à la vente en bouteilles. La gamme est constituée de sept cuvées, dont ce joli 2012, assemblage des cinq cépages emblématiques de la région. Un vin aux notes éclatantes de fruits rouges et de garrigue, adossé à des tanins soyeux et ronds. À servir à la température de la cave sur une entrecôte à la braise.
☞ Coteaux de Thongue et Peyne, 8, bd Pasteur, 34480 Abeilhan, tél. 04 67 39 00 20, fax 04 67 39 25 11, coteauxdabeilhan@orange.fr, ☑ ⵏ t.l.j. 10h-12h 15h-17h

LES COTEAUX DU PIC Pic Saint-Loup Sélection 2011

		50 000	▮	5 à 8 €

La cave coopérative de Saint-Mathieu-de-Tréviers a sélectionné 9 ha de parcelles conduites en agriculture raisonnée pour cette cuvée issue d'un assemblage de syrah et de grenache. Le nez, expressif, est un beau mariage de fruits rouges, d'épices douces et de fleurs. La bouche se révèle ronde et généreuse, équilibrée par une agréable fraîcheur. À déguster de préférence après un passage en carafe dans les deux à trois ans.
☞ SCA Les Coteaux du Pic, 140, av. des Coteaux-de-Montferrand, 34270 Saint-Mathieu-de-Tréviers, tél. 04 67 55 20 22, fax 04 67 55 81 20, thomas.bondu@coteaux-du-pic.com, ☑ ⵏ t.l.j. sf dim. 9h30-12h30 14h30-18h

DOM. COULET Saint-Jean-de-Buèges Tour de Baulx 2011 ★

		3 500	▮	8 à 11 €

En 2011, Benjamin Coulet a créé sa cave particulière à Saint-Jean-de-Buèges, un village médiéval où il a passé toute son enfance. Il y cultive quelques vignes ayant appartenu à son grand-père et à son père, dont 1,35 ha de syrah et de grenache à l'origine de cette cuvée à la robe grenat qui déploie au nez des notes de fraise écrasée rafraîchies par une nuance de menthol. Sa structure soyeuse, son bel équilibre et sa fraîcheur en bouche traduisent bien la typicité de ce terroir d'altitude (300 m). Un vin harmonieux à savourer dès à présent, sur des lasagnes ou sur une poularde à la crème.

☞ Benjamin Coulet, Le Grimpadou, rue du Château, 34380 Saint-Jean-de-Buèges, tél. 06 62 57 24 22, domaine.coulet@live.fr, ☑ ✦ ⵏ r.-v. 🏛 Ⓘ 🏠 Ⓑ

LA COUR DES LOUPS Cuvée Esteban 2010 ★

		2 000	▮ ◍	11 à 15 €

Un vignoble de poche de 0,56 ha entouré de murs en pierre « bichonné » comme un jardin par la famille Martinez. Syrah, grenache et mourvèdre s'y épanouissent à côté des chênes verts et de la garrigue. Julien Martinez présente ici son premier millésime, un 2010 au nez de fruits écrasés ponctué de nuances empyreumatiques. Le palais à la fois doux et frais, parfumé de notes de vanille et d'anis, est adossé à des tanins soyeux. Un vin déjà très aimable, à déguster dès cet automne avec un sauté d'agneau aux girolles.
NOUVEAU PRODUCTEUR
☞ Julien Martinez, Les Glabarèdes, 34270 Cazevieille, tél. 06 51 76 34 97, lacourdesloups@hotmail.fr, ☑ r.-v.

DOM. COUSTELLIER Picpoul-de-Pinet 2012

		8 000	▮	- de 5 €

Emmanuel Coustellier a vendangé de nuit afin de préserver les qualités du raisin. Il en résulte un 2012 vêtu d'une robe jaune pâle aux reflets verts soulignant la jeunesse du vin qui livre un bouquet tout d'abord discret, ouvert à l'aération sur une jolie palette fruitée. Sa vivacité en bouche, tempérée par une touche plus chaleureuse, en fait le compagnon idéal des huîtres ou des moules de Bouzigues.
☞ Dom. Coustellier, 9, bd Magenta, 34510 Florensac, tél. 06 75 23 36 16, fax 04 67 77 94 39, domainecoustellier@wanadoo.fr, ☑ ✦ ⵏ r.-v.

CH. DES CRÈS RICARDS Terrasses du Larzac Œnothera 2011 ★

		10 000	◍	15 à 20 €

Issue d'un terroir composé de sols argilo-calcaires et de galets roulés, cette cuvée livre un nez de fruits noirs mûrs mâtinés d'une nuance boisée. On retrouve ces arômes dans un palais ample et équilibré, à la fois rond et frais. Un vin de caractère, doté d'une belle structure tannique, que l'on pourra déguster dès à présent ou après deux ou trois ans de garde en accompagnement d'une cuisine relevée.
☞ Ch. Crès Ricards, 34800 Ceyras, tél. 04 67 90 16 10, fax 04 67 98 00 60, contact@cresricards.com,
☑ ⵏ t.l.j. sf dim. lun. 10h30-19h30 au dom. Paul Mas à Montagnac
☞ Jean-Claude Mas

DOM. CROIX MARO 2012 ★

		25 000		- de 5 €

C'est sur une terrasse villafranchienne couverte de galets roulés, au nord de Pézenas, que plongent leurs racines les ceps de grenache, de mourvèdre et de syrah à l'origine de cette cuvée. Celle-ci se drape dans une belle robe à reflets vermillon et laisse exploser sans réserve des senteurs de fruits rouges (framboise, groseille et fraise des bois). La bouche, savoureuse, ne manque pas de volume et se prolonge sur des notes épicées qui s'accorderont parfaitement avec une cuisine relevée.

🔖 Alain Clarou, Dom. Croix Maro, 10-12, bd du Puits-Allier, 34720 Caux, tél. et fax 04 67 98 44 81, croix-maro@libertysurf.fr, ☑ ⚔ ☏ r.-v.

LES DARONS 2012 ★★

| ■ | 96 000 | ■ | 5 à 8 € |

C'est toute la Méditerranée qui chante à travers cette cuvée : « du soleil en bouteille », affirme un dégustateur un rien lyrique. Proposé par la structure de négoce de Jeff Carrel, ce vin issu d'un assemblage de cinq cépages en proportions égales livre à l'olfaction des parfums soutenus de fleurs, de garrigue et d'épices. Au palais se déploie une matière volumineuse, riche, chaleureuse, portée par des tanins puissants, denses et élégants. Un vin d'un beau potentiel de garde (cinq ans), que l'on pourra aussi servir dès à présent avec une côte de bœuf aux herbes.

🔖 Toowo – Jeff Carrel, 12, quai de Lorraine, 11100 Narbonne, tél. 06 78 25 56 33, info@jeffcarrel.com, ⌂ Ⓔ

CH. DAURION Le Long du parc 2011 ★

| ■ | n.c. | ⊞ | 11 à 15 € |

C'est en 2011 qu'Isabelle Cordoba-Collet a pris les commandes de cette belle propriété, suivant les pas de son grand-père et de son père. Elle propose ici son premier millésime avec ce blanc délicat vinifié et élevé en barrique, issu de grenache blanc et de roussanne. Robe dorée et brillante ; nez expressif de fleurs blanches, de fruits exotiques et d'agrumes comme le pamplemousse ; bouche ronde, ample, harmonieuse : un vin savoureux qui promet d'heureux accords avec des gambas grillées ou un bar rôti au fenouil.

🔖 SCEA Dom. Daurion, 34720 Caux, tél. 06 62 31 89 41, info@daurion.fr, ☑ ⚔ ☏ r.-v.
🔖 Cordoba-Collet

S. DELAFONT Pic Saint-Loup 2011 ★

| ■ | 3 300 | ■⊞ | 15 à 20 € |

Première sélection dans le Guide pour Samuel Delafont, négociant-éleveur qui a créé en 2010 sa propre collection de vins du Languedoc afin de mettre en valeur les beaux terroirs de la région, qu'il trouve insuffisamment reconnus. Il propose ici un Pic Saint-Loup né d'un assemblage de syrah et de mourvèdre à la robe grenat profond et au nez fin et gourmand de fruits rouges, de pruneau et de vanille. La bouche, à l'unisson, se révèle ample et ronde, soutenue par des tanins enrobés. Un vin qui promet une bonne capacité d'évolution dans les cinq ans à venir.

🔖 S. Delafont, 131, imp. des Palmiers, 30100 Alès, tél. 04 66 56 94 78, fax 04 66 60 24 52, info@delafont-languedoc.fr, ☑ ☏ r.-v.

CH. ELLUL-FERRIÈRES Grès de Montpellier
Les Romarins 2011 ★

| ■ | 10 000 | ■ | 11 à 15 € |

Sylvie et Gilles Ellul ont fondé leur domaine en 1997, avec l'ambition de produire des vins typés et représentatifs de leur terroir établi en coteaux cailllouteux et exposé essentiellement plein sud. La cuvée Les Romarins confirme cette démarche : un rouge profond et intense, aux arômes riches de fruits noirs, de laurier et de menthol, rond et élégant en bouche, structuré par des tanins aussi fins que veloutés. Un vin auquel deux années d'élevage en cuve ont conféré une belle complexité, et qui gagnera encore en plénitude au cours des quatre ou cinq prochaines années.

🔖 Dom. Ellul-Ferrières, RD 610, Fontmagne, 34160 Castries, tél. 06 15 38 45 01, fax 04 67 02 28 28, contact@domaine-ellul.com, ☑ ⚔ ☏ r.-v.

CH. DE L'ENGARRAN Grès de Montpellier 2010 ★★

| ■ | 20 000 | ■⊞ | 11 à 15 € |

Le château de l'Engarran est une « folie » montpelliéraine du XVIIIᵉs. classée à l'inventaire des Monuments historiques. Diane Losfelt et Constance Rerolle y cultivent, sur les traces de leurs parents, le mariage du vin et du patrimoine. Elles produisent une large gamme de cuvées à forte personnalité, dont certaines font référence à la riche architecture des lieux. La cuvée présentée est un rouge à la robe dense et profonde, au nez expressif de fruits noirs (cassis), de garrigue, d'épices douces et de réglisse. Ample et rond, le palais est structuré par des tanins fondus et stimulé par une élégante finale poivrée. Équilibré et savoureux, ce vin sera d'ores et déjà parfait sur une côte de veau ou un canard braisé aux olives.

🔖 SCEA du Ch. de l'Engarran, Ch. de l'Engarran, 34880 Lavérune, tél. 04 67 47 00 02, fax 04 67 27 60 89, lengarran@wanadoo.fr, ☑ ⚔ ☏ t.l.j. 10h-13h 15h-19h

DOM. DE L'ESCATTES Tradition 2011 ★

| ■ | 9 000 | ■ | 5 à 8 € |

Exploitation familiale de 24 ha, le mas de l'Escattes possède un parc à la française datant du XVIIIᵉs. François Robelin, engagé vers une conversion en culture biologique depuis 2010, propose ici une cuvée issue de grenache blanc, de bourboulenc et d'une pointe de viognier. Le nez exprime des arômes de fruit de la Passion et de fleurs blanches. Le palais onctueux est équilibré et « allongé » par une agréable vivacité en finale. Un vin harmonieux à déguster dans les deux ans, sur des coquillages ou une dorade au four.

🔖 Dom. de l'Escattes, Mas d'Escattes, 30420 Calvisson, tél. 04 66 01 40 58, fax 04 66 01 42 20, snc.robelin@wanadoo.fr, ☑ ⚔ ☏ r.-v.

CH. L'EUZIÈRE Pic Saint-Loup Les Escarboucles 2010 ★★

| ■ | 14 000 | ■⊞ | 11 à 15 € |

Marcelle Causse, après avoir exercé le métier de sertisseuse en joaillerie, a rejoint en 1991 son frère Michel au sein du domaine familial, un ancien relais de chevaux sur la route des évêques de Maguelone. Cette cuvée, dont le nom fait référence à des pierres précieuses ou fines de couleur rouge, se présente justement dans une robe grenat et livre un nez intense de petits fruits rouges, de réglisse et de vanille. En bouche, elle révèle une matière ronde, élégante, persistante et poivrée, adossée à des tanins doux. Un vin harmonieux que l'on pourra apprécier dans les cinq ans à venir, pourquoi pas sur un canard aux olives noires et aux champignons ?

🔖 Michel et Marcelle Causse, L'Euzière, 9, ancien chem. d'Anduze, 34270 Fontanès, tél. 04 67 55 21 41, fax 04 67 55 36 04, leuziere@chateauleuziere.fr,
☑ ⚔ ☏ t.l.j. 10h-12h 14h (16h en été)-19h; f. 14-20 août

CH. D'EXINDRE Grès de Montpellier Amélius 2010 ★

| ■ | 3 400 | ⊞ | 11 à 15 € |

Ancienne villa romaine, le château d'Exindre devint propriété des évêques de Maguelone, avant d'être vendu

LANGUEDOC

à la Révolution à la famille Sicard, toujours propriétaire aujourd'hui. La cuvée Amélius, à forte dominante de syrah, a fait l'objet d'un élevage d'un an en fût et livre un nez expressif et original de zeste d'orange, de petits fruits rouges et de fleur de thym. La bouche se révèle dense, relativement puissante, épaulée par des tanins fins et élégants. Un joli vin de caractère, à apprécier dans les cinq ans sur un gigot d'agneau à la provençale.

☛ Catherine Sicard-Geroudet, La Magdelaine d'Exindre, 34750 Villeneuve-lès-Maguelone, tél. et fax 04 67 69 49 77, catherinegeroudet@yahoo.fr,

☑ ⚔ ☋ t.l.j. sf mer. dim. 15h-19h; sam. 9h-12h 🏠 ⓒ

DOM. DE FABRÈGUES Le Cœur 2009 ★

◼		8 000	◼ ◫	15 à 20 €

Des archéologues ont retrouvé ici un four datant de l'époque romaine et ayant servi à fabriquer des amphores, ces vases de terre ocre dans lesquels voyageaient les vins locaux en direction du Moyen-Orient et de l'Asie. Ce n'est pas dans une amphore mais bien dans des fûts de chêne que ce 2009 a été élevé avec soin pendant un an. Sa robe encore jeune laisse présager une belle puissance. Le nez livre des arômes de fruits confits, de confiture de mûres et d'épices assortis d'une pointe vanillée. En bouche se déploie une matière ample, ronde et concentrée, bien équilibrée par une pointe de fraîcheur en finale. Un vin déjà prêt, qui pourra néanmoins patienter une paire d'années avant d'accompagner un lapin aux pruneaux.

☛ Dom. de Fabrègues, rte de Péret, 34800 Aspiran, tél. 04 67 44 54 99, fax 04 67 44 79 72, contact@domainefabregues.fr, ☑ ⚔ ☋ r.-v. 🏠 ⓔ

☛ Carine Pichot

DOM. FÉLINES JOURDAN 2012 ★★

◼		16 000	◼	5 à 8 €

Claude Jourdan a intégré le domaine familial en 1995, prenant la suite de sa mère Marie-Hélène aux côtés de Serge, son oncle, en charge de la culture des vignes. Ce vaste domaine de 110 ha se répartit en trois entités sur la zone de Picpoul-de-Pinet, en bordure de l'étang de Thau, à quelques mètres de la mer. Une situation géographique particulière qui confère aux vins blancs beaucoup de fraîcheur. Pour preuve, cette cuvée à base de roussanne complétée d'une pointe de piquepoul, au nez expressif de pêche blanche, de pomme verte et de noisette fraîche. La bouche, équilibrée, à la fois ronde et vive, est adoucie par une note de miel en finale. Un vin bien typé, parfait pour accompagner des tagliatelles aux fruits de mer.

☛ Claude et Serge Jourdan, Dom. Félines Jourdan, 34140 Mèze, tél. 04 67 43 69 29, fax 04 67 78 43 28, claude@felines-jourdan.com, ☑ ☋ r.-v.

LES VIGNERONS DE FLORENSAC Picpoul-de-Pinet Perline 2012 ★

◼		50 000	◼	- de 5 €

Vous trouverez cette cuvée au pôle œnotouristique mis en place par les vignerons de Florensac, qui proposent un caveau de vente avec bornes interactives, un restaurant de cuisine méditerranéenne et un espace de réception. Un soin particulier apporté à la clientèle qui ne masque pas l'esssentiel, la qualité des vins. D'un jaune ourlé de vert, cette Perline porte bien son nom : ce « petit bijou à croquer », selon les mots d'un juré, décline de fines notes de fruits exotiques, au nez comme en bouche, et livre une matière fraîche et bien équilibrée, typique du

Picpoul-de-Pinet. Heureux accord en perspective avec des fruits de mer.

☛ Les Vignerons de Florensac, 5, av. des Vendanges, 34510 Florensac, tél. 04 67 77 00 20, fax 04 67 77 79 66, cave.florensac@orange.fr, ☑ ☋ t.l.j. 9h-18h; dim. 10h-15h

LES VIGNERONS DE FONTÈS Pézenas Latude 2010 ★

◼		13 000	◫	8 à 11 €

Les vignerons de Fontès ont nommé cette cuvée en référence au baron de Latude, évadé de la Bastille et ancien seigneur des lieux. Syrah et grenache cultivés sur schistes sont associés dans cet hommage et confèrent au vin une robe pourpre intense. Nez comme bouche sont dominés par les fruits rouges rehaussés de poivre noir et quelques épices apportées par l'élevage. L'ampleur du palais, la qualité de ses tanins, bien présents, et surtout sa fraîcheur permettront d'auguver une bonne tenue à la garde de trois à cinq ans. Mais l'on pourra d'ores et déjà servir ce 2010 sur une grillade de bœuf ou un gigot à la broche. Cité, le **Prieuré Saint-Hippolyte 2012 rosé** (moins de 5 € ; 300 000 b.), à la robe pétale de rose, au nez minéral, fin et fruité, équilibré et frais, pourra être dégusté à l'apéritif.

☛ SCVA la Fontesole, bd Jules-Ferry, 34320 Fontès, tél. 04 67 25 14 25, fax 04 67 25 30 66, cave@fontesole.fr, ☑ ⚔ ☋ t.l.j. sf dim. 8h-12h 14h-18h

CH. DE FOURQUES Grès de Montpellier À l'ombre du vent 2010 ★

◼		2 000	◼ ◫	11 à 15 €

Le château de Fourques est avant tout une histoire de femmes puisqu'il est transmis de mère en fille depuis 1919. Lise Fons-Vincent, l'actuelle propriétaire, espère d'ailleurs passer un jour le relais à sa fille Jeanne. En attendant, elle propose une cuvée dont le nom fait référence au roman de Carlos Ruiz Zafón. Le nez, généreux, mêle la confiture de fruits noirs, les épices douces et les senteurs de la garrigue. Le palais se révèle riche, structuré et harmonieux, d'une grande complexité. Le compagnon idéal d'une cuisine méridionale comme par exemple un sauté d'agneau aux légumes primeurs par exemple.

☛ Ch. de Fourques, rte de Lajérune, 34990 Juvignac, tél. 04 67 47 90 87, fax 04 67 27 48 72, fourques@netcourrier.com, ☑ ⚔ ☋ r.-v.

FULCRAND CABANON Cabrières 2012 ★★

◼		22 000	◼	5 à 8 €

Cabrières, petit village niché au pied du pic du Vissou, site classé, a toujours affirmé la spécificité de ses rosés, qui étaient d'ailleurs déjà servis à la cour de Louis XIV. Cette tradition de longue date confirme la bonne adaptation du cinsault et du grenache sur ce terroir de schistes peu productif. La cave coopérative locale propose un 2012 éclatant, aux notes de fruits rouges et de fleurs délicates. La bouche élégante et gourmande déploie une matière tout en finesse et laisse apparaître le « grain » du terroir. Un incontournable.

☛ Caves de l'Estabel, rte de Roujan, 34800 Cabrières, tél. 04 67 88 91 60, fax 04 67 88 00 15, sca.cabrieres@wanadoo.fr, ☑ ⚔ ☋ t.l.j. 9h-12h 14h-18h

GALABERT Pic Saint-Loup 2012 ★

◼		6 000	◼	5 à 8 €

Cette coopérative, valeur sûre de l'appellation, a sélectionné au cœur du Pic Saint-Loup un trio de syrah, de grenache et de mourvèdre pour faire chanter ce rosé. Sous sa robe pâle et tendre, ce 2012 dévoile des parfums subtils de fruit de la Passion accompagnés d'une nuance florale. Belle présence en bouche, fraîcheur et tendresse : voici un vin gourmand à servir dans sa jeunesse, sur des charcuteries ou un plat exotique.

🍷 SCA Les Vignerons du Pic, 285, av. de Sainte-Croix, 34820 Assas, tél. 04 67 59 62 55, fax 04 67 59 56 39, stephaniepic@orange.fr,

☑ ♈ ⵊ t.l.j. sf lun. 9h-12h 14h-18h; dim. 9h-12h

CH. GALTIER Kermès 2010 ★

| | 5 500 | ⊞ | 8 à 11 € |

Entouré de garrigue et de pins, ce domaine se situe sur un plateau entre 100 et 120 m d'altitude. Lise Carbonne y produit depuis 1995 des vins typés, comme cette cuvée dont le nom évoque la présence de chênes kermès en bordure des vignes. Grenache, syrah et mourvèdre ont donné naissance à un vin expressif et intense, porté sur les fruits rouges et les épices (poivre gris en finale), adossé à des tanins souples et fondus. Un languedoc harmonieux et prêt à boire.

🍷 Lise Carbonne, lieu-dit Mas-Maury, 34490 Murviel-lès-Béziers, tél. 04 67 37 85 14, fax 04 67 37 97 43, domainegaltier@wanadoo.fr,

☑ ♈ ⵊ t.l.j. sf dim. 14h-18h30

DOM. LES GRANDES COSTES Pic Saint-Loup 2010 ★

| | 12 000 | ⊞ | 15 à 20 € |

Propriété familiale depuis 1868, ce domaine a été repris et rebaptisé en 2000 par Jean-Christophe Granier, qui y exploite depuis 14 ha de vignes. Expression élégante du terroir argilo-calcaire et des garrigues environnantes, cette cuvée riche en syrah complétée de grenache dévoile un nez intense de fleurs, de figue sèche et de chocolat. La bouche est souple en attaque, typée et structurée autour de tanins fins et denses. La cuvée **La Sarabande 2009 rouge (11 à 15 € ; 11 000 b.)** reçoit également une étoile pour ses arômes de fruits noirs bien mûrs et de violette, et pour son palais souple, étayé par des tanins fins. Le compagnon parfait d'un assortiment de charcuteries ou de viandes grillées à la braise.

🍷 Dom. les Grandes Costes, 2, rte du Moulin-à-Vent, 34270 Vacquières, tél. 04 67 59 27 42, contact@grandes-costes.com, ☑ ♈ ⵊ r.-v.

🍷 Granier

LA GRANGE Édition Castalides 2011 ★★

| | 4 800 | ⊞ | 11 à 15 € |

Ce jeune domaine fondé en 2007 conduit son vignoble de 32 ha en agriculture raisonnée (Terra Vitis) et propose une cuvée du nom des nymphes des puits, les Castalides. Le bouquet s'exprime intensément à travers le cassis et la mûre confits, auxquels se mêlent des touches de réglisse et de rafraîchissantes notes mentholées. La bouche, ronde en attaque, présente une belle densité et de l'ampleur, structurée par des tanins fermes qui s'affineront avec le temps. Un vin fruité, d'une agréable persistance aromatique, à servir dès cet hiver sur une viande rouge en sauce.

🍷 SARL la Grange, rte de Fouzilhon, 34320 Gabian, tél. 04 67 24 69 81

☑ ♈ ⵊ t.l.j. sf sam. dim. 9h-16h30 🏠 ⓔ
🍷 Freund

Ⓑ DOM. DES GRECAUX Terrasses du Larzac Terra Solis 2010 ★

| | 8 500 | ▮ | 11 à 15 € |

Arnaud et Sophie Sandras ont pris les rênes de ce domaine acheté à Isabelle et Alain Caujolle-Gazet en 2009. Ils présentent une cuvée issue de grenache, de carignan et de mourvèdre, à la robe rubis. Le nez s'impose par ses senteurs de fruits rouges mûrs, de romarin et de laurier bien caractéristiques du lieu, ponctuées de nuances balsamiques. La bouche, dans la continuité aromatique, vive et aérienne, révèle une belle subtilité. Sa finesse sera une bonne alliée pour des côtelettes d'agneau du Larzac grillées aux sarments.

🍷 Dom. de Grecaux, 4, av. du Monument, 34150 Saint-Jean-de-Fos, tél. et fax 04 67 57 38 83, contact@domainedesgrecaux.com, ☑ ♈ ⵊ r.-v.

🍷 Sandras

GRÈS SAINT-PAUL Romanis 2011 ★

| | 40 000 | ▮ | 5 à 8 € |

Cette propriété familiale est tenue depuis 1976 par Jean-Philippe Servière, vigneron lunellois régulièrement mentionné dans nos colonnes. Ce 2011 à la robe grenat témoigne de la constance de son travail au sein de ce terroir de galets villafranchiens. Au nez, le vin libère des arômes de fruits rouges bien mûrs et de poivre. La bouche se révèle gourmande, aromatique, généreuse, portée par des tanins particulièrement fondus. À déguster en accompagnement d'une cuisine sucré-salé, comme un canard à l'orange.

🍷 GFA Grès Saint-Paul, 1909, rte de Restinclières, 34400 Lunel, tél. 04 67 71 27 90, fax 04 67 71 73 76, contact@gres-saint-paul.com,

☑ ♈ ⵊ t.l.j. sf dim. 9h30-12h30 14h30-19h

DOM. GUILLEMARINE Picpoul-de-Pinet 2012

| | 20 000 | | - de 5 € |

Ce domaine familial, à la tête duquel six générations déjà se sont succédé, tire son nom à la fois de la contraction des prénoms des propriétaires et de la proximité de la mer. On retrouve dans le vin, au nez comme en bouche, le caractère iodé de ses origines en toile de fond, couvert par un étalage d'agrumes et de fruits à chair jaune. L'attaque ample, prélude à un palais équilibré, frais sans excès. Parfait pour des seiches à la plancha ou une rouille.

🍷 EARL Alliès, 11, rte de Magalas, 34480 Pouzolles, tél. et fax 04 67 24 78 77, marion.allies0765@orange.fr,

☑ ♈ ⵊ r.-v.

DOM. GUINAND Saint-Christol Grande Cuvée 2010 ★★

| | 10 000 | ⊞ | 8 à 11 € |

C'est au cœur de Saint-Christol, un village de culture taurine, que se situe la cave des frères Guinand. Ici, les vignes de syrah et de grenache trouvent leur expression sur un sol caillouteux qui regarde la mer. On retrouve dans ce 2010 des parfums de fruits cuits, d'épices (clou de girofle, cannelle) et de tabac qui caractérisent tant ce terroir et l'élevage en fût. En bouche, le vin séduit par sa matière ample et charnue, adossée à des tanins fondus. Une cuvée harmonieuse qui pourra être dégustée dans les quatre ans à venir. Le **Saint-Christol cuvée Vieilles Vignes 2011 (5 à 8 € ; 100 000 b.)** obtient quant à lui une étoile pour l'intensité de son nez (fruits et épices), sa souplesse et sa longue finale réglissée. Pour une noisette de veau ou des aubergines au parmesan.

ᕈ EARL Dom. Guinand, 36, rue de l'Épargne,
34400 Saint-Christol, tél. 04 67 86 85 55,
contact@domaineguinand.com,
☑ ⋏ ⦃ t.l.j. sf dim. 10h-12h 15h-18h

DOM. GUIZARD Grès de Montpellier 2011 ★

	15 000		8 à 11 €

Ce domaine, dont les bâtiments sont situés dans les anciens communs du château de Lavérune, appartient à la famille Guizard depuis le XVIe s. Il propose un 2011 au nez complexe de petits fruits rouges rappelant la griotte, le cassis ou la framboise, accompagnés de nuances de cuir et de musc. Les tanins soyeux apportent finesse et élégance à un palais tout en rondeur. Un vin agréable, parfait pour un tajine d'agneau ou un rôti de porc aux pruneaux.
ᕈ Dom. Guizard, 12, bd de la Mairie, 34880 Lavérune, tél. et fax 04 67 27 86 59, vigneron@domaine-guizard.com,
☑ ⋏ ⦃ t.l.j. sf sam. dim. 17h-19h

HECHT & BANNIER 2012 ★

	n.c.		5 à 8 €

Grégory Hecht et François Bannier sont négociants-éleveurs, et ont développé leur activité en se consacrant aux vins du sud de la France. Ils visitent chaque année plusieurs centaines de domaines pour sélectionner les vins correspondant à leur philosophie. Ils proposent ici un 2012 né d'un assemblage de piquepoul, de roussanne et de grenache blanc. Un vin au nez délicat de fleurs blanches, de fruits jaunes et d'agrumes, à la fois gras et minéral en bouche. Il accompagnera agréablement un assortiment de poissons grillés à la plancha.
ᕈ Hecht & Bannier, 3, rue du 4-Septembre, 13100 Aix-en-Provence, tél. 04 42 69 19 71, fax 04 42 24 90 57, contact@hbselection.com, ☑ ⦃ r.-v.

DOM. DE L'HORTUS Pic Saint-Loup Grande Cuvée 2010 ★

	85 000		20 à 30 €

Vignoble historique de l'appellation, le domaine de l'Hortus est la propriété de la famille Orliac depuis 1978. Fruit d'un travail de précision à la vigne comme au chai, cet assemblage de syrah, de mourvèdre et de grenache illustre la qualité de la gamme du domaine. Paré d'une robe grenat aux reflets pourpres, il exprime des parfums racés de cerise à l'eau-de-vie, de truffe, de garrigue et de cacao. Au palais, le vin se révèle charnu, savoureux et bien équilibré. À déguster dans les quatre à cinq ans sur une viande en sauce.
ᕈ Dom. de l'Hortus, rte du Mas-Rigaud, 34270 Valflaunès, tél. 04 67 55 31 20, fax 04 67 55 38 03, orliac.hortus@wanadoo.fr,
☑ ⦃ t.l.j. sf dim. 10h-12h 15h-18h
ᕈ Famille Orliac

LES INITIALES DE DIVEM Montpeyroux 2011 ★

	5 000		15 à 20 €

Gil Morrot, chercheur au CNRS, effectue des travaux sur la perception des vins. En 1999, il a acquis ce vignoble de 3,4 ha et vinifie dans une maison de village à Montpeyroux. Ce 2011 à reflets violines déploie une belle palette d'arômes dans laquelle se superposent petits fruits rouges, épices et chocolat noir. Charnu et gourmand, il tapisse délicatement le palais et se laissera boire dès à présent sur une andouillette ou un laguiole.
ᕈ Gil Morrot, 21, rue des Lions, 34150 Montpeyroux, tél. 04 67 96 56 59, gil.morrot@divem.fr, ☑ ⋏ ⦃ r.-v.

LA JASSE CASTEL Montpeyroux La Pimpanela 2011 ★

	18 000		8 à 11 €

Auteur d'un coup de cœur l'an dernier avec sa cuvée 2009 rouge Terrasses du Larzac La Jasse Castel, Pascale Rivière a eu un coup de foudre pour le causse de Montpeyroux sur lequel est implanté son vignoble. Ici est née la cuvée La Pimpanela – « pivoine » en occitan - qui désigne aussi, du côté de Toulouse, une fille rusée et dégourdie... Ce 2011 joue le grand jeu de la séduction : robe grenat bien brillante, nez de cacao, d'épices, de confiture de mûres et de bourgeon de cassis. Sa bouche franche, vive et gourmande, ne manque pas de structure. Pour une côte de bœuf et frites maison.
ᕈ Pascale Rivière, 623, chem. des Saumailles, 34150 Montpeyroux, tél. 04 67 88 65 27, jasse-castel@wanadoo.fr, ☑ ⋏ ⦃ r.-v.

Ⓑ VIRGILE JOLY Le Joly rouge ! 2011

	30 000		5 à 8 €

Cet œnologue de formation a fondé son propre domaine en 2000 après avoir été *flying winemaker* dans le sud de la France et au Chili. Il signe une cuvée au nom facétieux qui charme effectivement par sa robe rubis brillant et son nez de fruits rouges et noirs légèrement réglissés. Le palais n'est pas en reste, rond, structuré par des tanins déjà soyeux, porté en finale par une agréable fraîcheur. À déguster sur son fruit avec un plat oriental.
ᕈ SARL Virgile Joly, 6 bis, pl. de la Fontaine, 34725 Saint-Saturnin-de-Lucian, tél. 04 67 44 52 21, fax 04 99 91 09 69, virgilejoly@wanadoo.fr,
☑ ⋏ ⦃ t.l.j. sf dim. 9h-12h 14h-18h

♥ DOM. JORDY Tentation 2011 ★★

	n.c.		8 à 11 €

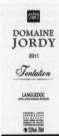

Voici une cuvée qui porte bien son nom si l'on en croit les commentaires enthousiastes des dégustateurs. Né sur un sol de schistes, cet assemblage, où la syrah est majoritaire, complétée de grenache et de carignan, se présente dans une belle robe grenat. Charmeur en diable, il dévoile au nez des arômes de fraise, de garrigue, de tapenade et une once de grillé, le tout sans excès, avec délicatesse. En bouche, il se révèle ample, généreux, équilibré par une belle fraîcheur en finale. Un vin harmonieux qui marie puissance et élégance, dont le volume ne fera que s'affirmer au cours des trois ans à venir, si toutefois vous en avez la patience. Heureux accord en perspective avec une pièce d'agneau.
ᕈ Jordy, Loiras, 34700 Le Bosc, tél. 04 67 44 70 30, frederic.jordy@orange.fr, ☑ ⋏ ⦃ r.-v.

CH. DES KARANTES La Clape 2011 ★

■   20 000   🔲📖   15 à 20 €

Perché sur le massif de la Clape, au milieu de la garrigue et des falaises, ce vignoble embrasse du regard la Méditerranée. Après un bain de soleil sur l'une des plages du littoral, vous pourrez découvrir l'identité profonde de ce terroir dans ce vin aux reflets violets. Dominé au nez par des notes d'olive noire, de cacao et de vanille, il offre une bouche généreuse et concentrée mais exhibe peut-être un peu trop ses notes boisées à ce jour. Aussi, gardez-le patiemment en cave avant de l'ouvrir sur un chevreuil aux airelles ou tout autre mets de caractère.

🍷 SCEA Dom. des Karantes, Dom. de Karantes-le-Haut, 11100 Narbonne-Plage, tél. 04 68 43 61 70, fax 04 68 32 14 58, chateaudeskarantes@karantes.com, ☑ ⚔ ⅂ t.l.j. sf dim. lun. 9h-13h 14h-17h 🏠 🅮

🍷 Knysz

CH. DE LANCYRE Pic Saint-Loup Grande cuvée 2011 ★★

■   17 000   📖   15 à 20 €

Régis Valentin a repris ce domaine familial en 2001 et produit des vins issus de l'agriculture raisonnée sur 73 ha d'un beau terroir de calcaires durs et d'argiles rouges. Cette cuvée est le fruit d'un assemblage de syrah, complétée de grenache et de mourvèdre. Elle se caractérise par un nez séduisant et élégant de fruits noirs confits et d'épices douces, rafraîchis par une touche de menthe poivrée. La bouche livre une matière voluptueuse et dense, épaulée par un boisé fin, des tanins soyeux et une finale persistante. À déguster dans les trois ans. La cuvée **Pic Saint-Loup Vieilles Vignes rouge 2011** (8 à 10 € ; 45 000 b.), une étoile, se distingue par son nez de fruits rouges, d'épices douces et de menthe fraîche, et par son palais élégant, rond, aromatique (violette, réglisse, poivre) adossée à des tanins soyeux. Des vins parfaits pour accompagner une cuisine relevée, comme un tajine d'agneau ou une pastilla de pigeon.

🍷 SCEA Ch. de Lancyre, hameau de Lancyre, 34270 Valflaunès, tél. 04 67 55 32 74, fax 04 67 55 23 84, contact@chateaudelancyre.com, ☑ ⅂ t.l.j. sf dim. 10h-12h30 14h30-18h30

🍷 Durand-Valentin

CH. LAQUIROU AUSINES 2011 ★★

■   13 000   📖   15 à 20 €

Ausines, en occitan, désigne une variété de chênes verts qui entourent les parcelles de Laquirou. Nous sommes ici en plein cœur de la garrigue, dont on retrouve les effluves dans ce vin. Au nez, le laurier se mêle au ciste puis se combine à des notes de cacao, de fruits rouges et de clou de girofle. Le palais se révèle à la fois puissant, soyeux et frais et s'étire dans une longue finale réglissée. Élevé avec soin en barrique, ce vin ne renie pas son terroir. À savourer aujourd'hui ou dans trois ans sur une pièce de bœuf aux girolles.

🍷 Ch. Laquirou, rte de Saint-Pierre, 11560 Fleury-d'Aude, tél. 04 68 33 91 90, fax 04 68 33 84 12, caveau.laquirou@wanadoo.fr, ☑ ⚔ ⅂ t.l.j. 9h-12h 14h-19h

🅱 CH. DE LASCAUX Pierres d'argent 2011 ★

■   5 000   🔲📖   15 à 20 €

Issu d'une famille de vignerons, Jean-Benoît Cavalier, agronome de formation, a pris la tête du vignoble familial en 1984. Régulièrement mentionné dans le Guide,

il produit au cœur de la garrigue des vins bio, comme cet assemblage de roussanne, de marsanne et de vermentino vinifié en barrique. Ce 2011 offre un nez expressif d'abricot et de pêche jaune, et une bouche harmonieuse et complexe, à la fois ronde et fraîche. Un vin équilibré et élégant, à apprécier dès à présent.

🍷 Jean-Benoît Cavalier, pl. de l'Église, 34270 Vacquières, tél. 04 67 59 00 08, fax 04 67 59 06 06, info@chateau-lascaux.com, ☑ ⚔ ⅂ t.l.j. sf sam. dim. 10h-12h 14h-18h

DOM. DES LAURIERS Picpoul-de-Pinet Prestige 2012 ★★

■   20 000   - de 5 €

À Castelnau-de-Guers, le vignoble de Marc Cabrol, valeur sûre de l'appellation, est situé au milieu de la garrigue et des pinèdes. Issu de 3,75 ha de sols calcaires, ce 2012 a su séduire le jury dans sa jolie robe jaune pâle brillante. Caractéristique de son appellation, il décline un bouquet à la fois puissant et élégant d'agrumes et d'épices accompagné d'une pointe iodée. Le palais fruité, d'une belle fraîcheur, tout en légèreté et en subtilité, permettra d'ouvrir cette belle bouteille sur de nombreux mets de la région, poissons, coquillages, brasucade de moules et autre macaronade.

🍷 SCEA Dom. des Lauriers, 15, rte de Pézenas, 34120 Castelnau-de-Guers, tél. 04 67 98 18 20, fax 04 67 98 96 49, marccabrol@domaine-des-lauriers.com, ☑ ⚔ ⅂ r.-v.

🍷 Marc Cabrol

LUCIAN Saint-Saturnin 2012 ★

■   15 000   5 à 8 €

L'une des rares coopératives à être présidée par une femme. Tout en respectant la tradition de ce terroir millénaire, cette cave continue à innover. Elle a créé en 2009 le « Sentier du vin des poètes », balade qui vous permettra de découvrir ce joli terroir. Au retour, vous pourrez déguster ce beau rosé à la robe vive et aux arômes séducteurs de fraise écrasée et de fleurs délicates. Un vin friand et festif, à ouvrir sur un plat exotique épicé.

🍷 Les Vins de Saint-Saturnin, 5, av. Noël-Calmel, 34725 Saint-Saturnin-de-Lucian, tél. 04 67 96 61 52, fax 04 67 88 60 13, contact@vins-saint-saturnin.com, ☑ ⅂ t.l.j. 8h30-12h 14h-18h

CH. MANDAGOT Montpeyroux Tradition 2011 ★

■   111 000   🔲   5 à 8 €

Jean-François Vallat, aujourd'hui épaulé par ses fils, cultive depuis 1975 ce vaste domaine de 40 ha. Le terroir de Montpeyroux n'a plus de secret pour lui. Ce 2011, assemblage de quatre cépages, brillant dans sa robe violine, exhale des arômes intenses de fruits rouges bien mûrs et de réglisse. Ample, généreux et harmonieux en bouche, il mérite d'être bu dans sa jeunesse pour profiter pleinement de son fruité.

🍷 Jean-François Vallat, Dom. les Thérons, 34150 Montpeyroux, tél. 04 67 96 64 06, fax 04 67 96 67 63, contact@vallat-languedoc.com, ☑ ⚔ ⅂ r.-v.

CH. PAUL MAS Belluguette 2012 ★★

■   12 000   📖   11 à 15 €

La famille Mas cultive la vigne dans le Languedoc depuis 1892. En 2000, sont créés les Domaines Paul Mas sur la base des 35 ha de vignes. À la fois vigneron et

LANGUEDOC

négociant, Jean-Claude Mas pratique une viticulture qui entend mettre en valeur toutes les nuances des terroirs de la région, au travers de sept gammes de vins. La cuvée Belluguette composée de vermentino, de roussanne et de grenache blanc, avec le viognier en appoint, se présente dans une robe d'or brillante. Le nez libère des notes de fruits jaunes bien mûrs accompagnées de nuances florales. Rond et onctueux, le palais est équilibré par une agréable fraîcheur. Un vin harmonieux et de garde. Également distingué par deux étoiles, le **Clos des Mûres Élevé en fût de chêne 2011 rouge (110 000 b)** offre des notes de fruits rouges confits et de garrigue. Fondu, harmonieux et persistant, il sera idéal pour accompagner une volaille rôtie ou un carré de veau braisé.

🐦 Domaines Paul Mas, rte de Villeveyrac, 34530 Montagnac, tél. 04 67 90 16 10, fax 04 67 98 00 60, info@paulmas.com, ☑ ⚔ ⛤ t.l.j. sf dim. lun. 10h30-19h30

MAS BELLES EAUX Sainte-Hélène 2010 ★

■	6 000	⑪	15 à 20 €

Baptisé « Belles Eaux », en raison des nombreuses sources qui coulent autour du mas, ce domaine produit souvent des vins d'une belle finesse et d'une agréable fraîcheur. La cuvée Sainte-Hélène, élaborée à partir de syrah, de grenache et de carignan, ne dément pas cette réputation. Vêtue d'une robe sombre et profonde, elle livre un nez frais de fruits rouges et de notes balsamiques de garrigue. La bouche, également fruitée, déploie une matière ronde et une jolie finale épicée. Une garde de un à deux ans permettra à l'élevage encore un peu marqué de se fondre davantage.

🐦 Mas Belles Eaux, 34720 Caux, tél. 04 67 09 30 96, fax 04 67 90 85 45, contact@mas-belleseaux.com, ☑ ⚔ ⛤ r.-v.

🐦 AXM Millésimes

MAS BELOT 2012 ★

■	20 000	■	5 à 8 €

À l'emplacement de cet ancien relais de chasse où Louis XIV séjournait, le Belot ont implanté un vignoble de 38 ha, dont 4 consacrés à ce vin. Le nez séduit par sa complexité (cerise, cassis, cacao, épices), le palais par sa richesse et ses tanins serrés. Deux ou trois ans de garde seront nécessaires à l'épanouissement de cette bouteille au caractère affirmé, à réserver pour une viande rouge en sauce.

🐦 Lionel Belot, Dom. du Tendon, 34360 Pierrerue, tél. et fax 04 67 38 08 96, vignoble.belot@wanadoo.fr, ☑ ⚔ ⛤ t.l.j. sf dim. 9h-12h 14h-19h

MAS BRUGUIÈRE Pic Saint-Loup Le Septième 2009 ★★

■	1 400	⑪	30 à 50 €

Xavier Bruguière représente la septième génération de vignerons à la tête du Mas Bruguière. Après avoir succédé à son père Guilhem en 2003, il a entrepris la conversion du domaine familial à l'agriculture biologique et s'efforce de produire des vins typés qui font partie des cuvées de référence de l'appellation. Il propose ici un très beau rouge, issu de 95 % de mourvèdre, complété d'une pointe de syrah, paré d'une robe dense et profonde aux reflets violets. Conservé vingt-quatre mois en fûts de 600 l, ce vin a bénéficié de tous les avantages de l'élevage en barrique sans être trop marqué par le boisé. Il offre ainsi un nez élégant de fruits noirs très mûrs, de cuir et de vanille, relayé par une bouche dense, riche, aux tanins

serrés. Puissant et de bonne garde, il sera parfait sur une côte de bœuf grillée ou un civet de sanglier ou tout autre mets de caractère.

🐦 Mas Bruguière, La Plaine, 34270 Valflaunès, tél. et fax 04 67 55 20 97, xavier.bruguiere@wanadoo.fr, ☑ ⚔ ⛤ t.l.j. sf mer. dim. 10h-12h 14h-18h

MAS D'ARCAŸ Cheveux d'ange 2012 ★★

■	2 000	■ ⑪	8 à 11 €

Première sélection dans le Guide pour Jean Lacauste, qui a racheté en 2007 le Mas d'Arcaÿ, ancienne propriété viticole de la fin du XIXᵉ s., pour y rattacher le vignoble familial de Saint-Drézery et de Sussargues exploité depuis huit générations. Il présente une cuvée délicate et racée née d'un assemblage de marsanne et de roussanne. Vêtu d'une robe jaune doré, ce vin offre un nez éclatant de fruits blancs, de coing frais et d'épices douces. Le palais se révèle très savoureux, bien équilibré, porté par une belle fraîcheur minérale. À déguster sur une rouille de seiches dans les trois ans.

🐦 EARL Camp du four, Mas d'Arcaÿ, 1080, rte de Beaulieu, 34160 Saint-Drézery, tél. 06 76 04 21 11, lacaustej@yahoo.fr, ☑ ⚔ ⛤ t.l.j. sf dim. 17h-19h

🐦 Benoît Thérond

MAS D'AUZIÈRES Sympathie pour les Stones 2010 ★★

■	n.c.	■	15 à 20 €

Le mas d'Auzières bordé de vignes et de garrigue est implanté sur un terroir d'argiles à éclats calcaires particulièrement pierreux, avec une vue imprenable sur le pic Saint-Loup. La fantaisie d'Irène Tolleret a encore frappé, témoin le nom de cette cuvée qui évoque malicieusement le caractère du sol et un album mythique des Rolling Stones. Le nez délivre une farandole gourmande de fruits confits, de cassis, de cerise, de cannelle, de clou de girofle et de feuille de laurier, rafraîchis par une touche mentholée. Le vin parachève son œuvre par sa tenue en bouche, son ampleur, sa rondeur, son caractère à la fois chaleureux et frais. Essayez-le deux à trois ans sur un fondant au chocolat ou sur une cuisine sucrée-salée. Pour une dégustation optimale à la sortie du Guide, n'hésitez pas à le carafer.

🐦 Mas d'Auzières, rte de Saint-Mathieu, 34820 Guzargues, tél. 06 25 45 16 60, irene@auzieres.com, ☑ ⚔ ⛤ r.-v.

🐦 Tolleret

MAS DE FIGUIER Pic Saint-Loup Joseph 2011

■	10 000	⑪	11 à 15 €

Gilles Pagès, quatrième génération de vignerons au Mas de Figuier, rend hommage à son grand-père Joseph qui acquit le domaine en 1920 à travers cette cuvée. Dotée d'une robe pourpre brillante, celle-ci offre un nez intense, qui mêle le cassis et les épices à des notes balsamiques, et se révèle puissante, ronde et dense en bouche. Tout indiqué pour un plat généreux, un couscous par exemple, après un passage en carafe.

🐦 Gilles Pagès, Mas de Figuier, 34270 Vacquières, tél. et fax 04 67 59 00 29 ☑ ⚔ ⛤ r.-v. 🏠 ⊙

MAS DE LA SERANNE Terrasses du Larzac
Antonin et Louis 2010 ★

■	7 300	■ ⑪	15 à 20 €

Régulièrement présents dans le Guide grâce à cette cuvée rendant hommage à leurs ancêtres, Isabelle et Jean-Pierre Venture présentent un nouveau millésime mis une fois encore à l'honneur. Ce 2010 issu d'un assemblage de syrah, de mourvèdre et de grenache, vêtu d'une robe sombre, libère à l'olfaction des arômes de fruits noirs confiturés mâtinés de notes de torréfaction. Le palais délivre une matière ample et concentrée, équilibrée par une pointe de fraîcheur et structurée par des tanins encore fermes qui se fondront avec le temps. Un vin de garde, à servir sur une viande rouge de caractère.

☛ Venture, Mas de la Seranne, rte de Puéchabon, 34150 Aniane, tél. et fax 04 67 57 37 99, mas.seranne@wanadoo.fr,
☑ ⚔ ⏱ t.l.j. sf dim. 10h-12h 15h-18h30

MAS DES CABRES La Draille 2010 ★

| ■ | 4 000 | 🍷⏣ | 11 à 15 € |

La famille Boutin, présente à Aspères depuis 1724, a fondé ce domaine au début du XIXᵉs. À sa tête depuis 2003, Florent Boutin, nouveau président du terroir « Sommières » reconnu par l'INAO en 2011, propose une cuvée dont le nom cévenol évoque un chemin de transhumance dans les terres occitanes. Un vin qui exprime son terroir à travers des notes de fruits très mûrs, voire compotés, et de garrigue. Intense au nez comme en bouche, il est déjà dans sa plénitude. Sa matière friande, sa rondeur, sa finesse, l'élégance de ses tanins et sa belle longueur invitent à le servir dès à présent sur une pintade aux girolles ou un magret de canard aux figues.

☛ Florent Boutin, 12, Le Plan, 30250 Aspères, tél. 06 23 68 14 24, masdescabres@hotmail.fr, ☑ ⚔ ⏱ r.-v.

MAS DES QUERNES La Villa romaine 2010 ★

| ■ | 2 500 | ⏣ | 20 à 30 € |

Première sélection dans le Guide et pari réussi pour Peter Riegel, négociant allemand, et pour Jean Natoli, qui ont réalisé leur rêve en acquérant ce vignoble établi sur un glacis d'épandage calcaire, en cours de conversion au bio. Cette cuvée, qui fait référence aux vestiges d'une villa romaine trouvés sur le site, ne saurait renier ses origines. Solaire, bien méditerranéenne, elle marie au nez des notes de fruits noirs confiturés à des arômes de cacao qui signent un boisé fondu. La bouche allie puissance et générosité, structurée par des tanins élégants. Heureux accord en perspective avec une cuisine épicée comme un cari de porc aux oignons confits ou plus sagement un sanglier grillé.

☛ SAS Gens et Pierres, 425, av. Saint-Sauveur-du-Pin, 34980 Saint-Clément-de-Rivière, tél. 04 67 84 84 90, fax 04 67 84 85 02, jean@mas-des-quernes.com
☛ Jean Natoli

Ⓑ MAS DE THEYRON Le Rosé 2012

| ■ | 9 800 | | 5 à 8 € |

C'est à Boisseron, village où perdure une tradition taurine, qu'est situé ce domaine. Quatre cépages cultivés en agriculture biologique sont ici associés pour donner naissance à ce rosé à la robe pâle discrètement saumonée. Des notes d'agrumes intenses se libèrent au nez et persistent longuement en bouche. Un vin sur la fraîcheur, à apprécier sur une paëlla... après une course de vachettes !

☛ SCEA Dom. de Theyron, rte de Saint-Christol, 34160 Boisseron, tél. 04 67 86 48 48, contactus@masdetheyron.com, ☑ ⏱ t.l.j. sf dim. 9h-18h
☛ Reichmuth

MAS DU NOVI Grès de Montpellier N de Novi 2010

| ■ | 4 000 | ⏣ | 30 à 50 € |

Ancienne ferme viticole d'abbaye et ancien noviciat, le Mas du Novi est un site exceptionnel qui abrite un vignoble de 50 ha. Cette cuvée, élevée un an et demi en fût, se caractérise par de séduisants arômes de mûre, de cacao et de garrigue, qui introduisent une bouche dense, pleine et savoureuse. À déguster dans les trois ans à venir sur une pièce de bœuf grillée.

☛ SAS Saint-Jean du Noviciat, Mas du Novi, rte de Villeveyrac, 34530 Montagnac, tél. et fax 04 67 24 07 32, saint-jean-du-noviciat@orange.fr, ☑ ⚔ ⏱ t.l.j. 10h-19h
☛ Famille Palu

Ⓑ MAS FOULAQUIER Pic Saint-Loup Le Rollier 2010

| ■ | 12 000 | 🍷 | 15 à 20 € |

Le Mas Foulaquier, conduit en biodynamie depuis 2006, propose une cuvée née d'un assemblage de grenache et de syrah. Paré d'une robe rouge sombre, ce vin offre un nez complexe de fruits noirs surmûris. Gourmand et rond en bouche, il évolue vers des notes de cacao, de réglisse et de pruneau, et laisse présager un accord harmonieux avec un canard à l'orange.

☛ Mas Foulaquier, rte des Embruscalles, 34270 Claret, tél. 04 67 59 96 94, contact@masfoulaquier.com, ☑ ⚔ ⏱ t.l.j. sf dim. 10h-18h; hors saison sur r.-v. 🏠 Ⓔ
☛ Jéquier-Chauchat

MAS GABRIEL Clos des Lièvres 2010 ★★

| ■ | 3 500 | 🍷⏣ | 11 à 15 € |

Peter et Deborah Core ont quitté il y a quelques années le climat londonien pour le soleil méditerranéen. Soucieux de préserver leur terroir d'éboulis de basalte et de terrasses villafranchiennes, ils ont entamé une conversion de leur vignoble à l'agriculture biologique ; et si les lièvres qui y gambadent se régalent de ses raisins, les papilles de l'amateur ne sont pas en reste avec ce 2010 au bouquet complexe et harmonieux de cerise, de cassis et d'épices douces. Après une attaque ronde, le vin déploie une matière ample et concentrée, portée par des tanins présents mais bien affinés, qui poussent loin la finale, sur cerise en fruits. On le servira idéalement d'ici à deux ans, aussi bien sur une grillade de bœuf que sur un plateau de fromages.

☛ Mas Gabriel, 9, av. de Mougères, 34720 Caux, tél. 04 67 31 20 95, info@mas-gabriel.com, ☑ ⚔ ⏱ r.-v.
☛ P. et D. Core

MAS GOURDOU Pic Saint-Loup Joseph Onésime 2011 ★

| ■ | 8 000 | 🍷⏣ | 8 à 11 € |

Domaine historique de l'appellation, le Mas Gourdou appartient à la famille de Jocelyne Thérond depuis la Révolution. Benoît, son fils, vient de reprendre la tête de l'exploitation et signe ici son premier millésime dans le Guide avec cette cuvée Joseph Onésime, un hommage à ses grands-pères. Vêtu d'une robe profonde aux reflets violets, ce 2011 offre un nez typé de fruits rouges et garrigue. La bouche est dense, charnue, dans un style robuste et chaleureux, d'une bonne longueur, portée en finale par des notes d'épices douces. À déguster dans les quatre ans à venir.

☛ EARL Mas Gourdou, 34270 Valflaunès, tél. et fax 04 67 55 30 45, jtherond@masgourdou.com, ☑ ⚔ ⏱ t.l.j. sf dim. 18h-20h; sam. 10h-12h 16h-20h 🏠 Ⓑ

LANGUEDOC

MAS GRANIER Les Grès 2011 ★

| | 10 000 | ◫ | 8 à 11 € |

Le Mas Montel est une ancienne ferme du prieuré Saint-Pierre d'Aspères, datant, pour ses parties les plus anciennes, du IX^{e}s. Acquis par Marcel Granier en 1945, il est depuis 1992 la propriété de ses fils, Dominique et Jean-Philippe. Cette cuvée, née de syrah complétée de grenache et de mourvèdre, offre un nez marqué par une note élégante d'élevage en fût, que complètent les fruits noirs et la garrigue. La bouche ample et séveuse se prolonge sur des saveurs de griotte. Un vin équilibré, à apprécier dès à présent sur un gigot d'agneau.

•⌐ Mas Granier, Mas Montel, Cidex 1110, 30250 Aspères, tél. 04 66 80 01 21, fax 04 66 80 01 87, montel@wanadoo.fr, ☑ ⚘ ⵉ t.l.j. sf dim. 9h-12h30 14h-18h30

DOM. DE MASSEREAU La Tourie 2011

| | 5 300 | ◫ | 11 à 15 € |

Les vignes de syrah et de grenache s'étendent jusqu'aux portes du camping cinq étoiles de la famille Freychet, qui mise sur l'œnotourisme, sans négliger les vins, comme en témoigne ce 2011 au nez de cassis cuit, d'olive noire et de camphre, à la bouche fruitée, gourmande, élégante, équilibrée. Ce vin accompagnera volontiers une caille farcie ou un magret de canard aux airelles, dès aujourd'hui.

•⌐ Arnaud Freychet, 1990, rte d'Aubais, 30250 Sommières, tél. 04 66 80 03 23, fax 09 59 35 97 64, vin@massereau.com, ☑ ⚘ ⵉ t.l.j. 8h30-13h 14h-18h
•⌐ GFA Massereau

PAUL MAURY La Clape Tradition 2011

| | 6 500 | ▮◫ | 5 à 8 € |

Paul Maury conduit en agriculture raisonnée ce petit vignoble de 6 ha situé à Salles d'Aude – l'une des cinq communes de la dénomination La Clape. Il présente un 2011 au bouquet de fruits rouges accompagnés de nuances de réglisse et de vanille. La bouche, friande à l'attaque, affiche une agréable fraîcheur en finale. Les tanins, encore un rien anguleux, auront besoin de se fondre. Pourquoi pas sur un œuf cocotte truffé – aux truffes du massif de La Clape ?

•⌐ Paul Maury – GFA des Coteaux de Pérignan, 62, av. de Fleury, 11110 Salles-d'Aude, tél. 06 15 08 54 07, fax 09 58 15 60 83, contact@lacombesaintpaul.com, ☑ ⚘ ⵉ r.-v.

CH. MINISTRE Grès de Montpellier Mas noir 2011 ★★

| | 20 000 | ▮◫ | 11 à 15 € |

Authentique mas languedocien du XVI^{e}s., ce domaine tient son nom d'un ministre du culte protestant. Denis Tissot se dit « respectueux des traditions ancestrales tout en élaborant des vins d'avenir ». Pour preuve, cette cuvée née d'un assemblage de syrah, de grenache et de mourvèdre, à la robe grenat intense, au nez expressif de cuir, de tabac et de fruits rouges frais rappelant la groseille et la framboise. La bouche est nette, confirmant les arômes du nez, et soutenue par une trame de tanins à la fois serrés et veloutés. Un vin qui pourra accompagner dès à présent une viande rôtie et juteuse, comme un rosbif.

•⌐ SCEA Dom. Tissot, Mas-Ministre, chem. du Ministre, 34130 Mauguio, tél. 04 67 12 19 09, fax 04 67 06 92 96, domainetissot@gmail.com, ☑ ⚘ ⵉ t.l.j. 10h-12h 14h-18h

DOM. MIRABEL Pic Saint-Loup Les Éclats 2011 ★

| | 8 000 | ◫ | 11 à 15 € |

Assemblage de syrah, de grenache, de mourvèdre et de cinsault, cette cuvée élevée un an et demi en fût se présente dans une robe d'un pourpre profond et libère au nez des arômes de fruits rouges, d'épices douces et de réglisse assortis d'une élégante note d'élevage. La bouche confirme la finesse du bouquet et offre une matière ample, portée par des tanins serrés et veloutés et une finale persistante. Un vin bien typé, qui demandera une aération en carafe avant d'accompagner une viande en sauce, comme un civet de porcelet ou un coq au vin.

•⌐ Dom. Mirabel, 30260 Brouzet-lès-Quissac, tél. 06 22 78 17 47 ☑ ⚘ ⵉ r.-v.

CH. MIRE L'ÉTANG La Clape Réserve du château 2010 ★★

| | 5 300 | ◫ | 15 à 20 € |

Depuis ce lieu magique, à deux pas de la mer, vous apercevrez le golfe du Lion, les étangs, l'embouchure de l'Aude et les Cévennes. Cette cuvée, coup de cœur dans les deux précédents millésimes, est l'un des fleurons des vins de La Clape. La version 2010 se présente avec élégance dans une robe pourpre soutenu et se pare de senteurs de confiture de fruits rouges vanillés, de garrigue, de torréfaction et d'épices. La bouche ne manque pas de rondeur et s'appuie sur des tanins solides mais soyeux. Un vin de terroir dompté par un élevage soigneux, dont on prévoit l'apogée d'ici deux ou trois ans. Les plus impatients pourront se tourner vers la cuvée **La Clape Aimée de Coigny 2012 blanc (5 à 8 € ; 16 000 b.)**, citée, à laquelle l'incontournable bourboulenc donne sa touche originale. Florale, minérale, fraîche, elle s'accordera volontiers avec un loup au fenouil.

•⌐ Ch. Mire l'Étang, 11560 Fleury-d'Aude, tél. 04 68 33 62 84, fax 04 68 33 99 30, mireletang@wanadoo.fr, ☑ ⚘ ⵉ t.l.j. sf dim. 9h-12h 15h-19h

MOLLARD ET FILLON Terrasses du Larzac 2011 ★

| | 30 000 | ▮◫ | 8 à 11 € |

Cette structure de négoce fondée en 2011 achète les raisins nés sur les schistes et les galets au pied du mont Baudille, selon un cahier des charges orienté vers l'agriculture biologique. Elle propose un assemblage composé à quatre quarts de syrah, de grenache, de carignan et de cinsault à l'origine d'un vin au nez complexe de garrigue, de grillé et de chocolat. La bouche livre une attaque droite, qui laisse place à une matière structurée par des tanins bien présents sans être austères et par une fraîcheur ciselée. À déguster dans les trois ou quatre ans à venir sur un coq au vin.

NOUVEAU PRODUCTEUR

•⌐ Mollard et Fillon, rte du Viala, 34700 Saint-Jean-de-la-Blaquière, tél. 06 59 54 52 14, fax 04 86 17 23 86, mollard.fillon@gmail.com, ☑ ⚘ ⵉ r.-v.

DOM. MONPLÉZY Pézenas Emoción 2010 ★★

| | 600 | ◫ | 20 à 30 € |

Situé à Pézenas, ce domaine dirigé par Anne Sutra de Germa fait partie de la zone Natura 2000 et compte parmi les membres de la Ligue pour la protection des oiseaux. Reconnaissable à la huppe de Madagascar dessinée sur l'étiquette, cette cuvée issue de 20 ares de carignan et de syrah a su séduire les jurés d'emblée grâce à sa robe intense, d'un rouge bien franc. Le nez libère une explosion de fruits très mûrs et d'épices. La bouche ronde et concentrée est parfaitement équilibrée entre force et finesse, épaulée par des tanins soyeux. Un vin complet, à déguster dès à présent en accompagnement d'un gibier en sauce ou d'un beau rôti de bœuf.

☛ Anne Sutra de Germa et Benoît Gil, Dom. de Monplézy, chem. Mère-des-Fontaines, 34120 Pézenas, tél. 04 67 98 27 81, fax 04 67 01 47 44, domainemonplezy@orange.fr, ☑ ⚘ ⏇ r.-v.

LES VIGNOBLES MONTAGNAC Picpoul-de-Pinet
Les Terres rouges 2012

| | 60 000 | ▬ | - de 5 € |

La cave de Montagnac présente une cuvée issue de 11 ha de vignes vendangées de nuit pour préserver au maximum le potentiel des raisins. La robe jaune pâle aux reflets verts reflète l'éclat de la jeunesse. Au nez, le vin libère des notes d'orange amère et de menthol que l'on retrouve dans un palais rond, équilibré par une belle fraîcheur. Un vin fruité, harmonieux, parfait pour l'apéritif avec des canapés de tapenade, des filets d'anchois et des moules gratinées.

☛ SCAV Les Vignobles Montagnac, 15, av. d'Aumes, BP 08, 34530 Montagnac, tél. 04 67 24 03 74, fax 04 67 24 14 78, cooperative.montagnac@wanadoo.fr,
☑ ⏇ t.l.j. sf dim. 9h30-12h 15h30-18h; sam. 9h30-12h30

CAVE DE MONTPEYROUX Montpeyroux Cuvée or 2012

| | 50 000 | ▬ | - de 5 € |

À Montpeyroux, les vignes humanisent un paysage presque sauvage. Syrah et grenache se complètent harmonieusement une cuvée dont le rosé qui a charmé les dégustateurs paré de sa robe fuchsia fort brillante. Les arômes de petits fruits rouges (fraise et cerise) se déploient au nez et introduisent une bouche tout en rondeur. Un rosé bien méditerranéen, à servir sur des tapas à l'ombre d'un pin parasol.

☛ Cave de Montpeyroux, 5, pl. François-Villon, 34150 Montpeyroux, tél. 04 67 96 61 08, fax 04 67 88 60 91, cave@montpeyroux.org,
☑ ⚘ ⏇ t.l.j. 9h-12h 14h-18h ⚘ ❷

DOM. DE MORIN-LANGARAN Picpoul-de-Pinet 2012 ★★

| | 15 000 | ▬ | - de 5 € |

Cette bouteille d'Albert Morin a frisé le coup de cœur et fait chanter les papilles des dégustateurs. Dans une robe d'un jaune paille et or bordée de vert qui a tout d'une tenue de gala, ce vin émoustille le nez avec ses parfums riches et frais d'aubépine, d'agrumes et d'épices. La bouche se révèle harmonieuse, ample, fruitée et florale, ronde et équilibrée par une belle fraîcheur. Pour l'apéritif ou une cuisine de la mer.

☛ Albert Morin, Dom. Morin-Langaran, rte de Marseillan, 34140 Mèze, tél. 04 67 43 71 76, fax 04 67 43 77 24, domainemorin-langaran@wanadoo.fr,
☑ ⚘ ⏇ t.l.j. 10h-18h (19h en été); f. dim. jan.-fév.

MORTIÈS Pic Saint-Loup Jamais content 2010 ★

| | 10 000 | ▭▭ | 20 à 30 € |

Créé en 1993, ce domaine fait désormais partie des grands classiques de l'appellation, et produit en agriculture biologique (sans pouvoir le mentionner sur l'éti-

quette des millésimes 2010) des vins fins et racés, à l'image de cette cuvée élevée en pièces bourguignonnes. Un vin offre une séduisante robe sombre et libère au nez de chaleureuses notes de fruits noirs, de pruneau et de cacao. La bouche est riche et dense, dans un style puissant, et se prolonge sur de plaisants arômes de caramel au lait et de réglisse. Un vin au bon potentiel de garde, que l'on pourra garder quatre à cinq ans.

☛ SARL Dom. de Mortiès, rte de Cazevieille, 34270 Saint-Jean-de-Cuculles, tél. 04 67 55 11 12, fax 04 67 55 10 06, contact@morties.com, ☑ ⏇ r.-v.

DOM. LE NOUVEAU MONDE Tradition 2010 ★

| | 10 000 | ▬ | 5 à 8 € |

Ce vignoble, propriété de la famille Borras-Gauch, est implanté au sud de Béziers, entre mer et étang, sur une terrasse villafranchienne. Cultivées sur galets roulés, les vignes bénéficient la nuit de la chaleur emmagasinée dans la journée, ce qui confère aux raisins une maturité optimale. Témoin cette cuvée à la robe épaisse et au nez minéral et balsamique. La bouche est riche et soyeuse ne manque ni de structure ni de chair. Elle se prolonge sur une note de fraîcheur bienvenue et livre une persistance très réglissée. Son potentiel de garde ne fait aucun doute, mais vous pouvez aussi servir ce vin dès à présent sur un lapin chasseur ou des cailles rôties.

☛ Famille Borras-Gauch, Dom. le Nouveau Monde, 34350 Vendres, tél. 04 67 37 33 68, fax 04 67 37 58 15, domaine-lenouveaumonde@wanadoo.fr, ☑ ⚘ ⏇ r.-v. ⚘ ❸

L'ORMARINE Picpoul-de-Pinet Carte noire 2012 ★

| | 500 000 | ▬ | - de 5 € |

La Carte noire, incontournable dans l'appellation, est habillée de la fameuse bouteille Neptune frappée du blason de la cave de l'Ormarine. Dans sa robe jaune clair aux reflets presque argentés, elle livre un bouquet fin et expressif, mêlant fleurs blanches et fruits frais. La bouche concilie rondeur et vivacité dans un équilibre subtil avant de livrer une finale tenue par une note citronnée. Coquillages et crustacés n'ont qu'à bien se tenir.

☛ Cave de l'Ormarine, 13, av. du Picpoul, 34850 Pinet, tél. 04 67 77 03 10, fax 04 67 77 76 23, caveormarine@wanadoo.fr, ☑ ⚘ ⏇ r.-v.

CH. PECH-CÉLEYRAN La Clape
Cinquième génération 2011 ★★

| | 150 000 | ▬ | 5 à 8 € |

Depuis 1870 et cinq générations, la famille de Saint-Exupéry exploite ce domaine où venait jouer, enfant, Henri de Toulouse-Lautrec. Dans sa robe rubis brillante, ce 2011 – assemblage de syrah, de grenache et de mourvèdre – exhale de savoureuses notes de fruits confits et de rafraîchissantes senteurs mentholées. L'équilibre en bouche a enchanté les dégustateurs : tanins fins, rondeur, puis fraîcheur en finale. Un vin très élégant et délicat, à servir sur un cochon de lait à la broche.

☛ Ch. Pech-Céleyran, 11110 Salles-d'Aude, tél. 04 68 33 50 04, saint-exupery@pech-celeyran.com, ☑ ⚘ ⏇ t.l.j. sf dim. 9h30-19h ⚘ ❶

DOM. PECH ROME Pézenas Clemens 2010 ★

| | 8 000 | ▬ | 11 à 15 € |

La trilogie de sols – basaltes, calcaires et galets – typiques du terroir de Pézenas, associée au quatuor des principaux cépages de l'appellation – syrah, mourvèdre, carignan avec en vedette le grenache –, confèrent à cette cuvée déjà dans sa plénitude, sa finesse et sa gourmandise. Vêtu d'une robe rubis, le vin libère des senteurs de fruits rouges, d'agrumes, de menthol, nuancées de fines touches balsamiques. L'élevage de trente-six mois en cuve lui a permis de garder un fruité croquant en bouche et de ciseler les tanins. L'ensemble est équilibré, à la fois rond et frais, à déguster dans les trois ans.

☛ SCEA Remparts de Neffiès,
17, rue Montée-des-Remparts, 34320 Neffiès,
tél. 06 08 89 58 11, contact@domainepechrome.com,
☑ ⚔ ꭤ r.-v.
☛ Pascal Blondel

Ⓑ CH. PETIT ROUBIÉ Picpoul-de-Pinet 2012 ★

	98 000	■	5 à 8 €

Olivier Azan pratique l'agriculture biologique depuis bientôt trente ans et propose un Picpoul-de-Pinet dans lequel on retrouve toute l'authenticité de son terroir. Issu de 14,77 ha de vignes plantées sur un sol argilo-calcaire, non loin de l'étang de Thau, ce 2012 offre un nez fruité ponctué de notes de fleur d'amandier. La bouche fruitée et fraîche livre des arômes de pomelo en finale. Un vin d'une belle typicité, à déguster avec une bourriche d'huîtres... de l'étang de Thau bien entendu.

☛ Olivier Azan, Dom. de Petit Roubié, BP 4, 34850 Pinet,
tél. 04 67 77 09 28, fax 04 67 77 23 99,
petitroubie@gmail.com,
☑ ⚔ ꭤ t.l.j. sf sam. dim. 9h-12h30 13h30-17h

DOM. DU PIC SAINT-JEAN D'AUREILHAN
Les Terres rouges 2011 ★★

	5 000	■	8 à 11 €

La commune de Liausson a rejoint l'appellation en 2011. Voici donc le premier languedoc de ce domaine, dont le vignoble – implanté sur schistes et grès – surplombe le lac du Salagou. Au sein de ce paysage presque lunaire, les collines de terre rouge se reflètent dans l'eau, laissant apparaître çà et là les touches vert tendre des vignes. Ce vin respire le terroir : robe grenat sombre, bouquet intense de fruits mûrs, de réglisse et de garrigue, bouche à l'unisson, ample et fondue. Sa douceur et le grain fin de ses tanins autorisent à ouvrir dès aujourd'hui cette bouteille élégante et puissante à la fois, qui pourra également se garder deux à trois ans en cave.

☛ Christian Arboux, rte de Salasc, 34800 Liausson,
tél. et fax 04 67 96 66 18, christian.arboux@nordnet.fr

PLAN DE L'HOMME Terrasses du Larzac Alpha 2010 ★★

	1 800	■ ⑪	20 à 30 €

C'est un tiercé de haute facture que Rémi Duchemin propose cette année. Sa cuvée Alpha tout d'abord, dont l'élégance est le fil conducteur, et qui présente toutes les qualités d'un grand vin. Le nez séduit par sa subtilité et sa richesse en déclinant des notes de cassis, de fleurs, de garrigue, de réglisse et de caramel. Le palais, d'une grande tenue, délivre une matière ample, douce, épicée et soyeuse. La cuvée **Terrasses du Larzac Oméga Sapiens rouge 2010** (15 à 20 € ; 2 500 b.) obtient une étoile pour ses parfums de fruits noirs confiturés, de réglisse et d'épices, son volume, son équilibre et ses tanins enrobés. Même distinction pour le **blanc 2011 Alpha** (1 500 b.), très minéral et floral, à peine marqué par l'élevage en fût, à la fois rond et frais en bouche.

☛ EARL Le Plan de l'Homme, 15, av. Marcellin-Albert, 34725 Saint-Félix-de-Lodez, tél. 04 67 44 02 21, contact@plandelhomme.fr, ☑ ⚔ ꭤ r.-v.
☛ Duchemin

DOM. DU POUJOL Jazz 2011

	7 000	■	5 à 8 €

Après avoir passé une année en Bourgogne, Robert et Kim Cripps ont acquis ce domaine et se réjouissent depuis de participer au renouveau du vignoble régional. Pari gagné presque vingt ans plus tard, si l'on en juge par cet assemblage de carignan complété de grenache noir et de cinsault. Le nez est épicé et marqué par des notes de garrigue, tandis que la bouche ronde et gourmande se prolonge sur la tapenade et offre beaucoup de fraîcheur en finale.

☛ Dom. du Poujol, 1067, rte de Grabels, 34570 Vailhauquès, tél. 04 67 84 47 57, poujol.cripps@sfr.fr, ☑ ⚔ ꭤ sam. dim. 10h-12h 14h-17h
☛ Cripps

Ⓑ DOM. DE LA PROSE Saint-Georges-d'Orques
Grande cuvée 2009 ★

	6 000	⑪	20 à 30 €

Planté sur des calcaires durs, ce vignoble jouxte l'abbaye de Vignogoul, à 7 km à peine à l'ouest de Montpellier. D'ici on voit la Méditerranée, et le mourvèdre s'y plaît bien aux côtés de la syrah et du grenache. En témoigne ce 2009 dont la robe grenat profond aux nuances tuilées met en relief une certaine maturité. Le nez donne la sensation d'ouvrir un placard rempli de confitures (fraise, mûre et cerise) et d'épices. La bouche est puissante, généreuse, soutenue par des tanins déjà bien enrobés. A apprécier dès à présent ou dans deux ans sur un thon grillé au poivre ou un canard à l'orange.

☛ De Mortillet, Dom. de la Prose, 34570 Pignan, tél. 04 67 03 08 30, fax 04 67 03 48 70, domaine-de-la-prose@wanadoo.fr, ☑ ⚔ ꭤ t.l.j. sf dim. 9h-12h30 15h-18h

CH. PUECH-HAUT Saint-Drézéry Tête de bélier 2010 ★★

	30 000	■ ⑪	20 à 30 €

Gérard Bru a relancé dès 1985 la notoriété du terroir historique de Saint-Drézéry. Son domaine s'étend aujourd'hui sur près de 180 ha répartis sur plusieurs dénominations de l'AOC languedoc. Dans la cave, les pierres sculptées en forme de tête de bélier soutiennent les cuves en bois tronconiques. Ce 2010 entre en scène dans une robe encore jeune aux reflets violines. Ses arômes s'épanouissent sans réserve, évoquant les fruits rouges, le poivre et la vanille. Sa chair et sa puissance tannique lui permettront d'attendre plusieurs années en cave. Le **Pic Saint-Loup Clos du Pic 2011 rouge** (30 à 50 € ; 8 000 b.), aux arômes de fruits confits, voluptueux et concentré, obtient quant à lui une étoile et pourra être dégusté sur une gardiane de taureau.

☛ SCEA Ch. Puech-Haut, 2230, rte de Teyran, 34160 Saint-Drézéry, tél. 04 99 62 27 27, fax 04 99 62 27 29, chateau.puech-haut@wanadoo.fr, ☑ ⚔ ꭤ t.l.j. sf dim. 10h-12h 14h-18h
☛ Gérard Bru

DOM. DE QUERELLE Queyrel 2011 ★

	6 666	■	5 à 8 €

Depuis quatre générations, la famille de Michel Abel dirige ce domaine qui tire son nom de l'occitan « *cairas* », lieu pierreux. Elle présente un assemblage à parts égales de syrah et de grenache à la robe rouge sombre et brillant. Le nez livre un bouquet de cerise confite, de tapenade et de camphre. Le palais se révèle charnu, complexe et puissant. Un vin équilibré, à la structure déjà veloutée, dont on pourra profiter dès à présent sur un agneau grillé.

🕊 Michel Abel, Dom. de Querelle, 34410 Sérignan, tél. 06 14 97 35 21, domainedequerelle@orange.fr,
☑ ⚐ ⏁ r.-v.

CH. RICARDELLE Cuvée Juliette 2011 ★

| ■ | 1 800 | ⑪ | 20 à 30 € |

La magie du terroir de La Clape n'a plus de secret pour Bruno Pellegrini, œnologue de formation originaire du Tyrol italien, installé ici depuis 1990. La syrah est majoritaire dans cette cuvée, mais le grenache et le carignan apportent aussi leur touche. Drapé dans une robe pourpre profond, ce 2011 livre un nez de framboise et de cerise confite et de vanille puis d'épices. Des tanins encore un peu serrés se laissent enrober par un bon moelleux, tandis que la finale s'affirme sur la fraîcheur. Un vin à garder au moins deux ans en cave.

🕊 Ch. Ricardelle, rte de Gruissan, 11100 Narbonne, tél. 04 68 65 21 00, fax 04 68 32 58 36, ricardelle@wanadoo.fr,
☑ ⚐ ⏁ t.l.j. 9h-12h 14h-18h30 🏠 ⓔ
🕊 Pellegrini

CH. LA ROQUE Pic Saint-Loup Cupa Numismae 2010 ★

| ■ | 15 000 | ⑪ | 15 à 20 € |

Ce domaine historique de l'appellation produit du vin depuis le XIIIᵉs. Il se distingue aujourd'hui avec la cuvée Cupa Numismae, dont le nom fait référence à une pièce de monnaie d'or frappée « Jean le Bon » en 1359. Ce vin, vêtu de robe profonde aux reflets pourpres, offre un nez intense de fruits rouges, de vanille, de réglisse et d'épices douces. Le palais livre une matière ample et ronde, appuyée par des tanins fins et soyeux. Long et complexe, ce vin élégant accompagnera parfaitement un filet de bœuf en croûte.

🕊 Ch. la Roque, 2, chem. de Saint-Mathieu, 34270 Fontanès, tél. 04 67 55 34 47, fax 04 67 55 10 18, contact@chateau-laroque.fr, ☑ ⏁ r.-v.
🕊 Jacques Figuette

♥ ⓑ DOM. DE ROQUEMALE Grès de Montpellier Lema 2011 ★★

| ■ | 7 000 | ▮⑪ | 11 à 15 € |

Roquemale signifie « mauvaise roche » en patois, la vigne y produit peu de raisin mais de bonne maturité. Valérie Tabaries et Dominique Ibanez ont entièrement créé ce domaine en 2001, séduits par ce terroir constitué

de sols argilo-calcaires et de terres rouges, au microclimat très particulier. Ils produisent des vins à forte personnalité, à l'image de cette cuvée aux parfums élégants de fruits rouges très mûrs, de figue fraîche et d'olive noire. La bouche, ample et structurée par des tanins fins et veloutés, offre un très bon potentiel d'évolution, que renforce un élevage partiel en fût de chêne. Également remarquable, la cuvée **Grès de Montpellier Les Grès 2011 rouge (8 à 11 € ; 5 000 b.)** se caractérise par un nez typé de fruits rouges et de garrigue, accompagnés d'une note de menthe poivrée. La bouche est à la fois dense, profonde et gourmande, d'un fruité éclatant. Des vins à garder quelques années en cave et à servir sur une côte de bœuf grillée ou un gigot d'agneau en croûte aux herbes.

🕊 Valérie et Dominique Ibanez, 25, rte de Clermont, 34560 Villeveyrac, tél. et fax 04 67 78 24 10, contact@roquemale.com,
☑ ⚐ ⏁ t.l.j. sf lun. 10h-12h 16h-19h30 🏠 ❷

CH. ROUQUETTE-SUR-MER La Clape Cuvée Henry Lapierre 2011 ★

| ■ | 10 000 | ⑪ | 15 à 20 € |

Sur les falaises en bord de mer du massif de La Clape, les vignes sont baignées de soleil et profitent de la brise marine pendant la chaleur estivale. Des conditions idéales pour une belle maturité des raisins. Ce 2011 en est un bel exemple avec sa robe sombre, presque noire, ses arômes de fruits secs, de fruits confits, de torréfaction et de garrigue. Une chair moelleuse enrobe des tanins déjà fondus, tandis qu'une fine touche vanillée en finale révèle l'élevage en fût. À garder deux ou trois ans avant de le déguster sur un confit de canard. En attendant, on pourra se tourner dès à présent vers la cuvée **La Clape Le Clos de La Tour 2010 rouge (20 à 30 € ; 5 000 b.)**, qui reçoit une étoile pour sa bouche charnue, équilibrée entre fruité et boisé, épaulée par de fins tanins.

🕊 Jacques Boscary, Ch. Rouquette-sur-Mer, rte Bleue, 11100 Narbonne-Plage, tél. 04 68 65 68 65, fax 04 68 65 68 68, bureau@chateaurouquette.com,
☑ ⚐ ⏁ r.-v. 🏠 ⓔ

ⓑ DOM. DES ROUQUILLES 2012 ★

| ■ | 35 000 | ▮ | 8 à 11 € |

Producteur et négociant, Gilles Louvet commercialise des cuvées issues de vignobles conduits en agriculture biologique, exploités par des viticulteurs soucieux de préserver la biodiversité au sein de leurs vignes (témoin les nichoirs installés pour les chauves-souris et les ruches). Il propose un 2012 à la robe grenat, qui délivre à l'olfaction une palette d'arômes organisée autour d'un fruité très mûr, presque confit, complété de violette et d'épices douces. La bouche se révèle gouleyante, fraîche, appuyée par des tanins enrobés, qui permettront de servir ce vin dès l'automne sur des grillades.

🕊 Vignobles Gilles Louvet, 30, rue Ernerst-Cognacq, ZA Bonne-Source, 11100 Narbonne, tél. 04 68 90 12 80, fax 04 68 65 00 18, contact@gilleslouvet.com

♥ DOM. SAINT-DAUMARY Pic Saint-Loup L'Asphodèle 2010 ★★

| ■ | 10 000 | ⑪ | 15 à 20 € |

Plus jeune vigneron du Languedoc lors de son installation, Julien Chapel a repris en 1999, à l'âge de dix-neuf ans à peine, les vignes de son père, et quitte la

LANGUEDOC

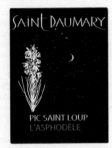

cave coopérative. Il produit, en culture biologique (conversion en cours), des vins typés et complexes qui expriment à la fois la richesse du terroir et un indéniable savoir-faire. Sa cuvée L'Asphodèle tient son nom d'une plante qui pousse dans les vignes et qui ne fleurit que tous les quatre ans. On l'assimile généralement aux grands millésimes, à l'image de ce 2010 admirable et particulièrement avenant dans sa robe profonde aux reflets pourpres. À l'olfaction, le vin libère des arômes puissants et élégants de fruits rouges, de réglisse, de menthol et de cuir. En bouche, il se révèle complexe et très persistant, délivrant des notes gourmandes de tapenade et d'épices douces, adossé à des tanins soyeux et fondus. Il accompagnera dès aujourd'hui les viandes rouges grillées et, après quelques années d'élevage, les plats en sauce comme un civet de lièvre.

☛ Julien Chapel, 106, rue des Micocouliers, 34270 Valflaunès, tél. 06 09 23 81 76, julien.chapel@orange.fr, ☑ ⍾ r.-v.

DOM. SAINTE-CÉCILE DU PARC Pézenas
Notes d'Orphée 2010 ★

| ■ | 6 200 | ▣ ⍾ | 8 à 11 € |

C'est dans une nouvelle cave aménagée avec des cuves tronconiques en Inox et en bois qu'ont opéré Christine Mouton Bertoli et son maître de chai Jérôme Debrun. Un assemblage de syrah et de cinsault a permis d'allier puissance et finesse au sein de ce 2010 à la robe sombre. Au nez, dominent des arômes de fruits mûrs, accompagnés de notes florales et d'un léger toasté. La bouche livre une attaque ample et ronde, qui laisse place à une matière concentrée, aux senteurs de cerise noire et de cassis bien mûrs, traduisant la grande maturité de la vendange. Un vin déjà aimable, mais amené à se bonifier avec le temps.

☛ Dom. Sainte-Cécile du Parc, rte de Caux, 34120 Pézenas, tél. 06 79 18 68 56, fax 04 67 84 86 37, cmb@steceileduparc.com, ☑ ⍾ ⍾ r.-v.
☛ Christine Mouton Bertoli

SANT IPOLIT 2011 ★

| ■ | 4 000 | ▣ ⍾ | 8 à 11 € |

Nous voici en bordure des Cévennes, dans l'un des vignobles les plus septentrionaux de l'appellation. La langue d'Oc, encore ancrée dans cette région, a donné son nom à cette cuvée de belle intensité aromatique : notes de groseille, nuances balsamiques et grillées. Avec son équilibre en bouche notoire sur la fraîcheur, ce vin révèle bien l'influence du climat local. Le grain de tanins est fin, et de délicates touches boisées se révèlent en finale. À servir d'ici un an sur une tourte aux légumes oubliés.

☛ Les Terrasses Cévenoles, rte de Nîmes, 30170 Saint-Hippolyte-du-Fort, tél. 04 66 77 21 30, fax 04 66 77 66 55, cave-st-hippolyte@wanadoo.fr, ☑ ⍾ t.l.j. 9h-12h 14h-18h30

DOM. SARRAT DE GOUNDY La Clape
Cuvée du planteur 2011 ★

| ■ | 10 000 | ⍾ | 8 à 11 € |

Ici, les vignes de syrah, de grenache et de mourvèdre ont pris peu à peu le pas sur la garrigue et la rocaille. Cette cuvée doit son nom à son père d'Olivier Calix, capable de planter un cep sur les terroirs les plus difficiles. Ce 2011 semble s'être gorgé des senteurs environnantes de laurier et de thym. Des notes de fruits cuits et d'épices s'y ajoutent et donnent une belle complexité au palais. C'est plein, délicatement structuré, frais en finale, et l'on perçoit à peine l'élevage en fût. Un vin prêt pour des grillades d'agneau.

☛ Dom. Sarrat de Goundy, 46, av. de Narbonne, 11110 Armissan, tél. 04 68 45 30 68, fax 04 68 45 21 11, oliviercalix@hotmail.com, ⍾ ⍾ t.l.j. 9h-19h
☛ Olivier Calix

DOM. SERRES CABANIS Passions de Serres
Cabanis 2011 ★

| ■ | 2 500 | ▬ | 11 à 15 € |

André Baniol a redéployé, entre 1985 et 1998, les 16 ha du domaine familial en un vignoble de coteaux, au milieu des garrigues du village de Vic-le-Fesq. Il y vinifie des raisins très mûrs et embouteille de beaux vins sur le fruit, sans élevage en fût, à l'image de cette cuvée composée de syrah complétée de grenache noir. Le nez de garrigue, de verveine fraîche et d'épices douces annonce une bouche savoureuse marquée par des tanins soyeux et charnus, que prolonge une fraîcheur persistante. Un vin harmonieux, à déguster dès à présent.

☛ André Baniol, rte des Vigneaux, 30350 Mauressargues, tél. 06 11 50 97 39, fax 04 66 83 34 45, serres.cabanis@wanadoo.fr,
☑ ⍾ r.-v. ⌂ ☯

VIGNERONS DU SOMMIÉROIS Bois de Carelle 2011 ★★

| ■ | 10 700 | ▬ ⍾ | 8 à 11 € |

Le Bois de Carelle, aux portes du village d'Aspères, est situé sur une colline au sol d'argiles rouges à silex. Les vignerons du Sommiérois y sélectionnent des parcelles de syrah et grenache noir en recherchant une grande maturité, et peuvent, pour la première fois, étiqueter leur vin sous la dénomination Sommières. On retrouve cette maturité à travers la robe, très intense et sombre, nuancée de violet. Le fruité, puissant au nez comme en bouche, se décline sur la cerise, le cassis et la mûre confits. Ceux qui aiment les vins concentrés apprécieront particulièrement la belle suavité de cette cuvée, la puissance de ses tanins encore bien présents et sa longueur. Ce vin d'automne et d'hiver pourra accompagner dès la sortie du Guide une gardiane de taureau ou du gibier à plume, tout en pouvant supporter deux à trois ans de garde.

☛ SCA les Vignerons du Sommiérois, 2, rue de l'Arnède, 30250 Sommières, tél. 04 66 80 03 31, fax 04 66 77 14 31, vigndusommierois@orange.fr,
☑ ⍾ t.l.j. sf dim. 9h-12h30 15h-19h

DOM. TERRES EN COULEURS Feuille d'art 2010 ★

■	3 200	🍷 ▥	8 à 11 €

Nathalie et Patrick Goma ont d'abord été impressionnés par la palette de couleurs qui s'offrait à leurs yeux lors de l'achat de leurs parcelles de vignes. De l'ocre du terroir au vert des vignes, et jusqu'aux robes des vins, le nom du domaine s'est alors imposé à eux. La suite, c'est, entre autres, cette jolie cuvée Feuille d'Art, qui a séduit les dégustateurs par sa belle teinte grenat, son nez de cassis, de foin coupé et de kirsch, et par sa structure harmonieuse et élégante assise sur des tanins veloutés.

☛ Nathalie et Patrick Goma, lieu-dit Croix-de-Pautel, rte de Nizas, 34120 Pézenas, tél. 04 67 01 21 47, contact@terresencouleurs.fr,

☑ ⚔ ⵣ t.l.j. sf mer. 18h30-20h; sam. dim. 15h-20h

CH. LE THOU Collection 2011 ★

■	35 000	🍷	5 à 8 €

Le château le Thou, construit sur le site d'une antique villa romaine dans le Biterrois, conduit un vignoble de 18,5 ha situé sur le plateau d'argile à galets dit « de Vendres ». Ce 2011, encore dans sa jeunesse, se présente dans une robe aux reflets violets et livre des parfums de fruits rouges et d'épices accompagnés de nuances balsamiques qui s'épanouissent à l'aération. On retrouve ses arômes dans un palais doux et harmonieux, à la finale légèrement épicée. Un vin gourmand, à servir dès aujourd'hui sur des viandes rouges ou des plats méditerranéens aux épices.

☛ Ch. le Thou, rte de Béziers, 34410 Sauvian, tél. 04 99 41 02 74, fax 04 67 39 54 00, domainedes2ruisseaux@orange.fr,

☑ ⚔ ⵣ t.l.j. sf dim. 10h-13h 16h-19h

☛ Famille Valéry

LA TOUR PENEDESSES Pézenas Les Volcans 2011 ★

■	13 000	▥	11 à 15 €

Le nom de cette cuvée fait référence au basalte si caractéristique du terroir de Pézenas, qui confère à cet assemblage de syrah, de grenache et de mourvèdre sa minéralité. Celle-ci vivifie un bouquet gourmand de mûre et de cassis, ponctué de nuances balsamiques et épicées (poivre blanc). Le vin présente au palais une matière douce, étayée par une agréable fraîcheur et par des tanins fins et mûrs, qu'un élevage de douze mois en fût a épanouis. L'équilibre est déjà abouti et permettra de déboucher cette bouteille dès à présent sur un tajine de mouton.

☛ Dom. la Tour Penedesses, 2, rue Droite, 34600 Faugères, tél. 04 67 95 17 21, fax 04 67 95 44 03, domainedelatourpenedesses@yahoo.fr,

☑ ⚔ ⵣ t.l.j. 9h-13h 14h-17h ⌂ ◉

☛ Fouque

LES TROIS PUECHS Pézenas Cuvée Excellence 2011 ★

■	600	▥	20 à 30 €

Les trois Puechs, ce sont les collines sur lesquelles s'épanouit ce vignoble familial. Jacques Couderc, nouveau venu dans le Guide, y cultive syrah et grenache avec une recherche de grande maturité. Ce vin témoigne de sa réussite par l'intensité pourpre de sa robe, par son nez de fruits presque confits et de réglisse en cachou, et par son palais chaleureux, suave et rond. Une cuvée confidentielle, à déguster dès à présent.

☛ Dom. les Trois Puechs, 4, rte de Magalas, 34480 Fouzilhon, tél. 09 62 20 98 87, fax 04 67 24 72 78, jacques.couderc0357@orange.fr, ☑ ⚔ ⵣ r.-v.

TROIS TERRES Terrasses du Larzac Le Saut du Diable 2010 ★

■	4 000	🍷 ▥	8 à 11 €

Conduit par Graeme Angus, ancien hématologue au CHU de Londres, ce vignoble de 3,6 ha cultivé sur trois types de sols pourra appliquer en 2012 le logo « AB » sur les étiquettes de ses vins. La cuvée présentée, assemblage de syrah, de grenache et d'une pointe de carignan, a été produite selon les mêmes principes. Il en résulte un vin au nez de fruits rouges et noirs, de garrigue, de cire, légèrement cacaoté. La bouche ample et structurée par des tanins veloutés déploie une jolie finale réglissée et permettra un heureux accord avec un gigot d'agneau à l'ail dans les quatre ou cinq ans à venir. La cuvée La Minérale 2009 rouge (2 400 b.) obtient également une étoile pour ses arômes de cassis et pour sa bouche gourmande aux tanins soyeux et à la finale épicée.

☛ Graeme Angus, Trois Terres, rue de la Vialle, 34800 Octon, tél. et fax 04 67 44 71 22, graemeangus@hotmail.com, ☑ ⚔ ⵣ jeu. ven. sam. 16h-19h

CH. DE VALFLAUNÈS Pic Saint-Loup T'em T'em 2011 ★

■	8 200	▥	15 à 20 €

Fabien Reboul a installé son chai en 1998 au cœur du village de Valflaunès, à l'emplacement de l'ancienne ménagerie du baron Jean-Jacques Louis Durand, premier maire élu de Montpellier au XVIII[e]s. Il présente une cuvée issue d'un assemblage de syrah et de mourvèdre, d'un rouge profond aux reflets pourprés. Le nez intense et complexe, marqué par le boisé délicat d'un élevage de seize mois en fût, livre des arômes de fruits noirs vanillés. La bouche, à l'unisson, se révèle puissante, dense, étayée par des tanins soyeux. Un vin équilibré, qui s'épanouira au cours des quatre ans à venir.

☛ Fabien Reboul, 179, rue de l'Ancien-Lavoir, Ch. de Valflaunès, 34270 Valflaunès, tél. 06 83 48 37 85, fabien.reboul@free.fr, ☑ ⚔ ⵣ r.-v.

VERMEIL DU CRÈS Rosé marine 2012 ★

■	44 500	🍷	- de 5 €

Régulièrement présente dans le Guide, cette cave coopérative, située à trois kilomètres des plages de Sérignan, réussit un joli coup double. Notamment grâce à ce rosé de saignée issu de 80 % de syrah à laquelle a été adjoint le grenache noir, dont le nez évoque le cassis, la fraise et la réglisse. La bouche est à l'unisson, fruitée, gourmande et fraîche. Un joli vin, pour tout un repas. Une étoile également, le 2011 rouge Réserve Vermeil (16 500 b.), au bouquet de myrtille et de cassis assortis de notes florales, réglissées et épicées, livre une bouche puissante sans excès, fraîche, à l'équilibre subtil.

☛ SCAV Les Vignerons de Sérignan, 114, av. Roger-Audoux, 34410 Sérignan, tél. 04 67 32 24 82, fax 04 67 32 59 66, gestion@vignerons-serignan.com, ☑ ⚔ ⵣ t.l.j. sf dim. 9h-12h 15h-18h

CH. LA VERNÈDE Caecilia 2010

■	5 000	▥	20 à 30 €

Ce domaine, situé non loin du canal du Midi et de l'oppidum d'Ensérune, propose un 2010 issu d'un assemblage de syrah et de mourvèdre, à la robe cerise intense.

Le vin exprime à l'olfaction des arômes de fruits noirs bien mûrs, et révèle une bouche gourmande et très charnue, aux tanins enrobés. Un vin typé et chaleureux, adapté aux cuisines exotiques et épicées.

☛ Jean-Marc Ribet, Ch. la Vernède, rte de Salles, 34440 Nissan-lez-Ensérune, tél. 04 67 37 00 30, fax 04 67 36 60 11, chateaulavernede.34@orange.fr, ☑ ⚡ ⵟ t.l.j. 9h-12h 14h-18h 🏫 ④ 🏠 Ⓔ

DOM. LES VERRIÈRES Les Sept Fontaines 2010

■	20 000		8 à 11 €

Ce 2010, né d'un assemblage de syrah, de grenache et de carignan cultivés sur 3,2 ha de sol argilo-calcaire, apparaît dans une robe grenat brillant. Le nez offre une jolie diversité aromatique avec des notes intenses de fruits secs, de réglisse, de garrigue et d'eucalyptus. Le palais, riche, s'appuie sur des tanins élégants et trouve son équilibre grâce à une agréable fraîcheur. L'ensemble est déjà prêt à boire, sur des côtelettes d'agneau grillées par exemple.

☛ Dom. les Verrières, 15 bis, av. du 11-Novembre-1918, 34530 Montagnac, tél. 09 64 11 71 29, fax 04 67 44 79 72, info@verrieresdemontagnac.com, ☑ ⚡ ⵟ r.-v.

VIGNES HAUTES Pic Saint-Loup 2011 ★★

■	40 000		8 à 11 €

Issue d'un assemblage de syrah et de grenache, cette cuvée est représentative du niveau de qualité constant de cette cave coopérative, habituée du Guide. Élevé durant un an en barrique, ce vin provient de coteaux exposés plein sud au cœur d'un superbe terroir de cailloutis calcaires appelés localement « gravettes ». La robe est dense, d'un beau grenat brillant, tandis que le nez livre de séduisants arômes de fruits rouges bien mûrs, de réglisse et de vanille. La bouche est fondue, souple, dotée d'une agréable fraîcheur, et se caractérise par une grande finesse. Le vin idéal pour accompagner une volaille rôtie ou un jarret de veau braisé.

☛ SCA la Gravette, rte de Montpellier, 30260 Corconne, tél. 04 66 77 32 75, fax 04 66 77 13 56, bruno@lagravette.fr, ☑ ⚡ ⵟ t.l.j. 8h-12h 14h-18h

VILLA DONDONA Montpeyroux Espérel 2011 ★

■	1 540		11 à 15 €

André Suquet, médecin devenu vigneron, accueille les œnophiles dans la chapelle d'un ancien hôpital du XIVᵉs., reconvertie en caveau de dégustation. C'est Jo Lynch, la vigneronne, qui réalise les étiquettes des bouteilles, comme celle de ce blanc, né d'un assemblage de roussanne, de marsanne, de vermentino et de grenache blanc. Un vin complexe et élégant, aux notes de fleurs blanches et de fruits jaunes. Gras, harmonieux, persistant et tout aussi complexe en bouche, ce vin raffiné accompagnera dès à présent une dorade royale au four.

☛ Villa Dondona, Dom. Lynch-Suquet, Le Barry, 34150 Montpeyroux, tél. et fax 04 67 96 68 34, villadondona@wanadoo.fr, ☑ ⚡ ⵟ r.-v.

VILLA NORIA Les Jardins Terroir de calcaire 2011 ★

■	30 000		8 à 11 €

Après une première entrée dans le Guide l'an dernier en vin de Pays d'Oc, Cédric Arnaud revient avec un languedoc composé à parts égales de grenache et de syrah, qui obtient la même distinction. Cette cuvée, tout en gourmandise, s'affiche dans une robe rubis brillant et livre après aération des notes de fruits rouges et noirs confiturés qui traduisent sa belle maturité. Sa rondeur en bouche, son

fruité appuyé par de légères nuances de poivre et de tabac, et ses tanins fondus en font un vin flatteur et bien méditerranéen. On pourra l'ouvrir dès à présent sur un plat sucré-salé ou épicé.

☛ SARL les Domaines Pierre Chavin, 2, bd Jean-Bouin, 34500 Béziers, tél. 06 84 80 33 98, arnaudce@hotmail.fr, ☑ ⵟ r.-v.

☛ Cédric Arnaud

VILLA SYMPOSIA L'Origine 2010 ★

■	8 000	ⓘ	20 à 30 €

Éric Prissette a créé ce domaine en 2003. Après avoir parcouru la région durant de longs mois, il a fini par poser ses valises à Aspiran, au nord de Pézenas. Ayant engagé la conversion en culture biologique de son vignoble depuis 2009, il souhaite élaborer « des vins profonds et riches, dans le respect du terroir ». La cuvée proposée, bâtie essentiellement sur la syrah, offre une robe d'un rubis intense et exprime des parfums de fruits noirs accompagnés de notes toastées. En bouche, elle se montre dense, ronde et veloutée, et annonce un bel accord avec un tajine d'agneau aux pruneaux.

☛ Éric Prissette, chem. Saint-Georges, 34800 Aspiran, tél. et fax 05 57 40 07 31, vignoblesprissette@orange.fr, ☑ ⚡ ⵟ r.-v. 🏫 ④

DOM. LA VOÛTE DU VERDUS 2011 ★

■	3 500		8 à 11 €

2011 est le premier millésime vinifié dans cette cave particulière située au cœur du village de Saint-Guilhem-le-Désert, haut-lieu de la culture languedocienne. Comme son nom l'indique, ce site est désertique, aussi les vignes (grenache, syrah, mourvèdre et carignan) sont-elles implantées à quelques kilomètres de là, sur les terroirs d'Aniane et de Saint-Jean-de-Fos. Élégance et équilibre caractérisent ce vin expressif au bouquet de fruits rouges, de poivre et de résine de pin. Des tanins fondus et une agréable fraîcheur accompagnent en bouche de belles saveurs de garrigue. N'hésitez pas à ouvrir cette bouteille un peu à l'avance pour que le vin s'aère, et réservez-lui un magret de canard.

☛ Dom. la Voûte du Verdus, 15, rue Descente-du-Portal, 34150 Saint-Guilhem-le-Désert, tél. 04 67 57 45 90, larouteduverdus@gmail.com, ☑ ⚡ ⵟ r.-v.

Les appellations de Limoux

Blanquette-de-limoux

Ce sont les moines de l'abbaye Saint-Hilaire, commune proche de Limoux, qui, découvrant que leurs vins repartaient en fermentation, ont été les premiers élaborateurs de blanquette-de-limoux. Trois cépages sont utilisés pour son élaboration : le mauzac (90 % minimum), le chenin et le chardonnay ; ces deux derniers cépages introduits à la place de la clairette apporte à la blanquette acidité et finesse aromatique. La blanquette-de-limoux est élaborée suivant la méthode de seconde fermentation en bouteille et se présente sous dosages brut, demi-sec ou doux.

ANTECH L'Âme du terroir 2011 ★★

	20 000		5 à 8 €

Agriculture raisonnée, développement durable, tels sont les leitmotive de cette entreprise transmise depuis six générations, principalement entre femmes. Actuellement, c'est Françoise Antech, diplômée HEC, fille de Georges, qui gère d'une main de maître les destinées du domaine. Issu de la structure de négoce, ce très bel assemblage de mauzac (90 %), de chardonnay et de chenin a charmé les dégustateurs par son nez intense et complexe de fleurs blanches, de pêche et de pamplemousse agrémenté d'une pointe de silex. Le palais n'est pas en reste ; d'un remarquable équilibre, il conjugue rondeur et finesse. La longue finale laisse l'impression d'une belle harmonie. Deux étoiles également pour le **2011 Antech Grande Réserve** (80 000 b.) et une pour le **2011 Élégance** (80 000 b.).
☎ Georges et Roger Antech, Dom. de Flassian, 11300 Limoux, tél. 04 68 31 15 88, fax 04 68 31 71 61, courriers@antech-limoux.com,
☑ ⵏ t.l.j. sf sam. dim. 8h-12h 14h-18h

Ⓑ DOM. DELMAS Cuvée Mémoire 2009

	10 000	ⵏ	15 à 20 €

Bernard Delmas, secondé par son épouse Marlène, est un pionnier de l'agriculture biologique. Il signe ici une cuvée à la robe limpide, au nez puissant de pêche jaune, d'abricot et de fleurs blanches, prolongé par une bouche bien équilibrée entre rondeur et fraîcheur en bouche. On pourra la consommer dès la sortie du Guide sur des coquilles Saint-Jacques.
☎ Bernard Delmas, 11, rte de Couiza, 11190 Antugnac, tél. 04 68 74 21 02, fax 04 68 74 19 90, domainedelmas@orange.fr, ☑ ⵏ t.l.j. 9h-12h 13h30-18h

GUINOT Cuvée réservée

	n.c.	ⵏ	5 à 8 €

Propriétaire et récoltant depuis le XVIᵉˢ., la maison Guinot est la plus ancienne structure de commercialisation de blanquette et de crémant (1875). Elle propose ici une cuvée aux bulles fines et vives, à la robe jaune doré tirant vers le vieil or. Le nez libère d'intenses arômes de miel et de fruits à chair jaune ponctués de touches florales. L'attaque franche, sur des notes de pêche, introduit une bouche mûre et persistante.

☎ Maison Guinot, 3, Chem. de Ronde, BP 74, 11304 Limoux Cedex, tél. 04 68 31 01 33, fax 04 68 31 60 05, guinot@blanquette.fr, ☑ ⵏ t.l.j. sf dim. 9h-12h 14h-18h; sam. 9h-12h

ROBERT Carte Ivoire 2011 ★

	30 000		5 à 8 €

Cette entreprise familiale créée en 1936 par Pierre Robert est un haut-lieu de la blanquette-de-limoux. Au domaine, vous pourrez participer à des repas thématiques à base de produits fermiers avec dégustation de vieux millésimes de 1972 à 2004. Cette cuvée issue de la récolte 2011 se pare d'une élégante robe d'or, parcourue d'un délicat chapelet de bulles fines. Elle dévoile des parfums de fleurs blanches assorties d'une pointe épicée. La bouche se révèle fraîche et bien équilibrée, et dévoile de plaisants arômes de fleurs d'acacia et de fruits à chair jaune. Un vin gourmand et de bonne longueur.
☎ GFA Robert, Dom. de Fourn, 11300 Pieusse, tél. 04 68 31 15 03, fax 04 68 31 77 65, robert.blanquette@wanadoo.fr, ☑ ⵏ t.l.j. 9h-12h 14h-19h

SIEUR D'ARQUES Première Bulle 2011 ★

	150 000	ⵏ	8 à 11 €

Avec 288 adhérents et un vignoble de 2 200 ha, cette cave coopérative est l'une des plus grandes de la région et le principal opérateur de blanquette-de-limoux et crémant-de-limoux. Elle propose un 2011 au bouquet de fleurs blanches et de pamplemousse assorti de notes minérales. On retrouve les agrumes dans une bouche à la fois ronde et fraîche. Une cuvée élégante et équilibrée qui pourra accompagner poissons grillés et autres produits de la mer. Les cuvées **Diaphane Grande Cuvée 2010** (150 000 b.) et **2011 Aimery** (5 à 8 €; 150 000 b.) obtiennent respectivement une étoile et une citation.
☎ Aimery-Sieur d'Arques, av. de Carcassonne, 11300 Limoux, tél. 04 68 74 63 00, fax 04 68 74 63 12, s.echantillon@sieurdarques.com, ☑ ⵏ t.l.j. 9h-12h 14h-18h

NICOLAS THEREZ Nature Tradition 2010

	3 000		5 à 8 €

Première entrée dans le Guide pour Nicolas Therez, qui a repris les rênes du domaine familial en 2008. Respectueux de l'environnement, il décide de cultiver ses vignes selon la charte qualité de l'agriculture biologique. Il signe une cuvée or pâle à reflets dorés traversée de fines bulles, au nez intense et complexe de fleurs blanches et de pêche blanche, agrémentées de légères notes lactées, au palais frais, ponctué d'arômes de fruits exotiques. Cette bouteille trouvera volontiers sa place à l'apéritif.
☎ Nicolas Therez, 2, Grande-Rue, 11190 Serres, tél. 06 79 06 67 99, contact@vignoble-nicolas.therez.fr, ☑ r.-v.

Blanquette méthode ancestrale

AOC à part entière, la blanquette méthode ancestrale reste un produit confidentiel. Le principe d'élaboration réside dans une seule fermentation en bouteille. Aujourd'hui, les techniques modernes permettent d'élaborer un vin peu alcoolisé (autour de 6 % vol.), doux, provenant de l'unique cépage mauzac.

DOM. LA MAURETTE ★

	3 500	5 à 8 €

Au pied du pic de Bugarach, rendu célèbre par la fin du monde annoncée du 21 décembre 2012, et au bord de la rivière la Salz réputée pour ses crues, se dresse le domaine de la Maurette. Paré d'or, cette blanquette mêle au nez des arômes fins et complexes de pomme et de fleurs miellées agrémentés d'une touche toastée. Cette complexité se confirme dans une bouche bien équilibrée, agréable, gourmande, où l'on retrouve la pomme, mais aussi la pêche de vigne et de légères notes épicées. À déguster sur un clafoutis aux pommes.

☛ Tricoire et Thoreau, La Maurette, 11190 Serres, tél. 04 68 69 81 06, cthoreau@orange.fr,
☑ ⚒ ⌕ t.l.j. 9h-12h30 14h-19h

Crémant-de-limoux

Production : 30 000 hl

Reconnu seulement en 1990, le crémant-de-limoux n'en bénéficie pas moins de la solide expérience et de l'exigence des producteurs de la région en matière de vins effervescents. Les conditions de production de la blanquette étant déjà très strictes, les Limouxins n'ont eu aucune difficulté à adopter la rigueur de l'élaboration propre au crémant. Depuis déjà quelques années s'affinaient dans leurs chais des cuvées issues de subtils mariages entre la personnalité et la typicité du mauzac, l'élégance et la rondeur du chardonnay, la jeunesse et la fraîcheur du chenin. Depuis 2004, le mauzac, cépage traditionnel de la région, est désormais réservé à la blanquette et c'est le chardonnay qui règne en maître dans l'appellation crémant-de-limoux. Enfin, le pinot noir peut être utilisé en appoint pour élaborer des rosés.

ANTECH Cuvée Saint-Laurent 2011 ★★

	50 000	8 à 11 €

Un joli tir groupé pour cette structure de négoce familiale tenue successivement par six générations depuis sa création, spécialisée dans l'élaboration d'effervescents. Trois vins ont été retenus cette année, dont cette cuvée Saint-Laurent née d'un assemblage de mauzac, de chardonnay et de chenin, élaborée au domaine de Flassian, dans un chai alliant tradition et modernité. Paré d'une robe jaune pâle, le vin délivre à l'olfaction des arômes complexes de fruits frais ponctués de notes florales (aubépine). Fraîche et souple en attaque, la bouche révèle ensuite des notes plus chaleureuses de fruits à l'alcool et d'épices. Un vin harmonieux et équilibré, que l'on pourra déguster sur une tarte aux pommes saupoudrée de cannelle. La **cuvée Eugenie 2011 blanc (70 000 b.)** et la **cuvée Alliance rosé (50 000 b.)** obtiennent toutes deux une étoile.

☛ Georges et Roger Antech, Dom. de Flassian, 11300 Limoux, tél. 04 68 31 15 88, fax 04 68 31 71 61, courriers@antech-limoux.com,
☑ ⌕ t.l.j. sf sam. dim. 8h-12h 14h-18h

♥ Ⓑ GÉRARD BERTRAND Naturalys 2011 ★★

	n.c.	▮	20 à 30 €

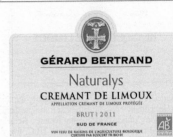

Gérard Bertrand a transformé ce raisin en un vin de grande classe. On le retrouve régulièrement dans le Guide dans diverses AOC (corbières, fitou, minervois, languedoc, côtes-du-roussillon...) et même en IGP pays d'Oc. Grâce à ce crémant-de-limoux issu de l'agriculture biologique, il accède à la plus haute marche dans l'appellation. Un nez élégant sur les fruits secs, l'abricot et la poire agrémenté d'une touche florale ; une bouche structurée, fraîche, longue et citronnée : un vin tonique, expressif et remarquablement équilibré. La cuvée **Code rouge Brut éternel blanc de blancs**, un crémant blanc dans une bouteille... rouge vif, obtient une étoile.

☛ Gérard Bertrand, Ch. l'Hospitalet, rte de Narbonne-Plage, 11100 Narbonne, tél. 04 68 45 57 57, fax 04 68 45 28 77, j.sauzet@gerard-bertrand.com,
☑ ⚒ ⌕ t.l.j. 9h-19h

DOM. J. LAURENS La Rose n°7 ★

	20 000	▮	8 à 11 €

Cela fait douze ans que Jacques Calvel a repris le domaine Laurens pour l'agrandir et le moderniser. Régulièrement mentionné dans le Guide, il signe ce joli rosé de la récolte 2011, non millésimé, composé à 60 % de chardonnay, 30 % de chenin et 10 % de pinot noir qui lui donne sa teinte rosée intense. Son nez soutenu de framboise et de cassis a été vivement apprécié par les dégustateurs, tout comme sa bouche tonique, fraîche, bien équilibrée, à la finale persistante.

☛ Dom. J. Laurens, Les Graimenous, 11300 La Digne-d'Aval, tél. 04 68 31 54 54, fax 04 68 31 61 61, domaine.jlaurens@wanadoo.fr,
☑ ⚒ ⌕ t.l.j. 8h-12h 14h-18h; sam. dim. sur r.-v.
☛ J. Calvel

PRIMA PERLA ★

	18 000	11 à 15 €

Racheté en 2011 à la famille Vergnes par Jean-Claude Mas, ce domaine situé à proximité de l'abbaye de

Sainte-Hilaire étend son vignoble sur 60 ha, dont 2,5 ha de chardonnay, de chenin et de pinot noir à l'origine de cette cuvée. Celle-ci livre un bouquet élégant où se mêlent notes florales, notes minérales et briochées et une pointe miellée. D'une belle fraîcheur à l'attaque, le palais se montre délicat, bien équilibré, d'une bonne longueur. À déguster en apéritif ou tout au long d'un repas. À découvrir également, le crémant rosé **Prima Perla (20 000 b.)**, qui obtient une étoile.

☛ Dom. Martinolles, 11250 Saint-Hilaire,
tél. 04 68 69 41 93, fax 04 68 69 45 97,
info@martinolles.com,
☑ ⟂ t.l.j. sf sam. dim. 9h-12h 14h-18h 🏠 ●

JOSEPH SALASAR 2010 ★★

| | 50 000 | ▮ | 5 à 8 € |

René Salasar dirige depuis 1974 cette structure de négoce familiale fondée par son grand-père Joseph en 1890, dont la réputation a aujourd'hui largement dépassé les frontières nationales. Le jury a été séduit par ce crémant blanc à dominante de chardonnay, complété de chenin et de pinot, issus de parcelles exploitées par une trentaine de vignerons. Il a apprécié sa cuvée de couleur pâle et son nez d'agrumes ponctués de notes de fruits rouges, ainsi que sa bouche vive, bien équilibrée, à la fois douce et fraîche. Cette bouteille harmonieuse s'appréciera aussi bien en apéritif qu'au cours d'un repas, sur un poisson en sauce par exemple.

☛ SA Joseph Salasar, 4, rue de l'Égalité,
11260 Campagne-sur-Aude, tél. 04 68 20 04 62,
fax 04 68 20 24 91, vfernandez@salasar.fr,
☑ ⚲ ⟂ t.l.j. 8h-12h 14h-18h

SIEUR D'ARQUES Première Bulle 2011 ★

| | 150 000 | ▮ | 11 à 15 € |

Un nouveau président, Maurice Lautard; un nouveau directeur, Lionel Lerch, mais toujours de grands vins pour cette cave coopérative, à l'image de ce crémant rosé composé de 70 % de chardonnay, 20 % de chenin, que complètent le pinot et le mauzac. Le nez est élégant, à la fois floral et fruité. La bouche se montre onctueuse, vive et persistante. Le tout est harmonieux et conviendra très bien sur un sabayon de fruits rouges.

☛ Aimery Sieur d'Arques, av. de Carcassonne,
11300 Limoux, tél. 04 68 74 63 00, fax 04 68 74 63 12,
s.echantillon@sieurdarques.com,
☑ ⚲ ⟂ t.l.j. 9h-12h 14h-18h

CH. DE VILLELONGUE 2011 ★

| | 120 000 | ▮ | 5 à 8 € |

Michel Rosier et sa compagne Renza peuvent envisager l'avenir avec sérénité puisque leur fils Nicolas vient de quitter un poste important à Toulouse pour rejoindre cette dynamique entreprise. Souhaitons-lui de nombreuses sélections dans le Guide, et de jolies réussites, à l'image de ce crémant or pâle, au nez intense de fleurs blanches nuancées d'agrumes. Au palais, le vin se montre franc, frais et bien équilibré, rehaussé de fines notes d'épices. Le jury a également apprécié les blanquettes-de-limoux **Dom. Rosier cuvée Jean-Philippe (moins de 5 € ; 60 000 b.)** et **Dom. Rosier 2011 (moins de 5 € ; 50 000 b.)**, qui obtiennent également une étoile pour leur fruité intense.

☛ Dom. Rosier, Z.I. Flassian, rue Farman, 11300 Limoux,
tél. 04 68 31 48 38, fax 04 68 31 34 16,
domaine-rosier@wanadoo.fr, ☑ ⚲ ⟂ r.-v.

Limoux

Superficie : 194 ha
Production : 8 097 hl (60 % blanc)

L'appellation limoux nature, reconnue en 1938, désignait le vin de base destiné à l'élaboration de l'appellation blanquette-de-limoux et toutes les maisons de négoce en commercialisaient quelque peu.

En 1981, cette AOC s'est vu interdire, au grand regret des producteurs, l'utilisation du terme *nature*, et elle est devenue limoux. Resté à 100 % mauzac, le limoux a décliné lentement, les vins de base de la blanquette-de-limoux étant alors élaborés avec du chenin, du chardonnay et du mauzac.

Cette appellation renaît depuis l'intégration, pour la première fois à la récolte 1992, des cépages chenin et chardonnay, le mauzac restant toutefois obligatoire. La dynamique équipe limouxine voit ainsi ses efforts récompensés. Une particularité : la fermentation et l'élevage jusqu'au 1er mai, à réaliser obligatoirement en fût de chêne. Depuis 2004, l'AOC produit également des vins rouges à partir des cépages atlantiques (merlot surtout, cabernets et cot) et des cépages méditerranéens (syrah, grenache).

ANNE DE JOYEUSE Very limoux 2010 ★

| ▮ | 30 000 | ▥ | 5 à 8 € |

Avec 4,5 millions de cols, la cave Anne de Joyeuse se positionne sur un marché en bonne évolution. Elle propose 30 000 flacons de cette cuvée à la robe sombre et profonde, au nez fin et complexe évoquant la cerise mûre agrémentée d'un boisé discret et d'une touche de cuir. Le palais se révèle généreux, dense, ample et intense, porté par des tanins agréables. Un vin harmonieux, qu'un dégustateur conseille sur un poulet aux écrevisses. La cuvée **Coquelicot 2010 rouge (40 000 b.)** aux arômes de fruits noirs, concentrée, ample et structurée, obtient une étoile, tout comme la cuvée **Le Chemin de Martin 2010 blanc (70 000 b.)**, aux notes de citron confit et de fruits secs, riche, équilibrée, au boisé bien intégré.

☛ EURL Oustal Anne de Joyeuse, 41, av. Charles-de-Gaulle,
BP 39, 11303 Limoux Cedex, tél. 04 68 74 79 40,
fax 04 68 74 79 49, commercial.france@cave-adj.com,
⟂ t.l.j. 9h-12h 15h-19h

LANGUEDOC

DOM. DE BARON'ARQUES 2010 ★★

■   60 000   🍷   30 à 50 €

Ce domaine doit son nom au titre de noblesse des Rothschild ainsi qu'aux vignerons du sieur d'Arques associés au renouveau de ce très ancien vignoble. Pas moins de cinq cépages composent cette cuvée qui a frôlé le coup de cœur. Un millésime 2010 de grande maturité à l'origine d'un vin robe rouge sombre intense, au nez de fruits rouges encore un peu discret, qui demandera quelques années pour s'ouvrir davantage. La bouche est puissante, avec beaucoup de concentration, structurée par des tanins présents sans être austères. Un joli vin de caractère qui atteindra son apogée dans cinq à six ans. À déguster sur un carré d'agneau en croûte ou un filet de veau et crème de morilles.

🍷 Dom. de Baron'Arques, 11300 Saint-Polycarpe, tél. 04 68 31 96 60, fax 04 68 31 54 23, cfoucachon@domainedebaronarques.com, ☑ ⚔ ⛟ t.l.j. sf sam. dim. 9h-12h 14h-17h

🍷 GFA Baronne Philippine de Rothschild

GÉRARD BERTRAND Aigle royal 2011 ★★★

■   n.c.   🍷   30 à 50 €

Gérard Bertrand, célèbre négociant-vigneron narbonnais, est à la tête depuis 2007 de ce domaine situé dans la partie la plus septentrionale du vignoble de la haute vallée de l'Aude, terroir propice à l'élaboration des vins blancs, notamment des chardonnays. Cet Aigle royal jaune pâle s'est envolé très haut. Le nez puissant et complexe livre d'élégants arômes de fleurs blanches, de pêche, de fruits secs et des notes boisées bien intégrées. Le charme se prolonge dans un palais velouté et gras, équilibré par une agréable fraîcheur minérale. Un vin tout en finesse, promis à un bel avenir mais que l'on pourra aussi bien déguster à la sortie du Guide, sur des gambas grillées par exemple. Le **Dom. de l'Aigle 2011 blanc (11 à 15 €)**, deux étoiles, a également enthousiasmé le jury par ses arômes intenses de fruits à chair blanche, assortis de notes empyreumatiques, et par sa matière ample, d'une finesse et d'une fraîcheur remarquables.

🍷 Gérard Bertrand, Ch. l'Hospitalet, rte de Narbonne-Plage, 11100 Narbonne, tél. 04 68 45 57 57, fax 04 68 45 28 77, j.sauzet@gerard-bertrand.com, ☑ ⚔ ⛟ t.l.j. 9h-19h

♥ JEAN-LOUIS DENOIS Grande Cuvée 2010 ★★

■   5 500   🍷   8 à 11 €

C'est en 1989, après avoir effectué des voyages dans le monde entier, que Jean-Louis Denois achète un domaine dans la haute vallée de l'Aude, bénéficiant d'un climat propice à la qualité de la vigne, dans un site grandiose loin de toute agitation. Remarquable réussite cette année avec ce 2010 à la robe rubis qui n'usurpe pas son nom. Au nez, les senteurs de fruits rouges à noyau se mêlent harmonieusement aux arômes de fruits noirs et d'olive noire. On retrouve l'intensité du bouquet dans une bouche charnue, veloutée, aux tanins puissants et soyeux. Une bouteille généreuse et gourmande à souhait, à déboucher dès la sortie du Guide. La cuvée **Sainte-Marie 2011 blanc (11 à 15 € ; 3 000 b.)** obtient quant à elle une étoile.

🍷 Vignobles Jean-Louis Denois, Borde-Longue, 11300 Roquetaillade, tél. 04 68 31 39 12, fax 04 68 31 39 14, jldenois@orange.fr, ⛟ 🄴

DOM. JO RIU Esprit de famille Cuvée Capucine 2011 ★

■   5 000   🍷   5 à 8 €

Acheté par l'ancien PDG des usines de chaussures Myris, ce domaine situé sur les coteaux dominant la vallée de l'Aude a été pris en main par sa petite-fille Caroline en 2007, qui signe ici sa première sélection dans le Guide. Elle propose une cuvée Capucine, du nom de sa fille, à la robe cristalline. Ce 2011 possède un réel pouvoir de séduction grâce à son bouquet complexe de fruits secs confiturés et de notes grillées légèrement vanillées, et à son palais riche, élégant et équilibré par une belle fraîcheur. Pulpeux et soyeux, ce vin accompagnera dignement un homard ou un turbot.

NOUVEAU PRODUCTEUR

🍷 Jo Riu, Dom. les Bouziers, 11300 Pieusse, tél. 06 22 87 82 17, fax 04 68 20 41 09, carolineguiraud@hotmail.fr, ☑ ⚔ ⛟ r.-v.

♥ TOQUES ET CLOCHERS Autan 2011 ★★

■   35 000   🍷   11 à 15 €

D'une régularité sans faille et souvent aux meilleures places dans le Guide, la cave coopérative Sieur d'Arques voit pour la cinquième année consécutive l'une de ses vins récompensé d'un coup de cœur dans l'appellation limoux. Ce pur chardonnay paré d'or libère d'élégants parfums fruités d'abricot et de figue discrètement vanillés, assortis de notes légèrement fumées. Révélant une bouche à l'unisson, gourmande, ample et ronde dès l'attaque, il séduit par son équilibre admirable entre richesse et fraîcheur avant de s'achever sur une finale tout en délicatesse. Parfait pour un poisson en sauce. La cuvée **Océanique 2011 blanc (35 000 b.)**, ample, riche, étayée par une agréable fraîcheur et bien équilibrée entre fruité et boisé, obtient également deux étoiles et frôle la même distinction. Enfin, la cuvée **Sieur d'Arques 2010 blanc Terroir de vigne et de truffe Réserve (8 à 11 € ; 35 000 b.)**, comparable aux deux autres mais un peu plus boisée, se voit décerner une étoile.

🍷 Aimery-Sieur d'Arques, av. de Carcassonne, 11300 Limoux, tél. 04 68 74 63 00, fax 04 68 74 63 12, s.echantillon@sieurdarques.com, ☑ ⚔ ⛟ t.l.j. 9h-12h 14h-18h

Malepère

Superficie : 384 ha
Production : 18 521 hl

Longtemps AOVDQS côtes-de-la-malepère, ce vignoble a accédé à l'appellation d'origine contrôlée en 2007. Il s'étend sur le territoire de trente-neuf communes de l'Aude. Sa situation au nord-ouest des hauts de Corbières limite les influences méditerranéennes pour le soumettre à des influences océaniques. Aussi les malepère, vins rouges ou rosés, ne privilégient-ils pas les cépages du Sud mais les variétés bordelaises. En rouge, le merlot doit constituer la moitié de l'assemblage, suivi du cabernet franc ou du cot (20 %). En rosé, c'est le cabernet franc qui joue le rôle majeur (50 %). Les cépages méditerranéens comme le grenache et le cinsault n'entrent pas dans les assemblages qu'à titre accessoire.

CH. BELVÈZE Tradition 2011 ★

| | 12 000 | 🔲 | 5 à 8 € |

Le château, du XVIIᵉs., est plutôt une bastide, entourée d'un parc dessiné par un élève de Le Nôtre. Son vin, lui, est souvent grand : il s'est haussé deux fois de suite au plus haut niveau. Il bénéficie de l'implication et des investissements de Guillaume Malafosse, qui a repris le domaine familial en 1997. Non boisée, sa cuvée Tradition 2011 apparaît moins ambitieuse que son aînée du millésime 2010, élue coup de cœur l'an dernier, mais elle ne manque pas d'agréments. Elle livre toute l'expression et l'intensité du cabernet franc, cépage qui compose une bonne partie de l'assemblage, complété par le merlot. Avec sa bouche ample dont les tanins fins se font oublier, c'est un vin pour maintenant, qui formera un bon accord avec des aiguillettes de canard grillées.
📞 Malafosse, Le Château, 11240 Belvèze-du-Razès, tél. 06 81 18 09 51, fax 04 68 69 13 94, chateaubelveze@gmail.com, ☑ ⚐ 🍷 t.l.j. 10h-13h 16h-19h

💙 CH. DE COINTES Marie-Anne 2011 ★★★

| | 4 000 | 🔲 | 8 à 11 € |

Consuls de Carcassonne au XVIIᵉs., les premiers propriétaires ont légué leur nom au château. Le vignoble était exploité au siècle dernier par les grands-parents de François Gorostis qui apportaient leur raisin au négoce. En 1987, ce dernier l'a repris avec Anne, son épouse, avec pour projet de faire du vin. Le domaine est devenu une

valeur sûre du Guide, témoin cette cuvée baptisée en hommage à la grand-mère paternelle, qui décroche un coup de cœur. Issu d'un assemblage privilégiant les cépages atlantiques (merlot 40 %, cabernet franc 30 %, complétés par le grenache), ce 2011 a bénéficié d'une macération préfermentaire à froid. La robe sombre, couleur cerise noire, annonce un vin puissant. Le nez surprend par ses tons de griotte. La bouche aux tanins fondus et souples, d'une rare longueur, fait preuve d'un superbe équilibre. Déjà agréable, ce vin pourra se garder. Tous les rôtis ou fricassées seront à la fête.
📞 Anne Gorostis, Ch. de Cointes, 11290 Roullens, tél. 04 68 26 81 05, fax 04 68 26 84 37, chateaudecointes@wanadoo.fr, ☑ ⚐ 🍷 t.l.j. sf dim. lun. 10h30-12h30 17h30-19h; hiver sur r.-v. 🏠 Ⓔ

D. DE FOURNERY 2012 ★★

| | 70 000 | | - de 5 € |

Figure importante du Languedoc-Roussillon viticole, la cave du Razès s'approvisionne dans trente-six communes. Parmi ses marques, D. de Fournery est bien connue de nos lecteurs. Le rosé a le vent en poupe et ce sont depuis quelques années des vins de cette couleur qui s'inscrivent brillamment dans la section « Malepère ». Cette cuvée donne une image accomplie du mariage entre le cabernet franc et le merlot dans la région du Razès. Bien qu'elle soit élaborée par saignée, sa robe est plutôt claire, avec de jolis reflets grenadine. Le nez, expressif, se partage entre les fruits rouges frais et la pêche blanche. La bouche ample et longue permettra de servir cette bouteille à table, sur les grillades des beaux jours, viandes blanches et saucisses en particulier.
📞 Cave du Razès, D 623, 11240 Routier, tél. 04 68 69 39 15, fax 04 68 69 00 49, aesteban@cave-razes.com, 🍷 t.l.j. sf dim. 9h-12h 14h-18h; sam. 9h-12h

DOM. GIRARD Tradition 2011 ★★

| | 9 500 | 🔲 | 5 à 8 € |

Le village d'Alaigne est une circulade : un village rond dont les ruelles s'enroulent autour de l'église. Le but de cet urbanisme médiéval était sans doute défensif. Quant aux Girard, vignerons depuis quatre générations, ils défendent avec brio les couleurs du malepère : trois coups de cœur récents, et des étoiles qui vont souvent par paire. C'est encore le cas cette année, avec une cuvée Tradition qui exprime toute l'élégance du cabernet franc, cépage majoritaire (70 %) dans l'assemblage. Affichant une robe profonde, elle offre un bouquet aromatique puissant, sur les fruits mûrs et les épices douces. La bouche se montre suave, avec une finale chaleureuse et longue. De l'harmonie et de la générosité.
📞 Dom. Girard, 3, chem. de la Garriguette, 11240 Alaigne, tél. 04 68 69 05 27, domaine-girard@wanadoo.fr, ☑ ⚐ 🍷 r.-v.

CH. GUILHEM Grande Cuvée 2011 ★★★

| | 3 500 | 🎗 | 15 à 20 € |

En 2013, la propriété, fondée en 1978, a fêté ses cent trente-cinq ans. Depuis l'arrivée du fils, Bertrand Gourdou, il y a environ huit ans, elle est devenue incontournable dans l'appellation, récoltant une trentaine d'étoiles et un coup de cœur ! En 2009, le vigneron a adopté l'agriculture raisonnée, première étape vers la conversion bio engagée en 2013. Dans le même temps, il a renouvelé l'équipement du chai. Mi-merlot mi-cabernet franc, cette cuvée finaliste du coup de cœur confirme la dynamique de l'exploitation. C'est un vin ambitieux, élevé douze mois en fût (avec 50 % de barriques neuves). La robe pourpre profond annonce un vin de garde ; le nez marie harmonieusement les fruits mûrs et le boisé. La belle attaque introduit une bouche aux tanins enrobés. Un vin superbement équilibré, qui appelle un filet de bœuf aux morilles. Le **rosé Cuvée Prestige 2012 (8 à 11 €)**, de bonne facture, est cité.

☛ Bertrand Gourdou, Ch. Guilhem, 1, bd du Château, 11300 Malviès, tél. 04 68 31 14 41, fax 04 68 31 58 09, contact@chateauguilhem.com,

☑ ⚔ ⏲ t.l.j. 8h30-12h 14h-18h; sam. dim. sur r.-v.

DOM. ROSE ET PAUL 2011 ★

| ■ | n.c. | ▮ | 5 à 8 € |

Les ancêtres de l'actuel producteur cultivaient la vigne à la fin du XVIIIᵉs. Ses grands-parents, Rose et Paul, ont œuvré à la création de la coopérative locale ; son père Gérard a été l'un des premiers à introduire le merlot dans la région. Quant à Gilles, il a participé activement à la reconnaissance de l'appellation. Il a repris l'exploitation familiale et s'est installé en 2009 en cave particulière. Après avoir fait découvrir de remarquables rosés, voici un rouge de très belle facture, assemblage de cinq variétés : merlot, cabernet franc, malbec, cabernet-sauvignon et grenache. D'un pourpre engageant, ce 2011 offre un nez flatteur, épicé et confituré. C'est un vin ample, tout en rondeur, aux tanins fondus, à servir maintenant avec de la volaille ou un cassoulet.

☛ Dom. Rose et Paul, chem. de la Malepère, 11290 Arzens, tél. 06 03 92 91 11, fax 04 68 76 33 96, gilles.foussat@rose-paul.fr, ☑ ⚔ ⏲ r.-v.

☛ Foussat

Minervois

Superficie : 5 000 ha
Production : 170 000 hl (97 % rouge et rosé)

Le minervois est produit sur soixante et une communes, dont quarante-cinq dans l'Aude et seize dans l'Hérault. Cette région plutôt calcaire, aux collines douces et au revers exposé au sud, protégée des vents froids par la Montagne Noire, produit des vins blancs, rosés et rouges.

Le vignoble du Minervois est sillonné de routes séduisantes ; un itinéraire fléché constitue la route des Vins, bordée de nombreux caveaux de dégustation. Un site célèbre dans l'histoire du Languedoc, celui de l'antique cité de Minerve, où eut lieu un acte décisif de la tragédie cathare, de nombreuses chapelles romanes et les églises de Rieux et de Caune sont les atouts touristiques de la région.

ABBOTTS & DELAUNAY Cumulo Nimbus 2010 ★

| ■ | 6 200 | ⬤ | 15 à 20 € |

Née de la rencontre entre deux œnologues rigoureux, l'Australienne Nérida Abbott et le spécialiste des vins languedociens Laurent Delaunay, cette maison de négoce fondée en 2005 fait son apparition dans le Guide. Elle semble avoir un avenir radieux à en juger par ce minervois, assemblage de 95 % de syrah et d'un soupçon de carignan. Pas un nuage à l'horizon en effet pour ce vin brillant aux reflets violines, qui dévoile des parfums généreux de griotte et de vanille. La bouche, « du tonnerre », déverse une pluie de fruits noirs sur des tanins puissants, « rocailleux ». Elle ne finit pas en un éclair, mais s'étire au contraire dans une longue finale chaude et lumineuse comme un ciel d'été...

☛ Abbotts & Delaunay, 32, av. du Languedoc, 11800 Marseillette, tél. 04 68 79 00 00, fax 04 68 78 93 66, contact@abbottsetdelaunay.com

CH. D'AGEL Caudios 2010 ★

| ■ | n.c. | ⬤ | 11 à 15 € |

De l'union de ce terroir d'altitude aux éclats calcaires avec la syrah (60 %), le grenache, le carignan et un soupçon de mourvèdre est né ce vin rouge violine, où fraîcheur et puissance font très bon ménage à l'olfaction, autour des fruits noirs et de senteurs chaudes d'épices. Trente jours de cuvaison, puis douze mois de fût ont libéré un joli minervois tonique, ferme et enjoué en bouche, aux accents de vanille et de chocolat. Un vin qui va encore grandir pour atteindre sa pleine maturité d'ici trois ans.

☛ SAS Ch. d'Agel, Les Crozes, 34210 Agel, tél. 04 68 91 37 74, fax 04 68 91 12 76, contact@chateaudagel.com,

☑ ⚔ ⏲ t.l.j. sf sam. dim. 9h-12h 14h-17h

DOM. ANCELY La Muraille 2011

| ■ | 13 000 | ▮ | 5 à 8 € |

Année après année, cette Muraille se bâtit une solide réputation et constitue un rempart pour les vins de terroir, de ceux gravés dans la pierre du Minervois, ici dans un sol argilo-calcaire. Elle évoque au nez un verger de cerisiers et de mûriers bordé de ronciers et porteurs de fruits mûrs et charnus. Elle n'a rien d'infranchissable au palais, où l'on semble croquer le fruit à pleines dents et qui laisse une agréable impression de fraîcheur et de jeunesse. Portée par un corps finement structuré, elle s'abandonne en finale dans une douce chaleur qui appelle des plats longuement mijotés.

☛ Bernard Ancely, 4, pl. du Soleil-d'Oc, 34210 Siran, tél. et fax 04 68 91 55 43, domaineancelybernard@wanadoo.fr, ☑ ⏲ r.-v.

LES VIGNERONS D'ARGELIERS Les 87 2010 ★★

| ■ | 10 000 | ⬤ | 5 à 8 € |

Cette cuvée commémorative des événements de 1907 (et des 87 vignerons d'Argeliers à s'être mobilisés alors pour la cause vigneronne) se rappelle à notre bon souvenir après l'étoile obtenue dans l'édition précédente. Elle est accompagnée cette année de la **cuvée Marcelin Albert 2011 rouge (10 000 b.)**, hommage au leader charismatique de ces révoltes vigneronnes : un vin à la fois franc et généreux. Les 87 s'en distinguent à l'olfaction par leur vivacité et leur harmonie entre boisé grillé et fruits noirs confiturés. En bouche, le vin révèle la même trempe que Marcelin Albert, avec un soupçon de souplesse et d'élégance en plus, et sa puissance en finale soulève l'enthousiasme des dégustateurs.

☛ La Languedocienne et ses vignerons, 10, av. Pierre-de-Coubertin, 11120 Argeliers, tél. 04 68 46 11 14, fax 04 68 46 23 03, lang-vin@wanadoo.fr, ☑ ⚔ ⏲ t.l.j. 10h-12h 15h-18h

DOM. DE BABIO 2010

| ■ | 5 000 | ▬ | 5 à 8 € |

Sur le domaine de Babio, on pratique la conduite autonome de la propriété, comprenez sans salarié ni patron. Mais n'allez pas croire que le vin est livré à lui-même. Drapé dans une robe intense et profonde, ce 2010 nous met sous le nez une kyrielle de fruits noirs et rouges sortis des buissons environnants. Si les tanins règnent en maître, ils n'asservissent pas pour autant une bouche qui reste suave et concentrée, marquée par des notes chaudes d'épices et « rafraîchie » par des arômes de Zan. On laissera encore un peu de temps à ce vin pour qu'il atteigne sa pleine harmonie.

☛ Cécile Weissenbach, hameau de Babio, 34210 La Caunette, tél. et fax 04 68 27 62 92, cecile@domainedebabio.com, ☑ ✵ ✞ r.-v.

DOM. DE BARROUBIO Jean Miquel 2010 ★

| ■ | 5 000 | ⊞ | 8 à 11 € |

Raymond Miquel cultive la différence dans les vignes et dans ses vins. Ce grand original vinifie en grains entiers. Cela confère à ce 2010 une belle intensité aromatique, où l'on devine le cassis et des notes plus surprenantes de pamplemousse et de bonbon anglais, qui apportent beaucoup de fraîcheur et un caractère « canaille » au bouquet. Une fraîcheur que l'on retrouve dans une bouche souple, tendre et élégante, qui monte « en température », avant de s'achever sur les mêmes nuances d'agrumes perçues à l'olfaction.

☛ Raymond Miquel, Barroubio, 34360 Saint-Jean-de-Minervois, tél. 04 67 38 14 06, barroubio@barroubio.fr, ☑ ✵ ✞ t.l.j. 10h-12h 14h-18h ⌂ ⓑ

CH. BEAUFORT 2011 ★

| ■ | 100 000 | | 5 à 8 € |

Le château de Beaufort est capable de porter sa bannière loin de ses terres, 100 000 cols l'accompagnant à la conquête des marchés français et étrangers. Son 2011 a des arguments plutôt persuasifs à faire valoir sur le plan aromatique, avec une « ligne d'attaque » composée de fruits rouges et de mûre, l'arrière-garde étant assurée par des senteurs de garrigue. Porté par des tanins puissants, ce vin dévoile une bouche compacte mais non dénuée de douceur, et déploie en finale un esprit conquérant qui renforce son caractère bien affirmé.

☛ SCEA Ch. Beaufort, Dom. d'Artix, 34210 Beaufort, tél. 04 68 91 28 28, fax 04 68 91 38 38, ch-beaufort@wanadoo.fr, ☑ ✞ r.-v.

FRANK BENAZETH Aragonite 2010 ★

| ■ | 14 000 | ▬⊞ | 11 à 15 € |

Les concrétions d'aragonite se présentent sous la forme de cascades ou de colonnes et sont, dans le gouffre géant de Cabrespine situé non loin de là, uniques par leur taille et leur couleur ocre vif. Cette cuvée sombre en est aussi de belle envergure, par son bouquet intense de cannelle, de vanille et de menthol. Cette déferlante aromatique est le signe d'une jeunesse éclatante, que l'on retrouve dans un palais souple où l'on croque le fruit à pleines dents et qui offre suffisamment de corps pour supporter le poids du temps, même s'il affiche déjà une belle maturité.

☛ Frank Benazeth, 16, rue de la Condamine, 11160 Villeneuve-Minervois, tél. 06 30 61 30 01, benazeth.frank@orange.fr, ☑ ✵ ✞ r.-v.

DOM. BAPTISTE BOUTES 2011 ★

| ■ | 40 000 | ▬ | 5 à 8 € |

Ce domaine étend la majorité de ses vignes en semi-coteaux, sur des terres caillouteuses au pied d'une belle garrigue. Syrah, mourvèdre et grenache y donnent naissance à ce minervois rubis scintillant, qui dévoile des arômes fins et intenses de fruits noirs signant une vendange à bonne maturité. On apprécie aussi la rondeur, la densité et l'élégance d'un palais fondu et chaleureux. Un vin qui respire la plénitude et qui peut aussi regarder sereinement vers l'avenir.

☛ Bernard Albert, 3, rue du Puits-d'Aval, 11120 Pouzols-Minervois, tél. et fax 04 68 46 26 74 ☑ ✞ r.-v.

DOM. LE CAZAL Le Pas de Zarat 2011 ★★

| ■ | 17 700 | ⊞ | 11 à 15 € |

Le Pas de Zarat – du nom d'un petit canyon qui borne le sud du domaine, par où passaient le berger Zarat et son troupeau – a croisé le chemin du Guide depuis de nombreuses éditions, et il est devenu un passage obligé pour tout œnophile en balade dans le Minervois. Il a supporté la longue marche imposée par les Derroja (quatorze jours de macération en grappes entières, pressurage lent, douze mois de barrique), pour donner à l'arrivée, en cadeau de la nature et des efforts des vignerons, un vin remarquable, rouge profond et intense, au bouquet généreux de fruits noirs, de caramel et de cannelle. Conjuguant de la force et de la finesse puisées dans ces terroirs d'altitude, il délivre de chaleureuses notes épicées délicatement soulignées de vanille, qui se fondent dans un palais concentré, d'une harmonie rare et durable.

☛ Claude Derroja, EARL Dom. le Cazal, 34210 La Caunette, tél. et fax 04 68 91 62 53, info@lecazal.com, ☑ ✵ ✞ t.l.j. 9h-12h 13h30-18h30

DOM. LA CROIX DE SAINT-JEAN Lo Paire 2010 ★★

| ■ | 5 200 | ⊞ | 15 à 20 € |

Sans atteindre les mêmes sommets, La Croix de Saint-Jean montre à nouveau la voie après le coup de cœur obtenu l'an dernier pour cette même cuvée, version 2009. Lo Paire (« le père », en occitan) consacre le patriarche qui, à quatre-vingts ans, est toujours en activité sur le domaine, où trois générations font leur chemin. Ce 2010 grenat profond aux reflets pourprés dévoile une grande complexité aromatique, au nez, autour de notes grillées, poivrées et chocolatées, comme en bouche, puissante et harmonieuse, qui marie le cassis bien mûr à la douceur de la framboise et dont les tanins grenus vont s'enrober peu à peu. L'harmonie est proche, affirment les dégustateurs.

☛ Fabre, La Croix-de-Saint-Jean, 11120 Bize-Minervois, tél. 04 68 46 35 32, fax 04 68 40 76 55, lacroixdestjean@hotmail.fr, ☑ ✵ ✞ r.-v.

♥ PIERRE CROS Les Aspres 2010 ★★★

| ■ | 5 000 | ⊞ | 20 à 30 € |

Cela va encore faire des jaloux... Huitième coup de cœur (et le troisième consécutif) pour cette cuvée phare qui a de nouveau ébloui (à l'aveugle) le jury. Les plus envieux pâliront davantage, car la remarquable cuvée Les Vieilles Vignes 2011 rouge (11 à 15 €) a elle aussi brillé dans la course aux étoiles. Quant aux Aspres, c'est une véritable « œuvre d'art » qui nous transporte dans les bois d'eucalyptus et de cèdres, mêlant harmonieusement senteurs chaudes et fraîches. Le vin attaque en bouche avec

Les Aspres

2010

une intensité et une ampleur rares, saturé de fruits bien mûrs accompagnés de délicates notes vanillées. Si les dégustateurs le qualifient de crémeux, de suave et de gourmand, ils notent aussi la puissance « sculpturale » de sa structure, portée par de beaux tanins poivrés qui l'entraînent en finale dans une « éternité de caudalies »...

☛ Pierre Cros, 20, rue du Minervois, 11800 Badens, tél. 04 68 79 21 82, fax 04 68 79 24 03, domaine-pierre-cros@wanadoo.fr, ☑ ⚬ ⵣ r.-v. ⌂ ☉

CH. DU DONJON 2012 ★★

| ■ | 40 000 | ▤ | 5 à 8 € |

Une curiosité : le pittoresque donjon du XIIIᵉs. de l'antique château de Bagnoles surgit au milieu de la cave du domaine et abrite aujourd'hui les vinifications de la famille Panis, propriétaire des lieux depuis le XVᵉs. Loin d'être une forteresse, ce rosé brillant et saumoné livre sans retenue des parfums de fleurs blanches et de bonbon acidulé. La bouche, élégante et très expressive, évoque une pêche bien juteuse et les pots de confitures de fraises et de framboises dans lesquels on a une envie irrépressible de tremper les doigts. Une vraie gourmandise, à déguster sur une salade de fruits rouges relevés par un tour de poivre du moulin.

☛ Jean Panis, Ch. du Donjon, 11600 Bagnoles, tél. 04 68 77 18 33, fax 04 68 72 21 17, jean.panis@wanadoo.fr, ☑ ⚬ ⵣ t.l.j. 10h-12h 15h-19h; sam. dim. sur r.-v.

CH. DE FAUZAN 2011 ★★

| ■ | 46 000 | ▤ | 5 à 8 € |

Le château est établi dans les calcaires durs à 350 m d'altitude, à quelques encablures de Minerve et à la frontière de l'appellation muscat-de-saint-jean. À situation remarquable, vin remarquable. Celui-ci présente en effet toutes les caractéristiques de ces terroirs de haute volée. Riche en fruits noirs agrémentés d'épices douces, il offre un très bel équilibre entre une arête acidulée et fraîche, et une matière soyeuse. Le côté pierreux des lieux amène de la puissance et la chaleur emmagasinée sous le soleil du Minervois. L'ensemble est noble et corsé, laissant en finale l'impression de douceur d'un velouté au cassis.

☛ Ch. de Fauzan, hameau de Fauzan, 34210 Cesseras, tél. 06 83 82 24 90, fax 04 68 42 30 00, bourrel.jp@wanadoo.fr, ☑ ⚬ ⵣ r.-v. ⌂ ☉

CH. FESTIANO Marie-Suzanne 2010

| ■ | 2 210 | ⬤ | 11 à 15 € |

Voilà un bel hommage que rend ce vigneron à sa mère Marie-Suzanne et son amour du travail dans les vignes. Un vin bien vinifié et bien élevé, aux senteurs de clou de girofle, qui nous emmène ensuite dans le sous-bois puis dans le verger, cueillir une poignée de cerises bigarreaux bien charnues. Il reste assez exubérant en

bouche, dominé par les arômes chaleureux et épicés légués par douze mois de fût. Il lui faudra un peu de temps pour atteindre sa pleine maturité.

☛ GAEC Festiano, 11, le Sol, 11200 Tourouzelle, tél. 06 50 20 89 04, jeanrochmazard@orange.fr, ☑ ⚬ ⵣ r.-v.

CH. LA GRAVE Expression 2011 ★★

| ■ | 20 000 | ▤ | 5 à 8 € |

Jean-François Orosquette décline avec talent l'appellation dans ses trois couleurs, et ses vins sont régulièrement sélectionnés dans le Guide. Honneur au rosé cette année, après le blanc dans l'édition précédente. Un vin délicatement saumoné, qui offre une somptueuse palette aromatique autour de la menthe poivrée et de la garrigue gorgée de soleil. Des sensations de fraîcheur et de douceur que l'on retrouve dans une bouche délicate, chaleureuse mais sans mollesse ni lourdeur, conservant un caractère aimable et léger.

☛ Jean-François Orosquette, Ch. la Grave, 11800 Badens, tél. 04 68 79 16 00, fax 04 68 79 22 91, chateaulagrave@wanadoo.fr, ☑ ⚬ ⵣ t.l.j. 9h-12h 14h-17h30, sam. dim. sur r.-v.

CH. GUÉRY Les Éolides ★★

| ■ | n.c. | ⬤ | 11 à 15 € |

À l'image de son nom inspiré par l'œuvre symphonique de César Franck, cette cuvée semble façonnée par le vent. Elle ondule dans le verre parée d'une robe rouge vif. Au nez, croisent des senteurs de vanille, de cannelle, de cacao et d'épices qui confèrent à ce vin un air exotique. La bouche, d'abord vive, « surfe » en puissance, non pas sur une planche (le boisé est élégant et fondu avec onctuosité), mais sur une mer de cassis et de fraise, pour terminer à bon port, portée par un souffle chaud et langoureux. Idéal sur un poulet teriyaki ou, moins exotique, sur un beaufort.

☛ Ch. Guéry, 4, av. du Minervois, 11700 Azille, tél. et fax 04 68 91 44 34, rh-guery@chateau-guery.com, ☑ ⚬ ⵣ r.-v.

LAURAN CABARET 2012 ★

| ■ | 50 000 | ▤ | - de 5 € |

Bastion incontournable de l'appellation, le Cellier Lauran Cabaret s'illustre régulièrement dans la version blanche (et rare) du minervois. Il propose, avec cet assemblage maccabeu (50 %), grenache blanc et marsanne, un vin qui fait dans la dentelle. Paré d'une robe vive aux reflets verts, ce dernier dévoile un joli bouquet de fleurs blanches, relayé par une bouche veloutée, douce et chaleureuse qui laisse le souvenir d'un blanc à la fois vineux et printanier. Parfait pour un poisson en sauce.

☛ Cellier Lauran Cabaret, 1, av. de la Coopérative, 11800 Laure-Minervois, tél. 04 68 78 12 12, fax 04 68 78 17 34, cellier.lauran.cabaret@wanadoo.fr, ☑ ⵣ t.l.j. sf dim. 8h-12h 14h-18h

DOM. DES MAELS Montesclat 2010 ★

| ■ | 3 940 | ⬤ | 8 à 11 € |

Plus qu'un an à attendre et l'unité cadastrale Montesclat, d'où est issu ce vin, verra ses vignes certifiées en agriculture biologique. Vinifié en grains entiers, ce 2010 livre un bouquet explosif de mûre et de cerise burlat douces et charnues. Aux côtés du solide carignan, le grenache apporte son caractère chaleureux et soyeux au palais, souligné par une fine touche boisée. On a l'impression de déguster en finale une coupe de fruits compotés agrémentés d'une touche de pâte de coings. À essayer sur des aiguillettes de canard.

☛ Schwertz, 32, av. des Platanes, 11200 Argens-Minervois, tél. 04 68 27 52 29, vignoble@domainedesmaels.com, ☑ ⚔ ⅞ r.-v. 🏠 ④

CH. MALVES Les Frères Bousquet 2011 ★

■	40 000	▮	5 à 8 €

Les frères Bousquet ont fait le choix de la culture raisonnée et n'utilisent les traitements phytosanitaires qu'à moitié de leurs doses, dilués avec de l'eau. En revanche, pas de compromis dans les vins. Ici un minervois complet, équitablement partagé entre arômes de fruits, de garrigue, d'épices et de minéralité. Un vin équilibré, souple et frais, d'une réelle élégance, à déguster aussi bien sur une viande rouge grillée que sur un plat mijoté.

☛ SCEA Bousquet, Ch. de Malves, 11600 Malves-en-Minervois, tél. 04 68 72 25 32, fax 04 68 72 25 00, malves-bousquet@wanadoo.fr, ☑ ⚔ ⅞ t.l.j. 8h-12h30 13h30-19h; sam. sur r.-v.

MAS PAUMARHEL 2011 ★

■	8 000	▮	5 à 8 €

En deux temps, trois mouvements – il s'est installé en 2004 et ses premiers vins en cave particulière datent de 2007 –, et quatre sélections successives dans ces pages, le domaine de Jean-Luc Dressayre est devenu l'une des étoiles montantes de l'appellation. Cette cuvée vinifiée pour partie en grains entiers séduit par ses senteurs de fleur d'acacia et de groseille aussi intenses qu'originales. Tout en finesse et en élégance à l'attaque, elle se montre ensuite plus vineuse et séveuse, pour dévoiler en finale des tanins vigoureux. La promesse d'un réel plaisir sur une cuisine orientale, un tajine d'agneau aux abricots secs par exemple.

☛ Jean-Luc Dressayre, Mas Paumarhel, 3, chem. de la Métairie, 34210 Azillanet, tél. 04 68 49 22 18, jl.dressayre@neuf.fr, ☑ ⚔ ⅞ r.-v.

CH. MILLEGRAND Cuvée Aurore 2011 ★★

■	150 000	▮⏹	8 à 11 €

Les grandes cuvées appartiennent souvent aux raisins que l'on récolte tard, et dont on pousse l'extraction à la limite du raisonnable. Le résultat est ici à la hauteur de la prise de risques : des arômes complexes de fruits rouges et noirs bien mûrs (griotte, cassis, myrtille), saupoudrés d'un soupçon de vanille, qui enrobent une structure massive, puissante et racée, portée par des tanins bien intégrés et délicatement toastés, tandis que volupté et chaleur parachèvent l'œuvre. La signature d'un grand minervois.

☛ SCEA Ch. de Millegrand, Dom. de Millegrand, 11800 Trèbes, tél. 04 67 93 10 10, fax 04 67 93 10 05, bonfils@bonfilswines.com

☛ Bonfils

CH. MIRAUSSE Le Cendrous 2010 ★★

■	3 440	⏹	11 à 15 €

En digne descendant de l'ingénieux ancêtre de Zanzibar – qui fut l'un des premiers à faire porter les raisins au cuvier en brouette par les vendangeuses –, ce « vigneron de l'extrême » remet le couvert (voir les nombreuses sélections dans ces pages). Si sa cuvée L'Azerolle Vieilles Vignes 2011 rouge (8 à 11 € ; 8 000 b.) pourra ouvrir le bal de la dégustation en beauté – « corps de rêve », « senteurs capiteuses et envoûtantes de fruits noirs » pour reprendre quelques-uns des mots des jurés... –, c'est ce Cendrous qui a tenu en haleine le palais de ces derniers. Leur sang ne semble n'avoir fait qu'un tour devant la « danse torride » d'épices corsées et de réglisse qu'il offre à l'olfaction et qui anime aussi une chair à la fois ferme et suave. Ce ballet aérien se termine en apothéose, dans la chaleur de fruits à l'eau-de-vie et de cerise confite et charnue.

☛ Raymond Julien, Ch. Mirausse, 11800 Badens, tél. 06 87 77 81 53, fax 09 60 43 65 01, julien.mirausse@wanadoo.fr, ☑ ⚔ ⅞ r.-v.

♥ CH. D'OUPIA Les Barons 2011 ★★★

■	35 000	⏹	5 à 8 €

La bannière du château d'Oupia flotte de nouveau fièrement sur le Minervois, et ses Barons, première cuvée créée au domaine en 1985, sont à l'honneur. Un vin né d'un assemblage équilibré entre carignan, grenache et syrah, enthousiasmant de jeunesse, d'une rare complexité aromatique bâtie sur la vanille, les épices et le grillé. Franc dès l'attaque, le palais donne l'impression de croquer dans la myrtille et la cerise charnue, adossé à une charpente « polie » et équilibrée. La dégustation s'achève sur une « finale royale de huit caudalies », précise un dégustateur, autant dire d'une longueur remarquable.

☛ Marie-Pierre Iché, Ch. d'Oupia, 4, rue du Château, 34210 Oupia, tél. 04 68 91 20 86, fax 04 68 91 18 23, chateau.oupia@aliceadsl.fr, ☑ ⚔ ⅞ r.-v.

CH. DE PARAZA In vino veritas 2010 ★

■	6 000	▮⏹	15 à 20 €

Avant de trouver la vérité dans le vin, il a fallu la chercher dans les vignes. Les Danglas l'ont trouvée sur ces terres de Paraza et sur ce domaine familial qu'Annick conduit avec ses deux fils depuis 2005. Ils proposent avec ce 2010 un minervois subtil et complexe, riche en fruits (mûre, cerise), épicé et réglissé. La bouche se fait ample tout en restant souple, vineuse et structurée tout en restant suave et élégante. Un vin harmonieux, qui se pliera aussi bien aux exigences de la cuisine traditionnelle qu'aux inspirations de la cuisine moderne.

☛ SCEA les Terres de Paraza, Ch. de Paraza, 11200 Paraza, tél. 06 17 87 51 46, fax 04 68 90 78 40, annick.danglas@hotmail.fr, ☑ ⚔ ⅞ t.l.j. 10h-20h; f. nov. à avr. 🏠 ⑤

DOM. DES PÉNITENTS BLEUS 2010

■	1 260	▮	5 à 8 €

À l'image de l'ancienne confrérie des Pénitents bleus du XVIIᵉˢ. qui cultivaient en fermage ces terres alors dépendances du château de la Redorte, ce domaine

LANGUEDOC

revendique le même esprit de convivialité et de partage. Il propose un minervois d'une aimable simplicité, chaleureux, empreint de douceur, dominé par les épices et le moka. Un vin à la fois tendre, franc et fin, qui ravira vos convives avec une daube de sanglier.

☛ Michel Sahun, Métairie du Bois, 11700 La Redorte, tél. et fax 04 68 91 54 74, sahun.michel@wanadoo.fr, ☑ ⚔ ⅄ t.l.j. 8h-21h

DOM. DU PETIT CAUSSE Griotte de Ventajou 2010

| ■ | 3 000 | ■ | 5 à 8 € |

Cette cuvée fait référence au célèbre marbre rouge de Félines-Minervois, exploité sur la montagne de Ventajou. Les dégustateurs ont souligné son caractère fruité (cerise bien mûre) et apprécié sa charpente polie et soyeuse. Loin d'être dure et froide comme la pierre à laquelle elle rend hommage, elle offre au contraire en bouche une douce chaleur rehaussée d'épices. Un minervois qui, s'il n'est pas taillé dans la roche, se révèle sculpté avec élégance et dévoile une finale bien ciselée.

☛ Chabbert, rue de la Sallèle, 34210 Félines-Minervois, tél. 04 68 91 66 12, chabbert-philippe@orange.fr, ☑ ⚔ ⅄ r.-v.

CH. PIQUE-PERLOU Élevé en fût de chêne 2010 ★★

| ■ | 8 500 | ■ ⅏ | 5 à 8 € |

Cette cuvée, née sur des terrasses argilo-calcaires dominant le canal du Midi, se présente en tenue de gala, couleur brun acajou, d'une rare élégance. L'annonce d'un bouquet explosif et complexe, qui livre une rafale d'épices, relayées par un duo de truffe et de réglisse sur fond de tabac blond. Cette entrée en matière réussie prélude à un palais de grande noblesse, charmeur et harmonieux, à la fois corpulent et charnu, qui s'alanguit dans une finale douce et longue.

☛ Ch. Pique-Perlou, 12, av. des Écoles, 11200 Roubia, tél. 04 68 43 22 46, chateau.pique-perlou@wanadoo.fr, ☑ ⚔ ⅄ t.l.j. 10h-12h30 15h-18h30

☛ Serge Serris

DOM. PLÔ NOTRE-DAME Grande Cuvée 2010 ★

| ■ | 4 000 | ■ ⅏ | 11 à 15 € |

En 1879, la trisaïeule descendit de la Montagne Noire avec un chaudron rempli de louis d'or posé sur la tête, pour aller acheter les premières vignes du domaine. Depuis 1999, Nicolas Azalbert transforme en liquide le trésor de ce terroir argilo-calcaire et offre ici un minervois rubis scintillant, au bouquet ciselé de cannelle, de cerise et de réglisse. La bouche se révèle à la fois tendre, florale et acidulée, « taquinée » par un soupçon de poivre. Ce vin est prêt à boire, sur un gigot d'agneau par exemple.

☛ Nicolas Azalbert, L'Atelier, rte du Pouzet, 11600 Bagnoles, tél. 04 68 77 05 33, fax 04 68 26 32 24, plonotredame@orange.fr, ☑ ⚔ ⅄ r.-v.

DOM. PUJOL Grande Réserve 2010 ★

| ■ | 22 000 | ■ ⅏ | 8 à 11 € |

Sont-ce les effluves des vinifications réalisées dans les foudres de châtaignier de l'aïeul Louis Biscan (vigneron à la fin du XIX°s.) qui planent encore dans la cave des Pujol et confèrent à ce vin ses jolies volutes de fumée de tabac blond et ses senteurs empyreumatiques de torréfaction ? Plutôt l'élevage partiel en barrique. On apprécie ensuite la douce chaleur du palais, soulignée par des arômes d'épices et de cuir de Russie, et par des tanins puissants mais soyeux. Cette Réserve est grande en effet, et ne se consommera pas de sitôt.

☛ Dom. Pujol-Izard, 8 bis, av. de l'Europe, 11800 Saint-Frichoux, tél. 04 68 78 15 30, fax 04 68 78 24 58, info@pujol-izard.com, ☑ ⚔ ⅄ t.l.j. 8h-12h 14h-18h; sam. dim. sur r.-v.

LES VIGNERONS DE SAINT-JEAN 2011 ★★

| ■ | 10 000 | ■ | 5 à 8 € |

Les vignerons de Saint-Jean confirment et affirment millésime après millésime leur présence dans le Guide, en minervois, mais aussi en muscat. Le « grand gourou » Alain Tailhan, maître de chai à la coopérative, n'a de cesse, au fil des ans, de remettre sur l'ouvrage les baies de son terroir et il a trouvé la bonne formule. Après quelques tours de verre, un « petit génie » semble surgir de la minéralité des calcaires durs au milieu des senteurs de groseille et de cerise. Le palais se montre ample et frais, rehaussé par des notes chaleureuses d'épices, tout en conservant son côté aérien, oscillant sans se désunir entre puissance et finesse, comme l'expriment si bien les vins d'altitude.

☛ SCA le Muscat, Le Village, 34360 Saint-Jean-de-Minervois, tél. 04 67 38 03 24, fax 04 67 38 23 38, lemuscat@wanadoo.fr, ☑ ⅄ t.l.j. 8h30-12h 14h-18h

CH. SAINT-MÉRY Cuvée Exige 2010

| ■ | 1 300 | ⅏ | 8 à 11 € |

Du château Saint-Méry, on aperçoit le majestueux mont Alaric, où serait caché un trésor des Wisigoths. Ne cherchez pas davantage, les dégustateurs ont déniché ici une petite pépite rubis brillant, riche de fruits rouges et de gousse de vanille, à la matière dense et concentrée. Puissant et corsé, ce minervois affiche l'enthousiasme de la jeunesse et devra attendre un peu pour atteindre la sagesse.

☛ Richard Labène, Dom. Saint-Méry, 11800 Marseillette, tél. et fax 09 50 30 06 00, info@saintmery.com, ☑ ⚔ ⅄ r.-v.

ALBERT DE SAINT PHAR 2011 ★

| ■ | 12 000 | ⅏ | 5 à 8 € |

Ce Saint Phar brille de mille feux dans sa robe rubis étincelant. Le nez nous éclaire sur son élevage de qualité, qui lègue des parfums élégants de cacao et de goudron mâtinés de notes fumées. Porté par des tanins robustes, fermes et de « longue portée », le palais évolue en souplesse, mais sans jamais perdre de sa puissance jusqu'à sa finale épicée. Ce minervois sera parfait après deux ans de garde.

☛ Les Vignerons de Pouzols Mailhac, RD 5, 11120 Pouzols-Minervois, tél. 04 68 46 13 76, fax 04 68 46 32 95, cave.pouzols@yahoo.fr, ☑ ⚔ ⅄ t.l.j. 9h-12h 14h-18h

CH. DE SÉRAME Réserve du château 2010

| ■ | 40 000 | ■ ⅏ | 8 à 11 € |

Ce domaine est aujourd'hui géré par la maison Dourthe, de belle notoriété, dont l'objectif est de le « hisser au rang des grands vins du Languedoc ». Ce négoce bordelais ne fait pas les choses à moitié, et passe les 170 ha du vignoble en conversion bio. Le vin aussi fait sa mue et semble offrir les moyens de ses ambitions à en juger par la puissance et le volume de ce 2010 à dominante de mourvèdre (37 %), le grenache, la syrah et le carignan en appoint. Et si vingt-quatre mois d'élevage, dont douze en fût, l'ont pour l'heure quelque peu rendu timide à l'olfaction, il s'affirme avec moins de réserve en bouche, dévoilant un caractère chaleureux et épicé. L'âge le rendra plus éloquent.

☛ SAS Ch. de Sérame, lieu-dit Sérame,
11200 Lézignan-Corbières, tél. 04 68 27 59 00,
fax 04 68 27 59 01, serame@wanadoo.fr
☛ Vins Dourthe

DOM. TAILHADES MAYRANNE Cuvée Pierras 2010 ★★

| | n.c. | 🍷⦆ | 5 à 8 € |

L'ambiance minérale qui habite ce causse lumineux de Minerve façonne les hommes, les rend durs comme la pierre mais leur donne un cœur tendre et généreux, comme ce Pierras bien-nommé, surnom d'un aïeul de Régis Tailhades. Derrière une robe noire et un corps solide comme le roc, se cache en effet une nature tendre et chaleureuse, égayée par des parfums de menthe blanche et de fruits noirs, d'épices et de réglisse. Au final, tout est harmonie dans ce vin qui invite à la détente et au calme, comme un soir d'été à Mayranne.

☛ Dom. Tailhades Mayranne, 34210 Minerve,
tél. 09 65 15 40 28, fax 04 68 91 11 96,
domaine.tailhades@orange.fr, Ⓥ 🍴 r.-v. 🏠 Ⓒ

DOM. TERRES GEORGES Quintessence 2011 ★★

| | 5 700 | 🍷⦆ | 8 à 11 € |

« Créer des vins gourmands et élégants dans le respect de la matière première, de l'environnement, du sol », tel est le credo du Coustal. Pari réussi avec cette cuvée aux senteurs de garrigue et de mûre confiturée. Une sensation de douceur que l'on retrouve dans un palais puissamment structuré et chaleureux, laissant présager un avenir radieux. Idéal pour l'agneau pascal.

☛ Anne-Marie et Roland Coustal, 2, rue des Jardins,
11700 Castelnau-d'Aude, tél. 06 30 49 97 73,
fax 04 68 43 79 39, info@domaineterresgeorges.com,
Ⓥ 🍴 r.-v. 🏠 Ⓔ

CH. TOURRIL Panatela 2010 ★

| | 4 950 | 🍷 | 8 à 11 € |

Ce petit bijou de 13 ha est enchâssé dans un écrin argilo-calcaire bordé de pinède et de garrigue. Un coin de paradis totalement préservé, dont on perçoit dans le verre les senteurs de thym, de lavande et d'essence de pin. Puis viennent de petites touches de moka et quelques carrés de chocolat fondant qui confèrent un caractère chaleureux et racé à l'olfaction. Le palais déploie une belle charpente et laisse intacts les arômes perçus au nez. Ne manque à ce vin qu'un peu de temps pour atteindre la plénitude et un parfait équilibre.

☛ Ch. Tourril, Le Tourril, Ch. des Matelles, 11200 Roubia,
tél. 04 68 91 36 89, fax 04 68 91 30 24,
info@chateautourril.fr, Ⓥ 🍴 r.-v.
☛ Espeluque et Kandler

CH. VAISSIÈRE 2011 ★

| | 50 000 | 🍷⦆ | 11 à 15 € |

Un dégustateur l'a qualifié en ces termes : « Un vin tonique, franc, d'une grande harmonie. » Issu de syrah (80 %) et de grenache, ce minervois est éclatant de jeunesse, à la fois friand et gourmand, sur la mûre et le cassis enrobés d'une touche de vanille. Fondu en bouche,

tout en délicatesse, il termine sur une note enjouée et épicée. Union fort recommandable avec une cuisine exotique et moderne.

☛ Olivier Mandeville, Dom. de Vaissière, 11700 Azille,
tél. 06 18 39 31 22, fax 04 68 78 31 83,
vmandeville@chateauvaissiere.fr, Ⓥ 🍴 r.-v.

DOM. VORDY MAYRANNES Cuvée Alice 2010 ★

| | 4 000 | 🍷⦆ | 11 à 15 € |

Deux cuvées retenues pour ce domaine familial, conduit depuis 1994 par Hélène et Didier Vordy, aujourd'hui rejoints par leur fils : la cuvée Alice, qui a déjà fréquenté ces pages, et, en première apparition, le blanc 2012 Los Gals (2 500 b.), les « coqs » en occitan (le père et le fils nous dit-on), un vin vif et harmonieux. La très bien élevée (douze mois de barrique) Alice propose quant à elle une balade dans la garrigue et les fleurs blanches, puis dévoile des notes de cacao dans une bouche veloutée, soyeuse et chaleureuse. Un joli duo de vins pour découvrir l'appellation dans ses versions rouge et blanche.

☛ Didier Vordy, Mayranne, 34210 Minerve,
tél. 04 68 91 80 39, vordy.didier@wanadoo.fr,
Ⓥ 🍴 t.l.j. sf sam. dim. 9h-12h 13h30-18h 🏠 Ⓓ

Minervois-la-livinière

Superficie : 200 ha
Production : 7 000 hl

Reconnue en 1999, l'appellation minervois-la-livinière regroupe cinq communes des contreforts de la Montagne Noire. Elle produit des vins rouges issus de petits rendements.

DOM. LA COMBE BLANCHE La Chandelière 2011 ★★

| | 1 800 | 🍷⦆ | 11 à 15 € |

Originaire du "plat pays", ce sympathique Wallon, installé sur ces terres depuis trente ans, nous convie à une balade sur les hauts coteaux de La Livinière qu'il affectionne tout particulièrement. Il en a extrait cette cuvée ample et fraîche, délicatement vanillée par dix-huit mois de barrique et agrémentée de parfums de groseille et de chèvrefeuille. Le plaisir se prolonge dans une bouche tout en douceur, gourmande, chaleureuse et vineuse. Recommandé par la maison sur un tournedos aux cèpes ou une canette farcie aux morilles.

☛ Guy Vanlancker, 3, ancien chem. du Moulin-Rigaud,
34210 La Livinière, tél. et fax 04 68 91 44 82,
contact@lacombeblanche.com,
Ⓥ 🍴 t.l.j. 10h-13h 15h-19h

CH. FAÎTEAU Cuvée Gaston 2010 ★

| | 4 000 | 🍷⦆ | 11 à 15 € |

Jean-Michel Arnaud dédie à son jeune fils cette cuvée élaborée à partir de vieux ceps de grenache et de carignan âgés de soixante-cinq ans. Outre le boisé (cacao) apporté par quinze mois de fût, ce 2010 d'une jeunesse enthousiasmante livre des parfums de cerise bigarreau, charnue et sucrée, tout juste cueillie de l'arbre. Il présente déjà en bouche un caractère bien trempé et on devine à son ossature solide et à son profil musculeux qu'il deviendra grand. Laissons-le mûrir jusqu'en 2015 pour qu'il atteigne sa pleine harmonie.

Jean-Michel Arnaud, Ch. Faîteau, rte des Mourgues, 34210 La Livinière, tél. 06 15 90 89 48, jm.arnaud71@orange.fr, ☑ ⚘ ⊥ r.-v.

CH. MIGNAN Les Trois Clochers 2011 ★★

| ■ | 15 000 | ⬤ ⬤ | 8 à 11 € |

Les Trois Clochers sonnent à la volée pour annoncer le retour du château Mignan parmi les « élus » de La Livinière, mais aussi de l'appellation voisine avec ce **minervois 2012 blanc Pech Quisou (5 à 8 € ; 10 000 b.)**, qui obtient une étoile. Toutefois, c'est ce rouge 2011 en robe pourpre cardinal qui est consacré par le jury. Il sort du « conclave » du Guide auréolé de deux étoiles pour son bouquet de vanille et pour son palais débordant de fruits (cassis et framboise) enrobant des tanins denses et chaleureux, tandis que la finale persistante nous transporte au firmament.

Christian Mignard, Ch. Mignan, 34210 Siran, tél. et fax 04 68 49 35 51, chateau.mignan@wanadoo.fr, ☑ ⚘ ⊥ r.-v. 🏠 ⊙

♥ DOM. L'OSTAL CAZES Grand Vin 2011 ★★★

| ■ | 25 000 | ⬤ | 20 à 30 € |

DOMAINE
L'OSTAL CAZES
·GRAND VIN·
MINERVOIS LA LIVINIÈRE
MILLÉSIME
2·0·1·1

Les vignes de l'Ostal Cazes sont disposées autour d'une ancienne tuilerie transformée en cave et en caveau et convenant à l'élaboration de grands vins, dont ce 2011, qui... casse les briques, oserions-nous dire. Il n'est pas tuilé à l'œil, mais dense et soutenu. Ne vous attendez toutefois pas à un édifice austère et fermé car, même soutenu par une solide charpente boisée, il conserve des lignes élégantes et des angles bien arrondis. On ne se brise pas les dents sur ses tanins, doux et soyeux, et l'on jouit d'un vaste panorama de fruits noirs qui s'attardent longtemps, très longtemps au palais. Félicitations du jury pour l'architecte de ce vin, Fabrice Darmaillacq, depuis 2003 à la tête du domaine.

L'Ostal Cazes, Tuilerie Saint-Joseph, 34210 La Livinière, tél. 04 68 91 47 79, contact@lostalcazes.com, ☑ ⚘ ⊥ r.-v.
Cazes

DOM. DE THOLOMIES 2011 ★★

| ■ | 14 500 | ⬤ | 15 à 20 € |

Domaine acheté récemment par les Grands Chais de France à Lucien Rogé, célèbre rugbyman international. Il aura suffi de quelques mois à l'équipe mise en place pour se hisser parmi l'élite dans la « compétition du Guide ». Ce vin, qui a fière allure dans sa tenue *All Black*, impose à l'olfaction un *haka* aromatique intense, impressionnant même, les fruits noirs faisant des croisés avec les épices et la vanille, lesquels débordent ensuite en bouche. Les tanins, denses, vigoureux mais élégants, avancent en

force, épaulés par des notes généreuses de cannelle et de caramel (douze mois de barrique), et transforment l'essai devant nos papilles en liesse.

Dom. de la Baume, RN 9, 34290 Servian, tél. 04 67 39 29 49, fax 04 67 39 29 40, domaine@labaume.com,
☑ ⚘ ⊥ t.l.j. 10h-18h; sam. dim. sur r.-v.
GCF

Saint-chinian

Superficie : 3 261 ha
Production : 138 218 hl (99 % rouge et rosé)

Mentionnés dès 1300, les saint-chinian sont VDQS depuis 1945 et AOC depuis 1982. Implanté dans l'Hérault, au nord-ouest de Béziers, orienté vers la mer, le vignoble couvre vingt communes et s'étend sur des coteaux le plus souvent situés entre 100 et 300 m d'altitude. Il s'enracine dans les schistes, surtout dans la partie nord, et dans les cailloutis calcaires, vers le sud. Nés du grenache, de la syrah, du mourvèdre, du carignan et du cinsault, les saint-chinian ont un potentiel de garde de quatre à cinq ans. Une maison des Vins créée à Saint-Chinian assure la promotion des vins de l'appellation.

DOM. AURIOL Vignes royales 2011 ★

| ■ | 40 000 | ■ | 5 à 8 € |

Issue de parcelles travaillées par les vignerons de Berlou, village historique de l'appellation, vinifiée à la cave coopérative sous l'œil attentif de Claude Vialade pour le compte des Domaines Auriol, cette cuvée atteste du rapprochement réussi entre négoce et production. Ici, syrah et carignan en macération carbonique, associés au grenache issu d'une longue cuvaison, produisent un vin élégant, ouvert sur les fruits rouges et noirs, consistant, riche et généreux en bouche, soutenu par des tanins encore jeunes mais soyeux. À boire dans les deux ou trois ans à venir. Le **saint-chinian Berlou Ch. les Albières 2010 rouge (8 à 11 € ; 25 000 b.)**, né des mêmes cépages, est cité pour son fruité avenant, relevé de notes épicées, et pour son palais souple et minéral, aux tanins veloutés.

SAS Les Domaines Auriol, BP 79, ZI Gaujac, 11200 Lézignan-Corbières, tél. 04 68 58 15 15, fax 04 68 58 15 16, info@les-domaines-auriol.eu, ⊥ r.-v.

DOM. BELLES COURBES 2012

| ■ | 4 200 | ■ | 5 à 8 € |

Ce domaine bien connu des lecteurs doit son nom à l'implantation du vignoble, qui suit les courbes de niveau visant à lutter contre l'érosion sur des coteaux très pentus. De belles courbes aussi dans le verre, d'un élégant rose saumoné. Au nez, dominent les fruits secs, relayés par les fruits rouges dans une bouche ferme et vive, plus suave en finale.

Jean-Benoît Pelletier, 24, cours Lafayette, 34480 Saint-Geniès-de-Fontedit, tél. et fax 04 67 36 32 24, vinbellescourbes@wanadoo.fr, ☑ ⚘ ⊥ r.-v.

CH. BELOT Best of Belot 2011 ★

■   3 500   ▥   15 à 20 €

Cet ancien rendez-vous des chasses royales au XVII⁰ˢ. aurait reçu la visite du roi Louis XIV. Depuis 1997, c'est Lionel Belot qui est aux commandes. Après avoir entièrement restauré le domaine et renouvelé le vignoble avec l'aide de sa famille, il y cultive aujourd'hui 38 ha de vignes, dont 2 dédiés à cette sélection parcellaire de syrah (90 %) et de grenache. La robe est grenat, animée de reflets violets. Le bouquet mêle les fruits rouges et noirs, la noix de coco et la vanille. La bouche, puissante et charnue, s'adosse à des tanins qui demandent encore un peu de patience (un à trois ans) pour se fondre. La promesse d'une belle bouteille, à réserver pour une côte de bœuf aux sarments.

☛ Lionel Belot, Dom. du Tendon, 34360 Pierrerue, tél. et fax 04 67 38 08 96, vignoble.belot@wanadoo.fr, ☑ ⚘ ⏳ t.l.j. sf dim. 9h-12h 14h-19h

🅑 BORIE LA VITARÈLE Les Schistes 2011 ★

■   11 000   ▥   11 à 15 €

Cette exploitation, conduite en agriculture biologique et biodynamique à la vigne et au chai, n'en est pas à sa première étoile, loin de là. Sa cuvée Les Crès 2010 touchait d'ailleurs à l'exceptionnel l'an dernier et frôlait le coup de cœur. Les Schistes 2011, assemblage à parts égales de syrah et grenache, ajoute une étoile au palmarès de ce domaine régulier en qualité, pour ses parfums intenses et bien mariés de fruits rouges, de réglisse et de poivre, et pour sa bouche ronde et chaleureuse. La cuvée **Les Crès 2011 rouge (15 à 20 € ; 5 000 b.)**, née de syrah et de mourvèdre plantés sur galets roulés, fait jeu égal. Elle dévoile un joli nez de cassis et d'épices douces prolongé par un palais charnu, tannique et généreux. Deux vins de caractère, expression très réussie de leurs terroirs respectifs. On les attendra au moins un an ou deux.

☛ Jean-François Izarn, Borie la Vitarèle, 34490 Causses-et-Veyran, tél. 04 67 89 50 43, jf.izarn@borielavitarele.fr, ☑ ⚘ ⏳ r.-v.

DOM. DE CANIMALS LE HAUT 2011 ★★

■   4 000   ▮   5 à 8 €

Cette ancienne laiterie, dédiée ensuite à l'élevage et au négoce de chevaux, étend son vignoble au cœur de l'appellation saint-chinian, sur un terroir de schistes. Syrah (75 %) et grenache y donnent naissance à cette cuvée grenat profond éclairée de reflets vifs et violacés. La complexité et l'intensité des arômes de fruits confiturés (cassis, cerise noire) et de garrigue attestent d'une récolte à pleine maturité. Ample et charnu, le palais s'appuie sur des tanins vigoureux et prometteurs, accompagnés par une juste fraîcheur. Si cette bouteille de caractère s'appréciera volontiers dès l'automne, elle gagnera à être attendue un an ou deux. Un passage en carafe est conseillé avant le service.

☛ Jean-Louis Castel, Dom. de Canimals Le Haut, 34360 Saint-Chinian, tél. 04 67 38 19 13, brigittecastel@sfr.fr, ☑ ⏳ t.l.j. 8h-12h 13h-19h

CLOS BAGATELLE La Terre de mon père 2010 ★

■   6 500   ▥   20 à 30 €

Valeur sûre de l'appellation, ce vaste domaine de 60 ha propose avec cette cuvée confidentielle une sélection de 2 ha de syrah (60 %), de grenache et de mourvèdre. La robe couleur grenat se teinte de reflets tuilés brillants. Les notes de torréfaction et de cacao dominent le premier nez, héritages de quatorze mois de barrique, avant que l'aération n'ouvre la porte aux fruits noirs. La rondeur et la souplesse du palais sont soulignées par des tanins certes bien présents mais enrobés, accompagnés de notes grillées du fût de chêne. Une bouteille déjà aimable, mais qui peut aussi être attendue un an ou deux. Un perdreau en cocotte sera un accompagnement de choix.

☛ EARL Clos Bagatelle, rte de Saint-Pons, 34360 Saint-Chinian, tél. 04 67 93 61 63, fax 04 67 93 68 84, closbagatelle@wanadoo.fr, ☑ ⚘ ⏳ r.-v.

CLOS LA RIVIÈRE 2012 ★

■   6 500   ▮   5 à 8 €

Carole et Jean-Philippe Madalle ont repris ce domaine familial en 2007, établi dans un décor magnifique où de vieilles vignes sont cultivées en terrasses. Des ceps plus que quarantenaires de grenache (70 %) et de cinsault plantés sur schistes ont donné naissance à ce rosé à la fois délicat et intense : légèreté de la robe, couleur saumonée, finesse des arômes floraux et fruités (fruits à chair blanche, fruits secs), richesse, complexité et rondeur du palais. Un vin pour l'apéritif ou pour une salade de fraises à peine sucrée. Le **rouge 2010 (15 000 b.)** est cité pour ses parfums complexes de garrigue et de sous-bois, et pour sa bouche équilibrée, aux tanins soyeux. Encore dominé par son élevage en fût toutefois, il gagnera à attendre deux à trois ans avant d'accompagner des brochettes d'agneau.

☛ Jean-Philippe Madalle, 52, av. Jean-Jaurès, 34490 Causses-et-Veyran, tél. 06 76 29 26 34, madallejp@orange.fr, ☑ ⚘ ⏳ r.-v.

DOM. COMPS Cuvée de Pénelle 2011 ★★

■   8 000   ▮▥   5 à 8 €

Vigneron et œnologue, Jean-Christophe Martin élabore avec un talent constant des vins qui marient vinification et élevage soignés à l'expression du terroir, ici argilo-calcaire. Sa cuvée de Pénelle, née de grenache et de syrah, est fidèle au rendez-vous (pour mémoire, la version 2009 fut coup de cœur). C'est un vin élégant et complexe qui mêle à l'olfaction fruits noirs confiturés, moka et pain grillé, relayés à l'aération par des notes de clou de girofle, de menthol, de réglisse et de truffe. Un vrai festival aromatique auquel fait écho une bouche à la fois suave et fraîche, aux tanins fondus, et agréablement toastée en finale. À servir au cours des trois ans à venir sur un rôti de bœuf sauce aux champignons.

☛ SCEA Martin Comps, 23, rue Paul-Riquet, 34620 Puisserguier, tél. 06 08 75 77 38, martin.jean-christophe34@orange.fr, ⚘ ⏳ mer. ven. sam. 9h-12h30 15h30-18h

CH. COUJAN Cuvée Bois joli 2011 ★

■   5 000   ▥   8 à 11 €

François Guy et Solange Peyre conduisent depuis 1990 ce domaine en conversion bio, établi sur un îlot de corail fossilisé. Ils signent un blanc élégant auquel la fermentation puis l'élevage de douze mois en demi-muids de chêne neuf confèrent une robe jaune paille aux reflets dorés. À la finesse du bouquet, sur les fleurs blanches (aubépine), les fruits exotiques et les agrumes, répond celle de la bouche, à la fois ronde et vive, expression équilibrée des cépages grenache, rolle et roussanne. Idéal pour une cassolette de fruits de mer.

LANGUEDOC

➤ Florence Guy, Ch. Coujan, 34490 Murviel-les-Béziers,
tél. 04 67 37 80 00, fax 04 67 37 86 23
☑ ☆ ⏇ t.l.j. sf dim. 9h-12h 14h-18h 🏠 🅔

CH. CREISSAN Fin'Amor 2012 ★★

| | 8 000 | 🛢 | - de 5 € |

Ce domaine de 35 ha, régulier en qualité, est situé dans la partie sud argilo-calcaire de l'appellation. Il propose avec cette cuvée Fin'Amor un vin enthousiasmant par sa robe pâle et limpide, et par son bouquet expressif de poire, d'agrumes et de fleurs blanches. Le charme opère aussi en bouche, vive en attaque, plus ronde et soyeuse dans son développement, offrant de délicates senteurs fruitées et briochées. Ce vin harmonieux accompagnera tout autant un plateau de coquillages qu'un poisson au four. Le rosé 2012 Cort d'Amor (16 000 b.) est également très réussi. Une robe rose saumonée, un nez élégant de petits fruits rouges et un palais tout aussi fruité (pêche), ample et rond, composent un ensemble équilibré et fin.

➤ Bernard Reveillas, 3, chem. du Moulin-d'Abram, 34370 Creissan, tél. 06 85 13 83 15, bernard.reveillas@orange.fr, ☑ ⏇ r.-v.

DOM. LA CROIX SAINTE-EULALIE Clémence 2011 ★

| | 3 300 | 🛢 ⏇ | 11 à 15 € |

Ce domaine familial étend ses 32 ha de vignes sur les trois types de terroirs de l'appellation : schistes, grès et argilo-calcaires. La cuvée Clémence est née sur schistes, d'une sélection parcellaire de grenache, de roussanne et de viognier. Vinifiée et élevée en fût de 500 l, elle livre des parfums soutenus de vanille qui traduisent sans réserve ce passage sous bois, sans pour autant masquer des senteurs plus fraîches de fleurs blanches et de fruits. À l'élégance olfactive fait écho celle d'une bouche ample, équilibrée et complexe. Parfait pour un poisson grillé.

➤ Dom. la Croix Sainte-Eulalie, 17-19, av. de Saint-chinian, hameau de Combejean, 34360 Pierrerue, tél. 06 87 10 52 47, fax 04 67 38 08 51, croix-sainte.eulalie@neuf.fr, ☑ ☆ ⏇ t.l.j. 8h-19h
➤ Agnès Gleizes

CH. LA DOURNIE Élise 2010 ★

| | 5 000 | ⏇ | 11 à 15 € |

Ce domaine de 50 ha établi sur les sols schisteux de Saint-Chinian est conduit depuis six générations par la famille Étienne. Cette cuvée Élise fait la part belle à la syrah (85 %), associée au grenache. À la fois puissant et frais, le nez évoque pêle-mêle la fraise, le cacao, les notes balsamiques et les senteurs mentholées. Cette richesse aromatique se prolonge dans un palais suave et gourmand, mais plus austère en finale. On attendra un à trois ans que l'ensemble se fonde.

➤ Ch. la Dournie, La Dournie, 34360 Saint-Chinian, tél. 04 67 38 19 43, fax 04 67 38 00 37, chateau.ladournie@wanadoo.fr, ☑ ☆ ⏇ t.l.j. sf sam. dim. 9h-12h 14h-18h
➤ Étienne

LES FIEFS D'AUPENAC Roquebrun 2011 ★

| | n.c. | ⏇ | 11 à 15 € |

Roquebrun est un village escarpé tourné vers le sud, tout comme le vignoble qui l'entoure, planté sur des pentes schisteuses, reconnu comme dénomination depuis 2005.

Cette cuvée de la cave coopérative se pare d'un beau rouge profond aux reflets noirs. Elle ne cache pas son élevage sous bois, agrémentant les parfums de fruits noirs et d'épices de notes fumées et toastées. La bouche, ample, ronde et charnue, s'appuie sur une structure solide qui permettra à ce vin d'affronter sans crainte quelques années de garde avant d'atteindre la plénitude.

➤ SCAV Cave de Roquebrun, av. des Orangers, 34460 Roquebrun, tél. 04 67 89 64 35, fax 04 67 89 57 93, cave@cave-roquebrun.fr, ☑ ☆ ⏇ t.l.j. sf dim. 8h-12h 14h-18h

CH. FONSALADE Vieilles Vignes 2010 ★★

| | 11 000 | 🛢 ⏇ | 11 à 15 € |

Julien Peltier a pris en 2008 les rênes de ce domaine, l'un des plus anciens de l'appellation, situé dans son extrême partie nord-est. Avec cette cuvée, il a su extraire le meilleur de vieilles vignes de grenache et de syrah (20 %) enracinées sur des sols de calcaires et de galets roulés. La robe est d'un éclatant pourpre profond et brillant. Une riche palette se déploie à l'aération : baies rouges et noires (groseille et cassis), senteurs de garrigue et de ciste, olive noire, puis épices douces et noix. La bouche, ample et charnue, s'adosse à des tanins encore jeunes et prometteurs, et s'étire en une longue finale aux accents grillés et réglissés. Un ensemble remarquable dont il faudra atténuer la fougue par un gibier en sauce ou par quelques années de patience, ou les deux.

➤ Dom. de Fonsalade, Causses-et-Veyran, 34490 Causses-et-Veyran, tél. 04 67 89 57 90, peltier@fonsalade.com, ☑ ☆ ⏇ r.-v. 🄐 🅔 🏠 🅔

🅑 DOM. DE GABELAS Karrimour 2011

| | 3 200 | ⏇ | 15 à 20 € |

Le choix de laisser s'exprimer les cépages sur des sols vivants, sans engrais ni désherbants, et de favoriser des vinifications douces avec des levures indigènes, a conduit Pierrette Cravero et Laurent Bartholin à tourner leur domaine vers l'agriculture biologique (certification acquise depuis 2005). Cette cuvée est baptisée du nom contracté des deux cépages qui la composent : « karri » pour carignan (35 %), « mour » pour mourvèdre (65 %). Encore un peu fermé, le nez révèle une agitation des parfums plaisants de fruits rouges et d'épices. Plus expressive, la bouche se montre chaleureuse, bâtie sur des tanins encore jeunes mais sans dureté. À attendre un an ou deux avant de lui réserver un plat en sauce.

➤ Pierrette Cravero, lieu-dit Le Gabelas, 34310 Cruzy, tél. 04 67 93 84 29, domaine@legabelas.com, ☑ ☆ ⏇ t.l.j. 9h-12h 14h-18h

DOM. LA GRANGE LÉON D'une main à l'autre 2011

| | 2 500 | 🛢 ⏇ | 15 à 20 € |

Depuis la création du domaine en 2008, chaque millésime s'est distingué dans ces pages, avec en point d'orgue le coup de cœur obtenu l'an dernier par cette même cuvée, version 2010. Sans atteindre les mêmes sommets, le 2011 a convaincu par ses arômes éclatants de fruits noirs et par la séduisante fraîcheur qui soutient une bouche ample et gourmande. À boire dès aujourd'hui.

➤ La Grange Léon, 3, rue du Caladou, 34360 Berlou, tél. 06 73 83 37 68, fax 04 67 89 73 61, lagrangeleon@orange.fr, ☑ ☆ ⏇ r.-v.
➤ Fernandez

♥ DOM. LA LINQUIÈRE La Sentenelle 310 2011 ★★

| | | 3 600 | | ▥ | | 15 à 20 € |

Sorti de la cave coopérative en 2001, ce domaine s'est depuis affirmé comme l'un des porte-étendards de l'appellation. Un « multirécidiviste » qui décroche ici un cinquième coup de cœur, le second de suite pour sa cuvée Sentenelle 310, distinguée l'an dernier pour le millésime 2010. Née sur une parcelle de schistes perchée à ... 310 m d'altitude plantée de syrah et de mourvèdre, la version 2011 revêt une somptueuse robe cerise noire aux reflets pourpres. Elle livre un bouquet complexe et charmeur de fruits noirs confiturés, de truffe, d'épices et de fumé, avant de dévoiler un palais de velours, ample, soyeux et très long. Un très beau vin à la fois caressant et puissant, au potentiel de garde certain. Preuve, s'il le fallait, de la constance du domaine, deux autres cuvées sont jugées remarquables : la cuvée **Le Chant des cigales 2011 rouge (8 à 11 € ; 18 000 b.)**, pour ses arômes flatteurs d'épices et de pierre à fusil, et pour sa bouche charnue aux tanins serrés et de garde, et la cuvée **Fleur de lin 2012 blanc (8 à 11 € ; 1 600 b.)**, pour son nez élégant d'acacia, de pêche et de vanille, et pour son équilibre entre vivacité et rondeur.

🕿 Salvestre et Fils, Dom. la Linquière, 12, av. de Béziers, 34360 Saint-Chinian, tél. 04 67 38 25 87, fax 04 67 38 04 57, linquiere@neuf.fr, ▥ ⋏ Ⲧ t.l.j. 9h-12h 14h30-19h

MAS DE CYNANQUE Nominaris 2010 ★

| | | 1 200 | | ▥ | | 20 à 30 € |

Depuis sa création en 2004, ce domaine de 14 ha fait preuve de constance. Violaine et Xavier de Franssu maintiennent le cap avec cette cuvée confidentielle née de 80 ares de syrah et de grenache, dont le nom s'inspire du proverbe latin *fac bene semper nominaris* (« Fais bien et tu seras considéré »), devenu devise familiale. Les dégustateurs du Guide ont jugé et apprécié sa robe profonde aux reflets violines, ses arômes soutenus de garrigue et de cerise mûre légèrement cacaotés, ainsi que sa bouche ample, fraîche et réglissée. Un ensemble harmonieux, à découvrir dans les deux ans à venir sur un pélardon des Cévennes.

🕿 Xavier et Violaine de Franssu, Mas de Cynanque, rte d'Assignan, 34310 Cruzy, tél. et fax 04 67 25 01 34, contact@masdecynanque.com, ▥ ⋏ Ⲧ r.-v.

DOM. DES MATHURINS La 5ème 2010 ★

| | | 2 500 | | ▮ | | 11 à 15 € |

Après la cuvée Variation l'an dernier, voici la 5e, hommage non dissimulé à la fameuse symphonie de Beethoven et cinquième vin de la gamme proposée par ce domaine de création récente (2006). Une cuvée *allegro con brio*, dont la musique a attiré non pas l'oreille mais les papilles du jury. Premier mouvement, intensité de la robe pourpre. Second mouvement, originalité de l'expression olfactive, sur les fruits exotiques (mangue et litchi) et la pierre à fusil. Troisième mouvement, finesse des tanins serrés. Final frais et harmonieux. Un beau récital, à accorder selon son chef d'orchestre Nicolas Pistre avec des côtelettes de canard grillées accompagnées d'une sauce aux fruits rouges confits. *Moderato ma non troppo...*

🕿 Dom. des Mathurins, 22, av. de Saint-Baulery, 34460 Cazedarnes, tél. 06 83 33 51 69, fax 09 72 23 52 85, contact@domainedesmathurins.com, ▥ ⋏ Ⲧ r.-v.

DOM. LA MAURERIE Vieilles Vignes 2011

| | | 8 200 | | ▮▥ | | 5 à 8 € |

Cette cuvée Vieilles Vignes, bien connue des lecteurs, s'invite à nouveau dans ces pages dans sa version 2011 née de 80 % de syrah, le grenache faisant l'appoint. Derrière une robe grenat se dévoilent des parfums d'épices douces. La bouche, soutenue par des tanins fondus, s'épanouit en rondeur et déroule une jolie finale vanillée. Il faudra toutefois attendre deux à trois ans avant que l'expression aromatique se libère du joug de l'élevage sous bois, encore bien présent.

🕿 Michel Depaule, La Maurerie, 34360 Prades-sur-Vernazobre, tél. 04 67 38 22 09, michel.depaule@wanadoo.fr, ▥ ⋏ Ⲧ r.-v. ⌂ Ⓒ

DOM. MONTCABREL Dantès 2009

| | | 3 000 | | ▥ | | 8 à 11 € |

Ce domaine de 15 ha est situé à quelques encablures de l'abbaye romane de Fontcaude, sur la partie argilocalcaire de l'appellation. Cette cuvée Dantès associe la syrah (80 %) au grenache. Elle se pare d'une robe grenat qui donne envie de poursuivre. On découvre alors un bouquet harmonieux de fruits secs, de fruits confits et de cacao, relayés par un palais souple et équilibré. À déguster dès à présent sur une brochette d'agneau au thym.

🕿 Calmette, Dom. Montcabrel, 55, av. des Deux-Fontaines, 34460 Cazedarnes, tél. 04 67 38 13 82, montcabrel@orange.fr, ▥ ⋏ Ⲧ r.-v.

♥ LES PAÏSSELS 2011 ★★

| | | 3 300 | | ▮▥ | | 11 à 15 € |

Une entrée en fanfare pour ce domaine créé en 2011 à partir de 2 ha de vieilles parcelles complantées de cépages traditionnels, cultivées sur des coteaux schisteux et taillées en gobelet. Les enthousiastes Vivien Roussignol et Marie Toussaint – jeunes œnologues de vingt-sept et vingt-huit ans – signent un saint-chinian non moins enthousiasmant, plébiscité unanimement par le jury (très) exigeant des coups de cœur. Drapé dans une robe rouge profond aux reflets bleutés de jeunesse, ce saint-chinian livre un bouquet intense de fruits noirs (cassis), de pâte de coings et de réglisse, relayés à l'aération par le poivre et l'eau-de-vie de prune. Généreuse et charnue, la bouche, en harmonie avec l'expression olfactive, s'appuie sur des tanins fondus à souhait et sur une fraîcheur qui lui apporte longueur et équilibre. Un vin déjà épatant qui nécessitera toutefois un peu de patience pour être apprécié à sa juste valeur : il accompagnera d'ici deux à quatre ans un plat goûteux et longuement mijoté, une daube de cerf par exemple.

NOUVEAU PRODUCTEUR

▶ Vivien Roussignol et Marie Toussaint, rue des Cèdres, 34360 Babeau, tél. 06 22 74 24 51, contact@paissels.fr, ☑ ⵏ r.-v.

CH. DU PRIEURÉ DES MOURGUES 2009

| | 19 000 | ▬ ⑪ | 5 à 8 € |

Créé en 1820, cet ancien prieuré était alors propriété de l'évêché de Saint-Pons-de-Thomières. Plusieurs calvaires encore présents sur la propriété témoignent de ce passé. Depuis 1990, Jérôme Roger en est le propriétaire. Il signe un vin ouvert sur les fruits mûrs, les fruits secs et le poivre, agrémentés de touches de vanille et d'encaustique héritées des dix mois de barrique. À l'unisson, la bouche se révèle souple et ronde. À servir dès à présent sur une côte d'agneau grillée au thym.

▶ Ch. du Prieuré des Mourgues, 34360 Pierrerue, tél. 04 67 38 18 19, fax 04 67 38 27 29, prieure.des.mourgues@wanadoo.fr, ☑ ⵏ ⵏ r.-v. 🏠 ⓔ

CH. QUARTIRONI DE SARS
Cuvée Haut Coup de foudres 2010 ★

| | 5 300 | ⑪ | 5 à 8 € |

Au retour d'une randonnée au milieu des chênes verts et des arbousiers, au cours de laquelle vous aurez pu contempler le paysage jusqu'à la côte sétoise et découvrir le vignoble et son sol typique de schistes, faites une halte au caveau, dans le hameau du Priou. L'occasion d'y déguster cette cuvée élevée en foudre, à la robe légère et aux senteurs fraîches de violette et de cassis agrémentées d'une chaleureuse note cacaotée. La bouche offre un beau volume, souligné par des tanins souples et fondus. Déjà à son optimum, cette bouteille accompagnera volontiers une pintade aux girolles.

▶ Dom. des Pradels-Quartironi, hameau Le Priou, 34360 Saint-Chinian, tél. 04 67 38 01 53, quartironipradels@gmail.com, ☑ ⵏ ⵏ r.-v. 🏠 ⓓ

DOM. DU SACRÉ-CŒUR Cuvée Jean Madoré 2011 ★

| | 1 500 | ▬ ⑪ | 15 à 20 € |

La vigne certes, saint-chinian et muscat-de-saint-jean-de-minervois, mais pas seulement : ici, on propose aussi de l'huile d'olive et des navets de Pardailhan. L'œnotourisme a le vent en poupe, et Luc Cabaret, de la suite dans les idées : outre un gîte rural, il proposera bientôt la découverte des sentiers viticoles de l'appellation en... roulotte. Côté cave (il existe également une épicerie fine), il propose ici une cuvée née sur argilo-calcaires, hommage au grand-père maternel. D'un beau grenat soutenu aux reflets légèrement tuilés, ce vin déploie une profusion de parfums à l'olfaction – fruits rouges frais et fruits confits, épices, garrigue ou encore sous-bois –, puis déroule un palais ample aux tanins bien fondus, prolongé par une belle finale réglissée. Il séduira aussi bien dans sa jeunesse que dans trois ou quatre ans, sur un tajine d'agneau confit aux amandes par exemple.

▶ Luc Cabaret, Dom. du Sacré-Cœur, 34360 Assignan, tél. 04 67 38 17 97, fax 09 70 63 28 56, gaecsacrecoeur@wanadoo.fr, ☑ ⵏ ⵏ r.-v. 🏠 ⓒ

CH. SAINT-MARTIN DES CHAMPS 2012 ★

| ▮ | 40 000 | ▬ | 5 à 8 € |

Héritiers d'une longue lignée de vignerons débutant au XVIIᵉˢ., Michel Birot et son fils Pierre ont acquis en 1997 ce château situé aux portes de Béziers, puis ont tout restauré, vignoble et cave. Ils proposent ici un rosé pâle légèrement saumoné, issu de cinq cépages, la syrah en tête. Du verre montent des parfums de fruits rouges et de pêche, relayés avec persistance par une bouche à la fois ronde, fraîche et élégante. Un vin équilibré, à déguster sur des brochettes de bœuf aux épices douces.

▶ Birot, Ch. Saint-Martin-des-Champs, rte de Puimisson, 34490 Murviel-lès-Béziers, tél. 04 67 32 92 58, fax 04 67 37 84 49, domaine@saintmartindeschamps.com, ☑ ⵏ ⵏ t.l.j. sf dim. 9h-18h 🏠 ⓔ

SCHISTEIL 2011 ★

| ▮ | 12 000 | | 5 à 8 € |

Le vignoble de Berlou, niché sur les derniers contreforts des Cévennes et entièrement implanté sur schistes, est classé en totalité en appellation saint-chinian. Fondée en 1965, la coopérative locale regroupe une douzaine de vignerons. Elle propose un blanc à la teinte nacrée, issu de grenache (50 %), de roussanne et de marsanne. Le nez livre des arômes floraux intenses agrémentés d'agrumes et de litchi. Des sensations que l'on retrouve dans une bouche vive et aromatique, ample et longue. Une bouteille harmonieuse, que l'on appréciera sur des gambas grillées ou en fin de repas sur un fromage à pâte cuite. Robe légère et délicate, fruité charmeur, vivacité, le **Schisteil rosé 2012 (26 000 b.)** obtient également une étoile.

▶ Cave les Coteaux de Berlou, 1, av. des Mimosas, 34360 Berlou, tél. 04 67 89 58 58, fax 04 67 89 59 21, contact@berloup.com, ☑ ⵏ ⵏ r.-v. 🏠 ② 🏠 ⓐ

SECRET DES CAPITELLES 2012 ★★

| ▮ | 13 000 | ▬ ⑪ | 5 à 8 € |

Les capitelles sont de petites constructions en forme de dôme posées au milieu des vignes qui servaient autrefois d'abri aux vignerons. Celles-ci abritent un saint-chinian remarquable, issu d'un assemblage de grenache (70 %) et de roussanne. La robe, plutôt légère, est d'un élégant jaune pâle aux reflets nacrés. Le nez est lui plus intense, porté sur la vanille puis, à l'aération, sur les fruits à chair blanche (pêche, poire) et le litchi. Ce foisonnement aromatique enrobe une bouche ample et ronde. Un vin puissant tout autant qu'harmonieux, que les dégustateurs proposent d'accompagner d'une parillada de poisson ou d'un risotto de gambas et truffe. Le **rouge 2010 Esprit de Renaud de Valon (11 à 15 € ; 13 000 b.)**, élevé en fût de chêne, est quant à lui cité pour sa complexité (violette, cassis, épices au nez, réglisse et cuir en bouche) et pour son bon volume en bouche.

▶ Cave des Vignerons de Saint-Chinian, rte de Sorteilho, 34360 Saint-Chinian, tél. 04 67 38 28 48, fax 04 30 29 07 30, tech@vin-saintchinian.com, ☑ ⵏ ⵏ t.l.j. 8h-12h 14h-18h

DOM. LA SERVELIÈRE Tradition 2011

| ▮ | 9 000 | ▬ | 5 à 8 € |

La Servelière est l'ancien nom du village de Babeau, où est établi ce domaine de 24 ha, en plein cœur du terroir de schistes. Cet assemblage classique de syrah (70 %) et de grenache exprime sans détour la netteté des fruits rouges et du cassis au nez, et plus intensément encore au palais, renforçant l'impression de fraîcheur laissée par ce vin d'une jolie couleur grenat. Un ensemble souple et soyeux, à apprécier dès aujourd'hui sur une grillade.

☛ Joël Berthomieu, 1, rue des Cèdres,
34360 Babeau-Bouldoux, tél. et fax 04 67 38 17 08,
joel.berthomieu@orange.fr, ☑ ⚔ ⛶ r.-v.

CH. VIRANEL 2011

| ■ | 40 000 | ▮ | 5 à 8 € |

Histoire familiale et patrimoine se transmettent depuis quatre siècles et demi sur cette propriété érigée sur le site d'une villa gallo-romaine. Depuis 2012, la dernière génération – Arnaud et Nicolas Bergasse – est aux commandes. Ce 2011, assemblage traditionnel de syrah, de grenache, de mourvèdre et de carignan, revêt une belle robe grenat. Une légère aération s'impose pour dévoiler des parfums teintés de garrigue et de fruits rouges rehaussés d'épices, que prolonge une bouche fraîche et équilibrée. À apprécier dès l'automne sur une viande rouge grillée.

☛ Bergasse, rte de Causses, 34460 Cessenon-sur-Orb,
tél. 04 67 89 60 59, abergasse@hotmail.fr, ☑ ⚔ ⛶ r.-v.

Les vins doux naturels

Dès l'Antiquité, les vignerons de la région ont élaboré des vins liquoreux de haute renommée. Au XIIIᵉ s., Arnaud de Villeneuve découvrit le mariage miraculeux de la « liqueur de raisin et de son eau-de-vie » : c'est le principe du mutage qui, appliqué en pleine fermentation sur des vins rouges ou blancs, arrête celle-ci en préservant ainsi une certaine quantité de sucre naturel.

Les vins doux naturels d'appellation contrôlée se répartissent dans la France méridionale : Pyrénées-Orientales, Aude, Hérault, Vaucluse et Corse, jamais bien loin de la Méditerranée. Les cépages utilisés sont le grenache (blanc, gris, noir), le macabeu, la malvoisie du Roussillon, dite tourbat, le muscat à petits grains et le muscat d'Alexandrie. La taille courte est obligatoire.

Les rendements sont faibles et les raisins doivent, à la récolte, avoir une richesse en sucre de 252 g minimum par litre de moût. L'agrément des vins est obtenu après un contrôle analytique. Ils doivent présenter un taux d'alcool acquis de 15 à 18 % vol., une richesse en sucre de 45 g minimum à plus de 100 g pour certains muscats et un taux d'alcool total (alcool acquis plus alcool en puissance) de 21,5 % vol. minimum. Certains sont commercialisés tôt (muscats), d'autres le sont après trente mois d'élevage. Vieillis sous bois de manière traditionnelle, c'est-à-dire dans des fûts, ils acquièrent parfois après un long élevage des notes très appréciées de rancio.

Muscat-de-lunel

Superficie : 321 ha
Production : 8 206 hl

Implanté entre Nîmes et Montpellier, le vignoble est principalement installé sur des nappes de cailloutis de plusieurs mètres d'épaisseur à ciment d'argile rouge (gress). Le seul muscat à petits grains est à l'origine de vins doux naturels qui doivent garder au minimum 110 g/l de sucre.

LES VIGNERONS DU MUSCAT DE LUNEL
Cuvée Prestige ★★

| ■ | n.c. | | 8 à 11 € |

Plantés sur les galets roulés du quaternaire de Lunel, les ceps de muscat à petits grains ont donné naissance à cette cuvée Prestige parée d'une robe scintillante. Une vague aromatique de fleur d'oranger émane du verre, bientôt relayée par des notes fraîches d'eucalyptus. Le palais, d'une belle complexité, à la fois généreux et frais, mêle les épices à des nuances douces de tilleul, la fraîcheur acidulée du pomelo au fruit de la Passion et à la poire bien mûre. Un muscat équilibré, que l'on destinera à l'apéritif.

☛ Les Vignerons du Muscat de Lunel, rte de Lunel-Viel,
34400 Vérargues, tél. 04 67 86 00 09, fax 04 67 86 07 52,
info@muscat-lunel.com

Muscat-de-frontignan

Superficie : 812 ha
Production : 19 666 hl

Reconnu en 1936, le frontignan a été le premier muscat à obtenir l'appellation d'origine contrôlée. Il naît entre Sète et Mireval. Le vignoble, exposé au sud-est, est abrité des vents du nord par le massif de la Gardiole. Il s'enracine dans des terrains secs, cailouteux, pierreux, issus de couches jurassiques, molassiques et d'alluvions anciennes – des sols ingrats pour toute autre culture. Autrefois appelé « muscat doré de Frontignan », le muscat à petits grains est le cépage exclusif de l'appellation. Avec un minimum de 110 g/l de sucre, les frontignan sont des vins doux naturels puissants ; ils ne manquent pourtant jamais d'élégance.

♥ MAS DE MADAME 2011 ★★★

| ■ | 12 000 | ▮ | 8 à 11 € |

Ce vignoble de coteaux surplombe le bord de mer et son lido de sable fin. Une image de vacances... S'y épanouissent de vieilles vignes qui ne semblent pas avoir pris une ride – certes trente-six ans, ce n'est pas si vieux – pour donner naissance à ce magnifique muscat élégant dans sa robe d'or aux reflets émeraude. Le bouquet livre des parfums délicats et doux de lilas, relayés par des arômes de poire et de pêche au sucre. Le palais offre quant à lui un superbe équilibre entre puissance liquoreuse et fraîcheur, et s'étire dans une longue finale qui achève de convaincre. La cuvée **2009 (5 à 8 € ; 25 000 b.)**, née de ceps

LANGUEDOC

Mas de Madame
2011
Muscat de Frontignan

plus jeunes, a également séduit les dégustateurs par ses notes mellifères et fruitées (orange), et par sa bouche chaleureuse et bien en chair.

☛ Dom. du Mas de Madame, rte de Montpellier, 34110 Frontignan, tél. 06 07 38 77 89, fax 04 99 57 09 17, jacques.sourina@mas-de-madame.com,
☑ ⚔ ⊺ t.l.j. 9h-12h30 14h-20h
☛ M. Sourina

DOM. DU MAS ROUGE 2012 ★★

| | 2 400 | ▮ | 8 à 11 € |

Ce mas typiquement languedocien, très régulier en qualité, propose deux facettes du muscat à petits grains avec son **muscat-de-mireval 2012 (5 000 b.)**, composition traditionnelle où fruits secs et fruits rouges se déploient harmonieusement dans une bouche chaleureuse et délicate, et avec ce frontignan plein de jeunesse. Un vin au bouquet exubérant et opulent qui marie de toniques nuances amyliques à des senteurs plus douces de miel et de cire d'abeille, relayées par une bouche équilibrée, fraîche, souple et suave.

☛ Dom. du Mas Rouge, 30, chem. de la Poule-d'Eau, 34110 Vic-la-Gardiole, tél. 04 67 51 66 85, fax 04 67 51 66 89, contact@domainedumasrouge.com,
☑ ⚔ ⊺ t.l.j. sf dim. 10h-13h 14h30-19h
☛ Cheminal

CH. DE LA PEYRADE Sol Invictus 2012 ★

| | 7 000 | ▮ | 8 à 11 € |

Le Sol Invictus (« soleil invaincu ») des Pastourel brille à nouveau dans cette édition, avec un peu moins d'éclat que dans l'édition précédente, qui vit le millésime 2011 obtenir un coup de cœur, mais avec tout de même une belle intensité. Les rayons du soleil ont semble-t-il transmis leur chaleur aux grains de muscat à l'origine de ce 2012 généreux, aux arômes intenses d'acacia en fleur vivifiés par des notes fraîches de nectarine. Un « astre radieux » et harmonieux, dans l'orbite duquel gravite la cuvée **Prestige 2012 (30 000 b.)**, complexe, anisée et réglissée, florale et fruitée (cerise bigarreau). Difficile pour les dégustateurs de distinguer les deux, et chacun de ces vins obtient donc une étoile.

☛ Yves Pastourel et Fils, Ch. de la Peyrade, 34110 Frontignan, tél. 04 67 48 61 19, fax 04 67 43 03 31, info@chateaulapeyrade.com, ☑ ⚔ ⊺ t.l.j. 9h-12h 14h-19h

DOM. PEYRONNET Cuvée Belle Étoile 2011 ★★

| | 8 500 | ▮ | 8 à 11 € |

Un petit domaine familial de 12 ha, repris en 1990 par Alain Peyronnet, établi dans l'ancienne forge du grand-père. On y découvre une cuvée née sous une bonne

étoile en effet, et qui ne connaît pas d'éclipse, sélectionnée avec une régularité notable. Le nez, exhubérant, mêle notes amyliques et parfums de fleurs d'acacia. La bouche met sur orbite des arômes chaleureux d'épices autour d'une matière élégante et remarquablement équilibrée, puis déroule une finale intense qui n'a rien de filante.

☛ EARL Dom. Peyronnet, 9, av. de la Libération, 34110 Frontignan, tél. 04 67 48 34 13, fax 04 67 48 14 42
☑ ⚔ ⊺ t.l.j. 9h-12h 14h-19h

CH. DE PEYSSONNIE ★

| | 35 000 | ▮ | 5 à 8 € |

Acteur de poids de l'appellation (80 % de la production et quelque 180 adhérents), la coopérative de Frontignan a apposé ses armoiries sur ce domaine de 20 ha fondé par l'évêché de Montpellier au XVIᵉs., aujourd'hui propriété d'André Astruc, ancien président du syndicat de l'appellation. On y découvre un vin de belle noblesse, aux accents de sureau à l'olfaction, sur le tabac brun et les épices en bouche, qui s'allonge en finale sur des notes de pêche élégantes et friandes. La cave propose également avec son **Vin d'épices (12 000 b.)** un vin gorgé de sucre et de soleil, riche en arômes de prune et de fruits secs, subtil et équilibré. Une étoile également.

☛ SCA Frontignan Muscat, B.P. 136, 14, av. du Muscat, 34112 Frontignan Cedex, tél. 04 67 48 12 26, fax 04 67 43 07 17, contact@frontignanmuscat.fr,
☑ ⚔ ⊺ t.l.j. 9h30-12h30 14h30-18h30

DOM. DE LA PLAINE Nuits blanches 2012 ★

| | 10 000 | ▮ | 8 à 11 € |

Ces Nuits blanches – celles que passe le vigneron à surveiller la macération du muscat –, loin d'endormir les dégustateurs, en ont plutôt réveillé les papilles. Parées d'une robe étincelante, elles ont en effet stimulé leurs palais par leur vivacité ; une fraîcheur, signe d'une jeunesse encore tumultueuse, qui s'accompagne de notes amyliques et épicées (muscade). Recommandé avec un foie gras poêlé.

☛ Francis Sala, Dom. de la Plaine, 6, rte de Montpellier, 34110 Vic-la-Gardiole, tél. 04 67 48 10 78, muscat-de-f@wanadoo.fr,
☑ ⚔ ⊺ t.l.j. 8h-20h; nov. à mars sur r.-v.

Muscat-de-mireval

Superficie : 275 ha
Production : 6 211 hl

Ce vignoble est bordé par Frontignan à l'ouest, le massif de la Gardiole au nord et la mer et les étangs au sud. D'origine jurassique, les sols se présentent sous forme d'alluvions anciennes de cailloutis calcaires. Le cépage exclusif est le muscat à petits grains ; le mutage est effectué assez tôt, car les vins doivent avoir un minimum de 110 g/l de sucre ; ceux-ci sont fruités et liquoreux, avec onctuosité.

DOM. DU MAS NEUF 2012 ★

| | 13 000 | ▮ | 8 à 11 € |

Propriété des Vignobles Jeanjean, le Mas neuf est entouré d'eau, entre Méditerranée, étangs et marais ; 70 ha (en conversion bio) dédiés à la seule culture du muscat à petits grains, reliés à la côte par une fine bande de terre. Cet « îlot muscat », comme il est surnommé, offre un environnement exceptionnel qui influe sur le vin. Ici, un 2012 aux senteurs de jasmin, de mangue et d'abricot sec. On retrouve le fruit jaune, juteux et acidulé, dans une bouche suave et délicate. Son « alter ego », le **Dom. de Gibraltar 2012 (5 à 8 € ; 6 000 b.)**, s'en distingue par une sensation de chaleur un peu plus intense. Une étoile également.

➥ SCEA Mas neuf des Aresquiers, Dom. du Mas Neuf, 34110 Vic-la-Gardiole, tél. 04 67 88 80 00, fax 04 67 88 45 78, elise.bellot@jeanjean.fr,
☑ ☖ t.l.j. sf dim. 9h30-12h30 13h30-19h au Caveau Vignerons Passion à Saint-Félix-de-Lodez ⭘ ⓒ

Ⓑ LA CAVE DE RABELAIS 2012 ★★

| | 10 000 | ∎ | 8 à 11 € |

À quelques encablures de la Méditerranée, au cœur de la pinède des Aresquiers, se trouve ce bijou de vignoble, 130 ha estampillés bio, sur lequel ont trouvé refuge coccinelles (reproduites sur l'étiquette) et libellules. Dans cet écrin protégé, les vignerons de la cave ont ciselé un muscat scintillant paré d'or, qui dévoile un bouquet intense de fleurs blanches. La bouche est remarquablement équilibrée, évoluant avec grâce et douceur autour d'arômes soutenus de fruits à chair blanche et de miel de garrigue. Un vin harmonieux, à déguster sur une soupe de fraises... au muscat.

➥ Cave de Rabelais, av. de Verdun, 34110 Mireval, tél. 04 67 78 15 79, fax 04 67 78 11 71, info@muscatmireval.com,
☑ ☖ t.l.j. sf dim. lun. 9h-12h 15h-19h; ouvert lun. du 15 juin au 15 sept.

DOM. DE LA RENCONTRE L'Hédoniste 2011 ★★

| | 1 914 | ∎ | 11 à 15 € |

C'est ici, en 1854, que Gustave Courbet a peint son chef-d'œuvre *La Rencontre*. La rencontre aussi, au Mexique, entre Pierre Viudes, « parcourant le monde à la recherche d'un projet de vie », et Julie, une Anglaise qui devient sa femme en 2012. La rencontre enfin entre les jeunes mariés et ce terroir de Vic-la-Gardiole, à l'origine de ce domaine de 12 ha créé en 2008. Deuxième millésime et deuxième sélection dans ces pages avec un 2011 qui allie à l'olfaction les fleurs blanches et les fruits secs, et dévoile en bouche des notes douces d'abricot et de pêche jaune. Sa puissance et son caractère généreux tiennent longuement en haleine et appellent un accord (très) gourmand avec du foie gras.

➥ Pierre et Julie Viudes, 50, chem. de la Condamine, 34110 Vic-la-Gardiole, tél. 06 24 05 39 46, pierre@domainedelarencontre.com, ☑ ☖ ☖ r.-v.

Muscat-de-saint-jean-de-minervois

Superficie : 185 ha
Production : 5 522 hl

Constitué de parcelles imbriquées dans la garrigue, le vignoble est perché à 200 m d'altitude. Il s'ensuit une récolte tardive – près de trois semaines environ après les autres appellations de muscat de l'Hérault. Seul cépage autorisé, le muscat à petits grains plonge ses racines dans des sols calcaires d'un blanc étincelant où apparaît parfois le rouge de l'argile. Les vins doivent avoir un minimum de 125 g/l de sucre. Ils sont très aromatiques, avec beaucoup de finesse, de fraîcheur et des notes florales caractéristiques.

♥ DOM. DE BARROUBIO Cuvée bleue 2011 ★★★

| | 5 000 | ∎ | 5 à 8 € |

DOMAINE DE BARROUBIO

MUSCAT DE ST-JEAN DE MINERVOIS

Appellation Muscat
de St-Jean de Minervois Protégée

2011

Mis en bouteille à la propriété par
Raymond Miquel viticulteur - éleveur
à St-Jean de Minervois 34360
☖ 13 %vol. PRODUIT DE FRANCE 500 ml
Sud de France

Barroubio affiche la couleur : auréolée d'un coup de cœur magistral, la Cuvée bleue voit la vie en rose, et se présente dans une robe d'or aux reflets verts, tandis que la **Cuvée blanche 2011 (8 à 11 € ; 40 000 b.)**, loin d'être transparente, décroche deux étoiles pour son profil classique, sa bouche tout en dentelle et sa fraîcheur aromatique. Raymond Miquel dessine, dans sa « période bleue », une cuvée d'une rare élégance par ses fragrances éclatantes de menthe poivrée et de fleur de sureau. Le trait se révèle tout aussi délicat en bouche, composition bigarrée d'abricot et de fruits confits. Tout cela signe un vin parfaitement équilibré, suave et distingué, qui offre de grandes perspectives et dont l'attrait ne se fanera pas de sitôt.

➥ Raymond Miquel, Barroubio, 34360 Saint-Jean-de-Minervois, tél. 04 67 38 14 06, barroubio@barroubio.fr,
☑ ☖ ☖ t.l.j. 10h-12h 14h-18h ⭘ Ⓑ

ÉCLATS BLANCS 2012 ★★

| | 13 000 | ∎ | 11 à 15 € |

Un nouveau coup d'éclat réalisé par le virtuose de la coopérative de Saint-Jean, Alain Tailhan, épaulé par son complice Jöchen Sass, auquel il faut associer la **Sélection petit grain 2012 (8 à 11 € ; 56 500 b.)**, tout aussi brillante. Les deux cuvées tutoient les étoiles et feront la paire dans votre panier. Les Éclats blancs sont issus d'une sélection parcellaire de 4 ha de muscat planté sur des calcaires durs. Ils offrent une attaque tendre et moelleuse, « ricochent » délicatement sur les fleurs blanches, le litchi et les agrumes, et s'équilibrent entre onctuosité et fraîcheur, soutenus en finale par une fine minéralité. Parfait pour le foie gras. Le second vin, sélection de premiers jus, retire de la saignée des parfums intenses de poire et de pêche au sirop. Chaleureux, charnu et velouté, apaisé par cette fraîcheur caractéristique du terroir, il sera le compagnon idéal de vos apéritifs ou de pâtisseries orientales.

➥ SCA le Muscat, Le Village, 34360 Saint-Jean-de-Minervois, tél. 04 67 38 03 24, fax 04 67 38 23 38, lemuscat@wanadoo.fr,
☑ ☖ t.l.j. 8h30-12h 14h-18h

LANGUEDOC

LE ROUSSILLON

Superficie
7 300 ha
Production
900 000 hl environ (dont 540 000 en AOC, et 307 000 en IGP, le reste sans IG).
Types de vins
Rouges majoritaires, rosés, quelques blancs secs ; vins doux naturels.
Cépages principaux
Rouges : grenache noir, carignan, syrah, mourvèdre, lladoner pelut.
Blancs : grenaches gris et blanc, macabeu, malvoisie du Roussillon, roussanne, marsanne, vermentino, muscat à petits grains, muscat d'Alexandrie.

Le Roussillon viticole, qui correspond au département des Pyrénées-Orientales, est très proche du Languedoc voisin par son climat, son histoire, son encépagement et les styles de vins. Il est d'ailleurs inclus dans la nouvelle appellation régionale languedoc. La différence est surtout culturelle : le Roussillon est en majeure partie catalan. L'offre du plus méridional des vignobles de France se partage entre de superbes vins doux naturels et des vins secs : rouges aux multiples facettes, rosés généreux et même, de plus en plus, blancs vifs.

Aux portes de l'Espagne Amphithéâtre tourné vers la Méditerranée, le vignoble du Roussillon est bordé par trois massifs : les Corbières au nord, le Canigou à l'ouest, les Albères au sud, qui forment la frontière avec l'Espagne. Trois fleuves, la Têt, le Tech et l'Agly, ont modelé un relief de terrasses dont les sols caillouteux et lessivés sont propices aux vins de qualité, et particulièrement aux vins doux naturels. On rencontre également des schistes noirs et bruns, des arènes granitiques, des argilo-calcaires ainsi que des collines détritiques du pliocène. Le vignoble du Roussillon bénéficie d'un climat très ensoleillé, avec des températures clémentes en hiver, chaudes en été. La pluviométrie (350 à 600 mm/an) est mal répartie, et les pluies d'orage ne profitent guère à la vigne. Il s'ensuit une période estivale très sèche, dont les effets sont souvent accentués par la tramontane, vent qui favorise la maturation des raisins. La vigne, depuis l'invasion phylloxérique, est plantée sur les meilleurs terroirs, en particulier sur les coteaux. Sa culture reste traditionnelle, souvent peu mécanisée. La plante est encore souvent conduite en gobelet : les ceps forment de petits buissons, sans palissage.

Vins doux naturels et vins secs L'implantation de la vigne en Roussillon, sous l'impulsion des marins grecs attirés par les richesses minières de la côte, date du VIIᵉs. avant notre ère. Sans doute produisait-on ici déjà des vins doux. Au Moyen Âge, époque d'essor de la viticulture, fut mise au point, dans la région, la technique du mutage des vins à l'alcool, qui permet la conservation et qui valut aux vins doux roussillonnais une réputation solide. Si la part de ces derniers dans la production a baissé à la fin du XXᵉs., leur qualité s'est améliorée, et la région en offre une diversité sans pareille. La modernisation de l'équipement des caves, la diversification de l'encépagement et des techniques de vinification (avec la macération carbonique, par exemple), et la maîtrise des températures au cours de la fermentation permettent aujourd'hui au Roussillon d'exceller dans les vins secs.

Côtes-du-roussillon et côtes-du-roussillon-villages

Ces deux appellations s'étendent dans les Pyrénées-Orientales – la région historique du Roussillon. L'aire la plus étendue, celle des côtes-du-roussillon, produit des vins dans les trois couleurs, tandis que les côtes-du-roussillon-villages sont toujours rouges.

Les vins blancs sont produits principalement à partir des cépages macabeu et grenache blanc, complétés par la malvoisie du Roussillon, la marsanne, la roussanne et le rolle, et vinifiés par pressurage direct. Bien méditerranéens, finement floraux (fleur de vigne), ils accompagnent les fruits de mer, les poissons et les crustacés. Les vins rosés et les vins rouges sont obtenus à partir d'au moins trois cépages, le carignan (60 % maximum), le grenache noir, la syrah et le mourvèdre constituant les cépages principaux. Tous ces cépages (sauf la syrah) sont conduits en taille courte à deux yeux. Souvent, une partie de la vendange est vinifiée en macération carbonique, notamment le carignan qui donne, avec cette méthode de vinification, d'excellents résultats. Les vins rouges sont fruités, épicés et riches. Les rosés, vinifiés obligatoirement par saignée, sont aromatiques, corsés et nerveux.

Au sud de Perpignan, depuis 2003, on produit des côtes-du-roussillon-Les-Aspres, une dénomination attribuée aux vins rouges après identification parcellaire.

Les côtes-du-roussillon-villages sont localisés dans la partie septentrionale du département des Pyrénées-Orientales ; ils s'enrichissent de quatre dénominations reconnues pour leur terroir particulier : Caramany, Lesquerde, Latour-de-France et Tautavel. Gneiss, arènes granitiques et schistes confèrent aux vins une richesse et une diversité qualitatives que les vignerons ont bien su mettre en valeur. Les côtes-du-roussillon-villages varient selon la nature de leur terroir mais affichent toujours de beaux tanins, fins pour les terroirs acides, plus solides sur schistes et argilo-calcaires ; certains peuvent se boire jeunes, d'autres gagnent à être gardés quelques années ; ils développent alors un bouquet intense et complexe. Leurs qualités organoleptiques diversifiées leur permettent de s'associer avec les mets les plus variés.

Côtes-du-roussillon

Superficie : 5 770 ha
Production : 215 500 hl (98 % rouge et rosé)

DOM. ALQUIER Cuvée des filles 2010 ★★

| | 5 000 | ⊞ | 15 à 20 € |

Entre cerisiers et mimosas, la vigne s'étire nonchalamment le long de la vallée du Tech – de superbes paysages qui mènent au sauvage Vallespir. Ce lieu ne vous dit rien ? Pourtant, vous y êtes sans doute passé. Rappelez-vous : le Perthus, passage obligé vers les plages espagnoles, n'est pas loin. À l'écart du flux des véhicules, la syrah a donné naissance à ce vin au grenat soutenu et brillant, qui mêle à l'olfaction les fruits noirs, la griotte et une pointe giboyeuse. Élégant, très frais (touche mentholée), le palais trouve rondeur auprès du grenache et structure auprès du carignan, et déploie une longue finale aux accents minéraux du terroir des Albères. Le **blanc Tradition 2011 (5 à 8 € ; 3 000 b.),** floral et fruité, vif et tonique, obtient une étoile.

🐓 Alquier, Dom. Alquier, 66490 Saint-Jean-Pla-de-Corts, tél. 04 68 83 20 66, fax 04 68 83 55 45, domainealquier@wanadoo.fr,
☑ ⚔ 🍴 t.l.j. sf dim. 9h-12h 15h-19h ; f. nov.

DOM. BELLAVISTA La Cuvée d'Ava 2011 ★★

| | 15 000 | ■ | 5 à 8 € |

Si le domaine est ancien – il est mentionné dès le XIII[e]s. –, ses actuels propriétaires signent ici leur première

mise en bouteilles. Les Bertrand l'ont acheté en 1992, ont rénové avec goût une ancienne bergerie (en y installant une salle de réception pouvant accueillir jusqu'à deux cents personnes), ont réaménagé la cave et replanté une bonne partie du vignoble. En 2011, ils ont embauché Guy Prédal comme maître de chai. Ils font une belle entrée dans le Guide grâce à cet assemblage de syrah, grenache et mourvèdre. Le grenat de la robe est profond, intense. Pruneau, cassis et épices se partagent le bouquet. Un vin charnu, long et bien présent en bouche, autour de tanins fins et soyeux, d'un boisé vanillé bien marié à la cerise et à la mûre sauvage. Essai transformé.

🐓 Dom. Bellavista, 66300 Camélas, domainebellavista@hotmail.fr, ☑ ⚔ 🍴 r.-v.
🐓 Henri Bertrand

Ⓑ DOM. DE BESOMBES Esprit Singla 2011 ★★

| | 2 200 | ⊞ | 8 à 11 € |

L'esprit en question est celui de Joseph-Antoine Tiburce, procureur des fermes du roi qui, au début du XVIII[e]s., créa le domaine, resté depuis lors dans la famille. Il inspire à son lointain héritier, Damien de Besombes Singla, une cuvée née sur la terre rouge du Mas Saint-Michel, un terroir argilo-calcaire très caillouteux où s'épanouissent syrah (80 % de ce vin) et grenache noir, conduits en bio. À l'œil, le grenat est dense et soutenu. Au nez, le grillé de la torréfaction joue avec la réglisse et la violette, le cassis et la cerise. Un joli mariage entre vinosité et boisé caractérise le palais, agréable par son onctuosité et sa souplesse. L'élevage ne masque pas le fruit confituré. Les tanins, déjà bien affinés, permettent d'apprécier ce vin dès aujourd'hui sur un gigot de sept heures.

🐓 Damien de Besombes Singla, Mas Saint-Michel, 66600 Salses-le-Château, tél. 06 12 10 97 68, contact@domainedebesombes.com, ☑ ⚔ 🍴 r.-v.

CH. DE CALADROY Rosé des vents 2012 ★

| | 20 000 | ■ | 5 à 8 € |

Ce Rosé des vents porte bien son nom. De fait, sur cette crête entre Agly et Têt, la porte est grande ouverte à la tramontane, qui se plaît à dégager les sommets environnants, offrant une vue unique sur le Roussillon. C'est ici, à 300 m d'altitude, qu'est établi le château Caladroy, point de départ pour des randonnées, si toutefois vous arrivez à quitter le splendide caveau du domaine... où vous découvrirez ce rosé mariant par tiers syrah, grenache et carignan. Un vin à la robe rose soutenu, qui s'ouvre sur des notes amyliques, relayées à l'aération par des senteurs de fruits rouges. Ces derniers se mêlent à la pêche jaune et à la prune dans une bouche souple et fraîche à la fois, fine et élégante, relevée par une pointe épicée en finale.

🐓 SCEA Ch. de Caladroy, lieu-dit Caladroy, 66720 Bélesta, tél. 04 68 57 10 25, fax 04 68 57 27 76, chateau.caladroy@wanadoo.fr, ☑ 🍴 t.l.j. 9h-12h 14h-18h
🐓 Mezerette

Ⓑ DOM. CAZES Marie-Gabrielle 2012 ★★

| | 90 000 | ■ | 5 à 8 € |

Avec l'achat en 2013 du Clos des Paulilles, le groupe Advini (ex-Jeanjean), auquel appartient la maison Cazes, dispose d'un site unique sur la Côte Vermeille, avec une table renommée et une jolie gamme de collioure et de banyuls. Côté côtes-du-roussillon, ce 2012 se présente en robe sombre, offrant un bouquet intense de lys, de ciste,

ROUSSILLON

de violette et de cassis. Un vin plein de jeunesse au palais puissant, fougueux, structuré, étiré par une belle fraîcheur minérale et riche en arômes : fruits confiturés, épices, tapenade. Un ensemble harmonieux de caractère et armé pour la garde.

☛ Cazes, 4, rue Francisco-Ferrer, 66600 Rivesaltes, tél. 04 68 64 08 26, fax 04 68 64 69 79, info@cazes.com, ☑ ⚥ ⟡ t.l.j. sf dim. 8h30-12h 14h-18h30

☛ Advini

CLOS DES VINS D'AMOUR Idylle 2012 ★★

| | 13 000 | ⊞ | 8 à 11 € |

Fruit du mariage des grenaches blanc et gris (avec une pointe de macabeu en complément), des schistes noirs de Maury et d'une fermentation en barrique, avec la baguette Nicolas Dornier à la cave, ce blanc d'un or pâle brillant est imprégné de senteurs du maquis et de parfums de fleurs blanches. Frais et fin, avec ce qu'il faut d'onctuosité résultant du bâtonnage, étiré par une longue finale mentholée, le palais est des plus plaisants. Ce vin devrait s'entendre avec un bar de ligne.

☛ Vignobles Dornier, 38, av. de Grande-Bretagne, 66000 Perpignan, tél. 04 68 34 97 06, fax 04 68 34 97 07, maury@closdesvinsdamour.fr, ☑ ⚥ ⟡ r.-v.

CLOS DU NORD La Petite Nice 2009 ★★

| | 3 500 | ⊞ | 20 à 30 € |

Un domaine (et une structure de négoce) repris en 2011 par Laurent Pierron : 6,4 ha de vieilles vignes en altitude (300 m) conduites en gobelet et en bio (conversion en cours), et travaillées à l'aide d'un cheval sur le versant exposé au nord de la vallée de Maury. Ajoutez à cela un tri méticuleux des raisins et une vinification soignée à basse température, cela donne cette Petite Nice (du nom de la parcelle) d'un beau rouge profond, qui révèle à l'aération des notes fumées, de sous-bois, de cuir et de fruits confiturés. La bouche, réglissée et fruitée, se montre généreuse et solide, soutenue par des tanins bien en place, un boisé vanillé et par une fine fraîcheur. Un vin équilibré, à boire ou à attendre, que l'on servira sur une viande de caractère (lièvre, lapin chasseur, filet de bœuf aux morilles...).

NOUVEAU PRODUCTEUR

☛ Totem Clos du Nord, 42, rue de la République, 66240 Saint-Estève, tél. 06 14 80 11 76, laurent-pierron@live.fr, ⟡ r.-v.

DOM. COLL DE ROUSSE El Matéo 2010 ★

| | 3 000 | ▮ | 5 à 8 € |

Dominant la vallée du Tech et la plaine du Roussillon, offrant un joli panorama sur la mer et le Canigou, Tresserre est un village vigneron où la station expérimentale viticole a installé ses vignes et son centre de recherche. C'est aussi le fief de la dénomination Les Aspres et le pays des *bruixes*, gentilles sorcières que l'on célèbre ici à l'automne. Le lieu de naissance de cette cuvée à dominante de syrah, avec le grenache en complément. Un vin très aromatique, sur les fruits mûrs (griotte, cassis) et la violette, souple, léger et frais en bouche. Prêt à boire sur un tajine de poulet ou des grillades au feu de bois.

☛ Jean-Pierre Boussugue, 2, rue de Montesquieu, 66300 Tresserre, tél. 04 68 38 83 29, coll-de-rousse@orange.fr, ☑ ⚥ r.-v.

CH. DE CORNEILLA Vendange nocturne 2012 ★

| | n.c. | ⊞ | 5 à 8 € |

Un palmarès enviable pour la famille Jonquères d'Oriola, illustre par ses sportifs, qui brille aussi dans nos compétitions. L'or est pour ces Vendanges nocturnes, assemblage de macabeu et de grenache blanc, qui associent agrumes et senteurs exotiques (mangue, poivre). Épaulé par un beau boisé, le palais se révèle ample, onctueux, très frais et long, fruité (pêche, abricot), épicé et vanillé. L'argent (une citation) revient aux deux autres cuvées qui finissent ex-aequo : le rosé 2012 Clair de lune (9 500 b.), très floral, souple et gouleyant, et le rouge 2010 Pur sang (8 à 11 € ; 20 000 b.), gras et bien charpenté, qui mêle tonalités empyreumatiques et notes de figue.

☛ EARL Jonquères d'Oriola, Ch. de Corneilla, 3, rue du Château, 66200 Corneilla-del-Vercol, tél. 04 68 22 73 22, fax 04 68 22 43 99, chateaudecorneilla@hotmail.com, ☑ ⚥ ⟡ t.l.j. sf dim. 11h-12h 17h-18h30

DOM. DANJOU-BANESSY Unanit Blanc de rouge 2011 ★

| | 1 000 | ⊞ | 11 à 15 € |

Una nit ? « Une nuit », en catalan : le temps nécessaire à la macération avant la mise en fût pour fermentation et élevage (neuf mois). C'est donc un rosé structuré, au nez à la fois très fruité, floral et boisé, élégant et fin, que proposent les frères Danjou (Benoît et Sébastien), héritiers d'un long passé viticole et d'un domaine riche de trois terroirs (terres schisteuses, sols argilo-calcaires, coteaux d'argiles pures). En bouche, c'est un vin « explosif », vif et tonique. Le grenache (70 %) apporte sa douceur, et le mourvèdre sa structure, dans un équilibre très réussi. Un accord gourmand ? Dos de cabillaud, crumble de chorizo et aubergine confite (un conseil de la maison).

☛ Dom. Danjou-Banessy, 1 bis, rue Thiers, 66600 Espira-de-l'Agly, tél. 04 68 64 18 04, bendanjou@hotmail.fr, ☑ ⚥ r.-v.

Ⓑ DOM. DES DEMOISELLES Les Charlines 2012 ★

| | 5 000 | | 5 à 8 € |

Clin d'œil aux *bruixes* (fées, sorcières ou... demoiselles) dont Tresserre est, dit-on, le pays ? Plutôt un hommage aux femmes qui se sont transmis ce vignoble depuis trois générations. Et si ce terme est aujourd'hui tombé quelque peu en désuétude, il est tout de même des demoiselles de bonne compagnie. C'est bien le cas de cette cuvée signée Isabelle Raoux, aux commandes du domaine depuis 1998. Un assemblage de syrah et de grenache d'un beau rose intense, qui se découvre doucement sur les petits fruits rouges. Mais le plaisir est avant tout en bouche, où le vin se fait tendre et doux, puis « prend vie », porté par une fraîcheur minérale, mentholée et fruitée. La cuvée Le Partage 2011 rouge Les Aspres (15 à 20 € ; 3 500 b.), dense, riche et soyeuse, obtient également une étoile.

☛ Isabelle Raoux, Dom. des Demoiselles, Mas Mulès, 66300 Tresserre, tél. et fax 04 68 38 87 10, domaine.des.demoiselles@wanadoo.fr, ☑ ⚥ ⟡ t.l.j. sf dim. lun. 9h30-12h30 15h-19h (t.l.j. en juil. août.); f. jan.

♥ DOM BRIAL Hélios 2012 ★★

| | 42 500 | ▮ | - de 5 € |

La vénérable cave (fondée en 1923) avait fait sensation en 2012 en décrochant plusieurs Bacchus (trophées

2012

HÉLIOS

AOC CÔTES DU ROUSSILLON

Mis en bouteille à la propriété

Dom Brial

réputés décernés aux vins de la région par Les Maîtres Tasteurs du Roussillon). Confirmation, à l'aveugle, avec la sélection du Guide. Deux étoiles également pour le **blanc 2012 Les Pins & Co (8 à 11 € ; 15 000 b.)**, subtile association d'un fin boisé et d'un fruité intense, de la douceur et de la fraîcheur, et pour le **rosé 2012 Hélios (18 000 b.)**, souple, vif et fruité à souhait. Et un coup de cœur enthousiaste pour ce « rayon de soleil », issu de grenache, de macabeu et de malvoisie. Un blanc à l'or très pâle, qui conjugue avec délicatesse des arômes amyliques, des senteurs florales et des notes d'agrumes. Ample et riche mais jamais lourd, stimulé par une fine fraîcheur jusqu'à la longue finale aux accents citronnés, le palais offre un équilibre admirable. Un vrai grand « vin plaisir », à déguster dès aujourd'hui sur un poisson fin.

☛ Vignobles Dom Brial, 14, av. Mal-Joffre, 66390 Baixas, tél. 04 68 64 22 37, fax 04 68 64 26 70, contact@dom-brial.com,
☑ ✻ ⵏ t.l.j. sf dim. 8h30-12h 14h-18h

DOM. ELS BARBATS Bouquet des cistes 2010 ★★

| ■ | 2 600 | ▮▥ | 11 à 15 € |

Entre genêts et cistes, la vigne, sur fond de Canigou, offre de jolis portraits bucoliques de ce Roussillon des Aspres. Ici, la tramontane souffle sur les feuilles et les raisins, et donne à Tresserre un air de vigie avant la plaine, la mer et la vallée du Têt. C'est ici que les Milhe-Poutingon sont installés. D'abord adhérents de la coopérative, ils vinifient depuis 1995 en cave particulière, exploitant une dizaine d'hectares aujourd'hui en conversion bio. Ce Bouquet des cistes se pare d'une robe rubis dont les reflets violacés témoignent de sa jeunesse. Au nez, les fruits confiturés, la cerise notamment, s'imprègnent du parfum de la garrigue. En bouche, rondeur, souplesse et tanins soyeux signent un élevage sous bois bien maîtrisé et une évolution douce de la syrah et de ses compères grenache et carignan. On y retrouve les fruits en confiture, agrémentés dans une finale fraîche de thym et de... ciste. Un ensemble harmonieux et gourmand, à déguster dès aujourd'hui sur une viande longuement mijotée.

☛ Paul Milhe-Poutingon, Dom. Els Barbats, 66300 Tresserre, tél. 04 68 83 28 51, domaine-barbats@orange.fr, ☑ ✻ ⵏ r.-v.

CH. DE JAU 2012 ★

| ▬ | 20 000 | ▮ | 8 à 11 € |

On ne va plus à Jau pour l'office – des moines cisterciens, qui fondèrent le domaine au XIIᵉs., il ne reste aujourd'hui qu'une belle tour dressée sur le roc –, mais plutôt pour son espace d'art contemporain, créé au milieu du XIXᵉs., ou encore pour le *Grill de Jau*, premier restau-

ROUSSILLON

Le Roussillon

rant vigneron ouvert en France. On y va aussi, et surtout, pour les vins, tel celui-ci, un joli blanc aux reflets d'or, mi-vermentino mi-macabeu, qui livre des parfums de pêche jaune, d'abricot, de garrigue et de beurre, et qui séduit en bouche par sa vivacité et sa pointe d'amertume aux accents de fenouil en finale. Parfait pour les fruits de mer.

☞ Vignobles Dauré, Ch. de Jau, 66600 Cases-de-Pène, tél. 04 68 38 90 10, fax 04 68 38 91 33, daure@wanadoo.fr, ☑ ⊥ t.l.j. sf ven. sam. dim. 9h-17h (hiver); 10h-20h (été)

CH. DE LACROIX Réserve 2010 ★

n.c.	⬙	15 à 20 €

Proche de l'antique voie Domitienne, cet ancien monastère aux allures toscanes, admirablement restauré par la famille Tanguy, ouvre ses innombrables fenêtres sur les étangs, la mer et les Pyrénées. Les vignes dansent au gré du marin et de la tramontane. Le mourvèdre assemblé au grenache blanc, à la roussanne et à un soupçon de syrah a donné naissance au **rosé Cap de l'Estany 2011 (5 à 8 € ; 4 500 b.)**, un vin floral, entre rose et pivoine, fruité (grenadine, framboise), souple et frais. Il obtient aussi une étoile et sera idéal pour l'apéritif. Pour le repas, on ouvrira ce rouge couleur grenat, qui mêle au nez notes de menthol et d'eucalyptus, violette, cassis et vanille de la barrique. La bouche offre un fruité intense et un beau volume souligné par des tanins puissants. L'ensemble, harmonieux, dynamisé par une fraîcheur minérale, accompagnera volontiers un carré d'agneau au thym.

☞ Ch. de Lacroix, chem. du Mas-du-Moulin, 66330 Cabestany, tél. 04 68 50 48 39, fax 04 68 50 36 36, chateau-de-lacroix@wanadoo.fr, ☑ ⚲ ⊥ t.l.j. sf sam. dim. 8h30-12h30 14h-16h30 ☞ Yann Tanguy

♥ DOM. LAPORTE Sumeria 2010 ★★★

5 000	⬙	11 à 15 €

Quand vous prenez Laporte, vous ne vous trompez pas et vous découvrez la pleine expression de ces hautes terrasses cailouteuses de la Têt et de la syrah plantée sur un sol d'argile et de galets, et rafraîchie par les entrées maritimes et la tramontane. Le cépage associé ici à 20 % de grenache a donné naissance à une cuvée qui atteint des sommets. Un vin grenat sombre qui mêle les fruits noirs mûrs aux épices, la douceur vanillée de la barrique à la violette, la réglisse aux notes sauvages du sous-bois. La bouche est un monument : un volume impressionnant, un fondu remarquable et un fruité croquant, des tanins qui glissent, enrobés d'une chair tendre et douce, le tout affiné par une élégante fraîcheur. Visant « la simplicité et le plaisir immédiat », le domaine a créé en 2012 une structure de négoce : plaisir assuré avec le **vermentino de l'atelier 2011 blanc (3 000 b.)**, pareillement étoilé, un vin

qui n'a rien de simpliste toutefois et dont la qualité jugée remarquable en a fait un finaliste des coups de cœur. Ses arguments ? Un fruité intense à dominante exotique, avec quelques notes d'abricot en complément, un palais tout aussi fruité et un rien floral, à la fois frais et généreux, équilibré et long.

☞ Raymond Laporte, Ch. Roussillon, 66000 Perpignan, tél. 04 68 50 06 53, fax 04 68 66 77 52, domaine-laporte@wanadoo.fr, ☑ ⊥ r.-v.

CH. LAURIGA Cuvée Prestige René Clar 2010 ★★

4 800	🍾⬙	20 à 30 €

Entre Perpignan et Thuir, sur fond de Canigou, ce vieux mas catalan typique avec ses murs de cailloux roulés et de briquettes, posé au milieu des vignes, abrite une cave bien équipée, où Jacqueline Clar, en attendant que les enfants prennent le relais, élabore des « vins d'auteur », dit-elle. Les dégustateurs ont apprécié la **cuvée Bastien 2011 rouge (11 à 15 € ; 4 800 b.)**, notée une étoile, très fondue, ronde, bien équilibrée par une finale fraîche, et plus encore cette cuvée Prestige René Clar à forte dominante de syrah. La robe est rouge sombre. La puissance du nez surprend : cassis et mûre s'imposent sur un fond poivré et torréfié. La bouche charnue se révèle tout aussi expressive : on y croque la cerise, et la réglisse se mêle à la vanille. L'ensemble est puissant mais sans dureté, fondu et équilibré par une fraîcheur mentholée en finale.

☞ Ch. Lauriga, traverse de Ponteilla, RD 37, 66300 Thuir, tél. 04 68 53 26 73, fax 04 68 53 58 37, info@lauriga.com, ☑ ⚲ ⊥ r.-v.

☞ Jacqueline Clar

DOM. DU MARIDET Cap de Marra 2008 ★★

1 200	⬙	8 à 11 €

Une trilogie carignan, grenache et syrah assemblés à parité pour ce vin « têtu » (traduction de *cap de marra*) : un clin d'œil appuyé aux racines catalanes de Jean-François Tisseyre et un vin qui vient rejoindre la gamme des cuvées du domaine aux étiquettes graphiques. Les dégustateurs n'ont pas eu d'étiquette devant leurs yeux lorsqu'ils ont abordé ce 2008 ; un anonymat complet selon la règle, mais une vraie personnalité dans le verre. L'âge n'a pas affecté la robe, très soutenue ; il a apporté en revanche au nez des notes de sous-bois, de cuir et de torréfaction qu'accompagnent la mûre et les fruits rouges confiturés. Souple en attaque, la bouche est fondue, le tanin enrobé par la douceur du grenache et le boisé prend des accents de grillé et de café. Un vin déjà fort plaisant, à servir sur une viande rouge en sauce.

☞ Dom. du Maridet, chem. de Boto, 66600 Salses-le-Château, tél. 06 15 25 25 42, fax 04 68 64 47 56, domaine.maridet@gmail.com, ☑ ⚲ ⊥ t.l.j. sf dim. 10h-12h30 17h-19h30

MAS BÉCHA Classique Charles Chapitre 11 2011 ★★

70 000		5 à 8 €

Entre le **rouge 2010 Barrique Serge Chapitre 10 (8 à 11 € ; 10 000 b.)** - noté deux étoiles pour son nez complexe (truffe, fruits très mûrs, sous-bois, torréfaction) et pour son palais à la fois charpenté et élégant - et ce rouge classique, les jurés ont préféré la pureté de ce dernier, élevé en cuve. Un vin issu des argiles graveleuses du terroir de Nyls, hameau viticole bâti autour d'une chapelle du XIIᵉ s., dont les vestiges se « noient » dans les vignes du Mas Bécha. La robe est d'un beau rouge profond, héritage de la syrah (majoritaire dans cette cuvée aux côtés du grenache et du mourvèdre). Le nez évoque les fruits noirs et la cerise, sur fond d'épices. L'attaque, ample, généreuse, ouvre sur une bouche aux tanins veloutés, glissants, élégants, accompagnés d'un fruité remarqué et d'une finale mentholée d'une belle fraîcheur. L'équilibre est excellent, le vin mûr, même s'il peut aussi être attendu deux ou trois ans.

☞ Charles Perez, 3, av. de Pollestres, 66300 Nyls-Ponteilla, tél. 04 68 56 23 64, fax 04 68 56 23 65, hachette2014@masbecha.com, ☑ ⚱ ⊤ r.-v.

☞ Charles Perez

MAS CASTELLO Folie blanche 2010

| | 600 | ⅢⅢ | 11 à 15 € |

À l'entrée de Perpignan, sur la terrasse de cailloux roulés du Quaternaire, le Mas Castello étire sa longue silhouette à l'abri des cyprès, sur fond de garrigue et de Canigou, « caressé » par la tramontane. David Dubournais, ancien maître de chai, œuvre sur ces terres familiales depuis 2006, à la tête de 20 ha en conversion bio. Il signe à partir des deux grenaches, blanc et gris, et du macabeu un blanc bien élevé : vinification et conservation en barrique avec bâtonnage (remuage des lies fines qui se déposent au fond des fûts afin de les remettre en suspension, de protéger le vin de l'oxydation en préservant le fruit et en lui conférant du gras). Grâce à quoi, ce 2010 paré d'or livre un joli bouquet d'abricot et d'agrumes, se montre rond en attaque, agrémenté d'une touche épicée, avant de montrer plus de fraîcheur et de nervosité. À réserver pour une viande blanche ou pour une volaille, un poulet aux gambas par exemple.

☞ SCEA Dom. Cachau, Mas Castello, rte de Vingrau D12, 66660 Espira-de-l'Agly, tél. et fax 04 68 64 33 38, domainecachau@orange.fr, ☑ ⚱ ⊤ t.l.j. sf dim. 9h-12h30 15h30-19h

☞ Dubournais

DOM. MAS CRÉMAT L'Envie 2011 ★★

| | 7 000 | ▤ | 8 à 11 € |

Les terres de schistes noirs ont donné son nom au Mas Crémat (« brûlé » en catalan), des sols recherchés pour la souplesse qu'ils confèrent aux vins. Un atout dont tirent parti Christine et Julien Jeannin. Aux commandes du domaine depuis 2006, ces derniers travaillent aux côtés de leur mère, toujours en activité, une Bourguignonne dont la persévérance et le courage ont signé l'acte d'adoption catalan. Élégant, minéral, réglissé, fruité et épicé (poivre, cannelle), le nez de ce 2011 est flatteur ; son palais, à l'unisson, l'est plus encore : riche, souple, porté par des tanins soyeux, conjuguant à merveille fraîcheur du terroir et douceur. Déjà plaisant, ce vin a un bel avenir devant lui. Dense et puissant, le **2010 rouge Dédicace (15 à 20 € ; 1 000 b.)**, élevé en fût, obtient une étoile.

☞ Dom. Mas Crémat, Mas Crémat, 66600 Espira-de-l'Agly, tél. 04 68 38 92 06, fax 04 68 38 92 23, mascremat@mascremat.com, ☑ ⚱ ⊤ t.l.j. sf dim. 10h-12h 14h-18h

☞ Jeannin

MAS CRISTINE 2011 ★★

| | 25 000 | | 11 à 15 € |

Superbe mas situé à la limite du cru banyuls, isolé au milieu du maquis ponctué de chênes lièges ; au premier plan, les vignes ; juste en-dessous, des pins qui descendent en pente douce vers une mer toute proche... Un petit air d'éden que semblent apprécier les ceps de grenache et de syrah (de carignan aussi, pour un soupçon), à l'origine d'un vin au regard sombre, couleur d'encre, mêlant au nez la minéralité des schistes, la violette et les fruits des bois. L'élevage apporte un joli grain de tanin, le grenache sa rondeur fruitée et la syrah son côté épicé, dans une bouche ample et souple, fondue et tannique, sans rien qui accroche. La jolie finale poivrée appelle un mets de haut en goût, un civet de lièvre par exemple.

☞ Mas Cristine, 3, rue Daudet, 66650 Banyuls-sur-Mer, tél. 06 78 83 14 02, info@tramontanewines.com, ☑ ⊤ r.-v.

MAS DES MONTAGNES Terroirs d'altitude 2011 ★

| | 3 600 | ⅢⅢ | 8 à 11 € |

En 2007, Nicolas et Miren de Lorgeril (*voir AOC cabardès*) sont venus chercher en Roussillon la fraîcheur des terroirs d'altitude, entre Agly et Fenouillèdes, afin de pouvoir jouer avec la palette de sols qu'offre ce secteur sauvage et splendide de l'arrière-pays catalan. Ici, 15 ha de schistes et de calcaires, plantés de macabeu et de grenache blanc, sont à l'origine d'un blanc aromatique, très minéral, partagé entre fleurs blanches d'amandier et notes plus vives de pamplemousse. L'altitude lui confère de la fraîcheur en bouche, le fût de jolies notes fumées et vanillées, du volume et de la rondeur. À servir sur une dorade au fenouil.

☞ Vignobles Lorgeril, BP 4, Ch. de Pennautier, 11610 Pennautier, tél. 04 68 72 65 29, fax 04 68 72 65 84, marketing@lorgeril.com, ☑ ⚱ ⊤ t.l.j. sf dim. 10h-18h (ven. sam. 22h); f. jan. ⌂ ⦿

ⓑ CH. DU MAS DÉU Cuvée Guillem 2012 ★★

| | 3 200 | ▤ | 5 à 8 € |

On dit que les Templiers construisaient toujours en des points stratégiques, soigneusement réfléchis ; ils ne se sont pas trompés en édifiant ici leur commanderie, devenue ensuite le berceau des vins doux naturels – Arnaud de Villeneuve y développa le mutage. Sur ce terroir chargé d'histoire, Claude Olivier signe un côtes-du-roussillon à la hauteur des lieux, remarquable de bout en bout. Élégante robe couleur cerise burlat ; bouquet intense, entre fleurs (jacinthe), fruits (mûre) et accents méditerranéens de tapenade, palais puissant mêlant la fraîcheur du cassis et de la mûre à la douceur de la cerise.

☞ Claude Olivier, Ch. du Mas Déu, 66300 Trouillas, tél. 04 68 53 11 66, claude.olivier@orange.fr, ☑ ⊤ r.-v.

MAS MUDIGLIZA Carminé 2010 ★

| | 7 000 | ▤ⅢⅢ | 11 à 15 € |

Schistes noirs et marnes à Maury et à Saint-Paul-de-Fenouillet, quelques arènes granitiques à Saint-Arnac, une douzaine d'hectares plantés notamment de vieux grenaches : depuis 2006, tel est le quotidien de Dimitri Glipa. Ajoutez quelques plants de syrah et un soupçon de vénérables carignans, la beauté contrastée des terres noires et des arènes blanches, il y a plus déplaisant comme cadre de vie... Un lieu où naissent de belles cuvées, à l'image de ce Carminé qui dégage beaucoup de profondeur et de force à travers sa robe grenat soutenu et son bouquet puissant de fruits confiturés, de sous-bois et de noisette. Un vin qui offre aussi de la puissance en bouche mais sans perdre en élégance. Son fruité mûr s'allie à la rondeur épicée de la barrique, le tout épaulé par des tanins soyeux. L'ensemble a de la tenue et pourra être attendu deux ou trois ans. Pour une viande rouge grillée ou une pièce de gibier.

☛ Mas Mudigliza, 20, rue de Lesquerde, 66220 Saint-Paul-de-Fenouillet, tél. 06 79 82 03 46, masmudigliza@neuf.fr, ☑ ⚒ ⍾ r.-v.

☛ Dimitri Glipa

MAS PEYRE Promesse tenue 2008 ★★★

| 20 000 | ■ | 8 à 11 € |

Au pays des croquants (biscuits aux amandes), la famille Bourrel poursuit sa route, sans bruit, avec Baptiste, qui a orienté le vignoble vers le bio à son installation en 2009, et avec César, qui gère la commercialisation. Les parents ? Entre cave, vignes et caveau. Le domaine facilite la dégustation sur place en mettant des chambres d'hôtes à la disposition des visiteurs. Côté cave, une Promesse tenue qui sait se tenir. Costume sombre, bouquet mêlant minéralité des schistes, senteurs de la garrigue, fraîcheur fruitée des terroirs d'altitude et d'un long élevage en cuve de trois ans. En bouche, de l'élégance, un fruité mûr et tendre, des tanins suaves et lissés, et toujours en fil conducteur, cette remarquable fraîcheur minérale. Venaison et viandes rouges en sauce ou grillées seront à la fête.

☛ Mas Peyre, 3 ter, rue de Lesquerde, 66220 Saint-Paul-de-Fenouillet, tél. 04 68 59 29 45, fax 04 68 61 07 03, maspeyre@aliceadsl.fr, ☑ ⚒ ⍾ t.l.j. 9h30-12h30 15h-19h 🏠 ❷

☛ Bourrel

MAS TRINCAT Achillée 2010 ★★

| 1 800 | ■ | 8 à 11 € |

Au pied des Corbières, dans une oasis de verdure perdue au milieu de la garrigue et des vignes, le Mas Trincat est un havre de repos pour randonneurs et vététistes. Vous pouvez même vous y restaurer (en prévenant)... Sur ces terres argilo-calcaires, s'épanouissent syrah et grenache, qui sont à l'origine de ce vin rouge profond, qui mêle senteurs épicées de la garrigue (thym, genièvre), notes savoureuses de cerise mûre et d'autres plus diffuses et fraîches évoquant les sous-bois. La bouche se montre chaleureuse, ronde, solide et surprenante de fraîcheur. Un côtes-du-roussillon complexe et structuré, à réserver pour du gibier ou pour une viande rouge en sauce.

☛ SCEA Vespeille, Mas Sainte-Marie-de-Vespeille, 66600 Salses-le-Château, tél. 06 72 69 55 85, mastrincat@gmail.com, ☑ ⍾ t.l.j. 10h-13h 15h-18h30; oct.-avr. sur r.-v.

LES VIGNERONS DE MAURY 2012 ★

| 9 000 | ■ | 5 à 8 € |

Plus connus pour leurs vins doux naturels – auxquels il faut ajouter depuis 2012 la nouvelle appellation maury « sec » –, les Vignerons de Maury, forts de l'expérience acquise depuis la fondation de la coopérative en 1910, savent aussi traduire ce beau terroir de schistes noirs en... blanc. Avec le grenache et le macabeu, on ne cherche pas ici à faire un vin pour les huîtres ! On servira plutôt des rougets ou une rouille de seiche pour accompagner cette cuvée gourmande, onctueuse et douce, aux arômes de pêche jaune et d'agrumes.

☛ SCAV Les Vignerons de Maury, 128, av. Jean-Jaurès, 66460 Maury, tél. 04 68 59 00 95, fax 04 68 59 02 88, contact@vigneronsdemaury.com, ☑ ⍾ t.l.j. 8h30-12h30 14h-18h30

MOULIN DE BREUIL Élégance 2012 ★★

| 5 000 | ■ | 5 à 8 € |

En 1997, Joseph de Massia reprend le vignoble familial, créé en 1865. Si, comme chaque génération avant lui, il trouve son inspiration dans les traditions du passé, il a aussi tracé son propre chemin, au gré des doutes et des rencontres. Il adopte en l'occurrence la biodynamie, démarche qui lui permet de vinifier avec sérénité. De fait, ce rosé méditerranéen traduit la maîtrise et une vinification soignée. Au nez, les fruits exotiques se mêlent au classique parfum de fraise. Le même fruité croquant et frais vient tonifier une bouche riche, ample et structurée par des tanins légers qui lui donnent un relief certain. Un rosé de table assurément, à servir sur une grillade d'agneau.

☛ Joseph de Massia, Moulin de Breuil, 66740 Montesquieu-des-Albères, tél. 04 68 89 67 68, joseph.de.massia@moulindebreuil.com, ☑ ⚒ ⍾ r.-v. 🏠 ❹ 🏠 Ⓔ

DOM. DES ORMES Garance 2010 ★★

| 2 000 | ■ | 11 à 15 € |

Dans les Aspres, le massif calcaire de Sainte-Colombe surprend : que fait-il là, posé entre schistes et terrasses caillouteuses ? C'est sur ce vestige de la surrection pyrénéenne que vient s'adosser le joli petit village catalan de Sainte-Colombe-de-la-Commanderie. Georges Rossignol y exploite un vignoble de 25 ha, dont 8 ha dédiés à cette cuvée Garance mi-grenache mi-syrah, qui a séjourné deux ans en cuve avant de se présenter dans sa robe profonde. Au nez, les fruits rouges à l'alcool sont relayés à l'aération par le cassis. Portée par des tanins serrés, la bouche se révèle fraîche, nerveuse même, fruitée (cerise) et réglissée, en conservant toutefois un côté tendre qui s'accordera volontiers avec une viande goûteuse, un civet de lièvre par exemple.

☛ Dom. des Ormes, 1, Cami de Cantarana, 66300 Ste-Colombe-de-la-Commanderie, tél. 06 13 09 47 74, domainedesormes@yahoo.fr, ☑ ⚒ ⍾ r.-v. 🏠 ❸

DOM. PARCÉ Les Aspres 2008 ★

| 6 000 | ❿ | 8 à 11 € |

Bages est un peu le centre du Roussillon, à égale distance de la mer, des Pyrénées et du... centre du monde, la gare de Perpignan chère à Dali. Une commune à l'écart des grands axes routiers, qui préserve son caractère de village vigneron. C'est là qu'est installé depuis 1982 André Parcé, à la tête d'un domaine de 20 ha. Il signe, à partir d'une dominante de mourvèdre, un aspres surprenant de jeunesse. Aérien et complexe à l'olfaction, entre ciste, cuir et torréfaction, généreux et solide mais sans dureté en bouche, il est étayé par des tanins au grain fin, par un boisé élégant aux tonalités toastées et grillées et, en finale, par une belle fraîcheur mentholée. Recommandé avec un civet, conseil de la maison.

☛ Parcé, 21 ter, rue du 14-Juillet, 66670 Bages, tél. 04 68 21 80 45, vinsparce@9business.fr, ☑ ⚒ ⍾ r.-v.

CH. DE PÉNA 2012

▪ 4 000 ▪ 5 à 8 €

Le village de Cases-de-Pène tient son nom d'un ermitage du X^{e}s. établi sur un roc (*pena* en catalan) calcaire qui ferme la vallée de l'Agly. Les terres noires schisteuses y alternent avec l'ocre des argilo-calcaires, formant deux superbes terroirs sur lesquels jouent les vignerons de la coopérative locale. Ce rosé né de syrah et de grenache gris se pare de rose tendre aux reflets violines de jeunesse. Il livre des parfums de fleurs blanches, d'agrumes et d'abricot frais. L'élevage sur lies fines confère rondeur et volume à un palais harmonieux, soutenu par une belle fraîcheur et rehaussé en finale par une pointe d'amande amère.

☛ Cellier de Péna, 2, bd Mal-Joffre, 66600 Cases-de-Pène, tél. 04 68 38 93 30, fax 04 68 38 92 41, cellier-de-pena@orange.fr,
☑ ⚥ ⛉ t.l.j. sf dim. 9h-12h 14h-18h

DOM. DE LA PERDRIX
Cuvée Joseph-Sébastien Pons 2011 ★★

▪ 8 000 ▥ 11 à 15 €

La cuvée Joseph-Sébastien Pons, en l'honneur du bisaïeul poète, vole la vedette à **L'Empreinte 2011 rouge (20 à 30 € ; 3 000 b.)**. L'assemblage des quatre cépages de base du Roussillon (grenache, syrah, mourvèdre, carignan) l'emporte ainsi, d'un cheveu – les deux sont jugés remarquables – sur la cuvée alliant la fraîche syrah au solide carignan, un vin de caractère, boisé, structuré, long en bouche, de garde (deux à quatre ans). Quant à ce quatuor, vêtu d'une parure sombre, il dévoile des senteurs de fruits noirs (mûre) finement boisées. La bouche offre de la rondeur, du gras, des tanins fondus et soyeux associés à un fruité alliant la fraîcheur du cassis à la note mûre du pruneau, tandis que la cerise burlat s'invite en finale, enrobée de notes vanillées. Inutile d'attendre, ce vin est à point et prêt à accompagner une viande en sauce, un osso bucco par exemple. Deux bouteilles que l'on pourra apprécier sur place, dans le nouveau chai construit en 2009, pourquoi pas lors des nombreuses animations culturelles qui rythment la vie du domaine ?

☛ Dom. de la Perdrix, Traverse-de-Thuir, 66300 Trouillas, tél. et fax 04 68 53 12 74, contact@domaine-perdrix.com,
☑ ⚥ ⛉ t.l.j. sf dim. 10h-12h 15h-18h30
(19h30 de juil. à mi-sep.)

DOM. MARIE-PIERRE ET FRANCK PIQUEMAL
Le Chant des frères Élevé en fût de chêne 2011 ★★

▪ 4 000 ▪▥ 5 à 8 €

Longtemps à l'étroit à l'Espira-de-l'Agly, Pierre Piquemal a décidé de se doter d'un outil de travail plus moderne et pratique, à l'extérieur du village. Au nouveau chai, qui accueillera les vendanges 2013, il faut ajouter un caveau convivial et une superbe salle de réception, le tout environné de quelque deux cents oliviers centenaires, l'autre passion du vigneron. Un outil adapté pour exalter l'expression de chaque terroir (schistes feuilletés, argilo-calcaires, galets roulés) sur lequel le domaine étend ses 48 ha de vignes. C'est l'argilo-calcaire qui est à l'honneur avec cette cuvée d'un rouge intense et profond, qui révèle à l'aération des senteurs confiturées sur un léger fond boisé. Syrah (60 %), grenache et carignan apportent ce qu'il faut de rondeur, de gras, de maturité au palais, ainsi

que des tanins d'une grande finesse. La violette, la réglisse et les fruits à l'alcool jouent une partition harmonieuse, accompagnés par un boisé fondu et par une juste fraîcheur qui étire la finale et équilibre l'ensemble. Pour une côte de bœuf aux morilles, aujourd'hui comme dans trois ou quatre ans.

☛ Dom. Piquemal, lieu-dit Della-Lo-Rec, km 7, RD 117, 66600 Espira-de-l'Agly, tél. 04 68 64 09 14, fax 04 26 30 36 62, contact@domaine-piquemal.com,
☑ ⚥ ⛉ t.l.j. sf dim. 8h-12h 14h-18h; f. sam. 1er jan.-15 fév.

CH. PLANÈRES Prestige 2011 ★

▪ 65 000 ▪▥ 5 à 8 €

Promoteur de la dénomination Les Aspres, ce domaine signe un assemblage mourvèdre-syrah très réussi avec sa cuvée **Gemme 2009 rouge Les Aspres (75 à 100 € ; 3 000 b.)**, un vin issu d'un élevage luxueux de dix-huit mois en barrique, logiquement assez boisé, gras, soyeux et promis à un bel avenir. Quant au classique Prestige, bien connu des lecteurs, il se révèle comme à son habitude fruité et toasté, offrant un mariage heureux de la barrique et du vin. Le mourvèdre apporte les soyeux des tanins, la syrah la fraîcheur fruitée (myrtille, cassis) et une pincée d'épices, le grenache la rondeur et la générosité (notes kirschées). Un ensemble harmonieux, prêt à accompagner une selle d'agneau ou une pintade aux olives, aujourd'hui comme dans trois ans.

☛ Jaubert et Noury, Ch. Planères, 66300 Saint-Jean-Lasseille, tél. 04 68 21 74 50, fax 04 68 21 87 25, contact@chateauplaneres.com,
☑ ⚥ ⛉ r.-v.

CH. DE REY Les Galets roulés 2011 ★

▪ 6 700 ▪▥ 11 à 15 €

Le château de Rey, reconnaissable à sa tour élancée, étage son vignoble sur les terrasses de cailloux roulés, qui bordent l'étang de Canet. Cathy et Philippe Sisqueille signent ici un vrai vin de terroir. Un vin sombre dans lequel on retrouve la chaleur méditerranéenne, la fraîcheur de la tramontane et la rondeur des galets. On y perçoit aussi le cassis et la cerise mûrs mêlés à la violette, la réglisse et les sous-bois, arômes bien mariés qui enrobent des tanins souples et fins. L'ensemble est harmonieux et prêt à boire, sur une cuisine épicée.

☛ Cathy et Philippe Sisqueille, Ch. de Rey, rte de Saint-Nazaire, 66140 Canet-en-Roussillon, tél. 04 68 73 86 27, fax 04 68 73 15 03, contact@chateauderey.com,
☑ ⚥ ⛉ t.l.j. sf dim. 10h-12h 15h-18h; sam. 10h-12h30 ⌂ ❸

Ⓑ DOM. ROSSIGNOL Les Aspres Le Graal 2010 ★★★

▪ 3 000 ▥ 11 à 15 €

Pascal Rossignol ne semble jamais devoir s'arrêter... Après la création d'un chai souterrain pour les vins secs en 2002, la certification bio en 2009, l'inauguration de son « Odyssée du vigneron » en 2010 (un concept œnotouristique avec musée, chai romain, automates, clos de cépages...), voici désormais la chambre d'hôtes. L'essentiel, le vin, n'est pas oublié, loin de là. Ce 2010 a fait mouche. La robe est sombre et dense. Le nez intense et d'une grande complexité mêle fruits confiturés, garrigue (ciste), cassis, mûre, grillé... La bouche apparaît aussi large que longue, ample, riche et fondue. Le soyeux des tanins s'accompagne d'une belle fraîcheur dans un équilibre remarquable. À déguster sur un gigot d'agneau en croûte d'épices, conseille le vigneron.

🕭 Pascal Rossignol, rte de Villemolaque, 66300 Passa, tél. et fax 04 68 38 83 17, domaine.rossignol@free.fr, ☑ ⚔ ⬚ t.l.j. sf dim. 10h30-12h30 15h-19h 🏠 ❹

DOM. SABARDA 2011 ★★

| ■ | 15 000 | ⬚ | 8 à 11 € |

Un domaine de création récente (2009), né de la rencontre entre un jeune vigneron bordelais et la vallée de l'Agly : 15 ha de vieilles vignes de grenache, de carignan et de syrah, loin des merlots de Saint-Émilion. Et un vin qui a tout du caractère roussillonnais. Sous une robe profonde, un nez expressif de fruits confits, de boisé torréfié et de sous-bois sur fond épicé. Une attaque onctueuse prélude à une bouche tendre, « mais pas mièvre », précise un dégustateur, soutenue par des tanins fermes enrobés de fruits mûrs : de l'équilibre, en somme.

🕭 Dom. Ducourd, rue de la Fou, ZA Le Réal, 66220 Saint-Paul-de-Fenouillet, tél. 06 19 99 16 52, domainesducourd@orange.fr, ☑ ⚔ ⬚ r.-v.

CH. SAINT-NICOLAS Nicolaus 2010 ★

| ■ | 5 000 | ⬚ | 20 à 30 € |

La bâtisse, édifiée au XIIIe s. par les Templiers, a certes évolué au cours des siècles, mais sans perdre pour autant son âme, à l'image de la superbe salle de réception en cairoux (briques catalanes, pleines et de grande dimension) et boiseries admirables. Dans la « nouvelle » cave (plus que centenaire...), Pierre Schneider œuvre avec une précision d'horloger suisse. Il signe un 2010 alliant syrah et grenache qui, fort de vingt mois de barrique, a conservé une belle intensité visuelle avec sa robe bigarreau. Le nez s'ouvre doucement à l'aération sur la violette, le cassis, le poivre et le grillé. La bouche est élégante, portée par des tanins réglissés sur fond de tapenade noire et de fruits confiturés. Ne reste plus qu'à servir une belle pièce de gibier...

🕭 Ch. Saint-Nicolas, rte de Canohès, 66300 Ponteilla, tél. et fax 04 68 53 47 61, chateausaintnicolas@hotmail.com, ☑ ⚔ ⬚ t.l.j. sf sam. dim. 9h-19h 🏠 ❸

🕭 Schneider

CH. SAINT-ROCH Vieilles Vignes 2011 ★★

| ■ | 18 000 | ■ | 5 à 8 € |

C'est l'accompagnement d'un repas complet qu'assure ce domaine avec pas moins de quatre vins sélectionnés. En guise d'apéritif, le Saint-Roch 2012 blanc Vieilles Vignes (15 000 b.), noté une étoile, sur les agrumes et les fruits exotiques. Pour suivre, avec une escalivade, le Dom. Lafage 2012 rosé Miraflors (8 à 11 € ; 40 000 b.), une étoile également, un vin à la fois vif, tendu et velouté. Sur les poissons à la plancha ou des calamars, on optera pour le fondu et l'onctuosité du Dom. Lafage 2012 blanc Centenaire (8 à 11 € ; 40 000 b.), une étoile lui aussi. Et pour la viande, un magret aux cèpes par exemple, on débouchera ce superbe rouge 2011, expressif et complexe au nez comme en bouche (senteurs de schistes un soir d'été, cassis confituré, touche animale, fève de cacao), généreux, ample, soyeux, aux tanins racés.

🕭 Dom. Lafage, Mas Miraflors, rte de Canet, 66000 Perpignan, tél. 04 68 80 35 82, fax 04 68 80 38 90, contact@domaine-lafage.com, ☑ ⬚ r.-v.

DOM. SALVAT Tradition 2012 ★

| ■ | 15 000 | ■ | 8 à 11 € |

La surrection des Pyrénées a eu pour conséquence le bouleversement de terrains anciens et la formation du massif des Fenouillèdes. Heureux événement géologique ! La beauté sauvage des lieux est un ravissement. Il n'est pas étonnant que les Romains y aient installé une centurie – à Taïchac, terroir d'altitude (400 m) qui a vu naître cette cuvée pleine de fraîcheur, au bouquet éclatant de petits fruits rouges et de cassis, fougueuse et vive en bouche, portée par des tanins serrés. Un vin jeune et tonique, à boire sur son fruit ou à attendre un an ou deux. Recommandé sur un saint-nectaire fermier.

🕭 Dom. Salvat, 8, av. Jean-Moulin, 66220 Saint-Paul-de-Fenouillet, tél. 04 68 59 29 00, fax 04 68 59 20 44, salvat.jp@wanadoo.fr, ☑ ⚔ ⬚ t.l.j. 9h-12h 14h-18h

DOM. SARDA MALET Terroir Mailloles 2008 ★★

| ■ | 6 000 | ⬚ | 20 à 30 € |

Terrasses argileuses à galets roulés du Quaternaire, plantées de roussanne, de marsanne et de grenache blanc, vinification en barrique, bâtonnage, long élevage en fût, sans collage ni filtration, et voilà une petite merveille signée Jérôme Malet. « Je ne savais pas que le Roussillon pouvait produire de tels blancs », a écrit l'un des jurés, originaire d'une autre région... De fait, ce vin d'un bel or soutenu a séduit les dégustateurs par son bouquet exubérant de fruits exotiques (litchi), de fleurs miellées et de toasté, agrémenté d'une pointe iodée des plus agréables. La bouche se révèle ample, onctueuse, riche, superbement fondue, un rien « liquoreuse », sur l'abricot sec, le coing et la mangue. Plaisir garanti avec un loup de mer en croûte de sel et risotto aux truffes.

🕭 Dom. Sarda-Malet, Mas Saint-Michel, chem. de Sainte-Barbe, 66000 Perpignan, tél. 04 68 56 72 38, fax 04 68 56 47 60, info@sarda-malet.com, ☑ ⚔ ⬚ r.-v.

Ⓑ DOM. SINGLA La Matine 2011 ★

| ■ | 3 600 | ⬚ | 5 à 8 € |

Héritier d'une longue tradition viticole (le domaine est dans sa famille depuis 1870), Laurent de Besombes a tracé sa propre voie, s'engageant dans l'agriculture biologique. Il a aussi adopté des pratiques telles que les vendanges manuelles en surmaturité et le pigeage au pied, et élabore des cuvées parcellaires, comme celle-ci, issue de syrah et de grenache, à la robe soutenue, au nez de garrigue, de cuir et de mûre. Le palais associe un fruité mûr à des tanins présents mais fins, qui lui donnent un relief certain. Une touche épicée de clou de girofle souligne la finale.

🕭 Laurent de Besombes Singla, 4, rue de Rivoli, 66250 Saint-Laurent-de-la-Salanque, tél. et fax 04 68 28 30 68, laurent.debesombes@free.fr, ☑ ⚔ ⬚ r.-v.

DOM. SOL-PAYRÉ Scelerata 2010 ★

| ■ | 7 000 | ⬚ | 15 à 20 € |

Le 11 mai 2013, le domaine a fêté ses cent ans. Une pensée émue à l'aïeul qui, fuyant sa condition misérable d'ouvrier agricole de l'autre côté de la frontière, a osé prendre vignes en Roussillon... Les vignes sont toujours là et donnent naissance à des vins régulièrement sélectionnés dans ces pages. Ici, un « quatre quarts » syrah, grenache, carignan, mourvèdre, qui revêt une robe profonde. L'aération libère des notes de fruits à l'alcool et d'amande agrémentées de la douceur vanillée du fût. La bouche est conquérante, puissante, bâtie sur de beaux tanins au grain fin et tapissée d'arômes de cerise et de pruneau sur un fond épicé. Un vin encore jeune et imposant : il faudra l'attendre avant de lui réserver une pièce de gibier.

☛ Dom. Sol-Payré, rte de Paris, 66200 Elne,
tél. 04 68 22 17 97, fax 04 68 22 50 42,
domaine@sol-payre.com,
☑ ✦ ⊺ t.l.j. sf dim. 9h-12h 15h-18h; f. 15h-18h d'oct à mars

DOM. LA TOUPIE Fine Fleur 2012

| ■ | 3 000 | ⊞ | 8 à 11 € |

Après vingt ans passés dans l'administration viticole, puis à la coopérative du Mont Tauch, dans l'Aude, Jérôme Collas a franchi le pas... et la « frontière », pour s'installer en 2012 sur 9 ha dans la vallée de l'Agly, dans les Pyrénées-Orientales. Première mise en bouteilles et première sélection dans le Guide, la Toupie tourne rond ! Cette cuvée née de vieux ceps de plus de cinquante ans – macabeu, grenache gris et carignan blanc – se présente dans une robe très pâle et dévoile une palette complexe autour des agrumes, de la pêche et des fleurs de la garrigue, sur un fond légèrement toasté. La bouche, ample, suave, riche, offrant des notes généreuses de poire au sirop, est émoustillée par une touche amylique, avant une finale sur les tonalités vanillées de la barrique. Pour une viande blanche à la crème.

NOUVEAU PRODUCTEUR

☛ Dom. la Toupie, 19, rte de Perpignan, 66380 Pia,
tél. 07 86 28 99 52, contact@domainelatoupie.fr,
☑ ✦ ⊺ r.-v.
☛ Jérôme Collas

TRELOAR Motus 2010 ★

| ■ | 2 500 | ⊞ | 11 à 15 € |

Entre les terroirs de la Nouvelle-Zélande et ceux du Roussillon, il n'y a pas photo. *Flash back...* Rachel et Jonathan Hesford vivent à Manhattan, à deux pas du World Trade Center... 11 septembre 2001... Ils partent en Nouvelle-Zélande changer de vie et s'initier au métier de vigneron. Trois ans plus tard, en 2006, ils optent pour les terres roussillonnaises de Trouillas et créent leur domaine. Désormais, c'est le vin qui voyage (80 % de la production franchit les frontières). Celui-ci tire son originalité de la dominante de mourvèdre, rare en Roussillon, qui apporte ici ses notes animales (cuir), agrémentées du grillé de la barrique et des fruits mûrs du grenache. Le tanin a le grain ferme mais soyeux, assoupli par l'élevage, et structure un palais gras, équilibré et long ; le grenache apporte là aussi son fruité et sa rondeur. L'ensemble est harmonieux et prêt à boire – sur un magret de canard sauce au chocolat, conseillent les Hesford. L'accord est tentant...

☛ Dom. Treloar, 16, traverse de Thuir, 66300 Trouillas,
tél. et fax 04 68 95 02 29, info@domainetreloar.com,
☑ ✦ ⊺ r.-v. ⌂ ⊜
☛ Hesford

LES VIGNERONS DE TRÉMOINE 2012

| ■ | 150 000 | ▐ | 5 à 8 € |

Qui pense aux débuts du rosé en Roussillon, songe nécessairement à Rasiguères. C'est en effet dans ce coin des Fenouillèdes, au bord du tortueux Agly, que les coteaux ont donné leur noblesse catalane à la couleur rosé ; des coteaux repérés très tôt par Jean Rière, œnologue réputé. Ici, un rosé de saignée à la robe soutenue, ce qui est naturel pour un assemblage syrah-grenache. Au nez, au-delà de l'enjôleuse touche amylique, ce sont les fruits rouges, notamment la fraise, qui dominent. Un cocktail fruits-bonbon acidulé que l'on retrouve dans une bouche équilibrée entre douceur et fraîcheur, structurée par une fine trame tannique. Grillades, couscous, paella..., vous avez l'embarras du choix.

☛ Les Vignerons de Trémoine, 5, av. de Caramany,
66720 Rasiguères, tél. 04 68 29 11 82, fax 04 68 29 16 45,
rasigueres@wanadoo.fr,
☑ ✦ ⊺ t.l.j. sf dim. 8h-12h 14h-18h

DOM. TRILLES Incantation 2011

| ■ | 2 500 | ⊞ | 8 à 11 € |

Le passage du métier de viticulteur à celui de vigneron n'est pas chose aisée ; il implique de nouvelles compétences, tant en vinification qu'en commercialisation. Jean-Baptiste Trilles a franchi le cap en 2007 en créant sa propre cave sur les terroirs de Tresserre. Les *bruixes* (fées) fêtées dans le village nous valent cette Incantation. Un vin ouvert sur un fruité mûr, mâtiné de toasté et d'épices orientales, au palais vif en attaque, qui développe des notes de cerise et de pruneau, soutenu par des tanins fermes et réglissés. On l'attendra un an ou deux, le temps qu'il s'arrondisse.

☛ Jean-Baptiste Trilles, chem. des Coulouminettes,
66300 Tresserre, tél. 06 15 46 64 71,
contact@domainetrilles.fr, ☑ ✦ ⊺ r.-v.

CELLIER TROUILLAS Cuvée du gouverneur
Élevé en fût de chêne 2010

| ■ | 25 000 | ▐⊞ | 5 à 8 € |

Au sud de Perpignan, sur le terroir des Aspres, les trois coopératives regroupées de Bages, de Saint-Jean-Lasseille et de Trouillas rassemblent quelque cent cinquante viticulteurs et de 700 ha de vignes en culture raisonnée. La connaissance des terroirs de Ch. Llères, directeur de la cave, fait le reste. Cette cuvée, issue de syrah (60 %), de grenache et de carignan, a été élevée par moitié en cuve et pour l'autre en fût. Elle est prête, ne reste plus qu'à préparer une entrecôte ou un pavé de bœuf pour accompagner son bouquet d'épices et de fruits vanillés, son palais solide mais élégant, chaleureux sans manquer de fraîcheur, évoluant sur des notes empyreumatiques et des arômes de fruits confiturés. Un ensemble bien fondu.

☛ Les Vignobles du Sud Roussillon, 1, av. du Mas-Deu,
66300 Trouillas, tél. 04 68 53 47 08, fax 04 68 53 24 56,
commercialvsr@orange.fr,
☑ ⊺ t.l.j. sf dim. 9h-12h 14h30-18h30

LE PREMIER DE VALMY 2007 ★

| ■ | 10 750 | ⊞ | 15 à 20 € |

Au début du XXᵉs., le Roussillon était sur toutes les lèvres grâce au papier à cigarette Job. Le fabricant fit construire un château pour chacun de ses enfants. Valmy fut pour Jeanne et son mari Jules Pams, qui devint ministre

ROUSSILLON

de l'Agriculture... Il fut ensuite racheté par le grand-père de l'actuel propriétaire. Mention particulière pour ce vin d'un âge respectable, à la robe encore profonde, aux senteurs de tapenade, de fruits noirs écrasés et de sous-bois. L'âge lui confère en bouche de la souplesse, pour ne pas dire de la sagesse, du fondu, le grenache lui apporte de la rondeur et de la douceur, le tout vivifié par la fraîcheur du cassis et de la cerise noire et par la minéralité des terroirs des Albères. Ce 2007 est prêt à accompagner une pastilla de pigeon. Une étoile par ailleurs aussi pour le **rosé 2012 (8 à 11 €)**, vif, souple et fruité (agrumes, pêche).

🍷 Ch. Valmy, chem. de Valmy, 66700 Argelès-sur-Mer, tél. 04 68 81 25 70, fax 04 68 81 15 18, contact@chateau-valmy.com,

☑ 🍴 ⌶ t.l.j. sf dim. 9h30-12h30 14h30-18h 🏠 ⑤

🍷 Carbonell

DOM. DE VÉNUS 2008 ★★

| ■ | 14 173 | ▮ | 8 à 11 € |

Ce domaine est né en 2003 de la passion commune d'un groupe d'amis œnophiles, et pour ce terroir sauvage des Fenouillèdes, dans la haute vallée de l'Agly. Il s'est installé dans les locaux de l'ancienne cave coopérative. C'est dans les cuves de béton rénovées de la « coop » que ce vin a longuement été élevé, trois ans durant. Un 2008 étonnant de fraîcheur et de minéralité, au nez d'épices, de garrigue, de violette et de coing ; très gourmand en bouche, adossé à des tanins soyeux, avec en fond les mêmes sensations fraîches, fruitées et épicées (cannelle, clou de girofle, menthe poivrée) que celles perçues à l'olfaction. Un bel exercice et un vin très respectueux de son terroir, à savourer sur un gigot d'agneau.

🍷 Dom. de Vénus, 13, av. Jean-Moulin, 66220 Saint-Paul-de-Fenouillet, tél. et fax 04 68 59 18 81, domainedevenus@adsl.fr,

☑ 🍴 ⌶ r.-v.

🍷 Nègre

INTENSE DE CLAUDE VIALADE 2011 ★

| ■ | 50 000 | ▮ | 5 à 8 € |

Claude Vialade a une connaissance aiguë des terroirs et des vins méditerranéens. En Roussillon, elle a repéré le domaine Montagne (à Saint-Paul-de-Fenouillet) pour élaborer sur les terres de schistes et d'argilo-calcaires de la vallée de Maury cette cuvée de négoce née de grenache et de carignan. La robe de ce 2011 est dense, grenat et profonde. Le nez, discret, s'ouvre à l'aération sur l'aubépine, la cerise et le sous-bois. La minéralité anime le palais, lui donne de l'entrain et une fraîcheur, que n'altèrent pas les tanins, fins et soyeux. Un vin charmeur et franc, à la finale délicate, que l'on réservera à des cailles rôties.

🍷 SAS Les Domaines Auriol, BP 79, ZI Gaujac, 11200 Lézignan-Corbières, tél. 04 68 58 15 15, fax 04 68 58 15 16, info@les-domaines-auriol.eu, ⌶ r.-v.

🍷 Claude Vialade

VIGNERONS CATALANS Saveurs oubliées 2012 ★

| ■ | 240 000 | ▮ | - de 5 € |

Depuis sa création en 1964, le groupement coopératif des Vignerons Catalans (« VICA » pour les intimes) est devenu le poids lourd commercial des vins du Roussillon. Il s'est très tôt intéressé aux vins rosés, bien avant la mode actuelle, mettant en avant ceux des Fenouillèdes. Celui-ci, mi-syrah mi-grenache, d'un seyant rose soutenu,

regorge de fruits rouges, se montre ample, gras et généreux en bouche, étayé par une vivacité printanière et par une petite pointe tannique qui lui donne du relief. La signature des rosés du Sud.

🍷 Vignerons Catalans, 1870, av. Julien-Panchot, BP 29000, 66962 Perpignan Cedex 9, tél. 04 68 85 04 51, fax 04 68 55 25 62, contact@vigneronscatalans.com

CH. DE VILLECLARE 2009

| ■ | 40 000 | ▮ | 5 à 8 € |

L'imposante bâtisse, un château templier du XIIᵉs., surprend dans ce paysage doux du piémont pyrénéen, où ceps et vergers, chênes tricentenaires et massif des Albères se disputent la photo. Le domaine consacre 45 ha à la viticulture. L'orientation bio a été prise en 2013, après des investissements importants à la vigne (amélioration de l'encépagement, rénovation du palissage) et au chai. Ce 2009 prêt à boire est dominé au nez par les notes de violette et de réglisse de la syrah (70 %), qu'accompagnent la douceur et le fruité du grenache. L'âge a fait son œuvre, et le palais se révèle souple et chaleureux, porté par des tanins fondus. Pour une bavette grillée à l'échalote.

🍷 François Jonquères d'Oriola, Dom. de Villeclare, 66690 Palau-del-Vidre, tél. 04 68 22 14 92, fax 04 26 00 78 98, villeclare@wanadoo.fr, ☑ 🍴 ⌶ r.-v.

Côtes-du-roussillon-villages

Superficie : 2 270 ha
Production : 67 500 hl

DOM. ARGUTI Ugo 2010 ★★★

| ■ | 8 000 | ⬛ | 11 à 15 € |

Fidèle au rendez-vous du Guide, Ugo Arguti se plaît en Fenouillèdes. À Saint-Paul-de-Fenouillet, il a sélectionné 3,3 ha de vignes (grenache majoritaire, syrah et carignan) pour élaborer ce 2010 qui a frôlé le coup de cœur. Le nez est puissant sur des notes de griotte fraîche. Généreuse, la bouche est dans le même registre. « Extra : de l'équilibre, de l'harmonie, une pointe de garrigue et une touche de poivre, un grand vin », conclut un dégustateur, qui verrait bien cette bouteille sur un reblochon affiné ou sur un vacherin.

🍷 Dom. Arguti, 14, av. du 16-Août-1944, 66220 Saint-Paul-de-Fenouillet, tél. 06 73 85 17 93, fax 04 68 28 57 68, domaine.arguti@orange.fr, ☑ 🍴 ⌶ r.-v.

GÉRARD BERTRAND Tautavel Tautavelissime 2011 ★★

| ■ | n.c. | ⬛ | 5 à 8 € |

Gérard Bertrand, important propriétaire et négociant du sud de la France, présente cette cuvée issue d'un partenariat avec les Vignerons de Tautavel, née sur le terroir de Vingrau, dans la vallée de l'Agly. La robe est profonde, cerise noire. Le nez mêle les fruits rouges confits et la vanille. Superbe, la bouche est portée par des tanins élégants, finement boisés. Un vin gras, puissant et long, à découvrir sur un filet de bœuf aux airelles. Même note pour le **Ch. Avernus Tautavel 2011**, au boisé bien fondu, qui charme par ses notes intenses de cassis et de garrigue.

🍷 Gérard Bertrand, Ch. l'Hospitalet, rte de Narbonne-Plage, 11100 Narbonne, tél. 04 68 45 57 57, fax 04 68 45 28 77, j.sauzet@gerard-bertrand.com, ☑ 🍴 ⌶ t.l.j. 9h-19h

DOM. DE BILA-HAUT L'Esquerda 2011 ★

| | 30 000 | | 11 à 15 € |

Les arènes granitiques sont le berceau de ce trio grenache-carignan-syrah qui charme par sa finesse et son équilibre. Intense, le bouquet dévoile des notes de fruits rouges frais et de pivoine. Dans le même registre, la bouche de velours est soutenue par des tanins fins qui portent loin la finale harmonieuse. Un vin plaisir à savourer dès aujourd'hui sur une côte de bœuf aux champignons. La cuvée **Les Vignes de Bila-Haut 2011** (8 à 11 € ; 100 000 b.) obtient elle aussi une étoile. Les dégustateurs ont aimé son nez floral (iris) et réglissé, prélude à une bouche ronde et fine.

🍷 Maison M. Chapoutier, 18, av. du Dr-Paul-Durand, 26600 Tain-l'Hermitage, tél. 04 75 08 28 65, fax 04 75 08 81 70, chapoutier@chapoutier.com, ✉ ♿ 🍷 t.l.j. 9h-12h30 14h-19h

DOM. BOUDAU Henri Boudau 2011 ★★

| | 15 000 | | 8 à 11 € |

Valeur sûre de l'appellation et du Guide, la famille Boudau, représentée par Pierre et Véronique, frère et sœur, propose comme chaque année une cuvée de haute tenue. Grenat profond aux reflets violines, ce 2011 libère des parfums intenses d'une grande complexité, qui évoquent la cerise et l'olive noire. La bouche vive, ronde et équilibrée, s'étire en une longue finale sur d'élégantes notes vanillées et poivrées. Les tanins boisés font sentir leur présence, appelant une petite garde pour s'affiner (un an ou deux).

🍷 Dom. Boudau, 6, rue Marceau, 66600 Rivesaltes, tél. 04 68 64 45 37, fax 04 68 64 46 26, contact@domaineboudau.fr, ✉ 🍷 t.l.j. sf dim. 10h-12h 15h-19h; sam. 15h-19h en hiver

DOM. BOUSQUET Tautavel 2011 ★

| | 8 000 | | 5 à 8 € |

Sur les terroirs de Latour-de-France et de Tautavel, le domaine de Franck Bousquet a grandi grâce à l'acquisition de nouvelles parcelles au fil des ans. Carignan, grenache, mourvèdre et syrah : chaque cépage a été vinifié séparément, puis l'ensemble a été élevé dix mois - in cuve afin de préserver l'authenticité du fruit. Ce qui nous vaut ce superbe bouquet de framboise mâtiné de notes fraîches de garrigue. L'attaque souple annonce un palais équilibré, tout en finesse. La cuvée **Latour de France 2011** (10 000 b.) est citée pour sa bouche ample sur des notes fruitées, réglissées et vanillées.

🍷 SARL Bousquet et Fils, 3 bis, av. Barbusse, 66310 Estagel, tél. 04 68 29 19 89, fax 04 68 29 04 69, franck.bousquet883@orange.fr, ✉ 🍷 r.-v.

CH. DE CALADROY Rouge émotion 2011 ★★

| | 3 000 | | 30 à 50 € |

Les oliviers et la vigne entourent le château de Caladroy, ancienne forteresse du XIIᵉs. avec ses tours, ses créneaux et ses deux chapelles. Un panorama exceptionnel invite à une pause que l'on pourra agrémenter d'un verre de ce 2011 remarquable, profondément marqué par la syrah qui domine l'assemblage (80 %). La robe est noir d'encre, aux reflets brillants. Le nez concentré, autour de la mûre, dévoile des notes minérales fort plaisantes. Ronde et ample, la bouche est soutenue par des tanins soyeux de qualité, et relevée par des touches poivrées et réglissées. Un vin de caractère à attendre deux ans.

🍷 SCEA Ch. de Caladroy, lieu-dit Caladroy, 66720 Bélesta, tél. 04 68 57 10 25, fax 04 68 57 27 76, chateau.caladroy@wanadoo.fr, ✉ 🍷 t.l.j. 9h-12h 14h-18h
🍷 Mézerette

LES VIGNERONS DE CARAMANY Huguet de Caraman
Élevé en fût de chêne 2010 ★

| | 12 500 | | 11 à 15 € |

Lors des journées portes ouvertes, les vignerons de la cave coopérative proposent un parcours culturel dans les vignes suivi d'un repas catalan ! L'occasion de découvrir ce rouge séduisant dans sa robe grenat profond. Le nez, encore marqué par l'élevage sous bois, est intensément vanillé. Quant au palais, il s'impose par son ampleur et par sa générosité. La longue finale est soulignée par des tanins serrés, encore fermes, qui invitent à faire patienter cette bouteille deux ans en cave.

🍷 SCV de Caramany, 70, Grand-Rue, 66720 Caramany, tél. 04 68 84 51 80, fax 04 68 84 50 84, vigneronsdecaramany@orange.fr, ✉ ♿ 🍷 r.-v.

Ⓑ CAZES Le Credo 2010 ★★

| | 5 950 | | 30 à 50 € |

La maison Cazes cultive aujourd'hui exclusivement en biodynamie les 220 ha de son vignoble. Également engagée dans l'œnotourisme, elle propose des menus bio à La Table d'Aimé, son restaurant situé en plein cœur du domaine. L'assemblage de ce 2010 place grenache et mourvèdre à parité et incorpore 20 % de syrah. Le bouquet, intense, est un véritable cocktail de fruits mûrs, rehaussé de notes de garrigue, d'épices et de réglisse. Ronde et harmonieuse, la bouche laisse en finale une impression de puissance et de richesse aromatique généreuse. D'une grande élégance, cette cuvée est prête à accompagner un gigot d'agneau en croûte d'épices. Fraîche, portée par des notes minérales et bien structurée, la cuvée **Alter 2011** (11 à 15 € ; 10 500 b.) obtient une étoile.

🍷 Cazes, 4, rue Francisco-Ferrer, 66600 Rivesaltes, tél. 04 68 64 08 26, fax 04 68 64 69 79, info@cazes.com, ✉ ♿ 🍷 t.l.j. sf dim. 8h30-12h 14h-18h30

CELLER D'AL MOULI Tautavel Tramontane 2011 ★★

| | 6 000 | | 5 à 8 € |

À Tautavel, au centre du village, se trouve la cave de Pierre Pelou, bien connu des lecteurs du Guide pour ses muscat-de-rivesaltes. La tramontane souffle toujours du bon côté pour ce vigneron : pour preuve, ce remarquable 2011 dans sa robe profonde presque noire. Des notes de garrigue apportent une touche de fraîcheur au bouquet intense de fruits rouges et noirs. La bouche souple, d'une rondeur gourmande, repose sur de jolis tanins encore présents. « Un vin de plaisir, plein de soleil », s'exclame un dégustateur qui conseille de le déguster dès aujourd'hui, ou dans quelques années, sur un gigot d'agneau en croûte de Baumanière.

🍷 EARL Celler d'Al Mouli, 9, rue de la République, 66720 Tautavel, tél. 06 16 96 49 61, fax 09 59 83 72 42, pierre@pelou.eu, ✉ ♿ 🍷 r.-v. 🏠 Ⓖ

ROUSSILLON

DOM. CHEMIN FAISANT Tautavel Un de ces 4 2011 ★

| 15 000 | | 5 à 8 € |

À la création du domaine, en 1986, Sylvie et Charles Faisant exploitaient 3 ha de vignes. Aujourd'hui, le vignoble familial a bien grandi... Mais la recherche de l'excellence n'est pas perdue de vue. Dans une gamme qui se diversifie, cette cuvée mise sur la vivacité. Le nez se partage entre notes florales, fruitées (mûre, framboise) et réglissées. D'une grande fraîcheur, la bouche est tout en fruits rouges. Le plaisir est au rendez-vous.
☞ Dom. Chemin Faisant, Mas Seguala, av. du Verdouble, 66720 Tautavel, tél. 04 68 29 48 15, scfaisant@orange.fr, ☑ ✳ ⊺ r.-v.

DOM. DES CHÊNES Les Grands-Mères Vieilles Vignes 2010 ★★

| 5 200 | | 8 à 11 € |

Issu d'une famille vigneronne depuis le XIX^{e}s., Alain Razungles est œnologue, ingénieur agronome et professeur à l'Institut des hautes études de la vigne et du vin à Montpellier. Il s'attache à exprimer à travers ses vins toute la richesse des terroirs argilo-calcaires de Vingrau. Pour cette cuvée, qui a séjourné en cuve dix-huit mois, il a retenu 50 % de carignan, complété de grenache et de syrah. Ce 2010 parfaitement équilibré s'exprime sur la fraîcheur, le nez mêlant pivoine et fruits rouges. Tout en vivacité, portée par des tanins soyeux qui mènent loin la finale gourmande, la bouche est un pur bonheur.
☞ Dom. des Chênes, 7, rue Mal-Joffre, 66600 Vingrau, tél. 04 68 29 40 21, fax 04 68 29 10 91, domainedeschenes@wanadoo.fr,
☑ ✳ ⊺ t.l.j. 9h-12h 14h-18h; sam. dim. sur r.-v.
☞ Razungles

CLOS DEL REY Le Sabina 2011 ★★★

| 10 000 | | 8 à 11 € |

À Maury, Jacques Montagné exploite une douzaine d'hectares sur un site classé Natura 2000 couvrant 300 ha de garrigue, au pied du château cathare de Quéribus. Sur ce beau terroir, il laisse s'exprimer toute la personnalité de ses vieilles vignes. Cette cuvée a conquis le jury par sa superbe matière fraîche et complexe, aux nuances de violette. Elle fait preuve d'un équilibre parfait et persiste longuement sur des notes grillées et poivrées. Le coup de cœur n'est pas passé loin. On attendra deux ans cette superbe bouteille avant de la découvrir sur un gigot d'agneau.
☞ Clos del Rey, 7, rue Henri-Barbusse, 66460 Maury, tél. et fax 04 68 59 15 08, closdelrey@gmail.com, ☑ ✳ ⊺ r.-v.
☞ J. Montagné

CLOS DES VINS D'AMOUR Un Baiser 2009 ★★

| 5 500 | | 15 à 20 € |

Christine, Nicolas, Christophe et Laurence Dornier ont repris en 2002 les vignes cultivées par la famille depuis quatre générations. Le domaine s'étend sur les terroirs schisteux de Tautavel, de Maury et de Saint-Paul-de-Fenouillet. Ce 2009, qui a séjourné un an en fût, se présente dans une belle robe rubis brillant et offre un nez d'une grande finesse sur les fruits mûrs (griotte, cassis), le pain grillé et le cuir. Tout en rondeur, la bouche conjugue l'élégance et la générosité. À déguster dès aujourd'hui sur un lapin aux pruneaux.

☞ Vignobles Dornier, 38, av. de Grande-Bretagne, 66000 Perpignan, tél. 04 68 34 97 06, fax 04 68 34 97 07, maury@closdesvinsdamour.fr, ☑ ✳ ⊺ r.-v.

DOM. DE LA COUME MAJOU Cuvée du Casot 2009 ★

| 2 000 | | 20 à 30 € |

D'origine belge, Luc Charlier, établi à Corneilla-la-Rivière depuis 2005, vendange toujours ses raisins à la main. Pour préserver le fruit, il ne veut aucune barrique chez lui, et élève ses vins exclusivement en cuve. Celui-ci, paré d'une robe rubis profond, est gourmand, dominé par les fruits très mûrs et par les épices. La structure est vive, soyeuse et bien équilibrée. Un produit essentiellement destiné à la restauration.
☞ Luc Charlier, 11, rue de l'Église, 66550 Corneilla-la-Rivière, tél. 04 68 51 84 83, charlier.luc@wanadoo.fr, ☑ ✳ ⊺ r.-v.

CH. CUCHOUS 2010 ★

| 15 000 | | 8 à 11 € |

Fondée en 1919, la coopérative de Trémoine, qui couvre 300 ha, regroupe des vignerons des villages Planèzes, Rasiguères, Lansac et Cassagnes. Ce vin d'assemblage – 50 % de syrah complétée à parts égales de grenache et de carignan – né sur granite séduit par l'élégance de son bouquet qui mêle notes vanillées et fruits noirs. La bouche, souple, ample et persistante, est encore marquée par des tanins boisés qui invitent à laisser cette cuvée un an ou deux en cave. À boire à la sortie du Guide, le **Château Planèzes 2010 (15 000 b.)** obtient lui aussi une étoile pour sa bouche puissante, aux arômes chaleureux de vanille et de garrigue.
☞ Les Vignerons de Trémoine, 5, av. de Caramany, 66720 Rasiguères, tél. 04 68 29 11 82, fax 04 68 29 16 45, rasiguères@wanadoo.fr, ☑ ✳ ⊺ t.l.j. sf dim. 8h-12h 14h-18h

DOM. DEPEYRE Cuvée Sainte-Colombe 2010 ★★

| 2 000 | | 15 à 20 € |

Installés en Roussillon depuis 1995, Serge Depeyre et Brigitte Bile cultivent la vigne dans le respect de l'environnement et de la tradition. Au domaine, ils ont recours à la mule pour assurer une partie des labours. Les soins prodigués aux raisins portent leurs fruits, pour preuve cette cuvée remarquable. Le bouquet, qui évoque les fruits à noyau et le cuir, se nuance de notes de cannelle. Souple et aromatique, ce vin se plaira en compagnie d'un filet mignon à la coriandre.
☞ Brigitte Bile, Dom. Depeyre, 1, rue Pasteur, 66600 Cases-de-Pène, tél. et fax 04 68 28 32 19 ☑ ✳ ⊺ r.-v.

DOM. DEVEZA Opus 2011 ★

| 3 000 | | 8 à 11 € |

Présente dans le Guide depuis quelques années, cette famille vigneronne et musicienne propose de belles partitions, que l'on peut apprécier à loisir sur place. Le jury a aimé ici la belle harmonie des fruits sur fond de réglisse. La bouche tout en rondeur monte en puissance sur des notes de cassis et de griotte, mis en valeur par la finale complexe, douce et boisée. À découvrir dans deux ans sur un civet de lapin de garenne.
☞ Chantal Deveza, rue Pierre-Mendès-France, 66310 Estagel, tél. 04 68 29 15 60, domainedeveza@orange.fr, ☑ ✳ ⊺ r.-v. ⌂ ⓔ

DOM. DE L'EDRE Carrément rouge 2011 ★

| ■ | 10 000 | ▬ | 11 à 15 € |

La belle aventure continue pour Jacques Castany et Pascal Dieunidou, qui vinifient depuis une dizaine d'années. À Vingrau, face au cirque grandiose dominé par des falaises calcaires, la vigne produit toujours d'aussi jolis vins. Ce 2011, grenat profond, est apprécié pour son nez intense, qui mêle le cuir et la venaison aux fruits noirs confiturés. L'attaque, agréablement ronde, introduit une bouche chaleureuse, qui montre beaucoup de volume. Le charme opère jusqu'à la longue finale vivifiée par une pointe de minéralité. Fraîche et fruitée, la cuvée **L'Edre 2011 (20 à 30 €)** reçoit une citation.
🍷 Dom. de l'Edre, 81, rue Mal-Joffre, 66600 Vingrau, tél. 06 08 66 17 51, contact@edre.fr, ⊻ r.-v.
🍷 P. Dieunidou et J. Castany

DOM. FONTANEL Tautavel Prieuré 2011 ★★

| ■ | 8 000 | ▥ | 15 à 20 € |

Remarquable, la régularité de ce domaine dirigé par Pierre et Marie-Claude Fontaneil, qui se distinguent comme l'an dernier avec leurs deux cuvées : Prieuré et Cistes. La première, d'un grenat foncé intense, offre un nez splendide de tapenade et de réglisse. Ample et charnue, la bouche généreuse allie fraîcheur et gourmandise. Comme le souligne un dégustateur : « C'est un véritable vin de terroir de très belle expression. Structure, longueur ; il a tout ! » Le **Tautavel Cistes 2011 (11 à 15 € ; 10 000 b.)** obtient une étoile pour sa concentration et sa richesse.
🍷 Dom. Fontanel, 25, av. Jean-Jaurès, 66720 Tautavel, tél. 04 68 29 04 71, fax 04 68 29 19 44, pierre@domainefontanel.fr, ☑ ⚶ ⊻ r.-v.

LES HAUTS DE FORÇA RÉAL 2010 ★★★

| ■ | 16 000 | ▥ | 15 à 20 € |

La famille Henriquès exploite 70 ha de vignes implantées sur les pentes aux sols schisteux de la colline de Força Réal, qui offre une vue magnifique sur la garrigue et sur les oliviers. Issue de syrah, de mourvèdre et de grenache, cette cuvée a été élevée dix-huit mois en fût. D'un rouge profond, discrètement florale au premier nez, elle délivre des fragrances de pivoine. Après aération, elle développe de jolies senteurs de fruits mûrs compotés, rehaussées de nuances épicées (poivre) et boisées. Racé et puissant, le palais dévoile un équilibre parfait jusqu'à la finale persistante. Un vin superbe, typique de l'appellation, qui n'est pas passé loin du coup de cœur.
🍷 Dom. Força Réal, Mas de la Garrigue, 66170 Millas, tél. 04 68 85 06 07, fax 04 68 85 49 00, info@forcareal.com, ☑ ⚶ ⊻ r.-v.
🍷 Henriquès

FRANÇOIS LURTON Pas de la mule 2010 ★

| ■ | 4 000 | ▥ | 20 à 30 € |

Implanté à Maury, l'un des domaines méridionaux du Bordelais François Lurton, séduit par le potentiel et par la diversité des terroirs du Languedoc-Roussillon. Les vieilles vignes de grenache, de syrah et de carignan qui s'enracinent au pied du château de Quéribus sont à l'origine de cette cuvée plus d'une fois distinguée par le jury. Derrière une robe grenat aux reflets bleutés, on découvre un bouquet gourmand de cerise burlat et de mûre, agrémenté de notes de garrigue. On retrouve ces arômes, soulignés de boisé, dans un palais gras et plein. La structure tannique encore assez ferme appelle deux ans de garde. À servir sur un mets riche et goûteux, un gigot d'agneau en croûte d'épices, par exemple.
🍷 François Lurton, Dom. de Poumeyrade, 33870 Vayres, tél. 05 57 55 12 12, communication@francoislurton.com

MAS DE LAVAIL Tradition 2011 ★

| ■ | 50 000 | ▬ | 5 à 8 € |

Il y a quatorze ans, Nicolas Batlle, alors jeune vigneron, a acquis ce domaine sis à Maury, village plus connu pour ses vins doux naturels. Un assemblage à parts égales de carignan et de syrah, complétés d'une touche de grenache, a donné naissance à cette cuvée couleur cerise noire, au nez puissant et épicé. Fraîche et charnue, étayée par une belle structure tannique, la bouche s'épanouit sur des arômes de fruits mûrs, et la longue finale s'enrichit de notes minérales qui complètent l'harmonie.
🍷 Dom. Mas de Lavail, RD 117, 66460 Maury, tél. 04 68 59 15 22, fax 04 68 29 08 95, masdelavail@wanadoo.fr,
☑ ⊻ t.l.j. sf dim. 10h30-12h 15h-19h
🍷 Batlle

MAS DES MONTAGNES Terroirs d'altitude 2011 ★

| ■ | 21 000 | ▥ | 8 à 11 € |

Acquis en 2007, le domaine roussillonais de Nicolas et Miren de Lorgeril, bien connus pour leurs cabardès. À la recherche de la fraîcheur, ils ont choisi des vignes en altitude. Mi-grenache mi-syrah, cette cuvée révèle un bouquet complexe mariant la réglisse et l'olive noire. Une touche subtile de violette complète cette palette en attaque, puis la bouche séduit par sa suavité et sa finesse. Ses tanins boisés appellent deux ans de garde. Belle entente en perspective avec une volaille sauce chasseur.
🍷 Vignobles Lorgeril, BP 4, Ch. de Pennautier, 11610 Pennautier, tél. 04 68 72 65 29, fax 04 68 72 65 84, marketing@lorgeril.com,
☑ ⚶ ⊻ t.l.j. sf dim. 10h-18h (ven. sam. 22h); f. jan. ⌂ ☉

♥ MAS KAROLINA 2010 ★★★

| ■ | 3 500 | ▥ | 15 à 20 € |

Mas Karolina

CÔTES DU ROUSSILLON VILLAGES

2010

Originaire de la région bordelaise, Caroline Bonville s'est installée dans la vallée de l'Agly en 2003. Depuis, ses vins figurent très souvent en bonne place dans le Guide. Le secret de cette cuvée exceptionnelle ? 16 ha de grenache, de syrah et de carignan (à parts presque égales) cultivés sur des terroirs contrastés : schistes de Rasiguères, granites de Lesquerde, argilo-calcaires de Maury. Et tout le savoir-faire de la vigneronne, rompue aux macérations

ROUSSILLON

longues et aux élevages en fût. Drapé dans une robe sombre aux reflets noirs, ce 2010 dévoile un bouquet élégant de mûre et de vanille. Dès l'attaque, les fruits s'imposent : la fraise des bois et le cassis taquinent un délicat boisé. La matière veloutée s'étire longuement en une finale majestueuse. Pour une côte de bœuf et sa poêlée de cèpes, dès l'automne.

☛ Mas Karolina, 29, bd de l'Agly,
66220 Saint-Paul-de-Fenouillet, tél. 06 20 78 05 77,
fax 04 68 84 78 30, mas.karolina@gmail.com,
☑ ✶ ⟟ t.l.j. 9h-12h30 14h30-17h30
☛ Alain Bonville

MAS PEYRE Robe pourpre
Élevé en fût de chêne 2007 ★★

◼	3 000 ⊞	8 à 11 €

Mas Peyre, c'est une histoire de famille. Les parents coopérateurs préparent le terrain. Ils quittent la cave et créent le domaine en 2003. Depuis 2009, Baptiste, le fils aîné, gère la cave et César s'occupe de la commercialisation. Issue d'une parcelle située à 400 m d'altitude entre les gorges de Galamus et les châteaux cathares, cette cuvée affiche une robe d'un rouge sombre et brillant. D'âge respectable (millésime 2007), elle a su préserver la fraîcheur du fruit. Puissante et gourmande, épicée, elle est à son apogée. Un vin parfait pour des brochettes de magret.

☛ Mas Peyre, 3 ter, rue de Lesquerde,
66220 Saint-Paul-de-Fenouillet, tél. 04 68 59 29 45,
fax 04 68 61 07 03, maspeyre@aliceadsl.fr,
☑ ✶ ⟟ t.l.j. 9h30-12h30 15h-19h 🏠 ➋

DOM. MODAT Caramany Sans plus attendre 2010 ★

◼	8 500	11 à 15 €

Philippe Modat, à la tête de l'exploitation depuis 2005, conduit un vignoble implanté à 300 m d'altitude sur un plateau aux sols de gneiss. Le domaine, en conversion bio, couvre 26,9 ha, dont 8 ha sont déjà travaillés en biodynamie. Le grenache (70 %), complété de la syrah et du carignan à parts égales, est au cœur de cette cuvée au bouquet de cerise noire et d'épices. Ample et souple, fruité à souhait, le palais est vivifié par une plaisante fraîcheur. Comme son nom l'indique, cette bouteille est à déboucher dès aujourd'hui, sur les grillades. Quant au **Caramany Comme avant 2010 (10 500 b.)**, il est cité pour ses arômes de fruits rouges et d'épices. Il faudra attendre deux ans pour qu'il révèle tout son potentiel.

☛ Dom. Modat, lieu-dit Les Plas, 66720 Cassagnes,
tél. 04 68 54 39 14, contact@domaine-modat.com,
☑ ✶ ⟟ r.-v.

CH. MONTNER Premium 2011 ★★

◼	80 000 ▮⊞	5 à 8 €

Les Vignerons des Côtes d'Agly ont proposé cette cuvée issue d'une longue macération et élevée pendant un an en fût de 300 l. Un 2011 superbe dès l'approche, dans sa robe intense aux reflets violines. Le nez puissant est rehaussé de touches d'épices douces (noix muscade) et de laurier. Le palais apparaît ample, rond et remarquablement équilibré. Ce vin riche et complexe accompagnera un perdreau en salmis et sa poêlée de cèpes.

☛ Les Vignerons des Côtes d'Agly, av. Louis-Vigo,
66310 Estagel, tél. 04 68 29 00 45, fax 04 68 29 19 80,
contact@agly.fr, ☑ ⟟ t.l.j. sf dim. 9h-12h 14h-18h

DOM. MOUNIÉ Tautavel Carpe diem
Élevé en fût de chêne 2010 ★★★

◼	2 000 ⊞	15 à 20 €

Ce domaine transmis depuis cinq générations de mère en fille est bien connu des habitués du Guide pour ses muscat-de-rivesaltes. Depuis 1993, Claude Rigaill, l'époux de Hélène, vinifie séparément les parcelles nées de différents terroirs. Cette cuvée issue majoritairement de la syrah (complétée d'une touche de grenache noir) a été élevée douze mois en barrique. Le résultat ? Une robe grenat très dense ; un bouquet superbe qui évoque les fruits noirs, l'eau-de-vie et les épices ; une bouche tout aussi complexe, où l'on reconnaît la note réglissée de la syrah jusqu'à la finale rehaussée d'une touche minérale. Les tanins présents mais élégants invitent à découvrir cette bouteille d'ici deux à trois ans.

☛ Dom. Mounié, 1, av. du Verdouble, 66720 Tautavel,
tél. 04 68 29 12 31, domainemounie@free.fr, ☑ ✶ ⟟ r.-v.

CH. LES PINS 2010 ★★

◼	88 600 ⊞	8 à 11 €

Un joli palmarès pour les vignerons de Baixas. Ce 2010, remarquable, se présente dans une belle robe profonde, grenat aux reflets pourpres. Le bouquet, intense et complexe, mêle les fruits noirs au café et à la vanille de l'élevage. D'une grande harmonie, la bouche, adossée à des tanins soyeux, révèle une jolie structure. Les cuvées **Dom. Brial Corpus 2009 (20 à 30 € ; 10 000 b.)** et **Les Pins & Co 2011 (8 à 11 € ; 20 000 b.)** obtiennent chacune une étoile. La première pour sa rondeur fruitée, la seconde pour sa fraîcheur et son équilibre.

☛ Vignobles Dom. Brial, 14, av. Maréchal-Joffre,
66390 Baixas, tél. 04 68 64 22 37, fax 04 68 64 26 70,
contact@dom-brial.com,
☑ ✶ ⟟ t.l.j. sf dim. 8h30-12h 14h-18h

DOM. PIQUEMAL La Colline oubliée
Élevée en fût de chêne 2009 ★★

◼	4 000 ▮⊞	8 à 11 €

Ce domaine très régulier en qualité vous accueillera dans ses nouveaux locaux. L'occasion de découvrir cette cuvée, assemblage de mourvèdre (50 %), de grenache et de syrah, complétée d'une touche de carignan, née sur les schistes noirs d'Espira-de-l'Agly. La Colline oubliée, à l'image des autres cuvées du domaine, allie puissance et finesse. Belle robe rubis soutenu ; bouquet superbe sur les fruits confiturés et les épices ; bouche ample et généreuse, soutenue par des tanins enrobés. L'ensemble est porté par une fraîcheur surprenante qui forge la personnalité de ce très joli vin. Fraîche et fruitée (cassis, cerise noire), la cuvée **Les Terres grillées 2010 (8 000 b.)** affiche une rare élégance. Elle obtient également deux étoiles.

☛ Dom. Piquemal, lieu-dit Della-Lo-Rec, km 7, RD 117,
66600 Espira-de-l'Agly, tél. 04 68 64 09 14,
fax 04 26 30 36 62, contact@domaine-piquemal.com,
☑ ✶ ⟟ t.l.j. sf dim. 8h-12h 14h-18h; f. sam. 1ᵉʳ jan.-15 fév.

DOM. POUDEROUX Terre brune 2009 ★★

◼	8 000 ⊞	15 à 20 €

Pour Robert et Cathy Pouderoux, les millésimes se suivent et plaisent toujours autant au jury. Belle expression du terroir de schistes bruns, ce 2009 est né de grenache complété de syrah. Le bouquet intense et sauvage mêle fruits mûrs (cassis, mûre), senteurs de garrigue et notes d'élevage. La bouche est bien structurée, puissante et généreuse. Une viande goûteuse, comme du veau rosé des Pyrénées, s'accordera bien à cette remarquable bouteille.

☛ Dom. Pouderoux, 2, rue Émile-Zola, 66460 Maury, tél. 04 68 57 22 02, domainepouderoux@orange.fr, ☑ ⚓ ☂ t.l.j. 11h-19h

Ⓑ DOM. DE RANCY 2011 ★★

| | 3 000 | ▯ | 8 à 11 € |

Le domaine de Rancy à Latour-de-France : une bonne adresse pour les amateurs de rivesaltes rancio, mais qui s'y entend aussi en vins secs ! Pour preuve ce 2011 mi-carignan mi-mourvèdre, en bio, par Delphine Verdaguer. Ce millésime a suscité un concert d'éloges : parure grenat sombre ; nez intense d'épices, de garrigue et de notes grillées ; attaque franche ; belle matière tout en nuances ; finale longue et puissante...Une fort jolie bouteille à ouvrir d'ici quatre ans sur un magret de canard aux figues rôties.

☛ Jean-Hubert Verdaguer, 11, rue Jean-Jaurès, 66720 Latour-de-France, tél. 04 68 29 03 47, info@domaine-rancy.com, ☑ ⚓ ☂ t.l.j. 10h-13h 15h-19h; dim. sur r.-v.

CH. ROMBEAU Élise Vieilles Vignes 2010 ★

| | 15 600 | ▯ | 11 à 15 € |

Vigneron, restaurateur et hôtelier, Pierre-Henri de La Fabrègue est une figure emblématique du vignoble bien connue des habitués du Guide, puisque cette cuvée Élise figure souvent en bonne place dans ces pages. Dans son restaurant, prenez le temps de découvrir ce flacon autour d'un magret de canard ou d'un gigot d'agneau grillé sur les sarments de vieux grenaches. La robe intense, noir d'encre aux reflets violets, attire le regard. Elle annonce un nez puissant de réglisse, d'épices douces et de vanille. Encore légèrement dominée par le boisé, cette bouteille se distingue par sa douceur et sa finesse.

☛ SCEA Dom. de Rombeau, 2, av. de la Salanque, 66600 Rivesaltes, tél. 04 68 64 35 35, fax 04 68 64 64 66, domainederombeau@wanadoo.fr, ☑ ⚓ ☂ t.l.j. 10h-19h 🏠 ❷
☛ P.-H. de la Fabrègue

DOM. SABARDA 2011 ★★

| | 15 000 | ▯ | 11 à 15 € |

Thomas Ducourd fait ses classes à Saint-Émilion après des études de viticulture-œnologie. En janvier 2009, il acquiert 15 ha de vignes entre Maury et Saint-Paul-de-Fenouillet, et l'aventure commence. Son exigence se traduit par un tri sélectif des baies, par des vinifications parcellaires et des élevages en barrique. Syrah et grenache, à parts égales, et une touche de carignan sont à l'origine de ce vin grenat, brillant et sombre. Le nez particulièrement intense est riche de notes poivrées avec une touche de cannelle fort agréable. La bouche franche dévoile un boisé délicat aux nuances de fruits secs et d'épices. La finale aux tanins veloutés s'étire sur des notes de réglisse. On appréciera cette bouteille dans deux ou trois ans. Pour l'accompagner, pourquoi un pigeonneau rôti aux fruits secs et au Zan, et sa mousseline de petits pois frais, suggère un dégustateur ?

☛ Dom. Ducourd, rue de la Fou, ZA Le Réal, 66220 Saint-Paul-de-Fenouillet, tél. 06 19 99 16 52, domainesducourd@orange.fr, ☑ ⚓ ☂ r.-v.

DOM. DES SCHISTES La Coumeille 2011 ★

| | 3 000 | ▯ | 20 à 30 € |

Dans leur cave au cœur du village d'Estagel, Jacques et Mickaël Sire proposent des vins concentrés régulièrement distingués dans le Guide. Issu d'un assemblage dominé par la syrah, ce vin reflète ce cépage, son élevage et son terroir de schistes bruns, par sa solide structure tannique et ses arômes bien typés : les notes de confiture de fruits rouges et noirs se mêlent à la réglisse, au boisé et au grillé. Dans le même registre, la bouche se montre puissante, équilibrée par une pointe de fraîcheur en finale. Même distinction pour le **Tradition 2011 (8 à 11 € ; 20 000 b.)**, au bouquet d'une bonne complexité, fruité (cerise, cassis, mûre) et grillé (café), prolongé par une bouche chaleureuse et consistante. Deux vins charmeurs à attendre trois ou quatre ans.

☛ Dom. des Schistes, 1, av. Jean-Lurçat, 66310 Estagel, tél. 04 68 29 11 25, fax 04 68 29 47 17, sire-schistes@wanadoo.fr, ☑ ⚓ ☂ r.-v. 🏠 Ⓒ

SEMPER Clos Florent 2010 ★★★

| | 6 000 | ▯ | 8 à 11 € |

La famille Semper est bien connue des lecteurs du Guide. Née sur un terroir de schistes bruns, cette cuvée Clos Florent remarquable de puissance et d'équilibre frôle le coup de cœur. Une robe rouge profond annonce un nez intense qui marie harmonieusement cassis et notes de garrigue. Dès l'attaque, on devine que le palais n'est pas en reste : riche, ample et long, celui-ci est parfaitement équilibré entre fruits rouges mûrs et tanins boisés. À savourer dans un an sur un gigot d'agneau.

☛ Dom. Semper, 2, chem. du Rec, 66460 Maury, tél. et fax 04 68 59 14 40, domaine.semper@wanadoo.fr, ☑ ⚓ ☂ t.l.j. 10h30-12h 15h30-19h

♥ DOM. SERRELONGUE Extrait de passion 2010 ★★★

| | 3 000 | ▯ | 20 à 30 € |

Depuis 2002, Julien Fournier vinifie en cave particulière sur le domaine familial couvrant 6,5 ha sur les schistes de Maury. Une sélection de vignes âgées de cinquante ans de syrah (50 %), de mourvèdre (40 %) et de grenache est à l'origine de cette superbe cuvée grenat aux reflets violines. Le bouquet puissant marie harmonieusement cannelle, clou de girofle et écorce d'orange. Après une attaque tout en rondeur et en douceur, la bouche allie souplesse et fraîcheur, soutenue par des tanins soyeux et fondus. Le boisé est élégant, délicatement vanillé. Un grand vin à découvrir dès la sortie du Guide sur des mets variés – y compris des rougets grillés. Quant à la cuvée **Saveur de vigne 2011 (8 à 11 € ; 5 000 b.)**, elle obtient

ROUSSILLON

deux étoiles, tant pour son joli nez de fruits et de garrigue que pour sa bouche riche et charnue.

☛ Julien Fournier, 149, av. Jean-Jaurès, 66460 Maury, tél. 04 68 59 02 17, julienf66@aol.com, ☑ ⚄ ⟊ r.-v.

Ⓑ DOM. SINGLA Castell Vell 2009 ★

■			
	9 600	▥	15 à 20 €

Dans la famille, on est juriste et propriétaire de vignes. Laurent de Besombes, à vingt et un ans, se sent davantage attiré par les vignes que par les prétoires. En 1998, il se frotte au dur labeur d'ouvrier agricole et retourne pendant deux ans au lycée agricole de Rivesaltes. En 2001, il reprend la propriété familiale et l'oriente vers l'agriculture biologique. Le domaine est certifié depuis 2006. Laurent vendange les raisins très mûrs, car il aime les vins gourmands et généreux aux arômes épicés, comme cette cuvée où vivacité, puissance et structure font bon ménage. Un vin à découvrir à L'Atelier du domaine Singla, son bar à vins situé à Saint-Laurent-de-la-Salanque.

☛ Laurent de Besombes Singla, 4, rue de Rivoli, 66250 Saint-Laurent-de-la-Salanque, tél. et fax 04 68 28 30 68, laurent.debesombes@free.fr, ☑ ⚄ ⟊ r.-v.

DOM. DES SOULANES Sarrat del Mas 2011 ★

■			
	4 600	▤▥	11 à 15 €

Le Mas de Las Fredas et son vignoble, situés au pied du château de Quéribus, ont été rachetés en 2003 par Cathy et Daniel Laffite. Avant de devenir propriétaire, Daniel a travaillé sur le domaine pendant quinze ans. Il signe un 2011 au nez franc, frais et légèrement réglissé, à la bouche structurée et équilibrée, soutenue par des tanins suaves et fondus et par un boisé bien présent. Une petite garde d'un an ou deux permettra à cette bouteille de s'épanouir pleinement.

☛ Daniel Laffite, Mas de Las-Fredas, 66720 Tautavel, tél. 06 12 33 63 14, daniel.laffite@nordnet.fr, ☑ ⚄ ⟊ r.-v.

DOM. THUNEVIN-CALVET
L'Amourette Maxima Briza 2009 ★★★

■			
	13 000	▣	11 à 15 €

En 2001, Jean-Roger Calvet, son épouse et Jean-Luc Thunevin, bien connu à Saint-Émilion, se sont associés pour créer ce domaine. Depuis dix ans, les désherbants sont proscrits sur l'exploitation, tandis que l'amourette, graminée du Midi, a fait sa réapparition entre les ceps. Elle donne son nom à cette cuvée qui charme d'emblée par l'intensité de sa palette de fruits rouges et noirs. Charnu, bâti sur des tanins serrés, le palais apparaît concentré, tout en montrant une rare élégance. Une pointe de fraîcheur contribue à l'harmonie de ce vin gourmand, à découvrir dès aujourd'hui. La cuvée Constance 2010 (5 à 8 € ; 130 000 b.), qui s'étire longuement sur des notes fraîches et fruitées, obtient deux étoiles.

☛ Thunevin-Calvet, 13, rue Pierre-Curie, 66460 Maury, tél. 04 68 51 05 57, fax 04 68 51 17 28, jr@thunevin-calvet.fr, ☑ ⚄ ⟊ t.l.j. 9h30-12h30 14h30-18h30

VIGNERONS CATALANS Caramany
Élevé en fût de chêne 2010 ★★

■			
	30 000	▥	5 à 8 €

Ce groupement de producteurs du Roussillon créé en 1964 est connu dans le monde entier grâce à ses marques Fruité Catalan et Terroir Catalan. Carignan, syrah et grenache, nés sur un terroir de gneiss et d'arènes granitiques, sont à l'origine d'une cuvée plus ambitieuse, jugée remarquable. Drapée dans une robe grenat aux nuances violettes et noires, elle offre un bouquet superbe, cocktail de fruits mûrs (cassis) et d'épices (cannelle). L'attaque souple annonce un palais équilibré, soutenu par des tanins soyeux. Une bouteille gourmande qui procure beaucoup de plaisir dès aujourd'hui. Pourquoi ne pas la découvrir sur des joues de porc sauce au vin ?

☛ Vignerons Catalans, 1870, av. Julien-Panchot, BP 29000, 66962 Perpignan Cedex 9, tél. 04 68 85 04 51, fax 04 68 55 25 62, contact@vigneronscatalans.com

Ⓑ DOM. LA VISTA Grains mêlés 2011 ★

■			
	25 000	▤	5 à 8 €

Catherine Pouderoux, épouse de Robert du domaine Pouderoux, a repris en 2006 cette propriété familiale, située à Corneilla-la-Rivière. Élevé six mois en cuve, ce 2011 est né de la syrah (55 %), complétée à parts presque égales de carignan et de mourvèdre. La robe profonde, teintée de pourpre, annonce un bouquet chaleureux de fruits mûrs (cassis, mûre) et de garrigue. Douce et concentrée, la bouche s'étire longuement, soutenue par des tanins encore serrés. À découvrir en 2015 sur un lapin aux pruneaux.

☛ Dom. la Vista, Los Parès, 66550 Corneilla-la-Rivière, tél. 04 68 57 22 02, 123pou@wanadoo.fr, ☑ ⚄ ⟊ r.-v.

Collioure

Superficie : 619 ha
Production : 19 930 hl (85 % rouge et rosé)

Portant le nom d'un charmant petit port méditerranéen, cette appellation couvre le même terroir que celui de l'appellation banyuls ; il regroupe les quatre communes de Collioure, Port-Vendres, Banyuls-sur-Mer et Cerbère. Les collioure rouges et rosés assemblent principalement grenache noir, mourvèdre et syrah, le cinsault et le carignan entrant comme cépages accessoires. Issus de petits rendements, ce sont des vins colorés, chaleureux, corsés, aux arômes de fruits rouges bien mûrs. Les rosés sont aromatiques, riches et néanmoins nerveux. Les collioure blancs, qui font la part belle aux grenaches blanc et gris, sont produits depuis le millésime 2002.

DOM. BERTA-MAILLOL Barral 2011 ★

■			
	6 500	▥	11 à 15 €

Rejoint en 2003 par Michel, Jean-Louis Berta-Maillol avait pris la suite de son père en 1996. Les deux frères perpétuent une tradition familiale qui remonte à plus de quatre cents ans ! Ils sont installés à 3 km en arrière de la côte, dans la petite vallée accidentée de la Baillaury. Avec cette cuvée Barral (terme qui désigne en catalan une "petite barrique"), ils proposent un vin rouge né de l'assemblage de quatre variétés (dont 50 % de grenache). Malgré un court séjour dans le bois, ce sont les fruits rouges qui dominent au nez (cerise mûre). On les retrouve dans une bouche fraîche marquée en finale par des tanins aux accents de réglise. Un « vin plaisir », à déguster jusqu'en 2015 sur une viande en sauce ou même sur un pavé de thon.

🍷 Jean-Louis et Michel Berta-Maillol, Mas Paroutet, rte des Mas, 66650 Banyuls-sur-Mer, tél. et fax 04 68 88 00 54, domaine@bertamaillol.com, ☑ ⚥ Ⲩ t.l.j. 9h30-12h30 14h30-18h30

CAZES Notre-Dame des Anges 2012 ★★

	16 000	🔖 ⑪	15 à 20 €

La famille Cazes est établie à Rivesaltes, où elle exploite en biodynamie un vaste domaine (220 ha) bien connu de nos lecteurs. Ayant aussi noué des partenariats avec des viticulteurs de la région, elle a pu élargir sa gamme de vins du Roussillon. C'est ainsi qu'elle propose depuis plusieurs années des collioure, tel ce blanc d'un bel or brillant, né des grenaches blanc et gris, qui libère un nez floral (chèvrefeuille) teinté de minéralité, puissant et fruité en bouche (pêche de vigne), légèrement toasté en finale. Un vin harmonieux qui appelle une parellada de poissons. Le **rouge 2011 (15 000 b.)**, assemblage de grenache (45 %), de syrah et de mourvèdre, offre les arômes suaves de cerise du premier cépage sur un fond réglissé qui rappelle la seconde variété. Bien équilibré, il accompagnera un civet dès l'année 2014. On pourra goûter ces vins à *La Table d'Aimé*, le bistrot bio des Cazes à Rivesaltes.

🍷 Cazes, 4, rue Francisco-Ferrer, 66600 Rivesaltes, tél. 04 68 64 08 26, fax 04 68 64 69 79, info@cazes.com, ☑ ⚥ Ⲩ t.l.j. sf dim. 8h30-12h 14h-18h30

LES CLOS DE PAULILLES 2011 ★★

	80 000	🔖	11 à 15 €

L'acquisition en 2013 des Clos de Paulilles par les Cazes confirme le souci de ces célèbres vignerons de Rivesaltes d'élargir leur offre. Le domaine couvre 90 ha, dont 63 sont plantés de vignes, et sa cave a été rénovée. Lieu magique situé autour de l'anse de Paulilles, entre Port-Vendres et Banyuls, la propriété est aussi un complexe touristique (discret) avec son restaurant les pieds dans l'eau et son gîte. On pourra y découvrir ce collioure rouge issu de la trilogie mourvèdre-syrah-grenache. Rubis profond, ce 2011 livre des parfums intenses et concentrés de fruits mûrs et d'épices. La bouche fraîche et structurée offre une finale savoureuse et longue. Un « vin plaisir », à apprécier dès maintenant sur un plat mijoté. Pour le **blanc 2012 (11 à 15 € ; 20 000 b.)**, né de grenache, on choisira une poêlée de coques. Un vin cité, tant pour ses arômes de fleurs blanches, d'agrumes et de vanille que pour son palais à la fois gras et acidulé.

🍷 Les Clos de Paulilles, baie de Paulilles, 66660 Port-Vendres, tél. 04 68 98 07 58, info@cazes.com, ☑ ⚥ Ⲩ t.l.j. sf dim. 9h-12h 14h-18h30
🍷 Cazes

COUME DEL MAS Abysses 2011 ★

	2 000	⑪	20 à 30 €

Ingénieur agronome, Philippe Gard a d'abord travaillé à la chambre d'agriculture d'Auxerre, puis à celle de Bordeaux. Mais sa passion, c'est la vigne, et il a fini par se poser en 2001 à Cosprons, près de l'anse des Paulilles, sur 13 ha en terrasses. Et il a trouvé sa voie, à en juger par les quatre coups de cœur obtenus dans les deux appellations de la Côte Vermeille. Deux cépages pour cette cuvée

Abysses, du grenache et de la syrah. L'élevage de douze mois de barrique apporte des notes épicées aux parfums de fruits mûrs, voire confiturés (mûre, cassis), nuancés par une pointe d'eucalyptus. Après une attaque souple et fruitée, la bouche se montre ronde, fraîche et réglissée. Ce vin accompagnera avec bonheur un médaillon de veau aux girolles. Assemblage de grenache (50 %), de mourvèdre et de carignan, la cuvée **Quadratur 2011 (7 000 b.)** obtient également une étoile pour son nez associant les notes d'élevage au fruit mûr, au cuir et à la tapenade, et pour sa bouche ample au boisé bien marié.

🍷 Coume Del Mas, 3, rue Alphonse-Daudet, 66650 Banyuls-sur-Mer, tél. 06 86 81 71 32 ☑ ⚥ Ⲩ r.-v.
🍷 Philippe Gard

CYRCÉE 2011 ★★

	4 008	⑪	30 à 50 €

Cette coopérative s'appuie sur les 1 200 ha de ses adhérents. Cyrcée est une cuvée luxueuse assemblant 55 % de mourvèdre et 45 % de syrah. Sa robe violine est remarquable de profondeur. Le nez, complexe, se partage entre les notes de réglisse, de Zan et de violette caractéristiques de la syrah, et une touche animale (cuir) sans doute léguée par le mourvèdre, avec une nuance raffinée de fleur blanche (chèvrefeuille). En bouche, la réglisse s'accompagne d'un léger boisé au sein d'une matière ronde soutenue par des tanins croquants. Une belle finale poivrée conclut la dégustation. Une superbe bouteille, qui atteindra son optimum en 2015-2016. Le **rosé Cornet & Cie 2012 (11 à 15 € ; 15 012 b.)** obtient une étoile. Sa robe colorée, son fruité intense et son palais rond et équilibré composent un ensemble flatteur, qui mettra en valeur des grillades. À noter que la cave, très diffusée en restauration, fournit des demi-bouteilles pour ce dernier vin.

🍷 La Cave de l'Abbé Rous, rte du Balcon-de-Madeloc, 66650 Banyuls-sur-Mer, tél. 04 68 88 72 72 ☑ Ⲩ r.-v.

LE DOMINICAIN Cuvée Jean Pascot 2011 ★

	2 000	🔖	11 à 15 €

Créée en 1926, cette petite coopérative installée dans l'ancienne église du couvent des Dominicains (XIIIᵉs.) propose uniquement des banyuls et des collioure issus des 120 ha de ses adhérents. Dans cette cuvée, Francis Pous, actuel président de la cave, et les viticulteurs rendent un bel hommage à Jean Pascot, figure emblématique de Collioure, qui fut notamment maire de la cité et lui aussi président de la cave. Le mourvèdre et le carignan escortent le grenache noir, majoritaire, dans ce vin mêlant la mûre et le cassis à des accents de schistes chauds et de ciste. Souple en attaque, ample et sans aspérité, la bouche, jouant sur la finesse plus que sur la puissance finit sur une note mentholée. À servir dès maintenant, comme la cuvée **Les Culottes 2011 (8 à 11 € ; 6 000 b.)**, dominée elle aussi par le grenache, qui est citée.

🍷 Cave coop. le Dominicain, pl. Orfila, 66190 Collioure, tél. 04 68 82 05 63, fax 04 68 82 43 06, contact@dominicain.com, ☑ ⚥ Ⲩ t.l.j. 9h-12h30 13h30-19h

L'ÉTOILE Les Toiles fauves 2012 ★★

	13 000	🔖	8 à 11 €

La plus ancienne cave de Banyuls, L'Étoile, a été fondée au lendemain de la Première Guerre mondiale, en 1921. Présidée par Jean-Pierre Centène et dirigée par

ROUSSILLON

Bruno Cazes, elle a gardé son caractère familial : sa surface d'approvisionnement se limite à 122 ha dans les aires d'appellation banyuls et collioure. La cuvée Les Toiles fauves, allusion au rôle de Collioure dans l'école fauviste, existe dans les trois couleurs. Ce 2012, grenat profond, assemble grenache (60 %) et syrah. Intense au nez avec ses notes de poivre, de fruits rouges et de sous-bois, il attaque avec souplesse et déroule une matière à la fois ronde et étoffée, fruitée et épicée. Il donne envie de le goûter dès maintenant, sur un gigot d'agneau en croûte d'épices. Dominée elle aussi par le grenache, avec de la syrah et du mourvèdre en appoint, la cuvée **Montagne 2011 rouge (11 à 15 € ; 6 000 b.),** plus stricte en finale, obtient une étoile.

🕮 Sté coopérative l'Étoile, 26, av. du Puig-del-Mas, 66650 Banyuls-sur-Mer, tél. 04 68 88 00 10, fax 04 68 88 15 10, info@cave-letoile.com, ☑ ⚒ ⚓ t.l.j. 9h30-12h30 14h30-18h

💙 **DOM. MADELOC** Cuvée Crestall 2010 ★★

| ▪ | 2 500 | ⬤ | 20 à 30 € |

Pierre Gaillard aime le schiste et les pentes. Bien connu pour ses vins de la vallée du Rhône septentrionale, il a acquis il y a dix ans à Banyuls un domaine qu'il a remis en état. C'est aujourd'hui sa fille Élise, ingénieur agricole, qui conduit les 28 ha de vignes. Sur ces terres, pas de machines ; le travail des sols se fait au treuil ou à l'aide d'un mulet. Le tri de la récolte est sévère, et l'élevage sous bois de rigueur pour des cuvées ambitieuses comme celle-ci, qui décroche un coup de cœur pour la deuxième année consécutive. Né de syrah et de mourvèdre à parts égales, ce 2010 a séjourné dix-huit mois en barrique neuve. Toute la dégustation révèle un vin concentré à l'extrême : une robe presque noire aux reflets grenat profond ; un nez intense et complexe, alliant la cerise à l'eau-de-vie, l'olive noire, la réglisse, la torréfaction et les épices douces (dont la vanille) ; un palais aussi puissant que gourmand, ample et charnu, soutenu par des tanins imposants mais enrobés, aux accents cacaotés. Un ensemble élégant, consistant et persistant, à attendre deux à cinq ans avant de le servir sur du gibier ou des viandes en sauce. Sont retenus une étoile : la **cuvée Serral 2010 rouge (11 à 15 € ; 10 000 b.),** dont l'assemblage est dominé par le grenache ; ronde et équilibrée, elle pourra se boire prochainement ; et le **blanc Penya 2011 (1 300 b.),** issu du grenache gris et du vermentino, gras, floral, fruité et boisé.

🕮 Dom. Madeloc, 1 bis, av. du Gal-de-Gaulle, 66650 Banyuls-sur-Mer, tél. 04 68 88 38 29, fax 04 68 88 04 65, domaine-madeloc@wanadoo.fr, ☑ ⚒ ⚓ t.l.j. 9h-12h 14h-18h; sam. dim. sur r.-v.
🕮 Pierre Gaillard

DOM. PIC JOAN 2011 ★★

| ▪ | 3 350 | ▪⬤ | 15 à 20 € |

Jean Solé et Laura Parcé forment un jeune couple de vignerons et se disent « artisans du vin ». Ils se sont lancés avec à peine plus de 2 ha et, s'ils en exploitent aujourd'hui environ sept, ils travaillent toujours avec régularité. Leur collioure blanc avait créé la sensation dans le millésime 2009, et fait entrer le domaine dans le Guide par la grande porte, en récoltant un coup de cœur. Ce 2011, remarquable expression des grenaches gris et blanc, est de la même veine. D'un or pâle et brillant, il offre un nez séducteur et complexe de fleurs et d'agrumes (citron, mandarine). La bouche, à la fois ronde et fraîche, n'est pas en reste, offrant des arômes exubérants de fruits blancs soulignés d'un délicat boisé. On appréciera cette bouteille dans les trois ans à venir avec poisson, viandes blanches et fromages à pâte pressée. Floral et élégant, le **rosé 2012 (8 à 11 € ; 2 700 b.),** qui assemble grenache noir, mourvèdre et syrah par tiers, obtient une étoile. Des vins que l'on pourra découvrir dans le restaurant du domaine ouvert le soir de juin à la mi-octobre.

🕮 Jean Solé, 20, rue de l'Artisanat, 66650 Banyuls-sur-Mer, tél. 06 21 34 20 96, domainepicjoan@orange.fr, ☑ ⚒ ⚓ t.l.j. sf dim. 9h-12h 15h-18h

DOM. PIÉTRI-GÉRAUD Le Moulin de la Cortine 2011 ★

| ▪ | 3 998 | ▪ | 11 à 15 € |

Dans ce domaine, tout se conjugue au féminin. Laetitia Piétri-Clara, la propriétaire vigneronne, a d'abord travaillé avec sa mère Maguy avant de prendre les rênes du domaine en 2006, conseillée par l'œnologue Hélène Grau. Sa minuscule cave est située au cœur du village de Collioure. Cette année encore, des vins de la propriété sont au rendez-vous du Guide : trois rouges de styles différents qui reçoivent chacun une étoile. Ce Moulin de la Cortine associe grenache, syrah et mourvèdre à parts presque égales. On aime son nez flatteur de framboise et de cassis, et sa bouche gourmande et puissante aux tanins fins et policés. Un ensemble élégant et charmeur, que l'on peut attendre un an ou deux. Le **rouge Sine Nomine 2011 (4 673 b.)** comprend davantage de grenache et ajoute un peu de carignan à l'assemblage. Bien fruité, suave et rond, il est fait pour maintenant. Très différent, le **rouge Trousse Chemise 2010 (20 à 30 € ; 1 600 b.),** dominé par le mourvèdre, porte l'empreinte de son élevage de vingt-quatre mois en barrique, mais ses tanins fondus permettront de le servir prochainement. Quant au **blanc L'Écume 2011 (4 600 b.),** assemblage dominé par les grenaches, floral au nez, rond et boisé en bouche, il est cité.

🕮 Laetitia Piétri-Clara, Dom. Piétri-Géraud, 22, rue Pasteur, 66190 Collioure, tél. 04 68 82 07 42, fax 04 68 98 02 52, domaine.pietri-geraud@wanadoo.fr, ☑ ⚒ ⚓ r.-v.

LA RECTORIE Côté mer 2011 ★

| ▪ | 25 000 | ⬤ | 11 à 15 € |

L'arrière-grand-père était vigneron à Banyuls il y a plus de cent ans. Aujourd'hui, le domaine est dirigé par Thierry Parcé, qui vinifie depuis 1984, et par son fils Jean-Emmanuel. Le tandem exploite 30 ha répartis en autant de parcelles, entre mer et montagne. Cette année, la cuvée Côté mer est sur le devant de la scène. Elle assemble la syrah et le grenache noir, le carignan faisant l'appoint. Les agrumes ont un joli nez de fruits rouges et noirs bien mûrs, sa bouche équilibrée, plutôt souple, fruitée et épicée en finale. Un vin à déguster dans les deux ou trois ans, sur une selle d'agneau en croûte de sel par exemple.

Thierry et Jean-Emmanuel Parcé, Dom. de la Rectorie, 28/65, av. du Puig-del-Mas, BP 35, 66650 Banyuls-sur-Mer, tél. 04 68 88 13 45, fax 04 68 88 51 22, thierryparce@orange.fr,
✓ ⚔ ⊤ t.l.j. sf dim. 10h-12h 16h-19h

DOM. SAINT-SÉBASTIEN Inspiration céleste 2010 ★

■	2 000	⊞ 20 à 30 €

Associés, Jacques Piriou et Romuald Peronne – l'œnologue – ont repris ce domaine de 15 ha il y a cinq ans et sont entrés dans le Guide par la grande porte, en décrochant très vite trois coups de cœur avec leurs collioure – notamment pour le millésime 2008 de cette cuvée Inspiration céleste, qui appartient à la gamme la plus ambitieuse, élevée en barrique. Le grenache noir domine (90 %), complété par le carignan. Le vin montre des reflets violines engageants et offre un nez intense de pain grillé, de cerise noire, d'épices et de truffe. La bouche est souple et fondue, et le boisé laisse parler le fruit, marquant juste la finale d'une note délicate et épicée. Le **blanc Empreintes 2012 (11 à 15 € ; 8 000 b.)** fait jeu égal. Il tire du grenache (gris, surtout) son nez tout en finesse, intensément floral et miellé, et sa bouche ronde avec élégance, étoffée et longue. On pourra découvrir ces vins sur le front de mer de Banyuls, face au port, où se trouvent la cave des propriétaires ainsi que leur restaurant *Le Jardin de Saint-Sébastien*.
Dom. Saint-Sébastien, 10, av. du Fontaulé, 66650 Banyuls-sur-Mer, tél. 04 68 88 30 14, contact@domaine-st-sebastien.com,
✓ ⚔ ⊤ t.l.j. 10h-13h 14h-19h
Piriou-Peronne

♥ CELLIER DES TEMPLIERS Prestige 2011 ★★★

■	6 474	⊞ 30 à 50 €

Fondée en 1950, cette coopérative dispose pour son approvisionnement des 1 200 ha de ses adhérents. Elle change de nom : le « cellier » devient « Terre » des Templiers, pour insister sur son histoire et sur le rôle de cet ordre religieux dans l'aménagement du vignoble. Ce qui en revanche reste constant, c'est la qualité de ses cuvées. Georges Roque, le président, et son équipe ajoutent un coup de cœur à un palmarès déjà fourni, grâce à ce 2011 élevé un an en fût qui marie mourvèdre et syrah. À la robe pourpre profond ornée de reflets violines répond un nez puissant qui mêle la mûre et le cassis à des notes grillées évoquant le café. Une attaque franche et fruitée introduit une bouche minérale et concentrée aux tanins enrobés. La longue finale renoue avec les fruits mûrs, un boisé délicat et fondu la soulignant. Un vin à déboucher

à partir de 2014 – sans hâte, car il tiendra bien cinq ans. Le **Ch. des Abelles 2009 rouge (11 à 15 € ; 101 370 b.)**, assemblage de quatre cépages, grenache en tête, a évolué dans le bon sens ; rond et complexe, il obtient deux étoiles, tout comme le **rosé Terres des Oms 2012 (11 à 15 € ; 5 148 b.)** qui est issu d'un domaine en bio, et à l'originalité d'être dominé par le carignan. Il est ample et chaleureux.
Terre des Templiers, rte du Mas-Reig, 66650 Banyuls-sur-Mer, tél. 04 68 98 36 70, fax 04 68 88 00 84, dmalejacq@templers.com,
✓ ⚔ ⊤ t.l.j. 10h-19h30; f. 1er-22 jan.

DOM. LA TOUR VIEILLE La Pinède 2011

■	14 000	▮ 11 à 15 €

Créé en 1982, le domaine regroupe les vignes de Vincent Cantié à Collioure et celles de Christine Campadieu à Banyuls. L'exploitation domine la mer sur les hauteurs de Collioure, et excelle aussi bien en vins doux naturels qu'en vins secs. Assemblage de grenache noir (60 %), de carignan et de mourvèdre, cette cuvée dévoile au nez des notes de cerise. Ces petits fruits rouges se prolongent dans une bouche fraîche, souple et équilibrée. Un vin pour maintenant, qui s'accordera avec des côtelettes d'agneau ou avec une pintade à la catalane.
Dom. la Tour Vieille, 12, rte de Madeloc, 66190 Collioure, tél. 04 68 82 44 82, fax 04 68 82 38 42, info@latourvieille.fr, ✓ ⚔ ⊤ r.-v.

ⒷDOM. DU TRAGINER Cuvée Capatas 2010

■	3 000	⊞ 30 à 50 €

Depuis plus de vingt ans, Jean-François Deu laboure ses vignes en terrasses avec un mulet, comme le faisait Anicet, son oncle *traginer* ("muletier" en catalan). Dès 1988, il a travaillé quelques parcelles en culture biologique et biodynamique. Son domaine est à présent en bio certifié, et les vinifications sont réalisées dans le même esprit, sans levurage ni enzymage, et même sans soufre dans cette cuvée Capatas. Jean-François aime les vins très concentrés. Celui-ci, qui assemble syrah (50 %), grenache, carignan et mourvèdre, correspond à ce profil. De couleur cerise noire, il offre un nez élégant et complexe sur le fruit rouge écrasé ou confituré, prélude à une bouche puissante et épicée aux notes de gibier et de réglisse. Le boisé légué par un séjour de vingt-quatre mois en fût est plus appuyé qu'au nez. Un vin chaleureux et structuré, à ouvrir à partir de 2015 sur un civet de lièvre ou de sanglier.
Jean-François Deu, 7, rue Saint-Pierre, 66650 Banyuls-sur-Mer, tél. 04 68 88 15 11, jfdeu@hotmail.com, ✓ ⊤ r.-v.

Les vins doux naturels

Dès l'Antiquité, les vignerons de la région ont élaboré des vins liquoreux de haute renommée. Au XIIIᵉs., Arnaud de Villeneuve découvrit le mariage miraculeux de la « liqueur de raisin et de son eau-de-vie » : c'est le principe du mutage qui, appliqué en pleine fermentation sur des vins rouges ou blancs, arrête celle-ci en préservant ainsi une certaine quantité de sucre naturel.

ROUSSILLON

Les vins doux naturels d'appellation contrôlée se répartissent dans la France méridionale : Pyrénées-Orientales, Aude, Hérault, Vaucluse et Corse, jamais bien loin de la Méditerranée. Les cépages utilisés sont le grenache (blanc, gris, noir), le macabeu, la malvoisie du Roussillon, dite tourbat, le muscat à petits grains et le muscat d'Alexandrie. La taille courte est obligatoire.

Les rendements sont faibles et les raisins doivent, à la récolte, avoir une richesse en sucre de 252 g minimum par litre de moût. L'agrément des vins est obtenu après un contrôle analytique. Ils doivent présenter un taux d'alcool acquis de 15 à 18 % vol., une richesse en sucre de 45 g minimum à plus de 100 g pour certains muscats et un taux d'alcool total (alcool acquis plus alcool en puissance) de 21,5 % vol. minimum. Certains sont commercialisés tôt (muscats), d'autres le sont après trente mois d'élevage. Vieillis sous bois de manière traditionnelle, c'est-à-dire dans des fûts, ils acquièrent parfois après un long élevage des notes très appréciées de rancio.

Banyuls et banyuls grand cru

Superficie : 1 160 ha
Production : 28 500 hl (90 % rouge)

Voici un terroir exceptionnel, comme il en existe peu dans le monde viticole : à l'extrémité orientale des Pyrénées, des coteaux en pente abrupte sur la Méditerranée. Seules les quatre communes de Collioure, Port-Vendres, Banyuls-sur-Mer et Cerbère bénéficient de l'appellation. Le vignoble s'accroche à des terrasses installées sur des schistes dont le substrat rocheux est, sinon apparent, tout au plus recouvert d'une mince couche de terre. Le sol est donc pauvre, souvent acide, n'autorisant que des cépages très rustiques, comme le grenache, au rendement extrêmement faible – souvent moins d'une vingtaine d'hectolitres à l'hectare.

En revanche, le lieu bénéficie d'un microclimat particulier avec un ensoleillement optimisé par la culture en terrasses – culture difficile car manuelle, afin de protéger la terre qui ne demande qu'à être ravinée par le moindre orage – et par la proximité de la Méditerranée.

L'encépagement des rouges, majoritaires, est à base de grenache ; ce sont surtout de vieilles vignes qui occupent le terroir. La vinification se fait par macération ; le mutage intervient parfois sur le raisin, permettant ainsi une longue macé-

ration qui peut durer plus d'un mois ; c'est la pratique de la macération sous alcool, ou mutage sur grains. Grenaches gris et blanc, macabeu, plus rarement muscat et malvoisie, entrent dans la composition des blancs.

L'élevage joue un rôle essentiel. En général, il tend à favoriser une évolution oxydative du produit, dans le bois (foudres, demi-muids) ou en bonbonnes exposées au soleil sur les toits des caves. Les différentes cuvées ainsi élevées sont assemblées avec le plus grand soin par le maître de chai pour créer les nombreux types que nous connaissons. Dans certains cas, l'élevage cherche à préserver au contraire le fruit du vin jeune en empêchant toute oxydation ; on obtient alors des produits différents : ce sont les rimages. Pour l'appellation grand cru, l'élevage sous bois est obligatoire pendant trente mois.

Les vins sont rouges, de couleur rubis à acajou, avec un bouquet de raisins secs, de fruits cuits, d'amande grillée, de café, d'eau-de-vie de pruneau, ou plus rarement blancs. Les rimages gardent des arômes de fruits rouges, de cerise et de kirsch. Les banyuls se dégustent à une température de 12 à 17 °C selon leur âge ; on les boit à l'apéritif, au dessert (certains banyuls sont les seuls vins à pouvoir accompagner un dessert au chocolat), avec un café et un cigare, mais également avec du foie gras, un canard aux cerises ou aux figues, et certains fromages à pâte persillée.

Banyuls

DOM. BERTA-MAILLOL Traditionnel
Cuvée Avis 1999 ★★★

■		1 500	▥	30 à 50 €

Jean-Louis et Michel Berta-Maillol perpétuent une tradition vigneronne qui remonte à plus de quatre siècles. Dans leur cave, lovée dans la vallée de la Baillaury, cohabitent demi-muids, barriques et tonnelets recélant quelques petites merveilles bien élevées. Le père, Yvon, fait volontiers revivre l'ancêtre sculpteur, Aristide Maillol, qui a son musée à Banyuls. Un des aïeux (*avis* auquel cette cuvée de pur grenache rend sans doute hommage). Après quinze ans, ce banyuls se pare d'une robe topaze, entre ambré et cuivré, et libère des senteurs complexes et pleines d'attraits : nougatine, abricot sec, datte, pruneau, avec une touche d'écorce d'orange. La suite de la dégustation réserve un superbe fondu, un tanin velouté, de la minéralité, du fruit sec et du fruit confit. L'ensemble est élégant, frais, souligné en finale par une pointe d'amertume qui l'étire à l'infini.

☛ Jean-Louis et Michel Berta-Maillol, Mas Paroutet, rte des Mas, 66650 Banyuls-sur-Mer,
tél. et fax 04 68 88 00 54, domaine@bertamaillol.com,
☒ ⚔ ⟁ t.l.j. 9h30-12h30 14h30-18h30

DOM. DE LA CASA BLANCA Roudoulère 2011 ★★★

■		3 800	ⅡⅠ	15 à 20 €

Dans l'arrière-pays de Banyuls, sur les anciennes terrasses étroites, la mule a repris ici du service entre les grenaches tortueux, presque centenaires. Avec patience et sans bruit, dans un grand respect du terroir, le travail se poursuit dans cette cave, qui est l'une des plus anciennes de l'appellation. Son **blanc 2011 Les Escoumes (11 à 15 € la bouteille de 50 cl ; 2 000 b.)**, bien équilibré, offre un joli fruité évoquant les fruits exotiques et l'abricot ; il est cité, tout comme la cuvée **Pineil 2011 rouge (3 000 b.)**, franche et chaleureuse. La préférence va à ce Roudoulère d'un rouge burlat profond. Au nez, la cerise s'entoure de notes de cannelle, de poivre et d'une touche iodée typique. Le fruit charnu s'allie à la vanille au sein d'une matière ample et généreuse, soutenue par un joli grain de tanin. D'une rare longueur, une bouteille superbement équilibrée qui appelle le goût puissant d'un grand chocolat.

☛ Dom. de la Casa blanca, 16, av. de la Gare, 66650 Banyuls-sur-Mer, tél. 04 68 88 12 85, fax 04 68 88 04 08 ☑ ⲧ r.-v.

M. CHAPOUTIER 2011

■		20 000	■	11 à 15 €

Ce grand nom de la vallée du Rhône septentrionale ne pouvait qu'avoir le coup de foudre pour les schistes de Banyuls, ses pentes et ses terrasses vertigineuses. Et la rencontre est ancienne. Il a présenté à nos dégustateurs ce jeune banyuls au regard sombre, qui s'ouvre sur des notes de fruits noirs épicés. Un vin structuré, charnu, vif à l'attaque et chaleureux en finale, au fruité mûr. On l'attendra un à deux ans. (Bouteilles de 50 cl.)

☛ Maison M. Chapoutier, 18, av. du Dr-Paul-Durand, 26600 Tain-l'Hermitage, tél. 04 75 08 28 65, fax 04 75 08 81 70, chapoutier@chapoutier.com, ☑ ⚹ ⲧ t.l.j. 9h-12h30 14h-19h

LES CLOS DE PAULILLES Traditionnel 2009 ★

■		10 000		15 à 20 €

En 2013, ce vaste vignoble d'un seul tenant, qui appartint aux Pams, a été vendu à la famille Cazes, elle-même dans le giron de la société Advini (ex-Jeanjean). Implanté dans une anse marine abritée de la tramontane, ce haut lieu de la Côte Vermeille, offrant au visiteur son restaurant les pieds dans l'eau, porte l'empreinte des trente-cinq ans de présence de la famille Dauré, l'ancien propriétaire. Après trente mois en bonbonnes exposées au soleil, son banyuls traditionnel a pris un ton ambré. Ses arômes de petits fruits rouges ont cédé le pas à des notes de fruits secs et de rancio, avec une senteur de noix typique. L'ensemble s'est enrichi d'arômes de tabac, de torréfaction et d'une belle acidité. On choisira pour l'accompagner, un dessert au moka, à moins que l'on ne préfère l'accord traditionnel avec café et/ou cigare.

☛ Le Clos de Paulilles, Baie de Paulilles, 66660 Port-Vendres, tél. 04 68 98 07 58, info@cazes.com, ☑ ⚹ ⲧ t.l.j. sf dim. 9h-12h 14h-18h30

COUME DEL MAS Quintessence 2011 ★★★

■		4 000	ⅡⅠ	20 à 30 €

Si certains viennent dans le Midi pour poser leurs valises, Philippe Gard, lui, s'y est installé pour commencer une nouvelle vie active. Fort d'un diplôme d'agronomie et d'une solide expérience en « viti-œno », il a créé en 2001 son propre domaine. Celui-ci couvre 13 ha, avec des parcelles dispersées qui permettent de jouer sur la complémentarité des terroirs. Andy Cook a rejoint l'équipe il y a deux ans. La bien nommée Quintessence a déjà obtenu deux coups de cœur, pour les millésimes 2002 et 2005. Le 2011 affiche une robe profonde, presque noire, et déploie des parfums de mûre, de cassis et de sous-bois, accompagnés de la note terroitée des schistes méditerranéens et de la touche épicée de la barrique. Au palais, ce banyuls se montre suave, doux, tout en étant très présent. Le cassis joue avec la framboise et la cerise s'invite, apportant sa fraîcheur dans un ensemble fondu, apaisant, infini. (Bouteilles de 50 cl.)

☛ Coume Del Mas, 3, rue Alphonse-Daudet, 66650 Banyuls-sur-Mer, tél. 06 86 81 71 32 ☑ ⚹ ⲧ r.-v.

LE DOMINICAIN Hors d'Âge Cuvée Augustin Hanicotte ★

■		n.c.		20 à 30 €

Entrer dans cette cave, installée à Collioure dans l'ancienne église du couvent des Dominicains (XIIIᵉs.), qui rayonna sur la vie locale pendant cinq siècles, procure toujours une impression particulière. Depuis les années 1920, barriques, cuves et foudres ont investi l'espace, et l'odeur suave, caractéristique des caves à vins doux, a remplacé les parfums d'encens qui imprégnaient les lieux avant la Révolution. De l'ancien sanctuaire restent le portail, les arcatures, des traces de parties peintes et, les soirs d'hiver, un silence religieux à peine troublé par le bruit saccadé des vagues, comme pour bercer les vins doux au cours de leur long élevage. Ils donneront des banyuls comme ce hors d'âge à la robe tuilé soutenu, couleur café. Fruits secs, figue, tabac blond, résine de pin et moka se disputent le nez. On retrouve la figue, alliée au pruneau et au cacao, dans une bouche suave, généreuse et fraîche à la fois, dominée en finale par des impressions tanniques.

☛ Cave coop. le Dominicain, pl. Orfila, 66190 Collioure, tél. 04 68 82 05 63, fax 04 68 82 43 06, contact@dominicain.com, ☑ ⚹ ⲧ t.l.j. 9h-12h30 13h30-19h

L'ÉTOILE Rimage 2010

■		10 000	■	11 à 15 €

La cave de l'Étoile organise une journée portes ouvertes qui permet (sur réservation) de survoler en hélicoptère le vignoble de Banyuls et de Collioure. Moment inoubliable qui permet de comprendre la difficulté du métier de vigneron dans ce paysage accidenté, sculpté par l'homme. Nos jurés, eux, ont goûté le fruit de tous ces efforts. En l'occurrence, un rimage, jeune banyuls élevé à l'abri de l'air. Un vin rubis dévoilant tout au long de la dégustation des arômes de fruits rouges, notamment de framboise. Chaleureux, le palais est équilibré par une belle fraîcheur et par une finale mentholée qui prolonge le plaisir.

☛ Sté coopérative l'Étoile, 26, av. du Puig-del-Mas, 66650 Banyuls-sur-Mer, tél. 04 68 88 00 10, fax 04 68 88 15 10, info@cave-letoile.com, ☑ ⚹ ⲧ t.l.j. 9h30-12h30 14h30-18h

HELYOS Muté sur grains 2006 ★

■		4 338	ⅡⅠ	30 à 50 €

L'élevage en milieu réducteur (sans oxyène) de ce banyuls a permis la conservation d'une couleur remarquable pour un 2006. La qualité de la matière première, issue d'un tri méticuleux, le soin porté à la vinification et à l'élevage sont les clés de cette étonnante présence du vin dont on loue la complexité : le raisin sec côtoie la figue fraîche, le tabac et une touche de chocolat. Autre conséquence de cet élevage à l'abri de l'air : le vin doit être aéré pour qu'il puisse montrer son plein équilibre, sa texture fondue, et pour lui permettre d'épanouir ses arômes (pruneau et note toastée). On le laissera en carafe quelques heures avant de le servir sur une soupe de fruits rouges avec des carrés de chocolat.

🍷 La Cave de l'Abbé Rous, rte du Balcon-de-Madeloc, 66650 Banyuls-sur-Mer, tél. 04 68 88 72 72 ☑ 🍴 r.-v.

DOM. MADELOC Cirera 2009 ★★

| ■ | 6 500 | ◫ | 20 à 30 € |

Repris il y a dix ans par Pierre Gaillard, vigneron bien connu dans la vallée du Rhône septentrionale, et conduit par sa fille Élise, ce domaine a une double originalité : c'est le seul dont une partie, très pentue, est travaillée au treuil, histoire de faire se reposer le mulet qui travaille sur le reste des vignes ; et c'est l'un des rares à replanter des parcelles entières, la plupart des vignerons remplaçant régulièrement les manquants, ce qui donne des vignes « sans âge ». Avec cette cuvée Cirera (« cerise », en catalan), il propose un banyuls élevé quatorze mois en fût pour calmer l'ardeur du grenache. Ce séjour sous bois a ajouté aux senteurs de cerise noire des notes toastées et réglissées. En bouche, un joli fruité confituré s'épanouit en notes suaves de fraise, nuancées d'arômes de groseille, de mûre et de fruits macérés, le tout saupoudré d'épices. Une touche de cacao marque la finale qui laisse une impression d'élégance.

🍷 Dom. Madeloc, 1 bis, av. du Gal-de-Gaulle, 66650 Banyuls-sur-Mer, tél. 04 68 88 38 29, fax 04 68 88 04 65, domaine-madeloc@wanadoo.fr, ☑ 🍸 🍴 t.l.j. 9h-12h 14h-18h; sam. dim. sur r.-v.

🍷 Pierre Gaillard

DOM. PIÉTRI-GÉRAUD Cuvée Méditerranée 2008 ★★

| ■ | 2 805 | ◫ | 15 à 20 € |

Établi au cœur de Collioure, ce domaine dirigé depuis 2006 par Laetitia Pietri-Clara, qui a pris la suite de sa mère, a présenté trois banyuls de pur grenache, qui font faire le grand écart entre les générations, avec le **hors d'âge Cuvée Joseph-Géraud** (30 à 50 € ; 600 b.), hommage au grand-père, qui obtient une étoile pour sa palette de fruits secs (abricot, amande, pruneau, figue) et, faisant jeu égal, le **rimage Mademoiselle O 2011** (11 à 15 € ; 3 995 b.), dédiée à sa fille, sur les fruits rouges et la minéralité. La cuvée Méditerranée leur vole la vedette. Elle a été élevée cinq ans, mais contrairement au banyuls traditionnel, son élevage a évité l'oxydation, grâce à des ouillages fréquents. Il en résulte un vin partagé entre cerise, fraîcheur de jeunesse et caractères hérités d'un élevage de quelques années : notes confiturées, touches d'épices et de maquis. Un ensemble d'une réelle harmonie, puissant et suave, généreux mais assoupli par le temps, à la savoureuse finale toastée.

🍷 Laetitia Piétri-Clara, Dom. Piétri-Géraud, 22, rue Pasteur, 66190 Collioure, tél. 04 68 82 07 42, fax 04 68 98 02 52, domaine.pietri-geraud@wanadoo.fr, ☑ 🍸 r.-v.

💚 DOM. DE LA RECTORIE Rimage Mise précoce Muté sur grains Cuvée Thérèse Reig 2011 ★★★

| ■ | 6 000 | ■ | 11 à 15 € |

Rimage Mise Précoce
2011
Domaine de La Rectorie
Cuvée Thérèse Reig
— Banyuls —
Appellation Banyuls Contrôlée
500 ml   Muté sur grains   16,5% Vol.
Vin doux Naturel

Depuis bientôt trente ans, Thierry Parcé, revenu en 1981 sur l'ancien domaine familial, met en musique avec brio les vins de la Rectorie, s'adonnant aussi, avec un talent moins connu, au piano. On lui doit de belles partitions avec le grenache gris pour soliste : des collioure de référence ; ici, il fait découvrir l'harmonie des rimages, en deux cuvées accomplies, déjà distinguées dans la précédente édition. Comme pour répondre à un rappel du public, elles reviennent cette année, avec autant d'éclat. Elles mettent en vedette le grenache, complété par un petit appoint de carignan. Le coup de cœur, comme l'an dernier, couronne la cuvée dédiée à l'arrière-grand-mère. Un vin élevé huit mois en cuve, tout en fruit. D'un grenat profond, le 2011 allie le cacao, les petits fruits à l'eau-de-vie et la cerise mûre. En bouche, la fraîcheur des fruits rouges, la finesse des tanins et la délicatesse de l'élevage dessinent un vin parfaitement équilibré, d'une grande élégance, qui laisse un sentiment de plénitude. (Bouteilles de 50 cl.) Hommage au grand-père, la cuvée **Léon Parcé Rimage 2011 rouge** (20 à 30 € ; 6 000 b.) a connu le bois. Son nez de petits fruits noirs, de réglisse et d'épices, sa bouche ronde, concentrée et structurée lui valent deux étoiles.

🍷 Thierry et Jean-Emmanuel Parcé, Dom. de la Rectorie, 28/65, av. du Puig-del-Mas, BP 35, 66650 Banyuls-sur-Mer, tél. 04 68 88 13 45, fax 04 68 88 51 22, thierryparce@orange.fr, ☑ 🍸 🍴 t.l.j. sf dim. 10h-12h 16h-19h

CAVE TAMBOUR Dom. Mas Guillaume 2012

| ■ | 11 000 | ■ | 15 à 20 € |

Fondée en 1920, cette propriété a choisi son nom en mémoire d'un ancêtre qui fut jadis tambour dans l'armée. Depuis 2004, c'est la cinquième génération, représentée par Clémentine Herre, qui est aux commandes. Proposant des visites du vignoble à pied, en catamaran ou en hélicoptère, des dégustations à thème, la famille mise sur l'œnotourisme. Les jurés ont découvert l'an dernier son banyuls blanc, issu de pur grenache blanc. C'est la version 2012 de ce vin que l'on retrouve cette année. Un or pâle délicat pour ce millésime fruité, bien équilibré et frais, qui offre en finale une touche florale méditerranéenne.

🍷 Cave Tambour, 2, rue Charles-de-Foucault, 66650 Banyuls-sur-Mer, tél. 04 68 88 12 48, fax 04 68 88 03 03, cavetambour@gmail.com, ☑ 🍸 🍴 t.l.j. 10h-12h 14h-19h

🍷 Herre

CELLIER DES TEMPLIERS Rimage Mise tardive 2011 ★★

	8 310	🎀	20 à 30 €

Cette coopérative, change de nom, devenant « Terre des Templiers ». Avec cinq vins retenus, elle démontre une fois de plus son savoir-faire à la vigne et à la cave. Le **Ravaner blanc Mise tardive 2011** (15 à 20 € ; 17 604 b.), élevé un an dans le bois neuf, séduit par sa palette mêlant l'abricot et les fruits confiturés à une pointe de rancio. Le **Rederis ambré** (15 à 20 € ; 20 628 b.), un autre blanc issu d'un élevage oxydatif de six ans dans le bois, revêt une robe de couleur soutenue et libère de beaux arômes d'agrumes et de grillé. En rouge, les dégustateurs ont apprécié le **Rimage Mise précoce 2011** (15 à 20 € ; 53 604 b.), fruité et frais, ainsi que le **Rimage Mise précoce Terre des Oms 2011** (3 912 b.), issu de parcelles en conversion bio, plus structuré, ample et généreux. Tous ces vins obtiennent une étoile. Le jury a placé en tête ce rimage mise tardive, auquel un élevage d'un an en barriques (ouillées) apporte un fondu remarquable et une touche épicée rehaussant les notes de fruits confiturés et de cerise à l'eau-de-vie. Un ensemble riche, aux tanins veloutés, dont l'équilibre penche vers la douceur : accord parfait avec les desserts au chocolat ou la crème catalane.

☛ Terre des Templiers, rte du Mas-Reig, 66650 Banyuls-sur-Mer, tél. 04 68 98 36 70, fax 04 68 88 00 84, dmalejacq@templers.com, ☑ ⚔ ⵙ t.l.j. 10h-19h30; f. 1er-22 jan.

Ⓑ DOM. DU TRAGINER Rimage 2011

	3 000	🍶	15 à 20 €

Les schistes de Banyuls n'ont plus le moindre secret pour Jean-François Deu qui les parcourt derrière la mule qui arpente courageusement, depuis plus de vingt ans (pour certaines parcelles), les 8 ha de la propriété. L'exploitation est conduite en bio et les vinifications suivent la même approche : on bannit levurages et enzymages, et la plupart des vins, comme celui-ci, ne sont ni collés ni filtrés. Comme tous les rimages, mis en bouteille précocement, ce 2011 recherche l'expression du fruit frais. D'un grenat profond, il offre un joli nez de fruits noirs mûrs (cassis, mûre). Charnu, épicé, à la fois doux et vif, il dévoile des tanins un peu jeunes qui appellent une garde de deux ou trois ans. On le verrait bien avec un clafoutis.

☛ Jean-François Deu, 7, rue Saint-Pierre, 66650 Banyuls-sur-Mer, tél. 04 68 88 15 11, jfdeu@hotmail.com, ☑ ⵙ r.-v.

Banyuls grand cru

LA CAVE DE L'ABBÉ ROUS Dry
Cuvée Joseph Nadal 2000 ★

	3 528	🎀	20 à 30 €

Cette cuvée réservée aux cavistes et aux restaurateurs a été plus d'une fois à l'honneur dans le Guide. Elle semble faite pour le chocolat. On souhaite que de tels vins composent l'ordinaire du Paradis, pour que l'abbé Rous, qui se fit au XIXes. négociant-éleveur à Banyuls pour financer la construction d'une église, puisse encore s'en délecter dans l'au-delà ! Ici-bas, on savourera ce grand cru à la robe tuilée, d'un acajou lumineux, aux effluves de noix, de café, de tabac, de cire et de torréfaction. En bouche, c'est un vin sec, tendu, qui trace sa route sur fond de café, de moka et surtout de rancio. La finale, stricte et austère pour certains, ne manquera pas de se fondre sous la caresse du chocolat.

☛ La Cave de l'Abbé Rous, rte du Balcon-de-Madeloc, 66650 Banyuls-sur-Mer, tél. 04 68 88 72 72 ☑ ⵙ r.-v.

COLLECTION 2006 ★

	15 000	🍶🎀	8 à 11 €

Bien connue pour ses vins secs, cette structure coopérative créée il y a près d'un demi-siècle est devenue un groupement de producteurs qui produit et élève toute une gamme de vins du Roussillon, dont la marque Fruité catalan, en IGP. Elle commercialise aussi des cuvées ambitieuses, comme ce banyuls grand cru. Les « Vica » (diminutif local des Vignerons catalans) ont toujours le palais juste lorsqu'il s'agit de vins doux naturels, témoin des mentions dans le Guide, dans plusieurs appellations. Dans le banyuls grand cru, la patine de l'élevage se remarque dès la robe aux nuances tuilées, acajou. Le nez, très aromatique, est dominé par le kirsch, la cerise à l'eau-de-vie, les fruits confits et le toasté des foudres. L'attaque dévoile une matière fondue, entre fruits suaves, épices et torréfaction, avant que des tanins encore vifs n'entrent en scène. On pourra servir cette bouteille avec tous les mets au café ou au chocolat. (Bouteilles de 50 cl.)

☛ Vignerons Catalans, 1870, av. Julien-Panchot, BP 29000, 66962 Perpignan Cedex 9, tél. 04 68 85 04 51, fax 04 68 55 25 62, contact@vigneronscatalans.com

💜 CELLIER DES TEMPLIERS Doux Cuvée Prestige
Président Henry Vidal 2001 ★★★

	18 024	🎀	30 à 50 €

La visite guidée de cette coopérative se termine dans la « cathédrale » des grands crus, le lieu de naissance des vins doux naturels. Dans un cadre moins fascinant, les dégustateurs du Guide ont goûté et apprécié le **rancio demi-doux**, un vin chaleureux sur la cerise à l'eau-de-vie, noté une étoile, le **rancio** (8 à 11 €) et la **cuvée Prestige Président Henry Vidal 1999**, notée deux étoiles pour son ampleur, sa générosité et ses arômes de fruits secs. La version 2001 de cette même cuvée décroche un coup de cœur. Au terme d'un élevage oxydatif de huit ans, ce vin s'est comme dépouillé, et a pris des tons ocre-roux. Dans le verre, il s'ouvre lentement, conséquence d'un affinage en bouteille, et finit par déployer une palette d'une complexité remarquable mêlant cacao, grillé, fruits secs, pruneau à l'eau-de-vie, vieux foudre et réglisse. Un grain de tanin très fin et savoureux, de l'ampleur, du volume, de la douceur, une finale soyeuse : l'équilibre est parfait et les arômes, enchanteurs, persistent à l'infini. Roquefort, opéra ou moelleux au chocolat ?

Terre des Templiers, rte du Mas-Reig,
66650 Banyuls-sur-Mer, tél. 04 68 98 36 70,
fax 04 68 88 00 84, dmalejacq@templers.com,
☑ ⚘ ⟁ t.l.j. 10h-19h30; f. 1er-22 jan.

Rivesaltes

Superficie : 5 180 ha
Production : 107 930 hl (55 % blanc)

Longtemps, rivesaltes fut la plus importante des appellations des vins doux naturels : elle couvrait 14 000 ha et produisait 264 000 hl en 1995. Puis la crise a frappé et après un Plan rivesaltes qui a permis la reconversion d'une partie de ce vignoble, la production de cette appellation se rapproche désormais en volume de celle du muscat-de-rivesaltes.

Le terroir du rivesaltes s'étend en Roussillon et dans une toute petite partie des Corbières, sur des sols pauvres, secs, chauds, favorisant une excellente maturation.

Quatre cépages sont autorisés : grenache, macabeu, malvoisie et muscat, les deux premiers étant largement dominants. La vinification se fait en blanc et en rouge. Les rivesaltes rouges proviennent principalement du grenache noir ; ce cépage subit alors souvent une macération, afin de donner le maximum de couleur et de tanins.

L'élevage des rivesaltes est fondamental pour la détermination de la qualité. Les blancs donnent les ambrés, et les rouges les tuilés, au terme de deux ans ou plus d'élevage. Selon l'élevage, en cuve ou dans le bois, ils développent des arômes bien différents. Le bouquet rappelle la torréfaction, les fruits secs, avec une note de rancio dans les vins les plus évolués. Certains rivesaltes rouges ne subissent pas d'élevage et sont mis très jeunes en bouteilles. Ce sont les grenats, caractérisés par des arômes de fruits frais : cerise, cassis, mûre. Les derniers cahiers des charges autorisent les rivesaltes rosés.

On boira les rivesaltes à l'apéritif ou au dessert, à une température de 11 à 15 °C, selon leur âge. Dans le même style fruité, une production de rosé pourrait se développer.

GÉRARD BERTRAND Grenat Legend Vintage 1977 ★

| | n.c. | + de 100 € |

Décès de Charlie Chaplin et d'Elvis Presley, avènement de Bokassa en Centrafrique, première élection démocratique en Espagne, Jacques Chirac à la mairie de Paris... et pendant ce temps, Gérard Bertrand jouait au rugby près de la cave familiale de Villemajou ; c'était en 1977, l'année de naissance de ce rivesaltes... Aujourd'hui, il propose un vin hésitant entre l'ambré et le tuilé, empreint de notes de vieux foudre, de tourbe, de fruits secs et surtout d'un léger rancio. Le palais se fait doux à l'attaque, miellé, puis arrivent le tabac et l'abricot sec qui s'effacent en finale devant ce même superbe rancio perçu à l'olfaction.

Gérard Bertrand, Ch. l'Hospitalet,
rte de Narbonne-Plage, 11100 Narbonne, tél. 04 68 45 57 57,
fax 04 68 45 28 77, j.sauzet@gerard-bertrand.com,
☑ ⚘ ⟁ t.l.j. 9h-19h

DOM. BOUDAU Grenat Sur grains 2011 ★

| | 20 000 | | 8 à 11 € |

Cela fait vingt ans que le frère et la sœur – Pierre et Véronique Boudau – ont repris le domaine familial, avec pour grande réussite la vente directe de l'ensemble de la production : quelque 20 000 cols, moitié en France, moitié à l'export. Des vins issus du Crest rivesaltais, terroir de cailloux roulés sur lequel est privilégié le travail du sol. Le lieu de naissance de ce joli vin, issu de ceps de grenache de quarante ans. Un grenat typique, sombre à l'œil, au nez de cerise, de mûre et de cassis, « explosif » en bouche, sur le fruit toujours, un fruité généreux, gourmand, puissant, soutenu par des tanins d'un joli grain, enrobés de chocolat. Pour un dessert au... chocolat.

Dom. Boudau, 6, rue Marceau, 66600 Rivesaltes,
tél. 04 68 64 45 37, fax 04 68 64 46 26,
contact@domaineboudau.fr,
☑ ⟁ t.l.j. sf dim. 10h-12h 15h-19h; sam. 15h-19h en hiver

DOM. LA CASENOVE Ambré 15/10 2002

| | 3 000 | | 20 à 30 € |

Malgré son âge, cet ambré reste clair, car l'élevage a été majoritairement effectué en cuve ? Il est né dans un mas riche de quatre cents ans d'histoire. On devrait d'ailleurs mettre un « s » à « histoire » tant celle-ci connut de rebondissements, depuis les Templiers du Roussillon en passant par la boisson Byrch, née en réalité en ces lieux. Côté cave, ce rivesaltes ambré s'ouvre à l'aération sur les fruits confits, le coing et le miel d'acacia, le tout accompagné d'un soupçon de vanille. Le boisé est fin et discret en bouche ; il accompagne des arômes de fruits secs (abricot) et de café torréfié, épaulé par une structure souple. Un vin équilibré, fondu, conseillé sur un sorbet à l'abricot ou une pâtisserie.

Dom. la Casenove, 66300 Trouillas,
tél. et fax 04 68 21 66 33, chateau.la.casenove@wanadoo.fr,
☑ ⟁ t.l.j. 10h-12h 16h-19h

VIGNOBLE CASENOVE Tuilé 2009 ★

| | 1 100 | | 5 à 8 € |

L'élevage en fût de trois ans a apporté les reflets tuilés au fruit du grenache, à l'origine couleur d'encre. C'est le mutage, ajout d'alcool neutre d'origine vinique en pleine fermentation qui permet d'obtenir cette concentration tant en couleur qu'en bouche. Ici, des senteurs intenses de fruits rouges (cerise à l'eau-de-vie) évoluant vers des notes de fruits confits mâtinés du toasté-vanillé de la barrique. En bouche, le terroir de schistes contribue à l'expression douce et soyeuse des tanins, enrobés de fruits en confit, et confère au vin cette « force tranquille » qui laisse augurer de beaux accords gourmands autour du chocolat, d'un clafoutis, du café et de l'incontournable cigare qui se marie si bien aux vins doux naturels.

☛ Casenove, 15, rue des Mimosas, 66720 Montner,
tél. et fax 04 68 29 05 89, vignoble.casenove@sfr.fr,
☑ ⚥ ⊺ r.-v.

Ⓑ CAZES Grenat 2011 ★

| ■ | 8 000 | ▮ | 11 à 15 € |

Un vignoble de 220 ha, intégralement conduit en biodynamie depuis vingt ans, une maison historique fondée en 1895, pionnière en matière de commercialisation de vins haut de gamme, 50 % de ventes à l'export... Un poids lourd en somme. Mais c'est dans un cadre éloigné du « tape-à-l'œil », au fin fond d'une petite rue de Rivesaltes, que l'on découvre le patio empreint de fraîcheur du restaurant bio du domaine, *La Table d'Aimé*, entre caveau et chai. Canard aux cerises, dessert aux fruits rouges, ou les deux, voilà ce que l'on vous proposera sans doute pour accompagner ce 2011 ample et rond, structuré sans dureté, doux sans mollesse, avec de la vivacité en soutien, alliant harmonieusement générosité des fruits rouges kirschés et fraîcheur des fruits des bois. De l'équilibre en somme. Pour un fromage à pâte persillée ou au café, on conseillera aussi le **tuilé 2005 (20 à 30 € ; 5 000 b.)**, apprécié pour ses parfums d'orange confite, de cacao et de moka.

☛ Cazes, 4, rue Francisco-Ferrer, 66600 Rivesaltes,
tél. 04 68 64 08 26, fax 04 68 64 69 79, info@cazes.com,
☑ ⚥ ⊺ t.l.j. sf dim. 8h30-12h 14h-18h30

DOM. DEPRADE-JORDA Ambré Hors d'âge
Vieilli en fût de chêne ★★

| ■ | 1 200 | ⊞ | 15 à 20 € |

La production des 85 ha de ce domaine n'est commercialisée qu'en France, et tout en vente directe, départ cave ; voilà qui est unique en Roussillon. Aux manettes, Thomas et François Deprade, l'un au commercial, l'autre à la vigne, poursuivent avec talent l'œuvre de leur père et de deux générations avant lui, épaulés par Henri Parayre, œnologue rompu à la vinification patiente des vins doux naturels. Ici, un très joli vin marqué par un boisé vanillé, alliant fruits secs et confits, pruneau et noix. En bouche ? De la fraîcheur, de l'intensité, des tanins enrobés et cette touche incontournable de grenache gris (80 % de l'assemblage, associé au macabeu) qui prolonge le plaisir.

☛ EARL Dom. Deprade-Jorda, 98, rte Nationale,
66700 Argelès-sur-Mer, tél. 04 68 81 10 29,
fax 04 68 89 04 64, domainedepradejorda@free.fr,
☑ ⚥ ⊺ r.-v.

CH. DONA BAISSAS Tuilé Hors d'âge ★★

| ■ | n.c. | ⊞ | 11 à 15 € |

Connu des cyclistes et des coureurs à pied, le col de la Dona relie les vallées de l'Agly et de la Têt, en offrant au passage une superbe vue sur le Roussillon. Si avec ses 200 m d'altitude il n'est pas des plus impressionnants, son nom, la Dona (la femme) garde la mémoire d'une vigneronne haute en couleur dont les vins avaient, eux aussi, une belle personnalité. Pour en savoir plus, rendezvous au domaine, où Vincent Baissas vous en dira davantage. L'occasion aussi peut-être de déguster ce tuilé couleur acajou, aux senteurs d'épices, de figue et de prune à l'eau-de-vie. Un vin puissant dès l'attaque, qui offre une belle liqueur et convoque le cacao, le zeste d'orange et la torréfaction avant de s'achever sur la fraîcheur des épices orientales.

☛ Ch. Dona Baissas, ancienne rte de Maury, 66310 Estagel,
tél. 04 68 29 00 02, fax 04 68 29 09 26,
info@donabaissas.com,
☑ ⚥ ⊺ t.l.j. sf sam. dim. 9h-12h 14h-17h

DOM. FONTANEL Ambré 2001 ★★

| ■ | 3 000 | ⊞ | 11 à 15 € |

Habitué du Guide, Pierre Fontaneil distille ses cuvées avec un malin plaisir, que ce soit en rivesaltes, en côtes-du-roussillon-villages ou en muscat-de-rivesaltes, avec plusieurs coups de cœur à son actif (*voir* le chapitre « côtes-du-roussillon » cette année). Pas de coup de cœur pour ce 2001, mais un « coup de foudre » de dix ans. Un ambré aux reflets cuivrés, au nez de vanille, de pain d'épice, de fruits compotés et de miel des forêts. Un vin soyeux et fondu en bouche, avec beaucoup de rondeur, au fruité porté sur la figue, de la noix de cajou aussi, du grillé et une touche tannique en finale qui appelle le chocolat ou une crème brûlée catalane.

☛ Dom. Fontanel, 25, av. Jean-Jaurès, 66720 Tautavel,
tél. 04 68 29 04 71, fax 04 68 29 19 44,
pierre@domainefontanel.fr, ☑ ⚥ ⊺ r.-v.

DOM. DES GORGES DU SOLEIL Ambré 2003 ★

| ■ | 4 000 | ▮ | 5 à 8 € |

Le destin a tracé la voie de Jean-Philippe Beille, celui qui l'a conduit de ses études en Suisse aux vignes de Cabestany. Un parcours qui débute en 2003 et se traduit par une réussite « Absolut » (référence à un vin de pays des côtes catalanes qui a quelques démêlés avec la vodka du même nom...). Cet ambré aux tonalités dorées évoque, au-delà des classiques fruits secs, les fruits à l'alcool et les sous-bois humides. La bouche s'enrichit d'arômes de fruits confits autour de la note tendre des épices douces. De belle longueur, ce rivesaltes s'appréciera sur une tarte aux abricots ou sur un gâteau aux noix. (Bouteilles de 50 cl.)

☛ Beille, Dom. des Gorges du Soleil,
chem. de Saint-Nazaire, 66330 Cabestany,
tél. 04 68 50 77 58, fax 04 68 50 39 75,
d.g.s.beille@wanadoo.fr, ☑ ⚥ ⊺ t.l.j. sf lun. 11h-12h30

DOM. DU MARIDET Tuilé Despenja Figues 2011 ★★

| ■ | 2 200 | ▮ | 11 à 15 € |

Créée en 2011, la nouvelle cave du domaine installée au milieu des vignes semble avoir été fort appréciée du grenache noir. Un grenache qui, comme l'indique le nom de cette cuvée, *despenja figues* (« dépend les figues »), comprenez, a grandi très vite en somme, comme ces « ados » auxquels on attribue ici le sobriquet. Ce tuilé se pare d'une robe intense qui rappelle la cerise burlat. Au nez, aux côtés des classiques parfums de cerise, de cassis et de mûre, une touche de garrigue, de thym notamment, apporte un surcroît d'originalité et de complexité. La bouche séduit par son ampleur et sa générosité, mais aussi par sa fine vivacité et son fruité intense rehaussé d'épices. Un vin très long et remarquablement équilibré, à la fois doux et frais, pour un dessert au chocolat.

☛ Dom. du Maridet, chem. de Boto,
66600 Salses-le-Château, tél. 06 15 25 25 42,
fax 04 68 64 47 56, domaine.maridet@gmail.com,
☑ ⚥ ⊺ t.l.j. sf dim. 10h-12h30 17h-19h30

ROUSSILLON

DOM. DU MAS ALART Ambré Hors d'âge 1996 ★★

■	1 800	⦀	15 à 20 €

Quatorze ans d'élevage en barrique pour ce grenache blanc, dans la quiétude de ce vieux mas catalan établi sur une terrasse argilo-caillouteuse, à seulement cinq minutes de la mer et de Perpignan. La robe ambrée est à la fois limpide et profonde. Le nez marie des notes empyreumatiques et la pistache grillée. L'attaque, tout en douceur, ouvre sur un palais très long, aux arômes de fruits secs (figue et raisin de Corinthe) et de vieux foudre, avec en soutien une juste fraîcheur qui apporte l'équilibre et une finale nerveuse où perce un début de rancio.

🍾 Belmas, RD 22, 66280 Saleilles, tél. 04 68 50 51 89, contact@masalart.com,

☑ ✦ ⏹ t.l.j. sf dim. 9h30-12h 16h-19h; f. lun. oct.-mai

MAS PEYRE Tuilé Moment de Vi 2007 ★

■	3 000	⦀	15 à 20 €

Avant de se lancer en cave particulière en 2003, Gérard Bourrel portait ses raisins à la cave coopérative. Il s'est installé en 1988 ; une longue expérience dont profitent ses fils Baptiste et César, qui travaillent aujourd'hui à ses côtés. L'arrivée de la nouvelle génération a été l'occasion de prendre le virage du bio. Quant à ce rivesaltes, à vous de décider s'il faut le boire ou le garder. L'élevage a fait son œuvre, et le vin n'évoluera que très lentement. Quoi qu'il en soit, vous serez enchantés par son beau fondu et par ses tanins réglissés, par sa vaste palette aromatique mêlant fruits confits, caramel, café, tabac et miel. Une harmonie en place pour longtemps.

🍾 Mas Peyre, 3 ter, rue de Lesquerde, 66220 Saint-Paul-de-Fenouillet, tél. 04 68 59 29 45, fax 04 68 61 07 03, maspeyre@aliceadsl.fr,

☑ ✦ ⏹ t.l.j. 9h30-12h30 15h-19h 🏠 ❷

DOM. MOUNIÉ Ambré Cuvée Marine 2008 ★

■	3 000	⦀	11 à 15 €

Ce domaine de 20 ha est conduit par des femmes depuis cinq générations, Marine représentant la sixième. Il est établi dans la vallée de Tautavel où l'argilo-calcaire flirte avec les schistes noirs de Maury. Une superbe palette de terroirs à l'origine de cet ambré aux tonalités acajou, qui offre au nez comme en bouche un nuancier allant du zeste d'orange aux nuances épicées du safran, en passant par des notes douces de verveine et de fruits confiturés. Un vin tendre, souple et frais à la fois, qui s'achève sur une jolie finale mentholée.

🍾 Dom. Mounié, 1, av. du Verdouble, 66720 Tautavel, tél. 04 68 29 12 31, domainemounie@free.fr, ☑ ✦ ⏹ r.-v.

CH. DE NOUVELLES Tuilé 2009 ★★

■	6 000	▮⦀	11 à 15 €

Un cadre sauvage pour ce domaine situé au-delà du col d'Extrème, où schistes et maquis viennent lécher les ruines du château féodal du XIIᵉs. Dans la vieille cave aux murs épais, de véritables trésors du siècle dernier toujours en cours d'élevage. Plus jeune mais non moins intéressant, ce 2009 se pare d'une robe rouge encore soutenu, ornée de reflets tuilés. Il dévoile des parfums intenses de cacao, de vieux foudre et de figue. La bouche, tapissée de notes confiturées et de pruneau, est remarquable de rondeur, de fondu, de densité et de vigueur maîtrisée. L'ensemble est des plus harmonieux : « l'auteur de ce vin a su parfaitement maîtriser la vigne et le vin », conclut le jury. On signalera qu'il s'agit du président de l'AOC fitou.

🍾 SCEA R. Daurat-Fort, Ch. de Nouvelles, 11350 Tuchan, tél. 04 68 45 40 03, fax 04 68 45 49 21, daurat-fort@terre-net.fr,

☑ ✦ ⏹ t.l.j. 9h-12h 14h-18h; sam. dim. sur r.-v. 🏠 Ⓓ

♥ CH. DE PÉNA Tuilé Hors d'âge ★★★

■	8 000	⦀	8 à 11 €

CHATEAU
DE PENA
RIVESALTES TUILÉ
Appellation d'Origine Protégée
HORS D'AGE

Fait rare, l'ambré et le tuilé hors d'âge du même domaine ont concouru pour le coup de cœur. Mais un seul élu... Le remarquable **ambré hors d'âge (8 000 b.)**, de plus de dix ans d'âge, un vin ample et doux, sur les fruits secs et le grillé, s'est fait voler la vedette par ce tuilé envoûtant, qui mêle au nez les épices, l'orange amère, le cacao et une touche naissante de rancio. En bouche, c'est un plaisir pur, entre douceur, force maîtrisée et tanins soyeux, entre cacao pimenté, agrumes macérés, pruneau et amertume du café. Un rivesaltes superbe d'équilibre et de densité, à déguster de l'apéritif au dessert (au chocolat), en passant par le melon au jambon serrano et le foie gras ; puis avec le café et le cigare, pour les amateurs.

🍾 Cellier de Péna, 2, bd Mal-Joffre, 66600 Cases-de-Pène, tél. 04 68 38 93 30, fax 04 68 38 92 41, cellier-de-pena@orange.fr,

☑ ✦ ⏹ t.l.j. sf dim. 9h-12h 14h-18h

DOM. DE LA PERDRIX Grenat 2009

■	3 000	▮	11 à 15 €

Ce domaine tient son nom d'un dessin du grand-père d'André Gil, le docteur Suspuglas, qui fut aussi vigneron et peintre passionné de nature. Il faut dire que sur ce terroir des Aspres, l'animal est l'hôte familier des vignes, jouant à cache-cache avec sa tribu entre les ceps. Ici, des plants de grenache noir vieux de soixante ans, à l'origine de ce grenat dont l'intérêt tient surtout à son début d'évolution, quand la cerise se fait plus confite, la framboise plus confiturée, en attendant le pruneau. La bouche, réglissée, s'arrondit autour de tanins soyeux, puis perd le Zan pour découvrir la rhubarbe ; un « entre-deux » agréable et tout indiqué pour un dessert aux fruits rouges.

🍾 Dom. de la Perdrix, Traverse-de-Thuir, 66300 Trouillas, tél. et fax 04 68 53 12 74, contact@domaine-perdrix.com, ☑ ✦ ⏹ t.l.j. sf dim. 10h-12h 15h-18h30 (19h30 de juil. à mi-sep.)

Ⓑ PUJOL Hors d'âge ★★

■	1 500	⦀	15 à 20 €

Très impliqué dans la vie locale et régionale, Jean-Luc Pujol a opté en 1998 pour le bio. Il est vrai qu'au pied du Canigou, dans l'ondulation des collines des Aspres cernées de garrigue et de maquis, l'histoire de ce vignoble – vieille de plus de deux siècles – et la géographie imposent le respect de la nature. Une nature dont les vieux ceps de grenache gris, plantés sur des terrasses argilo-calcaires, ont su tirer profit. Témoin cet ambré soutenu, au nez complexe de tourbe et de tabac blanc mêlés des notes patinées des foudres. Ample et généreux, associant l'abricot sec, la figue et le fruit confit, le palais en impose, soutenu par une jolie touche tannique.

🍷 Jean-Luc Pujol, Dom. La Rourède, 66300 Fourques, tél. 04 68 38 84 44, fax 04 68 38 88 86, vins.pujol@wanadoo.fr, ▨ ⚑ ⛾ t.l.j. 9h-12h 15h-19h

🤍 DOM. DE RANCY Ambré 1973 ★★★

n.c.	⅏	30 à 50 €

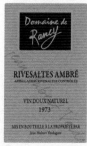

Avant la sortie d'un superbe coffret de vieux millésimes, Jean-Hubert Verdaguer fait tester à l'aveugle ses rivesaltes par les dégustateurs du Guide. Les jurés sont unanimes : ce 1973 est un bijou ! Dans les recoins des petites caves « biscornues » du domaine, à Latour-de-France, le rancio s'est installé à tous les étages, du foudre au tonnelet... Et cette note apparaît dès le service de cette vénérable bouteille, à travers des reflets verts animant une robe couleur brou de noix, – dire que ce vin était blanc à l'origine... Une fois aéré, cet ambré ne tarde pas à s'exprimer : il évoque les fruits secs grillés, le cuir, le malt, la noix. En bouche, le discours est celui du chocolat, du café torréfié, de la noix de cajou, de la figue ou encore de la banane flambée. La finale, d'une longueur exceptionnelle, mêle le rancio aux noix et à l'amande fraîche...

🍷 Jean-Hubert Verdaguer, 11, rue Jean-Jaurès, 66720 Latour-de-France, tél. 04 68 29 03 47, info@domaine-rancy.com, ▨ ⚑ ⛾ t.l.j. 10h-13h 15h-19h; dim. sur r.-v.

CH. ROMBEAU Ambré 2005 ★★

3 800	🍴⅏	5 à 8 €

Ici, en attendant de refaire le monde, on le vit ! C'est ainsi qu'à l'auberge du domaine, ouverte tous les jours « et toute la vie », comme le dit la carte du maître des lieux, Pierre-Henri de La Fabrègue ; un vigneron engagé qui est allé en décembre 2012, avant la fin du monde annoncée par des illuminés, planter au pied du Bugarach douze cépages roussillonais, accompagné de douze complices bien nés. Au cas où... Grenache rose, maccabeu et muscat d'Alexandrie pour cet ambré bien élevé. Paré d'une superbe parure nette et limpide, le vin dévoile un bouquet d'agrumes, de fruits à l'eau-de-vie et d'amande, agrémenté de senteurs de vieux calvados et de vieux foudres. Ample, savoureux et long, le palais accueille quant à lui l'abricot sec, la figue et les fruits confiturés avant de laisser poindre un début de rancio. Tout ici est fondu, élégant, généreux – « bon tout simplement », conclut un juré. (Bouteilles de 50 cl.)

🍷 SCEA Dom. de Rombeau, 2, av. de la Salanque, 66600 Rivesaltes, tél. 04 68 64 35 35, fax 04 68 64 64 66, domainederombeau@wanadoo.fr, ▨ ⚑ ⛾ t.l.j. 10h-19h 🏚 ➋

DOM. ROSSIGNOL Ambré 2008 ★★

4 800	⅏	8 à 11 €

L'année où ont été vendangés les raisins à l'origine de ce vin, le domaine était en conversion bio ; désormais la certification est acquise. Infatigable et inventif, Pascal Rossignol a mis en place au domaine un concept œnotouristique, « L'odyssée du vigneron », avec musée, clos de cépages, « espace des senteurs », et mis sur pied en 2012 une « boutique paysanne » ; il pourra aussi vous conter l'histoire du Roussillon, de la vigne et du vin... Celle de cet ambré débute avec une touche de verveine mentholée, et l'amertume du grenache gris (ici associé à son « cousin » blanc et aux deux muscats, d'Alexandrie et à petits grains), et se prolonge avec le fondu d'un boisé bien maîtrisé, la douceur de l'abricot sec et un zeste d'agrumes. Un vin complexe et complet, à savourer dès aujourd'hui.

🍷 Pascal Rossignol, rte de Villemolaque, 66300 Passa, tél. et fax 04 68 38 83 17, domaine.rossignol@free.fr, ▨ ⚑ ⛾ t.l.j. sf dim. 10h30-12h30 15h-19h 🏚 ➍

DOM. DES SCHISTES Solera ★

7 000	⅏	11 à 15 €

Dans la technique de la solera, les « vins vieux éduquent les jeunes » ; les tonneaux sont superposés sur trois à cinq étages : les barriques disposées près du sol (d'où le nom de « solera »), subissent un prélèvement toujours inférieur à 30 %, le vide étant remplacé par le vin de l'étage supérieur, lui-même complété par celui du dessus, et ainsi de suite..., le dernier étant complété par le vin de l'année. Ainsi, le vin est-il relativement homogène d'un tirage à l'autre, et le plaisir éprouvé à la dégustation de cet ambré toujours renouvelé. Un rivesaltes au teint roux, dominé à l'olfaction par les fruits secs et par une jolie note de noix. Ample, gras et riche au palais, avec ce qu'il faut de fraîcheur en soutien et de complexité aromatique – figue, abricot sec, raisin, tabac blond, grillé –, il finit sur une touche de rancio. (Bouteilles de 50 cl.)

🍷 Dom. des Schistes, 1, av. Jean-Lurçat, 66310 Estagel, tél. 04 68 29 11 25, fax 04 68 29 47 17, sire-schistes@wanadoo.fr, ▨ ⚑ ⛾ r.-v. 🏚 ⊙

SINGLA Ambré 30 ans d'âge Héritage du temps 1980

2 800	🍴⅏	30 à 50 €

Sur les pentes argilo-calcaires des Corbières d'Opoul, le soleil de l'été semble s'écraser sur le sol. Le macabeu paraît implorer la tramontane à travers le port « pleureur » de ses feuilles tombantes. Illusion ! Il se gorge de soleil pour donner naissance à des raisins aptes aux longs élevages. On obtient des produits comme celui-ci. Après trente ans de cuve, de foudre et de barrique, l'ambré prend des tonalités cuivrées ; l'orange confite et vanillée s'associe à des senteurs exotiques. Notes boisées et agrumes se retrouvent en bouche, soutenus par une belle vivacité. Miel et cire accompagnent l'ensemble. Pour un soir d'été, avec, pour les amateurs, un bon havane.

🍷 Laurent de Besombes Singla, 4, rue de Rivoli, 66250 Saint-Laurent-de-la-Salanque, tél. et fax 04 68 28 30 68, laurent.debesombes@free.fr, ▨ ⚑ ⛾ r.-v.

ROUSSILLON

DOM. SOL-PAYRÉ Hors d'âge Terre de pierres ★★

■ 3 000 ▥ 15 à 20 €

Nouveauté à venir : en plus du domaine actuel, Sol-Payré va disposer d'une deuxième exploitation située dans la vallée de l'Agly ; un complément de terroirs pour une gamme élargie. Par ailleurs, on fête ici cette année les cent ans de la propriété. Un demi-siècle « seulement » en revanche pour les ceps de grenache noir à l'origine de ce Hors d'âge. Aux reflets cuivrés de la robe, on devine aisément que l'on est entré en « pays rancio ». De fait, le nez dévoile des parfums typés de zeste d'orange, de fruits secs et de cacao, complétés de notes plus sous-jacentes de tourbe. La bouche est dominée par la figue, accompagnée par un joli boisé et par une agréable fraîcheur, avant que n'arrive la touche rancio de la noix. Recommandé pour un tiramisu.
☛ Dom. Sol-Payré, rte de Paris, 66200 Elne, tél. 04 68 22 17 97, fax 04 68 22 50 42, domaine@sol-payre.com,
☑ ⚘ ⵠ t.l.j. sf dim. 9h-12h 15h-18h; f. 15h-18h d'oct à mars

LES TERRES DE MALLYCE Grenat 2010 ★★

■ 1 200 ▥ 11 à 15 €

Avec une solide expérience acquise en cultivant les grenaches de la vallée du Rhône, Yvon Soto est tombé sous le charme de la vallée de l'Agly, et a remplacé le mistral par la tramontane, les galets roulés de Châteauneuf-du-Pape par le granite et le gneiss de Rasiguères. C'est un grenache noir travaillé en type vintage qu'il propose ici, à l'origine d'un vin grenat profond, qui allie au nez les notes généreuses de la fraise confiturée à d'autres plus fraîches de cerise et aux nuances vanillées de la barrique. Savoureux, ample, d'une agréable douceur, le palais est « aiguisé » par des arômes de bonbon acidulé ; il retrouve la fraise et convoque la mûre, le tout avec persistance et dans un bel équilibre. Une structure qui le rend agréable tout en promettant une bonne garde.
☛ Yvon Soto, 20 bis, rue des Vignes, 66720 Rasiguères, tél. et fax 04 68 73 86 37, soto.corinne@orange.fr, ☑ ⵠ r.-v.

LES VIGNERONS DE TRÉMOINE
Ambré Flacon d'Émile 2000 ★★★

■ 3 000 ▥ 11 à 15 €

Hommage au précédent vinificateur de la cave, cette cuvée est née de la rencontre des schistes et des cépages macabeu et grenaches (gris et blanc). Un vin patiemment élevé plus de dix ans entre foudres et barriques, dans la fraîcheur des Fenouillèdes où les vignerons de Rasiguères se sont bâtis une solide réputation en rosé. Ici, un ambré d'exception, acajou aux reflets dorés, qui impressionne d'emblée avec son bouquet complexe de miel, de tabac blond, de fruits confits, de fruits secs, de cire, de notes balsamiques... La bouche n'est pas en reste : elle mêle, elle aussi, les fruits secs et confits (l'abricot notamment) sur un fond finement vanillé, et s'affirme par son équilibre admirable entre puissance, douceur et fraîcheur. Pour un foie gras poêlé ou une tarte à l'orange. (Bouteilles de 50 cl.)
☛ Les Vignerons de Trémoine, 5, av. de Caramany, 66720 Rasiguères, tél. 04 68 29 11 82, fax 04 68 29 16 45, rasigueres@wanadoo.fr, ☑ ⚘ ⵠ t.l.j. sf dim. 8h-12h 14h-18h

VIGNERONS CATALANS Ambré Haute Coutume 1983 ★

■ 5 000 ▤▥ 11 à 15 €

Trente ans, le bel âge, celui de la force et de la maturité. C'est aussi le temps choisi par les Vignerons catalans pour nous livrer cet ambré issu de grenache,

longuement élevé et aujourd'hui dans sa plénitude. La robe est sublime de limpidité et de brillance, l'ambré superbe. Lentement, le vin s'ouvre et retrouve vie autour de nuances empyreumatiques, de touches de cuir, de cire et de la note suave des vieux foudres. En bouche ? Du raisin sec, du grillé, la rondeur du coing, un zeste d'orange, une fraîcheur épicée, avec en soutien des tanins encore bien vigoureux pour leur âge.
☛ Vignerons Catalans, 1870, av. Julien-Panchot, BP 29000, 66962 Perpignan Cedex 9, tél. 04 68 85 04 51, fax 04 68 55 25 62, contact@vigneronscatalans.com

♥ ARNAUD DE VILLENEUVE Grenat Tradition 2011 ★★

■ 7 000 ▮ 8 à 11 €

Au pied des Corbières, établie sur la vaste terrasse de cailloux roulés du Crest, la cave coopérative Arnaud de Villeneuve en impose avec sa batterie de cuves étincelantes au soleil. Mais ne vous y trompez pas, non loin de là, ce sont les trésors du Roussillon qui, en foudres et en barriques, s'affinent lentement. Tel ce grenat à la robe profonde et brillante, qui impressionne par son nez de fruits rouges, de cassis et de mûre, relevé d'un soupçon d'épices. Une attaque suave et veloutée prélude à une bouche où l'on croque la cerise, où les tanins se montrent fins et soyeux, où se conjuguent dans un équilibre remarquable douceur et fraîcheur. Un grand vin doux naturel, qui accompagnera tous les desserts au chocolat ou une soupe de fruits rouges. Pour l'apéritif, on pourra se porter vers le **rosé 2012 L'Instant plaisir (5 à 8 € ; 40 000 b.)**, représentant dans cette sélection la nouvelle « vague » des rivesaltes en rosés désormais autorisés : un vin frais et fruité, comme il se doit.
☛ Cave Arnaud de Villeneuve, 153, RD 900, 66600 Rivesaltes, tél. 04 68 64 06 63, fax 04 68 64 64 69, contact@caveadv.com, ☑ ⚘ ⵠ t.l.j. 9h-12h 14h-19h

Muscat-de-rivesaltes

Superficie : 5 221 ha
Production : 106 765 hl

Le muscat-de-rivesaltes peut provenir de l'ensemble du terroir des appellations rivesaltes, maury et banyuls. Les deux cépages autorisés sont le muscat à petits grains et le muscat d'Alexandrie. Le premier, souvent appelé muscat blanc ou muscat de Rivesaltes, est précoce et préfère les terrains relativement frais et calcaires. Le second, appelé aussi muscat romain, est plus tardif et très résistant à la sécheresse.

La vinification s'opère soit par pressurage direct, soit avec une macération plus ou moins longue. La conservation se fait obligatoirement en milieu réducteur, pour éviter l'oxydation des arômes primaires. Avec 100 g/l minimum de sucres, les vins sont liquoreux. Ils sont à boire jeunes, à une température de 9 à 10 °C. Ils accompagnent l'apéritif, les desserts (tartes au citron, aux pommes ou aux fraises, sorbets, glaces, fruits, touron, pâte d'amandes) ainsi que le roquefort.

DOM. LA BEILLE 2011

| | 2 500 | ▮ | 8 à 11 € |

En 2005, Ashley Hausler, *winemaker* australien, est venu s'installer en Roussillon, terre des ancêtres d'Agathe Larrère, fille de vignerons catalans. Tous deux se sont alors attelés à la mise en valeur d'un domaine dans la famille depuis quatre générations. Ils proposent un 2011 aux fragrances de citron, de citronnelle et de cire d'abeille. La bouche livre une matière d'une belle onctuosité, équilibrée par une agréable fraîcheur et agrémentée en finale de notes de pêche cuite et de pain d'épice.

☛ Dom. la Beille, 18, rue Saint-Jean, 66550 Corneilla-la-Rivière, tél. 04 68 57 17 82, la-beille@neuf.fr, ☑ ☀ ☂ r.-v.

DOM. BENASSIS Intuition 2011 ★

| | 6 000 | ▮ | 5 à 8 € |

Depuis cinq générations, la famille Benassis est installée au cœur de Canet-en-Roussillon. La cave est aménagée dans une bâtisse traditionnelle catalane datant de 1824. Le vignoble, lui, est situé sur les terrasses de la Têt entre le littoral et la ville de Perpignan. Ce 2011 vinifié par Marc Benassis a séduit les dégustateurs dans sa jolie robe d'or. L'olfaction se libèrent des arômes floraux mâtinés de citron confit. La bouche livre une belle rondeur, du gras et des nuances d'abricot confit. À déguster à l'apéritif ou au dessert.

☛ Dom. des Hospices de Canet, 5, imp. de l'Hort, 66140 Canet-en-Roussillon, tél. 06 63 02 46 00, fax 04 68 35 19 07, contact@domaine-benassis.fr, ☑ ☀ ☂ t.l.j. 9h-12h 15h-19h 🏠 ⓑ
☛ Benassis

BERTRAND-BERGÉ 2012 ★

| | 2 688 | ▮ | 11 à 15 € |

Souvent mentionné en très bonne place dans le Guide, ce domaine géré depuis 1993 par Jérôme Bertrand propose une cuvée issue exclusivement de muscat à petits grains cultivé sur 1,49 ha de poudingue. Paré d'une robe vieil or brillant, le vin offre à l'olfaction des arômes puissants de miel d'acacia, de citron mûr et de bourgeon de cassis. La bouche persistante s'exprime sur des notes d'abricot frais et de menthe tout en dévoilant une matière bien équilibrée entre onctuosité et fraîcheur. À déguster sur une tarte aux abricots.

☛ Dom. Bertrand-Bergé, 38, av. du Roussillon, 11350 Paziols, tél. 04 68 45 41 73, fax 04 68 45 03 94, bertrand-berge@wanadoo.fr, ☑ ☀ ☂ t.l.j. 9h-12h 14h-18h 🏠 ⓑ

DOM. BOBÉ 2012 ★

| | 3 000 | ▮ | 5 à 8 € |

Situé sur les terrasses caillouteuses de la vallée de la Têt, ce domaine jouit d'un terroir exceptionnel, favorable à la puissance aromatique du muscat d'Alexandrie. Cette caractéristique se retrouve dans une cuvée à la robe d'or fin et aux parfums de fleurs blanches, de cire d'abeille et de menthol. En bouche se révèle un bel équilibre entre liqueur et fraîcheur, que souligne en finale une note de citronnelle. À servir à l'apéritif sur des toasts au fromage ou au dessert sur une tarte aux nectarines.

☛ Dom. Bobé, Mas de la Garrigue, rte de Baixas, 66240 Saint-Estève, tél. 04 68 92 66 38, fax 04 68 92 66 64, domainebobe@orange.fr,
☑ ☀ ☂ t.l.j. sf sam. dim. 14h30-18h30
☛ Robert Vila

DOM. BOUDAU 2012 ★★

| | 25 000 | ▮ | 8 à 11 € |

Voilà vingt ans que Véronique et Pierre Boudau sont à la tête du domaine familial. En 1993, ils ont décidé de donner un nouveau souffle à la propriété, qui couvre quelque 50 ha de vignes sur d'excellents terroirs à l'entrée de la vallée de l'Agly. Le pari est réussi : la totalité de la production est mise en bouteilles et commercialisée dans un réseau de CHR et de cavistes. Le muscat en est un des fleurons. Cette cuvée issue du seul muscat d'Alexandrie est caractérisée par sa belle fraîcheur. Robe d'or clair aux reflets verts, arômes de fruits exotiques et de fleurs blanches, au nez comme en bouche, équilibre parfait. Un vin que l'on pourra apprécier à l'apéritif, mais également au dessert avec une salade de pêches ou d'un sorbet à la mangue.

☛ Dom. Boudau, 6, rue Marceau, 66600 Rivesaltes, tél. 04 68 64 45 37, fax 04 68 64 46 26, contact@domaineboudau.fr,
☑ ☂ t.l.j. sf dim. 10h-12h 15h-19h; sam. 15h-19h en hiver

CH. DE CALCE 2012 ★★

| | 4 800 | ▮ | 5 à 8 € |

Le vignoble de Calce jouit d'une belle réputation grâce à une production de qualité élaborée sur un terroir argilo-calcaire d'exception. Témoin cette cuvée à la robe d'un or brillant limpide aux reflets verts, que les dégustateurs unanimes ont couvert d'éloges. Le nez, tout en finesse, exprime des arômes délicats et frais de fruits à chair blanche. Dès l'attaque, la vivacité se dévoile à travers de jolies notes de poire et d'anis, et contribue à l'équilibre du palais. Un vin très agréable, qui accompagnera avec gourmandise une tarte Bourdaloue ou un parfait aux poires.

☛ SCV les Vignerons du Ch. de Calce, 8, rte d'Estagel, 66600 Calce, tél. 04 68 64 47 42, fax 04 68 64 36 48, scvcalce@orange.fr,
☑ ☀ ☂ t.l.j. sf dim. 9h-12h 15h-18h; sam. 9h-12h

LES VIGNERONS DU CAP LEUCATE 2012 ★★

| | 15 000 | ▮ | 5 à 8 € |

Issue de la fusion de plusieurs coopératives, la cave de Leucate possède un chai répondant aux plus hautes exigences en matière d'environnement, et dispose des meilleurs équipements en matière de vinification. Elle signe un 2012 composé majoritairement de muscat à petits grains, cépage particulièrement adapté à son terroir calcaire d'origine. Parée d'or limpide, cette cuvée livre un

ROUSSILLON

nez très puissant qui évoque les grands vins liquoreux par ses notes d'orange confite et de cire, accompagnées de touches de menthol et d'eucalyptus. La bouche est emplie d'une belle liqueur épicée aux nuances orientales d'eau de rose. Un remarquable vin de dessert, à servir sur une salade d'oranges à la cannelle ou sur des cornes de gazelle, par exemple.

🕿 Vignobles Cap Leucate, Chai La Prade, 11370 Leucate, tél. 04 68 33 20 41, fax 04 68 33 08 82, cave-leucate@wanadoo.fr, ☑ ⚮ ⵙ t.l.j. 9h-12h 16h-19h

Ⓑ DOM. CAZES 2010 ★★

| | | 60 000 | ☷ | 11 à 15 € |

Qualité et style semblent être la ligne de conduite de la famille Cazes, pionnière de la biodynamie en Roussillon, à la tête de cette exploitation depuis 1895. Imperturbable, millésime après millésime, le domaine se maintient en haut de l'affiche, grâce à des cuvées comme ce 2010 en tout point remarquable. D'une belle couleur jaune d'or soutenu, le vin livre à l'olfaction d'agréables senteurs de fruits secs, de compote de pommes et de coings, de miel et de zeste d'orange confite. Une belle fraîcheur persiste en bouche et lui confère une étonnante note de jeunesse. Pour l'accompagner, le jury conseille un foie gras aux agrumes ou un gâteau à l'orange et au chocolat.

🕿 Cazes, 4, rue Francisco-Ferrer, 66600 Rivesaltes, tél. 04 68 64 08 26, fax 04 68 64 69 79, info@cazes.com, ☑ ⚮ ⵙ t.l.j. sf dim. 8h30-12h 14h-18h30

CH. CHAMP DES SŒURS 2012 ★★

| | | 3 000 | ☷ | 8 à 11 € |

Le domaine est situé dans la zone maritime de Fitou, sur des terroirs calcaires particulièrement adaptés à la culture du muscat à petits grains, unique cépage de cette cuvée. Vêtue d'or brillant, celle-ci exprime au nez des arômes délicats et vifs de citron vert, assortis d'une pointe minérale. Le grain de raisin explose en bouche, avec ses nuances d'agrumes, de fleurs et de fruits blancs. L'équilibre est parfait entre vivacité et liqueur. Un très joli vin, à déguster avec un sabayon de fruits frais.

🕿 Laurent Maynadier, 19, av. des Corbières, 11510 Fitou, tél. et fax 04 68 45 66 74, laurent.maynadier@orange.fr, ☑ ⚮ r.-v.

CH. DE CORNEILLA 2012 ★★

| | | 21 000 | ☷ | 8 à 11 € |

Le château de Corneilla, vestige de l'époque féodale, a été construit par les Templiers entre le XIIe et le XIVes. La famille Jonquères d'Oriola, qui s'est rendue célèbre par les différents titres olympiques et mondiaux obtenus en équitation et en escrime, y est installée depuis 1485. Après un tour du monde œnologique, William est venu prêter main forte à son père Philippe sur le domaine. Le tandem signe cette cuvée à la robe jaune d'or pâle animée de reflets argentés et aux fragrances puissantes de fleurs blanches, d'agrumes (pamplemousse, citron vert) et de menthol. La bouche fraîche et citronnée complète harmonieusement la dégustation. Un vin que l'on verrait bien accompagner une tarte au citron ou une salade d'agrumes.

🕿 EARL Jonquères d'Oriola, Ch. de Corneilla, 3, rue du Château, 66200 Corneilla-del-Vercol, tél. 04 68 22 73 22, fax 04 68 22 43 99, chateaudecorneilla@hotmail.com, ☑ ⚮ ⵙ t.l.j. sf dim. 11h-12h 17h-18h30

CH. DONA BAISSAS 2011 ★

| | | 16 000 | ☷ | 8 à 11 € |

Quand les officiers de l'Empire chargés d'établir le cadastre découvrirent ce petit vignoble, ils furent impressionnés par la qualité des vins, la beauté du paysage et la personnalité de la propriétaire. Tout naturellement, ils le baptisèrent *mas de la Dona* (« mas de la femme » en catalan). Quelque deux cents ans plus tard, le domaine, considérablement agrandi et rénové, appartient toujours à la même famille. Ce 2011, paré d'or clair brillant, libère des parfums de fruits exotiques et de fleurs blanches auxquels se mêlent des touches de verveine et de menthol. Très fondu en bouche, l'ensemble s'achève sur d'élégantes notes de fruits confits.

🕿 Ch. Dona Baissas, ancienne rte de Maury, 66310 Estagel, tél. 04 68 29 00 02, fax 04 68 29 09 26, info@donabaissas.com, ☑ ⚮ ⵙ t.l.j. sf sam. dim. 9h-12h 14h-17h

DOM. DE L'ÉVÊCHÉ 2012

| | | 5 000 | ☷ | 8 à 11 € |

Situé sur les hauteurs d'Espira-de-l'Agly, ce domaine est une ancienne propriété de l'Église, d'où son nom. Constituée des deux cépages de l'appellation, son muscat-de-rivesaltes a été élaboré par pressurage direct. Paré d'or fin, il exhale des arômes de poire, d'abricot et de fleurs blanches. L'attaque en bouche est franche et vive, puis des notes de fruits au sirop se développent avant une finale légèrement végétale. Un vin équilibré, à déguster à l'apéritif.

🕿 Dom. de l'Évêché, rte de Baixas, 66600 Espira-de-l'Agly, tél. 06 07 78 27 86, fax 04 68 59 05 87, alain.sabineu@orange.fr, ☑ ⚮ ⵙ r.-v.

🕿 Alain Sabineu

CH. LES FENALS 2012 ★

| | | 5 000 | ☷ | 8 à 11 € |

Situé au milieu des vignes, entre étangs littoraux et Corbières, ce vieux mas languedocien est riche d'une longue histoire : bastide de 1389 à 1589, puis château de la famille d'Aragon, il fut administré par le neveu de Voltaire, qui fit connaître ses vins à la cour de Louis XV. La « liqueur du cap de Salses » est devenue le muscat-de-rivesaltes ; elle est toujours élaborée dans le respect de la tradition. Ce 2012 vêtu d'une robe légère or brillant, libère un fin bouquet évoquant les fleurs blanches (acacia) et les agrumes (pamplemousse). La bouche est délicate et suave. À déguster à l'apéritif ou avec un dessert aux poires.

🕿 Marion et Mickaël Fontanel Moyer, Les Fenals, 11510 Fitou, tél. 04 68 45 71 94, les.fenals@wanadoo.fr, ☑ ⚮ ⵙ t.l.j. sf dim. 9h-12h 14h30-18h30; t.l.j. sf dim. 14h30-18h30 en hiver 🏠 ❷ 🏠 Ⓒ

DOM. DES GORGES DU SOLEIL 2005 ★★

| | | 4 000 | ☷ | 5 à 8 € |

À la suite de la disparition de son père en 2003, Jean-Philippe Beille, qui préparait alors une thèse en droit à Genève, a repris les rênes du domaine familial. Il signe un 2005 issu de muscat à petits grains cultivé sur un sol de galets éolisés. Or limpide, le vin offre un nez élégant de poire mûre, d'agrumes et de miel. En bouche se déploie une belle liqueur aux nuances de coing confit et de pomme cuite, étayée en finale par une belle fraîcheur. À déguster sur une tarte Tatin aux coings ou sur un fromage à pâte persillée. (Bouteilles de 50 cl.) La cuvée **Muska d'été**

2009 (4 000 b.) obtient une étoile pour ses arômes mûrs évoquant le pain d'épice et les fruits confits. Elle pourra être servie sur un tajine d'agneau aux fruits secs.

⌐¬ Beille, Dom. des Gorges du Soleil,
chem. de Saint-Nazaire, 66330 Cabestany,
tél. 04 68 50 77 58, fax 04 68 50 39 75,
d.g.s.beille@wanadoo.fr, ☑ ⚔ ♈ t.l.j. sf lun. 11h-12h30

CH. DE LACROIX Alexandrie 2011 ★

◻	6 000	▮ 8 à 11 €

Commandé par les bâtiments d'un ancien monastère évoquant la Toscane, le domaine est implanté sur les terrasses caillouteuses façonnées par la Têt, au cœur d'un excellent terroir à muscats. Ce 2011 drapé d'or scintillant dévoile un nez d'une belle puissance, sur des notes de fleurs blanches, de fruits exotiques, de bourgeon de cassis, de tilleul et de verveine. À la fois frais et rond en bouche, ce vin accompagnera volontiers des pâtisseries traditionnelles catalanes, comme des bras de Vénus ou des rousquilles.

⌐¬ Ch. de Lacroix, chem. du Mas-du-Moulin,
66330 Cabestany, tél. 04 68 50 48 39, fax 04 68 50 36 36,
chateau-de-lacroix@wanadoo.fr,

☑ ⚔ ♈ t.l.j. sf sam. dim. 8h30-12h30 14h-16h30
⌐¬ Yann Tanguy

DOM. LAFAGE Grain de vigne 2012 ★★

◻	10 000	▮ 11 à 15 €

Débordant d'idées originales, Éliane et Jean-Marc Lafage ont conçu cette année une nouvelle présentation pour cette cuvée : un beau flacon légèrement ventru au bouchon de verre, particulièrement esthétique (et pratique). Si les dégustateurs n'ont pas profité des jolies formes de la bouteille lors de la dégustation à l'aveugle, ils ont pu en revanche apprécier les autres qualités de ce bien nommé Grain de vigne, vêtu d'un or brillant aux reflets verts. Le nez libère un bouquet surprenant et intense de genêt et de miel. En bouche, l'attaque d'une agréable vivacité est relayée par une matière d'une belle puissance aux arômes de pamplemousse, de poire et de citron vert. Les dégustateurs, séduits, conseillent d'associer cette bouteille avec une salade de crabe au gingembre ou avec un *mel i mato* (fromage frais au miel).

⌐¬ Dom. Lafage, Mas Miraflors, rte de Canet,
66000 Perpignan, tél. 04 68 80 35 82, fax 04 68 80 38 90,
contact@domaine-lafage.com, ☑ ♈ r.-v.

CH. LAURIGA 2012 ★

◻	3 000	▮ 11 à 15 €

Niché dans un écrin de vignes face au mont Canigou, ce vieux mas catalan restauré dispose de tout l'équipement nécessaire à la production de vins de qualité. À la tête du domaine, Jacqueline Clar veille à l'élaboration des cuvées. Elle signe un élégant 2012 vêtu d'une robe or pâle aux reflets verts. Le nez livre des arômes de fleurs et de citron d'une grande finesse. Après une bonne attaque acidulée, la bouche dévoile une matière persistante, fine et plaisante. Bel accord en perspective avec une tarte aux fruits.

⌐¬ Ch. Lauriga, traverse de Ponteilla, RD 37, 66300 Thuir,
tél. 04 68 53 26 73, fax 04 68 53 58 37, info@lauriga.com,
☑ ⚔ ♈ r.-v.

MAS AMIEL 2011 ★

◻	15 000	▮ 11 à 15 €

Régulièrement présent en bonne place dans le Guide, ce domaine, référence de l'appellation maury,

signe un muscat à la robe scintillante, bien mise en valeur par une bouteille élancée. Les jurés, à l'aveugle, ont apprécié le nez, qui s'ouvre à l'aération sur des notes intenses d'agrumes frais, de fleurs de citronnier et de liqueur de verveine. Très rond et moelleux en bouche, le vin évolue sur des nuances d'eucalyptus et de citron confit. On le verrait bien sur un tajine de poulet aux citrons ou une salade de pamplemousse aux crevettes. Sans oublier les associations plus traditionnelles avec le foie gras ou les desserts.

⌐¬ Mas Amiel, Dom. Mas Amiel, 66460 Maury,
tél. 04 68 29 01 02, fax 04 68 29 17 82, contact@lvod.fr,
☑ ⚔ ♈ t.l.j. 8h-12h 13h-18h
⌐¬ Decelle

CH. DE NOUVELLES Cuvée Prestige 2012 ★★

◻	10 000	11 à 15 €

Cette cuvée, issue la zone audoise de l'appellation et élue coup de cœur pour le millésime 2011, est toujours de très belle facture. Sans atteindre les mêmes sommets, elle présente de nombreuses qualités qui ont su séduire le jury. Vêtue d'une rutilante robe or rose, elle libère des parfums puissants et variés d'agrumes, de rose poivrée et de fleur d'oranger. La bouche douce et fraîche, bien structurée, révèle d'agréables arômes de litchi, de pamplemousse et de citrons vert et jaune. À déguster à l'apéritif sur des toasts au foie gras ou au roquefort, ou encore au dessert en accompagnement d'une salade de fruits frais ou d'une mousse aux fruits exotiques. Également très remarquée, la **cuvée principale 1998 (15 à 20 € ; 4 000 b.)** obtient la même note pour ses arômes de miel et d'orange confite, et pour ses superbes notes d'évolution. À apprécier sur des fromages de brebis (frais ou secs), sur un dessert à l'orange et aux amandes ou tout simplement pour elle-même, le soir au coin du feu... (Bouteilles de 50 cl.)

⌐¬ SCEA R. Daurat-Fort, Ch. de Nouvelles, 11350 Tuchan,
tél. 04 68 45 40 03, fax 04 68 45 49 21,
daurat-fort@terre-net.fr,
☑ ⚔ ♈ t.l.j. 9h-12h 14h-18h; sam. dim. sur r.-v. 🏠 ⏺

DOM. DES ORMES 2012 ★

◻	2 000	5 à 8 €

Établi dans le magnifique village de Sainte-Colombe-de-la-Commanderie, ce domaine de 26 ha bénéficie d'une belle diversité de terroirs. Issus d'argilo-calcaires, 5 ha de muscat d'Alexandrie vinifiés par pressurage direct ont donné naissance à cette cuvée d'une grande délicatesse. Une robe d'or pâle aux reflets verts ; un nez tout en finesse d'aubépine, de rose et d'agrumes frais ; une bouche très fraîche à la finale aérienne, légèrement mentholée composent un beau vin d'apéritif, qui mettra en valeur une salade de pêches blanches à la menthe.

⌐¬ Dom. des Ormes, 1, Cami de Cantarana,
66300 Ste-Colombe-de-la-Commanderie, tél. 06 13 09 47 74,
domainedesormes@yahoo.fr, ☑ ⚔ r.-v. 🏠 ❸

DOM. PARCÉ L'Exotisme 2012 ★★

◻	4 000	▮ 5 à 8 €

Régulièrement sélectionné dans le Guide, ce domaine fondé en 1982 s'est efforcé au fil des ans d'améliorer ses conditions de travail, autant à la vigne qu'au chai. En conversion bio depuis 2010, il devrait obtenir la certification en 2013. Cette cuvée, élaborée selon la même

ROUSSILLON

démarche, dévoile un élégant bouquet de fruits à chair blanche (poire, pêche), de fruits exotiques, de menthol et d'anis. La bouche fine, d'une belle fraîcheur, se révèle ronde et expressive, portée par des nuances florales (acacia) finement citronnées. Un très joli vin pouvant se marier à des toasts au roquefort ou encore à tout un chariot de desserts (Tatin aux poires, baklava, salade de fruits).

☛ Parcé, 21 ter, rue du 14-Juillet, 66670 Bages, tél. 04 68 21 80 45, vinsparce@9business.fr, ☑ ⚔ ⵊ r.-v.

CH. DE PÉNA 2012 ★

	6 000		8 à 11 €

Situé au débouché de la vallée de l'Agly, le village de Cases-de-Pène doit son nom à un château qui défendait l'entrée du défilé au Moyen Âge (*case* signifiant « maison », et *pene* « roche »). Le muscat à petits grains, composant majoritaire de cette cuvée, est cultivé sur les terroirs calcaires environnants. Particulièrement bien adapté à ces terrains, il engendre des vins d'une grande élégance, comme ce 2012 aux parfums très fins de fruits exotiques et de fleurs blanches mâtinés d'une touche d'agrumes et de fruits confits. Puissant et concentré en bouche, c'est un joli vin de dessert.

☛ Cellier de Péna, 2, bd Mal-Joffre, 66600 Cases-de-Pène, tél. 04 68 38 93 30, fax 04 68 38 92 41, cellier-de-pena@orange.fr,

☑ ⚔ ⵊ t.l.j. sf dim. 9h-12h 14h-18h

CH. PRADAL 2012 ★

	4 000		8 à 11 €

Non loin du « centre du monde » (Salvador Dalí qualifiait ainsi la gare de Perpignan), le domaine reste aujourd'hui le seul à vinifier dans les murs de la ville. Aidé des expériences de son père et de son oncle, et conseillé par son œnologue, André Coll-Escluse est une sorte de *self-made-man* vigneron. Il propose cette année un muscat or pâle brillant aux reflets d'argent, au nez délicat d'agrumes, de poire et de menthol. La bouche, à l'unisson, fait preuve d'un parfait équilibre entre rondeur et fraîcheur. À déguster sur une crème catalane.

☛ André Coll-Escluse, 58, rue Pépinière-Robin, 66000 Perpignan, tél. 06 11 13 61 57, fax 08 26 38 23 17, chateaupradal@orange.fr, ☑ ⚔ ⵊ r.-v.

CH. LA ROCA 2012 ★★

	11 930		5 à 8 €

Situé au pied du massif des Albères, le village de Saint-Génis-des-Fontaines est célèbre pour son église et pour son cloître de style roman. Le terroir d'alluvions caillouteuses produit des vins d'une grande finesse, tel ce muscat à la robe d'or limpide et brillante. Les arômes du nez sont variés et élégants : fleurs, miel léger, pamplemousse, citron et pêche blanche, avec une touche d'abricot sec. À la fois frais et moelleux, le palais finit sur des notes de figue et de mangue confite. Un vin très agréable, alliant finesse, complexité aromatique et fraîcheur. Il accompagnera volontiers une tarte aux abricots du Roussillon ou à l'apéritif, des toasts de foie gras ou de roquefort.

☛ SCV les Vignerons des Albères, 9, av. des Écoles, 66740 Saint-Génis-des-Fontaines, tél. 04 68 89 81 12, fax 04 68 89 80 45, vigneronsdesalberes@wanadoo.fr, ☑ ⚔ ⵊ t.l.j. sf dim. 9h30-12h 15h-18h

CH. ROMBEAU 2012 ★

	11 600		8 à 11 €

Le domaine est toujours l'un des premiers à donner le coup d'envoi des vendanges. À partir du muscat à petits grains, un délicieux vin sec est d'abord élaboré, puis vient la récolte des grains mûrs destinés au vin doux naturel. Les deux cuvées sont proposées pour l'apéritif et à l'auberge des Rombeau. Ce 2012 libère des arômes frais et floraux de fleur d'acacia, de fleur d'amandier, de poire et de citron vert. Il est chaudement recommandé en accompagnement d'une escalope de foie gras aux abricots confits, d'un feuilleté au roquefort ou d'un dessert aux fraises.

☛ SCEA Dom. de Rombeau, 2, av. de la Salanque, 66600 Rivesaltes, tél. 04 68 64 35 35, fax 04 68 64 64 66, domainederombeau@wanadoo.fr,

☑ ⚔ ⵊ t.l.j. 10h-19h 🏠 ❷

☛ de La Fabrègue

DOM. DES SCHISTES 2012 ★

	8 000		8 à 11 €

Dans la famille Sire, le monde met la main à la pâte : Jacques, Mickaël, et enfin Nadine, jeune retraitée de l'Éducation nationale, qui a choisi de se consacrer désormais au domaine. Régulièrement présent en bonne place dans nos colonnes, celui-ci propose un 2012 à la belle robe d'or pâle brillant, aux arômes complexes de pêche jaune, de papaye, de genêt et de menthol. Le palais, bien équilibré, développe de puissants arômes d'ananas, de gingembre et de menthe. Heureux accord en perspective avec des tranches d'ananas rôti ou avec une salade de pêches à la menthe.

☛ Dom. des Schistes, 1, av. Jean-Lurçat, 66310 Estagel, tél. 04 68 29 11 25, fax 04 68 29 47 17, sire-schistes@wanadoo.fr, ☑ ⚔ ⵊ r.-v. 🏠 ⓒ

♥ LES VIGNOBLES DU SUD ROUSSILLON Deux mille un
Vieilli en fût de chêne 2001 ★★★

	1 500		20 à 30 €

VIN DOUX NATUREL

DEUX MILLE UN

Muscat de Rivesaltes
Vieilli en fût de chêne

ℜ
Les Vignobles du Sud Roussillon

Les Vignobles du Sud Roussillon résultent de la fusion de trois caves coopératives situées au cœur de la région des Aspres, au sud de Perpignan. Quelque cent cinquante vignerons se sont ainsi réunis pour améliorer leurs outils et développer leur production. Ils proposent un muscat de plus de dix ans d'âge issu de la grande tradition des vins doux naturels élevés. Si les dégustateurs n'ont pas été en mesure de contempler la jolie bouteille qui évoque celle des vieilles eaux-de-vie, ils ont pu en revanche apprécier la superbe robe ambrée aux nuances cuivrées de ce 2001. À l'olfaction s'opère une véritable explosion aromatique ; des notes d'orange confite, de caramel, de miel, de pain d'épice, de tabac blond et de torréfaction se mêlent harmonieusement. Un grand vin, dans la lignée des « rancios », à déguster sur un canard à l'orange, sur une tarte orange-chocolat ou après le repas, avec un cigare pour les amateurs.

☛ Les Vignobles du Sud Roussillon, 1, av. du Mas-Deu, 66300 Trouillas, tél. 04 68 53 47 08, fax 04 68 53 24 56, commercialvsr@orange.fr,
☑ ☖ t.l.j. sf dim. 9h-12h 14h30-18h30

TERRA ROSA 2012 ★

	n.c.	▮	5 à 8 €

Ce 2012 exlusivement élaboré à partir du muscat à petits grains est né sur un terroir de schistes noirs propice à ce cépage. Paré d'une élégante robe d'or clair aux reflets argentés, ce joli vin livre au nez des parfums d'agrumes frais (citron, citron vert, écorce d'orange). Ample et fraîche, la bouche offre un agréable développement, marquée en finale par une fine amertume aux nuances de zeste de pamplemousse rose. À essayer sur un tajine de poulet au citron.

☛ ESAT les Terres Rousses, chem. des Terres-Rousses, 66140 Canet-en-Roussillon, tél. 04 68 34 90 75, fax 04 68 51 07 73, esat.les.terres.rousses@hotmail.fr,
☑ ☖ t.l.j. sf sam. dim. 8h30-17h30

TERRE DES ANGES 2011 ★

	1 200	▮	11 à 15 €

Le domaine est dans la famille de Michel Vidal depuis 1754. Vigneron indépendant depuis 2000, ce dernier signe un joli 2011 à la robe d'or brillante, au nez intense et complexe de citron, de pêche mûre, d'acacia, de fleur d'oranger et de citronnelle. Le palais déploie une belle matière agrémentée de nuances de fruits confits. Un vin complet qui s'appréciera autant sur un fromage de brebis sec que sur un gâteau à l'orange.

☛ Dom. Vidal, 2, rue Pierre-Lefranc, 66390 Baixas, tél. et fax 04 68 64 51 46, contact@domainevidal.com,
☑ ☖ ☖ r.-v.

TRELOAR 2011 ★

	2 000	▮	5 à 8 €

Rachel et Jonathan Hesford habitaient non loin du World Trade Center. Après la tragédie du 11 septembre 2001, ils décident de changer de vie et partent en Nouvelle-Zélande où ils restent trois ans pour apprendre le métier de vigneron. Installés en Roussillon, ils conduisent ce domaine depuis 2006. Ils signent un 2011 au nez élégant de fruits, de fleurs et de miel d'acacia, et au palais bien fondu. Pour un foie gras frais ou un fromage à pâte persillée. (Bouteilles de 50 cl.)

☛ Dom. Treloar, 16, traverse de Thuir, 66300 Trouillas, tél. et fax 04 68 95 02 29, info@domainetreloar.com,
☑ ☖ ☖ r.-v. ☖ ⒠
☛ Hesford

CH. VALFON 2012 ★

	5 000	▮	8 à 11 €

Ce domaine résulte de l'association en 2000 de deux amis d'enfance, l'un issu d'une lignée vigneronne, l'autre ayant une formation commerciale. Conduit en viticulture raisonnée, le vignoble devrait être converti prochainement au bio. Ce 2012 vêtu d'or brillant offre un nez d'une belle puissance aromatique, composé de fruits exotiques, de pêche jaune, d'ananas et de gingembre. La bouche développe une matière bien équilibrée, d'une jolie fraîcheur. Accord gourmand en perspective avec un sorbet aux fruits exotiques.

☛ Dom. Valfon, 13, av. Fauvelle, 66300 Thuir, tél. 06 14 02 81 54, fax 04 68 53 61 66, chvalfon@aol.com,
☑ ☖ ☖ r.-v.

L'OR DE VALMY 2010 ★

	4 659	▮	11 à 15 €

Le visiteur qui se rend sur la Côte Vermeille ne pourra pas manquer de remarquer la silhouette féerique de ce château conçu par l'architecte danois Viggo Dorph-Petersen, qui se dresse sur les contreforts du massif des Albères. Vous pourrez y déguster ce 2010 issu de muscat à petits grains. Un vin d'un bel or cristallin, au nez de poire mûre rafraîchi par des nuances de menthol. La bouche, après une attaque fruitée en souplesse, livre des nuances de confiture d'agrumes et d'eau-de-vie. Bien équilibré, cette cuvée pourra être dégustée sur une tarte aux fruits frais.

☛ Ch. Valmy, chem. de Valmy, 66700 Argelès-sur-Mer, tél. 04 68 81 25 70, fax 04 68 81 15 18, contact@chateau-valmy.com,
☑ ☖ ☖ t.l.j. sf dim. 9h30-12h30 14h30-18h ☖ ⒢
☛ Carbonnell

♥ ARNAUD DE VILLENEUVE Tradition 2012 ★★

	25 000	▮	8 à 11 €

En arrivant à Perpignan par la RD 900, le voyageur voit surgir sur sa droite, une fois passée la « frontière » de Salses, un impressionnant ensemble de cuves rutilantes et de canalisations en acier inoxydable. Raffinerie ? Centre d'art contemporain ? Que l'on ne s'y trompe pas : il s'agit tout simplement de la cave coopérative qui porte le nom de l'inventeur des vins doux naturels, Arnaud de Villeneuve. La cave rassemble trois cent cinquante viticulteurs de Salses et de Rivesaltes cultivant quelque 2 500 ha de vignes. Cette cuvée est le fruit remarquable de ce travail en commun, qui prouve que technologie et qualité ne sont pas antinomiques. Robe d'or pâle aux reflets verts, joli nez frais de fleurs, de fruits à chair blanche et de menthol ; bouche parfaitement équilibrée, puissante, aux arômes de pêche blanche, de menthe froissée et de citron vert : le jury a tranché. « Ce sera un coup de cœur ! » À déguster à l'apéritif, sur des toasts au foie gras ou au dessert, sur une salade de fruits frais (pêches blanches et feuilles de menthe).

☛ Cave Arnaud de Villeneuve, 153, RD 900, 66600 Rivesaltes, tél. 04 68 64 06 63, fax 04 68 64 64 69, contact@caveadv.com, ☑ ☖ ☖ t.l.j. 9h-12h 14h-19h

Maury

Superficie : 280 ha
Production : 6 600 hl (85 % rouge)

Le vignoble recouvre la commune de Maury, au nord de l'Agly, et une partie des trois communes limitrophes. Encadré par des montagnes calcaires, les Corbières au nord et les Fenouillèdes au sud, il s'accroche à des collines escarpées aux sols de schistes noirs de l'aptien plus ou moins décomposés. Les maury rouges doivent leur caractère au grenache noir, cépage dominant. La vinification se fait souvent par de longues macérations, suivies d'un long élevage en fût – parfois en bonbonnes de verre – ce qui permet d'affiner des cuvées remarquables.

D'un rouge profond lorsqu'ils sont jeunes, les maury prennent par la suite une teinte acajou. Au bouquet, ils évoquent d'abord les petits fruits rouges, avant d'évoluer vers le cacao, les fruits cuits et le café. Appréciés à l'apéritif et au dessert, notamment sur les préparations au chocolat ou au café, ils accompagnent également des mets épicés et sucrés-salés. Plus rares sont les blancs, élaborés à partir des grenaches blanc et gris et du macabeu.

DOM. DU DERNIER BASTION Tradition 2007 ★

| | 2 400 | ▪▥ | 8 à 11 € |

Au cœur du village de Maury, où cette exploitation a son siège, l'organisation est de mise pour trouver de la place dans la cave ancestrale. Ici, le mot Tradition qui figure sur l'étiquette n'a rien de galvaudé, car Sébastien Lafage est l'héritier d'un savoir-faire qui remonte à la fin du XVIIIe s. Sa familiarité avec le grenache se traduit cette année par un 2007 élevé avec art en foudre de chêne. La robe légèrement tuilée reflète une sage évolution. Au nez, les fruits confiturés se nuancent de réglisse, de notes de grillé et de senteurs de schistes. Les fruits secs s'invitent dans une bouche solidement structurée où perce en finale un début de rancio.
☛ SCEA Dom. du Dernier Bastion, 13, rue du Dr Pougault, 66460 Maury, tél. 04 68 38 97 68, fax 04 68 59 13 14, dernierbastion@orange.fr, ▨ ⚲ ⵣ r.-v.
☛ M. Lafage

ÉCLAT 2010

| | 3 000 | ▪ | 8 à 11 € |

Grâce au regroupement, en 2010, de trois coopératives locales pour constituer les Vignerons de Tautavel-Vingrau, les viticulteurs de la vallée de Tautavel se sont donné le moyen de réaliser un travail d'ensemble sur le terroir tout en donnant une meilleure visibilité à leurs produits. Hommage à l'homme de Tautavel qui tailla de très anciens outils dans les blocs de silex, cette cuvée, qui a brillé d'un éclat particulier l'an dernier, reste bien réussie dans le millésime suivant. Elle s'annonce par une robe profonde aux reflets violines. Le nez s'ouvre après aération sur la cerise et l'eau-de-vie de fruits. Ample, la bouche évolue sur le fruit mûr confituré et sur des tanins solides. Une harmonie qui appelle une soupe de fruits rouges ou un moelleux au chocolat noir.

☛ Vignerons de Tautavel-Vingrau, 24, av. Jean-Badia, 66720 Tautavel, tél. 04 68 29 12 03, fax 04 68 29 41 81, contact@tautavelvingrau.com, ▨ ⵣ t.l.j. 9h-12h 14h-18h

DOM. FONTANEL 2011 ★★★

| | 5 000 | ▥ | 11 à 15 € |

Avec la complicité d'Henri Parayre, œnologue rompu à l'élaboration des vins doux naturels, Pierre Fontaneil a concocté un maury dans la pure tradition du vintage, dont l'élevage de douze mois en barrique permet de dompter la fougue et la générosité des grenaches noirs issus de longues macérations. La robe est profonde. Au nez, le grillé du fût s'allie au fruit mûr, rehaussé de touches d'épices orientales et de notes réglissées. Dans le même registre aromatique, le palais déroule une trame tannique fine et savoureuse et finit sur un beau retour de la réglisse et des épices. Modèle d'équilibre, cette bouteille n'attend plus qu'un moelleux au chocolat.
☛ Dom. Fontanel, 25, av. Jean-Jaurès, 66720 Tautavel, tél. 04 68 29 04 71, fax 04 68 29 19 44, pierre@domainefontanel.fr, ▨ ⚲ ⵣ r.-v.

HECHT & BANNIER Vintage 2010 ★

| | n.c. | | 15 à 20 € |

Établie depuis dix ans à Aix-en-Provence, cette maison de négoce a pour ambition de faire découvrir la richesse et la qualité des vins méditerranéens : son activité embrasse la sélection des vignobles, l'assemblage et l'élevage. Pour ce maury, c'est la préservation du fruit et la finesse qui ont été privilégiées. À la fois souple, tendre et frais, le vin dévoile des arômes de cerise bigarreau sur une trame tannique soyeuse et fondue, subtilement épicée. Un maury à boire frais, à l'apéritif, sur des toasts au fromage persillé.
☛ Hecht & Bannier, 3, rue du 4-Septembre, 13100 Aix-en-Provence, tél. 04 42 69 19 71, fax 04 42 24 90 57, contact@hbselection.com, ▨ ⵣ r.-v.

MAS AMIEL Vintage Charles Dupuy 2008 ★★

| | 4 000 | | 30 à 50 € |

Resté quatre-vingt-dix ans dans la famille Dupuy et repris en 1999 par Olivier Decelle, ce vaste domaine (170 ha) est à l'honneur cette année pour un vintage. Une cuvée rendant hommage à l'ancien propriétaire, Charles Dupuy, disparu en 1997, qui est à l'origine de la renommée de Mas Amiel. Grenat violine, ce 2008 exprime le fruité noir de la cerise mûre, nuancé d'une note discrète de vanille et d'une touche de poivre blanc. Si l'attaque est suave et tendre, le cœur de bouche se révèle intense, ample et généreux, évoluant sur des tanins au grain velouté enrobés d'arômes d'eau-de-vie de fruits, de guignolet et d'épices, avec un soupçon de café. L'ensemble laisse le souvenir d'une belle présence et d'un équilibre penchant vers la douceur.
☛ Mas Amiel, Dom. Mas Amiel, 66460 Maury, tél. 04 68 29 01 02, fax 04 68 29 17 82, contact@lvod.fr, ▨ ⚲ ⵣ t.l.j. 8h-12h 13h-18h
☛ Decelle

MAS DE LAVAIL Grenat Expression 2011 ★★

| | 13 000 | ▥ | 11 à 15 € |

Un mas catalan, l'ombre des grands arbres, le murmure de la fontaine et le bruissement du vent dans les feuillages, quelques cigales qui languissent un soir d'été... Un verre à la main, vidé avec lenteur. Le temps... qui prend son temps : l'univers des vins doux naturels. Un passage de douze mois en barrique après mutage a légué à celui-ci une touche complexe et bien fondue de grillé, de café, qui se mêle à des parfums croquants de cerise. En bouche, le raisin bien mûr s'exprime de nouveau en notes fruitées : la cerise encore, escortée de la mûre et du cassis, au sein d'une matière ample et équilibrée, étayée par des tanins soyeux et déliés, épicée et réglissée en finale. Un travail accompli et beaucoup de plaisir en perspective.

🕯 Dom. Mas de Lavail, Mas de Lavail, RD 117, 66460 Maury, tél. 04 68 59 15 22, fax 04 68 29 08 95, masdelavail@wanadoo.fr,

☑ ⏄ t.l.j. sf dim. 10h30-12h 15h-19h

MAS KAROLINA 2008 ★

■	4 000	⬛	15 à 20 €

Elle est allée vinifier aux États-Unis et en Afrique du Sud ; elle connaît le Bordelais où elle a longtemps vécu et où elle a obtenu son diplôme d'œnologue ; pourtant, c'est dans la vallée de l'Agly au charme sauvage que Caroline Bonville a posé ses valises il y a dix ans. Elle s'intéresse aux cépages blancs et a présenté un maury mariant maccabeu (80 %) et grenache gris. Logé quatre ans en barrique, ce vin a séjourné en plein air, ce qui donne à sa robe un ton ambré roux et à son nez des parfums de fruits confits, d'orange amère, de cire et de miel. La bouche offre une matière liquoreuse où l'on retrouve les fruits confits, puis les fruits secs grillés entrent en scène en finale, sur fond de léger rancio. De beaux accords gourmands en perspective : foie gras, fromages bleus, tarte Tatin ou flans au caramel. (Bouteilles de 50 cl.)

🕯 Mas Karolina, 29, bd de l'Agly, 66220 Saint-Paul-de-Fenouillet, tél. 06 20 78 05 77, fax 04 68 84 78 30, mas.karolina@gmail.com,

☑ ⚔ ⏄ t.l.j. 9h-12h30 14h30-17h30

MAS PEYRE Grenat Éclats de Vi 2011 ★

■	13 000	⬛	11 à 15 €

La famille Bourrel est sortie de la coopérative en 2003, six ans avant l'installation de Baptiste qui a engagé la conversion bio du domaine en 2009. La période de conversion durant trois ans, cette cuvée 2011 ne peut donc afficher aucun logo sur l'étiquette, qui indique seulement « vin de raisins en conversion vers l'agriculture biologique ». Grenat de type vintage, elle a été élevée dix mois en barrique, histoire de fondre le fruit et les tanins d'un grenache en macération. Ses notes complexes d'épices, de mûre et de fruits confiturés, sa structure ample et onctueuse, encore jeune, entraînent en convertir plus d'un au maury !

🕯 Mas Peyre, 3 ter, rue de Lesquerde, 66220 Saint-Paul-de-Fenouillet, tél. 04 68 59 29 45, fax 04 68 61 07 03, maspeyre@aliceadsl.fr,

☑ ⚔ ⏄ t.l.j. 9h30-12h30 15h-19h 🏠 ❷

♥ LES VIGNERONS DE MAURY
Chabert de Barbera 1985 ★★★

■	8 000	⬛	30 à 50 €

Cinq vins retenus pour la coopérative, qui a fêté en 2010 son centenaire, et la palette complète des maury : la cuvée **100 ans d'histoire** (15 à 20 € ; 7 000 b.), et la **Vieille Réserve 1998** (8 à 11 € ; 32 000 b.), en tuilé, décrochent respectivement trois et deux étoiles ; le **grenat Récolte 2010** (8 à 11 € ; 16 000 b.), sur le fruit rouge croquant, reçoit encore deux étoiles ; l'**ambré 2000** (5 à 8 € ; 25 000 b.), fondu, élégant, sur les fruits secs, est noté

une étoile. Autant de vins qui seront merveilleux avec les desserts au chocolat et – pour les tuilés – aux noix ou au café. Le clou de la dégustation a été cette année la cuvée Chabert de Barbera qui, après presque trente ans d'élevage, pourra être appréciée pour elle-même. La robe a pris des tons acajou ; le nez, généreux, mêle les fruits mûrs, les fruits secs, la torréfaction et une touche de rancio. La bouche joue sur les épices, le chocolat, la figue et le café, avec autant d'ampleur que de longueur. Goûté il y a trois ans, ce maury est toujours un modèle d'équilibre et d'harmonie. Au programme : un dessert au chocolat, un excellent café et, pour les amateurs, les volutes d'un cigare.

🕯 SCAV Les Vignerons de Maury, 128, av. Jean-Jaurès, 66460 Maury, tél. 04 68 59 00 95, fax 04 68 59 02 88, contact@vigneronsdemaury.com,

☑ ⏄ t.l.j. 8h30-12h30 14h-18h30

DOM. POUDEROUX Vendange 2011 ★

■	20 000	⬛	11 à 15 €

Après un passage par la viticulture raisonnée, Robert Pouderoux a finalement opté pour le bio, et obtenu la certification en 2012. Ce 2011 n'affiche donc aucun logo, car le domaine n'avait pas encore achevé les trois ans de conversion obligatoires pour se prévaloir du bio. Un parcours sage et cohérent, et des produits de qualité, qui s'écoulent pour les trois quarts à l'étranger. Ce grenat avait obtenu un coup de cœur dans sa version 2009. Sans atteindre de tels sommets, le 2011 est très intéressant. Au nez, la cerise joue avec les épices, genièvre et clou de girofle en tête. Ample et douce à l'attaque, sur des arômes croquants de cerise, la bouche se distingue par sa souplesse et par le caractère soyeux de ses tanins. Cerise et chocolat : les ingrédients qui composent le dessert idéal pour accompagner cette bouteille.

🕯 Dom. Pouderoux, 2, rue Émile-Zola, 66460 Maury, tél. 04 68 57 22 02, domainepouderoux@orange.fr,

☑ ⚔ ⏄ t.l.j. 11h-19h

DOM. DES SCHISTES La Cerisaie 2010

■	6 000	⬛	11 à 15 €

Vignerons exigeants, Jacques et Mickaël Sire ont engagé la conversion bio de leur domaine et vinifient dans le même esprit, avec des levures indigènes. Le respect de chaque parcelle les conduit à quatre-vingts vinifications séparées ! Un défi pour leur œnologue... Cette cuvée La Cerisaie, bien connue de nos lecteurs, avait obtenu un coup de cœur pour le millésime 2004. Le 2010 arbore une robe profonde et jeune aux reflets violines et livre au nez des senteurs chaleureuses et méditerranéennes de fruits confiturés, de schistes chauds et de garrigue. Au palais, il offre un joli fruité aux nuances de cerise et glisse avec ampleur et suavité sur une trame tannique épicée.

ROUSSILLON

☛ Dom. des Schistes, 1, av. Jean-Lurçat, 66310 Estagel, tél. 04 68 29 11 25, fax 04 68 29 47 17, sire-schistes@wanadoo.fr, ☑ ☂ ☍ r.-v. ⌂ ☯

♥ DOM. DE SERRELONGUE Maury Vintage 2010 ★★★

| ■ | 4 000 | ■ | 8 à 11 € |

Une histoire simple : celle de l'amour de la terre. À peine son BTS en poche, Julien Fournier s'installe sur le domaine familial, qui couvre 6,5 ha, et décide de faire son vin. Ensuite se succèdent les travaux et les jours, sur les vieilles vignes de la propriété – quatre-vingts ans pour les ceps de grenache noir à l'origine de ce maury. À la cave, les vinifications sont « simples », « naturelles » ; entendez, avec des levures indigènes et le moins d'interventions possibles. Un travail exigeant et risqué qui nous vaut ce 2010 à l'œil profond et au nez de fruits noirs (mûre), de sous-bois et de genièvre. Ample, riche, généreux et solide, le palais évolue sur des tanins veloutés, enrobés d'arômes de cassis et de cerise au kirsch, et laisse une sensation de rare équilibre. Avec ce vin croquant à souhait, vous prendrez fromage ET dessert : pâte persillée ou beaufort affiné, avant un fondant au chocolat, pour... fondre de plaisir.

☛ Julien Fournier, 149, av. Jean-Jaurès, 66460 Maury, tél. 04 68 59 02 17, julienf66@aol.com, ☑ ☂ ☍ r.-v.

Maury sec

Réservée à l'origine aux vins doux naturels, l'appellation maury est accordée à partir du millésime 2011 aux vins secs produits sur le même terroir (communes de Maury, Tautavel, Saint-Paul et Rasiguères). Les vignerons de cette aire d'appellation proposaient auparavant leurs vins secs en AOC côtes-du-roussillon-villages. Le grenache noir, emblématique de l'appellation, entre à hauteur de 60 % minimum (et 80 % maximum) dans les assemblages. Les vins bénéficient d'un élevage de six mois au minimum.

DOM. DU DERNIER BASTION Perles noires
Vieilles Vignes 2011 ★★

| ■ | 3 000 | ■ | 11 à 15 € |

Dans la minuscule cave de cette propriété familiale, on propose toutes les facettes du maury, du grenat au rancio. Et comme l'appellation s'enrichit d'un vin sec, les Lafage ont présenté au jury la première version de cette nouvelle production, où le vieux grenache, comme il se doit, domine l'assemblage. D'un rouge foncé intense, ce 2011 a hérité des schistes noirs de Maury une palette aromatique très séduisante où la tapenade et la fleur de ciste méridionales se mêlent au cassis. En bouche, l'attaque est vive, sur le fruit : cassis encore, myrtille, nuancés de garrigue et de notes mentholées. Équilibrée entre acidité et impressions moelleuses, la bouche évolue sur des tanins fins et s'achève sur des touches grillées. Une bouteille de caractère, à la fois sudiste et fraîche, prête à passer à table, servie avec une épaule d'agneau au romarin. On pourra aussi la garder quatre ou cinq ans.

☛ SCEA Dom. du Dernier Bastion, 13, rue du Dr Pougault, 66460 Maury, tél. 04 68 38 97 68, fax 04 68 59 13 14, dernierbastion@orange.fr, ☑ ☂ ☍ r.-v.

☛ M. Lafage

MAS AMIEL Légende 2011 ★★

| ■ | 3 000 | ■ | 15 à 20 € |

Depuis l'acquisition de ce superbe domaine en 1999, Olivier Decelle n'a eu de cesse de diversifier la gamme en proposant des vins secs : les lecteurs du Guide connaissent ses côtes-du-roussillon-villages ; voici aujourd'hui un premier maury sec, un vin bien abouti. On le savoure déjà du regard, car sa robe profonde aux reflets violines est jeune et pleine de promesses. Le nez enchante, mêlant la framboise, le bâton de réglisse, la noix muscade et le poivre gris, avec une touche d'humus et de sous-bois. La bouche généreuse, puissante et longue rappelle que les vignes plongent leurs racines dans des schistes. Un vin de garde, que l'on pourra conserver cinq à huit ans.

☛ Mas Amiel, Dom. Mas Amiel, 66460 Maury, tél. 04 68 29 01 02, fax 04 68 29 17 82, contact@lvod.fr, ☑ ☂ ☍ t.l.j. 8h-12h 13h-18h

☛ Decelle

NATURE DE SCHISTE 2011 ★

| ■ | 18 000 | ■ | 8 à 11 € |

Si les vignerons de la coopérative de Maury affinent dans leur cave centenaire de nombreux vins doux naturels, ils n'ont pas manqué la première édition du maury sec, un 2011 où le grenache noir s'allie à une touche de carignan. Grenat aux reflets violines, c'est un vin tout en fruit, au nez intense de framboise, de fraise et de cassis, arômes que l'on retrouve dans une bouche équilibrée et fraîche. À découvrir dès maintenant.

☛ SCAV Les Vignerons de Maury, 128, av. Jean-Jaurès, 66460 Maury, tél. 04 68 59 00 95, fax 04 68 59 02 88, contact@vigneronsdemaury.com, ☑ ☂ t.l.j. 8h30-12h30 14h-18h30

ROCHER DES BUIS Schistes noirs 2011 ★★

| ■ | 4 269 | ■⌷ | 11 à 15 € |

Née de la fusion de trois coopératives du secteur de Maury, cette cave affiche déjà un palmarès enviable : n'a-elle pas décroché deux coups de cœur l'an dernier, tant en maury qu'en côtes-du-roussillon-villages ? Associant le grenache noir à un appoint de syrah, ce 2011 s'annonce par une robe profonde, qui prend la couleur de la cerise noire, avec des reflets violines. Le nez intense marie les fruits noirs confiturés et la datte à un subtil boisé qui témoigne d'un séjour en fût de 30 % de la cuvée. Net en attaque, puissant, riche et bien structuré, c'est un vin puissant et plein d'avenir, qui accompagnera dès aujourd'hui un mets haut en goût, comme une daube de sanglier.

☛ Vignerons de Tautavel-Vingrau, 24, av. Jean-Badia, 66720 Tautavel, tél. 04 68 29 12 03, fax 04 68 29 41 81, contact@tautavelvingrau.com, ☑ ☂ t.l.j. 9h-12h 14h-18h

LE POITOU ET LES CHARENTES

HAUT-POITOU SAUVIGNON
CHARDONNAY CABERNET
PINEAU-DES-CHARENTES GAMAY
VIEUX TRÈS VIEUX
EXTRA VIEUX COGNAC XO
VSOP GRANDE CHAMPAGNE
FINS BOIS

LE POITOU ET LES CHARENTES

Les vignobles des anciennes provinces de l'Aunis, de la Saintonge et du Poitou ont prospéré avant celui du Bordelais, grâce au port de La Rochelle. Si le Poitou n'a gardé que quelques ceps, les Charentes ont, depuis le XVIe s., fondé leur essor sur la distillation des vins blancs. Le cognac a fait leur réputation – une eau-de-vie qui contribue à un élégant vin-de-liqueur, le pineau-des-charentes.

Superficie
Haut-Poitou : 700 ha ;
Cognac : 685 400 ha (79 727 plantés, essentiellement destinés à la production de l'eau-de-vie ; pineau-des-charentes : 1 138 ha).

Production
Haut-Poitou : 19 000 hl ;
Cognac : 765 000 hl (cognac) ;
100 000 hl (pineau-des-charentes).

Types de vins
Vin de liqueur (le pineau-des-charentes, assemblage de moût et de cognac, eau-de-vie élaborée dans la même aire d'appellation) ; vins tranquilles rouges, rosés et blancs (haut-poitou).

Sous-régions
Haut-Poitou au nord (rattaché viticolement au Val de Loire). Vignobles du cognac et ses six terroirs (voir carte).

Cépages principaux
Rouges : cabernet franc, cabernet-sauvignon, merlot, gamay (ce dernier uniquement pour le haut-poitou).
Blancs : ugni blanc (surtout), colombard, folle blanche (pour le cognac) ; sémillon, montils, sauvignon.

Du Bassin parisien au Bassin aquitain Au nord-ouest, la Vendée ; au nord, l'Anjou ; au nord-est, la Touraine ; à l'est, les plateaux du Limousin ; au sud, le Bassin aquitain. Géologiquement, le Poitou, enserré entre les terrains primaires du Massif armoricain et du Massif central, fait communiquer les deux grands bassins sédimentaires du territoire français, le Bassin parisien et le Bassin aquitain : d'où le nom de Seuil du Poitou. Ses terrains jurassiques sont de nature sédimentaire, tout comme ceux, au sud, des pays charentais, auréoles crétacées et tertiaires du Bassin aquitain. La région est marquée par des paysages de plaines en Poitou, plus ondulés en Charente, où les sols prennent çà et là la couleur blanchâtre du calcaire. Son climat océanique très doux, souvent ensoleillé en été ou à l'arrière-saison, avec de faibles écarts de températures qui permettent une lente maturation des raisins, rapproche la région Poitou-Charentes de l'Aquitaine.

La région administrative comprend quatre départements : la Vienne, les Deux-Sèvres, la Charente et la Charente-Maritime. D'un point de vue viticole, elle s'identifie à son vignoble principal, celui du cognac, qui s'étend sur les deux Charentes, avec une incursion en Dordogne. Ce n'est pas le seul ; le vignoble du Saumurois pousse une pointe en Poitou-Charentes, tout au nord des Deux-Sèvres, dans la plaine de Thouars. Et au nord-est de Poitiers, vers Neuville, subsistent les vignobles du Poitou, dont les vins, au XIIe s., dépassaient en notoriété ceux du Bordelais.

La fortune médiévale Dès l'époque gallo-romaine, les pays des Pictaves et des Santones ont été rattachés à la même province que Bordeaux et à partir du Xe s., Aquitaine et Poitou ont été réunis sous un même duché, avant de devenir partie intégrante, au milieu du XIIe s., du grand royaume Plantagenêt comprenant Aquitaine, Poitou, Anjou et Angleterre. Leur histoire viticole présente ainsi bien des traits communs, quoique les époques de prospérité n'aient pas toujours coïncidé.

Aux temps gallo-romains, malgré l'éclat de Saintes et de Poitiers, nul indice d'une viticulture prospère dans la région, alors que Bordeaux possède déjà des vignobles réputés. C'est au Moyen Âge que le vignoble poitevin s'épanouit. Sa viticulture a un caractère hautement spéculatif : elle est suscitée par l'essor des villes de l'Europe du Nord et par le renouveau de la navigation maritime. Ce nouveau patriciat urbain veut consommer du vin. Des navires, plus gros et plus perfectionnés qu'auparavant, partent en quête de la boisson aristocratique. Les Poitevins répondent à cette demande. On plante en quantité dans les diocèses de Poitiers et de Saintes : vins de La Rochelle, de Ré et d'Oléron, vins de Niort, vins de Saint-Jean-d'Angély, vins d'Angoulême... Fondée par Guillaume X et protégée par les ducs d'Aquitaine, La Rochelle est l'un des principaux ports d'expédition, mais le moindre port de rivière profite de ce commerce. On appelle aussi vins du Poitou les produits nés dans les régions voisines de l'Aunis, de la Saintonge et de l'Angoumois – les provinces historiques situées sur le territoire actuel des deux Charentes.

Des alambics pour les Hollandais Si la prise de La Rochelle par le roi de France, en 1224, ferme aux vins du Poitou le marché anglais qui achète désormais des clarets bordelais, la soif des autres régions de l'Europe du Nord permet aux vignobles de la région de survivre. La Hollande devient leur principal débouché, surtout après 1579, quand les Provinces-Unies prennent leur indépendance et s'affirment comme une puissance maritime et commerciale. Les Hollandais apprécient les vins blancs doux. Néanmoins, la production de la région devenue pléthorique voyage mal. Les négociants hollandais trouvent la solution : le *brandwijn*, ou eau-de-vie. Grâce à la distillation, ils remédient non seulement à la surproduction mais parviennent aussi à valoriser des vins faibles. Une opération tellement intéressante que l'alambic se répand dans les campagnes de l'Aunis et de la Saintonge.

Cette eau-de-vie est devenue le cognac, dont la notoriété s'est affirmée aux XVIIIᵉs. et XIXᵉs. La crise phylloxérique, si elle a suscité l'essor des alcools de grains, n'a pas ruiné durablement le vignoble charentais, qui bénéficiait d'un grand prestige, consacré par une AOC dès 1909. En revanche, le vignoble poitevin, qui était resté très étendu mais dont la réputation avait pâli, a failli disparaître complètement du paysage viticole.

Haut-poitou

Superficie : 186 ha
Production : 11 000 hl (55 % blanc)

Le docteur Guyot rapporte en 1865 que le vignoble de la Vienne représente 33 560 ha. De nos jours, outre le vignoble du nord du département, rattaché au Saumurois, et une enclave dans les Deux-Sèvres, seuls subsistent deux îlots viticoles autour des cantons de Neuville et de Mirebeau. Marigny-Brizay est la commune la plus riche en viticulteurs indépendants. Les autres se sont regroupés pour former la cave de Neuville-de-Poitou. En 2011, le Haut-Poitou a accédé à l'appellation d'origine contrôlée.

Les sols du plateau du Neuvillois, évolués sur calcaires durs et craie de Marigny ainsi que sur marnes, sont propices aux différents cépages de l'appellation ; le plus connu d'entre eux est le sauvignon (blanc ou gris). En rouge, le cépage principal est le cabernet franc, complété par le merlot, le pinot noir et le gamay.

CAVE DU HAUT-POITOU Trésors d'antan Fié gris 2012 ★

| | 6 520 | ■ | 5 à 8 € |

La cave du Haut-Poitou est le moteur de l'appellation (passée en 2011 d'AOVDQS à AOC), puisqu'elle vinifie environ la moitié de la surface. Cette cuvée Fié gris (nom local du sauvignon gris) se présente vêtue d'une robe jaune pâle à reflets verts. Le nez à la fois intense et délicat mêle des notes de buis et d'acacia. La bouche se montre ample, vive et persistante, et ne manque pas de gras. Un vin équilibré, à servir sur un plateau de coquillages et sur des crustacés.
➤ SCA Cave du Haut-Poitou, 32, rue Alphonse-Plault, 86170 Neuville-de-Poitou, tél. 05 49 51 21 65, fax 05 49 51 16 07, caveau@caveduhautpoitou.fr,
☑ ⚘ ☊ t.l.j. 9h-12h 14h-19h; dim. 9h-12h30

DOM. LA TOUR BEAUMONT Sauvignon blanc 2012 ★

| | 18 000 | ■ | 5 à 8 € |

C'est dans un caveau tout neuf que vous serez reçus par la famille Morgeau. Le père, Gilles, et le fils, Pierre, signent un blanc de sauvignon bien typé avec ses parfums d'agrumes et de fruits exotiques. Une attaque souple, toujours sur le fruit, ouvre sur un palais ample, gras et intense. Un ensemble homogène et bien équilibré, à déguster dans l'année sur un fromage de chèvre frais.
➤ Gilles et Brigitte Morgeau, 2, av. de Bordeaux, 86490 Beaumont, tél. 05 49 85 50 37, fax 05 49 85 58 13, tour.beaumont@terre-net.fr,
☑ ☊ t.l.j. sf dim. 9h30-12h 14h30-19h (18h sam. et en hiver)

DOM. DE VILLEMONT Cuvée Prestige 2012

| | 4 000 | ■ ◍ | 8 à 11 € |

Ici, on a le sens de l'accueil (le domaine a reçu le label « Qualité Vienne » en 2009) et celui de la famille : père et fils à la vigne et au chai, mère et fille à la commercialisation. Le sens de la qualité aussi, témoin les sélections régulières dans ces pages. Cette année, c'est cette cuvée issue du seul cabernet franc qui est retenue : un vin chaleureux à l'olfaction (pruneau à l'eau-de-vie), souple et fruité en bouche. À boire sans attendre, sur une grillade.
➤ EARL Alain Bourdier, 6, rue de l'Ancienne-Commune, Seuilly, 86110 Mirebeau, tél. 05 49 50 51 31, fax 05 49 50 96 71, domaine-de-villemont@wanadoo.fr,
☑ ⚘ ☊ t.l.j. sf dim. 9h30-12h 14h-18h; f. 1ʳᵉ sem. de jan.

Pineau-des-charentes

Le pineau-des-charentes est produit dans la région de Cognac – vaste plan incliné d'est en ouest, d'une altitude maximale de 180 m, qui s'abaisse progressivement vers l'océan Atlantique. Le vignoble, traversé par la Charente, est

POITOU

implanté sur des coteaux au sol essentiellement calcaire. Sa destination principale est la production du cognac. Cette eau-de-vie est « l'esprit » du pineau-des-charentes, vin de liqueur résultant du mélange des moûts des raisins charentais frais ou partiellement fermentés avec du cognac.

Selon la légende, c'est par hasard qu'au XVIᵉs. un vigneron un peu distrait commit l'erreur de remplir de moût de raisin une barrique qui contenait encore du cognac. Constatant que ce fût ne fermentait pas, il l'abandonna au fond du chai. Quelques années plus tard, alors qu'il s'apprêtait à vider la barrique, il découvrit un liquide limpide, délicat, à la saveur douce et fruitée : ainsi serait né le pineau-des-charentes. Le recours à cet assemblage se poursuit aujourd'hui encore de la même façon artisanale et à chaque vendange, car le pineau-des-charentes ne peut être élaboré que par les viticulteurs. Restée locale pendant longtemps, sa renommée s'est étendue peu à peu à toute la France, puis au-delà de nos frontières.

Les moûts de raisin proviennent essentiellement, pour le pineau-des-charentes blanc, des cépages ugni blanc, colombard, montils, sauvignon et sémillon, auxquels peuvent être adjoints le merlot et les deux cabernets, et, pour les rouges et rosés, des cabernets, du merlot et du malbec. Les ceps doivent être conduits en taille courte et cultivés sans engrais azotés. Le moût doit dépasser les 170 g de sucre par litre en puissance. Le pineau-des-charentes vieillit en fût de chêne pendant au moins un an, le plus souvent pendant plusieurs années. Il ne peut sortir de la région que mis en bouteilles.

Comme en matière de cognac, il n'est pas d'usage d'indiquer le millésime. En revanche, un qualificatif d'âge est souvent spécifié. Le terme « vieux pineau » est réservé au pineau de plus de cinq ans, et celui de « très vieux pineau » à celui de plus de dix ans. Dans ces deux cas, le vieillissement s'accomplit exclusivement en barrique. La qualité de ce vieillissement doit être reconnue par une commission de dégustation. Le degré alcoolique est généralement compris entre 17 % vol. et 18 % vol., et la teneur en sucre non fermenté entre 125 et 150 g ; le rosé est généralement plus doux et plus fruité que le blanc, lequel est plus nerveux et plus sec.

Nectar de miel et de feu, dont la merveilleuse douceur dissimule une certaine traîtrise, le pineau-des-charentes peut être consommé jeune (à partir de deux ans) ; il donne alors tous ses arômes de fruits, encore plus présents dans le rouge et le rosé. Avec l'âge, il prend des parfums de rancio très caractéristiques. Par tradition, il se consomme à l'apéritif ou au dessert ; sa rondeur accompagne également le foie gras et le roquefort, son moelleux intensifie le goût et la douceur de certains fruits, comme le melon (charentais), les fraises et les framboises. Le pineau-des-charentes est utilisé également en cuisine pour la confection de plats régionaux (mouclade).

LES RAISINS DE L'ABBAYE ★

	3 500	8 à 11 €

Autrefois domaine ecclésiastique, cette propriété est devenue une ferme charentaise avec ses pierres apparentes, sa cour fermée et son porche typique ; elle étend son vignoble sur 27 ha près de Saint-Jean-d'Angély. L'activité de vente directe de pineau et de cognac a débuté en 1999 à la reprise de l'exploitation familiale par Thierry et Olivier Madé. Ce pineau proclame haut et fort son élevage de cinq ans en fût de chêne. La robe est jaune doré. Le nez allie des arômes floraux et fruités à des notes de merrain et de noix. Coing et abricot se combinent au rancio pour donner un réel raffinement au palais ample et charnu, rehaussé par une finale acidulée. L'ensemble est harmonieux et tout indiqué pour accompagner salades composées, foie gras, magrets séchés, noix et roquefort.

GAEC de l'Abbaye, 17, chem. de l'Abbaye, 17400 Asnières-la-Giraud, tél. 05 46 59 17 36, fax 05 46 59 08 26, raisins.abbaye@gmail.com, ☑ ☂ ☏ t.l.j. sf dim. 9h-12h30 14h-20h
Guy Madé

BARBEAU Très vieux Grande Réserve ★

	1 100	20 à 30 €

Paré d'une robe brillante et pâle à reflets ocre, ce pineau libère des arômes de fruits confits et exotiques qui se retrouvent au palais. Le vieillissement en fût de 400 l pendant plus de douze ans lui confère en bouche un rancio et une longueur des plus agréables. Ce vin laisse une belle impression d'équilibre. Il s'alliera à merveille avec un dessert au chocolat noir.

Maison Barbeau et Fils, Les Vignes, 17160 Sonnac, tél. 05 46 58 55 85, fax 05 46 58 53 62, barbeaumi@wanadoo.fr, ☑ ☂ ☏ r.-v.

VEUVE BARON ET FILS Vieux Logis de Brissac ★

	9 600	11 à 15 €

Régulièrement sélectionné pour ses pineaux, et souvent en bonne place, ce domaine créé en 1754 ne manque pas le rendez-vous du Guide ; il signe un vieux pineau blanc d'un beau jaune doré et ambré, qui développe des parfums puissants d'abricot, d'orange confite et de miel. Au palais, l'orange, la prune blanche mûre et le raisin sec percent sous le rancio. Un ensemble d'une belle complexité, qui allie équilibre et longueur.

SCEA Vignobles Baron, Logis de Brissac, 16370 Cherves-Richemont, tél. 05 45 83 16 27, fax 05 45 83 18 67, veuve.baron@wanadoo.fr, ☑ ☂ ☏ t.l.j. sf dim. 9h30-12h 14h-18h30

DOM. DE BIRIUS ★

| | 1 600 | | 8 à 11 € |

Lors d'une balade en Saintonge, la visite de la petite ville médiévale de Pons s'impose pour admirer son donjon du XIIᵉs., son château du XVIIᵉs., l'hôpital des Pèlerins classé au Patrimoine mondial par l'Unesco, ses remparts, ses ruelles... Tout près de là, une autre halte, gourmande celle-ci, vous permettra de découvrir les produits viticoles de Philippe Bouyer : cognacs et vins de pays, et surtout ce pineau rosé d'un rubis intense et profond, aux notes puissantes de fruits rouges qui se prolongent dans un palais souple et plein, bien équilibré entre l'eau-de-vie, les sucres et l'acidité.

📞 EARL Bouyer, Dom. de Birius,
4, rue des Peupliers, La Brande, 17800 Biron,
tél. et fax 05 46 91 22 71, contact@cognac-birius.com,
☑ ⚥ ♈ r.-v. 🏠 ©

♥ BOULE ET FILS ★★

| | 17 000 | | 5 à 8 € |

Plusieurs générations se sont succédé sur ce domaine situé à la limite de la Charente-Maritime, tout proche du Blayais. On peut d'ailleurs y trouver des blaye et des côtes-de-bordeaux à côté des cognacs et des pineaux. Philippe Boule a passé les commandes à son fils Vincent. Ce dernier, après un BTS « viti-œno », met en pratique les techniques de vinification acquises pour le plus grand

plaisir des dégustateurs, dont les papilles averties ont été charmées par ce rosé élevé dix-huit mois en fût. De la dominante merlot (90 %, le cabernet en appoint), le vin hérite d'une robe rouge rubis éclatant et d'un bouquet de fruits rouges frais marqué par la framboise. Charnu et rond à l'attaque, le palais se révèle ample et très long, offrant un équilibre parfait entre le fruité et les tanins du bois subtilement fondus. Le jeune vigneron frôle même le doublé, son **blanc (17 000 b.),** également présent au grand jury des coups de cœur, décrochant deux étoiles pour son harmonie, son intensité et sa complexité, au nez comme en bouche.

📞 Vignobles Boule et Fils, 3, La Verrerie, 17150 Boisredon,
tél. 05 46 49 64 64, fax 05 46 49 68 68, boule.fils@orange.fr,
☑ ⚥ ♈ r.-v.

Le Poitou-Charentes

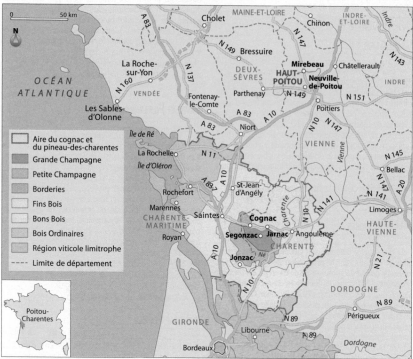

JOAN BRISSON ★

| | 3 500 | 5 à 8 € |

Une invitation au rêve et à la sérénité vous attend à Matha (à 30 km au nord de Cognac). En effet, le propriétaire du domaine, Joan Brisson, a créé un étonnant jardin qui comprend plus de cinquante-cinq variétés de bambous, du nain au géant, de toutes les couleurs et aussi des plantes méditerranéennes. Exotisme garanti ! Quant à son pineau, élaboré dans la pure tradition charentaise, c'est un digne représentant de son appellation. Légèrement ambré, il offre des parfums de vanille et d'orange confite. L'attaque, riche, introduit un palais qui évolue longuement sur des impressions de rancio, de caramel et de noix. Un pineau complexe et très concentré.

🕾 Joan Brisson, 7, rue Saint-Hérie, 17160 Matha, tél. 05 46 58 25 07, fax 05 46 58 26 40, brisson.joan@bbox.fr, ☑ ⚷ ⊥ t.l.j. 10h-12h 14h-18h; f. oct.-avr.

CHAINIER Vieux ★★

| | n.c. | ⊞ | 15 à 20 € |

Les lecteurs fidèles se souviendront sans doute d'un coup de cœur pour le pineau vieux de Dominique Chainier dans l'édition 2012. Présente au grand jury des coups de cœur, cette version a séduit les dégustateurs par sa robe brillante d'un vieil or ambré, par ses notes intenses et gourmandes de fruits confits, d'abricot sec et de prune. La bouche, ample, équilibrée et remarquablement longue est une corbeille de fruits : coing, orange, pamplemousse et abricot. L'un des meilleurs pineaux de sa catégorie, à essayer sur une crème brûlée.

🕾 Dominique Chainier, 15, La Barde-Fagnouse, 17520 Arthénac, tél. 05 46 49 12 85, info@cognacchainier.com, ⛫ ❷

PASCAL CLAIR ★★

| | 12 000 | ⊞ | 8 à 11 € |

Une fois de plus, le pineau de Pascal Clair a su charmer les dégustateurs. Intarissables sur cet assemblage ugni blanc-sémillon, qui a frôlé le coup de cœur, ils ont admiré l'or intense de sa robe, vanté ses parfums d'agrumes et de pêche perçus au premier nez, puis ceux de pain d'épice, de pâtisserie et de noix fraîche libérés par l'aération. L'attaque puissante ouvre sur une bouche à l'unisson du bouquet, dense et persistante, au boisé fondu, où pointent le rancio et le pruneau. Ce vin harmonieux du début à la fin pourra s'apprécier pour lui-même : une pure gourmandise.

🕾 EARL Pascal Clair, 6, La Genebrière, 17520 Neuillac, tél. 05 46 70 22 01, pascal.clair@free.fr, ☑ ⚷ ⊥ r.-v.

DOM. DES CLAIRES

| | 5 200 | ⊞ | 8 à 11 € |

Bien que ce domaine soit viticole depuis six générations et orienté vers la production de cognac (le seul bouilleur de cru de la presqu'île d'Arvert), c'est l'activité ostréicole et l'affinage des huîtres en claires qui prédominaient jusque dans les années 1970. Jonathan Guillon, son diplôme d'œnologue en poche, s'installe en 2010 et diversifie l'encépagement. Les premières mises en bouteilles à la propriété de vins de pays, de cognac et de pineau voient alors le jour. Ce jeune vigneron propose ici un pineau blanc d'une couleur dorée à reflets tuilés, dont l'expression aromatique est tournée vers les fruits secs, le

miel et le bois. Rond et gras, le palais déploie des nuances de coing, de noix, d'amande et de rancio.

🕾 Dom. des Claires, 2, rue des Tonnelles, 17530 Arvert, tél. 05 46 47 31 87, contact@domainedesclaires.fr, ☑ ⚷ ⊥ t.l.j. sf dim. 9h30-12h30 14h30-19h; hors saisons sur r.-v.
🕾 Thierry Guillon

DOM. DROUET ET FILS Vieux Gabriel
Vieilli en fût de chêne ★

| | 1 000 | ⊞ | 15 à 20 € |

En 1993, Patrick Drouet prend la suite de ses parents sur cette propriété construite en 1848 dans le cru de Grande Champagne et acquise par ses arrière-grands-parents. Une histoire de famille à laquelle le vigneron rend hommage avec cette cuvée Gabriel, baptisée du nom de son grand-père. Ce pineau révèle à l'olfaction des parfums typiques de miel et de rancio. Le palais, chaleureux et égayé par une pointe d'acidité, évolue quant à lui sur des notes persistantes d'amande, de noix, de prune et d'orange. L'ensemble est équilibré, d'une belle finesse.

🕾 Patrick Drouet, 1, rte du Maine-Neuf, 16130 Salles-d'Angles, tél. 05 45 83 63 13, fax 05 45 83 65 48, contact@cognac-drouet.fr, ☑ ⚷ ⊥ t.l.j. sf. mer. apr.-m. 9h-13h 14h-17h30; sam. dim. sur r.-v.

EGRETEAU

| | 7 000 | ▮⊞ | 8 à 11 € |

Installé en 2004, Ludovic Egreteau a débuté la vente directe sur la propriété familiale alors qu'il était encore étudiant. La production, plutôt confidentielle, est de qualité. Une robe grenat tuilé habille ce rosé tout en fruits (fraise, cassis, cerise). L'attaque franche et acidulée prélude à une bouche équilibrée. Idéal à l'apéritif.

🕾 EARL Egreteau, 29, rue de Saint-Bris, Chez Petit-Bois, 17770 Brizambourg, tél. 05 46 95 96 04, fax 05 46 95 06 73, earlegreteau@wanadoo.fr, ☑ ⚷ ⊥ r.-v.

FAVRE ET FILS L'Insulaire ★

| | 40 000 | ⊞ | 5 à 8 € |

Pascal Favre est un vigneron attentif aussi bien à la vigne (en conversion bio depuis 2010) qu'au chai, et ses vins de pays charentais ainsi que ses pineaux apparaissent régulièrement dans nos éditions. Grâce à lui, l'île d'Oléron, lieu de villégiature prisé, est aussi un terroir à part entière. D'un beau rouge profond, issu de merlot (80 %) et de cabernet, son pineau rosé a été fort apprécié. Le nez décline à l'envi des notes de framboise, de cassis et de confiture. La bouche, légèrement tannique, est enrobée par la sucrosité et le gras, et s'étire en une longue finale fruitée. De belles perspectives gourmandes avec un fondant au chocolat.

🕾 SCEA Favre et Fils, village La Fromagerie, 17310 Saint-Pierre-d'Oléron, tél. 05 46 47 05 43, fax 05 46 75 03 18, vignoble.favre@orange.fr, ☑ ⚷ ⊥ t.l.j. sf dim. 9h-12h30 14h30-19h

VIGNOBLE FÉVRIER

| | 3 000 | ⊞ | 8 à 11 € |

Installé en 2000 à Macqueville, à 20 km au nord de Cognac, Emmanuel Février exploite un vignoble de 24 ha.

Il a élargi sa gamme et propose à côté de ses pineaux des vins de pays, des cognacs et des liqueurs. Il a aussi développé l'œnotourisme, en proposant animations, concerts et pique-niques l'été, et visites guidées pendant la distillation l'hiver. Son pineau rosé associe à parts égales merlot et cabernet-sauvignon. Il en résulte une robe rouge bordeaux étincelant pleine de jeunesse, un nez fin et fruité, et une bouche souple aux accents de fruits rouges. Même note décernée au **blanc (3 000 b.)**, pour son volume et ses arômes plaisants de noix et de rancio.

☛ Vignoble Février, 10, rue des Vallées, 17490 Macqueville, tél. 05 46 26 63 93, vignoble.fevrier@wanadoo.fr,
☑ ⚘ ⵣ t.l.j. sf dim. 10h-12h30 15h-19h; f. fin août

PIERRE GAILLARD ★

| | | 6 000 | 🎏 | 8 à 11 € |

Vous trouverez ce domaine, régulier en qualité, tout près de la ville de Jonzac. Dans cette région de la Haute-Saintonge, la culture de la vigne est ancestrale : des archéologues ont mis au jour les fondations d'une exploitation agricole et viticole gallo-romaine, propriété de notables. Cette année encore, les deux couleurs sont retenues. D'un rouge grenat aux nuances rubis, ce rosé mène droit au cassis, à la framboise et à la mûre, arômes harmonieux qui se prolongent dans une bouche souple et persistante. Ce pineau s'accordera à merveille avec un gâteau au chocolat. D'une couleur jaune paille, le **blanc (10 000 b.)** est cité pour ses parfums frais d'abricot et de mirabelle, et pour son palais rond et gras.

☛ Pascal Gaillard, EARL Pierre Gaillard et Fils, 5, Chez Trébuchet, 17240 Clion, tél. 05 46 70 45 15, fax 05 46 70 39 30, pierre.gaillard.et.fils@wanadoo.fr,
☑ ⚘ ⵣ t.l.j. sf sam. dim. 14h-19h

DOM. GARDRAT ★

| | | 22 000 | 🎏 | 5 à 8 € |

Vigneron innovateur et dynamique, Lionel Gardrat a gagné la notoriété grâce à ses vins de pays charentais. Il n'est pas en reste avec ce pineau rosé qu'il a élaboré à partir du seul merlot planté sur un terroir argilo-calcaire. Jouissant d'une exposition idéale sur les coteaux de l'estuaire de la Gironde, face au Médoc, le raisin a bénéficié d'une maturation optimale. Le résultat ? Un pineau d'un rouge cerise profond, au nez puissant et riche (griotte, mûre, fruits secs, pointe d'épices), généreux et ample, d'une égale complexité en bouche.

☛ SARL Vignoble Gardrat, 13, rue de la Touche, 17120 Cozes, tél. 05 46 90 86 94, fax 05 46 90 95 22, lionelgardrat@hotmail.com, ☑ ⵣ r.-v.

HENRI GEFFARD Extra-vieux ★

| | | n.c. | 🎏 | 11 à 15 € |

Ce pineau est issu d'un assemblage d'ugni blanc (90 %) et de cabernet-sauvignon. La petite part du cépage rouge lui confère une teinte ambre doré et des tanins fondus qui ajoutent de la persistance en bouche. De son long passage en fût (six ans), il a acquis des arômes de rancio tels que la noix muscade et les fruits confits. L'attaque est douce, l'évolution, concentrée et vanillée. Long, bâti sur le boisé, ce vin a atteint sa plénitude. Le **blanc Extra-vieux (20 à 30 €; 3 000 b.)**, à la belle expression olfactive (miel et tilleul), est cité.

☛ SARL Henri Geffard, La Chambre, 16130 Verrières, tél. 05 45 83 02 74, fax 05 45 83 01 82, cognac.geffard@aliceadsl.fr,
☑ ⚘ ⵣ t.l.j. 8h30-12h 13h30-18h; dim. sur r.-v.
🏨 ❶ ⌂ ⓑ

LA GRANGE DU BOIS ★

| | | 2 000 | 🎏 | 11 à 15 € |

Cette propriété familiale du XVIIIᵉ s., à l'architecture typiquement charentaise avec cour intérieure et porche d'entrée, se situe près de Jarnac. L'activité de distillation remonte à 1727, comme en témoigne un petit alambic très ancien de 4 hl. Élisabeth Belenfant, installée en 2009, veille à maintenir le caractère authentique et artisanal des produits issus de l'exploitation. Le pineau est élaboré à 18 % vol., comme autrefois, pour assurer un bon équilibre entre le jus de raisin et le cognac. Rosé à reflets tuilés, celui-ci s'ouvre sur des arômes de fruits rouges frais ponctués de notes épicées, que l'on retrouve dans une bouche équilibrée et longue. À apprécier avec une salade de fruits rouges, un lapin aux pruneaux ou une tarte au pineau.

☛ SCEA Cartais-Lamaure, La Grange-du-Bois, 16200 Julienne, tél. 05 45 81 10 17, lagrangedubois16@orange.fr, ☑ ⚘ ⵣ r.-v.
☛ Belenfant

GUÉRINAUD ★

| | | 4 000 | 🎏 | 8 à 11 € |

Apéritif, melon, chocolat noir... toutes les occasions seront bonnes pour savourer ce pineau rosé. La robe est d'un grenat profond. À l'aération, les fruits rouges mûrs, la framboise notamment, confèrent au bouquet une impression de richesse et d'élégance. Au palais, des tanins souples et amples donnent de la longueur au vin et s'enrobent d'un fruité persistant. Un très beau représentant de son appellation.

☛ Emmanuel Guérinaud, 3, l'Opitage, 17800 Mazerolles, tél. et fax 05 46 94 01 56, emmanuel.guerinaud@terre-net.fr, ☑ ⚘ ⵣ r.-v.

THIERRY JULLION ★★

| | | 15 000 | 🎏 | 8 à 11 € |

Fidèle au rendez-vous du Guide, Thierry Jullion propose deux pineaux de très belle qualité. Ce rosé 100 % merlot se pare d'un grenat éclatant et affiche d'emblée par ses reflets tuilés son vieillissement de trois ans en barrique. Il dévoile à l'olfaction de fines notes de fruits rouges confits et de fruits secs soutenues par un délicat boisé. Le palais ample, subtil et équilibré, reste dans le droit-fil du nez, longuement soutenu par un cognac bien fondu. Le **blanc (15 000 b.)**, assemblage de montils et d'ugni blanc, obtient une étoile pour ses parfums de fruits à chair blanche et pour sa bouche élégante et concentrée, miellée et boisée. À noter que le domaine est aussi une adresse réputée pour ses vins de pays charentais.

☛ EARL Dom. de Montizeau, Montizeau, 17520 Saint-Maigrin, tél. 05 46 70 00 73, fax 05 46 70 02 60, jullion@wanadoo.fr,
☑ ⚘ ⵣ t.l.j. sf sam. dim. 14h-19h 🏨 ❷ ⌂ ⓒ

CHARENTES

J.-P. MÉNARD ET FILS ★

	20 000	▮	11 à 15 €

La société Ménard exploite plusieurs propriétés, toutes établies en Grande Champagne, terroir très réputé de cognac, et vend pineaux et cognacs en bouteille depuis 1946. Pour obtenir cette couleur rouge foncé soutenu, Philippe Ménard réalise une macération à chaud sur la vendange. Cette technique permet également l'extraction des arômes, témoin ce pineau qui s'exprime dans un registre de fruits très mûrs, voire confiturés : framboise, myrtille, mûre et cassis se marient aux notes boisées. La même intensité et la même richesse aromatique contribuent à rendre la bouche gourmande. Un beau produit, équilibré et voluptueux. Le **très vieux blanc (20 à 30 € ; 7 000 b.)** obtient une citation.

☎ J.-P. Ménard et Fils, 2, rue de la Cure, 16720 Saint-Même-les-Carrières, tél. 05 45 81 90 26, fax 05 45 81 98 22, menard@cognac-menard.com, ☑ 🍴 ⛾ t.l.j. sf sam. dim. 9h-12h 14h-17h

VIGNOBLES MORANDIÈRE ★★

	6 000	⏣	8 à 11 €

Bien sûr, en Charente-Maritime, il y a l'océan et ses plages de sable, mais il existe aussi des paysages de campagne qui méritent une balade. De Chenac jusqu'à Saint-Georges-des-Agoûts, vous longerez d'un côté l'estuaire de la Gironde, et de l'autre les splendides coteaux vallonnés où alternent les champs et les vignes. Juché sur l'un deux, le vignoble de Vincent Morandière bénéficie d'un terroir unique. Les vins qui en sont issus, vins de pays ou pineaux, sont concentrés, tel ce rosé au nez de fruits rouges mûrs agrémenté par une légère touche florale aux accents de violette. La bouche se révèle franche, fraîche, bien charpentée et persistante. C'est un produit jeune, qui conviendra parfaitement à l'apéritif. Quant au **blanc Quintessence (11 à 15 € ; 1 500 b.)**, cité, il s'associera au foie gras ou à des fromages comme le roquefort ou le bleu.

☎ Vincent Morandière, Le Breuil, 17150 Saint-Georges-des-Agoûts, tél. 05 46 86 02 76, vignobles.morandiere@orange.fr, ☑ 🍴 ⛾ r.-v.

J. PAINTURAUD Vieux

	1 000	▮⏣	15 à 20 €

Établie depuis 1934 à Segonzac, au cœur de la Grande Champagne, la famille Painturaud élabore des cognacs et des pineaux qui ont fait sa réputation. Ce vieux pineau rosé ne déroge pas à la règle : robe d'un bel ambré, nez d'une grande finesse mâtiné d'un subtil rancio, bouche fraîche, longue et souple. L'ensemble est équilibré et s'appréciera aussi bien à l'apéritif, avec des pruneaux au lard, qu'au dessert, avec un gâteau au chocolat.

☎ Emmanuel Painturaud, 3, rue Pierre-Gourry, 16130 Segonzac, tél. 05 45 83 40 24, fax 09 81 29 68 19, contact@cognac-painturaud.com, ☑ 🍴 ⛾ t.l.j. 9h-12h30 14h-18h30; dim. sur r.-v.

PELLETANT ★

	5 000	⏣	8 à 11 €

Ce rosé (assemblage des millésimes 2008 et 2009), légèrement évolué, embaume la framboise, la mirabelle et la cerise kirschée. L'attaque est souple et onctueuse ; l'acidité apporte de la fraîcheur et contribue à l'équilibre de ce pineau à la finale longue et harmonieuse. À découvrir avec un gâteau au chocolat ou avec une coupe de fraises. Le **blanc (8 000 b.)** est cité pour son côté miellé et pour ses arômes plaisants de fleurs blanches.

☎ Pelletant, La Chevalerie, rte de la Vigerie, 16170 Saint-Amant-de-Nouère, tél. 05 45 96 88 53, fax 05 45 96 45 16, contact@cognac-pineau-pelletant.com, ☑ 🍴 ⛾ t.l.j. 8h30-12h30 14h-19h; sam. dim. sur r.-v. 🏠 🅒

ANDRÉ PETIT Sélection 2010 ★

	15 000	⏣	8 à 11 €

Paré d'une robe d'or fondu à pointe acajou, ce pineau dévoile un nez expressif d'agrumes, avec une nuance muscatée due à la présence du colombard qui entre dans l'assemblage. Ce cépage lui confère également une attaque franche et vive qui dynamise un palais chaleureux, auquel le cognac apporte, avec un rancio léger et une touche miellée, de l'onctuosité et de la complexité aromatique. Ce jeune pineau saura aiguiser les papilles à l'apéritif.

☎ André Petit et Fils, Au Bourg, 16480 Berneuil, tél. 05 45 78 55 44, fax 05 45 78 59 30, andrepetit3@wanadoo.fr, ☑ 🍴 ⛾ t.l.j. sf dim. 8h-12h30 13h30-18h30; f. 2sem. en août

POUILLOUX

	8 000	⏣	8 à 11 €

Ce domaine, où la vente directe fut développée en 1978, se situe à Pérignac, dans le triangle Cognac-Pons-Saintes, le cru de Petite Champagne. Le moût qui entre dans ce produit est issu de raisins récoltés à la main et à maturité optimale. Après un élevage sous bois, ce pineau blanc plaît par son équilibre entre sucres, acidité et eau-de-vie. À l'olfaction, le cognac enrobe ainsi savoureusement les notes fraîches d'angélique, de poire et de pâte de fruits. En bouche, on perçoit le miel, les fruits secs et les fleurs jaunes. La matière est bien là, souple et élégante. Un accord gourmand ? Un bleu d'auvergne ou du roquefort.

☎ Thierry Pouilloux, 6, imp. du Sud, Peugrignoux, 17800 Pérignac, tél. 05 46 96 46 89, pouilloux.thierry@wanadoo.fr, ☑ 🍴 ⛾ t.l.j. 9h-12h15 14h-19h

♥ DOM. DE LA PRENELLERIE Très vieux ★★

	4 000	⏣	15 à 20 €

Plantées sur un sol argilo-calcaire, les vieilles vignes d'ugni blanc et de colombard à l'origine de ce pineau jouissent d'une exposition idéale et d'un terroir remarquable : le domaine est situé sur les coteaux de l'estuaire de la Gironde, à 5 km du village de Talmont, site touristique emblématique de la Charente-Maritime. Ce très vieux blanc a séduit le grand jury par sa couleur ambrée et par son nez intense et riche de fruits confits, de noix et de muscade. D'une grande harmonie, la bouche prolonge le charme, dévoilant de la concentration, un rancio persistant, mâtiné d'un boisé élégant, et un équilibre remarquable entre richesse et fraîcheur. Un ensemble superbe, à ouvrir sur un foie gras mi-cuit ou sur des fromages forts, un roquefort par exemple.

☞ SCEA Billonneau, Dom. la Prenellerie, 17120 Épargnes, tél. 06 08 33 00 80, fbillonneau@yahoo.com,
☑ ⚘ ☂ t.l.j. sf dim. 9h-12h 14h-19h

G. ET C. RABY ★★

| | 1 120 | ⊞ | 11 à 15 € |

Le logis de la Brée se niche sur les coteaux calcaires de Grande Champagne, terres du chevalier de la Croix-Maron, l'inventeur de la double distillation. Élaboré à partir de 60 % de merlot, ce pineau rosé a été si apprécié qu'il fut sélectionné au grand jury des coups de cœur. Sa robe chatoyante au rouge intense et profond, son nez de mûre, d'épices et de confiture de cerises, sa bouche très longue, complexe et fruitée assureront un moment de plaisir autour d'un dessert au chocolat.

☞ G. et C. Raby, La Brée, 16130 Segonzac, tél. 05 45 83 35 69, contact@cognac-raby.fr, ☑ ⚘ ☂ r.-v.

REYNAC Vieux Vieilli en fût de chêne ★

| | n.c. | | 11 à 15 € |

La maison Reynac, fondée en 1969 par la société H. Mounier, a contribué à l'essor du pineau au-delà des limites régionales et s'est imposée comme une marque leader de l'appellation. Son nom associe le suffixe *ac* typique de la région (« la propriété, le fief ») et *rey* (« le roi ») : le « fief du roi » donc. Un nom noble pour ce pineau qui ne l'est pas moins dans sa robe d'or ambré. Par son rancio et ses notes confiturées, le nez garde le souvenir d'un long vieillissement en fût, tout comme la bouche au boisé teinté de fruits secs, ample, riche et longue. Parfait pour un foie gras brioché.

☞ H. Mounier, 49, rue Lohmeyer, 16100 Cognac, tél. 05 45 82 51 72, fax 05 45 82 83 04, hmounier@hmounier.fr, ☑ t.l.j. sf sam. dim. 9h-12h 14h-17h

ROUSSILLE Extra-vieux ★

| | 2 700 | ⊞ | 15 à 20 € |

Des trois cépages qui le composent – ugni blanc (70 %), sémillon (20 %) et montils (10 %) –, ce pineau a su capter les caractéristiques aromatiques pour composer un bouquet fin et complexe dominé par la figue sèche et le rancio. Sucrosité et fraîcheur s'équilibrent dans une bouche à l'unisson, ample, intense et longue. Que diriez-vous d'un chapon aux morilles pour accompagner cette bouteille ?

☞ Pascal Roussille, SCEA Pineau Roussille, 21, rue de Libourdeau, 16730 Linars, tél. 05 45 91 05 18, fax 05 45 91 13 83, sca.pineau-roussille@terre-net.fr, ☑ ⚘ ☂ t.l.j. 8h (sam. 9h)-12h 14h-19h; dim. sur r.-v.

EMMANUEL SEGUIN Vieux ★

| | 1 000 | ⊞ | 15 à 20 € |

Rouffiac est une petite commune de Charente-Maritime située entre Saintes et Cognac, au bord de la Charente. Vous pourrez, si le cœur vous en dit, emprunter l'un des derniers bacs à chaîne pour vous y rendre. Emmanuel Seguin vous recevra sur cette exploitation familiale qu'il a reprise en 2007, après avoir fait le tour du monde des vignobles au cours de sa formation d'œnologue. Il y élabore du cognac, des vins de pays charentais (jolie diversité des cépages plantés par son père Jean-Claude) et du pineau. Finesse et élégance caractérisent ce vieux rosé, dont les notes finement boisées et le rancio traduisent un long vieillissement en barrique. Un produit harmonieux, à déguster sur un dessert au chocolat.

☞ Emmanuel Seguin, 18, av. de Peuplat, 17800 Rouffiac, tél. 06 88 69 78 16, manncad@hotmail.com, ☑ ⚘ ☂ t.l.j. 9h-19h

VIGNOBLE DU SOURDOUR

| | 2 000 | ⊞ | 8 à 11 € |

Baignes, région de pins, de chênes, de blé, d'élevage et de vignes, était autrefois appelée *Beania*, « pays des bienheureux ». C'est là, aux confins du pays du cognac, dans le sud de la Charente, à 50 km d'Angoulême, que le domaine du Sourdour élabore des pineaux, des vins de pays et des méthodes traditionnelles. Benoît Vincent signe ici une cuvée qui se distingue par sa teinte jaune doré comme par ses arômes soulignés d'une touche de miel, de fleurs des champs et d'écorce d'orange. Le palais se montre rond et moelleux, avec aussi ce qu'il faut de fraîcheur, agrémenté de plaisantes nuances de coing et d'agrumes en finale.

☞ GAEC du Sourdour, Sainte-Radegonde, 16360 Baignes-Sainte-Radegonde, tél. 05 45 78 40 60, fax 05 45 98 69 05, gaec-du-sourdour@wanadoo.fr, ☑ ⚘ ☂ r.-v.
☞ Benoît Frères

LA PROVENCE ET
LA CORSE

CÔTES-DE-PROVENCE BANDOL
COTEAUX-VAROIS BELLET
BAUX-DE-PROVENCE CASSIS
COTEAUX-D'AIX PALETTE
VINS-DE-CORSE PATRIMONIO
MUSCAT-DU-CAP-CORSE AJACCIO
NIELLUCCIU SCIACCARELLU

LA PROVENCE

La Provence, pour tout un chacun, c'est un pays de vacances, où « il fait toujours soleil » et où les gens, à l'accent chantant, prennent le temps de vivre... Pour les vignerons aussi, c'est un pays de soleil, qui brille trois mille heures par an. Les pluies y sont rares mais violentes, les vents fougueux et le relief tourmenté. Les Phocéens, débarqués à Marseille vers 600 av. J.-C., ne se sont pas étonnés d'y voir de la vigne, comme chez eux, et ont participé à sa diffusion. Grâce au tourisme, la viticulture a retrouvé des couleurs, et sa couleur préférée est le rosé. La région fournit aussi des rouges concentrés ou fruités, et de rares blancs.

Superficie
29 000 ha
Production
1 300 000 hl
Types de vins
Rosés majoritaires, rouges de garde et blancs.
Cépages principaux
Rouges : grenache, cinsault, syrah, carignan, tibouren, mourvèdre, cabernet-sauvignon.
Blancs : ugni blanc, vermentino (rolle), bourboulenc, clairette, sémillon, sauvignon.

Des voies romaines aux routes des vacances
Après les Phocéens, les Romains puis les moines et les nobles, et jusqu'au roi-vigneron René d'Anjou, comte de Provence au XVe s., se sont fait les propagateurs de la vigne. Éléonore de Provence, épouse d'Henri III, roi d'Angleterre, sut donner aux vins de Provence un grand renom, tout comme Aliénor d'Aquitaine l'avait fait pour les vins d'Aquitaine. Ils furent par la suite un peu oubliés du commerce international, faute de se trouver sur les grands axes de circulation. Ces dernières décennies, le développement du tourisme les a remis à l'honneur, et spécialement les vins rosés, vins joyeux s'il en est, symboles de vacances estivales et dignes accompagnements des plats provençaux.

Un vignoble morcelé et des cépages variés La structure du vignoble est souvent morcelée, la géopédologie étant très diversifiée par le relief offrant des zones contrastées tant en matière des sols que des microclimats. Comme dans les autres vignobles méridionaux, les cépages sont très variés : l'appellation côtes-de-provence en admet treize. Encore que les muscats, qui firent la gloire de bien des terroirs provençaux avant la crise phylloxérique, aient pratiquement disparu.

Le rosé en tête Depuis plusieurs années, le rosé s'est imposé auprès des consommateurs. La Provence possède ainsi le premier vignoble au monde de vins rosés et s'impose comme la première région en France des vins de cette couleur avec environ 40 % de la production nationale.

Ces vins, de même que les vins blancs (ceux-ci plus rares mais souvent surprenants), sont généralement bus jeunes. Il en est de même pour beaucoup de vins rouges, lorsqu'ils sont légers. Mais les plus corsés, dans toutes les appellations, vieillissent fort bien.

« Ave l'assent » Et puisqu'on parle encore provençal dans quelques domaines, sachez qu'un « avis » est un sarment, qu'une « tine » est une cuve et qu'une « crotte » est une cave ! Peut-être vous dira-t-on aussi qu'un des cépages porte le nom de « pecoui-touar » (queue tordue) ou encore « ginou d'agasso » (genou de pie), à cause de la forme particulière du pédoncule de sa grappe...

Bandol

Superficie : 1 690 ha
Production : 56 466 hl (95 % rouge et rosé)

Noble vin produit sur les terrasses brûlées de soleil des villages de Bandol, Le Beausset, La Cadière-d'Azur, Le Castellet, Évenos, Ollioules, Saint-Cyr-sur-Mer et Sanary, à l'ouest de Toulon, le bandol est blanc, rosé ou rouge. Ce dernier est corsé et tannique grâce au mourvèdre, cépage qui le compose pour plus de la moitié. Généreux, il s'accorde avec les venaisons et les viandes rouges. Sa palette aromatique et subtile est faite de poivre, de cannelle, de vanille et de cerise noire. Le bandol rouge supporte fort bien une longue garde.

CH. D'AZUR 2011 ★

| | 3 000 | ▮ ⅢⅠ | 11 à 15 € |

Il y a une vingtaine d'années, après une expérience en Bordelais, Hélène et Paul Charaval ont créé ce petit domaine de 3 ha de vignes. Gaël Cluchier, leur petit-neveu, les a rejoints en 2010, diplôme d'œnologue en poche. Son premier millésime, couleur grenat, est très réussi et séduit par ses arômes salins et toastés. La bouche avenante s'exprime autour des tanins bien enrobés et de notes complexes de fruits noirs et de grillé, une fine vivacité apportant équilibre et longueur. Cette cuvée harmonieuse s'appréciera dans les deux ou trois ans à venir avec une viande en sauce.

☛ Ch. d'Azur, 1010, chem. de la Peiguière, 83270 Saint-Cyr-sur-Mer, tél. et fax 04 94 26 31 42, contact@chateaudazur.fr,
☑ ⚔ ⵊ t.l.j. sf dim. 9h30-12h30 15h-19h
☛ Charaval

LA BADIANE Mourvégué 2012 ★

| | 1 000 | ▮ | 15 à 20 € |

Sous la marque La Badiane, Jean-Luc Poinsot propose une gamme variée issue des différents terroirs de Provence. La cuvée Mourvégué fait référence à l'ancien nom donné au mourvèdre. Fine et légère, elle se révèle d'emblée très agréable par ses notes de fruits frais nuancées de fleurs sauvages. L'attaque soyeuse dévoile une bouche complexe, qui séduit par sa persistance fruitée. Pour un accord réussi : carpaccio de saint-jacques ou gambas à la plancha.

☛ La Badiane, 22, rue Berthier, 83100 Toulon, tél. 06 07 87 98 05, jlpoinsot@labadiane.fr, ☑ ⚔ ⵊ r.-v.

DOM. DES BAGUIERS 2010 ★

| | 6 700 | ⅢⅠ | 11 à 15 € |

Ce n'est qu'à la fin des années 1970 que ce domaine, transmis de génération en génération, délaisse la polyculture pour se consacrer à la vigne. Depuis, Franck et Claudine Jourdan travaillent au côté de leur père Jean-Louis. Ils signent un rouge séducteur dans sa robe griotte, qui livre à l'aération un bouquet très fruité aux accents confiturés et réglissés. Droite et franche, la bouche est harmonieuse, tapissée de tanins fins de belle facture qui soutiennent une finale aux accents de cacao, d'épices et de grillé. Encore un peu austère toutefois, cette cuvée gagnera à séjourner au moins trois ou quatre ans en cave.

☛ GAEC Jourdan, 227, rue des Micocouliers, Le Plan-du-Castellet, 83330 Le Castellet, tél. et fax 04 94 90 41 87, jourdan@domainedesbaguiers.com, ☑ ⚔ ⵊ t.l.j. sf dim. 10h-12h 15h-18h30

CH. BARTHÈS 2012 ★★

| | 81 000 | ▮ | 11 à 15 € |

Une expression subtile et complexe, où se mêlent harmonieusement fruits rouges, fruits à chair blanche, amande fraîche et fleurs blanches, anime ce tendre rosé à la robe pâle. La bouche se révèle ample, bien structurée et très longue. Une superbe alliance de la fraîcheur et du fruit pour cette cuvée d'un grand équilibre. Idéal pour accompagner des brochettes de poulet à l'ananas. Le blanc 2012 (10 000 b.), riche et aromatique, trouve son expression dans une matière franche et fruitée. Il reçoit une étoile.

☛ Monique Barthès, chem. du Val-d'Arène, 83330 Le Beausset, tél. 04 94 98 60 06, barthesmo@wanadoo.fr, ☑ ⚔ ⵊ r.-v.

♥ LA BASTIDE BLANCHE Cuvée Fontanéou 2011 ★★

| | 4 500 | ⅢⅠ | 20 à 30 € |

NON FILTRÉ
LA BASTIDE BLANCHE
BANDOL
Appellation Bandol Contrôlée
CUVÉE FONTANÉOU
2011
SCEA BRONZO, VIGNERON À 83330 LE CASTELLET, VAR, FRANCE
MIS EN BOUTEILLE AU DOMAINE

Après le rouge Estagnol 2009, le rouge Fontanéou 2011 est à l'honneur et met en exergue la constance remarquable de ce domaine. Paré d'une robe si profonde qu'un dégustateur lui trouve un côté « mystérieux », ce vin puissant et démonstratif dévoile un bouquet complexe, doux et généreux de fruits noirs, d'olive mûre, de Zan et d'épices douces. Une attaque saline introduit une bouche remarquablement équilibrée entre un solide charpente tannique, un fruité soutenu et une chair riche et soyeuse. La finale, d'une admirable longueur, surprend agréablement par ses notes bien mariées d'iris et de poivre blanc sur fond iodé. Un grand bandol de garde, à attendre au moins cinq ans et bâti pour la décennie. Vinifié selon les préceptes bio, le **rosé 2012 Ch. des Baumelles** (11 à 15 € ; 15 000 b.), très chaleureux, vivifié par une pointe de fraîcheur fruitée bienvenue, obtient une étoile.

☛ SCEA Bronzo, 367, rte des Oratoires, 83330 Sainte-Anne-du-Castellet, tél. 04 94 32 63 20, fax 04 94 32 74 34, contact@bastide-blanche.fr, ☑ ⚔ ⵊ r.-v.

BASTIDE DE LA CISELETTE 2012 ★

| | 8 300 | ▮ | 11 à 15 € |

Robert De Salvo signe ici son troisième millésime avec ce rosé paré d'une jolie robe limpide, au nez complexe et délicat de fruits exotiques et d'agrumes, rehaussé d'une touche florale. Après une attaque tonique, la bouche révèle une structure soyeuse et agréable, accompagnée de notes de pêche et de fruits exotiques, une pointe rafraîchissante de citron vert venant stimuler la finale. Un vin plein et aromatique, qui donnera la réplique à une langoustine grillée.

☛ De Salvo, 54, chem. de l'Olivette, 83330 Le Brûlat-du-Castellet, tél. 04 94 07 98 84, fax 09 71 70 58 99, rds.bastideciselette@orange.fr, ☑ ⚔ ⵊ t.l.j. sf sam. dim. 14h-18h

Ⓑ DOM. DE LA BÉGUDE 2012 ★

| | 1 500 | ⅢⅠ | 20 à 30 € |

Depuis 1996, Guillaume et Louis Tari sont à la tête d'un domaine devenu viticole au XIVᵉs. Situé à l'emplacement d'un ancien village mérovingien construit stratégiquement au point culminant de l'appellation, le site est exceptionnel. Ce vin blanc aux éclats d'or demande une petite aération pour s'ouvrir, offrant alors un joli nez d'aubépine et de mirabelle agrémenté de touches beurrées agréables. L'attaque en bouche est onctueuse, évoluant vers un beau volume et des notes d'acacia et de buis frais. La finale est douce, légèrement boisée et de bonne longueur. Un vin harmonieux, à l'élevage bien maîtrisé. Le **rouge 2010 (7 000 b.)** affiche une belle personnalité lui aussi : un vin expressif et riche (menthe, épices, fruits rouges, cuir), étayé par un bon boisé. Une étoile également.

📞 Dom. de la Bégude, rte des Garrigues, 83330 Le Camp-du-Castellet, tél. 04 42 08 92 34, fax 04 42 08 27 02, contact@domainedelabegude.fr, ☑ ⚔ Ⲧ t.l.j. 9h-15h; sam. dim. sur r.-v. 🏠 ⑤

DOM. DU CAGUELOUP 2012 ★

	14 400	∎	11 à 15 €

Ce domaine est bien connu des lecteurs. Richard Prébost propose, à l'image du précédent millésime (distingué par un coup de cœur), un rosé très expressif aux notes d'agrumes (pamplemousse) et de fruit de la Passion. La bouche gouleyante s'équilibre entre la fraîcheur des fruits et le charnu de la matière. Un beau vin de Provence à apprécier à l'ombre de la treille. Sur des notes minérales et florales accompagnées d'une touche épicée, le **blanc 2012 (7 700 b.)**, à dominante de clairette, trouvera sa place dès l'apéritif. Il est cité.

📞 Dom. du Cagueloup, 267, chem. de la Verdelaise, 83270 Saint-Cyr-sur-Mer, tél. 04 94 26 15 70, fax 04 94 26 54 09, domainedecagueloup@gmail.com, ☑ ⚔ Ⲧ t.l.j. 9h-21h (été); 10h-19h (hiver); f. jan.

📞 Prébost

DOM. CASTELL-REYNOARD 2012

	15 000	∎	11 à 15 €

Partisan de la biodynamie (conversion bio en cours), Julien Castell recherche pour ses vins une expression au plus près de son terroir argilo-calcaire. C'est donc un rosé élaboré au plus naturel, sans soufre ni levurage, qu'il propose. La robe légèrement orangée est discrète, tout comme le boisé, qui révèle de fines senteurs florales et fruitées. Quelque peu acidulé, le palais, harmonieux et doté d'une bonne longueur, se révèle à la fois rond et frais. Parfait pour un apéritif aux tonalités méditerranéennes.

📞 Dom. Castell-Reynoard, 1000A, chem. de Thouron, 83740 La Cadière-d'Azur, tél. 06 08 73 83 35, contact@castell-reynoard.com, ☑ ⚔ Ⲧ r.-v.

DUPÉRÉ BARRERA Cuvée India 2012

	6 000	∎	11 à 15 €

Cette maison de négoce propose une cuvée au nom évocateur de voyage et d'exotisme, qui revêt une jolie robe rose aux nuances légèrement saumonées. Le nez, timide, s'ouvre à l'aération sur les fruits jaunes et les agrumes rehaussés de senteurs d'anis et de noisette. Ampleur, fraîcheur et longueur s'articulent harmonieusement en bouche, une légère pointe acidulée apportant un surcroît de tension en finale. Un vin fruité et bien élaboré, à déguster sur un classique poisson grillé.

📞 Dupéré Barrera, 254, rue Robert-Schumann, 83130 La Garde, tél. 04 94 23 36 08, fax 04 92 94 77 63, vinsduperebarrera@hotmail.com, ☑ ⚔ Ⲧ r.-v.

DOM. DUPUY DE LÔME 2010

	7 500	ⓘ	11 à 15 €

Le domaine est situé au cœur d'un site naturel protégé : les grès de Sainte-Anne d'Évenos. Un terroir aride de nature silico-calcaire exposé au plein nord et la patte bourguignonne du vinificateur Gérald Damidot sont à l'origine de ce rouge sombre aux reflets violines, au nez encore un peu fermé, qui s'ouvre à l'aération sur un duo de fruits rouges frais et confits. Cette bouteille gagnera à être carafée afin d'exprimer pleinement tout son potentiel aromatique au palais : notes vanillées et camphrées sur fond de toasté. Les tanins sont fins et accompagnent une finale fraîche au goût de tabac blond. Un bandol « plaisir », à découvrir dans les deux ou trois ans à venir sur un poulet de Bresse rôti et sa compotée de légumes.

📞 Dom. Dupuy de Lôme, 624, rte de Toulon, 83330 Sainte-Anne-d'Évenos, tél. 04 94 05 22 99, domainedupuydelome@orange.fr, ☑ ⚔ Ⲧ r.-v.

📞 SAS les Grès

CH. DE FONT VIVE 2012

	42 100	∎	8 à 11 €

Ce rosé à la teinte saumonée s'ouvre sur une bouche franche soulignée de légères senteurs fruitées, qui concilie volume et fraîcheur. La longue finale laisse au dégustateur une agréable sensation poivrée. Un vin à proposer sur un poisson grillé ou des petits farcis. À découvrir dès cet hiver, le **rouge 2011 (11 à 15 € ; 40 00 b.)**, cité, affiche une structure plus gourmande qu'étoffée, portée par des tanins soyeux.

📞 Philippe Barthès, Ch. de Font Vive, chem. du Val-d'Arène, 83330 Le Beausset, tél. 04 94 98 60 06, fax 04 94 98 65 31, barthesph2@wanadoo.fr, ☑ ⚔ Ⲧ r.-v.

DOM. LE GALANTIN 2010 ★

	25 000	⑪	11 à 15 €

Céline Devictor et Jérôme Pascal, la sœur et le frère, ont pris la suite de leurs parents qui créèrent le domaine en 1965 au Plan-du-Castellet. Ils présentent ici un vin rouge grenat, au nez complexe mêlant le cassis et la rose

Bandol

PROVENCE

à des notes réglissées et cacaotées. La structure en bouche s'articule autour de tanins bien présents mais soyeux, accompagnés de nuances de clou de girofle. Un vin bien typé, dont l'apogée n'est pas encore atteint ; patientez deux à cinq ans. Le **rosé 2012 (45 000 b.)**, sur les fruits à chair blanche et des saveurs pâtissières, ample et structuré, obtient une citation.

☛ Jérôme Pascal et Céline Devictor,
690, chem. du Galantin, 83330 Le Plan-du-Castellet,
tél. 04 94 98 75 94, fax 04 94 90 29 55,
domaine-le-galantin@wanadoo.fr,
☑ ⚔ ⛉ t.l.j. sf dim. lun. 9h-12h 14h-17h30 ⌂ ☻

DOM. DE LA **GARENNE** 2011 ★

■	18 000	15 à 20 €

Jean de Balincourt a passé la main voilà dix ans à sa fille Béatrix. Le Garenne rouge paré d'une robe grenat dévoile un bouquet plaisant qui s'inscrit dans le registre des fruits (cerise, cassis, fruits à l'alcool). La bouche, construite sur des tanins encore fermes, s'exprime sur des notes chaleureuses d'épices et de cacao. Un beau vin, qui méritera qu'on le laisse patienter encore un peu en cave avant de le découvrir sur une côte de bœuf.

☛ Dom. de la Garenne, chem. de Saint-Côme,
83740 La Cadière-d'Azur, tél. 06 88 69 15 97,
domaine-garenne@orange.fr, ☑ ⛉ t.l.j. 8h-12h 14h-17h
☛ de Balincourt

DOM. DU **GROS'NORÉ** 2010 ★★

■	32 000 ⑪	15 à 20 €

Ce domaine voit ses rouges régulièrement distingués dans le Guide. Le 2010, vinifié sans levurage ni collage ni filtration, s'affirme sans équivoque. La robe est sombre, évoquant la cerise noire. Fruits rouges, note vanillée, boisé frais à l'olfaction précèdent une bouche intense dans laquelle l'élevage de dix-huit mois en foudre ne masque nullement la fraîcheur du fruit. La longue finale équilibrée achève de convaincre. Ce vin chaleureux et déjà très harmonieux pourra affronter sans souci une garde de plusieurs années. Quelques notes miellées, une pointe d'épice, une touche florale et fruitée, une bouche bien construite : le **rosé 2012 (11 à 15 € ; 32 000 b.)**, typique de l'appellation, reçoit une étoile.

☛ Alain Pascal, 675, chem. de l'Argile,
83740 La Cadière-d'Azur, tél. 04 94 90 08 50,
fax 04 94 98 20 65, alainpascal@gros-nore.com, ☑ ⚔ ⛉ r.-v.

LES VIGNOBLES **GUEISSARD** G 2012 ★

■	9 600	11 à 15 €

Ce domaine faisait l'an dernier une entrée en fanfare dans le Guide avec un coup de cœur décerné à son rouge 2010. Aujourd'hui, c'est avec un rosé très réussi qu'il retient l'attention. Porté par la fraîcheur des fleurs et des fruits (poire, agrumes, fraise des bois) accompagnés d'une touche saline, le palais ample et gras est soutenu de bout en bout par une juste acidité. De bonne longueur, ce vin harmonieux s'entendra parfaitement avec des papillotes de poisson au fenouil.

☛ SAS Dom. Gueissard, rte de la Gare, allée du Figuier,
83110 Sanary-sur-Mer, tél. 09 81 49 76 00,
pauline@lesvignoblesgueissard.com,
☑ ⚔ ⛉ t.l.j. sf lun. 10h-12h30 15h-18h (19h de juin à sep.);
dim. sur r.-v.
☛ Clément Minne

DOM. DE L'**HERMITAGE** 2012 ★

■	70 000	11 à 15 €

Ce rosé a fière allure dans sa robe litchi aux reflets or rose. Le nez, vivifié par une agréable pointe de minéralité, évoque les fruits jaunes et les épices fraîches. L'attaque franche introduit un palais plein de fruits. Un bandol harmonieux à déguster sur un dessert chocolaté. Le **rouge 2010 (15 à 20 € ; 22 000 b.)** se révèle complexe sur des notes de fruits noirs et de torréfaction. Dominé par des tanins intenses, il nécessitera une garde de trois ans pour exprimer tout son potentiel. Il obtient une étoile, de même que le **blanc 2012 (15 à 20 € ; 7 000 b.)** fin et élégant.

☛ Dom. de l'Hermitage, SAS Gérard Duffort,
1687, chem. du Rouve, 83330 Le Beausset,
tél. 04 94 98 71 31, fax 04 94 90 44 87,
contact@domainesduffort.com, ☑ ⚔ ⛉ r.-v.

DOM. **LAFRAN-VEYROLLES** Tradition 2011 ★

■	18 000 ⑪	15 à 20 €

Valeur sûre de l'appellation, ce domaine présente son 36e millésime ; il est signé par Claude Férec-Jouve, qui a repris le flambeau au décès de son père, délaissant une carrière dans les ressources humaines, et conduit depuis le domaine avec succès. Le bouquet affiche une belle complexité, alliant les fruits noirs (cassis) à des notes d'eucalyptus, de cuir et de torréfaction. La bouche révèle une belle matière, bien-tendue par d'élégants tanins fins. La longue finale marie la fraîcheur de l'orange sanguine à la douceur de la réglisse. À découvrir dans trois ans, sur un pavé de bœuf au beurre de truffe.

☛ Lafran-Veyrolles, SCEA Férec-Jouve,
2115, chem. de l'Argile, 83740 La Cadière-d'Azur,
tél. 04 94 90 13 37, fax 04 94 90 11 18
☑ ⚔ ⛉ t.l.j. sf dim. 8h-12h 14h-18h

DOM. DE LA **LAIDIÈRE** 2012 ★★

■	45 000	11 à 15 €

À la sortie des gorges d'Ollioules, ce vignoble exposé au sud-sud-est sur un terroir de type marno-sableux, est généralement à l'origine de vins d'une belle fraîcheur, à l'image de ce joli rosé très aromatique, évoluant sur des notes intenses d'agrumes (pamplemousse), de fruits exotiques (banane, papaye) et de fruits rouges (fraise). La bouche ample, dans le même registre, s'étire avec finesse jusqu'à la finale, longue et acidulée. Le **rouge 2010 (15 à 20 € ; 25 000 b.)** mêle la délicatesse des fleurs à la gourmandise des épices (réglisse) et à la douceur des fruits exotiques (noix de coco). Déjà tendre, cette cuvée pourra néanmoins attendre trois ou quatre ans en cave.

☛ Dom. de la Laidière, 426, chem. de Font-Vive,
Sainte-Anne-d'Évenos, 83330 Évenos, tél. 04 98 03 65 75,
fax 04 94 90 38 05, info@laidiere.com,
☑ ⚔ ⛉ t.l.j. sf dim. 9h-12h 14h-18h; sam. 10h30-12h
☛ Famille Estienne

DOM. LES **LUQUETTES** 2010 ★

■	2 500 ⑪	15 à 20 €

Une même famille et une « histoire d'hommes » qui débute en 1852. C'est en 1996 que le tournant est opéré : Élisabeth Lafourcade prend les rênes de la propriété, féminisant la succession. La pérennité du domaine « au féminin » est assurée avec l'arrivée de Sophie. Ce 2010 revêt une élégante robe grenat et dévoile un nez puissant qui allie fraîcheur et maturité, et évoque le poivre, le clou de girofle, la griotte et les fleurs, soulignés par des nnuances mentholées. La bouche est à l'unisson, soutenue en finale par des notes toastées du plus bel effet, signe d'un élevage bien maîtrisé. Il faudra encore deux ou trois ans pour que ce 2010 révèle tout son potentiel, sur une croustade de grive par exemple.

�^ Dom. les Luquettes, SCEA Le Lys, 20, chem. des Luquettes, 83740 La Cadière-d'Azur, tél. 04 94 90 02 59, fax 04 94 98 31 95, info@les-luquettes.com, ☑ ⚔ ⍓ t.l.j. 9h-13h 14h-20h
�^ E. Lafourcade

⑬ MOULIN DES COSTES 2012 ★

| | 20 000 | ▪ | 11 à 15 € |

Sur les hauteurs de La Cadière-d'Azur, le vignoble du Moulin des Costes est conduit selon les préceptes de l'agriculture biologique, comme tous les terroirs des domaines Bunan. Ce blanc à la robe jaune pâle s'illumine de reflets dorés et dévoile une intense fraîcheur qui marie les agrumes et les fruits exotiques. Ample et croquante, la bouche s'épanouit sur les fruits, soutenue par des notes minérales et florales qui apportent une réelle complexité. L'ensemble est parfaitement équilibré. À servir sur un bar grillé et sa sauce citronnée. Fruité, boisé et épicé, le **rouge 2010** (15 à 20 € ; 40 000 b.), aux tanins fondus est à découvrir dès cet hiver pour profiter pleinement de son expression savoureuse. Il reçoit une étoile tout comme le **rosé 2012 Ch. la Rouvière** (15 à 20 € ; 15 000 b.), qui révèle une personnalité des plus attrayantes. Vif et complexe (litchi, citron vert, pêche, buis, agrumes), il s'exprime avec élégance.

�^ Dom. Bunan, Le Moulin des Costes, BP 17, 83740 La Cadière-d'Azur, tél. 04 94 98 58 98, fax 04 94 98 60 05, bunan@bunan.com, ☑ ⚔ ⍓ t.l.j. 9h-12h 14h-18h (19h d'avr. à sep.); f. dim. d'oct. à mars

⑬ DOM. DE LA NARTETTE 2012 ★

| | 40 000 | ▪ | 11 à 15 € |

Le domaine de la Nartette est la propriété du Conservatoire du littoral. Vinifié au Moulin de la Roque, son rosé bio séduit par une expression aromatique savoureuse et persistante : fruit de la Passion, mangue, ananas, mais aussi litchi et framboise. Le palais complexe est soutenu par une agréable fraîcheur aux accents de gingembre et d'anis. Une véritable gourmandise, idéale pour accompagner un plat exotique. Cité, le **rouge 2011** (24 000 b.) se révèle puissant, rond et joliment boisé (café, grillé).

�^ Moulin de la Roque, 1, rte des Sources, 83330 Le Castellet, tél. 04 94 90 10 39, fax 04 94 90 08 11, cave@laroque-bandol.fr, ☑ ⚔ ⍓ r.-v.
�^ A. Gairoard

CH. DE LA NOBLESSE 2010 ★

| | 6 000 | ⑪ | 11 à 15 € |

Une pointe de grenache (5 %) mariée au mourvèdre, cépage traditionnel de l'AOC bandol, est à l'origine de ce vin très sombre élevé dix-huit mois en foudre. Les fruits noirs se mêlent harmonieusement à des notes de boisé et de chocolat amer. Prometteur, bâti sur une solide présence tannique, concentré, le palais dévoile une matière fruitée

soutenue par les touches épicées de l'élevage. Un vin élégant à déguster dans les cinq années à venir. Ne pas oublier de le carafer quelques heures avant de le servir sur un gigot d'agneau par exemple.

�^ Agnès Cade, 1685, chem. de l'Argile, 83740 La Cadière-d'Azur, tél. 04 94 98 72 07, fax 04 94 98 40 41, chateau.noblesse@gmail.com, ☑ ⚔ ⍓ t.l.j. sf dim. 10h-12h 14h-17h

DOM. DE L'OLIVETTE 2012 ★

| | 150 000 | ▪ | 11 à 15 € |

L'un des plus vastes domaines de l'appellation, dans la famille Dumoutier depuis deux siècles. Le maître de chai Yves Perga a élaboré un remarquable rosé qui livre des notes fruitées (pamplemousse), amyliques (bonbon anglais) et épicées. Le palais offre un équilibre réussi entre rondeur, fraîcheur et douceur. D'une belle longueur, ce vin se plaira aussi bien à l'apéritif qu'au dessert. Le **rouge 2010** (15 à 20 € ; 40 000 b.) est cité pour sa belle matière fruitée et pour ses tanins encore serrés. Prometteur, il révélera tout son potentiel d'ici trois ans sur un plat épicé.

�^ Dumoutier, Dom. de l'Olivette, 519, chem. de l'Olivette, 83330 Le Castellet, tél. 04 94 98 58 85, fax 04 94 32 68 43, contact@domaine-olivette.com, ☑ ⚔ ⍓ t.l.j. sf dim. 8h30-12h 14h-18h

CH. DE PIBARNON Les Restanques de Pibarnon 2010

| | 25 000 | ⑪ | 15 à 20 € |

La famille de Saint Victor prend pied en 1977 sur ces terres bandolaises. Partie de presque rien, cette propriété compte désormais, après moult travaux de terrassement et d'agrandissement, 50 ha de vignes s'étageant en restanques. Cette cuvée tire son nom de cette situation formant un cirque exposé au sud-est. D'une belle profondeur, elle livre un bouquet épicé, réglissé et cacaoté, agrémenté de fruits noirs. La bouche, tout aussi agréable, offre du volume et une trame tannique et boisée intéressante, fruit d'un élevage bien maîtrisé de vingt mois en fût. Un vin construit avec mesure, à apprécier sans attendre.

�^ Ch. de Pibarnon, chem. de la Croix-des-Signaux, 83740 La Cadière-d'Azur, tél. 04 94 90 12 73, fax 04 94 90 12 98, contact@pibarnon.fr, ☑ ⚔ ⍓ t.l.j. sf dim. 9h-12h 14h30-18h
�^ Éric de Saint Victor

DOM. PIERACCI Cuvée spéciale 2012 ★

| | 2 000 | ⑪ | 11 à 15 € |

Fils et petit-fils de vignerons, Jean-Pierre Pieracci décide en 2000 de créer son domaine. Soucieux de l'environnement, il construit sa cave en murs bio (à base d'argile), et depuis 2009, le vignoble est en cours de conversion vers l'agriculture biologique. Sa cuvée spéciale, à dominante de mourvèdre (80 %), développe un nez plaisant, très aromatique, qui marie la fleur d'oranger, le citron confit et les fruits exotiques. Tout en rondeur et délicatesse, la bouche est à l'unisson et déploie une jolie finale onctueuse prenant le goût du bonbon à la bergamote. Même distinction pour le **rosé 2012** (7 500 b.), équilibré, au bouquet miellé et épicé.

�^ Dom. Pieracci, 975, chem. du Sauvet, 83270 Saint-Cyr-sur-Mer, tél. 06 15 44 49 52, contact@domaine-pieracci.com, ☑ ⚔ ⍓ r.-v.

PROVENCE

DOM. **RAY-JANE** 2012

| 9 300 | | 11 à 15 € |

Perpétuant une tradition ancrée au plus profond de ce terroir, qui remonte au XIII°s., Raymond Constant peut compter parmi les 23 ha de son domaine un tiers de vignes centenaires. Il possède également une belle collection d'objets liés à la vigne et à la tonnellerie. Côté cave, il propose un rosé plaisant à l'œil dans sa pâle robe orangée. La fraîcheur s'exprime d'emblée à l'olfaction, à travers des notes de pêche et de fleurs blanches, prélude à une bouche franche, volumineuse, d'une bonne persistance aromatique. Un ensemble équilibré, qui se plaira volontiers sur les légumes confits.

🍷 Constant, 353, av. du Bosquet, 83330 Le Castellet, tél. 04 94 98 64 08, fax 04 94 98 68 72, domaineray jane@gmail.com,
☑ ⚒ ⏱ t.l.j. sf dim. 8h30-12h 14h-19h

CH. **ROMASSAN** 2010

| 20 000 | 🍷 | 20 à 30 € |

La nouvelle équipe technique des domaines Ott propose ici un rouge à la robe grenat animée de reflets vifs. Le nez discret associe les fruits rouges à des notes briochées. Souple à l'attaque, la bouche ne manque pas d'équilibre entre des tanins fins et un beau retour du fruit. Un vin souple et déjà harmonieux, prêt à être dégusté dès la sortie du Guide sur un rôti de veau aux girolles.

🍷 SA Dom. Ott, Ch. Romassan, 83330 Le Castellet, tél. 04 94 98 71 91, fax 04 94 98 65 44, chateauromassan@domaines-ott.com,
☑ ⏱ t.l.j. sf sam. dim. 9h-12h 14h-18h
🍷 Roederer

CH. **SALETTES** 2012 ★★

| 45 000 | | 15 à 20 € |

Après une première expérience en côtes-de-provence, l'œnologue Alexandre Le Corguillé n'a pas mis longtemps à trouver ses marques en bandol. Pour preuve ce vin de terroir, tout en retenue, qui oscille entre les notes d'agrumes et de fleurs blanches. L'attaque franche annonce une bouche ample et fruitée à la finale longue et épicée. On verrait bien cette bouteille accompagner des filets de rouget ou de l'agneau grillé. Le **rouge 2011 (26 000 b.)**, armé pour une bonne garde (quatre à cinq ans), libère des arômes chaleureux typiques du mourvèdre (85 % de l'assemblage) évoquant les fruits noirs et les épices (vanille, poivre blanc). Il obtient une étoile.

🍷 Ch. Salettes, chem. des Salettes, 83740 La Cadière-d'Azur, tél. 04 94 90 06 06, fax 04 94 90 04 29, salettes@salettes.com,
☑ ⚒ ⏱ t.l.j. sf dim. 8h-12h 14h-18h (18h30 mai-sep.); sam. juil.-août 8h-12h 14h-19h
🍷 Boyer-Ricard

♥ DOM. **DE SOUVIOU** 2010 ★★

| 15 000 | 🍷 | 15 à 20 € |

L'un des domaines de référence de l'appellation, qui moissonne les étoiles du Guide avec une constance remarquable. Tout comme la tête de cuvée Bandes noires 2009, ce millésime a séduit les dégustateurs par sa franchise olfactive et gustative. Le bouquet, riche et varié,

mêle la violette, les fruits à l'alcool et les épices léguées par l'élevage sous bois. La bouche, tendre et onctueuse, est tapissée de tanins fins et soyeux, enrobés par la douceur du fruit et du cacao, et s'étire dans une longue finale harmonieuse. Une superbe bouteille à garder plusieurs années en cave, trois ou quatre minimum, avant de la servir sur une daube de bœuf aux truffes. Une étoile pour le **rouge 2010 Tête de cuvée (20 à 30 € ; 6 800 b.)**, au bouquet frais, fruité (cassis) et épicé (cannelle, réglisse). Les tanins fins et élégants mais encore bien présents invitent à découvrir cette bouteille dans deux ou trois ans. Le **rosé 2012 (11 à 15 € ; 27 000 b.)**, riche, gras et rond, fruité et poivré, est cité.

🍷 EARL Olivier Pascal, Dom. de Souviou, RN 8, 83330 Le Beausset, tél. 04 90 90 57 63, fax 04 94 98 62 74, souviou@wanadoo.fr, ☑ ⏱ t.l.j. 9h-12h 15h-19h

♥ DOM. **LA SUFFRÈNE** 2012 ★★

| 146 000 | | 11 à 15 € |

Pour la troisième année consécutive, un vin de Cédric Gravier reçoit un coup de cœur. Après le rouge 2009 et le blanc 2010 distingués dans les éditions précédentes, c'est le rosé qui est récompensé. Des nuances saumonées animent une très belle robe pétale de rose qui invite à poursuivre. Le nez délicat livre des arômes d'épices et de fruits rouges (framboise) et blancs agrémentés de notes gourmandes évoquant la dragée. Le fruit se retrouve en bouche, avec un zeste d'agrumes qui stimule la finale de ses accents toniques. Du croquant et du soyeux, de l'élégance, de la rondeur et de la fraîcheur... l'équilibre est parfait. Une étoile pour le **blanc 2012 (8 266 b.)**, harmonieux, bâti autour des fleurs, des fruits exotiques et de fines touches minérales.

🍷 Dom. la Suffrène, 1066, chem. de Cuges, 83740 La Cadière-d'Azur, tél. 04 94 90 09 23, fax 04 94 90 02 21, suffrene@wanadoo.fr,
☑ ⚒ ⏱ t.l.j. sf dim. 9h-12h 14h-18h
🍷 Cédric Gravier

B DOM. DE TERREBRUNE 2010 ★

■ 50 000 ◖◗ 20 à 30 €

Dans les années 1980, Georges Delille entreprend d'énormes travaux pour mettre en état la propriété qu'il vient d'acquérir. Les argiles très brunes, dans lesquelles les vignes s'enracinent, inspirèrent alors le nom du domaine. Reynald, le fils, propose un 2010 très réussi. Sous une robe profonde aux reflets violacés, pointent des notes de fruits frais, de menthe, d'épices et de garrigue. Cette richesse aromatique se confirme dans un palais joliment construit, mûr, suave et dense, qui persiste longuement. Un séjour de deux ans en cave permettra à cette cuvée d'atteindre sa pleine maturité ; elle pourra alors séduire avec un chevreuil aux airelles.

☛ Reynald Delille, Dom. de Terrebrune, 724, chem. de la Tourelle, 83190 Ollioules, tél. 04 94 74 01 30, domaine@terrebrune.fr, ☑ ⚐ ♈ t.l.j. sf dim. 9h-12h30 15h-18h

CH. VAL D'ARENC 2011 ★

■ 44 000 ◖◗ 11 à 15 €

Propriétaire du château la Lauzade en côtes-de-provence ainsi que du château Marquis de Terme en margaux, la famille Sénéclauze a acquis ce vignoble en 1990. Faisant la part belle au cépage roi de l'appellation, le mourvèdre (80 %), complété de grenache, ce 2011 se présente dans une parure pourpre profond aux reflets griotte. Subtil, il ne développe des notes de fruits rouges ponctuées de nuances grillées et de senteurs de garrigue. L'attaque franche et fraîche s'exprime sur les fruits rouges et la réglisse. Suave et équilibrée, la bouche fait apparaître une trame tannique affirmée, encore un peu marquée par l'élevage, avec une belle finale sur les nuances toastées et florales. Il faudra oublier cette bouteille quelques années avant de l'ouvrir en accompagnement d'un gibier au gratin. Une étoile également pour le **rosé 2012 Les Hauts de Seignol (5 à 8 € ; 37 000 b.)**, au nez estival : fleur d'oranger, melon, salade de fruits exotiques. Ample et harmonieuse, la bouche s'équilibre entre la douceur de la meringue et le croquant de la framboise.

☛ SCA Ch. Val d'Arenc, 997, chem. du Val-d'Arenc, 83330 Le Beausset, tél. 04 94 98 71 89, fax 04 94 98 74 10, domainedevaldarenc@orange.fr,r.-v.
☛ Seneclauze

CH. VANNIÈRES 2011 ★

■ 30 000 ◖◗ 20 à 30 €

Cette aventure familiale a débuté en 1956 avec Colette Boisseaux, puis son fils Éric et aujourd'hui son petit-fils Charles-Éric ont pris le relais. Le nez de ce 2011 se révèle complexe : notes fruitées (cassis) et giboyeuses, qui évoluent à l'aération vers l'orange sanguine, l'iris et le poivre. La bouche affiche une structure opulente bâtie sur de beaux tanins serrés, qui ne camouflent en rien la subtile vivacité des agrumes et la douceur épicée. Un vin très équilibré, belle expression de son terroir. Il sera à son apogée après 2020 !

☛ Ch. Vannières, chem. Saint-Antoine, 83740 La Cadière-d'Azur, tél. 04 94 90 08 08, info@vannieres.com,
☑ ⚐ ♈ t.l.j. sf dim. 8h-12h 14h-18h
☛ Boisseaux

Les baux-de-provence

Superficie : 300 ha
Production : 9 212 hl

Perchée sur un éperon rocheux, la citadelle des Baux garde le souvenir des seigneurs orgueilleux qui l'édifièrent à partir du XIᵉ s. La blancheur de ses murailles est celle du calcaire des Alpilles, dont elle constitue un avant-poste. Ce massif au relief pittoresque taillé en biseau par l'érosion est le paradis de l'olivier, dont les fruits bénéficient de deux AOC. Le vignoble trouve également dans ce secteur un milieu favorable, sur les dépôts cailouteux caractéristiques de cette région, comme les grèzes litées, éboulis d'origine glaciaire. Elles sont ici peu épaisses et la fraction fine, dont dépend la réserve hydrique du sol, est importante. Ce secteur se distingue par une nuance climatique qui en fait une zone précoce, peu gélive, chaude et plus arrosée (650 mm).

Reconnue en 1995 au sein de la zone des coteaux-d'aix-en-provence, cette AOC est réservée aux vins rouges (80 %) et rosés. Les règles de production y sont plus strictes (rendement plus bas, densité plus élevée, taille plus restrictive, élevage d'au moins douze mois pour les vins rouges, minimum de 50 % de saignée pour les vins rosés) ; l'encépagement, mieux défini, repose sur le couple grenache-syrah, accompagné quelquefois du mourvèdre.

B MAS DE LA DAME Vallon des amants 2010 ★

■ 5 800 ◖◗ 15 à 20 €

Ce Vallon des amants (du nom du lieu-dit qui l'a vu naître) associe le mourvèdre et la syrah. Les douze mois de l'élevage en barrique sont bien perceptibles à l'olfaction, des notes empyreumatiques se mêlant aux fruits rouges en gelée, aux épices et à une touche de cuir. En bouche, le vin dévoile une matière riche et suave, qui enrobe des tanins bien présents sans agressivité. Une cuvée généreuse et harmonieuse, à servir dans les trois années à venir sur une viande en sauce. Le **Rosé du mas 2012 (8 à 11 € ; 40 000 b.)** obtient également une étoile pour son nez élégant de fleurs blanches, de fraise et de pamplemousse, et pour sa bouche chaleureuse et persistante. Un rosé de repas. Quant au **Coin caché 2010 rouge (20 à 30 € ; 8 000 b.)**, charnu, tannique, épicé, il est cité. À attendre deux à trois ans.

☛ Mas de la Dame, RD 5, 13520 Les Baux-de-Provence, tél. 04 90 54 32 24, fax 04 90 54 40 67, masdeladame@masdeladame.com, ☑ ⚐ ♈ t.l.j. 8h-18h
☛ Missoffe Poniatowski

MAS SAINTE-BERTHE Louis David 2010 ★

■ 13 000 ◗▮◖◗ 11 à 15 €

Ce domaine tire son nom d'une chapelle érigée en 1538 sur les terres du domaine, en hommage à sainte Berthe. La vigne, elle, a été plantée à partir des années 1950-1960. Ces vignes ont connu en 2010 un millésime difficile, mais Christian Nief, vinificateur de talent, a su en tirer un vin tout à fait appréciable. Le nez, complexe et intense, mêle la griotte confite, la violette et les épices. La bouche se révèle ample, généreuse et charnue, étayée par des tanins enrobés et soyeux. Fraîche, poivrée et réglissée en finale, elle laisse le souvenir d'un vin harmonieux, à déguster dans les trois ou quatre ans à venir sur un gigot d'agneau. La cuvée **Tradition 2011 rouge (5 à 8 € ; 45 000 b.),** bien en chair, ronde, épicée et fruitée, est citée.

☛ Mas Sainte-Berthe, chem. de Sainte-Berthe, 13520 Les Baux-de-Provence, tél. 04 90 54 39 01, fax 04 90 54 46 17, info@mas-sainte-berthe.com, ☑ ⚔ ⊥ t.l.j. 9h-12h 14h-18h

☛ Rolland

Ⓑ **DOM. DES TERRES BLANCHES** 2012 ★

	12 500	▮	11 à 15 €

Changement de propriétaires sur ce domaine fondé en 1968 par Noël Michelin et cultivé en bio « depuis toujours ». Conduit par la famille Parmentier-Jolly depuis 2007, il a été racheté en 2012 par Laurent Hild. Ce dernier signe donc ici son premier millésime sur ces terres blanches argilo-calcaires. Élaboré à partir de six cépages dominés par le rolle (45 %), ce vin dévoile un bouquet floral, complexe et fin de rose et de freesia, qui se prolonge dans une bouche fraîche et aérienne. À déguster sur un poisson fin, un bar en croûte de sel par exemple.

☛ SCEA Dom. des Terres Blanches, RD 99, 13210 Saint-Rémy-de-Provence, tél. 04 90 95 91 66, fax 04 90 95 99 04 ☑ ⚔ ⊥ t.l.j. 9h-18h30

☛ Laurent Hild

Bellet

Superficie : 48 ha
Production : 1 150 hl (65 % rouge et rosé)

De rares privilégiés connaissent ce minuscule vignoble situé sur les hauteurs de Nice, dont la production est presque introuvable ailleurs que localement. L'appellation propose des blancs originaux et aromatiques, grâce au rolle, cépage de grande classe, et au chardonnay (qui se plaît à cette latitude quand il est exposé au nord et suffisamment haut) ; des rosés soyeux et frais ; des rouges somptueux, auxquels deux cépages locaux, la fuella et le braquet, donnent une typicité certaine. Les vins seront à leur juste place avec la riche cuisine niçoise si originale, la tourte de blettes, le tian de légumes, l'estocaficada, les tripes, sans oublier la socca, la pissaladière ou la poutine.

Ⓑ **CLOS SAINT-VINCENT** Le Clos 2011 ★

	9 910	⬕	20 à 30 €

Valérie et Gio Sergi conduisent leur vignoble de 6 ha – vaste pour l'appellation – en agriculture biologique. Ils s'attachent à produire des vins qui expriment au mieux leur très beau terroir de galets roulés caractéristique de Bellet. Pari réussi sur ce pur rolle lumineux aux reflets verts. Puissant et complexe, le bouquet mêle les fruits confits (cédrat, melon) et les notes grillées de l'élevage. Dans le même registre, la bouche ample et ronde,

soutenue par une belle vivacité, fait preuve de persistance. Un vin équilibré, à déguster sur un poisson en sauce, dès à présent ou à attendre quelques années. **Le Clos rouge 2011 (4 500 b.),** élevé quatorze mois en fût, est cité pour sa rondeur, son équilibre et son boisé bien fondu.

☛ Sergi, Collet des Fourniers, Saint-Roman-de-Bellet, 06200 Nice, tél. 04 92 15 12 69, contact@clos-st-vincent.fr, ☑ ⚔ ⊥ r.-v.

Ⓑ **COLLET DE BOVIS** 2012 ★★

	3 000	⬕	11 à 15 €

Jean Spizzo, enseignant universitaire passionné par la culture de la vigne et la vinification, a repris en 1991 ce domaine installé sur les collines de Bellet qui dominent la ville de Nice. Depuis, il collectionne les étoiles dans le Guide. Ce 2012 séduit dans sa robe rose pâle aux reflets saumonés. Le braquet, cépage emblématique de l'appellation, livre ses arômes fins et élégants de rose ancienne et de violette, agrémentés de notes de bergamote. Bien équilibré entre rondeur et vivacité, ce vin persistant est un digne représentant de son terroir. Le **blanc 2012 (2 000 b.),** construit sur la fraîcheur, est cité.

☛ SCEA Collet de Bovis, Le Fogolar, 370, chem. de Crémat, 06200 Nice, tél. et fax 04 93 37 82 52, jeanetmichele.spizzo@sfr.fr, ☑ ⚔ ⊥ t.l.j. sf dim. 8h-12h 14h-19h 🏠 Ⓔ

☛ Spizzo

DOM. SAINT-JEAN 2012

	1 617	▮	20 à 30 €

Créé en 2006 par Jean Patrick et Nathalie Pacioselli, ce domaine propose un vin blanc à la robe jaune pâle brillante soutenue par des reflets verts. Ce pur rolle est né sur le terroir particulier de Bellet composé de galets roulés arrachés aux Alpes depuis des millénaires et déposés ici par le Var. Au nez, les fruits à chair blanche se marient aux agrumes. D'une grande richesse aromatique, la bouche est équilibrée entre une chair ronde et une fine vivacité. La longue finale, sur des notes fraîches et fruitées (ananas, agrumes), invite à découvrir ce vin à l'apéritif, sur des verrines de saumon à la crème et à l'aneth par exemple.

☛ Dom. Saint-Jean, Nathalie et Jean-Patrick Pacioselli, 343, chem. de Crémat, 06200 Nice, tél. 06 08 28 08 74, fax 04 93 96 28 40, saintjeanbellet@orange.fr, ☑ ⚔ ⊥ r.-v.

Ⓑ **DOM. DE LA SOURCE** 2012 ★

	2 000		11 à 15 €

Un source qui alimentait autrefois des cultures florales donne son nom à ce domaine conduit en agriculture biologique. Jacques Dalmasso, épaulé par ses enfants depuis 2003, propose un bellet rose pâle aux reflets saumonés. Le nez, discret de prime abord, révèle à l'aération des senteurs de violette, d'épices, agrémentées de fines nuances iodées. Mais c'est en bouche que le vin se révèle, offrant de la richesse, du gras, de la rondeur, sans manquer de vivacité, avant de s'étirer longuement en finale sur les notes douces de réglisse. Un bellet de gastronomie qui accompagnera un rôti de veau aux morilles.

☛ Dom. de la Source, 303, chem. de Saquier, Saint-Roman-de-Bellet, 06200 Nice, tél. et fax 04 93 29 81 60, contact@domainedelasource.fr, ☑ ⚔ ⊥ r.-v.

☛ Dalmasso

DOM. DE TOASC 2012 ★★

	5 000		15 à 20 €

Bernard Nicoletti, ancien entrepreneur niçois, a réussi sa reconversion en créant en 1995 avec son père Roger ce domaine de 7 ha situé sur les collines de Nice. Pour preuve, cette cuvée d'un jaune d'or brillant et limpide, au nez intense et complexe de fleurs blanches et d'agrumes. Ample et généreuse, la bouche est soutenue par une légère vivacité qui équilibre le vin. Idéal pour accompagner une dorade royale en croûte de sel. Le **rosé 2012 (6 000 b.)** reçoit une étoile pour sa bouche fruitée, fraîche et tonique.

🍷 Dom. de Toasc, 213, chem. de Crémat, 06200 Nice, tél. 04 92 15 14 14, fax 04 92 15 14 00, contact@domainedetoasc.com,
☑ ⚒ ⵏ t.l.j. sf dim. lun. 14h30-17h30 🏠 ◉
🍷 Nicoletti

Cassis

Superficie : 200 ha
Production : 7 687 hl

Un creux de rochers, auquel on n'accède que par des cols relativement élevés de Marseille ou de Toulon, abrite, au pied des plus hautes falaises de France, des calanques et une certaine fontaine qui, selon les Cassidens, rendrait leur ville plus remarquable que Paris... Mais aussi un vignoble que se disputaient déjà, au XIᵉˢ., les puissantes abbayes, en demandant l'arbitrage du pape, et qui produit aujourd'hui des vins rouges, rosés et surtout blancs. Mistral disait de ces derniers qu'ils sentaient le romarin, la bruyère et le myrte. Capiteux et parfumés, les cassis blancs sont des vins de classe qui s'apprécient particulièrement avec les bouillabaisses, les poissons grillés, les coquillages et les viandes blanches.

DOM. DU BAGNOL 2012 ★

	35 000		11 à 15 €

Si le domaine est implanté en plein cœur du village de Cassis, les vignes en revanche s'assoient au pied du cap Canaille. Un assemblage de marsanne (63 %) et de clairette (24 %) complété d'ugni blanc est à l'origine de cette cuvée très réussie, jaune aux reflets verts. Fruits frais (prune, mirabelle et melon d'eau), fleurs (glycine) et notes mentholées se marient avec bonheur pour composer un ensemble suave et équilibré. Un vin élégant et onctueux que l'on verrait bien accompagner une soupe de poisson de roche. Une étoile aussi pour le tonique **rosé 2012 (36 000 b.)**, au nez de framboise et d'agrumes, relayé par une bouche ample et plaisante. À servir à l'apéritif.

🍷 Sébastien Genovesi, Dom. du Bagnol, 12, av. de Provence, 13260 Cassis, tél. 04 42 01 78 05, fax 04 42 01 11 22, jeanlouis.geno@orange.fr,
☑ ⚒ ⵏ t.l.j. sf sam. dim. 9h-12h 14h30-18h

⑬ CH. BARBANAU Kalahari 2010 ★

	4 000		20 à 30 €

Sophie et Didier Simonini allient leurs deux passions, l'Afrique et les vins, dans cette cuvée qui porte le nom du désert sud-africain. La robe bouton d'or annonce un joli nez frais et complexe de noisette, de coing et de fleurs, agrémenté d'une pointe grillée. Le palais se révèle ample, gras et soyeux, soutenu par un boisé bien maîtrisé et fondu. Un vin élaboré avec doigté, parfait pour accompagner un croustillant de crabe.

🍷 Ch. Barbanau, Le Hameau, 13830 Roquefort-la-Bédoule, tél. 04 42 73 14 60, fax 04 42 73 17 85, contact@chateau-barbanau.com,
☑ ⵏ t.l.j. sf dim. 10h-12h 15h-18h
🍷 Cerciello

♥ CLOS SAINTE-MAGDELEINE 2012 ★★

	31 000		11 à 15 €

CLOS Sᵀᴱ MAGDELEINE
Cassis
APPELLATION CASSIS CONTRÔLÉE
2012
MIS EN BOUTEILLE AU DOMAINE
FAMILLE SACK-ZAFIROPULO - VIGNERONS - 13260 CASSIS - FRANCE

Bientôt un siècle que cette propriété est conduite par la même famille, qui produit depuis la naissance de l'appellation des cassis blancs et rosés. Elle est située dans le parc national des Calanques, et les vignes faisant face à la mer ont donné en 2012 ce blanc en tout point admirable. Une pigmentation or aux tons verts charme l'œil. Peut-être la mer toute proche influence-t-elle le nez, qui se montre iodé et salin, agrémenté de fines notes d'eucalyptus. Pleine, charnue et persistante, la bouche se révèle complexe avec ses arômes de piment, de fleurs, de poivre blanc et de garrigue. Un vin très harmonieux, de belle typicité, à marier avec une dorade au four. Le **rosé 2012 (12 000 b.)** se distingue également, avec une étoile : sous son air diaphane, il est rythmé par des notes de cerise, d'agrumes et de pêche. Un vin friand, pour un repas léger à base de produits de la mer.

🍷 Jonathan Sack-Zafiropulo, Clos Sainte-Magdeleine, av. du Revestel, 13260 Cassis, tél. 04 42 01 70 28, fax 04 42 01 15 51, clos.sainte.magdeleine@gmail.com,
☑ ⚒ ⵏ t.l.j. sf dim. 10h-12h30 14h30-19h

⑬ DOM. COURONNE DE CHARLEMAGNE 2012 ★

	8 000		8 à 11 €

Ayant le même propriétaire que le domaine du Paternel, ce domaine a choisi la voie de l'agriculture biologique, et ce millésime est le premier certifié AB. La robe est jaune paille, le bouquet plaisant, concentré sur les agrumes. La bouche se révèle bien équilibrée entre fraîcheur et rondeur, et persiste longuement sur des notes fruitées de pamplemousse. Un vin « moderne et dynamique », conclut un dégustateur, qui le verrait bien avec un ceviche de poisson et de saint-jacques. Une citation pour le **rosé 2012 (8 000 b.)**, vif et gourmand (compote de fraises).

🏠 Dom. du Paternel, 11, rte Pierre-Imbert, 13260 Cassis, tél. 04 42 01 77 03, fax 04 42 01 09 54, contact@domainedupaternel.com,

☑ Ⴗ t.l.j. sf dim. 9h30-12h30 14h-18h; f. jan.

🍴 Santini

DOM. LA FERME BLANCHE 2012 ★★

■	26 000	⬛ 11 à 15 €

En 1714, le vignoble du domaine s'étendait jusqu'aux portes de la cité phocéenne. Démembré à la Révolution, il n'en reste aujourd'hui qu'une trentaine d'hectares, menés de main de maître par la famille Imbert. Dans une robe légère, ce superbe rosé dévoile un bouquet intense mêlant essences florales et fruits exotiques.Ample et ciselée, la bouche séduit par son élégance et dévoile une pointe de douceur en finale qui n'est pas pour déplaire. « Un enfant du pays », conclut un dégustateur. Le **rouge 2011 (5 000 b.)** est cité pour sa palette aromatique complexe qui marie fruits cuits, fruits rouges, épices et notes de torréfaction.

🍴 Dom. de la Ferme blanche, RD 559, 13260 Cassis, tél. 04 42 01 00 74, fermeblanche@wanadoo.fr,

☑ ⚒ Ⴗ t.l.j. 9h-18h

🍴 F. Paret

💚 CH. DE FONTCREUSE Cuvée F 2012 ★★

■	97 500	⬛ 8 à 11 €

Une fontaine creusée en 1687 pour alimenter en eau courante le château, alors en cours de construction, est à l'origine du nom du domaine. Jean-François Brando, trois siècles plus tard, acquiert la propriété, dont il perpétue la vocation viticole avec un talent certain, clairement à l'œuvre dans cette cuvée jaune très pâle qui marie, après aération, fleurs blanches, touches minérales et senteurs de sous-bois. Des notes iodées imprègnent une bouche florale impressionnante par son volume, son parfait équilibre et sa longue finale. Un vin complet et complexe, promis à un très bel avenir. À déguster avec une bouillabaisse ou un plateau de fromages de chèvre affinés.

🍴 Jean-François Brando, Ch. de Fontcreuse, 13, rte Pierre-Imbert, 13260 Cassis, tél. 04 42 01 71 09, fax 04 42 01 32 64, fontcreuse@wanadoo.fr,

☑ Ⴗ t.l.j. sf sam. dim. 8h30-12h 14h-18h

🅱 DOM. DU PATERNEL Blanc de blancs Cuvée Papé 2012 ★★

■	4 000	⬛ 15 à 20 €

Coup de cœur dans l'édition précédente, ce domaine se distingue cette année avec une cuvée Papé issue à majorité de marsanne et parée d'un beau jaune serin. Franc et puissant, le bouquet évoque les fleurs (genêt) et l'eucalyptus, tandis que le palais, ample, gras, harmonieux, évolue vers des notes intenses de genêt et de bouton d'or. À savourer sur un loup grillé accompagné de bulbes

de fenouil cuits à la plancha. La cuvée principale **Blanc de blancs 2012 (11 à 15 € ; 130 000 b.)** obtient une étoile. Elle s'exprime dans un registre plus tendu, entre les agrumes et la minéralité. Le **rosé 2012 (11 à 15 € ; 80 000 b.)** est pareillement étoilé ; ses notes amyliques se marieront bien avec un poulet basquaise.

🍴 Dom. du Paternel, 11, rte Pierre-Imbert, 13260 Cassis, tél. 04 42 01 77 03, fax 04 42 01 09 54, contact@domainedupaternel.com,

☑ Ⴗ t.l.j. sf dim. 9h30-12h30 14h-18h; f. jan.

🍴 Santini

DOM. DES QUATRE VENTS 2012

■	5 000	⬛ 8 à 11 €

Cela fait quarante ans cette année qu'Alain de Montillet est à la tête de cette exploitation de 10 ha en cours de conversion vers l'agriculture biologique ; une petite structure familiale qui produit en appellation cassis depuis sa création, en 1936. Ce rosé aux reflets saumon livre un bouquet à dominante florale. À l'unisson, la bouche est plaisante, soutenue par des notes fruitées qui apportent une belle rondeur. Le **blanc 2012 (25 000 b.)**, également cité, joue dans le registre de la discrétion, un peu fruité (abricot), un peu iodé, tout en fraîcheur ; un profil qui accompagnera avec bonheur un plat aux accents maritimes, une salade de poulpes par exemple.

🍴 Alain de Montillet, Dom. des Quatre Vents, 7, av. des Albizzi, 13260 Cassis, tél. 04 42 01 88 10, quatrevents-cassis@orange.fr, ☑ Ⴗ r.-v.

Coteaux-d'aix-en-provence

Superficie : 4 720 ha
Production : 211 012 hl (95 % rouge ou rosé)

Sise entre la Durance au nord et la Méditerranée au sud, entre les plaines rhodaniennes à l'ouest et la Provence triasique et cristalline à l'est, l'AOC coteaux-d'aix-en-provence appartient à la partie occidentale de la Provence calcaire. Le relief est façonné par une succession de chaînons, parallèles au rivage marin et couverts de taillis, de garrigue ou de résineux : chaînon de la Nerthe près de l'étang de Berre, chaînon des Costes prolongé par les Alpilles, au nord.

Entre ces reliefs s'étendent des bassins sédimentaires d'importance inégale (bassin de l'Arc, de la Touloubre, de la basse Durance) où se localise l'activité viticole. Grenache et cinsault forment encore la base de l'encépagement, avec une prédominance du premier ; syrah et cabernet-sauvignon sont en progression et remplacent peu à peu le carignan.

Les vins rosés légers, fruités et agréables s'apprécient avec des plats provençaux : ratatouille, artichauts barigoule, poisson grillé au fenouil, aïoli... Les vins rouges bénéficient d'un contexte pédologique et climatique favorable. Jeunes et fruités, avec des tanins souples, ils peuvent accompagner viandes grillées et gratins. Ils atteignent leur plénitude après deux ou trois ans de garde et se marient alors avec viandes en sauce et gibiers. La production de vins blancs est limitée. La partie nord de l'aire de production est plus favorable à l'élaboration de ces cuvées qui mêlent la rondeur du grenache blanc à la finesse de la clairette, du rolle et du bourboulenc.

CH. DE BEAUPRÉ Collection du château 2010 ★★

	9 800	⫿	15 à 20 €

Ancien relais de poste entre Marseille et le Vaucluse, le château de Beaupré est conduit depuis 2004 par Phanette Double, dont l'arrière-grand-père planta les premières vignes du domaine (43 ha aujourd'hui, en conversion au bio). Son défi : « Allier la tradition à la modernité » ; le pari est réussi, témoin ce 2010 à forte dominante de cabernet-sauvignon (90 %), la syrah en complément. Le passage de douze mois en fût ne marque pas le vin et laisse s'exprimer la matière première, le raisin, à travers d'intenses notes de fruits rouges mûrs mâtinés d'épices. La bouche, à l'unisson, se révèle soyeuse, veloutée, douce et longue. Un vin caressant et très équilibré, « à la fois classique et tendance », conclut un dégustateur ; classique par sa bonne structure, tendance par son côté flatteur. À déguster au cours des deux ou trois prochaines années sur une viande rouge longuement mijotée.
☛ Ch. de Beaupré, 3525, RN7, 13760 Saint-Cannat, tél. 04 42 57 33 59, fax 04 42 57 27 90, contact@beaupre.fr,
☑ ⚥ ⏧ t.l.j. 9h-12h 14h-18h30
☛ Double

ⓑ DOM. BELAMBRÉE Les Éphémères 2012 ★

	15 000		5 à 8 €

Depuis trois éditions, les rosés de Belambrée font belle impression : deux étoiles l'an dernier pour cette même cuvée version 2011, deux étoiles et un coup de cœur pour un rosé 2010 il y a deux ans. L'étoile attribuée à ce 2012 récompense un rosé élégant dans sa robe cristalline comme dans son bouquet frais et fruité. On retrouve le fruit, la griotte et la cerise burlat notamment, dans une bouche fraîche et dynamique. Parfait pour les grillades.
☛ Dom. de Belambrée, 2070, rte du Seuil, 13540 Puyricard, tél. et fax 04 42 28 04 77, domainedebelambree@orange.fr,
☑ ⚥ ⏧ t.l.j. sf sam. dim. 9h-12h 15h-18h
☛ Joyeuse/Bancel

CH. CALISSANNE Clos Victoire 2010 ★★

	7 000	⫿	15 à 20 €

Calissanne, c'est la piste aux étoiles, avec l'incontournable Jean Bonnet en Monsieur Loyal, ou plutôt en magicien de la vigne et du chai. Des étoiles et des coups de cœur comme s'il en pleuvait : ce domaine historique est sans aucun doute le fleuron de l'appellation. Son Clos Victoire tient une fois encore le haut de l'affiche avec un 2010 issu, comme toujours ici, de 60 % de syrah et de 40 % de cabernet-sauvignon. Il entre en scène dans un habit pourpre aux reflets violines de jeunesse. Bien que le bois soit encore très présent (quatorze mois de barrique), il joue l'équilibriste à l'olfaction, offrant aussi beaucoup de fruits rouges mûrs, des épices (poivre) et des notes de

sous-bois. À la fois puissant et fin, ample et tonique, il réalise en bouche un beau numéro d'acrobatie qu'il termine sur une longue note fraîche et fruitée. Deux ou trois ans de garde sont un minimum. Le Clos Victoire 2012 blanc (11 à 15 € ; 3 000 b.), une étoile, a lui aussi connu le fût, partiellement, et il en garde un bouquet intense de vanille et de caramel, que relaie un palais gras, très doux et velouté. À attendre également.
☛ Ch. Calissanne, SAS La Jasso de Calissanne, RD 10, 13680 Lançon-de-Provence, tél. 04 90 42 63 03, fax 04 90 42 40 00, commercial@chateau-calissanne.fr,
☑ ⚥ ⏧ t.l.j. 9h-19h; dim. 9h-13h; lun. 12h-19h
☛ Sophie Kessler

ⓑ LA CHAPELLE SAINT BACCHI Cuvée des Anges 2012 ★

	6 000	▮	5 à 8 €

Créé en 2003 sur 3 ha, ce jeune domaine cultive aujourd'hui un vignoble de 7 ha. Il propose ici un rosé très clair au charme discret et tout en finesse. Le nez, délicat, évoque les fleurs blanches. La bouche tient sa note florale et affiche un bel équilibre entre gras et fraîcheur. Un vin aérien, à ouvrir à l'apéritif et à finir sur un poisson fin.
☛ La Chapelle Saint Bacchi, Dom. Saint Bacchi, 13490 Jouques, tél. et fax 04 42 67 62 92, valensisi.christian@neuf.fr,
☑ ⚥ ⏧ t.l.j. sf dim. 9h-12h 15h-18h30 ⌂ ⓒ
☛ Christian Valensisi

ⓑ DOM. D'ÉOLE 2012

	60 000	▮	11 à 15 €

Grenache (60 %), syrah, cinsault et mourvèdre composent ce rosé plaisant, pâle et floral (notes de rose) à l'olfaction, léger et bien équilibré, ample et dynamisé par une fine acidité en bouche. À boire sans chichis à l'heure de l'apéritif, autour de quelques tapas « terre et mer ».
☛ Dom. d'Éole, chem. des Pilons, 13810 Eygalières, tél. 04 90 95 93 70, fax 04 90 95 99 85, domaine@domainedeole.com,
☑ ⚥ ⏧ t.l.j. 10h-12h30 14h30-18h
☛ Chr. Raimont

CH. DE LIBRAN 2012 ★★

	30 000	▮	5 à 8 €

Cette cave est une valeur sûre pour ses rosés. Cette année encore, elle en propose une version des plus abouties où rien n'est dissocié. Grenache (50 %), syrah et cinsault composent un vin rose pâle et cristallin, vivant et généreux de bout en bout. Au nez, les épices, le poivre notamment, se mêlent aux fleurs (muguet) et aux fruits rouges. La bouche offre un équilibre remarquable : rondeur et fraîcheur, volume et longueur, tout y est. La cuvée Opale 2012 rosé reçoit les mêmes louanges : ample, puissante et savoureuse, florale et fruitée (agrumes, fruits exotiques), elle obtient deux étoiles. Le Rubis 2011 rouge (8 à 11 € ; 10 000 b.), une étoile, est un vin expressif (mûre, cassis, réglisse, vanille), intense et chaleureux, équilibré par une pointe de fraîcheur mais encore un peu tannique en finale. On l'attendra deux ou trois ans.
☛ Les Vignerons du Roy René, 6, av. du Gal-de-Gaulle, RN7, 13410 Lambesc, tél. 04 42 57 00 20, fax 04 42 92 91 52, c.lesage@lesvigneronsduroyrene.com,
☑ ⚥ ⏧ t.l.j. sf dim. 9h-12h 14h30-19h (hiver 18h)

PROVENCE

MONCIGALE 2012 ★

| 600 000 | - de 5 € |

Ce rosé de négoce fait la part belle au grenache (90 % de l'assemblage) aux côtés du cinsault et d'un soupçon de syrah. La robe est d'un rose soutenu orné de reflets saumonés. Le nez, discret, évolue dans un registre floral. Sur un fond fruité (griotte, agrumes), la bouche se montre généreuse, riche et ample, bien « typée grenache ». Des tomates farcies trouveront là un bon compagnon de table.
➦ SAS Moncigale, 6, quai de la Paix, 30300 Beaucaire, tél. 04 66 59 74 39, fax 04 66 59 74 27, pmartin@mabriz.com

DOM. NAÏS 2012 ★★

| 26 000 | ▬ | 5 à 8 € |

Cela fait dix ans que ces deux vignerons se sont installés sur les terres de Rognes, où ils conduisent aujourd'hui un vignoble de 43,5 ha dispersé dans la commune. Ils signent un rosé né de la « Sainte Trinité » grenache-cabernet-syrah, cépages assemblés à parts égales. Cela donne un vin intense et généreusement fruité, porté sur la griotte et quelques notes amyliques. La bouche offre du volume, du gras et de la fraîcheur, de l'équilibre en somme. Conseillé par les dégustateurs sur un gigot d'agneau accompagné d'une ratatouille. Quant au blanc 2012 (10 000 b.), dominé par le rolle (90 %), il est cité pour son joli fruité exotique et citronné.
➦ Laurent Bastard et Éric Davin, rte du Puy-Saint-Réparade, CD 15, 13840 Rognes, tél. et fax 04 42 50 16 73, domainenais@club-internet.fr, ☑ ✴ ☎ t.l.j. sf dim. 9h-12h 15h-18h30

DOM. L'OPPIDUM DES CAUVINS 2012 ★

| 100 000 | ▬ | - de 5 € |

L'une des valeurs sûres de l'appellation (auteur d'un coup de cœur l'an dernier avec sa Perle de rosé 2011), établie sur une ancienne place forte romaine. Un assemblage de rolle, de sauvignon et de grenache blanc, une macération à froid de vingt-quatre heures à moins 3 ° C, un débourbage après douze heures, puis une vinification de dix-huit jours ont donné naissance à ce blanc limpide et brillant dans sa robe aux reflets d'or. Avec une belle netteté aromatique, le bouquet évoque la poire, le fenouil et le citron. Vif et tendu en attaque, le palais offre du gras, du volume et une bonne longueur, le tout sur un fond fruité qui fait écho à l'olfaction. Un vin harmonieux et équilibré, que les propriétaires recommandent sur... une fondue savoyarde. Un accord plutôt insolite, mais tentant.
➦ Dom. l'Oppidum des Cauvins, RD 543, Les Cauvins, 13840 Rognes, tél. et fax 04 42 50 29 40, oppidumdescauvins@wanadoo.fr, ☑ ☎ t.l.j. sf dim. 9h-12h 14h-19h
➦ Ravaute

CH. PARADIS Terre des anges 2012 ★★

| 13 000 | 8 à 11 € |

De nouveaux propriétaires à la tête du domaine, racheté en 2011 par la famille Thieblin, qui a l'année suivante acquis 50 ha de vignes attenant à la propriété et fait passer ainsi le vignoble de 30 à 80 ha. Les premiers pas sont convaincants, trois vins étant sélectionnés dans cette édition. Ce rosé dévoile un nez à la fois intense et fin de cassis, de fruits rouges et de fleurs blanches. La bouche suit la même ligne aromatique et séduit par son équilibre et sa fraîcheur. Le blanc 2012 Terre des anges (11 à 15 € ;

6 000 b.), floral et fruité, boisé avec finesse, gras, doux et long en bouche, obtient également deux étoiles. La cuvée principale blanc 2012 (5 à 8 € ; 13 000 b.), vive et délicatement bouquetée autour de l'ananas et du jasmin, est citée.
➦ Ch. Paradis, 2900, chemin de Pommier, 13610 Le Puy-Sainte-Réparade, tél. 04 42 54 09 43, fax 04 42 54 05 05, paradis.communication@orange.fr, ☑ ✴ ☎ t.l.j. 9h-12h30 14h-18h
➦ Thieblin

CH. PETIT SONNAILLER 2012 ★★

| 40 000 | ▬ | 5 à 8 € |

Ce château, ancienne commanderie de Templiers établie sur un plateau calcaire à 300 m d'altitude, réalise un beau palmarès avec quatre cuvées sélectionnées. En tête, ce rosé issu de cinq cépages. Vêtu d'une robe pâle et limpide, il dévoile un nez intense de fleurs blanches et d'agrumes. Friand à souhait, le palais se montre tonique, ample et long. « Explosif », conclut un juré sous le charme. Un autre rosé 2012 (40 000 b.), reconnaissable à son étiquette ivoire, issu d'une dominante de grenache noir, obtient une étoile pour sa fraîcheur et son expression aromatique flatteuse (fruits, bonbon acidulé, fleurs blanches). Une étoile également pour le blanc 2012 cuvée Prestige (8 à 11 € ; 6 000 b.), marqué par le rolle (90 %), gras, fruité et vanillé (élevage pour partie en fût), équilibré par une fine acidité. Enfin, le rouge 2011 (17 000 b.), fruité, épicé et tannique, est cité. On attendra un an ou deux qu'il se fonde.
➦ Dominique Brulat, Ch. Petit Sonnailler, 13121 Aurons, tél. 04 90 59 34 47, fax 04 90 59 32 30, jc.brulat@club-internet.fr, ☑ ✴ ☎ t.l.j. 8h-19h ☑ ❸ ⌂ ◉

CELLIER SAINT-AUGUSTIN Les Caillas
Élevé en fût de chêne 2011 ★

| 13 600 | ▥ | 5 à 8 € |

Située dans la partie la plus septentrionale de l'appellation, cette petite cave coopérative propose un joli vin de « l'école boisée ». Cassis, poivre, douceur vanillée : le bouquet est avenant. On retrouve ces sensations olfactives dans une bouche ample et structurée par des tanins riches et encore jeunes, qui demandent deux ou trois ans pour se patiner. À servir sur une daube provençale.
➦ Cellier Saint-Augustin, quartier de la Gare, 13560 Sénas, tél. 04 90 57 20 25, fax 04 90 59 22 96, staugustin3@wanadoo.fr, ☑ ✴ ☎ r.-v.

PRESTIGE DE SURIANE M 2012 ★

| 3 000 | 5 à 8 € |

Nulle référence par cette cuvée au chanteur « ébouriffé » ni virtuose de la guitare. Plutôt un « M » comme Merlin et comme Marie-Laure, la vigneronne à la tête du domaine depuis 2002. Un rosé au nez floral (acacia) accompagné d'une discrète touche grillée, à la fois frais et gras en bouche. La même cuvée M 2010 rouge (8 à 11 € ; 4 500 b.) séduit par son nez tout en douceur d'épices et de fruits mûrs, et par son palais boisé avec justesse, souple et extrait avec mesure. Une étoile également.
➦ SCEA Dom. de Suriane, 5600, CD 10, 13250 Saint-Chamas, tél. 04 90 50 91 19, fax 04 90 50 92 80, contact@domainedesuriane.fr, ☑ ☎ t.l.j. sf dim. 9h-12h30 14h-19h
➦ Merlin

DOM. LES TOULONS Sanlaurey 2012 ★★

| | 10 000 | 🍾 | 5 à 8 € |

Troisième sélection de suite pour cette cuvée ; après les versions blanches, place au rosé. Un joli vin pétale de rose issu de grenache et de syrah à parts égales (40 % de chaque), le cabernet faisant l'appoint. Au nez, pas de traces « techno » – comprendre amyliques – mais une « explosion » florale. Dans la continuité, le palais offre beaucoup de volume et de nerf, du caractère en somme. Un rosé hardi et remarquablement vinifié, recommandé par le domaine sur un rôti d'agneau sauce financière.

☛ EARL Denis Alibert et Fils, Dom. les Toulons, rte de Jouques, 83560 Rians, tél. 04 94 80 37 88, fax 04 94 80 57 57, lestoulons@wanadoo.fr, ☑ ♣ ♈ r.-v.

Ⓑ DOM. DE VALDITION Vallon des anges 2012

| | 10 000 | 🍾 | 11 à 15 € |

« Vin biologique » indique l'étiquette, la nouvelle réglementation européenne officialisant désormais le bio aussi au chai, et non plus seulement à la vigne. Dans le flacon, un vin rose très pâle aux reflets saumonés, à dominante florale au nez comme en bouche. Le palais se distingue en outre par son intense suavité et son caractère chaleureux, ce que les dégustateurs ont attribué à une forte présence du grenache ; bien vu, cette cuvée en contient 60 %. Un rosé « solaire », à réserver pour la table, une escalope milanaise par exemple.

☛ SNC Dom. de Valdition, rte d'Eygalières, 13660 Orgon, tél. 04 90 73 08 12, fax 04 90 73 05 95, contact@valdition.com, ☑ ♈ t.l.j. sf dim. 9h30-12h30 14h-18h

CH. DE VAUCLAIRE 2012 ★★

| | 33 000 | 🍾 | 5 à 8 € |

Ce château, propriété de la famille Sallier depuis 1774, a célébré en 2012 les trente ans de la cave. Un anniversaire qu'il a pu fêter dignement avec ce rosé épatant qui allie puissance et finesse, se montrant à la fois vif, plein, généreux et gras. On aura autant de plaisir à le déguster « à la bonne franquette » qu'à l'occasion d'un repas gastronomique. Le **blanc 2012 (7 000 b.)**, sur le pamplemousse et le fruit de la Passion, ample et frais, est une vraie gourmandise que l'on servira à l'apéritif.

☛ SCA Ch. de Vauclaire, 2398, RD 556, Dom. de Vauclaire, 13650 Meyrargues, tél. 04 42 57 50 14, fax 04 42 63 47 16, contact@chateaudevauclaire.com, ☑ ♈ t.l.j. sf dim. 9h-12h 14h-18h (19h mai-oct.) 🏠 Ⓔ

♥ CH. VIGNELAURE 2012 ★★

| | 25 000 | 🍾 | 11 à 15 € |

Ce château de belle notoriété fut créé en 1960 par Georges Brunet, ancien propriétaire du Château La Lagune, cru classé du Médoc. Les vignes s'étendent sur 55 ha et font la part belle au cabernet-sauvignon et à la syrah pour l'élaboration des vins rouges. Mais ce sont ici deux rosés qui se distinguent, notamment ce 2012 sans nom de cuvée, qui associe le grenache (40 %) aux deux autres cépages. Très intense tout en faisant preuve d'une grande finesse, ce vin rose pâle et lumineux sort du lot : nez expressif et subtil de fruits rouges, d'agrumes (orange) et de grenadine, palais ample, rond et gras, étayé par une acidité bien fondue, tels sont les arguments qui l'ont placé en haut de l'affiche. Il pourra plaire tout au long du repas. Le **rosé 2012 La Source (8 à 11 € ; 50 000 b.)**, orné d'une étiquette chatoyante et « mouvementée », ajoute une part

de cinsault dans son assemblage. Cela donne un vin fruité, riche et élégant : il obtient une étoile.

☛ Ch. Vignelaure, rte de Jouques, 83560 Rians, tél. 04 94 37 21 10, fax 04 94 80 53 39, info@vignelaure.com, ☑ ♣ ♈ t.l.j. 10h-18h ; f. dim en jan.-fév.

☛ Sundstrom

Coteaux-varois-en-provence

Superficie : 2 285 ha
Production : 123 900 hl (97 % rouge et rosé)

Reconnue en 1993, l'AOC est produite dans le département du Var sur 28 communes. Ceinturé à l'est et à l'ouest par les côtes-de-provence, le vignoble, discontinu, se niche entre les massifs calcaires boisés, au nord de la Sainte-Baume et autour de Brignoles qui fut résidence d'été des comtes de Provence. Signalons que le syndicat a son siège dans l'ancienne abbaye de La Celle reconvertie en hôtel-restaurant sous la houlette d'Alain Ducasse.

ABBAYE SAINT-HILAIRE Le Prieur 2012 ★

| | 40 000 | 🍾 | 5 à 8 € |

Le nom de cette cuvée évoque une ancienne abbaye du XVIIᵉs. située à quelques mètres du chemin reliant l'Italie à Saint-Jacques-de-Compostelle, qui abritait autrefois un groupe d'ermites. De longue tradition viticole, ce domaine s'étend aujourd'hui sur 1 500 ha de garrigue et de forêt. Il signe un 2012 aux parfums de confiseries, de fraise et de pamplemousse, qualifié de « rosé de bouche » tant sa structure est volumineuse, de l'attaque jusqu'en finale. À découvrir sur un poisson en sauce.

☛ Abbaye Saint-Hilaire, rte de Rians, 83470 Ollières, tél. 04 98 05 40 10, fax 04 98 05 12 18, cave@abbayesainthilaire.com, ☑ ♣ ♈ t.l.j. 10h-12h30 13h30-18h 🏠 Ⓔ

☛ M. Burel

Ⓑ CH. DES ANNIBALS Fesse-Mathieu 2010

| | 12 000 | 🍾 | 8 à 11 € |

« Fesse-mathieu » est une expression pour désigner un grippe-sou. Sans doute un clin d'œil, car point d'avarice chez ce 2010 à la robe d'un rouge profond ornée d'une corolle violine. Le vin s'ouvre en effet sans réserve à l'olfaction, sur des notes de fruits secs agrémentées de nuances poivrées et cacaotées. Ample, fruitée et équilibrée, la bouche se complexifiera dans les mois à venir, et s'accordera alors parfaitement avec une côte de bœuf. Citée, la cuvée **La Jouvencelle 2012 blanc (14 000 b.)** offre une jolie harmonie, entre les arômes de jasmin et de fruits blancs, et la fraîcheur minérale. Pour un tartare de poisson.

☛ Dom. des Annibals, hameau des Gaëtans, rte de Bras, 83170 Brignoles, tél. 04 94 69 30 36, fax 04 94 69 50 70, dom.annibals@orange.fr,

☑ ⚔ ⊻ t.l.j. sf dim. 9h-12h 15h-19h

☛ Nathalie Coquelle

Ⓑ LA BASTIDE DES OLIVIERS
Le Naturel du vigneron 2012 ★★

■	3 700	▤	11 à 15 €

Patrick Mourlan est convaincu que savoir-faire ancestral et tradition sont des paramètres prépondérants pour l'élaboration de vins de qualité. Ce rouge 2012 a ainsi été élaboré de manière naturelle, comme il est précisé sur l'étiquette, selon les critères de l'agriculture biologique. Composé à 90 % de syrah, il s'exprime à travers des notes de fruits noirs (cassis, mûre) et de garrigue. La bouche généreuse, ample et longue, met l'accent sur un fruité plus poivré et s'appuie sur une structure tannique encore un peu anguleuse, qui s'assouplira dans les trois ans. Recommandé sur un magret aux poires. Le **2012 blanc (8 à 11 € ; 1 250 b.)**, aux notes entêtantes de miel et de tubéreuse, séduit par une approche charnue et concentrée, équilibrée par une fine fraîcheur ; il obtient une étoile et sera parfait avec des toasts de foie gras.

☛ Patrick Mourlan, 1011, chem. Louis-Blériot, 83136 Garéoult, tél. et fax 04 94 04 03 11, patrick.mourlan@wanadoo.fr, ☑ ⚔ ⊻ r.-v.

BERGERIE D'AQUINO Étoile d'Aquino 2012 ★

■	4 000	▤	11 à 15 €

Issu d'un terroir propice au blanc, cette cuvée née d'un assemblage de vermentino et d'ugni blanc a cette année encore séduit les dégustateurs. Le nez élégant joue sur des notes florales (violette) et amyliques d'une belle finesse. Le palais délivre une matière riche, expressive et intense, avec un fond de fraîcheur pour l'équilibre. Une jolie bouteille pour l'apéritif.

☛ Bergerie d'Aquino, rte de Mazaugues, D 64, 83170 Tourves, tél. 06 29 21 09 52, fax 04 94 04 83 92, jpbeert@aquino.fr

♥ Ⓑ CH. LA CALISSE Patricia Ortelli 2012 ★★

■	6 000	▤	11 à 15 €

Au XIXᵉ s., cette ancienne magnanerie était plantée d'amandiers dont les fruits étaient destinés aux confiseurs d'Aix-en-Provence pour la fabrication des calissons. Dé-

sormais dédié à la vigne, le domaine est dirigé par Patricia Ortelli qui, depuis plus de vingt ans, met tout en œuvre pour hisser ses vins au plus haut. Le Guide se fait régulièrement témoin de sa réussite, une fois de plus totale avec ce blanc 2012, qui succède à un autre coup de cœur obtenu l'an dernier pour son rosé 2011. Ce vin, étincelant dans sa robe d'or, dévoile un bouquet aérien et complexe, où s'entremêlent en parfaite harmonie la pêche blanche, le litchi, la poire, la pivoine et la fleur de buis. L'attaque est franche et fraîche, puis arrive crescendo une matière ronde et soyeuse, soutenue par une fine vivacité aux tonalités d'agrumes. L'équilibre est remarquable, la finale très longue et l'ensemble savoureux. La cuvée **Patricia Ortelli 2011 rouge (15 à 20 € ; 5 000 b.)**, deux étoiles, a également concouru pour le coup de cœur. Ses arguments : un fruité intense à dominante de cassis, une bouche ample, riche, veloutée, des tanins soyeux et caressants. Un vin travaillé avec finesse et doigté, que l'on pourra apprécier dès aujourd'hui ou remiser en cave trois à cinq ans.

☛ Ch. la Calisse, RD 560, 83670 Pontevès, tél. 04 94 77 24 71, fax 04 94 77 05 93, contact@chateau-la-calisse.fr,

☑ ⚔ ⊻ t.l.j. sf dim. 9h-12h 14h-17h

☛ Patricia Ortelli

CH. DES CHABERTS Cuvée Prestige 2012 ★★

■	6 500		8 à 11 €

Entre Garéoult et La Roquebrussanne, le vignoble est adossé contre le massif de La Loube, planté sur une terre aride et caillouteuse, à l'abri des vents, où les vins puisent leur spécificité. Cette cuvée moirée de jaune et de vert a particulièrement séduit les dégustateurs par son intense expression florale, rafraîchie par une pointe mentholée. Soutenu par une attaque vive, sans agressivité, le palais prolonge les sensations florales, y ajoute du fruit et s'étire dans une longue finale. Un vin complet et bien typé. De l'apéritif au dessert, il sera de la fête.

☛ Ch. des Chaberts, 83136 Garéoult, tél. 04 94 04 92 05, fax 04 94 04 00 97, chaberts@wanadoo.fr,

☑ ⚔ ⊻ t.l.j. sf dim. 9h-12h 14h-18h

☛ Cundall

Ⓑ DOM. DU DEFFENDS Champs du Bécassier 2011 ★

■	4 700	▤	8 à 11 €

Le Champ de la Truffière (élu coup de cœur dans l'édition précédente) laisse cette année la place à ce Champs du Bécassier qui, sans atteindre les mêmes sommets, se retient l'attention par son nez complexe de cassis, de mûre, de framboise et de pruneau. La bouche déploie elle aussi un fruité généreux, se montre dense et solidement bâtie. Un rouge expressif et charmeur, à ouvrir avec des grillades après un petit temps de garde pour qu'il puisse s'assagir. La cuvée **Rosé d'une nuit 2012 (15 500 b.)** issue de vendanges nocturnes, ronde et fruitée, est citée.

☛ Suzel de Lanversin, Dom. du Deffends, chem. du Deffends, 83470 Saint-Maximin-la-Sainte-Baume, tél. 04 94 78 03 91, fax 04 94 59 42 69, domaine@deffends.com,

☑ ⚔ ⊻ t.l.j. sf dim. 9h-12h 15h-18h

♥ Ⓑ CH. DUVIVIER Les Mûriers 2009 ★★

■	14 500	▤ ⓘ	15 à 20 €

Situé dans la zone la plus septentrionale de l'appellation, ce domaine de 28 ha a été racheté en 1992 par la

maison suisse Delinat. Ici, le vignoble et le travail au chai suivent les préceptes de l'agriculture biologique. Coup de cœur avec le millésime 2007, le plaisir est renouvelé grâce à cette cuvée fruit d'un élevage de dix-huit mois en fût. À l'olfaction, le vin s'ouvre sur des notes de fruits confiturés (cassis, framboise), puis évolue vers des nuances épicées. Dans la continuité, la bouche se révèle riche, dense, solidement charpentée mais sans austérité. Un vin bien étoffé et déjà très savoureux que l'on serait tenté d'ouvrir dès l'automne, mais qui gagnera en harmonie et en complexité après deux ou trois ans de garde. La cuvée **L'Amandier 2012 blanc (11 à 15 € ; 14 800 b.)**, une étoile, s'exprime avec finesse à l'olfaction, autour de notes florales, et dévoile un palais onctueux, concentré, avec un trait vivifiant en soutien et une pointe de chocolat blanc qui lui confère une agréable douceur.

☛ SCEA Ch. Duvivier, La Genevrière, D560, 83670 Pontevès, tél. 04 94 77 02 96, fax 04 94 77 26 66, aak@chateau-duvivier.com, ☑ ⚭ ⊤ r.-v.

CH. DE L'ESCARELLE Mes Bastides 2012

| | n.c. | | 5 à 8 € |

En 1920, Francois-Joseph Fournier (déjà proprié-taire de l'île de Porquerolles) fit cadeau à son épouse de cette propriété adossée au contrefort de la montagne de La Loube. Depuis 1960, la famille Gassier est à l'origine des transformations du domaine, sans doute avec 105 ha de vignes la plus grande structure de l'appellation en cave particulière. Ce blanc, qui a su garder toute sa fraîcheur, livre des parfums de pamplemousse et des nuances florales prolongées par une bouche ample et généreuse qui s'en trouve dynamisée. Coquillages et poisson blanc grillé seront de bons accords gourmands.

☛ SA Ch. l'Escarelle, Dom. de l'Escarelle, 83170 La Celle, tél. 04 94 69 09 98, contact@escarelle.fr, ☑ ⚭ ⊤ t.l.j. sf dim. 9h-12h 14h-18h30

CH. FONTAINEBLEAU Prestige 2012

| | 3 466 | ▮ | 11 à 15 € |

Ici, l'eau est omniprésente : fontaines moussues et canaux de pierre d'époque romaine forment un véritable réseau d'irrigation. Racheté en 2009, ce domaine enclavé dans la forêt a retrouvé tout son dynamisme après avoir subi d'importants travaux de rénovation. Ce 2012 se dévoile timidement mais avec élégance à travers un joli bouquet floral ; une douceur aromatique qui vient tem-pérer quelque peu sa vivacité en bouche. À découvrir sur une salade de poulpe à la grecque. D'une nature plus chaleureuse, la cuvée **Prestige 2012 rosé (10 600 b.)** retrouve une agréable tonicité dans une finale aux notes de fruits rouges. On la servira en entrée sur une terrine de poisson.

☛ Ch. de Fontainebleau du Var, rte de Montfort-sur-Argens, 83143 Le Val, tél. 04 94 59 59 09, info@chateaufontainebleau.fr, ☑ ⚭ ⊤ r.-v.

☛ Bouchard

CH. DE FONTLADE Cuvée Saint-Quinis 2012 ★

| | 20 000 | | 5 à 8 € |

Ce domaine, ancienne propriété des moines de Saint-Victor, a été acquis par la famille de Montremy en 1942. Il présente une cuvée rose pastel aux arômes de fraise écrasée, de pêche et d'agrumes. La bouche, tout en rondeur, dévoile en finale une belle fraîcheur et une agréable persistance aromatique. Un vin franc et équili-bré, à découvrir sur des brochettes de poisson aux tomates confites et/ou sur une tarte aux fraises.

☛ SCEA baronne Philippe de Montremy, Dom. de Fontlade, rte de Cabasse, 83170 Brignoles, tél. 04 94 59 24 34, fax 04 94 72 02 88, fontlade@orange.fr, ☑ ⚭ ⊤ t.l.j. sf sam. dim. 9h-12h 14h-18h

LES BARRIQUES DE GARBELLE 2010 ★

| | 2 000 | ▥ | 15 à 20 € |

Jean-Charles Gambini développe, en parallèle de son activité de vigneron, une production de miel et d'huile d'olive. Côté vigne, il a extrait de vieux ceps de syrah et de grenache une cuvée qui ne manque pas de charme dans sa robe profonde, couleur cerise burlat. Le nez est riche et complexe, sur les fruits noirs assortis de notes épicées. La bouche se révèle ample et ronde, portée par une matière tense et cacaotée, structurée par des tanins fins. Prêt à boire, ce vin pourra aussi se garder en cave deux à trois ans. Une belle étoile également pour la cuvée **Il fallait rosé 2012 (8 à 11 € ; 13 000 b.)**, pour ses arômes soutenus de fruits rouges et de fruits exotiques, et pour son palais à la fois frais et rond.

☛ Jean-Charles Gambini, Dom. de Garbelle, 83136 Garéoult, tél. 06 08 63 91 00, contact@domaine-de-garbelle.com, ☑ ⚭ ⊤ t.l.j. sf dim. 9h-12h 14h-18h

LA GRAND' VIGNE Cuvée Les Fournerys 2012 ★

| | 5 300 | | 5 à 8 € |

Issue d'une sélection parcellaire de 1 ha de vignes, cette cuvée a beaucoup d'allure dans sa robe rose vif. Elle s'affirme sans timidité et avec complexité à travers des fragrances intenses de framboise, de fraise, de mangue et d'agrumes. En bouche, une agréable fraîcheur intensifiée par le fruit s'installe et équilibre une belle matière corpu-lente et goûteuse. À découvrir à l'apéritif ou sur une salade composée. Dans un registre de fruits noirs et de crème de cassis, la **cuvée Les Fournerys 2011 rouge (8 à 11 € ; 3 300 b.)**, ample et gourmande, devra patienter un peu, le temps que les tanins se patinent davantage.

☛ Roland Mistre, La Grand'Vigne, rte de Cabasse, 83170 Brignoles, tél. 04 94 69 37 16, fax 04 94 69 15 59, contact@lagrandvigne.com, ☑ ⚭ ⊤ t.l.j. 9h-18h

DOM. DE LA JULIENNE Cuvée Joseph 2011 ★

| | 2 700 | ▥ | 5 à 8 € |

Cette exploitation familiale menée par Marc Sicardi a intégré lors de la construction du chai un processus de gravité totale dès la réception des raisins. Ce 2011 issu de syrah (80 %) et de grenache en ressort imprégné de parfums soutenus de petits fruits noirs (cassis, mûre). Le palais révèle une matière souple, soyeuse, et la persistance du fruit renforce son côté friand. Au final, un bel équilibre pour ce vin gourmand et expressif, à découvrir autour d'un repas champêtre d'arrière-saison.

🕿 Marc Sicardi, Dom. de la Julienne, chem. des Plaines, 83170 Tourves, tél. 04 94 78 78 76, fax 04 94 78 81 62, marc.sicardi@lajulienne.com, ☑ ⚹ ⍗ t.l.j. sf dim. 9h-19h

CH. LAFOUX Cuvée Auguste 2011 ★

| | 7 000 | ⅏ | 11 à 15 € |

Si le domaine doit son nom à la source voisine de la Foux, la cuvée Auguste rappelle que la bastide du XIIIes. qui le commande est bâtie sur un ancien fortin romain le long de la voie Aurélienne. Un vin de caractère aux reflets tirant sur le noir, animé par un bouquet flatteur aux senteurs multiples : cassis, cacao, noix de muscade, légère touche mentholée. La bouche ample et souple s'ouvre sur une matière fondante et finement chocolatée – marque d'un boisé bien intégré. La finale est longue, d'une fraîcheur mesurée. Complet, ce 2011 a les atouts nécessaires pour un vieillissement d'au moins deux ans.

🕿 SCEA Ch. Lafoux, RN 7, 83170 Tourves, tél. et fax 04 94 78 77 86, sales@chateaulafoux.com, ☑ ⚹ ⍗ t.l.j. 9h-12h 14h-18h

🕿 Boisdron

Ⓑ CH. LA LIEUE Cuvée Baltide Philomène 2012 ★

| | 8 000 | | 5 à 8 € |

Fondé en 1876 par Batilde Philomène, ce domaine se transmet depuis cinq générations au sein de la famille Vial. Converti depuis quinze ans à l'agriculture biologique, le vignoble a donné naissance à cette cuvée au bouquet ouvert sur les fleurs et les agrumes. On retrouve ce caractère floral et fruité (nectarine) dans un palais élégant et ciselé. L'ensemble est expressif et harmonieux, et s'appréciera sur une cuisine exotique. La **cuvée Baltide Philomène 2010 rouge** (8 à 11 € ; 13 700 b.) reçoit également une étoile pour ses parfums surprenants de citron confit, pour sa bouche friande et ronde, portée par des notes de sous-bois et de vanille, et pour son équilibre. À déguster dans les trois ans.

🕿 Julien Vial, Ch. la Lieue, rte de Cabasse, 83170 Brignoles, tél. 04 94 69 00 12, fax 04 94 69 47 68, chateau.la.lieue@orange.fr, ☑ ⍗ t.l.j. 9h15-12h30 14h-19h; dim. 10h-12h 15h-18h

DOM. DU LOOU Esprit de blancs 2012

| | 15 000 | | 5 à 8 € |

Longtemps propriété du clergé de Saint-Victor à Marseille, le domaine appartient depuis 1954 à la famille Di Placido. Couvrant 25 ha à l'origine, il compte aujourd'hui 60 ha d'un seul tenant. Le 2012 proposé libère des fragrances délicates de jasmin, de genêt et de pamplemousse. Imprégnée de ces mêmes arômes, la bouche offre une matière tout en rondeur, puis se ravive sous un léger trait végétal, plus frais en finale. Pour accompagner en entrée une gougère au jambon.

🕿 SCEA Di Placido, Dom. du Loou, 83136 La Roquebrussanne, tél. 04 94 86 94 97, fax 04 94 86 80 11, domaine-du-loou@wanadoo.fr, ☑ ⚹ r.-v.

Ⓑ CH. MARGILLIÈRE Bastide 2012

| | 10 000 | | 8 à 11 € |

Le caveau de dégustation a été aménagé dans une ancienne magnanerie du XVIIes., entièrement rénovée

avec les techniques d'antan. Un respect des traditions que l'on retrouve jusque dans la conduite du vignoble, exploité selon les préceptes de l'agriculture biologique. Ce 2012 livre au nez des notes de fruits mûrs confiturés, mâtinés d'une touche miellée. La rondeur du palais, soulignée par des arômes de pâtisserie, est contrebalancée par une légère amertume qui ravive la finale. Un vin de bouche, à servir avec une volaille crémée ou une tarte tropézienne.

🕿 SCEA Ch. Margillière, rte de Cabasse, 83170 Brignoles, tél. 04 94 69 05 34, fax 04 94 72 00 98, contact@chateau-margilliere.fr, ☑ ⚹ ⍗ r.-v.

🕿 P. Caternet

Ⓑ CH. MARGÜI L'Or des pierres 2012

| | 4 400 | ▮⅏ | 15 à 20 € |

Ici, le vignoble et l'oliveraie sont intégralement exploités en agriculture biologique, et c'est tout naturellement que Marie-Christine et Philippe Guillanton ont choisi de s'orienter vers une conduite en biodynamie. Vinifiée et élevée en partie en fût, cette cuvée libère à l'olfaction des notes d'abricot mûr et de fruits confits mâtinées de touches vanillées. Le palais dévoile une matière ronde, bien équilibrée entre fruité et boisé. Les arômes de fruits se développeront davantage d'ici un an ou deux, mais cette bouteille pourra aussi être débouchée dès la sortie du Guide, pour accompagner des vol-au-vent aux légumes de printemps.

🕿 Marie Guillanton, Ch. Margüi, rte de Barjols, 83670 Châteauvert, tél. 09 77 90 23 18, fax 04 94 77 30 34, marie.h.margui@gmail.com, ☑ ⚹ ⍗ t.l.j. sf dim. 9h-18h (10h-19h l'été)

CH. D'OLLIÈRES Prestige 2012 ★

| | 40 000 | ▮ | 11 à 15 € |

Sous la direction de Charles Rouy, cette ancienne seigneurie a su retrouver sa tradition viticole, notamment grâce à une restructuration du vignoble et à un investissement dans des équipements modernes. Le rosé cristallin aux reflets brillants livre de délicates fragrances de fruits rouges (fraise, cerise) que l'on retrouve dans un palais ample, rond et bien équilibré. Pour l'apéritif ou en accompagnement d'encornets farcis.

🕿 Ch. d'Ollières, Le Château, 83470 Ollières, tél. et fax 04 94 59 85 57, info@chateau-ollieres.com, ☑ ⚹ ⍗ t.l.j. sf sam. dim. 9h-12h30 14h-17h30; ouv. sam. en juil.-août

CH. PESSÉGUIÈRE Juliette 2012

| | 9 000 | ▮ | 5 à 8 € |

Une tradition agricole bien implantée sur ce domaine familial repris par Didier Grasso en 2005. *Pessegue* signifiant « pêche » en provençal, verger et vignes devaient s'y côtoyer à l'origine. Plaisant avec ses parfums friands de bonbon anglais, ce rosé trouve son équilibre entre une vivacité bien présente à l'attaque et une rondeur harmonieuse au développement. Apéritif ou cuisine méditerranéenne conviendront à son aimable simplicité.

🕿 Didier Grasso, Dom. de la Pességuière, 83136 Rocbaron, tél. et fax 04 94 72 61 37, didiergrasso@orange.fr, ☑ ⚹ ⍗ t.l.j. sf dim. 9h-19h 🏠 Ⓓ

CH. DE LA PRÉGENTIÈRE 2012

| | 23 000 | ▮ | 8 à 11 € |

Au sein de ce vaste vignoble de 50 ha, on distingue encore les traces de la ligne de chemin de fer du train des

Pignes reliant Nice à Meyrargues au XIXes. L'esprit méditerranéen de ce rosé se développe autant au nez qu'en bouche. Le bouquet conjugue des notes de pêche, de fraise bien mûre et de garrigue. Le palais délivre une matière ronde, fruitée et gourmande. Simple et bon, ce vin accompagnera un pain de légumes aux olives.

☛ SARL Dom. de la Prégentière, RD 560, 83670 Pontevès, tél. 04 94 77 10 64, fax 04 94 77 03 47, etien.monge@orange.fr,

☑ ⚔ ⵣ t.l.j. sf dim. 10h-12h 15h-18h 🏠 🅓

☛ Caillou

VIGNERONS DE LA PROVENCE VERTE Terroir 2012 ★

| | 10 300 | 5 à 8 € |

Cette cave est le résultat de la fusion en 2007 des coopératives de Brignoles, Garéoult, Bras et Tavernes. Elle propose avec cette cuvée issue d'une sélection parcellaire une expression harmonieuse des trois cépages qui la composent (grenache, syrah, cinsault). Le nez livre des arômes agréables de fruits rouges et de pêche. En bouche, l'ensemble est tout aussi fruité, rond, équilibré par une touche fraîche et tonique, d'une bonne longueur. Heureux accords en perspective avec des saint-jacques poêlées ou des petits farcis provençaux.

☛ SCA Les Vignerons de la Provence verte, rte d'Aix, 83170 Brignoles, tél. 04 94 69 02 53, fax 04 94 59 26 59, vignerons-provenceverte@orange.fr,

☑ ⚔ ⵣ t.l.j. sf dim. 9h-12h 15h-18h30

DOM. RAMATUELLE Bienfait de Dieu 2012 ★

| | 10 000 | 8 à 11 € |

Niché au pied du massif de la Sainte-Baume, ce vignoble de 50 ha est exploité en culture raisonnée depuis plusieurs années. En enherbement total, il est pâturé de l'hiver au printemps par un troupeau de brebis. Le 2012 proposé libère un bouquet expressif, riche de framboise, de fraise et de chèvrefeuille mâtiné d'un soupçon de vanille douce. On retrouve les arômes du nez dans une bouche ronde, souple et généreuse, étoffée par une structure dense. La longue finale renforce le plaisir et achève de convaincre du potentiel indéniable de ce vin, à boire ou à attendre deux à trois ans.

☛ EARL Bruno Latil, Dom. Ramatuelle, 83170 Brignoles, tél. et fax 04 94 69 10 61, ramatuelle2@wanadoo.fr,

☑ ⵣ t.l.j. sf dim. 9h-12h 14h-18h

Ⓑ LES RESTANQUES VERTES 2012

| | 8 400 | 🍾 | 5 à 8 € |

Au sein du massif de la Sainte-Baume, la coopérative de Rougiers a sélectionné 1 ha de raisins issus de l'agriculture biologique afin d'élaborer cet assemblage de grenache et de syrah. Sous une robe rose poudré, le vin dévoile un nez agréable où se mêlent des notes de groseille, de framboise et d'épices. La bouche ronde et souple est sous-tendue par une trame vivifiante et citronnée qui équilibre l'ensemble. Tout indiqué pour un apéritif aux tonalités marines.

☛ Les Vignerons de la Sainte-Baume, Les Fauvières, 83170 Rougiers, tél. 04 94 80 42 47, fax 04 94 80 40 85, cave.saintebaume@wanadoo.fr,

☑ ⚔ ⵣ t.l.j. sf dim. 9h-12h 15h-18h

DOM. LA ROSE DES VENTS Seigneur de Broussan 2012 ★★

| | 7 000 | 8 à 11 € |

Fondée au début du XXes., l'exploitation s'est transmise au fil des générations. Depuis 1994, Gilles Baude,

œnologue, et son beau-frère Thierry Josselin se partagent les tâches au sein du domaine. La qualité de leurs vins a été, cette année encore, reconnue par les dégustateurs et ce rosé a même frôlé le coup de cœur. Sa présence aromatique à l'olfaction est à la fois généreuse et empreinte de finesse : agrumes (pamplemousse), fruits exotiques. La bouche est ample, onctueuse équilibrée et marquée par des arômes persistants jusqu'en finale. « Du plaisir, encore et encore ! » conclut un dégustateur enthousiaste. Saveurs fraîches et gourmandes, complétées par des sensations douces en fin de bouche pour le **blanc 2012 (5 à 8 € ; 12 000 b.)**, équilibré et harmonieux, qui obtient une étoile.

☛ Dom. la Rose des vents, rte de Toulon, 83136 La Roquebrussanne, tél. 04 94 86 99 28, fax 04 94 86 91 75, larosedesvents073@orange.fr,

☑ ⚔ ⵣ t.l.j. sf dim. 9h-12h 14h-18h; 15h-19h en juil.-août

L'ORATOIRE SAINT-ANDRIEU 2012

| | 40 000 | 8 à 11 € |

Acquis en 2003 par Jean-Paul et Nancy Bignon, propriétaires du Château Talbot, cru classé de saint-julien dans le Médoc, le domaine fait valoir son terroir privilégié, à 380 m d'altitude, sur un sol argilo-calcaire. Sous une robe d'un rose saumoné, le nez dévoile une palette aromatique expressive et variée de pêche, d'abricot et de fleurs blanches, assortie d'une touche anisée. Au palais, une rondeur enveloppante est suivie d'une vivacité modérée qui apporte de l'équilibre à l'ensemble. Volaille ou plats exotiques partageront sa table.

☛ Dom. Saint-Andrieu, chem. Saint-Andrieu, 83570 Correns, tél. 04 94 59 52 42, fax 04 94 77 73 18, domainesaintandrieu@club-internet.fr, ☑ ⚔ ⵣ r.-v.

☛ Bignon

CELLIER DE LA SAINTE-BAUME Reflets 2012

| | 3 000 | 🍾 | - de 5 € |

Élaboré dans les nouveaux chais de la coopérative, ce rosé issu d'un assemblage de syrah, grenache et cinsault reflète un terroir à la géologie variée. Au nez se déploient des arômes gourmands de framboise et de fraise fraîche accompagnés d'une pointe amylique. Une matière souple se développe au palais, portée par des notes de confiseries qui soulignent une finale onctueuse. Salade de poulpe ou tarte Tatin à la tomate promettent d'heureux accords.

☛ Le Cellier de la Sainte-Baume, rte de Barjols, 83470 Saint-Maximin-la-Sainte-Baume, tél. 04 94 78 03 97, fax 04 94 78 07 40, amicalecellier@orange.fr,

☑ ⵣ t.l.j. 8h-12h30 14h30-18h15; dim. 8h-12h30

DOM. SAINT-JEAN-LE-VIEUX
Cuvée La Grand'Bastide 2012 ★

| | 6 000 | 🍾 | - de 5 € |

Pierre et Claude Boyer s'emploient depuis 1990 à moderniser les techniques culturales et le travail en chai dans le respect de l'environnement (toiture photovoltaïque, phytobac pour la récupération des eaux de lavage des traitements phytosanitaires...). Classique du domaine, ce 2012 livre au nez une agréable palette aromatique faite d'agrumes et de fruits exotiques, ponctuée de notes florales. La bouche se révèle ample, élégante, expressive et longue. Un vin harmonieux, pour des petits fromages de chèvre ou de brebis du haut Var. La **cuvée La Grand'Bastide 2012 rosé (15 000 b.)** reçoit, quant à elle, une étoile pour ses arômes amyliques et floraux, et pour son équilibre entre fraîcheur et volume.

PROVENCE

🍴 Dom. Saint-Jean-le-Vieux, 317, av. 8-Mai-1945,
rte de Bras, 83470 Saint-Maximin-la-Sainte-Baume,
tél. 04 94 59 77 59, fax 04 94 59 73 35,
domaine@saintjeanlevieux.com,
☑ ☆ ⵏ t.l.j. sf dim. 8h-12h30 14h-19h
🍴 Boyer

EXCEPTION DE SAINT-JULIEN 2012

| | 4 600 | ▮ | 8 à 11 € |

Un millésime anniversaire : dix ans que la famille Garrassin s'emploie à redynamiser ce domaine dont l'origine remonterait à l'époque gallo-romaine. Ce rosé paré d'une délicate teinte « marbre rose » s'ouvre sur un bouquet délicat, floral et amylique. Fraîche en attaque, la bouche se montre ensuite plus ronde, tandis qu'une pointe d'amertume apporte du relief en finale.

🍴 Dom. Saint-Julien, rte de Tourves, RD 205,
83170 La Celle, tél. 04 94 59 26 10, fax 04 94 72 06 22,
info@domaine-st-julien.com,
☑ ☆ ⵏ t.l.j. sf dim. lun. 9h-12h 14h-18h
🍴 Garrassin

DOM. SAINT-MITRE Clos Madon 2012 ★

| | 10 000 | ▮ | 8 à 11 € |

Au cœur de ce vignoble de 30 ha repris en 2004 par les Martin, une famille de vignerons champenois, se trouve une vieille parcelle de grenache de soixante ans qui entre pour une majeure partie dans l'assemblage de ce rosé. Eau de rose, violette, pomme verte : le vin se livre avec finesse dans un bouquet aérien. On retrouve en bouche cette même envolée aromatique à laquelle se mêlent les fruits rouges, puis l'équilibre. À boire à l'apéritif.

🍴 Dom. Saint-Mitre, rte d'Esparron,
83470 Saint-Maximin-la-Sainte-Baume, tél. 04 94 78 07 54,
fax 04 98 05 82 88, saint.mitre@wanadoo.fr, ☑ ☆ ⵏ r.-v.
🍴 D. et N. Martin

THUERRY Les Abeillons 2009 ★

| | 21 000 | ⵎ | 11 à 15 € |

Ce domaine traverse les âges sans ciller, témoin les vestiges romains du vignoble, la bastide du XIIᵉs. et la cave à l'allure futuriste. Des reflets grenat accentuent le rubis de la robe de ce 2009 à l'intense complexité aromatique. Au nez, cassis, cerise et mûre s'enrichissent de notes épicées, de poivre blanc et de noix muscade. Le palais livre une matière ample et chaleureuse, élégamment structurée par des tanins enrobés, et s'achève dans une finale légèrement cacaotée et vanillée. Une garde d'au moins cinq ans ne l'intimidera pas, même si le jury le conseille pour cet hiver. Citées, les cuvées **Les Abeillons 2012 rosé (45 000 b.)** aux parfums de fruits mûrs et d'agrumes, et **Les Abeillons 2012 blanc (12 400 b.)** au bouquet de litchi et de fleurs blanches se révèlent amples, fraîches et expressives.

🍴 Ch. Thuerry, 83690 Villecroze, tél. 04 94 70 63 02,
fax 04 94 70 67 03, thuerry@chateauthuerry.com,
☑ ☆ ⵏ t.l.j. 9h-17h30 (été 19h); f. dim. en hiver
🍴 Croquet

💙 Ⓑ CH. TRIANS 2012 ★★

| | 26 000 | ▮ | 8 à 11 € |

Depuis plus de vingt ans, Jean-Louis Masurel, jadis directeur du groupe LVMH, dirige cette ancienne magnanerie qu'il a patiemment rénovée, en s'efforçant de ne

pas en gommer le cachet provençal. Régulièrement mentionné dans le Guide, ce domaine s'illustre cette année avec une cuvée à la seyante robe rose, dont le grand jury a reconnu les mérites. Le vin offre un bouquet concentré de pêche blanche et d'agrumes, vivifié par une pointe de minéralité. D'une fraîcheur remarquable en bouche, il possède suffisamment de gras et d'ampleur pour s'imposer longuement. Un vin à apprécier encore cet hiver avec un rôti de lotte aux graines de fenouil.

🍴 Ch. Trians, chem. des Rudelles, 83136 Néoules,
tél. 04 94 04 08 22, fax 04 94 04 84 39, trians@wanadoo.fr,
☑ ☆ ⵏ t.l.j. sf dim. 9h-12h 14h-18h 🏠 Ⓔ

DOM. LES VALLONS DE FONTFRESQUE Cuvée Amarante
Élevé en fût de chêne 2011 ★

| | 5 324 | ▮ⵎ | 8 à 11 € |

Depuis 2006, Claire et Denis Sicamois n'ont pas ménagé leurs efforts, à la vigne comme au chai, pour ranimer un domaine viticole presque à l'abandon. Ils proposent désormais de jolies cuvées, comme ce 2011 à la robe intense. Au nez se libèrent des notes de cerise noire, de pruneau, de sous-bois et une pointe balsamique. La bouche s'adosse à des tanins soyeux qui lui confèrent un velouté très agréable, rehaussé en finale par une amertume de fève de cacao. Un vin élégant, au potentiel de garde certain. À apprécier sur un plateau de fromages affinés ou à sortir de la cave pour un rôti de bœuf en croûte.

🍴 Les Vallons de Fontfresque, Camp-Redon, RD 64,
83170 Tourves, tél. 04 94 69 01 22, domaine@lvdf.fr,
☑ ☆ ⵏ t.l.j. 10h-18h
🍴 C. Sicamois

DOM. DU VIGNARET 2012 ★

| | 10 000 | ▮ | 5 à 8 € |

Dirigé par Roger Tourrel, ce domaine de 30 ha est exploité en culture raisonnée, l'utilisation de compost étant préférée à celle d'engrais chimiques. Coup de cœur dans l'édition précédente, cette cuvée revient avec un millésime qui, sans atteindre les mêmes sommets, démontre des qualités certaines. Rose franc aux reflets saumonés, elle délivre des parfums d'abricot, de fruits rouges et de subtiles notes de pain d'épice. Le palais ample et friand se révèle équilibrée entre rondeur et fraîcheur. Une légère amertume rappelant la groseille et la rhubarbe rose aiguise agréablement les papilles en finale. Un rosé que l'on verrait bien accompagner un mets exotique, un poulet sauce aigre douce par exemple.

🍴 EARL Tourrel, Dom. du Vignaret,
chem. du Pré-de-Castre, 83136 Forcalqueiret,
tél. 04 94 80 53 95, fax 04 94 86 61 20, vignaret@orange.fr,
☑ ☆ ⵏ t.l.j. sf dim. 9h30-12h30 15h-19h

Côtes-de-provence

Superficie : 23 280 ha
Production : 975 977 hl (96 % rouge et rosé)

Née en 1977, cette vaste appellation occupe un bon tiers du département du Var, avec des prolongements dans les Bouches-du-Rhône, jusqu'aux abords de Marseille, et une enclave dans les Alpes-Maritimes. Trois terroirs la caractérisent : le massif siliceux des Maures, au sud-est, bordé au nord par une bande de grès rouge allant de Toulon à Saint-Raphaël, et, au-delà, l'importante masse de collines et de plateaux calcaires qui annonce les Alpes. Issus de nombreux cépages en proportions variables, sur des sols et des expositions tout aussi divers, les côtes-de-provence présentent, à côté d'une parenté due au soleil, des variantes qui font précisément leur charme... Un charme que le Phocéen Protis goûtait sans doute déjà, six cents ans avant notre ère, lorsque Gyptis, fille du roi, lui offrait une coupe en aveu de son amour... La diversité des côtes-de-provence a conduit à individualiser certains terroirs, comme ceux de Sainte-Victoire et de Fréjus, reconnus en 2005, ou La Londe en 2008.

Sur les blancs tendres mais sans mollesse du littoral, les nourritures maritimes et très fraîches seront tout à fait à leur place, tandis que ceux qui sont un peu plus « pointus », nés un peu plus au nord, appelleront des écrevisses à l'américaine et des fromages piquants. Les rosés, plus ou moins tendres ou nerveux, s'accorderont aux fragrances puissantes de la soupe au pistou, de l'anchoïade, de l'aïoli, de la bouillabaisse, et aussi aux poissons et fruits de mer aux arômes iodés : rougets, oursins, violets. Parmi les rouges, ceux qui sont tendres, à servir frais, conviennent aussi bien aux gigots et aux rôtis qu'au pot-au-feu, surtout si l'on sert ce dernier en salade ; les rouges puissants, généreux, qui peuvent parfois vieillir une dizaine d'années, conviendront aux civets, aux daubes, aux bécasses. Et pour les amateurs d'harmonies insolites, rosés frais et champignons, rouges et crustacés en civet, blancs avec daube d'agneau (au vin blanc) procurent de bonnes surprises.

DOM. DE L'ABBAYE Le Thoronet Rosé de saignée 2012 ★

| | 19 000 | ∎ | 15 à 20 € |

L'ancienne ferme de l'abbaye cistercienne du Thoronet, toute proche, constitue cave et demeure de Franc Petit, depuis trente-quatre ans. Elle se situe au pied de vignes implantées sur des restanques (terrasses) argilo-calcaires. Pour ce rosé de saignée, une robe lumineuse nuancée de touches saumonées, un nez intense d'abricot, de pêche et de fruits exotiques, qui se confirme dans une bouche équilibrée, ample et fraîche. Sa vivacité autorise une petite garde. Parfait pour un plat exotique.
☛ Franc Petit, Dom. de l'Abbaye, quartier Pugette, 83340 Le Thoronet, tél. 04 94 73 87 36, fax 04 94 60 11 62, domaine.de.labbaye@wanadoo.fr,
☑ ⚔ ⟟ t.l.j. 8h-18h; dim. sur r.-v.

FAMILLE ABEILLE 2012 ★

| | 70 000 | ∎ | 5 à 8 € |

La famille Abeille possède un beau vignoble dans la plaine sablo-argileuse, au pays du massif des Maures. Elle confie aux Vignerons de Rasteau et de Tain-L'Hermitage la commercialisation de cet assemblage très réussi de cinsault (50 %) et de grenache (40 %), complété d'une touche de syrah. Ce 2012 se présente dans une robe couleur pétale de rose et dévoile un bouquet très plaisant de fruits exotiques (litchi, papaye) et de fruits jaunes (abricot). De la générosité, de la fraîcheur et une bonne persistance : le palais est celui d'un vin complet et équilibré. À déguster sur une poêlée de coquillages.
☛ Les Vignerons de Rasteau et de Tain-l'Hermitage, rte des Princes-d'Orange, 84110 Rasteau, tél. 04 90 10 90 10, fax 04 90 10 90 36

LES CAVES DE L'AMIRAL Cuvée de l'Amiral 2012 ★★

| | 2 200 | ∎ | - de 5 € |

Établie dans un très beau village provençal qui possède l'un des plus beaux châteaux du Var, la cave coopérative d'Entrecasteaux a donné naissance à un assemblage de rolle (majoritaire) et d'ugni blanc (un soupçon) issu d'un terroir argilo-calcaire. Très élégant, le nez marie fruits blancs et notes florales. La bouche évolue sur la rondeur, avec une pointe élégante de vivacité en soutien. Un vin idéal pour accompagner des truites fario cuites au beurre salé. Le rosé 2012 (12 000 b.), friand et frais, sera parfait à l'heure de l'apéritif.
☛ SCA Les Caves de l'Amiral, rte de Saint-Antonin, quartier Les Prés, 83570 Entrecasteaux, tél. 04 94 04 42 68, fax 04 94 04 49 05, cave.amiral@wanadoo.fr,
☑ ⚔ ⟟ r.-v.

CH. DES ANGLADES 2012 ★

| | 15 000 | ∎ | 5 à 8 € |

À deux pas de la mer, à la sortie de la ville d'Hyères, le vignoble du château des Anglades bénéficie d'un ensoleillement maximal, tempéré par les brises maritimes. Y est né ce rosé typique de son terroir, quasi cristallin, à la teinte pêche, qui révèle un délicat bouquet de fleurs blanches et de notes fruitées. Moins réservée, la bouche fait preuve dès l'attaque d'une plaisante fraîcheur sur les agrumes, évoluant en finale vers des nuances de fruits exotiques mûrs qui apportent une sensation plus chaleureuse. Ce vin révélera toute son harmonie sur un plat sucré-salé.
☛ Ch. des Anglades, quartier Couture, 1845, rte de Nice, 83400 Hyères, tél. 04 94 65 22 21, fax 04 94 65 96 69, contact@lesanglades.com,
☑ ⟟ t.l.j. sf dim. 9h-12h 13h30-18h; f. janv. 🏠 ❺
☛ Gautier

CH. ANGUEIROUN La Londe Prestige 2012 ★

| | 12 000 | ∎ | 11 à 15 € |

Sur 120 ha, face à la mer, s'étend l'ancienne réserve de chasse du domaine, autour d'un mas provençal et d'une

PROVENCE

bastide datés du XIX°s. Ce rosé très pâle aux nuances paille est né sur la partie occidentale des Maures, au cœur du terroir de La Londe, reconnu en dénomination depuis quatre ans. Au nez, des arômes de mangue, de pêche, de fruits mûrs et de miel se conjuguent avec finesse. Ils annoncent une bouche suave, dans le même registre. Joli triplé pour Éric Dumon, puisque le **blanc 2011 Prestige** (15 à 20 € ; 2 400 b.) et le **rouge 2012 Réserve cuvée Mathilde** (8 à 11 € ; 8 500 b.) sont également distingués avec pour chacun une étoile. Le blanc est remarqué pour son équilibre entre fruit et bois et le rouge pour sa complexité et sa nature friande.

☙ Éric Dumon, Dom. de l'Angueiroun, 1077, chem. de l'Angueiroun, 83230 Bormes-les-Mimosas, tél. 04 94 71 11 39, fax 04 94 71 75 51, contact@angueiroun.fr, ☑ ⚔ ⏳ t.l.j. 8h-12h 14h-18h ⌂ ⊜

DOM. DE L'ANTICAILLE Sainte-Victoire
Cuvée Mazűřkà 2012 ★

◻	10 000 ▮	8 à 11 €

C'est en 2012 que Frédéric Feraud a choisi de laisser de côté sa carrière d'avocat pour s'investir sur le domaine familial auprès de son père. Il signe une cuvée au nom entraînant, à la robe melon pâle aux légers reflets grisés. Au nez, le vin présente un tempo floral (eau de rose et acacia) rehaussé d'écorce d'agrume et d'une douceur fruitée. Au palais, de plaisantes notes de pêche et de fraise apportent de la gourmandise à cet ensemble bien équilibré entre rondeur et fraîcheur. Un rosé harmonieux, tout en élégance, à découvrir au cours d'un repas aux accents méditerranéens. La **cuvée Folia 2012 rosé (11 à 15 € ; 4 000 b.)**, une étoile également, s'appréciera en ouverture. Elle joue également une partition aérienne, bien qu'un peu plus vive, sur des notes persistantes de fraise des bois.

☙ Feraud, Dom. de l'Anticaille, 192, CD 57, 13530 Trets, tél. 04 42 29 22 64, fax 04 42 29 41 64, contact@anticaille.com, ☑ ⚔ ⏳ 8h30-12h30 14h30-18h

CELLIER DES ARCHERS Cuvée La Tour 2012

◻	50 000 ▮	5 à 8 €

La coopérative du Cellier des Archers signe une cuvée à dominante de grenache (80 %), complétée de cinsault et de syrah, dont le nom évoque le donjon du village médiéval des Arcs-sur-Argens. Ce 2012 à la robe rose pâle fait la part belle aux fruits rouges. La bouche fraîche et ronde à la fois arbore une belle persistance aromatique dans la lignée de l'olfaction. Un vin ample et agréable qui accompagnera à merveille une oursinade.

☙ Cellier des Archers, av. des Laurons, 83460 Les Arcs-sur-Argens, tél. 04 94 73 30 29, fax 04 94 47 50 84, cellierdesarchers@free.fr, ☑ ⏳ t.l.j. 8h-12h 14h-18h

ⓑ DOM. DES ASPRAS Les Trois Frères 2011 ★

◻	3 300 ▮	8 à 11 €

Dès 1996, le village de Correns a fait le choix de l'agriculture biologique, devenant ainsi historiquement le premier village bio de France. Avec Michaël Latz à sa tête, le domaine des Aspras fut l'un des pionniers de cette conversion. Aujourd'hui, un même état d'esprit anime Sébastien, Alexandre et Raphaël qui épaulent leur père au domaine. Ils proposent une cuvée aux parfums appétis-

sants de fruits rouges bien mûrs et de sous-bois. Ces arômes se retrouvent dans un palais souple en attaque, encore un peu marqué par les tanins, qui s'achève sur une jolie touche de griotte. À déguster dans deux à trois ans, le temps que le vin s'assagisse. Citée, la version **rosé 2012** (35 000 b.) révèle une matière à la fois ronde et fraîche, accentuée par des nuances de pêche et une pointe de minéralité.

☙ Michaël Latz, Dom. des Aspras, 83570 Correns, tél. 04 94 59 59 70, fax 04 94 59 53 92, domaine@aspras.com, ☑ ⚔ ⏳ t.l.j. 9h-12h 15h-19h ⌂ ⊜

CH. D'ASTROS 2012 ★★

◻	159 000 ▮	5 à 8 €

Ce château à l'architecture italienne fut le théâtre de l'adaptation cinématographique des souvenirs d'enfance de Marcel Pagnol Le Château de ma mère. Il a vu naître aussi cette cuvée qui fleure bon la Provence dans son élégante parure couleur chair d'une grande brillance. Agrumes et petits fruits rouges s'entremêlent dans un bouquet intense, rappelant aussi la douceur du sirop de grenadine et la vivacité des parfums d'anis. Générosité, puissance et longueur sont les maîtres-mots d'un palais qui ne manque pas de fraîcheur et dévoile des arômes persistants sur le même registre que le nez. « Tout y est », note une dégustatrice à propos de ce vin fin et équilibré. La **Cuvée spéciale 2012 rosé (8 à 11 € ; 20 000 b.)** obtient quant à elle une étoile pour sa complexité aromatique (floral, exotique, agrumes) et pour sa bouche soyeuse, étayée par une agréable fraîcheur.

☙ SCEA du Ch. d'Astros, rte de Lorgues, 83550 Vidauban, tél. 04 94 99 73 00, fax 04 94 73 00 18, contact@astros.fr, ☑ ⏳ t.l.j. sf dim. 8h30-12h30 14h-18h
☙ Maurel

CH. DE L'AUMERADE Cuvée Sully 2012 ★

Cru clas.	32 000 ▮	11 à 15 €

C'est en 1594 qu'Henri IV ordonna au duc de Sully de planter à l'Aumerade le premier mûrier de France, mais aussi les imposants platanes du Nouveau Monde qui, aujourd'hui encore, contribuent au charme de cette célèbre maison de Provence. Du charme aussi cette cave, avec ce blanc subtil paré d'une engageante robe claire aux séduisants reflets jaune pâle. Timide à l'olfaction, il se dévoile progressivement en bouche, offrant une matière ronde et généreuse, parfumé par un fruité fin qui contribue à l'harmonie générale. Parfait pour accompagner des fromages de chèvre.

☙ Ch. de l'Aumerade, rte de Puget-Ville, 83390 Pierrefeu-du-Var, tél. 04 94 28 20 31, fax 04 94 48 23 09, vincent.grimaldi@aumerade.com, ☑ ⚔ ⏳ t.l.j. sf dim. 8h30-12h30 14h-18h
☙ Famille Fabre

LES VIGNERONS DU BAOU 2012 ★★

◻	5 000 ▮	5 à 8 €

Voici plus d'un siècle que la coopérative viticole a été créée sur la commune de Pourcieux, face au massif de la Sainte-Baume. Sous des nuances or surlignées de reflets verts légèrement fluo, ce 100 % rolle livre une puissante expression aromatique qui évoque surtout les agrumes (pomelo). L'harmonie en bouche est totale : vivacité, finesse et longueur, tout y est. Un vin blanc éloquent, qui se révélera volontiers sur un tartare de thon aux agrumes.

🕿 Les Vignerons du Baou, 42, av. Raoul-Blanc, 83470 Pourcieux, tél. 04 94 78 03 06, fax 04 94 78 05 50, vignerons-du-baou@wanadoo.fr,

☑ 🍷 t.l.j. sf dim. 9h-12h 13h30-18h

Ⓑ CH. BARBANAU Et Cae-terra 2012 ★

| ■ | | 6 000 | 🁢 | 11 à 15 € |

Sur les traces d'un arrière grand-père vigneron, Sophie et Didier Simonini font l'acquisition en 1989 de ce domaine situé à l'extrémité ouest de l'appellation, qu'ils conduisent en agriculture bio depuis 2008 à la vigne, et aussi au chai depuis 2012. D'une teinte saumonée, ce rosé très pâle livre un cocktail aromatique, où se mêlent fruits rouges, fruits exotiques et pamplemousse. Des parfums complexes et fins qui s'affirment également dans une bouche ample et longue. À déguster avec un saumon à l'unilatérale. Une citation pour la cuvée **L'Instant blanc 2012 (8 à 11 € ; 10 000 b.)**, soutenue par d'agréables notes d'agrumes, de fleurs et de grillé.

🕿 Ch. Barbanau, Le Hameau, 13830 Roquefort-la-Bédoule, tél. 04 42 73 14 60, fax 04 42 73 17 85, contact@chateau-barbanau.com,

☑ 🍷 t.l.j. sf dim. 10h-12h 15h-18h

🕿 Simonini

CH. BARBEIRANNE Cuvée Charlotte 2010 ★

| ■ | | 16 000 | 🁢 | 15 à 20 € |

Au cœur de la Provence verte, ce vignoble de 34 ha de vignes repose sur un terroir argilo-calcaire. Issue d'un trio de cépages, syrah pour moitié, cabernet-sauvignon et grenache pour l'autre, cette cuvée très réussie a été élevée dix-huit mois en fût. À la robe rouge sombre aux reflets violacés fait écho un bouquet riche et complexe qui marie les fruits noirs, le cacao, les épices et des notes grillées. Après une attaque franche, la bouche montre beaucoup de concentration et ses tanins bien en place laissent présager d'une bonne capacité de garde. Un vin rouge à déguster dans deux ans ou trois, voire plus, sur une côte de bœuf grillée.

🕿 Ch. Barbeiranne, lieu-dit La Pellegrine, 83790 Pignans, tél. 04 94 48 84 46, fax 04 94 33 27 03, barbeiranne@wanadoo.fr,

☑ 🧍 🍷 t.l.j. sf dim. 9h-12h 13h30-18h; sam. 10h-12h 14h-18h

🕿 Mme Febvre

Ⓑ CH. BARBEYROLLES Blanc de blancs 2012

| ■ | | 1 200 | | 15 à 20 € |

Régine Sumeire est à la tête du château depuis 1977. Les années 2000 voient la reconnaissance de la certification biologique à la vigne, la modernisation de la cave conçue pour un travail par gravité respectant raisin et vin et l'adhésion récente au nouveau cahier des charges de la vinification bio. Des reflets or vert signent la robe de cet assemblage rolle et sémillon à parts presque égales, complété de 12 % d'ugni blanc. Le nez oscille entre les fleurs blanches et les notes minérales. Le palais s'exprime avec gourmandise et équilibre : une belle rondeur alliant la sucrosité et des notes plus fraîches, presque iodées. Recommandé sur des fromages de chèvre de la région.

🕿 Régine Sumeire, Ch. Barbeyrolles, 2065, rte de la Berle, 83580 Gassin, tél. 04 94 56 33 58, fax 04 94 56 33 49, regine@barbeyrolles.com, ☑ 🧍 🍷 r.-v.

BASTIDE DES DEUX LUNES Tout près des étoiles 2012 ★

| ■ | | 4 000 | 🁢 | 5 à 8 € |

Bertrand Dubois, œnologue, a repris depuis une dizaine d'années les vignes familiales, jusqu'alors destinées à la vinification en coopérative. Le chai a vu le jour pour les vendanges 2012 et c'est grâce à ce premier millésime que le vigneron fait son entrée dans le Guide. Vêtu d'une robe dense aux nuances noires, le vin offre un nez intense mêlant agréablement le fruit frais et la réglisse. La bouche, à l'unisson, se montre généreuse et ample. Un « vin plaisir » à consommer frais sur une viande rouge grillée au feu de bois. Croquant avec une pointe d'amertume, la cuvée **Tout près des étoiles 2012 rosé (8 400 b.)**, à dominante de fruits exotiques, obtient une citation.

Nouveau producteur

🕿 Bertrand Dubois, 329, rue de la Thèse, 83390 Puget-Ville, tél. 04 94 23 57 52, bastidedes2lunes@gmail.com,

☑ 🧍 🍷 r.-v.

LA BASTIDE DU CURÉ 2012 ★

| ■ | | 66 600 | | 5 à 8 € |

Il y a cent ans était voté l'agrandissement de la coopérative pour accueillir 10 000 hl ; aujourd'hui, la cave en produit 110 000 pour 550 ha de vignes. Échantillon non négligeable de cette importante production, cet assemblage, couleur pétale de rose, de grenache (60 %) et de cinsault, livre des arômes intenses, amyliques et florales. La bouche se révèle souple et expressive, sur des notes de cassis et de violette, relayées par les fruits légèrement confiturés en finale. Un vin gourmand à réserver pour une généreuse anchoïade !

🕿 La Vidaubanaise, 89, chem. de Sainte-Anne, BP 24, 83550 Vidauban, tél. 04 94 73 00 12, fax 04 94 73 54 67, commercial@vidaubanaise.com,

☑ 🍷 t.l.j. sf dim. 8h-12h 14h-18h 🏠 Ⓔ

DOM. DE LA BASTIDE NEUVE Fleur de Rolle 2012

| ■ | | 7 000 | | 11 à 15 € |

Ce domaine de 20 ha propose ici une cuvée issue du seul rolle qui séduit d'emblée par la franchise et l'éclat de sa robe dorée pâle aux reflets verdoyants. Le nez franc et expressif évolue à l'aération dans un registre floral ponctué de notes de fruits mûrs (abricot). La bouche dévoile avec beaucoup d'ampleur et de rondeur des nuances d'amande fraîche et de pâte de coing qui tapissent une finale longue et douce. À déguster sur une tarte Tatin.

🕿 Dom. de la Bastide neuve, chem. Bagary, 83340 Le Cannet-des-Maures, tél. 04 94 50 09 80, fax 04 94 50 09 99, myriam@bastideneuve.fr,

☑ 🧍 🍷 t.l.j. sf dim. 8h-18h; sam. 8h-12h 🏠 Ⓖ

🕿 Brulière

CH. BASTIDIÈRE 2012

| ■ | | 7 355 | | 5 à 8 € |

Depuis 1994, le docteur Flensberg œuvre avec persévérance pour relancer l'activité viticole de ce domaine de 12 ha laissé à l'abandon. Il signe ici un rosé à la robe légèrement orangée, qui a retenu l'attention tant par son fin bouquet d'agrumes mâtinés d'épices que par sa bouche chaleureuse équilibrée par une agréable fraîcheur en finale. Un vin franc et persistant qui accompagnera volontiers un tajine aux fruits secs.

☛ Dr Thomas Flensberg, Ch. Bastidière, rte de Pierrefeu, 83390 Cuers, tél. et fax 04 94 13 51 28, infobastidiere@aol.com,
☑ ⚐ ☡ t.l.j. sf dim. 9h30-12h30 14h-17h

CH. LE BASTIDON Séduction 2012 ★

7 300	5 à 8 €

Sous le regard bienveillant des îles de Port-Cros et de Porquerolles, cette très belle bastide provençale commande un vignoble de 72 ha et des plantations d'oliviers

implantés, sur le terroir de schistes réputé de La Londe-les-Maures. Cette cuvée Séduction, issue d'un assemblage de sémillon (60 %) et de rolle, s'affiche dans une robe limpide, jaune pâle aux reflets verts. D'une belle complexité, le nez exprime des arômes de fruits bien mûrs, de miel et d'épices. En bouche, c'est la rondeur (abricot mûr, orange confite, pain d'épice) qui domine, soutenue par une pointe de fraîcheur (poivre blanc) fort plaisante. Un vin très charmeur et expressif à déguster sur un bar de ligne braisé au four.

☛ Jean-Pierre Rose, Ch. le Bastidon, chem. du Pansard, 83250 La Londe-les-Maures, tél. 04 94 66 80 15, fax 04 94 66 68 23, vigneronvar@aol.com,
☑ ⚐ ☡ t.l.j. sf dim. 9h-12h 15h-18h30

La Provence

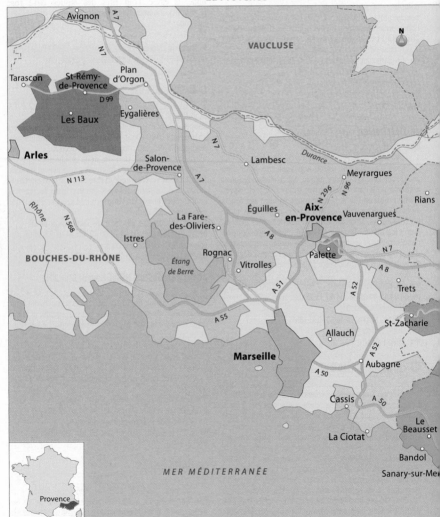

CH. DE BERNE 2011 ★

■　　　　25 000　　　⬥　　20 à 30 €

Parallèlement à sa production viticole, le domaine propose nombre d'activités autour de la cuisine et de la découverte œnologique. L'occasion peut-être de découvrir ce joli vin élevé dix mois en fût, couleur grenat aux reflets cerise noire, qui a séduit le jury par son expression chaleureuse et savoureuse. Complexe (fruits, cuir, sous-bois) adossé à des tanins fermes qui commencent à se fondre et à un boisé de qualité, il réclame deux ans de garde pour exprimer tout son potentiel, de préférence sur une viande en sauce. Élégant, le **rosé 2012 (15 à 20 € ; 50 000 b.)**, au bouquet intense de fruits exotiques et d'agrumes, reçoit également une étoile.

⬥ Vignobles de Berne en Provence, chem. de Berne, 83510 Lorgues, tél. 04 94 60 43 60, fax 04 94 60 43 58, info@chateauberne.com, ☑ ⚡ ⍭ r.-v.

DOM. BORRELY-MARTIN Carré de Laure 2008 ★★

■　　　　5 000　　　🍷　　11 à 15 €

Vêtue de sa robe grenat profond, cette trilogie de mourvèdre, de syrah et de cabernet-sauvignon a séduit les dégustateurs. Un vin tout en fraîcheur et en délicatesse, dont le nez tourne autour de nuances florales (lilas, rose) sur un fond fruité rassemblant le melon, la framboise et la crème de cassis. Le palais, tout aussi expressif et raffiné, délivre une explosion de fruits noirs mûrs dominée par le cassis et séduit par son caractère onctueux et plein,

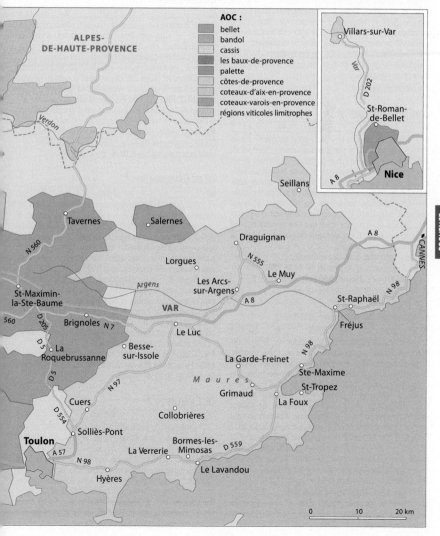

LA PROVENCE

souligné par des tanins à la fois fermes et fondus. Une très belle réussite et une fraîcheur sur le fruit surprenante pour un 2008. À apprécier dès aujourd'hui autour d'un mi-cuit au chocolat noir.

☛ Dom. Borrely-Martin, Grande-Rue, 83340 Les Mayons, tél. et fax 04 94 60 09 39, claude.martin0602@orange.fr, ☑ ⚔ ⏲ r.-v.
☛ Martin Frères

DOM. BOUISSE-MATTERI Cuvée du Paradis 2012 ★★

| | 12 000 | ▮ | 5 à 8 € |

Une coopération exclusivement familiale et un travail soigné pour cet assemblage très réussi de grenache (60 %) et de syrah. La robe est superbe, d'un rose franc, aux reflets légèrement saumonés. Pêche, abricot et fruits rouges, avec une pointe citronnée, composent un bouquet riche et complexe. Dans le prolongement, le palais se montre frais et long, sans manquer de chair et de générosité. Un vin complet, qui s'entendra bien avec un carpaccio de saint-jacques marinées au citron vert.

☛ Dom. Bouisse-Matteri, 3301, rte des Loubes, 83400 Hyères, tél. 04 94 38 65 05, bruno.merle@wanadoo.fr, ☑ ⚔ ⏲ t.l.j. 9h-19h
☛ Mathilde Merle

DOM. DE LA BOUVERIE 2012 ★

| | 13 000 | ▥ | 8 à 11 € |

Jean Laponche, à la tête de cette propriété depuis 1980, signe un 2012 presque exclusivement composé de rolle, qui a connu une fermentation et un élevage de six mois en barrique. Le vin en ressort jaune brillant très pâle, au nez fin d'agrumes (citron) et d'épices douces agrémenté de notes toastées. Plein et généreux, le palais affiche des notes fruitées, soulignées par un boisé finement intégré. Un vin cossu, d'une agréable longueur, qui pourra être dégusté dès à présent mais que l'on appréciera aussi dans un an ou deux, sur un tajine de poulet au citron et aux amandes par exemple.

☛ Jean Laponche, Dom. de la Bouverie, 83520 Roquebrune-sur-Argens, tél. 04 94 44 00 81, fax 04 94 44 04 73, domainedelabouverie@wanadoo.fr, ☑ ⏲ t.l.j. sf dim. 9h30-12h30 15h-18h30

Ⓑ DOMAINES BUNAN Bélouvé 2012 ★

| | 35 500 | ▮ | 8 à 11 € |

Converti à l'agriculture biologique en 2008, le domaine s'oriente progressivement vers la biodynamie. Cette cuvée ne réunit pas moins de six cépages provençaux, cueillis à la fin août. Le charme opère dès le premier coup d'œil, grâce à une parure d'un rose franc, très lumineux. Puis, nez et bouche sont à l'unisson sous un fruité d'agrumes. À la fraîcheur ressentie en attaque succède une sensation plus chaleureuse. Réservez un mets relevé à ce vin généreux, une pastilla par exemple. Le **2011 rouge (6 000 b.)** aux jolis arômes de fruits noirs et de réglisse, mis en valeur dans une bouche franche, adossée à une trame tannique encore présente, est cité et pourra être dégusté dans les trois ans sur une grillade.

☛ Dom. Bunan, Le Moulin des Costes, BP 17, 83740 La Cadière-d'Azur, tél. 04 94 98 58 98, fax 04 94 98 60 05, bunan@bunan.com, ☑ ⚔ ⏲ t.l.j. 9h-12h 14h-18h (19h d'avr. à sep.); f. dim. d'oct. à mars

DOM. DU CAGUELOUP Cuvée Minette 2012 ★

| | 5 000 | ▮ | 5 à 8 € |

Régulièrement présent dans le Guide pour ses bandol, Richard Prébost présente ici un côtes-de-provence né d'un assemblage d'ugni blanc et de clairette. Au nez, le vin se révèle frais et fruité. À l'unisson, le palais mêle des notes de pamplemousse et de poire, et s'équilibre entre gras et fraîcheur minérale. Pour un poisson en sauce aux agrumes.

☛ Dom. du Cagueloup, 267, chem. de la Verdelaise, 83270 Saint-Cyr-sur-Mer, tél. 04 94 26 15 70, fax 04 94 26 54 09, domainedecagueloup@gmail.com, ☑ ⚔ ⏲ t.l.j. 9h-21h (été); 10h-19h (hiver); f. jan.
☛ Prebost

CH. CARPE DIEM Plus 2012 ★

| | 5 000 | ▮ | 8 à 11 € |

L'invitation au plaisir de vivre et à l'épicurisme que propose le nom du domaine trouvent un écho très plaisant dans ce pur rolle aux reflets vifs, qui livre de jolies nuances de fruits exotiques et d'agrumes (citron). De la fraîcheur, du fruit (pêche), une belle amplitude, de la persistance, le palais ne déçoit pas. À servir sur des noix de Saint-Jacques, en brochettes ou juste poêlées. Le **rosé 2012 Plus (11 000 b.)**, une étoile, charme par ses arômes de fruit de la Passion. Un vin d'apéritif mais pas seulement...

☛ Francis Adam, Ch. Carpe Diem, 4436, rte de Carcès, 83570 Cotignac, tél. 04 94 04 72 88, fax 04 94 04 77 50, chateaucarpediem@free.fr, ☑ ⚔ ⏲ r.-v. 🏚 Ⓖ

CH. DU CARRUBIER 2011 ★

| | 3 000 | ▮ | 8 à 11 € |

Propriété de famille depuis presque quarante ans, ce domaine est niché sur la commune de La Londe, à proximité de la mer Méditerranée et en contrebas du massif des Maures. Les vignes occupent 25 ha des 88 ha que compte l'exploitation. Cette année, le jury apprécie particulièrement le rouge 2011, aux chatoiements grenat assez intenses. Réglisse, cacao et fruits rouges rythment le nez. Rondeur, volume et longueur caractérisent la bouche. D'ici deux ans ou trois, ce vin déjà très harmonieux aura encore gagné en qualité et accompagnera volontiers un gigot d'agneau de 7 heures. Une étoile également pour le **blanc 2012 (2 600 b.)**, qui se distingue par sa persistance et par son bon équilibre entre la douceur des notes miellées et la fraîcheur du pamplemousse.

☛ SC du Dom. du Carrubier, rte du Carrubier, 83250 La Londe-les-Maures, tél. 04 94 66 82 82, fax 04 94 35 00 01 ☑ ⏲ r.-v.

CH. CAVALIER 2012

| | 450 000 | ▮ | 8 à 11 € |

Propriété de la famille Castel depuis 2000, le domaine occupe aujourd'hui 130 ha, et produit exclusivement des vins rosés. Le 2012 présenté libère à l'aération un bouquet agréable, à la fois fruité et floral. La bouche mêle les agrumes à une note de sous-bois, et s'appuie en finale sur une pointe de vivacité. Une bouteille harmonieuse qui s'accommodera d'une entrée épicée.

☛ Ch. Cavalier, 1265, chem. de Marafiance, 83550 Vidauban, tél. 05 56 35 66 05, fax 05 56 35 72 95, contact@chateaux-castel.com, ⚔ ⏲ r.-v.

CH. CLARETTES Grande Cuvée Élevage bois 2011 ★

■ 4 000 ⬛ 11 à 15 €

Le domaine se situe en bout de plateau, au-dessus du village médiéval des Arcs-sur-Argens. Les vignes entourent une bâtisse carrée et la cave en pierre surplombe l'ensemble. Le millésime 2011, de belle intensité dans son habit grenat, s'impose par son nez aux accents kirschés de petits fruits noirs et de fruits à noyaux, par sa bouche persistante, tout en fruits et aux tanins soyeux. Ce vin déjà fort aimable se prêtera aussi bien à une petite garde qu'à un service rapide sur des brochettes d'agneau accompagnées d'une ratatouille.

☛ Crocé-Spinelli, Les Nouradons, 83300 Draguignan, tél. 04 94 47 45 05, richardcs@wanadoo.fr, ☑ ⵝ r.-v.

DOM. DU CLOS D'ALARI Grand Clos 2012 ★

■ 18 000 11 à 15 €

Anne-Marie et Nathalie Vancoillie, mère et fille, conduisent depuis 1998 ce domaine qui, outre ses vins, propose à l'achat huile d'olive et truffes. Ce rosé tonique et friand, construit sur la fraîcheur, séduit d'emblée avec ses notes de citron, de pamplemousse et de groseille. Pour un plaisir immédiat sur un plat de charcuterie. La cuvée **Olivier rouge 2010 (2 300 b.)** est encore marquée par son élevage. Si les tanins apparaissent denses et serrés, l'expression aromatique sur des notes d'épices, de réglisse et de fruits noirs, est déjà harmonieuse. Une étoile également pour cette cuvée qu'on laissera patienter deux ou trois ans en cave.

☛ Nathalie Vancoillie, Clos d'Alari, 717, rte de Mappe, 83510 Saint-Antonin-du-Var, tél. 04 94 72 90 49, fax 04 94 72 90 51, domaine.du.clos.alari@orange.fr, ☑ ⵝ ⵝ r.-v. 🏠 ❹

ⓑ CLOS DE L'OURS Grizzly 2012 ★

■ 20 000 ▮ 8 à 11 €

Fabienne et Michel Brotons ont réalisé leur rêve, créer un domaine viticole. Depuis 2012, ils exploitent 13 ha de vignes en agriculture biologique au cœur de la Provence verte. C'est un terroir argilo-calcaire qui est à l'origine de cette cuvée rose tendre aux reflets saumonés. Elle fait d'emblée bonne impression avec ses parfums élégants de fruits blancs bien mûrs mêlés de fleurs. Après une attaque vive, la bouche laisse la place à la rondeur et au fruit. Un vin gourmand à déguster sur une poêlée de gambas à l'anis.

☛ Clos de l'ours, 4776, chem. du clos-de-Ruou, 83570 Cotignac, tél. 04 94 04 77 69, fax 04 94 04 76 31, closdelours@gmail.com, ☑ ⵝ ⵝ t.l.j. 9h-18h 🏠 ❺

☛ Brotons

CLOS DES ROSES 2012

■ 5 000 8 à 11 €

Propriété depuis 2006 de la famille Barbero, le vignoble du Clos des Roses est situé sur le terroir volcanique réputé de Fréjus, propice aux jolis vins tel ce blanc, fruit de l'assemblage de l'ugni blanc (60 %) et du rolle. La robe jaune pâle affiche de séduisants reflets or. Du verre s'échappent des parfums plaisants de fleurs, de fruits mûrs et de torréfaction. Dans le prolongement, la bouche affiche une belle rondeur et une pointe d'acidité qui apporte équilibre et fraîcheur. À savourer sur un bar de ligne grillé.

☛ Le Clos des Roses, 1609, rte de Malpasset RD 37, lieu-dit Sainte-Brigitte, 83600 Fréjus, tél. 04 94 52 80 51, fax 04 94 53 25 17, closdesroses@closdesroses.com, ☑ ⵝ ⵝ t.l.j. sf dim. 9h-12h 14h-18h 🏠 ❺

CLOS LA NEUVE Sainte-Victoire Séduction 2012 ★

■ 18 000 8 à 11 €

Issu de 2,5 ha de vignes de syrah et de grenache cultivés sur un sol argilo-calcaire face à la montagne Sainte-Victoire, ce rosé dévoile un nez expressif, floral et fruité, assorti d'une légère nuance de miel. La bouche, ronde et persistante, à l'unisson du bouquet, est soustendue par une fraîcheur mesurée qui apporte l'équilibre. Pour des brochettes aux herbes ou toute autre grillade. Un air de famille pour la cuvée **Passion 2012 rosé (5 à 8 € ; 25 000 b.)**, aux arômes de fruits rouges frais, bien équilibrée entre rondeur et vivacité, qui obtient la même distinction.

☛ Famille Joly, RN 7, 83910 Pourrières, tél. 04 94 59 86 03, closlaneuve@ferrylacombe.com, ☑ ⵝ t.l.j. sf dim. 9h-19h

CLOS SAINTE ANNE Saint-Tropez 2012

■ 1 500 ▮ 11 à 15 €

Une première entrée dans le Guide pour ce domaine tropézien mené par la famille Augier. Jean-Michel et Christophe, père et fils, signent leur troisième millésime et proposent un blanc presque exclusivement composé de rolle. Du verre s'échappent avec finesse des senteurs florales (genêt, jasmin, bergamote) et fruitées (pêche, kumquat). La bouche est ciselée par une fine salinité qui lui donne du relief et de la longueur avant de se révéler plus chaleureuse et épicée en finale. À savourer autour d'une soupe au pistou ou une panna cotta à la mangue.

☛ Jean-Michel Augier, 20, bd Louis-Blanc, 40, chem. de Sainte-Anne (caveau), 83990 Saint-Tropez, tél. 06 19 89 66 39, fax 04 94 97 04 35, clos.sainte.anne@orange.fr, ☑ ⵝ ⵝ r.-v.

LES CLOS SERVIEN LCS 2012 ★★

■ 10 000 ▮ 8 à 11 €

À la tête depuis 2010 de ce domaine, dont la production était jusqu'alors portée à la coopérative, la famille Servien exploite cette jolie propriété de 11 ha établie sur une terre schisteuse, à quelques kilomètres du golfe de Saint-Tropez. Elle fait une entrée remarquée dans le Guide avec cet assemblage (grenache et cinsault à parts égales, complétés de 20 % de tibouren) qui a frôlé le coup de cœur. La robe est lumineuse, rose tendre aux reflets légèrement saumonés. Une symphonie d'arômes, où se mêlent fleurs blanches, ananas, miel et agrumes, annonce une bouche ronde et équilibrée, vivifiée par des notes de pamplemousse. Un rosé de grande tenue, à déguster sur des filets de seiche à la plancha. Une étoile a été attribuée au **blanc 2012 (11 à 15 € ; 2 000 b.)**.

☛ Dom. les Clos Servien, 310, chem. de la Tourre, 83310 Grimaud, tél. 06 09 96 12 67, lesclosservien@orange.fr, ☑ ⵝ t.l.j. sf dim. 10h-13h 15h-19h; f. nov.-avr.

PROVENCE

CH. COLBERT CANNET 2012

■	210 000 ▪	5 à 8 €

Sous sa robe rose pâle bordée de reflets corail, ce rosé livre un nez de fruits noirs et de fleurs ponctué d'une touche de bonbon acidulé. La bouche, portée sur la rondeur, offre un bel équilibre grâce à une pointe de fraîcheur citronnée. À servir sur des roulés de volaille à la tapenade. La **Grande Réserve 2012 rosé (729 000 b.)**, franche, ample et tonique, aux accents de fruits exotiques, de fruits blancs et d'agrumes, est également citée.

🕿 SCEA Ch. Reillanne, Dom. de Reillanne, 83340 Le Cannet-des-Maures, tél. 04 94 50 11 70, fax 04 94 50 11 75 ☑ ▪ t.l.j. sf sam. dim. 9h-12h 14h-17h
🕿 G. de Chevron Villette

LES CAVES DU COMMANDEUR Secrète 2012 ★

■	25 600 ▪	5 à 8 €

Régulièrement citée dans le Guide, cette cave dynamique fête cette année son centième anniversaire et signe une cuvée à la robe rose pâle aux nuances pêche. Fruité et puissant, le nez s'ouvre sur des notes d'agrumes. L'attaque franche et tonique introduit une bouche qui fait la part belle au fruit et qui se révèle ample, délicate et généreuse, étayée par une fine fraîcheur. Un vin gourmand et harmonieux à apprécier tout au long du repas. La cuvée **Dédicace 2011 rouge (8 à 11 € ; 11 000 b.)** est citée pour son nez fin de cassis et de réglisse, son palais riche de fruits mûrs, aux tanins patinés et soyeux.

🕿 Les Caves du Commandeur, 44, rue de la Rouguière, 83570 Montfort-sur-Argens, tél. 04 94 59 59 02, fax 04 94 59 53 71, eurlcommandeur@orange.fr, ☑ ▪ t.l.j. sf dim. 9h-12h30 14h30-18h30

LE COMPTOIR DES VINS DE FLASSANS
Secret de comptoir 2012 ★

■	10 000 ▪	5 à 8 €

La cave centenaire de Flassans, au cœur de la Provence Verte, propose ici une cuvée claire et saumonée livrant une délicate expression fruitée. Les dégustateurs soulignent l'élégance de la bouche tout à la fois ample, ronde, fraîche et persistante. Un très beau rosé, bien qu'un « vin de comptoir », à découvrir sur des tapas.

🕿 Le Comptoir des Vins de Flassans, av. du Gal-de-Gaulle, 83340 Flassans-sur-Issole, tél. 04 94 69 71 01, fax 04 94 69 71 80, contact@comptoirdesvinsflassans.fr, ☑ ⚔ ▪ t.l.j. 9h30-12h30 15h-19h

ⓑ LES VIGNERONS DE CORRENS
Croix de Basson 2012 ★★

■	120 000 ▪	5 à 8 €

Respect de l'environnement : une devise partagée par l'ensemble des coopérateurs qui ont choisi, dès 1997, de conduire leur vignoble selon les préceptes de l'agriculture biologique. Ce rosé remarquable de complexité s'ouvre sur une explosion de fruits : pomelo rose, pêche, fruits rouges. Après une attaque fraîche, l'équilibre s'affirme progressivement entre douceur et vivacité, accentué par une longue et savoureuse finale laissant le souvenir d'un vin harmonieux. Un digne représentant de l'appellation, à déguster sur des filets de saint-pierre au beurre d'orange. Le **rouge 2011 Vallon Sourn (8 à 11 € ; 17 000 b.)**, très expressif, évoquant les fruits rouges, les sous-bois et les épices, reçoit une étoile.

🕿 Les Vignerons de Correns, pl. de l'Église, 83570 Correns, tél. 04 94 59 59 46, fax 04 94 59 50 32, lesvignerons-correns@wanadoo.fr, ☑ ⚔ ▪ r.-v.

CH. COUSSIN Sainte-Victoire César à Sumeire 2012 ★★

■	7 300	20 à 30 €

Dans les années 1930, Élie Sumeire fait la connaissance d'un marchand de vin, M. Baldaccini et de son fils César, qui deviendra le grand sculpteur connu pour ses compressions. C'est d'ailleurs la reproduction de l'une de ses œuvres, faite avec les étiquettes des châteaux de la famille Sumeire, qui figure sur cette élégante cuvée aux reflets bleutés qui dévoile des parfums de fruits (banane, framboise), de miel et de menthol. La bouche, ronde et ample, est stimulée par une fine fraîcheur acidulée et par des arômes d'agrumes qui dynamisent la finale. Un rosé de belle tenue, à servir avec des rougets de roche à la tapenade. Le **rouge Sainte-Victoire César à Sumeire 2011 (3 300 b.)** obtient une étoile pour sa richesse fruitée. Même distinction pour l'**Élie Sumeire Rosé à la rose 2012 (5 à 8 € ; 393 100 b.)**, frais et floral (violette). Cité, le **rosé 2012 Ch. L'Afrique (11 à 15 € ; 74 700 b.)**, de l'un des trois domaines acquis par la famille Sumeire dans les années 1950, se montre frais et fruité, avec une pointe plus chaleureuse en finale qui apporte l'équilibre.

🕿 Famille Sumeire, 1048, chem. de coussin, 13530 Trets, tél. 04 42 61 20 00, fax 04 42 61 20 01, sumeire@sumeire.com, ☑ ⚔ ▪ r.-v.

CH. CROIX DE BONTAR By Bontar 2011

■	6 000 ▪ⓤ	11 à 15 €

Grenache et syrah issus de 1,4 ha de vignes composent ce 2011 couleur griotte, élevé partiellement en fût. Le nez s'ouvre sur de francs arômes de fruits noirs (cassis, mûre), mâtinés d'un léger fumé. La bouche, avenante, est soutenue par une belle fraîcheur et par des tanins fins. Un vin équilibré, à servir dès cet automne sur une viande rouge sauce au poivre vert.

🕿 SCEA l'Hermitage de la Croix de Bontar, Dom. de la Croix de Bontar, 83890 Besse-sur-Issole
🕿 Christophe Spadone

CH. LES CROSTES Cuvée Prestige 2012

■	26 000 ▪	8 à 11 €

Trente années après la terrible gelée de 1956, l'exploitation alors destinée à la culture de l'olive se tourne vers la vigne. Une aubaine pour les lecteurs du Guide, puisque depuis de nombreuses années, les vins sont ici régulièrement cités. Une robe rose « fluo », aux reflets bleutés, puis des arômes friands d'agrumes, de framboise et de fraise, au nez comme en bouche. Un vin ample et structuré, d'une bonne persistance, à apprécier sur un tartare de thon aux baies roses. Élevée un an en fût, la **cuvée principale rouge 2009 (26 000 b.)** est appréciée pour sa belle palette aromatique sur les fruits et les épices.

🕿 H.-L. Ch. les Crostes, 2086, chem. de Saint-Louis, 83510 Lorgues, tél. 04 94 73 98 40, fax 04 94 73 97 93, caveau@chateau-les-crostes.eu, ☑ ⚔ ▪ t.l.j. sf dim. 9h-19h (9h-18h d'oct. à mars) 🏨 ⑤

CH. DEFFENDS Cuvée Première 2011 ★

■	22 000 ▪ⓤ	8 à 11 €

Un assemblage de syrah, de grenache et de carignan est à l'origine de ce vin issu d'une cuvaison classique et d'une macération carbonique. Il en résulte un 2011 au nez ouvert sur les fruits noirs et le cacao, assortis d'un soupçon de grillé. La bouche souple en attaque s'appuie sur des tanins fins et livre une finale fondue. Un vin expressif et harmonieux qui séduira dès la sortie du Guide, associé à un filet mignon de porc et sa poêlée de girolles.

🕿 Vergès, EARL Ch. Deffends, quartier du Deffends, 83660 Carnoules, tél. et fax 04 94 28 33 12, chateaudeffends@orange.fr,
☑ ⚔ ⊥ t.l.j. 9h-12h 15h-19h 🏠 🄴

CH. DES DEMOISELLES 2011

	14 400	11 à 15 €

Cette ancienne propriété de la famille Grimaldi est conduite depuis 2005 par Aurélie Bertin. Elle signe un 2011 couleur pourpre aux reflets violets, qui timide de prime abord, développe à l'aération des parfums de fruits noirs et de réglisse, ponctués d'une touche animale. La bouche riche, puissante et complexe, arbore une trame tannique cossue qui demandera un petit temps de garde en cave. Les plus patients découvriront alors son beau potentiel dans les trois à quatre ans à venir, sur un magret rôti aux figues par exemple.

🕿 SCEA Ch. des Demoiselles, 2040, rte de Callas, 83920 La Motte, tél. 04 94 70 28 78, fax 04 94 47 53 06, contact@sainte-roseline.com, ☑ ⚔ ⊥ r.-v. 🏠 🄵 🏠 🄴
🕿 Teillaud

CH. DEMONPÈRE Cuvée Prestige 2012

	10 500	🍶	8 à 11 €

Nouveau nom dans le Guide, car ce domaine a changé de propriétaire en juin 2011, mais le vignoble reste tourné, comme précédemment, vers l'agriculture biologique (conversion en cours). Yves Journel présente un rosé saumoné, peu intense à l'œil, mais très expressif au nez, dominé par l'ananas. Un fruité exotique que l'on retrouve dans une bouche onctueuse à laquelle il apporte une agréable fraîcheur. À présenter avec un assortiment de sushis.

NOUVEAU PRODUCTEUR

🕿 SAS Ch. Demonpère, rte des Mayons, Ancien dom. de la Pardiguière, 83340 Le Luc, tél. 04 93 60 37 40, fax 04 92 60 37 41, chateau@demonpere.fr, ☑ ⊥ r.-v.
🕿 Yves Journel

🧡 DOM. DES DIABLES Sainte-Victoire
Le Petit Diable 2012 ★★

	50 000	🍶	5 à 8 €

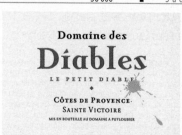

Virginie Fabre et Guillaume Philip dirigent depuis 2007 cette propriété de 15 ha et se retrouvent depuis leur premier millésime régulièrement en bonne place dans nos colonnes. Un coup de cœur a été attribué l'an dernier à leur cuvée Rose bonbon 2011 et, cette année, les rôles se sont inversés puisque c'est la cuvée Le Petit Diable, issue des plus jeunes vignes du domaine, qui monte sur la plus haute marche. Paré d'une robe séductrice, rosé clair, ce 2012 allie une intense expression d'agrumes (pamplemousse, lime) et de buis à une note minérale. La bouche, soutenue de bout en bout par une fine fraîcheur s'affirme sur un bel équilibre des saveurs, une matière charnue et une belle longueur. Un rosé généreux et gourmand. Citée, la cuvée **Rose bonbon 2012 (8 à 11 € ; 45 000 b.)** se démarque par un bouquet exubérant et un bel équilibre entre gras et fraîcheur.

🕿 Guillaume Philip et Virginie Fabre, av. Paul-Cézanne, 13114 Puyloubier, tél. 06 81 93 94 62, fax 04 42 66 33 22, contact@mip-provence.com,
☑ ⚔ ⊥ t.l.j. sf dim. lun. mar. 10h-12h 14h-18h; f. août-déc.

CH. ESCARAVATIERS 2012

	2 000	📖	8 à 11 €

La famille Costamagna propose un pur rolle qui a connu un court séjour en fût (quatre mois). Il en résulte un 2012 expressif aux arômes délicats de fruits jaunes, de vanille, de brioche et de fleurs d'acacia. D'une attaque franche, la bouche se révèle ronde et ample et déploie une finale douce aux tonalités pâtissières. Un joli vin à l'élevage bien maîtrisé, à déguster sur un turbot à l'orange.

🕿 Dom. des Escaravatiers, 514, chem. de Saint-Tropez, 83480 Puget-sur-Argens, tél. 04 94 19 88 22, fax 04 94 45 59 83, escaravatiers@wanadoo.fr,
☑ ⚔ ⊥ t.l.j. sf dim. lun. 10h-12h 14h-18h

CH. D'ESCLANS 2012 ★

	105 824	📖📖	20 à 30 €

Fabricant marseillais réputé d'allumettes chimiques puis d'allumettes bougie dans les années 1850, Joseph Toussaint Caussemille fut l'un des propriétaires de cette villa aux airs toscans. Sacha Lichine, fils d'Alexis Lichine (aujourd'hui décédé), expert des vins du Bordelais et propriétaire du château Prieuré-Lichine, est aujourd'hui aux commandes. Il produit des rosés bénéficiant d'un élevage mixte (en cuve et sous bois), telle cette cuvée aux éclats cristallins, dont le nez révèle quelques notes de noix de coco et de vanille (léguées par le fût) sur un fond fruité (pêche). Une expression aromatique très fine complétée en bouche d'arômes de fruits rouges. L'ensemble est harmonieux, bien équilibré entre fruité et boisé, avec du caractère et de l'ampleur. Parfait pour accompagner une souris d'agneau braisée.

🕿 Caves d'Esclans, 4005, rte de Callas, 83920 La Motte, tél. 04 94 60 40 40, fax 04 94 70 23 99, chateaudesclans@sachalichine.com,
☑ ⚔ ⊥ t.l.j. 9h-13h 14h-19h
🕿 Sacha Lichine

DOM. DE L'ESPARRON Virginie 2012 ★

	13 000	📖	5 à 8 €

Laurent Migliore et sa sœur Virginie – qui a donné son nom à cette cuvée – représentent la quatrième génération à la tête de ce domaine fondé en 1937. Ce 2012, qui fait la part belle au grenache (80 %), paré d'une robe pêche pâle limpide, dévoile des notes intenses de petits fruits rouges mêlées à des nuances de pamplemousse et de bonbon anglais. La bouche, tout aussi sympathique et d'une longueur appréciable, offre une attaque franche et tonique sur un fond très fruité. Un vin plaisant, souple et d'une belle typicité. La **cuvée principale 2012 rosé (moins de 5 € ; 20 000 b.)** se voit

PROVENCE

également distinguée d'une étoile pour son nez intense d'abricot et sa bouche tonique et harmonieuse.

☛ Dom. de l'Esparron, EARL Migliore, 83590 Gonfaron, tél. 04 94 78 34 41, fax 04 94 78 34 43, domaineesparron@orange.fr,

☑ 🍴 t.l.j. sf dim. 8h-12h 13h30-18h

☛ Migliore

DOM. DE L'ESTAN Diamantine 2012

	18 000		5 à 8 €

La famille Bataille, exploitante depuis trois générations, signe un 2012 dont la robe brillante, aux miroitements saumonés, pourrait justifier le nom de cet assemblage de grenache et de syrah à parts égales (42 % chacune), complété de cinsault et d'un soupçon de rolle. Un nez pimpant, évoquant la fleur blanche et la pêche, annonce une bouche de belle tenue. Du volume, de la finesse, un bon équilibre sur les fruits, cette gourmandise s'accordera bien avec une soupe de fraise. Le **rouge 2011 (2 900 b.)** est cité. Un vin puissant soutenu par des notes de cassis et de fruits à l'eau-de-vie, à apprécier sur un gibier à plume.

☛ EARL Bataille, 174, chem. de Clos-de-Gérin, 83570 Carcès, tél. 04 94 04 31 73, fax 04 94 04 38 50, earlbataille@orange.fr, ☑ r.-v.

DOM. DE L'ESTELLO Sextant Or 2012

	15 000		5 à 8 €

Cette cuvée qui fait la part belle au grenache (75 %), complétée de syrah, de mourvèdre et de cinsault, s'ouvre avec gourmandise sur les parfums de petits fruits rouges mûrs et de fraise des bois. La bouche répond au nez et livre une attaque franche et ample. Un vin équilibré, long et croquant, parfait pour une salade de crevettes au pamplemousse.

☛ Dom. de l'Estello, 838, chem. de Bélinarde, rte de Carcès, 83510 Lorgues, tél. 04 94 73 22 22, fax 04 94 73 29 29, lestello@lestello.com,

☑ 🔥 🍴 t.l.j. sf dim. 9h-12h30 14h-18h; ouv. dim. matin juil.-août 🏠 🈂

☛ Gilles Malinge

♥ DOM. DES FÉRAUD Syrah & Cabernet-sauvignon Élevé en fût de chêne 2011 ★★

	2 500		11 à 15 €

DOMAINE DES
FÉRAUD

2011
SYRAH &
CABERNET SAUVIGNON
APPELLATION CÔTES DE PROVENCE PROTÉGÉE
ÉLEVÉ EN FÛT DE CHÊNE

MIS EN BOUTEILLE AU DOMAINE
SARL CERF · 83550 VIDAUBAN
VAR-FRANCE · PRODUIT DE FRANCE

À lire l'étiquette, tout est dit ou presque : syrah et cabernet-sauvignon élevés en fût de chêne. Reste à préciser que ce millésime est le premier à avoir été élaboré par la nouvelle équipe qui a repris le domaine en 2011. Le grand jury a été conquis. Nulle fausse note, de la robe intense au nez puissamment aromatique et complexe (fruits à l'eau-de-vie, touches florales et animales), du palais velouté et équilibré jusqu'à la finale élégante sur des notes vanillées. Les tanins fermes promettent une magnifique bouteille dans les trois à cinq ans à venir. Un mets de choix s'impose : un bœuf wellington par exemple.

☛ SARL Cerf, Dom. des Féraud, 2956, chem. de Marafiance, 83550 Vidauban, tél. 04 94 73 03 12, fax 04 94 73 08 58, domainedesferaud@orange.fr,

☑ 🍴 t.l.j. 9h-12h 14h-17h; ven. 9h-12h

☛ Conrad

LA FERME DES LICES Sélection 2012

	3 000		11 à 15 €

Ce domaine, en cours de conversion bio, est situé au cœur de la presqu'île de Saint-Tropez, sur le littoral sud-est du Var, dans la plaine des Salins. L'union de huit propriétaires mitoyens et de Laurence Berlemont, œnologue, a permis de reconstituer cet ancien vignoble (8 ha) qui avait disparu suite à un vaste projet immobilier. Ce pur rolle aux lueurs presque cuivrées livre un bouquet d'épices douces. La bouche se révèle ample, douce et fraîche à la fois, équilibrée en somme. Pour un poisson en sauce.

☛ SCEA Clos des Vignes, Mas de la Moutte, chem. des Treilles-de-la-Moutte, 83990 Saint-Tropez, tél. 04 94 59 12 40, fax 04 94 59 16 11, info@lafermedeslices.fr, ☑ r.-v.

CH. DES FERRAGES Sainte-Victoire Cuvée Mon Plaisir 2012 ★★

	13 000		8 à 11 €

Entre mont Aurélien et montagne Sainte-Victoire, le vignoble s'étend sur plus de 45 ha, le long de la Nationale 7, une halte à ne pas manquer lors des pérégrinations estivales. José Garcia signe cette remarquable cuvée (syrah-grenache-cinsault à parts presque égales) à l'élégante livrée rose pâle. Les fruits – pêche de vigne, agrumes, melon, ananas – teintés d'un soupçon de poivre dessinent un nez d'une belle complexité. La bouche, ample et tonique, s'impose par sa concentration, son harmonie et sa longueur. Un très beau représentant de ce terroir de Sainte-Victoire à apprécier sans attendre sur des noix de Saint-Jacques poêlées, légèrement safranées. La **cuvée Roumery blanc 2012 (5 à 8 € ; 6 500 b.)** est citée pour son équilibre et s'appréciera sur un plateau de coquillages.

☛ SCEA Vignobles José Garcia, Ch. des Ferrages, RN 7, 83470 Pourcieux, tél. 04 94 59 45 53, fax 04 94 59 72 49, chateaudesferrages@free.fr,

☑ 🔥 🍴 t.l.j. sf dim. 9h-12h 13h30-18h

CH. FERRY LACOMBE Sainte-Victoire Fidis 2012 ★

	10 000		11 à 15 €

Tirant son nom de l'une des étoiles les plus scintillantes de la constellation de la Lyre, cette cuvée se présente sous une robe lumineuse animée de nuances melon. Une belle complexité aromatique se dévoile à l'aération, naviguant entre agrumes et fruits rouges croquants (fraise, framboise). La bouche tout aussi séduisante s'affiche avec gourmandise, stimulée par une fraîcheur acidulée. Un « vin plaisir », aérien et fruité, qui saura magnifier une cuisine exotique.

☛ Pinot, 2068, rte de Saint-Maximin, 13530 Trets, tél. 04 42 29 40 04, fax 04 42 61 46 65, info@ferrylacombe.com,

☑ 🍴 t.l.j. sf sam. dim. 9h-12h 14h-19h

CH. LA FONT DU BROC 2012 ★★

| | 20 000 | ∎ | 11 à 15 € |

Ce domaine, dirigé par Sylvain Massa depuis 1979, s'étend sur plus de 120 ha, consacré à la vigne, aux oliviers et à l'élevage de chevaux. Il verra sa conversion biologique actée en 2014. Pour l'heure, il propose un pur rolle issu d'un terroir argilo-calcaire qui domine le village médiéval des Arcs-sur-Argens. Une belle parure jaune pâle aux reflets verts habille ce vin au bouquet fin et délicat de fruits blancs (pêche de vigne, poire). La bouche bien équilibrée entre rondeur et vivacité dévoile une superbe matière et persiste longuement en finale, accompagnée d'une pointe d'amertume fort plaisante. À déguster sur un carpaccio de langoustines.

⌐ Ch. la Font du Broc, chem. de la Font-du-Broc, 83460 Les Arcs, tél. 04 94 47 48 20, fax 04 94 47 50 46, cbroch@chateau-fontdubroc.com

☑ ⚹ ⊺ t.l.j. 10h-19h (18h dim.)

⌐ Sylvain Massa

♥ DOM. DE LA FOUQUETTE
Cuvée Pierres de Moulin 2012 ★★★

| | 12 800 | ∎ | 5 à 8 € |

DOMAINE
DE LA FOUQUETTE
CUVÉE PIERRES DE MOULIN
2012
CÔTES DE PROVENCE
APPELLATION CÔTES DE PROVENCE CONTRÔLÉE
VIN EN CONVERSION VERS L'AGRICULTURE BIOLOGIQUE

Autrefois, l'une des parcelles du domaine recelait de grosses pierres utilisées pour les meules des moulins ; ce qui a valu son nom à cette cuvée. Isabelle et Jean-Pierre Daziano, à la tête de ce domaine familial de 15 ha depuis 2005, signent un magnifique rosé, nuancé d'or gris. Le nez livre des parfums puissants et élégants d'agrumes et de fruits exotiques. Ce feu d'artifice se poursuit dans une bouche bien proportionnée. La finale ne trahit pas l'ensemble, marquée par des notes de buis qui apportent un surcroît de fraîcheur. Un vin d'une grande éloquence, admirable par son équilibre. À apprécier avec une salade de langoustines au pamplemousse. La **Cuvée Brin de mimosa 2012 blanc (8 à 11 € ; 5 700 b.)**, aux notes de fruits blancs et d'agrumes, ample et fraîche, obtient une étoile. « Un vin blanc dans l'air du temps, comme un plaisir de vacances », selon une dégustatrice.

⌐ Isabelle et Jean-Pierre Daziano, Dom. de la Fouquette, rte de Gonfaron, 83340 Les Mayons, tél. 04 94 73 08 45, fax 04 94 60 02 91, domaine.fouquette@wanadoo.fr,

☑ ⚹ ⊺ t.l.j. 10h-12h 15h-19h 🏠 ⊘

DOM. FOUSSENQ Cuvée Collet Redoun 2012 ★

| | 5 000 | ∎ | 5 à 8 € |

Cave et caveau sont situés en plein cœur du village de Carcès, la vente se faisant dans un ancien relais de diligence. Depuis l'année 2000, Manuel Foussenq est à la tête du domaine. Il présente ici un blanc argenté, à l'expression fruitée (agrumes) et florale (acacia). La

bouche, tout aussi aromatique, s'enrichit d'un soupçon de minéralité et conjugue harmonieusement douceur et fraîcheur. Parfait pour accompagner des artichauts poivrade à la barigoule. Une citation pour le vin **rosé 2012 (10 000 b.)**, discret et fin, à dominante de pêche de vigne.

⌐ Dom. Manuel Foussenq, 9, pl. Gabriel-Péri, 83570 Carcès, tél. 04 94 04 54 18, fax 04 94 04 36 78, cave@domaine-foussenq.fr, ☑ ⊺ t.l.j. 8h-12h 14h-18h

CH. DE GAIROIRD 2012 ★

| | 50 000 | ∎ | 5 à 8 € |

Quatre générations de Pierrefeu se sont succédé et ont œuvré, dans la tradition familiale, à magnifier ce vignoble de 45 ha actuellement en conversion à l'agriculture biologique. Le rosé présenté revêt une robe litchi pâle qui s'anime de reflets argentés et développe avec finesse des parfums intenses d'agrumes et de fruits exotiques. Charnue et élégante, la bouche affiche un bel équilibre grâce à une agréable fraîcheur et à une trame fruitée persistante. Un joli vin qui magnifiera une poêlée de rougets à la clémentine.

⌐ Olivier de Pierrefeu, SCEA Ch. de Gairoird, chem. des vignes, 83390 Cuers, tél. 04 94 48 50 60, fax 09 85 94 40 91, caveau@gairoird.fr,

☑ ⊺ t.l.j. sf sam. dim. 9h30-12h30 13h30-18h

CH. DU GALOUPET Empreinte 2010 ★★

| ∎ Cru clas. | 4 000 | ⦀ | 20 à 30 € |

Un lieu très ancien apparaissant déjà sur la première carte de France dressée sur les ordres de Louis XIV. Il existe encore au domaine un caveau voûté, témoin de ce passé. Mais ce vin est né dans la nouvelle cave à la pointe de la technologie. Issu en majorité de syrah, il se présente dans une robe d'un rouge sombre aux reflets rubis et déploie un nez fruité (pruneau, cerise confite, fraise) rehaussé de girofle et d'une pointe vanillée. La bouche bien charpentée, à la finale très longue, est bâtie sur des tanins fondus. En 2010 puissant et harmonieux, à déguster sur une bécasse rôtie ou un dessert au chocolat noir, dès maintenant ou dans une paire d'années.

⌐ Ch. du Galoupet, Saint-Nicolas, 83250 La Londe-les-Maures, tél. 04 94 66 40 07, fax 04 94 66 42 40, wines@galoupet.com,

☑ ⊺ t.l.j. sf dim. 9h30-12h30 13h30-17h30

CH. DES GARCINIÈRES Cuvée du Prieuré 2012 ★

| | 9 000 | ∎ | 8 à 11 € |

Le nom de cette cuvée rappelle que ce domaine a autrefois été la propriété de moines cisterciens. Depuis 1898, la famille Valentin exploite ces terres et, depuis vingt-six ans, Stéphanie Valentin perpétue cette tradition vigneronne. Elle signe un rosé expressif, qui offre des notes fruitées (litchi, pêche), florales (rose) et minérales. Une complexité qui annonce un palais franc en attaque, de belle densité, gras, prolongé en finale par une agréable pointe d'amertume. Un vin bien proportionné et frais ; pour des brochettes de gambas badées.

⌐ Famille Valentin, Ch. des Garcinières, 1082, rte de la Foux, 83310 Cogolin, tél. 04 94 56 02 85, garcinieres@wanadoo.fr, ☑ ⊺ r.-v.

CH. GASSIER Sainte-Victoire 946 2012 ★★

| | 6 000 | ∎ ⦀ | 20 à 30 € |

La Sainte-Victoire est ici bien présente. 40 ha de vignes à son pied, un nom de cuvée évoquant l'altitude

(946 m) de la croix de Provence plantée en son sommet, pour ce vin aux pigments pastel. Explosion aromatique à dominante de fruits exotiques et de buis au nez ; palais dans le même registre, superbe par son volume et sa longue finale : voici un rosé très bien construit qui se mariera harmonieusement avec des cannellonis aux fruits de mer. La cuvée **Loubiero 2012 rosé (8 à 11 € ; 80 000 b.)** est citée ici pour ses arômes intenses de fruits rouges et de bonbon anglais.

🕭 SCEA Ch. Gassier, 13114 Puyloubier, tél. 04 42 66 38 74, fax 04 42 66 38 77, gassier@chateau-gassier.fr,
☑ ⚥ ⵠ t.l.j. sf sam. dim. 9h-17h30

DOM. **GAVOTY** Cuvée Clarendon 2012 ★

◼	30 000	▮ 11 à 15 €

Une longue histoire qui s'écrit depuis deux siècles avec la famille Gavoty. Si Pierre Gavoty a introduit le cépage rolle dans les blancs de l'appellation, Roselyne, sa fille, a toujours cru au rosé. Elle en propose ici une version très réussie. Parée d'une robe légèrement saumonée, la cuvée Clarendon offre un bouquet explosif de pêche, d'abricot et de fleurs blanches. Bien équilibrée, fruitée, la bouche charme par son gras, son volume, et sa longue finale. À découvrir à l'apéritif ou sur une langouste grillée.

🕭 Roselyne Gavoty, Dom. Gavoty, Le Grand Campdumy, 83340 Cabasse, tél. 04 94 69 72 39, fax 04 94 59 64 04, domaine@gavoty.com,
☑ ⚥ ⵠ t.l.j. sf sam. dim. 8h-12h 14h-18h

DOM. DE LA **GISCLE** Moulin de l'Isle 2012 ★★

◼	20 000	▥ 5 à 8 €

Le nom de cette cuvée fait référence à l'ancien moulin à farine utilisé par les générations antérieures, à l'endroit même où se situe le chai de vinification. La famille Audemard signe un 100 % rolle vinifié et élevé en fût six mois, élégant dans sa robe jaune éclatant aux reflets miellés. D'abord sur la réserve, le nez révèle à l'aération de jolies notes de bourgeon de cassis. Riche et soutenue par une ossature solide, la bouche s'épanouit avec longueur et élégance sur des notes de fruits blancs charnus, sous-tendue par une agréable fraîcheur. Une belle image de l'appellation, à servir sur un poisson en sauce. Le **2012 rosé (44 000 b.)** décroche une étoile pour ses nuances exotiques complétées d'agrumes et pour son palais ample et tout aussi fruité.

🕭 Dom. de la Giscle, 1122, rte de Collobrières, hameau de l'Amirauté, 83310 Cogolin, tél. 04 94 43 21 26, fax 04 94 43 37 53, dom.giscle@wanadoo.fr,
☑ ⚥ ⵠ t.l.j. sf mer. dim. 9h-12h30 14h-19h; f. 26 déc.-15 jan.
🕭 Audemard

VIGNERONS DE **GONFARON** Rosé de Légende 2012 ★★

◼	5 000	▮ 5 à 8 €

Créée en 1921, la coopérative de Gonfaron réunit aujourd'hui quelque 130 adhérents pour un vignoble de 600 ha, dont une toute petite proportion (78 ares !) a servi à l'élaboration de ce rosé. Celui-ci se présente dans une robe couleur melon et dévoile un bouquet élégant et complexe, minéral, floral et fruité. On retrouve ses sensations, accompagnées d'une touche épicée, dans une bouche franche, ample, tonique et persistante. Un ensemble harmonieux, cohérent, à

déguster sur une grillade au feu de bois. Une étoile est attribuée au **rosé 2012 Hédonique (26 000 b.)**, bien fruité et structuré.

🕭 Maîtres Vignerons de Gonfaron, 83590 Gonfaron, tél. 04 94 78 30 02, fax 04 94 78 27 33, info@vignerons-gonfaron.com, ☑ ⚥ ⵠ r.-v.

CH. LA **GORDONNE** Vérité du terroir 2012 ★

◼	700 000	5 à 8 €

Situé sur les coteaux de Pierrefeu, au cœur du massif des Maures, ce vignoble s'étend sur près de 300 ha. Pour ce rosé, la récolte a été entièrement réalisée de nuit afin d'optimiser la qualité des raisins. Les efforts semblent avoir payé à en juger par ce séduisant 2012 rose pâle aux reflets cristallins. Le nez, encore un peu timide, révèle après agitation d'élégantes notes florales. La bouche, bien ciselée, allie fermeté et douceur. Un vin harmonieux, à servir sur un poisson grillé et son tian de légumes.

🕭 Ch. la Gordonne, rte de Cuers, 83390 Pierrefeu-du-Var, tél. et fax 04 94 28 20 35, jgauchet@listel.fr,
☑ ⚥ ⵠ t.l.j. sf sam. dim. 9h-12h 13h-19h
🕭 Vranken

DOM. LA **GRAND' PIÈCE** 2012 ★

◼	46 000	▮ - de 5 €

Sur cette exploitation familiale d'une vingtaine d'hectares d'un seul tenant (d'où son nom), située en bordure de la voie Aurélienne, de récentes fouilles archéologiques ont permis de mettre au jour un village gallo-romain dont certains vestiges sont exposés au caveau. Côté cave, ce rosé qui ne compte pas moins de cinq cépages offre des parfums séduisants de fruits exotiques et de pêche blanche charnue ponctuée de subtiles notes florales. La bouche arbore une belle fraîcheur et un fruité persistant. Un vin équilibré, à partager à l'apéritif avec une thoïnade.

🕭 SCEA de Chauvelin, Dom. la Grand' Pièce, 83340 Cabasse, tél. 06 99 17 75 04, fax 04 94 72 57 43, lagrandpiece@live.fr, ☑ ⚥ ⵠ r.-v.

DOM. DES **GRANDS ESCLANS** Cuvée Prestige 2010 ★

◼	6 000	▥ 8 à 11 €

Les vignes du domaine sont orientées sud-est, face au rocher rouge de Roquebrune-sur-Argens, en contrebas de la bâtisse principale datant des XVIIIe et XIXes. En 1998, Justo Bénito, ancien tailleur de cristal, a remis en état bâtiments et vignoble. Dans la gamme Prestige, le jury retient le rouge 2010, aux nuances rubis, et le rosé 2012, de couleur pêche, avec une étoile pour chacun. Le bouquet du 2010 se concentre sur les petits fruits noirs, avec une évolution vers des notes de cuir. Au palais, une jolie fraîcheur et de plaisantes notes de fruits et de tabac se marient harmonieusement, mais la structure tannique manque encore de souplesse : le vin est jeune et un séjour de trois à cinq ans en cave lui permettra de gagner en sagesse. Le **rosé 2012 (24 000 b.)** est puissant et nerveux, élégant et citronné.

🕭 SCEA Dom. des Grands Esclans, D 25, rte de Callas, 83920 La Motte, tél. et fax 04 94 70 26 08, domaine.grands.esclans@orange.fr,
☑ ⚥ ⵠ t.l.j. sf dim. 9h-18h; sam. 10h-18h
🕭 M. Benito

LES VIGNERONS DE GRIMAUD Marquis des Vallats 2012

▪	50 000	▪ 5 à 8 €

Située dans le golfe de Saint-Tropez, la cave de Grimaud est l'une des plus anciennes de la région. Elle propose un rosé à majorité de grenache qui livre un bouquet d'agrumes associé à quelques notes végétales. Sa légère amertume en attaque se dissipe bien vite pour laisser place à une rondeur fruitée. À déguster à l'apéritif autour de tapas méditerranéennes pour prolonger la fin de l'été.

☛ SCV Les Vignerons de Grimaud, 36, av. des Oliviers, 83310 Grimaud, tél. 04 94 43 20 14, fax 04 94 43 30 00, vignerons.grimaud@wanadoo.fr,
☑ ⚲ t.l.j. sf dim. 8h30-12h30 14h-18h15

LES VIGNOBLES GUEISSARD G 2012 ★★

▪	4 000	▪⦿ 8 à 11 €

Soucieux de l'environnement et de l'expression du terroir, Pauline Giraud et Clément Minne exploitent leur vignoble en agriculture raisonnée. Ces nouveaux venus faisaient l'an dernier une entrée fracassante dans le Guide avec un coup de cœur sur le millésime 2010 en bandol ; une distinction que frôle cet assemblage remarquable de rolle (85 %) et de clairette. Il se présente dans une robe jaune pâle lumineux à reflets verts. Le bouquet fin et élégant séduit par ses notes de fleurs blanches et de fruits bien mûrs, tout comme la bouche, au subtil équilibre entre rondeur et fraîcheur, qui s'étire longuement sur un fruité flatteur de pêche de vigne. On peut profiter de cette bouteille dès aujourd'hui sur un loup grillé au fenouil. Le jury a par ailleurs attribué une étoile au **rosé Les Papilles 2012 (5 à 8 € ; 15 000 b.)** pour son nez complexe d'agrumes et de fruits exotiques et pour sa plaisante finale vive et fruitée.

☛ SAS Dom. Gueissard, rte de la Gare, allée du Figuier, 83110 Sanary-sur-Mer, tél. 09 81 49 76 00, pauline@lesvignoblesgueissard.com,
☑ ⚹ ⚲ t.l.j. sf lun. 10h-12h30 15h-18h (19h de juin à sep.); dim. sur r.-v.
☛ Minne

GUILDE DES VIGNERONS Cuvée des Abbés
Prestige du Thoronet 2012

▪	20 000	5 à 8 €

Le nom de cette cuvée évoque l'abbaye du Thoronet, située non loin du domaine. Cet assemblage de syrah, de cinsault et rolle se dévoile lentement : une lueur saumon pâle, un nez fin qui évoque à l'aération l'amande et l'abricot. La bouche fraîche et agréable laisse apparaître des arômes de pêche. Un vin léger à réserver pour l'apéritif.

☛ La Guilde des Vignerons, 20, bld du-17-août-1944, 83340 Le Thoronet, tél. 04 94 50 05 94, fax 04 94 60 71 73, guilde-vignerons@wanadoo.fr, ☑ ⚹ ⚲ t.l.j. sf dim. 8h-18h
☛ Bessonne

HECHT & BANNIER 2012 ★

▪	n.c.	8 à 11 €

Créée en 2002, cette maison de négoce implantée à Aix-en-Provence s'est spécialisée dans les vins du sud de la France. Régulièrement distinguée dans le Guide, elle propose un assemblage de grenache, de cinsault et de syrah très séduisant dans sa robe rose tendre aux reflets saumonés. Le nez, plaisant et élégant, qui associe les fruits exotiques et une légère touche de minéralité, annonce une bouche ronde et équilibrée, sur les mêmes arômes fruités. Un vin harmonieux, qui trouvera aisément sa place à l'apéritif avec quelques tapas.

☛ Hecht & Bannier, 3, rue du 4-Septembre, 13100 Aix-en-Provence, tél. 04 42 69 19 71, fax 04 42 24 90 57, contact@hbselection.com, ☑ ⚲ r.-v.

DOM. JACOURETTE L'Ange et Luce 2012 ★

▪	15 000	5 à 8 €

Sous ce jeu de mots se cachent les prénoms des enfants d'Hélène Dragon et de Frédéric Arnaud, quatrième génération de vignerons à la tête de ce domaine familial depuis 1997. Ils signent un rosé saumoné et scintillant. Le registre aromatique s'exprime au nez sur des nuances de fruits rouges et d'agrumes. Le palais se révèle ample et riche, équilibré par une vivifiante fraîcheur. À déguster sur une tarte à la tomate. La **Cuvée Tradition 2012 rosé (3 000 b.)** obtient égalemet une étoile pour ses parfums de fraise et son équilibre entre rondeur et vivacité. À servir sur une soupe au pistou.

☛ Dom. Jacourette, rte de Trets, RD 23, 83910 Pourrières, tél. 04 94 78 54 60, helene.dragon@jacourette.com,
☑ ⚹ ⚲ r.-v. ⌂ Ⓔ
☛ Hélène Dragon

DOM. DE JALE Les Fenouils 2012 ★

▪	67 000	▪ 8 à 11 €

Sur les 22 ha que compte ce vignoble entouré de pins parasols, arbres de prédilection des cigales, niché au pied du massif des Maures, 19 ha sont à l'origine de cette jolie cuvée. Paré d'une robe abricot pâle aux reflets argentés, le vin offre un nez délicat de fruits rouges (framboise) et de fleurs (lilas, rose) légèrement épicé. La bouche, suave, aux accents d'agrumes, montre longueur et équilibre dans une pétillante finale à la note poivrée. La cuvée **La Venne 2010 rouge (10 000 b.)**, aux notes fruitées, florales, grillées et épicées, a séduit par sa complexité, par la gourmandise de sa bouche et sa belle fraîcheur. Une étoile également.

☛ Dom. de Jale, chem. des Fenouils, rte de Saint-Tropez, 83550 Vidauban, tél. et fax 04 94 73 51 50, domjale@yahoo.fr,
☑ ⚲ t.l.j. sf dim. 9h-12h 14h-18h; sam. sur r.-v.
☛ François Seminel

ⓑ JAS D'ESCLANS Cuvée du Loup
Rosé de Saignée 2012 ★★

▪ Cru clas.	13 000	▪ 8 à 11 €

Dès l'Antiquité, les raisins des Esclans étaient prisés des tables romaines. Des raisins aujourd'hui vinifiés dans une cave des plus modernes répondant aux critères d'éco-construction, où naît chaque année une cuvée du Loup, régulièrement sélectionnée dans le Guide. Ce rosé de saignée aux reflets cuivrés dévoile un bouquet de fruits rouges, de pêche, de pamplemousse et de notes miellées. À l'unisson, la bouche se révèle franche et puissante, rehaussée de notes poivrées, et déploie une longue finale. Un élégant rosé de repas. Le **blanc 2012 (26 600 b.)** reçoit une étoile pour ses parfums séduisants de pêche blanche et sa bouche bien structurée. Avec des crustacés, il sera parfait.

☛ EARL du Dom. du Jas d'Esclans, 3094, rte de Callas, 83920 La Motte, tél. 04 98 10 29 29, fax 04 98 10 29 28, contact@jasdesclans.fr, ☑ ⚹ ⚲ r.-v.
☛ M. de Wulf

PROVENCE

CH. DE JASSON Éléonore 2012 ★

■   45 000   ▮   8 à 11 €

À quelques encablures de la Méditerranée, au sud, et du massif des Maures, au nord, le domaine, sous la houlette de Benjamin et Marie-Andrée de Fresne, fait preuve de constance, et cette cuvée apparaît fréquemment étoilée dans le Guide. D'un rose très pâle, la version 2012 s'ouvre timidement sur les agrumes et des notes minérales. La bouche, finement fruitée, offre un beau volume et de la persistance sur des touches acidulées fort plaisantes. Un rosé tonique et frais tout indiqué pour l'apéritif.

☛ Benjamin de Fresne, Ch. de Jasson,
813, rte de Collobrières, 83250 La Londe-les-Maures,
tél. 04 94 66 81 52, fax 04 94 05 24 84,
chateau.de.jasson@wanadoo.fr,
☑ ⚐ ⚑ t.l.j. 9h30-12h30 15h-19h

CH. JAUNE 2012

■   10 000   ▮   5 à 8 €

Les vignes à l'origine de ce vin sont situées dans la plaine de la Crau, en terrain argileux. Syrah (55 %), carignan (38 %) et un soupçon de cabernet-sauvignon sont ici assemblés pour offrir ce vin aux reflets violines. Le nez discret est élégant, fruité (cassis, fraise) et subtilement épicé. La bouche est ample, souple et équilibrée, centrée sur les fruits rouges (groseille). Un vin tout en légèreté, à déguster dès maintenant, sur un filet mignon aux herbes par exemple.

☛ Cellier de la Crau, 85, av. de Toulon, 83260 La Crau,
tél. 04 94 66 73 03, fax 04 94 66 17 63,
cellier-lacrau@wanadoo.fr,
☑ ⚑ t.l.j. sf dim. 8h30-12h 14h-18h

CH. LA JEANNETTE Baguier 2010 ★★

■   8 000   ▮ ⬤   11 à 15 €

Un coup de cœur récompensait cette cuvée version 2009 ; cette année, le 2010 n'est pas passé loin. Il a été très apprécié et pourra l'être dans les années à venir, étant donné son beau potentiel de garde. Il affiche une belle couleur profonde, rouge carmin, aux nuances violines. Le nez retient l'attention par sa grande richesse : fruits noirs compotés, chocolat, garrigue, olives noires... Et que dire de la bouche : généreuse, charnue, soyeuse et fondue, étirée dans une longue finale sur les épices et la cerise à l'alcool. Déjà élégant, ce vin est tout disposé à se bonifier avec l'âge. Le **rosé 2012 La Londe Fleurs (5 à 8 € ; 30 000 b.)** obtient une étoile. C'est un vin tonique au nez comme au palais, aux accents d'agrumes et de fruits exotiques. À noter : le château a acquis la certification bio pour son millésime 2012.

☛ SCEA Ch. la Jeannette, 566, rte des Borrels,
83400 Hyères, tél. 04 94 65 68 30, fax 04 94 12 76 07
☑ ⚐ ⚑ t.l.j. sf dim. 9h30-12h30 14h-18h30

DOMAINES DU LAC Restanques du Ch. Saint-Louis 2012

■   80 000   ▮   8 à 11 €

Situés au cœur de la Provence verte, à quelques kilomètres du lac de Carces et de l'abbaye du Thoronet, les domaines du Lac ont retenu l'attention grâce à cette cuvée, un assemblage classique : syrah (50 %), grenache (35 %) et une touche de vermentino. Paré d'une robe couleur pétale de rose, ce 2012 s'exprime avec retenue sur le cassis et la framboise. Même discrétion au palais, qui laisse une impression de fraîcheur et de légèreté. Un vin sympathique pour une pissaladière ou une salade niçoise.

☛ Les Domaines du Lac, 279, rte du Thoronet,
83570 Carcès, tél. 04 98 05 28 28, fax 04 94 80 21 14,
info@lesdomainesdulac.fr

♥ CH. DES LAUNES Special rouge 2011 ★★

■   6 000   ▮ ⬤   15 à 20 €

Après l'acquisition du domaine en 2005, Jacqueline et Lambert Dielesen ont engagé un important programme de restructuration, aussi bien au vignoble qu'à la cave. L'autre passion des propriétaires est l'équitation et autour de ces deux pôles s'organise un haut lieu d'œnotourisme. Côté vin, ils proposent ici un assemblage de syrah (90 %) et de cabernet-sauvignon, à la robe rouge cerise profonde ornée de reflets violets. Le bouquet ne se livre pas facilement, mais révèle après aération des arômes délicats de petits fruits noirs confiturés assortis d'une pointe de fumé. Fraîche en attaque, la bouche se révèle ample, ronde, concentrée, généreuse et très longue. Ce vin de caractère atteindra sa pleine expression avec quelques années supplémentaires, (deux ou trois ans), sur un mets haut en goût, sur une daube de sanglier par exemple. La **cuvée principale 2012 rosé (8 à 11 € ; 10 000 b.)** obtient une étoile ; à la fois fruitée et florale, elle séduit par sa finesse, sa fraîcheur et son équilibre.

☛ Ch. des Launes, quartier des Launes,
83680 La Garde-Freinet, tél. 04 94 85 29 10
☑ ⚐ ⚑ t.l.j. 10h-12h 14h-17h; été 10h-18h;
f. dim. sep.-juin; ⌂ ⊜
☛ Dielesen

CH. LAUZADE 2012 ★

■   50 000   ▮   8 à 11 €

Une belle réussite pour la famille Sénéclauze qui propose trois couleurs, chacune distinguée par une étoile. Ce rosé tout d'abord qui, sous sa robe rose pâle aux reflets argent, dévoile un nez expressif et délicat, à la fois floral et fruité. La bouche dominée par les agrumes et la pêche jaune offre une matière ronde, rafraîchie par une agréable tonicité et une pointe d'amertume en finale. Un vin élégant, à déguster de l'apéritif au dessert. Le **2012 blanc (15 000 b.)** a séduit par ses notes florales, son palais ample, gras et structuré, d'une appréciable longueur. Enfin, le **2011 rouge (10 000 b.)** exhale avec intensité des arômes de fruits noirs mûrs et arbore une bouche puissante et onctueuse, aux tanins patinés. Des vins généreux et aromatiques, partenaires de repas gastronomiques.

☛ Ch. Lauzade-Sénéclauze, 3423, rte de Toulon,
83340 Le Luc-en-Provence, tél. 04 94 60 72 51,
fax 04 94 60 96 26, chateaulauzade@orange.fr,
☑ ⚐ ⚑ t.l.j. sf sam. dim. 9h-12h 13h30-17h30
☛ Sénéclauze

● CH. Léoube Rouge de Léoube 2011 ★

| | 24 000 | | 11 à 15 € |

Niché le long du littoral du cap Bénat, ce domaine totalement réhabilité comprend un vignoble de 65 ha de vignes et 20 ha d'oliviers plantés autour du chai à l'architecture moderne. Ce 2011 à la robe pourpre nuancée de rubis développe avec finesse des parfums de fruits noirs compotés rehaussés de réglisse et de notes empyreumatiques. Franche et puissante, la bouche arbore une belle trame tannique au grain serré, et livre une jolie finale réglissée. Un vin solide, d'une bonne longueur, qui trouvera sa plénitude dans les trois ans à venir.

🕿 Ch. de Léoube, 2387, rte Léoube, 83230 Bormes-les-Mimosas, tél. 04 94 64 80 03, fax 04 94 71 75 40, info@chateauleoube.com,
☑ ⊺ t.l.j. 9h-18h

♥ ● DOM. Lolicé Cuvée Évasion 2012 ★★

| | 10 600 | | 8 à 11 € |

Tourné vers la plaine de Cuers-Pierrefeu, le domaine est familial et propriété des Monet depuis dix ans : Patrick s'occupe des vignes – un vignoble à taille humaine (17 ha) –, tandis que son épouse Barbara œuvre au chai. Son nom est une contraction des prénoms des enfants, Lola, Lissy et Célia. Cette cuvée issue de grenache (80 %) et de cinsault a enthousiasmé le jury. La robe est superbe, d'un élégant rose pâle lumineux. Le nez, intense, évoque le melon, les agrumes et l'abricot. Croquante en attaque, la bouche reste tournée vers les fruits frais, puis monte en puissance, se fait riche, ronde et ample jusqu'à la longue finale, vive et tonique. Un grand rosé de gastronomie, à servir sur des saint-jacques ou une terrine de poisson. Le **rosé 2012 Voltige (5 à 8 € ; 10 600 b.),** cité, offre un caractère plus chaleureux, apaisé par une finale vivifiante.

🕿 SCEA Dom. Lolicé, chem. de la Ruol, quartier Saint-Laurent, 83390 Puget-Ville, tél. et fax 04 94 33 53 61, lolicedomaine@orange.fr,
☑ ⊀ ⊺ r.-v.
🕿 Monet

● DOM. DE LA Madrague Cuvée Claire 2012 ★★

| | 32 000 | | 8 à 11 € |

Engagé en agriculture biologique dès son rachat en 2007, le domaine suit dorénavant les directives européennes pour une vinification bio, entrées en vigueur en 2012. La boucle est ainsi bouclée pour Jean-Marie Zodo, ardent défenseur du développement durable. Il signe une cuvée à la jolie robe pâle, au nez expressif, dans un registre fruité

(mangue, abricots secs). La bouche associe vivacité, densité, complexité et longueur, et s'épanouit en finale sur des notes persistantes de fruits rouges et noirs. Un très beau vin de gastronomie.

🕿 Dom. de la Madrague, rte de Gigaro, 83420 La Croix-Valmer, tél. 04 94 49 04 54, fax 04 94 49 09 63, info.lamadrague@orange.fr,
☑ ⊀ ⊺ t.l.j. sf dim. 9h-12h30 14h30-18h
🕿 Jean-Marie Zodo

LA Mascaronne Fazioli 2011

| | 12 000 | | 11 à 15 € |

C'est sur un terrain argilo-calcaire que sont plantés les 45 ha de vignes de la propriété. Issue de syrah et d'une touche de mourvèdre (10 %), cette cuvée aux reflets rubis livre un bouquet plaisant de petits fruits rouges et de poivre frais sur un fond boisé bien fondu. La bouche se révèle soyeuse, souple et ronde, et s'étire longuement sur des notes épicées. À déguster sur des magrets de canard accompagnés de légumes grillés.

🕿 SCEA Ch. la Mascaronne, RN 7, 83340 Le Luc-en-Provence, tél. 04 94 39 45 40, fax 04 94 60 95 85, mascaronne@orange.fr
🕿 Tom Bove

Mas de Cadenet 1813 Bicentenaire 2012 ★★

| | 70 000 | | 8 à 11 € |

Voilà deux siècles exactement que la famille Négrel œuvre au mas de Cadenet, au pied de la montagne Sainte-Victoire. Un anniversaire que la septième génération, aujourd'hui à la tête du domaine, célèbre en proposant cette cuvée issue du seul rolle. La robe jaune pâle s'anime de légers reflets or. Le nez charme par ses parfums intenses d'agrumes. Longueur et fraîcheur sont les maîtres-mots du palais qui fait la part belle aux arômes persistants de pamplemousse. Un blanc intense et vivifiant, harmonieux et aromatique à souhait, idéal sur un filet de saint-pierre au fenouil. Proposé par la partie négoce du domaine, le **Famille Negrel Sainte-Victoire 2012 rosé (42 000 b.),** aux notes de fraise croquante, ample et acidulé, obtient une étoile.

🕿 Mas de Cadenet, RD 57, 13530 Trets, tél. 04 42 29 21 59, fax 04 42 61 32 09, matthieu.negrel@masdecadenet.fr,
☑ ⊀ ⊺ t.l.j. sf dim. 9h-12h 14h-19h
🕿 Guy et Matthieu Négrel

Mas des Borrels 2012

| | 22 000 | | 8 à 11 € |

C'est au cœur de la magnifique vallée des Borrels, dans une quiétude préservée, que se situe le vignoble de 50 ha de la famille Garnier. Ce rosé vêtu d'une robe rose pâle aux nuances litchi s'ouvre discrètement sur des notes de petits fruits rouges et d'épices. La bouche ronde et souple se développe avec élégance et persistance sur des nuances de fruits à chair blanche et d'abricot. Un vin expressif et équilibré à découvrir sur un poisson grillé à la plancha ou sur une aïoli.

🕿 GAEC Garnier, Mas des Borrels, 3846, chem. des Borrels, 83400 Hyères, tél. 04 94 12 76 51, masdesborrels@gmail.com,
☑ ⊺ t.l.j. sf dim. 10h-12h 15h-18h

PROVENCE

DOM. DE MAUVAN 2011 ★★

■   6 000   ■   8 à 11 €

Sur les contreforts de la montagne Sainte-Victoire, le long de la N7, se trouve ce domaine de près de 150 ha dirigé par Gaëlle Maclou qui y exploite 25 ha de vignes. Cette cuvée à la robe rubis dévoile des parfums de fruits noirs, agrémentés de quelques notes animales et de sous-bois. La bouche, franche, répond au nez et livre une matière soutenue par des tanins fermes mais sans austérité. Un vin au très bon potentiel, à attendre quatre à cinq ans pour plus de fondu. Le **blanc 2012 (5 à 8 € ; 4 500 b.)** reçoit quant à lui une étoile pour son intense expression d'agrumes et pour son équilibre. Le **2012 rosé (5 à 8 € ; 10 000 b.)** a fait jeu égal : il séduit par sa finesse et son agréable vivacité, perceptible jusqu'en fin de bouche.

☛ Gaëlle Maclou, Dom. de Mauvan, RN 7, 13114 Puyloubier, tél. et fax 04 42 29 38 33, mauvan@wanadoo.fr, ☑ ⚭ ⴲ r.-v.

DOM. DE LA MAYONNETTE 2012

■   40 000   ■   5 à 8 €

Lorsque Henri Julian s'installe au domaine en 1988, il trouve un vignoble quasi abandonné. Tout est à faire : replanter, construire la cave. Longtemps reconnu pour ses rouges chaleureux, le domaine revient après un léger sommeil, avec un rosé très clair, à la teinte litchi. Le nez offre une approche d'abord timide avant d'évoluer avec plus d'intensité vers les agrumes et les fruits exotiques. Le palais révèle une jolie rondeur et un fruité persistant. L'ensemble est harmonieux, et plaira sur des plats méditerranéens.

☛ Dom. de la Mayonnette, 280, chem. de Sigaloux, 83260 La Crau, tél. 04 94 48 28 38, fax 04 94 28 26 66, domaine-de-la-mayonnette@orange.fr, ☑ ⚭ ⴲ r.-v.
☛ Henri Julian

GM PAR GABRIEL MEFFRE 2012 ★

■   130 000   ■   8 à 11 €

Ce joli rosé issu de grenache, de cinsault et de syrah rappelle que Gabriel Meffre, célèbre négociant rhodanien, fut également propriétaire en Provence. Au nez, il libère d'élégantes notes fruitées (fruits rouges, pêche blanche) nuancées de touches florales. La bouche se révèle ronde, dense, finement fruitée et s'étire dans une longue finale. Une cuvée équilibrée, qui accompagnera à merveille un plat méditerranéen, une bouillabaisse ou une paëlla par exemple.

☛ Gabriel Meffre, Le Village, 84190 Gigondas, tél. 04 90 12 32 47, fax 04 90 12 32 49, gabriel-meffre@meffre.com,
☑ ⚭ ⴲ t.l.j. sf dim. lun. 10h-12h30 14h30-18h

CH. LES MESCLANCES Cuvée Saint-Honorat 2012 ★★★

■   4 200   ■   8 à 11 €

Vinifiée dans une cave très récente aux allures de bateau et à la pointe de la modernité, cette cuvée emprunte son nom au meilleur coteau du domaine. Dès le premier nez, le charme opère : puissance, richesse et élégance sont au rendez-vous avec de superbes notes de fleurs, de fruits et une pointe d'épices douces. L'attaque en bouche, franche et fraîche, annonce un équilibre parfait entre la vivacité et le soyeux, et une très belle persistance fruitée et acidulée. Un rosé de gastronomie que l'on verrait bien accompagner un jarret de veau au paprika. La **cuvée Saint-Honorat 2010 rouge (11 à 15 € ; 4 600 b.)** reçoit

une étoile pour sa palette complexe (épices douces, vanille, réglisse, myrtille) et sa belle harmonie entre boisé et structure tannique.

☛ Ch. les Mesclances, 3583, chem. du Moulin-Premier, 83260 La Crau, tél. 04 94 12 10 95, fax 04 94 12 10 93
☑ ⚭ ⴲ t.l.j. sf dim. 9h-12h 14h-19h
☛ GFA de Boutiny

CH. MINUTY Prestige 2012 ★★

■   50 000   ■   15 à 20 €

Cette année encore la cuvée Prestige, en blanc et en rosé, du château Minuty, situé sur la presqu'île de Saint-Tropez, se distingue. Élégance de la robe pâle aux légers éclats verts, puissance du nez sur le zeste d'agrumes (pamplemousse) et les fleurs blanches, intensité de la bouche, fraîche et ample, tout aussi aromatique et d'une belle persistance : l'équilibre est remarquable. À apprécier dès l'automne sur un rôti de lotte aux agrumes. Nerveux et fruité, le **rosé 2012 (500 000 b.)** obtient une étoile. Même distinction pour la cuvée **M de Minuty 2012 rosé (11 à 15 €)**, qui mêle notes fraîches (pamplemousse rose), douces (miel) et piquantes (poivre).

☛ SA Minuty, Ch. Minuty, 83580 Gassin, tél. 04 94 56 12 09, fax 04 94 56 18 38
☑ ⚭ ⴲ t.l.j. sf sam. dim. 8h-12h 14h-18h
☛ Matton

CH. MISTRAL 2012 ★

■   57 333   ■   8 à 11 €

Les établissements Gilardi proposent un blanc pâle et brillant, élaboré à partir de rolle et d'ugni blanc plantés dans la plaine de Cuers, sur les contreforts du massif des Maures. Ce 2012 s'exprime à travers un bouquet fin et frais d'agrumes, et un palais souple et harmonieux. Il plaira sur un dessert aux fruits.

☛ SA Gilardi, ZAC du Pont-Rout, 83460 Les Arcs-sur-Argens, tél. 04 98 10 45 45, fax 04 98 10 45 49, gilardi@gilardi.fr,
☑ t.l.j. sf sam. dim. 8h-12h 13h-17h ; f. mi-août

CH. MONTAUD 2012 ★

■   200 000   ■   5 à 8 €

La famille Ravel est propriétaire depuis 1952 de ce joli domaine situé au pied du massif des Maures, dont le vignoble s'étend sur 320 ha. Assemblage de grenache, de cinsault, de tibouren et de syrah, ce vin livre des parfums gourmands et intenses de pêche et de framboise, assortis de notes de bonbon anglais. La bouche, dans la même lignée aromatique, est portée par une belle fraîcheur et affiche un bon équilibre entre rondeur et tonicité. Recommandé sur un carpaccio de saint-jacques.

☛ Ch. Montaud, Vignobles Ravel, 83390 Pierrefeu, tél. 04 94 28 20 30, fax 04 94 28 26 26, contact@chateau-montaud.eu,
☑ ⚭ ⴲ t.l.j. sf dim. 8h-12h 13h-17h
☛ F. Ravel

CH. MOURESSE Classic 2012 ★★

■   30 000   ■   5 à 8 €

Ce domaine fait preuve d'une belle constance, avec ses rosés notamment, régulièrement en bonne place dans ces colonnes. Hynde et Christophe Bouvet, propriétaires depuis 2008, signent un 2012 élégant dans sa robe litchi. L'expression aromatique, subtile et délicate, sur les agrumes (mandarine, citron vert), se confirme au sein d'une bouche vive, ample, très équilibrée. Un vin des plus aboutis, qui s'accordera à merveille avec la chair savoureuse d'un homard. Le **rosé 2012 Grande Cuvée (11 à 15 € ; 4 000 b.)** reçoit une étoile. Un vin gourmand, souple et tonique, au bouquet de pamplemousse et autres fruits frais.

☛ Dom. de Mouresse, 3353, chem. de Pied-de-Banc, 83550 Vidauban, tél. 09 61 59 27 23, fax 04 94 73 12 38, mouresse@gmail.com, ☑ ⚐ ☖ r.-v.

☛ Bouvet

CH. LA MOUTÈTE Vieilles Vignes 2012

| | 20 000 | ☗ | 11 à 15 € |

Assemblage de grenache, de cinsault et de syrah plantés entre 1949 et 1973 sur des sols de graves et d'argilo-calcaires, ce 2012 en robe pâle offre un nez élégamment fruité dans lequel on devine des notes de framboise. Le palais est rond, gourmand, rafraîchi par une légère vivacité en finale. Un plaisir simple, à découvrir autour d'une entrée estivale.

☛ Ch. la Moutète, chem. des Vignes, quartier Saint-Jean, 83390 Cuers, tél. 04 94 98 71 31, fax 04 94 90 44 87, contact@domainesduffort.com,

☑ ⚐ ☖ t.l.j. sf sam. dim. 8h-12h 13h30-17h30

☛ SAS Duffort

DOM. MURENNES 2012 ★

| | 5 500 | ☗ | 11 à 15 € |

Sur ce joli site au cœur du massif des Maures, à deux pas de la mer, la famille Gresle cultive 5 ha de vignes en conversion vers l'agriculture biologique. À leur table d'hôte vous pourrez déguster ce rosé à la robe cristalline. Le nez dévoile de fines senteurs de litchi, de buis et d'agrumes. La bouche se révèle ample, délicate, charnue et expressive, sur les fruits blancs, les fleurs blanches et les agrumes. Idéal pour un apéritif à la provençale accompagné d'anchoïade, de tapenade et de poivrons farcis.

☛ Ivan Gresle, Dom. Murennes, Campagne Les Murennes, 83310 La Môle, tél. 06 09 08 61 86, domainemurennes@yahoo.fr,

☑ ⚐ ☖ t.l.j. 8h-12h 17h-20h; hiver sur r.-v. ⌂ ☗

CH. NESTUBY Eau de vin 2012 ★

| | 13 000 | | 8 à 11 € |

À l'origine du domaine, une source naturelle, la Nestuby, qui a encouragé le grand-père de l'actuel exploitant à acquérir les terres environnantes. Depuis, quatre générations de Roubaud y ont exploité la vigne, sur 75 ha dont 2 ha dédiés à cette cuvée à la robe rose pâle brillant. Intense, le nez à dominante fruitée (fruits rouges mûrs) est ponctué de nuances de fleurs blanches. Franchise, longueur et ampleur sont les maîtres mots de ce palais aux accents de fruits rouges croquants, qui s'épanouit avec onctuosité dans une longue finale. Un vin harmonieux, d'une grande générosité, qui trouvera sa place sur un crumble aux fruits d'été. La **cuvée principale rosé 2012 (5 à 8 € ; 57 000 b.)** est citée pour son élégance et sa finesse aromatique portée sur les agrumes et fruits à chair blanche.

☛ Ch. Nestuby, 4540, rte de Montfort, 83570 Cotignac, tél. 04 94 04 60 02, fax 04 94 04 79 22, chateaunestuby@orange.fr,

☑ ⚐ ☖ t.l.j. 10h-13h 15h30-19h30; f. jan. ⌂ ④ ⌂ ☗

☛ J.-F. Roubaud

⑤ DOM. DES NIBAS Ingénue Cuvée spéciale
Vinifiée et élevée en fût de chêne 2010 ★

| | 923 | ◫ | 15 à 20 € |

Au cœur d'une réserve naturelle nichée au pied des Maures, Nicolas Hentz exploite depuis 1990 ses 12 ha de vignes, qu'il a convertis à l'agriculture biologique en 2010. Pas moins de cinq cépages composent cette cuvée vinifiée et élevée intégralement en fût. Il en résulte un vin à la robe grenat profond aux reflets carminés, au nez fruité (cerise griotte) et élégant, légèrement vanillé et torréfié. Charnue et puissante, la bouche délivre une attaque soyeuse. Des tanins solides offrent à ce 2010 un potentiel de garde de deux à trois ans. À déguster après un passage en carafe sur une daube de sanglier ou tout autre mets de caractère.

☛ Nicolas Hentz, Dom. des Nibas, 9130, RD 48, 83550 Vidauban, tél. 04 94 73 67 46, nic.hentz@wanadoo.fr, ☑ ⚐ ☖ t.l.j. sf sam. 10h-12h 14h-18h

ŒNOLATINO Le Zèbre 2012 ★★

| | 16 000 | ☗ | 8 à 11 € |

Éric Dumon, vigneron, et Bertrand Dubois, œnologue, se sont associés pour créer une structure de négoce sous la marque Œnolatino. Une robe claire, aux nuances rose pamplemousse, un nez complexe qui mêle notes amyliques (bonbon anglais) et fruits frais (poire), une attaque soyeuse, une belle harmonie entre structure, tonicité et richesse aromatique : telles sont les caractéristiques de ce vin élégant et gourmand, que l'on verrait bien sur un curry de poisson épicé. Le **Zébu 2011 rouge (5 000 b.)**, est cité, pour son bouquet intense de mûre et d'épices, et pour son beau volume en bouche.

☛ Angueiroun Sélections, 1077, chem. de l'Angueiroun, 83230 Bormes-les-Mimosas, tél. 04 94 71 11 39, fax 04 94 71 75 51

CH. PAS DU CERF 2012

| | 10 000 | | 11 à 15 € |

C'est sur la commune de La Londe, à quelques kilomètres des plages de l'Estagnol et des Îles d'Or (îles d'Hyères), que le vignoble du Pas du cerf étend ses 78 ha sur un terroir de schistes métamorphiques (phyllades). Issue de rolle, cette cuvée à la robe jaune pâle aux reflets verts séduit par son bouquet fin et délicat qui mêle fleurs blanches, notes d'eucalyptus et touches mentholées. Bien équilibrée entre rondeur et vivacité, la bouche révèle une belle persistance aromatique en accord avec l'olfaction. À déguster dès à présent sur des rougets au safran.

☛ SCEA Ch. Pas du Cerf, rte de Collobrières, 83250 La Londe-les-Maures, tél. 04 94 00 48 80, fax 04 94 00 48 81, diane.pasducerf@free.fr, ☑ ⚐ ☖ t.l.j. sf dim. 9h-12h30 14h30-18h

☛ Gualtieri

⑤ DOM. DES PEIRECÈDES Le Fil d'Ariane 2012 ★

| | 6 000 | | 5 à 8 € |

La nouvelle génération, incarnée par Audrey, jeune œnologue dynamique, œuvre depuis quelques années aux côtés d'Alain Baccino. Ce Fil d'Ariane revêt une robe lumineuse, jaune pâle, et dévoile un bouquet léger, sur le fruit et le biscuit. La bouche séduit par son volume généreux, avec juste ce qu'il faut de fraîcheur pour aiguiser les papilles, et par sa finale douce et de bonne longueur. À découvrir dès cet automne sur un gratin de potiron. Le **rosé 2012 (50 000 b.)** est frais et harmonieux, porté par

PROVENCE

des notes complexes de fruits exotiques, de violette et d'acacia. Son élégance lui vaut une étoile.

☛ SCEA Alain Baccino, Dom. des Peirecèdes, 1201, chem. La Mue, 83390 Cuers, tél. 04 94 48 67 15, peirecedes@domainedespeirecedes.com, ☑ ⚭ ⌾ t.l.j. sf dim. 10h-12h 15h-18h

COMMANDERIE DE PEYRASSOL 2011 ★

| ■ | 23 000 | ■ | 11 à 15 € |

Face au massif des Maures, cette vaste propriété de 850 ha, dont 87 ha de vignes et un parc de sculptures, abrite dans une ancienne commanderie templière du XIIᵉs. une cave moderne où est né cet assemblage de syrah majoritaire et de cabernet-sauvignon. Sous une jolie robe grenat, ce 2011 s'ouvre à l'aération sur des notes musquées et réglissées. Ample et équilibrée, la bouche est soutenue par des tanins encore bien présents, qui invitent à attendre deux à trois ans avant de servir ce vin avec un tendre gigot d'agneau.

☛ SCEA Commanderie de Peyrassol, RN 7, 83340 Flassans-sur-Issole, tél. 04 94 69 71 02, fax 04 94 59 69 23, contact@peyrassol.com, ☑ ⚭ ⌾ r.-v.

DOM. PIERACCI 2012 ★

| ■ | 15 000 | ■ | 8 à 11 € |

Installé depuis 2007 à la tête de ce vignoble situé sur le terroir argilo-calcaire de Saint-Cyr-sur-Mer, Jean Pierre Pieracci présente cette cuvée rose tendre très pâle aux reflets saumonés. Le nez se montre très expressif, mariant fruits jaunes et fruits de la Passion. La bouche ronde et équilibrée est tendue par une légère vivacité fort plaisante. Une bouteille très réussie que l'on verrait bien à l'heure de l'apéritif sur des toasts de tapenade et des petits farcis niçois.

☛ Dom. Pieracci, 975, chem. du Sauvet, 83270 Saint-Cyr-sur-Mer, tél. 06 15 44 49 52, contact@domaine-pieracci.com, ☑ ⚭ ⌾ r.-v.

Ⓑ DOM. PINCHINAT 2012 ★

| ■ | 30 000 | | 5 à 8 € |

Pas moins de six cépages pour ce rosé élaboré selon la nouvelle réglementation de la vinification bio, entrée en vigueur pour ce millésime. Très séduisant à l'œil dans sa robe pâle rose saumoné, ce vin livre des arômes de fruits rouges et de bonbon anglais, qui flattent le nez et apportent de la fraîcheur au palais ample et long. Idéal pour un apéritif.

☛ Alain de Welle, Dom. Pinchinat, 83910 Pourrières, tél. et fax 04 42 29 29 92, domainepinchinat@wanadoo.fr, ☑ ⚭ ⌾ r.-v.

Ⓑ DOM. DES PLANES Blanc de blancs 2012 ★★

| ■ | 10 500 | ■ | 8 à 11 € |

Adepte d'une viticulture respectueuse du sol et de la vigne, la famille Rieder a acquis la certification biologique en 2009 pour son vignoble de 28 ha établi sur un terroir de gneiss et de micaschistes. Sémillon, rolle et clairette donnent naissance à ce vin blanc séduisant dans sa robe légère. À l'olfaction, des arômes de fleurs blanches s'épanouissent avec finesse. Une rondeur agréable, une pointe de croquant et une belle longueur en font un vin à la fois gourmand et délicat, à apprécier sur une sole meunière ou un cabillaud vapeur. Deux étoiles récompensent également le rosé 2012 L'Admirable (11 à

15 € ; 6 800 b.), intense et équilibré, qui fait la part belle aux fruits rouges (groseille, framboise).

☛ SCEA Les Planes Famille Rieder, Dom. des Planes, 83520 Roquebrune-sur-Argens, tél. 04 98 11 49 00, fax 04 94 82 94 76, vin@dom-planes.com, ☑ ⚭ ⌾ t.l.j. sf dim. 9h-12h30 14h30-18h30 ⌂ Ⓔ

DOM. DES POMPLES Pompilia 2012 ★

| ■ | 2 800 | ■ | 8 à 11 € |

Des descendants de Numa Pompilius, deuxième roi de Rome, furent, dit-on, à l'origine de ce hameau où est établie depuis 1877 la famille Brissy, aujourd'hui à la tête de 27 ha. Cette cuvée, d'un rose cristallin aux reflets d'argent rend hommage à la fille du souverain, Pompilia. Elle livre à l'aération des accents de petits fruits rouges et d'agrumes sur un fond légèrement miellé. Une attaque franche introduit un palais ample et frais, à la finale longue et légèrement poivrée. Ce rosé élégant s'accordera volontiers avec un carpaccio de saint-jacques. Une étoile pour le blanc 2012 (5 à 8 € ; 2 800 b.), friand et aromatique (poire, citron, amande).

☛ SCEA Brissy, Dom. des Pomples, rte du Luc, 83340 Cabasse, tél. et fax 04 94 80 24 66, m.lafont@domainedespomples.fr, ☑ ⚭ ⌾ t.l.j. sf dim. 9h-19h

CH. DE POURCIEUX 2012 ★

| ■ | 60 000 | ■ | 8 à 11 € |

Ce château, dont l'ensemble architectural du XVIIIᵉs. est inscrit à l'inventaire des Monuments historiques, a depuis ses origines une vocation viticole, aujourd'hui maintenue par Michel d'Espagnet, l'actuel propriétaire. Celui-ci propose un 2012 à la robe légère qui décline un bouquet intensément fruité : fraise, cerise, abricot. La bouche se fait ronde et ample, dynamisée par une plaisante vivacité en finale. Un vin équilibré et gourmand qui donnera la réplique à une salade de fruits.

☛ Michel d'Espagnet, Ch. de Pourcieux, 83470 Pourcieux, tél. 04 94 59 78 90, fax 04 94 59 32 46, me@pourcieux.com, ☑ ⚭ ⌾ r.-v.

CH. DU PUGET Cuvée Tradition 2012

| ■ | 3 000 | | 5 à 8 € |

Située dans le massif des Maures à trente kilomètres de la mer, une propriété familiale de 21 ha. Assemblage de rolle et de sémillon (5 %), cette cuvée à la robe jaune pâle lumineuse aux reflets or dévoile un nez discret et élégant qui s'ouvre à l'aération sur les fleurs et les fruits. La bouche se révèle ronde et généreuse, laissant apparaître des notes douces de miel et de fruits blancs confits. Pour l'apéritif, autour d'anchois marinés.

☛ Ch. du Puget, 219, rue du Mas-de-Clapier, 83390 Puget-Ville, tél. 04 94 48 31 15, fax 04 94 33 58 55, chateaudupuget@wanadoo.fr, ☑ ⚭ ⌾ t.l.j. sf dim. lun. 9h-12h 15h-18h ☛ Pierre Grimaud

CH. RASQUE Clos de Madame 2010 ★

| ■ | 3 300 | ⫴ | 20 à 30 € |

Gérard Biancone s'est installé en 1983 dans le joli village provençal de Taradeau où il a créé le château de Rasque situé sur un beau terroir argilo-calcaire. C'est sa fille Sophie qui a repris en 2007 le vaste vignoble (100 ha), conduit en agriculture biologique, et signe ce Clos de Madame élégant dans son habit rouge sombre aux légers reflets tuilés. Très expressif, le nez marie fruits noirs, épices et quelques notes torréfiées (souvenir de l'élevage en fût). Après une attaque souple, la bouche harmonieuse, s'appuie sur des tanins soyeux. À savourer dès à présent sur une côte de bœuf grillée aux sarments de vigne. Le **blanc 2012 Clos de Madame (2 000 b.)**, chaleureux et puissant, est cité.

🐦 Ch. Rasque, rte de Flayosc, 83460 Taradeau, tél. 04 94 99 52 20, fax 04 94 99 52 21, accueil@chateaurasque.com, ☑ ⚔ 𝐈 r.-v. 🏨 ⑤

🐦 Sophie Courtois Biancone

CH. RÉAL MARTIN Grande cuvée rosé 2012 ★

▪	10 000 ∎	11 à 15 €

En 2001, Jean-Marie Paul, séduit par la région et plus particulièrement par cet ancien domaine des comtes de Provence, décide de s'y installer. Il signe une cuvée à la robe marbre rose d'où s'échappent des arômes gourmands de fruits rouges et de fleurs blanches, parsemés de légères notes d'anis. Les fruits rouges, fraise des bois en tête, ont la part belle dans une bouche croquante et ciselée avec finesse. Un vin équilibré et délicat, à déguster tout au long du repas. La cuvée **blanc de blancs 2012 (3 300 b.)** se voit également attribuer une étoile pour son élégance et sa complexité aromatique (épices, fleurs blanches, menthol).

🐦 SCEA Ch. Réal Martin, rte de Barjols, 83143 Le Val, tél. 04 94 86 40 90, fax 04 94 86 32 23, crm@chateau-real-martin.com, ☑ ⚔ 𝐈 t.l.j. sf sam. dim. 8h30-12h 13h30-17h; juin-sep. t.l.j. sf dim. 10h-18h

🐦 Jean-Marie Paul

CH. RÊVA Concerto 2012 ★

▪	3 000 ∎	11 à 15 €

La robe est délicate, rose très clair. Nez et bouche, à l'unisson, s'épanouissent sur des notes vives et gourmandes d'agrumes. Alliant volume, gras et onctuosité, ce Concerto jouera de beaux accords avec un bar en sauce ou un fromage de chèvre régional. Dans un registre fruité (framboise, agrumes), le **rosé 2012 Concerto (8 à 11 € ; 26 600 b.)** est cité. Parfait pour accompagner des filets de rouget.

🐦 Patrice Maillard, Ch. Rêva, 1833, rte de Bagnols, 83920 La Motte, tél. 04 94 70 24 57, fax 04 94 84 31 43, chateaureva@orange.fr, ☑ ⚔ 𝐈 t.l.j. sf dim. 10h-12h30 14h30-18h

Ⓑ DOM. REVAOU La Londe 2012

▪	17 000 ∎	8 à 11 €

C'est dans un décor préservé, encore un peu sauvage, au cœur de la vallée des Borrels, que Bernard Scarone s'attache à préserver son terroir entièrement labellisé AB. Il présente une cuvée à la robe vibrante, pêche pâle. Fruits jaunes mûrs, fleurs blanches et abricot sec s'entremêlent dans un bouquet aux accents épicés. La bouche, d'une longueur respectable, offre rondeur et volume sur un fond aromatique de salade de fruits d'été (pêche, melon, abricot). Un rosé ample et généreux à réserver pour une cuisine relevée, un sauté de veau au curry par exemple.

🐦 Bernard Scarone, Dom. du Revaou, 3ᵉˢ Borrels, 83250 La Londe-les-Maures, tél. 04 94 65 68 44, fax 04 94 35 88 54, bernard.scarone@wanadoo.fr, ☑ 𝐈 mar. à ven. 15h-18h; ven. sam. 10h-12h; f. dim. lun.

CH. DES RIAUX 2012

▪	3 000 ∎	5 à 8 €

Pas moins de quatre cépages (50 % de grenache, 30 % de syrah complétés à parts égales de cabernet-sauvignon et de cinsault) pour ce rosé à la robe violine lumineuse. Le bouquet harmonieux exprime des notes de fruits rouges et de fruits blancs bien mûrs. La bouche, franche en attaque, laisse apparaître un plaisant équilibre entre rondeur et vivacité. Un vin gouleyant qui accompagnera avec bonheur un plat asiatique.

🐦 Hameau des Vignerons de Carcès, 66, av. Ferrandin, 83570 Carcès, tél. et fax 04 94 04 50 04, r.rouaud@hameaudecarces.com, ☑ ⚔ 𝐈 t.l.j. sf dim. 8h30-12h 13h30-18h

DOM. DE RIMAURESQ Quintessence du R 2012 ★

▪ Cru clas.	3 200 ∎	15 à 20 €

La rivière des Maures (Réal Mauresque) a donné son nom au domaine, implanté sur un terroir difficile (nature des sols, exposition du vignoble) qui donne naissance à des vins généralement complexes. Le tibouren, cépage typiquement provençal, est majoritaire dans cette cuvée très claire à la teinte melon. Le bouquet, à la fois généreux et élégant, mêle la fleur blanche, la pêche et l'abricot. La bouche est à la hauteur du nez : ample et soyeuse, bien enveloppante en finale. Le fruit reste longtemps présent après la dernière gorgée. Un rosé de gala.

🐦 Dom. de Rimauresq, rte Notre-Dame-des-Anges, BP 26, 83790 Pignans, tél. 04 94 48 80 45, fax 04 94 33 22 31, rimauresq@wanadoo.fr, ☑ 𝐈 t.l.j. sf dim. 9h-12h 15h-18h (hiver 14h-17h) 🏨 Ⓔ

🐦 William Wemyss

LES VIGNERONS DE ROQUEFORT-LA-BÉDOULE
Sur un air de Mistral 2012 ★

▪	3 466	5 à 8 €

Le 1ᵉʳ juillet 2012, un orage de grêle a dévasté près de 70 % du vignoble de Roquefort-la-Bédoule, ce qui n'a pas empêché la coopérative locale de signer un 2012 certes confidentiel, mais de belle expression. Sous une robe d'un jaune très pâle, le nez libère des notes douces de fruits blancs (poire, litchi) rehaussées par des senteurs florales (touche d'aubépine). Aromatique, persistante, croquante et fruitée, la bouche est vivifiée par une belle fraîcheur en finale. À déguster sur un poisson grillé à la plancha.

🐦 Les Vignerons de Roquefort-la-Bédoule, 1, bd Frédéric-Mistral, rte de Guges-les-pins, 13830 Roquefort-la-Bédoule, tél. 04 42 73 22 80, fax 04 42 73 01 37, lesvigneronsderoquefort@wanadoo.fr, ☑ 𝐈 t.l.j. 8h30-12h 14h-19h

CH. ROSAN Évidence 2012

▪	n.c.	5 à 8 €

Acquis en 2012 par Gérard Chauvet, ce vignoble cultivé sur des restanques (terrasses) offre une superbe vue sur le massif des Maures et la chapelle de Notre-Dame-des-Anges. Saluons son entrée dans le Guide avec ce pur rolle au bel équilibre. Dès l'attaque, souple, le fruité est bien présent et la finale, suave, laisse le souvenir d'un vin

PROVENCE

tendre et charnu. Même distinction pour le **rosé Élégance 2012**, qui s'exprime sur la vivacité des fruits rouges modérée par une finale ronde et douce. À déguster bien frais sur des sushis.

🍷 Chauvet, quartier La Fondaille, RD 97, 83790 Pignans, tél. 04 94 78 30 03, accueil@rosan.fr

CH. ROUBINE Inspire 2010 ★★

■ Cru clas.	6 700	◫ 20 à 30 €

Plus de 70 ha de vignes situées dans un cirque naturel bordé de pins et de chênes constituent cette propriété connue depuis le XIVᵉs. pour ses origines templières (ordre de Saint-Jean-de-Jérusalem). Valérie Rousselle, à la tête du domaine depuis 1994, présente ici une cuvée issue majoritairement de syrah. Paré d'une robe grenat moirée de noir, le vin séduit d'emblée par son nez intense et complexe qui marie petits fruits rouges, baies noires, épices et notes de sous-bois. La bouche offre une belle concentration, soutenue par des tanins fins et un boisé bien fondu, légué par un séjour d'un an en fût. Sans conteste, un vin de garde, à remiser deux à quatre ans en cave.

🍷 Ch. Roubine, 4216, rte de Draguignan, 83510 Lorgues, tél. 04 94 85 94 94, fax 04 94 85 94 95, contact@chateauroubine.com, ⊠ ⚊ ⊤ t.l.j. 9h-18h 🏠 ❻
🍷 V. Rousselle

DOM. DE ROUCAS 2012 ★

■	2 600	■ 5 à 8 €

Cette propriété de 5 ha en conversion vers l'agriculture biologique propose un 2012 à dominante de cinsault (80 %) auquel a été adjoint le grenache. Ce vin rose pâle conjugue avec finesse des notes douces de fruits à chair blanche et d'autres plus fraîches d'agrumes (pamplemousse) agrémentées de nuances florales. La bouche, ample et ronde, s'épanouit sur les fruits blancs juteux (poire, pêche). Un rosé riche et généreux à servir tout au long du repas.

🍷 Dom. de Roucas, rte de Carcès, 83570 Entrecasteaux, tél. 04 94 04 48 14, nicolas.mignone@orange.fr, ⊠ ⚊ ⊤ t.l.j. sf dim. 9h-12h 14h-18h
🍷 Paulin

CH. DU ROUËT Belle Poule 2012 ★★

■	49 000	■ 8 à 11 €

L'ancêtre fondateur du domaine, Lucien Savatier, avait conservé deux portes de la *Belle Poule*, vaisseau chargé de ramener les cendres de Napoléon Iᵉʳ, d'où le nom de la cuvée. Le vin dévoile une trame aromatique délicate de fruits exotiques et d'agrumes, accompagnés de nuances douces de verveine. La bouche fine et généreuse fait elle aussi la part belle aux fruits exotiques et trouve l'équilibre grâce à une fraîcheur aérienne qui lui confère une longueur remarquable. Un rosé subtil qui pourra donner la réplique à un colombo de veau.

🍷 Savatier, Dom. du Ch. du Rouët, rte de Bagnols-en-Forêt, 83490 Le Muy, tél. 04 94 99 21 10, fax 04 94 99 20 42, chateau.rouet@wanadoo.fr, ⊠ ⚊ ⊤ r.-v. 🏠 ❻

DOM. LA ROUILLÈRE Grande Réserve 2012

■	41 000	■ 11 à 15 €

Cette cuvée apparaît dans une robe pâle aux légers reflets corail et livre un nez séduisant de fruits jaunes et de fruits exotiques, vivifiés par des nuances d'agrumes. La bouche se révèle ample, fruitée et riche, un rien plus

chaleureuse en finale. À associer avec une cuisine exotique, un bœuf au saté par exemple.

🍷 Letartre, Dom. de la Rouillère, RD 61, rte de Ramatuelle, 83580 Gassin, tél. 04 94 55 72 60, fax 04 94 55 72 61, contact@domainedelarouillere.com, ⊠ ⚊ ⊤ t.l.j. 9h-20h

CAVE DE ROUSSET Vent d'été 2012 ★★

■	8 700	5 à 8 €

À quelques encablures d'Aix-en-Provence se dresse la cave de Rousset, fondée en 1914. Elle se distingue cette année avec un assemblage de grenache et de cinsault à l'origine d'une cuvée à la robe orangée, qui souffle un air frais d'agrumes et de menthol. La bouche, ample, généreuse, fruitée, est sous-tendue par une fine vivacité qui lui apporte équilibre, dynamisme et longueur. Un remarquable représentant de l'appellation, à servir de l'apéritif au dessert.

🍷 Cave de Rousset, quartier Saint-Joseph, 13790 Rousset, tél. 04 42 29 00 09, fax 04 42 29 08 63, cave-de-rousset@wanadoo.fr, ⊠ ⚊ ⊤ r.-v.

DOM. SAINT-ANDRÉ DE FIGUIÈRE
Première de Figuière 2012 ★

■	115 000	■ 11 à 15 €

2012, vingtième millésime de la famille Combard et, pour l'occasion, la cuvée Vieilles Vignes est rebaptisée ; elle porte désormais le nom de Première de Figuière : une élégante manière pour Alain Combard de passer le témoin à ses enfants. Une robe légère à peine rosée sur des reflets bleutés donne le ton de ce vin très séduisant sur des notes fraîches, minérales et fruitées, qui s'harmonisent avec un fond de pêche blanche bien mûre. Une bouche charnue et équilibrée, sur la légèreté, achève de convaincre. Un excellent compagnon pour un apéritif. De la rondeur et une bonne vivacité pour le **blanc 2012 Première de Figuière (20 000 b.)**, bien fait. Cité, il s'enttendra bien avec un coq grillé parfumé au fenouil et au laurier.

🍷 Saint-André de Figuière, 605, rte de Saint-Honoré, BP 47, 83250 La Londe-les-Maures, tél. 04 94 00 44 70, fax 04 94 35 04 46, figuiere@figuiere-provence.com, ⊠ ⊤ t.l.j. sf dim. 9h-12h 14h-18h

DOM. SAINT-ANDRIEU 2011 ★

■	11 000	■ 8 à 11 €

Jouissant d'un cadre de nature préservé au pied du Bessillon, la famille Bignon (également propriétaire du Château Talbot à Saint-Julien dans le Médoc) exploite depuis dix ans ce domaine situé à 380 m d'altitude. Animé d'une robe dense et profonde, ce 2011 révèle un nez intense de fruits noirs mûrs et de réglisse, ponctué de nuances finement toastées. Sous des accents de cassis, de mûre et de pruneau, la bouche offre une attaque suave et montre un bel équilibre, appuyée sur des tanins soyeux et patinés, qui s'épanouissent dans une finale longue et subtilement épicée.

🍷 Dom. Saint-Andrieu, chem. Saint-Andrieu, 83570 Correns, tél. 04 94 59 52 42, fax 04 94 77 73 18, domainesaintandrieu@club-internet.fr, ⊠ ⚊ ⊤ r.-v.
🍷 Bignon

CH. SAINTE-CROIX Cuvée Saint-Pierre 2011

■	30 000	■ 5 à 8 €

Stéphane Pélépol propose ici un assemblage de syrah et de grenache. Sous une robe grenat profond aux reflets vermillon, ce 2011 s'ouvre avec fraîcheur et gourmandise sur les petits fruits rouges rehaussés d'épices (poivre, genièvre). La bouche, d'une belle souplesse, offre une matière enveloppante aux tanins très soyeux. Un rouge croquant et fruité à déguster à l'apéritif ou sur des petits farcis. Le **rosé 2012 cuvée Laurent Gerra (8 à 11 € ; 15 000 b.)**, hommage à l'humoriste fidèle du domaine, est également cité pour sa finesse aromatique, sa bouche tonique et ciselée aux nuances d'agrumes.

☛ Ch. Sainte-Croix, rte du Thoronet, 83570 Carcès, tél. et fax 04 94 80 79 13, chateausaintecroix83@yahoo.fr, ☑ ⚔ ⛉ t.l.j. sf dim. 9h-12h 14h-18h

DOM. SAINTE-CROIX LA MANUELLE
Les Pierres sauvages 2011 ★

▨	1 200	⊞	15 à 20 €

Le nom de cette cuvée, dernière-née du domaine, évoque le terroir particulier composé de calcaire et de terres blanches qui l'a vue naître. Ici, les vignes côtoient les « pierres sauvages », utilisées pour bâtir l'abbaye du Thoronet, qui jouxte le domaine. Ce vin a séduit par sa robe jaune paille et brillante, et par son bouquet puissant aux notes vanillées encore bien présentes mêlées à des effluves gourmands de fruits exotiques. La bouche fait écho au nez en livrant de puissantes notes florales et fruitées, se fait ample et onctueuse, soutenue par un fin boisé bien intégré. Un vin riche, gras et persistant. À déguster dans les quatre ans sur une poularde aux morilles ou un morceau de beaufort affiné.

☛ Dom. Sainte-Croix La Manuelle, rte de l'Abbaye, 83340 Le Thoronet, tél. 04 94 67 31 47, saintecroixlamanuelle@orange.fr, ☑ ⚔ ⛉ t.l.j. 9h-19h (18h en hiver); dim. 10h-12h

☛ Pélépol

DOM. SAINTE-LUCIE Sainte-Victoire
L'Hydropathe Élite 2011 ★

▬	1 200	⊞	30 à 50 €

L'Hydropathe réunissait, à la fin du XIXᵉ s., un cercle d'artistes à qui l'eau ne convenait pas ! Aujourd'hui, il s'agit d'un vin à majorité de syrah, élevé en demi-muid. De ce séjour dans le bois, le nez a conservé une empreinte élégante, aux tonalités fumées et beurrées qui se marient avec finesse aux fruits mûrs. Sous une robe rubis aux reflets violacés, cette cuvée se révèle ample et charpentée, persistante autour des notes de petits fruits rouges. Une étoile pour la cuvée **Made in Provence by sainte Lucie 2012 rosé (8 à 11 € ; 170 000 b.)**, un vin onctueux ouvert sur les agrumes. La cuvée **L'Hydropathe Élite 2008 rosé (11 à 15 € ; 15 000 b.)** est citée pour sa rondeur et sa fraîcheur.

☛ Michel Fabre, Dom. Sainte Lucie, av. Paul-Cézanne, 13114 Puyloubier, tél. 06 81 43 94 62, fax 04 42 66 33 22, contact@mip-provence.com, ☑ ⚔ ⛉ mer. jeu. ven. sam. 10h-12h 14h-18h; f. août et déc.

☛ Michel Fabre

ⒷCH. SAINTE-MARGUERITE La Londe
Cuvée Symphonie 2011 ★

▬ Cru clas.	n.c.	⊞	15 à 20 €

Depuis sa création en 1911, le vignoble, aujourd'hui exploité en bio, s'est bien agrandi, passant de 11 ha à 98 ha. Cette cuvée, née sur les sols argilo-siliceux pauvres typiques du terroir de La Londe, est issue d'un trio de cépages (syrah, cabernet-sauvignon, cinsault). Au bouquet intense,

sur les fruits rouges mâtinés des notes épicées de l'élevage, répond un palais souple, bien fait, soutenu par des tanins fondus. Déjà harmonieux et de belle longueur, l'ensemble trouvera sa plénitude d'ici deux ou trois ans. Sur le terroir de Cuers-Pierrefeu, Enzo Fayard a élaboré un **rosé Ch. Hermitage Saint-Martin 2012 Ikon**, fruité (fraise, framboise, pêche blanche, poire), charmeur dans sa robe légère : une étoile.

☛ Ch. Sainte-Marguerite, 303, chem. du Haut-Pansard, 83250 La Londe-les-Maures, tél. 04 94 00 44 44, fax 04 94 00 44 45, info@chateausaintemarguerite.com, ☑ ⛉ r.-v.

LA CHAPELLE DE SAINTE-ROSELINE 2010 ★★

▬ Cru clas.	8 933	⊞	30 à 50 €

Autour de l'abbaye Sainte-Roseline du XIᵉ s. et de sa chapelle où reposent les reliques de la sainte, cet ancien vignoble des évêques de Fréjus propose de très jolis vins régulièrement distingués dans le Guide. Ce 2010 a de beaux arguments à faire valoir : une robe profonde nuancée de reflets grenat, un nez d'abord timide qui s'ouvre à l'aération sur les épices, la réglisse, les fruits et quelques notes boisées léguées par le séjour en fût. La bouche concentrée n'est pas en reste, soutenue par une belle trame tannique mais soyeuse, qui porte loin la finale. Un vin franc et réellement harmonieux, sa jeunesse laisse deviner un beau potentiel de garde (au moins quatre à cinq ans). À déguster sur un suprême de perdreaux. Une étoile pour le **Ch. Sainte-Roseline 2010 rouge Cuvée Prieuré (15 à 20 € ; 37 330 b.)**, dont le 2009 fut coup de cœur. Remarqué pour sa complexité aromatique (cacao, garrigue et fruits confiturés) et l'onctuosité de son palais, ce vin gagnera lui aussi à séjourner en cave plusieurs années.

☛ SCEA Ch. Sainte-Roseline, 83460 Les Arcs-sur-Argens, tél. 04 94 99 50 30, fax 04 94 47 53 06, contact@sainte-roseline.com, ☑ ⚔ ⛉ t.l.j. 9h-12h30 14h-18h30

☛ Teillaud

DOM. DU SAINT-ESPRIT Grande Cuvée 2010

▬	5 000	⊞	11 à 15 €

Sur cette ancienne propriété de la confrérie du Saint-Esprit (XVᵉ s.), lieu de pèlerinage à la croisée des chemins entre Draguignan et Lorgues, s'étendent les 13 ha du vignoble de Richard Crocé-Spinelli. Syrah, grenache et cabernet-sauvignon sont à l'origine de ce 2010 aux parfums de grillé, de cacao et de tabac blond. Le palais s'épanouit sur des arômes de fraise, de réglisse et de poivre, adossés à des tanins qui demanderont à se fondre davantage (un à deux ans). À découvrir sur un magret de canard aux figues rôties.

☛ Crocé-Spinelli, Dom. du Saint-Esprit, Les Nouradons, 83300 Draguignan, tél. 04 94 68 10 91, richardcs@wanadoo.fr, ☑ ⛉ r.-v.

DOM. SAINT-HUBERT Sainte-Victoire 2012

▬	35 000	▮	5 à 8 €

C'est au cœur de la très belle vallée des Borrels, à quelques kilomètres de la ville d'Hyères, qu'est établi ce domaine, sur un terroir de schistes métamorphiques (phyllades). Il propose un 2012 à la robe rose tendre aux reflets légèrement saumonés, qui séduit par son joli nez de fruits mûrs (melon, pêche jaune, ananas) et de fleurs blanches. La bouche, bien équilibrée et élégante, exprime avec persistance les fruits exotiques soutenus par une pointe de minéralité. Une jolie expression du terroir à apprécier dès à présent à l'apéritif avec de petits farcis niçois. Le blanc 2012 (7 000 b.) est cité pour sa fraîcheur (notes citronnées et mentholées) et sa complexité.

☛ Alain Tabani, Dom. de Saint-Hubert, RD 6, 83910 Pourrières, tél. 06 21 14 73 83 ☑ ⏲ r.-v.

DOM. SAINT-JEAN DE VILLECROZE Réserve 2011

■	5 700	■ ⏲	8 à 11 €

Depuis vingt ans entre les mains de la même famille, ce domaine propose ici un vin à dominante de syrah (90 %). La robe est rouge nuancé de reflets grenat. Le bouquet évoque les petits fruits rouges et le poivre puis évolue sur des notes de cuir. Bonne attaque, souplesse de la bouche, soyeux des tanins et fraîcheur de la finale : voilà un joli vin, bien construit et harmonieux, à découvrir sur une belle pièce de bœuf.

☛ SA Dom. Saint-Jean de Villecroze, quartier Saint-Jean, 83690 Villecroze, tél. 04 94 70 63 07, fax 04 94 70 67 41
☑ ⚘ ⏲ t.l.j. 10h-12h 15h-18h
☛ Caruso

CH. SAINT-JULIEN D'AILLE Imperator 2012 ★

■	20 000	■ ⏲	8 à 11 €

Très ancienne propriété viticole entièrement restaurée par son propriétaire Bernard Fleury en 1999, le château Saint-Julien d'Aille s'étend sur 80 ha de vignes cultivées en agriculture raisonnée. La cuvée Imperator s'impose d'emblée par sa belle robe rubis aux reflets violacés et par son bouquet complexe et très intense de violette et de fruits rouges agrémenté de quelques touches anisées. En bouche, l'attaque est ample sur des notes de petits fruits noirs, de cacao et d'épices. Les tanins fins et soyeux invitent à découvrir cette belle bouteille sans attendre, sur un pot-au-feu par exemple. Même distinction pour la cuvée Praetor 2012 blanc (5 à 8 € ; 10 000 b.), puissante et onctueuse, qui s'entendra bien avec des ris de veau.

☛ Ch. Saint-Julien d'Aille, 5480, rte de la Garde-Freinet, 83550 Vidauban, tél. 04 94 73 02 89, fax 04 94 73 61 31, contact@saintjuliendaille.com,
☑ ⚘ ⏲ t.l.j. sf dim. 9h30-18h30
☛ Fleury

CH. SAINT-MARC Grande Réserve Domini 2012 ★

■	1 400	■ ⏲	8 à 11 €

Voilà une belle entrée dans le Guide pour Emmanuel Nugues, Bourguignon tombé sous le charme de l'arrière-pays du golfe de Saint-Tropez, qui a racheté ce domaine à un Japonais et signe ici son premier millésime. Récolte manuelle et élevage en barrique de six mois ont donné naissance à ce 2012 où s'entremêlent les parfums d'agrumes, de fleurs jaunes, de fruits blancs et de fruits secs (noisette), qui laissent présager une bouche complexe. Le palais marie volume et fraîcheur, et déploie une trame aromatique élégante et persistante qui fait écho à l'olfaction. Heureux accords en perspective avec un plateau de fromages affinés. Le rosé 2012 (4 800 b.) est cité pour ses notes d'agrumes et son palais franc et fruité, d'une agréable longueur.

☛ SCEA Dom. de Saint-Marc, 588, chem. des Crottes et de Saint-Marc, 83310 Cogolin, tél. 04 94 54 69 92, fax 04 94 54 01 41, chateau.saint.marc@wanadoo..fr, ☑ ⚘ ⏲ r.-v.
☛ Emmanuel Nugues

CH. DE SAINT-MARTIN Grande Réserve 2012 ★

■ Cru clas.	14 000		11 à 15 €

Depuis sa création, nombre de femmes se sont succédé et ont écrit l'histoire de ce domaine, aujourd'hui dirigé par Adeline de Barry. Ce 2012, à la brillante robe jaune pâle aux subtils reflets verts, délivre avec finesse et élégance un véritable panier de fruits mûrs. Le palais, gras et généreux, montre un bel équilibre, souligné par des notes de fruits à chair blanche. Un blanc d'une belle longueur qui trouvera sa place sur un tartare d'espadon au citron vert. La cuvée Éternelle Favorite 2012 rosé (20 000 b.) obtient la même distinction pour ses accents fruités et floraux, sa finesse, son élégance et son équilibre entre gras et fraîcheur.

☛ Ch. de Saint-Martin, rte des Arcs, 83460 Taradeau, tél. 04 99 99 76 76, fax 04 94 99 76 77, contact@chateaudesaintmartin.com,
☑ ⚘ ⏲ t.l.j. sf dim. 9h-12h 14h-18h 🏛 🅖
☛ de Barry

CH. SAINT-PIERRE Cuvée du Prieur 2012

■	n.c.	⏲	8 à 11 €

Jean-Philippe Victor, à la suite de trois générations de vignerons, exploite ces terres depuis 1987. Les vignes sont situées en contrebas du village médiéval des Arcs-sur-Argens, au cœur de l'appellation. Ce plaisant assemblage rolle-clairette, à la robe pâle et argentée, est marqué par un boisé vanillé. En bouche, l'expression se révèle plus fruitée, sur des nuances de fruits jaunes, et montre un bon équilibre entre la matière et le bois. À déguster sur un plateau de fromages de chèvre de différentes maturités.

☛ Jean-Philippe Victor, Ch. Saint-Pierre, rte de Taradeau, 83460 Les Arcs-sur-Argens, tél. 04 94 47 41 47, fax 04 94 73 34 73, contact@chateausaintpierre.fr,
☑ ⏲ t.l.j. sf dim. 9h-12h 14h-18h (juil.-août 19h)

🅑 DOM. SAINT-ROMAN D'ESCLANS Air de famille 2012

■	3 308	⏲	8 à 11 €

Les enfants de Clarisse Miguet ont repris le domaine familial en 2011. Pour leur premier millésime, ils font une entrée remarquée dans le Guide avec deux vins retenus. Sur les fruits exotiques, le rosé, d'un beau volume, est équilibré par une légère pointe d'amertume qui apporte de la fraîcheur. On le verrait bien autour de quelques tapas, lors d'un apéritif. Cité également, le blanc 2012 (2 173 b.), tout en rondeur, s'épanouit sur des notes de grillé.

☛ Dom. Saint-Roman d'Esclans, rte de Callas, 83920 La Motte, tél. et fax 04 94 70 24 92, st-roman@wanadoo.fr,
☑ ⏲ t.l.j. 10h-18h (19h en juil.-août) 🏠 🅔
☛ Raymond

DOM. DE SAINT-SER Sainte-Victoire Cuvée Prestige 2012 ★

■	65 000	■	8 à 11 €

Un terroir privilégié, adossé au versant sud de la montagne Sainte-Victoire, où les raisins, protégés du mistral et des orages, bénéficient d'un ensoleillement maximal. Dans un bel habit couleur litchi, ce rosé Prestige séduit par son nez complexe qui marie les fruits exotiques et des notes de garrigue. La bouche, portée sur la rondeur, dévoile en finale un caractère chaleureux. À apprécier sur un plat oriental, un wok de poulet aux mangues par exemple.

🕿 SAS Dom. de Saint-Ser, RD 17, rte de Cézanne, 13114 Puyloubier, tél. 04 42 66 30 81, fax 04 42 66 37 51, info@saint-ser.com, ☑ ⚔ ⏐ t.l.j. 10h-13h 14h-19h

🕿 J. Guichot

SAINT-TROPINK 2012

▣	30 000	▮	5 à 8 €

L'association d'un vigneron tropézien et d'un œnologue champenois a donné naissance à cette cuvée au nom évocateur. Quelques reflets orangés nuancent le rose pâle de la robe. Fleurs de genêt, agrumes et épices se marient discrètement au nez, tandis que la bouche est tendue par une belle minéralité. Un vin bien construit à déguster sur un assortiment de tapas.

🕿 C & D Saint-Tropez, 30, rte des plages, ZA Saint-Claude, 83990 Saint-Tropez, tél. 06 79 03 02 40, carteron@roses-saint-tropez.com

🕿 Carteron

DOM. DE LA SANGLIÈRE Prestige 2010 ★

▣	18 000	⏐	8 à 11 €

Le domaine est situé dans un environnement préservé à quelques kilomètres des îles d'Hyères. Nés sur un terroir de schistes, 60 % de cabernet-sauvignon complétés de syrah sont à l'origine de ce 2010 très réussi. Belle robe rouge sombre aux reflets violacés, nez timide qui s'ouvre à l'aération sur les fruits noirs bien mûrs, sur les épices et sur de subtiles notes mentholées, bouche franche et concentrée : l'ensemble, porté par des tanins de belle facture, sera prêt dans un an. Parfait sur une gardiane de taureau ou sur un dessert au chocolat.

🕿 Dom. de la Sanglière, 3886, rte de Léoube, 83230 Bormes-les-Mimosas, tél. 04 94 00 48 58, fax 04 94 00 43 77, remy@domaine-sangliere.com, ☑ ⚔ ⏐ t.l.j. 9h-12h 14h-18h ⏐ ⑤ ⏐ ⑤

🕿 Rémy Devictor

CH. DES SARRINS 2007 ★★

▣	8 000	▮ ⏐	15 à 20 €

Le château des Sarrins est une jolie propriété de 23 ha de vignes cultivées en agriculture biologique entourant une vénérable bastide provençale du XVIIIᵉs. Un assemblage de syrah, de grenache, de mourvèdre et de cabernet-sauvignon a donné naissance à cette cuvée rouge sombre aux reflets bruns, qui a connu trois ans de fût et qui n'est pas passée loin du coup de cœur. Le nez très riche et complexe en impose : il mêle fruits noirs confiturés, épices, cacao et notes de café. La bouche s'avère ample et généreuse, soutenue par des tanins fins et soyeux, qui accompagnent une superbe finale, longue, très longue, réglissée et saline à la fois. Un vin de caractère, complet, à déguster dès à présent sur un civet de lièvre. Le **rosé 2012 (11 à 15 € ; 40 000 b.)** reçoit une étoile pour sa fraîcheur, son équilibre et sa bonne persistance.

🕿 Dom. des Sarrins, 897, chem. des Sarrins, 83510 Saint-Antonin-du-Var, tél. et fax 04 94 72 90 23, info@chateaudessarrins.com, ☑ ⏐ t.l.j. sf sam. dim. 8h30-12h 14h-17h30; mar. et jeu. ap.-m. sur r.-v.

🕿 Bruno Paillard

DOM. SIOUVETTE Cuvée Marcel Galfard 2012 ★

▣	9 000	▮ ⏐	8 à 11 €

Un hommage au père de l'actuelle propriétaire, Marcel Galfard, qui a vinifié ses vins jusqu'en 1956 avant de confier sa production à une coopérative. Né dans une ancienne ferme des pères chartreux de la Verne – dont la chartreuse est sise un peu plus haut –, ce 2012 offre un nez de fruits blancs, avec de légères nuances amyliques. Son élevage a laissé quelques traces vanillées qui amènent une belle complexité aromatique. Un vin blanc d'une fraîcheur agréable, à assortir à un filet de lotte aux épices. La **cuvée Le Clos 2012 rosé (11 à 15 € ; 8 000 b.)**, aux notes de fruits exotiques et d'agrumes, à la fois fraîche, chaleureuse et bien structurée, reçoit une étoile.

🕿 EARL Dom. Siouvette, RD 98, 83310 La Môle, tél. 04 94 49 57 13, fax 04 94 49 59 12, contact@siouvette.com, ☑ ⏐ t.l.j. 8h-12h30 13h30-19h ⏐ ⑤

DOM. TERRE DE MISTRAL Sainte-Victoire Rosalie 2012 ★★

▣	53 000	▮	8 à 11 €

Denis Gueury et Serge Davico décident en 2007 de s'associer afin de partager cette passion commune pour leur terroir provençal. Pendant que Denis s'occupe de l'oliveraie et du moulin à huile, Serge s'affaire au chai. Pour leur première sélection dans le Guide, ils proposent deux cuvées d'un rose léger à la teinte melon. La cuvée Rosalie dévoile une intense palette aromatique où s'entremêlent les agrumes, les fruits exotiques, la framboise et la menthe poivrée. La bouche en parfaite harmonie prolonge l'expression fruitée, s'équilibre parfaitement entre gras et fraîcheur. La finale est longue, charnue et laisse un souvenir d'un vin savoureux, pour la table. Un beau caractère empreint de gourmandise fruitée (pamplemousse, pêche de vigne) avec une touche minérale caractérise la cuvée **Nadia 2012 rosé (11 à 15 € ; 12 000 b.)**, qui se démarque aussi par son volume et son élégance. Elle obtient une étoile.

🕿 Dom. Terre de Mistral, chem. du Pavillon, rte de Peynier, 13790 Rousset, tél. 04 42 29 14 84, fax 04 42 61 19 47, commerce@terre-de-mistral.com, ☑ ⚔ ⏐ r.-v.

🕿 Famille Gueury et Davico

TERRES DES ANGES 2012 ★

▣	50 000		- de 5 €

Une parure subtile, presque translucide, pour ce vin à majorité de grenache (80 %). L'élégance de la robe annonce celle du bouquet, qui évoque les fleurs (rose) et les fruits (pêche, melon, fraise), agrémentés de nuances réglissées. Une belle complexité caractérise aussi la bouche, riche et tonique à la fois. Un vin équilibré, à essayer sur une salade de fruits exotiques.

🕿 Cave les Vignerons du Luc, rue de l'Ormeau, 83340 Le Luc, tél. 04 94 60 70 25, fax 04 94 60 81 03, vignerons-du-luc@wanadoo.fr, ☑ ⚔ ⏐ t.l.j. sf dim. 9h-12h 14h30-18h

DOM. DES THERMES Iter Privatum 2012

▣	4 000	▮	5 à 8 €

D'importantes fouilles archéologiques sur la propriété ont notamment mis au jour une nécropole et une villa romaines. 2012 voit la création d'un espace muséal au sein du caveau, afin de présenter au public les vestiges découverts. 2012 est aussi le millésime de ce vin d'un beau

PROVENCE

rouge carmin, qui révèle un bouquet frais et fruité, délicatement poivré, et déploie en bouche une agréable palette de fruits, notamment le cassis et la fraise. Un rouge souple et plaisant, pour une salade de gésiers. Le **Iter Privatum 2012 blanc (10 000 b.)** est cité pour sa bouche ample et ronde et son joli caractère floral (violette).

☛ Dom. des Thermes, EARL Robert, RN 7, 83340 Le Cannet-des-Maures, tél. 04 94 60 73 15, fax 04 94 99 29 71, domaine.des.thermes@orange.fr,
☑ ⚹ ⵈ t.l.j. sf dim. 8h-19h

THUERRY Le Château 2012 ★★

■	26 000	▮ 11 à 15 €

Ce lieu chargé d'histoire – vestiges romains, bâtisse templière du XII°s. - a choisi la modernité en s'équipant d'un chai de style contemporain à la pointe de la technologie. Ce remarquable rosé, aux nuances orangées, se montre au premier abord discret. À l'aération apparaissent des notes intenses de fleurs et de fruits mûrs. La bouche est fraîche et veloutée, parfaitement équilibrée, avec une pointe minérale qui l'étire en longueur. Un vin gourmand à recommander sur une poêlée de saint-jacques au beurre blanc. Le **blanc 2012 (13 000 b.)** reçoit une étoile et le **rouge 2010 (8 à 11 € ; 21 000 b.)** est cité. Du premier, les dégustateurs ont aimé la bouche vive et gourmande, de bonne longueur ; du second, les arômes de crème de cassis et de fruits noirs. Un vin encore jeune ; on l'attendra trois à quatre ans.

☛ Ch. Thuerry, 83690 Villecroze, tél. 04 94 70 63 02, fax 04 94 70 67 03, thuerry@chateauthuerry.com,
☑ ⚹ ⵈ t.l.j. 9h-17h30 (été 19h); f. dim. en hiver
☛ Croquet

Ⓑ DOM. LA TOUR DES VIDAUX
Sainte-Madeleine 2012 ★

■	3 600	▥ 5 à 8 €

La particularité de ce vin blanc, aux nuances paille, est d'avoir été élevé dans un œuf ! Il s'agit d'une cuve ovoïde de 6 hl en argile, inspirée des jarres romaines en terre cuite, permettant un mouvement perpétuel des lies, dans la phase post-fermentaire. Le but recherché est ici atteint : la bouche est à la fois ample et fraîche, dévoilant avec beaucoup d'élégance des notes de fleurs blanches, d'abricot et d'amande. L'**Estouna 2011 rouge (11 à 15 € ; 6 000 b.)** est citée. La structure tannique sera fondue d'ici quelques années, révélant plus encore ses arômes naissants de réglisse, de fruits noirs et de cacao. À attendre quatre à cinq ans.

☛ V.-Paul Weindel, 243, rte de Pignans, 83390 Pierrefeu-du-Var, tél. 04 94 48 24 01, fax 04 94 48 24 02, tourdesvidaux@orange.fr,
☑ ⚹ ⵈ t.l.j. sf dim. 9h-12h 14h30-18h30 🏠 Ⓓ

DOM. DES TOURNELS Cuvée spéciale 2012 ★

■	3 500	▮ 8 à 11 €

Propriété familiale située au pied du phare de Camarat dominant la baie de Pampelonne, le domaine des Tournels propose ici une cuvée issue de rolle, à la robe jaune pâle aux reflets verts. Très expressif, le nez révèle des arômes de pamplemousse, de citron vert et de fleurs blanches. Équilibrée et élégante, la bouche, après une attaque tout en fraîcheur, se montre ronde et intense, à l'unisson du bouquet. Un vin harmonieux qui accompagnera une poêlée de saint-jacques au safran.

☛ Dom. des Tournels, rte de Camarat, 83350 Ramatuelle, tél. 04 94 55 90 94, fax 04 94 55 90 98, contact@domaine-des-tournels.com,
☑ ⚹ ⵈ t.l.j. 9h30-12h30 15h30-18h30

DOM. LA TOURRAQUE Cuvée Classic 2012 ★

■	4 000	8 à 11 €

Sur le site classé des trois caps, Lardier, Camarat et Taillat, de la presqu'île de Saint-Tropez, les 36 ha de vignes du domaine, en conversion biologique, s'étendent jusqu'à la mer. Belle régularité pour ce vin mi-rolle mi-sémillon qui, comme pour les millésimes 2010 et 2011, trouve sa place dans le Guide. La palette aromatique évoque les agrumes (pamplemousse, citron) agrémentés d'une pointe florale. La bouche est harmonieuse, avec une touche de nervosité fort agréable en finale. Tout indiqué pour un plateau de fruits de mer.

☛ GAEC Brun-Craveris, Dom. la Tourraque, 83350 Ramatuelle, tél. 04 94 79 25 95, fax 04 94 79 16 08, latourraque@wanadoo.fr,
☑ ⚹ ⵈ t.l.j. sf sam. dim. 9h-12h 14h-18h

DOM. LES TROIS TERRES Cuvée Famille 2012 ★

■	10 000	▮ 5 à 8 €

Les vignes sont implantées au point de jonction de trois terroirs argilo-calcaires, de couleurs différentes. Cette spécificité, à l'origine du nom du domaine, figure graphiquement sur l'étiquette, ornée de trois bandes, jaune, marron et ocre. Encore un joli doublé cette année, avec la cuvée Famille, bien connue des habitués du Guide, retenue en rosé et en blanc. La robe du rosé saumon aux reflets brillants, annonce un fruité très plaisant, qui évoque la mandarine et le fruit exotique, agrémenté de légères notes de bonbon acidulé. En bouche, ce vin est éloquent et soyeux, porté par une belle acidité jusqu'à la longue finale. Un rosé tout en fruit, à marier avec des filets de rougets. Également une étoile pour le **blanc 2012 (3 000 b.)**. Ses notes fines et harmonieuses de citron et de pamplemousse aiguisent avec bonheur les papilles.

☛ Dom. les Trois Terres, D 79, rte de Brignoles, 83340 Cabasse, tél. 09 64 46 78 25, domainetroisterres@orange.fr,
☑ ⚹ ⵈ t.l.j. 10h-12h 15h-18h30
☛ Luc Nivière

DOM. TROPEZ White Rosé 2012 ★

■	62 133	▮ 11 à 15 €

Un héritage d'un grand-père, au pied du village de Gassin, sur lequel un grand vent de modernité a soufflé. Grégoire Chaix mise ainsi depuis 1996 sur des vins rosés (85 % de sa production) aux noms originaux, dans des bouteilles peu traditionnelles. Une teinte cristalline, à peine rosée, explique à elle seule, le nom de la cuvée. En revanche, la palette aromatique est variée : fruits rouges confits, fruits exotiques, melon et notes miellées se mêlent avec délicatesse. La bouche est séduisante : attaque enrobée, fraîcheur maîtrisée, jusqu'à la finale poivrée. Un rosé élégant, à essayer sur des petits farcis aux herbes de Provence.

☛ Dom. Tropez, Campagne Virgile, RD 559, 83580 Gassin, tél. 04 94 56 27 27, fax 04 94 56 11 81, info@domainetropez.com,
☑ ⵈ t.l.j. sf dim. 9h-12h30 14h30-18h30
☛ Grégoire Chaix

DOM. VAL D'ASTIER 2012

	30 000	▪	8 à 11 €

C'est sur le lieu-dit du Val d'Astier, au-dessus de Cogolin, que Bruno Seignez crée son propre domaine, après avoir fait ses armes en d'autres caves provençales. C'est avec finesse que s'affiche le nez de ce 2012 sur des notes de petits fruits rouges, d'agrumes et d'anis. Le palais, sur ces mêmes nuances aromatiques, se révèle ample, frais et élégant. Parfait sur des filets de rougets au beurre blanc.

☛ Bruno Seignez, Dom. Val d'Astier, RD 98, 83310 Cogolin, tél. 06 09 13 27 64, seignez.bruno@wanadoo.fr,
☑ ⚔ ⵟ t.l.j. 9h-13h 16h-20h; r.-v. (hors-saison)

VAL D'IRIS Cuvée St Vincent 2011 ★

	1 120	ⵜⵜ	15 à 20 €

Autrefois planté d'iris, destinés à la parfumerie grassoise, et de quelques vignes, ce domaine a été repris en 1999 par Anne et Jean-Daniel Dorr. Une production quasi confidentielle pour ce pur rolle, élevé quinze mois en fût, encore juvénile dans sa robe pâle nuancée de vert. Le nez intense oscille entre les fleurs blanches et le coing, sur un fond toasté. L'attaque est ample et vive, le fruité empreint de notes vanillées et la finale de belle longueur. Prêt à boire, ce vin équilibré sera parfait pour accompagner un homard grillé.

☛ Val d'Iris, 341, chem. de la Combe, 83440 Seillans, tél. 04 94 76 97 66, info@valdiris.com, ☑ ⚔ ⵟ r.-v.
☛ Dorr

Ⓑ CH. LES VALENTINES La Londe 8 2012 ★★

	8 000		11 à 15 €

Le nom du domaine résulte de la contraction des prénoms des enfants des propriétaires, Valentin et Clémentine. Le nom de cuvée rappelle, lui, l'année de création de la dénomination La Londe. Un vin rosé clair, qui déploie des parfums intenses de fruits mûrs (framboise et mandarine), et un beau volume en bouche, bien équilibré entre la tonicité et le gras, entre l'acidité et l'alcool. Cette remarquable cuvée appelle un plat épicé, comme un curry de poisson. Le **rosé 2012 La Londe** (130 000 b.) reçoit une étoile. Une belle palette aromatique autour des fruits blancs et de la minéralité, une grande fraîcheur : un vin sympathique et gouleyant.

☛ Ch. les Valentines, rte de Collobrières, RD 88, 83250 La Londe-les-Maures, tél. 04 94 15 95 50, fax 04 94 15 95 55, contact@lesvalentines.com,
☑ ⚔ ⵟ t.l.j. 9h-19h
☛ Gilles Pons

CH. LA VALETANNE La Londe Vieilles Vignes 2012 ★

	20 000	ⵜⵜ	8 à 11 €

« Petite propriété de type familial », ainsi le propriétaire Jérôme Constantin définit-il son vignoble de 15 ha situé entre mer et collines, dont une partie est revendiquée en côtes-de-provence La Londe. De ce beau terroir est issu ce rosé aux reflets pêche. Un nez expressif d'agrumes et de fruits frais précède une bouche à la rondeur remarquée, soutenue par une belle vivacité. Un vin persistant, à apprécier à l'apéritif ou sur des grillades.

☛ Ch. la Valetanne, rte de Valcros, 83250 La Londe-les-Maures, tél. 04 94 28 91 78, jc@chateauvaletanne.fr, ☑ ⚔ ⵟ r.-v.
☛ Kenth Runge

CH. DE VAUCOULEURS 2012 ★

	5 000		5 à 8 €

Propriété de la famille de Wulf depuis 2010, ce domaine a entamé une conversion vers l'agriculture biologique ; les bouteilles des prochains millésimes pourront donc porter la mention bio sur leurs étiquettes. Le vin proposé, né du seul rolle, apparaît dans une robe pâle nuancée de légers reflets verts. Le nez libère des notes de fruits à chair blanche et de citron vert, qui s'épanouissent ensuite dans une bouche d'une belle souplesse, mêlant harmonieusement la pêche juteuse et la pomme verte croquante. Un vin friand et long, parfait pour un carpaccio de thon au gingembre.

☛ Ch. de Vaucouleurs, RDN 7, 83480 Puget-sur-Argens, tél. et fax 04 94 45 20 27, contact@chateaudevaucouleurs.fr,
☑ ⚔ ⵟ t.l.j. sf dim. 9h-12h 14h-18h

CH. VEREZ 2012 ★★

	34 580	▪	8 à 11 €

Régulièrement mentionné dans le Guide, ce domaine situé dans la plaine des Maures est la propriété de la famille Rosinoer depuis 1994. Assemblage à majorité de grenache (50 %) complété de syrah et de mourvèdre, ce rosé a séduit les dégustateurs, dans sa robe litchi pâle. Intense, le nez navigue entre les notes d'agrumes (pamplemousse, orange), le bonbon anglais et une touche vivifiante d'herbe fraîche. La bouche, ample et généreuse, affiche une agréable tonicité sur fond d'agrumes qui équilibre l'ensemble. Un rosé expressif et élégant que l'on pourra apprécier dès à présent sur un gaspacho tomate-fraise ou des petits farcis. La **cuvée Élevée en fût de chêne 2011 rouge** (15 à 20 € ; 1 400 b.) décroche également deux étoiles pour ses notes de fruits à l'alcool et de menthol, ainsi que pour sa bouche onctueuse, adossée à des tanins soyeux. À déguster dans les cinq ans.

☛ Rosinoer, Ch. Verez, 5192, chem. de la Verrerie-Neuve, 83550 Vidauban, tél. 04 94 73 69 90, fax 04 94 73 55 84, verez@chateau-verez.com,
☑ ⚔ ⵟ t.l.j. sf sam. dim. 9h-12h 13h-17h ⬛ Ⓢ ⬛ Ⓔ

CH. VERT 2012

	n.c.	▪	8 à 11 €

Entre mer et garrigue, ce domaine de 30 ha, dont les origines remontent au XVII^{e}s., a été repris en 2010 par la famille Ghigo. Il propose un 2012 vif et élégant, porté par des notes intenses de citron et de pamplemousse agrémentées de nuances florales. Parfait pour accompagner à l'heure de l'apéritif des feuilletés au fromage et des crostinis de sardines. Même distinction pour le **rouge 2010** (11 à 15 €), fruité (cerise, fraise) et puissant, qui devra patienter un an ou deux en cave afin que ses tanins encore fermes s'assagissent.

☛ Robert Ghigo, av. Georges-Clemenceau, 83250 La Londe-les-Maures, tél. 04 94 66 80 59, fax 04 94 66 64 42, contact@chateau-vert.com,
☑ ⚔ ⵟ t.l.j. sf dim. 9h-12h 15h-19h

CH. DES VINGTINIÈRES 2012

	90 000	▪	5 à 8 €

Vigneron dans le Sancerrois, Patrice Moreux a investi en 1996 dans un vignoble de 30 ha, au pied des Maures. L'aventure familiale se poursuit aujourd'hui, avec ses deux fils, qui ont rejoint la propriété. Ils proposent ce rosé aux nuances saumonées et dorées, offrant à l'aération des senteurs de fruits rouges. Après une belle attaque fruitée sur les agrumes, la bouche se révèle souple, fraîche et persistante. Un vin droit et harmonieux, à servir avec des gambas à la plancha.

☛ Patrice Moreux, Dom. des Vingtinières, rte de Saint-Tropez, 83340 Le Cannet-des-Maures, tél. 03 86 39 13 55, fax 04 94 99 81 12, patrice.moreux@wanadoo.fr, ☑ ⚔ ⚑ r.-v.

CH. LA VIVONNE 2012

◼	42 400	🍾 8 à 11 €

Situé sur les hauteurs du village médiéval du Castellet, entre mer et montagne, au cœur du vignoble bandolais, le château la Vivonne signe un rosé issu de mourvèdre (cépage notoire du bandol) associé au cinsault et au grenache. Rose pâle aux nuances saumonées, le vin reste d'abord sur la réserve, puis dévoile à l'aération une élégante complexité dans le registre fruité, porté par la fraise croquante. La bouche se révèle bien structurée et équilibrée, tonifiée par une plaisante fraîcheur en finale. À déguster tout au long du repas.

☛ Dom. de la Vivonne, 3345, montée-du-Château, 83330 Le Castellet, tél. 04 94 98 70 09, fax 04 94 90 59 98, domaine@vivonne.com, ☑ ⚔ ⚑ t.l.j. 9h-13h 14h-18h
☛ Benhaim

CH. VOLTERRA 2012 ★

◼	7 000	🍾 8 à 11 €

Ami de Raimu, de Joséphine Baker, de Colette et de Jean Cocteau notamment, l'imprésario parisien et propriétaire de salles de théâtre Léon Volterra acquit le domaine en 1926 et lui donna son nom. Délaissé pendant une dizaine d'années, ce vignoble a été repris en 1999 par un groupe d'investisseurs canadiens. Une exposition exceptionnelle, sur le cap Camarat, face à la mer, pour cet assemblage de grenache majoritaire et de mourvèdre. La robe très pâle accroche des reflets gris-bleus. Le bouquet fin et aromatique mêle agrumes, fruits à chair blanche, notes toastées et grillées. Quant à la bouche, ronde et élégante, portée par des notes minérales, elle est tendrement fruitée. Les poissons en sauce seront de bons compagnons pour cette cuvée très réussie.

☛ Ch. Volterra, rte de Camarat, 83350 Ramatuelle, tél. 04 94 49 66 83, info@chateauvolterra.com, ☑ ⚔ ⚑ t.l.j. 10h-18h
☛ J. Schengili

Palette

Superficie : 48 ha
Production : 1 843 hl (70 % rouge et rosé)

Tout petit vignoble, aux portes d'Aix, qui englobe l'ancien clos du bon roi René. Rosés, rouges et blancs font appel à de nombreux cépages locaux. Les rouges, de garde, expriment la violette et le bois de pin.

CH. HENRI BONNAUD Quintessence 2010 ★

◼	6 000	🍷 20 à 30 €

En 1996, Henri Bonnaud a transmis à son petit-fils, Stéphane Spitzglous, ce très beau vignoble situé sous le regard bienveillant de la Sainte-Victoire chère à Cézanne. Ce 2010 à la robe pourpre soutenue offre un nez complexe et expressif qui mêle fruits noirs, épices et notes torréfiées. La bouche ample et riche est soutenue par des tanins fins et soyeux mais bien présents. Un vin promis à un bel avenir qui rend hommage à ce terroir d'excellence et au savoir-faire du vigneron. Le **rosé Quintessence 2012 (15 à 20 € ; 2 000 b.)**, harmonieux et persistant, séduit par ses notes fines de rose et de pêche et par sa douceur. Il reçoit également une étoile, tout comme le **blanc Quintessence 2012 (8 000 b.)**, bien équilibré entre la rondeur des fruits et la vivacité des notes de silex.

☛ Ch. Henri Bonnaud, 945, chem. de la Poudrière, 13100 Le Tholonet, tél. 04 42 66 86 28, contact@chateau-henri-bonnaud.fr, ☑ ⚔ ⚑ t.l.j. sf dim. 10h-12h 14h-18h

♥ CH. CRÉMADE 2011 ★★

◼	5 000	🍾🍷 15 à 20 €

Au pied de la montagne Sainte-Victoire, ce vignoble s'étend sur le terroir très particulier de cailloutis calcaire de Langesse qui donne toute son identité à cette cuvée remarquable. Issu d'un assemblage de clairette (majoritaire), de grenache blanc et d'une touche d'ugni blanc, ce vin jaune pâle à reflets or s'affirme à l'aération sur des notes de fleurs blanches, de miel et de silex. Dans la lignée de l'olfaction, la bouche très riche et d'une bonne persistance présente un parfait équilibre entre rondeur et fraîcheur. Un superbe vin à déguster dès à présent ou à attendre quelques années. Le jury a également attribué deux étoiles au **rosé 2012 (7 500 b.)**, d'une jolie rondeur, bien balancé entre douceur et minéralité.

☛ SCEA Dom. de la Crémade, rte de Langesse, 13100 Le Tholonet, tél. 04 42 66 76 80, chateaucremade@yahoo.fr, ☑ ⚔ ⚑ r.-v.

CH. DE MEYREUIL 2012

◼	3 960	🍷 8 à 11 €

C'est sur cette propriété datant du XVIIᵉ s. que cette cuvée, issue d'un assemblage dominé par la clairette, a vu le jour. Ce 2012 se présente dans une robe jaune pâle aux reflets verts. Le bouquet plaisant et complexe marie fleurs blanches, bergamote, litchi et amande douce. Offrant un subtil équilibre entre rondeur et vivacité, la bouche s'enrichit de notes d'agrumes confits en finale. Un vin harmonieux, parfait pour accompagner une dorade royale cuite en croûte de sel.

☛ J. Raynaud, Le Château, allée des Pins, 13590 Meyreuil, tél. et fax 04 42 58 03 96

LA CORSE

La production viticole corse est avant tout orientée vers l'élaboration de vins identitaires portés par des cépages historiquement installés et adaptés aux sols et climats locaux. Les efforts qualitatifs tant au vignoble (gestion des arrachages et des restructurations) qu'en unités de vinification (efforts sur les cuveries, maîtrise des températures) se ressentent bien évidemment dans les vins. Cette évolution qui apporte une vision d'avenir est aujourd'hui associée à un fort développement de la production en agriculture biologique et à un développement de l'œnotourisme.

Superficie
7 000 ha
Production
350 000 hl dont 35,5 % en AOC, 59,2% en IGP et 5,3 % en VSIG
Types de vins
En AOC, rosés majoritaires (55 %), rouges (33 %), blancs (10,5 %), vins doux naturels muscat-du-cap-corse (1,5 %)
En IGP, rosés majoritaires (48 %), rouges (35 %) et blancs (17 %)
Cépages principaux :
Rouges : niellucciu, sciaccarellu, grenache, cinsault, syrah, carignan, aleatico
Blancs : vermentinu (rolle), bourboulenc, clairette, muscat à petits grains

Une montagne dans la mer La définition traditionnelle de la Corse est aussi pertinente en matière de vins que pour mettre en évidence ses attraits touristiques. La topographie est en effet très tourmentée dans toute l'île, et même l'étendue que l'on appelle la côte orientale – et qui, sur le continent, prendrait sans doute le nom de costière – est loin d'être dénuée de relief. Cette multiplication des pentes et des coteaux, inondés le plus souvent de soleil mais maintenus dans une relative humidité par l'influence maritime, les précipitations et le couvert végétal, expliquent que la vigne soit présente à peu près partout. Seule l'altitude en limite l'implantation.

Le relief et les modulations climatiques qu'il entraîne s'associent à trois grands types de sols pour caractériser la production vinicole, dont la majorité est constituée de vins de pays (surtout) et de vins sans indication géographique. Le plus répandu des sols est d'origine granitique ; c'est celui de la quasi-totalité du sud et de l'ouest de l'île. Au nord-est se rencontrent des sols de schistes et, entre ces deux zones, existe un petit secteur de sols calcaires.

Des cépages originaux Associés à des cépages importés, on trouve en Corse des cépages spécifiques d'une originalité certaine, en particulier le niellucciu, donnant des vins au caractère tannique dominant et qui excelle sur le calcaire. Le sciaccarellu, lui, présente plus de fruité et donne des vins que l'on apprécie davantage dans leur jeunesse. Quant au blanc, vermentinu (ou malvasia), il est, semble-t-il, apte à produire les meilleurs vins des rivages méditerranéens.

En règle générale, on consommera plutôt jeunes les blancs et surtout les rosés ; ils iront très bien sur tous les produits de la mer et avec les excellents fromages de chèvre du pays, ainsi qu'avec le brocciu. Les vins rouges, eux, conviendront, selon leur âge et la vigueur de leurs tanins, aux différentes préparations de viande et, bien sûr, à tous les fromages de brebis. À noter que certains grands vins blancs, passés ou non en bois, ont une belle aptitude au vieillissement.

Corse ou vin-de-corse

Superficie : 2 150 ha
Production : 90 360 hl (90 % rouge et rosé)

L'AOC corse ou vin-de-corse peut être produite dans les trois couleurs sur l'ensemble des terroirs classés de l'île, à l'exception de l'aire d'appellation patrimonio, au nord. Selon les régions et les domaines, les proportions respectives des différents cépages ainsi que les variétés des sols apportent aux vins des tonalités diverses. Les nuances régionales justifient une dénomination spécifique de microrégions, dont le nom peut être associé à l'appellation (Coteaux-du-Cap-Corse, Calvi, Figari, Porto-Vecchio, Sartène). La majeure partie de la production est issue de la côte orientale.

CORSE

♥ DOM. D'ALZIPRATU Calvi Pumonte 2012 ★★

| ■ | 8 000 | ▮ | 11 à 15 € |

C A L V I

PU MON TE

2012

Après la gamme Fiumeseccu l'an dernier en rosé, c'est au tour de la cuvée Pumonte – du nom de l'une des parcelles à l'origine du vin – de briller en blanc. L'incontournable Pierre Acquaviva signe à nouveau un vin de haute volée. Ce pur vermentinu se pare d'une somptueuse robe brillante à reflets dorés. Non moins élégant, le nez évoque intensément les fleurs blanches, la fleur d'oranger notamment. Une délicatesse à laquelle fait écho une bouche riche, soyeuse et douce, étirée en longueur par une fraîcheur aux accents d'agrumes et de fruits exotiques. À déguster dès aujourd'hui, sur un poisson noble sauce au citron. Le **rosé Calvi Pumonte 2012 (8 à 11 € ; 8 000 b.)**, dominé par le pamplemousse à l'olfaction, tout aussi frais et fruité en bouche, obtient une étoile. Un « rosé plaisir », parfait pour une salade de fruits d'été.

☎ Dom. d'Alzipratu, lieu-dit Alzipratu, 20214 Zilia, tél. 04 95 62 75 47, alzipratu@orange.fr, ☑ ⚲ Ⲩ r.-v.

☎ Acquaviva

L'ÂME DU TERROIR 2010 ★

| ■ | 30 000 | ▮ | - de 5 € |

Le domaine du Mont Saint-Jean est une jolie propriété d'une centaine d'hectares située sur la commune d'Antisanti, au sud d'Aléria. Roger Pouyau, aidé de sa fille Julia, y produit une importante gamme de vins, dont cet assemblage de niellucciu et de syrah réservé à la grande distribution. Au nez, dominent d'agréables notes de fruits mûrs, de réglisse et d'épices. Franc, équilibré et complexe en bouche, ce 2010 sera à son aise sur une daube de sanglier.

☎ Dom. du Mont Saint-Jean, Campo Quercio, BP 19, 20270 Aléria, tél. 04 95 57 13 21, fax 04 95 56 16 99, montstjean@wanadoo.fr, ☑ ⚲ Ⲩ r.-v.

☎ Pouyau

DOM. CASABIANCA 2012 ★

| ■ | 54 000 | ▮ | 5 à 8 € |

« Les vins qui ont une âme ». C'est avec ce joli vocable qu'Anne-Marie Casabianca résume sur ses différentes étiquettes l'esprit qui l'anime depuis son arrivée à la tête de cette grande propriété familiale. Pour cette édition du Guide, les dégustateurs ont reconnu les mérites des trois couleurs de sa cuvée principale. Le rouge, tout d'abord, de belle expression, présente une palette aromatique associant fruits rouges et épices. Le palais, fruité et persistant, dévoile des tanins sages qui permettront de déguster ce vin dans sa jeunesse. Le **2012 rosé (54 000 b.)** obtient également une étoile, pour ses parfums plaisants de fleurs blanches et de fruits légèrement épicés, et pour

son côté friand en bouche. Le **2012 blanc (25 000 b.)**, dont on apprécie les belles notes anisées, très droit en bouche, est cité.

☎ Dom. Casabianca, RN 198, 20230 Bravone, tél. 04 95 38 96 00, fax 04 95 38 96 09, domaine-casabianca@orange.fr, ☑ Ⲩ t.l.j. sf sam. dim. 9h-17h

CASTELLU DI BARICCI Sartène 2011 ★

| ■ | 30 000 | ▮▯ | 15 à 20 € |

Castellu di Baricci est un magnifique domaine agricole situé dans la vallée de l'Ortolo, en cours de conversion à l'agriculture biologique. Sa propriétaire, Élisabeth Quilichini, propose un joli 2011 né d'un assemblage sciaccarellu-nielucciu-grenache. D'un beau rubis profond à reflets violets, le vin dévoile un nez expressif et mûr, porté sur les fruits confiturés, la réglisse et le cuir, vivifié par une touche mentholée. La bouche se montre souple et généreuse, soulignée en douceur par des tanins veloutés à souhait. Une bouteille déjà fort aimable, à déguster dès aujourd'hui sur une épaule de veau longuement mijotée avec tomates et oignons rouges.

☎ Élisabeth Quilichini, Vallée de l'Ortolo, 20100 Sartène, tél. 09 88 99 30 62, info@castelludibaricci.com, ☑ ⚲ Ⲩ r.-v. ⚑ Ⓔ

CLOS CANERECCIA Rouge des Pierre 2011 ★

| ■ | 9 000 | ▮ | 8 à 11 € |

En 2010, Christian Esteve a repris les rênes de ce vignoble familial qui vinifiait auparavant en cave coopérative. Il a donc réhabilité la cave située sur le domaine et élaboré ses différentes cuvées comme ce Rouge des Pierre, dont le nom n'évoque pas le terroir, mais le prénom de son grand-père et de son fils. Très sombre, cette cuvée navigue sur une palette aromatique allant des fruits rouges aux sous-bois. Structuré et velouté en bouche, c'est un vin de belle facture, à boire ou à attendre une paire d'années.

☎ Christian Émile Esteve, Rotani, 20270 Aléria, tél. 06 09 97 03 17, closcanereccia@orange.fr, ☑ ⚲ Ⲩ r.-v.

CLOS CULOMBU Calvi 2011 ★

| ■ | 90 000 | ▮ | 8 à 11 € |

Le Clos Culombu est dirigé par la famille Suzzoni depuis une trentaine d'années. Étienne, son actuel propriétaire, ne passe pas inaperçu avec sa taille imposante (il mesure plus de 2 m). Cela ne l'empêche pas de se pencher avec soin sur ses vignes afin de leur apporter tout son savoir-faire. Il signe ici un assemblage de quatre cépages, au nez gourmand de fruits rouges mûrs. Le palais, équilibré et soutenu par des tanins veloutés, délivre des arômes généreux de confiture de groseilles. Ce rouge pourra se déguster dans sa jeunesse ou attendre quelques mois en cave avant d'accompagner une daube de bœuf ou un magret au gros sel. Cité, le **2012 blanc Calvi (50 000 b.)**, aux notes de fruits jaunes et d'agrumes, à la fois gras et frais, déjà à maturité, se consommera sans attendre sur une bouillabaisse corse.

☎ Étienne Suzzoni, chem. San-Petru, 20260 Lumio, tél. 04 95 60 70 68, fax 04 95 60 63 46, contact@closculombu.fr, ☑ ⚲ Ⲩ r.-v.

CLOS DE SARCONE Figari 2011 ★

| ■ | 4 340 | ▮ | 11 à 15 € |

Première entrée dans le Guide pour Jean Ferracci, qui dirige depuis 1987 cette propriété familiale autrefois exploitée par son grand-père. Il cultive aujourd'hui 5 ha complantés en cépages traditionnels corses, et propose un 2011 issu de niellucciu à 60 %, auquel a été adjoint le sciaccarellu. Le vin allie au nez comme en bouche la finesse aromatique de ce dernier (notes de cerise et de poivre) à la puissance maîtrisée du niellucciu. L'ensemble est structuré par des tanins bien présents mais veloutés. Un beau Figari que l'on verrait bien sur un sauté de veau aux olives.

☞ Ferracci, Poggiale, 20114 Figari, clos-desarcone@wanadoo.fr, ☑ ⚘ ▼ r.-v.

CLOS D'ORLÉA Signature d'un caractère 2010 ★

| ■ | 10 000 | ▮ | 8 à 11 € |

Croiser François Orsucci est toujours la garantie de passer un agréable moment. Il saura parler de sa Corse et de ses vins avec passion et malice. Si vous le rencontrez, il évoquera probablement sa gamme Signature, dont fait partie ce 2010 au nez de cassis et de cerise bigarreau ; arômes que l'on retrouve dans un palais ample, adossé à des tanins élégants. Vinifiée en douceur, pour le fruit, cette bouteille se dégustera jeune, sur une viande blanche.

☞ François Orsucci, Clos d'Orléa, 20270 Aléria, tél. 04 95 57 13 60, fax 04 95 57 09 64, contact@closdorlea.com, ☑ ⚘ ▼ t.l.j. 9h-13h 15h-19h

CLOS FORNELLI Cuvée Stella-Rose 2011 ★★

| ■ | 1 600 | ▥ | 15 à 20 € |

Josée Vanucci, qui se revendique « vigneronne indépendante et insoumise », et son mari Fabrice Couloumère ont repris ce vignoble familial en 2005, bâti une cave et ainsi créé leur marque, le Clos Fornelli. Ils présentent une cuvée du nom de leur fille, Stella-Rose, née en 2008. Le sciaccarellu confère à l'olfaction des notes de fruits rouges mûrs agrémentés d'une pointe de girofle. En bouche, c'est un festival aromatique qui se déploie au cœur d'une matière remarquablement veloutée et bien équilibrée. À déguster sur une viande grillée.

☞ Vanucci-Couloumère, lieu-dit Clos Fornelli, Pianiccia, 20270 Tallone, tél. 06 61 76 46 19, fax 04 30 65 06 61, josee.vanucci@laposte.net, ☑ ⚘ ▼ r.-v.

CLOS LANDRY Calvi 2011

| ■ | 6 600 | ▮ | 8 à 11 € |

La cinquième génération de vignerons de la famille Paolini (Cathy, fille de Fabien) dirige aujourd'hui cette propriété de 24 ha située aux portes de Calvi. Il faut noter que ce domaine est à l'origine des rosés très clairs, presque gris, lancés il y a quelques années dans la région. Pour cette édition, c'est un rouge et un blanc qui ont été retenus. Le premier a séduit le jury avec son bouquet de plantes du maquis, plus particulièrement marqué par l'immortelle. Adossé à des tanins souples, il pourra se boire sans trop attendre sur une côtelette d'agneau grillée. Le **2012 Calvi Blanc des copines (5 000 b.)**, ouvert sur des notes d'acacia et de citron, présente en bouche une vivacité qui lui permettra de tenir jusqu'aux premiers frimas, pour être servi sur un fromage à pâte pressée cuite.

☞ Cathy Paolini, Clos Landry, rte de la Forêt-de-Bonifatu, 20260 Calvi, tél. 06 85 84 45 09, closlandry@wanadoo.fr, ☑ ⚘ ▼ t.l.j. 9h-13h 15h-20h

CLOS LUCCIARDI Signora Catalina 2012

| | 6 500 | ▮ | 11 à 15 € |

Josette et Joseph Lucciardi sont propriétaires depuis 2004 de ce joli domaine d'une douzaine d'hectares, repris

après une période de fermage. Ce vermentinu présente toutes les caractéristiques du cépage. Belles notes d'agrumes au nez, adoucies par des nuances miellées, droiture et belle longueur en bouche. Heureux accords en perspective avec un poisson grillé. Le **Signora Catalina rosé 2012 (8 à 11 € ; 12 000 b.)**, habillé d'une robe claire, offre de beaux arômes de cerise et de pamplemousse, et une matière équilibrée. Pour l'apéritif.

☞ Lucciardi, Dom. de Pianiccione, 20270 Antisanti, tél. 06 77 07 27 34, contact@closlucciardi.com, ☑ ▼ r.-v.

CLOS POGGIALE 2012 ★

| ■ | 50 000 | ▮ | 5 à 8 € |

Jean-François Renucci a racheté ce magnifique vignoble à la famille Skalli en 2011. Les vignes situées près de l'étang de Diana, aux portes d'Aléria, s'épanouissent dans un très bel environnement. Le vigneron investit sans compter dans cette propriété pour l'amener au niveau des meilleures de l'appellation, et cette jolie cuvée justifie ses efforts. Bouquet élégant de fruits frais et de pétale de rose,

La Corse

AOC :

vin-de-corse		ajaccio
1 Coteaux du Cap Corse		patrimonio
2 Calvi		
3 Sartène		muscat-du-cap-corse
4 Figari		
5 Porto-Vecchio		---- Limites de départements

CORSE

bouche fraîche et gourmande, voilà un rosé tout indiqué pour l'apéritif.

☛ Dom. Terra Vecchia, 20270 Tallone, tél. 04 95 57 20 30, fax 04 95 57 08 98, contact@clospoggiale.fr, ☑ ⚐ ☖ t.l.j. sf sam. dim. 9h-12h 14h-18h

☛ Renucci

COSTE CASERONE 2010 ★

■	10 000	■	8 à 11 €

Brigitte Bertrand dirige ce vignoble situé sur la commune de Bravone depuis 2010. Petite-fille de vigneron, passionnée par le vin, elle a dû patienter de longues années avant de pouvoir acquérir ces 36 ha de vignes. Belle réussite que ce 2010 qui met en valeur les cépages niellucciu et sciaccarellu. Une gamme aromatique complexe est jouée à l'olfaction : fruits rouges, épices et truffe. La bouche est ronde, structurée par des tanins qui demanderont un à deux ans de cave pour s'assouplir davantage.

☛ Brigitte Bertrand, lieu-dit Strazzala a l'Oliva, Bravone, 20230 Linguizzetta, tél. 07 60 02 08 88, fax 04 95 56 23 09, info@costecaserone.com, ☑ ☖ r.-v.

ENCLOS DES ANGES Calvi 2011 ★

■	5 000		11 à 15 €

Richard Spurr, ancien *winemaker* d'origine anglaise, s'est épris de la Corse et a créé l'Enclos des Anges en 2007. Il signe un 2011 au nez concentré de fruits noirs et de thym. La bouche est à l'unisson, concentrée, charnue et finement boisée, toutefois assez souple pour que l'on puisse consommer ce vin dès à présent, sur une assiette de charcuteries (corses de préférence).

☛ Richard Spurr, Cave Signoria, rte de l'Aéroport, 20260 Calvi, tél. 06 19 85 16 39 ☑ ⚐ ☖ r.-v.

DOM. DE LA FIGARELLA Calvi 2012

■	13 000	■	8 à 11 €

Achille Acquaviva, vigneron souriant et accueillant, dirige ce domaine depuis 1980 et travaille avec sa fille Marina, qui s'occupe de la vinification. Avec ce 2012 issu du seul sciaccarellu, tous deux signent un rosé clair, au nez discrètement fruité et amylique, ponctué de notes minérales. Un vin bien équilibré en bouche entre gras et fraîcheur, qui fera honneur à un tajine de poulet.

☛ Achille Acquaviva, rte de la Forêt-de-Bonifato, 20214 Calenzana, tél. et fax 04 95 61 06 69, domainefigarella@wanadoo.fr, ☑ ☖ t.l.j. sf dim. 11h-12h30 16h-19h30

Ⓑ DOM. FIUMICICOLI Sartène Cuvée Vassilia 2012 ★★

■	20 000	■	8 à 11 €

Ce vignoble fait partie des incontournables de la dénomination Sartène. La très belle propriété, d'une surface de 73 ha, est menée en bio par Félix et Simon Andréani, vignerons rigoureux et vinificateurs de talent, régulièrement présents dans le Guide. Ils proposent un 2012 issu de sciaccarellu, qui exprime au nez des arômes soutenus de fruits rouges et de bonbon anglais. La bouche ample et riche est équilibrée par une vivifiante acidité et s'achève en douceur, sur des notes de poire. Un rosé harmonieux, à déguster sur un poisson grillé. Le **2012 blanc Sartène cuvée principale (30 000 b.)**, une étoile, livre de plaisantes fragrances d'agrumes et de cédrat, et offre une bouche ronde et généreuse, légèrement

muscatée en finale. Parfait pour une volaille ou un poisson en sauce.

☛ EARL Terra Corsa, Dom. Fiumicicoli, rte de Levie, 20100 Sartène, tél. 04 95 77 10 20, fax 04 95 77 96 90, domaine.fiumicicoli@laposte.net, ☑ ⚐ ☖ r.-v.

☛ F. et S. Andreani

Ⓑ DOM. DE GRANAJOLO Porto-Vecchio Cuvée Tradition 2012 ★

■	17 000	■	8 à 11 €

Historiquement, ce domaine, fondé par André et Monika Boucher en 1974, est le premier vignoble corse à avoir obtenu une certification bio, en 1987. À la disparition de son père, Gwenaële, œnologue de formation, a repris la gestion de la propriété avec sa mère. Elle propose un pur sciaccarellu d'une belle générosité, porté sur les agrumes à l'olfaction, ample et long en bouche. Ce rosé gourmand sera à son aise sur une assiette de tapas de la mer et/ou de la terre.

☛ G. Boucher, La Testa, 20144 Sainte-Lucie-de-Porto-Vecchio, tél. 04 95 70 37 83, fax 04 95 70 37 43, info@granajolo.fr, ☑ ⚐ ☖ t.l.j. sf sam. dim. 9h-13h 17h-19h

DOM. MAESTRACCI Calvi Villa Maestracci 2011 ★

■	750	⬛	15 à 20 €

Ce domaine dirigé par Michel Raoust propose une large gamme de cuvées. Camille-Anaïs Raoust a pris la suite de son père à la vinification et signe ce 2011 élevé douze mois en fût. Le vin se présente dans une robe légèrement dorée et offre un bouquet dominé par d'intenses notes boisées aux accents d'amande grillée et de vanille. En bouche, il délivre une matière d'une belle ampleur, plus équilibrée entre fruité et boisé. Il lui suffira de quelques mois en cave pour révéler son caractère et sa typicité.

☛ Michel Raoust, Clos Reginu, E-Prove, 20225 Muro, tél. 04 95 61 72 11, fax 04 95 61 80 16, clos.reginu@wanadoo.fr, ☑ ⚐ ☖ r.-v.

DOM. DE MUSOLEU Cuvée Monte Cristo 2011 ★★

■	9 300	■	8 à 11 €

Ce domaine tire son nom du site romain sur lequel il est implanté. Charles Morazzani a repris en 1972 ce vignoble familial situé au cœur du village de Folelli, au bord de la nationale. Il est donc aisé de s'y arrêter pour déguster ce très beau 2011, assemblage de niellucciu et de syrah, au nez intense de fruits rouges et d'épices. En bouche, une belle structure tannique soutient cette généreuse gamme aromatique. Un vin de grande expression, qui pourra donner la réplique à un filet de bœuf en croûte. La **cuvée principale 2012 blanc (5 à 8 € ; 6 600 b.)**, aux notes de fruits confits, de miel et de vanille, puissante et équilibrée, se dégustera quant à elle sur un filet de bar sauvage.

☛ Charles Morazzani, Dom. de Musoleu, 20213 Folelli, tél. 04 95 36 80 12, charles.morazzani@orange.fr, ☑ ☖ t.l.j. sf dim. 8h30-12h 15h-19h

DOM. PETRA BIANCA Figari Prestige 2010 ★★

■	80 000	■	5 à 8 €

Jean Curralucci et Joël Rossi se sont associés dans les années 1990 pour reprendre cette vaste propriété. Conseillés par les meilleurs œnologues, ils se sont efforcés au fil des ans de donner toute sa notoriété à ce magnifique vignoble de 45 ha. Ils proposent ici trois vins de belle facture, dans les trois couleurs. Le rouge, tout d'abord, a su séduire par son nez subtil de fruits rouges accompagnés de senteurs d'épices et de sous-bois. La bouche, à l'unisson, se révèle ample, fondue et remarquablement équilibrée par une fine fraîcheur. Ce 2010 a du relief et pourra donner dès à présent la réplique à une pièce de gibier, un salmis de pigeon par exemple. Le **Figari Vinti Legna 2012 rosé (8 à 11 €)** obtient une étoile pour son bouquet d'agrumes et sa fraîcheur minérale en bouche. Quant au **Figari Vinti Legna 2012 blanc (11 à 15 € ; 8 000 b.)**, dans un style riche et soyeux, il est cité.

☛ Dom. Petra Bianca, Tarabucetta, 20114 Figari,
tél. 04 95 71 01 62, petra.bianca@orange.fr,
☑ ⚔ ⟑ t.l.j. 10h-12h 15h-19h; f. fév.

DOM. PETRONI 2012 ★★

	40 000	▮	5 à 8 €

Ce domaine est l'une des marques produites par la SCA UVIB, la plus importante cave coopérative de l'île. La structure bénéficie d'installations modernes, du savoir-faire d'Alain Leymarie, œnologue de talent, et du dynamisme de son nouveau directeur général, Jean Foch. Ces talents conjugués nous permettent de découvrir un rosé de haute expression, véritable bouquet d'arômes printaniers complétés par de fines pointes amyliques. Croquante en bouche comme un bonbon au fruit, cette gourmandise se dégustera sans attendre, à l'apéritif. La **Réserve du Président Tradition 2012 blanc (40 000 b.)**, citée, bien équilibrée entre rondeur et fraîcheur, offre une jolie expression du vermentinu.

☛ SCA UVIB, Padulone, 20270 Aléria, tél. 04 95 57 02 48,
aleymarie@uvib.fr, ☑ ⚔ ⟑ t.l.j. 8h30-12h 14h-18h

DOM. PIERETTI Coteaux du Cap Corse A Murteta 2011 ★

	4 500	▮	15 à 20 €

S'il est un vignoble incontournable à découvrir dans le Cap Corse, c'est bien celui de Lina Pieretti Venturi. Les parcelles sont complantées sur plusieurs communes de cette « microrégion », mais la cave est en bord de mer, à la Marine de Luri. Lina, sourire aux lèvres, saura vous parler de sa passion vigneronne transmise par son père Jean, aujourd'hui disparu, figure emblématique de la viticulture corse. Elle propose un 2011 au nez séducteur de fruits rouges et d'épices. La bouche délivre une matière ronde, portée par des tanins soyeux et fondus, qui permettront de déguster cette cuvée dès à présent, sur une aiguillette de poulet façon basquaise. Le **2012 blanc Coteaux du Cap Corse Marine (20 à 30 € ; 4 000 b.)**, issu de ceps de vermentinu plantés à proximité de la mer, est cité pour son ampleur et sa fraîcheur minérale et mentholée.

☛ Angeline Venturi-Pieretti, Santa-Severa, 20228 Luri,
tél. 04 95 35 01 03, domainepieretti@orange.fr,
☑ ⟑ t.l.j. 9h-12h 16h-19h; hors-saison sur r.-v.

♥ DOM. DE LA PUNTA 2011 ★★

	30 000	▮	8 à 11 €

En 2003, François Paoli et Alain Lugarini, viticulteurs coopérateurs, décident de s'associer et de créer leur propre domaine. Ainsi est née La Punta. Dotée d'équipements modernes, en pleine expansion, la cave est située à quelques kilomètres au nord d'Aléria. Les vignes sont menées avec un soin particulier par ces deux vignerons de

talent. Ils obtiennent cette année un coup de cœur enthousiaste pour ce rouge 2011 d'une incroyable richesse, issu du niellucciu (50 %), du grenache et de la syrah. Le nez, complexe et généreux, associe le fruité de la cerise et de la mûre à des notes d'épices douces et à quelques nuances iodées plus fraîches. Tout aussi avenante, la bouche dévoile des tanins souples et caressants, enrobés par un fruité mûr qui laisse le souvenir d'un vin harmonieux et charmeur en diable. Un bel ambassadeur de l'appellation, à déguster au cours des deux prochaines années sur une viande en sauce, un osso bucco par exemple.

☛ SCEA de la Punta, RN 198, 20270 Aléria,
tél. 04 95 30 60 68, fax 04 95 32 68 03,
domaine.de.la.punta@wanadoo.fr,
☑ ⚔ ⟑ t.l.j. sf sam. dim. 9h-12h 14h-18h
☛ Lugarini et Paoli

A. RONCA Calvi 2012 ★★

	14 000	▮	5 à 8 €

En 2006, Marina Acquaviva a repris une partie du domaine familial Figarella pour créer sa propre marque. Sur la douzaine d'hectares de cette propriété, près de 5 ha de sciaccarellu sont à l'origine de ce très beau 2012. Habillé d'une robe claire aux reflets gris, le vin est déjà très expressif au nez, dévoilant de délicates notes de fruits blancs et d'épices douces. Très suave en bouche, d'une belle longueur, on y retrouve la palette aromatique de l'olfaction, accompagnée d'une touche amylique. Bien équilibré et harmonieux, ce rosé s'appréciera aussi bien à l'apéritif que sur un poisson grillé.

☛ Marina Acquaviva, rte de la Forêt-de-Bonifato,
20214 Calenzana, tél. 06 87 55 55 45, fax 04 95 61 06 69,
aronca@orange.fr, ☑ ⟑ t.l.j. sf dim. 11h-12h30 16h-19h30

SANT' ANTONE 2012

	40 000	▮	- de 5 €

La cave coopérative de Saint-Antoine à Ghisonaccia présente un vermentinu racé, brillant dans le verre, aux plaisants reflets gris. Le vin libère au nez un bouquet floral d'une belle intensité, et dévoile une bouche ample et d'une belle longueur, dynamisée par une agréable minéralité. À déguster sur un assortiment de fromages corses.

☛ Cave Saint-Antoine, Saint-Antoine, 20240 Ghisonaccia,
tél. 04 95 56 61 00, fax 04 95 56 61 60,
info@cavesaintantoine.com, ☑ ⚔ ⟑ r.-v.

DOM. SANT ARMETTU Sartène Pivarella 2012 ★

	7 000	❚❚	15 à 20 €

Gilles Seroin a su, au fil des ans, donner ses lettres de noblesse à ce domaine de 30 ha. Sa cuvée issue du seul vermentinu a été élevée durant huit mois en fût. Elle présente au nez de beaux arômes boisés, encore un peu

CORSE

directifs. Accompagné de notes fraîches d'agrumes, le merrain est toujours présent en bouche, où il apporte comme attendu un surcroît de structure, de volume et de complexité. Un vin élégant, qui mérite une petite garde d'un an pour révéler pleinement sa personnalité, sur une côte de veau en sauce blanche par exemple.

☞ EARL Sant Armettu, 9, av. Napoléon, 20110 Propriano, tél. et fax 04 95 76 24 47, contact@santarmettu.com,
☑ ♣ ⏶ t.l.j. sf sam. dim. 8h-12h 14h-19h ⌂ Ⓔ
☞ Seroin

♥ Ⓑ **DOM. SAPARALE** Sartène 2011 ★★

	60 000	⏸	5 à 8 €

Cette propriété fondée au XIXᵉs. a repris vie dans les années 1990 avec l'arrivée à sa tête de Philippe Farinelli, œnologue de talent et vinificateur averti. Cette année encore, ce domaine reçoit la plus haute distinction dans son appellation avec un 2011 de haute facture. Issu en majorité de sciaccarellu et élevé en foudre pendant huit mois, ce rouge s'ouvre sans réserve sur des notes généreuses de fruits rouges mûrs et de vanille. Il dévoile une bouche parfaitement fondue, ronde et légèrement boisée, d'une richesse tannique indéniable mais sans excès de vigueur, apportant au contraire un caractère velouté à l'ensemble. Un vin des plus expressifs et d'une grande harmonie, à déguster au cours des deux ou trois prochaines années. Dans le même esprit, le **2010 rouge Sartène Cuvée Casteddu** (11 à 15 € ; 30 000 b.), élevé douze mois en fût, obtient lui aussi deux étoiles, pour ses parfums intenses de fruits noirs, son palais ample, rond, adossé à de fins tanins, à la finale légèrement réglissée. À servir sur une pièce de bœuf grillée.

☞ EARL Dom. Saparale, vallée de l'Ortolo, 20100 Sartène, tél. 04 95 77 11 52, contact@saparale.com,
☑ ♣ ⏶ r.-v. ⌂ Ⓔ
☞ Farinelli

DOM. DE TANELLA Figari
Cuvée Prestige Alexandra 2011 ★★

	27 000	⏸⏸	11 à 15 €

Jean-Baptiste de Peretti Della Rocca, vigneron haut en couleur, est à la tête depuis 1975 de ce vignoble familial fondé à la fin du XIXᵉs. Cette cuvée Alexandra – du prénom de sa fille –, est le fruit d'un assemblage de niellucciu, de sciaccarellu et de syrah, cultivés sur 7 ha de sols d'arènes granitiques. Habillé de rouge sombre, ce 2011 dévoile un nez un peu sauvage légèrement musqué, présage d'un vin puissant et viril. La bouche livre quant à elle une matière légèrement épicée, d'une belle finesse, adossée à des tanins soyeux (qui rappellent la présence du sciaccarellu). Le **2012 rosé Figari Cuvée Prestige Alexandra** (8 à 11 € ; 20 000 b.), ample, fruité, frais et

d'une belle longueur, obtient une étoile et se révèle parfait pour des grillades. Le **2011 rouge Figari Grande Réserve Cuvée Alexandra** (6 000 b.), encore un peu marqué par le bois, devra s'assagir une ou deux années en cave pour laisser le temps aux jolis arômes de fruits rouges de reprendre le dessus. Il obtient la même distinction.

☞ De Peretti Della Rocca, Dom. de Tanella, rte de Bonifacio, 20137 Porto-Vecchio, tél. 04 95 70 46 23, fax 04 95 70 54 40, tanella@wanadoo.fr,
☑ ⏶ t.l.j. 9h-12h 15h-19h

TERRA NOSTRA Cuvée ancestrale 2011 ★★

	100 000	⏸	8 à 11 €

La SICA UVAL est l'émanation commerciale de la cave coopérative de la Marana. Son directeur Alain Mazoyer, assisté d'une solide équipe technique, sélectionne les plus belles parcelles des différents apporteurs pour élaborer les vins de la marque Terra Nostra. Ce pur niellucciu libère à l'olfaction de savoureuses notes fruitées et épicées. La bouche, à l'unisson, se révèle concentrée et bien structurée. On pourra ouvrir cette jolie bouteille dès la sortie du Guide ou dans deux ans, sur du petit gibier par exemple.

☞ UVAL Les Vignerons corsicans, lieu-dit Rasignani, 20290 Borgo, tél. 04 95 58 44 00, fax 04 95 38 38 10, uval.fm@corsicanwines.com,
☑ ⏶ t.l.j. sf dim. 9h-12h 15h-19h; lun. 15h-19h; sam. 9h-12h

DOM. VECCHIO Mélusine 2010 ★★

	2 000	⏸⏸	30 à 50 €

En 2003, à l'occasion de la naissance de leur petite-fille, Florence et Jérôme Girard ont donné son prénom à cette cuvée, élaborée la même année. Un seul hectare du meilleur niellucciu, offrant des raisins à fort potentiel, est à l'origine de ce séduisant 2010. Au nez, le bois domine encore un peu, sans pour autant masquer les fragrances de myrte et de poivre noir. La bouche est d'une étonnante richesse, appuyée par des tanins d'une remarquable finesse. Un rouge bien équilibré entre fruité et boisé, que l'on pourra apprécier dès à présent, mais qui saura également tenir en cave deux ou trois ans. Pour un magret de canard rôti au sel.

☞ Florence Giudicelli-Girard, Dom. Vecchio, Listicone, 20230 Chiatra, tél. 06 03 78 09 96, fax 04 95 38 03 37, vecchio@sfr.fr, ☑ ♣ ⏶ t.l.j. sf dim. 10h30-12h 16h-18h30; en hiver sur r.-v. ⌂ Ⓓ

DOM. VICO 2012 ★

	26 000	⏸	5 à 8 €

Vico est le seul domaine complanté de vignes au centre de l'île, sur la commune de Ponte-Leccia. Les hivers y sont rudes et les étés torrides. Il faut à la vigne un caractère de résistance pour produire des raisins capables de donner naissance à des cuvées aussi aimables que ce 2012 de belle expression, aux parfums de cédrat et de menthol. Un vin dont le caractère affirmé en bouche n'exclut pas une certaine finesse et de l'équilibre. Même distinction pour le **2012 rosé** (60 000 b.), qui présente de plaisants arômes de fruits rouges aux nuances amyliques, et un palais bien équilibré entre gras et fraîcheur.

☞ Dom. Vico, rte de Calvi, 20218 Ponte-Leccia, tél. 04 95 47 61 35, fax 04 95 30 85 57, domaine.vico@orange.fr,
☑ ♣ ⏶ t.l.j. sf dim. 10h-12h 15h-19h
☞ Acquaviva et Venturi

DOM. LA VILLA ANGELI 2012

| | 60 000 | ▮ | 8 à 11 € |

La Cave de la Marana, située à Borgo, vinifie plusieurs domaines de la côte orientale, dont La Villa Angeli, propriété de Guy Mizael. Ce rosé composé de sciaccarellu et de cinsault a été apprécié des dégustateurs pour son bouquet de fruits rouges acidulés dans lequel on distingue la groseille, ainsi que pour sa fraîcheur en bouche et son équilibre. À déguster entre amis au coin du barbecue.

☛ Cave coopérative de la Marana, lieu-dit Rasignani, 20290 Borgo, tél. 04 95 58 44 00, fax 04 95 38 38 10, uval.sica@corsicanwines.com,

☑ ☖ t.l.j. sf dim. 9h-12h 15h-19h; lun. 15h-19h; sam. 9h-12h

Ajaccio

Superficie : 243 ha
Production : 8 800 hl (90 % rouge et rosé)

L'appellation ajaccio borde sur quelques dizaines de kilomètres la célèbre cité impériale et son golfe. Ce terroir d'exception, généralement granitique, permet au sciaccarellu, cépage phare pour les rouges et rosés, et au vermentinu, en blanc, d'exprimer tout leur potentiel.

CLOS CAPITORO 2012 ★★

| | 22 000 | ▮ | 8 à 11 € |

Clos Capitoro est l'une des références de l'appellation, dont Jacques Bianchetti, aujourd'hui secondé par ses filles Éloïse et Mélissa, est l'un des animateurs les plus dynamiques depuis son arrivée en 1975 à la tête de la propriété familiale. Paré d'une robe pâle et lumineuse, ce 2012 dévoile un nez frais, nuancé de notes légèrement fumées et exotiques, relayé par une bouche vive mais sans agressivité, longue et non dénuée de douceur. Un vin alerte et très équilibré, parfait pour l'apéritif ou une terrine de poisson. Le **rosé 2012 (62 000 b.),** 100 % de sciaccarellu, est gratifié d'une étoile pour sa robe élégante aux reflets bleu-violet, pour sa fine palette aromatique (agrumes, pêche, fraise) et pour son palais gras et rond. Un rosé de table assurément, que l'on verrait bien sur un tajine au poulet pour révéler tous ses atouts.

☛ Jacques Bianchetti, Clos Capitoro, Pisciatella, 20166 Porticcio, tél. 04 95 25 19 61, fax 04 95 25 19 33, info@clos-capitoro.com, ☑ ⚘ ☖ r.-v.

CLOS D'ALZETO L'Alzeto Prestige 2012 ★★

| | 30 000 | | 11 à 15 € |

Ne cherchez pas le Clos d'Alzeto aux portes de la ville d'Ajaccio. Bien que situé dans l'appellation et très bel ambassadeur de celle-ci, le domaine est établi sur la commune de Sari-d'Orcino, à l'extrémité nord-ouest de la zone classée. De génération en génération, la famille Albertini se transmet vignoble et savoir-faire. Elle se distingue cette année encore, dans les trois couleurs. Généreux dans son expression aromatique, tout en notes printanières, florales (acacia, aubépine) et fruitées (agrumes), son blanc 2012 l'est également en bouche, rond, un rien beurré, long et élégant, avec une belle fraîcheur en soutien. Un blanc de repas, qui fera merveille sur un risotto aux champignons des bois. Le **rouge Prestige 2010 (20 000 b.),** issu à large majorité de sciaccarellu

(80 %), est dans la parfaite tradition des vins de l'appellation : nez sur l'épice agrémenté d'une pointe marine, bouche sur le poivre, les sous-bois et les fruits rouges, soyeuse et ample sans être envahissante, structurée sans dureté. Un rouge qualifié de « féminin », dont les hommes raffoleront également. Le **rosé 2012 (8 à 11 € ; 70 000 b.),** dans un style rond et gras, est cité.

☛ Pascal Albertini, 20151 Sari-d'Orcino, tél. 04 95 52 24 67, fax 04 95 52 27 27, contact@closdalzeto.com,

☑ ⚘ ☖ t.l.j. sf dim. 8h-12h 14h-18h
☛ Albertini

CLOS ORNASCA 2012 ★

| | 21 000 | ▮ | 8 à 11 € |

Lætitia Tola et son mari Jean-Antoine Manenti dirigent ce domaine depuis une douzaine d'années. Vincent, son fondateur, aujourd'hui disparu, avait également construit un caveau de dégustation qui mérite le détour. Lætitia vous y fera probablement découvrir son rosé et son blanc, tous deux sélectionnés. Cité, le **blanc 2012 (7 000 b.)** dévoile un nez à dominante exotique (fruit de la Passion), assez original pour un vermentinu, et se révèle ample et vif en bouche. Parfait pour l'apéritif. Mais c'est le rosé qui a eu la préférence des dégustateurs. C'est un vin très ouvert, qui déploie de beaux arômes de fruits exotiques, d'agrumes et de bonbon anglais. Très frais et dynamique en bouche, il fera un bon compagnon pour des sushis.

☛ Tola-Manenti, Clos Ornasca, Eccica Suarella, 20117 Eccica-Suarella, tél. 04 95 25 09 07, closornasca@orange.fr,

☑ ☖ t.l.j. sf dim. 8h-12h 14h-18h (15h-19h en été)

DOM. COMTE PERALDI 2012 ★★

| | 10 133 | ▮ | 8 à 11 € |

Le domaine Peraldi présente la particularité de se trouver presque au cœur de la ville d'Ajaccio, sur la commune de Mezzavia. C'est aujourd'hui l'épouse de Guy de Poix, disparu prématurément qui entretient la grande notoriété de ce domaine. Christophe George, qui officie en cave, a élaboré un très beau vermentinu 2012, séduisant dans sa robe claire animée de reflets dorés. Le nez est très ouvert, expressif, gourmand, sur les fruits exotiques, les fleurs blanches, l'amande et le miel d'acacia. Un festival aromatique qui se prolonge dans un palais gras, rond et soyeux, égayé par une fine trame minérale. Un beau classique, auquel un tajine de poisson conviendra à merveille. Cité, le **rouge 2010 Clos du Cardinal (15 à 20 € ; 20 000 b.)** dévoile un bouquet d'épices et de bois de santal ; il déploie en bouche des tanins encore jeunes qui appellent quelques mois de garde.

☛ EARL Dom. Peraldi, chem. du Stiletto, 20167 Mezzavia, tél. 04 95 22 37 30, fax 04 95 20 92 91, dom.peraldi@wanadoo.fr, ☑ ⚘ ☖ r.-v.
☛ Tyrel de Poix

♥ DOM. DE PIETRELLA 2011 ★★★

| | 30 000 | ▮ | 5 à 8 € |

Le domaine de Pietrella se situe sur la commune d'Eccica Suarella. Toussaint Tirroloni, fils de l'un des fondateurs, dirige aujourd'hui ce joli vignoble de 38 ha. Il ne pouvait faire mieux cette année : trois étoiles et un coup de cœur. Ce rouge, issu à majorité du magnifique sciaccarellu (80 %), le grenache faisant l'appoint, présente toutes

CORSE

2011

Domaine de
PIETRELIA

A J A C C I O
APPELLATION AJACCIO CONTRÔLÉE

MIS EN BOUTEILLE AU DOMAINE PAR
Toussaint Tirroloni

PROPRIÉTAIRE RÉCOLTANT - 20117 CAURO
PRODUIT DE FRANCE

les qualités requises pour être l'ambassadeur de son appellation. Belle couleur rubis sombre, nez tout en finesse, sur les épices et les notes marines, bouche ample et longue, sans tanins agressifs, gourmande et croquante comme un bonbon au fruit. Une « friandise » à déguster tout simplement entre amis, à l'apéritif, aujourd'hui ou dans deux ans.
🕽 Toussaint Tirroloni, Dom. de Pietrella, 20117 Cauro, tél. 06 11 36 41 20, fax 04 95 50 11 52, info@domainedepietrella.com,
☑ ⧟ t.l.j. sf dim. 9h-12h 14h-18h30

DOM. DE PRATAVONE 2012 ★

	105 000	▪	5 à 8 €

Le domaine de Pratavone est situé au sud de l'appellation, sur la commune de Cognocoli-Monticchi, non loin de Porto Pollo. Œnologue de formation, Isabelle Courrèges voit ses vins régulièrement retenus dans le Guide, souvent en très bonne place (le rouge 2010 fut coup de cœur l'an dernier, pour ne citer que le plus récent). Elle signe ici un très joli rosé en robe claire à reflets saumonés, qui s'ouvre sur des parfums de fruits rouges, d'agrumes et de noix muscade. Généreux et rond en bouche, tout en conservant une belle fraîcheur, cet ajaccio accompagnera volontiers une salade aux petits légumes de printemps. Le blanc 2012 (20 000 b.), bien typé du vermentinu, séduit par sa fraîcheur aromatique dominée par le pamplemousse.
🕽 SCEA Dom. de Pratavone, 20123 Cognocoli-Monticchi, tél. 04 95 24 34 11, fax 04 95 24 34 74, domainepratavone@wanadoo.fr,
☑ ⚔ ⧟ t.l.j. sf dim. 8h30-12h 15h-19h; ouv. le dim. en juil.-août

♥ DOM. DE LA SORBA 2011 ★★★

	18 000	▪	5 à 8 €

DOMAINE de la
SORBA

A J A C C I O
APPELLATION AJACCIO CONTRÔLÉE

Louis Musso
PROPRIÉTAIRE RÉCOLTANT 20090 AJACCIO

Valeur sûre de l'appellation, le domaine de Louis Musso décroche un troisième coup de cœur en quatre éditions. Une constance remarquable au plus haut niveau

qui trouve écho dans ce rouge 2011 d'exception. Tout en puissance aromatique, il propose une magnifique expression du cépage sciaccarellu, associé ici au nielluciu et au grenache. Très intense et complexe, l'olfaction dévoile des notes de fraise écrasée, de cannelle, de poivre gris et de girofle. Une même exubérance caractérise le palais, long et vigoureux mais sans dureté, étayé par des tanins fins et soyeux à souhait. Un ajaccio de grande classe, à servir sur une belle pièce de bœuf grillée. Le rosé 2012 (17 000 b.), ample et gras, séduit par son fruité frais et croquant : une étoile.
🕽 Louis Musso, EARL Dom. San Biaggio, Dom. de la Sorba, rte du Finosello, 20090 Ajaccio, tél. et fax 04 95 23 38 26, domainedelasorba@wanadoo.fr, ☑ ⧟ r.-v.

Patrimonio

Superficie : 418 ha
Production : 16 140 hl (85 % rouge et rosé)

Au pied du cap Corse, la petite enclave de terrains calcaires qui, du golfe de Saint-Florent, se développe vers l'est et surtout vers le sud, présente les caractères d'un cru bien homogène. Le niellucciu, en rouge et en rosé, et le vermentinu en blanc laissent leur empreinte dans des vins typés et d'excellente qualité : des rouges fruités et épicés, qui peuvent être somptueux et de longue garde, des rosés colorés, puissants et fruités, des blancs gras et aromatiques.

DOM. ALISO-ROSSI Fleurs d'amandiers 2012 ★

	1 500		8 à 11 €

Des 24 ha que compte le vignoble, Dominique Rossi a sélectionné 2 ha pour ce vermentinu de belle facture, qui séduit d'emblée dans son habit jaune pâle. Le bouquet très expressif dévoile des notes florales (mimosa) et iodées. La bouche puissante est bien équilibrée entre l'alcool et la minéralité. Un classique de l'appellation à attendre deux ou trois ans, avant de le déguster sur des rougets aux anchois.
🕽 Dom. Aliso-Rossi, Dominique Rossi, hameau Corsu, 20246 Santo-Pietro-di-Tenda, tél. et fax 04 95 37 03 03, dominique.rossi024@orange.fr, ☑ ⚔ ⧟ r.-v.

DOM. NAPOLÉON BRIZI 2011

	10 000	▪	11 à 15 €

À partir de 2011, Napoléon Brizi a cédé la place à l'EARL Brizi, constitué de Napoléon et de quelques amis. Voici donc le premier millésime de cette nouvelle structure. Les dégustateurs ont apprécié l'harmonie générale du vin, qui reste encore un peu timide à l'olfaction, sur des notes réglissées, et dévoile un palais tannique et austère mais prometteur. Un vin à attendre deux ans et à carafer avant de le servir, afin qu'il exprime tout son potentiel, sur une côte de veau aux herbes. Le blanc 2012 (10 000 b.), récolté en caisses maintenues à très basse température pendant vingt-quatre heures, révèle de fines notes de pain grillé au nez, puis une plaisante fraîcheur en bouche. Dans la tradition des blancs de l'AOC patrimonio.

🐌 EARL Napoléon Brizi, 20253 Patrimonio,
tél. 04 95 58 44 01, uval.mazoyer@corsicawines.com,
Ⓥ ⵙ r.-v.

DOM. DE CATARELLI Blanc de blancs 2012

	5 000	🏷	8 à 11 €

Le domaine de Catarelli, situé sur la commune de Farinole, au départ de la sinueuse route du cap Corse, est composé de 9 ha de vignes mais aussi de gîtes ruraux et d'un camping à la ferme. Résident ou de simple passage, n'hésitez pas à déguster ce très joli blanc dans la grande tradition du vermentinu, au nez sur les agrumes, et à la bouche à la fois ronde et fraîche. Parfait pour un apéritif.
🐌 EARL Dom. de Catarelli, Marine de Farinole, rte de Nonza, 20253 Patrimonio, tél. 04 95 37 02 84, fax 04 95 37 18 72 Ⓥ ⵙ t.l.j. sf dim. 9h-12h 15h-19h 🏠 ➌
🐌 Laurent Le Stunff

💚 CLOS SAN QUILICO 2012 ★★

	10 000	🏷	5 à 8 €

Une magnifique propriété que ce Clos San Quilico régulièrement distingué dans le Guide. Trente hectares de vignes d'un seul tenant situées entre la cathédrale de Saint-Florent et la petite chapelle qui a donné son nom au domaine. Au centre du vignoble, un magnifique corps de ferme récemment restauré par Henri Orenga de Gaffory. Tout le potentiel de ce terroir, révélé par le savoir-faire de Philippe Rideau, l'œnologue du domaine, s'exprime dans ce 2012 jaune pâle limpide. Un nez explosif de fruits blancs, de pamplemousse et de citrus, une bouche nerveuse sans être acide, d'une longueur qui semble infinie. Un ensemble remarquable dans la plus pure tradition du vermentinu. Le rosé 2012 (24 000 b.) du domaine reçoit une étoile. Les dégustateurs ont particulièrement apprécié son côté gourmand qui s'accordera volontiers avec une salade de fraises à la menthe sauvage.
🐌 EARL Dom. San Quilico, Morta Majo, 20253 Patrimonio, tél. 04 95 37 45 00, fax 04 95 37 14 25, contact@orengadegaffory.com, Ⓥ ⵙ t.l.j. 8h-18h
🐌 Henri Orenga

Ⓑ CLOS SANTINI CS 2012 ★

	12 400	🏷	8 à 11 €

Franck Santini a créé son vignoble en 2007. Son expérience de vigneron, il la tient de son grand-père, Louis Montemagni, lui aussi vigneron (de renom) dans l'appellation. Franck a obtenu la certification bio, après une démarche de conversion entamée en 2009. Il présente un rosé gourmand tout au long de la dégustation. Très séduisant à l'œil dans sa robe rose bonbon, ce 2012 évoque les fruits rouges. Ces arômes se poursuivent dans un palais gras, de belle longueur, qui laisse en finale une agréable sensation de douceur. À servir sur un dessert aux fruits.
🐌 Franck Santini, lieu-dit Morta Majo, BP 05, 20253 Patrimonio, tél. 06 20 44 38 42, domaine.francksantini@gmail.com, Ⓥ ⵙ ⵙ t.l.j. 8h-19h

CLOS TEDDI 2012 ★★

	33 000	🏷	11 à 15 €

Marie-Brigitte Poli reprend au début de l'année 2000 le vignoble créé par son père dans les années 1970, implanté au milieu du désert des Agriates, terres arides par excellence. Le domaine ne possédant pas de cave, Marie-Brigitte la bâtit dans le même temps. Elle travaille avec soin ses sélections parcellaires et ses vins pour offrir au fil des années des cuvées très abouties, dans le droit fil de l'appellation. Les trois couleurs sont distinguées cette année. Du blanc, les dégustateurs ont retenu les notes florales et anisées dun fin bouquet, le volume plaisant de la bouche, bien équilibrée entre minéralité et puissance. Un superbe ensemble à découvrir à l'apéritif ou sur une entrée de poisson. Le rosé 2012 (56 000 b.) reçoit également deux étoiles. Le nez très expressif, qui mêle fruits blancs et notes de cerise, annonce une bouche fraîche et d'une remarquable complexité, où l'on retrouve la palette aromatique découverte à l'olfaction. Le rouge Grande Cuvée 2010 (15 à 20 € ; 4 000 b.) reçoit une étoile. Ce niellucciu élevé en fût durant dix-huit mois séduit par son équilibre général. À déguster dès la sortie du Guide ou à attendre deux ou trois ans.
🐌 Marie-Brigitte Poli, Casta, 20217 Saint-Florent, tél. 06 10 84 11 73, fax 04 95 37 24 07, clos.teddi@orange.fr, Ⓥ ⵙ t.l.j. 10h-13h 16h-20h

JACQUES FRANÇOIS DEVICHI 2011

	1 000	🏷	8 à 11 €

Marie-Françoise Devichi reprend cette année le vignoble familial à la suite de son père Jacques-François. Sur les 27 ha que compte la propriété, 6 ha ont été consacrés à l'élaboration de ce rouge pourpre peu soutenu, au nez discret qui s'ouvre à l'aération sur des notes de maquis et menthol. Harmonieuse et souple, la bouche est portée par des tanins légers. À consommer dès la sortie du Guide sur une volaille en sauce.
🐌 Marie-Françoise Devichi, lieu-dit Fontana, 20253 Barbaggio, tél. 06 03 83 57 03, fax 04 95 37 01 07, m.f@wanadoo.fr, Ⓥ ⵙ r.-v.

DOM. D'E CROCE 2012 ★

	10 000	🏷	20 à 30 €

Yves Leccia a créé son propre domaine en 2005, après avoir dirigé l'exploitation familiale pendant une quinzaine d'années. Sur cette propriété, il élabore avec son épouse Sandrine de très beaux crus tel ce blanc expressif, typique du vermentinu, mêlant notes de tilleul et fleurs de citronnier, à la bouche très veloutée et de belle longueur. Que diriez-vous d'un curry de gambas aux mangues pour le mettre en valeur ? Les dégustateurs ont également apprécié le rosé 2012 (11 à 15 € ; 5 000 b.), rond et généreux. Il est cité.
🐌 Yves Leccia, lieu-dit Morta-Piana, 20232 Poggio-d'Oletta, tél. et fax 04 95 30 72 33, leccia.yves@wanadoo.fr, Ⓥ ⵙ t.l.j. sf dim. 9h-12h 15h-18h

DOM. GIACOMETTI Cru des Agriates 2012 ★★

| | 20 000 | 📷 | 5 à 8 € |

Christian Giacometti et son épouse ont repris le domaine familial en 1997. Pour atteindre la propriété, il faut emprunter une piste qui serpente au milieu du désert des Agriates. Mais la patience est toujours récompensée. L'accueil de ce couple de vignerons est souriant et les vins issus de ce terroir difficile toujours de très belle facture. Cette année, les trois couleurs sont à l'honneur. Le rosé, d'une couleur rose franc, s'ouvre sur une palette aromatique complexe axée autour de la fraise des bois et de la cerise. On pourra apprécier ce 2012 puissant et long en bouche, très expressif, sur un plat oriental, comme un couscous d'agneau. Le **rouge Cru des Agriates 2011 (20 000 b.)**, sur le fruit et la torréfaction, signe son origine méditerranéenne avec en bouche de belles notes de maquis, d'immortelle et de ciste. Porté par des tanins déjà fondus, ce vin riche et rond pourra être dégusté dès à présent ou dans un an ou deux. Il reçoit une étoile. Cité, le **blanc Cru des Agriates 2012 (5 000 b.)**, au bouquet frais de fleur blanche et de menthe, est idéal pour l'apéritif.

📞 C. Giacometti, Casta, 20246 Santo-Pietro-di-Tenda, tél. 04 95 37 00 72, fax 04 95 37 19 49, domainegiacometti@orange.fr,

☑ ⚔ ♈ t.l.j. sf dim. 10h-12h 15h-19h

💙 A MANDRIA DI SIGNADORE 2011 ★★

| | 8 000 | | 15 à 20 € |

A Mandria
di Signadore

PATRIMONIO

Le Clos Signadore, propriété de 10 ha établie sur un terroir argilo-calcaire, est situé sur la commune de Poggio-d'Oletta. Christophe Ferrandis a repris l'exploitation en 2001 et s'emploie à exprimer au mieux les qualités de ses très vieilles vignes de niellucciu. Objectif parfaitement atteint avec ce 2011 A Mandria di Signadore, une invitation au plaisir immédiat. La superbe robe rouge rubis très sombre donne envie de poursuivre. On découvre alors un bouquet délicat et d'une réelle complexité qui allie notes de café grillé, de sous-bois et de baies rouges sauvages. Le palais ? Une souplesse remarquable, un parfait équilibre entre structure, fruit et fraîcheur, une finale qui n'en finit pas : une gourmandise à apprécier dès la sortie du Guide sur un gigot d'agneau.

📞 Christophe Ferrandis, Clos Signadore, La Morta-Piana, 20232 Poggio-d'Oletta, tél. 06 15 18 29 81, contact@signadore.com, ☑ ⚔ ♈ r.-v.

DOM. MONTEMAGNI 2012 ★

| | 15 000 | 📷 | 5 à 8 € |

Le domaine Montemagni, fondé par l'arrière-grand-père du propriétaire actuel, représente 105 ha de vignes, une multitude de cuvées, un vigneron attachant et, tou-

jours, de belles distinctions dans le Guide. Ce 2012 jaune paille brillant s'ouvre sur de jolies notes florales agrémentées de citrus et d'orange amère. Très droit en attaque, le palais se révèle ensuite plus gras et gourmand, et séduit par son équilibre et sa bonne longueur. Une étoile pour le **rouge 2008 Andria (15 à 20 € ; 2 000 b.)**, issu des plus vieilles vignes du domaine. Les nuances brunes de la robe informent sur la parfaite maturité de ce vin, élevé quatorze mois en fût. Le nez est ouvert sur des notes de cannelle et de romarin. Les tanins sont parfaitement disciplinés et confirment l'apogée de cette cuvée que l'on verrait bien accompagner une daube de veau corse. Le **rosé Cuvée Prestige du Menhir 2012 (8 à 11 € ; 6 000 b.)** est cité pour son fruité frais.

📞 Montemagni, 20253 Patrimonio, tél. 04 95 37 14 46, fax 04 95 37 17 15, domainemontemagni@orange.fr,

☑ ⚔ ♈ t.l.j. 9h-18h 🏨 ❸

DOM. NOVELLA 2012

| | 15 000 | 📷 | 8 à 11 € |

Cette année, Pierre-Marie Novella, discret mais efficace vigneron de l'appellation, invite à découvrir un rosé né de niellucciu (80 %) complété d'une touche de vermentinu. La couleur est séduisante sur le rose pâle. Le nez, discret mais d'une belle finesse, dévoile des notes d'agrumes et de sucre candy. Le palais est à la fois gourmand et frais. Un rosé équilibré et typique du « vin de soif ». On le dégustera à l'apéritif.

📞 Pierre-Marie Novella, 20232 Oletta, tél. 04 95 39 07 41, domainenovella@wanadoo.fr,

☑ ⚔ ♈ t.l.j. sf dim. 10h-12h 15h-19h ; f. nov. jan. fév.

ORENGA DE GAFFORY OG 2012 ★

| | 70 000 | 📷 | 8 à 11 € |

Le domaine Orenga de Gaffory fait partie des incontournables de l'appellation. À la sortie de Patrimonio, on remarque le vaste caveau de dégustation qui recèle également une belle salle d'exposition. Ainsi on flâne, un verre à la main, tout en admirant les œuvres des différents artistes. Le rosé se voit cette année gratifié d'une étoile. Les dégustateurs ont apprécié sa couleur soutenue, son bouquet très bonbon anglais, sa rondeur et sa bonne tenue en bouche. Un rosé de repas idéal pour accompagner une poêlée de légumes croquants. Cité, le **rouge 2012 Cuvée des Gouverneurs (11 à 15 €)**, élevé en fût durant un an, est encore très boisé, mais a suffisamment de coffre pour digérer son élevage. Il devra patienter deux bonnes années avant de révéler son potentiel sur des grillades.

📞 GFA Orenga de Gaffory, Morta-Majo, 20253 Patrimonio, tél. 04 95 37 45 00, fax 04 95 37 14 25, contact@orengadegaffory.com, ☑ ⚔ ♈ t.l.j. 8h-18h

📞 Henri Orenga

DOM. PASTRICCIOLA 2012

| | 4 000 | 📷 | 5 à 8 € |

Le GAEC Pastricciola, c'est avant tout l'association de trois amis ayant décidé au début des années 1990 de réunir leurs talents de vignerons pour reprendre cette jolie propriété d'une quinzaine d'hectares. Ils proposent un blanc cristallin à reflets gris, au joli bouquet exotique qui évoque le... loukoum à la rose, frais et de bonne longueur. On le servira à l'heure de l'apéritif.

📞 GAEC Pastricciola, rte de Saint-Florent, 20253 Patrimonio, tél. 04 95 37 18 31, fax 04 95 37 08 83

☑ ⚔ ♈ t.l.j. 9h-19h ; f. nov.-mars

DOM. SANTAMARIA DS 2009 ★

	8 000		8 à 11 €

Jean-Louis Santamaria exploite ce beau vignoble de 13 ha, niché au cœur de la Conca d'Oru. Ce vigneron revendique avec force ses origines paysannes et c'est par respect pour sa terre qu'il a entrepris de convertir son vignoble au bio. Ce rouge se fait remarquer d'emblée dans sa belle robe brillante et soutenue, dont les reflets tuilés sont le signe d'un vin « adulte ». Le nez dévoile des notes de cassis et de cerise légèrement kirschée. La bouche gourmande et équilibrée révèle une belle souplesse qui invite à déguster cette bouteille sans attendre, avec un assortiment de fromages doux.

☛ Dom. Santamaria, rte du Lac-de-Padula, Plaine d'Oletta, 20217 Saint-Florent, tél. 04 95 39 03 51, fax 04 95 39 07 42, domaine.santamaria@orange.fr,

☑ ⚔ ⏆ t.l.j. 9h-12h 14h-18h; sam. dim. sur r.-v.

Muscat-du-cap-corse

Superficie : 89 ha
Production : 1 977 hl

Délimitée dans les territoires de 17 communes de l'extrême nord de l'île, l'appellation a été reconnue en 1993 – aboutissement des longs efforts d'une poignée de vignerons regroupés sur les terroirs calcaires de Patrimonio et sur ceux, schisteux, de l'AOC vin-de-corse Coteaux-du-Cap-corse.

Le seul muscat blanc à petits grains entre dans ce vin, élaboré par mutage à l'eau-de-vie de vin comme tout vin doux naturel. L'eau-de-vie arrête la fermentation et préserve ainsi au moins 95 g/l de sucres résiduels. Les muscats n'en gardent pas moins une belle fraîcheur. Ils pourront accompagner des canapés de foie gras, du fromage et des salades de fruits.

DOM. ALISO-ROSSI Sélection Goccia d'Oru 2012

	2 500		11 à 15 €

Dominique aime parler de ses vins et évoquer ses histoires vigneronnes. Si vous le croisez, il vous parlera peut-être de cette cuvée au nez fruité, légèrement citronné, et au palais généreux, puissant, d'une belle longueur. Un joli vin qui sera à son aise sur une tarte de fruits secs à la cannelle.

☛ Dom. Aliso-Rossi, Dominique Rossi, hameau Corsu, 20246 Santo-Pietro-di-Tenda, tél. et fax 04 95 37 03 03, dominique.rossi024@orange.fr, ☑ ⚔ ⏆ r.-v.

CASA ANGELI 2012

	3 000		11 à 15 €

Casa Angeli est un minuscule vignoble situé à la pointe du cap Corse, sur la commune de Rogliano. Daniel Angeli a abandonné son métier dans la fonction publique pour en prendre les rênes. Il présente un muscat au nez amylique légèrement fumé, généreux et très doux en bouche. Ce vin sera à son aise sur un dessert peu sucré tel qu'une tarte aux pommes granny smith.

☛ Daniel Angeli, Casa Angeli, lieu-dit Poggiale, 20247 Rogliano, tél. 06 76 99 15 36, angeli.daniel@wanadoo.fr,

☑ ⚔ ⏆ t.l.j. sf dim. 8h-12h 14h-18h

CLOS NICROSI Muscatellu 2012

	5 000		15 à 20 €

Jean-Noël Luigi conduit ce joli vignoble de 11 ha avec l'aide de ses enfants, Marine et Sébastien. Environ 4 ha de muscat à petits grains ont permis de produire ce vin dans la tradition du domaine, déjà très évolué, en raison du passage sur lauze des raisins pour les dessécher naturellement au soleil. Le vin livre un palais gras, à dominante miellée, bien équilibré par une juste fraîcheur.

☛ SCEA Clos Nicrosi, 20247 Rogliano, tél. 04 95 35 41 17, clos.nicrosi@orange.fr,

☑ ⏆ t.l.j. sf dim. 10h-12h 16h-19h; 30 sept-1er juin sur r.-v.
☛ Jean-Noël Luigi

DOM. MARENGO nº 655 2011

	4 000		15 à 20 €

Ce petit domaine complanté de vieilles vignes de muscat propose un 2011 bien maîtrisé. On retrouve les caractéristiques du cépage dans cette cuvée drapée d'or, au nez marqué par la rose, à la bouche riche sans excès, bien équilibrée.

☛ Dom. Marengo, lieu-dit Miloni, 20253 Barbaggio, tél. 06 20 87 00 15, domaine-marengo@orange.fr,
☑ ⚔ ⏆ r.-v.

LOUIS MONTEMAGNI Royale Sélection 2011 ★

	16 000		8 à 11 €

Issue de 5 ha de vignes cultivées en agriculture raisonnée sur un sol argilo-calcaire, cette cuvée met en valeur, s'il le fallait, les talents de vigneron de Louis Montemagni et les qualités d'œnologue d'Aurélie Mellerey. Le duo propose un vin aux fragrances légères de muscat, de miel et de verveine, à la bouche à la fois puissante d'une belle finesse aromatique et d'un très bon équilibre (si difficile à obtenir). Ce 2011 ravira les palais dès l'apéritif.

☛ Montemagni, 20253 Patrimonio, tél. 04 95 37 14 46, fax 04 95 37 17 15, domainemontemagni@orange.fr,
☑ ⚔ ⏆ t.l.j. 9h-18h 🏠 ❸

DOM. NOVELLA 2012 ★★

	18 000		15 à 20 €

À la tête de ce domaine depuis 1976, Pierre-Marie Novella fait partie de ces vignerons dont on apprécie la compagnie. Il exprime ses talents de vinificateur à travers ce magnifique muscat à reflets dorés. Le nez, tout en finesse, délivre des notes typiques de rose et de fruits secs et exotiques. La bouche, ample et ronde, s'appuie sur une trame acidulée qui confère toute la vivacité nécessaire pour rendre ce vin croquant et frais. Un 2012 long et équilibré qui a frôlé le coup de cœur et qui pourra être consommé dans sa jeunesse, sur un brocciu frais, un fromage bleu ou un moelleux au chocolat.

☛ Pierre-Marie Novella, 20232 Oletta, tél. 04 95 39 07 41, domainenovella@wanadoo.fr,

☑ ⚔ ⏆ t.l.j. sf dim. 10h-12h 15h-19h; f. nov. jan. fév.

CORSE

DOM. ORENGA DE GAFFORY 2012 ★

| 23 000 | 11 à 15 € |

Ce domaine, dont la cave se situe à la sortie de Patrimonio en allant vers Saint-Florent, fait partie des références de l'appellation. Henry Orenga de Gaffory, charismatique propriétaire, passionné d'art moderne et vigneron attentif, propose un élégant muscat 2012 à robe jaune pâle brillant. Au nez, la fleur blanche et la rose signent le caractère muscaté du vin. En bouche, encore un peu sur l'alcool, les notes de miel d'acacia et de verveine citron viennent compléter cette palette. Un joli vin à servir à l'apéritif ou au dessert, selon l'humeur du jour.
☛ GFA Orenga de Gaffory, Morta-Majo, 20253 Patrimonio, tél. 04 95 37 45 00, fax 04 95 37 14 25, contact@orengadegaffory.com, ☑ ⚹ ⵏ t.l.j. 8h-18h
☛ Henri Orenga

DOM. PASTRICCIOLA 2012

| 9 000 | 11 à 15 € |

Cette ancienne propriété viticole familiale située à la sortie de Patrimonio, est dirigée par trois exploitants associés qui en ont repris les rênes en 1989. Ils proposent un muscat, au nez d'orange confite complété de jolies notes de miel et de pain d'épice. La bouche délivre une matière moelleuse, équilibrée par une touche acidulée, portée en finale par des notes d'orange amère. Accord gourmand assuré avec une panna cotta à la clémentine.
☛ GAEC Pastricciola, rte de Saint-Florent, 20253 Patrimonio, tél. 04 95 37 18 31, fax 04 95 37 08 83
☑ ⚹ ⵏ t.l.j. 9h-19h; f. nov.-mars

DOM. PIERETTI 2012 ★

| 7 000 | 15 à 20 € |

Lina Pieretti bichonne ses vignes balayées par les vents parfois violents du cap Corse. Elle signe un 2012 raffiné, tout en légèreté. Encore un peu timide dans son expression aromatique, le nez libère après aération des parfums typiques du cépage (rose, fruits confits). La bouche séduit quant à elle par son bel équilibre entre moelleux et fraîcheur. Un muscat parfait pour l'apéritif.
☛ Angeline Venturi-Pieretti, Santa-Severa, 20228 Luri, tél. 04 95 35 01 03, domainepieretti@orange.fr,
☑ ⵏ t.l.j. 9h-12h 16h-19h; hors-saison sur r.-v.

♥ DOM. SANTAMARIA 2012 ★★

| 2 000 | 15 à 20 € |

Jean-Louis Santamaria fait partie des vignerons incontournables de l'appellation. Propriétaire de ce domaine familial depuis plus de trente ans, il a engagé la conversion bio du vignoble. Secondé par son fils, il signe une cuvée de grande facture, élégante dans sa robe doré brillant, dont le seul défaut est son caractère confidentiel. Les dégustateurs ont apprécié ses parfums de miel et de foin coupé, sa puissance en bouche, ses jolies notes de noisette et de raisins secs et son remarquable équilibre douceur-fraîcheur. À l'école de la tradition, ce muscat accompagnera sans fléchir un mi-cuit de foie gras, mais il saura également enchanter les papilles à l'apéritif.
☛ Dom. Santamaria, rte du Lac-de-Padula, Plaine d'Oletta, 20217 Saint-Florent, tél. 04 95 39 03 51, fax 04 95 39 07 42, domaine.santamaria@orange.fr,
☑ ⚹ ⵏ t.l.j. 9h-12h 14h-18h; sam. dim. sur r.-v.

LE SUD-OUEST

MONBAZILLAC GAILLAC
MALBEC TANNAT
CAHORS MANSENG
FRONTON BUZET
BERGERAC ARMAGNAC
SAUVIGNON MADIRAN
JURANÇON IROULÉGUY

LE SUD-OUEST

Superficie
51 500 ha (environ)
Production
1 600 000 hl (environ)
Types de vins
Rouges ; rosés ; blancs secs et
moelleux ; vins effervescents (gaillac) ;
vins de liqueur (floc-de-gascogne).
Cépages principaux
Rouges : malbec (cot ou auxerrois),
tannat, négrette, fer-servadou
(braucol ou mansois), duras, merlot,
cabernet franc, cabernet-sauvignon,
syrah, gamay.
Blancs : sauvignon, sémillon,
muscadelle, mauzac, len de l'el
(loin de l'œil), gros manseng, petit
manseng, courbu, baroque, ugni
blanc (ce dernier pour l'armagnac).

Groupant sous la même bannière des appellations aussi éloignées qu'irouléguy, bergerac ou gaillac, la région viticole du Sud-Ouest rassemble ce que les Bordelais appelaient le « Haut-Pays » et le vignoble de l'Adour, proche des Pyrénées. Elle comprend de microvignobles très anciens, jusqu'au pied du Massif central. À la diversité des cépages cultivés dans ces régions dispersées répond celle de la production : le Sud-Ouest fournit pratiquement tous les styles de vins. Des vins originaux, longtemps restés dans l'ombre, et qui bénéficient souvent de ce fait d'un bon rapport qualité-prix.

Dans l'ombre de Bordeaux Jusqu'à l'apparition du rail, les vins du Haut-Pays, en provenance des vignobles de la Garonne et de la Dordogne, sont restés dans l'ombre du grand voisin bordelais. Fort de sa position géographique et de privilèges royaux, Bordeaux dictait sa loi aux producteurs de Duras, Buzet, Fronton, Cahors, Gaillac et Bergerac. Jusqu'à la fin du XVIIIᵉs., tous leurs vins devaient attendre que la récolte bordelaise soit entièrement vendue aux amateurs d'outre-Manche et aux négociants hollandais avant d'être embarqués, quand ils n'étaient pas utilisés comme vins « médecins » pour remonter certains clarets. De leur côté, les vins du piémont pyrénéen ne dépendaient pas de Bordeaux, mais étaient soumis à une navigation hasardeuse sur l'Adour avant d'atteindre Bayonne. On peut comprendre que, dans ces conditions, leur renommée ait rarement dépassé le voisinage immédiat.

Un conservatoire des cépages Si les vignobles les plus proches du Bordelais, dans le Bergeracois ou le Lot-et-Garonne, cultivent les mêmes variétés que leur voisin girondin, les autres constituent un véritable musée des cépages d'autrefois. On trouve rarement ailleurs une telle diversité de variétés. Le particularisme et l'enclavement de nombreuses régions du Sud-Ouest expliquent la survivance de cépages locaux. Les Gascons ont ainsi le petit et le gros mansengs, le tannat, le baroque, sans parler de l'arrufiac, du raffiat de Moncade ou du camaralet de Lasseube. Cahors tire son originalité du malbec (ou auxerrois), Fronton de la négrette, Gaillac des duras, len de l'el (loin de l'œil), mauzac, braucol... Loin de renier le qualificatif de vin « paysan », toutes ces appellations le revendiquent avec fierté en donnant à ce terme toute sa noblesse. La vigne n'a pas exclu l'élevage et les autres cultures, et les vins côtoient sur le marché les produits fermiers avec lesquels ils se marient tout naturellement, ce qui fait du Sud-Ouest l'une des régions privilégiées de la gastronomie de tradition.

Le piémont du Massif central

Cahors

Superficie : 4 050 ha
Production : 155 370 hl

D'origine gallo-romaine, le vignoble de Cahors est l'un des plus anciens de France. Jean XXII, pape d'Avignon, fit venir des vignerons quercinois pour produire le châteauneuf-du-pape, et François Iᵉʳ planta à Fontainebleau un cépage cadurcien ; l'Église orthodoxe adopta le cahors comme vin de messe, et la cour des tsars comme vin d'apparat... Pourtant, ce vignoble revient de loin ! Totalement anéanti par les gelées de 1956, il était retombé à 1 % de sa surface antérieure. Reconstitué dans les méandres de la vallée du Lot avec des cépages nobles traditionnels – le principal étant l'auxerrois, également appelé cot ou malbec (70 % de l'encépagement), complété par le merlot (environ 20 %) et le tannat –, le terroir de Cahors a retrouvé la place qu'il mérite, gagnant même les causses comme dans les temps anciens.

Appelé jadis *black wine* par les Anglais, le cahors est puissant, robuste, haut en couleur ; il s'agit incontestablement d'un vin de garde, même si cette aptitude au vieillissement varie en fonction du terroir, de l'encépagement et de la vinification. Il peut toutefois être servi jeune : il est alors charnu, agréablement fruité, et doit être consommé légèrement rafraîchi, sur des grillades par exemple.

CH. ARMANDIÈRE Diamant rouge
Vieilli en fût de chêne 2011 ★

| | 20 000 | | 11 à 15 € |

Le nom du domaine, dirigé par Bernard Bouyssou depuis 1998, rend hommage à son grand-père Armand, fondateur de la coopérative Côtes d'Olt de Parnac. Le Diamant rouge, fleuron du château, est un pur malbec, né de vieilles vignes de presque quarante ans. Revêtu d'une robe sombre aux reflets violets, il développe des arômes intenses de fruits mûrs et des notes de vanille et de grillé héritées d'un élevage en fût d'un an. Un palais tout aussi aromatique, fondu et long, complète le tableau. La finale toastée invite à garder ce vin en cave jusqu'en 2016. Une citation pour le **Malbec ancestral 2010 (8 à 11 €)** qui charme par son fruité, sa rondeur et sa longueur.

☛ Bouyssou, Le Port de l'Angle, 46140 Parnac,
tél. 05 65 36 75 97, fax 05 65 36 02 23,
chateau@armandiere.com,
☑ ☆ ⛶ t.l.j. sf sam. dim. 9h-12h 14h-19h; f. 22 déc.-6 janv.

CH. D'ARQUIÈS 2011 ★★

| | 36 000 | | - de 5 € |

Dans la famille Montagne depuis les années 1960, le vignoble, établi non loin du village médiéval de Puy-l'Évêque, s'est étoffé au fil des ans. Le malbec (80 %), complété de merlot, compose cette cuvée remarquable élevée en cuve. Dans sa parure cerise burlat, ce 2011 affiche un nez gourmand de fruits noirs (cassis, mûre) et d'épices qui annonce une bouche fraîche et suave, à la longue finale un rien mentholée. Un vin flatteur que l'on appréciera sans attendre sur des côtelettes d'agneau.

☛ Éric Montagne, Arquiès, 46700 Vire-sur-Lot,
tél. 05 65 36 52 75, montagneeric@free.fr,
☑ ☆ ⛶ t.l.j. 9h-12h 14h-19h; dim. sur r.-v. ⌂ ⓞ

DOM. LA BÉRANGERAIE Cuvée Maurin 2010 ★

| | 12 000 | | 5 à 8 € |

Les Bérenger, frère et sœur, et leurs conjoints, ont repris le vignoble familial en 1997. La cuvée Maurin, coup de cœur dans la dernière édition du Guide, est emblématique du domaine. Né de pur malbec, le 2010 livre, derrière son élégant écrin pourpre, un panier de fruits rouges et noirs mêlés à des notes d'épices et de réglisse. La bouche opulente et suave confirme ces impressions fruitées, soulignées d'un trait de poivre. Un « vin de plaisir » à apprécier sans attendre sur un canard rôti au four. À découvrir également dès la sortie du Guide, la **cuvée Juline 2010 (15 000 b.)**, qui reçoit elle aussi une étoile pour son caractère fruité, sa bouche gourmande et ses tanins ronds.

☛ La Bérangeraie, Coteaux de Cournou, 46700 Grézels,
tél. 05 65 31 94 59, fax 05 65 31 94 64,
berangeraie@wanadoo.fr, ☑ ☆ ⛶ t.l.j. 10h-12h 14h-18h

CH. BLADINIÈRES 2011

| | 80 000 | | - de 5 € |

Arnaud Bladinières conduit 36 ha de vignes, dont un tiers est consacré à ce cahors, né de malbec (75 %) et de merlot. Au nez, les parfums de fruits rouges et noirs sont nuancés de quelques notes fraîches de menthe. La bouche, d'une aimable rondeur, est marquée par une pointe de sucrosité. Un vin pour un plaisir immédiat. **La Préférence du Ch. Bladinières 2011 (5 à 8 €ᵉ ; 66 000 b.)**, plus riche en malbec (90 %), se montre fruitée. Elle est citée.

☛ Famille Bladinières, Le Bourg, 46220 Pescadoires,
tél. 05 65 22 41 85, fax 05 65 36 47 10,
chateau.bladinieres@laposte.net,
☑ ☆ ⛶ t.l.j. sf dim. 10h-12h30 15h-18h

DOM. LA BORIE 2011 ★★

| | 40 000 | | 5 à 8 € |

Depuis trente-trois ans, Jacques Froment, bien connu des habitués du Guide, perpétue la tradition familiale. Il propose ce cahors qui a frôlé le coup de cœur. Élevée dix-huit mois en fût, cette cuvée de malbec montre une belle personnalité : robe rubis aux reflets violets ; nez intense sur les fruits noirs, la réglisse et le poivre ; bouche ample et généreuse, aux tanins soyeux. « Une très belle expression du malbec », résume un dégustateur ; plaisant dès aujourd'hui, ce 2011 vieillira bien.

☛ Jacques Froment, Dom. la Borie, 46220 Prayssac,
tél. 05 65 22 42 90, fax 05 65 30 64 70,
domaine.la.borie@wanadoo.fr,
☑ ☆ ⛶ t.l.j. 9h-12h 14h-18h ⌂ ⓖ

DOM. LE BOUT DU LIEU Orbe noir Élevé en fût 2010

| | 14 500 | | 11 à 15 € |

L'histoire commence en 1925, quand les grands-parents d'Arnaldo Dimani quittent leur Italie natale et s'installent dans le Lot, où ils acquièrent en 1980 un petit vignoble de 7 ha. Aujourd'hui, le domaine s'étend sur 17 ha et propose de jolis vins régulièrement distingués dans le Guide. L'Orbe noir rend hommage aux baies de malbec, rondes et denses, de couleur nuit. Élevée sur graves et argiles rouges, cette cuvée a reposé un an en fût. D'abord discret, le nez s'ouvre à l'agitation sur les fruits, la vanille et la brioche. À la fois ronde et vive, la bouche dévoile des tanins épicés, bien enrobés par le fruit. Une bouteille harmonieuse à ouvrir dans un an ou deux.

☛ Dimani et Fils, Le Bout-du-Lieu,
46140 Saint-Vincent-Rive-d'Olt, tél. et fax 05 65 30 70 80,
leboutdulieu@orange.fr, ☑ ☆ ⛶ r.-v.

CH. DU BREL 2011 ★

| | 11 500 | | 5 à 8 € |

Voici une vingtaine d'années que Lionel Semenadisse conduit ce domaine de 18 ha. Né sur argilo-calcaire et élevé en cuve, ce cahors de pur malbec s'habille de noir et montre un nez discret de petits fruits noirs et d'épices. La bouche équilibrée est charpentée par des tanins bien maîtrisés, qui annoncent un potentiel de garde intéressant. Ce vin accompagnera parfaitement un bœuf bourguignon.

☛ Lionel Semenadisse, Ch. du Brel, 46800 Fargues,
tél. 05 65 36 91 08, chateaudubrel@free.fr,
☑ ☆ ⛶ t.l.j. sf dim. 10h-18h

SUD-OUEST

CH. LA CAMINADE 2011 ★★

| ■ | 130 000 | ⬛ | 5 à 8 € |

On ne présente plus le Château la Caminade, qui montre une nouvelle fois qu'il est à la hauteur sur sa réputation. Élevé vingt-quatre mois en cuve, ce 2011 est issu d'un assemblage de malbec (85 %), de merlot (10 %) et d'une pointe de tannat. Il se pare d'une belle robe profonde qui annonce un nez expressif de fruits noirs bien mûrs et d'épices. La bouche, ample et ronde, se montre bien équilibrée, soutenue par des tanins encore un peu serrés, qui invitent à attendre ce vin deux ou trois ans. Quant à **La Commandery 2010 (11 à 15 € ; 27 000 b.)**, qui a séjourné en cuve (deux ans) et en fût (douze mois), elle reçoit une étoile pour sa richesse aromatique (fruits, épices, vanille et notes toastées) et pour son palais ample et gras.

➤ Ch. la Caminade, 46140 Parnac, tél. 05 65 30 73 05, fax 05 65 20 17 04, resses@wanadoo.fr,

☑ ⟁ ⟟ t.l.j. sf sam. dim. 8h-12h 14h-18h

➤ Resses

CH. CAMP DEL SALTRE Révélation 2011 ★

| ■ | 3 000 | ⬛ | 8 à 11 € |

Une belle réussite pour cette cuvée élevée dix-huit mois en fût, qui se présente sous de bons auspices avec sa robe rouge profond et ses arômes séduisants de fruits frais et d'épices. Moelleuse en attaque, harmonieuse, de belle longueur, la bouche s'appuie sur des tanins de qualité mais qui demandent encore à se fondre. Un vin à déguster dans deux ou trois ans sur un civet de lièvre.

➤ Gérard et Dominique Delbru, Camp del Saltre, rte du Collège, 46220 Prayssac, tél. 05 65 22 42 40, fax 05 65 30 67 41, d.g.delbru@wanadoo.fr,

☑ ⟁ ⟟ t.l.j. sf dim. 9h-19h

MAISON CANTURY Parenthèse 2009 ★

| ■ | 3 982 | ⬛ | 20 à 30 € |

Cette maison de négoce, fondée en 2009 par Sébastien Cantury, propose un malbec prometteur, de pur malbec. Les dégustateurs ont aimé le brillant de la parure cerise noire ; ils ont été charmés par le nez de fruits rouges, de café et de toast, et par l'équilibre de la bouche aux tanins encore serrés. Un vin qui pourra accompagner tout un repas.

➤ Sébastien Cantury, Goulepdan, 46700 Vire-sur-Lot, tél. 06 12 16 39 64, postmaster@maison-cantury.com,

☑ r.-v.

DOM. DE CAPELANEL Cuvée Titouan 2011 ★

| ■ | 1 700 | ⬛ | 20 à 30 € |

Sébastien Dauliac dirige depuis 2002 ce domaine implanté sur un terroir sidérolithique (sables siliceux et argiles à graviers) caractéristique des causses et réputé pour donner des vins fruités aux tanins fondus et ronds. Cette année, c'est la cuvée Titouan, élaborée pour la première fois en 1998 à l'occasion de la naissance de son fils, qui a retenu l'attention des dégustateurs. Ceux-ci ont aimé la belle robe pourpre soutenu, brillante et profonde, le bouquet intense de groseille, de cassis, de fraise et de framboise, agrémenté de notes réglissées et mentholées. Ronde et fraîche à la fois, la bouche s'étire longuement et apporte beaucoup de plaisir.

➤ Dauliac, Les Roques, 46140 Saint-Vincent-Rive-d'Olt, tél. 06 81 62 66 48, sebastien.dauliac@orange.fr,

☑ ⟁ ⟟ r.-v.

LES MARCHES DE CAYX 2011 ★★

| ■ | 60 000 | ⬛ | 11 à 15 € |

Cette cuvée de noble extraction – le domaine appartient à sa Majesté royale du Danemark le prince consort, né Henri de Laborde de Monpezat – a pris naissance sur des sols argilo-calcaires. Ce cahors, qui assemble le malbec à une petite proportion de merlot (20 %), a séduit les dégustateurs dans sa robe sombre. Le nez franc dévoile un panier de fruits rouges et noirs mâtiné d'épices, qui se prolonge dans une bouche opulente, ronde et aromatique, encadrée par des tanins soyeux bien maîtrisés. Un vin harmonieux que l'on pourra découvrir dès aujourd'hui.

➤ SCEA Ch. de Cayx, Ch. de Cayx, 46140 Luzech, tél. et fax 05 65 30 52 50, office@chateau-de-cayx.com,

☑ ⟁ ⟟ t.l.j. 10h-18h

➤ Prince Henrik

CH. DU CÈDRE Le Cèdre 2010 ★

| ■ | 30 000 | ⬛ | 30 à 50 € |

Pascal et Jean-Marc Verhaeghe expérimentent avec succès l'agriculture biologique et ont engagé en 2009 la conversion du domaine en vue d'une certification. Fidèles aux rendez-vous du Guide et détenteurs de nombreux coups de cœur, ils signent un cahors de pur malbec très réussi. Intense et élégant, le bouquet mêle les fruits rouges et noirs, les épices douces, le menthol et les notes boisées de l'élevage. Équilibrée entre douceur et fraîcheur, la bouche, soutenue par une trame de tanins fins, est rehaussée en finale par une pointe épicée (poivre). À apprécier aujourd'hui comme dans deux ans. Une citation pour le **GC 2010 (50 à 75 € ; 4 000 b.)**, bien servi par un bouquet complexe (fruits rouges, menthe poivrée, moka et caramel), par une matière souple et par une finale puissante.

➤ Pascal et Jean-Marc Verhaeghe, Ch. du Cèdre, Bru, 46700 Vire-sur-Lot, tél. 05 65 36 53 87, fax 05 65 24 64 36, chateauducedre@wanadoo.fr,

☑ ⟁ ⟟ t.l.j. sf dim. 9h-12h 14h-18h

CH. CHAMBERT GC 2010 ★

| ■ | 1 730 | ⬛ | 75 à 100 € |

Philippe Lejeune a repris en 2007 ce vignoble, dont on trouve trace depuis le XVIᵉs., aujourd'hui en conversion à l'agriculture biologique. Il propose un cahors de pur malbec d'une jolie teinte encre à reflets violines, au nez expressif de cerise, de mûre, de menthe et de poivre rose, associé à un boisé délicat. Souple en attaque, c'est un vin charnu et abouti, qui saura patienter en cave. Même distinction pour le confidentiel **Grand vin 2010 (20 à 30 € ; 2 930 b.)**, bien construit mais encore marqué par son séjour en fût.

➤ Vignobles Chambert, Les Hauts-Coteaux, 46700 Floressas, tél. 05 65 31 95 75, fax 05 65 31 93 56, info@chambert.com,

☑ ⟁ ⟟ t.l.j. sf sam. dim. 9h-12h30 14h-17h

➤ Lejeune

DOM. DES CHATAIGNALS 2011 ★★

| ■ | 45 000 | ⬛ | - de 5 € |

La cave des Côtes d'Olt confirme son savoir-faire avec trois vins sélectionnés. Une place de choix pour le domaine des Chataignals qui propose un 2011 remarquable, issu en majorité de malbec. Le résultat : un vin au fruité exubérant (fraise, cassis), à la bouche fraîche et généreuse, soulignée par des notes réglissées. Un cahors flatteur, idéal pour accompagner toutes les viandes, rouges ou blanches. Une étoile pour le **Ch. la Poujade 2011 Élevé en fût de chêne (5 à 8 € ; 66 000 b.)**, qui livre des parfums gourmands de pruneau et de chocolat, relevés en finale par des touches épicées. Cités, **Les Galets du Mindel 2011 (105 000 b.)**, sur les fruits rouges, affichent une plaisante fraîcheur.

🏠 Vinovalie – Côtes d'Olt, 46140 Parnac, tél. 05 65 30 71 86, fax 05 65 30 35 09

☑ ⚲ ⚱ r.-v.

CHEVALIER DES TERRASSES 2011 ★

■	11 000	▬	- de 5 €

Ce négociant d'Albas propose un Chevalier des Terrasses qui a fière allure dans sa robe noire. D'emblée, ce cahors livre des saveurs gourmandes, très fruitées (cassis, myrtille, cerise). Rondeur, fraîcheur, ampleur, l'équilibre est au rendez-vous tout au long de la dégustation, la puissance maîtrisée. Pour une paëlla. Fruité, ample et souple, le **Tournepique 2011 (120 000 b.)** reçoit une citation.

🏠 Albas Distribution France Vin, RD 99, Circofoul, 46140 Albas, tél. 05 65 30 52 97, fax 05 65 30 75 67, albasdistribution@wanadoo.fr

🏠 Pelvillain

CLOS DES BATUTS 2011 ★

■	90 000	▬	5 à 8 €

Propriété de la famille Vidal depuis les années 1960, le Clos des Batuts a été repris par la troisième génération, décidée à relancer la marque. Les dégustateurs ont apprécié le 2011, élevé seize mois en cuve, où une pointe de merlot accompagne le malbec. Ce vin bien construit s'ouvre sur des notes intenses de cassis et de mûre. Il affiche un bon équilibre et bénéficie d'une plaisante fraîcheur. Un cahors gourmand à déguster sans attendre sur un plat du terroir, comme un coq au vin de... Cahors.

🏠 SARL La Reyne Sélection, Leygues, 46700 Puy-l'Évêque, tél. 05 65 30 82 53, fax 05 65 21 39 83, chateaulareyne@orange.fr

🏠 Johan et Cristelle Vidal

CLOS DU CHÊNE 100 % malbec 2011

■	8 000	▬	8 à 11 €

Ce domaine familial de 14 ha est implanté au carrefour de quatre départements (Lot, Lot-et-Garonne, Dordogne et Tarn-et-Garonne) à Duravel, sur le site d'une ancienne villa gallo-romaine nommée Diolindum. Il présente, comme l'an dernier, un pur malbec élevé en cuve quinze mois. Le nez se montre gourmand, sur les fruits rouges et noirs. Souple, la bouche laisse une impression d'élégante légèreté. Ses tanins fins autorisent une consommation prochaine sur un tajine d'agneau.

Le Sud-Ouest

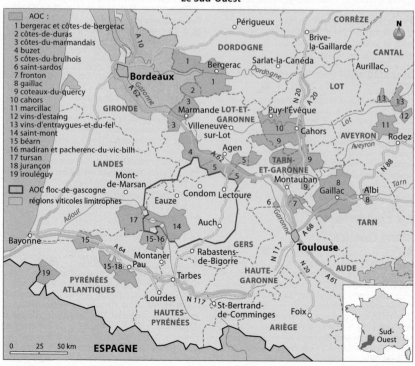

↝ EARL Roussille et Filles, rte de la Gineste,
46700 Duravel, tél. 05 65 36 50 09, fax 05 65 24 67 64,
closduchene@wanadoo.fr, ☑ ⚔ ⵊ t.l.j. 9h-12h 15h-18h

LE CLOS D'UN JOUR Un Jour sur terre 2011 ★

| ■ | 7 000 | 15 à 20 € |

Valeur sûre de l'appellation, ce domaine, en cours de conversion bio, présente une cuvée déjà très réussie dans sa version précédente. Le vin a tiré de son séjour en jarre de terre cuite (dix-huit mois) une belle expression aromatique (mûre, épices), de la rondeur, de la puissance et un bel équilibre. Les tanins devraient s'affiner avec le temps. Idéal dans quelques années sur un civet de biche aux airelles. Quant à **Un jour... 2010 (6 000 b.)**, sans avoir l'envergure du millésime précédent, il reçoit une citation. Élevé deux ans en fût, il séduit par sa palette aromatique complexe, associant fruits noirs, menthol, vanille et notes toastées.

↝ Véronique et Stéphane Azémar, Le Clos d'un Jour,
46700 Duravel, tél. 05 65 36 56 01, s.azemar@wanadoo.fr,
☑ ⚔ ⵊ t.l.j. 9h-12h 14h-19h 🏠 ⑤

CH. COMBEL LA SERRE Cœur de cuvée 2010 ★★

| ■ | 15 000 | ⬛⬤ | 8 à 11 € |

Ce Cœur de cuvée du château Combel la Serre n'a de cesse de se distinguer. Les dégustateurs ont aimé la robe purpurine du 2010, son nez expressif dominé par les fruits noirs et des notes « vanille-coco », souvenir d'un séjour partiel en barrique (quatorze mois). Dans le même registre, la bouche se montre ample et gourmande. Structurée par des tanins soyeux, elle offre en finale un retour gourmand sur le fruit. Ce vin remarquable sera parfait pour accompagner un tournedos ou une oie rôtie d'ici cinq ans.

↝ Jean-Pierre et Julien Ilbert, Cournou,
46140 Saint-Vincent-Rive-d'Olt, tél. 05 65 30 71 34,
fax 05 65 30 54 44, julien.ilbert@yahoo.fr,
☑ ⚔ ⵊ t.l.j. 9h-12h 14h-19h; dim. sur r.-v.

CH. LA COUSTARELLE Grande Cuvée prestige 2010 ★

| ■ | 70 000 | ⬛⬤ | 11 à 15 € |

Implanté sur les troisièmes terrasses du Lot, sur un terroir argilo-calcaire, ce domaine est dans la famille depuis cinq générations. Il propose une cuvée très réussie, élevée un an en fût. La robe rouge profond presque noir et le bouquet gourmand de cassis, de pruneau et de vanille sont de bon augure. Après une attaque franche, la bouche équilibrée s'arrondit sur des tanins soyeux. Élégant, ce pur malbec vieillira deux ans et plus.

↝ SCEA Cassot et Fille, Ch. la Coustarelle, Les Caris,
46220 Prayssac, tél. 05 65 22 40 10, fax 05 65 30 62 46,
chateaulacoustarelle@wanadoo.fr,
☑ ⚔ ⵊ t.l.j.9h-12h 14h-19h

♥ DIVIN CROISILLE 2010 ★★

| ■ | 6 000 | ⬛⬤ | 20 à 30 € |

Ce Divin Croisille collectionne les coups de cœur. Épamprage précoce, effeuillage et éclaircissage manuels, longue macération, séjour de douze mois en fût : tout a été mis en œuvre pour extraire le meilleur de ce cru. La robe, presque noire, est brillante. Le nez puissant déploie des notes de fruits rouges très mûrs, de vanille, de réglisse et de menthol. La bouche n'est pas en reste : charnue et souple, elle s'appuie sur des tanins parfaitement maîtrisés, bien polis. Déjà flatteur, ce superbe vin pourra attendre trois ans ; il accompagnera volontiers une oie rôtie. Le

Ch. les Croisille 2010 Noble Cuvée (11 à 15 € ; 10 000 b.) se voit également distingué ; plus souple et plus discret, il est cité.

↝ Ch. les Croisille, Fages, 46140 Luzech,
tél. 05 65 30 53 88, chateaulescroisille@wanadoo.fr,
☑ ⚔ ⵊ t.l.j. 9h-19h

CH. CROZE DE PYS Prestige Élevé en fût de chêne 2011 ★★

| ■ | 23 000 | ⬛⬤ | 8 à 11 € |

La cuvée Prestige de Jean Roche est déjà connue des habitués du Guide. Deux étoiles pour le 2011, séduisant dans sa parure cerise noire aux reflets violets. Ce pur malbec élevé six mois en fût livre un nez intense, évocateur, lui aussi, de cerise noire, agrémenté de subtiles nuances de réglisse et de vanille. La bouche se montre charnue, bien construite et persiste longuement sur des notes de cacao. Un cahors bien typé appelant deux ans de garde, à découvrir sur une entrecôte. Quant à la **cuvée classique 2011 (5 à 8 € ; 80 000 b.)**, elle n'a pas connu le bois. Elle est citée pour son fruité intense, pour sa belle attaque et sa fraîcheur.

↝ SCEA des Domaines Roche, Ch. Croze de Pys,
46700 Vire-sur-Lot, tél. 05 65 21 30 13, fax 05 65 30 83 76,
chateau-croze-de-pys@wanadoo.fr,
☑ ⚔ ⵊ t.l.j. 9h30-12h 13h30-17h; sam. dim. sur r.-v.

CH. EUGÉNIE Cuvée réservée de l'Aïeul 2011 ★

| ■ | 56 000 | ⬛⬤ | 8 à 11 € |

La Cuvée réservée de l'Aïeul est un exemple de régularité. Le 2011, très réussi, se montre à la hauteur de sa réputation. Sa belle couleur grenat foncé annonce un bouquet complexe de cassis, de mûre et de griotte, agrémenté d'un élégant boisé (vanille, pain grillé) bien maîtrisé. Suave et de bonne longueur, le palais se révèle harmonieux, bâti sur des tanins soyeux. Un vin gourmand et plein de promesses, qui peut déjà accompagner un gigot d'agneau. À noter : le domaine est en cours de conversion bio.

↝ Ch. Eugénie, Rivière-Haute, 46140 Albas,
tél. 05 65 30 73 51, fax 05 65 20 19 81,
couture@chateaueugenie.com,
☑ ⚔ ⵊ t.l.j. sf dim. 9h30-12h30 14h-19h
↝ Couture

CH. FANTOU Cuvée Prestige La Batelière
Élevé en fût de chêne 2011 ★★

| ■ | 10 000 | ⬛⬤ | 5 à 8 € |

Après le départ en retraite d'Annie et de Bernard Aldhuy, Aurélie et Loïc Aldhuy-Thévenot ont repris en 2009 l'exploitation familiale, aujourd'hui en cours de conversion bio. Une sélection de vieilles vignes, un assemblage de malbec (90 %) et de merlot, un élevage de douze mois en fût, le résultat est là. Le nez complexe s'ouvre sur les fruits bien mûrs enrobés de notes mentholées et grillées. La bouche se montre ronde et fraîche, bien équilibrée, construite sur une structure tannique élégante qui laisse présager une bonne garde. À découvrir dès aujourd'hui, la **cuvée traditionnelle 2011 (moins de 5 € ; 35 000 b.)** est citée pour ses arômes gourmands de fruits et pour sa fraîcheur.

☛ Famille Aldhuy-Thévenot, Ch. Fantou, 46220 Prayssac, tél. 05 65 30 61 85, fax 05 65 22 45 69, chateau-fantou@orange.fr,
☑ ⚔ ⼂ t.l.j. 9h-12h30 14h-18h30; dim. sur r.-v.

DOM. DE LA GARDE Réserve Edward 2011 ★

| ■ | 6 500 | ■ | 11 à 15 € |

Ce domaine, plus régulièrement distingué dans le Guide pour ses coteaux-du-quercy, signe deux cahors de pur malbec. La Réserve Edward, très expressive, se montre fort séduisante dans sa robe grenat foncé. Le bouquet fin de fruits noirs, nuancé d'une pointe de menthol, annonce une bouche équilibrée, douce et fraîche à la fois. À découvrir sans attendre lors d'un repas en plein air, sur une salade gourmande ou sur des grillades. Élevée un an en fût, la **cuvée principale 2011 (8 000 b.)**, fruitée et encore boisée, est citée.

☛ Jean-Jacques Bousquet, Le Mazut, 46090 Labastide-Marnhac, tél. et fax 05 65 21 06 59, contact@domainedelagarde.com,
☑ ⚔ ⼂ t.l.j. sf dim. 9h-12h 14h-19h

DOM. DU GARINET Cuvée Bonheur 2010 ★

| ■ | 2 200 | ■ | 5 à 8 € |

Cette ancienne ferme quercynoise du XVᵉs. a été reprise en 1995 par un couple de Britanniques, Michael et Susan Spring, qui signe une cuvée Bonheur au nom bien choisi. Pur malbec, ce 2010 se présente en habit sombre, limpide et brillant. Le nez, de belle intensité, mêle les fruits noirs, la violette et le cuir. La bouche se révèle suave et charnue, agrémentée de notes légères de petits fruits des bois en finale. Un ensemble très fruité et déjà plaisant, auquel on peut laisser trois à quatre ans pour permettre aux tanins encore jeunes de s'assagir.

☛ Michael et Susan Spring, Le Garinet, 46800 Le Boulvé, tél. et fax 05 65 31 96 43, spring@domainedugarinet.fr,
☑ ⚔ ⼂ t.l.j. sf dim. 11h-18h30; hors saison sur r.-v.

CH. DE GAUDOU Tradition 2011 ★★

| ■ | 225 000 | ⑪ | 5 à 8 € |

Le château de Gaudou, flanqué de pigeonniers selon la tradition quercynoise, domine le vignoble, cultivé depuis 1800 par la famille Durou. Élevé douze mois en foudre, ce 2011, qui associe malbec et merlot, offre un nez de fruits rouges et d'épices mêlés à des notes de violette et de menthol. La bouche, ronde et fraîche, affiche un bel équilibre. Le jury a aimé la belle extraction de cette cuvée Tradition, à attendre – quatre ans – avant de l'ouvrir pour accompagner une volaille de fête.

☛ Durou - Ch. de Gaudou, Gaudou, 46700 Vire-sur-Lot, tél. 05 65 36 52 93, fax 05 65 36 53 60, info@chateaudegaudou.com, ☑ ⚔ ⼂ t.l.j. sf dim. 14h-18h

CH. LA GINESTE Grand Secret
Élevé en fût de chêne 2010 ★★

| ■ | 5 000 | ⑪ | 15 à 20 € |

Situé sur les deuxièmes terrasses du Lot, ce domaine de 13 ha acquis en 2002 par Gérard Dega est en cours de conversion bio. Pas encore de certification donc pour ce cahors de pur malbec qui a bénéficié d'un élevage de

vingt-quatre mois en fût. Dans son écrin noir, ce 2010 puissant affiche un nez intense mariant harmonieusement les fruits rouges et les notes de l'élevage (vanille, coco, toast). Rondeur, fraîcheur, l'équilibre reste parfait tout au long de la dégustation, et les tanins sont maîtrisés. Un superbe potentiel pour ce vin à découvrir dans quatre ans sur un magret de canard.

☛ SCEA des Vignobles Dega, Ch. la Gineste, 46700 Duravel, tél. 05 65 30 37 00, fax 05 65 30 37 01, chateau-la-gineste@wanadoo.fr, ☑ ⚔ ⼂ t.l.j. 9h-19h

CH. LES GRAUZILS L'Essentiel 2011

| ■ | 10 000 | ⑪ | 8 à 11 € |

Il y a trente ans, Philippe Pontié, qui venait de prendre les rênes de l'exploitation familiale, voyait un de ses vins sélectionné dans la première édition du Guide. Fidèle au rendez-vous, il propose avec L'Essentiel un vin qui a su tirer le meilleur de ce joli terroir graveleux (le nom Grauzils provient de « grès » ou de « graves », désignant des sols pauvres et caillouteux). Les dégustateurs louent son bouquet expressif de fruits noirs, de gelée de cassis, de vanille et de tabac, sa bouche gourmande, fraîche et franche, qui offre aussi beaucoup de rondeur. Ce vin s'accordera volontiers avec une côte de bœuf, dans deux ans.

☛ Philippe Pontié, Gamot, 46220 Prayssac, tél. 05 65 30 62 44, fax 05 65 22 46 09, pontie.philippe@wanadoo.fr,
☑ ⚔ ⼂ t.l.j. sf dim. 9h-12h 14h-19h 🏠 Ⓔ

♥ CH. HAUTE-BORIE Tradition 2011 ★★

| ■ | 45 000 | ■ | 5 à 8 € |

Comme l'an dernier, Jean-Marie Sigaud voit ses deux cuvées distinguées. Au sommet, cette cuvée Tradition, assemblage de malbec et d'une touche de merlot, issue de graves et élevée dix-huit mois en cuve : un vin profond, intense, de superbe facture. Au nez, les senteurs gourmandes de fruits rouges ; en bouche, la réglisse, l'équilibre entre fraîcheur et douceur. La charpente est celle d'un vin de garde que l'on ouvrira à partir de 2017 sur un gratin de canard confit aux cèpes. Une étoile pour la **cuvée Prestige 2011 (8 à 11 € ; 24 000 b.)**. Ce pur malbec élevé dix-huit mois en fût retient l'attention pour sa bonne concentration et son élégant toasté.

☛ Jean-Marie Sigaud, Haute-Borie, 46700 Soturac, tél. 05 65 22 41 80, fax 05 65 30 67 32, barat.sigaud@wanadoo.fr, ☑ r.-v.

CH. HAUT-MONPLAISIR Prestige 2009 ★

| ■ | 37 000 | ⑪ | 11 à 15 € |

Cathy et Daniel Fournié ont repris le domaine familial en 1994. Ils sont régulièrement distingués pour leur cuvée Pur Plaisir. Cette année, la cuvée Prestige est sur le devant de la scène. Logé vingt mois en fût, ce cahors de pur malbec, habillé de grenat foncé, libère des parfums complexes de fruits noirs, de moka et de vanille. La bouche, ronde et suave, révèle des notes épicées. Bien équilibrée et de belle longueur, cette bouteille s'accordera avec un rôti de bœuf.

🍴 Ch. Haut-Monplaisir, Daniel et Cathy Fournié, 46700 Lacapelle-Cabanac, tél. 05 65 24 64 78, fax 05 65 24 68 90, chateau.hautmonplaisir@wanadoo.fr, ☑ ⚹ 🍷 t.l.j. sf sam. dim. 9h-12h 14h-18h 🏠 🅴

Château **Lamartine**
Expression 2011
CAHORS
Appellation Cahors Contrôlée
14,5% alc./vol.   750 ml
Mis en bouteille au Château
Alain Gayraud
Propriétaire - Vigneron
à Lamartine
F 46700 - Soturac - France
Red Wine   Produit de France   Vin Rouge
                  Product of France

🅑 CH. LACAPELLE CABANAC Malbec XL 2010 ★

| ⬛ | 9 300 | 🍾 | 11 à 15 € |

Thierry Simon et Philippe Vérax, qui ont repris en 2001 ce domaine situé au cœur du Causse, ont une démarche exigeante : certification biologique, vieilles vignes, terroir argilo-calcaire, longs élevages en fût. Cité dans l'édition 2013 du Guide, ce Malbec XL obtient cette année une étoile. La robe profonde est presque noire, de belle intensité. Les vingt-six mois d'élevage en fût marquent le nez de leurs arômes vanillés, réglissés et torréfiés, qui se marient aux parfums de fruits rouges et de cassis bien mûrs. En bouche, les tanins denses soutiennent une matière ronde et équilibrée. Un cahors généreux, que l'on attendra trois à cinq ans avant de le savourer sur une côte de bœuf.

🍴 Ch. Lacapelle Cabanac, Le Château, 46700 Lacapelle-Cabanac, tél. 05 65 36 51 92, contact@lacapelle-cabanac.com, ☑ ⚹ 🍷 t.l.j. sf sam. dim. 14h-18h
🍴 Simon et Vérax

CH. LAGRÉZETTE 2010 ★

| ⬛ | 53 044 | 🍾 | 20 à 30 € |

Nul ne sera surpris de retrouver ce château Lagrézette qui perpétue la tradition viticole depuis le XVIᵉs. Acheté par Alain-Dominique Perrin en 1980, c'est l'un des domaines les plus connus de l'appellation grâce à l'architecture de son château et aussi, surtout, grâce à ses cuvées ambitieuses. Le malbec, escorté du merlot et d'une pointe de tannat, compose ce 2010 élevé dix-huit mois en fût. Le résultat ? Un vin sérieux et élégant qui s'annonce par un nez expressif de fruits noirs mâtiné de notes kirschées et fumées. La matière se montre opulente, à la fois ronde et vive, le boisé est bien fondu, et une pointe de fraîcheur donne de l'allonge à la finale. De quoi séduire un magret de canard.

🍴 SCEV La Grézette, Dom. de Lagrézette, 46140 Caillac, tél. 05 65 20 07 42, fax 05 65 20 06 95, adpsa@lagrezette.fr, ☑ ⚹ 🍷 t.l.j. 10h-12h 14h-18h; f. jan.
🍴 A.-D. Perrin

🤍 CH. LAMARTINE Expression 2011 ★★

| ⬛ | 25 000 | 🍾 | 20 à 30 € |

Les origines de ce domaine remontent à 1883. Depuis 1975, Alain Gayraud conduit le vignoble, et ses vins collectionnent étoiles et coups de cœur. Ce pur malbec, né sur la troisième terrasse du Lot aux sols argilo-calcaires, a fait l'unanimité. Magnifique robe pourpre moiré de noir, nez superbe alliant fruits noirs (mûre, myrtille) et notes grillées du fût, bouche dense et harmonieuse, évoluant à l'unisson du nez sur des sensations fruitées et vanillées, finale chaleureuse : une bouteille remarquable à découvrir dans deux ou trois ans sur un civet de biche ou sur un filet de bœuf.

🍴 SCEA Ch. Lamartine, Lamartine, 46700 Soturac, tél. 05 65 36 54 14, fax 05 65 24 65 31, chateau-lamartine@wanadoo.fr, ☑ ⚹ 🍷 t.l.j. sf dim. 9h-12h 14h-18h30
🍴 Alain Gayraud

CH. LATUC 2011 ★★

| ⬛ | 8 000 | 🍾 | 5 à 8 € |

Un domaine caractéristique du Quercy – une jolie ferme traditionnelle avec pigeonnier – repris en 2002 par un couple d'agronomes initiés à la viticulture en Alsace. Le jury a beaucoup apprécié ce 2011 issu de malbec (77 %) et de merlot, élevé un an en cuve. Résultat ? Une robe sombre, tirant sur le noir, un bouquet expressif alliant fruits noirs et les épices, prélude à une bouche ronde et gourmande qui charme par ses tanins soyeux et par sa finale aux notes mentholées.

🍴 EARL Dom. de Latuc, Laborie, 46700 Mauroux, tél. 05 65 36 58 63, fax 05 65 24 61 57, info@latuc.com, ☑ ⚹ 🍷 t.l.j. 9h-12h 14h-18h
🍴 Meyan

CH. LAUR Cuvée Prestige 2011 ★★

| ⬛ | 30 000 | 🍾 | 8 à 11 € |

Dans la famille depuis cinq générations, le vignoble s'étend sur les hauts coteaux de Floressas aux sols argilo-calcaires. Pour cette cuvée Prestige de pur malbec, Patrick et Ludovic Laur ont sélectionné les vignes les plus âgées. Élevé seize mois en cuve, ce 2011 d'un rouge profond affiche une belle palette aromatique mariant mûre, cassis et framboise. Dans la même lignée, la bouche ample s'étire longuement, soutenue en finale par une plaisante fraîcheur. Un vin remarquable, à attendre trois à cinq ans avant de le déguster sur un cassoulet.

🍴 Patrick et Ludovic Laur, Le Bourg, 46700 Floressas, tél. 05 65 31 95 61, fax 05 65 31 95 64, vignobleslaur@orange.fr, ☑ ⚹ 🍷 r.-v.

CH. LERET MONPEZAT 2011

| ⬛ | 10 133 | 🍾 | 11 à 15 € |

Jean-Baptiste de Monpezat, qui a reconstitué ce vignoble dans les années 1960, s'est associé au début des années 1990 à la famille Vigouroux pour créer un chai de vinification. Il présente cette cuvée qui assemble le cot (ou malbec), dominant, et le merlot. Des parfums intenses de fruits rouges écrasés s'échappent du verre, enrobés de légère notes réglissées. La bouche est puissante, soutenue par de beaux tanins jusque dans sa longue finale. « À déboucher dans deux ans pour accompagner du gibier », recommandent les dégustateurs.

➤ SCEA Comte Jean-Baptiste de Monpezat, Ch. Leret-Monpezat, 46140 Albas, tél. 05 65 20 80 80, fax 05 65 20 80 81, vigouroux@g-vigouroux.fr

DOM. DE MAISON NEUVE 2010 ★

■	13 000	▮	5 à 8 €

Issue d'une exploitation familiale transmise de père en fils depuis 1900, cette cuvée de pur malbec, élevée dix-huit mois en cuve, a été jugée très réussie. Le nez exubérant livre un panier gourmand de fruits noirs et rouges, prélude à un palais charpenté et bien équilibré, tonifié par une plaisante fraîcheur. Un vin franc, que l'on appréciera sans attendre sur un civet de lapin.
➤ Delmouly, Maison Neuve, 46800 Le Boulvé, tél. 05 65 31 95 76, fax 05 65 31 93 80, domainemaisonneuve@wanadoo.fr, ☑ ★ ⊥ r.-v.

MAS DEL PÉRIÉ La Roque 2011 ★★

■	30 000	▮ ⑪	11 à 15 €

Depuis qu'il a repris ce domaine situé sur les terroirs les plus hauts de Cahors (350 m), Fabien Jouves voit chaque année ses vins collectionner les étoiles. Élevée douze mois en cuve, puis en fût, la cuvée La Roque offre un nez fruité. En bouche, elle développe une belle matière, suave et puissante, étayée par des tanins encore fermes, qui invitent à l'attendre trois ou quatre ans. La cuvée **Les Acacias 2011 (20 à 30 € ; 15 000 b.)** est citée pour ses arômes de fruits à l'alcool et pour sa structure prometteuse qui appelle trois ou quatre ans de garde.
➤ Mas del Périé, Fabien Jouves, Le Bourg, 46090 Trespoux-Rassiels, tél. 05 65 30 18 07, fax 05 65 53 12 13, masdelperie@wanadoo.fr, ☑ ★ ⊥ t.l.j. 9h-12h 13h30-19h

MAS DES ÉTOILES 2010 ★

■	4 500	⑪	11 à 15 €

Cette petite propriété de 5 ha est née en 2007 de l'association de deux amis vignerons, David Liorit et Arnaud Bladinières, lequel exerce également ses talents au château Bladinières aux côtés de son père. Année faste pour ce domaine puisque deux de ses vins sont sélectionnés. Ce 2010 au potentiel certain possède bien des atouts : une robe sombre, un bouquet complexe où les fruits, le poivre, le café, le cacao et des notes mentholées cohabitent ; un palais équilibré entre fraîcheur et rondeur ; une belle finale aux arômes persistants de cerise noire. Une citation pour **Petite Étoile 2010 (5 à 8 € ; 7 200 b.)**, l'entrée de gamme du domaine, qui charme par sa souplesse et sa rondeur.
➤ Arnaud Bladinières, Le Bourg, 46220 Pescadoires, tél. 06 73 34 37 40, contact@mas-des-etoiles.com

MÉTAIRIE GRANDE DU THÉRON Cuvée Prestige 2011

■	28 000	▮	8 à 11 €

Des vignes de malbec âgées de quarante ans, plantées sur un sol argilo-calcaire, ont donné ce vin élevé quinze mois en fût. S'annonçant dans une robe profonde aux reflets violets, il livre un bouquet intense de fruits frais, de vanille et de cacao. L'attaque souple et savoureuse introduit un ensemble bien équilibré, aux tanins encore serrés. Patientez deux ou trois ans avant d'ouvrir cette bouteille.

➤ L. Barat-Sigaud, Métairie Grande du Théron, 46220 Prayssac, tél. 05 65 22 41 80, fax 05 65 30 67 32, barat.sigaud@wanadoo.fr, ☑ ★ ⊥ t.l.j. sf sam. dim. 9h-12h 14h-17h

CH. NOZIÈRES L'Élégance 2010 ★

■	7 000	⑪	11 à 15 €

À une dizaine de kilomètres du Lot-et-Garonne, sur un terroir argilo-siliceux, ce cru familial fait preuve d'une bonne régularité, ce que confirme ce 2010 issu de vignes âgées de cinquante ans et élevé dix-huit mois en fût. Cette cuvée L'Élégance ne manque pas de présence dans sa parure sombre, presque noire. Le bouquet associe les fruits noirs (mûre, cassis) à des notes boisées et épicées (vanille, cannelle, gingembre). Dans une belle continuité, la bouche apparaît équilibrée, bien structurée, étayées par des tanins consistants mais de qualité qui garantissent une belle évolution. À boire dans quatre ou cinq ans sur des magrets de canard aux cèpes.
➤ EARL de Nozières Maradenne-Guitard, Bru, 46700 Vire-sur-Lot, tél. 05 65 36 52 73, fax 05 65 36 50 62, chateaunozieres@wanadoo.fr, ☑ ★ ⊥ t.l.j. sf dim. 9h-12h 14h-19h

CH. PAILLAS Tradition 2010 ★

■	35 000	▮	5 à 8 €

Un trio de cépages du Sud-Ouest - malbec (77 %), merlot (20 %) et une touche de tannat - ont donné naissance à ce 2010 aux arômes flatteurs de fruits mûrs, voire confiturés, et d'épices. On retrouve ce même caractère gourmand dans une bouche parfaitement équilibrée entre la rondeur suave et la fraîcheur toujours présente. Un vin facile d'accès, à découvrir sans attendre.
➤ SCEA de Saint-Robert, Paillas, 46700 Floressas, tél. 05 65 36 58 28, fax 05 65 24 61 30, info@paillas.com, ☑ ★ ⊥ t.l.j. sf sam. dim. 9h-12h 14h-17h30
➤ Lescombes

DOM. PÉJUSCLAT Tradition 2011 ★

■	6 000	▮	5 à 8 €

Issue d'un terroir argilo-calcaire de 1,1 ha, élevée dix-huit mois en cuve, ce cahors fait la part belle au malbec (70 %), complété d'une touche de merlot. Dans sa robe limpide, grenat foncé, elle affiche un nez explosif de mûre, de guignolet, de fraise des bois et d'épices douces. La bouche, à l'unisson, se révèle parfaitement équilibrée. Un vin facile d'accès, dont les tanins fondus autorisent une consommation immédiate. De beaux accords en perspective avec une entrecôte aux cèpes, un rôti de porc aux airelles ou un civet de marcassin.
➤ Guillaume Bessières, Péjusclat, 46090 Villesèque, tél. 06 83 80 01 46, pejusclat.guillaume@live.fr, ☑ ★ ⊥ t.l.j. 9h-12h 14h-19h; dim. sur r.-v.

PETIT JAMMES 2010 ★

■	4 000	▮	8 à 11 €

Thomas Chardard, propriétaire du château Pech de Jammes depuis 2009, propose un Petit Jammes très réussi. Robe sombre et intense, nez franc et gourmand, mariant la cerise et le cassis, matière ronde et goûteuse, finale longue et soyeuse aux tanins fondus : tout est là pour séduire. Pour accompagner un filet de bœuf à la truffe.

SUD-OUEST

⚲ SCEA T. Chardard, 740, rte de Vayrols, 46090 Flaujac-Poujols, tél. 06 80 98 55 10, thomas@pechdejammes.fr

CH. PINERAIE L'Authentique 2011 ★★

| | 17 000 | ⅠⅠ | 15 à 20 € |

Figurant chaque année en bonne place dans le Guide, le château Pineraie, fondé en 1861, voit deux de ses cuvées distinguées. Issu de vieux malbec âgé de soixante ans planté sur les hautes terrasses du Lot, ce 2011 est de très belle origine. La robe d'encre annonce un nez explosif de cerise, de violette et de réglisse, souligné de subtiles notes torréfiées, léguées par un séjour de dix-huit mois en barrique. Bien équilibrée, la bouche est soutenue par des tanins vifs, qui lui assureront une bonne garde (trois ans et plus). Bel accord en perspective avec du gibier en sauce. La cuvée **2011 Élevé en fût de chêne (8 à 11 € ; 150 000 b.)** reçoit une étoile. D'une belle complexité aromatique, ce « vin plaisir » montre une plaisante fraîcheur en finale.

⚲ Burc, Leygues, 46700 Puy-l'Évêque, tél. 05 65 30 82 07, fax 05 65 21 39 65, chateaupineraie@wanadoo.fr, ☑ ⚒ ⅠⅠ t.l.j. sf sam. dim. 9h-12h 14h-18h

CH. DU PLAT FAISANT Cuvée de l'Ancêtre
Élevé en fût de chêne 2011 ★★★

| | 12 000 | ⅠⅠ | 8 à 11 € |

Exploité en bio (conversion en cours), le château du Plat Faisant, avec sa cuvée de l'Ancêtre, collectionne les étoiles. Cette année, le 2011 en obtient trois. Né plein sud, sur argilo-calcaire, ce pur malbec séduit par sa superbe robe tulipe noire, par son bouquet complexe qui marie fruits rouges, cacao et notes toastées. Très bien construite, la bouche apparaît ample et gourmande, soutenue par des tanins de qualité, qui appellent une garde de deux ou trois ans.

⚲ Ch. du Plat Faisant, Les Roques, 46140 Saint-Vincent-Rive-d'Olt, tél. 05 65 30 76 38, chateauplatfaisan@wanadoo.fr, ☑ ⚒ ⅠⅠ r.-v. 🏠 ➌

CH. PONZAC Maintenant Cahors 2011 ★★

| | 12 000 | ∎ | 5 à 8 € |

Avec la cuvée Maintenant Cahors, Mathieu et Virginie Molinié confirment leur savoir-faire. De couleur rubis, ce 2011 affiche un nez puissant, mêlant fruits (cerise bien mûre) et épices. Bien équilibré, gras et charnu, le palais affiche une légère douceur en finale, sur des tanins soyeux. Une étoile pour **Éternellement Cahors 2011 (15 à 20 € ; 2 000 b.)** qui offre, après seize mois d'élevage en fût, un nez expressif de fruits confits et de vanille, prélude à une bouche volumineuse et charpentée. Deux plaisantes expressions du malbec. Le premier vin est à découvrir dès maintenant, le second peut attendre deux à trois ans.

⚲ EARL La Croix des Vignes, Le Causse, 46140 Carnac-Rouffiac, tél. 06 07 86 49 33, chateau.ponzac@wanadoo.fr, ☑ ⚒ ⅠⅠ r.-v.

⚲ Molinié

DOM. DU PRINCE Lou Prince 2010 ★★

| | 3 400 | ⅠⅠ | 20 à 30 € |

Lou Prince est une cuvée régulièrement distinguée dans le Guide. Le 2010 a tout pour plaire dans sa robe profonde aux reflets violets. De son élevage en fût (dix-huit mois), il a hérité des notes grillées qui se mêlent harmonieusement à des parfums de fruits (cassis) et de violette.

Après une attaque vive, on retrouve au palais de légères notes toastées bien fondues. Encore trois ou quatre ans et ce vin, d'une longueur admirable, connaîtra un bel apogée.

⚲ GAEC de Pauliac, Dom. du Prince, Cournou, 46140 Saint-Vincent-Rive-d'Olt, tél. 05 65 20 14 09, fax 05 65 30 78 94, domaineduprince@alsatis.net, ☑ ⚒ ⅠⅠ t.l.j. 9h-19h

LES CARRALS DU CH. QUATTRE 2011 ★

| | 13 000 | ⅠⅠ | 11 à 15 € |

Déjà remarquée l'an dernier pour le millésime 2009, cette cuvée provient des plus hautes terrasses de l'appellation et a séjourné deux ans en fût. Arômes intenses de cassis, d'épices, de moka, agrémentés de fines notes minérales, attaque souple, matière opulente, finale fraîche soutenue par une plaisante pointe d'amertume : l'ensemble est très réussi. Attendre deux ou trois ans avant de découvrir ce vin puissant sur un carré d'agneau rôti.

⚲ SCEA Saint-Seurin, Ch. Quattre, 46800 Bagat-en-Quercy, tél. 05 65 36 91 04, fax 05 65 36 96 90, chateauquattre@orange.fr, ☑ ⚒ ⅠⅠ t.l.j. sf sam. dim. 8h-12h 14h-17h

⚲ Vignoble de Terroirs

DOM. RESSÉGUIER Lou Travers
Élevé en fût de chêne 2011 ★

| | 1 480 | | 5 à 8 € |

Ce domaine à taille humaine (8 ha) figure souvent dans le Guide. Cette année, c'est Lou Travers qui se voit distingué. Élevé seize mois en fût, ce pur malbec présente un bouquet complexe, fruité et floral, encore marqué par le boisé. Doté d'une belle charpente de tanins arrondis, le palais se montre très plaisant par son équilibre entre fraîcheur et douceur. D'une bonne longueur, ce 2011 pourra être bu jeune ou attendu trois ans.

⚲ EARL La Cadourque, 117, chem. de Lacapelle, 46000 Cahors, tél. 09 65 30 56 07, fax 05 65 53 60 95, laurent@domaine-resseguier.fr, ☑ ⚒ ⅠⅠ t.l.j. 8h-12h 13h30-20h

⚲ Laurent Rességuier

RIGAL Contes et légendes 2011 ★

| | 90 000 | ⅠⅠ | - de 5 € |

La maison de négoce Rigal se distingue comme l'an dernier pour deux de ses cuvées de pur malbec. Celle-ci, issue de vignes âgées de quarante ans, est riche en couleur, cerise burlat, et présente un nez complexe de fruits noirs plaisamment vanillés, qui révèle un élevage bien maîtrisé. Franche à l'attaque, la bouche se montre équilibrée, soutenue par une plaisante fraîcheur. La longue finale, encore ferme, confirme le potentiel de cette belle bouteille, que l'on pourra garder quatre ou cinq ans. La cuvée **Troisième Terrasse 2010 (11 à 15 € ; 6 000 b.)** obtient la même note. Elle séduit par sa finesse et la complexité de sa palette mêlant les fruits noirs, la cerise au kirsch, la vanille, le menthol et les épices. Il est bien construit et soyeux.

⚲ SAS Rigal, Ch. Saint-Didier Parnac, 46140 Parnac, tél. 05 65 30 70 10, fax 05 65 20 16 24, myriam.sportouch@rigal.fr

CH. DES ROCHES Vendémiaire An XV 2010 ★

| | 11 000 | ∎ | 5 à 8 € |

On ne présente plus les vins du château des Roches, unis sous l'emblème révolutionnaire du bonnet phrygien.

C'est le Vendémiaire An XV (mois des vendanges dans le calendrier républicain) qui se voit distingué après un séjour de dix-huit mois en cuve. Ce vin, à la robe intense aux reflets rubis, offre une belle expression de fruits noirs (cassis, myrtille) relevés d'épices, qui se prolonge dans une bouche équilibrée et persistante, étayée par des tanins bien fondus. Un cahors plutôt souple, à découvrir dès la sortie du Guide sur un carré d'agneau.

☞ Jean Labroue, Les Roches, 46220 Prayssac, tél. 06 80 36 20 52, fax 05 65 30 83 53, chateaudesroches@wanadoo.fr, ☑ ♠ ⏆ r.-v.

CH. DE ROUFFIAC La Passion
Élevé en fût de chêne 2011 ★

| ■ | 20 000 | ⬛ | 8 à 11 € |

Pour le château de Rouffiac, La Passion est de nouveau au rendez-vous, le 2011 confirmant la qualité du millésime précédent. Les douze mois de fût ont laissé leur empreinte de vanille et de toast au nez, sans écraser les parfums de fruits rouges et noirs. La bouche, aux tanins fondus, est au diapason, avec une pointe mentholée qui apporte de la fraîcheur et porte loin la finale. Il ne manque rien à cette cuvée harmonieuse, prête à accompagner une côte de bœuf grillée aux sarments.

☞ Pascal et Olivier Pieron, SCEA PO Pieron, 46700 Duravel, tél. 05 65 36 54 27, fax 05 65 36 44 14, vignoblespieron@orange.fr, ☑ ⏆ t.l.j. sf dim. 9h-12h 14h-19h; f. 15-31-déc. 🏠 🅾

SERRE DE BOVILA 2009 ★★

| ■ | 10 000 | ⬛ | 11 à 15 € |

Première sélection en cahors pour Philippe et Thierry Romain, régulièrement remarqués dans le Guide pour leurs IGP (Coteaux et terrasses de Montauban, Côtes de Gascogne) et, déjà, deux étoiles pour ce pur malbec élevé deux ans en fût. Le nez complexe s'épanouit autour des fruits mûrs, des épices et des notes fumées de l'élevage. La bouche, ample et harmonieuse, aux tanins déjà affinés, s'étire longuement. Un vin de caractère, idéal pour accompagner dans deux ans un magret de canard.

☞ Philippe, Thierry et Astrid Romain, Dom. de Montels - Serre de Bovila, chem. de la Tauge, 82350 Albias, tél. 06 82 10 78 93, philippe.romain.montels@orange.fr, ☑ ♠ ⏆ r.-v.

LA TOUR SAINT-SERNIN 2010 ★★

| ■ | 5 000 | ⬛ | 11 à 15 € |

En 2005, Anne Swartvagher a quitté l'enseignement pour reprendre le domaine familial situé sur la paroisse de Saint-Sernin à Parnac. Pour obtenir ce cahors élevé dix-huit mois en fût, elle a assemblé au malbec 10 % de tannat. Ce vin couleur grenat marie avec élégance les fruits rouges (cerise) et des nuances d'élevage : l'amande, la réglisse et la vanille, ainsi que des notes empyreumatiques (chocolat, caramel). Solidement charpentée, la bouche apparaît bien équilibrée et persistante, soutenue par des tanins de bonne facture. Les dégustateurs prédisent un bel avenir à ce 2010, à attendre trois ou quatre ans. Le **Ch. Saint-Sernin 2010 Élevé en fût de chêne (5 à 8 € ; 100 000 b.)**, frais et fruité, reçoit une étoile.

☞ Swartvagher-Cavalié, Les Landes, 46140 Parnac, tél. 05 65 20 13 26, fax 05 65 30 79 88, saint.sernin@sfr.fr, ☑ ♠ ⏆ t.l.j. sf sam. dim. 10h-12h 14h-18h

GEORGES VIGOUROUX Gouleyant 2011 ★

| ■ | 200 000 | ⬛ | 5 à 8 € |

Joli tir groupé pour les cahors de Georges Vigouroux, l'une des figures de l'appellation, propriétaire et négociant. Issu de son activité de négoce, le Gouleyant, élevé un an en cuve, porte bien son nom : nez élégant de fruits rouges, bouche équilibrée, souple et d'une belle rondeur. Une pointe réglissée en finale apporte de la fraîcheur à ce vin léger et aromatique, qui s'appréciera sans attendre sur des grillades. Le **Ch. de Mercuès 2011 (15 à 20 € ; 69 333 b.)** et le **Ch. de Haute-Serre 2011 (15 à 20 € ; 76 000 b.)** provenant de ses propriétés obtiennent également une étoile ; le premier pour son registre fruité, épicé et pour sa bonne structure ; le second pour son nez complexe de fruits noirs et d'épices, et pour sa longueur.

☞ SAS Georges Vigouroux, rte de Toulouse, BP 159, 46003 Cahors Cedex 9, tél. 05 65 20 80 80, fax 05 65 20 80 81, vigouroux@g-vigouroux.fr, ☑ ♠ ⏆ t.l.j. sf dim. 8h-12h30 14h-19h30

🖤 CH. VINCENS Origine 2011 ★★

| ■ | 60 000 | ⬛ | 8 à 11 € |

Depuis la création du domaine, il y a trente ans, la famille Vincens a acquis un remarquable savoir-faire. En témoigne cette cuvée Origine, qui met en valeur le cépage local, le malbec (95 %), après un élevage de quatorze mois en fût. Remarquable d'intensité, elle dévoile un bouquet riche et complexe de fruits rouges et noirs, mâtiné de notes de cacao et de menthol. La bouche n'est pas en reste. Reflétant une extraction remarquable, elle s'appuie sur des tanins soyeux. Ce millésime d'une très grande élégance pourra être apprécié dès aujourd'hui, mais certains préféreront l'attendre quelques années. Un accord sûr : les aiguillettes de canard aux cèpes. Quant à la cuvée **Prestige 2011 (5 à 8 € ; 60 000 b.)**, elle reçoit une étoile pour ses notes douces d'épices, de vanille et de caramel.

☞ Ch. Vincens, Foussal, 46140 Luzech, tél. 05 65 30 51 55, fax 05 65 20 15 83, philippe@chateauvincens.fr, ☑ ♠ ⏆ t.l.j. 9h-13h 15h-19h 🏠 🅾

Coteaux-du-quercy

Superficie : 300 ha
Production : 13 290 hl

Située entre Cahors et Gaillac, la région viticole du Quercy s'est reconstituée assez récemment. Mais, comme dans toute l'Occitanie, la vigne y

SUD-OUEST

était cultivée dès l'Antiquité. La viticulture connut cependant plusieurs périodes de reflux. Elle pâtit notamment, au Moyen Âge, de la prépondérance de Bordeaux, puis au début du XX^{e}s., du poids du Languedoc-Roussillon. La recherche de la qualité, qui s'est manifestée à partir de 1965 par le remplacement des hybrides, a conduit à la définition d'un vin de pays en 1976. Peu à peu, les producteurs ont isolé les meilleurs cépages et les meilleurs sols. Ces progrès qualitatifs ont débouché sur l'accession à l'AOVDQS en 1999. Le territoire délimité s'étend sur 33 communes des départements du Lot et du Tarn-et-Garonne. Le 31 décembre 2011, la catégorie des AOVDQS a disparu et les coteaux-du-quercy ont été reconnus en AOC.

Rouges et rosés, les coteaux-du-quercy assemblent le cabernet franc, cépage principal pouvant atteindre 60 %, et les tannat, cot, gamay ou merlot (chacune de ces variétés à hauteur de 20 % maximum).

DOM. DE LA GARDE 2012

	7 000		5 à 8 €

Déjà en bonne place dans le Guide à l'époque où les coteaux-du-quercy étaient classés en vins de pays, ce domaine semble avoir pris un abonnement au Guide. Cette année, il fait découvrir un rosé à la robe soutenue, aux arômes intenses de fraise et de bonbon anglais, à la fois chaleureux et acidulé. À marier avec des travers de porc ou avec des salades composées.

☛ Jean-Jacques Bousquet, Le Mazut, 46090 Labastide-Marnhac, tél. et fax 05 65 21 06 59, contact@domainedelagarde.com, ☑ ⚮ ⵏ t.l.j. sf dim. 9h-12h 14h-19h

DOM. DE GUILLAU Tradition 2011 ★

	13 000		- de 5 €

Ce domaine familial a quatre coups de cœur récents à son actif, et décroche souvent les étoiles du Guide par paires. Sans avoir la puissance de ses devanciers, millésime oblige, son rouge Tradition inspire d'emblée confiance mais à l'aération sur des parfums de cassis, de myrtille et d'épices. La bouche est bien campée sur des tanins vigoureux et vifs, qui devraient permettre de garder cette bouteille cinq bonnes années. Sa fraîcheur appelle des magrets d'oie. À déboucher à partir de 2014.

☛ Jean-Claude Lartigue, Guillau, 82270 Montalzat, tél. 06 11 86 22 04, fax 05 63 93 28 06, jean-claude.lartigue@orange.fr, ☑ ⚮ ⵏ r.-v.

Ⓑ DOM. DE LAFAGE 2010

	2 200		8 à 11 €

Très souvent présent au rendez-vous du Guide, Bernard Bouyssou a converti son domaine au bio dès 1990. Depuis 1993, il le conduit en biodynamie. Le jury a retenu ce vin pour son bouquet complexe et élégant, où la cerise noire, les fruits noirs compotés, la réglisse et la noix de coco s'acccompagnent d'une touche de pivoine.

Sa matière plutôt svelte incite à servir cette bouteille sans attendre sur des aiguillettes de canard ou des steaks grillés.

☛ EARL Dom. de Lafage, Bernard Bouyssou, 82270 Montpezat-de-Quercy, tél. 05 63 02 06 91, fax 05 63 02 04 55, domainedelafage@free.fr, ☑ ⚮ ⵏ t.l.j. sf mer. dim. 9h-12h 14h-19h

PEYRE FARINIÈRE Élevé en fût de chêne 2010 ★★

	6 700		5 à 8 €

Peyre Farinière ? La « pierre farineuse », argilo-calcaire, où les raisins à l'origine de cette cuvée plongent leur racines. Ce 2010 a séjourné quatorze mois dans le chêne. Il en a tiré une robe profonde à reflets violets, un nez complexe, légèrement vanillé, avec un beau fruité sous-jacent (cassis, fruits rouges macérés) et des touches d'épices et de menthol. Souple à l'attaque, ample, voire opulent, gourmand et chaleureux, le palais montre aussi une belle fraîcheur qui exalte ses arômes de fruits noirs. Les tanins, bien présents, s'arrondiront au cours des deux prochaines années. Trois autres vins de la cave, élevés en cuve, sont prêts à paraître à table : le **Bessey de Boissy 2011** (moins de 5 € ; 26 700 b.), qui décroche également deux étoiles pour sa rondeur gourmande, en harmonie avec un nez complexe de fruits rouges surmûris et d'épices ; noté une étoile, **Les Hauts Lastour 2011** (moins de 5 € ; 26 700 b.), un cahors bien construit, sur les fruits rouges.

☛ Vignerons du Quercy, RN 20, 82270 Montpezat-de-Quercy, tél. 05 63 02 03 50, fax 05 63 02 00 50, lesvigneronsduquercy@wanadoo.fr, ☑ ⵏ t.l.j. sf dim. 9h-12h 14h-19h

♥ DOM. DE REVEL Grains de Revel
Rouge Tradition 2011 ★★★

	6 666		- de 5 €

La famille Raynal a bien fait de se lancer dans la vinification. Le domaine s'est fait connaître par ses rosés, le voici couronné pour un rouge, dont l'élégance se remarque dès l'approche : la robe est profonde, avec de belles jambes. Intense et gourmand, le nez monte en puissance, déployant une farandole de petits fruits – cerise, myrtille et mûre – légèrement mentholés. Après une attaque souple, le palais montre de la rondeur, de la mâche, soutenu par des tanins harmonieux parfaitement maîtrisés. Son gras confère de la suavité à la finale marquée par un joli retour fruité et épicé. Ce 2011 sera à son apogée entre 2015 et 2018, et accompagnera avec bonheur une entrecôte. On attendra un an ou deux le **rouge Prestige Caprice de Lorick 2010** (8 à 11 € ; 2 000 b.), élevé huit mois sous bois. Il reçoit une étoile pour ses arômes de fruits noirs réglissés et toastés, et pour sa bouche fraîche.

☛ EARL Papyllon – Domaine de Revel, La Cave de Revel, 82800 Vaïssac, tél. 05 63 30 92 97, wineofmick@yahoo.fr,
☑ ⚔ 𝐈 r.-v.
☛ Mickaël Raynal

Gaillac

Superficie : 3 923 ha
Production : 160 000 hl (65 % rouge et rosé)

Comme l'attestent les vestiges d'amphores fabriquées à Montels, les origines du vignoble gaillacois remontent à l'occupation romaine. Au XIIIᵉs., Raymond VII, comte de Toulouse, prit à son endroit un des premiers décrets d'appellation contrôlée, et le poète occitan Auger Gaillard célébrait déjà le vin pétillant de Gaillac bien avant l'invention du champagne. Le vignoble se répartit entre les premières côtes, les hauts coteaux de la rive droite du Tarn, la plaine, la zone de Cunac et le pays cordais.

Les coteaux calcaires se prêtent admirablement à la culture des cépages blancs traditionnels comme le mauzac, le len-de-l'el (loin-de-l'œil), l'ondenc, le sauvignon et la muscadelle. Les zones de graves sont réservées aux cépages rouges, duras, braucol ou fer-servadou, syrah, gamay, négrette, cabernet, merlot. La variété des cépages explique la palette des vins gaillacois. Pour les blancs, on trouvera les secs et perlés, frais et aromatiques, et les moelleux des premières côtes, riches et suaves. Ce sont ces vins, très marqués par le mauzac, qui ont fait la renommée de l'appellation. Le gaillac mousseux peut être élaboré soit par une méthode artisanale à partir du sucre naturel du raisin (méthode gaillacoise), soit par la méthode traditionnelle ; la première donne des vins plus fruités, avec du caractère. Les rosés de saignée sont légers ; quant aux vins rouges, s'ils sont souvent gouleyants, notamment lorsqu'ils sont issus de gamay, ils peuvent aussi se montrer plus charpentés et offrir un certain potentiel de garde.

ASTROLABE Vendanges d'automne 2011 ★★

	6 000	⬥	15 à 20 €

La coopérative de Técou propose trois cuvées qui ont séduit les dégustateurs. Le préféré est ce moelleux tout d'abord, issu d'un assemblage de loin de l'œil complété de muscadelle. La robe est d'un doré soutenu aux reflets ambrés. Le nez libère des parfums intenses de mangue, de coing, d'orange confite, de miel et de vanille. Après une belle attaque suave, le vin déploie une matière ronde, ample et concentrée, aux arômes de fruits bien mûrs qui se fondent dans les nuances d'un élégant boisé. L'ensemble est harmonieux et la finale d'une rare longueur. Le **2011 rouge (8 à 11 € ; 18 300 b.)**, souple, léger, bien équilibré entre fruité et boisé, obtient une étoile. Le **Cave de Técou 2012 blanc Fascination**, un sec au nez de pomme verte et d'ananas, au palais souple, tout en fraîcheur, est cité.

☛ SCA Cave de Técou, 100, rte de Técou, 81600 Técou, tél. 05 63 33 00 80, fax 05 63 33 06 69, passion@cavedetecou.fr,
☑ ⚔ 𝐈 t.l.j. sf dim. 8h-12h 14h-18h
☛ Vinovalie

L'AUBARÈL Moelleux 2011 ★★

	1 200	⬥	8 à 11 €

Ce domaine, fondé en 1904, a été repris en 2008 par Lucas Merlo. Celui-ci propose une belle gamme de vins monocépages, dont ce 2011, un moelleux de pur loin de l'œil à la robe ciselée d'or et d'argent. Le bouquet, de bonne intensité, respire la fraîcheur et libère de subtiles nuances d'orange amère et de miel d'acacia. La bouche répond au nez et livre une matière concentrée, douce et aromatique, soulignée par des notes boisées bien fondues. La finale est marquée par une agréable vivacité qui contribue à la persistance de ces jolis arômes. (Bouteilles de 50 cl.) Retenu avec une étoile, le **2011 rouge (3 000 b.)** est un pur braucol aux arômes francs de cassis, souple, étayé par des tanins fins et soyeux ; il est prêt. Même distinction pour le **2012 blanc sec Premières côtes (1 600 b.)**, un vin harmonieux, aromatique, légèrement vanillé et bien équilibré.
☛ Dom. Laubarel, 3000, rte de Cordes, 81600 Gaillac, tél. 05 63 57 41 90, fax 05 63 57 79 48, lucas.merlo545@orange.fr
☑ ⚔ 𝐈 t.l.j. sf dim. 9h-12h30 14h-19h
☛ Lucas Merlo

CH. BALSAMINE L'École buissonnière 2012 ★

	3 000	∎	5 à 8 €

Fondé en 2007, le domaine situé sur les Premières côtes de Gaillac dispose de 12 ha de vignes exposées au sud, sud-est et offre un joli panorama sur les Pyrénées par temps clair. Il signe un gaillac sec, assemblage à parts égales de mauzac et de sauvignon. Ce 2012 présente une robe légère, jaune pâle et livre un nez assez discret mais de qualité, aux nuances de poire, d'ananas et de pêche de vigne. Après une attaque nette et vivifiante, il dévoile un corps souple, aromatique, bien équilibré grâce à un trait de minéralité en finale. Un vin « moderne », selon un dégustateur, qui se mariera parfaitement avec un jambon braisé.
☛ EARL Les Balsamines, lieu-dit Téoulet, 81600 Gaillac, tél. 06 11 28 12 99, fax 05 63 57 11 78, chateaubalsamine@orange.fr,
☑ ⚔ 𝐈 t.l.j. 9h30-12h30 14h30-19h; dim. sur r.-v.
☛ Christelle et Christophe Merle

♥ DOM. DE BRIN Anthocyanes 2011 ★★

	2 400	⬥	8 à 11 €

Le nom de cette cuvée, qui fait référence au pigment rouge naturellement présent dans la peau du raisin,

SUD-OUEST

évoque la forte coloration du vin mais aussi la bonne maturité de la vendange. Et c'est bien ce qui transparaît dans ce 2011 qui a su séduire le grand jury. La robe intense aux nuances violines dessine de jolies jambes sur la paroi du verre. Le nez profond, concentré, offre des arômes de fruits rouges bien mûrs soulignés de notes poivrées et réglissées. En bouche, tout confirme l'excellente maturité du fruit : le vin déploie une matière puissante, ample et riche. Le corps apparaît charnu, l'ossature solide, les tanins se montrent enrobés et la persistance est remarquable. Un vin au très bon potentiel, que l'on pourra déguster sur un magret de canard grillé.

☛ Damien Bonnet, Dom. de Brin, 81150 Castanet, tél. 06 81 50 78 14, domainedebrin@gmail.com, ☑ ⚘ ⊥ t.l.j. 9h-19h

DOM. DE BROUSSE Terre des sens 2011 ★

| ■ | 2 000 | ⬚ | 11 à 15 € |

Philippe et Suzanne Boissel présentent une cuvée issue de 50 ares de vignes plantées sur un sol argilo-calcaire. Assemblage de braucol (80 %) et de merlot, ce 2011, vêtu d'une robe grenat limpide, offre un nez de cassis agrémenté de nuances toastées et vanillées. En bouche, la matière est ronde, souple, légèrement réglissée et épicée. Un vin harmonieux, tendre, aux tanins fondus, marqué par un léger boisé. À boire dans les quatre ans sur une viande grillée.

☛ Philippe et Suzanne Boissel, Dom. de Brousse, 81140 Cahuzac-sur-Vère, tél. et fax 05 63 33 90 14, domainedebrousse@wanadoo.fr, ☑ ⊥ t.l.j. sf dim. 10h30-12h30 15h-20h; f. jan.

CH. CANDASTRE 2012 ★★

| ■ | 239 600 | ⬚ | - de 5 € |

Né d'un assemblage de gamay, de syrah et de duras cultivés sur un sol argilo-calcaire, ce rosé a séduit les dégustateurs. La robe, d'un rose vif assez moderne, dévoile des parfums exubérants de petits fruits rouges (fraise, framboise, cerise). Le palais, à l'unisson, confirme toute la gamme aromatique de façon persistante. Souple, net, parfaitement équilibré entre gras et fraîcheur, ce vin fort plaisant pourra être apprécié tout au long du repas. Le **2011 rouge (289 300 b.)** reçoit également deux étoiles, tant pour son bouquet de fruits rouges mûrs que pour sa bouche ample, ronde et bien équilibrée entre moelleux et fraîcheur, à l'agréable finale sur la framboise. À déguster dès à présent sur un magret grillé.

☛ SCEA Ch. Candastre, rte de Senouillac, 81600 Gaillac, tél. 09 65 27 43 86, fax 05 63 57 22 26, laurent.aza@uccoar.com

DOM. DE CANTO PERLIC Sélection 2011 ★

| ■ | n.c. | ⬚ | 5 à 8 € |

Süne et Ursula Sloge, deux Suédois séduits par le terroir gaillacois, ont restauré le vignoble et les chais de ce domaine de 7,5 ha en 2010. Deux de leurs cuvées ont été retenues par les dégustateurs. Ce rouge 2011 tout d'abord, qui libère après aération des senteurs délicates de fruits rouges et de fleurs. La bouche dévoile une matière ronde, bien équilibrée entre suavité et fraîcheur, aux arômes de fraise et groseille et aux tanins souples. Un rouge friand idéal pour un repas en plein air. Le **2012 blanc sec Bel Canto Premières côtes Élevé en fût de chêne (8 à 11 € ; 1 300 b.)** est quant à lui cité pour son nez intense de fruits jaunes et pour sa bouche franche, souple, marquée par une agréable minéralité.

☛ SCEA Canto Perlic, rte de la Ramaye, 81600 Gaillac, tél. 05 63 57 25 56, fax 05 63 57 58 91, cantoperlic@telia.com, ☑ ⚘ ⊥ r.-v.
☛ Sloge

DOM. CARCENAC Les Grèzes 2011 ★

| ■ | 10 000 | ⬚ | 5 à 8 € |

Le domaine, situé sur le site d'un village gallo-romain, propose une cuvée issue à parts égales de braucol et de syrah. Rubis à reflets orangés, ce vin offre un bouquet très frais de petits fruits rouges (griotte) et de bourgeon de cassis, légèrement épicé. La bouche fruitée, souple, étayée par des tanins enrobés et soyeux, offre une matière bien équilibrée entre rondeur et fraîcheur, relevée en finale par une touche épicée. Un vin friand, à déguster dès à présent avec un confit de canard.

☛ Carcenac, Le Jauret, 81600 Montans, tél. 05 63 57 57 28, domaine.carcenac@orange.fr, ☑ ⚘ ⊥ t.l.j. 8h-12h 14h-19h

CH. DE CARIMON 2011 ★★

| ■ | 23 866 | ⬚ | 5 à 8 € |

Fondée en 1949, la cave de Labastide, la plus ancienne de l'appellation, regroupe 110 vignerons. Elle signe un 2011 à la robe vive, bien colorée. Le nez, intense et frais, est nettement dominé par le cassis. Ces arômes se retrouvent dans une bouche elle aussi surprenante de fraîcheur, dont on apprécie aussi le volume, la souplesse, la qualité des tanins et la longueur. À apprécier dès à présent sur une viande grillée. Le **Secret des Bastides 2011 rouge (8 à 11 € ; 97 300 b.)**, au joli nez de fruits rouges légèrement épicés, au palais à la fois rond, souple et frais, reçoit une étoile. Même distinction pour le **Ch. Bournet 2011 rouge (8 à 11 € ; 66 000 b.)**, un vin aux arômes de fruits rouges, souple, structuré par des tanins dénués d'agressivité. Tous deux sont prêts.

☛ Cave de Labastide, BP 12, 81150 Marssac-sur-Tarn, tél. 05 63 53 73 73, fax 05 63 53 73 74, commercial@cave-labastide.com, ☑ ⚘ ⊥ r.-v.

♥ DOM. DE LA CHANADE Galien 2012 ★★

| ■ | 2 800 | ⬚ | 8 à 11 € |

Distingué parmi les quatre blancs secs présentés au grand jury des coups de cœur, ce 2012, assemblage de loin de l'œil et de mauzac cultivés sur 6 ha de sol argilo-calcaire, a remporté tous les suffrages. D'un bel or, le vin libère au nez des parfums intenses et suaves de fleurs blanches, de fruits bien mûrs (pomme, coing), accompagnés de légères touches minérales et boisées. L'attaque souple et ronde dévoile une matière suave marquée par les fruits exotiques, le miel et la vanille, la finale minérale apportant une fraîcheur appréciable et un réel équilibre à l'ensemble. Un vin original, selon un dégustateur qui conseille de l'apprécier sur un poisson en sauce exotique. Le **2011 rouge**

Vignobles de la Chanade Premium (5 à 8 € ; 6 300 b.) reçoit quant à lui une étoile pour ses arômes de fruits rouges et pour son corps rond et équilibré. À déguster dès à présent sur une viande rouge.

🍷 La Chanade, La Chanade, 81170 Souel, tél. 05 63 56 31 10, fax 01 39 75 19 17, lachanade@orange.fr, ☑ ☊ ☍ t.l.j. 8h-12h 14h-18h

🍷 Hollevoet

CH. Clément Termes 2011 ★

◼   180 000   ▬   5 à 8 €

La famille David propose un gaillac rouge issu d'un assemblage de braucol, de syrah et de merlot. Ce 2011 se présente dans une jolie robe cerise burlat et exhale de fraîches senteurs de fruits rouges et noirs. La bouche est à l'unisson, friande, ronde, bien étayée par des tanins fondus. Un vin agréable, à déguster dès maintenant sur un confit de canard. Une étoile également pour la cuvée **Mémoire 2011 rouge (8 à 11 € ; 20 000 b.)**, fruitée, légèrement épicée, fraîche et structurée par des tanins solides. Un vin au bon potentiel de garde (cinq ans).

🍷 SCEV David, Les Fortis, 81310 Lisle-sur-Tarn, tél. 05 63 40 47 80, fax 05 63 40 45 08, karinerodrigo@orange.fr,
☑ ☊ ☍ t.l.j. sf dim. 9h-12h 13h-18h30

DOM. La Croix des Marchands Demi-sec
Méthode ancestrale 2012 ★

◯   14 000   8 à 11 €

Ce domaine fondé en 1971 a élaboré une cuvée de pur mauzac issue de 3 ha de graves. Un vin à la robe jaune pâle brillant couronnée d'une agréable mousse. Le nez élégant et frais, de bonne intensité, évoque les fleurs blanches et la pomme verte. Après une attaque franche, le vin déploie une matière ronde, très fruitée, bien équilibrée et persistante. Un joli effervescent à servir à l'apéritif.

🍷 J.-M. et M.-J. Bezios, Dom. la Croix des Marchands, 81600 Montans, tél. 05 63 57 19 71, fax 05 63 57 48 56, contact@croixdesmarchands.fr, ☑ ☊ ☍ t.l.j. 9h-12h 14h-19h

DOM. Duffau Or Nº 1 2011 ★★

◼   1 750   ⬚   8 à 11 €

Bruno Duffau a fondé ce domaine en 2009 après une reconversion professionnelle. Il propose un moelleux qui a su ravir les jurés par sa robe jaune doré, parfaitement limpide, et par son nez intense et fin mêlant un léger toasté à des notes de fruits confits et de sirop d'érable. En bouche, une matière concentrée se déploie, associant fraîcheur et douceur dans un bel équilibre. Le fruité persiste, enveloppé d'un boisé vanillé bien dosé. Déjà prêt, ce vin pourra attendre un an ou deux avant d'être dégusté, avec du roquefort par exemple. (Bouteilles de 50 cl.) Le **2012 brut méthode ancestrale (3 500 b.)**, fruité, ample et bien équilibré, est cité.

🍷 Dom. Duffau, Saint-Laurent, 81600 Gaillac, tél. 05 63 58 43 13, bruno.duffau@wanadoo.fr, ☑ ☊ ☍ r.-v.

DOM. d'Escausses La Vigne de l'oubli 2011 ★★

◼   15 000   ▬⬚   8 à 11 €

Régulièrement présent en très bonne place dans le Guide, le domaine de la famille Balaran se voit encore une fois distingué pour sa très belle cuvée de blanc. Assemblage à parts égales de mauzac et de sauvignon que complète la muscadelle, ce 2011 affiche une robe légère et brillante, or pâle, d'où s'élèvent avec beaucoup d'élégance

---

des parfums de pomme verte, de poire, de pêche, de mirabelle, accompagnés de nuances boisées. Le palais est à l'unisson ; souple, gras, d'un beau volume, il séduit par son équilibre parfait entre acidité et moelleux et par sa finale persistante et minérale. Un vin bien construit, expressif, à associer avec un fromage de brebis. Signé par Aurélie Balaran, le **Ch. l'Enclos des Roses 2012 rosé (5 à 8 € ; 4 000 b.)** est cité pour son nez délicat, légèrement réglissé, et pour sa bouche ronde, aromatique, franche et bien équilibrée, à déguster dès l'apéritif.

🍷 EARL Denis Balaran, La Salamandrie, 81150 Sainte-Croix, tél. 05 63 56 80 52, fax 05 63 56 87 62, jean-marc.balaran@wanadoo.fr,
☑ ☊ ☍ t.l.j. 9h-19h ; dim. sur r.-v.

CH. La Garenne Doux 2012 ★

◼   8 000   8 à 11 €

Benoît Arnaud, à la tête de ce domaine familial depuis 2009, présente un moelleux de pur loin de l'œil issu de 3 ha de terrasses graveleuses. Paré d'une robe or soutenu aux nuances ambrées, ce 2012 offre un nez intense de raisin rôti, de fruits confits, de miel et de cire d'abeille. Dense dès l'attaque, le vin déploie une matière onctueuse, suave, évoquant le raisin de Corinthe, la figue, la datte et la pâte de coings, contrebalancée par une pointe de fraîcheur en finale. Un liquoreux au bon potentiel. Une étoile également pour le **2011 rouge (5 à 8 € ; 30 000 b.)** au nez de cassis et de mûre, au palais fruité, frais et souple à la fois, structuré par des tanins soyeux. À boire dès aujourd'hui sur une viande grillée.

🍷 EARL Arnaud, 25, rue de la Mairie, 81150 Lagrave, tél. et fax 05 63 41 78 63, arnaudpy@wanadoo.fr

DOM. de Labarthe Cuvée Guillaume 2011 ★

◼   40 000   ⬚   8 à 11 €

Jean-Paul Albert présente une cuvée en hommage à son ancêtre, vigneron au XVIᵉs. Ce 2011, assemblage de braucol (90 %) et de syrah, revêt une robe aux légers reflets tuilés. Le nez bien ouvert, assez flatteur, exprime des notes de groseille, de réglisse, de coco et d'épices. La bouche ample, souple et généreuse déploie une matière suave, légèrement boisée, épaulée par des tanins fondus. Un vin bien équilibré, déjà prêt. Le **2012 blanc sec cuvée L'Héritage (5 à 8 € ; 13 000 b.)**, offre un accord harmonieux entre fruité et boisé, vivifié en finale par une agréable fraîcheur citronnée. Il reçoit également une étoile. On pourra l'apprécier dès maintenant sur du poisson.

🍷 EARL Jean Albert et Fils, Dom. de Labarthe, 81150 Castanet, tél. 05 63 56 80 14, fax 05 63 56 84 81, labarthe@vinlabarthe.com,
☑ ☊ ☍ t.l.j. sf dim. 8h-12h 14h-19h

CH. de Lacroux Vigne du Castellan 2011 ★

◼   40 000   ▬   5 à 8 €

Ce domaine familial exploité par les trois fils de Pierre Derrieux offre un joli panorama sur le Gaillacois et sur la Montagne Noire. Exploitées sur des coteaux argilo-calcaires, des vignes de braucol, de duras, de syrah et de merlot ont donné naissance à ce 2011 rubis clair. Le premier nez livre une légère note de gibier, qui laisse place à des parfums de fruits rouges épicés, accompagnés d'une touche de violette. Après une attaque franche, le fruité s'épanouit sur des notes de framboise et de cassis au sein d'une matière souple, fraîche et persistante, légèrement

SUD-OUEST

poivrée en finale. Un joli gaillac, à déguster dès à présent sur des grillades.

☙ GAEC Pierre Derrieux et Fils, Ch. de Lacroux, Lincarque, 81150 Cestayrols, tél. et fax 05 63 56 88 88, lacroux@chateaudelacroux.com,

☑ ⚐ ☗ t.l.j. 9h-1230h 14h-19h 🏠 ❸ 🏛 🅾

LAGRAVE Cuvée Sigolène 2011 ★★

	12 000 ▮	5 à 8 €

Cette structure de négoce réunit trois producteurs qui vinifient individuellement leur récolte. Elle propose un 2011 à la robe d'un rouge intense aux nuances violacées. Le nez livre de jolies fragrances (groseille, mûre, cassis) qui annoncent une bouche fruitée et ronde, d'une fraîcheur appréciable, épaulée par des tanins soyeux. Une cuvée harmonieuse, aux arômes persistants, que l'on pourra apprécier dès la sortie du Guide. La cuvée **Le Grand Terroir 2011 rouge (5 000 b.)** reçoit une étoile pour sa souplesse et pour son juste équilibre entre fruité et boisé.

☙ Terroir de Lagrave, 63, chem. de la Bouissounade, 81150 Lagrave, tél. 05 63 81 52 20, fax 05 63 81 55 42, terroirdelagrave@wanadoo.fr,

☑ ⚐ ☗ t.l.j. 9h30-12h30 14h-19h

DOM. DE LAMOTHE Sec 2012

	5 500 ▮	- de 5 €

Véronique et Alain Aurel, propriétaires de ce domaine depuis 1988, signent un 2012 or pâle aux reflets verts, au nez délicat mêlant la pomme, la poire, la mirabelle, l'acacia et le buis. Les dégustateurs ont reconnu dans ce vin franc et souple les arômes des deux cépages qui le composent : le loin de l'œil et le sauvignon. Un ensemble équilibré, à déguster dès à présent avec du poisson.

☙ Dom. de Lamothe, Lamothe, 81140 Sainte-Cécile-du-Cayrou, tél. 05 63 33 10 84, aurel.alain@wanadoo.fr, ⚐ ☗ r.-v.

☙ Véronique et Alain Aurel

DOM. DE LARROQUE Les Seigneurines 2011 ★

	6 000 ◫	8 à 11 €

Valérie et Patrick Nouvel, à la tête d'un domaine de 18 ha, ont engagé en 2012 la conversion de leur vignoble au bio. Ils proposent deux cuvées qui ont séduit les dégustateurs. Ce rouge tout d'abord, dont la robe profonde montre des nuances violines. Au nez, les notes de fruits rouges vanillés sont agrémentées de touches d'eucalyptus et de menthol. La bouche est caressante et suffisamment puissante, à la fois ample, riche et fraîche. Un vin plaisant et gourmand, que l'on pourra conserver trois ou quatre ans et servir sur un magret de canard. Le **2012 blanc doux Les Seigneurines vendanges tardives (11 à 15 € ; 2 500 b.)** obtient également une étoile pour son bouquet de fruits jaunes mûrs et pour son palais miellé, bien équilibré entre gras et fraîcheur. Une jolie bouteille à déguster sur une tarte aux abricots.

☙ EARL Valérie et Patrick Nouvel, Larroque, 81150 Cestayrols, tél. 05 63 56 87 63, fax 05 63 56 87 40, domainedelarroque@wanadoo.fr,

☑ ⚐ ☗ t.l.j. 9h-12h 14h-19h; dim. sur r.-v. 🏠 ❸ 🏛 🅔

CH. LASTOURS Les Graviers 2012

	60 000 ▮	- de 5 €

Hubert de Faramond, à la tête de ce domaine dont la vocation viticole remonte au XVIIes., signe un 2012 de

couleur paille claire. Le nez de bonne intensité révèle des notes florales, fruitées (poire, ananas) et minérales. La bouche, d'une grande fraîcheur, évolue sur des notes de bonbon aux fruits soulignées par une agréable minéralité, avant de finir sur un trait de vivacité et une pointe d'amertume. Un blanc tonique que l'on appréciera à l'apéritif ou sur des huîtres.

☙ Hubert de Faramond, Ch. Lastours, 81310 Lisle-sur-Tarn, tél. 05 63 57 07 09, fax 05 63 41 01 95, chateau-lastours@wanadoo.fr, ☑ ⚐ ☗ t.l.j. 9h-12h 14h-19h

CH. LECUSSE Cuvée spéciale 2011

	85 000 ▮	- de 5 €

Ce domaine propose un rouge issu d'un assemblage de fer servadou (85 %) et de duras. Le vin livre un joli nez de fruits rouges mûrs légèrement épicés. La bouche fruitée, ronde et légère ne manque pas de fraîcheur. Le corps est souple et svelte, la finale aromatique. Un vin facile d'accès, à boire dès à présent avec des grillades.

☙ Ch. Lecusse, Broze, 81600 Gaillac, tél. 05 63 33 90 09, fax 05 63 33 94 36, post@chateaulecusse.fr, ☑ ⚐ ☗ r.-v.

☙ Mogens N. Olesen

♥ DOM. DE LONG-PECH Brut
Méthode ancestrale 2012 ★★

	5 000 ▮	8 à 11 €

Sandra Bastide et sa sœur Marine travaillent ensemble depuis dix ans sur ce domaine familial situé entre Toulouse, Albi et Montauban. Elles présentent un effervescent issu de 1 ha de mauzac récolté manuellement et vinifié sans sulfites. Ce coup de cœur distingue un 2012 de belle facture, or pâle, couronné d'une mousse de perles très fines, fruit d'un travail soigné à la vigne comme au chai. Au nez se mêlent des parfums intenses et complexes de fleurs blanches et de fruits (pomme, poire et agrumes). Après une attaque franche, le vin développe une matière fraîche, croquante, aux arômes très francs, plus intenses encore en finale. Les amateurs de méthode gaillacoise comme les néophytes apprécieront cette bouteille, à l'apéritif ou sur une tarte Tatin. Le **2011 blanc doux Douceurs des brumes (5 800 b.)** est cité pour son bouquet flatteur de miel et d'agrumes, et pour son palais bien équilibré entre moelleux et fraîcheur.

☙ GAEC Bastide Père et Fille, Dom. de Long-Pech, Lapeyrière, 81310 Lisle-sur-Tarn, tél. 05 63 33 37 22, contact@domaine-de-long-pech.com,

☑ ⚐ ☗ t.l.j. 9h30-12h30 14h-19h;, dim. sur r.-v.

MANOIR DE L'EMMEILLÉ Doux 2012 ★

	6 000 ▮	8 à 11 €

Ce domaine familial, dont l'origine remonte au Moyen Âge, était autrefois un établissement religieux et la cave a été aménagée dans l'ancienne chapelle. Le gaillac doux proposé par la famille Poussou arbore une robe vive d'un beau jaune paille. Il livre un nez flatteur mêlant les fruits blancs et les fruits exotiques. Une attaque vive introduit un palais qui fait écho au nez, souple, soyeux, suave, bien équilibré en finale par une nuance fraîche d'orange amère et de menthol. Un vin gourmand qui accompagnera à merveille une salade de fruits.

☛ Manoir de l'Emmeillé, 81140 Campagnac, tél. 05 63 33 12 80, fax 05 63 33 20 11, emmeille@wanadoo.fr,

☑ ⚘ Ⓣ t.l.j. sf dim. 9h-12h 14h-18h30

☛ Charles Poussou

MAS D'AUREL 2012

	5 000	🍾	5 à 8 €

Né d'un assemblage de muscadelle, de loin de l'œil et de sauvignon, ce 2012 se présente dans une robe jaune pâle aux reflets argentés. Du verre s'échappent de jolis parfums bien frais, d'abord un peu anisés, puis floraux et fruités, accompagnés de nuances de bonbon anglais. La bouche prolonge le nez, acidulée, fraîche, bien équilibrée, légèrement citronnée en finale. Un classique qui accompagnera parfaitement un plateau de coquillages et de crustacés.

☛ Mas d'Aurel, 81170 Donnazac, tél. 05 63 56 06 39, fax 05 63 56 09 21, masdaurel@wanadoo.fr,

☑ ⚘ Ⓣ t.l.j. sf dim. 9h-12h 14h-19h

DOM. MAS PIGNOU Cuvée Mélanie 2011 ★★

	13 000	🍾	5 à 8 €

Jacques et Bernard Auque ont particulièrement réussi leur gaillac rouge composé de fer servadou (appelé ici « braucol »), complété à parts égales de merlot et de cabernet-sauvignon. Un 2011 à la robe rouge profond, au nez expressif et frais de petits fruits (groseille, mûre, cassis). Le vin révèle en bouche une matière ronde, légèrement acidulée, structurée par des tanins soyeux, et offre une finale relevée d'épices. Une bouteille amène à déguster dès à présent avec une pièce de bœuf. À ses côtés, deux cuvées sont citées : un **brut méthode ancestrale (8 à 11 € ; 20 000 b.)**, aux arômes de pomme, frais et acidulé, tout en finesse, et le **2012 blanc sec Les Hauts de Laborie (moins de 5 € ; 13 000 b.)**, souple, gras, vivifié par une agréable minéralité en finale.

☛ Dom. du Mas Pignou, Mas de Bonnal, 81600 Gaillac, tél. 05 63 33 18 52, fax 05 63 33 11 56, maspignou@gmail.com, ☑ ⚘ Ⓣ t.l.j. 9h-12h 14h-19h

☛ B. Auque

CH. LES MERITZ Doux Prestige 2012 ★★

	70 000	🍾	5 à 8 €

Ce gaillac doux résulte d'un assemblage classique des cépages gaillacois - loin de l'œil, muscadelle, mauzac - cultivés sur un sol argilo-calcaire. Paré d'une robe lumineuse, couleur paille fraîche à reflets verts, il dévoile un bouquet fin, frais et complexe de poire et de fruits exotiques. La bouche, très expressive, déploie une belle palette aromatique dans un style frais et très gourmand. Un vin ample, gras, soyeux et persistant, équilibré par une agréable vivacité. Un régal pour l'apéritif.

☛ Les Domaines Philippe Gayrel, Ravailhe, 81140 Cahuzac-sur-Vère, tél. 05 63 56 53 49, fax 05 63 33 95 76

CH. MONTELS Secret de Saint-André 2011 ★

	3 200	⦚	8 à 11 €

Souvent mentionné dans le Guide, ce domaine situé sur le plateau calcaire de Cordes propose un gaillac rouge élaboré à partir de 1,5 ha de vignes plantées sur sol calcaire. Cet assemblage syrah-fer servadou offre une robe cassis presque noire, un nez fruité (cassis, fraise, cerise) agrémenté d'épices douces et d'un boisé fin, bien intégré. Après une attaque souple, le vin livre une matière puissante, fruitée et réglissée, étayée par une agréable fraîcheur et épaulée par des tanins jeunes et vigoureux. Un ensemble de bonne tenue, à déguster après un an de garde.

☛ Bruno Montels, Burgal, 81170 Souel, tél. 05 63 56 01 28, fax 05 63 56 15 46 ☑ Ⓣ r.-v.

♥ DOM. DU MOULIN Cuvée réservée 2011 ★★

	50 000	🍾	5 à 8 €

DOMAINE
DU
MOULIN

GAILLAC
APPELLATION GAILLAC CONTRÔLÉE

MIS EN BOUTEILLE AU DOMAINE

N & JP HIRISSOU - GAIC- VIGNERONS
CHEMIN DES CRÊTES - 81600 GAILLAC
TÉL 05 63 57 20 52
PRODUIT DE FRANCE
CONTENT 750 VOLUME

Un palmarès enviable pour ce domaine dirigé par Nicolas et Jean-Paul Hirissou, régulièrement aux premières places dans le Guide : trois vins sélectionnés, dont ce rouge qui vaut à la propriété son quatrième coup de cœur consécutif. Ce 2011 apparaît dans une magnifique robe grenat sombre, presque noire, et livre un nez puissant et raffiné évoquant une corbeille de fruits fraîchement cueillis, relevés d'épices. Après une attaque souple et douce, la bouche se montre ronde et ample, intensément gourmande, fruitée, charnue, bien équilibrée entre moelleux et acidité. La finale est vivifiée par une note menthodée et étayée par des tanins fins et épicés. Un très beau représentant de l'appellation, à déguster dans les trois ans. La cuvée **Vieilles Vignes 2011** blanc sec (8 à 11 € ; 8 000 b.) reçoit également deux étoiles, tant pour son nez de coing et de vanille que pour son palais équilibré entre gras et fraîcheur, portant l'empreinte d'un élevage de neuf mois en fût. Enfin, la cuvée **Florentin 2011** rouge (20 à 30 € ; 3 650 b.) obtient une étoile pour son palais bien charpenté aux arômes empyreumatiques (caramel, grillé, café). Ses tanins encore un peu austères se seront affinés d'ici un an ou deux.

☛ Dom. du Moulin, chem. des Crêtes, 81600 Gaillac, tél. 05 63 57 20 52, fax 05 63 57 66 67, domainedumoulin81@orange.fr,

☑ ⚘ Ⓣ t.l.j. 9h-12h 14h-19h

☛ Nicolas Hirissou

RAIMBAULT Quintessence 2011 ★★

	7 000	⦚	8 à 11 €

La cave de Rabastens, créée en 1953, regroupe aujourd'hui 150 adhérents. Pour élaborer ce 2011, 2 ha de merlot, de syrah et de fer-servadou ont été sélectionnés avec soin. Il en résulte un vin couleur cerise burlat, au nez

SUD-OUEST

intense de fruits à l'eau-de-vie et de réglisse. Souple à l'attaque, ronde et dense, la bouche offre une belle structure tannique. Une certaine chaleur exalte les arômes de fruits et de boisé perçus au nez. Un beau gaillac au caractère généreux, que l'on pourra déguster dès à présent ou conserver quelques années en cave. Le **Ch. d'Escabes 2011 rouge Privilège Élevé en fût de chêne (5 à 8 € ; 47 000 b.)** reçoit également deux étoiles pour sa souplesse, son onctuosité et son équilibre conféré par des tanins bien présents mais soyeux.

☛ SCA Vignerons de Rabastens, 33, rte d'Albi, 81800 Rabastens, tél. 05 63 33 73 80, fax 05 63 33 85 82, jn.barrau@vigneronsderabastens.com, ☑ ⚭ ⚲ r.-v.

ⒷCH. DE RHODES 2011

| | 28 500 | ▯ | 5 à 8 € |

La certification bio est désormais acquise pour ce domaine de 20 ha mené par Éric Lepine. Celui-ci propose un 2011 d'un rouge intense aux nuances violines. Au premier nez, les arômes sont sur la réserve, puis quelques notes de fruits noirs légèrement épicés se font jour. L'attaque, plus fruitée, dévoile une matière fraîche, voire un peu vive, qui donne du tonus et de l'allonge à la finale. Un vin destiné à des repas légers ou à des grillades, à boire dès à présent.

☛ Éric Lepine, Ch. de Rhodes, Boissel, 81600 Gaillac, tél. 05 63 57 06 02, fax 05 63 57 66 63, info@chateau-de-rhodes.com, ☑ ⚭ ⚲ t.l.j. sf dim. 9h-12h 13h30-17h30; sam. sur r.-v.; f. 1ᵉʳ-18 août

DOM. RENÉ RIEUX Doux Harmonie 2011 ★

| | 15 000 | ▯ | 8 à 11 € |

Ce gaillac doux, coup de cœur l'an dernier, revient cette année dans le Guide avec une étoile pour le millésime 2011. Paré d'une robe dorée aux nuances ambrées, il offre un bouquet intense et complexe de fruits jaunes surmûris, d'orange confite, de pâte de coings et de miel. La bouche ample, grasse, suave et goûteuse est portée par une acidité vivifiante et renoue en finale avec des arômes persistants de surmaturité. Un liquoreux que l'on suggère de déguster avec une tarte aux pommes caramélisées.

☛ Agapei Tricat Service Production, 1495, rte de Cordes, 81600 Gaillac, tél. 05 63 57 29 29, fax 05 63 57 51 71, domaine@domainerenerieux.com, ☑ ⚭ ⚲ t.l.j. 9h-12h 13h30-17h

DOM. ROTIER Doux Renaissance 2011 ★★

| | 9 600 | ▯⏻ | 15 à 20 € |

Alain Rotier et Francis Marre sont à la tête de cette propriété fondée en 1985, aujourd'hui l'un des domaines phare de l'appellation, notamment pour ses gaillac doux. Pur loin de l'œil, leur cuvée Renaissance revêt une robe doré brillant. Au nez se révèlent des arômes très expressifs de fruits exotiques surmûris, presque confits, accompagnés de notes florales, miellées et épicées. Le palais livre une superbe matière, très riche, ample et suave, équilibrée par une agréable fraîcheur. Un vin puissant et élégant, concentré et long, à déguster sur un crumble aux fruits blancs ou jaunes. La cuvée **Renaissance 2010 rouge (11 à 15 € ; 10 600 b.)**, au bouquet de fruits rouges mûrs, de caramel et de vanille, au palais ample, frais et bien équilibré entre fruité et boisé, obtient une étoile. Même note pour la cuvée **L'Âme 2010 rouge (20 à 30 € ;**

3 650 b.), aux notes de fruits rouges assorties de nuances empyreumatiques, bien structuré par des tanins qui demandent un à deux ans de garde pour se fondre davantage.

☛ Dom. Rotier, Petit Nareye, 81600 Cadalen, tél. 05 63 41 75 14, fax 05 63 41 54 56, rotier.marre@domaine-rotier.com, ☑ ⚭ ⚲ t.l.j. sf dim. 9h-12h 14h-19h 🏠 Ⓒ ☛ Francis Marre

DOM. SALVY 2011 ★

| ▯ | 13 000 | ▯ | 5 à 8 € |

Anne, Marc et Patrick Durel présentent un gaillac rouge issu d'un assemblage de duras, de braucol, de merlot et de syrah. D'un pourpre intense, ce 2011 offre un bouquet de fruits rouges (fraise) et noirs (mûre, cassis). Le palais délivre une belle matière, aromatique, bien équilibrée entre rondeur et fraîcheur, épaulée par des tanins soyeux. La finale est plaisante, légèrement épicée. À boire dès la sortie du Guide sur une viande blanche.

☛ Dom. Salvy, Arzac, 81140 Cahuzac-sur-Vère, tél. 05 63 33 97 29, salvy@wanadoo.fr, ☑ ⚲ t.l.j. sf lun. 10h-12h 15h-18h ☛ Anne, Marc et Patrick Durel

DOM. SARRABELLE Méthode gaillacoise 2012 ★

| ◯ | 6 600 | | 8 à 11 € |

Ce domaine mené par Laurent et Fabien Caussé signe une méthode gaillacoise, autrement dit un effervescent élaboré selon la méthode ancestrale à partir de pur mauzac. La robe jaune pâle est parcourue d'une bulle fine. Le nez libère d'élégantes notes de fruits compotés (pomme et poire). Ample et ronde en attaque, la bouche se montre soyeuse, douce, sur de subtils arômes de pomme granny. Un vin typique et bien équilibré, à déguster avec un flan aux poires.

☛ Dom. Sarrabelle, Les Fortis, 81310 Lisle-sur-Tarn, tél. 05 63 40 47 78, fax 05 63 81 49 36, contact@sarrabelle.com, ☑ ⚭ ⚲ t.l.j. sf dim. 9h-12h 14h-19h ☛ Caussé

CH. TAUZIÈS Confidence 2011 ★

| ▯ | 15 000 | ▯ | 8 à 11 € |

Un assemblage de braucol, de merlot, de syrah et de cabernet est à l'origine de ce 2011 au nez franc de petits fruits rouges bien mûrs et d'épices douces. En bouche, le vin livre une matière souple, ample, fraîche et fruitée, étayée par des tanins qui confèrent une bonne tenue à l'ensemble. Une bouteille au joli potentiel, à boire dans les cinq ans.

☛ Ch. Tauziès, rte de Cordes, 81600 Gaillac, tél. 05 63 57 06 06, fax 05 63 41 01 92, chateau.tauzies@wanadoo.fr, ☑ ⚭ ⚲ t.l.j. sf dim. 8h-12h 14h-18h30 ☛ Mouly

CH. DE TERRIDE Cuvée Diva 2011 ★

| | 1 200 | ⏻ | 15 à 20 € |

Ce domaine, fondé en 1650 par une famille de verriers, n'est devenu une exploitation viticole qu'à partir de 1960. En 1996, Jean-Paul et Solange David ont entrepris une restauration de la propriété et du vignoble. Ils signent ce 2011 d'un rouge profond aux jolis reflets violets. Le nez intense révèle des notes de fruits frais et un discret boisé. La bouche, dense, assez concentrée, dévoile un bel équilibre entre moelleux et fraîcheur. Le fruit est mis en avant, les tanins présents mais de qualité laissent place à une montée d'épices douces en finale. Un vin qui a du potentiel, à déguster avec une côte à l'os, dans les cinq ans à venir.

☛ Alix David, Ch. de Terride, 81140 Puycelsi, tél. 05 63 33 26 63, fax 05 63 33 26 46, info@chateau-de-terride.com, ☑ ☆ ☓ t.l.j. 9h-12h 14h-19h

DOM. DES TERRISSES Doux 2011 ★

	25 000		8 à 11 €

À la tête de ce domaine familial depuis 1984, Brigitte et Alain Cazottes prouvent encore une fois leur fidélité aux cépages gaillacois avec ce pur mauzac. Le vin se présente dans une robe jaune doré brillant et offre un nez de qualité, composé de fleurs blanches, de miel et d'agrumes (pomelo). Une belle fraîcheur se dévoile dès l'attaque et apporte de l'équilibre au palais, agrémenté des parfums déjà perçus au nez. Un gaillac souple, typique et persistant, parfait pour un foie gras. Le **2011 rouge (50 000 b.)** reçoit également une étoile pour son joli nez de fruits rouges et pour sa bouche ample, généreuse, équilibrée par une plaisante fraîcheur. À déguster dès à présent sur un poulet basquaise.

☛ EARL Cazottes, Dom. des Terrisses, 81600 Gaillac, tél. 05 63 57 16 80, fax 09 70 62 71 36, gaillacterrisses@orange.fr, ☑ ☆ ☓ t.l.j. sf dim. 10h-12h 15h-18h

CH. TOUNY LES ROSES Cuvée Rosanna 2011 ★★

	500	⦂	11 à 15 €

Cette jolie propriété, entourée de jardins à la française et dotée d'un pigeonnier, a autrefois appartenu à un poète gaillacois du nom de Touny-Lérys. Si la cuvée du même nom a déjà été sélectionnée dans les précédentes éditions du Guide, c'est aujourd'hui pour la cuvée Rosanna que ce domaine est distingué. Vêtu d'une robe légère à reflets orangés, ce vin offre un nez puissant et riche de fruits compotés et d'épices. La bouche, dans le même registre, demeure intensément aromatique, ronde, bien équilibrée et longue, soutenue par une trame tannique soyeuse. Un gaillac élégant à déguster dès à présent sur un fromage affiné.

☛ Thierry Bosschaert, 2, chem. de Touny, 81150 Lagrave, tél. 05 63 57 90 90, fax 05 63 34 95 67, chateau@touny.fr, ☑ ☓ r.-v. ⦂ ⑤ ⦂ ⦂

♥ DOM. VAYSSETTE Cuvée Maxime Vendanges tardives 2011 ★★

	5 800		11 à 15 €

Régulièrement en bonne place dans le Guide, ce domaine fondé en 1972 propose une cuvée qui a une nouvelle fois enthousiasmé les dégustateurs. Majoritairement composé de loin de l'œil complété de muscadelle, ce gaillac doux, élaboré sans levurage, revêt une superbe robe d'or intense et brillante. Le nez profond et complexe marie des senteurs de fruits confits (fruits exotiques et abricot), de miel et de pain d'épice à une touche de caramel. La bouche est somptueuse : ronde, ample, goûteuse, onctueuse, elle persiste sur de riches arômes de raisin surmûri et finit sur des notes boisées. Très harmonieux et d'excellente constitution, c'est un moelleux conçu dans les règles de l'art, que l'on pourra apprécier dès à présent avec un foie gras.

☛ Vayssette, 2738, chem. des Crêtes, 81600 Gaillac, tél. 05 63 57 31 95, fax 05 63 81 56 84, domaine.vayssette@e-kiwi.fr, ☑ ☆ ☓ t.l.j. 9h-12h 14h-19h; dim. sur r.-v. ⦂ Ⓐ

VIGNÉ-LOURAC Terrae Veritas 2012 ★★

	70 000	⦂	5 à 8 €

Régulièrement distingués dans le Guide, Alain et Vincent Gayrel se voient une nouvelle fois récompensés pour leur jolie gamme de vins. Ce gaillac doux, assemblage de loin de l'œil, de muscadelle et de mauzac, se présente dans une robe jaune pâle brillant laissant des larmes sur la paroi du verre. Son nez se révèle expressif, fruité (poire, citron), floral, miellé et légèrement mentholé. L'attaque, suave et goûteuse, dévoile une matière fruitée, ample et concentrée, d'une belle finesse, qui finit sur des notes muscatées, citronnées et légèrement anisées. Ce vin harmonieux, au juste équilibre entre moelleux et fraîcheur, typé et élégant, pourra se déguster dès à présent, sur un gâteau à l'orange et au chocolat. Le **Terrae Veritas 2011 rouge (165 000 b.)** reçoit une étoile pour ses arômes de fraise, de cerise et de framboise, pour sa fraîcheur et sa structure. À servir dans un an avec une volaille rôtie. De la société Crus et Châteaux du Sud-Ouest, les dégustateurs ont retenu le **Querceis de Larroze 2011 rouge Élevé en fût de chêne (8 à 11 € ; 10 000 b.)**, cité pour son nez de fruits rouges épicés et pour son palais ample, soutenu par des tanins encore un peu sévères, qui devraient s'affiner après une petite garde.

☛ Alain et Vincent Gayrel, 103, av. Foch, 81600 Gaillac, tél. 05 63 81 21 11, fax 05 63 81 21 09, cave-gaillac@wanadoo.fr, ☑ ☓ t.l.j. 9h30-12h30 14h30-19h30

Vins-d'estaing

Superficie : 18 ha
Production : 656 hl (95 % rouge et rosé)

Entourées par les causses de l'Aubrac, les monts du Cantal et le plateau du Lévezou, les appellations de l'Aveyron seraient plutôt à classer parmi celles du Massif central. Ces petits vignobles sont très anciens puisque leur fondation par les moines de Conques remonte au IXe s.

Les vins-d'estaing se partagent entre rouges et rosés frais et parfumés (cassis, framboise), à base de fer-servadou et de gamay, et blancs originaux, assemblages de chenin, de mauzac et de rousselou, des vins vifs au parfum de terroir.

LES VIGNERONS D'OLT Cuvée Prestige 2011 ★

| 28 000 | | 5 à 8 € |

Pour le millésime 2011, l'étiquette des vins-d'estaing change : elle arbore la mention « appellation d'origine contrôlée ». L'une des dernières AOVDQS a été promue en AOC. Cette coopérative a joué un rôle décisif dans le maintien de ce petit vignoble aveyronnais. La cave a proposé en rouge sa cuvée Prestige, qui ressemble à sa devancière du 2010 mais qui « gagne » une étoile. D'un grenat brillant, ce 2011 offre un nez ouvert et typé, qui reflète les cépages qui le composent : le fer servadou et les deux cabernets. On y respire les fruits rouges, avec une touche végétale de poivron et une note de poivre. Le cassis s'invite en bouche, au sein d'une matière équilibrée, fraîche et souple à la fois, agréable dans son évolution. Un vin de terroir et de notre temps, gourmand et aromatique. À boire dans les trois ans. Panier de fruits rouges, d'agrumes, de pêche et d'abricot, le **rosé Cuvée des brumes 2012 (9 300 b.)**, à majorité de gamay, est cité. Sa rondeur finale incite à le servir bien frais.

➜ SCA Les Vignerons d'Olt, L'Escaillou, 12190 Coubisou, tél. et fax 05 65 44 04 42, cave.vigneronsdolt@wanadoo.fr, ☑ ☀ ☗ t.l.j. sf lun. jeu. dim. 10h-12h30 14h-18h; f. jan.

Marcillac

Superficie : 185 ha
Production : 7 904 hl

Reconnu en AOC en 1990, ce vin rouge naît dans l'Aveyron, dans une cuvette naturelle au microclimat favorable, le « vallon ». Cultivé sur des argiles riches en oxyde de fer, les rougiers, le mansoi (fer-servadou) lui donne une réelle originalité, faite d'une rusticité tannique et d'arômes de framboise.

DOM. DU CROS Vieilles Vignes 2011

| 20 000 | ⬛⬜ | 8 à 11 € |

Secondé depuis 2006 par son fils Julien, Philippe Teulier exploite 30 ha et dispose d'une cave adossée au rocher fonctionnant par gravité. Sa cuvée Vieilles Vignes trouve une fois de plus sa place dans le Guide. Le 2011 s'ouvre à l'aération sur des notes fraîches de cassis, accompagnées de touches végétales et épicées. Souple à l'attaque, frais et fruité, le palais offre une chair tendre, soutenue par une trame tannique serrée, un peu sévère en finale. Un marcillac typé, pour un aligot saucisse.

➜ Philippe Teulier, Dom. du Cros, Le Cros,
12390 Goutrens, tél. 05 65 72 71 77, fax 05 65 72 68 80, pteulier@domaine-du-cros.com,
☑ ☀ ☗ t.l.j. sf dim. 9h-12h 14h-18h

DOM. DU MIOULA Terre rose 2012 ★

| 3 500 | | 5 à 8 € |

Acheté en 1995 par Bernard Angles, ce domaine a pris ses habitudes dans le Guide. Cette année, les jurés ont particulièrement remarqué son rosé, couleur peu fréquente dans l'appellation. Ce vin dévoile à l'aération une palette complexe associant le cassis, la framboise, l'ananas

et les agrumes. En bouche, il montre un bel équilibre entre des impressions d'ampleur et une nervosité qui marque la finale. Noté lui aussi une étoile, le **rouge 2012 (22 000 b.)** succède à un 2011 élu coup de cœur l'an dernier. Il faut l'agiter pour qu'il consente à livrer ses arômes : du cassis et des épices, accompagnés d'une touche végétale. Ronde à l'attaque, puissante et fraîche, la bouche n'est pas non plus très expressive, mais elle laisse déjà découvrir un vin typé, que l'on peut attendre deux ou trois ans.

➜ Bernard Angles, Le Mioula, 12330 Salles-la-Source, tél. 06 08 95 15 60, fax 05 65 42 66 15, bernardangles@wanadoo.fr, ☑ ☀ ☗ r.-v.

LIONEL OSMIN & CIE Mansois 2012

| 8 000 | | 8 à 11 € |

Proposé par une structure de négoce spécialisée dans les vins du Sud-Ouest, ce marcillac s'annonce par une robe grenat sombre aux reflets violines. Assez complexe, sa palette aromatique mêle les fruits noirs confiturés, les épices, la réglisse et une touche mentholée. Souple à l'attaque, le palais montre une belle mâche et des tanins qui font sentir leur présence en finale. Un ensemble typé et de caractère, que l'on peut attendre un à trois ans. Bel accord en perspective avec un rôti de porc aux châtaignes ou avec une volaille.

➜ Lionel Osmin & Cie, ZI Berlanne, 14, rue des Bruyères, 64160 Morlaas, tél. 05 59 05 14 66, fax 05 59 05 47 09, sudouest@osmin.fr,
☑ ☗ mer. à sam. 10h-19h; vente à Pau au 1, rue du Château

♥ LES VIGNERONS DU VALLON Les Crestes 2012 ★★

| 20 000 | | 5 à 8 € |

Cette coopérative a inauguré en 2012 un nouvel espace de vente au bord de la RD 840. Fournissant 60 % de la production de marcillac, elle s'efforce d'être un ambassadeur de l'appellation. Ce coup de cœur succède à un 2010 également placé au sommet l'an dernier. Les jurés ont aimé sa robe profonde, presque noire, son nez de cassis très mûr relevé d'épices, sa bouche ample, puissante, structurée et fraîche, qui affiche un réel potentiel de garde (jusqu'à 2018). Ce 2012 devrait gagner en rondeur dans les prochains mois. On suggère pour l'accompagner un suprême de volaille aux petits légumes. Le **Dom. de Ladrecht 2011 (15 000 b.)** séduit par la complexité de sa palette aromatique sur les fruits rouges et noirs poivrés, mentholés et réglissés, que l'on retrouve au palais. Riche et ample, bien structuré et assez long, il obtient deux étoiles. Quant à la **Cuvée réservée 2011 (60 000 b.)**, héritière du coup de cœur de la dernière édition, elle est bien typée par sa fraîcheur et par ses arômes de cassis mentholés : une citation.

🍇 Les Vignerons du Vallon, RD 840, 12330 Valady,
tél. 05 65 72 70 21, fax 05 65 72 68 39,
valady@groupe-unicor.com,
☑ ⚱ ⏺ t.l.j. sf dim. 9h-12h 14h-18h

Côtes-de-millau

Superficie : 56 ha
Production : 2 030 hl (97 % rouge et rosé)

Reconnu en AOVDQS en 1994, le plus méridional des vignobles aveyronnais est implanté sur des coteaux de la haute vallée du Tarn, dans un secteur déjà soumis aux influences méditerranéennes. Majoritaires, les rouges et rosés sont composés de syrah et de gamay et, dans une moindre proportion, de cabernet-sauvignon, de fer-servadou et de duras. Les blancs assemblent chenin et mauzac. Les côtes-de-millau ont accédé à l'AOC en 2011.

DOM. DU VIEUX NOYER Cuvée de la 12 France 2011 ★

| ■ | 5 500 | ⬛ | 5 à 8 € |

Pour la troisième année consécutive, la Cuvée de la 12 France de Bernard Portalier s'invite dans ces pages. Ce vigneron habitué du Guide, établi au pied des Grandes Causses, site classé au patrimoine mondial de l'Unesco, signe ici un vin d'un rouge profond, au nez flatteur de fruits rouges confiturés et de liqueur de cassis, rehaussé de notes épicées. La bouche, ample et souple, renoue avec le cassis, dynamisée en finale par une jolie fraîcheur mentholée. Citée, la **cuvée Isaïe 2011 rouge (3 900 b.)** dévoile des arômes plus végétaux de bourgeon de cassis et de mûre, un palais vif en attaque mais équilibré par des tanins doux et réglissés. Deux vins à boire dès aujourd'hui, sur une grillade de bœuf ou sur de la charcuterie aveyronnaise.
🍇 Dom. du Vieux Noyer, rte des Gorges, Boyne, 12640 Rivière-sur-Tarn, tél. et fax 05 65 62 64 57, bernard.portalier@sfr.fr, ☑ ⚱ ⏺ t.l.j. 9h-13h 15h-19h
🍇 Bernard Portalier

La moyenne Garonne

Fronton

Superficie : 2 060 ha
Production : 97 242 hl

Vin des Toulousains, le fronton provient d'un très ancien vignoble, autrefois propriété des chevaliers de l'ordre de Saint-Jean-de-Jérusalem. Lors du siège de Montauban, Louis XIII et Richelieu se livrèrent à force dégustations comparatives... Reconstitué grâce à la création des coopératives de Fronton et de Villaudric, le vignoble a conservé

un encépagement original avec la négrette, variété locale que l'on retrouve à Gaillac ; lui sont associés principalement la syrah, le cot, le cabernet franc et le cabernet-sauvignon, le fer-servadou et le gamay.

Le terroir occupe les trois terrasses du Tarn, aux sols de boulbènes, de graves ou de rougets. Les vins rouges à forte proportion de cabernet, de gamay ou de syrah sont fruités et aromatiques. Plus riches en négrette, ils sont alors plus puissants, tanniques, dotés d'un fort parfum de terroir aux accents de violette. Les rosés sont francs, vifs et fruités.

Ⓑ ALABETS 2011 ★★

| ■ | 10 000 | ⬛ | 11 à 15 € |

Ingénieur agronome et œnologue, Marc Penavayre a donné un nouvel élan à l'exploitation familiale, qui a achevé sa conversion au bio en 2012. Au chai, les vinifications suivent la même démarche, évitant tout levurage. Avec cette cuvée, le vigneron propose une fois de plus un excellent fronton issu de pure négrette. La robe est d'un grenat intense, presque opaque mais brillante. Tout aussi profond, le nez est typé, mêlant les épices (poivre), la violette, la réglisse et les fruits noirs compotés. Après une attaque plutôt fraîche, le vin monte en puissance, soutenu par une trame tannique de qualité. Une bouteille à la fois puissante et agréable à boire. « Tout ce qu'il faut » : c'est la traduction du nom occitan de la cuvée **Tot ço que cal 2011 rouge** (15 à 20 € ; 6 000 b.), assemblage de négrette et de syrah élevé en fût. Celle-ci est un peu moins corsée, mais son fruité qui tire joliment sur le chocolat lui vaut une étoile.
🍇 Ch. Plaisance, 102, pl. de la Mairie, 31340 Vacquiers, tél. 05 61 84 97 41, fax 05 61 84 11 26, chateau-plaisance@wanadoo.fr,
☑ ⚱ ⏺ mer. à sam. 9h-12h 15h-19h
🍇 Penavayre

CH. BAUDARE Cuvée Prestige 2011 ★★

| ■ | 90 000 | ⬛ | 5 à 8 € |

Au début du XIXᵉ s., Guillaume Vigouroux fut le seul de quatre frères à revenir des champs de bataille napoléoniens. Installé en 2000, David, son descendant, mène des campagnes brillantes en terrain plus pacifique... Mi-négrette mi-cabernet, sa cuvée Prestige est le meilleur fronton élevé en fût : une robe dense, presque noire ; un nez de fruits rouges et noirs confiturés nuancés de notes de pain grillé ; une bouche fruitée, ample et structurée, rehaussée par un boisé bien maîtrisé, et une finale fraîche, laissant un sillage de violette et d'épices : remarquable. La cuvée **Vieilles Vignes 2011** (85 000 b.), assemblage de syrah et de négrette, apparaît plus souple que son aînée, élue coup de cœur l'an dernier ; bien fruitée, elle obtient une étoile, tout comme la **Perle noire 2011** (50 000 b.), une pure négrette qui devrait pouvoir se garder.
🍇 David et Claude Vigouroux,
Cave de vente, 161, rue Basse, 82370 Campsas, tél. 05 63 30 51 33, fax 05 63 64 07 24, vigouroux@aol.com, ☑ ⏺ sam. 9h-12h 14h-18h ; sur r.-v. en sem.

SUD-OUEST

CH. BELLEVUE LA FORÊT La Forêt royale 2012 ★

| ■ | 4 000 | ▤ | 5 à 8 € |

Un vaste domaine (102 ha) régulièrement sélectionné – cette année, grâce à un rosé à la pimpante robe grenadine. Dès les premiers coups de nez, le ton est donné : de la fraîcheur, sur le citron et le pamplemousse, avec des notes de fruits rouges et de bonbon anglais. Souple à l'attaque, ample, la bouche apparaît suave tout en laissant une impression de vivacité : ce que l'on appelle l'équilibre. Un style moderne pour une bouteille à marier avec des nems.

☛ Ch. Bellevue la Forêt, 5580, rte de Grisolles, 31620 Fronton, tél. 05 34 27 91 91, fax 05 61 82 39 70, cblf@chateaubellevuelaforet.com,

☑ ⚔ ⵔ t.l.j. sf dim. 9h-12h 14h-18h

☛ Philip Grant

CH. BOUISSEL Classic 2011 ★★

| ■ | 30 000 | ▤ | 5 à 8 € |

La Négrette de Bouissel mit le Frontonnais et ce domaine à l'honneur, puisqu'elle valut un coup de cœur et la Grappe de bronze à Nicolas Selle dans la dernière édition. Le domaine, qui couvre 18 ha, s'est converti au bio (première récolte certifiée en 2012). Déjà remarquable dans le millésime précédent, la cuvée Classic, assemblage de quatre cépages, montre les mêmes qualités. D'un pourpre soutenu, elle conjugue au nez finesse et complexité, avec des notes de petits fruits noirs relevés d'épices. En bouche, sa rondeur, son ampleur, son gras et sa mâche, sa finale épicée composent une bouteille d'une belle typicité, tout en finesse. On devrait pouvoir la garder trois ou quatre ans.

☛ Pierre, Anne-Marie et Nicolas Selle, Ch. Bouissel, 200, chem. du Vert, 82370 Campsas, tél. 05 63 30 10 49, chateaubouissel@orange.fr,

☑ ⚔ ⵔ t.l.j. sf dim. 10h-12h 14h-18h30; sam. sur r.-v.

Ⓑ CH. BOUJAC Kélina 2011 ★

| ■ | 4 000 | ▤ | 8 à 11 € |

Sur l'étiquette, les deux logos « bio » : le sigle AB et la « petite feuille » de l'UE. Ce qui signifie : bio, tant à la vigne qu'au chai. L'exploitation a en effet achevé sa conversion, engagée en 2008, et respectait déjà en vinification le cahier des charges défini à l'échelle européenne en 2012. Les dégustateurs l'ignoraient, car ces vins ne sont pas dégustés à part. Ils ont apprécié cette pure négrette, dont la robe presque noire annonce l'extraction. Le nez, encore sur la réserve, distille des senteurs réglissées, épicées et chocolatées. Dense, corpulente et chaleureuse, soutenue par des tanins enrobés, la bouche finit sur une note de Zan.

☛ Ch. Boujac, 427, chem. de Boujac, 82370 Campsas, tél. 05 63 30 17 79, fax 05 63 30 19 12, selle.philippe@wanadoo.fr,

☑ ⚔ ⵔ t.l.j. sf dim. 9h-12h 14h30-18h30

☛ Michelle Selle

CH. CARROL DE BELLEL Cuvée Gino 2011 ★★

| ■ | 5 000 | ▤ | 5 à 8 € |

Yannick Gasparotto a pris la suite de son père Gilbert sur ce domaine de 30 ha. Déjà connue de nos lecteurs, cette cuvée, assemblage de négrette et de syrah, a brillé dans ce millésime, puisqu'elle a été finaliste du coup de cœur. La robe profonde montre des nuances violines. Le nez, sur la réserve, laisse percevoir de plaisants parfums : cassis, fraise, cerise, relevés d'épices. Complexe, riche et ample, la bouche garde une fraîcheur bienvenue qui souligne la finale aux nuances de Zan. Un fronton harmonieux et typé, bien présent en bouche.

☛ EARL Carrol de Bellel, 103, chem. de Boujac, 82370 Campsas, tél. 06 49 25 05 82, fax 05 63 30 11 19, yannick.gasparotto@hotmail.fr,

☑ ⚔ ⵔ t.l.j. sf dim. 10h-12h 15h-18h

CH. CAZE Villaudric 2012 ★

| ■ | 6 000 | ▤ | 5 à 8 € |

Martine Rougevin-Baville dispose de 14 ha de vignes et de chais du XVIIIᵉs. Elle signe un fronton d'aujourd'hui, un rosé bien coloré, rose bonbon, au nez expressif et gourmand, fait de violette, de rose et de fruits rouges. Aromatique elle aussi, la bouche est ample et suave, équilibrée par des impressions acidulées. Un rosé croquant, à marier avec du poulpe à la galicienne ou des poissons de roche.

☛ Martine Rougevin-Baville, Ch. Caze, 45, rue de la Négrette, 31620 Villaudric, tél. 05 61 82 92 70, fax 05 61 82 09 95, chateau.caze@wanadoo.fr,

☑ ⚔ ⵔ t.l.j. 9h-12h 15h-19h; dim. lun. sur r.-v.

CH. CLOS MIGNON 2012 ★★

| ■ | 29 000 | ▤ | 5 à 8 € |

Les bâtiments d'exploitation, en brique et galets, sont typiques du Frontonnais. Le vin mérite encore plus l'attention. Notamment ce rosé, qui ne manque pas de personnalité. La robe rose bonbon est bien colorée. Le nez croquant, franc et intense, particulièrement fruité (fraise, framboise, cerise), est très engageant. Bien construite, ronde, assez ample, à la fois fraîche et vineuse, la bouche confirme ce côté aromatique. La finale relevée laisse le souvenir d'une bouteille accomplie. Le **Ch. Clos Mignon 2011 rouge (66 000 b.)**, assemblage de négrette, de syrah et de cabernet-sauvignon, est un vin rond, fruité et suave : une étoile.

☛ Olivier Muzart, EARL du Ch. Clos Mignon, 109, rte de Clos-Mignon, 31620 Villeneuve-les-Bouloc, tél. 05 61 82 10 89, fax 05 61 82 99 14, omuzart@closmignon.com, ☑ ⚔ ⵔ t.l.j. sf dim. lun. 15h-19h

CH. COUTINEL 2012

| ■ | 43 866 | ▤ | 5 à 8 € |

La famille Arbeau a construit son chai en 1980. Assemblage de quatre cépages, son rosé s'annonce par une robe plutôt claire, aux reflets violets, et par un nez assez réservé, aux parfums de fruits frais. Une attaque franche, légèrement perlante, introduit une bouche équilibrée entre fraîcheur et douceur. Les arômes s'affirment, marquant la finale de jolis accents de groseille, de framboise et de rose.

☛ Ch. Coutinel, 6, rue Demages, 82370 Labastide-Saint-Pierre, tél. 05 63 64 01 80, fax 05 63 30 11 42, vignobles@arbeau.com, ☑ ⚔ ⵔ r.-v.

☛ Famille Arbeau

CH. CRANSAC N Résolument négrette 2012 ★

| ■ | 10 000 | ▤ | 5 à 8 € |

Un vrai château du XVIIᵉs., en brique rose, avec... un fronton en façade. Le domaine couvre 50 ha. Il a proposé deux cuvées déjà retenues l'an dernier. Cette pure négrette s'annonce par un nez subtil mêlant les fleurs, le bâton de réglisse et les épices. En bouche, elle laisse apprécier une belle expression du cépage, tout en souplesse et en finesse, avec ses parfums de violette et de réglisse caractéristiques. La **cuvée Renaissance 2011** (20 000 b.), élevée en fût, assemble négrette, syrah et cabernet franc. Ronde et épicée, elle est citée.

🕿 SCEA Dom. de Cransac, 1020, chem. du Cotité, BP 61, 31620 Fronton, tél. 05 62 79 34 30, fax 05 62 79 34 37, l.philis@chateaucransac.com,

☑ ⚭ ⏋ t.l.j. sf sam. dim. 9h-12h 14h-18h

CH. DEVÈS Noir Désir 2011 ★

◼	4 000	◼	8 à 11 €

Avec cette cuvée, Michel Abart propose un vin de pure négrette. La robe, sombre à en paraître opaque, montre tout de même des reflets rouges. Le nez montant, chaleureux et poivré, annonce la suite de la dégustation : une matière dense et puissante, une finale longue et chaleureuse, sur les fruits à l'eau-de-vie. Un fronton aux accents méditerranéens, selon un dégustateur, et qui exprime fidèlement son millésime, selon un autre.

🕿 Abart, 2255, rte de Fronton, 31620 Castelnau-d'Estrétefonds, tél. et fax 05 61 35 14 97, chateaudeves@hotmail.fr, ☑ ⚭ ⏋ r.-v.

CH. FAYET 2011 ★

◼	7 500	◼	- de 5 €

Cette exploitation s'est spécialisée il y a une trentaine d'années. Installé depuis 2005, Florian revoit l'encépagement. Dans ce 2011 de couleur pourpre soutenu, il a assemblé 50 % de négrette à la syrah et au cabernet-sauvignon. Le nez, de bonne intensité, mêle la myrtille, la réglisse et le poivre. Plus affirmée, chaleureuse avec ce qu'il faut de fraîcheur, la bouche évolue sur des tanins fins et dévoile un fruité mûr, confit, voire macéré. La finale est soulignée par une touche d'épices et de menthol. Intéressant et typé.

🕿 Ch. Fayet, Rte de Coulon, 82170 Fabas, tél. 06 48 77 46 35, fax 05 63 67 38 40, chateaufayet@hotmail.fr, ☑ ⚭ ⏋ r.-v.

CH. JOLIET Clin d'œil 2011 ★

◼	6 000	◼	5 à 8 €

Un domaine repris en 2010 par d'anciens coopérateurs dont les lecteurs ont découvert la production l'an dernier. Dans cette édition, on retrouve les mêmes cuvées, mais **L'Aristo 2011 (3 000 b.)**, vin d'assemblage élevé en fût, s'incline devant le Clin d'œil. Simple, rond et épicé, il est cité, un cran au dessous de cette pure négrette au nez agréable de violette, de mûre, de cerise noire et de fraise à la menthe. L'attaque douce, très fruitée, la bouche chaleureuse, concentrée et suave, aux tanins fondus, la finale évocatrice de marmelade et de fruits macérés, tout évoque une vendange très mûre.

🕿 EARL de Joliet, 1070, chem. des Peyrounets, 31620 Fronton, tél. 05 61 82 46 02, dejoliet@orange.fr, ☑ ⚭ ⏋ mer. à sam. 9h-12h 15h-18h

🕿 Soriano

CH. LAUROU Tradition 2011 ★

◼	80 000	◼	5 à 8 €

L'année 2013 est celle de la certification bio pour Guy Salmona, ancien informaticien reconverti dans la négrette. Valeur sûre du Guide, le domaine place encore trois cuvées

dans la sélection. **Délits d'initiés 2011 (8 à 11 € ; 10 000 b.)** est une pure négrette, plutôt souple et tout en finesse ; **Les Complices 2011 (8 à 11 € ; 8 000 b.)**, mi-négrette mi-syrah, offrent un fruité poivré et une bouche ronde, chaleureuse, sur les fruits compotés. Les deux cuvées sont citées. La préférence va à cette cuvée Tradition, assemblage incluant aussi du cabernet-sauvignon. Un ensemble flatteur et typé par son nez de fruits noirs et d'épices, par sa bouche souple et fraîche, bien équilibrée, finissant sur des notes de réglisse et de violette.

🕿 Guy Salmona, Laurou, 2250, rte de Nohic, 31620 Fronton, tél. 05 61 82 40 88, chateau.laurou@wanadoo.fr, ☑ ⏋ r.-v.

♥ DOM. DE LESCURE L'Instant présent 2011 ★★

◼	40 000	◼	- de 5 €

Installé en 2008 sur l'exploitation familiale, Fabien Cardetti en a porté la superficie à 25 ha. Il a surtout fait grandir en réputation en décrochant un coup de cœur. Il en emporte un nouveau avec cette cuvée offrant des volumes plus intéressants. La négrette se marie à la syrah et au cabernet franc pour composer un fronton intense et charmeur, au nez puissant et franc de violette et de fruits rouges et noirs. Après une attaque souple, on découvre une matière riche et charnue, aux tanins doux. La finale pure, fruitée et réglissée, laisse le souvenir d'une superbe harmonie. Une friandise pour l'instant présent et pour les trois ans à venir.

🕿 EARL Dom. de Lescure, 151, chem. de Lescure, 82370 Labastide-Saint-Pierre, tél. et fax 05 63 30 55 45, domainedelescure@orange.fr, ☑ ⚭ ⏋ r.-v.

CH. MARGUERITE 2012 ★

◼	207 800	◼	- de 5 €

Ce vaste domaine (120 ha) consacre une part non négligeable de sa superficie aux fronton rosés, souvent retenus dans le Guide. Ainsi, pas moins de 32 ha ont concouru à cette jolie cuvée composée de quatre cépages. La robe légère, rose pâle, évoque un vin moderne. Elle annonce des fragrances délicates et assez complexes de rose, de violette et de framboise. Souple à l'attaque, la bouche apparaît ronde, bien équilibrée entre fraîcheur et douceur. La finale, elle aussi, se montre à la fois suave et croquante. Original.

🕿 SCEA Ch. Marguerite, 1709, chem. Cavailles, 82370 Campsas, tél. 09 61 37 69 90, fax 05 63 64 08 21, chateau.marguerite@wanadoo.fr, ☑ ⚭ ⏋ r.-v.

CH. MONTAURIOL 2011 ★★

◼	160 000	◼	5 à 8 €

Au cours des vingt dernières années, Nicolas Gélis a acquis plusieurs propriétés dans le Frontonnais et développé une structure de négoce. Autant de valeurs sûres du Guide, en particulier ce château Montauriol, issu d'un assemblage négrette-syrah-cabernet, qui a plusieurs coups de cœur à son actif et qui s'est placé parmi les finalistes cette année. Sa robe évoque la cerise noire, tout comme son nez où le fruit rouge fait alliance avec le cassis et la violette. La mûre et la fraise viennent compléter cette palette dans une bouche charnue, aux tanins fondus et à la finale persistante. Un vin superbe qui fera plaisir pendant quatre ans. Le **Ch. Fonvieille 2011 (33 300 b.)** est friand et aromatique ; le **Ch. Ferran 2011 (106 600 b.)**, fruité et gourmand, rond et frais ; le **Ch. Cahuzac L'Authentique 2011 (80 000 b.)**, très harmonieux ; quant au **Chemin de Saint-Jacques 2011 (40 000 b.)**, issu de l'affaire de négoce, il est rond, fondu et réglissé. Ces quatre vins obtiennent une étoile.

🕯 Nicolas Gélis, Ch. Montauriol, 1925, rte des Châteaux, 31340 Villematier, tél. 05 61 35 30 58, fax 05 61 35 30 59, contact@vignobles-nicolasgelis.com, ☑ r.-v.

💙 DOM. DES PRADELLES Tradition 2011 ★★

■	8 000	▯ - de 5 €

En 2012, Noëlle Prat a pris la direction de ce domaine familial, mais son père François reste actif au chai. Assemblage de négrette (50 %), de cabernet et de syrah, la cuvée Tradition du domaine a charmé les dégustateurs. Ce 2011 se présente dans une robe très « classe », à la fois sombre et lumineuse. Le nez ? Hardi, ouvert, sur les fleurs, les fruits noirs et les agrumes, avec une touche exotique évoquant le litchi. Séductrice en diable, suave à l'attaque, la bouche se montre ample, ronde et parfumée. Ses tanins fondus et réglissés soulignent sa longue finale. Le vin plaira par excellence, qui n'attend plus qu'un poulet fermier. La cuvée **Légende Sélection de vieilles vignes 2011 (8 à 11 € ; 2 300 b.)** offre elle aussi des arômes réglissés, avec souplesse et rondeur : une citation.

🕯 Noëlle Prat, 44, chem. de la Bourdette, 31340 Vacquiers, tél. et fax 05 61 84 97 36, noelle.prat@hotmail.fr, ☑ 🍴 Ⱦ t.l.j. sf dim. 14h-19h; sam 9h-12h 🏠 Ⓐ

LE ROC La Folle noire d'Ambat 2011 ★

■	4 500	▯ 5 à 8 €

Le domaine de la famille Ribes est bien connu de nos lecteurs. Deux de ses cuvées font jeu égal. Cette Folle noire n'est autre que la négrette, qui arbore une robe sombre et libère de suaves senteurs de violette, accompagnées de notes de fruits rouges et de poivre. Tout aussi expressive, la bouche est gourmande, soyeuse et de belle tenue. Un fronton primesautier. Notée également une étoile, la **cuvée Don Quichotte 2011 (11 à 15 € ; 15 000 b.)**, assemblage de négrette et de syrah, trouve une

fois de plus sa place dans le Guide pour ses qualités aromatiques.

🕯 Ribes, 1605c, rte de Toulouse, 31620 Fronton, tél. 05 61 82 93 90, fax 05 61 82 72 38, leroc@cegetel.net, ☑ 🍴 Ⱦ r.-v.
🕯 Famille Ribes

DOM. ROUMAGNAC Authentique 2012 ★

■	22 000	▯ 5 à 8 €

Pratiquant la vente directe depuis 2011, cette exploitation se fraie un chemin dans nos colonnes. On retrouve son rosé Authentique, qui intéresse tant par son joli nez mêlant les fleurs, la fraise et les agrumes que par sa bouche fraîche aux arômes de fruits exotiques, renouant avec les agrumes en finale. Une agréable légèreté. Mi-négrette mi-cabernet-sauvignon, la **cuvée Ô grand R 2011 rouge (20 000 b.)** est citée pour sa franchise.

🕯 Jean-Paul et Nicolas Roumagnac, hameaux de Raygades, 31340 Villematier, tél. 06 80 95 34 08, contact@domaineroumagnac.fr, ☑ 🍴 Ⱦ r.-v.

DOM. DE SAINT-GUILHEM Tradition 2011 ★

■	6 500	▥ 5 à 8 €

Le domaine de Philippe Laduguie compte plus de 36 ha, mais les vignes composent avec les prés et les bois. Assemblage de syrah et de négrette, la cuvée Tradition a fait l'objet d'une longue macération. Elle arbore une robe cerise noire. Le premier coup de nez fait découvrir des arômes de fruits noirs bien mûrs, puis le bouquet gagne en complexité, dévoilant des nuances de réglisse, d'épices (clou de girofle) et des touches toastées. La mise en bouche révèle une matière puissante et structurée, soutenue par des tanins fondus. On retrouve les fruits noirs au palais puis, en finale, une note de violette. Un vin de bonne facture, peu marqué par le bois.

🕯 Philippe Laduguie, 1619, chem. de Saint-Guilhem, 31620 Castelnau-d'Estretefonds, tél. 05 61 82 12 05, fax 05 61 82 65 59, philippe.laduguie@orange.fr, ☑ 🍴 Ⱦ t.l.j. 10h15-12h30 14h30-19h30; dim. sur r.-v. 🏠 ❸

Ⓑ CH. SAINT-LOUIS 2012 ★★

■	13 300	5 à 8 €

L'année 2012 est celle de la certification bio pour ce domaine de 28 ha qui, comme l'an dernier, se distingue par son rosé, qui sort du lot. Plus coloré que son devancier, tirant sur le fuchsia, il charme par son nez expressif, complexe et original, alliant les fruits sucrés, la fraise, la cerise et le cassis. L'attaque franche introduit une bouche à la fois souple, croquante et acidulée, aromatique et longue, à la finale réglissée. Cette bouteille polyvalente pourrait s'accorder aussi bien avec du saumon qu'avec un sorbet. La cuvée **L'Esprit de Ch. Saint-Louis 2011 (8 à 11 € ; 4 000 b.)**, élevée sous bois et marquée par l'élevage, est citée.

🕯 SCEA Ch. Saint-Louis, 380, chem. du Bois-Vieux, 82370 Labastide-Saint-Pierre, tél. 05 63 30 13 13, fax 09 70 62 12 72, proprietaire@chateausaintlouis.fr, ☑ 🍴 Ⱦ t.l.j. 9h-12h 14h-18h; sam. dim. sur r.-v. 🏠 Ⓔ
🕯 A. Mahmoudi

💙 CH. VIGUERIE DE BEULAYGUE La Négrette 2011 ★★

■	2 500	▯ 8 à 11 €

Cette propriété familiale commercialise sa production depuis 1995. Cette année, Cédric Faure a proposé un

Vin du Sud-Ouest

Château Viguerie
de Beulaygue

La Négrette

2011

FRONTON
APPELLATION FRONTON CONTRÔLÉE
produce of france

fronton rouge de pure négrette qui sort du lot par son nez complexe, associant les fleurs, les fruits rouges et noirs, et les épices. Le palais attaque en douceur, avec finesse, puis se développe avec ampleur, sur des tanins mûrs. Un vin généreux et bien présent, très belle expression du millésime. Le **rosé Tradition 2012 (5 à 8 € ; 6 800 b.)** obtient une étoile pour son équilibre et pour son expression aromatique.

☞ Cédric Faure, 1650, chem. de Bonneval, 82370 Labastide-Saint-Pierre, tél. et fax 05 63 30 54 72, ce.faure@gmail.com, ☑ ☖ t.l.j. sf dim. 9h-19h

Brulhois

Superficie : 194 ha
Production : 8 787 hl

Passés de la catégorie des AOVDQS en 1984 à celle de AOC en 2011, ces vins sont produits de part et d'autre de la Garonne, autour de la petite ville de Layrac, dans les départements du Gers, du Lot-et-Garonne et du Tarn-et-Garonne. Essentiellement rouges, ils sont issus des cépages bordelais et des cépages locaux, tannat et cot.

Ⓑ DOM. DU POUNTET Éclats de fruits 2012 ★

| 15 000 | | 5 à 8 € |

L'année 2012 est celle de la certification bio pour la propriété, qui signe une cuvée régulièrement retenue dans le Guide, assemblage de tannat et de merlot. D'un grenat sombre, ce millésime s'annonce par un nez suave, presque sucré, sur la fraise et la cerise très mûres, voire confiturées. Après une attaque fraîche, la bouche mise sur le fruit. Sa matière ronde, soutenue par des tanins dénués d'agressivité, en fait un vin « tout terrain », qui se placera sur toutes les viandes et sur la charcuterie, pendant les deux prochaines années.

☞ Dom. du Pountet, lieu-dit La Simone, 82340 Saint-Cirice, tél. 06 23 84 82 45, contact@pountet.com, ☑ ☖ r.-v.
☞ Combes

VOÛTE SAINT-ROC 2011 ★★

| 20 000 | | - de 5 € |

La cave du Brulhois vinifie la plus grande partie des vins de l'appellation. Cette Voûte Saint-Roc est le meilleur ambassadeur de l'AOC. Sa robe dense et sombre est de bon augure. Son joli nez mêle les fruits rouges et noirs bien mûrs à une touche briochée. Très aromatique elle aussi, sur le cassis et la cerise, la bouche conjugue une rondeur flatteuse et une vivacité fringante qui souligne la finale fruitée. Le **Ch. Grand Chêne 2011 (5 à 8 € ; 36 000 b.)** a également connu le bois. Son élevage lui a légué de la complexité, quelques touches de café grillé venant souli-

gner ses jolis arômes de cerise, de fraise et de cassis. Sa bouche ronde, fraîche, élégante et longue traduit un élevage bien maîtrisé : une étoile. Même note pour **Le Vin noir 2011 (8 à 11 € ; 48 000 b.)**, élevé en cuve et assez riche en tannat, un vin structuré et soyeux aux arômes surmûris, et pour le **Carrelot des amants rosé 2012 (moins de 5 € ; 130 000 b.)**, un vin pâle, aussi délicat à l'œil qu'au nez, frais et acidulé en bouche. Des vins pour maintenant, les rouges pouvant attendre deux à quatre ans.

☞ Les Vignerons du Brulhois, 3458, av. du Brulhois, 82340 Donzac, tél. 05 63 39 91 92, fax 05 63 39 82 83, info@vigneronsdubrulhois.com, ☑ ☖ ☖ r.-v.

Buzet

Superficie : 2 091 ha
Production : 115 003 hl (95 % rouge et rosé)

Connu depuis le Moyen Âge et autrefois partie intégrante du haut pays bordelais, le vignoble de Buzet s'étendait entre Agen et Marmande. D'origine monastique, il a été développé par les bourgeois d'Agen puis a failli disparaître après la crise phylloxérique. Il est devenu à partir de 1956 le symbole de la renaissance du vignoble du haut pays. Deux hommes, Jean Mermillod et Jean Combabessouse, ont présidé à ce renouveau, qui doit beaucoup à la cave coopérative de Buzet, laquelle élève une grande partie de sa production en barrique. Ce vignoble s'étend aujourd'hui entre Damazan et Sainte-Colombe, sur les premiers coteaux de la Garonne, près des villes touristiques de Nérac et de Barbaste.

L'alternance de boulbènes et de sols graveleux et argilo-calcaires permet d'obtenir des vins à la fois variés et typés. Les rouges, puissants, profonds, charnus et soyeux, rivalisent avec certains de leurs voisins girondins. Ils s'accordent à merveille avec la gastronomie locale : magret, confit et lapin aux pruneaux.

♥ BARON D'ALBRET 2011 ★★

| 150 000 | | 8 à 11 € |

PRODUCE OF FRANCE

BARON
d'Albret

RÉCOLTE 2011

BUZET
APPELLATION BUZET CONTRÔLÉE

En blanc comme en rouge, cette cuvée phare de la cave de Buzet fait à nouveau valoir ses titres de noblesse. Elle ajoute un nouveau coup de cœur à son long palmarès avec ce 2011 grenat soutenu, au nez expressif et intense de fruits mûrs mâtinés par une légère touche boisée. On

SUD-OUEST

apprécie en bouche sa rondeur, sa chair, sa générosité et sa charpente veloutée. Puissance et séduction sont réunies dans ce buzet à boire jeune ou patiné par quelques années de garde. La cuvée **Astris 2011 rouge (5 à 8 € ; 180 000 b.)**, elle aussi généreuse et gourmande, mais plus souple et fruitée (élevage en cuve), obtient une étoile. Elle s'appréciera dès aujourd'hui.

☞ Les Vignerons de Buzet, 56, av. des Côtes-de-Buzet, BP 17, 47160 Buzet-sur-Baïse, tél. 05 53 84 74 30, fax 05 53 84 74 24, buzet@vignerons-buzet.fr, ▨ 🖈 ⏆ r.-v.

DOM. DE BRAZALEM Élevé en fût de chêne 2011 ★

■ 45 000	■ ⬤	8 à 11 €

Fruit d'un élevage judicieusement conduit, ce 2011 dévoile à l'olfaction des parfums bien mariés de grillé et de fruits rouges mûrs. Il offre le même équilibre dans une bouche ronde, généreuse, aux tanins fondus. Déjà aimable, ce buzet pourra aussi être attendu deux ou trois ans. Le **Ch. du Bouchet 2011 rouge (5 à 8 € ; 95 000 b.)**, ample, structuré avec finesse, obtient également une étoile.

☞ Les Vignerons de Buzet, 56, av. des Côtes-de-Buzet, BP 17, 47160 Buzet-sur-Baïse, tél. 05 53 84 74 30, fax 05 53 84 74 24, buzet@vignerons-buzet.fr, ▨ 🖈 ⏆ r.-v.

L'EXCELLENCE 2011 ★

■ 250 000	■	5 à 8 €

La cave de Buzet propose ici deux jolis « vins de soif » à boire sur leur fruit, tout indiqués pour vos apéritifs et vos soirées barbecue. Cette cuvée L'Excellence comme sa cousine **L'Éphémère 2011 rouge (110 000 b.)**, notée une étoile également, séduisent toutes deux par leur bouquet frais de petits fruits rouges nuancé de notes amyliques, et par leur bouche ronde, douce et légère, soutenue par une fine vivacité.

☞ Les Vignerons de Buzet, 56, av. des Côtes-de-Buzet, BP 17, 47160 Buzet-sur-Baïse, tél. 05 53 84 74 30, fax 05 53 84 74 24, buzet@vignerons-buzet.fr, ▨ 🖈 ⏆ r.-v.

CH. DU FRANDAT Cuvée Privilège 2010 ★

■ 3 400	⬤	5 à 8 €

Les lecteurs fidèles se rappelleront d'un coup de cœur obtenu par le Buzet de ma Fille 2005 ; la fille de Patrice Sterlin, Laetitia, préside aujourd'hui avec son mari aux destinées du domaine, dont les étiquettes ont été plusieurs fois reproduites dans ces pages sous l'ère paternelle. Elle propose ici une cuvée qui a séduit par son bouquet intense de cerise mûre marié à un bon boisé vanillé, et par sa bouche ronde et suave soutenue par des tanins et un boisé fondus. Déjà harmonieuse, cette bouteille accompagnera volontiers un rôti de bœuf aux champignons dans les deux ou trois ans à venir. Élevée en fût de chêne français (américain pour la Privilège), la **Cuvée du Majorat 2010 rouge (8 à 11 € ; 2 600 b.)** obtient également une étoile pour son... boisé vanillé encore dominant mais élégant et pour son équilibre rondeur-fraîcheur en bouche. Encore un rien sévère en finale, elle patientera un an ou deux en cave.

☞ Laetitia et Mickaël Le Biavant, EARL Vignoble du Frandat, Le Frandat, 47600 Nérac, tél. 05 53 65 23 83, fax 05 53 97 05 77, chateaudufrandat@orange.fr, ▨ 🖈 ⏆ t.l.j. sf dim. 9h-12h 13h30-18h

LA TUQUE DE GUEYZE 2011 ★

■ 60 000	■ ⬤	8 à 11 €

Le second vin du porte-drapeau de l'appellation, le Ch. de Gueyze. Un vin grenat soutenu, au nez agréable de fruits frais nuancés de notes florales, souple, rond et charnu en bouche, étayé par des tanins et un boisé bien fondus. Un buzet équilibré, à déguster dans les trois ans à venir. Le **Dom. du Grand Bourdieu 2011 rouge (5 à 8 € ; 35 000 b.)**, rond, fin, fruité et un rien épicé, obtient également une étoile. On l'appréciera dans sa jeunesse.

☞ Les Vignerons de Buzet, 56, av. des Côtes-de-Buzet, BP 17, 47160 Buzet-sur-Baïse, tél. 05 53 84 74 30, fax 05 53 84 74 24, buzet@vignerons-buzet.fr, ▨ 🖈 ⏆ r.-v.

MARQUIS DE PRADA 2011 ★

■ 180 000	■	5 à 8 €

Assemblage équilibré du merlot et des deux cabernets, ce Marquis de Prada se présente dans une élégante robe pourpre, le nez empreint de notes florales et fruitées (cerise). Souple en attaque, la bouche plaît par sa rondeur, ses tanins fins et soyeux, et pour sa nervosité en finale. Un vin harmonieux et long, à boire dans sa jeunesse. Cité, le **Marquis de Grez 2011 rouge (8 à 11 € ; 120 000 b.)**, plus tannique, est à attendre deux à trois ans.

☞ Les Vignerons de Buzet, 56, av. des Côtes-de-Buzet, BP 17, 47160 Buzet-sur-Baïse, tél. 05 53 84 74 30, fax 05 53 84 74 24, buzet@vignerons-buzet.fr, ▨ 🖈 ⏆ r.-v.

LIONEL OSMIN & CIE 2010 ★★

■ 13 000	■ ⬤	8 à 11 €

Cette jeune maison de négoce signe régulièrement de belles cuvées depuis sa création en 2010. Ici, un buzet convivial et généreux, où les cépages bordelais prennent un accent gascon. Au nez, c'est la fraîcheur qui domine, avec de belles senteurs de fruits rouges un rien acidulés. En bouche, le fruit est toujours bien présent, accompagné de touches épicées, le vin se fait plus rond et tendre, les tanins sont fondus et la finale apparaît longue et chaleureuse. À boire ou à attendre trois ou quatre ans.

☞ Lionel Osmin & Cie, ZI Berlanne, 14, rue des Bruyères, 64160 Morlaas, tél. 05 59 05 14 66, fax 05 59 05 47 09, sudouest@osmin.fr, ▨ ⏆ mer. à sam. 10h-19h; vente à Pau au 1, rue du Château

CH. PIERRON 2011 ★

■ 40 000	⬤	5 à 8 €

Établi sur un plateau de boulbènes et d'argilo-calcaires dominant Nérac, ce domaine a été repris en mains en 2007 par Guy Belooussoff, acheteur national en grande distribution, et par Jean-François Fonteneau, chef d'entreprise et œnologue de formation. Au chai, Jean Leplus apporte son expérience (Montus en madiran, Valendraud en saint-émilion grand cru). Deux cuvées ont retenu l'attention. D'abord ce 2011, au nez complexe de fruits mûrs agrémentés de notes boisées et minérales, ample et dense en bouche, soutenu par de solides tanins qui doivent encore s'affiner deux ou trois ans. La cuvée **Alternative 2011 rouge (8 à 11 € ; 12 000 b.)** est également très réussie, dans un style proche : un vin généreux, charnu, charpenté et boisé, à attendre un an ou deux de plus.

☞ SC du Ch. Pierron, rte de Mézin, 47600 Nérac, tél. 05 53 65 05 52, fax 05 53 65 75 03, chateau.pierron@orange.fr, ▨ 🖈 ⏆ t.l.j. sf sam. dim. lun. 9h-12h 14h-18h

DOM. SALISQUET Caraud 2010

■   n.c.   ❿   15 à 20 €

Les deux filles de la famille Chassenard, Carine et Audrey (d'où Caraud), ont repris en 2010 le domaine familial, l'ont sorti de la cave coopérative pour vinifier leurs propres vins, et ont engagé la conversion bio de leurs 9,73 ha de vignes. Présentes dans le Guide pour la première fois l'an dernier, elles confirment leur savoir-faire avec cette cuvée équitablement répartie entre le merlot et les deux cabernets. Au nez, ce buzet évoque les fruits mûrs accompagnés de notes fumées. Il suit la même ligne boisée et fruitée en bouche, soutenu par des tanins fondus. Une pointe d'austérité en finale s'estompera après une petite garde d'un an ou deux.

☛ SCEA de Caraud, lieu-dit Calezun, 47230 Vianne, tél. 05 53 97 53 22, fax 05 53 97 07 47, scea.caraud@gmail.com, ☑ ⚔ Ⴇ r.-v.

☛ Chassenard

CH. TOURNELLES 2010 ★★

■   14 000   ❿   11 à 15 €

Originaire de Cahors, Bertrand-Gabriel Vigouroux est un fin connaisseur du malbec, qu'il a implanté sur son domaine des Tournelles, à Buzet, et qui compose 15 % de cette cuvée dominée par les cabernets associés au merlot. Le vin est un beau rubis soutenu, porté sur les fruits mûrs (griotte, cassis), tout en douceur et en rondeur en bouche, étayé par un boisé fondu et par une pointe de vivacité. Déjà prêt, il saura attendre deux ou trois ans.

☛ SCEV Bertrand-Gabriel, Ch. Tournelles, 46700 Calignac, tél. 05 65 20 80 80, fax 05 65 20 80 81, vigouroux@g-vigouroux.fr

☛ Bertrand-Gabriel Vigouroux

Côtes-du-marmandais

Superficie : 1 314 ha
Production : 67 387 hl (97 % rouge et rosé)

Les côtes-du-marmandais sont produits sur les deux rives de la Garonne ; le vignoble, un peu en aval de Buzet, jouxte à l'ouest l'Entre-deux-Mers, au nord les côtes-de-duras. Les vins blancs, à base de sémillon, de sauvignon, de muscadelle et d'ugni blanc, sont secs, vifs et fruités. Les vins rouges, issus des cépages bordelais et d'abouriou, de syrah, de cot et de gamay, sont bouquetés et souples. La Cave du Marmandais, qui regroupe les deux sites de Beaupuy et de Cocumont, fournit les plus importants volumes de l'AOC.

CH. LA BASTIDE 2012 ★★

▨   18 000   ❿   5 à 8 €

Une goutte de blanc dans une mer de rouges. Cette cuvée met le sauvignon à l'honneur (blanc à 95 %, un soupçon de gris en complément). Elle a connu le fût pendant douze mois, et cela se devine à des accents vanillés qui se mêlent sans les écraser aux fruits mûrs (prune, fruits exotiques). Un caractère généreux et un équilibre boisé-fruité que l'on retrouve dans un palais

rond, charnu et gras. Un vin de matière, riche et harmonieux, auquel l'élevage a donné de la complexité et un potentiel de garde de deux ou trois ans. Le **rouge 2011 (80 000 b.)**, au nez fruité et épicé, rond et doux en bouche, obtient une étoile. Toujours sous l'étiquette Château la Bastide, la cuvée **Jean-André Lafitte 2011 rouge (moins de 5 € ; 120 000 b.)**, plus chaleureuse, est citée.

☛ SCA Cave du Marmandais, La Cure, 47250 Cocumont, tél. 05 53 94 50 21, fax 05 53 94 52 84, chais@cavedumarmandais.fr, ☑ ⚔ Ⴇ r.-v.

CH. BAZIN 2011 ★★

■   18 500   ❿   11 à 15 €

Construit au XVIIIᵉs. sur la commune de Magdeleine, le château Bazin commande un vignoble qui constitue l'un des fleurons de la cave du Marmandais. Ce 2011 associe, par ordre d'importance, le merlot, le malbec, le cabernet franc et l'abouriou. Au nez, les fruits rouges mûrs se mêlent harmonieusement à un boisé fondu. L'attaque, souple et fruitée, ouvre sur un palais bien équilibré entre une structure dense, un fruité puissant et un élevage en fût ajusté. À boire dans sa jeunesse ou dans deux à trois ans.

☛ SCA Cave du Marmandais, La Cure, 47250 Cocumont, tél. 05 53 94 50 21, fax 05 53 94 52 84, chais@cavedumarmandais.fr, ☑ ⚔ Ⴇ r.-v.

CH. DE BEAULIEU Élevé en fût de chêne 2011

■   n.c.   ❿   8 à 11 €

Sortis de la cave coopérative en 1991, les Schulte ont restructuré ce vignoble ancien – les moines vendangeaient Beaulieu au XIIᵉs., et probablement les Romains avant eux – planté sur de belles graves. Pas moins de cinq cépages sont associés dans cette cuvée : le merlot, les deux cabernets, le malbec et la syrah. Il en résulte un vin expressif, sur les fruits rouges mûrs, la vanille et une touche de poivron, souple et soyeux en attaque, plus ferme et sévère en finale. On lui laissera un an ou deux pour s'harmoniser.

☛ Robert et Agnès Schulte, Ch. de Beaulieu, 47180 Saint-Sauveur-de-Meilhan, tél. 05 53 94 30 40, fax 05 53 94 81 73, chateau_de_beaulieu@hotmail.com, ☑ ⚔ Ⴇ t.l.j. 8h30-12h30 14h-18h30; sam. dim. sur r.-v.

DOM. BONNET Tulipanum 2011

■   20 000   ▮   5 à 8 €

Sorti de la cave coopérative en 2004, ce domaine étend son vignoble sur 20 ha, dont une partie en conversion à l'agriculture biologique. Mi-merlot mi-abouriou, ce 2011 livre un bouquet généreux de fruits rouges mûrs, prolongé par une bouche souple et légère, rafraîchie par une touche de poivron. À boire sur son fruit.

☛ Gilbert Bonnet, Lachaupe-Bouilhats, 47200 Marmande, tél. 06 14 74 78 90, fax 05 53 83 43 07, domainebonnet-gilbert@vinsdemarmande.com, ☑ ⚔ Ⴇ r.-v.

CLOS CAVENAC Terra 2011

■   20 000   ▮   - de 5 €

Emmanuelle Piovesan a repris le domaine familial en 2003, qu'elle convertit à l'agriculture biologique (premier millésime bio prévu sur les étiquettes 2012). Elle signe un vin plaisant par son fruité (fraise, framboise), par sa souplesse et sa fraîcheur, à boire dans sa jeunesse.

☛ Emmanuelle Piovesan, Cavenac-sud, 47180 Castelnau-sur-Gupie, tél. 06 45 80 43 23, fax 05 53 83 81 20, closcavenac@yahoo.fr, ☑ ⚔ Ⴇ r.-v.

SUD-OUEST

CRÉPUSCULE D'ÉTÉ Merlot Abouriou 2012

■	65 000 ■	- de 5 €

La gamme Crépuscule de la coopérative de Cocumont met l'accent sur le merlot et l'abouriou. Côté rosé, cela donne un vin rose pâle, porté sur les agrumes et des notes amyliques, tonique et frais en bouche. Un joli « rosé de soif » pour l'apéritif. La cuvée **Crépuscule de fruit 2011 rouge (20 000 b.)**, qui ajoute 10 % de malbec dans son assemblage, est un vin au fruité croquant, souple et léger, tout indiqué pour une grillade.

☛ SCA Cave du Marmandais, La Cure, 47250 Cocumont, tél. 05 53 94 50 21, fax 05 53 94 52 84, chais@cavedumarmandais.fr, ☑ ⚥ ⛾ r.-v.

FERRAN PRADETS 2011 ★★

■	133 000 ■	- de 5 €

Cette cuvée a retenu l'attention dans ses trois couleurs. En rouge, elle associe le merlot, l'abouriou, le malbec et les deux cabernets. Des parfums intenses de fruits rouges et noirs et d'épices douces s'échappent du verre. En bouche, le vin affiche une belle structure, solide et élégante, enrobée d'un fruité mûr. À boire ou à attendre trois ans. Le **rosé 2012 (130 000 b.)**, frais et aromatique (fruits rouges, notes amyliques), obtient une étoile, tandis que le **blanc 2012 (25 000 b.)**, équilibré entre rondeur et vivacité, est cité.

☛ SCA Cave du Marmandais, La Cure, 47250 Cocumont, tél. 05 53 94 50 21, fax 05 53 94 52 84, chais@cavedumarmandais.fr, ☑ ⚥ ⛾ r.-v.

DOM. LE GEAI Abouriou 2011

■	n.c.	5 à 8 €

Derrière le plumage bleuté du geai représenté sur l'étiquette (l'oiseau aurait pris l'habitude de nicher sur les parcelles du vignoble), c'est l'abouriou qui est mis en valeur, à travers un vin finement bouqueté autour des fruits rouges frais, rond et épicé en bouche. Une bouteille déjà aimable, à servir sur une grillade.

☛ EARL Vignobles Boissonneau, Cathelicq, 33190 Saint-Michel-de-Lapujade, tél. 05 56 61 72 14, fax 05 56 61 71 01, vignobles@boissonneau.fr, ☑ ⚥ ⛾ t.l.j. 8h-12h 14h-18h

JUST ABOURIOU 2011 ★

■	20 000 ■	5 à 8 €

Cette gamme met à l'honneur l'un des cépages emblématiques du Marmandais. Ce Just abouriou (qui incorpore 30 % de merlot tout de même) dévoile des parfums gourmands de fruits rouges croquants, relayés par une bouche ronde et douce. On l'appréciera dans sa jeunesse, avec une viande rouge grillée. Même assemblage pour la cuvée **Essence d'abouriou 2011 (65 000 b.)**, citée pour son fruité généreux et pour ses tanins serrés, un peu plus sévères en finale.

☛ SCA Cave du Marmandais, La Cure, 47250 Cocumont, tél. 05 53 94 50 21, fax 05 53 94 52 84, chais@cavedumarmandais.fr, ☑ ⚥ ⛾ r.-v.

NOBLESSA Merlot Cabernet 2011 ★★

■	30 000 ■	- de 5 €

Un assemblage classique aux accents bordelais pour cette cuvée de la cave du Marmandais : du merlot (60 %) et les deux cabernets. Il en résulte un vin très gourmand et fruité (cassis mûr), doux et rond en bouche, épaulé par

des tanins enrobés qui lui donnent du volume. Un « vin plaisir », qui peut s'apprécier aussi bien jeune qu'après deux ou trois ans de garde. La cuvée **Secret de vigneron 2011 rouge Élevé en fût de chêne (8 à 11 € ; 20 000 b.)** associe le malbec et l'abouriou au merlot et au cabernet franc. Elle obtient une étoile pour son nez généreux de fruits confiturés, pour son boisé maîtrisé, sa bonne structure et sa rondeur en bouche.

☛ SCA Cave du Marmandais, La Cure, 47250 Cocumont, tél. 05 53 94 50 21, fax 05 53 94 52 84, chais@cavedumarmandais.fr, ☑ ⚥ ⛾ r.-v.

QUEZACO 2012 ★★

■	20 000	5 à 8 €

Quezaco ? À l'aveugle, les dégustateurs ont dit « Un rosé remarquable ». Issu d'un assemblage abouriou-merlot-cabernet franc, ce 2012 les a séduits par sa robe vermillon aux reflets rosés, par son bouquet intense aux accents amyliques, par son palais équilibré, fruité, tendre et vif juste ce qu'il faut. La cave propose également un **rosé R de Soubiran 2012 (moins de 5 € ; 10 000 b.)**, cité pour sa fraîcheur.

☛ SCA Cave du Marmandais, La Cure, 47250 Cocumont, tél. 05 53 94 50 21, fax 05 53 94 52 84, chais@cavedumarmandais.fr, ☑ ⚥ ⛾ r.-v.

CH. SARRAZIÈRE 2011 ★★

■	40 000 ⬤	- de 5 €

Deux domaines vinifiés et commercialisés par la cave du Marmandais. D'abord ce château Sarrazière, qui propose un 2011 mi-merlot mi-cabernet franc, qui séduit par son bouquet élégant de fruits noirs (mûre, cassis), d'épices et de vanille et par sa bouche « explosive » dans la lignée de l'olfaction, ronde et structurée par des tanins enrobés. Un vin harmonieux et long, à déguster sur son fruit comme dans deux ou trois ans. Le **Ch. Terrebert 2011 rouge (20 000 b.)** associe à parts quasi égales le malbec et le cabernet franc. Il décroche lui aussi deux étoiles pour son équilibre entre fruits compotés et boisé bien dosé, entre rondeur, fraîcheur et structure tannique. À boire dans les trois ans à venir.

☛ SCA Cave du Marmandais, La Cure, 47250 Cocumont, tél. 05 53 94 50 21, fax 05 53 94 52 84, chais@cavedumarmandais.fr, ☑ ⚥ ⛾ r.-v.

♥ LA VIEILLE ÉGLISE Réserve 2011 ★★

■	100 000 ■⬤	5 à 8 €

Cette cuvée Réserve s'inscrit dans « le projet de rajeunissement des lignes esthétiques et gustatives de la production » de l'incontournable cave du Marmandais (95 % de la production de l'AOC), à savoir un accent mis sur les cépages plus spécifiques comme l'abouriou ou le malbec. Ces deux variétés représentent ici 60 % de l'assemblage aux côtés du merlot. « Des arômes subtilement boisés », annonce l'étiquette. De fait, dans le verre les notes d'élevage restent mesurées, et c'est un fruité exubérant et croquant qui s'impose. En bouche, le vin adopte le registre de la douceur et de la rondeur, soutenu par des tanins souples et soyeux. Une gourmandise à découvrir au cours des deux ou trois prochaines années, sur un plat de viande longuement mijoté. On pourra aussi faire une place à table à la cuvée **Richard 1er 2011 rouge (40 000 b.)**, dominée par le merlot (80 %) : un vin rond et charnu, aux tanins enrobés, qui marie les fruits mûrs à un boisé fondu aux accents de caramel. Elle obtient deux étoiles. Dans un style proche (boisé fondu, touche de sucrosité, fruits mûrs) mais un peu plus tannique, la cuvée **Tap d'e Perbos 2011 rouge Élevé en fût de chêne (20 000 b.)** est citée.

➨ SCA Cave du Marmandais, La Cure, 47250 Cocumont, tél. 05 53 94 50 21, fax 05 53 94 52 84, chais@cavedumarmandais.fr, ☑ ⚔ ⛉ r.-v.

Saint-sardos

Superficie : 104 ha
Production : 5 492 hl

Ancien vin de pays, saint-sardos a été reconnu en AOVDQS en 2005 et AOC en 2011. Ce vignoble fut créé au XIIes. lors de la fondation de l'abbaye de Grand Selve à Bouillac. Il s'étend sur la rive gauche de la Garonne, au sud-ouest du Tarn-et-Garonne et au nord de la Haute-Garonne. Rouges et rosés, les saint-sardos assemblent au moins trois cépages : la syrah (plus de 40 % de l'encépagement) et le tannat (plus de 20 %), complétés par le cabernet franc et le merlot.

MOULIN ROUT 2010 ★★

■   15 000   ⬛   5 à 8 €

L'appellation saint-sardos est née autour de la coopérative de Saint-Sardos, qui place quatre vins dans la sélection du Guide. Tous comportent de la syrah et du tannat – assemblage qui fait l'originalité de l'AOC – avec un peu de merlot pour ce 2010, le favori. Sa robe profonde a conservé des reflets violets de jeunesse. Son nez délicat associe les fruits rouges et noirs confiturés, les fleurs et les épices. La mise en bouche dévoile un vin bien présent, gourmand, suave, fondu et élégant, aux arômes affirmés. Le fût signale discrètement sa présence par quelques notes de pain grillé. Un vin harmonieux, facile à marier avec toutes les viandes, à apprécier dans les trois ans. La cave signe trois autres vins élevés en cuve, qui obtiennent chacun une étoile : **Grand S Vieilles Vignes 2011 (8 à 11 € ; 12 000 b.)** ; **Entre amis 2011 (37 000 b.)** et **Gilles de Morban 2011 (40 000 b.)**. Du même style que le précédent mais plus légers, souples et suaves, ils accompagneront des viandes blanches et les grillades du barbecue.

➨ Les Vignerons de Saint-Sardos, 2, chem. de Naudin, 82600 Saint-Sardos, tél. 05 63 02 52 44, fax 05 63 02 62 19, sylvie.saintsardos@orange.fr, ☑ ⚔ ⛉ t.l.j. sf dim. 9h-12h 14h-18h

Le Bergeracois et Duras

Bergerac

Superficie : 10 002 ha
Production : 500 562 hl (70 % rouge et rosé)

Héros de la célèbre pièce d'Edmond Rostand, Cyrano de Bergerac a certainement accru la notoriété de la cité dordognaise qui a donné son nom à l'AOC en 1936. Sa gastronomie comme son vignoble vallonné, mosaïque de terroirs, confèrent à la région un réel intérêt touristique. Les vins peuvent être produits dans 90 communes de l'arrondissement de Bergerac. Rouges, rosés ou blancs secs, les bergerac naissent principalement du merlot, des cabernets et du malbec en rouge et en rosé, du sémillon, du sauvignon et de la muscadelle en blanc. Les rouges sont aromatiques et souples, les rosés, frais et fruités. La diversité des terroirs (calcaires, graves, argiles, boulbènes) donne aux blancs des accents aromatiques variés. Jeunes, les vins sont fruités, élégants, un rien nerveux. Vinifiés dans le bois, ils devront attendre un an ou deux avant de révéler l'expression du terroir.

♥ DOM. L' ANCIENNE CURE L'Abbaye 2011 ★★★

■   n.c.   ⬛   11 à 15 €

Est-ce la forte présence de la muscadelle (50 %) aux côtés du sauvignon ou la fermentation et l'élevage en foudre de chêne autrichien ? Quoi qu'il en soit, le jury a été impressionné par ce vin hors du commun. D'un jaune paille lumineux, ce 2011 libère d'abord de délicates fragrances de fleurs blanches, puis monte en puissance pour s'épanouir sur des parfums intenses et frais de citron, d'ananas et de mangue. Dans une heureuse continuité, la bouche, souple à l'attaque, associe le gras, la suavité et une fraîcheur bienvenue. Un vin parfaitement équilibré, à apprécier dès maintenant sur un buisson de langoustines. Ce coup de cœur est le neuvième obtenu par Christian Roche depuis la première édition du Guide. Le **monbazillac L'Abbaye 2010 (15 à 20 € la bouteille de 50 cl)** a été cité. Encore marqué par les sucres et par un boisé vanillé, il gagnera ses étoiles à l'ancienneté, car les dégustateurs relèvent sa belle matière, sa fraîcheur soulignée d'arômes d'agrumes. Mieux vaut l'attendre quelques années. À signaler : la conversion du domaine au bio est en cours.

SUD-OUEST

☛ SARL Ancienne Cure, 24560 Colombier,
tél. 05 53 58 27 90, fax 05 53 24 83 95,
ancienne-cure@orange.fr, ☑ ⚔ ☊ t.l.j. sf dim. 9h-19h

CH. LA BESAGE La Grande Cuvée 2011 ★

| ■ | 53 500 | ⦀ | 5 à 8 € |

Cette maison de négoce a proposé trois cuvées de bergerac qui privilégient classiquement le merlot. Les versions boisées, plus réussies, affichent une belle couleur profonde et reçoivent l'une comme l'autre une étoile. Cette Grande Cuvée, d'abord réservée, libère à l'aération des parfums chaleureux de cerise noire – prélude à une bouche ronde, dense et épicée, au fruité bien présent sur des tanins enrobés. Des impressions de fraîcheur contribuent à l'agrément de la finale. Encore légèrement dominée par le boisé, cette bouteille sait concilier puissance et finesse. **Epicurus 2011 Élevé en bois de chêne (13 500 b.)** offre un nez plus expressif mêlant le fruit rouge mûr, le moka, les épices ; il se montre rond, ample et gras au palais, malgré quelques tanins sévères en finale. Ces deux vins méritent d'attendre un à deux ans. La cuvée **Chêne Peyraille 2012 Édition limitée (moins de 5 € ; 66 700 b.)**, élevée en cuve, plus souple, est en revanche à déboucher maintenant : une citation.

☛ Vins fins du Périgord, rte de Marmande,
Les Séguinots, bât. Unidor, 24100 Saint-Laurent-des-Vignes,
tél. 05 53 63 78 50, fax 05 53 63 78 59,
contact@vinsfinsduperigord.fr

CH. BEYLAT Demi-sec 2012 ★

| ■ | 2 000 | ▮ | - de 5 € |

De couleur saumon soutenu, ce rosé demi-sec issu de pur merlot présente un nez plutôt discret mais intéressant par ses notes de fleurs blanches et de fraise écrasée que l'on retrouve en bouche. Rond à l'attaque, le palais se montre doux, suave et ample, tonifié en finale par une pointe de nervosité et d'amertume pas désagréable. Ce côté tendre conviendra à l'apéritif.

☛ EARL les Vignobles Beylat, Larroque, 24240 Thénac,
tél. et fax 05 53 24 55 33 ☑ ⚔ ☊ r.-v.

CH. BOUFFEVENT Cuvée Tradition 2012

| ■ | 70 000 | ▮ | - de 5 € |

La famille Pauty exploite 30 ha de vignes et 20 ha de pommiers dans la vallée de la Dordogne. Sa cuvée Tradition, saluée l'an dernier pour sa générosité, mérite d'être citée, même si elle n'a pas la concentration de sa devancière : avec son nez discret de fruits rouges mâtinés de cuir, son attaque intense, ses tanins soyeux et sa finale fruitée et suave, ce 2012 d'une grande souplesse offre une expression agréable de ce millésime difficile. À servir dans les deux ans sur des grillades.

☛ Vignobles Pauty, 19, rte de Bouffevent,
24680 Lamonzie-Saint-Martin, tél. 05 53 24 29 05,
fax 05 53 61 83 32, chateaubouffevent@wanadoo.fr,
☑ ⚔ ☊ r.-v.

CH. LES BRANDEAUX Cuvée Excellence 2011 ★★

| ■ | 10 000 | ⦀ | 5 à 8 € |

Jean-Marc Piazzetta est œnologue ; son frère Thierry est commercial : des compétences complémentaires qui valent au tandem de belles réussites. Leur cuvée Excellence, une fois de plus, a été jugée remarquable, tant pour ses qualités tangibles que pour son potentiel : déjà harmonieux, ce 2011 devrait évoluer dans le bon sens au cours des cinq prochaines années. Le boisé vanillé et toasté du bouquet dévoile un élevage en fût maîtrisé, qui laisse s'exprimer à l'aération un raisin bien mûr aux nuances de fruits à l'alcool et de pruneau. On retrouve ces qualités en bouche, où les tanins sont enrobés et commencent à se fondre. Le **côtes-de-bergerac moelleux 2012 (moins de 5 € ; 8 000 b.)** reçoit une étoile pour ses arômes de pêche et pour son équilibre entre le sucre et l'acidité ; quant au **rosé 2012 (moins de 5 € ; 10 000 b.)**, il est cité pour sa subtilité.

☛ EARL Piazzetta, Les Brandeaux, Puyguilhem,
24240 Thénac, tél. et fax 05 53 58 41 50,
les.brandeaux@gmail.com,
☑ ⚔ ☊ t.l.j. sf sam. dim. 9h-12h30 14h-18h30 ⌂ Ⓑ

BRENNUS Cuvée Prestige 2012

| ■ | 33 000 | ▮ | - de 5 € |

Cet important groupement de producteurs propose des vins du Bordelais, du Duraquois et du Bergeracois. Brennus ne remporte pas le « bouclier », mais obtient des résultats honorables : avec son nez bien ouvert sur les fruits mûrs, son attaque souple et son palais fruité et soyeux, ce pur merlot est un « vin plaisir », pour maintenant. Deux autres bergerac rouges ont été cités. Malgré la présence de cabernet-sauvignon dans l'assemblage, ils sont du même style que le premier ; il s'agit du **Ch. les Muscades 2012 (33 000 b.)**, fruité et gouleyant, et du **Ch. Mondésir 2012 (33 000 b.)**, à l'équilibre marqué par la fraîcheur.

☛ SCA Univitis, village Les Bouhets-Sud,
33220 Les Lèves-et-Thoumeyragues, tél. 05 57 56 02 02,
fax 05 57 56 02 22, h.girou@univitis.fr,
☑ ⚔ ☊ t.l.j. sf dim. lun. 9h-12h30 14h30-19h

CH. BRIAND 2011 ★

| ■ | 6 500 | ⦀ | 8 à 11 € |

Le chai est une ancienne dépendance du château de Bridoire – restauré et récemment ouvert au public. Quant au vignoble, il a été repris en 2008 par Cédric et Amélie Bougues, qui le restructurent, privilégiant les densités élevées. Leur bergerac rouge affiche une robe grenat sombre à laquelle répond un bouquet puissant, encore dominé par les nuances vanillées et grillées de l'élevage. Des notes de fruits rouges mûrs pointent cependant à l'aération. Concentrée et persistante, la bouche confirme le nez : on a affaire à un vin au solide potentiel (cinq à dix ans). Les tanins serrés et austères de la finale appellent au moins trois ou quatre ans de garde. En attendant, on pourra servir le **rosé cuvée Arthur 2012 (5 à 8 € ; 8 000 b.)**, qui est cité. Proche d'un clairet, c'est un vin aux jolis arômes de fraise et de framboise soutenus par une belle fraîcheur.

☛ Ch. Briand, Le Nicot, 24240 Ribagnac,
tél. 06 83 33 48 83 ☑ ⚔ ☊ t.l.j. 9h-18h30
☛ Cédric et Amélie Bougues

CH. CAILLAVEL 2012

| ■ | 1 800 | ⦀ | 8 à 11 € |

Installé dans l'aire du monbazillac, Jean-Jacques Lacoste exploite 50 ha de vignes. Il signe un bergerac sec issu majoritairement du sauvignon, auquel la vinification en fût de chêne a donné puissance et complexité. D'un

jaune limpide aux reflets orangés, ce 2012 apparaît encore très marqué par le bois, même s'il laisse percer des notes de fruits exotiques et de pêche. Après une attaque souple, le merrain s'impose en finale : à ouvrir à partir de 2014.
☛ GAEC Ch. Caillavel, 24240 Pomport, tél. 05 53 58 43 30, fax 05 53 58 20 31, chateaucaillavel@orange.fr,
☑ ⚥ ⛾ t.l.j. sf dim. 8h30-12h 14h-18h30

CASSIUS 2011 ★

■	26 000	⛫	5 à 8 €

Présenté par une coopérative implantée aux confins du Bordelais et du Bergeracois, ce vin, malgré un élevage d'un an en fût, ne montre qu'un boisé discret. Le nez s'ouvre sur un joli fruit mûr, escorté de quelques notes épicées. Ces fruits rouges et noirs surmûris font aussi l'agrément d'une bouche charpentée, ronde à l'attaque, plus ferme en finale. Les tanins devraient s'assouplir au cours des deux prochaines années. Le **rosé 2012 Terre satinée (moins de 5 € ; 15 000 b.)** et le **rosé 2012 Duc de Mézière (moins de 5 € ; 26 000 b.)**, frais et amyliques, sont par ailleurs cités.
☛ Union de viticulteurs de Port-Sainte-Foy,
78, rte de Bordeaux, 33220 Port-Sainte-Foy,
tél. 05 53 27 40 70, fax 05 53 27 40 71,
union.viticulteurs@orange.fr,
☑ ⚥ ⛾ t.l.j. sf dim. 9h-12h 14h-18h

CH. LE CASTELLOT 2011 ★

■	54 000	⛫	5 à 8 €

Après un parcours initial dans l'électronique, Jean-René Ley a repris l'exploitation familiale, qui couvre 50 ha. D'un pourpre dense aux reflets violacés, son

château le Castellot offre tout ce que l'on attend de l'appellation : un nez intense de fruits rouges, souligné par un fin boisé vanillé et épicé résultant d'un séjour de onze mois en barrique ; une attaque ample et ronde sur le fruit mûr, des tanins bien enrobés, un peu dominés par le merrain en finale. Un vin flatteur, à boire d'ici deux à trois ans. Le **montravel L'Excellence du Ch. le Castellot 2010 rouge (11 à 15 € ; 10 000 b.)** est cité : très marqué par son élevage de vingt mois sous bois, il pourra cependant être débouché dès la sortie du Guide.
☛ GAF Ley et Fils, Dom. des Templiers,
24230 Saint-Michel-de-Montaigne, tél. 05 53 58 68 15,
fax 05 53 58 79 99, ley.vignobles@wanadoo.fr,
☑ ⚥ ⛾ t.l.j. 8h30-12h30 14h-17h

CLOS BONNEFARE 2011

■	5 000	▮⛫	8 à 11 €

Premier millésime pour François Jarou, qui s'est installé en 2011 sur 1 ha de vignes bien situées sur le plateau de Lamothe-Montravel. Assemblage de merlot (60 %), de cabernet franc et de cot, son bergerac séduit par son nez intense et complexe aux nuances de fruits noirs bien mûrs, et par son attaque franche. Un peu svelte, il est agréable, de bonne facture. Il peut attendre deux à trois ans.
☛ François Jarou, rue des Camélias,
Rés. Sporting Les Camélias, Apt 09, 33220 Pineuilh,
tél. 06 85 76 61 53, closbonnefare@gmail.com, ☑ r.-v.

♥ CLOS DES VERDOTS 2011 ★★

■	60 000	▮	5 à 8 €

Cette exploitation familiale de 45 ha est une valeur sûre du Bergeracois, qui a plusieurs coups de cœur à son

Le Bergeracois

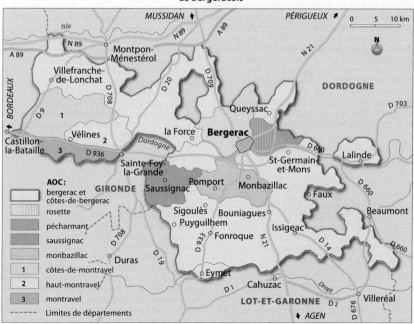

SUD-OUEST

CLOS DES
VERDOTS
DAVID FOURTOUT

MERLOT
CABERNET SAUVIGNON · MALBEC
2011

BERGERAC ROUGE
APPELLATION BERGERAC CONTRÔLÉE

14% Alc./Vol. · PRODUIT DE FRANCE · 750 Ml.

actif. Si le côtes-de-bergerac a été plus souvent couronné, c'est le bergerac rouge qui est en vedette cette année. Assemblage de merlot (80 %), de cabernet-sauvignon et d'un soupçon de malbec, ce 2011 n'a pas vu le bois et a bénéficié d'un long élevage en cuve (dix-huit mois). Il en résulte une robe profonde, presque noire, et un nez très ouvert sur la cerise à l'eau-de-vie, relevé d'épices. Ronde à l'attaque, charpentée, la bouche dévoile une forte extraction, mais les tanins sont déjà agréables. On retrouve le fruité surmûri dans la finale généreuse et ample. Déjà fort harmonieux, ce vin riche et puissant devrait encore gagner en aménité au cours des trois ans à venir. Il accompagnera volontiers une pièce de bœuf aux cèpes.

☛ EARL David Fourtout, Les Verdots,
24560 Conne-de-Labarde, tél. 05 53 58 34 31,
fax 05 53 57 82 00, verdots@wanadoo.fr,
☑ ☂ ☖ t.l.j. sf dim. 9h-12h 14h-19h 🏠 ❷ ⛪ 🅱

LE CLOS DU BREIL 2012 ★

■	3 500	■	5 à 8 €

Située aux marges orientales de l'appellation, cette exploitation familiale, conduite par Yann Vergniaud depuis trois ans, bénéficie d'un terroir argilo-calcaire riche en silex. Elle signe un 2012 à la robe profonde pour le millésime. Tout aussi intense, le bouquet évoque les fruits rouges confiturés et le pruneau. La bouche, elle, apparaît franche et fraîche, soutenue par des tanins déjà arrondis, qui montrent en finale une pointe d'amertume pas désagréable. « Un bel équilibre entre les tanins et le fruit », conclut un dégustateur. À servir dans les trois ans sur des grillades.

☛ Famille Vergniaud, Le Breil, 24560 Saint-Léon-d'Issigeac,
tél. et fax 05 53 58 75 55, leclosdubreil@free.fr,
☑ ☂ ☖ t.l.j. sf dim. 9h-12h30 14h-18h

♥ CLOS DU MAINE-CHEVALIER Demi-sec 2012 ★★

■	5 500		- de 5 €

2012
Clos du
MAINE-CHEVALIER

BERGERAC ROSÉ
APPELLATION BERGERAC ROSÉ CONTRÔLÉE
Demi-Sec

MIS EN BOUTEILLE À LA PROPRIÉTÉ
EARL CLOS DU MAINE-CHEVALIER

Les Caillard sont établis aux confins du Lot-et-Garonne, sur le plateau argilo-calcaire d'Issigeac. Ce terroir étant favorable à une viticulture de qualité, la famille a arrêté l'élevage pour se consacrer au vin. Elle décroche un coup de cœur avec un remarquable rosé demi-sec (9 g /l de sucres résiduels), qui assemble quatre cépages sans en laisser dominer aucun : le merlot, le malbec et les deux cabernets. La robe intense, grenadine, met en appétit. Elle annonce un nez puissant de fruits rouges et de bonbon anglais. De l'attaque suave et douce sur la fraise et la framboise à la finale persistante sur le pamplemousse, voilà une bouteille flatteuse et très équilibrée, à servir de l'apéritif au dessert.

☛ EARL Clos du Maine-Chevalier, Le Maine-Chevalier,
24560 Plaisance, tél. et fax 05 53 58 55 63,
closdudomainechevalier@orange.fr,
☑ ☂ ☖ t.l.j. 9h-12h30 13h30-19h
☛ Caillard

CLOS DU PECH BESSOU 2011 ★

■	4 500	■	- de 5 €

Au sud de l'appellation, Pech Bessou est la dernière colline calcaire du Bergeracois aux confins du Lot-et-Garonne. Le domaine, conduit par un frère et une sœur, s'est spécialisé assez récemment, renonçant à l'élevage laitier. Avec cette cuvée, Sylvie et Pascal Thomassin proposent un vin au nez délicat de fruits rouges et noirs (cerise, mûre), relevé d'une touche poivrée. Bien équilibrée, de bonne longueur, la bouche est marquée en finale par un joli retour des fruits rouges. Un vin qui sait allier structure et finesse. À apprécier dès la sortie du Guide.

☛ GAEC Thomassin, La Pouge, 24560 Plaisance,
tél. 06 85 63 23 93, closdupechbessou@wanadoo.fr,
☑ ☂ ☖ t.l.j. sf dim. 9h-12h 14h-18h30; sam. 9h-12h

🅱 EXTRAVAGANCE DU CLOS JULIEN 2011 ★★

■	2 600		8 à 11 €

Originaire d'Alsace, Viviane Sroka a créé dans le Bergeracois un petit vignoble conduit en bio certifié. Fruit d'une longue macération (un mois) et d'un élevage en fût, sa cuvée Extravagance est bien connue de nos lecteurs. Le millésime 2011 est remarquable. La robe grenat aux reflets violets annonce un vin concentré. Le nez, complexe, mêle les fruits noirs surmûris (cassis, myrtille) à une pointe vanillée et toastée. L'attaque souple et généreuse, sur les fruits mûrs, voire confiturés, donne le ton d'une bouche à la finale longue et chaleureuse. Les tanins encore jeunes devraient permettre de garder cette bouteille jusqu'à dix ans, mais les amateurs de vins jeunes pourront aussi l'apprécier dès aujourd'hui.

☛ Viviane Sroka, 127, chem. des Lavandières,
24230 Saint-Antoine-de-Breuilh, tél. 06 86 51 50 73,
sroka.viviane@orange.fr, ☑ ☂ ☖ r.-v.

🅱 CH. LE CLOU Pléiades 2011 ★★

■	2 400	⬛	8 à 11 €

Domaine ancien, racheté en 1999 par Sylvie et Manuel Killias, qui l'ont agrandi (20 ha aujourd'hui) tout en adoptant l'agriculture biologique. Leur cuvée Pléiades a été vinifiée et élevée huit mois en barriques, dont 50 % neuves. Pourtant, c'est un joli fruité qui domine la dégustation, avec au nez comme en bouche des notes de fruits jaunes (pêche) et de fruits exotiques. Après une attaque souple, le vin se montre ample et gras, tonifié en finale par une pointe de fraîcheur : une belle bouteille pour viandes blanches et poissons cuisinés. Une étoile revient au **monbazillac 2011 (8 à 11 € ; 5 800 b.).** Élevé en cuve, ce liquoreux est lui aussi bien fruité (pêche et abricot, avec des touches de miel) et presque nerveux : on pensera à lui pour une tarte meringuée au citron.

🔾 EARL Ch. le Clou, Ch. le Clou, 24240 Pomport, tél. et fax 05 53 63 32 76, chateau.le.clou@online.fr,

☑ ⚐ ⚒ r.-v.

🔾 Killias

Ⓑ CH. CLUZEAU L'Envol 2011 ★★

| | 1 200 | ⚏ | 8 à 11 € |

Un ancien tonnelier devenu vigneron en bio. Sa démarche ? Élaborer des vins reflétant leur terroir et leur millésime. L'année 2011 a bien réussi à la muscadelle qui compose 25 % de ce bergerac sec aux côtés du sémillon et du sauvignon (majoritaire). Récolte manuelle, macération pelliculaire, vinification et élevage de huit mois en barrique sur lies sont à l'origine d'un vin au nez discret mais élégant mêlant les agrumes et les fruits exotiques à une pointe toastée. Une attaque souple, un palais gras et une finale acidulée concourent à l'agrément de cette bouteille. Un vin « distingué », conclut un dégustateur. Le **côtes-de-bergerac rouge L'Empyrée 2010 (11 à 15 € ; 1 800 b.)**, à majorité de cabernet-sauvignon, a été élevé en barrique. Corsé et charpenté, encore tannique, il reçoit une étoile, tout comme le **bergerac rouge Jolibert 2011 (11 à 15 € ; 2 500 b.)** fruité, tout en rondeur.

🔾 SCEA le Petit Cluzeau, Le Cluzeau, 24240 Flaugeac, tél. et fax 05 53 24 33 71, marc.saury@chateaucluzeau.com,

☑ ⚐ ⚒ t.l.j. sf sam. dim. 8h-12h 13h-17h; f. août

🔾 Marc Saury

DOM. DE LA COMBE 2012 ★★

| | n.c. | ▮ | - de 5 € |

Acquis il y a trente ans par la famille Sergenton, le domaine a vu sa surface multipliée par trois (26 ha aujourd'hui) et sa capacité de cuvage par cinq. Ses rosés figurent en très bonne place dans le Guide (le 2010 fut élu coup de cœur). Celui-ci est de la même veine. Sa robe est intense, couleur grenadine ; le nez apparaît dominé par la fraise, avec des touches de groseille, de framboise et de cassis, arômes auxquels s'ajoute en bouche la pêche blanche. Savoureux, tout en finesse, le palais allie gras et fraîcheur dans un bel équilibre, jusqu'à une finale un rien tannique. Un rosé de repas.

🔾 EARL Dom. de la Combe, La Combe, 24240 Razac-de-Saussignac, tél. 05 53 27 86 51, fax 05 53 27 99 87, thierrysergenton@gmail.com,

☑ ⚐ ⚒ r.-v.

🔾 Sergenton

CH. COMBET Tradition du domaine Sauvignon 2012 ★

| | 2 600 | ▮ | 5 à 8 € |

Daniel Duperret a repris en 1993 le domaine familial traversé par le chemin de grande randonnée reliant le château de Monbazillac à celui de Bridoire. Dans son bergerac sec Tradition, les dégustateurs ont détecté la présence du sauvignon gris (20 %) grâce aux reflets rosés de la robe. Le nez puissant aux nuances de poire très mûre annonce un palais gras et structuré, qui finit sur une sensation de fraîcheur bienvenue. Une bouteille originale, qui pourra accompagner du poulet grillé. Cité, le **bergerac rouge 2012 Tradition du domaine (20 000 b.)** est un vin souple, à boire sur son fruit.

🔾 EARL de Combet, Dom. de Combet, 24240 Monbazillac, tél. 05 53 58 33 47, earldecombet@wanadoo.fr,

☑ ⚐ ⚒ t.l.j. sf sam. dim. 10h-12h 13h30-17h30; f. jan.

🔾 Duperret

CH. COMBRILLAC L'Inédit 2011 ★

| | 10 000 | ▮⚏ | 8 à 11 € |

Ingénieur en agriculture et œnologue, Florent Girou a géré un domaine en Toscane avant de reprendre en 2008 cette propriété implantée sur une haute terrasse de la Dordogne. Très souvent retenu, son bergerac rouge L'Inédit a pour originalité de faire largement appel au cabernet-sauvignon, ce qui est rare dans ce vignoble. Complexe, assez puissant, le nez associe les fruits noirs, le poivre et la touche grillée de l'élevage. Ronde à l'attaque, la bouche évolue sur des tanins épicés et fondus jusqu'à la finale chaleureuse. À déboucher dans les quatre ans. Cité, le **rosette 2011 (5 à 8 € ; 9 000 b.)** est un moelleux bien équilibré, frais à l'attaque, exprimant de plaisants arômes de miel et d'agrumes.

🔾 Florent Girou, Ch. Combrillac, 24130 Prigonrieux, tél. 06 30 74 44 92, florentgirou@combrillac.fr,

☑ ⚐ ⚒ t.l.j. sf dim. 9h-12h 14h-18h

CYRANO DE BERGERAC 2011 ★

| | 50 000 | ▮ | 5 à 8 € |

Dédiée à Cyrano de Bergerac, cette cuvée de négoce, assemblage par tiers des trois principaux cépages régionaux (le merlot et les deux cabernets), a paru de prime abord manquer de nez ! Mais une fois sollicitée, elle est devenue plutôt diserte, déclinant des notes de fruits confits, de fruits noirs, de pruneau, accompagnés de touches de cuir. Souple et fruitée, marquée par le cassis, l'attaque prélude à une bouche plutôt légère, aux tanins fondus. Un vin à apprécier sur son fruit dès la sortie du Guide.

🔾 Cyrano de Bergerac, 22, rue Saint-James, pl. Pélissière, 24100 Bergerac, tél. 05 53 57 27 44, maison-cyrano@bergerac.com, ☑ ⚒ t.l.j. 13h30-18h30

DOMÉA 2012 ★★

| | 5 000 | ▮ | - de 5 € |

La cave de Sigoulès signe un bergerac sec remarquable d'élégance. Le sauvignon à l'origine de cette cuvée a fait l'objet d'une macération pelliculaire avant pressurage. Le nez allie les senteurs de buis caractéristiques du cépage à des notes fraîches de pamplemousse. Dans le même registre aromatique, la bouche séduit par sa rondeur, par son fruit et par sa vivacité finale qui laisse une impression d'équilibre. Quant à la cuvée L'**Audace de Sigoulès 2011 rouge (15 à 20 € ; 6 000 b.)**, citée, elle est ronde à l'attaque, mais ses tanins demandent à se fondre ; très marquée par un élevage de seize mois en barrique neuve, elle est à réserver aux amateurs de vins boisés.

🔾 Les Vignerons de Sigoulès, Cave de Sigoulès, 24240 Sigoulès, tél. 05 53 61 55 00, fax 05 53 61 55 10, contact@vigneronsdesigoules.fr,

☑ ⚐ ⚒ t.l.j. sf. dim. 9h-12h30 14h-17h30

CH. DES DONATS L'Évolution 2011 ★★

| | 3 000 | ■ ◫ | 8 à 11 € |

Un domaine acheté en 1994 par Patrick Somers, qui l'a restructuré et rénové. En 2011, Olivier Verhelst, ingénieur œnologue, a rejoint l'équipe. Il a mis en pratique le savoir-faire des maîtres bordelais, avec lesquels il a travaillé après sa formation initiale en Belgique, pour obtenir ce vin dont la robe presque noire, tirant sur le violet, dit la concentration. Intense et complexe, le nez marie les fruits noirs très mûrs, confiturés et macérés, aux notes d'élevage : vanille et noix de coco. Ample, gras, suave et tout aussi complexe, le palais est construit sur des tanins fondus, qui ménagent un retour persistant du fruit en finale. L'ensemble mérite de vieillir quatre ou cinq ans avant d'accompagner gibier et viandes en sauce. Noté une étoile, le **bergerac sec 2011 Prestige (4 500 b.)** a lui aussi connu le bois. Marqué en bouche par la barrique, il offre un bouquet expressif et très frais sur la fleur d'oranger, la pêche jaune et la mangue.

☛ Olivier Verhelst, Les Donats, 24520 Saint-Nexans, tél. 05 53 58 42 78, chateau-les-donats@orange.fr, ☑ ⵙ r.-v.

CH. LE FAGÉ Cuvée Prestige Élevé en fût de chêne 2011 ★

| | 4 600 | ◫ | 8 à 11 € |

Héritier de dix générations, Benoit Gérardin exploite depuis 2000 un vignoble de 39 ha commandé par un petit château aux allures de chartreuse, sur la côte nord de Monbazillac. Il signe une cuvée élevée un an en barrique. La robe grenat intense témoigne d'une belle extraction. Le fruit noir bien mûr, voire macéré, s'allie à la vanille et au moka du chêne dans une palette complexe. Plaisante, souple et suave, l'attaque introduit une bouche ample et assez longue aux tanins déjà enrobés. Les dégustateurs conseillent tout de même d'attendre deux à quatre ans cette bouteille encore dominée par le boisé.

☛ Gérardin, Ch. le Fagé, 24240 Pomport, tél. 05 53 58 32 55, fax 05 53 24 57 19, info@chateau-le-fage.com,
☑ ⵙ t.l.j. 8h15-12h30 13h30-17h30; sam. dim. sur r.-v.

CH. DE FAYOLLE 2011

| | 20 000 | ■ | 5 à 8 € |

Déjà propriétaire d'une ferme bio en Écosse, Julian Taylor a acheté en 2010 ce domaine commandé par un vrai petit château du XVᵉs., qui exportait déjà du vin en Angleterre au XIIIᵉs., et gardé les meilleures parcelles du vignoble. Il a soumis à nos dégustateurs deux vins plaisants et déjà prêts, cités l'un comme l'autre : le **bergerac sec 2011 (18 000 b.)** au palais franc, acidulé en finale, qui joue sur les fleurs, les agrumes et les fruits ; et ce rouge aux arômes de petits fruits et de sous-bois, souple à l'attaque et doté de tanins encore vifs.

☛ SARL Marcassin, Ch. de Fayolle, 24240 Saussignac, tél. 05 53 74 32 02, fax 05 53 74 51 35, admin@chateaufayolle.com,
☑ ⵙ t.l.j. sf ven. sam. dim. 13h30-17h30 ⌂ ⊕

CH. LA FERRIÈRE Premier acte 2011 ★★

| | 8 000 | ■ | 5 à 8 € |

Premier acte ? L'année 2011 marque à la fois un début et un accomplissement pour Olivier Mayet, qui conduit l'exploitation familiale depuis 1992 mais qui confiait jusqu'à présent sa récolte à la coopérative. Et c'est une double réussite, puisque les deux premières cuvées vinifiées au domaine sont sélectionnées. La préférée est la cuvée classique. D'un rouge profond aux reflets violacés, elle exprime un fruité mûr et complexe, un rien épicé. En bouche, elle dévoile une matière ample et ronde soutenue par des tanins enrobés, et finit sur un plaisant retour du fruit. Noté une étoile, le **Premier acte Élevé en fût de chêne 2011 (1 000 b.)** est un vin bien charpenté qui associe au nez les fruits rouges et un boisé toasté et vanillé bien intégré. Il gagnera à attendre deux à trois ans, tandis que la cuvée classique peut être débouchée dès maintenant.

☛ EARL la Ferrière, La Prade, Razac de Saussignac, 24680 Gardonne, tél. 06 81 67 14 99, fax 05 53 27 08 14, mayet-olivier@orange.fr, ☑ ⵙ ⵙ r.-v.
☛ Olivier Mayet

CH. FONGRENIER-STUART 2012

| | 7 000 | ■ | 5 à 8 € |

Commandé par une demeure du XIXᵉs. dont le style évoque la Gironde tout proche, le vignoble fut acheté en 1985 par le Texan Henry Stuart, récemment disparu. Assistée au chai par Pierre Carle, Marcia Stuart continue son œuvre. Son bergerac rouge s'annonce par un nez puissant, vineux, aux arômes de fruits mûrs. La bouche évolue sur des tanins plutôt souples et des arômes de fruits rouges. Un vin agréable, sur le fruit, typique du millésime.

☛ Ch. Fongrenier-Stuart, 24240 Razac-de-Saussignac, tél. 05 53 27 92 73, fax 05 53 23 39 03, fongrenier.stuart@free.fr, ☑ ⵙ ⵙ r.-v.
☛ Marcia Stuart

CH. LES FONTENELLES Vieilles Vignes
Élevé en fût de chêne 2011 ★

| | 20 000 | ◫ | 5 à 8 € |

Nicolas Bourdil, trente-cinq ans cette année, s'est installé en 1999 et conduit plus de 28 ha de vignes avec ses parents. Il dit rechercher des « vins de plaisir », sur le fruit. Celui-ci, issu de vieilles vignes sélectionnées et d'un élevage en fût, s'éloigne un peu de ce profil. Sa robe profonde aux reflets violets annonce un nez intense, mais les notes grillées, toastées et réglissées de la barrique masquent pour l'heure le fruit. Après une attaque ronde, fruitée et gourmande, le bois prend vite le dessus. Les tanins enrobés, encore vifs, laissent présager une belle évolution. Une bouteille à laisser mûrir de trois à cinq ans. La cuvée classique **Ch. les Fontenelles 2012 (moins de 5 € ; 44 000 b.)** obtient la même note : un vin frais et sur le fruit, aux tanins soyeux, à servir dès maintenant. Le **bergerac sec sauvignon 2012 Élevé en fût de chêne (10 600 b.)** offre des arômes délicats de fleurs blanches et un équilibre suave grâce à son séjour dans le bois : même note.

☛ SCEA les Fontenelles, Les Fontenelles, 24500 Saint-Julien-d'Eymet, tél. 06 83 89 05 09, fax 05 53 58 82 01, chateau.fontenelles@orange.fr, ☑ ⵙ ⵙ r.-v.
☛ Bourdil

CH. GRAND PLACE Le Petit Claud 2011 ★

| | n.c. | ■ | - de 5 € |

Créé en 1990 et aujourd'hui en conversion bio, ce domaine associe cinq amis aux compétences complémentaires. Quant au bergerac sec, il mise sur la complémentarité du sauvignon et du sémillon, assemblés à parts égales. D'abord timide au nez, il s'affirme et gagne en complexité à l'aération, libérant des senteurs de fruits blancs, de pamplemousse et d'épices. Il attaque avec vivacité sur des notes de fruits exotiques léguées par le sauvignon, puis le sémillon apporte du gras et de la puissance, avant une finale fraîche aux arômes de fruits blancs et de poire. De l'équilibre et de l'élégance.

🍷 SCEA Claude Delmas, Le Prévot, 33570 Francs, tél. 05 57 84 38 52, contact@vins-maurin-delmas.com, ☑ ⚲ ⵙ r.-v. 🏨 ❸ 🏠 ❺

🍷 GFA Cedefranc

CH. GRANDS QUINTINS 2011 ★

| ■ | 10 000 | 🍶 | - de 5 € |

À la tête d'un vignoble de 23 ha, Patrick Vergnol a fait macérer dix jours le merlot et le cabernet-sauvignon, obtenant un vin bien ouvert sur les senteurs de fruits rouges mûrs relevés d'épices. Dans le même registre aromatique, la bouche offre une attaque ronde et une structure tannique soyeuse. Un ensemble fruité et élégant, à consommer d'ici deux à trois ans – sur des « recettes italiennes », suggère un dégustateur. Pourquoi pas des spaghettis bolognaise ?

🍷 Patrick Vergnol, EARL des Grands Quintins, 24240 Monestier, tél. 05 53 58 42 75, patrick.vergnol@orange.fr, ☑ ⚲ ⵙ r.-v.

DOM. DE GRANGE NEUVE 2011 ★★

| ■ | 56 000 | 🍶 | 5 à 8 € |

Depuis 1997, Anthony Castaing préside aux destinées de cette exploitation familiale fondée au XIXᵉs. Il dit rechercher désormais dans ses vins la rondeur, le gras et la maturité du fruit. À lire les fiches des dégustateurs, l'objectif est atteint, et la réussite est entière, car cette cuvée s'est mise sur les rangs pour le coup de cœur. Puissant et suave, le nez marie plaisamment les petits fruits rouges à une touche de menthe, arômes auxquels s'ajoute en bouche le cassis. Le palais est souple à l'attaque, gras et élégant. Bien présents mais affables, les tanins permettront de déboucher cette bouteille dès la sortie du Guide et de l'accorder à de nombreux mets. Issu d'une exploitation attenante, le **monbazillac Ch. Ramon 2011 (87 700 b.)** est cité.

🍷 SCEA de Grange Neuve, Grange-Neuve, 24240 Pomport, tél. 05 53 58 42 23, fax 05 53 61 35 50, castaing@grangeneuve.fr, ☑ ⚲ ⵙ t.l.j. 9h-12h 13h30-18h; sam. dim. sur r.-v. 🏠 ❺

🍷 Castaing et Fils

ⓑ CH. GRINOU Tradition Sauvignon 2012 ★

| ▦ | 6 500 | 🍶 | 5 à 8 € |

Installé en 1978, Guy Cuisset a continué avec succès l'œuvre de son grand-père qui, venu de Thiérache, a fondé le domaine (30 ha aujourd'hui). Il l'exploite en bio depuis 2006, allant jusqu'à cultiver les semences des plantes fournissant ses engrais verts. Ses vins, les blancs surtout, collectionnent étoiles et coups de cœur. Cette année, le bergerac sec séduit par son nez intense mêlant les fleurs blanches, la pêche et le brugnon. Sa bouche à la fois souple et fraîche laisse une impression d'harmonie. Le **rouge Tradition 2011 (40 000 b.)**, élevé en cuve, fait jeu égal. On aime son bouquet expressif et suave aux nuances de fraise et de framboise, sa bouche sur le fruit, ronde à l'attaque, friande, un peu nerveuse. Quant au **côtes-de-bergerac moelleux 2012 (14 000 b.)**, cité, c'est un vin

d'une grande fraîcheur, proche d'un demi-sec. Tous ces vins sont à apprécier jeunes.

🍷 Catherine et Guy Cuisset, Ch. Grinou, Le Bourg, 24240 Monestier, tél. 05 53 58 46 63, chateaugrinou@aol.com, ☑ ⚲ ⵙ r.-v.

CH. HAUT-LAMOUTHE 2012

| ■ | 50 000 | | 5 à 8 € |

Ce domaine est implanté au pied du tertre de Montcuq où se déroula la première bataille de la guerre de Cent Ans en Guyenne. On pourra y trouver non seulement du vin, mais aussi des pommes et des pruneaux. Ce bergerac rouge a été retenu pour son bouquet de cerise à l'eau-de-vie, qui témoigne de la maturité du raisin, et pour sa bouche équilibrée et souple aux arômes de framboise. À boire sur son fruit, dès maintenant.

🍷 GAEC de Lamouthe, 56, rte de Lamouthe, 24680 Lamonzie-Saint-Martin, tél. 06 21 03 51 36, fax 05 53 74 33 13, chateauhautlamouthe@wanadoo.fr, ☑ ⚲ ⵙ t.l.j. sf dim. 8h30-12h 13h30-18h30; sam. 8h30-12h

🍷 Durand-Pouget

CH. HAUT PERTHUS Élevé en fût de chêne 2011 ★★

| ■ | 63 000 | 🍶 🍶 | 8 à 11 € |

Reprise en 2007, l'exploitation couvre 33 ha de vignes cultivées en agriculture raisonnée. Pour ce 2011, l'élevage en barrique s'est limité à six mois, si bien qu'il ne masque pas l'expression du fruit. La robe est sombre ; le nez flatteur, intense et tout en finesse mêle le cassis et la cerise à l'eau-de-vie, arômes que l'on retrouve au palais. Ce vin montre une belle présence, avec une attaque ample et des tanins denses, encore jeunes. Conjuguant puissance et élégance, il pourra donner la réplique à un civet de lièvre ou à un cuissot de chevreuil. Il se gardera cinq ans, voire davantage.

🍷 Dupuy, La Grande-Pleyssade, 24240 Mescoulès, tél. 05 53 24 27 61, fax 05 53 23 48 97, scea.dupuy@orange.fr, ☑ ⚲ ⵙ t.l.j. sf sam. dim. 8h-12h 14h-19h

JARDINS DE CYRANO Le Feuillardier 2011 ★

| ■ | 8 500 | 🍶 | - de 5 € |

Cette maison de négoce familiale propose chaque année une sélection intéressante. D'un grenat assez profond, cette cuvée Le Feuillardier séduit par son nez délicat de petits fruits rouges, un fruité qui s'épanouit dans une bouche souple et élégante. Cette bouteille est également marquée par une certaine vivacité qui lui donne un caractère friand. Le type de vin que l'on peut inviter dès l'apéritif, sur un plateau de charcuteries. Nerveux lui aussi, le **rosé Julien de Savignac 2012 Clos l'Envège (5 à 8 € ; 25 000 b.)**, cité, est coloré, légèrement tannique : il pourra accompagner tout un repas.

🍷 Julien de Savignac, av. de la Libération, 24260 Le Bugue, tél. 05 53 07 10 31, fax 05 53 07 16 41, julien.de.savignac@wanadoo.fr, ☑ ⚲ ⵙ t.l.j. sf dim. lun. 10h-12h30 14h30-18h30

🍷 Julien Montfort

ⓑ CH. DE LA JAUBERTIE 2012 ★

| ■ | 68 000 | 🍶 | 5 à 8 € |

Voilà plus de trente ans que Hugh Ryman a quitté les vignobles d'Australie pour reprendre la Jaubertie. Commandé par un élégant château Directoire, le domaine

SUD-OUEST

couvre 45 ha cultivés en bio certifié. Avec quatre coups de cœur à son actif, c'est une valeur sûre. Assemblage de sauvignon (65 %) et de sémillon, son bergerac sec est un grand classique, qui appelle des produits de la mer. Son nez intense se partage entre les fleurs blanches et les agrumes (citron et pamplemousse), et l'on retrouve cette palette dans un palais gras et long. Bien connu de nos lecteurs, le **bergerac rouge Mirabelle 2011 (15 à 20 € ; 15 000 b.)** est cité. Après un élevage de vingt-quatre mois en barrique, il dévoile un beau travail d'extraction des tanins, mais reste dominé par le bois : on l'attendra deux à trois ans.

☛ SA Ryman, Ch. de la Jaubertie, 24560 Colombier, tél. 05 53 58 32 11, fax 05 53 57 46 22, jaubertie@wanadoo.fr, ☑ ☀ ☧ t.l.j. sf dim. 10h-17h

☛ Vien-Graciet

CH. LAULERIE Élevé en fût de chêne 2011 ★

	50 000	▮▥	5 à 8 €

Deux frères ont quitté Paris en 1977 pour fonder ce domaine aujourd'hui conduit par leur sœur, aidée par ses neveux. Avec quatre coups de cœur récents et des sélections régulières à un haut niveau, l'exploitation, qui couvre 83 ha, est devenue une valeur sûre du Guide, tant en montravel qu'en bergerac. Le secret réside sans doute dans une adaptation fine des vinifications au profil des raisins, avec une extraction savamment limitée certaines années. Ce 2011 fait suite à un 2010 qui se plaça au sommet de l'appellation. D'un grenat soutenu, il libère des notes de fruits rouges mûrs, puis des touches d'épices, de vanille, de tabac blond et des nuances toastées qui témoignent de son élevage en barrique. Rond à l'attaque, il montre en finale une certaine fermeté tannique qui incite à le laisser deux ans en cave.

☛ Vignobles Dubard, Le Gouyat, 24610 Saint-Méard-de-Gurçon, tél. 05 53 82 48 31, fax 05 53 82 47 64, contact@vignoblesdubard.com, ☑ ☀ ☧ t.l.j. sf sam. dim. 9h-12h 13h30-17h30

CH. DE LA MALLEVIEILLE 2012 ★★

	30 000	▮	5 à 8 €

« C'est à la vigne que l'on fait le vin », telle est la devise de ce domaine. Le travail à la vigne a dû être particulièrement maîtrisé pour aboutir à cette cuvée dont les qualités ne s'arrêtent pas à la robe grenat d'une belle profondeur. Le nez, d'abord timide, s'épanouit à l'aération sur des notes de fruits noirs et de réglisse. L'attaque plaisante dévoile une matière construite sur des tanins au toucher soyeux. Équilibré et persistant, ce 2012 sera à son apogée en 2014 et se gardera encore trois à quatre ans. Dans le même style mais élevé sous bois, le **côtes-de-bergerac rouge 2011 Élevé en fût de chêne (8 à 11 € ; 10 000 b.)** reçoit une étoile. Il offre un boisé bien intégré, qui laisse parler le fruit, et une bonne structure. Une pointe d'austérité tannique en finale devrait s'atténuer au cours des cinq prochaines années. Même note pour le **montravel rouge Imagine 2010 (15 à 20 € ; 3 000 b.)** : une cuvée ambitieuse, élevée quinze mois en fût de chêne neuf, qui demande deux ans de garde pour « digérer » son bois.

☛ EARL Vignobles Biau, La Mallevieille, 24130 Monfaucon, tél. 05 53 24 64 66, fax 05 53 58 69 91, chateaudelamallevieille@wanadoo.fr, ☑ ☀ ☧ t.l.j. 9h-12h 14h-19h

CH. LES MARNIÈRES La Côte fleurie 2011

	1 500	▮▥	15 à 20 €

Christophe Geneste signe une cuvée originale, tant par son assemblage (50 % de muscadelle, 50 % de sauvignon gris récoltés à la main) que par sa vinification, avec fermentation et élevage sur lies en fût de chêne neuf, sans levurage. Il en résulte un nez intense et complexe mêlant la fraîcheur du citron, la suavité de la pêche et de la mangue, et le boisé beurré de l'élevage. Dans le même registre, la bouche est agréable par son attaque à la fois ample et vive, mais la finale montre une pointe d'amertume. Ce vin devrait se révéler d'ici deux à trois ans.

☛ Christophe Geneste, SCEA Vignobles Geneste, impasse des Marnières, 24520 Saint-Nexans, tél. 05 53 58 31 65, fax 05 53 73 20 34, chateaulesmornieres@orange.fr, ☑ ☀ ☧ r.-v.

MAYNE DE BEAUREGARD 2012

	106 400	▮	- de 5 €

Sélectionnée par une maison de négoce, cette cuvée mêle au nez des parfums de fleurs et de fruits rouges. L'attaque douce introduit une bouche fruitée aux tanins bien fondus. Un vin bien fait, dans un style primeur qui appelle une consommation immédiate sur des viandes grillées ou de la charcuterie.

☛ Grand Terroir Sud-Ouest, PAC Cahors-Sud, 425, rue Pièce-Grande, 46230 Fontanes, tél. 04 67 26 79 11, matenot@gt-so.fr

CH. LES MERLES 2011 ★

	35 000	▥	5 à 8 €

Lyrique, le producteur souhaite élaborer un vin « brut comme le silex du terroir et charnu comme les châtaignes des bois ». Brut, ce bergerac grenat aux reflets violets l'est assurément : il gagnera à s'affiner deux à trois ans pour fondre ses tanins boisés et laisser davantage parler le vin. Quant à la chair, il n'en manque pas. Le bois sait se faire discret au nez, laissant juste une pointe de vanille et de réglisse en guise de signature. Le fruit, bien présent, s'exprime par des notes de framboise et de griotte mûres, mais au palais, la barrique prend vite le dessus.

☛ GAEC des Merles, Les Merles, 24520 Mouleydier, tél. et fax 05 53 63 43 70, alain.lajonie@wanadoo.fr, ☑ ☀ ☧ r.-v.

☛ Lajonie

Ⓑ CH. LES MIAUDOUX 2012 ★

	14 000		5 à 8 €

Gérard et Nathalie Cuisset peuvent se flatter d'avoir décroché six coups de cœur dans diverses AOC du Bergeracois et d'avoir converti leur exploitation au bio. Leur fils Samuel les épaule depuis six ans, et sa compagne développe le maraîchage bio. Cette année, le rosé du domaine, assemblage largement dominé par les deux cabernets, a été très apprécié. À la couleur hésitant entre le rosé et le rouge répond un nez intense, vineux et généreux aux arômes de fruits rouges confiturés. On retrouve ces fruits rouges en bouche, au sein d'une matière fraîche, délicate et longue. À marier avec des grillades. Cité, le **bergerac sec 2012 (26 000 b.)** évoque la pêche et penche vers la rondeur.

☛ Gérard Cuisset, Les Miaudoux, 24240 Saussignac, tél. 05 53 27 92 31, fax 05 53 27 96 60, gerard.cuisset@wanadoo.fr, ☑ ☧ r.-v. ⌂ Ⓔ

CH. **MONESTIER LA TOUR** Vigilance 2011 ★★★

| ■ | n.c. | ▮ ◍ | 11 à 15 € |

Valeur sûre du Bergeracois, cette propriété a changé de mains en 2012, rachetée par Karl Friedrich Scheufele, coprésident de la société suisse Chopard. Cette cuvée, l'une des finalistes pour le coup de cœur, brille par sa qualité. Le merlot, à 55 %, complété par le cabernet franc et le malbec composent un assemblage vinifié avec une précision d'horloger : 70 % du vin a été élevé en barriques, dont un tiers étaient neuves, le reste ayant séjourné en cuve. La robe brillante est d'un violet sombre, presque noir. Le nez, intense, d'une grande complexité, joue sur les fruits noirs très mûrs (myrtille), le pruneau à l'eau-de-vie, avec la touche boisée, vanillée et réglissée de l'élevage. Franche et souple à l'attaque, charpentée et rehaussée par une pointe d'acidité, la bouche montre une complexité égale à celle du bouquet. Les tanins du vin et ceux du fût sont en parfaite harmonie. Un excellent vin de garde, à attendre au moins trois ans : il n'atteindra son apogée que dans cinq à six ans.

☛ SCEA Monestier la Tour, La Tour, 24240 Monestier, tél. 05 53 24 18 43, fax 05 53 24 18 14, contact@chateaumonestierlatour.com, ☑ 𝐘 r.-v.

☛ Scheufele

DOM. DE **MONTLONG** 2011

| ▢ | 8 000 | ▮ | - de 5 € |

Ce domaine de 58 ha se convertit graduellement au bio. Pur sauvignon, son bergerac sec a été élevé sur lies après macération pelliculaire. D'un jaune pâle aux reflets verts, il offre un nez intense et séduisant, où la fleur blanche s'allie à la pêche, à la poire et au miel. Dans le même registre aromatique, la bouche montre dès l'attaque une nervosité renforcée par un petit perlant et suit cette ligne vive jusqu'en finale. Pour salades, poissons grillés ou fromages de chèvre.

☛ Lambert, lieu-dit Montlong, 24240 Pomport, tél. 05 53 58 44 10, fax 05 53 61 62 25, domainedemontlong@orange.fr,
☑ ⚘ 𝐘 t.l.j. 8h30-12h 13h30-18h 🏠 🅑

DOM. DE **MOULIN-POUZY** 2012

| ▢ | 39 000 | ▮ | 5 à 8 € |

Installé en 2000, Fabien Castaing exploite 55 ha en viticulture raisonnée. L'assemblage de son bergerac sec privilégie le sémillon (75 %), cépage qui lui lègue du gras et de l'ampleur. Le sauvignon, qui vient en complément, contribue sans doute au caractère aromatique du bouquet citronné et floral, et aux notes de fruits exotiques en bouche. La bonne structure de ce vin permettra d'apprécier celui-ci avec un poisson en sauce.

☛ Fabien Castaing, Vignobles Castaing, La Font-du-Roc, 24240 Cunèges, tél. 05 53 58 41 20, fax 05 53 58 02 29, info@moulin-pouzy.com,
☑ ⚘ 𝐘 t.l.j. sf sam. dim. 9h-12h 14h-18h

N'CO Les Argiles bariolées des Combes 2011 ★

| ■ | 10 000 | | 5 à 8 € |

Les argiles bariolées ? Le terroir où le merlot et les deux cabernets à l'origine de cette cuvée plongent leur racines. Un bergerac qui permet à Christophe Ottogali, installé en 2004, de faire son entrée dans le Guide. Pratiquant la vinification parcellaire, le vigneron recherche des vins sur le fruit. C'est bien le cas de celui-ci, à la robe intense et profonde, et aux puissants parfums de

fruits rouges et noirs (cassis) bien mûrs. Ronde à l'attaque, la bouche évolue sur des tanins enrobés et montre une belle persistance du fruit. Un vin souple et plaisant, à déboucher dans les cinq ans.

☛ Christophe Ottogali, Le Badoux, 24130 Monfaucon, tél. 06 18 98 07 90, christophe.ottogali@orange.fr, ☑ 𝐘 r.-v.

CH. **PÉROUDIER** Sauvignon 2012 ★

| ▢ | 5 000 | ▮ | 5 à 8 € |

Charles Loisy est installé dans l'aire du monbazillac mais il sait élaborer des blancs secs et des rosés de qualité. Pur sauvignon, ce 2012 élevé sur lies s'annonce par de fraîches notes fruitées. Suave à l'attaque, aromatique, le palais est soutenu par une belle acidité, un peu marquée en finale. Pour des chèvres chauds ou un poisson grillé. Le **bergerac rosé 2012 (5 000 b.)** a été cité. Issu de cabernet-sauvignon, c'est un vin coloré, grenadine, plaisant par son équilibre et par ses arômes francs de fruits rouges.

☛ SCEA du Ch. Péroudier, Le Péroudier, 24240 Monbazillac, tél. 05 53 58 30 04, fax 05 53 24 55 20, chateauperoudier@wanadoo.fr, ☑ ⚘ 𝐘 t.l.j. 10h-18h

DOM. LE **PETIT MARSALET** 2012 ★★

| ▢ | 2 000 | ▮ | - de 5 € |

L'assemblage, original, inclut, aux côtés des cabernet franc et merlot minoritaires, du malbec (35 %), du fer-servadou ou du mérille (10 %), cépage devenu très rare en Dordogne, et le vin a gardé un peu de sucres résiduels. Le résultat est convaincant. Une robe intense, grenadine ; un nez de fruits rouges (fraise), avec une pointe de cassis ; une attaque subtile, toujours sur les fruits rouges ; une belle rondeur équilibrée par ce qu'il faut de fraîcheur ; un joli retour de la fraise des bois en finale : voilà les atouts de ce vin très flatteur, gourmand et tendre, à servir bien frais à l'apéritif.

☛ Cathal, 34, rue de la Marque-à-Feu, 24100 Saint-Laurent-des-Vignes, tél. 05 53 57 53 36 ☑ ⚘ 𝐘 t.l.j. sf dim. 8h-12h 13h-19h

CH. LES **PLAGUETTES** Fleur de cuvée blanche 2012 ★

| ▢ | 9 000 | ▮ | 5 à 8 € |

En une vingtaine d'années, Serge Gazziola s'est constitué un domaine de 39 ha. Sa Fleur de cuvée blanche est un pur sauvignon. Après une macération pelliculaire et un élevage sur lies, elle sauvignonne avec finesse sur des notes florales précisément – acacia et chèvrefeuille. Gras, équilibré et friand, avec un perlant bien marqué, le palais finit sur une petite pointe d'amertume. Bel accord en perspective avec tous les produits de la mer. Le **Ch. Seignoret les Tours rosé Tentation 2012 (20 000 b.)** mariant cabernet franc, merlot et malbec, fait jeu égal. C'est un rosé croquant, séduisant par son fruité intense et complexe : cassis, groseille, avec une touche d'agrumes.

☛ Vignobles Serge Gazziola, Les Plaguettes, 24240 Saussignac, tél. 06 08 61 58 77, fax 05 53 22 37 79, contact@vignobles-gazziola.com, ☑ ⚘ 𝐘 r.-v.

CH. DE **PLANQUES** 2012 ★

| ▢ | 6 667 | | - de 5 € |

L'une des plus anciennes propriétés du Bergeracois, dans la même famille depuis le XVIIIes. Pur sauvignon, son bergerac sec, d'abord réservé, s'ouvre à l'aération sur des senteurs de fruits exotiques caractéristiques du cépage, que l'on retrouve avec plaisir en bouche. Le palais surprend agréablement par son gras, son ampleur et sa finale persistante. Le **bergerac rosé 2012 (6 667 b.)** mérite d'être cité. D'une couleur saumonée, équilibré, aromatique et frais, il séduit par sa palette complexe mêlant les fruits et les fleurs.

☛ SCEA Ch. de Planques, Planques, 24100 Bergerac, tél. 05 53 58 30 18, fax 05 53 61 33 18, chateau.de.planques@wanadoo.fr,
☑ ☉ t.l.j. sf sam. dim. 8h30-12h 14h-17h30
☛ de Meslon

CH. DU PRIORAT 2012 ★★

| | ■ | 30 000 | | - de 5 € |

Établi aux confins du Libournais, ce domaine se distingue régulièrement par ses rosés. Issu d'un assemblage dominé par le cabernet (60 %), celui-ci charme par son intensité et ses arômes exubérants. Intensité de la robe rose soutenu aux nuances orangées, de la palette qui déploie toute la gamme fruitée (agrumes, fruits rouges, fruits exotiques, tels que fruit de la Passion, mangue...) ; intensité de la bouche tout aussi aromatique, d'une belle persistance. Un remarquable équilibre pour un rosé de repas. Quant au **côtes-de-bergerac blanc 2012 (13 066 b.)**, il obtient une étoile pour ses jolis arômes (fleurs blanches, pêche) et surtout pour sa belle harmonie entre acidité et douceur.

☛ GAEC du Priorat, Le Priorat, 24610 Saint-Martin-de-Gurson, tél. 05 53 80 76 06, fax 05 53 81 21 83, lepriorat-gaec@wanadoo.fr,
☑ ☉ t.l.j. sf dim. 8h30-12h 14h-18h
☛ Maury

CH. RAMEFORT 2011 ★

| | ■ | 20 000 | ■ ⬛ | 8 à 11 € |

Du même propriétaire que le château Thénac, valeur sûre en côtes-de-bergerac rouge, ce vin mi-cuve mi-fût s'annonce par une robe intense aux légères nuances d'évolution, à laquelle répond un bouquet très périgourdin : truffe et sous-bois. À l'aération, on perçoit du fruit rouge, accompagné de notes épicées. Gourmande et suave, l'attaque prélude à un palais gras, qui montre en finale une légère austérité tannique. L'ensemble n'aura cependant guère besoin de temps pour s'affiner : on pourra déboucher cette bouteille dès la sortie du Guide, ou l'attendre un à trois ans.

☛ SCEA Ch. Thénac, Le Bourg, 24240 Thénac, tél. 05 53 61 36 85, fax 05 53 58 37 13, wines@chateau-thenac.com, ☑ ☉ r.-v.

CH. LA RAYRE Premier vin 2011 ★★

| | | 1 200 | ⬛ | 11 à 15 € |

Situé dans l'aire du monbazillac, ce vignoble en conversion bio excelle aussi en bergerac sec. Après la cuvée classique l'an dernier, ce Premier vin, issu d'une macération pelliculaire et d'un élevage en barrique sur lies, est couvert d'éloges. Né d'un assemblage de sauvignon (60 %) et de sémillon, il affiche une robe jaune paille aux reflets dorés et offre une palette assez étendue : si le pamplemousse domine, on y respire aussi les fruits blancs et les épices. L'attaque souple et plaisante prélude à des impressions de gras, contrebalancées par de fraîches notes d'agrumes et par une finale acidulée. Un vin complexe et structuré, pour viandes blanches et poissons en sauce.

☛ Ch. la Rayre, La Rayre, 24560 Colombier, tél. 05 53 58 32 17, fax 05 53 24 55 58, vincent.vesselle@orange.fr, ☉ ☉ ☉ r.-v.

ⓑ CH. RICHARD Cuvée osée 2011

| | ■ | 20 000 | ⬛ | 5 à 8 € |

Richard Doughty, propriétaire de ce domaine depuis 1988, a adopté dès 1991 l'agriculture biologique. Il a même travaillé à l'élaboration du cahier des charges du « vin bio » européen – finalement publié en 2012. Conformément à ce protocole, il fait fermenter ses vins avec des levures indigènes et, plus radical, n'ajoute aucun sulfite après la fermentation. Est-ce l'explication du nom de la cuvée ? Dans le verre, une teinte grenat intense, légèrement évoluée. À l'aération, il se dégage d'agréables notes de cassis, de cuir et de boisé vanillé ; en bouche, le pain grillé domine. Assez bien structuré, équilibré, avec des tanins plutôt fondus, ce 2011 peut attendre deux ou trois ans.

☛ Richard Doughty, Ch. Richard, La Croix-Blanche, 24240 Monestier, tél. 05 53 58 49 13, fax 05 53 58 49 30, richard@chateaurichard.com, ☉ ☉ t.l.j. 9h-12h 14h-19h; sam. dim. sur r.-v. ⌂ ⓒ

CH. ROQUE-PEYRE Caractère 2010

| | ■ | 5 000 | ■ | 5 à 8 € |

À l'origine, cette propriété fondée au début du XIXᵉ s. produisait surtout des vins doux, comme la plupart des domaines de la région. Aujourd'hui, la famille Vallette propose aussi des vins rouges, tel celui-ci qui a l'originalité de privilégier le cabernet-sauvignon (60 %). Des arômes de fruits rouges, d'épices et de cuir, et des tanins présents sans excès composent une bouteille facile d'accès, à déboucher dans les trois ans.

☛ EARL Vignobles Vallette, lieu-dit Roque, 33220 Fougueyrolles, tél. 05 53 24 77 98, fax 05 53 61 36 87, vignobles.vallette@wanadoo.fr, ☑ ☉ ☉ r.-v.

CH. RUDELLE 2011

| | ■ | 60 000 | | 5 à 8 € |

Élaboré par le même propriétaire que le château Malecourse découvert l'an dernier, ce bergerac rubis intense s'ouvre sur un plaisant bouquet de fruits rouges bien mûrs, des nuances de cuir et une légère touche fumée. Ronde et souple à l'attaque, la bouche n'est pas des plus concentrées, mais elle séduit par son équilibre, par ses tanins dépourvus d'agressivité et par sa finale sur les fruits confiturés. Un vin pour maintenant.

☛ Christophe Vergneau, Rudelle, Puyguilhem, 24240 Thénac, tél. 05 53 73 92 76, contact@chateau-rudelle.com, ☑ ☉ ☉ r.-v.

DOM. DU SIORAC Tradition 2012 ★★

| | ■ | 19 680 | ■ | - de 5 € |

Conduite par trois frères rejoints par la dernière génération, cette exploitation de 26 ha est implantée tout au sud du département de la Dordogne, près d'Eymet. Son rosé, fort loué, a frôlé le coup de cœur. Les jurés saluent l'intensité de sa robe rose soutenu aux reflets orangés et celle du nez, corbeille de fruits rouges (fraise, framboise et groseille). Aromatique, gras et long, le palais dévoile des nuances confites. Un vin à la fois gourmand et fin, qui pourra accompagner tout un repas.

☛ GAEC Dom. du Siorac, Siorac,
24500 Saint-Aubin-de-Cadelech, tél. 05 53 74 52 90,
fax 05 53 58 35 32, info@domainedusiorac.fr,
Ⓥ ⚘ ☥ t.l.j. sf dim. 9h-12h 14h-18h

CH. LE TAP Cuvée Julie jolie 2011 ★

| ■ | n.c. | ⬜ | 11 à 15 € |

Olivier Roches a trois fils et une fille. C'est à cette dernière qu'est dédié ce bergerac rouge élevé dix-huit mois en fût de chêne. Tout au long de la dégustation, ce 2011 apparaît intense et jeune : d'un grenat soutenu aux reflets violets, il allie de puissants parfums de cerise noire et de mûre aux notes vanillées, épicées et grillées de l'élevage. Le fruité du nez se prolonge au sein d'une belle matière ample et chaleureuse, soutenue par des tanins encore vifs qui méritent de s'arrondir. Sa fraîcheur permettra à cette bouteille de vieillir quatre à cinq ans. Quant au **bergerac sec cuvée des Fistons 2011 (8 à 11 €)**, lui aussi fermenté et vinifié en barrique, sa fraîcheur est tempérée par la suavité du bois. Il est cité.
☛ Olivier Roches, Ch. le Tap, 24240 Saussignac,
tél. 05 53 27 53 41, fax 05 53 22 07 55,
chateauletap@orange.fr, Ⓥ ⚘ ☥ t.l.j. 9h-13h 14h-19h 🏠 🄴

TERRE D'INNOCENCE 2011 ★

| ■ | 16 400 | ⬛ | - de 5 € |

Terre d'Innocence ? Le nom du vin provient de celui du village, peu commun : Sainte-Innocence. C'est là qu'est implantée cette exploitation familiale aujourd'hui conduite par Hervé Borie et sa compagne Laurence Nicolas, œnologue. Des équipements modernes - robots-pigeurs par exemple -, bien utilisés leur permettent de proposer des vins harmonieux comme celui-ci. Expressif et franc, le nez n'est pas avare de parfums de cerise et de cassis, accompagnés d'une touche de réglisse. Une structure ronde et des tanins soyeux rendent ce vin très gourmand. On pourra l'attendre quatre ou cinq ans. Le **bergerac sec 2012 (7 200 b.)**, qui doit presque tout au sauvignon, est cité. Svelte, aromatique et nerveux, il accompagnera des fruits de mer.
☛ Vignobles Borie, La Forêt, 24500 Sainte-Innocence,
tél. 05 53 58 43 02, vignobles.borie@wanadoo.fr,
Ⓥ ⚘ ☥ r.-v.

CH. THÉNAC 2011 ★★★

| ■ | 2 400 | ⬛⬜ | 11 à 15 € |

Cette vaste propriété (200 ha) s'est affirmée comme une valeur sûre dans les rouges. Son **bergerac rouge Fleur du Périgord 2011 (8 à 11 € ; 50 000 b.)**, issu d'un élevage mi-cuve mi-fût, obtient une étoile pour sa belle charpente et sa concentration. Il mérite d'attendre un à trois ans pour permettre à son fruité sous-jacent de s'épanouir et à ses tanins boisés de se fondre. Le domaine montre aussi un grand savoir-faire en blanc, témoin ce bergerac sec « à déboucher pour les grandes occasions », selon un membre du jury. Né des trois cépages de la région, sauvignon en tête, il a séjourné neuf mois en barrique puis six mois en cuve. L'élevage lui a légué de jolies notes beurrées et toastées, alliées à des senteurs de fruits blancs (poire). Après une attaque vive et franche, le palais se révèle remarquablement ample, gras et long, souligné d'une fine acidité. Cette bouteille tiendra au moins trois ans. On la verrait bien avec une *piccata al limone*.

☛ SCEA Ch. Thénac, Le Bourg, 24240 Thénac,
tél. 05 53 61 36 85, fax 05 53 58 37 13,
wines@chateau-thenac.com, Ⓥ ⚘ ☥ r.-v.

♥ CH. THENOUX 2012 ★★

| ■ | 46 000 | ⬛ | - de 5 € |

Depuis la première mention dans le Guide il y a cinq ans, cette propriété dominant la vallée de la Dordogne, tout près de Monbazillac, a pris ses habitudes dans le chapitre Sud-Ouest. Cette année, le jury a porté ce 2012 aux nues. Il s'agit d'un « simple » bergerac, couronné moins pour sa densité que pour ses arômes charmeurs de petits fruits rouges légèrement mentholés, à la fois intenses et fins. Charnue, ronde et gourmande à souhait, la bouche aux tanins souples adopte le même registre. Un modèle de « vin plaisir », qui ne manque pourtant pas de fond : il évoluera dans le bon sens au cours des deux à trois prochaines années et devrait se garder cinq ans ; mais aura-t-on la patience d'attendre ? Deux autres vins du domaine sont cités : le **monbazillac 2011 (8 à 11 € ; 6 600 b.)**, tout en rondeur et en douceur, partagé entre les agrumes et l'abricot ; et le **côtes-de-bergerac moelleux 2012 (5 à 8 € ; 30 000 b.)** à la finale vive.
☛ Joëlle Carrère, Thenoux, 24560 Colombier,
tél. 05 53 61 26 42, vignoblesjoellecarrere@orange.fr,
Ⓥ ⚘ ☥ t.l.j. 9h-12h30 14h-18h; sam. dim. sur r.-v.

CH. TOUR DE GRANGEMONT Élevé en fût de chêne 2012 ★

| ■ | 12 000 | ⬜ | 5 à 8 € |

Fabien Lavergne, œnologue, conduit un domaine de 48 ha commandé par un corps de ferme typique du Périgord. Ses bergerac secs retiennent souvent l'attention des jurés. Celui-ci, issu d'une majorité de sauvignon, a fait l'objet d'une macération pelliculaire et d'un élevage sur lies en fût. Ce séjour dans le chêne ne l'a pas chargé d'arômes boisés : ce qui ressort au nez, c'est une belle finesse, des notes de fleurs et de fruits blancs. On retrouve ces nuances florales dans un palais gras à l'attaque, ample et rond, plus nerveux en finale.
☛ EARL Lavergne, Portugal,
24560 Saint-Aubin-de-Lanquais, tél. 05 53 24 32 89,
fax 05 53 24 56 77, tour-de-grangemont@sfr.fr,
Ⓥ ⚘ ☥ t.l.j. sf dim. 10h-12h 15h-19h

CH. VARI 2011

| ■ | 19 000 | ⬛ | 5 à 8 € |

Yann Jestin a acheté ce domaine en 1994. Après l'avoir restructuré, il a engagé en 2009 sa conversion à l'agriculture biologique et ouvert un magasin où l'on pourra trouver ce bergerac à la robe grenat profond, au nez complexe et délicat de fruits rouges mûrs et de réglisse,

SUD-OUEST

vivifiés par une touche mentholée. Les tanins, assez denses mais fondus, montrent en finale une certaine austérité qui devrait s'estomper au cours de l'année qui vient.

☛ Les Vignobles Jestin, Pataud, 24240 Monbazillac, tél. 05 53 61 84 98, fax 05 53 58 49 89, contact@chateau-vari.com,

☑ ⊤ t.l.j. sf sam. dim. 8h-12h 13h-17h

DOM. DE ZACHARIE Demi-sec 2012 ★

| | 8 000 | ▮ | - de 5 € |

Située à l'extrême sud de la Dordogne, cette exploitation familiale n'a pas renoncé à la polyculture ni à l'élevage : on y élève des veaux « sous la mère » ; on y cultive céréales et tournesol et, depuis 1996, 6 ha de vignes. Ses rosés sont une fois de plus sélectionnés. Le préféré est ce demi-sec, dominé par le merlot. D'un rose « flashy » aux reflets violets, il offre un nez intense de fruits rouges et de bonbon anglais, suivi d'une bouche croquante à la finale vive. Quant au **rosé sec 2012 (4 000 b.)**, il est cité pour ses arômes pimpants de groseille et de framboise. Le cabernet franc (50 %) ressort par de petites notes de poivron et par des touches végétales.

☛ EARL Zacharie, Le Bourg, 24560 Saint-Léon-d'Issigeac, tél. 05 53 58 77 94, daniel.roussely@wanadoo.fr,

☑ ⚘ ⊤ t.l.j. 11h-19h ⌂ Ⓔ

☛ Daniel Roussely

Côtes-de-bergerac

Cette appellation ne définit pas un terroir mais des conditions de récolte plus restrictives qui doivent permettre d'obtenir des vins riches, concentrés, charpentés, au potentiel de garde plus important que les bergerac.

L'ANCIENNE CURE L'Extase 2010 ★★★

| | n.c. | �🍷 | 15 à 20 € |

Christian Roche vendange les étoiles du Guide avec une régularité étonnante. En voici trois de plus avec ce 2010 bien nommé. Le cabernet-sauvignon a la main (60 %), le malbec et le merlot l'accompagnent. La robe est sombre et dense, le nez intense et complexe, bien partagé entre senteurs florales (pivoine), fruitées (cerise confite, fruits noirs) et vanillées. La bouche dévoile en attaque un caractère souple et velouté, puis monte en puissance, portée par des tanins puissants et soyeux à la fois. Un vin noble et savoureux, à déguster dans trois ou quatre ans. Le **monbazillac L'Extase 2011 (30 à 50 €)**, une étoile, est un vin expressif, fruité et épicé, riche et gourmand, bien équilibré entre liqueur et vivacité. (Bouteilles de 50 cl.)

☛ EARL Christian Roche, L'Ancienne Cure, 24560 Colombier, tél. 05 53 58 27 90, fax 05 53 24 83 95, ancienne-cure@orange.fr, ☑ ⚘ ⊤ t.l.j. sf dim. 9h-19h

DOM. DU BOIS DE POURQUIÉ 2011 ★★

| | 6 000 | ▮ | 5 à 8 € |

Marlène et Alain Mayet sont installés au milieu de leur vignoble, qui couvre 30 ha. Pour accompagner leur côtes-de-bergerac moelleux, ils ont testé avec succès un plat raffiné : une soupe de mangue aux truffes et poivre de

Tasmanie. Vous n'avez pas de diamant noir du Périgord ? Un dessert aux pêches pochées ou à l'ananas devrait faire l'affaire. Le sauvignon gris domine (70 %) dans cette cuvée au nez discrètement floral et minéral, qui exprime à l'aération des senteurs d'ananas. En attaque, la rondeur domine, sur des notes de pêche et d'abricot sec, relayée par des sensations de vivacité qui donnent du tonus et de l'allonge à la finale. Le **côtes-de-bergerac 2011 rouge Révélation du Bois de Pourquié Élevé en fût de chêne (15 à 20 € ; 2 000 b.)** obtient par ailleurs une étoile pour sa structure prometteuse. On peut l'attendre trois ans.

☛ Marlène et Alain Mayet, Le Bois de Pourquié, 24560 Conne-de-Labarde, tél. 05 53 58 25 58, fax 05 53 61 34 59, domaine-du-bois-de-pourquie@wanadoo.fr,

☑ ⚘ ⊤ t.l.j. 9h-19h; dim. sur r.-v.

CH. BRAMEFANT 2012 ★★

| | 53 300 | ▮ | 5 à 8 € |

Viticulteur, Pierre Sadoux quitte l'Algérie en 1961 et reprend le domaine Court-les-Mûts. Aujourd'hui, son petit-fils dispose d'un vignoble de 54 ha, qui s'est agrandi notamment par la reprise du château Bramefant. C'est de ce dernier que provient le côtes-de-bergerac moelleux le plus apprécié, issu d'un assemblage équilibré des trois grands cépages blancs de la région. Au nez comme en bouche, des arômes complexes et intenses de poire et de fleurs blanches ; une attaque vive et une finale fraîche, tonifiées par un perlant guilleret : l'ensemble est particulièrement séducteur. Peut-être un peu plus discret et léger, un rien amylique, le **Ch. Court-les-Mûts 2012 blanc (33 000 b.)** possède lui aussi de belles qualités de fruité, de rondeur et de perlant : une étoile. Quant au **bergerac Ch. Court-les-Mûts 2012 rouge (13 500 b.)**, cité, c'est un vin souple et frais à apprécier dans sa jeunesse.

☛ Pierre Sadoux, Ch. Court-les-Mûts, 24240 Razac-de-Saussignac, tél. 05 53 27 92 17, fax 05 53 23 77 21, court-les-muts@wanadoo.fr,

☑ ⚘ ⊤ t.l.j.sf dim. 9h-11h30 14h15-18h; sam. sur r.-v.

CH. LA BRIE Plénitude 2011 ★

| | 4 200 | �🍷 | 8 à 11 € |

Présentée par le lycée viticole de Bergerac, cette cuvée élevée quatorze mois en barrique se pare d'une seyante robe rouge sombre. Le nez mêle harmonieusement notes vanillées et fruitées. Après une attaque tendre et moelleuse, la bouche se montre puissante et charpentée, offrant en finale un beau retour fruité. À attendre deux ou trois ans. Le **monbazillac 2011 Plénitude (15 à 20 € ; 3 000 b.)** est cité pour son bouquet fruité (pêche jaune), miellé et boisé, et pour son palais opulent, rafraîchi par une finale fruitée et acidulée. Très concentré, ce liquoreux a besoin de se fondre et devrait atteindre sa plénitude vers 2015. (Bouteilles de 50 cl.). Également cité, le **bergerac sec 2012 (moins de 5 € ; 27 000 b.)** est un vin agréable, un rien fruité, joliment floral.

☛ Ch. la Brie, Dom. de la Brie, 24240 Monbazillac, tél. 05 53 74 42 42, fax 05 53 58 24 08, expl.lpa.bergerac@educagri.fr, ☑ ⚘ ⊤ t.l.j. sf dim. 10h-19h

CLUB DES SOMMELIERS 2011

| | 300 000 | ▮ | - de 5 € |

Destiné à la grande distribution, un moelleux très classique, où le sémillon domine (70 %), le sauvignon laissant une empreinte aromatique appréciée. Le nez se partage entre la pêche et l'ananas frais. L'attaque vive met en valeur des notes de fruits à chair blanche et la finale fraîche révèle une légère amertume. Un vin bien fait.

☛ SAS Moncigale, 6, quai de la Paix, 30300 Beaucaire, tél. 04 66 59 74 39, fax 04 66 59 74 27, pmart.n@mabiz.com

⑧ GRANDE MAISON Tête de cuvée 2010 ★★

| ■ | 3 500 | ⅢⅢ | 15 à 20 € |

Le domaine a changé de mains en 2012, repris par la famille Chabrol, mais la qualité est toujours au rendez-vous, témoin ce 2010 à large dominante de merlot. Paré d'une robe rouge cerise soutenu, il offre un nez intense et complexe de fruits noirs (cassis, myrtille) mâtinés de nuances grillées. Souple en attaque, la bouche déploie une solide charpente, étayée par une belle nervosité qui donne de l'allonge à la finale. Un vin de caractère, armé pour la garde (quatre ou cinq ans). Le **monbazillac 2011 Cuvée du château** (20 à 30 € ; 4 000 b.), fruité, équilibré et long, obtient une étoile. (Bouteilles de 50 cl.)

☛ M. Chabrol, Grande Maison, 24240 Monbazillac, tél. 05 53 58 26 17, fax 05 53 24 97 36, grandemaison.monbazillac@gmail.com,
☑ ⚥ ⵖ t.l.j. sf dim. 8h30-12h 14h-19h

CH. HAUTE-FONROUSSE 2012 ★★

| ■ | 60 000 | ◨ | - de 5 € |

Une exploitation de 34 ha, souvent remarquée pour ses vins blancs moelleux, dont l'assemblage varie selon les millésimes. Cette année, son côtes-du-bergerac blanc s'est placé parmi les finalistes du coup de cœur. Le sémillon (70 %) s'allie au sauvignon pour donner un vin jaune pâle, dont les dégustateurs ont particulièrement apprécié la rondeur, la richesse et l'intensité en bouche, équilibrées par une belle fraîcheur. Un ensemble gourmand, harmonieux et long que l'on verrait bien avec un gratin de pêches ou d'autres desserts aux fruits jaunes de l'été.

☛ EARL Ch. Haute-Fonrousse, Haute-Fonrousse, 24240 Monbazillac, tél. 06 14 22 15 04, fax 05 53 58 30 28, geraud.vins@wanadoo.fr, ☑ ⚥ ⵖ t.l.j. 9h-12h 14h-19h
☛ Geraud Fils

CH. LES HAUTS DE CAILLEVEL Ébène 2010

| ■ | 3 000 | ⅢⅢ | 11 à 15 € |

Si cette cuvée a connu le chêne, son nom fait référence au bois d'ébène et, en effet, elle se présente dans une robe sombre. Au nez, le merrain confère des notes vanillées qui se mêlent aux fruits rouges. Après une attaque en souplesse, la bouche évolue sur des tanins mûrs et fondus. Un vin déjà aimable, que l'on pourra aussi attendre un an ou deux pour que le boisé se fonde.

☛ Ch. les Hauts de Caillevel, 24240 Pomport, tél. et fax 05 53 73 92 72, caillevel@wanadoo.fr,
☑ ⚥ ⵖ t.l.j. sf dim. 9h-12h30 14h-18h
☛ Chevallier

DOM. DU LAC Vieilli en fût de chêne 2011

| ■ | 6 500 | | 5 à 8 € |

Sur ce terroir situé au nord de Bergerac, plutôt dédié à la production de blancs moelleux, Guy Gaudy et Alain Dantin ont élaboré un rouge intéressant, expressif (fruits rouges, boisé bien dosé), souple et rond en attaque, plus puissant dans son développement. L'ensemble est harmonieux et s'appréciera dans les deux ans à venir. Le **rosette**

2012 blanc moelleux (moins de 5 € ; 5 966 b.), floral et équilibré, est également cité.

☛ SCEA Dom. du Lac, Le Lac, 24130 Ginestet, tél. 05 53 57 45 27, fax 05 53 73 10 13, domainedulac@orange.fr, ☑ ⵖ t.l.j. 8h-12h 14h-19h
☛ Gaudy-Dantin

CH. LADESVIGNES Velours rouge 2010 ★

| ■ | 6 000 | ⅢⅢ | 8 à 11 € |

Auteur d'un vin élu coup de cœur dans l'édition précédente (le monbazillac Automne 2009), Michel Monbouché revient cette année pour un côtes-de-bergerac de belle facture, paré d'une robe grenat soutenu. Au nez, le boisé des douze mois d'élevage se mêle aux fruits noirs. Souple en attaque, le palais dévoile des tanins corsés et un boisé encore un peu dominateur. Une sévérité qui s'atténuera après un an ou deux de garde. La cuvée **Le Pétrocore 2010 rouge**, finement bouquetée, florale et fruitée, mais encore un peu austère en bouche, devra elle aussi patienter une paire d'années. Elle obtient aussi une étoile, de même que le **bergerac sec Le Pétrocore 2011** (3 000 b.) à la fois gras et frais, équilibré en somme.

☛ Ch. Ladesvignes, Ladesvignes, 24240 Pomport, tél. 05 53 58 30 67, fax 05 53 58 22 64, contact@ladesvignes.com, ☑ ⚥ ⵖ r.-v.
☛ Monbouché

⑧ CH. LAROQUE 2010 ★

| ■ | 14 000 | ⅢⅢ | 5 à 8 € |

Perché sur un promontoire rocheux offrant une vue magnifique sur la Dordogne, ce domaine pratique l'agriculture biologique depuis vingt-cinq ans. Il propose un 2010 grenat brillant, finement bouqueté autour des fruits noirs (cassis, myrtille) agrémentés d'une touche vanillée et d'une pointe végétale typée cabernet. L'attaque est souple, le milieu de bouche plus tannique et corsé sans excès. À boire dans l'année. Le **bergerac sec 2011** (1 000 b.), floral, fruité (fruits exotiques, agrumes), équilibré, obtient lui aussi une étoile.

☛ Olivier Faurichon de la Bardonnie, 941, rte de Couin, La Roque, 24230 Saint-Antoine-de-Breuilh, tél. 06 13 82 08 90, fax 05 53 57 20 71, domainedupossible@gmail.com, ☑ ⚥ ⵖ r.-v. 🏠 ❶

DOM. DE LA LINIÈRE 2012 ★

| ■ | 1 000 | | - de 5 € |

Des bâtiments solides et massifs, dont les fondations remontent à la guerre de Cent Ans, un chai aménagé dans une ancienne étable, des prairies où des chevaux prennent pension et 5,5 ha de vignes. Assemblés à parts égales, le sauvignon et le sémillon ont donné un moelleux franc, intensément fruité, dont la vivacité laisse une impression d'élégante légèreté. Autant de qualités qui permettront de l'apprécier à l'apéritif.

☛ Mathias Wauquier, la Linière, 24240 Monestier, tél. et fax 05 53 57 31 40, info@domainedelaliniere.com, ☑ ⚥ ⵖ r.-v.

CH. MONTDOYEN Tout simplement 2010

| ■ | 4 980 | ◨Ⅲ | 15 à 20 € |

Une cuvée bien connue des lecteurs, à large dominante de merlot (95 %), avec une touche de cabernet franc en appoint. Si la version 2010 n'atteint pas les sommets des millésimes 2008 et 2005, coups de cœur du Guide, elle offre quelques arguments intéressants, comme le fruité de son bouquet, même si le bois reste dominant. Souple en attaque, le palais dévoile une matière dense et un côté gourmand plutôt séduisant, puis arrivent les tanins, intenses et corsés, qui donnent un caractère assez austère à la finale. On attendra deux ans que l'ensemble s'harmonise. Le **bergerac sec 2011 Divine miséricorde (2 800 b.)**, bien équilibré entre gras et vivacité, entre boisé vanillé et fruité, est également cité.

🐖 SARL Vignobles Jean-Paul Hembise, Ch. Montdoyen, Le Puch, 24240 Monbazillac, tél. 05 53 58 85 85, fax 05 53 61 67 78, contact@chateau-montdoyen.com, ☑ 🕴 ᵀ t.l.j. 9h-19h

MOSAÏQUE 2012 ★★

◼	12 000	◼	- de 5 €

Alliance Aquitaine résulte de la fusion de quatre coopératives du Bergeracois et de la Gironde. Elle « pèse » 1 600 ha. Une mosaïque de parcelles... et quelques cuvées remarquables, comme celles de bergerac rouge élues coup de cœur dans les deux dernières éditions. Ce côtes-de-bergerac blanc Mosaïque s'est placé parmi les meilleurs. Discrètement floral, il dévoile à l'agitation de plaisantes senteurs de fruits exotiques (ananas) que l'on retrouve en bouche, nuancées de notes de bonbon anglais. Avec son attaque perlante et sa finale vive, voilà un bien sémillant sémillon. Il conviendra de l'apéritif au dessert, pourvu que l'on choisisse une viande blanche comme plat principal. Quant au **pécharmant Ch. Métairie haute 2011 Élevé en fût de chêne (5 à 8 € ; 17 600 b.)**, il obtient une étoile pour sa complexité et pour son mariage agréable entre le vin et le bois.

🐖 Alliance Aquitaine, Le Vignoble, 24130 Le Fleix, tél. 05 53 24 64 32, fax 05 53 24 65 46, contact@allianceaquitaine.com, ☑ 🕴 ᵀ t.l.j. sf dim. lun. 9h-12h 14h-18h

Ⓑ MOULIN-GARREAU 2011 ★★

◼	13 000	◼	5 à 8 €

Ancien pharmacien, Alain Péronnet est retourné à la terre en 2005 en reprenant ce domaine. Son ancienne spécialité, l'homéopathie, l'a poussé à adopter l'agriculture biologique. Pour élaborer ce moelleux, il a privilégié le sauvignon (70 %) et la macération préfermentaire. Il en résulte un vin au nez subtil et complexe, qui butine les fleurs blanches avant de s'orienter vers les fruits jaunes. L'attaque vive, peu marquée par les sucres, la finale fraîche et agréable dessinent les contours d'un vin aérien à apprécier jeune, sur des raviolis aux crevettes par exemple.

🐖 Alain Péronnet, 10, rte du Coteau-Garreau, 24230 Lamothe-Montravel, tél. 05 53 61 26 97, aperonnet@wanadoo.fr, ☑ 🕴 ᵀ r.-v. 🏡 ❸

CH. PINTOUCAT 2012 ★

◼	n.c.	◼	5 à 8 €

Une ancienne « marque hollandaise » : au XVIIᵉˢ., les négociants des Pays-Bas se fournissaient ici en vins doux. Gilles Beaudoin, à la tête de ce domaine familial depuis 2011, exporte ses vins, mais plutôt vers la Belgique. Son côtes-de-bergerac moelleux résulte d'un assemblage original : 80 % de sauvignon gris et 20 % de muscadelle. D'un jaune très pâle, il distille des fragrances délicates de fleurs blanches évoquant l'acacia. Fraîche et légèrement perlante, la bouche dévoile une belle progression aromatique sur les fleurs et les fruits exotiques. Sa finale vive donne à cette bouteille de l'équilibre et du tonus : un vin d'apéritif.

🐖 Gilles Beaudoin, Le Pintoucat, 24240 Monbazillac, tél. 05 53 73 14 01, beaudoin.gilles@wanadoo.fr, ☑ ᵀ r.-v.

♥ CH. MARIE PLAISANCE Cuvée Prestige 2010 ★★

◼	4 000	⦀	5 à 8 €

Après un coup de cœur pour son saussignac Prestige 2009 dans l'édition précédente, ce domaine brille en rouge cette année. En rouge sombre plus exactement, tirant sur le noir. Le nez, d'une belle fraîcheur, mêle fruits rouges (griotte) et nuances résinées. La bouche se montre suave, tendre et concentrée, adossée à des tanins soyeux et à une fine acidité qui donne du tonus et de la longueur à la finale. Une vraie gourmandise, à déguster sur son fruit. Le **bergerac rosé 2012 Le Brin de Plaisance (moins de 5 € ; 45 000 b.)** est cité pour sa fraîcheur et son joli fruité.

🐖 EARL des Vignobles Merillier, La Ferrière, 24240 Gageac-Rouillac, tél. 05 53 27 86 23, chateaumarieplaisance@hotmail.fr, ☑ 🕴 ᵀ t.l.j. sf dim. 8h-12h 14h-18h

♥ LES RAISINS OUBLIÉS 2012 ★★

◼	38 000	◼	5 à 8 €

Cet important opérateur décroche un coup de cœur pour la deuxième année consécutive grâce à ce côtes-de-bergerac. Vendangé à la main le 18 octobre, le sémillon a donné naissance à un vin jaune doré qui s'apparente à un liquoreux par ses arômes de surmaturation (fruits légèrement confits), par sa rondeur et par son gras. Équilibré grâce à une belle fraîcheur, ce 2012 laisse une impression de réelle élégance. À mi-chemin entre un moelleux et un liquoreux, il formera un bel accord avec une poire au roquefort. Quant au **bergerac sec Cantus Terra 2012 blanc (13 500 b.)**, un pur sauvignon, il obtient une étoile pour sa palette complexe sur le pamplemousse et la minéralité, pour son gras et sa fraîcheur.

☞ Vins fins du Périgord, rte de Marmande, Les Séguinots, bât. Unidor, 24100 Saint-Laurent-des-Vignes, tél. 05 53 63 78 50, fax 05 53 63 78 59, contact@vinsfinsduperigord.fr

LA ROBERTIE HAUTE 2010 ★★

■	3 300	11 à 15 €

« Vigneron artisan », c'est ainsi que se définit Brigitte Soulier, depuis 1999 à la tête de ce domaine très régulier. Un peu artiste aussi, témoin cette cuvée bien dessinée de bout en bout : robe sombre aux reflets violines ; bouquet de fruits noirs (myrtille, mûre) fondus dans un boisé grillé ; bouche puissante et charpentée, qui ne manque pas de souplesse ni de fraîcheur. Un vin très équilibré au bon vieillissement garanti. La cuvée **E de la Robertie 2010 rouge (20 à 30 € ; 3 800 b.)**, qui n'est pas produite tous les ans (E comme exception), assemble les meilleures parcelles du domaine (E comme excellence). Cette version très réussie plaît par son nez intense, fruité et boisé, et par sa charpente solide mais veloutée. On l'attendra elle aussi quelques années.

☞ Ch. la Robertie, La Robertie, 24240 Rouffignac-de-Sigoulès, tél. 05 53 61 35 44, fax 05 53 58 53 07, chateau.larobertie@wanadoo.fr, ☑ ☀ ☖ t.l.j. 10h-19h; sam. dim. sur r.-v.
☞ Brigitte Soulier

CH. LES SAINTONGERS D'HAUTEFEUILLE

Élevé en fût de chêne 2010 ★

■	6 200	8 à 11 €

Catherine d'Hautefeuille est, comme souvent, fidèle au rendez-vous du Guide avec son côtes-de-bergerac mi-merlot mi-cabernet-sauvignon, né sur ce terroir si particulier du plateau calcaire d'Issigeac. La version 2010 se pare d'une robe franche et vive. Elle s'ouvre intensément sur les fruits rouges accompagnés d'un boisé discret, puis dévoile une bouche une belle finesse étayée par des tanins bien présents mais sans agressivité, un rien plus sévères en finale. Deux ou trois ans de garde feront l'affaire.

☞ Catherine d'Hautefeuille, Les Saintongers, 24560 Saint-Cernin-de-Labarde, tél. 05 53 24 32 84, fax 05 53 57 77 18, vianneydhautefeuille@hotmail.fr, ☑ ☀ ☖ r.-v.

ROSE DE SIGOULÈS 2011 ★★

■	8 000	5 à 8 €

Cette coopérative peut fournir jusqu'à dix millions de bouteilles par an. Parmi ses cuvées de haut de gamme, certaines sont bien connues de nos lecteurs. Comme cette Rose de Sigoulès, issue de sémillon vendangé par tries successives. De couleur jaune paille, elle se partage entre les fleurs et les fruits blancs comme la poire. Dominée dès l'attaque par des impressions de suavité et de douceur, avec ce qu'il faut d'acidité pour maintenir l'équilibre, la bouche séduit par sa persistance aromatique. Pour accompagner cette bouteille, un dégustateur suggère des cannellonis de fourme d'Ambert. Le **bergerac sec Rose de Sigoulès 2012 (moins de 5 € ; 6 000 b.)** obtient une étoile pour son nez plutôt floral, pour son gras, son volume et sa fraîcheur discrète.

☞ Les Vignerons de Sigoulès, Cave de Sigoulès, 24240 Sigoulès, tél. 05 53 61 55 00, fax 05 53 61 55 10, contact@vigneronsdesigoules.fr, ☑ ☀ ☖ t.l.j. sf. dim. 9h-12h30 14h-17h30

♥ CH. THÉNAC 2011 ★★

■	25 000	15 à 20 €

Quatrième coup de cœur en cinq éditions pour ce vaste domaine de 200 ha bâti à l'emplacement d'un ancien prieuré bénédictin. Une propriété de référence assurément, qui signe un 2011 remarquable en tout point. À la robe dense et profonde répond un bouquet non moins intense, fruité, toasté et vanillé. À l'unisson, le palais dévoile beaucoup de volume et de longueur soulignés par une structure tannique imposante et soyeuse à la fois. Un vin armé pour une longue garde : de cinq à dix ans.

☞ SCEA Ch. Thénac, Le Bourg, 24240 Thénac, tél. 05 53 61 36 85, fax 05 53 58 37 13, wines@chateau-thenac.com, ☑ ☀ ☖ r.-v.

⑧ CH. TOUR DES GENDRES Le Petit Bois 2011 ★

■	4 000	30 à 50 €

L'une des références du Bergeracois, régulièrement distinguée dans ces pages. Elle propose ici une cuvée issue d'une parcelle de cabernet-sauvignon et élevée en foudre pendant dix-huit mois. Ce 2011 en retire un bouquet puissant et chaleureux, dominé par les fruits rouges mûrs, que l'on retrouve dans une bouche ample et charnue aux tanins soyeux. Déjà très harmonieux et fondu, ce vin pourra aussi s'apprécier dans deux ou trois ans. Le **bergerac sec 2012 Moulin des dames (15 à 20 € ; 20 000 b.)**, riche et doux, avec ce qu'il faut de vivacité pour trouver l'équilibre, est cité.

☞ SCEA De Conti, Les Gendres, 24240 Ribagnac, tél. 05 53 57 12 43, fax 05 53 58 89 49, familledeconti@wanadoo.fr, ☑ ☀ ☖ r.-v. 🏠 ⑧

TOUR DU ROC 2012 ★★★

■	66 500	- de 5 €

Il faut saluer le travail de sélection qui a été mené par cette structure de négoce pour obtenir cette bouteille, modèle de l'appellation. D'une robe jaune pâle aux reflets verts répond un nez d'abord minéral, qui s'épanouit à l'aération sur de fines senteurs de fruit de la Passion. Ces notes fraîches de fruits exotiques s'allient au fruit blanc dans une bouche à la fois puissante et tout en finesse. Marquée par un joli retour fruité et par un excellent équilibre entre les sucres et l'acidité, la finale laisse le souvenir d'une réelle harmonie. Ce moelleux sera excellent avec du poulet, rôti, en sauce ou en ballotine.

🏠 Grand Terroir Sud-Ouest, PAC Cahors-Sud,
425, rue Pièce-Grande, 46230 Fontanes, tél. 04 67 26 79 11,
matenot@gt-so.fr

CH. LA VAURE Cuvée Prestige 2011

■	20 000	⠿	5 à 8 €

Assemblage original qui donne presque autant de
poids au cabernet-sauvignon qu'au merlot, ce 2011 issu du
négoce livre des parfums épicés et briochés masquant un
peu le fruit. En bouche, il se montre souple et rond, avant
de dévoiler des tanins solides et un brin stricts en finale.
À attendre deux ou trois ans.
🏠 SAS Socav, Les Seguinots, Bât. Unidor,
rte de Marmande, 24100 Saint-Laurent-des-Vignes,
tél. 05 53 57 63 61, fax 05 53 58 08 12, socav@socav.fr

Monbazillac

Superficie : 1 949 ha
Production : 44 152 hl

Ce vignoble est implanté au cœur du Bergeracois,
sur des coteaux pentus de la rive gauche de la
Dordogne exposés au nord. Les grappes y reçoivent en automne la fraîcheur et les brumes qui
favorisent le développement du botrytis, la pourriture noble. Le sol argilo-calcaire apporte des
arômes intenses ainsi qu'une structure puissante
à ces vins moelleux et liquoreux qui s'harmonisent avec le foie gras, les viandes blanches à la
crème ou les fraises du Périgord.

CH. BAROUILLET 2011 ★

■	10 000	▯	5 à 8 €

Un nouveau nom dans le Guide, mais ce domaine
familial de 45 ha n'a rien de nouveau, puisque Vincent
Alexis a pris la suite de huit générations. Installé depuis
trois ans, il a engagé la conversion bio de la propriété et
il vinifie dans le même esprit, en privilégiant les levures
indigènes et les fermentations longues. Il signe un monbazillac jaune doré, au nez expressif, mêlant la pêche et le
coing confit. Souple à l'attaque, ce vin dévoile de jolies
notes de fruits exotiques sur un fond de fraîcheur et finit
sur une pointe d'amertume. Un vin tonique, qui peut
accompagner le poulet rôti. Le **bergerac rouge 2011**
(5 000 b.) est cité pour son nez ouvert mêlant les fruits
noirs et les épices. Sévère et tannique en finale, il arrondira
ses angles dans les deux ans à venir.
🏠 Ch. Barouillet, Le Barouillet, 24240 Pomport,
tél. 05 53 58 82 67, fax 05 53 58 68 83,
vincent@barouillet.com, ✉ 🍷 🍴 t.l.j. sf dim. 8h-19h
🏠 Alexis

CH. BELINGARD 2011 ★

■	30 000	▮ ▯	8 à 11 €

À l'emplacement du domaine, les druides rendaient
un culte au dieu du soleil. Soleil qui favorise les sémillon,
sauvignon et autres raisins choyés depuis plus de trente
ans par Laurent de Bosredon, un vigneron bien connu des
lecteurs du Guide. De la propriété, le **bergerac sec Cuvée**
Blanche de Bosredon 2012 (5 à 8 € ; 15 000 b.) est cité
pour sa fraîcheur aux accents de citron et de pample-

mousse. Il s'efface cette année devant ce monbazillac doré
à l'or fin, au nez complexe de miel, de pêche et d'abricot.
Après une attaque particulièrement vive, le fruité du nez
s'épanouit dans une matière riche et douce. La longue
finale est soulignée par une belle acidité. Un vin élégant et
parfumé qui gagnera à rester en cave jusqu'en 2015.
🏠 SCEA Comte de Bosredon, Ch. Belingard,
24240 Pomport, tél. 05 53 58 28 03, fax 05 53 58 38 39,
contact@belingard.com, ✉ 🍷 🍴 t.l.j. sf dim. 9h-18h

CH. LE CHRISLY Cuvée Louis 2011 ★

■	12 000	▯	20 à 30 €

Le monbazillac proposé par cette propriété familiale
présente une robe très claire et un nez assez discret, qui
laisse percer des notes d'agrumes, d'abricot sec et de
pruneau. Après une attaque souple, le vin développe des
impressions de douceur, équilibrées par une certaine
vivacité. Une bouteille déjà harmonieuse, qui pourra aussi
vieillir quelques années. Les propriétaires suggèrent de la
marier avec un gâteau aux noix, et... le Périgord produit
de ces fruits, qui ont eux aussi une appellation.
🏠 Madeleine et Christian Beigner, Le Chrisly,
24240 Pomport, tél. 05 53 58 42 35,
lechrislybeigner@orange.fr, 🍷 🍴 r.-v. 🏨 🅿 🏠 🇪

CH. COMBET Sélection Élevé en fût de chêne 2011 ★

■	3 000	▯	11 à 15 €

Issue de la sélection des meilleures tries du domaine,
cette cuvée jaune d'or aux reflets verts a été vinifiée et
élevée en barrique, mais le séjour dans le chêne ne semble
pas avoir laissé d'empreinte dans sa palette aromatique.
Son nez puissant, marqué par la pourriture noble, mêle les
fruits jaunes et le coing nuancés à l'aération d'une touche
d'ananas confit. Après une attaque à la fois chaleureuse et
vive, on retrouve les fruits confits, alliés au miel. La finale
fraîche est marquée par un joli retour de l'ananas confit.
Un monbazillac à la fois généreux et fin, qui s'accordera
avec des amuse-bouche chauds.
🏠 EARL de Combet, Dom. de Combet, 24240 Monbazillac,
tél. 05 53 58 33 47, earldecombet@wanadoo.fr,
✉ 🍷 🍴 t.l.j. sf sam. dim. 10h-12h 13h30-17h30; f. jan.
🏠 Duperret

DOM. HAUT MONTLONG Cuvée Audrey 2010 ★

■	15 000	▯	8 à 11 €

Dans les années 1930, cette exploitation comptait
quelque 7 ha de vignes. Aujourd'hui la famille cultive
70 ha et dispose de trois gîtes. La propriété a déjà plusieurs
coups de cœur à son actif. Citée l'an dernier, sa cuvée
Audrey s'annonce par une robe limpide, jaune paille. Il
faut l'aérer pour qu'elle laisse percer des senteurs d'agrumes et de litchi. Ni très complexe ni très concentré, ce 2010
séduit par son bel équilibre entre la fraîcheur et le gras. Ces
qualités lui permettront de trouver sa place à l'apéritif, ou
avec des saint-jacques à la mangue. Une étoile également
pour le **côtes-de-bergerac rouge Les Vents d'anges**
2010 (11 à 15 € ; 9 000 b.). Élevé en fût, c'est un vin
savoureux et charpenté, aux accents de chocolat et de café,
qui se bonifiera au cours des prochaines années.
🏠 Dom. Haut Montlong, 24240 Pomport,
tél. 05 53 58 81 60, fax 05 53 58 09 42,
sergenton-haut-montlong@wanadoo.fr,
✉ 🍷 🍴 r.-v. 🏨 🅿 🏠 🇪

♥ **CH. DU HAUT PEZAUD** Révélation 2011 ★★

3 000	🍷	15 à 20 €

Comptable à Bruxelles, Christine Borgers a quitté la Belgique en 1999 pour devenir vigneronne à Monbazillac. Haut de gamme de sa production, cette Révélation mérite bien son nom, car elle décroche un coup de cœur. D'un jaune doré soutenu, elle charme d'emblée par son nez bien ouvert, qui évoque un étal de fruits en été : la pêche très mûre et autres fruits jaunes s'allient au raisin sec et au miel. L'attaque est souple et légère avant l'arrivée en force des fruits, suaves comme la mangue, la poire et le coing, ou frais comme l'ananas et le pamplemousse. La finale est longue et confiturée. Un liquoreux à la fois harmonieux et solide, qui devrait révéler encore plus de complexité au cours des dix prochaines années. Par ailleurs, le domaine a proposé un **bergerac rouge 2011 Fût de chêne (5 à 8 € ; 3 000 b.)** qui a manqué de peu la même distinction. Son bouquet complexe et délicat allie la cerise, le noyau, le fruit rouge confit à un discret boisé épicé, et sa bouche puissante et élégante, charpentée et soyeuse, laisse augurer une bonne garde.

🔫 Ch. du Haut Pezaud, Les Pezauds, 24240 Monbazillac, tél. 05 53 73 01 02, fax 05 53 61 35 31, cborgers@wanadoo.fr, ☑ ⚥ 🍷 t.l.j. 10h-13h 14h-19h
🔫 Borgers

CH. MONBAZILLAC 2011 ★

62 000	🍷🍷	15 à 20 €

Le château du XVIe s., emblématique de l'appellation, appartient à la coopérative qui vinifie près d'un tiers de l'AOC. Son vin séduit par la fraîcheur de ses arômes de pêche blanche, nuancés de notes de pruneau. À la fois vif et suave à l'attaque, il se montre ample au palais et finit sur une note boisée. Un style plutôt léger, sur la fraîcheur et sur le fruit. Noté lui aussi une étoile, le **Ch. Saint-Christophe 2011 (5 à 8 € ; 32 000 b.)** est un vin élégant, qui conjugue richesse et vivacité dans un bel équilibre. Coup de cœur pour le millésime 2009, le **Ch. Septy 2011 (11 à 15 €)** est cité. Particulièrement opulent, il se partage entre le miel et l'abricot. On le découvrira dès la sortie du Guide sur une tarte aux fruits jaunes. Les autres cuvées s'accorderont aussi avec des desserts aux fruits.

🔫 Cave de Monbazillac, rte de Mont-de-Marsan, 24240 Monbazillac, tél. 05 53 63 65 00, fax 05 53 63 65 09, gmpasselande@chateau-monbazillac.com,
☑ ⚥ 🍷 t.l.j. 10h-12h30 13h30-18h

MOULIN DE SANXET 2011 ★

8 000	🍶	8 à 11 €

Dominique Grellier est un ancien informaticien reconverti dans la viticulture depuis vingt ans. De couleur plutôt claire, jaune paille, son monbazillac offre un nez fruité, sur des nuances d'agrumes, d'orange confite. Dans le même style, l'attaque est fraîche, acidulée, citronnée, et la bouche séduit moins par sa puissance que par son équilibre et son fruité. À servir à l'apéritif ou avec une salade de fruits. Même note pour le **bergerac sec La Tuilière 2012 (moins de 5 € ; 10 000 b.).** Issu d'une macération pelliculaire, ce blanc offre la fraîcheur et le caractère floral du sauvignon qui le compose très majoritairement.

🔫 SCEA Moulin de Sanxet, Belingard-Bas, 24240 Pomport, tél. 05 53 58 30 79, fax 05 53 61 71 84, moulindesanxet@wanadoo.fr, ☑ ⚥ 🍷 t.l.j. sf dim. 9h-18h
🔫 Grellier

DOM. DE PÉCOULA 2011 ★

9 500	🍶	8 à 11 €

La famille Labaye exploite 33 ha, dont 25 sont destinés au monbazillac. Après un superbe 2009 noté trois étoiles l'an dernier, voici un 2011 moins ambitieux mais agréable. Jaune pâle aux reflets verts, il s'annonce par un nez flatteur aux nuances de fruits mûrs et de pêche au sirop. L'attaque est vive, marque du millésime, mais elle est suivie d'impressions suaves et miellées. Misant plus sur la finesse que sur la puissance, ce monbazillac pourra être dégusté pour lui-même, à l'apéritif. Le **bergerac rosé 2012 (moins de 5 € ; 9 500 b.)** du domaine, floral au nez et fruité en bouche, est cité pour sa subtilité.

🔫 Dom. de Pécoula, Pécoula, 24240 Pomport, tél. 05 53 24 67 82, fax 05 53 58 82 02, pecoula.labaye@wanadoo.fr, ☑ ⚥ 🍷 r.-v.
🔫 Labaye

CH. POULVÈRE Prestige 2011

7 300	🍶🍷	11 à 15 €

Ancienne dépendance du château de Monbazillac, le château Poulvère date de la même époque. Il est exploité depuis le début du XXe s. par la famille Borderie. Sa cuvée Prestige a surpris, mais on est moins étonné lorsque l'on découvre l'assemblage, qui comprend beaucoup de sauvignon gris (70 %). D'un jaune très clair, ce 2011, légèrement floral au nez, penche surtout vers le miel et l'abricot sec. En bouche, il est dominé par des impressions de richesse et de douceur heureusement contrebalancées par une fraîcheur citronnée. Pour l'apéritif, avec des canapés de foie gras. Le **bergerac rouge 2012 (moins de 5 € ; 46 400 b.)** est cité pour son fruité charmeur et pour sa souplesse tannique.

🔫 GFA Poulvère et Barses, Poulvère, 24240 Monbazillac, tél. 05 53 58 30 25, fax 05 53 58 35 87, famille.borderie@poulvere.com,
☑ ⚥ 🍷 t.l.j. sf dim. 8h-12h 14h-19h
🔫 Borderie

CH. LE REYSSAC 2011 ★★

1 333	🍶	5 à 8 €

Ce domaine familial a particulièrement réussi le millésime 2011. D'un jaune pâle limpide, son monbazillac libère des parfums très frais alliant le pamplemousse et les fruits exotiques à des nuances plus classiques d'abricot. Dans le prolongement du nez, la bouche offre une attaque fraîche, relayée par des impressions de douceur. On retrouve la vivacité en finale. Un ensemble flatteur, dans un style aérien qui n'empâte pas le palais. On pourra le servir à l'apéritif, avec des plats sucrés-salés, ou avec des desserts fruités.

🍷 Marc Gouy, La Haute Brande, 24240 Pomport, tél. 06 81 60 02 34, fax 05 53 58 63 94, gouy.m-a@wanadoo.fr, ☑ ⚘ ⊥ r.-v.

🖤 CH. LA VIEILLE BERGERIE Quercus 2010 ★★

■	3 000	🍶 15 à 20 €

Quercus ? Le chêne qui a abrité ce monbazillac, vinifié et élevé sous bois. Les lecteurs ont découvert cette cuvée dans le millésime précédent. D'un doré limpide, le 2010 offre un nez complexe et délicat mêlant les fruits confits à des notes chaleureuses de liqueur. Après une attaque fraîche, il s'impose par sa richesse et par sa puissance. La barrique s'exprime dans de subtiles notes vanillées tandis que le fruit opère un joli retour en finale. Superbe par son intensité et plus encore par son équilibre, ce vin satisfera les impatients dès maintenant, mais il saura aussi vieillir avec grâce. Il pourra s'accorder avec un fondant au chocolat noir.

🍷 SCEA de Malauger, Malauger, 24100 Bergerac, tél. et fax 05 53 61 35 19, lavieillebergerie@free.fr, ☑ ⚘ ⊥ t.l.j. 10h-12h15 14h-19h15
🍷 Pierre Desmartis

Montravel

Cette région garde le souvenir de Montaigne : c'est dans la maison forte familiale que l'écrivain rédigea ses *Essais* et l'on peut encore visiter sa « librairie » à Saint-Michel-de-Montaigne. La production se divise en montravel blanc sec, typé par le sauvignon, en côtes-de-montravel et haut-montravel, deux appellations de vins moelleux, et depuis 2001 en montravel rouge. En rouge comme en blanc, les cépages sont ceux du Bordelais voisin.

🖤 CH. BARBIER BELLEVUE 2010 ★★

■	17 364	🍶 11 à 15 €

Le Château Barbier Bellevue est une marque des Deffarge-Danger (voir Ch. Moulin Caresse). Vinifié à la propriété, le vin est diffusé par la maison de négoce GRM.

Connaissant son origine, les lecteurs ne s'étonneront pas du succès de cette cuvée. La famille n'en est pas en effet à son premier coup de cœur. Dominé par le merlot, escorté des deux cabernets et du malbec, ce 2010 a hérité de ses seize mois de fût un joli boisé vanillé, très marqué mais agréable, qui laisse poindre le fruit. Après une attaque soyeuse, la bouche, à la fois intense et élégante, confirme cette excellente impression. La finale d'une rare persistance laisse le souvenir d'une réelle harmonie. Cette bouteille devrait être au sommet vers 2017, mais on pourra l'ouvrir dès 2015. Quant au **bergerac rouge 2011** (moins de 5 € ; 65 784 b.), c'est un vin souple, pour maintenant : une citation.

🍷 GRM, ZAE de l'Arbalestrier, 33220 Pineuilh, tél. 05 57 41 91 50, fax 05 57 46 42 76, contact@grm-vins.fr

CH. DU BLOY Le Bloy 2010 ★

■	1 200	🍶 15 à 20 €

Voilà douze ans qu'Olivier Lambert, informaticien, et Bertrand Lepoittevin-Dubost, avocat, se sont associés pour reprendre ce domaine dont ils ont engagé la conversion au bio en 2011. Mi-merlot mi-cabernet franc, cette cuvée est loin d'être une découverte pour nos lecteurs. Le 2010 a été élevé pour partie dans des barriques de deux vins. À l'aération, il libère des notes épicées accompagnées d'une pointe végétale. Après une attaque vive, la bouche se montre assez chaleureuse. Ses tanins plutôt sévères devraient se fondre au cours des prochains mois : à déboucher dès la sortie du Guide.

🍷 SCEA Lambert Lepoittevin-Dubost, Le Blois, 24230 Bonneville, tél. 05 53 22 47 87, fax 05 53 27 56 34, chateau.du.bloy@wanadoo.fr,
☑ ⚘ ⊥ t.l.j. 9h-12h 14h-18h; sam. dim. sur r.-v.

CH. LES GRIMARD 2012 ★

■	6 400	■ - de 5 €

Chez les Joyeux, le chai a été aménagé dans une ancienne grange du XVᵉ s. Vous pourrez y découvrir des vins plaisants et équilibrés qui s'allieront très bien avec des entrées. Issu presque entièrement de sauvignon, ce blanc sec offre un nez d'acacia discret mais subtil, légèrement minéral, avant de s'orienter en bouche vers le pamplemousse et la poire. Plutôt rond et gras, il finit sur une note vive qui contribue à son harmonie. On le verrait bien avec une terrine de poisson. Le **bergerac rosé 2012 (8 400 b.)** fait jeu égal. On aime son nez de rose, de pivoine, de bonbon anglais et son équilibre à la fois tendre et nerveux.

🍷 GAEC des Grimard, Les Grimards, 24230 Montazeau, tél. 05 53 63 09 83, fax 05 53 24 90 14, ch.lesgrimard@orange.fr, ☑ ⚘ ⊥ t.l.j. 8h-19h; dim. sur r.-v.
🍷 Joyeux-Havard

CH. MOULIN CARESSE Grande Cuvée
Cent pour 100 2010 ★

■	18 000	Ⅲ	11 à 15 €

Il se dit « autodidacte en œnologie », mais depuis qu'il a quitté la coopérative en 1990, Jean-François Deffarge a très vite appris sur le tas, à en juger par le palmarès du domaine qui s'est affirmé comme une valeur sûre du Guide, notamment grâce à cette cuvée, son fleuron. Le vigneron dit rechercher des vins précis, avec de la fraîcheur et du fruit, sans pour autant abandonner l'élevage en fût, garant d'une bonne garde. Ce millésime au nez vif et épicé présente une matière suffisamment dense pour attendre. On le débouchera en 2015 ou 2016 sur des magrets grillés. Le **bergerac rouge 2011 Magie d'automne** (5 à 8 € ; 25 000 b.), élevé lui aussi sous bois, obtient la même note pour son bouquet expressif mêlant les fruits rouges bien mûrs, le pruneau et la réglisse. Rond à l'attaque, plus ferme en finale, il pourra paraître à table dès la fin 2013.

☛ EARL Deffarge-Danger, 1235, rte de Couin, 24230 Saint-Antoine-de-Breuilh, tél. 05 53 27 55 58, fax 05 53 27 07 39, moulin.caresse@cegetel.net, ☑ ⚔ ⴷ t.l.j. 9h-12h 14h-18h; sam. dim. sur r.-v. ⌂ ℰ

TERRE DE PIQUE-SÈGUE Anima Vitis
Élevé en fût de chêne 2010 ★★

■	8 900	Ⅲ	11 à 15 €

Cette propriété vaste et ancienne peut se flatter d'avoir obtenu le premier coup de cœur de l'appellation en rouge. Déjà remarquable dans le millésime précédent, ce vin suscite ce commentaire d'un juré, au terme de son examen : « On a envie de le boire. » Auparavant, le dégustateur a été sensible à l'agrément du nez, auquel un élevage de quinze mois en barrique a légué de la complexité, des notes de vanille, sans écraser le fruit. Aromatique, ample et gras, puissant et généreux, le palais l'a conforté dans sa bonne opinion. Ses tanins enrobés permettent de boire cette bouteille dès maintenant. Le **blanc 2012** (5 à 8 € ; 106 000 b.) obtient une étoile grâce à son joli nez de pêche, de citron et de pierre à fusil, et à sa bouche fruitée, bien construite et fraîche en finale.

☛ SNC Ch. Pique-Sègue, Ponchapt, 33220 Port-Sainte-Foy-et-Ponchapt, tél. 05 53 58 52 52, fax 05 53 58 77 01, infos@chateau-pique-segue.fr, ☑ ⚔ ⴷ r.-v. ☛ Mallard

CH. LE RAZ Les Filles 2010 ★★★

■	13 866	ⅢⅢ	11 à 15 €

Le nom de cette cuvée est un hommage aux « filles » employées dans les vignes. Le merlot (75 %), le cabernet-sauvignon et le malbec ont apprécié leurs soins, à en juger par ce vin, finaliste du coup de cœur. Malgré un élevage de dix-huit mois en barrique, c'est par son fruit tout en finesse et par sa fraîcheur que ce 2010 a charmé les dégustateurs. Le bois reste à sa place, n'apportant qu'un surcroît de complexité. Souple et fruitée, en harmonie avec le bouquet, l'attaque introduit un palais ample, généreux et long, dont les tanins bien enrobés laissent une impression d'élégance. Une belle bouteille de garde qui mérite d'attendre deux ans et qui atteindra son apogée en 2018. Bel accord en perspective avec un carré d'agneau.

☛ GAEC du Maine, Le Raz, 24610 Saint-Méard-de-Gurçon, tél. 05 53 82 48 41, fax 05 53 80 07 47, vignobles-barde@le-raz.com, ☑ ⚔ ⴷ t.l.j. sf dim. 9h-12h30 14h15-18h30; sam. sur r.-v. ☛ Barde

Côtes-de-montravel

Superficie : 30 ha
Production : 1 169 hl

CH. LES GRIMARD Cuvée spéciale 2011 ★

■	2 100	Ⅲ	- de 5 €

Voilà une trentaine d'années que la famille Joyeux vend son vin en bouteilles. Comme l'an dernier, son côtes-de-montravel est sélectionné, « gagnant » même une étoile. Cet assemblage issu de vieilles vignes de sémillon (80 %) et de muscadelle a séjourné en barrique de réemploi, pour ne pas trop boiser le vin. De fait, ce moelleux à la robe doré brillant séduit surtout par ses parfums fruités : au nez, les fruits jaunes et les fruits exotiques sont soulignés d'une touche toastée. À l'attaque, la pêche, l'abricot et le miel sont escortés d'une pointe vanillée fort agréable. Un vin harmonieux, fondu et rond, à apprécier dans les cinq ans.

☛ GAEC des Grimard, Les Grimards, 24230 Montazeau, tél. 05 53 63 09 83, fax 05 53 24 90 14, ch.lesgrimard@orange.fr, ☑ ⚔ ⴷ t.l.j. 8h-19h; dim. sur r.-v. ☛ Joyeux-Havard

CH. MASBUREL 2012

■	3 662		5 à 8 €

Fondé au XVIIIᵉs. par l'ancien consul de Sainte-Foy, bastide girondine située à la porte du Périgord, le domaine est géré depuis 2008 par l'Anglais Julian Robbins. Il présente son premier côtes-de-montravel, issu des trois cépages de la région. Un vin séduisant par la complexité de sa palette aromatique : des notes fraîches de fleurs et de fruits blancs s'allient aux nuances de miel, arômes que l'on retrouve en bouche. Souple et fruité à l'attaque, c'est un moelleux assez puissant et bien équilibré. Accord suggéré : de l'ananas rôti.

☛ Ch. Masburel, Fougueyrolles, 33220 Sainte-Foy-la-Grande, tél. 05 53 24 77 73, fax 05 53 24 27 30, chateau-masburel@wanadoo.fr, ☑ ⚔ ⴷ t.l.j. 9h-17h; sam. dim. sur r.-v. ☛ Robbins

♥ PRESTIGE DE MONTPIERREUX 2011 ★★

■	9 200	Ⅲ	5 à 8 €

Une marque d'Alliance Aquitaine, structure issue de la fusion de quatre coopératives du Bergeracois. Regroupant 1 600 ha, elle propose quelques cuvées ambitieuses, comme celle-ci, issue d'une sélection parcellaire de raisins touchés par la pourriture noble et d'un élevage en barrique. D'un jaune doré engageant, ce 2011 dévoile à l'aération des senteurs intenses d'acacia et de fruits jaunes (pêche), agrémentées d'une touche miellée. Très onctueux, le palais évolue sur des arômes de fruits confits, d'abricot sec, avec une note toastée. La finale est longue,

avec ce qu'il faut de fraîcheur. Un vrai liquoreux, à servir à l'apéritif ou sur un foie gras poêlé.

☎ Alliance Aquitaine, Le Vignoble, 24130 Le Fleix, tél. 05 53 24 64 32, fax 05 53 24 65 46, contact@allianceaquitaine.com, ☑ ⚘ ⚱ t.l.j. sf dim. lun. 9h-12h 14h-18h

DOM. DE LA ROCHE MAROT 2011 ★★

	1 600	⬥	5 à 8 €

Le mégalithe qui se dresse à l'entrée de la ferme a donné son nom au domaine, qui produit régulièrement du côtes-de-montravel. Cette petite cuvée de sémillon récoltée par tries successives retient l'attention par sa couleur jaune doré soutenu et brillant ; son nez intense, évocateur de pourriture noble, mêle l'acacia, le miel, l'abricot, la mangue et l'ananas confit. Au palais, le miel et l'acacia se nuancent d'une pointe toastée héritée d'un court passage sous bois. L'attaque se montre douce et onctueuse, la finale puissante et longue. Très agréable à l'apéritif, cette remarquable bouteille pourra accompagner du foie gras poêlé ou une tarte aux fruits jaunes.

☎ Yves et Daniel Boyer, Dom. de la Roche Marot, 24230 Lamothe-Montravel, tél. et fax 05 53 58 52 05, gaecdelarochemarot@orange.fr, ☑ ⚘ ⚱ r.-v.

Haut-montravel

♥ CH. PUY-SERVAIN Terrement 2011 ★★

	6 222	▮	11 à 15 €

Installé au sommet d'un coteau, le domaine est la référence de cette petite appellation de vins doux. En 1989, Daniel Hecquet a élaboré son premier haut-montravel. Vingt et un autres ont suivi ; n'ont fait exception que 2008, en raison de la grêle, et 2012, funeste à de nombreux liquoreux (dont Yquem). Avec ce 2011, le producteur obtient son sixième coup de cœur dans cette AOC. Doré à l'or fin, ce pur sémillon s'annonce par un nez

d'une grande finesse, aux nuances de miel, de pêche au sirop et d'abricot. L'abricot prend des nuances confites dans une bouche intense à la finale particulièrement persistante. Un vrai liquoreux, fruité et harmonieux, qui fera merveille à l'apéritif et se gardera une décennie dans une bonne cave. (Bouteilles de 50 cl.) Le **montravel rouge 2010 Vieilles vignes (5 000 b.)** présente des tanins serrés. Il est cité.

☎ Daniel Hecquet, Ch. Puy-Servain, Calabre, 33220 Port-Sainte-Foy, tél. 05 53 24 77 27, fax 05 53 58 37 43, oenovit.puyservain@wanadoo.fr, ☑ ⚘ ⚱ t.l.j. 8h-12h 14h-18h ⌂ Ⓔ

Pécharmant

Superficie : 418 ha
Production : 14 864 hl

Au nord-est de Bergerac, ce « Pech », colline couverte de vignes, donne un vin rouge aux tanins fins et élégants, apte à la garde.

CH. DE BIRAN 2010 ★

	40 000	▮	8 à 11 €

Une très belle présentation pour ce pécharmant à la robe profonde, cerise noire, et au bouquet expressif de fruits noirs confiturés et de kirsch. Après une attaque souple, on retrouve la cerise au sein d'une matière à la fois ronde et fraîche, marquée en finale par des tanins sévères, un rien amers. Son fruit très agréable permettra aux impatients d'apprécier ce vin dès maintenant sur une entrecôte grillée, mais on aura intérêt à l'attendre deux ou trois ans pour qu'il gagne en fondu.

☎ SCEA Alard, Le Theulet, 24240 Monbazillac, tél. 05 53 57 30 43, fax 05 53 58 88 28, alardetfils@wanadoo.fr, ☑ ⚱ t.l.j. sf sam. dim. 8h-12h 14h-18h

CH. CORBIAC 2011

	32 000	▮⬥	8 à 11 €

Antoine de Corbiac, qui a rejoint sa mère Thérèse sur l'exploitation, représente la dix-septième génération sur le domaine. Très ancien, ce vignoble est aussi une valeur sûre, avec quatre coups de cœur en pécharmant. Moins ambitieux que ses devanciers, le 2011 s'annonce par un bouquet bien ouvert sur les fruits des bois et le cassis bien mûrs, avec une pointe de torréfaction apportée par la barrique. Après une attaque surprenante par sa fraîcheur, on retrouve en bouche les arômes de petits fruits perçus au nez, assortis de cuir et de vanille. La matière apparaît ample et ronde, avant que des tanins austères ne prennent le dessus en finale. On pourra toutefois déboucher cette bouteille dès la sortie du Guide.

☎ Durand de Corbiac, Ch. de Corbiac, rte de Corbiac, 24100 Bergerac, tél. 05 53 57 20 75, fax 05 53 57 89 98, corbiac@corbiac.com, ☑ ⚘ ⚱ t.l.j. 9h-19h

Ⓑ DOM. DES COSTES Grande Réserve 2010 ★★

	3 000	⬥	20 à 30 €

Le domaine est conduit depuis 1992 par Nicole Dournel. Il constitue un excellent terrain d'expérimentation pour son mari Jean-Marc, œnologue, qui l'a conduit d'abord en agriculture raisonnée, puis en bio certifié

(2007), avant d'adopter la biodynamie. Bien connue de nos lecteurs, sa Grande Réserve, élevée deux ans en barrique, est un grand vin, grâce à un élevage bien mené. Sous la plume des jurés, le mot « élégance » revient à tous les stades de la dégustation. Élégance du nez au boisé vanillé bien fondu, qui laisse transparaître des notes de fruits confits, de cerise mûre et de pruneau. Élégance de la bouche souple et ronde à l'attaque, soutenue par des tanins veloutés, déjà affables. Un vin racé et de garde qui sera à son apogée entre 2015 et 2020.

☛ Nicole Dournel, 4, rue Jean-Brun, 24100 Bergerac, tél. 05 53 57 64 49, fax 05 53 61 69 08, jeanmarc.dournel@gmail.com,
☑ ⚥ ☓ t.l.j. sf dim. 9h-12h 15h-19h

CH. D'ELLE 2010

| | 9 000 | ⊞⏸ | 11 à 15 € |

Elle ? Jocelyne Pécou, qui a créé son domaine (4 ha) il y a dix ans. Elle dit vouloir faire un « pécharmant d'aujourd'hui », sur le fruit, à apprécier dans sa jeunesse. À lire les fiches des dégustateurs, l'objectif est atteint. Au nez, les fruits noirs s'allient à un boisé délicat aux nuances d'épices douces (clou de girofle) héritées d'un court élevage en fût (sept mois). L'attaque souple révèle un 2010 assez frais, aux tanins denses mais enrobés, plus sévères en finale. « Un vin moderne, sur le fruit », écrit un juré. À apprécier dans les quatre ans sur un civet.

☛ Jocelyne Pécou, 323, chem. de La Briasse, 24100 Bergerac, tél. 05 53 61 66 62, contact@chateaudelle.com,
☑ ☓ t.l.j. 9h-19h; dim. sur r.-v. ⚥ ⏸ ⓒ

DOM. DU GRAND JAURE Mémoire 2010 ★

| | 6 000 | ⏸ | 11 à 15 € |

Cette propriété familiale avait décroché un coup de cœur dans cette appellation grâce à un 2009. Elle présente dans le millésime suivant la cuvée de prestige du domaine, élevée un an en barrique neuve. Le nez élégant mêle la vanille et le cassis. Après une attaque ample et fruitée, les tanins font sentir leur présence en finale, ce qui incite à garder cette bouteille deux à trois ans pour obtenir une texture plus fondue et une meilleure expression du fruit. Le rosette 2012 (5 à 8 € ; 11 190 b.) de l'exploitation a été cité. C'est un moelleux harmonieux, à la palette assez complexe (fleurs blanches, genêt, miel, buis et pêche) et à la bouche équilibrée, suffisamment fraîche.

☛ GAEC Baudry, 16, chem. de Jaure, 24100 Lembras, tél. 05 53 57 35 65, fax 05 53 57 10 13, domaine.du.grand.jaure@wanadoo.fr,
☑ ⚥ ☓ t.l.j. sf dim. 9h-19h

CH. HUGON 2010 ★★

| | 4 000 | ⏸ | 8 à 11 € |

Sébastien Cousy bichonne son petit domaine (4 ha) qu'il exploite en lutte raisonnée. Son 2010 recueille autant d'éloges que le millésime précédent : « Il a ce qu'il faut de fraîcheur pour la garde, de rondeur pour la dégustation et de puissance pour la gastronomie », écrit une dégustatrice, qui verrait bien ce vin accompagner un civet de chevreuil. La robe, profonde, attire, tout comme le nez, intense et fin, élégamment boisé avec ses notes de café, de torréfaction, de réglisse douce qui soulignent le fruit noir. On retrouve la réglisse et le cassis perçus au bouquet dans une attaque souple et ronde. Les tanins se montrent denses et francs, pas encore tout à fait fondus. Une remarquable

bouteille qui sera pleinement épanouie d'ici trois à quatre ans.

☛ Sébastien Cousy, chem. du Hameau-de-Pécharmant, 24100 Bergerac, tél. et fax 05 53 73 23 80, chateau.hugon@neuf.fr, ☑ ⚥ ☓ t.l.j. 9h-12h 14h-18h

DOM. LE PERRIER Cuvée Le Perrier 2011 ★★

| | 1 200 | | 11 à 15 € |

Installé en 2010 sur l'exploitation familiale, Alexis Labat a fait ses classes dans le Bordelais. Il replante le domaine en augmentant les densités et vinifie des cuvées en barrique, comme celle-ci, qui en impose dès la présentation, avec sa robe profonde, presque noire, aux reflets violets. Tout aussi intense, le nez dévoile un boisé grillé de bonne facture, qui tend cependant à masquer le fruit. La bouche, elle aussi, est dominée par le merrain, mais sa belle matière, sa concentration et sa vivacité finale laissent penser qu'elle pourra se conserver assez longtemps pour assimiler l'élevage. Le type même de la bouteille de garde, à oublier en cave cinq ans, voire une décennie.

☛ Dom. le Perrier, Les Graves, 24140 Queyssac, tél. 05 53 27 11 76 ☑ ⚥ ☓ t.l.j. 8h-12h 14h-19h
☛ Guyon-Labat

♥ CH. LA RENAUDIE Les Vieilles Vignes
Élevé en fût de chêne 2011 ★★

| | 7 000 | ⏸ | 15 à 20 € |

PÉCHARMANT
APPELLATION PÉCHARMANT CONTRÔLÉE
Les Vieilles Vignes
Château La Renaudie
Vin Élevé en Fûts de Chêne

Un vignoble de taille respectable : 40 ha, soit environ 10 % de la surface de l'AOC. Pour cette cuvée, Olivier Allamagny a assemblé par tiers merlot, cabernet-sauvignon et malbec qui ont fait l'objet d'une vinification intégrale : les raisins ont été entonnés directement en barrique dans le but d'obtenir une meilleure intégration du bois. Le vin a convaincu le jury, tombé sous le charme de sa robe presque noire à reflets pourprés et de sa palette complexe, alliant le cassis à de fines touches boisées et poivrées. Le fruit noir, bien présent dès l'attaque, est souligné d'une note d'élevage. Les tanins du vin, suaves, s'accordent parfaitement avec ceux du merrain et la finale chocolatée, avec un retour du fruit noir, laisse une impression d'harmonie. Déjà agréable, ce 2011 se gardera trois à quatre ans. La cuvée classique 2011 rouge (8 à 11 € ; 40 000 b.), également élevée sous bois, obtient une étoile. Séduisante, elle ressemble à la précédente, avec une structure un peu plus légère.

☛ Ch. la Renaudie, La Renaudie, 24100 Lembras, tél. 05 53 27 05 75, fax 05 53 73 37 10, contact@chateaurenaudie.com, ☑ ⚥ ☓ t.l.j. 10h-19h

FOLLY DU ROOY 2010 ★★

| | 6 000 | ⏸ | 15 à 20 € |

Depuis le rachat de la propriété il y a quinze ans, Gilles et Laetitia Gérault n'ont pas ménagé leurs efforts et leur investissement, restructurant le vignoble et créant des installations d'accueil, de stockage et, maintenant, de vinification. Cette cuvée spéciale, qui n'est élaborée que les bonnes années, a particulièrement séduit, frôlant le coup de cœur. Privilégiant les cabernets (80 %), elle a été élevée dix-huit mois en barrique. La robe profonde annonce un nez aromatique, sur les fruits rouges et le cassis mûrs enrobés dans un léger boisé, vanillé et réglissé. L'attaque ronde, presque douce, est relayée par des impressions de fraîcheur. Les tanins serrés, un peu fermes en finale, témoignent d'une extraction bien menée ; le boisé marqué reste élégant. Une bouteille à la fois flatteuse et de garde, qui dépassera la décennie.

☛ Gilles et Laetitia Gérault, Rosette, 24100 Bergerac, tél. 05 53 24 13 68, contac@chateau-du-rooy.fr, ☒ ⚔ ⊤ t.l.j. 10h-19h ; dim. sur r.-v.

CH. DE TIREGAND Grand Millésime 2011 ★

| ■ | 9 000 | ■ ⑾ | 15 à 20 € |

Au XVIIIᵉs., cet imposant château appartenait à un président au parlement de Bordeaux. Aujourd'hui, François-Xavier de Saint-Exupéry gère un domaine de 460 ha, dont 35 ha de vignes. La propriété est une fois de plus au rendez-vous du Guide et ce, pour toute sa production. La cuvée Grand Millésime, vieillie un mois en cuve et dix-huit mois en fût de chêne, offre un nez assez complexe, partagé équitablement entre les fruits mûrs et le boisé épicé, vanillé de l'élevage. L'attaque est ronde, souple, élégante et gourmande ; les tanins apparaissent déjà bien fondus. Un vin harmonieux et au potentiel de garde intéressant (trois ans). La **cuvée classique 2011 rouge (8 à 11 € ; 100 000 b.)** a été citée pour son nez mêlant les fruits rouges et noirs à un léger boisé et pour sa matière fraîche, encore marquée par la barrique.

☛ SCEA Ch. de Tiregand, 118, rte de Sainte-Alvère, 24100 Creysse, tél. 05 53 23 21 08, fax 05 53 22 58 49, chateautiregand@orange.fr, ☒ ⚔ ⊤ r.-v.
☛ Héritiers de Saint-Exupéry

Rosette

Superficie : 10,6 ha
Production : 402 hl

Dans un amphithéâtre de collines dominant au nord la ville de Bergerac et sur un terroir argilo-graveleux est installée l'appellation la plus confidentielle de la région, qui produit un vin moelleux.

DOM. DE COUTANCIE 2012

| ■ | 9 000 | ■ | 5 à 8 € |

Le fondateur du domaine était un ouvrier agricole qui acheta son lopin au XIXᵉs. Son arrière-petite-fille, Nicole Maury, exploite quelque 5 ha de vignes et organise tous les jeudis d'été des goûters au domaine. Elle est très attachée au rosette, moelleux confidentiel. Ce 2012 assemble le sémillon (70 %) et la muscadelle. Le nez expressif s'ouvre sur les fleurs blanches, tandis que la bouche s'oriente vers les fruits jaunes (pêche). Si la finale est un peu courte, l'ensemble séduit par son équilibre entre les sucres et l'acidité.

☛ Dom. de Coutancie, SCEA Maury, 7, chem. de Fongravière, 24130 Prigonrieux, tél. 05 53 57 52 26, fax 05 53 58 52 76, coutancie@wanadoo.fr, ☒ ⚔ ⊤ r.-v. 🏠 🅴
☛ Nicole Maury

Côtes-de-duras

Superficie : 1 943 ha
Production : 111 660 hl (65 % rouge et rosé)

Entre côtes-du-marmandais au sud et Bergeracois au nord, ce vignoble fait la jonction entre ceux de la Garonne et ceux de la Dordogne. Il est implanté sur des coteaux découpés par la Dourdèze et ses affluents, aux sols d'argilo-calcaires et de boulbènes. Prolongement du plateau de l'Entre-deux-Mers, il a accueilli tout naturellement les cépages bordelais : en blanc, sémillon, sauvignon et muscadelle ; en rouge, cabernet franc, cabernet-sauvignon, merlot et malbec. Historiquement, il a été marqué par l'influence des huguenots, très présents dans la région. Après la révocation de l'édit de Nantes, les exilés protestants faisaient venir, dit-on, le vin de Duras jusqu'à leur retraite hollandaise et marquaient d'une tulipe les rangs de vigne qu'ils se réservaient. Le vignoble se partage entre les vins blancs, secs ou moelleux, et les vins rouges, souvent vinifiés en cépages séparés. Il produit aussi des rosés. La Maison des Vins de Duras permet de découvrir tous ces vins ainsi que les cépages, dans un jardin des vignes où l'on peut pique-niquer.

♥ DOM. DES ALLÉGRETS
Cuvée Champ du bourg 2011 ★★

| ■ | 4 000 | ■ | 8 à 11 € |

Après un double coup de cœur dans l'édition précédente (Les Grandes Règes 2010 en rouge, le sauvignon 2011 en blanc), le domaine des Allégrets ajoute une ligne à un palmarès déjà bien fourni. Plantés sur un plateau dominant le village de Villeneuve-de-Duras, des ceps de sémillon (70 %) et de sauvignon âgés de quatre-vingts ans ont donné naissance à un superbe moelleux d'un jaune pâle brillant, au nez délicat de fleurs blanches et de miel, au palais onctueux ne tombant jamais dans l'excès de richesse grâce à une fraîcheur remarquable. Un vin aérien, qui pourra accompagner tout un repas. Le **sauvignon**

2012 (5 à 8 € ; 15 000 b.), noté une étoile, est un blanc au nez frais et bien typé (bourgeon de cassis), plus suave et rond en bouche. La cuvée **Voyage d'Œnos 2011 rouge (20 000 b.)**, encore sous l'emprise de la barrique mais suffisamment structurée pour digérer son élevage, est citée. On l'attendra deux ou trois ans.

🏠 Famille Blanchard, Dom. des Allégrets,
47120 Villeneuve-de-Duras, tél. 05 53 83 09 22,
fax 05 53 94 74 56, contact@allegrets.com, ☑ ⋏ ⋎ r.-v.

DOM. AMBLARD Cuvée spéciale 2011 ★

■	42 000	📖 5 à 8 €

2011 fut un millésime favorable à l'élaboration des moelleux, témoin cette cuvée à dominante de sauvignon gris (70 %), avec le sauvignon blanc et le chenin en appoint. Le nez évoque les petits fruits surmûris ; le palais se révèle ample et gras, riche sans excès ; l'ensemble est équilibré. Le **blanc sec 2012 (moins de 5 € ; 85 000 b.)** fait lui aussi la part belle au sauvignon gris associé à son cousin blanc. Il est cité pour ses arômes flatteurs d'agrumes et d'abricot.

🏠 Dom. Amblard, Amblard, 47120 Saint-Sernin-de-Duras,
tél. 05 53 94 77 92, fax 05 53 94 27 12,
domaine.amblard@wanadoo.fr,
☑ ⋏ ⋎ t.l.j. sf sam. dim. 8h30-12h 14h-18h
🏠 Pauvert

L'ÂME DU TERROIR 2011 ★

■	18 400	- de 5 €

Cette marque des magasins Cora propose un 2011 d'un beau rouge cerise au nez ouvert et élégant de fruits rouges frais. La bouche, à l'unisson, se montre ronde et souple, misant sur la légèreté plutôt que sur la puissance, et portée par des tanins fins. À boire dans les deux ans avec une entrecôte au beurre d'échalote.

🏠 GRM, ZAE de l'Arbalestrier, 33220 Pineuilh,
tél. 05 57 41 91 50, fax 05 57 46 42 76, contact@grm-vins.fr

BERTICOT Premier frimas 2011 ★★

■	16 480	📖 5 à 8 €

Dans la gamme des blancs de Berticot, voici quatre cuvées de belle facture, en sec et en moelleux. Dans cette seconde catégorie, cette cuvée Premier frimas, parée de vieil or, séduit par ses parfums intenses et élégants de fruits confiturés et de miel, et par son palais gras, suave et riche. Un vin puissant et concentré, qui ne perd toutefois jamais l'équilibre et reste frais. Citée, la cuvée **Quintessence de Berticot 2011** est aussi un moelleux de caractère, dense et riche. Quant au **Secret de Berticot sauvignon 2012 (moins de 5 €)**, c'est un blanc sec floral et fruité, ample et élégant, qui fera briller ses deux étoiles sur un plateau de fruits de mer ou d'un poisson grillé. Toujours en blanc sec, la **Cuvée première sauvignon 2012 (200 000 b.)**, fraîche et fruitée, obtient une étoile. On citera également la **Cuvée première 2011 rouge (moins de 5 € ; 200 000 b.)**, souple, gouleyante et fruitée.

🏠 Cave de Berticot, rte de Sainte-Foy-la-Grande,
47120 Duras, tél. 05 53 83 75 47, fax 05 53 83 82 40,
contact@berticot.com, ☑ ⋏ ⋎ r.-v.

Ⓑ BB DE BERTICOT 2012

■	20 000	📖 5 à 8 €

Dans la série BB, les vins affichent le logo AB. Ce rosé se présente dans une robe soutenue, dévoilant des parfums frais et intenses de fruits rouges et de bourgeon de cassis. Une vivacité et un fruité que l'on retrouve dans

une bouche longue et tonique et qui se marieront volontiers à une assiette de charcuterie. Le **BB de Berticot 2012 blanc (45 000 b.)**, joliment fruité (fruits exotiques, agrumes) et équilibré, est également cité.

🏠 Cave de Berticot, rte de Sainte-Foy-la-Grande,
47120 Duras, tél. 05 53 83 75 47, fax 05 53 83 82 40,
contact@berticot.com, ☑ ⋏ ⋎ r.-v.

DOM. LES BERTINS Cuvée Dominique
Élevé en fût de chêne 2010 ★

■	7 500	⫿⫿ 8 à 11 €

Née de raisins de merlot (80 %) et de cabernet-sauvignon triés à la main, cette cuvée grenat aux reflets pourpres dévoile des parfums intenses de fruits rouges mûrs accompagnés des nuances torréfiées de l'élevage. Le palais se révèle ample, croquant, fruité et épicé, adossé à des tanins souples et fins et à un boisé qui reste à sa place. Un vin harmonieux, à déguster dès aujourd'hui sur un confit de canard.

🏠 Dom. les Bertins, Les Bertins, 47120 Saint-Astier,
tél. 05 53 94 76 26, fax 05 53 94 76 64, contact@lesbertins.fr,
☑ ⋎ t.l.j. sf dim. 9h-12h30 14h-19h 🏠 Ⓑ

DOM. DE DAME BERTRANDE Les Pruniers 2010

■	4 384	11 à 15 €

En 2009, Brice Tingaud a rejoint son père Alain à la tête de ce domaine de 18 ha en conversion bio. Il signe un 2010 de bonne facture, issu d'un assemblage classique de merlot et de cabernet-sauvignon. Le nez libère des notes plaisantes de petits fruits rouges. L'attaque est souple et fruitée, le milieu de bouche plus riche et rond, d'une puissance contenue. À boire sur son fruit.

🏠 Tingaud, Les Guignards, 47120 Saint-Astier,
tél. 05 53 94 74 03, chateaupb@gmail.com,
☑ ⋏ ⋎ t.l.j. 9h-12h 13h-18h; sam. dim. sur r.-v. 🏠 Ⓓ

DOM. DE FERRANT Tradition 2011 ★

■	16 000	📖⫿⫿ 5 à 8 €

Marie-Thérèse et Denis Vuillien ont fait le choix d'une retraite active en reprenant en 2003 ce domaine de 13 ha. Ils proposent ici un beau trio de vins issus du merlot et des deux cabernets. Ce Tradition se distingue par son bouquet intense de fruits noirs (cassis) et de grillé-toasté, et par son palais ample et rond, où le boisé respecte le fruit. Il est prêt. Le **rouge Fût 2011 (8 à 11 € ; 6 000 b.)**, dans un registre plus tannique et puissant, et la cuvée **Hugo 2011 rouge (8 à 11 € ; 5 000 b.)**, charnue, concentrée et dotée de tanins soyeux, obtiennent également une étoile. On pourra les laisser en cave pendant deux ou trois ans.

🏠 SCEA Vignobles Vuillien, Dom. de Ferrant,
47120 Esclottes, tél. 05 53 84 45 02, fax 05 53 93 52 10,
vignobles.vuillien@free.fr,
☑ ⋏ ⋎ t.l.j. 9h-18h; sam. dim. sur r.-v.

CH. DE GORRICHON Sauvignon 2012 ★

■	46 000	📖 - de 5 €

Vinifié par la cave coopérative de Duras, ce blanc issu de sauvignon se pare d'une élégante robe jaune clair aux reflets verts. Il dévoile un nez fin, floral (genêt) et fruité (pêche), agrémenté d'une touche bien typée de bourgeon de cassis. Une même ligne aromatique caractérise un palais rond, charnu et long. À réserver pour une viande blanche ou un poisson en sauce. Également proposé par Berticot, le **Ch. Duclos 2011 rouge (19 600 b.)**, frais, fruité et bien charpenté, est cité. On le laissera s'affiner encore un an ou deux.

➤ Cave de Berticot, rte de Sainte-Foy-la-Grande, 47120 Duras, tél. 05 53 83 75 47, fax 05 53 83 82 40, contact@berticot.com, ☑ ⚹ ❢ r.-v.

LA GRANGE AUX GARÇONS 2011 ★

| ■ | 20 000 | ◫ | 8 à 11 € |

Cette cuvée proposée par la cave de Berticot (plus de 50 % de la production de l'appellation) tire son nom de la parcelle d'où elle provient. Au nez, les fruits mûrs se mêlent à des notes épicées, torréfiées et mentholées. Cet équilibre entre fraîcheur, boisé et générosité se retrouve dans une bouche ronde et charnue, aux tanins enveloppés. Un vin harmonieux, à déguster d'ici deux ou trois ans. Le **Berticot Vieilles Vignes 2011 rouge (moins de 5 € ; 45 000 b.)**, fruité, fin et frais, obtient également une étoile. La **Cuvée sans nom Pièces nobles 2011 rouge (11 à 15 € ; 6 600 b.)**, souple en attaque, plus puissante et tannique dans son développement, est citée.

➤ Cave de Berticot, rte de Sainte-Foy-la-Grande, 47120 Duras, tél. 05 53 83 75 47, fax 05 53 83 82 40, contact@berticot.com, ☑ ⚹ ❢ r.-v.

Ⓑ DOM. LES HAUTS DE RIQUETS Le Mignon 2011 ★

| ■ | 4 000 | ■ | 8 à 11 € |

Quoi de neuf au domaine de Marie-Jo et Pierre Bireaud ? Après le gîte rural, le sentier botanique et l'agriculture bio (la biodynamie est dans le viseur), les propriétaires ont lancé des ateliers du goût avec l'installation d'une cuisine dans une partie du chai. Avec ce 2011 généreux, c'est vers une viande mijotée que l'on se dirigera. Le vin se montre en effet riche et charnu, enrobé de fruits bien mûrs et étayé par des tanins concentrés et un bon boisé. À attendre deux ou trois ans.

➤ Hauts de Riquets, Les Riquets, 47120 Baleyssagues, tél. 05 53 83 83 60, marie-jose.bireaud@wanadoo.fr, ☑ ⚹ ❢ t.l.j. 10h-19h; sam. dim. 14h-19h; hors saison sur r.-v. ⌂ Ⓔ
➤ Bireaud

DOM. DE LAPLACE Harmonie
Élevé en fût de chêne 2011 ★

| ■ | 12 500 | ■◫ | 5 à 8 € |

Jean-Luc Carmelli signe un 2011 de caractère, paré d'une robe profonde, qui révèle au nez une palette d'une belle complexité entre notes vanillées et toastées, senteurs d'épices et de fruits mûrs. La bouche, ronde et douce, s'appuie sur un boisé bien fondu et sur des tanins fins et enrobés qui donnent du volume à l'ensemble. Une bouteille harmonieuse et avenante, à boire dans deux ou trois ans sur une viande en sauce. Le **rouge 2011 (11 250 b.)** élevé en cuve est cité pour son fruité, son caractère friand et sa souplesse.

➤ Jean-Luc Carmelli, Laplace, 47120 Saint-Jean-de-Duras, tél. 05 53 83 00 77, laplace.carmelli@wanadoo.fr, ☑ ⚹ ❢ t.l.j. 9h-12h 14h-18h ⌂ Ⓓ

DOM. DE LAULAN Sauvignon 2012 ★★

| ■ | 90 000 | ■ | - de 5 € |

Ce domaine, dont les vins issus de sauvignon sont souvent remarqués, est une valeur sûre de l'appellation. Le 2012 tient son rang. Paré d'une robe jaune paille, il dévoile un bouquet puissant d'agrumes et de genêt, vivifié par une touche de pierre à fusil, et une bouche ronde, riche et charnue. Un vin généreux, à déguster sur une viande blanche, une volaille ou un poisson en sauce. Même note pour le **M de Laulan 2010 rouge (8 à 11 € ; 3 000 b.)**, cuvée haut de gamme née du seul merlot et élevée douze mois en barrique. C'est un vin gourmand, boisé (café torréfié, cacao), épicé et un rien mentholé, rond et plein en bouche, mais encore un peu austère en finale. On pourra commencer à l'apprécier dans deux ou trois ans. Le **Duc de Laulan 2010 rouge Élevé en fût de chêne (5 à 8 € ; 3 000 b.)** obtient une étoile pour son boisé fondu et respectueux du fruit, pour sa bouche tendre aux tanins soyeux. Une pointe de sévérité en finale appelle une petite garde d'un an ou deux.

➤ EARL Geoffroy, Dom. de Laulan, Petit-Sainte-Foy, 47120 Duras, tél. 05 53 83 73 69, fax 05 53 83 81 54, contact@domainelaulan.com,
☑ ⚹ ❢ t.l.j. 8h-12h 14h-18h30; sam. dim. sur r.-v.

Ⓑ DOM. MAURO GUICHENEY 2011 ★

| ■ | 8 000 | ■ | 8 à 11 € |

Deux cuvées de pur merlot, l'une comme l'autre élevées en cuve, sont sélectionnées. Chacune obtient une étoile, l'une sous l'étiquette noire **Mauro Guicheney I 2011 (11 à 15 € ; 4 000 b.)**, l'autre sous une étiquette rouge et sans le « I ». Les profils sont similaires : un fruité mûr, un caractère velouté et soyeux, de la rondeur, des tanins fondus. Des vins à boire dans les deux ou trois ans à venir.

➤ Corine, Didier et Audric Mauro, Saint-Léger, 47120 Villeneuve-de-Duras, tél. 06 89 37 41 75, fax 05 53 94 74 42, earlmauroguicheney@wanadoo.fr, ☑ ⚹ ❢ r.-v.

CH. MOLHIÈRE Terroir des ducs 2011

| ■ | 14 000 | ■ | 5 à 8 € |

Est-ce le passage de Patrick Blancheton dans le vignoble de Pessac-Léognan qui a conduit à cette cuvée largement dominée par le cabernet-sauvignon (80 %) ? Avec son frère Francis, le vigneron a sélectionné 2,2 ha de vignes pour élaborer ce vin au nez de fruits mûrs, et au palais frais et structuré sans excès. À découvrir dans les deux ans à venir, sur une grillade de bœuf.

➤ Blancheton Frères, La Moulière, 47120 Duras, tél. 05 53 83 70 19, fax 05 53 83 07 30, molhiere@wanadoo.fr, ☑ ❢ t.l.j. 9h-12h30 14h30-19h

LE MÉDAILLON DU CH. LA MOULIÈRE
Élevé en fût de chêne 2011

| ■ | 16 000 | ◫ | 5 à 8 € |

Nouvelle venue dans le Guide, cette maison de négoce présente un 2011 encore sous l'emprise du bois, soutenu néanmoins par des tanins déjà soyeux. Un vin de terroir qu'il conviendra d'attendre un an afin qu'il s'harmonise.

➤ Maison Vignerons récoltants, Le Bourg, 47200 Saint-Pardoux-du-Breuil, tél. 05 53 64 18 84, fax 05 55 64 22 82, caroline.brisset@ondur.fr, ☑ t.l.j. sf sam. dim. 9h-12h 14h-16h

Ⓑ DOM. DU PETIT MALROMÉ Céleste 2011 ★

| ■ | 11 000 | ■ | 5 à 8 € |

Passé du bio (1997) à la biodynamie (2007), ce domaine poursuit sa quête d'une « production nature ». Il propose ici un 2011 à forte dominante de merlot (90 %), avec le cabernet franc en appoint, qui s'ouvre d'emblée sur les fruits mûrs agrémentés d'une touche animale. Le palais est à l'unisson, plein et velouté, avec une note épicée et une pointe de fraîcheur. L'ensemble, déjà harmonieux, pourra être attendu deux ou trois ans.

☛ EARL du Petit Malromé, Le Lac,
47120 Saint-Jean-de-Duras, tél. 05 53 89 01 44,
petitmalrome@wanadoo.fr, ☑ ☥ ☨ r.-v.

☛ A. Lescaut

CH. LES ROQUES 2011 ★

| ■ | 10 092 | - de 5 € |

Cette propriété familiale étend son vignoble sur l'un des points hauts du Lot-et-Garonne, un plateau argilo-calcaire exposé au sud-est. Le merlot et les deux cabernets y ont donné naissance à ce vin au nez délicat de fruits frais, d'épices et de pain grillé. Après une attaque souple et fruitée, la bouche se montre douce et soyeuse, soutenue par des tanins fondus. Une bouteille à boire dans sa jeunesse, sur une viande rouge grillée.

☛ SCEA Ch. Guillaume, 33220 Saint-Philippe-du-Seignal, tél. 05 57 41 91 50, fax 05 57 46 12 76, grmsa@grm-vins.fr,
☑ ☥ ☨ r.-v.

DOM. DE LA TUILERIE LA BREILLE Sauvignon 2012 ★

| ■ | 5 000 | ■ | - de 5 € |

Jean-Marie Ossard a repris en 1993 le domaine de son beau-père, avec qui il a appris le métier. L'esprit de famille est toujours présent, le vigneron étant épaulé par son épouse, sa belle-sœur et son beau-frère. Côté cave, voici un blanc sec 2012 jaune d'or, au nez intense d'agrumes et de genêt relevé d'une touche poivrée, rond et charnu en bouche, avec juste ce qu'il faut de fraîcheur pour assurer l'équilibre. Tout indiqué pour un poisson en sauce.

☛ EARL des Monts d'Or, La Tuilerie, 47120 Loubès-Bernac, tél. 05 53 94 78 32, fax 05 53 94 58 32, latuilerie47@lgtel.fr,
☑ ☥ ☨ t.l.j. sf dim. 8h-20h

☛ Ossard-Patriarca

Le piémont pyrénéen

Madiran

Superficie : 1 273 ha
Production : 61 738 hl

D'origine gallo-romaine, le madiran fut pendant longtemps le vin des pèlerins de Saint-Jacques-de-Compostelle, avant de retrouver la notoriété grâce à la gastronomie du Gers. Son aire de production, à quelque 40 km au nord-est de Pau, est à cheval sur trois départements : le Gers, les Hautes-Pyrénées et les Pyrénées-Atlantiques. Le cépage roi à l'origine de ce vin rouge est le tannat, complété par les cabernet franc (ou bouchy), cabernet-sauvignon et fer-servadou (ou pinenc). Les vignes, cultivées en demi-hautain, partagent les coteaux avec cultures et bosquets.

Les madiran traditionnels, à forte proportion de tannat, sont colorés et virils. Très tanniques, ils supportent bien le passage sous bois et doivent attendre quelques années. Avec l'âge, ils se montrent à la fois sensuels, charnus et charpentés et s'allient avec le gibier et les fromages de brebis des hautes vallées. Lorsqu'ils sont moins riches en tannat et issus de cuvaisons plus courtes, les madiran sont plus souples et fruités. Ils peuvent alors être servis jeunes, avec les confits d'oie et les magrets saignants de canard.

CH. BARRÉJAT Cuvée de l'Extrême
Élevé en fût de chêne neuf 2010 ★

| ■ | 4 000 | ⫯⫯ | 11 à 15 € |

Née d'un assemblage largement dominé par le tannat, cette cuvée de l'Extrême est un madiran au caractère affirmé mais qui sait garder de la mesure. Derrière une robe dense et sombre se dévoile un bouquet dominé par un boisé aux accents de vanille, de coco et de boîte à cigares. Après une attaque suave, la bouche se montre puissante, corsée et tout aussi boisée, même si le fruit perce en finale. On laissera cette bouteille s'affiner encore trois à cinq ans. Le **pacherenc-du-vic-bilh moelleux Cuvée de la Passion Élevé en fût de chêne 2011 (5 à 8 € ; 4 000 b.)** obtient une étoile. Il affiche lui aussi un boisé intense, beaucoup de richesse et de concentration. À boire ou à attendre quatre ou cinq ans. Quant au madiran **Cuvée des Vieux Ceps 2010 Élevé en fût de chêne (5 à 8 € ; 33 000 b.)**, il est cité pour sa souplesse, sa rondeur et ses tanins enrobés. Il est prêt.

☛ Denis Capmartin, Ch. Barréjat,
32400 Maumusson-Laguian, tél. 05 62 69 74 92,
fax 05 62 69 77 54, deniscapmartin@laposte.net,
☑ ☥ ☨ t.l.j. sf dim. 8h30-12h30 14h-19h

DOM. BERTHOUMIEU Haute Tradition 2011 ★

| ■ | 80 000 | ■ | 5 à 8 € |

Une valeur sûre de l'appellation, présente avec deux cuvées de belle facture. Préférence est donnée à ce 2011 richement bouqueté autour des fruits rouges frais. La bouche plaît par sa rondeur, tapissée par un beau fruité mûr et par des tanins soyeux et fondus, tandis qu'une touche de minéralité vient réveiller la finale. Un vin à la fois gourmand, tonique et fin, à déguster dès aujourd'hui. La cuvée **Charles de Batz 2010 (11 à 15 € ; 40 000 b.)**, dans un style boisé et plus puissant, sans toutefois manquer de vivacité, est citée. On l'attendra deux ou trois ans.

☛ Didier Barré, Dom. de Berthoumieu, 32400 Viella,
tél. 05 62 69 74 05, fax 05 62 69 80 64,
barre.didier@wanadoo.fr,
☑ ☥ ☨ t.l.j. 8h-12h 14h-19h; dim. sur r.-v.

DOM. BORIES Vieilles Vignes 2011 ★

| ■ | 6 000 | ■ ⫯⫯ | 11 à 15 € |

Repris en 2006 par Vincent Chabert, ce domaine étend ses vignes sur 11,5 ha, dont 2 ha sont consacrés à cette cuvée qui associe les cabernets au tannat. Le nez séduit par son fruité intense et mûr. Lui fait écho un palais ample et gras, persistant sur les fruits confiturés soulignés par un boisé fin. Un madiran charmeur, à boire au cours des trois ou quatre prochaines années. Le **pacherenc-du-vic-bilh moelleux 2011 (5 300 b.)**, bien équilibré

SUD-OUEST

entre fraîcheur et douceur, entre fruité et boisé, obtient également une étoile.

📞 SCEA Vignobles Vincent Chabert, 10, rte du Boscq, 64350 Crouseilles, tél. 05 59 68 16 24, dom.desbories-madiran@orange.fr, ☑ ⚹ ⊤ r.-v.

CLOS DE L'ÉGLISE 2011

| ■ | 20 000 | ▮ | 5 à 8 € |

Tannat (70 %) et cabernet franc composent ce 2011 discret mais plaisant au nez, qui évoque les fruits noirs, les épices et la réglisse. La bouche offre une bonne mâche, de la rondeur et des tanins soyeux. Plus sévères en finale, ces derniers s'affineront après une garde de deux ou trois ans.

📞 Arnaud Vigneau, 7, rte de l'Église, 64350 Crouseilles, tél. et fax 05 59 68 13 46, closdeleglise@orange.fr, ☑ ⚹ ⊤ t.l.j. 9h-12h 14h-18h; f. 15-30 août

COURTET LAPERRE Grande Réserve Vieilles Vignes Élevé en fût de chêne 2011 ★★

| ■ | 120 000 | ◫ | 8 à 11 € |

Saint-mont, pacherenc, madiran, vins de pays, la cave coopérative de Saint-Mont a toujours de belles cuvées à proposer, que ce soit sous son étiquette Plaimont Producteurs ou sous celle du Vignoble de Gascogne. Avec cette dernière, elle propose un assemblage tannat-pinenc-cabernet-sauvignon du meilleur effet, qui mêle agréablement senteurs fruitées, épicées, réglissées et toastées. La bouche se montre ample, solidement charpentée, à la fois généreuse et fraîche, bref équilibrée. Un madiran de bonne garde (cinq ans et plus). Le pacherenc-du-vic-bilh moelleux 2012 (11 à 15 € ; 15 000 b.), tout en finesse et en fruité (agrumes confits, fruits blancs mûrs), obtient lui aussi deux étoiles. Sous l'autre marque, le madiran **Plaimont Producteurs Terres de Moraines 2011** (5 à 8 € ; 100 000 b.), né des mêmes cépages que le Courtet Laperre, est porté sur les fruits noirs et les épices (poivre), au nez comme en bouche, étayé par des tanins soyeux et fondus. Une jolie gourmandise à découvrir dans les deux ans à venir. Une étoile.

📞 Producteurs Vignoble de Gascogne, 32400 Saint-Mont, tél. 05 62 69 62 87, fax 05 62 69 66 71, d.caillard@plaimont.fr, ☑ ⚹ ⊤ r.-v. 🏠 ❸ 🏠 ⓞ

♥ CH. DE CROUSEILLES 2011 ★★

| ■ | 40 000 | ◫ | 8 à 11 € |

Coup de cœur l'an dernier pour son madiran Folie du Roi 2010, la cave coopérative de Crouseilles se hisse au sommet de l'appellation avec ce 2011 de haute expression. Issu du tannat (70 %) et des deux cabernets, le vin se pare d'une robe sombre tirant sur le noir. Il livre un bouquet

d'abord sous l'emprise d'un boisé luxueux, puis apparaissent les fruits noirs confits et la réglisse. La bouche fait la synthèse entre la force et la douceur. Caressante en attaque, elle monte en puissance, soutenue par des tanins fondus et soyeux et par un boisé épicé parfaitement intégré, avant de retrouver en finale les accents réglissés et fruités de l'olfaction. Un madiran de garde, à attendre au moins quatre ou cinq ans et armé pour la décennie. Trois autres madiran sont retenus avec une étoile : le **Carte d'or 2011** (moins de 5 € ; 200 000 b.), pour son côté soyeux, fruité et élégant, à boire jeune (élevé en cuve) ; la **Folie de roi 2011** (5 à 8 € ; 40 000 b.), boisée et bien structurée, à attendre trois à cinq ans ; la **Grande Réserve d'or Élevé en fût de chêne 2011** (5 à 8 € ; 60 000 b.), à la fois onctueuse et puissante, elle aussi à mettre en cave quelques années.

📞 Cave de Crouseilles, Vignerons récoltants du Vic-Bilh, rte du Château, 64350 Crouseilles, tél. 05 62 69 66 77, fax 05 62 69 66 08, m.darricau@crouseilles.fr, ☑ ⚹ ⊤ r.-v.

DOM. DAMIENS Saint-Jean 2011

| ■ | 12 000 | ▮◫ | 8 à 11 € |

Ce pur tannat se présente dans une robe sombre comme il se doit. Il dévoile un bouquet encore sous l'emprise du merrain, qui laisse percer quelques notes fruitées à l'agitation. La bouche se montre chaleureuse, dévoilant des arômes de fruits à l'eau-de-vie, de réglisse et de cacao. Un madiran plutôt corsé, à carafer avant le service. La cuvée **Tradition 2011** (5 à 8 € ; 30 000 b.), fruitée et épicée, est également citée.

📞 Pierre-Michel Beheity, Dom. Damiens, 64330 Aydie, tél. 05 59 04 03 13, fax 05 59 04 02 74, domainedamiens@numeo.fr, ☑ ⚹ ⊤ t.l.j. 9h-12h30 14h-19h; dim. sur r.-v.

DOM. DOU BERNÈS 2011 ★

| ■ | n.c. | | 5 à 8 € |

Jean-Paul Cazenave signe ici un madiran gourmand et déjà fort aimable. Au nez, les fruits rouges et noirs se mêlent aux épices et à la réglisse. Après une attaque souple et franche, le palais se montre ample, charnu et velouté. Une harmonie et un caractère soyeux que l'on retrouve dans le madiran **Élevé en fût de chêne 2011** (4 800 b.), cité pour son boisé bien fondu, pour ses tanins souples et sa rondeur. À boire dans les deux ou trois ans.

📞 Cazenave, EARL Dou Bernès, Curon, 64330 Aydie, tél. 05 59 04 06 78, fax 05 59 04 05 79, domaine.doubernes@orange.fr, ☑ ⚹ ⊤ t.l.j. 8h-13h 14h-19h

GRAIN DU MOULIN 2011 ★

| ■ | 9 000 | ▮ | 5 à 8 € |

Ce domaine créé en 2005 propose une cuvée noire comme de l'encre. « C'est du tannat sans aucun doute », écrit un dégustateur. De fait, le cépage compose 80 % de l'assemblage et confère au vin des parfums intenses de fruits noirs très mûrs, une matière riche et douce, presque crémeuse, qui enrobe bien les tanins. Déjà gourmand, ce madiran pourra aussi patienter deux ou trois ans dans votre cave.

📞 La Vigne du Moulin, chem. du Centre, 64330 Vialer, tél. 05 59 04 07 99, ladeveze-olivier@wanadoo.fr, ☑ ⚹ ⊤ r.-v.

📞 Olivier Ladeveze

♥ **DOM. LABRANCHE LAFFONT** Vieilles Vignes 2010 ★★

■   22 000   ▮▥   11 à 15 €

Depuis son installation en 1992 à la tête du domaine familial, l'œnologue Christine Dupuy s'est imposée comme l'une des valeurs sûres de l'appellation. Elle emporte l'adhésion avec cette cuvée née de vieux ceps de tannat de soixante-dix ans. Après douze mois de barrique puis douze mois de cuve, ce vin dévoile un bouquet intense et subtil qui mêle les fruits noirs mûrs à un boisé fin (moka, cacao) et à une touche de Zan. Souple et ronde en attaque, la bouche affiche beaucoup de volume et de fraîcheur, renforcée par un boisé élégant et par des tanins denses et soyeux. Un madiran harmonieux, à déguster aussi bien jeune (deux ou trois ans) que plus âgé. La cuvée principale **Dom. Labranche Laffont 2011 (5 à 8 € ; 54 000 b.)** n'a pas connu le bois. Douce, souple et fruitée, elle s'appréciera sur son fruit. Elle reçoit une étoile. Le **pacherenc-du-vic-bilh sec 2012 (8 à 11 € ; 10 700 b.)** est cité. Encore un peu sous l'emprise du bois, mais intéressant par sa complexité (fleurs blanches, pomme, épices) et par sa fraîcheur, il restera un an ou deux en cave.

☞ Christine Dupuy, 32400 Maumusson-Laguian,
tél. 05 62 69 74 90, fax 05 62 69 76 03,
christine.dupuy@labranchelaffont.fr,
☑ ☀ ☏ t.l.j. 9h-12h30 14h-19h; dim. sur r.-v.

♥ **CH. MONTUS** La Tyre 2010 ★★

■   11 000   ▮▥   + de 100 €

Les années se suivent et se ressemblent aux vignobles Brumont : des étoiles, beaucoup, et des coups de cœur, très souvent. Honneur au roi tannat avec cette cuvée La Tyre, dont la version 2007 fut déjà couronnée. La robe est dense, profonde. Elle annonce l'intensité du bouquet, habité par un noble boisé hérité de vingt-quatre mois de fût, qui se mêle aux fruits mûrs à l'aération. La bouche attaque avec suavité et gourmandise, avant de dévoiler beaucoup de mâche et de consistance, ainsi qu'une agréable fraîcheur. Elle est encadrée par des tanins solides

et un boisé maîtrisé, qui étaye la structure sans écraser le vin et qui apporte un surcroît de complexité. Bref, un madiran parfaitement équilibré, à laisser en cave quatre ou cinq ans. La cuvée principale **Ch. Montus 2010 (15 à 20 € ; 180 000 b.)** ajoute 20 % de cabernet-sauvignon au tannat et décroche également deux étoiles. Plus souple et ronde, adossée à des tanins bien fondus, elle sera débouchée plus jeune, d'ici deux ou trois ans.

☞ Vignobles Brumont, Ch. Bouscassé,
32400 Maumusson-Laguian, tél. 05 62 69 74 67,
fax 05 62 69 70 46, contact@brumont.fr,
☑ ☀ ☏ t.l.j. sf sam. dim. 9h-12h30 14h-18h

DOM. DU MOULIÉ Cuvée Chiffre 2010

■   16 000   ▮▥   8 à 11 €

Avec cette cuvée 100 % tannat, Lucie et Michèle Charrier rendent hommage à leurs aïeux, les Chiffre, qui achetèrent le domaine en 1920. Les deux sœurs signent un vin plaisant, qui libère au nez des parfums de fruits confiturés agrémentés de notes de café et de tabac. La bouche offre un bon volume, de la chair et du fruit, avant d'afficher un peu plus de sévérité en finale. On attendra deux ou trois ans que l'ensemble s'harmonise. Le **pacherenc-du-vic-bilh moelleux 2011 (11 à 15 € ; 1 600 b.)**, fruité, généreux et souligné par une agréable fraîcheur, est également cité.

☞ Famille Charrier, Dom. du Moulié, 32400 Cannet,
tél. 05 62 69 77 73, fax 05 62 69 83 66,
domainedumoulie@orange.fr,
☑ ☀ ☏ t.l.j. 9h-12h30 14h-18h; dim. sur r.-v. ⌂ Ⓓ

LIONEL OSMIN & CIE Mon Adour 2011 ★★

■   10 000   ▮▥   8 à 11 €

Depuis sa création en 2010, ce négoce présent sur l'ensemble du grand Sud-Ouest s'illustre avec régularité dans le Guide. Il présente ici un madiran élégant et bien élevé. La robe est noire, nuancée de violine. Au nez, les fruits noirs, cassis en tête, se mêlent à un boisé qui reste à sa place. L'attaque, souple et fraîche, ouvre sur un palais très fruité, adossé à des tanins soyeux et à un boisé tout aussi mesuré qu'à l'olfaction. Ce vin rappelle avantageusement que la barrique sert de support et non d'aromatisation. À boire jeune ou patiné par trois ou quatre ans de garde.

☞ Lionel Osmin & Cie, ZI Berlanne, 14, rue des Bruyères,
64160 Morlaas, tél. 05 59 05 14 66, fax 05 59 05 47 09,
sudouest@osmin.fr,
☑ ☏ mer. à sam. 10h-19h; vente à Pau au 1, rue du Château

CH. PEYROS Tradition 2011

■   30 000   ▮▥   5 à 8 €

Le cabernet franc entre à 40 % dans cette cuvée née sur le terroir pierreux (« peyros » en gascon) de ce domaine. Aux côtés du tannat, il a donné naissance à un vin porté sur les fruits noirs mûrs et la réglisse au nez, souple, rond et chaleureux (fruits à l'alcool) en bouche, aux tanins fondus. Un madiran plutôt généreux et déjà prêt.

☞ Ch. Peyros, 9, chem. du Château, 64350 Corbère-Abères,
tél. 05 57 94 09 20, fax 05 59 77 44 34,
chateau.peyros@leda-sa.com
☞ Leda-SA

DOM. SERGENT 2011 ★★

■   45 000   ▮   5 à 8 €

Fidèles au rendez-vous, Brigitte et Corinne Dousseau signent deux cuvées finalistes du coup de cœur. Deux

SUD-OUEST

vins remarquables, dans des styles différents. Celui-ci n'a pas connu le bois et présente un nez tout en fruit, avec une touche de réglisse. Sur la même ligne aromatique, la bouche se révèle ronde et charnue, soutenue par des tanins enrobés et fondus. Un madiran gourmand, à boire ou à attendre trois ou quatre ans. La **Cuvée élevée en fût de chêne 2011 (8 à 11 € ; 16 900 b.)** s'impose quant à elle par sa puissance, sa densité, sa générosité, soulignées par un bon boisé toasté. On l'attendra trois à cinq ans, et même davantage.

🐦 Famille Dousseau, Dom. Sergent,
32400 Maumusson-Laguian, tél. 05 62 69 74 93,
fax 05 62 69 75 85, contact@domaine-sergent.com,
☑ ⚐ ⵣ t.l.j. sf sam. dim. 9h-12h30 14h-18h30 🏠 ⑬

DOM. TAILLEURGUET 2011

| | 25 000 | ▮ | 5 à 8 € |

François Bouby présente un madiran de bonne facture, ouvert sur les fruits noirs, le cassis notamment. Tout aussi fruitée, avec une pointe de réglisse en complément, la bouche offre du gras et de la chair, rehaussée par une petite touche fraîche et végétale. À boire dans les deux ou trois ans à venir. Une citation également pour le **pacherenc-du-vic-bilh sec 2012 (2 500 b.)**, frais et fruité.

🐦 EARL Dom. Tailleurguet, 32400 Maumusson-Laguian, tél. 05 62 69 73 92, fax 05 62 69 83 69,
domaine.tailleurguet@wanadoo.fr,
☑ ⚐ ⵣ t.l.j. sf dim. 9h-13h 14h-19h
🐦 Bouby

CH. VIELLA Prestige 2010 ★

| | 7 800 | ⑬ | 11 à 15 € |

Alain Bortolussi signe un pur tannat dense et profond à l'œil. Le nez évoque les fruits (cerise, cassis) mâtinés de nuances boisées. Un mariage heureux du raisin et du fût que l'on retrouve dans une bouche ample, gourmande, souple et fraîche à la fois. Déjà harmonieux, ce vin devrait être à son optimum d'ici deux ou trois ans. Le **pacherenc-du-vic-bilh moelleux 2011 (8 à 11 € ; 5 000 b.)**, floral, fruité, boisé avec mesure, bien équilibré entre puissance, richesse et vivacité, obtient également une étoile.

🐦 Alain Bortolussi, Ch. de Viella, rte de Maumusson, 32400 Viella, tél. 05 62 69 75 81, fax 05 62 69 79 18, contact@chateauviella.fr, ☑ ⚐ ⵣ t.l.j. 8h-12h30 14h-19h

Pacherenc-du-vic-bilh

Superficie : 260 ha
Production : 10 510 hl

Né sur la même aire que le madiran, ce vin blanc est issu de cépages locaux (courbu, gros et petit mansengs, arrufiac) et bordelais (sauvignon) ; cet ensemble apporte une palette aromatique d'une extrême richesse. Tous les pacherenc sont gras et vifs. Suivant les conditions climatiques du millésime, ils sont secs ou moelleux. Les premiers, à boire jeunes, expriment les agrumes, les fruits exotiques et le miel. L'amande et la noisette s'ajoutent à cette gamme dans les moelleux, de moyenne garde. Les pacherenc font d'excellents vins d'apéritif et les moelleux sont parfaits sur le foie gras en terrine.

CH. D'AYDIE Odé d'Aydie 2012 ★★

| | 16 000 | ▮ ⑬ | 8 à 11 € |

Ce domaine très régulier en qualité signe un beau triplé dans cette édition. En tête, ce pacherenc sec au superbe équilibre, au nez comme en bouche. Les fruits (pomme, pêche, agrumes) se mêlent harmonieusement à la vanille de l'élevage. Fraîcheur et rondeur sont bien mariées. La finale est longue et tonique. Parfait pour un poisson grillé ou en sauce. Le **madiran Odé d'Aydie 2010 (66 000 b.)** ample, rond, aux tanins fins et fondus, décroche lui aussi les deux étoiles. Le **pacherenc 2011 moelleux (24 000 b.)** bien fruité et soutenu par une bonne fraîcheur obtient une étoile. (Bouteilles de 50 cl.)

🐦 GAEC Vignobles Laplace, 64330 Aydie,
tél. 05 59 04 08 00, fax 05 59 04 08 08,
contact@famillelaplace.com, ☑ ⚐ ⵣ t.l.j. 9h-13h 14h-19h

DOM. DE BASSAIL Doux Cuvée Muriel 2011

| | 2 300 | ▮ | 8 à 11 € |

Patrick Berdoulet dédie à sa fille un moelleux expressif et généreux à l'olfaction (fruits exotiques, fruits secs, notes florales). La bouche révèle elle aussi une intéressante finesse aromatique et se montre bien équilibrée, ronde, gourmande, avec ce qu'il faut de vivacité. À déguster sur un crumble ou sur un foie gras mi-cuit.

🐦 EARL Dom. Bassail, Patrick Berdoulet, Dom. Bassail, 32400 Viella, tél. 05 62 69 76 62, fax 05 62 69 78 02, domaine.bassail@wanadoo.fr,
☑ ⚐ ⵣ t.l.j. 9h-12h 14h-19h30
🐦 Berdoulet

DOM. BERNET 2011 ★★

| | 5 000 | ▮ | 8 à 11 € |

Yves Doussau signe avec ce pacherenc un vin riche, doux et ample, de grande longueur. Les dégustateurs relèvent aussi la qualité du nez, qui s'épanouit sur les fruits exotiques mûrs (papaye, fruit de la Passion). Ils saluent enfin l'harmonie de l'ensemble et imaginent cette bouteille avec une salade de fruits frais. Le **2012 sec Cuvée des demoiselles (5 à 8 €)** souple, aromatique (pomme, prune, coing) et équilibré, obtient quant à lui une étoile.

🐦 Yves Doussau, Dom. Bernet, 32400 Viella,
tél. 05 62 69 71 99, earl.bernet@wanadoo.fr,
☑ ⚐ ⵣ t.l.j. 9h-13h 14h-19h 🏠 ⑬

CH. BOUSCASSÉ Jardins 2012 ★★

| | 65 000 | ▮ | 5 à 8 € |

Deux pacherenc de l'incontournable Alain Brumont (voir aussi Montus en madiran) sont en vedette cette année. Côté Jardins, une version blanc sec, pleine de fruit (fruits exotiques, abricot, agrumes) et un peu florale, bien équilibrée en bouche entre fraîcheur, gras et douceur. Du charme à revendre pour ce vin que l'on servira volontiers sur un poulet tandoori. Le **moelleux 2011 Brumaire (15 à 20 € ; 25 000 b.)**, chaleureux et long, avec une juste vivacité en soutien, obtient une étoile.

♥ **DOM. CAPMARTIN** Cuvée du couvent 2011 ★★

| 3 000 | 11 à 15 € |

Installé depuis 1986 dans l'ancien couvent du village de Maumusson, Guy Capmartin a engrangé les étoiles du Guide et plusieurs coups de cœur. Une valeur sûre donc, qui place sa cuvée phare en haut de l'affiche. Ce vin né du seul petit manseng se présente dans une robe jaune paille brillant. Le nez, expressif et fin, mêle les fruits frais (exotiques, abricot, rhubarbe, agrumes), les fruits secs et un fin boisé aux accents caramélisés. Le signe d'un élevage bien maîtrisé (douze mois en fût, d'une contenance de 500 l pour préserver le fruit) que l'on retrouve dans un palais tonique en attaque, ample, goûteux, remarquablement équilibré entre richesse et fraîcheur, souligné en finale par une jolie note minérale. À déguster dès aujourd'hui avec un foie gras sur pain d'épice. Le **madiran Cuvée du couvent 2010 (10 000 b.)**, un pur tannat élevé en fût, puissant, plein et long, obtient lui aussi deux étoiles. À noter que le domaine a engagé sa conversion bio en 2010.

🕿 Capmartin, Dom. Capmartin, Le Couvent, 32400 Maumusson, tél. 05 62 69 87 88, fax 05 62 69 83 07, capmartinguy@yahoo.fr,
☑ ⚲ ♈ t.l.j. 9h-13h 14h-19h; dim. sur r.-v.

CLOS BASTÉ 2011 ★

| 3 000 | 11 à 15 € |

Ce pur petit manseng du Clos Basté se présente dans une robe vieil or, dense et soutenue, qui annonce un bouquet intense et généreux : miel, note rôtie, boisé vanillé, épices, fruits mûrs. Une richesse et une complexité que l'on retrouve dans une bouche ample, ronde et suave, penchant vers la douceur, où la fraîcheur vient soutenir la finale. (Bouteilles de 50 cl.) Quant au **madiran 2010 (12 000 b.)**, issu du seul tannat, il est cité. Encore sous l'emprise du bois et bien charpenté, il devra patienter deux ou trois ans en cave.

🕿 Mur, Clos Basté, 64350 Moncaup, tél. et fax 05 59 68 27 37, closbaste@wanadoo.fr,
☑ ⚲ ♈ t.l.j. sf dim. 10h-18h 🏠 ⓓ

DOM. DU CRAMPILH Tradition 2011

| 20 000 | 8 à 11 € |

Bruno Oulié propose ici un moelleux plaisant, sur la fraîcheur plutôt que sur l'opulence. Le nez, discret mais délicat, mêle fruits frais (nectarine) et nuances florales. On retrouve cette finesse aromatique dans une bouche privilégiant la légèreté et la vivacité, qu'une petite sucrosité vient adoucir. On verrait bien cette bouteille accompagner un fromage de brebis.

🕿 Dom. du Crampilh, 64350 Aurions-Idernes, tél. 05 59 04 00 63, fax 05 59 04 04 97, madirancrampilh@orange.fr,
☑ ⚲ ♈ t.l.j. sf sam. dim. 9h-12h 14h-18h
🕿 Bruno Oulié

CAVE DE CROUSEILLES Grains de roy 2012 ★★

| 30 000 | 8 à 11 € |

Coup de cœur pour son madiran 2011, la coopérative de Crouseilles frôle la perfection avec ce pacherenc en robe jaune paille, au nez intense, fin et frais de fleurs blanches, d'agrumes et de fruits exotiques sur un fond vanillé. La bouche est au diapason, très expressive, concentrée et longue, portée jusqu'en finale par une élégante fraîcheur. A déguster dès l'automne sur un dessert aux fruits. La cuvée **Folie de roi 2012 sec (5 à 8 € ; 30 000 b.)**, très fruitée, à la fois ample, riche et fraîche, fait jeu égal. Quant à la cuvée **Les Ombrages 2012 sec (moins de 5 € ; 20 000 b.)**, souple, vive et aromatique (pêche, citron, miel d'acacia...), elle obtient une étoile.

🕿 Cave de Crouseilles, Vignerons récoltants du Vic-Bilh, rte du Château, 64350 Crouseilles, tél. 05 62 69 66 77, fax 05 62 69 66 08, m.darricau@crouseilles.fr, ☑ ⚲ ♈ r.-v.

CH. DE FITÈRE Cuvée Karine 2011 ★★

| 13 000 | 8 à 11 € |

Créée en 1992 à la naissance de la fille du producteur, cette cuvée séduit d'emblée dans sa robe dorée. Le charme se poursuit à l'olfaction, que dominent les fruits confits (clémentine, nèfle) et le miel. Dans une belle continuité, la bouche se révèle ample, très équilibrée, riche et fraîche à la fois. Un vin élégant et harmonieux, à découvrir dès aujourd'hui sur un fromage persillé. Le **madiran Tradition 2011 (5 à 8 € ; 105 000 b.)**, ample, gras et soyeux, obtient une étoile. Déjà gourmand, il pourra être apprécié dès cet automne comme dans deux ou trois ans.

🕿 René Castets, 32400 Cannet, tél. 05 62 69 82 36, fax 05 62 69 78 90, rene.castets@gmail.com,
⚲ ♈ t.l.j. 8h30-12h 14h-19h

CH. LAFFITTE-TESTON Ericka
Élevé en fût de chêne 2012 ★

| 35 000 | 5 à 8 € |

Jean-Marc Laffitte, aujourd'hui rejoint sur le domaine par ses enfants Ericka et Joris, ne manque jamais un rendez-vous avec le Guide. Cette cuvée reste l'une de ses meilleures ambassadrices, régulièrement saluée ici. L'assemblage privilégie toujours le petit manseng aux côtés du gros manseng et du petit courbu. Paré d'une élégante robe jaune pâle aux reflets verts, ce 2012 fleure bon les agrumes, les fruits exotiques, le miel et la vanille Bourbon. Souple en attaque, la bouche séduit par sa fraîcheur et son fruité persistant. Tout indiqué pour les fruits de mer.

🕿 Jean-Marc Laffitte, Ch. Laffitte-Teston, 32400 Maumusson-Laguian, tél. 05 62 69 74 58, fax 05 62 69 76 87, info@laffitte-teston.com,
☑ ⚲ ♈ t.l.j. sf dim. 9h30-12h30 13h30-18h30

DOM. Laougué 2011 ★★

| | 15 000 | ▯ | 8 à 11 € |

Comme l'an dernier, Pierre Dabadie voit trois de ses vins sélectionnés. Et comme l'an dernier, c'est un moelleux qui a la préférence des dégustateurs. Celui-ci est né à parts égales des gros et petit mansengs. Au nez, les fruits à chair blanche et quelques notes florales composent un ensemble harmonieux. La bouche se montre gourmande et fruitée à souhait, ample et ronde avec ce qu'il faut de fraîcheur, et soulignée par une touche minérale en finale. Le pacherenc **sec 2012 Passion de Charles Clément** (5 à 8 € ; 3 500 b.), frais et expressif (agrumes, pêche, fleurs blanches), obtient une étoile, ainsi que le **madiran 2011** (5 à 8 € ; 30 000 b.), soyeux et fruité.

☞ Pierre Dabadie, Dom. Laougué, rte de Madiran, 32400 Viella, tél. 06 71 60 00 18, fax 09 70 63 18 60, pierre-dabadie@orange.fr, ☑ ☂ ☂ t.l.j. 8h-12h 14h-18h

DOM. Monblanc 2011

| | 2 500 | ⊞ | 8 à 11 € |

Daniel Saint-Orens a élaboré ce moelleux à partir du seul petit manseng. Cela donne un vin d'une belle brillance, d'une bonne intensité aromatique, bien équilibré entre notes boisées et fruitées (agrumes, fruits blancs), croquant en attaque, plus rond et suave dans son développement. Un pacherenc équilibré et plaisant, à servir à l'apéritif.

☞ Daniel Saint-Orens, Dom. Monblanc, 32400 Maumusson-Laguian, tél. et fax 05 62 69 82 51, domainemonblanc@hotmail.fr, ☂ ☂ t.l.j. sf dim. 9h-12h 14h-19h

CH. du Pouey L'Aydasse 2012

| | 2 600 | ▯⊞ | 8 à 11 € |

Première vinification en 2012 pour Bastien Lannusse, fils de Pierre et quatrième du nom à cultiver la vigne sur les terres de Viella. Il signe un pacherenc liquoreux (104 g/l de sucres résiduels) mais jamais lourd. Le nez évoque sans surprise les fruits confits et le miel, agrémentés d'une petite note de sous-bois (truffe). La bouche se montre bien équilibrée entre le sucre et l'acidité, les arômes faisant écho à l'olfaction. L'ensemble est harmonieux. À servir sur un foie gras.

☞ Ch. de Pouey, EARL Lannusse, 32400 Viella, tél. 05 62 69 78 25, fax 05 62 69 77 49, ch.pouey@orange.fr, ☑ ☂ ☂ t.l.j. sf dim. 8h-12h 14h-19h
☞ Bastien Lannusse

Poujo 2011

| | 1 100 | ▯ | 5 à 8 € |

Philippe Lanux, troisième du nom à cultiver la vigne sur ce domaine de 10 ha, propose un pacherenc d'abord sur la réserve, qui s'ouvre après agitation du verre sur des notes de surmaturité (fruits confits, abricot sec, miel), vivifiées par une touche minérale. À l'unisson, la bouche se révèle riche et concentrée. L'ensemble reste harmonieux et plaira aux becs sucrés penchant vers la douceur.

☞ EARL Poujo, Dom. Poujo, 64330 Aydie, tél. 06 84 63 71 10, lanuxsylvie@gmail.com, ☑ ☂ ☂ t.l.j. sf dim. 9h-12h30 14h-19h
☞ Philippe Lanux

Saint-mont

Superficie : 1 149 ha
Production : 76 724 hl (80 % rouge et rosé)

Consacré AOVDQS en 1981 sous le nom de côtes-de-saint-mont, le saint-mont a accédé trente ans plus tard à l'AOC. Prolongement vers l'est du vignoble de Madiran, il tire son nom et son origine d'une abbaye fondée au XIe s. et a connu une renaissance à partir de 1970. Le cépage rouge principal est encore ici le tannat, les cépages blancs, vinifiés en secs, se partageant entre la clairette, l'arrufiac, le courbu et les mansengs. L'essentiel de la production est assuré par l'union dynamique des caves coopératives Plaimont. Colorés et corsés, rapidement ronds et plaisants, les rouges accompagnent grillades et garbure gasconne. Les rosés sont fins et fruités, les blancs secs et nerveux.

L'Absolu des Trois Terroirs 2012 ★★

| | 10 000 | ▯ | 11 à 15 € |

Dans la collection Plaimont Terroirs et Châteaux, ce blanc a fait belle impression. Issu des gros (75 %) et petit mansengs associés à une touche de petit courbu, il dévoile des parfums intenses de fruits exotiques, d'agrumes et de fruits jaunes. La bouche évolue dans un registre doux et rond, équilibrée par une pointe de vivacité qui apporte du peps et de la longueur. **L'Empreinte de Saint-Mont 2011 rouge** (40 000 b.) au nez frais (menthol) et fruité, solidement charpentée en bouche, obtient une étoile. Le **Monastère de Saint-Mont 2011 rouge** (15 à 20 € ; 12 000 b.), dans un style lui aussi plutôt carré, avec ce qu'il faut de vivacité et de rondeur pour assurer l'équilibre, boisé avec discernement, fait jeu égal.

☞ Plaimont Terroirs et Châteaux, 32400 Saint-Mont, tél. 05 62 69 62 87, fax 05 62 69 61 68, d.caillard@plaimont.fr,
☑ ☂ ☂ t.l.j. sf dim. 9h-12h30 14h30-19h 🏠 ❸ 🏠 Ⓓ

♥ CH. du Bascou 2011 ★★

| | 20 000 | ⊞ | 11 à 15 € |

Dans le giron de Plaimont Producteurs, le Château du Bascou met le saint-mont à l'honneur. Assemblage de tannat (70 %), de fer servadou (ou pinenc pour les locaux) et de cabernet-sauvignon, ce 2011 présente une robe sombre et dense qui laisse présager l'intensité du bouquet. De fait, des parfums puissants et complexes se dégagent du verre : fruits confiturés, épices, café torréfié, cuir. En bouche, le vin suit la même ligne aromatique. Il se montre rond et charnu, adossé à de beaux tanins veloutés. La finale, fraîche et épicée, apporte un surcroît de tonus. L'ensemble, à la fois solide et gourmand, est remarquablement construit et pourra s'apprécier aujourd'hui comme dans deux ou trois ans, sur un civet de lièvre par exemple. Le **Ch. Saint-Go 2011 rouge (8 à 11 € ; 150 000 b.)**, généreux et bien structuré, est cité.

☛ Ch. Saint-Go, 32400 Saint-Mont, tél. 05 62 69 62 87, fax 05 62 69 66 71, d.caillard@plaimont.fr,

☑ ⚐ ⵣ t.l.j. sf sam. dim. 9h-12h30 14h30-19h

CH. LA BERGALASSE 2012

| ■ | 80 000 | ▮ | - de 5 € |

Didier Tonon, installé depuis trente-sept ans sur ce vignoble familial de 25 ha, signe un 2012 tout en fraîcheur, fruité et épicé à l'olfaction, avec quelques notes de bourgeon de cassis. Le palais est à l'unisson, souple et frais, bâti sur des tanins fins et fondus. Un vin équilibré, à boire dans les deux ans.

☛ Ch. la Bergalasse, La Bergalasse, 32400 Aurensan, tél. 05 62 09 46 01, fax 05 62 08 40 64, chateaulabergalasse@wanadoo.fr,

☑ ⚐ ⵣ t.l.j. sf. sam. dim. 9h-12h 16h-19h; f. 2e quinz. août

☛ Didier Tonon

ROSÉ D'ENFER 2012 ★

| ■ | 200 000 | | 5 à 8 € |

L'incontournable coopérative de Saint-Mont vendange une nouvelle série d'étoiles dans cette édition. Christine Cabri, l'œnologue maison, signe un Rosé d'enfer séducteur en diable. Derrière une robe rose pâle et cristalline, on découvre un bouquet ouvert, frais et fruité (pêche, abricot, agrumes), agrémenté de nuances florales et épicées. La bouche plaît par sa légèreté, par son équilibre entre rondeur, douceur et vivacité, et par sa ligne aromatique en accord avec l'olfaction. Un rosé gourmand et harmonieux. La cuvée **Batz d'Autan Élevé en fût de chêne 2011 rouge (100 000 b.)**, ronde, ample et chaleureuse, rehaussée par des touches d'épices et par une agréable fraîcheur en finale, obtient également une étoile. Le **Ch. de la Roque 2011 rouge (8 à 11 € ; 38 000 b.)**, frais, fruité et boisé avec mesure, ainsi que la cuvée **Collection Élevé en fût de chêne 2011 rouge (100 000 b.)**, souple, suave et épicée, sont cités.

☛ Plaimont Producteurs, rte d'Orthez, 32400 Saint-Mont, tél. 05 62 69 62 87, fax 05 62 69 61 68, d.caillard@plaimont.fr, ☑ ⚐ ⵣ r.-v.

Tursan

Superficie : 300 ha
Production : 16 532 hl (82 % rouge et rosé)

Autrefois vignoble d'Aliénor d'Aquitaine, le terroir de Tursan s'étend essentiellement dans les Landes, sur les coteaux de l'est de la Chalosse, autour d'Aire-sur-Adour et de Geaune. Il produit des vins dans les trois couleurs. Les plus intéressants sont les blancs, issus principalement d'un cépage original, le baroque. Sec et nerveux, au parfum inimitable, le tursan blanc accompagne

alose, pibale et poisson grillé. Longtemps classé en AOVDQS (appellation d'origine vin délimité de qualité supérieure), il a accédé à l'AOC à la disparition des AOVDQS en 2011.

💚 CH. DE BACHEN 2011 ★★

| ▬ | 30 200 | ▮ ⵣ | 8 à 11 € |

Aux étoiles de son restaurant Michel Guérard ajoute celles du Guide, millésime après millésime. Ici, un vin de haut rang né de quatre cépages : baroque, petit manseng, sauvignon et gros manseng. La robe est cristalline, couleur or pâle. Le nez dévoile des parfums délicats de fleurs blanches et d'agrumes accompagnés par un vanillé charmeur et des nuances de miel et de pâtisserie. Après une attaque franche, la bouche offre beaucoup de caractère et de la fermeté, portée par une grande fraîcheur et par un boisé fondu. Un vin harmonieux et tonique, à déguster dans les deux ans. Dans un style assez proche, la cuvée **Baron de Bachen 2011 blanc (15 à 20 € ; 25 700 b.)**, vive, dense et aromatique, obtient une étoile.

☛ Michel Guérard, Cie hôtelière et fermière d'Eugénie-les-Bains, 40320 Eugénie-les-Bains, tél. 05 58 71 76 76, fax 05 58 71 77 77, direction@michelguerard.com, ☑ ⚐ ⵣ r.-v.

LES VIGNERONS LANDAIS Secret de Tursan 2011 ★★

| ▬ | 10 000 | ▮ ⵣ | 11 à 15 € |

Toujours au rendez-vous, la cave coopérative de Geaune propose avec ce tursan un vin sombre et profond au bouquet intense et complexe de fruits mûrs, de vanille, de toasté, de réglisse et d'épices. L'attaque, souple et ample, ouvre sur un palais puissant et bien charpenté, qui marie harmonieusement des notes boisées, épicées et fruitées. Un vin solide et généreux, à découvrir dans les trois ou quatre ans à venir. La cuvée **Expression Impératrice 2011 rouge (8 à 11 € ; 20 000 b.)**, souple et soyeuse, obtient une étoile.

☛ Les Vignerons landais, 30, rue Saint-Jean, 40320 Geaune, tél. 05 58 44 51 25, fax 05 58 44 40 22, info@tursan.fr, ☑ ⚐ ⵣ t.l.j. sf dim. 9h-12h 14h30-17h30

Béarn

Les vins du Béarn peuvent être produits sur trois aires séparées. Les deux premières coïncident avec celles du jurançon et du madiran. La troisième comprend les communes qui entourent

Orthez, Salies-de-Béarn et Bellocq. Reconstitué après la crise phylloxérique, le vignoble occupe les collines prépyrénéennes et les graves de la vallée du Gave. Les cépages rouges sont constitués par le tannat, les cabernet-sauvignon et cabernet franc (bouchy), les anciens manseng noir, courbu rouge et fer-servadou. Les vins sont corsés et généreux, et accompagnent garbure (soupe régionale) et palombe grillée. Les rosés du Béarn sont vifs et délicats, avec des arômes fins de cabernet et une bonne structure en bouche.

CAVE DE CROUSEILLES Le Petit Cayolar 2012 ★

■ 50 000 ▪ - de 5 €

La coopérative de Crouseilles, établie dans l'AOC madiran, propose une jolie déclinaison de vins béarnais. Ce Petit Cayolar associe tannat (60 %) et cabernet franc. Le nez, expressif et complexe, se porte sur les fruits rouges et noirs, les épices, avec quelques nuances végétales typées du cabernet. La bouche se montre généreuse, ronde et concentrée, adossée à une trame tannique serrée sur fond de douceur. À servir dans les deux ou trois ans à venir. Dans un style proche, le **rouge 2012 Les Hautains (50 000 b.)**, plein et velouté, obtient également une étoile. Le **rosé 2012 Les Hautins (50 000 b.)**, équilibré entre rondeur et vivacité, est cité.

Cave de Crouseilles, Vignerons récoltants du Vic-Bilh, rte du Château, 64350 Crouseilles, tél. 05 62 69 66 77, fax 05 62 69 66 08, m.darricau@crouseilles.fr, ☑ ⛹ ⊤ r.-v.

CAVE DE GAN Oh! Biarnesa 2011 ★★

■ 66 000 ▪ 🛢 - de 5 €

Le tannat et les deux cabernets pour l'une, le seul tannat pour l'autre : deux cuvées rouges de la cave de Gan sont très appréciées pour leur volume et pour leur aimable rondeur. La première dévoile un bouquet discret mais élégant de fruits rouges (groseille, griotte) relayé par une bouche ample, généreuse et longue. La deuxième, **Bayaa 2011 rouge (5 à 8 €; 60 000 b.)**, riche, fruitée (fruits rouges frais) et un rien toastée, s'appuie sur des tanins doux. Elle obtient une étoile. On appréciera ces vins au cours des deux ans à venir.

Cave de Gan Jurançon, 53, av. Henri-IV, 64290 Gan, tél. 05 59 21 57 03, fax 05 59 21 72 06, cave@cavedejurancon.com, ☑ ⛹ ⊤ t.l.j. sf dim. 8h-12h 13h30-18h30

Jurançon

« Je fis, adolescente, la rencontre d'un prince enflammé, impérieux, traître comme tous les grands séducteurs : le jurançon », écrit Colette. Célèbre depuis qu'il servit à Pau au baptême d'Henri IV, le jurançon est devenu le vin des cérémonies de la maison de France. On trouve ici les premières notions d'appellation protégée – car il était interdit d'importer des vins étrangers – et même une hiérarchie des crus, puisque toutes les parcelles étaient répertoriées suivant leur valeur par le parlement de Navarre. Comme les autres vins de Béarn, le jurançon, alors rouge ou blanc, était expédié jusqu'à Bayonne, au prix de navigations parfois hasardeuses sur les eaux du Gave. Très prisé des Hollandais et des Américains, le jurançon connut une éclipse avec la crise phylloxérique. La reconstitution du vignoble fut effectuée avec les méthodes et les cépages anciens, sous l'impulsion de la Cave de Gan et de quelques propriétaires.

Ici plus qu'ailleurs, le millésime revêt une importance primordiale, surtout pour les jurançon moelleux qui demandent une surmaturation tardive par passerillage sur pied. Les cépages traditionnels, uniquement blancs, sont le gros et le petit mansengs, et le courbu. Les vignes sont cultivées en hautains pour échapper aux gelées. Il n'est pas rare que les vendanges se prolongent jusqu'aux premières neiges.

Le jurançon sec est un blanc de couleur claire à reflets verts. Très aromatique, avec des nuances miellées, il accompagne truites et saumons du Gave. Les jurançon moelleux ont une couleur dorée, des arômes complexes de fruits exotiques (ananas et goyave) et d'épices (muscade et cannelle). Leur équilibre acidité-liqueur en fait des faire-valoir tout indiqués du foie gras. Ces vins peuvent vieillir très longtemps et donner de grandes bouteilles qui accompagneront un repas, de l'apéritif au dessert en passant par les poissons en sauce et le fromage pur brebis de la vallée d'Ossau.

♥ **DOM. BELLEGARDE** Doux Sélection DB 2011 ★★

■ 4 000 🛢 30 à 50 €

Pascal Labasse est un habitué du Guide, pour ses vins secs comme pour ses doux. Il se place en haut de l'affiche avec cette cuvée de petit manseng récolté le 15 décembre. La robe revêt une élégante teinte vieil or. Le bouquet, intense et fin, mêle le coing, les agrumes confits, l'ananas, le miel et les nuances torréfiées de la barrique. La bouche se distingue par sa concentration, sa richesse et sa puissance, sans jamais tomber dans la lourdeur. Une gourmandise à découvrir aujourd'hui comme dans dix ans, pour de nouvelles sensations gustatives. (Bouteilles de 50 cl.) La **cuvée Thibault 2011 liquoreux (15 à 20 € ; 12 000 b.)**, ample, généreuse et aromatique (coing, fruits exotiques, cire d'abeille, touches boisées), obtient une étoile. Le **sec 2011 La Pierre blanche (11 à 15 € ; 8 000 b.)**, souple et frais, est cité.

🍂 Pascal Labasse, quartier Coos, 64360 Monein, tél. 05 59 21 33 17, contact@domaine-bellegarde.fr, ☑ 🚶 ⵣ t.l.j. sf dim. 9h-12h 14h-18h30; sam. sur r.-v.

GISÈLE ET PIERRE BORDENAVE
Sec Terres de mémoire 2011

	12 000	▥	11 à 15 €

Ce domaine régulier en qualité propose un jurançon sec lumineux dans sa robe jaune paille s'ouvrant sur d'élégantes notes florales, miellées et fruitées (ananas, fruits jaunes). Le palais séduit par son volume et par son équilibre entre fraîcheur et suavité. Une bouteille qui pourra accompagner tout un repas, de l'apéritif au dessert.

🍂 SARL Bordenave, quartier Ucha, 64360 Monein, tél. 06 80 72 91 78, gisele.bordenave@orange.fr, ☑ 🚶 ⵣ t.l.j. 9h-19h; dim. sur r.-v.

DOM. BORDENAVE-COUSTARRET Sec Renaissance 2011 ★

	5 600	▥	8 à 11 €

Sébastien Bordenave-Coustarret exploite un petit domaine de 5 ha dont il tire régulièrement de jolies cuvées (le liquoreux Barou fut coup de cœur dans ses millésimes 2007 et 2008). Ici, un assemblage de petit manseng et de courbu, à l'origine d'un vin ouvert sur les fruits exotiques mûrs et sur les épices douces enrobés d'une touche miellée. Le palais, souple et gras, s'enrichit de notes fraîches d'eucalyptus et de citron qui lui confèrent un surcroît de dynamisme. Un vin équilibré, que l'on verrait bien accompagner des saint-jacques au safran.

🍂 Bordenave-Coustarret, chem. Ranque, 64290 Lasseube, tél. 05 59 21 72 66, domainecoustarret@wanadoo.fr, ☑ 🚶 ⵣ t.l.j. 9h30-12h30 13h30-18h; dim. sur r.-v.

Ⓑ DOM. BRU-BACHÉ Doux Les Casterasses 2011 ★★

	10 000	▥	11 à 15 €

Valeur sûre de l'appellation (avec de nombreux coups de cœur à son palmarès), ce domaine propose un moelleux issu des deux mansengs (75 % de petit), limpide et brillant à l'œil, porté sur les fruits exotiques (ananas) au nez fruité, généreux et long en bouche, avec ce qu'il faut de vivacité en soutien. Pour un foie gras ou un fromage de brebis, un grand vin de garde. La même cuvée en version **sec 2011 (11 000 b.)**, à dominante de gros manseng, à la fois généreuse, grasse et fraîche, fruitée et boisée, obtient une étoile.

🍂 Dom. Bru-Baché, 39, rue Barada, 64360 Monein, tél. 05 59 21 36 34, fax 09 70 32 15 22, domaine.bru-bache@orange.fr, ☑ 🚶 ⵣ r.-v. 🏠 Ⓒ
🍂 Claude Loustalot

Ⓑ CAMIN LARREDYA Sec La Part Davant 2012

	18 000	▥	11 à 15 €

Jean-Marc Grussaute signe un jurançon sec dont le nez mêle harmonieusement notes fruitées (agrumes) et boisées. On retrouve cet équilibre dans une bouche fraîche, aux accents citronnés et vanillés, offrant un bon volume et une longueur honorable. Le **sec 2011 La Virada (20 à 30 € ; 3 000 b.)**, suave, gras et généreux, est également cité.

🍂 Jean-Marc Grussaute, chem. Larredya, 64110 Jurançon, tél. 05 59 21 74 42, fax 05 59 21 76 72, contact@caminlarredya.fr, ☑ 🚶 ⵣ r.-v.

DOM. CAPDEVIELLE Doux Rêve de Pyrène
Élevé en fût de chêne 2011 ★

	4 000	▥	11 à 15 €

Progressivement, Didier Capdevielle s'oriente vers le bio. Pour l'heure, il pratique la lutte raisonnée à la vigne et la séparation des eaux pluviales et usées au chai. Dans le flacon, voici un jurançon joliment bouqueté autour des fruits mûrs, du miel et du caramel (dix-huit mois de barrique). Un vin bien équilibré en bouche, offrant une matière riche et dense, du fruit et une belle vivacité en soutien. À déguster dès à présent sur un foie gras aux figues.

🍂 Didier Capdevielle, quartier Coos, 64360 Monein, tél. 05 59 21 30 25, fax 09 74 44 74 53, domaine.capdevielle@sfr.fr, ☑ 🚶 ⵣ t.l.j. 8h30-12h 13h30-18h; dim. sur r.-v.

DOM. CASTERA Doux Cuvée Privilège 2011 ★

	5 300	▥	11 à 15 €

Ce domaine, qui pratique la polyculture, exploite la vigne sur 11,5 ha. Le petit manseng y a donné naissance à un moelleux jaune d'or aux reflets verts, qui s'ouvre à l'aération sur les fruits à l'eau-de-vie, le miel et les épices douces. La bouche se montre souple, douce et onctueuse, vivifiée par une agréable fraîcheur en finale. L'ensemble est équilibré et prêt à passer à table – pourquoi pas sur une cuisine sucrée-salée ? Le **sec 2012 (5 à 8 € ; 12 500 b.)**, frais et fruité (agrumes, pêche), obtient lui aussi une étoile.

🍂 Christian Lihour, quartier Ucha, 64360 Monein, tél. 05 59 21 34 98, fax 05 59 21 46 32, christian.lihour@wanadoo.fr, ☑ 🚶 ⵣ r.-v.

DOM. CAUHAPÉ Doux Noblesse du temps 2011 ★

	17 000	▥	20 à 30 €

Dire de ce domaine qu'il est une valeur sûre relève de la litote. Il propose ici un moelleux intense et généreux à l'olfaction, qui mêle les notes torréfiées de la barrique aux fruits confits, au miel et aux épices. Dans le même ton, la bouche se révèle opulente, ample et longue, égayée en finale par une fraîcheur bienvenue. Un jurançon que l'on appréciera au cours des cinq prochaines années, sur un fromage à pâte persillée par exemple. Le **sec 2012 Geyser (11 à 15 € ; 12 800 b.)**, suave et gras, tonifié par des arômes de fruits frais, obtient également une étoile.

🍂 Henri Ramonteu, Dom. Cauhapé, 64360 Monein, tél. 05 59 21 33 02, fax 05 59 21 41 82, contact@cauhape.com, ☑ 🚶 ⵣ t.l.j. 8h-12h30 13h30-18h

DOM. DU CINQUAU Doux L'Esprit 2011 ★

| 3 200 | ▮◫ | 11 à 15 € |

Germain Laborde, directeur et maître de chai de ce domaine familial ancien (XVIIᵉˢ.), a élaboré à partir du petit manseng une cuvée pleine de fraîcheur de bout en bout. Derrière une robe dorée se profile un bouquet de fleurs blanches, d'agrumes, de pêche de vigne, de menthol et de miel. Lui fait écho un palais aérien, gourmand et léger à la fois, soutenu par une belle vivacité. Parfait pour l'apéritif.

🕭 Dom. du Cinquau, chem. du Cinquau, 64230 Artiguelouve, tél. 05 59 83 10 41, fax 05 59 83 12 93, info@cinquau.fr, ☑ ⚥ ⏀ t.l.j. 9h-12h30 13h30-18h30 🏠 ⨁
🕭 P. Saubot

CLOS BELLEVUE Doux Cuvée spéciale 2011

| n.c. | ◫ | 11 à 15 € |

Chez les Muchada, on cultive la vigne de père en fils depuis 1789. Olivier, aux commandes depuis 2003, signe une cuvée limpide, ornée de reflets verts, au nez discret mais plaisamment fruité (fruits exotiques, citron). Le vin est bien en place au palais, équilibré entre puissance et fraîcheur, porté sur le fruit. Un jurançon « facile à boire », parfait pour l'apéritif.

🕭 Clos Bellevue, chem. des Vignes, 64360 Cuqueron, tél. 06 15 34 49 36, fax 05 59 21 34 82, closbellevue@club.fr, ☑ ⚥ ⏀ t.l.j. 8h-12h 14h-19h
🕭 Muchada

Ⓑ CLOS BENGUÈRES Doux Le Chêne couché 2011 ★

| 3 000 | ▮◫ | 15 à 20 € |

Thierry Bousquet est fidèle au rendez-vous avec cette cuvée régulièrement sélectionnée. La version 2011 plaît, tant par son bouquet intense et fin de miel et de fruits compotés (pomme, coing) que par son palais riche, onctueux et séveux, équilibré par une touche de vivacité. Un bon classique, généreux et suave, à déguster au fromage ou au dessert.

🕭 Bousquet, Clos Benguères, chem. de l'École, 64360 Cuqueron, tél. 05 59 21 43 03, bengueres@free.fr, ☑ ⚥ ⏀ r.-v.

CLOS CASTET Doux Cuvée spéciale 2011 ★

| 4 000 | ▮◫ | 11 à 15 € |

Les trois frères Labourdette signent un jurançon lumineux dans sa robe jaune doré aux reflets argentés. Le nez mêle harmonieusement le miel d'acacia, le coing, les fruits exotiques et la pêche de vigne. La bouche se montre ample et riche, égayée par une fine acidité. Un vin gourmand et jamais lourd, à déguster sur un fromage à pâte persillée.

🕭 GAEC Dom. Labourdette, rte d'Oloron-Sainte-Marie, 64360 Cardesse, tél. 05 59 21 33 09, fax 05 59 21 28 22 ☑ ⚥ ⏀ t.l.j. 9h-12h 13h30-19h

CLOS DE LA VIERGE Sec 2012 ★★

| 24 000 | ▮ | 5 à 8 € |

Les lecteurs se rappelleront notamment le millésime 2010 de cette cuvée née du seul gros manseng, élu coup de cœur. Le 2012 tient son rang. Le nez se révèle complexe, mêlant les fruits mûrs, les fleurs blanches et quelques nuances de brioche et de confiserie. Souple et fraîche en attaque, la bouche offre du volume, du gras et une touche de douceur, rehaussée par une jolie tension en

finale. Un ensemble gourmand et équilibré. Même note pour le **moelleux 2011 Cancaillaü Gourmandise** (11 à 15 € ; 1 800 b.), ample et équilibré.

🕭 Anne-Marie Barrère, pl. de l'Église, 64150 Lahourcade, tél. 05 59 60 08 15, fax 05 59 60 07 38, earl.barrere@orange.fr, ☑ ⚥ ⏀ t.l.j. sf dim. 8h-19h; f. 1ᵉʳ oct.-15 nov.

CLOS GUIROUILH Doux Vendanges tardives 2011 ★★

| 6 000 | ◫ | 15 à 20 € |

Vendangés le 4 novembre 2011, les ceps de petit (80 %) et gros mansengs ont donné naissance à cette cuvée d'un jaune doré soutenu, au nez non moins intense de fruits confits (agrumes, fruits exotiques) agrémentés de nuances truffées. Riche, chaleureuse, épicée, fruitée et chocolatée (deux ans de barrique), la bouche s'impose par sa puissance et sa concentration. Un jurançon de garde assurément. Le **sec 2011 La Peïrine** (5 à 8 € ; 4 000 b.), gras, onctueux, équilibré entre boisé et fruité, obtient une étoile.

🕭 SCEA Guirouilh, rte de Belair, 64290 Lasseube, tél. 05 59 04 21 45, fax 05 59 04 22 73, guirouilh@gmail.com, ☑ ⚥ ⏀ r.-v.

CRU LAROSE Doux Régal des grives 2010 ★★

| 3 000 | ◫ | 11 à 15 € |

Dans sa famille depuis trois générations, ce domaine d'à peine 3 ha est conduit depuis 2005 par Chantal Peyroutet-Davancens. Son Régal des grives se présente dans une robe dorée aux reflets verts et dévoile des parfums intenses de miel et de fruits mûrs, mâtinés d'un boisé délicat. La bouche se montre ample, riche et dense, équilibrée par une arête acide qui porte loin la finale. Un vin harmonieux, que l'on pourra apprécier aussi bien sur son fruit que patiné par le temps (cinq à dix ans). La **cuvée Lacassy 2010 moelleux** (8 à 11 € ; 2 500 b.), issue du gros manseng, bien équilibrée entre douceur et fraîcheur, est citée.

🕭 Chantal Peyroutet-Davancens, 251, chem. des Crêtes, 64110 Saint-Faust, tél. 05 59 83 12 06, fax 05 47 55 11 56, contact@crularose.com, ☑ ⚥ ⏀ t.l.j. 10h-12h 14h-19h

♥ CAVE DE GAN JURANÇON Doux Prestige 2011 ★★★

| 100 000 | ▮ | 8 à 11 € |

Une pluie d'étoiles pour l'incontournable cave coopérative de Gan, qui place plusieurs cuvées dans cette sélection. Ont été jugés remarquables (deux étoiles) le **moelleux 2011 Le Vieux Caveau** (5 à 8 € ; 66 600 b.), suave et intense, et le **moelleux 2011 Grain d'automne** (100 000 b.), ample, frais et fruité. Cette cuvée Prestige atteint quant à elle une qualité exceptionnelle selon les dégustateurs, séduits par sa robe pure et lumineuse, par son bouquet d'une grande intensité et d'une rare complexité, où l'on perçoit pêle-mêle les fruits exotiques et les fruits jaunes confits, le miel et des notes truffées. Fidèle à l'olfaction, ample et très long, le palais offre un équilibre parfait entre la force et la douceur, la générosité et la fraîcheur. Apéritif, foie gras, volailles, fromages ou desserts, tout lui ira.

🕨 Cave de Gan Jurançon, 53, av. Henri-IV, 64290 Gan, tél. 05 59 21 57 03, fax 05 59 21 72 06, cave@cavedejurancon.com,
☑ ⚔ 🍷 t.l.j. sf dim. 8h-12h 13h30-18h30

DOM. GUIRARDEL Doux Bi dé Prat 2010 ★

	4 500	🃏🍷	11 à 15 €

Françoise Casaubieilh, héritière de trois siècles d'histoire vigneronne, signe un moelleux au nez intense et chaleureux de fruits confits agrémentés d'une touche vanillée. La bouche est à l'unisson, généreuse et fruitée, équilibrée par une pointe de fraîcheur. Tout indiqué pour un foie gras. Le sec dé Prat 2011 (15 à 20 € ; 3 000 b.), riche, ample et gras, obtient également une étoile.

🕨 EARL F. & J. Casaubieilh, Dom. Guirardel, chem. Bartouille, 64360 Monein, tél. 05 59 21 31 48, jurancon@domaine-guirardel.fr, ☑ ⚔ r.-v.

DOM. HAUGAROT Doux Cuvée André-Jean Élevé en fût de chêne 2011 ★

	3 300	🍷	11 à 15 €

Jean-Pierre Proharam a réalisé en 2004 sa première vinification sur le domaine familial (jusqu'à cette date, les raisins étaient apportés à la cave coopérative) : la cuvée André-Jean déjà. Le millésime 2011 se présente dans une robe pâle, empreint de notes beurrées, vanillées et fruitées (fruits exotiques, agrumes) ; il offre un bel équilibre en bouche entre richesse, boisé et fraîcheur. Que diriez-vous d'un fromage de brebis pour accompagner cette bouteille ?

🕨 Jean-Pierre Proharam, 672, chem. des Crêtes, 64110 Saint-Faust, tél. 05 59 40 69 10, domainehaugarot@yahoo.fr,
☑ ⚔ 🍷 t.l.j. sf dim. 8h30-12h30 13h30-19h

CHARLES HOURS Doux Happy Hours Fruity 2011 ★

	15 000	🍷	11 à 15 €

Charles Hours conduit ses 15 ha de vignes en « tendance bio » depuis vingt ans, mais sans certification. Il nous propose un jurançon expressif et intense (fruits jaunes confits, écorce d'orange, nuances minérales), suave, puissant et chaleureux en bouche, une touche de vivacité venant dynamiser la finale. Un vin équilibré, à déguster à l'apéritif ou sur un dessert aux fruits.

🕨 Charles Hours, 11, Roulat, 64360 Monein, tél. 05 59 21 46 19, fax 05 59 21 46 90 ☑ ⚔ 🍷 r.-v.

CH. JOLYS Sec 2012

	55 400	🍷	5 à 8 €

Repris en 2012 par Claire et Camille Bessou, petites-filles du fondateur Pierre-Yves Latrille, ce domaine étend son vignoble sur 42 ha, dont 32 ha consacrés à cette cuvée de gros et petit mansengs. Après aération, le nez dévoile des notes de zeste d'orange, de pêche et de chèvrefeuille, avec quelques touches minérales. Le palais se montre rond et gras avant d'offrir plus de fraîcheur en finale. Un vin équilibré, à servir sur un poisson grillé.

🕨 SCEA Dom. Latrille, 330, rte de la Chapelle-de-Rousse, 64290 Gan, tél. 05 59 21 72 79, fax 05 59 21 55 61, chateau.jolys@wanadoo.fr,
☑ ⚔ 🍷 t.l.j. sf sam. dim. 9h-12h 14h-17h

Ⓑ LAPEYRE Sec Mantoulan 2011 ★

	6 000	🃏	15 à 20 €

Petit manseng (80 %), courbu et camaralet composent l'assemblage de ce 2011 qui tire son nom d'un lieu-dit. Derrière une robe jaune paille, on découvre un bouquet élégant de fruits mûrs et d'épices douces. Le palais se révèle ample, plein et gras, bien équilibré entre notes boisées et fruitées. Ce vin a du relief ; il s'appréciera dès aujourd'hui sur un poisson en sauce. Le sec 2011 Vitatge Vielh de Lapeyre (11 à 15 € ; 15 000 b.), né des mansengs et d'un peu de courbu, frais, fruité, au boisé fondu, est cité.

🕨 Clos Lapeyre, SARL Larrieu, La Chapelle-de-Rousse, 64110 Jurançon, tél. 05 59 21 50 80, fax 05 59 21 51 83, contact@jurancon-lapeyre.fr,
☑ ⚔ 🍷 t.l.j. sf dim. 9h-12h 14h-17h30
🕨 Larrieu

Ⓑ CH. LAPUYADE Doux Cuvée Marie-Louise Vinifié en fût de chêne 2011 ★★

	600	🃏	20 à 30 €

Petite par le volume mais grande par la qualité, cette cuvée Marie-Louise est toujours au sommet. Les rares œnophiles qui pourront y goûter apprécieront sa robe dorée aux reflets argentés, son bouquet franc et complexe de fruits secs, de fruits mûrs et de miel agrémentés de nuances torréfiées et épicées, son palais souple en attaque et d'une grande suavité dans son développement. La fraîcheur est bien présente également, apportant l'équilibre nécessaire aux grands vins.

🕨 Aurisset, Ch. Lapuyade, 64360 Cardesse, tél. 05 59 21 32 01, fax 05 59 21 46 99, clos.marie-louise@wanadoo.fr, ☑ 🍷 r.-v.

♥ DOM. LARROUDÉ Doux Un Jour d'automne 2011 ★★

	1 500	🃏	15 à 20 €

Un jour d'automne 2011, des ceps de petit manseng âgés de vingt ans ont été récoltés, parcelle par parcelle, sur les coteaux argilo-calcaires de ce domaine de 7 ha. Un jour de mars 2012, les jurés du Guide ont dégusté cette cuvée, à l'aveugle, et lui ont attribué un coup de cœur. Ses arguments : une superbe robe dorée, dense et profonde ; un bouquet d'une grande richesse évoquant le raisin passerillé, l'orange confite et un léger boisé (dix-huit mois de fût) ; un palais à l'unisson, ample, concentré, onctueux. Un jurançon de caractère, armé pour la décennie, qui confirme la régularité de cette exploitation.

Estoueigt, quartier Marquesouquère,
64360 Lucq-de-Béarn, tél. 05 59 34 35 40,
fax 05 59 34 35 92, domaine.larroude@wanadoo.fr,
☑ ⚐ ☗ t.l.j. 8h30-12h30 13h30-19h30

DOM. LOUSTALÉ Doux 2011 ★★

■	20 000	▮ 8 à 11 €

Proposée par la Cave de Gan, cette cuvée du domaine Loustalé associe petit et gros mansengs. Le nez, suave et gourmand, mêle les fruits exotiques et l'abricot mûrs, enrobés de notes miellées. À cette douceur fait écho celle d'un palais rond, puissant et riche, soutenu par une finale pleine de vivacité. Un vin très équilibré, à l'image du **Ch. de Navailles 2011** moelleux (11 à 15 € ; 34 000 b.), lui aussi vinifié par la cave coopérative, un pur petit manseng expressif et fin à l'olfaction (mangue, citron, coing), ample, concentré et frais en bouche (une étoile). On retiendra également le **Dom. Lasserre 2012** sec (5 à 8 € ; 33 000 b.), cité pour son nez floral et fruité et pour son palais harmonieux.

Dom. Loustalé, 53, av. Henri-IV, 64290 Gan, tél. 05 59 21 57 03, fax 05 59 21 72 06, cave@cavedejurancon.com,
☑ ⚐ ☗ t.l.j. sf dim. 8h-12h 13h30-18h30

DOM. DE MALARRODE Sec La Pierre blanche 2011

■	n.c.	▮⏏ 5 à 8 €

Gaston Mansanné propose une cuvée à dominante de gros manseng (60 %), avec le petit manseng en complément. Le nez discret évoque les fruits frais sur fond grillé et beurré. La bouche se révèle bien équilibrée, à la fois ronde et fraîche, fruitée et boisée avec mesure.

Dom. de Malarrode, quartier Ucha, 64360 Monein, tél. 05 59 21 44 27, fax 05 59 21 48 01, mansanne.gaston@wanadoo.fr, ☑ ⚐ ☗ r.-v.
Gaston Mansanné

DOM. NIGRI Sec Confluence 2012

■	22 000	5 à 8 €

Cette cuvée est la confluence de trois cépages locaux, le gros manseng (80 %), le camaralet et le lauzet. Elle se pare d'une robe limpide, couleur or clair, et dévoile un nez plutôt discret, fruité et légèrement épicé. La bouche se révèle ample et chaleureuse, équilibrée en finale par une agréable vivacité. À boire ou à attendre un an ou deux.

Jean-Louis Lacoste, Dom. Nigri, Candeloup, 64360 Monein, tél. 05 59 21 42 01, fax 05 59 21 42 59, domaine.nigri@wanadoo.fr,
☑ ⚐ ☗ t.l.j. 9h-12h 13h30-18h; dim. sur r.-v.

LIONEL OSMIN & CIE Sec Cami Salié 2011

■	4 000	⏏ 11 à 15 €

Cette structure de négoce créée en 2010 et spécialisée dans les vins du Sud-Ouest poursuit ses bons débuts et propose ici un jurançon sec élevé douze mois en fût. Au nez, les notes empyreumatiques de la barrique se mêlent au fruité du raisin. La bouche affiche une belle fraîcheur et un boisé toasté encore un peu dominant mais qui n'écrase pas le fruit. À boire ou à attendre un an ou deux.

Lionel Osmin & Cie, ZI Berlanne, 14, rue des Bruyères, 64160 Morlaas, tél. 05 59 05 14 66, fax 05 59 05 47 09, sudouest@osmin.fr,
☑ ☗ mer. à sam. 10h-19h; vente à Pau au 1, rue du Château

CH. DE ROUSSE Doux Séduction 2011 ★★

■	6 500	⏏ 15 à 20 €

Ancien rendez-vous de chasse du roi Henri IV, ce domaine de 10 ha est conduit depuis 2000 par Marc et Olivier Labat. Leurs vins sont fréquentent avec une belle régularité les pages du Guide ; cette édition ne fait pas exception et deux moelleux sont en bonne place. En tête, cette cuvée Séduction née du seul petit manseng, brillante et limpide, qui mêle à l'olfaction les notes fumées et grillées de la barrique aux fruits confits et au miel. L'attaque franche et vive ouvre sur un palais gras, rond et plein, rehaussé par une plaisante acidité et des notes épicées. La cuvée principale **Ch. de Rousse 2011** moelleux (8 à 11 € ; 10 000 b.) associe les deux mansengs au petit courbu. Souple, ronde et fruitée, elle obtient une étoile.

Ch. de Rousse, La Chapelle-de-Rousse, 64110 Jurançon, tél. 05 59 21 75 08, fax 05 59 21 76 54, chateauderousse@wanadoo.fr, ☑ ⚐ ☗ r.-v.
Marc et Olivier Labat

SÉDUCTION D'AUTOMNE Doux 2011 ★

■	10 000	▮ 5 à 8 €

Cette cuvée de négoce présente une robe jaune pâle, un nez ouvert sur des notes fraîches d'agrumes (pamplemousse) et de pêche blanche. Une fraîcheur que l'on retrouve dans un palais ample et tout aussi expressif. Un jurançon tonique et équilibré, pour l'apéritif ou le dessert.

Confrérie du Jurançon, quartier Loupien, 64360 Monein, tél. 05 59 21 34 58, fax 05 59 21 27 68
☑ ⚐ ☗ t.l.j. sf dim. lun. 9h30-12h 14h30-19h
Castel Frères

ⓑ DOM. DE SOUCH Sec 2011 ★

■	7 668	▮⏏ 15 à 20 €

Jean de Souch, « syndic des éleveurs de treille » au XVIIIe s., a donné son nom à ce domaine et certainement sa vocation viticole. Une vocation remise au goût du jour au milieu des années 1980 par Yvonne Hegoburu, qui replanta le vignoble et le convertit très tôt à l'agriculture biologique et à la biodynamie. Les mansengs et le petit courbu y ont donné naissance à ce jurançon au nez intense, dominé mais sans excès par les nuances empyreumatiques d'un élevage partiel en fût, avec quelques notes miellées à l'arrière-plan. La bouche dévoile un bel équilibre entre boisé et fruité, entre gras et fraîcheur, et s'étire en finale sur de vivifiantes notes citronnées.

SCEA Dom. de Souch, 805, chem. de Souch, 64110 Laroin, tél. 05 59 06 27 22, fax 05 59 06 51 55, domaine.desouch@neuf.fr,
☑ ⚐ ☗ t.l.j. 9h-12h30 14h-18h; dim. sur r.-v.
Y. Hegoburu

Irouléguy

Superficie : 214 ha
Production : 6 380 hl (88 % rouge et rosé)

Dernier vestige d'un grand vignoble basque dont on trouve la trace dès le XIe s., l'irouléguy témoigne de la volonté des vignerons de perpétuer l'antique tradition des moines de Roncevaux. Le vignoble s'étage sur le piémont pyrénéen, dans les communes de Saint-Étienne-de-Baïgorry, d'Irouléguy et d'Anhaux.

Les cépages d'autrefois ont à peu près disparu pour laisser place au cabernet-sauvignon, au cabernet franc et au tannat pour les vins rouges, au courbu et aux gros et petit mansengs pour les blancs. De couleur cerise, vif et léger, le rosé accompagne la piperade et la charcuterie. Le rouge, parfois assez tannique, convient aux confits.

DOM. ABOTIA Élevé en fût de chêne 2010 ★

30 000	ⅢⅠ	8 à 11 €

Une valeur sûre de l'appellation que ce domaine de 10 ha conduit depuis 2001 par Peïo Errecart et dédié aux seuls vins d'Irouléguy. Un savoir-faire que l'on retrouve dans ce 2010 à dominante de tannat (60 %), complété par le cabernet-sauvignon (35 %) et le cabernet franc. La robe est rubis limpide et brillant. Le nez évoque les fruits mûrs, soulignés de touches boisées (coco) et mentholées. En bouche, la matière apparaît souple, douce et lissée, les tanins sont bien présents mais maîtrisés, la vivacité mesurée. Bref, un vin équilibré, que l'on peut d'ores et déjà déguster.

☛ Peïo Errecart, Dom. Abotia, 64220 Ispoure,
tél. 05 59 37 03 99, fax 05 59 37 23 57, abotia@wanadoo.fr,
☑ ⚔ ⵏ r.-v.

♥ BRANA Ilori Les Jonquilles 2011 ★★

20 000		11 à 15 €

L'histoire débute en 1897 lorsque Pierre-Étienne Brana se lance dans le négoce à Ustaritz. Son fils Jean poursuit l'aventure en s'installant à Saint-Jean-Pied-de-Port. En 1974, Étienne, fils de Jean, crée une distillerie (les eaux-de-vie font toujours partie de la gamme Brana) et se lance, dix ans plus tard, dans l'élaboration de vins d'Irouléguy. Depuis 1986, c'est Jean (deuxième du nom) qui commande les 23 ha du domaine établis pour l'essentiel sur d'étroites terrasses bien exposées. Voilà pour la généalogie. Côté vin, cette cuvée née de gros manseng (80 %) et de petit courbu a fait forte impression. Elle se présente dans une élégante robe or pâle aux reflets verts. Le nez, expressif et montant, mêle les fruits exotiques mûrs, la gelée de coing et quelques nuances végétales qui apportent de la fraîcheur. Une fraîcheur que l'on retrouve en attaque et qui donne du tonus à un palais rond, souple, généreux et long. Un ensemble équilibré, à déguster dans les deux ans sur un poisson en sauce. Le **Dom. Brana 2010 rouge (15 à 20 € ; 25 000 b.)**, ample, chaleureux, aux tanins fondus, obtient également deux étoiles.

☛ Jean Brana, 64220 Saint-Jean-Pied-de-Port,
tél. 05 59 37 00 44, fax 05 59 37 14 28, contact@brana.fr,
☑ ⚔ ⵏ r.-v.

Ⓑ DOM. ILARRIA Cuvée Bixintxo 2009

5 700	ⅢⅠ	20 à 30 €

Bixintxo ? Saint Vincent en basque. Un hommage au saint patron des vignerons et du village d'Irouléguy qui fait la part belle au tannat (40 %), associé aux deux cabernets. Après vingt mois de barrique, le vin se présente dans une robe sombre, le nez empreint de senteurs de fruits en marmelade rehaussés d'une touche mentholée. La bouche se montre chaleureuse et souple, structurée par des tanins soyeux et fondus. À boire dès à présent.

☛ Dom. Ilarria, 64220 Irouléguy, tél. et fax 05 59 37 23 38, ilarria@wanadoo.fr,
☑ ⵏ t.l.j. sf dim. 10h-12h 14h-18h; oct.-mai sur r.-v.
☛ Peio Espil

MENDIA 2012 ★

16 000	▐	8 à 11 €

La coopérative d'Irouléguy met les blancs à l'honneur. Deux cuvées sont retenues, avec en tête cet assemblage de gros (80 %) et petit mansengs. Un vin limpide et brillant, jaune clair aux reflets verts, au nez subtil et complexe (fleurs blanches, miel, tisane, fruits exotiques, agrumes), au palais bien équilibré entre gras et vivacité, ample et persistant. La cuvée **Xuri 2012 blanc (25 000 b.)** ajoute un peu de petit courbu à l'assemblage et obtient une étoile pour son fruité et sa fraîcheur.

☛ Cave d'Irouléguy, rte de Saint-Jean-Pied-de-Port, 64430 Saint-Étienne-de-Baïgorry, tél. 05 59 37 41 33, fax 05 59 37 47 76, contact@cave-irouleguy.com,
☑ ⚔ ⵏ t.l.j. 9h-12h 14h-18h

LIONEL OSMIN & CIE Donibane 2011

3 000	▐ⅢⅠ	15 à 20 €

Cette jeune maison de négoce créée en 2010 a pour ambition de proposer la première gamme transversale du grand Sud-Ouest. Elle confirme ses bonnes dispositions avec cet irouléguy issu de cabernet franc et de tannat (30 %) ; un vin sombre et profond, au bouquet intense de fruits mûrs (cassis, cerise) et d'épices, rond et fondu en bouche, plus chaleureux en finale. À boire dans l'année.

☛ Lionel Osmin & Cie, ZI Berlanne, 14, rue des Bruyères, 64160 Morlaas, tél. 05 59 05 14 66, fax 05 59 05 47 09, sudouest@osmin.fr,
☑ ⵏ mer. à sam. 10h-19h; vente à Pau au 1, rue du Château

Floc-de-gascogne

Le floc-de-gascogne est produit dans l'aire géographique de l'appellation armagnac. Il s'agit d'un vin de liqueur muté à l'aide de la célèbre eau-de-vie. La région viticole fait partie du piémont pyrénéen et se répartit sur trois départements : le Gers, les Landes et le Lot-et-Garonne. Afin de donner une force supplémentaire à l'antériorité de leur production, les vignerons du floc-de-gascogne ont mis en place un principe nouveau qui n'est ni une délimitation parcellaire telle qu'on la rencontre pour les vins, ni une simple aire géographique comme pour les eaux-de-vie. C'est le principe des listes parcellaires approuvées annuellement par l'INAO.

SUD-OUEST

Les blancs sont issus des cépages colombard, gros manseng et ugni blanc, qui doivent ensemble représenter au moins 70 % de l'encépagement et ne peuvent dépasser seuls 50 % depuis 1996, avec pour cépages complémentaires le baroque, la folle blanche, le petit manseng, le mauzac, le sauvignon, le sémillon ; pour les rosés, les cépages sont le cabernet franc et le cabernet-sauvignon, le cot, le fer-servadou, le merlot et le tannat, ce dernier ne pouvant dépasser 50 % de l'encépagement. Les règles de production mises en place par les producteurs sont contraignantes : 3 300 pieds/ha taillés en guyot ou en cordon, nombre d'yeux à l'hectare toujours inférieur à 60 000, rendement de base des parcelles inférieur ou égal à 60 hl/ha...

Les moûts récoltés ne peuvent avoir moins de 170 g/l de sucres. La vendange, une fois égrappée et débourbée, est mise dans un récipient où le moût peut subir un début de fermentation. Aucune adjonction de produits extérieurs n'est autorisée. Le mutage se fait avec une eau-de-vie d'armagnac d'un compte d'âge minimum 0 et d'un degré minimum de 52 % vol. Tous les lots de vins sont dégustés et analysés. En raison de l'hétérogénéité toujours à craindre de ce type de produit, l'agrément se fait en bouteilles et ces dernières ne peuvent sortir des chais des récoltants avant le 15 mars de l'année qui suit celle de la récolte.

♥ DOM. DE BILÉ ★★★

| | 6 666 | ■ | 8 à 11 € |

Ce domaine familial de 16 ha, que le « clan » Della-Vedove – Didier et Marie-Claude et leurs fils Romain et Thibault – entretient depuis 1968, invite avec ses flocs à de fréquentes escapades gourmandes. Il se hisse cette année sur la plus haute marche du podium avec ce blanc d'exception, très avenant dans sa robe au teint safrané. Le bouquet, d'une grande finesse, mêle des parfums de miel, de fleurs blanches et de fruits en marmelade (coing, orange, fruits rouges). Épaulée par une fine vivacité qui contrebalance parfaitement la chaleur de l'armagnac, la bouche offre une chair tendre et veloutée où se reconnaissent les arômes perçus au nez, et déploie une

finale d'une longueur admirable. Un grand vin, à réserver pour un mets délicat, un foie gras en brioche par exemple. Au dessert, avec une tarte au chocolat ou aux fruits rouges, on pourra servir le **rosé (6 666 b.)**, qui obtient une étoile pour sa fraîcheur et son fruité.
📞 EARL Della-Vedove, Dom. de Bilé,
32320 Bassoues-d'Armagnac, tél. et fax 05 62 70 93 59,
contact@domaine-de-bile.com,
☑ ⚹ ⊤ t.l.j. 9h-19h; dim. sur r.-v.

DOM. DES CASSAGNOLES ★★

| | n.c. | ⫿⫿ | 8 à 11 € |

La Ténarèze a ses « champions », parmi lesquels le domaine des Cassagnoles, dont la renommée a franchi les frontières. Cela ne l'empêche pas de côtoyer le quotidien gascon lors du marché à la ferme organisé chaque début août... Ce floc blanc, qui frôle le coup de cœur, est élaboré, chose suffisamment rare pour être soulignée, en barrique, à partir d'un distillat de mutage composé d'armagnac et de jus d'ugni blanc. Dans le verre, une robe d'or pâle aux reflets jade. Au nez, des agrumes et des fruits blancs confits. En bouche, un armagnac bien fondu et beaucoup de fraîcheur qui lui confère de la longueur, du dynamisme et un équilibre constant. Bref, un floc des plus harmonieux, qui sera le bienvenu avec un foie gras poêlé. Le **rosé**, qui a lui aussi flirté avec le bois, obtient une étoile pour sa rondeur et pour ses arômes bien mariés de caramel, de fruit et de violette.
📞 Dom. des Cassagnoles, Famille Baumann,
32330 Gondrin, tél. 05 62 28 40 57, fax 05 62 28 42 42,
j.baumann@domainedescassagnoles.com,
☑ ⊤ t.l.j. sf dim. 9h-12h30 14h-17h30; sam. 9h30-12h30 14h-17h30 ⛳ ◉

DOM. CHIROULET ★

| | 6 000 | ■ | 8 à 11 € |

Les amateurs d'armagnac de la Ténarèze souhaitant se régaler aussi de découvertes culturelles pourront contempler la petite église du XIII°s. érigée au hameau d'Heux, à une portée d'arquebuse du domaine Chiroulet. Ici, le Cyrano d'Edmond Rostand aurait pu s'exclamer que dans l'alignement des vignes, le vent souffle un chant « dont la musique a l'air d'être en patois ». Ce vent, c'est le « chiroula », qui assainit la vigne, ce qui donne des flocs de haute expression. Philippe Fezas propose un blanc tout en finesse, paré d'une robe laiton clair aux reflets platine. Le nez livre des parfums intenses d'agrumes, de fruits exotiques et de miel ; une symphonie aromatique prolongée par une bouche à la fois riche, onctueuse et fraîche. À réserver pour un foie gras ou pour une tarte Tatin.
📞 Famille Fezas, Dom. Chiroulet,
32100 Larroque-sur-l'Osse, tél. 05 62 28 02 21,
fax 05 62 28 41 56, chiroulet@wanadoo.fr,
☑ ⚹ ⊤ t.l.j. sf dim. 9h-12h 14h30-18h30

CAVE DE CONDOM ★★

| | 29 000 | ■ | 5 à 8 € |

Très régulière en qualité, la cave de Condom tient son rang avec deux flocs de belle facture. Ce blanc issu à parts égales de colombard et de gros manseng livre un bouquet expressif et harmonieux de fruits blancs et jaunes et d'agrumes. Des tonalités fruitées que reprend en chœur, agrémentée de senteurs de bergamote et de violette, une bouche souple et ronde, qui laisse « une sensation de douceur remarquable », selon un dégustateur sous le charme. Le **rosé (40 000 b.)**, né de merlot et de cabernet-sauvignon, est cité. D'une agréable douceur, il est dominé par des arômes de fruits rouges et par un armagnac qui doit encore se fondre.

🕿 Val de Gascogne, Cave de Condom,
59, av. des Mousquetaires, 32100 Condom,
tél. 05 62 28 12 16, fax 05 62 68 39 62,
cavedecondom@terresdegascogne.fr,
☑ 🕇 ⏧ t.l.j. sf dim. 9h-12h30 14h30-19h

DOM. D'EMBIDOURE ★

◼	4 000	🖬 8 à 11 €

Ce domaine familial de 26 ha est conduit depuis 2006 par les sœurs Menegazzo, Sandrine et Nathalie, qui assurent 90 % de la commercialisation en vente directe. Merlot (70 %) et cabernet-sauvignon composent un floc couleur cerise aux reflets carminés, qui dévoile des parfums toniques de fruits rouges soulignés par des notes légères d'eau-de-vie. La bouche, à l'unisson, plaît par sa fraîcheur et par son équilibre. Tout indiqué pour une mousse au chocolat. Fruité, rond, gras mais pas encore totalement affranchi de la vigueur de l'armagnac, le **blanc (4 000 b.)** est cité. Une petite attente lui sera bénéfique.

🕿 EARL Menegazzo Filles, Dom. d'Embidoure,
32390 Réjaumont, tél. 05 62 65 28 92, fax 05 62 65 27 40,
menegazzo.embidoure@wanadoo.fr,
☑ 🕇 ⏧ t.l.j. 9h-12h 14h-18h30; sam. dim. sur r.-v.

ENTRAS ★★

◼	4 800	🎏 8 à 11 €

C'est au cœur du Gers, sur les coteaux argilo-calcaires de la Ténarèze, que vous découvrirez l'excellence des produits de la ferme Entras. Ici, les flocs ne sont promis au commerce que lorsqu'ils sont jugés au mieux de leur forme, après un élevage en barrique plus ou moins long, tel ce rosé mi-merlot mi-cabernet-sauvignon qui a mûri deux ans au contact du chêne. D'élégants reflets brillants éclairent une robe couleur cerise. Le nez offre une belle présence ; sa palette aromatique, centrée sur les fruits rouges, est agrémentée de fines notes d'armagnac. La bouche, ronde et persistante, sur les fruits rouges, associe remarquablement vivacité et chaleur de l'armagnac. Pour des desserts au chocolat, dès aujourd'hui. Le **blanc (3 000 b.)**, né d'ugni blanc et de colombard, reçoit également deux étoiles, tant pour son fruité conquérant dominé par le coing confit, les fruits exotiques ou la pêche, que pour sa richesse apaisée par une juste fraîcheur. On le proposera à l'apéritif ou pour accompagner une tarte aux mirabelles.

🕿 GAEC Bordeneuve-Entras, Entras, 32410 Ayguetinte,
tél. 05 62 68 11 41, fax 05 62 68 15 32,
mbrmaestrojuan@wanadoo.fr,
☑ 🕇 ⏧ t.l.j. 9h-12h30 14h-18h (20h en été); dim. sur r.-v.
🕿 Maestrojuan

DOM. D'ESPÉRANCE ★

◼	5 000	🖬 8 à 11 €

Quand l'hiver fuit et que « tout renaît à l'espérance », il est bon de se retrouver entre amis autour d'un nectar dont les vertus apéritives incitent à l'optimisme. Comme, par exemple, ce floc délicat élaboré par Claire de Montesquiou, dont la bouteille s'orne, clin d'œil charmeur,

d'un dessin du créateur de mode Jean-Charles de Castel-bajac, lui aussi, Gascon « pur floc ». Au nez, s'impose une jolie fraîcheur citronnée, agrémentée de nuances florales. Elle caractérise aussi la bouche, dont elle contrebalance la rondeur et la douceur. Que diriez-vous d'une tarte au citron ?

🕿 Dom. d'Espérance, Espérance,
40240 Mauvezin-d'Armagnac, tél. 05 58 44 85 93,
fax 05 58 44 87 15, info@esperance.fr,
☑ 🕇 ⏧ t.l.j. sf mar. jeu. 8h-12h; sam. dim. sur r.-v. 🏠 🅒
🕿 Claire de Montesquiou

FERME DE GAGNET ★

◼	6 000	🖬 8 à 11 €

À la ferme de Gagnet, les femmes sont aux commandes : Marielle, Marion, Caroline et Éliane Tadieu y conduisent 10 ha de vignes et un élevage de canards à l'origine de ces foies gras qui accompagnent si bien le floc (ou l'inverse). Elles signent un rosé mi-merlot mi-cabernet-sauvignon vêtu d'une robe brillante aux reflets violines, à l'olfaction florale et fruitée (fraise, cerise) et au palais flatteur par sa fraîcheur et sa rondeur. Parfait pour un melon du pays. Le **blanc (6 000 b.)**, issu d'ugni blanc et de colombard, chaleureux et fruité (mirabelle, coing, litchi), est cité.

🕿 Ferme de Gagnet, Gagnet, 47170 Mézin,
tél. 06 82 36 19 82, fax 05 53 97 22 04,
fermedegagnet@gmail.com,
☑ 🕇 ⏧ t.l.j. sf dim. 9h-13h 15h-20h 🏠 🅑
🕿 Tadieu

CH. GARREAU ★

◼	17 733	🖬 8 à 11 €

À proximité du village médiéval de Labastide-d'Armagnac trône le château Garreau, au sein d'un vaste espace agreste de 80 ha où cohabitent l'arbre, l'eau et la vigne. C'est en ces lieux qu'en 1974, Charles Garreau a redécouvert, à la lumière d'un texte du XVIe s., l'art et la manière de produire du floc. Aujourd'hui, ce sont Pierre Garreau et sa fille qui perpétuent la tradition. Ils signent un rosé tout en fruit, issu du merlot et du cabernet franc à parts égales, accompagné d'une touche de tannat. Du fruit rouge intense à l'olfaction, du fruit rouge aussi en bouche, agrémenté en finale d'un retour chaleureux de l'armagnac. De beaux accords gourmands en perspective avec un florilège de pâtisseries au chocolat.

🕿 SCEA Ch. Garreau, Gayrosse,
40240 Labastide-d'Armagnac, tél. 05 58 44 84 35,
fax 05 58 44 87 07, chateau.garreau@wanadoo.fr,
☑ 🕇 ⏧ t.l.j. 9h-12h 14h-18h 🏠 🅐

DOM. DU GRAND COMTÉ

◼	2 000	8 à 11 €

Michel Baylac est à la tête de cet ancien domaine depuis 1982. Il propose un floc blanc classique (deux tiers de jus de raisin frais, un tiers d'armagnac), qui joue sur l'équilibre, le fruité et la vivacité, même si l'armagnac se fait quelque peu dominateur en finale. L'ensemble reste agréable et s'appréciera sur des fromages à pâte persillée.

🕿 Michel Baylac, Au Grand Comté, 32810 Roquelaure,
tél. 05 62 65 59 45, fax 05 62 65 59 49,
grand-comte@wanadoo.fr,
☑ 🕇 ⏧ t.l.j. 9h-13h 14h-19h 🏠 🅒

LAFONTAN ★★

	66 000		5 à 8 €

La cave coopérative de Nogaro, qui propose ce floc sous trois noms différents, signe un blanc élégant dans sa robe jaune brillant, animée de reflets verts. Le nez s'ouvre sur de délicates notes florales agrémentées de nuances mentholées. Tout aussi plaisante, la bouche, ample et souple, équilibrée par une remarquable fraîcheur, marie harmonieusement la tonicité de l'armagnac à des arômes de fruits blancs. De multiples accords en perspective, du foie gras aux desserts au chocolat, en passant par un melon ou par les saveurs opulentes d'un roquefort.

☛ CPR, 32110 Nogaro, tél. 05 62 09 09 79, fax 05 62 09 10 99, info@armagnac-lafontan.fr, ☑ ✶ ⊤ r.-v.

DOM. DE LARTIGUE ★

	4 000		8 à 11 €

Fondé il y a soixante ans par le grand-père de Sonia et de Jérôme Lacave, ce domaine combine une activité d'horticulture à celle de la vigne. Côté cave, deux flocs très réussis sont proposés. Issu de colombard, de sauvignon et d'ugni blanc, celui-ci, d'un jaune clair strié d'émeraude, est un beau representant de l'appellation. De tendres parfums de fleurs et de fruits blancs animent l'olfaction. La bouche, souple et équilibrée, laisse au fruit le soin de dompter les vigueurs de l'armagnac, bien fondu. Parfait pour accompagner un foie gras poêlé. Quant au rosé (4 000 b.), issu de merlot et de cabernet-sauvignon assemblés à parité, il plaît par sa suavité équilibrée par une belle fraîcheur.

☛ EARL Francis Lacave, Dom. de Lartigue, Au Village, 32800 Bretagne-d'Armagnac, tél. 05 62 09 90 09, fax 05 62 09 79 60, francis.lacave@wanadoo.fr, ☑ ✶ ⊤ r.-v.

DOM. DE MAGNAUT ★

	2 100		8 à 11 €

Ce domaine régulier en qualité, piloté depuis 2000 par Jean-Marie Terraube, s'illustre cette année avec deux flocs de belle facture. Ce rosé issu du seul merlot, paré d'une robe fuchsia, séduit d'emblée par ses parfums de noyau de cerise, de fleurs et d'eau-de-vie. La bouche ample se montre équilibrée entre fraîcheur, douceur des fruits mûrs et chaleur de l'armagnac. Ce floc de belle intensité a tout pour plaire avec une pâtisserie chocolatée, une forêt noire par exemple. Cité pour son fruité opulent et pour sa souplesse, le blanc (2 100 b.) se mariera très bien avec une salade de fruits.

☛ Jean-Marie Terraube, Magnaut, 32250 Fourcès, tél. 05 62 29 45 40, fax 05 62 29 58 42, domainedemagnaut@wanadoo.fr, ☑ ✶ ⊤ t.l.j. sf dim. 9h-12h 14h-19h

CH. DE MILLET

	n.c.		8 à 11 €

Au château de Millet, on sait recevoir et c'est dans l'ancien pigeonnier restauré du XVᵉs. que peuvent séjourner les touristes œnophiles. L'occasion de déguster ce floc jaune paille aux reflets brillants, qui libère des parfums fruités (pêche, abricot), floraux et miellés. Doux, rond, bien dosé en liqueur, le palais tient la note. À déguster sur une tarte aux fruits.

☛ Ch. de Millet, 32800 Éauze, tél. 05 62 09 87 91, fax 05 62 09 78 53, chateaudemillet@wanadoo.fr, ☑ ✶ ⊤ t.l.j. sf sam. dim. 9h-12h 14h-18h ⌂ ☉
☛ Famille Dèche

CH. MONLUC ★★★

	5 300		11 à 15 €

Ce floc rosé a manqué de peu la plus haute marche du podium lors de la finale qui regroupait les prétendants au coup de cœur. Né de raisins en conversion bio depuis 2010, il arbore une seyante parure rose ornée de reflets carmin. Enchanteur dès le premier abord, le nez fait preuve d'une belle élégance fruitée. La bouche tient bien la note fruitée, avec de légères touches d'armagnac à l'arrière-plan ; il séduit par sa finesse, sa longueur impressionnante et son équilibre. Un plaisir à ne pas dénaturer, recommandé unanimement les dégustateurs : comprenez, à boire pour lui-même, à l'apéritif ou après le repas.

☛ SAS Dom. de Monluc, Ch. Monluc, 32310 Saint-Puy, tél. 05 62 28 94 00, fax 05 62 28 55 70, contact@monluc.fr, ☑ ✶ ⊤ t.l.j. sf lun. 10h-12h 14h-19h
☛ Lassus

DOM. POLIGNAC

	10 000		8 à 11 €

Au domaine de Polignac, tout semble conçu pour la réussite de visites jubilatoires : pour le corps, l'accès facile à la base de loisirs de Gondrin et pour l'esprit, l'exploration des secrets du chai orchestrée par Jacques Gratian, élaborateur de ce rosé issu pour moitié du merlot, pour moitié du cabernet-sauvignon. Paré d'une jolie robe aux reflets rubis, ce floc livre des parfums intenses de fruits rouges, que prolonge une bouche équilibrée et persistante. Pour une une tarte au chocolat.

☛ EARL Gratian, Dom. Polignac, Polignac, 32330 Gondrin, tél. 05 62 28 54 74, fax 05 62 28 54 86, j.gratian@cerfrance.fr, ☑ ✶ ⊤ t.l.j. 10h-13h 15h-20h

DOM. SAINT-LANNES ★

	4 000		8 à 11 €

Colombard et gros manseng assemblés à égalité ont donné naissance à ce floc typique. Il a bénéficié des tendres assauts de l'armagnac au cours d'un mutage précis, bonifié par un long élevage. D'un jaune d'or brillant, il libère de plaisantes senteurs florales mâtinées de notes chaleureuses de l'eau-de-vie. Douce en attaque, la bouche est stimulée par une fraîcheur vivifiante et tapissée d'agréables arômes de fruits blancs. À servir sur une de ces terrines de foie gras qui rappellent qu'en Gascogne le bonheur est dans le pré.

☛ Vignobles Duffour, Dom. Saint-Lannes, BP 6, 32330 Lagraulet-du-Gers, tél. 05 62 29 11 93, fax 05 62 29 12 71, marlene.duffour@saint-lannes.fr, ☑ ⊤ r.-v.

DOM. DE SANCET

	2 666		8 à 11 €

Ce domaine situé au cœur de la région Armagnac propose un rosé de pur cabernet-sauvignon, paré de rubis, ouvert sur les notes de fleurs, d'amande et d'eau-de-vie. La bouche se montre elle aussi plutôt chaleureuse, mais sans que le fruit, la cerise en l'occurrence, ne soit étouffé. Une forêt noire fera un bon accord.

☛ Alain Faget, Sancet, 32110 Saint-Martin-d'Armagnac,
tél. 05 62 09 08 73, fax 05 62 69 04 13,
domainedesancet@wanadoo.fr,
☑ ⵏ t.l.j. sf dim. 9h-12h 14h30-19h

DOM. SAN DE GUILHEM ★

■	n.c.	■	8 à 11 €

À « Hramosen » – nom gascon de Ramouzens, petit village du canton d'Eauze –, la polyculture a dessiné le paysage. Bosquets, champs de maïs, prairies et vignes se disputent un espace caressé par les langueurs déjà océanes. Armagnacs, vins de pays, flocs agrémentent une cuisine aux qualités recherchées. Alain Lalanne, installé sur ces terres depuis 1974, privilégie les cépages ugni blanc, colombard et gros manseng dans ce floc fruité (pêche blanche, abricot) et floral (rose, violette) au nez. La bouche confirme ces arômes, les notes d'armagnac restant bien présentes. Un ensemble doux et chaleureux, à déguster sur un foie gras de canard.

☛ Alain Lalanne, Dom. San de Guilhem,
32800 Ramouzens, tél. 05 62 06 57 02, fax 05 62 06 44 99,
domaine@sandeguilhem.com,
☑ ⅄ ⵏ t.l.j. sf sam. dim. 8h-12h30 13h30-17h30

LES TROIS DOMAINES

■	4 000	■	8 à 11 €

Le merlot et le cabernet-sauvignon, associés à parité, ont donné naissance à ce rosé rubis limpide porté sur les fruits rouges tout au long de la dégustation, suave et chaleureux en bouche. On l'ouvrira sur un dessert chocolaté. Encore un peu dépendant de l'armagnac, le **blanc (2 666 b.)**, issu de colombard et de gros manseng, est également cité pour l'intensité de sa palette aromatique, à dominante de fruits blancs.

☛ GAEC des Trois Domaines, Lassalle, 32390 Réjaumont,
tél. 05 62 65 28 83, fax 05 62 65 27 52,
3domaines@3domaines.com,
☑ ⅄ ⵏ t.l.j. sf dim. 9h-12h 14h-19h; jan.-mars 9h-12h

SUD-OUEST

LA VALLÉE DE LA LOIRE ET LE CENTRE

ANJOU MUSCADET
CHENIN SAUMUR-CHAMPIGNY
SAVENNIÈRES TOURAINE
BOURGUEIL CHINON
SANCERRE MONTLOUIS
CÔTES-D'AUVERGNE BRETON
POUILLY-FUMÉ BONNEZEAUX

LA VALLÉE DE LA LOIRE ET LE CENTRE

Unis par un fleuve majestueux jalonné de châteaux Renaissance, les divers pays de la vallée de la Loire sont baignés par une lumière unique, qui fait éclore ici le « Jardin de la France ». Dans ce jardin, bien sûr, la vigne est présente ; des confins du Massif central jusqu'à l'estuaire, elle ponctue le paysage au long du fleuve et d'une dizaine de ses affluents. Les ceps donnent naissance à l'une des productions les plus variées du pays, caractérisée par des prix doux et une vivacité qui anime jusqu'à ses grands vins liquoreux.

Quatre sous-régions Les vignobles de la région nantaise, de l'Anjou et de la Touraine forment de véritables entités. On a également inclus dans les vignobles de la Loire ceux, plus dispersés, du Berry, des côtes d'Auvergne et des Côtes roannaises ; ils appartiennent au bassin hydrographique de la Loire et se rapprochent des vignobles ligériens par les types de vins produits, friands et fruités.

Superficie
51 900 ha
Production
2 841 395 hl
Types de vins
Blancs (45 %) secs, demi-secs, moelleux et liquoreux, rosés (22 %), rouges (21 %), effervescents (12 %).
Sous-régions
Région nantaise, Anjou-Saumur, Touraine, Centre.
Cépages
Rouges : cabernet franc (breton), cot, gamay, pinot noir, grolleau ; accessoirement : pineau d'Aunis, cabernet-sauvignon, pinot meunier. Blancs : muscadet (ou melon de Bourgogne), chenin (pineau de la Loire), sauvignon ; accessoirement : chardonnay, romorantin, pinot gris (malvoisie), tressallier, menu pineau.

De l'Océan à la montagne De l'embouchure à la source du plus long fleuve de France, les différences climatiques ne sont pas minces : bien qu'identifiés comme septentrionaux, certains vignobles sont situés à une latitude qui, dans la vallée du Rhône, subit l'influence climatique méditerranéenne... Mâcon est à la même latitude que Saint-Pourçain, et Roanne, que Villefranche-sur-Saône. Le relief influe ici sur le climat, ainsi que l'éloignement de l'Océan ; le courant d'air atlantique qui s'engouffre d'ouest en est dans le couloir tracé par la Loire s'estompe peu à peu au fur et à mesure qu'il rencontre les collines du Saumurois et de la Touraine. Alors que le climat de la région nantaise est océanique, avec des hivers peu rigoureux, des étés chauds et souvent humides, le climat du Centre et des vignobles du Massif central est semi-continental, avec des hivers froids et des étés chauds.

Massif armoricain et Bassin parisien Dans la basse vallée de la Loire, l'aire du muscadet et une partie de l'Anjou (dit « Anjou noir ») reposent sur le Massif armoricain, constitué de schistes, de gneiss et d'autres roches de l'ère primaire, sédimentaires ou éruptives. La région nantaise présente un relief peu accentué, les roches dures du Massif armoricain étant entaillées à l'abrupt par de petites rivières. Les vallées escarpées ne permettent pas la formation de coteaux cultivables, et la vigne occupe les mamelons des plateaux.

L'Anjou est un pays de transition entre la région nantaise et la Touraine. Il se divise en plusieurs sous-régions : les coteaux de la Loire (prolongement de la région nantaise), en pente douce d'exposition nord, où la vigne couvre la bordure du plateau ; les coteaux du Layon, schisteux et pentus, et ceux de l'Aubance ; la zone proche de la Touraine, dans laquelle s'est développé le vignoble des rosés.

L'Anjou englobe historiquement le Saumurois ; géographiquement, ce dernier devrait plutôt être rattaché à la Touraine occidentale avec laquelle il présente des similitudes, tant au point de vue des sols (sédimentaires) que du climat. Les formations sédimentaires du Bassin parisien viennent ici recouvrir des formations primaires du Massif armoricain, de Brissac-Quincé à Doué-la-Fontaine.

Le Saumurois se caractérise essentiellement par la craie tuffeau sur laquelle poussent les vignes ; dans le sous-sol, les bouteilles rivalisent avec les champignons de Paris pour occuper galeries et caves facilement creusées. En face du Saumurois, on trouve sur la rive droite de la Loire les vignobles de Saint-Nicolas-de-Bourgueil, sur le coteau turonien. Plus à l'est, après Tours, et sur le même coteau, débute le vignoble de Vouvray ; Chinon, sur l'autre rive, est le prolongement du Saumurois sur les coteaux de la Vienne. Azay-le-Rideau, Montlouis, Amboise, Mesland et les coteaux du Cher complètent la Touraine. Les petits vignobles des coteaux du Loir, de l'Orléanais, de Cheverny, de Valençay et des coteaux du Giennois peuvent être rattachés à la Touraine.

Les vignobles du Berry (ou du Centre) se distinguent des trois autres tant par les sols, essentiellement jurassiques – voisins de ceux du Chablisien, pour Sancerre et Pouilly-sur-Loire – que par le climat. Nous rattachons Saint-Pourçain, les côtes roannaises et le Forez à cette quatrième unité, bien que sols (Massif central primaire) et climats (semi-continental à continental) soient différents.

Les cépages blancs Dans la région nantaise, un cépage domine : le melon, à l'origine d'un vin blanc sec et vif. Le cépage folle blanche engendre un autre vin blanc sec, plus léger, le gros-plant. En Anjou, en Saumurois et en Touraine, le cépage-roi en blanc est le chenin ou pineau de la Loire, à l'origine de grands vins liquoreux ou moelleux, ainsi que d'excellents vins secs, demi-secs et mousseux ; on le trouve jusqu'à l'est de Tours, à Vouvray, Montlouis, Amboise et Mesland, et aussi dans les vignobles sarthois de Jasnières et des coteaux du Loir. Le chardonnay et le sauvignon y ont été plus tardivement associés.

En Touraine orientale, le sauvignon supplante le chenin, donnant des vins blancs très aromatiques. C'est le cépage vedette des vins blancs du Centre, des sancerre, pouilly-fumé, reuilly, quincy, menetou-salon... Citons aussi des cépages beaucoup plus rares, comme le romorantin en cour-cheverny, le chasselas, qui subsiste à Pouilly-sur-Loire, le tressallier en saint-pourçain, ou encore le pinot gris.

Les cépages rouges On trouve le gamay à l'ouest, en Vendée et sur les coteaux d'Ancenis, en Anjou et surtout en Touraine orientale où il tend cependant à régresser. Il est en revanche majoritaire, voire exclusif, dans les vignobles du Massif central (côtes-d'auvergne, côte-roannaise, côtes-du-forez...). Autrefois très répandu, le grolleau noir produit traditionnellement des rosés demi-secs. Le cabernet franc, anciennement appelé « breton », l'a supplanté, complété par le cabernet-sauvignon. Les cabernets engendrent des vins rouges fins et corsés ayant une bonne aptitude à la garde, qui gardent un caractère vif dans la vallée de la Loire. Le cabernet franc est à la base de trois appellations réputées de la Touraine occidentale : chinon, bourgueil et saint-nicolas-de-bourgueil. En amont du fleuve, on se rapproche de la Bourgogne, et le cabernet s'efface derrière le pinot noir. C'est la variété des rouges du Berry, comme le sancerre. Parmi les cépages rouges, on citera aussi le cot (malbec), cultivé en Touraine orientale, qui donne des vins structurés, le pineau d'Aunis des coteaux du Loir à la nuance poivrée, le meunier, cultivé notamment dans l'Orléanais, ou encore la négrette, dans les fiefs-vendéens.

Les atouts du tourisme Résidence royale au XVIᵉˢ., berceau de la Renaissance, la région a pour atouts ses paysages et son architecture, des châteaux de la Loire à l'habitat troglodytique de l'Anjou-Saumur. Le tourisme est ici varié, culturel, gastronomique (fromages de chèvre AOC, rillettes...) ou œnologique, et les routes qui suivent le fleuve sur les « levées », ou celles, un peu en retrait, qui traversent vignobles et forêts sont les axes de découvertes inoubliables. Un large tronçon du Val de Loire, entre Sully-sur-Loire (Loiret) et Chalonnes-sur-Loire (Maine-et-Loire) a été inscrit au Patrimoine mondial de l'Unesco.

Les appellations régionales du Val de Loire

Rosé-de-loire

Superficie : 1 100 ha
Production : 61 672 hl

Vin d'appellation régionale, AOC depuis 1974, le rosé-de-loire peut être produit dans les limites des AOC anjou, saumur et touraine. Ce rosé sec naît des cépages cabernet franc, cabernet-

sauvignon, gamay noir à jus blanc, pineau d'Aunis et grolleau.

DOM. DU COLOMBIER 2012

| | 3 000 | | - de 5 € |

Ce domaine est géré par Sylvain Bazantay, qui opère à la vinification, et sa sœur Florence, qui s'occupe de l'accueil et de la commercialisation. Ils présentent un 2012 à la robe légère et délicate. Le nez intense évoque les fruits rouges très frais. La bouche élégante, fraîche et friande est dans le même registre. Un vin agréable, typique de l'appellation.

⌐ EARL Sylvain et Florence Bazantay,
10, rue du Colombier, Linières, 49700 Brigné-sur-Layon,
tél. et fax 02 41 59 31 82, earlbazantay@orange.fr,
☑ ⍓ t.l.j. sf dim. 9h-12h30 14h-18h30

LE LOGIS DU PRIEURÉ 2012

| 4 000 | | - de 5 € |

Vincent Jousset, à la tête de ce vignoble de 32 ha, propose un vin vêtu d'une plaisante robe rose orangé. Encore un peu discret, le nez livre à l'agitation des arômes frais et flatteurs. La bouche à la fois ronde et légèrement acidulée se révèle équilibrée et offre une belle intensité aromatique à dominante fruitée.

☛ SCEA Vincent Jousset, Le Logis du Prieuré, 8, rte des Verchers, 49700 Concourson-sur-Layon, tél. 02 41 59 11 22, fax 02 41 59 38 18, contact@logisduprieure.fr,

☑ ⚐ ⟟ t.l.j. sf dim. 9h-12h30 13h-18h30

DOM. DE MIHOUDY 2012 ★★

| 12 000 | | - de 5 € |

Jean-Paul Cochard qui conduit depuis 1981 ce vignoble de 55 ha a récemment été rejoint par ses fils Bruno et Jean-Charles. Ils présentent cette année un très beau 2012 qui a fait l'unanimité dans sa jolie robe aux reflets violacés. Le vin délivre au nez une intense expression aromatique où se côtoient la fraise et la cerise. La bouche, tout aussi fruitée, bien équilibrée entre le sucre et la fraîcheur, d'une très belle longueur, conforte ces premières impressions et offre une finale sur la griotte.

☛ Cochard et Fils, Dom. de Mihoudy, 49540 Aubigné-sur-Layon, tél. 02 41 59 46 52, fax 02 41 59 68 77, domainedemihoudy@orange.fr,

☑ ⚐ ⟟ t.l.j. sf dim. 8h30-12h 14h-18h

DOM. PERCHER 2012 ★★

| 1 000 | | - de 5 € |

Ce domaine, qui a vu passer à sa tête quatre générations de viticulteurs depuis sa création en 1926, propose un 2012 issu de 2 ha de coteaux de schistes conduits en lutte raisonnée. Cette belle cuvée rose pâle limpide libère à l'olfaction des arômes délicats et intenses de fruits frais et de bonbon anglais. La bouche fraîche, ronde et soyeuse, soutenue par une plaisante pointe d'acidité, laisse une impression très agréable. Un vin harmonieux, à déguster sur des grillades.

☛ Dom. Percher, 20, rte du Coteau, Savonnières, 49700 Les Verchers-sur-Layon, tél. 02 41 59 76 29, contact@domainepercher.com,

☑ ⚐ ⟟ t.l.j. sf dim. 8h-12h 14h-18h

DOM. DE LA TUFFIÈRE 2012 ★

| 4 000 | | - de 5 € |

Ce vin a séjourné dans une cave aménagée par des moines au cours du XVIIᵉs. dans une ancienne carrière de tuffeau. Aujourd'hui, le vignoble est conduit par Frédéric Coignard et sa sœur Clarisse, rejoints il y a quelque temps par leurs conjoints respectifs, Stéphanie et Fabrice. Ils signent ensemble une cuvée très plaisante avec sa robe rose bonbon, son nez friand et gourmand de petits fruits rouges mûrs, qui tapissent un palais ample, équilibré et plein de fraîcheur.

☛ EARL Coignard-Benesteau, Dom. de la Tuffière, 49140 Lué-en-Baugeois, tél. et fax 02 41 45 11 47, vignoble-tuffiere@wanadoo.fr,

☑ ⚐ ⟟ t.l.j. sf dim. 9h-12h30 14h-19h

Crémant-de-loire

Superficie : 1 512 ha
Production : 100 963 hl

Il s'agit d'une appellation régionale qui peut s'appliquer à des vins effervescents surtout blancs, parfois rosés, produits selon la méthode traditionnelle dans les limites des appellations anjou, saumur, touraine et cheverny. Les cépages, nombreux, sont les variétés plantées dans les différents secteurs du Val de Loire : chenin ou pineau de Loire, cabernet-sauvignon et cabernet franc, pinot noir, chardonnay... Reconnue en 1975, l'AOC a trouvé son public.

ACKERMAN Royal Grande Réserve ★

| n.c. | | 8 à 11 € |

Fidèle au rendez-vous du Guide, cette vénérable maison de négoce, fondée en 1811, propose un joli duo. La Royal Grande Réserve, parée d'une robe élégante, jaune pâle aux reflets dorés, est animée de fines bulles persistantes. Le nez, intense, dévoile de jolies notes de fruits de la Passion, litchi et fleurs blanches agrémentées d'une touche de toasté. Le palais est à l'unisson, bien équilibré et très aromatique. Une cuvée gourmande qui fera bonne figure à l'heure de l'apéritif. Même distinction pour le **blanc Cuvée privée (5 à 8 €)**, rond et équilibré, sur les fruits blancs.

☛ SA Ackerman, 19, rue Léopold-Palustre, 49400 Saint-Hilaire-Saint-Florent, tél. 02 41 53 03 10, fax 02 41 53 03 19, contact@ackerman.fr,

☑ ⚐ ⟟ t.l.j. 9h00-12h30 14h-18h30

DOM. DE L'ANGELIÈRE 2011

| 6 500 | | 5 à 8 € |

Cinq générations de vignerons ont participé à l'ascension de cette exploitation qui s'étend aujourd'hui sur 52 ha. Ce 2011 affiche une robe rose séduisante, qui annonce un nez frais de fruits rouges et de grenadine. Ample, généreuse, bien équilibrée par une juste fraîcheur, la bouche invite à découvrir cette bouteille sans attendre, à l'heure de l'apéritif.

☛ EARL Boret, L'Angelière, 49380 Champ-sur-Layon, tél. 02 41 78 85 09, fax 02 41 78 67 10, boret@orange.fr,

☑ ⟟ t.l.j. sf dim. 9h-18h 🏠 ⓒ

DOM. DE LA BESNERIE

| 4 000 | | 5 à 8 € |

Proche de Blois, le vignoble est situé sur l'aire d'appellation touraine-mesland. Y est née cette cuvée issue majoritairement de chenin. Belle robe or pâle aux reflets verts, bouquet de fleurs blanches sur fond brioché, bouche ronde et souple : le portrait d'un « vin de plaisir », à découvrir à l'apéritif.

☛ EARL Pironneau, Dom. de la Besnerie, 41, rte de Mesland, 41150 Monteaux, tél. 02 54 70 23 75, fax 02 54 70 21 89, pironneau.f@wandoo.fr,

☑ ⚐ ⟟ t.l.j. sf mer. 9h-12h 14h30-19h; dim. sur r.-v.

PIERRE CHANAU ★

| | 80 000 | | 5 à 8 € |

Ce crémant-de-loire, qui porte la marque des magasins Auchan (« Chanau » en est l'anagramme), est né d'un trio de cépages : chenin (65 %), chardonnay (30 %) et une touche de grolleau. Élaboré à Saumur par les Caves de Grenelle, créées au début du XXᵉs., il a retenu l'attention des dégustateurs qui ont apprécié sa robe or pâle, ses arômes de fruits blancs, d'agrumes et de fleurs blanches, et sa bouche vive, équilibrée et de belle longueur.

☛ Caves de Bussy, 839, rue Marceau, 49400 Saumur, tél. 02 41 50 17 63, fax 02 41 50 83 65, grenelle@louisdegrenelle.fr,
☑ ⚔ ⛾ t.l.j. sf dim. 9h30-12h 13h30-18h
☛ FLAO

DOM. DE LA COUCHETIÈRE 2011

| | 11 000 | ▮ | 5 à 8 € |

Établi à Notre-Dame-d'Allençon, village jouxtant au nord le cru réputé de Bonnezeaux, ce domaine, qui produit de nombreuses appellations sur ses 30 ha, est reconnu pour la qualité régulière de ses vins. Ce que confirme ce 2011 dans sa séduisante livrée jaune pâle parcourue de fines bulles. Tout aussi plaisant, le bouquet de fruits mûrs annonce une bouche ample, ronde et équilibrée. Un bon parti pour une tarte aux fruits.

☛ EARL Brault, Dom. de la Couchetière, 49380 Notre-Dame-d'Allençon, tél. 02 41 54 30 26, fax 02 41 54 40 98, domaine.de.la.couchetiere@wanadoo.fr,
☑ ⚔ ⛾ t.l.j. sf dim. 8h-12h 14h-19h

MADAME DE CHANCENY ★★

| | 6 000 | | 5 à 8 € |

Créée en 1955, cette coopérative vinifie la vendange de 800 ha, dans les AOC de la région nantaise, des coteaux d'Ancenis et même d'Anjou. Cette Mme de Chanceny a tout pour séduire dans sa belle robe orangée. Au nez, une palette friande de framboise et de coing ; en bouche, de la fraîcheur, de la rondeur et de la longueur. Une grande réussite.

☛ Terrena Vignerons de la Noëlle, bd des Alliés, 44150 Ancenis, tél. 02 40 98 92 72, fax 02 40 98 96 70, fgouraud@terrena.fr, ☑ ⛾ t.l.j. 9h-12h30 14h-18h30

DOM. DELAUNAY 2010 ★

| | 5 880 | ▮ | 5 à 8 € |

Ce beau domaine familial (90 ha), conduit par les quatre enfants de la famille Delaunay, cultive la vigne et les fruits. Né de grolleau (majoritaire) et de cabernet franc, ce joli crémant s'habille d'une robe rose pâle traversée de fines bulles. Le nez gourmand marie la groseille et la fraise aux fruits exotiques. Cette générosité se prolonge dans une bouche ample et ronde, tonifiée par une agréable vivacité. À apprécier dès maintenant, de l'apéritif au dessert. Le **blanc 2011 (28 700 b.)** est cité pour son fruité (pomme verte), sa fraîcheur et son équilibre.

☛ Dom. Delaunay, Daudet, rte de Chalonnes, 49570 Montjean-sur-Loire, tél. 02 41 39 08 39, fax 02 41 39 00 20, delaunay.anjou@wanadoo.fr,
☑ ⚔ ⛾ t.l.j. 8h-12h30 14h-18h30; sam. 9h-12h; dim. et fériés sur r.-v.

DOM. DE L'ÉTÉ 2010

| | 39 840 | ▮ | 5 à 8 € |

Catherine Nolot, également propriétaire du château des Rochettes, voit ses vins régulièrement mentionnés dans le Guide, des rosé-d'anjou aux coteaux-du-layon. Parée de jaune pâle limpide, cette cuvée déploie un fin cordon de bulles et dévoile un nez délicat de fleurs blanches qui évolue après aération vers des notes fraîches de pêche, de fruit de la Passion et de pamplemousse. La bouche persiste longuement sur des saveurs fraîches et acidulées (pomme verte).

☛ SCEA Catherine Nolot, L'Été, 49700 Concourson-sur-Layon, tél. 02 41 59 11 63, fax 02 41 59 95 16, domainedelete@wanadoo.fr,
☑ ⚔ ⛾ t.l.j. sf dim. 9h-12h30 13h30-18h

DOM. DE LA GACHÈRE 2011 ★★

| | 4 000 | | 5 à 8 € |

Les frères Lemoine signent ici un pur cabernet franc qui mérite le détour. Belle robe brillante, rose léger aux reflets saumonés, nez gourmand dominé par la fraise et la grenadine, bouche fine, fraîche et équilibrée. Un crémant friand à souhait, qui se plaira aussi bien à l'apéritif que sur une charlotte aux fraises.

☛ GAEC Alain et Gilles Lemoine, Dom. de la Gachère, 79290 Saint-Pierre-à-Champ, tél. 05 49 96 81 03, gachere@orange.fr, ☑ ⚔ ⛾ r.-v.

DOM. DE GAGNEBERT Un des sens 2010 ★

| | 20 000 | ▮ | 5 à 8 € |

C'est la cinquième génération de Moron qui officie sur ce domaine régulièrement distingué dans nos éditions. Ce 2010 est issu de chardonnay (60 %) complété à parts égales de chenin et de grolleau gris. D'un jaune pâle limpide, il dévoile un bouquet discret d'abricot et de pêche, qui s'ouvre après aération sur des notes de fleur de sureau. Après une attaque souple, la bouche se révèle fraîche et longue, soutenue en finale par une noble amertume.

☛ Dom. de Gagnebert, 2, chem. de la Naurivet, 49610 Juigné-sur-Loire, tél. 02 41 91 92 86, fax 02 41 91 95 50, moron@domaine-de-gagnebert.com,
☑ ⚔ ⛾ t.l.j. sf dim. 8h-12h30 14h-19h

DOM. DES GALLOIRES Méthode traditionnelle 2011 ★

| | 16 000 | ▮ | 5 à 8 € |

C'est dans un caveau de dégustation surplombant la Loire et les coteaux où les vignes à l'origine de ce pur chardonnay que ce domaine accueille les œnophiles. Une effervescence délicate anime la robe jaune pâle aux reflets vert citron. Le bouquet, élégant, évoque les fleurs blanches, les agrumes et le litchi, relayé par une bouche harmonieuse. Un joli crémant d'apéritif.

☛ Dom. des Galloires, La Galloire, 49530 Drain, tél. 02 40 98 20 10, fax 02 40 98 22 06, contact@galloires.com,
☑ ⚔ ⛾ t.l.j. sf dim. 9h-12h 14h-19h (sam. 17h)
🏠 ❶ 🏠 Ⓐ

DOM. DE LA GERFAUDRIE 2011 ★

| | 4 000 | ▮ | 5 à 8 € |

Les coteaux schisteux situés sur la corniche angevine qui domine les vallées de la Loire et du Layon sont propices à une bonne maturation des raisins. Pour preuve ce duo étoilé. Cet assemblage de cabernet franc (50 %) complété de grolleau et de pineau d'Aunis est né d'une micro-parcelle de 45 ares. Il dévoile un bouquet tout en fruit (framboise, fraise des bois) que prolonge un palais frais, élégant et harmonieux. Même distinction pour le **2011 blanc (16 000 b.)**, qui charme par ses notes florales et son équilibre.

☛ SCEV Dom. de la Gerfaudrie, 25, rue de l'Onglée, 49290 Chalonnes-sur-Loire, tél. 02 41 78 02 28, fax 02 41 78 03 07, domaine-gerfaudrie@wanadoo.fr, ☑ ⋏ ⍳ r.-v.

LOUIS DE GRENELLE «L» de Grenelle 2008 ★★
7 500   11 à 15 €

Cette vénérable maison de négoce créée en 1859, bien connue des habitués du Guide, propose un superbe 2008 qui reste au pied du podium des coups de cœur. Un crémant d'une grande amplitude avec du fruit, de la fraîcheur et de la puissance ; un fruit bien mûr aux accents de pêche de vigne à l'olfaction, aux tonalités citronnées en bouche. Ce très bel ensemble, fin et harmonieux, sera parfait en entrée, sur des noix de saint-jacques ou, pourquoi pas, du foie gras.

☛ Louis de Grenelle, 839, rue Marceau, 49400 Saumur, tél. 02 41 50 17 63, fax 02 41 50 83 65, grenelle@louisdegrenelle.fr, ☑ ⋏ ⍳ t.l.j. sf dim. 9h30-18h
☛ FLAO

♥ DOM. DU HAUT FRESNE ★★
n.c.   5 à 8 €

Les lecteurs ont pris l'habitude de voir ce domaine du Pays nantais, établi à un tir d'aile du Liré, lieu de naissance du poète Joachim du Bellay, moissonner les étoiles dans les appellations coteaux-d'ancenis et muscadet-coteaux-de-la-loire. Ils ont moins souvent l'occasion de découvrir ses fines bulles. Heureux qui comme eux feront un beau voyage (olfactif et gustatif) avec ce crémant issu de chardonnay (60 %), de pinot noir et de grolleau. Un vin jaune paille lumineux animé par une effervescence dynamique, au nez tout aussi séduisant de fleurs et fruits blancs agrémentés de jolies nuances fumées. Ample et intense dès l'attaque, la bouche offre un équilibre proche de la perfection entre douceur (12 g/l de sucres résiduels) et vivacité, et achève sa longue course sur des notes élégantes de pêche blanche et sur de nobles amers. Un ensemble des plus harmonieux, à réserver pour un apéritif de gala.

☛ EARL Renou Frères et Fils, Dom. du Haut Fresne, 49530 Drain, tél. 02 40 98 26 79, fax 02 40 98 27 86, contact@renou-freres.com, ☑ ⋏ ⍳ r.-v.

LACHETEAU ★★
300 000   5 à 8 €

Créée en 1990, cette maison de négoce est connue pour ses vins rosés et ses effervescents. Cette cuvée marie le chenin (70 %), le cabernet franc (20 %) et le chardonnay. Dans le verre, de fines bulles s'élancent en un cordon délicat. Le nez livre de fines notes de fleurs blanches et de fruits frais. Suit une attaque vive, prélude à un palais souple et long, soutenu par de plaisantes notes citronnées. Une étoile pour le blanc **Tête de cuvée (8 à 11 €ᅟ; 100 000 b.)**, rond, gras et persistant.

☛ SAS Lacheteau, 282, rue Lavoisier, 49700 Doué-la-Fontaine, tél. 02 41 59 26 26, fax 02 41 59 01 94, mbrieau@lacheteau.fr

MLLE LADUBAY Méthode traditionnelle 2011 ★
n.c.   5 à 8 €

On ne compte plus les sélections dans ces pages pour cette maison de négoce fondée en 1851 par Étienne Bouvet. Cette année, Mlle Ladubay, née du seul cabernet franc, séduit par sa robe rose orangé parcourue de fines bulles, par son nez gourmand dominé par la fraise, prélude à une bouche équilibrée, soutenue par une finale pleine de fraîcheur. Un « vin plaisir » pour accompagner un repas d'été.

☛ Bouvet-Ladubay, 11, rue Jean-Ackerman, BP 65 Saint-Hilaire-Saint-Florent, 49426 Saumur, tél. 02 41 83 83 83, fax 02 41 50 24 32, service.export@bouvet-ladubay.fr, ☑ ⋏ ⍳ t.l.j. 9h-12h30 14h-18h

DOM. MICHAUD ★
9 800   5 à 8 €

Producteur et fer de lance de AOC touraine-chenonceaux, Thierry Michaud produit chaque année quelques milliers de bouteilles d'un crémant régulièrement distingué dans le Guide. Cet assemblage de pinot noir et de cabernet franc à parts égales, complété de chardonnay (20 %), livre de séduisantes notes fruitées. À l'unisson, le palais se révèle rond et frais, bien équilibré en somme. À découvrir sur une charlotte aux fraises.

☛ Dom. Michaud, 20, rue des Martinières, 41140 Noyers-sur-Cher, tél. 02 54 32 47 23, thierry@domainemichaud.com, ☑ ⋏ ⍳ t.l.j. sf dim. 9h-12h 14h-19h; sam. 10h-12h 14h-18h

MONCONTOUR Méthode traditionnelle
37 954   5 à 8 €

La production des rosés effervescents en Val de Loire se développe avec de jolis résultats. Pour preuve cette cuvée à majorité de cabernet franc élaborée par les Caves du Val de France, maison de négoce créée en 2000. Son bouquet expressif de fruits et de pâtisserie et sa bouche ronde, souple et persistante invitent à découvrir cet ensemble agréable sur un dessert aux fruits rouges.

☛ Caves du Val de France, rue du Petit-Coteau, 37210 Vouvray, tél. 02 47 52 60 77, fax 02 47 52 65 50, infos@moncontour.com, ☑ ⍳ t.l.j. 10h-12h 15h-18h

DOM. DES NOËLS Méthode traditionnelle 2010 ★
10 000   8 à 11 €

J.-M. Garnier a repris ce domaine en 1994 et ses vins sont depuis régulièrement distingués. Ce crémant se révèle d'emblée séduisant dans sa robe jaune pâle parcourue de bulles fines et persistantes. D'une belle finesse également, le bouquet évoque les agrumes, les fleurs blanches et le pain frais. Le palais rond et bien équilibré est soutenu par une finale pleine de fraîcheur. Parfait pour l'apéritif.

☞ Dom. des Noëls, Les Noëls, 49380 Faye-d'Anjou, tél. 02 41 54 18 01, fax 02 41 54 30 76, domaine-des-noels@terre-net.fr, ☑ ⚡ ⊤ r.-v.

DOM. DE LA PALEINE ★

	8 000	11 à 15 €

Établi depuis 2003 au Puy-Notre-Dame, le deuxième point le plus haut du Maine-et-Loire, Laurent et Marc Vincent proposent une cuvée née de chardonnay (80 %) et de chenin, élaborée dans un total respect de l'environnement – la conversion bio est en cours. Dans le verre, de fines bulles animent une belle robe jaune d'or. Au nez, des fruits blancs frais se mêlent aux fleurs blanches. On les retrouve dans une bouche bien équilibrée, fraîche et persistante.

☞ SAS Dom. de la Paleine, 9, rue de la Paleine, 49260 Le Puy-Notre-Dame, tél. 02 41 52 21 24, fax 02 41 52 21 66, contact@domaine-paleine.com, ☑ ⚡ ⊤ r.-v.

LYCÉE VITICOLE EDGARD PISANI 2010 ★

	2 000	🍾	5 à 8 €

Cette exploitation du lycée agricole Edgard Pisani est régulièrement sélectionnée dans le Guide pour ses saumur. Cette année, elle obtient une étoile pour un crémant de pur cabernet franc. Une séduisante robe rose pâle annonce une expression aromatique discrète de fruits

rouges et de fruits blancs, ainsi qu'une bouche fraîche et harmonieuse. À savourer sans attendre sur un crumble de pêches.

☞ Lycée viticole Edgard Pisani, rte de Méron, 49260 Montreuil-Bellay, tél. 02 41 40 19 24, fax 02 41 38 72 86, francoise.mignonneau@educagri.fr, ☑ ⚡ ⊤ t.l.j. 9h-12h 14h-18h

DOM. DE LA PRÉVÔTÉ 2011

	10 000	🍾	5 à 8 €

On ne présente plus les touraine-amboise ni les crémant-de-loire du domaine de la Prévôté, qui tire son nom de l'ancien palais de justice de la Prévôté royale (XIV[e]s.) situé sur la propriété. Cabernet franc (60 %), pinot noir (30 %) et grolleau ont donné naissance à cette cuvée aromatique, sur le fruit, ample et ronde, qui s'étire longuement en finale. Pourquoi ne pas tenter une panna cotta aux fraises ?

☞ GAEC Bonnigal, Dom. de la Prévôté, 17, rue d'Enfer, 37530 Limeray, tél. 02 47 30 11 02, fax 02 47 30 11 09, bonnigalprevote@wanadoo.fr, ☑ ⚡ ⊤ t.l.j. sf dim. 9h-12h 14h-18h30

DOM. RICHOU Dom Nature ★

	7 000	⫿⫿	11 à 15 €

Ce Dom Nature, qui porte bien son nom – le domaine est en cours de conversion bio – est décidément une des valeurs sûres de l'exploitation, figurant très souvent en bonne place dans le Guide. Cette cuvée limpide, à la bulle dynamique, livre un bouquet complexe de fruits, de fleur d'oranger et de brioche. La bouche, dans

La vallée de la Loire

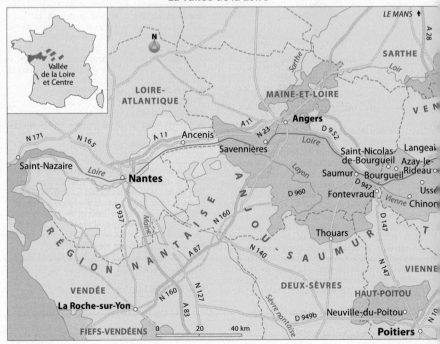

la lignée de l'olfaction, possède un bel équilibre, qui invite à découvrir ce vin sur un homard grillé.

🍷 Dom. Richou, Chauvigné, 49610 Mozé-sur-Louet, tél. 02 41 78 72 13, domaine.richou@wanadoo.fr, ☑ ♈ t.l.j. 9h-12h 14h-18h30

BENOÎT ROCHER 2011 ★

○	5 300	5 à 8 €

Ce domaine, situé dans la région de Brissac, au-dessus du célèbre coteau de Bonnezeaux, s'illustre régulièrement dans le Guide. 50 % de chardonnay, mariés au chenin et au grolleau gris, composent ce 2011 au nez fin de fleurs de printemps et d'agrumes (citron), et au palais harmonieux porté par une belle vivacité en finale. Cette bouteille harmonieuse et tout en fraîcheur trouvera sa place à l'apéritif.

🍷 Benoît Rocher, Closerie de la Picardie, 49380 Notre-Dame-d'Allençon, tél. 02 41 54 30 32, fax 02 41 54 32 27, contact@benoitrocher.fr, ☑ ♈ ♈ t.l.j. 9h-19h30

DOM. DE LA TUFFIÈRE 2011 ★

○	3 600	▮	5 à 8 €

Cet assemblage mi-chardonnay mi-chenin très réussi né d'une microparcelle de 70 ares a d'emblée séduit les dégustateurs par son joli cordon de fines bulles et ses parfums séduisants de fruits jaunes (pêche de vigne) et d'agrumes. Du fruit, de la rondeur, de la vivacité : un crémant bien équilibré, parfait pour l'apéritif ou un dessert.

🍷 EARL Coignard-Benesteau, Dom. de la Tuffière, 49140 Lué-en-Baugeois, tél. et fax 02 41 45 11 47, vignoble-tuffiere@wanadoo.fr, ☑ ♈ ♈ t.l.j. sf dim. 9h-12h30 14h-19h

La région nantaise

Ce sont des légions romaines qui apportèrent la vigne il y a deux mille ans dans le Pays nantais, carrefour de la Bretagne, de la Vendée, de la Loire et de l'Océan. Après un hiver terrible en 1709, où la mer gela le long des côtes, le vignoble fut complètement détruit, puis reconstitué principalement par des plants du cépage melon venus de Bourgogne.

L'aire de production des vins de la région nantaise occupe aujourd'hui 16 000 ha et s'étend géographiquement au sud et à l'est de Nantes, débordant légèrement des limites de la Loire-Atlantique vers la Vendée et le Maine-et-Loire. Les vignes sont plantées sur des coteaux ensoleillés exposés aux influences océaniques. Les sols plutôt légers et cailloux se composent de terrains anciens entremêlés de roches éruptives. Le vignoble produit bon an, mal an,

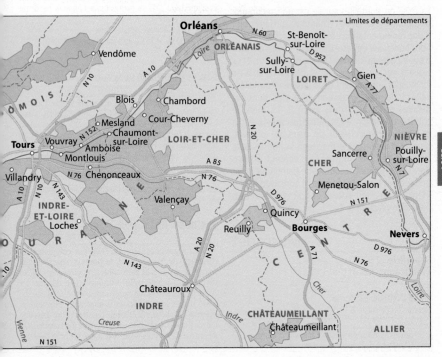

960 000 hl dans les quatre appellations d'origine contrôlée : muscadet, muscadet-coteaux-de-la-loire, muscadet-sèvre-et-maine et muscadet-côtes-de-grand-lieu, ainsi que les AOVDQS gros-plant du pays nantais, coteaux-d'ancenis et fiefs-vendéens.

Les AOC du muscadet et le gros-plant du pays nantais

Le muscadet est un vin blanc sec reconnu en appellation d'origine contrôlée dès 1936. Il est issu d'un cépage unique : le melon. Principalement situé dans la partie sud du département de Loire-Atlantique, avec quelques incursions dans le Maine-et-Loire et en Vendée, le vaste vignoble comprend quatre appellations d'origine contrôlée : l'AOC régionale muscadet ; le muscadet-sèvre-et-maine, qui regroupe 23 communes des vallées de la Sèvre et de la Maine, et qui fournit les plus importants volumes ; le muscadet-coteaux-de-la-loire, qui s'étend plus en amont sur 24 communes des deux rives du fleuve, en particulier dans la région d'Ancenis sur la rive droite ; le muscadet-côtes-de-grand-lieu, AOC plus récente, qui correspond à 19 communes au sud-ouest de Nantes.

La mise en bouteilles sur lie est une technique traditionnelle de la région nantaise, qui fait l'objet d'une réglementation précise, renforcée en 1994. Pour bénéficier de cette mention, les vins doivent n'avoir passé qu'un hiver en cuve ou en fût, et se trouver encore sur leur lie et dans leur chai de vinification au moment de la mise en bouteilles ; celle-ci ne peut intervenir qu'à des périodes définies et en aucun cas avant le 1er mars, la commercialisation étant autorisée seulement à partir du premier jeudi de mars. Ce procédé permet d'accentuer la fraîcheur, la finesse et le bouquet des vins. Vif mais sans verdeur, aromatique, le muscadet accompagne parfaitement les poissons et les fruits de mer ; il constitue également un excellent apéritif et doit être servi frais mais non glacé (8-9 °C).

Muscadet

Superficie : 2 977 ha
Production : 185 011 hl

CH. DE L'AUJARDIÈRE Sur lie
Élevé en fût de chêne 2010 ★★

	7 500	◫	- de 5 €

Située au cœur du vignoble nantais, cette propriété est à la frontière des appellations muscadet-sèvre-et-maine

et muscadet-coteaux-de-la-loire. Cette cuvée élevée un an en fût de chêne livre un très beau bouquet de vanille, de noisette et de pain brioché, auquel fait écho un palais ample et puissant, au boisé bien fondu. La finale persistante est soulignée avec grâce par de légères notes caramélisées. Cité, le **muscadet sur lie Dom. de Grand Logis 2012 (66 000 b.)** dévoile un nez intense de fleurs et de fruits secs, arômes qui se prolongent dans une bouche fraîche. Même distinction pour le **coteaux-d'ancenis 2012 (5 à 8 € ; 3 900 b.)**, bien équilibré, au nez d'abricot et de poire.

☛ EARL Olivier Lebrin, L'Aujardière, 44430 La Remaudière, tél. 02 40 33 72 72, fax 02 40 33 74 18, contact@vinsfinslebrin.com,
☑ ⚘ ⵏ t.l.j. sf dim. 9h-12h30 14h-19h; sam. 9h-12h30

Muscadet-sèvre-et-maine

Superficie : 7 822 ha
Production : 421 272 hl

DOM. DE L'AULNAYE Sur lie Cuvée Prestige 2012 ★★★

	20 000	▮	- de 5 €

Aux portes de Nantes, il reste dans la commune de Vertou quelques exploitations qui ont su résister à l'urbanisation et qui continuent à produire des vins de grande facture. Cette cuvée Prestige issue de vignes soixantenaires plantées sur un terroir schistogranitique légèrement glaiseux en est un bel exemple. Le nez se révèle fruité (litchi, pamplemousse) et floral (tilleul). L'attaque franche annonce une bouche ample, riche et fruitée, parfaitement équilibrée. Un 2012 de haut vol, que l'on ouvrira sur un poisson en sauce.

☛ Perthuy, L'Aulnaye, 44120 Vertou, tél. et fax 02 40 34 70 22, domaineaulnaye@orange.fr,
☑ ⵏ r.-v.

DOM. DE BEAUREGARD Sur lie Vieilles Vignes 2012 ★★

	10 000	▮	- de 5 €

Pour sa première sélection dans le Guide, Laurent Grégoire peut être fier de ce 2012, qui a d'emblée séduit les dégustateurs par sa robe jaune pâle et son nez tout en finesse de fruits blancs et d'agrumes assortis de quelques notes minérales. En bouche, la délicatesse et la douceur dominent, agrémentées d'une pointe de fraîcheur en finale.

☛ Laurent Grégoire, 20, Beauregard, 44330 Mouzillon, tél. 02 51 71 77 93, muscadet.laurent.gregoire@orange.fr,
☑ ⚘ ⵏ r.-v.

DOM. DE BEL-AIR L'Authentique 2012 ★★

	6 600		- de 5 €

La Haye-Fouassière est l'une des communes en périphérie de Nantes qui a su préserver ses meilleurs terroirs de gneiss et de micaschistes, propices à des cuvées de qualité. Comme le 2010 distingué l'an dernier, cet Authentique dévoile un nez à la fois droit et généreux, porté sur les fruits blancs et la minéralité. Puissante et soyeuse, la bouche, sur le même registre, s'étire en longue finale complexifiée par une pointe d'amertume. On dégustera sur un pot-au-feu de la mer cette belle bouteille bien dans le ton de l'appellation.

Audrain, 13, rue de la Caillaudière,
44690 La Haye-Fouassière, tél. 02 40 54 84 11,
fax 02 40 36 91 36, earl.audrain@orange.fr,
☑ ⚲ ⍦ t.l.j. sf dim. 8h-19h30

DOM. DE LA BERTAUDIÈRE Sur lie 2012 ★★

	7 000	🄱	- de 5 €

Alain Vallet a repris en 1988 le domaine familial situé au nord-ouest du Loroux-Bottereau. D'un beau terroir de gneiss et de micaschistes il a su tirer un vin de grande qualité. Le nez démarre en fanfare sur des notes intenses, de brugnon, d'ananas et de zeste d'orange. À cette complexité répond un palais ample et long, souligné par une délicate fraîcheur qui permettra de conserver cette bouteille encore un an ou deux. Un muscadet d'une grande finesse pour un accord classique avec des fruits de mer.

Alain Vallet, La Bertaudière, 44430 Le Loroux-Bottereau, tél. et fax 02 40 33 85 66, alainvallet.viti@neuf.fr, ☑ ⍦ r.-v.

DOM. MICHEL BERTIN Sur lie La Tour Gasselin 2012 ★★

	13 000	🄱	- de 5 €

Situé dans le hameau La Tour-Gasselin, qui domine le vignoble et le marais de Goulaine, ce domaine géré par la même famille depuis quatre générations est conduit depuis 1990 par Michel Bertin. Une robe pâle et limpide, un nez très expressif partagé entre les fruits et les fleurs blanches, une bouche très harmonieuse, ample, fraîche et fruitée : voici le compagnon parfait pour un poisson fin, un brochet au beurre blanc par exemple.

EARL Michel Bertin, La Tour-Gasselin,
44430 Le Landreau, tél. 02 40 06 41 38, fax 02 40 06 48 75,
earlbertin.michel@wanadoo.fr, ☑ ⚲ ⍦ r.-v.

CH. LA BIDIÈRE Sur lie Le Rocher Vieilles Vignes 2012 ★

	40 000	🄱	- de 5 €

Sur ces terres de schistes et de quartz, des vignes âgées de soixante ans ont trouvé un beau terrain d'élection, dont le résultat est ce 2012 très réussi, au bouquet délicat de fleurs et de fruits blancs. La bouche à la fois souple et puissante dévoile une belle vivacité, qui souligne la longue finale. Une cuvée de caractère, à servir sur un gratin de crustacés.

Jean-Philippe Thomson, La Bidière,
44690 Maisdon-sur-Sèvre, tél. 02 40 54 21 06,
jpthomson@wanadoo.fr, ☑ ⍦ r.-v.

DOM. GILBERT BOSSARD Sur lie 2012 ★

	40 000	🄱	5 à 8 €

La Chapelle-Heulin offre l'un des terroirs les plus précoces du vignoble nantais, le microclimat du marais de Goulaine influençant le cycle végétatif de la vigne. Pour cette cuvée, Gilbert et Jean-Louis Bossard ont choisi de vendanger à maturité maximale. Il en résulte ce vin fort plaisant par son nez frais (pamplemousse) et exotique (litchi), et par son palais gras et rond, d'une belle longueur, soutenu par une pointe d'amertume qui apporte de la complexité. Cet ensemble très réussi pourra patienter deux à cinq ans en cave. Parfait sur un plateau de fruits de mer.

La région nantaise

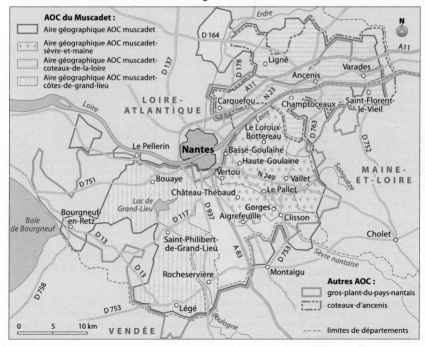

━┓ Dom. Basse-Ville, La Basse-Ville,
44330 La Chapelle-Heulin, tél. 02 40 06 74 33,
fax 02 40 06 77 48, gilbert.bossard@wanadoo.fr,
☑ 术 ⊥ t.l.j. sf dim. 8h-12h30 14h-19h; sam. 8h-12h30
━┓ J.-L. Bossard

PIERRE-LUC BOUCHAUD Sur lie Pont Caffino 2012 ★★

10 000	▮	5 à 8 €

Pont Caffino est un lieu-dit bien connu des escaladeurs pour sa falaise de granite élevée à 35 m au-dessus de la Maine. Les vignes s'y plaisent bien aussi et sont à l'origine de grands vins, comme ce 2012 jaune pâle aux reflets verts, qui mêle des arômes fins de fleurs blanches et des notes minérales. La bouche portée par une fine fraîcheur se montre ample, longue et élégante. Une bouteille remarquable à découvrir dans les trois ans à venir sur des cassolettes de saumon et noix de pétoncle.
━┓ Pierre-Luc Bouchaud, 4, rue des Manoirs, La Hautière, 44690 Saint-Fiacre-sur-Maine, tél. 02 40 36 95 23, fax 09 55 74 70 30, muscadet@bouchaud.fr, ☑ 术 ⊥ r.-v.

CHRISTOPHE ET BRIGITTE BOUCHER Gorges 2009 ★

4 200	▮	8 à 11 €

Le 2005 avait décroché une étoile, et le 2009 ne démérite pas. Cette cuvée issue de 70 ares de gabbros a été élevée longuement (trois ans et demi) sur lies fines dans une cave souterraine. La robe est jaune soutenu, signe de richesse et de concentration. Le nez intense sur le citron frais s'enrichit à l'aération de notes fumées, minérales et mentholées. Entre l'attaque vive et tranchante aux accents d'agrumes et la finale persistante aux tonalités iodées, le palais révèle une grande fraîcheur et une réelle harmonie. Ce vin déjà épanoui possède aussi un bon potentiel de garde. À servir sur un brochet au beurre blanc.
━┓ Christophe et Brigitte Boucher, 2, La Ganolière, 44190 Gorges, tél. et fax 02 40 06 98 87, earl.boucher@wanadoo.fr, ☑ 术 ⊥ r.-v.

DOM. DE LA BRETONNIÈRE Sur lie Cuvée Prestige Vieilles Vignes 2012 ★★

17 000	▮	- de 5 €

Ce domaine installé depuis 1900 dans un joli petit village de vignerons en bordure de la Maine présente un remarquable 2012 issu de vignes de quarante-cinq ans d'âge plantées sur un terroir granitique. Jaune pâle, cette cuvée retient l'attention par sa vaste palette de fleurs, d'agrumes et de pierre à fusil. Vive et généreuse à la fois, la bouche, qui s'étire longuement, offre une belle expression du terroir. À réserver pour des noix de saint-jacques.
━┓ EARL Bertrand Cormerais, 324 bis, La Bretonnière, 44690 Maisdon-sur-Sèvre, tél. 02 40 54 83 91, fax 02 40 36 73 45, cormerais.bertrand@orange.fr, ☑ 术 ⊥ t.l.j. sf dim. 8h-20h

CH. DE BRIACÉ Sur lie 2012 ★★

40 000	▮	- de 5 €

Le muscadet sur lie est une valeur sûre du lycée viticole de Briacé créé en 1957 dans la commune du Landreau. Afin de former les futurs professionnels de la vigne et du vin, cette exploitation gère 20 ha de vignes en lutte raisonnée (Terra Vitis). La version 2012 se montre engageante dans sa belle robe jaune pâle qui annonce un nez riche porté sur les fleurs blanches (aubépine) et les agrumes. Ces derniers, très frais, flattent aussi longuement le palais par leurs saveurs acidulées. Une bouteille tout en finesse, portée par un léger perlant, que l'on appréciera en 2015 sur une viande blanche.
━┓ Ch. de Briacé, Lycée de Briacé, 44430 Le Landreau, tél. 02 40 06 49 16, fax 02 40 06 46 15, contact@chateau-briace.com, ☑ 术 ⊥ r.-v.
━┓ Cong. Saint-Gabriel

DOM. DES CHABOISSIÈRES Sur lie 2012

14 400	▮	- de 5 €

Après avoir travaillé pour une maison de négoce, Philippe Bodineau a rejoint le domaine familial créé par ses ancêtres en 1977 sur des coteaux argilo-schisteux au nord-est de Vallet. Il présente un 2012 au nez intense et riche de fleurs et de fruits mûrs mêlés. La bouche de bonne longueur, soutenue par un léger perlant, est adoucie par une légère sucrosité. Au final, un vin équilibré.
━┓ Philippe Bodineau, 18, Les Chaboissières, 44330 Vallet, tél. 02 40 36 34 40, philippebodineau@orange.fr, ☑ 术 ⊥ r.-v.

DOM. DE LA CHALOUSIÈRE Sur lie 2012

8 000	▮	- de 5 €

À l'extrême est de Vallet, sur un terroir de micaschistes, est née cette cuvée d'une belle finesse. Dominé par des arômes élégants de fleurs blanches et de notes minérales, le palais dévoile une rondeur avenante, équilibrée par juste ce qu'il faut de fraîcheur.
━┓ SCEA Michel Petiteau, 451, La Chalousière, 44330 Vallet, tél. 02 40 36 20 15, fax 02 40 36 40 96, contact@domaine-chalousiere.com,
☑ 术 ⊥ t.l.j. sf dim. 9h-12h30 14h-18h30

♥ DOM. DES CHARMERIES Sur lie 2012 ★★

9 000	▮	- de 5 €

Née dans le vignoble aux sols de micaschistes qui entoure ce joli petit village de vignerons à la sortie de Vallet, sur la route de La Regrippière, cette cuvée se présente dans une superbe parure or pâle. Intense, le nez offre un festival d'arômes : fruits blancs, fruits exotiques, agrumes, bonbon anglais. Après une attaque fraîche et souple, dynamisée par un léger perlant, le palais n'est pas en reste : du gras, de la rondeur, de la minéralité et de la longueur. Un vin puissant et prêt à boire.
━┓ Roland Sécher, 304, La Chalousière, 44330 Vallet, tél. 02 40 36 26 42, roland.secher@orange.fr, ☑ 术 ⊥ r.-v.

CHATELLIER Clisson 2007

3 000	▮	8 à 11 €

Parée d'une belle robe jaune soutenu, cette cuvée élevée cinq ans en cuve sur lies fines dévoile un nez subtil et original d'agrumes, d'herbes de Provence et de noisette, agrémenté de notes anisées. Tout aussi aromatique, la bouche, vive et tonique, présente une plaisante minéralité et s'enrichit en finale de notes exotiques. Un vin frais et expressif, à boire sans attendre avec un curé nantais (fromage à pâte pressée non cuite).

☞ Chatellier, La Clavelière, 44190 Saint-Lumine-de-Clisson, tél. 02 40 03 80 24, fax 02 40 06 69 02, lesvinschatellier@gmail.com,

☑ ⚘ ⟙ t.l.j. sf dim. 10h-12h30 15h-19h30

DOM. PIERRE CHEVALLIER Sur lie Bonne Fontaine 2012

	9 600		- de 5 €

Exploité depuis 1993 par Pierre-François Chevallier, ce domaine est situé sur le lieu-dit de Bonne-Fontaine réputé pour ses terres de schistes et de gabbros, et pour les vins bien typés qu'il produit. Cette cuvée a retenu l'attention des dégustateurs par sa robe claire et brillante, son nez vif sur les fleurs et les agrumes, et son palais légèrement perlant et tendu, jusque dans sa longue finale, par une plaisante touche d'amertume.

☞ Pierre-François Chevallier, 115, Bonne-Fontaine, 44330 Vallet, tél. 06 74 38 03 41, earlchevallierpierrefrancois@orange.fr, ☑ ⚘ ⟙ r.-v.

CH. LA CHEVILLARDIÈRE Sur lie 2012 ★

	80 000		- de 5 €

Cette ancienne dépendance d'été du château féodal des Montys a été reprise en 2009 par Claude-Michel Pichon. Elle propose un vin très expressif, qui mêle harmonieusement les fruits et les fleurs. La bouche pareillement subtile s'étire longuement jusqu'à une finale acidulée teintée d'une noble amertume. Le vigneron suggère en accompagnement un poulet sur le gril ou des gambas grillées aux sarments de vigne.

☞ SCEA Claude-Michel Pichon, 60, La Chevillardière, 44330 Vallet, tél. 02 53 55 73 39, fax 02 40 06 74 29, cmpichon@orange.fr, ☑ ⚘ ⟙ t.l.j. sf dim. 9h-12h30 14h-19h

DOM. DE LA CHEVRUE Sur lie 2012 ★★★

	12 270		- de 5 €

Cette exploitation viticole datant de 1926 est installée à Vertou, aux portes de Nantes. Depuis sa création, elle s'est agrandie, passant de 4 à 24 ha, et produit du gros-plant-du-pays-nantais et du muscadet-sèvre-et-maine. Yannick Leblé, qui a repris le domaine familial en 2009, entre par la grande porte grâce à cette cuvée exceptionnelle, qui n'est pas passée loin du coup de cœur. Du verre jaillit une explosion de fleurs blanches, de fruits blancs et d'agrumes. L'attaque pleine de fraîcheur annonce une bouche ample et très longue, sur la pêche et la poire. En finale, des notes acidulées (citron) apportent un surcroît de vivacité. Un très beau vin, parfaitement équilibré, à découvrir sans attendre sur un carpaccio de langoustine.

☞ GAEC Michel et Yannick Leblé, 14, rue de la Chevrue, 44120 Vertou, tél. et fax 02 40 06 16 32, yannickleble@yahoo.fr, ☑ ⚘ ⟙ t.l.j. 8h-21h

LES VIGNEAUX D'OLIVIER CLÉNET
Sur lie Vieilles Vignes 2012 ★

	8 600		- de 5 €

Ce domaine cultive 13 ha de vignes de quarante ans enracinées sur les sols argilo-siliceux de Gorges. Olivier Clénet, qui en a pris la conduite en 2002, signe un 2012 très réussi, drapé dans une robe jaune pâle aux reflets

dorés. Le nez, timide, livre à l'aération des parfums de fleurs blanches et de fruits acidulés. L'attaque tendre et ronde dévoile une bouche d'une belle ampleur, équilibrée par une noble amertume. Un vin élégant et doté d'un bon potentiel de garde, à déguster sur un fromage de chèvre.

☞ Olivier Clénet, 1 bis, La Galussière, 44190 Gorges, tél. et fax 02 40 06 90 68, annaik.rocher@wanadoo.fr, ☑ ⚘ ⟙ t.l.j. sf dim. 8h-19h30

CLOS DU BIEN-AIMÉ Sur lie 2012

	7 000		- de 5 €

Ce séduisant Clos du Bien-Aimé, né non loin du marais de Goulaine sur un terroir de schistes est issu de vendanges manuelles, qui est rare dans la région nantaise. Les arômes vifs du citron parcourent longuement le palais, accompagnés en finale par des notes minérales. Un vin équilibré à servir dès à présent sur des huîtres.

☞ EARL Bernard et David Gratas, La Houssais, 44430 Le Landreau, tél. 02 40 06 46 27, domainedelahoussais@orange.fr, ☑ ⚘ ⟙ t.l.j. sf dim. 9h-12h30 14h-18h30

CLOS DU PETIT CHÂTEAU
Sur lie Sélection Vieilles Vignes 2012 ★★

	10 000		- de 5 €

Demeure noble ayant appartenu à un compagnon d'armes de Du Guesclin, ce beau domaine de 70 ha d'un seul tenant est l'héritier d'une longue histoire. Ce muscadet remarquable est né de vieilles vignes plantées sur un terroir de micaschistes. Dominé par la fraîcheur, le bouquet joue sur les agrumes et les fruits légèrement surmûris. Ample et charnu, le palais plaît par son équilibre, son élégance et ses notes acidulées qui apportent du tonus à la finale. Un joli vin de garde, à servir d'ici trois ans sur des fromages de chèvre.

☞ SCEA de la Ragotière, Les Frères Couillaud, Ch. de la Ragotière, 44330 La Regrippière, tél. 02 40 33 60 56, fax 02 40 33 61 89, freres.couillaud@wanadoo.fr, ☑ ⚘ ⟙ t.l.j. sf sam. dim. 8h-12h 14h-18h

♥ LE CLOS DU PONT Élevé en foudre 2009 ★★

	15 000		8 à 11 €

Ce vigneron-négociant natif de Mouzillon voit qua- tre de ses cuvées sélectionnées. Avec ce 2009 né sur sa propriété et élevé pendant dix-huit mois en foudre, il expose son remarquable savoir-faire. La ravissante robe d'or d'une grande intensité annonce un bouquet puissant de fruits secs (amande grillée, noisette). La bouche très riche offre une harmonie des plus abouties entre vivacité et douceur, et s'étire dans une longue finale minérale. « Une très belle expression du terroir », conclut un dégustateur sous le charme. Deux étoiles également pour la cuvée de négoce **Le Soleil nantais Sur lie 2012 (5 à 8 €ffff ; 40 000 b.)**. De très bonne facture, ce vin au léger perlant possède une attaque vive, du gras et une remarquable longueur. Autre sélection de la propriété, le **Ch. de la Pingossière Sur lie 2012 (5 à 8 € ; 80 000 b.)** séduit par son bouquet riche (fruits confits, miel) et sa bouche longue et harmonieuse. Il reçoit une étoile, tout comme le vin du négoce, le **Clos de Beauregard Sur lie Vieilles Vignes 2012 (moins de 5 € ; 75 000 b.)**, encore un peu jeune, qui oscille entre les fleurs et les notes minérales.

☛ SCEA Guilbaud-Moulin, BP 49601, 44196 Clisson Cedex, tél. 02 40 06 90 69, fax 02 40 06 90 79, oenologue@gmail.fr

DOM. DE LA COGNARDIÈRE Haute Expression Vieilles Vignes 2009 ★

	2 700	▥	5 à 8 €

Jean-Claude Nouet s'est installé en 1985 sur le vignoble familial, rejoint peu après par son frère Pierre-Yves. Dans sa parure jaune doré, cette Haute Expression est un vin frais et complexe mêlant fleurs, épices et notes minérales. La bouche, qui exprime beaucoup de volume, se révèle à la fois vive et douce, imprégnée de légères notes exotiques. À découvrir sans attendre à l'heure de l'apéritif.

☛ GAEC Nouet Frères, 1, imp. des Pressoirs, La Cognardière, 44330 Le Pallet, tél. 02 40 80 41 72, nouet.vigneron@orange.fr, ☑ ⚭ ⚮ t.l.j. 9h30-12h30 14h30-19h

BRUNO CORMERAIS Sur lie Vieilles Vignes 2010 ★

	13 500	▥	5 à 8 €

Voilà presque quarante ans que Bruno Cormerais a repris le domaine familial qui couvre aujourd'hui 27 ha. Avec de nombreuses étoiles à son actif, c'est une valeur sûre de l'appellation. Le nez discret se partage entre les fleurs d'aubépine, les agrumes (citron et pamplemousse) et les notes miellées et anisées. On retrouve cette palette dans un palais harmonieux que souligne une pointe de réglisse avant une finale persistante. Le **Clisson 2010 (11 à 15 € ; 9 700 b.)** reçoit également une étoile. Après un élevage sur lie avec plusieurs bâtonnages, il dévoile une belle puissance. Déjà racé mais encore jeune, il sera attendu deux à trois ans.

☛ EARL Bruno, Marie F. et Maxime Cormerais, 41, La Chambaudière, 44190 Saint-Lumine-de-Clisson, tél. 02 40 03 85 84, b.mf.cormerais@wanadoo.fr, ☑ ⚭ ⚮ r.-v.

CH. DE LA CORMERAIS Sur lie 2012

	32 000	▥	- de 5 €

Ce domaine transmis de père en fils est dans la famille Chéneau depuis 1856 et neuf générations. Des ceps trentenaires plantés sur les 15 ha d'un terroir de gabbros et de gneiss typique de la région sont à l'origine de cette cuvée réussie : bouquet fin et discret d'agrumes, de fleurs et de tilleul, et bouche souple, fraîche et acidulée, qui mène vers une longue finale.

☛ Vignobles Chéneau, Beau-Soleil, 44330 Mouzillon, tél. 02 40 33 94 01, contact@muscadetcheneau.com, ⚮ r.-v.

DOM. DAVID Goulaine Clos du Ferré 2009

	2 600	▥	8 à 11 €

Le Clos du Ferré, l'un des terroirs les plus réputés de la commune de Vallet, est bien connu des habitués du Guide. L'association du cépage et du sous-sol de micaschistes signe le vin : nez exubérant de pamplemousse et de bourgeon de cassis soutenu par des notes minérales et noisettées. L'attaque souple introduit une bouche ample, bien balancée entre fraîcheur, gras et douceur.

☛ Dom. David, 19, Le Landreau-Village, 44330 Vallet, tél. 02 40 33 42 88, fax 02 40 33 96 94, domainedavid@orange.fr

☑ ⚭ ⚮ t.l.j. sf dim. 9h-12h 14h-18h

VIGNOBLE DELAUNAY Sur lie Clos du Paradis 2010 ★

	8 000	▥	5 à 8 €

Loïc, son frère Yves et son épouse Danielle Delaunay exploitent un coquet domaine de 48 ha, dont 5 ha sont à l'origine d'un « muscadet de plaisir » à déguster sur son fruit. Le jury a aimé son nez de fleurs blanches et d'agrumes sur un fond minéral, ainsi que son palais souple, riche et frais. Un vin de très belle tenue, à réserver pour une bouillabaisse.

☛ Dom. Delaunay, Le Val-Fleuri, 44430 Le Loroux-Bottereau, tél. 02 40 33 86 84, fax 02 40 33 88 99, domaineduvalfleuri@wanadoo.fr, ☑ ⚭ ⚮ r.-v.

MICHEL DELHOMMEAU Sur lie Cuvée Harmonie 2012 ★

	30 000	▥	- de 5 €

Sur la rive gauche de la Sèvre, Monnières est un très joli petit village situé sur un promontoire bien connu pour ces terroirs variés et propices aux vins de qualité. Née sur un sol de gneiss et de gabbros, la cuvée Harmonie, aux arômes plaisants de coing et de poire, ne manque ni de rondeur ni de gras. Bien équilibré par une juste vivacité, ce 2012 d'une bonne typicité sera fort agréable sur des bouchées aux fruits de mer.

☛ EARL Les Vignes Saint-Vincent, 9, La Huperie, 44690 Monnières, tél. 02 40 54 60 37, delhommeaum@wanadoo.fr, ☑ ⚭ ⚮ r.-v.

☛ Delhommeau

DROUET FRÈRES Sur lie La Sancive 2012 ★★

	700 000	▥	- de 5 €

Deux étoiles récompensent cette maison de négoce bien connue dans la région nantaise et habituée de nos colonnes. Un or pâle aux reflets verts accroche le regard, tandis que le nez dévoile un bouquet fin d'agrumes et de fleurs blanches. Cette approche fruitée, fraîche et un rien perlante se retrouve dans un palais agrémenté de plaisantes notes d'amertume qui apportent un surcroît de complexité. Ce vin encore jeune méritera de séjourner deux ans en cave avant de s'épanouir sur des langoustines grillées.

☛ Drouet Frères, 4, rue de la Loge, 44195 La Chapelle-Heulin, tél. 02 40 36 65 20, fax 02 40 33 99 78, drouet@loirewines.fr, ☑ ⚮ t.l.j. sf dim. lun. 9h30-12h30 15h-19h (sam. 18h)

☛ Borie Manoux

CH. ELGET Clisson 2009

	4 500	▥	8 à 11 €

Établis dans la commune de Gorges, Gilles Luneau propose un Clisson qui se distingue par son équilibre entre douceur et fraîcheur. Parée d'une robe pâle aux reflets verts, cette cuvée livre un bouquet riche et complexe qui s'ouvre à l'aération sur le thym et le miel. L'attaque franche et ferme introduit un palais long, tapissé de notes de fruits cuits et d'épices (curry, cannelle), une pointe citronnée venant stimuler la finale. Bel accord gourmand en perspective avec un sauté de crevettes aux épices.

🍷 Gilles Luneau, Ch. Elget, 20, Les Forges, 44190 Gorges, tél. 02 40 54 05 09, fax 02 40 54 05 67, chateau-elget@wanadoo.fr,
☑ ⚐ ⏇ t.l.j. 9h-12h45 14h-19h30; dim. sur r.-v.

DOM. DE L'ERRIÈRE Sur lie Cuvée Prestige 2012 ★★

	10 000	🍾	- de 5 €

Au sud de la commune du Landreau, village typiquement vigneron du Bas-Briacé, le domaine de l'Errière est situé dans un secteur réputé précoce. Pour preuve, cette cuvée d'une grande fraîcheur née sur un terroir de sable et de schistes. Elle s'annonce printanière par ses senteurs de fruits blancs, d'agrumes et de fleurs blanches. Souple, ample et rond, ce vin ne manque pas d'accents minéraux et s'accordera à merveille avec une salade aux crevettes et pamplemousse.

🍷 GAEC Madeleineau, L'Errière, 44430 Le Landreau, tél. 02 40 06 43 94, fax 02 40 06 48 82, domaine-madeleineau@orange.fr, ☑ ⚐ ⏇ r.-v.

DOM. DE L'ESPÉRANCE Cuvée Raymond 2010 ★

	1 000	🍾	5 à 8 €

Exploité depuis trois générations, le domaine de l'Espérance fête cette année ses cent ans. Au bord de la Sanguèze, il s'étend sur ces fameux sols de gabbros si propices à la vigne. Ce 2010 élevé sur lie pendant vingt-quatre mois dévoile un nez discret qui évoque à l'aération les fleurs, le pain grillé et la minéralité. Légèrement perlant en attaque, le palais se révèle à la fois tendu, frais et rond. La légère amertume finale n'a rien de rédhibitoire : elle indique au contraire l'aptitude de cette bouteille à se bonifier dans le temps. Le **gros-plant-du-pays-nantais Sur lie Tradition 2012** (moins de 5 € ; 1 000 b.) reçoit une étoile pour son fruité et sa souplesse. Cité, le muscadet-sèvre-et-maine **Sur lie Prestige de l'Espérance 2012** (moins de 5 € ; 10 000 b.) est un bon classique : de la rondeur associée à une fraîcheur minérale.

🍷 GAEC Patrice et Anne-Sophie Chesné, 4, L'Espérance, 49230 Tillières, tél. et fax 02 41 70 46 09, gaecchesne@orange.fr,
☑ ⚐ ⏇ t.l.j. sf mer. dim. 9h-12h30 14h-18h

CH. DE LA FERTÉ Sur lie 2012 ★★★

	15 600	🍾	- de 5 €

Ce domaine créé en 1947 a été repris par Jérôme Sécher et son associé Hervé Denis. Sur les coteaux de la Sanguèze, l'une des trois rivières qui serpentent au milieu du vignoble nantais, il bénéficie d'un terroir de qualité qui plaît bien au melon de Bourgogne. Témoin, ce vin issu de vieilles vignes (âgées de quarante-six ans) que les jurés ont unanimement salué. Jaune pâle aux reflets dorés, il se révèle discret au premier nez. Après aération, il développe d'élégantes notes florales et fruitées (poire, coing). Fin et vif, le palais dévoile une superbe matière soutenue par une pointe acidulée des plus séduisantes. Une garde de deux à trois ans l'harmonisera. Un poisson fin, un filet de turbot par exemple, sera alors bienvenu.

🍷 Jérôme Sécher et Hervé Denis, La Ferté, 44330 Vallet, tél. et fax 02 40 86 37 48, gaecdelaferte@orange.fr,
☑ ⚐ ⏇ r.-v.

DOM. LE FIEF DE LA BRIE Sur lie 2012 ★

	32 000		- de 5 €

Établie à Gorges, village réputé pour ses terroirs de gabbros propices à l'élaboration de vins de garde, la famille Bonhomme s'est spécialisée depuis quatre générations dans le muscadet-sèvre-et-maine. Ce 2012 a beaucoup plu par sa fraîcheur et son équilibre. Le bouquet fin et intense de pêche blanche agrémenté de belles notes minérales se prolonge dans une bouche ample et souple. Les dégustateurs recommandent d'attendre trois ou quatre ans cette bouteille encore dans sa jeunesse avant de la servir sur des anguilles au beurre blanc. Le **Gorges 2010** (8 à 11 € ; 6 000 b.) est cité pour la richesse de ses arômes (poire, pomme et quelques notes de coing et de fenouil) et pour son palais gras et onctueux.

🍷 SCEA Auguste Bonhomme, 3, Le Haut-Banchereau, 44190 Gorges, tél. 06 87 69 71 14, f.bonhomme@wanadoo.fr,
☑ ⚐ ⏇ r.-v.

DOM. DU FIEF-SEIGNEUR Sur lie 2012 ★

	15 000		- de 5 €

Thierry et Jean-Hervé Caillé proposent un muscadet-sèvre-et-maine bien dans son appellation. La robe brillante, jaune d'or aux reflets verts, annonce un nez franc et typé porté sur les agrumes et les fruits blancs. Le palais se révèle fin, élégant et équilibré, sous-tendu par une fraîcheur minérale qui dynamise la finale et appelle des produits de la mer : poissons, coquillages, crustacés.

🍷 EARL Thierry et Jean-Hervé Caillé, 12 bis, rue des Moulins, 44690 Monnières, tél. 02 40 54 65 03, fax 02 40 54 66 04, thierry.caille343@orange.fr, ☑ ⚐ ⏇ r.-v.

FLEURON DES POUINIÈRES Sur lie 2012 ★

	6 000		- de 5 €

Ce domaine créé en 2006 voit pour la première fois l'un de ses vins sélectionné dans le Guide. Né de vignes trentenaires, ce 2012 séduit par sa robe limpide et par ses arômes intenses d'agrumes et de fleurs blanches. Après une attaque pleine de vivacité, la bouche se révèle ample, riche et ronde, avant de retrouver la fraîcheur en finale grâce à une plaisante note mentholée. À servir sur une volaille à l'estragon.

🍷 Jean-Paul Busson et Fils, La Pouinière, 44330 Vallet, tél. 06 10 92 31 61, fax 02 51 71 71 04, mc.busson@orange.fr, ☑ ⏇ r.-v.

GADAIS PÈRE ET FILS Sur lie La Grande Réserve 2012 ★

	90 000		- de 5 €

Outre son clocher byzantin, Saint-Fiacre, une commune réputée pour son activité viticole. La Grande Réserve proposée par ce vignoble de 51 ha provient de coteaux escarpés très précoces en raison d'un microclimat particulièrement favorable à la vigne. Très pâle aux reflets argent, elle livre un bouquet de fleurs blanches et de citron. La bouche vive et ample est titillée par de plaisantes notes acidulées en finale. Un vin bien représentatif de son appellation. Dans un style plus riche et gras, le **muscadet Les Perrières Monopole 2009** (11 à 15 € ; 5 600 b.) est cité, et à attendre trois à quatre ans.

LOIRE

☛ EARL Gadais Père et Fils, Les Perrières, 44690 Saint-Fiacre-sur-Maine, tél. 02 40 54 81 23, fax 02 40 36 70 25, musgadais@wanadoo.fr, ☑ ☒ r.-v.

DOM. DE LA GARNIÈRE Sur lie
Cuvée Vieilles Vignes 2012 ★

11 000	■	- de 5 €

Ce domaine situé sur les coteaux de la Sèvre nantaise fait preuve d'une bonne régularité, comme le confirme ce millésime très réussi. Une robe pâle légèrement perlante et un bouquet intense aux notes d'agrumes annoncent un palais harmonieux, construit autour de la fraîcheur et faisant preuve d'une persistance notable. Pourquoi ne pas essayer cette cuvée avec des huîtres plates de Cancale ?
☛ Dom. de la Garnière, 2 bis, rue de la Garnière, La Hautière, 44690 Saint-Fiacre-sur-Maine, tél. et fax 02 40 54 88 07, pdavidmuscadet@orange.fr, ☑ ☒ r.-v.
☛ Patrice David

CHRISTIAN GAUTHIER Clisson 2009 ★

4 500	■	8 à 11 €

Très beau vin que ce 2009 issu du terroir granitique de Clisson. Il a fière allure dans sa robe jaune intense. Le nez, riche et complexe, est bien représentatif de ce millésime solaire : notes d'agrumes, de noix de coco, de vanille et de tarte aux pommes assorties d'une pointe de curry. Un vin très typique, ample et gras, bien balancé entre minéralité et chaleur. « Pour les amateurs de Clisson », souligne un dégustateur, qui le recommande sur une omelette norvégienne ou une tarte au citron meringuée.
☛ Christian Gauthier, 19, La Mainguionière, 44190 Saint-Hilaire-de-Clisson, tél. 02 40 54 42 91, vins-gauthier@orange.fr, ☑ ☒ ☒ t.l.j. sf dim. 15h-19h; sam. 9h-12h; f. 10-25 août

DOM. DU GRAND CHÂTELIER Sur lie Haut-Fief 2012 ★

30 000	■	- de 5 €

Située à l'extrême est du village de Vallet, à la frontière entre les gabbros et les micaschistes, cette exploitation familiale propose un vin harmonieux, au nez fin porté par des notes réglissées sur un fond délicatement minéral. Une plaisante fraîcheur soutient un palais assez gras et friand, qui finit sur une légère pointe acidulée. Un vin de caractère, qui s'entendra bien avec des sushis.
☛ Patrick Lebas, Le Châtelier, 44330 Vallet, tél. 02 40 36 40 01, patrick.lebas4@wanadoo.fr, ☑ ☒ ☒ r.-v.

DOM. R DE LA GRANGE Sur lie Vieilles Vignes 2012 ★★

15 000	■	5 à 8 €

Habitué du Guide, ce domaine a été distingué par un coup de cœur dans l'édition 2010, l'année où Raphaël a pris la suite de son père sur l'exploitation familiale. De vieux ceps plantés sur un sol de gneiss et de micaschistes ont donné cette cuvée au nez gourmand de bonbon anglais. La bouche tout aussi aromatique et légèrement vanillée dévoile une jolie finale, douce et minérale à la fois. Tout indiqué pour accompagner une cuisine exotique.
☛ Rémy et Raphaël Luneau, La Grange, 44430 Le Landreau, tél. 02 40 06 45 65, fax 02 40 06 48 17, domaine.r.delagrange@wanadoo.fr, ☑ ☒ ☒ t.l.j. sf dim. 9h30-12h30 14h30-19h

PH. GUÉRIN Sur lie Souverain 2012 ★★

13 000	■	- de 5 €

Issu d'une lignée de vignerons débutant en 1795, Philippe Guérin a repris le domaine il y a bientôt trente ans. Cette année, sa cuvée Souverain, reflet du beau terroir de micaschistes où elle est née, lui vaut deux étoiles. La robe est limpide, or pâle. Des parfums intenses s'échappent du verre : fruits blancs, anis, réglisse, notes minérales. Cette même complexité caractérise la bouche, qui a pour autres atouts son ampleur et sa fraîcheur, sa belle structure et sa longue finale. On verrait bien ce vin sur des tartines grillées avec beurre salé et crevettes grises.
☛ Philippe Guérin, Dom. des Pèlerins, 44330 Vallet, tél. 06 80 23 06 17, phguerin44@free.fr, ☑ ☒ ☒ r.-v.

DOM. DE LA GUITONNIÈRE Sur lie 2012 ★★

10 000	■	- de 5 €

Après avoir fait ses classes dans le vignoble champenois, Thierry Beauquin reprend le domaine familial en 1989. Il signe un vin remarquable qui charme autant par son nez puissant de fruits blancs et de fleurs, que par son palais, très rond et très long. Cet ensemble harmonieux, s'entendra bien, dès l'automne, avec une cassolette de poisson.
☛ EARL Beauquin et Fils, La Guitonnière, 44330 Vallet, tél. et fax 02 40 36 33 03, thierry.beauquin@orange.fr, ☑ ☒ ☒ r.-v.

CH. LA HAIE-THESSENTE Sur lie 2012 ★★

26 000	■	- de 5 €

Sur la route menant de Vallet à La Regrippière, La Haie-Thessente repose sur un joli terroir de schistes et de micaschistes propices aux vins de qualité, à l'image de ce remarquable 2012 animé par un léger perlant. Au bouquet naissant de fruits blancs (pêche de vigne) et d'agrumes répond un palais de caractère et d'une superbe longueur, rafraîchi par une fine vivacité en finale. À apprécier sur des araignées de mer.
☛ EARL Peigné et Fils, La Haie-Thessente, 44330 Vallet, tél. 06 62 74 85 63, fax 02 51 71 77 20, earlpeigne@orange.fr, ☑ ☒ r.-v.

DOM. DES HAUTES COTTIÈRES Sur lie 2012 ★★

27 200	■	- de 5 €

Nicolas Garros est installé depuis 2008 à La Botinière, située à la frontière entre les villages de Vallet et de Mouzillon, et réputée pour son terroir semi-tardif au sous-sol de gabbros. Ce muscadet-sèvre-et-maine plaît par son nez très expressif d'agrumes et de fruits bien mûrs. Centrée sur la fraîcheur, la bouche se révèle ample, puissante et parfaitement équilibrée. Une expression très réussie du melon de Bourgogne, bien campé sur son terroir, qui se plaira dans quelques années sur un filet de sandre au beurre nantais. Le **Ch. de la Botinière 2012 (306 600 b.)** reçoit une citation pour sa vivacité et sa légèreté.
☛ Ch. de la Botinière, La Botinière, 44330 Vallet, tél. 0240 33 95 32, contact@chateaux-castel.com
☛ Castel Frères

SÉLECTION DES HAUTS PÉMIONS Sur lie 2012 ★

32 000	■	- de 5 €

Le domaine des Hauts Pémions offre un beau panorama sur la vallée de la Sèvre et les moulins de la

Bidière et de la Gustais. Il signe régulièrement de jolis muscadet-sèvre-et-maine, tel ce 2012 avenant dans sa robe pâle aux reflets or. Le nez complexe de fleurs blanches, de fruits secs et de vanille prélude à une bouche ample et persistante, qui fait écho à l'olfaction. Parfait pour une assiette de charcuterie.

☛ Christophe Drouard, 224, La Hallopière, 44690 Monnières, tél. 02 40 54 61 26, muscadet.drouard@free.fr, ☑ ⚔ ⟆ r.-v.

DOM. DE LA JOCONDE Clos de Beau Chêne 2009 ★★

| | 26 000 | ▊ | 5 à 8 € |

Le Clos de Beau Chêne est situé au Pé-de-Sèvre, joli hameau de vignerons en bordure de la Sèvre. Le 2009 se révèle remarquable de bout en bout. Robe élégante, jaune doré. Nez complexe d'agrumes, de fruit de la Passion, de jasmin et de miel. Bouche riche, ample, longue et puissante. Une bouteille séduisante et racée qu'on laissera patienter cinq ans en cave avant de la découvrir sur une blanquette de veau.

☛ Yves Maillard, 43, Le Pé-de-Sèvre, 44330 Le Pallet, tél. 06 08 27 07 64, anneyvesmaillard@orange.fr, ☑ ⚔ ⟆ r.-v. 🏠 ❷ 🏠 Ⓑ

LACHETEAU Sur lie 2012

| | 200 000 | ▊ | - de 5 € |

Cette cuvée mise en bouteilles par la maison de négoce Lacheteau, acteur de la région nantaise réputé pour ses effervescents et ses rosés, est issue d'un assemblage de moûts de provenances diverses. Elle mise sur le fruit et la fraîcheur. Légère, bien équilibrée entre douceur et acidité, on la verrait bien à l'heure de l'apéritif sur des beignets de crevette. Le **Sauvion Sur lie Carte d'or 2012 (400 000 b.)**, qui mêle fruits blancs et notes vanillées, révèle un bon équilibre. Il reçoit une étoile.

☛ Lacheteau, Ch. du Cléray, 44194 Vallet, tél. 02 40 36 66 00, fax 02 40 36 34 62
☛ GCF

DOM. LANDES DES CHABOISSIÈRES Sur lie 2012

| | 30 900 | ▊ | 5 à 8 € |

Établi depuis 1895 dans la commune de Vallet, ce domaine réputé pour son terroir de granite signe une plaisante cuvée. Fruits acidulés et fleurs blanches se marient, au nez comme en bouche, à des notes minérales pour composer un ensemble équilibré et de bonne longueur. Sa vivacité appelle un mets aux tonalités marines, des sardines grillées par exemple.

☛ Georges et Guy Desfossés, Landes-des-Chaboissières, 44330 Vallet, tél. 02 40 33 99 54, vignoble.desfosses@sfr.fr, ☑ ⚔ ⟆ r.-v.

DOM. DU LANDREAU VILLAGE
Sur lie Grande Réserve 2012 ★★

| | 48 000 | ▊ | - de 5 € |

De vieilles vignes âgées de quarante ans, un beau terroir de micaschistes, un vigneron de talent, partisan de la lutte raisonnée (Terra Vitis) depuis 2003 : voici quelques-uns des ingrédients à l'origine de ce très joli vin frais et floral, bien rond et doté d'une bonne longueur. À goûter dans un an ou deux sur une volaille rôtie.

☛ GFA Drouet, 114, Le Landreau-Village, 44330 Vallet, tél. 02 40 33 90 23 ☑ ⚔ ⟆ r.-v.

BERNARD MAILLARD
Sur lie Prestige des roches Pyrénées 2012 ★

| | 14 400 | ▊ | - de 5 € |

À la tête de ce domaine depuis 1990, Bernard Maillard a élaboré une cuvée issue de ceps de cinquante ans plantés sur un terroir de galets roulés sur granite. Si le nez, encore timide, livre des senteurs discrètes d'agrumes et de pêche de vigne, le palais, moins sur la réserve, dévoile une matière à la fois vive et ronde, légèrement perlante et sous-tendue par des notes acidulées. Un vin friand, à apprécier avec des langoustines sauce whisky, suggère un dégustateur.

☛ Bernard Maillard, 32, Les Défois, 44190 Saint-Lumine-de-Clisson, tél. 06 15 35 64 78 ☑ ⚔ ⟆ r.-v.

DOM. DE LA MARTINIÈRE Sur lie Vieilles Vignes 2010 ★★

| | 4 000 | ▊ | 5 à 8 € |

Les vignes de ce domaine réputé pour sa richesse en micas dominent le marais de Goulaine. Ce terroir est propice aux jolis vins, tel ce remarquable 2010 vendangé manuellement et élevé sur lies fines. La robe est intense, animée de reflets verts. Le bouquet complexe évoque les fruits frais et les épices, sur un fond de minéralité. Fraîcheur, équilibre et longueur caractérisent le palais, animé par un agréable perlant. À servir sur des coquilles Saint-Jacques.

☛ Catherine et Gérard Baron, 8, rue de La-Martinière, 44330 La Chapelle-Heulin, tél. 02 40 06 75 11 ☑ ⚔ ⟆ r.-v.

DOM. MARTIN-LUNEAU Sur lie Cuvée Tradition 2012

| | 29 000 | ▊ | - de 5 € |

Christophe Martin a repris en 1991 le domaine familial qu'il conduit en lutte raisonnée. Sa cuvée Tradition, de couleur ou vert, séduit par son approche subtile et fraîche, sur les fruits blancs. Souple, fruité et légèrement acidulé, ce vin, que l'on imagine fort bien accompagner des asperges, affirme une personnalité sympathique.

☛ Martin-Luneau, 16, Le Magasin, 44190 Gorges, tél. 02 40 54 38 44, fax 02 40 54 07 23, martinluneau@wanadoo.fr, ☑ ⚔ ⟆ t.l.j. sf dim. 8h-12h30 14h-19h

DOM. MÉNARD-GABORIT Monnières-Saint-Fiacre 2007 ★

| | 4 000 | ▊ | 8 à 11 € |

Prenez le temps de faire une pause à Monnières pour les quelques rares moulins que la région conserve et qui témoignent d'un temps où la culture des céréales y était encore pratiquée. Ce sera aussi l'occasion d'une halte au domaine pour découvrir ce 2007 très réussi, qui a bénéficié d'un très long élevage (trente-six mois). Du bouquet au palais, de jolies notes de miel, de fruits à noyau, de fruits secs, d'épices et de réglisse se marient pour composer un ensemble rond et équilibré, soutenu par une juste fraîcheur. Pour un tajine de lieu jaune à la réglisse. Même distinction pour les cuvées **MéGaNome Prestige Sur lie 2011** (moins de 5 € ; 33 000 b.) et **MéGaLie Sur lie 2012** (moins de 5 € ; 100 000 b.). La première sur les fleurs se révèle florale, fraîche et légère. La seconde, fruitée, offre un joli gras parsemé de notes minérales.

☛ Dom. Ménard-Gaborit, 30-34, La Minière, 44690 Monnières, tél. 02 40 54 61 06, fax 02 40 54 66 12, info@domaine-menard-gaborit.fr, ☑ ⚔ ⟆ t.l.j. sf dim. 10h-12h30 15h-18h 🏠 Ⓑ

LOIRE

LOUIS MÉTAIREAU GRAND MOUTON Sur lie 2012 ★★

| | 20 000 | ⬛ | 8 à 11 € |

Ces vieilles vignes de soixante ans ont pris naissance sur un terroir d'exception qui mêle gneiss, micas et amphibolite ; elles ont été vendangées à la main puis vinifiées sur lies dans des cuves aériennes. Il en résulte un vin limpide à la robe jaune pâle, au nez de fleurs blanches, de fruits secs et de miel, et au palais puissant et persistant, équilibré par une touche de vivacité. Déjà aimable, ce 2012 est armé pour une garde de trois ou quatre ans. Que diriez-vous d'un mulet grillé pour l'accompagner ?

☛ Louis Métaireau Grand Mouton,
Dom. du Grand Mouton, 44690 Saint-Fiacre-sur-Maine,
tél. 02 40 54 81 92, fax 02 40 54 87 83,
contact@muscadet-grandmouton.com, ☑ ✦ ⊺ r.-v.
☛ Marie-Luce Métaireau et Jean-François Guilbaud

LA MORANDIÈRE Sur lie 2012 ★★★

| | 60 000 | ⬛ | 5 à 8 € |

Alexandre Déramé a repris en 2002 ce domaine réputé pour son sous-sol de gabbros, à la frontière entre les communes de Mouzillon et du Pallet. Avec ses notes minérales, le nez de ce 2012 laisse s'exprimer le terroir. Vive et longue, la bouche y ajoute des arômes mentholés et une noble amertume qui laisse deviner un beau potentiel de garde. À boire dans cinq ou six ans, sur des coquillages.

☛ EARL Déramé et Fils, La Morandière, 44330 Mouzillon,
tél. 02 40 80 41 43, fax 02 40 54 80 87, derame@wanadoo.fr,
☑ ✦ ⊺ r.-v.

CH. L'OISELINIÈRE DE LA RAMÉE Sur lie 2012

| | 35 000 | ⬛ | 5 à 8 € |

Au confluent de la Sèvre et de la Maine, ce manoir aux portes de Nantes était autrefois un lieu de villégiature pour les familles nantaises. Bernard Chéreau, dont les vins sont des habitués du Guide, propose un 2012 discret sur l'amande fraîche. Le palais de belle tenue, vif et harmonieux, est animé en finale par des accents acidulés. On réservera un an ou deux en cave cette bouteille encore un peu jeune, avant de la découvrir sur un crabe mayonnaise.

☛ Bernard Chéreau, Chasseloir,
44690 Saint-Fiacre-sur-Maine, tél. 02 40 54 81 15,
fax 02 40 54 81 70, contact@chereau-carre.fr,
☑ ✦ ⊺ t.l.j. sf dim. 9h-18h

ALAIN OLIVIER Schistes de Goulaine 2009 ★★

| | 2 400 | ⬛ | 8 à 11 € |

Alain Olivier œuvre actuellement pour la reconnaissance d'une nouvelle dénomination, celle de Schistes de Goulaine. En attendant, il propose un 2009 élaboré selon le cahier des charges prédéfini pour cette future AOP. Belle robe jaune paille, bouquet net légèrement beurré et délicatement minéral, bouche ronde d'une grande finesse développant une finale douce. Un ensemble harmonieux, à apprécier à l'heure de l'apéritif.

☛ Alain Olivier, La Mouclétière, 44330 Vallet,
tél. 02 40 36 24 69, alain.olivier0365@orange.fr, ☑ ✦ ⊺ r.-v.

CH. PALATIO Sur lie 2012 ★

| | 45 000 | ⬛ | - de 5 € |

Élaboré par la récente coopérative de Pallet qui aspire à développer « des cuvées exceptionnelles dans la région du muscadet », ce 2012 réjouit par sa belle robe limpide, par son intensité aromatique qui mêle fleurs

blanches et notes minérales, et par son palais souple et frais porté par une juste vivacité. Pour accompagner dès aujourd'hui des fromages forts.

☛ Vignerons du Pallet, 56, Bretigne, 44330 Le Pallet,
tél. 02 28 00 10 20, contact@vigneronsdupallet.com,
☑ ✦ ⊺ r.-v. 🏠 ❸

CYRILLE ET SYLVAIN PAQUEREAU Clisson 2009 ★

| | 3 300 | ⬛ | 8 à 11 € |

Les vins de ce domaine doivent leur nom de baptême à l'ancien propriétaire des lieux (XVIIᵉs.), un riche négociant espagnol. En 2000, cette exploitation, dans la famille Paquereau depuis quatre générations, a été reprise par les deux jeunes frères Sylvain et Cyrille, qui ont engagé la conversion bio du vignoble. Doté d'un bel équilibre, leur Clisson dévoile beaucoup de fraîcheur. Dans sa robe jaune paille aux éclairs dorés, il livre un nez un peu sur la réserve qui s'ouvre à l'aération sur des parfums complexes de rose, de réglisse, de rhubarbe et de poivre. La bouche se révèle vive, franche et d'une belle longueur. Encore un peu jeune, ce vin sera parfaitement à son aise dans deux ans sur des tourteaux. Deux autres cuvées se distinguent avec une étoile : l'**Esprit Clos de Pierre Bourre 2012** (5 à 8 € ; 7 000 b.) et L'**Espinose Sélection Sur lie 2012** (moins de 5 € ; 8 000 b.). La première offre un plaisant bouquet floral et minéral, ainsi qu'une matière d'une rondeur avenante. La seconde plaît pour son équilibre entre gras et minéralité.

☛ EARL Cyrille et Sylvain Paquereau, L'Épinay,
20, rte de la Sablette, 44190 Clisson, tél. 02 40 36 13 57,
domaine-epinay@orange.fr, ☑ ✦ ⊺ r.-v.

STÉPHANE ET VINCENT PERRAUD Clisson 2007 ★★★

| | 5 400 | ⬛ | 8 à 11 € |

Ardents défenseurs de ce cru communal qui repose sur un terroir granitique, Stéphane et Vincent Perraud conduisent le domaine familial en lutte raisonnée (la conversion bio est en cours) et pratiquent des vendanges manuelles. Il en résulte cette cuvée exceptionnelle au très beau potentiel de garde. Un vin ayant fière allure dans sa robe concentrée, jaune intense aux reflets bronze, qui annonce de riches notes de coing, de figue, d'agrumes, de vanille et de noix de coco. Quant au palais, gras et rond, c'est un monument de concentration, d'élégance et de fraîcheur. Cette superbe bouteille est à réserver pour une grande occasion, après deux ans de garde, sur des ris de veau ou un chapon de Bresse par exemple.

☛ GAEC Stéphane et Vincent Perraud,
25, rte de Saint-Crespin, Bournigal, 44190 Clisson,
tél. 02 40 54 45 62, fax 09 72 21 23 87,
vincentperraud@wanadoo.fr,
☑ ✦ ⊺ t.l.j. 8h30-12h30 14h-19h

♥ CH. LA PERRIÈRE Sur lie 2012 ★★★

| | 20 000 | ⬛ | - de 5 € |

Voici le premier coup de cœur pour le château la Perrière, bien connu des habitués du Guide pour ses gros-plant-du-pays-nantais. Vincent Loiret, à la tête du domaine familial depuis plus de quinze ans, signe un 2012 exceptionnel, né sur un terroir de schistes. Tout séduit dans cette cuvée : l'élégante robe or pâle aux reflets verts, le bouquet superbe de poire, de pêche et de citron auquel fait écho une bouche offrant beaucoup de volume et de persistance. Un vin très fin, parfait dans sa construction, à savourer dans un an sur un plateau de fruits de mer.

Deux étoiles sont attribuées au **gros-plant-du-pays-nantais Sur lie 2012 (10 600 b.)**, dont les dégustateurs saluent la droiture, la finesse et l'élégance. Quant au **muscadet 2012 (8 000 b.)**, il reçoit une étoile pour ses plaisantes notes citronnées et pour son équilibre.
☛ Vincent Loiret, 120, La Mare-Merlet, 44330 Le Pallet, tél. 02 40 80 43 24, fax 02 40 80 46 99, vins.loiret@free.fr, ☑ ⚮ 🍷 t.l.j. sf dim. 9h-12h 14h-18h; f. 10-20 août

DOM. DES PERRIÈRES Sur lie 2012 ★

| | 48 000 | 🍾 | - de 5 € |

À mi-chemin entre le marais de Goulaine et le moulin du Pé, qui offre un superbe point de vue sur le vignoble nantais, cette exploitation familiale propose un vin d'une belle couleur cristalline légèrement dorée, timidement ouvert sur les fruits exotiques (ananas, mangue) agrémentés de notes minérales. La bouche, franche et droite, finit sur une pointe d'amertume et laisse une sensation de fraîcheur fort plaisante. Un muscadet typé, à apprécier sur un curé nantais.
☛ Daniel Pineau, La Martelière, 44430 Le Loroux-Bottereau, tél. et fax 02 40 33 81 82 ☑ 🍷 r.-v.

CH. LA PETITE GIRAUDIÈRE Sur lie 2012 ★

| | 5 000 | | - de 5 € |

Sur les terres de gabbros de Gorges, les vins sont généralement très expressifs, ce que ne dément pas le bouquet de ce 2012 qui livre des notes intenses de fleurs blanches et de fruits blancs mêlés à des nuances minérales. Une pointe citronnée souligne le palais, élégant et équilibré. Parfait pour une terrine de poisson.
☛ EARL Françoise et Joël Luneau, Les Giraudières, 44190 Gorges, tél. 02 40 54 45 23, joel.luneau@orange.fr, ☑ ⚮ 🍷 r.-v.

DOM. PLESSIS GLAIN Sur lie 2012 ★★

| | 40 000 | 🍾 | - de 5 € |

Sur la rive gauche de la Loire, Saint-Julien-de-Concelles est connu pour son marécage et pour ses coteaux granitiques où la vigne s'épanouit. Vincent Pétard a élaboré cette cuvée aromatique dominée par le raisin confit, qui laisse en bouche une impression de puissance, de rondeur et de vivacité mêlées. La finale s'étire longuement sur ses sensations douces et fruitées. Une superbe bouteille, à servir sur des langoustines grillées au fenouil.
☛ EARL Vincent et Jean-Paul Pétard, Le Plessis-Glain, 44450 Saint-Julien-de-Concelles, tél. 06 76 75 80 85, fax 02 40 33 34 81, domaine-plessisglain@free.fr, ☑ ⚮ 🍷 t.l.j. sf dim. 10h-12h 14h-18h

DOM. DE LA POITEVINIÈRE Sur lie 2006 ★

| | 900 | 🍾 | 5 à 8 € |

Les habitués du Guide reconnaîtront cette cuvée régulièrement distinguée. Cette année, Vincent Rineau propose de découvrir le millésime 2006, lequel a charmé les dégustateurs par sa belle évolution. Dans une robe translucide aux reflets d'or, cette cuvée dévoile un bouquet franc et riche qui marie à l'envi les fruits à noyau, l'abricot sec, la menthe et la réglisse. L'attaque ample et généreuse révèle un vin riche et structuré, de belle harmonie, à apprécier dès aujourd'hui.
☛ Vincent Rineau, Dom. de la Poitevinière, 44190 Gorges, tél. 02 40 06 96 93, vincent.rineau@wanadoo.fr, ☑ ⚮ 🍷 t.l.j. 17h-20h; sam. dim. sur r.-v.; f. 3ᵉ sem. d'août

DOM. DE LA POTARDIÈRE Sur lie 2012 ★

| | 56 000 | 🍾 | - de 5 € |

Sur ce vignoble accroché aux flancs d'un coteau appelé « La Butte de la Roche », ce muscadet-sèvre-et-maine a bénéficié d'un terroir d'amphibolite et de schistes de qualité. Le bouquet fin évoque les agrumes, les fruits à noyau et les fleurs. La bouche, dans le même registre, est équilibrée et stimulée en finale pour une pointe acidulée. Un joli vin friand, à savourer sur des rillettes de la mer.
☛ Couillaud et Fils, La Potardière, 44430 Le Loroux-Bottereau, tél. 02 40 33 82 50, domainepotardiere@orange.fr, ☑ 🍷 r.-v.

DOM. DE LA PYRONNIÈRE Sur lie 2012 ★★

| | 7 000 | | - de 5 € |

Stéphane Drouet a pris les commandes de ce domaine familial déjà référencé par le cadastre napoléonien. Né sur la rive gauche de la Sèvre sur un terroir de gabbros, ce vin ne manque pas de caractère. Les jurés saluent sa remarquable intensité olfactive, dominée par la minéralité, et la belle maturité de sa bouche ainsi que sa grande amplitude. À découvrir dans deux ans sur une volaille en sauce.
☛ EARL Stéphane Drouet, 8, La Pyronnière, 44190 Gorges, tél. 06 80 10 06 38, drouetstephane@bbox.fr, ☑ ⚮ 🍷 r.-v.

DOM. DE LA RINIÈRE Sur lie 2012 ★★

| | 25 000 | 🍾 | - de 5 € |

À trente kilomètres au sud de Nantes, cette exploitation familiale répartie sur trois coteaux étend ses 22 ha sur des sols de micaschistes du Landreau, réputés produire des vins typés, tel ce 2012. Des notes de fruits frais, d'agrumes et de fleur d'aubépine annoncent une bouche acidulée, tout en équilibre. Fine et équilibrée, cette bouteille est à croquer, sur un plateau de fruits de mer de préférence.
☛ Didier Pasquereau, Dom. de la Rinière, 44430 Le Landreau, tél. 02 40 06 44 23, pasquereau.didier@orange.fr, ☑ ⚮ 🍷 r.-v.

PATRICK ET HUGUETTE SAILLANT
Sur lie Cuvée Vieilles Vignes 2012 ★★

| | 2 000 | 🍾 | - de 5 € |

Les vignes du domaine, âgées de trente-cinq ans, sont plantées sur un sol de granite et bien exposées sur les coteaux de la Maine. Patrick Saillant en tire une petite production millésimée 2012 jugée remarquable. Le nez expressif entre les fleurs blanches et les agrumes annonce un vin ample et vif, enrobé par des notes de pêche et de

LOIRE

pamplemousse fort plaisantes. Sa belle structure lui confère un certain potentiel de garde, et il faudra patienter jusqu'en 2015 pour l'apprécier pleinement sur des antipasti aux accents de la mer.

☛ EARL Saillant-Esneu, 8, La Grenaudière, 44690 Maisdon-sur-Sèvre, tél. 02 40 03 80 10, saillant-esneu@hotmail.fr, ☑ ⚔ ⵏ r.-v.

CH. SALMONIÈRE Sur lie Vieilles Vignes 2012 ★★

	40 000 ▮	- de 5 €

Située à Vertou, cette ancienne fortification de l'ordre des Templiers est bien connue des habitués du Guide. Le bouquet de ce 2012 livre des arômes acidulés d'orange et de pamplemousse. Riche et puissante, la bouche offre un équilibre très réussi et une longue finale fraîche et fruitée. Cette cuvée généreuse s'entendra bien avec des crustacés. Le **Ch. de la Jousselinière Sur lie 2012 (70 000 b.)** est vif et bien construit. Il reçoit une citation, tout comme le **gros-plant-du-pays nantais Sur lie 2012 (12 000 b.)**, frais et équilibré.

☛ SARL Gilbert Chon et Fils, Le Bois-Malinge, 44450 Saint-Julien-de-Concelles, tél. 02 40 54 11 08, fax 02 40 54 19 90, muscadetchon@aol.com, ☑ ⚔ ⵏ r.-v.

☛ GFA du Parc

Ⓑ CH. LA TARCIÈRE Goulaine Vieilles Vignes 2010 ★

	6 000 ▮	8 à 11 €

Cultivé en bio depuis 2005, ce domaine de 40 ha, qui exporte près de 45 % de sa production, vise vers la biodynamie. Ce 2010, issu de vignes quarantenaires vendangées à la main et élevé sur lie, est très réussi. Des notes minérales, florales et citronnées au nez préludent à une bouche harmonieuse et longue, soutenue par une très belle vivacité. Un vin bien de son terroir, à découvrir sans attendre sur des saint-jacques poêlées.

☛ Bonnet-Huteau, La Levraudière, 44330 La Chapelle-Heulin, tél. 02 40 06 73 87, contact@bonnet-huteau.com, ☑ ⚔ ⵏ t.l.j. sf dim. 9h-12h30 14h-18h

DOM. DU TILLEUL Sur lie 2012 ★

	8 000 ▮	- de 5 €

Situé à Mouzillon, ce domaine repris en 1992 par Jean-Yves Barré fait sa première apparition dans le Guide. Le vigneron réserve 4 ha pour ce muscadet-sèvre-et-maine issu de vieilles vignes (quarante ans) vendangées assez tardivement (début octobre). Ses atouts : une belle robe or pâle aux reflets argent, un nez de fruits mûrs, une attaque vive et franche, annoçant une bouche aux accents acidulés et de belle longueur. Ce joli vin de terroir pourra patienter un an ou deux en cave avant d'être servi à l'apéritif.

☛ Jean-Yves Barré, 10, Champolinet, 44330 Mouzillon, tél. 02 40 36 38 07, barrejy@wanadoo.fr, ☑ ⚔ ⵏ r.-v.

LA TOUR DU FERRÉ L'Excellence du Ferré 2009 ★★

	6 400 ▮	5 à 8 €

À la sortie de Vallet, cette exploitation familiale transmise de père en fils depuis 1907 et bien connue en Loire-Atlantique est régulièrement étoilée dans le Guide. Elle propose une cuvée complexe au nez intense mêlant fruits secs et notes beurrées. Malgré son âge, elle a

conservé toute sa fraîcheur et sa persistance. Le jury a aimé son palais gras et volumineux, tapissé par les fruits exotiques. Tout indiqué pour un plateau de fruits de mer. La **Tour du Ferré Sur lie 2012 (moins de 5 € ; 14 000 b.)** reçoit une étoile pour son bouquet de fruits et d'épices, et pour sa bouche souple.

☛ Philippe Douillard, La Champinière, 44330 Vallet, tél. 02 40 36 61 77, fdouillard@terre-net.fr, ☑ ⚔ ⵏ t.l.j. sf sam. dim. 9h-12h 14h-19h

DOM. DE LA TOURLAUDIÈRE Sur lie 2012 ★★

	37 600 ▮	5 à 8 €

Ce domaine familial repris en 2012 par Romain Petiteau est un habitué du Guide. Il propose un remarquable 2012 né dans le secteur de Bonne-Fontaine réputé pour son sol de gabbros. Cette cuvée à la limpidité intense dévoile au nez une belle minéralité à travers de petites touches agréables de pierre à fusil. Souple dès l'attaque, elle développe en bouche un joli gras parsemé de notes fruitées et une finale tranchante typique du terroir. Le bel équilibre entre douceur et fraîcheur promet un accord réussi avec les poissons marinés. Le **Clos le Royaume Goulaine 2009 (8 à 11 € ; 6 000 b.)**, élevé en cuve vingt-sept mois, se voit décerner une étoile pour sa rondeur et sa richesse.

☛ EARL Petiteau-Gaubert, La Tourlaudière, 174, Bonne-Fontaine, 44330 Vallet, tél. 02 40 36 24 86, fax 02 40 36 37 94, vigneron@tourlaudiere.com, ☑ ⚔ ⵏ r.-v.

CH. LE VALLON DES PERRIÈRES Clisson 2009 ★★

	4 000 ▮	- de 5 €

Au sud-est du vignoble de Nantes, la famille Héraud cultive depuis la Révolution la vigne à Clisson, sur les terroirs réputés de granite. Jaune d'or brillant, cette cuvée dévoile un bouquet intense de miel et de vanille complétés d'un léger grillé fort plaisant. Dans une heureuse continuité, la bouche associe le gras, la suavité et une fraîcheur salutaire. Un vin généreux, bien dans son millésime, qui se plaira avec une tarte aux abricots.

☛ EARL Vallon des Perrières, Rournigal, 64, rte de Saint-Crespin, 44190 Clisson, tél. 02 40 54 09 24, vallondesperrieres@wanadoo.fr, ☑ ⚔ ⵏ t.l.j. sf sam. dim. 11h-12h30 15h-18h30; f. 1ᵉʳ-15 août

☛ Patrice Héraud

CLAUDE VICET Sur lie Coteau du moulin 2012

	2 000 ▮	- de 5 €

C'est la sixième génération de Vicet qui officie au Paradis, ce hameau du nord de la commune de La Haye-Fouassière, connu pour son terroir de gneiss et d'orthogenèse au beau potentiel. Très frais, ce 2012 dévoile un plaisant bouquet de fleurs blanches qui annonce une bouche souple, longue et bien équilibrée. Un muscadet léger et élégant destiné à l'apéritif.

☛ Vicet, 11, rue du Paradis, 44690 La Haye-Fouassière, tél. 02 40 36 95 71, vicet.claude@wanadoo.fr, ☑ ⚔ ⵏ r.-v.

LA VRIGNAIS Sur lie 2012 ★★

	10 000 ▮	- de 5 €

Ce terroir granitique en bordure de la Maine est favorable à une viticulture de qualité, ce que ne dément pas cette jolie cuvée issue de raisins vendangés à une maturité maximale et élevée sur lie. La robe très claire annonce un bouquet de belle intensité qui évoque les agrumes et l'amande fraîche. Le palais se montre vif et élégant, soutenu en finale par une légère amertume. Une plaisante expression du melon de Bourgogne que l'on appréciera sur un bar au beurre blanc.

🍷 EARL Bachelier, La Vrignais,
44140 Aigrefeuille-sur-Maine, tél. 06 18 94 69 21,
earlbachelier@live.fr, ☑ ⵊ r.-v.

DOM. DE LA VRILLONNIÈRE Sur lie 2012 ★

| | 12 000 | ▮ | - de 5 € |

À mi-chemin entre les villages du Landreau et de La Chapelle-Heulin réputés pour la qualité de leurs vins, ce domaine transmis de père en fils depuis 1910 est conduit en lutte raisonnée. Il propose un 2012 au nez encore un peu fermé mais typique de son terroir (limoneux-sableux), qui libère à l'aération des parfums de fruits blancs et des senteurs minérales. La bouche évolue sur des notes réglissées, avec une pointe acidulée en finale qui confirme la sensation de fraîcheur perçue à l'olfaction. On attendra cette bouteille trois ans avant de la déguster sur un fromage de chèvre.

🍷 EARL de la Vrillonnière, 10, La Vrillonnière,
44430 Le Landreau, tél. 02 40 06 42 00, fax 02 40 06 45 75,
lavrillonniere44@gmail.com,
☑ ⵊ t.l.j. sf dim. 9h-12h 14h30-18h30
🍷 Fleurance

Muscadet-côtes-de-grand-lieu

Superficie : 277 ha
Production : 14 447 hl

DOM. DE LA CHAUSSÉRIE Sur lie 2012 ★

| | 7 000 | ▮ | - de 5 € |

Au cœur de l'appellation muscadet-côtes-de-grand-lieu, ce domaine est situé dans la petite commune de Saint-Léger-les-Vignes en bordure de L'Acheneau, sur la route de Pornic. Première sélection dans le Guide pour ce 2012 très réussi revêtu d'une robe jaune pâle brillante. Complexe, le nez mêle des notes florales, fruitées (fraise, ananas) et minérales. Ces mêmes arômes persistent longuement au palais. L'ensemble est harmonieux et se plaira bien sur des anguilles grillées.

🍷 EARL Kristel et Patrick Gobin, 35, rue de la Chaussérie,
44710 Saint-Léger-les-Vignes, tél. et fax 02 40 32 67 81,
earl.gobin@wanadoo.fr,
☑ ⵊ t.l.j. sf dim. 15h-19h; sam. 9h-12h

VIGNOBLE DAHERON Sur lie 2012 ★

| | 20 000 | ▮ | - de 5 € |

Les raisins de cette cuvée proviennent d'un terroir d'amphibolite – roche verte très répandue en limite sud du vignoble de Loire-Atlantique –, dont la famille Daheron a su tirer une belle expression. Le vin dévoile un bouquet

de fruits secs (noisette, amande). La bouche est souple et généreuse. Atypique, mais harmonieux, ce 2012 gagnera à patienter un an ou deux en cave avant d'être servi sur un fromage de chèvre.

🍷 EARL Pierre Daheron, 9, dom. du Parc,
44650 Corcoué-sur-Logne, tél. 02 40 05 86 11,
fax 02 40 05 94 98, contact@vignoble-daheron.fr,
☑ ⵊ r.-v.

DOM. LE GRAND FÉ Sur lie 2012

| | 13 000 | ▮ | - de 5 € |

À la tête de l'exploitation depuis 1991, Jean Boutin propose une belle gamme de cépages et de vins. En tête, le melon de Bourgogne, qui a fait ses preuves sur ces sols de sables et de galets issus de gneiss. Tout a été mis en œuvre pour cet élégant 2012 : un pressurage doux (pressoir pneumatique) suivi d'un débourbage modéré et d'un élevage sur lies. Cela donne un vin au nez complexe de pain blanc qui évolue à l'aération vers des notes de jasmin et de citron. Cette bouteille séduisante s'invitera sans attendre à table sur des fruits de mer.

🍷 EARL Jean Boutin, 8, Le Poirier, 44310 La Limouzinière, tél. 02 40 05 83 66, jean-boutin@wanadoo.fr,
☑ ⵊ t.l.j. sf dim. 10h-12h30 15h-19h30; sam. 10h-12h30

CH. DE LA GRANGE 2012 ★

| | 800 000 | ▮ | 5 à 8 € |

Propriété de la famille de Goulaine depuis 1777, ce domaine, plus connu des habitués du Guide pour ses gros-plants-du-pays-nantais, est sélectionné pour la première fois dans cette appellation. Issue de vignes âgées de trente ans, cette cuvée très pâle aux reflets verts dévoile un bouquet intense d'ananas frais et de pamplemousse. Au diapason, la bouche est portée par une belle fraîcheur. Bien équilibrée, cette bouteille sera parfaite sur une salade estivale, avocat, pamplemousse et crevettes.

🍷 EARL B. de Goulaine, Ch. de la Grange,
44650 Corcoué-sur-Logne, tél. 02 40 26 68 66,
baudoin.de-goulaine@wanadoo.fr, ☑ ⵊ r.-v. 🏠 🅓

CHRISTIAN JAULIN Sur lie 2012

| | 28 000 | ▮ | - de 5 € |

À la tête de ce domaine depuis 1985, Christian Jaulin conduit en lutte raisonnée un vignoble de 19 ha presque d'un seul tenant. Deux de ses vins sont sélectionnés dans cette édition. Les dégustateurs ont aimé ce côtes-de-grand-lieu pour sa plaisante minéralité et pour ses arômes complexes de banane confite et de noix de coco. Vif et tonique, avec un perlant bien marqué, le palais finit sur de légères notes d'agrumes. Bel accord en perspective avec les produits de la mer. Le **gros-plant-du-pays-nantais Sur lie 2012 (4 000 b.)**, bien équilibré, fait jeu égal.

🍷 Christian Jaulin, Dom. du Grand Poirier, 2, Le Poirier, 44310 La Limouzinière, tél. et fax 02 40 05 94 47,
jaulin.christian@wanadoo.fr,
☑ ⵊ t.l.j. sf dim. 8h30-12h 14h-19h; f. 3e sem. d'août

LOIRE

CH. DE LORIÈRE 2012

50 000	▯	- de 5 €

Confisqué par l'État à la Révolution, ce manoir du XVIIᵉ s. a été acquis par la famille Hervé en 1886. Depuis 1998, c'est la cinquième génération qui officie. Ce 2012 limpide et aromatique s'ouvre sur des notes de fruits secs et d'agrumes. Rond et ample à l'attaque, il finit sur des nuances acidulées fort plaisantes. L'ensemble, bien équilibré entre douceur et fraîcheur, s'entendra bien avec une pizza aux fruits de mer.

☛ Vincent Hervé, Ch. de Lorière, 44830 Brains,
tél. 02 40 65 68 47, chateauloriere@sfr.fr,
☑ ⍐ t.l.j. sf dim. 11h-12h 17h-19h

LA NOË Sur lie 2012 ★

8 000	▯	5 à 8 €

Réputé pour sa superbe abbatiale, Saint-Philbert-de-Grand-Lieu est la plus importante commune autour du lac. Prenez le temps, après avoir visité ce haut lieu de l'époque carolingienne, de vous arrêter chez Éric Chevalier pour découvrir ce joli vin issu de granite, qui s'annonce dans une robe or aux reflets verts. Le nez iodé, qui rappelle le terroir, est complété par des arômes de fruits secs (abricot). Vif et perlant en bouche, ce vin élégant s'accordera bien avec une assiette d'huîtres.

☛ Éric Chevalier, Dom. de l'Aujardière,
44310 Saint-Philbert-de-Grand-Lieu,
tél. et fax 02 40 78 05 19, eric@chevalierledomaine.com,
☑ ⍏ ⍐ t.l.j. sf dim. 8h30-12h30 14h-19h;
sam. sur r.-v. ⌂ Ⓓ

Muscadet-coteaux-de-la-loire

Superficie : 244 ha
Production : 12 064 hl

DOM. DU MOULIN GIRON Sur lie 2012 ★

13 200	▯	- de 5 €

Le moulin du XVᵉ s. représenté sur l'étiquette de cette cuvée est devenu le symbole de ce domaine situé à 500 m des ruines du château où naquit le poète Joachim du Bellay. Ce 2012 a été retenu pour sa limpidité, son intensité aromatique aux accents briochés et son ampleur. Bien équilibré et harmonieux, il sera parfait pour accompagner un brochet au beurre blanc. Le **gros-plant-du-pays-nantais 2012 (21 120 b.)**, fruité et acidulé, est cité.

☛ EARL Dom. du Moulin Giron, 49530 Liré,
tél. 02 40 09 03 15, fax 02 40 96 11 95,
domainemoulingiron@orange.fr, ☑ ⍏ ⍐ r.-v. ⌂ Ⓑ
☛ N. et J.-P. Allard

CH. DU ROTY Sur lie 2012 ★

3 866	▯	- de 5 €

Située dans la partie la plus méridionale de l'aire des coteaux-d'ancenis, cette exploitation familiale n'a pas renoncé à la polyculture : on y élève toujours des vaches et cultive 21 ha de vignes. Elle propose un 2012 fort aimable dans sa robe cristalline jaune aux reflets verts. Plutôt floral que minéral, le bouquet dévoile aussi des notes miellées et citronnées. Ces arômes parfument une matière riche et persistante, qui tapisse longuement le palais. On servira cette bouteille harmonieuse sur des fruits de mer.

☛ GAEC du Roty, Le Roty, 44150 Saint-Herblon,
tél. 02 40 98 00 88, fax 02 40 98 01 83,
bodineau-michel@wanadoo.fr,
☑ ⍏ ⍐ t.l.j. sf dim. 8h30-12h30 14h-19h30

Gros-plant-du-pays-nantais

Superficie : 1 212 ha
Production : 90 255 hl

Le gros-plant-du-pays-nantais est un vin blanc sec, AOVDQS depuis 1954 et AOC depuis 2011, produit dans trois départements : Loire-Atlantique, Maine-et-Loire et Vendée. Il est issu d'un cépage unique d'origine charentaise, la folle blanche, appelée ici gros-plant. Comme le muscadet, le gros-plant peut être mis en bouteilles sur lie. Vin blanc sec, il convient parfaitement aux fruits de mer en général et aux coquillages en particulier ; il doit être servi, lui aussi, frais mais non glacé (8-9 °C).

L'AUDIGÈRE Sur lie 2012

38 000	▯	- de 5 €

Cette ancienne seigneurie du XVIIᵉ s., qui fut propriété de la famille de Sévigné, est située sur un terroir de gabbros typique de la région. Y est né ce vin au nez fruité et au palais équilibré, relevé en finale par une touche iodée. Bien dans son appellation, il ne manque ni de fraîcheur ni de gras. Parfait pour un plateau de fruits de mer.

☛ Jean Aubron, L'Audigère, 44330 Vallet,
tél. 02 40 33 91 91, fax 02 40 33 91 31,
jean.aubron@wanadoo.fr, ☑ ⍐ r.-v.

DOM. DE BEAUREPAIRE Haute Sélection
Sur lie 2012 ★★★

11 730	▯	- de 5 €

Habituée des étoiles dans le Guide, cette propriété familiale est située à 3 km de la très jolie cité médiévale de Clisson. Elle se distingue une nouvelle fois avec cette cuvée exceptionnelle élevée sur lie dans un chai de style toscan. La robe est superbe, jaune limpide, tout comme le nez, complexe, qui évoque la poire et la pomme cuites sur fond d'agrumes. L'attaque vive et perlante, qui soutient bien le fruit, prélude à un palais gras, puissant et d'une longueur admirable. Un gros-plant d'exception qui pourra attendre un an ou deux avant d'être dégusté sur des moules marinière.

☛ Christine Bouin, 5, La Recivière, 44330 Mouzillon,
tél. et fax 02 40 36 35 97, domainedebeaurepaire@orange.fr,
☑ ⍏ ⍐ t.l.j. 10h-12h 14h-18h; dim. sur r.-v.

DOM. DU CHAMP CHAPRON Sur lie 2012 ★★

19 000	▯	- de 5 €

À la limite de l'Anjou et du Pays nantais, ce domaine, dont les origines remontent au XVIIIᵉ s., a encore de beaux jours devant lui. Pour preuve, ce remarquable 2012 au nez flatteur et plein de promesses. Promesses tenues par un palais riche, long et parfaitement équilibré. À déguster sous la tonnelle, avec des crevettes.

☞ EARL Suteau-Ollivier, Le Champ-Chapron,
44450 Barbechat, tél. 02 40 03 65 27, fax 02 40 33 34 43,
suteau.ollivier@wanadoo.fr, ☑ ⚔ ⊤ r.-v.

BRUNO CORMERAIS Sur lie 2012 ★

▨	6 500 🍾	- de 5 €

Établi non loin de la Maine, sur les coteaux granitiques de Saint-Lumine-de-Clisson, Bruno Cormerais est
réputé pour ses vendanges à juste maturité. Ce gros-plant
en est une belle illustration. Léger, vif et équilibré, il séduit
d'emblée par ses notes de fleurs blanches et par sa pointe
grillée en finale. Parfait pour des sardines au feu de bois.
☞ EARL Bruno, Marie F. et Maxime Cormerais,
41, La Chambaudière, 44190 Saint-Lumine-de-Clisson,
tél. 02 40 03 85 84, b.mf.cormerais@wanadoo.fr,
☑ ⚔ ⊤ r.-v.

♥ CH. DE LA GUIPIÈRE Sur lie 2012 ★★

▨	7 800 🍾	- de 5 €

Ce domaine a pris la bonne habitude de soumettre
à la dégustation du Guide de jolies cuvées, notamment en
muscadet-sèvre-et-maine ; il soigne aussi ses gros-plants, et
les jurés sont unanimes : celui-ci est le meilleur de la
sélection. Issu d'un terroir de micaschistes, il dévoile un
bouquet intense d'aubépine et de citron. À la fois ronde
et vive, ample et très aromatique, la bouche est un modèle
d'équilibre. Succès garanti avec le classique mais incontournable plateau de fruits de mer. Le **muscadet-sèvre-
et-maine Sur lie Les Vieilles Vignes du Ch. de la
Guipière 2012 cuvée Excellence (19 000 b.)**, tendre,
rond, soutenu par une juste vivacité et une noble amertume, fera également l'unanimité. Il reçoit une étoile, tout
comme le **muscadet-sèvre-et-maine 2010 Goulaine (5
à 8 € ; 5 500 b.)**, floral et frais.
☞ GAEC Charpentier Père et Fils, Ch. de la Guipière,
44330 Vallet, tél. 02 40 36 23 30, fax 02 40 36 38 14,
chateau.guipiere@wanadoo.fr, ☑ ⚔ ⊤ r.-v.

DOM. DU HAUT BOURG Sur lie 2012 ★★

▨	15 000 🍾	- de 5 €

À quelques kilomètres de Nantes, le domaine du
Haut Bourg est une valeur sûre de la région, réputée pour
ses muscadet-côtes-de-grand-lieu et ses gros-plant. Hervé
et Nicolas Choblet, le père et le fils, présentent un 2012
remarquable qui n'est pas passé loin du coup de cœur.
Limpide et élégante, cette cuvée livre un bouquet intense
de fleurs blanches. Vive et nerveuse au palais, elle étonne
par sa légèreté et par sa persistance. Tout en elle séduit.
Parfait pour accompagner des crustacés. Par ailleurs, le
**muscadet-côtes-de-grand-lieu 2002 Origine (11 à
15 € ; 8 000 b.)** au nez frais, fruité et réglissé, est cité.

☞ Dom. du Haut Bourg, 11, rue de Nantes, 44830 Bouaye,
tél. 02 40 65 47 69, fax 02 40 32 64 01,
contact@hautbourg.fr, ☑ ⚔ ⊤ t.l.j. 9h-12h 14h-18h

HAUTE-COUR DE LA DÉBAUDIÈRE Sur lie 2012 ★

▨	12 000 🍾	- de 5 €

Installés depuis 1984 à Vallet au-dessus des boucles
de la Sanguèze, petite rivière qui se jette dans la Sèvre,
Chantal et Yves Goislot prouvent une nouvelle fois leur
savoir-faire. Ce 2012 limpide et très pâle, d'abord timide
au nez, s'affirme à l'aération, libérant des notes d'agrumes. La bouche montre dès l'attaque une vivacité portée
par un joli perlant qui soutient bien l'ensemble jusqu'en
finale. Pour des sushis et sashimis.
☞ GAEC Goislot-Papin, 220, La Débaudière, 44330 Vallet,
tél. 06 13 24 48 91, goislot.papin0464@orange.fr,
☑ ⚔ ⊤ r.-v.

MANOIR DE LA GRELIÈRE
Sur lie Vieilles Vignes Réserve 2012

▨	40 000 🍾	- de 5 €

Le Manoir de la Grelière est l'une des plus anciennes
propriétés du vignoble de Nantes. Il se distingue avec ce
beau vin de terroir qui développe un bouquet flatteur
mêlant fruits secs et notes minérales. La bouche est bien
construite, associant rondeur et fraîcheur. Le **muscadet-
sèvre-et-maine 2012 Sur lie Vieilles Vignes Réserve
(400 000 b.)** est cité pour sa finesse et son fruité (pomme
granny-smith).
☞ Branger et Fils, Manoir de la Grelière, 44120 Vertou,
tél. 09 64 01 86 57, fax 09 70 61 04 78,
branger-vertou@wanadoo.fr

OPAL Sur lie Vieilles Vignes 2012 ★

▨	1 500 🍾	- de 5 €

Jean-Paul et Nathalie Sauvaget exploitent depuis
2001 ces terroirs de gneiss et de micas situés sur la rive sud
de la Sèvre. Ce 2012, vendangé à la main, se présente dans
une robe limpide et dorée. Fin et aromatique, il offre en
bouche des notes vives et acidulées. Un vin bien dans son
appellation, que l'on appréciera sur des rillettes de poisson.
☞ Caillat Sauvaget, 22, rue de la Poste, 44690 Monnières,
tél. 02 40 54 64 91, jpaul@topaze-monnieres.com,
☑ ⚔ ⊤ t.l.j. 14h-19h; f. nov.-mars 🏠 ❷

LES HAUTES PERRIÈRES Sur lie 2012 ★

▨	12 000 🍾	- de 5 €

En 1988, Philippe Augusseau a repris le domaine
familial situé à l'est de Mouzillon, sur un terroir de
gabbros (roche caractéristique de la région) assez tardif
– les vendanges ont eu lieu le 10 octobre 2012. Le vin,
discrètement fruité à l'olfaction, se révèle moins sur la
réserve en bouche. Celle-ci, équilibrée, à la fois riche et
soutenue par une belle vivacité, sera idéale pour accompagner un plateau de fruits de mer.
☞ Philippe Augusseau, Les Perrières, 44330 Mouzillon,
tél. et fax 02 40 03 92 14,
contact@muscadet-augusseau.com, ☑ ⚔ ⊤ r.-v.

CH. DE LA POËZE Sur lie 2012 ★

▨	10 933 🍾	- de 5 €

L'an dernier, Patrice Boulanger présentait pour
la première fois dans le Guide un muscadet-sèvre-et-
maine, par ailleurs très réussi. Cette année, il revient sur

le devant de la scène avec ce gros-plant issu de vignes âgées de presque quarante ans et plantées sur un sol de gneiss à l'origine de vins vifs tout en finesse. Dans sa robe limpide et brillante, cette cuvée au nez floral est portée en bouche par de fraîches notes mentholées, qui mènent loin la finale. Bien équilibrée, elle est prête à passer à table pour accompagner des beignets de crevette. Le **muscadet-sèvre-et-maine 2012 Sur lie Sélection du Champ Coteau (5 à 8 € ; 11 850 b.)**, cité est un vin bien fait, soutenu par de plaisantes notes minérales.

☞ Patrice Boulanger, 25, Bonne-Fontaine, 44330 Vallet, tél. 02 40 36 22 79, fax 02 72 22 06 98, begaudieres@wanadoo.fr,
☑ ⚐ ⊤ t.l.j. sf dim. 9h-12h30 14h-18h30

DOM. DES POUINIÈRES Sur lie 2012 ★★★

800	- de 5 €

Une étoile dans le millésime 2010, deux pour le 2011 : le Guide s'est fait le témoin de l'ascension de ce domaine. La consécration vient cette année avec ce 2012 confidentiel (800 bouteilles) qui n'est pas passé loin du coup de cœur. Jaune pâle aux reflets verts, cette cuvée déploie un bouquet fort élégant évoquant le pample-mousse, le citron et la pierre à fusil. Les dégustateurs relèvent sa très belle matière et sa fraîcheur soulignée par des arômes d'agrumes. Parfaitement typique de son appellation, cette bouteille sera à son aise avec tous les coquillages et crustacés. Quant au **muscadet-sèvre-et-maine 2012 Sur lie (8 000 b.)**, il obtient une étoile pour son fruité élégant agrémenté de notes minérales qui lui apportent de la vivacité.

☞ EARL Chupin, 1, La Pouinière, 44330 Vallet, tél. 06 19 82 64 58, fax 02 40 36 21 70, earl.chupin@orange.fr, ☑ ⚐ ⊤ t.l.j. 8h-12h 14h-20h

DOM. DU VIEUX FRÊNE Cuvée Saint-André 2012 ★★

2 000	▬ - de 5 €

Daniel Baudrit est installé depuis 1989 sur le do-maine familial transmis par son grand-père, auquel il rendait hommage dans l'édition 2008 avec la cuvée Saint-Marcel. Aujourd'hui, c'est son père qui est à l'hon-neur avec ce vin remarquable issu d'une microparcelle de 1 ha. Ce 2012 laisse une impression de richesse avec ses notes intenses de fruits exotiques. Le palais, à l'unisson, se montre ample et gras. À réserver pour des cassolettes aux fruits de mer.

☞ Daniel Baudrit, La Recivière, 44330 Mouzillon, tél. 02 40 36 47 70, daniel-baudrit@sfr.fr, ☑ ⚐ ⊤ t.l.j. sf dim. 8h-12h30 14h-18h30

Fiefs-vendéens

Superficie : 469 ha
Production : 27 613 hl (85 % rouge et rosé)

Anciens fiefs du Cardinal : cette dénomination évoque le passé de ces vins, appréciés par Richelieu, qui avaient connu un renouveau au Moyen Âge, à l'instigation des moines comme bien souvent. L'AOVDQS fut accordée en 1984, puis l'AOC, en 2011.

À partir de gamay, de cabernet et de pinot noir, la région de Mareuil produit des rosés et des rouges fins et fruités ; les blancs sont encore confidentiels. Non loin de la mer, le vignoble de Brem, lui, donne des blancs secs à base de chenin et de grolleau gris, ainsi que des rosés et des rouges. Aux environs de Fontenay-le-Comte, blancs secs (chenin, colombard, melon, sauvi-gnon), rosés et rouges (gamay et cabernets) proviennent des régions de Pissotte et de Vix. On boira ces vins jeunes, selon les alliances classi-ques des mets et des vins.

LE CLOS DES CHAUMES Mareuil 2012 ★

16 000 ▬	5 à 8 €

Pour cette cuvée très réussie, issue d'un assemblage de chenin (60 %) et de chardonnay, les moûts récoltés et directement pressés ont été stabilisés à froid pendant quatre à cinq jours avant leur départ en fermentation. Le résultat ? Un bouquet complexe dominé par les fruits blancs et les agrumes, un palais souple et gras, qui laisse pointer de douces notes de fruits exotiques et qui s'achève sur une belle et longue finale. Un vin gourmand pour des maquereaux en cocotte. Cité, le **2012 rouge Mareuil (35 000 b.)**, à dominante de cabernet franc, plaît pour ses arômes caractéristiques de fruits rouges et de poivron.

☞ Fabien Murail, La Tudelière, 85320 La Couture, tél. 02 51 30 58 56, earl.murailfabien@orange.fr, ☑ ⚐ ⊤ t.l.j. sf dim. 9h-12h 14h-18h

DOM. DE LA GAMBAUDIÈRE Mareuil 2012 ★

5 300 ▬	- de 5 €

Cet heureux assemblage de chenin (60 %) et de chardonnay trouve sa parfaite expression dans ce vin typique de l'appellation. D'une belle intensité, le bouquet évoque les fleurs blanches et le pamplemousse rose. Souple en attaque, le palais d'une longueur respectable s'appuie sur une fine vivacité, avec une légère pointe d'amertume en finale. Il est « à point » pour un saumon grillé. Le **rosé 2012 Mareuil (12 000 b.)** est cité. Ce vin frais séduit par ses notes de fraise et de fruits exotiques.

☞ Michel Arnaud, La Gambaudière, 85320 Rosnay, tél. 02 51 30 55 12, cavearnaud@orange.fr, ☑ ⚐ ⊤ r.-v.

CH. MARIE DU FOU Marueil 2012 ★★

100 000 ▬	5 à 8 €

La forteresse Marie du Fou surplombe les vallées du Lay et du Layon. Sur ce coteau schisteux fort bien exposé, on découvre une vue imprenable mais aussi des vins de belle qualité. Pour preuve, cet assemblage réussi dominé par les cabernets et complété de pinot noir (35 %) et d'une touche de négrette (15 %). Il se présente dans une élégante robe rouge dense, presque noire, avant de développer un bouquet frais et avenant : bourgeon de cassis et petits fruits rouges. Bien équilibré, le palais allie puissance aromatique et légèreté. Parfait pour un jambon de Vendée aux mogettes. Le **blanc 2012 Mareuil (50 000 b.)** et le **rosé 2012 Mareuil (140 000 b.)** sont cités. Le premier pour sa puissance aromatique sur les fleurs et les fruits, et pour son équilibre entre douceur et vivacité ; le second pour son harmonie autour des fruits acidulés.

🍷 Ch. Marie du Fou, 5, rue de la Trémoille,
85320 Mareuil-sur-Lay, tél. 02 51 97 20 10,
fax 02 51 97 21 58, jmourat@mourat.com,
☑ ⚔ ⛾ t.l.j. sf dim. 9h-12h30 14h30-19h
🍷 J. Mourat

VIGNOBLE MERCIER Vix Cuvée M Grande Sélection 2012

| | 10 500 | ∎ | 5 à 8 € |

Le vignoble Mercier est situé sur l'ancienne île jadis nommée Vienne, puis Vix, un plateau calcaire qui domine le Marais poitevin. Il propose un joli trio dans les trois couleurs. Pas moins de cinq cépages, les deux cabernets, le pinot noir, le gamay et la négrette pour élaborer ce joli rouge qui a eu la préférence des dégustateurs dans sa belle robe rubis aux reflets violets. Le nez intense, qui mêle les fruits et les épices, annonce une bouche puissante, bien équilibrée. Encore un peu sévère en finale toutefois, cette bouteille devra patienter un ou deux ans en cave. Même distinction pour le **blanc 2012 Vix cuvée M Grande Sélection (8 000 b.)**, porté par un fruité acidulé, et pour le **rosé 2012 Vix cuvée M Grande Sélection (10 000 b.)**, souple et aromatique.
🍷 Les Vignobles Mercier, 16, rue de la Chaignée, 85770 Vix, tél. 02 51 00 60 87, fax 02 51 00 67 60, vignobles@mercier-groupe.com,
☑ ⛾ t.l.j. sf dim. 8h-12h 14h-18h; sam. 8h-12h

DOM. DE LA VRIGNAIE Mareuil 2012 ★★

| | 20 000 | ∎ | - de 5 € |

Établie aux portes de Rosnay depuis quatre générations, la famille Macquigneau-Brisson exploite 51 ha de vignes. Cet assemblage dominé par le pinot noir a beaucoup plu, notamment par sa belle robe saumonée et par son bouquet fin et frais aux nuances de groseille. Ce fruité se prolonge dans une bouche à la fois fraîche, ronde et ample. L'élégance et l'équilibre sont au rendez-vous. Même distinction pour le **Dom. de la Vieille Riboulerie 2012 rosé Mareuil Cuvée des rêves de l'Yon (4 000 b.)**, qui séduit par sa belle présence aromatique. Un « vin plaisir » sur le fruit, rond et long. Le **Dom. de la Vieille Riboulerie 2012 rouge Mareuil cuvée Privilège (2 500 b.)** reçoit une étoile pour ses notes d'épices et de vanille, et pour sa longueur en bouche.
🍷 Vignoble Macquigneau-Brisson, Le Plessis, 85320 Rosnay, tél. et fax 02 51 30 59 54, macquigneauh@aol.com,
☑ ⚔ ⛾ t.l.j. 8h-12h 14h-19h30; dim. sur r.-v.

Coteaux-d'ancenis

Superficie : 170 ha
Production : 10 131 hl (85 % rouge et rosé)

Produits sur les deux rives de la Loire, à l'est de Nantes, les coteaux-d'ancenis, classés AOVDQS en 1954, ont accédé à l'AOC en 2011. On en produit quatre types, à partir de cépages purs : gamay (80 % de la production), cabernet, chenin et malvoisie (pinot gris).

DOM. DE LA CAMBUSE 2012 ★★

| | 3 000 | ∎ | - de 5 € |

Les schistes ancenins sont réputés pour donner des vins tendres lorsque les raisins sont récoltés à maturité. Ce superbe gamay vinifié en macération en est un bel exemple. Séduisant dans son expression aromatique, sur des notes acidulées de fruits rouges, il dévoile une structure ample, parfaitement équilibrée et longue. À réserver pour une volaille fermière. Très réussi, le **rosé 2012 (2 000 b.)** se montre léger, vif et fruité. Ample et gras, le **muscadet-coteaux-de-la-loire 2012 Sur lie (3 000 b.)** est quant à lui cité.
🍷 Dom. de la Cambuse, La Cambuse, 49530 Drain, tél. 06 21 04 78 85, fax 02 40 83 91 63, domainedelacambuse@orange.fr,
☑ ⚔ ⛾ t.l.j. sf dim. 9h-12h30 14h-19h

💜 DOM. DES GALLOIRES Le Vieux Planty 2012 ★★★

| | 10 000 | ∎ | 5 à 8 € |

Ce domaine campé sur les coteaux escarpés du sud de la Loire se distingue une nouvelle fois et propose une expression accomplie du gamay à travers ce 2012 resplendissant dans sa robe rouge profond aux reflets chocolat. Au nez apparaissent des notes généreuses de cerise bien mûre et de framboise. L'attaque vive et fruitée prélude à une bouche ample et bien fondue, soutenue par des tanins ronds. Ce vin possède un réel pouvoir de séduction que l'on appréciera dès l'automne sur un mets de choix, un filet de bœuf par exemple. Le **blanc 2012 malvoisie (20 000 b.)** est un moelleux fort séduisant par ses arômes fins de genêt, de brugnon et de pêche de vigne, équilibré en bouche par une belle fraîcheur. Il reçoit deux étoiles. Construit sur la vivacité, le **muscadet-coteaux-de-la-loire 2012 Les Chailloux (moins de 5 € ; 26 500 b.)** se voit décerner une étoile pour ses notes mentholées et sa finale épicée. Cité, le **coteaux-d'ancenis 2012 rosé (moins de 5 € ; 10 000 b.)**, rond et fruité, affiche une bonne longueur.
🍷 Dom. des Galloires, La Galloire, 49530 Drain, tél. 02 40 98 20 10, fax 02 40 98 22 06, contact@galloires.com,
☑ ⚔ ⛾ t.l.j. sf dim. 9h-12h 14h-19h (sam. 17h)
🏛 ⓘ 🏠 Ⓐ
🍷 Toublanc

DOM. DES GÉNAUDIÈRES Malvoisie 2012 ★★

| | 12 000 | ∎ | 5 à 8 € |

Si vous empruntez le sentier de randonnée du Cellier (GR3), vous ne manquerez pas le superbe panorama sur la vallée de la Loire qu'offre le domaine des Génaudières, régulier en qualité, en particulier avec ces coteaux-d'ancenis. Pour preuve, cette splendide malvoisie, d'emblée avenante avec sa robe or soutenu et son bouquet de poire et de fruit de la Passion sur fond de caramel. Dans une heureuse continuité, la bouche, suave dès l'attaque, associe la fraîcheur, le gras et la concentration. Un moelleux parfaitement équilibré, à apprécier dès maintenant sur un crumble aux mangues. Le **pinot 2012 blanc** (3 000 b.) reçoit une étoile : un pineau de la Loire (chenin), bien typé, vif et minéral.

☛ Athimon et ses enfants, Dom. des Génaudières, 44850 Le Cellier, tél. 02 40 25 40 27, fax 02 40 25 35 61, earl.athimon@wanadoo.fr,
☑ ⚘ ⟙ t.l.j. sf dim. 9h-12h30 14h-19h ⌂ ◍

DOM. DU HAUT FRESNE Cuvée Prestige 2012 ★★

| | 8 000 | ▬ | - de 5 € |

La cuvée Prestige est une valeur sûre de ce domaine familial, également bien connu des habitués du Guide pour ses muscadet-coteaux-de-la-loire. Ceps de quarante ans d'âge, vendanges manuelles, macérations carbonique (50 %) et traditionnelle (50 %), vinification et élevage de huit mois en cuve sont à l'origine d'un vin au nez discret de fruits rouges légèrement acidulés. Un palais rond et tendre, une finale vive et de la longueur concourent à l'agrément de cette bouteille, qui se plaira sur un poulet d'Ancenis rôti. Cité, le **muscadet-coteaux-de-la-loire 2012 Sur lie** (26 000 b.) dévoile un bouquet délicat de fruits blancs et une jolie finale aux arômes frais.

☛ EARL Renou Frères et Fils, Dom. du Haut Fresne, 49530 Drain, tél. 02 40 98 26 79, fax 02 40 98 27 86, contact@renou-freres.com, ☑ ⚘ ⟙ r.-v.

DENIS ONILLON 2012 ★

| | 1 600 | ▬ | - de 5 € |

Denis Onillon est à la tête de cette exploitation familiale depuis 1999. Situé à Liré, le village natal du poète Joachim Du Bellay, le domaine se voit récompensé pour deux 2012, en rouge et en blanc. Le premier, au nez intense de fruits rouges, dévoile un palais équilibré entre la rondeur du fruit et la fraîcheur, réhaussé par une finale épicée, élégante et tonique. Un vin pimpant, bien dans son appellation, qui se mariera parfaitement avec un poulet rôti en cocotte. Le second, un **muscadet-coteaux-de-la-loire 2012 Sur lie** (2 500 b.), reçoit une étoile pour sa fraîcheur, son équilibre et sa longue finale.

☛ Denis Onillon, 144, rue de la Draperie, 49530 Liré, tél. 02 40 09 02 24, onillondenis@orange.fr.
☑ ⟙ t.l.j. sf mer. dim. 9h-12h 14h-19h; f. 15-31 août

DOM. DU QUARTERON Malvoisie 2012 ★

| | 4 500 | ▬ | 5 à 8 € |

Dans la partie la plus méridionale de l'aire des coteaux-d'ancenis, François Vincent, l'arrière-petit-fils du fondateur du domaine, propose une cuvée de pinot gris vendangée début octobre. Jaune doré aux reflets argent, ce 2012 séduit par ses arômes délicats de fleurs printanières, de fruits frais (pomme) et de vanille. Son harmonie entre douceur et vivacité laisse en bouche une impression de légèreté. Tendre et flatteur, ce vin s'annonce savoureux sur des toasts au foie gras. Le **muscadet-coteaux-de-la-loire 2012 Sur lie** (moins de 5 € ; 4 000 b.) est cité pour ses parfums intenses de fruits et de brioche, et pour son palais ample et gras, porté par d'étonnantes mais plaisantes notes de grillé en finale.

☛ François Vincent, La Vasinière, 49530 Bouzillé, tél. 02 40 98 11 22 ☑ ⚘ ⟙ t.l.j. sf dim. 9h-12h 14h-19h

LES QUARTS 2012 ★

| | 4 200 | ▬ | 5 à 8 € |

C'est sur une parcelle de micaschistes, à la frontière des départements du Maine-et-Loire et de la Loire-Atlantique, qu'est né ce gamay vinifié en macération carbonique. Rouge foncé, il livre un nez floral et fruité (cerise). Après une attaque ronde, le palais, bien équilibré, s'étire longuement sur des notes de framboise fraîche.

☛ Dom. Merceron-Martin, 41, La Coindassière, 49270 La Varenne, tél. 02 40 83 53 32, contact@domainemerceronmartin.fr,
☑ ⚘ ⟙ r.-v. (sf sam. 10h-12h 14h-18h)

Anjou-Saumur

À la limite septentrionale des zones de culture de la vigne, sous un climat atlantique, avec un relief peu accentué et de nombreux cours d'eau, les vignobles d'Anjou et de Saumur s'étendent dans le département du Maine-et-Loire, débordant un peu sur le nord de la Vienne et des Deux-Sèvres.

Les vignes sont depuis fort longtemps cultivées sur les coteaux de la Loire, du Layon, de l'Aubance, du Loir, du Thouet... C'est à la fin du XIXᵉs. que les surfaces plantées sont les plus vastes. Le Dr Guyot, dans un rapport au ministre de l'Agriculture d'alors, cite 31 000 ha en Maine-et-Loire. Le phylloxéra anéantira le vignoble, comme partout. Les replantations s'effectueront au début du XXᵉs. et se développeront un peu dans les années 1950-1960, pour régresser ensuite. Aujourd'hui, ce vignoble couvre environ 17 380 ha, qui produisent un million d'hectolitres.

Les sols, bien sûr, complètent très largement le climat pour façonner la typicité des vins de la région. C'est ainsi qu'il faut faire une nette différence entre ceux qui sont produits dans l'« Anjou noir », constitué de schistes et autres roches primaires du Massif armoricain, et ceux qui sont produits dans l'« Anjou blanc » ou Saumurois, nés sur les terrains sédimentaires du Bassin parisien dans lesquels domine la craie tuffeau. Les cours d'eau ont également joué un rôle important pour le commerce : ne trouve-t-on pas encore trace aujourd'hui de petits ports d'embarquement sur le Layon ? Les plantations sont de 4 500-5 000 pieds par hectare ; la taille, qui était plus particulièrement en gobelet et en éventail, est aujourd'hui en guyot.

La réputation de l'Anjou est due aux vins blancs moelleux, dont les coteaux-du-layon sont les plus connus. Cependant, l'évolution conduit désormais aux types demi-sec et sec, à la production de vins rouges et, plus récemment encore, de rosés, qui ont le vent en poupe. Dans le Saumurois, ces derniers sont les plus estimés, avec les vins mousseux, qui ont connu une forte croissance, notamment les AOC saumur et crémant-de-loire.

Anjou

Superficie : 1 890 ha
Production : 98 794 hl (61 % rouge)

Constituée d'un ensemble de près de 200 communes, l'aire géographique de cette appellation régionale englobe toutes les autres. Traditionnellement, le vin d'Anjou était un vin blanc doux ou moelleux issu de chenin, ou pineau de la Loire. L'évolution de la consommation vers des secs a conduit les producteurs à associer à ce cépage le chardonnay ou le sauvignon, dans la limite maximale de 20 %. La production de vins rouges s'est accrue depuis les années 1970 (et surtout celle des rosés, qui disposent d'appellations spécifiques). Ce sont les cépages cabernet franc et cabernet-sauvignon qui sont alors mis en œuvre.

DOM. BODINEAU 2012

■	4 000	▮	- de 5 €

Vêtue d'une robe rubis profond, cette cuvée est empreinte d'intenses notes de fruits rouges (fraise) et noirs. La bouche se révèle souple, fraîche et légère, soutenue par des tanins encore un peu austères qui demanderont un an ou deux de garde pour s'arrondir davantage.
☛ Dom. Bodineau, Savonnières,
4, chem. du Château-d'Eau, 49700 Les Verchers-sur-Layon,
tél. 02 41 59 22 86, fax 02 41 59 86 21,
domainebodineau@yahoo.fr, ☑ ⚤ ⴈ t.l.j. sf dim. 9h-18h

Ⓑ CH. DE BOIS-BRINÇON Terre de grès 2011

▨	8 000	▮▥	8 à 11 €

D'un beau jaune pâle limpide, cette cuvée mêle dans un bouquet de bonne intensité le citron vert, les agrumes et des nuances finement boisées dues à un élevage partiel de cinq mois en fût. La bouche fait écho au nez, bien équilibrée entre alcool et acidité.
☛ Xavier Cailleau, Le Bois-Brinçon, 49320 Blaison-Gohier,
tél. 02 41 57 19 62, chateau.bois.brincon@terre-net.fr,
☑ ⚤ ⴈ t.l.j. sf dim. 9h30-12h 14h-18h 🏠 Ⓒ

DOM. CADY Cheninsolite 2011 ★

▨	4 000	▥	8 à 11 €

Ce 2011 jaune pâle aux reflets dorés est né de vignes de chenin plantées sur 1,5 ha de coteaux dominant le Layon. Il en résulte une cuvée au nez intense et complexe de fruits confits accompagnés de fines nuances boisées. On retrouve ces arômes dans une bouche ronde, onctueuse, bien structurée. Un vin épanoui, qui laisse une sensation d'équilibre. À déguster dès à présent, à l'apéritif ou au cours du repas avec une viande blanche.
☛ Dom. Cady, 20, Valette, 49190 Saint-Aubin-de-Luigné,
tél. 02 41 78 33 69, domainecady@yahoo.fr,
☑ ⚤ ⴈ t.l.j. 9h-12h 15h-18h30; sam. dim. sur r.-v.

DOM. DE CHANTEMERLE Vieilles Vignes 2011 ★

■	12 000	▮	- de 5 €

La famille Laurilleux, propriétaire de ce domaine de 29 ha, présente un 2011 né d'un assemblage à parts égales de cabernet franc et de cabernet-sauvignon. Il en résulte un vin aux parfums de fruits rouges et noirs (myrtille). L'attaque sur le fruit est agréable, souple et tonique, puis le palais s'étire dans une belle finale pleine de fraîcheur. À déguster dès à présent, pourquoi pas sur un magret de canard aux cerises ?
☛ Patrick et Caroline Laurilleux, 4, rue de l'École,
49310 Trémont, tél. 02 41 59 43 18,
chantemerle49@wanadoo.fr, ☑ ⚤ ⴈ r.-v.

DOM. DE LA CLARTIÈRE Terres de Paillé 2012 ★

▨	4 000	▥	5 à 8 €

Depuis 1930, quatre générations de « Pierre » se sont succédé à la tête de ce vignoble. Pierre-Antoine Pinet, qui conduit le domaine depuis 2007, signe un 2012 à la robe jaune pâle. Au nez, le vin dévoile une palette intense de fruits frais. Ronde, ample et longue, la bouche est portée par une belle matière fruitée. Un vin harmonieux et déjà prêt, qui pourra aussi patienter quelques années en cave.
☛ EARL Pierre-Antoine Pinet, La Clartière,
49560 Nueil-sur-Layon, tél. 02 41 59 53 05,
earlpinet@orange.fr, ☑ ⚤ ⴈ t.l.j. sf dim. 9h-18h30

DOM. DU COLOMBIER 2012 ★

■	10 000	▮	- de 5 €

Ce domaine conduit un vignoble de 42 ha situé non loin de Doué-la-Fontaine, la « cité des roses ». Propriétaires de cette exploitation depuis 2003, Sylvain Bazantay et sa sœur Florence présentent un 2012 à la robe rubis sombre. Le nez aux fins arômes de fruits rouges introduit un palais fruité, souple et rond, étayé par une fraîcheur appréciable et structuré par des tanins croquants. Un vin friand à déguster dès à présent, sur un bœuf bourguignon par exemple.
☛ EARL Sylvain et Florence Bazantay,
10, rue du Colombier, Linières, 49700 Brigné-sur-Layon,
tél. et fax 02 41 59 31 82, earlbazantay@orange.fr,
☑ ⴈ t.l.j. sf dim. 9h-12h30 14h-18h30

DOM. DE LA COUCHETIÈRE Cuvée le Marcadeau 2011 ★

■	5 000	▮	- de 5 €

Depuis 1995, c'est la quatrième génération de viticulteurs qui officie sur le domaine. Cette année, les frères Brault ont agrandi leur cave et fait construire un chai à barriques alliant le bois et la pierre. C'est ici qu'a séjourné ce 2011 à la robe grenat intense. Au nez, le vin dévoile une jolie palette aromatique de fruits noirs cuits, signes d'une vendange bien mûre. À ce bouquet expressif succède une bouche souple, fruitée, onctueuse, adossée à des tanins déjà très harmonieux. Parfait sur des grillades au feu de bois.
☛ EARL Brault, Dom. de la Couchetière,
49380 Notre-Dame-d'Allençon, tél. 02 41 54 30 26,
fax 02 41 54 40 98, domaine.de.la.couchetiere@wanadoo.fr,
☑ ⚤ ⴈ t.l.j. sf dim. 8h-12h 14h-19h

DOM. DES DEUX ARCS 2012

■	12 000	▮	- de 5 €

Jean-Marie Gazeau conduit depuis sept ans ce vignoble de 47 ha. Il propose un pur cabernet franc issu de vignes plantées sur 3 ha d'un sol argilo-calcaire. Ce 2012 offre un nez encore discret qui révèle, après aération, des parfums fruités. La bouche est friande, marquée toutefois par des tanins encore un peu austères en finale. Une bouteille à attendre un an ou deux avant de l'ouvrir sur une viande rouge.

☛ Dom. des Deux Arcs, 11, rue du 8-Mai-1945, 49540 Martigné-Briand, tél. 02 41 59 47 37, fax 02 41 59 49 72, do2arc@wanadoo.fr,

☑ ⚔ ⵊ t.l.j. sf dim. 9h-12h30 14h-18h

☛ Jean-Marie Gazeau

CH. DE FESLES La Chapelle Vieilles Vignes 2012

| | 70 000 | ⊞ | 11 à 15 € |

Ce domaine en cours de conversion à l'agriculture biologique propose un 2012 à la robe jaune pâle. Au nez, le vin livre des arômes fruités (pêche, litchi), finement citronnés et vanillés. Au palais se joue un bel équilibre gustatif autour d'une attaque ronde, légèrement acidulée. Belle persistance et jolie finale gourmande pour cette cuvée que l'on pourra déguster à l'apéritif.

☛ Ch. de Fesles, Fesles, 49380 Thouarcé, tél. 02 41 68 94 08, fax 02 41 68 94 30, gbigot@sauvion.fr,

☑ ⚔ ⵊ t.l.j. sf dim. 10h-12h30 14h-17h30

☛ Groupe GLF

ⓑ DOM. DU FRESCHE Moulin de la Roche Évière 2011 ★

| | 4 500 | ▤ | 5 à 8 € |

Régulièrement mentionné dans le Guide, ce domaine converti à l'agriculture biologique depuis 2000 a été récompensé par un coup de cœur l'an dernier dans l'appellation anjou-villages. Il signe cette année un anjou jaune pâle limpide qui libère après agitation un subtil bouquet de fruits blancs très frais, assortis d'une touche de citron vert. Ce fruité se prolonge dans une bouche ronde, gourmande, équilibrée par une agréable fraîcheur. Un ensemble harmonieux, à marier avec une volaille.

☛ Dom. du Fresche, Le Fresche, rte de Chalonnes, 49620 La Pommeraye, tél. 02 41 77 74 63, domainedufresche@orange.fr,

☑ ⵊ t.l.j. sf dim. lun. 10h-12h 14h-18h

CH. DU FRESNE 2012 ★

| ■ | 45 000 | | - de 5 € |

Géré par Nicolas Richez, David Maugin et Yannis Bretault, ce château du XVᵉs. bâti en pierre de schiste commande un vignoble de 85 ha. Cette cuvée se présente dans une robe rubis limpide et offre un nez de petits fruits rouges relevés de légères nuances épicées. Douce, ronde et bien équilibrée, la bouche déploie une finale agréable et persistante. Un vin gourmand, à déguster dès à présent avec une terrine de sanglier.

☛ Ch. du Fresne, 25 bis, rue des Monts, 49380 Faye-d'Anjou, tél. 02 41 54 30 88, fax 02 41 54 17 52, contact@chateaudufresneanjou.com,

☑ ⚔ ⵊ t.l.j. sf dim. 8h-12h 14h-19h

DOM. DE GAGNEBERT Cuvée G 2011 ★

| ■ | 4 000 | ▤⊞ | 8 à 11 € |

Depuis 1850, cinq générations se sont succédé à la tête de cette vaste propriété de 90 ha. La famille Moron propose une cuvée à la robe jaune pâle, légèrement dorée. Le nez livre une expression aromatique fruitée et fraîche, dans laquelle on devine le citron vert, assorti de touches florales. Cette palette se prolonge dans une bouche à la fois vive, douce et ronde, avec une belle finale sur le fruit confit.

☛ Dom. de Gagnebert, 2, chem. de la Naurivet, 49610 Juigné-sur-Loire, tél. 02 41 91 92 86, fax 02 41 91 95 50, moron@domaine-de-gagnebert.com,

☑ ⚔ ⵊ t.l.j. sf dim. 8h-12h30 14h-19h

☛ GAEC Moron

DOM. DES GALLOIRES Les Rougeries 2012 ★★

| ■ | 10 000 | ▤ | - de 5 € |

Le caveau de dégustation, bâti sur les ruines d'un manoir détruit au cours du XVᵉs., domine les coteaux du domaine. Vous pourrez y découvrir ce séduisant 2012 grenat profond à reflets pourpres, finaliste des coups de cœur. Au nez, le vin libère d'intenses arômes de fruits noirs compotés associés à des notes d'iris et de pivoine. La bouche fruitée, onctueuse et charnue est adossée à des tanins soyeux. Un vin équilibré, harmonieux et gourmand, à découvrir dès à présent sur une côte de bœuf.

☛ Dom. des Galloires, La Galloire, 49530 Drain, tél. 02 40 98 20 10, fax 02 40 98 22 06, contact@galloires.com,

☑ ⚔ ⵊ t.l.j. sf dim. 9h-12h 14h-19h (sam. 17h)

🏠 ❶ 🏠 Ⓐ

☛ Toublanc

ⓑ DOM. LES GRANDES VIGNES Le Temps des vignes L'Aubinaie 2012 ★

| ■ | 22 000 | ⊞ | 8 à 11 € |

Ce domaine ancestral appartient à la famille Vaillant depuis le XVIIᵉs. Au fil des siècles, les quelques arpents de vignes se sont transformés en un vignoble de 55 ha, conduit depuis 2008 en biodynamie. Le 2012 dont il est issu allie au nez des notes de fruits rouges et des nuances épicées, rafraîchies par une pointe d'eucalyptus. En bouche se déploie une matière fraîche aux arômes de fraise des bois, portée en finale par des tanins bien fondus.

☛ Dom. les Grandes Vignes, La Roche-Aubry, 49380 Thouarcé, tél. 02 41 54 05 06, fax 02 41 54 08 21

☑ ⚔ ⵊ r.-v.

DOM. DES HAUTES BROSSES 2012 ★

| ■ | 15 000 | ▤ | 5 à 8 € |

Le vignoble est idéalement situé sur la ligne de crête de la corniche angevine, sur des terres argilo-schisteuses exposées aux vents dominants. Le vin proposé, assemblage des deux cabernets, en ressort plaisant, vêtu d'une robe cerise aux reflets orangés. Son nez franc associe la fraise et le cassis à des notes légèrement mentholées. Une palette aromatique qui se prolonge dans un palais rond et gras, doux et bien équilibré. Un vin harmonieux, à découvrir dès à présent.

☛ EARL Pin, Les Hautes-Brosses, 49190 Rochefort-sur-Loire, tél. 02 41 78 35 26, fax 02 41 78 98 21, pin@webmails.com,

☑ ⚔ ⵊ r.-v.

DOM. DU HAUT FRESNE 2012 ★

| ■ | 15 000 | ▤ | - de 5 € |

Au sein du domaine familial, c'est la troisième génération de viticulteurs qui conduit ce vignoble situé sur un coteau dominant la Loire. Deux hectares de vignes de cabernet franc ont donné naissance à ce 2012 pourpre aux fins arômes fruités et floraux. En bouche se déploie une matière souple, gourmande et aromatique. Un vin très harmonieux, à déguster dès la sortie du Guide sur une viande rouge grillée.

EARL Renou Frères et Fils, Dom. du Haut Fresne, 49530 Drain, tél. 02 40 98 26 79, fax 02 40 98 27 86, contact@renou-freres.com,
☑ ⚲ ⟤ r.-v.

DOM. DES HAUTS PERRAYS Coulée du moulin 2012 ★

| ■ | 5 800 | ■ | 5 à 8 € |

Ce domaine repris en 2009 par la famille Le Fournis occupe sur les coteaux dominant le Layon, planté sur des terres drainantes qui profitent à la vigne. Issu de cabernet franc (90 %) et de grolleau, ce 2012 rubis profond offre au nez une palette de fruits bien mûrs. Il dévoile en bouche une matière riche et souple, structurée par des tanins qui demanderont un petit temps de garde (un an ou deux) pour pouvoir se fondre.

Dom. des Hauts Perrays, Les Hauts-Perrays, 49290 Chaudefonds-sur-Layon, tél. 02 41 78 67 57, fax 02 41 78 68 78, contact@domaine-des-hauts-perrays.fr,
☑ ⚲ ⟤ r.-v.
Le Fournis

DOM. DES IRIS 2012 ★

| ■ | 13 060 | ■ | - de 5 € |

Ce domaine est la propriété de Joseph Verdier depuis 2008. Il propose un 2012 rubis aux reflets violacés, qui associe au nez les fruits rouges et noirs. Le vin dévoile en bouche une matière gourmande, plaisante, structurée par des tanins encore un peu austères. Il faudra attendre environ deux ans avant de pouvoir l'apprécier avec un mets en sauce.

Dom. des Iris, La Roche-Coutant, 49540 Tigné, tél. 02 41 40 22 50, fax 02 41 40 29 69, r.boileau@joseph-verdier.fr
SA Joseph Verdier

LEDUC-FROUIN La Seigneurie 2011 ★

| ■ | 7 000 | ■ | 5 à 8 € |

Cette cuvée proposée par Antoine Leduc et sa sœur Nathalie a séjourné dans des caves troglodytiques creusées dans le falun. Issue de vendanges manuelles, elle en ressort vêtue d'une robe intense aux reflets grenat et livre

Anjou et Saumur

un nez expressif de fruits noirs. Ce fruité se prolonge dans une bouche ample et longue, où les tanins bien présents augurent une garde intéressante. Pourquoi pas sur une joue de porc braisée à l'angevine, aujourd'hui comme dans deux ou trois ans ?

🕭 Dom. Leduc-Frouin, La Seigneurie, Sousigné, 49540 Martigné-Briand, tél. 02 41 59 42 83, fax 02 41 59 47 90, info@leduc-frouin.com,
☑ ⚔ ⵏ r.-v.

JEAN-LOUIS LHUMEAU 2011 ★

	6 000	⬛	5 à 8 €

Depuis la reprise de ce domaine par Jean-Louis Lhumeau en 1991, l'exploitation est passée de 3 ha de vignes à 60 ha. Cette expansion n'a pas été menée au détriment de la qualité, comme en témoigne ce 2011 issu de parcelles trentenaires aux rangs enherbés. Rouge sombre rappelant la cerise noire, il exhale d'expressifs parfums de fruits noirs associés à des notes empyreumatiques (dues à un élevage en fût de douze mois). Le palais déploie une matière ronde avec finesse et persistance. Encore un peu tannique en finale, cet anjou demande à être attendu pour exprimer tout son potentiel. Prévoyez un à trois ans de garde.

🕭 Vins Jean-Louis Lhumeau, 7, rue Saint-Vincent, Linières, 49700 Brigné, tél. 02 41 59 30 51, fax 02 41 59 31 75, dnehauteshouches@wanadoo.fr, ☑ ⚔ ⵏ r.-v.

DOM. MATIGNON Sur le fruit 2012

	20 000	⬛	5 à 8 €

Yves Matignon et sa sœur Hélène proposent un 2012 au bouquet encore un peu discret qui dévoile après aération de plaisantes notes fruitées. La bouche se montre à la fois élégante, soyeuse et bien équilibrée. À déguster dès à présent.

🕭 EARL Yves et Hélène Matignon, 21, av. du Château, 49540 Martigné-Briand, tél. 02 41 59 43 71, info@domaine-matignon.fr, ⚔ ⵏ r.-v.

♥ DOM. DE MIHOUDY Quid Novi ? Vino 2012 ★★

	7 000	⬛	5 à 8 €

Jean-Paul Cochard, à la tête de ce domaine depuis 1981, a récemment été rejoint par Bruno et Jean-Charles, ses deux fils. Régulièrement présent en bonne place dans le Guide, ce domaine s'illustre cette année encore avec une cuvée qui a su convaincre le grand jury. Quid Novi ? Une cuvée née d'une parcelle de 2 ha de chenin d'une vingtaine d'années vendangés manuellement. Les dégustateurs ont approuvé sa belle robe jaune aux reflets dorés, ses arômes intenses et délicats d'agrumes (pamplemousse), et ses nuances florales (rose). La bouche ronde, moelleuse et

fruitée est bien équilibrée par une fraîcheur appropriée. Une bouteille harmonieuse que l'on pourra déboucher dès à présent sur une poêlée de saint-jacques. La cuvée principale 2012 rouge (moins de 5 € ; 15 000 b.) se voit récompensée d'une étoile pour ses plaisants arômes de fruits très mûrs rafraîchis par de légères nuances mentholées, et pour son palais souple et charnu, à la belle finale fruitée. Également à déguster dès la sortie du Guide. La cuvée Les Tréjeots 2012 rouge (12 000 b.), au bouquet fruité et floral, et à la bouche ronde, gourmande et élégante, obtient la même distinction.

🕭 Cochard et Fils, Dom. de Mihoudy, 49540 Aubigné-sur-Layon, tél. 02 41 59 46 52, fax 02 41 59 68 77, domainedemihoudy@orange.fr, ☑ ⚔ ⵏ t.l.j. sf dim. 8h30-12h 14h-18h

DOM. DE LA MOTTE 2011 ★

	10 000	⬛	- de 5 €

Ce domaine de 18,5 ha dirigé par la famille Sorin propose un assemblage à parts égales des deux cabernets. D'un rouge profond aux reflets grenat, le vin révèle au nez d'intenses arômes de fruits noirs cuits assortis de notes réglissées. Souplesse et volume caractérisent la bouche, malgré des tanins sont encore un peu trop carrés, gages néanmoins d'un bel avenir. Un vin charpenté, à déguster dans deux ou trois ans sur une côte de bœuf.

🕭 Sorin, 35, av. d'Angers, 49190 Rochefort-sur-Loire, tél. 02 41 78 72 96, sorin.dommotte@wanadoo.fr, ☑ ⚔ ⵏ t.l.j. sf dim. 8h30-12h 13h30-19h

🅑 CH. DES NOYERS 2011 ★★

	1 500	⬛	5 à 8 €

Dirigé par Élisabeth et Jean-Paul Besnard, ce château du XVIᵉs. situé au bord du Layon est inscrit à l'inventaire supplémentaire des Monuments historiques. Vous pourrez y séjourner et découvrir notamment cette séduisante cuvée parée d'or, limpide et brillante. Au nez, le vin exprime des parfums de fruits et d'agrumes accompagnés de subtiles notes vanillées. La bouche, à la fois vive, riche et fruitée, laisse une sensation de grande harmonie. Un vin bien équilibré et d'une belle intensité, à découvrir tout au long du repas.

🕭 SCA Ch. des Noyers, Les Noyers, 49540 Martigné-Briand, tél. 02 41 54 03 71, fax 02 41 54 27 63, chateau.desnoyers@wanadoo.fr,
☑ ⚔ ⵏ t.l.j. 9h-12h 14h-18h; sam. dim. sur r.-v. 🏠 🅖
🕭 J.-P. Besnard

♥ DOM. DU PETIT CLOCHER 2012 ★★

	70 000	⬛	- de 5 €

La famille Denis est depuis 1920 à la tête de ce vignoble situé dans le Haut Layon. Vincent Denis représente la quatrième génération de viticulteurs aux commandes de ce vaste domaine de 80 ha. Soucieux du respect de l'environnement, il essaie de limiter l'utilisation de produits phytosanitaires et emploie notamment des amendements organiques comme du fumier fourni par une champignonnière de Puy-Notre-Dame. Les efforts fournis à la vigne et au chai (aménagé avec du matériel moderne) ont permis d'élaborer ce très beau 2012. Rubis intense, le vin dévoile un nez fin et complexe de cerise et de cassis assortis de légères nuances florales. La bouche, à l'unisson, se révèle à la fois ronde, vive, légère et gourmande. Un ensemble remarquablement équilibré que l'on pourra apprécier dès à présent sur une poularde à l'angevine.

☛ Dom. du Petit Clocher, 1, rue du Layon, 49560 Cléré-sur-Layon, tél. 02 41 59 54 51, fax 02 41 59 59 70, petit.clocher@wanadoo.fr, ☑ ⚔ ⛏ t.l.j. sf dim. 8h-12h30 14h-18h

☛ Denis

DOM. DE LA PETITE ROCHE 2011 ★

| | 650 | ⑪ | 8 à 11 € |

Ce domaine loti au cœur du vignoble du Haut-Layon, fondé après la Révolution, propose un 2011 issu d'une parcelle de 50 ares de chenin cultivé sur un sol argilo-schisteux. Il en résulte un vin à la robe jaune pâle, légèrement dorée. Au nez se dévoilent des notes de fruits mûrs (abricot) finement citronnées et vanillées. La bouche ample, souple et ronde offre une finale bien équilibrée. À déguster dès à présent sur un poisson au beurre blanc.

☛ SCEV Regnard, Dom. de la Petite Roche, 49310 Trémont, tél. 02 41 59 43 03, fax 02 41 59 69 43, contact@domainepetiteroche.com, ☑ ⚔ ⛏ r.-v.

Ⓑ CH. DE PLAISANCE L'Insolent 2011 ★

| | 35 000 | 🍾 | 11 à 15 € |

Ce domaine situé au cœur du Val de Loire conduit son vignoble selon les principes de la biodynamie. Guy Rochais, son propriétaire depuis 1980, propose un 2011 jaune pâle aux reflets dorés. Le nez associe des parfums de fruits mûrs (pêche) à de légères nuances de fleurs et d'épices douces. La bouche dévoile une matière riche et fruitée et s'achève sur d'agréables notes d'agrumes. Bien équilibré, ce vin pourra être dégusté dès la sortie du Guide.

☛ Guy Rochais, Ch. de Plaisance, Chaume, 49190 Rochefort-sur-Loire, tél. 02 41 78 33 01, fax 02 41 78 67 52, rochais.guy@wanadoo.fr, ☑ ⚔ ⛏ r.-v. 🏠 Ⓔ

DOM. DU PORTAILLE Moulin de Millé 2012 ★★

| | 6 000 | ⑪ | - de 5 € |

François Tisserond et son frère Philippe exploitent ensemble ce vignoble familial de 40 ha. Ils signent une cuvée qui tire son du de la parcelle cultivée pour son élaboration. Ce 2012 attire l'œil dans sa robe jaune de belle intensité. Il dévoile un bouquet « explosif » de fruits bien mûrs, qui vient ensuite tapisser agréablement un palais souple aux notes de pêche et de coing, parfaitement équilibré entre rondeur et vivacité. Une belle réussite, à découvrir à l'apéritif.

☛ François et Philippe Tisserond, 24, rue de Jarzé, Millé, 49380 Chavagnes-les-Eaux, tél. 02 41 54 07 85, earl.tisserond@wanadoo.fr, ☑ ⚔ ⛏ t.l.j. sf dim. 9h-12h 14h-19h

MICHEL ROBINEAU Sélection 2011 ★

| | 800 | ⑪ | 5 à 8 € |

Michel Robineau, à la tête de ce domaine depuis 1990, propose un 2011 issu d'une petite parcelle de 50 ares de chenin. Il en résulte un vin jaune pâle aux reflets dorés, au nez intense de fruits confits (abricot), de fruits secs (noisette) et d'agrumes, relevés de subtiles nuances boisées. La bouche, à l'unisson, se montre franche, ample et ronde, fruitée et légèrement vanillée. Déjà très harmonieuse, cette cuvée pourra être dégustée dès à présent, aussi bien à l'apéritif qu'au cours du repas, sur une volaille ou un poisson en sauce.

☛ Michel Robineau, 3, chem. du Moulin, Les Grandes-Tailles, 49750 Saint-Lambert-du-Lattay, tél. 02 41 78 34 67, vignoblemichelrobineau@orange.fr, ☑ ⚔ ⛏ r.-v.

DOM. DES ROCHELLES Roches des Rochelles 2012 ★

| | n.c. | ⑪ | 8 à 11 € |

Jean-Yves Lebreton propose une cuvée issue de 2 ha de chenin cultivés sur schistes bleus. Ce 2012 a belle allure dans sa robe jaune citron. Le nez dévoile de plaisantes notes de pomme et de pamplemousse. Il annonce une bouche harmonieuse aux arômes de fruits blancs, puissante, d'une belle longueur. Les dégustateurs conseillent toutefois d'attendre un peu (un an ou deux) pour découvrir ce vin encore marqué par son élevage en fût, le temps qu'il s'arrondisse davantage.

☛ EARL J.-Y. A. Lebreton, Dom. des Rochelles, 49320 Saint-Jean-des-Mauvrets, tél. 02 41 91 92 07, fax 02 41 54 62 63, jy.a.lebreton@wanadoo.fr, ☑ ⚔ ⛏ t.l.j. sf dim. 9h-12h 14h-18h

CH. DES ROCHETTES Pièces du moulin 2012 ★

| | 1 674 | ⑪ | 8 à 11 € |

De jeunes vignes de huit ans cultivées sur 1,83 ha de sols de marnes à ostracées ont donné naissance à ce plaisant 2012 à la robe dorée. Au nez, les fruits blancs et jaunes presque confits se mêlent à des nuances légèrement grillées et miellées. Frais et fruité en attaque, rond et bien structuré, le palais s'achève sur une agréable note acidulée. Un vin au bon potentiel de garde (deux ou trois ans), que l'on pourra apprécier sur une sole à la crème.

☛ SCEA Catherine Nolot, L'Été, 49700 Concourson-sur-Layon, tél. 02 41 59 11 63, fax 02 41 59 95 16, domainedelete@wanadoo.fr, ☑ ⚔ ⛏ t.l.j. sf dim. 9h-12h30 13h30-18h

CH. DE LA ROULERIE Magnolia 2012 ★

| | 7 500 | ⑪ | 8 à 11 € |

Philippe Germain, à la tête de cette propriété de 42 ha, présente un pur chenin vendangé manuellement et élevé dix mois en fût. Il en résulte un 2012 vêtu d'une robe jaune pâle, au nez intense, ouvert sur les fruits blancs et les fruits exotiques. Le palais dévoile une matière ronde, qui ne manque toutefois pas de fermeté, et déploie des notes d'agrumes et de coing, et une finale acidulée des plus agréables. Un vin harmonieux, à déguster sur un poisson au beurre blanc.

☛ SCEA Ch. de la Roulerie, La Roulerie, 49190 Saint-Aubin-de-Luigné, tél. 02 41 68 90 58, fax 02 41 44 69 87, pgermain@laroulerie.fr, ☑ ⚔ ⛏ r.-v.

☛ Philippe Germain

LOIRE

DOM. SAUVEROY Clos des Sables 2011

| | 6 000 | | 8 à 11 € |

Pascal et Véronique Cailleau gèrent cette exploitation familiale depuis 1985. Ce vignoble constitué de 1 ha de vignes à sa création en 1866 en compte désormais vingt-six répartis entre les appellations coteaux-du-layon, anjou-villages et anjou. Paré d'or, ce 2011 offre un nez de fruits et d'agrumes légèrement grillé et mentholé. La bouche se révèle fruitée, finement citronnée, ample et fraîche. À déguster dès à présent sur un tajine de poulet au citron.

☛ EARL Pascal Cailleau, Dom. du Sauveroy, 49750 Saint-Lambert-du-Lattay, tél. 02 41 78 30 59, fax 02 41 78 46 43, domainesauveroy@sauveroy.com, ☑ ⵦ r.-v.

LA TOUR D'AVRILLÉ 2011 ★★

| | n.c. | | - de 5 € |

Pascal Biotteau poursuit l'aventure entamée par son grand-père Eusèbe, un cordonnier qui, lassé de l'odeur du cuir, décida de se vouer entièrement à sa passion pour la vigne et fit l'acquisition d'un vignoble d'une quarantaine d'hectares. Aujourd'hui, le domaine en compte 200, dont 2,5 ha de vignes à l'origine de ce pur cabernet franc. Celui-ci s'annonce par une robe brillante, grenat intense, et livre des parfums de fruits rouges et noirs bien mûrs qui se prolongent dans une bouche ronde, onctueuse et riche, témoin d'une belle vendange à maturité. Très agréable dès aujourd'hui, ce vin pourra toutefois patienter un ou deux ans en cave et accompagnera parfaitement viandes et fromages.

☛ SCEA Biotteau, Ch. d'Avrillé, L'Homois, 49320 Saint-Jean-des-Mauvrets, tél. 02 41 91 22 46, fax 02 41 91 25 80, chateau.avrille@wanadoo.fr, ☑ ⵦ t.l.j. sf dim. 9h30-12h 14h30-18h30

DOM. DES TRAHAN Cuvée spéciale Vieilles Vignes 2011 ★

| | 1 500 | | 5 à 8 € |

Quatre générations d'exploitants se sont employées à agrandir ce domaine de 65 ha qui n'en comptait que quatre à sa création. Pour élaborer ce 2011, 30 ares de chenin ont été sélectionnés. Il en résulte un vin attrayant dans sa robe dorée et limpide. Le nez, franc, associe les fruits mûrs (coing, abricot) à des nuances d'agrumes. On retrouve ces arômes dans un palais gras, bien équilibré par une fraîcheur vivifiante. Pourquoi pas sur des ris de veau à la crème ?

☛ SCEA les Magnolias des Trahan, 2, rue des Genêts, 79290 Cersay, tél. 05 49 96 80 38, domainesdestrahan@wanadoo.fr, ☑ ⵦ ⵦ r.-v.

DOM. DES TROIS MONTS 2012

| | 10 000 | | - de 5 € |

Issu du seul cabernet franc, ce 2012 présenté par Sébastien Gueneau et son frère Nicolas offre une expression aromatique intense où se côtoient fruits noirs et notes amyliques. Cette palette se prolonge dans une bouche fraîche, souple, soutenue par des tanins présents sans dureté. On pourra l'apprécier dans un an ou deux sur un magret de canard.

☛ SCEA Hubert Gueneau et Fils, 3, rue Saint-Fiacre, 49310 Trémont, tél. 02 41 59 45 21, fax 02 41 59 69 90, scea.hubertgueneauetfils@wanadoo.fr, ☑ ⵦ ⵦ t.l.j. sf dim. 8h-12h 14h-18h30 🏠 ❸

Anjou-villages

Superficie : 190 ha
Production : 8 510 hl

Le terroir de l'AOC anjou-villages correspond à une sélection de terrains dans l'AOC anjou : seuls les sols se ressuyant facilement, précoces et bénéficiant d'une bonne exposition ont été retenus. Ce sont essentiellement des sols développés sur schistes, altérés ou non.

Issus du cabernet franc parfois complété par du cabernet-sauvignon, les anjou-villages sont colorés, fruités, charnus et assez charpentés. Vite prêts, ils se gardent deux à trois ans.

DOM. DE LA BERGERIE Le Chant du bois 2011 ★

| | 6 000 | | 5 à 8 € |

Yves Guégniard et son épouse Marie-Annick exploitent depuis plus de trente ans ce vignoble acheté à la bougie par sa grand-mère en 1964. Ils ont été rejoints par leur fille Anne en 2010 et signent avec elle une jolie cuvée aux reflets carmin, et au nez complexe de cassis, de groseille, de framboise et de griotte. Dans la continuité, la bouche se montre souple, fruitée, structurée et élégante. Heureux accords en perspective avec une côte de bœuf.

☛ Yves et Anne Guégniard, Dom. de la Bergerie, 49380 Champ-sur-Layon, tél. 02 41 78 85 43, fax 02 41 78 60 13, domainede.la.bergerie@wanadoo.fr, ☑ ⵦ t.l.j. sf dim. 9h-12h30 14h-19h

DOM. BODINEAU 2011

| | 5 000 | | 5 à 8 € |

Frédéric Bodineau et sa sœur Anne-Sophie officient ensemble sur ce domaine familial dont l'origine remonte à 1850. La cuvée qu'ils proposent s'habille d'une robe grenat intense et livre de discrets parfums fruités. Après une attaque soyeuse, le palais se révèle ample et offre une jolie persistance aromatique.

☛ Dom. Bodineau, Savonnières, 4, chem. du Château-d'Eau, 49700 Les Verchers-sur-Layon, tél. 02 41 59 22 86, fax 02 41 59 86 21, domainebodineau@yahoo.fr, ☑ ⵦ ⵦ t.l.j. sf dim. 9h-18h

CH. DE BROSSAY La Croix blanche 2011 ★

| | 3 500 | | 5 à 8 € |

Situé dans le haut Layon, ce domaine du XVᵉs. conduit un vignoble de 45 ha. Hubert et Raymond Duffois, récemment rejoints par les gendres de ce dernier, Nicolas Tamboise et Benjamin Grandsart, proposent une cuvée au nez encore timide de fruits noirs surmûris (cassis, myrtille, prunelle) assortis de notes vanillées. La bouche soyeuse, souple et moelleuse offre une belle finale aux accents boisés. À ouvrir dans un an ou deux sur des côtes d'agneau braisées.

☛ Ch. de Brossay, Brossay, 49560 Cléré-sur-Layon, tél. 02 41 59 59 95, fax 02 41 59 58 81, contact@chateaudebrossay.fr, ☑ ⵦ ⵦ t.l.j. sf dim. 8h-12h30 14h-20h

DOM. DES CHESNAIES La Musse 2011 ★★

▪   n.c.   ▮   5 à 8 €

Olivier de Cenival, propriétaire de ce domaine depuis 1998, a aménagé l'orangerie du manoir en une salle de dégustation. Vous pourrez y goûter ce 2011 de très belle facture, rouge profond aux reflets rubis, au bouquet intense de fruits rouges acidulés (groseille, griotte) et de fruits noirs (cassis, mûre). Puissante, souple, ronde et harmonieuse, la bouche offre une belle finale portée par des tanins soyeux. Un vin que l'on pourra apprécier dès à présent sur du petit gibier.

☛ Olivier de Cenival, La Noue, 49190 Denée, tél. 02 41 78 79 80, odecenival@wanadoo.fr,

☑ ⚔ ⊤ r.-v. 🏠 ④

LES 3C DU DOM. DES FORGES 2011

▪   8 500   ⬙   8 à 11 €

Ce vignoble familial a été constitué à partir de 1890 lorsque le fils d'un épicier et marchand de tissus commença à exploiter quelque 2 ha de vignes. Le domaine aujourd'hui dirigé par Stéphane Branchereau présente un 2011 grenat intense aux reflets pourpres, au bouquet de fruits rouges et noirs. Ces arômes se prolongent dans une bouche ample et charnue, étayée par un agréable boisé. Une bouteille harmonieuse, à attendre un an avant de la déguster sur du petit gibier.

☛ Branchereau - Dom. des Forges, Le Clos-des-Forges, 49190 Saint-Aubin-de-Luigné, tél. 02 41 78 33 56, fax 02 41 78 67 51, cb@domainedesforges.net,

☑ ⚔ ⊤ t.l.j. 9h-12h 14h-19h; dim. sur r.-v. 🏠 ❸

ⒷDOM. DU FRESCHE 2011

▪   12 000   ▮   5 à 8 €

Ce pur cabernet franc se présente dans une robe pourpre intense et libère à l'aération des parfums complexes de fruits noirs mûrs. La bouche révèle une matière moelleuse et fruitée, adossée à des tanins qui demandent à se fondre. À attendre un an ou deux.

☛ Dom. du Fresche, Le Fresche, rte de Chalonnes, 49620 La Pommeraye, tél. 02 41 77 74 63, domainedufresche@orange.fr,

☑ ⊤ t.l.j. sf dim. lun. 10h-12h 14h-18h

CH. DU FRESNE L'YDN 2011

▪   6 000   ⬙   8 à 11 €

YDN : l'acronyme des trois associés – Yannis, David et Nicolas –, à la tête de ce domaine depuis 2010. Ils signent un 2011 rubis profond au bouquet de fruits rouges et noirs (cassis). Ces arômes se retrouvent dans un palais rond, soutenu par des tanins fondus. Un vin facile d'accès, tout indiqué pour une viande rouge rôtie.

☛ Ch. du Fresne, 25 bis, rue des Monts, 49380 Faye-d'Anjou, tél. 02 41 54 30 88, fax 02 41 54 17 52, contact@chateaudufresneanjou.com,

☑ ⚔ ⊤ t.l.j. sf dim. 8h-12h 14h-19h

LEDUC-FROUIN La Seigneurie 2011 ★

▪   6 000   ▮   5 à 8 €

Ce 2011 issu d'un assemblage de cabernet franc et de cabernet-sauvignon (20 %) a séjourné dans les jolies caves troglodytiques du domaine, creusées dans le falun. Il en résulte un anjou-villages bien typé, rouge aux reflets grenat, au nez de petits fruits rouges et noirs (mûre). Souple, ronde et fruitée, la bouche offre une finale

tannique mais sans austérité. Les plus pressés pourront déboucher cette bouteille dès la sortie du Guide sur une côte de bœuf aux champignons ; les autres pourront patienter un à trois ans.

☛ Dom. Leduc-Frouin, La Seigneurie, Sousigné, 49540 Martigné-Briand, tél. 02 41 59 42 83, fax 02 41 59 47 90, info@leduc-frouin.com, ☑ ⚔ ⊤ r.-v.

LE LOGIS DU PRIEURÉ 2011 ★

▪   4 500   ▮   5 à 8 €

Vincent Jousset signe un 2011 paré d'une robe rouge intense aux beaux reflets pourpres. Le vin livre à l'agitation de subtils arômes de fruits rouges puis de fruits noirs (cassis). Élégante, à la fois fraîche, ronde et fruitée, la bouche présente des tanins encore un peu sévères qui s'arrondiront avec le temps. Un vin agréable, que l'on pourra apprécier dans un an ou deux.

☛ SCEA Vincent Jousset, Le Logis du Prieuré, 8, rte des Verchers, 49700 Concourson-sur-Layon, tél. 02 41 59 11 22, fax 02 41 59 38 18, contact@logisduprieure.fr,

☑ ⚔ ⊤ t.l.j. sf dim. 9h-12h30 13h-18h30

♥ DOM. DE LA MOTTE 2011 ★★★

▪   6 000   ▮⬙   5 à 8 €

Domaine de la Motte
Anjou-Villages
APPELLATION ANJOU-VILLAGES CONTRÔLÉE
EARL SORIN, Viticulteur à 49190 ROCHEFORT-SUR-LOIRE - FRANCE
Vol net 750ml   Produce of France - Val de Loire
14% Vol.   **2011**   lot j111

Gilles Sorin dirige ce vignoble familial de 18,5 ha depuis 1995. Soucieux de proposer des cuvées qui retranscrivent sans fioritures le goût du raisin, il leur apporte un soin particulier de la vigne au chai : enherbement, aération des grappes, vendanges manuelles, pas de levurage ni de chaptalisation... Des efforts récompensés par ce coup de cœur qui salue un très beau 2011 à la robe intense, presque noire. Le nez libère de généreux arômes de fruits noirs très mûrs, presque confits, et annonce une bouche ronde, ample et longue, soutenue par des tanins soyeux et délicats. Un vin qui est parfaitement dans le ton de son appellation, à ouvrir dans un an ou deux sur du gibier ou une viande rouge en sauce.

☛ Sorin, 35, av. d'Angers, 49190 Rochefort-sur-Loire, tél. 02 41 78 72 96, sorin.dommotte@wanadoo.fr, ☑ ⚔ ⊤ t.l.j. 8h30-12h 13h30-19h

CH. DE LA MULONNIÈRE Rouge baiser 2011 ★

▪   7 000   ⬙   8 à 11 €

Benoît Dufour dirige depuis 2002 ce vignoble situé sur la rive droite du Layon. Il propose une cuvée issue de cabernet-sauvignon auquel ont été adjoints 10 % de cabernet franc. Lumineuse, celle-ci se présente dans une robe rubis intense et libère des parfums complexes de fruits mûrs (cerise, cassis) mêlés à des nuances vanillées, épicées et torréfiées. La bouche se révèle franche et élégante, épaulée par des tanins présents sans dureté, et offre une belle longueur. À découvrir dans un an ou deux sur une pièce de bœuf aux champignons.

☛ SAS Ch. de la Mulonnière, La Mulonnière, 49750 Beaulieu-sur-Layon, tél. 02 41 78 47 52, fax 02 41 78 63 63, chateau.lamulonniere@orange.fr, ✓ ☩ ⊤ r.-v.

VIGNOBLE MUSSET-ROULLIER Petit Clos
La Philosophie du bel ouvrage 2011

| ■ | 10 000 | ▬ | 5 à 8 € |

Ce 2011 issu du seul cabernet franc se présente dans une robe rubis intense. Après agitation, le nez mêle de fines notes de fruits rouges (fraise) et noirs (mûre). Le palais ample et équilibré, aux tanins arrondis, dévoile une belle longueur. À déguster dès à présent sur une pièce de bœuf grillée.

☛ Vignoble Musset-Roullier, EARL Les Neuf-Vingts, 36, Le Bas-Chaumier, 49620 La Pommeraye, tél. 02 41 39 05 71, fax 02 41 77 75 76, musset.roullier@wanadoo.fr, ✓ ⊤ t.l.j. sf dim. 9h-12h 14h-18h

DOM. DE LA PETITE CROIX Hugo
Grande Réserve 2011 ★★

| ■ | 1 000 | ⪫⪪ | 15 à 20 € |

François Geffard, à la tête de ce domaine régulièrement mentionné dans le Guide, propose une cuvée qui a su séduire d'emblée les dégustateurs par sa robe rouge intense aux reflets grenat et par son nez puissant et complexe, dominé par les fruits noirs mûrs (cassis) assortis de notes vanillées. Le palais n'est pas en reste, souple, fruité et structuré par des tanins très veloutés. Un vin d'une harmonie remarquable, à déguster dès à présent sur un civet de lièvre.

☛ SCEA Vignoble Denéchère Geffard, La Petite-Croix, 49380 Thouarcé, tél. 02 41 54 06 99, scea@lapetitecroix.com, ✓ ☩ ⊤ r.-v. ⌂ ⑧

SCEA CH. PIEGUË Esprit de Pieguë 2011

| ■ | 6 500 | ▬⪫⪪ | 8 à 11 € |

Issu du seul cabernet-sauvignon, ce 2011 revêt une robe rouge sombre d'une belle intensité. Il dévoile des parfums délicats de fruits noirs, qui introduisent une bouche ronde et fruitée aux tanins bien fondus. Un vin équilibré, à déguster dès à présent.

☛ Ch. Pieguë, Pieguë, 49190 Rochefort-sur-Loire, tél. 09 63 20 20 39, fax 02 41 78 71 26, chateau-piegue@wanadoo.fr, ✓ ☩ ⊤ t.l.j. 9h-12h 14h-98h ⌂ ⑤

☛ Thomas

CH. DE PUTILLE Cuvée Prestige 2011

| ■ | 8 000 | ▬ | 5 à 8 € |

Pascal et Geneviève Delaunay présentent un pur cabernet-sauvignon attrayant dans sa robe grenat intense. Discret de prime abord, le nez révèle une aération des parfums de fruits rouges bien mûrs et de fruits noirs (cassis). Ces arômes se retrouvent dans un palais souple en attaque, ample et riche dans son développement, soutenu par des tanins bien présents, encore un peu austères en finale, qui appellent une garde d'un an ou deux.

☛ EARL Ch. de Putille, 49620 La Pommeraye, tél. 02 41 39 02 91, fax 02 41 39 03 45, chateaudeputille@orange.fr, ✓ ☩ ⊤ t.l.j. sf dim. 8h-12h30 14h-19h

☛ Delaunay

DOM. DES QUARRES Métis 2011 ★★

| ■ | 5 066 | ⪫⪪ | 5 à 8 € |

Cédric Aubert et Véronique Gourdon, deux vignerons du Roussillon épris du terroir angevin, conduisent depuis 2008 ce domaine de 30 ha niché au cœur du Layon. Ils signent une cuvée composée à parts égales des deux cabernets, vinifiés séparément. Le vin offre un nez soutenu de fruits rouges bien mûrs et de cassis assortis d'élégantes notes vanillées. Charnue, ronde, volumineuse, la bouche révèle une finale très soyeuse. Un anjou-villages déjà très plaisant, que l'on pourra apprécier dès à présent sur un plat en sauce.

☛ Dom. des Quarres, 66, Grande-Rue, 49750 Rablay-sur-Layon, tél. 02 41 78 36 00, fax 02 41 78 62 58, domainedesquarres@wanadoo.fr, ✓ ⊤ r.-v. ⌂ ②

☛ Aubert-Gourdon

DOM. SAINT-ARNOUL Carmin 2011

| ■ | 6 000 | ⪫⪪ | 5 à 8 € |

Ce domaine situé au cœur de l'Anjou, sur un très beau site troglodytique, est dirigé par Alain Poupard depuis 1986. Celui-ci propose un 2011 rubis intense, au bouquet complexe de fruits noirs bien mûrs agrémentés de nuances florales et d'une fine touche vanillée. La bouche fait écho à l'olfaction et livre une matière ronde, légère, aux tanins déjà bien fondus. À boire dès à présent.

☛ Poupard, Dom. Saint-Arnoul, 5, rue des Caves-Sousigné, 49540 Martigné-Briand, tél. 02 41 59 43 62, fax 02 41 59 69 23, domaine@saint-arnoul.com, ✓ ☩ ⊤ r.-v.

COTEAU SAINT-VINCENT Élevé en fût de chêne 2011 ★

| ■ | 3 200 | ⪫⪪ | 5 à 8 € |

Olivier Voisine, œnologue de formation à la tête de ce vignoble de 22,8 ha qu'il conduit en lutte raisonnée, propose un assemblage des deux cabernets. Un joli vin, rouge intense, au nez soutenu et complexe de fruits rouges et noirs (cassis) accompagnés de nuances vanillées. La bouche suave et élégante offre une finale persistante, soutenue par des tanins soyeux. Un « vin plaisir » que l'on pourra goûter dès cette année sur un magret de canard.

☛ EARL Olivier Voisine, Coteau Saint-Vincent, 49290 Chalonnes-sur-Loire, tél. 02 41 78 59 00, coteau-saint-vincent@wanadoo.fr, ✓ ☩ ⊤ r.-v. ⌂ ①

DOM. SAUVEROY Cuvée Andécaves 2011

| ■ | 9 000 | ⪫⪪ | 8 à 11 € |

Ce domaine fondé en 1866 appartient à la famille Cailleau depuis 1947. Pascal et Véronique Cailleau proposent un 2011 au bouquet élégant de fruits rouges et noirs agrémentés de légères notes boisées. On retrouve ces arômes dans une bouche puissante, équilibrée, adossée à des tanins soyeux. Une bouteille harmonieuse, à ouvrir dans un ou deux ans sur une viande grillée.

☛ EARL Pascal Cailleau, Dom. du Sauveroy, 49750 Saint-Lambert-du-Lattay, tél. 02 41 78 30 59, fax 02 41 78 46 43, domainesauveroy@sauveroy.com, ✓ ⊤ r.-v.

DOM. DE TERREBRUNE 2011 ★

■ | 13 000 | ▮ | 5 à 8 €

Situé non loin du château de Brissac, ce domaine est géré par Alain Bouleau et Patrice Laurendeau depuis 1986. Ce 2011 vêtu d'une belle robe grenat profond dévoile un nez intense et très expressif dominé par les fruits noirs et rouges mâtinés d'épices douces. Tout aussi aromatique, la bouche se révèle onctueuse, volumineuse, charnue et longue. À déguster dès à présent sur un canard aux olives.

☛ Dom. de Terrebrune, La Motte,
49380 Notre-Dame-d'Allençon, tél. 02 41 54 01 99,
fax 02 41 54 09 06, domaine-de-terrebrune@wanadoo.fr,
☑ ⚹ ⵣ t.l.j. sf dim. 9h-12h 15h-18h
☛ Laurendeau et Bouleau

DOM. DES TROIS MONTS 2011

■ | 6 500 | ⫿⫿ | - de 5 €

Sébastien Gueneau et son frère Nicolas ont repris les rênes du domaine familial en 2008. Ils présentent une cuvée grenat qui livre au nez une corbeille de fruits rouges (griotte) et de fleurs (aubépine, rose). En bouche, le vin se révèle fruité, élégant, encadré par de solides tanins. Pourquoi pas sur des paupiettes de canard, d'ici un an ou deux ?

☛ SCEA Hubert Gueneau et Fils, 3, rue Saint-Fiacre,
49310 Trémont, tél. 02 41 59 45 21, fax 02 41 59 69 90,
scea.hubertgueneauetfils@wanadoo.fr,
☑ ⚹ ⵣ t.l.j. sf dim. 8h-12h 14h-18h30 🏠 ☻

Anjou-villages-brissac

Superficie : 105 ha
Production : 4 517 hl

Au sein de l'AOC anjou-villages, les dix communes situées autour du château de Brissac constituent l'aire géographique de cette AOC reconnue en 1998. Les vignes sont implantées sur un plateau en pente douce vers la Loire, limité au nord par ce fleuve et au sud par les coteaux abrupts du Layon. Les sols sont profonds. La proximité de la Loire, qui atténue les températures extrêmes, explique également la particularité du terroir. Complexes, charnus et denses, les anjou-villages-brissac sont aptes à une moyenne garde (deux à cinq ans) et peuvent vivre dix ans les meilleures années.

CH. D'AVRILLÉ 2011

■ | 27 740 | ▮ | 5 à 8 €

Si vous vous aventurez du côté de Saint-Jean-des-Mauvrets, profitez du panorama qu'offre ce château ancestral qui domine la jolie vallée de l'Aubance. Vous pourrez y déguster ce 2011 rubis intense, au nez de fruits noirs bien mûrs, souple et équilibré en bouche, bâti sur des tanins soyeux. À boire ou à attendre une paire d'années.

☛ SCEA Biotteau, Ch. d'Avrillé, L'Homois,
49320 Saint-Jean-des-Mauvrets, tél. 02 41 91 22 46,
fax 02 41 91 25 80, chateau.avrille@wanadoo.fr,
☑ ⵣ t.l.j. sf dim. 9h30-12h 14h30-18h30

ⓑ DOM. DE BABLUT Rocca Nigra 2011 ★

■ | 11 000 | ▮ | 11 à 15 €

Ce domaine ancestral fondé en 1546 par une famille de meuniers et de vignerons de Brissac est dirigé depuis 1989 par Christophe Daviau. Issu d'un vignoble converti au bio, ce 2011 apparaît dans une robe rouge profond. Il dévoile un bouquet intense de fruits rouges et noirs (cassis), agrémenté de notes florales (rose, œillet, violette), qui introduit agréablement un palais riche, volumineux, équilibré, porté en finale par des tanins soyeux. Une bouteille déjà plaisante, à déboucher dès aujourd'hui pour accompagner une entrecôte grillée.

☛ Daviau, Dom. de Bablut, 49320 Brissac-Quincé,
tél. 02 41 91 22 59, fax 02 41 91 24 77,
daviau.contact@wanadoo.fr,
☑ ⵣ t.l.j. sf dim. 9h-12h 14h-18h30 🏠 ❷

LE CLOS DES MAILLES Les Grouas 2011

■ | 6 000 | | 5 à 8 €

François Rullier dirige depuis 2005 ce domaine situé à quelques kilomètres des bords de Loire et à proximité du château de Brissac. Il propose un 2011 à la robe rubis intense, au nez expressif de fruits rouges et noirs (fraise, mûre) relevé de notes épicées. La bouche franche et équilibrée révèle des tanins vigoureux qui doivent encore s'affiner deux ou trois ans.

☛ François Rullier, Les Jauraux, 49320 Brissac-Quincé,
tél. 02 41 47 28 54, francois@leclosdesmailles.com,
☑ ⚹ ⵣ t.l.j. sf dim. 9h-12h 14h-18h

CLOS GUENET Élevé en fût de chêne 2011 ★

■ | 2 500 | ▮⫿⫿ | 5 à 8 €

Bruno Dittière et son frère Joël représentent la sixième génération de vignerons à la tête de cette propriété familiale. Ils proposent un 2011 issu du seul cabernet franc à la robe rubis sombre et profond. Le nez livre des notes concentrées de fruits noirs relevées de nuances vanillées, témoignage d'un élevage de douze mois en fût. Ronde et harmonieuse, la bouche est équilibrée mais les tanins un peu austères requerront un peu de patience pour se fondre. À déguster dans deux ans avec une viande rouge.

☛ Dom. Dittière, 1, chem. de la Grouas,
49320 Vauchrétien, tél. 02 41 91 23 78, fax 02 41 54 28 00,
domaine.dittiere@sfr.fr, ☑ ⚹ ⵣ r.-v. 🏠 ⓑ

DOM. DE GAGNEBERT Clos de Grésillon 2011 ★

■ | 20 000 | ▮⫿⫿ | 8 à 11 €

Cet imposant domaine de 90 ha situé à Juigné-sur-Loire présente une cuvée issue d'un assemblage de cabernet-sauvignon et de cabernet franc. D'une belle couleur grenat intense aux reflets violacés, ce 2011 dévoile une agréable palette de fruits mûrs relevée d'épices et nuancée de notes fumées. On retrouve dans un palais équilibré, épaulé par des tanins fondus. Un vin souple, à boire dès à présent sur du petit gibier.

☛ Dom. de Gagnebert, 2, chem. de la Naurivet,
49610 Juigné-sur-Loire, tél. 02 41 91 92 86,
fax 02 41 91 95 50, moron@domaine-de-gagnebert.com,
☑ ⚹ ⵣ t.l.j. sf dim. 8h-12h30 14h-19h
☛ GAEC Moron

LOIRE

❤ DOM. RICHOU 2011 ★★

| ■ | 11 000 | ■ | 8 à 11 € |

DOMAINE
RICHOU

Anjou Villages Brissac

DAMIEN ET   appellation anjou villages brissac controlée
DIDIER RICHOU
Vignerons

En cours de conversion à l'agriculture biologique, ce domaine de 31 ha dirigé depuis 1978 par Damien et Didier Richou a plus d'une étoile à son palmarès. Il en ajoute deux et un coup de cœur unanime avec ce 2011, assemblage de cabernet franc et de cabernet-sauvignon cultivés sur un sol de schistes et de quartz. D'un rouge intense presque noir, ce très beau vin libère à l'olfaction des parfums complexes et délicats de fruits rouges (framboise, groseille, fraise) et noirs (mûre) agrémentés de notes florales. En bouche se déploie une matière souple, riche et fruitée à souhait. Un vin aérien, harmonieux, d'une longueur et d'une finesse remarquables. On pourra le déguster dès à présent sur un canard rôti.
☛ Dom. Richou, Chauvigné, 49610 Mozé-sur-Louet,
tél. 02 41 78 72 13, domaine.richou@wanadoo.fr,
☑ ⌶ t.l.j. 9h-12h 14h-18h30

DOM. DES ROCHELLES La Croix de Mission 2011 ★

| ■ | 30 000 | ■ | 8 à 11 € |

Jean-Yves Lebreton est un habitué du Guide, souvent en bonne place avec ses anjou-villages-brissac. Il propose cette année deux cuvées qui ont séduit les dégustateurs. Ce 2011 à la robe rubis soutenu livre des parfums de fruits mûrs. Ronde et onctueuse, la bouche offre des tanins soyeux qui prédisent un beau vieillissement. Un vin bien représentatif de son appellation, à déguster dans les trois ou quatre ans à venir avec du sanglier grillé. Le **2011 Breton (5 à 8 € ; 16 000 b.)**, aux notes discrètes de fruits noirs et rouges, et au palais rond et aromatique porté par des tanins enrobés, fait jeu égal.
☛ EARL J.-Y. A. Lebreton, Dom. des Rochelles,
49320 Saint-Jean-des-Mauvrets, tél. 02 41 91 92 07,
fax 02 41 54 62 63, jy.a.lebreton@wanadoo.fr,
☑ 🕴 ⌶ t.l.j. sf dim. 9h-12h 14h-18h

CH. LA VARIÈRE Vieilles Vignes 2011 ★

| ■ | 65 000 | ■ ⦿ | 8 à 11 € |

Cette ancienne propriété familiale propose un 2011 élaboré à partir d'une vendange de 15 ha de cabernet franc (60 %) et de cabernet-sauvignon. Il en résulte un joli vin aux arômes intenses de fruits rouges et noirs, nuancés d'une légère pointe de fumée conférée par un élevage de quinze mois en fût. En bouche, il affiche une matière puissante, harmonieuse, élégante, assortie d'un fruité vanillé et torréfié très plaisant. À déguster dans les quatre ou cinq ans à venir sur un gigot de mouton.
☛ SCA Jacques Beaujeau, Ch. la Varière, 49320 Brissac,
tél. 02 41 91 22 64, fax 02 41 91 23 44,
beaujeau@wanadoo.fr, ☑ 🕴 ⌶ r.-v.

Rosé-d'anjou

Superficie : 2 267 ha
Production : 149 536 hl

Après un fort succès à l'exportation au début du XXᵉs., ce vin demi-sec connaît à nouveau une embellie. Le grolleau, principal cépage, autrefois conduit en gobelet, produit des vins rosés légers, jadis appelés « rougets ».

LES CAPRICES D'INÈS 2012 ★★

| ■ | 51 000 | ■ | - de 5 € |

Fondées en 1951, les Caves de la Loire représentent aujourd'hui l'une des plus importantes coopératives de la Loire avec 1 600 ha de vignes exploités et trois cent cinquante adhérents. Régulièrement en bonne place dans le Guide, cette structure propose cette année un 2012 qui attire le regard dans sa lumineuse robe framboise. Le nez, élégant et fruité, laisse place à une bouche à la fois fine et puissante, dynamisée par une finale acidulée. Un rosé de caractère, à découvrir de l'apéritif au dessert.
☛ Les Caves de la Loire, rte de Vauchrétien,
49320 Brissac-Quincé, tél. 02 41 91 22 71,
fax 02 41 54 20 36, loire-wines@uapl.fr,
☑ ⌶ t.l.j. sf dim. 9h-12h30 14h-18h

DOM. ÉMILE CHUPIN Croix de la Varenne 2012 ★

| ■ | 100 000 | ■ | - de 5 € |

Ce domaine de 95,36 ha a été racheté aux héritiers d'Émile Chupin en 1988. Le 2012 présenté résulte d'un assemblage de gamay, de grolleau et de cabernet franc. Vêtu d'une robe rose aux reflets orangés, il offre une palette délicate et subtile dans laquelle se mêlent les fruits rouges, l'abricot et la pêche. La bouche est tendre et équilibrée, parcourue jusqu'en finale par une agréable sensation fruitée. À déguster sur des grillades au feu de bois.
☛ SCEA Dom. Émile Chupin, 8, rue de l'Église,
49380 Champ-sur-Layon, tél. 02 41 78 86 54,
fax 02 41 78 61 73, domaine.chupin@wanadoo.fr, 🕴 r.-v.
☛ Saget la Perrière

CH. DE LA MULONNIÈRE 2012 ★

| ■ | 7 500 | ■ | 5 à 8 € |

Ce domaine fondé au XIXᵉs., situé à 80 km de l'embouchure de la Loire, est conduit par Jean-Louis Saget depuis 2002. Celui-ci propose un pur gamay issu de vignes exposées plein sud, à la robe rose intense et au nez expressif de framboise et de groseille. On retrouve cette sensation fruitée dans une bouche onctueuse et équilibrée. Parfait pour l'apéritif.
☛ SAS Ch. de la Mulonnière, La Mulonnière,
49750 Beaulieu-sur-Layon, tél. 02 41 78 47 52,
fax 02 41 78 63 63, chateau.lamulonniere@orange.fr,
☑ 🕴 ⌶ r.-v.
☛ Jean-Louis Saget

DOM. DE LA PETITE CROIX 2012 ★

| ■ | 10 000 | ■ | - de 5 € |

Situé au cœur du vignoble du Layon, ce domaine propose un rosé moelleux (27 g/l) issu de 3 ha de vignes. Le vin s'affiche dans une robe rose saumon et offre un agréable bouquet de fruits rouges et de notes amyliques. La bouche fait écho à l'olfaction et délivre une matière soyeuse, fraî-

che, bien équilibrée, qui se termine sur une plaisante impression fruitée. À déguster sur une cuisine exotique.
🕭 SCEA Vignoble Denéchère Geffard, La Petite-Croix, 49380 Thouarcé, tél. 02 41 54 06 99, scea@lapetitecroix.com, ☑ ⚥ ⏁ r.-v. 🏠 Ⓑ
🕭 Geffard

🧡 DOM. DE LA PETITE ROCHE 2012 ★★★

| | 80 000 | 🍶 | - de 5 € |

Ce domaine fondé après la Révolution compte aujourd'hui plus de 72 ha de vignes plantées sur des sols argilo-schisteux, graveleux et limono-sableux. Il propose un rosé moelleux (25 g/l de sucres résiduels) issu de 10 ha de grolleau et de gamay vendangés de nuit afin de conserver la fraîcheur du fruit, qui ont fait l'objet d'une macération pelliculaire et d'une fermentation à basse température. Le résultat est à la hauteur des soins apportés à la vigne et au chai : un 2012 admirable, vêtu d'une élégante robe au rose éclatant, au nez intense, délicat et expressif où se mêlent des parfums de fruits blancs (pêche) et de fruits rouges (framboise) accompagnés de notes florales. La bouche procure le même plaisir, avec un développement très fruité et une agréable vivacité qui contrebalance le fort taux de sucres présent dans le vin. Elle s'achève sur une touche de framboise des plus plaisantes. Un rosé complexe et parfaitement équilibré, à déguster sur une charlotte aux fraises.
🕭 SCEV Regnard, Dom. de la Petite Roche, 49310 Trémont, tél. 02 41 59 43 03, fax 02 41 59 69 43, contact@domainepetiteroche.com, ☑ ⚥ ⏁ r.-v.

DOM. DU POINT DU JOUR 2012 ★★

| | 38 500 | 🍶 | - de 5 € |

Cette structure de négoce propose un pur grolleau issu de vignes plantées sur 6 ha argilo-schisteux. Il en résulte un vin à la robe rose pâle limpide, aux parfums flatteurs de fruits rouges accompagnés de notes de bonbon anglais. À la fois riche et fraîche, particulièrement longue et fruitée, la bouche offre un équilibre remarquable. Un vin gourmand qui réjouira les palais de l'apéritif au dessert. Le 2012 Lacheteau (180 000 b.) reçoit quant à lui une étoile pour son nez fruité (groseille) et floral, légèrement amylique, son palais soyeux, ample et d'une belle fraîcheur. Heureux accords en perspective avec une tarte aux fruits rouges. Le 2012 Ch. de Champteloup (95 000 b.), au bouquet expressif de fraise et de bonbon anglais, à la bouche fraîche et équilibrée, est cité.
🕭 Lacheteau, Ch. du Cléray, 44194 Vallet, tél. 02 40 36 66 00, fax 02 40 36 34 62
🕭 Grands Chais de France

ROCHES-LINIÈRES 2012 ★

| | 566 000 | 🍶 | - de 5 € |

Ce 2012 est un assemblage de gamay (60 %) et de grolleau nés sur un sol argilo-calcaire. Un vin pimpant à la robe rose pâle aux reflets orangés, au nez délicat de fruits mûrs (abricot), à la bouche légère et bien équilibrée entre rondeur et fraîcheur, longue et fruitée.
🕭 Maison Malesan, L'Hyvernière, 44330 La Chapelle-Heulin, tél. 01 45 60 76 00, fax 01 46 86 54 05, m.huchon@castel-freres.com
🕭 Alain Castel

LA TOURMANDIÈRE 2012

| | 20 000 | 🍶 | - de 5 € |

Fondée en 1986, cette structure de négoce signe un joli 2012 issu de grolleau, de gamay et de cabernet franc. Paré d'une robe rose pâle saumonée, il livre des notes subtiles et agréables de petits fruits rouges assorties de nuances florales. La bouche affiche un bel équilibre entre fraîcheur, douceur et fruité. Un vin élégant que l'on pourra apprécier sur une soupe aux fruits rouges.
🕭 André Vinet, BP 49601, 44196 Clisson Cedex, tél. 02 40 06 90 74, fax 02 40 06 93 07, andrevinet@gmvl.fr

VILLA LORANE 2012 ★

| | 65 000 | 🍶 | - de 5 € |

La coopérative d'Ancenis, créée en 1995, a sélectionné 10 ha de gamay, de grolleau et de cabernet pour élaborer cette cuvée séduisante dans sa robe aux reflets orangés. Le nez fin et frais introduit un palais aux notes de fruits rouges, suave, charnu, bien équilibré par une pointe de fraîcheur. Un vin élégant et harmonieux, à déguster à l'apéritif accompagné de tapas « terre et mer ».
🕭 Terrena Vignerons des Terroirs de la Noëlle, Bd des Alliés, 44150 Ancenis, tél. 02 40 98 92 72, fax 02 40 98 96 70, fgouraud@terrena.fr, ☑ ⏁ t.l.j. sf dim. 9h-12h30 14h-18h30

Cabernet-d'anjou

Superficie : 5 341 ha
Production : 331 114 hl

On trouve dans cette appellation d'excellents vins rosés demi-secs issus des cépages cabernet franc et cabernet-sauvignon. À table, on les associe assez facilement, servis frais, au melon en hors-d'œuvre ou à certains desserts pas trop sucrés. En vieillissant, ces vins prennent une nuance tuilée et peuvent être bus à l'apéritif. Ceux qui naissent sur les faluns de la région de Tigné et dans le Layon sont les plus réputés.

DOM. DES BOHUES 2012 ★

| | 5 000 | 🍶 | 5 à 8 € |

Cette petite exploitation familiale est installée depuis 1933 sur le plateau schisteux de Saint-Lambert-du-Lattay entaillé par les rivières du Layon et de l'Hyrôme. Réputée pour les blancs liquoreux nés de ces coteaux, elle présente ici un cabernet-d'anjou de belle facture. Issu de cabernet-sauvignon, ce vin brillant, nuancé de violet, est plaisant par son équilibre et par ses arômes élégants de fruits rouges mûrs. Un ensemble très réussi que l'on verrait bien avec un poulet à la tomate.

LOIRE

☛ Denis Retailleau, Les Bohues,
49750 Saint-Lambert-du-Lattay, tél. 02 41 78 33 92,
fax 02 41 78 34 11, denisretailleau.bohues@orange.fr,
☑ ≮ ⊥ t.l.j. 8h30-12h30 14h-19h

DOM. DE LA BOUGRIE 2012 ★★

| | 5 000 | ▮ | - de 5 € |

Cette entreprise familiale a vu le jour au début des années 1920. Depuis, elle vinifie les diverses appellations angevines. Elle se distingue avec un pur cabernet franc élevé six mois en cuve. Drapé dans une robe pâle aux reflets orangés, ce 2012 dévoile un nez de fruits rouges et d'agrumes. L'attaque savoureuse ouvre sur une bouche ample, souple et harmonieuse, soutenue par une fraîcheur qui pousse loin la finale et apporte l'équilibre. À réserver pour un mets généreux, un couscous aux trois viandes par exemple.
☛ SCEV la Bougrie, Dom. de la Bougrie,
49380 Champ-sur-Layon, tél. 02 41 78 86 21,
fax 02 41 78 84 45, goujonvincent@wanadoo.fr, ☑ ≮ ⊥ r.-v.

DOM. CADY 2012

| | n.c. | | 5 à 8 € |

Le domaine Cady, réputé pour ses coteaux-du-layon, est en cours de conversion à l'agriculture biologique. Il propose ici un assemblage de cabernet-sauvignon (60 %) et de cabernet franc vendangés à la main, issu d'une macération pelliculaire et fermenté quinze jours en cuve. La robe d'un rose soutenu donne le ton. Le palais, moelleux, plaît par son équilibre et par son fruité qui fait écho à l'olfaction. Idéal pour accompagner un melon au jambon.
☛ Dom. Cady, 20, Valette, 49190 Saint-Aubin-de-Luigné,
tél. 02 41 78 33 69, domainecady@yahoo.fr,
☑ ≮ ⊥ t.l.j. 9h-12h 15h-18h30; sam. dim. sur r.-v.

CH. DE CHAMPTELOUP 2012 ★

| | 100 000 | ▮ | - de 5 € |

Ce vaste domaine (100 ha) est situé tout au sud de la Loire-Atlantique, à Corcoué-sur-Logne, réputé pour ses trois églises (Saint-Jean, Saint-Étienne et la Benate) et pour son terroir propice au gros-plant. Issu du seul cabernet franc, ce vin se présente dans une robe rose pâle aux reflets grenat. Le nez expressif et frais (fruits rouges, épices, agrumes) précède une bouche ample et ronde. Parfait pour une charlotte aux fraises.
☛ SCEA Champteloup, 49700 Brigné-sur-layon,
tél. 02 40 36 66 00, fax 02 40 36 34 62
☛ Grands Chais de France

DOM. DU CLOS DES GOHARDS 2012 ★★

| | 3 000 | ▮ | - de 5 € |

Le Clos des Gohards, connu pour la régularité de ses coteaux-du-layon, signe un superbe cabernet-d'anjou rose orangé qui dévoile un nez gourmand de fruits rouges et de bonbon anglais. La bouche, à l'unisson, à la fois ronde et fraîche, fait preuve d'une belle persistance. Un vin remarquable par son équilibre et son expression aromatique.
☛ EARL Joselon, Les Oisonnières,
49380 Chavagnes-les-Eaux, tél. 02 41 54 13 98,
earljoselon@orange.fr, ☑ ≮ ⊥ r.-v.

DOM. DES DEUX CÈDRES 2012 ★★

| | 5 000 | ▮ | - de 5 € |

Marc Séchet a repris en 1997 le domaine familial situé à Maligné, réputé pour ses terres charbonneuses. Il signe une cuvée fort séduisante dans sa robe intense, d'un beau rose orangé animé de reflets violacés. Le bouquet mêle la cerise, la framboise et les épices douces. Après une attaque franche, un fruité vif anime un palais de belle tenue, remarquablement équilibré, à la fois gras, doux et frais. Un vin d'une grande harmonie, qui accompagnera avec bonheur une tarte aux fraises.
☛ Marc Séchet, 19, rue des Vignerons, Maligné,
49540 Martigné-Briand, tél. 02 41 59 43 40,
marc.sechet@online.fr, ☑ ≮ ⊥ r.-v.

DOM. DHOMMÉ 2012 ★

| | 7 000 | ▮ | - de 5 € |

Réputé pour ses coteaux-du-layon, ce vignoble, en cours de conversion bio, s'est bien étoffé depuis sa création en 1960 et s'étend aujourd'hui sur 23 ha. Avec Clarisse Dhommé, c'est la quatrième génération qui officie. Les deux cabernets, à parts égales, ont donné naissance à ce joli vin rose orangé. Sa palette aromatique intense de fruits rouges, d'agrumes et de fleurs annonce une bouche fraîche et équilibrée, portée en finale par une pointe d'amertume séduisante qui apporte un surcroît de longueur et de complexité. À servir sur un carpaccio de fraises.
☛ Dom. Dhommé, 46, Les Petits-Fresnaies,
49290 Chalonnes-sur-Loire, tél. 02 41 45 06 53,
info@domainedhomme.com,
☑ ≮ ⊥ t.l.j. sf dim. 9h-12h 14h-19h

CH. DE FESLES La Chapelle 2012 ★★

| | 60 000 | ▮ | 5 à 8 € |

Le château de Fesles implanté au cœur de l'appellation bonnezeaux a été repris en 2008 par Les Grands Chais de France, vaste structure présente dans tous les vignobles de l'Hexagone. Ce rosé élaboré à partir de cabernet franc charme par sa couleur délicate, son fruité (fraise, framboise, griotte) et son attaque tendre, prélude à une bouche remarquablement équilibrée entre douceur et fraîcheur. Un véritable « vin de plaisir », parfait pour un crumble aux griottes.
☛ Ch. de Fesles, Fesles, 49380 Thouarcé,
tél. 02 41 68 94 08, fax 02 41 68 94 30, gbigot@sauvion.fr,
☑ ≮ ⊥ t.l.j. sf dim. 10h-12h30 14h-17h30
☛ Grands Chais de France

♥ DOM. DE FIERVAUX Tradition 2012 ★★★

| | 4 000 | | 8 à 11 € |

Cabernet d'Anjou
par Christian Cousin
vigneron à Vaudelnay

Ce domaine situé à Oiré, dans le Saumurois, est une valeur sûre, ce que ne dément pas cette cuvée exceptionnelle qui a ensorcelé les dégustateurs. À la couleur rose saumoné de la robe, superbe, répond un bouquet à la fois subtil et généreux de confiture de fraises, de groseilles et de framboises qui aiguise les papilles. Ces mêmes arômes s'invitent dans un palais riche, gras et onctueux. L'ensemble, parfait, équilibré par une juste fraîcheur, se mariera à merveille avec des papillotes de framboises rôties à la vanille.

☎ Christian Cousin, 235, rue des Caves, 49260 Vaudelnay, tél. 02 41 52 34 63, fax 02 41 38 89 23 ☑ ⚹ ⵖ r.-v.

DOM. DES GALLOIRES 2012 ★

| | 6 000 | | - de 5 € |

Construite à l'emplacement d'un ancien manoir détruit en 1420, cette propriété familiale créée en 1967 est régulièrement distinguée pour l'une ou l'autre de ses quatorze cuvées produites dans les AOC anjou, cabernet-d'anjou, coteaux-d'ancenis et muscadet-coteaux-de-la-loire. Dans sa robe rose pâle, ce 2012 a d'emblée charmé les dégustateurs par ses arômes de fruits rouges et d'agrumes qui se mêlent harmonieusement à la rose et au bonbon anglais. Après une attaque franche, un fruité vif (pamplemousse) anime un palais de belle tenue. Un vin d'une grande harmonie, qui sera parfait à l'heure de l'apéritif, accompagné de verrines crevettes-guacamole.

☎ Dom. des Galloires, La Galloire, 49530 Drain, tél. 02 40 98 20 10, fax 02 40 98 22 06, contact@galloires.com, ☑ ⚹ ⵖ t.l.j. sf dim. 9h-12h 14h-19h (sam. 17h) 🏠 ⓘ ⌂ ⓐ ☎ Toublanc

DOM. GAUDARD 2012

| | 5 000 | | 5 à 8 € |

Créé en 1969, ce domaine, valeur sûre de l'Anjou, propose un rosé demi-sec issu des deux cabernets. Dans une robe limpide aux reflets orangés, ce 2012 s'annonce par des senteurs discrètes de fruits rouges mûrs. Suave dès l'attaque, le palais se révèle ample, rond, gourmand, équilibré. À découvrir sur une salade de fruits rouges.

☎ Antoine Aguilas, Les Saules, 49290 Chaudefonds-sur-Layon, tél. 02 41 78 10 68, fax 02 41 78 67 72, pierre.aguilas@wanadoo.fr, ☑ ⚹ ⵖ t.l.j. 9h-12h 13h30-18h30; dim. sur r.-v.

DOM. DES HAUTS PERRAYS 2012 ★

| | 11 000 | | 5 à 8 € |

Reprise en 2009 par Luc Le Fournis et rebaptisée, cette propriété (anciennement Domaine Fardeau) est située au pied de la Corniche angevine sur les coteaux qui surplombent les vallées du Layon et de la Loire. Dominé par le cabernet franc (85 %), ce rosé a belle allure dans sa robe claire égayée de reflets saumonés. Au nez délicat de fruits rouges mûrs succède une bouche franche en attaque, suave (37 g/l de sucres résiduels) et dotée d'une belle longueur. Pour l'apéritif ou une cuisine sucrée-salée.

☎ Dom. des Hauts Perrays, Les Hauts-Perrays, 49290 Chaudefonds-sur-Layon, tél. 02 41 78 67 57, fax 02 41 78 68 78, contact@domaine-des-hauts-perrays.fr, ☑ ⚹ ⵖ r.-v. ☎ Le Fournis

LACHETEAU 2012 ★

| | 600 000 | | - de 5 € |

Cette maison de négoce réputée pour ses efferves-cents et ses rosés présente un pur cabernet franc jugé très réussi. Ses atouts : un nez gourmand qui marie les fruits rouges et les notes de bonbon anglais, et une bouche élé-gante portée par une belle vivacité. À servir sur une salade de fruits rouges.

☎ Lacheteau, Ch. du Cléray, 44194 Vallet, tél. 02 40 36 66 00, fax 02 40 36 34 62 ☎ Grands Chais de France

DOM. DE MONTGILET 2012 ★★

| | 38 400 | | 5 à 8 € |

À l'époque de sa création dans les années 1880, le vignoble couvrait 1,5 ha. Depuis, il s'est bien agrandi (61 ha) et propose les différentes appellations de l'Anjou, avec une prédilection pour les coteaux-de-l'aubance, très régulièrement distingués dans le Guide. Première distinc-tion en cabernet-d'anjou avec ce 2012 parfaitement réussi. D'emblée, le nez puissant et expressif charme par ses parfums de fruits rouges bien mûrs, qui se prolongent dans une bouche ample et gourmande soutenue par une agréable fraîcheur ; l'équilibre est remarquable. Recom-mandé par les dégustateurs sur une matelote d'anguille.

☎ Dom. de Montgilet, 10, chem. de Montgilet, 49610 Juigné-sur-Loire, tél. 02 41 91 90 48, fax 02 41 54 64 25, montgilet@wanadoo.fr, ☑ ⚹ ⵖ t.l.j. sf dim. 9h-12h 14h-18h; sam. sur r.-v. ☎ Victor et Vincent Lebreton

♥ DOM. DU PETIT CLOCHER 2012 ★★

| | 17 000 | | - de 5 € |

Valeur sûre en Anjou, le domaine du Petit Clocher est un habitué des coups de cœur. Cet assemblage des deux cabernets à parts presque égales se manifeste avec élé-gance dans sa robe somptueuse d'un rose pâle nuancé de notes orangées et avec gourmandise à l'olfaction, kyrielle de fruits rouges et d'agrumes. La bouche, superbe, ample et longue, à la fois douce et fraîche, se montre parfaite-ment équilibrée. Idéal pour accompagner un repas exo-tique, pourquoi pas un chop suey ?

☎ Dom. du Petit Clocher, 1, rue du Layon, 49560 Cléré-sur-Layon, tél. 02 41 59 54 51, fax 02 41 59 59 70, petit.clocher@wanadoo.fr, ☑ ⚹ ⵖ t.l.j. sf dim. 8h-12h30 14h-18h ☎ Denis Père et Fils

CH. DE LA ROCHE BOUSSEAU 2012 ★★

| | 150 000 | | - de 5 € |

Les origines de ce domaine situé dans le haut Layon remontent à la Révolution. Le vignoble compte aujourd'hui 73 ha, dont treize consacrés à cette cuvée très élégante dans sa tenue rose pâle. Ouvert, gourmand et frais, le bouquet livre des notes florales (rose) et végétales (buis). Après une attaque vive, le palais dévoile un joli gras parsemé de nuances fruitées, contrebalancé par une

LOIRE

longue finale acidulée. Le **Dom. de la Petite Roche 2012**
(**100 000 b.**) reçoit une étoile pour ses parfums fruités
intenses et pour sa bouche à la fois tendre et fraîche.
☛ SCEV Regnard, Dom. de la Petite Roche, 49310 Trémont,
tél. 02 41 59 43 03, fax 02 41 59 69 43,
contact@domainepetiteroche.com, ☑ ⚘ ⍓ r.-v.

DOM. SAINT-ARNOUL 2012 ★

| ▢ | 30 000 | ▯ | - de 5 € |

Cette entreprise familiale, qui s'est progressivement
agrandie et modernisée, est une valeur sûre de l'Anjou.
Prenez le temps de vous arrêter au domaine pour déguster
dans les caves troglodytiques ce joli rosé demi-sec qui
associe à parts égales les deux cabernets. À l'olfaction, la
framboise se mêle à la fraise. Un fruité gourmand que l'on
retrouve dans un palais rond, frais et bien équilibré. Pour
un dessert chocolaté, suggère le viticulteur.
☛ Poupard, Dom. Saint-Arnoul, 5, rue des Caves-Sousigné,
49540 Martigné-Briand, tél. 02 41 59 43 62,
fax 02 41 59 69 23, domaine@saint-arnoul.com, ☑ ⚘ ⍓ r.-v.

DOM. SÉCHET-GIRARD 2012 ★

| ▢ | 2 000 | ▯ | - de 5 € |

Pépiniériste et viticulteur, Jean Séchet est installé à
Martigné-Briand, la capitale angevine des vins rosés. Pour
cette cuvée, il a retenu 1,2 ha de vieux ceps (quarante ans)
plantés sur les sols schisteux du Massif armoricain. Il en
résulte un 2012 au nez élégant et complexe mêlant la
fraîcheur de la framboise et la douceur du genêt. Dans le
même registre, la bouche, ample et fraîche, s'étire longuement sur ces tendres saveurs.
☛ EARL Séchet-Girard, 22, rue des Vignerons, Maligné,
49540 Martigné-Briand, tél. 02 41 59 66 10,
fax 02 41 59 68 81, sechet-girard@orange.fr, ☑ ⚘ ⍓ r.-v.

DOM. DE TERREBRUNE 2012 ★

| ▢ | 100 000 | ▯ | - de 5 € |

Le domaine de Terrebrune créé en 1986 par Patrice
Laurendeau et Alain Bouleau est réputé pour ses rosés,
comme le confirme ce joli vin au bouquet timide qui
s'ouvre à l'aération sur d'agréables notes de fruits mûrs et
d'agrumes. Léger, frais et harmonieux, ce 2012 sera
parfait sur un mets créole : rougail de poulet ou matété de
crabe, à vous de choisir.
☛ Dom. de Terrebrune, La Motte,
49380 Notre-Dame-d'Allençon, tél. 02 41 54 01 99,
fax 02 41 54 09 06, domaine-de-terrebrune@wanadoo.fr,
☑ ⚘ ⍓ t.l.j. sf dim. 9h-12h 15h-18h
☛ Laurendeau et Bouleau

LES TERRIADES Prestige 2012

| ▢ | 144 000 | ▯ | - de 5 € |

Créée en 1951, l'importante cave coopérative de
Brissac (1 600 ha de vignes, 350 coopérateurs) est
régulièrement sélectionnée pour ses rosés. Cette cuvée de
pur cabernet franc, séduisante dans sa robe grenadine, est
un vin aromatique (fraise, violette, bonbon anglais, réglisse), frais et équilibré. Lui réserver un canard à l'orange.
☛ Les Caves de la Loire, rte de Vauchrétien,
49320 Brissac-Quincé, tél. 02 41 91 22 71,
fax 02 41 54 20 36, loire-wines@uapl.fr,
☑ ⍓ t.l.j. sf dim. 9h-12h30 14h-18h

DOM. DE LA TUFFIÈRE 2012 ★★

| ▢ | 10 000 | ▯ | - de 5 € |

Aidés depuis 2006 de leur fils Frédéric et de leur
belle-fille, Clarisse Coignard et son mari ont repris les
rênes du domaine familial en 2002. Dans leur cave en
tuffeau du XVIIᵉˢ., ils élèvent les diverses appellations de
l'Anjou, et leurs vins sont régulièrement remarqués dans
nos éditions. Ce 2012 de grande expression a séduit les
dégustateurs pour sa belle parure rose clair, pour son nez
intense de fruits rouges et d'agrumes, et pour sa bouche
superbe d'équilibre, ronde et fraîche à la fois, et très
longue. Ce rosé parfait, qui réveille les sens, fera merveille
sur une tarte aux framboises.
☛ EARL Coignard-Benesteau, Dom. de la Tuffière,
49140 Lué-en-Baugeois, tél. et fax 02 41 45 11 47,
vignoble-tuffiere@wanadoo.fr,
☑ ⚘ ⍓ t.l.j. sf dim. 9h-12h30 14h-19h

DOM. VERDIER 2012 ★

| ▢ | 7 500 | ▯ | - de 5 € |

Cette exploitation familiale est conduite depuis 1997
par la quatrième génération. Ce 2012 né de ceps trentenaires de cabernet-sauvignon se présente dans une robe
brillante aux reflets orangés, et livre un bouquet intense de
fruits rouges mêlés à de légères notes végétales et minérales. Fruitée, fraîche et volumineuse, la bouche séduit par
son équilibre et sa persistance.
☛ EARL Sébastien Verdier, 26 bis, rue Rabelais,
49750 Saint-Lambert-du-Lattay, tél. et fax 02 41 74 01 77,
sebastien@domaineverdier.com, ☑ ⍓ r.-v.

VIGNES DE L'ALMA 2012

| ▢ | 2 000 | ▯ | - de 5 € |

Propriétaire de 10 ha depuis 1980 sur le plateau qui
domine Saint-Florent-le-Vieil et la vallée de la Loire,
Roland Chevalier est bien connu en Anjou pour ses vins
de gamay. Ce rosé, pur cabernet-sauvignon, ne se livre pas
d'emblée. Discret dans sa robe pose pâle, il laisse entrevoir
à l'aération des parfums de fruits rouges mûrs. Ample et
longue, la bouche, dans le même registre, se révèle bien
équilibrée.
☛ Roland Chevalier, L'Alma, 49410 Saint-Florent-le-Vieil,
tél. 02 41 72 71 09, fax 02 41 72 63 77,
chevalier.roland@wanadoo.fr,
☑ ⚘ ⍓ t.l.j. sf dim. 8h30-12h30 14h-19h

Coteaux-de-l'aubance

Superficie : 216 ha
Production : 6 722 hl

Petit affluent de la rive gauche de la Loire, comme
le Layon qui coule plus à l'ouest, l'Aubance est
bordée de coteaux de schistes portant de vieilles
vignes de chenin, dont on tire un vin blanc
moelleux qui s'améliore en vieillissant. Cette
appellation a choisi de limiter strictement ses
rendements.

Depuis 2002, la mention « Sélection de grains
nobles » est autorisée pour les vins de vendanges
présentant une richesse naturelle minimale de

234 g/l, soit 17,5 % vol. sans aucun enrichisse-ment. Ceux-ci ne pourront être commercialisés que dix-huit mois après la récolte.

AMBRE DE ROCHES DES ROCHELLES 2011

| | 2 400 | 🍶 | 20 à 30 € |

Jean-Yves Lebreton n'a plus assez d'une seule main pour compter les coups de cœur que ses vins ont collectés, c'est dire si la réputation de ce domaine n'est plus à faire. Si cette cuvée n'atteint pas les mêmes sommets, elle a su néanmoins tirer son épingle du jeu grâce à ses parfums de fleurs blanches qui s'expriment au nez pour laisser ensuite les fruits jaunes faire la transition avec une bouche ample, soyeuse et structurée. L'agréable vivacité de ce vin lui confère une finale équilibrée et permet d'envisager une belle garde. Un foie gras toasté sera parfait pour l'accom-pagner. (Bouteilles de 50 cl.)

🕯 EARL J.-Y. A. Lebreton, Dom. des Rochelles,
49320 Saint-Jean-des-Mauvrets, tél. 02 41 91 92 07,
fax 02 41 54 62 63, jy.a.lebreton@wanadoo.fr,
☑ ⚔ ⊤ t.l.j. sf dim. 9h-12h 14h-18h

DOM. DES BONNES GAGNES La Butte 2011 ★

| | 5 000 | 🍶 | 5 à 8 € |

Voici un domaine où le terme « historique » prend tout son sens puisque la famille Héry y perpétue la tradition viticole depuis 1610. Située à proximité du château de Brissac, la butte qui donne le nom à cette cuvée est composée majoritairement de calcaires. Des parfums de miel et de fruits bien mûrs ouvrent la dégustation et se prolongent dans un palais élégant et harmonieux. Une plaisante touche de fraîcheur en finale participe à sa persistance.

🕯 Héry-Vignerons, Dom. des Bonnes Gagnes, Orgigné,
49320 Saint-Saturnin-sur-Loire, tél. 02 41 91 22 76,
hery.vignerons@wanadoo.fr,
☑ ⚔ ⊤ t.l.j. sf dim. 9h-12h 14h-19h

DOM. DITTIÈRE Les Boujets 2011 ★

| | 3 500 | 🍶 | 11 à 15 € |

Cette cuvée tire son nom d'un îlot de trois parcelles d'un âge moyen de vingt-cinq ans. L'exposition plein sud favorise la maturité du raisin sur ce coteau dont les rendements sont faibles et dépassent rarement 10 hl. Derrière un nez encore discret, les arômes de fruits bien mûrs font leur apparition en bouche. La finale sur la fraîcheur permettra sans aucun doute à ce 2011 de s'ouvrir davantage après quelques années de vieillissement. Réservez-lui une petite place en cave et appréciez-le sur un pâté aux prunes.

🕯 Dom. Dittière, 1, chem. de la Grouas,
49320 Vauchrétien, tél. 02 41 91 23 78, fax 02 41 54 28 00,
domaine.dittiere@sfr.fr, ☑ ⚔ ⊤ r.-v. 🏠 🅱

💚 DOM. DE GAGNEBERT Cuvée d'exception 2011 ★★

| | 4 000 | 🍶 | 11 à 15 € |

C'est sur les schistes ardoisiers de la commune de Juigné-sur-Loire qu'officie depuis cinq générations la famille Moron. Le chenin, qui démontre ici son formida-ble potentiel, a engendré une cuvée au nez complexe qui enchante dès la première agitation, avec de l'abricot, de l'ananas, de l'amande et des épices douces. Cette intensité aromatique trouve un écho remarquable dans un palais soyeux et gourmand, doté d'un équilibre parfait, sans

exubérance ni sucrosité excessives. Un vin de garde assurément, à déguster sur un foie gras.

🕯 Dom. de Gagnebert, 2, chem. de la Naurivet,
49610 Juigné-sur-Loire, tél. 02 41 91 92 86,
fax 02 41 91 95 50, moron@domaine-de-gagnebert,
☑ ⚔ ⊤ t.l.j. sf dim. 8h-12h30 14h-19h
🕯 GAEC Moron

DOM. DE MONTGILET Les Trois Schistes 2011

| | 11 633 | 🍶 | 15 à 20 € |

Régulièrement mentionné dans le Guide, ce do-maine mené par la famille Lebreton signe un 2011 au nez discrètement fruité, encore un peu fermé, qu'une petite garde suffira toutefois à révéler. La bouche se montre plus expressive, vive, longue et plaisante, et l'ensemble est harmonieux. Confiez-lui une tarte aux fruits blancs sans hésitation.

🕯 Dom. de Montgilet, 10, chem. de Montgilet,
49610 Juigné-sur-Loire, tél. 02 41 91 90 48,
fax 02 41 54 64 25, montgilet@wanadoo.fr,
☑ ⚔ ⊤ t.l.j. sf dim. 9h-12h 14h-18h; sam. sur r.-v.
🕯 Victor et Vincent Lebreton

DOM. RICHOU Les Trois Demoiselles 2011 ★

| | 1 600 | 🍶 | 20 à 30 € |

C'est au cœur des schistes noirs, où certains ceps de chenin atteignent quatre-vingt-dix ans, que le domaine Richou a vendangé par tries successives les raisins botry-tisés à l'origine de cette cuvée. Celle-ci revêt une robe cuivrée et offre un nez aux arômes de cire et de fruits blancs. En bouche, une matière miellée et légèrement boisée témoigne d'un élevage d'un an en fût bien maîtrisé. Un « vin digeste et aérien », conclut un dégustateur. (Bouteilles de 50 cl.)

🕯 Dom. Richou, Chauvigné, 49610 Mozé-sur-Louet,
tél. 02 41 78 72 13, domaine.richou@wanadoo.fr,
☑ ⊤ t.l.j. 9h-12h 14h-18h30

🅱 DOM. DE ROCHAMBEAU Harmonie 2011

| | 6 200 | 🍶 | 11 à 15 € |

Cela fait maintenant quinze ans que Maurice Forest cultive ses vignes en agriculture biologique. Ses coteaux de chenin trempent leurs pieds dans l'Aubance et bénéficient pleinement des brumes matinales de l'automne, nécessai-res au développement de ce champignon noble qu'est le botrytis. Cette cuvée d'un jaune intense se fait miellée au nez et onctueuse en bouche. La finale est persistante et pourvue d'une bonne intensité aromatique. À déguster à l'apéritif.

🕯 EARL Forest, Dom. de Rochambeau,
49610 Soulaines-sur-Aubance, tél. et fax 02 41 57 82 26,
rochambeau@wanadoo.fr,
☑ ⚔ ⊤ 14h-19h (lun. ven.); 9h30-19h (sam.)

LOIRE

Anjou-coteaux-de-la-loire

Superficie : 30 ha
Production : 980 hl

Située en aval d'Angers, l'appellation est réservée aux vins blancs issus du pineau de la Loire. Elle constitue un vestige du vignoble médiéval d'Anjou, qui était planté sur les bords de la Loire, principale voie de transport à cette époque. Cette proximité du fleuve conditionne le climat des coteaux qui se caractérise par des températures douces, avec des écarts atténués. Les vins paraissent presque légers, délicats, ce qui traduit bien les conditions de maturation équilibrées. L'aire de production est située uniquement sur les schistes et les calcaires de Montjean.

COTEAU SAINT VINCENT Grains sélectionnés 2011

| | 3 200 | | 8 à 11 € |

C'est armé d'un solide bagage (diplôme d'œnologue) qu'Olivier Voisine a repris en 1999 l'exploitation familiale. Il signe un 2011 d'un jaune or intense, au nez puissant de fruits confits. Un tri sévère à la vendange et une fermentation en barrique (onze mois) ont conféré à cette cuvée une jolie complexité aromatique et une bonne structure en bouche. Un vin harmonieux, à servir sur un foie gras poêlé.
☛ EARL Olivier Voisine, Coteau Saint-Vincent, 49290 Chalonnes-sur-Loire, tél. 02 41 78 59 00, coteau-saint-vincent@wanadoo.fr, ☑ ⚔ ⵊ r.-v. 🏠 ➊

CH. DE PUTILLE Cuvée Pierre carrée 2011

| | 4 000 | | 8 à 11 € |

Deux citations pour ce château dont la renommée n'est plus à faire. La cuvée Pierre carrée tire son nom de la roche volcanique composant la parcelle qui emmagasine la chaleur la journée et la restitue la nuit, ce qui favorise la surmaturation des raisins. Si le nez est discret, la bouche offre une belle sucrosité contrebalancée par une trame légèrement acidulée et se prolonge en finale sur des arômes de fruits confits. (Bouteilles de 50 cl.) La **cuvée principale 2012 (5 à 8 € ; 4 000 b.)**, réussie malgré un millésime difficile, se fait plus florale et offre un palais léger, gourmand, tout en fraîcheur.
☛ EARL Ch. de Putille, 49620 La Pommeraye, tél. 02 41 39 02 91, fax 02 41 39 03 45, chateaudeputille@orange.fr,
☑ ⚔ ⵊ t.l.j. sf dim. 8h-12h30 14h-19h
☛ Pascal Delaunay

Savennières

Superficie : 147 ha
Production : 5 068 hl (crus inclus)

Implanté sur la rive droite de la Loire, à une quinzaine de kilomètres en aval d'Angers, ce vignoble se singularise par sa production : des vins blancs secs, issus du chenin, essentiellement sur la commune de Savennières.

Les schistes et grès pourpres leur confèrent un caractère particulier, ce qui les a fait définir longtemps comme crus des coteaux de la Loire ; mais ils méritent une appellation à part entière. Pleins de sève, un peu nerveux, ils vont à merveille sur les poissons cuisinés.

DOM. DES BARRES Les Bastes 2011 ★

| | 3 000 | | 5 à 8 € |

Pour l'élaboration de ce 2011 vendangé à la main, les raisins ont été lentement pressés, puis le moût a été entonné en barrique afin d'y entamer sa fermentation alcoolique. Durant l'élevage, qui a duré douze mois, le vin a été régulièrement bâtonné. Cette vinification classique offre un vin au nez complexe de fruits à chair blanche et d'épices. L'attaque est souple et franche, et la minéralité porte loin la finale. Un vin équilibré, à déguster sur un sandre au beurre blanc.
☛ Patrice Achard, Dom. des Barres, 49190 Saint-Aubin-de-Luigné, tél. 02 41 78 98 24, fax 02 41 78 68 37, achardpatrice@wanadoo.fr,
☑ ⚔ ⵊ r.-v. 🏠 🅱

DOM. DES BAUMARD Clos de Saint-Yves 2011 ★★

| | 19 000 | | 11 à 15 € |

Cela fait maintenant quelques années que Florent Baumard bouche ses bouteilles avec des capsules à vis. Précurseur en la matière, il a misé sur ce type d'obturateur pour la conservation de ses vins. Parions que ce 2011, qui s'exprime au nez par des notes d'acacia et des nuances de fruits confits, gardera au cours du vieillissement ce palais doux et onctueux savamment équilibré en finale par une fraîcheur vivifiante. Une belle réussite, qui pourra accompagner un poisson aux épices. Dans un style très proche, le **2010 Clos du papillon (20 à 30 € ; 6 800 b.)** récolte également deux étoiles.
☛ Dom. des Baumard, 8, rue de l'Abbaye, 49190 Rochefort-sur-Loire, tél. 02 41 78 70 03, fax 02 41 78 83 82, contact@baumard.fr,
☑ ⵊ t.l.j. sf dim. 10h-12h 14h-17h30

DOM. DE LA BERGERIE La Croix Picot 2011

| | 5 300 | | 8 à 11 € |

Osez un détour jusqu'au domaine pour vous offrir une vraie séance sur les accords mets et vins d'Anjou dans le restaurant du même nom. Installée depuis 2010, Anne Guégniard gère l'exploitation tandis que David Guitton, son compagnon, est aux fourneaux. Les langoustes rôties au gingembre supporteront ce nez de fruits surmûris presque oxydatif. Quant à la bouche, les dégustateurs l'ont qualifiée de « structurée, minérale, intense et équilibrée ». Tout est dit !
☛ Yves et Anne Guégniard, Dom. de la Bergerie, 49380 Champ-sur-Layon, tél. 02 41 78 85 43, fax 02 41 78 60 13, domainede.la.bergerie@wanadoo.fr,
☑ ⵊ t.l.j. sf dim. 9h-12h30 14h-19h

CH. D'EPIRÉ Le Hu Boyau 2011 ★

| | 4 500 | | 15 à 20 € |

Après une fermentation alcoolique et malolactique en fût, l'élevage s'est prolongé durant neuf mois pour parfaire les formes de cette cuvée qui tire son nom du cadastre parcellaire. Expressive et intense, l'olfaction révèle des notes florales et des nuances de miel. Sans manquer de rondeur, la bouche reste tendue et vive, conférant à ce vin le caractère propre aux savennières. Un vin équilibré et structuré, à déguster sur un fromage de chèvre sec.

☛ Luc Bizard, SCEA Bizard-Litzow, Chais du Ch. d'Epiré, 49170 Savennières, tél. 02 41 77 15 01, fax 02 41 77 16 23, luc.bizard@wanadoo.fr,
☑ ⚘ ⵣ t.l.j. sf dim. 10h-12h 14h-18h30

Ⓑ LE TOUR D'FL 2011 ★

	20 000	∎	8 à 11 €

Ce domaine désormais converti à l'agriculture biologique s'appuie sur les conseils de Stéphane Derenoncourt, célèbre consultant bordelais, pour vinifier et élever ses vins. Cette cuvée, qui a conservé quelques sucres résiduels (22 g/l), offre un nez encore discret, aux arômes fruités (coing), qui s'épanouira après quelques mois en cave. La bouche souple et généreuse est bien équilibrée par une pointe d'amertume en finale qui apporte de la fraîcheur de la complexité. Un vin que l'on laissera vieillir un an ou deux afin qu'il puisse exprimer pleinement son potentiel.

☛ Dom. FL, Route de Beaulieu, 49190 Rochefort-sur-Loire, tél. 02 72 73 59 16, fax 02 72 73 58 22, julien.fournier@domainefl.com, ☑ ⚘ r.-v.

MOULIN DE CHAUVIGNÉ 2011 ★

	30 000	∎	5 à 8 €

Chez les Plessis, les rôles sont bien répartis : c'est Christian qui s'occupe du vignoble et Sylvie qui vinifie. Un duo efficace qui signe un 2011 aux jolies notes de tilleul et aux accents minéraux typiques des savennières. La bouche se montre riche et bien structurée. Bel accord en perspective avec un brochet de Loire au beurre blanc.

☛ Christian et Sylvie Plessis, Le Moulin de Chauvigné, 49190 Rochefort-sur-Loire, tél. et fax 02 41 78 86 56, info@moulindechauvigne.com, ☑ ⚘ ⵣ r.-v.

DOM. OGEREAU Clos Le Grand Beaupréau 2011

	5 333	⬛	11 à 15 €

À l'origine, le clos s'appelait « les beaux prés haut », c'est dire si ce terroir prend de la hauteur, condition nécessaire pour des maturations lentes. Paré d'une jolie robe jaune pâle, ce vin au nez de fruits blancs et d'agrumes, encore un peu fermé, se montre plus imposant en bouche. Celle-ci se révèle souple et structurée par un boisé déjà fondu malgré un élevage de dix-sept mois. Pour un poisson de Loire en sauce.

☛ Vincent Ogereau, 44, rue de la Belle-Angevine, 49750 Saint-Lambert-du-Lattay, tél. 02 41 78 30 53, fax 02 41 78 43 55, contact@domaineogereau.com, ☑ ⵣ r.-v.

DOM. DU PETIT MÉTRIS Clos de la Marche 2011 ★

	5 000	∎	8 à 11 €

Régulièrement mentionné dans le Guide, ce domaine familial présente un 2011 qui a su séduire le jury dans sa robe jaune pâle. Le premier nez assez discret libère des parfums de fruits cuits et des notes florales. Il faut attendre la mise en bouche pour sentir plus nettement ces arômes dans une finale minérale. « J'aime ! » s'enthousiasme un dégustateur.

☛ Dom. du Petit Métris, 13, chem. de Treize-Vents, Le Grand-Beauvais, 49190 Saint-Aubin-de-Luigné, tél. 02 41 78 33 33, fax 02 41 78 67 77, domaine.petit.metris@wanadoo.fr, ☑ ⚘ ⵣ r.-v.
☛ GAEC J. Renou et Fils

DOM. TAILLANDIER Cuvée Prestige 2011 ★

	20 782	∎	15 à 20 €

Les frères Taillandier, Éric et Marc, ne ménagent pas leurs efforts pour valoriser leur terroir de schistes verts et violacés sur lesquels vient s'ancrer le chenin, unique cépage de l'appellation. Ils proposent un 2011 moelleux à la robe jaune doré et au bouquet intense. À la fois suave et épicée (poivre), la bouche permettra d'heureux accords avec des plats asiatiques.

☛ Taillandier, Varennes, 49170 Savennières, tél. et fax 02 41 72 23 70, erictaillandier@hotmail.fr, ☑ ⵣ t.l.j. 9h-12h30 14h-19h30

CH. DE VARENNES 2011 ★

	35 000	⬛	11 à 15 €

Les vins de la propriété sont vinifiés sous les conseils éclairés de Denis Dubourdieu, professeur à la faculté d'œnologie de Bordeaux et œnologue conseil de réputation internationale. Derrière une robe citronnée, le nez se fait fruité et minéral. Un léger perlant en bouche procure à celle-ci une fraîcheur vivifiante très appréciable qui permettra à ce savennières d'accompagner une fricassée de langoustines au beurre d'escargot.

☛ SARL Ch. Bellerive, Chaume, 49190 Rochefort-sur-Loire, tél. 02 41 78 33 66, fax 02 41 78 68 47, info@vignobles-alainchateau.com, ☑ ⵣ t.l.j. sf sam. dim. 9h-12h30 13h30-17h

Savennières-roche-aux-moines

Superficie : 19 ha
Production : 336 hl

Il est difficile de séparer les deux crus savennières-roche-aux-moines et savennières-coulée-de-serrant, qui ont pourtant reçu une appellation particulière, tant ils sont proches en caractère et en qualité. La coulée-de-serrant, plus restreinte en surface, est située de part et d'autre de la vallée du Petit Serrant. Elle est propriété en monopole de la famille Joly. La roche-aux-moines appartient à plusieurs propriétaires. Si elle est moins homogène que son homologue, on y trouve cependant des cuvées qui n'ont rien à lui envier.

CH. PIERRE-BISE 2011 ★★

	6 077		15 à 20 €

Coup de cœur l'an dernier dans le millésime 2010, ce 2011, qui n'est pas passé loin du podium, n'a pas grand-chose à envier à son aîné, la preuve qu'au château Pierre-Bise, la viticulture est une affaire d'experts. Après un nez très floral, ponctué de touches fruitées, la bouche offre un équilibre remarquable entre gras et vivacité et une

LOIRE

fort belle longueur. Un vin de haute expression, à boire ou à attendre deux ou trois ans.

🍴 EARL Ch. Pierre-Bise, 1, imp. du Chanoine-des-Douves, 49750 Beaulieu-sur-Layon, tél. 02 41 78 31 44, fax 02 41 78 41 24, chateaupb@hotmail.com, ☑ ☒ r.-v.

Savennières-coulée-de-serrant

💙 Ⓑ CLOS DE LA COULÉE DE SERRANT 2011 ★★

| | 18 000 | 〓 | 30 à 50 € |

CLOS
DE LA
Coulée de Serrant
APPELLATION SAVENNIÈRES-COULÉE DE SERRANT CONTRÔLÉE

2011

Vin issu de raisins de l'agriculture biologique et biodynamique : (Certifié Ecocert s.a.s. - F 32600)

Nicolas JOLY, Propriétaire-Viticulteur
au CLOS DE LA COULÉE DE SERRANT - 49170 SAVENNIÈRES
Mise en bouteilles au Château

PRODUCT OF FRANCE   WHITE WINE   NET CONTENTS : 750 ML   ALC. 14,5% BY VOL.

C'est le 881ᵉ millésime pour cette coulée-de-serrant : les premiers ceps de chenin furent plantés ici en 1130 par les moines cisterciens. Ils s'étendent aujourd'hui sur 7 ha d'incomparables coteaux schisteux très pentus et cultivés, comme chacun sait, en biodynamie depuis trente ans. Petits rendements (20 à 25 hl/ha), vendanges manuelles, en cinq fois pendant trois ou quatre semaines pour obtenir une maturité optimale et un raisin marqué par le botrytis, vinification en barriques de 500 l avec jamais plus de 5 % de bois neuf : voici quelques-uns des secrets de cette « goutte d'or », comme la nommait Louis XIV. De fait, ce 2011 est doré comme un moelleux. Au nez, passé les premières notes oxydatives portées sur la noix apparaissent des senteurs d'orange amère et de pain brioché, et surtout cette incroyable minéralité aux accents de pierre froide qui fait la grandeur de ce cru. Fraîche et tendue en attaque, la bouche développe une matière dense et chaleureuse, avec toujours cette droiture « terroitée » en soutien et quelques nuances pétrolées, bientôt relayées en finale par l'abricot sec et les agrumes mûrs (écorce d'orange confite, confiture de citrons). Un vin unique et par nature atypique, qui révélera tout son potentiel d'ici cinq à dix ans.

🍴 Nicolas Joly, Ch. de la Roche aux Moines, 49170 Savennières, tél. 02 41 72 22 32, fax 02 41 72 28 68, info@coulee-de-serrant.com, ☑ ☒ ☒ t.l.j. sf dim. 9h-12h 14h-17h

Coteaux-du-layon

Superficie : 1 486 ha
Production : 46 625 hl

Demi-secs, moelleux ou liquoreux, les coteaux-du-layon naissent du seul chenin, cultivé le long de la rive gauche de la Loire sur les coteaux des communes qui bordent le Layon, de Nueil à Chalonnes. Plusieurs villages sont réputés.

Sept noms peuvent être ajoutés à l'appellation : Rochefort-sur-Loire, Saint-Aubin-de-Luigné, Saint-Lambert-du-Lattay, Beaulieu-sur-Layon, Rablay-sur-Layon, Faye-d'Anjou, Chaume. Les vins de cette dernière dénomination proviennent d'un coteau de Rochefort-sur-Loire exposé au sud. Leur élaboration est assortie de contraintes plus strictes (rendements plus faibles, richessse en sucres plus élevée, enrichissement interdit, élevage plus long...) et l'étiquette peut afficher la mention « 1ᵉʳ cru ».

Depuis 2002, les vins ont droit à la mention « Sélection de grains nobles » lorsque la richesse naturelle minimale de la vendange est de 323 g/l, soit 19 % vol. sans aucun enrichissement. Ils ne peuvent être commercialisés avant les dix-huit mois suivant la récolte. Vins subtils, or vert à Concourson, plus jaunes et plus puissants en aval, les coteaux-du-layon présentent des arômes de miel et d'acacia, acquis lors de la surmaturation. Leur capacité de vieillissement est étonnante.

J. ET P. AGUILAS Saint-Lambert-du-Lattay 2011

| | 2 500 | ▮ | 8 à 11 € |

Pierre Aguilas est un ardent défenseur de la viticulture ligérienne auprès des instances nationales. En signant ce 2011, il prouve que ses capacités de vinificateur n'ont rien à envier à celles d'orateur. Limpide et légèrement doré, ce coteaux-du-layon s'ouvre à l'aération sur des notes de coing et de vanille. La bouche fait écho au nez et se révèle ronde en attaque, bien équilibrée et agréablement acidulée en finale. Un vin fringant et déjà fort plaisant.

🍴 Antoine Aguilas, Les Saules, 49290 Chaudefonds-sur-Layon, tél. 02 41 78 10 68, fax 02 41 78 67 72, pierre.aguilas@wanadoo.fr, ☑ ☒ ☒ t.l.j. 9h-12h 13h30-18h30; dim. sur r.-v.

DOM. DE L'ARBOUTE Faye 2011 ★

| | 3 300 | 〓 | 8 à 11 € |

Solidement diplômés en viticulture-œnologie, Sébastien et Aurélien Massicot ont relevé le défi de l'installation aux côtés de leurs parents Yves et Régine. Bien leur en a pris, puisque leurs vins fréquentent régulièrement les pages du Guide. Ce 2011, riche d'une belle matière surmûrie, aux arômes d'acacia et de miel, affiche sa minéralité. Un vin droit, concentré et bien équilibré, à la tenue en bouche exemplaire. On l'imagine donnant la réplique à un poulet sauce au layon, ou encore à une fourme d'Ambert.

🍴 EARL Massicot Père et Fils, Dom. de l'Arboute, 49380 Faye-d'Anjou, tél. 02 41 54 03 38, fax 02 41 47 19 52, earl.massicot@wanadoo.fr, ☑ ☒ ☒ r.-v.

DOM. DES BARRES Saint-Aubin Les Paradis 2011 ★

| | 3 000 | ▮ | 11 à 15 € |

Voilà un nom de cuvée qui fait envie ! Si le coteau d'où proviennent les raisins porte ce nom, c'est certainement dû à son exposition idéale. Le soleil durant les premiers jours d'automne vient peaufiner le lent travail de maturation. Reste au viticulteur à finir la tâche par une vinification précise et soigneuse. C'est ce qu'a accompli Patrice Achard pour cette cuvée au joli nez de melon, de miel et de pêche. Ces arômes résonnent également dans une bouche tout en douceur. Un dégustateur conclut par ces trois mots : « Intensité, puissance et équilibre. »

☙ Patrice Achard, Dom. des Barres,
49190 Saint-Aubin-de-Luigné, tél. 02 41 78 98 24,
fax 02 41 78 68 37, achardpatrice@wanadoo.fr,
Ⓥ ⚲ ⊥ r.-v. 🏠 Ⓑ

DOM. MICHEL BLOUIN Chaume Cuvée Kimmy 2011 ★

■ 1er cru	4 660	🍾	11 à 15 €

Voici un domaine bien implanté sur les terres de Saint-Aubin, puisque sa date de création remonte à 1870 et qu'il est aujourd'hui conduit par la cinquième génération de viticulteurs. Il signe un chaume très réussi. Le nez expressif dévoile des parfums de fruits bien mûrs et d'épices douces. C'est aussi par son intensité en bouche, son volume et sa longueur que ce vin a séduit les dégustateurs. La **cuvée principale 1er cru Chaume 2011 (8 à 11 € ; 6 260 b.)** est citée pour ses arômes de fruits mûrs et pour son équilibre bien ajusté entre sucre, alcool et acidité.

☙ EARL Dom. Michel Blouin,
53, rue du Canal-de-Monsieur, 49190 Saint-Aubin-de-Luigné,
tél. 02 41 78 33 53, domaine.michel.blouin@wanadoo.fr,
Ⓥ ⚲ ⊥ t.l.j. 9h-12h30 14h-19h; dim. sur r.-v.

DOM. BODINEAU Ambre des Simonnières 2011 ★

■	2 000	⬛	15 à 20 €

Ce domaine peut se visiter en famille, et les enfants s'amuseront en compagnie de la mascotte, Jeffrey Zain, qui les conduira dans les vignes pour un jeu de piste ludique et pédagogique. Les parents profiteront des vins de l'exploitation, et de cette cuvée en particulier. Encore sur la réserve, le nez nécessite une aération pour livrer ses arômes de coing et ses nuances légèrement boisées. La bouche, riche, dévoile des notes de fruits confits et présente un bel équilibre entre sucre et acidité. Un vin harmonieux, à déguster à l'apéritif. (Bouteilles de 50 cl.)

☙ Dom. Bodineau, Savonnières,
4, chem. du Château-d'Eau, 49700 Les Verchers-sur-Layon,
tél. 02 41 59 86 22, fax 02 41 59 86 21,
domainebodineau@yahoo.fr, Ⓥ ⚲ ⊥ t.l.j. sf dim. 9h-18h

DOM. DES BOHUES Saint-Lambert 2011 ★

■	6 000	⬛	11 à 15 €

Le domaine de Denis Retailleau ajoute une étoile à son beau palmarès grâce à ce 2011. Celui-ci se présente dans une robe jaune paille et offre au nez des notes fruitées (pêche), florales et boisées (legs des dix-sept mois d'élevage en fût), agrémentées de nuances mentholées et citronnées. À la fois généreux et droit, soutenu par une vivifiante acidité en finale, le palais est bien construit et équilibré. Un beau classique, qui pourra patienter quelques années en cave pour mieux se révéler. (Bouteilles de 50 cl.)

☙ Denis Retailleau, Les Bohues,
49750 Saint-Lambert-du-Lattay, tél. 02 41 78 33 92,
fax 02 41 78 34 11, denisretailleau.bohues@orange.fr,
Ⓥ ⚲ ⊥ t.l.j. 8h30-12h30 14h-19h

CH. DE BROSSAY Cuvée Bertille 2011

■	3 300	⬛	5 à 8 €

Si le domaine familial a rajeuni son équipe avec l'arrivée de Nicolas Tamboise et de Benjamin Grandsart,

gendres de Raymond Deffois, les vignes à l'origine de cette cuvée ont, quant à elles, un âge vénérable (cinquante ans). Cette maturité se retrouve dans un nez fin aux sympathiques notes de fruits confits. Ronde et légèrement acidulée, la bouche se révèle bien équilibrée. Un vin plaisant, qui pourra accompagner un dessert au chocolat.

☙ Ch. de Brossay, Brossay, 49560 Cléré-sur-Layon,
tél. 02 41 59 59 95, fax 02 41 59 58 81,
contact@chateaudebrossay.fr,
Ⓥ ⚲ ⊥ t.l.j. sf dim. 8h-12h30 14h-20h

DOM. CADY Chaume 2011 ★

■ 1er cru	5 000	🍾	15 à 20 €

La réputation de ce domaine en termes de liquoreux n'est plus à faire. Et ce n'est pas la conversion du vignoble à l'agriculture biologique qui changera les choses. La famille Cady, à la tête de la propriété depuis 1927, le prouve avec cette cuvée au nez très expressif dominé par les fruits jaunes (pêche, abricot) et le miel. Malgré ses 160 g/l de sucres, la bouche reste fraîche et équilibrée. N'hésitez pas à savourer ce vin à l'apéritif ou accompagné d'une tarte Tatin.

☙ Dom. Cady, 20, Valette, 49190 Saint-Aubin-de-Luigné,
tél. 02 41 78 33 69, domainecady@yahoo.fr,
Ⓥ ⚲ ⊥ t.l.j. 9h-12h 15h-18h30; sam. dim. sur r.-v.

DOM. DE LA CLARTIÈRE Cuvée Charlotte 2011 ★★

■	2 300	⬛	11 à 15 €

Pierre-Antoine Pinet signe cette cuvée du nom de sa fille née en 2011. Celle-ci pourra assurément la déguster à sa majorité, car un long vieillissement en cave permettra à ce vin d'atteindre sa maturité. Son nez complexe et riche (agrumes, coing, miel) et son équilibre en bouche apporté par une légère acidité sont deux indices qui nous permettent d'affirmer son potentiel. Un superbe vin rond, ample et gourmand. (Bouteilles de 50 cl.)

☙ EARL Pierre-Antoine Pinet, La Clartière,
49560 Nueil-sur-Layon, tél. 02 41 59 53 05,
earlpinet@orange.fr, Ⓥ ⚲ ⊥ t.l.j. sf dim. 9h-18h30

DOM. DES DEUX VALLÉES Chaume 2011 ★★

■ 1er cru	8 800		11 à 15 €

Il y a douze ans, Philippe et René Socheleau ont pris les commandes du domaine et ils s'appliquent depuis, millésime après millésime, à extraire le meilleur de leur terroir. Un outil de production performant et un travail méticuleux dans les vignes leur a permis d'élaborer cette cuvée particulièrement appréciée des dégustateurs, à commencer par son nez exubérant de fruits compotés, de vanille et de confiture de coings. La bouche n'est pas en reste et déploie une matière fruitée et concentrée soutenue par une trame finement acide qui équilibre l'ensemble et porte loin la finale. Un vin en tout point remarquable, que l'on pourra déguster dès à présent, mais qui pourra aussi patienter plusieurs années en cave. (Bouteilles de 50 cl.)

☙ Dom. des Deux Vallées, Bellevue,
49190 Saint-Aubin-de-Luigné, tél. 02 41 78 33 24,
fax 02 41 78 66 58, contact@domaine2vallees.com,
⚲ ⊥ t.l.j. sf dim. 9h-12h 14h-18h
☙ Socheleau

DOM. DHOMMÉ Tradition 2012 ★

■	8 500	🍾	5 à 8 €

Situés au confluent de la Loire et du Layon, les 23 ha du vignoble jouissent, l'automne venu, des brumes matinales indispensables au développement du botrytis. Ce champignon concentre le raisin en sucre et en arômes. Les notes d'abricot et de fruits exotiques, encore un peu discrètes à l'olfaction, s'affirment dans une bouche tout en rondeur, portée par une agréable minéralité. Un vin gourmand et prêt à boire, que l'on pourra apprécier sur un coq au layon.

•⌐ Dom. Dhommé, 46, Les Petits-Fresnaies, 49290 Chalonnes-sur-Loire, tél. 02 41 45 06 53, info@domainedhomme.com,
☑ ⚥ ☖ t.l.j. sf dim. 9h-12h 14h-19h

VIGNOBLE DE L'ÉCASSERIE Vieilles Vignes 2011 ★

▪	2 106	⊕	5 à 8 €

Depuis la construction d'un nouveau chai en 2007, les vins du vignoble de l'Écasserie fleurissent dans les pages du Guide. Ce 2011 dominé par l'acacia et par de légères notes de fumée n'usurpe pas son étoile tant sa bouche finement boisée (quatre mois d'élevage en fût) se montre longue et équilibrée. Un vin harmonieux, qui pourra se prêter à un accord gourmand avec une tarte aux abricots. (Bouteilles de 50 cl.)

•⌐ EARL Reulier, L'Écasserie, 49380 Champ-sur-Layon, tél. et fax 02 41 78 03 75, vignoble.ecasserie@orange.fr,
☑ ☖ t.l.j. sf dim. 8h-12h 14h-18h30

DOM. DE FIERVAUX 2011 ★★

▪	4 500	▮	8 à 11 €

Avant de vous rendre au domaine de Fiervaux, vous pourrez profiter du sentier viticole du Puy-Notre-Dame, jalonné de plusieurs étapes pédagogiques, qui vous enseigneront le travail de la vigne ; il ne vous restera que 2 km à parcourir pour arriver à Vaudelnay. Les fruits exotiques et l'ananas ouvrent cette dégustation qui se poursuit par une attaque franche et onctueuse, pour se terminer sur une agréable sensation de fraîcheur. Un vin remarquablement équilibré, à déguster dès à présent, à l'apéritif ou au dessert.

•⌐ Christian Cousin, 235, rue des Caves, 49260 Vaudelnay, tél. 02 41 52 34 63, fax 02 41 38 89 23 ☑ ⚥ ☖ r.-v.

DOM. DE FONTENY Chaume 2011 ★

▪ 1er cru	1 200	▮⊕	11 à 15 €

Situé aux portes de Brissac, ce domaine fondé en 1983 a vu son équipe renforcée par l'arrivée il y a quelques années de Nicolas Poupart, le fils de Jean-Dominique. Ce joli 2011 permet à la famille Poupart de faire son entrée dans le Guide. Sa couleur vieil or patiné et son nez discret d'abricot sec font place à une explosion aromatique en bouche, avec une attaque franche et puissante où se succèdent les fruits compotés et les agrumes. La finale chaleureuse invite à servir ce vin bien frais à l'apéritif.

•⌐ EARL Poupart, Dom. de Fonteny, 49320 Brissac-Quincé, tél. 06 81 31 47 82, fax 02 41 54 16 78, domainefonteny@gmail.com, ☑ ⚥ ☖ t.l.j. 9h-18/h30

♥ DOM. DES FORGES Chaume Les Onnis 2011 ★★

▪ 1er cru	7 200	⊕	15 à 20 €

Déjà récompensée par un coup de cœur dans le millésime 2009, cette cuvée s'illustre à nouveau pour l'année 2011. Ce vin en tout point remarquable est la conjonction d'une solide expérience – Claude Branchereau, père de Stéphane, aujourd'hui aux commandes du domaine, était déjà réputé pour ses liquoreux – et d'un terroir exceptionnel, la parcelle les « Onnis » jouxtant l'appellation quarts-de-chaume. D'une couleur jaune

paille brillant, ce vin distille des parfums de fleurs blanches, de miel d'acacia et de fruits secs, tels que l'abricot et le pruneau. Quant à la bouche, tout aussi appréciable, elle trouve son équilibre sur une fine trame acide, marque des grands liquoreux. Sa puissance lui confère une réelle persistance et, comme le suggère un dégustateur, c'est à un apéritif au « coin du feu », accompagné de toasts au foie gras, que ce vin donnera toute sa mesure.

•⌐ Branchereau - Dom. des Forges, Le Clos-des-Forges, 49190 Saint-Aubin-de-Luigné, tél. 02 41 78 33 56, fax 02 41 78 67 51, cb@domainedesforges.net,
☑ ⚥ ☖ t.l.j. 9h-12h 14h-19h; dim. sur r.-v. ⌂ ❸

DOM. GROSSET Rochefort La Motte à Bory 2011 ★

▪	1 500	⊕	11 à 15 €

Situé sur la Corniche angevine à la sortie de Rochefort, ce domaine familial de 14,35 ha soigne particulièrement ses vins liquoreux, comme en témoignent les deux cuvées sélectionnées. En tête, ce vin d'un jaune intense, dont l'olfaction s'exprime avec intensité autour des fruits exotiques. Une fois en bouche, la surmaturité se fait remarquer et la structure, ample et légèrement acidulée, lui confère une jolie longueur. Pourquoi pas avec des toasts au foie gras ? Le **chaume 1er cru 2011 (15 à 20 € ; 3 000 b.)**, aux arômes de fruits confits encore discrets au nez, soulignés en bouche par un boisé fondu et une pointe de fraîcheur en finale, est cité.

•⌐ Serge Grosset, 60, rue René-Gasnier, 49190 Rochefort-sur-Loire, tél. 02 41 78 78 67, segrosset@wanadoo.fr, ☑ ⚥ ☖ t.l.j. sf dim. 9h-12h 14h-18h

DOM. DES HAUTS PERRAYS Vieilles Vignes 2011 ★★

▪	5 000	▮	11 à 15 €

Luc et Claire Le Fournis ont repris ce domaine en avril 2009 et depuis, ils se voient régulièrement mentionnés dans le Guide. Ce 2011 apparaît vêtu d'une robe jaune paille et livre un nez déjà ouvert dans lequel se déploient des senteurs riches et intenses d'abricot sec et de miel. Au palais, le livre une matière ample, ronde, persistante, pour s'achever sur des notes de fruits confits et de nougat. Un vin harmonieux et équilibré, qui aura sa place aussi bien à l'apéritif qu'au dessert.

•⌐ Dom. des Hauts Perrays, Les Hauts-Perrays, 49290 Chaudefonds-sur-Layon, tél. 02 41 78 67 57, fax 02 41 78 68 78, contact@domaine-des-hauts-perrays.fr,
☑ ⚥ ☖ r.-v.
•⌐ Le Fournis

LE LOGIS DU PRIEURÉ Clos des Aunis 2011

▪	6 000	▮	8 à 11 €

Récompensée de deux étoiles dans le Guide 2013 pour le millésime 2010, cette cuvée est encore présente cette année. Son nez s'ouvre sur des notes de miel avant de faire place à une bouche chaleureuse qui séduit par ses arômes intenses de fruits exotiques. On suggérera un accord classique avec un dessert aux fruits.

☞ SCEA Vincent Jousset, Le Logis du Prieuré, 8, rte des Verchers, 49700 Concourson-sur-Layon, tél. 02 41 59 11 22, fax 02 41 59 38 18, contact@logisduprieure.fr, ☑ ☆ ⏻ t.l.j. sf dim. 9h-12h30 13h-18h30

L. ET F. MARTIN Les Peumins 2011 ★★

	2 100	⏻	15 à 20 €

Coup de cœur lors de la précédente édition, cette cuvée frôle cette distinction. Les dégustateurs ont apprécié sa jolie robe dorée, presque orangée, son nez intense de fruits confits, sa bouche souple aux arômes d'abricot et de miel, longue et tout aussi soutenue. Un vin riche sans lourdeur, « que l'on aimerait avoir dans sa cave », souligne un membre du jury : un vin remarquable, à déguster à l'apéritif. Dans un registre un peu plus léger mais tout aussi harmonieux, la **cuvée Prestige (11 à 15 € ; 7 000 b.)**, longue et finement boisée, obtient la même note.

☞ GAEC Luc et Fabrice Martin, 2 bis, rue du Stade, 49290 Chaudefonds-sur-Layon, tél. 02 41 78 19 91, fax 02 41 78 98 25, luc.martin3@wanadoo.fr, ☑ ⏻ r.-v.

RAYMOND MORIN Tri de vendange 2011 ★★

	4 580	⏻	15 à 20 €

Saint-Lambert-du-Lattay est un village de vignerons par excellence puisque plus de 60 % de sa surface agricole est plantée de vignes. Le chenin de ce domaine a poussé sur un sol de schistes caractéristique de l'appellation. Il donne naissance à cette cuvée jaune limpide aux reflets verts, au nez intense de pêche et de poire. Les arômes boisés s'affirment au palais mais restent mesurés et participent à la complexité de ce vin suave, équilibré et long.

☞ SARL Dom. du Landreau, Le Landreau, 49750 Saint-Lambert-du-Lattay, tél. 02 41 78 30 41, fax 02 41 78 45 11, cmorin@domaine-du-landreau.com, ☑ ☆ ⏻ r.-v.

Ⓑ CH. DES NOYERS 2011

	10 000	⏻	8 à 11 €

Ce ravissant château à échauguettes (tours sentinelles) du XVIᵉs. propose des chambres d'hôtes où vous pourrez séjourner après avoir dégusté les vins de l'exploitation. Ce 2011 jaune paille séduit dès la première agitation qui dévoile des parfums de fruits compotés au beurre. Sur des tonalités caramel et vanille, la bouche déploie une matière suave jusqu'en finale. À déguster sur un fromage à pâte persillée ou une tarte aux pommes tiède.

☞ SCA Ch. des Noyers, Les Noyers, 49540 Martigné-Briand, tél. 02 41 54 03 71, fax 02 41 54 27 63, chateau.desnoyers@wanadoo.fr, ☑ ☆ ⏻ t.l.j. 9h-12h 14h-18h; sam. dim. sur r.-v. 🏨 Ⓖ ☞ J.-P. Besnard

♥ DOM. OGEREAU Saint-Lambert
Clos des Bonnes Blanches 2011 ★★

	1 000	⏻	30 à 50 €

Vincent Ogereau, régulièrement présent dans le Guide, décroche ici son dixième coups de cœur qui s'ajoute aux innombrables étoiles que les vins de sa gamme ont pu obtenir au gré des millésimes. De couleur jaune doré, ce 2011 présente une vraie complexité : du fruit sec

(noisette, figue, abricot), de la menthe, de l'acacia et du boisé (pain grillé). La bouche n'est pas en reste, et dès l'attaque pleine de vivacité, on y retrouve la puissance des grands liquoreux. Les dix-sept mois de l'élevage en fût ont conféré une bonne structure, et la finale se fait très longue. Un vin déjà très agréable, d'une grande harmonie, à apprécier sur un foie gras. (Bouteilles de 50 cl.)

☞ Vincent Ogereau, 44, rue de la Belle-Angevine, 49750 Saint-Lambert-du-Lattay, tél. 02 41 78 30 53, fax 02 41 78 43 55, contact@domaineogereau.com, ☑ ⏻ r.-v.

DOM. DE PAIMPARÉ Saint-Lambert Cuvée Vincent 2011

	2 000	▮	11 à 15 €

Situé à proximité du musée de la Vigne et du Vin de Saint-Lambert-du-Lattay, ce domaine présente une cuvée qui porte le nom du fils de Michel Tessier. D'un aspect limpide, le vin s'affirme au nez avec des accents de fruits exotiques bien mûrs. On retrouve ces arômes en bouche mêlés à ceux de la poire cuite. On apprécie aussi sa souplesse, sa fraîcheur et sa finale de bonne longueur. Dans un style assez similaire, la **cuvée principale Saint-Lambert 2011 (5 à 8 € ; 2 000 b.)** est également citée.

☞ SCEA Michel Tessier, 32, rue Rabelais, 49750 Saint-Lambert-du-Lattay, tél. 02 41 78 43 18, domainedepaimpare@gmail.com, ☑ ☆ ⏻ r.-v.

Ⓑ CH. DE PASSAVANT 2012 ★★

	20 000	⏻	8 à 11 €

Fervent défenseur d'une viticulture respectueuse de l'environnement et des consommateurs, David Lecomte signe un 2012 certifié bio qui sort brillamment son épingle du jeu, malgré un millésime difficile. Cette cuvée se présente dans une robe jaune doré et offre à l'olfaction des parfums de pêche accompagnés de légères nuances de brioche et de pain grillé. Au palais, une belle tension minérale contrebalance la sucrosité du vin. Un layon équilibré et expressif, à servir sur une volaille noble rôtie. Davantage marquée par la pourriture noble, la cuvée **Les Greffiers 2011 (15 à 20 € ; 3 800 b.)**, aux arômes de pêche de vigne, ample, vivifiée par une pointe de fraîcheur, reçoit quant à elle une étoile.

☞ Ch. de Passavant, 31, rue du Prieuré, 49560 Passavant-sur-Layon, tél. 02 41 59 53 96, fax 02 41 59 57 91, passavant@wanadoo.fr, ☑ ☆ ⏻ t.l.j. sf dim. 8h-12h 14h-18h; f. 15 août-1ᵉʳ sept. ☞ David Lecomte

DOM. DU PETIT CLOCHER Prestige 2011 ★★★

	2 500	⏻	15 à 20 €

Le domaine du Petit Clocher est une affaire de famille ; après les frères Antoine et Jean-Noël, c'est au tour de la dernière génération composée de Stéphane,

LOIRE

Julien et Vincent de gérer l'exploitation ; autant dire qu'ils le font d'une main de maître. Régulièrement en bonne place dans le Guide, ils frôlent le coup de cœur avec ce 2011 de haute volée. Le nez mêle des arômes intenses de coing et de miel, relayés par une bouche ample et généreuse, puissante et concentrée, portée en finale par une belle fraîcheur minérale. Un vin « euphorisant, extraordinaire » : les jurés ne manquent pas de qualificatifs élogieux. À déguster pour lui-même à l'apéritif ou sur une poire au roquefort. (Bouteilles de 50 cl.)

☙ Dom. du Petit Clocher, 1, rue du Layon,
49560 Cléré-sur-Layon, tél. 02 41 59 54 51,
fax 02 41 59 59 70, petit.clocher@wanadoo.fr,
☑ ⚔ ⏱ t.l.j. sf dim. 8h-12h30 14h-18h
☙ Denis

DOM. DU PETIT MÉTRIS Chaume Les Tétuères 2011 ★

1er cru	2 200	⦀	15 à 20 €

Ce domaine s'affirme comme une valeur sûre en liquoreux, avec deux coups de cœur consécutifs (éditions 2013 et 2014) pour ses quarts-de-chaume (pour ne citer que les plus récents). On comprend bien tout ce que l'élaboration des vins doux doit au savoir-faire ancestral : le domaine date de 1742. Cette cuvée s'affiche dans une robe or et envoûte avec ses notes de fruits blancs, de poire et de coing soigneusement mêlées aux nuances vanillées apportées par le bois. Gourmande et puissante à la fois, la bouche séduit par sa complexité. Assurez votre succès et mariez cette bouteille avec des mangues caramélisées. Si elle paraît moins complexe, la **cuvée principale 1er cru Chaume 2011** (11 à 15 € ; 5 000 b.) est citée pour ses agréables notes de surmaturation et pour sa matière ample et homogène.

☙ Dom. du Petit Métris, 13, chem. de Treize-Vents,
Le Grand-Beauvais, 49190 Saint-Aubin-de-Luigné,
tél. 02 41 78 33 33, fax 02 41 78 67 77,
domaine.petit.metris@wanadoo.fr, ☑ ⚔ ⏱ r.-v.
☙ GAEC J. Renou et Fils

DOM. DE PIED-FLOND Les Tentations 2011 ★

	2 313	⦀	11 à 15 €

C'est dans une maison noble du XVᵉs. chargée d'histoire que Franck Gourdon vous accueillera pour vous expliquer ses pratiques viticoles. Il faudra prévoir un peu de temps pour déguster ses cuvées et notamment ce 2011 aux parfums de verveine et de fruits secs. La bouche se fait ronde, tendre et vive... bien équilibrée en somme. « Pour un apéritif d'été », conseille un dégustateur. Dans un style proche et tout aussi facile d'accès, la **cuvée principale 2011** (5 à 8 € ; 6 500 b.) est citée.

☙ Franck Gourdon, Dom. de Pied-Flond,
49540 Martigné-Briand, tél. 02 41 59 92 36,
pied-flond@9business.fr, ☑ ⚔ ⏱ r.-v.

♥ CH. PIERRE-BISE Beaulieu Les Rouannières 2011 ★★

	9 300		11 à 15 €

S'il existe un viticulteur capable de vous expliquer simplement la notion de terroir, c'est bien Claude Papin. Celui-ci connaît parfaitement les caractéristiques de chacune de ses parcelles et ce n'est pas un hasard si les étiquettes de ses vins se retrouvent régulièrement en vedette dans le Guide. Aiguisez vos sens et vos papilles, et laissez cette cuvée jaune d'or intense vous captiver par son bouquet, d'abord ouvert sur le miel, puis sur l'acacia, le coing et la noix. L'attaque en bouche est soyeuse, la

Château Pierre-Bise
LES ROUANNIÈRES
Coteaux du Layon Beaulieu
Appellation Coteaux du Layon Beaulieu contrôlée
2011
earl Château Pierre-Bise, viticulteur à 49750 Beaulieu-sur-Layon, tél. 02 41 78 31 44

puissance prend le relais, « boostée » par une élégante touche de minéralité qui équilibre l'ensemble et allonge la finale. Ce vin complet peut sans nul doute rester en cave de nombreuses années. (Bouteilles de 50 cl.) La cuvée **1er cru Chaume 2011** (15 à 20 € ; 2 725 b.), aux arômes de figue, de caramel et de raisin sec, et à la bouche ample, longue et bien équilibrée, reçoit quant à elle une étoile. Heureux accords en perspective avec un dessert au chocolat. (Bouteilles de 50 cl.)

☙ EARL Ch. Pierre-Bise, 1, imp. du Chanoine-des-Douves,
49750 Beaulieu-sur-Layon, tél. 02 41 78 31 44,
fax 02 41 78 41 24, chateaupb@hotmail.com, ☑ ⏱ r.-v.
☙ Papin

DOM. DE PONT-PERRAULT Chaume 2011

1er cru	2 000	⦀	11 à 15 €

Cela fait maintenant un peu plus d'une décennie que Jean-Jacques Papiau a repris l'exploitation familiale. La cuvée qu'il propose ici apparaît dans une robe jaune doré brillant. Son nez, caractéristique du chenin, s'ouvre sur le coing et les fruits confits. Sa bouche, plus puissante et chaleureuse mais bien équilibrée, lui permettra d'accompagner du foie gras ou un fromage bleu.

☙ SCEA Papiau, lieu-dit Pont-Perrault,
49190 Rochefort-sur-Loire, tél. 02 41 78 71 57,
jeanjacques.papiau@sfr.fr,
☑ ⚔ ⏱ t.l.j. sf dim. 8h-12h 14h-18h

DOM. DES QUARRES Faye Magdelaine 2011 ★

	6 000	⦀	8 à 11 €

Réparti de part et d'autre du Layon, ce vignoble bénéficie d'un sol d'une intéressante complexité géologique : la rive gauche est constituée de graviers et de sables, et la rive droite, de schistes. C'est sur ce terroir que le chenin a donné naissance à cette cuvée encore un peu discrète au nez, souple, riche, douce en bouche, équilibrée par une fine acidité.

☙ Dom. des Quarres, 66, Grande-Rue,
49750 Rablay-sur-Layon, tél. 02 41 78 36 00,
fax 02 41 78 62 58, domainedesquarres@wanadoo.fr,
☑ ⏱ r.-v. 🏠 ❷
☙ Aubert-Gourdon

RICHARD Saint-Lambert Cuvée des Varennes 2011 ★

	3 500	▮	8 à 11 €

Vous pourrez mettre à profit votre passage à Saint-Lambert-du-Lattay pour visiter le musée de la Vigne et du Vin. Celui-ci propose une immersion au cœur du vignoble angevin et la découverte de ses nombreux terroirs, comme les célèbres schistes d'Anjou bien représentés ici avec ce 2011. Le nez libère d'intenses notes de raisin sec. La bouche, droite et bien concentrée, se termine sur des notes de pain d'épice et sur une touche de fraîcheur qui apporte de l'équilibre à l'ensemble. À servir avec des fromages à pâte persillée.

☛ EARL A. Richard, 11, rue des Varennes, 49750 Saint-Lambert-du-Lattay, tél. 02 41 78 32 97, fax 02 41 74 00 30, richarda@orange.fr, ✅ ⚔ ⬆ r.-v.

MICHEL ROBINEAU Beaulieu-sur-Layon 2011 ★

▪	1 000	⬤	8 à 11 €

Chez Michel Robineau, il est question de tries et de microcuvées : en témoignent ces 1 000 bouteilles issues de la sélection d'une parcelle de 50 ares. Ce vin rare a été élevé en fût durant neuf mois et, lors de la dégustation, on retrouve cet harmonieux mariage entre le bois et le raisin confit. Le nez se révèle frais et concentré, ponctué de touches d'orange confite et de pamplemousse. Du volume, de la longueur et un boisé ajusté pour ce vin net et agréable.

☛ Michel Robineau, 3, chem. du Moulin, Les Grandes-Tailles, 49750 Saint-Lambert-du-Lattay, tél. 02 41 78 34 67, vignoblemichelrobineau@orange.fr, ✅ ⚔ ⬆ r.-v.

DOM. DE LA ROCHE MOREAU Chaume 2011 ★

▪ 1er cru	n.c.	⬤	11 à 15 €

La galerie qui fait aujourd'hui office de cave fut jadis une mine de charbon. L'or noir de l'époque s'est transformé en or liquide, et les liquoreux de ce domaine situé sur la Corniche angevine sont souvent de vraies pépites. Ce 2011 à la jolie robe jaune doré a su lui aussi séduire les dégustateurs. Si son nez se montre encore un peu discret et mérite de s'ouvrir davantage, la bouche apparaît quant à elle plus généreuse d'un point de vue aromatique, libérant des notes de fruits cuits, le pruneau notamment. Un vin ample et harmonieux, que l'on attendra au moins deux ou trois ans avant de le servir sur du foie gras ou une tarte aux fruits. Le **2011 Saint-Aubin (6 000 b.)**, aux arômes de fruits confits, bien ajusté entre sucre et vivacité, et le coteaux-du-layon générique **2012 (8 à 11 € ; 3 000 b.)**, aux notes d'ananas, ample et bien équilibré, sont tous deux cités.

☛ André Davy, Dom. de la Roche Moreau, La Haie-Longue, 49190 Saint-Aubin-de-Luigné, tél. 02 41 78 34 55, davy.larochemoreau@wanadoo.fr, ✅ ⚔ ⬆ r.-v.

LA ROCHE SAINT-AENS 2012 ★

▪	12 000	▪	8 à 11 €

La roche Saint-Aens, située à Rochefort-sur-Loire, est un promontoire que l'on aperçoit depuis la vallée de la Loire. La vigne y puise assez d'éléments pour communiquer de la minéralité aux vins. La pêche et l'abricot animent le nez de ce joli 2012 et se retrouvent dans une bouche fine, portée par une agréable fraîcheur aux accents du terroir. Un vin harmonieux, à déguster à l'apéritif.

☛ EARL Pin, Les Hautes-Brosses, 49190 Rochefort-sur-Loire, tél. 02 41 78 35 26, fax 02 41 78 98 21, pin@webmails.com, ✅ ⚔ ⬆ r.-v.

CH. DES ROCHETTES Vieilles Vignes 2011 ★★

▪	9 640	▪	8 à 11 €

L'une des références de l'appellation, conduite depuis 2006 par Catherine Nolot. Le domaine tient son rang à en juger par ce liquoreux qui exprime avec délicatesse ses arômes de pourriture noble. L'abricot sec, le miel et la minéralité agrémentent le palais, qui conjugue puissance et finesse pour composer un vin gourmand et harmonieux.

☛ SCEA Catherine Nolot, L'Été, 49700 Concourson-sur-Layon, tél. 02 41 59 11 63, fax 02 41 59 95 16, domainedelete@wanadoo.fr, ✅ ⚔ ⬆ t.l.j. sf dim. 9h-12h30 13h30-18h

DOM. SAINT-ARNOUL Harmonie en L. 2012

▪	5 000	▪	5 à 8 €

Saluons ce 2012, car les élus du Guide sont rares pour ce millésime. Les fruits blancs et jaunes imprègnent le nez et annoncent une bouche tout en douceur, dotée d'un beau volume. Son équilibre et sa richesse mesurés lui permettront d'accompagner l'apéritif et de ne pas saturer les papilles avant de passer à table.

☛ Poupard, Dom. Saint-Arnoul, 5, rue des Caves-Sousigné, 49540 Martigné-Briand, tél. 02 41 59 43 62, fax 02 41 59 69 23, domaine@saint-arnoul.com, ✅ ⚔ ⬆ r.-v.

MARC SÉCHET 2011 ★

▪	5 000	⬤	5 à 8 €

Vendangée à la main par tries successives et issue d'une vinification traditionnelle, où la fermentation s'est faite avec des levures indigènes, cette cuvée jaune clair dévoile un nez intense d'agrumes et de pêche de vigne. Elle capte aussi l'attention par sa bouche ample, étayée par une fraîcheur vivifiante. Des arômes chocolatés (dus à l'élevage en barrique) et légèrement citronnés se révèlent en finale. Un vin équilibré que l'on appréciera à l'apéritif.

☛ Marc Séchet, 19, rue des Vignerons, Maligné, 49540 Martigné-Briand, tél. 02 41 59 43 40, marc.sechet@online.fr, ✅ ⚔ ⬆ r.-v.

CH. SOUCHERIE Chaume 2011

▪ 1er cru	4 000	⬤	20 à 30 €

Cette propriété située au cœur du vignoble offre un magnifique point de vue sur la vallée du Layon. C'est sur ces terroirs et grâce à cette rivière que la pourriture noble peut faire son œuvre et s'installer sur les raisins pour les concentrer en sucre. Ce 2011 présente toutes les caractéristiques de ces vins liquoreux avec ses notes de fruits secs et d'acacia, sa bouche souple et sa finale légèrement acidulée. À déguster sur une salade de fruits ou sur un foie gras poêlé.

☛ Ch. Soucherie, La Soucherie, 49750 Beaulieu-sur-Layon, tél. 02 41 78 31 18, fax 02 41 78 48 29, contact@domaine-de-la-soucherie.fr, ✅ ⚔ ⬆ t.l.j. sf dim. 9h-18h 🏠 ⑤
☛ R.-F. Béguinot

CH. LA TOMAZE Faye Sélection de grains nobles 2010 ★

▪	3 600	⬤	15 à 20 €

La mention « Sélection de grains nobles » correspond à un cahier des charges bien défini qui impose une richesse minimale en sucres de 234 g/l. Cette cuvée bénéficie de cette mention, et pour cause... Elle exprime parfaitement les caractéristiques d'une vendange botrytisée et offre un nez intense de miel, de cire d'abeille et d'acacia dans lequel de subtiles notes d'oxydation ajoutent des nuances de pruneau. Le palais tapissé d'arômes de fruits confits dévoile une matière ample, souple, généreuse et bien équilibrée par une juste fraîcheur. À réserver pour un foie gras. (Bouteilles de 50 cl.)

☎ Ch. la Tomaze, 6 B, rue du Pineau,
49380 Champ-sur-Layon, tél. 02 41 78 86 34,
fax 02 41 78 61 60, vignoblelecointre@orange.fr,
☑ ⚥ ⵏ r.-v. 🏠 Ⓑ

Quarts-de-chaume

Superficie : 28 ha
Production : 579 hl

Le nom de l'appellation dit l'ancienneté de ce vignoble réputé de la vallée du Layon : le seigneur se réservait le quart de la production et gardait le vin né sur le meilleur terroir. Les quarts-de-chaume proviennent d'une colline exposée au plein sud autour de Chaume, à Rochefort-sur-Loire. Les vignes souvent vieilles, l'exposition et les aptitudes du chenin conduisent à des productions, souvent faibles, de grande qualité. Récoltés par tries, les vins sont moelleux ou liquoreux. Séveux et nerveux, ils sont de garde (de cinq ans à plusieurs décennies, selon le millésime). Depuis 2011, l'étiquette des quarts-de-chaume peut afficher la mention « grand cru ».

DOM. DE LA BERGERIE 2011

| ▮ Gd cru | 2 500 | ⑪ | 30 à 50 € |

Au domaine de la Bergerie, tous les styles (blanc, rosé, rouge et liquoreux) sont intéressants. Le vignoble d'Yves Guégniard, aujourd'hui entre les mains de sa fille Anne, reste une référence dans la région. Cette cuvée offre des arômes de pêche et d'ananas au nez comme en bouche ; cette dernière est portée jusqu'en finale par une plaisante fraîcheur qui apporte de l'équilibre à l'ensemble. (Bouteilles de 50 et 75 cl.)
☎ Yves et Anne Guégniard, Dom. de la Bergerie,
49380 Champ-sur-Layon, tél. 02 41 78 85 43,
fax 02 41 78 60 13, domainede.la.bergerie@wanadoo.fr,
☑ ⵏ t.l.j. sf dim. 9h-12h30 14h-19h

CH. DE L'ÉCHARDERIE 2011

| ▮ Gd cru | 6 000 | ▮ | 20 à 30 € |

Depuis l'époque où le seigneur de la Guerche recevait le meilleur quart de la récolte (origine de l'appellation), le chenin est toujours présent sur les coteaux de schistes et de grès de cette propriété. Ce 2011 se montre puissant dès l'olfaction avec des notes de fruits secs et confits, et s'allonge en bouche avec moelleux et finesse. La finale dévoile de plaisantes notes de pin qui procurent un surcroît de fraîcheur et de complexité.
☎ Vignobles Laffourcade, L'Écharderie,
49190 Rochefort-sur-Loire, tél. 02 41 54 16 54,
fax 02 41 54 00 10, laffourcade@wanadoo.fr, ☑ ⚥ ⵏ r.-v.

DOM. DES FORGES 2011

| ▮ Gd cru | 2 100 | ⑪ | 30 à 50 € |

Régulièrement présent dans le Guide, souvent aux meilleures places en liquoreux, Stéphane Branchereau signe un 2011 gourmand dès le nez grâce à un élevage en fût maîtrisé. La bouche dévoile une matière généreuse, puissante et structurée. Un vin qui plaira aux « becs sucrés ».

☎ Branchereau - Dom. des Forges, Le Clos-des-Forges,
49190 Saint-Aubin-de-Luigné, tél. 02 41 78 33 56,
fax 02 41 78 67 51, cb@domainedesforges.net,
☑ ⚥ ⵏ t.l.j. 9h-12h 14h-19h; dim. sur r.-v. 🏠 Ⓔ

DOM. GAUDARD 2011 ★

| ▮ | 3 000 | ▮ | 30 à 50 € |

Récemment installé aux commandes de l'exploitation familiale, Antoine Aguilas montre avec cette cuvée que la succession est bien assurée. Le nez est à l'image de la bouche, fin et élégant. Loin des quarts-de-chaume puissants, ce vin se montre frais et aimable grâce à des notes légèrement mentholées et à ses nuances d'agrumes. Un ensemble tonique, à déguster pendant l'apéritif.
☎ Antoine Aguilas, Les Saules,
49290 Chaudefonds-sur-Layon, tél. 02 41 78 10 68,
fax 02 41 78 67 72, pierre.aguilas@wanadoo.fr,
☑ ⚥ ⵏ t.l.j. 9h-12h 13h30-18h30; dim. sur r.-v.

♥ DOM. DU PETIT MÉTRIS N°54 2011 ★★

| ▮ Gd cru | 2 600 | ⑪ | 20 à 30 € |

Pour le domaine du Petit Métris, les années se suivent et se ressemblent puisque leur précédente cuvée de quarts-de-chaume avait décroché aussi un coup de cœur ! Ce n'est pas un hasard quand on connaît la régularité des vins du domaine. Avec cette version 2011, l'intensité se manifeste d'emblée à travers une robe d'un jaune d'or soutenu. Le nez n'est pas en reste avec ses notes de fruits confits (abricot), de miel et de vanille. En bouche, la maturité est superbe, et l'équilibre remarquable entre fruité et boisé, entre sucrosité et vivacité. Un grand cru assurément, à réserver pour un foie gras ou un fromage à pâte persillée.
☎ Dom. du Petit Métris, 13, chem. de Treize-Vents,
Le Grand-Beauvais, 49190 Saint-Aubin-de-Luigné,
tél. 02 41 78 33 33, fax 02 41 78 67 77,
domaine.petit.metris@wanadoo.fr, ☑ ⚥ ⵏ r.-v.
☎ GAEC J. Renou et Fils

DOM. DE LA ROCHE MOREAU 2011 ★★

| ▮ Gd cru | n.c. | ⑪ | 20 à 30 € |

Une pépite de plus pour ce domaine au joli palmarès de vins « étoilés » dans le Guide. André Davy est à nouveau récompensé à travers ce 2011, d'une couleur orangé soutenu, qui dévoile un sompteux bouquet de figue sèche et de confiture de coings. Malgré une attaque opulente, la bouche conserve une remarquable fraîcheur tout au long de la dégustation. Ce grand cru pourra aisément accompagner un dessert glacé.

☙ André Davy, Dom. de la Roche Moreau, La Haie-Longue, 49190 Saint-Aubin-de-Luigné, tél. 02 41 78 34 55, davy.larochemoreau@wanadoo.fr, ☑ ⚥ ⊤ r.-v.

Bonnezeaux

Superficie : 67 ha
Production : 1 830 hl

« L'inimitable vin de dessert », disait le Dr Maisonneuve en 1925. À cette époque, les grands liquoreux étaient surtout consommés à ce moment du repas ou dans l'après-midi, entre amis. De nos jours, on apprécie plutôt ce grand cru à l'apéritif. Très parfumé, plein de sève, de grande garde, le bonnezeaux doit toutes ses qualités au terroir exceptionnel qu'il occupe : surplombant le village de Thouarcé, trois petits coteaux de schiste abrupts exposés au plein sud : La Montagne, Beauregard et Fesles.

DOM. DES GIRAUDIÈRES Vendanges tardives 2011 ★★

	2 000		15 à 20 €

Ce domaine familial fondé en 1927 et dirigé par Dominique Roullet depuis 1983 propose toute la gamme des vins de la région de Brissac. Ce bonnezeaux a séduit les dégustateurs par son nez de fruits confits, d'abricot sec et d'agrumes, et par son palais ample, gras, d'une belle longueur. Un vin bien équilibré, à déguster sur un foie gras ou sur un fromage fort.
☙ Dominique Roullet, Les Giraudières, 49320 Vauchrétien, tél. 02 41 91 24 00, roulletdo@wanadoo.fr, ☑ ⚥ ⊤ t.l.j. 9h-12h 14h-19h 🏠 ❶

DOM. LE MONT Pour ma femme 2011

	2 700	⬛	20 à 30 €

Claude Robin célèbre avec cette cuvée les vingt ans de vie commune avec son épouse. Une belle attention qui permet de découvrir un vin au bouquet de fruits confits nuancé de notes légèrement torréfiées, et au palais chaleureux et long, étayé par une agréable fraîcheur en finale. À déguster à l'apéritif.
☙ EARL Louis et Claude Robin, 64, rue des Monts, 49380 Faye-d'Anjou, tél. 02 41 54 31 41, fax 02 41 54 17 98, clauderobin@domainelemont.fr, ☑ ⚥ ⊤ t.l.j. sf dim. 8h30-12h30 14h-19h

DOM. DES PETITS QUARTS Vendangé grain par grain 2011 ★★

	8 000	⬛	15 à 20 €

Ce domaine a assis sa notoriété sur la qualité de ses vins liquoreux. Les amateurs de bonnezeaux ne seront donc pas surpris de voir cette cuvée souvent « étoilée » une nouvelle fois en très bonne place dans le Guide. Vêtue d'une robe jaune doré, elle libère un bouquet intense de raisins de Corinthe, de figue sèche et de miel. La bouche est à l'unisson, souple, généreuse et très longue. À déguster sur un dessert aux fruits. La **cuvée classique 2010 (11 à 15 € ; 6 000 b.)**, encore un peu marquée par son élevage de dix-huit mois en fût, n'en est pas moins riche et équilibrée, et elle fera merveille avec un cœur fondant aux chocolats. Elle obtient une étoile, tout

comme la cuvée **Les Melleresses 2011 (11 à 15 € ; 5 000 b.)**, pour ses arômes de fruits confits et sa bouche ample et ronde.
☙ Jean-Pascal Godineau, Dom. des Petits Quarts, 49380 Faye-d'Anjou, tél. 02 41 54 03 00, fax 02 41 54 25 36 ☑ ⚥ ⊤ t.l.j. sf dim. 8h-12h 14h-18h

DOM. DE TERREBRUNE Séduction 2011 ★★★

	1 800	⬛	20 à 30 €

Patrice Laurendeau et Alain Bouleau ont décidé en 1986 de conjuguer leurs savoir-faire à travers ce domaine établi à proximité de la forêt de Brissac. Ils signent une cuvée qui n'usurpe pas son nom. Sous une apparence d'or intense, ce 2011 libère des parfums de fruits exotiques, notamment de mangue et de fruit de la Passion. La bouche, ronde, aux courbes généreuses, s'étire en une longue finale aux accents de fleur d'acacia. Très agréable dès aujourd'hui, ce superbe vin pourra encore grandir avec quelques années de vieillissement. Il sera encore là dans vingt ans.
☙ Dom. de Terrebrune, La Motte, 49380 Notre-Dame-d'Allençon, tél. 02 41 54 01 99, fax 02 41 54 09 06, domaine-de-terrebrune@wanadoo.fr, ☑ ⚥ ⊤ t.l.j. sf dim. 9h-12h 15h-18h
☙ Laurendeau et Bouleau

DOM. DE LA TOUCHE BLANCHE 2011 ★

	600		8 à 11 €

Ce domaine inscrit son bonnezeaux pour la première fois dans les pages du Guide. Déjà plusieurs fois mentionné dans d'autres appellations, il propose ici un 2011 qui semble donner tout son sens au terme « liquoreux ». Ce vin arbore une robe dorée, puis libère à l'olfaction une explosion de fruits jaunes et blancs très mûrs, de fruits exotiques et de miel. Le palais riche et puissant s'appuie sur un boisé fondu et offre une finale persistante.
☙ Dom. de la Touche Blanche, La Touche-Blanche, 49540 Martigné-Briand, tél. 06 60 74 42 41, earlrochais@orange.fr, ☑ ⚥ ⊤ r.-v. 🏠 Ⓐ
☙ Rochais

Saumur

Superficie : 2 613 ha
Production : 161 278 hl (61 % mousseux, 24 % rouge)

Le vignoble s'étend sur 36 communes. Il couvre les coteaux de la Loire et du Thouet, implanté sur le blanc tuffeau qui marque aussi l'habitat local. Les vins blancs de Turquant et de Brézé étaient autrefois les plus réputés ; depuis le milieu des années 1970, les vins rouges se développent. Ils dominent en volume les blancs secs tranquilles. Ceux du Puy-Notre-Dame, de Montreuil-Bellay et de Tourtenay ont acquis une bonne notoriété. L'appellation est beaucoup plus connue pour les vins effervescents, qui ont progressé en qualité. Les élaborateurs, tous installés à Saumur, possèdent des caves creusées dans le tuffeau, que l'on peut visiter.

JEAN-BAPTISTE ACKERMAN Grande Réserve Brut ★

| n.c. | ■ | 5 à 8 € |

Cette maison de négoce créée en 1811, entièrement dédiée aux vins de Loire, présente un effervescent élevé dix-huit mois sur lattes. Jaune pâle aux reflets verts, animé de bulles fines et légères, ce vin offre une palette aromatique composée de fruits et de fleurs blanches qui s'expriment agréablement au nez. La bouche est plaisante, équilibrée et offre une longue finale fruitée. Le **brut Royal Grande Réserve blanc (8 à 11 €)** est cité pour son nez complexe, fait de notes grillées et beurrées que l'on retrouve dans une bouche ronde et équilibrée.

☞ SA Ackerman, 19, rue Léopold-Palustre,
49400 Saint-Hilaire-Saint-Florent, tél. 02 41 53 03 10,
fax 02 41 53 03 19, contact@ackerman.fr,
☑ ⚔ ⵣ t.l.j. 9h00-12h30 14h-18h30
☞ Bernard Jacob

♥ CH. DE BEAUREGARD Brut Méthode traditionnelle
Cuvée Élégance 2010 ★★

| 18 000 | ■ | 8 à 11 € |

Ce domaine situé au Puy-Notre-Dame surplombe fièrement ses 23,3 ha de vignes du haut de sa butte de tuffeau. Après avoir appartenu à quatre générations de Gourdon, il a récemment été racheté par Bernard Cambier, ingénieur agronome. Celui-ci propose un brut vêtu d'une élégante robe jaune pâle auréolée d'une fine mousse qui a enthousiasmé les dégustateurs. Le vin est composé de chenin (40 %), de chardonnay (30 %) et de cabernet franc offre un nez complexe qui mêle harmonieusement notes florales et senteurs fraîches de fruits rouges et blancs. Le palais se révèle souple, parfaitement dosé et bien équilibré par une pointe de fraîcheur en finale. Un vin d'une belle complexité qui appelle un accord avec un turbot à la crème.

☞ Ch. de Beauregard, 4, rue Saint-Julien,
49260 Le Puy-Notre-Dame, tél. 02 41 52 25 33,
info@saumur-chateaudebeauregard.com,
☑ ⚔ ⵣ t.l.j. sf dim. 14h-18h30
☞ SCEV. B. Cambier

DOM. DU BOIS MIGNON La Croix verte 2012 ★

| 2 400 | ■ | - de 5 € |

Même si ce domaine se situe à la pointe sud de l'appellation, les sols sont composés majoritairement de calcaire du Turonien. Le chenin y a donné naissance à un 2012 jaune pâle au nez de fruits blancs et d'agrumes. Ample et acidulée en attaque, la bouche se poursuit par un élégant fruité et offre un bel équilibre. Un vin typique du millésime, à déguster sur une viande blanche. La cuvée **2011 rouge La Belle Cave (5 à 8 € ; 4 000 b.)**, citée, séduit par ses arômes de fruits rouges bien mûrs et de fleurs et par son palais frais épaulé par des tanins fondus.

☞ SCEA Charier-Baillot, Dom. du Bois Mignon,
La Tourette, 86120 Saix, tél. 06 79 29 25 81,
baillot.pascal@gmail.com, ☑ ⚔ ⵣ r.-v.

DOM. LA BONNELIÈRE Tradition
Lieu-dit : La Pièce d'Or 2012

| 12 000 | ■ | 5 à 8 € |

Après de nombreuses expériences dans des vignobles en France et à l'étranger, Anthony et Cédric Bonneau ont repris les rênes du domaine en 2000. Cette cuvée livre des parfums plaisants de groseille et de cassis. La bouche, à l'unisson, se révèle ronde et fraîche à la fois, portée par des tanins encore jeunes qui ne perturbent pas pour autant son équilibre et qui souligent l'empreinte du cabernet franc.

☞ Dom. la Bonnelière, 45, rue du Bourg-Neuf,
49400 Varrains, tél. 02 41 52 92 38, fax 02 41 67 35 48,
bonneau@labonneliere.com, ☑ ⚔ ⵣ r.-v.
☞ Cédric et Anthony Bonneau

DOM. DU BOURG NEUF 2012 ★

| ■ | 100 000 | ■ | - de 5 € |

C'est sur un domaine de 39 ha fondé en 1975 par son père Raymond que Christian Joseph vinifie différentes cuvées des appellations saumur et saumur-champigny. Ce 2012 offre une jolie expression aromatique dominée par les fruits rouges mûrs, caractéristique d'une vendange à maturité. Sa structure tout en rondeur lui permettra d'accompagner dès l'automne une viande rouge grillée.

☞ Christian Joseph, SARL Dom. du Bourg Neuf,
35, rue des Menais, 49400 Chacé, tél. 02 41 52 94 43,
fax 02 41 52 94 53, domaine.bourgneuf@orange.fr,
☑ ⚔ ⵣ r.-v.

CH. DE BRÉZÉ Clos du Tue-Loup 2011 ★

| ■ | 5 000 | ■ ⵁ | 11 à 15 € |

Ce château qui constitue, dit-on, la plus grande forteresse souterraine d'Europe est une étape touristique incontournable du Saumurois. Vous pourrez vous promener dans ses galeries creusées dans le tuffeau, roche qui alimente les vignes situées sur cette parcelle du clos du Tue-Loup. Celle-ci a donné naissance à une cuvée au nez de cassis et de framboise, ponctué de nuances vanillées. En bouche, une matière riche et gourmande se déploie longuement et assure à ce joli 2011 une garde prometteuse. À déguster sur une viande en sauce dans les trois ou quatre ans à venir. Autre réussite d'Arnaud Lambert, œnologue du domaine, la **cuvée principale 2011 rouge (8 à 11 € ; 15 000 b.)**, au bouquet réglissé et au palais fruité et bien structuré, est citée. On pourra l'apprécier dès à présent après un passage en carafe ou attendre un an ou deux avant de l'ouvrir sur du gibier.

☞ Dom. de Saint-Just, 12, rue de la Prée, Mollay,
49260 Saint-Just-sur-Dive, tél. 02 41 51 62 01,
fax 02 41 67 94 51, infos@st-just.net,
☑ ⚔ ⵣ t.l.j. sf dim. 9h-12h 14h-17h; sam. sur r.-v.
☞ Arnaud Lambert

DOM. DE BRIZÉ Brut Méthode traditionnelle 2010 ★

| 13 600 | ■ | 5 à 8 € |

Cette propriété familiale, dont l'origine remonte au XVIIIᵉˢ., est menée depuis 1989 par Line Delhumeau et son frère Luc. Tous deux proposent une cuvée composée de chenin (70 %) que complète le chardonnay. Il en résulte un 2010 à la robe jaune pâle chapeautée par une mousse fine et légère. Le nez livre des parfums complexes de fleurs blanches, prélude à une bouche fruitée, fraîche et longue. À déboucher pour l'apéritif.

🕮 EARL Dom. de Brizé, Line et Luc Delhumeau, village de Cornu, 49540 Martigné-Briand, tél. 02 41 59 66 90, contact@domainedebrize.fr, ☑ ⊤ r.-v.

🕮 Luc et Line Delhumeau

CH. DE LA DURANDIÈRE Méthode traditionnelle 2010 ★

○	35 000	▮	5 à 8 €

Antoine Bodet, à la tête de ce domaine du XVIIᵉ s. situé face aux remparts de la cité médiévale de Montreuil-Bellay, propose une cuvée issue de vignes de cabernet d'un âge honorable (quarante ans). Des bulles fines et délicates parcourent la robe saumon intense de cet attrayant 2010. Le nez libère des fragrances fruitées et florales, prélude à une bouche ample, complexe et bien équilibrée. À déguster à l'apéritif.

🕮 SCEA Antoine Bodet, 51, rue des Fusillés, 49260 Montreuil-Bellay, tél. 02 41 40 35 30, durandiere.chateau@wanadoo.fr, ☑ ⚹ ⊤ t.l.j. 9h-12h 14h-18h; sam. dim. sur r.-v.

DOM. DE L'ÉPINAY La Treille de Berrye 2012

▮	2 000	▮	5 à 8 €

Vous pourrez profiter de votre passage au domaine pour visiter la forteresse de Berrie construite au XIIᵉ s. et sa fameuse cave hypostyle en rotonde. Cette cuvée est issue d'un clos qui jouxte le château. Vêtue d'or, elle offre des arômes de poire, de pêche et d'abricot. Son attaque est franche et sa fraîcheur en bouche dynamise l'ensemble. À marier avec une cassolette de fruits de mer. Les amateurs de vins élevés en barrique sauront apprécier le **2011 blanc La Treille de Berrye (2 000 b.)** cité pour sa complexité aromatique et son boisé harmonieux accompagné par une élégante vivacité.

🕮 EARL de l'Épinay, 3, allée du Presbytère, 86120 Pouançay, tél. 05 49 22 98 08, menestreau-epinay@wanadoo.fr, ☑ ⚹ ⊤ t.l.j. sf dim. 10h-12h30 14h-18h

🕮 Menestreau

DOM. DE FIERVAUX Apogée 2011 ★★

▮	9 000	▮	11 à 15 €

Depuis plus d'un siècle, ce domaine situé à Vaudelnay, petit village de vignerons implanté au pied de la butte calcaire du Puy-Notre-Dame, appartient à la famille de Christian Cousin, actuel gérant de l'exploitation. Cette cuvée d'un beau rouge soutenu aux reflets violacés reflète les caractéristiques de ce sous-sol. Les dégustateurs ont été séduits par son nez expressif de framboise, de fraise et de cassis, et par sa bouche ample, charnue, équilibrée par une pointe de fraîcheur « terroitée ». Un vin gourmand, issu d'une vendange de belle qualité.

🕮 Christian Cousin, 235, rue des Caves, 49260 Vaudelnay, tél. 02 41 52 34 63, fax 02 41 38 89 23 ☑ ⚹ ⊤ r.-v.

Ⓑ DOM. DE LA FUYE Puy-Notre-Dame Les 30 Boisselées 2011

▮	10 000	▮	11 à 15 €

Ce domaine fondé en 1980 par Philippe Elliau est conduit en agriculture biologique depuis plus de dix ans. Ce 2011 vinifié sans levurage apparaît vêtu d'une robe grenat et offre un nez complexe d'iris, de pivoine et d'épices. Sa jeunesse s'exprime à travers une bouche fruitée, portée jusqu'à la finale légèrement réglissée par des tanins encore fougueux, qui demanderont un an ou deux de garde pour s'assagir.

🕮 Philippe Elliau, 527, rue du Château, Sanziers, 49260 Vaudelnay, tél. 06 08 86 30 32, contact@domainedelafuye.com, ☑ ⚹ ⊤ r.-v.

DOM. DE LA GIRARDRIE Méthode traditionnelle 2010

○	15 000	▮	5 à 8 €

Au Puy-Notre-Dame, le vin fut d'abord l'affaire des monastères, en témoigne la stalle de la collégiale où un moine s'abreuve au douzil d'un tonnelet. Dominique et Gilles Falloux s'attellent à y produire des vins, et trois de leurs cuvées se voient citées cette année. Ce brut tout d'abord, à la bulle fine et persistante qui égaie une robe jaune pâle aux reflets verts, et au nez de fruits mûrs relayé par un palais bien équilibré. Le **2012 rouge Instinct (moins de 5 € ; 10 000 b.)** offre quant à lui des parfums de griotte et de fruits confits, prélude à un palais souple et gouleyant. Enfin, le **2012 blanc (moins de 5 € ; 6 000 b.)**, aux arômes d'agrumes, livre une bouche légèrement acidulée, fraîche et même nerveuse en finale.

🕮 SCEA Falloux et Fils, 1, rue de la Fontaine, Cix, 49260 Le Puy-Notre-Dame, tél. 02 41 52 25 10, girardrie@orange.fr, ☑ ⚹ ⊤ r.-v. ⌂ Ⓑ

DOM. DU GRAND CLOS 2011

▮	8 000	▮	5 à 8 €

La curiosité de Damien Robert, représentant la cinquième génération du domaine, l'a amené à passer sept mois en Australie après ses études d'œnologie pour enrichir son expérience de vinificateur, qu'il met à profit dans ce 2011 au bouquet de fruits rouges bien mûrs (confiture de groseilles) prolongé par un palais souple et tendre.

🕮 Damien Robert, 12, rue des Vignes, Besse, 86120 Saint-Léger-de-Montbrillais, tél. et fax 05 49 22 96 33, alainrobert86@wanadoo.fr, ☑ ⚹ ⊤ t.l.j. sf dim. 9h-19h

LOUIS DE GRENELLE Méthode traditionnelle Corail ★★

○	179 210	5 à 8 €

Régulièrement mentionnée dans le Guide, cette maison de négoce familiale a sélectionné 22,5 ha de cabernet franc afin d'élaborer cette cuvée élevée dans des caves de tuffeau. Vêtu d'une robe saumonée parcourue d'un long chapelet de bulles fines et persistantes, le vin offre un nez intense et vif, fruité et floral. La bouche se révèle subtile, fruitée, fraîche, longue et élégante. D'une agréable finesse également, le **brut Grande Cuvée blanc (8 à 11 € ; 75 166 b.)** obtient la même note pour son élégant bouquet de fruits blancs, et pour son palais à la fois doux et frais. Enfin, le **brut rosé Les Caves de Bussy L'Âme du terroir (179 000 b.)**, aux bulles fines et délicates, intensément floral et fruité, obtient une citation.

🕮 Louis de Grenelle, 839, rue Marceau, 49400 Saumur, tél. 02 41 50 17 63, fax 02 41 50 83 65, grenelle@louisdegrenelle.fr, ☑ ⚹ ⊤ t.l.j. sf dim. 9h30-18h

🕮 Flao

LOIRE

DOM. DE LA GUILLOTERIE Affinité 2012

◼︎   20 000   ▯   5 à 8 €

C'est entre la Loire et son affluent le Thouet que les vignes du domaine familial sont choyées par Patrice et Philippe Duveau, à l'origine de cette cuvée qui se décline au nez comme en bouche sur le fruit bien mûr. Son attaque franche et ses tanins fondus en font un rouge de Loire typique. La cuvée **Élégance 2012 blanc (9 000 b.)**, au nez intense et citronné, soutenue au palais par une trame acidulée qui lui confère une belle longueur, est également citée.

☛ Dom. de la Guilloterie, 63, rue Foucault, 49260 Saint-Cyr-en-Bourg, tél. 02 41 51 62 78, fax 02 41 51 63 14, contact@domainedelaguilloterie.com, ☑ ✶ ⅄ r.-v.
☛ Duveau

DOM. DES HAUTES VIGNES Vieilles Vignes 2011 ★

◼︎   7 000   ▯   5 à 8 €

Respectueux de son terroir et attentif aux évolutions techniques, Alain Fourrier possède depuis huit ans le label « agriculture raisonnée ». Son 2011 apparaît dans une robe rouge à reflets violacés, puis dévoile au nez des notes intenses de cassis. La bouche prolonge l'olfaction et dévoile des tanins soyeux et fondus. Un vin équilibré, à déguster dès à présent – pourquoi pas sur une daube de marcassin ?

☛ Alain Fourrier, 22, rue de la Chapelle, 49400 Distré, tél. 02 41 50 21 96, fax 02 41 50 12 83, fourrieralain@wanadoo.fr, ☑ ✶ ⅄ r.-v.

DOM. DES HAUTS DE SANZIERS 2012

◼︎   25 000   ▯   5 à 8 €

C'est dans une région riche en attraits touristiques (collégiale du Puy-Notre-Dame, musée vivant du champignon, circuit initiatique dans les vignes) qu'Annie Tessier et son frère Dominique œuvrent depuis 1991 à la tête de leur exploitation. Ils proposent un 2012 rubis léger, au fruité agréable et généreux de cassis et de cerise, rond en bouche. À déguster dès à présent avec un pot-au-feu.

☛ SCEA Tessier, 14, rue Saint-Vincent, Sanziers, 49260 Le Puy-Notre-Dame, tél. 02 41 52 26 75, tessieretfils@wanadoo.fr, ☑ ✶ ⅄ r.-v.

DOM. DES MATINES Bulle rose Méthode traditionnelle

⬤   6 000   ▯   8 à 11 €

Souvent mentionnée dans le Guide, ce domaine familial propose une cuvée à la délicate robe rose cuivré, parcourue de bulles fines et persistantes. De bonne intensité, le nez révèle des parfums fruités, rehaussés de légères nuances épicées qui se retrouvent dans une bouche ample, fine et bien équilibrée. À déguster avec un dessert aux fraises.

☛ Dom. des Matines, 31, rue de la Mairie, 49700 Brossay, tél. 02 41 52 25 36, fax 02 41 52 25 50, contact@domainedesmatines.fr,
☑ ✶ ⅄ t.l.j. 8h-12h 14h-18h 🏠 🅱
☛ Etchegaray

DOM. DE MONTFORT Saveurs d'antan 2011 ★

◼︎   1 200   ⬚   11 à 15 €

Anthony Huet, fils de Gérard, et sa compagne Stéphanie ont rejoint le domaine familial il y a deux ans.

Fort de son diplôme d'œnologue et de son expérience dans un prestigieux château bordelais, le jeune successeur a apporté tous les soins à ces raisins issus d'une parcelle centenaire. Sous des notes fraîches, mentholées et vanillées conférées par un élevage de quinze mois en fût, ce 2011 s'impose en bouche par sa rondeur et sa structure élégante. Il trouvera sa place à table aux côtés d'un civet de sanglier après un à trois ans de garde.

☛ Famille Huet, 4, rte de Brossay, 49700 Montfort, tél. 06 19 65 22 00, domainedemontfort@gmail.com,
☑ ⅄ r.-v.

CH. DE MONTGUÉRET Brut Tête de cuvée ★

⬤   20 000   ▯   8 à 11 €

Régulièrement mentionné dans le Guide, ce vaste domaine de 100 ha a proposé trois cuvées qui ont su séduire le jury. Ce blanc effervescent tout d'abord, paré d'une jolie robe jaune limpide parcourue de bulles fines et délicates. Fruité et élégant, le nez prélude à une bouche tout aussi expressive, fraîche et un rien acidulée. Le **2011 rosé effervescent sec Tête de cuvée (28 000 b.)** à la robe orangée traversée par un cordon de fines bulles, équilibré, obtient également une étoile. Le **2012 blanc (moins de 5 € ; 45 000 b.)**, un saumur tranquille, jaune pâle aux reflets dorés, au bouquet d'agrumes (pamplemousse), légèrement perlant en bouche, est cité.

☛ Ch. de Montguéret, 49560 Nueil-sur-Layon, tél. 02 40 36 66 00, fax 02 40 36 34 62, jchailloux@lgcf.fr
☛ LGCF

DOM. DE LA PALEINE Puy-Notre-Dame 2011

◼︎   13 100   ▯   8 à 11 €

Laurence et Marc Vincent ne ménagent pas leurs efforts pour maintenir leur domaine à la hauteur de sa réputation. Ils sont épaulés par Patrick Niveleau qui vinifie les cuvées et ajuste ses choix techniques afin de respecter le cahier des charges de l'agriculture biologique (conversion en cours). Ce 2011 donne par les fruits compotés est le témoin d'une vendange bien mûre. Puissante et harmonieuse, la bouche s'appuie sur de solides tanins qui appellent une garde d'un an ou deux.

☛ SAS Dom. de la Paleine, 9, rue de la Paleine, 49260 Le Puy-Notre-Dame, tél. 02 41 52 21 24, fax 02 41 52 21 66, contact@domaine-paleine.com,
☑ ✶ ⅄ r.-v.
☛ Marc Vincent

LYCÉE VITICOLE EDGARD PISANI 2011

◼︎   7 000   ▯   - de 5 €

Dotée d'un chai neuf depuis 2008, l'exploitation de ce lycée viticole forme les futurs professionnels de la région. Il montre l'exemple en inscrivant cette année deux vins dans le Guide. Le saumur blanc, bien que discret au nez, a su convaincre par son attaque franche et sa rondeur. Un vin plaisant, porté par une jolie finale acidulée, à déboucher sur des fruits de mer. La **cuvée des Hauts de Caterne 2011 rouge (5 à 8 € ; 13 000 b.)** est également citée pour son nez de fruits rouges légèrement poivrés et pour son palais soyeux et aérien. À déguster dès à présent sur une viande rouge.

☛ Lycée viticole Edgard Pisani, rte de Méron, 49260 Montreuil-Bellay, tél. 02 41 40 19 24, fax 02 41 38 72 86, francoise.mignonneau@educagri.fr,
☑ ✶ ⅄ t.l.j. 9h-12h 14h-18h

DOM. DE LA ROCHE LAMBERT Méthode traditionnelle ★

| | 14 000 | ▯ | 5 à 8 € |

Si les liens de la famille Prudhomme avec le vin ont commencé par les fûts – le grand-père de Sébastien, actuel gérant de l'exploitation, était tonnelier –, il n'est point question de bois dans ces cuvées. Jaune pâle aux reflets verts, cet effervescent évoque au nez les fleurs blanches et les fruits jaunes assortis de notes miellées. On retrouve cette même impression dans une bouche ronde et équilibrée, agrémentée de fines bulles. À déguster sur un poisson en sauce. Le **2011 rouge (moins de 5 € ; 5 000 b.)** est cité pour son nez ouvert, riche en arômes de cassis et de mûre, suivi sur un palais tendre, soutenu par des tanins fondus. Un vin déjà aimable à déguster avec des charcuteries ou des grillades.

☛ Sébastien Prudhomme, 16, rue du Calvaire, 79100 Mauzé-Thouarsais, tél. 05 49 96 64 18, domainedelarochelambert@orange.fr, ▣ ☖ ☗ r.-v.

DOM. DES SABLES VERTS 2011

| | 2 000 | ▥ | 5 à 8 € |

C'est la glauconie – minéral de couleur verte – issue du célèbre tuffeau saumurois qui a donné son nom au domaine. Même si la production de vins blancs ne représente que 6 % des 15 ha du vignoble, elle mérite d'être goûtée comme en témoigne ce 2011. Le boisé (six mois d'élevage en barrique) se mêle aux fleurs blanches à l'olfaction et apporte de la structure à un palais gras et rond. Un vin généreux, à boire sur un poisson ou une volaille en sauce.

☛ GAEC Dominique et Alain Duveau, 66, Grand-Rue, 49400 Varrains, tél. 02 41 52 91 52, duveau@domaine-sables-verts.com, ▣ ☖ ☗ r.-v.

CAVE DES VIGNERONS DE SAUMUR
Sélection Puy-Notre-Dame 2011 ★

| | 32 100 | ▯ | 5 à 8 € |

La réputation de la Cave de Saumur n'est plus à faire et les efforts techniques mis en œuvre pour assurer la qualité des raisins sont considérables. Cette cuvée est le fruit de l'assemblage de cinq parcelles aux caractéristiques géologiques similaires. Issu du pur cabernet franc planté sur des calcaires caillouteux, ce 2011 révèle des parfums intenses de cassis et de fraise. La bouche, généreuse, appuyée par une solide structure tannique, demandera un à deux ans de garde pour s'assouplir. On pourra alors servir ce vin sur un gigot de sanglier. Le **Dom. des Quints 2011 blanc (48 400 b.)**, au bouquet de fleurs blanches et d'abricot sec et au palais plein et chaleureux, contrebalancé par une fine acidité, est cité.

☛ Cave des Vignerons de Saumur, rte de la Perrière, 49260 Saint-Cyr-en-Bourg, tél. 02 41 53 06 18, fax 02 41 53 09 04, cellier@cavedesaumur.com, ▣ ☖ ☗ t.l.j. 9h30-13h 13h30-19h

DOM. DE LA SEIGNEURIE DES TOURELLES 2012 ★

| | 13 300 | ▯ | - de 5 € |

Ce domaine propose des cuvées vinifiées par les œnologues de la maison Verdier, notamment Raphaël Boileau. Une vinification soignée et un élevage sur lies ont permis de produire un vin jaune pâle au fruité bien présent avec des arômes de pêche de vigne et d'agrumes accompagnés de nuances de fleur d'acacia. La bouche se révèle suave, soutenue par une belle fraîcheur qui lui apporte de l'équilibre. Une association avec du poisson grillé semble opportune.

☛ SA Joseph Verdier, ZI Champagne Europe, 49260 Montreuil-Bellay, tél. 02 41 40 22 50, fax 02 41 40 29 69, r.boileau@joseph-verdier.fr

ISABELLE SUIRE 2012 ★

| | 3 500 | ▯ | - de 5 € |

Isabelle Suire représente la troisième génération de viticulteurs à la tête de ce vignoble qu'elle dirige depuis 2006. Elle a parfaitement négocié ce millésime capricieux que fut 2012 et offre un vin blanc sec et tendu qui séduit par son expression aromatique élégante, centrée sur la pêche blanche et agrémentée d'une touche légèrement anisée. Un vin « typique de son appellation », selon un dégustateur. Le **2011 brut blanc (5 à 8 € ; 3 100 b.)** est cité pour ses bulles fines et délicates, sa plaisante palette aromatique et sa bouche ronde et équilibrée.

☛ Isabelle Suire, 12, rue des Perrières, Pouant, 86120 Berrie, tél. 05 49 22 92 61, isabelle-suire@orange.fr, ▣ ☖ ☗ r.-v.

DOM. DES VERNES 2012 ★

| | 1 200 | ▥ | 5 à 8 € |

Sébastien Sanzay représente la sixième génération à la tête de ce vignoble familial. C'est avec beaucoup d'application qu'il a élaboré cette cuvée vendangée manuellement et élevée quatre mois en fût sur lies. Un 2012 au nez subtil d'agrumes et de tilleul. Fruité, bien équilibré entre rondeur et vivacité, marqué par des notes légèrement vanillées en finale, qui apportent de la complexité, son palais ne laisse pas indifférent. Servez un poisson en sauce pour exacerber ses qualités.

☛ Sébastien Sanzay, 7, bd de Caulx, 49400 Chacé, tél. 02 41 52 99 13, domainedesvernes@free.com, ▣ ☖ ☗ r.-v.

VEUVE AMIOT Brut Cuvée Élisabeth 2006

| | 8 865 | ▥ | 8 à 11 € |

Cette maison créée en 1884 et spécialisée dans les effervescents propose deux cuvées composées majoritairement de chenin (80 %), auquel est adjoint le chardonnay. Ce 2006, tout d'abord, paré d'une robe dorée agrémentée de fines bulles. Le nez évoque les fruits bien mûrs, agrémentés de nuances miellées et légèrement boisées. Riche et ronde, la bouche est plaisante. Le **blanc brut L'Essentiel d'Amiot (13 488 b.)**, au nez d'agrumes et de fruits jaunes et blancs assortis de nuances miellées, prolongé par une bouche ronde, est également cité.

☛ SAS Veuve Amiot, 19-21, rue Jean-Ackerman, 49400 Saint-Hilaire-Saint-Florent, tél. 02 41 83 14 14, fax 02 41 50 17 66, c.galisson@veuve-amiot.com, ▣ ☖ ☗ t.l.j. 10h-13h 14h-18h
☛ CFGV

DOM. DU VIEUX PRESSOIR Puy-Notre-Dame 2010 ★★

| | 20 000 | ▯ | 5 à 8 € |

Bruno Albert est l'un des instigateurs de la reconnaissance de cette dénomination qui met en vedette les qualités du terroir de la butte du Puy-Notre-Dame – qualités dont témoigne cette cuvée issue des calcaires du Jurassique et du Turonien. Derrière une robe grenat soutenu aux reflets bruns se dévoilent des parfums de torréfaction et de fruits secs mêlés aux fruits rouges. La bouche offre la maturité et la rondeur caractéristiques du millésime, une belle fraîcheur venant en soutien. Un vin équilibré à servir avec une pièce de bœuf grillée.

☛ EARL B. & J. Albert, Dom. du Vieux Pressoir, 205, rue du Château-d'Oiré, 49260 Vaudelnay, tél. 02 41 52 21 78, fax 02 41 38 85 83, vieuxpressoir@wanadoo.fr, ☑ ⚲ ⊺ r.-v. 🏚 ❷

Cabernet-de-saumur

Superficie : 79 ha
Production : 4 602 hl

Bien qu'elle ne représente que de faibles volumes, l'appellation cabernet-de-saumur tient bien sa place par la finesse de ce cépage, cultivé sur terrains calcaires et élaboré en rosé.

DOM. DES FRÉMONCLAIRS 2012 ★

| | n.c. | ■ | - de 5 € |

Présenté par Christophe Hallouin, à la tête de ce domaine de 21,8 ha depuis 1997, ce 2012 offre une belle robe au rosé très pâle et une belle expression aromatique de fruits frais et de fleurs. La bouche souple, tonique, soyeuse, séduit par sa belle longueur fruitée. Un vin élégant, idéal pour l'apéritif.

☛ Dom. des Frémonclairs, 45, rue des Martyrs, 49730 Turquant, tél. 02 41 38 14 81, fax 02 41 51 73 63, dom.fremonclairs@wanadoo.fr, ☑ ⚲ ⊺ r.-v.

Coteaux-de-saumur

Superficie : 25 ha
Production : 736 ha

Ils ont acquis autrefois leurs lettres de noblesse. Les coteaux-de-saumur, équivalents en Saumurois des coteaux-du-layon en Anjou, sont élaborés à partir du chenin pur, planté sur la craie tuffeau.

LYDIE ET THIERRY CHANCELLE 2011 ★

| | 1 000 | ■ | 15 à 20 € |

C'est dans un caveau taillé dans le tuffeau, roche caractéristique du vignoble de Saumur-Champigny, que Thierry et Lydie Chancelle vous recevront pour vous faire découvrir leurs vins. Ils s'illustrent cette année avec un 2011 au nez débordant d'agrumes confits et de confiture de coings. L'attaque est franche et l'évolution sur la fraîcheur équilibre l'ensemble. On pourra apprécier cette bouteille dès aujourd'hui, avec un crumble aux pommes par exemple. (Bouteilles de 50 cl.)

☛ Thierry Chancelle, 27, rue des Martyrs, 49730 Turquant, tél. 02 41 38 11 83, fax 02 41 51 47 71, domaine-bourdin-chancelle@orange.fr, ☑ ⚲ ⊺ t.l.j. sf dim. 9h-12h 14h-18h

LA GIRAUDIÈRE Le Lingot de Brézé 2010 ★★

| | 1 200 | ▥ | 20 à 30 € |

Le terroir de Brézé, village célèbre pour son château, est bien adapté au cépage chenin. Étienne Matrion, œnologue du domaine, n'a de cesse de le prouver. Coup de cœur l'année dernière avec cette cuvée, il décroche deux étoiles cette année pour son Lingot de Brézé. Un vin jaune or aux senteurs d'acacia, de miel et de vanille que prolonge une bouche ample, fine et harmonieuse. Délicat et bien équilibré, il saura patienter quelques années en cave. (Bouteilles de 50 cl.)

☛ La Giraudière, rue Saint-Vincent, 49260 Brézé, tél. 02 41 51 63 84, fax 02 41 52 89 13, lagiraudiere.vinsdesaumur@orange.fr, ☑ ⚲ ⊺ t.l.j. 9h-12h 14h-17h; sam. dim. sur r.-v.; f. août

☛ Matrion et Esnault

DOM. LANGLOIS-CHATEAU Vieilles Vignes 2010

| | 4 000 | ▥ | 20 à 30 € |

Cette structure de négoce fait partie des maisons de Saumur réputées pour leurs vins effervescents. Elle exploite une parcelle de chenin située juste au-dessus des caves, que l'œnologue Jean-Francois Liegeois a décidé de vinifier en liquoreux. L'expression aromatique intense de ce 2010 aux notes de miel, la concentration et la complexité de la structure apportées par dix-huit mois de fût prouvent qu'il a eu raison. On attendra toutefois deux ou trois ans que le boisé se fonde pour apprécier pleinement ce vin prometteur. (Bouteilles de 50 cl.)

☛ Langlois-Chateau, 3, rue Léopold-Palustre, 49400 Saint-Hilaire-Saint-Florent, tél. 02 41 40 21 40, fax 02 41 40 21 49, contact@langlois-chateau.fr, ☑ ⚲ ⊺ 1ᵉʳ avr.-15 oct. t.l.j. 10h-12h30 14h-18h; 16 oct.-30 mars sur r.-v.

☛ Bollinger

Saumur-champigny

Superficie : 1 376 ha
Production : 74 442 hl

Entre Saumur et Montsoreau, ce vignoble s'insère dans l'aire du saumur, près de la Loire. Si son expansion est récente, les vins rouges de Champigny sont connus depuis plusieurs siècles. Produits dans neuf communes à partir du cabernet franc (ou breton) parfois complété de cabernet-sauvignon, ils sont fruités, charnus et souples. Ils sont à découvrir dans des villages typiques aux rues étroites et aux caves de tuffeau.

MICHEL ARMAND 2012

| | 40 000 | ■ | - de 5 € |

Cette vieille maison de négoce située à Saint-Hilaire-Saint-Florent a sélectionné 6 ha pour élaborer ce 2012. Fermé au premier nez, le vin dévoile à l'aération des notes de fruits rouges et noirs agrémentées de fines notes épicées (clou de girofle). La bouche se montre délicate, fraîche, fruitée à souhait et bien équilibrée. À boire dès à présent ou à garder deux ou trois ans.

☛ SAS Besombes-Moc-Baril, 24, rue Jules-Amiot, BP 125, 49404 Saumur, tél. 02 41 50 23 23, fax 02 41 50 30 45, emilien.boulfray@uapl.fr

DOM. DU BOIS MOZÉ PASQUIER Vieilles Vignes 2011

■　　　　　　　16 000　　　　　■　　5 à 8 €

Patrick Pasquier présente un 2011 vendangé à la main, paré d'une robe rubis et délivrant un bouquet agréable de cerise bien mûre. Le palais se montre rond, souple, soyeux et bien équilibré. Une bouteille que l'on pourra déboucher dès à présent avec des grillades. La cuvée **2012 Clos du Bois Mozé Pasquier** (13 000 b.), fruitée, persistante et fraîche, est également citée.

☛ Dom. du Bois Mozé Pasquier, 7, rue du Bois-Mozé, 49400 Chacé, tél. 02 41 52 59 73, pasquierpatrick@orange.fr, ☑ ⚔ ⵉ r.-v.

DOM. LA BONNELIÈRE L'Excellence 2011

■　　　　　　5 000　　■ ⵙ　8 à 11 €

Anthony et Cédric Bonneau, à la tête de cette propriété de 37 ha, proposent un 2011 issu de vignes de cinquante ans. Au nez, le vin libère d'agréables notes de fruits rouges. La bouche se révèle souple, ronde et bien équilibrée. À déguster dès à présent sur les grillades. La cuvée **Tradition 2012** (5 à 8 € ; 60 000 b.), dans un style proche, fruité et léger, est également citée.

☛ Dom. la Bonnelière, 45, rue du Bourg-Neuf, 49400 Varrains, tél. 02 41 52 92 38, fax 02 41 67 35 48, bonneau@labonneliere.com, ☑ ⚔ ⵉ r.-v.

☛ Cédric et Anthony Bonneau

DOM. DES BONNEVEAUX Vieilles Vignes 2012 ★

■　　　　　　10 000　　　　　■　　5 à 8 €

Après un stage de quelques mois au Québec, Nicolas Bourdoux a repris les rênes du domaine familial en 2002. Il signe un 2012 issu de 1,4 ha de cabernet franc vendangé manuellement. Un vin aux parfums agréables de fruits rouges et noirs (mûre, cassis) et au palais à l'unisson, fruité, équilibré, et d'une belle longueur.

☛ Nicolas Bourdoux, Dom. des Bonneveaux, 79, Grande-Rue, 49400 Varrains, tél. 02 41 52 94 91, fax 02 41 52 99 24, bourdoux@domainedesbonneveaux.com, ☑ ⚔ ⵉ t.l.j. 8h-12h 14h-19h

DOM. DES CHAMPS FLEURIS Vieilles Vignes 2012 ★

■　　　　　　55 000　　　　　■　　5 à 8 €

Ce domaine de 41 ha présente une cuvée issue de ses plus vieilles vignes. Celle-ci apparaît vêtue d'une élégante robe rubis intense et livre à l'aération de belles notes fruitées où la griotte et la framboise se distinguent. Ces arômes se prolongent agréablement dans une bouche souple, ronde, onctueuse et bien équilibrée. On pourra apprécier ce joli vin dès la sortie du Guide. Une étoile également pour la cuvée **Les Tufolies 2012** (80 000 b.), au nez délicat et expressif de fruits rouges et noirs, et au palais tendre, rond et gourmand.

☛ Dom. des Champs Fleuris, 54, rue des Martyrs, 49730 Turquant, tél. 02 41 38 10 92, fax 02 41 51 75 33, domaine@champs-fleuris.com, ☑ ⚔ ⵉ t.l.j. sf dim. 9h-12h 14h-18h

LYDIE ET THIERRY CHANCELLE 2012

■　　　　　　10 000　　■ ⵙ　5 à 8 €

Lydie et Thierry Chancelle dirigent depuis 2000 cette propriété familiale. Ils proposent un 2012 grenat intense, qui dévoile un nez expressif de fruits noirs compotés. La bouche se montre riche, fruitée et structurée par des tanins encore un peu sévères, qu'il faudra laisser s'affiner un an ou deux.

☛ Thierry Chancelle, 27, rue des Martyrs, 49730 Turquant, tél. 02 41 38 11 83, fax 02 41 51 47 71, domaine-bourdin-chancelle@orange.fr, ☑ ⚔ ⵉ t.l.j. sf dim. 9h-12h 14h-18h

CLOS DES CORDELIERS Prestige 2011 ★★

■　　　　　　11 900　　　　■　11 à 15 €

Le Clos des Cordeliers, bâti au cours du XIVᵉs., était autrefois exploité par des moines franciscains, lesquels ont planté et cultivé les premiers ceps du domaine. Aujourd'hui conduit par Sébastien Ratron, le vignoble s'étend sur 18 ha, dont trois ont servi à élaborer cette cuvée. Celle-ci se présente dans une robe grenat et délivre des parfums de fruits rouges. La bouche fait écho à l'olfaction et se montre équilibrée, à la fois fraîche et ronde, pourvue de tanins très soyeux. Un vin déjà fort plaisant, à découvrir dès la sortie du Guide avec un fromage affiné.

☛ EARL Dom. Ratron, Les Cordeliers, 49400 Souzay-Champigny, tél. 02 41 52 95 48, fax 02 41 52 99 50, domaine-ratron@clos-des-cordeliers.com, ☑ ⚔ ⵉ t.l.j. 9h-18h30; f. dim. en jan.-fév.

DOM. DES COUTURES La Malicieuse 2012

■　　　　　　20 000　　　　　■　　5 à 8 €

À la tête de ce domaine de 15 ha depuis 1992, Vincent Nicolas présente une cuvée qui a séjourné au sein des caves troglodytiques creusées dans le tuffeau de la propriété. Le vin, d'un rubis profond, laisse s'échapper des senteurs intenses et délicates de fruits rouges bien mûrs. Structurée, souple et ronde, la bouche dévoile une longue finale fruitée. Un vin prêt à être dégusté, avec des grillades par exemple.

☛ SCA Nicolas et Fils, 53, rue des Martyrs, 49730 Turquant, tél. 02 41 38 11 29, domainedescoutures@orange.fr, ☑ ⚔ ⵉ t.l.j. 9h-12h30 14h-19h; sam. dim. sur r.-v.

DOM. DUBOIS Cuvée Automne 2012 ★★

■　　　　　　8 000　　　　　■　　5 à 8 €

Christelle Dubois a repris en 2008 les rênes de ce domaine familial datant de 1880. Elle propose un 2012 grenat foncé issu de 2 ha de cabernet franc cultivé sur un sol argilo-calcaire. Le nez est un concentré de fruits rouges et noirs (myrtille) assortis de fines nuances florales (pivoine). La bouche, dense, riche et remarquablement équilibrée, prendra encore plus d'ampleur au vieillissement. De belles promesses en perspective d'ici deux ou trois ans et d'heureux accords avec une viande rouge mijotée ou du petit gibier.

☛ Dom. Christelle Dubois, 8, rte de Chacé, 49260 Saint-Cyr-en-Bourg, tél. 02 41 51 61 32, fax 09 70 61 05 98, ch-dubois@hotmail.com, ☑ ⵉ r.-v.

DOM. DES FRÉMONCLAIRS 2012 ★

■　　　　　　9 000　　　　　■　　5 à 8 €

Christophe Hallouin a pris en 1997 la conduite de ce domaine qui se transmet de père en fils depuis cinq

LOIRE

générations. Il propose un 2012 au nez de fruits rouges et noirs compotés (cerise, mûre). La bouche, au diapason, se révèle ronde, fruitée et bien structurée, sous-tendue par une agréable fraîcheur. Un vin complet, à attendre un an ou deux et à déguster sur une andouillette grillée. La cuvée **Vieilles Vignes 2012 (8 000 b.)**, au nez délicat de fruits rouges mûrs et au palais souple, gras et persistant, soutenu par des tanins bien présents, obtient également une étoile. Patientez un an ou deux, le temps que ces derniers s'assouplissent.

🕶 Dom. des Frémonclairs, 45, rue des Martyrs, 49730 Turquant, tél. 02 41 38 14 81, fax 02 41 51 73 63, dom.fremonclairs@wanadoo.fr, ☑ ☆ ⍜ r.-v.

🕶 Christophe Hallouin

LA GIRAUDIÈRE Clos des Meuniers 2011

| ■ | 8 000 | ■ | 8 à 11 € |

Issu de 1,5 ha de jeunes vignes de cabernet franc, ce 2011 dévoile un bouquet complexe de fruits rouges. En bouche, il révèle une matière fruitée, ronde et pleine de fraîcheur. Un vin agréable et équilibré, bien représentatif de l'appellation. À déguster sur des rillauds.

🕶 La Giraudière, rue Saint-Vincent, 49260 Brézé, tél. 02 41 51 63 84, fax 02 41 52 89 13, lagiraudiere.vinsdesaumur@orange.fr, ☑ ☆ ⍜ t.l.j. 9h-12h 14h-17h; sam. dim. sur r.-v.; f. août

🕶 Étienne Matrion et Fabrice Esnault

DOM. DE LA GUILLOTERIE Les Loges 2011 ★

| ■ | 8 000 | ■ | 8 à 11 € |

Patrice et Philippe Duveau, troisième génération de viticulteurs à conduire le vignoble familial, présentent une cuvée issue de 1,28 ha de vignes âgées de quarante-cinq ans. Les dégustateurs ont apprécié sa belle couleur rubis, son nez complexe de fruits rouges et noirs (mûre, pruneau), sa bouche ronde, ample et fruitée, adossée à des tanins déjà bien soyeux.

🕶 Dom. de la Guilloterie, 63, rue Foucault, 49260 Saint-Cyr-en-Bourg, tél. 02 41 51 62 78, fax 02 41 51 63 14, contact@domainedelaguilloterie.com, ☑ ☆ ⍜ r.-v.

🕶 Duveau

DOM. DES HAUTES TROGLODYTES 2011 ★★

| ■ | 10 000 | ■ | 5 à 8 € |

Laurent Machet, à la tête de ce domaine depuis 2003, propose une cuvée élaborée à partir de 10 ha de cabernet franc. Le nez délivre d'intenses parfums de fruits rouges. La bouche impressionne par sa richesse, sa puissance, sa finesse aromatique, sa longueur et son très bel équilibre. Un vin déjà gourmand, armé aussi pour bien vieillir durant les trois ou quatre prochaines années.

🕶 SCEV Dom. des Hautes Troglodytes, 4, rue du Moulin, 49400 Souzay-Champigny, tél. 02 41 51 26 46, domainehautestroglodytes@numeo.fr, ☑ ☆ ⍜ t.l.j. 8h-12h 14h-19h

🕶 Laurent Machet

CH. DU HUREAU Fours à chaux 2011

| ■ | 8 000 | ⑪ | 11 à 15 € |

Philippe Vatan présente une cuvée issue de 1,5 ha de vignes de cabernet franc âgées de quarante ans et ven-

dangées manuellement. Le vin dévoile un bouquet de fruits rouges agrémentés de légères notes vanillées. La bouche ronde, longue et équilibrée est soutenue par de fins tanins qui autorisent une dégustation dès l'automne.

🕶 Ch. du Hureau, Le Hureau, 49400 Dampierre-sur-Loire, tél. 02 41 67 60 40, fax 02 41 50 43 35, philippe.vatan@wanadoo.fr, ☑ ☆ ⍜ t.l.j. sf dim. 9h-12h 14h-17h; sam. sur r.-v.

🕶 Philippe Vatan

ÉRIC LAURENT Secrets de chai Cuvée signée 2012

| ■ | 180 000 | ■ | 5 à 8 € |

Fondée en 1957 et gérée depuis janvier 2013 par Marc Bonnin, cette coopérative soucieuse de préserver l'environnement sensibilise depuis des années les vignerons à des pratiques plus écologiques. Elle présente un 2012 à la robe pourpre, au nez de fruits rouges (fraise des bois, griotte), relayé par un palais rond et équilibré. Pourquoi pas sur une pintade aux fruits rouges ? Le **2011 Millésime (11 à 15 €; 14 600 b.)**, ample, souple, est également cité. Deux vins à boire dans l'année.

🕶 Cave des Vignerons de Saumur, rte de la Perrière, 49260 Saint-Cyr-en-Bourg, tél. 02 41 53 06 18, fax 02 41 53 09 04, cellier@cavedesaumur.com, ☑ ☆ ⍜ t.l.j. 9h30-13h 13h30-19h

DOM. DES MARIGROLLES 2012 ★

| ■ | 62 400 | ■ | - de 5 € |

Après avoir travaillé dans l'exploitation de leurs parents pendant dix-huit ans, Stéphane Jordi et sa sœur Karina Thierry en ont repris les rênes en 2011. Ils signent une cuvée pourpre aux reflets rubis dévoilant un nez expressif de fruits rouges (fraise, framboise, groseille, cerise) agrémentés de délicates notes épicées. La bouche se révèle souple et gouleyante, pourvue de tanins fondus qui assurent une finale agréable.

🕶 EARL Dom. des Marigrolles, rte de Chaintres, 49400 Saumur, tél. et fax 02 41 50 58 61 ☑ r.-v.

CH. DE PARNAY Cuvée historique 2011 ★

| ■ | 5 600 | ⑪ | 15 à 20 € |

Ce domaine historique, ancienne propriété d'Antoine Cristal, célèbre pour son Clos d'Entre les Murs, a été racheté en 2006 par Mathias Levron, vigneron au domaine, et son associé Régis Vincenot, investisseur. Ils signent un 2011 au bouquet expressif de petits fruits rouges. Après une attaque pleine et ronde, le vin révèle une matière fruitée, ample et équilibrée. À déguster dès à présent.

🕶 SCEA Ch. de Parnay, 1, rue Antoine-Cristal, 49730 Parnay, tél. 02 41 38 10 85, fax 02 41 38 18 04, bureau@chateaudeparnay.fr, ☑ ☆ ⍜ t.l.j. sf dim. 10h-12h30 14h-18h30

🕶 Levron-Vincenot

VIGNOBLE DU PETIT PUY 2012 ★

| ■ | 20 000 | ■ | - de 5 € |

Situé dans le quartier du Petit Puy, à l'est de Saumur, ce domaine bénéficie d'une très belle vue sur la vallée de la Loire. Il propose une cuvée grenat au bouquet intense et complexe de fruits rouges et noirs bien mûrs (groseille, framboise, myrtille). En bouche, le vin se révèle gras, équilibré par une belle fraîcheur, et se termine sur une agréable finale fruitée. Très harmonieux, il peut être apprécié dès à présent. Le **2012 La Seigneurie** (40 000 b.) au nez de griotte et de cassis, et au palais fruité, frais, franc et équilibré, obtient également une étoile. Le **2011 La Seigneurie La Vieille Vigne à Pierrot** (5 à 8 € ; 3 500 b.), sur les fruits rouges (cerise) accompagnés de notes légèrement réglissées, ample et rond en bouche, est cité.

☛ Alban Foucher, 2, rue Dovalle, 49400 Saumur, tél. 02 41 50 11 15, laseigneurie.vins@hotmail.fr,
☑ ⚥ ⟂ t.l.j. sf dim. 10h-19h

DOM. DES SABLES VERTS Cuvée ligérienne 2011

| ■ | 15 000 | ■ | 5 à 8 € |

Cette cuvée présentée par Alain et Dominique Duveau a été élaborée à partir de 3 ha de cabernet franc vendangé manuellement. Le nez expressif évoque les petits fruits rouges, prolongé par une bouche légère et gouleyante. À boire sur le fruit.

☛ GAEC Dominique et Alain Duveau, 66, Grand-Rue, 49400 Varrains, tél. 02 41 52 91 52, duveau@domaine-sables-verts.com, ☑ ⚥ ⟂ r.-v.

DOM. SAINT-JEAN Les Vignoles 2011

| ■ | 7 270 | ■ | 5 à 8 € |

Jean-Claude Anger est issu d'une lignée de viticulteurs remontant au milieu du XIXᵉs. Il propose un 2011 séduisant dans sa robe grenat limpide. D'une belle finesse, la palette aromatique offre au nez des notes de fruits noirs confiturés. La bouche révèle une matière onctueuse, ronde et fruitée. À déguster dans les deux ans à venir sur un fromage de chèvre.

☛ Jean-Claude Anger, Dom. Saint-Jean, 3, rue des Fossés, 49730 Turquant, tél. 06 16 54 02 45, fax 02 41 51 79 23, anger.domainestjean@laposte.net, ☑ ⚥ ⟂ r.-v.

DOM. DE SAINT-JUST Montée des roches 2011

| ■ | 4 000 | ■⬤ | 11 à 15 € |

Arnaud Lambert a entamé en 2009 la conversion de son domaine au bio. Cette cuvée, qui ne bénéficie donc pas encore du logo, a été élaborée selon les règles. Il en résulte un vin au nez intense évoquant les fruits rouges bien mûrs assortis de notes légèrement boisées. Le palais est à l'unisson, rond et soutenu par des tanins fins. La cuvée **Les Terres rouges 2012** (8 à 11 € ; 15 000 b.), au bouquet expressif de fruits noirs (cassis) et à la bouche souple, riche et complexe, est également citée. Deux vins à boire dans leur jeunesse.

☛ Dom. de Saint-Just, 12, rue de la Prée, Mollay, 49260 Saint-Just-sur-Dive, tél. 02 41 51 62 01, fax 02 41 67 94 51, infos@st-just.net,
☑ ⚥ ⟂ t.l.j. sf dim. 9h-12h 14h-17h; sam. sur r.-v.
☛ Arnaud Lambert

♥ DOM. SAINT-VINCENT Les Trézellières 2012 ★★

| ■ | 50 000 | ■ | 5 à 8 € |

Régulièrement présent dans le Guide, Patrick Vadé exploite ce vignoble de 30 ha depuis 1984. Il se distingue cette année grâce à cette remarquable cuvée vêtue d'une robe pourpre soutenu. Le nez libère d'intenses parfums de fruits rouges macérés et de fruits noirs. En bouche se déploie une matière puissante et riche, animée par une

belle palette aromatique à dominante de fruits noirs. Un vin d'une belle longueur, porté par des tanins vigoureux et élégants qui se poliront avec le temps. À déguster dans un an ou deux sur une viande rôtie. Le **Clos des Varennes Vieilles Vignes 2012** (8 à 11 € ; 20 000 b.), aux notes de griotte, de fraise des bois et de fruits noirs, souple, gras et équilibré au palais, obtient une étoile.

☛ Patrick Vadé, Dom. Saint-Vincent, 49400 Saumur, tél. 02 41 67 43 19, fax 02 41 50 23 28, pvade@st-vincent.com, ☑ ⚥ ⟂ r.-v.

LA SOURCE DU RUAULT Senseï 2011 ★

| ■ | 9 000 | ■ | 11 à 15 € |

Avec cette cuvée Senseï (« celui qui était là avant moi » en japonais), Jean-Noël Millon rend hommage aux générations précédentes. Le 2011 qu'il propose livre un nez ouvert de fruits rouges macérés, de fruits des bois et de liqueur de mûre. Après une attaque souple, on retrouve ce beau fruité dans une bouche concentrée aux tanins encore un peu vifs. Il faudra attendre un peu pour déguster ce joli vin, sur un onglet de bœuf grillé par exemple.

☛ Jean-Noël Millon, 29, rue du Ruau, 49400 Varrains, tél. 02 41 52 93 80, fax 02 41 52 46 13, lasourceduruault@orange.fr, ☑ ⚥ ⟂ t.l.j. sf dim. 8h-18h

CH. DE TARGÉ 2011

| ■ | 53 450 | ■ | 8 à 11 € |

Édouard Pisani-Ferry, fils d'Edgard Pisani, ministre de l'Agriculture de de Gaulle et petit-fils de Charles Ferry (frère de Jules Ferry), est à la tête de ce château du XVIIᵉs. chargé d'histoire. Il signe un 2011 au nez intense et agréablement fruité, prolongé par une bouche ronde, soutenue par des tanins souples. Un vin équilibré, à déguster dès à présent sur une bavette à l'échalote.

☛ SCEA Édouard Pisani-Ferry, Ch. de Targé, chem. de Targé, 49730 Parnay, tél. 02 41 38 11 50, fax 02 41 38 16 19, edouard@chateaudetarge.fr,
☑ ⚥ ⟂ t.l.j. 10h-12h 14h-18h; 15 mars-15 nov. 10h-18h
🏠 ⓓ

DOM. DU VAL BRUN Bay rouge 2011

| ■ | 20 000 | ■ | 5 à 8 € |

Éric Charruau propose un 2011 rubis limpide, au bouquet intense de fruits rouges confiturés. La bouche fait écho à l'olfaction et se révèle équilibrée, soyeuse, gourmande et longue. Une bouteille harmonieuse, à déguster dès à présent sur un onglet de bœuf grillé. La cuvée **Les Silices 2011** (5 000 b.), aux arômes de fruits rouges bien mûrs, ronde et épaulée par de fins tanins, est également citée.

☛ Éric Charruau, 74, rue Val-Brun, 49730 Parnay,
tél. 02 41 38 11 85, fax 02 41 38 16 22,
charruau.eric@orange.fr, ☑ ⚔ ⊤ r.-v. ⌂ ❶

DOM. DES VARINELLES Vieilles Vignes 2011 ★

| ■ | 20 000 | ❶❶ | 8 à 11 € |

Cette propriété est gérée par la famille Daheuiller
depuis cinq générations. En 2011, les exploitants ont
engagés la conversion de leur domaine à l'agriculture
biologique. Ce 2011, qui n'en porte donc pas encore la
mention sur l'étiquette, offre un nez élégant de fruits
rouges soulignés de notes boisées et vanillées. La bouche
ample et ronde est bâtie sur des tanins bien fondus. La
cuvée **Laurientale 2012** (7 000 b.), fruitée et épicée,
souple et onctueuse, est citée, tout comme la **cuvée
principale 2012** (5 à 8 € ; 30 000 b.), aux arômes de fruits
rouges, fraîche, longue et bien équilibrée.
☛ SCA Daheuiller, 28, rue du Ruau, 49400 Varrains,
tél. 02 41 52 90 94, fax 02 41 52 94 63,
daheuiller.vins@wanadoo.fr, ☑ ⚔ ⊤ r.-v.

DOM. DES VERNES 2012

| ■ | 3 500 | ▮ | 5 à 8 € |

Sébastien Sanzay représente la sixième génération de
viticulteurs à diriger ce domaine. Installé dans une demeure bâtie dans le tuffeau au XVIIIᵉs., il signe une cuvée
pourpre brillant au nez encore sur la réserve et à la bouche
élégante, souple et fraîche. Un vin gouleyant, à boire sur
son fruit.
☛ Sébastien Sanzay, 7, bd de Caulx, 49400 Chacé,
tél. 02 41 52 99 13, domainedesvernes@free.com,
☑ ⚔ ⊤ r.-v.

DOM. DU VIEUX BOURG Vieilles Vignes 2011 ★

| ■ | 1 000 | ▮❶ | 8 à 11 € |

Jean-Marie Girard et son frère Noël présentent une
cuvée née de 2 ha de vignes de cabernet franc exploitées
sur un sol argilo-calcaire. Ce 2011, qui a séjourné en cuve
et en fût, offre un bouquet intense de fruits confiturés
(fraise, cerise). Le palais se montre dense, ample, fin et
rond, et s'appuie sur des tanins soyeux. Un vin équilibré
et déjà très agréable, qui pourra être apprécié dès à présent
ou gardé cinq ans.
☛ EARL Girard Frères, 30, Grande-Rue, 49400 Varrains,
tél. 02 41 52 91 89, fax 02 41 52 42 43,
nl-girard@vieux-bourg.com,
☑ ⚔ ⊤ t.l.j. 9h-12h 15h-18h ⌂ ❻

La Touraine

Les intéressantes collections du musée des Vins
de Touraine à Tours témoignent du passé de la
civilisation de la vigne et du vin dans la région, et
il n'est pas indifférent que les récits légendaires
de la vie de saint Martin, évêque de Tours vers
380, émaillent la *Légende dorée* d'allusions viticoles ou vineuses... À Bourgueil, l'abbaye se
célèbre clos abritaient le « breton » ou cabernet
franc, dès les environs de l'an mil, et, si l'on voulait
poursuivre, la figure de Rabelais arriverait bientôt

pour marquer de faconde et de bien-vivre une
histoire prestigieuse. Celle-ci revit au long des
itinéraires touristiques, de Mesland à Bourgueil
sur la rive droite (par Vouvray, Tours, Luynes,
Langeais), de Chaumont à Chinon sur la rive
gauche (par Amboise et Chenonceaux, la vallée
du Cher, Saché, Azay-le-Rideau, la forêt de Chinon).

Célèbre il y a donc fort longtemps, le vignoble
tourangeau atteignit sa plus grande extension à
la fin du XIXᵉs. Il se répartit essentiellement sur
les départements de l'Indre-et-Loire et du Loir-
et-Cher, empiétant au nord sur la Sarthe. Des
dégustations de vins anciens, des années 1921,
1893, 1874 ou même 1858, par exemple, à
Vouvray, Bourgueil ou Chinon, font apparaître
des caractères assez proches de ceux des vins
actuels. Cela montre que, malgré l'évolution des
pratiques culturales et œnologiques, le « style »
des vins de la Touraine reste le même ; sans doute
parce que chacune des appellations n'est élaborée qu'à partir d'un seul cépage. Le climat joue
aussi son rôle : les influences atlantique et continentale ressortent dans l'expression des vins, les
coteaux formant un écran aux vents du nord. En
outre, la succession de vallées orientées est-ouest
– vallées du Loir, de la Loire, du Cher, de l'Indre,
de la Vienne – multiplie les coteaux de tuffeau
favorables à la vigne, sous un climat tout en
nuances, en entretenant une saine humidité. Ce
tuffeau, pierre tendre, est creusé d'innombrables
caves. Dans les sols des vallées, l'argile se mêle au
calcaire et au sable, avec parfois des silex ; au bord
de la Loire et de la Vienne, des graviers s'y
ajoutent.

Ces différents caractères se retrouvent donc dans
les vins. À chaque vallée correspond une appellation, dont les vins s'individualisent chaque
année grâce aux variations climatiques ; et l'association du millésime aux données du cru est
indispensable.

Le classement des millésimes est à moduler, bien
sûr, entre les rouges tanniques de Chinon ou de
Bourgueil (plus souples quand ils proviennent
des graviers, plus charpentés quand ils sont issus
des coteaux) et ceux plus légers, et parfois
diffusés en primeur, de l'appellation touraine ;
entre les rosés plus ou moins secs selon l'ensoleillement, tout comme les blancs d'Azay-le-
Rideau ou d'Amboise, et ceux de Vouvray et de
Montlouis dont la production va des secs aux
moelleux en passant par les vins effervescents.
Les techniques d'élaboration des vins ont leur
importance. Si les caves de tuffeau permettent
un excellent vieillissement à une température

constante d'environ 12 °C, les vinifications en blanc se font à température contrôlée ; les fermentations durent parfois plusieurs semaines, voire plusieurs mois pour les vins moelleux. Les rouges légers, de type touraine, sont issus de cuvaisons au contraire assez courtes ; en revanche, à Bourgueil et à Chinon, les cuvaisons sont longues : deux à quatre semaines. Si les rouges font leur fermentation malolactique, les blancs et les rosés, eux, doivent leur fraîcheur à la présence de l'acide malique.

Touraine

Superficie : 4 470 ha
Production : 254 353 hl (30 % rouge, 14 % mousseux)

S'étendant des portes de Montsoreau à l'ouest jusqu'à Blois et Selles-sur-Cher à l'est, l'aire d'appellation régionale touraine est principalement localisée de part et d'autre des vallées de la Loire, de l'Indre et du Cher. Le tuffeau affleure rarement ; les sols surmontent le plus souvent l'argile à silex. Les vins rouges proviennent de gamay (cépage exclusif des touraines primeurs), ou d'assemblage de cépages plus tanniques, comme le cabernet franc et le cot. À base de deux ou trois cépages, ils ont une bonne tenue en bouteille. Nés du cépage sauvignon qui, depuis quarante ans, a détrôné les autres, les blancs sont secs. Une partie de la production des blancs et des rosés est élaborée en mousseux selon la méthode traditionnelle. Toujours secs, friands et fruités, les rosés sont élaborés à partir des cépages rouges.

DOM. GUY ALLION Gamay Les Perdriettes 2012 ★

| ■ | 10 000 | ▮ | - de 5 € |

Issue de ceps de gamay de trente ans, cette cuvée vendangée à la main a visiblement bénéficié de soins attentifs. Rubis brillant, elle déploie une jolie palette aromatique où les fruits rouges (framboise) se taillent la part du lion. Souple, rond et bien équilibré, le palais s'étire dans une longue finale portée par des tanins croquants. « Vin de copain, vin de plaisir, vin de pique-nique », les jurés invitent à déguster ce 2012 sur le fruit, en compagnie d'un steak tartare ou d'une assiette de charcuterie.
🍇 EARL Guy Allion, 15, rue du Haut-Perron, 41140 Thésée, tél. 02 54 71 48 01, fax 02 54 71 48 51, contact@guyallion.com, ☑ ⚔ ⵂ r.-v. 🏠 🅱

DOM. AUGIS Cuvée Les Cosses 2011 ★

| ■ | 6 000 | ▮ | - de 5 € |

La commune de Meusnes est réputée pour ses terroirs riches en silex, et le cot, cépage emblématique de la vallée du Cher, s'y exprime pleinement. Frais et aromatique, le bouquet de ce 2011 mêle harmonieuse-

ment cassis et framboise. Ample et soyeuse, la bouche séduit par une belle rondeur et un fruité enjôleur. On pourra servir cette bouteille dès la sortie du Guide pour apprécier pleinement son expression aromatique, sur des joues de bœuf par exemple.
🍇 Dom. Augis, 1465, rue des Vignes, 41130 Meusnes, tél. 02 54 71 01 89, fax 02 54 71 74 15, philippe.augis@wanadoo.fr,
☑ ⚔ ⵂ t.l.j. sf dim. 8h-12h 14h-19h 🏠 🅳

🅑 **DOM. DE L'AUMONIER** Le Touraine blanc Sauvignon 2012 ★

| ■ | 30 000 | ▮ | 5 à 8 € |

Repris en 1986 par Sophie et Thierry Chardon, le domaine de l'Aumonier a terminé sa conversion en agriculture biologique en 2006. Ce 2012 a bénéficié d'un élevage en cuve de trois mois et il en ressort avec un bouquet très élégant qui évoque les fruits mûrs (litchi) mâtinés d'écorce d'orange et d'amande. La bouche, à l'unisson, séduit par sa rondeur, équilibrée par une juste fraîcheur. Rond, gras et fruité, le **rouge 2011 Les Arpents** est cité, tout comme le **rouge 2011 L'Insolite (8 à 11 € ; 6 000 b.)**, doté d'une matière riche et de tanins encore sévères ; on l'attendra un an ou deux.
🍇 Thierry Chardon, 44, rue de Villequemoy, 41110 Couffy, tél. 02 54 75 21 83, domaine.aumoniertchardon@wanadoo.fr, ☑ ⚔ ⵂ r.-v.

DOM. AUPETITGENDRE Cuvée des Lys 2011

| ■ | 3 000 | ▮ | 5 à 8 € |

En 1988, Claude Aupetitgendre, après avoir fait ses armes dans le pays du cognac, est revenu sur sa terre natale, la Touraine, et a repris l'exploitation viticole où il avait officié pendant plusieurs années en tant que chef de culture et maître de chai. Un trio de cot (70 %), de cabernet-sauvignon (25 %) et d'une pointe de gamay a donné naissance à cet joli rouge en robe rouge cerclée de rubis. Le bouquet, sur les fruits rouges, est relayé par un palais ample et souple, dont la finale encore un peu sévère appelle deux ou trois ans de garde. Le vigneron invite à la découvrir sur des flans de volaille à l'estragon. Également cité, le **rouge 2011 cabernet (2 000 b.)** sur le fruit possède une bonne concentration.
🍇 Dom. Claude Aupetitgendre, 11, vallée Saint-Martin, 37400 Lussault-sur-Loire, tél. 02 47 30 95 19, contact@domaineaupetitgendre.com, ☑ ⚔ ⵂ r.-v.

DOM. BARON Le Baron rouge 2011 ★

| ■ | 5 000 | ▮ | 5 à 8 € |

Ce domaine bien connu des habitués du Guide propose deux cuvées et deux visages de l'appellation, l'une issue de cot, l'autre de sauvignon. La version rouge se distingue par son nez intense et complexe où ressortent les fruits confits et le cassis. La bouche se révèle ronde et gourmande, adossée à des tanins soyeux. Le fruit domine, accompagné de réglisse dans une finale intense et longue. Un 2011 complet, à servir dans les deux ans à venir sur un rôti de bœuf. Le **sauvignon Vieilles Vignes 2012 (20 000 b.)**, plein de fraîcheur, accompagnera un plateau de crustacés.
🍇 Dom. Baron, 93, rue de Saint-Romain, 41140 Thésée, tél. 02 54 71 58 67, vignoblebaron@aol.com,
☑ ⚔ ⵂ r.-v. 🏠 🅐

LOIRE

DOM. **BELLEVUE** Cot 2011 ★

| | 6 000 | ▬ | - de 5 € |

Patrick Vauvy voit trois de ses vins sélectionnés. Ce pur cot élevé un an en cuve a eu la préférence. D'emblée, il séduit par son élégante robe violet sombre et par ses arômes de griotte et de raisin frais. Ce fruité se prolonge dans une bouche ronde et douce, légèrement acidulée en finale. Un beau 2011 à découvrir dès la sortie du Guide sur des côtelettes de chevreuil sautées. Même distinction pour le **rouge 2012 gamay (15 000 b.)**, un joli représentant du cépage, au nez fruité et à la bouche ronde. Le **blanc 2012 sauvignon (120 000 b.)**, élevé trois mois sur lie, est cité pour sa rondeur et sa douceur.

☛ Dom. Bellevue, 6, rue du Coteau, Les Martinières, 41140 Noyers-sur-Cher, tél. 02 54 71 42 73, fax 02 54 75 21 89, domainebellevue@orange.fr,

☑ ✶ ⏾ r.-v.

☛ Patrick Vauvy

DOM. DE **BELLEVUE** Sauvignon 2012

| | 40 000 | ▬ | 5 à 8 € |

Raphaël Midoir a succédé à son père en 1997 sur la propriété familiale. Connu pour ses crémants, ce domaine se fait également régulièrement remarquer pour ses touraines blancs. Ce 2012 jaune pâle aux reflets dorés livre un nez fin qui marie pêche de vigne et notes minérales. De bonne longueur, la bouche se révèle à la fois tendre et fraîche, soulignée par de délicates touches muscatées. Un vin harmonieux qui se plaira avec une terrine de poisson ou un carpaccio de saint-jacques.

☛ Dom. de Bellevue, 380, rue de la Grande-Brosse, 41700 Chémery, tél. 02 54 71 83 58, fax 02 54 71 50 30, domainedebellevue41@orange.fr,

☑ ⏾ t.l.j. 9h-12h30 14h-198h

☛ Midoir

DOM. DE LA **BERGEONNIÈRE** Cuvée Olivier 2012 ★

| | 11 500 | ▬ | 5 à 8 € |

Delphine et Laurent Benoist ont repris le domaine familial en 2003 et rendent hommage avec cette cuvée à leur ancien stagiaire Olivier, aujourd'hui vigneron à Sancerre, qui les a secondés lors de leur installation. Né sur un beau terroir argilo-calcaire, ce pur sauvignon récolté à maturité, issu d'une macération pelliculaire et élevé sur lie pendant quatre mois, a été particulièrement choyé. Le résultat ? Un élégant bouquet qui évoque la pêche, l'abricot sur fond minéral, une attaque souple et fruitée qui introduit une bouche à la fois douce, tonique et longue. Un ensemble bien équilibré à réserver pour l'apéritif. Le **blanc 2012 sauvignon (moins de 5 € ; 14 600 b.)** et le **rouge 2011 cabernet (moins de 5 € ; 5 196 b.)** sont cités. Le jury a aimé le palais équilibré, souple et gras du premier, et le caractère léger, élégant et persistant du second.

☛ Dom. de la Bergeonnière, EARL Bodin, 26, rte des Fourneaux, 41140 Saint-Romain-sur-Cher, tél. et fax 02 54 71 70 43, jcbodin@wanadoo.fr,

☑ ✶ ⏾ t.l.j. 9h-12h30 14h-19h; dim. 9h-12h

☛ Delphine et Laurent Benoist

DOM. DES **BESSONS** Arroma 2012

| | 6 800 | ▬ | 5 à 8 € |

Non loin de la ville d'Amboise et de son château, ce petit domaine de 9 ha propose un sauvignon de belle facture, qui livre des arômes discrets de fruits mûrs sur fond de bourgeon de cassis. Du volume, du gras, de la rondeur : ce vin bien fondu s'exprimera pleinement sur une poêlée d'asperges de Touraine sauce mousseline.

☛ François Péquin, Dom. des Bessons, 113, rue de Blois, 37530 Limeray, tél. 02 47 30 09 10, francois.pequin@wanadoo.fr,

☑ ✶ ⏾ t.l.j. sf dim. 9h-12h 14h-19h; nov.-mars sur r.-v.

PAUL **BUISSE** Sauvignon blanc Cristal 2012 ★★

| | 45 000 | | 5 à 8 € |

Dans le giron du négociant Pierre Chainier, la cave Paul Buisse propose des cuvées régulièrement distinguées dans le Guide. Remarquable, ce classique de l'appellation se présente dans une belle robe pâle, argentée. Le nez élégant joue sur les fruits exotiques (ananas, mangue) et les agrumes (pamplemousse), prélude à une bouche enjôleuse et fraîche, dynamisée par une pointe minérale en finale. Un ensemble ample, long et harmonieux, que l'on verrait bien sur un dos de sandre au beurre blanc.

☛ SAS Pierre Chainier, ZI La Boitardière, chem. du Roy, 37400 Amboise, tél. 02 47 30 73 07, fax 02 47 30 73 09, chainier@pierrechainier.com

DOM. DES **CAILLOTS** Tradition 2011 ★

| | 15 000 | ▬ | - de 5 € |

Des actes notariés attestent l'existence de cette propriété viticole dès le XVIIIe s. Dominique Girault, à la tête du domaine depuis 1983, a ses habitudes dans le Guide. Il signe ici un assemblage de cot et de cabernet franc à parts égales, à l'origine de cette cuvée qui charme d'emblée dans sa robe pourpre. Le bouquet, racé, mêle les fruits cuits et les épices. Le palais, ample et élégant, s'appuie sur des tanins fermes qui laissent augurer un bon vieillissement de deux ou trois ans.

☛ EARL Dominique Girault, 2, chem. du Vigneron, Le Grand-Mont, 41140 Noyers-sur-Cher, tél. 02 54 32 27 07, fax 02 54 75 27 87, domaine.des.caillots@orange.fr,

☑ ✶ ⏾ t.l.j. 10h-12h 14h-19h; dim. sur r.-v.

DOM. FRANÇOIS **CARTIER** Sauvignon blanc 2012

| | 20 000 | ▬ | - de 5 € |

Depuis 1977, c'est la cinquième génération qui gère le domaine. Vincent et François Cartier signent un 2012 expressif aux notes douces de pêche mûre et d'agrumes. Le palais, à l'unisson, s'équilibre entre gras et fraîcheur, et finit sur une pointe d'amertume qui apporte de la complexité. Parfait pour un plateau de fromages de chèvre de la région.

☛ Dom. François Cartier, 13, rue de la Bergerie, La Tesnière, 41110 Pouillé, tél. 02 54 71 51 54, fax 02 54 71 74 09, cartier-francois@wanadoo.fr,

☑ ✶ ⏾ t.l.j. sf dim. 9h-12h 14h-18h; f. 15 août-1er sep.

DOM. DE LA **CHAISE** Sauvignon 2012 ★

| | 80 000 | ▬ | 5 à 8 € |

Les origines de ce domaine remontent au XIe s., quand les moines du prieuré de la Chaise plantèrent les premières vignes sur cette terre pauvre de perruches (sol siliceux). La famille Davault, arrivée en 1850, développa le vignoble. Ce 2012 très réussi exprime d'emblée sa personnalité à travers un bouquet intense et frais d'agrumes et de bourgeon de cassis. Gras et riche, le palais s'équilibre entre la douceur des fruits et la fraîcheur cédée par une pointe d'amertume. Un vin de belle maturité que l'on pourra associer à un fromage de chèvre affiné.

☛ Christophe Davault, La Chaise, 37, rue de la Liberté, 41400 Saint-Georges-sur-Cher, tél. et fax 02 54 71 53 08, domainedelachaise@orange.fr, ☑ ⚥ ⚲ t.l.j. sf dim. 8h-19h

LA CHAPINIÈRE Gamay 2012

| ■ | 13 000 | ▮ | - de 5 € |

Voici dix ans que Florence Veilex a acquis ce domaine situé sur les coteaux sud du Cher. Elle signe à partir de vignes de gamay de vingt ans plantées sur un sol argilo-siliceux une cuvée au bouquet printanier de fruits rouges. Le palais se révèle ample et équilibré, rehaussé par des notes épicées en finale. À servir dans l'année sur un mets relevé, un sauté de bœuf au curry par exemple.

☛ La Chapinière de Châteauvieux,
4, chem. de la Chapinière, 41110 Châteauvieux,
tél. 02 54 75 43 00, fax 02 54 75 31 60,
contact@lachapiniere.com,
☑ ⚥ ⚲ t.l.j. sf lun. 10h-19h; dim. 10h-13h
☛ Florence Veilex

DOM. CHARBONNIER Sauvignon 2012

| ■ | 50 000 | ▮ | - de 5 € |

Les vins de Michel Charbonnier et de son neveu Stéphane sont régulièrement mentionnés dans le Guide. Cette année, les dégustateurs ont retenu un sauvignon élevé six mois sur lies fines, qui s'ouvre sur des notes fraîches de bourgeon de cassis et de citronnelle. L'attaque franche dévoile une bouche tonique et persistante, dominée par des notes d'agrumes. Idéal pour accompagner un plat exotique, des nems aux crevettes par exemple.

☛ Michel et Stéphane Charbonnier, 4, chem. de la Cossaie, 41110 Châteauvieux, tél. 02 54 75 49 29, fax 02 54 75 40 74, dms.charbonnier@wanadoo.fr, ☑ ⚥ ⚲ r.-v.

DOM. DES CLÉMENDIÈRES Gamay 2012 ★

| ■ | 50 000 | ▮ | - de 5 € |

Après avoir acquis son expérience dans différents vignobles de France (Alsace, Bordelais, Bourgogne...) et du Nouveau Monde, Arnault Ponlevoy a rejoint en 2006 le domaine familial : 16 ha qu'il cultive avec son frère. Des vignes de trente ans sont à l'origine de cette cuvée d'un beau rouge soutenu, au bouquet intense de fruits mûrs et

La Touraine

	AOC de la Touraine :			AOC des coteaux du Loir :			AOC coteaux-du-vendômois
1	bourgueil		10	jasnières			
2	saint-nicolas-de-bourgueil		11	coteaux-du-loir			AOC valençay
3	chinon						
4	montlouis			AOC régionale touraine			---- Limites de départements
5	vouvray						
6	touraine-azay-le-rideau			AOC cheverny			
7	touraine-amboise						0 10 20 km
8	touraine-mesland			AOC cour-cheverny			
9	touraine-noble-joué						

de fleurs, ronde et tout aussi aromatique en bouche. Pour un plaisir immédiat sur un plat « bistrotier », un petit salé aux lentilles, par exemple.

☛ EARL Ponlevoy, 417, rue de la Hardionnerie, 37150 Bléré, tél. 02 47 57 87 65, fax 02 47 30 39 50, arnaultponlevoy@hotmail.com,
☑ ⚔ ⵟ t.l.j. sf dim. 9h-12h30 14h-19h

DOM. DE LA COLLINE Sauvignon 2012 ★

| 54 000 | ■ | - de 5 € |

Fruit d'une collaboration étroite entre Rémi Colin, vigneron, et Joseph Verdier, négociant qui assure la distribution des vins du domaine, ce sauvignon élevé huit mois en cuve se montre fort aimable avec ses notes fraîches d'agrumes sur fond de fleurs blanches. Dans le même registre vif et fruité, le palais ne manque ni de gras ni de rondeur et déroule une jolie finale aux accents acidulés. Un vin harmonieux, à servir sur un poisson grillé.

☛ GAEC Rémy Colin, 25, Le Grand-Mont, 41140 Noyers-sur-Cher, tél. 02 41 40 22 50, fax 02 41 40 29 69, r.boileau@joseph-verdier.fr
☛ SA Joseph Verdier

DOM. DES CORBILLIÈRES Les Demoiselles 2011

| 10 000 | ■ | 5 à 8 € |

Valeur sûre de l'appellation (souvent avec son sauvignon), le domaine des Corbillières signe un assemblage très réussi, qui place cot et cabernet sensiblement à parité et incorpore 20 % de pinot noir. Paré d'une robe pourpre, ce vin dévoile un nez intense de fruits frais, puis prolonge une bouche ronde et souple, vivifiée par une pointe de fraîcheur. À ranger dans la catégorie des vins gourmands.

☛ EARL Barbou, Dom. des Corbillières, 41700 Oisly, tél. 02 54 79 52 75, fax 02 54 79 64 89, contact@domainedescorbillieres.com, ☑ ⵟ r.-v.

LES VIGNERONS DES COTEAUX ROMANAIS
Sauvignon mythique 2012

| 42 000 | ■ | 5 à 8 € |

Ce groupement de producteurs exploite quelque 200 ha de vignes et propose régulièrement de belles cuvées, tel ce sauvignon né de vignes trentenaires. De beaux arômes variétaux (buis, herbe coupée) sur fond de litchi, une bouche souple, fraîche et de belle longueur : c'est un vin harmonieux et bien typé, à servir sur un mets exotique ou sur un plateau de fruits de mer.

☛ Les Vignerons des Coteaux Romanais, 50, rue Principale, 41140 Saint-Romain-sur-Cher, tél. 02 54 71 70 74, fax 02 54 71 52 68, vignerons.romanais@wanadoo.fr,
☑ ⚔ ⵟ t.l.j. sf dim. 9h-12h 14h-18h

VIGNOBLE DELAUNAY Malbec 2011 ★

| 2 500 | ■ | - de 5 € |

Ce domaine situé sur la première côte du val de Cher bénéficie d'un beau terroir argilo-perrucheux sur lequel le malbec (cot) se sent à son aise. Ce 2011 annonce sa richesse par une robe tirant sur le noir et par un bouquet concentré de framboise et de fraise mêlé de réglisse. Les fruits rouges se retrouvent en bouche, enrobant des tanins encore bien présents qui invitent à découvrir cette bouteille dans deux ou trois ans, sur un civet de marcassin.

☛ Vignoble Daniel et Fabrice Delaunay, 2, rue de la Bergerie, 41110 Pouillé, tél. 02 54 71 46 93, fax 02 54 71 77 34, fabricedelaunay@hotmail.com,
☑ ⵟ t.l.j. sf dim. 8h-12h 14h-18h

DOM. DE LA DOLTIÈRE Sauvignon 2012

| 14 000 | ■ | - de 5 € |

Partisan de la lutte raisonnée (Terra Vitis), Alain Barras, installé depuis 1985 sur la rive gauche du Cher, fait son entrée dans le Guide avec ce 2012 né sur des argiles à silex, qui séduit par son bouquet riche aux accents exotiques, prélude à une bouche tout aussi aromatique, souple et longue. Pour un apéritif aux tonalités marines.

☛ Alain Barras, Dom. de la Doltière, 41110 Châteauvieux, tél. 02 54 75 12 49, fax 02 54 75 03 31, ladoltiere@orange.fr,
☑ ⚔ ⵟ t.l.j. 10h-19h; dim. sur r.-v.

VIGNOBLE DUBREUIL Sauvignon 2012

| 6 000 | ■ | - de 5 € |

Au cœur de la vallée du Cher, à mi-chemin entre le zoo de Beauval et le château de Cheverny, ce domaine familial a été repris en 2010 par Stéphane Dubreuil, qui propose un sauvignon fort séduisant dans sa livrée or pâle. Très expressif, sur des notes variétales, ce vin typé se montre frais, souple et persistant, et se plaira sur des toasts au saumon fumé à l'heure de l'apéritif.

☛ EARL Vignoble Dubreuil, La Croix-de-la-Touche, 41700 Couddes, tél. 02 54 71 32 85, fax 02 54 71 09 64, vignobledubreuil@gmail.com,
☑ ⚔ ⵟ t.l.j. sf dim. 9h-12h30 14h-19h

DOM. DES ÉCHARDIÈRES Sauvignon blanc 2012 ★

| 45 000 | ■ | 5 à 8 € |

Luc Poullain, ancien ingénieur agricole et commercial, n'a pas, à l'instar de tant d'autres, repris une exploitation familiale. Installé depuis 2000 à Pouillé, sur la rive gauche du Cher en amont de Chenonceaux, il propose un sauvignon de belle facture. Élégant, le bouquet s'ouvre sur les fruits frais et le bourgeon de cassis. La bouche se révèle souple, vive, minérale, sans manquer de rondeur. En deux mots : classique et équilibré. Parfait pour des asperges.

☛ Luc Poullain, 9, rue de la Brosse, 41110 Pouillé, tél. et fax 02 54 71 46 66, info@domaine-echardieres.com,
☑ ⚔ ⵟ r.-v.

DOM. DES ÉLÉPHANTS Harmonie 2011 ★

| 8 000 | ⅏ | 5 à 8 € |

Philippe Boucher, héritier de huit générations de vignerons, a créé en 2006 cette exploitation, dont le nom évoque deux imposants éléphants en céramique qui se dressaient autrefois sur la route du domaine. Il propose avec son fils, qui l'a rejoint en 2007, un assemblage de cot (50 %) et de cabernet franc (40 %) complété de gamay, élevé douze mois en fût. Très coloré, violet tirant sur le noir, ce 2011 livre d'élégantes notes de fruits rouges et d'épices sur un fond de vanille et de torréfaction. Souple et ronde, l'attaque ouvre sur un palais soyeux au boisé bien fondu, qui invite à découvrir ce vin sans attendre sur une viande en sauce.

☛ Dom. des Éléphants, 19, rte des Éléphants,
41400 Monthou-sur-Cher, tél. 06 81 33 51 34,
fax 02 54 71 32 08, philippe.boucher27@wanadoo.fr,
☑ ⚭ ⛋ r.-v.
☛ EARL Boucher

LE CH. DE FONTENAY Le Sauvignon 2012 ★★

| | 6 600 | ■ | 5 à 8 € |

Dominant le Cher, le château de Fontenay (XVIIᵉ et XIXᵉ s.), entouré de son vignoble, de ses prés et de ses bois, bénéficie d'une situation idéale. Ce Sauvignon, paré d'une robe jaune pâle aux reflets violets, s'ouvre sur un bouquet expressif et complexe, fruité et végétal, agrémenté de notes fumées, auquel répond une bouche franche, intense et longue, qui finit sur une petite pointe d'amertume fort élégante. De beaux accords en perspective avec les produits de la mer. Le **rouge 2012 La Sainte-Marguerite gamay (10 000 b.)**, cité, est un vin léger et friand, à boire sur son fruit, accompagné de grillades ou de charcuteries.
☛ EARL Dom. de Fontenay, 3, Fontenay, 37150 Bléré, tél. 02 47 57 12 74, vin@lechateaudefontenay.fr,
☑ ⚭ ⛋ r.-v. 🏠 ⑤ 🏠 Ⓔ
☛ Carli

VALÉRIE FORGUES Cot 2011

| | n.c. | ■ | - de 5 € |

Ce domaine, conduit depuis 1997 par Valérie Forgues, propose un pur cot élevé seize mois en cuve. La robe grenat aux reflets violets annonce un bouquet fin et fruité (fraise, groseille). La bouche soyeuse, ronde et longue, dévoile en finale une pointe de douceur. Ce vin méritera d'attendre un an en cave pour permettre aux tanins de se fondre. À découvrir sur des côtes de veau à la tomate. Même distinction pour le **Dom. de la Méchinière gamay 2012 (10 000 b.)** aux accents frais et fruités.
☛ Valérie Forgues, La Méchinière, 22, rte de Saint-Aignan, 41110 Mareuil-sur-Cher, tél. 02 54 75 15 80, fax 09 57 59 15 81, domaine_mechiniere@yahoo.fr,
☑ ⚭ ⛋ r.-v.

GARNIER FRÈRES Le Coup de fusil
Méthode traditionnelle ★

| | 4 000 | ■ | 5 à 8 € |

Géré par les frères Olivier et Éric Garnier depuis 1989, ce domaine est aussi connu pour ses valençay. Il se distingue ici avec un effervescent brut très réussi, élaboré selon la méthode traditionnelle. Cette cuvée, produite sur une petite superficie (80 ares), doit son nom aux silex ramassés sur les sols de la commune pour alimenter les fusils de l'armée française de Napoléon Iᵉʳ. La robe jaune or s'anime d'un fin cordon de bulles. Le nez élégant mêle les fleurs blanches et les fruits (pomme, pêche), prélude à une bouche longue, expressive et harmonieuse. Parfait à l'apéritif.
☛ Dom. Garnier, Chamberlin, 81, rue Delacroix, 41130 Meusnes, tél. 02 54 00 10 06, fax 02 54 05 13 31, olivier@oliviergarnier.com, ☑ ⚭ ⛋ r.-v.

VIGNOBLE GIBAULT Sauvignon 2012 ★

| | 48 000 | ■ | - de 5 € |

Situé en première côte du Cher, le vignoble de Patrick Gibault est établi sur un terroir riche en silex blond. Ce vin, bâti sur l'élégance, distille à l'aération des notes de fruits exotiques et de fleurs (genêt). Une attaque ronde annonce une bouche d'un beau volume, bien équilibrée entre gras et vivacité jusqu'à la longue finale. Suggestion d'accord : du poisson mariné. Le **rouge 2011 cuvée Silex (4 700 b.)**, fruité et équilibré, est cité.
☛ Vignoble Gibault, 183, rue Gambetta, 41130 Meusnes, tél. 02 54 71 02 63, fax 02 54 71 58 92, vg@vignoblegibault.com,
☑ ⚭ ⛋ t.l.j. sf dim. 8h-12h 14h-19h

DOM. GIBAULT Platine 2012 ★

| | 25 000 | ■ | 5 à 8 € |

Bien connu pour ses valençay, ce domaine conduit depuis 1988 par Pascal et Danielle Gibault propose ici un sauvignon très réussi qui a séduit les dégustateurs par son nez complexe de miel et de fruits confits, assortis d'une touche de zeste de citron. La bouche gourmande, dans le même registre, associe la richesse des fruits mûrs et la fraîcheur des notes mentholées. Une cuvée gracieuse et prête à être dégustée sur une poularde ou des fruits de mer. Rond et gras, le **sauvignon blanc 2012 (moins de 5 € ; 95 000 b.)** obtient la même note.
☛ Dom. Gibault, Les Martinières, 11, rue des Vignes, 41140 Noyers-sur-Cher, tél. 02 54 75 36 52, fax 02 54 75 29 79, danielle-de-lansee@wanadoo.fr,
☑ ⚭ ⛋ r.-v.

DOM. DE LA GIRARDIÈRE Gamay 2012 ★

| | 6 900 | ■ | - de 5 € |

Patrick Léger signe un gamay aimable qui a retenu l'attention des dégustateurs par son bouquet intense de fruits rouges mâtinés d'épices. Quant à la bouche, souple et fruitée, elle campe sur une belle matière. Un vin bien équilibré et prêt à boire. Le **blanc 2012 sauvignon (40 000 b.)**, plaisant et frais, soutenu par des notes de bourgeon de cassis, reçoit une citation.
☛ Patrick Léger, 283, rte de la Girardière, 41110 Saint-Aignan, tél. 02 54 75 42 44, fax 02 54 75 21 14, domainedelagirardiere@wanadoo.fr,
☑ ⚭ ⛋ t.l.j. 9h-20h (dim. 13h)

CAVE DE LA GRANDE BROSSE Coco & Co 2011

| | 5 000 | ■ | 5 à 8 € |

Ce cot issu d'un terroir argilo-calcaire de 1 ha, vendangé manuellement et élevé un an en cuve, se présente dans une robe limpide aux reflets violets et dévoile des parfums de violette et de fruits rouges mûrs. La bouche, tout en rondeur, évolue sur des tanins soyeux, mais encore un peu sévères en finale. Un cot typique et prometteur, qui s'accordera volontiers avec une charlotte au chocolat amer dans deux ans.
☛ Cave de la Grande Brosse, La Grande-Brosse, 41700 Chémery, tél. 02 54 71 81 03, fax 02 54 32 32 21, cave.grande-brosse@wanadoo.fr, ☑ ⚭ ⛋ r.-v.

DOM. DE LA GRANDE FOUCAUDIÈRE Lionel et Cot 2011 ★

| | 2 000 | ■ | 5 à 8 € |

Entourée d'un parc de 40 ha, cette ancienne propriété qui remonte au XVIᵉ s. propose un pur cot à la robe caractéristique, violet sombre tirant sur le noir. Au nez comme en bouche, c'est un vin épicé (poivre, réglisse) et fruité. Bien charpenté, le palais est bâti sur des tanins serrés qui invitent à patienter trois à cinq ans. Cette bouteille sera parfaite pour accompagner un chili con carne pas trop relevé.

LOIRE

☛ Lionel Truet, La Grande Foucaudière,
37530 Saint-Ouen-les-Vignes, tél. 02 47 30 04 82,
lioneltruet@orange.fr, ☑ ☩ ⊤ t.l.j. 9h-20h 🏠 ☺

DOM. DE LA GRANGE Les Hauts de la lande 2012

| ■ | 10 000 | ■ | - de 5 € |

« Artisan-vigneron » comme il aime à se présenter sur ses étiquettes, Bruno Curassier signe des cuvées régulièrement sélectionnées dans le Guide. La vendange manuelle ne doit pas être étrangère à la qualité de ce bel assemblage de cabernet franc, de gamay (30 %) et de grolleau (10 %). Le bouquet fruité et floral procure d'emblée un réel plaisir. À l'unisson, la bouche, à la fois ronde, ample et fraîche, séduit par son harmonie et sa longueur. Un rosé tendre, idéal pour des rillettes tourangelles.
☛ Dom. de la Grange, 8, rue de la Grange, 37150 Bléré, tél. 02 47 57 68 18, bruno.curassier@bbox.fr,
☑ ☩ ⊤ t.l.j. sf dim. 10h-12h 14h-19h
☛ Curassier

DOM. GUENAULT Sauvignon blanc 2012

| ■ | 61 866 | | 5 à 8 € |

Le domaine Guenault, propriété de la famille Bougrier, fut l'un des premiers de la région à palisser ses vignes. Le sauvignon 2011 avait été élu coup de cœur. Moins ambitieux, le 2012 s'annonce par un bouquet élégant qui mêle fruits exotiques et notes citronnées, et dévoile une bouche vive, tonique jusqu'en finale. Il accompagnera dès cet automne un poisson au four.
☛ SCEA Dom. des Hauts Lieux, Les Hauts-Lieux, 41400 Saint-Georges-sur-Cher, tél. 02 54 32 31 36, fax 02 54 71 09 61, st.georges@bougrier.fr

DOM. DE LA HAUTE CLÉMENCERIE Méthode traditionnelle

| ● | 16 000 | | 5 à 8 € |

Créé en 1932, ce domaine familial est situé sur les premières côtes de la rive sud du Cher à cinq minutes de Chenonceau. Patrick Mahoudeau propose un brut rosé agréable : robe rose pâle et brillante animée de fines bulles, bouquet délicat de fruits secs et d'amande, palais rond et élégant. Le brut **blanc méthode traditionnelle (22 000 b.)** est également cité pour sa douceur (notes de miel) et sa bonne harmonie générale.
☛ Dom. de la Haute Clémencerie, 7, rte de la Haute-Clémencerie, 41400 Faverolles-sur-Cher, tél. 06 79 28 02 74, patrickmahoudeau@aol.com,
☑ ⊤ t.l.j. 8h-12h 14h-18h, f. août
☛ Patrick Mahoudeau

JAJAVANAISE Ne vous déplaise... 2011 ★

| ■ | 4 500 | | 5 à 8 € |

Ne vous déplaise, cette « Jajavanaise » à la très belle robe rubis vous fera tourner la tête au rythme des notes fruitées de l'olfaction. Le palais, rond, adossé à des tanins soyeux, tient le tempo fruité jusqu'à la finale, longue et fraîche. À servir avec une assiette de charcuteries tourangelles dans les deux ans à venir. Une étoile est également décernée au **rouge Côtcerto 2011 (8 à 11 € ; 3 500 b.)**. Très structuré, ce vin aux notes boisées et épicées est encore sous l'emprise de l'élevage en fût. Il mérite d'attendre un an ou deux en cave pour atteindre son apogée.

☛ Nicolas Paget, 7, rte de la Gadouillère, 37190 Rivarennes, tél. 02 47 95 54 02, fax 02 47 95 45 90, domaine.paget@wanadoo.fr,
☑ ☩ ⊤ t.l.j. sf dim. lun. 9h30-12h 14h30-18h

JEAN-CHRISTOPHE MANDARD Gamay 2012 ★

| ■ | 12 000 | | - de 5 € |

Installé depuis vingt ans cette année à Mareuil-sur-Cher, Jean-Christophe Mandard est l'une des valeurs sûres de la vallée du Cher, ce que confirment les trois cuvées retenues dans cette édition. Une étoile est attribuée à ce gamay profond, intense, au nez complexe de fruits rouges et de fruits confits. Le palais se révèle gouleyant à souhait, friand et très soyeux. Pour un plat canaille, une étoile de veau par exemple. Même distinction pour le **sauvignon blanc 2012 (30 000 b.)** et son agréable palette de fruits (pêche, orange, citron) et de fleurs blanches. Le **rosé 2012 (4 000 b.)** est cité pour son équilibre douceur/fraîcheur.
☛ Jean-Christophe Mandard, 14, rue du Bas-Guéret, 41110 Mareuil-sur-Cher, tél. 02 54 75 19 73, fax 02 54 75 16 70, mandard.jc@wanadoo.fr, ☑ ☩ ⊤ r.-v.

DOM. DE MARCÉ Sauvignon 2012

| ■ | 60 000 | | - de 5 € |

Les vins blancs du domaine de Marcé sont des familiers du Guide. Ce 2012 pâle aux reflets jaune doré livre des parfums discrets de buis et de fleurs blanches. D'un beau volume, fruitée, la bouche est marquée en finale par une plaisante pointe d'amertume qui lui apporte un surcroît de longueur et de complexité. Un honorable représentant de l'appellation et du millésime, à découvrir sans attendre sur une assiette de l'océan.
☛ EARL Godet, 10, rte de Marcé, 41700 Oisly, tél. 02 54 79 54 04, fax 02 54 79 54 45, godet.viticulteur@orange.fr,
☑ ☩ ⊤ t.l.j. sf dim. 8h-12h 14h-19h

JOSÉ MARTEAU Cuvée Prestige 2011 ★★

| ■ | 9 000 | | 5 à 8 € |

Deux hectares de cot (80 %) et de cabernet-franc, un séjour de huit mois en cuve et le talent de José Marteau ont donné naissance à ce remarquable 2011 très sombre aux reflets bigarreau. Avec un nez concentré autour du fruit nuancé de touches épicées et une bouche souple, dense, ample et persistante sur la griotte et le cassis, ce vin est une véritable gourmandise, même si la finale encore un peu sévère appelle une petite garde. D'ici trois à quatre ans, il aura atteint son optimum et accompagnera avec bonheur des brochettes de filet de bœuf.
☛ José Marteau, 41, La Rouerie, 41400 Thenay, tél. 02 54 32 50 51, fax 02 54 32 18 52, josemarteau@msn.com,
☑ ☩ ⊤ t.l.j. 9h-12h30 14h-19h30; dim. 9h-12h30

DOM. JACKY MARTEAU Sauvignon 2012 ★

| ■ | 125 000 | | - de 5 € |

Ludivine et Rodolphe Marteau, représentant la quatrième génération, sont désormais à la tête de ce beau domaine de 27 ha bien connu des lecteurs du Guide. Dans sa robe limpide, leur sauvignon dévoile des parfums intenses de fleurs blanches, de fruits exotiques et d'agrumes. Ample et gourmand, le palais, bien équilibré, s'exprime tout en fraîcheur et en élégance. Un vin harmonieux que l'on verrait bien sur un crumble asperges-chèvre.

➡ Dom. Jacky Marteau, 36, rue de la Tesnière,
41110 Pouillé, tél. 02 54 71 50 00, fax 09 74 44 64 04,
contact@domainejackymarteau.fr, ☑ ⚲ ☖ r.-v.

DOM. MICHAUD Sauvignon 2012 ★

| | 60 000 | ▮ | - de 5 € |

Comme aime à le dire Thierry Michaud, c'est à la
vigne que se joue l'essentiel. Pour ce faire, il se concentre
sur les meilleurs terroirs et pratique une agriculture
raisonnée. Issu d'argile, de sable et de silex, ce 2012 élevé
sur lie jusqu'à la mise en bouteilles fera le bonheur des
amateurs de vins frais et floraux ; de la rondeur, du gras
aussi et au final un bel équilibre. Parfait pour un fromage
de chèvre.

➡ Dom. Michaud, 20, rue des Martinières,
41140 Noyers-sur-Cher, tél. 02 54 32 47 23,
thierry@domainemichaud.com,

☑ ⚲ ☖ t.l.j. sf dim. 9h-12h 14h-19h; sam. 10h-12h 14h-18h

♥ ALBANE ET BERTRAND MINCHIN
Franc du côt-lié 2011 ★★

| ▮ | 6 300 | ▮⬛ | 11 à 15 € |

Habitué aux étoiles, souvent par paires, et aux coups
de cœur en menetou-salon, le Claux Delorme voit pour la
première fois un de ses touraines rouges atteindre la
première marche du podium. Cet assemblage traditionnel
de la vallée du Cher, cot-cabernet franc (70 % – 30 %), a
été vendangé manuellement, puis il a bénéficié d'un
élevage mixte, six mois en cuve et onze mois en fût. Il en
résulte cette magnifique cuvée parée d'une élégante robe
noire, au bouquet intense de fruits rouges (fraise et
framboise) sur un fond délicatement boisé. Ses arguments
en bouche : souplesse, volume, tanins à la fois serrés et
soyeux, longueur remarquable. En deux mots : équilibre et
personnalité pour ce très beau vin qui pourra se goûter dès
la sortie du Guide et pendant de nombreuses années
encore. Le **Red de Rouge 2012 rouge (5 à 8 € ; 4 000 b.)**
est cité pour son harmonie entre la rondeur du fruit et la
fraîcheur des épices.

➡ Le Claux Delorme, 8, rue des Landes,
41130 Selles-sur-Cher, tél. 02 48 25 02 95,
fax 02 48 25 05 03, ab.minchin.vins@orange.fr, ☑ ⚲ ☖ r.-v.
➡ Minchin

MONMOUSSEAU Méthode traditionnelle ★

| ○ | 100 000 | ▮ | 5 à 8 € |

Fondées en 1886, les caves Monmousseau sont
spécialisées depuis longtemps dans l'élaboration de vins
effervescents, et notamment en vouvray. Cette filiale de la
société Ackerman de Saint-Hilaire-Saint-Florent propose
un brut à majorité de chenin, élevé six mois en cuve puis
quinze mois sur lattes. Le bouquet complexe évoque les
fleurs blanches, les fruits mûrs (coing) et le miel. Le palais,
dans le prolongement du nez, se montre frais, long et bien
équilibré. Un vin festif, idéal pour l'apéritif.

➡ SA Monmousseau, 71, rte de Vierzon, BP 30025,
41400 Montrichard, tél. 02 54 71 66 66, fax 02 54 32 56 09,
monmousseau@monmousseau.com, ☑ ⚲ ☖ r.-v.
➡ Ackerman

DOM. DE MONTIGNY Fines bulles 2011

| ○ | 2 000 | | 5 à 8 € |

Sur le terroir de la nouvelle appellation touraine-oisly
réputé pour ses vins blancs secs, Jean-Marie Michaud
propose un rosé effervescent généreux et fruité, bien
équilibré entre douceur et fraîcheur, que l'on verrait bien
sur une salade de fraises.

➡ Dom. de Montigny, 22, rte de Soings, 41700 Sassay,
tél. 02 54 79 60 82, domaine.montigny@gmail.com,
☑ ⚲ ☖ r.-v.
➡ Jean-Marie Michaud

MOULIN DES AIGREMONTS 2012 ★

| ▮ | 85 000 | ▮ | - de 5 € |

Cette union de producteurs créée en 1925 vinifie les
raisins de nombreuses exploitations situées aux portes des
châteaux d'Amboise et de Chenonceaux. Depuis peu, elle
exploite ses propres vignes, reprenant des vignobles sans
succession. Ce Moulin des Aigremonts est un rosé plaisant
issu principalement de gamay. Robe rose soutenu aux
reflets orangés, nez friand de fruits rouges, palais souple
et tendre, vivifié par une finale fraîche : un ensemble très
réussi, qui s'accordera bien avec une pizza ou de la cuisine
asiatique. Autre cuvée du Moulin, le **blanc 2012 sauvignon (80 000 b.)**, tout en vivacité, est cité.

➡ Cellier du Beaujardin, 32, av. du 11-Novembre-1918,
37150 Bléré, tél. 02 47 57 91 04, fax 02 47 23 51 27,
cellier.beaujardin@wanadoo.fr,
☑ ⚲ ☖ t.l.j. sf dim. 8h-12h 14h-18h30

CH. DE NITRAY Les Meuriers 2011

| ▮ | 12 000 | ▮ | - de 5 € |

Ce domaine a été créé en 1750 et repris en 1990 par
Hubert de l'Espinay, qui s'est mis au service du vin après
des études juridiques et sept ans passés dans le secteur
bancaire. Ce joli cabernet franc dévoile un nez gourmand
de fruits rouges relayé par un palais souple et léger. Une
cuvée élégante et gouleyante, à servir sur une entrecôte
grillée.

➡ Ch. de Nitray, 37270 Athée-sur-Cher, tél. 02 47 50 29 74,
fax 02 47 50 29 61, nitray@visit-chateau.com,
☑ ⚲ ☖ t.l.j. 9h30-12h 14h-19h
➡ de l'Espinay

DOM. OCTAVIE Gamay 2012 ★

| ▮ | 15 000 | ▮ | 5 à 8 € |

À partir d'un beau terroir de sables sur argiles à silex,
Noë et Isabelle Roubballay-Barbeillon signent un gamay
gourmand qui mêle des notes de fruits rouges et de
bonbon. Le palais séduit par sa souplesse, son intensité
aromatique et sa longueur. Un 2012 harmonieux à
découvrir sans attendre lors d'un barbecue. Même distinction pour le **rosé pineau d'Aunis 2012 (5 000 b.)**,
épicé et bien structuré.

•⋒ Dom. Octavie-Rouballay Noë,
SCEA Barbeillon-Rouballay, 7, rte de Marcé, 41700 Oisly,
tél. 02 54 79 54 57, fax 02 54 79 65 20,
domaineoctavie@domaineoctavie.com,
☑ ⋏ ⵣ t.l.j. sf dim. 9h-12h30 14h-18h30
•⋒ Noë Rouballay

CAVES DU PÈRE AUGUSTE Cot Marreux 2011

■	11 000	■	- de 5 €

Voici maintenant plus d'un siècle que le père Auguste, ancêtre d'Alain Godeau, l'actuel vigneron, a creusé les caves du domaine dans le tuffeau. Le lieu de naissance de ce pur malbec (ou cot) élevé dix mois en cuve. D'une belle couleur sombre, ce 2011 développe un bouquet puissant qui associe les fruits rouges mûrs et les épices. Bien charpenté, il est bâti sur des tanins serrés qui empêchent pour l'heure le fruit de s'exprimer à loisir. Une bouteille à attendre trois ans avant de l'ouvrir sur un sauté de bœuf un peu relevé.
•⋒ GAEC Caves du Père Auguste, 14, rue des Caves,
37150 Civray-de-Touraine, tél. 02 47 23 93 04,
fax 02 47 23 99 58, contact@pereauguste.com,
☑ ⋏ ⵣ t.l.j. 8h30-19h30; dim. 10h-12h 🏠 ② 🏠 ⓒ
•⋒ Godeau

CH. DU PETIT THOUARS Cabernet franc Amiral 2011 ★

■	14 000	⬛	11 à 15 €

Saint-Germain-sur-Vienne est situé à l'extrême ouest de l'AOC touraine, sur la rive gauche de la Vienne face au vignoble de Chinon. Ce secteur, traditionnellement planté en cabernet franc, a demandé depuis peu son rattachement à l'appellation chinon. Ce 2011, élevé deux ans en fût atteste la qualité de ce terroir. Nez ouvert et gourmand sur des notes de petits fruits rouges, palais riche et élégant aux tanins soyeux, voici un vin bien dans son cru, à découvrir dans deux ans sur une côte de bœuf. Citée, la cuvée **rouge Réserve cabernet franc 2011** (8 à 11 € ; 35 000 b.), élevée dix-huit mois en fût de chêne, est réservée aux amateurs de vins boisés.
•⋒ Ch. du Petit Thouars, 37500 Saint-Germain-sur-Vienne,
tél. 02 47 95 96 40, fax 02 47 47 95 80 27,
chateau.du.petit.thouars@wanadoo.fr,
☑ ⋏ ⵣ t.l.j. sf sam. dim. 9h30-12h45 14h30-16h30

DOM. DE PIERRE Gamay 2012 ★★

■	3 600	■	5 à 8 €

Lionel Gosseaume a repris en 2007 ce petit vignoble (10,62 ha) niché entre Sologne et Touraine, qu'il a baptisé « Domaine de Pierre » en hommage à son père, viticulteur également, décédé en 2005. Sur un terroir sablo-argileux bien adapté au gamay, il signe une cuvée qui s'annonce remarquable dès l'olfaction par une explosion de fruits rouges confiturés, prélude à un palais souple, mûr et soyeux. Un vin de caractère que le vigneron recommande d'apprécier sur un steak tartare.
•⋒ Lionel Gosseaume, 6, chem. des Étangs, 41700 Choussy,
tél. 02 54 71 55 02, info@lionelgosseaume.fr, ☑ ⵣ r.-v.

DOM. DU PRÉ BARON Sauvignon 2012

■	90 000	■	5 à 8 €

Acteur incontournable au service de la région viticole, Jean-Luc Mardon a activement milité pour la reconnaissance de l'AOC touraine-oisly par l'INAO,

acquise en 2011. Ce beau terroir de sables et d'argiles de la commune d'Oisly est à l'origine de ce touraine or pâle et cristallin. Le bouquet, de bonne intensité, allie le pamplemousse et les fleurs blanches sur fond de fruits exotiques. Vif dès l'attaque, le palais soutenu de bout en bout par une belle acidité dévoile en finale des notes fort plaisantes de pomme verte. Un sauvignon classique, pour une salade au chèvre chaud ou un poisson grillé.
•⋒ Dom. Pré Baron, EARL Mardon, 9, rue des Ormeaux,
41700 Oisly, tél. 02 54 79 52 87, fax 02 54 79 00 45,
jean-luc.mardon@wanadoo.fr,
☑ ⋏ ⵣ t.l.j. sf dim. 9h-12h15 14h30-18h30
•⋒ Jean-Luc Mardon

DOM. DE LA RENAUDIE Sauvignon 2012

■	68 000	■	- de 5 €

Ce domaine de Mareuil, établi sur les premières côtes de la rive gauche du Cher, est bien connu des lecteurs. Il propose ici un blanc né d'un terroir riche en argiles sableuses qui livre d'élégantes notes florales mêlées à des touches d'agrumes. Ce même fruité se retrouve dans une bouche à la fois ronde et tonique, soutenue par une fine pointe d'amertume. Pour un poisson vapeur au basilic.
•⋒ Dom. de la Renaudie, 115, rte de Saint-Aignan,
41110 Mareuil-sur-Cher, tél. 02 54 75 18 72,
fax 02 54 75 27 65, domaine.renaudie@wanadoo.fr,
☑ ⋏ ⵣ t.l.j. sf dim. 9h-12h 14h-19h
•⋒ Bruno Denis

DOM. DE LA RENNE Sauvignon 2012

■	100 000	■	- de 5 €

Cette exploitation familiale créée en 1900 s'étend sur 80 ha. Elle propose un vin fruité (mangue), fin et élégant, bien équilibré entre rondeur et fraîcheur, et de bonne longueur. Tout indiqué pour l'apéritif.
•⋒ Dom. de la Renne, 1, chem. de la Forêt,
41140 Saint-Romain-sur-Cher, tél. 02 54 71 72 79,
fax 02 54 71 35 07, domaine.de.la.renne@wanadoo.fr,
☑ ⋏ ⵣ t.l.j. sf dim. 9h-12h 14h-18h

VINCENT RICARD Sauvignon Le Petiot 2012

■	40 000	⬛	5 à 8 €

Ce Petiot, né sur un terroir argilo-calcaire, est un habitué du Guide. Il séduit d'emblée dans sa robe or pâle, et dévoile un joli bouquet de fruits blancs et d'agrumes. Vif en attaque, le palais se montre frais et léger. À déguster à l'apéritif accompagné de quelques charcuteries.
•⋒ Dom. Vincent Ricard, 19, rue de la Bougonnetière,
41140 Thésée, tél. 02 54 71 00 17, fax 02 57 71 00 17,
domaine.ricard@wanadoo.fr, ☑ ⋏ ⵣ r.-v.

CH. DE LA ROCHE Sauvignon blanc 2012

■	41 600	■	- de 5 €

Également négociant, ce viticulteur établi non loin d'Amboise propose un sauvignon blanc aromatique porté par des notes classiques d'agrumes et de buis. Souple et pourvu d'une vivacité plaisante, l'ensemble se révèle bien équilibré. À réserver pour les produits de la mer.
•⋒ SCA Dom. Chainier, Ch. de la Roche, 37530 Chargé,
tél. 02 47 30 73 07, fax 02 47 30 73 09,
domaine.chainier@pierrechainier.com

DOM. DE LA ROCHETTE Prestige du vigneron 2011

| 20 000 | ■ | 5 à 8 € |

Ce domaine régulier situé dans le joli village viticole de Pouillé, réputé pour ses sols perrucheux (argile à silex), voit deux de ses cuvées rouges retenues. Ce cot complété d'une pointe de cabernet franc (35 %), élevé deux ans en cuve, a de la tenue dans sa robe grenat. Intense dans son expression aromatique (fruits rouges et noirs), il révèle une belle matière soutenue par des tanins puissants. On laissera à ce vin de belle facture, un rien sévère en finale, le temps de s'arrondir encore deux ou trois ans. Le **gamay 2012 (moins de 5 € ; 41 000 b.)** est cité. Si le nez est encore timide, le palais, moins sur la réserve, se montre rond et équilibré.

☛ François Leclair, 79, rte de Montrichard, 41110 Pouillé, tél. 02 54 71 44 02, fax 02 54 71 10 94, info@vin-rochette-leclair.com,

☑ ⚥ ⓣ t.l.j. 8h-17h; ven. 8h-12h; ven. apr.-m. sam. dim. sur r.-v.

Ⓑ DOM. DES ROY Alliance 2011 ★★

| 4 000 | ■❶ | 8 à 11 € |

Épaulée par son mari Yohann, technicien viticole et fils de vigneron, Anne-Cécile Roy a repris en 2005 les rênes du domaine familial, qu'elle conduit en agriculture biologique. Dans leur salle de dégustation aménagée dans l'ancien atelier de tonnellerie du grand-père, vous pourrez découvrir cette cuvée remarquable, le fruit d'un assemblage de cabernet-franc et de cot élevé dix-huit mois en fût. Bouquet dominé par la mûre et la réglisse, bouche à la fois fraîche et charnue, finale gourmande sur la griotte : ce vin de très belle facture, aux tanins encore marqués, méritera pour donner le meilleur de lui-même de patienter encore deux ans en cave. Le **rouge Les Grives 2011 (5 à 8 € ; 3 000 b.)** reçoit une étoile. Ce pur cabernet-franc élevé en cuve se distingue par ses plaisantes notes de fruits rouges bien mûres et par son équilibre. À attendre également.

☛ Dom. des Roy, 3, rue Franche, 41400 Pontlevoy, tél. 02 54 32 51 07, domaine-des-roy@wanadoo.fr,

☑ ⚥ ⓣ r.-v. 🏠 Ⓑ

Ⓑ DOM. SAUVÈTE Passion 2012

| 2 500 | ■ | 8 à 11 € |

Jérôme Sauvète, qui a toujours défendu une viticulture respectueuse de l'environnement, s'est engagé très tôt dans l'agriculture biologique, qu'il aime à expliquer lors de balades commentées dans le vignoble. Intense, le nez de ce 2012 dévoile d'élégantes notes de fraise mêlées de nuances de bourgeon de cassis. Dans la continuité, la bouche fait preuve d'une agréable rondeur, soulignée par des tanins souples. Un vin léger et gouleyant, tout indiqué pour des charcuteries.

☛ Dom. Sauvète, 9, chem. de la Bocagerie, 41400 Monthou-sur-Cher, tél. 02 54 71 48 68, fax 02 54 71 75 31, domaine-sauvete@wanadoo.fr,

☑ ⚥ ⓣ t.l.j. sf dim. 10h-12h 14h-19h; f. 15-31 août

DOM. DES SOUTERRAINS Sauvignon 2012 ★

| 6 000 | ■ | - de 5 € |

Ce domaine fondé en 1820 a été repris en 2011 par Nicolas Mazzesi, qui peut se féliciter de sa reconversion dans le secteur du vin. Ce 2012 jaune pâle aux reflets argentés s'exprime joliment sur des notes de fleur de sureau, de bourgeon de cassis et de tomate verte. La bouche, bien fruitée, s'agrémente de notes mentholées qui

apportent une agréable fraîcheur. Un joli vin complexe et dynamique, qui pourra être servi avec des fruits de mer. Le **gamay 2012 (10 000 b.)** aux accents de cerise, souple et gouleyant, est cité.

☛ Nicolas Mazzesi, 37 bis, rue des Souterrains, La Haie-Jallet, 41130 Châtillon-sur-Cher, tél. 02 54 71 02 94, fax 02 54 71 76 26, adm@domainedessouterrains.com,

☑ ⚥ ⓣ t.l.j. sf dim. 8h30-17h30

CH. VALLAGON Sauvignon blanc 2012 ★

| 35 000 | ■ | - de 5 € |

Créée en 1961, la Confrérie des Vignerons de Oisly & Thésée a été l'une des premières caves coopératives à investir dès 1975 dans la modernisation du matériel de vinification, et ce avec succès. Pour preuve ses très nombreuses cuvées sélectionnées dans le Guide, en particulier ses vins blancs. Ce Château Vallagon se présente dans une livrée jaune paille. D'une grande intensité, son bouquet évoque les fruits blancs et les agrumes, le litchi, avec en prime une touche de fumé. Cette richesse se retrouve dans un palais souple, frais et harmonieux. Parfait pour un fromage de chèvre. Cité, le **rouge Les Cépages 2011 (6 300 b.)** est un assemblage de gamay, de cot et de cabernet-franc à parts égales. Aimable au palais par sa légèreté et son côté friand, il est prêt à boire.

☛ Confrérie des Vignerons de Oisly & Thésée, 5, rue du Vivier, 41700 Oisly, tél. 02 54 79 75 20, fax 02 54 79 75 29, oisly@uapl.fr,

☑ ⚥ ⓣ t.l.j. sf dim. 9h-12h 14h-18h

DOM. DU VIEUX PRESSOIR Cuvée des sourdes 2011 ★

| 10 000 | ■ | 5 à 8 € |

Après avoir visité le château de Chaumont-sur-Loire, célèbre pour ses jardins, vous pourrez faire une pause à l'entrée du domaine pour y admirer le vieux pressoir, avant de découvrir cette cuvée très réussie dans son habit grenat du plus bel effet. Franche et équilibrée, la bouche, aux arômes de fruits rouges, portée par des tanins présents mais soyeux, achève de convaincre. À déguster sur des paupiettes de veau.

☛ Joël Lecoffre, 27, rte de Vallières, 41150 Rilly-sur-Loire, tél. 02 54 20 90 84, fax 02 54 20 99 66, joel.lecoffre@wanadoo.fr,

☑ ⚥ ⓣ t.l.j. 8h-19h30; f. jan. 🏠 Ⓓ

♥ VIGNOBLE DU CH. DE LA VOÛTE
Sauvignon blanc 2012 ★★

| 10 000 | ■ | 5 à 8 € |

Joël Delaunay, vigneron réputé de l'AOC touraine, a su faire de son domaine une valeur sûre du Guide. En 2003, il a cédé l'exploitation à son fils Thierry et à son épouse Marie, qui ont repris le flambeau avec talent, si l'on en juge par ce sauvignon, déjà coup de cœur dans le millésime 2010. Une robe magnifique, or pâle, annonce un nez intense et fin de fleurs blanches (aubépine, acacia) et d'agrumes. Sur un fond de douceur contrebalancé par un trait de minéralité, la bouche laisse une impression de fraîcheur et d'élégance. Un modèle d'équilibre à réserver pour un mets délicat, un tartare de saint-jacques par exemple. Le **Dom. Joël Delaunay 2012 sauvignon blanc (100 000 b.)**, souple et aromatique, reçoit une étoile.

☛ EARL Dom. Joël Delaunay, 48, rue de la Tesnière, 41110 Pouillé, tél. 02 54 71 45 69, fax 02 54 71 55 97, contact@joeldelaunay.com,

☑ ⚘ ⵣ t.l.j. sf dim. 9h-12h 14h-18h; sam. sur r.-v.

☛ Thierry Delaunay

Touraine-amboise

Superficie : 165 ha
Production : 8 767 hl (83 % rouge et rosé)

De part et d'autre de la Loire, sur laquelle veille le château d'Amboise des XVe et XVIe s., non loin du manoir du Clos-Lucé où vécut et mourut Léonard de Vinci, ce vignoble produit des vins rosés et rouges à partir du gamay, du cot et du cabernet franc. Ce sont des vins pleins, aux tanins légers ; lorsque cot et cabernet dominent, les rouges ont une certaine aptitude à la garde. Les mêmes cépages donnent des rosés secs et tendres, fruités et bien typés. Secs à demi-secs selon les années, les blancs peuvent également être gardés en cave.

DOM. DE LA GABILLIÈRE Expression 2011 ★

■	6 100 ▐ ⵁ	5 à 8 €

La Gabillière est le domaine d'application pédagogique du lycée viticole d'Amboise. Ancré dans l'histoire locale, il est attenant à la Pagode de Chanteloup, petite folie érigée par le duc de Choiseul. Mention très réussie pour les élèves du lycée : leur cuvée de chenin sec décroche une étoile pour l'intensité de sa palette aromatique, à dominante fruitée, avec quelques notes fumées et vanillées en appoint, et pour son palais gras et rond, dynamisé en finale par une fine vivacité. Un « sec tendre » des plus harmonieux, à déguster dans les deux ans sur un poisson en sauce.

☛ Dom. de la Gabillière, 46, av. Émile-Gounin, 37400 Amboise, tél. 02 47 23 35 51, fax 02 47 23 35 68, expl.lpa.amboise@educagri.fr, ☑ ⚘ ⵣ r.-v.

☛ Lycée viticole d' Amboise

DOM. DE LA GRANDE FOUCAUDIÈRE
Clos du Vau 2011 ★★

■	3 500 ⵁ	5 à 8 €

Revenu sur les terres familiales en 1992, après quinze ans passés en région parisienne, Lionel Truet conduit aujourd'hui un petit vignoble niché au cœur d'un parc forestier de 40 ha. Il signe le meilleur vin rouge de la sélection à partir d'un assemblage de cot (60 %) et de cabernet franc. Ses arguments : une élégante robe sombre et intense, un bouquet non moins intense de fruits rouges

sur fond vanillé et une bouche ample, ronde, adossée à des tanins soyeux et fins. Un vin équilibré et charmeur, à déguster dans les deux ans. Le **rouge 2011 cuvée François Ier (3 500 b.)**, souple et généreusement fruité, est cité.

☛ Lionel Truet, La Grande-Foucaudière, 37530 Saint-Ouen-les-Vignes, tél. 02 47 30 04 82, lioneltruet@orange.fr, ☑ ⚘ ⵣ t.l.j. 9h-20h 🏠 🅒

STÉPHANE MESLIAND Mon Côt'o 2011 ★

■	2 400 ⵁ	8 à 11 €

Stéphane Mesliand, quatrième du nom à conduire ce domaine de 14 ha, a engagé la conversion bio d'une partie de son vignoble. Il a sélectionné 1,2 ha de cot pour élaborer cette cuvée, dont la robe sombre et dense ne laisse pas de doute sur la présence du cépage. Les intenses notes boisées de l'olfaction, mariées aux fruits rouges, trahissent le passage de neuf mois en barrique. Quant au palais, à l'unisson du bouquet, il se révèle puissant, bien charpenté, sans toutefois manquer de douceur et de rondeur. Une bouteille de caractère, à attendre un an ou deux. Le **blanc sec 2011 Les Chemins blancs (5 à 8 € ; 3 000 b.)**, gras et fruité, est cité.

☛ Stéphane Mesliand, 15 bis, rue d'Enfer, 37530 Limeray, tél. 02 47 30 11 15, fax 09 70 63 43 60, domaine.mesliand@orange.fr, ☑ ⚘ ⵣ t.l.j. 10h-20h; dim. sur r.-v.

DOMINIQUE PERCEREAU Réserve Marguerite 2011

■	3 000 ▐	11 à 15 €

La parcelle à l'origine de cette cuvée porte le prénom de la grand-mère de Dominique Percereau. Son sol argilo-calcaire est un beau terrain d'expression pour le chenin à l'origine d'un liquoreux jaune pâle, discret au premier nez, plus ouvert sur les fruits à l'aération. Riche sans lourdeur, de bonne longueur, la bouche se montre un peu plus expressive, toujours sur le fruit. À déguster sur un foie gras, aujourd'hui ou dans une petite décennie pour de nouvelles sensations.

☛ Dominique Percereau, 85, rue de Blois, 37530 Limeray, tél. 02 47 30 11 40, fax 02 47 30 16 51 ☑ ⚘ ⵣ r.-v.

PLOU ET FILS Le Paradis 2011

■	15 000 ▐	5 à 8 €

La famille Plou cultive la vigne depuis 1508 sur les terres de Chargé. Elle propose ici un demi-sec de belle facture (29,4 g/l de sucres résiduels), drapé dans une robe jaune soutenu. Au nez, bien fruité, répond une bouche équilibrée entre douceur et fraîcheur, et d'une longueur honorable. À boire sur un chèvre sec.

☛ Plou et Fils, 26, rue du Gal-de-Gaulle, 37530 Chargé, tél. 02 47 30 55 17, fax 02 47 23 17 02, contact@plouetfils.com, ☑ ⚘ ⵣ t.l.j. 9h-19h30

DOM. DE LA TONNELLERIE Cuvée François Ier 2011 ★

■	1 500 ▐	5 à 8 €

Vincent Péquin s'inscrit dans la nouvelle vague de vignerons tourangeaux qui cherchent à retrouver l'identité des vins rouges ligériens au travers la mise en valeur du cot (avec ou sans accent circonflexe, c'est selon). Ici, le cépage compose la majorité de l'assemblage, associé au cabernet franc et au gamay. Un vin rubis intense aux arômes exubérants de fruits rouges (framboise). Franc et souple en attaque, toujours bien fruité au palais, rond et long, il est prêt. Le **rouge 2011 Prestige Le Clos Frou (moins**

de 5 € ; 2 500 b.), élevé en fût, obtient également une étoile. Il mérite d'attendre un à deux ans.
☛ Vincent Péquin, 71, rue de Blois, 37530 Limeray, tél. 02 47 30 13 52, vincent.pequin@orange.fr, ☑ ☩ �...r.-v.

Touraine-azay-le-rideau

Superficie : 46 ha
Production : 1 705 hl (44 % blanc)

Nés sur les deux rives de l'Indre, les vins ont ici l'élégance du château qui se reflète dans la rivière et dont ils ont pris le nom. Les blancs, secs à tendres, particulièrement fins et de bonne garde, sont issus du cépage chenin. Les cépages grolleau (60 % minimum de l'assemblage), gamay, cot et cabernets (au maximum 10 %) donnent des rosés secs et très friands. Les vins rouges ont l'appellation touraine.

CH. DE L'AULÉE Vieilles Vignes d'Azay
Élevé en fût de chêne 2011

| | 4 200 | ▥ | 5 à 8 € |

Arnaud et Marielle Henrion ont acquis en 2004 ce domaine alors en liquidation, qu'ils ont depuis spécialisé dans les effervescents, tout en continuant une petite production de vins tranquilles. Cet azay né de vieux chenins de quarante-cinq ans a connu neuf mois de barrique. Il délivre des parfums plaisants de pêche mûre sur fond vanillé, relayés par une bouche ronde et d'un bon volume. À réserver pour une volaille en sauce.
☛ Ch. de l'Aulée, rte de Tours, 37190 Azay-le-Rideau, tél. 02 47 45 44 24, contact@laulee.com, ☑ ☩ �...t.l.j. 9h-19h; f. dim. en jan. 🏛 ❸
☛ Marielle Henrion

NICOLAS PAGET Opus 2011 ★

| | 3 000 | | 8 à 11 € |

Nicolas Paget, installé en 2007 à la tête du domaine familial, « bichonne » son vignoble et ses vins, et a fait le choix du bio (conversion en cours) en abandonnant le levurage et la chaptalisation et en optant pour des vendanges manuelles. Musicien à ses heures perdues, il signe un Opus harmonieux, longuement fermenté en barrique. D'où ce léger vanillé à l'olfaction, qui s'associe avec l'abricot mûr, presque une confiture, dans une bouche ample, douce et persistante. À déguster dans les deux ou trois ans à venir sur une tarte aux fruits jaunes.
☛ Nicolas Paget, 7, rte de la Gadouillère, 37190 Rivarennes, tél. 02 47 95 54 02, fax 02 47 95 45 90, domaine.paget@wanadoo.fr, ☑ ☩ �...t.l.j. sf dim. lun. 9h30-12h 14h30-18h

LA CAVE DES VALLÉES Cuvée du Pain béni 2011 ★

| | 3 000 | ▮▥ | 5 à 8 € |

Non loin du château de la Cour, ancien relais de chasse de Charles VII, la famille Badiller exploite la vigne depuis plusieurs générations. Elle propose ici une cuvée tendre qui évoque la douceur de vivre bien réelle des bords de Loire. Les fleurs blanches donnent le ton de l'olfaction.

La bouche, ronde et douce, y ajoute de plaisantes notes de coing et s'adosse à une agréable fraîcheur. Un vin équilibré, à déguster sur un poisson au beurre blanc.
☛ Marc Badiller, 29, Le Bourg, 37190 Cheillé, tél. 02 47 45 24 37, fax 02 47 45 29 66, contact@vins-badiller.fr, ☑ ☩ �...r.-v.

Touraine-chenonceaux

Production : 1 900 hl

Couvrant les premières « côtes » des deux rives du Cher, sur vingt-sept communes de l'Indre-et-Loire et du Loir-et-Cher, le vignoble touraine-chenonceaux est, avec touraine-oisly, le plus récent des sous-ensembles délimités dans la vaste appellation touraine (2011). Conscients du potentiel de leur terroir, les vignerons ont œuvré, des décennies durant, à donner à leur vin une dimension qui les distingue de ceux de l'AOC régionale. Dans cette quête de qualité et d'authenticité, ils ont réservé l'encépagement au seul cépage sauvignon en blanc et ont privilégié le cot et le cabernet franc en rouge. Des parcelles sélectionnées riches en silex, des rendements plus faibles, des élevages plus longs en rouge contribuent également au caractère de ces vins : des rouges amples et complexes, et des blancs expressifs.

DOM. BEAUSÉJOUR 2011

| | 2 000 | ▮ | 8 à 11 € |

Philippe Trotignon réussit un joli coup double sur ce premier millésime de l'appellation touraine-chenonceaux. Le blanc, dans sa livrée or pâle aux reflets verts, a eu la préférence. Délicat, il livre un bouquet de fleurs blanches et d'agrumes (citron). La bouche, tendue par de fines notes minérales, dévoile des arômes de pêche élégants. Une jolie bouteille qui fera le bonheur d'un fromage de chèvre. Le **rouge 2011 (2 000 b.)** demandera une petite pause en cave (un à deux ans) pour s'arrondir.
☛ Dom. Beauséjour, Philippe Trotignon, 14, rue des Bruyères, 41140 Noyers-sur-Cher, tél. 02 54 71 34 17, fax 02 54 71 77 61, philippe.trotignon@free.fr, ☑ ☩ �...r.-v.

DOM. DU CHAPITRE 2011 ★

| | 4 000 | ▮ | 8 à 11 € |

Maryline et François Desloges font preuve d'un beau savoir-faire et d'une bonne connaissance des terroirs avec ce 2011 très réussi. Robe pâle aux reflets verts, nez aux subtils accents de fruits exotiques puis d'agrumes confits, palais souple et frais qui livre en finale des notes d'ananas. Un beau vin équilibré entre douceur et vivacité, qui accompagnera une viande blanche en sauce. Pourquoi pas une géline de Touraine ou un carré de veau ?
☛ Maryline et François Desloges, 82, rue Principale, 41140 Saint-Romain-sur-Cher, tél. 02 54 71 71 22, fax 02 54 71 08 21, ledomaineduchapitre@wanadoo.fr, ☑ ☩ �...t.l.j. 9h-18h30

DOM. DESROCHES 2011 ★★

■	4 000	▬	5 à 8 €

Pour ce premier millésime de l'appellation touraine-chenonceaux, Jean-Michel Desroches a sélectionné 35 ares de vieux plants de cot et de cabernet franc nés sur un terroir de perruches. Cette superbe cuvée, élevée dix-huit mois en cuve, offre un beau bouquet de griotte et de cassis. Tout aussi aromatique, la bouche se révèle souple, soyeuse et équilibrée. Patientez un peu avant de servir cette bouteille sur du gibier ou une viande en daube.
☛ Jean-Michel Desroches, 8, imp. du Vieux-Porche, 41400 Saint-Georges-sur-Cher, tél. 02 54 32 33 13, desroches.jm@wanadoo.fr, ☑ ☀ ⊤ r.-v.

DOM. DES ÉCHARDIÈRES La Long Bec 2011 ★★

■	4 000	▬	8 à 11 €

Habituez-vous aux reflets violines qui ornent la robe des touraine-chenonceaux ; c'est la couleur typique du cépage cot (malbec), emblématique de la vallée du Cher, associé dans cette cuvée au cabernet franc. Ce 2011 superbe déroule longuement ses gourmandises fruitées (griotte, cassis) et épicées, jusqu'à la finale soyeuse. Un ensemble à la fois puissant et équilibré au potentiel de garde certain. À réserver pour un repas de fête.
☛ Luc Poullain, 9, rue de la Brosse, 41110 Pouillé, tél. et fax 02 54 71 46 66, info@domaine-echardieres.com, ☑ ☀ ⊤ r.-v.

DOM. MICHAUD Cuvée «Ad Vitam...» 2011 ★

■	18 000	▬	5 à 8 €

Régulièrement distingué dans nos éditions, le domaine Michaud, qui fut l'une des chevilles ouvrières de la nouvelle appellation touraine-chenonceaux, reçoit dans cette AOC sa première étoile pour sa cuvée « Ad Vitam... », déjà bien connue des amateurs de vins de terroir. Belle parure rouge profond, joli nez mêlant les bigarreaux et les fruits noirs, palais rond et soyeux, l'équilibre est là. À savourer dès maintenant sur un sauté de veau aux champignons. Cité pour sa douceur, le **blanc 2011 (18 500 b.)** se montre gras et long en bouche.
☛ Dom. Michaud, 20, rue des Martinières, 41140 Noyers-sur-Cher, tél. 02 54 32 47 23, thierry@domainemichaud.com, ☑ ☀ ⊤ t.l.j. sf dim. 9h-12h 14h-19h; sam. 10h-12h 14h-18h

CAVES DU PÈRE AUGUSTE 2011 ★

■	6 300	▬ ◖	5 à 8 €

À quelques centaines de mètres du château de Chenonceau, la famille Godeau vous accueillera dans les caves fraîches du domaine creusées dans le tuffeau. C'est en ces lieux que ce bel assemblage de cot (65 %) et de cabernet franc a été élevé sept mois en cuve et trois mois en fût. Le résultat ? Un nez intense de cassis et de mûre ; une bouche, dans le même registre, souple et chaleureuse ; une finale portée par des tanins soyeux. Voilà une bouteille flatteuse et harmonieuse, à réserver pour un coq au vin ou une viande rouge en sauce.
☛ GAEC Caves du Père Auguste, 14, rue des Caves, 37150 Civray-de-Touraine, tél. 02 47 23 93 04, fax 02 47 23 99 58, contact@pereauguste.com, ☑ ☀ ⊤ t.l.j. 8h30-19h30; dim. 10h-12h 🏠 ❷ 🏠 ❸
☛ Godeau

♥ DOM. DE LA RENAUDIE 2011 ★★

■	3 600	▬	8 à 11 €

DOMAINE DE
La Renaudie
PATRICIA & BRUNO DENIS
VIGNERONS EN VAL DE LOIRE
TOURAINE
CHENONCEAUX
APPELLATION TOURAINE CONTRÔLÉE

Quand on évoque le domaine de la Renaudie, situé sur la rive gauche du Cher, on ne dissocie jamais Bruno et Patricia Denis, tous deux soucieux de l'environnement et de la qualité de leurs vins. Ces deux fervents défenseurs du touraine-chenonceaux signent LE premier coup de cœur de cette nouvelle appellation. D'une grande élégance dans sa robe pâle aux reflets dorés, ce sauvignon livre des parfums intenses de pêche. Il attaque avec vivacité sur des notes d'agrumes et d'abricot avant une finale pleine de tendresse. Un vin « historique » donc, et de gastronomie, qui appelle une volaille tendre ou un poisson fin – pourquoi pas des filets de perche en papillote ? Cité, le **rouge 2011 (3 600 b.)** a retenu l'attention des dégustateurs pour son bouquet de fruits noirs et sa légèreté.
☛ Dom. de la Renaudie, 115, rte de Saint-Aignan, 41110 Mareuil-sur-Cher, tél. 02 54 75 18 72, fax 02 54 75 27 65, domaine.renaudie@wanadoo.fr, ☑ ☀ ⊤ t.l.j. sf dim. 9h-12h 14h-19h
☛ Bruno Denis

DOM. DES TABOURELLES Cuvée Félicie Blanche 2011

■	1 950	▬	8 à 11 €

Ce domaine familial est situé à Bourré, en amont du château de Chenonceau, sur les coteaux dominant le Cher. L'accueil et les dégustations se déroulent dans les caves troglodytiques de la demeure du XVIIᵉs., qui abrite aussi trois chambres d'hôtes. Ce blanc sec 2011 séduit d'emblée par la puissance aromatique du bouquet, sur les fruits très mûrs, et par la rondeur et l'équilibre du palais. Idéal pour une cuisine asiatique, un sauté de crevettes et riz cantonais par exemple.
☛ Dom. des Tabourelles, 9, rte des Vallées, 41400 Bourré, tél. 02 54 32 07 58, contact.tabourelles@gmail.com, ☑ ☀ ⊤ t.l.j. 9h-12h 14h-18h 🏠 ❸
☛ Anne Josseau

Touraine-mesland

Superficie : 100 ha
Production : 5 105 hl (82 % rouge et rosé)

Sur la rive droite de la Loire, au nord de Chaumont et en aval de Blois, le vignoble est implanté sur des sols perruchaux (argile à silex à couverture localement sableuse du miocène, ou limono-sableuse). Les rouges, très majoritaires, sont issus du gamay, assemblé à du cabernet et à du cot : ils sont bien structurés. Les blancs doivent contenir une majorité de chenin éventuellement complété de chardonnay et de sauvignon.

DOM. DE LA BESNERIE Réserve 2011

◾   10 000   ▮   5 à 8 €

Frédéric Pironneau a repris en 2008 les rênes du domaine constitué par la génération précédente. Il aime à faire découvrir le travail de la vigne aux amateurs de vins qu'il accueille dans ses caves. Issue d'un trio de cépages – gamay et cabernet franc à parts égales complétés de 20 % de cot –, cette Réserve est un vin fort plaisant et prêt à boire. Ses arguments : une belle robe sombre, un nez de cerise sur fond épicé, un palais rond et souple, une finale fraîche. Pour un faisan ou une volaille rôtie.

☛ EARL Pironneau, Dom. de la Besnerie, 41, rte de Mesland, 41150 Monteaux, tél. 02 54 70 23 75, fax 02 54 70 21 89, pironneau.f@wandoo.fr, ☑ ✳ ⵟ t.l.j. sf mer. 9h-12h 14h30-19h; dim. sur r.-v.

Ⓑ CLOS DE LA BRIDERIE Vieilles Vignes 2012 ★

◾   9 000   ▮   5 à 8 €

Depuis 1990, Vincent Girault conduit son vignoble en agriculture bilogique, et ce Clos de la Briderie, repris en 2000, a naturellement été converti lui aussi à cette démarche. Dans cette cuvée fort réussie, le chenin apporte structure et minéralité, tandis que le chardonnay donne une touche de douceur. D'un jaune pâle aux reflets argentés, ce 2012 libère des notes citronnées et miellées. Dans une heureuse continuité, la bouche associe le gras, la douceur et une fraîcheur séduisante. Un vin à apprécier avec des asperges ou un poisson au beurre blanc.

☛ SCEA Clos de la Briderie, 70, rue Rol-Tanguy, 41150 Monteaux, tél. 02 54 70 28 89, contact@closchateaugaillard.fr, ☑ ✳ ⵟ t.l.j. sf sam. dim. 9h-12h 13h30-18h

DOM. DE RABELAIS 2012 ★

◾   5 000   - de 5 €

Dans la pure tradition de ce secteur situé à l'est de la rive droite de la Loire, ce rosé est issu du gamay, cépage particulièrement bien adapté aux sols de Mesland. Épices et fleurs blanches se marient harmonieusement au nez, tandis que le palais conjugue avec un même équilibre fraîcheur et tendreté. Un beau vin à déguster sur une cuisine épicée ou sur une assiette de charcuterie. Le **rouge 2012 Vieilles Vignes (3 000 b.)** est cité pour son expression fruitée (framboise, groseille). On lui réservera une volaille grillée.

☛ Cédric Chollet, 60, rte de Meuves, 41150 Onzain, tél. et fax 02 54 20 88 91, cedric.chollet0980@orange.fr, ☑ ✳ ⵟ r.-v.

DOM. DES TERRES NOIRES 2012 ★

◾   4 000   - de 5 €

La coutume pour l'AOC touraine-mesland est de proposer en rosé des vins tendres issus du gamay. La tradition est respectée avec cette cuvée dominée, au nez comme en bouche, par des notes gourmandes de fraise croquante, qui séduit aussi par sa souplesse. Un excellent choix pour l'apéritif ou pour accompagner des grillades. Le **rouge 2012 (5 000 b.)** et le **blanc 2012 (3 000 b.)** sont cités. Le premier pour son fruité et sa belle structure, le second pour sa fraîcheur soulignée de notes citronnées.

☛ GAEC des Terres noires, 81, rue de Meuves, 41150 Onzain, tél. 02 54 20 72 87, fax 02 54 20 85 12, gaec.terres.noires@orange.fr, ☑ ⵟ r.-v.

LES VAUCORNEILLES Du grain au vin 2011 ★

◾   4 165   ▮   5 à 8 €

Gilles Chelin, qui a repris le domaine en 1998, a acquis une solide notoriété aux portes de Blois. Il propose ainsi en été une soirée « Spectacle et Vins », et le week-end de la Pentecôte un pique-nique au domaine où les vins sont offerts. Fidèle au rendez-vous du Guide, il est une nouvelle fois distingué pour deux de ses cuvées. Ce 2011 a séduit d'emblée les dégustateurs par son beau bouquet de fruits (framboise, pruneau), d'épices et de réglisse. La bouche souple, ronde et bien équilibrée, ne déçoit pas. Parfait pour un plat mijoté. Même note pour la **cuvée Nathan 2011 rouge (1 425 b.)**, gouleyante et fruitée (fraise des bois).

☛ Dom. Les Vaucorneilles, 10, rue de l'Égalité, 41150 Onzain, tél. 02 54 20 72 91, fax 02 54 20 74 26, les.vaucorneilles@wanadoo.fr, ☑ ⵟ r.-v.

☛ Chelin

Touraine-noble-joué

Superficie : 28 ha
Production : 1 908 hl

Présent à la cour du roi Louis XI, le noble-joué est au sommet de sa renommée au XIXᵉs. Grignoté par l'urbanisation de la ville de Tours, le vignoble, qui faillit disparaître, renaît sous l'impulsion de vignerons qui le reconstituent. Ce vin gris, issu des pinot meunier, pinot gris et pinot noir, a été reconnu en AOC.

RÉMI COSSON 2012

◾   8 000   ▮   - de 5 €

Voici un rosé que vous pourrez apprécier tout au long de l'année sur une cuisine de tous les jours ou à l'apéritif. Robe saumonée, nez mêlant fleurs blanches et notes réglissées, palais rond et charnu, l'harmonie est au rendez-vous.

☛ Rémi Cosson, 3, rue de la Girarderie, La Hardellière, 37320 Esvres-sur-Indre, tél. 02 47 65 70 63, remicosson@orange.fr, ☑ ✳ ⵟ r.-v.

ANTOINE ET VINCENT DUPUY 2012

◾   15 000   ▮   - de 5 €

Ce vin harmonieux, à la jolie robe rose tendre, reflète bien le terroir de cette appellation où se plaisent les cépages originaux pour la région que sont le pinot meunier, le pinot gris et le pinot noir. Fruité gourmand de la pêche blanche et de la poire, rondeur et fraîcheur du palais : voici l'archétype du « vin de soif » à déguster les beaux jours venus.

☛ Antoine et Vincent Dupuy, Le Vau, 37320 Esvres-sur-Indre, tél. 06 87 14 22 83, fax 02 47 65 78 86, dupuy.vignerons@orange.fr, ☑ ⵟ r.-v.

LOIRE

ROUSSEAU FRÈRES 2012 ★

| 48 000 | ▯ | - de 5 € |

Participant à la renaissance de cette micro-appellation disparue après la Première Guerre mondiale, Bernard et Michel Rousseau ont su mettre en valeur la typicité de ce vin rosé, et le 2012 est très réussi. Très floral au nez comme en bouche, il laisse une impression de finesse et d'harmonie. À marier à une cuisine exotique de qualité.

☛ Rousseau Frères, Le Vau, 37320 Esvres-sur-Indre, tél. 02 47 26 44 45, rousseau-freres@wanadoo.fr,
☑ ⚭ ⏾ t.l.j. sf dim. 9h-12h 14h-19h

Touraine-oisly

Production : 1 000 hl

Avec touraine-chenonceaux, c'est le plus récent des sous-ensembles délimités à l'intérieur de l'appellation touraine, créé en 2011. Sur la rive gauche de la Loire, entre ce fleuve et le Cher, le terroir viticole d'Oisly s'étend sur dix communes de la partie orientale de l'aire d'appellation touraine. Cheverny est à une quinzaine de kilomètres au nord. La Sologne forestière, avec ses étangs et son gibier, est toute proche, à l'est. Sur ce plateau de la Sologne viticole, à l'est de Tours, les influences océaniques apparaissent très atténuées, et le climat est semi-continental. L'encépagement change également : en blanc, le chenin fait place au sauvignon. Les sols, graviers et formations dites « de Sologne » (sables, argiles, faluns) sont propices à ce cépage, le seul autorisé dans l'appellation.

DOM. DE MARCÉ Coulée galante 2011

| 13 000 | ▯ | - de 5 € |

Premier millésime à pouvoir revendiquer l'appellation touraine-oisly, le 2011 de Christophe Godet montre une belle présence tout au long de la dégustation. Une agréable expression du sauvignon construite autour des fruits et de la vivacité, qui se plaira avec des saint-jacques flambées.

☛ EARL Godet, 10, rte de Marcé, 41700 Oisly, tél. 02 54 79 54 04, fax 02 54 79 54 45, godet.viticulteur@orange.fr,
☑ ⚭ ⏾ t.l.j. sf dim. 8h-12h 14h-19h

DOM. DE PRÉ BARON L'Élégante 2011 ★

| 27 000 | ▯ | 5 à 8 € |

Nouvellement reconnue par l'INAO, la dénomination touraine-oisly produit des vins blancs secs tranquilles, issus du pur sauvignon planté sur des sols crayeux (tuffeau), argilo-calcaires et d'argiles à silex. Cette cuvée bien nommée possède tous les atouts pour illustrer l'appellation : une robe jaune paille ; un nez complexe d'agrumes et de fruits à noyau (pêche blanche) ; une

bouche ronde, harmonieuse et persistante, vivifiée par une pointe d'amertume. Une cuvée très réussie, à boire dès l'automne sur une lotte à la crème.

☛ Dom. Pré Baron, EARL Mardon, 9, rue des Ormeaux, 41700 Oisly, tél. 02 54 79 52 87, fax 02 54 79 00 45, jean-luc.mardon@wanadoo.fr,
☑ ⚭ ⏾ t.l.j. sf dim. 9h-12h15 14h30-18h30

Bourgueil

Superficie : 1 356 ha
Production : 69 234 hl

Rouges et parfois rosés, les bourgueil sont produits à partir du cépage cabernet franc (breton), à l'ouest de la Touraine et aux frontières de l'Anjou, sur la rive droite de la Loire. Racés, dotés de tanins élégants, ils ont une très bonne aptitude au vieillissement, après une cuvaison longue, s'ils proviennent des sols sur tuffeau jaune des coteaux : au moins dix ans pour les meilleurs millésimes. Ils sont plus gouleyants et fruités s'ils proviennent des terrasses aux sols graveleux à sableux.

♥ YANNICK AMIRAULT La Coudraye 2011 ★★

| 25 000 | ▯ | 5 à 8 € |

Yannick Amirault fait partie des figures de proue du vignoble de Bourgueil. Il collectionne les étoiles dans le Guide et ce coup de cœur souligne une évidence : il n'y a pas de grand vin sans grand vigneron. C'est sur un sol de sables et de graviers, terre bénie du cabernet franc, que s'épanouissent les 5 ha de La Coudraye plantés de vignes de trente ans conduites en agriculture biologique (conversion en cours) et vendangées manuellement. À l'issue d'un élevage de dix mois en cuve bois, on découvre un 2011 élégamment drapé de pourpre sombre, qui délivre un bouquet ouvert sur le cassis. Offrant une chair ronde et fruitée, la bouche s'appuie sur une trame tannique fine et soyeuse, et sur une fraîcheur vivifiante qui étire la finale. Un vin « très typé bourgueil », que l'on aura plaisir à ouvrir dès l'automne sur un rôti de veau et qui pourra aussi sagement attendre en cave les trois ans à venir.

☛ Yannick Amirault, 5, pavillon du Grand-Clos, 37140 Bourgueil, tél. 02 47 97 78 07, info@yannickamirault.fr, ☑ ⚭ ⏾ r.-v.

HENRI BOURDIN 2011 ★★

| ■ | 3 450 | 🍶 | - de 5 € |

Un dégustateur note, avec un brin d'humour, que ce 2011 issu de terroirs de graviers n'est « pas pour les fillettes »... Misogynie ? Que nenni ! Tout simplement un clin d'œil aux flacons de 37,5 cl surnommés « fillettes » en Val de Loire, et un hommage appuyé à ce finaliste de l'épreuve du coup de cœur, qui mérite tous les égards et bien mieux qu'une demi-bouteille servie au comptoir. Car ce vin offre les caractères d'un grand bourgueil, à commencer par sa splendide robe sombre et son olfaction très en verve, qui libère à foison des parfums de fruits noirs mûrs. Quant au palais, opulent, puissant, cossu, il séduit par le velouté de sa chair et le soyeux de ses tanins. Parfait pour un rosbif accompagné de girolles, aujourd'hui comme dans trois ans.

☛ EARL Henri Bourdin, 7, Le Bourg-de-Paille, 37140 Bourgueil, tél. et fax 02 47 97 96 69, bourdin.henri37@orange.fr, ☑ ⚘ ⛾ t.l.j. sf dim. 8h-13h 14h-19h

Ⓑ DOM. DE LA CABERNELLE Reflets de mémoire 2011 ★

| ■ | 30 000 | 🍶 ⍶ | 5 à 8 € |

Ce domaine familial de 37 ha opère dans les deux appellations du Bourgueillois. De vieux ceps de cinquante-cinq ans, vendangés à la main sur un hectare et à la machine sur quatre autres, s'épanouissent sur des sols de tuffeau qui transmettent une belle vigueur aromatique à ce 2011. Les dégustateurs ont de fait apprécié les parfums soutenus de fruits rouges et noirs, ainsi que la bouche ample et riche, aux tanins bien présents et extraits sans dureté, bien qu'un peu plus stricts en finale. On attendra un an ou deux que l'ensemble s'affine avant de lui réserver une pièce de gibier.

☛ Dom. de la Cabernelle, Caslot - Pontonnier, 3, rue du Machet, 37140 Benais, tél. 02 47 97 84 69, fax 02 47 97 48 55, contact@cabernelle.com, ☑ ⚘ ⛾ t.l.j. sf dim. 10h-12h 14h-18h
☛ Caslot

DOM. DU CARROI 2012 ★

| ■ | 4 000 | 5 à 8 € |

Déjà distingué l'an dernier pour son rosé 2011 jugé remarquable, Bruno Breton signe un 2012 fort charmant. Belle robe pâle, nez discrètement fruité, bouche souple et fraîche, florale et minérale, avec en finale une jolie présence de l'amande verte. Un vin polyvalent, à boire de l'apéritif au dessert.

☛ EARL du Carroi, Bruno Breton, 45, rue Basse, 37140 Restigné, tél. 02 47 97 31 35, fax 02 47 97 49 00, earlducarroi@orange.fr, ☑ ⚘ ⛾ r.-v.

CASLOT-BOURDIN La Charpenterie 2011 ★

| ■ | 10 000 | 🍶 | 5 à 8 € |

Chaque année, à l'occasion des fêtes de la Pentecôte, la maison Caslot-Bourdin ouvre ses portes aux visiteurs qui peuvent y pique-niquer à leur aise. On y goûtera les joviales cuvées de la propriété, comme ce 2011 né sur des terroirs argilo-siliceux, fruité à l'olfaction, fruité en bouche. Un vin rond, plein et structuré sans dureté, qui s'épanouit dans une finale délicate. Bref, un bourgueil bien construit et typé, à déguster sur une viande blanche dès l'automne et pendant les deux ou trois prochaines années.

☛ EARL Caslot-Bourdin, 21, rue Brûlée, 37140 La Chapelle-sur-Loire, tél. 02 47 97 34 45, fax 02 47 97 44 80, info@caslot-bourdin.com, ☑ ⚘ ⛾ r.-v.

DOM. DE LA CHANTELEUSERIE Vieilles Vignes 2011 ★

| ■ | 7 000 | 🍶 ⍶ | 5 à 8 € |

Stockée dans les caves de tuffeau du domaine après un long élevage de quatorze mois en cuve et en barrique, cette cuvée ravira – peut-être lors d'un week-end « découvertes » organisé sur la propriété – les amoureux de bourgueil généreux. Thierry Boucard signe en effet un 2011 qui, derrière sa robe sombre aux reflets bleutés, dévoile un bouquet chaleureux de fruits noirs mûrs agrémentés de notes délicates de rose fanée et d'amande. On retrouve ces sensations aromatiques dans une bouche homogène, bien charpentée, qui finit sur une pointe d'amertume que deux ou trois ans de garde atténueront. Citée, la cuvée **Beauvais 2011 rouge (8 à 11 € ; 8 000 b.)**, dotée de tanins vifs, est également à attendre une paire d'années.

☛ Thierry Boucard, La Chanteleuserie, 37140 Benais, tél. 02 47 97 30 20, fax 02 47 97 46 73, t-boucard@wanadoo.fr, ☑ ⚘ ⛾ t.l.j. sf dim. 9h-12h 14h-19h

DOM. DES CHESNAIES Cuvée Vieilles Vignes 2011 ★★

| ■ | 29 000 | ⍶ | 5 à 8 € |

L'histoire de la famille Lamé-Delisle-Boucard est de celles que l'on pourrait conter, comme autrefois, dans les veillées. Elle commence en 1947 avec Lucien Lamé, qui, de retour de captivité, se lance dans la vente en direct – le premier à le faire dans le Bourgueillois – et ajoute sur l'étiquette le nom de sa femme Yvonne Delisle ; la aussi, la preuve d'un esprit innovant pour l'époque. L'aventure prend un nouvel essor en 1968 avec l'arrivée de son gendre Lucien Boucard. En 1989, les enfants de ce dernier, Philippe et Stéphanie, apportent à leur tour une touche de modernité (la culture raisonnée notamment). Leurs cuvées, qui font figure de valeurs sûres dans l'appellation, ont décroché plus d'un coup de cœur dans le Guide. Ce 2011 est dans la lignée des meilleurs de ses devanciers. Il s'illustre par la limpidité de sa robe, par la finesse de son olfaction, portée sur la vanille, le cassis et les fruits rouges, et par la rondeur et la suavité de sa bouche. On servira ce vin soyeux et caressant sur des viandes rôties dans les trois ou quatre ans à venir. Le **rosé 2012 La Romantique (10 266 b.)** est quant à lui cité pour sa fraîcheur et son équilibre.

☛ Lamé-Delisle-Boucard, 21, rue de la Galotière, 37140 Ingrandes-de-Touraine, tél. 02 47 96 98 54, fax 02 47 96 92 31, lame.delisle.boucard@wanadoo.fr, ☑ ⛾ t.l.j. sf dim. 9h-12h 13h30-17h30; sam. 9h-12h

Ⓑ DOM. DE LA CHEVALERIE Galichets 2011 ★★

| ■ | 9 000 | 🍶 ⍶ | 8 à 11 € |

Coup de cœur l'an passé avec son Chevalerie 2010 (pour ne citer que le dernier d'une longue série), ce domaine de référence n'était pas loin de renouveler l'exploit avec sa cuvée Galichets, née de vieux cabernets lovés dans les graviers délaissés par la Loire et vendangés manuellement en petites caissettes. Le rubis intense de la robe prélude à une expression aromatique d'une remarquable fraîcheur, épanouie autour du cassis. Veloutée, fondante et charnue, la bouche se révèle caressante et invite à une dégustation dès l'automne, sur une viande rouge en sauce. La cuvée **Chevalerie 2011 rouge (11 à**

LOIRE

15 € ; 6 000 b.), plus tannique et boisée, aura besoin d'une attente de deux ou trois ans pour exprimer au mieux son potentiel. Elle obtient une étoile.

☛ Dom. de la Chevalerie, 7, rue du Peu-Muleau, La Chevalerie, 37140 Restigné, tél. 02 47 97 46 32, fax 02 47 97 45 87, chevalerie@caslot.fr,
☑ ⚔ ⛾ t.l.j. 9h-12h 14h-18h; dim. sur r.-v.

DOM. DE LA CLOSERIE Vieilles Vignes 2011

| ■ | 10 000 | ■⑪ | 5 à 8 € |

Un court élevage de six mois en barrique a doté cette cuvée de robustes tanins. Celle-ci n'en demeure pas moins agréable avec son nez ouvert sur les fruits noirs et sa bouche généreuse et longue. À attendre un an ou deux, le temps que la structure s'affine et que le boisé se fonde, pour le servir sur des viandes en sauce.

☛ Jean-François Mabileau, 28, rte de Bourgueil, 37140 Restigné, tél. 02 47 97 36 29, fax 02 47 97 48 33, j-f-mabileau@orange.fr, ☑ ⚔ ⛾ r.-v.

COUDRAY-LA-LANDE Vieilles Vignes 2011

| ■ | 20 000 | ■⑪ | 5 à 8 € |

Les premiers cliquetis de sécateurs perçus au Coudray-la-Lande remontent aux années 1840-1850, c'est dire l'ancienneté de cette exploitation familiale conduite selon les canons de l'agriculture raisonnée, qui limite les traitements et n'utilise que des fumures bio. Ces Vieilles Vignes se font remarquer par une tenue limpide et brillante, ainsi que par un nez légèrement empyreumatique agrémenté de notes de fruits secs. La bouche franche, vive, aux tanins encore un peu acérés, devrait s'affiner rapidement. Pour des viandes blanches ou rouges, dans les deux ans à venir.

☛ SCEA Morin, Le Coudray-la-Lande, 30, rue de la Lande, 37140 Bourgueil, tél. 02 47 97 76 92, fax 02 47 97 98 20, morin-jpf@hotmail.com, ☑ ⚔ ⛾ r.-v.

JÉRÔME DELANOUE 2011 ★

| ■ | 5 000 | ■ | 5 à 8 € |

Ce jeune domaine (1998) exploite aujourd'hui 11 ha de vignes sur les appellations bourgueil et saint-nicolas. Et déjà, il s'affirme comme une jolie référence, témoin les coups de cœur obtenus consécutivement pour ses saint-nicolas 2009 et 2010. Jérôme Delanoue signe ici un bourgueil de belle envergure, un peu fermé à l'olfaction mais plus expressif en bouche, où il se révèle fruité, souple et rond, adossé à des tanins fondus. À boire dans les deux ans, sur un rôti de veau aux petits oignons.

☛ Jérôme Delanoue, 11, rue du Port-Guyet, 37140 Saint-Nicolas-de-Bourgueil, tél. 06 16 95 16 55, vinjdelanoue@wanadoo.fr, ☑ ⚔ ⛾ t.l.j. 9h-18h

NATHALIE ET DAVID DRUSSÉ Leroy de Restigné 2011

| ■ | 10 400 | | 5 à 8 € |

Depuis 2010, Nathalie et David Drussé ont renoncé aux désherbages chimiques, premiers pas vers une viticulture plus écologique. En attendant de franchir le pas du « bio », ils signent avec ce 2011 un bourgueil sympathique et prêt à boire, fin, frais et fruité. Parfait pour une grillade au feu de bois.

☛ Nathalie et David Drussé, 1, impasse de la Villatte, 37140 Saint-Nicolas-de-Bourgueil, tél. 02 47 97 98 24, drusse@wanadoo.fr, ☑ ⚔ ⛾ t.l.j. 9h-19h

DOM. DUBOIS Prestige Élevé en fût de chêne 2011 ★★

| ■ | 4 000 | ⑪ | 5 à 8 € |

Il a obtenu l'an dernier un coup de cœur (cuvée Vieilles Vignes 2010 rouge) coïncidant avec le dixième anniversaire de son installation sur le domaine créé par son grand-père dans les années 1950. Mickaël Dubois hisse cette année sa cuvée Prestige 2011 (rendements plus faibles et élevage plus long, en barrique pendant huit mois) en finale. Ce vin a de beaux arguments à faire valoir : une robe pourprée d'une belle profondeur, un bouquet expressif, fumé et fruité, une bouche ample, riche et mûre, dont les tanins fins et fondus sont épaulés par un boisé ajusté. Un bourgueil de bonne garde assurément (trois à quatre ans), même si son côté déjà aimable en fait un vin prêt à boire. La cuvée Vieilles Vignes 2011 rouge (5 000 b.), dotée d'un joli fruité framboisé et d'un palais souple et doux, obtient une étoile. À boire dès à présent sur une volaille.

☛ Dom. Dubois, 49, rue de Lossay, 37140 Restigné, tél. 02 47 97 31 60, fax 02 47 97 43 33, domaine.sergedubois@wanadoo.fr,
☑ ⚔ ⛾ t.l.j. sf sam. dim. 9h-18h ⌂ ฿

DOM. BRUNO DUFEU Cuvée Clémence 2011 ★★

| ■ | 6 000 | | 5 à 8 € |

Bruno Dufeu fait partie des valeurs sûres de l'appellation. Il tient son rang avec cette cuvée Clémence née sur argilo-calcaires de ceps de trente ans. La robe est intense, profonde, tirant vers le noir. Le bouquet évoque les fruits noirs nuancés de délicates notes florales. Porté par les tanins caressants et soyeux, le palais se révèle souple et onctueux, vivifié par une fine acidité qui donne de l'allonge à la finale. Un vin apte à la garde (trois à cinq ans), mais que l'on peut déjà savourer avec un gigot d'agneau. Dans un genre plus gaillard, souligné par des tanins virils, intensément fruité, gras et riche, le rouge 2011 Grand Mont (9 000 b.) obtient également deux étoiles. Parfait pour des plats mijotés, dans deux ou trois ans.

☛ Bruno Dufeu, Les Neusaies, 37140 Benais, tél. 02 47 97 76 53, brunodufeu@gmail.com,
☑ ⚔ ⛾ r.-v. ⌂ ฿

DUVAL VOISIN 2011 ★

| ■ | 6 984 | ■ | 5 à 8 € |

À ses activités viti-vinicoles, la maison Duval Voisin ajoute celle de pépiniériste, ce qui facilite le choix des plants et des porte-greffes pour le domaine. Vendangés à la main, des ceps de quarante ans enracinés dans un sol argilo-calcaire ont donné naissance à ce vin à la robe foncée animée de reflets bleutés. Le nez dévoile un fruité charmeur, que reprend en écho une bouche longue, riche et charnue, aux tanins délicats et fondus. Un bourgueil harmonieux et avenant, à boire dans les deux ans.

☛ SCEA Duval Voisin, 6, rue de Fontenay, 37140 Ingrandes-de-Touraine, tél. 02 47 96 95 91, fax 02 47 96 95 92, contact@duvalvoisin.com, ☑ ⛾ r.-v.

DOM. DE LA GAUCHERIE 2011 ★

| ■ | 9 000 | ■ | 5 à 8 € |

Récolté sur des coteaux aux sols argilo-calcaires, du cabernet franc dans la maturité de l'âge (quarante-cinq ans) a engendré un bourgueil discrètement fruité au nez. Plus ouvert, le palais se révèle ample et frais, charpenté sans brutalité par des tanins qui commencent à se fondre et qui permettront d'apprécier ce vin dans les deux ans à venir.

➤ SCEV Régis Mureau, 16, rue d'Anjou, 37140 Ingrandes-de-Touraine, tél. 02 47 96 97 60, fax 02 47 96 93 43, regismureau@wanadoo.fr, ▣ ⚭ ⛾ t.l.j. sf dim. 9h-12h 14h-19h

DOM. GODEFROY Les Champs Colesses 2011

▪ 3 900 ▯ 5 à 8 €

À la suite du départ à la retraite de son père, Jérôme Godefroy a pris les rênes de l'exploitation familiale. Produit sur une ancienne île de la Loire au sol de graviers, ce Champs Colesses s'affiche dans une robe limpide et propose, au nez comme en bouche, un fruité frais et avenant. Dès l'automne, on pourra le servir sur une viande mijotée, du bœuf bourguignon par exemple.

➤ Dom. Jérôme Godefroy, 19, Le Plessis, 37140 Chouzé-sur-Loire, tél. 02 47 95 16 56, domaine.godefroy@orange.fr, ▣ ⚭ ⛾ r.-v.

DOM. DU GRAND CLOS 2011 ★

▪ 40 000 ▯▯ 8 à 11 €

La maison Audebert et Fils, installée de longue date dans le Bourgueillois, étend ses vignes sur près de 40 ha. Elle consacre 8 ha à cette cuvée née sur argilo-calcaires. Un vin d'une belle brillance, à dominante florale à l'olfaction, vif et bien charpenté en bouche, avec élégance. Un bourgueil de bonne garde, à attendre trois ans et plus encore. Tout indiqué pour du bœuf en sauce. Cité, le rosé 2012 (5 à 8 € ; 10 000 b.), frais et fruité (agrumes, fruits exotiques), accompagnera vos déjeuners sur l'herbe.

➤ Maison Audebert et Fils, 20, av. Jean-Causeret, 37140 Bourgueil, tél. 02 47 97 70 06, fax 02 47 97 72 07, maison@audebert.fr, ▣ ⚭ ⛾ r.-v.

VIGNOBLE DE LA GRIOCHE Élevé en fût de chêne 2011 ★

▪ 2 000 ▯▯ 8 à 11 €

De vieux cabernets, riches en matière, peuvent aisément supporter la rencontre avec le bois. Ceux que Jean-Marc Breton et son fils Stéphane ont sélectionnés pour élaborer leur cuvée fût de chêne ont soixante-cinq ans et ils ont côtoyé la barrique pendant dix mois. Ils ont donné naissance à un vin sombre et profond, sur la réserve à l'olfaction, encore dominé par les notes empyreumatiques du merrain chauffé. Franche en attaque, la bouche dévoile des tanins de qualité mais encore sévères. Vous l'aurez compris, il sera préférable d'attendre un peu avant d'ouvrir ce bourgueil de caractère : prévoyez trois à cinq ans, et réservez-lui un mets haut en bouche, du gibier ou une viande rouge longuement mijotée.

➤ Jean-Marc Breton, 19, rue des Marais, 37140 Restigné, tél. 02 47 97 31 64, bretonstephane@orange.fr, ▣ ⚭ ⛾ r.-v. ⌂ Ⓑ

LAURENT HERLIN Illuminations 2011

▪ 2 430 ▯▯ 11 à 15 €

Nouveau venu dans le Bourgueillois, Laurent Herlin, ancien ingénieur informatique, s'est installé en 2009 sur un petit domaine de 5 ha, dont un clos de 4 ha conduit en bio et biodynamie (en troisième année de conversion). Sa cuvée Illuminations, issue de raisins récoltés à la main sur 76 ares, s'est peaufinée au cours d'un contact de onze mois avec la barrique. Cela donne un vin sombre et dense, qui s'anime à l'olfaction autour du fruit et de quelques

notes empyreumatiques accompagnées par une pointe oxydative. La bouche se révèle riche, douce et boisée avec modération. Ses tanins fondus autorisent une ouverture dès l'automne.

➤ Herlin, 1, lieu-dit Le Plessis, 37140 Chouzé-sur-Loire, tél. 06 14 23 57 45, laurent.herlin@yahoo.fr, ▣ ⚭ ⛾ r.-v. ⌂ Ⓑ

ALAIN ET ARNAUD HOUX Cuvée Malo 2011 ★★

▪ 1 500 ▯▯ 8 à 11 €

Arnaud Houx, installé à la tête du domaine familial en 2008, conserve les vins jugés « de garde » dans une cave taillée dans le roc. Née de vieilles vignes plantées sur argilo-calcaires, cette cuvée Malo – du nom du fils du vigneron – est « taillée dans le roc » et pour la garde, elle aussi. Elle affiche d'emblée sa forte personnalité avec sa robe sombre et dense. À l'opulence fruitée de l'olfaction, agrémentée de notes boisées (dix-huit mois de barrique), répond celle d'une bouche chaleureuse et carrée, aux tanins fermes et encore sévères. Un bourgueil solide, à attendre quatre ou cinq ans. Plus souple et rond, Le Clos Barbin 2011 rouge (5 à 8 € ; 4 500 b.), une étoile, est idéal pour accompagner les grillades. Il s'appréciera dans sa jeunesse. Dans un style proche, frais et fruité, la cuvée de la Chopinière 2011 rouge (5 à 8 € ; 4 500 b.), qualifiée de vin « printanier », est citée.

➤ EARL Alain et Arnaud Houx, 21, Le Clos-Barbin, 37140 Restigné, tél. 06 32 76 60 19, fax 02 47 97 30 95, earl.alainarnaud.houx@yahoo.fr, ▣ ⚭ ⛾ t.l.j. 9h-13h 14h-19h

DOM. DE LA LANDE Les Pins 2011 ★★

▪ 6 000 ▯ 5 à 8 €

Le millésime 2011 semble avoir particulièrement inspiré François Delaunay qui signe un beau triplé. En ce lieu-dit Les Pins, où la vigne a supplanté la forêt, le cabernet franc enraciné sur des coteaux aux sols argilo-siliceux a délivré un bourgueil sombre et intense, richement bouqueté autour des fruits noirs et de la cerise confite. La bouche conjugue élégance et densité, fraîcheur et puissance. Un vin « droit dans ses tanins », équilibré, à laisser mûrir encore un ou deux ans avant de lui réserver un plat noble, un canard aux cèpes par exemple. Tout aussi remarquable dans sa construction, la cuvée rouge 2011 Les Graviers (5 000 b.), née... sur graves, se distingue par son caractère riche et charnu, son fruité soutenu et ses tanins bien en place. Elle obtient également deux étoiles. Un vin complet, à déguster dans les deux ans à venir. On attendra plus longtemps le rouge 2011 Prestige (8 à 11 € ; 4 000 b.) élevé en barrique, plus sévère et fermé pour l'heure. Son bon potentiel lui vaut une étoile.

➤ EARL Delaunay Père et Fils, 20, rte du Vignoble, 37140 Bourgueil, tél. 02 47 97 80 73, fax 02 47 97 95 65, earl.delaunay.pfils@wanadoo.fr, ▣ ⚭ ⛾ r.-v.

DAMIEN LORIEUX Graviers 2011

▪ 9 000 ▯ 5 à 8 €

Installé en 2005 à la tête du domaine familial, sous l'œil avisé de son père Lucien, toujours actif, Damien Lorieux est un habitué du Guide. Implantés sur des terrasses de graves, ses vieux ceps septuagénaires de cabernet franc ont donné naissance à un bourgueil rouge vif, au nez discrètement fruité, au palais chaleureux et charnu, épaulé par des tanins vigoureux. À attendre un à trois ans pour plus de fondu.

LOIRE

☛ Damien Lorieux, 2, rue de la Percherie, 37140 Bourgueil, tél. 02 47 97 88 44, fax 02 53 46 26 09, domainelorieux@orange.fr,
☑ ⚥ ⊤ t.l.j. sf dim. 9h-12h 14h-19h

MICHEL, JOËLLE ET JÉRÉMY LORIEUX Chevrette
Cuvée du Grand Clos 2011 ★★

| ■ | 1 000 | ▮ ⊞ | 5 à 8 € |

Cette cuvée du Grand Clos est née de vieux ceps de soixante ans plantés sur une petite parcelle de graviers à silex de 75 ares. Le vin a ensuite passé dix mois au contact du chêne, sans que cela n'affecte le fruité intense qui se manifeste dès l'olfaction à travers des parfums de baies rouges et noires dynamisés par la fraîcheur végétale caractéristique du breton. On retrouve cette exubérance aromatique dans une bouche soyeuse, riche et douce, un rien boisée et d'une belle allonge en finale. Un bourgueil très harmonieux, à déguster au cours des trois prochaines années sur du gibier en sauce. Quant à la cuvée **Chevrette 2011 rouge (4 000 b.)**, élevée en cuve, elle est citée pour son fruité « explosif ». À boire dès la sortie du Guide.
☛ Michel, Joëlle et Jérémy Lorieux, 26, rte du Vignoble, Chevrette, 37140 Bourgueil, tél. et fax 02 47 97 85 86, lorieux.michel@wanadoo.fr, ☑ ⚥ ⊤ r.-v.

DOM. DES MAILLOCHES Vieilles Vignes sur tuffeau 2011

| ■ | 16 000 | ▮ | 5 à 8 € |

Ce domaine, dans la famille depuis huit générations, propose une cuvée où l'essentiel est dit sur l'étiquette : vieilles vignes sur tuffeau. En revanche, on ne connaît pas l'âge desdites vignes ; mais les dégustateurs ont apprécié le fruit de leur vendange : un vin jugé flatteur à l'olfaction, floral et fruité, au palais souple et rond, avec une pointe d'amertume en finale qui devrait s'estomper après un an ou deux de garde. Au final, un vin « facile d'accès », pour un repas sans chichis autour d'un bœuf carottes.
☛ Dom. des Mailloches, 40, rue de Lossay, 37140 Restigné, tél. 02 47 97 33 10, fax 02 47 97 43 43, demont-j.f@wanadoo.fr, ☑ ⚥ ⊤ r.-v. ⌂ Ⓒ
☛ Samuel Demont

Ⓑ DOM. DES MAINS VERTES Aux 4 vents 2011 ★

| ■ | 3 000 | | 5 à 8 € |

Déjà sélectionnée dans le Guide 2012 pour sa cuvée L'Échansonnerie 2009, qui signait son entrée dans le monde viticole, Virginie Dufeu, épouse de Bruno Dufeu (voir ce nom), continue à exercer le talent de sa main verte sur ses 4,29 ha de vignes. Enracinés dans un sol sableux, de jeunes ceps de cabernet sont à l'origine de ce bourgueil qui délivre un message « jubilatoire » : un vin couleur corail, réservé à l'olfaction, mais flatteur en bouche par sa souplesse, sa rondeur et ses quelques notes poivrées qui titillent la finale. À goûter sur un poulet rôti et/ou une tomme de brebis.
☛ Virginie Dufeu, Les Neusaies, 37140 Benais, tél. 02 47 97 76 53, virginiedufeu@gmail.com,
☑ ⚥ ⊤ r.-v. ⌂ Ⓑ

DOM. DE MATABRUNE 2011 ★

| ■ | 20 000 | ▮ | 5 à 8 € |

La Cave des Vins de Bourgueil s'illustre avec ce domaine de Matabrune, dont le nom renvoie à un personnage de lavandière du *Pantagruel* de Rabelais. Point d'eau de lessive ici, mais un fort joli vin issu d'une longue cuvaison, fier d'apparence dans sa tenue rubis, intensément fruité au nez comme en bouche, doté de tanins fondus et d'une belle fraîcheur. On l'ouvrira dans l'année sur un carré d'agneau au thym.
☛ Cave des Vins de Bourgueil, 16, rue des Chevaliers, 37140 Restigné, tél. 02 47 97 32 01, fax 02 47 97 46 29, accueil@cave-de-bourgueil.com,
☑ ⚥ ⊤ t.l.j. sf dim. 9h30-12h30 14h-17h30

MESLET-THOUET 2011 ★★

| ■ | 8 000 | ▮ | - de 5 € |

Germain Meslet, quatrième du nom à cultiver la vigne, a pris les rênes du domaine familial en 2006. Attentif à la vigne comme au chai (vignes enherbées ou binées mécaniquement, vendanges manuelles, vinifications sans levurage), il signe ici deux cuvées de très belle facture, à commencer par ce 2011 issu d'un terroir de poche (1,25 ha) aux sols graveleux. Les dégustateurs ont loué son bouquet complexe, épicé, floral et fruité, sa bouche ample, riche et ronde, aux tanins fondus et soyeux. Un vin véritablement gourmand, à déguster dans les deux ans sur un plat canaille, un bœuf bourguignon par exemple. Le **rouge 2011 Vieilles Vignes (5 à 8 €)** obtient quant à lui une étoile pour son fruité expressif (cassis, mûre, fruits rouges) et son palais frais et équilibré.
☛ EARL Meslet-Thouet, 3, rue des Géléries, 37140 Bourgueil, tél. 02 47 97 80 33, fax 02 47 97 48 73, maisonmeslet@sfr.fr,
☑ ⚥ ⊤ t.l.j.sf dim. 8h30-12h30 14h-19h

ROUGE DE MINIÈRE 2011

| ■ | 15 000 | ▮ | 8 à 11 € |

Ce château du XVIᵉs. transmis par les femmes est passé sous pavillon belge en 2010 avec son rachat par la famille Van den Berghe. Le vignoble est, lui, passé sous pavillon « bio » (conversion en cours à partir de cette même date). Ce Rouge de Minière se signale par un nez fruité, relayé par une bouche dotée de tanins riches sans agressivité. Cette structure laisse augurer une garde de deux ou trois ans mais permet aussi une dégustation dès l'automne.
☛ SCEV du Ch. de Minière, 25, rue de Minière, 37140 Ingrandes-de-Touraine, tél. 02 47 96 94 30, fax 02 47 96 91 53, contact@chateaudeminiere.com,
☑ ⚥ ⊤ r.-v.
☛ Van den Berghe

♥ NAU FRÈRES Vieilles Vignes 2011 ★★

| ■ | 5 000 | ▮ | 8 à 11 € |

Trois étoiles l'an passé, deux étoiles et un coup de cœur cette année, cette cuvée Vieilles Vignes des frères Nau poursuit son ascension et enrichit un palmarès déjà bien fourni. Ses origines : 2 ha d'argilo-calcaires plantés de ceps de cinquante ans et un élevage en cuve de dix mois. La version 2011, parée d'une ravissante robe rouge sombre, fera le bonheur des gastrolâtres par son bouquet de grande concentration, sur les fruits noirs et rouges gorgés de soleil, et par sa bouche exemplaire, ronde à souhait, ample et soyeuse, qui finit sur de nobles amers. Un bourgueil au caractère affirmé mais accorte, que l'on associera à des magrets de canard – dès l'automne ou après trois ou quatre ans de garde. Citée, la cuvée **Les Blottières 2011 rouge** (5 à 8 € ; 12 000 b.), dans un style plus tannique, mérite une attente de deux ans avant d'être servie en accompagnement d'un rosbif et sa poêlée de cèpes.

🕿 Nau Frères, 52, rue de Touraine,
37140 Ingrandes-de-Touraine, tél. 02 47 96 98 57,
naufreres@wanadoo.fr,

☑ ⚲ ⵊ t.l.j. sf dim. 9h-12h 14h-18h30

DOM. DE LA NOIRAIE Cuvée Prestige 2011 ★
| ■ | 40 000 | 🍾 | 5 à 8 € |

Ce domaine familial de 43 ha, présent en saint-nicolas et en bourgueil, a fait le choix de l'agriculture biologique. Cette conversion, en cours, les visiteurs présents lors des opérations portes ouvertes peuvent la découvrir à travers diverses animations comme celle qui met en scène les travaux de la vigne au cheval. Ils pourront peut-être aussi apprécier cette cuvée, dont la devancière fut coup de cœur dans le Guide précédent. Un bourgueil plein, souple, tout en fruit, qui laisse parler les tufs de Benais à travers son agréable fraîcheur. À déguster dès à présent, sur une pièce de bœuf simplement grillée, saupoudrée d'un tour de poivre du moulin, d'un peu de fleur de sel, et agrémentée de quelques échalotes confites.

🕿 EARL Delanoue Frères, 19, rue du Fort-Hudeau,
37140 Benais, tél. 02 47 97 30 40, fax 02 47 97 46 95,
delanoue@terre-net.fr,

☑ ⚲ ⵊ t.l.j. 8h30-12h30 14h-20h; dim. 8h30-12h30

DOM. OLIVIER Vieilles Vignes 2011 ★★
| ■ | 18 600 | 🍾 | 5 à 8 € |

Ce vin, qui a participé à la finale des coups de cœur, est né de ceps de cabernet franc plantés sur des parcelles de sable et d'argilo-calcaire. Au chai, il a bénéficié des bienfaits d'une macération carbonique pour « booster » les arômes. Objectif atteint : beaucoup de fruits à l'olfaction, rouges et noirs, avec une prédominance du cassis. La bouche tient longtemps la note fruitée, épaulée par des tanins fins et soyeux. C'est frais, harmonieux et prêt à boire. Coq au vin et magrets de canard sont suggérés.

🕿 EARL Dom. Olivier, La Forcine,
37140 Saint-Nicolas-de-Bourgueil, tél. 02 47 97 75 32,
fax 02 47 97 48 18, patrick.olivier14@wanadoo.fr,

☑ ⚲ ⵊ t.l.j. 9h-12h30 14h-19h; dim. sur r.-v.

BERNARD OMASSON 2011 ★
| ■ | 1 500 | 🍾 | - de 5 € |

Bernard Omasson dirige depuis 1969 la propriété familiale installée à Ingrandes depuis plusieurs générations. Ses bourgueil fréquentent le Guide avec une régularité remarquable. Il tient son rang avec ce 2011, né d'une petite parcelle argilo-calcaire d'à peine 1 ha, qui a fière allure dans sa robe rouge pourpre. Le nez s'anime autour de notes fringantes de fruits noirs ; le palais est à l'unisson, fruité à souhait, souple, rond, soyeux : c'est un vrai « vin plaisir », à déguster sans attendre, sur un coq au vin par exemple.

🕿 Bernard Omasson, 54, rue de Touraine,
37140 Ingrandes-de-Touraine, tél. 02 47 96 98 20

☑ ⚲ ⵊ r.-v.

NATHALIE OMASSON Vieilles Vignes 2011 ★
| ■ | 4 500 | 🍾 | - de 5 € |

Plantées sur les coteaux de Saint-Patrice, les vignes du domaine font face au romantique château d'Ussé qui aurait inspiré à Charles Perrault celui de la *Belle au bois dormant*. Nathalie Omasson s'y est installée en 2003 et, depuis, elle signe de jolies cuvées fréquemment retenues dans le Guide. Ici, un 2011 grenat sombre, qui s'ouvre à l'agitation sur un fruité soutenu. La bouche se révèle bien équilibrée entre un fruité généreux qui fait écho à l'olfaction et des tanins souples, un rien plus stricts en finale. Un vin harmonieux, à boire dans les deux ans sur du petit gibier. Même note pour le très confidentiel **rosé 2012** (600 b.), qui charme par sa fraîcheur et ses arômes de fleurs blanches, de fruits exotiques et de bonbon anglais.

🕿 Nathalie Omasson, 3, rue de la Cueille-Cadot,
37130 Saint-Patrice, tél. et fax 02 47 96 90 26,
nathalie.omasson@gmail.com, ☑ ⚲ ⵊ r.-v.

DOM. DES OUCHES Igoranda 2011
| ■ | 30 000 | 🍾 | 5 à 8 € |

Comme l'an passé, cette cuvée Igoranda rappelle aux amateurs d'étymologie qu'Ingrandes était autrefois « la porte » entre les duchés d'Anjou et de Touraine. Les Gambier y cultivent la vigne depuis 1980 : les parents Odile et Paul, tout d'abord, leurs enfants Thomas et Denis aujourd'hui. Vendangé à la main, le cabernet franc planté sur un terroir de graviers a donné ce vin richement fruité au nez comme en bouche, charnu et structuré ; une bonne présence tannique autorise une garde de deux ou trois ans et un accord réussi avec du bœuf miroton.

🕿 Dom. des Ouches, 3, rue des Ouches,
37140 Ingrandes-de-Touraine, tél. 02 47 96 98 77,
fax 02 47 96 93 08, contact@domainedesouches.com,

☑ ⚲ ⵊ t.l.j. sf dim. 10h-12h 14h-18h

🕿 Thomas et Denis Gambier

DOM. DU PETIT BONDIEU Petit Mont 2011 ★★
| ■ | 15 000 | 🍾 | 5 à 8 € |

Installée dans l'ancien Restignacus, village établi à proximité d'une voie antique (le « grand chemin ») qui reliait autrefois la Touraine à l'Océan, la famille Pichet s'évertue, depuis quatre générations, à produire des vins au plus près de la nature et des terroirs. Cette démarche a logiquement conduit Thomas Pichet et son père Jean-Marc au choix de l'agriculture biologique ; la conversion est engagée depuis 2010. Sur ce vignoble de 18 ha, les deux producteurs ont sélectionné 3 ha de breton planté sur argilo-calcaires pour élaborer cette cuvée Petit Mont qui n'en est pas à ses premières étoiles. La version 2011 séduit par sa robe profonde couleur cerise noire nuancée de reflets prune, par ses parfums intenses et engageants de groseille, et par son palais rond, plein, aux tanins caressants. Une amabilité qui permettra de déguster ce vin dès à présent. Le **rouge 2011 Couplets** (8 à 11 € ; 6 500 b.), boisé et un rien plus austère, est cité. À boire dans les trois ans.

🕿 EARL Thomas Pichet, 30, rte de Tours,
Dom. du Petit Bondieu, 37140 Restigné, tél. 02 47 97 33 18,
fax 02 47 97 46 57, thomaspichet@orange.fr,

☑ ⚲ ⵊ t.l.j. sf dim. 9h-12h 14h-18h 🏠 ❷

DOM. DE LA PETITE MAIRIE Cuvée Ronsard
Sélection particulière 2011

| ■ | 6 000 | ▮⊞ | 5 à 8 € |

En baptisant cette cuvée Ronsard, James Petit fait œuvre pédagogique, rappelant que c'est dans les jardins de Bourgueil que « Le Prince des poètes » rencontra Marie, l'une des muses de ses *Amours*. Le cabernet franc, quant à lui, a inspiré au vigneron une agréable cuvée, élevée six mois en cuve et autant en barrique, parée de rouge aux reflets violines, ronde et équilibrée entre un boisé léger et un fruité friand. À boire dans l'année sur une grillade au feu de bois.

☛ James Petit, 9, rue de la Petite-Mairie, 37140 Restigné, tél. 02 47 97 30 13 ☑ ⚔ ⵣ r.-v.

DOM. DU PETIT SOUPER Vieilles Vignes 2011 ★★

| ■ | 10 800 | ▮ | - de 5 € |

Établi depuis plus de quarante ans sur les « terres fortes » riches en argile et en calcaire de Saint-Patrice, ce domaine se distingue depuis quelques éditions déjà avec sa cuvée Vieilles Vignes. La version 2011 est dans la lignée de ses « grandes sœurs ». C'est un vin « primesautier », fruité en diable, avec quelques notes d'épices douces en appoint. Souple, rond et soyeux en bouche, étayé par des tanins fondus et affables, il est à découvrir dès l'automne 2013, sur un plat charnu, des paupiettes de veau par exemple. Le **rosé 2012 (2 000 b.)**, frais et délicatement aromatique (agrumes, fleurs blanches), est cité. Suggestion gourmande : un carré de porc au thym.

☛ EARL Dupuis, 13, rue de la Barbinière, 37130 Saint-Patrice, tél. et fax 02 47 96 97 46, earl.thierrydupuis@gmail.com, ☑ ⚔ ⵣ r.-v.

LES PINS Le Clos 2011

| ■ | 6 000 | ▮ | 8 à 11 € |

Ceinturé par un mur de 2 m de haut, ce Clos les Pins ne passe pas inaperçu. Depuis cinq générations, on y élabore des vins à partir de 2 ha de cabernet planté sur un sol argilo-siliceux. Le 2011 est un vin au bouquet généreux de fruits noirs mûrs agrémentés d'une touche animale et d'un brin de poivron, rond et chaleureux en bouche. À boire sur son fruit et sur une viande en sauce, dans l'année.

☛ Pitault-Landry et Fils, 8, rte du Vignoble, 37140 Bourgueil, tél. 02 47 97 47 91, fax 02 47 97 98 69, philippe.pitault@wanadoo.fr, ☑ ⵣ r.-v.

DOM. LE PONT DU GUÉ Cuvée Tradition 2011 ★★

| ■ | 3 500 | ▮ | 5 à 8 € |

De 1 ha de terres argilo-siliceuses planté de ceps de cinquante ans, Éric Ploquin a extrait un très joli bourgueil, plutôt discret en première approche, s'ouvrant à l'aération sur les fruits mûrs et des nuances végétales plus fraîches. Le fruité se fait plus exubérant dans une bouche dense et ronde, et enrobe des tanins soyeux qui laissent une impression de belle maturité. À déguster dans les deux ou trois ans à venir sur une poitrine de veau en cocotte. La cuvée **Vieilles Vignes 2011 rouge (3 500 b.)**, dans un style proche, gourmand, souple et velouté, obtient une étoile, est prête à boire.

☛ Éric Ploquin, Le Pont-du-Gué, 19, rue de la Gitonnière, 37140 Bourgueil, tél. 02 47 97 90 82, ploquin.eric@free.fr, ☑ ⚔ ⵣ t.l.j. sf dim. 8h30-12h 14h-18h

DOM. DU PRESSOIR FLANIÈRE Vieilles Vignes 2011

| ■ | 10 000 | ▮ | 5 à 8 € |

Cette cuvée Vieilles Vignes née sur 2 ha de graviers et de calcaires présente les caractéristiques attendues d'un « bourgueil traditionnel », pour reprendre les mots des dégustateurs. Comprenez un vin rubis intense et brillant, souple et rond, où de légères nuances florales flirtent avec le fruit. Au final, un bourgueil « facile à boire » et prêt à accompagner des grillades.

☛ GAEC Galteau, 44-48, rue de Touraine, 37140 Ingrandes-de-Touraine, tél. 02 47 96 98 95, fax 02 47 96 90 91 ☑ ⚔ ⵣ t.l.j. 9h-12h 14h-19h

DOM. DES RAGUENIÈRES 2011

| ■ | 8 000 | ▮⊞ | 5 à 8 € |

Changement de gouvernance au domaine : Georges et Perrine Delachaux sont arrivés aux commandes juste avant les vendanges 2012, Éric Roi, l'ancien propriétaire, restant en place comme maître de chai. Un changement dans la continuité pour cette propriété régulièrement mentionnée dans le Guide, qui s'invite à nouveau avec deux cuvées réussies. Ce 2011 d'un bon classicisme tout d'abord, convivial, frais, fruité, finement tannique, que l'élevage de six mois en barrique n'a pas perturbé. Quant à la **cuvée Les Haies 2011 rouge (6 600 b.)**, elle se révèle équilibrée, ronde, un rien plus stricte en finale. Deux bouteilles à boire dans les deux ans.

☛ Dom. des Raguenières, 11, rue du Machet, 37140 Benais, tél. 02 47 97 30 16, fax 02 47 97 46 78, domaine@bourgueil-france.com, ☑ ⚔ ⵣ r.-v.

☛ Delachaux

JOËL TALUAU Cuvée du domaine 2011 ★★

| ■ | 28 000 | ▮ | 5 à 8 € |

Les vins de Joël Taluau sont régulièrement sélectionnés dans le Guide, et souvent en excellente place. Avec cette Cuvée du domaine, les amateurs de vins alliant finesse et fraîcheur ne seront pas déçus. Une robe noir d'encre aux reflets violets annonce un nez distingué et intense de fruits rouges et noirs. Des tanins mûrs et fondus s'associent à un fruité généreux pour composer une bouche dense, opulente et charnue. « Sans doute un grand vinificateur qui a travaillé de beaux raisins gorgés de soleil », note un dégustateur. Tout est dit. Restent les perspectives d'accords : viande rouge, gibier, fromages affinés, vous aurez l'embarras du choix.

☛ EARL Taluau-Foltzenlogel, 11, Chevrette, 37140 Saint-Nicolas-de-Bourgueil, tél. 02 47 97 78 79, fax 02 47 97 95 60, joel.taluau@wanadoo.fr, ☑ ⚔ ⵣ t.l.j. 8h-12h 13h30-18h; dim. sur r.-v.

DOM. DES VALLETTES Vieilles Vignes 2011 ★

| ■ | 22 000 | ⊞ | 5 à 8 € |

Ce domaine a vu se succéder huit générations de vignerons sur ses terres. Dernier héritier de ce savoir-faire bonifié par des expériences en Australie et en Espagne, Antoine Jamet a rejoint son frère François à la tête de l'exploitation (26 ha). Judicieusement entretenues (sols enherbés, éclaircissages patients), ces vieilles vignes de soixante ans ont délivré un 2011 goûteux, ennobli par un élevage soigné d'un an en fût. Les jurés ont été sensibles à la limpidité de sa robe rubis, ainsi qu'au charme fruité et franc de son olfaction. Quant à la bouche, elle est droite, équilibrée, équipée de tanins fermes qui commencent à se fondre. Plaisir assuré sur une pièce de bœuf grillée au cours des trois prochaines années.

🍷 Antoine et François Jamet, Dom. des Vallettes, 37140 Saint-Nicolas-de-Bourgueil, tél. 02 47 97 44 44, fax 02 47 97 44 45, contact@vallettes.com, ☑ 🍴 ⏷ t.l.j. sf dim. 9h-12h 14h-18h

DOM. DU VIEUX MOULIN Cuvée Tradition 2011 ★

■   2 000   ▮   5 à 8 €

Si l'essentiel du vignoble est planté sur un sol de graviers, Christian et Jérôme Houx réservent 1 ha de terroir de tuf pour leur cuvée Tradition. Un travail assidu dans la vigne (enherbement, effeuillages, éclaircissages) a permis d'obtenir de beaux raisins vendangés à bonne maturité, à l'origine d'un 2011 élégamment paré d'un rouge aux reflets parme, non moins distingué dans ses senteurs florales et fruitées, rond et gourmand en bouche. Un vin de belle tenue, à boire dès la sortie du Guide.

🍷 GAEC Christian et Jérôme Houx, 9, Les Grandes-Rottes, 37140 Restigné, tél. 02 47 97 30 38, jerome_houx@orange.fr, ☑ 🍴 ⏷ r.-v.

Saint-nicolas-de-bourgueil

Superficie : 1 076 ha
Production : 61 307 hl

Malgré des caractéristiques proches de celles de l'aire contiguë de Bourgueil, la commune de Saint-Nicolas-de-Bourgueil (simple paroisse détachée de Bourgueil au XVIIIe s.) possède son appellation particulière.

Son vignoble croît, pour les deux tiers, sur les sols sablo-graveleux des terrasses de la Loire. Au-dessus, le coteau est protégé des vents du nord par la forêt ; le tuffeau y est surmonté d'une couverture sableuse. Bien que ce ne soit pas le cas des vins provenant exclusivement du coteau, les saint-nicolas-de-bourgueil, souvent issus d'assemblages, ont la réputation d'être plus légers que les bourgueil.

♡ XAVIER ET THIERRY AMIRAULT
Les Gravilices 2011 ★★

■   13 000   ▮ ⑾   8 à 11 €

Limitation au maximum des pharmacopées non naturelles, priorité à la personnalité de chaque terroir, suivi méticuleux de l'état sanitaire de la vigne, « l'éthique

vigneronne » de la famille Amirault (Thierry, Xavier et Agnès) l'a naturellement conduite au choix de l'agriculture biologique et biodynamique. La conversion est en cours. Les amateurs de saint-nicolas sont, quant à eux, depuis longtemps convertis à la qualité des vins du domaine (généralement sous l'étiquette Clos des Quarterons), régulièrement sélectionnés dans le Guide. Née sur un îlot argilo-calcaire, cette cuvée ne les décevra pas. Elle se présente dans une ravissante robe rouge aux reflets zinzolins. Au nez, elle mêle les petits fruits rouges frais à un boisé sans ostentation, aux tonalités vanillées. La bouche ample et longue joue la carte de la suavité et de la rondeur, adossée à des tanins soyeux. « Un Vin avec une majuscule », conclut un dégustateur, qui le conseille sur un mets de caractère, un civet de lièvre par exemple. La cuvée **Les Quarterons 2011 rouge (5 à 8 € ; 30 000 b.)**, née sur sols de graviers et élevée en cuve, obtient une étoile pour son fruité intense et gourmand. On la boira sans plus attendre en accompagnement de viandes rouges. Encore dominé par le boisé mais bien structuré, **Le Clos des Quarterons 2011 rouge Vieilles Vignes (9 000 b.)**, cité, aura besoin de deux ou trois ans d'attente pour s'exprimer au mieux.

🍷 Clos des Quarterons, 46, av. Saint-Vincent, 37140 Saint-Nicolas-de-Bourgueil, tél. 02 47 97 75 25, fax 02 47 97 97 97, agnes.amirault@gmail.com, ☑ ⏷ r.-v.
🍷 Amirault

YANNICK AMIRAULT La Mine 2011

■   15 000   ▮   8 à 11 €

Présent en saint-nicolas et en bourgueil, le domaine de Yannick Amirault (rejoint depuis 2003 par son fils Benoît) fait partie des valeurs sûres de ces deux appellations – il décroche d'ailleurs un coup de cœur cette année pour son bourgueil La Coudraye 2011. Il a fait le choix de l'agriculture biologique (conversion en cours), cherchant une plus grande adéquation entre le cabernet franc et le terroir qui l'accueille, ici des graviers sur terrasses. Cette Mine 2011 peut apparaître un brin austère à cause de tanins encore acérés. Néanmoins, ce vin de bonne corpulence affirme en bouche un fruité large et persistant, vivifié en finale par une pointe de minéralité. L'attendre deux ou trois ans avant de le servir avec du gibier.

🍷 Yannick Amirault, 5, pavillon du Grand-Clos, 37140 Bourgueil, tél. 02 47 97 78 07, info@yannickamirault.fr, ☑ 🍴 ⏷ r.-v.

DOM. DU BOIS MAYAUD La Volupté Vieilles Vignes 2011

■   15 000   ☑   5 à 8 €

Françoise Boucher et son fils Ludovic proposent ici deux « vins plaisir », agréables et fruités. La Volupté, née de vieux ceps de soixante-quinze ans, se pare d'une robe rubis et libère des parfums soutenus de fruits noirs rehaussés de nuances poivrées. La bouche, tannique sans excès, tient bien la note. À boire dans les deux ans à venir sur une grillade de bœuf. **L'Osmose Tradition 2011 rouge (moins de 5 € ; 15 000 b.)**, plus souple et gouleyante, pourvue de tanins discrets, s'appréciera dans l'année sur un pâté en croûte.

🍷 Françoise et Ludovic Boucher, Dom. du Bois Mayaud, 1, allée du Bois-Mayaud, 37140 Chouzé-sur-Loire, tél. et fax 02 47 95 17 23, domaineduboismayaud@orange.fr, ☑ 🍴 ⏷ r.-v. 🏠 🅐

LOIRE

HENRI BOURDIN 2011 ★

| | 9 300 | | 5 à 8 € |

Henri Bourdin privilégie l'accueil et la vente directe à la propriété, démarche entretenue chaque année, aux beaux jours, par des opérations portes ouvertes. On y découvre alors les caractéristiques du nouveau millésime. Ce 2011 vêtu d'une seyante robe rubis soutenu ne décevra pas les amateurs de vins amples et fruités. De fait, il exhale d'intenses parfums de fruits rouges et noirs relayés par une bouche longue, fraîche et finement tannique. Un saint-nicolas tout indiqué pour une volaille rôtie.

☛ EARL Henri Bourdin, 7, Le Bourg-de-Paille, 37140 Bourgueil, tél. et fax 02 47 97 96 69, bourdin.henri37@orange.fr, ☑ ⚓ Ⴧ t.l.j. sf dim. 8h-13h 14h-19h

CAVE BRUNEAU-DUPUY Cuvée Réserve 2011 ★

| | 6 000 | ⬚ | 5 à 8 € |

Sylvain Bruneau a engagé la conversion bio de ce domaine d'une vingtaine d'hectares, sur lequel trois générations de vignerons se sont échinées à produire des vins qui chantent haut et fort les charmes du Bourgueillois. Sa cuvée Réserve est porteuse de belles promesses. Encore dominée par un élevage en fût qui masque quelque peu les parfums de fruits rouges, elle fait néanmoins preuve d'une belle finesse et d'une rondeur gourmande. On pourra la déguster dès la sortie du Guide ou l'attendre un an ou deux pour un boisé plus fondu. Ce vin accompagnera alors une pièce de gibier. La cuvée **Tradition 2011 rouge (12 000 b.)**, élevée en cuve, fruitée, équilibrée et d'un bon volume, est citée.

☛ Sylvain Bruneau, 14, La Martellière, 37140 Saint-Nicolas-de-Bourgueil, tél. 02 47 97 75 81, fax 02 47 97 43 25, info@cave-bruneau-dupuy.com, ☑ ⚓ Ⴧ t.l.j. sf dim. 9h-12h30 13h30-18h

DOM. YVAN BRUNEAU ET FILS Cuvée des clos
Vieilles Vignes Élevé en fût de chêne 2011

| | 1 330 | ⬚⬚ | 8 à 11 € |

Ce domaine familial de 20 ha propose une cuvée née de vieux cabernets enracinés sur quelques ares d'argilo-calcaires, ce qui est plutôt rare en Bourgueillois. Cuvaison longue, recours au microbullage, élevage de onze mois en fût de chêne... autant d'opérations qui montrent la volonté de créer un vin de haute expression. Sur un fond boisé vanillé, le bouquet évoque les fruits rouges mâtinés d'une touche de cuir. La bouche, à l'unisson, se révèle ronde et généreuse, soutenue par des tanins aimables et soyeux. On peut apprécier cette bouteille dès l'automne ou attendre un an ou deux que le merrain se fonde.

☛ EARL Yvan et Ghislaine Bruneau et Fils, 50, av. Saint-Vincent, 37140 Saint-Nicolas-de-Bourgueil, tél. 02 47 97 90 67, yg.bruneau@orange.fr, ☑ ⚓ Ⴧ r.-v.

LA CHEVALLERIE Vieilles Vignes 2011 ★

| | 8 000 | ⬚ | 5 à 8 € |

Installé en 2008 à la tête du domaine familial, Gaëtan Bruneau poursuit l'œuvre de cinq générations vigneronnes « dans le respect des traditions pour que le terroir garde toujours son sens ». De vieux ceps de breton âgés de cinquante-cinq ans, un égrappage à 100 %, vingt jours de cuvaison et un élevage de dix mois en cuve ont donné naissance à un saint-nicolas bien sous tous rapports. Robe sombre aux reflets grenat, bouquet ouvert sur un large fruité, bouche au diapason, fraîche, soyeuse et longue, rehaussée par une pointe épicée. À boire dès la sortie du Guide, sur un paleron au vinaigre. À signaler également, avec une citation, le **2012 (moins de 5 € ; 5 000 b.)**, jovial rosé de saignée, souple, floral et fruité, idéal pour les grillades.

☛ EARL Alain Bruneau, 2, La Chevallerie, 37140 Saint-Nicolas-de-Bourgueil, tél. 02 47 97 93 58, vin.chevallerie@gmail.com, ☑ ⚓ Ⴧ r.-v.

VIGNOBLE DE LA CHEVALLERIE Cuvée Martial
Sélection vieilles vignes 2011

| | 30 000 | ⬚ | 5 à 8 € |

Jean-Charles Bruneau a pris en 2007 les rênes des 22 ha de l'exploitation familiale, dont les premiers pas remontent à 1947. Son grand-père Martial cultivait alors 25 ares de vignes plantées sur sables et graviers. C'est à lui qu'est dédiée cette cuvée élevée « à l'ancienne » (macération courte, à basse température pour garder le fruit, élevage de six mois en cuve), qui s'affiche dans une brillante tenue vermillon et dispense, au nez comme en bouche, un fruité léger dominé par la cerise. Un vin à la fois rond et frais, à boire dans sa jeunesse en accompagnement de grillades. Deux autres vins sont cités. La **cuvée Jean-Charles 2011 rouge (15 000 b.)** a retiré de sa courte rencontre avec le bois une présence tannique plus affirmée mais sans excès. Quant à la **cuvée Tradition 2011 rouge (25 000 b.)**, c'est un vin simple et gouleyant, à boire sur le fruit.

☛ Jean-Charles Bruneau, 5, La Chevallerie, 37140 Saint-Nicolas-de-Bourgueil, tél. 02 47 97 81 19, fax 02 47 97 40 73, bruneaujeancharles@yahoo.fr, ☑ ⚓ Ⴧ t.l.j. sf dim. 9h-12h30 14h-19h

DOM. DE LA CHOPINIÈRE DU ROY Cuvée Coquelicot
Vieilles Vignes Élevé en fût de chêne 2011

| | 11 500 | ⬚⬚ | 5 à 8 € |

Labellisé « Cave touristique de Loire », ce domaine propose lors de journées gourmandes la visite de ses vignes et de sa cave troglodytique dans une convivialité d'inspiration rabelaisienne nourrie de fouaces, de grillades et de joyeux flacons, à l'image de cette cuvée Coquelicot parée d'une jolie robe rubis nuancée de violine. Elle dévoile à l'olfaction de fines senteurs de petits fruits rouges agrémentées d'un boisé léger et d'une touche végétale typée cabernet. Dans la continuité du nez, la bouche se révèle ronde et primesautière, une pointe d'austérité marquant toutefois la finale. À boire dans les deux ans à venir, sur une pièce de bœuf ou du petit gibier.

☛ Christophe et Nicolas Ory, Dom. de la Chopinière du Roy, 30, La Rodaie, 37140 Saint-Nicolas-de-Bourgueil, tél. 02 47 97 77 74, fax 02 47 97 78 86, chopiniereduroy@aol.com, ☑ ⚓ Ⴧ t.l.j. 8h-19h30

CLOS DU VIGNEAU 2011 ★

| | 95 000 | ⬚ | 5 à 8 € |

Depuis 1820, six générations de Jamet se sont appliquées à faire prospérer la vigne sur des parcelles de sables et de cailloux, terroirs ici nommés « graviers » et connus pour leur capacité à générer des vins souples. En 2012, le domaine a été cédé aux cousins Antoine et

François Jamet, du domaine des Vallettes (voir Bourgueil). Ce 2011 a donc été élaboré par l'ancien propriétaire, Alain Jamet. Il a séduit les dégustateurs par sa robe grenat, par ses arômes puissants de fruits et par son palais « cajoleur », rond et doux. Une bouteille harmonieuse et avenante, déjà prête, à déguster sur une viande rouge.
🍷 EARL Clos du Vigneau - A. Jamet, Le Clos du Vigneau, 37140 Saint-Nicolas-de-Bourgueil, tél. 02 47 97 75 10, fax 02 47 97 98 98, clos.du.vigneau-a.jamet@orange.fr, ☑ ☥ ⟑ t.l.j. 8h30-12h 13h30-18h30

DOM. DE LA CLOSERIE Vieilles Vignes 2011

| ■ | 10 000 | ■ ⊞ | 5 à 8 € |

Les cuvées de Jean-François Mabileau sont régulièrement sélectionnées dans le Guide. Celle-ci, née de vignes de cinquante ans, n'a pas laissé les dégustateurs indifférents. Si tous ont plébiscité son bouquet plaisant de fruits noirs, ils ont apprécié différemment le palais, trop tannique pour les uns, bien bâti pour la garde pour les autres. Un vin de caractère, vous l'aurez compris, à laisser s'assagir deux ou trois ans en cave avant de lui réserver un mets de retour de chasse.
🍷 Jean-François Mabileau, 28, rte de Bourgueil, 37140 Restigné, tél. 02 47 97 36 29, fax 02 47 97 48 33, j-f-mabileau@orange.fr, ☑ ☥ ⟑ r.-v.

LYDIE ET MAX COGNARD Les Malgagnes 2011 ★

| ■ | 8 000 | ■ ⊞ | 8 à 11 € |

Ce vin, identifié par le nom de la parcelle mêlée d'argiles, de limons et de sables qui l'a vu naître, se présente dans une robe rouge sombre. Le passage partiel en barrique a laissé une empreinte au nez comme en bouche. Le premier se révèle assez discret, boisé donc, un peu plus fruité à l'aération, tandis que la seconde séduit par son charnu, sa douceur, sa rondeur et ses tanins mûrs. À déguster dans les trois ou quatre ans à venir.
🍷 Lydie et Max Cognard, 3, lieu-dit Chevrette, 37140 Saint-Nicolas-de-Bourgueil, tél. 02 47 97 76 88, fax 02 47 97 97 83, max.cognard@wanadoo.fr, ☑ ☥ ⟑ t.l.j. 9h-12h 13h30-18h; sam. dim. sur r.-v.

VIGNOBLE DE LA CONTRIE 2011 ★

| ■ | 20 000 | ■ ⊞ | 8 à 11 € |

Élevé quelques mois en fût après un séjour en cuve, ce saint-nicolas se présente vêtu d'une élégante robe pourpre. Stimulé par les épices douces, le nez, fermé au premier abord, s'anime à l'aération sur de jolies senteurs de fruits noirs. L'harmonie règne en bouche, entre rondeur, présence tannique légère et fraîcheur. Un vin gourmand et prêt à boire, sur un chou farci par exemple.
🍷 Maison Audebert et Fils, 20, av. Jean-Causeret, 37140 Bourgueil, tél. 02 47 97 70 06, fax 02 47 97 72 07, maison@audebert.fr, ☑ ☥ ⟑ r.-v.

Ⓑ DOM. DE LA COTELLERAIE Vieilles Vignes
Élevé en fût de chêne 2011

| ■ | 30 000 | ■ ⊞ | 8 à 11 € |

En reprenant le domaine familial en 1995, Gérald Vallée a fait le choix des vendanges manuelles et du bio. Issu de 6 ha de sols argileux, élevé deux mois en cuve puis un an en barrique, ce vin rouge sombre dévoile un premier nez empreint de sa rencontre avec le bois. Après aération

apparaissent des arômes de violette et de fruits rouges. Dans la continuité du nez, le palais offre un bon volume et de la rondeur, avant de montrer plus de vivacité en finale. On attendra un an ou deux que le merrain se fonde.
🍷 Gérald Vallée, La Cotelleraie, 37140 Saint-Nicolas-de-Bourgueil, tél. 02 47 97 75 53, fax 02 47 97 85 90, gerald.vallee@wanadoo.fr, ☑ ☥ ⟑ t.l.j. sf dim. 9h-12h 14h-18h

JÉRÔME DELANOUE 2011 ★

| ■ | 11 000 | ■ | 5 à 8 € |

Après deux coups de cœur pour ses saint-nicolas 2010 et 2009, Jérôme Delanoue signe un 2011 de très belle facture. Paré d'une robe rouge sombre aux reflets violines, ce vin se montre un peu sur la réserve à l'olfaction, quelques nuances fruitées pointant à l'aération. C'est en bouche qu'il s'affirme, par sa douceur et sa rondeur avenantes, par ses tanins souples et soyeux enrobés de saveurs de fruits rouges. Une gourmandise à déguster dès l'automne, sur un poulet rôti. La cuvée **Tradition 2011 rouge (10 000 b.)**, dans un style plus vineux, est citée.
🍷 Jérôme Delanoue, 11, rue du Port-Guyet, 37140 Saint-Nicolas-de-Bourgueil, tél. 06 16 95 16 55, vinjdelanoue@wanadoo.fr, ☑ ☥ ⟑ t.l.j. 9h-18h

NATHALIE ET DAVID DRUSSÉ Les Graviers 2011 ★★

| ■ | 32 000 | ■ | 5 à 8 € |

Ce saint-nicolas, qui a participé à la finale des coups de cœur, est né sur un substrat de silex et de sables sur lequel prospère une vigne de cabernet franc, *alias* « breton », âgée de trente-cinq ans. L'appréciation élogieuse des jurés traduit un suivi rigoureux de la vinification et un travail méticuleux de la vigne qui amorce une évolution vers une viticulture plus écologique. Paré de rouge sombre, ce vin déploie à l'olfaction de beaux arômes de fruits mûrs agrémentés de violette. En bouche, il se montre particulièrement conquérant : de l'équilibre, des tanins élégants et une longue finale qui libère des saveurs de cassis. À marier dans l'année à des grillades au feu de bois.
🍷 Nathalie et David Drussé, 1, impasse de la Villatte, 37140 Saint-Nicolas-de-Bourgueil, tél. 02 47 97 98 24, drusse@wanadoo.fr, ☑ ☥ ⟑ t.l.j. 9h-19h

LE VIGNOBLE DU FRESNE Cuvée Simon 2011 ★

| ■ | 5 500 | ■ | 5 à 8 € |

Patrick Guenescheau, qui exerce également ses talents viticoles en cabernet-d'anjou et en crémant-de-loire, est à la tête de ce vignoble depuis 1979. En l'honneur de son petit-fils, il signe une cuvée Simon qui arbore une élégante robe pourpre aux nuances parme. L'olfaction, fraîche et fruitée, prélude à une bouche ronde, souple et persistante, aux tanins doux et aimables. À découvrir dans les deux ans, pourquoi pas sur un couscous d'agneau ?
🍷 Patrick Guenescheau, 1, Le Fresne, 37140 Saint-Nicolas-de-Bourgueil, tél. et fax 02 47 97 42 53, patrick.guenescheau@wanadoo.fr, ☑ ⟑ r.-v.

LOIRE

JÉRÔME GODEFROY Vieilles Vignes 2011 ★★

■	18 500 ▮	5 à 8 €

Jérôme Godefroy a repris en 2005 ce domaine familial de 11 ha, à la suite du départ à la retraite de son père Gérard, et ses vins fréquentent assidûment ces colonnes. Sa cuvée Vieilles Vignes, née de ceps septuagénaires, a été en finale pour un coup de cœur. Ses arguments : une seyante robe grenat aux reflets violets, un bouquet remarquable d'intensité à dominante de fruits noirs, une bouche à la fois fine, fraîche et concentrée. Bref, un vin harmonieux, d'une élégance toute ligérienne, à déguster dans les trois ou quatre ans à venir sur un coq au vin. Plus discrète à l'olfaction, un rien plus tannique et vive, la **cuvée Prestige 2011 rouge (8 700 b.)** est citée. On lui réservera du gibier à plume.

☛ Dom. Jérôme Godefroy, 19, Le Plessis,
37140 Chouzé-sur-Loire, tél. 02 47 95 16 56,
domaine.godefroy@orange.fr, ☑ ⚔ Ï r.-v.

DOM. DU GROLLAY Vieilles Vignes 2011 ★

■	10 000 ▮	5 à 8 €

Pas d'antériorité rassurante pour ce domaine créé en 1977 : « Les seuls ancêtres, c'est nous ! » proclame Jean Brecq, heureux de transmettre prochainement son vignoble de 14 ha à ses enfants. Née de « vraies » vieilles vignes de soixante-dix ans, cette cuvée déploie un bouquet extraverti de fruits rouges mûrs rehaussé de notes poivrées, que prolonge un palais fin et élégant. Une bouteille harmonieuse, à ouvrir dans l'année.

☛ Jean Brecq, 1, Le Grollay,
37140 Saint-Nicolas-de-Bourgueil, tél. et fax 02 47 97 78 54,
jean.brecq@orange.fr, ☑ ⚔ Ï t.l.j. 9h-12h 13h30-19h

HAUT DE LA GARDIÈRE 2011 ★

■	8 000 ▮	5 à 8 €

Ce domaine établi aux confins de l'Anjou et de la Touraine étend ses 13 ha de vignes sur des sols divers – tufs, sables, terres de graves, argilo-calcaires – sur lesquels le cabernet franc peut faire varier les plaisirs. Ici, un 2011 né sur argilo-calcaires, paré d'une robe rubis profond, intensément ouvert sur les fruits rouges et quelques notes de poivron bien typées cabernet, structuré en souplesse, long et tout aussi fruité en bouche. Un vin équilibré, qui se mariera très bien avec viandes et fromages.

☛ Thierry Pantaléon, La Gardière,
37140 Saint-Nicolas-de-Bourgueil, tél. 02 47 97 87 26,
fax 02 47 97 47 71, tpantaleon@gmail.com, ☑ Ï r.-v.

LES HAUTS-CLOS CASLOT 2011

■	15 000 ▮	5 à 8 €

Chaque année, au moment des fêtes de la Pentecôte, le domaine s'ouvre aux visiteurs qui s'y installent pour des pique-niques agrémentés des vins de la propriété. Nul doute que ce 2011 rond, souple et fruité y sera à l'honneur. À boire dans sa jeunesse, sur une assiette de charcuteries ligériennes.

☛ EARL Caslot-Bourdin, 21, rue Brûlée,
37140 La Chapelle-sur-Loire, tél. 02 47 97 34 45,
fax 02 47 97 44 80, info@caslot-bourdin.com, ☑ ⚔ Ï r.-v.

VIGNOBLE DE LA JARNOTERIE L'Élégante MR 2011 ★

■	60 000 ▥	5 à 8 €

Propriété familiale qui a vu cinq générations se succéder sur ses terres, le domaine de la Jarnoterie fait preuve

d'une grande régularité dans la qualité de ses vins. Il revendique aussi un sens prononcé de la convivialité, ce qui ne gâche rien. Deux cuvées y sont à découvrir dans le millésime 2011. Tout d'abord, cette Élégante qui a en effet fière allure dans sa tenue rubis. Si le séjour en barrique a légué un boisé discret, il ne masque en rien les arômes primaires (le cassis et la violette notamment) conférés par le cabernet et offre, sans l'étouffer, un surcroît de structure et de complexité au palais, par ailleurs souple, rond et charnu. À déguster dans les deux ans à venir sur des viandes rouges braisées. La cuvée **Les Terres noires 2011 rouge (8 à 11 € ; 10 000 b.),** un rien plus tannique, est citée.

☛ Didier Rezé, La Jarnoterie,
37140 Saint-Nicolas-de-Bourgueil, tél. 02 47 97 75 49,
fax 02 47 97 79 98, mabileau.reze@wanadoo.fr,
☑ ⚔ Ï t.l.j. sf dim. lun. 9h-12h 14h-18h (sam. 17h30)

DOM. LORIEUX Cuvée de la Mineraie 2011

■	2 630 ▮	- de 5 €

Vinifiée par les œnologues de la maison de négoce Joseph Verdier, cette cuvée se présente dans une robe rouge vif et livre à l'olfaction des notes avenantes de fruits rouges mûrs stimulées par une pointe d'épices. La bouche se révèle ronde et soyeuse, adossée à des tanins souples. Un vin harmonieux, à réserver pour des grillades préparées sur un feu de sarments.

☛ Jérémy Lorieux, 26, rte du Vignoble-Chevrette,
37140 Bourgueil, tél. 02 41 40 22 50, fax 02 41 40 22 69,
r.boileau@joseph-verdier.fr
☛ SA Joseph Verdier

PASCAL LORIEUX Expression 2011 ★

■	n.c. ▮	5 à 8 €

Pascal et Alain Lorieux ne varient pas leur credo. Adeptes d'une conduite de la vigne raisonnée et raisonnable, privilégiant une belle maturité du fruit, ils s'attachent à présenter des vins axés sur la rondeur et le fruité. Comme souvent, ils parviennent à leurs fins (en saint-nicolas mais aussi en chinon) et signent ici un vin expressif en effet, né d'une vendange soigneusement égrappée et triée. Parée d'une séduisante robe pourpre, limpide et brillante, cette cuvée livre un bouquet intense de fruits rouges mûrs accompagnés de nuances florales, prélude à une bouche souple, soyeuse et harmonieuse. Une amabilité qui appelle une dégustation dès l'automne, sur une volaille ou une grillade.

☛ Pascal et Alain Lorieux, 64, av. Saint-Vincent,
37140 Saint-Nicolas-de-Bourgueil, tél. 02 47 97 92 93,
fax 09 57 29 58 76, contact@lorieux.fr, ☑ ⚔ Ï r.-v.

Ⓑ FRÉDÉRIC MABILEAU Les Rouillères 2011 ★★

■	120 000 ▮	8 à 11 €

Frédéric Mabileau est l'une des figures de proue de l'appellation depuis son installation en 1991, en marge de l'exploitation paternelle. Il signe une cuvée parée d'une lumineuse robe pourpre, qui tutoie l'exceptionnel. Le nez, complexe et d'une grande élégance, mêle les fruits mûrs, les fleurs séchées et la violette. Ample dès l'attaque, la bouche dévoile des tanins soyeux enrobés par un fruité friand et intense qui s'étire longuement en finale. Déjà fort gourmand, ce vin pourra aussi patienter en cave trois à cinq ans sans crainte. La cuvée **Coutures 2011 rouge (11 à 15 € ; 15 985 b.),** élevée pour partie en fût, obtient une étoile pour sa richesse, son fruité généreux et son boisé fin. À boire dans les trois ans à venir.

➼ Frédéric Mabileau, 6, rue du Pressoir,
37140 Saint-Nicolas-de-Bourgueil, tél. 02 47 97 79 58,
fax 02 47 97 45 19, contact@fredericmabileau.com,
☑ ⚚ ⏀ t.l.j. sf dim. 8h30-12h 14h-17h30;
sam. 10h30-12h30 14h-17h30

JACQUES ET VINCENT MABILEAU La Gardière
Vieilles Vignes 2011

■	18 000	■	5 à 8 €

Les vins de Jacques Mabileau et de son fils Vincent
sont régulièrement sélectionnés dans ce chapitre. Deux
cuvées sont retenues cette année. Ces Vieilles Vignes tout
d'abord (quarante-cinq ans), un saint-nicolas plaisant au
fruité gourmand, rond et souple en bouche. La cuvée
principale du domaine ensuite, **La Gardière 2011 rouge
(60 000 b.)**, également citée, se révèle très expressive, sur
les fruits et les épices. Deux « vins plaisir », à boire dans
leur jeunesse.
➼ Jacques et Vincent Mabileau, La Gardière,
37140 Saint-Nicolas-de-Bourgueil, tél. 02 47 97 75 85,
fax 02 47 97 98 03, vincent.mabileau@wanadoo.fr,
☑ ⚚ ⏀ t.l.j. sf dim. 9h-12h 14h-18h

LYSIANE, GUY ET WILFRIED MABILEAU
Cuvée Domaine 2011 ★

■	27 000	■	5 à 8 €

Ce domaine régulier en qualité ouvre ses portes au
moment des fêtes de la Pentecôte. L'occasion de découvrir cette cuvée d'un beau rouge soutenu et brillant, au nez
généreux de raisin mûr, de pruneau et de petits fruits
rouges. La bouche se fait docile, ronde et souple, étayée
par des tanins aimables et dynamisée par une fine vivacité
en finale. Un vin équilibré, à boire dans les deux ans à
venir. Dans un style proche, souple et suave, la **cuvée
Vieilles Vignes 2011 rouge (9 300 b.)** est citée.
➼ Guy et Lysiane Mabileau, 17, rue du Vieux-Chêne,
37140 Saint-Nicolas-de-Bourgueil, tél. et fax 02 47 97 70 43,
lysianeetguy.mabileau@gmail.com, ☑ ⚚ ⏀ r.-v.

♥ HERVÉ MORIN Levant 2011 ★★

■	4 500	■	5 à 8 €

Plantés sur un coteau argilo-calcaire, les vénérables
cabernets (quatre-vingts ans) à l'origine de ce vin remarquable sont les premiers à voir le soleil. Ils ont donné
naissance à un « fier gaillard » paré d'une somptueuse
robe rouge sombre frangée de violine. Fermé de prime
abord, le nez s'ouvre à l'aération sur un fruité exubérant
de mûre confite, de myrtille, de fraise des bois et de
violette. Ample dès l'attaque, le palais dévoile un fruité
impérial, porté par des tanins mûrs et fins, et par une
fraîcheur vivifiante qui lui apporte droiture et longueur. À
réserver pour un plat goûteux, un navarin d'agneau par
exemple, aujourd'hui comme dans trois ou cinq ans. À
l'apéritif, avec quelques appétissants rillons de Touraine,

on ouvrira le **rosé 2012 Farandole (2 000 b.)**, cité pour
sa fraîcheur, sa souplesse et son fruité délicat.
➼ Hervé Morin, 20, La Rodaie,
37140 Saint-Nicolas-de-Bourgueil, tél. 02 47 97 75 34,
contact@hervemorin.com, ☑ ⚚ ⏀ t.l.j. sf dim. 9h-19h

DOM. DE LA NOIRAIE Les 7 Lieux-dits 2011

■	15 000	■	5 à 8 €

Les vignes de ce domaine familial sont réparties sur
les appellations bourgueil (35,5 ha) et saint-nicolas
(7,5 ha). Depuis 2009, elles sont progressivement conver-
ties à l'agriculture biologique. Celles à l'origine de cette
cuvée, assemblage de sept lieux-dits différents, afficheront
le logo bio sur l'étiquette 2012. Le 2011 est réussi. Paré
d'une robe pourpre, il dévoile un bouquet délicat de
violette et de fruits rouges. Fraîche en attaque, souple et
équilibrée, la bouche suit la même ligne aromatique. À
ouvrir sur une grillade dans les deux ans.
➼ EARL Delanoue Frères, 19, rue du Fort-Hudeau,
37140 Benais, tél. 02 47 97 30 40, fax 02 47 97 46 95,
delanoue@terre-net.fr,
☑ ⚚ ⏀ t.l.j. 8h30-12h30 14h-20h; dim. 8h30-12h30

DOM. OLIVIER Cuvée du Mont des Olivier 2011 ★

■	18 600		5 à 8 €

Depuis sa création en 1959, ce domaine familial n'a
cessé de se diversifier et de s'agrandir (39 ha aujourd'hui),
cultivant une belle renommée. Deux de ses vins du millésime 2011 ont retenu l'attention des jurés. Ce Mont des
Olivier revêt une robe grenat intense et dévoile un bouquet
puissant de fruits noirs agrémenté de notes de café. Véritable corbeille de fruits, la bouche se révèle ample, chaleureuse et longue, « riche en polyphénols », souligne un juré,
qui conseille de boire ce vin dans les deux ans, sur une
viande rouge en sauce. La **cuvée principale 2011 rouge
(110 000 b.)**, fraîche et bien structurée, est citée.
➼ EARL Dom. Olivier, La Forcine,
37140 Saint-Nicolas-de-Bourgueil, tél. 02 47 97 75 32,
fax 02 47 97 48 18, patrick.olivier14@wanadoo.fr,
☑ ⚚ ⏀ t.l.j. 9h-12h30 14h-19h; dim. sur r.-v.

DOM. DE LA PERRÉE Cuvée Vieilles Vignes 2011

■	10 000	■	5 à 8 €

Des ceps de cabernet franc de plus de soixante ans
enracinés dans des terres sablo-graveleuses et vendangés
à la main ont donné naissance à un saint-nicolas qualifié
de « traditionnel ». Il se présente dans une tenue rubis
lumineux, exprime tout au long de la dégustation des
arômes de petits fruits rouges agrémentés des nuances
« poivron » typiques du cépage, et offre au palais une
agréable rondeur. À boire dans l'année, sur une volaille.
➼ Patrice et Lydie Delarue, La Perrée,
37140 Saint-Nicolas-de-Bourgueil, tél. 02 47 97 94 74
☑ ⚚ ⏀ r.-v.

DOM. LES PINS 2011 ★★

■	30 000	■	5 à 8 €

Coup de cœur l'an passé avec le millésime 2010, ce
domaine, plus connu des amateurs pour ses bourgueil, tient
son rang avec le 2011. À partir d'une vendange cueillie à
bonne maturité et élevée huit mois en cuve, Christophe et
Philippe Pitault ont élaboré un vin charmeur en diable. La
robe est d'une seyante teinte pourpre. Le nez, expressif et
frais, évoque les fruits rouges et noirs. Ample, ronde et
riche, la bouche tient la note fruitée, soutenue par des tanins
soyeux et par une fine acidité qui lui donnent longueur et

LOIRE

équilibre. Un saint-nicolas harmonieux et élégant, à servir sur du gibier ou une viande rouge dans les trois ans à venir.

☛ Pitault-Landry et Fils, 8, rte du Vignoble, 37140 Bourgueil, tél. 02 47 97 47 91, fax 02 47 97 98 69, philippe.pitault@wanadoo.fr, ☑ ⅄ r.-v.

LES CAVES DU PLESSIS Éclat de tuf' 2011 ★

■	3 000	▮	8 à 11 €

Valeur sûre de l'appellation, Les Caves du Plessis sont depuis janvier 2012 conduites par Stéphane, fils de Chantal Renou. Elles réussissent cette année un beau tir groupé, avec en tête cette toute nouvelle cuvée née de 65 ares de breton planté sur une petite colline où affleure le tuffeau. Ce vin revêt une élégante robe pourpre aux reflets parme et délivre des parfums intenses de fruits rouges agrémentés de discrètes nuances florales. La bouche, ample, ronde, longue et soyeuse, reprend la partition fruitée et l'enrichit de notes fraîches du terroir. À déguster dans les deux ou trois ans à venir, sur une côte de bœuf. La cuvée **Vieilles Vignes 2011 rouge (5 à 8 € ; 10 000 b.)**, bien équilibrée, finement tannique et fruitée, obtient également une étoile. La **Réserve Stéphane 2011 rouge (8 000 b.)** fruitée, un rien épicée, fraîche et bien structurée, est citée.

☛ Stéphane Renou, 17, La Martellière, 37140 Saint-Nicolas-de-Bourgueil, tél. 02 47 97 85 67, fax 02 47 97 45 55, lescavesduplessis@wanadoo.fr, ☑ ⅄ ⅄ t.l.j. sf dim. 9h-12h 14h-18h30 🏠 🅴

DOM. DU ROCHOUARD Les Argiles à silex
Vieilles Vignes 2011 ★

■	9 000	▮	8 à 11 €

Ce domaine bien connu des lecteurs, aussi bien pour ses saint-nicolas que pour ses bourgueil, a fait le choix de l'agriculture biologique : la conversion est en cours. Le terroir est mis en évidence sur l'étiquette : argiles à silex plantés de vieux ceps cinquantenaires à l'origine de cette cuvée rouge sombre au nez discret. La bouche, plus prolixe, portée sur les fruits noirs concentrés, séduit par ses tanins fermes et sa longueur. Une pointe d'austérité en finale appelle une garde minimale de deux ans pour apprécier pleinement ce vin déjà élégant.

☛ GAEC Duveau-Coulon Fils, 1, rue des Géléries, 37140 Bourgueil, tél. 06 68 70 20 75, fax 02 47 97 99 13, domaineducrochouard@wanadoo.fr, ☑ ⅄ t.l.j. 8h30-12h30 13h30-19h; dim. 10h-12h30 15h-18h

VIGNOBLE DE LA ROSERAIE 2011

■	5 000	▮⅏	5 à 8 €

Ce domaine fondé en 1890 a vu se succéder cinq générations vigneronnes. Il étend son vignoble sur 33 ha, dont 5,25 ha dédiés à ses saint-nicolas couleur vermillon, sur les fruits rouges agrémentés de légères notes de réglisse et de poivron. Le palais se révèle souple et frais en première approche, « musclé » par un court passage en fût. À boire dans les deux ans sur une assiette de charcuteries tourangelles.

☛ Vignoble de la Roseraie, 46, rue Basse, 37140 Restigné, tél. 02 47 97 32 97, fax 02 47 97 44 24, vignobledelaroseraie@orange.fr, ⅄ ⅄ r.-v.

JOËL TALUAU Le Vau Jaumier 2011 ★★

■	20 000	▮	5 à 8 €

La maison Taluau-Foltzenlogel fait autorité dans le Bourgueillois. Ce n'est donc pas une surprise de voir son

vin frôler le coup de cœur avec sa cuvée Le Vau Jaumier. Un saint-nicolas remarquable, largement ouvert sur les fruits mûrs, des senteurs de sous-bois à l'arrière-plan, équilibré, long, riche et soyeux en bouche, qui démontre, si besoin est, que des vinifications et des élevages simplement conduits en cuve peuvent aussi donner de grands vins. Celui-ci pourra s'apprécier dès l'automne comme dans deux ou trois ans, sur des paupiettes de veau. Plus tannique, la cuvée **Vieilles Vignes 2011 rouge (8 à 11 € ; 13 000 b.)** obtient une étoile et s'appréciera dans deux ou trois ans sur du gibier.

☛ EARL Taluau-Foltzenlogel, 11, Chevrette, 37140 Saint-Nicolas-de-Bourgueil, tél. 02 47 97 78 79, fax 02 47 97 95 60, joel.taluau@wanadoo.fr, ☑ ⅄ ⅄ t.l.j. 8h-12h 13h30-18h; dim. sur r.-v.
☛ Véronique et Thierry Foltzenlogel

DOM. DES VALLETTES Événement 2011

■	5 000	⅏	8 à 11 €

Présents à Bourgueil et à Saint-Nicolas (ils élaborent aussi des effervescents en Anjou), Antoine et François Jamet voient leurs vins sélectionnés avec une constance remarquable. Avec cette cuvée Événement, ils signent un rouge à réserver aux amateurs de vins boisés. De fait, les dix-huit mois de barrique ont marqué de leur empreinte toute la dégustation, laissant pour l'heure le fruit en retrait, mais ce 2011 a du corps et il devrait assimiler son élevage durant quelques années en cave.

☛ Antoine et François Jamet, Dom. des Vallettes, 37140 Saint-Nicolas-de-Bourgueil, tél. 02 47 97 44 44, fax 02 47 97 44 45, contact@vallettes.com, ☑ ⅄ ⅄ t.l.j. sf dim. 9h-12h 14h-18h

Chinon

Superficie : 2 337 ha
Production : 119 239 hl (99 % rouge et rosé)

Autour de la vieille cité médiévale qui lui a donné son nom, au pays de Gargantua et de Pantagruel, l'AOC chinon est produite sur les terrasses anciennes et graveleuses du Véron (triangle formé par le confluent de la Vienne et de la Loire), sur les basses terrasses sableuses du val de Vienne (Cravant), sur les coteaux de part et d'autre de ce même val (Sazilly) et sur les terrains calcaires, les « aubuis » (Chinon). Le cabernet franc, dit breton, y donne des vins rouges racés aux tanins élégants. De moyenne garde, les chinon peuvent dépasser une décennie, voire plusieurs dans les meilleurs millésimes. L'appellation produit aussi quelques rosés secs et – certaines années – de très rares blancs secs tendres issus de chenin.

DOM. DE L'ABBAYE 2011 ★★

■	18 000	▮⅏	5 à 8 €

Ce vaste domaine de 48 ha a été constitué en 1975 par Michel Fontaine. Il est désormais dirigé par son épouse Sylvie qui présente deux beaux vins fruités, dont ce remarquable 2011 à la robe sombre. Les fruits noirs (cassis notamment) sont présents dès l'olfaction puis se retrouvent dans un palais riche, rond, ample et structuré par des tanins affirmés. Un petit temps d'attente sera le bienvenu, afin que ceux-ci se fondent davantage. Cité, le **rosé 2012 (15 000 b.)**, expressif, frais et bien équilibré, accompagnera parfaitement une salade de filets de sole.

☙ Sylvie Fontaine, 64, rue de l'Ancien-Port, 37500 Chinon, tél. 02 47 93 35 96, fax 02 47 98 36 76, sarl-fontaine@club-internet.fr,

☑ ⚔ 🍴 t.l.j. sf dim. 9h-12h 14h-18h

CAVES ANGELLIAUME Cuvée Vieilles Vignes 2011 ★

■	50 000	⬛	5 à 8 €

Ce domaine familial exploité depuis quatre générations propose un 2011 issu de vignes à faible rendement âgées de plus de cinquante ans vendangées à maturité. Magnifié par un élevage de seize mois en fût, le vin livre un bouquet puissant où dominent le cassis et la mûre. Dans le même registre, le palais généreux et élégant est porté par des tanins serrés qui appellent une garde d'environ cinq ans. Les plus pressés pourront découvrir cette bouteille dès à présent sur du petit gibier. Cité, le **rosé 2012 (moins de 5 € ; 20 000 b.)** délivre de friandes notes de fruits exotiques prolongées par un palais bien équilibré entre rondeur et fraîcheur.

☙ EARL Caves Angelliaume, La Croix-de-Bois, 37500 Cravant-les-Coteaux, tél. 02 47 93 06 35, fax 02 47 98 35 19, caves.angelliaume@wanadoo.fr,

☑ ⚔ 🍴 t.l.j. sf dim. 8h30-12h 14h-18h; sam. 8h30-12h

DOM. AUBERT MONORY Réserve familiale 2010 ★

■	4 000	⬛⬛	5 à 8 €

Cette cuvée élaborée à partir de 1 ha de vignes cultivées sur un sol argilo-calcaire mérite que l'on s'y attarde et, surtout, qu'on la conseille à ses proches... Parée d'une robe grenat profond aux reflets rubis, elle offre un nez très expressif de fruits rouges frais accompagnés de nuances toastées et vanillées. En bouche, puissance et amplitude sont au rendez-vous à travers des arômes généreux de griotte et de fruits compotés associés à une touche de boisé. Un beau vin de garde de haute densité, qui promet d'heureux accords avec un canard aux poires sauce au chinon. La **cuvée Prestige 2011 rouge (15 000 b.)**, charmeuse, fruitée et légère, est citée.

☙ SCEA Dom. Aubert-Monory, 4, rte de Malvault, 37500 Cravant-les-Coteaux, tél. 02 47 93 33 73, fax 02 47 98 34 70, aubert.monory@yahoo.fr,

☑ ⚔ 🍴 t.l.j. sf dim. 10h-12h 14h-18h

DOM. DE BEAUSÉJOUR 2011

■	38 500	⬛	5 à 8 €

Ce vignoble de 27 ha d'un seul tenant est situé sur un coteau exposé plein sud et abrité du vent par les bois de la propriété. Ce 2011 à la robe cerise noire, ouvert à l'olfaction sur des notes de fruits rouges bien mûrs, dévoile une bouche centrée sur la souplesse et bien épaulée par des tanins souples et légers. Idéal sur une poule à la crème.

☙ EARL Gérard et David Chauveau, Dom. de Beauséjour, 37220 Panzoult, tél. 02 47 58 64 64, fax 02 47 95 27 13, info@domainedebeausejour.com,

☑ ⚔ 🍴 t.l.j. sf dim. 9h-12h 14h-18h 🏛 ④ 🏠 Ⓔ

DOM. DES BÉGUINERIES Réserve d'Élise 2011 ★★

■	10 000	⬛⬛	8 à 11 €

L'homme est discret, mais cette discrétion cache un attachement profond au terroir, à la vigne et à son bien-être. On vendange encore à la main chez les Pelletier et le logo AB ornera bientôt les étiquettes. Le jury a particulièrement apprécié ce 2011 à l'équilibre parfait. Un vin fruité, agrémenté de fines notes vanillées (souvenir de son élevage), qui offre une belle harmonie et s'appuie sur des tanins boisés, gages d'un vieillissement certain. À découvrir sur une côte de bœuf grillée et autres viandes rôties.

☙ Pelletier, 52, rue de l'Ancien-Port, Saint-Louans, 37500 Chinon, tél. et fax 02 47 93 37 16, domainebeguineries@wanadoo.fr,

☑ ⚔ 🍴 t.l.j. 10h30-12h30 14h-18h30; dim. sur r.-v. 🏠 Ⓑ

VINCENT BELLIVIER Sine qua Noune 2010 ★

■	4 900	⬛⬛	5 à 8 €

Le nom de cette cuvée est un clin d'œil du vigneron à sa femme surnommée « Noune ». Ce 2010 offre des parfums de fruits noirs accompagnés d'une nuance de poivron rouge et d'un léger toasté résultant d'un élevage de seize mois en fût. Le palais, qui allie fruité et finesse, impressionne et déploie une finale chaleureuse et intense. Heureux accord en perspective avec une viande rôtie. Une étoile également pour la cuvée **CB 2011 rouge (5 900 b.)**, souple, généreuse et légèrement épicée, parfaite sur un plat en sauce.

☙ Vincent Bellivier, 12, rue de la Tourette, La Tourette, 37420 Huismes, tél. et fax 02 47 95 54 26, vincent.bellivier@wanadoo.fr, ⚔ 🍴 r.-v. 🏛 ❶

DOM. DE BERTIGNOLLES Vieilles Vignes 2011 ★

■	8 600	⬛⬛	5 à 8 €

Stéphane Prieur a pris la suite de son père Pierre, fondateur du domaine, et propose ici son premier millésime. Ce 2011 à la belle robe rubis s'ouvre sur des parfums de petits fruits rouges. La bouche se révèle ample, franche, souple et fruitée. Un vin très agréable, à déguster dès à présent. Pourquoi pas sur un gâteau au chocolat ?

☙ EARL Stéphane et Pierre Prieur, Bertignolles, 1, rue des Mariniers, 37420 Savigny-en-Véron, tél. 02 47 58 45 08, fax 02 47 58 94 56

☑ ⚔ 🍴 t.l.j. 9h-12h30 14h-18h30; dim. sur r.-v.

Ⓑ CH. DE LA BONNELIÈRE Chapelle 2011 ★

■	9 000	⬛	11 à 15 €

Ce domaine, dont le vignoble a été replanté en 1976 par Pierre Plouzeau après son acquisition, est dirigé par son fils Marc et arbore le logo AB sur ses étiquettes depuis de nombreuses années. Ici, une cuvée 2011 dans une robe grenat, qui dévoile un bouquet élégant de fruits noirs (cassis, mûre) finement boisé. La bouche est ronde, longue et équilibrée, étayée par une belle fraîcheur. On pourra attendre encore un peu avant d'apprécier pleinement cette bouteille que les plus pressés peuvent néanmoins ouvrir dès à présent. Une étoile également pour **Le Clos de la Bonnelière 2011 rouge (8 à 11 € ; 16 000 b.)** d'une belle amplitude, concentré, à laisser patienter quelque temps en cave pour que les tanins se fondent.

☙ Marc Plouzeau, Ch. de la Bonnelière, 37500 La Roche-Clermault, tél. 02 47 93 16 34, fax 02 47 98 48 23, marc@plouzeau.com,

☑ ⚔ 🍴 t.l.j. sf dim. 8h-12h 14h-18h

DOM. DES BOUQUERRIES Cuvée Confidence 2011 ★

■   4 000   ▆ ⑪   11 à 15 €

Le nom du domaine rappelle que l'on abattait jadis en ces lieux les chèvres et les boucs. C'est le grand-père de Guillaume et Jérôme Sourdais qui, dès 1935, a creusé les caves dans lesquelles vous pourrez croiser quelques portraits sculptés comme ceux de Rabelais et de Bacchus. Issue de vieilles vignes, cette cuvée à la robe pourpre intense dévoile un bouquet de fruits rouges rehaussé d'une touche de boisé. Souple, bien équilibré et soutenu par des tanins ronds et soyeux, ce vin élégant est à consommer dès à présent. Citée également, la **Cuvée royale Vieilles Vignes 2011 rouge (5 à 8 € ; 53 000 b.)** exprimant des notes de petits fruits rouges mâtinées de nuances boisées pourra patienter deux ou trois ans en cave.

☙ GAEC des Bouquerries, Guillaume et Jérôme Sourdais, 4, Les Bouquerries, 37500 Cravant-les-Coteaux, tél. 02 47 93 10 50, fax 02 47 93 41 94, gaecdesbouquerries@wanadoo.fr, ☑ ⚘ ⏃ r.-v.

DOM. PASCAL BRUNET Vieilles Vignes 2011

■   3 500   ⑪   5 à 8 €

Pascal Brunet vinifie ses cuvées à Étilly, ancien habitat troglodytique dominant la vallée de la Manse. Il présente un 2011 au nez intense de fruits noirs se mêlant à l'amande grillée. Souple, boisé et structuré par de fins tanins, ce joli vin est à garder environ deux ans avant de pouvoir être apprécié sur un coq au vin.

☙ Dom. Pascal Brunet, 11, Étilly, 37220 Panzoult, tél. et fax 02 47 58 62 80, domainepascalbrunet@club-internet.fr, ☑ ⚘ ⏃ r.-v. (par téléphone)

CHRISTIAN CHARBONNIER 2011 ★

■   6 000   ▆   - de 5 €

Ce 2011 proposé par Christian Charbonnier, qui représente la deuxième génération de viticulteurs à la tête de ce domaine, a su séduire les dégustateurs. Issu de vignes d'une quarantaine d'années, il apparaît dans une robe rubis et offre de plaisants arômes de fraise et de framboise. Une gourmandise que l'on retrouve dans une bouche souple et épaulée par des tanins soyeux. Un « vin de plaisir », à consommer en toute occasion. La cuvée **Vieilles Vignes 2011 rouge (5 à 8 € ; 4 600 b.)** est, quant à elle, citée pour ses notes fruitées et pour son équilibre en bouche.

☙ EARL Christian Charbonnier, 2, rue Balzac, 37220 Crouzilles, tél. 02 47 97 02 37, charbonnier.christian0083@orange.fr, ☑ ⏃ t.l.j. sf dim. 9h-12h 13h30-18h30

CLOS DE LA GRILLE 2011 ★★

■   4 000   ▆   5 à 8 €

Petit par la taille (6 ha) mais grand par la qualité de ses produits, le Clos de la Grille acquis en 2000 par Sylvain Colla, ancien commercial dans l'agroalimentaire, a charmé le jury avec ce 2011 à la couleur grenat profond. Un nez de fruits rouges et d'épices précède une attaque franche et un palais d'une belle rondeur étayé par une agréable fraîcheur et par des tanins mûrs à souhait. Un chinon au caractère affirmé mais courtois, à associer dans les deux ou trois ans à venir à une cuisine traditionnelle.

☙ GFA Clos de la Grille, Le Ponceau, 37220 Crouzilles, tél. 02 47 58 62 85, domainedugrandportail@yahoo.fr, ☑ ⚘ ⏃ t.l.j. 8h-12h 13h-20h

CLOS DE NEUILLY 2011

■   8 000   ⑪   8 à 11 €

Présentée par Johann Spelty à la tête du domaine familial depuis 2007, cette cuvée est issue de vignes d'un âge vénérable (soixante-cinq ans). Un an d'élevage sous bois a légué à ce vin sur les fruits mûrs d'élégantes notes boisées. Rond, aimable, épaulé par des tanins souples, ce 2011 pourra être apprécié dès à présent sur du petit gibier ou une viande rouge mijotée.

☙ SCEV Johann Spelty, 17, rue Principale, Le Carroi-Portier, 37500 Cravant-les-Coteaux, tél. 02 47 93 08 38, fax 02 47 93 93 50, spelty@wanadoo.fr, ☑ ⚘ ⏃ t.l.j. sf dim. 9h-12h30 14h-18h30

DOM. DE LA COMMANDERIE Tradition 2011 ★

■   18 000   ⑪   5 à 8 €

Cette propriété située au cœur de l'appellation chinon comptait 2 ha de vigne lors de sa création en 1983. Aujourd'hui à la tête d'un vignoble de 45 ha, Philippe Pain présente une cuvée grenat sombre au bouquet intense de fruits confits, d'épices et d'amande grillée. La bouche se révèle franche, souple et boisée, épaulée par des tanins soyeux qui assurent à cette cuvée un solide potentiel de garde tout en lui permettant d'accompagner dès à présent du gibier ou une viande rouge de caractère.

☙ Philippe Pain, La Commanderie, 37220 Panzoult, tél. 02 47 93 39 32, fax 02 47 98 41 26, philippepain@wanadoo.fr, ☑ ⚘ ⏃ t.l.j. sf dim. 9h-12h 14h30-17h30

CH. COUDRAY-MONTPENSIER 2011 ★

■   52 000   ▆   5 à 8 €

Récemment installé dans le Chinonais, Gilles Feray (château Moncontour à Vouvray) a su tirer profit du millésime 2011 malgré la jeunesse de ses vignes (treize ans). Cette cuvée à la belle robe sombre séduit par son côté très variétal (cabernet franc). Un vin aromatique et frais, bien équilibré et adossé à des tanins présents sans être austères ; à apprécier au cours des deux prochaines années sur des grillades. La cuvée **L'Apogée Vieilles Vignes 2011 rouge (8 à 11 € ; 80 000 b.)** est citée pour son palais de fruits noirs souligné par un léger boisé. Une bouteille à garder deux ou trois ans avant de la déboucher sur un canard rôti.

☙ SARL Ch. du Coudray-Montpensier, 29, rue Pierre-et-Marie-Curie, 37500 Chinon, tél. 02 47 52 04 77, fax 02 47 52 65 50, infos@moncontour.com, ☑ ⏃ r.-v.

☙ Gilles Feray

PIERRE ET BERTRAND COULY Les Blancs Closeaux 2012

▨   4 000   ▆   8 à 11 €

Installés depuis 2007, Pierre et Bertrand Couly, qui s'efforcent de mettre en valeur la diversité des vins de chinon, se sont dotés d'un chai ultramoderne au design circulaire... immanquable ! Ils signent un 2012 à la robe jaune pâle animée de reflets verts qui dévoile des parfums de fruits frais très agréables. L'attaque franche, sur des notes de pêche, fait place à une matière ronde et souple. Un vin équilibré, à déguster à l'apéritif.

🕯 Pierre et Bertrand Couly, rond-point des Closeaux,
rte de Tours, 37500 Chinon, tél. 02 47 93 64 19,
fax 02 47 98 03 45, contact@pb-couly.com,
☑ ⚔ ⟙ t.l.j. 10h-12h30 14h-18h30

COULY-DUTHEIL Clos de l'écho 2011 ★★

| ■ | 34 900 | ■ | 15 à 20 € |

Si vous feuilletez vos anciennes éditions du Guide,
vous retrouverez souvent ce domaine en bonne place.
Encore une belle réussite de la part de la famille Couly-
Dutheil avec sa célèbre cuvée dont le nom provient de
l'écho renvoyé par les murailles entourant la forteresse de
Chinon. Aucune résistance autour de ce 2011 à la robe
noir satiné, qui s'ouvre sans réserve sur d'élégantes et
douces notes de fruits confits. Une générosité et une
concentration que l'on retrouve dans un palais rond et
gras, porté jusqu'en finale par une fine trame tannique. Un
très beau vin, à découvrir dès à présent comme dans deux
à quatre ans.
🕯 Couly-Dutheil, 12, rue Diderot, BP 234,
37502 Chinon Cedex, tél. 02 47 97 20 20,
fax 02 47 97 20 25, info@coulydutheil-chinon.com,
☑ ⚔ ⟙ t.l.j. sf sam. dim. 8h-13h 14h-17h30

DOM. DA COSTA Vieilles Vignes 2011

| ■ | 3 000 | ■ | 5 à 8 € |

Cette cuvée issue de terroirs sableux et de vignes
âgées de soixante-dix ans a su plaire au jury par sa
franchise et sa légèreté. Sous sa robe rubis, elle livre un nez
fruité et réglissé qui se retrouve dans un palais étayé par
une agréable fraîcheur. Un vin gourmand et équilibré,
avec lequel un carré de veau sera en bonne harmonie.
🕯 Alain Da Costa, 51, rte de Candes,
37420 Savigny-en-Véron, tél. 02 47 58 08 36,
domainedacosta@gmail.com, ☑ ⚔ ⟙ r.-v. 🏠 🅑

♥ DEMOIS Cuvée des Templiers 2011 ★★

| ■ | 1 300 | ⬤ | 8 à 11 € |

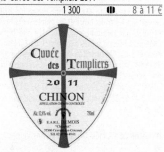

Ce vignoble familial exploité depuis plus d'un siècle
couvre aujourd'hui 24 ha de sols alluvionnaires de la
Vienne. Fabien Demois officie sur le domaine depuis
2008. Issu de vignes de cinquante ans vendangées à la
main, ce 2011 offre cette résonance particulière des grands
vins. Une macération longue puis un élevage en fût d'un
an lui ont conféré une belle robe profonde et une
générosité qui s'exprime dès l'olfaction autour d'un fruité
intense (mûre, myrtille) et de fines notes boisées. À
l'unisson, la bouche se révèle riche, puissante sans dureté,
encadrée par un élégant boisé épicé, des tanins fermes et
une juste fraîcheur. On pourra apprécier ce vin dès à

présent ou le laisser s'épanouir en cave. Très salué
également, le **Dom. de la Fosse de Doulaie 2011 rouge
(5 à 8 € ; 1 700 b.)** aux arômes de fruits rouges vanillés,
rond et épaulé par des tanins soyeux, obtient lui aussi deux
étoiles.
🕯 EARL Demois, Chézelet, 37500 Cravant-les-Coteaux,
tél. 02 47 98 49 01, fabiendemois@orange.fr, ☑ ⟙ r.-v.

DOM. DE LA DOZONNERIE 2011 ★

| ■ | 10 000 | ■ | 5 à 8 € |

Jean-François Delalay conduit depuis 1990 ce vignoble dont la première vigne fut plantée par son grand-
père en 1936. Il présente un 2011 aux reflets framboise du
plus bel effet, qui dévoile une jolie palette de fruits mûrs
présente tout au long de la dégustation. De fait, les fruits
rouges compotés enrobent en bouche des tanins serrés et
animent la longue finale. Un vin harmonieux à servir sur
un onglet grillé.
🕯 Jean-François Delalay, La Dozonnerie,
142, rue de la Haute-Olive, 37500 Chinon,
tél. 02 47 93 16 72, fax 02 47 93 23 37,
domainedelalay.vin@orange.fr,
☑ ⚔ ⟙ t.l.j. 10h-12h30 13h30-19h

DOM. D'ÉTILLY 2011

| ■ | 14 000 | ■ | - de 5 € |

La maison de négoce angevine Joseph Verdier
propose une large gamme de vins du Val de Loire à
destination de la grande distribution. Elle présente ici un
2011 à la robe sombre et au nez de fruits rouges cuits.
Épaulé par des tanins fondus, le palais se révèle tendre,
souple, gourmand. Un digne représentant de son appellation.
🕯 Hervé Desbourdes, 12, rue d'Étilly, 37220 Panzoult,
tél. 02 41 40 22 50, fax 02 41 40 29 69,
n.boileau@joseph-verdier.fr
🕯 SA Joseph Verdier

COLLECTION DE PIERRE FERRAND Élevé en barrique 2011

| ■ | 10 000 | ■⬤ | 11 à 15 € |

Les vignes de ce domaine situé sur la rive gauche de
la vallée de la Vienne sont cultivées sur un sol argilo-
calcaire qui confère aux vins une solidité les rendant aptes
à la garde. Ce 2011 entre dans cette catégorie. Paré d'une
robe rouge brique, il dévoile un nez fruité légèrement
boisé, relayé par un palais vif en attaque, ample et bien
structuré. Cité également, le **2012 blanc Ch. de Ligré
(5 à 8 € ; 16 000 b.)** souple, frais, citronné, s'associera
parfaitement à un plat de poisson.
🕯 Pierre Ferrand, Ch. de Ligré, 1, rue Saint-Martin,
37500 Ligré, tél. 02 47 93 16 70, fax 02 47 93 43 29,
chateau.de.ligre@wanadoo.fr,
☑ ⚔ ⟙ t.l.j. sf dim. 9h-12h 14h-18h

LES FONTAINES DE JOUVENCE Cuvée Mazathis 2011 ★

| ■ | 1 400 | ⬤ | 5 à 8 € |

Si Jean-Pierre Pitault exploite des plus petites
superficies de chinon (72 ares), cela lui permet aussi
d'apporter beaucoup de soin à son vignoble et d'optimiser
la qualité des raisins. Élaboré à partir de vignes cultivées
sans pesticide ni désherbant, son 2011 à la robe brillante
offre un nez dominé par des parfums généreux de fruits

LOIRE

cuits et de cacao. La bouche est à l'unisson, fruitée et boisée, portée par des tanins élégants. Un vin à boire dès l'automne ou à attendre deux ou trois ans. La **cuvée Jouvence 2011 rouge (1 100 b.)** fraîche, gourmande et légère, est citée.

●┐ Jean-Pierre Pitault, 1, La Gaudière, 37500 Marçay, tél. 02 47 98 02 32, lesfontainesdejouvence@yahoo.fr,

☑ ☩ ☗ r.-v.

●┐ André Raymond

DOM. DES GÉLÉRIES Vieilles Vignes de côteau 2011

| ■ | 8 000 | ☷☖ | 5 à 8 € |

En 2012, Germain Meslet a repris les 17 ha du domaine familial. Ce 2011, élaboré par son beau-père Jean-Marie, s'ouvre sans réserve sur les fruits rouges (griotte) et les épices. Le palais se révèle souple et gras, tout en restant frais jusqu'en finale où des notes de torréfaction viennent rappeler l'élevage partiel en barrique. À boire dans les deux ou trois ans à venir sur une viande rouge ou du petit gibier.

●┐ Jean-Marie Rouzier, 4, rue des Géléries, 37140 Bourgueil, tél. 02 47 97 74 83, fax 02 47 97 48 73, jean-marie.rouzier@wanadoo.fr,

☑ ☩ ☗ t.l.j. sf dim. 8h30-12h 14h-18h30

●┐ Meslet

DOM. ÉRIC HÉRAULT Cuvée Tradition 2011

| ■ | 9 134 | ☷ | - de 5 € |

Éric Hérault, à la tête d'un vignoble de 23,94 ha, propose une cuvée d'un beau pourpre intense qui s'ouvre à l'agitation sur des parfums de groseille, de framboise et de cassis. La bouche se révèle ronde et ample, vivifiée par une finale sur la fraîcheur. Un ensemble équilibré.

●┐ Dom. Éric Hérault, Le Château, 37220 Panzoult, tél. 02 47 58 56 11, fax 02 47 58 69 47, domaineherault@orange.fr,

☑ ☩ ☗ t.l.j. sf dim. 8h-12h 14h-18h30 ⌂ ☻

DOM. LA JALOUSIE Cuvée Yearling 2011

| ■ | 26 600 | ☷ | 5 à 8 € |

Yearling ? Cette cuvée renvoie à la passion de la propriétaire pour les chevaux. Dans le flacon, un chinon franc et intense dès l'attaque, sur les fruits des sous-bois, soutenu par des tanins bien présents, encore un peu stricts en finale. Une pointe agréable d'amertume vient agrémenter la finale et donner un surcroît de fraîcheur et de longueur au vin. Un chinon de caractère, à boire dans un an ou deux, le temps que la structure s'assouplisse.

●┐ SCEA le Corre, 17, Briançon, 37500 Cravant-les-Coteaux, tél. et fax 02 47 93 90 83, scea.lecorre@orange.fr,

☑ ☩ ☗ t.l.j. sf sam. dim. 8h-12h30 14h-18h; f. août

PIERRE JAUTROU Vieilles Vignes 2011

| ■ | 6 000 | | 5 à 8 € |

À la tête de ce domaine depuis 1998, Pierre Jautrou signe un « vin plaisir » au nez fin et fruité. Tout aussi fruité et relevé d'épices, le palais séduit par son aimable rondeur. À boire dans l'année sur une assiette de charcuteries ou une grillade.

●┐ Pierre Jautrou, 12, rte de Chinon, 37500 Anché, tél. 02 47 93 47 96, pierre.jautrou@wanadoo.fr,

☑ ☗ r.-v.

CHARLES JOGUET Les Charmes 2011 ★★

| ■ | 4 000 | ☷☖ | 15 à 20 € |

Le domaine a mis en place très tôt la vinification par unité de clos, façonnant ainsi une gamme de vins de terroir, dont ce remarquable 2011 qui porte haut les couleurs de son appellation. Belle robe grenat profond, arômes soutenus de fruits rouges mûrs légèrement vanillés, palais charnu à souhait, adossé à des tanins élégants... Un chinon très convaincant, à découvrir dès le présent. La cuvée **Clos du chêne vert 2011 rouge (20 à 30 € ; 6 000 b.)** enchante par sa souplesse, son côté frais et ses arômes cacaotés. Elle obtient une étoile.

●┐ SCEA Charles Joguet, La Dioterie, 37220 Sazilly, tél. 02 47 58 55 53, fax 02 47 58 52 22, contact@charlesjoguet.com,

☑ ☗ t.l.j. sf dim. 9h-12h30 14h-18h; sam. 9h-12h30 en hiver, 10h-18h en été

PATRICK LAMBERT Vieilles Vignes 2011 ★

| ■ | 8 000 | ☷☖ | 5 à 8 € |

Ce domaine de 6,5 ha adossé à un coteau calcaire est en cours de conversion à l'agriculture biologique. Dans ses belles caves creusées dans le tuffeau ce 2011 au nez flatteur de fruits rouges et de feuille de cassis, mâtiné de nuances mentholées. La bouche s'équilibre entre une chair ronde et des tanins de qualité bien présents, encore un peu sévères en finale ; trois ans de garde les assagiront.

●┐ EARL Patrick Lambert, 6, coteau de Sonnay, 37500 Cravant-les-Coteaux, tél. 02 47 93 92 39, vins.lambert.patrick@orange.fr, ☑ ☩ ☗ r.-v.

LE LOGIS DE LA BOUCHARDIÈRE Les Clos 2011 ★

| ■ | 30 000 | ☖ | 5 à 8 € |

L'origine de cette propriété remonte au milieu du XIXᵉ s., et Bruno Sourdais représente la sixième génération à porter haut les couleurs du domaine, qui s'étend aujourd'hui sur 55 ha. Cette cuvée est issue d'un vignoble ceint de murs, aux sols argilo-siliceux plantés de vignes âgées de cinquante ans. La robe est grenat brillant, le nez ouvert sur les fruits noirs et les épices, et la bouche ronde, épaulée par des tanins soyeux. Un vin harmonieux et élégant, à boire dans les deux ans. Cité également, le **2011 rouge Les Cornuelles Vieilles Vignes (8 à 11 € ; 11 000 b.)** dévoile une matière fruitée, souple et équilibrée.

●┐ Serge et Bruno Sourdais, La Bouchardière, 37500 Cravant-les-Coteaux, tél. 02 47 93 04 27, fax 02 47 93 38 52, info@sergeetbrunosourdais.com,

☑ ☩ ☗ r.-v.

MANOIR DE LA BELLONNIÈRE Vieilles Vignes 2011 ★★

| ■ | 9 000 | ☷ | 5 à 8 € |

Située au cœur du vignoble de Cravant-les-Coteaux, cette belle demeure, dont la construction remonte au XVᵉ s., a longtemps été le lieu de résidence des gouverneurs de Chinon. Une partie du vignoble est située sur le coteau argilo-calcaire dominant la vallée. Ce 2011 issu de 2 ha de cabernet franc se présente dans une robe à la couleur soutenue et possède de réels atouts, dont sa puissance aromatique, sa richesse équilibrée par une plaisante fraîcheur et son élégance, qui s'affirme jusqu'en finale. Un vin complet et harmonieux, que l'on pourra déguster dès à présent sur un plat en sauce et conserver sans crainte quelques années.

🍷 Patrice Moreau, La Bellonnière,
37500 Cravant-les-Coteaux, tél. 02 47 93 45 14,
moreaupb.bellonniere@orange.fr, ☑ ☖ r.-v.

BERTRAND ET VINCENT MARCHESSEAU
Le Pommier rond 2011

| ■ | 30 000 | ▮ | 5 à 8 € |

Vignerons à Bourgueil, Bertrand et Vincent Marchesseau conduisent ce domaine familial depuis 2011 et produisent également dans le Chinonais. Ils signent un 2011 issu d'un sol sableux, au caractère frais et gourmand à la fois. Le fruit rouge est bien présent dans une bouche ronde et riche, équilibrée par une agréable vivacité en finale. Pour une viande blanche ou une volaille.
🍷 Marchesseau, 16, rue de l'Humelaye, 37140 Bourgueil, tél. 02 47 97 47 72, fax 02 44 84 53 06, contact@vinmarchesseau.fr, ☑ ☖ r.-v.

LA MASSONNIÈRE Cuvée du père Édouard 2011 ★

| ■ | 2 500 | ▮⦇⦈ | 5 à 8 € |

Cette cuvée, qui rend hommage au fondateur du domaine, arbore un portrait de celui-ci au crayon sur son étiquette. Des arômes de vanille, de pain grillé et de fruits rouges apparaissent sans retenue à l'olfaction, et se prolongent dans une bouche souple et ronde aux tanins affinés. Heureux accord en perspective avec une caille grillée, au cours des deux prochaines années.
🍷 GAEC Frédéric et Cyril Delalande, La Massonnière, 3, rte des Marais, 37420 Huismes, tél. 02 47 95 56 23, delalande.lamassonniere@orange.fr, ☑ ☖ r.-v.

DOM. DES MILLARGES Les Trotte-Loups 2011 ★

| ■ | 40 000 | ▮⦇⦈ | 5 à 8 € |

Ce domaine rattaché au lycée agrovaticole de Fondettes près de Tours a la charge d'effectuer, en lien avec les professionnels, des recherches sur la conduite des vignobles. Une connaissance qui semble profiter à ses cuvées, régulièrement sélectionnées dans le Guide. Ici, un 2011 qualifié de très «traditionnel», centré sur le fruit (cerise, framboise) et rehaussé d'épices, net, franc et frais en bouche. À servir dès à présent sur un pintadeau au four ou une viande blanche.
🍷 Dom. des Millarges, Centre viti-vinicole, Les Fontenils, 37500 Chinon, tél. 02 47 93 36 89, fax 02 47 93 96 20, contact@domaine-des-millarges.fr, ☑ ☖ r.-v.

DOM. DU MORILLY Cuvée Vieilles Vignes Coteaux 2011

| ■ | 10 000 | ▮ | 5 à 8 € |

Les plus vieilles vignes des coteaux de ce vignoble s'expriment dès ce 2011 à la robe pourpre, ouvert sur des notes de bourgeon de cassis et de framboise. La bouche dévoile un corps svelte et souple enrobé de fruits rouges et soutenu par une agréable fraîcheur. Un chinon alerte et fruité, à boire dès à présent.
🍷 EARL André-Gabriel Dumont, Malvault, 37500 Cravant-les-Coteaux, tél. 02 47 93 24 93, fax 02 47 93 45 05 ☑ ☖ r.-v.

DOM. NAULET Les Pierres blanches
Vieilles Vignes 2011 ★★

| ■ | 7 000 | ⦇⦈ | 5 à 8 € |

Les pierres blanches dans le Chinonais sont les coteaux calcaires sur lesquels se plaît tant le breton, qui y puise la matière propice aux vins de garde, à l'image de

ce 2011. Les dégustateurs ont particulièrement apprécié son nez de fruits rouges rehaussés de notes réglissées. Ils ont aussi aimé sa bouche fraîche, aux notes de cannelle et de vanille, adossée à des tanins bien présents mais soyeux. Un vin harmonieux qui fera le bonheur des amateurs de vins de caractère et qui pourra être dégusté dans les cinq ans avec une pièce de gibier.
🍷 Vincent Naulet, rue des Rabottes, 37420 Beaumont-en-Véron, tél. 06 63 29 02 01, vincent.naulet@free.fr, ☑ ⚔ ☖ r.-v.

DOM. DE LA NOBLAIE 2011 ★

| ■ | 50 000 | ▮ | 5 à 8 € |

Jérôme Billard, œnologue formé au sein de grands châteaux du Bordelais, officie depuis 2005 dans ce domaine familial datant du XVIIᵉs. Beaucoup d'éloges de la part des membres du jury pour ce vin très élégant dans sa robe sombre tirant vers le noir. Le nez, puissant et concentré, livre des parfums fruités et réglissés, relayés par une bouche corpulente, fraîche et bien charpentée. Un vin d'une belle longueur, que l'on pourra boire dès à présent ou conserver trois à cinq ans en cave. Citée, la cuvée **Pierre de tuf 2010 rouge (8 à 11 € ; 8 000 b.)** au nez de fruits rouges nuancés de notes boisées, structurée par des tanins encore un peu sévères, pourra être appréciée dans un an ou deux, le temps de s'assouplir davantage.
🍷 Dom. de la Noblaie, 21, rue des Hautes-Cours, Le Vau-Breton, 37500 Ligré, tél. 02 47 93 10 96, fax 02 47 93 26 13, contact@lanoblaie.fr, ☑ ⚔ ☖ t.l.j. sf dim. 9h-12h 14h-18h
🍷 Billard

DOM. DE NOIRÉ Caractère 2011 ★

| ■ | 10 000 | ⦇⦈ | 8 à 11 € |

Ce domaine est piloté par Jean-Max Manceau, président du syndicat des vins de Chinon, et par son épouse Odile, qui privilégient des vins à forte personnalité, à l'image de ce 2011 à la robe noir satiné. Le boisé domine encore l'olfaction, à travers de généreuses notes chocolatées qui n'étouffent pas pour autant le fruit. On retrouve ces sensations aromatiques persistantes dans un palais harmonieux, ample, gras et bien structuré. Un vin à attendre un an ou deux, le temps que l'ensemble se fonde. La cuvée **Élégance 2011 rouge (5 à 8 € ; 25 000 b.)**, riche, aux tanins bien intégrés, obtient également une étoile.
🍷 Dom. de Noiré, 160, rue de l'Olive, 37500 Chinon, tél. 02 47 93 44 89, fax 02 47 98 44 13, domaine.de.noire@orange.fr, ☑ ⚔ ☖ t.l.j. sf dim. 10h-12h 14h-19h
🍷 Jean-Max Manceau

DOM. DE NUEIL Cuvée Vieilles Vignes 2011

| ■ | 4 000 | ▮⦇⦈ | 5 à 8 € |

Laurent Gilloire, propriétaire de cette ancienne ferme fortifiée du XVIᵉs. propose un 2011 d'un grenat limpide, qui délivre des parfums de fruits noirs agrémentés de notes animales. Bien structuré, le palais s'appuie sur une agréable vivacité et sur des tanins présents sans être austères. Un vin de caractère, à servir sur un lapin à la moutarde après deux ou trois années de garde.
🍷 Laurent Gilloire, Dom. de Nueil, 37500 Cravant-les-Coteaux, tél. 02 47 93 19 24, laurent.gilloire@wanadoo.fr, ☑ ⚔ ☖ t.l.j. sf dim. 8h-19h

NICOLAS PAGET Ferdinand 2011

■   n.c.   5 à 8 €

Nicolas Paget est installé depuis plus de dix ans à Azay-le-Rideau, où il s'est depuis forgé une jolie notoriété que ne démentiront pas ces deux cuvées sélectionnées. Vêtu d'une robe rubis, ce 2011 issu de vignes de cinquante ans dévoile au nez une fraîcheur que l'on retrouve en bouche, dynamisant une trame moelleuse enrobée de notes de fruits cuits. Idéal sur des viandes rouges en sauce. Également citée, la cuvée **Symphonique 2011 rouge** (8 à 11 €), ronde et bien structurée, est à attendre un à deux ans.

☛ Nicolas Paget, 7, rte de la Gadouillère, 37190 Rivarennes, tél. 02 47 95 54 02, fax 02 47 95 45 90, domaine.paget@wanadoo.fr,

☑ ⚔ ⛾ t.l.j. sf dim. lun. 9h30-12h 14h30-18h

DOM. CHARLES PAIN Cuvée Prestige 2011 ★

■   n.c.   ⊞   5 à 8 €

Ce domaine dirigé par Charles Pain est une valeur sûre du Chinonais. Il propose ici un 2011 de belle facture, issu d'une fermentation longue, qui revêt une élégante robe grenat et libère des notes élégantes de cassis. Charpenté par des tanins de qualité mais encore un peu stricts, ce vin de caractère sera le partenaire idéal des plats en sauce et des fromages affinés, dans deux ou trois ans. Très réussi également, le **Ch. de Naie 2011 rouge** (8 à 11 € ; 4 800 b.), bien équilibré entre fruité et boisé, obtient une étoile. Même note pour la cuvée **Rosé de saignée 2012** (30 000 b.), distinguée pour sa fraîcheur et ses parfums printaniers, floraux et fruités.

☛ Dom. Charles Pain, Chézelet, 37220 Panzoult, tél. 02 47 93 06 14, fax 02 47 93 04 43, charles.pain@wanadoo.fr,

☑ ⚔ ⛾ t.l.j. sf dim. 8h30-12h 14h-18h ⌂ Ⓐ

Ⓑ PICHARD & JOURDAN Les Gravinières 2011

■   35 000   5 à 8 €

Philippe Pichard, qui a transmis son domaine en 2012 à la famille Jourdan, s'occupe désormais d'en conduire et vinifier les vignes exploitées en agriculture biologique, puis en biodynamie. Il faut dire que ce vigneron était en étroite relation avec Noël Pinguet (Dom. Huet à Vouvray), grand maître du bio en Touraine, dont l'expérience a permis une évolution vers des vins de caractère, telle cette cuvée souple, ronde et élégante dans son écrin rubis intense, idéale avec un poulet à la crème ou un pâté de Pâques.

☛ SCEA Dom. Jourdan, 8, Le Puy, 37500 Cravant-les-Coteaux, tél. 02 47 58 66 73, francis@domainejourdan.fr,

☑ ⚔ ⛾ t.l.j. sf dim. 10h-12h 14h-18h30; sam. sur r.-v.

VIGNOBLE DE LA POËLERIE Vieilles Vignes 2011 ★★

■   3 000   5 à 8 €

Le vignoble de François Caillé s'étend sur les terrasses d'alluvions graveleuses des bords de la Vienne. Née d'une sélection de vignes de plus de quarante ans d'âge, cette cuvée a séduit le jury dans sa jolie robe cerise rubis limpide. Le nez livre un bouquet intense de fruits rouges mûrs relevé d'épices. Au palais s'opère un développement souple et onctueux, bien enrobé par des tanins fondus, qui s'achève sur une finale fraîche. Un vin très avenant et

bien équilibré, que l'on pourra apprécier dès la sortie du Guide.

☛ François Caillé, Le Grand-Marais, 37220 Panzoult, tél. 02 47 95 26 37, caille37@wanadoo.fr,

☑ ⚔ ⛾ t.l.j. sf dim. 9h-12h 14h-19h

DOM. DU PUY Cuvée Baptiste Vieilles Vignes 2011

■   10 000   ▮   5 à 8 €

Patrick Delalande, à la tête de ce domaine fondé par son aïeul Alexis Delalande au début du XIXᵉs., a été rejoint par son fils Baptiste en 2010. Ensemble, ils signent un 2011 à la robe cerise noire et au nez de fruits rouges. En bouche se développe une matière ronde étayée par une fraîcheur bienveillante et par des tanins fins. Idéal sur un pâté de Pâques ou un rôti de bœuf en croûte.

☛ Patrick Delalande, Le Puy, 37500 Cravant-les-Coteaux, tél. 02 47 98 42 31, fax 02 47 93 39 79, domaine.du.puy@wanadoo.fr, ☑ ⚔ ⛾ r.-v. ⌂ Ⓔ

DOM. PUY RIGAULT 2011

■   40 000   ⊞   5 à 8 €

Jean-Louis Page est établi sur une petite colline aussi appelée « puy », d'où le nom de ce domaine fondé en 1945. Il signe deux jolies cuvées. Ce 2011 tout d'abord, au bouquet expressif de fruits mûrs rehaussé d'une pointe de fraîcheur. La bouche se révèle directe et franche, soutenue par des fins tanins. Un vin bien typé chinon. La **Cuvée Vieilles Vignes 2011 rouge** (15 000 b.) aux parfums de noyau de cerise et de sous-bois, et au palais harmonieux et bien équilibré par une structure tannique présente sans être sévère, est également citée. Deux vins à boire ou à attendre une paire d'années.

☛ Dom. du Puy Rigault, 12, rte de Candes, 37420 Savigny-en-Véron, tél. 02 47 58 96 92, fax 09 70 32 13 27, jl.page01@orange.fr, ☑ ⚔ ⛾ r.-v.

☛ Jean-Louis Page

DOM. DES QUATRE VENTS L'Excellence 2011 ★

■   4 000   ⊞   8 à 11 €

Si le domaine doit son nom à sa situation sur une butte soumise aux rafales des vents, le vignoble lui ne semble pas en souffrir. Vous retrouverez dans cette bouteille toute la matière et le volume d'un tout finement encadré par un léger boisé. Élégant et puissant à la fois, ce chinon sera parfait sur des viandes de caractère. La cuvée **Vieilles Vignes 2011 rouge** (5 à 8 € ; 15 000 b.) est, quant à elle, citée pour son palais de fruits rouges adossé à des tanins de qualité. Un vin d'une belle densité, à carafer avant de servir.

☛ Philippe Pion, La Bâtisse, 37500 Cravant-les-Coteaux, tél. 02 47 93 46 79, fax 02 47 93 99 59, pion375@gmail.com, ☑ ⚔ ⛾ t.l.j. sf dim. 9h-12h 14h-18h30

CAVES DES VINS DE RABELAIS Le Fauteuil rouge 2011 ★★

■   18 500   ⊞   5 à 8 €

Pour certains, le nom de cette cuvée évoquera le velours, l'élégance, les Années folles ou encore le confort... Le jury, quant à lui, a parlé de plaisir à propos de ce vin gourmand à la robe sombre. Le nez ouvert sur les fruits rouges (cerise) et noirs introduit un palais gras, ample et soutenu par des tanins enveloppants. Un vin caressant et harmonieux que l'on pourra déguster dès à présent sur une viande rouge ou une pièce de petit gibier.

➡ SICA des Vins de Rabelais, Les Aubuis, Saint-Louans, 37500 Chinon, tél. 02 47 93 42 70, fax 02 47 98 35 40, laurent.bourdin@uapl.fr, ☑ ⚘ ⬥ r.-v.

➡ UAPL

OLGA RAFFAULT Les Picasses 2011

■   30 000   ⬛   11 à 15 €

Ce domaine aujourd'hui conduit par les petits-enfants d'Olga Raffault a toujours produit des vins de caractère. Issue d'un terroir argilo-calcaire et élevée en grands foudres de bois durant dix-huit mois, cette cuvée arbore une jolie robe grenat aux reflets tuilés. Ouverte sur les fruits rouges, elle se révèle ronde et souple, adossée à des tanins fins. À boire ou à attendre deux ou trois ans.

➡ Dom. Olga Raffault, 1, rue des Caillis, 37420 Savigny-en-Véron, tél. 02 47 58 42 16, fax 02 47 58 83 61, infos@olga-raffault.com, ☑ ⬥ t.l.j. sf sam. dim. 9h-12h 14h-18h

DOM. DU RAIFAULT Clos du Villy 2011

■   n.c.   ▮⬛   5 à 8 €

Julien Raffault est un habitué du Guide, et le millésime 2011 est pour lui l'occasion de proposer deux cuvées toutes deux citées. Le Clos du Villy, tout d'abord, plaira par sa convivialité et ses intenses arômes de fruits rouges (griotte) et noirs (cassis). Le palais dévoile des nuances boisées encore un peu marquées, mais élégantes, qu'une petite garde permettra de fondre. La cuvée **Les Allets 2011 rouge** séduit, quant à elle, par ses notes de fruits compotés, par sa fraîcheur et sa légèreté. À découvrir dès à présent.

➡ Julien Raffault, 23-25, rte de Candes, 37420 Savigny-en-Véron, tél. 02 47 58 44 01, fax 02 47 58 92 02, domaineduraifault@wanadoo.fr, ☑ ⚘ ⬥ t.l.j. 8h30-12h30 14h-19h; dim. sur r.-v.

DOM. DE LA ROCHE HONNEUR Diamant prestige 2011 ★

■   10 000   ⬛   8 à 11 €

Stéphane Mureau représente la huitième génération à la tête de ce domaine du Véron créé au début du XIXᵉs. qui obtiendra le label « Agriculture biologique » pour le millésime 2012. Cette cuvée non levurée issue de vignes âgées de plus de soixante-cinq ans a retenu l'attention des dégustateurs. Fruits rouges frais au nez, attaque ronde, harmonieuse et élégante, finale plaisante ; ce vin ne laissera qu'un bon souvenir. Cité, le **2011 rouge cuvée Rubis (5 à 8 € ; 25 000 b.)** se révèle fruité, léger et bien équilibré.

➡ Dom. de la Roche Honneur, 1, rue de la Berthelonnière, 37420 Savigny-en-Véron, tél. 02 47 58 42 10, fax 02 47 58 45 36, roche.honneur@club-internet.fr, ☑ ⚘ ⬥ r.-v.

➡ Stéphane Mureau

DOM. DU RONCÉE Clos des marronniers 2011 ★★

■   50 000   ▮⬛   8 à 11 €

Régulièrement présent en bonne place dans le Guide, ce domaine géré par Christophe Baudry et Jean-Martin Dutour propose un 2011 à la robe intense, presque noire, ornée de reflets rubis du plus bel effet. Le nez dévoile de généreux parfums de pruneau et de vanille. L'attaque puissante fait place à une matière intensément fruitée, sous-tendue par des tanins de qualité encore un peu marqués par l'élevage en fût. Un vin de caractère, que

l'on pourra garder cinq à six ans. La cuvée principale **2011 rouge (5 à 8 € ; 150 000 b.)** reçoit une étoile pour son nez gourmand de fruits rouges et pour son palais élégant, gras, aux tanins fondus et à la finale réglissée. À déguster dès la sortie du Guide.

➡ Dom. du Roncée, 12, coteau de Sonnay, 37500 Cravant-les-Coteaux, tél. 02 47 58 53 01, fax 02 47 58 64 06, info@baudry-dutour.fr, ☑ ⚘ ⬥ t.l.j. sf dim. lun. 10h-12h 14h-18h ⌂ ⬢

Ⓑ WILFRID ROUSSE Les Puys 2011

■   n.c.   ⬛   8 à 11 €

Wilfrid Rousse mène avec succès ce domaine cultivé en agriculture biologique. Si vous conservez les anciennes éditions du Guide, vous pourrez juger de sa constance dans la production de chinon. Ici, un 2011 à la robe rubis sombre qui libère d'élégantes notes de fruits rouges légèrement vanillées. En bouche, il déploie une matière fraîche soutenue par une structure tannique qui porte loin la finale. Un joli vin, juste et équilibré.

➡ Wilfrid Rousse, 21, rte de Candes, La Halbardière, 37420 Savigny-en-Véron, tél. 02 47 58 84 02, fax 02 47 58 92 66, wilfrid.rousse@wanadoo.fr, ☑ ⚘ ⬥ t.l.j. sf dim. 9h-12h 14h-18h30

DOM. DE LA SABLIÈRE 2011

■   6 000   ⬛   5 à 8 €

Nicolas Pointeau s'est installé en 2007 sur 3 ha de vignes en location. Il exploite actuellement 13 ha répartis sur les différents terroirs du Chinonais. Ce 2011 à la couleur cerise noire offre à l'olfaction des notes de fruits rouges et une légère nuance de poivron. La bouche, franche en attaque, s'appuie sur des tanins fondus, accompagnés en finale par une légère amertume qui apporte fraîcheur et complexité. Pour accompagner un canard en sauce.

➡ Nicolas Pointeau, La Sablière, 37220 Crouzilles, tél. 06 27 95 41 98, pointeau.n@hotmail.fr, ☑ ⚘ ⬥ t.l.j. sf dim. 8h30-12h 14h-19h

CH. DE SAINT-LOUANS 2010 ★★

■   11 000   ⬛   20 à 30 €

Ce château fait partie des domaines gérés par Christophe Baudry et Jean-Martin Dutour, deux associés qui mettent un point d'honneur à porter haut la qualité des vins de Chinon et leur renommée. Vous ne serez pas déçus par ce superbe 2010 élevé deux ans en fût. Robe grenat satinée, effluves toastés et cacaotés sur un fond de fruits noirs, palais ample et expressif, finale aussi large que longue. Un vin élégant et équilibré, à déguster dès à présent comme dans quatre ou cinq ans sur une pièce de bœuf. Une étoile va au **Dom. de la Perrière Vieilles Vignes 2011 rouge (8 à 11 € ; 25 000 b.)**, au bouquet de fruits rouges mûrs légèrement mentholé et poivré, souple, onctueux, appuyé par des notes boisées et des tanins qui permettront à cette bouteille une évolution sereine en cave.

➡ Ch. de Saint-Louans, Ch. de la Grille, rte de Huismes, 37500 Chinon, tél. 02 47 93 01 95, fax 02 47 58 64 06, info@baudry-dutour.fr, ☑ ⚘ ⬥ t.l.j. sf dim. lun. 10h-12h 14h-18h ⌂ ⬢

DOM. PIERRE SOURDAIS Les Boulais 2011 ★

■   6 000   ⬛   11 à 15 €

À la tête de ce vignoble de 27 ha, Pierre Sourdais signe un 2011 élaboré à partir de 2 ha de vignes cultivées selon les règles de l'agriculture biologique, même si cette cuvée n'affiche pas de logo sur son étiquette. Ce vin apparaît dans une belle robe noire et dévoile un nez riche, puissant, alliant des notes de mûre et de myrtille à des arômes de sous-bois fort plaisants. La bouche se montre généreuse, soutenue par un boisé bien présent mais élégant.. Ce vin récompensera les plus patients (trois à cinq ans).

🕿 Pierre Sourdais, 12, Le Moulin-à-Tan, 37500 Cravant-les-Coteaux, tél. 02 47 93 31 13, fax 02 47 98 30 48, pierre.sourdais@wanadoo.fr, ☑ ⚭ ⍑ r.-v. ⌂ Ⓑ

STÉPHANE ET FRANCIS SUARD La Poplinière 2011 ★

| ■ | 6 300 | �🍶 | 5 à 8 € |

C'est assez rare pour être noté, le domaine utilise encore un pressoir vertical pour presser le marc gorgé de jus après la cuvaison, méthode utilisée par les anciens. Cette technique permet un pressage doux n'extrayant que le meilleur. Il en résulte un 2011 au bouquet de fruits secs et de cassis, et au palais charnu, tout en rondeur, porté par des tanins élégants et de fines notes boisées en finale. Intéressante également, la cuvée **Les Galuches Vieilles Vignes 2011 rouge (6 300 b.)** est citée pour ses parfums de fruits confits et pour sa bouche souple et structurée par de fins tanins.

🕿 Stéphane et Francis Suard, 74, rte de Candes, Roguinet, 37420 Savigny-en-Véron, tél. 02 47 58 91 45, suardsf@orange.fr, ☑ ⚭ ⍑ r.-v.

SUBLIME Prestige 2011 ★

| ■ | 52 000 | ⍒ | - de 5 € |

La société Besombes Moc Baril est une vieille maison de négoce du terroir chinonais. Pascal Gasné a su en tirer profit et signe un 2011 où la fraîcheur domine. Robe rubis, nez complexe de fruits rouges accompagné d'une note de poivron, corps svelte et souple : un vin déjà aimable, à boire sur une cuisine simple et conviviale.

🕿 SAS Besombes-Moc-Baril, 24, rue Jules-Amiot, BP 125, 49404 Saumur, tél. 02 41 50 23 23, fax 02 41 50 30 45, emilien.boulfray@uapl.fr

🕿 UAPL

DOM. DE LA TRANCHÉE 2011

| ■ | 10 000 | ⍒ | 5 à 8 € |

Le pays du Véron offre un microclimat favorisant l'expression du terroir chinonais. Pascal Gasné a su en tirer profit et signe un 2011 où la fraîcheur domine. Robe rubis, nez complexe de fruits rouges accompagné d'une note de poivron, corps svelte et souple : un vin déjà aimable, à boire sur une cuisine simple et conviviale.

🕿 Dom. de la Tranchée, 33, rue de la Tranchée, 37420 Beaumont-en-Véron, tél. 02 47 58 91 78, fax 02 47 58 85 25 ☑ ⚭ ⍑ r.-v.

🕿 Pascal Gasné

CH. DE VAUGAUDRY 2011 ★

| ■ | 30 000 | ⍒ | 5 à 8 € |

Édifié sur un rebord de terrasse à flanc de coteau en rive gauche de la Vienne, ce château fait face à la forteresse de Chinon, remarquablement restaurée depuis peu. Un vignoble d'un seul tenant entoure le domaine et forme un bel ensemble de 12 ha. Ce 2011 se présente dans une belle robe rouge profond et libère à l'olfaction des notes de fraise et de framboise très agréables. Le palais confirme le nez et déploie une matière franche, harmonieuse, d'une belle longueur. Citée, la cuvée du **Clos du Plessis Gerbault 2011 rouge (8 à 11 € ; 6 000 b.)** souple, bien typée cabernet franc et équilibrée, mérite que l'on s'y attarde.

🕿 SCEA Ch. de Vaugaudry, Vaugaudry, 37500 Chinon, tél. 02 47 93 13 51, fax 09 56 55 68 92, chateau@chateau-vaugaudry.fr, ☑ ⚭ ⍑ r.-v. ⌂ Ⓔ

🕿 Belloy

Coteaux-du-loir

Superficie : 79 ha
Production : 3 086 hl (55 % rouge et rosé)

Avec le jasnières, voici le seul vignoble de la Sarthe, sur les coteaux de la vallée du Loir. Il renaît après avoir failli disparaître dans les années 1970. Les vignes sont plantées sur l'argile à silex qui recouvre le tuffeau. Le pineau d'Aunis, assemblé aux cabernets, gamay ou cot, donne des rouges légers et fruités, tandis que le chenin produit des blancs secs.

DOM. DE CÉZIN Janus 2011 ★

| ■ | 3 700 | ▮ | - de 5 € |

François Fresneau, désormais assisté de ses enfants Xavier et Amandine, un habitué du Guide. Il met le pineau d'Aunis à l'honneur dans ses deux couleurs. En rouge, le cépage phare de l'appellation est associé au gamay, au cabernet franc et au cot. Cela donne un vin pourpre au nez poivré et fruité, prolongé par un palais plein, rond, un rien animal, soutenu en finale par une élégante fraîcheur. Un coteaux-du-loir expressif et équilibré, à déguster sur un sauté de veau aux épices douces. Le **rosé 2012 (1 800 b.)**, issu du seul pineau d'Aunis, obtient également une étoile pour son intensité aromatique (fruits exotiques, poivre, pivoine, bonbon anglais) et sa bouche tendre. À réserver pour une cuisine sucrée-salée.

🕿 EARL François Fresneau, Dom. de Cézin, rue de Cézin, 72340 Marçon, tél. 02 43 44 13 70, earl.francois.fresneau@orange.fr, ☑ ⚭ ⍑ r.-v.

CHRISTOPHE CROISARD Présidial 2012 ★

| ■ | n.c. | | 5 à 8 € |

Christophe Croisard est un ardent défenseur des AOC coteaux-du-loir et jasnières, dont il préside l'ODG (organisme de défense et de gestion regroupant les vignerons). Mais il est avant tout un très bon faiseur, comme en témoignent ses nombreuses sélections dans ces colonnes. Il propose ici un blanc au nez intense, minéral et fruité (agrumes), agrémenté d'une touche de buis. Doux et rond en attaque, le palais prend des airs de « sec tendre » (13 g/l de sucres résiduels) avant de dévoiler une belle fraîcheur qui apporte du peps et de l'équilibre. À boire sur un poisson en sauce ou du foie gras. Le **rosé 2012 Pineau d'Aunis (moins de 5 € ; 5 000 b.)**, sur la douceur (12 g/l de sucres résiduels), est cité.

⌐┑ Christophe Croisard, Dom. de la Raderie,
72340 Chahaignes, tél. et fax 02 43 79 14 90,
christophe.croisard@wanadoo.fr, ☑ ⚔ ⏇ r.-v. 🏠 **B**

DOM. DES GAULETTERIES 2011 ★

| ■ | 12 000 | 🍷 | - de 5 € |

Les Lelais ont créé ce domaine en 1984 : 2 ha aux
origines, près de 17 ha aujourd'hui. Sur le sol argilo-
sableux de Ruillé-sur-Loir, le pineau d'Aunis, associé ici
aux gamay, cabernet franc et cot, trouve un beau terrain
d'expression, où est né ce 2011 au nez bien typé de poivre,
de fruits noirs et de menthol. La bouche, à l'unisson, se
révèle souple et fine, soutenue par des tanins soyeux. Un
vin équilibré, tout indiqué pour les grillades.
⌐┑ Raynald Lelais, Dom. des Gauletteries, 41, rte de Poncé,
72340 Ruillé-sur-Loir, tél. et fax 02 43 79 09 59,
vins@domainelelais.com,
☑ ⚔ ⏇ t.l.j. 10h-12h 14h-19h; f. dim. de nov. à fév.

B LES MAISONS ROUGES Dans les Perrons 2011 ★

| ■ | 4 200 | 🍷🍷 | 8 à 11 € |

Élisabeth et Benoît Jardin exploitent leurs 7 ha de
vignes selon les préceptes de la biodynamie, et cela leur
réussit avec une belle régularité. Ce blanc a été vinifié en
fût sur lie pendant quatorze mois, sans intervention
aucune. Cette méthode des plus « naturelles » a nécessairement forgé le caractère atypique de ce vin. Au nez, les
nuances torréfiées de la barrique se mêlent à la mirabelle,
à l'abricot et aux fruits secs sur un fond légèrement
oxydatif. On retrouve ces sensations harmonieuses et
complexes dans une bouche souple et persistante, soutenue par une vivacité bien fondue. Ce coteaux-du-loir
original et charmeur est à boire dans l'année, sur une
volaille à la crème et aux girolles.
⌐┑ Élisabeth et Benoît Jardin, 26, rte des Hautes-Touches,
Les Chaudières, 72340 Ruillé-sur-Loir, tél. 02 43 79 50 09,
mr@maisonsrouges.com, ☑ ⚔ ⏇ r.-v.

DOM. J. MARTELLIÈRE 2011

| ■ | 2 000 | 🍷 | - de 5 € |

Ce domaine s'illustre régulièrement dans les trois
appellations locales : coteaux-du-vendômois, son fief, jasnières et coteaux-du-loir. Cette cuvée met en avant le seul
pineau d'Aunis, cépage exigeant mais si révélateur du
terroir de la vallée du Loir. Elle s'annonce par un bouquet
bien dans le ton de l'AOC, poivré, fruité et mentholé,
relayé par un palais aérien, souple et léger. À boire sur un
plat canaille, une tête de veau ravigote par exemple.
⌐┑ Dom. J.-V. Martellière, 46, rue de Fosse, Fosse,
41800 Montoire-sur-le-Loir, tél. 02 54 85 16 91,
contact@domainemartelliere.fr, ☑ ⚔ ⏇ r.-v.

DOM. DE LA ROCHE BLEUE La Guinguette 2011 ★

| ■ | 9 900 | 🍷🍷 | 11 à 15 € |

Ce petit domaine de 6,5 ha créé en 2007 a engagé la
conversion bio de son vignoble. Il propose ici une cuvée
Ginguette qui revendique clairement un esprit festif et
convivial. Cela se traduit dans le verre par un vin joliment
fruité et poivré, suave et rond en bouche, adossé à un corps
svelte et une acidité bien fondue. Un coteaux-du-loir des
plus avenants, en effet. Ne manquent plus que les flonflons
et le bal-musette...
⌐┑ EARL Dom. de la Roche Bleue, La Roche, 72340 Marçon,
tél. 02 43 46 26 02, domainedelarochebleue@gmail.com,
☑ ⚔ ⏇ ven. sam. 10h-19h; f. fin août

Jasnières

Superficie : 66 ha
Production : 2 912 hl

C'est le cru des coteaux du Loir, bien délimité sur
un unique versant plein sud de 4 km de long sur
environ 65 ha. Seul cépage de l'appellation, le
chenin ou pineau de la Loire peut donner des
produits sublimes les grandes années. Curnonsky
n'a-t-il pas écrit : « Trois fois par siècle, le jasnières
est le meilleur vin blanc du monde » ? Le jasnières
accompagne la « marmite sarthoise », spécialité
locale où il rejoint d'autres produits du terroir :
poulets et lapins finement découpés, légumes
cuits à la vapeur. Vin rare, à découvrir.

VINS M. BOULAY Cuvée authentique 2011 ★

| ■ | 4 500 | 🍷🍷 | 8 à 11 € |

Vendangée à la main et vinifiée sans levurage ni
collage, cette Cuvée authentique à la robe or jaune mérite
que l'on s'y attarde. Nez fin de fleurs blanches (acacia)
souligné de notes minérales annonçant un corps ample et
persistant, avec un soupçon de fraîcheur bienvenue en
finale : voici une expression très réussie du jasnières. Idéal
pour accompagner tout un repas.
⌐┑ SCEA Vins M. Boulay, La Tendrière,
72340 Ponce-sur-le-Loir, tél. et fax 02 43 75 82 22,
jasnieres-mboulay@orange.fr, ☑ ⚔ ⏇ r.-v.

DOM. DE CÉZIN 2012

| ■ | 2 200 | | 5 à 8 € |

Cette exploitation familiale créée en 1925 propose
des vins réguliers en qualité, en AOC coteaux-du-loir et
jasnières, ce que confirme ce 2012 jaune pâle et limpide.
Après une attaque tendre, la fraîcheur, soulignée par des
notes discrètes de fruits exotiques, s'installe au fil de la
dégustation. La bouche s'étire longuement en finale,
soutenue par une noble amertume. On pourra attendre ce
joli vin deux ou trois ans avant de lui réserver une poêlée
de coquilles Saint-Jacques.
⌐┑ EARL François Fresneau, Dom. de Cézin, rue de Cézin,
72340 Marçon, tél. 02 43 44 13 70,
earl.francois.fresneau@orange.fr, ☑ ⚔ ⏇ r.-v.

DOM. DES GAULETTERIES Le Tradition 2012 ★

| ■ | 20 000 | 🍷 | 5 à 8 € |

Francine et Raynald Lelais ont patiemment construit
en vingt-huit ans ce joli domaine qui atteint aujourd'hui
17 ha consacrés aux AOC jasnières et coteaux-du-loir. Il
semble par ailleurs que la relève soit assurée et l'on espère
que la production de cette cuvée Tradition sera perpétuée.
Un jasnières au bouquet minéral et frais, sur fond de fleurs
blanches, vif, alerte et fruité en bouche, sur la poire et la
pêche de vigne, pur et long en finale. Un vin qui mérite de
séjourner un à deux ans en cave et que l'on pourra associer
à un poisson ou à une viande blanche. Très réussie également, dans le style demi-sec, la cuvée **Saint-Vincent 2012**
(8 à 11 € ; 8 000 b.), aux notes de pamplemousse, fera
merveille en apéritif.

LOIRE

➤ Raynald Lelais, Dom. des Gauletteries, 41, rte de Poncé, 72340 Ruillé-sur-Loir, tél. et fax 02 43 79 09 59, vins@domainelelais.com,
☑ ⚘ ⵣ t.l.j. 10h-12h 14h-19h; f. dim. de nov. à fév.

MARTELLIÈRE Cuvée du Vert Galant 2011 ★

1 300	⦿	5 à 8 €

C'est la troisième génération qui assure depuis 2011 la conduite de ce vignoble spécialiste des appellations jasnières, coteaux-du-loir et coteaux-du-vendômois. Ce joli sec possède tous les atouts d'un jasnières : une robe jaune d'or, un nez expressif d'agrumes et de pêche blanche, une bouche fraîche soulignée de notes minérales. L'ensemble équilibré et tonique conviendra bien à un poisson grillé.
➤ Dom. J.-V. Martellière, 46, rue de Fosse, Fosse, 41800 Montoire-sur-le-Loir, tél. 02 54 85 16 91, contact@domainemartelliere.fr, ☑ ⚘ ⵣ r.-v.

DOM. DE LA ROCHE BLEUE Le Clos des Molières 2011

2 700	⦿	15 à 20 €

Nez puissant de fleurs blanches agrémenté de notes de miel et de coing ; attaque vive tranchant avec un développement rond et ample : ce jasnières séduit par sa finesse et son équilibre. On le servira dès maintenant sur une volaille à la crème ou une poêlée de saint-jacques.
➤ EARL Dom. de la Roche Bleue, La Roche, 72340 Marçon, tél. 02 43 46 26 02, domainedelarochebleue@gmail.com, ☑ ⚘ ⵣ ven. sam. 10h-19h; f. fin août
➤ Cornille

PHILIPPE SEVAULT Cuvée Louis 2012

n.c.	▮	8 à 11 €

Une jolie robe jaune paille ; un bouquet complexe de beurre et de fleurs blanches sur fond de miel ; un palais bien balancé entre douceur et fraîcheur, de la structure et du volume : un beau représentant de son terroir et du millésime. Une petite garde (un an ou deux) lui sera profitable.
➤ Philippe Sevault, 72340 Poncé-sur-le-Loir, tél. 02 43 79 07 75 ☑ ⚘ ⵣ r.-v.

Montlouis-sur-loire

Superficie : 447 ha
Production : 17 415 hl

La Loire au nord, la forêt d'Amboise à l'est, le Cher au sud sont les limites naturelles de l'aire d'appellation. Les sols « perrucheux » (argile à silex), localement recouverts de sable, sont plantés de chenin blanc (ou pineau de la Loire) et produisent des vins blancs vifs et pleins de finesse, tranquilles (secs ou doux), ou effervescents. Les premiers gagnent à évoluer longuement en bouteilles (une dizaine d'années).

PATRICE BENOIT Brut

26 000	▮	5 à 8 €

Patrice Benoit, à la tête de cette propriété de 12 ha depuis 1985, est adepte d'une vinification traditionnelle avec fermentation à basse température et élevage sur lies

fines. Cela donne un montlouis à la bulle fine et à la couleur paille avenante. Le bouquet, délicat, évoque les fleurs et l'amande, et la bouche, bien équilibrée, confère une réelle harmonie à cette cuvée. Le **demi-sec Dilectum 2011 (3 000 b.)**, léger et frais, est également cité, tout comme le **moelleux Mulsum 2011 (8 à 11 € ; 2 500 b.)** empreint d'arômes de fruits confits, souple et rond, étayé par une fine acidité en finale.
➤ Patrice Benoit, 3, rue des Jardins, Nouy, 37270 Saint-Martin-le-Beau, tél. 02 47 50 63 93, patrice.benoit.vins@orange.fr, ⚘ ⵣ r.-v.

DOM. BOUCHET Moelleux 2011

1 800	▮	8 à 11 €

Les vieilles vignes du domaine Bouchet ont dû attendre plus de trois semaines après les plus jeunes en cet automne 2011 pour que l'on vienne cueillir leurs fruits. Une belle maturité était alors atteinte, qui s'est traduite avec élégance dans cette cuvée tout en douceur. On trouve à l'olfaction un plein panier de fruits d'été : pêche, prune, grenade en notes confites. La bouche est à l'unisson, souple, équilibrée, étayée par de légers arômes de buis et de cèdre donnant du nerf à ce vin qui semble dépourvu d'acidité. Cette harmonie particulière « rappelle les vins des anciens », conclut un dégustateur.
➤ Dom. Bouchet, 43 bis, rte de Saint-Aignan, 37270 Montlouis-sur-Loire, tél. et fax 02 47 50 93 59, domainebouchet@orange.fr, ☑ ⵣ r.-v.

FRANCK BRETON Sec Les Caillasses 2011 ★★★

5 300	⦿	8 à 11 €

La recette de cette cuvée présentée par Franck Breton, à la tête de ce domaine de 7,8 ha depuis 2008, est en tout point remarquable à en croire les notes du jury. Elle est pourtant simple et bien rodée : fermentation et élevage en demi-muid (tonneau de 600 l traditionnel de la région). Les raisins bien mûrs proviennent de parcelles où la vigne doit lutter pour plonger ses racines dans un sol d'argiles à silex. Pour autant, ce ne sont pas les notes minérales qui dominent, au nez comme en bouche, mais de francs arômes de fruits mûrs (pomme confite, coing). Quelques notes florales d'acacia embellissent encore le tableau de ce vin au palais rond, puissant, bien épaulé par un boisé fondu. On pourra déguster cet élégant 2011 dès à présent avec une escalope de veau au citron. Également retenu, le **moelleux Vieilles Vignes 2011 (11 à 15 € ; 2 400 b.)** obtient une étoile pour sa bouche ample, fruitée et pour son agréable fraîcheur en finale.
➤ Franck Breton, 1 bis, rue de la Résistance, 37270 Saint-Martin-le-Beau, tél. 06 14 92 59 35, franckbretonvigneron@orange.fr, ☑ ⚘ ⵣ r.-v.

DOM. DE LA CROIX MÉLIER Demi-sec 2011

8 000	⦿	5 à 8 €

Le hameau d'Husseau, blotti dans un petit vallon perpendiculaire à la Loire, rassemble bon nombre des domaines viticoles célèbres de l'appellation. Pascal Berthelot, qui fut le président du syndicat de défense des vignerons, y exploite 34 ha en viticulture raisonnée. Ce respect de l'environnement se prolonge à la cave où le moût écoulé du pressoir fermente de longs mois en barrique avec les levures du cru. Le vin, encore sur la réserve, révèle à l'agitation des notes de fruits très mûrs et plaît en bouche par son équilibre subtil entre les sucres résiduels, une légère acidité et une pointe d'amertume.

☛ EARL Dom. de la Croix Mélier,
2, chem. Sainte-Catherine, Husseau,
37270 Montlouis-sur-Loire, tél. 02 47 45 12 14,
fax 02 47 50 77 85, pascal.berthelot.lacroixmelier@neuf.fr,
☑ 🕴 ⟊ t.l.j. 10h-13h 14h-19h; dim. 10h-12h30
☛ Berthelot

DOM. DE L'ENTRE-CŒURS Brut ★

| | 14 000 | ⬛ | 5 à 8 € |

L'entre-cœur est ce petit sarment considéré comme un gourmand qui pousse à l'aisselle des feuilles de l'année. Généralement, on l'enlève pour que la plante ne gaspille pas son énergie à faire des rameaux mais plutôt à faire mûrir ses grappes. On appelle cela « l'égourmandage ». Ce jeu de mots bien vigneron est aussi pour Alain Lelarge une profession de foi, une manière d'exprimer toute la générosité des gens du vin. Le brut de la propriété ne saurait démentir le propos ; on y décèle des parfums de rose, de fruits secs, d'amande et de noix, avec aussi cette longueur et cette tenue propres aux vins de la Loire. Une belle expression de l'appellation.
☛ Alain Lelarge, 10, rue d'Amboise,
37270 Saint-Martin-le-Beau, tél. 02 47 50 61 70,
fax 02 47 50 68 92, entre-coeurs@wanadoo.fr, ☑ 🕴 ⟊ r.-v.

DOM. FLAMAND-DELÉTANG Les Quatre Saisons 2011 ★★

| | 3 000 | ⬛⬛ | 11 à 15 € |

Depuis 2003, Olivier Flamand et son épouse mènent avec talent le domaine familial. Vendangé à parfaite maturité, le chenin subit une fermentation de douze mois avec des levures naturelles. La cuvée repose ensuite sur ses lies pendant une année, ce qui lui vaut le nom de « quatre saisons ». Un tel traitement apporte volume et longueur au palais, où apparaissent des arômes de coing et d'agrumes. La note boisée n'est pas totalement absente et confère à ce vin bien équilibré des qualités de garde. Deux étoiles également pour le **sec Les Pierres écrites 2011** (**2 100 b.**) aux arômes de fruits secs, boisé, puissant et long en bouche. Le **moelleux L'Or des petits Boulay 2011** (**20 à 30 € ; 2 000 b.**) récolte, quant à lui, une étoile pour son volume et son équilibre.
☛ Dom. Flamand-Delétang, 19, rte d'Amboise,
37270 Saint-Martin-le-Beau, tél. 02 47 35 65 71,
fax 02 47 35 67 64, flamandolivier@sfr.fr,
☑ 🕴 ⟊ t.l.j. 9h-19h

Ⓑ LA GRANGE TIPHAINE Demi-sec
Les Grenouillères 2011 ★★

| | 2 600 | ⬛⬛ | 11 à 15 € |

L'enthousiasme de la jeunesse se lit dans le vin et sur l'étiquette. Amateurs de musique, Coralie et Damien Delecheneau tentent d'insuffler dans le vin les notes justes, l'harmonie et le rythme. Les vendanges manuelles se font à pleine maturité, puis les fermentations se déroulent en fût avec les levures du raisin. Le résultat de ce méticuleux travail, à la vigne comme au chai : ce 2011 en tout point remarquable. La robe paille et le nez, qui évoque le miel et l'abricot, s'harmonisent avec une bouche généreuse et longue. Le **sec Clef de sol 2011** (**14 000 b.**), équilibré entre rondeur et fraîcheur, et l'effervescent **Nouveau-Nez 2011** (**7 000 b.**), vif en attaque et plus porté sur la rondeur en finale, reçoivent tous deux une étoile.
☛ Damien et Coralie Delecheneau, La Grange-Tiphaine,
37400 Amboise, tél. 09 64 04 32 09,
lagrangetiphaine@wanadoo.fr, ☑ ⟊ r.-v.

JEAN-PAUL HABERT Brut 2010 ★

| | 5 400 | ⬛ | 5 à 8 € |

Durant le règne d'Henri IV, au moment des vendanges, la belle Gabrielle d'Estrée s'est sans doute rendue dans ces caves qui dépendaient du château de la Bourdaisière, l'une de ses résidences. C'est précisément le lieu de vinification de cette cuvée. Ces hautes caves ont vu défiler de nombreux millésimes depuis le XVᵉs. En 2010, les sucres du raisin ont permis une seconde fermentation en bouteille, et c'est de cela sans aucun doute que le vin tire ses qualités essentielles. Ampleur, harmonie, arômes soutenus de fruits blancs, ce montlouis fin et élégant sera du meilleur effet à l'apéritif.
☛ Françoise Habert-Gaultier, 3, impasse des Noyers,
Le Gros-Buisson, 37270 Saint-Martin-le-Beau,
tél. et fax 02 47 50 26 47, caveduvieuxcange@aol.com,
☑ 🕴 ⟊ r.-v.

ALAIN JOULIN ET FILS
Moelleux Cuvée Saint-Martin 2011 ★★

| | 2 610 | ⬛ | 11 à 15 € |

Dans la tradition des vendanges par tries, Alain Joulin excelle. Sa cuvée rend hommage au grand saint de la Touraine : le 11 novembre, jour de la Saint-Martin, marque souvent la fin des vendanges des raisins surmûris. Avec sa robe dorée, son parfum de fruits confits et de marmelade de coings, l'invitation à la dégustation est parfaite. Ample, intense, la bouche révèle les fruits mûrs, le pruneau et la sève de pin. On pourra servir ce montlouis à l'apéritif ou au dessert. Le **sec Les Liards 2011 (5 à 8 € ; 6 350 b.**), souple, rond, harmonieux, se voit attribuer une étoile.
☛ Alain Joulin et Fils, 58, rue de Chenonceaux,
37270 Saint-Martin-le-Beau, tél. 02 47 50 28 49,
fax 02 47 50 69 73, alain@domaine-joulin.com,
☑ 🕴 ⟊ t.l.j. sf dim. 8h30-12h 14h-19h

DOM. DES LIARDS Brut

| | 30 000 | ⬛ | 5 à 8 € |

Un domaine bien connu des amateurs de montlouis pour ses effervescents, mais aussi pour ses secs. Le brut présenté ici possède un beau caractère de maturité. Ses qualités lui viennent des vieilles vignes (quarante ans) prospérant sur argilo-calcaires et d'un vieillissement de trois ans sur lattes. La couleur est dorée. Ses parfums de figue mûre, de fruits, et de fleurs, et sa bouche riche et structurée destinent cette bouteille à un public de connaisseurs.
☛ Berger Frères, 33, rue de Chenonceaux,
37270 Saint-Martin-le-Beau, tél. 02 47 50 67 36,
bergerfreres@aol.com, ☑ 🕴 ⟊ r.-v.

Ⓑ DOM. LES LOGES DE LA FOLIE Demi-sec
Le Chemin des loges 2010 ★

| | 3 500 | ⬛ | 11 à 15 € |

Valérye Mordelet et Jean-Daniel Kloeckle ne sont pas issus de familles vigneronnes. Ils perçoivent la culture de la vigne et l'élaboration des vins avec un œil neuf, et depuis 2005, ils cultivent la vigne selon les préceptes de l'agriculture biologique. Dans la cave, il en est de même, et les produits œnologiques n'y entrent pas. Il en résulte un montlouis plein de délicatesse et de distinction où la maturité patiemment attendue ressort en nuances subtiles

LOIRE

de miel, de coing et de poire cuite au four. Ce demi-sec ne manque pas de vivacité non plus, qui lui apporte équilibre et tonacité. Pour le découvrir, rendez-vous à la propriété, où sont organisés expositions, concerts et promenades pédagogiques dans le vignoble.

☛ Les Loges de la Folie, 21, rue des Rocheroux, Husseau, 37270 Montlouis-sur-Loire, tél. 02 47 45 18 30, contact@les-loges-de-la-folie.com, ☑ ⚲ ⚊ r.-v.

☛ Kloeckle

DOM. MARNÉ Demi-sec 2011 ★

| | 2 630 | ☷☷ | 5 à 8 € |

La famille Marné cultive la vigne à Montlouis depuis cinq générations. Les parcelles de la propriété sont réparties sur l'ensemble du terroir, ce qui apporte de la diversité et protège des difficultés liées au climat (gel, grêle...). Patrick Marné signe un 2011 légèrement doré, aux délicats arômes d'abricot, équilibré et long en bouche. On pourra déguster ce vin dès à présent avec un sandre de Loire au beurre blanc. Le **sec 2011 (3 480 b.)** est, quant à lui, cité pour son attaque souple et ses arômes de fruits exotiques légèrement citronnés.

☛ Patrick Marné, 21, rue du Chapitre, 37270 Montlouis-sur-Loire, tél. 02 47 45 11 32, domaine.marne@wanadoo.fr, ☑ ⚲ ⚊ r.-v.

Ⓑ BENOÎT MÉRIAS Sec Les Maisonnettes 2011 ★★

| | 2 500 | ☷☷ | 8 à 11 € |

Une belle réussite pour les premières vendanges de Benoît et Julie Mérias qui ont repris les vignes de Laurent Chatenay en 2011. Celles-ci sont cultivées en bio et la fermentation est conduite par les levures du cru. La robe est élégante et cristalline, le nez discret, ouvert à l'aération sur des parfums d'agrumes, de vanille et de fleurs blanches. D'une belle longueur, fine, tendre et ronde, classe ce vin dans la catégorie des « secs tendres ». À servir sur des viandes blanches ou des poissons en sauce. Le **demi-sec La Vallée 2011 (11 à 15 € ; 4 000 b.)** reçoit quant à lui une étoile pour son nez de fruits mûrs et son équilibre en bouche.

NOUVEAU PRODUCTEUR

☛ EARL Benoît et Julie Mérias, Nouy, 41, rte de Montlouis, 37270 Saint-Martin-le-Beau, tél. 02 47 74 61 90, benoit.merias@orange.fr, ☑ ⚊ r.-v.

CAVE DES PRODUCTEURS DE MONTLOUIS-SUR-LOIRE
Cuvée des Anges ★

| | 150 000 | ☷ | 5 à 8 € |

La Cave des Producteurs regroupe quinze viticulteurs adhérents pour une surface cultivée de 145 ha. Ces vignerons partagent le respect des traditions et cultivent la vigne en culture raisonnée dans un souci de protection de l'environnement. L'aventure a commencé en 1961 et se poursuit avec enthousiasme et vitalité. Cette cuvée est un bel exemple de la production. L'effervescence est fine et légère, le nez discret (touche de pain d'épice), la bouche fraîche et plutôt structurée. Une belle bouteille pour l'apéritif ou le repas.

☛ Cave des Producteurs de Montlouis-sur-Loire, 2, rue de Saint-Aignan, 37270 Montlouis-sur-Loire, tél. 02 47 50 80 98, fax 02 47 50 81 34, espace@cave-montlouis.com, ☑ ⚲ ⚊ t.l.j. 9h-12h30 14h-18h30

DOM. MOSNY Demi-sec Le Chesneau 2011

| | 3 200 | ☷ | 5 à 8 € |

Cette propriété située au cœur du vignoble de Montlouis-sur-Loire sait allier modernité et méthodes ancestrales. Pour cette cuvée, Daniel et Thierry Mosny, respectivement issus des troisième et quatrième générations, ont préféré l'Inox pour les fermentations et le bois pour l'élevage sur lies fines, lesquelles contribuent à l'élaboration d'un vin tout en finesse. La robe est très pâle. Le nez évoque les fleurs blanches agrémentées d'une pointe d'agrumes. L'intensité du palais, sa longueur et une agréable fraîcheur contribuent aussi au charme de ce demi-sec à boire sur une viande blanche.

☛ EARL Daniel et Thierry Mosny, 8, rue des Vignes, 37270 Saint-Martin-le-Beau, tél. et fax 02 47 50 61 84, thierry.mosny@orange.fr, ☑ ⚲ ⚊ t.l.j. sf dim. 8h-18h ⌂ Ⓑ

DOM. MOYER L'Extra-brut 2011

| | 2 000 | ☷ | 8 à 11 € |

Damien et Mickael Moyer, huitième génération à la tête de ce domaine de 8 ha, proposent un effervescent produit uniquement à partir du raisin, sans ajout de sucre pour la seconde fermentation en bouteille et sans liqueur de tirage. Le résultat s'avère original, mais très agréable : la bulle est fine (dû à un long séjour sur lattes) ; le nez se montre expressif, net, rappelant la levure et l'amande fraîche ; une mousse douce et onctueuse se dégage et n'encombre pas la bouche ; des arômes de levain et d'amande amère s'exhalent avec distinction. Une truite au bleu, du jambon sec, ou encore un fromage de Roquefort seront en bonne compagnie. Cité également, le **sec Edmond 2010 (1 800 b.)**, vif, tendu, finement boisé, ne laisse pas indifférent ; un bel hommage des deux garçons à leur grand-père.

☛ Dom. Moyer, 2, rue de la Croix-des-Granges, Husseau, 37270 Montlouis-sur-Loire, tél. 06 83 29 57 80, fax 02 47 45 10 48 ☑ ⚲ ⚊ t.l.j. sf dim. 8h-13h 14h-19h

Ⓑ DOM. DE L'OUCHE GAILLARD Héliodor 2010 ★

| | 800 | ☷☷ | 20 à 30 € |

La famille Dansault s'est remise en question et a évolué vers les pratiques culturales respectueuses de l'environnement, en faisant le choix de l'agriculture biologique il y a quelques années. Elle signe un 2010 au nez séveux de prune cuite et de bergamote. La bouche, à l'unisson, se révèle souple, ample, aérienne, franche, la promesse d'une grande longévité. Le **sec Impressions 2011 (8 à 11 € ; 5 700 b.)** reçoit également une étoile pour sa fraîcheur, son fruité et son équilibre. Le **demi-sec Topaze 2011 (8 à 11 € ; 3 600 b.)** est, quant à lui, cité pour ses arômes de fruits confits accompagnés par une légère amertume.

☛ EARL Gabrièle et Régis Dansault, 1, rue Gaspard-Monge, 37270 Montlouis-sur-Loire, tél. 02 47 44 36 23, regis.dansault@wanadoo.fr, ☑ ⚲ ⚊ r.-v.

PINTRAY Demi-sec Demoiselle 2011

| | 3 000 | ☷ | 8 à 11 € |

Ayant pris la suite de son père Marius en 2009, Jean-Christophe Rault ancre la famille dans ce joli terroir de Lussault, à l'est de l'appellation. Le vin est produit au plus proche de la nature. Le demi-sec présenté n'est en rien « pommadé », mais au contraire vif, tonique, léger. Les notes d'agrumes contribuent à ces qualités et en font un joli vin de tonnelle pour les beaux jours. Si vous avez la chance d'assister aux portes ouvertes de la maison, vous pourrez entendre un conteur vous narrer la belle histoire qu'illustrent les étiquettes créées à chaque millésime.

🍷 Jean-Christophe Rault, Ch. de Pintray, 37400 Lussault-sur-Loire, tél. 02 47 23 22 84, krisro@hotmail.com, ▣ ⚲ ☕ t.l.j. 10h-12h 14h-19h 🏨 ⑤

⑬ LE ROCHER DES VIOLETTES Sec La Négrette 2011

	8 000	⑪	15 à 20 €

Les vignes de quatre-vingt-dix ans en moyenne sont conduites avec douceur, en accord avec les prescriptions de l'agriculture biologique. Les vendanges réalisées à la main sont suivies d'un élevage d'un an en barrique. Le vin présente une robe d'or brillant très avenante. Le bouquet de fleurs des champs et de fruits de l'été (abricot et pêche) s'appuie sur une trame minérale. Ce 2011 demande encore un peu à vieillir pour estomper le caractère boisé du palais et parfaire l'équilibre des saveurs. On imagine bien ce vin accompagner des viandes blanches et des charcuteries tourangelles. Le **sec Touche-Mitaine 2011** (11 à 15 € ; 12 000 b.) est également cité pour ses arômes fruités et sa fraîcheur.

🍷 Xavier Weisskopf, 38, rue du Rocher-des-Violettes, 37400 Amboise, tél. 02 47 23 52 08, xavier.weisskopf@hotmail.com, ▣ ⚲ ☕ r.-v.

Vouvray

Superficie : 2 151 ha
Production : 126 272 hl (70 % mousseux)

Un long vieillissement en cave et en bouteilles révèle toutes les qualités des vouvray blancs, nés au nord de la Loire, presque en face de Tours, sur un vignoble qu'écorne l'autoroute A10 au nord (le TGV passe en tunnel) et que traverse la large vallée de la Brenne. Le cépage blanc de Touraine, le chenin, donne ici des vins tranquilles, colorés et très racés, secs ou moelleux selon les années, et des vins pétillants et effervescents, vineux, élaborés selon la méthode traditionnelle. Si ces derniers sont bus assez jeunes, les vins tranquilles sont aptes à une longue garde qui leur donne de la complexité. Poissons et fromages de chèvre iront bien avec les uns ; plats fins ou desserts légers avec les autres, qui feront aussi d'excellents vins d'apéritif.

JEAN-CLAUDE ET DIDIER AUBERT Demi-sec 2011 ★

	15 000	▮	5 à 8 €

Exploitation très ancienne créée en 1823, sise au cœur de la vallée Coquette, la maison Aubert est tenue par Jean-Claude, le père et Didier, le fils, assistés de leurs épouses. Ils présentent un 2011 qui a été régulièrement bâtonné jusqu'au printemps suivant la récolte. Cette pratique permet d'enrichir le vin et de lui donner du corps. Assez pâle, celui-ci est encore un peu fermé, livrant à l'aération de fins effluves qui rappellent l'acacia et la poire. Le caractère fruité est bien présent dans une bouche ronde et charnue. C'est un vin encore à attendre qui continuera

de mûrir jusqu'en 2020 environ. Le **brut 2010 (60 000 b.)** reçoit lui aussi une étoile pour son palais souple, fruité, étayé par une agréable fraîcheur et une pointe d'amertume en finale.

🍷 Jean-Claude et Didier Aubert, 10, rue de la Vallée-Coquette, 37210 Vouvray, tél. 02 47 52 71 03, fax 02 47 52 68 38, aubert.jc.d@orange.fr, ▣ ⚲ ☕ t.l.j. 9h-12h30 14h-19h, dim. 9h-12h30

DOM. DE BEAUMONT Demi-sec Les Perrets 2011 ★

	2 000	⑪	5 à 8 €

À l'heure où la technique est omniprésente, Mathieu Cosme préfère travailler la vigne et élaborer ses vins selon les méthodes traditionnelles. Travail du sol, vendanges manuelles, fermentation en tonnes de 400 l avec les seules levures qu'apporte le raisin constituent son credo. Ce 2011 issu de la parcelle des Perrets a séduit les dégustateurs avec sa robe vieil or, son nez rappelant la fleur d'acacia et la poire, et sa bouche charnue, ronde, ample, aux saveurs de coing. Quelques années de cave lui permettront de s'exprimer totalement. Le **sec Les Enfers 2011** (8 à 11 € ; 1 500 b.), issu du lieu-dit du même nom, garde les traces de son élevage en fût avec ses notes toastées et épicées. Bien structuré, il reçoit également une étoile.

🍷 Mathieu Cosme, Dom. de Beaumont, 86, rue du Bois-de-l'Olive, 37210 Noizay, tél. 02 47 52 15 44, mathieucosme@orange.fr, ▣ ⚲ ☕ r.-v.

DOM. DES BERGEONS Demi-sec 2011

	2 220	▮	5 à 8 €

Denise Bongars, à la tête de la propriété depuis 1996, exploite 13 ha de vignes. Cette cuvée de demi-sec est issue de seulement 60 ares bien sélectionnés. La robe élégante est d'une couleur jaune paille ornée de reflets vert tendre. Rappelant le miel en première approche, le nez s'ouvre à l'agitation sur un florilège de fleurs blanches, de poire compotée et d'épices douces. La bouche se révèle opulente, riche et onctueuse. Une belle harmonie en perspective avec des toasts de foie gras.

🍷 Denise Bongars, 232, coteau de Venise, 37210 Noizay, tél. 02 47 52 11 64, fax 02 47 52 05 73, earl_bongars@hotmail.com, ▣ ⚲ ☕ t.l.j. 9h-12h 13h-19h (17h sam. dim.)

PASCAL BERTEAU ET VINCENT MABILLE Demi-sec ★

	27 000	▮	5 à 8 €

L'union faisant la force, les beaux-frères Pascal Berteau et Vincent Mabille se sont associés en 1990 afin de conduire ensemble ce domaine de 22 ha. Leur conception du métier est simple et efficace : « Avoir de beaux raisins pour faire du bon vin. » Ils présentent ici une cuvée à la robe d'un jaune doré assez soutenu qui accompagne agréablement un nez tout en vivacité. Ce vin n'est pas éteint par le sucre, bien au contraire : rond et accompagné par des arômes généreux de poire et de coing, il reste frais tout au long de la dégustation. Le **moelleux 2011** (8 à 11 € ; 1 000 b.) est, quant à lui, cité pour sa richesse, son équilibre et ses arômes de miel et de fruits compotées (abricot).

🍷 Pascal Berteau et Vincent Mabille, 46, rue de Vaugondy, 37210 Vernou-sur-Brenne, tél. et fax 02 47 52 03 43, vincent.mabille1@libertysurf.fr, ▣ ⚲ ☕ r.-v.

LOIRE

VIGNOBLE BRISEBARRE Sec 2011 ★★

| | 10 000 | 🍾 | 5 à 8 € |

Philippe Brisebarre est connu, car il a été très longtemps président du Syndicat des Vins de Vouvray, et fort estimé en raison des luttes qu'il mène encore pour la défense du vignoble, en particulier pour la sauvegarde du terroir face à l'expansion urbaine. Il l'est aussi pour les belles cuvées qu'il produit année après année, comme ce magnifique 2011, rond et structuré, où apparaissent des arômes délicats de groseille, de pêche blanche et d'agrumes. Un vouvray de haute expression, à servir en accompagnement d'un plat de poisson. Le **brut 2009 (8 à 11 € ; 14 000 b.)**, au caractère vineux, est cité.

☛ Philippe Brisebarre, 34, Vallée-Chartier, 37210 Vouvray, tél. 02 47 52 63 07, fax 02 47 52 65 59, brisebarre.ph@wanadoo.fr, ☑ ⚡ 🍴 t.l.j. 10h-12h30 14h-18h30; dim. sur r.-v. 🏠 🟢

DOM. NICOLAS BRUNET Sec 2011 ★

| | 8 000 | 🍾 | 5 à 8 € |

Nicolas Brunet est issu d'une longue lignée de vignerons puisqu'il en constitue la neuvième génération. Cela l'incite à reconnaître les vertus des méthodes ancestrales et à cultiver la vigne en laissant une part d'enherbement afin d'équilibrer la vigueur des ceps. Les raisins cueillis à bonne maturité sont pressés et mis en fermentation sans apport de levures exogènes ni chaptalisation. La robe soutenue, d'un beau jaune doré, met en confiance. Le nez, généreux, évoque la poire, le coing et une pointe de noix. En bouche, on trouve encore de la pêche blanche et des fruits secs. Une belle expression du vouvray qui pourra mûrir tranquillement jusqu'en 2020 dans une bonne cave et que l'on pourra servir sur un sandre au beurre blanc.

☛ Dom. Nicolas Brunet, 9, rue de la Croix-Mariotte, 37210 Vouvray, tél. 06 83 22 47 14, fax 02 47 52 75 38, vouvraybrunet@hotmail.fr, ☑ ⚡ 🍴 r.-v.

DOM. OLIVIER CARÊME Brut L'Ancestrale 2010 ★

| | 8 820 | | 11 à 15 € |

Voici un bel exemple de ces nouvelles cuvées d'effervescents qui sont produites avec les sucres du raisin pour la première et la seconde fermentation. Les levures du terroir sont à l'œuvre. Cela confère au vin un plaisant caractère naturel, même si ce style reste plutôt inhabituel. C'est sans doute ce que nos anciens connaissaient jadis, d'où le nom donné à cette cuvée. La mousse se fait discrète, la couleur est d'un jaune soutenu. Le nez rappelle les fruits très mûrs et le coing. L'effervescence est agréable en bouche, soulignant un vin rond sans agressivité. Le **demi-sec Tendre 2011 (10 190 b.)** au nez miellé agrémenté d'épices et à la bouche ronde, chaleureuse et relevée d'une fine nuance de réglisse, est cité.

☛ Vincent Carême, 1, rue du Haut-Clos, 37210 Vernou-sur-Brenne, tél. 02 47 52 71 28, vin@vincentcareme.fr, ☑ ⚡ 🍴 r.-v.

CAVES JEAN-CHARLES ET FRÉDÉRIC CATHELINEAU
Moelleux Souvenirs d'automne 2011

| | 6 700 | | 15 à 20 € |

Chez les Cathelineau, on a le souci de préserver les traditions et la mémoire du vouvray. Le nom de cette cuvée fait référence aux grands millésimes de l'appellation, comme 1947, où le pineau de la Loire fut sublime. Pour l'heure, ce 2011 n'atteint pas les mêmes sommets ; il se montre un peu fermé mais délivre déjà des notes de fruits subtiles. En bouche, il se révèle rond, équilibré, stimulé par une pointe de fraîcheur en finale. Le temps jouera en sa faveur et en fera une belle bouteille d'ici cinq ans, et pendant longtemps. Le **brut 2010 (5 à 8 € ; 25 000 b.)** est également cité pour sa bouche ronde et fraîche à la fois.

☛ Jean-Charles Cathelineau, 24, rue des Violettes, 37210 Chançay, tél. et fax 02 47 52 20 61, cathelineau@wanadoo.fr, ☑ ⚡ 🍴 r.-v.

CHAMPALOU Sec Le Portail 2010 ★

| | 3 500 | | 15 à 20 € |

Cette cuvée élaborée par la famille Champalou est issue de vignes qui surplombent la cave et plongent leurs racines à travers l'argile et le tuffeau. Ayant séjourné dix-huit mois dans de grands fûts de 450 l, le vin s'est enrichi de la substance des levures. Couleur dorée et brillante, nez de coing, de cire d'abeille et de torréfaction, volume, puissance et équilibre des saveurs, tout est en harmonie. Ce 2010 complétera avec goût un homard grillé ou quelque savante cuisine exotique aux épices. Le **demi-sec La cuvée des Fondraux 2011 (11 à 15 € ; 12 000 b.)** reçoit également une étoile pour sa bouche ample, ronde et souple, bien équilibrée par une agréable fraîcheur aromatique.

☛ EARL Champalou, 7, rue du Grand-Ormeau, 37210 Vouvray, tél. 02 47 52 64 49, fax 02 47 52 67 99, champalou@orange.fr, ☑ ⚡ 🍴 r.-v.

PIERRE CHAMPION Demi-sec 2011 ★

| | 2 500 | | 5 à 8 € |

Pierre Champion a attendu le 20 octobre pour commencer les vendanges de son hectare de vignes joliment exposées dans la vallée de Cousse, afin de récolter des grappes de grande maturité. Vinifiée en fût de 225 l, cette cuvée pour amateur éclairé se présente avec noblesse dans sa livrée dorée et brillant. Ne se livrant qu'à l'agitation, elle développe alors de fines senteurs d'agrumes et une délicate émergence de miel. L'attaque est nette et fraîche, puis les arômes de coing confit se développent dans l'harmonie et la générosité. On pourra oser une volaille aux mangues. Le **brut (5 000 b.)**, frais et léger, est cité.

☛ EARL Pierre Champion, 57, rue Jean-Jaurès, La Vallée-de-Cousse, 37210 Vernou-sur-Brenne, tél. 02 47 52 02 38, pierre.champion3@wanadoo.fr, ☑ ⚡ 🍴 r.-v.

DOM. DU CLOS DE L'ÉPINAY Brut Tête de cuvée 2009 ★★

| | 26 000 | | 8 à 11 € |

Le domaine du Clos de l'Épinay situé sur les hauteurs de Vouvray est une jolie propriété, dont le bâtiment le plus ancien date du XVIIIᵉs. Vous y serez chaleureusement accueillis par Luc Dumange et son épouse. Ce 2009 a été produit à partir des premiers jus qui s'écoulent librement du pressoir, lorsque la pression est basse et que la vendange n'a pas été rebêchée. Après vingt-quatre mois sur lattes, le vin se présente sous une robe dorée et brillante qu'anime un pétillement fin et discret. Le nez plaisant et frais rappelle la pomme verte et fait place à un palais très agréable, rond et fin. Tous les soins apportés lors de l'élaboration se retrouvent dans le verre.

☛ Dom. du Clos de l'Épinay, L'Épinay, 37210 Vouvray,
tél. 02 47 52 61 90, fax 02 47 52 71 31,
domaine.clos.epinay@cegetel.net,
☑ ⚲ ⵝ t.l.j. 14h-18h30; f. vac. fév. 🏤 ❸
☛ Luc Dumange

CLOS DE NOUYS Demi-sec 2011

	46 134	🍶	5 à 8 €

Conduit par François et Myrella Chainier depuis
1997, ce vieux vignoble (parmi les plus anciens de
l'appellation) jouit d'une belle réputation. Les sols argilo-
calcaires reposant sur la craie, parfaits pour le pineau de
la Loire qui y trouve ses plus belles expressions, et les
conditions climatiques de 2011, favorables à la production
de vins secs et demi-secs, ont donné naissance à cette cuvée
jaune pâle à reflets vert brillant. En bouche surgissent des
notes d'agrumes, de poire et de coing, et l'équilibre s'opère
par une juste mesure entre la vivacité et la douceur.
☛ Clos de Nouys, 46, rue de la Vallée-de-Nouy,
37210 Vouvray, tél. 02 47 52 73 35, fax 02 47 52 13 17,
closdenouys@orange.fr, ☑ ⚲ ⵝ r.-v.
☛ François Chainier

DOM. DU CLOS DES AUMÔNES Sec 2011

	5 000	🍶	5 à 8 €

Philippe Gaultier ne cherche en aucune façon à
apparaître traditionnel sur un mode factice. Ses bâtiments
et son matériel, installés dans la zone artisanale de
Rochecorbon, sont résolument modernes. Les raisins ont
été récoltés dans des parcelles situées en première côte,
c'est-à-dire juchées à l'extrémité du plateau qui domine la
rive droite de la Loire. Le vin est pâle, discret au nez,
ample et rond en bouche, avant de s'achever sur une note
de fraîcheur bienvenue. Également cité, le **brut
(66 600 b.)** a séduit par son palais frais, équilibré, étayé
par une légère et plaisante amertume.
☛ Philippe Gaultier, 18, rue Vaufoynard,
37210 Rochecorbon, tél. 02 47 54 69 82, fax 02 47 42 62 01,
dcagaultier@orange.fr, ☑ ⚲ ⵝ r.-v.

Ⓑ CLOS DU PETIT MONT Doux Cuvée Balzac 2011 ★★

	2 500	🍷	11 à 15 €

Au bout de la vallée Coquette, le Clos du Petit Mont
aurait appartenu à un ami d'Honoré de Balzac. C'est en
hommage à ce grand Tourangeau que la famille Allias a
nommé ainsi sa meilleure cuvée, un moelleux remarquable
particulièrement rare dans un millésime comme 2011. La
culture se fait en bio depuis 1999, avec la volonté de
produire des vins les plus naturels possibles. Cette cuvée
à la robe dorée libère des parfums délicieusement orientaux qui évoquent le coing, les fruits confits et le tabac turc,
relayés avec persistance et délicatesse en bouche par des
notes de miel, de fleur d'acacia et de datte ; une richesse
aromatique contrebalancée par une heureuse fraîcheur,
qui apporte équilibre et dynamisme.
☛ Dom. Allias, 106, rue de la Vallée-Coquette,
37210 Vouvray, tél. 02 47 52 74 95, fax 02 47 52 66 38,
domaine.allias@wanadoo.fr,
☑ ⚲ ⵝ t.l.j. sf dim. 9h-12h 14h-18h30

FLORENT COSME Moelleux Audace 2011 ★★

	400	🍷	20 à 30 €

On peut être issu d'une famille présente depuis cinq
générations dans le vignoble, encore faut-il faire preuve

d'ardeur et de volonté pour s'imposer. Florent Cosme en
fait actuellement l'expérience : il est salarié la semaine
chez d'autres vignerons, et son propre patron le samedi et
le dimanche lorsqu'il exploite les 2,42 ha de la propriété
familiale reprise en 2011. Cette cuvée confidentielle est
issue de raisins entièrement botrytisés. Vendanger tardivement était un pari audacieux pour ce millésime. Il en
ressort un 2011 fruité et légèrement boisé, puissant et
puissant à la fois. Un vin parfaitement équilibré, qu'il
conviendra toutefois d'attendre quelques années pour que
se révèle tout son potentiel (une longue fermentation et un
élevage en bois neuf l'ayant laissé un peu fermé). Le **sec
Coup de fougue 2011 (8 à 11 € ; 1 050 b.)** reçoit quant
à lui une étoile pour son attaque ronde, sa finale légèrement boisée et son juste équilibre entre sucre et acidité.
☛ Florent Cosme, 90, rue du Bois-de-l'Olive, 37210 Noizay,
tél. 06 98 19 55 45, florent.cosme@gmail.com, ☑ ⚲ ⵝ r.-v.

DOM. THIERRY COSME Brut Cuvée Prestige 2009 ★

	3 500	🍶	5 à 8 €

Cette cuvée Prestige a été élaborée à partir d'une
sélection de vins du millésime 2009, bien connu pour sa
qualité exceptionnelle. Le long séjour sur lattes a également contribué à affiner ce vin. Le jaune d'or pâle de la
robe est accompagné d'un fin cordon de bulles persistantes. L'expression aromatique est intense au nez. De subtils
effluves de fleurs blanches et de fruits frais apparaissent
avec délicatesse, accompagnés de notes briochées héritées
d'une fermentation bien conduite. La mousse très fine
danse dans la bouche avec élégance et révèle des arômes
de fruits frais. Le **sec Cuvée magistrale Élevé en fût de
chêne 2010 (8 à 11 € ; 1 200 b.)**, puissant et boisé, est cité.
☛ EARL Thierry Cosme, 1127, rte de Nazelles,
37210 Noizay, tél. 02 47 52 05 87, fax 02 47 52 11 36
☑ ⚲ ⵝ r.-v.

DOM. DES COUDRIÈRES Demi-sec 2010 ★

	10 000	🍶	5 à 8 €

Depuis 1888, quatre générations de viticulteurs se
sont succédé au sein de la famille Delaleu pour exploiter
ce domaine de 18 ha. Après un élevage de six mois en cuve,
les bouteilles restent au repos sur lattes pendant dix-huit
mois et plus. C'est là une partie du secret qui permet
d'élaborer les plus belles cuvées de fines bulles. Ce 2010,
frais et agréable, ne manque pas d'atouts : robe brillante,
bulle fine et persistante, nez discret mais élégant, équilibre
des saveurs en bouche (ce qui n'est pas toujours le cas pour
un demi-sec). Un vin harmonieux, pour l'apéritif ou le
dessert.
☛ EARL Alain Delaleu, Dom. des Coudrières,
37210 Vernou-sur-Brenne, tél. 02 47 52 13 70,
alain.delaleu@wanadoo.fr, ☑ ⚲ ⵝ r.-v.

DOM. DE LA CROIX DES VAINQUEURS Sec
Le Bouchet 2010

	7 000	🍷	5 à 8 €

Ce domaine créé en 2006 repose sur deux vignobles,
Le Bouchet, 3 ha à Vouvray, et Les Déronnières, 4 ha à
Vernou, mais les cuvées sont vinifiées séparément, Le
Bouchet est resté pendant neuf mois en fût pendant sa
fermentation et son élevage. Jaune pâle avec des reflets
verts, nez de fruits mûrs rappelant les agrumes, pomelo et
citron, l'abord est sympathique et prepare agréablement
au palais de ce « sec tendre » qui reste frais et finit sur une

LOIRE

légère note amère accompagnée d'arômes de citron et de vanille.

🐦 Dom. de la Croix des Vainqueurs, 20 bis, rue d'Amboise, 37210 Chançay, tél. 06 77 41 51 75, fax 02 47 52 26 32, lacroixdesvainqueurs@gmail.com, ☑ 🏃 ⍟ r.-v.

MAISON DARRAGON Brut 2010

| | 60 000 | ▬ | 5 à 8 € |

La maison Darragon est bien connue à Vouvray, autant pour ses vins que pour la personnalité de Pierre Darragon, maire de la commune. La propriété compte 34 ha, dont 8 ha sont exploités pour l'élaboration de cette jolie cuvée. Loin des productions sophistiquées parfois mises en exergue, ce vin fruité, frais et léger met les sens en joie avec une aimable simplicité. Belle illustration de la devise de Vouvray : « Je rejois les cuers. »

🐦 Maison Darragon, 34, rue de Sanzelle, 37210 Vouvray, tél. 02 47 52 74 49, fax 02 47 52 64 96, scea.darragon@wanadoo.fr, ☑ 🏃 ⍟ t.l.j. 9h15-12h30 13h-19h 🏠 🅑

🐦 Charbonnier

RÉGIS FORTINEAU Brut 2010

| | 12 000 | ▬ | 5 à 8 € |

Régis Fortineau modère le rendement de ses vignes en laissant se développer un enherbement naturel qui vient concurrencer les ceps trop vigoureux. Des levures naturelles sont employées avant la mise en œuvre des vins de base pour la seconde fermentation en bouteille. Ce brut bien dosé révèle un bouquet de raisin frais auquel s'ajoute une note citronnée que l'on retrouve en bouche, accompagnée d'une légère amertume. Ce vin, par sa facture classique, saura accompagner tout un repas.

🐦 Régis Fortineau, 4, rue de la Croix-Mariotte, 37210 Vouvray, tél. 02 47 52 63 62, regis.fortineau@orange.fr, ☑ 🏃 ⍟ t.l.j. 9h-18h

DOM. FRESLIER Brut ★

| | 30 000 | ▬⍟ | 5 à 8 € |

Christine Freslier est à la tête du domaine depuis 1971. Pour cette cuvée, la fermentation a eu lieu dans les fûts, et l'assemblage en cuve. Le contact ménagé avec l'air apporte aux vins une patine légère. Cette cuvée se présente dans une jolie robe à la mousse fine. Le bouquet distille des senteurs agréables de pomme, de miel et de brioche. Ce brut tendre et bien agréable prend un caractère un peu plus exotique en bouche où des arômes de mangue et d'ananas apparaissent. À déguster à l'apéritif ou au cours d'un repas, pourquoi pas avec un tajine de poulet aux citrons confits ?

🐦 Christine Freslier, 92, rue de la Vallée-Coquette, 37210 Vouvray, tél. 02 47 52 76 61, fax 02 47 52 78 65 ☑ 🏃 ⍟ t.l.j. sf dim. 8h30-12h30 13h30-20h 🏠 🅑

CH. GAUDRELLE Brut 2010

| | 26 000 | ▬ | 8 à 11 € |

Cette charmante propriété tourangelle, bâtie au XVIIᵉs. par un riche soyeux de Tours, appartient à la famille Monmousseau depuis 1931. Ce 2010 a fermenté durant six mois à basse température avant de poursuivre son élevage sur lies fines. Il en résulte un vin net, précis, vif et tonique, tout indiqué pour l'apéritif. Le **sec 2011** (11 à 15 € ; 6 000 b.), au nez de coing et à la bouche ample, encore un peu marquée par le bois, est également cité.

🐦 Ch. Gaudrelle, Clos de l'Olivier, 12, quai de la Loire, 37210 Rochecorbon, tél. 02 47 25 93 50, fax 02 47 52 67 98, chateaugaudrelle@free.fr, ☑ 🏃 ⍟ t.l.j. sf dim. 10h-13h 14h30-18h30

🐦 Alexandre Monmousseau

DOM. SYLVAIN GAUDRON Symphonie du nouveau monde 2008 ★

| | 8 500 | ▬ | 5 à 8 € |

Le passage à l'an 2000 a été ressenti par Gilles Gaudron, fils de Sylvain, comme le commencement d'un monde nouveau, d'où le nom de cette cuvée. Après une vinification méticuleuse du vin de base, les bouteilles sur lattes ont vieilli pendant quatre ans à l'ombre de caves fraîches (creusées au XIIIᵉs.). Cela a conféré au vin une patine certaine, uniformément saluée par les dégustateurs, l'un deux se voyant déboucher ce 2008 près de la cheminée, au pied du sapin. C'est un beau compliment pour cet effervescent à la robe dorée ourlée d'une fine mousse, bien dosé et équilibré.

🐦 EARL Dom. Sylvain Gaudron, 59, rue Neuve, 37210 Vernou-sur-Brenne, tél. 02 47 52 12 27, fax 02 47 52 05 05, sylvain.gaudron@wanadoo.fr, ☑ 🏃 ⍟ r.-v.

BENOÎT GAUTIER Moelleux Cuvée Saint-Martin 2011 ★★

| | 4 500 | ⍟ | 11 à 15 € |

Benoît Gautier, neuvième du nom à la tête du domaine, a pu retrouver des ancêtres vignerons au XVIIᵉs. La cuvée qu'il présente porte le nom du grand saint local, qui fut évêque de Tours. La fête de la Saint-Martin, le 11 novembre, correspond à cette période propice à la vendange des grains surmûris réputés produire de fameux moelleux. D'un jaune intense, celui-ci s'ouvre sur une olfaction franche évoquant le fruit, le miel et les fleurs blanches. La bouche, aux arômes de fruits mûrs, d'acacia, de miel et de vanille, a enthousiasmé les dégustateurs par son intensité, sa fraîcheur et son équilibre. (Bouteilles de 50 cl.) Sur la douceur, contrebalancé par une fraîcheur de bon aloi, le **brut Bubble's kiss (5 à 8 € ; 8 000 b.)** est cité.

🐦 Benoît Gautier, Dom. de la Châtaigneraie, 37210 Rochecorbon, tél. 02 47 52 84 63, fax 02 47 52 84 65, info@vouvraygautier.com, ☑ 🏃 ⍟ t.l.j. sf dim. 8h-12h 13h30-18h

🖤 DOM. GENDRON Cuvée Extra-brut Réserve 2009 ★★

| | 15 750 | | 8 à 11 € |

Philippe Gendron est une fine guêpe : fort d'une expérience personnelle et familiale ancienne (la première parcelle de vigne a été plantée par son arrière-grand-père en 1912), il a entrevu à l'automne 2009 la possibilité d'élaborer une belle cuvée avec les magnifiques raisins de cette année d'anthologie. Cela montre que si ces millésimes d'exception sont propices aux vins tranquilles, les effervescents (« vins de moustille », comme on se plaît à les appeler ici) ne sont pas en reste. Le parfait équilibre des moûts a permis de produire ce vouvray sans aucun dosage, d'où son qualificatif d'extra-brut. Des bulles fines et persistantes agrémentent joliment une robe pâle légèrement dorée. Le nez, très intense, libère des notes de fruits blancs. En bouche, c'est un vin plein d'harmonie et de caractère qui se révèle et qui déroule progressivement toutes ses qualités : rondeur, fraîcheur, équilibre et longueur.

🕯 Dom. Philippe Gendron, 10, rue de la Fuye, 37210 Vouvray, tél. 02 47 52 63 98, gendronvinsvouvray@orange.fr, ☑ ⚔ ⊤ t.l.j. 9h-12h 14h-19h; f. 8-24 août

LA GRAND TAILLE Sec 2011

	4 600	📶	5 à 8 €

Pour peu que passion et travail soient au rendez-vous, on peut se lancer dans le métier sans être originaire du milieu viticole. Jean-François Boitelle et Sébastien Bonzon, qui ont repris en 2001 le domaine de leurs patrons, en sont la preuve. Ce 2011 compose une belle image de l'appellation avec ses notes de coing et d'agrumes, et son palais tendu, long et vif. À servir avec des fruits de mer et des poissons grillés.

🕯 GAEC de la Grand Taille, Pouvray, 37210 Vernou-sur-Brenne, tél. 02 47 52 06 98, fax 02 47 52 06 43, lagrandtaille@orange.fr, ☑ ⊤ r.-v.

CHAI DU GRAND VAUDASNIÈRE Brut 2010 ★

	60 000	📶	- de 5 €

Jean-Pierre Pérault, installé depuis 1985, travaille avec confort dans son chai moderne semi-enterré. Les vignes sont situées sur des coteaux argilo-calcaires, des sols qui ont la réputation de donner de la plénitude et de l'harmonie aux vins qui en sont issus. Cette cuvée à la fine moustille présente des parfums assez discrets évoquant la mangue fraîche. La bouche ronde, équilibrée et aromatique, est dans la continuité du nez et témoigne d'une belle maturité de vendange. À déguster aussi bien à l'apéritif qu'avec une tarte aux fruits.

🕯 EARL Pérault, Le Grand Vaudasnière, 37210 Rochecorbon, tél. 02 47 29 16 39, fax 02 47 29 02 49, earl.perault@wanadoo.fr, ☑ ⚔ ⊤ r.-v.

DOM. GUERTIN Brut ★

	21 000	📶	5 à 8 €

Depuis 1978, Thierry Guertin cultive la vigne avec comme objectif d'obtenir la juste maîtrise des rendements pour produire des vins de caractère. Cette cuvée en est une belle illustration. L'effervescence est délicate, et l'œil d'un or chatoyant. Les arômes surprennent pour un vin effervescent ; ils se rapprochent de ceux des vins tranquilles, évoquant tour à tour le raisin sec, les fruits mûrs, le coing, la pomme et la poire. Une note de miel fait son apparition dans une bouche ample, ronde, puissante et longue. Ce vin pourra être dégusté au cours du repas et supportera sans peine quelques années de vieillissement. Le **doux 2011** (**11 à 15 € ; 10 000 b.**), très riche et gras, est cité.

🕯 Gérard Guertin, 3, RN 152, 37210 Vouvray, tél. 02 47 52 77 77, fax 02 47 52 65 13, cellierverrine@aol.com, ☑ ⚔ ⊤ t.l.j. 10h-19h

HALLAY ET FILS Brut 2010 ★★

	15 600	📶	5 à 8 €

Chez les Hallay, la culture de la vigne est une affaire de famille. Éric, présent depuis 1982 (rejoint par son fils Christophe en 1992), a pris les rênes du domaine en 1998 lors du départ à la retraite de ses parents. Il a mis tout son savoir-faire au service de cette cuvée à la robe séduisante avec ses reflets variés et à la moustille fine et régulière. Le nez évoque les fruits mûrs avec finesse. Élégant, gourmand, soyeux sont les qualificatifs qui conviennent aux impressions perçues en bouche. Un vin d'une grande délicatesse qui saura ravir un large public au moment de l'apéritif.

🕯 GAEC Hallay et Fils, 58, rte de Château-Renault, 37210 Vernou-sur-Brenne, tél. 02 47 52 03 75, fax 02 47 52 12 66, gaec.hallay@orange.fr, ☑ ⚔ ⊤ r.-v.

DOM. DES HAUTES PICHAUDIÈRES Demi-sec Argilex 2011

	2 000	⊞	5 à 8 €

Première apparition dans le Guide pour Jacquelin Rouvre, à la tête de ce petit domaine familial de 3 ha depuis 2010. Situées sur la commune de Vernou-sur-Brenne, les vignes prospèrent sur des sols argilo-calcaires riches en silex. Dans une robe jaune clair avec des reflets d'or et d'argent, le vin reste assez discret au nez, libérant quelques notes de citron et d'aubépine. L'attaque en bouche est vive, mais rondeur et longueur sont au rendez-vous. Ce vin harmonieux accompagnera joliment un poisson au beurre blanc.

NOUVEAU PRODUCTEUR

🕯 Jacquelin Rouvre, 6, pl. du Centenaire, 37210 Vernou-sur-Brenne, tél. et fax 02 47 52 03 86, rouvreclaudie@orange.fr, ☑ ⊤ r.-v.

LAURENT KRAFT Sec 2011 ★

	20 000	📶	5 à 8 €

C'est en 1992 que Laurent Kraft a repris les vignes de son grand-père alors qu'il finissait ses études à Bordeaux, perpétuant ainsi le travail de sept générations de vignerons. Souhaitant conduire les fermentations avec les levures du cru, il protège ses vignes depuis plus de vingt ans par la lutte raisonnée. Ce qui fait l'originalité de ses vins, c'est sans doute la pratique de l'égrappage des raisins avant pressurage. Ce 2011 apparaît jaune pâle avec des reflets verts. Le nez est remarquable par sa finesse, évoquant tour à tour les fleurs d'acacia et d'aubépine, le coing et le citron. Il n'en demeure pas moins un vrai sec, acidulé, plein de fraîcheur. Un très joli vin, à marier avec des saint-jacques poêlées. Le liquoreux **Privilège 2011** (**30 à 50 €**), aux arômes de coing, gras et équilibré par une juste vivacité, est cité.

🕯 Laurent Kraft, 29, rue du Petit-Coteau, 37210 Vouvray, tél. et fax 02 47 52 61 82, lkraft@wanadoo.fr, ☑ ⚔ ⊤ t.l.j. sf dim. 8h30-12h 14h-19h

DOM. LE CAPITAINE Doux Réserve 2011 ★★

	3 000	📶⊞	11 à 15 €

À la tête de cette propriété depuis 1989, les deux frères Alain et Christophe Le Capitaine signent un vin doux de très belle facture, né sur les premières côtes de Rochecorbon à la hauteur de Saint-Georges. Le nez d'un jaune brillant évoque un nectar encore plein de jeunesse où fleurissent les odeurs légères du printemps. La bouche équilibrée et d'une grande tenue évoque les fruits bien mûrs comme l'abricot, accompagnés de douces saveurs de miel et de fleur d'acacia. Quelques années de cave pourront donner une belle patine à ce 2011, mais il faudra faire preuve de volonté pour résister à l'envie de le goûter...

☛ Dom. Le Capitaine, 7, rue Saint-Georges, 37210 Rochecorbon, tél. 02 47 52 51 84, fax 02 47 52 85 23, contact@domainelecapitaine.com,
☑ 🖈 🍷 t.l.j. sf dim. 8h-12h 14h-19h

MAILLET Cuvée Prestige

	5 000	◼	5 à 8 €

En remontant la vallée Coquette, où Balzac situe les mésaventures de *L'Illustre Gaudissart*, on trouve les caves de la famille Maillet. Cette cuvée Prestige ne manque pas de charme. L'œil remarque immédiatement une généreuse effervescence animant sa robe d'un jaune légèrement doré. Jeune et fringant par ses arômes, ce brut exulte en mousse abondante et conserve rondeur et vinosité.

☛ EARL Laurent et Fabrice Maillet, 101, rue de la Vallée-Coquette, 37210 Vouvray, tél. 02 47 52 76 46, fax 02 47 52 63 06, vouvray.maillet@orange.fr, ☑ 🖈 🍷 r.-v.

DOM. DU MARGALLEAU Brut

	70 000		5 à 8 €

Jean-Michel Pieaux et son frère Bruno se sont associés en 1995. Régulièrement présents dans le Guide, ils présentent ici une cuvée parée d'une robe légère qui dévoile un nez fin et discret d'agrumes. Un élevage sur lies totales jusqu'au printemps a conféré à ce vin du corps et de la longueur en bouche. Pour l'apéritif ou la table.

☛ EARL Bruno et Jean-Michel Pieaux, 10 bis, rue du Clos-Baglin, 37210 Chançay, tél. 02 47 52 25 51, fax 02 47 52 27 59, earl.pieaux@orange.fr,
☑ 🖈 🍷 t.l.j. sf dim. 8h-12h 14h-18h30

MAISON MIRAULT Demi-sec ★

	31 000		5 à 8 €

Entreprise familiale créée en 1959, la maison Mirault s'est spécialisée dans l'élaboration de vins effervescents. Elle présente un demi-sec à la bulle fine et à la couleur intense, dont la rondeur et les arômes fruités de coing sauront parfaitement répondre aux saveurs sucrées d'un dessert. On retrouve aussi dans ce vin une harmonie due à cette légère vivacité que savent préserver les vouvray.

☛ Maison Mirault, 15, av. Brûlé, 37210 Vouvray, tél. 02 47 52 71 62, fax 02 47 52 60 90, maisonmirault@wanadoo.fr,
☑ 🖈 🍷 t.l.j. 8h-12h 14h-18h; dim. sur r.-v.

CH. MONCONTOUR Cuvée Prédilection 2011 ★★

	24 100	◼◖	5 à 8 €

Ce célèbre domaine se distingue autant par la qualité de ses vins que par son histoire. Il fut construit au XVes. pendant le règne de Charles VII qui l'offrit à Agnès Sorel. Plus tard, c'est là que Balzac rêva d'abriter ses amours avec sa belle Polonaise, Madame Hanska. Le nom de la cuvée est d'ailleurs un hommage à l'auteur de *La Comédie humaine*, qui déclara : « Moncontour est ma prédilection. » Gilles Feray propose un 2011 jaune doré au nez

complexe, qui dévoile à l'agitation des parfums fruités agrémentés de fines nuances briochées, prolongées par une bouche élégante, subtile, complexe et bien construite. Un vouvray de haute expression, à déguster aussi bien à l'apéritif qu'au cours d'un repas raffiné.

☛ SA Vignoble Ch. Moncontour, Les Patys, rue du Petit-Coteau, 37210 Vouvray, tél. 02 47 52 60 77, fax 02 47 52 65 50, infos@moncontour.com,
☑ 🍷 t.l.j. 10h-12h 15h-18h
☛ Gilles Feray

DOM. D'ORFEUILLES Demi-sec Les Coudraies 2011 ★★

	10 870	◼◖	8 à 11 €

Bernard Hérivault et son fils Arnaud, respectueux du terroir riche en silex auquel est rattaché leur vignoble, ont décidé d'entamer une conversion vers la culture biologique. Les Coudraies constituent une parcelle en pente orientée sud-sud-est exploitée séparément. Cueillis à maturité, les raisins sont vinifiés avec soin : fermentation thermorégulée et élevage en fût sur lies fines. Le résultat est à la hauteur de ces attentions : nez élégant de fruits frais, bouche à la fois douce et fraîche, agrémentée d'arômes de pêche blanche et de citron vert. Viandes blanches et cuisine exotique accompagneront avec bonheur ce grand vin. Le **sec Silex d'Orfeuilles 2011 (11 à 15 € ; 8 000 b.)** reçoit quant à lui une étoile pour son nez d'agrumes et son palais rond, équilibré, légèrement boisé. Un dégustateur conseille de le servir sur une andouillette.

☛ EARL Bernard Hérivault, Dom. d'Orfeuilles, La Croix-Blanche, 37380 Reugny, tél. 02 47 52 91 85, fax 02 47 52 25 01, earl.herivault@france-vin.com,
☑ 🖈 🍷 r.-v.

MAISON PELTIER Brut 2010 ★

	15 000	◼	5 à 8 €

La maison Peltier a été créée vers 1900 sur le site d'une ancienne carrière. La construction de la maison, des dépendances, le creusement des caves et la création d'un chai ont jalonné le siècle dernier au cours duquel chaque génération a apporté sa pierre à l'édifice. Aujourd'hui, trois frères dirigent l'exploitation. Ils proposent ici une cuvée élevée sur lies, habillée d'or, qui s'ouvre sur un nez de fruits mûrs. Complexe et ronde, la bouche dénote une certaine évolution et se prolonge en finale sur une légère amertume qui lui donne du caractère.

☛ EARL Peltier Frères, 43, rue de la Mairie, 37210 Chançay, tél. et fax 02 47 52 93 34, maisonpeltier@orange.fr,
☑ 🖈 🍷 t.l.j. sf dim. 8h30-12h30 14h-19h

Ⓑ DOM. DU PETIT COTEAU Doux 2011 ★★

	◼	2 936	20 à 30 €

Ce domaine certifié en agriculture biologique appartient à Gilles Feray, bien connu à Vouvray, également propriétaire du château de Moncontour. C'est Jérôme Loisy, maître de chai et œnologue, qui a veillé sur la lente élaboration de ce liquoreux remarquable. Les vendanges par tries ont produit un moût très concentré : après fermentation, il reste dans le vin 173 g de sucres par litre. La robe est d'un jaune soutenu, entre paille et doré. Au nez, la surmaturation se manifeste sans équivoque à travers les notes de miel, de raisin cuit et d'épices accompagnées d'une nuance plus légère d'acacia. La bouche, ample et gourmande, est à l'unisson, les arômes se développant autour de la pomme bien mûre et du miel. « Un vin d'éternité », conclut un dégustateur. (Bouteilles de 50 cl.)

📞 SARL Dom. du Petit Coteau, 71, rue du Petit-Coteau, 37210 Vouvray, tél. 02 47 52 60 77, fax 02 47 52 65 50, info@moncontour.com, ☑ ⵏ t.l.j. 10h-12h 15h-18h

📞 Gilles Feray

DOM. DU PETIT NOYER Brut 2010 ★

○	8 000	🔳 5 à 8 €

Michel Grenier, ancien vacher, cultive depuis 1983 une petite exploitation de 4 ha. Il a pour ambition de produire ici une cuvée exhaltant toutes les qualités du chenin, comme l'indique l'étiquette, d'où le choix d'une fermentation naturelle ; le résultat est probant. Le nez est typique du cépage, à la fois floral et fruité. Léger, agréable et élégant, le palais se distingue par une bulle discrète qu'accompagnent des notes de pêche blanche. On pourra déguster ce vin aussi bien à l'apéritif que pendant le repas. Le confidentiel **demi-sec 2011 (700 b.)** est cité pour ses arômes fruités, sa fraîcheur et son harmonie.

📞 Michel Grenier, 37, rue des Violettes, 37210 Chançay, tél. 02 47 52 20 52, michgren@hotmail.fr, ☑ ⚸ ⵏ r.-v.

DOM. PICHOT Moelleux Le Marigny 2011 ★

▧	2 000	🔳🕕 20 à 30 €

Ce domaine familial regroupe les acquisitions de la famille Pichot : 24 ha de vignes, dont 8 ha du Marigny à l'origine de cette cuvée. Celle-ci se présente dans une brillante robe d'or. Le nez, riche, évoque les fruits confits, le miel et le caramel. En bouche, c'est le coing qui domine, accompagné de notes confites très appréciées, tandis que la finale est stimulée par une fine nuance acidulée. La surmaturation et le long élevage, en cuve puis en fût, ont imprimé leur marque dans ce vin intense et aromatique, qui trouvera sa place aussi bien à l'apéritif qu'à la fin du repas, sur des fromages ou au dessert.

📞 Dom. Pichot, 70, rue de la Vallée-de-Nouy, 37210 Vouvray, tél. 02 47 52 62 55, fax 02 47 52 66 59, contact@domaine-pichot.fr,
☑ ⚸ ⵏ t.l.j. 8h-12h 14h-18h; dim. sur r.-v.

EXTRA-BRUT DE LA PINSONNIÈRE 2008 ★

○	2 500	🔳 5 à 8 €

À la tête de ce domaine familial qui comptera bientôt une sixième génération de viticulteurs, Philippe et Vincent Gasnier conduisent un vignoble de 20 ha. Cette cuvée sans fard témoigne des soins attentifs à la vigne, qui a subi un égourmandage et un effeuillage. La récolte de raisins bien mûrs a permis de préserver l'équilibre des saveurs et la pureté aromatique du vin. Il en résulte un 2008 de belle facture, au nez délicat de fruits blancs et de pomme verte. La bouche se révèle fruitée, tout en finesse et en fraîcheur. Parfait pour l'apéritif.

📞 GAEC de la Pinsonnière, 13, rue de la Pinsonnière, 37210 Parçay-Meslay, tél. et fax 02 47 29 14 43, lapinsonniere@aliceadsl.fr, ☑ ⚸ ⵏ r.-v.

📞 Philippe et Vincent Gasnier

♥ DOM. DE LA POULTIÈRE Brut ★★

○	60 000	🔳 5 à 8 €

Pour la qualité de ses vins, Vernou-sur-Brenne a acquis une solide réputation auprès des amateurs éclairés. Cette cuvée présentée par Damien Pinon, qui conduit ce

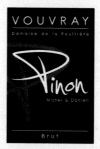

domaine de 25 ha depuis 2006, ne peut que renforcer cette conviction. Le secret de cette réussite tient sans doute à l'attitude très pragmatique de ce vigneron proche de son terroir. Le travail du sol invite les ceps à exploiter les profondeurs de la terre tout en permettant à celle-ci de respirer ; la protection contre les maladies se fait en respectant au mieux l'environnement, ce qui autorise une fermentation avec les levures du cru. Un séjour de deux ans sur lattes a donné ici une cuvée de grande maturité, à la fois vineuse et élégante, qui délivre au nez comme en bouche des notes intenses et généreuses de fruits mûrs et confits. Une pointe d'oxydation semble même ravir le jury pour la complexité et l'originalité qu'elle apporte. Une bouteille qui pourra accompagner tout un repas. Le **moelleux Les Perruches 2011 (8 à 11 € ; 3 600 b.)** est cité pour son nez puissant et fruité, et pour son palais complexe aux arômes de miel, stimulé par une fine acidité.

📞 GAEC Michel et Damien Pinon, 29, rte de Château-Renault, 37210 Vernou-sur-Brenne, tél. 02 47 52 15 16, fax 02 47 52 07 07, gaec.pinon@wanadoo.fr,
☑ ⚸ ⵏ t.l.j. 9h-12h 14h-19h; dim. sur r.-v.

CAVE DES PRODUCTEURS DE VOUVRAY Doux 2011 ★

▧	5 000	🔳 11 à 15 €

Cette coopérative ne cesse de se moderniser et de faire évoluer sa production vers des cuvées de caractère. Témoin ce 2011 qui a d'emblée enchanté le jury par sa robe jaune pâle et brillante. Le bouquet, encore un peu fermé, s'ouvre à l'agitation sur un caractère floral. Une attaque franche précède un palais frais et équilibré. Une bouteille que l'on verrait bien dès aujourd'hui avec un mets exotique sucré-salé aux parfums d'épices. On pourra aussi la remiser plusieurs années en cave pour de meilleures sensations.

📞 Cave des Producteurs de Vouvray, 38, la Vallée-Coquette, 37210 Vouvray, tél. 02 47 52 75 03, fax 02 47 52 66 41 ☑ ⚸ ⵏ t.l.j. 9h-12h 14h-19h

DOM. DES RAISINS DORÉS Moelleux Cuvée François 2011

▧	2 100	🔳🕕 5 à 8 €

Les vignes de la propriété s'étagent entre Vernou et Noizay, sur la première côte qui regarde la Loire, dont Nathalie Berton a tiré une cuvée en hommage à son père. D'un jaune clair et brillant, le vin encore un peu fermé à l'olfaction laisse poindre de légères notes fruitées. Le miel fait son apparition en touches discrètes dans une bouche où règne un équilibre très appréciable entre sucre et acidité. Quelques années en cave devraient permettre à ce 2011 de révéler tout son potentiel.

LOIRE

☛ Nathalie Berton, 40, rue du Professeur-Debré, 37210 Vernou-sur-Brenne, tél. 06 30 56 02 90, nathalie_berton@orange.fr, ☑ ✵ ⊤ r.-v.

VIGNOBLE ALAIN ROBERT ET FILS
Les Jours heureux 2011 ★★

▪	4 000	▪	5 à 8 €

Depuis 1973, année de la création du domaine par la famille Robert, le vignoble s'est bien agrandi, passant de 2 à 28 ha. Une parcelle de 57 ares a donné naissance à ce 2011 en tout point remarquable. Des notes élégantes de fruits mûrs évoquant la poire, le coing, l'ananas et les agrumes apparaissent dans un bouquet intense. Le chèvrefeuille s'ajoute à ce joli tableau olfactif. La bouche réjouit par son acidité et sa fraîcheur, qui s'harmonise parfaitement avec les notes fruitées. Un dégustateur conseille d'ouvrir cette bouteille sur un foie gras poêlé ; l'accord est tentant.... Le **brut (60 000 b.)**, fruité au nez et frais au palais, est cité.

☛ Alain et Cyril Robert, Charmigny, 37210 Chançay, tél. 02 47 52 97 95, fax 02 47 52 27 24, vignoblerobert@orange.fr, ☑ ✵ ⊤ r.-v.

DOM. DE ROCHE BLONDE Moelleux Cuvée Élisée 2011 ★

▪	2 000	▪	8 à 11 €

Pour les dix ans de sa fille, Christophe Gaudron a choisi de donner son prénom à ce moelleux. Il faut dire que l'année de naissance d'Élisée ne s'y prêtait guère... Ce 2011 se pare d'une élégante robe jaune doré et dévoile d'intenses parfums de fruits, également présents en bouche (abricot, poire) accompagnés de fleur d'acacia et de miel. Ce vouvray dense et complexe laisse penser qu'une bonne évolution peut être attendue.

☛ Christophe Gaudron, Dom. de Roche Blonde, 90, rue Neuve, 37210 Vernou-sur-Brenne, tél. 02 47 52 12 17, christophegaudron@wanadoo.fr, ☑ ✵ ⊤ t.l.j. sf dim. 9h-12h30 14h-19h

DOM. DE LA ROULETIÈRE Sec 2011 ★

▪	10 000	▪ ⬤	5 à 8 €

On dit parfois d'un vin qu'il a du « gilet », vieille expression pour désigner son élégance et sa noblesse. Jean-Marc Gilet, propriétaire de ce domaine de 17 ha depuis 2001, semble prédestiné... et son 2011, d'un beau jaune brillant, offre en effet une expression distinguée du vouvray. Le bouquet s'ouvre sur des senteurs de cire d'abeille et de fruits bien mûrs vivifiées par de fines nuances minérales. Le palais, souple, évolue en douceur, libérant des arômes de fruits mûrs et des notes boisées, et s'équilibre grâce à une juste fraîcheur. Un joli vin de repas, de type « sec tendre » que l'on imaginerait bien avec des poissons, des saint-jacques ou encore des viandes blanches.

☛ Dom. de la Rouletière, 20, rue de la Mairie, 37210 Parçay-Meslay, tél. 02 47 29 14 88, fax 02 47 29 08 50, jmgilet@domainedelarouletiere.com, ☑ ✵ ⊤ t.l.j. sf dim. 9h-12h 14h-19h
☛ Jean-Marc Gilet

CHRISTOPHE THORIGNY Sec 2011 ★

▪	10 000	▪	5 à 8 €

Christophe Thorigny s'est installé en 1989 sur le domaine familial de 10,45 ha qu'il a repris en 1997. Il a

aménagé sa cave de façon à pratiquer des vinifications parcellaires. Les dégustateurs ont salué ce vouvray très réussi pour son harmonie et pour son équilibre. Ils ont apprécié les parfums de fruits mûrs du bouquet, centrés autour de la pêche blanche, de l'abricot et de la poire. En bouche, le vin se révèle aimable et frais sans manquer de gras ni de puissance. Il sera un parfait compagnon pour les poissons et les fromages de chèvre de la région.

☛ Christophe Thorigny, 30, rue des Auvannes, 37210 Parçay-Meslay, tél. 06 12 27 95 60, cthorigny@sfr.fr, ☑ ✵ ⊤ r.-v.

CAVES DU VAL DE FRANCE Brut Cuvée Pauline ★★

○	100 000	▪ ⬤	- de 5 €

Le château de Moncontour appartient aux Caves du Val de France, cette maison de négoce créée en l'an 2000 et propriété de Gilles Feray. Jérôme Loisy, l'œnologue du domaine, signe un vouvray jaune pâle agrémenté de reflets verts et d'une effervescence fine et élégante. Le bouquet mêle harmonieusement parfums briochés et floraux. En bouche, les bulles restent discrètes et laissent apprécier le remarquable équilibre et la fraîcheur de ce vin festif, joyeux, tout indiqué pour les apéritifs et les cocktails. Le **brut Les Quinze Arpents (150 000 b.)**, dans un style assez comparable, reçoit une étoile.

☛ Caves du Val de France, rue du Petit-Coteau, 37210 Vouvray, tél. 02 47 52 60 77, fax 02 47 52 65 50, infos@moncontour.com, ☑ ⊤ t.l.j. 10h-12h 15h-18h
☛ Gilles Feray

DOM. DE VAUGONDY Brut 2010 ★

○	45 000	▪ ⬤	5 à 8 €

Vif au nez avec des notes d'amande grillée : voici comment se présente le nouvel opus de ce domaine bien connu de la vallée de Vaugondy. Tous les soins apportés par Jérôme Loisy, l'œnologue responsable de la production, ont porté leurs fruits. Ils confèrent à cette cuvée une mousse bien présente et fine, qui enrobe les papilles, et une bouche de belle tenue, un peu imposante pour certains. On doit sans doute ce séjour de deux ans sur lattes à l'ombre des caves fraîches du domaine.

☛ SARL Perdriaux, 73, rue du Petit-Coteau, 37210 Vouvray, tél. 02 47 52 60 77, fax 02 47 52 65 50, infos@moncontour.com, ☑ ⊤ t.l.j. 10h-12h 15h-18h
☛ Gilles Feray

DOM. DU VIKING Moelleux Cuvée Aurélie 2011 ★★

▪	1 500	⬤	20 à 30 €

Lionel Gauthier, surnommé le Viking – ce qui renseigne sur sa stature – cultive depuis 1989 ses 17 ha de vignes. Vendangés en surmaturation au cours d'une première trie, les raisins de ce petit vallon situé sur la commune de Reugny ont été vinifiés de façon traditionnelle en tonnes de 600 l. Ce récipient vinaire est idéal pour conduire la fermentation dans des conditions optimales de température, d'oxygénation et d'échange entre les lies et le vin. Cela donne un vin encore un peu sur la réserve à l'olfaction, qui brille par ses reflets dorés mais aussi par son équilibre et sa richesse soulignée par des arômes de miel et d'abricot. On imagine bien ce vouvray de haute expression donner la réplique à un foie gras poêlé.

⚓ Lionel Gauthier, 1300, rte de Monnaie, 37380 Reugny, tél. 02 47 52 96 41, fax 02 47 52 24 84, domaine-du-viking@wanadoo.fr,
☑ ⚔ ⊤ t.l.j. sf dim. 8h30-12h30 14h-19h

DOM. DE VODANIS Brut ★★

| | 30 000 | ■ | 5 à 8 € |

Régulièrement présent dans le Guide, François Gilet est propriétaire depuis 2003 de ce domaine de 14 ha, dont le nom provient d'une parcelle autrefois nommée *Pagus Vaudanum* : la vallée des Roches. Née de chenin planté sur un sol argilo-calcaire, cette cuvée, vinifiée dans des caves de tuffeau, tient une part importante dans la production de la propriété (près de la moitié). Elle a connu une fermentation de trois mois à basse température avant le tirage, ce qui lui a procuré une finesse remarquable. Celle-ci se retrouve dans la mousse et dans le bouquet. La bouche franche, fraîche et équilibrée, dévoile de jolis arômes d'amande. On pourra ouvrir cette bouteille à l'apéritif, mais elle accompagnera aussi bien tout un repas. Le **demi-sec 2011 (8 à 11 € ; 2 000 b.)** est cité pour son palais net et fruité, qui réserve un juste équilibre entre sucres et acidité.

⚓ Dom. de Vodanis, 19, rue de la Mairie, 37210 Parçay-Meslay, tél. et fax 02 47 29 10 74, vodanis@hotmail.fr,
☑ ⚔ ⊤ t.l.j. 9h-12h 14h-19h; dim. sur r.-v.
⚓ François Gilet

Cheverny

Superficie : 579 ha
Production : 26 961 hl (49 % rouge et rosé)

VDQS en 1973, Cheverny a bénéficié d'une AOC vingt ans plus tard. À dominante sableuse (des sables sur argile de la Sologne aux terrasses de la Loire), le terroir s'étend le long de la rive gauche du fleuve, de la Sologne blésoise jusqu'aux portes de l'Orléanais. Les cépages, nombreux, sont assemblés dans des proportions variant légèrement selon les terroirs. Les vins rouges, à base de gamay et de pinot noir, avec parfois un appoint de cabernet franc et de cot, sont fruités dans leur jeunesse et acquièrent, en évoluant, des arômes animaux... en harmonie avec l'image cynégétique de cette région. Les rosés, dominés par le gamay, sont secs et parfumés. Les blancs, où le sauvignon est associé à un ou plusieurs autres cépages, le chardonnay en général, sont floraux et fins.

FRANÇOIS CAZIN 2011 ★★

| | n.c. | ■ | 5 à 8 € |

Cette cuvée remarquable est née à Cheverny, non loin du château et de sa forêt qui annonce la Sologne. Le gamay, présent à 60 % dans l'assemblage, apporte sa couleur rubis et ses notes de fruits rouges, et le pinot noir de fines touches épicées. La bouche ample et ronde s'impose par ses tanins soyeux et par une longue finale sur

la mûre et le poivre noir. Un très beau potentiel pour ce vin qui, à maturité – d'ici trois à cinq ans –, se révélera d'un grand raffinement. Le **cour-cheverny blanc 2011 (13 000 b.)** décroche une étoile. Il plaît pour ses notes miellées et toastées nuancées de senteurs de fleurs blanches. Le **cheverny Le Petit Chambord rouge 2011 (30 000 b.)** est quant à lui cité pour son fruité (cerise, cassis) et son caractère poivré.

⚓ François Cazin, Le Petit Chambord, 41700 Cheverny, tél. 02 54 79 93 75, fax 02 54 79 27 89, f.cazin@lepetitchambord.com, ☑ ⊤ r.-v.

DOM. CHESNEAU 2012

| ■ | 4 000 | ■ | 5 à 8 € |

Pas moins de trois vins distingués pour ce domaine maintes fois présent dans le Guide. Cet assemblage de pinot noir (60 %) et de gamay (30 %) complété d'une pointe de cabernet franc a donné naissance à un vin de couleur sombre, au bouquet de violette, de groseille et de cerise. Dans le même registre, la bouche a tout autant de caractère et augure un bon potentiel. Une bouteille à attendre un à deux ans. Les deux autres couleurs de l'appellation sont représentées : le **rosé 2012 (7 500 b.)**, cité pour sa fraîcheur acidulée et ses notes de bonbon anglais, et le **blanc 2012 (13 000 b.)** pour ses nuances de citron et de bourgeon de cassis.

⚓ EARL Chesneau et Fils, 26, rue Sainte-Néomoise, 41120 Sambin, tél. 02 54 20 20 15, fax 02 54 33 21 91, contact@chesneauetfils.fr, ☑ ⚔ ⊤ r.-v.

DOM. DU CROC DU MERLE 2012

| ■ | 9 000 | ■ | 5 à 8 € |

Cette exploitation des bords de Loire, à l'est de Blois, se partage entre l'élevage de vaches laitières et la culture de la vigne. Elle propose de merveilleux fromages à découvrir idéalement avec des vins du domaine, comme ce joli cheverny blanc qui livre un bouquet complexe de fruits blancs (pomme) agrémenté de touches minérales et d'une pointe amylique. L'attaque puissante dévoile un palais gras, dynamisé par un léger perlant qui apporte une plaisante fraîcheur. Le **rosé 2012 (3 400 b.)** est cité pour son caractère friand à dominante de fruits rouges et d'épices.

⚓ Dom. du Croc du Merle, 38, rue de la Chaumette, 41500 Muides-sur-Loire, tél. 02 54 87 58 65, fax 02 54 87 02 85, contact@domaineducrocdumerle.fr, ☑ ⚔ ⊤ t.l.j. 9h-12h30 14h-19h 🏠 ⓔ
⚓ Hahusseau

BENOÎT DARIDAN 2012 ★

| ■ | 13 000 | ■ | 5 à 8 € |

Situé aux portes de la Sologne, entre les châteaux de Cheverny et de Chambord, ce domaine familial de 15 ha s'invite à nouveau dans ce chapitre avec cette cuvée issue d'une majorité de sauvignon et d'une touche de chardonnay. Intense dans sa robe jaune d'or, ce 2012 révèle un nez frais d'agrumes. Le palais dévoile une belle richesse et beaucoup de rondeur que soulignent des saveurs beurrées et miellées. L'harmonie est au rendez-vous. Le **cour-cheverny Vieilles Vignes 2011 blanc (8 à 11 € ; 17 400 b.)**, encore jeune, séduit déjà par ses nuances florales et fruitées accompagnées par une pointe de minéralité. Il est cité.

☛ Benoît Daridan, 16, voie de la Marigonnerie,
41700 Cour-Cheverny, tél. 02 54 79 94 53,
benoit.daridan@wanadoo.fr,
☑ ⚔ ⟆ t.l.j. sf dim. 9h-12h30 14h-18h;
sam. 9h30-12h30 14h30-18h

DOM. DE LA GAUDRONNIÈRE Cuvée Tradition 2011 ★

| | 14 533 | | 5 à 8 € |

Christian Dorléans est à la tête de ce domaine depuis bientôt trente ans. Son expérience et la qualité de ses cuvées lui permettent d'être fidèle au rendez-vous du Guide. Cette année, c'est le Tradition rouge qui a été le plus remarqué. Traversé de reflets brique, il dévoile un bouquet fin de framboise, de verveine et de tilleul. La bouche, « typée pinot noir » (50 % de l'assemblage) avec ses notes de cerise agrémentées d'une touche de réglisse, plaît par sa légèreté et son équilibre entre rondeur et fraîcheur. À découvrir sans attendre sur une viande rouge grillée. Alerte et harmonieuse, la **cuvée Laetitia blanc 2012 (4 133 b.)**, aux arômes de citron confit et de pamplemousse, est citée. Même distinction pour le **cour-cheverny blanc Le Mûr Mûr 2011 (8 533 b ; 8 à 11 €)** vinifié en moelleux, bien balancé entre la douceur et la vivacité, floral et miellé.

☛ EARL Christian Dorléans, 34, rue de la Gaudronnière, 41120 Cellettes, tél. 02 54 70 40 41, fax 02 54 70 38 83, earldorleans@orange.fr, ☑ ⚔ ⟆ r.-v.

DOM. DE LA GRANGE 2011 ★

| | 12 000 | | 5 à 8 € |

Guy Genty vous accueillera dans l'ancienne grange dîmière restaurée du domaine. L'occasion de découvrir cet assemblage de pinot noir (50 %) et de gamay (45 %) complété d'une pointe de cot. Cela donne un vin rubis aux reflets tuilés, aux arômes de cerise mûre et de pruneau. On retrouve ces senteurs fruitées dans une bouche ample, ronde et gourmande. Une pointe de vivacité en finale apporte de la fraîcheur à ce 2011 que l'on découvrira sans attendre sur des paupiettes de veau.

☛ GAEC de la Grange, La Grange, 41350 Huisseau-sur-Cosson, tél. 02 54 20 31 17, domainedelagrange@orange.fr, ☑ ⚔ ⟆ r.-v.

DOM. HUGUET 2012

| | 8 000 | | 5 à 8 € |

Ce vignoble, situé sur des terrasses de sable et de graviers le long de la Loire, se signale régulièrement dans le Guide par ses cheverny. Paré d'une robe élégante, jaune brillant aux reflets dorés, celui-ci, à dominante de sauvignon s'ouvre sur les fruits exotiques avant des arômes mâtinés de nuances florales. Une même complexité caractérise la bouche, qui a pour autres atouts sa rondeur, son équilibre et sa persistance.

☛ Patrick Huguet, 12, rue de la Franchetière, 41350 Saint-Claude-de-Diray, tél. 02 54 20 57 36, vin.p.huguet@orange.fr, ☑ ⚔ ⟆ r.-v.

DOM. MAISON PÈRE ET FILS 2012

| | 43 600 | | 5 à 8 € |

Les premières vignes ont été plantées en 1906, et aujourd'hui, Jean-François Maison exploite 70 ha, soit le plus grand domaine indépendant de l'appellation. Dans cette édition, les trois couleurs ont été retenues. C'est ce 2012 rouge profond qui a eu la préférence. Nez discret de fruits et d'épices, bouche gourmande sur les mêmes

arômes soutenue par des tanins fins : l'ensemble déjà séduisant méritera de séjourner en cave deux ou trois ans pour s'exprimer pleinement. Cité également, le **blanc 2012 (102 133 b.)** se révèle frais et fruité, sur des notes de fruits exotiques légèrement miellés. Le **rosé 2012 (18 400 b.)**, assemblage de gamay et de pineau d'Aunis complété d'une touche de cabernet, est lui aussi jugé réussi pour son équilibre et ses notes séduisantes de rose.

☛ Dom. Maison Père et Fils, 22, rue de la Roche, 41120 Sambin, tél. 02 54 20 22 87, fax 02 54 20 22 91, contact@domainemaison.com,
☑ ⚔ ⟆ t.l.j. 8h-12h30 14h-17h30; sam. dim. sur r.-v.

DOM. LES MARTINES 2012 ★★

| | 7 400 | | - de 5 € |

Proposé par la société Lacheteau, ce 2012 a frôlé le coup de cœur. Il s'affiche dans une superbe robe jaune clair. Citron jaune, citron vert, fruits jaunes et notes minérales composent un bouquet complexe et intense. Rondeur, fraîcheur, l'équilibre est remarquable tout au long de la dégustation. Un vin que l'on imagine sur des fruits de mer, pourquoi pas des langoustines au basilic ?

☛ Lacheteau, ch. du Cléray, 44194 Vallet, tél. 02 40 36 66 00, fax 02 40 36 34 62

JUSTIN MONMOUSSEAU 2012

| | 5 733 | | 5 à 8 € |

Fondée en 1886, cette filiale de la société Ackerman, établie dans le Saumurois, est bien connue pour ses saumur, ses vouvray et ses crémant-de-loire, qui reposent dans d'immenses caves situées à Montrichard. Elle propose ici une cuvée pimpante dans sa robe jaune clair ornée de reflets or. Le nez s'exprime en finesse sur les fruits blancs, auxquels fait écho une bouche longue et équilibrée. Pour un poisson ou une viande blanche.

☛ SA Monmousseau, 71, rte de Vierzon, BP 30025, 41400 Montrichard, tél. 02 54 71 66 66, fax 02 54 32 56 09, monmousseau@monmousseau.com, ☑ ⚔ ⟆ r.-v.
☛ Ackerman

VIGNERONS DE MONT-PRÈS-CHAMBORD 2012 ★

| | 213 084 | | - de 5 € |

Fondée en 1931, cette cave coopérative rassemble vingt-deux adhérents sur près de 145 ha de vignes. La visite des caves, idéalement situées entre Blois, Chambord et Cheverny, sera l'occasion de découvrir cette cuvée au nez très ouvert d'agrumes et de fleurs blanches. La bouche, tout aussi aromatique, s'enrichit de saveurs plus fruitées (fruits blancs) portées par une matière fine et équilibrée. Le **rosé 2012 (72 300 b.)** reçoit également une étoile pour ses notes gourmandes de bonbon anglais. Le **rouge 2011 (183 000 b.)**, cité, se révèle complexe avec ses arômes de fruits noirs et d'épices mêlés à des nuances de cuir et de cacao.

☛ SCA Vignerons de Mont-près-Chambord, 816, la Petite-Rue, 41250 Mont-près-Chambord, tél. 02 54 70 71 15, fax 02 54 70 70 65, cavemont@orange.fr, ☑ ⟆ t.l.j. sf dim. 9h-12h 14h-18h; lun. 14h-18h

JACKY ET LAURENT PASQUIER 2012 ★

| | 15 000 | | 5 à 8 € |

Un poisson de Loire sera le compagnon idéal de cette cuvée jaune pâle et brillante. Du verre s'élèvent des notes charmeuses et toniques d'agrumes et de buis, soulignées d'un délicat vanillé. Frais, long et équilibré en bouche, ce vin très réussi est prêt à boire. Même distinction pour le **rosé 2012 (5 000 b.)**, gourmand au nez comme en bouche, porté par des arômes de fraise et de bonbon.

☛ GAEC Jacky et Laurent Pasquier, La Charmoise, 41700 Cour-Cheverny, tél. 06 87 11 15 19, laurenpasquier@orange.fr, ☑ ⚥ ⵟ r.-v.

DOM. DE LA PLANTE D'OR 2011

| | n.c. | ■ | 8 à 11 € |

La devise de Philippe Loquineau : « Le plus d'observations possible pour le moins d'interventions possible. » Un esprit « nature » qui sied bien à cette cuvée jaune d'or issue de sauvignon (80 %) et de chardonnay. L'ananas domine le nez, très expressif. La bouche se révèle harmonieuse, élégante, soulignée par une jolie finale fumée. À déguster sur une tarte Tatin.

☛ Philippe Loquineau, 5, voie de la Démalerie, 41700 Cheverny, tél. 02 54 44 23 09, fax 02 54 44 22 16, domainedelaplantedor@orange.fr, ☑ ⚥ ⵟ t.l.j. 9h30-12h 14h30-19h; f. jan. 🏫 ❷ 🏠 Ⓓ

DOM. LE PORTAIL 2012 ★★

| | 30 000 | ■ | 5 à 8 € |

Ce domaine, bâti à l'emplacement d'un ancien monastère, est situé à 600 m du château de Cheverny. Une halte est recommandée pour découvrir ce 2012 jaune d'or aux reflets gris. Le nez, complexe, mêle les fruits exotiques, la mangue notamment, aux fleurs blanches et au bourgeon de cassis. La bouche, tout aussi expressive, offre un équilibre remarquable entre douceur, souplesse et vivacité. Un cheverny de haute expression, à déguster sur une terrine de saumon sauce à l'aneth.

☛ Michel, Damien et Nicole Cadoux, Le Portail, 41700 Cheverny, tél. 02 54 79 91 25, fax 02 54 79 28 03, leportailcadoux@wanadoo.fr, ☑ ⚥ ⵟ r.-v.

DOM. DU SALVARD Le Vieux Clos 2012 ★★

| | 35 000 | ■ | 5 à 8 € |

Cette grande propriété de 45 ha, construite sur les ruines d'un ancien château de la seigneurie de Fougères remonterait à l'an 1000. Achetée en 1910 par Maurice Delaille, elle est aujourd'hui conduite par les frères Thierry et Emmanuel Delaille. Leur Vieux Clos 2012 se présente sous un beau jour dans sa robe or gris. Le nez, dominé par de puissantes notes de citron vert et de fleur d'acacia, n'est pas en reste. En bouche, une légère acidité apporte de la fraîcheur, de l'élégance et de la longueur. Parfait sur des fruits de mer ou sur un poisson grillé. La cuvée **Vieilles Vignes 2012 blanc (30 000 b.)** reçoit une étoile. Les dégustateurs ont aimé son bouquet riche et complexe de fruits exotiques (ananas) nuancé de notes miellées et mentholées, ainsi que sa bouche souple et longue. Quant à la cuvée principale, le **blanc 2012 (100 000 b.)**, elle est citée pour la fraîcheur de son bouquet, sur les fleurs blanches et les agrumes. Issu de la petite structure de négoce créée en 2008, le **Spirit of French Brothers 2012 blanc (20 000 b.)** obtient une étoile : un vin épatant, vif et bien typé sauvignon (bourgeon de cassis, fruits exotiques).

☛ Dom. du Salvard, 41120 Fougères-sur-Bièvre, tél. 02 54 20 28 21, fax 02 54 20 22 54, delaille@orange.fr, ☑ ⚥ ⵟ r.-v.

☛ Delaille

♥ DOM. SAUGER Vieilles Vignes 2012 ★★★

| | 6 500 | ■ | 5 à 8 € |

Une valeur sûre de l'appellation. Plantées sur des sols sablo-argileux, les vignes de Philippe Sauger tiennent le cap et donnent cette année une exceptionnelle cuvée aux reflets dorés. Au nez, c'est une explosion de fruits exotiques. En bouche, le fruité du sauvignon et le gras du chardonnay s'unissent à merveille, et la finale, d'une longueur remarquable, est émoustillée par une fine touche minérale. Un vin d'un rare équilibre, que l'on découvrira sans attendre à l'apéritif ou, en entrée, sur des escargots ou des coquilles Saint-Jacques. La cuvée **Tradition 2012 blanc (57 000 b.)** n'est pas en reste ; elle se voit décerner deux étoiles pour sa puissance et son élégant bouquet floral (fleur d'aubépine). Si vous préférez le rouge, le **Tradition 2012 (25 000 b.)** est à disposition. Il obtient une étoile pour sa souplesse, son fruité soutenu (cerise, cassis) et sa fraîcheur.

☛ Dom. Sauger , 4, rue des Touches, 41700 Fresnes, tél. 02 54 79 58 45, fax 02 54 79 03 35, domaine.sauger@orange.fr, ☑ ⚥ ⵟ r.-v.

VIGNOBLE TÉVENOT 2012

| | 6 000 | ■ | 5 à 8 € |

Le chai est établi à l'emplacement d'un ancien moulin à vent dont seule la base subsiste. Il est conduit par un duo père-fils qui a pour philosophie de réaliser des vins le plus naturellement possible. Cette cuvée est composée de pinot noir et de gamay pratiquement à parts égales, le cot (5 %) faisant de la figuration. La robe est pimpante, rouge cerise, le nez gourmand, porté sur la cerise, le cassis et les épices, et la bouche ronde et harmonieuse. Pour une viande légère ou un fromage pas trop fort.

☛ Vignoble Tévenot, 4, rue du Moulin-à-Vent, Madon, 41120 Candé-sur-Beuvron, tél. et fax 02 54 79 44 24, daniel.tevenot@wanadoo.fr, ☑ ⚥ ⵟ r.-v.

Ⓑ DOM. DE VEILLOUX 2011 ★

| | 20 000 | ■ ⅏ | 5 à 8 € |

Ce domaine familial depuis six générations est situé non loin du magnifique château féodal de Fougères-sur-Bièvre. Les vignes sont conduites en culture biologique et la vinification est gérée depuis 2007 par Arnaud Quenioux. Ce dernier signe un assemblage pinot noir (60 %), gamay (30 %) et, à parts égales, cabernet et cot, le tout élevé seize mois en fût. Le nez complexe s'exprime sur les fruits mûrs et la vanille. L'attaque en bouche est souple, mais les tanins encore un peu jeunes demandent à s'arrondir. Fin et élégant, le **blanc 2011 (30 000 b.)** est cité pour son caractère floral agrémenté d'une tendre saveur briochée.

LOIRE

🍷 Dom. de Veilloux, Michel et Arnaud Quenioux, Veilloux, 41120 Fougères-sur-Bièvre, tél. 02 54 20 22 74, fax 02 54 33 20 40, contact@domainedeveilloux.fr, ☑ ⏃ r.-v.

🍷 Quenioux

Cour-cheverny

Superficie : 55 ha
Production : 2 433 hl

Reconnu en 1993, l'appellation est réservée aux vins blancs issus du cépage romorantin, produits dans quelques communes situées au sud-est de Blois. Le terroir est typique de la Sologne (sable sur argile). Élégants, les cour-cheverny méritent souvent de vieillir quelques années.

CHRISTELLE ET CHRISTOPHE BADIN 2012 ★

	4 500	▌	- de 5 €

En 1955, le grand-père de l'actuel dirigeant de cette exploitation cultivait 4,5 ha. Aujourd'hui, le domaine s'étend sur 15 ha, dont 1 ha a été consacré à ce joli cour-cheverny lumineux, jaune paille aux reflets verts. Le nez encore sur la réserve annonce un mariage heureux de fruits blancs et de réglisse accompagnés de notes minérales. L'équilibre en bouche reste sur le fruit, avec une belle vivacité en soutien qui apporte fraîcheur et longueur. Le **cheverny rouge 2011 (6 000 b.)** séduira les amateurs de pinot noir par son bouquet de fruits rouges croquants (griotte) agrémentés de quelques nuances de tabac. Il est cité.

🍷 EARL Christelle et Christophe Badin, L'Aubras, 41120 Cormeray, tél. et fax 02 54 44 23 43, cavebadin@gmail.com, ☑ ⚘ ⏃ t.l.j. sf dim. 8h-12h 14h-19h

♥ DOM. DE LA DÉSOUCHERIE Le Grand R 2011 ★★

	10 000	▌	5 à 8 €

Bien connue des habitués du Guide, cette propriété de 30 ha bénéficie d'un beau terroir silico-argileux et d'une exposition ensoleillée propices aux vins de qualité. Fabien Tessier, à la tête du domaine depuis 2009, a baptisé sa cuvée Le Grand R, « R » comme romorantin, le cépage de l'appellation. Grand, ce 2011 l'est assurément dans sa magnifique parure jaune doré comme dans son bouquet, intense et complexe, qui marie les fruits compotés et le miel. Riche et ronde, la bouche, portée par une juste fraîcheur, s'étire longuement en finale sur des notes savoureuses de pêche. À servir bien frais sur un sandre en papillote. Cité, le **rouge 2011 (25 000 b.)**, né de pinot noir

(80 %) et de gamay, plaît pour sa souplesse et son bouquet friand de cassis et de groseille.

🍷 EARL Christian et Fabien Tessier, Dom. de la Désoucherie, 47, voie de la Charmoise, 41700 Cour-Cheverny, tél. 02 54 79 90 08, fax 02 54 79 22 48, infos@christiantessier.fr, ☑ ⚘ ⏃ t.l.j. 8h-12h 14h-19h 🏠 Ⓑ

Ⓑ DOM. DES HUARDS 2011 ★

	33 000	▌	8 à 11 €

Ce domaine, dont les origines remontent à 1846, est conduit depuis 1990 en biodynamie par Jocelyne et Michel Gendrier. Des vignes de romorantin d'une trentaine d'années, plantées sur un sol argilo-siliceux et calcaire, ont produit ce très joli cour-cheverny jaune paille lumineux. Le nez offre des senteurs briochées mêlées à des notes de fruits blancs et de fleurs. La bouche, équilibrée mais encore très jeune, fraîche et tonique, appelle un an ou deux de garde, le temps qu'elle s'épanouisse. Pour amateurs de vins vifs et droits.

🍷 Jocelyne et Michel Gendrier, Les Huards, 41700 Cour-Cheverny, tél. 02 54 79 97 90, fax 02 54 79 26 82, infos@domainedeshuards.com, ☑ ⚘ ⏃ t.l.j. sf dim. 9h-12h 14h-19h

DOM. DE MONTCY 2011 ★

	8 500	▌	11 à 15 €

Après avoir fait ses armes dans l'agroalimentaire, Laura Semeria a repris en 2007 cet ancien clos du château de Troussay, qu'elle a converti au bio – la certification a été acquise en 2012. La belle robe dorée de cette cuvée annonce un nez très ouvert qui mêle fruits blancs, notes florales et quelques nuances beurrées. L'attaque pleine de fraîcheur contraste avec le gras du milieu de bouche, souligné par des saveurs de miel. Un vin séduisant, à découvrir sans attendre sur des asperges ou sur des coquilles Saint-Jacques.

🍷 Laura Semeria, 32, rte de Fougères, La Porte dorée, 41700 Cheverny, tél. 02 54 44 20 00, fax 02 54 44 21 00, info@domaine-de-montcy.com, ☑ ⚘ ⏃ t.l.j. sf dim. 10h-18h30 🏠 Ⓒ

LUC PERCHER 2011 ★

	1 800	▌	11 à 15 €

Ce domaine, créé par Alain Péronnet en 2005, est en cours de conversion bio. Il présente ici un séduisant 2011 jaune pâle aux reflets dorés, au nez fin d'abricot et de pamplemousse, et au palais très bien équilibré, frais et onctueux à la fois, d'une belle longueur. Une citation pour le **cheverny blanc 2011 (8 à 11 € ; 8 350 b.)**, plus discret, qui s'ouvre à l'aération sur des notes de cire d'abeille et de fumée.

🍷 Luc Percher, Dom. l'Épicourchois, 12, voie de la Marigonnerie , 41700 Cour-Cheverny, tél. 02 54 79 95 39, lucpercher@wanadoo.fr, ☑ ⚘ ⏃ r.-v.

Orléans

Superficie : 80 ha
Production : 2 986 hl (69 % rouge et rosé)

Autrefois AOVDQS, ce vignoble a été reconnu en AOC en 2006. Parmi les « vins françois », ceux d'Orléans eurent leur heure de gloire à l'époque médiévale. À côté des jardins, des pépinières et des vergers, la vigne a encore sa place aujourd'hui. Les vignerons tirent parti des cépages mentionnés depuis le Xᵉs. – des plants que l'on disait venir d'Auvergne mais qui sont identiques à ceux de Bourgogne : auvernat rouge (pinot noir), auvernat blanc (chardonnay) et gris meunier. L'appellation s'étend des deux côtés de la Loire et s'applique aux trois couleurs. Les rouges et rosés assemblent une majorité de pinot meunier au pinot noir : des vins très originaux aux arômes de groseille et de cassis. On pourra boire les rouges sur un perdreau, un faisan rôti ou des pâtés de gibier de la Sologne voisine. Quant aux vins blancs, dominés par le chardonnay, ils accompagneront des fromages cendrés du Gâtinais.

VIGNOBLE DU CHANT D'OISEAUX 2012 ★

| | n.c. | ▌ | 5 à 8 € |

À la tête de ce domaine depuis 2006 et régulièrement présent dans le Guide dans cette appellation, Édouard Montigny propose un bel assemblage de chardonnay (85 %) et de pinot gris, au nez discret de fleurs blanches et de pamplemousse. Ces arômes frais se prolongent en bouche, accompagnés de notes acidulées de fruits exotiques et d'autres plus douces d'abricot sec. Tout indiqué pour escorter des coquilles Saint-Jacques. L'orléans **rouge 2011 (10 000 b.)**, d'abord discret, s'ouvre à l'aération sur les fruits rouges. La bouche généreuse est soutenue par des tanins puissants qui réclament un an ou deux de garde pour s'assouplir. L'**orléans-cléry rouge 2011**, encore marqué par son passage d'un an en fût, livre des notes boisées associées à des nuances de pivoine et de poivre. Tous deux cités.

☛ Vignoble du Chant d'Oiseaux, 321, rue des Muids, 45370 Mareau-aux-Prés, tél. 06 82 30 38 88, montignye@yahoo.fr, ✔ ⚥ ⌾ t.l.j. sf dim. 14h-19h
☛ Édouard Montigny

CLOS SAINT-FIACRE 2012 ★★

| ■ | 6 600 | ▌ | 5 à 8 € |

Coup de cœur l'an dernier, le Clos Saint-Fiacre revient cette année sur le devant de la scène avec ce superbe assemblage (meunier et pinot noir) élevé huit mois en cuve. Ce 2012 a conquis les dégustateurs par sa robe éclatante, par son bouquet complexe qui mêle fruits rouges, notes épicées et une pointe de noyau de cerise, et par son palais tout aussi aromatique, à dominante fruitée, long et équilibré. Ce très joli vin peut être apprécié dès maintenant ou tout autre plat canaille. L'**orléans-cléry rouge 2011 (7 200 b.)** est également jugé remarquable. Frais, rond et fruité (cassis, framboise, fraise), soutenu par des tanins fins, il est prêt à boire.

☛ Clos Saint-Fiacre, 560, rue de Saint-Fiacre, 45370 Mareau-aux-Prés, tél. 02 38 45 61 55, fax 02 38 45 66 58, contact@clossaintfiacre.fr, ✔ ⚥ ⌾ t.l.j. sf dim. 9h-12h30 14h-19h
☛ Montigny-Piel

VALÉRIE DENEUFBOURG Rencontres 2011 ★

| ■ | 12 000 | | 5 à 8 € |

Valérie Deneufbourg exploite son domaine à Cléry-Saint-André près de la basilique qui renferme le tombeau de Louis XI. Elle propose un assemblage typique de l'appellation : pinot meunier (80 %) et pinot noir. Un rouge tuilé habille cette cuvée au bouquet de fruits rouges et à la bouche bien charpentée, construite autour de la griotte. À déguster dans les deux ans à venir sur un gibier à plume ou sur une viande rouge.

☛ Valérie Deneufbourg, 28, rue du Village, 45370 Cléry-Saint-André, tél. 02 38 45 97 53, fax 02 38 45 72 04, valerie@deneufbourg.fr, ✔ ⚥ ⌾ r.-v.

DOM. SAINT-AVIT 2012 ★★

| ■ | n.c. | | 5 à 8 € |

Le domaine Saint-Avit, conduit en lutte raisonnée, signe un beau triplé, avec en tête ce rosé à la robe brillante, rose saumon, dont le bouquet complexe de fleurs, de groseille et de fruits exotiques se prolonge dans une bouche fraîche, longue et équilibrée. À découvrir dès à présent sur une cuisine sucrée-salée. L'**orléans-cléry rouge 2012** obtient une étoile. C'est là encore le fruit qui domine, et plutôt la framboise, agrémentée d'une pointe de réglisse. La bouche encore vive et solide témoigne de sa jeunesse et appelle au moins un à deux ans de garde. L'orléans **rouge 2012** est quant à lui cité pour son équilibre.

☛ Pascal Javoy, 450, rue du Buisson, 45370 Mézières-lez-Cléry, tél. 02 38 45 66 95, javoy-et-fils@orange.fr, ✔ ⚥ ⌾ t.l.j. sf dim. 9h-12h 14h-19h

Orléans-cléry

Superficie : 34 ha
Production : 1 223 hl

Reconnue en 2006, l'appellation porte le nom de la commune de Cléry dont la basilique renferme le tombeau de Louis XI. Elle s'étend sur les terrasses sablo-graveleuses de la rive sud de la Loire et produit exclusivement des vins rouges issus de cabernet franc.

♥ LES VIGNERONS DE LA GRAND'MAISON 2011 ★★

| ■ | 35 000 | ▌ | - de 5 € |

2011
Orléans-Cléry
APPELLATION ORLÉANS-CLÉRY CONTRÔLÉE
MIS EN BOUTEILLE À LA PROPRIÉTÉ

PAR SCA LES VIGNERONS DE LA GRAND'MAISON 550 ROUTE DES MUIDS - 45370 MAREAU AUX PRÉS

Élaborée par la directrice, et œnologue, de la cave de Mareau-aux-Prés, Sylvie Genevier, cette très belle cuvée de cabernet franc a conquis d'emblée le jury par sa robe

LOIRE

rubis soutenu du plus bel effet et par ses senteurs intenses et délicates de violette et de fruits rouges mêlés à des notes mentholées. Chaleureuse et riche, la bouche s'adosse à des tanins fondus et soyeux accompagnés en finale de nuances minérales et fumées. Un ensemble remarquable de complexité et d'harmonie, à déguster dans les deux ans sur un sauté de veau aux petits pois frais. L'**orléans blanc 2012** obtient une étoile. Doré et limpide, il s'exprime sur le fruit exotique et les fleurs blanches, et dévoile une bouche ronde et suave. Quant à l'**orléans rosé 2012**, il est cité pour ses arômes frais et friands de bonbon anglais et d'épices.

🔌 Les Vignerons de la Grand'Maison, 550, rue des Muids, 45370 Mareau-aux-Prés, tél. 02 38 45 61 08, fax 02 38 45 65 70, vignerons.orleans@free.fr, ☑ ⚔ ⊤ r.-v.

Coteaux-du-vendômois

Superficie : 125 ha
Production : 6 417 hl (82 % rouge et rosé)

Sur le cours du Loir, les coteaux sont truffés d'habitations troglodytiques et de caves taillées dans le tuffeau. Reconnue en 2001, l'AOC jouxte en amont de la vallée les aires des jasnières et coteaux-du-loir, sur un terroir similaire, entre Vendôme et Montoire. Elle produit des vins gris originaux aux arômes poivrés, issus de pineau d'Aunis, des blancs nés de chenin, et des rouges, devenus majoritaires. Vins d'assemblage, ces derniers allient la nervosité légèrement épicée du pineau d'Aunis, la finesse du pinot noir, les tanins du cabernet franc et le fruité du gamay.

DOM. DU FOUR À CHAUX Cuvée Tradition 2012 ★★

■	5 000	■	- de 5 €

Ce domaine, géré par la famille Norguet depuis six générations, tient son nom du magnifique four à chaux situé sur la propriété, restauré par une association locale, la Résurgence. Cette cuvée Tradition est issue majoritairement du cabernet franc (80 %) associé au pineau d'Aunis et au pinot noir. Elle a charmé le jury par sa robe intense, grenat aux reflets violets et par son nez de fruits rouges et d'épices. La bouche, admirable par son équilibre, s'adosse à une belle trame de tanins soyeux, qui rend ce vin d'ores et déjà appréciable. Le **blanc 2012 (5 000 b.)** est cité pour ses notes agréables de fruits et fleurs blancs, et pour sa vivacité.

🔌 EARL Dominique Norguet, lieu-dit Berger, 41100 Thoré-la-Rochette, tél. 02 54 77 12 52, fax 02 54 80 23 22, dominique.norguet@orange.fr, ☑ ⚔ ⊤ t.l.j. sf dim. 9h-12h 14h-19h 🏠 🅱

CHARLES JUMERT 2011 ★

■	4 200	■	- de 5 €

Charles Jumert, qui dirige le domaine depuis 1984, verra bientôt la huitième génération prendre la relève. Ce 2011, issu de pineau d'Aunis (45 %), de cabernet franc (35 %) et de pinot noir, a fière allure dans sa robe brillante et sombre. Le nez, un peu fermé de prime abord, dévoile à l'aération des notes fraîches de fruits rouges sur fond poivré. Dotée d'une belle charpente, la bouche séduit par ses saveurs de cerise qui s'étirent longuement en finale. À

boire dès à présent sur une grillade. Le **rosé 2012 (5 000 b.)** est cité pour son caractère floral et ses fines saveurs de pamplemousse qui apportent une agréable fraîcheur.

🔌 Charles Jumert, 4, rue de la Berthelotière, 41100 Villiers-sur-Loir, tél. et fax 02 54 72 94 09, francoisejumert@live.fr, ☑ ⚔ ⊤ t.l.j. sf lun. 8h30-19h

DOM. J. MARTELLIÈRE Cuvée Balzac 2011 ★

■	1 400	■	5 à 8 €

Jean-Vivien Martellière, qui a repris l'exploitation en 2011, ne déroge pas aux traditions familiales, continuant à proposer exclusivement les trois appellations de la vallée du Loir : coteaux-du-loir, coteaux-du-vendômois et jasnières. Il propose de découvrir ces vins sur le domaine, dans ses caves de tuffeau ou dans le restaurant familial situé dans le centre-ville de Montoire. La cuvée Balzac assemble 60 % de pineau d'Aunis, 30 % de pinot noir et une touche de gamay. Drapée dans une robe légère, couleur cerise, elle dévoile un bouquet de bonne intensité, qui marie la vivacité des fruits rouges à des notes plus chaleureuses d'épices. La bouche se révèle gouleyante, fraîche et équilibrée, relevée en finale par une touche poivrée. À découvrir dès maintenant sur une viande blanche ou une volaille. La **Réserve Jean Vivien 2011 rouge (4 000 b.)**, élevée un an en fût, est un assemblage dominé par le pineau d'Aunis. Elle reçoit une étoile pour son bouquet de fruits rouges (cerise bien mûre) et son palais équilibré. À remiser un an ou deux en cave.

🔌 Dom. J. Martellière, 46, rue de Fosse, Fosse, 41800 Montoire-sur-le-Loir, tél. 02 54 85 16 91, contact@domainemartelliere.fr, ☑ ⚔ ⊤ r.-v.

💙 MONTAGNE BLANCHE 2012 ★★

■	20 000	■	5 à 8 €

Créée en 1929, cette cave coopérative maintient le cap de la qualité après le coup de cœur obtenu l'an dernier pour son rouge Prestige. Cette année, c'est un blanc qui a fait l'unanimité. Ce Montagne blanche impressionne d'emblée. Par sa robe jaune striée de reflets dorés chatoyants ; par la complexité du bouquet, porté sur les fruits blancs et les fruits exotiques agrémentés d'une pointe florale. Élégant et très frais, le palais, sur les mêmes nuances, s'étire longuement en finale, soutenu par de fines notes acidulées. Une bouteille alerte et harmonieuse, à servir à l'apéritif ou sur un poisson. Équilibré et friand, le **rosé Montagne blanche 2012 (110 000 b.)** décroche une étoile pour son fruité très agréable d'agrumes et de fraise nuancé des notes poivrées caractéristiques du pineau d'Aunis. Le **rouge Montagne blanche 2011 (35 000 b.)** est cité pour sa légèreté et son fruité.

☛ Cave du Vendômois, 60, av. du Petit-Thouars,
41100 Villiers-sur-Loir, tél. 02 54 72 90 69,
fax 02 54 72 75 09, caveduvendomois@wanadoo.fr,
☑ ⚲ ⵂ t.l.j. sf dim. lun. 9h-12h 14h-19h (mar. 18h)

Valençay

Superficie : 143 ha
Production : 7 129 hl (63 % rouge et rosé)

Dans cette région marquée par le souvenir de
Talleyrand, aux confins du Berry, de la Sologne et
de la Touraine, la vigne alterne avec les forêts, la
grande culture et l'élevage de chèvres.

Sur des sols à dominante argilo-siliceuse ou
argilo-limoneuse, un encépagement classique de
la moyenne vallée de la Loire donne des vins le
plus souvent à boire jeunes. En blanc, le sauvignon, complété par le chardonnay, fournit des
vins aromatiques aux touches de cassis ou de
genêt. Les vins rouges assemblent gamay, cabernets, cot et pinot noir. La même appellation
désigne un fromage de chèvre, qui a aussi obtenu
l'AOC. Ces fromages en forme de pyramide
s'accordent, selon leur degré d'affinage, avec les
vins rouges ou les vins blancs.

DOM. AUGIS 2012

| ■ | 10 000 | 🍴 | - de 5 € |

Philippe Augis, cinquième du nom, à la tête du
domaine familial propose un assemblage de trois cépages
(cot, gamay et pinot noir). Le vin se présente dans une
robe soutenue, d'un rouge profond aux reflets violets. Le
nez, discret, s'ouvre à l'aération sur les fruits noirs et les
épices relayés par une bouche bien charpentée. On pourra
déboucher cette bouteille d'ici trois ans.
☛ Dom. Augis, 1465, rue des Vignes, 41130 Meusnes,
tél. 02 54 71 01 89, fax 02 54 71 74 15,
philippe.augis@wanadoo.fr,
☑ ⚲ ⵂ t.l.j. sf dim. 8h-12h 14h-19h 🏠 ◉

DOM. BARDON Les Hauts Taillons 2012 ★★★

| ■ | 10 000 | 🍴 | 5 à 8 € |

L'une des valeurs sûres de l'appellation. Cette année,
Denis Bardon signe un admirable triplé avec tout d'abord
cette excellente cuvée parée d'une robe brillante, jaune aux
reflets verts. Le nez, complexe et élégant, s'ouvre sur des
notes de fruits à chair blanche complétées de nuances
florales. La bouche se révèle gourmande à souhait, ample,
ronde, tapissée de fruits bien mûrs et elle se conclut par
une fine minéralité, typique des sols à silex de Valençay.
Un très beau vin à fort potentiel, à déguster sur un poisson
ou sur un fromage de chèvre. Deux étoiles pour le **2012
blanc (20 000 b.)**, d'un pur sauvignon, volumineux, gras,
équilibré, qui s'exprime pleinement sur les agrumes,
lesquels lui apportent une belle fraîcheur. Enfin, une étoile

pour le **Paradis rouge 2012 (15 000 b.)**, dont le nez libère
des parfums amyliques accompagnés de notes de fruits
noirs. Il déploie une belle attaque, prélude à une bouche
charnue, structurée par des tanins encore un peu jeunes.
À faire patienter en cave un à deux ans.
☛ Denis Bardon, 22, rue Paul-Couton, 41130 Meusnes,
tél. 02 54 71 01 10, denisbardon@vinsbardon.com,
☑ ⚲ ⵂ r.-v.

DOM. DU BOIS GAULTIER 2012 ★

| ■ | 6 000 | 🍴 | - de 5 € |

Depuis 1992, Marylène et Serge Leclair commercialisent leurs vins aux particuliers, à la propriété ou sur
les marchés. Leur connaissance des attentes des consommateurs les a conduits à élaborer ce rosé couleur œil-de-
perdrix, au nez intense de fruits et d'épices. La bouche est
franche et équilibrée, et une finale légèrement acidulée lui
apporte la fraîcheur attendue. Le **2011 rouge (8 000 b.)**
décroche également une étoile pour sa robe rubis étincelante, son nez de petits fruits rouges légèrement vanillés et
sa structure soyeuse.
☛ Marylène et Serge Leclair, Le Bois-Gaultier,
36600 Fontguenand, tél. 02 54 00 18 46,
serge.leclair@orange.fr, ☑ ⚲ ⵂ t.l.j. 8h-19h

LE CLAUX DELORME 2012 ★★

| ■ | 16 400 | 🍴 | 8 à 11 € |

Albane et Bertrand Minchin ont créé ce vignoble en
2004. Depuis 2007, ils voient leurs vins régulièrement
mentionnés dans le Guide. Ils sont fidèles au rendez-vous
avec cette cuvée née de gamay, cot, cabernet et pinot
noir, au sein de laquelle chaque cépage a trouvé sa place.
Ce 2012 se présente dans une jolie robe grenat soutenu.
Au nez, la palette aromatique s'annonce complexe, avec les
fruits noirs et les épices douces. La bouche séduit par sa
rondeur, son équilibre et ses tanins souples et soyeux.
On pourra ouvrir cette bouteille généreuse dans les
trois années à venir pour accompagner une viande en
sauce.
☛ Le Claux Delorme, 8, rue des Landes,
41130 Selles-sur-Cher, tél. 02 48 25 02 95,
fax 02 48 25 05 03, ab.minchin.vins@orange.fr,
☑ ⚲ ⵂ r.-v.
☛ Minchin

DOM. ANDRÉ FOUASSIER Vieilles Vignes 2012

| ■ | 30 000 | 🍴 | 5 à 8 € |

André Fouassier, à la tête de cette propriété de 23 ha
depuis 1990, signe ici une cuvée à dominante de sauvignon
(80 %) complétée à parts égales de chardonnay et de menu
pineau, selon le mode traditionnel. Les nuances dorées de
la robe laissent imaginer une vendange à pleine maturité,
ce que confirme le nez, ouvert sur de généreuses notes de
coing vivifiées par une pointe minérale. La bouche se
révèle ronde, charnue et riche.
☛ André Fouassier, Vaux, 36600 Lye, tél. 02 54 40 16 13,
andrefouassier@yahoo.fr, ☑ ⵂ r.-v.

LOIRE

OLIVIER **GARNIER** Cuvée Prestige 2012

| ■ | 5 000 | ▬ | - de 5 € |

Les frères Éric et Olivier Garnier, septièmes du nom à conduire le domaine, présentent un 2012 à dominante de pinot noir, au nez flatteur de fruits rouges. Au palais, le vin se révèle souple et enrobant. Il flatte déjà les papilles mais il devra prendre un peu de temps pour bien s'épanouir (un à quatre ans). Cité, le **rouge 2012 Montbail (12 000 b.)**, plus marqué par le gamay, est fruité et bien structuré. On pourra le déguster dans les deux ans à venir avec une viande blanche ou de la charcuterie.
🕿 Dom. Garnier, Chamberlin, 81, rue Delacroix, 41130 Meusnes, tél. 02 54 00 10 06, fax 02 54 05 13 31, olivier@oliviergarnier.com, ☑ ⚘ ⟁ r.-v.

VIGNOBLE **GIBAULT** 2012 ★

| ■ | 20 000 | ▬ | 5 à 8 € |

Également producteur dans l'AOC touraine, Patrick Gibault est à la tête de ce vignoble de 30 ha depuis 1982. Pour cette cuvée, ce sont 3,3 ha de vignes situées sur la commune de Lye, dans l'Indre, qui ont été exploités. Ce 2012, assemblage de sauvignon (90 %) et de chardonnay, se présente dans une robe élégante aux reflets verts. Le nez expressif de fruits mûrs prélude à un palais gras, souple, bien équilibré et pourvu d'une belle longueur. La finale révèle une note minérale typique des sols à silex de cette commune. Un vin gourmand, à déguster dès à présent avec un poisson en sauce.
🕿 Vignoble Gibault, 183, rue Gambetta, 41130 Meusnes, tél. 02 54 71 02 63, fax 02 54 71 58 92, vg@vignoblegibault.com,
☑ ⚘ ⟁ t.l.j. sf dim. 8h-12h 14h-19h

♥ FRANCIS **JOURDAIN** Chèvrefeuille 2012 ★★★

| | 18 000 | ▬ | 5 à 8 € |

Fondé en 1960, ce domaine familial a été repris par Francis Jourdain en 1990, après qu'il eut passé une dizaine d'années dans le conseil en arboriculture. Cet autodidacte signe cette année un triplé admirable. Le grand jury a été séduit par cette cuvée issue à 80 % de sauvignon complété de chardonnay. La robe, d'un élégant jaune pâle aux reflets dorés, invite à poursuivre. On découvre alors un nez intense et typé d'agrumes et de buis. Volume, gras et rondeur caractérisent un palais équilibré par une fine fraîcheur en finale. En deux mots : riche et harmonieux. On pourra déguster ce vin dès à présent sur une aumônière de saumon. La **cuvée des Griottes 2012 rouge (12 000 b.)**, au bouquet de fruits noirs confiturés et à la bouche ronde portée par des tanins présents mais déjà souples, obtient deux étoiles et pourra être dégustée dans les trois ans à venir. Une étoile enfin pour la cuvée

Les Terrajots 2012 blanc (10 000 b.), pour son nez fruité (mangue, pamplemousse) et floral, et pour son palais frais et ferme.
🕿 Dom. Francis Jourdain, 24, Les Moreaux, 36360 Lye, tél. 02 54 41 01 45, fax 02 54 41 07 56, contact@domainejourdain.com,
☑ ⚘ ⟁ t.l.j. sf dim. 9h30-12h30 15h-19h

DOM. **MALET** 2012

| ■ | 26 000 | ▬ | - de 5 € |

Située à Lye dans l'Indre, cette exploitation est conduite par les frères Alain et Bruno Malet. Ils signent un assemblage de sauvignon (80 %) et de chardonnay né sur un terroir d'argiles à silex, qui s'ouvre sur un puissant nez d'agrumes. La bouche se révèle ronde et fruitée, vivifiée par une trame finement acidulée. Un vin équilibré, à boire sur les fromages de chèvre de la région ou sur les produits de la mer.
🕿 GAEC Malet Frères, 3, rue Pointeau, 36360 Lye, tél. 06 19 02 65 82, fax 02 54 41 01 24
☑ ⚘ ⟁ t.l.j. 8h-12h 14h-19h; dim. 9h-13h

CH. DE **QUINÇAY** Le Chêne rond 2012 ★★

| ■ | n.c. | | 5 à 8 € |

Ce domaine de 26 ha est dirigé depuis 1985 par les frères Philippe et Frédéric Cadart. Cette cuvée du nom d'un lieu-dit a été élaborée à partir de sauvignon (80 %) et de chardonnay. Elle flatte l'œil par ses nuances dorées brillantes, puis le nez par ses multiples senteurs exotiques et florales assorties d'une pointe minérale. La bouche, tout aussi complexe et harmonieuse, offre beaucoup de rondeur et de gras. Un très beau vin, qui peut être dégusté dès à présent mais qui pourra encore se bonifier au vieillissement dans les trois ans à venir. Le **rouge 2012 La Millasse** obtient une étoile pour ses notes gourmandes de fruits rouges frais et sa souplesse tannique. Un vin de bonne facture, à boire dès la sortie du Guide.
🕿 Ch. de Quinçay, 41130 Meusnes, tél. 02 54 71 00 11, fax 02 54 71 77 72, cadart@chateaudequinçay.com,
☑ ⚘ ⟁ t.l.j. 9h-12h 14h-19h 🏠 Ⓑ
🕿 Cadart

JEAN-FRANÇOIS **ROY** Alliance 2012 ★★

| ■ | 3 000 | ▥ | 5 à 8 € |

Une sélection de seulement 1 ha de vignes est à l'origine de cette cuvée en tout point remarquable, association de 60 % de pinot noir, 30 % de gamay et 10 % de malbec. Dans un écrin grenat intense à reflets violets, elle livre des parfums de fruits noirs bien mûrs. L'attaque ronde et suave ouvre sur une bouche elle aussi tout en fruit, longuement soutenue par des tanins soyeux. À déguster dans les quatre ans sur un civet de gibier. Le **blanc 2012 (50 000 b.)**, concentré, riche, équilibré, est cité.
🕿 Roy, 3, rue des Acacias, 36360 Lye, tél. 02 54 41 00 39, fax 02 54 41 06 89 ☑ ⚘ ⟁ t.l.j. 9h-12h 15h-19h

HUBERT ET OLIVIER **SINSON** Prestige 2012

| ■ | 10 000 | ▬ | - de 5 € |

Située à 10 km du château de Valençay, cette exploitation est dans la famille Sinson depuis quatre générations, et conduite par Olivier depuis 1999. Cette cuvée, très colorée, s'exprime sur les fruits rouges mâtinés de nuances florales. La bouche se révèle tout aussi fruitée, bâtie sur des tanins légers qui autorisent une dégustation de cette jolie bouteille dans les deux ans.

⌖⚲ EARL Hubert et Olivier Sinson, 1397, rue des Vignes,
41130 Meusnes, tél. 02 54 71 00 26, fax 02 54 71 50 93,
o.sinson@wanadoo.fr,
☑ ⚲ ⟊ t.l.j. 8h-12h 14h-19h; dim. 8h-12h

GÉRARD TOYER 2012 ★

■	3 500	■	- de 5 €

Ce domaine créé en 1920 se transmet dans la famille
depuis trois générations. Gérard Toyer, à la tête du
vignoble depuis 1979, propose une cuvée issue des trois
cépages locaux (55 % gamay, 15 % pinot noir et 30 % cot)
cultivés sur un sol argilo-siliceux calcaire. Vêtu d'une belle
robe rubis soutenu, ce 2012 s'ouvre sur un nez profond de
fruits rouges aux légères nuances poivrées et dévoile une
bouche agréable et longue, soutenue par des tanins
soyeux. Il pourra être dégusté dès la sortie du Guide. Le
blanc 2012 (4 000 b.) obtient également une étoile pour
son nez de noisette et de buis (caractéristique du sauvignon, majoritaire dans l'assemblage), et pour sa bouche
enveloppante et ronde.
⚲ Gérard Toyer, 63, Grande-Rue-Champcol,
41130 Selles-sur-Cher, tél. 02 54 97 49 23,
fax 02 54 97 46 25, gerard.toyer@orange.fr,
☑ ⟊ t.l.j. sf dim. 9h30-12h30 16h-19h

SÉBASTIEN VAILLANT Le Poirentin 2012 ★

■	23 000	■	5 à 8 €

La cave de Valençay créée en 1964 regroupe trois
vignerons dont les récoltes sont vinifiées séparément.
Cette cuvée est issue d'un assemblage à 85 % de sauvignon
complété par du chardonnay. Légèrement dorée à l'œil,
elle offre un nez d'abord discret qui s'ouvre à l'aération sur
les fruits mûrs. On y devine la pleine maturité des raisins,
que l'on retrouve également dans un palais gras, rond, fin
et de bonne longueur. On pourra ouvrir cette bouteille dès
à présent sur une terrine de poisson. Le **Dom. de
Patagon 2012 blanc (15 000 b.)**, issu du même assemblage mais provenant de vignes un peu plus jeunes, est un
vin élégant, rond et franc. Il est cité.
⚲ SCA La Cave de Valençay, La Lie, 36600 Fontguenand,
tél. 02 54 00 16 11, fax 02 54 00 05 50,
vigneronvalencay@aol.com,
☑ ⚲ ⟊ t.l.j. sf dim. 8h-12h 14h-18h
⚲ Vaillant

Les vignobles du Centre

Les secteurs viticoles du Centre occupent les
endroits les mieux exposés des coteaux ou plateaux modelés au cours des âges géologiques par
la Loire et ses affluents, l'Allier et le Cher. Ceux qui,
sur les côtes d'Auvergne, à Saint-Pourçain (en
partie) ou à Châteaumeillant, sont implantés sur
les flancs est et nord du Massif central, restent
cependant ouverts sur le bassin de la Loire.
Siliceux ou calcaires, les sols viticoles de ces
régions portent un nombre restreint de cépages,
parmi lesquels ressortent surtout le gamay pour
les vins rouges et rosés, et le sauvignon pour les

vins blancs. Quelques spécialités : tressallier à
Saint-Pourçain et chasselas à Pouilly-sur-Loire
pour les blancs ; pinot noir à Sancerre, Menetou-
Salon et Reuilly pour les rouges et rosés, avec
encore le délicat pinot gris dans ce dernier
vignoble. Tous les vins du Centre ont en commun
légèreté, fraîcheur et fruité, ce qui les rend
particulièrement agréables et en harmonie avec
la cuisine régionale.

Châteaumeillant

Superficie : 82 ha
Production : 4 000 hl

Le gamay retrouve ici les terroirs qu'il affectionne,
dans un site très anciennement viticole. La réputation de Châteaumeillant s'est établie grâce à
son « gris », un rosé issu du pressurage immédiat
des raisins de gamay présentant un grain, une
fraîcheur et un fruité remarquables. L'appellation
produit aussi des rouges, nés de sols d'origine
éruptive. Des vins gouleyants à boire jeunes et
frais.

THIERRY AMIZET Le Prétendant 2012 ★

■	4 000	■	8 à 11 €

Vigneron depuis 1993, Thierry Amizet a réalisé sa
première vinification à l'occasion de ce millésime 2012...
et c'est une belle réussite. Son châteaumeillant se
pare d'une robe profonde, grenat à reflets violets. Fermé au
premier nez, il s'ouvre à l'agitation sur des notes de fruits
noirs, de feuille de menthe et d'épices. En bouche, il se
montre ferme et solidement charpenté par des tanins
serrés. Un vin jeune et prometteur, que l'on pourra laisser
mûrir un an ou deux. Il devrait s'entendre avec une caille
rôtie aux fruits rouges.
⚲ Thierry Amizet, Le Bourg, 18270 Saint-Maur,
tél. 06 61 92 75 85, thierry.amizet@wanadoo.fr, ☑ ⟊ r.-v.

♥ DOM. DU CHAILLOT 2012 ★★

■	2 000	■	11 à 15 €

Pierre Picot montre une nouvelle fois comment tirer
la quintessence d'un excellent terroir à gamay ; les amateurs se souviendront notamment du coup de cœur trois
étoiles pour son 2010 rouge. Celui-ci est d'un style
chaleureux. La robe est dense et profonde, couleur cerise

noire. Le bouquet se montre riche et intense, évoquant les fruits noirs confiturés, la cerise à l'eau-de-vie, les épices. Tendre en attaque, la bouche s'impose par sa générosité, sa concentration et son volume. Les tanins sont soyeux, veloutés, et le fruité reste très mûr. Le côté chaleureux ne nuit en rien à l'équilibre grâce à une belle fraîcheur qui donne de la finesse à l'ensemble. Un vin puissant, aux accents sudistes, que l'on dégustera au cours des deux ou trois prochaines années sur une viande en sauce, un gibier sauce griotte par exemple, ou une côte de bœuf. Le **rosé 2012 (2 600 b.)** est quant à lui cité pour son fruité et sa fraîcheur.

☛ Dom. du Chaillot, pl. de la Tournoise, 18130 Dun-sur-Auron, tél. 02 48 59 57 69, fax 02 48 59 58 78, pierre.picot@wanadoo.fr, ☑ ⚘ ⟟ r.-v.
☛ Pierre Picot

LA CAVE DES VINS DE CHÂTEAUMEILLANT
Prestige des Garennes 2012 ★

| ■ | 22 000 | ∎ | 5 à 8 € |

La Cave du Tivoli est fidèle au rendez-vous. Son vin gris a séduit les dégustateurs avec sa robe rose très pâle, son nez floral et fruité, son palais élégant et équilibré, relancé en finale par une belle vivacité. Parfait pour l'apéritif. Le **Prestige des Garennes 2012 rouge (18 000 b.)**, tendre et léger, un rien plus austère en finale, est cité.

☛ Cave du Tivoli, rte de Culan, 18370 Châteaumeillant, tél. 02 48 61 33 55, fax 02 48 61 44 92, cave@chateaumeillant.com, ☑ ⚘ ⟟ r.-v.

DOM. GEOFFRENET-MORVAL Version originale 2012

| ■ | 8 900 | ∎ | 8 à 11 € |

Cette Version originale signée Fabien Geoffrenet tient souvent le haut de l'affiche. La copie 2012 n'atteint pas les sommets de certaines de ses devancières (coup de cœur pour les 2005, 2007 et 2009), mais le scénario se tient. Une jolie robe grenat profond, un nez plutôt réservé (on perçoit des fruits mûrs à l'aération), une bouche souple et gourmande adossée à des tanins fins. À boire dans les deux ans, sur une grillade.

☛ EARL Geoffrenet-Morval, Les Combes, 1, av. Antoine-Meillet, 18370 Châteaumeillant, tél. 06 07 24 44 94, fax 09 70 62 66 41 ☑ ⚘ ⟟ r.-v.

♥ NAIRAUD-SUBERVILLE Reflet des Sept Fonts 2012 ★★

| ■ | 10 000 | ∎ | 8 à 11 € |

REFLET
DES SEPT FONTS
CHÂTEAUMEILLANT
APPELLATION D'ORIGINE CONTRÔLÉE
VIN GRIS
2012
ELEVÉ ET MIS EN BOUTEILLE À LA PROPRIÉTÉ
PAR LA SCEA NAIRAUD-SUBERVILLE

De la théorie à la pratique. Après plusieurs années à l'INAO, Daniel Nairaud jette son dévolu sur les terres argilo-sableuses de Châteaumeillant et acquiert en 2011 un vignoble de près de 8 ha. Deuxième millésime donc, et déjà un coup de cœur. La robe est très élégante, rose pâle aux reflets gris et saumonés. Une élégance qui caractérise

aussi le nez, complexe, ouvert sur les fruits rouges et les agrumes agrémentés de touches amyliques. Le palais se révèle franc et direct en attaque, ample et riche dans son développement, soutenu par une fine tension. Un vin sobre et sans fard, à découvrir dans les deux ans sur une viande blanche. Le **Clos de la Goutte noire 2012 rouge (4 700 b.)**, frais, fruité et plein, est cité.

☛ SCEA Nairaud-Suberville, 11, rue de la Liberté, 23270 Bétête, tél. 06 26 46 23 50, fax 01 55 63 92 55, sceanairaudsuberville@gmail.com,
☑ ⚘ ⟟ t.l.j. sf dim. lun. 9h-17h30

DOM. ROUX Héritage 2012

| ■ | 10 800 | ∎ | 8 à 11 € |

Producteur sur le vignoble de Quincy depuis 1994, Jean-Claude Roux s'est étendu sur celui de Châteaumeillant en 2009. Sur un terroir de silice, de schistes et de grès, il a sélectionné 2,5 ha de gamay et de pinot noir pour élaborer ce vin au nez fruité (cerise, framboise), un rien floral et végétal, franc, frais, structuré par des tanins encore un peu austères. On peut déjà l'apprécier, mais un an ou deux de garde l'assoupliront.

☛ Dom. Roux, Puy-Ferrand, 18340 Arcay, tél. 02 48 64 76 10, fax 02 48 64 75 69, jean.claude.roux@wanadoo.fr, ☑ ⚘ ⟟ r.-v.

DOM. JACQUES ROUZÉ Grappes 2012 ★

| ■ | 12 000 | ∎ | 5 à 8 € |

Producteur en quincy à l'origine, Jacques Rouzé a étendu son exploitation sur Reuilly et, depuis ce millésime 2012, sur Châteaumeillant. Une belle entrée en scène avec cette cuvée couleur rubis, au nez intense de fruits rouges mûrs relevés d'épices (poivre, cannelle). La bouche se montre ronde, ample et soyeuse, portée par des tanins mûrs et fondus. Un vin gourmand, à déguster dès à présent sur des œufs en meurette.

☛ Dom. Jacques Rouzé, 2 ter, chem. des Vignes, 18120 Quincy, tél. 02 48 51 35 61, fax 02 48 51 05 00, rouze@terre-net.fr, ☑ ⚘ ⟟ t.l.j. sf dim. 9h-12h 14h-18h

DOM. VINCENT SIRET-COURTAUD 2012 ★★

| ■ | 18 000 | ∎ | 8 à 11 € |

Vincent Siret fait partie des vignerons récemment installés dans l'appellation. Il s'est établi à Quincy en 2006 et a repris 3 ha de châteaumeillant en 2010. Depuis, il fréquente régulièrement le Guide, dans les deux AOC. Ici, un vin d'un beau rubis aux reflets violines, ouvert sur les fruits rouges et les épices douces, ample, souple et soyeux en bouche, porté par des tanins fondus et un fruité mûr qui lui donnent un côté savoureux et gourmand. À déguster dès aujourd'hui, pourquoi pas sur un sandre au vin rouge ? Le très confidentiel et plaisant **rosé 2012 (5 à 8 € ; 900 b.)** est cité pour son fruité et sa légèreté.

☛ Siret-Courtaud, Le Grand-Rosières, 18400 Lunery, tél. 06 63 51 71 18, contact@domaines-siret.fr, ☑ ⚘ ⟟ r.-v.

DOM. DES TANNERIES 2012 ★★

| ■ | 4 500 | ∎ | 5 à 8 € |

Jean-Luc Raffinat a su attendre la pleine maturation des raisins, malgré les aléas du millésime. Un risque qui a payé au vu de ce gris remarquable. Derrière une robe soutenue, couleur fraise, on découvre un panier de fruits acidulés (cerise, groseille), mêlé d'une touche poivrée. La bouche, vive en attaque, se montre vineuse et riche, rehaussée par des notes épicées en finale. Ce rosé intense, puissant, mais qui ne manque pas de droiture se mariera avec des charcuteries fines. Le **rouge 2012** est quant à lui cité pour son nez frais de framboise et d'armoise, et pour son palais bien structuré et un peu sévère en finale. À attendre un an.

☎ Raffinat et Fils, Dom. des Tanneries, 12, rue des Tanneries, 18370 Châteaumeillant, tél. 02 48 61 35 16, fax 02 48 61 44 27, raffinatetfils@orange.fr, ☑ ☀ ⏳ r.-v.

Coteaux-du-giennois

Superficie : 194 ha
Production : 5 928 hl (48 % rouge et rosé)

Sur les coteaux de Loire réputés depuis longtemps, la viticulture a progressé, tant dans la Nièvre que dans le Loiret, attestant la bonne santé du vignoble. Les coteaux-du-giennois ont accédé à l'AOC en 1998. Plantés sur des sols siliceux ou calcaires, les cépages traditionnels, gamay, pinot noir et sauvignon, donnent des vins dans les trois couleurs. Les blancs, issus de sauvignon, sont légers et fruités. Tout aussi fruités, les rouges et les rosés assemblent le gamay et le pinot noir. Souples et peu tanniques, les premiers peuvent être servis jusqu'à cinq ans d'âge, avec toutes les viandes.

DOM. DES ATHÉNÉES Cuvée Fût de chêne 2012 ★

| ■ | 4 500 | ⪫ | 5 à 8 € |

Fraîchement arrivée au lycée agricole de Cosne-sur-Loire, Natacha Colinot appose déjà sa patte sur les cuvées de ce domaine pédagogique. Et c'est bien le travail au chai qui est salué avec ce rouge élevé en barrique ; les dégustateurs apprécient notamment la légèreté du boisé, vanillé et jamais dominateur, qui laisse s'exprimer les fruits rouges un rien épicés. La bouche est à l'unisson.

☎ Dom. des Athénées, Lycée viticole de Cosne-sur-Loire, 66, rue Jean-Monnet, 58200 Cosne-sur-Loire, tél. et fax 03 86 26 99 84, natacha.colinot@educagri.fr, ☑ ☀ ⏳ t.l.j. sf sam. dim. 8h30-17h

fruitée et boisée avec mesure, aimable et soyeuse, misant sur la finesse plutôt que sur la puissance. À boire ou à attendre une paire d'années. La **cuvée traditionnelle rouge 2012** (moins de 5 € ; 3 000 b.), élevée en cuve, souple et fruitée, obtient également une étoile. La **cuvée traditionnelle blanc 2012** (moins de 5 € ; 10 000 b.), fraîche, tonique et bien sauvignonnée (buis, fleurs blanches, agrumes), est citée.

☎ Dom. des Athénées, Lycée viticole de Cosne-sur-Loire, 66, rue Jean-Monnet, 58200 Cosne-sur-Loire, tél. et fax 03 86 26 99 84, natacha.colinot@educagri.fr, ☑ ☀ ⏳ t.l.j. sf sam. dim. 8h30-17h

ÉMILE BALLAND Les Beaux Jours 2012

| ■ | 15 000 | ▮ | 8 à 11 € |

Émile Balland signe un 2012 simple et franc, « pas pour les snobs », indique un dégustateur. Les fruits exotiques, les agrumes et le genêt agrémentés d'une touche briochée composent un bouquet plaisant. La bouche suit une ligne fraîche et fruitée. L'ensemble, équilibré, est à boire sans chichi à l'apéritif ou sur des fruits de mer.

☎ Émile Balland, RN 7, 45420 Bonny-sur-Loire, tél. 03 86 39 26 51, fax 03 86 39 22 57, emile.balland@orange.fr, ☑ ☀ ⏳ r.-v.

DOM. DES BEAUROIS 2011 ★

| ■ | 4 500 | ▮⪫ | 5 à 8 € |

Après une carrière dans l'arboriculture, Anne-Marie Marty s'est installée en 1998 dans le secteur de Beaulieu. Son exploitation a son siège dans la partie sud-ouest de l'Yonne qui jouxte la vallée de la Loire. Le vignoble accueille des ceps centenaires de gamay et des plants plus jeunes de pinot noir. Cela donne un 2011 porté sur les fruits très mûrs, voire confits (pruneau, cerise), agrémentés d'une touche d'amande douce et d'une note végétale, souple, suave et fruité en bouche. Un vin équilibré et prêt à boire, pourquoi pas sur un plat relevé, un coquelet à la diable par exemple.

☎ Anne-Marie Marty, Dom. des Beaurois, 89170 Lavau, tél. et fax 03 86 74 16 09, contact@domaine-des-beaurois.fr, ☑ ☀ ⏳ r.-v. 🏠 ➋

Le Centre

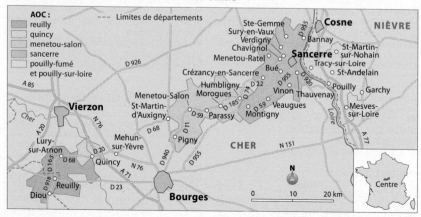

EMMANUEL CHARRIER Prémices 2012 ★

| 12 000 | ▮ | 5 à 8 € |

Emmanuel Charrier, installé en 2004 avec quelques parcelles de vieilles vignes, étend progressivement son vignoble et sa renommée. Cette cuvée offre à l'olfaction une certaine complexité, se partageant entre notes végétales (buis), fruitées et florales. Franche en attaque, la bouche se distingue par une belle nervosité aux accents citronnés. À servir sur un tartare de poisson ou sur du saumon fumé. Le rosé 2012 L'Épineau (1 300 b.) souple, frais, fruité et épicé, est cité.

● Emmanuel Charrier, allée des Sources, Paillot, 58150 Saint-Martin-sur-Nohain, tél. 03 86 22 57 15, fax 03 86 26 17 80, contact@domaine-charrier.com, ☑ ⚲ ⵙ t.l.j. sf dim. 8h30-12h 13h30-18h30; sur r.-v. hors des horaires d'ouverture

DOM. COUET 2012

| 6 000 | ▮ | 5 à 8 € |

Vous cherchez un rosé sympathique pour vos soirées barbecue ? Emmanuel Couet vous en propose un bon représentant avec ce 2012 couleur saumonée, au nez frais et léger d'agrumes, de fruits rouges et de bonbon anglais, au palais fruité et assez vineux, mais avec ce qu'il faut de vivacité. Un vin équilibré, en somme.

● Emmanuel Couet, 23, Croquant, 58200 Saint-Père, tél. 03 86 28 14 80, domainecouet@gmail.com, ☑ ⚲ ⵙ t.l.j. 8h-12h 14h-18h; dim. sur r.-v. 🏠 🅑

💙 **MICHEL LANGLOIS** Les Charmes 2012 ★★

| 27 000 | ▮ | 5 à 8 € |

Coteaux du Giennois

Les Charmes

2012

Michel Langlois
Vigneron

Après les millésimes 2008 et 2011, coups de cœur du Guide, Michel Langlois se hisse une nouvelle fois au sommet de l'appellation. Son 2012 a fait l'unanimité pour sa présentation très soignée, avec une robe d'un brillant jaune clair, pour son bouquet intense de fruits mûrs et de genêt, un peu « muscaté » aussi, et pour son palais rond, dense et frais à la fois, qui s'étire en une longue finale très et fruitée. Déjà très harmonieux, ce vin est aussi armé pour une garde de deux ou trois ans. On le réservera pour la table, et on le servira sur une viande blanche ou un poisson en sauce.

● Michel Langlois, 17, rue de Cosne, 58200 Pougny, tél. 03 86 28 06 52, fax 03 86 28 59 29, catmi-langlois@orange.fr, ☑ ⚲ ⵙ t.l.j. 9h-12h30 14h30-19h; dim. sur r.-v.

DOM. DES LOUPS 2012 ★

| 45 000 | ▮ | 5 à 8 € |

Né sur les terrasses de Bonny-sur-Loire dominant le fleuve, ce 2012 se montre fermé au premier nez. L'aéra-

tion révèle d'élégants parfums floraux (genêt) et fruités. En bouche, il affiche un bon volume, de l'équilibre entre rondeur et vivacité, de la finesse et de la persistance. Un joli vin de repas, que l'on verrait bien sur une poêlée de saint-jacques. La cuvée **Montagnes blanches 2012** (30 000 b.), vive et fruitée (agrumes, bourgeon de cassis), est citée.

● SCEA Dom. Balland-Chapuis, allée des Soupirs, 45420 Bonny-sur-Loire, tél. 02 48 54 06 67, fax 02 48 54 07 97, balland-chapuis@wanadoo.fr, ☑ ⚲ ⵙ r.-v.
● J.-L. Saget

DOM. POUPAT ET FILS Le Trocadéro 2012 ★

| 10 200 | ▮ | 5 à 8 € |

Philippe Poupat propose ici un rosé de caractère, ouvert à l'olfaction sur les fruits rouges (groseille, framboise) et sur les agrumes, avec une touche d'épices. Ample et souple en attaque, la bouche suit la même ligne aromatique, et se révèle assez vineuse et ronde dans son développement sans jamais tomber dans la lourdeur, grâce à ce fruité frais. Une bouteille harmonieuse, que l'on verrait bien accompagner des mets exotiques, un tajine de poulet par exemple.

● Dom. Poupat et Fils, Rivotte, 45250 Briare, tél. et fax 02 38 31 39 76, domainepoupat@hotmail.fr, ☑ ⚲ ⵙ t.l.j. 14h-18h; sam. 10h-18h30; matin et dim. sur r.-v.

DOM. QUINTIN 2012 ★

| 28 000 | ▮ | 5 à 8 € |

Issue de plusieurs parcelles de sauvignon, cette cuvée s'ouvre sur des notes variétales de buis, avant que l'aération ne révèle un fruité frais de pêche et d'agrumes. La bouche se montre ronde et généreuse, rafraîchie par une agréable vivacité. Un vin équilibré, à servir sur un poisson en sauce ou sur une viande blanche à la crème.

● SCEA Quintin Frères, Villegeai, 58200 Cosne-Cours-sur-Loire, tél. 03 86 28 31 77, fax 03 86 28 20 77, quintin.francois@wanadoo.fr, ☑ ⚲ ⵙ t.l.j. 8h30-12h 13h30-16h30; sam. dim. sur r.-v.

FLORIAN ROBLIN Champ Gibault 2011

| 1 500 | ▮ ⵉ | 5 à 8 € |

Quatrième millésime pour Florian Roblin, et deuxième sélection pour ses vins. Ici, un rouge joliment fruité au nez (cassis, cerise), agrémenté d'une touche d'épices, souple et équilibré en bouche, boisé et structuré sans excès. À boire dès à présent.

● Florian Roblin, 11, rue des Saint-Martin, Maimbray, 45630 Beaulieu-sur-Loire, tél. 06 61 35 96 69, fax 02 38 35 32 80, domaine.roblin.florian@orange.fr, ☑ ⵙ r.-v.

💙 **SÉBASTIEN TREUILLET** Élevé en fût de chêne 2012 ★★

| 3 000 | ⵉ | 5 à 8 € |

Sébastien Treuillet, installé depuis 1995 sur les terres de Tracy-sur-Loire, signe le plus beau rouge de la série. Paré d'une robe d'un rouge carmin, ce vin dévoile un bouquet puissant de fruits rouges et noirs bien mûrs, mâtinés de nuances fumées et épicées. Souple et ronde en attaque, la bouche suit elle aussi une ligne fruitée parsemée d'épices, et s'appuie sur des tanins soyeux et fondus qui lui donnent une belle assise et du volume. De la puissance mais aucune agressivité dans ce vin qui fera un bon

compagnon pour une viande rouge en sauce, un paleron au vin rouge par exemple. Les plus patients pourront attendre jusqu'en 2015-2016.

🍷 Treuillet, Fontenille, 58150 Tracy-sur-Loire, tél. 06 78 11 00 96, domainetreuillet@orange.fr,
☑ ☩ ⏲ t.l.j. sf dim. 9h-12h 14h-18h

Côtes-d'auvergne

Superficie : 258 ha
Production : 10 549 hl (90 % rouge et rosé)

Très vaste jusqu'à la crise phylloxérique, le vignoble des côtes-d'auvergne a accédé à l'AOVDQS en 1977, puis à l'AOC en 2011. Qu'ils soient issus de vignobles des puys, en Limagne, ou de vignobles des monts (dômes), en bordure orientale du Massif central, les vins d'Auvergne rouges et rosés proviennent du gamay, cultivé ici de longue date, ainsi que du pinot noir. Le chardonnay produit quelques blancs. Rouges et rosés s'accordent avec les spécialités locales, charcuteries, potée et certains fromages. Dans les crus Boudes, Chanturgue, Châteaugay, Corent et Madargues, ils peuvent prendre une ampleur et un caractère surprenants.

YVAN BERNARD Boudes 2012 ★
■ 4 000 ▮ 5 à 8 €
À la tête de ce domaine de 9 ha, Yvan Bernard a entrepris en 2010 une conversion bio de son domaine. Il présente une cuvée née d'un assemblage de gamay et de pinot noir, à la robe d'un rouge foncé aux reflets violets. Son nez très floral évoque la rose. Souple en attaque, équilibrée, la bouche est étayée par des tanins encore un peu jeunes qui soutiennent la longue finale. À attendre deux à trois ans. Une étoile également pour le **2012 rosé Corent (5 000 b.)** aux reflets saumon, qui s'ouvre au nez sur les fruits rouges. La matière souple en bouche indique une bonne maturité des raisins.
🍷 Yvan Bernard, pl. de la Reine, 63114 Montpeyroux, tél. 04 73 55 31 97, bernard_corent@hotmail.com,
☑ ☩ ⏲ t.l.j. sf dim. lun. 10h-12h 15h-18h

MICHEL BLOT Cuvée d'antan Sélection 2012
■ 2 000 ▮ 5 à 8 €
Cette minuscule exploitation de 36 ares propose un 2012 de pur gamay issu de vignes cultivées sur un sol

granitique. D'une belle couleur rouge rubis, le vin s'ouvre sur des notes discrètes de cerise. On retrouve ces arômes dans une bouche souple, équilibrée par des tanins ronds. Un vin frais et fruité, que l'on pourra apprécier dès la sortie du Guide avec des charcuteries auvergnates.
🍷 Dom. Michel Blot, rte de Dauzat, 63340 Boudes, tél. 04 73 96 41 42, fax 09 70 32 31 46
☑ ☩ ⏲ t.l.j. sf dim. 9h-12h 14h-19h

A. CHARMENSAT 2012 ★★
■ 5 000 ▮ 5 à 8 €
Depuis sa création en 1850, cinq générations de vignerons se sont succédé à la tête de cette exploitation. La famille Charmensat présente aujourd'hui un pur gamay issu à 70 % de vignes centenaires plantées sur un coteau exposé plein sud. Il en résulte une séduisante cuvée saumonée, qui livre à l'olfaction de puissantes notes d'agrumes et de fraise. La bouche est tout aussi expressive et révèle une belle matière ronde, fine et équilibrée. Un vin parfait pour l'apéritif, qui accompagnera également grillades et salades composées. Le **blanc 2012 (1 300 b.)** est cité pour son nez fruité et sa bouche fraîche et élégante aux arômes acidulés d'agrumes. Le **boudes 2012 rouge (24 000 b.)** offre des arômes de fruits rouges dans une bouche souple et légère.
🍷 EARL Charmensat, rue du Coufin, 63340 Boudes, tél. 04 73 96 44 75, fax 04 73 96 58 04, cavecharmensat@orange.fr,
☑ ☩ ⏲ t.l.j. sf dim. 9h-12h 14h-18h30

DESPRAT La Légendaire
En hommage à Jean Desprat 2011 ★
■ 20 000 ⏺ 8 à 11 €
Pierre Desprat représente la quatrième génération de négociants à la tête de cette structure ; il propose une cuvée issue d'un assemblage gamay-pinot noir, élevée douze mois en fût de chêne, puis affinée six mois en altitude dans les caves d'un buron cantalien. Ce 2011 rouge carmin offre au nez de puissants senteurs de griotte accompagnées de notes boisées. La bouche est franche et puissante, sur des saveurs vanillées et toastées. À boire dans les deux ans avec du gibier rôti. Noté également une étoile, le **2011 blanc Osez Vin contemporain (5 à 8 € ; 6 300 b.)** livre au nez de subtiles notes de fruits secs et de légères nuances anisées et florales. Ce chardonnay dévoile en bouche une matière ample, ronde et longue, aux légères nuances de pêche et de poire, équilibrée par une belle fraîcheur. À servir avec du poisson en sauce ou sur des viandes blanches.
🍷 Desprat Vins, 10, av. Jean-Baptiste-Veyre, 15000 Aurillac, tél. 04 71 48 25 16, fax 04 71 48 45 45, desprat.vins@wanadoo.fr, ⏲ t.l.j. sf dim. 8h-12h 14h-19h

♥ DOM. DE LACHAUX 2012 ★★
■ 1 900 ▮ 5 à 8 €
Thierry Sciortino est à la tête de ce domaine de 5,5 ha depuis 1998. Il propose une cuvée qui a remporté tous les suffrages. Ce blanc de chardonnay a été élevé dans un chai en pierre d'arkose sur lequel sont peints trois trompe-l'œil sur le thème du vin. Ce 2012 se présente dans une robe discrète, jaune pâle, tandis que le nez laisse exploser de multiples senteurs de fruits blancs, de fruits exotiques et de fruits secs. La bouche dévoile une matière voluptueuse, équilibrée par des saveurs de poire légèrement acidulées. Un vin fin et persistant, que l'on aura plaisir à déguster à l'apéritif ou sur une truite aux amandes. Le **2011 rouge**

LOIRE

Les Coccinelles (6 400 b.) se distingue par sa souplesse et par ses arômes de cerise épicée ; il obtient une étoile et sera dégusté dans les deux ans. Même note pour le **2012 rosé Corent La Vigne de Nicolas (4 000 b.)** souple, frais, typique du gamay.

☛ Thierry Sciortino, 1, chem. du Domaine, Lachaux, 63270 Vic-le-Comte, tél. 06 64 18 48 84, thsciortino@aol.com, ☑ ⚜ ⵏ r.-v.

BENOÎT MONTEL Châteaugay Vieilles Vignes
Élevé en fût de chêne 2011 ★★

■	4 000	⬚	8 à 11 €

À la tête de ce domaine depuis 1999, Benoît Montel se voit récompensé pour cette cuvée issue de vignes centenaires vendangées à la main, élevée neuf mois en fût. Rubis intense, ce 2011 s'ouvre sur de puissants parfums de fruits noirs (cassis, mûre). Le palais, soutenu par de beaux tanins, délivre des saveurs de griotte et de pruneau légèrement épicés. À déguster sur un plat en sauce ou sur un fromage de caractère. Noté une étoile, le **2012 blanc Bourrassol (5 à 8 € ; 4 000 b.)** offre un nez fruité, encore un peu sur la réserve. Il dévoile un palais gras, étayé par une agréable fraîcheur et montre une pointe d'amertume en finale. On le dégustera dès à présent sur un poisson en sauce. Le **2012 rouge Châteaugay Bourrassol (5 à 8 € ; 4 000 b.)** obtient lui aussi une étoile pour son bouquet puissant de pruneau et d'épices, et pour une bouche encore un peu ferme, qui devrait s'arrondir d'ici deux ans.

☛ EARL Benoît Montel, 6, rue Henri-Goudier, La Varenne, 63200 Riom, tél. 06 74 50 00 24, fax 04 73 64 96 14, benoit-montel@orange.fr, ☑ ⚜ ⵏ r.-v.

DAVID PÉLISSIER Les Fleurs blanches 2012 ★

■	2 000		5 à 8 €

David Pélissier est à la tête d'une propriété de 4 ha, fondée en 1919. Il présente une cuvée de chardonnay. De couleur jaune paille aux nuances dorées, le vin s'ouvre discrètement au nez sur des fragrances de fleur d'oranger avant de délivrer à l'aération des arômes de pêche et de noisette. Tendreté et fruité caractérisent la bouche de ce joli 2012 qui devrait s'épanouir davantage au cours des deux ans à venir. Bel accord avec une truite au beurre blanc.

☛ Cave David Pélissier, rue de Dauzat, 63340 Boudes, tél. et fax 04 73 96 43 45, dfpelissier@hotmail.com, ☑ ⚜ ⵏ t.l.j. 8h-12h 14h-20h

GILLES PERSILIER Celtil Vieilles Vignes 2011 ★★

■	3 500		5 à 8 €

En conversion à l'agriculture biologique depuis 2009, cette exploitation implantée dans un haut lieu de l'histoire de la Gaule, présente deux vins rouges en tout point remarquables. La première cuvée tient son nom du père du chef gaulois Vercingétorix. Les dégustateurs ont apprécié la robe aux reflets pourpres, le nez intense de fruits mûrs et de pruneau, la bouche suave, légèrement boisée, aux saveurs de cerise cuite. À boire dès la sortie du Guide. La deuxième, un **2011 rouge Chanturgue Épona (2 500 b.)** porte le nom de la déesse de la prospérité agricole. Elle obtient la même note pour son nez de pivoine et de violette en harmonie avec une bouche équilibrée sur les fruits rouges frais.

☛ Gilles Persilier, 27, rue Jean-Jaurès, 63670 Gergovie, tél. 06 77 74 43 53, gilles-persilier@wanadoo.fr, ☑ ⚜ ⵏ r.-v.

MARC PRADIER Tradition 2012 ★★

■	3 000	⬚	- de 5 €

Marc Pradier, propriétaire d'un petit domaine de 4,5 ha, travaille seul de la vigne à la cave. Il présente un assemblage de gamay (75 %) et de pinot noir à la jolie robe rubis. Les arômes du nez mêlent avec complexité et finesse la cerise et les épices. Portée par le petit fruit rouge, la bouche, ronde à l'attaque, est bien équilibrée grâce à des tanins fins et soyeux. Un 2012 gouleyant et fort plaisant à déguster dès la sortie du Guide. Le **2012 rosé Corent (5 700 b.)** est quant à lui cité pour ses notes de fraise très mûre, sa fraîcheur et son équilibre.

☛ Marc Pradier, 9, rue Saint-Jean-Baptiste, 63730 Les Martres-de-Veyre, tél. 04 73 39 86 41, fax 04 73 39 88 17, pradiermarc@orange.fr, ☑ ⚜ ⵏ sam. 8h30-12h

DOM. ROUGEYRON Châteaugay Vieilles Vignes 2012 ★★

■	24 000		5 à 8 €

En 2012, David Rougeyron s'est associé à son père Roland pour poursuivre la tradition viticole sur ces terres de cendres volcaniques. Il signe une cuvée de gamay issue de vignes de soixante-dix ans, élevée dans une cave creusée dans le tuf. Ce 2012 pourpre intense dévoile un nez capiteux de fruits rouges (cerise) qui laisse place à un palais souple, ample, bien structuré par de fins tanins et relevé en finale par de légères notes épicées. Un vin harmonieux, à apprécier dès la sortie du Guide, sur une viande rouge ou sur un fromage d'auvergne de caractère.

☛ Dom. Rougeyron, 27, rue de la Crouzette, 63119 Châteaugay, tél. 04 73 87 24 45, fax 04 73 87 23 55, domaine.rougeyron@terre-net.fr, ☑ ⚜ ⵏ r.-v.

SAINT-VERNY Enjoy 2012 ★

■	40 000	⬚	5 à 8 €

Le vignoble de cette cave coopérative se situe intégralement dans le département du Puy-de-Dôme – sur le 45e parallèle. Grâce à ses 130 ha de ses adhérents, elle fournit une grande partie des côtes-d'auvergne et figure régulièrement en bonne place dans le Guide. Cette année, le préféré est ce rosé, assemblage de gamay (80 %) et de pinot noir (20 %). La robe rose clair annonce un nez gourmand et friand. Ronde, équilibrée et fraîche, la bouche développe des saveurs de cerise et de grenadine en finale. Un vin élégant, à déguster sur des grillades. Cité, le **2011 rouge L'Impromptu de Saint-Verny (20 000 b.)** s'exprime sur la griotte bien mûre portée par une matière gouleyante. On l'appréciera dès la sortie du Guide. Une citation également pour le **2012 blanc cuvée des Volcans (30 000 b.)** aux nuances citronnées et mentholées, à la fois rond et frais.

☛ Cave Saint-Verny, 2, rte d'Issoire, 63960 Veyre-Monton, tél. 04 73 69 60 11, fax 04 73 69 65 22, saint.verny@saint-verny.com, ☑ ⚜ ⵏ r.-v.

SAUVAT Boudes Les Demoiselles oubliées du Donazat Sélection 2012

	35 000		5 à 8 €

Ce 2012 de pur gamay né sur un sol argilo-calcaire, tient son nom d'un lieu-dit, Le Donazat, où se dressait, dit-on, un château appartenant à des demoiselles, qui servait de refuge aux lépreux. Sous une belle robe rubis se dévoile un nez distingué de cerise. La bouche, souple, évolue sur des tanins légers et soyeux, et offre une finale acidulée. On dégustera ce vin dès la sortie du Guide.

➹ Dom. Claude et Annie Sauvat, rte de Dauzat, 63340 Boudes, tél. 04 73 96 41 42, fax 09 70 32 31 46, sauvat@terre-net.fr, ☑ ⚕ � t.l.j. sf dim. 9h-12h 14h-19h

LA TOUR DE PIERRE Nuit blanche 2012 ★

	3 000		5 à 8 €

Pierre Deshors, ingénieur agronome et œnologue, est à la tête de ce domaine de 7 ha depuis 2007. Sa cave est située au cœur du village. Les jurés ont apprécié son blanc au nez complexe associant les fruits blancs, les fruits secs, des notes anisées et mentholées. L'attaque est douce et la bouche se révèle sur un bel équilibre entre gras et fraîcheur. On dégustera cette cuvée dans les deux ans, en accompagnement de coquilles Saint-Jacques. Le rosé **Envie en rose 2012 (5 000 b.)** est cité pour son caractère friand et pour ses arômes de bonbon anglais.

➹ Pierre Deshors, 10, rue Neraud, 63450 Le Crest, tél. 06 32 86 23 67, pdeshors@yahoo.fr, ☑ ⚕ � r.-v.

ISABELLE ET MICHEL TOURLONIAS 2011 ★

	1 940		- de 5 €

Première apparition dans le Guide pour Isabelle Tourlonias, à la tête de l'exploitation de son beau-père depuis 2003. Elle signe un rosé plein de charme à la robe saumoné brillant. À l'aération, le nez s'ouvre sur la cerise fraîche. La bouche confirme l'expression d'un vin friand, rond, équilibré, tonifié en finale par de fraîches notes d'agrumes. Pour l'apéritif, les barbecues ou les salades.

➹ Isabelle Tourlonias, 27, rue Antoine-Lannes, 63119 Châteaugay, tél. 04 73 87 60 63, cave.tourlonias@wanadoo.fr, ☑ ⚕ � r.-v.

Ⓑ DOM. DES TROUILLÈRES Corent 2012 ★

	4 600		5 à 8 €

Le domaine, en bio certifié depuis 2009, présente son premier millésime en « vin biologique ». Ce pur gamay est né sur les pentes de l'ancien volcan de Corent. Il affiche une robe saumonée, et dévoile un nez agréable de grenadine et de fruits exotiques. La bouche est fruitée, ronde, souple, bien équilibrée, étayée par une belle fraîcheur en finale. Un vin agréable, idéal pour les repas en plein air.

➹ Jean-Pierre Pradier, Dom. des Trouillères, rue de Tobize, 63730 Les Martres-de-Veyre, tél. 06 72 40 75 26, pradierjp@orange.fr, ☑ ⚕ � r.-v.

Côte-roannaise

Superficie : 220 ha
Production : 10 000 hl

Des sols d'origine éruptive ; des vignes faisant face à l'est, au sud et au sud-ouest, sur les pentes d'une vallée creusée par une Loire encore adolescente : voilà un milieu naturel qui appelle le gamay. Quatorze communes situées sur la rive gauche du fleuve produisent d'excellents rouges et de frais rosés, plus rares. Des vins originaux et de caractère qui intéressent les chefs les plus prestigieux de la région. On évoque les traditions viticoles de la Côte roannaise au musée Alice-Taverne d'Ambierle.

MICHEL DÉSORMIÈRE ET FILS Tradition 2012 ★

	16 000		- de 5 €

Le domaine familial, créé en 1974 par Michel Désormière, est depuis 1996 conduit par ses deux fils Éric et Thierry. Cette cuvée a été élaborée à partir de vignes d'un âge respectable (quarante-cinq ans) vendangées à la main et vinifiées à la beaujolaise en macération semi-carbonique. Le nez rappelle d'ailleurs celui d'un beaujolais primeur, mêlant le bonbon anglais, le cassis et la cerise. La bouche, fruitée, charnue et volumineuse, est bien équilibrée par des tanins qui auront toute la souplesse souhaitée en 2014. Le **2012 Les Têtes (5 à 8 € ; 8 000 b.)** est cité pour son puissant nez de sous-bois et de mûre, et pour sa bouche ample et tannique.

➹ Dom. Désormière, Le Perron, 42370 Renaison, tél. 04 77 64 48 55, fax 04 77 62 12 73, domaine.desormiere@orange.fr, ☑ ⚕ � t.l.j. 8h-12h 13h30-19h ; dim. sur r.-v.

JACQUES PLASSE Vieilles Vignes 2011 ★★

	4 000		- de 5 €

Jacques Plasse représente la troisième génération à la tête de ce domaine. Il exploite un vignoble de 6,2 ha, dont une parcelle de 1,4 ha de vignes centenaires, replantées sur porte-greffes américains après le phylloxéra et jamais arrachées depuis. Il signe un 2011 très harmonieux, à la robe rubis profond. Le nez intense et généreux, délivre de jolies notes de fruits noirs et rouges. La bouche volumineuse et complexe est appuyée par des tanins qui équilibrent parfaitement sa matière gourmande. À servir dans les trois ans à venir sur un lapin en sauce ou un saint-marcellin.

➹ Jacques Plasse, 788, rte de Saint-Alban, 42370 Saint-André-d'Apchon, tél. 04 77 65 84 31, jacques.plasse@yahoo.fr, ☑ ⚕ � r.-v.

DOM. DE LA ROCHETTE Bératard 2012

	7 000		- de 5 €

Ce millésime 2012 a fêté l'installation d'Antoine, le fils de Pascal Néron. Le jeune homme est désormais associé à son père et à son oncle, Olivier, aux commandes de la propriété familiale. Le trio propose un 2012 aux parfums de cassis et de mûre, vivifiés d'une pointe minérale. La bouche, sur les fruits noirs, se révèle riche et tannique ; elle appelle une garde d'un an. Également cité, le **2012 Les Vieilles Vignes du château (5 à 8 € ; 8 000 b.)** est un vin au nez complexe sur les fruits noirs et au palais ample, harmonieux.

➹ Dom. de la Rochette, La Rochette, 42155 Villemontais, tél. 04 77 63 10 62, antoine.neron@orange.fr, ☑ ⚕ � t.l.j. sf dim. 8h-18h ⌂ Ⓑ
➹ Néron

DOM. ROBERT SÉROL Les Vieilles Vignes 2012

| ■ | 40 000 | ■ | 5 à 8 € |

Stéphane Sérol a repris en 1996 le domaine de son père, Robert. Il propose un 2012 issu de macération semi-carbonique puis élevé en cuve. Le nez s'ouvre sur de légères nuances florales et sur des notes de fruits noirs (cassis). La bouche est aromatique, harmonieuse et longue. Un vin friand qui se prêtera bien à une garde de deux ans.

☛ EARL Dom. Sérol, Les Estinaudes, 42370 Renaison, tél. 04 77 64 44 04, fax 04 77 62 10 87, contact@domaine-serol.com,
☑ ⚔ ⏺ t.l.j. sf dim. 9h-12h 14h-19h

Côtes-du-forez

Superficie : 168 ha
Production : 7 433 hl

C'est à une somme d'efforts intelligents et tenaces que l'on doit le maintien de ce vignoble abrité par les monts du Forez, qui s'étend sur dix-sept communes autour de Boën-sur-Lignon (Loire). Le climat y est semi-continental, et les terrains sont tertiaires au nord et primaires au sud. Rosés et rouges, secs et vifs, les vins proviennent exclusivement du gamay et sont à consommer jeunes. Ils ont été reconnus en AOC en 2000.

DOM. DU MONTAUBOURG 2011 ★★

| ■ | 18 500 | ■ | 5 à 8 € |

La coopérative est la locomotive de cette petite appellation de près de 200 ha née en 2000. Les 10 ha de vignes à l'origine de ce 2011 sont situés sur les flancs du volcan le Montaubourg – un terroir à la fois basaltique et granitique. Le vin « terroite » au nez, sur des notes de cuir et de minéralité, puis dévoile un palais fruité, ample, équilibré par de fins tanins. Il pourra être dégusté dès la sortie du Guide avec du gibier en sauce.

☛ Cave des Vignerons foréziens, 72, rte de Montbrison, 42130 Trelins, tél. 04 77 24 00 12, fax 04 77 24 01 76, vignerons.foreziens@wanadoo.fr, ☑ ⏺ t.l.j. 9h-12h 14h-18h

DOM. DE LA PIERRE NOIRE Cuvée spéciale 2011

| ■ | 3 000 | ■ | - de 5 € |

Ce 2011 rubis intense livre un bouquet minéral, un rien fumé. La bouche est ronde, fraîche, structurée par des tanins encore un peu austères. Rustique et trapu, c'est un vin de terroir que l'on pourra oublier un an ou deux en cave avant de le servir sur une terrine de faisan.

☛ Gachet, 890, rte de Margerie, 42610 Saint-Georges-Haute-Ville, tél. 04 77 76 08 54, domainedelapierrenoire@wanadoo.fr, ☑ ⚔ ⏺ r.-v.

♥ **DOM. DU POYET** Cuvée du Poyet 2012 ★★

| ■ | n.c. | ■ | 5 à 8 € |

Jean-François Arnaud reçoit tous les honneurs avec ce 2012. À la tête de ce domaine de 8 ha depuis 1996, il pratique un égrappage partiel de ses cuvées de rouge afin d'allier le fruit aux tanins. Celle-ci est issue de 2 ha de vignes de vingt-cinq ans. Elle affiche une jolie robe rubis et offre un nez subtil de fruits noirs. La bouche se révèle

ample, ronde, débonnaire, parfumée de petits fruits rouges et bien équilibrée. Un vin que l'on pourra déguster dès à présent sur une fourme de Montbrison. La **cuvée des Vieux Ceps 2011 (8 000 b.)** reçoit une étoile pour sa bouche fruitée, gouleyante, tout en rondeur. Elle accompagnera un pâté de tête dès aujourd'hui.

☛ Dom. du Poyet, Jean-François Arnaud, Le Bourg, 42130 Marcilly-le-Châtel, tél. 06 71 41 36 46, domainedupoyet@sfr.fr, ☑ ⚔ ⏺ t.l.j. sf dim. 8h-12h 14h-19h

Menetou-salon

Superficie : 473 ha
Production : 10 761 hl (60 % blanc)

Menetou-Salon doit son caractère viticole à la proximité de la métropole médiévale qu'était Bourges ; Jacques Cœur y eut des vignes. À la différence de nombreuses régions jadis célèbres pour leurs crus, aujourd'hui disparus, ce secteur du Berry a gardé son vignoble, planté en coteaux. Menetou-Salon partage avec son prestigieux voisin Sancerre sols favorables et cépages nobles : sauvignon blanc et pinot noir sur kimméridgien. D'où ces blancs frais et épicés, ces rosés délicats et fruités, ces rouges harmonieux et bouquetés, à boire jeunes. Ces vins accompagnent à ravir une cuisine classique (apéritif, entrées chaudes pour les blancs ; poisson, lapin, charcuterie pour les rouges, à servir frais).

♥ **DOM. DE BEAUREPAIRE** 2012 ★★

| ■ | 50 000 | ■ | 5 à 8 € |

Créé par le père de Jean-François Gilbon en 1989, le domaine s'étend sur 12,5 ha, dont 9 ha dédiés à cette cuvée remarquable de finesse. Le nez, aérien et complexe, mêle les fleurs blanches, les agrumes, la pêche de vigne et une touche mentholée. Ample et dense, le palais ne perd jamais en tension et en élégance, porté par une fraîcheur aux accents fruités et minéraux. Un menetou-salon au style épuré et délicat, qui appelle un mets raffiné, comme un sandre de Loire au beurre blanc. Le **rosé 2012 (1 600 b.)** est quant à lui cité pour ses arômes de petits fruits rouges et pour son onctuosité en bouche.

🍷 Cave Gilbon, Dom. de Beaurepaire, 18220 Soulangis, tél. 02 48 64 41 09, cave-gilbon@wanadoo.fr, ☑ ⚔ ⵟ t.l.j. sf sam. dim. 9h-12h 14h-18h; f. mi-août

DOM. DE CHAMPARLAN 2012 ★★

	12 000	▮	5 à 8 €

Les jeunes vignerons David Girard et son frère Luc conduisent un vignoble de 4,5 ha en phase de développement : plantations nouvelles, nouveau chai de vinification et d'élevage. Ils proposent un menetou d'abord fermé, qui dévoile à l'agitation une belle complexité : fleurs blanches, buis, agrumes, fruits blancs. Souple en attaque, le palais se montre plein et charnu, une longue finale mentholée apportant beaucoup de fraîcheur et de peps. Le **rouge 2012 (4 000 b.)**, frais et fruité, est cité.

🍷 Dom. de Champarlan, Champarlan, 18250 Humbligny, tél. et fax 02 48 69 58 44 ☑ ⚔ ⵟ r.-v.
🍷 Girard Frères

ISABELLE ET PIERRE CLÉMENT
La Dame de Châtenoy 2011 ★

	12 000	▮	8 à 11 €

Les Clément conduisent un vaste domaine de 60 ha répartis sur les dix communes de l'appellation. Les sols du terroir kimméridgien sont appelés localement « oreilles de poule », du fait des petits agglomérats de coquilles d'huîtres fossilisées qui les composent. Une sélection de raisins très mûrs, une fermentation spontanée, un long élevage sur lies sont les facteurs de la réussite de ce 2011 souple, riche et doux, aux arômes de fruits mûrs. Un style généreux et soyeux qui conviendra à une volaille à la crème, et que l'on retrouve dans la cuvée principale de **blanc 2012 (250 000 b.)**, citée, tendre et ronde.

🍷 Isabelle et Pierre Clément, Dom. de Châtenoy, 18510 Menetou-Salon, tél. 02 48 66 68 70, fax 02 48 66 68 71, info@clement-chatenoy.com, ☑ ⚔ ⵟ t.l.j. sf dim. 8h-12h 13h30-17h30

♥ DOM. DE COQUIN Mathilde 2012 ★★

	3 500	▯	11 à 15 €

On ignore les origines du nom de cette ancienne dépendance, au Moyen Âge, du château de Coquin, aujourd'hui disparu. Un trait de caractère du seigneur d'alors ? Un surnom donné à cette terre difficile à travailler ? Une terre argilo-calcaire que Francis Audiot a « domptée » depuis 1992. Née de ses plus vieilles vignes de pinot noir, cette cuvée témoigne d'un réel savoir-faire à la vigne et au chai. Après deux mois de barrique, elle en revêt une robe intense et profonde à laquelle semble faire écho un bouquet puissant de fruits mûrs. La bouche impressionne par son volume, sa concentration et sa robuste charpente, tout en gardant de la fraîcheur et un caractère suave et rond très flatteur. Un vin de caractère, harmonieux et sans aspérité, que l'on pourra servir aussi bien jeune qu'âgé de quatre ou cinq ans. La cuvée **Héloïse En aparté 2012 blanc (5 à 8 € ; 8 000 b.)**, généreuse, tendre et fruitée, étayée par une fine minéralité, obtient une étoile.

🍷 Francis Audiot, Dom. de Coquin, 18510 Menetou-Salon, tél. 02 48 64 80 46, fax 02 48 64 84 51, domainedecoquin@orange.fr, ☑ ⚔ ⵟ t.l.j. sf dim. 9h-12h 14h-18h; f. 15-31 août

DOM. DE L'ERMITAGE 2011

	18 000	▮	8 à 11 €

Fille de Bernard Clément, vigneron qui participa à la création de l'AOC, Laurence de La Farge et son mari Géraud ont créé ce domaine de toutes pièces en 1989. Ils proposent un 2011 plaisant, au nez de fruits mûrs relevés d'épices. La bouche se révèle gourmande, souple, légère et fruitée. Un « vin plaisir », pour l'apéritif et quelques charcuteries.

🍷 Géraud et Laurence de La Farge, L'Ermitage, 18500 Berry-Bouy, tél. 02 48 26 87 46, fax 02 48 26 03 28, domaine-ermitage@wanadoo.fr, ☑ ⚔ ⵟ r.-v.

FOURNIER PÈRE ET FILS Côtes de Morogues 2012

	60 000	▮	5 à 8 €

Les Fournier proposent un menetou bien typé sauvignon, où le cépage s'exprime à plein à travers un nez de buis, de genêt et de bourgeon de cassis. La bouche est à l'unisson, variétale et vive. Parfait pour un plateau de fruits de mer.

🍷 Fournier Père et Fils, rte de la Garenne, Chaudoux, 18300 Verdigny, tél. 02 48 79 35 24, fax 02 48 79 30 41, claude@fournier-pere-fils.fr, ☑ ⚔ ⵟ t.l.j. 8h-12h 13h30-18h; sam. dim. sur r.-v.

CAVE FRAISEAU-LECLERC 2012 ★★

	27 000	▮	5 à 8 €

Après un coup de cœur pour son blanc 2011 l'an dernier, Viviane Fraiseau met les trois couleurs du menetou à l'honneur. Le blanc est à nouveau remarquable. Il exhale des parfums intenses et élégants de poire, d'agrumes et de bourgeon de cassis rehaussés par une touche minérale. La bouche associe gras et vivacité, densité et souplesse. Un vin équilibré en somme, que l'on prendra plaisir à déguster sur un poisson en sauce. Le **rosé 2012 (1 100 b.)**, vineux, riche et plein, est également jugé remarquable. Un rosé de gastronomie que l'on verrait bien accompagner une viande blanche ou un pavé de thon mi-cuit. Le **rouge 2012 (10 000 b.)**, concentré, généreux et charpenté, est cité. Encore fermé, il patientera un an ou deux en cave.

🍷 Viviane Fraiseau, 3-5, rue du Chat, 18510 Menetou-Salon, tél. 02 48 64 88 27, fax 02 48 64 86 09, cave.fraiseau.leclerc@orange.fr, ☑ ⚔ ⵟ sam. dim. 9h-12h 13h30-18h; lun. ven. sur r.-v.
🏠❷🏠❽

DOM. DU LORIOT 2012 ★

	12 000		8 à 11 €

Ayant fait leur entrée dans le Guide l'an dernier, François et Jean-Marie Cherrier confirment leur savoir-faire avec ce 2012 qui frôle les deux étoiles. D'un abord fermé, le vin livre à l'aération des parfums élégants de fruits frais, de fleurs et de buis. Il se révèle à la fois ample, plein et vif en bouche, souligné par un beau fruité et une minéralité crayeuse en finale. À déguster dans les deux ans à venir, pourquoi pas sur des tagliatelles aux fruits de mer et au basilic ?

☛ SCEV Les Chézeaux, 2, rue du Champ-de-Pierrette, 18510 Menetou-Salon, tél. 02 48 79 34 93, fax 02 48 79 33 41, cherrier@easynet.fr, ☑ ☓ r.-v.

DOM. DE LOYE 2012

	66 000		8 à 11 €

En 1999, Valentin Moindrot a repris ce domaine de 15 ha créé par son grand-père, vigneron et... meunier. On ne broie plus le blé ici, mais on y presse toujours le raisin, à l'origine en 2012 d'un blanc bien typé, sauvignonné à souhait, sur les agrumes, le buis et les fleurs blanches, souple et frais en bouche, enrobé par une petite rondeur. Fruité et bien structuré, le **rouge 2012 (25 000 b.)** obtient également une citation.

☛ Bernard et Valentin Moindrot, Dom. de Loye, 18220 Moroques, tél. 02 48 64 35 17, fax 02 48 64 41 29, scev.domaine.loye@terre-net.fr,
☑ ☓ ☓ t.l.j. sf dim. 9h30-12h 14h-18h

JOSEPH MELLOT Clos du Pressoir 2012 ★

	10 000		8 à 11 €

Le vénérable domaine Mellot, dont l'histoire débute en 1513, signe un menetou rouge généreux et puissant qui, par sa teinte pourpre sombre laisse deviner sa concentration. Le nez, riche et intense, mêle les petits fruits rouges et noirs à la réglisse et à une touche minérale. La bouche s'impose par une solide charpente et une matière concentrée laissant pour l'heure le fruit un peu en retrait. On accordera un an ou deux à cette bouteille de caractère pour s'affiner.

☛ SARL Vignobles Joseph Mellot, rte de Ménétréol, 18300 Sancerre, tél. 02 48 78 54 54, fax 02 48 78 54 55, josephmellot@josephmellot.com,
☑ ☓ ☓ t.l.j. 8h15-12h 13h30-17h; sam. dim. sur r.-v. 🏠 🅾
☛ Catherine Corbeau-Mellot

DOM. CHRISTIAN MILLET 2012 ★

	6 000		5 à 8 €

Exploité depuis dix ans par Simon et Louis Dezat, originaires du Sancerrois, ce domaine propose un menetou qui s'ouvre sur des notes typées de bourgeon de cassis et de buis, accompagnées de fruits jaunes et exotiques. La bouche, ronde en première approche, se révèle très minérale et vive. Un style nerveux qui conviendra aux fruits de mer.

☛ SCEV Christian Millet, Les Fancards, 18510 Menetou-Salon, tél. 02 48 79 38 82, fax 02 48 79 38 24, dezat-andre@terre-net.fr, ☑ ☓ ☓ r.-v.
☛ Simon et Louis Dezat

DOM. GÉRARD MILLET 2012 ★

	20 000		5 à 8 €

Ce domaine de près de 23 ha propose un 2012 bien dans le ton de ce que l'on attend d'un blanc de sauvignon.

Au nez, les notes variétales s'affichent sans détour (agrumes, bourgeon de cassis). Elles s'imposent aussi en bouche, apportant de la tension et de la longueur. Un vin tonique et frais, idéal pour les coquillages ou les crustacés.

☛ Gérard Millet, rte de Bourges, 18300 Bué, tél. 02 48 54 38 62, fax 02 48 54 13 50, gmillet@terre-net.fr, ☑ ☓ r.-v.

PATRICK NOËL Vignes de Chantenais 2011 ★★

	20 000		8 à 11 €

Patrick Noël, originaire de Chavignol dans le Sancerrois, a créé ce domaine en 1988. Depuis 2009, sa fille Julie est à ses côtés pour exploiter 17 ha de vignes réparties entre les appellations sancerre, pouilly-fumé et menetou donc. Ici, un 2011 finement bouqueté autour des fleurs jaunes, des fruits mûrs et d'une touche miellée. La bouche, ample et longue, trouve un bon équilibre entre la rondeur et l'acidité, un retour fruité souligné d'un trait de minéralité lui donnant un surcroît de finesse. À déguster au cours des deux prochaines années sur un poisson noble, un filet de bar sauce aux agrumes par exemple.

☛ EARL Patrick Noël, av. de Verdun, rte de Bannay, 18300 Saint-Satur, tél. 02 48 78 03 25, fax 02 48 54 06 88, patricknoel-vigneron@orange.fr,
☑ ☓ t.l.j. sf dim. 8h-12h 14h-19h

CAVE PRÉVOST 2012

	40 000		5 à 8 €

C'est dans la fraîcheur d'une petite cave voûtée en pierre de taille que les Prévost – Gérard, sa fille ou son neveu – accueillent les visiteurs. À la carte, ce 2012 au caractère variétal (bourgeon de cassis, genêt, agrumes), croquant et frais en bouche, souligné en finale par un fruité acidulé, ou encore le **rouge 2012 (14 000 b.)**, fruité et bien charpenté, également cité. Deux vins sympathiques, à servir à l'apéritif pour le premier, sur une grillade pour le second.

☛ Cave Prévost, 3, rte de Quantilly, 18110 Vignoux-sous-les-Aix, tél. et fax 02 48 64 68 36, contact@cave-prevost.com, ☑ ☓ t.l.j. sf dim. 9h-18h

LE PRIEURÉ DE SAINT-CÉOLS 2012 ★

	50 000		5 à 8 €

C'est dans un ancien prieuré dépendant de l'abbaye de La Charité-sur-Loire que Pierre Jacolin a installé ses chais, en 1986. Il y a élaboré ce vin qui se présente avec discrétion, nécessitant une bonne aération pour se révéler. Apparaissent alors les fruits et surtout une belle minéralité calcaire. À ce nez « terroir » répond une bouche franche et fruitée en attaque, puis ronde et charnue, avec toujours cette fraîcheur caractéristique en soutien. Tout indiqué pour les fruits de mer.

☛ Pierre Jacolin, Le Prieuré de Saint-Céols, 18220 Saint-Céols, tél. 02 48 64 40 75, fax 02 48 64 41 15, domaine.jacolin@gmail.com,
☑ ☓ t.l.j. 8h-19h; dim. sur r.-v.

DOM. JEAN TEILLER 2012 ★

	50 000		8 à 11 €

Un quatuor associant deux générations conduit ce domaine familial de 17 ha : Jean-Jacques et Monique Teiller depuis 1986, rejoints par Patricia et Olivier en 2003. Ils proposent ici un 2012 au bouquet ouvert et varié de fleur d'oranger, de pomme verte, de melon et d'agrumes. Une attaque franche et directe annonce une bouche à la fois vive, ample et dense, longue et finement fruitée en finale. Bel accord gourmand en perspective avec un fromage de chèvre ou un parmesan vieux. Le **rosé 2012 (6 500 b.)**, frais, léger et aromatique (fruits rouges), est cité.

🕭 Dom. Jean Teiller, 13, rte de la Gare,
18510 Menetou-Salon, tél. 02 48 64 80 71,
fax 02 48 64 86 92, domaine-teiller@wanadoo.fr,
☑ ⚔ ⛉ t.l.j. sf dim. 8h30-12h 14h-18h
🕭 Teiller et Luneau

LA TOUR SAINT-MARTIN Honorine 2011 ★

	6 000	🞓⬚	20 à 30 €

Valeur sûre de l'appellation, ce domaine propose ici un vin blanc élevé pour partie sous bois (barrique, cuve tronconique, foudre). Au nez, un léger toasté-vanillé se mêle aux arômes de fleur de sureau et de pêche, auxquels fait écho un palais ample, gras, généreux. Un menetou de table, à boire ou à attendre deux à trois ans, que l'on réservera pour une viande blanche ou un poisson en sauce. Dans un style plus incisif et minéral, le **blanc 2012 Moroques (11 à 15 € ; 66 000 b.)**, élevé en cuve, est également très réussi, de même que la cuvée **Célestin 2011 rouge (6 280 b.)**, séduisante par son volume, son boisé maîtrisé et par ses tanins soyeux autorisant une ouverture prochaine.

🕭 La Tour Saint-Martin, Saint-Martin-des-Lacs,
18340 Crosses, tél. 02 48 25 02 95, fax 02 48 25 05 03,
ab.minchin.vins@orange.fr, ☑ ⚔ ⛉ r.-v.

CHRISTOPHE ET GUY TURPIN Moroques
Cuvée Guignée 2011 ★

	3 500	🞓	5 à 8 €

Ce domaine familial a élaboré un 2011 bien représentatif de l'appellation et de son cépage phare. Tout respire ici le sauvignon. Au nez, les nuances variétales de buis et d'agrumes côtoient les fleurs miellées. En bouche, la vivacité donne le ton, soulignée par des notes de pierre à fusil et de fruits frais. Les fruits de mer s'imposent.

🕭 Christophe Turpin, 11, pl. de l'Église, 18220 Moroques,
tél. et fax 02 48 64 32 24, christopheturpin@wanadoo.fr,
☑ ⚔ ⛉ t.l.j. 8h-12h 14h-19h 🏠 Ⓑ

Pouilly-fumé et pouilly-sur-loire

Œuvre de moines bénédictins, voilà l'heureux vignoble des vins blancs secs de Pouilly-sur-Loire. La Loire s'y heurte à un promontoire calcaire qui la rejette vers le nord-ouest et qui porte le vignoble exposé sud-sud-est, planté sur des sols moins calcaires qu'à Sancerre. Le sauvignon, ou « blanc fumé », y a presque entièrement supplanté le chasselas pourtant historiquement lié à Pouilly. Ce dernier cépage produit, sous l'appellation pouilly-sur-loire, un vin léger non dénué de charme lorsqu'il est cultivé sur sols siliceux. Le sauvignon, à l'origine de l'AOC pouilly-fumé, traduit bien les qualités enfouies en terre calcaire : une fraîcheur parfois assortie d'une certaine fermeté, une gamme d'arômes spécifiques du cépage, affinés par le terroir et les conditions de fermentation du moût.

Ici encore, la vigne s'intègre harmonieusement aux paysages de Loire. Aux charmes des lieux-dits (les Cornets, les Loges, le calvaire de Saint-Andelain...) répond la qualité des vins, que l'on servira à l'apéritif, sur des fruits de mer ou sur des fromages secs.

Pouilly-fumé

Superficie : 1 237 ha
Production : 60 263 hl

MICHEL ET DAVID BAILLY 2012 ★

	10 000	🞓	8 à 11 €

Cette cuvée est née sur un terroir argileux et de ceps de sauvignon que l'on devine vendangés à belle maturité. Intense et riche dès l'olfaction, elle exhale des parfums de fruits mûrs (abricot, ananas) et d'agrumes associés à la douceur des fleurs miellées. Le palais se révèle dense, gras et rond, tenu en équilibre par une légère fraîcheur qui réveille la finale. Un vin expressif et avenant, à servir sur un poisson ou une volaille en sauce.

🕭 Michel et David Bailly, 3, rue Saint-Vincent, Les Loges,
58150 Pouilly-sur-Loire, tél. 03 86 39 04 78,
fax 03 86 39 05 25, domaine.michel.bailly@wanadoo.fr,
☑ ⚔ ⛉ t.l.j. sf sam. dim. 8h-12h 14h-18h

CÉDRICK BARDIN 2012

	56 000	🞓	5 à 8 €

Cédrick Bardin propose un vin bien représentatif de son appellation. Robe claire aux reflets gris ; nez ouvert sur les agrumes, avec une pointe fumée et les nuances végétales typiques du sauvignon ; bouche à l'unisson, fraîche, minérale et tonique. Un pouilly « droit dans son terroir », à servir sur des produits de la mer.

🕭 Cédrick Bardin, 12, rue Waldeck-Rousseau,
58150 Pouilly-sur-Loire, tél. 03 86 39 11 24,
fax 03 86 39 16 50, cedrick.bardin@orange.fr, ☑ ⛉ r.-v.

DOM. DE BEL AIR 2012 ★

	40 000	🞓	5 à 8 €

Assemblage des principaux terroirs de ce domaine familial de 15 ha, cette cuvée dévoile un bouquet plaisant dominé par des notes variétales d'agrumes et de buis. La bouche est bien dans le ton, « sauvignonnée » à souhait, fraîche et tranchante, au fruité croquant. Dans un style proche, citronné, vif et dynamique, la **cuvée Riquette 2012 (8 à 11 € ; 15 000 b.)** est citée, ainsi que la **cuvée des Acoins 2012 (8 à 11 € ; 5 000 b.)**, plus chaleureuse.

🕭 Dom. de Bel Air, 6, rue Waldeck-Rousseau, Le Bouchot,
58150 Pouilly-sur-Loire, tél. 03 86 39 02 73,
fax 03 86 39 19 52, mauroygauliez@gmail.com, ☑ ⛉ r.-v.
🕭 Mauroy

DOM. DES BERTHIERS Cuvée d'Ève 2011

	20 000	🞓⬚	11 à 15 €

Née des plus vieilles vignes du domaine, cette cuvée a passé une partie de son élevage en barrique. Et la dégustation le révèle clairement. Au nez, des notes

LOIRE

intenses de moka se mêlent aux agrumes et aux fleurs blanches. Si la bouche dévoile un caractère avenant par sa rondeur et son fruité frais (clémentine), elle reste pour l'heure sous l'emprise du bois. À laisser s'affiner encore deux ou trois ans.

🕳 Jean-Claude Dagueneau, SCEA Dom. des Berthiers, Les Berthiers, 58150 Saint-Andelain, tél. 03 86 39 12 85, fax 03 86 39 12 94, claude@fournier-pere-fils.fr,
☑ ✦ ⊥ t.l.j. 14h30-17h30; sam. dim. sur r.-v.
🕳 Fournier

FRANCIS BLANCHET Silice 2012

| | 10 000 | ■ | 5 à 8 € |

Née sur un sol d'argiles à silex, cette cuvée Silice se montre taiseuse de prime abord. À l'agitation, elle mêle des notes variétales de bourgeon de cassis et d'agrumes à des nuances minérales de terroir. Dans la continuité du nez, le palais se révèle ample et vif. Encore un peu fermé, l'ensemble reste harmonieux et s'accordera dès à présent comme dans un an ou deux avec un poisson sauce aux crustacés. La cuvée **Kriotine 2012 (5 300 b.)**, issue d'un terroir calcaire, est également citée, pour sa fraîcheur et son fruité.

🕳 EARL Francis Blanchet, 33, rue Louis-Joseph-Gousse, Le Bouchot, 58150 Pouilly-sur-Loire, tél. 03 86 39 05 90, francisblanchet@orange.fr,
☑ ✦ ⊥ t.l.j. 9h-12h 14h-18h; dim. sur r.-v.

GILLES BLANCHET 2012 ★★

| | 60 000 | ■ | 5 à 8 € |

Cuvée principale du domaine, ce 2012 a fait l'unanimité par sa finesse et son élégance. Derrière une robe pâle aux reflets gris se dévoile un bouquet intense et frais de bourgeon de cassis, d'épices, de fleurs de sureau et d'acacia. Une complexité et une fraîcheur que ne dément pas le palais, ample, délicat et soyeux. Un pouilly équilibré et gracieux que l'on réservera à un mets raffiné, des saint-jacques en sauce crémée par exemple.

🕳 EARL Gilles Blanchet, 16, rue Saint-Edmond, 58150 Saint-Andelain, tél. 03 86 39 14 03, fax 03 86 39 00 54, gilles.blanchet@wanadoo.fr, ☑ ✦ ⊥ r.-v.

DOM. BRUNO BLONDELET 2012 ★

| | 40 000 | ■ | 5 à 8 € |

Bruno Blondelet signe un pouilly-fumé bien typé. Au nez, les classiques notes de bourgeon de cassis se mêlent aux agrumes, aux fleurs blanches et à l'amande douce. Après une attaque vive et dynamique, le palais se révèle plein, rond et charnu, et offre en finale un beau retour sur les fruits. De la tenue et de l'équilibre pour ce vin prêt à boire, un brochet sauce au beurre blanc par exemple.

🕳 EARL Dom. Bruno Blondelet, Le Bouchot, 58150 Pouilly-sur-Loire, tél. 03 86 39 18 75, fax 03 86 39 06 65, blondelet@free.fr, ☑ ✦ ⊥ t.l.j. 8h-19h

BOUCHIÉ-CHATELLIER Argile à S 2012 ★★

| | 18 000 | ■ | 11 à 15 € |

Formation exclusive d'argiles à silex, la butte de Saint-Andelain, où sont établies la cave et une grande partie de ce domaine, constitue l'un des terroirs de prédilection de l'appellation. La famille Bouchié en a tiré un pouilly-fumé qui donne tout son sens au terme « minéralité ». De fait, le nez, frais et élégant, évoque la pierre à fusil, le caillou mouillé, mais aussi les agrumes,

les épices (curry) et le bourgeon de cassis caractéristique du cépage. Un mariage réussi du terroir et du raisin que la bouche ne dément pas, parcourue de bout en bout par une remarquable fraîcheur crayeuse et fruitée. La cuvée **La Chatellière 2012 (8 à 11 € ; 30 000 b.)** obtient une étoile pour son caractère très épicé (poivre) et fruité (citron), vif et tonique. Deux bouteilles que l'on verrait bien sur une cuisine finement relevée, comme des brochettes de saint-jacques sauce gingembre et citronnelle.

🕳 Bouchié-Chatellier, La Renardière, 10, rue de Loire, 58150 Saint-Andelain, tél. 03 86 39 14 01, fax 03 86 39 05 18, pouilly.fume.bouchie.chatellier@wanadoo.fr, ☑ ✦ ⊥ r.-v.

LA DEMOISELLE DE BOURGEOIS 2011

| | 43 622 | ■ | 20 à 30 € |

Élevée pendant dix mois sur lies fines, cette cuvée issue des marnes kimméridgiennes de Chavignol se révèle plutôt fermée au premier nez. Elle s'ouvre à l'aération sur des notes variétales de buis et de bourgeon de cassis. Souple en attaque, le palais se montre tendre, frais et léger. Un vin simple et bien typé, à déguster sur un plateau de fruits de mer.

🕳 SAS. Henri Bourgeois, Chavignol, 18300 Sancerre, tél. 02 48 78 53 20, fax 02 48 54 14 24, domaine@henribourgeois.com, ☑ ✦ ⊥ r.-v.

HUBERT BROCHARD Classique 2012 ★★

| | 32 000 | ■ ⑪ | 8 à 11 € |

Cette cuvée représente l'intégralité de la partie pouillyssoise du vignoble Brochard, soit 4 ha sur les 60 ha que compte le domaine (sancerre et vins de pays du Val de Loire). Elle délivre au nez des parfums intenses et complexes de pierre à fusil, de fruits frais, de buis et de poivre. La bouche se révèle ronde, tendre et délicate, étayée par une fraîcheur saline et fruitée. Un vin « en dentelle », à déguster dans l'année sur une anguille fumée aux sarments.

🕳 Hubert Brochard, Chavignol, 18300 Sancerre, tél. et fax 02 48 78 20 19, domaine@hubert-brochard.fr, ☑ ⊥ t.l.j. 9h-12h 14h-18h

JÉRÔME BRUNEAU Julinès 2012 ★

| | 1 000 | ⑪ | 11 à 15 € |

Jérôme Bruneau s'est installé en 2008 sur l'exploitation viticole d'un voisin dans son village natal de Saint-Andelain. Il fait une entrée très réussie dans le Guide avec cette cuvée Julinès (contraction des prénoms de ses deux filles Julie et Inès). Élevé en fût avec un bâtonnage doux de dix mois, ce pouilly offre à l'olfaction un mariage harmonieux du fruit (orange sanguine) et du bois (moka, grillé), agrémenté de nuances florales et anisées. Frais et tonique en attaque, rond et charnu en milieu de bouche, citronné en finale, il séduit par son équilibre. Un vin de repas (viande blanche, volaille, poisson en sauce), que l'on pourra servir dès à présent ou attendre un à trois ans. La **cuvée principale 2012 (5 à 8 € ; 5 000 b.)**, élevée en cuve, obtient également une étoile, pour sa finesse aromatique.

NOUVEAU PRODUCTEUR

🕳 Jérôme Bruneau, Soumard, 58150 Saint-Andelain, tél. 06 15 11 93 85, j-bruneau@orange.fr, ☑ ✦ ⊥ r.-v.

A. CAILBOURDIN Triptyque 2011 ★

	4 000		15 à 20 €

C'est dans leur toute nouvelle cave qu'Alain Cailbourdin et son fils Loïc ont élaboré cette cuvée issue d'une sélection de vieilles vignes de soixante-dix ans, élevée en fût pendant un an. Un vin harmonieusement construit autour d'un boisé intense (moka, chocolat) mais respectueux du fruit (agrumes, fruits exotiques), le fût apportant un surcroît de structure et de complexité à un palais ample, dense et frais. À boire ou à attendre une paire d'années. La cuvée **Les Cornets 2012** (11 à 15 € ; 20 000 b.) est citée pour son fruité élégant.

☛ Alain Cailbourdin, 35, rte Nationale, Maltaverne, 58150 Tracy-sur-Loire, tél. 03 86 26 17 73, fax 03 86 26 14 73, domaine-cailbourdin@wanadoo.fr, ☑ ⚹ ⵝ t.l.j. 8h-12h 13h30-17h; sam. dim. sur r.-v.; f. 15-31 août

JACQUES CARROY ET FILS L'Éclat 2012 ★

	7 000		8 à 11 €

Christophe et Sébastien Carroy conduisent un domaine de 9 ha répartis sur différentes parcelles. Ils ont sélectionné une vigne de 80 ares plantée sur sols marneux pour cette cuvée L'Éclat. Le nez « sauvignonne » à souhait (buis, bourgeon de cassis, agrumes). La bouche dévoile un bon équilibre entre une légère sucrosité, un fruité soutenu et une agréable fraîcheur acidulée. À déguster au cours des deux ans à venir sur un poisson de rivière.

☛ Dom. Jacques Carroy et Fils, 9, rue Joseph-Renaud, 58150 Pouilly-sur-Loire, tél. 03 86 39 17 01, fax 03 86 39 06 87, carroy-jacquesetfils@sfr.fr, ☑ ⚹ ⵝ t.l.j. 9h-12h 14h-18h

DOM. CHAMPEAU Silex 2012 ★

	n.c.		8 à 11 €

Les lecteurs se souviennent sans doute de la version 2010 de cette cuvée, coup de cœur dans l'édition précédente. Sans atteindre les mêmes sommets, le millésime 2012 est très réussi. Au nez, de plaisantes et toniques notes d'agrumes se mêlent au buis et à une touche de minéralité. On retrouve cette fraîcheur dans un palais bien construit, plein et long. Un vin « sans esbroufe », à servir sur un poisson grillé ou des fruits de mer. La **cuvée principale 2012** (5 à 8 €), vive et fruitée, est citée.

☛ Dom. Champeau, 20, rue Saint-Edmond, 58150 Saint-Andelain, tél. 03 86 39 15 61, fax 03 86 39 19 44, domaine.champeau@wanadoo.fr, ☑ ⚹ ⵝ t.l.j. sf dim. 8h30-12h 14h-18h; mer. 14h-18h; sam. 9h-12h 14h-18h

DOM. LES CHANTALOUETTES L68 2012 ★★

	n.c.		8 à 11 €

Cette cuvée se distingue par sa finesse tout au long de la dégustation. Une belle palette aromatique (fleurs blanches, mangue, pêche) compose un bouquet élégant et délicat. Franc et séduisant dès l'attaque, le vin gagne en volume en milieu de bouche, porté par une fine acidité qui lui donne de la longueur et du tonus. Une bouteille harmonieuse à servir sur des sushis.

☛ EARL Les Chantalouettes, 1, rue René-Couard, 58150 Pouilly-sur-Loire, tél. 03 86 39 04 43, brumineur@yahoo.fr, ☑ r.-v.

DOM. CHATELAIN Les Chailloux Silex 2012 ★

	26 900		8 à 11 €

Un domaine de 30 ha, conduit par les Chatelain depuis douze générations. De jeunes vignes de quinze ans plantées sur un terroir de silex ont donné naissance à ce vin discret de prime abord, qui s'ouvre à l'agitation sur des notes d'agrumes associées à une pointe anisée. Douce en attaque, la bouche séduit par sa fraîcheur citronnée et sa finesse. Un beau représentant du millésime et de l'appellation, à découvrir dans les deux ans à venir sur des fruits de mer.

☛ SAS Dom. Chatelain, 24, rue du Mont-Beauvois, Les Berthiers, 58150 Saint-Andelain, tél. 03 86 39 17 46, fax 03 86 39 01 13, jean-claude.chatelain@wanadoo.fr, ☑ ⚹ ⵝ t.l.j. 8h-12h 13h30-17h30; sam. dim. sur r.-v.

DOM. CHAUVEAU La Charmette 2012 ★

	70 000		8 à 11 €

Cuvée principale du domaine née sur un sol argilo-calcaire, ce 2012 affiche une tonalité sauvignon bien marquée. À l'olfaction, des notes de buis et de bourgeon de cassis se mêlent à des parfums de pêche blanche. La bouche, à l'unisson, plaît par une fraîcheur que souligne une finale acidulée adoucie par une très légère sucrosité. Bien dans le ton de l'appellation, cette bouteille accompagnera avec bonheur une salade aux crottins de Chavignol. La cuvée **Les Croqloups 2012** (5 à 8 € ; 8 000 b.) est citée pour ses arômes intenses de fruits mûrs et pour sa rondeur en bouche.

☛ EARL Dom. Chauveau, 11, rue du Coin-Chardon, Les Cassiers, 58150 Saint-Andelain, tél. 03 86 39 15 42, fax 03 86 39 19 46, pouillychauveau@sfr.fr, ☑ ⚹ ⵝ t.l.j. 9h-18h30; sam. dim. sur r.-v.

DOM. DE CONGY 2012 ★★

	10 000		5 à 8 €

Christophe Bonnard conduit un domaine de 8,6 ha acquis en 1951 par le grand-père maternel et développé dans les années 1990 par son père Jack. Il signe un beau triplé, avec en tête cette cuvée remarquable pour sa finesse, au nez comme en bouche. L'olfaction associe fleurs blanches, agrumes et bourgeon de cassis. Le palais s'impose par son volume, sa fraîcheur, sa persistance sur le fruit et par sa texture délicate et veloutée. Une étoile va par ailleurs à la cuvée **Vieilles Vignes 2011** (8 à 11 € ; 7 300 b.), bien équilibrée entre rondeur et vivacité, et une citation à la cuvée **Les Galfins 2012** (13 000 b.), fraîche et fruitée (agrumes).

☛ Dom. Bonnard, 1, rue du Domaine, Congy, 58150 Saint-Andelain, tél. 03 86 39 14 20, fax 03 86 39 10 79, c.bonnard@cerb.cernet.fr, ☑ ⚹ ⵝ t.l.j. 8h-19h; dim. sur r.-v.

DOM. PAUL CORNEAU Cyllène 2012 ★★

	20 000		5 à 8 €

Un beau terroir argilo-siliceux et les trente-cinq ans d'expérience de Paul Corneau parlent dans cette cuvée Cyllène. Des parfums puissants de buis, de genêt, d'agrumes et de fruits exotiques composent un bouquet intense et élégant. Fraîche en attaque, la bouche suit la même ligne aromatique et séduit par son gras et son volume, soustendue par une fine minéralité qui lui donne de l'allonge. À boire dans l'année sur un poisson fin.

☛ Paul Corneau, Le Bouchot, 21, rue Louis-Joseph-Gousse, 58150 Pouilly-sur-Loire, tél. 03 86 39 17 95, fax 03 86 39 16 32, domainecorneau@wanadoo.fr, ☑ ⵏ r.-v.

DOM. SERGE DAGUENEAU ET FILLES La Léontine 2011 ★

2 500	ⵏ	20 à 30 €

Valérie Dagueneau, fille de Serge, rend hommage à son arrière-grand-mère Léontine qui fonda le domaine au début du XXᵉs. Des vignes de trente ans enracinées dans un terroir de marnes kimméridgiennes ont donné naissance à ce 2011 fermenté et élevé en fût pendant douze mois. Le passage en barrique est perceptible à l'olfaction mais les notes d'élevage apparaissent bien mariées aux composants du vin : on perçoit des senteurs vanillées et grillées, des nuances de noisette fraîche, de fleurs blanches et d'abricot mûr. Le palais se révèle souple, ample et charnu, marqué par un beau retour fruité en finale. Le **Clos des Chaudoux 2011** (15 à 20 € ; 5 000 b.) a quant à lui passé dix-huit mois en cuve. Frais, fruité et onctueux, il obtient également une étoile.

☛ Serge Dagueneau et Filles, Les Berthiers, 22, rue du Mont-Beauvois, 58150 Saint-Andelain, tél. 03 86 39 11 18, fax 03 86 39 05 32, sergedagueneaufilles@wanadoo.fr, ☑ ⵏ r.-v.

MARC DESCHAMPS Les Porcheronnes 2012 ★

13 000	ⵏ	8 à 11 €

Marc Deschamps signe un beau triplé dans le millésime 2012. D'abord cette cuvée au nez sans exubérance mais élégant et complexe, floral (seringa, genêt) et fruité (pêche). Une même finesse caractérise le palais, dense, riche et rond, élevé par une belle fraîcheur sans excès de vigueur. Un vin équilibré, à découvrir au cours des trois prochaines années. Le **Tradition des Loges 2012** (16 000 b.), frais et bien enveloppé, obtient une étoile également, de même que **Les Champs de Cri 2012** (11 à 15 € ; 13 600 b.), ample, rond et bien sauvignonné.

☛ Marc Deschamps, Les Loges, 3, rue des Pressoirs, 58150 Pouilly-sur-Loire, tél. 03 86 39 16 79, fax 03 86 39 06 90, marc@deschamps-pouilly.com, ☑ ⵏ r.-v.

JEAN DUMONT La Grande Pièce 2012

50 000	ⵏ	8 à 11 €

Un 2012 bien typé blanc fumé, comme on appelle ici le sauvignon. Proposé par la maison de négoce Saget, il livre un bouquet caractéristique de buis, de bourgeon de cassis et d'agrumes ; une vivacité aromatique que l'on retrouve dans un palais tonique et franc. Parfait pour un apéritif accompagné de fruits de mer.

☛ Jean Dumont, RN 7, La Casmille, 58150 Pouilly-sur-Loire, tél. 03 86 39 57 75, fax 03 86 39 08 30 ☑ ⵏ r.-v.

☛ J.-L. Saget.

CH. FAVRAY 2012 ★★

110 000	ⵏ	8 à 11 €

Trentième millésime depuis la renaissance de ce domaine orchestrée par Quentin David. Un anniversaire fêté dignement avec cette cuvée de haute expression aromatique et gustative. Le nez se révèle à la fois puissant, complexe et fin, ouvert sur le sureau, la mandarine et les épices. La bouche est riche, dense, concentrée et persistante, vivifiée par une pointe saline. Beaucoup d'harmonie et de caractère pour ce pouilly de gastronomie. Que

diriez-vous d'un filet de saint-pierre en sauce légèrement relevée ?

☛ SCEA Ch. Favray, Favray, 58150 Saint-Martin-sur-Nohain, tél. 03 86 26 19 05, fax 03 86 26 11 59, chateaufavray@wanadoo.fr, ☑ ⵏ r.-v.

DOM. DES FINES CAILLOTTES 2012 ★

132 000	ⵏ	8 à 11 €

Les nombreuses pierres calcaires présentes sur le vignoble, appelées localement « caillottes », donnent leur nom à cette cuvée bien typée. Le nez dévoile des parfums intenses d'agrumes mûrs, de bourgeon de cassis et de pêche de vigne. La bouche offre du volume et du gras, rehaussée par une pointe d'acidité bienvenue et soulignée par des notes d'orange sanguine et de fruits blancs. Parfait sur un poisson en sauce ou pour une volaille.

☛ Jean Pabiot et Fils, 9, rue de la Treille, Les Loges, 58150 Pouilly-sur-Loire, tél. 03 86 39 10 25, fax 03 86 39 10 12, info@jean-pabiot.com, ☑ ⵏ t.l.j. 8h-12h 14h-18h; sam. dim. sur r.-v.

KARINE LAUVERJAT 2012

6 000	ⵏ	8 à 11 €

Karine Lauverjat a créé en 2005 une structure de négoce qui lui permet d'étendre sa carte et d'explorer de nouveaux marchés, notamment à l'étranger. C'est de cette activité que provient ce pouilly-fumé minéral et fruité (fruits exotiques, agrumes, pêche blanche) à l'olfaction, rond et généreux en bouche, sous-tendu par une fine trame acide. Une bouteille que l'on verrait bien sur une volaille.

☛ Karine Lauverjat, Moulin des Vrillères, 18300 Sury-en-Vaux, tél. 02 48 79 38 28, fax 02 48 79 39 49, lauverjat.christian@wanadoo.fr, ☑ ⵏ ⵏ t.l.j. sf dim. 9h-12h 14h-17h ⵏ ⵏ

DOM. DE LA LOGE Les Aveillons 2012

4 100	ⵏ	8 à 11 €

Issue de vieilles vignes de soixante ans plantées sur un sol de marnes kimméridgiennes, cette cuvée dévoile à l'olfaction d'originaux parfums amyliques. On les retrouve en compagnie des fruits exotiques dans une bouche ronde et douce. L'ensemble est plutôt atypique mais harmonieux. La **cuvée principale 2012** (5 à 8 € ; 70 000 b.) est également citée, pour sa rondeur et son fruité.

☛ SARL du Dom. de la Loge, Soumard, 58150 Saint-Andelain, tél. 03 86 39 10 83, fax 03 86 39 05 49, david.millet0842@orange.fr, ☑ ⵏ t.l.j. sf dim. 10h-12h 13h-17h30

☛ Millet

FRÉDÉRIC MICHOT Cuvée Sainte-Clara
Vieilles Vignes 2012 ★★

7 000	ⵏ	5 à 8 €

Cette cuvée Sainte-Clara (prénom de la fille de Frédéric Michot), née de vieilles vignes de quarante ans, a fait belle impression. Ses arguments ? Un nez très élégant et bien typé de bourgeon de cassis, d'agrumes, de fruits exotiques et de fleurs blanches ; un palais tout aussi racé, plein, soyeux et frais, qui s'étire en une longue finale vive et tranchante. Un accord gourmand ? Des escargots de Bourgogne, une dorade en croûte de sel, du saumon fumé. Bref, l'embarras du choix. La **cuvée principale 2012** (44 000 b.), bien « sauvignonnée » (buis, citron, pamplemousse), souple et ronde, obtient une étoile.

📞 Frédéric Michot, Soumard, 58150 Saint-Andelain,
tél. 03 86 39 03 54, fax 03 86 39 08 57,
michot.frederic@wanadoo.fr, ☑ ☨ r.-v.

JEAN-PAUL MOLLET 2012 ★

28 000	▮	8 à 11 €

Un bon classique que ce 2012 signé Jean-Paul
Mollet. Le nez, discret mais élégant, évoque le pamplemousse, la pêche de vigne et les fleurs blanches. La bouche
affiche plus d'assurance, attaque en souplesse et déploie
une agréable fraîcheur jusqu'en finale. À boire sur son
fruit, avec un poisson grillé ou des fruits de mer.
📞 Jean-Paul Mollet, 11, rue des Écoles,
58150 Tracy-sur-Loire, tél. 02 48 54 13 88,
fax 02 48 54 09 28, jpmollet@wanadoo.fr,
☑ ☨ ☨ t.l.j. 8h-12h 14h-18h

PATRICK NOËL 2012 ★★

7 000	▮	8 à 11 €

Rejoint par sa fille Julie en 2009, Patrick Noël
exploite un vignoble de 17 ha réparti dans les appellations
sancerre, menetou-salon et pouilly-fumé. De cette dernière, il propose un 2012 né d'un terroir siliceux et
de ceps âgés de trente ans. Le nez marie harmonieusement les fleurs blanches et les fruits exotiques à des
nuances minérales et poivrées. Un beau fruité emplit la
bouche de sensations fraîches qui viennent vivifier une
matière ronde et riche. Un vin remarquable par son
équilibre, que l'on pourra servir aujourd'hui ou dans
deux ou trois ans, sur un pavé de saumon sauce à
l'oseille.
📞 EARL Patrick Noël, av. de Verdun, rte de Bannay,
18300 Saint-Satur, tél. 02 48 78 03 25, fax 02 48 54 06 88,
patricknoel-vigneron@orange.fr,
☑ ☨ ☨ t.l.j. sf dim. 8h-12h 14h-19h

♥ DOM. DU PETIT SOUMARD Cuvée Nucléus 2012 ★★

4 000	▮	8 à 11 €

C'est aux rognons de silex dans lesquels nos lointains
ancêtres taillaient la pointe de leurs flèches que fait
référence cette cuvée Nucléus. La version 2012 touche
dans le mille. Le nez, intense, mêle des notes d'agrumes
(pamplemousse), de buis et de genêt, avant de dévoiler
à l'aération une élégante trame minérale. Pure et vive
dès l'attaque, la bouche séduit par sa fermeté et sa
fraîcheur constante, adoucie par une légère sucrosité.
La finale, tonique et citronnée, laisse l'impression d'un
vin alerte et fin, à découvrir au cours des deux ou
trois prochaines années. La cuvée principale 2012
(5 à 8 € ; 40 000 b.), plus en rondeur et en douceur, est
citée.

📞 EARL Marcel Langoux, Dom. du Petit Soumard,
1, rue de l'Abreuvoir, 58150 Saint-Andelain,
tél. 03 86 39 11 17, fax 03 86 39 13 62,
domaine.langoux.marcel@orange.fr,
☑ ☨ ☨ t.l.j. sf dim. 9h-12h 14h-18h

DOM. DES RABICHATTES 2012 ★★

10 000	▮	8 à 11 €

Fabrice Grebet, sixième du nom à vinifier sur le
domaine, signe un excellent pouilly-fumé, d'une grande
finesse aromatique ; on y décèle des parfums de pomme
verte, de pêche, de pamplemousse et de fleurs blanches.
Souple et douce en attaque, la bouche se révèle ample,
tonique et fraîche, voire même incisive en finale où la
pomme et les agrumes font un retour remarqué. À
déguster aujourd'hui comme dans deux ou trois ans sur un
bar de ligne sauce citronnée. La cuvée **Les Chants de Cri
2012 (15 000 b.)**, fruitée (citron, fruits exotiques) et
tendue, obtient une étoile, tandis que **Le Puysac 2012
(15 000 b.)**, bien « sauvignonné » (buis, agrumes), est cité.
📞 SCEA Grebet Père et Fils, Les Loges,
58150 Tracy-sur-Loire, tél. 03 86 39 00 11,
fax 03 86 39 04 50, scea.grebet@orange.fr,
☑ ☨ ☨ t.l.j. 8h-12h 14h-19h

PHILIPPE RAIMBAULT Mosaïque 2012 ★

14 000	▮	8 à 11 €

À l'attention des amateurs de géologie : Philippe
Raimbault expose dans sa cave une collection de fossiles
marins. Pour les œnophiles, il propose cette cuvée au nez
intense de fruits exotiques, d'agrumes et de buis, fruitée,
ronde et onctueuse en bouche. À déguster dans les trois
ans à venir, sur une viande blanche en sauce, une
blanquette de veau par exemple.
📞 Philippe Raimbault, rte de Maimbray,
18300 Sury-en-Vaux, tél. 02 48 79 29 54, fax 02 48 79 29 51,
philipperaimbault@terre-net.fr, ☑ ☨ ☨ r.-v.

DOM. RAIMBAULT-PINEAU 2012 ★

36 000	▮	8 à 11 €

Ce domaine implanté à Sury-en-Vaux, dans le Sancerrois, s'est notablement étendu depuis sa création, en
particulier dans les AOC coteaux-du-giennois et pouilly-
fumé. Il atteint aujourd'hui 18 ha, dont 4,5 ha dédiés à
cette cuvée au nez délicatement fruité (pêche de vigne,
abricot sec) et au palais bien équilibré entre fraîcheur et
rondeur, rehaussé par une touche mentholée. À servir
dans l'année sur des sushis ou sur un poisson grillé.
📞 Dom. Raimbault-Pineau, rte de Sancerre,
18300 Sury-en-Vaux, tél. 02 48 79 33 04, fax 02 48 79 36 25,
scev.raimbaultpineau@terre-net.fr,
☑ ☨ ☨ t.l.j. 9h-12h 14h-18h; sam. dim. sur r.-v 🏠 🅿

MICHEL REDDE ET FILS Petit Fumé 2012 ★

80 000	▮	8 à 11 €

Les origines de ce domaine remontent au XVIIᵉs. et
à un certain François Redde, vigneron à Pouilly-sur-Loire.
Son lointain héritier, Michel Redde, relança l'activité
viticole dans les années 1950. Ce sont aujourd'hui ses
petits-enfants, Sébastien et Romain, qui sont aux commandes. Ils signent un 2012 intense et fin à l'olfaction, sur
les fleurs blanches, les agrumes et le bourgeon de cassis,
relevés par une touche poivrée ; un vin ample, rond, doux
et fruité en bouche, équilibré par une touche minérale. À
boire dans les deux ans, sur un brochet au beurre blanc.

➤ Michel Redde et Fils, La Moynerie, RN7, La Route-Bleue,
58150 Saint-Andelain, tél. 03 86 39 14 72,
fax 03 86 39 04 36, commercial@michel-redde.com,
☑ ⵏ t.l.j. sf dim. 8h30-18h 🏠 Ⓑ

LE DOM. SAGET 2012 ★★

| | 16 000 | ▮ | 11 à 15 € |

Le domaine Saget propose ici une « confiserie de
sauvignon », comme le résume un dégustateur (22 g/l de
sucres résiduels). Entendez un pouilly-fumé empreint de
fruits jaunes, de fruits exotiques et d'agrumes confits
(abricot, litchi, citron). Une sensation de grande maturité
qui se prolonge dans une bouche riche, douce et ample,
soulignée par une pointe de vivacité. Une gourmandise à
déguster sur un crottin de Chavignol ou sur une tarte aux
fruits.
➤ SCEA Dom. Saget, 4 bis, rue René-Couard,
58150 Pouilly-sur-Loire, tél. 03 86 39 57 75,
fax 03 86 39 08 30, jl.saget@sagetlaperriere.com,
☑ ⵏ ⵏ r.-v.

♥ DOM. HERVÉ SEGUIN Cuvée Prestige 2012 ★★★

| | 13 000 | ▮ | 8 à 11 € |

Ce vignoble étend ses 17,5 ha sur les principaux
terroirs de l'appellation : calcaires, marnes kimméridgiennes et silex. Pour cette cuvée, Philippe Seguin a sélectionné
un peu de chaque sol et des vieux ceps de quarante ans.
Le résultat est jugé exceptionnel et permet au domaine de
décrocher un second coup de cœur après celui obtenu l'an
dernier pour la cuvée principale 2011. Le vin séduit
d'emblée par la finesse de son bouquet, porté sur les fleurs
blanches, les fruits à chair blanche et les épices. Le charme
continue d'opérer en bouche : volume, fraîcheur minérale,
fermeté, longueur, tout y est. La promesse d'une belle
dégustation aujourd'hui ou plus tard, d'ici trois à cinq ans.
La **cuvée principale 2012 (65 000 b.)** touche elle aussi
à la perfection et décroche également trois étoiles pour sa
puissance olfactive (poivre, fleurs, agrumes, fruits jaunes)
et gustative (palais dense, frais, plein et concentré à la fois).
Un vin magistral, à découvrir au cours des quatre ou cinq
prochaines années.
➤ Dom. Seguin, Le Bouchot, 58150 Pouilly-sur-Loire,
tél. 03 86 39 10 75, fax 03 86 39 10 26,
herve.seguin@orange.fr, ☑ ⵏ ⵏ t.l.j. 9h-12h 14h-18h

YVON ET PASCAL TABORDET L'Autre Rive 2011 ★

| | 1 300 | ▮ | 11 à 15 € |

La cave du domaine se situant sur la rive droite de
la Loire, dans le Sancerrois, c'est tout naturellement que
cette cuvée de pouilly-fumé a pris ce nom de L'Autre Rive.
Elle se distingue par un nez frais et intense d'agrumes et
de fleurs blanches accompagnés par une touche vive de
groseille à maquereau. Franche en attaque, la bouche est
à l'unisson, fruitée, tonique, élégante. À boire dès à
présent sur un fromage de chèvre ou sur du saumon fumé.
La **cuvée principale 2012 (5 à 8 € ; 68 000 b.)**, harmonieuse, à la fois ronde et fraîche, obtient elle aussi une
étoile.
➤ Yvon et Pascal Tabordet, rue du Carroir-Perrin,
18300 Verdigny, tél. 02 48 79 34 01, fax 02 48 79 32 69,
domaine.tabordet@wanadoo.fr, ☑ ⵏ ⵏ r.-v.

F. TINEL-BLONDELET L'Arrêt Buffatte 2012 ★

| | 27 000 | ▮ | 8 à 11 € |

Le long de l'ancienne voie romaine qui borde la
parcelle où est né ce vin existait jadis une halte qui
permettait aux voyageurs et aux chevaux de reprendre
leurs forces. Voici pour l'explication de l'étiquette. Dans
le flacon, on découvre un pouilly-fumé qui s'ouvre délicatement sur les fleurs blanches et les agrumes. Une fine
acidité induit une attaque directe en bouche ; une fraîcheur qui ne se dément pas jusqu'en finale, conférant de
la longueur et du dynamisme à cette cuvée. Parfait pour
les fruits de mer ou un tartare de poisson. La cuvée
Genetin 2012 (32 800 b.), dans un style également vif et
tonique, dominé par les notes variétales de buis et
d'agrumes, est citée.
➤ Dom. Tinel-Blondelet, La Croix-Canat,
58, av. de la Tuilerie, 58150 Pouilly-sur-Loire,
tél. 03 86 39 13 83, fax 03 86 39 02 94,
contact@tinel-blondelet.fr, ☑ ⵏ ⵏ t.l.j. 9h-12h30 14h-18h30

CH. DE TRACY 101 Rangs 2012 ★★

| | 3 000 | ▮⧆ | 50 à 75 € |

Une très vieille vigne plantée sur 101 rangs donne
son nom à cette cuvée du vénérable château de Tracy (la
vigne est présente sur ces terres depuis le XIVᵉs.). Le
résultat est remarquable : nez intense de fruits blancs et
d'agrumes mêlés aux notes grillées de la barrique ; bouche
franche et nerveuse en attaque, développement ample et
rond, finale vive et tendue. Un pouilly de noble extraction,
à boire ou à attendre trois à quatre ans. La **cuvée
principale 2012 (15 à 20 € ; 160 000 b.)**, vive et un rien
iodée, est citée.
➤ Ch. de Tracy, 58150 Tracy-sur-Loire, tél. 03 86 26 15 12,
fax 03 86 26 10 73, contact@chateau-de-tracy.com,
☑ ⵏ ⵏ t.l.j. 8h-12h 13h30-17h30; sam. dim. sur r.-v. 🏠 Ⓓ

Pouilly-sur-loire

Superficie : 31 ha
Production : 1 331 hl

JEAN-PIERRE BAILLY 2012

| | 2 000 | ▮ | 5 à 8 € |

Jean-Pierre Bailly et son fils Patrice proposent un
2012 assez complexe à l'olfaction : fleurs blanches,
amande douce, touches de buis et de sous-bois. La bouche
se montre souple et fraîche, florale et fruitée (agrumes).
Parfait pour l'apéritif.
➤ Jean-Pierre Bailly, Les Girarmes, 58150 Tracy-sur-Loire,
tél. 03 86 26 14 32, fax 03 86 26 16 13,
domaine.jean-pierre.bailly@wanadoo.fr, ☑ ⵏ ⵏ r.-v.

DOM. LANDRAT-GUYOLLOT Les Binerelles 2012 ★

4 800   5 à 8 €

L'été venu, les cigales, appelées localement « binerelles », accompagnent le travail du vigneron. Elles donnent leur nom à cette cuvée or pâle finement bouquetée autour de la pistache, des agrumes et des fleurs blanches. À l'unisson, la bouche, souple et ronde, ne manque ni de fraîcheur ni d'élégance et laisse une impression d'équilibre et de légèreté, sensations qui feront de ce pouilly un joli vin d'apéritif.

Dom. Landrat-Guyollot, Les Berthiers, 16, rue du Mont-Beauvois, 58150 Saint-Andelain, tél. 03 86 39 11 83, fax 03 86 39 11 65, contact@landrat-guyollot.com,
☑ ⊤ t.l.j. 9h-12h 14h-19h; sam. dim. sur r.-v.

DOM. DES MARINIERS 2012 ★

1 900   5 à 8 €

Acquis en 2005 par Catherine Corbeau-Mellot, ce domaine étend ses vignes presque sur 15 ha, en AOC pouilly-sur-loire et pouilly-fumé. Une petite parcelle de 30 ares est à l'origine de ce 2012 complexe, qui s'ouvre tour à tour sur les fleurs blanches, la pêche, les agrumes et l'amande. Franche et souple en attaque, la bouche se montre ronde et soyeuse, sous-tendue jusqu'en finale par une fine vivacité citronnée. Un vin équilibré, à déguster sur un poisson grillé.

SARL Jacques Marchand, 36, rte Nationale, Maltaverne, 58150 Tracy-sur-Loire, tél. 02 48 78 54 51, fax 02 48 78 54 55, nathalie.simon@josephmellot.com,
☑ ⋀ ⊤ r.-v.
Catherine Corbeau-Mellot

DOM. DE RIAUX Vieilles Vignes 2012 ★★

3 300   5 à 8 €

« Les générations passent, mais les silex restent », explique joliment Alexis Jeannot, fils de Bertrand et huitième du nom à la tête du vignoble. La qualité demeure aussi, millésime après millésime. Le 2012 tient son rang et frôle le coup de cœur. C'est sa délicatesse qui emporte l'adhésion. Au nez, des notes douces d'amande et de pistache se mêlent aux fleurs blanches, à la fougère et au menthol. Une complexité et une finesse qui caractérisent aussi le palais, rond, tendre et soyeux, rehaussé par une belle fraîcheur en finale. À servir sur un poisson noble ou sur des fruits de mer, dans les deux années à venir.

SCEA Jeannot Père et Fils, Dom. de Riaux, 58150 Saint-Andelain, tél. 03 86 39 11 37, fax 03 86 39 06 21, alexis.jeannot@wanadoo.fr,
☑ ⋀ ⊤ t.l.j. 8h-13h 14h-19h; dim. sur r.-v.

♥ GUY SAGET 2012 ★★

13 000   5 à 8 €

Cette importante maison de négoce rayonne sur toute la vallée de la Loire, notamment dans son fief de Pouilly-sur-Loire avec cette cuvée remarquable de bout en bout. Un vin d'un jaune pâle et lumineux qui dévoile des parfums complexes et fins de fleurs blanches, d'agrumes, de fruits secs et de miel. Le palais associe d'emblée et jusqu'en finale une belle fraîcheur et beaucoup de souplesse, ce qui confère du volume et de la persistance à l'ensemble. Un vin soyeux et tonique à la fois, à boire dans sa jeunesse ou à attendre deux ou trois ans pour des sensations nouvelles.

SA Saget La Perrière, La Castille, 58150 Pouilly-sur-Loire, tél. et fax 03 86 39 57 75, jl.saget@sagetlaperriere.com,
☑ ⋀ ⊤ t.l.j. sf sam. dim. 8h-12h 14h-18h

Quincy

Superficie : 249 ha
Production : 11 542 hl

C'est sur les bords du Cher, non loin de Bourges et près de Mehun-sur-Yèvre, lieux riches en souvenirs historiques du XV[e]s., que s'étendent les vignobles de Quincy et de Brinay, couvrant des plateaux de graves sablo-argileuses sur calcaires lacustres. Le seul cépage sauvignon fournit des vins légers et distingués dans le type frais et fruité.

Si, comme l'écrivait le Dr Guyot au XIX[e]s., le cépage domine le cru, le quincy montre aussi que, dans une même région, la même variété peut s'exprimer différemment selon la nature des sols ; une chance pour l'amateur, qui trouvera ici l'un des plus élégants vins de Loire, à déguster avec les poissons et les fruits de mer aussi bien qu'avec les fromages de chèvre.

DOM. DES BALLANDORS 2012

53 000   5 à 8 €

Depuis 1990, Chantal Wilk et Jean Tatin exploitent un domaine de 11 ha créé à partir de parcelles initialement dépendantes du château de Brinay. Leur 2012 présente un nez discret mais plaisant aux accents variétaux (bourgeon de cassis, agrumes) et un palais souple et plutôt chaleureux, réveillé par une finale vive et citronnée. À servir sur du poisson grillé.

Dom. des Ballandors, Le Tremblay, 18120 Brinay, tél. 02 48 75 20 09, fax 02 48 75 70 09, contact@domaines-tatin.com,
☑ ⋀ ⊤ t.l.j. 8h-12h30 13h30-18h; sam. dim. sur r.-v. 🏠 🄴
Jean Tatin

LES BERRYCURIENS La Loge de vigne 2012 ★

4 100   5 à 8 €

Ces Berrichons amateurs de bonne chère et de bons vins se sont fait un nom depuis leur association en 1995. Leur cuvée Loge de vigne est issue d'une petite parcelle de 1,19 ha. Elle livre un bouquet très floral (rose notamment),

LOIRE

agrémenté d'une touche de buis bien typée. Franc en attaque, le palais est souligné d'une fine trame acide qui lui confère de la tension et une sensation de minéralité. Parfait pour un plateau de fruits de mer.

🍇 SCEV Les BerryCuriens, Le Buisson-Long, rte de Quincy, 18120 Brinay, tél. 02 48 51 30 17, fax 02 48 51 35 47
☑ ⚐ ⏳ r.-v.

DOM. DE LA COMMANDERIE Cuvée Tradition 2012 ★

| 60 000 | ▮ | 5 à 8 € |

Jean-Charles Borgnat est passé en 1983 des plate-formes pétrolières à la viticulture, s'appuyant pour les deux activités sur une formation de géologue. Il a travaillé d'abord le domaine familial, puis cette exploitation créée *ex nihilo* en 1993 – près de 9 ha implantés sur les sols limoneux et argilo-sableux de Cerbois, à mi-chemin entre Quincy et Reuilly. Il signe un 2012 élégant, au nez intense de fruits jaunes mûrs, d'agrumes et de bourgeon de cassis. Rond et tendre en attaque, le palais se révèle ample et gras, vivifié par une finale citronnée. L'ensemble est équilibré et charmera sur une viande blanche ou une volaille.

🍇 EARL de la Commanderie, Boisgisson, 18120 Cerbois, tél. et fax 02 48 51 30 16, jcborgnat@aol.com, ☑ ⚐ ⏳ r.-v.
🍇 Borgnat

DOM. PIERRE DURET 2012

| 80 000 | ▮ | 5 à 8 € |

Dans le giron de la famille Mellot depuis 1994, ce domaine propose un quincy d'abord sur sa réserve, qui s'ouvre après agitation sur les agrumes, de l'amande et quelques touches mentholées. La bouche affiche un volume honorable, une jolie présence aromatique, à dominante fruitée et ce qu'il faut de vivacité. Bien dans le ton de l'appellation.

🍇 SARL Dom. Pierre Duret, Le Buisson-Long, rte de Quincy, 18120 Brinay, tél. 02 48 51 30 17, fax 02 48 51 35 47, lesentierduvin@lesentierduvin.com, ☑ ⚐ ⏳ r.-v.
🍇 Catherine Mellot

DOM. MARDON 2012 ★

| 50 000 | ▮ | 5 à 8 € |

Depuis 2003, Hélène Mardon pérennise avec talent l'exploitation familiale ; les lecteurs se souviendront notamment de deux coups de cœur récents pour les millésimes 2007 et 2010. Le 2012, élaboré dans une toute nouvelle cuverie, plaît par son bouquet fin et intense de fruits jaunes (pêche), d'agrumes et de fleurs blanches, et par son palais rond et gras, étayé par une fine acidité aux accents fruités. Un vin harmonieux, à déguster sur un poisson sauce au citron.

🍇 Dom. Mardon, 40, rte de Reuilly, 18120 Quincy, tél. 02 48 51 31 60, fax 02 48 51 35 55, contact@domaine-mardon.com, ☑ ⚐ ⏳ r.-v.

DOM. PHILIPPE PORTIER 2012

| 75 000 | ▮ | 5 à 8 € |

Philippe Portier conduit depuis 1991 le vignoble familial, 18 ha sur le terroir de Brinay. Il signe ici un quincy généreux, rond et plein, dominé par des arômes de fruits exotiques bien mûrs (mangue, litchi). Un vin chaleureux, à servir sur un poisson en sauce.

🍇 Philippe Portier, Dom. de la Brosse, 18120 Brinay, tél. 02 48 51 04 47, fax 02 48 51 00 96, philippe.portier@wanadoo.fr,
☑ ⚐ ⏳ t.l.j. 8h-12h 14h-18h; sam. dim. sur r.-v.; f. 2e sem. août

DIDIER RASSAT Cuvée Tradition 2012 ★

| 28 000 | ▮ | 8 à 11 € |

Conduisant depuis 1984 une exploitation spécialisée en culture céréalière et en élevage laitier, Didier Rassat s'est diversifié en 1995 en rejoignant un groupement de jeunes viticulteurs qui mutualisent l'exploitation d'un même chai. Sa cuvée Tradition représente l'intégralité de sa surface plantée (4,7 ha). Elle s'illustre par un bouquet élégant de fleurs blanches et de fruits mûrs, et par une bouche bien équilibrée entre rondeur et fraîcheur, tonifiée par des notes d'agrumes en finale. Un quincy charmeur, à déguster sur des coquilles Saint-Jacques sauce au beurre.

🍇 Didier Rassat, Champ-Martin, 18120 Cerbois, tél. 02 48 51 70 19, didier.rassat@wanadoo.fr,
☑ ⏳ t.l.j. 9h-12h 14h-18h

DOM. ADÈLE ROUZÉ 2012 ★

| 16 000 | ▮ | 5 à 8 € |

Adèle Rouzé s'est installée en 2003 sur les terres de Quincy. Depuis, elle s'invite avec régularité dans ces pages et signe ici un beau classique. Le nez mêle harmonieusement les arômes de buis, de bourgeon de cassis et d'agrumes. La bouche est tout aussi expressive, bien construite autour d'une fine acidité qui l'emporte dans une finale élégante, empreinte de salinité. Parfait pour un pâté berrichon ou pour un fromage de chèvre ligérien.

🍇 Adèle Rouzé, chem. des Vignes, 18120 Quincy, tél. 02 48 58 93 08, arouze@terre-net.fr,
☑ ⚐ ⏳ t.l.j. 10h-12h 14h-18h

DOM. JACQUES ROUZÉ Tradition 2012 ★

| 70 000 | ▮ | 5 à 8 € |

Jacques Rouzé et son fils Côme signent un quincy aux parfums exubérants et élégants de buis, de pamplemousse et de fruits blancs, agrémentés de notes florales. On retrouve cette gamme aromatique dans un palais équilibré, à la fois tendre et frais. Un beau classique à découvrir sur des fruits de mer. La cuvée **Vignes d'antan 2012** (8 à 11 € ; 18 000 b.), née de vieux ceps de plus de soixante-dix ans, obtient également une étoile pour son bouquet frais et variétal, et pour sa bouche harmonieuse, ronde et généreuse. Également proposé par la famille Rouzé, le **Dom. des Croix 2012** (25 000 b.) est un vin expressif (buis, agrumes, fleurs blanches), qui marie en bouche gras, concentration et vivacité. Un équilibre d'ensemble qui lui vaut aussi une étoile.

🍇 Dom. Jacques Rouzé, 2 ter, chem. des Vignes, 18120 Quincy, tél. 02 48 51 35 61, fax 02 48 51 05 00, rouze@terre-net.fr, ☑ ⚐ ⏳ t.l.j. sf dim. 9h-12h 14h-18h

♥ DOM. DU TREMBLAY Cuvée Vieilles Vignes 2012 ★★

| 10 000 | ▮ | 8 à 11 € |

On trouve trace de ce domaine au XIVᵉs. ; c'était alors le fief d'un écuyer du duc de Berry. Depuis 1988, il est la propriété de Jean Tatin, qui signe ici le meilleur quincy de la sélection. Une cuvée née de plusieurs parcelles de vieilles vignes réparties entre les différents terroirs de graves et d'argiles de Chaumoux, Nouzats et Gatebourse. Elle s'ouvre sur des notes classiques de buis

Domaine du Tremblay
Jean Tatin

et d'agrumes, relayées par des arômes plus mûrs de fruits exotiques et de fruits jaunes. La bouche se révèle ample et riche, sans jamais se départir d'une tension appuyée qui lui confère longueur et dynamisme. La promesse aussi d'une bonne tenue dans le temps. Dans un an ou deux, ce vin aura atteint son apogée. Élevée un an en fût de chêne, la cuvée **Sucellus 2011 (11 à 15 € ; 7 000 b.)** est quant à elle citée pour son équilibre entre un boisé mesuré, une matière ample et douce, étayée par une juste fraîcheur. À boire ou à attendre un an ou deux.

☛ SCEA Dom. du Tremblay, Le Tremblay, 18120 Brinay, tél. 02 48 75 20 09, fax 02 48 75 70 50, contact@domaines-tatin.com,

☑ 🕴 ⟆ t.l.j. 8h-12h30 13h30-18h; dim. sur r.-v. 🏠 Ⓔ

☛ Jean Tatin

DOM. DE VILLALIN Les Grandes Vignes de Villalin 2012 ★★

	14 000	🗓	5 à 8 €

C'est en 1998 que l'aventure viticole a débuté pour Marylin et Jean-Jacques Smith, qui ont repris cette propriété établie sur les graviers de la rive droite du Cher. Sur leurs 9 ha de vignes, ils ont sélectionné une parcelle de 2 ha pour élaborer ce quincy bien typé. L'olfaction est complexe et élégante : fleurs blanches, agrumes, fruits exotiques. Souple en attaque, la bouche dévoile un beau volume, soutenue par une fine acidité et une élégante finale saline. Tout indiqué pour les fruits de mer.

☛ EARL Dom. de Villalin, 1, hameau du Grand-Villalin, 18120 Quincy, tél. 02 48 51 34 98, fax 02 48 51 09 74, v.quincy@wanadoo.fr,

☑ 🕴 ⟆ t.l.j. 9h-18h; dim. sur r.-v. 🏠 Ⓑ

☛ Smith

Reuilly

Superficie : 202 ha
Production : 10 739 hl (53 % blanc)

Par ses coteaux accentués et bien ensoleillés, par ses sols remarquables, Reuilly semble prédestiné à la viticulture. L'appellation recouvre sept communes situées dans l'Indre et le Cher, dans une région charmante traversée par les vertes vallées du Cher, de l'Arnon et du Théols.

Le sauvignon produit des blancs secs et fruités, qui prennent ici une ampleur remarquable. Le pinot gris fournit localement un rosé de pressoir tendre et délicat, qui risque de disparaître,

supplanté par le pinot noir dont on tire également d'excellents rosés, plus colorés, mais surtout des rouges pleins, toujours légers, au fruité affirmé.

DOM. AUJARD 2012 ★★

	17 000	🗓	5 à 8 €

En 2012, Damien Aujard a rejoint son père Bernard dans l'exploitation. Tous deux obtiennent un joli palmarès ; le jury a préféré cette cuvée issue de sauvignon. Ce 2012 dévoile une riche palette aromatique où des notes de fleurs blanches et de menthol côtoient des nuances de fruits (pêche blanche) et d'épices douces. Souple en attaque, gras, le palais tire son bel équilibre d'une longue finale sur des saveurs de pomme et de rhubarbe. Noté une étoile, le **rosé 2012 (4 500 b.)** révèle des arômes de fruits rouges frais et un bel équilibre. Le **rouge 2012 (6 000 b.)**, offre quant à lui une bouche évoquant la griotte, ronde, souple, bien équilibrée entre des impressions moelleuses et tanniques. Il reçoit lui aussi une étoile.

☛ EARL Bernard Aujard, 2, rue du Bas-Bourg, 18120 Lazenay, tél. 02 48 51 73 69, fax 02 48 51 79 74, domaineaujard@wanadoo.fr,

☑ 🕴 ⟆ t.l.j. 8h30-12h 14h-18h30; dim. sur r.-v.

LES BERRYCURIENS 2011

	2 700	🗓	8 à 11 €

Ce 2011 se présente dans une robe d'un rubis limpide et dévoile des arômes de fruits frais (cerise) qui évoquent la jeunesse. Rond en attaque, il montre aussi de la fraîcheur pour finir sur des tanins encore un peu vifs et un bon retour aromatique. Un classique de l'appellation qui a besoin de quelques mois pour s'harmoniser davantage. On pourra l'ouvrir sur une viande rouge rôtie.

☛ SCEV Les BerryCuriens, Le Buisson-Long, rte de Quincy, 18120 Brinay, tél. 02 48 51 30 17, fax 02 48 51 35 47

☑ 🕴 ⟆ r.-v.

GÉRARD BIGONNEAU 2012 ★

	30 000	🗓	5 à 8 €

Également producteurs de quincy, Gérard Bigonneau, le père, et Virginie, la fille, ont élaboré cette cuvée à partir de vignes de sauvignon plantées sur 4,69 ha d'un sol argilo-calcaire. D'une bonne intensité, le nez est composé de notes végétales (genêt, fenouil) et florales (fleurs blanches). Ample et gras, le palais est équilibré par une agréable fraîcheur et par une finale acidulée et tonique. Sur la table, des fruits de mer lui conviendront.

☛ EARL Bigonneau, La Chagnat, 18120 Brinay, tél. 02 48 52 80 22, fax 02 48 52 83 41, earl-bigonneau@orange.fr, ☑ 🕴 ⟆ r.-v. 🏠 Ⓑ

DOM. DU BOURDONNAT 2012 ★

	8 600	🗓	5 à 8 €

L'avenir du domaine du Bourdonnat semble assuré puisque Gérard et Jean-Baptiste Charpentier ont rejoint leur père François il y a deux ans. Paré d'une robe pelure d'oignon très pâle, ce 2012 présente des arômes fruités d'une grande fraîcheur (cassis, groseille blanche, citron). La bouche, franche, d'un bon volume révèle une légère pointe tannique. L'accord en perspective avec un risotto au poulet. Le **rouge 2012 (7 200 b.)** est cité pour ses beaux arômes de fruits rouges (cerise) et pour sa structure. Une petite garde d'un an devrait lui permettre d'affiner ses

LOIRE

tanins encore un peu sévères ; on pourra le déguster avec un pot-au-feu.

☛ François Charpentier et Fils, Le Bourdonnat, 36260 Reuilly, tél. 02 54 49 28 74, fax 02 54 49 29 91, charpentier.geraud@orange.fr, ☑ ⚲ ⏐ r.-v.

DOM. CORDAILLAT Les Sables 2011 ★

	6 000	▌	8 à 11 €

La famille Cordaillat, à la tête d'un domaine de 10 ha, présente un blanc issu de terrasses de sables (d'où le nom de la cuvée). Le vin délivre un nez discret et jeune, fait d'agrumes, de nuances végétales et exotiques. Franc en attaque, frais et d'un bon équilibre, il offre en finale un retour persistant les agrumes et les fruits blancs. Un vin gourmand, que l'on pourra apprécier dès à présent sur un plat à l'ananas.

☛ Dom. Cordaillat, Le Montet, 18120 Méreau, tél. 02 48 52 83 48, fax 02 48 52 83 09, domainecordaillat@orange.fr, ☑ ⚲ ⏐ t.l.j. 14h-18h; mer. dim. 9h 12h

LES DEMOISELLES TATIN Les Lignis de pinot gris 2012 ★

	4 000	▌	5 à 8 €

Nommé en référence au célèbre restaurant solognot de Lamotte-Beuvron (à une cinquantaine de kilomètres de Brinay), le domaine propose un rosé qui pourrait convenir à la fameuse tarte. La robe saumonée est pâle et brillante. L'expression olfactive est intense : bonbon anglais, groseille. Franche en attaque, la bouche laisse une impression de rondeur et de densité. Un beau reuilly, équilibré et élégant.

☛ Les Demoiselles Tatin, Le Tremblay, 18120 Brinay, tél. 02 48 75 20 09, fax 02 48 75 70 50, contact@domaines-tatin.com, ☑ ⚲ ⏐ t.l.j. 8h-12h30 13h30-18h; dim. sur r.-v. 🏠 🅔
☛ Jean Tatin

PASCAL DESROCHES 2012 ★

	12 000	▌	5 à 8 €

La vigne est cultivée depuis quatre générations dans cette exploitation que Pascal Desroches s'efforce d'agrandir au fil des ans et qui atteint aujourd'hui une dizaine d'hectares. Son rosé se présente dans une robe très pâle nuancée de jolis reflets pelure d'oignon. Le bouquet livre un cocktail de petits fruits (cassis, groseille) et d'agrumes. Droit en attaque, le vin montre du volume en milieu de bouche, puis finit sur une agréable vivacité. Très frais, il est à boire sous la tonnelle. Le **2012 blanc (40 000 b.)** reçoit une étoile pour ses arômes puissants (bourgeon de cassis, fenouil, fleur de sureau) et pour son palais souple, rond, équilibré. Cité, le **2011 rouge (10 000 b.)** aux arômes de kirsch et de sous-bois, à la matière structurée par des tanins encore un peu austères, devrait s'assouplir dans les trois années à venir.

☛ Pascal Desroches, 13, rue de Charost, 18120 Lazenay, tél. 06 08 04 79 44, fax 02 48 71 14 28, desroches18120@orange.fr, ☑ ⚲ ⏐ r.-v.

♥ DYCKERHOFF 2012 ★★

	25 000	▌	5 à 8 €

C'est en Alsace que Christian Dyckerhoff a découvert le métier de viticulteur, vocation partagée par son épouse Bénédicte issue d'une famille de vignerons alsaciens. Provenant de 3 ha de sauvignon planté sur des sols

du Kimméridgien, leur blanc a su enthousiasmer le grand jury. Cette cuvée respire la fraîcheur ; agrumes, touche iodée, pointe de fruits confits et notes florales lui confèrent une grande finesse. Le palais souple et ample exprime à son tour de plaisantes nuances acidulées de fruits frais et d'orange sanguine, avec un léger côté meringué en finale. D'une rare élégance, ce vin accompagnera à merveille une poêlée de saint-jacques.

☛ Dom. Dyckerhoff, lieu-dit Le Carroir-du-Gué, 18290 Charost, tél. 02 48 26 20 46, contact@carroirdugue.com, ☑ ⚲ ⏐ r.-v.

JEAN-SYLVAIN GUILLEMAIN 2012 ★★★

	12 000	▥	5 à 8 €

Jean-Sylvain Guillemain a choisi de remplacer ses plus vieilles vignes, ce qui permet selon lui d'avoir d'agréables surprises... Preuve en est ce très beau 2012, qui a séduit les dégustateurs dans son attrayante robe violine intense. Friand et élégant, le nez livre des arômes de petits fruits (framboise, mûre) soulignés de nuances boisées (chocolat, vanille). Ronde et charnue, la bouche est consistante, structurée par des tanins soyeux. Un vin riche, harmonieux, à attendre au moins un an avant de le servir sur un tournedos. Vif et élégant, d'un beau volume, le **2012 blanc Les Varennes (7 700 b.)** est cité.

☛ SARL Guillemain Père et Filles, Palleau, 18120 Lury-sur-Arnon, tél. 02 48 52 99 01, fax 02 48 52 99 09
☑ ⚲ ⏐ t.l.j. 8h-12h 13h30-18h; sam. dim. sur r.-v.

DENIS JAMAIN Les Chatillons 2012 ★

	6 000	▌	8 à 11 €

Dès le VIIᵉs., la vigne fut cultivée sur les coteaux argilo-calcaires qu'exploite aujourd'hui Denis Jamain. D'un orangé très pâle, ce rosé dévoile à l'aération une palette d'une grande finesse mêlant la framboise et les fleurs blanches. La bouche révèle un beau volume dès l'attaque, de la souplesse et beaucoup de gras. Un vin agréable, à déguster à l'apéritif. Le **2011 rouge Les Fossiles rouges (11 000 b.)** reçoit également une étoile pour son nez délicat de fruits rouges épicés et pour sa bouche fruitée, ronde et bien structurée. À apprécier dès à présent sur une entrecôte.

☛ Denis Jamain, Villa Camille, 20, rte d'Issoudun, 36260 Reuilly, tél. 06 08 25 11 18, fax 02 54 49 35 54, denis-jamain@wanadoo.fr, ☑ ⚲ ⏐ t.l.j. 9h-18h

♥ MATTHIEU ET RENAUD MABILLOT 2012 ★★

	7 000	▌	5 à 8 €

Pour le domaine, 2012 est un millésime de transition : c'est le dernier qu'Alain Mabillot a vinifié avec ses deux fils, Matthieu et Renaud, avant de les laisser officier

seuls. Ce reuilly rouge élu coup de cœur consacre donc un magnifique aboutissement tout en délivrant un bel encouragement. La robe est soutenue, profonde, d'un joli rubis violet. Le vin associe les fleurs (pivoine), les fruits frais (mûre, framboise) et une légère nuance confite. La rondeur et la suavité sont en parfaite harmonie avec les tanins serrés mais fondus. Un vin authentique, sobre et élégant, doté d'un potentiel d'évolution de trois à huit ans et destiné à un plat raffiné, tel qu'un magret de canard aux figues. Le **2012 blanc (20 000 b.)** obtient, quant à lui, une étoile pour sa finesse aromatique et pour sa plénitude en bouche.

☛ Matthieu et Renaud Mabillot, 3, chem. de l'Orme, Villiers-les-Roses, 36260 Sainte-Lizaigne, tél. 02 54 04 02 09, fax 02 54 04 01 33, alain.mabillot@wanadoo.fr, ☑ ⚔ ⵏ r.-v.

ROMAIN ET JEAN-PIERRE PONROY Les Beaumonts 2012

	4 000	▮	5 à 8 €

Première entrée dans le Guide pour Romain et Jean-Pierre Ponroy qui, à la tête d'une exploitation céréalière, sont engagés depuis 2004 dans la conduite de ce domaine viticole de 3,2 ha. Ce rouge s'ouvre à l'aération sur des arômes de fruits frais (cerise). Rond et gras au premier abord, le palais dévoile progressivement une trame tannique soulignée par une agréable fraîcheur. Un vin harmonieux, que l'on pourra conserver trois à cinq ans. Le **2012 blanc Les Ferrières (6 000 b.)**, fruité, léger et frais, est également cité.

☛ SCEA Dom. Ponroy, 80, rue des Combattants-d'Afn, 36260 Reuilly, tél. 02 54 49 20 14, ponroy.jean-pierre@orange.fr, ☑ ⚔ ⵏ t.l.j. 10h-19h; f. 15-25 août

LES ROUESSES 2012 ★

	3 700	▮	5 à 8 €

Cette maison regroupe une exploitation viticole et une activité de négoce qui connaissent le même succès. Ce rosé provient de la propriété. Œil-de-perdrix aux reflets saumonés, il présente une robe très pâle, livre d'abord des notes amyliques, puis s'oriente vers les fruits exotiques et la groseille. Dans une belle continuité, le palais est tout aussi fruité, montrant un bel équilibre entre gras et acidité. On pourra apprécier ce vin avec une volaille. Le **2012 rouge Les Rouesses (11 625 b.)** aux arômes de fruits cuits, encore un peu austère avec ses tanins denses mais doté d'un bon potentiel de garde, obtient une étoile. Issu de l'activité de négoce, le **2012 blanc Jean-Michel Sorbe**, aux arômes fruités et anisés, généreux, équilibré par une pointe de fraîcheur, est cité.

☛ SARL Dom. Jean-Michel Sorbe, Le Buisson-Long, rte de Quincy, 18120 Brinay, tél. 02 48 51 30 17, fax 02 48 51 35 47, jeanmichelsorbe@jeanmichelsorbe.com, ☑ ⚔ ⵏ r.-v.

☛ Catherine Mellot

DOM. LUC TABORDET 2012 ★★

	2 000	▮	5 à 8 €

Après avoir travaillé pendant plusieurs années dans un domaine de Quincy, Luc Tabordet s'est installé en 2011 sur le vignoble de Reuilly. Pour sa deuxième récolte, il propose un magnifique rosé à la couleur très pâle, saumonée, égayée de reflets orange et platine. Derrière le premier nez amylique percent de subtils arômes de groseille, de framboise et de fraise. L'équilibre entre volume et vivacité, entre onctuosité et fraîcheur est très réussi. Complexe et élégant, ce 2012 offrira d'heureux accords avec des mets aussi variés qu'une quiche ou des coquilles Saint-Jacques.

☛ Luc Tabordet, 40, rte de Reuilly, 18120 Quincy, tél. 02 48 51 31 60, fax 02 48 51 35 55, luc.tabordet@orange.fr, ☑ ⚔ ⵏ r.-v.

VINCENT 2012 ★

	12 000	▮	8 à 11 €

Très souvent sélectionné dans le Guide, notamment pour ses rosés dont il a le secret, Jacques Vincent propose un 2012 d'une belle teinte saumon clair, dans la lignée de ses prédécesseurs. Le nez dévoile des notes exubérantes de pêche de vigne bien mûre agrémentées de nuances de réglisse. La bouche, à l'unisson, offre avec générosité cet arôme de pêche qui s'harmonise avec sa matière volumineuse, équilibrée par une agréable fraîcheur sous-jacente.

☛ SCEV Vincent, 11, chem. des Caves, 18120 Lazenay, tél. 02 48 51 73 55, fax 02 48 51 14 96, vincent.pierre.18@gmail.com, ☑ ⚔ ⵏ t.l.j. sf dim. 9h-12h 14h-18h

Saint-pourçain

Superficie : 695 ha
Production : 21 297 hl (71 % rouge et rosé)

Le paisible et plantureux Bourbonnais (département de l'Allier) possède aussi un vignoble, sur 19 communes, au sud-ouest de Moulins. Les vignes croissent sur les coteaux de la vallée de la Sioule ou sur des plateaux calcaires, à proximité. Les blancs ont fait autrefois la réputation de Saint-Pourçain ; un cépage local, le tressallier, est assemblé au chardonnay et au sauvignon, donnant une grande originalité aromatique à ces vins. Aujourd'hui, les rouges sont les plus nombreux. Fruités et charmeurs, ils proviennent de l'assemblage de gamay et de pinot noir.

DOM. DE BELLEVUE Grande Réserve 2012 ★

	39 000		5 à 8 €

La propriété conduite par la quatrième génération est installée au milieu des vignes. Implantées au nord de l'appellation sur un sol pauvre, granitique et caillouteux, les vignes de gamay et de pinot noir à l'origine de cette cuvée offrent un faible rendement. Il en résulte un vin rubis au nez frais et encore discret, sur les fruits rouges. La bouche, au contraire, est déjà très ronde, dévoilant une structure soyeuse et gouleyante qui permettra dès à présent à ce 2012 d'accompagner des charcuteries ou des viandes blanches. La cuvée **Grande Réserve 2012 blanc**

(25 000 b.) est citée pour son gras et sa richesse en bouche, bien équilibrés par une légère et agréable amertume.

☛ Jean-Louis Pétillat, Bellevue, 03500 Meillard,
tél. 04 70 42 05 56, fax 04 70 42 09 75,
jean-louis.petillat1@wanadoo.fr,
☑ ▼ t.l.j. sf dim. 9h-12h 14h-19h

DOM. DES BÉRIOLES Aurence 2011 ★

| 10 000 | ▮ | 5 à 8 € |

Cette propriété familiale dirigée par Jean Teissèdre depuis 2010 est installée au pied d'une petite chapelle. Elle produit un blanc qui tire son nom d'un mot latin signifiant « doré », comme la couleur de sa robe. Les fleurs blanches ornent le nez tandis qu'en bouche se dévoilent des sensations de rondeur équilibrées par une douceur et une belle fraîcheur citronnée. Un vin plutôt souple, à déguster dès à présent avec des ris de veau. Le **2012 rouge Les Grandes Brières (8 000 b.)** décroche également une étoile. Son nez de petits fruits rouges bien mûrs est typique du gamay, présent en majorité dans cet assemblage. Si l'attaque est d'une plaisante rondeur, des tanins encore un peu sévères incitent à garder cette bouteille un à deux ans en cave.

☛ Jean Teissèdre, pl. de l'Église, 03500 Cesset,
tél. 04 70 47 09 15, fax 04 70 45 63 03,
domainedesberioles@gmail.com, ☑ ⚘ ▼ r.-v.

DOM. DES BOURRATS Tradition 2012 ★

| 3 000 | ▮ | - de 5 € |

Laetitia Lachérade perpétue depuis 2011 les traditions de culture et de vinification de son prédécesseur, Robert Prélot. Elle propose un assemblage de gamay (80 %) et de pinot noir vêtu d'une jolie robe rubis intense, au nez de fruits rouges mûrs et d'épices douces. Des tanins fondus et soyeux confèrent à ce vin un bon équilibre et soulignent sa longueur. On pourra ouvrir cette bouteille dès à présent pour accompagner un pavé charolais.

☛ Dom. des Bourrats, lieu-dit Les Bourrats,
rue des Acacias, 03500 Saint-Pourçain-sur-Sioule,
tél. 06 25 29 01 01, fax 04 43 02 43 93,
domainedesbourrats@gmail.com,
☑ ⚘ ▼ t.l.j. 9h-19h; dim. 9h-12h
☛ Lachérade

CH. COURTINAT Cuvée des Pérelles Élevé en fût 2011 ★

| 6 800 | ⬚ | 5 à 8 € |

Après la cuvée Tradition, coup de cœur l'an dernier, Christophe Courtinat ne démérite pas avec cet assemblage de pinot noir (60 %) et de gamay, vinifié en macération longue puis élevé douze mois en fût. Derrière une robe grenat foncé, on découvre un nez intense de fruits mûrs et de vanille. Franc et structuré par des tanins boisés, le palais offre une belle finale. Un vin équilibré, à déguster dans les trois ans. Noté une étoile également, le **2012 blanc (8 000 b.)** offre un nez expressif et gourmand. On retrouve ces caractères dans une bouche aux arômes de violette et de fruits exotiques, à la finale fraîche. Le **rouge Tradition 2012 (13 000 b.)** est cité pour son bouquet de fruits rouges et pour son palais souple et soyeux.

☛ Christophe Courtinat, 11, rue de Venteuil,
03500 Saulcet, tél. 04 70 45 44 84, fax 04 70 45 80 13,
cavecourtinat@wanadoo.fr, ☑ ▼ r.-v.

DOM. GARDIEN FRÈRES Nectar des fées 2012 ★★

| 30 000 | ▮ ⬚ | 5 à 8 € |

Depuis 1924, les générations de cette famille vigneronne se succèdent. Aujourd'hui, les deux frères Olivier et Christophe Gardien cultivent 21 ha. Ils présentent un 2012 issu d'un assemblage de chardonnay (60 %), complété à parts égales de tressallier et de sauvignon. Vêtu d'une robe dorée, le vin offre un nez expressif et gourmand de bonbon acidulé relayé par une bouche ronde et harmonieuse. On le verrait bien avec un crumble aux fruits exotiques. La **Cuvée du Terroir rouge 2012 (20 000 b.)** reçoit quant à elle une étoile pour son palais fruité, frais et gouleyant. On la consommera jeune.

☛ Dom. Gardien Frères, 7, Chassignolles, 03210 Besson,
tél. 04 70 42 80 11, fax 04 70 42 80 99,
c.gardien@03.sideral.fr, ☑ ▼ t.l.j. sf dim. 8h-12h 14h-19h

DOM. GROSBOT-BARBARA SAS le Prince Charles Henri de Lobkowicz 2011 ★★

| n.c. | ⬚ | 11 à 15 € |

À la tête du domaine depuis 1996, Denis Barbara est presque toujours au rendez-vous du Guide. Il propose un blanc issu à 70 % de chardonnay et à 30 % de tressallier. Ce vin a charmé les dégustateurs par sa robe vieil or et par son nez complexe et exubérant, qui libère à l'agitation des notes miellées et vanillées. Le palais n'est pas en reste, gras, charpenté et équilibré, finement boisé. Un vin plaisant que l'on pourra attendre un à trois ans avant de le déguster sur un poisson au beurre blanc.

☛ Dom. Grosbot-Barbara, Montjournal, RD 46,
03500 Cesset, tél. et fax 04 70 45 39 92,
barbaradenis@orange.fr, ☑ ⚘ ▼ r.-v.

DOM. JALLET Les Ceps centenaires 2012 ★

| 4 000 | ▮ | 5 à 8 € |

Ce domaine est conduit depuis 1990 par Philippe Jallet, qui représente la quatrième génération à la tête de la propriété. Le gamay (90 %), associé à un peu de pinot noir, est à l'origine de cette cuvée grenat profond. Le nez libère des arômes de fruits rouges et une légère nuance de guimauve. La bouche a du caractère : franche et souple à l'attaque, elle s'appuie sur des tanins fins et s'affirme sur des saveurs plus mûres en finale. On pourra ouvrir cette bouteille dès à présent ou l'attendre encore un an. Le **Tradition 2012 blanc (moins de 5 € ; 4 500 b.)** décroche également une étoile. Cet assemblage à parts égales de chardonnay et de tressallier, expression même du terroir, souple et ample, dévoile des arômes de fruits blancs ainsi que des notes citronnées qui lui apportent une belle fraîcheur. Le **2011 rouge Les Pierres brûlées Élevé en fût de chêne (3 500 b.)** est quant à lui cité pour son nez de fruits rouges et pour son caractère à la fois friand et soyeux.

☛ Dom. Jallet, 30, pl. des Cailles, 03500 Saulcet,
tél. et fax 04 70 45 39 78 ☑ ⚘ ▼ t.l.j. 8h-12h 14h-19h

♥ FAMILLE LAURENT Puy Real 2011 ★★

| 7 000 | ⬚ | 8 à 11 € |

Jean-Pierre et Corinne Laurent devraient bientôt accueillir leur fils, Damien, sur la propriété. Le palmarès de l'exploitation ne peut que l'encourager à rejoindre l'aventure familiale. Ce 2011 issu de pinot noir (60 %), complété de gamay, a fait valoir des arguments convaincants : une robe profonde et dense qui invite à la découverte d'un nez complexe de fruits rouges confits, de vanille

Puy Réal

SAINT POURÇAIN

2011

FAMILLE LAURENT À SAULCET

et de torréfaction. En bouche, le vin se révèle velouté et long, structuré par des tanins enrobés. À déguster dès à présent sur une côte de bœuf charolais ou sur un plateau de fromages d'Auvergne. La cuvée **Calnite 2011 rouge (5 à 8 € ; 11 000 b.)** reçoit quant à elle une étoile. Composée à majorité de gamay, elle s'exprime sur les fruits rouges bien mûrs et offre un palais ample et soyeux. Une bouteille pour aujourd'hui. Enfin, le **Calnite 2012 blanc (5 à 8 € ; 7 200 b.)** est cité. Floral au nez (violette), un rien brioché, il se montre souple en attaque et finit sur une légère pointe d'amertume.

☞ Famille Laurent, Montifaud, 03500 Saulcet,
tél. 04 70 45 90 41, fax 04 70 45 90 42,
cave.laurent@wanadoo.fr,
☑ ⚘ ⛾ t.l.j. sf dim. 8h30-12h 14h-18h30

DOM. NEBOUT 2012 ★

| ■ | 40 000 | ■ | 5 à 8 € |

Julien Nebout a pris en 2006 la suite de quatre générations à la tête de cette propriété de 35 ha. Il propose une cuvée grenat foncé, au nez complexe et intense de fruits noirs et de fleurs. La bouche souple et charnue est soutenue par des tanins soyeux. Pour accompagner des plats régionaux, dès la sortie du Guide. La cuvée **Séduction 2011 rouge (10 000 b.)**, un pur pinot noir, a été élevée pour partie en barriques et livre de jolies nuances vanillées et torréfiées. On pourra l'attendre un an ou deux pour laisser à ses tanins le temps de se fondre.

☞ Dom. Nebout, rte de Montluçon,
03500 Saint-Pourçain-sur-Sioule, tél. 04 70 45 31 70,
fax 04 70 45 12 54, julienebout@yahoo.fr,
☑ ⚘ ⛾ t.l.j. sf dim. 9h-12h 14h-18h30

DOM. RAY Tradition 2012 ★

| ■ | 10 000 | ■ | 5 à 8 € |

Depuis 2011, Fanny et son mari Alexandre Pinet conduisent la propriété familiale. Outre les saint-pourçain, ils proposent des vins aromatisés ou des produits à base de vin (vin d'orange, de noix, vinaigre balsamique...). Quant à ce rosé, il ne nécessite nulle aromatisation pour livrer ses jolies notes de bonbon anglais. Ronde en attaque, chaleureuse, la bouche est tonifiée par une agréable fraîcheur. Pour l'apéritif.

☞ Dom. Ray, 8, rue Louis-Neillot, 03500 Saulcet,
tél. 04 70 45 35 46, fax 04 70 45 64 96,
ray.francois@akeonet.com, ⚘ ⛾ t.l.j. 9h-12h 14h-19h
☞ Alexandre Pinet

UNION DES VIGNERONS DE SAINT-POURÇAIN
Jean-Marc Josselin 2012 ★

| ■ | 70 000 | ■ | - de 5 € |

Seule coopérative de l'appellation, cette cave regroupe près de soixante vignerons et vinifie les deux tiers des volumes sous la baguette de l'œnologue Sylvain Miniot. Elle présente un 2012 à la robe rubis brillant, mêlant au nez fruits rouges, fruits noirs et épices douces.

La bouche, souple, équilibrée, encore un peu ferme profitera d'un passage en carafe.

☞ Union des Vignerons de Saint-Pourçain,
3, rue de la Ronde, 03500 Saint-Pourçain-sur-Sioule,
tél. 04 70 45 42 82, fax 04 70 45 99 34,
udv@udvstpourcain.com,
☑ ⚘ ⛾ t.l.j. 8h30-12h30 13h30-18h

Y. TOUZAIN 2011 ★

| ■ | 8 000 | ■ | 5 à 8 € |

Cette petite exploitation de 7 ha est conduite depuis 2001 par Yannick Touzain, qui utilise depuis deux ans l'homéopathie comme « anti-stress » sur ses vignes. Cette cuvée d'assemblage, associant pinot noir et gamay est vêtue d'une robe grenat profond. Le nez, de bonne intensité, s'ouvre sur la griotte et les fruits compotés. Franche et équilibrée, la bouche demandera toutefois à s'affiner deux ans. Le **2012 blanc (5 000 b.)** obtient également une étoile pour un nez expressif d'agrumes, de miel et d'anis. La bouche onctueuse et souple offre d'agréables saveurs de fruits secs.

☞ Yannick Touzain, 9, rte de Moulins, 03500 Contigny,
tél. et fax 04 70 45 95 05, vin.y.touzain@cegetel.net,
☑ ⛾ t.l.j. sf dim. 8h-19h

Sancerre

Superficie : 2 830 ha
Production : 135 393 hl (79 % blanc)

Perché sur un piton rocheux, Sancerre domine la Loire et son vignoble, réputé dès le Moyen Âge. Sur 14 communes s'étend un magnifique réseau de collines parfaitement adaptées à la viticulture, bien exposées et protégées. Les sols portent des noms locaux : « terres blanches » (marnes argilo-calcaires du Kimméridgien) ; « caillottes » et « griottes » (calcaires) ; « cailloux » ou « silex » (sols siliceux du Tertiaire).

Deux cépages règnent à Sancerre : le sauvignon en blanc et le pinot noir en rouge. Le premier s'épanouit dans des blancs frais, jeunes et fruités, qui prennent des nuances différentes selon les types de sols ; le second s'exprime dans des rosés tendres et subtils, et dans des rouges légers, parfumés et amples.

Sancerre, c'est aussi un milieu humain particulièrement attachant. Il n'est pas facile, en effet, de produire un grand vin avec le sauvignon, cépage de deuxième époque de maturité, non loin de la limite nord de la culture de la vigne, à des altitudes de 200 à 300 m et sur des sols qui comptent parmi les plus pentus du pays, d'autant que les fermentations se déroulent en fin de saison dans des conditions délicates.

On appréciera le sancerre blanc sur les fromages de chèvre secs, comme l'illustre crottin de

Chavignol (AOC) – village situé dans l'aire d'appellation viticole –, sur les poissons ou les entrées chaudes peu épicées ; les rouges iront sur les volailles et les préparations locales à base de viande.

DOM. SYLVAIN BAILLY La Louée 2012 ★★

| 8 000 | | 8 à 11 € |

Les Bailly, vignerons de père en fils depuis 1700, proposent un rosé remarquable, mariage subtil de finesse et d'intensité. D'un abord timide, le nez a besoin d'une petite aération pour se révéler autour d'élégantes notes florales (rose), amyliques (bonbon anglais) et fruitées (groseille, agrumes), tandis que la bouche conjugue puissance, volume et fraîcheur acidulée. Un vin harmonieux et racé, à réserver pour la table ; il devrait s'entendre avec un tajine de veau aux citrons confits.

☛ Dom. Sylvain Bailly, 71, rue de Venoize, 18300 Bué, tél. 02 48 54 02 75, fax 02 48 54 28 41, domaine.sylvain.bailly@orange.fr, ☑ ⚭ ⅄ t.l.j. 8h-18h; dim. sur r.-v.

DOM. BAILLY-REVERDY La Mercy-Dieu 2012 ★

| 70 000 | | 8 à 11 € |

Établis depuis les années 1950 dans le village vigneron de Bué, les Bailly fréquentent assidûment les pages du Guide, aussi bien pour leurs cuvées rouges que blanches. Les deux couleurs sont retenues ici. En blanc, cette cuvée Mercy-Dieu séduit par la finesse de son bouquet porté sur les fruits secs et les fleurs blanches, et par son palais doux, rond et délicat, étayé par une légère acidité. Un vin élégant, à servir sur un poisson fin. Le blanc 2011 Les Monts Damnés (15 à 20 € ; 5 000 b.), vanillé et toasté à l'olfaction, ample et corsé en bouche, obtient une étoile également. On le laissera un à trois ans en cave pour que le boisé achève de se fondre. Le rouge 2011 (20 000 b.) est cité pour son harmonie entre les notes grillées de la barrique et les fruits confiturés. À boire dans les deux ans à venir.

☛ Dom. Bailly-Reverdy, 43, rue de Venoize, 18300 Bué, tél. 02 48 54 18 38, fax 02 48 78 04 70, bailly.reverdy@wanadoo.fr, ☑ ⚭ ⅄ t.l.j. 9h-12h 14h-18h; sam. dim. sur r.-v.

♥ JEAN-PAUL BALLAND Grande Cuvée 2011 ★★

| 12 500 | ⅏ | 11 à 15 € |

Jean-Paul Balland est un habitué du Guide, souvent aux meilleures places, et sa Grande Cuvée n'a jamais aussi bien porté son nom. Issue de caillottes (calcaires) et élevée en barrique pendant un an, elle délivre des parfums intenses et fins de fruits jaunes mûrs, d'agrumes, de fleurs blanches, de vanille et de fumé. Un équilibre remarquable caractérise aussi le palais, à la fois rond, gras, onctueux et frais, étayé par un boisé élégant et fondu. Un blanc de gastronomie assurément, de garde aussi. On pourra l'attendre trois ou quatre ans avant de le servir sur un mets de choix, comme des ris de veau en sauce crémée.

☛ Dom. Jean-Paul Balland, 10, chem. de Marloup, 18300 Bué, tél. 02 48 54 07 29, fax 02 48 54 20 94, balland@balland.com, ☑ ⚭ ⅄ t.l.j. sf dim. 8h-12h 13h30-18h

PASCAL BALLAND 2011 ★

| 8 000 | | 8 à 11 € |

Pascal Balland est l'un des derniers maillons d'une longue chaîne de vignerons aux nombreuses ramifications, enracinée à Bué depuis le milieu du XVIIᵉs. Il signe ici un vin couleur rubis, nuancé de reflets grenat, au nez intense de fruits rouges mûrs, légèrement confiturés. Souple, fraîche et légère en attaque, la bouche monte ensuite en puissance pour dévoiler un bon support tannique. Un sancerre plaisant et sincère, à boire au cours des deux ou trois prochaines années sur une grillade de bœuf.

☛ EARL Pascal Balland, rue Saint-Vincent, 18300 Bué, tél. 02 48 54 22 19, fax 02 48 78 08 59, pascalballand@wanadoo.fr, ☑ ⚭ ⅄ t.l.j. 8h-12h 13h30-18h; dim. sur r.-v.

DOM. CÉDRICK BARDIN 2012 ★

| 8 500 | | 8 à 11 € |

Ce 2012 donne d'abord dans la discrétion. L'aération lui confère plus d'expression, et l'on perçoit alors de fines notes fruitées : agrumes, pêche de vigne, fruits exotiques. En bouche, il se montre souple en attaque, puis monte en puissance, se fait riche, dense et charnu, tout en confirmant le profil aromatique de l'olfaction. Encore ferme en finale, ce sancerre pourra attendre un an ou deux en cave.

☛ Cédrick Bardin, 12, rue Waldeck-Rousseau, 58150 Pouilly-sur-Loire, tél. 03 86 39 11 24, fax 03 86 39 16 50, cedrick.bardin@orange.fr, ☑ ⅄ r.-v.

LE MD DE BOURGEOIS 2012 ★★

| 9 400 | | 15 à 20 € |

Le domaine Bourgeois comprend des parcelles sur tous les grands types de terroirs du Sancerrois. Cette cuvée est née sur des marnes kimméridgiennes plantées de ceps de cinquante ans. Elle offre un nez intense, minéral et sauvignonné (buis, bourgeon de cassis, agrumes). Droit en attaque, le palais se révèle dense, bien équilibré entre le gras et l'acidité, tendu et long en finale. Un sancerre de caractère, à laisser vieillir trois ou quatre ans. Assemblage de terroirs de silex et argilo-calcaires, le blanc Henri Bourgeois 2011 La Chapelle des Augustins (6 573 b.), ample, rond, fruité et vanillé, sous-tendu par une belle fraîcheur, obtient une étoile.

☛ SAS. Henri Bourgeois, Chavignol, 18300 Sancerre, tél. 02 48 78 53 20, fax 02 48 54 14 24, domaine@henribourgeois.com, ☑ ⚭ ⅄ r.-v.

DOM. DES BROSSES Révélation 2011 ★

| 2 500 | ⅏ | 8 à 11 € |

Les deux grandes caves de 22 m de long datant de 1860 témoignent de l'ancienneté du domaine, conduit depuis 2007 par Nicolas Girard, fils d'Alain. Cette cuvée

Révélation a connu le bois pendant douze mois, et le nez porte l'empreinte de son élevage dans des notes de café et d'épices mariées aux fruits rouges confiturés. Ample, riche, charnu et bien charpenté, le palais est à l'unisson, rehaussé par une finale mentholée. On attendra deux ou trois ans que le vin digère totalement son élevage et on lui réservera une viande en sauce, un bœuf bourguignon par exemple. Le **blanc 2011 Confidence (2 000b.)**, fruité, boisé et chaleureux, est cité.

🕿 Alain Girard et Fils, Dom. des Brosses, 18300 Veaugues, tél. 02 48 79 24 88, domainedesbrosses@yahoo.fr,
☑ ⚐ 🍷 t.l.j. sf dim. 9h-12h 14h-18h

DOM. DU CARROIR PERRIN 2012 ★★

	3 000	▌	5 à 8 €

Coup de cœur l'an dernier pour le rosé 2011, Pierre Riffault son fils Bertrand reviennent avec une version 2012 remarquable. La robe, chatoyante, est saumonée aux reflets corail. Les fruits rouges (framboise, fraise) et les agrumes composent un bouquet intense et attrayant. Souple et rond en attaque, le palais se montre à la fois ample, tendre, plein et frais, dominé par les sensations fruitées perçues à l'olfaction. Un vin harmonieux, gourmand et délicat, parfait pour une cuisine sucrée-salée. Arômes intenses de buis, de pamplemousse et de pêche, rondeur, gras et fraîcheur en bouche : le **blanc 2012 (8 à 11 € ; 70 000 b.)** offre lui aussi un bel équilibre qui lui vaut une étoile.

🕿 EARL Pierre Riffault, Rue du Carroir-Perrin, Chaudoux, 18300 Verdigny, tél. 02 48 79 31 03, fax 02 48 79 35 68, pierre.riffault@aliceadsl.fr,
☑ ⚐ 🍷 t.l.j. sf dim. 8h-12h 13h30-18h30 🏠 🅑

DOM. DES CAVES DU PRIEURÉ Facétie 2011 ★

	4 000	▥	11 à 15 €

Vinifiée en fût et élevée sur lies fines pendant treize mois, cette cuvée Facétie présente un nez empreint de senteurs discrètes (caramel, épices), qui laissent s'exprimer les fruits frais (pêche, poire) et les fleurs blanches. On retrouve cette harmonie dans un palais ample, gras et doux. Un vin bien construit, à boire au cours des deux ou trois prochaines années sur une volaille ou sur une viande blanche. Le **blanc 2012 Les Panseillots (8 à 11 € ; 90 000 b.)**, fin et floral, est cité.

🕿 Dom. des Caves du Prieuré, 2, rue du Lavoir, Reigny, 18300 Crézancy-en-Sancerre, tél. 02 48 79 02 84, fax 02 48 79 01 02, caves.prieure@wanadoo.fr,
☑ ⚐ 🍷 t.l.j. sf dim. 9h-12h15 14h-18h 🏠 ❷

ROGER CHAMPAULT Les Pierris 2012 ★

	77 000	▌	8 à 11 €

Laurent et Pierre Champault, fils de Roger, proposent un sancerre harmonieux aux arômes bien mariés d'agrumes, de fruits jaunes et blancs, et de fleurs de sureau ; une finesse aromatique qui se prolonge dans un palais ample et gras. À réserver pour une viande blanche ou pour un poisson en sauce. Le **rouge 2011 Côte de Champin (11 à 15 € ; 3 200 b.)**, fruité, épicé, boisé avec mesure et structuré par des tanins fondus, est cité. À boire ou à attendre une paire d'années.

🕿 EARL Roger Champault et fils, 5, rte de Foulot, Champtin, 18300 Crézancy-en-Sancerre, tél. 02 48 79 00 03, fax 02 48 79 09 17, roger.champault@orange.fr, ☑ ⚐ 🍷 r.-v.

DOM. LES CHAUMES 2012 ★

	70 000		5 à 8 €

Fils de viticulteurs, Jean-Jacques Bardin s'est installé en 1969 à Pouilly-sur-Loire en achetant les vignes de son grand-père. Le domaine a grandi depuis, la famille aussi : aujourd'hui trois des enfants du vigneron œuvrent sur l'exploitation avec leur père. Ils proposent ici un sancerre qui a séduit par sa complexité : un peu de buis, des fleurs blanches, des agrumes et une pointe miellée. Franc en attaque, le palais plaît par son élégance et sa fraîcheur soulignées par un côté salin, minéral et fruité. À boire ou à attendre un an ou deux.

🕿 Jean-Jacques Bardin, lieu-dit Les Chaumes, 58150 Pouilly-sur-Loire, tél. 03 86 39 15 87, fax 03 86 39 08 77, jean-jacquesbardin@wanadoo.fr,
☑ 🍷 t.l.j. 9h-19h sf dim.

DANIEL CHOTARD 2012 ★

	4 800	▌	8 à 11 €

Daniel Chotard est passionné de musique, et c'est avec un sens évident de l'harmonie qu'il a orchestré ce sancerre rosé. L'olfaction dévoile d'élégantes notes de petits fruits rouges (groseille, fraise des bois) agrémentées d'une touche amylique. Le palais est au diapason, dans un registre fruité, plus fin que puissant, jouant une partition équilibrée entre fraîcheur et alcool. Un beau duo en perspective avec le **rouge 2011 (24 000 b.)**, fruité et épicé, souple et soyeux, et un succès garanti pour vos soirées barbecues.

🕿 Chotard, 5, rue des Fontaines, Reigny, 18300 Crézancy-en-Sancerre, tél. 02 48 79 08 12, fax 02 48 79 09 21, sancerre@danielchotard.fr,
☑ ⚐ 🍷 t.l.j. 9h-12h 14h-18h sf dim.

DOM. DES CLAIRNEAUX 2012 ★

	57 000	▌	8 à 11 €

Jean-Marie Berthier a créé en 1983 ce domaine, qu'il a progressivement étendu (une vingtaine d'hectares aujourd'hui). Ses fils l'ont rejoint, l'aîné, Clément, s'occupant de la commercialisation, le cadet, Florian, conduisant la vigne. Des ceps de trente-cinq ans sont à l'origine de ce sancerre au bouquet plaisant d'agrumes mâtiné de nuances florales ; le palais est construit sur une fine trame acide qui lui donne beaucoup de fraîcheur et même de nervosité en finale. Un vin jeune et dynamique, à laisser s'affiner encore un an ou deux.

🕿 Vignobles Berthier, Les Clairneaux, 18240 Sainte-Gemme-en-Sancerrois, tél. 02 48 79 40 97, contact@vignoblesberthier.fr, ☑ ⚐ 🍷 r.-v. 🏠 🅒

ÉRIC COTTAT La Vallée des vignes 2012 ★

	2 900	▥	8 à 11 €

Éric Cottat propose avec ce sancerre rouge un vin harmonieux et fruité (cassis, cerise), épicé et boisé avec mesure. La bouche est à l'unisson, tout en fruit et en souplesse, soutenue par des tanins bien présents mais policés. L'ensemble est déjà très plaisant et s'accordera avec des grillades de bœuf.

🕿 Éric Cottat, Le Thou, 18300 Sury-en-Vaux, tél. 02 48 79 02 78, eric.cottat@free.fr, ☑ ⚐ 🍷 t.l.j. 8h-19h

DANIEL CROCHET 2012 ★

	28 000	▌	8 à 11 €

Issu des terroirs calcaires et argilo-calcaires des communes de Bué et de Sancerre, ce 2012 exhale des

LOIRE

parfums intenses d'agrumes et de fruits blancs mûrs. Le palais, frais et tonique, évolue dans le même registre fruité. Une bouteille harmonieuse, à déguster sur un poisson grillé en sauce citronnée.

☙ Daniel Crochet, 61, rue de Venoize, 18300 Bué, tél. 02 48 54 07 83, fax 02 48 54 27 36, daniel-crochet@wanadoo.fr,

☑ ⚥ ⟊ t.l.j. sf dim. 9h-12h 13h-18h

DOM. DOMINIQUE ET JANINE CROCHET 2012

| ■ | 3 000 | ▯ | 5 à 8 € |

Un assemblage de terroirs argilo-calcaires et de silex, un élevage sur lies fines de trois mois : voilà quelques clés pour expliquer la réussite de ce rosé. La robe est brillante et soutenue, saumonée à reflets fuchsia. Le nez va du floral (sureau) au fruité (framboise, pêche). Le palais se révèle frais, franc et fruité. Un vin droit et équilibré, tout indiqué pour l'apéritif.

☙ Dom. Dominique et Janine Crochet, 64, rue de Venoize, 18300 Bué, tél. 02 48 54 19 56, fax 02 48 54 12 61, earlcrochetdominiqueetjanine@wanadoo.fr, ☑ ⚥ ⟊ r.-v.

FRANÇOIS CROCHET 2012

| ■ | 4 042 | ▯ | 8 à 11 € |

Ce rosé obtenu par pressurage direct se présente dans une robe pâle à reflets saumonés, discrètement bouqueté autour des fleurs et des fruits blancs. Dans la continuité du nez, le palais se montre vif, droit et fin. Une bouteille harmonieuse, que l'on pourra ouvrir sur une cuisine asiatique.

☙ François Crochet, Marcigoué, 42, rue de Venoize, 18300 Bué, tél. 02 48 54 21 77, fax 02 48 54 25 10, francoiscrochet@wanadoo.fr,

☑ ⚥ ⟊ t.l.j. sf dim. 9h-12h 14h-18h

DOM. DAULNY Le Clos de Chaudenay 2011 ★

| ■ | 7 000 | ▯▮ | 8 à 11 € |

Élevé pour partie en cuve Inox et pour partie en demi-muid de chêne, ce sancerre séduit par sa finesse et par sa typicité. Dans le verre, il délivre des parfums frais et élégants de citron accompagnés de notes variétales de bourgeon de cassis. En bouche, il suit une même ligne directrice, droite et sans détour, centrée sur la fraîcheur des agrumes et sur la finesse. Parfait pour les produits de la mer. La **cuvée principale blanc 2012 (5 à 8 € ; 85 000 b.)**, plus florale et nerveuse, est citée.

☙ Étienne Daulny, Chaudenay, 18300 Verdigny, tél. 02 48 79 33 96, fax 02 48 79 33 39, domaine-daulny@wanadoo.fr, ☑ ⚥ ⟊ r.-v.

DOM. VINCENT DELAPORTE 2012

| ■ | 15 000 | ▯ | 8 à 11 € |

Jean-Yves Delaporte et son fils Matthieu signent un rosé sympathique, issu de pressurage direct. Un vin très pâle aux reflets saumonés et argentés, discrètement fruité au nez, frais et léger en bouche. Un rosé sans chichi, pour l'apéritif et les grillades.

☙ Dom. Vincent Delaporte, Chavignol, 18300 Sancerre, tél. 02 48 78 03 32, fax 02 48 78 02 62, delaportevincent.sancerre@wanadoo.fr, ☑ ⚥ ⟊ t.l.j. 8h-18h

ANDRÉ DEZAT ET FILS 2012

| ■ | 30 000 | ▯▮ | 8 à 11 € |

Né d'un assemblage de terroirs (50 % de caillottes, 25 % de silex et 25 % de terres blanches), ce 2012 élevé en

foudre et en fût affiche à l'olfaction un boisé bien dompté, qui laisse s'exprimer les fruits nuancés d'épices. En bouche, il se révèle ample et généreux, et même assez chaleureux en finale, adossé à une bonne structure tannique qui lui permettra de vieillir sans crainte pendant deux ou trois ans. On pourra aussi l'apprécier dès à présent, sur un coq au vin par exemple.

☙ SCEV André Dezat et Fils, rue des Tonneliers, Chaudoux, 18300 Verdigny, tél. 02 48 79 38 82, fax 02 48 79 38 24, dezat.andre@terre-net.fr, ☑ ⚥ ⟊ r.-v.

PAUL DOUCET ET FILS 2012 ★

| ■ | 18 000 | ▯ | 5 à 8 € |

Patrick Doucet propose ici deux beaux représentants de Sancerre, un blanc et un rosé. Le premier séduit par son bouquet intense de fruits mûrs et de fleurs blanches. On retrouve ces arômes flatteurs, accompagnés d'une touche beurrée, dans un palais gras, ample et frais à la fois, équilibré et long. À servir dans les deux ans sur un bar de ligne sauce aux agrumes. Le **rosé 2012 (2 200 b.)** obtient lui aussi une étoile pour son fruité frais, sa souplesse et son volume. On le servira en entrée, sur une salade composée.

☙ EARL Paul Doucet, Les Plessis, 18300 Sury-en-Vaux, tél. 02 48 79 33 40, fax 02 48 79 28 14, earl.doucet@wanadoo.fr, ☑ ⚥ ⟊ r.-v.

DOM. DOUDEAU-LÉGER 2012 ★★

| ■ | 2 000 | ▯ | 5 à 8 € |

Au départ à la retraite de ses parents en 1988, Christiane Doudeau et son mari Pascal ont repris le domaine familial et développé la vente directe à la propriété ainsi que leur présence sur les salons et dans la restauration parisienne. Gageons que ce rosé trouvera aisément preneur à en juger par ses grandes qualités olfactives et gustatives. Au nez, les fruits exotiques et les fruits rouges sont rehaussés par une jolie note poivrée. Ample, charnu, riche et frais à la fois, le palais se montre remarquablement équilibré, et offre en finale un long retour fruité. Plaisir assuré sur une grillade d'agneau relevée par un tour de poivre du moulin.

☙ Dom. Doudeau-Léger, Les Giraults, 18300 Sury-en-Vaux, tél. 02 48 79 32 26, fax 02 48 79 29 80

☑ ⟊ t.l.j. sf dim. 9h-12h 15h-18h30

DOM. DES ÉMOIS 2012 ★

| ■ | 2 800 | ▮ | 11 à 15 € |

Ce domaine est situé sur les coteaux calcaires et argilo-calcaires qui entourent le village d'Amigny. Les 6 ha de vignes sont en cours de conversion bio. Une petite parcelle de 80 ares plantée de ceps de vingt-cinq ans est à l'origine de ce 2012 qui a besoin d'un peu d'aération pour dévoiler ses parfums de fruits rouges mâtinés de nuances mentholées. La bouche est fuselée, fine et fraîche, étayée par des tanins fondus et soyeux. Un vrai « vin plaisir », gourmand et léger, à déguster dès à présent sur un coquelet à la bière.

☙ SCEA des Émois, Le Bourg, Amigny, 18300 Sancerre, christophe.berneau@sfr.fr

DOM. GÉRARD FIOU 2012 ★

| ■ | 49 000 | ▮ | 11 à 15 € |

Dans le giron de la maison Henri Bourgeois depuis 2010, ce domaine propose un sancerre né sur le terroir de silex le plus marqué du Sancerrois. Cela donne un vin d'une belle intensité olfactive, sur le buis, les fruits blancs et les agrumes. Un caractère sauvignonné qui se prolonge dans une bouche équilibrée entre rondeur et fraîcheur, tonifiée en finale par une élégante trame minérale. Un très bon représentant de l'appellation, à déguster sur un fromage de chèvre ou sur un plateau de fruits de mer. Le **rosé 2012 (5 300 b.)**, ample, gras et généreusement fruité, obtient lui aussi une étoile.

⚓ SCEV Dom. Gérard Fiou, 15, rue Hilaire-Amagat, 18300 Saint-Satur, tél. 02 48 54 16 17, fax 02 48 54 36 89, domaine.gerard.fiou@orange.fr, ☑ ⟙ r.-v.

DOM. BERNARD FLEURIET ET FILS Tradition 2012 ★

🔲	100 000 🍷	8 à 11 €

Bernard Fleuriet et ses fils Benoît et Mathieu conduisent un vignoble de 17 ha, dont 14 ha dédiés à leur cuvée principale. C'est un vin floral et fruité au nez, sans ostentation, qui se découvre progressivement en bouche, offrant une belle fraîcheur sur des notes d'agrumes intenses en finale. À déguster dans l'année, avec une escalope de veau ou une langouste à la nage. Le **blanc 2011 Côte de Marloup (8 000 b.)**, riche, vineux et chaleureux, est cité, de même que le **rouge 2011 Anthocyane (15 à 20 € ; 3 500 b.)**, boisé et concentré.

⚓ Dom. Bernard Fleuriet et Fils, La Vauvise, 18300 Menetou-Ratel, tél. 02 48 79 34 09, fax 02 48 79 34 38, fleuriet.vauvise@wanadoo.fr, ☑ 🚶 ⟙ r.-v.

Ⓑ **DOM. FOUASSIER** Clos Paradis 2011

🔲	32 000 🍷	11 à 15 €

En bio certifié depuis le millésime 2011 (en biodynamie à partir du 2012), ce domaine vinifie par terroir et propose des cuvées par lieu-dit. Ici, un sancerre né sur des calcaires du Buzançais, bien fruité à l'olfaction (agrumes, pêche, abricot), équilibré et de bonne tenue en bouche, soutenu par une agréable fraîcheur. On le verrait bien sur un lapin à la normande. Née sur une formation d'argiles à silex, la cuvée **Les Romains 2011 (20 000 b.)**, florale et vive, est également citée.

⚓ Dom. Fouassier, 180, av. de Verdun, 18300 Sancerre, tél. 02 48 54 02 34, fax 02 48 54 35 61, contact@fouassier.fr, ☑ 🚶 ⟙ t.l.j. 9h-12h 14h00-17h30 🏠 Ⓔ

DOM. OLIVIER FOUCHER 2012 ★

🔲	8 000 🍷	5 à 8 €

Olivier Foucher a suivi un parcours professionnel classique : études de viticulture et d'œnologie, quelques années de collaboration avec ses parents et reprise en main du domaine familial à la retraite de ces derniers en 2011. Il signe ici un vin rouge lui aussi plutôt classique, qui s'ouvre à l'aération sur les fruits rouges frais, relayés par un palais souple, aux tanins fondus, dans la grande tradition des sancerre friands et gourmands. Du classicisme aussi pour le **blanc 2012 (17 000 b.)**, cité pour son caractère tonique et variétal (agrumes, bourgeon de cassis).

⚓ Olivier Foucher, Les Guenoux, 18240 Sainte-Gemme-en-Sancerrois, tél. 02 48 54 09 21, fax 02 48 79 41 38, olivier.foucher0851@orange.fr, ☑ 🚶 ⟙ t.l.j. 9h-12h30 14h-18h30 sf dim. aps-midi

DOM. DE LA GARENNE 2011 ★

🔲	10 000 🍷⬗	8 à 11 €

Fabienne et Benoît Godon-Reverdy conduisent depuis 2008 ce domaine de 12 ha régulièrement présent dans le Guide, souvent en bonne place, avec plusieurs coups de cœur à son palmarès (le dernier en date pour un

blanc 2009). Ici, un sancerre rouge bien dans le ton de l'appellation avec ses arômes frais de fruits rouges agrémentés d'une touche fumée, et son palais souple, fruité et épicé, au boisé bien fondu. Un vin sincère, sans fard, que l'on verrait bien en compagnie d'une terrine de volaille.

⚓ Dom. de la Garenne, rue Saint-Vincent, 18300 Verdigny, tél. 02 48 79 35 79, fax 02 48 79 32 82, contact@sancerrelagarenne.com, ☑ 🚶 ⟙ t.l.j. sf dim. 9h-12h 14h-19h; f. 15-31 août

DOM. LA GEMIÈRE 2012 ★

🔲	30 000 🍷	8 à 11 €

Implantée sur un coteau au milieu des vignes, la cave du domaine est bâtie sur deux étages, ce qui permet de travailler le raisin en douceur, par gravité. Cela donne un 2012 aromatique (agrumes, fruits jaunes), frais, aérien et long en bouche. À déguster dans l'année sur un plateau de fruits de mer ; et aussi un **rouge 2011 (5 à 8 € ; 8 000 b.)** de belle facture, franc, souple et bien fruité (griotte), à réserver pour une grillade ou pour une assiette de charcuterie.

⚓ Daniel Millet et Fils, Dom. la Gemière, 1, La Gemière-Champtin, 18300 Crézancy-en-Sancerre, tél. 02 48 79 07 96, fax 02 48 79 02 10, contact@domainelagemiere.fr, ☑ 🚶 ⟙ t.l.j. 8h-12h 13h30-18h30

DOM. FERNAND GIRARD 2012 ★

🔲	3 000 🍷	5 à 8 €

Ce domaine regardant la colline de Sancerre est conduit par Alain Girard depuis une quinzaine d'années. Le vigneron signe ici un rosé pâle et brillant, au nez fruité (pêche) et amylique, plein de vivacité de l'attaque à la finale, fruité et un rien épicé. Un vin cohérent et dynamique, à déguster sur un plat exotique, un poulet au curry par exemple.

⚓ SCEV Fernand Girard et Fils, Chaudoux, rte de la Perrière, 18300 Verdigny, tél. 02 48 79 37 33, fax 02 48 54 20 47, girardfernandetfils@orange.fr, ☑ 🚶 ⟙ r.-v.

DOM. MICHEL GIRARD ET FILS 2012

🔲	90 000 🍷⬗	8 à 11 €

Cette cuvée réunit les trois principaux terroirs de Sancerre : calcaire, argilo-calcaire et silex. Cette diversité des origines se traduit par une palette variée alliant une touche minérale, des parfums de fleurs blanches, de bourgeon de cassis et d'agrumes. Une ligne aromatique classique relayée par un palais frais, adouci en finale par une pointe de sucrosité. À boire dès aujourd'hui.

⚓ Dom. Michel Girard et Fils, rue du Carroir-Perrin, 18300 Verdigny, tél. 02 48 79 33 36, fax 02 48 79 33 66, michelgirard.fils@wanadoo.fr, ☑ 🚶 ⟙ t.l.j. 9h-12h 14h-18h; sam. dim. sur r.-v.

♥ JÉRÔME GODON Tradition 2012 ★★

🔲	15 000 🍷	5 à 8 €

Assemblage de terroirs calcaires, argileux et siliceux, cette cuvée est bien dans la lignée de sa devancière, coup de cœur lors de l'édition précédente. Jérôme Godon signe là un blanc tout en finesse, qui mêle avec intensité et élégance les fleurs du verger, la pêche blanche et les agrumes. La bouche se révèle ample, bien équilibrée entre sensations de richesse et de vivacité, longuement parcourue de notes fruitées en

| ■ | 1 700 | ■ | 5 à 8 € |

Régis Jouan, installé depuis 2010 à la tête de son domaine, propose un sancerre sur la réserve à l'olfaction, qui laisse percer à l'agitation de plaisantes notes de fruits rouges. Le palais se révèle souple et frais, porté par des tanins fins. Encore un peu jeune, ce vin se révélera d'ici un an ou deux, sur une viande rouge grillée.

☞ Régis Jouan, Maison-Sallé, 18300 Sury-en-Vaux, tél. et fax 02 48 79 34 68, regis.jouan@wanadoo.fr,

☑ ⵣ r.-v.

DOM. SERGE LALOUE 2011

| ■ | 21 000 | ■⑾ | 8 à 11 € |

Christine et Franck, les enfants de Serge Laloue, ont repris le domaine en 2000. Ils proposent un sancerre rouge de belle facture, où le boisé (vanille, grillé) se fond bien dans le fruit (fraise, framboise) à l'olfaction, et structure une bouche fraîche et franche aux tanins fondus. À boire au cours des deux prochaines années. Le **blanc 2012 (70 000 b.)**, vif et fruité (agrumes, pêche de vigne), est également cité.

☞ Serge Laloue, rue de la Mairie, 18300 Thauvenay, tél. 02 48 79 94 10, fax 02 48 79 92 48, contact@serge-laloue.fr,

☑ ⵣ t.l.j. sf dim. 8h-12h 13h30-17h30; sam. sur r.-v.

LAPORTE Les Grandmontains 2011

| ■ | 49 000 | ■ | 11 à 15 € |

Proposé par la maison de négoce Bourgeois, ce sancerre est né sur un coteau aux sols d'argiles à silex de Ménétréol mis en valeur au XIIᵉs. par les religieux de l'ordre des Grandmontains, dont le domaine Laporte possède une parcelle de près de 5 ha. Au nez, de fines notes florales sont relayées par un fruité plaisant (orange, pomme). En bouche, le vin se révèle ample et généreux, vivifié par une pointe de fraîcheur en finale. À boire dans les deux ans, sur un poisson fumé par exemple.

☞ SAS Laporte, Cave de La Cresle, rte de Sury-en-Vaux, BP 34, 18300 Saint-Satur, tél. 02 48 78 54 20, fax 02 48 54 34 33, contact@laporte-sancerre.com,

☑ ⵣ r.-v.

☞ Arnaud Bourgeois

DOM. MARTIN 2011 ★

| ■ | 20 000 | ⑾ | 8 à 11 € |

L'essentiel du vignoble de Pierre Martin (qui a succédé à son père en 2012) est situé autour du village vigneron de Chavignol, célèbre pour son fromage de chèvre qui s'accompagne si bien des blancs du Sancerrois, comme le **blanc 2012 (90 000 b.)** du domaine, intense, friand, floral et fruité. Mais c'est le rouge qui a la préférence des dégustateurs, pour son bouquet à la fois puissant et élégant de fruits noirs (cassis, myrtille) agrémenté de nuances boisées et épicées, et pour sa bouche ronde et souple en attaque, plus ferme et solide en finale. Un an ou deux en cave lui permettront de s'affiner. On le servira alors sur un plat en sauce, un coq au vin ou du bœuf bourguignon par exemple.

☞ Dom. Pierre Martin, Chavignol-le-Bourg, 18300 Sancerre, tél. et fax 02 48 54 24 57, chavipierrot@orange.fr,

☑ ⵣ r.-v.

harmonie avec l'olfaction. Un sancerre plein et généreux, que l'on prendra plaisir à déguster avec un poisson fin ou un crustacé noble. Le **blanc 2012 Élégance (15 000 b.)**, franc, bien sauvignonné et de bon volume, et le **blanc 2012 Les Fines Bouches (10 000 b.)**, souple et rond, obtiennent tous deux une étoile.

☞ Jérôme Godon, Les Fouchards, 18240 Sainte-Gemme-en-Sancerrois, tél. 02 48 79 33 30, fax 02 48 78 02 61, contact@vin-de-sancerre.com,

☑ ⵣ t.l.j. 8h-12h 14h-19h

VINCENT GRALL Tradition 2012 ★

| ■ | 16 000 | ■ | 8 à 11 € |

L'un des plus petits vignobles de l'appellation (3,8 ha), créé en 1988 par Vincent Grall et conduit en bio sans certification depuis une dizaine d'années. Ce sancerre se distingue par sa finesse, au nez comme en bouche. L'olfaction dévoile des parfums délicats et harmonieux de fruits à chair blanche, d'agrumes mûrs et de fruits exotiques, que relaie un palais à la fois frais et gourmand, élégant et long. À boire dès aujourd'hui sur un poisson en sauce.

☞ Vincent Grall, 149, av. Nationale, 18300 Sancerre, tél. 02 48 78 00 42, fax 02 48 54 14 23, vincent.grall@wanadoo.fr, ☑ ⵣ r.-v.

DOM. DES GRANDES PERRIÈRES 2012

| ■ | 12 000 | ■ | 5 à 8 € |

Jérôme Gueneau a construit progressivement son exploitation dans les secteurs de Sury-en-Vaux, puis de Sainte-Gemme et de Chavignol. Il consacre 1,6 ha à cette cuvée discrètement fruitée à l'olfaction (griotte, framboise), d'un bon volume et structurée par des tanins encore un peu stricts en finale. À attendre un ou deux.

☞ Jérôme Gueneau, Les Grandes Perrières, 18300 Sury-en-Vaux, tél. 02 48 79 39 31, fax 02 48 79 40 27, gueneau.jerome@orange.fr, ☑ ⵣ r.-v.

ALAIN GUENEAU 2012 ★

| ■ | 6 000 | ■ | 8 à 11 € |

Le domaine étend ses 16 ha de vignes sur des coteaux pentus autour de Sury-en-Vaux, Sancerre et Chavignol, reflets des terroirs sancerrois : silex, caillottes et argilo-calcaires. C'est sur ce dernier type de sol qu'est né ce rosé de pressurage expressif, fin et frais à l'olfaction (pêche blanche), ample et charnu en bouche. Le **blanc 2011 cuvée Éloi (15 à 20 € ; 3 000 b.)** obtient également une étoile pour son boisé réussi (vanille, grillé), qui respecte la fraîcheur du fruit (agrumes, groseille à maquereau). À boire ou à attendre un an ou deux.

☞ Alain Gueneau, Maison-Sallé, 18300 Sury-en-Vaux, tél. 02 48 79 30 51, fax 02 48 79 36 89, agueneau@terre-net.fr, ☑ ⵣ r.-v.

JOSEPH MELLOT La Chatellenie 2012 ★

| | 219 000 | ■ | 11 à 15 € |

Cuvée principale de la maison Mellot, ce sancerre provient d'un terroir à silex de la commune de Sancerre. Il offre un bouquet complexe qui mêle des notes minérales, fruitées (pêche) et florales (genêt). La bouche dévoile un beau volume et s'équilibre entre rondeur et vivacité, portée par une longue finale fruitée. À déguster dès à présent sur un poisson en sauce, un sandre au beurre blanc par exemple. Également dans le giron de la famille Corbeau-Mellot, le **blanc 2012 Dom. des Coltabards** (8 à 11 € ; 43 000 b.), finement floral et fruité, et le **rouge 2011 Dom. des Coltabards** (8 à 11 € ; 3 900 b.), souple, léger et fruité, sont cités.

☙ SARL Vignobles Joseph Mellot, rte de Ménétréol, 18300 Sancerre, tél. 02 48 78 54 54, fax 02 48 78 54 55, josephmellot@josephmellot.com,
Ⓥ ⚲ ⵂ t.l.j. 8h15-12h 13h30-17h; sam. dim. sur r.-v. ⌂ Ⓓ

THIERRY MERLIN-CHERRIER Le Chêne marchand 2012

| | 75 000 | ■ | 8 à 11 € |

Thierry Merlin-Cherrier signe un sancerre sur la réserve à l'olfaction, quelques nuances florales et fruitées (agrumes) se révélant à l'aération. La bouche est plus diserte, sur les fruits à chair blanche, et offre une agréable fraîcheur. Un vin d'une aimable simplicité, à boire dès aujourd'hui sur un fromage de chèvre.

☙ Thierry Merlin-Cherrier, 43, rue Saint-Vincent, 18300 Bué, tél. 02 48 54 06 31, fax 02 48 54 01 78
Ⓥ ⵂ r.-v.

DOM. FRANCK MILLET 2012 ★★

| | 9 000 | ■ | 8 à 11 € |

Franck Millet, dont les vins ont récemment trouvé preneur en Islande et à Dubaï, comme dans une dizaine d'autres pays, signe un rosé gourmand, frais et intense, qui devrait conquérir bien des œnophiles. Le nez est ouvert sur la pêche de vigne agrémentée de nuances amyliques. Dans le prolongement de l'olfaction, la bouche se révèle parfaitement équilibrée, à la fois vive, ronde et souple. Bien gourmand aussi est le **blanc 2012 (136 000 b.)**, finement floral et fruité, tonique et charnu. Il obtient une étoile.

☙ Franck Millet, 68, rue Saint-Vincent, 18300 Bué, tél. 06 22 68 36 67, fax 02 48 54 39 85, franck.millet@wanadoo.fr, Ⓥ ⚲ ⵂ r.-v.

FRANÇOIS MILLET 2011

| | 125 000 | ■ | 8 à 11 € |

François et Monique Millet, à la tête, depuis 1976, de ce domaine de 20 ha, vous accueilleront dans une vieille cave voûtée fraîchement rénovée. L'occasion de découvrir ce sancerre plutôt timide à l'olfaction, qui s'ouvre à l'agitation sur des notes végétales (buis), citronnées et un rien muscatées. Plus présent en bouche, il montre, sur un fond fruité, une bonne densité, de la rondeur et de la souplesse. Le caractère végétal revient en finale pour lui conférer un surcroît de fraîcheur bienvenu. À boire sur un poisson ou une volaille en sauce crémée.

☙ Dom. François Millet, Le Carroir-Picard, 18300 Bué, tél. 02 48 54 39 09, fax 02 48 54 02 73, nicolas-millet@wanadoo.fr, Ⓥ ⚲ ⵂ t.l.j. sf dim. 10h-19h

DOM. GÉRARD MILLET Fût de chêne 2011 ★

| | 1 000 | ⬙ | 11 à 15 € |

C'est une nouvelle cuvée créée par Steve Millet, fils de Gérard, que propose ce domaine. Vinifiée en fût de 400 l, elle dévoile au nez des notes boisées bien présentes mais élégantes, aux accents vanillés et toastés, en harmonie avec les nuances florales et fruitées du sauvignon. En bouche, elle associe richesse, onctuosité et fraîcheur dans un bel équilibre. Une bouteille harmonieuse, que l'on pourra ouvrir aujourd'hui comme dans deux ou trois ans, sur une poularde à la crème par exemple.

☙ Gérard Millet, rte de Bourges, 18300 Bué, tél. 02 48 54 38 62, fax 02 48 54 13 50, gmillet@terre-net.fr, Ⓥ ⵂ r.-v.

FLORIAN MOLLET 2012

| | 30 000 | ■ | 8 à 11 € |

Cet ancien domaine de l'abbaye de Saint-Satur est conduit par la famille Mollet depuis dix générations. Son sancerre blanc livre des parfums plaisants et bien mariés d'agrumes, de fleurs blanches et de buis. La bouche se montre souple et fraîche, tonifiée par une finale acidulée. Un vin « sans chichi », simple et franc, à boire sur son fruit.

☙ Florian Mollet, 84, av. de Fontenay, 18300 Saint-Satur, tél. 02 48 54 13 88, fax 02 48 54 09 28, florian.mollet@wanadoo.fr, Ⓥ ⚲ ⵂ t.l.j. 8h-12h 14h-18h

GÉRARD ET PIERRE MORIN 2012 ★

| | 20 000 | ■ | 8 à 11 € |

Installés ensemble depuis 2004, Pierre Morin et son père Gérard conduisent un vignoble de 9,5 ha, dont 3 ha dédiés à cette cuvée née sur des marnes argilo-calcaires et des calcaires purs. Le nez, intense et élégant, mêle le zeste d'orange et de citron aux nuances minérales du terroir. Franche, fraîche et riche, la bouche suit la même ligne aromatique. Parfait pour un plateau de fruits de mer. Le **rouge 2011 Bellechaume (11 à 15 € ; 2 000 b.)**, fruité et épicé, aux tanins encore fermes et jeunes, est cité. On l'attendra un an ou deux.

☙ Gérard et Pierre Morin, 4, rue de l'Abbaye, 18300 Bué, tél. 02 48 54 36 75, fax 02 48 54 12 57, morin.perefils@orange.fr, Ⓥ ⚲ ⵂ r.-v.

DOM. ANDRÉ NEVEU Le Grand Fricambault Silex 2012 ★

| | 24 000 | ■ | 5 à 8 € |

Cette cuvée Silex, née sur un sol de... silex, dévoile un joli bouquet sauvignonné (bourgeon de cassis, genêt) et... minéral. Une fraîcheur et une franchise que l'on retrouve en bouche, en soutien d'une chair ronde et riche. Un ensemble harmonieux et bien construit, que l'on appréciera aussi bien sur une viande blanche que sur un poisson en sauce, aujourd'hui comme dans deux ans. Le **rosé 2012 Le Grand Fricambault (15 000 b.)**, tendre, ample et fruité, est cité.

☙ SCEV Dom. André Neveu, Chavignol, 18300 Sancerre, tél. 02 48 54 04 48, fax 02 48 78 02 28, chavignol@wanadoo.fr, Ⓥ ⵂ r.-v.
☙ Valérie Dezat

LOIRE

CH. DU NOZAY 2012

| | 10 000 | ■ | 15 à 20 € |

En 2009, Philippe et Marie-Hélène de Benoist ont été rejoints par leur fils aîné Cyril, qui a fait ses armes chez son oncle Aubert de Villaine, co-gérant de la Romanée-Conti, secondé par le deuxième fils de la famille, Pierre. On a connu pire expérience pour un jeune vigneron... Comme le mythique domaine bourguignon, le château du Nozay est conduit en bio (conversion en cours). On y découvre un sancerre de belle facture, sauvignonné à souhait (bourgeon de cassis, agrumes), ample et bien structuré en bouche, rehaussé de nuances épicées. Un vin équilibré et bien typé, à boire dès à présent.

☛ SAS Dom. du Nozay, Ch. du Nozay,
18240 Sainte-Gemme-en-Sancerrois, tél. 02 48 79 30 23,
fax 02 48 79 36 64, nozay@domaine-du-nozay.com,
☑ ⚐ � r.-v.
☛ Cyril de Benoist

CELLIERS DE LA PAULINE Pauline
Vinifié en fût de chêne 2011 ★★

| | 3 833 | ⏫ | 15 à 20 € |

Éric Louis a le sens de l'accueil. Il reçoit les œnophiles dans une belle cave voûtée faisant office de salle de dégustation, leur explique le long et délicat travail du vigneron et, certains dimanches d'été, leur propose une balade en calèche dans les vignes. Il a aussi le sens du travail bien fait, témoin ce trio de cuvées, et notamment ce 2011, hommage à son arrière-grand-mère qui planta les premiers ceps du domaine. Un vin généreux aux arômes de fruits mûrs agrémentés d'épices et de notes boisées rappelant le caramel, ample, dense, soyeux et très long en bouche. Un sancerre à la fois élégant et corpulent, déjà prêt. La cuvée classique **rouge 2011 (8 à 11 € ; 7 247 b.)**, ronde, souple et fruitée, et le **blanc 2012 (8 à 11 € ; 113 000 b.)**, frais et charnu, minéral et fruité, obtiennent tous deux une étoile.

☛ Celliers de la Pauline, 26, rue de la Mairie,
18300 Thauvenay, tél. 02 48 79 91 46, fax 02 48 79 93 48,
luce@sancerre-ericlouis.com,
☑ ⚐ � t.l.j. 10h-12h 13h30-19h

DOM. DE LA PERRIÈRE 2012

| | 20 000 | ■ ⏫ | 11 à 15 € |

Ce rouge 2012 a besoin d'un peu d'aération pour se dévoiler ; il offre alors des arômes plaisants de fruits rouges et noirs. Frais et fruité en attaque, le palais se montre rond et structuré par des tanins souples et fondus. L'ensemble, harmonieux et friand, est prêt à boire. Le **Comte de la Perrière Silex 2011 blanc (15 à 20 € ; 12 000 b.)**, aromatique (bourgeon de cassis, fruits jaunes), bien équilibré entre fraîcheur et rondeur, est également cité.

☛ Dom. de la Perrière, Caves de la Perrière,
18300 Verdigny, tél. 02 48 54 16 93, fax 02 48 54 11 54,
domainelaperriere@wanadoo.fr,
☑ ⚐ � t.l.j. 8h-12h 14h-17h30; f. sam. dim. 15 déc.-15 mars
☛ J.-L. Saget

JEAN-PAUL PICARD 2012 ★

| | 65 000 | ■ | 8 à 11 € |

Établi sur les coteaux de Bué, ce domaine familial de 13 ha propose régulièrement de belles cuvées de sancerre. Ce blanc tient son rang et se distingue par son bouquet

minéral, floral et fruité (citron, fruits exotiques). Il séduit aussi par son palais vif, franc et léger, à l'unisson de l'olfaction. Un vin bien typé, à déguster avec un plateau de fruits de mer.

☛ Jean-Paul Picard et Fils, 11, chem. de Marloup,
18300 Bué, tél. 02 48 54 16 13, fax 02 48 54 34 10,
jean-paul.picard18@wanadoo.fr,
☑ ⚐ � t.l.j. sf dim. 8h-12h 13h30-18h30

DOM. DU PRÉ SEMELÉ 2012 ★

| | 70 000 | ■ | 8 à 11 € |

Rémy Raimbault et ses fils Julien et Clément signent une belle série de sancerre, notamment ce blanc 2012 bien typé sauvignon à l'olfaction (bourgeon de cassis, agrumes, fruits jaunes), ample, souple, minéral et fruité en bouche. Une cuvée harmonieuse et fraîche, à déguster sur un poisson grillé ou sur des fruits de mer. Le **rouge 2011 Camille (15 à 20 € ; 1 500 b.)**, dont les versions 2009 et 2010 furent élues coup de cœur, obtient une étoile pour ses arômes boisés et fruités bien mariés, et pour son palais à la fois corsé et velouté. Le **rouge 2011 (13 000 b.)**, souple, frais et fruité, est cité.

☛ Dom. du Pré Semelé, Julien et Clément Raimbault,
Maimbray, 18300 Sury-en-Vaux, tél. 02 48 79 33 50,
fax 09 70 62 18 01, rjc.raimbault@orange.fr,
☑ ⚐ � t.l.j. sf dim. 9h-12h 14h-18h
☛ Rémy, Julien et Clément Raimbault

PAUL PRIEUR & FILS 2011 ★

| | 20 000 | ■ | 8 à 11 € |

Vignerons sur les terres de Verdigny depuis onze générations, les Prieur (aujourd'hui Didier, son frère Philippe et son fils Luc) exploitent un domaine de 18 ha au pied de la célèbre colline des Monts Damnés. Ils proposent ici un sancerre au nez fruité, un peu épicé, tendre, tenant et tout aussi fruité en bouche, soutenu par des tanins soyeux qui lui confèrent un caractère aimable. Une bouteille prête à boire – pourquoi pas sur une poitrine de veau en cocotte ?

☛ Paul Prieur et Fils, rte des Monts-Damnés,
18300 Verdigny, tél. 02 48 79 35 86, fax 02 48 79 36 85,
domaine@paulprieur.com, ☑ ⚐ � r.-v.

PIERRE PRIEUR ET FILS Domaine de Saint-Pierre 2012 ★

| | 70 000 | ■ | 8 à 11 € |

Thierry et Bruno Prieur conduisent un domaine de 17 ha répartis sur différents terroirs sancerrois et majoritairement plantés de sauvignon. Ils ont sélectionné un peu plus de 10 ha pour cette cuvée au bouquet intense et frais d'agrumes, de fruits exotiques, avec des touches amyliques. La bouche, à l'unisson, se révèle vive, ample et persistante. À découvrir dès aujourd'hui, sur une andouillette sauce moutarde par exemple. Le **rouge 2011 cuvée Maréchal Prieur (15 à 20 € ; 2 500 b.)**, encore sous l'emprise de la barrique, mais avec ce qu'il faut de chair et de structure pour supporter le bois, obtient également une étoile. Il pourra être attendu deux ou trois ans, ou servi dès à présent pour les amateurs de vins boisés. La cuvée **Domaine de Saint-Pierre 2011 rouge (23 000 b.)**, plus fruitée mais un peu sévère en finale, est citée.

☛ Pierre Prieur et Fils, rue Saint-Vincent, 18300 Verdigny,
tél. 02 48 79 31 70, fax 02 48 79 38 87,
prieur-pierre@netcourrier.com,
☑ ⚐ � t.l.j. sf dim. 9h-12h 14h-18h

🖤 NOËL ET JEAN-LUC RAIMBAULT 2012 ★★

| | 38 000 | 🔳 | 5 à 8 € |

Des marnes kimméridgiennes appelées terres blanches dans le Sancerrois ont fourni un beau terrain d'expression au sauvignon, à l'origine de cette cuvée remarquable de bout en bout. Derrière une robe éclatante, de couleur or pâle aux reflets argentés se dévoile un bouquet complexe et élégant d'agrumes, de fleurs blanches et de buis sur un fond minéral. La bouche ? De la rondeur, du gras, beaucoup de fraîcheur et de fruit, de la persistance et de l'élégance, et une longue finale citronnée qui conclut en beauté la dégustation. Homard, poisson fin, volaille de Bresse, réservez un mets raffiné pour cette bouteille.
🖇 Dom. Noël et Jean-Luc Raimbault, lieu-dit Chambre, rte de Sancerre, 18300 Sury-en-Vaux,
tél. et fax 02 48 79 36 56, raimbault-sancerre@orange.fr,
☑ 𝕐 r.-v.

💜 ROGER ET DIDIER RAIMBAULT 2012 ★★

| | 70 000 | 🔳 | 8 à 11 € |

La nouvelle cave du domaine, adossée à une colline, est élevée sur trois étages, ce qui permet l'utilisation de la gravité pour un travail en douceur des raisins et des moûts. Le résultat est ici des plus séduisants avec cette cuvée issue d'une sélection de vingt-sept micro-parcelles (le vignoble n'en compte pas moins de cinquante et une réparties sur les communes de Verdigny et de Sury-en-Vaux). Puissant et complexe, le nez offre un florilège fruité : orange sanguine, pêche de vigne, fruit de la Passion, ananas. Le palais se révèle dense et plein, alliant dans un équilibre remarquable gras et vivacité, et persistant longuement sur les fruits rehaussés de nuances mentholées en finale. Noix de Saint-Jacques, viande blanche en sauce, crottin de Chavignol..., ce vin complexe et harmonieux pourra accompagner tout un repas. Le blanc 2011 Vieilles Vignes (11 000 b.), plus généreux et riche, floral, miellé et fruité, est cité.

🖇 Roger et Didier Raimbault, Chaudenay, 18300 Verdigny, tél. 02 48 79 32 87, fax 02 48 79 39 08, didier@raimbault-sancerre.com,
☑ 🜊 𝕐 t.l.j 9h-12h 13h30-18h30; dim. sur r.-v.

DOM. RAIMBAULT-PINEAU 2012 ★

| | 50 000 | 🔳 | 8 à 11 € |

Sury-en-Vaux est le berceau du domaine Raimbault-Pineau, qui exploite aussi la vigne en pouilly-fumé et en coteaux-du-giennois. Côté sancerre, voici une cuvée bien dans le ton du cépage. Les notes variétales de buis, de bourgeon de cassis, d'agrumes et de fruits exotiques accompagnent en effet toute la dégustation, au nez comme en bouche. La fraîcheur est aussi au rendez-vous, le volume et la longueur également. Un vin équilibré et typé, à boire sur un poisson grillé.
🖇 Dom. Raimbault-Pineau, rte de Sancerre, 18300 Sury-en-Vaux, tél. 02 48 79 33 04, fax 02 48 79 36 25, scev.raimbaultpineau@terre-net.fr,
☑ 🜊 𝕐 t.l.j. 9h-12h 14h-18h; sam. dim. sur r.-v 🏠 🅳

DOM. HIPPOLYTE REVERDY

| | 5 500 | 🔳 | 5 à 8 € |

Habitué du Guide, ce domaine revient avec un rosé de couleur saumonée, au nez chaleureux de pêche à l'eau-de-vie vivifié par les agrumes, gras, suave et charnu en bouche. À servir bien frais sur une grillade ou au dessert, sur une soupe de fruits rouges.
🖇 Dom. Hippolyte Reverdy, rue de la Croix-Michaud, Chaudoux, 18300 Verdigny, tél. 02 48 79 36 16, fax 02 48 79 36 65, domaine.hreverdy@wanadoo.fr,
☑ 🜊 𝕐 r.-v.

PASCAL ET NICOLAS REVERDY
Terre de Maimbray 2012 ★★

| | 73 000 | 🔳 | 8 à 11 € |

Le village de Maimbray (commune de Sury-en-Vaux) est entouré de coteaux abrupts aux sols de marnes kimméridgiennes. Les Reverdy y exploitent un vignoble de 14 ha, dont un peu plus de 9 ha dédiés à cette cuvée au nez intense et charmeur, dominé par les agrumes, l'orange sanguine notamment. En bouche, fraîcheur minérale et fruité soutenu sont au rendez-vous, enrobés par une chair ronde et grasse. L'ensemble est très harmonieux, équilibré et gourmand : à déguster de l'apéritif au dessert.
🖇 Pascal et Sophie Reverdy, Maimbray, 18300 Sury-en-Vaux, tél. 02 48 79 37 31, fax 02 48 79 41 48, reverdypn@wanadoo.fr,
☑ 🜊 𝕐 t.l.j. 10h-12h 14h-18h; mer. dim. sur r.-v.

DOM. REVERDY DUCROUX Beau Regard 2011

| | 30 000 | 🍶 | 8 à 11 € |

Alain et Laurent Reverdy signent un sancerre bien fruité à l'olfaction (griotte mûre), souple et rond en bouche, aux tanins fondus. Un vin d'une aimable simplicité, « facile à boire », qui s'associera volontiers avec une viande blanche. Le rosé 2012 (8 000 b.), frais et finement fruité, est également cité.
🖇 Dom. Reverdy Ducroux, rue du Pressoir, Chaudoux, 18300 Verdigny, tél. 02 48 79 31 33, fax 02 48 79 36 19, info@reverdy-ducroux.fr, ☑ 🜊 𝕐 r.-v. 🏠 ❷ 🏠 🅳
🖇 Reverdy Père et Fils

BERNARD REVERDY ET FILS Kiss 2011 ★★

| | 600 | ▮ ◫ | 11 à 15 € |

Réservée aux millésimes qui le méritent, cette nouvelle cuvée (la seconde produite sur le domaine après le 2009) réussit le mariage du fût et du raisin. Au nez, le boisé domine (moka, vanille), mais un boisé élégant qui s'associe à des senteurs d'agrumes et de fleurs blanches. En bouche, le merrain s'associe à une chair ronde et riche, porté par une belle fraîcheur minérale. Un ensemble déjà harmonieux, qui gagnera en fondu et en complexité après deux à trois ans de garde. La **cuvée principale blanc 2012 (8 à 11 € ; 65 000 b.)**, qui n'a pas connu la barrique, se montre souple, fraîche et fruitée. Elle obtient une étoile, comme le **rosé 2012 (8 à 11 € ; 12 000 b.)**, ample, onctueux et aromatique (pêche, réglisse).

☛ SCEV Bernard Reverdy et Fils, rte des Petites-Perrières, Chaudoux, 18300 Verdigny, tél. 02 48 79 33 08, fax 02 48 79 37 93, reverdybernard@orange.fr, ☑ ✶ Ⲧ r.-v.

DOM. DANIEL REVERDY ET FILS 2012 ★★

| | 1 600 | ▮ | 5 à 8 € |

Attention, un Reverdy peut en cacher un autre à Verdigny (une dizaine de domaines portent ce nom dans le village). Ici, nous sommes chez Daniel et son fils Cyrille, qui proposent un beau rosé pâle, légèrement saumoné, au nez exubérant de bonbon anglais, de groseille et d'agrumes, tout en fraîcheur et d'une grande intensité en bouche. Un rosé de gastronomie, que l'on peut garder deux ans. On le verrait bien sur une cuisine exotique, un poulet tandoori par exemple.

☛ Dom. Daniel Reverdy et Fils, Chaudenay, 18300 Verdigny, tél. et fax 02 48 79 33 29, daniel-et-fils.reverdy@wanadoo.fr, ☑ ✶ Ⲧ t.l.j. 8h-12h 13h30-17h30 sf dim.

ALBAN ROBLIN 2012 ★★

| | 20 000 | ▮ ◫ | 8 à 11 € |

Née en 2009 de la division du domaine familial, cette exploitation de 11 ha propose un sancerre blanc au bouquet intense et bien typé : buis, agrumes, touche amylique, notes minérales, fleurs blanches. Vif en attaque, le palais se montre ensuite rond, gras et charnu, avec toujours cette fraîcheur minérale en soutien et cette intensité aromatique perçue à l'olfaction. Un vin complet et long, à déguster sur un poisson en sauce ou sur un crustacé noble. La cuvée **Héritage 2011 blanc (11 à 15 € ; 1 000 b.)**, élevée en fût, douce, ronde mais encore un peu dominée par le bois, est citée. On l'attendra un an ou deux pour plus d'harmonie.

☛ Alban Roblin, La Rabotine, rte de Maimbray, 18300 Sury-en-Vaux, tél. et fax 02 48 79 31 15, roblin.larabotine@orange.fr, ☑ ✶ Ⲧ t.l.j. 9h-12h 14h-18h30

MATTHIAS ET ÉMILE ROBLIN Origine 2011 ★

| | 58 000 | ▮ | 11 à 15 € |

Repris en 2000 par Matthias Roblin, rejoint par son frère Émile six ans plus tard, ce domaine familial étend son vignoble sur 17 ha conduits en « culture raisonnée à tendance biologique » (pas d'insecticides ni d'anti-pourriture, labours sous le rang et vignes enherbées, peu d'intervention au chai). Deux cuvées ont retenu l'attention. D'abord ce 2011 joliment bouqueté autour des fruits frais (pêche, agrumes), un rien végétal, rond, coulant et doux en bouche, soutenu jusqu'en finale par une belle trame minérale. En un mot, un vin équilibré, que l'on

verrait bien associé à des asperges sauce mousseline. Le **blanc 2011 L'Enclos de Maimbray (28 000 b.)**, bien typé sauvignon, vif et aromatique (agrumes, bourgeon de cassis, aubépine), est cité.

☛ Matthias et Émile Roblin, Maimbray, 18300 Sury-en-Vaux, tél. 02 48 79 48 85, fax 02 48 79 31 34, matthias.emile.roblin@orange.fr, ☑ ✶ Ⲧ r.-v.

♥ DOMINIQUE ROGER Cuvée La Jouline 2012 ★★

| | 2 400 | ◫ | 15 à 20 € |

Héritier d'une longue lignée vigneronne remontant au XVIIᵉs., Dominique Roger met à disposition des œnophiles hébergés dans son gîte une cave voûtée dédiée à la dégustation de ses vins. L'occasion de découvrir ce superbe 2012 élevé un an en fût, dont le nez, intense et élégant, mêle notes boisées et senteurs de fruits rouges en marmelade (cerise, framboise). La bouche, riche et concentrée, confirme cet heureux équilibre entre la barrique et le raisin, soutenue par des tanins serrés et soyeux jusqu'à la finale au caractère généreux et épicé. Un vin à la fois puissant et fin, à déguster sur une pièce de gibier ou sur une viande rouge en sauce, aujourd'hui même dans quatre ou cinq ans. Le **blanc 2012 Dom. du Carrou (8 à 11 € ; 45 000 b.)**, dominé par les fruits exotiques, souple et frais, est cité.

☛ Dominique Roger, 7, pl. du Carrou, 18300 Bué, tél. 02 48 54 10 65, fax 02 48 54 38 77, contact@dominique-roger.fr, ☑ ✶ Ⲧ t.l.j. 8h30-12h 14h-18h30 ; dim. sur r.-v. ⌂ Ⓖ

DOM. DE LA ROSSIGNOLE L'Essentiel 2011

| | 10 000 | ▮ | 8 à 11 € |

Les frères François et Jean-Marie Cherrier sont installés depuis 1984 à la tête du domaine familial. Le vignoble s'étend sur 15 ha, dont 1,5 ha dédié à cette cuvée d'une bonne intensité aromatique, portée sur les agrumes et les fruits blancs agrémentés de nuances de buis, vive et fruitée en bouche. Le **rouge 2011 (15 000 b.)**, bien fruité (cassis), un rien épicé et vanillé, souple et soyeux en bouche, est également cité.

☛ Pierre Cherrier et Fils, rue de la Croix-Michaud, Chaudoux, 18300 Verdigny, tél. 02 48 79 34 93, fax 02 48 79 33 41, cherrier@easynet.fr, ☑ ✶ Ⲧ r.-v.

GUY SAGET 2012

| | 40 000 | ▮ | 8 à 11 € |

Cette importante maison de négoce, présente dans toute la vallée de la Loire, propose un sancerre typique. Au nez, le sauvignon confère ses arômes caractéristiques d'agrumes et de buis. Rond en attaque, le palais évolue sur une agréable vivacité aux accents fruités et minéraux.

À boire dans sa jeunesse, sur une salade de poulpe par exemple.

➥ SA Saget La Perrière, La Castille, 58150 Pouilly-sur-Loire, tél. et fax 03 86 39 57 75, jl.saget@sagetlaperriere.com, ☑ ⚔ ⟙ t.l.j. sf sam. dim. 8h-12h 14h-18h

DOM. DE SAINT-ROMBLE Pente de Maimbray 2012

■	6 000	■	8 à 11 €

Les Fournier, à la tête de ce domaine de 15 ha depuis 1996, proposent un vin d'un bel éclat rose orangé, au nez expressif, amylique et fruité (marmelade de fraises, framboise). Rond et gras, le palais donne l'impression de croquer dans le fruit. L'ensemble est plaisant et harmonieux ; il formera un bon accord avec un mets asiatique ou oriental, des nouilles sautées au poulet ou une pastilla par exemple.

➥ SARL Paul Vattan - Dom. de Saint-Romble, Mambray, 18300 Sury-en-Vaux, tél. 02 48 79 35 24, fax 02 48 79 30 41, claude@fournier-pere-fils.fr,
☑ ⚔ ⟙ t.l.j. 8h-12h 13h30-18h; sam. dim. sur r.-v
➥ Fournier

DOM. CHRISTIAN SALMON 2012 ★

■	5 000	■	8 à 11 €

Les Salmon proposent un rosé plaisant de bout en bout. La robe est pâle et brillante. Le bouquet séduit par son fruité fin aux nuances de pêche et de fraise. La bouche offre du volume, du fruit, de la rondeur et de la fraîcheur, bref un bel équilibre. Apéritif, salades, grillades : un bon rosé pour les beaux jours.

➥ SAS Christian Salmon, Rue Saint-Vincent, 18300 Bué, tél. 02 48 54 20 54, fax 02 48 54 30 36, domainechristiansalmon@wanadoo.fr, ☑ ⟙ r.-v.

CH. DE SANCERRE 2011 ★

■	40 000	■	11 à 15 €

Propriété des Marnier-Lapostolle depuis 1919, le château de Sancerre étend son vignoble sur 55 ha, dont 10 % consacrés au pinot noir. Ce 2011 dévoile un bouquet discret mais fin de fruits rouges rehaussés de nuances mentholées. En bouche, il se montre rond, plein et généreux, étayé par des tanins bien campés qui gagneront en finesse après un an ou deux de garde. Le blanc 2012 (400 000 b.), à la fois frais et charnu, floral, minéral et fruité, fait jeu égal.

➥ Sté Marnier-Lapostolle, Porte César, 18300 Verdigny, tél. 02 48 78 51 52, fax 02 48 78 51 56, cherrier.g@grandmarnier.tm.fr,
☑ ⟙ t.l.j. sf dim. 8h-12h 13h30-17h30

DOM. DE SARRY Les Mille Sens 2012 ★

■	40 000	■	8 à 11 €

Christelle et Nicolas Brock ont élaboré ce sancerre à partir d'une sélection de parcelles calcaires plantées de vignes d'une cinquantaine d'années. Au nez, les fruits frais (mirabelle, agrumes) se mêlent à des notes florales et minérales. Souple en attaque, ample et ronde, soutenue de bout en bout par une belle fraîcheur aux accents végétaux et minéraux, la bouche offre un juste équilibre. Tout cela semble éveiller les sensibilités gastronomiques des dégustateurs : noix de Saint-Jacques aux agrumes et purée de panais pour l'un, dos de cabillaud sauce hollandaise pour un autre, vol-au-vent pour un troisième.

➥ Dom. de Sarry, Le Briou, 18300 Veaugues, tél. 02 48 79 07 92, fax 02 48 79 05 28, info@sarry.org, ☑ ⚔ ⟙ r.-v.
➥ Famille Brock

DAVID SAUTEREAU 2012 ★

■	6 000	■	5 à 8 €

Le vignoble de David Sautereau s'étend sur 7,5 ha, dans les communes de Crézancy, de Bué et de Sancerre. Son rosé de pressurage, né d'un sol argilo-siliceux, livre un bouquet plaisant et bien ouvert de pêche de vigne agrémenté de nuances amyliques. La bouche se révèle ronde, pleine et tendre, soutenue en finale par une fine vivacité. Un vin équilibré, à servir sur une cuisine asiatique. Le rouge 2011 (5 500 b.), léger, frais et fruité, est cité.

➥ David Sautereau, Les Epsailles, 18300 Crézancy-en-Sancerre, tél. 02 48 79 42 52, fax 02 48 79 44 12, david.sautereau@wanadoo.fr, ☑ ⚔ ⟙ t.l.j. 8h-12h 13h30-19h; dim. sur r.-v. 🏠 🅱

CH. DE THAUVENAY 2012 ★★

■	56 000	■	15 à 20 €

Le domaine fut créé en 1819 par Jean-Pierre de Montalivet, ami et ministre de Napoléon, restauré après le phylloxéra par son descendant le baron Arthur de Chabaud La Tour, agrandi et modernisé à « l'ère moderne » (1966-2002) par l'arrière-petit-fils de ce dernier, le comte Georges de Choulot. Une société familiale dirige désormais la propriété. Côté cave (établie dans l'ancienne chapelle du château), voici un sancerre élégant et harmonieux, au nez floral (acacia), fruité (fruits blancs mûrs, agrumes) et minéral, au palais ample, riche et rond, soutenu par une fine vivacité. « À servir dans les deux ans à venir, sur des huîtres chaudes sauce au foie gras », conseille un dégustateur. Le blanc 2012 Les Vignes du baron (11 à 15 € ; 20 000 b.), dans un style assez proche, rond et généreux, est cité.

➥ SCEV Comte Georges de Choulot, Ch. de Thauvenay, 18300 Thauvenay, tél. 02 48 79 90 33, fax 02 48 79 95 67, chateaudethauvenay@wanadoo.fr, ☑ ⚔ ⟙ r.-v.

GÉRARD ET HUBERT THIROT La Doyenne
Élevé en fût de chêne 2011

■	2 500	⬤	8 à 11 €

Élevé en fûts de un à cinq ans, ce 2011 offre un bon mariage entre le bois et le raisin. Au nez, les fruits exotiques (mangue), l'abricot et quelques nuances muscatées se mâtinent de notes d'amande grillée et de vanille. Suivant la même ligne aromatique, la bouche se montre souple et fraîche.

➥ Gérard et Hubert Thirot, allée du Chatiller, 18300 Bué, tél. 02 48 54 16 14, fax 02 48 54 00 42, gerard.thirot@wanadoo.fr, ☑ ⚔ ⟙ t.l.j. sf dim. 8h30-12h 14h-18h30

PAUL THOMAS Chavignol 2011 ★

■	8 000	■	11 à 15 €

Raphaël Thomas signe un sancerre rouge paré d'une robe sombre, au nez généreux de fruits à l'eau-de-vie agrémentés d'une touche de violette et de sous-bois. Souple en attaque, le palais se révèle tout aussi chaleureux, soutenu par de solides tanins qui confèrent à ce vin un bon potentiel de garde. On l'attendra au moins deux ou trois ans avant de le servir sur une viande en sauce.

LOIRE

☙ Dom. Paul Thomas, Chavignol, 18300 Sancerre,
tél. 02 48 54 28 13, fax 02 48 54 08 46,
paulthomas-sancerre@orange.fr,
☑ ⚔ ⵏ t.l.j. 9h-12h 14h-19h

CLAUDE ET FLORENCE THOMAS-LABAILLE
La Fleur de Galifard 2012 ★★

	1 500	ⅢD	15 à 20 €

Le millésime 2012 a inspiré Jean-Paul Labaille : les trois cuvées présentées à la dégustation ont été retenues. En tête, celle-ci, issue de l'un des meilleurs terroirs de Chavignol, élevée neuf mois en barrique. Au nez, de légères notes boisées se mêlent aux parfums de fruits mûrs, voire confits (pêche, abricot, orange). On retrouve ce fruité généreux dans un palais ample et long, équilibré par une fine vivacité citronnée. Parfait pour un crustacé noble, une langouste au beurre blanc par exemple. Le **blanc 2012 L'Authentique** (8 à 11 € ; 30 000 b.), frais et porté sur les agrumes, et le **blanc 2012 Les Aristides** (11 à 15 € ; 10 000 b.), gras et gourmand, obtiennent chacun une étoile.
☙ Thomas-Labaille, Chavignol, 18300 Sancerre, tél. 02 48 54 06 95, fax 02 48 54 07 80, thomas.labaille@wanadoo.fr, ☑ ⚔ ⵏ r.-v.

DOM. TINEL-BLONDELET La Croix-Canat 2012 ★

	27 000	▮	8 à 11 €

Annick Tinel signe un sancerre bien sous tous les rapports, harmonieux de bout en bout. Le nez, complexe et élégant, mêle les fleurs blanches, l'abricot sec, les agrumes mûrs et une touche végétale caractéristique du cépage. Le palais, à l'unisson, se montre ample, gras et rond, soutenu par une belle trame vive aux accents exotiques. À découvrir dans l'année, sur une poêlée de noix de Saint-Jacques.
☙ Dom. Tinel-Blondelet, La Croix-Canat, 58, av. de la Tuilerie, 58150 Pouilly-sur-Loire, tél. 03 86 39 13 83, fax 03 86 39 02 94, contact@tinel-blondelet.fr, ☑ ⚔ ⵏ t.l.j. 9h-12h30 14h-18h30

ROLAND TISSIER ET FILS 2012 ★

	7 700	▮	8 à 11 €

Installés au pied de la butte de Sancerre, Rodolphe et Florent Tissier ont élaboré un joli rosé né de parcelles argilo-calcaires. Paré d'une robe saumonée, ce vin dévoile des arômes intenses et frais de fruits blancs et de petits fruits rouges. Il confirme ces sensations fruitées dans une bouche vive, droite et longue, pimentée par une touche poivrée en finale. Parfait pour une grillade au feu de bois.
☙ Dom. Roland Tissier et Fils, Le Petit Morice, 18300 Sancerre, tél. 02 48 54 02 93, fax 02 48 78 04 32, sancerretissier@wanadoo.fr, ☑ ⚔ ⵏ t.l.j. 9h-12h 14h-19h

Ⓑ DOM. VACHERON Le Paradis 2011

	8 000	▮ⅢD	20 à 30 €

Certifié en agriculture biologique et biodynamique, le domaine Vacheron pratique la sélection parcellaire pour élaborer ses cuvées. Ici, un lieu-dit au sol calcaire planté de jeunes vignes de dix ans, qui a donné naissance à un sancerre bien typé. Bien qu'élevé en cuve bois et en fût, le vin s'ouvre sur des senteurs variétales de bon aloi (agrumes, fleurs blanches, bourgeon de cassis), sans boisé perceptible. La bouche est à l'unisson, vive, franche et

d'une longueur honorable. Un bon classique, à déguster sur un fromage de chèvre ou une salade de fruits de mer.
☙ Dom. Vacheron, BP 49 , 1, rue du Puits-Poulton, 18300 Sancerre, tél. et fax 02 48 54 01 74, vacheron.sa@wanadoo.fr, ☑ ⚔ ⵏ r.-v.

DOM. ANDRÉ VATAN Les Charmes 2012 ★

	70 000	▮	8 à 11 €

Cette cuvée Les Charmes provient d'un assemblage représentatif des terroirs du Sancerrois : marnes kimméridgiennes, calcaires et silex. C'est un beau classique qui s'exprime avec intensité et élégance au nez, autour des fruits exotiques et des fruits jaunes rehaussés de notes poivrées. La bouche est à la fois corpulente, ample, dense et fraîche, accompagnée par une note saline en finale. Bel accord gourmand en perspective avec une volaille à la crème ou un rôti de porc aux abricots. La **cuvée Saint-François 2012 blanc** (11 à 15 € ; 2 000 b.), élevée pour partie en fût, plaît par son bouquet intense de fruits mûrs (pêche de vigne, abricot, agrumes) sur fond minéral et par sa bouche persistante et mentholée. Elle obtient une étoile, tandis que le **rouge 2012 DD** (11 à 15 € ; 10 000 b.), boisé et charpenté, est cité ; à attendre au moins deux ans pour plus de fondu.
☙ EARL André Vatan, rte des Petites-Perrières, Chaudoux, 18300 Verdigny, tél. 02 48 79 33 07, fax 02 48 79 36 30, avatan@terre-net.fr, ☑ ⚔ ⵏ r.-v.

DOM. DES VIEUX PRUNIERS Fût de chêne 2011 ★★

	2 500	ⅢD	11 à 15 €

Établi au pied du coteau viticole de Bué, ce domaine offre aux visiteurs une belle vue sur le vignoble de Sancerre. Christian Thirot-Fournier y exploite avec son épouse 10 ha de vignes. Il a sélectionné une petite surface de 30 ares de pinot noir pour élaborer, dans son nouveau chai, ce 2011 des plus flatteurs. Le nez associe avec sobriété et harmonie les notes boisées de l'élevage et les petits fruits rouges caractéristiques du pinot noir. On retrouve cet équilibre (arômes boisés, réglissés et fruités) dans une bouche élégante et fraîche, structurée par des tanins bien présents mais fins, gage d'un bon vieillissement (trois ou quatre ans). Accord gourmand en perspective avec une grillade d'agneau. Le **blanc 2011 la P'tite Coûte** (8 à 11 € ; 2 400 b.), vif, variétal et minéral, est cité.
☙ Christian Thirot-Fournier, 1, chem. de Marcigoi, Venoize, 18300 Bué, tél. 02 48 54 09 40, fax 02 48 78 02 72, thirot.fournier-christian@wanadoo.fr,
☑ ⚔ ⵏ t.l.j. sf dim. 8h-12h 14h-19h; f. 15-31 août

DOM. DE LA VILLAUDIÈRE 2011 ★

	n.c.	ⅢD	8 à 11 €

Perché au-dessus du village de Verdigny, ce domaine offre une belle vue sur la colline de Sancerre. Couvrant 15 ha, il est conduit par Jean-Marie Reverdy et son fils Guillaume. Il propose un sancerre joliment bouqueté autour des fruits rouges (framboise, griotte), de la violette et d'un boisé discret aux accents chocolatés. Souple en attaque, ce vin dévoile une belle densité en bouche, de la richesse sans lourdeur, des tanins fondus et un fruité frais bien agréable. Il est prêt à boire, sur un rôti de veau ou du petit gibier.
☙ Jean-Marie Reverdy, rte de Chaudenay, 18300 Verdigny, tél. 02 48 79 30 84, fax 02 48 79 38 16, reverdy.ferry@wanadoo.fr, ☑ ⚔ ⵏ r.-v.

LA VALLÉE DU RHÔNE

CONDRIEU CÔTE-RÔTIE TAVEL
SYRAH GRENACHE
VIOGNIER GIGONDAS
CHÂTEAUNEUF-DU-PAPE
HERMITAGE RASTEAU CAIRANNE
CLAIRETTE-DE-DIE
VENTOUX COSTIÈRES-DE-NÎMES

LA VALLÉE DU RHÔNE

Superficie
73 468 ha
Production
2 830 000 hl
Types de vins
Rouges très majoritairement, rosés et quelques rares blancs ; vins doux naturels ; quelques effervescents (clairette-de-die).
Sous-régions
Vallée du Rhône septentrionale (entre Vienne et la rivière Drôme au sud de Valence) et vallée du Rhône méridionale (du sud de Montélimar à Avignon et à la Durance).
Cépages principaux
Rouges : syrah, grenache, mourvèdre, cinsault, carignan et de nombreux autres cépages devenus très rares (counoise, vaccarèse, muscardin...).
Blancs : viognier, roussanne, marsanne, grenache blanc, clairette blanche, bourboulenc...

Fougueux, le Rhône file vers le Midi, vers le soleil. Sur ses rives, s'étendent des vignobles parmi les plus anciens de France. Aujourd'hui, la vallée du Rhône est, en matière de vins d'appellation, la seconde région viticole de la France après le Bordelais. Outre les vins rouges, majoritaires, souples ou de garde, souvent chaleureux, elle possède avec Tavel la plus ancienne appellation de rosés et produit, notamment avec les hermitage et les condrieu, des blancs de haute lignée. Enfin, les vins doux naturels de Beaumes-de-Venise et de Rasteau montrent l'appartenance de la région à l'orbite méditerranéenne.

Le legs des Romains et des papes C'est aux abords de Vienne que se trouve l'un des plus anciens vignobles du pays, développé par les Romains, après avoir été sans doute créé par des Phocéens de Marseille. Vers le IVᵉs. avant notre ère, la viticulture est attestée aux environs des actuels hermitage et côte-rôtie ; dans la région de Die, elle apparaît dès le début de l'ère chrétienne. À la suite des Templiers (au XIIᵉs.), le pape Jean XXII et ses successeurs d'Avignon ont développé le vignoble de Châteauneuf-du-Pape. Quant aux vins de la Côte du Rhône gardoise, ils connurent une grande vogue aux XVIIᵉ et XVIIIᵉs. ; les cités de Tavel et des environs édictèrent des règles de production tout en apposant sur leurs tonneaux les lettres « CDR » (pour « Côtes-du-Rhône ») – une anticipation de l'AOC.

XXᵉs. : le renouveau Longtemps, les vins du Rhône, produits loin de Paris et des grands axes commerciaux, furent mésestimés, même si les vrais amateurs prisaient les hermitage ou côte-rôtie. La vigne était d'ailleurs çà et là supplantée par les oliveraies et les vergers. Gentil vin de comptoir, le côte-du-rhône, souvent issu de brèves cuvaisons, apparaissait rarement aux tables élégantes. Il voisinait avec le beaujolais dans les « bouchons » lyonnais. Aujourd'hui, son image s'est nettement redressée tandis que son visage s'est diversifié, du primeur au vin de garde rappelant les crus. Le vignoble, qui s'était rétracté au XIXᵉs., a regagné du terrain. La coopération, très présente dans la région avec 95 caves et 5 groupements de producteurs, participe largement à l'économie viticole de la vallée, produisant presque les deux tiers des volumes, aux côtés de quelque 1 560 caves particulières. Le négoce-éleveur, malgré le prestige de certaines maisons, est moins important que dans d'autres vignobles (3 % des volumes).

Le nord et le sud Certains experts différencient les vins de la rive gauche de la vallée, qui seraient plus lourds et capiteux, de ceux de la rive droite, plus légers. Mais on distingue surtout la vallée du Rhône septentrionale, au nord de Valence, et la vallée du Rhône méridionale, au sud de Montélimar, deux secteurs séparés l'un de l'autre par une zone d'environ cinquante kilomètres où la vigne est absente. Topographie, paysages, climat, sols, encépagement, culture : le nord et le sud de la vallée diffèrent nettement. Au nord de Valence, la vallée s'encaisse entre Alpes et Massif central ; le climat est tempéré, avec une influence continentale ; les coteaux sont souvent très pentus et les sols le plus souvent granitiques ou schisteux ; les vins sont issus du seul cépage syrah pour les rouges, des cépages marsanne et roussanne pour les blancs, ou encore du viognier (condrieu, château-grillet). Au sud de Montélimar, la vallée s'élargit, on arrive en Provence ; le climat est méditerranéen, les sols sur substrat calcaire sont très variés : terrasses à galets roulés, sols rouges argilo-sableux, molasses et sables ; le cépage principal est ici le grenache, mais les excès climatiques obligent les viticulteurs à utiliser plusieurs cépages pour obtenir des vins parfaitement équilibrés : en rouge, la syrah, le mourvèdre, le cinsault, le carignan... en blanc, la clairette, le bourboulenc, la roussanne.

De l'appellation régionale aux crus Comme dans d'autres régions viticoles, il existe une hiérarchie des vins. Au sommet, les appellations communales. Côte-rôtie, condrieu, hermitage, saint-joseph, cornas... celles-ci constituent la quasi-totalité des vignobles de la partie septentrionale, beaucoup moins étendue. Au sud, le plus illustre de ces crus est châteauneuf-du-pape, mais leur statut de *villages* occupent le même rang, comme gigondas, vaqueyras ou tavel. À la base de la pyramide, l'appellation régionale côtes-du-rhône s'étend sur 171 communes, presque toutes situées au sud. Entre appellations communales et régionales, les côtes-du-rhônes-villages, également situés dans la partie méridionale, proviennent de 95 communes plus réputées.

Dans l'orbite de la vallée du Rhône Parfois assez éloigné du fleuve, d'autres vignobles sont rattachés à la vallée du Rhône. Ce sont les AOC grignan-les-adhémar, au sud de Montélimar et au nord de Bollène ; côtes-du-vivarais, sur la rive droite, de part et d'autre des gorges de l'Ardèche ; costières-de-nîmes, sur cette même rive, aux confins du Languedoc ; ventoux, qui prospère entre Vaison-la-Romaine et Apt sous la protection du Géant de Provence ; luberon, implanté plus au sud, sur la rive droite de la Durance ; coteaux-de-pierrevert, sur le département des Alpes-de-Haute-Provence. Il faut encore citer la région de Die, dans la vallée de la Drôme, en bordure du Vercors. Plus montagneux, plus frais, le Diois, aux sols d'éboulis calcaires, est propice aux cépages blancs comme la clairette et le muscat.

Les appellations régionales de la vallée du Rhône

Côtes-du-rhône

Superficie : 37 465 ha
Production : 1 456 900 hl (97 % rouge et rosé)

Définie dès 1937, l'appellation régionale côtes-du-rhône figure au nombre des plus anciennes. C'est aussi l'une des plus vastes, la seconde en superficie après Bordeaux. Elle s'étend en effet sur six départements : Rhône, Loire, Ardèche, Gard, Drôme et Vaucluse. L'essentiel de la production provient des quatre derniers, situés dans la vallée du Rhône méridionale, au sud de Montélimar, les vignobles de la partie nord fournissant presque exclusivement des vins d'AOC locales. Sur la rive droite du Rhône, les vignes couvrent les pentes de collines ; sur la rive gauche, elles affectionnent des bassins à fond plat aux sols de galets mêlés d'argiles sableuses rouges.

Dans cette partie sud du vignoble, l'encépagement est bien méridional, le dernier décret (1996) renforçant l'importance du grenache (40 % minimum), de la syrah et du mourvèdre dans les rouges et rosés. Les cépages secondaires, qui sont ici légion, ne peuvent pas totaliser plus de 30 % de l'encépagement. Ce sont notamment le cinsault, le carignan et encore la counoise, le muscardin, le vaccarèse, le terret. Des cépages blancs peuvent même entrer dans la composition des rosés. Les côtes-du-rhône blancs font intervenir principalement les grenache blanc, clairette, marsanne, roussanne, bourboulenc et viognier.

À la diversité des sols, des microclimats et des cépages répond celle des vins : vins rouges de semi-garde, tanniques et généreux, à servir sur de la viande rouge, produits dans les zones les plus chaudes et sur des sols de diluvium alpin (Domazan, Estézargues, Courthézon, Orange...) ; vins rouges plus légers, fruités et plus nerveux, nés sur des sols eux-mêmes plus légers (Nyons, Sabran, Bourg-Saint-Andéol...) ; vins primeurs disponibles à partir du troisième jeudi de novembre. La chaleur estivale contribue à la rondeur des blancs et des rosés. Producteurs et œnologues cherchent aujourd'hui à extraire le maximum d'arômes et à obtenir des vins frais et délicats. On servira les blancs sur les poissons de mer, les rosés sur des salades composées ou de la charcuterie.

DOM. D'AÉRIA 2010 ★★

| ■ | 5 000 | ■ | 5 à 8 € |

C'est sur le site d'une cité antique que poussent les vignes de ce domaine, dont les cuvées de *villages* fréquentent le Guide avec une grande constance. Ici, un « simple » côtes-du-rhône issu d'un assemblage mi-grenache mi-syrah, à la fois concentré et élégant, finement tannique et toujours frais. Les notes de fruits noirs et de sous-bois perçues à l'olfaction ne s'étiolent pas et titillent les papilles jusqu'à la finale, longue et racée. Parfait pour un ragoût de bœuf ou d'agneau, aujourd'hui comme dans deux ou trois ans.

☛ Gap Rolland, SARL Dom. d'Aéria, rte de Rasteau, 84290 Cairanne, tél. 04 90 30 88 78, fax 04 90 30 78 38, domaine.aeria092@orange.fr, ☑ ⚘ ⟊ r.-v. ⌂ Ⓖ

RHÔNE

L'AMEILLAUD 2011 ★★

| | 30 000 | ■ | 5 à 8 € |

Nick Thompson, d'origine britannique, et son épouse Sabine ont repris en 1983 ce domaine d'une quarantaine d'hectares d'un seul tenant, avec le mont Ventoux et les Dentelles de Montmirail pour horizon. Ils ont réalisé un assemblage classique des cépages méridionaux (grenache, syrah, carignan et mourvèdre) pour donner naissance à ce remarquable côtes-du-rhône. Un vin intense, porté sur les fruits rouges agrémentés d'épices et de senteurs de garrigue, rond, gras et long en bouche, auquel de fins tanins donnent beaucoup d'élégance et de tenue. À boire dans les deux ans, sur une gardiane ou un civet.

☛ SARL Ameillaud, rte de Rasteau, 84290 Cairanne, tél. 04 90 30 82 02, fax 04 90 30 74 66, contact@ameillaud.com,
☑ ☀ ☒ t.l.j. sf sam. dim. 8h-12h 14h-18h 🏠 🄴
☛ Sabine et Nicholas Thompson

DOM. D'ANTONIN Vieilles Vignes 2012

| | 10 000 | | 5 à 8 € |

Établi depuis dix ans sur ce domaine de 30 ha, Bernard Perret s'est lancé en 2011 dans la mise en bouteilles à la propriété. Son second millésime, assemblage classique de grenache et de syrah, est une jolie réussite. Sur la réserve, le nez s'ouvre après agitation sur des notes de fruits rouges et de réglisse. Dans la continuité de l'olfaction, la bouche se révèle souple, légère et équilibrée. Un vin plaisant, à boire sur le fruit.

☛ EARL Bernard Perret, Dom. d'Antonin, 432, av. de Fontresquières, 30200 Cavillargues, tél. 04 66 90 59 00, fax 04 66 89 51 42, bernard.perret2@wanadoo.fr, ☑ ☀ ☒ r.-v.

♥ ART MAS Il était une fois... 2011 ★★

| | 10 000 | | 5 à 8 € |

Une entrée en fanfare dans le Guide pour ce jeune domaine de 7 ha créé en 2009 par Xavier Combe à partir des vignes familiales. Au-delà de sa connotation artistique, le nom de la propriété est issu du terme provençal *harmas*, désignant un jardin sauvage, où la nature reprend ses droits. On ne s'étonnera pas dès lors que la conversion bio soit ici en cours. C'est une bien belle histoire que nous raconte ce vigneron avec ce 2011 à dominante de syrah. Elle s'écrit à l'encre rubis intense, se poursuit sur d'élégantes notes de violette bien typées qui constituent la trame aromatique de toute la dégustation. Le chapitre gustatif est des plus harmonieux, bâti sur une bouche ronde, ample et soyeuse, aux tanins fins et serrés, et se conclut sur une longue finale qui laisse le souvenir d'un vin remarquablement équilibré. À boire ou à ranger dans sa cave pour deux ou trois ans.

☛ Xavier Combe, Vignoble Art Mas, 1099, chem. du Rastelet, 84820 Visan, tél. 06 71 02 42 86, fax 04 90 41 91 41 , artmas.lieudevie@gmail.com,
☑ ☀ ☒ r.-v. 🏠 🄳

DOM. ANDRÉ AUBERT La Sérine 2011 ★

| | 30 000 | ■ | - de 5 € |

Depuis 1981, les frères Aubert (Yves, Claude et Alain) conduisent un domaine de 60 ha répartis sur quatre communes : Donzère, Tulette, Visan et Travaillan. Assemblage traditionnel de grenache (75 %) et de syrah, leur cuvée La Sérine dévoile un bouquet discret mais plaisant de fruits à noyau bien mûrs, auxquels fait écho un palais rond et gras, aux tanins souples et fondus. Un vin tendre et charmeur, à déguster dès à présent.

☛ Les Domaines Aubert, RN7, rond-point Sud, Les Gresses, 26290 Donzère, tél. et fax 04 75 51 78 53, vins-aubert-freres@wanadoo.fr, ☑ ☒ t.l.j. 10h-19h

VIGNOBLES DE BALMA VENITIA
Légende des Toques 2012

| | 65 000 | ■ | - de 5 € |

La cave coopérative de Beaumes-de-Venise propose avec cet assemblage de quatre cépages dominés par le grenache un rosé plaisant, sur les agrumes et les fruits rouges à l'olfaction, frais, fruité et léger en bouche. Un vin d'une aimable simplicité, pour un apéritif sous le soleil.

☛ SCA Vignerons de Balma Venitia, 228, rte de Carpentras, quartier Ravel, 84190 Beaumes-de-Venise, tél. 04 90 12 41 00, fax 04 90 12 41 21, vignerons@balmavenitia.fr,
☑ ☀ ☒ t.l.j. 8h30-12h (été 12h30) 14h-18h (été 19h)

DOM. DES BANQUETTES 2011

| | 25 000 | ■ | 5 à 8 € |

Ancien mécanicien dans les travaux publics, Patrice André a rejoint son père en 1993 sur le domaine familial, dont les raisins étaient portés à la cave coopérative. En 2002, il décide avec son épouse Christelle de vinifier ses propres vins : côtes-du-rhône et *villages*, rasteau sec et vin doux naturel. Ce 2011, issu d'un assemblage de grenache, de mourvèdre et de carignan, est harmonieux et plaisant, il s'ouvre doucement sur les fruits mâtinés de nuances animales, avant de dévoiler une bouche franche, souple et vive. À boire dans l'année avec une grillade.

☛ Patrice André, quartier La Chevalière, 84110 Rasteau, tél. 04 90 46 10 22, fax 04 13 33 59 21, lesbanquettes@orange.fr, ☑ ☀ ☒ r.-v.

BARTON & GUESTIER Passeport Rhône 2011

| | 300 000 | ■ | 8 à 11 € |

Cette maison bordelaise à la réputation bien acquise, fondée par l'Irlandais Thomas Barton en 1725, travaille avec plus de 250 vignerons sur toutes les plus grandes appellations françaises. Elle propose ici un côtes-du-rhône mi-grenache mi-syrah, sélectionné pour son expression olfactive, autour des fruits mûrs et de la violette, et pour son palais plutôt corsé, charnu et bien structuré à la fois. Ce vin harmonieux pourra s'apprécier aussi bien jeune que patiné par deux ou trois ans de garde.

La vallée du Rhône (partie septentrionale)

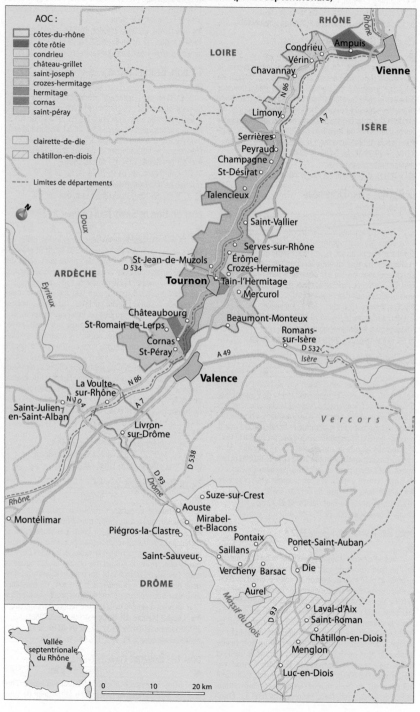

AOC :
- côtes-du-rhône
- côte rôtie
- condrieu
- château-grillet
- saint-joseph
- crozes-hermitage
- hermitage
- cornas
- saint-péray

- clairette-de-die
- châtillon-en-diois

- - - Limites de départements

RHÔNE
Rhône
Condrieu
Vérin
Ampuis
Vienne
LOIRE
Chavannay
N 86
A 7
ISÈRE
Limony
Serrières
Peyraud
Champagne
St-Désirat
Talencieux
Saint-Vallier
Doux
Serves-sur-Rhône
ARDÈCHE
St-Jean-de-Muzols
D 534
Érôme
Crozes-Hermitage
Tournon
Tain-l'Hermitage
Mercurol
Eyrieux
Châteaubourg
Beaumont-Monteux
St-Romain-de-Lerps
Romans-sur-Isère
D 532
Cornas
St-Péray
Isère
A 49
Valence
N 86
La Voulte-sur-Rhône
A 7
N 104
Saint-Julien-en-Saint-Alban
Livron-sur-Drôme
Vercors
D 538
Rhône
D 93
Suze-sur-Crest
Drôme
Aouste
Montélimar
Mirabel-et-Blacons
Piégros-la-Clastre
Pontaix
Saillans
Ponet-Saint-Auban
Saint-Sauveur
Vercheny Barsac
Die
DRÔME
Aurel
Massif du Diois
D 93
Laval-d'Aix
Saint-Roman
Châtillon-en-Diois
Menglon
Luc-en-Diois

Vallée septentrionale du Rhône

0   10   20 km

☛ Barton & Guestier, Ch. Magnol,
33292 Blanquefort Cedex, tél. 05 56 95 48 00,
fax 05 56 95 48 01, petra.frebault@barton-guestier.com

Ⓑ **CH. DE BASTET** Cuvée spéciale 2011 ★

| | n.c. | ■ | 5 à 8 € |

Sur les terres de cette ancienne magnanerie, le vignoble s'étale sur un terroir argilo-siliceux baigné de soleil. Le grenache et la syrah entrent à même hauteur dans ce vin rubis aux reflets violacés. Au nez, la framboise côtoie les senteurs balsamiques de cèdre. La bouche est ronde et charnue, tressée de tanins doux et fins. À déguster sur le fruit, avec un osso buco.

☛ Famille Aubert-Richarme, Ch. de Bastet, 30200 Sabran, tél. 04 66 39 33 36, fax 04 66 39 92 01, chateau.bastet@wanadoo.fr,

☑ ⚔ ⏺ t.l.j. sf sam. dim. 8h30-12h 14h-18h30

LA BASTIDE SAINT-DOMINIQUE
Jules Rochebonne 2011 ★

| | 10 000 | ■ ⬥ | 11 à 15 € |

Tajine d'agneau, viande blanche, magret de canard, vous avez le choix pour accompagner cette cuvée à dominante de syrah (80 %), au nez intense de fruits rouges et d'épices, franche en attaque, ample et ronde dans son développement, portée par des tanins bien présents mais fins. Déjà prêt, ce vin harmonieux pourra aussi patienter trois à quatre ans dans votre cave.

☛ Éric Bonnet, 1358, chem. Saint-Dominique, 84350 Courthézon, tél. 04 90 70 85 32, fax 04 90 70 76 64, contact@bastidesaintdominique.com,

☑ ⏺ t.l.j. sf sam. dim. 8h30-12h 13h30-18h 🏠 Ⓑ

DOM. DE LA BECASSONNE 2012 ★

| | 20 000 | ■ | 5 à 8 € |

Sur ces terres giboyeuses, où nichaient autrefois nombre de bécasses, la roussanne (50 % de l'assemblage de cette cuvée), le grenache blanc et la clairette semblent avoir trouvé un beau terrain d'expression. Le bouquet se révèle discret mais fin, à dominante florale, tandis que la bouche, généreuse, équilibrée et longue, évolue sur le fruit. Un agréable contraste qui ne nuit pas à l'élégance de ce vin. La **cuvée Sommelongue 2011 rouge (60 000 b.)** est quant à elle citée pour ses parfums plaisants de cassis et de fraise écrasée, et pour son palais souple, frais et soyeux.

☛ André Brunel, 6, chem. du Bois-de-la-Ville, 84230 Châteauneuf-du-Pape, tél. 04 90 83 72 62, brunel_fabrice@yahoo.fr, ☑ ⏺ r.-v.

DOM. BEL AIR Grande Réserve 2012 ★

| | 113 000 | ■ | 5 à 8 € |

Jean-François Ranvier, œnologue et fin dégustateur, met à profit son expérience dans la sélection des vins de sa jeune et performante maison de négoce, créée en 2004. Trois cuvées ont été sélectionnées par les palais non moins experts des dégustateurs. En tête, ce domaine Bel Air 2012, assemblage de cinq cépages dominé par le grenache ; un côtes-du-rhône intense à l'olfaction, porté sur les fruits rouges et les épices, bien équilibré en bouche et arrimé à des tanins serrés qui assureront un bon vieillissement de deux ou trois ans. Même potentiel de garde et même note pour le **Dauvergne Ranvier Grand vin 2012 rouge (80 000 b.)**, mi-grenache mi-syrah, richement bouqueté sur les fruits mûrs et les senteurs empyreumatiques de la barrique, frais, plein et structuré. Le **Dau-**

vergne Ranvier Pierre solaire 2012 blanc (8 à 11 € ; 15 000 b.), à dominante de viognier, fruité, frais et flatteur, obtient lui aussi une étoile.

☛ R & D Vins, Ch. Saint-Maurice, RN 580, L'Ardoise, 30290 Laudun, tél. 04 66 82 96 57, fax 04 66 82 96 58, francois.dauvergne@dauvergne-ranvier.com

Ⓑ **DOM. BERTHET-RAYNE** Vieilles Vignes 2011

| | 15 000 | ■ | 5 à 8 € |

Ce domaine, également producteur de châteauneuf-du-pape et conduit en agriculture biologique depuis 2007, a réalisé sa première vinification bio en 2012. Cette cuvée, née de vieilles vignes de grenache (80 %), de cinsault et de mourvèdre, a séduit par son fruité, sa souplesse et sa fraîcheur. Un vin sans chichi, à boire dès à présent.

☛ Berthet-Rayne, 2334, rte de Caderousse, 84350 Courthézon, tél. 04 90 70 74 14, fax 04 90 70 77 85, christian.berthet-rayne@wanadoo.fr,

☑ ⚔ ⏺ t.l.j. 8h-12h 13h30-18h30; sam. dim. sur r.-v.

DOM. DU BOIS DE SAINT-JEAN Les Vents 2012 ★★

| | 6 500 | | 8 à 11 € |

Xavier Anglès aime les sensations fortes, celles des pistes de ski qu'il dévale à plus de 200 km/h (il pratique le kilomètre lancé depuis plus de quinze ans), celles des sauts en parachute, et les Bugatti sont son péché mignon. Il aime bien pousser la chansonnette aussi, et comme il ne fait rien à moitié, il participa en tant que choriste à une tournée de Jacques Higelin en 1992... Bref, un touche-à-tout passionné, mais surtout un excellent vigneron. Il a frôlé le coup de cœur pour cette cuvée Les Vents – avec plein de « s » sur l'étiquette, comme si le mistral soufflait sur les lettres –, qu'il signe comme toujours à quatre mains, avec celles de son frère Vincent. Un vin grenat soutenu, au nez intense de fruits concentrés agrémentés d'épices douces. D'une remarquable finesse et de grande ampleur, la bouche est soulignée par des tanins fondus et une belle vivacité. Du charme à revendre pour ce côtes-du-rhône que l'on peut boire sans attendre ou laisser mûrir encore deux ou trois ans en cave.

☛ EARL Xavier et Vincent Anglès, 126, av. de la République, 84450 Jonquerettes, tél. et fax 04 90 22 53 22, xavier.angles@wanadoo.fr, ☑ ⚔ ⏺ t.l.j. sf dim. 8h30-12h30 14h-19h

CH. DE BOUSSARGUES 2012 ★★

| | 30 000 | ■ | 5 à 8 € |

Grenache et syrah à 50/50 en vinification semi-carbonique : une recette simple mais efficace qui donne un 2012 remarquable de bout en bout. Les fruits mûrs se mêlent aux épices et à la réglisse pour composer un bouquet chaleureux. Ample et souple en attaque, le palais ne renie pas la générosité de l'olfaction, offrant un bel équilibre entre l'alcool, la fraîcheur et des tanins élégants qui donnent de l'allonge à la finale. Un vin tout en puissance maîtrisée, à découvrir au cours des trois prochaines années, "sur un gigot d'agneau du Luberon", conseille le vigneron.

☛ Chantal Malabre, Ch. de Boussargues, Colombier, 30200 Sabran, tél. 04 66 89 32 20, fax 09 70 61 26 82, malabre@wanadoo.fr, ☑ ⚔ ⏺ t.l.j. 9h-19h 🏠 Ⓔ

DOM. DES BOUZONS Cuvée La Félicité 2011

| | 16 000 | ■ ⬥ | 5 à 8 € |

Marc Serguier, son épouse Claudine et aujourd'hui leur fils Nicolas veillent ensemble à la destinée de cette propriété. Situées de l'autre côté du Rhône, face à Châteauneuf-du-Pape, les vignes bénéficient du même terroir de galets roulés sur argilo-calcaire que le célèbre cru. On ne s'étonnera pas dès lors d'y découvrir cette cuvée si chaleureuse et intense dans sa robe noire aux reflets carminés, sur les fruits confiturés, vineuse, empreinte de sucrosité et bien charpentée. Dans un style proche, très chaleureux, la **cuvée Beauchamp 2011 rouge (8 à 11 € ; 14 000 b.)** est également citée.

☛ Marc Serguier, 194, chem. des Manjo-Rassado, 30150 Sauveterre, tél. 04 66 90 04 41, fax 04 66 39 43 52, domaine.des.bouzons@wanadoo.fr,
☑ ✶ Ⓨ t.l.j. sf dim. lun. 9h-12h 14h30-18h30

DOM. BRESSY-MASSON 2012

■ 7 000	5 à 8 €

Paré d'une robe claire, rouge rubis, ce vin dévoile un bouquet expressif de réglisse et de fruits confits. Sa bouche vive et fruitée, aux tanins serrés, lui valent le qualificatif à la mode de « croquant ». Une bouteille équilibrée, à déguster sur une grillade au feu de bois.

☛ Marie-France Masson, Dom. Bressy-Masson, rte d'Orange, 84110 Rasteau, tél. 04 90 46 10 45, fax 04 90 46 17 78, bressy-masson@rasteau.fr,
☑ ✶ Ⓨ t.l.j. 9h-13h 13h30-19h

DOM. BRUSSET Laurent B. 2011

■ 80 000 ▮	5 à 8 €

Un quatuor grenache-syrah-mourvèdre-carignan est à l'origine de ce vin à la robe profonde et brillante, au nez intense de fruits rouges mûrs, au palais chaleureux et dense, qui reste croquant grâce à un joli grain de tanins. À boire dans les deux ans, sur une grillade de bœuf.

☛ Dom. Brusset, Le Village, 84290 Cairanne, tél. 04 90 30 82 16, fax 04 90 30 73 31, domaine-brusset@wanadoo.fr, ☑ ✶ Ⓨ t.l.j. 10h-12h 14h-18h

PHILIPPE CAMBIE Les Halos de Jupiter 2010 ★

■ 24 000 ▮Ⓦ	8 à 11 €

Philippe Cambie est un œnologue reconnu et consultant sur plusieurs domaines du Rhône Sud. Il pratique aussi une activité de négoce en se procurant des raisins auprès de ses clients. Amoureux du grenache, il rend hommage au cépage roi de la vallée méridionale, qui représente 85 % de cette cuvée, avec le mourvèdre et la syrah en complément. Ce dernier cépage est le seul qui soit élevé en barrique (douze mois), les deux autres ayant séjourné en cuve béton. Il en résulte un vin rond et fruité à souhait, long et bien ancré dans son terroir, à boire dans sa jeunesse sur un rôti de porc aux champignons.

☛ Philippe Cambie, 14, rue de l'Église, 84230 Châteauneuf-du-Pape, tél. 04 66 38 44 30, fax 04 66 38 44 39, philippe.cambie@free.fr

LES VIGNERONS DU CASTELAS Les Mésanges 2012 ★

■ 14 000 ▮	- de 5 €

Tirant son nom d'une chapelle romane du XIe s. qui surplombe le village de Rochefort-du-Gard, cette coopérative créée en 1956 réunit cinquante viticulteurs et quelque 550 ha de vignes. Ici, une petite sélection des cépages roussanne, viognier, clairette et grenache blanc, à l'origine d'un vin jaune clair aux reflets paille, résolument tourné vers les fruits à chair blanche (pomme, poire), gras et persistant en bouche, avec ce qu'il faut de vivacité en

soutien. Un équilibre très réussi, à découvrir sur un poisson fin en sauce ou sur un risotto aux fruits de mer. Le **Dom. du Grand Belly 2011 rouge (5 à 8 € ; 34 000 b.)** est cité, tant pour ses arômes harmonieux de pruneau et de fleurs, que pour sa souplesse, sa rondeur et ses tanins doux.

☛ Les Vignerons du Castelas, 674, av. de Signargues, 30650 Rochefort-du-Gard, tél. 04 90 26 62 66, fax 04 90 26 62 64, info@vignerons-castelas.com, ☑ ✶ Ⓨ t.l.j. sf dim. 8h45-12h 14h30-18h

DOM. DE LA CATHERINETTE 1888 Vieilles Vignes 2010 ★

■ 5 000 ▮Ⓦ	8 à 11 €

Ce domaine étend son vignoble sur 24 ha, au milieu de la garrigue, entre les gorges de l'Ardèche et celles de la Cèze. Une petite surface de 2 ha de ce terroir d'une incontestable qualité est dédiée à cette cuvée issue de grenache, de syrah et d'un soupçon de rare marselan. Le résultat ? Un côtes-du-rhône poivré à l'olfaction, puissant et très chaleureux en bouche, aux tanins affirmés mais enrobés. Un vin de caractère assurément, que les amateurs de sensations fortes pourront déboucher dès l'automne ; les autres le laisseront reposer un an ou deux en cave. Un civet de lièvre ou toute autre pièce de gibier longuement mijotée sera en bonne compagnie.

☛ Philippe Jouve, Dom. de la Catherinette, 30760 Laval-Saint-Roman, tél. 04 66 82 17 62, fax 04 66 82 10 51, catherinette.vinsjouve@wanadoo.fr, ☑ ✶ Ⓨ t.l.j. sf dim. 9h-12h 14h-19h

JARDIN SECRET DE CAMILLE CAYRAN 2011 ★

■ 20 000 ▮Ⓦ	5 à 8 €

L'importante cave coopérative de Cairanne (200 ha de vignes, 150 coopérateurs, 4 millions de bouteilles par an) – village dont les vins devraient bientôt accéder à l'appellation communale – propose avec cette cuvée à large dominante de grenache un côtes-du-rhône aromatique (kirsch, violette, réglisse), souple, fin et doux en bouche, soutenu par des tanins serrés. Un ensemble harmonieux et élégant, que l'on pourra servir dès l'automne comme dans deux ou trois ans, sur des keftas de bœuf par exemple.

☛ Maison Camille Cayran, rte de Sainte-Cécile, 84290 Cairanne, tél. 04 90 30 82 05, fax 04 90 30 74 03, t.caymaris@cave-cairanne.fr, ☑ Ⓨ t.l.j. 9h-18h30 (été 19h)

DOM. DES CHANSSAUD Charles de Valois
Vieilles Vignes 2011

■ 11 500 ▮	8 à 11 €

Cette cuvée Charles de Valois n'a rien à voir avec les vins d'Anjou. C'est un vin bien méridional, issu de vignes octogénaires de grenache (90 %), de syrah et de mourvèdre. Le nez, discret, s'ouvre à l'aération sur les fruits rouges et le poivre, relayé par une bouche légère, fraîche et équilibrée. À boire dans l'année sur une grillade.

☛ Patrick Jaume, quartier Cabrières, 84100 Orange, tél. 04 90 34 23 51, fax 04 90 34 50 20, chanssaud@wanadoo.fr,
☑ ✶ Ⓨ t.l.j. sf dim. 8h30-12h30 13h30-18h

DOM. CHANTE CIGALE Vieilles Vignes 2011 ★★

■ n.c. ▮	11 à 15 €

Plus connu des lecteurs pour ses châteauneuf-du-pape, ce domaine présente ici un côtes-du-rhône remarquable, né sur le terroir du Plan de Dieu de vieux ceps (cinquante ans) de grenache (70 %), de carignan et de syrah. Au nez, les fruits rouges se mêlent aux épices. En bouche, le vin, adossé à des tanins ronds et soyeux, s'impose par sa matière riche et concentrée, par son volume et sa puissance. Armé pour bien vieillir, il comblera aussi dès aujourd'hui les palais les plus exigeants, servi sur une poitrine de veau au jus d'ail par exemple.

☛ Dom. Chante Cigale, 7, av. Pasteur, 84230 Châteauneuf-du-Pape, tél. 04 90 83 70 57, fax 04 90 83 58 70, info@chante-cigale.com,

☑ ⵜ t.l.j. sf dim. 9h-12h 14h-18h

☛ A. Favier

CHANTECÔTES Rosélia 2012 ★

| | 35 000 | 🅸 | 5 à 8 € |

Vous cherchez un rosé expressif pour vos soirées barbecue ? La cave coopérative de Sainte-Cécile-les-Vignes vous en propose une version très réussie avec ce Rosélia issu de grenache, carignan et mourvèdre, au nez intense d'agrumes (citron, pamplemousse) et de fleurs blanches, net, franc et frais en bouche. Parfait de l'apéritif au dessert (aux fruits), en passant par les grillades et charcuteries.

☛ Les Vignerons de Chantecôtes, cours Maurice-Trintignant, 84290 Sainte-Cécile-les-Vignes, tél. 04 90 30 83 25, fax 04 90 30 74 53, contact@chantecotes.com, ☑ ⵜ t.l.j. 9h-12h 14h30-18h

Ⓑ DOM. DE LA CHARITÉ Dame blanche 2012 ★★

| | 6 000 | ⫿⫾ | 8 à 11 € |

Régulièrement présents dans le Guide, les vins de Christophe Coste peuvent désormais afficher le logo « bio » sur leurs étiquettes. Ici, un 100 % viognier paré d'une robe jaune paille légèrement ambrée, dominé par des arômes boisés, épicés et miellés, ample, gras et chaleureux en bouche. Un blanc généreux, à déguster dans l'année sur une volaille en sauce.

☛ Christophe Coste, 5, chem. des Issarts, 30650 Saze, tél. 04 90 31 73 55, contact@domainecharite.com, ☑ ⵜ t.l.j. 9h-12h 14h-19h

CELLIER DES CHARTREUX Chevalier d'Anthelme 2012 ★

| | 35 000 | 🅸 | - de 5 € |

La cave coopérative de Pujaut, bourgade des environs d'Avignon, vinifie 570 ha de vignes et persiste dans ses efforts de sélection. Ici, une dizaine d'hectares de grenache blanc, clairette, viognier, roussanne et marsanne à l'origine d'un vin tonique, vif et minéral, équilibré et long, qui se plaira en compagnie d'un risotto aux fruits de mer. On associera à une pierrade de bœuf le souple et boisé **Mas Saint-Hugues 2011 rouge (5 à 8 €; 13 000 b.)**, qui tire son nom d'une ferme de la commune de Pujaut exploitée au XVᵉs. par les moines de l'abbaye Saint-André de Villeneuve-lès-Avignon.

☛ SCA Cellier des Chartreux, RD 6580, 30131 Pujaut, tél. 04 90 26 39 40, fax 04 90 26 46 83, contact@cellierdeschartreux.fr, ☑ ⵜ t.l.j. 8h30-12h30 14h-18h30

DOM. CLAVEL Régulus 2011

| | 21 000 | 🅸 | 5 à 8 € |

Assemblage de cinq cépages vinifiés et élevés séparément, ce 2011 dominé par le grenache (50 %) donne dans la simplicité, de celle qui ravit les palais lors des barbecues : du fruit, de la souplesse, de la rondeur et une juste fraîcheur. Un même caractère friand et fruité (agrumes, fruits rouges) caractérise le **rosé Régulus 2012 (40 000 b.)**, que l'on servira à l'apéritif.

☛ Dom. Clavel, rue du Pigeonnier, 30200 Saint-Gervais, tél. 04 66 82 78 90, fax 04 66 82 74 30, clavel@domaineclavel.com,

☑ ⵜ t.l.j. sf dim. 9h-12h 14h-19h

CLOS DE L'HERMITAGE 2011 ★★

| | 13 000 | ⫿⫾ | 15 à 20 € |

« D'un niveau *villages* ou cru », résume un juré. En effet, ce petit vignoble totalement enclavé dans l'agglomération de Villeneuve-lès-Avignon, propriété de l'ancien pilote automobile Jean Alési, a produit des raisins de grande qualité pour cette cuvée équitablement répartie entre grenache, syrah et mourvèdre. Paré d'une robe dense, grenat foncé, ce vin dévoile un bouquet intense et élégant de boisé vanillé et de fruits compotés, relayé par un palais rond, gras et charnu, aux tanins souples et fins. Très harmonieux, remarquablement élevé, ce 2011 fera merveille sur une daube de bœuf ou sur du gibier longuement mijoté.

☛ SCEA Henri de Lanzac, Ch. de Ségriès, chem. de la Grange, 30126 Lirac, tél. 04 66 39 11 98, fax 04 66 39 10 43, chateaudesegries@wanadoo.fr, ☑ ⵜ t.l.j. 8h-12h 13h30-18h; sam. dim. sur r.-v.

DOM. LE CLOS DU BAILLY 2012 ★

| | 28 000 | 🅸 | 5 à 8 € |

Coup de cœur dans l'édition précédente, ce vin est une fois de plus très apprécié. Vinifié avec beaucoup d'attention, issu d'un assemblage équilibré de syrah, de grenache et de carignan, il est promis à un bel avenir. Les parfums de fruits cuits, signe d'un raisin bien mûr, s'échappent du verre et, accompagnés de réglisse, enveloppent une bouche généreuse, aux tanins serrés et soyeux. Accord (très) gourmand en perspective avec un chorizo grillé.

☛ Richard Soulier, Dom. le Clos du Bailly, 17, rue d'Avignon, 30210 Remoulins, tél. 04 66 37 12 23, fax 04 66 37 38 44, clos.du.bailly@wanadoo.fr, ☑ ⵜ t.l.j. sf dim. 9h-12h 14h-18h

Ⓑ CLOS DU CAILLOU Réserve 2011 ★

| | 6 500 | ⫿⫾ | 15 à 20 € |

La cave du domaine, constituée d'un ensemble de galeries creusées dans le safre, fut créée en 1867 par Élie Dussaud, collaborateur de Ferdinand de Lesseps. Depuis 1956, la famille Vacheron y élève ses vins. Les vignes de grenache et de mourvèdre à l'origine de cette cuvée sont totalement enclavées dans le terroir de Châteauneuf-du-Pape. Elles ont donné naissance à un côtes-du-rhône bien bouqueté sur des notes de garrigue, de violette et de fruits mûrs, corpulent, long et ample, soutenu par des tanins serrés laissant présager un vieillissement de trois à cinq ans.

☛ Clos du Caillou, 1600, chem. Saint-Dominique, 84350 Courthézon, tél. 04 90 70 73 05, fax 04 90 70 76 47, closducaillou@wanadoo.fr,

☑ ⵜ t.l.j. sf dim. 9h-12h 13h30-18h

☛ Sylvie Vacheron

CLOS DU PÈRE CLÉMENT Style 2011 ★

■   28 000   ■   5 à 8 €

Jean-Paul Depeyre a sélectionné des ceps de grenache et de syrah assez jeunes, plantés à Tulette sur des sols caillouteux, dans le but d'élaborer un vin souple et élégant. De fait, ce 2011 correspond à ce profil selon les dégustateurs : au nez de fruits mûrs, agrémenté d'une touche de gibier, répond le fruité frais d'un palais aimable et long, aux tanins fins et soyeux. Un ensemble cohérent, bien typé côtes-du-rhône et prêt à boire sur une grillade au feu de bois.

☛ SCEA Depeyre, Clos du Père Clément, 911, rte de Vaison-la-Romaine, 84820 Visan, tél. 04 90 41 93 68, fax 04 90 41 97 04, info@clos-pere-clement.com, ☑ ✦ ⊤ t.l.j. sf dim. 9h-12h 14h-19h ⌂ ⓔ

CAVE LA CONTADINE Bouquet rouge 2011 ★

■   20 000   ■   - de 5 €

Proposée par la cave coopérative de Puymeras, cette cuvée à forte dominante de grenache livre un bouquet intense de fruits mûrs et d'épices douces, qui se prolonge dans une bouche ample, douce et riche, épaulée par des tanins bien présents mais enrobés. Ce vin est déjà très harmonieux et prêt à boire, mais il pourra aussi être remisé en cave deux ou trois ans avant d'être servi sur une poularde de Bresse. La cuvée **Perle de rosé 2012 (13 000 b.)** est citée pour sa vivacité et pour son expression aromatique (fraise, bonbon anglais, fleurs blanches).

☛ Cave la Contadine, La Grand-Grange, 84110 Puymeras, tél. 04 90 46 40 78, fax 04 90 46 43 32, j.fain@cavelacontadine.com, ☑ ✦ ⊤ t.l.j. 8h-12h 14h-18h

LES COTEAUX DU RHÔNE Cuvée Prestige 2011 ★★

■   100 000   ■   - de 5 €

Cette cave coopérative fondée en 1926 propose une cuvée d'un excellent rapport qualité-prix. À la fois limpide et profond dans le verre, ce vin issu des cépages grenache (70 %), syrah, carignan et mourvèdre livre un bouquet fin et franc de fruits rouges (framboise) et noirs (cassis), relayé par un palais onctueux, charnu et long, aux tanins soyeux et fondus. À boire ou à attendre une paire d'années. La **Cuvée de l'Harmas 2011 rouge (60 000 b.)**, fruitée, épicée et vigoureuse, obtient une étoile.

☛ Les Coteaux du Rhône, BP 7, 84830 Sérignan-du-Comtat, tél. 04 90 70 04 22, fax 04 90 70 09 23, coteau.rhone@orange.fr, ☑ ✦ ⊤ t.l.j. sf dim. 8h30-12h30 14h-19h

DOM. COULANGE Rochelette 2011 ★★

■   5 000   ■   5 à 8 €

Deux étoiles l'an dernier, deux étoiles et un coup de cœur il y a deux ans, deux étoiles à nouveau cette année : cette cuvée Rochelette fait preuve d'une belle constance. Elle fait toujours la part belle à la syrah (80 % de l'assemblage) qui, associée au grenache, a donné naissance à un 2011 fermé au premier nez, avant que l'agitation ne révèle d'intenses notes de musc et de tapenade. Puis les épices et la réglisse s'invitent dans un palais gras, puissant, tannique. Un côtes-du-rhône viril et de garde (trois à cinq ans), à réserver pour un mets de caractère, une daube de chevreuil aux fruits rouges par exemple.

☛ EARL Dom. Coulange, quartier Saint-Ferréol, 07700 Bourg-Saint-Andéol, tél. et fax 04 75 54 56 26, domaine.coulange@free.fr, ☑ ✦ ⊤ t.l.j. sf sam. dim. 9h-12h 14h-18h30

CH. COURAC 2012 ★★

■   150 000   ■   5 à 8 €

Ce domaine enfile les étoiles du Guide comme des perles, accrochant régulièrement un coup de cœur à son palmarès. Sa cuvée principale a frôlé la plus haute distinction : robe sombre et intense, parfums généreux de fruits noirs et rouges confiturés et d'épices douces, bouche pleine de fruit, ample, longue et finement tannique, tels sont ses arguments. De quoi bien évoluer durant les deux ou trois prochaines années, mais ce côtes-du-rhône pourra aussi être apprécié sur son fruit. Le **Quart du Roy 2012 rouge (100 000 b.)** reçoit quant à lui une étoile pour son caractère chaleureux et déjà très épanoui, mais suffisamment charpenté pour tenir dans le temps et affronter une pièce de gibier. Une étoile également pour l'enjôleur, frais et fruité **Mas Joséphine 2012 rouge (50 000 b.)**.

☛ SCEA Frédéric Arnaud, Ch. Courac, chem. de Courac, 30330 Tresques, tél. 04 66 82 90 51, fax 04 66 82 94 27, chateaucourac@orange.fr, ☑ ⊤ r.-v.

♥ ⑧ DOM. CROS DE LA MÛRE 2011 ★★

■   25 000   ■   8 à 11 €

DOMAINE
CROS
DE LA
MÛRE

2011
CÔTES DU RHÔNE

ÉRIC MICHEL
VIGNERON

Éric Michel exploite 15 ha de vignes en bio. Ce 2011 représente une large part du vignoble (12 ha), complanté de grenache (60 %), de syrah et de mourvèdre, sur un sol de grès roux. Après douze mois de cuve, le vin affiche une seyante robe rubis intense et vif, et un nez ouvert sur les fruits rouges confits et les épices. Dense, onctueux et généreux, le palais fait écho à l'olfaction et s'adosse à des tanins soyeux qui portent loin la finale. Une véritable gourmandise, à savourer sans attendre.

☛ EARL Michel et Fils, Derboux, 84830 Mondragon, tél. 04 90 30 12 40, crosdelamure@wanadoo.fr, ☑ ⊤ r.-v.

DOM. NICOLAS CROZE L'Épicurienne 2011 ★★

■   6 000   ⑪   8 à 11 €

Installé en 1994 à la tête du domaine familial, Nicolas Croze a alors opté pour la vente directe en bouteilles et agrandi le vignoble, qui s'étend aujourd'hui sur 27 ha. Il a sélectionné 3 ha de syrah pour élaborer cette cuvée au nez intense de fruits noirs bien mariés aux senteurs grillées de la barrique, et à la bouche ample, puissante et concentrée, étayée par des tanins fondus pour une jolie finale réglissée. Un vin de caractère, corsé mais toujours frais, que l'on pourra servir aujourd'hui comme dans deux ou trois ans sur un canard aux pruneaux. Jugé très réussie – une étoile – la cuvée **Notre-Dame de Mélinas 2011**

RHÔNE

rouge (5 à 8 € ; 10 000 b.), élevée en cuve, offre un beau volume, de la souplesse et du fruit. On l'appréciera dès l'automne sur un bœuf aux carottes.

☎ Nicolas Croze, 1, rue Max-Ernst, 07700 Saint-Martin-d'Ardèche, tél. 04 75 04 62 28, fax 04 75 51 30 27, contact@domaine-nicolas-croze.com, ☑ ✿ ⊤ t.l.j. 8h30-12h30 15h30-19h30

VIGNOBLES DAVID Le Mourre de l'Isle 2011 ★

| | 21 880 | ▪ | 8 à 11 € |

Sur cette propriété familiale de 54 ha, la vigne côtoie les oliviers, et les vins l'huile d'olive. Le vignoble est en conversion bio. On n'hésite pas à récolter de nuit ou au petit jour, afin de préserver les arômes du fruit. Si l'on ajoute une vinification pointilleuse, cela donne ce vin soyeux à souhait, rond, ample, sur la griotte et les épices douces. Parfait pour une cuisine méditerranéenne.

☎ Vignobles David, chem. de la Clastre, 30210 Saint-Hilaire-d'Ozilhan, tél. 04 66 37 03 99, fax 04 66 37 06 90, vignobles.david@wanadoo.fr, ☑ ✿ ⊤ t.l.j. 9h-18h

⑬ DOM. DE DIONYSOS La Deveze 2011 ★★

| | 80 000 | ▪ | 5 à 8 € |

C'est en 1720 que la famille Farjon s'installe sur les terres d'Uchaux, fuyant alors Marseille et la peste qui y sévit. Elle y cultive la vigne depuis sept générations. Benjamin Farjon a pris les rênes du domaine en 2011, et voici donc son premier millésime, remarquable : un vin sombre aux reflets violacés, au riche bouquet de fruits confits, franc et intense en attaque, chaleureux, rond et gras en bouche, bâti sur des tanins soyeux. À déguster dans les trois ou quatre ans, sur une viande rouge en sauce.

☎ Dom. de Dionysos, 55, impasse de la Cave, Les Farjon, 84100 Uchaux, tél. et fax 04 90 40 60 33, benjamin.farjon@domainededionysos.com, ☑ ✿ ⊤ t.l.j. sf dim. 9h-12h 14h-18h

DOM. DUPLESSIS Élégance Élevé en fût de chêne 2011 ★

| | 6 000 | ⦀ | 8 à 11 € |

Lionel Duplessis, ancien sommelier, a créé ce domaine en 1999. Une originalité : sur les 22 ha que compte l'exploitation, une petite parcelle de 1 ha est constituée d'une vigne plantée en spirale, totalement ronde. Ronde comme cette cuvée née de syrah et de grenache, au nez intense de vanille et de sous-bois, soutenue en bouche par des tanins soyeux et fondus. Un vin gourmand et flatteur. Accord recommandé : un tournedos aux morilles.

☎ Dom. Lionel Duplessis, 271, chem. du Haut-Débat, 84150 Jonquières, tél. 04 90 70 55 00, domaine-duplessis@wanadoo.fr, ☑ ✿ ⊤ t.l.j. 9h-12h30 13h-19h

ROMAIN DUVERNAY 2012 ★★

| | 5 900 | ▪ | - de 5 € |

Sur des sols sablonneux, les raisins de roussanne, de viognier et de grenache blanc sont vendangés tôt le matin afin de préserver la qualité aromatique du fruit. De fait, le nez et la bouche de ce 2012 tiennent un langage cohérent, axé sur la fraîcheur des fruits blancs, agrémentés de notes de fruits secs et de fleurs blanches. Le palais séduit également par sa finesse et sa longueur. Un

bel accord gourmand en perspective avec une escalope de foie gras poêlée.

☎ Duvernay Vins Millésimés, 1, rue de la Nouvelle-Poste, BP 25, 84231 Châteauneuf-du-Pape Cedex, tél. 04 90 83 71 88, fax 04 90 83 70 72, dvm.duvernay@wanadoo.fr, ☑ ⊤ r.-v.

ÉCLAT DU RHÔNE 2012

| | 600 000 | ▪ | - de 5 € |

Cette marque de négoce a été créée en 2003 lors du rachat de Moncigale par le groupe Marie Brizard. Elle se décline ici en rouge et en rosé, une légère préférence étant donnée au premier : un vin expressif, porté sur les fruits rouges, frais et friand en attaque, plus généreux et structuré en milieu de bouche, soutenu par des tanins serrés. L'ensemble reste souple et équilibré, et s'appré-

ciera dans les deux ans sur une viande rouge grillée. L'**Éclat du Rhône 2012 rosé (120 000 b.)**, aromatique (fleurs, agrumes, fruits rouges) et frais, se plaira aussi bien sur un poisson grillé que sur une grillade de bœuf.

•⌐ SAS Moncigale, 6, quai de la Paix, 30300 Beaucaire, tél. 04 66 59 74 39, fax 04 66 59 74 27, pmartin@mabriz.com

Ⓑ DOM. DU FAUCON DORÉ Le Bécassier 2011 ★

	6 000		8 à 11 €

Sur ce domaine d'altitude (390 m) situé à Faucon, la famille Beaumont conduit son vignoble de 28 ha en agriculture biologique depuis 2002 et en biodynamie depuis 2008. Elle signe un vin de caractère et plein de franchise, comme en témoignent les reflets violacés de sa robe, son bouquet riche et généreux de fruits noirs, de pruneau, de sous-bois et d'épices, puis son palais charnu et onctueux, étayé par des tanins solides mais soyeux. Cette bouteille conviendra parfaitement à un repas de retour de chasse. Pour la grillade au feu de bois, préférez le **rouge 2011 La Souche (5 à 8 € ; 9 000 b.)**, plus souple et gouleyant, qui obtient une citation.

•⌐ EARL Jean Beaumont, 92, chem. du Jas, 84110 Faucon, tél. 04 90 46 46 01, fax 04 90 46 44 73, faucon.dore@free.fr, ☑ ⍭ r.-v.

Ⓑ DOM. DES FÉES 2011 ★

	24 000		5 à 8 €

L'atout majeur de cette cave de vignerons est sans nul doute le terroir de haute qualité des exploitations adhérentes. Les raisins de chaque propriété sont vinifiés séparément et donnent naissance à des vins qui trouvent

La vallée du Rhône (partie méridionale)

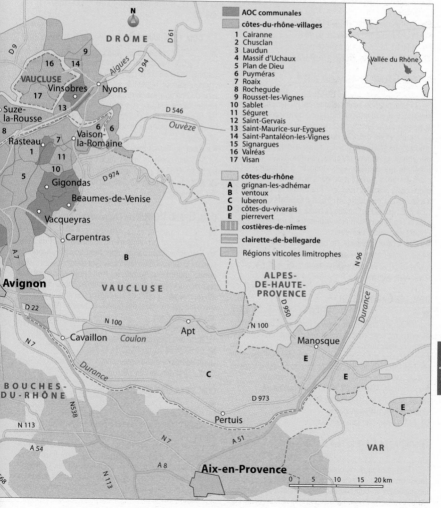

AOC communales

côtes-du-rhône-villages
1 Cairanne
2 Chusclan
3 Laudun
4 Massif d'Uchaux
5 Plan de Dieu
6 Puyméras
7 Roaix
8 Rochegude
9 Rousset-les-Vignes
10 Sablet
11 Séguret
12 Saint-Gervais
13 Saint-Maurice-sur-Eygues
14 Saint-Pantaléon-les-Vignes
15 Signargues
16 Valréas
17 Visan

côtes-du-rhône
A grignan-les-adhémar
B ventoux
C luberon
D côtes-du-vivarais
E pierrevert

costières-de-nîmes

clairette-de-bellegarde

Régions viticoles limitrophes

RHÔNE

tous les ans une place dans le Guide. Cette fois, le domaine des Fées est à l'honneur avec un 2011 charmeur où les notes d'épices douces se mêlent à de fines senteurs florales. Le palais, bien équilibré, est à la fois ample, frais et charnu. Une bouteille prête à accompagner une entrecôte sauce marchand de vin.

➥ Cave des Vignerons, rte des Grés, 30390 Estézargues, tél. 04 66 57 03 64, fax 04 66 57 04 83, caveau@vins-estezargues.com, ☑ ⵏ t.l.j. 8h-12h 14h-18h

RÉMY FERBRAS 2011 ★

| ▪ | n.c. | ▯ | - de 5 € |

Ce négoce castelpapal signe à partir du grenache, de la syrah, du cinsault et du carignan un vin sombre et intense aux reflets grenat, qui livre à l'olfaction des parfums puissants de fruits à noyau et de pruneau. Douce mais sans excès de sucrosité, ronde et concentrée, la bouche s'appuie sur des tanins à la fois solides et fins qui autorisent une dégustation dans l'année comme dans deux ou trois ans.

➥ Les Grandes Serres, rte de L'Islon-Saint-Luc, 84230 Châteauneuf-du-Pape, tél. 04 90 83 72 22, fax 04 90 83 78 77, samuel.montgermont@m-p.fr, ☑ ⵏ t.l.j. sf sam. dim. 8h-12h 13h30-17h

PATRICK GALANT Vieilles Vignes 2011 ★

| ▪ | 6 000 | ⵊ | 30 à 50 € |

Fermentation malolactique en fût de chêne neuf, élevage de douze mois en barrique, ce vin a connu le bois et ne s'en cache pas. Au nez comme en bouche, les notes de vanille et de cannelle du merrain accompagnent les épices et les fruits mais ne les écrasent pas. La structure est ample et solide, enrobée par une chair ronde et fondante qui confère de la douceur à l'ensemble. Un côtes-du-rhône harmonieux, que l'on dégustera de préférence dans deux ou trois ans. Du même propriétaire, le **Dom. de la Présidente 2012 blanc Grands Classiques** (5 à 8 € ; 20 000 b.), miellé et fruité à l'olfaction, ample, gras et chaleureux mais bien équilibré par une fine acidité, obtient également une étoile.

➥ Dom. de la Présidente, rte de Cairanne, BP 1, 84290 Sainte-Cécile-les-Vignes, tél. 04 90 30 80 34, fax 04 90 30 72 93, aubert@presidente.fr, ☑ ⵏ r.-v.
➥ Céline Aubert

DOM. DES GARRIGUES 2012 ★

| ▪ | 50 000 | ▯ | 5 à 8 € |

Née de grenache, de syrah et de cinsault sur le terroir du cru lirac, cette cuvée grenat foncé frangé de vermillon offre une belle intensité olfactive (fruits mûrs, épices) et se montre dense et bien structurée en bouche. Si l'ensemble est déjà fort plaisant, il devrait gagner en finesse d'ici deux à trois ans et se plaira sur une épaule d'agneau.

➥ Vignobles Assémat, BP 15, 30150 Roquemaure, tél. 04 66 82 65 52, fax 04 66 82 86 76, vignobles.assemat@wanadoo.fr, ☑ ⵏ t.l.j. 8h-18h; sam. dim. sur r.-v.

GIGONDAS LA CAVE La Font Louisiane 2012

| ▪ | 4 700 | ▯ⵊ | 5 à 8 € |

Philippe Faure, œnologue de la cave de Gigondas, a choisi de mettre en avant la clairette (plus de 50 % de l'assemblage, le bourboulenc et le viognier en complément) avec cette cuvée. La robe est pâle et limpide, le nez

ouvert et fruité, le palais fin et tout aussi expressif. Un vin dont on appréciera la légèreté et qui sera le bienvenu à l'apéritif.

➥ Gigondas la Cave, Les Blaches, D 7, 84190 Gigondas, tél. 04 90 65 86 27, fax 04 90 65 80 13, infos@cave-gigondas.fr, ☑ ⵏ t.l.j. 9h-12h30 14h-18h30

DOM. DE GIVAUDAN Léa 2012

| ▪ | 40 000 | ▯ | 5 à 8 € |

David Givaudan, jeune vigneron installé en 2001, conduit l'unique cave particulière de la commune de Cavillargues. Sur ses 20 ha de vignes, il a sélectionné 5 ha de grenache et de syrah pour élaborer cette cuvée équilibrée, sans extraction excessive, laissant ainsi parler le fruit. À boire dans les deux ans.

➥ David Givaudan, lieu-dit Les Périgouses, 30330 Cavillargues, tél. 04 66 82 44 58, fax 04 66 33 65 21, givaudandavid@aol.com,
☑ ⵏ t.l.j. sf sam. dim. 9h30-12h30 13h30-17h30
▭▭ ⑤

Ⓑ DOM. LES GRANDS BOIS Cuvée Les Trois Sœurs 2012

| ▪ | 6 000 | ▯ | 5 à 8 € |

Certifié bio depuis le millésime 2011, ce domaine familial créé en 1929 par Albert Farjon, aujourd'hui conduit par sa petite-fille et son gendre, propose un rosé de bon aloi. La robe claire et brillante est avenante. Le nez se révèle franc et expressif, sur les fruits rouges et les fleurs, et une fraîcheur appréciable caractérise la bouche, à l'unisson de l'olfaction. Pour l'apéritif et les grillades.

➥ Dom. les Grands Bois, 55, av. Jean-Jaurès, 84290 Sainte-Cécile-les-Vignes, tél. 04 90 30 81 86, fax 04 90 30 87 94, mbessnardeau@grands-bois.com, ☑ ⵏ t.l.j. sf dim. 9h-12h 14h-18h30
➥ Besnardeau

DOM. GRAND VENEUR Les Champauvins 2011 ★

| ▪ | 70 000 | ▯ⵊ | 8 à 11 € |

Également producteurs de châteauneuf et de lirac, les Vignobles Alain Jaume apportent aussi beaucoup de soin à l'élaboration de leurs côtes-du-rhône. Ce 2011 fait bonne impression. Au nez, les fruits noirs se mêlent à la réglisse, aux épices douces et à un boisé subtil. Souple en attaque, le palais offre de la rondeur, du gras et une fine sucrosité qui enrobent des tanins de qualité. À boire ou à attendre deux ans.

➥ Vignobles Alain Jaume et Fils, 1358, rte de Châteauneuf-du-Pape, 84100 Orange, tél. 04 90 34 68 70, fax 04 90 34 43 71, jaume@domaine-grand-veneur.com,
☑ ⵏ t.l.j. sf dim. 8h-12h 14h-18h

DOM. DE LA GRAVEIRETTE 2010 ★

| ▪ | 6 000 | ▯ | 5 à 8 € |

Sur cette propriété de 25 ha, toute proche de Châteauneuf-du-Pape, le grenache règne en maître. Composant unique de ce 2010, il s'exprime comme dans le cru voisin, dans un registre de puissance mêlée de douceur et de générosité. Au nez, les épices s'associent harmonieusement aux fruits confiturés. En bouche, le vin se montre intense, rond et gras, soutenu par des tanins fondus à souhait. Tout indiqué pour une viande longuement mijotée, dès aujourd'hui.

☛ Dom. de la Graveirette, chem. de Causan,
84370 Bédarrides, tél. 04 90 51 74 01,
domainegraveirette@orange.fr, ☑ ⚭ ☖ r.-v.
☛ Julien Mus

DOM. DES GRAVENNES Cuvée Marie Louise 2011 ★

| | 8 000 | ⊞ | 8 à 11 € |

Bernadette et Jean Bayon de Noyer ont créé ce domaine en 1996. En 2011, leur fils Luc les a rejoints et la conversion bio des 20 ha de vignes a été engagée. Leur cuvée Marie Louise met le mourvèdre en avant, 50 % de l'assemblage, complété par le grenache et la syrah. Au nez, quelques notes animales typiques du cépage se mêlent aux petits fruits rouges macérés. Un caractère chaleureux que l'on retrouve dans une bouche douce en attaque, plus ferme et réglissée dans son développement, étayée par un boisé fondu. Un vin harmonieux et bien structuré, qui donnera volontiers la réplique à un civet de porcelet, dans les trois ans à venir.
☛ Dom. des Gravennes, 2933, rte de Baume,
26790 Suze-la-Rousse, tél. 04 75 04 84 41,
fax 04 75 01 94 80, domaine.des.gravennes@wanadoo.fr,
☑ ⚭ ☖ r.-v. 🏠 ➋
☛ Bayon de Noyer

DOM. DU GROS PATA 2012 ★

| | 6 800 | ■ | - de 5 € |

Ancien octroi de Vaison au Moyen Âge, où il fallait verser quelques *patas* pour passer de la cité romaine à Villedieu, ce domaine est conduit depuis 1992 par Sabine Garagnon. Ici, on privilégie le contact avec la clientèle particulière : 80 % des bouteilles sont vendues sur les salons. Deux cuvées sont à découvrir dans cette sélection. Tout d'abord, ce blanc de grenache, de clairette et de viognier, discrètement minéral à l'olfaction, à la fois gras et frais en bouche. Un vin équilibré et long, qui conviendra parfaitement sur des huîtres ou des moules marinière. Le **rosé 2012 (6 400 b.)**, fruité (citron), vif et léger, est cité.
☛ Sabine Garagnon, Dom. du Gros Pata, rte de Villedieu,
84110 Vaison-la-Romaine, tél. 06 21 72 13 60,
fax 04 90 28 77 05, sabine.garagnon@free.fr,
☑ ⚭ ☖ t.l.j. sf dim. 9h-12h 14h-18h 🏠 ➌

♥ DOM. LA GUINTRANDY Vieilles Vignes 2012 ★★

| | 67 000 | ■ | - de 5 € |

Côtes du Rhône
APPELLATION COTES DU RHONE CONTROLEE

DOMAINE LA GUINTRANDY

Mise en bouteille à la Propriété par O. Cuilleras,
Propriétaire Récoltant - 84820 Visan
PRODUCT OF FRANCE

Ce domaine d'une trentaine d'hectares, de création récente (2000), décroche la plus haute distinction avec cet assemblage classique de grenache, de syrah et de mourvèdre. Drapé dans une seyante robe rouge profond aux reflets violacés, le vin dévoile un bouquet intense et expressif de fruits confits, mâtinés de nuances mentholées

et d'une originale touche iodée. Sa maturité en bouche est surprenante malgré sa jeunesse et, porté par des tanins serrés et soyeux, il rivalise de puissance et d'élégance jusqu'à la finale, généreuse et un rien chocolatée. Déjà très accorte, ce 2012 offre aussi un potentiel de garde de quatre ou cinq ans. On lui réservera un mets goûteux, un civet de chevreuil par exemple.
☛ Olivier Cuilleras, Dom. la Guintrandy,
1381, chem. de Saint-Roman, 84820 Visan,
tél. 04 90 41 91 12, fax 04 90 41 97 53,
olivier.cuilleras@wanadoo.fr, ☑ ⚭ ☖ r.-v.

❺ L'O DE JONCIER 2011

| | 36 000 | ■ | 5 à 8 € |

Sur ce vignoble de 32 ha aujourd'hui en bio, Marine Roussel perpétue le travail accompli par son père, Pierre. Elle privilégie les petits rendements, la vinification douce et naturelle, à l'origine, ici, d'une cuvée de pur grenache d'une aimable simplicité, sur les fruits cuits et la groseille, souple et légère en bouche. « Un vin de copain et de casse-croûte », selon la vigneronne : l'objectif est atteint.
☛ Marine Roussel, Dom. du Joncier, 5, rue de la Combe,
30126 Tavel, tél. 04 66 50 27 70, fax 04 84 25 30 61,
contact@domainedujoncier.com, ☑ ⚭ ☖ r.-v. 🏠 ❺

DOM. DE LAPLAGNOL Cuvée les Vieilles Vignes 2011 ★

| | 24 000 | ■ | - de 5 € |

Première apparition dans le Guide pour ce domaine familial orienté par les époux Coste vers la vente à la propriété dans les années 1970. Leur fille Solange et son mari Patrick Roux ont repris les rênes et signent ici un assemblage syrah-grenache séducteur en diable à l'olfaction, tourné vers les fruits rouges (fraise, framboise) et noirs (mûre, cassis). Vif, dense et montant, le palais est étayé par des tanins encore un peu sévères qui confèrent à cette bouteille un caractère bien affirmé. À attendre deux ou trois ans. Le **blanc 2012**, fin, floral et fruité, bien équilibré entre gras et vivacité, obtient lui aussi une étoile.
☛ Coste-Roux, Dom. de Laplagnol, quartier Masconil,
30130 Pont-Saint-Esprit, tél. 04 66 39 12 50,
fax 04 66 39 17 94, vins.laplagnol@wanadoo.fr,
☑ ☖ t.l.j. sf dim. 8h-12h 13h30-18h30

DOM. DE LASCAMP Tradition 2012 ★

| | 7 500 | ■ | 5 à 8 € |

Sur ce terroir gardois baigné de soleil et assez haut perché, les cépages blancs trouvent un beau terrain d'expression et permettent aux vins de garder une vivacité qui contrebalance leur caractère chaleureux. C'est bien le cas ici avec cet assemblage viognier-clairette (80 % pour le premier), généreusement fruité (fruits exotiques notamment), à la fois suave, frais et tonique en bouche. La **cuvée Roches 2011 rouge** possède des tanins fins et une agréable finale sur des notes confiturées. Elle obtient également une étoile.
☛ Dom. du Clos de Lascamp, hameau de Cadignac,
30200 Sabran, tél. 04 66 89 69 28,
domainedelascamp@orange.fr,
☑ ⚭ ☖ t.l.j. sf dim. 9h-12h 14h-18h

LAVAU 2011

| | 15 000 | ■ | - de 5 € |

Originaire de Saint-Émilion, la famille Lavau exerce le négoce du vin dans la vallée du Rhône depuis 1964. Elle dispose de trois chais (Entrechaux, Sablet et Séguret) lui permettant de vinifier une vaste gamme d'appellations méridionales. La maison propose ici une cuvée tout en simplicité, souple, ronde, fruitée et un rien épicée, à boire dans sa jeunesse.

☛ Lavau, rte de Cairanne, 84150 Violès,
tél. 04 90 70 98 70, fax 04 90 70 98 79, caveau@lavau.fr,
☑ ⚐ ⵟ t.l.j. sf dim. 10h-13h 14h-19h

DOM. LOMBARD Brézème Grand Chêne 2011 ★

| ■ | 13 000 | ■ ⵑ | 11 à 15 € |

Après un passage dans le Roussillon, le retour aux sources des Montagnon, natifs de la vallée du Rhône, est salué par une étoile pour leur premier millésime sur ce domaine (créé il y a trente ans par Jean-Marie Lombard). Alliance du beau terroir septentrional de Brézème et de la syrah, ce 2011 séduit par son bouquet complexe de vanille, de rose, de petits fruits rouges et d'épices, et son palais bien charpenté, épicé et boisé. Une heureuse évolution en perspective au cours des trois ou quatre ans à venir et un bel accord gourmand avec une poularde aux cèpes ou un ragoût d'agneau.

☛ Dom. Lombard, quartier Piquet,
26250 Livron-sur-Drôme, tél. 04 75 61 64 90,
domaine-lombard@orange.fr,
☑ ⚐ ⵟ t.l.j. sf dim. lun. 9h-12h 15h-18h30

DOM. LA LÔYANE Tradition 2012 ★

| ■ | 25 000 | ■ | 5 à 8 € |

Établi au pied du sanctuaire Notre-Dame-de-Grâce, à Rochefort-du-Gard, non loin des anciens marais assé-chés par les moines au Moyen Âge, ce domaine fait preuve d'une grande constance dans la qualité. Ici, un assemblage de grenache (50 %), de syrah et de mourvèdre qu'il faut un peu « bousculer » pour qu'il révèle ses arômes de Zan, de fruits cuits et de cuir. En bouche, ce 2012 se montre chaleureux, puissant et long, bâti sur des tanins bien serrés qu'il faudra laisser s'affiner encore deux ou trois ans. On lui réservera alors une daube provençale.

☛ Dubois – Dom. la Lôyane, chem. de la Font-des-Cavens,
30650 Rochefort-du-Gard, tél. 06 22 67 29 43,
fax 04 90 26 68 04, la-loyane-jean-pierre.dubois@orange.fr,
☑ ⵟ t.l.j. sf dim. lun. mar. 9h-12h 14h-19h

DOM. DE MAGALANNE 2012 ★

| ■ | 40 000 | ■ | - de 5 € |

Les deux frères Crouzet sont « unis pour proposer leurs meilleurs crus au monde entier ». Pour l'heure, ils revendiquent 5 % des ventes à l'étranger ; la marge est grande, mais avec des vins comme ce 2012, ils peuvent légitimement viser plus haut. Au nez, les fruits rouges, fraise en tête, mènent la danse. En bouche, le gras est bien soutenu par une fine acidité qui rend l'ensemble équilibré. À servir sur une côte de porc grillée aux herbes de Provence.

☛ Dom. de Magalanne, 431, rte de Signargues,
30390 Domazan, tél. 06 67 41 65 21, fax 04 66 57 21 58,
domainedemagalanne@gmail.com, ☑ ⚐ ⵟ r.-v.

ⓑ CH. DE MANISSY 2012 ★

| ■ | 13 000 | ■ | 5 à 8 € |

Également producteur de châteauneuf-du-pape de-puis les vendanges 2011, le jeune Florian André s'est installé en 2003 à la tête de ce domaine tavellois de 40 ha,

ancienne propriété des pères missionnaires de la Sainte Famille. Il signe un vin paré d'une robe intense aux reflets pourprés, au nez non moins intense de fruits rouges mûrs, bien structuré et long en bouche. Parfait pour une viande goûteuse, un agneau de sept heures ou du sanglier à la broche par exemple.

☛ Florian André, Ch. de Manissy, rte de Roquemaure,
30126 Tavel, tél. 04 66 82 86 94, fax 04 66 33 13 59,
vins-de-tavel@chateau-de-manissy.com, ☑ ⚐ ⵟ r.-v.

CH. DU MARJOLET 2012 ★★

| ■ | 15 000 | | - de 5 € |

Laurent Pontaud, unique vigneron en cave particu-lière sur la commune de Gaujac, porte haut les couleurs du village avec cette cuvée née de roussanne, de viognier et d'une touche de grenache blanc. Un vin floral et fruité (abricot, pêche) qui allie puissance et finesse, gras et fraîcheur, dans un équilibre remarquable. À déguster sur un mets de choix ; que diriez-vous de ris de veau à la crème ?

☛ Laurent Pontaud, Ch. de Marjolet, 30330 Gaujac,
tél. 04 66 82 00 93, fax 04 66 82 92 58,
chateau.marjolet@wanadoo.fr,
☑ ⚐ ⵟ t.l.j. sf dim. 9h-12h 14h-18h 🏠 ⓔ

DOM. MARTIN 2012 ★★

| ■ | 5 000 | ■ | 5 à 8 € |

Établi au Plan de Dieu, ce domaine étend ses vignes sur 67 ha. Les frères Martin ont sélectionné 1 ha de viognier, de bourboulenc et de grenache blanc pour élaborer ce vin complexe, sur les agrumes, la confiserie et l'abricot, dense, généreux et doux en bouche, vivifié par une fine acidité. Un ensemble harmonieux et long, à déguster sur un carpaccio de saint-jacques.

☛ Dom. Martin, rte de Vaison-la-Romaine,
84850 Travaillan, tél. 04 90 37 23 20, fax 04 90 37 78 87,
martin@domaine-martin.com,
☑ ⚐ ⵟ t.l.j. sf dim. 9h-12h 14h-18h

MAS DE SAINTE-CROIX Douceur de fruit 2011 ★

| ■ | 15 000 | ■ | 5 à 8 € |

« Douceur de fruit », la promesse est alléchante, et tenue. Ceps de grenache, de cinsault et de carignan vendangés à 400 m d'altitude, sur un terroir argilo-calcaire caillouteux, ont donné en effet naissance à un vin au fruité généreux (framboise et autres fruits rouges), ponctué de quelques nuances amyliques, doux et rond en bouche, adossé à des tanins souples et fins. Un vrai « vin plaisir », à boire aux beaux jours, sur des brochettes de bœuf accompagnées d'une bonne ratatouille.

☛ Mas de Sainte-Croix, SCEA Jacques Coipel,
rte de Vinsobres, 84600 Valréas, tél. 04 90 35 54 53,
fax 04 90 35 62 37, jacquescoipel@aol.com,
☑ ⚐ ⵟ t.l.j. sf dim. 14h-19h 🏠 ⓔ

DOM. MATHIEU Cuvée Château Mar 2011

| ■ | 10 000 | ■ | 5 à 8 € |

Des ceps de grenache (70 %) et de syrah plantés sur un terroir argilo-calcaire ont donné naissance à ce vin rubis vif, discret au premier nez, exhalant quelques notes de venaison, avant de s'ouvrir aux fruits noirs à l'aération. Son palais souple, enrobé et fruité le rend déjà appréciable et tout indiqué pour vos repas autour du barbecue.

🍷 Dom. Mathieu, 3 bis, rte de Courthézon,
84230 Châteauneuf-du-Pape, tél. 04 90 83 72 09,
fax 04 90 83 50 55, dnemathieu@aol.com,
☑ ⚔ ⵝ t.l.j. sf dim. 8h-12h 13h30-18h; sam. sur r.-v.

MONGIN 2012 ★★

	n.c.	■	5 à 8 €

Sur cette exploitation à vocation pédagogique, les
élèves du lycée viticole d'Orange participent à l'élaboration de vins de quatre appellations. Labellisé bio depuis fin
2012, le domaine s'efforce de respecter la typicité de
chacun de ces terroirs. Ici, un sol argilo-ferrugineux planté
majoritairement de viognier, à l'origine d'une cuvée
maîtrisée de bout en bout : nez intense et élégant de pêche
blanche, bouche fraîche, tonique, fruitée et très longue. Le
rouge 2011 (7 000 b.) est cité pour sa franchise et pour
son volume honorable.
🍷 Ch. Mongin, Lycée viticole d'Orange, 2260, rte du Grès,
84100 Orange, tél. 04 90 51 48 04, fax 04 90 51 48 25,
chateaumongin@chateaumongin.com,
☑ ⚔ ⵝ t.l.j. 9h-12h 14h-17h

CH. DE MONTFAUCON 2010 ★

	70 000	■	8 à 11 €

Valeur sûre de l'appellation, ce domaine est une
ancienne forteresse du XIᵉs. assise sur un promontoire
rocheux dominant le Rhône, poste d'observation privilégié de la frontière entre le royaume de France et le Saint
Empire romain germanique. Au XVIIIᵉs., les aïeux de
Rodolphe de Pins ont pris possession des lieux. Le
vignoble se caractérise par des sols et un encépagement
très diversifiés. Pour cette cuvée, pas moins de cinq
variétés ont été sélectionnées, grenache en tête. Après
dix-huit mois de cuve, l'assemblage donne un vin intensément fruité (petits fruits rouges), nuancé d'épices douces, fondu et persistant en bouche. Recommandé avec une
pintade aux choux et lardons.
🍷 Ch. de Montfaucon, 22, rue du Château,
30150 Montfaucon, tél. 04 66 50 37 19, fax 04 66 50 62 19,
contact@chateaumontfaucon.com,
☑ ⚔ ⵝ t.l.j. sf sam. dim. 14h-18h
🍷 Rodolphe de Pins

DOM. DU MOULIN 2012 ★★

	10 090	■	5 à 8 €

Denis Vinson et ses fils signent l'un des meilleurs
rosés de cette sélection. Un rosé de saignée issu des
cépages grenache, syrah, cinsault et carignan, paré d'une
robe rose brillant, ouvert sur les fruits frais et les fleurs
blanches, généreux et bien structuré. Un vin de bouche
assurément, à servir sur un plat relevé, un tajine d'agneau
par exemple. Le **blanc 2012 (5 000 b.)**, à dominante de
clairette, frais, ample et floral, obtient une étoile.
🍷 Denis et Charles Vinson, Dom. du Moulin,
26110 Vinsobres, tél. 04 75 27 65 59,
denis.vinson@wanadoo.fr,
☑ ⚔ ⵝ t.l.j. 8h-12h 13h-19h; f. dim. a.-m.

OGIER Héritages Élevé en foudre de chêne 2012 ★

	500 000	◫	- de 5 €

Cette maison de négoce réputée propose une cuvée
très soignée avec cet assemblage classique de grenache, de
syrah et de mourvèdre. Un 2012 qui, après douze mois de
foudre, se présente dans une élégante robe pourpre aux

reflets violets, empreint de senteurs fruitées et un rien
végétales. Souple en attaque, le palais ne baisse pas
d'intensité et séduit par son équilibre entre des tanins
dénués d'agressivité et une chair ronde et généreuse. Tout
indiqué pour les viandes rôties. Le **rouge 2011 Oratorio
(8 à 11 € ; 50 000 b.)** obtient également une étoile pour ses
jolis parfums fruités et réglissés, et pour sa bouche souple
et fondue. Quant au **rosé 2012 Héritages (169 860 b.)**,
frais et fruité, il est cité.
🍷 Ogier, 10, av. Louis-Pasteur,
84230 Châteauneuf-du-Pape, tél. 04 90 39 32 00,
fax 04 90 83 72 51, ogier@ogier.fr,
☑ ⚔ ⵝ t.l.j. sf dim. 9h-12h 14h-18h30

DOM. DE L'OLIVIER 2012 ★

	12 000	■	5 à 8 €

Éric Bastide et son fils Robin œuvrent de concert sur
ce domaine de 45 ha sur lequel les vignes côtoyaient
autrefois les oliviers. Ils militent aussi auprès de l'INAO
pour le passage de leur commune au rang de *village*. Leur
meilleur argument reste leurs vins, à l'image de cette cuvée
expressive, florale et fruitée au nez comme en bouche,
élégante et équilibrée. Un blanc que l'on verrait bien
accompagner un curry de poulet. Fruit d'un raisin mûri à
souhait sous le soleil du Midi, le **rouge 2011 (16 000 b.)**
obtient également une étoile pour ses tanins soyeux, sa
générosité et sa belle expression fruitée et épicée. Quant
au **rosé 2012 (8 000 b.)**, cité, il est apprécié pour sa
rondeur et son fruité.
🍷 Éric Bastide, EARL Dom. de l'Olivier, 1, rue de la Clastre,
30210 Saint-Hilaire-d'Ozilhan, tél. 04 66 37 08 04,
fax 04 66 37 00 46, eric.bastide@wanadoo.fr,
☑ ⚔ ⵝ t.l.j. sf dim. 9h-12h 14h-19h

Ⓑ DOM. DE L'ORATOIRE SAINT-MARTIN 2011 ★

	16 000	■	5 à 8 €

Depuis 1984, les frères Frédéric et François Alary
assument de mains de maîtres la pérennité de ce domaine,
dans leur famille depuis plus de trois siècles. Bien que leurs
plus beaux terroirs soient réservés au *villages* Cairanne, les
parcelles argilo-calcaires à l'origine de ce côtes-du-rhône
sont également de qualité, et comme l'ensemble de la
propriété, cultivées en biodynamie. Elles ont vu naître une
cuvée pleine de fruits (cassis, groseille), fraîche et cordiale
en bouche, étayée par des tanins souples et fondus qui
permettront d'apprécier ce vin dans sa jeunesse, sur un
rosbif bien juteux.
🍷 Frédéric et François Alary,
Dom. de l'Oratoire Saint-Martin,
rte de Saint-Roman-de-Malegarde, 84290 Cairanne,
tél. 04 90 30 82 07, contact@oratoiresaintmartin.com,
☑ ⵝ t.l.j. sf dim. 9h-12h 14h-18h30

ORTAS Les Viguiers 2011 ★

	200 000	■	5 à 8 €

La coopérative de Rasteau, qui a vu en 2010 la
promotion par l'INAO son *villages* en appellation
communale, ne néglige pas ses « simples génériques ».
Pour preuve, ce 2011 issu de grenache (70 %), de cinsault
et de carignan, qui s'ouvre à l'aération sur les fruits très
mûrs, prélude à un palais rond et de bonne concentration,
porté par des tanins souples et fins et par une pointe de
vivacité. Un vin équilibré, à servir dans les deux ans à venir
sur un rôti de veau aux champignons. Sont par ailleurs
cités pour leur aimable simplicité et leur fraîcheur **Les**

RHÔNE

Viguiers rosé 2012 (150 000 b.) et Les Viguiers 2012 blanc (60 000 b.).

☛ Ortas - Cave de Rasteau, rte des Princes-d'Orange, 84110 Rasteau, tél. 04 90 10 90 14, fax 04 90 46 16 65, rasteau@rasteau.com,

☑ ▼ t.l.j. 9h-12h30 14h-18h; juil.-sep. 9h-19h

CH. DE PANÉRY Tradition 2011

| ■ | 80 000 | 🍷 | 5 à 8 € |

Située en bordure ouest de l'appellation, cette vaste propriété propose un côtes-du-rhône qui a bénéficié d'un long élevage de dix-huit mois. Cela donne un vin fruité (groseille, myrtille) à l'olfaction, généreux et rond en bouche, mais encore un peu austère en finale. À attendre un an ou deux pour plus de fondu. La **cuvée Henry 2011 rouge (8 à 11 € ; 4 000 b.)** a elle aussi connu un élevage luxueux de vingt et un mois, mais en barrique. Et cela se sent : le nez exhale des notes intenses de caramel et de café ; la bouche est à l'unisson, dominée par le merrain, corpulente et encore à parfaire. Deux ou trois ans de garde sont nécessaires.

☛ SCEA Ch. de Panéry, chem. d'Uzès, 30210 Pouzilhac, tél. 04 66 37 04 44, rutger@panery.fr,

☑ ☥ ▼ t.l.j. sf dim. 9h-12h 14h-18h 🏠 ⑤

☛ Rutger Grijseels

DOM. DU PARC SAINT-CHARLES
Jean-Baptiste Poquelin 2011 ★

| ■ | 23 000 | 🍷 | 5 à 8 € |

En juin 1642, Jean-Baptiste Poquelin séjourne au château de Montfrin, éloigné par son père de ses envies trop prononcées de théâtre. Il y rencontre l'actrice Madeleine Béjart et... le vin des Molières, grâce auquel il ose aborder la belle rousse, lui déclarer sa flamme et son amour du théâtre. C'est ainsi que le célèbre dramaturge prend son nom de scène. Florent Combe lui rend un hommage radieux avec cette cuvée née de vieilles vignes de syrah, de mourvèdre et de grenache plantées sur un plateau baigné de soleil. Au nez, les fruits mûrs, les épices et des notes chocolatées s'associent harmonieusement. La bouche suit la même ligne aromatique, étayée par une fine acidité et par de bons tanins qui permettront à ce 2011 de bien évoluer au cours des deux ou trois prochaines années.

☛ Dom. du Parc Saint-Charles, 1972, rte de Jonquières, 30490 Montfrin, tél. 04 66 57 22 82, fax 04 66 57 54 41, vinstcharles@gmail.com,

☑ ☥ ▼ t.l.j. sf sam. dim. 8h-12h 13h30-18h30

DOM. PÉLAQUIÉ 2011

| ■ | 100 000 | 🍷 | 5 à 8 € |

Fervent promoteur de l'accession de Laudun à l'appellation communale, Luc Pélaquié, dont les vins sont régulièrement présents dans le Guide, propose ici un assemblage mi-grenache mi-syrah qui vise la souplesse et le fruité. Objectif atteint avec cette cuvée pleine de fruit, avec une touche amylique en appoint, riche, onctueuse, très douce et tout aussi fruitée en bouche. Une bouteille que l'on verrait bien accompagner un tajine de veau aux olives.

☛ Luc Pélaquié, 7, rue du Vernet, 30290 Saint-Victor-la-Coste, tél. 04 66 50 06 04, fax 04 66 50 33 32, contact@domaine-pelaquie.com,

☑ ☥ ▼ t.l.j. sf dim. 9h-12h 14h-18h

DOM. ROGER PERRIN Cuvée Vieilles Vignes 2011

| ■ | 32 000 | 🍷 | 5 à 8 € |

Conduit depuis 1986 par Luc Perrin, fils de Roger, ce domaine est dirigé depuis les vendanges 2010 par sa sœur Véronique, œnologue. Elle propose ici une cuvée issue de vieilles vignes de cinquante-cinq ans de moyenne d'âge, qui, elle, ne vise pas le grand âge. Florale et fruitée à l'olfaction, souple et généreuse en bouche, portée par des tanins de qualité, cette bouteille est à déguster dès l'automne 2013 sur une volaille.

☛ Dom. Roger Perrin, 2316, rte de Châteauneuf-du-Pape, 84100 Orange, tél. 04 90 34 25 64, dne.rogerperrin@wanadoo.fr, ☑ ☥ ▼ t.l.j. 8h-12h 14h-18h

CH. LE PLAISIR 2011 ★★

| ■ | 5 500 | 🍷 | 5 à 8 € |

Sur cette exploitation reprise en 2009 par Lydie et Pascal Franczak, l'une des plus anciennes de la commune de Cairanne, le raisin est acheminé par gravité en cuve de béton. Pas moins de quatre délestages et deux remontages par jour ont été opérés pour obtenir ce 2011 d'un beau rouge dense et profond, au nez floral (violette) et fruité, poivré et réglissé à l'aération, bâti sur des tanins fermes mais sans aucune dureté, rond, doux et frais à la fois. Un vin très équilibré, à déguster dans les deux ou trois ans à venir sur une viande corsée, un cuissot de sanglier au confit de mûres par exemple.

☛ Ch. le Plaisir, Rte d'Orange, 84290 Cairanne, tél. 06 46 56 23 26, fax 04 90 46 84 05, domaine-le-plaisir@orange.fr, ☑ ▼ r.-v.

DOM. DU PRIEURÉ SAINT-FRANÇOIS 2012 ★

| ■ | 100 000 | 🍷 | 5 à 8 € |

Exploité par la famille Espérandieu depuis cinq générations, ce domaine gardois est dans le giron du négociant Gabriel Meffre. Il propose un vin à dominante de grenache et de syrah, qui s'exprime intensément sur les épices et les fruits rouges et noirs mûrs, avant de dévoiler un palais charnu et solidement structuré. À boire dans les trois ou quatre ans à venir sur une grillade de bœuf. Sous l'étiquette **Gabriel Meffre Saint-François 2012 rouge**, vous trouverez un vin moins ouvert à l'olfaction mais tout aussi charpenté. Une citation.

☛ Gabriel Meffre, Le Village, 84190 Gigondas, tél. 04 90 12 32 42, fax 04 90 12 32 49, gabriel-meffre@meffre.com

DOM. RABASSE CHARAVIN Cuvée Abel Charavin 2010 ★

| ■ | 6 500 | 🍷 | 8 à 11 € |

Vendanges manuelles, pas de filtration ni de collage afin de préserver la totalité des parfums, pas de bois mais un élevage en cuve de béton brut, voici quelques facteurs qui expliquent la réussite de ce 2010 très fruité au nez comme en bouche (cassis, fruits rouges), charnu, chaleureux et solidement charpenté. Ce vin est armé pour bien vieillir deux ou trois ans.

☛ Laure et Corinne Couturier, La Font d'Estévenas, D 69, 84290 Cairanne, tél. 04 90 30 70 05, fax 04 90 30 74 42, couturier.corinne@wanadoo.fr,

☑ ☥ ▼ t.l.j. 9h-12h 14h-17h ; f. dim. en hiver

Ⓑ DOM. LA RÉMÉJEANNE Les Arbousiers 2012 ★

| ■ | 15 000 | 🍷 | 8 à 11 € |

L'une des cuvées phares du domaine et de l'appellation, dont les versions rouges 2010 et 2011 obtinrent un coup de cœur dans les deux dernières éditions. Rémy Klein soigne aussi ses blancs et propose ici un assemblage de cinq cépages fort réussi, au nez complexe de fleurs blanches, de fruits exotiques et de miel, gras et onctueux en bouche, avec ce qu'il faut de vivacité pour apporter l'équilibre. Plaisir assuré à l'apéritif ou à table, sur une viande blanche ou sur du poisson en sauce.

➼ EARL Rémy Klein, Cadignac, 30200 Sabran, tél. 04 66 89 44 51, fax 04 66 89 64 22, contact@remejeanne.com,

☑ ⚹ ⵏ t.l.j. sf dim. 9h-12h 14h-18h; sam. sur r.-v. 🏠 🅔

🅑 CH. ROCHECOLOMBE 2011 ★

| 60 000 | 📗 | 5 à 8 € |

C'est sur un vignoble isolé de 30 ha, établi sur la commune ardéchoise de Bourg-Saint-Andéol, qu'a pris naissance ce 2011 issu de grenache et de syrah, mariage remarquable de la puissance et de l'onctuosité. Le nez se montre complexe, riche en arômes de fruits rouges et noirs accompagnés de notes de sous-bois. Les tanins, bien présents, charpentent une bouche chaleureuse et corpulente, musquée et épicée, à la chair suave et ronde. Une bouteille au caractère affirmé, à attendre de deux à cinq ans.

➼ Terrasse-Herberigs, Ch. Rochecolombe, 07700 Bourg-Saint-Andéol, tél. 04 75 54 50 47, fax 04 75 54 80 03, rochecolombe@aol.com, ☑ ⚹ ⵏ r.-v.

DOM. DE ROCHEMOND 2012 ★

| n.c. | 📗 | 5 à 8 € |

Régulier en qualité, ce domaine propose avec ce 2012 dominé par la syrah un vin harmonieux, au nez fruité et réglissé, bien construit en bouche autour de tanins serrés et d'un fruité expressif. À boire ou à attendre un an ou deux. Sont par ailleurs cités le **blanc 2012**, très fruité et frais, issu de viognier (80 %) et d'ugni blanc, et le **Dom. du Grand Bécassier 2012 rouge (100 000 b.)**, issu d'une cuvaison longue, aromatique et structuré par des tanins soyeux.

➼ EARL Philip-Ladet, Cadignac Sud, 30200 Sabran, tél. 04 66 79 04 42, fax 04 66 39 20 06, domaine-de-rochemond@wanadoo.fr,

☑ ⚹ ⵏ t.l.j. 9h-12h 13h-17h; sam. dim. sur r.-v.

LA ROMAINE Tradition 2012 ★

| 7 000 | 📗 | - de 5 € |

Très séduisant dans sa parure blanche pailletée d'or, ce 2012 de la coopérative de Vaison ne manque de rien : nez intense et ouvert sur les fleurs et les fruits blancs, bouche tonique et fraîche qui ne manque pas pour autant de gras. Bref, un vin équilibré, à servir aussi bien sur un poisson que sur une volaille en sauce crémée.

➼ Cave la Romaine, quartier Le Colombier, 84110 Vaison-la-Romaine, tél. 04 90 36 00 43, fax 04 90 36 24 52, caveau@cave-la-romaine.com, ☑ ⵏ t.l.j. 8h30-12h30 14h-18h30 sf dim. 9h-12h; f. dim. 1er jan.-31 mars

CH. DE RUTH 2012 ★★

| 10 000 | 📗 | 5 à 8 € |

Également propriétaire du domaine de Galuval à Cairanne, Vincent Moreau a repris le château de Ruth en 2010, engagé le renouvellement des 110 ha de vignes et la rénovation des chais, et s'est entouré d'un œnologue de talent, Philippe Cambie. Des investissements qui portent leurs fruits, à en juger par cette cuvée remarquable de bout en bout. Issue à parts égales de grenache blanc et de roussanne, elle se présente dans une élégante robe d'or pâle et déploie de fines senteurs de fruits exotiques. Un fruité délicat que l'on retrouve dans une bouche ample, très équilibrée et longue. Un vin harmonieux et gracieux, à réserver pour un mets fin, un filet de bar aux agrumes par exemple. Le **rouge 2011 (200 000 b.)**, souple, gouleyant, fruité et épicé, est cité.

➼ Vincent Moreau, Ch. de Ruth, rte de Sérignan, 84290 Sainte-Cécile-les-Vignes, tél. 04 32 80 97 18, fax 04 32 80 27 03, contact@chateauderuth.com, ☑ ⚹ ⵏ t.l.j. 8h-12h 13h30-17h

💚 CH. DE SAINT-COSME Les Deux Albion 2011 ★★

| 41 000 | 📗 | 8 à 11 € |

Aménagé sur un site de vinification gallo-romain, le domaine est dans la famille Barruol depuis la fin du XVe., et quinze générations de vignerons se sont succédé sur ces terres ! Signe des temps, le domaine a engagé la conversion de ses vignes à l'agriculture biologique et s'est lancé dans des essais en biodynamie. Pas moins de cinq cépages, syrah et grenache en tête, composent cette cuvée remarquable. Derrière une robe grenat profond se dévoile un bouquet intense de fruits compotés, accompagnés de notes poivrées, réglissées et chocolatées. La bouche, au diapason, se révèle dense et longue, solidement arrimée à des tanins fermes. Déjà très agréable, ce vin pourra aussi patienter sans accroc deux à trois années de plus. Lui réserver un mets relevé, un tajine d'agneau cumin et cannelle par exemple.

➼ Ch. de Saint-Cosme, quartier Saint-Cosme, 84190 Gigondas, tél. 04 90 65 80 80, fax 04 90 65 81 05, barruol@chateau-st-cosme.com, ☑ ⚹ ⵏ t.l.j. sf sam. dim. 9h-17h

🅑 CH. SAINT-ESTÈVE Tradition 2012 ★★

| 8 100 | 📗 | 5 à 8 € |

Une vaste propriété de 230 ha répartis entre vignes (50 ha), cultures variées et collines. Une petite sélection de 2,25 ha de grenache, de syrah et de cinsault est à l'origine de ce rosé de saignée paré d'une élégante robe couleur framboise, très aromatique tout au long de la dégustation, porté sur les agrumes, les fleurs blanches et une originale note de buis, plein de fraîcheur et long en bouche. Apéritif, poisson en sauce, dessert aux fruits, il accompagnera tout le repas.

➼ Ch. Saint-Estève d'Uchaux, 1100, rte de Sérignan, D 172, 84100 Uchaux, tél. 04 90 40 62 38, fax 04 90 40 63 49, chateau.st.esteve@wanadoo.fr, ☑ ⚹ ⵏ t.l.j. sf dim. 10h-12h 15h-18h; f. sam. nov. jan.-fév. ➼ Famille Français

LES VIGNERONS DE SAINT-GERVAIS 2011 ★

| 30 000 | ■ | - de 5 € |

Sur ce terroir qui domine la Cèze, les vignerons de la coopérative de Saint-Gervais ont vendangé 6 ha de grenache, de syrah et un soupçon de carignan pour cette cuvée assez discrète au premier nez, le Zan, les fruits noirs frais, le sous-bois et les épices se révélant à l'aération. En bouche, le vin se montre concentré et onctueux, adossé à des tanins consistants. À boire dans les deux ou trois ans à venir.

●┬ Cave des Vignerons de Saint-Gervais,
10, rue des Vignerons, 30200 Saint-Gervais,
tél. 04 66 82 77 05, fax 04 66 82 78 85,
cave.saintgervais@orange.fr,
☑ ⊤ t.l.j. sf dim. 9h-12h 14h30-18h30

CAVE DE SAINT-LAURENT-DES-ARBRES Tradition 2012 ★

| 17 000 | ■ | - de 5 € |

La clairette, le grenache et le bourboulenc, cépages blancs parfaitement adaptés à ce secteur gardois des côtes-du-rhône, ont donné naissance à cette cuvée or pâle, dominée par une vivacité typique de ce secteur, au nez comme en bouche. Un vin plein de fraîcheur et aromatique (fleurs blanches, agrumes) qui n'a rien à envier à ses « cousins » du cru lirac.

●┬ Cave des vins du cru de Lirac, 685, av. du Baron-Leroy,
30126 Saint-Laurent-des-Arbres, tél. 04 66 50 01 02,
fax 04 66 50 37 23, contact@cavelirac.fr,
☑ ⊤ t.l.j. 9h-12h 14h-18h

CH. SAINT-MAURICE Les Parcellaires 2012 ★

| 15 000 | ■ | 5 à 8 € |

Dans un cadre magnifique, après une dégustation au caveau, vous pouvez désormais profiter du restaurant du château et des accords gourmands savamment travaillés avec les vins de la propriété, régulièrement sélectionnés dans le Guide. Ici, un rosé issu de la gamme Parcellaires, qui, comme son nom l'indique, provient d'une sélection rigoureuse des meilleures vignes de l'exploitation. Grenache, syrah et cinsault composent un 2012 à la robe franche et soutenue, joliment bouqueté autour des fruits rouges acidulés et du poivre, voluptueux et gras en bouche sans toutefois manquer de fraîcheur.

●┬ SCA Ch. Saint-Maurice, RN 580, 30290 Laudun,
tél. 04 66 50 29 31, fax 04 66 50 40 91,
chateau.saint.maurice@wanadoo.fr,
☑ ⋔ ⊤ t.l.j. sf sam. dim. 9h-12h 14h-18h
●┬ Valat

CAVES SAINT-PIERRE Vieilles Vignes 2011 ★

| 35 000 | ■ | - de 5 € |

Dans le giron de la maison de négoce Skalli, les Caves Saint-Pierre proposent avec cet assemblage de vieilles vignes de grenache et de carignan de plus de quarante ans un vin épicé (poivre) et fruité à l'olfaction, rond et soyeux en bouche. Un côtes-du-rhône épanoui et velouté, à déguster dans sa jeunesse. Également présenté par Skalli, le rouge 2011 Bonpas Dom Alfant Grande Exception (35 000 b.), à dominante de grenache et complété de syrah, est cité pour son bouquet chaleureux de fruits cuits et son palais doux et rond.

●┬ Les Vins Skalli, av. Pierre-de-Luxembourg,
84230 Châteauneuf-du-Pape, tél. 04 90 83 58 35,
info@skalli.com,
☑ ⋔ ⊤ t.l.j. 10h-12h 15h-18h au Pavillon des Vins

CH. SAINT-ROCH 2012 ★

| 30 000 | ■ | 5 à 8 € |

Bien connu des lecteurs pour ses lirac, ce domaine soigne aussi ses « simples » côtes-du-rhône. Celui-ci, né d'un assemblage de grenache, de cinsault et de syrah cultivés sur les coteaux argilo-calcaires du cru communal, n'a rien de simpliste et séduit d'emblée par son bouquet de fruits noirs et rouges mâtiné de notes chocolatées et animales. L'attaque franche ouvre sur un palais ample et solidement charpenté. À boire dès l'automne sur un mets de caractère, ou à attendre deux ans pour plus de fondu.

●┬ Ch. Saint-Roch, Brunel Frères, chem. de Lirac,
30150 Roquemaure, tél. 04 66 82 82 59, fax 04 66 82 83 00,
brunel@chateau-saint-roch.com,
☑ ⋔ ⊤ t.l.j. sf sam. dim. 8h-12h 14h-17h; f. 1ᵉʳ-15 août
●┬ Maxime et Patrick Brunel

CH. SIMIAN Combe des Avaux 2010 ★★

| 20 000 | ■ | 5 à 8 € |

Ce domaine, en troisième année de conversion bio et biodynamique – motivée par la remise en valeur de vieilles vignes délaissées et de cépages oubliés –, s'illustre avec constance en châteauneuf-du-pape et en côtes-du-rhône. Ici, un quatuor grenache-syrah-mourvèdre-cinsault, à l'origine d'un vin intensément fruité (cerise, fraise), ample, long et solidement charpenté en bouche mais sans agressivité aucune, bâti sur des tanins fins qui lui permettront d'être apprécié aussi bien jeune que plus vieux (de deux à quatre ans).

●┬ Ch. Simian, RD 172, rte d'Uchaux, 84420 Piolenc,
tél. 04 90 29 50 67, fax 04 90 29 62 33,
chateau.simian@wanadoo.fr,
☑ ⋔ ⊤ t.l.j. sf dim. 8h30-12h 14h-19h
●┬ Jean-Pierre Serguier

CAVE LA SUZIENNE Vieilles Vignes 2011 ★

| 53 000 | ■ | - de 5 € |

Alain Bayonne, l'œnologue de la cave, a élaboré deux cuvées très réussies, l'une comme l'autre issues de vieux ceps de grenache, de syrah et de carignan. Celle-ci (étiquette taupe), après un séjour de six mois en cuve, délivre des parfums de fruits mûrs agrémentés de nuances animales, relayés par un palais souple, frais et persistant, aux tanins doux. Élevée un an en cuve et faisant un peu plus de place au grenache, la cuvée Vieilles Vignes 2011 rouge (5 à 8 € ; 26 000 b.) se révèle un rien plus tannique. Elle obtient également une étoile. Deux vins à déguster dans leur jeunesse.

●┬ Cave la Suzienne, av. des Côtes-du-Rhône,
26790 Suze-la-Rousse, tél. 04 75 04 48 38,
fax 04 75 04 48 39, contactcaveau@lasuzienne.com,
☑ ⊤ t.l.j. 8h30-12h 14h-18h30

DOM. TALÈS Adret 2011 ★★

| 4 000 | ■ | 5 à 8 € |

« Typée villages », conclut un dégustateur à propos de cette cuvée née sur le versant sud de Roaix, de ceps de grenache et de syrah. Gaël Blanc signe en effet un côtes-du-rhône remarquable, qui a frôlé le coup de cœur et les trois étoiles. Nez intense et racé de fruits noirs confits et d'épices, bouche dense, ample, robuste, corpulente, longue finale réglissée, ce vin « boxe » clairement dans la catégorie supérieure. Armé pour deux ou trois ans de garde, voire plus, il pourra aussi être servi dès l'automne, de préférence sur un mets de caractère. À noter qu'en 2013, le domaine sera certifié bio.

☛ Gaël Blanc, quartier Talès, 84340 Entrechaux, tél. 04 90 46 02 79, fax 09 51 10 99 56, contact@domainetales.com,

☑ ⚘ ⏸ t.l.j. sf dim. 14h-19h 🏠 ❹ 🏠 ⓒ

TERRE DE GAULHEM La Bédaride 2011

| | 1 500 | ⑪ | 11 à 15 € |

Depuis leur installation en 2006 sur cette petite exploitation de moins de 2 ha, Nicolas Constantin, œnologue reconnu de la vallée du Rhône, s'invite avec régularité dans le Guide. Il signe ici un vin aux fines senteurs de fruits frais, souple, d'un bon volume et d'un bel équilibre, bénéficiant d'un élevage en bois mesuré. La **cuvée classique rouge 2011 (5 à 8 € ; 4 000 b.)** est également citée, pour sa souplesse et ses tanins fins.

☛ Magali et Nicolas Constantin, 1088, chem. de Saumelongue, 84110 Vaison-la-Romaine, tél. et fax 04 90 28 85 71, nicolas.constant1@orange.fr,

☑ ⏸ r.-v.

TROIS SAINTS Grande Réserve 2011 ★

| | 11 500 | ▯ | - de 5 € |

Regroupant les producteurs de Saint-Martin-d'Ardèche, de Saint-Marcel-d'Ardèche et de Saint-Just-d'Ardèche, cette coopérative fondée en 1929 propose une cuvée issue de vieilles vignes enherbées de grenache et de syrah, conduites en gobelet et à petits rendements. Un vin chaleureux, drapé d'une parure sombre, où les fruits succèdent aux fruits : fruits rouges confiturés, fruits noirs, fruits à noyau, rehaussés de notes mentholées. Le palais, plein et généreux, tient la note, porté par des tanins souples et soyeux. Un ensemble très harmonieux, à découvrir au cours des deux prochaines années sur un filet de bœuf sauce chasseur. La cuvée **Diamant noir 2011 rouge (8 à 11 €)**, citée, issue majoritairement de syrah, est à réserver aux amateurs de vins boisés.

☛ Cellier des Gorges de l'Ardèche, rte de la Gare, 07700 Saint-Marcel-d'Ardèche, tél. 04 75 04 66 83, fax 04 75 98 73 20, cave.stjust.stmarcel@wanadoo.fr,

☑ ⚘ ⏸ t.l.j. sf dim. 8h-12h 14h-18h

DOM. PIERRE USSEGLIO ET FILS 2011 ★★

| | 16 000 | ▯ | 8 à 11 € |

Régulièrement au rendez-vous du Guide avec ses cuvées de châteauneuf, ce domaine aux accents transalpins (le grand-père a quitté l'Italie dans les années 1930 pour rejoindre la cité des Papes) s'invite ici avec un côtes-du-rhône de très belle facture. Grenache (80 %) et mourvèdre composent une cuvée en robe légère, au nez corsé de fruits mûrs, d'épices douces et de poivre agrémenté d'une touche animale typique du mourvèdre. La bouche se révèle chaleureuse, ronde et douce, portée par des tanins fondus et par une finale poivrée, élégante et tonique. Un vin bien dans le ton de l'appellation, à servir dans les deux ans sur un gigot d'agneau ou sur une gardiane de taureau.

☛ Dom. Pierre Usseglio et Fils, 10, rte d'Orange, 84230 Châteauneuf-du-Pape, tél. 04 90 83 72 98, fax 04 90 83 56 70, domaine-usseglio@wanadoo.fr,

☑ ⚘ ⏸ r.-v.

DOM. DU VAL DES ROIS Les Allards au naturel 2011 ★★

| | 5 000 | ▯ | 5 à 8 € |

Romain Bouchard quitta sa Bourgogne natale pour créer ce domaine en 1964. Après vingt ans dans la biologie médicale, son fils Emmanuel a repris le domaine en 1997. « Les Allards au naturel » ? Le lieu-dit de naissance de cette cuvée, élaborée sans aucun ajout de sulfite. Il en résulte un vin intense et limpide, au bouquet profond de fruits mûrs et de réglisse, puissant, structuré par des tanins fermes et consistants mais sans agressivité, enrobés par une matière ronde et charnue. Un vin d'une « tendre virilité », à déguster dans trois ou quatre ans sur un gigot d'agneau.

☛ Emmanuel Bouchard, Dom. du Val des Rois, rte de Vinsobres, 84600 Valréas, tél. 04 90 35 04 35, fax 04 90 35 24 14, info@valdesrois.com,

☑ ⚘ ⏸ t.l.j. sf dim. 9h30-12h30 14h30-19h30

DOM. VAUCROZE 2012 ★

| | 30 000 | ▯ | 5 à 8 € |

Unique coopérative de l'appellation châteauneuf-du-pape, le Cellier des Princes, créé en 1924, regroupe aujourd'hui quelque deux cents adhérents. Elle propose un vin qui fait la part belle au grenache (90 % de l'assemblage aux côtés du carignan) et qui s'impose par son bouquet chaleureux de fruits à l'alcool et par son palais puissant et généreux, bien campé sur des tanins denses et serrés. Une cuvée de caractère que l'on laissera s'affiner deux ou trois ans et à laquelle on réservera une viande rouge en ragoût.

☛ Cellier des Princes, 758, rte d'Orange, 84350 Courthézon, tél. 04 90 70 21 44, fax 04 90 70 27 56, lesvignerons@cellierdesprinces.com,

☑ ⚘ ⏸ t.l.j. 8h-12h30 13h30-18h30

PIERRE VIDAL Le Bois des secrets 2012 ★

| | 100 000 | ▯⑪ | - de 5 € |

Ce négoce châteauneuvois de création récente, mis en place en 2010 par le jeune œnologue Pierre Vidal, voit trois de ses cuvées sélectionnées et confirme la bonne impression laissée par ses vins dans l'édition précédente. Assemblage de quatre cépages, grenache en tête, ce 2012 a séduit par son bouquet soutenu et frais de fruits rouges et par son palais souple, harmonieux et long, aux tanins fins et fondus. Sont par ailleurs citées : **La Mission Saint-Pierre 2012 rouge (100 000 b.)** sur les fruits rouges mûrs et la réglisse, équilibrée et soyeuse, et **La Font des Garrigues 2012 rouge**, souple, fruité (griotte), facile à boire. Trois vins bien typés côtes-du-rhône, pour un plaisir immédiat.

☛ Pierre Vidal, 631, rte de Sorgues, 84230 Châteauneuf-du-Pape, tél. et fax 04 90 83 70 24, contact@pierrevidal.com

DOM. LE VIEUX LAVOIR Black Perle 2011

| | 6 000 | ▯⑪ | 8 à 11 € |

Un hommage à la célèbre série cinématographique *Pirates des Caraïbes* ? Plutôt une ode aux vins sombres et intenses, dont va valide la robe de ce 2011 à forte dominante de syrah. Au nez, les épices et les fruits noirs se mêlent au vanillé de la barrique. En bouche, le vin se montre rond et structuré sans dureté, bâti avant tout sur le merrain. Pour amateurs de sensations boisées.

RHÔNE

➛ EARL Roudil-Jouffret, rte de la Commanderie, Le Palai-Nord, 30126 Tavel, tél. 04 66 82 85 11, fax 04 66 82 84 18, roudil-jouffret@wanadoo.fr, ☑ ⚔ ⊤ t.l.j. sf sam. dim. 8h-12h 14h-18h
➛ Didier Jouffret

Côtes-du-rhône-villages

Superficie : 10 240 ha
Production : 354 825 hl (98 % rouge et rosé)

À l'intérieur de l'aire des côtes-du-rhône, quelques communes ont acquis une notoriété certaine grâce à des terroirs qui produisent des vins de semi-garde dont les qualités sont unanimement reconnues. Les conditions de production de ces vins sont soumises à des critères plus restrictifs en matière notamment de délimitation, de rendement et de degré alcoolique par rapport à ceux des côtes-du-rhône. Au sein de l'aire d'appellation, 13 noms de communes historiquement reconnus peuvent figurer sur l'étiquette : Chusclan, Laudun et Saint-Gervais dans le Gard ; Cairanne, Sablet, Séguret, Roaix, Valréas et Visan dans le Vaucluse ; Rochegude, Rousset-les-Vignes, Saint-Maurice, Saint-Pantaléon-les-Vignes dans la Drôme. Ont été récemment reconnus Signargues dans le Gard, Massif d'Uchaux, Plan de Dieu et Puyméras dans le Vaucluse. Sur le territoire de 70 autres communes du Gard, du Vaucluse et de la Drôme, dans l'aire côtes-du-rhône, une délimitation plus stricte permet de produire des côtes-du-rhône-villages sans nom de commune.

DOM. D'AÉRIA Cairanne Bouto Novo
Cuvée Prestige 2010 ★
■   4 000   ⬛   11 à 15 €

Rolland Gap est un habitué du Guide. Il affectionne particulièrement le mourvèdre, cépage qu'il a introduit, avec la syrah, sur le domaine familial créé par ses grands-parents et essentiellement planté jusqu'alors de grenache et de carignan. Pour cette cuvée toutefois, les seuls grenache et syrah (80 %) sont assemblés. Il en résulte un vin expressif (fruits noirs, épices, réglisse, pain grillé), équilibré et long en bouche, bâti sur des tanins fins et soyeux. Une bouteille déjà appréciable, que l'on pourra aussi attendre un an ou deux pour obtenir un boisé plus fondu.
➛ Rolland Gap, SARL Dom. d'Aéria, rte de Rasteau, 84290 Cairanne, tél. 04 90 30 88 78, fax 04 90 30 78 38, domaine.aeria092@orange.fr, ☑ ⚔ ⊤ r.-v. 🏠 ©

DOM. ALARY Cairanne La Brunote 2011 ★
■   10 000   ■   8 à 11 €

La famille Alary cultive la vigne à Cairanne depuis 1692 et dix générations. En 2009, Denis Alaray a entrepris la conversion au bio de ses 28 ha de vigne. Il a sélectionné 3 ha de grenache, de carignan et de mourvèdre pour élaborer cette cuvée au bouquet complexe de fruits rouges,

de cuir et de sous-bois. La bouche se révèle ample, ronde et longue, soutenue par des tanins mûrs et soyeux : un vin harmonieux. On peut attendre deux ou trois ans pour le déboucher, ou l'accompagner dès l'automne d'une viande rouge en sauce. La cuvée **La Font d'Estévenas 2010 rouge (10 000 b.)** épicée, équilibrée et persistante, obtient également une étoile.
➛ Dom. Alary, La Font d'Estévenas, rte de Rasteau, 84290 Cairanne, tél. 04 90 30 82 32, fax 04 90 30 74 71, alary.denis@wanadoo.fr,
☑ ⊤ t.l.j. sf dim. 8h-12h 14h-18h30; déc.-mars sur r.-v.

DOM. DES AMADIEU Cairanne Vieilles Vignes 2010
■   9 000   ⬛   8 à 11 €

Ingénieurs agronomes, Corine et Yves Houser ont acquis cette petite propriété de 7 ha en 2007. Ils ont depuis engagé la conversion biologique et biodynamique de leur vignoble. À partir de vieux ceps de grenache, de syrah, de mourvèdre et de carignan âgés de plus de cinquante ans, ils ont élaboré un *villages* plaisant, épicé et fruité à l'olfaction, rond et fondu en bouche, étayé par des tanins doux et par une pointe de vivacité. Un vin équilibré et prêt à boire.
➛ SCEA Corine et Yves-Jean Houser, Dom. des Amadieu, quartier Beauregard, 84290 Cairanne, tél. 06 87 72 85 42, fax 04 90 66 03 48, contact@domainedesamadieu.com, ☑ ⚔ ⊤ t.l.j. sf dim. 10h-18h; f 1er-15 août

DOM. DES AMARINIERS Signargues 2012
■   16 000   ■   5 à 8 €

Proposé par la coopérative de Tavel, ce 2012 est né de jeunes vignes de grenache (60 %) et de syrah âgées de quinze ans et d'un élevage court (trois mois) en cuve. Cela donne, comme attendu, un vin tout en fruit, frais, souple et soyeux, aux tanins bien fondus. L'archétype du « vin de plaisir », à déguster sur le fruit.
➛ Les Vignerons de Tavel, rte de la Commanderie, 30126 Tavel, tél. 04 66 50 03 57, fax 04 66 50 46 57, contact@cavedetavel.com, ☑ ⚔ ⊤ r.-v.

DOM. D'ANDEZON Signargues 2011
■   15 000   ⬛   5 à 8 €

La coopérative d'Estézargues propose un signargues né de syrah et de mourvèdre. Les fruits noirs, la vanille et les épices donnent le ton de l'olfaction. On retrouve ces arômes dans un palais plein et rond, d'une élégante finesse en finale. Un vin équilibré, à boire dans un an ou deux.
➛ Cave des Vignerons d'Estézargues, rte des Grés, 30390 Estézargues, tél. 04 66 57 03 64, fax 04 66 57 04 83, caveau@vins-estezargues.com, ☑ ⊤ t.l.j. 8h-12h 14h-18h

DOM. DE LA BASTIDE Visan 2011 ★★
■   20 000   ■   5 à 8 €

Disparu en 2008, Bernard Boyer a laissé en héritage à son fils Vincent, à ses côtés depuis 1998, un beau domaine de 65 ha, ancienne ferme templière du XIIe s. établie sur un site gallo-romain. Une étoile brille au-dessus du **Visan La Gloire de mon père 2011 rouge (8 à 11 € ; 3 000 b.)**, un vin fruité, épicé et frais à l'olfaction, équilibré et fondu en bouche, que l'on pourra apprécier au cours des deux prochaines années. Quant à la cuvée principale, elle est jugée remarquable pour sa fraîcheur et son fruité, au nez comme en bouche, pour ses tanins présents mais bien enveloppés, pour sa longueur et son équilibre. On la servira dans les deux ou trois ans, sur toutes les viandes rouges. Également élaboré par Vincent Boyer, le **Roche-gude Dom. Saint-Michel 2011 rouge (10 000 b.)** souple, doux et généreux, obtient une étoile. On pourra le garder en cave de la même durée.

🕏 Dom. de la Bastide, 1250, chem. de la Bastide, 84820 Visan, tél. 04 90 41 98 61, vinboyer@wanadoo.fr, ☑ 🍷 r.-v.

🕏 Vincent Boyer

DOM. BEAU MISTRAL Élégance 2012 ★★

| ■ | 5 000 | ■ ⅢD | 8 à 11 € |

En côtes-du-rhône, *villages*, rasteau ou vins de pays de la principauté d'Orange, ce domaine familial créé en 1988 fait des apparitions très régulières dans le Guide. Ici, un assemblage de cépages viognier, marsanne, roussanne et grenache blanc qui donne lieu à un 2012 à la robe or limpide et brillant et au nez floral (acacia) et fruité (agrumes). « Arrondie » par une touche miellée et vanillée, la bouche se révèle longue et équilibrée par ce qu'il faut de vivacité. « Envoûtant », conclut un dégustateur, qui verrait bien cette bouteille accompagner des huîtres gratinées ou des noix de Saint-Jacques à la plancha.

🕏 Jean-Marc Brun, Le Village, rte d'Orange, 84110 Rasteau, tél. 04 90 46 16 90, fax 04 90 46 17 30, beau.mistral@club-internet.fr, ☑ 🍷 r.-v.

🕏 Jean-Marc Brun

Ⓑ DOM. BERTHET-RAYNE
Cairanne Castel Mireio 2012 ★★

| ■ | 6 000 | ■ ⅢD | 11 à 15 € |

Cette cuvée, qui tire son nom de l'auberge familiale tenue par la sœur d'André Berthet-Rayne, n'assemble pas moins de six cépages : par ordre d'importance, clairette, roussanne, marsanne et viognier, grenache blanc et une pincée de bourboulenc. Le résultat ? Un vin complexe et fin, minéral, fruité (agrumes, fruits blancs), beurré et un rien boisé. Écho parfait de l'olfaction, le palais se révèle gras, rond et long. Un ensemble très harmonieux et élégant, à déguster sur un poisson fin ou sur une volaille en sauce. Le **cairanne 2010 rouge Castel Mireio (10 000 b.)**, bien charpenté, fruité et boisé sans excès, est cité.

🕏 André Berthet-Rayne, quartier des Travers, BP 9, 84290 Cairanne, tél. et fax 04 90 30 72 75, contact@berthet-rayne-cairanne.fr, ☑ 🍷 t.l.j. 9h-12h 13h30-18h; sam. dim. sur r.-v.

DOM. DU BOIS DES DAMES Plan de Dieu 2012 ★★

| ■ | 100 000 | ■ | 5 à 8 € |

Propriété des chartreusines de Prébayon, du IXᵉs. jusqu'à la Révolution (il fut alors vendu comme bien national), ce domaine était autrefois couvert de bois, la vigne ayant pris le dessus à partir de 1946. Grenache (65 %), syrah et une touche de mourvèdre composent ce Plan de Dieu paré d'une robe intense, noir d'encre. D'abord sur la réserve, le nez s'ouvre à l'aération sur les fruits confits et les épices. La bouche se révèle ronde, riche et charnue, adossée à des tanins soyeux, avec une pointe de fraîcheur qui lui confère du tonus et de la longueur. Déjà très harmonieux, ce vin peut aussi être remisé deux ou trois ans en cave.

🕏 Dom. du Bois des Dames, 2600, rte de Cairanne, 84150 Violès, tél. 04 90 70 94 90, fax 09 57 45 68 27, hmeffre@outlook.com, ☑ 🍷 r.-v.

BONPAS Plan de Dieu Les Sœurs de Bonpas 2011 ★★

| ■ | 18 000 | ■ | 5 à 8 € |

La maison Skalli signe un beau triplé sous cette étiquette, du nom du village fortifié qui veillait autrefois sur la route menant d'Avignon à Rome. Grenache (60 %), syrah et mourvèdre composent cette cuvée ainsi nommée en référence aux sœurs chartreuses de l'abbaye de Bonpas. Les fruits rouges à l'alcool donnent d'emblée le ton de la dégustation, avec générosité ; un ton chaleureux et concentré qui caractérise aussi un palais riche, plein, rond et massif, jamais lourd ni astringent. « Un vin haut en bouche et très typé grenache », conclut un juré. Il est conseillé d'attendre deux ou trois ans pour l'apprécier pleinement. La cuvée **Primum Gressus 2011 rouge (25 000 b.)** expressive (fruits noirs, cerise confite), soyeuse et fraîche, obtient une étoile. Le **Dom Hugues 2011 rouge (25 000 b.)** est cité pour ses parfums intenses de fruits mûrs et de garrigue, et pour sa bouche fine et souple.

🕏 Les Vins Skalli, av. Pierre-de-Luxembourg, 84230 Châteauneuf-du-Pape, tél. 04 90 83 58 35, info@skalli.com, ☑ 🍴 🍷 t.l.j. 10h-12h 15h-18h au Pavillon des Vins

🕏 FGV Boisset

CH. LA BORIE 2011 ★

| ■ | 20 000 | ■ | 8 à 11 € |

Pas de certification bio pour ce domaine, ancienne propriété des princes d'Orange, mais une conduite très raisonnée qui s'y apparente. Pas de fût de chêne non plus, le fruité étant privilégié. Ce 2011 à dominante de syrah (55 %) et de grenache (40 %), avec un soupçon de mourvèdre en complément, est dans le ton. Si le premier nez est assez fermé, l'aération dévoile de jolies notes de fruits rouges mûrs. La bouche suit la même ligne et séduit par sa rondeur et ses tanins fins. Un vin gourmand à découvrir dans sa jeunesse, sur un confit de canard par exemple.

🕏 Ch. la Borie, 2888, rte de Saint-Paul, 26790 Suze-la-Rousse, tél. 04 75 04 81 92, fax 04 75 51 33 93, jerome.margnat@chateau-la-borie.fr, ☑ 🍴 🍷 t.l.j. sf dim. 9h-12h30 14h-19h

DOM. LA BOUVAUDE Rousset-les-Vignes
Élevé en fût de chêne 2011 ★

| ■ | 5 000 | ⅢD | 5 à 8 € |

Régulier en qualité, aussi bien en « génériques » qu'en *villages*, ce domaine familial signe un 2011 harmonieux, certes dominé par le merrain au nez comme en bouche, mais par un boisé élégant, frais et respectueux du fruit. Quelques nuances mentholées s'y ajoutent qui apportent un surcroît de fraîcheur. On perçoit aussi la présence du mourvèdre (minoritaire aux côtés du grenache et de la syrah) à travers de légères notes animales. Ce vin offre du volume et de la complexité, et s'appréciera mieux encore après un à trois ans de garde.

🕏 Stéphane Barnaud, Dom. la Bouvaude, 26770 Rousset-les-Vignes, tél. 06 37 77 70 02, fax 04 75 27 98 72, stephane.barnaud@wanadoo.fr, ☑ 🍴 🍷 t.l.j. 9h-19h

BROTTE Laudun Ch. de Bord La Croix de Frégère 2011

| ■ | 30 000 | ■ ⅢD | 8 à 11 € |

La Croix de Frégère, emblème du château, est la cuvée haut de gamme de cette maison fondée en 1931. La

RHÔNE

version rouge 2011 est un vin à dominante boisée (vanille, grillé), au nez comme en bouche, soutenu par des tanins fondus. À boire dans les deux ans. La même cuvée en **blanc 2012 (5 à 8 € ; 10 000 b.)**, florale et fruitée, est également citée.

🍷 Brotte, Le Clos, rte d'Avignon, BP 1, 84231 Châteauneuf-du-Pape Cedex, tél. 04 90 83 70 07, fax 04 90 83 74 34, brotte@brotte.com, ☑ 🍴 🍷 t.l.j. 9h-12h 14h-18h

BRUNEL DE LA GARDINE Cairanne 2011 ★★

| | 10 000 | | 8 à 11 € |

Cette marque de négoce a été créée en 2007 par la famille Brunel, propriétaire du château de la Gardine à Châteauneuf-du-Pape. Grenache et syrah à parts quasi égales sont associés ces caranne séducteur en diable : couleur sombre ; nez puissamment fruité et épicé ; bouche à la fois généreuse (fruits à l'alcool, poivre), fraîche et délicate, dotée de tanins fins et caressants. Un vin élégant et accorte, que l'on dégustera au cours des deux prochaines années sur un sauté d'agneau aux olives noires.

🍷 Brunel Père et Fils, rte de Roquemaure, BP 51, 84232 Châteauneuf-du-Pape Cedex, tél. 04 90 83 73 20, fax 04 90 83 77 24, contact@bpf-brunel.com, ☑ 🍴 🍷 r.-v.

♥ DOM. BRUSSET Cairanne Les Travers 2011 ★★

| | 40 000 | 🍶🍷 | 8 à 11 € |

Après deux éditions qui ont vu briller la version blanche des Travers de Laurent Brusset, place au rouge, et quel rouge ! Grenache, syrah, mourvèdre et cinsault sont associés dans cette cuvée d'un pourpre intense et profond. L'annonce d'un bouquet à la fois puissant et élégant, ouvert sur les fruits mûrs, la réglisse, le sous-bois et les épices. La bouche offre un équilibre remarquable entre une charpente solidement arrimée, une chair tendre et soyeuse, un fruité persistant et un boisé parfaitement fondu. Un *villages* long et harmonieux, à déguster aujourd'hui comme dans trois ou quatre ans. Le **Cairanne Les Travers 2012 blanc (10 000 b.)**, rond, gras et expressif (agrumes, pain grillé), est quant à lui cité.

🍷 Dom. Brusset, Le Village, 84290 Cairanne, tél. 04 90 30 82 16, fax 04 90 30 73 31, domaine-brusset@wanadoo.fr, ☑ 🍴 🍷 t.l.j. 10h-12h 14h-18h

CALENDAL Plan de Dieu 2011

| | 18 000 | 🍶🍷 | 15 à 20 € |

Né de l'association de deux amis, Gilles Ferran et Philippe Cambie, ce petit domaine d'un peu plus de 4 ha avait fait sensation il y a quelques années avec son millésime 2007. Il revient avec un 2011 issu de grenache (60 %) et de mourvèdre qui a séduit les dégustateurs par son bouquet toasté et confituré, puis par son palais doux

et rond, dont la finale, plus tannique et sévère, appelle une courte garde d'un an ou deux.

🍷 SCA Dom. Calendal, Les Escaravailles, 84110 Rasteau, tél. 04 90 46 14 20, domaine.escaravailles@rasteau.fr, ☑ 🍴 🍷 r.-v.

🍷 Gilles Ferran et Philippe Cambie

LES VIGNERONS DU CASTELAS Signargues
Vieilles Vignes 2011

| | 10 000 | 🍶🍷 | 5 à 8 € |

Cette coopérative est implantée sur la rive droite du Rhône, entre le pont d'Avignon et celui du Gard. Elle signe ici une cuvée issue d'une sélection parcellaire de syrah (50 %), de grenache (40 %) et de carignan plantés sur un plateau de terrasses aux sols de galets roulés aux parfums plaisants de fruits noirs, cassis en tête. La cerise confite complète la palette aromatique dans une bouche ronde et légère en tanins. Un vin de plaisir immédiat.

🍷 Les Vignerons du Castelas, 674, av. de Signargues, 30650 Rochefort-du-Gard, tél. 04 90 26 62 66, fax 04 90 26 62 64, info@vignerons-castelas.com, ☑ 🍴 🍷 t.l.j. sf dim. 8h45-12h 14h30-18h

CAMILLE CAYRAN Cairanne La Réserve 2011 ★★

| | 340 000 | | 5 à 8 € |

Beau triplé pour la coopérative de Cairanne. En tête, cette Réserve issue de grenache, de syrah, de mourvèdre et de vieux carignan : un vin complexe (épices douces, chocolat, violette, fruits mûrs), volumineux, doux et onctueux en bouche, vivifié en finale par une fraîcheur minérale. Recommandé d'ici 2015-2016 sur un sauté de bœuf au gingembre. Né de grenache et de syrah, le **Cairanne 2011 rouge Victor Delauze Prestige du connétable (50 000 b.)**, tout en fruit (cassis, fruits rouges), agrémenté de nuances de thym et de menthol, frais et finement tannique, obtient une étoile, de même que le **Cairanne 2011 rouge Les Salyens (8 à 11 € ; 45 000 b.)** dominé par la syrah, puissant, chaleureux et boisé avec élégance.

🍷 Maison Camille Cayran, rte de Sainte-Cécile, 84290 Cairanne, tél. 04 90 30 82 05, fax 04 90 30 74 03, t.caymaris@cave-cairanne.fr, ☑ 🍷 t.l.j. 9h-18h30 (été 19h)

DOM. CHAMFORT 2011 ★

| | 10 000 | | 5 à 8 € |

Premier millésime 100 % bio pour Vasco Perdigao, mais sans certification : ce mode de conduite est exigeant, à la vigne comme au chai, et le vigneron veut prendre son temps pour en maîtriser tous les contours. Les débuts sont pour le moins encourageants, à en juger par cette cuvée au nez vineux de fruits macérés dans l'alcool, d'épices, d'anis et de cuir. En écho, la bouche se montre chaleureuse, ample et ronde, une pointe de fraîcheur et des tanins fins lui donnant l'assise qui convient. On attendra un an ou deux que ce vin s'harmonise parfaitement avant de lui réserver une viande en sauce.

🍷 Vasco Perdigao, RD 977, 84110 Sablet, tél. 04 90 46 94 75, fax 04 90 46 99 84, domaine-chamfort@orange.fr, ☑ 🍴 🍷 t.l.j. sf sam. dim. 9h-12h 13h30-17h30

Ⓑ DOM. CLAVEL Saint-Gervais 2011 ★★

| | 3 700 | 🍷 | 11 à 15 € |

Les Clavel exploitent depuis plusieurs générations ce vaste domaine de 80 ha qui leur permet de proposer une carte variée de cuvées. Ici, un *villages* blanc mi-roussanne mi-viognier en robe d'or pâle, dévoilant une palette aromatique d'une belle intensité dominée par l'abricot, les agrumes et les fleurs blanches. La bouche est à l'unisson et séduit par son remarquable équilibre entre la fraîcheur du fruit, la rondeur et le gras de sa chair, et un boisé parfaitement fondu. Un vin élégant et expressif, que Françoise Clavel a testé (et approuvé) sur une recette de sa composition : une lotte aux cèpes et au cumin. Le **Chusclan 2011 rouge Cordélia (5 à 8 € ; 10 000 b.)**, souple et fruité, accompagnera quant à lui une pintade à l'estragon. Il obtient une étoile.

☛ Dom. Clavel, rue du Pigeonnier, 30200 Saint-Gervais, tél. 04 66 82 78 90, fax 04 66 82 74 30, clavel@domaineclavel.com,
☑ ⚘ ⵣ t.l.j. sf dim. 9h-12h 14h-19h

LES COMBELLES 2012 ★

	400 000	∎	- de 5 €

Cette cuvée de négoce associe la syrah et le grenache à parts égales. Il en résulte un vin rouge intense et brillant, qui libère des parfums intenses de fruits rouges. Fraîche, souple et ample à la fois, la bouche tient bien la note, adossée à des tanins fins et fondus. À boire dans les deux ans. Dans un style similaire, frais et fruité, le **Plan de Dieu 2012 rouge Dom. Dame Guilherme (5 à 8 € ; 54 000 b.)** obtient la même note.

☛ La Compagnie Rhodanienne, 19, Chemin-Neuf, 30210 Castillon-du-Gard, tél. 04 66 37 49 50, fax 04 66 37 49 51, emmanuel.ravillion@rhodanienne.com
☛ Groupe Taillan

DOM. DE COSTE CHAUDE Madrigal 2012

	15 000	∎	5 à 8 €

Marianne Fues a engagé la conversion au bio de son domaine, une tendance forte au sein de la viticulture française, notamment dans la vallée du Rhône. Elle signe une cuvée plaisante, joliment teintée de reflets violines, au nez ouvert sur les fruits rouges et noirs, ronde et persistante en bouche. Une petite touche d'austérité vient ponctuer la finale, mais elle devrait disparaître dans l'année à venir. Une bonne idée pour un pot-au-feu.

☛ SARL Dom. de Coste Chaude, 3100, Ch. de la Carne, 84820 Visan, tél. 04 90 41 91 04, fax 04 90 41 96 52, info@domaine-coste-chaude.com,
☑ ⚘ ⵣ t.l.j. sf dim. 8h-12h 13h-18h 🎪 ❹
☛ Marianne Fues

CH. COURAC Laudun 2012 ★★

	80 000	∎	5 à 8 €

Frédéric Arnaud est fidèle au rendez-vous du Guide. Il signe avec son Ch. Courac 2012 un vin plus robuste qu'à l'accoutumée, et il faudra un peu de patience pour l'apprécier pleinement (de deux à quatre ans). La palette aromatique a une dominante fruitée (cassis, cerise) agrémentée d'une touche réglissée qui persiste jusqu'en finale. En bouche, les tanins sont bien présents mais élégants, et confèrent beaucoup de volume à ce laudun de caractère. Le **Dom. Quart du roi 2012 rouge Laudun (30 000 b.)** sera à boire un peu plus tôt. Son caractère fruité bien prononcé et son équilibre en bouche lui donnent un « port royal ». Il décroche une étoile, comme le **Mas Arnaud 2012 rouge Laudun (30 000 b.)**, dans un style proche, fruité et harmonieux.

☛ SCEA Frédéric Arnaud, Ch. Courac, chem. de Courac, 30330 Tresques, tél. 04 66 82 90 51, fax 04 66 82 94 27, chateaucourac@orange.fr, ☑ ⵣ r.-v.

CH. LA COURANÇONNE Plan de Dieu Gratitude 2011 ★

	20 000	∎	5 à 8 €

Ce domaine régulier en qualité propose un joli trio de *villages*. Ce Plan de Dieu, assemblage équilibré de grenache, de syrah et de mourvèdre, dévoile des parfums intenses d'épices, de fruits noirs et rouges confiturés, et de thym. La bouche, dans le prolongement du nez, se révèle ronde, riche, ample et bien structurée. Un vin gourmand, à boire dans les deux ans sur une viande en sauce. Le **Séguret 2011 rouge La Fiole du chevalier d'Elbène (8 à 11 € ; 13 000 b.)**, un peu sauvage à l'olfaction (cuir, notes animales), plus fin avec un bon volume en bouche, obtient une étoile, de même que le **Séguret 2011 blanc La Fiole du Chevalier d'Elbène (8 à 11 € ; 8 000 b.)**, aromatique (abricot, fleurs blanches) et équilibré entre gras et vivacité.

☛ EARL Ch. la Courançonne, 3618, rte de Cairanne, 84150 Violès, tél. 04 90 70 92 16, fax 04 90 70 90 54, info@lacouranconne.com,
☑ ⵣ t.l.j. 9h-12h30 14h-17h30; sam. dim. sur r.-v.
☛ Meffre

DOM. DE DIEUMERCY Plan de Dieu 2012 ★★

	80 000	∎	5 à 8 €

Issu de grenache, de syrah et de mourvèdre, ce 2012 livre des parfums intenses de fruits noirs, d'épices douces et de garrigue. Une tonalité méridionale bien typée que l'on retrouve dans une bouche fraîche en attaque, plus suave et ronde dans son développement, charpentée par des tanins de qualité. Un vin équilibré et long, à découvrir dans les trois ans à venir. Assemblage de grenache et de syrah, le **Dom. Camvaillan 2012 rouge (moins de 5 € ; 80 000 b.)**, expressif (fruits, épices) et bien structuré, est cité.

☛ Dom. Jack Meffre et Fils, Le Village, 84190 Gigondas, tél. 04 90 70 94 90, fax 09 57 45 68 27, hmeffre@outlook.com, ☑ ⚘ ⵣ r.-v.

Ⓑ DOM. DE DIONYSOS Cairanne La Cigalette 2011 ★

	40 000	∎	5 à 8 €

Installé depuis 2011, Benjamin Farjon est l'héritier d'une longue lignée dont la présence à Uchaux remonte à 1720. Il signe à partir du grenache (50 %), de la syrah, du mourvèdre et du carignan, une cuvée harmonieuse qui s'ouvre à l'olfaction sur des notes de fruits rouges un rien acidulés. En bouche, le vin se montre bien équilibré entre puissance et élégance. Ses tanins présents mais fins sont le gage d'un bon vieillissement de trois ou quatre ans.

☛ Dom. de Dionysos, 55, impasse de la Cave, Les Farjon, 84100 Uchaux, tél. 04 90 40 60 33, benjamin.farjon@domainededionysos.com,
☑ ⚘ ⵣ t.l.j. sf dim. 9h-12h 14h-18h

DOM. LIONEL DUPLESSIS Plan de Dieu Distinguo 2011 ★★

	5 000	⊞	15 à 20 €

Ancien sommelier en restauration haut de gamme, Lionel Duplessis a créé en 1999 ce domaine de 22 ha situé face aux Dentelles de Montmirail. Il signe un assemblage mi-syrah mi-grenache qui a fait forte impression. Vinifié intégralement en fût ouvert de 500 l pendant trois semaines puis élevé dix-huit mois en barrique, ce vin se

RHÔNE

présente dans une élégante robe rouge foncé, le nez empreint d'intenses senteurs boisées, complexes, fruitées et épicées ; un dégustateur y perçoit aussi une note originale de pâtisserie orientale et des parfums plus classiques de garrigue. Le palais se révèle riche et ample, tapissé par des tanins doux et soyeux qui lui donnent beaucoup d'élégance, de la tenue et un bon potentiel de garde (quatre ou cinq ans).

☛ Dom. Lionel Duplessis, 271, chem. du Haut-Débat, 84150 Jonquières, tél. 04 90 70 55 00, domaine-duplessis@wanadoo.fr,
☑ **⚔ ⏹** t.l.j. 9h-12h30 13h-19h

ROMAIN DUVERNAY Séguret 2010 ★

⬛	10 500	▬	- de 5 €

Cette marque de négoce créée en 2009 est très régulière en qualité. Elle propose un Séguret à forte dominante de grenache (80 %), syrah et mourvèdre en appoint. Le cépage confère au bouquet des parfums gourmands de fruits rouges et noirs confiturés, relayés par un palais rond et doux aux tanins fins et enrobés. Une bouteille harmonieuse, à apprécier sans trop attendre.

☛ Duvernay Vins Millésimés, 1, rue de la Nouvelle-Poste, BP 25, 84231 Châteauneuf-du-Pape Cedex, tél. 04 90 83 71 88, fax 04 90 83 70 72, dvm.duvernay@wanadoo.fr, ☑ ⏹ r.-v.

DOM. DE L'ÉCHEVIN Saint-Maurice Guillaume de Rouville 2011 ★

⬛	n.c.	◫	11 à 15 €

Sorti de la cave coopérative depuis 2001, ce domaine a engagé la conversion à l'agriculture biologique de ses 15 ha de vignes. Il met en avant la syrah (90 %) dans cette cuvée sombre aux reflets violets et au nez bien typé de violette et de Zan, ample et fraîche en bouche. Une bouteille déjà agréable, que l'on pourra aussi attendre deux ou trois ans. La cuvée **Échevin 2011 rouge** (8 à 11 € ; 10 000 b.) empyreumatique, épicée et d'un bon volume, est citée.

☛ François et Adrien Fabre, 199, chem. des Bourdeaux, 84820 Visan, tél. 04 90 41 90 72, fax 04 90 12 02 85, contact@domainedelechevin.com, ☑ **⚔ ⏹** r.-v.

DOM. DES ESCARAVAILLES Cairanne Le Ventabren 2011 ★

⬛	30 000	▬	8 à 11 €

La propriété fut achetée en 1953 par Jean-Louis Ferran, puis défrichée et plantée par ses fils Jean-Pierre et Daniel aujourd'hui rejoints par Gilles, le fils de ce dernier. Valeur sûre de l'appellation, elle revient avec un *villages* né de grenache, de syrah et de carignan qui a séduit d'emblée les dégustateurs par ses parfums intenses de petits fruits noirs, d'épices (cardamome) et de cuir. Le charme continue d'opérer dans une bouche ample, généreuse et fruitée, aux tanins doux et soyeux, et à la finale chaleureuse. À déguster dans les deux ans, sur un osso-bucco.

☛ SCEA du Dom. des Escaravailles, Ferran et Fils, 84110 Rasteau, tél. 04 90 46 14 20, fax 04 90 46 11 45, domaine.escaravailles@rasteau.fr, ☑ **⚔ ⏹** r.-v.

DOM. LES ESCHAFFINS Cairanne 2011

⬛	40 000	▬	8 à 11 €

Un nouveau nom dans le Guide avec ce domaine sorti de la coopérative en 2011. Patrick Berthelot a confié à Yves Cheron, propriétaire du domaine du Grand Montmirail à Gigondas, la vinification et la commercia-

lisation de ce premier millésime en cave particulière. Ce dernier signe à partir du grenache (75 %) et de la syrah un vin chaleureux à l'olfaction, sur les fruits noirs bien mûrs, tout aussi généreux en bouche, soyeux et d'une bonne longueur. À boire dans l'année.

NOUVEAU PRODUCTEUR

☛ Dom. des Eschaffins, Sema, rte de Gigondas, 84190 Vacqueyras, tél. 04 90 65 85 91, fax 04 90 65 89 23
☑ **⚔ ⏹** t.l.j. sf sam. dim. 8h-12h 14h-18h; f. août

FERME SAINT-ANTONIN Plan de Dieu 2010 ★

⬛	7 500	▬	5 à 8 €

Ancien président de cave coopérative, Jean-Pierre Allemand s'est installé en 2006 comme vigneron indépendant et il exploite aujourd'hui un domaine de 35 ha. Il a sélectionné 3,5 ha de grenache, de mourvèdre et de syrah pour élaborer ce vin d'un beau rouge profond, bouqueté autour des fruits mûrs et des épices, rond et long en bouche, avec une trame tannique d'une élégante finesse en soutien. À boire dans les deux ou trois ans à venir.

☛ Jean-Pierre Allemand, Ferme Saint-Antonin, chem. des Chèvres, 84150 Jonquières, tél. et fax 04 90 70 30 71, crescendo.vins@orange.fr, ☑ ⏹ r.-v.

DOM. LA FLORANE Visan 2011 ★

⬛	15 000	▬◫	8 à 11 €

Plantés sur un vignoble situé en haut de coteau, à une altitude comprise entre 300 et 400 m, conduit en bio (conversion en cours), les ceps de grenache accompagnés ici d'un soupçon de syrah et de carignan ont donné naissance à ce vin grenat intense au nez franc de fruits rouges, ample, fin et soyeux en bouche, structuré sans dureté. Ce *villages* joue la carte de l'élégance ; il plaira sur un rôti de veau aux champignons, et ce dès l'automne et pour les deux ans à venir. Le **Visan rosé 2012 À fleur de pampre** (5 à 8 € ; 20 000 b.) frais et dense, long et aromatique (bonbon anglais, abricot, agrumes), obtient une étoile également.

☛ François et Adrien Fabre, 199, chem. des Bourdeaux, 84820 Visan, tél. 04 90 41 90 72, fax 04 90 12 02 85, contact@domainelaflorane.com, ☑ **⚔ ⏹** r.-v.

Ⓑ DOM. LA FOURMENTE Visan Garrigues 2011 ★

⬛	20 000	▬	11 à 15 €

Ce domaine de 40 ha conduit en biodynamie propose un vin de pur grenache paré d'une robe sombre aux reflets violets. Le nez, complexe et intense, mêle des senteurs de garrigue, d'épices, de fruits mûrs et de fumé. La bouche y ajoute une touche fraîche de Zan et séduit par son volume, sa générosité et ses tanins fins et fondus. Plus sévère, la note rappelle toutefois une garde de un à trois ans. Le **Visan Native 2011 rouge** (8 à 11 € ; 40 000 b.) fruité, un peu sauvage et bien structuré, est cité.

☛ Rémi Pouizin, 3030, rte de Bouchet, 84820 Visan, tél. 04 90 41 91 87, info@domainelafourmente.com, ☑ **⚔ ⏹** t.l.j. 9h-12h 14h-18h; sam. dim. sur r.-v.

GAYÈRE Cairanne Galante 2011 ★

⬛	7 000	▬	8 à 11 €

Le chêne multiséculaire qui trône à l'entrée du domaine a vu passer cinq générations de Plantevin sous sa frondaison. Installée en 1902, la famille fête ainsi son 110e millésime avec ce 2011. Un vin mi-grenache mi-mourvèdre à la robe rouge profond et au nez intense de fruits noirs et d'épices. Après une attaque fraîche et tonique, la bouche se révèle plus chaleureuse, adossée à de solides tanins qui demanderont deux ou trois ans de garde pour s'affiner. Quant au **Cairanne Villa Romana 2010 rouge (7 000 b.)**, suave, généreux et équilibré par une agréable fraîcheur, il est cité.

🍷 Dom. de la Gayère, Les Garrigues, 84290 Cairanne, tél. et fax 04 90 30 83 34, plantevin.christele@wanadoo.fr, ☑ ⚔ ⏲ r.-v.

Ⓑ DOM. GRANDE BELLANE Valréas
Cuvée Tradition 2012

| | 90 000 | ■ | 5 à 8 € |

Ce domaine en altitude (400 m) propose un Valréas qui fait une large place à la syrah (80 % aux côtes du grenache). Sur la réserve, le nez livre après aération des notes de fruits noirs et d'épices prolongées par une bouche douce et souple. À boire dans l'année.

🍷 Dom. de la Grande Bellane, EARL Gaïa, 84600 Valréas, tél. 04 75 98 01 82, fax 04 75 98 39 09, contact@domaine-grande-bellane.com, ☑ ⏲ t.l.j. sf sam. dim. 9h-12h 14h-18h
🍷 Damien Marres

DOM. LE GRAND RETOUR Plan de Dieu
L'Excellence 2011 ★

| | 50 000 | ■ | 5 à 8 € |

L'objectif affiché par les trois frères Aubert : concentration, gras et volume pour des vins qui doivent être le reflet de ce beau terroir du Plan de Dieu où, ont-ils coutume de dire, « la vigne boit du soleil et les raisins se nourrissent de pierres ». Une bien jolie formule, que cette cuvée, produite uniquement dans les millésimes qui le méritent, peut sans nul doute revendiquer. De fait, les fruits cuits relevés de poivre gris donnent le ton de la dégustation. La note est tenue dans une bouche onctueuse, riche et soyeuse. Les plus gourmands déboucheront cette bouteille dès l'automne, sur un sauté d'agneau aux épices douces par exemple ; les plus patients pourront attendre deux ou trois ans pour de nouvelles sensations.

🍷 Dom. Le Grand Retour, RD23 , Plan-de-Dieu, 84850 Travaillan, tél. 04 90 70 90 16, fax 04 90 70 95 94, legrandretour@wanadoo.fr, ☑ ⏲ r.-v.

Ⓑ DOM. LES GRANDS BOIS Cairanne
Cuvée Éloïse 2011 ★★

| | 9 000 | ⏹ | 8 à 11 € |

Cette cuvée Éloïse obtint un coup de cœur pour le millésime 2009. Pas de carignan dans la version 2011, contrairement à son aînée, mais plutôt le trio classique grenache-mourvèdre-syrah. Le vin est certes un peu moins complexe et abouti, mais remarquable tout de même, notamment par son équilibre. Au nez, un boisé élégant se marie harmonieusement aux parfums de fruits rouges et aux épices. Soutenue par des tanins fins et élégants, la bouche se montre chaleureuse, mais jamais lourde, et tapissée de notes de merrain bien fondu, de fruits à l'alcool et de poivre, qui font écho à l'olfaction. À déguster sans attendre, sur un plat relevé, une pastilla de pigeon par exemple.

🍷 Dom. les Grands Bois, 55, av. Jean-Jaurès, 84290 Sainte-Cécile-les-Vignes, tél. 04 90 30 81 86, fax 04 90 30 87 94, mbesnardeau@grands-bois.com, ☑ ⚔ ⏲ t.l.j. sf dim. 9h-12h 14h-18h30

DOM. DE GRANGENEUVE Esprit de grenache 2011 ★★

| | 30 000 | ■ | 8 à 11 € |

Plus connu des lecteurs pour ses grignan-les-adhémar (le Terre d'épices 2010 rouge fut d'ailleurs coup de cœur l'an dernier), ce domaine signe un *villages* brillant, au propre comme au figuré. Derrière une robe rouge éclatant se dévoile en effet un bouquet intense et frais de fruits rouges mâtiné d'épices et de réglisse. Le palais suit la même ligne aromatique et emporte l'adhésion par sa souplesse, sa générosité et son équilibre. Un vin harmonieux, à déguster dès aujourd'hui sur un sauté de bœuf aux fines herbes.

🍷 Dom. de Grangeneuve, D 252, 26230 Roussas, tél. 04 75 98 50 22, fax 04 75 98 51 09, domaines.bour@wanadoo.fr, ☑ ⚔ ⏲ t.l.j. 9h-12h30 14h-19h
🍷 Famille Bour

CAVE LE GRAVILLAS Plan de Dieu 2011

| | 120 000 | ■ | 5 à 8 € |

Cette coopérative fondée en 1935 propose un Plan de Dieu à forte dominante de grenache (80 %), avec la syrah en appoint, qui délivre des parfums généreux de fruits noirs mûrs agrémentés d'une touche végétale. On retrouve ces sensations dans une bouche ronde, de bonne concentration, aux tanins fondus. À boire dès l'automne.

🍷 Cave le Gravillas, chem. de la Diffre, 84110 Sablet, tél. 04 90 46 90 20, fax 04 90 46 96 71, cave.gravillas@wanadoo.fr, ☑ ⚔ ⏲ t.l.j. 8h-12h 14h-18h30

DOM. DE LA JANASSE Terre d'argile 2011

| | 30 000 | ■⏹ | 11 à 15 € |

Ce domaine régulièrement sélectionné pour ses châteauneuf-du-pape s'illustre aussi avec ses *villages* et, notamment, cette Terre d'argile issue de grenache, de syrah et de mourvèdre assemblés par tiers. Cela donne un vin rond, gourmand, fruité et boisé avec discernement. À ouvrir dans les deux ans sur un magret de canard.

🍷 Dom. de la Janasse, 27, chem. du Moulin, 84350 Courthézon, tél. 04 90 70 86 29, fax 04 90 70 75 93, lajanasse@gmail.com, ☑ ⚔ ⏲ r.-v.

Ⓑ DOM. DU JAS Visan 2011

| | 10 000 | ⏹ | 11 à 15 € |

Cette ancienne propriété des seigneurs du château de Suze-la-Rousse est dans la famille Pradelle depuis 1874. Elle propose ici un Visan, assemblage classique de grenache (75 %) et de syrah élevé quinze mois en fût, de couleur rouge vif, joliment bouqueté autour de la fraise des bois et du cassis confituré. On retrouve ces mêmes arômes, agrémentés des nuances cacaotées de la barrique, dans une bouche équilibrée, ronde et soyeuse. À boire dans les deux ans.

🍷 Hubert et Pierre Pradelle, Dom. du Jas, 2935, rte de Baume, 26790 Suze-la-Rousse, tél. 04 75 98 23 20, domainedujas@club-internet.fr, ☑ ⚔ ⏲ t.l.j. 10h-12h30 14h-19h; dim. sur r.-v.

RHONE

JASOUN Vieilli en fût de chêne 2011 ★

■ 10 000 5 à 8 €

Placée sous le signe du *jasoun* (transcription provençale du jason, un papillon que l'on rencontre fréquemment dans le Vaucluse), cette cuvée de la coopérative de Sérignan-du-Comtat évoque les fruits à l'alcool et le boisé grillé. La bouche dévoile un support tannique sans dureté et enrobé par une chair fine et soyeuse. À boire dès l'automne ou à attendre deux ou trois ans pour obtenir un boisé plus fondu.

Les Coteaux du Rhône, BP 7, 84830 Sérignan-du-Comtat, tél. 04 90 70 04 22, fax 04 90 70 09 23, coteau.rhone@orange.fr, t.l.j. sf dim. 8h30-12h30 14h-19h

VIGNERONS LAUDUN-CHUSCLAN Laudun Les Fontinelles 2012 ★

■ 25 000 5 à 8 €

Cette importante cave coopérative (deux cent cinquante vignerons, 3 000 ha) propose avec ces Fontinelles un vin expressif, sur les fruits mûrs agrémentés de nuances florales, dense, bien structuré et frais. Le **Chusclan Les Marians 2012 rosé (175 000 b.)**, fruité et bien équilibré, avec ce qu'il faut de fraîcheur pour apaiser sa vinosité, est cité.

Laudun Chusclan Vignerons, rte d'Orsan, 30200 Chusclan, tél. 04 66 90 11 03, fax 04 66 90 16 52, contact@lc-v.com, t.l.j. 9h-12h 14h-18h30

DOM. DES LAURIBERT Visan Les Truffières 2011 ★

■ 36 000 5 à 8 €

Enracinés sur une parcelle autrefois plantée de chênes truffiers, les ceps de syrah (80 %) et de grenache ont redonné naissance à un autre « diamant noir » : un 2011 intensément fruité à dominante de cassis et de fraise, tout aussi généreusement fruité en bouche, bien équilibré et soutenu par des tanins fins et fondus. À boire dans les trois ans à venir. Cité, le **Visan 2011 rouge Le Boiselier (8 000 b.)** tire son nom du petit rabot de forme arrondie permettant de réaliser le sillon dans le merrain du tonneau pour y emboîter le couvercle. Un vin partiellement élevé en fût donc et, pourtant, bien fruité, élégant, harmonieux et prêt à boire.

Dom. des Lauribert, 2249, chem. de Roussillac, 84820 Visan, tél. 04 90 35 26 82, fax 04 90 37 40 98, contact@lauribert.com, t.l.j. 8h30-12h 14h-18h30

Sourdon

LAVAU 2011 ★★

■ 8 000 5 à 8 €

Cette famille d'origine saint-émilionnaise s'est installée au cours des années 1960 dans la vallée du Rhône où elle a développé une solide structure de négoce qui collabore avec pas moins de trois cents vignerons. Elle a vinifié à partir du grenache et de la syrah, associés à parts égales, un *villages* très apprécié pour sa robe sombre et profonde, pour son bouquet ouvert de fruits mûrs, d'épices et de garrigue, et pour sa bouche ample, ronde et généreuse, vivifiée par une finale minérale. La cuvée **Le Carré 2010 rouge (15 à 20 € ; 17 000 b.)** épicée, fruitée et réglissée à l'olfaction, soyeuse et fondue en bouche, obtient une étoile.

Lavau, rte de Cairanne, 84150 Violès, tél. 04 90 70 98 70, fax 04 90 70 98 79, caveau@lavau.fr, t.l.j. sf dim. 10h-13h 14h-19h

CH. DE MARJOLET Laudun Cuvée Tradition 2011 ★★

■ 35 000 5 à 8 €

Des ceps de grenache (60 %) et de syrah âgés de vingt ans enracinés sur un terroir de galets roulés sont à l'origine de ce vin rouge limpide et brillant. Le nez évoque les fruits noirs frais et les épices. La bouche, ample et longue, y ajoute la réglisse et des senteurs de garrigue qui enrobent de fins tanins. Une bouteille fort harmonieuse, à déboucher dans les deux ans sur un poulet basquaise.

Laurent Pontaud, Ch. de Marjolet, 30330 Gaujac, tél. 04 66 82 00 93, fax 04 66 82 92 58, chateau.marjolet@wanadoo.fr, t.l.j. sf dim. 9h-12h 14h-18h

♥ **MAS DE SAINTE-CROIX** Tendresse d'un climat 2011 ★★

■ 15 000 5 à 8 €

Ce domaine, jadis propriété d'un chapelain, doit son nom à une croix de bronze qui orne aujourd'hui le pignon est de la bâtisse. Depuis 2002, la famille Coipel est aux commandes, et Julien, fils de Jacques et œnologue, a pris la conduite des vinifications voici deux ans. À la recherche d'un vin tendre et généreux, il a associé 60 % de grenache à la syrah et élevé son vin en cuve pendant douze mois. Le résultat ? Un *villages* des plus harmonieux, finement fruité (fruits des bois) et frais à l'olfaction. Tout en fruit, la bouche se révèle ample, dense et délicate à la fois, soulignée par une élégante fraîcheur et par un grain de tanins fin et fondu. Déjà très aimable, ce 2011 pourra aussi rester deux ou trois ans en cave avant d'accompagner un pavé de bœuf aux herbes. Dans un style plus massif et gras (grenache et mourvèdre), le **Valréas 2011 rouge Passion d'une terre (8 à 11 € ; 10 000 b.)** obtient deux étoiles également. On lui réservera une viande rouge en sauce, dans deux ou trois ans.

Mas de Sainte-Croix, SCEA Jacques Coipel, rte de Vinsobres, 84600 Valréas, tél. 04 90 35 54 53, fax 04 90 35 62 37, jacquescoipel@aol.com, t.l.j. sf dim. 14h-19h

CH. MAUCOIL 1895 Vieilles Vignes 2011 ★

■ 2 400 11 à 15 €

La petite parcelle de 1 ha à l'origine de ce vin a été plantée en 1895. Si les vignes sur certaines étiquettes n'ont de vieux que le nom, la mention ici n'est pas usurpée vu l'âge canonique de ces plants de grenache. Ils ont donné naissance à ce vin apprécié pour son bouquet de pruneau, de kirsch et d'épices, et pour sa bouche ronde et soyeuse portée par des tanins élégants. Une bouteille harmonieuse, que les Bonnet, apparemment fins gourmets, conseillent de servir sur un gigot d'agneau accompagné d'une sauce réduite et son ail en chemise sur dôme d'épeautre.

🐀 Ch. Maucoil, chem. de Maucoil, 84100 Orange, tél. 04 90 34 14 86, fax 04 90 34 71 88, bbonnet@maucoil.com,

☑ 🍴 🍷 t.l.j. 9h-12h 14h-18h; f. sam. dim. en jan.-fév.

🐀 Bénédicte et Charles Bonnet

GABRIEL MEFFRE Séguret Les Cabassières 2011 ★

	25 000		5 à 8 €

L'incontournable maison Meffre signe un Séguret issu de grenache (55 %) et de syrah et paré d'une élégante robe dense, rouge sombre. Du verre s'échappent des parfums soutenus de fruits très mûrs, presque confits, et de poivre ainsi que quelques notes animales. Douce et ronde dès l'attaque, la bouche évolue dans le même registre généreux, étayée par des tanins bien accrochés voire un peu accrocheurs en finale. Une petite garde d'un an ou deux mettra tout cela en place, et les viandes rouges en sauce trouveront là un bon allié. Cité, le **Plan de Dieu Solis Terra 2012 rouge (8 à 11 € ; 150 000 b.)** ferme, frais et fruité, pourra quant à lui s'apprécier dès l'automne.

🐀 Gabriel Meffre, Le Village, 84190 Gigondas, tél. 04 90 12 32 42, fax 04 90 12 32 49, gabriel-meffre@meffre.com

🐀 Éric Brousse

CH. DE MONTPLAISIR Valréas 2011

	15 000	📋	5 à 8 €

Tourné vers le bio depuis 2009 (conversion en cours), ce domaine propose une cuvée à dominante de grenache (70 %), avec la syrah en complément. Au nez, les fruits noirs mûrs et les épices font bon ménage. En bouche, les tanins sont policés et le fruit bien présent. L'ensemble est cohérent et prêt à boire, sur des côtes de porc grillées accompagnées d'une ratatouille, par exemple.

🐀 Henry Davin, Dom. de la Prévosse, 84600 Valréas, tél. 04 90 35 67 13, fax 04 90 35 61 81, laprevosse@sfr.fr,

☑ 🍴 🍷 t.l.j. sf dim. 9h-12h 14h-18h

DOM. MOUN PANTAÏ Grande Garrigue 2011 ★★

	5 000	📋	8 à 11 €

Moun Pantaï ? « Mon rêve » en provençal, celui de Frédéric Penne, qui a créé sa cave de vinification au début des années 1990 sur le domaine familial. Né sur une parcelle de garrigue complantée de grenache (80 %) et de mourvèdre, ce 2011 séduit d'emblée par sa robe sombre et profonde, et par son bouquet puissant de fruits noirs (cassis, mûre), d'épices et de sous-bois. En bouche, le grenache confère une rondeur et une générosité des plus flatteuses, et le mourvèdre, une structure élégante qui porte loin la finale. Un *villages* déjà aimable, mais armé aussi pour bien vieillir les trois prochaines années.

🐀 Frédéric Penne, Dom. Moun Pantaï, 156, imp. Gaston-Quenin, 84290 Sainte-Cécile-les-Vignes, tél. 06 25 41 19 62, fax 04 90 30 81 01, frederic-penne@wanadoo.fr, ☑ 🍴 🍷 r.-v.

DOM. DE MOURCHON Séguret Grande Réserve 2011 ★

	26 000	📋🍷	15 à 20 €

Cherchant un petit bout de terre rhodanienne où s'établir, l'Écossais Walter McKinlay et son épouse Ron-

nie jettent leur dévolu sur ce vignoble de 17 ha planté en contrebas des pentes du mont Ventoux. Ils s'y installent en 1998, créent maison et caveau : le domaine de Mourchon est sur les rails. Ils proposent ici un assemblage classique 60 % grenache 40 % syrah qui ne cache pas ses dix mois passés en barrique, offrant au nez d'intenses senteurs boisées et épicées. La bouche, dans le même registre, est bâtie sur un boisé intense et sur des tanins sans dureté. On peut attendre cette bouteille deux ou trois ans pour obtenir un meilleur fondu ou l'apprécier dès à présent sur une viande rouge grillée au feu de bois.

🐀 Dom. de Mourchon, La Grande-Montagne, 84110 Séguret, tél. 04 90 46 70 30, fax 04 90 46 70 31, info@domainedemourchon.com,

☑ 🍴 🍷 t.l.j. sf dim. 8h-12h 14h-18h 🏠 ⓔ

🐀 Walter McKinlay

💛 DOM. DE L'OLIVIER 2011 ★★

	30 000	🍷	5 à 8 €

Cela fait soixante-dix ans cette année que ce domaine autrefois complanté d'oliviers a été créé par la famille Bastide. Depuis 1977, Éric est aux commandes, rejoint en 2012 par son fils Robin. Voici le vin tout trouvé pour fêter dignement l'anniversaire de la propriété. Assemblage à parts égales de grenache et de syrah, il délivre des parfums intenses et élégants de fruits rouges et noirs, et de réglisse pimentée d'épices douces. Une générosité aromatique qui confère aussi tout son charme à un palais souple, chaleureux, long et boisé avec mesure. Ce vin respire le soleil et donne envie de humer les braises du barbecue et le fumet d'une côte de bœuf qui y grésille... Les amateurs de vins boisés pourront se tourner vers la cuvée **Orée du bois 2011 rouge (8 à 11 € ; 5 000 b.)**, citée.

🐀 Éric Bastide, EARL Dom. de l'Olivier, 1, rue de la Clastre, 30210 Saint-Hilaire-d'Ozilhan, tél. 04 66 37 08 04, fax 04 66 37 00 46, eric.bastide@wanadoo.fr,

☑ 🍴 🍷 t.l.j. sf dim. 9h-12h 14h-19h

💛 Ⓑ DOM. ORATOIRE SAINT-MARTIN Cairanne Haut-Coustias 2011 ★★

	10 000	🍷	15 à 20 €

Dix générations de vignerons se sont succédé sur ce domaine ancien (1692) ; un savoir-faire ancestral que les Alary perpétuent avec un talent certain, à preuve les nombreux coups de cœur décernés par les dégustateurs du Guide. Ce Haut-Coustias à dominante de mourvèdre (60 %) ajoute une ligne à leur palmarès. Ses arguments ? Une robe élégante, grenat intense ; un nez complexe d'épices douces, de fumée, de torréfaction, de réglisse et de fruits cuits ; une bouche riche, ample et très longue, portée par des tanins doux et ronds. Une bouteille d'un grand équilibre, à découvrir dans les quatre ou cinq prochaines années sur un civet de lièvre à la royale. De

moyenne garde, le **Cairanne 2011 rouge Les Douyes** (10 000 b.) issu de grenache (60 %) et de mourvèdre, est un vin gras, onctueux et généreux, boisé avec mesure. Il obtient lui aussi deux étoiles.

☛ Frédéric et François Alary,
Dom. de l'Oratoire Saint-Martin,
rte de Saint-Roman-de-Malegarde, 84290 Cairanne,
tél. 04 90 30 82 07, contact@oratoiresaintmartin.com,
☑ ⊺ t.l.j. sf dim. 9h-12h 14h-18h30

DOM. PASSION DES DAMES Plan de Dieu 2011 ★

| ■ | n.c. | ■ | - de 5 € |

Cette cuvée de négoce associe grenache, syrah et mourvèdre. La robe, élégante, arbore un beau rouge profond animé de reflets violines. Le bouquet se révèle puissant et ouvert sur les fruits rouges à maturité. Offrant du volume et de la douceur, la bouche est soulignée par des tanins bien présents mais fondus et délicats, ce qui lui confère un côté velouté. À boire dans les deux ou trois ans sur une viande mijotée.

☛ Les Grandes Serres, rte de L'Islon-Saint-Luc,
84230 Châteauneuf-du-Pape, tél. 04 90 83 72 22,
fax 04 90 83 78 77, samuel.montgermont@m-p.fr,
☑ ⊺ t.l.j. sf sam. dim. 8h-12h 13h30-17h

DOM. PÉLAQUIÉ Laudun 2011 ★

| ■ | 500 000 | ■ | 5 à 8 € |

Ce domaine familial ancien (XVIᵉ s.) étend son vignoble sur 85 ha et quatre appellations. Il consacre 20 ha à ce Laudun issu de grenache et de syrah à parts égales, complété de mourvèdre (20 %) en complément. Au nez, les fruits confits se mêlent à des notes poivrées. La bouche est souple, ronde et chaleureuse. Un vin bien dans le ton de l'AOC. À déguster dans les deux ans sur un gigot d'agneau. Assemblage de six cépages, le **Laudun 2012 blanc (8 à 11 € ; 60 000 b.)**, gras, rond et floral, obtient également une étoile. On le servira sur un poisson en sauce.

☛ Luc Pélaquié, 7, rue du Vernet,
30290 Saint-Victor-la-Coste, tél. 04 66 50 06 04,
fax 04 66 50 33 32, contact@domaine-pelaquie.com,
☑ ⊺ t.l.j. sf dim. 9h-12h 14h-18h

FAMILLE PERRIN Cairanne Peyre blanche 2011 ★★

| ■ | 40 000 | ■ | 8 à 11 € |

La famille Perrin possède le château de Beaucastel depuis 1909 et cinq générations. Elle signe un Cairanne issu de grenache et de syrah, qui fait belle impression par sa robe rouge grenat aux reflets vifs. Au nez, les fruits rouges à l'alcool se mêlent à des senteurs d'épices et de violette. Un bouquet classique qui trouve écho dans une bouche ample et longue, structurée par des tanins soyeux

et fondus. Dès l'automne et durant les deux années à venir, cette bouteille fera un bon compagnon pour un plat en sauce, une estouffade de bœuf aux olives par exemple.

☛ Famille Perrin, Ch. de Beaucastel, 84350 Courthézon,
tél. 04 90 11 12 00, fax 04 90 11 12 19,
perrin@familleperrin.com, ☑ ⊀ ⊺ r.-v.

DOM. DU PETIT BARBARAS Tradition 2011 ★

| ■ | 15 000 | ■ ⚏ | 5 à 8 € |

Assemblage classique de grenache (80 %) et de syrah plantés sur un sol argilo-calcaire, ce 2011 déploie des parfums intenses et bien mariés de fruits, d'épices et de tabac. La bouche, ample et délicate, offre un même équilibre entre un boisé fondu aux accents cacaotés et un fruité rehaussé d'épices, le tout étayé de tanins fins et doux. Un *villages* tendre et raffiné, à déguster dans les deux ans sur un sauté d'agneau aux épices douces.

☛ SCEA Feschet, 350, quartier Barbaras, 26790 Bouchet,
tél. 04 75 04 80 02 ☑ ⊀ ⊺ t.l.j. sf dim. 9h-12h 14h-18h

MAISON PLANTEVIN Plan de Dieu
Le Vieux Couillon 2011 ★★

| ■ | 2 000 | ■ | 8 à 11 € |

Le Vieux Couillon ? Nous n'avons pas l'explication, mais cette cuvée, à l'évidence, ne prend pas l'œnophile pour un imbécile. Assemblage mi-grenache mi-syrah, elle dévoile un bouquet corsé et chaleureux de fruits à l'eau-de-vie et d'épices, prélude à un palais non moins intense et puissant, suave en attaque et long en finale. Une bouteille de caractère, à sortir de la cave après trois à cinq ans de repos. Dans un style proche, dense, généreux et charpenté, le **Séguret 2011 rouge (3 500 b.)**, issu à parts égales de grenache, de carignan et de mourvèdre, obtient une étoile. On lui accordera le même temps de garde que le Plan de Dieu.

☛ Laurent Plantevin, Les Granges-Neuves, 84110 Séguret,
tél. 06 30 53 17 30, laurentplantevin@hotmail.fr,
☑ ⊀ ⊺ t.l.j. sf dim. 10h-18h30 🏠 ➋ 🏠 🄰

DOM. PHILIPPE PLANTEVIN 2010

| ■ | 8 800 | ⚏ | 5 à 8 € |

Grenache, syrah, mourvèdre et carignan composent cette cuvée. Derrière une robe grenat se dévoilent des parfums de fruits cuits, de pruneau et de sous-bois. Dans le prolongement du nez, la bouche se montre souple et finement tannique. À boire dès l'automne, sur une viande rouge grillée.

☛ Dom. Philippe Plantevin, La Daurelle,
chem. des Partides, 84290 Cairanne, tél. 04 90 30 71 05,
philippe-plantevin@wanadoo.fr, ☑ ⊀ ⊺ r.-v.

DOM. DE LA PRÉSIDENTE Cairanne
Grands Classiques 2011 ★

| ■ | 55 000 | ■ | 8 à 11 € |

Cette cuvée revendique le classicisme, à commencer par l'assemblage : grenache à 60 % et syrah à 30 %, le carignan en appoint. La robe est pourpre sombre, comme il se doit, le nez, généreux, sur les fruits mûrs, les épices et la garrigue, la bouche, intense, suave et réglissée. Du classique en effet, à boire dans les deux ans. Dans un style plus frais, le fruité et soyeux **Cairanne Patrick Galant 2011 rouge (55 000 b.)** obtient également une étoile.

☛ Dom. de la Présidente, rte de Cairanne, BP 1,
84290 Sainte-Cécile-les-Vignes, tél. 04 90 30 80 34,
fax 04 90 30 72 93, aubert@presidente.fr, ☑ ⊀ ⊺ r.-v.

DOM. DE LA RENJARDE Massif d'Uchaux 2011 ★

| | 60 000 | ∎ | 8 à 11 € |

Cinq cépages entrent dans la composition de cette cuvée, grenache (50 %) et syrah (30 %) en tête. Au nez, les fruits noirs (cassis, cerise noire) se mêlent à des notes truffées et épicées. Après une attaque souple et riche, le palais, qui renoue avec ces sensations aromatiques, est porté par des tanins encore jeunes mais de qualité, gage d'un bon vieillissement de deux ou trois ans.

☛ Dom. de la Renjarde, rte d'Uchaux,
84830 Sérignan-du-Comtat, tél. 04 90 83 70 11,
fax 04 90 83 79 69, contact@renjarde.fr,
☑ t.l.j. sf sam. dim. 9h-12h 14h-17h ⌂ ⊖
☛ Richard

DOM. RIGOT Plan de Dieu Volupté 2011 ★

| | 9 000 | ∎ | 8 à 11 € |

Joëlle Rigot conduit un domaine de 50 ha, dont 4,2 ha de grenache (80 %) et de syrah sont consacrés à ce Plan de Dieu en robe burlat et au nez ouvert et chaleureux, sur les fruits à l'alcool, la réglisse et les épices. La bouche, à l'unisson, généreuse et ronde, plaît par la souplesse et la finesse de ses tanins. L'ensemble est harmonieux, équilibré et prêt à boire.

☛ Dom. Rigot, 520 chem. des Routes-de-Malijay,
84150 Jonquières, tél. 04 90 37 25 19,
contact@domaine-rigot.fr,
☑ ⚟ ⟂ t.l.j. 9h-12h 15h-19h ⌂ ⊖

DOM. DE ROCHEMOND 2012

| | n.c. | ∎ | 8 à 11 € |

Grenache, syrah et carignan composent ce vin en robe carminée et au nez fruité et épicé, avec une touche de violette en appoint. La bouche suit la même ligne aromatique, portée par des tanins présents mais fins. Un *villages* bien construit, à boire dans les deux ans.

☛ EARL Philip Ladet, Cadignac-Sud, 30200 Sabran,
tél. 04 66 79 04 42, fax 04 66 39 20 06,
domaine-de-rochemond@wanadoo.fr,
☑ ⚟ ⟂ t.l.j. 9h-12h 13h-17h; sam. dim. sur r.-v.

DOM. DE LA ROUETTE Héritage 2011

| | 3 500 | ⊕ | 8 à 11 € |

Matthieu et Sébastien Guigue signent, à partir de la syrah (70 %) et du mourvèdre, un *villages* à la robe sombre et dense, au nez généreux mêlant les fruits gorgés de soleil, les épices et le bois de la barrique. Dans la continuité de l'olfaction, avec quelques nuances réglissées en plus, le palais affiche un bon volume souligné par des tanins souples. À boire dans les deux ans.

☛ Dom. de la Rouette, 2, Sous-le-Barri,
30650 Rochefort-du-Gard, tél. 04 90 31 79 39,
infodomainedelarouette@orange.fr,
☑ ⚟ ⟂ t.l.j. 9h30-12h 15h-19h
☛ Guigue

⊖ DOM. ROUGE GARANCE 2011 ★

| | 20 000 | ∎ ⊕ | 8 à 11 € |

Le duo Cortellini-Trintignant est fidèle au rendez-vous avec son Rouge Garance. La syrah (70 %) mène la danse dans ce 2011, accompagnée du grenache et du mourvèdre. Derrière une robe grenat, limpide et brillante, on découvre un bouquet intense de fruits rouges mûrs agrémentés de nuances vanillées et mentholées. La bou-

che se révèle fraîche, charnue et puissante, bâtie sur des tanins encore un peu fougueux en finale. On attendra deux ou trois ans pour apprécier pleinement ce vin de caractère.

☛ SCEA Dom. Rouge Garance, chem. de Massacan,
30210 Saint-Hilaire-d'Ozilhan, tél. 04 66 01 66 45,
fax 04 66 37 06 92, contact@rougegarance.com,
☑ ⚟ ⟂ t.l.j. sf dim. 9h-12h 14h-17h30
☛ Cortellini-Trintignant

DOM. SAINT-ANDÉOL Cairanne 2012 ★

| | 26 000 | ∎ | 8 à 11 € |

Jean-Jacques Beaumet est depuis 1988 à la tête de ce domaine familial de 37 ha situé sur les hauteurs de Cairanne. Il a sélectionné 5,3 ha de grenache et de syrah pour élaborer cette cuvée couleur rubis, ouverte sur les épices, les fruits noirs et le Zan, chaleureuse, ample et ronde en bouche. À boire dans les deux ans, sur une daube provençale.

☛ Beaumet et Fils, Dom. Saint-Andéol, 84290 Cairanne,
tél. 04 90 30 81 53, fax 04 90 30 88 94,
cave.beaumet@free.fr, ☑ ⟂ r.-v.

DOM. SAINTE-ANNE 2011 ★

| | 20 000 | ∎ | 5 à 8 € |

Cet ancien prieuré de la Chartreuse de Valbonne est la propriété des Steinmaier depuis 1965. Ces Bourguignons d'origine en ont fait l'un des piliers de l'appellation. Une seyante robe noir intense habille leur 2011 issu de 70 % de grenache et de 30 % de syrah. Les fruits noirs, la cerise à l'eau-de-vie, les épices et des nuances de cuir composent un bouquet puissant et complexe. Ample et fraîche en attaque, la bouche évolue sur des tanins souples et soyeux, et déroule une finale longue et chaleureuse. À déguster dans un an ou deux sur une épaule de veau farcie. La cuvée **Notre-Dame-des-Cellettes 2011 rouge (8 à 11 € ; 19 000 b.)** ajoute du mourvèdre dans son assemblage. Elle obtient la même note pour son fruité généreux et pour son palais velouté et harmonieux aux tanins fondus. À boire dans les deux ou trois années à venir.

☛ EARL Dom. Sainte-Anne, Les Cellettes,
30200 Saint-Gervais, tél. 04 66 82 77 41, fax 04 66 82 74 57,
domaine.ste.anne@orange.fr,
☑ ⚟ ⟂ t.l.j. sf sam. dim. 9h-11h 14h-18h
☛ Steinmaier

⊖ CH. SAINT-ESTÈVE D'UCHAUX Massif d'Uchaux Vieilles Vignes 2011 ★★

| | 9 000 | ∎ ⊕ | 15 à 20 € |

Des vignes de syrah (60 %) et de grenache âgées de quarante-cinq ans sont à l'origine de cette cuvée grenat soutenu au nez intense et élégant de cassis mâtiné d'épices. Souple en attaque, la bouche évolue sur des tanins d'une belle finesse, extraits avec délicatesse et mesure. Les arômes de l'olfaction sont au rendez-vous et se prolongent dans une finale persistante. Un vin remarquablement équilibré et doté d'un bon potentiel (trois ou quatre ans). Le **Massif d'Uchaux 2011 rouge Grande Réserve (8 à 11 € ; 53 000 b.)**, issu du même assemblage mais dans des proportions exactement inverses, obtient une étoile pour son intensité aromatique et pour sa bouche bien bâtie, sans dureté. À découvrir dans les deux ou trois ans.

☛ Ch. Saint-Estève d'Uchaux, 1100, rte de Sérignan, D 172,
84100 Uchaux, tél. 04 90 40 62 38, fax 04 90 40 63 49,
chateau.st.esteve@wanadoo.fr,
☑ ⚟ ⟂ t.l.j. sf dim. 10h-12h 15h-18h; f. sam. nov. jan.-fév.

RHÔNE

DOM. SAINT-ÉTIENNE Les Molières 2010 ★

	5 000	▥	11 à 15 €

Michel Coullomb a créé en 1988 ce domaine qui étend aujourd'hui ses vignes sur 40 ha. Cet ancien de l'INAO reste fidèle aux canons de l'appellation en sélectionnant une dominante de grenache (50 %) associé aux classiques syrah et mourvèdre pour élaborer cette cuvée née sur le plateau des Molières – dont les vins ont tant séduit Jean-Baptiste Poquelin qu'il en a fait son nom de scène. Du bois mais pas de maquillage ici, le fruit reste prioritaire, plutôt confituré, agrémenté d'une touche de cuir. La bouche est généreuse et bien structurée. Un bon potentiel de garde en perspective (deux ou trois ans) et une association prometteuse avec une bécasse à la broche. La cuvée **Cocagne 2011 rouge (15 à 20 € ; 1 440 b.)**, mi-grenache mi-syrah, bien fruitée à l'olfaction, à la fois tannique et veloutée en bouche, est promise elle aussi à bien vieillir : elle obtient la même note.

🏠 Dom. Saint-Étienne, chem. des Agaches, 30490 Montfrin, tél. 04 66 57 50 20, fax 04 66 57 22 78, domaine.st.etienne@orange.fr,
☑ ⚔ ⍾ t.l.j. sf dim. 9h-15h 15h-18h

DOM. SAINT-JULIEN DE L'EMBISQUE
Cuvée Prestige 2011 ★

	22 500		5 à 8 €

L'histoire vigneronne de la famille Gaïde a débuté dans le Médoc, du côté de Pauillac. Elle s'est poursuivie dans le Haut-Var et enfin dans la vallée du Rhône, à partir de 1972. Si les vinifications ont toujours eu lieu au domaine, la commercialisation des vins n'a été lancée qu'en 2011. Ici, un vin bien typé, au nez de fruits rouges et d'épices, souple et équilibré en bouche. À boire dans sa jeunesse, sur une grillade au feu de bois.

🏠 Thierry et Fabien Gaïde, 1791 rte de l'Embisque, 84500 Bollène, tél. 06 77 50 68 56,
domaine-st-julien@orange.fr, ☑ ⚔ ⍾ t.l.j. 10h-12h 14h-19h

CH. SAINT-MAURICE Laudun Les Grès 2012

	28 000		5 à 8 €

Les ceps de grenache, de syrah et de carignan à l'origine de ce vin ont été vendangés de nuit, la fraîcheur du fruit étant ainsi préservée. Paré d'une robe vive et jeune, ce 2012 livre de fait des parfums intenses de fruits rouges juste cueillis, rehaussés d'une pointe épicée. La bouche est à l'unisson, souple, tonique et fruitée. À boire... sur le fruit.

🏠 SCA Ch. Saint-Maurice, RN 580, 30290 Laudun, tél. 04 66 50 29 31, fax 04 66 50 40 91, chateau.saint.maurice@wanadoo.fr,
☑ ⚔ ⍾ t.l.j. sf sam. dim. 9h-12h 14h-18h
🏠 Valat

DOM. DU SÉMINAIRE Valréas Prestige 2011

	30 000		5 à 8 €

Ce domaine situé sur les hauteurs de Valréas a engagé la conversion au bio de ses 40 ha de vigne, avec une certification prévue pour le millésime 2012. Avec ce 2011 issu de grenache (80 %) et de syrah, il propose un vin plaisant, fruité et animal à l'olfaction, rond, gras et charnu en bouche. Une amabilité qui invite à une dégustation dès l'automne, de préférence sur un plat en sauce.

🏠 Denis et Hervé Pouizin, Dom. du Séminaire, rte de Saint-Pierre, 84600 Valréas, tél. 06 25 59 11 15, fax 04 90 37 40 86, domaine.du.seminaire@gmail.com,
☑ ⚔ ⍾ t.l.j. sf dim. 9h-18h

CH. SIGNAC Chusclan Cuvée Combe d'enfer 2011 ★

	63 300		11 à 15 €

Établi sous la Dent de Signac, au pied du camp de César, le château de Signac est une ancienne ferme fortifiée du XVIII[e]s. Il propose avec cette Combe d'enfer (du nom de la parcelle qui l'a vu naître) un vin rouge profond, au nez puissant et généreux de fruits noirs mûrs. Le palais, ample et tout aussi fruité, est étayé par des tanins bien présents mais fondus et par une fine fraîcheur. Un *villages* élégant et équilibré, à déguster aujourd'hui ou dans deux ans, sur une bécasse à la broche.

🏠 SCA Ch. Signac, D 121, av. de la Roquette, 30200 Bagnols-sur-Cèze, tél. 04 66 89 58 47, fax 04 66 50 28 32, info@chateau-signac.com,
☑ ⚔ ⍾ r.-v.

LA SUZIENNE La Grise Élevé en fût de chêne 2011 ★

	25 000	▥	5 à 8 €

« Allons la Grise, allons mourir à Suze ! »... Les dernières paroles du comte de la Beaume-Suze à son fidèle destrier, sur le champ de bataille du siège de Montélimar (1587), ornent l'étiquette de cette cuvée. Du verre s'échappent d'intenses notes de fruits confiturés et de violette. Après une attaque fraîche, le palais fait montre de plus de suavité, soutenu par des tanins fins et fondus qui laissent le souvenir d'un vin souple et harmonieux. À déguster dans les trois ou quatre ans à venir.

🏠 Cave la Suzienne, av. des Côtes-du-Rhône, 26790 Suze-la-Rousse, tél. 04 75 04 48 38, fax 04 75 04 48 39, contactcaveau@lasuzienne.com,
☑ ⍾ t.l.j. 8h30-12h 14h-18h30

DOM. DE LA VALÉRIANE Signargues 2010

	5 000		5 à 8 €

C'est le prénom de Valérie Collomb qui a inspiré à ses parents le nom de ce domaine créé en 1982 et basé au cœur du Domazan. village à égale distance du pont du Gard et d'Avignon. Elle a pris la relève avec son mari Michel en 2004 et suit la voie qualitative tracée par ses ascendants. Mi-grenache mi-syrah, son Signargues 2010 est un vin plaisant, d'une aimable simplicité, fruité et un rien épicé, frais et bien structure. À boire dans les deux ans sur une grillade au feu de bois.

🏠 Valérie Collomb, 82, rte d'Estézargues, 30390 Domazan, tél. et fax 04 66 57 04 84, valeriane.mc@orange.fr,
☑ ⚔ ⍾ t.l.j. sf dim. 10h-12h 14h-19h

PIERRE VIDAL Saint-Maurice La Font des garrigues 2012

	40 000	▥▥	- de 5 €

Pierre Vidal, un nom qui désormais parle sûrement aux lecteurs du Guide les plus fidèles. Depuis la création en 2010 de sa maison de négoce, ce jeune œnologue de trente-quatre ans voit en effet ses cuvées régulièrement sélectionnées. Ici, un assemblage grenache-syrah-mourvèdre (par ordre d'importance) qui a séduit par son bouquet intense de fruits mûrs et par son palais équilibré, persistant sur le fruit et bâti sur des tanins fins. Un *villages* agréable et typé, à déguster dès aujourd'hui.

🏠 Pierre Vidal, 631, rte de Sorgues, 84230 Châteauneuf-du-Pape, tél. et fax 04 90 83 70 24, contact@pierrevidal.com

La vallée du Rhône septentrionale

Côte-rôtie

Superficie : 255 ha
Production : 10 603 hl

Situé à Vienne, sur la rive droite du fleuve, c'est le plus ancien vignoble de la vallée du Rhône. Il est réparti entre les communes d'Ampuis, de Saint-Cyr-sur-Rhône et de Tupin-et-Semons. La vigne y est cultivée sur des coteaux très abrupts, presque vertigineux. On distingue la Côte Blonde et la Côte Brune en souvenir d'un certain seigneur de Maugiron qui aurait, par testament, partagé ses terres entre ses deux filles, l'une blonde, l'autre brune. Les vins de la Côte Brune sont les plus corsés, ceux de la Côte Blonde les plus fins.

Le sol est le plus schisteux de la région. Les vins sont uniquement des rouges, obtenus à partir du cépage syrah, mais aussi du viognier, dans une proportion maximale de 20 %. Le côte-rôtie est d'un rouge profond, et offre un bouquet délicat à dominante de framboise et d'épices, avec une touche de violette. Vin de garde d'une bonne structure tannique et très long en bouche, il a indéniablement sa place au sommet de la gamme des vins du Rhône et s'allie parfaitement aux mets convenant aux grands vins rouges.

DOM. DE BONSERINE La Sarrasine 2010 ★

| ■ | 35 000 | ⊞ | 30 à 50 € |

Acquis en 2006 par la maison Guigal, ce domaine fait partie des valeurs sûres de l'appellation. Après le coup de cœur de l'an passé pour sa cuvée Viallière 2009, il revient cette année avec trois cuvées très réussies. Cette Sarrasine pleine de jeunesse et de fraîcheur est encore dominée par l'élevage à l'olfaction (notes grillées et torréfiées), mais le fût n'efface pas pour autant les apports de la syrah (97 %) et du viognier (cassis, violette, épices). Suivant la même ligne aromatique, la bouche se révèle ample, chaleureuse et bien charpentée, avec toujours cette sensation de fraîcheur en soutien, qui lui confère de l'équilibre. Ce vin demande du temps pour se parfaire (quatre ou cinq ans). **La Viallière 2010 (4 500 b.)**, suave, ronde, concentrée, portée par des tanins serrés, pourra s'apprécier un peu plus tôt. Proposée par la structure de négoce, la cuvée **Les Sans Marche 2010 (20 à 30 € ; 12 000 b.)** est un vin équilibré, fin et aromatique (violette, épices, fumé, fruits noirs), à boire dans deux ou trois ans.
➦ Dom. de Bonserine, 2, chem. de la Viallière, Verenay, 69420 Ampuis, tél. 04 74 56 14 27, fax 04 74 56 18 13, bonserine@wanadoo.fr, ☑ ★ ♈ t.l.j. sf dim. 9h-17h

CHANTE-PERDRIX Indiscrète 2011 ★

| ■ | 3 800 | ⊞ | 30 à 50 € |

Dernière cuvée conçue par le domaine, cette Indiscrète se dévoile avec retenue sur des notes de kirsch, de tabac et d'épices. Dans la continuité du nez, la bouche s'équilibre entre suavité, alcool et fraîcheur, portée par des tanins fins qui lui confèrent un caractère aérien et élégant. Promis à bien vieillir, ce vin fera un bon compagnon pour des ravioles à la truffe noire.
➦ Philippe Verzier, 7, Izeras, 42410 Chavanay, tél. 04 74 87 06 36, fax 04 74 87 07 77, chanteperdrixverzier@wanadoo.fr,
☑ ★ ♈ t.l.j. sf lun. mer. dim. 9h-12h 13h30-17h30 ⌂ ☉

YVES CUILLERON Terres sombres 2010 ★★

| ■ | 10 900 | ⊞ | 30 à 50 € |

Née sur les terres brunes du nord de l'appellation, cette cuvée bien connue des lecteurs a connu dix-huit mois d'élevage qui confèrent au bouquet des parfums de cacao mêlés aux épices, au pruneau, au cassis et à la réglisse. Souple en attaque, le palais offre une belle concentration mais sans jamais perdre de son élégance, porté par des tanins soyeux, un boisé maîtrisé et par une fine trame acide qui lui donne de la tension. Armé pour une bonne garde (trois à cinq ans au moins), ce vin est recommandé sur un pavé de bœuf en croûte de moutarde en grains.
➦ Yves Cuilleron, 58, RD 1086, Verlieu, 42410 Chavanay, tél. 04 74 87 02 37, fax 04 74 87 05 62, cave@cuilleron.com, ☑ ★ ♈ r.-v.

DELAS FRÈRES Seigneur de Maugiron 2011

| ■ | 24 000 | ⊞ | 50 à 75 € |

Cette maison de négoce dans le giron du Champagne Deutz depuis bientôt trente ans propose une cuvée aux accents empyreumatiques au premier nez, qui s'ouvre à l'aération sur les fruits macérés et les épices douces. L'attaque franche et fraîche prélude à une bouche empreinte de douceur, de bonne longueur, aux tanins souples et au boisé « digeste ». Un vin équilibré et déjà plaisant, que l'on pourra remiser deux ou trois ans en cave.
➦ Delas Frères, ZA de l'Olivet, 07300 Saint-Jean-de-Muzols, tél. 04 75 08 60 30, fax 04 75 08 53 67, france@delas.com, ☑ ★ ♈ t.l.j. sf dim. (ouv. en juil.-août) 9h30-12h 14h30-18h30

PIERRE GAILLARD Rose pourpre 2011 ★★

| ■ | n.c. | ⊞ | 75 à 100 € |

Également présent en Languedoc (collioure, faugères, banyuls), Pierre Gaillard fait partie des vignerons qui comptent dans la vallée du Rhône nord. Il propose avec cette Rose pourpre un vin sombre, au bouquet complexe mêlant les fruits noirs, les épices, la violette à des nuances de tabac, et de fumée témoignant d'un boisé bien intégré. Une même maîtrise de l'élevage caractérise le palais, dense, équilibré, long et frais, étayé par des tanins présents sans agressivité. Un vin tout en finesse, que l'on gardera quatre ou cinq ans en cave avant de l'accompagner d'une selle d'agneau en croûte d'herbes.
➦ Dom. Pierre Gaillard, lieu-dit Chez Favier, 42520 Malleval, tél. 04 74 87 13 10, fax 04 74 87 17 66, vinsp.gaillard@wanadoo.fr, ☑ ★ ♈ r.-v.

DOM. GARON Les Rochins 2011

| ■ | 2 400 | ⊞ | 50 à 75 € |

Les Garon sont établis depuis le XVe s. sur les terres d'Ampuis. Jean-François, Carmen et leurs deux fils y exploitent un vignoble de 5 ha, dont 50 ares dédiés à cette cuvée issue de sélection parcellaire. Au nez, le vin se livre en douceur, sur des notes de sous-bois, d'épices, de cerise

RHÔNE

burlat et de boisé torréfié. En bouche, il se montre rond et onctueux, soutenu par une agréable fraîcheur et par une charpente équilibrée. Une bouteille bien dans le ton du millésime, à boire ou à attendre deux à cinq ans.

☛ Dom. Garon, 58, rte de la Taquière, 69420 Ampuis, tél. 04 74 56 14 11, fax 04 74 56 11 84, vins@domainegaron.fr, ☑ ⚔ ⵏ r.-v.

JEAN-MICHEL GERIN Champin le Seigneur 2011

| ■ | 30 000 | ⲙ | 30 à 50 € |

Cette cuvée associant 10 % de viognier à la syrah dévoile un bouquet de bonne intensité qui mêle aux fruits noirs macérés et aux épices quelques nuances animales et un boisé présent sans être démonstratif. Une maîtrise de l'élevage que l'on retrouve dans un palais équilibré, à la fois rond et frais, aux tanins souples et soyeux. À déguster dans les deux ou trois ans à venir, sur une noisette de chevreuil aux raisins.

☛ Jean-Michel Gerin, 19, rue de Montmain, 69420 Ampuis, tél. 04 74 56 16 56, fax 04 74 56 11 37, info@domaine-gerin.fr, ☑ ⵏ r.-v.

STÉPHANE KACI CR 2010

| ■ | n.c. | ⲙ | 20 à 30 € |

Depuis sa création en 2008, cette structure de négoce propose régulièrement de jolis vins, comme cette côte-rôtie rouge profond aux reflets violacés, au nez franc et plaisant de fruits rouges et noirs, d'épices douces et de moka. En bouche, le vin se montre suave et soyeux, avec une agréable fraîcheur et des tanins marqués en soutien. À garder entre deux à cinq ans, et à boire sur des magrets de canard.

☛ Vignobles et Domaines du Rhône, 14, rue Rhin et Danube, 69009 Lyon, tél. 04 37 24 24 50, fax 04 72 74 41 23, contact@vignobles-domaines-du-rhone.fr

LA LANDONNE 2009 ★★

| ■ | n.c. | ⲙ | + de 100 € |

Comme toujours, la seule syrah façonne La Landonne, l'un des trésors de la maison Guigal, né sur des pentes vertigineuses (45 %) de la Côte Blonde, aux sols argilo-calcaires particulièrement riches en oxyde de fer. Comme toujours aussi, l'élevage est pour le moins luxueux : quarante mois en pièces neuves. Grâce à quoi, le 2009, dans le droit fil de ses glorieux aînés, affiche une personnalité bien trempée. Robe sombre comme il se doit, dense et profonde ; bouquet intense qui s'ouvre d'emblée sur des notes très prononcées de cacao sur fond de fruits à l'eau-de-vie et d'épices douces ; palais ample, concentré, massif et très épicé, qui ne manque ni de rondeur ni de fraîcheur : l'équilibre même. Un vin encore juvénile et fougueux, bâti pour la décennie.

☛ É. Guigal, Ch. d'Ampuis, 69420 Ampuis, tél. 04 74 56 10 22, fax 04 74 56 18 76, contact@guigal.com, ☑ ⚔ ⵏ r.-v.

DOM. PICHAT Champon's 2011 ★★

| ■ | 10 000 | ⲙ | 20 à 30 € |

Ce domaine ancien (1880) n'a débuté la mise en bouteilles qu'à l'orée de ce siècle, sous la direction de Stéphane Pichat. Comme toujours, l'élevage long est privilégié (vingt-quatre mois de barrique), et pourtant le bois reste mesuré, laissant s'exprimer les fruits et les épices. Un bouquet équilibré qui trouve écho dans un palais dense, frais et long, bâti sur des tanins fins, un rien

plus stricts en finale. Tout cela donne un vin taillé pour une garde de cinq à dix ans.

☛ Dom. Pichat, 6, chem. de la Viallière, 69420 Ampuis, tél. 04 74 48 37 23, fax 04 74 48 30 35, info@domainepichat.com, ☑ ⚔ ⵏ r.-v.

♥ LA TURQUE 2009 ★★★

| ■ | n.c. | ⲙ | + de 100 € |

La plus jeune des vignes donne le plus beau des bijoux de la maison Guigal : vingt-cinq ans d'âge moyen pour ces ceps de syrah tempérés par le traditionnel « 7 % » de viognier ; le substrat est silico-calcaire, avec des micaschistes dont l'altération a donné des sols argileux, riches en oxydes de fer. Le 2009 offre la résonance si particulière des grands vins, de celle qui semble figer le temps et qu'il est difficile d'exprimer. S'il fallait aller à l'essentiel : du velours et du fruit. Mais résumer, c'est aussi réduire, et ce vin a bien d'autres arguments à faire valoir : du fruit donc (mûre, fraise), des épices aussi, de la concentration, une structure à la fois fine et assurée, bâtie sur des tanins soyeux et délicats. Tout est à sa place en somme, et taillé pour une garde de plusieurs décennies.

☛ É. Guigal, Ch. d'Ampuis, 69420 Ampuis, tél. 04 74 56 10 22, fax 04 74 56 18 76, contact@guigal.com, ☑ ⚔ ⵏ r.-v.

LES VINS DE VIENNE Les Essartailles 2010 ★

| ■ | 18 000 | ⲙ | 30 à 50 € |

Cuilleron, Gaillard et Villard, trois noms bien connus de la vallée du Rhône septentrionale, associés depuis 1996 pour redonner vie au vignoble de Seyssuel, à l'abandon depuis le XIXᵉ s. Cette cuvée vient d'en face, de l'autre rive du Rhône. Elle dévoile un bouquet intense et concentré de fruits noirs et d'épices agrémenté de notes torréfiées et balsamiques. La bouche se révèle ample, puissante, carrée, presque « martiale », soutenue par une fraîcheur bien typée. Aux dires des dégustateurs, « une église romane à la fois massive et élancée », que l'on visitera au plus tôt dans quatre ou cinq ans.

☛ Les Vins de Vienne, 1, ZA de Jassoux, 42410 Chavanay, tél. 04 74 85 04 52, fax 04 74 31 97 55, contact@lesvinsdevienne.fr, ☑ ⚔ ⵏ r.-v.

Condrieu

Superficie : 145 ha
Production : 5 265 hl

Le vignoble est situé à 11 km au sud de Vienne. Bien que l'aire d'appellation soit répartie sur sept communes et trois départements, sa superficie est restreinte, ce qui fait du condrieu un vin rare. D'autant plus qu'il naît exclusivement d'un cépage peu répandu, le viognier, qui s'exprime parfaitement sur les sols granitiques de son terroir. Le condrieu est un vin blanc riche en alcool, gras, souple, mais avec de la fraîcheur. Très parfumé, il exhale des arômes floraux – où domine la violette – et des notes d'abricot. On le servira jeune, sur toutes les préparations à base de poisson, même s'il peut vieillir cinq ans. Il existe aussi une production de vendanges tardives obtenues par tries successives (jusqu'à huit passages par récolte).

DOM. BOISSONNET 2011 ★★

3 500	🍷	20 à 30 €

Frédéric Boissonnet conduit depuis 1990 les 10 ha du domaine familial. Il a sélectionné 85 ares de viognier pour élaborer ce condrieu très typé. Au nez intense, floral et fruité (abricot, pêche), fait écho un palais élégant et long, qui marie puissance et finesse, rondeur et fraîcheur. Un vin très équilibré et prêt à boire, que l'on pourra aussi remiser trois à cinq ans en cave. On lui réservera un mets de choix, un filet de bar en papillote par exemple ou un foie gras poêlé et déglacé au... condrieu bien sûr.

🛒 Dom. Boissonnet, 51, rue de la Voûte, 07340 Serrières, tél. 04 75 34 07 99, fax 04 75 34 04 55, domaine.boissonnet@gmail.com,

☑ ᚷ 🍷 t.l.j. 9h-12h 14h-18h; sam. dim. sur r.-v.

PATRICK ET CHRISTOPHE BONNEFOND
Côte Chatillon 2012 ★

4 000	🍷	30 à 50 €

Les Bonnefond proposent avec ce condrieu un vin à l'élevage bien maîtrisé, qui mêle ses accents vanillés aux senteurs fruitées (abricot) et florales du viognier. Doux, ample et gras, le palais est à l'unisson. Un vin harmonieux, à boire ou à attendre deux ou trois ans. On le verrait bien en compagnie d'un tajine de veau aux abricots confits.

🛒 Dom. Patrick et Christophe Bonnefond, Mornas, rte de Rozier, 69420 Ampuis, tél. 04 74 56 12 30, fax 04 74 56 17 93, gaec.bonnefond@orange.fr, ☑ 🍷 r.-v.

CHANTE-PERDRIX Authentic 2011 ★

5 500	🍾🍷	20 à 30 €

Philippe Verzier vise l'authenticité avec cette cuvée élevée pendant neuf mois, pour 40 % en cuve et pour 60 % en barrique de chêne. Il en résulte un condrieu aromatique, dominé par des notes d'abricot qui persistent jusqu'en finale, au palais ample sans lourdeur, bien frais, vivifié par une pointe acidulée et agrémenté d'une jolie touche florale. Bien dans le ton de l'appellation en effet. À noter : le domaine est en seconde année de conversion bio.

🛒 Philippe Verzier, 7, Izeras, 42410 Chavanay, tél. 04 74 87 06 36, fax 04 74 87 07 77, chanteperdrixverzier@wanadoo.fr,

☑ ᚷ 🍷 t.l.j. sf lun. mer. dim. 9h-12h 13h30-17h30 🏠 Ⓓ

M. CHAPOUTIER Schistes d'agrumes 2011

27 200	🍾🍷	20 à 30 €

C'est avant tout la fraîcheur de cette cuvée qui a séduit le jury, tant au nez qu'en bouche. Les dégustateurs

ont aimé aussi ses parfums plaisants de pêche et de rose, la franchise de l'attaque et le côté aérien et léger du palais. « Un charme discret », conclut l'un d'eux.

🛒 Maison M. Chapoutier, 18, av. du Dr-Paul-Durand, 26600 Tain-l'Hermitage, tél. 04 75 08 28 65, fax 04 75 08 81 70, chapoutier@chapoutier.com,

☑ ᚷ 🍷 t.l.j. 9h-12h30 14h-19h

YVES CUILLERON Les Chaillets 2011 ★

19 000	🍷	30 à 50 €

On ne présente plus Yves Cuilleron, vigneron renommé de la vallée septentrionale, dont les condrieu, mais pas qu'eux, ont fait la réputation. Les Chaillets ? Le nom local des terrasses établies sur les coteaux de l'appellation. Au nez, on devine une belle maturité des raisins à travers des notes de fruits surmûris (orange, abricot), accompagnées de nuances florales. La bouche est à l'unisson, longue, riche mais sans lourdeur, avec ce qu'il faut de fraîcheur et de tonus. L'ensemble est équilibré, et s'appréciera sur un feuilleté de poisson. La cuvée **Vertige 2010** (50 à 75 € ; 4 000 b.), dont le nom évoque les paysages escarpés qui l'ont vue naître, a connu dix-huit mois de fût. Elle plaira aux amateurs de vins boisés et concentrés. Elle obtient une étoile et sera attendue deux ou trois ans pour obtenir un meilleur fondu.

🛒 Yves Cuilleron, 58, RD 1086, Verlieu, 42410 Chavanay, tél. 04 74 87 02 37, fax 04 74 87 05 62, cave@cuilleron.com, ☑ ᚷ 🍷 r.-v.

DOM. FAURY La Berne 2011 ★

n.c.	🍾🍷	20 à 30 €

Installé à la tête du domaine familial en 2007, Lionel Faury conduit un vignoble de 18 ha. Il signe un condrieu cristallin et précis, qui offre une belle vivacité et beaucoup de finesse aromatique (pêche blanche, poire mûre, fleurs), tant au nez qu'en bouche, une pointe d'amertume apportant un surcroît de complexité et de longueur à la finale. Un vin cohérent et harmonieux, à boire dans les deux ou trois ans sur un saumon à l'oseille.

🛒 Dom. Faury, 15, La Ribaudy, 42410 Chavanay, tél. 04 74 87 26 00, fax 04 74 87 05 01, contact@domaine-faury.fr, ☑ 🍷 r.-v.

GILLES FLACHER Les Rouelles 2011 ★

4 000	🍷	20 à 30 €

Gilles Flacher a laissé son vin dix mois en fût. Au nez, le bois est présent mais ce sont les fruits mûrs, abricot en tête, qui donnent le la. La bouche suit le même tempo, évoluant dans un registre suave et rond, vivifiée par une fine trame minérale. Un ensemble raffiné et équilibré, à boire ou à attendre deux ou trois ans. Parfait pour une tarte aux fruits jaunes.

🛒 EARL Flacher, 971, rue Principale, 07340 Charnas, tél. 04 75 34 09 97, earl-flacher@orange.fr, ☑ ᚷ 🍷 r.-v.

💜 DOM. PIERRE GAILLARD L'Octroi 2012 ★★

n.c.	🍷	30 à 50 €

Pierre Gaillard signe le meilleur condrieu de la sélection, unanimement apprécié pour son bouquet exubérant de fruits confits (pêche, citron, ananas, fruit de la Passion) et de fleurs blanches, et pour son palais tout aussi explosif (fruits mûrs, brioche, réglisse), remarquable d'intensité aromatique et d'équilibre, soyeux et long. À boire dans sa jeunesse ou patiné par quatre ou cinq ans de garde.

⚲ Dom. Pierre Gaillard, lieu-dit Chez Favier,
42520 Malleval, tél. 04 74 87 13 10, fax 04 74 87 17 66,
vinsp.gaillard@wanadoo.fr, ☑ ⚓ ⊥ r.-v.

PASCAL MARTHOURET 2011

	2 000	ⅢI	20 à 30 €

D'une couleur jaune doré, ce vin très floral évoque
l'aubépine et s'enrichit de notes de rose et d'abricot. Il se
montre fin, frais, intense et persistant en bouche. Une belle
réussite dans un millésime difficile.

⚲ Pascal Marthouret, Les Coins, 07340 Charnas,
tél. et fax 04 75 34 15 82, pascal.marthouret@laposte.net,
☑ ⚓ ⊥ r.-v.

DOM. MOUTON Côte Chatillon 2011

	2 500	ⅢI	20 à 30 €

Jean-Claude Mouton propose un vin de plaisir
immédiat, dont le bouquet ouvert sur l'ananas mûr, la
pêche et la fleur d'acacia met le vin à la bouche. Celle-ci
se montre souple, ronde et grasse, une touche de fraîcheur
apportant l'équilibre. Pour un poisson en sauce.

⚲ Jean-Claude Mouton, 23 montée du Rozay,
69420 Condrieu, tél. 04 74 87 82 36,
contact@domaine-mouton.com, ☑ ⚓ ⊥ r.-v.

ALAIN PARET Lys de Volan 2011 ★

	4 800	ⅢI	20 à 30 €

Ce domaine, plus souvent retenu ici pour ses saint-
joseph, s'illustre avec un très joli condrieu en tenue de gala
avec son élégante robe jaune doré brillant, mais qui a
encore besoin de temps pour s'épanouir. Au nez dominent
les fruits jaunes, abricot en tête. Le palais se révèle gras et
soyeux, sans tomber dans le piège de la lourdeur, égayé par
une belle fraîcheur. Recommandé avec une blanquette de
veau, dans deux ans.

⚲ Maison Alain Paret, pl. de l'Église,
42520 Saint-Pierre-de-Bœuf, tél. 04 74 87 12 09,
fax 04 74 87 17 34, maison.paret@wanadoo.fr,
☑ ⚓ ⊥ t.l.j. sf dim. lun. 8h-12h 14h-18h

ANDRÉ PERRET Chery 2011 ★

	12 000	ⅡⅢI	30 à 50 €

Ce millésime ne fut pas de tout repos. Mais André
Perret est un excellent vinificateur, témoin les nombreuses
sélections et coups de cœur dans le Guide (on se souviendra
notamment de celui obtenu l'an dernier pour cette même
cuvée dans le millésime 2010). Il signe un condrieu bien
bouqueté autour des fleurs blanches, de la poire et de la
pêche mûres, rond et de bonne longueur en bouche, égayé
par une agréable fraîcheur « terroitée ». À boire dès à
présent, sur des asperges sauce crème fraîche et ciboulette.

⚲ André Perret, 17, RD 1086, Verlieu, 42410 Chavanay,
tél. 04 74 87 24 74, fax 04 74 87 05 26,
andre.perret@terre-net.fr, ☑ ⚓ ⊥ r.-v.

LES VINS DE VIENNE La Chambée 2010 ★★

	3 500	ⅢI	30 à 50 €

Cette structure de négoce créée par trois vignerons
de renom (Gaillard, Cuilleron et Villard, tous trois sélectionnés avec leur propre domaine) propose un condrieu
intense et fin (abricot confit, boisé fondu), riche, voire
opulent en bouche, mais jamais lourd grâce à une juste
vivacité venant faire contrepoint. Une gourmandise à
déguster dans les trois à cinq ans à venir, sur une daurade
au citron ou sur un sauté de veau au curry.

⚲ Les Vins de Vienne, 1, ZA de Jassoux, 42410 Chavanay,
tél. 04 74 85 04 52, fax 04 74 31 97 55,
contact@lesvinsdevienne.fr, ☑ ⚓ ⊥ r.-v.

FRANÇOIS VILLARD Le Grand Vallon 2011 ★

	n.c.	ⅢI	30 à 50 €

François Villard est fidèle au rendez-vous avec cette
cuvée dominée par le bois à l'olfaction, qui nécessite un
bon tour de verre pour dévoiler ses notes fruitées (ananas,
pêche) et florales. En bouche, le vin se révèle rond, riche
et gras, rafraîchi par une fine trame minérale et une touche
de noble amertume. Un condrieu de gastronomie, à servir
dans deux ans avec des ravioles à la crème parsemées de
girolles.

⚲ François Villard, 330, rte du Réseau-Ange,
42410 Saint-Michel-sur-Rhône, tél. 04 74 56 83 60,
fax 04 74 56 87 78, vinsvillard@wanadoo.fr, ☑ ⊥ r.-v.

Saint-joseph

Superficie : 1 160 ha
Production : 42 110 hl (92 % rouge)

Sur la rive droite du Rhône, l'appellation saint-
joseph s'étend sur 26 communes de l'Ardèche et
de la Loire. Ses coteaux en pente escarpée offrent
de belles vues sur les Alpes, le mont Pilat et les
gorges du Doux. Les vignes croissent sur des sols
granitiques. La syrah engendre des vins rouges
élégants, relativement légers et tendres, aux
arômes subtils de framboise, de poivre et de
cassis, qui se révéleront sur les volailles grillées ou
sur certains fromages. Les cépages roussanne et
marsanne donnent des vins blancs gras, aux
parfums délicats de fleurs, de fruits et de miel. Ils
rappellent les hermitage mais sont à servir assez
jeunes.

ALÉOFANE 2011 ★

	6 000	ⅢI	15 à 20 €

Depuis son installation en 2004, Natacha Chave
s'affirme comme un talent sûr des appellations crozes-
hermitage et saint-joseph. Trois mots pour qualifier ce
vin : ample, généreux et massif. Le tout sur fond de fruits
à maturité (grenade, mûre) et d'épices, adossé à des tanins
soyeux et dynamisé par une belle fraîcheur. Conseillé par
la vigneronne pour des raviolis aux cèpes. L'accord est
bien tentant...

☛ Natacha Chave, 1150, chem. de la Burge,
26600 Mercurol, tél. et fax 04 75 07 00 82,
chavenatacha@yahoo.fr, ☑ ☦ r.-v.
☛ Aléofane

DOM. BLACHON Hommage Roger 2011 ★

| ■ | 4 400 | ⅢD | 15 à 20 € |

En 1984, Roger Blachon se lance dans la commercialisation en bouteille. Après son décès en 2006, son épouse et ses deux enfants poursuivent son œuvre et lui rendent hommage chaque année avec cette cuvée de saint-joseph. Le 2011 est une belle réussite, fruité à souhait, dominé par des notes de cassis au sirop. Le palais, souple et gras, dégage une impression de puissance maîtrisée, avec un côté un peu austère qui appelle une garde de trois à cinq ans.
☛ EARL Dom. Blachon, 31, chem. des Goules,
07300 Mauves, tél. 04 75 08 61 12, fax 04 75 08 67 13,
rblachon2@wanadoo.fr,
☑ ☦ ☦ t.l.j. sf dim. 8h-12h 14h-19h; f. août

BLASON DU RHÔNE 2011 ★

| ■ | 60 000 | ▮ | 11 à 15 € |

Nous sommes dans le registre classique avec ce saint-joseph proposé par ce viticulteur-négociant. Les petits fruits rouges, la violette et les épices composent un bouquet bien typé. La bouche dévoile une structure solide mais sans excès, enrobée par une chair ronde et soyeuse. Un ensemble harmonieux, à boire dans les deux ou trois ans à venir.
☛ Maison Dénuzière, 73, rue Nationale, 69420 Condrieu,
tél. 04 74 59 50 33, fax 04 74 56 61 01,
dominique.morieux@m-p.fr, ☦ ☦ r.-v.
☛ Michel Picard

M. CHAPOUTIER 2011

| ■ | 25 000 | ▮ⅢD | 11 à 15 € |

Cette cuvée s'ouvre sur des notes intenses de fleurs, d'épices et de fruits macérés. La bouche se révèle souple, fraîche, plus dense en finale. L'ensemble est équilibré et prêt à boire sur une grillade au feu de bois.
☛ Maison M. Chapoutier, 18, av. du Dr-Paul-Durand,
26600 Tain-l'Hermitage, tél. 04 75 08 28 65,
fax 04 75 08 81 70, chapoutier@chapoutier.com,
☑ ☦ ☦ t.l.j. 9h-12h30 14h-19h

JEAN-LUC COLOMBO Le Prieuré 2011

| ■ | 48 000 | ⅢD | 11 à 15 € |

Jean-Luc Colombo signe un vin dont la robe noire, intense et profonde annonce un bouquet généreux de fruits confits (framboise), d'épices et de cuir. Souple en attaque, la bouche se révèle ronde, soutenue par des tanins bien en place, et elle s'étire en finale sur une jolie note réglissée. À déguster dès à présent sur une pintade rôtie.
☛ Vins Jean-Luc Colombo, 10-12, rue des Violettes,
07130 Cornas, tél. 04 75 84 17 10, fax 04 75 84 17 19,
colombo@vinscolombo.fr, ☑ ☦ ☦ t.l.j. 10h-12h 14h-18h30

DOM. COURBIS Les Royes 2011 ★★

| ■ | 18 000 | ⅢD | 20 à 30 € |

Cornas ou saint-joseph, ce domaine propose toujours de belles cuvées, saluées dans le Guide par nombre d'étoiles et de coups de cœur. Ce 2011 tient son rang. Il se présente dans une robe sombre et profonde animée de reflets violines de jeunesse. Les dix-huit mois d'élevage ont légué des parfums de café torréfié et de goudron qui confèrent à l'olfaction un surcroît de complexité, sans écraser pour autant les notes variétales de la syrah (fruits noirs, épices, violette). En bouche, le vin s'impose par sa puissance et son ampleur, structuré par de solides tanins. À garder quatre à cinq ans au moins, ou bien une décennie pour de nouvelles sensations. La cuvée principale rouge 2011 (15 à 20 € ; 50 000 b.), moins complexe mais intéressante par son volume, sa franchise et sa fraîcheur, est citée. On pourra l'apprécier plus tôt.
☛ Dom. Courbis, rte de Saint-Romain,
07130 Châteaubourg, tél. 04 75 81 81 60,
fax 04 75 40 25 39, contact@domaine-courbis.fr,
☑ ☦ t.l.j. sf dim. 9h-12h 14h-18h; sam. sur r.-v.

♥ PIERRE ET JÉRÔME COURSODON
Le Paradis Saint-Pierre 2011 ★★

| ■ | 4 000 | ⅢD | 20 à 30 € |

Si tous les chemins mènent à Rome, saint Pierre semble avoir établi son paradis du côté de Mauves. Les Coursodon en ont depuis longtemps trouvé les clés : de vieilles vignes de marsanne (et un soupçon de roussanne) plantées sur des sols granitiques, un rendement de 30 hl/ha, de la patience pour attendre la surmaturité et un élevage en fût de douze mois. Le résultat est saisissant. Derrière une robe jaune paille limpide et brillante se développe un bouquet expressif et fin de pêche et d'abricot accompagné des nuances toastées-vanillées de la barrique. On retrouve ces arômes dans une bouche élégante, onctueuse, riche mais toujours fraîche, rehaussée par une petite vivacité finale bien agréable qui vient souligner l'expression du terroir. On fera péché de gourmandise avec un... saint-pierre grillé sauce aux agrumes. Le Paradis Saint-Pierre 2011 rouge (30 à 50 € ; 2 500 b.) décroche lui aussi deux étoiles pour ce même caractère « terroité » qui dynamise un vin épicé, charnu et concentré. L'Olivaie 2011 rouge (8 000 b.) traduit une bonne maturité tout en restant fin, élégant et frais. Il reçoit une étoile.
☛ Dom. Coursodon, 3, pl. du Marché, 07300 Mauves,
tél. 04 75 08 18 29, fax 04 75 08 75 72,
pierre.coursodon@wanadoo.fr, ☑ ☦ r.-v.

DOM. DE LA CROIX DES VIGNES 2010 ★★

| ■ | 3 200 | ⅢD | 30 à 50 € |

Fer de lance des saint-joseph de ce célèbre négociant, cette cuvée créée en 2009 tire son nom de la croix plantée au sommet du vignoble. Elle aiguise les papilles avec des notes expressives et complexes d'épices, de cerise à l'eau-de-vie et de cuir. Une attaque franche ouvre sur un palais ample, généreux et frais à la fois, adossé à des tanins

RHÔNE

bien enrobés et à un boisé ajusté. Une expression très harmonieuse de la syrah dans ce vin, que l'on peut déjà apprécier mais qui saura attendre cinq à huit ans.

☛ Dom. Paul Jaboulet Aîné, RN 7 - Les Jalets, BP 46, 26600 Tain-l'Hermitage, tél. 04 75 84 68 93, fax 04 75 84 56 14, info@jaboulet.com, ☒ ☖ t.l.j. 10h-19h

☛ Caroline Frey

YVES CUILLERON Les Serines 2010

| ■ | | 15 700 | ▥ | 20 à 30 € |

Ces Serines – nom local de la syrah – sont régulièrement au rendez-vous. En 2010, elles ont donné naissance à un vin franc et discret, qui fait la part belle aux fruits et aux épices, à la fraîcheur et à la souplesse, étayé par des tanins enrobés. Encore un peu réservé, ce saint-joseph mérite d'être attendu deux ou trois ans pour se révéler totalement.

☛ Yves Cuilleron, 58, RD 1086, Verlieu, 42410 Chavanay, tél. 04 74 87 02 37, fax 04 74 87 05 62, cave@cuilleron.com, ☒ ⚥ ☖ r.-v.

EMMANUEL DARNAUD 2011 ★★

| ■ | | 3 000 | ▥ | 20 à 30 € |

Connu des lecteurs pour ses crozes-hermitage, Emmanuel Darnaud présente un saint-joseph racé, qui s'ouvre après une légère aération sur le poivre, la réglisse, le cassis et la pâte d'olives. La bouche se révèle ample, dense et puissante, bâtie sur des tanins bien sculptés et soyeux qui laissent augurer un beau potentiel de garde.

☛ EARL Emmanuel Darnaud, 21, rue du Stade, 26600 La Roche-de-Glun, tél. et fax 04 75 84 81 64, emmanuel.darnaud26@orange.fr, ☒ ⚥ ☖ r.-v.

DAUVERGNE RANVIER Les Racines du ciel 2011 ★★

| ■ | | 20 000 | ▰▥ | 15 à 20 € |

Les vins de cette jeune structure de négoce (2004) ne laissent jamais insensible le jury. Ici encore, la maison propose une belle bouteille tout en fruits rouges à l'olfaction, accompagnés de plaisantes notes fumées. Dans le prolongement du nez, la bouche se révèle accorte et longue, soutenue par des tanins fins. Un saint-joseph aimable et élégant, à déguster dans sa jeunesse.

☛ R & D Vins, Ch. Saint-Maurice, RN 580, L'Ardoise, 30290 Laudun, tél. 04 66 82 96 57, fax 04 66 82 96 58, francois.dauvergne@dauvergne-ranvier.com

DELAS FRÈRES Sainte-Épine 2011 ★★

| ■ | | 6 500 | ▥ | 30 à 50 € |

Cette cuvée est issue d'une sélection parcellaire et tire son nom d'un lieu-dit de Saint-Jean-de-Muzols. D'un rouge profond, elle met en avant les fruits rouges et le poivre sur un fond boisé délicat, aux accents toastés et fumés. L'attaque très élégante ouvre sur un palais tout en puissance maîtrisée, rond, gras et dense, étayé par une belle fraîcheur qui donne de la longueur et de l'équilibre à l'ensemble. À boire dans les deux ou trois ans à venir sur du petit gibier.

☛ Delas Frères, ZA de l'Olivet, 07300 Saint-Jean-de-Muzols, tél. 04 75 08 60 30, fax 04 75 08 53 67, france@delas.com, ☒ ⚥ ☖ t.l.j. sf dim. (ouv. en juil.-août) 9h30-12h 14h30-18h30

☛ Champagne Deutz

DOM. ÉRIC ET JOËL DURAND Lautaret 2011 ★

| ■ | | 3 500 | ▥ | 20 à 30 € |

Éric et Joël Durand proposent un saint-joseph profond et intense dans sa robe grenat. Pourtant, ce n'est pas la puissance qui le caractérise, mais plutôt la recherche de l'équilibre. Le nez évoque les fruits rouges, en harmonie avec un vanillé délicat et des notes de sous-bois. La bouche se montre fraîche en attaque, puis ronde et soyeuse, soutenue par des tanins veloutés. Un vin déjà gourmand mais encore jeune, que l'on pourra conserver deux à trois ans en cave.

☛ Éric et Joël Durand, 2, impasse de la Fontaine, 07130 Châteaubourg, tél. 04 75 40 46 78, fax 04 75 40 29 77, ej.durand@wanadoo.fr, ☒ ⚥ ☖ r.-v.

DOM. FARJON 2010

| ■ | | 12 000 | ▥ | 8 à 11 € |

Le jury est unanime pour mettre en avant deux qualités essentielles de ce saint-joseph : la fraîcheur et le fruit, au nez comme en bouche. Thierry Farjon signe ici un « vin plaisir », avec une structure tannique qui sert bien le vin sans l'écraser. À boire dès l'automne, sur un sauté de veau aux épices.

☛ Thierry Farjon, Morzelas, 42520 Malleval, tél. 04 74 87 16 84, domaine.farjon@orange.fr, ☒ ⚥ ☖ r.-v.

FERRATON PÈRE ET FILS La Source 2011 ★

| ■ | | 10 000 | ▥ | 11 à 15 € |

La maison de négoce Ferraton est fidèle au rendez-vous. Elle fait couler de cette source un vin noir et intense qui livre des arômes de fruits rouges mûrs, de réglisse et de violette. La bouche dévoile des tanins veloutés qui lui confèrent un caractère rond et soyeux des plus aimables, souligné par le retour des fruits rouges en finale. Un saint-joseph tout en finesse, à ouvrir dans les deux ans sur une noble volaille rôtie.

☛ Ferraton Père et Fils, 13, rue de la Sizeranne, 26600 Tain-l'Hermitage, tél. 04 75 08 59 51, fax 04 75 08 81 59, ferraton@ferraton.fr, ☒ ⚥ ☖ t.l.j. sf dim. 10h-12h 14h30-19h

PIERRE FINON Les Rocailles 2011 ★

| ■ | | 7 000 | ▥ | 15 à 20 € |

Ce vin se présente dans un chatoiement de rouge brillant, le nez empreint de senteurs épicées intenses associées au cassis mûr. La bouche s'équilibre entre rondeur et vivacité, soutenue par des tanins enveloppés et par un boisé fondu. Prêt à boire sur une viande rouge grillée. La bien-nommée cuvée Les Jouvencelles 2011 rouge (11 à 15 € ; 10 000 b.) est citée pour sa fraîcheur.

☛ Dom. Pierre Finon, 20, imp. des Vieux-Murs, Picardel, 07340 Charnas, tél. 04 75 34 08 75, fax 04 75 34 06 78, domaine.finon@gmail.com, ☒ ⚥ ☖ r.-v.

GILLES FLACHER Terra Louis 2011 ★★

| ■ | | 6 000 | ▥ | 15 à 20 € |

On cultive la vigne ici depuis 1806 ; Gilles Flacher vendange ces terres depuis 1991. Il signe un vin encore dominé à l'olfaction par les quatorze mois de barrique (chocolat, toast grillé), mais l'élevage n'empêche pas l'expression du fruit (cassis, myrtille), agrémenté de notes réglissées. Dans la continuité du nez, la bouche se montre ronde, généreuse et puissante. Une bouteille à attendre sans aucun doute mais sans souci.

☛ EARL Flacher, 971, rue Principale, 07340 Charnas, tél. 04 75 34 09 97, earl-flacher@orange.fr, ☑ ⚒ ⍾ r.-v.

DOM. BERNARD GRIPA Le Berceau 2011 ★★

| ■ | 4 000 | ▥ | 30 à 50 € |

En saint-joseph ou en saint-péray, l'incontournable Bernard Gripa ne manque jamais le rendez-vous du Guide. Il place quatre cuvées dans cette édition. En tête, ce Berceau qui respire la concentration, au nez intense de framboise et de cassis confiturés mêlés à des senteurs de garrigue, d'épices et de graphite. Cette palette se retrouve, agrémentée de violette, dans un palais rond, plein et généreux, étayé par des tanins fins. Un vin d'une grande personnalité, qu'il faudra attendre deux ans pour obtenir une harmonie parfaite. Cette même cuvée en **blanc 2011 (20 à 30 € ; 2 000 b.)** obtient une étoile pour son joli bouquet de fruits à chair blanche et pour son équilibre acidité-alcool-bois en bouche, de même que la **cuvée principale 2011 blanc (15 à 20 € ; 12 000 b.)**, ample, généreuse et boisée avec élégance (noisette, grillé léger). Quant à la **cuvée principale 2011 rouge (15 à 20 € ; 40 000 b.)**, noble et racée, elle décroche également deux étoiles.
☛ Dom. Bernard Gripa, 5, av. Ozier, 07300 Mauves, tél. 04 75 08 14 96, fax 04 75 07 06 81, gripa@wanadoo.fr, ☑ ⚒ ⍾ r.-v.

PASCAL MARTHOURET 2011 ★

| ■ | 10 000 | ▥ | 8 à 11 € |

C'est un saint-joseph qualifié de « classique » que propose ce domaine. Le nez, fin et ciselé, évoque les fruits rouges mâtinés de nuances de réglisse, d'épices et de sous-bois. Le palais s'équilibre entre rondeur, boisé ajusté et tanins présents sans excès. À boire ou à attendre deux ans.
☛ Pascal Marthouret, Les Coins, 07340 Charnas, tél. et fax 04 75 34 15 82, pascal.marthouret@laposte.net, ☑ ⚒ ⍾ r.-v.

STÉPHANE MONTEZ Grand Duc du Monteillet 2011 ★★

| ■ | 13 000 | ▥ | 15 à 20 € |

Comme son père et son grand-père avant lui, Stéphane Montez privilégie le demi-muid au fût neuf, car « le bois, c'est bien ; le vin, c'est mieux », explique-t-il. De fait, ce Grand Duc (hommage au hibou survolant les vignes du domaine) livre un bouquet discret qui s'ouvre à l'aération sur les agrumes et les fleurs blanches, avec une touche de noisette. On retrouve ces arômes accompagnés d'un boisé très léger dans un palais gras, rond et suave, tonifié par une belle fraîcheur et par une pointe d'amertume qui donne de la longueur et de la complexité à la finale. Le vigneron conseille un accord avec des quenelles de brochet sauce aux écrevisses, girolles et pousses d'épinard ; un dégustateur recommande des paupiettes de cabillaud au vin blanc. À vous de voir ; nous, on prend les deux...
☛ Stéphane Montez, Dom. du Monteillet, 42410 Chavanay, tél. 04 74 87 24 57, fax 04 74 87 06 89, stephanemontez@aol.com, ☑ ⚒ ⍾ t.l.j. sf dim. 8h30-12h 14h-18h30 ⌂ ❸

DOM. MUCYN 2011 ★

| ■ | 14 000 | ▥ | 11 à 15 € |

Hélène et Jean-Pierre Mucyn ont créé ce domaine en 2001, dans un ancien relais batelier des bateliers du Rhône. Ils proposent une cuvée que les douze mois d'élevage marquent à peine ; c'est un fruité intense qui prédomine. En bouche, une agréable trame minérale

apporte longueur et fraîcheur, et dynamise une chair ronde et suave qui enrobe des tanins fermes. Une belle expression du terroir, à découvrir dans deux ou trois ans.
☛ Dom. Mucyn, quartier des Îles, 26600 Gervans, tél. et fax 04 75 03 34 52, mucyn@club-internet.fr, ☑ ⍾ r.-v.

CHRISTOPHE PICHON 2011 ★

| ■ | 5 000 | ▥ | 15 à 20 € |

Plus connu des lecteurs pour ses côte-rôtie et ses condrieu, Christophe Pichon soigne aussi ses saint-joseph. Ici, un vin jaune clair et brillant, qui livre à l'olfaction des notes toastées et grillées accompagnées de senteurs plus fraîches d'agrumes et de thé. Souple en attaque, le palais, à l'unisson du bouquet, se montre rond et suave dans son développement, dévoilant en finale un caractère chaleureux. Un vin flatteur et gourmand, que l'on verrait bien sur un poisson au beurre blanc.
☛ SARL Christophe Pichon, 36, Le Grand-Val, Verlieu, 42410 Chavanay, tél. 04 74 87 06 78, fax 04 74 87 07 27, chrpichon@wanadoo.fr, ☑ ⚒ ⍾ r.-v.

DOM. DES REMIZIÈRES 2011 ★★

| ■ | 17 800 | ▥ | 11 à 15 € |

Ce domaine très régulier en qualité (douze coups de cœur dans les douze dernières éditions !) offre toujours de belles découvertes. Ce saint-joseph n'échappe pas à la règle et frôle le coup de cœur. Sa robe noire annonce un vin puissant de bout en bout, boisé et fruité à l'olfaction, dense, tannique, gras et très long en bouche, sans jamais perdre de son élégance et de sa fraîcheur. De garde assurément, cette bouteille pourra patienter cinq ans et plus dans votre cave. Succès garanti à table avec une viande rouge mijotée, une épaule d'agneau farcie par exemple.
☛ Cave Desmeure, Dom. des Remizières, 1459, av. du Vercors, 26600 Mercurol, tél. 04 75 07 44 28, fax 04 75 07 45 87, contact@domaineremizieres.com, ☑ ⚒ ⍾ t.l.j. sf dim. 9h-12h 14h-18h30

ÉRIC ROCHER Mayane 2011 ★

| ■ | 7 400 | ▣▥ | 11 à 15 € |

Cette cuvée porte le prénom de la fille du propriétaire. Pour ce millésime, les vendanges furent tardives et commencèrent réellement le 21 septembre pour se finir cinq semaines plus tard ; 30 % du vin ont été passés en barrique, ce qui confère des accents boisés à l'olfaction, plus perceptibles encore en milieu de bouche avec un côté très vanillé. Mais les 70 % passés en cuve apportent un bon fruité (poire, agrumes, litchi) et une agréable fraîcheur. Un vin harmonieux, à déguster sur une volaille d'ici un an ou deux.
☛ Éric Rocher, Dom. de Champal, 360, chem. de Champal, 07370 Sarras, tél. 04 78 34 21 21, fax 04 78 34 30 60, vignobles.rocher@wanadoo.fr, ☑ ⚒ ⍾ r.-v.

SAINT-COSME 2011 ★★

| ■ | 6 800 | ▥ | 15 à 20 € |

Ce négoce de Gigondas est souvent remarqué dans le Guide, pour ses vins de l'ensemble de la vallée du Rhône. Ici, un saint-joseph qui fait honneur à sa réputation. Un vin parfaitement maîtrisé, où le boisé, aux accents de toast et de crème brûlée, se mêle harmonieusement aux fruits noirs (mûre, cassis). La bouche se montre riche, dense et complexe (chocolat, amande grillée, fruits rouges), bâtie sur des tanins serrés et mûrs. Trois ou quatre ans de garde sont recommandés, mais une petite décennie en cave ne lui fera pas peur.

Ch. de Saint-Cosme, quartier Saint-Cosme,
84190 Gigondas, tél. 04 90 65 80 80, fax 04 90 65 81 05,
barruol@chateau-st-cosme.com,
☑ ⚒ ⵝ t.l.j. sf sam. dim. 9h-17h
☞ Louis Barruol

♥ **CAVE DE TAIN** Les Perdrigolles 2011 ★★★

■	85 000 ▮◖◗	8 à 11 €

L'excellente et vénérable (créée en 1933) cave de
Tain propose avec cette cuvée une superbe expression de
la minéralité, qui rappelle les coteaux granitiques où sont
plantées les vignes. Ce vin exprime également une bonne
maturité à l'olfaction, à travers des parfums de fruits mûrs
(cassis et cerise) agrémentés d'une touche de poivre.
L'attaque fraîche et franche ouvre sur un palais qui va
crescendo, porté par des tanins nobles et soyeux. L'alliance de la puissance et de la finesse. À découvrir aussi
bien jeune que patiné par cinq à dix ans de garde. La cuvée
Terrasses de granit 2011 rouge (11 à 15 € ; 15 000 b.),
intéressante par son bouquet de fraise écrasée et de
garrigue (thym, romarin) mais encore un peu austère en
bouche, reçoit une étoile. On l'attendra entre deux et
quatre ans pour une meilleure harmonie.
☞ Cave de Tain, 22, rte de Larnage,
26603 Tain-l'Hermitage, tél. 04 75 08 20 87,
fax 04 75 07 15 16, contact@cavedetain.com, ☑ ⵝ r.-v.

DOM. DU TUNNEL 2011 ★

■	12 000 ◖◗	15 à 20 €

Valeur sûre de la vallée septentrionale, ce domaine
tire son nom d'un long tunnel qui traversait autrefois le
vignoble, couvrant aujourd'hui une dizaine d'hectares.
Stéphane Robert a sélectionné 2,8 ha de syrah pour
élaborer ce saint-joseph élevé quatorze mois en fût. Un vin
aux accents fumés et toastés, agrémenté de notes de fruits
noirs mûrs, ample, dense et long, soutenu par des tanins
fins et ronds. Encore un peu austère en finale, il devra
attendre trois ou quatre ans pour gagner en harmonie.
☞ Stéphane Robert, Dom. du Tunnel,
20, rue de la République, 07130 Saint-Péray,
tél. 04 75 80 04 66, fax 04 75 80 06 50,
domaine-du-tunnel@wanadoo.fr,
☑ ⚒ ⵝ t.l.j. sf dim. 9h-19h ; mer. sur r.-v. ; f. 1er -15 août

DOM. VALLET Méribets 2011 ★

■	6 500 ▮◖◗	11 à 15 €

Anthony Vallet a sélectionné 1,3 ha de roussanne et
de marsanne plantées dans le secteur de Serrières pour
élaborer ce vin blanc en robe jaune paille brillant et
limpide. Le bouquet dévoile des parfums intenses d'aubépine, de miel, d'abricot et de pêche sur un fond minéral.

Du gras, du volume, de la concentration et une juste
vivacité en soutien composent un palais élégant et bien
fondu. Une bouteille harmonieuse qui accompagnera
aussi bien une blanquette de veau qu'un poisson en sauce.
Le **rouge 2011 Méribets (21 000 b.),** bien typé et
équilibré, reçoit également une étoile.
☞ Dom. Vallet, La Croisette, RD 86, 07340 Serrières,
tél. 04 75 34 04 64, fax 04 75 34 14 68,
domaine.vallet@orange.fr, ☑ ⚒ ⵝ r.-v.

DOM. VERRIER 2011

■	6 000 ▮	8 à 11 €

L'intégralité des quelque 10 ha du domaine est situé
sur la commune de Malleval, au nord de l'appellation
saint-joseph (du condrieu est aussi à la carte). Un peu plus
de 1 ha est dédié à ce 2011 construit sur la finesse plutôt
que sur la puissance. Au nez, les petits fruits rouges se
mêlent à un boisé délicat, à la réglisse et aux épices douces.
Suivant la même ligne aromatique, la bouche se révèle
souple et de bonne longueur. À boire dès maintenant sur
une grillade au feu de bois.
☞ Dom. Verrier, Les Rivaures, 42520 Malleval,
tél. 06 71 22 76 84, fax 04 74 87 11 80,
verrier.jean@laposte.net,
☑ ⚒ ⵝ t.l.j. 13h30-18h ; sam. 9h-16h ; dim. sur r.-v.

♥ **VIDAL-FLEURY** 2011 ★★

■	32 000 ◖◗	15 à 20 €

Fondée en 1780, Vidal-Fleury est la plus ancienne
maison de négoce de la vallée du Rhône en activité, dans
le giron de la famille Guigal. Le futur président des
États-Unis et alors nouvel ambassadeur de la jeune nation,
Thomas Jefferson, y fut accueilli en 1787 par un mémorable banquet. C'est aujourd'hui l'Égypte qui est à l'honneur, à travers l'architecture de la vaste cave (9 000 m²)
inspirée du site de Saqqarah. Il ne fallait pas moins que ce
lieu monumental aux airs de mastaba pour accueillir ce vin
« solaire », intense et complexe à l'olfaction (cassis, poivre, Zan, thym, café torréfié), puissant, ample, dense et
long, charpenté par des tanins serrés et soyeux. Il y a de
la majesté dans ce vin, et l'avenir lui appartient.
☞ Vidal-Fleury, 48, rte de Lyon, 69420 Tupin-et-Semons,
tél. 04 74 56 10 18, fax 04 74 56 19 19,
contact@vidal-fleury.com, ☑ ⚒ ⵝ r.-v.
☞ Famille Guigal

PIERRE-JEAN VILLA Préface 2011 ★★

■	12 000 ◖◗	20 à 30 €

Un nouveau nom dans le Guide mais il ne s'agit pas
d'un néophyte, puisque Pierre-Jean Villa a passé une
vingtaine d'années entre Bourgogne et vallée du Rhône

dans différentes maisons avant de créer ce domaine en 2009. Un nouveau chapitre qui commence logiquement par une Préface, écrite à l'encre rubis soutenu de ce 2011, dont le bouquet dévoile un fruité élégant mâtiné des nuances toastées et vanillées de la barrique. Le palais se révèle concentré, dense et long, porté par des tanins serrés et une belle fraîcheur. En conclusion, un vin équilibré et bien tourné, à ouvrir dans les deux ans sur une viande en sauce. Référence aux origines espagnoles du propriétaire, la cuvée **Tildé 2010 rouge (3 500 b.)**, une étoile, est marquée par un boisé plus prononcé, mais elle a suffisamment de coffre pour le digérer. On l'attendra trois ans.

☛ Dom. Pierre-Jean Villa, 5, rte de Pelussin, 42410 Chavanay, tél. 04 74 54 41 10, contact@pierre-jean-villa.com, ☑ ⚔ ⵛ r.-v.

FRANÇOIS VILLARD Reflet 2010 ★★

n.c.	20 à 30 €

« Du vigneron je me dois d'être un reflet », indique l'étiquette de cette cuvée signée François Villard. Dans le flacon, on découvre un vin complexe (fruits rouges, épices douces, chocolat, pain grillé, nuances mentholées), franc en attaque, concentré, dense, boisé avec maîtrise et solidement charpenté. Un vin de caractère, encore en devenir et armé pour une longue garde (cinq à huit ans). Le **Mairlant 2011 rouge (15 à 20 €)**, une étoile, apparaît sauvage et fougueux : il faudra trois ou quatre ans pour le dompter.

☛ François Villard, 330, rte du Réseau-Ange, 42410 Saint-Michel-sur-Rhône, tél. 04 74 56 83 60, fax 04 74 56 87 78, vinsvillard@wanadoo.fr, ☑ ⵛ r.-v.

Crozes-hermitage

Superficie : 1 495 ha
Production : 67 000 hl (92 % rouge)

Cette appellation, couvrant des terrains moins difficiles à cultiver que ceux de l'hermitage, s'étend sur 11 communes environnant Tain-l'Hermitage. C'est le plus vaste vignoble des appellations septentrionales. Les sols, plus riches que ceux de l'hermitage, donnent des vins moins puissants, fruités et à servir jeunes. Rouges, ils sont assez souples et aromatiques ; blancs, ils sont secs, frais et floraux, légers en couleur et, comme les hermitage blancs, ils iront parfaitement sur les poissons d'eau douce.

DOM. BERNARD ANGE 2011

15 000	ⵑ	8 à 11 €

Élevé dans d'anciennes carrières de pierre de molasse transformées en caves troglodytiques, ce vin séduit par son nez expressif et charmeur évoquant la quetsche, la cerise, la pivoine et le graphite. La bouche, bâtie sur des tanins fermes et très présents en finale, se révèle en revanche plus austère. À attendre deux ou trois ans pour obtenir une meilleure harmonie.

☛ Bernard Ange, Pont-de-l'Herbasse, 26260 Clérieux, tél. et fax 04 75 71 62 42, domaine_bernardange@orange.fr, ☑ ⚔ ⵛ t.l.j. sf dim. 9h-12h15 13h30-19h

DOM. BELLE Cuvée Louis Belle 2010 ★★

27 000	ⵑ	15 à 20 €

Un crozes-hermitage de caractère, paré d'une robe noire et profonde qui « annonce la couleur ». Concentré au nez comme en bouche, mariant la mûre confiturée et les notes empyreumatiques de la barrique, ample, puissant et solidement charpenté, sans agressivité, offrant un côté suave et rond, ce vin peut être attendu deux ou trois ans avant d'être servi avec une pièce de gibier, un civet de sanglier par exemple.

☛ Dom. Belle, 510, rue de la Croix, 26600 Larnage, tél. 04 75 08 24 58, fax 04 75 07 10 58, domaine.belle@wanadoo.fr, ☑ ⚔ ⵛ r.-v.

CHRISTELLE BETTON Caprice 2011 ★

10 000	ⵏ	11 à 15 €

Cette cuvée provient de trois parcelles sur les Chassis et les Saviaux, vinifiées et élevées séparément, l'assemblage étant fait juste avant la mise en bouteilles. Il en résulte un vin expressif, fruité (cassis), floral (violette) et épicé (poivre noir), au palais ample, frais et dynamique. Un crozes élégant, à servir dès à présent sur un magret de canard. Provenant de deux parcelles du lieu-dit des Chassis, la cuvée **Espiègle 2011 rouge (5 000 b.)** possède ce même côté séducteur et tonique, et obtient la même note.

☛ Dom. Betton, 245, chem. des Hauts-Saviaux, 26600 La Roche-de-Glun, tél. 04 75 84 70 40, domainebetton@gmail.com, ☑ ⚔ ⵛ r.-v.

M. CHAPOUTIER 2011 ★

25 000	ⵏ	8 à 11 €

La maison Chapoutier présente avec ce 2011 un vin complexe et expressif, explosif même : poivre blanc, laurier, framboise, menthol et une touche originale d'écorce d'orange sanguine. Douce en attaque, la bouche se montre généreuse, ample et soyeuse, égayée par une jolie fraîcheur mentholée et épicée en accord avec l'olfaction. À boire dans les trois années à venir, sur un tajine d'agneau par exemple.

☛ Maison M. Chapoutier, 18, av. du Dr-Paul-Durand, 26600 Tain-l'Hermitage, tél. 04 75 08 28 65, fax 04 75 08 81 70, chapoutier@chapoutier.com, ☑ ⚔ ⵛ t.l.j. 9h-12h30 14h-19h

YANN CHAVE 2011 ★★

55 000	ⵏ	15 à 20 €

Yann Chave signe un 2011 unanimement apprécié pour son côté gourmand et pour son fruité intense (cassis, mûre) qui se développe tout au long de la dégustation. Il s'y ajoute de la réglisse, du poivre et quelques notes animales. La bouche se révèle très équilibrée, offrant du gras, de la rondeur et une belle fraîcheur. Les tanins sont bien présents, mais fondus. On peut apprécier cette bouteille dès maintenant ou l'attendre trois à cinq ans.

☛ Yann Chave, 1170, chem. de la Burge, 26600 Mercurol, tél. 04 75 07 42 11, fax 04 75 07 47 34, chaveyann@yahoo.fr

♥ MARLÈNE ET NICOLAS CHEVALIER La Motte 2011 ★★

3 200	ⵑ	11 à 15 €

Également producteurs de fruits, de légumes et de céréales, les jeunes trentenaires Marlène Chevalier et son frère Nicolas ont repris le domaine familial en 2009 et

décidé de vinifier eux-mêmes leurs vendanges, destinées jusqu'alors à la coopérative. Ils ont opté pour les sélections parcellaires, d'où le nombre important de cuvées à la carte. Ici, un crozes-hermitage provenant du lieu-dit La Motte, au terroir argileux ; un troisième millésime seulement, une seconde apparition dans le Guide, et déjà un coup de cœur avec ce vin au fort caractère loué pour la pureté de ses arômes fruités, épicés et réglissés et pour sa bouche opulente, riche et vigoureuse qui ne perd jamais de son élégance et de son équilibre, grâce à ce qu'il faut de fraîcheur et à des tanins au grain très fin et serré. Un vin puissant et viril sans en avoir l'air, une force tranquille à découvrir dans les cinq années à venir sur un mets de choix, des ris de veau à la truffe par exemple. La même cuvée en **blanc 2011 (2 130 b.)**, née de la seule marsanne, obtient une étoile pour son palais doux, rond et soyeux, et pour son boisé bien ajusté.

🍷 La Régence - Cave Chevalier, 840, chem. de l'Allier, 26600 Chanos-Curson, tél. 04 75 07 32 81, fax 04 75 07 35 60, contact@cave-chevalier.com, ☑

DOM. DU COLOMBIER Cuvée Gaby 2011

| ■ | 16 000 | ⬛ | 15 à 20 € |

Florent Viale est partisan d'une viticulture la plus naturelle possible ; sa démarche tend vers le bio, mais sans certification. Hommage à son père Gaby, cette cuvée se distingue par un bouquet plaisant de cerise et de cassis agrémenté d'une touche animale, et par son palais souple, soyeux et délicat. À boire légèrement frais, sur une grillade de porc.

🍷 Dom. du Colombier, SCEA Viale, Mercurol, 26600 Tain-l'Hermitage, tél. 04 75 07 44 07, fax 04 75 07 41 43 ☑ ☆ ☂ r.-v.

JEAN-LUC COLOMBO La Tuilière 2011

| ■ | 60 000 | ⬛ | 11 à 15 € |

Ce vin permet d'aborder l'univers du crozes-hermitage par son côté gourmand et fruité. Les fruits confits composent un bouquet généreux et flatteur, que prolonge un palais souple, plein et rond. Un vrai « vin plaisir », à déguster dans sa jeunesse.

🍷 Vins Jean-Luc Colombo, 10-12, rue des Violettes, 07130 Cornas, tél. 04 75 84 17 10, fax 04 75 84 17 19, colombo@vinscolombo.fr, ☑ ☆ ☂ t.l.j. 10h-12h 14h-18h30

ⓑ DOM. COMBIER 2011 ★

| ■ | 75 000 | ⬛ | 15 à 20 € |

Laurent Combier propose une cuvée expressive et bien construite, qui dévoile à l'olfaction un fruité frais et croquant de fraise des bois rehaussé de notes mentholées. L'attaque ajoute des arômes floraux (rose), puis une structure bien en place mais sans excès apparaît, accom-

pagnée par une belle fraîcheur qui se maintient jusqu'à une finale longue et poivrée. Ce vin bien représentatif du millésime a de la tenue et pourra s'apprécier au cours des deux prochaines années.

🍷 Dom. Combier, RN 7, 26600 Pont-de-l'Isère, tél. 04 75 84 61 56, fax 04 75 84 53 43, domaine-combier@wanadoo.fr, ☑ ☆ ☂ r.-v.

CH. CURSON 2011 ★★

| ■ | 14 000 | ⬛ | 15 à 20 € |

Dans la famille Pochon depuis plus de deux siècles, ce château fut la propriété de Diane de Poitiers. Caves voûtées, fenêtres à meneaux ouvragées avec finesse, tour accueillant un grand escalier à vis, les attraits de l'architecture ne manquent pas. Remarquable aussi est ce vin au bouquet complexe de fruits noirs, d'épices et de réglisse, encore dominé par l'élevage en bouche, mais offrant aussi beaucoup de chair et de concentration, des tanins finement ciselés et une belle fraîcheur. Trois à cinq ans de garde seront nécessaires pour l'apprécier totalement.

🍷 Étienne Pochon, 80, chem. des Pierres, 26600 Chanos-Curson, tél. 04 75 07 34 60, fax 04 75 07 30 27, domainespochon@wanadoo.fr, ☆ ☂ r.-v.

EMMANUEL DARNAUD Les Trois Chênes 2011 ★★

| ■ | 30 000 | ⬛ | 15 à 20 € |

Depuis son installation en 2001, Emmanuel Darnaud fait preuve d'une belle constance dans la qualité. Il signe ici une cuvée dont l'élevage a bien intégré les composantes aromatiques : du fruit, un boisé fondu ainsi qu'une touche de minéralité. Souple en attaque, le palais s'appuie sur des tanins bien enrobés qui lui donnent du volume et de la densité. Un vin équilibré et subtil, à attendre deux ou trois ans.

🍷 EARL Emmanuel Darnaud, 21, rue du Stade, 26600 La Roche-de-Glun, tél. et fax 04 75 84 81 64, emmanuel.darnaud26@orange.fr, ☑ ☆ ☂ r.-v.

ⓑ FERRATON PÈRE ET FILS Les Pichères 2011 ★

| ■ | n.c. | ⬛ | 15 à 20 € |

Cette maison de négoce propose un crozes harmonieux, dominé tout au long de la dégustation par les épices agrémentées de notes grillées apportées par un boisé léger. En bouche, le vin s'appuie sur des tanins doux et une belle fraîcheur. À boire dans les trois ans.

🍷 Ferraton Père et Fils, 13, rue de la Sizeranne, 26600 Tain-l'Hermitage, tél. 04 75 08 59 51, fax 04 75 08 81 59, ferraton@ferraton.fr, ☑ ☆ ☂ t.l.j. sf dim. 10h-12h 14h30-19h

DOM. DES GRANDS CHEMINS 2011 ★

| ■ | 50 000 | ⬛ | 15 à 20 € |

Ce vin dévoile un bouquet charmeur et complexe de tapenade, de chocolat et de moka. Non moins avenant, le palais se montre généreux, velouté et plein, étayé par des tanins d'un joli grain. Une bouteille qui devrait bien évoluer d'ici deux ou trois ans.

🍷 Delas Frères, ZA de l'Olivet, 07300 Saint-Jean-de-Muzols, tél. 04 75 08 60 30, fax 04 75 08 53 67, france@delas.com, ☑ ☆ ☂ t.l.j. sf dim. (ouv. en juil.-août) 9h30-12h 14h30-18h30

🍷 Champagne Deutz

DOM. DES HAUTS CHÂSSIS Les Galets 2011 ★

■   40 000   ◫   15 à 20 €

Faisant preuve d'"une belle constance, Franck Faugier est fidèle au rendez-vous du Guide avec sa cuvée Les Galets dont le 2011 est l' « expression très réussie d'une syrah équilibrée et sans complexe », selon un dégustateur. De fait, ce vin se révèle bien bouqueté autour des fruits noirs, de la violette, des épices et d'une petite touche animale, et dévoile une bouche ample et généreuse, sans concentration excessive et d'une bonne persistance aromatique. Bien dans le ton de l'appellation et du millésime, il pourra être dégusté dès cet automne.

☛ Dom. des Hauts Châssis, 995, chem. des Hauts-Châssis, 26600 La Roche-de-Glun, tél. et fax 04 75 84 50 26, domaine.des.hauts.chassis@wanadoo.fr, ☑ ⚔ ⵏ r.-v.
☛ Franck Faugier

♥ DOM. MELODY Étoile noire 2011 ★★★

■   16 000   ◫   15 à 20 €

Une entrée fracassante dans le Guide pour ce domaine né en 2010 de la rencontre entre les trois vignerons Marlène Durand, Marc Romak et Denis Larivière. Ce n'est pas une étoile noire qui nous est présentée ici, mais une supernova sombre et profonde, aux parfums intenses et complexes de cerise noire, de graphite et de menthol. En bouche, c'est un modèle d'équilibre et de puissance maîtrisée, où tout est intégré sans lourdeur ni exagération. Un vin très pur, qui fait penser à l'ouverture de *Tannhaüser* de Richard Wagner, les tanins, musclés mais élégants, tenant le rôle des violons qui soutiennent le rythme et soulignent la ligne mélodique. À déguster dans quatre ou cinq ans, sur une épaule d'agneau en croûte. Une même sensation de puissance contenue caractérise la cuvée **Premier regard 2011 rouge (11 à 15 € ; 16 000 b.)**, généreuse, suave, riche et ronde. Elle obtient deux étoiles et s'appréciera dans deux ou trois ans sur un carré de porc rôti.

NOUVEAU PRODUCTEUR

☛ Dom. Melody, 570, chem. des Limites, 26600 Mercurol, tél. 04 75 08 16 51, fax 04 75 08 17 97, lariviere.mm@hotmail.fr, ☑ ⚔ ⵏ r.-v.

DOM. DU MURINAIS Vieilles Vignes 2011 ★

■   26 000   ◫   11 à 15 €

Ce domaine propose deux vins différents et difficiles à départager. Toutefois, une légère préférence a été donnée à cette cuvée Vieilles Vignes pour son bouquet ouvert sur les fruits à noyau et la violette, et pour son palais puissant mais toujours frais, épicé, boisé avec discernement et soutenu par des tanins soyeux, gages d'un bon vieillissement (trois ans). Parfait pour une viande en sauce. La cuvée **Les Amandiers 2011 rouge (24 000 b.)**, qui n'a pas connu le bois, séduit par son fruité, sa fraîcheur et sa souplesse. Un vin gourmand, à boire jeune, servi un peu frais, sur des grillades.

☛ Dom. du Murinais, 1890, rte du Laboureur, 26600 Beaumont-Monteux, tél. 04 75 07 34 76, fax 04 75 07 35 91, lltardy@aol.com, ☑ ⚔ ⵏ r.-v.
☛ Luc Tardy

OGIER Héritages 2011 ★

■   60 000   ◫   8 à 11 €

Les commentaires flatteurs ne manquent pas ; on retiendra celui-ci, qui résume bien les qualités de ce 2011 : « Un vin de terroir, généreux, ferme mais jamais agressif. » On y ajoutera le bouquet intense, qui évoque les fruits mûrs, les épices, la garrigue et le thym, le volume important et la longue finale fruitée et épicée. Une bouteille de caractère, à attendre deux ou trois ans.

☛ Ogier, 10, av. Louis-Pasteur, 84230 Châteauneuf-du-Pape, tél. 04 90 39 32 00, fax 04 90 83 72 51, ogier@ogier.fr, ☑ ⚔ ⵏ t.l.j. sf dim. 9h-12h 14h-18h30

DOM. MICHEL POINARD Les Saviaux 2011

■   28 000   ■◫   8 à 11 €

Bourguignon d'origine, Yves Cheron, qui s'est installé en 2004 dans la vallée du Rhône, possède deux domaines dans l'appellation : Les Hauts de Mercurol et celui-ci, établi dans la commune de La Roche-de-Glun. Née sur le terroir argileux des Saviaux, cette cuvée se distingue par son caractère épicé au nez comme en bouche (poivre noir, clou de girofle, noix muscade), par son élevage bien maîtrisé et par son équilibre douceur-fraîcheur. À servir dans les trois ans, sur une souris d'agneau.

☛ Dom. Michel Poinard, La Beaume, 26600 Mercurol, tél. 04 90 65 85 91, fax 04 90 65 89 23, contact@vignoblescheron.fr, ☑ ⚔ ⵏ r.-v.
☛ Yves Cheron

DOM. PRADELLE 2011 ★

■   80 000   ◫   8 à 11 €

Ce domaine de 35 ha propose une cuvée élevée huit mois en barrique, dont le nez intense de cassis et de groseille est agrémenté de nuances florales et d'un boisé discret. Franche en attaque, la bouche se révèle bien charpentée et bâtie sur des tanins solides mais élégants qui garantissent à ce vin un bon potentiel de garde (trois ou quatre ans). Le **blanc 2012 Courbis (2 500 b.)** est encore sous l'emprise du bois (noix de coco, vanille), qui n'étouffe pas pour autant le fruit ; frais et tonique en bouche, il obtient également une étoile. On le servira dans un an ou deux.

☛ Dom. Pradelle, 5, rue du Riou, 26600 Chanos-Curson, tél. 04 75 07 31 00, fax 04 75 07 35 34, domainepradelle@yahoo.fr, ☑ ⚔ ⵏ t.l.j. sf dim. 8h-12h 14h-18h

DOM. DES REMIZIÈRES Cuvée particulière 2011 ★★

■   32 000   ◫   8 à 11 €

Les Desmeure (Philippe et ses enfants Émilie et Christophe) brillent une fois de plus et placent trois cuvées dans la sélection. La préférée des dégustateurs est cette Cuvée particulière née de ceps âgés de quarante-cinq ans, plantés sur argilo-calcaires. Encore dominée par l'élevage et sur la réserve, elle se distingue néanmoins par son fort potentiel. Au nez, le boisé s'accompagne à l'aération de notes de fruits mûrs (framboise, cassis) et d'une touche animale. La bouche dévoile une belle trame de tanins serrés soulignés par une agréable fraîcheur. À attendre donc, trois ou quatre ans. La **cuvée Christophe 2011 rouge** (11 à 15 € ; 22 200 b.), née d'une syrah plus âgée enracinée sur un terroir de kaolin, affiche elle aussi un fort caractère tannique et boisé. On la laissera quatre ou cinq ans en cave. En attendant, on pourra déboucher la **cuvée Christophe 2011 blanc** (11 à 15 € ; 12 000 b.), ronde, riche et très chaleureuse, et dominée par des parfums de reine-claude compotée. Elle obtient une citation.

☛ Cave Desmeure, Dom. des Remizières,
1459, av. du Vercors, 26600 Mercurol, tél. 04 75 07 44 28,
fax 04 75 07 45 87, contact@domaineremizieres.com,
☑ ⚲ � t.l.j. sf dim. 9h-12h 14h-18h30

Ⓑ DAVID REYNAUD Les Croix 2011 ★★

■	n.c.	⦀ 15 à 20 €

« De l'encre ! » écrit un dégustateur pour décrire la robe de cette cuvée née au lieu-dit Les Croix. Sa couleur sombre annonce un bouquet très riche de fruits noirs compotés et de garrigue, vivifié par des nuances mentholées, auquel fait écho une bouche ample, opulente et longue, alliant puissance et élégance, bâtie sur des tanins solides et serrés. Un vin de caractère, à oublier trois à cinq ans en cave avant de lui réserver une pièce de gibier ou une viande rouge mijotée. Le **rouge 2011 Georges Reynaud** (11 à 15 €), moins concentré mais d'une belle complexité (notes empyreumatiques, épices, cassis), obtient une étoile.

☛ David Reynaud, Dom. les Bruyères,
26600 Beaumont-Monteux, tél. 04 75 84 74 14,
fax 04 75 84 14 06, domainelesbruyeres@orange.fr,
☑ ⚲ � t.l.j. sf dim. 9h-12h 14h-18h; sam. 9h-12h

💙 **DOM. DES SEPT CHEMINS** Cuvée Tradition 2011 ★★

■	20 000	⦀ 11 à 15 €

Les frères Jérôme et Rémy Buffière ont repris le domaine familial en 2010. Leur deuxième millésime donc, et déjà le haut de l'affiche avec ce vin « stendhalien » entre le rouge et le noir à l'œil, entre les fruits rouges et noirs à l'olfaction mêlés à un boisé fondu et à une touche de fraîcheur « terroitaire ». Franc en attaque, le palais dévoile des tanins soyeux enrobés par une chair ronde, généreuse, imprégnée de notes fruitées et chocolatées. Un crozes harmonieux et concentré, prêt à boire mais pouvant aussi attendre trois ou quatre ans.

☛ GAEC Jérôme et Rémy Buffière,
Dom. des Sept Chemins, 26600 Pont-de-l'Isère,
tél. 04 75 84 75 55, fax 04 75 84 62 94,
domainebuffiere@hotmail.fr, ☑ ⚲ � r.-v.

CAVE DE TAIN Les Hauts du Fief 2011 ★

■	50 000	⦀ 11 à 15 €

Joli palmarès pour la cave de Tain, qui ne place pas moins de six cuvées dans cette sélection. Ce 2011 se détache par son bouquet intense, boisé surtout et épicé, et par sa bouche à l'unisson, puissante, charnue et concentrée, avec une jolie fraîcheur en soutien. Un vin en devenir, à attendre deux ou trois ans. Le **2011 rouge Talent de vigneron Culture et terroirs** (8 à 11 € ; 50 000 b.) plus simple, souple et fruité, est cité. Cité également, le **Club des sommeliers 2010 rouge** (8 à 11 € ; 165 000 b.) est un « vin plaisir », d'une bonne concentration sans agressivité et généreusement fruité (cassis, confiture de mûres). Même note pour la cuvée **Nuit blanche 2010 rouge** (8 à 11 € ; 65 000 b.), ronde et soyeuse en attaque, plus serrée dans son développement. À attendre un an ou deux. Le **blanc 2012 Les Hauts d'Éole** (24 000 b.), long, à la fois frais et riche, et dévoilant un boisé bien fondu, et le **blanc 2012 Cuvée de l'Empi** (5 à 8 € ; 35 000 b.), fruité (pêche blanche, abricot), vif et intense, obtiennent l'un et l'autre une étoile.

☛ Cave de Tain, 22, rte de Larnage,
26603 Tain-l'Hermitage, tél. 04 75 08 20 87,
fax 04 75 07 15 16, contact@cavedetain.com, ☑ � r.-v.

CHARLES ET FRANÇOIS TARDY Les Machonnières 2011

■	7 600	⦀ 15 à 20 €

Que l'étiquette indique "Dom. des Entrefaux" ou "Charles et François Tardy", ce domaine fait preuve de régularité. Ici, un vin bien dans le ton du millésime, qui dévoile une belle fraîcheur et une honorable profondeur accompagnées de bout en bout par des arômes de fruits mûrs, des notes poivrées et un toasté léger. Un crozes facile à aborder, à ouvrir dans deux ans.

☛ Dom. des Entrefaux, 1050, chem. de Veaunes,
26600 Chanos-Curson, tél. 04 75 07 33 38,
fax 04 75 07 35 27, entrefaux@wanadoo.fr, ☑ ⚲ � r.-v.
☛ Tardy

DOM. DE THALABERT 2010

■	90 000	▮⦀ 30 à 50 €

L'une des plus anciennes propriétés de la maison de négoce Jaboulet Aîné. Elle propose ici un 2010 au style « Nouveau Monde », selon un dégustateur ; entendez par là un vin dominé au nez comme en bouche par un boisé très marqué mais élégant (grillé, torréfaction), concentré et solidement charpenté. Pour autant, ce vin a du charme et du potentiel ; on l'attendra deux ou trois ans pour qu'il gagne en rondeur et se fonde.

☛ Dom. Paul Jaboulet Aîné, RN 7 - Les Jalets, BP 46,
26600 Tain-l'Hermitage, tél. 04 75 84 68 93,
fax 04 75 84 56 14, info@jaboulet.com, ☑ � t.l.j. 10h-19h
☛ Caroline Frey

Hermitage

Superficie : 135 ha
Production : 4 365 hl (75 % rouge)

Le coteau de l'Hermitage, très bien exposé au sud, est situé au nord-est de Tain-l'Hermitage. La culture de la vigne y remonte au IVᵉs. av. J.-C., mais on attribue l'origine du nom de l'appellation au chevalier Gaspard de Sterimberg qui, revenant de la croisade contre les Albigeois en 1224, décida de se retirer du monde. Il édifia un ermitage, défricha et planta de la vigne.

Le massif de Tain est constitué à l'ouest d'arènes granitiques, terrain propice à la syrah (les Bessards). Plantées de roussanne et surtout de marsanne, les parties est et sud-est de l'appellation, formées de cailloutis et de lœss, ont vocation à produire des vins blancs (les Rocoules, les Murets).

L'hermitage rouge est un très grand vin de garde, tannique, extrêmement aromatique, qui demande un vieillissement de cinq à dix ans, voire de vingt ans, avant de développer un bouquet d'une richesse et d'une qualité rares. On le servira entre 16 °C et 18 °C, sur du gibier ou des viandes rouges. L'hermitage blanc est un vin très fin, peu acide, souple, gras et parfumé. Il peut être apprécié dès la première année mais atteindra son plein épanouissement après un vieillissement de cinq à dix ans. Cependant, les grandes années, en blanc comme en rouge, peuvent supporter une garde de trente ou quarante ans.

DOM. BELLE 2010

	3 500	🍷	30 à 50 €

Après vingt-six mois de fût, cet hermitage livre un bouquet puissant de café, d'épices, de violette et de fruits à noyau, le tout accompagné de légères notes végétales. En bouche, il se révèle très tannique et austère. Pour le moins charpenté, ce vin devra laisser le temps agir, cinq ou six ans au moins.

🍇 Dom. Belle, 510, rue de la Croix, 26600 Larnage, tél. 04 75 08 24 58, fax 04 75 07 10 58, domaine.belle@wanadoo.fr, ☑ ⚔ 🍸 r.-v.

DOM. JEAN-LOUIS CHAVE 2010 ★★

	n.c.	🍷	+ de 100 €

Ce vin ne se laisse pas facilement apprivoiser. Il faut un peu de patience pour qu'il dévoile ses senteurs élégantes d'acacia et de miel mêlées à un boisé délicat aux accents de vanille. Une légère amertume ouvre le palais, conférant à ce dernier une agréable touche de fraîcheur et un surcroît de complexité. Puis le vin se fait ample, chaleureux, montant, pour aboutir à une longue finale soyeuse et caressante. Un hermitage de haute expression assurément, qui « se mérite et doit s'apprécier lentement », conclut un dégustateur. De très longue garde évidemment.

🍇 Jean-Louis Chave, 37, av. du Saint-Joseph, 07300 Mauves, tél. 04 75 08 24 63, fax 04 75 07 14 21

♥ DOM. JEAN-LOUIS CHAVE 2010 ★★★

	n.c.	🍷	+ de 100 €

Les vins de Jean-Louis Chave, blancs comme rouges, forcent l'admiration année après année, transcendant la notion de millésime grâce à un soin méticuleux apporté à la vigne, chaque parcelle étant « bichonnée » comme un jardin japonais. Les vendanges sont toujours tardives, pour récolter le raisin à parfaite maturité, et le travail au chai, tout aussi pointu, privilégie une vinification et un élevage séparés pour chaque terroir. C'est ensuite la magie des assemblages, lieu-dit par lieu-dit. Magie qui a une nouvelle fois opéré avec le 2010. Sa robe dense aux reflets violines fournit de précieuses indications sur la suite de la dégustation. C'est de fait un vin encore jeune et fougueux bien sûr, un peu « sauvage » même, généreux aussi, que l'on découvre dès l'olfaction à travers des notes de mûre et de gelée de cassis mâtinées de nuances musquées et épicées. Nuances aromatiques que l'on retrouve dans un palais gras, dense et soyeux, soutenu par une fine fraîcheur et par une structure superbe d'élégance. Un vin aussi large que long, à « oublier », si l'on ose dire, pendant plusieurs années, voire plusieurs décennies.

🍇 Jean-Louis Chave, 37, av. du Saint-Joseph, 07300 Mauves, tél. 04 75 08 24 63, fax 04 75 07 14 21

DOM. DU COLOMBIER 2010 ★

	7 000	🍷	30 à 50 €

En hermitage ou en crozes, le domaine de la famille Viale fréquente le Guide avec une belle régularité. Il propose ici un 2010 sombre et dense, sur les fruits confiturés (prune, cerise), charnu et chaleureux en bouche, porté par des tanins boisés et serrés qui lui confèrent un air sévère et rigoureux. L'attente est de mise, au moins quatre ou cinq ans.

🍇 Dom. du Colombier, SCEA Viale, Mercurol, 26600 Tain-l'Hermitage, tél. 04 75 07 44 07, fax 04 75 07 41 43 ☑ ⚔ 🍸 r.-v.

DELAS Les Bessards 2011 ★★

	n.c.	🍷	+ de 100 €

Dans le giron du Champagne Deutz (groupe Roederer), cette vénérable maison de négoce fondée en 1835 exploite une parcelle de vignes au lieu-dit les Bessards, un coteau granitique situé au sud-ouest de la colline de l'Hermitage. Elle en a tiré un 2011 de grande garde, à la fois puissant et harmonieux, où chaque élément est à sa place. Le nez, chaleureux, dévoile des parfums intenses de griotte, de réglisse et de pivoine agrémentés de nuances vanillées. Le palais offre beaucoup de volume, de densité et une agréable suavité, tout en s'appuyant sur des tanins fermes et fins, et sur un bon boisé qui n'étouffe pas le fruit. Attendre sept à huit ans au moins avant de servir cette bouteille sur un mets de choix, des ris de veau par exemple. **Le blanc 2011 Marquise de la Tourette** (30 à 50 € ; 5 000 b.), minéral, frais, nerveux même, et légèrement grillé, est cité.

RHÔNE

☛ Delas Frères, ZA de l'Olivet, 07300 Saint-Jean-de-Muzols,
tél. 04 75 08 60 30, fax 04 75 08 53 67, france@delas.com,
☑ ⚔ ⵊ t.l.j. sf dim. (ouv. en juil.-août) 9h30-12h
14h30-18h30
☛ Champagne Deutz

DOM. PHILIPPE ET VINCENT JABOULET 2010 ★

| | 3 000 | ⬤ | 30 à 50 € |

Cet hermitage blanc provient d'une parcelle familiale plantée uniquement en marsanne, vinifiée et élevée en
fût pendant onze mois. Paré d'une seyante robe jaune
paille, il dévoile un bouquet élégant qui marie les fruits
jaunes et blancs à un boisé affirmé et encore dominant, aux
accents de pain grillé. On retrouve ces arômes dans un
palais gras, riche, suave et long. Cela devrait donner, dans
deux ou trois ans, une belle bouteille à servir sur des
crustacés ou sur une volaille.
☛ Philippe et Vincent Jaboulet, 920, La Négociale,
26600 Mercurol, tél. 04 75 07 44 32, fax 04 75 07 44 06,
jabouletphilippeetvincent@wanadoo.fr, ☑ ⚔ r.-v.

PAUL JABOULET AÎNÉ La Petite Chapelle 2010 ★

| | 31 000 | ⬤ | 75 à 100 € |

Emblème de l'appellation, la chapelle Saint-
Christophe est propriété de cette célèbre maison de
négoce depuis 1919. La « petite sœur » de la mythique
cuvée La Chapelle a été créée en 2001 afin de proposer un
hermitage plus doux et à boire « plus tôt », dans les dix ans.
Les dégustateurs confirment ce profil et voient dans la
version 2010 un vin au bouquet élégant de fruits noirs,
d'épices et de pain grillé, au palais puissant et bien en
chair, encore un peu « sauvage » et dominé par le bois. Le
puzzle n'est pas tout à fait en place, mais on entrevoit un
très beau tableau final.
☛ Dom. Paul Jaboulet Aîné, RN 7 - Les Jalets, BP 46,
26600 Tain-l'Hermitage, tél. 04 75 84 68 93,
fax 04 75 84 56 14, info@jaboulet.com, ☑ ⵊ t.l.j. 10h-19h
☛ Caroline Frey

DOM. DES REMIZIÈRES Cuvée Émilie 2011 ★★

| | 2 600 | ⬤ | 30 à 50 € |

En rouge ou en blanc, cette cuvée – du nom de la fille
de Philippe Desmeure – est l'un des fleurons de l'appellation, en témoigne une série éloquente de coups de cœur.
Honneur au blanc cette année, né de marsanne (97 %) et
d'un soupçon de roussanne, vinifié en barrique (pour 60 %
neuve et pour 40 % en barrique d'un vin) et élevé dix mois
dans le chêne. Un vin d'une jaune paille limpide et brillant,
au nez discret mais élégant de fruits jaunes mûrs (pêche,
abricot) et de fleur d'acacia mâtinés d'une touche fumée.
Dans la continuité de l'olfaction, le palais se révèle
remarquablement équilibré, à la fois puissant, gras, généreux et frais. Tout cela demandera du temps pour s'épanouir, et dans quatre ou cinq ans, cet hermitage sera une
pure merveille. La très confidentielle cuvée **Autrement
2011 rouge** (50 à 75 € ; 860 b.) est vinifiée... autrement,
en demi-muid neuf et ouvert (position debout), puis élevée
quinze mois en barrique neuve. Un vin remarquable lui
aussi – deux étoiles également –, plein, dense, fougueux,
épicé et boisé, d'une puissance qui peut dérouter mais qui
est un gage de longévité (la décennie et plus encore).
☛ Cave Desmeure, Dom. des Remizières,
1459, av. du Vercors, 26600 Mercurol, tél. 04 75 07 44 28,
fax 04 75 07 45 87, contact@domaineremizieres.com,
☑ ⚔ ⵊ t.l.j. sf dim. 9h-12h 14h-18h30

CAVE DE TAIN Gambert de Loche 2010 ★★

| | 10 000 | ⬤ | 50 à 75 € |

Après le coup de cœur de l'an passé pour le millésime
2009, cette cuvée reste excellente dans sa version 2010.
Son caractère quelque peu austère aujourd'hui est le gage
d'une très belle bouteille dans dix ans et plus encore. Car
au-delà du bouquet, complexe et racé (moka, fruits noirs
confiturés, épices), on trouve beaucoup de concentration
et de puissance dans ce vin étayé par des tanins solides
mais jamais agressifs et par un boisé luxueux. Laissons
donc faire le temps avant de lui réserver une pièce de gibier
ou une viande rouge longuement mijotée. En blanc, la
Cave de Tain propose deux cuvées très réussies – une
étoile –, d'un style proche, les **Hauts de Pavières 2010**
(20 à 30 € ; 5 000 b.) et **Les Petites Cabanes 2010** (20
à 30 € ; 5 000 b.), marquées par une franche vivacité
(l'effet millésime ?) conjuguée à une matière dense, à un
fruité élégant et à un boisé bien maîtrisé. À boire dans les
cinq ans à venir, sur un poisson en sauce.
☛ Cave de Tain, 22, rte de Larnage,
26603 Tain-l'Hermitage, tél. 04 75 08 20 87,
fax 04 75 07 15 16, contact@cavedetain.com, ☑ ⵊ r.-v.

Cornas

Superficie : 115 ha
Production : 4 210 hl

En face de Valence, l'appellation s'étend sur la
seule commune de Cornas. Les sols, en pente
assez forte, sont composés d'arènes granitiques,
maintenues en place par des murets. Issu de
syrah récoltée à faibles rendements (30 hl/ha), le
cornas est un vin rouge viril, charpenté, qu'il faut
faire vieillir au moins trois années – mais il peut
attendre parfois beaucoup plus – afin qu'il puisse
exprimer ses arômes fruités et épicés sur des
viandes rouges et du gibier.

A. CLAPE 2011 ★

| | 16 000 | ⬤ | 30 à 50 € |

La volonté affichée de ce domaine incontournable
est de produire le vin « le plus vrai possible, apprivoisant
à la fois le terroir et le millésime, sans artifices ». Pierre
Clape, installé en 1992 à la suite de son père Auguste,
perpétue avec un talent sans faille la tradition familiale et
cette recherche d'authenticité : vendanges non égrappées
et élevage de vingt-deux mois en foudre ancien pour
l'expression la plus aboutie de la syrah, vieille ici de
cinquante ans et plantée sur 3,5 ha de sol granitique. Si le
difficile millésime 2011 n'offre pas la concentration habituelle, le vin n'en exprime pas moins le terroir, à travers
de fines nuances de pierre chaude, le cépage léguant ses
classiques parfums de violette, de réglisse et d'épices, le
tout accompagné d'une intense note résineuse. Le palais,
à l'unisson, affiche l'austérité des jeunes cornas, mais son
volume et sa solide structure tannique donnent confiance
en l'avenir. Soyez patient, dix ans au moins, ce vin livrera
alors tous ses secrets.
☛ SCEA Dom. Clape, 146, av. Colonel-Rousset,
07130 Cornas, tél. 04 75 40 33 64, fax 04 75 81 01 98
⚔ ⵊ r.-v.

DOM. COURBIS Champelrose 2011 ★

■   20 000   ❶   20 à 30 €

Valeur sûre de l'appellation (et du saint-joseph), les Courbis ont obtenu deux coups de cœur d'affilée pour leurs cornas Les Egyats 2009 et La Sarabotte 2010. Cette année, voici une cuvée, née de vieux ceps de plus de soixante-dix ans plantés sur granite, parée d'une robe dense et profonde. À l'olfaction, les seize mois d'élevage n'emportent pas tout sur leur passage, laissant s'exprimer avec douceur les épices et les fruits mûrs. En bouche, le vin se révèle chaleureux, ample, gras et long. Une générosité qui appelle une viande mijotée, une épaule d'agneau aux épices douces par exemple, aujourd'hui comme dans six ans.

☛ Dom. Courbis, rte de Saint-Romain,
07130 Châteaubourg, tél. 04 75 81 81 60,
fax 04 75 40 25 39, contact@domaine-courbis.fr,
☑ ⚔ ⵊ t.l.j. sf dim. 9h-12h 14h-18h; sam. sur r.-v.

DUMIEN-SERRETTE Patou 2011 ★

■   5 000   ❶   20 à 30 €

Gilbert Serrette signe une cuvée encore sur la réserve à l'olfaction, qui développe timidement des notes d'épices (poivre) et de fruits rouges, et bien qu'il ait passé quatorze mois en fût, le boisé reste en retrait. Il en va de même en bouche : la matière apparaît fraîche et ample, soutenue par des tanins élégants. Déjà aimable, cette bouteille peut aussi être attendue trois à cinq ans.

☛ Dumien-Serrette, 18, rue du Ruisseau, 07130 Cornas,
tél. et fax 04 75 40 41 91, contact@serrette.com,
☑ ⚔ ⵊ r.-v.

DOM. ÉRIC ET JOËL DURAND Empreintes 2011

■   13 000   ❶   20 à 30 €

Ce vin délivre des parfums élégants de boisé torréfié, d'épices et de fruits noirs (cassis). La bouche suit la même ligne aromatique et séduit par sa fraîcheur et sa souplesse. Un cornas friand et « facile à boire », que l'on pourra servir dès aujourd'hui et dans les deux ou trois ans à venir.

☛ Éric et Joël Durand, 2, impasse de la Fontaine,
07130 Châteaubourg, tél. 04 75 40 46 78,
fax 04 75 40 29 77, ej.durand@wanadoo.fr, ☑ ⚔ ⵊ r.-v.

BRUNEL DE LA GARDINE 2010 ★

■   3 000   ❶   20 à 30 €

Ce domaine castelpapal (Ch. de la Gardine) a créé en 2007 la maison de négoce Brunel de la Gardine afin d'étendre sa gamme, au nord comme au sud de la vallée. Ici, un cornas net et frais à l'olfaction, qui décline de jolies notes de poivre et de fruits noirs. On retrouve les fruits et les épices dans une bouche équilibrée, à la fois tendre et tonique, portée par des tanins soyeux et élégants. Un vin déjà fort aimable, que l'on pourra déguster sans attendre. Cinq ou six ans de garde ne nuiront pas toutefois à son harmonie.

☛ Brunel Père et Fils, rte de Roquemaure, BP 51,
84232 Châteauneuf-du-Pape Cedex, tél. 04 90 83 73 20,
fax 04 90 83 77 24, contact@bpf-brunel.com, ☑ ⚔ ⵊ r.-v.

DOM. JOHANN MICHEL Cuvée Jana 2011 ★

■   1 200   ❶   30 à 50 €

C'est dans une ancienne bastide nouvellement aménagée en caveau que Johann et Emmanuelle Michel vous accueilleront. L'occasion de découvrir cette cuvée portant le prénom de leur fille. Au nez, ce 2011 dévoile un côté

végétal qui fait dire à un dégustateur qu'il s'agit d'une vendange non éraflée : bien senti. Un caractère que l'on retrouve dans une bouche dense et équilibrée. « Un cornas d'autrefois », soulignent les jurés, séduits par cette noble rusticité qui autorise une longue garde de huit à dix ans.

☛ Dom. Johann Michel, La ferme de Chavaran,
115, chem. de Ploye, 07130 Saint-Péray,
tél. et fax 04 75 40 56 43, johann-michel@wanadoo.fr,
☑ ⚔ ⵊ t.l.j. sf dim. 9h-12h 14h-18h

CAVE DE TAIN Grand Classique 2010 ★

■   25 000   ❶❶   15 à 20 €

La très qualitative coopérative de Tain propose un Grand Classique boisé avec subtilité, fruité et épicé. Un boisé plus intense, aux accents grillés, s'associe en bouche à des tanins denses et serrés pour composer un cornas bien typé, charpenté, élégant et harmonieux. On attendra au moins quatre ou cinq ans pour le déguster sur une pièce de gibier. La cuvée **Les Hauts de Pavière 2010 (25 000 b.)**, encore dominé par l'élevage (vanille, noix de coco, moka) mais ne manquant ni de complexité ni de rondeur, est cité.

☛ Cave de Tain, 22, rte de Larnage,
26603 Tain-l'Hermitage, tél. 04 75 08 20 87,
fax 04 75 07 15 16, contact@cavedetain.com, ☑ ⵊ r.-v.

♥ DOM. DU TUNNEL Vin noir 2011 ★★

■   3 500   ❶   30 à 50 €

« Belle robe, dense et noire », note un juré. Noire comme dans un tunnel, celui qui traverse le domaine, héritage d'une ancienne voie ferrée. Au bout, la lumière, celle d'un vin superbe de bout en bout. Si le nez apparaît discret de prime abord, l'aération révèle d'intenses senteurs de fruits noirs, de poivre, de Zan et de grillé. D'une longueur impressionnante, la bouche affiche un gros volume, une matière dense et riche enrobant des tanins puissants et élégants, le tout souligné par une fraîcheur vivifiante. Un cornas bien typé, viril et chaleureux, armé pour la décennie. La très confidentielle cuvée **Pur noir 2010 (50 à 15 € ; 420 b.)**, née de vignes quasi centenaires, plus ronde et fondue, fine et équilibrée, reçoit deux étoiles. On pourra la servir plus tôt, dans les cinq ans à venir.

☛ Stéphane Robert, Dom. du Tunnel,
20, rue de la République, 07130 Saint-Péray,
tél. 04 75 80 04 66, fax 04 75 80 06 50,
domaine-du-tunnel@wanadoo.fr,
☑ ⚔ ⵊ t.l.j. sf dim. 9h-19h; mer. sur r.-v.; f. 1er -15 août

LES VINS DE VIENNE Les Barcillants 2010 ★

■   5 000   ❶   30 à 50 €

Le trio Cuilleron-Villard-Gaillard signe un vin harmonieux, ouvert sur la cerise burlat bien mûre et sur les épices, agrémentés de nuances fumées et cacaotées. Le

RHÔNE

palais se révèle ample, gras et rond, soutenu par des tanins serrés, extraits avec finesse, et par une agréable fraîcheur. Un cornas élégant, sans excès de concentration, à attendre quatre ou cinq ans.

🍷 Les Vins de Vienne, 1, ZA de Jassoux, 42410 Chavanay, tél. 04 74 85 04 52, fax 04 74 31 97 55, contact@lesvinsdevienne.fr, ☑ ⚔ ⟡ r.-v.

Saint-péray

Superficie : 75 ha
Production : 2 170 hl (10 % effervescents)

Situé face à Valence, le vignoble de Saint-Péray est dominé par les ruines du château de Crussol. Un microclimat un peu plus froid et des sols plus riches que dans le reste de la région sont favorables à la production de vins plus acides et moins riches en alcool, issus de marsanne et de roussanne, bien adaptés à l'élaboration de blanc de blancs par la méthode traditionnelle.

DOM. DU BIGUET 2011

| | 7 200 | ▮ | 8 à 11 € |

Jean-Louis et Françoise Thiers proposent avec ce 100 % marsanne un vin bien typé, au nez élégant de fleurs blanches et de pierre à fusil, frais et équilibré en bouche. De la simplicité avant tout, et un plaisir immédiat assuré.

🍷 Dom. du Biguet, quartier Biguet, 07130 Toulaud, tél. 04 75 40 49 44, domainedubiguet.thiers@orange.fr, ☑ ⚔ ⟡ r.-v.

♥ DOM. BERNARD GRIPA Les Pins 2011 ★★

| | 12 000 | ▮⬛ | 15 à 20 € |

« Jamais deux sans trois », dit-on. Oui et non. Oui, parce que ce domaine obtient son troisième coup de cœur d'affilée dans cette appellation. Non, parce que ce ne sont pas Les Figuiers qui tiennent le haut du pavé (deux étoiles tout de même), mais cette cuvée Les Pins. Un vin qui fait la part belle à la marsanne (70 % de l'assemblage, aux côtés de la roussanne, ouvert à l'olfaction sur la fleur d'acacia, la pêche, le miel et les agrumes. Le palais se montre dense, riche et rond, équilibré par une fine trame acide qui lui confère une réelle élégance et beaucoup de longueur, soulignée par une belle salinité en finale. Un saint-péray de gastronomie, à déguster sur un poisson noble. À dominante de roussanne et élevée un an en barrique, la cuvée **Les Figuiers 2011 (10 000 b.)** se révèle un rien plus marquée par le bois, ample, fine et fraîche.

🍷 Dom. Bernard Gripa, 5, av. Ozier, 07300 Mauves, tél. 04 75 08 14 96, fax 04 75 07 06 81, gripa@wanadoo.fr, ☑ ⚔ ⟡ r.-v.

DOM. DES HAUTS CHÂSSIS Les Calcaires 2011 ★

| | 2 000 | ▮ | 11 à 15 € |

Plus connu des lecteurs pour ses crozes-hermitage, Franck Faugier propose ici un saint-péray bien maîtrisé et prouve, s'il le fallait, que le passage en barrique n'a rien d'obligé. Marsanne (70 %) et roussanne ont donné naissance à un vin qui joue dans le registre de la finesse, au nez (fleurs des champs, touche anisée : « un tableau de Signac », selon un dégustateur) comme en bouche, rond et frais à la fois. Un millésime équilibré et délicat, à réserver pour un poisson fin.

🍷 Dom. des Hauts Châssis, 995, chem. des Hauts-Châssis, 26600 La Roche-de-Glun, tél. et fax 04 75 84 50 26, domaine.des.hauts.chassis@wanadoo.fr, ☑ ⚔ ⟡ r.-v.

🍷 Franck Faugier

RÉMY NODIN La Beylesse 2011 ★★

| | 3 500 | ⬛ | 15 à 20 € |

Un nouveau nom dans le Guide, mais un domaine ancien, fondé au XIIᵉs. par le seigneur de Beauregard et propriété des Nodin depuis 1907. En 2008, la quatrième génération (Rémy et son épouse Amandine) a pris les commandes. Elle propose un vin né sur le coteau de la Beylesse, qui forme un amphithéâtre exposé au soleil levant avec vue sur le Vercors. C'est une marsanne pure, vinifiée et élevée en barrique. Le résultat est remarquable : robe limpide et brillante ; nez fin et complexe, sur le grillé, les fruits secs, les agrumes et la pêche blanche ; bouche ronde, suave, concentrée, soutenue par une fraîcheur minérale bien ajustée.

🍷 Rémy Nodin, 1, av. du 8-Mai-1945, 07130 Saint-Péray, tél. 04 75 40 35 90, remy@nodin.org, ☑ ⚔ ⟡ t.l.j. sf dim. 10h-19h

DOM. DU TUNNEL Cuvée Prestige 2011 ★★

| | 4 000 | ▮⬛ | 15 à 20 € |

Stéphane Robert a magnifiquement réussi ses vendanges 2011 : un coup de cœur en cornas notamment, et ce saint-péray qui frôle les trois étoiles. Un vin à dominante de marsanne, qui ne manque pas d'arguments : sa complexité, sa finesse aromatique (fleurs blanches, pêche, citron, amande sèche), son boisé parfaitement maîtrisé, son équilibre gras-acidité, et sa finale minérale et saline. Une cuvée harmonieuse, que les mélomanes pourraient comparer à la première *Gymnopédie* d'Erik Satie, décrite par Jankelevitch comme la « précision évasive » de la musique... La cuvée **Roussanne 2011 (9 000 b.),** plus fermée mais d'une réelle élégance, riche et ample, obtient également deux étoiles. On l'attendra deux ans.

🍷 Stéphane Robert, Dom. du Tunnel, 20, rue de la République, 07130 Saint-Péray, tél. 04 75 80 04 66, fax 04 75 80 06 50, domaine-du-tunnel@wanadoo.fr, ☑ ⚔ ⟡ t.l.j. sf dim. 9h-19h; mer. sur r.-v.; f. 1ᵉʳ -15 août

🅑 DOM. ALAIN VOGE Fleur de Crussol 2011

| | 5 000 | ⬛ | 20 à 30 € |

Issue de la seule marsanne, cette cuvée plaira aux amateurs de vins boisés. En effet, vinifiée et élevée en barriques, dans lesquelles elle est restée quinze mois, elle dévoile un bouquet dominé par des notes appuyées de pain grillé et de vanille. En bouche, elle offre une belle matière, ample et riche, qui lui permettra de bien assimiler son élevage. Mais il faudra de préférence l'attendre un an ou deux avant de lui réserver une viande blanche ou une volaille, un poulet aux morilles par exemple.

☛ Dom. Alain Voge, 4, imp. de l'Équerre, 07130 Cornas, tél. 04 75 40 32 04, fax 04 75 81 06 02, contact@alain-voge.com, ☑ ☀ � r.-v.

Clairette-de-die

Superficie : 1 401 ha
Production : 84 272 hl

Le vignoble du Diois occupe les versants de la moyenne vallée de la Drôme, entre Luc-en-Diois et Aouste-sur-Sye. Sans doute héritière du vin doux pétillant des Voconces mentionné par Pline l'Ancien, la clairette-de-die méthode dioise ou ancestrale est un vin mousseux doux et à faible teneur en alcool, dominé par le cépage muscat (75 % minimum) et qui termine naturellement sa fermentation en bouteille, sans adjonction de liqueur de tirage. L'appellation autorise aussi l'élaboration d'effervescents à base de clairette selon la méthode traditionnelle, avec seconde fermentation en bouteille.

💚 Ⓑ **ACHARD-VINCENT** Tradition ★★

| | 50 000 | 8 à 11 € |

Ce domaine, producteur de clairette depuis six générations, est une valeur sûre de l'appellation et un précurseur en termes d'agriculture bio, qu'il pratique depuis 1967 (il est en biodynamie depuis 2008). Une attention particulière à la vigne et au chai qui porte ses fruits, et de très beaux fruits – en l'occurrence de muscat (85 %) et de clairette – à en juger par cette cuvée excellente. La robe est jaune pâle, cristalline, et la bulle fine et légère. Le nez, complexe et intense, évoque les agrumes confits, le litchi et la rose ; une richesse aromatique qui se prolonge dans une bouche ample, suave et persistante. Un vin équilibré et très aromatique que l'on partagera aussi bien à l'apéritif qu'au dessert.

☛ Achard, Le Village, 26150 Sainte-Croix, tél. 04 75 21 20 73, fax 04 75 21 20 88, contact@domaine-achard-vincent.com, ☑ ☀ � t.l.j. sf dim. 9h-12h 14h-18h

CAROD FRÈRES Tradition Méthode dioise ancestrale

| | 107 000 | 5 à 8 € |

Cette clairette est un « cas d'école ». À son nez très « muscat », elle révèle clairement son origine. Il s'y ajoute un peu de pêche blanche et de la poire. La présence muscatée se retrouve aussi en bouche, apportant la douceur et le fruité attendus. Parfait pour découvrir l'appellation.

☛ Carod, quartier du Gap, 26340 Vercheny, tél. 04 75 21 73 77, fax 04 75 21 75 22, bleberre@caves-carod.fr, ☑ ☀ t.l.j. 9h-12h 14h-18h; f. dim. oct.-mars
☛ LGCF

CUVÉE ÉLÉGANCE Tradition Méthode dioise ancestrale ★

| | 188 000 | 5 à 8 € |

Cette structure regroupe sept associés qui ont mis en commun leurs vignes et leurs compétences. Elle propose une clairette or pâle aux reflets citronnés, au bouquet charmeur de fruits frais, à la bouche douce et persistante, muscatée à souhait. Un bon représentant de l'appellation, recommandé sur une tarte au citron vert et ricotta.

☛ Union des Jeunes Viticulteurs récoltants, rte de Die, 26340 Vercheny, tél. 04 75 21 70 88, fax 04 75 21 73 73, contact@ujvr.fr, ☑ ☀ ☀ t.l.j. 9h30-12h 14h-18h30

DIE JAILLANCE Icône Cuvée blanche ★★

| | 12 000 | 11 à 15 € |

Un muscat pur fermenté à basse température avec une prise de mousse selon la méthode ancestrale. Cela aboutit à un effervescent élégamment paré de jaune d'or, à la mousse très fine. Le nez se montre intense et complexe, muscaté comme il se doit, agrémenté de notes de thym, de rose et de jasmin. C'est long en bouche, puissant et riche mais sans lourdeur. Un beau travail de vinification.

☛ La Cave de Die Jaillance, av. de la Clairette, 26150 Die, tél. 04 75 22 30 00, fax 04 75 22 21 06, info@jaillance.com, ☑ ☀ ☀ t.l.j. 9h-12h30 14h30-19h

RASPAIL Coteau du Collet Tradition
Méthode dioise ancestrale 2011 ★

| | 19 220 | ▮ | 5 à 8 € |

La clairette-de-die méthode dioise est un vin mi-fermenté à faible degré alcoolique (8 % vol. ici), avec prise de mousse en bouteille effectuée grâce aux sucres résiduels. Cet effervescent, élaboré avec 80 % de muscat et 20 % de clairette, délivre des arômes frais de bourgeon de cassis agrémentés de nuances florales et muscatées. Le palais se montre long, plutôt riche mais bien équilibré par une bulle très légère.

☛ EARL Georges Raspail, rte du Camping-Municipal, quartier La Roche, 26340 Aurel, tél. 04 75 21 71 88, fax 04 75 21 71 89, ets.raspail@orange.fr, ☑ ☀ ☀ r.-v. 🏠 Ⓑ

Crémant-de-die

Production : 1 993 hl

L'AOC a été reconnue en 1993. Le crémant-de-die est produit à partir du cépage clairette, selon la méthode traditionnelle qui consiste en une seconde fermentation en bouteille.

CAROD ★

| 18 300 | 5 à 8 € |

Cette maison ancienne, fondée en 1940, appartient depuis 2008 aux Grands Chais de France. Elle propose un crémant jaune doré traversé de bulles régulières et légères. Le nez se révèle floral (acacia, reine des prés, fleur de sureau), puis s'oriente vers des arômes de pomme granny et de réglisse. Agrémenté d'une originale note de laurier qui lui donne du caractère, le palais se montre droit, soutenu par une acidité sans excès et par une bulle fine.

☛ Carod, quartier du Gap, 26340 Vercheny, tél. 04 75 21 73 77, fax 04 75 21 75 22, bleberre@caves-carod.fr,
☑ ⊤ t.l.j. 9h-12h 14h-18h; f. dim. oct.-mars
☛ LGCF

CHAMBERAN

| 15 000 | 5 à 8 € |

Après vingt-quatre mois de vieillissement sur lattes, ce crémant associant 30 % d'aligoté à la clairette apparaît dans une robe jaune pâle aux reflets verts, chapeauté par une mousse légère. Au nez, il dévoile de délicates notes de citron, de glaïeul et d'orange confite. Si la mousse est un peu abondante et l'attaque plutôt nerveuse, le palais laisse une agréable impression de fraîcheur et d'équilibre.

☛ Union des Jeunes Viticulteurs récoltants, rte de Die, 26340 Vercheny, tél. 04 75 21 70 88, fax 04 75 21 73 73, contact@ujvr.fr, ☑ ⚒ ⊤ t.l.j. 9h30-12h 14h-18h30

La vallée du Rhône méridionale

Vinsobres

Superficie : 450 ha
Production : 15 625 hl

Appartenant autrefois à l'appellation côtes-du-rhône-villages, Vinsobres a été promu en appellation locale en 2006. Celle-ci concerne uniquement les vins rouges nés sur la commune de Vinsobres, dans la Drôme.

Les vins doivent provenir d'un assemblage d'au moins deux cépages principaux, dont le grenache, qui doit représenter 50 % minimum, la syrah et/ou le mourvèdre devant atteindre 25 % minimum à l'horizon 2015.

Ⓑ DOM. DU CORIANÇON 2011 ★★

| 20 000 | 8 à 11 € |

Grenache, syrah et mourvèdre composent un vinsobres qui a la marque des grands. Intense et complexe à l'olfaction, ce 2011 mêle aux notes d'élevage les épices, les fruits mûrs, des nuances de cuir et de sous-bois. Une richesse aromatique à laquelle fait écho une bouche ample et puissante, magnifiée par une longue finale. Ce vin gagnera encore en profondeur et en harmonie après trois à cinq années de garde. Parfait pour du gibier, une brochette de grives par exemple. Dans un style proche mais plus rustique, la **cuvée Claude Vallot 2011 (5 000 b.)** est citée. On lui réservera également une viande haute en goût, d'ici trois ans.

☛ François Vallot, Dom. du Coriançon, Hauterives, 26110 Vinsobres, tél. 04 75 26 03 24, fax 04 75 26 44 67, fvallot@domainevallot.com,
☑ ⊤ t.l.j. sf dim. 9h-12h 14h-19h

DAUVERGNE RANVIER Terres extrêmes 2011

| 10 000 | 8 à 11 € |

Fermé, le nez de ce 2011 laisse s'échapper après agitation de subtiles notes de noisette. Les fruits rouges mûrs, la fraise notamment, font leur apparition dans une bouche, elle aussi sur la réserve, épaulée par des tanins de qualité, encore un peu sévères. Il est préférable d'attendre une paire d'années avant d'ouvrir cette bouteille.

☛ R & D Vins, Ch. Saint-Maurice, RN 580, L'Ardoise, 30290 Laudun, tél. 04 66 82 96 57, fax 04 66 82 96 58, francois.dauvergne@dauvergne-ranvier.com

DOM. JAUME Altitude 420 2011 ★

| 24 000 | 8 à 11 € |

Ce domaine « historique », créé en 1905, s'illustre de nouveau dans son appellation « de cœur » (l'arrière-grand-père Jaume fut l'un des promoteurs de la reconnaissance de Vinsobres en AOC côtes-du-rhône en 1937). Sa cuvée Altitude 420 dévoile un bouquet frais de griotte et de garrigue, avec quelques notes boisées (café) en complément. Une fraîcheur que l'on retrouve dans une bouche fine, expressive et équilibrée, adossée à des tanins souples. Agréable dès maintenant, cette bouteille s'appréciera volontiers sur un lapin à la tapenade.

☛ EARL Dom. Jaume, 24, rue Reynarde, 26110 Vinsobres, tél. 04 75 27 61 01, fax 04 75 27 68 40, vignoble@domainejaume.com,
☑ ⚒ ⊤ t.l.j. sf dim. 9h-12h 13h30-19h (18h en hiver)

DOM. DE MONTINE 2011

| 15 000 | 8 à 11 € |

Plus connu des lecteurs pour ses grignan-les-adhémar (anciennement coteaux-du-tricastin), ce domaine, ancienne ferme du château de Grignan, propose un vinsobres de belle facture. Palette aromatique variée et harmonieuse (vanille, mûre, griotte, garrigue), bouche charpentée par des tanins encore sévères mais de qualité, bonne longueur en bouche, tels sont ses arguments à ce jour. Rendez-vous dans trois ans pour une meilleure harmonie.

☛ Jean-Luc et Claude Monteillet, hameau de La Grande-Tuilière, 26230 Grignan, tél. 04 75 46 54 21, fax 04 75 46 93 26, domainedemontine@wanadoo.fr,
☑ ⚒ ⊤ t.l.j. 9h-12h 14h-19h 🏠 Ⓓ

FAMILLE PERRIN Les Cornuds 2011 ★

| 100 000 | 8 à 11 € |

Ce vinsobres paré d'une élégante robe grenat foncé ne cache pas son élevage en fût et dévoile dès le premier nez un boisé vanillé dominant, les fruits à l'alcool et les épices passant à l'arrière-plan. Chaleureuse et tannique, la bouche est à l'unisson. On laissera l'ensemble s'affiner encore deux ou trois ans avant de lui réserver un mets puissant : « un gâteau de foies de volaille au coulis de tomate », conseille un dégustateur.

☞ Famille Perrin, Ch. de Beaucastel, 84350 Courthézon,
tél. 04 90 11 12 00, fax 04 90 11 12 19,
perrin@familleperrin.com, ☑ ⚔ ⊺ r.-v.

CAVE LA VINSOBRAISE Émeraude 2011 ★★

| ■ | 35 000 | ⛁⬚ | 5 à 8 € |

Auteur d'un coup de cœur dans l'édition précédente avec son Therapius 2010, la Vinsobraise frôle la plus haute marche avec cette Émeraude issue d'un assemblage classique grenache-syrah. Une cuvée saluée pour sa finesse aromatique (fruits mûrs, vanille), son boisé bien ajusté, ses tanins élégants et fondus, et pour son équilibre. Elle est prête, comme la **Sélection Vieilles Vignes 2011 (40 000 b.)**, qui obtient elle aussi deux étoiles pour son fruité intense, sa rondeur avenante et sa jolie finale réglissée. Quant à la cuvée **Grenat 2011 (20 000 b.)**, très réussie, elle a séduit les dégustateurs par son caractère épicé et fruité, par son volume et par son intensité en bouche.

☞ La Vinsobraise, RD 94, 26110 Vinsobres,
tél. 04 75 27 64 22, fax 04 75 27 66 59,
infos@la-vinsobraise.com, ☑ ⚔ ⊺ r.-v.

Rasteau sec

Superficie : 1 300 ha
Production : 29 000 ha

L'appellation d'origine contrôlée rasteau se décline désormais en VDN (voir section Les vins doux naturels du Rhône) et en vin rouge sec grâce à l'accession en 2009 des côtes-du-rhône-villages Rasteau (village reconnu depuis 1966) en cru des Côtes du Rhône, le seizième du secteur, qui s'étend sur la seule commune de Rasteau.

Les conditions bioclimatiques de cette zone géographique sont particulièrement favorables au cépage grenache, qui atteint ici naturellement la complète maturité nécessaire à l'élaboration de grands vins, plus particulièrement dans les situations où prédominent les sols sableux et caillouteux. Ces mêmes conditions sont également favorables à la syrah et au mourvèdre (cépage à maturité tardive), notamment lorsqu'ils sont plantés sur des marnes sableuses ou sablo-argileuses.

Les vins, exclusivement rouges, sont riches en alcool, gras, puissants et très aromatiques. Leur structure tannique est le gage d'un excellent potentiel de garde.

DOM. M. BOUTIN 2011

| ■ | 4 200 | ⛁ | 8 à 11 € |

Un nouveau nom dans le Guide. Après avoir travaillé avec un associé pendant quelques années, Mikaël Boutin décide en 2009 de créer son propre domaine

– deux petits hectares en conversion bio, éparpillés sur huit parcelles de Rasteau – et lance sa première cuvée avec ce 2011. Un vin fort honorable, sur la réserve au premier nez, plus expressif et chaleureux à l'aération, dévoilant alors des notes de fruits mûrs et kirschés. Le palais se montre rond, gras et vineux, structuré par des tanins qui commencent à se fondre. À attendre une paire d'années.

NOUVEAU PRODUCTEUR

☞ Mikael Boutin, rue de la République, 84110 Rasteau,
tél. 06 64 66 04 46, mikael.boutin@orange.fr, ☑ ⚔ ⊺ r.-v.

DOM. BRESSY-MASSON Cuvée Paul Émile 2011 ★

| ■ | 8 000 | ⬚ | 11 à 15 € |

De très vieux ceps de grenache, de syrah et de mourvèdre âgés de quatre-vingts ans sont à l'origine de ce vin : la mention « Vieilles Vignes », parfois quelque peu abusive, aurait ici tout son sens... Cela donne un vin rouge sombre, au nez généreusement fruité, avec quelques notes de réglisse, de sous-bois et un boisé léger en appoint. Une attaque douce et soyeuse prélude à un palais ample, concentré sans excès, aux tanins enrobés, qui s'étire dans une longue finale un rien plus austère. Rien de rédhibitoire, deux à trois ans de garde affineront le tout.

☞ Marie-France Masson, Dom. Bressy-Masson,
rte d'Orange, 84110 Rasteau, tél. 04 90 46 10 45,
fax 04 90 46 17 78, bressy-masson@rasteau.fr,
☑ ⚔ ⊺ t.l.j. 9h-13h 13h30-19h

♥ DOM. CHAMFORT 2011 ★★

| ■ | 15 000 | ⬚ | 8 à 11 € |

Vasco Perdigao a pris les rênes de ce domaine de 21 ha en 2010, épaulé par son épouse Sonia Léorat à l'administratif et par Hervé Morin dans les vignes. Depuis, il signe avec régularité de jolies cuvées de vacqueyras, de rasteau et de *villages*. Il franchit une nouvelle étape avec ce rasteau 2011 remarquable, son premier millésime travaillé intégralement en bio, mais sans certification. Robe à la fois dense et brillante ; nez intense, généreux et complexe de fruits rouges compotés nuancés de réglisse et d'épices douces ; bouche à l'unisson, ample, riche et chaleureuse mais jamais lourde, structurée tout en finesse et sans extraction poussée. Un vin d'un grand équilibre, harmonieux et déjà très accorte, même s'il se bonifiera au cours des trois à cinq prochaines années. Parfait aussi bien pour une côte de bœuf à la fleur de sel que pour du gibier ou un plat épicé.

☞ Vasco Perdigao, RD 977, 84110 Sablet,
tél. 04 90 46 94 75, fax 04 90 46 99 84,
domaine-chamfort@orange.fr,
☑ ⚔ ⊺ t.l.j. sf sam. dim. 9h-12h 13h30-17h30

RHÔNE

DOM. DIDIER CHARAVIN Cuvée des Parpaïouns 2010

■   10 000   ▮   8 à 11 €

Créée en 1998, cette cuvée rend hommage au père de Didier Charavin, que l'on surnommait Papillon (*parpaïoun* en provençal). Un esprit de légèreté qui colle bien à ce 2010 axé sur la souplesse plutôt que sur la puissance : nez discret mais plaisant de fruits rouges mûrs rehaussés d'épices, bouche fruitée agrémentée d'une jolie note florale, tanins fins et bon équilibre gras-fraîcheur. Une bouteille harmonieuse, à déguster dans sa jeunesse.

☛ Dom. Didier Charavin, rte de Vaison, 84110 Rasteau, tél. 04 90 46 15 63, fax 04 90 46 16 22

☑ ⚔ ⟀ t.l.j. 9h-12h 14h-18h

Ⓑ DOM. DES COTEAUX DES TRAVERS Réserve 2011

■   11 000   ▮⏦   8 à 11 €

Ce domaine régulier en qualité, qui tire son nom de l'exposition de ses coteaux au soleil levant (« travers »), est conduit en bio certifié depuis le millésime 2010. Ce 2011 livre un bouquet de bonne intensité, à la complexité naissante (fruits rouges, fines notes grillées). En bouche, les tanins bien présents, soutenus par une pointe de vivacité, demandent encore à se fondre. D'ici un an ou deux, l'ensemble devrait être prêt à boire.

☛ Robert Charavin, Dom. des Coteaux des Travers, 84110 Rasteau, tél. 04 90 46 13 69, fax 04 90 46 15 81, coteaux-des-travers@rasteau.com, ☑ ⚔ ⟀ t.l.j. sf dim. 10h-18h

ROMAIN DUVERNAY 2011 ★★

■   10 000   ▮   8 à 11 €

Le négociant Romain Duvernay signe un rasteau bien sous tous les rapports, issu du trio grenache-syrah-mourvèdre. La robe est d'un beau grenat sombre. Complexe et ouvert, le nez évoque les fruits rouges compotés, le Zan, les épices et le chocolat. Souple en attaque, la bouche dévoile une même complexité, soutenue par des tanins fins et soyeux et par une fine trame minérale. Un vin complet et équilibré, à déguster dans les trois à cinq ans à venir, sur une épaule d'agneau farcie aux chanterelles par exemple.

☛ Duvernay Vins Millésimés, 1, rue de la Nouvelle-Poste, BP 25, 84231 Châteauneuf-du-Pape Cedex, tél. 04 90 83 71 88, fax 04 90 83 70 72, dvm.duvernay@wanadoo.fr, ☑ ⟀ r.-v.

DOM. DE LA GARANCE 2010 ★★

■   8 000   ▮   8 à 11 €

Voilà un rasteau bien dans le ton de l'appellation, une belle expression du grenache (80 %), la syrah faisant l'appoint. Au nez, les fruits rouges confiturés se mêlent à la réglisse et au poivre. Souple en attaque, le palais se révèle ample, rond et chaleureux, soutenu par des tanins élégants et fondus. Un vin d'une puissance maîtrisée, déjà prêt mais apte à quelques années de garde. Viandes rouges et pièces de gibier mijotées seront les bienvenues.

☛ André Liautaud, Dom. de la Garance, Le Grenouillet, 84110 Rasteau, tél. 06 09 89 11 54, fax 04 90 46 12 80, a.liautaud@orange.fr, ☑ ⚔ ⟀ r.-v. ▦ ➌

DOM. GRAND NICOLET Les Esqueyrons 2010 ★★

■   3 380   ⏦   11 à 15 €

Les lecteurs fidèles se souviendront sans doute de la cuvée Vieilles Vignes 2009 de ce domaine, qui obtient le coup de cœur de l'édition 2012. Les Esqueyrons 2010

n'ont pas grand-chose à lui envier et frôlent la plus haute distinction. Vieilles vignes de soixante ans – pour moitié du grenache et pour moitié de la syrah –, terres fortes d'argile et de marnes, récolte à grande maturité, cuvaison longue, passage en fût (de la syrah uniquement) pendant un an, voilà quelques-uns des atouts de ce vin couleur cerise burlat, au nez puissant de fruits à l'eau-de-vie, de sous-bois et de cacao. Dans la continuité du bouquet, le palais se révèle souple, ample et plein de douceur, porté par des tanins fins et fondus. Une amabilité qui autorise une consommation dès l'automne, sur un civet de chevreuil ou toute autre viande corsée et bien mijotée, mais ce rasteau peut aussi affronter trois ou quatre ans de garde. Un peu moins de syrah entre dans la cuvée **Vieilles Vignes 2010** (8 à 11 € ; 12 000 b.), aux accents de café torréfié et d'humus, solidement structurée et équilibrée par une touche de fraîcheur. Elle obtient une étoile et s'appréciera dans les trois ou quatre ans à venir.

☛ Jean-Pierre Bertrand, Dom. Grand Nicolet, quartier Les Esqueyrons, 84110 Rasteau, tél. et fax 04 90 28 91 54, domainegrandnicolet@rasteau.fr, ☑ ⚔ ⟀ t.l.j. sf sam. dim. lun. 9h-12h; ap.-midi sur r.-v. (ouv. 14h-18h en juin-août)

Ⓑ DOM. LES GRANDS BOIS Cuvée Marc 2011 ★

■   9 000   ⏦   11 à 15 €

« Si je suis généreux, si l'on chante avec moi, je dois mes qualités aux cailloux des Grands Bois. » Cette maxime d'Albert Farjon, fondateur de l'exploitation en 1929, s'applique à merveille à ce vin qui, après un premier nez réservé, dévoile un bouquet généreux de fruits à l'alcool, de sous-bois et de boisé frais et toasté. La bouche affiche de la concentration, du volume et une belle charpente de tanins solides mais sans dureté. Deux ou trois ans de garde lui apporteront l'harmonie. À noter que le millésime 2011 est le premier du domaine estampillé bio.

☛ Dom. les Grands Bois, 55, av. Jean-Jaurès, 84290 Sainte-Cécile-les-Vignes, tél. 04 90 30 81 86, fax 04 90 30 87 94, mbesnardeau@grands-bois.com, ☑ ⚔ ⟀ t.l.j. sf dim. 9h-12h 14h-18h30

DOM. MARTIN Les Sommets de Rasteau 2011

■   5 000   11 à 15 €

Comme son nom l'indique, cette cuvée est née sur les hauteurs de l'appellation, de vieilles vignes de soixante-cinq ans. Mi-grenache mi-syrah, élevée en foudre pendant un an, elle se présente dans une robe ornée de quelques reflets bruns. Un signe de maturité que l'on retrouve dans un bouquet intense aux accents de cuir et de cacao, relayé par un palais gras et bien structuré. À boire dans l'année sur un carré de porc aux champignons.

☛ Dom. Martin, rte de Vaison-la-Romaine, 84850 Travaillan, tél. 04 90 37 23 20, fax 04 90 37 78 87, martin@domaine-martin.com, ☑ ⚔ ⟀ t.l.j. sf dim. 9h-12h 14h-18h

DOM. MAZURD La Combe d'Eoune 2010 ★

■   12 000   ▮⏦   11 à 15 €

Le domaine a été fondé en 1978 par les parents de Philippe Mazurd. Ce rasteau obtient une étoile pour l'originalité de son bouquet : fruits secs, abricot, figue, pruneau, poivron ou encore nuances cacaotées et vanillées. La bouche, souple et équilibrée, adossée à des tanins et à un boisé fondus, suit la même ligne aromatique. Un ensemble harmonieux et complexe, à découvrir dans les deux ou trois ans à venir, sur un tajine d'agneau aux pruneaux.

➤ EARL Dom. Mazurd, 474, av. de Provence, 26790 Tulette, tél. 04 75 98 32 71, fax 04 75 98 38 66, domaine.mazurd@wanadoo.fr, ☑ ⚔ ⵊ t.l.j. 9h-12h 14h-19h; f. dim. en jan., fév., mars 🏠 🄴

CAVE DE RASTEAU Les Hauts du village 2010

■	25 000	🍷⑪	11 à 15 €

Assemblage équilibré de grenache, de syrah et de mourvèdre, cette cuvée de la coopérative de Rasteau dévoile un premier nez marqué par la cerise à l'eau-de-vie, accompagnée à l'agitation de nuances florales, poivrées et vanillées. La bouche est à l'avenant, souple et chaleureuse, soutenue par des tanins policés. Si l'on peut regretter un petit manque de longueur et de structure, cette cuvée sait néanmoins se rendre aimable et s'appréciera dès aujourd'hui.

➤ Ortas - Cave de Rasteau, rte des Princes-d'Orange, 84110 Rasteau, tél. 04 90 10 90 14, fax 04 90 46 16 65, rasteau@rasteau.com, ☑ ⵊ t.l.j. 9h-12h30 14h-18h; juil.-sep. 9h-19h

DOM. DE VERQUIÈRE 2011

■	10 000		8 à 11 €

En 2009, la quatrième génération de Chamfort a pris les commandes, et une nouvelle étape se dessine avec une conversion bio en cours. Romain, à la vigne, et Thibaut, au chai, proposent un 2011, assemblage classique de grenache (70%) et de syrah, élevé en foudre pendant dix mois. Un vin au nez gourmand et généreux de fruits rouges, qui se prolonge, accompagné de notes réglissées et un rien boisées, dans un palais bien structuré. On regrettera juste un petit manque de longueur. À attendre deux ans.

➤ Dom. de Verquière, EARL Bernard Chamfort, 3, rue Georges-Bonnefoy, 84110 Sablet, tél. 04 90 46 90 11, fax 04 90 46 99 69, chamfort@domaine-de-verquiere.com, ☑ ⚔ ⵊ t.l.j. 9h-12h30 14h-17h30; sam. dim. sur r.-v. 🏠 🄴

PIERRE VIDAL Réserve 2011 ★

■	20 000	🍷⑪	5 à 8 €

Installé en 2010 dans la cité des Papes, le jeune œnologue Pierre Vidal continue de ravir (à l'aveugle) les palais de nos experts avec ses cuvées de négoce issues de sélections parcellaires et vinifiées par ses soins. Il propose ici un rasteau à la robe limpide ornée de reflets violets de jeunesse, porté au nez sur les fruits rouges et le poivre, souple, doux et fondu en bouche, un rien plus tannique en finale, mais sans que cela nuise à son caractère aimable. À boire ou à attendre deux ou trois ans.

➤ Pierre Vidal, 631, rte de Sorgues, 84230 Châteauneuf-du-Pape, tél. et fax 04 90 83 70 24, contact@pierrevidal.com

DOM. WILFRIED 2010 ★★

■	7 000		11 à 15 €

Depuis la retraite de leur père en 2007, Wilfried Pouzoulas et sa sœur Réjane ont pris les commandes de ce domaine de 36 ha en conversion bio. Ils signent une cuvée magistrale, qui associe au « maître grenache » quelques arpents de syrah, de carignan et de mourvèdre. Le nez demande un peu d'aération pour que s'échappent du verre d'intenses notes animales et épicées (poivre), bientôt relayées par les fruits rouges et l'alcool. Dans le droit fil, le palais affiche beaucoup de volume, souligné par des tanins fins et fondus, plus fougueux en finale. Un « défaut » de jeunesse que corrigeront deux ou trois ans de garde. Réservez un plat de caractère à cette bouteille, comme un gigot d'agneau au jus d'ail accompagné de pommes de terre nouvelles et de tronçons de courgette passés au four.

➤ Dom. Réjane et Wilfried Pouzoulas, Dom. Wilfried, quartier de Blovac, 84110 Rasteau, tél. 04 90 46 10 66, caveau@domainewilfried.com, ☑ ⚔ ⵊ t.l.j. sf dim. 9h-12h 14h-18h; jan.-mars sur r.-v. 🏠 🄴

Gigondas

Superficie : 1 225 ha
Production : 32 180 hl

Au pied des étonnantes Dentelles de Montmirail, le vignoble de Gigondas ne couvre que la commune du même nom. Il est constitué d'une série de coteaux et de vallonnements. La vocation viticole de l'endroit est très ancienne, mais son réel développement ne date que du XIX^{e}s., sous l'impulsion d'Eugène Raspail. D'abord côtes-du-rhône, puis, en 1966, côtes-du-rhône-villages, Gigondas obtient ses lettres de noblesse en tant qu'appellation spécifique en 1971.

Les caractéristiques du sol et le climat donnent leurs caractères aux vins, le plus souvent rouges à forte teneur en alcool, puissants et charpentés, tout en présentant une palette aromatique d'une grande finesse où se mêlent épices et fruits à noyau. Bien adaptés au gibier, les gigondas mûrissent lentement et peuvent garder leurs qualités pendant de nombreuses années. Il existe également quelques vins rosés, eux aussi chaleureux.

LA BASTIDE SAINT-VINCENT Costevieille 2011 ★

■	2 600	🍷⑪	15 à 20 €

Laurent Daniel conduit depuis 2001 ce vignoble familial de 22 ha dispersés sur six communes. Née d'une sélection de vieux plants de grenache, de syrah et de mourvèdre cultivés en coteaux, cette cuvée s'exprime à travers des parfums élégants et harmonieux de fruits rouges et de menthol. Cette tendance aromatique se poursuit, agrémentée d'une pointe d'épices, dans une bouche chaleureuse mais sans lourdeur, à la fois intense et fine. Un vin équilibré, à déguster dès à présent ou à attendre deux ou trois ans.

➤ Laurent Daniel, La Bastide Saint-Vincent, 1047, rte de Vaison-la-Romaine, 84150 Violès, tél. 04 90 70 94 13, fax 04 90 70 96 13, bastide.vincent@free.fr, ☑ ⵊ t.l.j. sf dim. 9h-12h 14h-19h

DOM. DU BOIS DES MÈGES Pierre Céleste 2011

■	2 500	🍷⑪	11 à 15 €

Ce gigondas s'annonce avec intensité sur fond de fruits et d'épices. Son palais équilibré permet d'apprécier le côté soyeux des tanins et ses arômes toujours dans les registres fruité et épicé. L'ensemble, harmonieux, accompagnera une viande rouge grillée, dans les deux ans à venir.

☞ Ghislain Guigue, Les Tappys, 607, rte d'Orange, 84150 Violès, tél. 04 90 70 92 95, fax 04 90 70 97 39, gguigue@boisdesmeges.fr, ☑ ✲ r.-v.

DOM. DES BOSQUETS Le Lieu dit... 2011 ★

| ■ | | | 3 200 | 🍶 🍷 | 30 à 50 € |

Ce lieu-dit des Bosquets est dédié à la viticulture depuis longtemps : les registres notariaux du XIVᵉs. indiquent la présence de la vigne sur ces terres. Le grenache (et une touche de syrah) ont donné naissance à cette cuvée rouge limpide, au nez intense de fruits cuits et d'épices accompagnés d'une note boisée bien intégrée. La bouche charnue et longue ravira les palais les plus délicats par sa texture et son fondu. À boire dans deux ou trois ans sur un cochon de lait à la broche.

☞ Famille Brechet, Dom. des Bosquets, 84190 Gigondas, tél. 04 90 83 70 31, fax 04 90 83 51 97, contact@famillebrechet.fr, ☑ ✲ ✲ t.l.j. 10h-12h 14h-17h30
☞ Famille Bréchet

DOM. LA BOUÏSSIÈRE 2011 ★

| ■ | | | 32 000 | | 15 à 20 € |

Coup de cœur l'an dernier pour sa cuvée La Font de Tonin 2010, ce domaine tient son rang avec ce gigondas bien typé. Le nez élégant et intense mêle les épices et les fruits rouges mûrs à des nuances florales et animales. Suivant la même ligne aromatique, la bouche offre un bel équilibre entre puissance, rondeur et douceur. Déjà aimable, cette bouteille s'appréciera mieux après deux ou trois ans de garde, sur une viande rouge en sauce, un sauté de bœuf aux olives par exemple.

☞ EARL Faravel, rue du Portail, 84190 Gigondas, tél. 04 90 65 87 91, fax 04 90 65 82 16, labouissiere@aol.com,
☑ ✲ ✲ t.l.j. sf dim. 9h-12h 14h-18h; f. jan.

♥ DOM. BRUSSET Les Hauts de Montmirail 2011 ★★

| ■ | | | 20 000 | 🍶 🍷 | 20 à 30 € |

Le domaine Brusset est né en 1947. Il étend ses 70 ha de vignes sur soixante-huit terrasses au pied des Dentelles de Montmirail. Cette cuvée est issue des parcelles les plus hautes et du trio grenache-syrah-mourvèdre. Elle atteint des sommets. La robe est intense et profonde, tirant sur le noir. Le bouquet délivre par salves successives des notes animales, des fruits surmûris, des épices et des senteurs de garrigue. Corpulent, soyeux, ample et long, le palais ravit par son équilibre et par son intensité. De longue garde assurément, ce gigondas est armé pour la décennie, mais pourra aussi s'apprécier plus tôt (d'ici deux ou trois ans). Une pointe de cinsault est ajoutée à la cuvée **Tradition le Grand Montmirail 2011 (15 à 20 € ; 35 000 b.)**, dans la même veine : nez intense de fruits mûrs agrémenté de légères notes de menthol et d'épices, structure imposante mais jamais agressive, boisé élégant et belle persistance aromatique en bouche. Elle obtient deux étoiles et pourra rester le même temps en cave que les Hauts de Montmirail.

☞ Dom. Brusset, Le Village, 84290 Cairanne, tél. 04 90 30 82 16, fax 04 90 30 73 31, domaine-brusset@wanadoo.fr, ☑ ✲ ✲ t.l.j. 10h-12h 14h-18h

DOM. DU CAYRON 2011

| | | | 69 000 | | 15 à 20 € |

Élevé douze mois en foudre, ce gigondas dévoile un bouquet plaisant de petits fruits rouges vivifiés par des nuances végétales et mentholées. En bouche, viennent s'ajouter quelques notes animales qui accompagnent une structure bien affirmée, mais sans excès, et l'on retrouve en finale les notes fraîches de menthol perçues à l'olfaction. À boire dans les deux ans.

☞ Michel Faraud, Dom. du Cayron, rue de la Libération, 84190 Gigondas, tél. 04 90 65 87 46, fax 04 90 65 88 81, cayron.faraud@alicepro.fr,
☑ ✲ t.l.j. sf dim. 9h-12h30 14h-18h30; sam. sur r.-v.; f. 20 déc-6 jan.

DOM. LES CHÊNES BLANCS 2010 ★

| ■ | | | 4 500 | 🍶 🍷 | 11 à 15 € |

Une touche originale de clairette blanche entre dans l'assemblage de ce gigondas, aux côtés des classiques grenache (60 %), syrah et mourvèdre. Un vin avenant d'emblée avec sa robe grenat soutenu et son bouquet cacaoté, grillé et épicé. Des notes boisées affleurent aussi dans un palais dense et puissant. Ce vin, encore en devenir, sera remisé trois à cinq ans en cave.

☞ Jean Roux, Dom. les Chênes blancs, 84190 Gigondas, tél. 04 90 65 85 04, fax 04 90 65 82 94, jean.roux@domaine-les-chenes-blancs.fr, ☑ ✲ ✲ r.-v.

DOM. LE CLOS DES CAZAUX Prestige 2011 ★

| ■ | | | 6 000 | 🍷 | 15 à 20 € |

Ce domaine étend ses vignes en AOC vacqueyras (25 ha) et en gigondas (15 ha) ; un vignoble en banquettes exposées au sud-ouest, établi au pied d'une tour du IXᵉs., lointain souvenir des incursions sarrasines. Grenache, syrah et mourvèdre y ont donné naissance à ce vin grenat soutenu aux reflets violets de jeunesse. Les fruits noirs confiturés s'associent aux notes vanillées du fût pour composer un bouquet complexe. D'attaque franche, la bouche se montre très aromatique, souple et suave. Une bouteille harmonieuse, déjà agréable à boire mais qui peut aussi être attendue deux ou trois ans.

☞ Famille Archimbaud-Vache, Dom. le Clos des Cazaux, chem. du Moulin, 84190 Vacqueyras, tél. 04 90 65 85 83, fax 04 90 41 75 32, closdescazaux@wanadoo.fr,
☑ ✲ ✲ t.l.j. sf dim. 9h-12h 14h-18h; ouv. sam. de Pâques à Toussaint
☞ Jean-Michel et Frédéric Vache

🅑 CLOS DU JONCUAS 2010 ★

■	n.c.	📖📶 15 à 20 €

Ceps de grenache, de mourvèdre et de cinsault d'âge respectable (cinquante ans) cultivés en bio depuis les origines du domaine (1960) sont à l'origine de cette cuvée aux parfums de fruits mûrs et même confits, d'épices et de garrigue, que l'on retrouve dans une bouche fine, ronde, aux tanins présents mais enrobés et soulignée par une agréable fraîcheur. Un vin harmonieux et déjà aimable, que l'on pourra aussi attendre deux à quatre ans.

🍷 Chastan, Clos du Joncuas, 84190 Gigondas, tél. 04 90 65 86 86, fax 04 90 65 83 68, contact@closdujoncuas.fr, ⊻ ⟙ r.-v.

CH. LA CROIX DES PINS Les Dessous des Dentelles 2011 ★

■	3 276	📶 11 à 15 €

Les Dessous des Dentelles ? C'est sur une parcelle située sous les Dentelles de Montmirail, entre les Dentelles sarrazines et les Trois Yeux qu'est née cette cuvée « affriolante » dans sa robe rouge profond, aux parfums intenses de fruits rouges à noyau bien mûrs, voire confiturés, rehaussés d'épices et d'une note animale plus « virile ». Le côté « féminin » réside dans ses tanins soyeux, dans sa rondeur et sa générosité, une pointe de fraîcheur bienvenue apportant l'équilibre. À boire dans les deux ans, sur un lièvre à la royale par exemple.

🍷 Ch. la Croix des Pins, 902, chem. de la Combe, 84380 Mazan, tél. 04 90 66 37 48, fax 04 90 40 36 88, chateaulacroixdespins@orange.fr,
⊻ ⚔ ⟙ t.l.j. sf dim. 10h-12h 14h-17h (été 15h-18h30); f. sam. en hiver 🏠 🅔
🍷 Jean-Pierre Valade

DOM. DE LA DAYSSE 2011

■	70 000	📶 11 à 15 €

Ce domaine ancien (en témoignent des actes notariés d'avant la Révolution) propose un gigondas agréablement bouqueté autour des fruits mûrs relevés par un soupçon d'épices. La bouche se révèle bien concentrée, chaleureuse et encore un peu austère. Il faudra encore attendre trois à cinq ans pour plus de fondu.

🍷 Dom. Jack Meffre et Fils, Le Village, 84190 Gigondas, tél. 04 90 70 94 90, fax 09 57 45 68 27, hmeffre@outlook.com, ⊻ ⚔ ⟙ r.-v.

DOM. DES FLORETS Saveurs des Dentelles 2011 ★

■	5 000	📶 11 à 15 €

Jérôme Bourdier, installé en 2007 sur ce domaine de 8 ha, signe un gigondas discret à l'olfaction mais élégant, qui s'ouvre à l'aération sur des notes toastées, briochées et fruitées du meilleur effet. L'attaque franche et fruitée dévoile une bouche douce, ample et longue, étayée par une juste fraîcheur. À découvrir dans les quatre ans à venir.

🍷 Dom. des Florets, rte des Dentelles, 84190 Gigondas, tél. et fax 04 90 40 47 51, scea-domainedesflorets@orange.fr,
⊻ ⚔ ⟙ t.l.j. 8h-12h 14h-18h
🍷 Jérôme Boudier

🅑 DOM. DE FONTAVIN Terre d'ancêtres 2011 ★

■	8 000	📶 11 à 15 €

Voici une expression très réussie du grenache, bien campé sur ses racines et sans fard (entendez sans bois). Intenses, les notes aromatiques vont des fruits rouges mûrs, voire confiturés (fraise écrasée), aux épices et au Zan.

Le palais se montre généreux dès l'attaque, rond et suave, soutenu par des tanins soyeux et enrobés. Tout cela promet un bel épanouissement d'ici deux ou trois ans.

🍷 Dom. de Fontavin, 1468, rte de la Plaine, 84350 Courthézon, tél. 04 90 70 72 14, fax 04 90 70 79 39, helene-chouvet@fontavin.com,
⊻ ⚔ ⟙ t.l.j. 9h (sam. 10h)-12h15 14h-18h15, ouv. toute la journée en juil-août
🍷 Hélène Chouvet

DOM. DE FONT-SANE Tradition 2011

■	27 000	📶 11 à 15 €

Cette cuvée, d'un rouge intense et profond, associe au grenache (70 %) la syrah (25 %) et une touche de cinsault et de mourvèdre. Au nez, les fruits noirs et les épices se mêlent aux notes torréfiées de la barrique. Une pointe animale complète la palette dans une bouche équilibrée et bien structurée. À boire dans deux ou trois ans.

🍷 EARL Dom. de Font-Sane, G. Peysson et Fille, 84190 Gigondas, tél. 04 90 65 86 36, fax 04 90 65 81 71, domaine@font-sane.com, ⊻ ⚔ ⟙ r.-v.
🍷 Cunty

DOM. LA FOURMONE Secret de la barrique 2011 ★

■	5 000	📖📶 15 à 20 €

Une valeur sûre de l'appellation assurément, (en vacqueyras également). Ce Secret de la barrique, cuvée haut de gamme du domaine, avait d'ailleurs obtenu un coup de cœur dans l'édition précédente pour son millésime 2010, faisant suite à d'autres hautes distinctions. Ici, un 2011 qui n'a rien à cacher, offrant à l'olfaction des parfums intenses et complexes de fruits noirs, de vanille et de réglisse, relayés par un palais puissant, généreux, plein et long, étayé par des tanins et un boisé fondus. Tout indiqué pour un cuissot de chevreuil, mais pas avant trois ou quatre ans. Élevée en cuve, la **cuvée Cigaloun 2011 (11 à 15 € ; 7 000 b.)**, plus « nature », souple, fraîche et fruitée, obtient également une étoile. On pourra l'apprécier dès maintenant.

🍷 Combe et Filles, Dom. la Fourmone, rte de Bollène, 84190 Vacqueyras, tél. 04 90 65 86 05, fax 04 90 65 87 84, contact@fourmone.com,
⊻ ⟙ t.l.j. sf dim. 9h30-18h; ouv. dim. de Pâques au 15 août

GIGONDAS LA CAVE Signature 2011

■	64 000	📖📶 11 à 15 €

La Signature de ce vin est avant tout la générosité. Générosité du fruit à l'olfaction, tendance fruits rouges à l'eau-de-vie (pas de note boisée grâce à un élevage en vieux foudre). Générosité de la chair et de l'alcool en bouche également, qui donne à ce gigondas un caractère rond et chaleureux, souligné par des tanins fondus et soyeux. À boire dans les deux ou trois ans sur une viande en sauce. Les amateurs de vins plus tanniques et rustiques préféreront **La Référence Élevage hors bois 2011 (110 000 b.)**, citée elle aussi pour son volume et pour son fruité agréable.

🍷 Gigondas la Cave, Les Blaches, D 7, 84190 Gigondas, tél. 04 90 65 86 27, fax 04 90 65 80 13, infos@cave-gigondas.fr, ⊻ ⚔ ⟙ t.l.j. 9h-12h30 14h-18h30

DOM. LES GOUBERT 2010 ★

| ■ | 16 500 | ■ ▥ | 11 à 15 € |

Pas moins d'une quarantaine de parcelles établies en terrasses et coteaux, entre 150 et 400 m d'altitude, composent les 23 ha du vignoble de Jean-Pierre Cartier. Ce dernier consacre 10 ha à cette cuvée issue de cinq cépages, dont l'intensité est perceptible dès l'exploration de la robe, d'un beau pourpre profond. Si le nez harmonieux se révèle délicat, évoquant les épices douces, la garrigue et les fruits rouges, le palais se montre plus intense et chaleureux, soutenu par un boisé toasté bien maîtrisé et par des tanins arrondis. À boire ou à attendre deux à quatre ans. Recommandé pour un poulet basquaise ou pour un lapin aux pruneaux.

🍷 Jean-Pierre Cartier, Dom. les Goubert, 84190 Gigondas, tél. 04 90 65 86 38, fax 04 90 65 81 52, jpcartier@lesgoubert.fr,
☑ ⚒ ▼ t.l.j. sf sam. dim. 9h-12h 14h-18h

💚 DOM. DU GOUR DE CHAULÉ
Cuvée Tradition 2011 ★★

| ■ | 12 000 | ■ | 11 à 15 € |

Les apparitions de ce domaine conduit de mère en fille depuis 1970 sont rares dans le Guide mais marquantes : cette cuvée Tradition obtint un coup de cœur dans ses versions 2004 et 2007. Dans la lignée de ces millésimes, Stéphanie Fumoso, aux commandes depuis 2007, signe un 2011 tout aussi remarquable, issu de vieilles vignes de grenache, de syrah et de mourvèdre. Après un long élevage de seize mois, le vin livre un bouquet net, élégant et intense dominé par le cassis. La bouche se révèle ample, soyeuse, très longue et tout aussi fruitée, soutenue par des tanins doux et caressants. Tout est cohérent, harmonieux et déjà tellement agréable. À boire sur le fruit de sa jeunesse, accompagné d'une belle pièce de bœuf ou d'un canard aux olives.

🍷 SCEA Beaumet-Bonfils, Dom. du Gour de Chaulé, quartier Sainte-Anne, 84190 Gigondas, tél. 04 90 65 85 62, fax 04 90 65 82 40, contact@gourdechaule.com,
☑ ⚒ ▼ r.-v.

DOM. DU GRAND BOURJASSOT Cuvée Cécile 2011 ★★

| ■ | 4 500 | ▥ | 11 à 15 € |

Sorti de la coopérative de Gigondas en 1992, Pierre Varenne crée, l'année d'après, son propre domaine en mettant en commun ses vignes et celles de son épouse. Des 7 ha que compte le vignoble, il a sélectionné 1 ha de grenache, de syrah et de mourvèdre pour élaborer ce gigondas carminé, au nez expressif et complexe de fruits à l'alcool, de sous-bois, d'épices, de réglisse et de vanille. Le palais se révèle ample, doux et concentré, soutenu par

un boisé bien maîtrisé et par des tanins serrés et fins qui confèrent beaucoup de coffre et d'élégance à ce vin ambitieux et déjà très harmonieux. On attendra toutefois au moins deux ou trois ans pour l'apprécier pleinement. Parfait pour du gibier ou pour une viande goûteuse, une épaule d'agneau par exemple.

🍷 Dom. du Grand Bourjassot, quartier Les Parties, 84190 Gigondas, tél. 04 90 65 88 80, grandbourjassot@free.fr,
☑ ▼ t.l.j. sf dim. 10h-12h 14h30-18h; f. nov.-mai
🍷 Varenne

DOM. GRAND ROMANE Cuvée Prestige Vieilles Vignes
Élevé en fût de chêne 2011 ★★

| ■ | 80 000 | ▥ | 11 à 15 € |

De vieilles vignes de grenache, de mourvèdre et de syrah plantées de 400 à 500 m d'altitude sur les hauteurs du domaine sont à l'origine de cette cuvée « à croquer ». Le nez chocolaté et épicé, agrémenté de jolies notes de fruits des bois, se révèle fin et complexe. La bouche, douce, élégante et homogène, s'appuie sur des tanins soyeux et fondus. Un ensemble harmonieux et plein, à découvrir au cours des trois ou quatre prochaines années sur une viande rouge en sauce. La cuvée **Pierre Amadieu 2011 Romane Machotte (100 000 b.)**, plus riche, puissante et tannique, obtient une étoile. Pour une pièce de gibier, dans trois à cinq ans.

🍷 Pierre Amadieu, La Paillouse, 84190 Gigondas, tél. 04 90 65 84 08, fax 04 90 65 82 14, pierre.amadieu@pierre-amadieu.com,
☑ ⚒ ▼ t.l.j. 10h-12h 14h-18h

LAVAU 2011 ★

| ■ | 15 000 | ■ ▥ | 11 à 15 € |

Cette maison de négoce conduite par une famille originaire de Saint-Émilion s'est spécialisée dans les vins de la vallée méridionale. Elle propose ici un gigondas bien dans le ton de l'appellation, au nez de petits fruits rouges et d'épices, prolongé par une bouche ample, ronde et généreuse. Un vin gourmand et équilibré, qui fera un bon accompagnement pour un magret de canard.

🍷 Lavau, rte de Cairanne, 84150 Violès, tél. 04 90 70 98 70, fax 04 90 70 98 79, caveau@lavau.fr,
☑ ⚒ ▼ t.l.j. sf dim. 10h-13h 14h-19h

GABRIEL MEFFRE Sainte-Catherine 2011 ★★

| ■ | 8 700 | ■ ▥ | 11 à 15 € |

Catherine, sainte patronne de Gigondas, donne son nom à cette cuvée de négoce remarquable en tout point, issu du trio grenache-syrah-cinsault. Au nez, d'intenses parfums de fruits rouges mûrs se mêlent aux épices et à des notes discrètes de sous-bois. Puissant, chaleureux, bâti sur des tanins fermes et sous-tendu par une juste fraîcheur, le palais confirme que l'on a affaire à un gigondas de caractère et de garde. À attendre deux à cinq ans. Également dans le giron de la maison Meffre, le négoce Louis Bernard propose avec sa cuvée **Les Carbonnières 2011 (19 000 b.)**, deux étoiles également, un vin sombre, ample et tannique, à laisser s'arrondir deux ou trois ans.

🍷 Gabriel Meffre, Le Village, 84190 Gigondas, tél. 04 90 12 32 47, fax 04 90 12 32 49, gabriel-meffre@meffre.com,
☑ ⚒ ▼ t.l.j. sf dim. lun. 10h-12h30 14h30-18h
🍷 Éric Brousse

CH. DE MONTMIRAIL La Combe sauvage 2011 ★

| ■ | | 6 000 | | 11 à 15 € |

Plus souvent à l'honneur pour sa cuvée de Beauchamp, ce domaine très régulier en qualité, que ce soit en gigondas ou en vacqueyras, s'illustre ici avec cette Combe sauvage, assemblage de grenache (60 %) de mourvèdre (40 %). Le nez libère des parfums intenses de fruits noirs et d'épices relevés de notes plus originales d'eucalyptus. À cette complexité répond celle d'un palais rond et long aux tanins bien présents, mais dénués d'austérité. À boire ou à attendre jusqu'à cinq ans.

🕿 Ch. de Montmirail, cours Saint-Assart, BP 12, 84190 Vacqueyras, tél. 04 90 65 86 72, fax 04 90 65 81 31, archimbaud@chateau-de-montmirail.com,
☑ ⟁ t.l.j. sf dim. 9h-12h 14h-18h
🕿 Archimbaud

DOM. PALON 2011 ★

| ■ | | 22 000 | ⦀ | 11 à 15 € |

De vénérables ceps âgés de cinquante ans, de grenache (85 %), de syrah et de mourvèdre sont à l'origine de ce gigondas porté sur les fruits rouges bien mûrs, agrémentés de notes florales et mentholées. Une sensation plutôt chaleureuse est perçue aussi dans une bouche ronde, concentrée, soutenue par des tanins au grain fin. Un vin généreux, qui peut encore progresser, à servir dans deux ans sur une viande longuement mitonnée.

🕿 Dom. Palon, Le Pot du Bary, D7, rte de Vacqueyras, 84190 Gigondas, tél. 04 90 62 24 84, fax 04 90 28 08 79, contact@domainepalon.com, ☑ ⟁ ⟁ r.-v.

DOM. DES PASQUIERS 2011 ★

| ■ | | 5 000 | | 11 à 15 € |

Cet assemblage grenache-syrah à parts égales, révèle une utilisation intéressante de ces cépages, notamment de la syrah. Une aération permet de dévoiler des senteurs animales, puis d'intenses nuances de fruits noirs, de Zan et d'épices. Franche et ferme en attaque, la bouche offre de la puissance et de la densité, et s'appuie sur des tanins serrés, le gage d'un bon vieillissement (deux à cinq ans).

🕿 Dom. des Pasquiers, rte d'Orange, 84110 Sablet, tél. et fax 04 90 46 83 97, domainedespasquiers@terre-net.fr,
☑ ⟁ ⟁ t.l.j. 8h-12h 13h30-18h, sam. dim. sur r.-v. 🏠 ④

DOM. LE PÉAGE 2010 ★★

| ■ | | 70 000 | ■ | 11 à 15 € |

Ce vignoble familial de 38 ha s'étend sur deux domaines, Le Péage et la Bouscatière ; 15 ha de grenache, de syrah et de mourvèdre sont consacrés au premier ; ils ont donné naissance à ce gigondas rubis soutenu et profond, au nez délicat associant le cassis et la griotte mûrs à de fines nuances minérales. À la fois ronde et fraîche, puissante et droite, la bouche séduit par son équilibre remarquable. L'avenir de ce vin est assuré pour les quatre ou cinq prochaines années. Plaisir garanti sur une pièce de bœuf ou de gibier. Le **Dom. de la Bouscatière 2010 (25 000 b.)**, au caractère bien « trempé », solide, rond, chaleureux et épicé, obtient une étoile.

🕿 Saurel-Chauvet, La Beaumette, 84190 Gigondas, tél. et fax 04 90 70 96 80, contact@saurel-chauvet.com,
☑ ⟁ ⟁ r.-v.

RÉSERVE SAINT-DOMINIQUE 2010 ★★

| ■ | | 4 000 | ■ | 11 à 15 € |

Éric Bonnet, propriétaire du domaine La Bastide Saint-Dominique, connue des lecteurs pour ses châteauneuf-du-pape, a développé en 2005 une structure de négoce qui propose ce gigondas remarquable d'équilibre. Au bouquet naissant de fruits frais (cerise, fraise des bois) et de garrigue, avec une pointe animale en appoint, répond un palais puissant, généreux, aux tanins solides mais sans agressivité, « rafraîchi » par un beau fruité et par une fine vivacité à l'arrière-plan. Gibier, pièce de bœuf, canard, toutes les viandes goûteuses lui conviendront, aujourd'hui ou, de préférence, dans quatre ou cinq ans.

🕿 Éric Bonnet, 1358, chem. Saint-Dominique, 84350 Courthézon, tél. 04 90 70 85 32, fax 04 90 70 76 64, reserve@bastidesaintdominique.com

DOM. SAINT-DAMIEN La Louisiane Vieilles Vignes 2010 ★

| ■ | | 6 000 | ⦀ | 11 à 15 € |

Louisiane ? Non pas l'évocation de la région de nos cousins cajuns, mais le nom de la parcelle de 3 ha qui a donné naissance à cette cuvée. Néanmoins, c'est un joli voyage gustatif que propose ce gigondas au nez fruité, épicé, un rien animal et fumé, chaleureux et structuré par des tanins bien enrobés, un peu tendu par une agréable fraîcheur qui lui confère un juste équilibre. Embarquement immédiat pour un repas aux tonalités méridionales, une estouffade de bœuf par exemple. Vous pouvez aussi attendre deux ou trois ans. La cuvée **Les Souteyrades 2010 (13 000 b.)**, charnue et bien charpentée, aux accents de garrigue et de boisé vanillé, est citée. On pourra l'apprécier aujourd'hui comme dans trois ans, sur le même type de plat. À noter : le domaine est en conversion bio.

🕿 Joël Saurel, La Beaumette, Dom. Saint-Damien, 84190 Gigondas, tél. 04 90 70 96 42, fax 04 90 70 96 41, contact@domaine.saint.damien.com, ☑ ⟁ ⟁ r.-v.
🕿 Joël Saurel

DOM. LA SOUMADE 2011 ★

| ■ | | 3 500 | ⦀ | 15 à 20 € |

Conseillé par l'expert bordelais Stéphane Derenoncourt, ce domaine créé en 1979 est l'une des valeurs sûres de l'ancienne AOC *villages* rasteau. Il soigne aussi ses gigondas, témoin ce 2011 au bouquet exubérant de myrtille, de cassis et de réglisse, chaleureux, puissant et dense en bouche, bâti sur des tanins fermes et solides. Un vin plein de fougue, que tempéreront quatre ou cinq ans de garde. Bel accord en perspective avec une ballottine de pigeon rôti aux girolles.

🕿 Frédéric Roméro, Dom. la Soumade, rte d'Orange, 84110 Rasteau, tél. 04 90 46 13 63, fax 04 90 46 18 36, dom-lasoumade@hotmail.fr,
☑ ⟁ ⟁ t.l.j. sf dim. 8h-12h 14h-18h 🏠 ⊙

DOM. LES TEYSSONNIÈRES 2010 ★

| ■ | | 15 000 | ■ | 11 à 15 € |

Ce domaine créé en 1838 étend son vignoble sur 12 ha d'un seul tenant au pied des Dentelles de Montmirail, sur des sols sableux. Grenache, syrah et cinsault y trouvent un beau terrain d'expression, témoin cette cuvée qui allie générosité, intensité et finesse. À l'olfaction, les épices se mêlent aux fruits mûrs. Une maturité du fruit que l'on retrouve dans un palais chaleureux, ample, persistant et bien structuré. À attendre deux à quatre ans pour une parfaite harmonie.

RHÔNE

📍 Alexandre Franck, Dom. les Teyssonnières, 84190 Gigondas, tél. 04 90 12 31 31, fax 04 90 12 31 32, caveau@domaine-les-teyssonnieres.com,
☑ 🎋 ⛾ t.l.j. sf dim. 10h-12h30 14h-19h30; f. jan. 🏠 Ⓓ

DOM. VARENNE Vieux fût 2010 ★

| ■ | 4 600 | ■ ⑪ | 15 à 20 € |

Avec ou sans élevage sous bois, les cuvées 2010 du domaine Varenne sont très réussies. La préférence va, de peu, à cet assemblage grenache-syrah passé en « vieux » fût de chêne de deux ou trois vins. Notes d'épices et de garrigue rehaussent le bouquet, et s'harmonisent avec des senteurs plus chaleureuses de fruits rouges confits. Équilibrée par une sensation de vivacité, la bouche se montre ronde, fruitée, boisée avec mesure et soutenue par des tanins souples et fondus. Déjà très agréable, ce gigondas gagnera en complexité et en harmonie après deux ou trois ans de garde. Née du même assemblage mais sans passage en barrique, la **cuvée principale 2010 (11 à 15 €;** 15 200 b.), soyeuse et fraîche, minérale et fruitée, fait jeu égal. Viande mijotée pour la première, viande rouge grillée pour la seconde.
📍 Dom. Varenne, Le Petit-Chemin, 84190 Gigondas, tél. 04 90 65 86 55, fax 04 90 12 39 28, info@domainevarenne.com, ☑ ⛾ t.l.j. 9h30-12h30 14h-19h

VIEUX CLOCHER Nobles Terrasses 2011

| ■ | 15 000 | ■ ⑪ | 11 à 15 € |

En 1717, le seigneur de Lauris offre une parcelle de vigne à la famille Arnoux ; le vignoble a grandi et atteint aujourd'hui quelque 40 ha ; et le domaine a également développé une activité de négoce. Ce 2011, issu du classique trio grenache-syrah-mourvèdre, est né sur 4 ha de sols argileux et caillouteux. Il dévoile un nez délicat et ouvert sur les fruits rouges mûrs. L'élégance reste sa signature au palais, ample, long, fruité et épicé, structuré par des tanins fins. Prêt à boire, ce gigondas formera une belle alliance avec un filet de bœuf.
📍 Arnoux et Fils, Cave du Vieux Clocher, 84190 Vacqueyras, tél. 04 90 65 84 18, fax 04 90 65 80 07, info@arnoux-vins.com, ☑ ⛾ t.l.j. 9h-12h30 14h-19h 🏠 Ⓒ

VINS ET SOLEIL 2011 ★

| ■ | 10 000 | ■ | 11 à 15 € |

Une impression de jeunesse se dégage de cette cuvée de négoce – tant de sa robe grenat aux reflets violines que de son bouquet intensément fruité, mentholé et réglissé à l'aération. Une même sensation de vin en devenir caractérise la bouche ample et solidement charpentée. Un gigondas bien dans le ton de son appellation, à laisser mûrir en cave encore trois à cinq ans, et plus encore. Parfait pour du gibier.
📍 Gontier, chem. du Colombier, 84190 Vacqueyras, tél. 04 90 12 39 54, fax 04 90 12 36 04, administratif@vins-et-soleil.com, ☑ ⛾ t.l.j. 9h-12h 14h-18h

Vacqueyras

Superficie : 1 455 ha
Production : 42 325 hl (97 % rouge et rosé)

Consacré en AOC communale en 1990, le vignoble de Vacqueyras est situé dans le Vaucluse, entre Gigondas au nord et Beaumes-de-Venise au sud-est. Son territoire s'étend sur les deux communes de Vacqueyras et de Sarrians. Les vins rouges, largement majoritaires, sont élaborés à base de grenache, de syrah, de mourvèdre et de cinsault ; ils sont aptes à la garde (trois à dix ans). Les quelques rosés sont issus d'un encépagement similaire. Les blancs, confidentiels, naissent des cépages clairette, grenache blanc, bourboulenc et roussanne.

VIGNERONS DE BALMA VENITIA 2012

| ■ | 9 000 | ■ | 8 à 11 € |

Cette coopérative de Beaumes-de-Venise, créée en 1956, propose un blanc issu de roussanne, de grenache blanc et de marsanne implantés sur un terroir calcaire. Le nez intense évoque les fleurs, les fruits à chair blanche (poire) et l'ananas. Du volume, de la générosité et de l'ampleur en bouche : l'ensemble est aimable. À savourer sur de la cuisine familiale, une fricassée de poulet ou un poisson cuisiné par exemple. Même note pour le classique duo grenache-syrah **Dom. Maïlise 2011 rouge (25 000 b.)**, fruité et équilibré, étayé par une juste fraîcheur : pour un rosbif et autres rôtis.
📍 SCA Vignerons de Balma Venitia, 228, rte de Carpentras, quartier Ravel, 84190 Beaumes-de-Venise, tél. 04 90 12 41 00, fax 04 90 12 41 21, vignerons@balmavenitia.fr,
☑ 🎋 ⛾ t.l.j. 8h30-12h (été 12h30) 14h-18h (été 19h)

BONPAS Silbertus Grande Exception 2011 ★

| ■ | 20 000 | ⑪ | 11 à 15 € |

À la tête d'une maison de négoce implantée à Châteauneuf-du-Pape, la famille Skalli propose un 2011 qui affiche de jolis reflets violets au bouquet intense de fruits rouges et noirs bien mûrs et d'épices. Rond, le palais est doté d'un bel équilibre. Ce vin bien fondu et aux tanins souples est à déguster dès aujourd'hui sur des côtelettes d'agneau au basilic.
📍 Les Vins Skalli, av. Pierre-de-Luxembourg, 84230 Châteauneuf-du-Pape, tél. 04 90 83 58 35, info@skalli.com,
☑ 🎋 ⛾ t.l.j. 10h-12h 15h-18h au Pavillon des Vins

DOM. CHAMFORT 2011 ★

| ■ | 33 000 | ■ | 8 à 11 € |

Au pied des Dentelles de Montmirail, Vasco Perdigao et sa femme Sonia Léorat proposent ce plaisant assemblage de grenache (65 %) et de mourvèdre (25 %), avec une touche de syrah. Intense, le nez mêle les fruits rouges et noirs (cassis, pruneau), les épices et de fines notes de caramel. Un fruité bien mûr et réglissé agrémente un palais de belle tenue, puissant et équilibré, soutenu par des tanins soyeux. Déjà très harmonieuse, cette cuvée gagnera à séjourner en cave un an ou deux.
📍 Vasco Perdigao, RD 977, 84110 Sablet, tél. 04 90 46 94 75, fax 04 90 46 99 84, domaine-chamfort@orange.fr,
☑ 🎋 ⛾ t.l.j. sf sam. dim. 9h-12h 13h30-17h30

DOM. DE LA CHARBONNIÈRE 2011 ★

| ■ | 19 000 | ■ | 15 à 20 € |

Les vacqueyras de la famille Maret, tout comme ses châteauneuf-du-pape, sont régulièrement en bonne place dans le Guide. Le 2011, assemblage de grenache (60 %) et de syrah, livre, après un élevage d'un an en cuvier de bois tronconique, un bouquet intense de fruits rouges, de confiture et de caramel. Chaleureuse et gourmande, la bouche est dans le même registre, sur le fruit, soutenue par des tanins soyeux. Il faudra attendre trois ou quatre ans pour apprécier cette bouteille avec un civet de lapin.

☛ EARL Michel Maret et Filles, Dom. de la Charbonnière, 26, rte de Courthézon, BP 83, 84232 Châteauneuf-du-Pape Cedex, tél. 04 90 83 74 59, fax 04 90 83 53 46, contact@domainedelacharbonniere.com, ☑ ⚭ ⵏ t.l.j. sf dim. 8h-12h 14h-18h; sam. sur r.-v.

DOM. LE CLOS DES CAZAUX Cuvée des Templiers 2011 ★

■	20 000	🍷	8 à 11 €

Deux vins très réussis dans des styles et des millésimes résolument différents. La cuvée des Templiers, issue à parts égales de syrah et de grenache et élevée dix-huit mois en cuve, offre un nez intense de fruits noirs confits. La bouche ronde se montre équilibrée entre douceur et fraîcheur, et adossée à des tanins serrés. Un beau vacqueyras, à encaver au moins trois ou quatre ans avant de le servir sur un agneau grillé. La cuvée **Grenat noble 2010 (11 à 15 € ; 4 000 b.)**, quant à elle, préfère le trio grenache (80 %), syrah et mourvèdre. Pour son bouquet de fruits (groseille, cassis) mâtiné de légères notes animales et pour son palais bien équilibré soutenu par des tanins souples et soyeux, elle reçoit une étoile également.

☛ Famille Archimbaud-Vache, Dom. le Clos des Cazaux, chem. du Moulin, 84190 Vacqueyras, tél. 04 90 65 85 83, fax 04 90 41 75 32, closdescazaux@wanadoo.fr, ☑ ⚭ ⵏ t.l.j. sf dim. 9h-12h 14h-18h; ouv. sam. de Pâques à Toussaint

DAUVERGNE RANVIER Grand vin 2011 ★

■	30 000	🍷	5 à 8 €

Cette maison de négoce récente, spécialiste des crus de la vallée du Rhône, n'est déjà plus à présenter. Le Grand vin, ainsi se proclame-t-il, est né de grenache et de syrah. La robe profonde annonce l'intensité du bouquet de fruits noirs confits. Ample, gras, rond et bien structuré, le palais est dans le même registre. Une bouteille qu'on laissera vieillir trois à quatre ans avant de la découvrir sur du bœuf mijoté.

☛ R & D Vins, Ch. Saint-Maurice, RN 580, L'Ardoise, 30290 Laudun, tél. 04 66 82 96 57, fax 04 66 82 96 58, francois.dauvergne@dauvergne-ranvier.com

DOM. FONTAINE DU CLOS Reflets de l'âme 2011

■	25 000	🍷🍶	8 à 11 €

Jean-François Barnier, pépiniériste et vigneron, a sélectionné les classiques grenache (54 %) et syrah pour cette cuvée à l'élégante robe pourpre. Le nez intense offre une certaine complexité entre notes de fruits frais (groseille) et de fruits mûrs, et une touche animale. Bien construite, persistante, la bouche séduit par une belle rondeur.

☛ Jean-François Barnier, 735, bld du Comté-d'Orange, 84260 Sarrians, tél. 04 90 65 59 39, fax 04 90 65 30 69, cave@fontaineduclos.com, ☑ ⚭ ⵏ t.l.j. sf dim. 9h30-12h 15h-18h30

DOM. FONT SARADE Les Hauts de la Ponche 2011 ★

■	25 000	🍷	8 à 11 €

Fidèle au rendez-vous du Guide, le domaine Font Sarade propose un assemblage de grenache (50 %) et, à

parts égales, de syrah et de mourvèdre. D'une approche discrète, le nez dévoile à l'aération de doux arômes de violette, de fruits des bois mâtinés de notes d'épices. La bouche ample et onctueuse apparaît équilibrée, fondue, et séduit par son fruité. Une certaine fermeté tannique incite à garder cette bouteille deux ou trois ans en cave.

☛ EARL de Font Sarade, quartier La Ponche, 84190 Vacqueyras, tél. et fax 04 90 65 82 97, fontsarade@aol.com, ☑ ⚭ ⵏ r.-v.

DOM. LA FOURMONE Sélection maître de chais 2011

■	12 000	🍷	11 à 15 €

Albin, qui a rejoint en 2011 sa mère Marie-Thérèse Combe sur le domaine, est prêt à prendre la relève. Témoin cette Sélection maître de chais élevée deux ans en cuve. Fruits rouges, épices et réglisse composent un bouquet d'emblée séduisant, suivi d'une bouche ronde et puissante. Un vin prometteur, qui procurera un grand plaisir dans trois à cinq ans sur un civet de sanglier. Même note pour la cuvée **Trésor du poète 2011 (8 à 11 € ; 20 000 b.)**, ronde et chaleureuse, sur les fruits et les épices.

☛ Combe et Filles, Dom. la Fourmone, rte de Bollène, 84190 Vacqueyras, tél. 04 90 65 86 05, fax 04 90 65 87 84, contact@fourmone.com, ☑ ⵏ t.l.j. sf dim. 9h30-18h; ouv. dim. de Pâques au 15 août

DOM. DU GRAND BOURJASSOT 2011

■	2 000	🍷	11 à 15 €

Bien connu des habitués du Guide pour ses gigondas, Pierre Varenne conduit son vignoble en agriculture biologique (conversion en 2009). Issu d'un terroir de grès caillouteux, cet assemblage de grenache (75 %) et de syrah élevé en cuve marie avec élégance douceur et finesse. Au nez, une explosion aromatique de fruits rouges confits et de pruneau ; en bouche, une belle harmonie et de jolis tanins. Un vin plaisant, à déguster les deux prochaines années.

☛ Dom. du Grand Bourjassot, quartier Les Parties, 84190 Gigondas, tél. 04 90 65 88 80, grandbourjassot@free.fr, ☑ ⵏ t.l.j. sf dim. 10h-12h 14h30-18h; f. nov.-mai
☛ Varenne

LA GRAND COMTADINE Péché mignon 2011 ★

■	40 000	🍷	8 à 11 €

Difficile de résister à ce Péché mignon que propose la maison de négoce d'Yves Chéron (par ailleurs propriétaire du château Grand Montmirail). Paré d'une robe profonde d'un beau rouge aux reflets noirs, ce 2011 se révèle très expressif avec ses notes de fruits surmûris, d'épices et de sous-bois. On retrouve tous ces arômes dans une bouche ample et puissante aux tanins serrés, encore jeunes. À déguster dans quatre ou cinq ans sur un rôti de porc fermier aux herbes de Provence.

☛ Yves Chéron, La Grand Comtadine, rte de Gigondas, 84190 Vacqueyras, tél. 04 90 65 85 91, fax 04 90 65 89 23, yves-cheron@cegetel.net, ☑ ⚭ ⵏ t.l.j. sf sam. dim. 8h-12h 14h-17h30

VIGNOBLE ALAIN IGNACE Ô pré de Juliette 2012 ★★

■	3 000	🍷	8 à 11 €

Alain Ignace officie sur cette propriété depuis trente ans. Pour sa première sélection dans le Guide, il signe une cuvée remarquable née d'un assemblage à parts égales de

RHÔNE

roussanne et de viognier complétés d'une pointe de bourboulenc (20 %). Ce blanc à la robe jaune clair animée de reflets verts offre un bouquet complexe et charmeur de fleurs blanches et de miel, un rien beurré. Onctueux et gras, l'ensemble est parfaitement équilibré. Les vacqueyras blancs sont rares. Celui-ci formera un accord idéal avec des rougets à la plancha dans les trois prochaines années.

NOUVEAU PRODUCTEUR

☛ Vignoble Alain Ignace, 1727, rte de Vacqueyras, 84190 Beaumes-de-Venise, tél. 06 80 45 81 74, fax 04 90 62 99 06, alain.ignace@wanadoo.fr, ☑ 🏕 ⅄ r.-v. 🏠 Ⓒ

LAVAU 2011 ★

■	8 000	📖 📖 8 à 11 €

Cette famille de négociants originaire de Saint-Émilion s'est établie en 1964 au pied des Dentelles de Montmirail, où elle vinifie en quasi-totalité des appellations de la région. Issue de grenache (50 %), de syrah (40 %) et d'une touche de mourvèdre, cette cuvée se caractérise par un puissant bouquet d'épices et de fruits noirs (mûre). À l'unisson, la bouche ronde et soyeuse est soulignée par une pointe réglissée qui apporte de la fraîcheur. Un ensemble très réussi, que l'on pourra commencer à déboucher dans deux ou trois ans sur une viande rouge.

☛ Lavau, rte de Cairanne, 84150 Violès, tél. 04 90 70 98 70, fax 04 90 70 98 79, caveau@lavau.fr, ☑ 🏕 ⅄ t.l.j. sf dim. 10h-13h 14h-19h

DOM. DE LONGUE TOQUE 2011 ★

■	10 800	📖 📖 11 à 15 €

Propriété du négociant rhodanien Gabriel Meffre, le domaine de Longue Toque, niché au pied des Dentelles de Montmirail, est à l'origine de ce vin gourmand, sur le fruit. La bouche est épicée, équilibrée entre puissance et fraîcheur. Cette bouteille devrait s'entendre à merveille, dans trois à quatre ans, avec des magrets de canard.

☛ Gabriel Meffre, Le Village, 84190 Gigondas, tél. 04 90 12 32 47, fax 04 90 12 32 49, gabriel-meffre@meffre.com, ☑ 🏕 ⅄ t.l.j. sf dim. lun. 10h-12h30 14h30-18h
☛ Éric Brousse

LE MAS DES FLAUZIÈRES Le Pilon 2011 ★

■	2 400	📖 11 à 15 €

Après une expérience à l'international dans la vinification, notamment en Californie et en Afrique du Sud, Jérôme Benoit a repris en 2002 l'exploitation familiale. La robe sombre de ce 2011, assemblage mi-grenache misyrah, s'anime de reflets violets. Le nez, encore timide, livre à l'aération de belles notes de petits fruits noirs sur un fond d'épices et de réglisse, relayé à un palais puissant, souple et gras, de belle longueur. Les tanins fermes invitent à découvrir ce vin dans deux ans au moins. Bel accord en perspective avec une côte de bœuf grillée.

☛ Le Mas des Flauzières, rte de Vaison-la-Romaine, 84340 Entrechaux, tél. 04 90 46 00 08, fax 04 90 35 51 12, lemasdesflauzieres@yahoo.fr, ☑ 🏕 ⅄ t.l.j. sf dim. 10h-12h 14h-18h; f. jan. 🏠 Ⓔ

DOM. MAS DU BOUQUET 2011 ★

■	70 000	■ 15 à 20 €

La coopérative de Vacqueyras réunit sous une seule et même enseigne quatre-vingts viticulteurs qui proposent

les différentes appellations de la vallée du Rhône Sud. Grenache, syrah et mourvèdre ont séjourné un an en cuve. Le résultat ? Un 2011 au bouquet de truffe, de cuir et de chocolat, et à la bouche ronde, soutenue par des tanins soyeux. Un vin bien fait, idéal avec un chili con carne.

☛ Vignerons de Caractère, rte de Vaison-la-Romaine, 84190 Vacqueyras, tél. 04 90 65 84 54, fax 04 90 65 81 32, contact@vigneronsdecaractere.com, ☑ 🏕 ⅄ t.l.j. 9h-19h

DOM. DE MONTBAYON 2011 ★

■	8 000	■ 8 à 11 €

Appartenant au négociant Louis Bernard de Gigondas, ce domaine présente un 2011 très séduisant dans sa robe profonde striée de reflets violets. Le nez puissant marie harmonieusement épices et fruits rouges. Ronde et ample, la bouche est aussi charpentée et concentrée. Il faudra attendre un peu pour découvrir ce vin sur un osso bucco, par exemple, ce qui ouvre de bonnes perspectives de garde.

☛ Louis Bernard, Le Village, 84190 Gigondas, tél. 04 90 12 32 42, fax 04 90 12 32 49, louis-bernard@gmdf.fr
☛ Éric Brousse

♥ Ⓑ DOM. MONTIRIUS Garrigues 2010 ★★

■	50 000	11 à 15 €

Dans la même famille depuis cinq générations, ce domaine est conduit en biodynamie depuis 1996. Un beau terroir argilo-calcaire où prospèrent les vignes de grenache (70 %) et de syrah est à l'origine de cette remarquable cuvée, qui porte bien son nom. Alliance de fruits noirs, d'épices et de fleurs, le bouquet accueille également des notes ensoleillées de garrigue. Après une attaque ronde, le palais, superbe, aux tanins fins, s'étire longuement sur de fraîches notes réglissées. Élégance et harmonie : un résumé de cette cuvée, qui accompagnera à merveille dans trois ans une daube provençale.

☛ Dom. Montirius, 1536, rte de Sainte-Edwige, 84260 Sarrians, tél. 04 90 65 38 28, fax 04 90 65 48 72, saurel@montirius.com, ☑ 🏕 ⅄ r.-v.

CH. DE MONTMIRAIL 2012 ★

▨	4 000	8 à 11 €

Un hectare et pas moins de cinq cépages (35 % de clairette, 25 % de bourboulenc, 20 % de grenache blanc, 15 % roussanne et une pointe de viognier) pour ce rare blanc drapé dans une robe brillante, jaune pâle. Discret au premier nez mais d'une belle finesse, le bouquet dévoile à l'aération des notes de fleurs blanches, de fruits à chair blanche et de miel. La bouche ronde et onctueuse monte en puissance jusqu'à une longue finale élégante. Idéal sur une omelette à la truffe.

🕿 Ch. de Montmirail, cours Saint-Assart, BP 12, 84190 Vacqueyras, tél. 04 90 65 86 72, fax 04 90 65 81 31, archimbaud@chateau-de-montmirail.com,
☑ ⊤ t.l.j. sf dim. 9h-12h 14h-18h
🕿 Archimbaud

DOM. LES ONDINES 2011 ★★

| | 2 300 | ▮⊞ | 11 à 15 € |

Cité l'an dernier pour son rouge, ce domaine brille cette année en blanc avec un superbe assemblage de quatre cépages dominé par le grenache blanc et incluant un soupçon de bourboulenc. Ce vacqueyras élevé neuf mois en cuve en fût se distingue par sa puissance. Vanillé au nez, il s'impose par son palais, au boisé bien fondu : un remarquable équilibre. À boire trois ans, sur une terrine de sandre au basilic par exemple.

🕿 Dom. les Ondines, 413, rte de la Garrigue-Sud, 84260 Sarrians, tél. 04 90 65 86 45, fax 09 70 06 60 15, jeremy.ondines@wanadoo.fr,
☑ ⚼ ⊤ t.l.j. sf dim. 9h-12h 14h-18h (15h-19h l'été)
🕿 Jérémy Onde

DOM. DU PESQUIER 2011 ★

| | 4 200 | ▮ | 8 à 11 € |

Issu du grenache (60 %) complété de syrah, voici un vacqueyras remarquable élevé longuement en cuve (dix-huit mois). De prime abord, le nez est discret mais il réserve bien des surprises à l'aération évoquant les fruits dans la bassine à confiture, et le fruit à l'alcool. Ample et droite en attaque, la bouche découvre de belles rondeurs et se révèle bien équilibrée. Les tanins encore sévères invitent à découvrir cette bouteille dans trois ans sur une souris d'agneau.

🕿 M. Boutière, Le Pesquier, 84190 Gigondas, tél. 04 90 65 86 16, fax 04 90 65 88 48, contact@domainedupesquier.com, ☑ ⚼ ⊤ r.-v.

CH. DES ROQUES 2012 ★

| | 7 000 | ▮ | 8 à 11 € |

Ce beau domaine de 38 ha régulièrement cité dans le Guide propose ici un vin blanc élégant dans sa robe jaune pâle aux reflets argentés. Le nez, intense, mêle les fruits blancs, les fleurs blanches et le miel. Dans la continuité du bouquet, le palais, franc et net, se révèle puissant, sans lourdeur. Une bouteille harmonieuse, idéale à l'apéritif ou sur des feuilletés, ou sur des crustacés.

🕿 SCEA Ch. des Roques, 774, rte des roques, BP 9, 84190 Vacqueyras, tél. 04 90 65 85 16, fax 04 90 65 88 18, chateau.roques@orange.fr,
☑ ⚼ ⊤ t.l.j. 8h-12h 13h30-17h30; sam. dim. sur r.-v.

DOM. LA ROUBINE 2011

| | 10 000 | ▮⊞ | 11 à 15 € |

Une sélection de vieilles vignes en conversion bio et un élevage de douze mois en cuve et de douze mois en fût, donnent ce plaisant 2011. Au nez, les fruits mûrs côtoient en toute harmonie un boisé qui sait rester discret. En bouche, les notes d'élevage s'affirment avec plus d'autorité. Cette cuvée puissante et charpentée devra patienter trois années en cave pour acquérir la rondeur qui manque à sa jeunesse.

🕿 Éric Ughetto, Dom. la Roubine, quartier Santa Duc, 84190 Gigondas, tél. 06 07 91 60 21, domaine.laroubine@laposte.net, ☑ ⚼ ⊤ r.-v.

⑬ ROUCAS TOUMBA La Grande Terre 2011 ★

| | 8 000 | ▮ | 15 à 20 € |

Première sélection dans le Guide pour ce domaine familial situé sur le lieu-dit de Roucas Toumba (le « rocher tombé » en provençal), dédié à la vigne depuis cinq siècles et conduit aujourd'hui en bio. La cuvée La Grande Terre marie 60 % de grenache et, à parts égales, mourvèdre et syrah élevés un an en cuve. Intense, le nez dévoile des notes animales mâtinées de quelques épices. Ronde et charnue, la matière encore tannique invite à conserver ce vin quatre ou cinq ans en cave. Un excellent compagnon pour un tajine de mouton.

NOUVEAU PRODUCTEUR

🕿 Éric Bouletin, Roucas Toumba, 84190 Vacqueyras, roucas.toumba@gmail.com, ☑ ⚼ ⊤ r.-v. 🏠 ⑬

DOM. SAINT-PIERRE 2011 ★

| | 20 000 | ⊞ | 11 à 15 € |

Père et fils élaborent ensemble de jolies cuvées régulièrement distinguées dans le Guide. Paré d'une robe rubis profond, ce 2011, discret au premier nez, s'ouvre à l'aération sur des parfums de fruits rouges confiturés et d'épices assortis de subtiles notes de violette et de cuir. Ample, la bouche plaît par sa structure concentrée, à la fois puissante et élégante. À oublier en cave plusieurs années (trois à quatre ans).

🕿 EARL Fauque, Dom. Saint-Pierre, 923, rte d'Avignon, 84150 Violès, tél. 04 90 70 92 64, fax 04 90 70 90 27, domaine.saint-pierre@wanadoo.fr,
☑ ⚼ ⊤ t.l.j. sf dim. 8h-12h 13h30-18h30

SEIGNEUR DE LAURIS 2010 ★★

| | 12 000 | ⊞ | 11 à 15 € |

La famille Arnoux, l'une des références da la vallée du Rhône, propose ce 2010 superbe dans sa robe rubis ornée de reflets roses. Au nez, les fruits rouges (fraise, grenade) et noirs (cassis) se marient harmonieusement aux fleurs (violette). À l'unisson du bouquet, le palais ample et charmeur s'étire longuement sur des notes réglissées. Beaucoup d'élégance et de finesse dans ce vin qui s'accordera parfaitement avec une daube provençale.

🕿 Arnoux et Fils, Cave du Vieux Clocher, 84190 Vacqueyras, tél. 04 90 65 84 18, fax 04 90 65 80 07, info@arnoux-vins.com, ☑ ⊤ t.l.j. 9h-12h30 14h-19h 🏠 ⑬

DOM. DE LA TÊTE NOIRE Tradition 2011

| | 6 500 | | 11 à 15 € |

Les Belges Hubert Toint et Jean-François Lénelle se sont reconvertis en 2008 en créant ce domaine. La cuvée Tradition 2011 est issue de grenache (60 %), de syrah (30 %) et d'une pointe de mourvèdre. Revêtue d'une robe grenat parcourue de reflets sombres elle présente un nez original : garrigue, tilleul, bois de santal. La bouche s'étire longuement sur des notes plus classiques de fruits mûrs, de sous-bois et de torréfaction. À découvrir sans attendre sur un pigeon en croûte.

🕿 SARL Hubert Toint, La Payouse, 84190 Gigondas, tél. 06 37 39 77 69, domaine@latetenoire.fr,
☑ ⚼ ⊤ t.l.j. sf dim. 10h-18h

RHÔNE

DOM. DE LA TOURADE Cuvée de l'euse 2011 ★

■ 4 000 ❙❚❙ 11 à 15 €

Le nom de cette cuvée fait référence au chêne vert (*euse* en provençal) centenaire qui trône sur la parcelle de très vieilles vignes à l'origine de ce joli vin. Issu de grenache majoritaire et élevé en vieux foudre, ce 2011 dévoile un bouquet gourmand, qui mêle les fruits et les épices douces (vanille). Tout aussi plaisante, la bouche est onctueuse, étoffée et généreuse, agrémentée en finale de notes de fruits cuits. Dans trois ou quatre ans, l'harmonie sera parfaite sur un civet de lièvre.

☛ André Richard, Dom. de la Tourade, 84190 Gigondas, tél. 04 90 70 91 09, fax 04 90 70 96 31, latourade@hotmail.fr, ☑ ⚤ ⅄ t.l.j. 9h-18h

DOM. VARENNE 2010 ★

■ 6 000 ▣ 8 à 11 €

Issu de grenache et d'un soupçon de mourvèdre, ce 2010 a vieilli dix-huit mois en cuve. Le nez semble être une corbeille de framboises, de cassis, de fruits des bois, agrémentée d'épices. Le palais, de belle tenue, se révèle bien équilibré, soutenu par une plaisante fraîcheur. Un ensemble friand, qui mérite d'être attendu une paire d'années, le temps que les tanins se fondent. Bel accord avec une bécasse rôtie au four.

☛ Dom. Varenne, Le Petit-Chemin, 84190 Gigondas, tél. 04 90 65 86 55, fax 04 90 12 39 28, info@domainevarenne.com, ☑ ⅄ t.l.j. 9h30-12h30 14h-19h

PIERRE VIDAL Grande Réserve 2011 ★

■ 20 000 ▣❙❚❙ - de 5 €

Cette structure de négoce créée en 2010 par l'œnologue Pierre Vidal présente un 2011 issu de grenache et de syrah à parts égales, les mourvèdre et cinsault venant en appoint (10 % chacun). D'emblée, l'intensité de la palette aromatique sur les fruits rouges et noirs compotés séduit. La bouche n'est pas en reste, ronde, riche et empreinte des notes vanillées de l'élevage. On laissera cette Grande Réserve séjourner trois à cinq ans en cave avant de l'ouvrir sur un lapin aux olives.

☛ Pierre Vidal, 631, rte de Sorgues, 84230 Châteauneuf-du-Pape, tél. et fax 04 90 83 70 24, contact@pierrevidal.com

Beaumes-de-venise

Superficie : 580 ha
Production : 19 880 hl

Reconnue en 2005, cette appellation concerne uniquement les vins rouges issus de quatre communes du Vaucluse limitrophes des AOC gigondas et vacqueyras : Beaumes-de-Venise, La-fare, La Roque Alric, Suzette, sur une surface délimitée de 1 456 ha. Les vins doivent provenir d'un assemblage de cépages principaux (au moins 50 % de grenache noir et 25 % de syrah à l'horizon 2015).

VIGNOBLES DE BALMA VENITIA Croix du Trias
Élevé en fût de chêne 2011 ★★

■ 73 000 ❙❚❙ 11 à 15 €

Outre la particularité géologique mettant ici à ciel ouvert les formations du Trias et ses sols si particuliers, les bons soins et gestes du vigneron permettent à cette cuvée de se distinguer. L'élevage en fût dévoile au nez des notes grillées et surtout vanillées, intenses et élégantes, qui s'associent à des parfums de fruits noirs et de réglisse. Des tanins sans rugosité se fondent en douceur dans un palais ample, rond et chaleureux. L'ensemble, déjà très harmonieux, mariage heureux de la barrique et du raisin mûr atteindra son optimum dans quatre ou cinq ans, et s'accordera à un mets de caractère, comme un rôti de sanglier ou une épaule d'agneau au thym. Dans un style proche, boisée avec justesse, bien structurée, ample et vineuse, la cuvée **Élevé en fût de chêne 2011** (5 à 8 €) obtient une étoile.

☛ SCA Vignerons de Balma Venitia, 228, rte de Carpentras, quartier Ravel, 84190 Beaumes-de-Venise, tél. 04 90 12 41 00, fax 04 90 12 41 21, vignerons@balmavenitia.fr, ☑ ⅄ t.l.j. 8h30-12h (été 12h30) 14h-18h (été 19h)

MAISON BOUACHON Les Triassiennes 2011

■ 10 000 ▣ 8 à 11 €

Dans le giron du négociant Skalli, la vénérable maison Bouachon (1898) propose une cuvée expressive, ouverte sur les fruits rouges et noirs et sur la réglisse. La bouche se montre ronde et douce, adossée à des tanins fermes et à une fraîcheur de bon aloi. L'ensemble est équilibré et prêt à boire.

☛ Les Vins Skalli, av. Pierre-de-Luxembourg, 84230 Châteauneuf-du-Pape, tél. 04 90 83 58 35, info@skalli.com, ☑ ⅄ t.l.j. 10h-12h 15h-18h au Pavillon des Vins
☛ FGV Boisset

DOM. DE DURBAN Vieilles Vignes 2011

■ n.c. ▣ 5 à 8 €

Née sur le plateau argilo-calcaire dominant Beaumes-de-Venise, cette cuvée, issue de vieux ceps de grenache, de syrah et de mourvèdre, âgés de près d'un demi-siècle, n'atteint certes pas les sommets du 2010, coup de cœur dans l'édition précédente, mais n'a pas laissé insensibles les dégustateurs. Ces derniers ont apprécié son bouquet généreux, intense et typé de fruits à l'eau-de-vie, d'épices (poivre) et de réglisse, prolongé par une bouche tout aussi chaleureuse et riche, aux tanins ronds et déjà aimables. Un vin gourmand, à boire dans les deux ans à venir sur une viande mijotée, un osso buco par exemple.

☛ Dom. de Durban, SCEA Leydier et Fils, 2523, chem. de Durban, 84190 Beaumes-de-Venise, tél. 04 90 62 94 26, fax 04 90 65 01 85, domaine.de.durban@wanadoo.fr, ☑ ⅄ t.l.j. sf dim. 9h-12h 14h-18h

LA FONT DE BRÈME 2011 ★

■ 8 000 ▣ 8 à 11 €

La cave coopérative de Gigondas présente ici un assemblage grenache-syrah qui séduit d'emblée par son nez complexe de fruits frais, d'épices et de pâte d'olives. Franche et fraîche en attaque, la bouche évolue ensuite vers plus de rondeur et de générosité, portée par des tanins fermes et serrés, et par une finale chaleureuse. À servir dans les deux ou trois ans à venir sur du gibier, une bécasse à la broche par exemple.

☞ Gigondas la Cave, Les Blaches, D 7, 84190 Gigondas, tél. 04 90 65 86 27, fax 04 90 65 80 13, infos@cave-gigondas.fr, ☑ ⚘ ⍲ t.l.j. 9h-12h30 14h-18h30

DOM. DES GARANCES La Rouyère 2011 ★

| | ■ | 20 000 | ▮ | 5 à 8 € |

Dixième vinification pour ce domaine et deux belles cuvées à découvrir. Cette Rouyère, assemblage classique de grenache et de syrah, livre un bouquet intense de fruits noirs et rouges à l'eau-de-vie, d'épices et de cacao. La bouche est à l'unisson, vineuse et ample, étayée par des tanins denses et mûrs, et étirée dans une finale longue et chaleureuse. Une bouteille recommandée pour un rôti de veau à l'ail et aux herbes de Provence, à servir au cours des deux ou trois prochaines années. Les amateurs de vins plus boisés porteront leur attention sur la cuvée **Les Faysses 2011** (11 à 15 € ; 2 500 b.), tout aussi appréciée des dégustateurs, distinguée pour son bouquet de fruits gorgés de soleil, d'épices et de garrigue, pour son élevage bien maîtrisé et pour ses tanins denses et ronds. À attendre deux ou trois ans.

☞ Dom. des Garances, SCEA la Treille, La Treille, 84190 Suzette, tél. et fax 04 90 65 07 97, domaine-des-garances@wanadoo.fr, ☑ ⚘ ⍲ t.l.j. 9h-12h 14h-18h

GRANDES SERRES Prestige des Grandes Serres 2011

| | ■ | 13 000 | ▮ | - de 5 € |

Fruits cuits, épices, notes cacaotées, voilà un bouquet généreux qui s'offre au nez des dégustateurs et annonce un vin bien méridional, solaire. De fait, la bouche, chaleureuse et douce, suit la même ligne aromatique, s'adossant à des tanins souples et fondus. À partager dès l'automne sur un plat en sauce longuement mijoté.

☞ Les Grandes Serres, rte de L'Islon-Saint-Luc, 84230 Châteauneuf-du-Pape, tél. 04 90 83 72 22, fax 04 90 83 78 77, samuel.montgermont@m-p.fr, ☑ ⍲ t.l.j. sf sam. dim. 8h-12h 13h30-17h

CH. REDORTIER Monsieur le Comte 2011 ★

| | ■ | 4 000 | ▮ | 15 à 20 € |

C'est un vin haut en couleur qui se présente ici, vêtu d'une robe rubis aux reflets violines, exhalant d'intenses parfums de garrigue, de fruits à l'alcool et d'épices douces. Il se montre généreux, ample et rond au palais, adossé à des tanins bien présents mais soyeux. Un air méridional qui lui va comme un gant et qui s'accordera avec une cuisine sudiste, une daube provençale par exemple, aujourd'hui comme dans deux ou trois ans.

☞ Ch. Redortier, hameau de Châteauneuf-Redortier, 84190 Suzette, tél. 04 90 62 96 43, fax 04 90 65 03 38, chateau-redortier@wanadoo.fr, ☑ ⚘ ⍲ t.l.j. 9h-12h 14h-17h30 ☞ de Menthon

DOM. SAINT-AMANT Grangeneuve 2011 ★

| | ■ | 18 000 | ▮ | 8 à 11 € |

Ce domaine créé en 1992 étend son vignoble sur 13 ha de terrasses dispersées et plantées de vieilles vignes. Ici, du grenache (50 %), de la syrah, du carignan et, plus atypique, une touche de viognier sont à l'origine de ce vin

joliment bouqueté autour des fruits rouges et des épices associés à quelques nuances de rose et d'eucalyptus. La bouche se révèle généreuse et ronde, portée par des tanins soyeux. Une aménité qui permettra de déguster cette bouteille dès aujourd'hui ; on pourra aussi l'attendre deux ou trois ans.

☞ Dom. Saint-Amant, 84190 Suzette, tél. 04 90 62 99 25, fax 04 90 65 03 56 ☑ ⚘ ⍲ t.l.j. 9h-18h; sam. dim. sur r.-v.
☞ Famille Wallut

Châteauneuf-du-pape

Superficie : 3 155 ha
Production : 83 865 hl (95 % rouge)

Le vignoble, qui garde le souvenir des papes d'Avignon, est situé sur la rive gauche du Rhône, à une quinzaine de kilomètres au nord de l'ancienne cité pontificale. L'appellation fut la première à avoir défini légalement ses conditions de production, dès 1931. Son territoire s'étend sur la quasi-totalité de la commune qui lui a donné son nom et sur certains terrains de même nature des communes limitrophes d'Orange, de Courthézon, de Bédarrides et de Sorgues. Son originalité provient de son sol, formé notamment de vastes terrasses de hauteurs différentes, recouvertes d'argile rouge mêlée à de nombreux cailloux roulés. Parmi les cépages autorisés, très divers, prédominent grenache, syrah, mourvèdre et cinsault.

Les châteauneuf-du-pape s'apprécient mieux après une garde qui varie en fonction des millésimes. Amples, corsés et charpentés, ce sont des vins au bouquet puissant et complexe, qui accompagnent avec succès les viandes rouges, le gibier et les fromages. Les rares blancs savent cacher leur puissance par la finesse de leurs arômes.

DOM. LA BARROCHE Signature 2010 ★

| | ■ | 20 000 | ▮ ⍖ | 30 à 50 € |

Le domaine se transmet de génération en génération depuis le XIVe s. Il étend aujourd'hui ses vignes sur 12,5 ha, essentiellement au nord et au nord-est de l'appellation. Christian Barrot et son fils Luc y ont sélectionné 7 ha de grenache (élevé en vieux foudre), de mourvèdre, de syrah (élevé en barrique bourguignonne) et de cinsault (élevé en cuve acier). Cela donne un 2010 dense et profond, au nez de fruits rouges mêlés de nuances mentholées, à la bouche ronde et généreuse, réveillée par une touche de fraîcheur saline. Un vin équilibré, à découvrir dans trois ou quatre ans sur un pigeonneau rôti.

☞ Dom. la Barroche, Julien et Christian Barrot, 19, av. des Bosquets, 84230 Châteauneuf-du-Pape, tél. 06 62 84 95 79, fax 09 59 22 95 25, contact@domainelabarroche.com, ☑ ⚘ ⍲ r.-v.
☞ Julien et Christian Barrot

LA BASTIDE SAINT-DOMINIQUE
Secrets de Pignan 2011 ★

■　　　　　　4 000　　　　■　30 à 50 €

Éric Bonnet signe un châteauneuf original, né de très vieux ceps de grenache âgés de quatre-vingt-dix ans qui semblent avoir puisé leur sève très profondément dans le sol. C'est ainsi que l'on découvre à l'olfaction des notes de pierre calcaire et d'iode agrémentées de senteurs plus classiques de fruits rouges mûrs, d'épices et de garrigue. La bouche séduit quant à elle par sa finesse, sa souplesse et son élégance. Une bouteille déjà très plaisante, que l'on pourra aussi conserver deux ou trois ans en cave.

☛ Éric Bonnet, 1358, chem. Saint-Dominique, 84350 Courthézon, tél. 04 90 70 85 32, fax 04 90 70 76 64, contact@bastidesaintdominique.com,

☑ ▼ t.l.j. sf sam. dim. 8h30-12h 13h30-18h 🏠 Ⓑ

Ⓑ DOM. DE BEAURENARD Boisrenard 2011 ★

■　　　　　10 000　-　⏛　30 à 50 €

Un domaine bien connu des lecteurs, exploité depuis 1929 et sept générations par la famille Coulon. La biodynamie est ici de rigueur, la tradition aussi, témoin cet assemblage « à l'ancienne » de treize cépages, renforcé par dix-huit mois de barrique. Le vin s'annonce complexe, offrant des parfums de fruits rouges et noirs frais, d'herbe séchée, de garrigue et d'épices. Il dévoile ensuite une bouche équilibrée, ronde, ample, structurée par des tanins au grain élégant. Une belle harmonie entre la fermeté et la finesse, à découvrir dans quatre ou cinq ans.

☛ SCEA Paul Coulon et Fils, Dom. de Beaurenard, 10, av. Pierre-de-Luxembourg, 84230 Châteauneuf-du-Pape, tél. 04 90 83 71 79, fax 04 90 83 78 06, paul.coulon@beaurenard.fr,

☑ ⚲ ▼ t.l.j. sf dim. 9h-12h 13h30-17h30

Ⓑ DOM. BENEDETTI Larmes papales 2010 ★

■　　　　　1 500　　　⏛　30 à 50 €

Ces larmes ne sont pas celles d'un quelconque pape, mais celles du vigneron qui avoue avoir été fort ému par la première gorgée de cette cuvée... Ce sont aussi celles qui tapissent le verre, annonçant un vin certes réservé au niveau olfactif (on décèle toutefois le cacao et les fruits noirs à l'aération), mais d'une belle puissance en bouche, gras et corsé. Il faudra encore quelques années, quatre ou cinq, pour que ce châteauneuf se révèle totalement.

☛ Dom. Benedetti, 25, chem. Roquette, 84370 Bédarrides, tél. 06 61 77 24 77, domainebenedetti@yahoo.fr,

☑ ⚲ ▼ r.-v.

Ⓑ DOM. BERTHET-RAYNE 2012 ★

■　　　　　6 000　　　■　11 à 15 €

Première vinification estampillée bio en 2012 pour Laure Berthet-Rayne (jusqu'alors, les vins étaient « issus de raisins de l'agriculture biologique »). Le résultat est probant avec cette cuvée expressive, florale, fruitée (pêche, fruits exotiques), un peu épicée, ronde et riche en bouche, une fine fraîcheur lui conférant de la longueur et du dynamisme. Une bouteille harmonieuse, à boire dans les deux ans sur une croustade de fruits de mer.

☛ Berthet-Rayne, 2334, rte de Caderousse, 84350 Courthézon, tél. 04 90 70 74 14, fax 04 90 70 77 85, christian.berthet-rayne@wanadoo.fr,

☑ ⚲ ▼ t.l.j. 8h-12h 13h30-18h30; sam. dim. sur r.-v.

BLASON DU RHÔNE 2011 ★

■　　　　　n.c.　　　■　8 à 11 €

Cette cuvée de négoce se présente dans une robe couleur cerise foncée. On retrouve les parfums du petit fruit rouge à l'olfaction, plutôt confiturés, accompagnés d'épices douces et de réglisse. Les atouts de ce 2011 en bouche sont la finesse de ses tanins et son équilibre entre une juste fraîcheur et la chaleur et le gras apportés par l'alcool. Un vin généreux mais jamais lourd, à boire au cours des deux ou trois prochaines années sur une viande mijotée.

☛ Les Grandes Serres, rte de L'Islon-Saint-Luc, 84230 Châteauneuf-du-Pape, tél. 04 90 83 72 22, fax 04 90 83 78 77, samuel.montgermont@m-p.fr,

☑ ▼ t.l.j. sf sam. dim. 8h-12h 13h30-17h

BONPAS Dom Herbert 2011 ★

■　　　　　18 000　　⏛　15 à 20 €

Dom Herbert, premier prieur de l'ordre des Chartreux de Bonpas, donne son nom à cette cuvée de négoce en robe sombre et profonde, ornée de reflets violines de jeunesse. Le nez se révèle complexe et intense, mêlant les fruits noirs, le toasté, les épices, la cerise kirschée. Franche en attaque, la bouche affiche de la fraîcheur et une structure à la fois solide et fine, garantes d'un bon vieillissement de trois à cinq ans.

☛ Les Vins Skalli, av. Pierre-de-Luxembourg, 84230 Châteauneuf-du-Pape, tél. 04 90 83 58 35, info@skalli.com,

☑ ⚲ ▼ t.l.j. 10h-12h 15h-18h au Pavillon des Vins

BROTTE Domaine Barville 2011

■　　　　　40 000　　■⏛　20 à 30 €

Auteur de la célèbre marque Fiole du Pape, créée en 1952, la maison Brotte vinifie ses propres vignes ou opère des sélections parcellaires pour le compte de son négoce. C'est sous l'étiquette de ce dernier qu'est proposé ce 2011. Un vin au nez généreux de boisé grillé et vanillé et de griotte à l'eau-de-vie, puis pays rond, doux et fondu, rehaussé par une finale poivrée. À boire au cours des deux ou trois prochaines années, de préférence sur une viande en sauce.

☛ Brotte, Le Clos, rte d'Avignon, BP 1, 84231 Châteauneuf-du-Pape Cedex, tél. 04 90 83 70 07, fax 04 90 83 74 34, brotte@brotte.com,

☑ ⚲ ▼ t.l.j. 9h-12h 14h-18h

Ⓑ DOM. LA CABOTTE Vieilles Vignes 2011

■　　　　　2 600　　　■⏛　30 à 50 €

De vieilles vignes de soixante-dix ans, conduites selon les préceptes de la biodynamie, sont à l'origine d'un vin plaisant, sur les épices et la rose fanée à l'olfaction, rond et finement tannique en bouche. Une cuvée d'un charme certain, à boire dans les deux ou trois ans.

☛ Dom. la Cabotte, SARL M.-P. Plumet-d'Ardhuy, 84430 Mondragon, tél. 04 90 40 60 29, domaine@cabotte.com,

☑ ⚲ ▼ t.l.j. sf sam. dim. 9h30-12h30 14h-17h

DOM. DES CHANSSAUD 2011 ★

■　　　　　30 000　　■⏛　15 à 20 €

Propriété de la famille Jaume depuis 1826, ce domaine propose un vin complet et bien équilibré. Au nez, les fruits rouges se mêlent aux épices, au Zan et aux senteurs de la garrigue, une petite touche de violette rappelant que la syrah fait partie de l'assemblage aux côtés du grenache (85 %) et du mourvèdre. La bouche se révèle ronde, soyeuse, d'une puissance mesurée, soutenue par des tanins élégants et par une agréable fraîcheur. À déguster d'ici trois à cinq ans sur une épaule d'agneau rôtie aux cèpes.

☛ Patrick Jaume, quartier Cabrières, 84100 Orange, tél. 04 90 34 23 51, fax 04 90 34 50 20, chanssaud@wanadoo.fr,

☑ ⚔ 𝖸 t.l.j. sf dim. 8h30-12h30 13h30-18h

DOM. DE LA CHARBONNIÈRE L'Envol 2010 ★★

| | 1 800 | ⬦ | 50 à 75 € |

Une valeur sûre de l'appellation, désormais conduite par les filles de Michel Maret, Caroline et Elisabeth, et en conversion bio depuis 2012. Les deux sœurs signent une cuvée confidentielle, qu'elles ont voulue « plus moderne et féminine ». Les dégustateurs ont décrit un vin au joli nez de fruits rouges croquants mâtinés de nuances réglissées et d'un boisé mesuré, certes dense et puissant, mais aussi fin et élégant, porté par des tanins soyeux et sans dureté. « Féminin » en effet, diront certains. À attendre au moins cinq ans quoi qu'il en soit.

☛ EARL Michel Maret et Filles, Dom. de la Charbonnière, 26, rte de Courthézon, BP 83, 84232 Châteauneuf-du-Pape Cedex, tél. 04 90 83 74 59, fax 04 90 83 53 46, contact@domainedelacharbonniere.com,

☑ ⚔ 𝖸 t.l.j. sf dim. 8h-12h 14h-18h; sam. sur r.-v.

CLOS DU CALVAIRE 2011

| | 45 000 | ▪ | 15 à 20 € |

Conseillé depuis 2012 par l'œnologue réputé Philippe Cambie, ce domaine, conduit en bio mais sans certification, propose un châteauneuf sur le fruit (pas de passage en barrique), agrémenté au nez de nuances florales et épicées, généreux, velouté et d'un bon volume en bouche. Une pointe d'austérité en finale appelle toutefois une petite garde d'un an ou deux.

☛ Vignobles Mayard, 24, av. du Baron-Le-Roy, BP 16, 84231 Châteauneuf-du-Pape Cedex, tél. 04 90 83 70 16, fax 04 90 83 50 47, contact@vignobles-mayard.fr,

☑ ⚔ 𝖸 t.l.j. 10h-12h30 14h-18h

CLOS SAINT-MICHEL 2012 ★

| | 6 000 | ▪⬦ | 20 à 30 € |

Cette famille vigneronne installée de longue date dans la vallée du Rhône a acquis ce domaine en 1957. À la tête du vignoble depuis 1996, Franck et Olivier Mousset signent avec cet assemblage des cépages de grenache blanc, clairette, bourboulenc et roussanne un vin au nez fin et léger de fruits blancs, d'agrumes et d'aubépine, au palais gras, souple et doux, qui s'étire dans une longue finale fruitée. À déguster dans les deux ou trois ans à venir sur une volaille en sauce crémée ou sur une langouste à la nage.

☛ EARL Vignobles Guy Mousset et Fils, Le Clos Saint-Michel, 2505, rte de Châteauneuf-du-Pape, 84700 Sorgues, tél. 04 90 83 56 05, fax 04 90 83 56 06, mousset@clos-saint-michel.com, ☑ ⚔ 𝖸 t.l.j. 9h-19h

COMTE DE LAUZE 2012

| | 3 080 | | 20 à 30 € |

Grenache blanc, roussanne, clairette et bourboulenc, par ordre d'importance, sont à l'origine d'une cuvée confidentielle, née sur 80 ares d'argilo-calcaire. Plutôt

---

discret, le nez évoque les fleurs blanches, les agrumes et la poire après aération. Dans la continuité de l'olfaction, la bouche révèle un vin frais, agréable et léger, tout indiqué pour les produits de la mer.

☛ Dom. Comte de Lauze, 8, av. des Bosquets, BP 45, 84232 Châteauneuf-du-Pape Cedex, tél. 04 90 83 72 87, fax 04 90 83 50 93, comtelauze@wanadoo.fr,

☑ ⚔ 𝖸 sam. dim. 8h30-18h

♥ DOM. DE LA CÔTE DE L'ANGE 2010 ★★

| | 25 000 | ▪⬦ | 20 à 30 € |

Dans la famille Gasparri depuis 1920, ce domaine régulier en qualité franchit un cap avec cette cuvée remarquable de bout en bout. La robe, sombre et dense, annonce une belle concentration. Le nez, puissant et élégant à la fois, mêle les fruits rouges et noirs, la garrigue, le cuir frais et quelques touches animales. Ample et longue, la bouche charme par sa douceur et sa richesse, soulignées par des tanins bien en place mais veloutés. L'ensemble, modèle d'harmonie, gagnera encore en complexité au cours des cinq prochaines années.

☛ Dom. de la Côte de l'Ange, 9, La Font-du-Pape, 84230 Châteauneuf-du-Pape, tél. 04 90 83 72 24, fax 04 90 83 54 88, contact@cotedelange.fr,

☑ ⚔ 𝖸 t.l.j. sf dim. 9h-12h 14h-18h

☛ Yannick Gasparri

CH. DES FINES ROCHES Fines Roches 2010

| | 6 500 | ▪⬦ | 20 à 30 € |

Construit à la fin du XIXᵉs., ce château crénelé et imposant où l'on pouvait autrefois croiser Frédéric Mistral, Joseph Roumanille ou Alphonse Daudet, est propriété de la famille Mousset-Barrot depuis les années 1930. On y croise aujourd'hui des œnophiles venus se sustenter dans le restaurant de l'hôtel quatre étoiles. Côté cave, ce 2010 issu à parts égales de grenache, de syrah et de mourvèdre dévoile des parfums de fruits rouges mûrs, presque confits, de pâte de coings et de torréfaction. C'est la douceur et la rondeur qui prévalent dans une bouche assez discrète en termes aromatiques et plutôt axée à la structure plutôt fine. Un châteauneuf à boire dans les deux ou trois ans à venir.

☛ Robert Barrot, 1, av. du Baron-Le-Roy, 84230 Châteauneuf-du-Pape, tél. 04 90 83 51 73, fax 04 90 83 52 77, chateaux@vmb.fr,

☑ ⚔ 𝖸 t.l.j. 13h30-19h30; f. jan.-fév. sf vac. scolaires

DOM. DE FONTAVIN Cuvée David et Goliath 2010 ★

| | 1 800 | | 20 à 30 € |

David et Goliath sont les deux demi-muids qui ont accueilli les jus de grenache et de syrah à l'origine de cette cuvée confidentielle, réservée aux années jugées exceptionnelles. La version 2010 livre un vin sombre, tirant sur le noir, au nez chaleureux de fruits compotés, de réglisse, d'épices et de boisé fumé. La bouche est puissante, tannique, riche, boisée, vivifiée par une fraîcheur bienvenue qui apporte de la longueur et du tonus. Les amateurs de sensations fortes pourront d'ores et déjà ouvrir cette bouteille, les autres patienteront trois à cinq ans pour déguster un vin moins fougueux.

🕿 Dom. de Fontavin, 1468, rte de la Plaine, 84350 Courthézon, tél. 04 90 70 72 14, fax 04 90 70 79 39, helene-chouvet@fontavin.com, ☑ ⚹ ⊺ t.l.j. 9h (sam. 10h)-12h15 14h-18h15, ouv. toute la journée en juil-août

CH. DE LA GARDINE Cuvée des générations Marie-Léoncie 2011 ★

| | 5 000 | 🍷 | 30 à 50 € |

C'est le négociant Gaston Brunel, héritier d'une longue tradition vigneronne (XVIIᵉs.), qui acquit La Gardine en 1945. Réputé pour ses vins, le domaine est aussi célèbre pour la forme atypique de sa bouteille, courte et trapue, inspirée d'un flacon soufflé à la bouche découvert lors du premier agrandissement de la cave. Un contenant original pour une cuvée expressive (crème de marron, fleurs blanches, pêche), boisée avec justesse, riche, ronde et un rien miellée en bouche. Il est conseillé d'attendre deux ou trois ans, mais les plus impatients pourront servir ce vin dès aujourd'hui, sur un poulet au curry par exemple.

🕿 Brunel, Ch. de la Gardine, BP 35, 84231 Châteauneuf-du-Pape Cedex, tél. 04 90 83 73 20, fax 04 90 83 77 24, chateau@gardine.com, ☑ ⚹ ⊺ t.l.j. sf dim. 9h-12h 13h-18h; sam. 10h-18h mai-août

♥ DOM. DU GRAND TINEL 2011 ★★

| | 37 000 | 🍷🍷 | 15 à 20 € |

Domaine du Grand Tinel
Chateauneuf - du - Pape
Appellation Chateauneuf-du-Pape Contrôlée
2011
Mis en bouteille au Domaine

À l'origine de ce domaine, l'union de deux anciennes familles castelpapales, déjà bien établies au XVIᵉs., les Establet et les Jeune. La propriété « moderne » date, elle, de 1972. On y a construit une vaste « tina » (cave, mais aussi tonneau) sur trois niveaux, qui abrite foudres et fûts de chêne. Christophe Jeune et ses sœurs Béatrice et Isabelle y ont vinifié des raisins nés de vieux ceps septuagénaires de grenache (77 %), de syrah (20 %) et de mourvèdre. Le résultat ? Un vin sombre, couleur encre de Chine, au nez intense et complexe qui évoque les senteurs méridionales de la garrigue (thym, épices), les fruits cuits ou encore le cuir. Le palais est tout aussi complexe, ample, rond, soyeux, sans excès d'extraction. Un châteauneuf

« sensuel » et caressant, que l'on appréciera aussi bien jeune que patiné par le temps (cinq à dix ans).

🕿 SAS Les Vignobles Élie Jeune, Dom. du Grand Tinel, 3, rte de Bédarrides, BP 58, 84232 Châteauneuf-du-Pape Cedex, tél. 04 90 83 70 28, fax 04 90 83 78 07, beatrice@domainegrandtinel.com, ☑ ⚹ ⊺ t.l.j. 9h-12h 14h-18h; sam. dim. sur r.-v.

DOM. GRAND VENEUR Les Origines 2011 ★

| | 10 000 | | 30 à 50 € |

Les origines vigneronnes de la famille sont castelpapales, et ce domaine créé en 1979 par Alain et Odile Jaume perpétue une longue tradition remontant au XIXᵉs., que les fils Sébastien et Christophe maintiennent depuis 2003. Les vins de la propriété sont souvent au rendez-vous du Guide, et le 2011 ne fait pas exception. Sur la réserve de prime abord, le nez s'ouvre à l'agitation sur les fruits mûrs. On retrouve ce fruité généreux, accompagné d'un boisé assez appuyé, dans un palais rond et gras, aux tanins bien intégrés. On attendra deux ou trois ans au moins que cette bouteille digère pleinement son élevage.

🕿 Vignobles Alain Jaume et Fils, 1358, rte de Châteauneuf-du-Pape, 84100 Orange, tél. 04 90 34 68 70, fax 04 90 34 43 71, jaume@domaine-grand-veneur.com, ☑ ⊺ t.l.j. sf dim. 8h-12h 14h-18h

DOM. OLIVIER HILLAIRE 2011

| | 10 000 | 🍷 | 15 à 20 € |

Première apparition dans le Guide pour ce petit domaine créé en 2006 par Olivier Hillaire. Il s'invite dans cette sélection avec un vin d'abord fermé à l'olfaction, qui s'ouvre peu à peu sur des notes de fruits à l'alcool. On retrouve ces sensations chaleureuses dans un palais gras, d'un volume honorable, soutenu par des tanins fins et par une fraîcheur mesurée. On attendra deux ou trois ans pour que cette bouteille révèle tout son potentiel.

NOUVEAU PRODUCTEUR

🕿 Dom. Olivier Hillaire, 1, rue du Maréchal-Foch, 84230 Châteauneuf-du-Pape, tél. 04 90 22 45 76, domaine.olivier.hillaire@orange.fr, ☑ ⊺ r.-v.

DOM. ALBIN JACUMIN 2012

| | 1 060 | 🍷🍷 | 15 à 20 € |

Albin Jacumin signe un vin blanc pâle et limpide, ouvert sur les fruits blancs, le coing, les agrumes et les fleurs blanches. Une jolie complexité que reprend à son compte un palais frais et d'une longueur honorable. À réserver pour un poisson en sauce.

🕿 Dom. Albin Jacumin, EARL Jacumin, 9, chem. du Clos, BP 28, 84231 Châteauneuf-du-Pape, tél. et fax 04 90 83 78 55, domaine.ajacumin@orange.fr, ☑ ⚹ ⊺ r.-v.

DOM. LAFOND ROC-ÉPINE 2010 ★

| | 16 000 | 🍷🍷 | 20 à 30 € |

Porte-drapeau des AOC tavel et lirac, le domaine des Lafond – Jean-Pierre (le père) et Pascal (le fils) – a franchi le Rhône en 2001 pour acquérir une petite vigne de 87 ares en châteauneuf-du-pape, répartie entre une parcelle caillouteuse et une autre sablonneuse sur des terrasses ocre de galets roulés. Depuis, la surface s'est agrandie quelque peu, et elle atteint aujourd'hui les 3,6 ha, cultivés en bio (conversion en cours depuis 2009). Le grenache

(80 % de l'assemblage, élevé en cuve Inox), la syrah et le mourvèdre (élevé en barrique neuve) ont donné naissance à un 2010 agréablement fruité (fruits cuits), agrémenté des senteurs de garrigue et d'épices douces. Passé la souplesse de l'attaque, le vin se révèle solidement charpenté, ample et concentré. Un châteauneuf bien typé et encore jeune, à attendre cinq ans et plus.

🍷 Dom. Lafond Roc-Épine, rte des Vignobles, 30126 Tavel, tél. 04 66 50 24 59, fax 04 66 50 12 42, lafond@roc-epine.com,

☑ ⚔ ☂ t.l.j. sf sam. dim. 8h-12h 13h30-17h30

LAVAU 2011

■	8 000	🍶🍷	15 à 20 €

Cette cuvée de négoce proposée par la famille Lavau, d'origine saint-émilionnaise, fait une place non négligeable à la syrah (40 %) aux côtés du grenache et d'un peu de mourvèdre. C'est sa douceur qui a séduit les dégustateurs, la douceur des fruits mûrs rehaussés d'épices, la douceur du palais, tapissé de tanins veloutés. Bref, un châteauneuf aimable et prêt à boire.

🍷 Lavau, rte de Cairanne, 84150 Violès, tél. 04 90 70 98 70, fax 04 90 70 98 79, caveau@lavau.fr,

☑ ⚔ ☂ t.l.j. sf dim. 10h-13h 14h-19h

Ⓑ MAS DE BOISLAUZON 2012

■	1 600	🍶🍷	20 à 30 €

Des ceps de roussanne (60 %) et de grenache blanc âgés de trente ans ont donné naissance à cette cuvée d'un beau jaune soutenu et limpide, au nez frais d'agrumes ponctué d'une légère note beurrée et toastée, relayé par une bouche d'une égale vivacité. Un vin harmonieux, à déguster dans les deux ans sur un rôti de veau à la crème.

🍷 EARL Christine et Daniel Chaussy, Mas de Boislauzon, rte de Châteauneuf-du-Pape, 84100 Orange, tél. 04 90 34 46 49, fax 04 90 34 46 61, masdeboislauzon@wanadoo.fr,

☑ ⚔ ☂ t.l.j. sf dim. 10h-12h 14h-18h

MAS GRANGE BLANCHE La Font de Bessounes 2010 ★

■	8 000	🍶🍷	20 à 30 €

Propriétaires également du château des Fines Roches, les Mousset exploitent ce domaine depuis 1996. Les lecteurs se souviendront sans doute d'un coup de cœur décroché par La Font de Bessounes 2007. Le 2010 est très réussi, un « bon classique » au bouquet chaleureux de fruits bien mûrs, de cacao et de grillé, rond, soyeux, structuré par des tanins souples et sans dureté. Un vin joliment texturé et déjà plaisant, que l'on pourra aussi attendre trois à cinq ans.

🍷 EARL Cyril et Jacques Mousset, Ch. des Fines Roches, 84230 Châteauneuf-du-Pape, tél. 06 09 87 17 77, cyril.mousset@wanadoo.fr, ☑ ⚔ ☂ t.l.j. 10h-18h; f. jan.

DOM. MATHIEU 2010 ★

■	30 000	🍷	15 à 20 €

Le félibre Anselme Mathieu (poète provençal et cofondateur du Félibrige au XIXᵉs.) aurait été le premier à apposer une étiquette – « Lou vin di Félibre » – sur une bouteille de châteauneuf-du-pape. Celle-ci héberge un 2010 élégant et expressif, sur les fruits noirs et la violette, salué pour la finesse et le soyeux de son palais, sans toutefois manquer de puissance. Un vin équilibré et déjà plaisant, que deux ou trois ans de garde ne rebuteront pas. Le blanc 2011 (4 000 b.), floral et frais, est cité.

🍷 Dom. Mathieu, 3 bis, rte de Courthézon, 84230 Châteauneuf-du-Pape, tél. 04 90 83 72 09, fax 04 90 83 50 55, dnemathieu@aol.com,

☑ ⚔ ☂ t.l.j. sf dim. 8h-12h 13h30-18h; sam. sur r.-v.

CH. MAUCOIL 2010 ★

■	19 000	🍷	15 à 20 €

Installé depuis 2009 à la tête de ce domaine aux origines très anciennes (les Romains y installèrent une légion et les princes d'Orange leur archiviste), les Bonnet ont engagé la conversion bio du vignoble. En attendant que les étiquettes arborent le logo, découvrons ce 2010 finement bouqueté autour d'un boisé discret (vanille, tabac blond), des fruits kirschés, des épices et de notes d'humus. Une attaque souple et fondue introduit un palais puissant mais sans agressivité, soutenu par une belle fraîcheur, par des tanins veloutés et ce même boisé bien ajusté perçu à l'olfaction. Un vin élégant et équilibré, à découvrir d'ici trois à cinq ans sur un gigot d'agneau aux champignons.

🍷 Ch. Maucoil, chem. de Maucoil, 84100 Orange, tél. 04 90 34 14 86, fax 04 90 34 71 88, bbonnet@maucoil.com,

☑ ⚔ ☂ t.l.j. 9h-12h 14h-18h; f. sam. dim. en jan.-fév.

🍷 Bénédicte et Charles Bonnet

DOM. LA MÉREUILLE Les Baptaurels 2010

■	4 000	🍶🍷	20 à 30 €

Issue d'une sélection de vieilles vignes de grenache âgées de soixante-quinze ans et plantées sur sables, cette cuvée délivre des parfums élégants de fruits rouges mûrs, de violette et de réglisse. En bouche, son caractère chaleureux est tempéré par une fine vivacité. L'ensemble est équilibré, d'une longueur honorable et déjà prêt. On pourra aussi attendre trois à cinq ans pour que cette bouteille gagne en complexité.

🍷 SCEA Dom. la Méreuille, quartier du Grès, impasse 2580, 84100 Orange, tél. 04 90 34 10 68, fax 04 90 34 27 77, micbouyer@wanadoo.fr, ☑ ⚔ ☂ r.-v.

🍷 Philippe Granger

CH. MONGIN 2011

■	5 400	🍷	15 à 20 €

De la théorie à la pratique : nous sommes ici sur l'exploitation pédagogique du lycée viticole d'Orange. Les élèves ont été attentifs aux enseignements, à en juger par ce 2011 charmeur, porté sur les arômes de truffe et d'olive noire, boisé avec mesure, rond, souple et velouté en bouche. Un ensemble harmonieux, à remiser en cave deux ou trois ans.

🍷 Ch. Mongin, Lycée viticole d'Orange, 2260, rte du Grès, 84100 Orange, tél. 04 90 51 48 04, fax 04 90 51 48 25, chateaumongin@chateaumongin.com,

☑ ⚔ ☂ t.l.j. 9h-12h 14h-17h

DOM. MONPERTUIS Secret de Gabriel
Vieilles Vignes 2010 ★★

■	4 400	🍷	30 à 50 €

Ce domaine, propriété de la famille Jeune depuis 1775, signe une cuvée qui frôle les trois étoiles. Après dix-huit mois passés en foudre, elle se présente dans une robe d'un beau pourpre profond, exhalant des parfums bien mariés de fruits rouges et noirs bien mûrs et d'olive. Souple en attaque, la bouche se révèle dense et ronde à

RHÔNE

souhait, solidement charpentée mais sans dureté aucune, et s'étire dans une longue finale réglissée et un rien fumée qui laisse le souvenir d'une grande harmonie. Armé pour une longue garde de huit à dix ans, ce 2010 fait preuve d'une amabilité qui autorise une ouverture dans les trois ou quatre ans.

🍷 Vignobles Paul Jeune, Dom. Monpertuis,
14, chem. des Garrigues, 84230 Châteauneuf-du-Pape, tél. 04 90 83 73 87, fax 04 90 83 51 13, contact@vignobles-paul-jeune.com, ☑ ⚭ ⊤ r.-v. ⚘ Ⓔ

CH. MONT-REDON 2010

	280 000	📕⑪	20 à 30 €

Grenache, syrah, mourvèdre et un soupçon de cépages divers composent cette cuvée d'abord sur la retenue, plus loquace à l'aération : café, fruits à l'eau-de-vie, épices. Ronde en attaque, soyeuse et charnue, la bouche s'appuie sur des tanins enrobés et sur un boisé doux aux accents chocolatés qui autorisent une dégustation dès l'automne mais qui permettront aussi à ce vin de bien vieillir trois ou quatre ans.

🍷 Ch. Mont-Redon, BP 10,
84231 Châteauneuf-du-Pape Cedex, tél. 04 90 83 72 75, fax 04 90 83 77 20, contact@chateaumontredon.fr, ☑ ⚭ ⊤ r.-v.

DOM. DE LA MORDORÉE La Reine des bois 2011 ★

	20 000	📕⑪	30 à 50 €

La bécasse (mordorée), symbole de ce domaine incontournable, planait l'an dernier au-dessus de la sélection des châteauneuf et décrochait un coup de cœur pour le millésime 2010. En 2011, elle vole un peu moins haut mais atteint tout de même l'étoile pour son bouquet intense de fruits mûrs, d'épices et de cuir, et pour sa puissance, sa concentration et sa longueur en bouche. Le bois reste toutefois encore très présent, et il le faudra au moins cinq ans pour le vin l'assimile.

🍷 Dom. de la Mordorée, Christophe Delorme, chem. des Oliviers, 30126 Tavel, tél. 04 66 50 00 75, fax 04 66 50 47 39, info@domaine-mordoree.com, ☑ ⚭ ⊤ r.-v.
🍷 Delorme

DOM. DE NALYS Le Châtaignier 2011 ★

	n.c.	📕⑪	30 à 50 €

Sur cette parcelle du Châtaignier poussent de vieux grenaches plantés en 1905, qui entrent pour partie dans cette cuvée, aux côtés de ceps plus jeunes et du mourvèdre. Cela donne un vin au nez élégant et complexe de fruits noirs, d'épices, de vanille et de sous-bois, souple et rond en attaque, plus dense et structuré dans son évolution. Un châteauneuf bien dans le ton, ample et charpenté, à oublier quatre ou cinq ans en cave.

🍷 Dom. de Nalys, rte de Courthézon, BP 39,
84231 Châteauneuf-du-Pape Cedex, tél. 04 90 83 72 52, fax 04 90 83 51 15, contact@domainedenalys.com, ☑ ⚭ ⊤ t.l.j. sf dim. 9h-12h30 13h30-18h
🍷 Groupama

♥ Ⓑ CH. LA NERTHE 2011 ★★

	110 000	📕⑪	30 à 50 €

Le toujours « excellent vin de La Nerthe », comme on le qualifiait à la cour de Louix XVI, brille depuis longtemps au-delà de nos frontières. Déjà au XVIIIᵉs.,

sous l'impulsion de ses premiers propriétaires, les Tulle de Villefranche, il s'exportait partout en Europe. Aujourd'hui, son horizon est le monde entier et 70 % de la production s'écoule hors de France. Il restera bien quelques flacons de ce remarquable 2011 à l'usage des œnophiles français. Un vin « royal, impérial et pontifical », comme disait de lui Frédéric Mistral. Le grenache (47 %) escortés de la syrah (29 %), du mourvèdre (22 %) et d'une pincée de cinsault composent ce vin captivant par son bouquet complexe et racé, aux accents de fruits mûrs et de chocolat truffé. D'une puissance contenue, dense et velouté, le palais s'appuie sur des tanins soyeux et élégants qui garantissent une excellente tenue à la garde (une décennie et plus encore). Née de vénérables ceps de quatre-vingts ans de grenache (34 %), de syrah (35 %) et de mourvèdre (31 %), la **cuvée des Cadettes 2010 rouge (50 à 75 € ; 9 500 b.)**, qui n'a donc rien d'une « jeunette », tutoie l'exceptionnel. Elle envoûte d'emblée par son bouquet complexe de graphite, d'épices et de chocolat, que prolonge une bouche douce et chaleureuse, longue et veloutée. Un vin d'une grande ampleur, à découvrir sans se presser (cinq ans minimum) sur un pavé de biche aux airelles.

🍷 SCA Ch. la Nerthe, rte de Sorgues,
84230 Châteauneuf-du-Pape, tél. 04 90 83 70 11, fax 04 90 83 79 69, contact@chateaulanerthe.fr, ☑ ⚭ ⊤ r.-v.
🍷 Richard

DOM. ROGER PERRIN 2011

	35 900	📕⑪	15 à 20 €

Deuxième vendange pour Véronique Perrin, fille de Roger et sœur de Luc, lequel contribua à l'essor du domaine de 1986 à 2010. Elle signe un vin qui, dans le respect de la tradition châteauneuvoise, assemble de nombreux cépages : six ici, grenache en tête comme il se doit. Au nez, les fruits rouges et noirs sont associés à la violette et aux épices. Gras et chaleureux sans être brûlant, vivifié par une bonne fraîcheur et soutenu par une structure tannique mesurée, le palais se révèle équilibré. À boire ou à attendre deux ou trois ans.

🍷 Dom. Roger Perrin, 2316, rte de Châteauneuf-du-Pape, 84100 Orange, tél. 04 90 34 25 64, dne.rogerperrin@wanadoo.fr, ☑ ⚭ ⊤ t.l.j. 8h-12h 14h-18h

DOM. DES RELAGNES La Clef de saint Thomas 2012

	2 000	⑪	15 à 20 €

Jean Bonnet, l'élaborateur de cette cuvée, est bien connu des lecteurs pour ses remarquables coteaux-d'aix du château Calissanne. Les dégustateurs du Guide ont aimé ce châteauneuf blanc frais et aromatique à l'olfaction (pamplemousse, abricot, notes beurrées et toastées), ample, vif et tonique en bouche. Un vin encore jeune mais prometteur, à découvrir dans deux ans sur un poisson sauce aux agrumes.

☛ SCEA Dom. des Relagnes, 9, rte de Bédarrides, 84230 Châteauneuf-du-Pape, tél. 04 90 42 63 03, fax 04 90 42 40 00, commercial@chateau-calissanne.fr, ☑ ⚘ ᛏ t.l.j. 9h-19h; dim. 9h-13h; lun. 12h-19h
☛ Sophie Kessler

DOM. SAINT-PRÉFERT Réserve Auguste Favier 2011

■	18 000	🍷⬛	20 à 30 €

Isabel Ferrando, installée en 2002 sur ce domaine de 22 ha, rend hommage à son grand-père maraîcher avec cette cuvée appréciée pour son équilibre. Équilibre olfactif, entre les fruits confiturés, les épices et un boisé ajusté (moka). Équilibre en bouche également, entre la fermeté et la finesse des tanins, la rondeur de la chair et la fraîcheur du fruité. À attendre un an ou deux.

☛ Dom. Saint-Préfert, quartier des Serres, 84230 Châteauneuf-du-Pape, tél. 04 90 83 75 03, fax 04 90 33 26 23, contact@st-prefert.fr, ☑ ⚘ ᛏ r.-v. 🏠 🄴

DOM. DES SÉNÉCHAUX 2011

■	85 000	🍷⬛	30 à 50 €

Jean-Michel Cazes, propriétaire du château Lynch-Bages à Pauillac, est à la tête de ce domaine de 27 ha depuis 2007. Grenache, syrah, mourvèdre et 1 % de cépages divers composent un châteauneuf bien construit et déjà plaisant. Au nez, un boisé aux accents de caramel laisse place à l'aération aux fruits mûrs et aux épices. Souple en attaque, le palais évolue avec élégance et rondeur, porté par des tanins fins et fondus et par une pointe de fraîcheur. Un vin équilibré, à déguster dans les trois ans à venir.

☛ Dom. des Sénéchaux, 5, rue de la Nouvelle-Poste, 84230 Châteauneuf-du-Pape, tél. 04 90 83 73 59, fax 04 90 83 52 88, senechaux@domaine-des-senechaux.com, ☑ ⚘ ᛏ t.l.j. sf sam. dim. 8h30-12h30 13h30-18h30
☛ Jean-Michel Cazes

DOM. SERGUIER Révélation 2011

■	1 500	🍷⬛	20 à 30 €

Après trente ans de métayage, Daniel Nury a repris ce petit domaine de 6,5 ha en 1997. Il propose un châteauneuf agréable, au nez fumé et épicé, souple et tout en rondeur en bouche, aux tanins doux et fondus. À boire dès à présent et dans les trois ans à venir.

☛ Daniel Nury, Dom. Serguier, 13, rue Alphonse-Daudet, 84230 Châteauneuf-du-Pape, tél. 06 15 66 58 90, fax 04 90 83 73 42, nury.daniel@wanadoo.fr, ☑ ⚘ ᛏ r.-v.

🅑 CH. SIMIAN Le Traversier 2012 ★

■	1 500	🍷⬛	20 à 30 €

Le chemin de coteaux reliant toutes les parcelles du domaine donne son nom à cette cuvée élégante, portée sur les fleurs blanches, la pomme et la poire. Sans manquer de rondeur ni de gras, la bouche est soutenue par une agréable fraîcheur minérale, avant de renouer avec une impression plus généreuse, biscuitée, en finale. À découvrir dans l'année, sur une volaille en sauce.

☛ Ch. Simian, RD 172, rte d'Uchaux, 84420 Piolenc, tél. 04 90 29 50 67, fax 04 90 29 62 33, chateau.simian@wanadoo.fr, ☑ ⚘ ᛏ t.l.j. sf dim. 8h30-12h 14h-19h

CH. SIXTINE 2011 ★★

■	5 000	🍷⬛	30 à 50 €

L'ancienne Cuvée du Vatican Réserve Sixtine est devenue Château Sixtine avec le millésime 2011. Le nom change, mais la qualité demeure. Vêtu d'une robe profonde, presque noire, ornée de beaux reflets violines de jeunesse, ce vin ne se dévoile pas facilement, et il faut une longue aération pour qu'il livre ses parfums. Une attente récompensée par une remarquable complexité : moka, épices, réglisse, fruits noirs, violette. Souple en attaque, la bouche monte rapidement en puissance, se fait généreuse et très concentrée, portée par des tanins fermes et serrés, d'une austérité de conclave en finale. La fumée blanche ne sortira pas de votre cave avant cinq ans.

☛ Ch. Sixtine, 10, rte de Courthézon, 84230 Châteauneuf-du-Pape, tél. 04 90 83 70 51, fax 04 90 83 50 36, contact@chateau-sixtine.com, ☑ ⚘ ᛏ r.-v.
☛ Diffonty

DOM. DE LA SOLITUDE Cornelia Constanza 2010 ★★

■	3 000	🍷⬛	50 à 75 €

Ce domaine appartient à l'une des plus anciennes familles de Châteauneuf-du-Pape, dont l'un des membres, Maffeo Barberini, fut élu pape sous le nom d'Urbain VIII au XVᵉs. Pierre Sigaud, œnologue et maître de chai maison, signe une cuvée née de ceps de grenache d'un âge canonique (cent ans). Une matière première qui donne à ce vin une robe dense et profonde, lui confère une belle complexité aromatique (fruits rouges mûrs, notes florales et un rien animales, touches mentholées) et une grande générosité au palais. Ample, charnu, soutenu par une structure fine et élégante. Ce 2010 demande trois ou quatre ans de patience pour être dégusté à son optimum, mais la décennie est un horizon tout à fait envisageable. Côté table, un veau à la cuillère sera un bon compagnon.

☛ EARL Dom. Pierre Lançon, Dom. de la Solitude, BP 21, 84231 Châteauneuf-du-Pape Cedex, tél. 04 90 83 71 45, fax 04 90 83 51 34, domaine.solitude@orange.fr, ☑ ⚘ ᛏ t.l.j. sf sam. dim. 8h-12h 13h30-17h

FRÉDÉRIC STEHELIN Cuvée Bertrand Stehelin 2011

■	2 000	🍷⬛	20 à 30 €

Issu d'une petite parcelle de 1 ha de grenache (une pincée de syrah entre aussi dans l'assemblage), planté sur les coteaux de Châteauneuf au lieu-dit Pie Redon, ce 2011 livre un bouquet plaisant, fumé, épicé et fruité. Sur la finesse et la souplesse plutôt que sur la puissance et la concentration, le palais est celui d'un vin équilibré et déjà appréciable.

☛ Frédéric Stehelin, Paillère et Pied-Gû, 84190 Gigondas, tél. et fax 04 90 65 84 14, contact@vinstehelin.fr, ☑ ⚘ ᛏ t.l.j. sf dim. 8h-12h 14h-18h

DOM. PIERRE USSEGLIO ET FILS 2011 ★

■	40 000	🍷⬛	20 à 30 €

Coup de cœur l'an dernier pour leur cuvée Tradition 2010, les frères Usseglio, Jean-Pierre et Thierry, signent un 2011 généreux et bien typé, qui mêle à l'olfaction des notes de pâte de fruits, de poivre blanc et de boisé. Fraîche en attaque, la bouche se révèle ensuite plus ronde, riche et vineuse, étayée par des tanins fins et serrés qui garantiront à ce vin un bon vieillissement de quatre ou cinq ans. À réserver pour une pièce de gibier ou pour une viande rouge en sauce.

RHÔNE

●☙ Dom. Pierre Usseglio et Fils, 10, rte d'Orange, 84230 Châteauneuf-du-Pape, tél. 04 90 83 72 98, fax 04 90 83 56 70, domaine-usseglio@wanadoo.fr, ☑ ⚔ Ⅱ r.-v.

DOM. RAYMOND USSEGLIO ET FILS
La Part des anges 2011 ★

| ■ | 4 000 | ⦀ | 30 à 50 € |

Le nom de cette cuvée évoque la part du vin qui s'évapore lors de la mise en barrique. Un passage en fût de seize mois ici, qui laisse son empreinte vanillée au nez comme en bouche, aux côtés des notes de fruits mûrs (cassis, cerise). Les tanins sont bien présents, à la fois serrés et veloutés, enrobés par une chair ample et dense. Voilà qui constitue un châteauneuf de bonne garde, à ouvrir dans cinq ans sur une estouffade de bœuf.
●☙ Dom. Raymond Usseglio et Fils, 6, av. des Amandiers, BP 29, 84231 Châteauneuf-du-Pape Cedex, tél. 04 90 83 71 85, fax 04 90 83 50 42, info@domaine-usseglio.fr, ☑ ⚔ Ⅱ r.-v.

DOM. DE VAL FRAIS 2011

| ■ | 10 000 | ▮⦀ | 8 à 11 € |

Depuis 1993, c'est la troisième génération de vignerons qui est aux commandes de ce domaine créé en 1968 ; de vigneronnes plutôt, le vignoble étant transmis de mère en fille. Les deux sœurs Vaque signent ici un vin plaisant, sur les fruits en confiture à l'olfaction, puis frais et structuré sans excès en bouche. Un ensemble harmonieux et d'un style souple, à déguster dès à présent.
●☙ SCEA André Vaque, Dom. de Val Frais, 84350 Courthézon, tél. 04 90 70 84 33, fax 04 90 70 73 61, domaine.valfrais@cegetel.net, ☑ ⚔ Ⅱ r.-v.

Lirac

Superficie : 745 ha
Production : 19 440 hl (91 % rouge et rosé)

Située en face de Châteauneuf-du-Pape, sur la rive droite du Rhône, l'appellation regroupe les vignobles de Lirac, de Saint-Laurent-des-Arbres, de Saint-Geniès-de-Comolas et de Roquemaure, au nord de Tavel. Les vignerons de ces côtes du Rhône gardoises ont été pionniers, se regroupant dès le XVIIIᵉs. pour défendre et valoriser leur production, déjà réputée au XVIᵉs. Les magistrats locaux l'authentifiaient en apposant sur les fûts, au fer rouge, les lettres « C d R ». Terrasses de cailloux roulés et terrains calcaires produisent des vins dans les trois couleurs : les rosés et les blancs, tout de grâce et de parfums, se boivent jeunes avec des fruits de mer ; les rouges puissants et généreux accompagnent les viandes rouges.

CH. D'AQUERIA 2012 ★

| ■ | 16 000 | ▮ | 8 à 11 € |

Acquis en 1920 par Jean Olivier, le vignoble a été entièrement replanté par Jean de Bez autour d'un château du XVIᵉs. Ce sont les petits-fils de ce dernier qui condui-

sent aujourd'hui les 56 ha de vignes d'un seul tenant. On y découvre toujours deux vins intéressants, en lirac comme en tavel. Le domaine tient son rang avec ce 2012 né de cinq cépages dominés par le grenache : un blanc limpide et brillant, au bouquet minéral et fruité, élégant, frais et long en bouche. Parfait pour l'apéritif ou pour un poisson grillé.
●☙ SCA Jean Olivier, Ch. d'Aqueria, 30126 Tavel, tél. 04 66 50 04 56, fax 04 66 50 18 46, contact@aqueria.com, ☑ ⚔ Ⅱ r.-v.

DOM. DES CIGALOUNES 2011 ★

| ■ | 20 000 | ▮ | - de 5 € |

Cette maison de négoce propose un lirac issu de grenache et de mourvèdre très chaleureux, dominé à l'olfaction par des notes de fruits macérés à l'alcool. Suivant la même ligne aromatique, le palais se révèle suave, généreux et puissant, bâti sur des tanins qui doivent encore se fondre deux ou trois ans.
●☙ Les Grandes Serres, rte de L'Islon-Saint-Luc, 84230 Châteauneuf-du-Pape, tél. 04 90 83 72 22, fax 04 90 83 78 77, samuel.montgermont@m-p.fr, ☑ Ⅱ t.l.j. sf sam. dim. 8h30-12h 13h30-17h

CLOS DE SIXTE 2011 ★

| ■ | 60 000 | ▮⦀ | 11 à 15 € |

La famille Jaume exploite un vaste domaine de 78 ha (en conversion bio), dont font partie depuis 2003 les 21 ha de ce Clos de Sixte. Assemblage classique de grenache, de syrah et de mourvèdre, ce 2011 dévoile des parfums intenses de fruits noirs à l'alcool et de café. Des tanins mûrs et un boisé fondu confèrent au palais un beau volume et une agréable sensation de douceur. Un vin généreux et harmonieux, à servir dans trois ou quatre ans sur une viande rouge en sauce.
●☙ Vignobles Alain Jaume et Fils, 1358, rte de Châteauneuf-du-Pape, 84100 Orange, tél. 04 90 34 68 70, fax 04 90 34 43 71, jaume@domaine-grand-veneur.com, ☑ Ⅱ t.l.j. sf dim. 8h-12h 14h-18h

CH. CORRENSON Divinitas 2010 ★

| ■ | 15 000 | ▮⦀ | 8 à 11 € |

Depuis son installation en 2000 à la tête du domaine familial, Vincent Peyre fréquente régulièrement ces pages. Il présente ici un lirac aromatique à l'olfaction, entre notes de cassis, de garrigue et de cacao. Structurée par des tanins bien présents mais aimables et soyeux, la bouche est au diapason, équilibrée entre senteurs fruitées et boisé ajusté. À boire ou à attendre deux ou trois ans.
●☙ Vincent Peyre, rte de Roquemaure, 30150 Saint-Geniès-de-Comolas, tél. 04 66 50 05 28, fax 04 66 33 08 54, contact@chateau-correnson.fr, ☑ Ⅱ t.l.j. sf dim. 10h-12h 15h30-18h30

DOM. DES GARRIGUES Élevé et épanoui en fût de chêne 2011 ★

| ■ | 20 000 | ⦀ | 11 à 15 € |

Voilà une belle occasion de découvrir l'appellation dans ses trois couleurs. En rouge, cet assemblage syrah-grenache-mourvèdre (par ordre d'importance) dévoile des parfums intenses de griotte confite agrémentée de réglisse et de nuances torréfiées (dix-huit mois de barrique). Dans la continuité du nez, la bouche séduit par son équilibre entre une chair ronde et soyeuse, des tanins fins et une pointe de fraîcheur. À boire dans les deux ou trois ans sur une daube de bœuf. Le **rosé 2012 (5 à 8 €; 20 000 b.)**, gras et fruité, est cité, de même que le **blanc 2012 (8 à 11 € ; 3 000 b.)**, floral, fruité, riche, avec ce qu'il faut de vivacité.

📞 Vignobles Assémat, BP 15, 30150 Roquemaure, tél. 04 66 82 65 52, fax 04 66 82 86 76, vignobles.assemat@wanadoo.fr,
☑ ⚕ ☂ t.l.j. 8h-18h; sam. dim. sur r.-v.

DOM. LAFOND ROC-ÉPINE 2011 ★★

	70 000	🍷	8 à 11 €

Deux étoiles s'ajoutent au long palmarès de ce domaine d'une grande régularité. Ce lirac à dominante de grenache (30 % de syrah en accompagnement) livre un bouquet intense et profond de fruits rouges et noirs à l'alcool et d'épices. La bouche, à l'unisson, s'impose par sa puissance, par sa matière riche et suave, portée par de solides tanins qui assureront à ce vin une garde de quatre ou cinq ans. À réserver pour une viande rouge longuement mijotée. Le **blanc 2012 (15 000 b.)**, original par ses arômes minéraux, ample et gras en bouche, est cité.

📞 Dom. Lafond Roc-Épine, rte des Vignobles, 30126 Tavel, tél. 04 66 50 24 59, fax 04 66 50 12 42, lafond@roc-epine.com,
☑ ⚕ ☂ t.l.j. sf sam. dim. 8h-12h 13h30-17h30

CAVE DES VINS DU CRU DE LIRAC Tradition 2010

	36 000	🍷	5 à 8 €

La coopérative de Saint-Laurent-des-Arbres (1931) propose un 2010 né de cinq cépages et élevé deux ans en cuve. Discret de prime abord, le nez s'ouvre à l'aération sur les fruits rouges et quelques notes d'épices. La bouche est à l'avenant, fruitée, souple, aux tanins fondus. À boire dès aujourd'hui. Le **rosé 2012 Vieilles Vignes (20 000 b.)**, friand et aromatique (cassis, garrigue, épices), est également cité.

📞 Cave des vins du cru de Lirac, 685, av. du Baron-Leroy, 30126 Saint-Laurent-des-Arbres, tél. 04 66 50 01 02, fax 04 66 50 37 23, contact@cavelirac.fr,
☑ ☂ t.l.j. 9h-12h 14h-18h

DOM. LA LÔYANE 2011 ★

	4 000	🍷	8 à 11 €

Valeur sûre de l'appellation (sa cuvée Marie 2010 fut d'ailleurs coup de cœur dans l'édition précédente), ce domaine familial est situé au pied du sanctuaire Notre-Dame de Grâce, non loin des anciens marais asséchés par les moines au Moyen Âge. Il propose ici un lirac né de vieux ceps de soixante-quinze ans, grenache en tête, la syrah, le mourvèdre et le carignan faisant l'appoint. La robe, rouge intense, invite à poursuivre la dégustation. On découvre alors un bouquet naissant à dominante de réglisse relayé, avec des nuances kirschées en complément, par une bouche ample, douce et onctueuse. Une belle expression du grenache et de son terroir de cailloux roulés, qui se révélera mieux encore après deux ou trois ans de garde.

📞 Dubois – Dom. la Lôyane, chem. de la Font-des-Cavens, 30650 Rochefort-du-Gard, tél. 06 22 67 29 43, fax 04 90 26 68 04, la-loyane-jean-pierre.dubois@orange.fr,
☑ ☂ t.l.j. sf dim. lun. mar. 9h-12h 14h-19h

DOM. MABY La Fermade 2012 ★★

	26 000	🍷	8 à 11 €

Très régulier en qualité, détenteur de plusieurs coups de cœur, ce domaine a été créé en 1950 par Armand Maby; il est conduit depuis 2005 par son petit-fils Richard. Cette cuvée est une valeur sûre de l'appellation, née de clairette, de grenache blanc et de picpoul. Dans sa version 2012, elle séduit par son bouquet intense, floral et fruité et par sa bouche riche, ronde et longue, portée sur les agrumes et un rien miellée. Deux étoiles également sont attribuées au **blanc 2012 Casta Diva (15 à 20 € ; 3 000 b.)**, bien équilibré entre gras et fraîcheur, accompagné d'une touche boisée due à l'élevage partiel en barrique. Le **rosé 2012 La Fermade (4 500 b.)**, aromatique (cassis, rose, bonbon anglais), onctueux et harmonieux, obtient une étoile.

📞 Dom. Maby, 249, rue Saint-Vincent, 30126 Tavel, tél. 04 66 50 03 40, fax 04 66 50 43 12, domaine-maby@wanadoo.fr,
☑ ⚕ ☂ t.l.j. 8h-17h30; sam. dim. sur r.-v.

CH. MONT-REDON 2011

	120 000	🍷 ◗	11 à 15 €

On cultive la vigne depuis l'époque romaine sur le mont Redon (ou montagne ronde). La famille Abeille-Fabre y est installée depuis 1923 et signe régulièrement de jolies cuvées, à l'image de ce 2011 de bon aloi, qui évoque les fruits confits à l'olfaction, avec des nuances de café torréfié en appoint. La bouche se montre souple et ronde, épicée et réglissée. À boire dans sa jeunesse. Le **rosé 2012 (8 à 11 € ; 4 500 b.)**, floral (rose) et fruité (pêche, agrumes) au nez, gras et onctueux en bouche, est également cité.

📞 Ch. Mont-Redon, BP 10, 84231 Châteauneuf-du-Pape Cedex, tél. 04 90 83 72 75, fax 04 90 83 77 20, contact@chateaumontredon.fr,
☑ ⚕ ☂ r.-v.
📞 Abeille-Fabre

DOM. DE LA MORDORÉE La Reine des bois 2012 ★★

	15 000	🍷 ◗	11 à 15 €

Comme dans l'édition précédente, c'est le blanc de la Mordorée qui se distingue. Cette Reine des bois revêt une élégante robe jaune pâle et dévoile des parfums non moins avenants d'agrumes et de fleurs blanches. La bouche, fine, ronde et longue, y ajoute une touche miellée qui lui confère une sensation de douceur très plaisante. Un lirac des plus harmonieux, à déguster au cours des trois prochaines années sur un tajine de poisson aux citrons confits. La **Dame rousse 2011 rouge (8 à 11 € ; 30 000 b.)** obtient une étoile pour ses arômes bien mariés de fruits mûrs et d'épices et pour son palais souple, soyeux et long. À boire dans les deux ans à venir.

📞 Dom. de la Mordorée, Christophe Delorme, chem. des Oliviers, 30126 Tavel, tél. 04 66 50 00 75, fax 04 66 50 47 39, info@domaine-mordoree.com,
☑ ⚕ ☂ r.-v.
📞 Delorme

CH. SAINT-ROCH 2012 ★

	7 000	🍷	8 à 11 €

Les frères Brunel (château de la Gardine à Châteauneuf) sont fidèles au rendez-vous, comme toujours. Ils signent ici un lirac rose saumoné, au bouquet charmeur de cassis, de framboise, d'agrumes et de fleurs d'arbres

RHÔNE

fruitiers. Vive et franche en attaque, la bouche se révèle ensuite plus suave et riche, sans jamais perdre de sa fraîcheur. Un rosé harmonieux, délicat, d'aucuns diraient « féminin ».

🍷 Ch. Saint-Roch, Brunel Frères, chem. de Lirac, 30150 Roquemaure, tél. 04 66 82 82 59, fax 04 66 82 83 00, brunel@chateau-saint-roch.com,
☑ 🖈 🍷 t.l.j. sf sam. dim. 8h-12h 14h-17h; f. 1ᵉʳ-15 août
🍷 Maxime et Patrick Brunel

♥ DOM. PIERRE USSEGLIO ET FILS 2011 ★★

	5 500	🍾 📦	11 à 15 €

Bien connu des lecteurs pour ses châteauneuf-du-pape, ce domaine créé en 1949 par Francis Usseglio, arrivé de son Italie natale, signe ici sa première vinification en lirac. Un coup de maître. Assemblage de grenache (60 %), de mourvèdre (30 %), de cinsault et de carignan, ce 2011 décline des parfums intenses et élégants de fruits mûrs, d'épices douces et de garrigue. En bouche, il séduit par son équilibre remarquable entre des tanins souples et soyeux, une chair ronde, un boisé fin et une juste vivacité. Une bouteille déjà très harmonieuse, que l'on pourra aussi réserver à une pièce de gibier en sauce dans quatre ou cinq ans.

🍷 Dom. Pierre Usseglio et Fils, 10, rte d'Orange, 84230 Châteauneuf-du-Pape, tél. 04 90 83 72 98, fax 04 90 83 56 70, domaine-usseglio@wanadoo.fr,
☑ 🖈 🍷 r.-v.

Tavel

Superficie : 945 ha
Production : 35 790 hl

Considéré par beaucoup comme le meilleur rosé de France, ce grand vin de la vallée du Rhône provient d'un vignoble situé dans le département du Gard, sur la rive droite du fleuve, à Tavel et sur quelques parcelles de la commune de Roquemaure. C'est la seule appellation rhodanienne à ne produire que du rosé. Sur des sols de sable, d'alluvions argileuses ou de cailloux roulés, grenache, cinsault, mourvèdre, syrah, accompagnés de carignan et aussi de cépages blancs donnent un vin généreux, au bouquet floral et fruité, qui accompagnera poisson en sauce, charcuterie et viandes blanches.

DOM. AMIDO Les Églantines 2012 ★

	15 000	🍾	5 à 8 €

Après les Amandines, coup de cœur dans l'édition précédente, place à ces Églantines, une cuvée née de grenache et de cinsault, d'un beau rubis clair et limpide, au nez intense de fruits rouges frais. À l'unisson, le palais se révèle ample, gras et puissant, rehaussé par une fine fraîcheur. Un vin équilibré, à déguster sur un curry d'agneau. La cuvée **Les Framboisines 2012 (30 000 b.)**, chaleureuse et riche, est citée.

🍷 SCEA Dom. Amido, Le Palai-Nord, 30126 Tavel, tél. et fax 04 66 50 04 41, domaineamido@cegetel.net,
☑ 🖈 🍷 t.l.j. 9h-12h 14h-18h; sam. dim. sur r.-v.

CH. D'AQUERIA 2012 ★

	250 000	🍾	8 à 11 €

Ce domaine, entièrement réhabilité dans les années 1920 par Jean Olivier et conduit depuis 1984 par ses héritiers Vincent et Bruno de Bez, est très régulier en qualité. Il propose ici un tavel rubis clair, au nez de petits fruits rouges rehaussé par une touche de fraîcheur minérale. On retrouve cette ligne aromatique dans une bouche bien structurée, élégante et longue. Parfait pour un plat exotique, un tajine de poulet par exemple.

🍷 SCA Jean Olivier, Ch. d'Aqueria, 30126 Tavel, tél. 04 66 50 04 56, fax 04 66 50 18 46, contact@aqueria.com, ☑ 🖈 🍷 r.-v.

LES COMBELLES 2012 ★

	80 000	🍾	5 à 8 €

Ce vin de négoce se présente dans une jolie robe couleur framboise, offrant un bouquet expressif de fruits rouges et de pain d'épice. La bouche se montre souple, fine, fraîche et fruitée (agrumes), adoucie par une touche miellée. À boire sur un carpaccio de thon.

🍷 La Compagnie rhodanienne, 19, chem. Neuf, 30210 Castillon-du-Gard, tél. 04 66 37 49 50, fax 04 66 37 49 51, emmanuel.ravillion@rhodanienne.com
🍷 Groupe Taillan

CH. CORRENSON 2012 ★

	15 000	🍾	5 à 8 €

Vincent Peyre, à la tête du vignoble familial, depuis 2000, propose avec ce tavel un assemblage équilibré de cinq cépages (grenache, syrah, cinsault, bourboulenc et mourvèdre). Un vin rubis clair aux reflets violines, fruité de bout en bout, ample, puissant, étayé par une juste vivacité et un rien plus tannique en finale. Un rosé de caractère, à servir avec une viande goûteuse, un sauté d'agneau aux épices douces par exemple.

🍷 Vincent Peyre, rte de Roquemaure, 30150 Saint-Geniès-de-Comolas, tél. 04 66 50 05 28, fax 04 66 33 08 54, contact@chateau-correnson.fr,
☑ 🍷 t.l.j. sf dim. 10h-12h 15h30-18h30

Ⓑ DOM. LAFOND ROC-ÉPINE 2012

	150 000	🍾	8 à 11 €

S'il n'atteint pas les sommets de certains de ses prédécesseurs (le 2010 par exemple, pour remonter au dernier des nombreux coups de cœur du domaine), ce 2012 plaît par son bouquet fruité et un rien épicé et par sa bouche ronde, souple et généreuse, rehaussée par une fraîcheur bienvenue. Une bouteille que l'on verrait bien accompagner des tomates farcies ou un sauté de veau aux olives.

☛ Dom. Lafond Roc-Épine, rte des Vignobles, 30126 Tavel, tél. 04 66 50 24 59, fax 04 66 50 12 42, lafond@roc-epine.com,

☑ ⚘ ⏁ t.l.j. sf sam. dim. 8h-12h 13h30-17h30

DOM. LAURENT 2012

5 000		5 à 8 €

Présenté par la cave coopérative de Roquemaure, ce tavel issu de grenache et de syrah revêt une robe brillante ornée de reflets violines. Le nez, bien fruité, trouve écho dans une bouche équilibrée entre gras et vivacité, légèrement tannique en finale. Pour un tajine d'agneau aux abricots.

☛ Rocca Maura, 1, rue des Vignerons, 30150 Roquemaure, tél. 04 66 82 82 01, fax 04 66 82 67 28, contact@vignerons-de-roquemaure.com,

☑ ⚘ ⏁ t.l.j. sf dim. 9h-12h 14h-18h

♥ DOM. MABY Prima Donna 2012 ★★

20 000		8 à 11 €

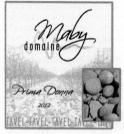

Valeur sûre du domaine et de l'appellation, cette Prima Donna joue bien les premiers rôles. Née de grenache et de cinsault, cette diva joue dans le registre de l'élégance, dans un style soprano lyrique, à la fois puissant et fin. Elle décline des notes soutenues de pétale de rose, de fruits rouges écrasés et de fruits blancs. Elle tient la cadence en bouche, alliant une matière riche et ronde à une vivacité bien ajustée, et s'étire dans un long final frais et fruité. Une œuvre majeure, à découvrir sur un plat goûteux, un tajine d'agneau aux fruits secs ou des calamars aux épices par exemple.

☛ Dom. Maby, 249, rue Saint-Vincent, 30126 Tavel, tél. 04 66 50 03 40, fax 04 66 50 43 12, domaine-maby@wanadoo.fr,

☑ ⚘ ⏁ t.l.j. 8h-17h30; sam. dim. sur r.-v.

LE MAS DUCLAUX 2012 ★

29 000		8 à 11 €

Nathalie Duclaux, à la tête de ce domaine familial de 12 ha depuis 2006, signe un tavel rose pâle, au nez joliment bouqueté autour des agrumes, des fruits rouges et d'une touche amylique de bonbon anglais. Le palais se révèle bien équilibré, offrant du gras, de la rondeur et de la fraîcheur. Bel accord gourmand en perspective avec un poisson au piment.

☛ Mas Duclaux, Chem. de Valinière, 30126 Tavel , tél. 04 66 50 10 61, nathalie.duclaux@wanadoo.fr,

☑ ⚘ ⏁ r.-v.

♥ DOM. DE LA MORDORÉE La Reine des bois 2012 ★★

6 500		11 à 15 €

Troisième coup de cœur d'affilée pour ce domaine incontournable, et second de suite pour la Reine des bois (on ne compte plus ceux obtenus dans les éditions antérieures tant on aurait peur d'en oublier...). Parée d'une robe dense et brillante, la version 2012 livre un bouquet intense et élégant de fruits rouges, d'agrumes et de fleurs blanches accompagnés d'une touche bonbon acidulé. Du gras et de la rondeur, beaucoup de volume, une grande finesse aromatique et la fraîcheur « qui va bien » : le palais confirme que l'on a affaire à un grand tavel, équilibré et subtil. Ample, riche, expressive (citron, fleurs blanches), la **Dame rousse 2012 (50 000 b.)** obtient une étoile.

☛ Dom. de la Mordorée, Christophe Delorme, chem. des Oliviers, 30126 Tavel, tél. 04 66 50 00 75, fax 04 66 50 47 39, info@domaine-mordoree.com,

☑ ⚘ ⏁ r.-v.

☛ Delorme

DOM. LA ROCALIÈRE Perle de culture 2012 ★

3 000		8 à 11 €

Très régulier en qualité, ce domaine familial est conduit depuis 2006 par Séverine Lemoine, qui a engagé la conversion bio de son vignoble d'une cinquantaine d'hectares. Elle a sélectionné 66 ares de grenache, de syrah et de cinsault pour élaborer ce tavel de couleur saumonée, au nez intense et élégant de fruits rouges et de fleurs blanches agrémentés de nuances minérales, au palais fin, fruité et épicé, dont le caractère chaleureux est apaisé par une belle vivacité. Un vin harmonieux, à découvrir sur une cuisine exotique, des travers de porc sauce aigre-douce par exemple.

☛ Dom. la Rocalière, Séverine Lemoine, Le Palai-Nord, 30126 Tavel, tél. 04 66 50 12 60, fax 04 66 50 23 45, rocaliere@wanadoo.fr, ☑ ⚘ ⏁ t.l.j. 8h-12h 14h-18h

☛ Borrelly-Maby

CH. DE SÉGRIÈS 2012 ★★

42 000		8 à 11 €

Ce domaine est commandé par un château du XVIIe s. et étend ses vignes sur 30 ha, dont 9 ha consacrés à ce tavel rose soutenu, au nez franc et frais de fruits rouges (fraise) agrémenté d'élégantes nuances florales. Le palais séduit par sa rondeur et son intensité, souligné par une trame vive qui lui confère de l'équilibre et de la longueur. Un vin puissant et harmonieux, à servir sur un plat généreux, un osso bucco par exemple.

☛ SCEA Henri de Lanzac, Ch. de Ségriès, chem. de la Grange, 30126 Lirac, tél. 04 66 39 11 98, fax 04 66 39 10 43, chateaudesegries@wanadoo.fr,

☑ ⚘ ⏁ t.l.j. 8h-12h 13h30-18h; sam. dim. sur r.-v.

LES VIGNERONS DE TAVEL Cuvée Tableau 2012 ★

| 70 000 | | 5 à 8 € |

La coopérative de Tavel voit trois de ses cuvées sélectionnées. Ce Tableau couleur rose soutenu aux reflets violets livre à l'olfaction de plaisantes notes de fruits rouges, de fraise notamment, agrémentées d'une pointe de cassis. Le palais, intense, s'équilibre entre un caractère chaleureux et rond et une sensation de fraîcheur iodée. La cuvée **Sol'Acantalys 2012 (150 000 b.)**, ample, riche et fruitée, obtient également une étoile, tandis que la cuvée **Les Lauzeraies 2012 (110 000 b.)**, plus vive et plus simple, est citée.

☛ Les Vignerons de Tavel, rte de la Commanderie, 30126 Tavel, tél. 04 66 50 03 57, fax 04 66 50 46 57, contact@cavedetavel.com, 🅥 🏃 🍷 r.-v.

CH. DE TRINQUEVEDEL Cuvée traditionnelle 2012 ★

| 80 000 | | 8 à 11 € |

Commandé par une élégante bastide du XVIIIᵉs., ce domaine appartient aux Demoulin depuis 1936. Depuis 2006, c'est Guillaume Demoulin qui est aux commandes. Il signe un tavel en robe rose pâle ornée de reflets orangés. Le nez évoque les agrumes (pamplemousse), les fruits exotiques et le cassis. La bouche, à l'unisson, séduit par sa fraîcheur, sa longueur et par son côté épicé. À déguster sur un plat asiatique, des nouilles sautées au bœuf par exemple.

☛ Ch. de Trinquevedel, 30126 Tavel, tél. 04 66 50 04 04, fax 04 66 50 31 66, demoulin@chateau-trinquevedel.fr, 🅥 🍷 t.l.j. 9h-12h 14h-19h; sam. dim. sur r.-v.
☛ Demoulin

DOM. LE VIEUX MOULIN 2012

| 29 000 | | 5 à 8 € |

Ce domaine, dans la même famille depuis six générations, présente un tavel aux éclats carminés, le nez empreint de notes fraîches de fraise des bois et de groseille. Une fraîcheur que l'on retrouve dans une bouche délicate et aromatique. Tout indiqué pour des grillades au feu de bois.

☛ EARL Roudil-Jouffret, rte de la Commanderie, Le Palai-Nord, 30126 Tavel, tél. 04 66 82 85 11, fax 04 66 82 84 18, roudil-jouffret@wanadoo.fr, 🅥 🏃 🍷 t.l.j. sf sam. dim. 8h-12h 14h-18h
☛ Didier Jouffret

Costières-de-nîmes

Superficie : 3 950 ha
Production : 207 365 hl (92 % rouge et rosé)

Rouges, rosés ou blancs, les costières-de-nîmes naissent dans un vignoble établi sur les pentes ensoleillées de coteaux constitués de cailloux roulés – les cailloutis du villafranchien –, dans un quadrilatère délimité par Meynes, Vauvert, Saint-Gilles et Beaucaire, au sud-est de Nîmes, et au nord de la Camargue. L'appellation s'étend sur le territoire de vingt-quatre communes. Les cépages autorisés en rouge sont le carignan, le cinsault, le grenache noir, le mourvèdre et la syrah ; en blanc, ce sont la clairette, la marsanne, la roussanne et le rolle. Les rosés s'associent aux charcuteries de l'Ardèche, les blancs se marient fort bien aux coquillages et aux poissons de la Méditerranée, et les rouges, chaleureux et corsés, préfèrent les viandes grillées. Une route des Vins parcourt cette région au départ de Nîmes.

ⓑ CH. BEAUBOIS Élégance 2012 ★★

| 5 000 | | 8 à 11 € |

Installés en 2000 sur les terres argilo-calcaires de l'exploitation dominant l'étang de Scamandre, sur le versant sud des Costières, Fanny et François Boyer se sont imposés comme d'excellents élaborateurs dans l'appellation. Cette cuvée Élégance, qui décrocha le coup de cœur dans sa version 2011, fera à nouveau le bonheur des palais les plus aiguisés. De l'élégance, ce vin en a à revendre. Il dévoile à l'olfaction de fines et fraîches nuances d'agrumes, de pêche de vigne et de fleur d'oranger. La bouche ne dit pas autre chose, portée par un remarquable équilibre entre la fraîcheur du fruit et la rondeur de la chair. Invitez vos amis, préparez des petits farcis provençaux et un bon lapin aux olives, et servez ce rosé, bien frais : succès garanti. Vous pourrez aussi accompagner le repas de la cuvée **Élégance 2011 rouge (30 000 b.)**, sur les fruits mûrs et la réglisse, ample et veloutée en bouche. Une étoile et un potentiel de garde de deux ou trois ans.

☛ Fanny et François Boyer, Ch. Beaubois, 30640 Franquevaux, tél. 04 66 73 30 59, fax 04 66 73 33 02, chateau-beaubois@wanadoo.fr, 🅥 🏃 🍷 t.l.j. 9h-12h 14h-18h 🏠 Ⓔ

DOM. DE BOISSIÈRE Jarnègues 2011

| 12 000 | | 8 à 11 € |

Installé en 2009 sur ce domaine de 10 ha, Matthias Utzinger, formé à l'œnologie en Suisse, fait son entrée dans le Guide avec cette cuvée qui associe à parts égales le mourvèdre et le grenache, avec la syrah en complément. Le vin dévoile un bouquet plaisant et complexe de fruits secs, de réglisse, d'épices et de figue. La bouche, charnue et d'une longueur honorable, suit la même ligne aromatique, portée par des tanins fondus. À boire dans les deux ou trois ans à venir.

NOUVEAU PRODUCTEUR

☛ Dom. de Boissière, rte de Bezouce, 30300 Jonquières-Saint-Vincent, tél. 06 06 59 71 88, info@domainedeboissiere.com, 🅥 🏃 🍷 r.-v.

CH. BOLCHET Cuvée Pierrick 2012 ★★

| 10 000 | | 5 à 8 € |

Béatrice Bécamel est installée depuis 1991 à la tête du domaine familial et représente la cinquième génération à conduire ce vignoble de 32 ha. Elle signe une cuvée de pure syrah à la robe profonde et intense, ornée de reflets violines de jeunesse. Notes de réglisse, de fruits noirs et de violette composent un bouquet élégant et frais. Ample, charnue, douce et soyeuse, la bouche confirme les sensations olfactives, adossée à des tanins souples et fondus, qui prennent un caractère plus strict et serré en finale, le gage d'un bon vieillissement de trois à cinq ans. Une bouteille bienvenue sur un magret de canard au miel ou sur un agneau grillé au thym.

► Béatrice Bécamel, Ch. Bolchet, 30132 Caissargues,
tél. et fax 04 66 29 14 79, vin.chateau.bolchet@wanadoo.fr,
☑ ⚔ ⊺ t.l.j. sf dim. 9h-12h 14h-19h; sam. 9h-12h

CLOS DES AMÉRICAINS Tradition 2011 ★

■　　　　　　24 000　　　■　　5 à 8 €

Des origines paysannes et un grand-père vigneron ont inoculé le virus de la viticulture à Bruno François. En 2008, il se lance et reprend cette exploitation partiellement en ruine, où l'on vendait autrefois du vin en vrac. Épaulé à la vigne par l'agronome Pierre Villebrun, il a fait renaître la propriété et s'invite pour la première fois dans ces pages avec une cuvée mi-syrah mi-grenache très réussie. Intense et fin, le nez évoque le sous-bois, les fruits rouges, la réglisse et les épices. La bouche se révèle élégante, équilibrée et persistante, en harmonie avec les senteurs perçues à l'olfaction. À ouvrir dans les deux ans, sur une gardiane de taureau. Même assemblage mais un élevage en fût pour la cuvée **Désirs de Bacchus 2011 rouge (26 000 b.)**, citée pour son intensité aromatique et pour sa souplesse.
NOUVEAU PRODUCTEUR

► Bruno François, Clos des Américains, chem. des Salines, 30600 Vauvert, tél. 04 66 88 85 61, fax 04 66 88 91 96, contact@clos-des-americains.com,
☑ ⚔ ⊺ t.l.j. 9h-12h 13h-19h; dim. sur r.-v.

LES COMBELLES 2012

■　　　　　　100 000　　　■　　- de 5 €

Marque ombrelle de cette maison de négoce dans le giron du groupe Taillan, ces Combelles version costières associent à parts égales la grenache et la syrah. Le nez évoque le Zan, les épices et les fruits rouges. Dans la continuité du bouquet, la bouche se révèle ronde et charnue, adossée à des tanins policés bien qu'un peu plus sévères en finale, où les accompagne une touche saline qui lui donne de la nervosité. L'ensemble est équilibré et à boire dans un an ou deux.
► La Compagnie rhodanienne, 19, chem. Neuf, 30210 Castillon-du-Gard, tél. 04 66 37 49 50, fax 04 66 37 49 51, emmanuel.ravillion@rhodanienne.com
► Groupe Taillan

♥ DAUVERGNE RANVIER Vin gourmand 2012 ★★

■　　　　　　120 000　　　■　　- de 5 €

Cette maison de négoce créée en 2004 confirme sa montée en puissance, millésime après millésime. Elle décroche un coup de cœur pour cette cuvée à dominante de syrah (80 %), avec la grenache en appoint. Le nez est bien ouvert sur les fruits rouges et noirs et sur les épices douces. Dans le droit fil du bouquet, la bouche séduit par son volume, sa longueur et sa fermeté soulignée par des tanins fins et serrés. Une bouteille de caractère, à déguster

dans deux ou trois ans sur un plat épicé, un tajine d'agneau par exemple. **Le Pitchoun 2012 rouge (5 à 8 €; 30 000 b.)**, une étoile, fait lui aussi la part belle à la syrah. On retrouve d'ailleurs les arômes caractéristiques de violette et de poivre du cépage, qui accompagnent un vin rond et fondu. À boire dans les deux ans sur un rôti de porc accompagné d'une ratatouille.
► R & D Vins, Ch. Saint-Maurice, RN 580, L'Ardoise, 30290 Laudun, tél. 04 66 82 96 57, fax 04 66 82 96 58, francois.dauvergne@dauvergne-ranvier.com

ROMAIN DUVERNAY 2011 ★

■　　　　　　4 900　　　■　　- de 5 €

Valeur sûre de la vallée du Rhône, – surtout méridionale, mais Romain Duvernay explore aussi le nord –, cette maison de négoce propose un assemblage grenache-syrah-mourvèdre de belle facture. Le nez évoque la violette et les épices, avec une petite touche animale en appoint. Le palais mêle harmonieusement fraîcheur, gras et concentration, soutenu par des tanins doux et soyeux. Une amabilité qui permettra de découvrir ce vin dès la sortie du Guide sans attendre, mais on pourra aussi attendre deux ou trois ans pour d'autres sensations.
► Duvernay Vins Millésimés, 1, rue de la Nouvelle-Poste, BP 25, 84231 Châteauneuf-du-Pape Cedex, tél. 04 90 83 71 88, fax 04 90 83 70 72, dvm.duvernay@wanadoo.fr, ☑ ⊺ r.-v.

CH. L'ERMITAGE Sainte-Cécile 2011 ★★

■　　　　　　19 600　　　■ ⑾　　8 à 11 €

Issue d'une sélection parcellaire des plus vieux ceps de syrah, de mourvèdre (45 % chacun) et de grenache du domaine, cette cuvée a connu le fût pendant un an, dont 30 % de bois neuf. Elle en retire un bouquet fin et complexe, boisé avec justesse, fruité et épicé, agrémenté de quelques notes de sous-bois. En bouche, elle se montre corpulente, longue, et bien arrimée à des tanins présents mais fondus. On patientera encore deux ou trois ans pleinement pour apprécier cette bouteille sur une pièce de gibier en sauce. La cuvée **Réserve Sélection vieilles vignes 2011 rouge (19 700 b.)**, mi-syrah mi-mourvèdre, soyeuse et charnue mais manquant un peu de longueur, est citée. Le **Ch. Roustan 2011 rouge (5 à 8 €; 56 500 b.)**, issu des mêmes cépages que la cuvée Sainte-Cécile, plus fermé au nez, finement tannique et réglissé en bouche, obtient une étoile.
► Jérôme Castillon, Ch. l'Ermitage, 1301, chem. dit de La Saou, 30800 Saint-Gilles, tél. 04 66 87 04 49, fax 04 66 87 16 02, contact@chateau-ermitage.com,
☑ ⚔ ⊺ t.l.j. sf dim. 9h-12h 13h30-17h30

RÉMY FERBRAS 2011 ★

■　　　　　　n.c.　　　■　　- de 5 €

Cette maison de négoce propose un assemblage classique grenache-syrah qui a d'emblée séduit les dégustateurs par son bouquet de fruits secs et de sous-bois. On retrouve les mêmes sensations aromatiques dans un palais plein, généreux et doux, équilibré par une agréable fraîcheur. À boire dans les deux ans, sur un poulet grillé par exemple.
► Les Grandes Serres, rte de L'Islon-Saint-Luc, 84230 Châteauneuf-du-Pape, tél. 04 90 83 72 22, fax 04 90 83 78 77, samuel.montgermont@m-p.fr,
☑ ⊺ t.l.j. sf sam. dim. 8h-12h 13h30-17h

MICHEL GASSIER Lou Coucardié 2010

| ■ | 6 000 | ⅢⅢ | 15 à 20 € |

Coup de cœur l'an dernier pour son Ch. de Nages JT 2010 rouge, Michel Gassier revient cette année avec une cuvée moins ambitieuse mais plaisante à plus d'un titre : pour son bouquet expressif de fruits rouges et noirs confits, mâtiné d'un boisé fondu ; pour son palais charnu, chaleureux et puissant, encore dominé par l'élevage en barrique mais suffisamment charpenté pour attendre que le bois soit « digéré ». Un peu de patience donc, deux ou trois ans.

☞ Michel Gassier, Ch. de Nages, chem. des Canaux, 30132 Caissargues, tél. 04 66 38 44 30, fax 04 66 38 44 39, info@michelgassier.com,
☑ ⚹ ⵉ t.l.j. sf dim. 10h-12h 15h-19h

LES GRANITIQUES 2012

| ■ | 30 000 | | 5 à 8 € |

Créée en 2011 par Philippe Vigne, ancien responsable de rayon dans la grande distribution puis acheteur pour un négociant, cette structure de négoce fait son entrée dans le Guide avec un assemblage grenache-syrah d'un rose profond, floral et fruité (cerise) à l'olfaction, souple en attaque, bien équilibré entre douceur et vivacité, joliment épicé en finale. Un rosé bien construit.

NOUVEAU PRODUCTEUR

☞ Val Rhodania, L'Aspre-Ouest, 26790 Rochegude, tél. 04 75 51 29 10, fax 04 75 91 48 64, valrhodania@online.fr, ☑ ⚹ ⵉ r.-v.
☞ M. Vigne

CH. GUIOT Collection 2012 ★

| ■ | 20 000 | ■ | 5 à 8 € |

Entre marais de Camargue au sud et Alpilles à l'est, un vignoble de 90 ha établi en coteaux au cœur de l'appellation, sur des galets roulés. Le décor est planté. Côté cave, un assemblage grenache-syrah à l'origine d'un vin rouge limpide, au nez franc de violette et de réglisse ponctué de nuances mentholées, épicé, long et structuré par des tanins serrés en bouche. Un joli costières corsé et équilibré, à boire dans les trois ou quatre ans à venir. Le **rosé 2012 Les Colombes (20 000 b.)**, tout en fruit (pêche, fruits rouges), rond et élégant, obtient également une étoile.

☞ Cornut, Ch. Guiot, 30800 Saint-Gilles, tél. 04 66 73 30 86, numo@chateauguiot.com, ☑ ⚹ ⵉ r.-v.

MAS CARLOT Les Enfants terribles 2011 ★★

| ■ | 40 000 | ■Ⅲ | 8 à 11 € |

Non, cette cuvée n'est pas un hommage au roman de Jean Cocteau, mais aux quatre enfants de Nathalie et Cyril Marès. Le second vinifie, avec talent, le Mas des Bressades (voir ce domaine ci-après) à Manduel ; la première œuvre avec non moins de savoir-faire sur ce vignoble de Bellegarde. Elle signe un vin issu de mourvèdre (60 %) et de syrah qui n'a pas laissé insensibles les palais affûtés des dégustateurs. Au nez, de légères notes fumées se mêlent avec élégance à des senteurs de fruits noirs (cassis, mûre), auxquelles s'ajoutent des nuances bien méridionales de garrigue dans une bouche ample, charnue, veloutée, caressée par des tanins doux et soyeux. Un ensemble très harmonieux et plein d'aménité, que l'on dégustera dans sa jeunesse ou patiné par deux ou trois ans de garde.

☞ Nathalie Blanc-Marès, Mas Carlot, rte de Redessan, 30127 Bellegarde, tél. 04 66 01 11 83, fax 04 66 01 62 74, mascarlot@aol.com, ☑ ⚹ ⵉ r.-v. ⌂ ◉

♥ **MAS DES BRESSADES** Cuvée Excellence
Élevé en fût de chêne 2011 ★★

| ■ | 15 000 | ⅢⅢ | 8 à 11 € |

2011
Vignoble de la Vallée du Rhône

MAS DES BRESSADES
Cuvée Excellence
COSTIÈRES DE NÎMES
Appellation d'Origine Protégée

14,5% alc./vol.   750 ml

Du Languedoc à l'Afrique du Nord, de l'Afrique du Nord au Médoc et à la vallée du Rhône, la famille Marès cultive la vigne sans frontières depuis six générations. Xavier est installé depuis 1996 sur les terres de Manduel, à la tête d'un vignoble de 42 ha dont les vins sont régulièrement en vue dans ce chapitre. Il franchit une marche avec cette cuvée née de syrah (avec une pincée de grenache en complément) qui a d'emblée séduit les jurés par son bouquet puissant de fruits rouges et noirs mûrs, presque compotés, rehaussés de nuances bien typées de poivre, de réglisse et de violette. La bouche est un modèle d'équilibre, entre vigueur tannique, concentration, finesse aromatique, boisé fondu et fraîcheur. Ce vin a beaucoup de présence et de tenue ; on lui réservera, aujourd'hui ou d'ici trois à cinq ans, un mets de caractère mais raffiné, une poitrine de veau farcie aux girolles par exemple. À l'apéritif, servez le **rosé cuvée Tradition 2012 (5 à 8 € ; 40 000 b.)**, souple, léger, frais et fruité (une citation).

☞ Cyril Marès, Mas des Bressades, Le Grand Plagnol, RD 3, 30129 Manduel, tél. 04 66 01 66 00, fax 04 66 01 80 20, masdesbressades@aol.com,
☑ ⚹ ⵉ t.l.j. sf sam. dim. 8h-12h 13h-17h;
f. 7-15 août ⌂ ◉

♥ **MIRAVINE** 2012 ★★

| ■ | 50 000 | ■ | - de 5 € |

Miravine
Mis en Bouteille
à la Propriété
2012

La coopérative de Vauvert, qui vinifie quelque 800 ha de vignes, porte haut les couleurs de l'appellation avec ce 2012 remarquable, ainsi que celles de la syrah, qui représente 70 % de l'assemblage aux côtés du grenache. Et on retrouve d'emblée les senteurs de violette et d'épices du cépage en plongeant son nez dans le verre. On y perçoit aussi des parfums de fruits macérés, de réglisse et de cacao. Le charme continue d'opérer dans une bouche ample, ronde, soyeuse et longue, bâtie sur des tanins de grande qualité mais qui doivent encore se fondre. Deux ou trois ans de garde devraient suffire pour affiner l'ensemble. Le **Miravine 2012 rosé (30 000 b.)**, doux et fruité (cassis, groseille), obtient une étoile. Deux vins tout indiqués pour découvrir les costières-de-nîmes.

☛ Les Maîtres Vignerons de Vauvert, 152, rue Ausselon, 30600 Vauvert, tél. 04 66 88 20 31, fax 04 66 88 35 09, maurel.lesmaitresvignerons@gmail.com,
☑ ⚹ ⟙ t.l.j. sf dim. 9h-12h 15h-18h

CH. MOURGUES DU GRÈS Terre de feu 2011 ★

◼	9 000	11 à 15 €

Revenu en 1994 sur l'exploitation familiale, une ancienne propriété du couvent des Ursulines de Beaucaire, François Collard est un habitué du Guide, et ses vins sont souvent en bonne place, avec plusieurs coups de cœur. Ici, une cuvée dominée par le grenache (90 %), avec le carignan en appoint, « qui respire le terroir », selon un dégustateur. De fait, une jolie trame minérale sous-tend le palais, par ailleurs bien structuré, ample et généreux, parcouru de bout en bout de notes d'épices, de cuir, de réglisse et de fruits mûrs qui font écho à l'olfaction. Un costières harmonieux et accorte, que l'on dégustera aujourd'hui ou dans deux ans - « sur un sauté d'agneau au cacao », conseille le vigneron. Syrah, grenache et mourvèdre composent la cuvée **Terre d'Argence 2011 rouge (8 à 11 € ; 25 000 b.)**, empreinte de fruits gorgés de soleil, de poivre et de Zan, ronde et non dénuée de vivacité en bouche. Une citation.

☛ François Collard, Ch. Mourgues du Grès, 1055, chem. Mourgues-du-Grès, 30300 Beaucaire, tél. 04 66 59 46 10, fax 04 66 59 34 21, chateau@mourguesdugres.com, ☑ ⚹ ⟙ r.-v. ⌂ ●

CH. D'OR ET DE GUEULES La Bolida 2010 ★

◼	6 600	⊞ 20 à 30 €

D'Or et de Gueules ? Ce sont les couleurs du blason rayé d'or et de rouge (gueules) du domaine. Bolida ? Petite cuvée de vendange, en occitan. Voilà pour la sémantique. Côté flacon, nous avons affaire à un assemblage dominé par le mourvèdre (90 %), avec le grenache pour second rôle, qui a bénéficié d'un long élevage en barrique : vingt-quatre mois. Le résultat ? Un vin sombre, qui mêle à l'olfaction notes boisées, fruits à l'alcool et nuances fraîches d'eucalyptus. La bouche se révèle puissante et charnue, étayée par un boisé qui doit encore se fondre. À déguster dans deux ou trois ans sur un mets corsé, des T-bones de taureau pour un mets couleur locale. La cuvée **Qu'Es aQuo 2011 rouge (15 à 20 € ; 3 300 b.)**, née du seul carignan et élevée quinze mois en fût, est citée pour son intensité aromatique (bois frais, fruits noirs, épices, réglisse) et pour sa bouche riche et solidement structurée. À attendre trois ou quatre ans.

☛ Ch. d'Or et de Gueules, chem. des Cassagnes, 30800 Saint-Gilles, tél. 04 66 87 32 86, fax 04 66 87 39 11, chateaudoretdegueules@wanadoo.fr,
☑ ⚹ ⟙ t.l.j. sf dim. 9h-19h ⌂ ●
☛ Diane de Puymorin

⑧ DOM. PASTOURET 2012 ★

◼	4 000	▮ 5 à 8 €

Comme souvent, c'est le blanc du domaine qui emporte l'adhésion. Assemblage à parité de grenache blanc et de clairette, ce 2012 s'annonce dans une robe jaune pâle, le nez empreint de senteurs de fruits blancs, de poire notamment. En bouche, il se montre frais, expressif et bien équilibré. Un vin harmonieux et friand, à déguster sur un poisson grillé sauce aux agrumes. Le **rosé 2012 (12 000 b.)**, vif et fruité (pamplemousse, fruits rouges), est cité. Il accompagnera l'apéritif.

☛ M. et Mme Pastouret, Dom. Pastouret, rte de Jonquières, 30127 Bellegarde, tél. et fax 04 66 01 62 29, contact@domaine-pastouret.com, ☑ ⚹ ⟙ lun. mer. ven. sam. 9h-19h

⑧ DOM. DE LA PATIENCE Nemausa 2011

◼	60 000	▮ 5 à 8 €

Christophe Aguilar propose ici deux cuvées qualifiées de « sympathiques », tout indiquées pour vos soirées grillades. Ce rouge issu de grenache (60 %) et de syrah est un vin tout en fruit, un rien animal et réglissé à l'olfaction, souple, frais et gourmand en bouche. Le **rosé 2012 Nemausa (8 000 b.)** se révèle tout aussi fruité, un peu amylique, rond en bouche et vivifié par une juste acidité. Il est également cité.

☛ EARL Dom. de la Patience, RD 6086, 30320 Bezouce, tél. et fax 04 66 75 95 94, domainedelapatience@orange.fr, ☑ ⚹ ⟙ t.l.j. sf dim. 9h-12h30 14h-19h
☛ Aguilar

CAVE PAZAC Fontaine miraculeuse 2011 ★★

◼	3 500	▮ 5 à 8 €

Dernière coopérative créée dans le Gard, en 1968, la petite cave de Meynes (huit adhérents) occupe un très vieux mas provençal qui fut autrefois un relais de diligences puis de chasse. On trouve dans la commune une fontaine dont l'eau aurait des vertus cicatrisantes. Cette cuvée à dominante de carignan (80 %, avec le mourvèdre en complément) a d'autres attraits, fort appréciés des dégustateurs. D'indéniables qualités olfactives, pour commencer, avec son bouquet intense et original de pâte de fruits ; gustatives également, avec son palais ample, charnu et rond, longuement tapissé de tanins doux et soyeux, et de notes de fruits compotés. Une véritable gourmandise, à savourer au cours des deux ou trois prochaines années sur une viande rouge mitonnée.

☛ SCA des Grands Vins de Pazac, Pazac, 30840 Meynes, tél. 04 66 57 59 95, fax 04 66 81 73 37, cavedepazac@aol.com,
☑ ⚹ ⟙ t.l.j. sf dim. 8h-12h30 14h-19h ⌂⌂ ❷ ⌂ ●

DOM. DU PETIT ROMAIN Vieilles Vignes 2011

◼	75 000	⊞ 5 à 8 €

Une petite dominante de syrah (60 %) pour ce costières de la cave coopérative de Calvisson. Le nez mêle les fruits rouges frais aux épices. En bouche, le vin se montre gras, rond et chaleureux, tapissé de fruits confiturés et étayé par des tanins encore un peu austères auxquels on laissera un an ou deux pour se fondre.

☛ SCA Costières et Soleil, rte de la Cave, 30420 Calvisson, tél. 04 66 01 31 31, fax 04 66 01 38 85, cedricdrouet@vignoblesdusoleil.fr,
☑ ⟙ t.l.j. sf dim. 9h-12h30 15h-19h

RHÔNE

DOM. DE POULVAREL Les Perrottes 2011 ★

| 10 000 | ▮ ◖▮ | 8 à 11 € |

Pascal et Elisabeth Glas ont repris ce domaine en 2004 après la fermeture de la coopérative de Sernhac. Ils exploitent aujourd'hui un vignoble de 42 ha, dont 1,8 ha dédié à cette cuvée dominée par la syrah (70 %). Au nez, d'originales notes de foin coupé et de fruits secs se mêlent aux plus classiques arômes d'épices, de sous-bois et de fruits noirs et rouges. Une complexité que relaie un palais frais et persistant, soutenu par des tanins fins. Un vin équilibré, à boire ou à attendre deux ans. La cuvée principale **rouge 2011 (5 à 8 € ; 15 000 b.)**, plus vive et tannique, est citée.
🕿 Pascal et Elisabeth Glas, 110, chem. de la Soubeyranne, 30210 Sernhac, tél. et fax 04 66 01 67 46, domaine.poulvarel@wanadoo.fr,
☑ 🖈 🍷 t.l.j. 10h-12h 17h-19h; dim. sur r.-v.

CH. SAINT-CYRGUES Cuvée Amérique 2010

| 6 000 | ◖▮ | 11 à 15 € |

Ce domaine, régulier en qualité, tire son nom des ruines de la chapelle Saint-Cirice retrouvées sur ses terres. Amérique ? Le nom du lieu-dit qui a vu naître cette cuvée largement dominée par la syrah (90 %). Le nez évoque le sous-bois, les fruits noirs et les fruits rouges kirschés agrémentés d'une touche animale et boisée. La bouche, à l'unisson, se révèle ronde, douce et vineuse. Un vin chaleureux, à boire dans l'année sur une viande rouge en sauce.
🕿 SCEA de Mercurio, Ch. Saint-Cyrgues, rte de Montpellier, 30800 Saint-Gilles, tél. 04 66 87 31 72, info@saint-cyrgues.com, ☑ 🖈 🍷 r.-v.

SIRACANTA 2011 ★★

| 8 000 | ▮ | 5 à 8 € |

Pierre Dideron a entrepris la conversion à l'agriculture biologique de son vignoble de 60 ha. La charte de vinification bio est appliquée depuis les vendanges 2012 en vins de pays, et le sera sur les costières 2013. Le vigneron fait la part belle à la syrah dans ce vin (95 % de l'assemblage), dont le nom associe d'ailleurs le cépage aux pyracanthas qui entourent le mas. Paré d'une robe rouge sombre aux reflets violets, ce 2011 dévoile des parfums intenses de fruits noirs, de cassis, de figue et de poivre. Gras, charnu, empreint d'une agréable douceur, appuyé par des tanins fondus, le palais fait écho à l'olfaction et s'étire dans une longue finale réglissée. À boire ou à attendre deux ans. Le **Ch. Cadenette 2012 rosé (6 000 b.)**, fruité et amylique, souple et généreux, est cité.
🕿 Pierre Dideron, Dom. de la Cadenette, chem. des Canaux, 30800 Vestric-et-Candiac, tél. 04 66 88 21 76, lacadenette@orange.fr,
☑ 🍷 t.l.j. sf dim. lun. 8h-12h 14h-18h

CH. DE SURVILLE Cuvée intense 2011 ★★

| 45 000 | ▮ | 5 à 8 € |

Le domaine est dans la famille Ricome depuis 1740 ; Nicolas et Basile ont pris les rênes en 2009 et engagé la conversion bio du vignoble. Ils voient trois de leurs vins retenus, dont cette remarquable Cuvée intense qui ne cache pas ses ambitions. Intense, elle l'est, au nez comme en bouche, mais surtout fine et élégante, portée de bout en bout par des arômes de cassis et de réglisse, ample, équilibrée et longue, laissant en finale une agréable sensation de richesse et de douceur. À boire ou à attendre

deux ans. Le **Ch. de Valcombe 2012 blanc Tradition (8 à 11 € ; 20 000 b.)**, floral, gras et persistant, obtient une étoile, de même que le **Grand Valcombe 2011 rouge (8 à 11 € ; 50 000 b.)**, élevé pour partie en fût, généreux et concentré. Deux vins que l'on pourra remiser une paire d'années en cave ou déguster dès l'automne.
🕿 EARL Les Vignobles Dominique Ricome, Dom. de Valcombe, 30510 Générac, tél. 04 66 01 32 20, fax 04 66 01 92 24, valcombe@wanadoo.fr,
☑ 🖈 🍷 t.l.j. 9h-12h 14h-18h; sam. sur r.-v.

CH. DES TOURELLES Le Champ de coquelicots 2012 ★

| 200 000 | ▮ | 5 à 8 € |

Si l'on savait que la Rome antique avait ses crus et ses œnophiles, on ne connaissait pas le goût de ses vins. Au début des années 1990, des archéologues se sont associés au château des Tourelles, où avaient été mis au jour une villa gallo-romaine et un atelier de fabrication d'amphores. Un vignoble et une cave « à la romaine » ont ainsi été reconstitués. Les vignes y sont conduites selon les méthodes romaines et les vins élaborés selon les techniques et les usages de l'Antiquité. Mais c'est bien dans une cave des plus modernes, créée en 2012, qu'a vu le jour cette cuvée issue de vieilles vignes de syrah, de mourvèdre et de carignan. Au nez, la violette se mêle aux épices et à quelques notes cacaotées ; arômes que l'on retrouve dans une bouche ronde, souple et fraîche à la fois. Une bouteille équilibrée en somme, que l'on dégustera dans l'année sur une grillade.
🕿 Hervé et Guilhem Durand, Ch. des Tourelles, 4294, rte de Saint-Gilles, 30300 Beaucaire, tél. 04 66 59 19 72, fax 04 66 59 50 80, tourelles@tourelles.com,
☑ 🖈 🍷 t.l.j. 9h-12h 14h-18h; f. dim de jan. à avr.

PIERRE VIDAL La Font des garrigues 2012 ★★

| 100 000 | ▮ | - de 5 € |

Pierre Vidal, jeune négociant à la tête d'une non moins jeune maison de négoce (2010), confirme avec cette nouvelle cuvée remarquable qu'il faut désormais compter avec lui dans la vallée du Rhône. Ce costières né de quatre cépages, grenache en tête, livre un bouquet intense de fruits rouges et noirs mâtinés d'épices douces, relayé par un palais équilibré, souple et rond, aux tanins fondus. On peut le boire dès l'automne ou l'attendre deux ou trois ans.
🕿 Pierre Vidal, 631, rte de Sorgues, 84230 Châteauneuf-du-Pape, tél. et fax 04 90 83 70 24, contact@pierrevidal.com

Grignan-les-adhémar

Superficie : 1 900 ha
Production : 54 660 hl (93 % rouge et rosé)

Longtemps appelée coteaux-du-tricastin, cette appellation est située au sud de Montélimar, dans la partie nord de la vallée du Rhône méridionale, à la limite du climat méditerranéen. Les vignes sont implantées sur des terrains caillouteux d'alluvions anciennes et des coteaux sableux, sur 22 communes de la rive gauche du fleuve, de La Baume-de-Transit au sud, en passant par Saint-Paul-Trois-Châteaux, jusqu'aux Granges-

Gontardes, au nord. Assemblant les cépages grenache et syrah, complétés par le cinsault, le mourvèdre et le carignan, les vins rouges, largement majoritaires, sont pour la plupart à consommer jeunes.

DOM. DES AGATES Grand Luas 2010 ★★

| ■ | 5 000 | ■ | 5 à 8 € |

Syrah et cinsault à parts égales et une pointe de grenache (20 %) ont donné ce 2010 remarquable, élevé deux ans en cuve. Des parfums intenses de fruits confits s'échappent du verre et annoncent la douceur du palais, rond et équilibré, relevé par des notes de poivre et de réglisse. Cette belle puissance s'accommodera de caillettes farcies. Quant à la cuvée **Rabaste 2010 rouge (5 000 b.)**, elle reçoit une étoile pour son fruité assorti de notes de caramel.

☛ Dom. des Agates, chem. de l'Étang,
26780 Châteauneuf-du-Rhône, tél. 06 03 09 50 63,
fax 04 75 90 75 59, info@domainedesagates.com,
☑ ⚡ ⵤ t.l.j. 9h-12h30 14h-19h
☛ Chabanis

DOMAINES ANDRÉ AUBERT Le Devoy 2011

| ■ | 60 000 | ■ | - de 5 € |

On ne présente plus les trois frères Aubert – Claude, Yves et Alain – qui gèrent ce domaine de 80 ha depuis 1981. L'assemblage de cette cuvée place grenache et syrah à parts égales et incorpore 20 % de carignan. Le bouquet expressif évoque les fruits bien mûrs. La longue finale chaleureuse en fait un joli vin prêt à boire sur une côte de bœuf.

☛ Les Domaines Aubert, RN7, rond-point Sud, Les Gresses,
26290 Donzère, tél. et fax 04 75 51 78 53,
vins-aubert-freres@wanadoo.fr, ☑ ⵤ t.l.j. 10h-19h

CH. BIZARD Serre de Courrent 2011 ★★

| ■ | 10 000 | ⬚ | 11 à 15 € |

Deux 2011 du château Bizard ont été distingués par les dégustateurs. Le Serre de Courrent issu majoritairement de syrah (70 %), longuement macéré, puis élevé partiellement en fût neuf, a eu la préférence, avec sa robe profonde, couleur charbon, et son nez expressif de vanille, de fumé et de fruits. La bouche superbe, charnue, ample et concentrée, montre beaucoup de volume ainsi qu'un parfait équilibre. Ce très beau vin sera de bonne compagnie dans trois ans avec un canard à l'orange. Une étoile pour la cuvée **Grangette 2011 rouge (5 à 8 € ; 15 000 b.)** au nez de violette, riche et gourmande, déjà prête, à servir sur une grillade.

☛ Ch. Bizard, chem. de Bizard, 26780 Allan,
tél. 04 75 46 64 69, fax 04 75 46 67 56,
contact@chateaubizard.fr,
☑ ⚡ ⵤ t.l.j. sf dim. 8h-12h 13h30-18h
☛ Marc Lépine

⑤ DOM. BONETTO-FABROL Le Colombier 2012 ★

| ■ | 8 800 | ■ | 5 à 8 € |

Le grenache (80 %) et la syrah (20 %) entrent dans la composition de ce rosé, engageant dans sa robe saumonée. Dominé par les agrumes (pamplemousse), le bouquet annonce la bouche fraîche, ample et gourmande,

sur fond de douceur. Un vin de plaisir « à apprécier après une journée de marche », suggère un dégustateur.

☛ Dom. Bonetto-Fabrol, quartier Les Jaffagnards,
26700 La Garde-Adhémar, tél. 04 75 52 14 38,
fax 04 75 04 42 01, domainebonettofabrol@orange.fr,
☑ ⚡ ⵤ r.-v.

DOM. DE GRANGENEUVE La Truffière 2011 ★★

| ■ | 25 000 | ⬚ | 11 à 15 € |

Voici un trio très réussi, et ce dans les trois couleurs, pour ce domaine régulièrement distingué dans le Guide. Issu de 95 % de syrah, ce 2011, intense, développe un nez complexe de fruits rouges et noirs agrémentés d'épices et de notes de sous-bois. L'attaque souple met en valeur une belle matière, ronde, fruitée et vanillée. Un vin puissant, complexe et soutenu par des tanins fins, à réserver quelques années en cave (trois à cinq ans). Parfait pour une côte de bœuf sauce marchand de vin. Le **Rosé de Grangeneuve 2012 (5 à 8 € ; 30 000 b.)** reçoit une étoile pour son bouquet frais et gourmand d'agrumes, de pêche blanche et de bonbon anglais, et pour sa bouche vive. Quant à la cuvée **Les Dames blanches du Sud 2012 blanc (5 à 8 € ; 30 000 b.)**, marquée par le viognier (40 %), elle est citée pour ses notes fines, florales et fruitées (pêche, abricot), et pour sa bonne longueur.

☛ Dom. de Grangeneuve, D 252, 26230 Roussas,
tél. 04 75 98 50 22, fax 04 75 98 51 09,
domaines.bour@wanadoo.fr, ☑ ⚡ ⵤ t.l.j. 9h-12h30 14h-19h

⑤ ♥ MAS THÉO Griffon 2010 ★★

| ■ | 8 000 | ⬚ | 11 à 15 € |

Depuis 2012, le domaine Mas Théo, conduit en biodynamie, s'est installé dans les caves cathédrales creusées dans la roche crayeuse de Saint-Restitut, un lieu idéal pour élever les vins et les faire vieillir. Sa cuvée Griffon, née de 90 % de syrah associé au grenache (7 %) et une touche de mourvèdre, élevée en fût un an, dévoile des parfums à nul autre pareils, superbes de complexité : cade, eucalyptus, garrigue, menthol. Dans le même registre, la bouche au boisé bien fondu est parfaitement équilibrée. Réservez cette bouteille de caractère sur un gigot d'agneau fermier à la provençale.

☛ Laurent Clapier, Caves Cathédrales,
2620, rte du Belvédère, 26130 Saint-Restitut,
tél. 04 75 46 04 59, contact@caves-cathedrales.fr,
☑ ⚡ ⵤ t.l.j. sf dim. 10h-12h 14h-19h

DOM. DE MONTINE Émotion 2011 ★★★

| ■ | 30 000 | ⬚ | 8 à 11 € |

Cette ancienne ferme du château de Grignan est bien connue des habitués du Guide. Avec cette cuvée Émotion mi-grenache mi-syrah élevée un an en fût, le domaine a frôlé le coup de cœur. Pruneau, fruits compotés, épices, sous-bois, vanille : tous les sens sont en émoi. À l'unisson, le palais ample et puissant, aux tanins soyeux, est exceptionnel par son équilibre. Le **viognier 2012 (30 000 b.)** séduit par son intensité aromatique (agrumes, vanille et notes beurrées), par sa rondeur et son équilibre. Il reçoit une étoile.

☛ Jean-Luc et Claude Monteillet,
hameau de La Grande-Tuilière, 26230 Grignan,
tél. 04 75 46 54 21, fax 04 75 46 93 26,
domainedemontine@wanadoo.fr,
☑ ⚊ ⊥ t.l.j. 9h-12h 14h-19h 🏠 ⓞ

DOM. DES ROSIER Paul 2011 ★★

■	10 000	⦿	8 à 11 €

Vingt ans déjà que Bruno Rosier déploie toute sa passion sur ce domaine. Le viognier est son péché mignon, à tel point qu'il en distille quelques gouttes dans tous ses vins – même les rouges. Cette année, la cuvée Paul, élevée un an en fût, est la préférée du jury, avec son bouquet complexe de fruits compotés, de pruneau et ses fines notes vanillées. Ces nuances se prolongent dans une bouche équilibrée, encadrée par des tanins de belle facture qui devraient s'affiner complètement d'ici un an ou deux. Ce rouge corsé et savoureux accompagnera agréablement un civet de lièvre. La cuvée **Plaisir 2011 rouge (5 à 8 € ; 10 000 b.)**, tout en fruits, vive et équilibrée, reçoit une étoile. Même distinction pour le **Plaisir 2012 rosé (5 à 8 € ; 8 000 b.)**, rond et suave, qui a étonné les dégustateurs avec ses notes d'orange amère mêlées à la vanille et au caramel.

☛ Dom. des Rosier, 335, rte des Vignes,
26230 Chantemerle-lès-Grignan, tél. et fax 04 75 98 53 84,
marc.domaine.des.rosier@gmail.com,
☑ ⚊ ⊥ t.l.j. sf dim. 9h-12h 14h-18h 🏠 Ⓑ

DOM. SAINT-LUC Tradition 2011 ★★

■	10 500	5 à 8 €

Au cœur de la Drôme provençale, Stéphane Hémard vous accueille dans son mas du XVIIIᵉˢ. L'occasion de découvrir ce Tradition fort séduisant dans sa robe sombre aux reflets violine profond. Le bouquet d'une belle complexité évoque d'emblée les fruits rouges. D'une grande richesse, ce vin bien charpenté prendra toute sa dimension si l'on prend soin de l'aérer avant de le servir. Il sera le compagnon idéal pour accompagner un plat aux truffes ou du gibier.

☛ Stéphane Hemard, 132, chem. des Étangs,
26790 La Baume-de-Transit, tél. 04 75 98 11 51,
fax 04 75 98 19 22, info@domainesaintluc.com,
☑ ⚊ ⊥ t.l.j. 9h-19h 🏠 ❹ 🏠 ⓞ

DOM. SERRE DES VIGNES La Dignerette 2012 ★

■	12 000	5 à 8 €

Le domaine, dirigé par la famille Roux depuis cinq générations, propose un assemblage de cépages méridionaux : grenache (60 %), syrah (20 %) et, à parts égales, cinsault et carignan. Derrière la robe rose pâle, on découvre un panier de fruits rouges et d'épices mêlés à des notes végétales de bourgeon de cassis et d'agrumes. L'attaque franche introduit une bouche ronde et fraîche, d'une belle longueur soulignée par une plaisante pointe

acidulée. Voici un joli rosé à découvrir sur une paella. Même distinction pour le **Mas de Merlère 2011 rouge (10 000 b.)** au bouquet discret, dont la palette montre une complexité naissante, mêlant le cassis, les fruits cuits et la violette. Complexe elle aussi, gourmande, la bouche s'étire longuement sur des notes épicées.

☛ Dom. Serre des Vignes,
505, traverse du Serre-des-Vignes, 26770 Roche-Saint-Secret,
tél. 09 65 27 30 87, fax 04 75 53 51 98,
info@serredesvignes.com, ☑ ⚊ ⊥ t.l.j. 10h-18h
☛ Roux

CELLIER DES TEMPLIERS Diamant noir 2011 ★

■	12 000	■ 5 à 8 €

La coopérative de Richerenches, située dans l'Enclave des papes, portion du département du Vaucluse enchâssée dans la Drôme, propose ce plaisant 2011 au nez discret de fruits et d'épices. La bouche, en revanche, est sans complexe, ronde, ample et gourmande. Un joli vin qui s'appréciera sans attendre, dès l'heure de l'apéritif.

☛ Cellier des Templiers, rte de Baume,
84600 Richerenches, tél. 04 90 28 01 00, fax 04 90 28 02 47,
cellier.templiers@orange.fr, ☑ ⚊ ⊥ r.-v.

DOM. VERGOBBI 2012 ★★

■	20 000	■ 5 à 8 €

Contrainte en 1962 de quitter l'Algérie où elle possédait un vignoble, la famille Vergobbi a créé en 1966 ce domaine, qui s'étend aujourd'hui sur 200 ha. Cité l'an dernier, ce rosé est finaliste du coup de cœur cette année. Dans sa robe lumineuse, pétale de rose, il séduit par son bouquet léger de fleurs et de fruits (cassis). L'attaque dévoile une belle matière, ample, charnue et longue. Ce 2012 fait preuve d'une belle fraîcheur qui lui permettra de trouver sa place dès la sortie du Guide sur une soupe au pistou. Une étoile pour le **2011 rouge (12 500 b.)**, qui séduit par ses notes fruitées et boisées harmonieusement fondues, par sa richesse et son équilibre.

☛ SAS Baron d'Escalin, 980, rte des Charrettes,
26290 Les Granges-Gontardes, tél. 04 75 98 58 40,
fax 04 75 53 83 40, info@barondescalin.com,
☑ ⊥ t.l.j. sf dim. 9h-12h 13h30-18h30

Ventoux

Superficie : 6 235 ha
Production : 231 995 hl (96 % rouge et rosé)

À la base du massif calcaire du Ventoux – le Géant du Vaucluse (1 912 m) –, des sédiments tertiaires portent ce vignoble qui s'étend sur 51 communes entre Vaison-la-Romaine au nord et Apt au sud. Le climat, plus froid que celui des côtes-du-rhône, entraîne une maturité plus tardive. Les vins rouges sont frais et élégants dans leur jeunesse ; ils sont davantage charpentés dans les communes situées le plus à l'ouest (Caromb, Bédoin, Mormoiron). L'AOC produit de plus en plus des rosés à boire jeunes ainsi que des blancs.

Ⓑ DOM. ALLOÏS Otentic 2012 ★

| ■ | 4 000 | ▬ | 8 à 11 € |

Ce domaine de création récente (2008), qui poursuit un bon parcours, semble avoir apprécié le millésime 2012. Trois vins de cette année sont sélectionnés, dans les trois couleurs. Le préféré est cet Otentic issu de syrah (60 %) et de grenache, au nez intense de fruits mûrs, d'épices et de réglisse, quelques nuances animales complétant la palette aromatique. Le palais dévoile une matière douce et concentrée, structurée par des tanins fins. Recommandé pour un sauté de veau aux cèpes d'ici un an ou deux. Le **rosé 2012 Un soir d'été (5 à 8 € ; 2 000 b.)**, tout en fruit (cassis, framboise, fruits exotiques) et plein de fraîcheur, et le **blanc 2012 Infiniment (5 à 8 € ; 4 000 b.)**, vif, ample et aromatique (citron, acacia, pêche), obtiennent également une étoile.

🍷 François Busi, Le Boisset, 84750 Caseneuve, tél. 04 90 74 41 16, domaineallois@hotmail.fr, ☑ ⚔ ⚏ r.-v.

AURETO Maestrale 2011 ★

| ■ | 12 800 | ⬛ | 11 à 15 € |

Aurélie Julien, vinificatrice au domaine viticole du complexe œnotouristique de La Coquillade, signe une cuvée d'un beau pourpre sombre née de syrah (70 %), de grenache et de carignan. D'abord fermé, le nez s'ouvre à l'agitation sur des senteurs complexes de fruits noirs compotés, de sous-bois, de cigare et d'épices (girofle, cumin). Avec de la densité, de la suavité et du volume, des tanins soyeux et une longue finale sur le caramel et le Zan, le palais emporte l'adhésion. À ouvrir dans deux ou trois ans pour accompagner une estouffade d'agneau. Le **rosé 2012 Autan (8 à 11 € ; 9 600 b.)**, rond, gras et fruité (pêche, abricot, fraise), joliment poivré en finale, est cité.

🍷 Aureto, hameau de La Coquillade, Perrotet, 84400 Gargas, tél. 04 90 74 54 67, fax 04 90 74 71 86, info@aureto.fr, ☑ ⚔ ⚏ t.l.j. 10h-12h30 14h-19h; f. dim. nov.-mars 🍷 Wunderli

DOM. AYMARD Prestige 2010

| ■ | 3 000 | ⬛ | 5 à 8 € |

Depuis un an, Jean-Marie Aymard confie les vinifications à sa fille Anne-Laure. Celle-ci signe un assemblage grenache-syrah-mourvèdre bien méridional, au nez comme en bouche. L'olfaction révèle ainsi d'intenses notes de garrigue et de thym mariées aux épices, au tabac blond et aux fruits cuits. Une générosité que ne renie pas un palais porté par des tanins fins. À boire sur le fruit, avec une viande rouge en sauce. Le **rosé 2012 (moins de 5 € ; 12 000 b.)**, fruité, épicé et vineux, est également cité.

🍷 SCEA Aymard, 1238, chem. de Beaumes-à-Mazan, Serres, 84200 Carpentras, tél. 04 90 60 06 35, domaine.aymard@hotmail.fr, ☑ ⚔ ⚏ t.l.j. sf dim. 8h30-12h 14h-19h 🏠 ⊙

VIGNOBLES DE BALMA VENITIA Pomelo 2012 ★

| ■ | 90 000 | ▬ | - de 5 € |

Une forte proportion de grenache (88 %) compose ce Pomelo où la délicatesse de la robe, rose pâle aux reflets gris, trouve écho dans la finesse de l'olfaction tournée vers de légères nuances amyliques, la fraise écrasée, le citron ou encore les fleurs blanches. En bouche, l'équilibre fraîcheur-rondeur est très réussi, et la finale laisse le souvenir d'un vin élégant. Que diriez-vous d'une salade avocat-crevettes-pamplemousse pour l'accompagner ?

🍷 SCA Vignerons de Balma Venitia, 228, rte de Carpentras, quartier Ravel, 84190 Beaumes-de-Venise, tél. 04 90 12 41 00, fax 04 90 12 41 21, vignerons@balmavenitia.fr, ☑ ⚔ ⚏ t.l.j. 8h30-12h (été 12h30) 14h-18h (été 19h)

DOM. DE LA BASTIDONNE 2012

| ■ | 8 000 | ▬ | 5 à 8 € |

Assemblage à parts égales de syrah et de grenache, ce rosé pâle et limpide livre des parfums plaisants et frais de fraise et de bonbon anglais. Tendue par une fine acidité, la bouche est à l'unisson, vive et fruitée, avant de dévoiler une finale plus chaleureuse et vineuse. À déguster à l'heure de l'apéritif sur des tapas au jambon serrano. Vous pourrez poursuivre avec un poisson en sauce et le **blanc 2012 (5 000 b.)** du domaine ; un vin aromatique (aubépine, fruits mûrs, épices, amande), au palais rond et gras, égayé par une pointe de vivacité.

🍷 SCEA Dom. de la Bastidonne, 84220 Cabrières-d'Avignon, tél. 04 90 76 70 00, fax 04 90 76 74 34, domaine.bastidonne@orange.fr, ☑ ⚔ ⚏ t.l.j. sf dim. 9h-12h 14h-18h 🍷 Gérard Marreau

CAVE DE BEAUMONT-DU-VENTOUX Prestige Élevé en fût de chêne 2011 ★

| ■ | 30 000 | ⬛ | 5 à 8 € |

La coopérative de Malaucène, petite (300 ha) mais qualitative, présente un 2011 fortement marqué par la syrah (90 % de l'assemblage). Paré d'une robe pourpre intense tirant sur le noir, ce vin assume sans complexe son élevage en barrique et délivre des notes intenses de cacao qui s'allient sans les écraser aux fruits rouges mûrs. La bouche est du même tonneau, boisée avec élégance, ample, fraîche et mûre bien structurée. Une bouteille harmonieuse, à boire dans les trois ans à venir. La cave propose aussi avec son confidentiel **blanc 2012 Apogée (11 à 15 € ; 1 000 b.)** un vin racé, rond, gras, concentré et puissamment aromatique (beurre, toast grillé, abricot), que l'on réservera à une volaille en sauce, aujourd'hui comme dans trois ou quatre ans.

🍷 Cave Beaumont-du-Ventoux, rte de Carpentras, 84340 Malaucène, tél. 04 90 65 11 78, fax 04 90 12 69 88, contact@beaumont-ventoux.com, ☑ ⚔ ⚏ r.-v.

LA BELLE MAGNANARELLE 2012

| ■ | 60 000 | | - de 5 € |

Cette cave fondée en 1924 accueille aujourd'hui cent quinze adhérents pour une surface plantée de 1 000 ha. Deux de ses cuvées ont retenu l'attention. Ce rouge à dominante de grenache d'abord, pour son joli bouquet d'épices et de fruits rouges et noirs, et pour son palais frais et friand au grain fin et léger. Tout indiqué pour la charcuterie. Le **Ch. Crillon 2012 rosé (30 000 b.)** ensuite, pour ses tonalités bien fruitées et pour sa douceur en bouche.

🍷 Vignerons du Mont Ventoux, rte de Carpentras, quartier La Salle, 84410 Bédoin, tél. 04 90 65 95 72, fax 04 90 65 64 43, caveau@bedoin.com, ☑ ⚔ ⚏ t.l.j. 9h-12h 14h-18h30

RHÔNE

♥ **CH. BLANC** Histoire de famille 2012 ★★

| 130 000 | - de 5 € |

Signe des temps annonçant les nouvelles tendances de consommation ? Le rosé est à l'honneur cette année dans l'appellation et il décroche même les deux coups de cœur de cette édition. Ici, un vin issu du grenache (50 %) complété à parts égales de cinsault et de syrah. Un « vin plaisir » par excellence, en robe pâle et limpide, d'une finesse et d'un équilibre remarquables de bout en bout, alliant la rondeur et la fraîcheur, le floral et le fruité, pimenté en finale par une jolie touche épicée. Le **rouge 2011 À mon père (8 à 11 € ; 15 000 b.)**, qui suggère la reconnaissance de la transmission, brille d'une étoile grâce à sa palette aromatique intense dominée par un boisé de qualité (caramel et grillé associés aux fruits compotés) et grâce à ses tanins soyeux.

☛ SCEA Ch. Blanc, quartier Grimaud, 84220 Roussillon, tél. 04 90 05 64 56, fax 04 90 05 72 79, chateaublanc-chasson@wanadoo.fr,

☑ ⚲ ⏶ t.l.j. 8h-12h 14h-18h30

☛ Lelièvre

CAVE DE BONNIEUX Orphéa 2012

| 20 000 | - de 5 € |

La doyenne des caves coopératives du Vaucluse (1920) signe un rosé de saignée issu de raisins de grenache et de syrah vendangés de nuit, « à la fraîche », afin que le fruit soit préservé. De fait, derrière sa robe pomelo, le vin révèle un bouquet frais de fruits rouges, agrémenté de nuances minérales, que relaie une bouche friande et tonique, rehaussée par une finale poivrée. Équilibré et vivifiant, ce ventoux fera un bon compagnon pour une soupe au pistou.

☛ Cave de Bonnieux, quartier de la Gare, 84480 Bonnieux, tél. 04 90 75 80 03, fax 04 90 75 98 30, caveau@cavedebonnieux.com,

☑ ⚲ ⏶ t.l.j. sf dim. 9h-12h 14h30-18h

DOM. LA CAMARETTE Terroir 2011 ★

| 10 000 | 5 à 8 € |

La troisième génération de Gontier est désormais aux commandes : Nancy depuis 2004, Alexandra depuis 2011. Après l'œnotourisme, déjà bien développé (gîte, chambres d'hôtes, restaurant), celles-ci se préoccupent à présent de l'environnement et s'attèlent à la conversion au bio du vignoble. Elles proposent ici une cuvée à dominante de syrah qui décline à présent des parfums de fruits rouges et d'épices. Il en va de même en bouche, où les fruits, plus confiturés, et des nuances de poivre accompagnent des tanins encore un peu sévères, de qualité néanmoins. Deux ans de garde devraient affiner l'ensemble.

☛ Dom. de la Camarette, 439, chem. des Brunettes, 84210 Pernes-les-Fontaines, tél. et fax 04 90 61 60 78, contact@domaine-camarette.com,

☑ ⚲ ⏶ t.l.j. sf dim. 9h-12h 14h-18h 🏠 ❸ 🏠 🅴

☛ Gontier

LA COTERIE 2012 ★

| n.c. | - de 5 € |

Regroupement de cinq coopératives et de dix domaines, cette jeune structure de négoce propose un rosé issu de six cépages, grenache en tête. De couleur framboise pâle, cette cuvée délivre des parfums intenses de fruits mûrs et d'épices. La bouche offre une jolie séquence : ronde puis fraîche, elle séduit par son équilibre. Le compagnon idéal pour les grillades.

☛ SICA Vignobles la Coterie, 228, rte de Carpentras, 84190 Beaumes-de-Venise, tél. 04 90 12 41 19, fax 04 90 65 02 05, contact@lacoterie.fr

♥ **LA COURTOISE** Terres cachées 2012 ★★

| 48 000 | - de 5 € |

La cave coopérative de Saint-Didier porte haut les couleurs du ventoux ; une couleur rose intense, en l'occurrence. Grenache (60 %) et syrah composent un vin d'une belle intensité aromatique, généreusement ouvert sur les fruits rouges frais et le bonbon acidulé. Ample dès l'attaque, le palais se révèle rond et chaleureux sans jamais perdre de sa finesse ni de son équilibre, vivifié par une fraîcheur idoine et dynamisé par une longue finale épicée. Un rosé de bouche pour accompagner tout un repas. Le **blanc 2012 Terres cachées (12 000 b.)**, frais et très aromatique (fruits exotiques, agrumes), exubérant même, obtient une étoile.

☛ SCA la Courtoise, 976, rte de la Cave, 84210 Saint-Didier, tél. 04 90 66 01 15, fax 04 90 66 13 19, cave.la.courtoise@wanadoo.fr, ☑ ⚲ ⏶ r.-v.

🅱 **DOM. DE FONDRÈCHE** Éclat 2012 ★

| 25 000 | 8 à 11 € |

Un domaine de 38 ha cultivé selon les cycles lunaires, l'objectif étant la création de vins « identi-terres, sur l'équilibre entre ampleur et fraîcheur, puissance et élégance ». Une jolie formule qui s'applique à cet Éclat issu de grenache blanc, de clairette et de roussanne. Au nez, les fruits exotiques et le citron vert se marient harmonieusement aux notes vanillées et beurrées de l'élevage. On retrouve cette complexité aromatique dans une bouche intense, fraîche et longue. L'ensemble, harmonieux, se plaira sur une sole au beurre blanc. Citée, la cuvée **Nadal 2011 rouge (11 à 15 € ; 40 000 b.)**, encore sous l'emprise du merrain (grillé, caramel), tannique et « sérieuse », selon un dégustateur, patientera deux ans en cave.

● Dom. de Fondrèche, quartier Fondrèche, 84380 Mazan, tél. 04 90 69 61 42, fax 04 90 69 61 18, contact@fondreche.com, ☑ ⚔ ♈ t.l.j. sf sam. dim. 14h-18h
● M. Vincenti

Ⓑ ı ᴇ ᴅᴏᴍ. DU GRAND JACQUET
Rendez-vous sous le chêne 2011

| ■ | 18 000 | ■ | 8 à 11 € |

Depuis quelques éditions déjà, le Grand Jacquet nous donne rendez-vous sous le chêne. C'est là aussi que les vendangeurs se retrouvent avant d'entamer leur journée. Ils ont récolté des raisins de vieux grenache et de syrah pour ce 2011 au nez de rose, d'épices et de fruits rouges, et à la bouche souple et fine. Parfait pour des côtelettes d'agneau grillées au feu de bois.
● Le Dom. du Grand Jacquet, 2869, la Venue-de-Carpentras, 84380 Mazan, tél. 04 90 63 24 87, domaine@grandjacquet.fr, ☑ ♈ t.l.j. sf dim. 10h-18h; f. jan.-fév.

DOM. LES HAUTES BRIGUIÈRES Rosé d'une nuit 2012

| ■ | 9 000 | ■ | 5 à 8 € |

Une saignée d'une nuit pour la syrah (15 % de l'assemblage), un pressurage direct pour le cinsault (60 %), le mourvèdre et la clairette, et voici un rosé couleur abricot pâle, fruité et frais au nez comme en bouche. Un bon classique pour l'apéritif.
● François-Xavier Rimbert, Dom. les Hautes Briguières, Les Hautes-Briguières, 84570 Mormoiron, tél. 04 90 61 71 97, fax 04 90 61 85 80, fxrimbert@aol.com, ☑ ⚔ ♈ t.l.j. 9h-19h; hiver 9h-17h 🏠 Ⓔ

DOM. J & D La Trilogie 2012

| ■ | 3 000 | ■ | 5 à 8 € |

Créé en 2009, ce domaine de 30 ha, en conversion au bio depuis 2010, est sélectionné cette année pour ce vin issu de grenache blanc et de clairette, d'un jaune pâle égayé de reflets verts, délicatement floral et fruité (agrumes, abricot), frais et franc en bouche.
● Dom. J & D, 31, rte de Mazan, 84330 Caromb, tél. 06 64 91 42 34, domaine.jd@gmail.com, ☑ ⚔ ♈ t.l.j. sf dim. 9h-12h 14h-19h 🏠 ❷ ❶ Ⓔ
● Julien Arocas

LUMIÈRES 2011 ★

| ■ | 12 000 | ■ | 8 à 11 € |

La cave de Goult a sélectionné 3 ha de grenache (80 %) et de syrah pour cette cuvée sur les fruits rouges confiturés mâtinés de nuances poivrées. Dans la continuité du nez, la bouche se montre bien équilibrée, affichant une belle structure et une fraîcheur tonifiante. Une bouteille harmonieuse et prête à boire. Une même sensation de fraîcheur caractérise le **blanc 2012 Aubépine** (5 à 8 € ; 40 000 b.), élégant et floral. Une étoile également.
● Cave de Lumières, 84220 Goult, tél. 04 90 72 20 04, fax 04 90 72 42 52, info@cavedelumieres.com, ☑ ⚔ ♈ t.l.j. 8h-12h 14h-18h

MARQUIS DE SADE 2012 ★

| ■ | 6 000 | ■ | 5 à 8 € |

Clairette, surtout, et viognier se partagent l'étoile de ce Marquis de Sade. Une expression aromatique intense mêle à l'olfaction le floral et le fruité (sirop de pêche, agrumes). Dans la continuité du nez, le palais se montre vif et tonique, sans toutefois manquer de gras. Un blanc équilibré, à servir sur un poisson grillé.

● Les Vignerons de Canteperdrix, 890, rte de Caromb, BP 15, 84380 Mazan, tél. 04 90 69 70 31, fax 04 90 69 87 41, oenologue@cotes-du-ventoux.com, ☑ ⚔ ♈ r.-v.

MARRENON Classique 2012 ★

| ■ | 25 000 | ■ | - de 5 € |

Marrenon est un groupement de neuf caves coopératives créé en 1966 par Amédée Giniès, l'un des principaux artisans pour la reconnaissance de l'appellation luberon. Côté ventoux, la cave propose ici un rosé dans une robe claire ornée de reflets grisés, qui livre d'intenses parfums de pêche et d'abricot mûr. Le palais, plein et gras, évolue sur la même trame aromatique et laisse le souvenir d'un vin harmonieux.
● Marrenon, rue Amédée-Giniès, 84240 La Tour-d'Aigues, tél. 04 90 07 40 65, fax 04 90 07 30 77, marrenon@marrenon.com, ☑ ♈ t.l.j. 8h30-12h30 14h30-19h

LE MAS DES FLAUZIÈRES La Beaume 2012 ★

| ■ | 5 000 | ⫿ | 5 à 8 € |

Après avoir fait ses armes de vinificateur en Californie et en Afrique du Sud, Jérôme Benoit est revenu en 1996 sur les terres familiales, anciennes dépendances du château d'Entrechaux. Il assemble clairette, roussanne et une pointe de viognier dans cette cuvée brillante aux reflets verts. Intense et complexe, le nez marie les notes vanillées et grillées de la barrique avec des parfums de fruits mûrs sur un fond mentholé. Ample, riche et ronde, la bouche affiche une même maîtrise de l'élevage et une même complexité aromatique. Un vin élégant, à déguster sur une belle pièce de poisson passée au four.
● Le Mas des Flauzières, rte de Vaison-la-Romaine, 84340 Entrechaux, tél. 04 90 46 00 08, fax 04 90 35 51 12, lemasdesflauzieres@yahoo.fr, ☑ ⚔ ♈ t.l.j. sf dim. 10h-12h 14h-18h; f. jan. 🏠 Ⓔ
● Jérôme Benoit

DOM. DE LA MASSANE Le Stil 2011

| ■ | 4 000 | ■ | 8 à 11 € |

Situé à une altitude moyenne de 350 m, le vignoble occupe 11,5 ha sur les terrasses sud du mont Ventoux. Une petite parcelle de 1 ha de syrah (80 %) et de grenache est dédiée à cette cuvée aux accents de violette et de cassis, souple, fraîche et tonique au palais. À boire sur le fruit.
● Laurent Trazic, rte de Carpentras, 84410 Bédoin, tél. 04 90 65 60 81, domainedelamassane@hotmail.fr, ☑ ⚔ ♈ t.l.j. sf mer. dim. 10h-19h

CH. PESQUIÉ Terrasses 2012 ★

| ■ | 35 000 | ■ | 8 à 11 € |

Les Terrasses version rouge 2010 reçurent un coup de cœur dans l'édition précédente ; le rosé 2012 s'invite cette année avec une étoile. Frédéric et Alexandre Bastide, qui ont pris les rênes du domaine familial en 2003, signent un vin couleur corail aux accents de fruits rouges et de grenadine, avec une pointe acidulée de bonbon anglais. La bouche se montre généreuse et ronde, pimentée en finale par une touche poivrée. Recommandé pour une cuisine exotique, un poulet au gingembre par exemple.
● Ch. Pesquié, rte de Flassan, D184, BP 6, 84570 Mormoiron, tél. 04 90 61 94 08, fax 04 90 61 94 13, contact@chateaupesquie.com, ☑ ⚔ ♈ t.l.j. 9h-12h 14h-18h; f. dim. du 1ᵉʳ oct. à Pâques
● Famille Chaudière-Bastide

RHÔNE

DOM. DU PUY MARQUIS Tradition 2011

| | 8 000 | | 5 à 8 € |

Est-ce en gravissant le célèbre mont Ventoux que Claude Leclercq, ancien coureur cycliste et coéquipier de Jacques Anquetil, est tombé sous le charme des vignes locales ? Toujours est-il qu'il a investi en 1980 dans ce domaine en altitude (450 m) et qu'il conduit aujourd'hui un vignoble de 12 ha. Grenache et syrah à parité y ont donné naissance à cette cuvée grenat foncé, au nez soutenu de fruits frais et d'épices agrémentés de nuances florales. Après une attaque vive, le palais se révèle plus chaleureux et tannique. Sa pointe d'austérité appelle une garde d'un an ou deux.

Claude Leclercq, Dom. du Puy Marquis, rte de Rustrel, 84400 Apt, tél. 04 90 74 51 87, fax 04 90 04 69 80
☑ 🕉 �️ t.l.j. sf dim. 9h30-18h30

LES RIBES DU VALLAT 2012 ★

| | 3 800 | 🍷📦 | 5 à 8 € |

Première apparition dans le Guide de ce domaine acquis en 2001 par la famille Forestier, associée depuis 2011 à Sébastien Alban, dont les terres jouxtent celles du château Juvenal. Une entrée très réussie avec ce vin blanc issu de clairette (85 %) et de viognier, au nez élégant et complexe d'agrumes, de poire, de fleurs blanches et d'amande fraîche. Par son volume, sa douceur et sa rondeur, la bouche charme, parcourue elle aussi d'une farandole d'arômes fruités agrémentés de vanille et soulignée par une belle fraîcheur en finale. Un ensemble flatteur et équilibré, à déguster sur un poisson noble, un filet de bar en croûte de sel par exemple.

NOUVEAU PRODUCTEUR

SCEA le Graveyron, Cave de Ch. Juvenal, 1080, rte de Caromb, 84330 Saint-Hippolyte-le-Graveyron, tél. 04 90 28 12 57, graveyron@gmail.com, ☑ 🕉 �️ lun. mer. ven. sam. 9h-19h; f. jan. 🏨🛏🏠🅴
Alban et Forestier

SAINT-MARC 2011 ★

| | 40 000 | | - de 5 € |

Fidèle au rendez-vous, la cave de Caromb propose une cuvée de grenache, de syrah et de carignan élégante dans sa robe grenat profond. Au nez, les fruits rouges et les épices douces font bon ménage. On les retrouve dans une bouche fraîche et bien structurée qui appelle une courte garde d'un an ou deux.

Cave Saint-Marc, 667, av. de l'Europe, 84330 Caromb, tél. 04 90 62 40 24, fax 04 90 62 49 36, ma.gl@cave-saint-marc.fr, ☑ 🕉 �️ r.-v.

SYLLA Saint-Auspice 2012 ★

| | 18 000 | | 5 à 8 € |

La coopérative d'Apt propose chaque année de belles cuvées, à l'image de ce rosé couleur framboise, qui livre des parfums intenses et frais de fruits rouges et de bonbon anglais. Le palais tient la note et s'équilibre entre rondeur et fraîcheur, une touche épicée venant égayer la finale. Cité, le **rouge 2011 Font d'Aurian (16 900 b.)** fait la part belle à la syrah et dévoile un bouquet animal et fruité prolongé par une bouche ronde aux tanins fondus.

SCA Sylla, Vignobles en Pays d'Apt, BP 141, av. du Viaduc, 84405 Apt Cedex, tél. 04 90 74 10 29, fax 04 86 55 63 32, sylla@sylla.fr, ☑ 🕉 �️ t.l.j. 9h-19h

DOM. DE TARA Terre d'ocres 2012

| | 4 800 | | 5 à 8 € |

Blanches ou rouges, les cuvées de Tara sont présentes dans le Guide avec une grande constance. Ici, un assemblage roussanne-grenache blanc-clairette, qui s'ouvre petit à petit sur des nuances florales et fruitées (poire, pêche blanche, agrumes). Dans le même registre, avec une touche d'amande douce en complément, la bouche s'équilibre entre la fraîcheur de l'attaque et la rondeur de la finale. Un vin harmonieux, à déguster sur une terrine de poisson.

SCEA Dom. de Tara, Les Rossignols, 84220 Roussillon, tél. 04 90 05 74 87, fax 04 90 05 71 35, domainedetara@orange.fr, ☑ �️ t.l.j. 10h-19h; f. jan.
Folléa

TerraVentoux 2011 ★

| | 30 000 | | 5 à 8 € |

Marque de la coopérative de Mormoiron, lancée en 2002. Ici, un rouge à dominante de grenache (85 % aux côtés de la syrah) paré de rubis, au nez avenant de fruits confits et de fraise écrasée, au palais doux et généreux, souligné par des tanins fins et veloutés. Un vin harmonieux et gourmand, à boire dans l'année sur des tomates farcies.

Cave TerraVentoux, rte de Carpentras, 84570 Villes-sur-Auzon, tél. 04 90 61 80 07, fax 04 90 61 97 23 ☑ �️ t.l.j. sf dim. 9h-12h 14h-18h

DOM. DU TIX Cuvée Dona Maria 2011

| | 2 700 | | 15 à 20 € |

Après sa cuvée de Bramefan 2010 élue coup de cœur en rouge, ce domaine revient avec une Dona Maria 2011 certes moins ambitieuse, mais riche de quelques arguments à faire valoir. Une belle intensité aromatique (violette, épices, garrigue, cerise) notamment, ainsi qu'une bouche souple et légère, structurée en finesse. À boire dès à présent sur une grillade.

SCEA Dom. du Tix, Colline Notre-Dame-des-Anges, 84570 Mormoiron, tél. et fax 04 90 61 84 43, contact@domaine-du-tix.fr, ☑ �️ r.-v.
Mme Pirsch

CH. VALCOMBE Épicure 2011 ★★

| | 25 000 | | 8 à 11 € |

Luce et Cendrine Guénard exploitent un vignoble de 28 ha qu'ils convertissent à l'agriculture biologique comme nombre de vignerons rhodaniens. Cette cuvée représente une large part du domaine (22 ha) et associe au grenache (60 %) le carignan et la syrah. Un vin sombre au nez bien typé d'épices et de fruits à l'eau-de-vie, au palais ample et souple étayé par des tanins enrobés et soyeux qui confèrent un caractère aimable et gourmand à l'ensemble. À déguster au cours des trois prochaines années sur une viande en sauce, un osso-bucco par exemple.

EARL Maison Guénard, 480, chem. de Valcombe, 84330 Saint-Pierre-de-Vassols, tél. 04 90 62 51 29, fax 09 74 44 07 07, contact@chateau-valcombe.fr, ☑ 🕉 �️ t.l.j. 8h-12h 14h-18h

DOM. DE LA VERRIÈRE 2011

| | 23 000 | | 5 à 8 € |

Ancienne propriété du roi René surnommé le « roi-vigneron », ce domaine est un habitué du Guide. Il présente ici une cuvée issue de cinq cépages, avec le grenache dans le premier rôle. Le nez, expressif, est orienté vers les fruits rouges mûrs. La maturité du fruit s'exprime aussi dans une bouche chaleureuse, riche et d'un bon volume, à laquelle une pointe de fraîcheur apporte un peu de peps. À boire dès aujourd'hui, de préférence sur une viande en sauce.

🕿 Jacques Maubert, Dom. de la Verrière, 84220 Goult, tél. 04 90 72 20 88, fax 04 90 72 40 33, laverriere2@wanadoo.fr, ☑ ☖ t.l.j. sf dim. 9h-12h 14h-18h

LA VIEILLE FERME 2012

| ■ | n.c. | 📠 | 5 à 8 € |

Assemblage classique de grenache, de cinsault et de syrah, ce 2012 séduit d'emblée par l'intensité de sa robe grenat soutenu, comme par celle de son bouquet ouvert sur les fruits rouges nuancés de notes amyliques. Souple et fin, le palais est à l'avenant, frais et fruité. Un ventoux à boire dans sa jeunesse sur une assiette de charcuterie de l'Ardèche ou une caillette aux herbes.

🕿 Famille Perrin, Ch. de Beaucastel, 84350 Courthézon, tél. 04 90 11 12 00, fax 04 90 11 12 19, perrin@familleperrin.com, ☑ ☖ r.-v.

B VINDEMIO Imagine 2011 ★★

| ■ | 17 000 | 📠 | 11 à 15 € |

Créé en 2006, ce domaine, qui a aussi développé une structure de négoce, propose une cuvée issue de ses plus vieilles vignes de grenache et de syrah assemblés à parts égales et cultivées en biodynamie. Au nez, les fruits confits sont nuancés de notes animales qui ajoutent à sa complexité naissante. Concentrée, douce et épicée, la bouche s'appuie sur une trame de tanins fins qui lui confèrent de l'élégance et une puissance mesurée. À déguster dans les deux ans sur un sauté de veau aux aubergines.

🕿 Vindemio, 34, av. Jean-Jaurès, 84570 Villes-sur-Auzon, tél. 04 90 70 20 45, fax 09 70 62 46 01, vindemio@hotmail.fr, ☑ ☖ t.l.j. sf dim. 9h-12h 15h-19h; f. jan.

Luberon

Superficie : 3 200 ha
Production : 136 220 hl (80 % rouge et rosé)

Le vignoble, AOC depuis 1988, est implanté sur 36 communes des versants nord et sud du massif calcaire du Luberon, entre les vallées de la Durance au sud et du Calavon au nord. Les vins rouges et rosés portent l'empreinte du grenache et de la syrah, cépages obligatoires éventuellement complétés par des variétés secondaires comme le cinsault et le carignan. Le climat plus frais qu'en vallée du Rhône et les vendanges plus tardives expliquent la part relativement importante des vins blancs, qui naissent principalement des cépages grenache blanc, clairette, vermentino et roussanne.

AURETO Petit miracle 2011 ★

| ■ | 10 050 | 📠 | 11 à 15 € |

Propriété du complexe œnotouristique du domaine de la Coquillade, le vignoble Aureto a été créé en 2007. À sa tête, Aurélie Julien, qui signe ici une jolie cuvée en robe violine. Sur la réserve à l'olfaction, le vin s'ouvre à l'aération sur des notes plaisantes de violette et de confiture de framboises. En bouche, il se montre encore un peu ferme et serré, et l'on devra attendre un an ou deux qu'il s'assouplisse.

🕿 Aureto, hameau de La Coquillade, Perrotet, 84400 Gargas, tél. 04 90 74 54 67, fax 04 90 74 71 86, info@aureto.fr, ☑ ☖ t.l.j. 10h-12h30 14h-19h; f. dim. nov.-mars
🕿 Wunderli

B CH. LA CANORGUE 2011 ★★

| ■ | 70 000 | 📠 | 8 à 11 € |

Ce domaine est une référence dans l'appellation : précurseur en termes de viticulture biologique (1978), il est d'une régularité sans faille. Il tient son rang avec le millésime 2011 et, notamment avec sa cuvée principale, qui frôle le coup de cœur. Paré d'une seyante robe pourpre aux reflets violines, ce vin livre un bouquet intense et complexe de fruits confiturés, de cuir, de tabac et de violette. Rond, ample et dense, bâti sur une structure élégante de tanins souples, il tient la note en bouche. Déjà très harmonieux, il pourra s'apprécier dès aujourd'hui ou être attendu deux à quatre ans. Le **Coin perdu 2011 rouge (11 à 15 € ; 5 000 b.)**, que Ridley Scott met en lumière dans son film *Une grande année*, obtient deux étoiles également pour sa richesse aromatique (réglisse, épices, cassis mûr) et pour son palais bien équilibré entre tanins soyeux et boisé ajusté. Enfin, le **blanc 2012 (26 000 b.)** est cité pour son caractère original aux accents réglissés et pour sa suavité.

🕿 EARL J.-P. et N. Margan, Ch. la Canorgue, 84480 Bonnieux, tél. 04 90 75 81 01, fax 04 90 75 82 98, chateaucanorgue.margan@wanadoo.fr, ☑ ☖ t.l.j. sf dim. 9h-12h 14h-18h

DOM. LES CHAPELINS 2011 ★★

| ■ | 15 000 | 📠 | 5 à 8 € |

La cave de Bonnieux, doyenne des coopératives du Vaucluse (1920), avait obtenu un coup de cœur pour ses Chapelins version 2009 ; le 2011 est remarquable. Issu d'une vinification séparée de la syrah et du grenache, et élevé neuf mois en cuve, il se présente dans une robe rouge sombre, le nez empreint de notes concentrées de fruits rouges et d'épices bien typées de la syrah, avant de dévoiler une bouche très veloutée. La cuvée **Les Safres 2012 blanc (moins de 5 € ; 10 000 b.)**, simple et aromatique (agrumes, fruits exotiques), est citée.

🕿 Cave de Bonnieux, quartier de la Gare, 84480 Bonnieux, tél. 04 90 75 80 03, fax 04 90 75 98 30, caveau@cavedebonnieux.com, ☑ ☖ ☖ t.l.j. sf dim. 9h-12h 14h30-18h

DOM. CHASSON 2011 ★

| ■ | 45 000 | 📠 | 5 à 8 € |

Le domaine est situé face aux falaises des Ocres à Roussillon, joli village provençal. Il abrite un vignoble de 65 ha, dont 9 ha sont consacrés à cette cuvée mi-grenache mi-syrah. Le passage en fût apporte non seulement des notes grillées et vanillées au nez comme en bouche, mais aussi un beau fondu des tanins qui confère au vin une rondeur, soulignée par des notes généreuses de fruits rouges à l'alcool et d'épices. Un ensemble complexe et avenant, à boire dans un an ou deux.

☛ SCEA Ch. Blanc, quartier Grimaud, 84220 Roussillon, tél. 04 90 05 64 56, fax 04 90 05 72 79, chateaublanc-chasson@wanadoo.fr,

☑ ⚔ ⌾ t.l.j. 8h-12h 14h-18h30

☛ Lelièvre

DOM. DE LA CITADELLE Le Châtaignier 2012 ★

| | 10 000 | ■ | 5 à 8 € |

Ce domaine répartit ses 39,6 ha de vigne sur une soixantaine de parcelles, au sein desquelles Yves Rousset-Rouard et son fils Alexis peuvent jouer avec une palette de quatorze cépages. Ils en ont sélectionné cinq pour cette cuvée : clairette (65 %), ugni blanc, grenache blanc, roussanne et marsanne. Le résultat ? Un vin floral et fruité (poire), fin et élégant en bouche. Ample et plus chaleureuse, portée sur les fruits exotiques, les agrumes et les fleurs blanches, la cuvée **Les Artèmes 2012 blanc (11 à 15 € ; 8 000 b.)** est citée.

☛ Dom. de la Citadelle, rte de Cavaillon, 84560 Ménerbes, tél. 04 90 72 41 58, fax 04 90 72 41 59, contact@domaine-citadelle.com,

☑ ⚔ ⌾ t.l.j. 9h-12h 14h-19h; f. sam. dim. en jan.-fév.

☛ Rousset-Rouard

CLOS LA TUILIÈRE 2012

| | 30 000 | ■ | - de 5 € |

Rémy et Dominique Ravaute signent un vin rose pâle aux reflets saumonés, qui ne cherche pas la puissance aromatique mais plutôt la finesse. Au nez discrètement fruité fait écho un palais auquel le grenache (80 %) apporte une aimable rondeur et la syrah un fruité agréable. Parfait pour l'apéritif.

☛ Dom. l'Oppidum des Cauvins, RD 543, Les Cauvins, 13840 Rognes, tél. et fax 04 42 50 29 40, oppidumdescauvins@wanadoo.fr,

☑ ⌾ t.l.j. sf dim. 9h-12h 14h-19h

☛ Ravaute

COLLET D'AYGUES 2012 ★

| | 5 800 | ■ | 5 à 8 € |

La Valdèze est née de la fusion des deux caves coopératives de La Tour-d'Aigues en 2005, auxquelles s'est agrégée en 2010 celle de la Motte-d'Aygues. Elle propose ici un vin dominé par des parfums intenses et persistants de pêche et de fleurs blanches, qui agrémentent aussi une bouche fine et harmonieuse, souple et ronde. Le **Collet d'Aygues 2012 blanc (2 500 b.)**, ample et équilibré, à la fois gras et frais, obtient lui aussi une étoile.

☛ SCA Valdèze, 288, bd de la Libération, 84240 La Tour-d'Aigues, tél. 04 90 07 42 12, fax 04 90 07 49 08, valdeze@valdeze.fr,

☑ ⌾ t.l.j. sf dim. lun. 9h-12h30 15h-19h

ⓑ CH. LES EYDINS L'Ouvrière 2012 ★

| | 12 000 | ■ | 5 à 8 € |

Propriété jusqu'à la Révolution des Eydins, seigneurs d'origine allemande, ce domaine appartient aux Seignon depuis quatre générations, Serge étant aux commandes depuis 1999. Ce dernier signe un vin rose soutenu

orné de reflets violets, au nez expressif de fruits rouges mûrs agrémentés de notes florales. Les épices et la réglisse se mêlent à la danse dans une bouche équilibrée et longue. Il y a beaucoup de caractère dans ce vin, la présence de 20 % de carignan aux côtés du grenache et de la syrah n'y étant pas étrangère. On pourra le servir sur une cuisine asiatique. **L'Ouvrière 2012 blanc (8 à 11 € ; 4 600 b.)**, ample et frais, est cité.

☛ Serge Seignon, Ch. les Eydins, 84480 Bonnieux, tél. 04 90 75 61 58, serge.seignon@club-internet.fr,

☑ ⌾ t.l.j. 9h-12h30 14h30-19h

ⓑ CH. FONTVERT Les Restanques 2011 ★

| | 10 500 | ■ | 5 à 8 € |

Les lecteurs n'auront pas à faire un long effort de mémoire pour se rappeler l'étiquette de ce domaine : le rouge Soulèu Terraire 2010 fut coup de cœur dans l'édition précédente. Place à la cuvée Les Restanques, moins ambitieuse mais tout de même fort réussie. Les dégustateurs ont apprécié sa robe rubis, son nez ouvert sur la mûre, la cerise à l'alcool et la pivoine, ainsi que son palais fondu et fruité aux tanins fins et élégants. Une bouteille harmonieuse et prête à boire.

☛ Ch. Fontvert, chem. de Pierrouret, 84160 Lourmarin, tél. 04 90 68 35 83, fax 04 90 68 35 89, info@fontvert.com,

☑ ⚔ ⌾ t.l.j. sf dim. 9h-18h30; sur r.-v. d'oct. à avr.

☛ Monod

♥ MARRENON Grand Marrenon
Élevé en fût de chêne 2011 ★★

| | 190 000 | ⦀ | 8 à 11 € |

Joli succès pour ce groupement de producteurs, union de neuf caves coopératives dans les appellations luberon et ventoux. Cinq vins ont été retenus par les palais experts de nos dégustateurs, dont deux élus coups de cœur. En tête, ce Grand Marrenon à dominante de syrah (70 %), avec le grenache en complément. Après douze mois de fût, le nez, chaleureux, évoque les fruits mûrs et les épices agrémentés de nuances florales, le boisé restant en retrait. La bouche, tout aussi généreuse, fait un peu plus de place aux notes grillées de la barrique, qui ne masquent pas pour autant le fruité. Les tanins bien présents mais très fins confèrent beaucoup d'élégance à ce vin, que l'on pourra déguster dès maintenant ou attendre deux ou trois ans. Un coup de cœur et deux étoiles également pour le rosé 2012 Amédée cuvée **L'Excellence (moins de 5 € ; 100 000 b.) ♥**, très aromatique (épices, fruits rouges, bonbon acidulé, garrigue), rond et équilibré par ce qu'il faut de fraîcheur. Le blanc 2012 **Marrenon Classique (moins de 5 € ; 100 000 b.)**, ample, frais, long et très expressif (fruits exotiques, fleurs blanches, agrumes), et le

Grande Toque rouge 2011 (moins de 5 € ; 80 000 b.), souple et bien fondu en bouche, sur le fruit, le cuir et la violette, décrochent deux étoiles. Le **rosé 2012 Pétula** (5 à 8 € ; 200 000 b.), persistant sur les fruits rouges et le bonbon anglais, bien équilibré entre rondeur et vivacité, obtient une étoile.

📌 Marrenon, rue Amédée-Giniès, 84240 La Tour-d'Aigues, tél. 04 90 07 40 65, fax 04 90 07 30 77, marrenon@marrenon.com, ☑ ⊥ t.l.j. 8h30-12h30 14h30-19h

MAS DES INFIRMIÈRES Source 2011 ★

| ■ | 6 500 | ▌ | 11 à 15 € |

Les vignes de grenache et de syrah à l'origine de ce vin appartiennent au réalisateur britannique (et grand amateur de vins) Ridley Scott, qui a aussi imaginé le graphisme de l'étiquette. Les Infirmières ? Le nom du quartier où est établi le vignoble. Quant à la vinification, elle a été confiée à la coopérative de Goult. Cette première apparition dans le Guide met en lumière un vin tout en fruit (fraise, cassis), généreux, équilibré et long. *A good year*, à n'en pas douter.

📌 Cave de Lumières, 84220 Goult, tél. 04 90 72 20 04, fax 04 90 72 42 52, info@cavedelumieres.com, ☑ ⚒ ⊥ t.l.j. 8h-12h 14h-18h

DOM. DE MAYOL Cuvée Oplezir 2012 ★

| ■ | 20 000 | ▌ | 8 à 11 € |

Chose peu courante, il n'y a pas de syrah dans ce rosé, issu de grenache majoritaire (80 %), complété de cinsault et de mourvèdre. La teinte est saumonée, le nez, fin et très floral, avec quelques nuances d'épices et d'amande, et la bouche, ronde, puissante et longue. Un rosé de repas, que l'on verrait bien sur du poisson, une lotte à l'armoricaine par exemple.

📌 Bernard Viguier, Dom. de Mayol, rte de Bonnieux, D 3, 84400 Apt, tél. 04 90 74 12 80, fax 04 90 04 85 64, domaine.mayol@free.fr, ☑ ⚒ ⊥ r.-v. 🏠 ⊜

MOURRE NÈGRE 2012

| ■ | 15 800 | ▌ | 5 à 8 € |

Proposé par la coopérative d'Apt, ce 2012 se présente dans une robe cerise très clair et dévoile un nez discret mais fin de fruits rouges et d'épices. Ronde et généreuse, la bouche se révèle plus expressive (réglisse, fruits à l'alcool) et intense. Un vin bien typé grenache, à servir dès aujourd'hui sur un plat exotique.

📌 SCA Sylla, Vignobles en Pays d'Apt, BP 141, av. du Viaduc, 84405 Apt Cedex, tél. 04 90 74 05 39, fax 04 86 55 63 32, sylla@sylla.fr, ☑ ⚒ ⊥ t.l.j. 9h-19h

DOM. DE LA ROYÈRE Vieilles Vignes 2010

| ■ | 9 000 | ◗ | 8 à 11 € |

C'est avec une belle constance qu'Anne Hugues montre, s'il fallait encore le prouver, que le mot vigneron s'accorde aisément au féminin. La fondatrice et présidente de l'association Femmes-Vignes-Rhône signe ici un vin rouge sombre aux reflets bruns, au nez plaisant de cassis et de poivre, au palais soyeux, doux et rond, accompagné de notes boisées, balsamiques et un rien acidulées. À déguster au cours des prochaines années.

📌 SCEA Anne Hugues, 375, rte de la Senancole, 84580 Oppède, tél. 04 90 76 87 76, fax 04 90 76 79 50, info@royere.com, ☑ ⚒ ⊥ t.l.j. sf sam. dim. 9h-12h 14h-18h

CH. SAINT-PIERRE DE MEJANS Vieilles Vignes 2010 ★★

| ■ | n.c. | ▌ | 8 à 11 € |

Ancien prieuré bénédictin du XIIᵉs., le domaine propose une cuvée née de vieux ceps de grenache (70 %) et de syrah âgés de quarante-cinq ans. La robe profonde respire la jeunesse avec ses reflets violines. Le nez, généreux, évoque le pruneau, la confiture de cerises et les épices. Suivant la même ligne aromatique, le palais dévoile une matière dense et veloutée étayée par de bons tanins. Un vin équilibré, à boire sur des grives à la broche par exemple, ou à attendre deux ans.

📌 Brice Doan de Champassak, Ch. Saint-Pierre de Mejans, 84160 Puyvert, tél. 09 65 12 28 86, bricedoan@yahoo.fr, ☑ ⊥ t.l.j. sf dim. 9h-12h 14h30-19h 🏠 ⊜

CH. TURCAN 2011 ★

| ■ | 6 600 | ▌ | 8 à 11 € |

Fondé en 1860 par Louis Turcan, « pharmacien viticulteur » à Pertuis, comme il se surnommait, ce domaine est depuis lors resté dans la même famille. Trois vins ont été sélectionnés, un par couleur avec une étoile chacun. Une légère préférence a été donnée à cet assemblage grenache-syrah-carignan : un luberon vigoureux, tannique et longuement tapissé de fruits rouges confiturés. On attendra un à trois ans avant de le déboucher. Le **rosé 2012** (2 500 b.), mi-grenache mi-syrah, se révèle souple, rond et fruité, rehaussé par une pointe amylique. Quant au **blanc 2012 Louis Turcan** (15 à 20 € ; 2 000 b.), il séduit par son côté floral, beurré et vanillé, et par son palais bien équilibré, doux, gras et frais à la fois.

📌 SCEA Ch. Turcan, rte de Pertuis, 84240 Ansouis, tél. et fax 04 90 09 83 33, chateau-turcan@wanadoo.fr, ☑ ⚒ ⊥ t.l.j. sf mer. dim. 9h30-12h 14h30-18h; t.l.j. 9h30-13h 15h-19h 🏠 ⊜

📌 D. Laugier

Pierrevert

Superficie : 360 ha
Production : 15 541 hl (90 % rouge et rosé)

Dans le département des Alpes-de-Haute-Provence, la majeure partie des vignes se trouve sur les versants de la rive droite de la Durance (Corbières, Sainte-Tulle, Pierrevert, Manosque...). Les conditions climatiques, déjà rigoureuses, cantonnent la culture de la vigne dans une dizaine de communes sur les quarante-deux que compte légalement l'aire d'appellation. Les vins rouges, rosés et blancs, d'assez faible degré alcoolique et d'une bonne nervosité, sont appréciés par ceux qui traversent cette région touristique. Les coteaux-de-pierrevert ont été reconnus en appellation d'origine contrôlée en 1998.

RHÔNE

♥ **DOM. LA BLAQUE** Réserve 2010 ★★

■	15 000	Ⅲ	8 à 11 €

Gilles et Laurence Delsuc, œnologues formés à Dijon, ont créé ce domaine en 1987. À la tête aujourd'hui de près de 50 ha (en conversion bio), ils ont fait de la Blaque l'une des références de l'appellation. Leur cuvée Réserve 2010 à forte dominante de syrah a fait l'unanimité. La robe est d'un rouge pourpre soutenu. Le nez, chaleureux, dévoile des notes de fruits mûrs (cassis notamment), d'épices, de violette et de réglisse. Ample, riche et puissante, la bouche s'appuie sur des tanins soyeux qui lui confèrent beaucoup d'élégance et de tenue. Un vin intense et harmonieux, à déguster dans deux ou trois ans sur une pièce de gibier. Le **rosé Tradition 2012** (5 à 8 € ; 50 000 b.) obtient quant à lui une étoile pour son intensité aromatique (fleurs blanches, fruits à chair blanche, abricot) et pour son palais équilibré.
🕿 Dom. la Blaque, 04860 Pierrevert, tél. 04 92 72 39 71, fax 04 92 72 81 26, domaine.lablaque@wanadoo.fr, ☑ ⚐ ⵣ t.l.j. sf dim. 8h-12h 14h-18h

PETRA VIRIDIS Auguste Bastide 2011 ★★

■	4 600	■	5 à 8 €

Cette cuvée rend hommage à Auguste Bastide, riche châtelain d'origine marseillaise qui fonda la coopérative en 1925. Assemblage de 80 % de syrah et de 20 % de grenache, elle déploie à l'olfaction des parfums intenses et complexes de fruits rouges et d'épices agrémentés d'une touche animale. En bouche, elle dévoile une solide structure tannique enrobée d'une chair ronde et soyeuse imprégnée de notes de réglisse et de cassis. Il faudra patienter deux ou trois ans pour l'apprécier pleinement, sur un plat en sauce. Le **rosé 2012 Soleil** (moins de 5 € ; 18 000 b.) vous attend quant à lui dès l'automne. « Tutti frutti » au nez, rond, généreux et un peu plus confituré en bouche, avec la pointe de fraîcheur qui va bien en appoint, il plaira sur une cuisine exotique.
🕿 Cave Petra Viridis, 1, av. Auguste-Bastide, 04860 Pierrevert, tél. 04 92 72 19 06, fax 04 92 73 40 44, cave-pierrevert@wanadoo.fr, ☑ ⚐ ⵣ t.l.j. sf dim. 9h-12h 14h-18h

DOM. DE RÉGUSSE Bastide des oliviers 2012 ★

■	10 000	■	5 à 8 €

Cette maison de négoce propose avec cette Bastide des oliviers un rosé mi-syrah mi-grenache très plaisant par son bouquet expressif de fruits rouges et de pêche blanche mâtiné de nuances florales, et par sa bouche fine, fraîche et persistant sur le fruit. Un vin équilibré, parfait pour une cuisine des beaux jours. La cuvée principale **Ch. Régusse**

2012 rosé (27 000 b.) à dominante de syrah, plus ronde, amylique et fruitée (fraise), est citée.
🕿 SARL Caves Vignobles de Régusse, Dom. de Régusse, 04860 Pierrevert, tél. 04 92 72 30 44, fax 04 92 72 69 08, domaine-de-regusse@wanadoo.fr, ☑ ⚐ ⵣ r.-v.
🕿 Munier

Côtes-du-vivarais

Superficie : 439 ha
Production : 18 485 hl (95 % rouge et rosé)

À la limite nord-ouest des Côtes du Rhône méridionales, les côtes-du-vivarais chevauchent les départements de l'Ardèche et du Gard. Les vins, produits sur des terrains calcaires, sont essentiellement des rouges à base de grenache (30 % minimum), de syrah (30 % minimum), et des rosés, caractérisés par leur fraîcheur et à boire jeunes. Ce VDQS a été reconnu en AOC en 1999.

DOM. BEL AIR Grande Réserve 2012 ★

■	22 000	■	- de 5 €

Cette maison de négoce propose deux vins très réussis, tous deux issus d'un assemblage mi-grenache mi-syrah. La Grande Réserve se présente dans une robe rouge soutenu aux reflets violines, le nez ouvert sur la réglisse et les fruits mûrs. Une intensité aromatique qui se prolonge dans une bouche douce en attaque, puissante, chaleureuse et bien charpentée dans son développement. On attendra deux ou trois ans que l'ensemble se fonde. Plus souple, frais et gouleyant, le **Dauvergne Ranvier 2012 rouge** (40 000 b.) s'appréciera plus jeune, sur une assiette de charcuterie, ardéchoise ou – gardoise.
🕿 R & D Vins, Ch. Saint-Maurice, RN 580, L'Ardoise, 30290 Laudun, tél. 04 66 82 96 57, fax 04 66 82 96 58, francois.dauvergne@dauvergne-ranvier.com

VIGNERONS DES GORGES DE L'ARDÈCHE 2012 ★

■	8 000	■	- de 5 €

Née en 2010 de la fusion de quatre coopératives, cette cave propose un rosé sympathique et plein de fruit issu de vieilles vignes de grenache et de syrah. Au nez, la framboise mène la danse, accompagnée de nuances amyliques. En bouche, on apprécie l'équilibre entre rondeur et fraîcheur, comme un vignoble gustatif du contraste entre la chaleur exacerbée par les calcaires du plateau et des coteaux ardéchois, et la fraîcheur des grottes Orgnac ou Chauvet. Assemblage de grenache blanc, de marsanne et de clairette, le **blanc 2012** (8 000 b.), fruité (agrumes), floral (acacia), vif et tonique, est cité.
🕿 SCA des Vignerons des Gorges de l'Ardèche, Chai d'Orgnac-l'Aven, quartier les Auches, 07150 Orgnac-l'Aven, tél. 04 75 54 51 34, coopbsa@wanadoo.fr, ⚐ ⵣ t.l.j. sf dim. 8h-12h 14h-18h

MAS DE BAGNOLS 2012 ★

■	2 500	Ⅲ	5 à 8 €

Comme souvent, le blanc du domaine est apprécié. Cette cuvée issue à parts égales de grenache blanc et de marsanne développe des parfums délicats de fleur d'oranger, de beurre frais et de silex. Porté sur les fruits mûrs, le palais se révèle ample, gras et rond. Un vin généreux, à réserver pour un poisson en sauce ou pour une volaille. La **cuvée Pauline 2011 rouge (3 000 b.)** boisée (grillé, vanille), volumineuse et tannique, obtient également une étoile. On la laissera s'affiner encore deux ans en cave.

☛ Pierre Mollier, Mas de Bagnols, 07110 Vinezac, tél. 04 75 36 51 99, fax 04 75 36 48 91, masdebagnols@orange.fr,
☑ ⚔ ⊤ t.l.j. sf dim. 9h-12h 14h-18h

Les vins doux naturels de la vallée du Rhône

Rasteau

Superficie : 38 ha
Production : 1 045 hl

Tout au nord du département du Vaucluse, ce vignoble s'étale sur deux formations distinctes : des sables, marnes et galets au nord ; des terrasses d'alluvions anciennes du Rhône (quaternaire), avec des galets roulés, au sud. Le grenache (90 % minimum) y fournit un vin doux naturel rouge ou doré.

Ⓑ DOM. DE BEAURENARD Grenat 2010 ★

| ■ | 1 500 | ⬛ | 15 à 20 € |

Ce domaine, également producteur de châteauneuf-du-pape, signe un rasteau de belle facture issu du seul grenache. Le mutage a été effectué sur grain, puis le vin doux a été élevé vingt-quatre mois en fût de chêne. Cela donne une cuvée tout en finesse, aux tanins ronds et enrobés d'arômes de figue confite, de cerise et de pruneau. Parfait pour un fondant au chocolat.
☛ SCEA Paul Coulon et Fils, Dom. de Beaurenard, 10, av. Pierre-de-Luxembourg, 84230 Châteauneuf-du-Pape, tél. 04 90 83 71 79, fax 04 90 83 78 06, paul.coulon@beaurenard.fr,
☑ ⚔ ⊤ t.l.j. sf dim. 9h-12h 13h30-17h30

DOM. DES ESCARAVAILLES Grenat 2011

| ■ | 5 000 | ⬛⬛ | 11 à 15 € |

Ce domaine bien connu pour ses côtes-du-rhône-villages propose un rasteau issu d'une longue cuvaison de trente jours, qui a ensuite fréquenté la barrique de chêne pendant douze mois. Il en ressort le nez empreint de senteurs croquantes de cerise et de prune, et la bouche souple et soyeuse. Une bouteille à garder en cave deux ou trois ans pour laisser tout son potentiel gustatif s'épanouir.
☛ SCEA du Dom. des Escaravailles, Ferran et Fils, 84110 Rasteau, tél. 04 90 46 14 20, fax 04 90 46 11 45, domaine.escaravailles@rasteau.fr, ☑ ⚔ ⊤ r.-v.
☛ Gilles Ferran

CAVE DE RASTEAU Signature 2009

| ■ | 18 000 | ⬛⬛ | 11 à 15 € |

La cave des vignerons de Rasteau reste fidèle au rendez-vous du Guide. Elle signe une jolie cuvée élevée

douze mois en fût, qui dévoile des parfums bien mariés de truffe et de cacao. On retrouve ces sensations dans une bouche généreuse et de belle intensité. Armé pour une longue garde, ce vin s'appréciera volontiers sur un foie gras poêlé aux figues.
☛ Ortas - Cave de Rasteau, rte des Princes-d'Orange, 84110 Rasteau, tél. 04 90 10 90 14, fax 04 90 46 16 65, rasteau@rasteau.com,
☑ ⊤ t.l.j. 9h-12h30 14h-18h; juil.-sep. 9h-19h

Muscat-de-beaumes-de-venise

Superficie : 490 ha
Production : 9 265 hl

Au nord de Carpentras, se découpent les impressionnantes Dentelles de Montmirail. Le vignoble est implanté sur leur versant sud, dans un paysage qui doit ses couleurs à des calcaires grisâtres et à des marnes rouges. Une partie des sols est formée de sables, de marnes et de grès, une autre de terrains tourmentés datant du trias et du jurassique. Le seul cépage est le muscat à petits grains ; mais dans certaines parcelles, une mutation donne des raisins roses. Mutés à l'eau-de-vie comme les autres vins doux naturels, les vins doivent avoir au moins 110 g/l de sucre. Aromatiques, fruités et fins, ils trouvent toute leur place à l'apéritif et sur certains fromages ou desserts.

DOM. DES ENCHANTEURS Ambre céleste 2011

| ■ | 2 000 | ■ | 11 à 15 € |

Créé en 2009, ce domaine de poche étend son vignoble sur 3 ha, dont 50 ares sont consacrés à ce muscat d'une agréable fraîcheur. Un vin équilibré, à déguster dès à présent comme dans quatre ou cinq ans sur un plateau de fromages de chèvre et à pâte persillée.
☛ Dom. des Enchanteurs, 52, chem. d'Aubignan, 84330 Saint-Hippolyte-le-Graveyron, tél. 04 90 12 69 82, bertrand@domainedesenchanteurs.fr, ☑ ⚔ ⊤ r.-v.

DOM. DE FONTAVIN 2011

| ■ | 13 000 | ■ | 11 à 15 € |

Ce domaine étend ses parcelles de muscat sur les terrasses bien abritées du mistral. Sur les 45 ha que compte le vignoble, il réserve au vin doux naturel 3 ha d'où Hélène Chouvet a tiré ce 2011 expressif, ouvert sur des parfums de liqueur d'orange, puissant sans excès en bouche, avec une juste fraîcheur qui apporte l'équilibre. Une bouteille harmonieuse, que l'on pourra garder quatre ou cinq ans en cave et qui sera la compagne idéale pour du roquefort.
☛ Dom. de Fontavin, 1468, rte de la Plaine, 84350 Courthézon, tél. 04 90 70 72 14, fax 04 90 70 79 39, helene-chouvet@fontavin.com,
☑ ⚔ ⊤ t.l.j. 9h (sam. 10h)-12h15 14h-18h15, ouv. toute la journée en juil-août
☛ Hélène Chouvet

RHÔNE

DOM. FONT SANTE 2011

| | 40 000 | | 11 à 15 € |

Conduit par la famille Rougon depuis 1956, ce domaine signe un muscat qualifié de « traditionnel » par les dégustateurs. Entendez par là un vin d'une belle couleur dorée, au nez flatteur de fleurs blanches, de mandarine et de notes muscatées, et riche en bouche – mais sans lourdeur. À déguster sur un melon de Cavaillon ou sur un foie gras.

➤ Pierre Rougon, 142, chem. de Font-Sante, 84190 Beaumes-de-Venise, tél. 04 90 12 11 11, fax 04 90 65 06 49, domaines-fonsante@orange.fr, ⌂ ☻

Ⓑ DOM. DU PAPAROTIER 2012

| | 23 000 | | 11 à 15 € |

La présence de micocouliers (appelés *paparotiers* en provençal) pluriséculaires a donné son nom à ce domaine vinifié par la coopérative de Beaumes-de-Venise. Des ceps de muscat à petits grains d'une trentaine d'années sont à l'origine de cette cuvée pâle et limpide. Les raisins refroidis à 10 °C puis gardé au frais pendant un mois afin qu'ils conservent tous leurs arômes avant la vinification, offrent à l'olfaction des senteurs d'abricot sec et de verveine. Dans le prolongement du nez, la bouche se révèle ample et généreuse, mais jamais sirupeuse ni lourde. Un vin harmonieux, tout indiqué pour l'apéritif.

➤ SCA Vignerons de Balma Venitia, 228, rte de Carpentras, quartier Ravel, 84190 Beaumes-de-Venise, tél. 04 90 12 41 00, fax 04 90 12 41 21, vignerons@balmavenitia.fr, ☑ ⚘ ⊤ t.l.j. 8h30-12h (été 12h30) 14h-18h (été 19h)

LE PETIT GRAIN D'ANTONIN 2011

| | 6 000 | | 11 à 15 € |

Cette cuvée rend hommage au père d'Alain Ignace, qui planta les premières vignes de ce domaine couvrant aujourd'hui 13 ha. Une attention particulière est apportée au respect de la vie biologique du sol : insecticides et herbicides sont proscrits, et la conversion à l'agriculture biologique est en cours. Ce muscat 2011 se révèle expres-

sif, dévoilant de jolies notes d'écorce d'orange et de fleurs blanches, que relaie avec persistance une bouche équilibrée. Accord gourmand en perspective avec une tarte à l'abricot ou au citron.

NOUVEAU PRODUCTEUR

➤ Vignoble Alain Ignace, 1727, rte de Vacqueyras, 84190 Beaumes-de-Venise, tél. 06 80 45 81 74, fax 04 90 62 99 06, alain.ignace@wanadoo.fr, ☑ ⚘ ⊤ r.-v. ⌂ ☻

DOM. DE LA PIGEADE 2012

| | 100 000 | | 11 à 15 € |

Marina et Thierry Vaute ont repris en 1996 cette propriété familiale de 30 ha, qu'ils ont alors sortie de la cave coopérative. Ils signent ici un muscat finement floral à l'olfaction. Le palais conserve une belle fraîcheur et dévoile, à l'unisson du bouquet, de subtiles notes de muguet. À déguster sur un dessert aux fruits frais.

➤ Thierry et Marina Vaute, Dom. de la Pigeade, rte de Caromb, 84190 Beaumes-de-Venise, tél. 04 90 62 90 00, fax 04 90 62 90 90, contact@lapigeade.fr, ☑ ⚘ ⊤ t.l.j. sf dim. 9h-12h 14h-18h; f. 1ᵉʳ-15 jan.

SAINT-SAUVEUR Cuvée des moines 2010 ★

| | 6 000 | | 8 à 11 € |

Ce domaine (en cours de conversion au bio) tire son nom d'une ancienne chapelle du XIIᵉs. qui sert à présent de caveau de dégustation. Un lieu pour le moins apaisant pour apprécier ce 2010 aujourd'hui à son optimum de maturité, qui offre à l'olfaction de subtils arômes d'aubépine et d'orange amère, que l'on retrouve dans un palais équilibré, avec ce qu'il faut de fraîcheur pour calmer la liqueur. Un vin expressif, à servir frais sur un dessert aux fruits ou sur un foie gras.

➤ Ch. Saint-Sauveur, EARL Les Héritiers de Marcel Rey, 1451, av. Joseph Vernet, 84810 Aubignan, tél. 04 90 62 60 39, fax 04 90 62 60 46, vins@domaine-st-sauveur.fr, ☑ ⚘ ⊤ t.l.j. 9h15-12h15 14h15-19h; dim. sur r.-v. ➤ Guy Rey

LES VINS DE PAYS / IGP

MERLOT CÔTES DE GASCOGNE
CABERNET VAL DE LOIRE
GRENACHE SYRAH
CHARDONNAY CHARENTES
MUSCAT PAYS D'OC
MEUSE VAUCLUSE
ARDÈCHE SAUVIGNON

LES VINS DE PAYS/IGP

Production : 12 Mhl, dont environ 80 % en rouge et rosé
Principales régions :
Languedoc-Roussillon (85 % des volumes), PACA (9 %), Midi-Pyrénées (8 %)
Répartition par catégories : 49 % en vins de pays de région, 27 % comme vins de zone local 24 % en vins de pays de département.

Depuis la réforme de classification des vins de 2009, les vins de pays (VDP) – qui faisaient partie jusqu'alors de la même catégorie que les vins de table – sont devenus des IGP (indications géographiques protégées). Ils rejoignent ainsi les AOC, inclus comme elles dans la famille des vins dotés d'une indication géographique. Ils fournissent aussi bien des vins de cépage que des vins « d'auteurs » issus de cépages oubliés ou d'assemblages inovants.

Des vins de pays aux IGP Créés à la fin des années 1960 pour résoudre la crise des vins de table boudés par les consommateurs, les vins de pays étaient à l'origine de simples vins de table personnalisés par une provenance géographique. Ils sont depuis le 1er août 2009 des indications géographiques protégées (IGP). À ce titre, ils rejoignent les AOC (AOP selon la terminologie européenne) dans la catégorie des vins à indication géographique et sont donc gérés par l'Inao, organisme responsable de tous les signes d'origine et de qualité. Néanmoins, cette mutation de vin de pays en IGP n'est pas automatique, et chaque syndicat viticole gérant un VDP avait jusqu'à fin juin 2011 pour déposer un dossier de passage en IGP auprès de l'Inao, qui devait le transmettre après validation à la Commission européenne, pour étude et enregistrement. Pendant cette période de transition, les producteurs ont le choix pour l'étiquetage : ils peuvent conserver la mention « vin de pays », utiliser la mention « indication géographique protégée » ou les deux conjointement.

Trois catégories Il existe trois catégories d'IGP, selon l'extension de la zone géographique dans laquelle ils sont produits et qui compose leur dénomination : IGP « régionaux », issus de six grandes zones regroupant plusieurs départements (Val de Loire, Atlantique, Comté tolosan, Pays d'Oc, Méditerranée, Comtés rhodaniens et Franche-Comté) ; IGP de département, à l'exclusion toutefois des départements dont le nom est aussi celui d'une appellation (Jura, Savoie, Corse) ; enfin, IGP de zone provenant d'une entité restreinte correspondant parfois à un ou plusieurs cantons, une vallée ou une commune (ex. : Côte Vermeille, Côtes de Meuse, Cité de Carcassonne).

Le Languedoc en tête Les vins de pays représentent un gros quart de la production française en volume (entre 25 et 30 % selon les millésimes). La première région de production est le Languedoc-Roussillon, avec 85 % des volumes, très loin devant les régions PACA (9 %) et Midi-Pyrénées (8 %).

Des vins de cépages ou des vins d'assemblage originaux Le principal intérêt des vins de pays est la souplesse d'utilisation des cépages dont ils disposent. C'est ainsi que s'est développée la catégorie des « vins de cépage », cuvées élaborées à partir d'une unique variété de raisin fièrement affichée sur l'étiquette. Pour le producteur, les vins de pays offrent une possibilité de s'exprimer différemment, en dehors de canons de l'appellation d'origine, soit parce que les variétés qu'il utilise sont interdites dans les AOC locales, soit parce qu'il les emploie dans des proportions différentes de celles prévues en appellation. C'est également un moyen de compléter une offre en proposant une entrée de gamme, car les vins de pays, moins coûteux à produire, sont souvent vendus moins cher que les vins d'appellation. Les coopératives s'en sont d'ailleurs fait une spécialité et on y trouve des cuvées de vins de pays agréables, permettant une première approche des cépages et de la région.

Vallée de la Loire

Les vins de pays du Val de Loire, dénomination régionale, représentent à eux seuls 95 % de l'ensemble des IGP produites en vallée de la Loire ; une vaste région qui regroupe quatorze départements : Maine-et-Loire, Indre-et-Loire, Loiret, Loire-Atlantique, Loir-et-Cher, Indre, Allier, Deux-Sèvres, Puy-de-Dôme, Sarthe, Vendée, Vienne, Cher, Nièvre. À ces vins s'ajoutent les vins de pays de départements et les vins de pays de petites zones : Coteaux de la Charité, Coteaux de Tannay (Nièvre), Coteaux du Cher et de l'Arnon (entre l'Indre et le Cher) et Calvados (Basse-Normandie).

La production globale repose sur les cépages traditionnels de la région. Les vins blancs qui représentent 50 % de la production sont secs, frais et fruités, et principalement issus des cépages chardonnay, sauvignon et grolleau gris. Les vins rouges et rosés proviennent le plus souvent des cépages gamay, cabernet franc, pinot noir et grolleau noir. Ces vins de pays sont, en général, à servir jeunes. Cependant, dans certains millésimes, le cabernet peut se bonifier en vieillissant.

Calvados

ARPENTS DU SOLEIL Pinot noir 2011 ★

| ■ | 1 900 | 🍷 | 8 à 11 € |

Gérard Samson, « le » vigneron du Calvados, quinze millésimes au compteur, dont un coup de cœur pour son pinot gris 2010, est fidèle au rendez-vous, comme toujours. Honneur au rouge cette année, une fois n'est pas coutume. Un vin issu du seul pinot noir, un jeune pinot noir (neuf ans), qui dévoile un bouquet fin de fruits rouges et de cassis agrémentés de nuances florales et poivrées. Ample, charnu et frais, le palais suit la même ligne aromatique, porté par des tanins bien en place mais soyeux, sans dureté. Une bouteille déjà très harmonieuse que le vigneron recommande sur un canard au sang à la rouennaise ; l'accord est tentant...
🍇 Gérard Samson, Arpents du Soleil, Grisy, 14170 Saint-Pierre-sur-Dives, tél. 02 31 40 71 82, gerard.samson979@orange.fr,
☑ ⚐ ⟷ lun. ven. 14h-18h30 ; 1ᵉʳ sam. du mois 10h-17h

Côtes de la Charité

SERGE DAGUENEAU ET FILLES Pinot noir
Les Montées de Saint-Lay 2011 ★

| ■ | 4 400 | 🍷 | 8 à 11 € |

Ce domaine, créé par l'arrière-grand-mère Léontine au début du XXᵉs., a été repris en 2006 par Florence et Valérie Dagueneau, les « filles » de l'étiquette. Florence

disparue prématurément, Valérie perpétue la tradition familiale, et signe ici un pinot noir de belle facture. Robe grenat aux reflets bruns, nez intense de fruits rouges et noirs nuancés d'épices et d'une touche de cuir, bouche fraîche, tonique, ample et bien charpentée : tout indique un vin bien vinifié, déjà fort aimable, mais qui pourra aussi être attendu un an ou deux. La version **Chardonnay Les Montées de Saint-Lay 2011 (1 200 b.)**, bien équilibrée entre gras et vivacité, est citée.
🍇 Dom. Serge Dagueneau et Filles, Les Berthiers, 22, rue du Mont-Beauvois, 58150 Saint-Andelain, tél. 03 86 39 11 18, fax 03 86 39 05 32, sergedagueneaufilles@wanadoo.fr, ☑ ⚐ ⟷ r.-v.

DOM. LA PETITE FORGE Pinot noir 2011 ★★

| ■ | 2 500 | 🍷 | 5 à 8 € |

C'est ici, à l'emplacement de cette ancienne forge qui dépendait du prieuré de la Charité-sur-Loire, que le vignoble des Côtes de la Charité a connu sa renaissance, sous l'impulsion de la famille Pabion. Né du seul pinot noir, ce 2011 revêt une élégante robe grenat et déploie un joli nez de fruits rouges frais (cerise notamment) mâtinés de nuances torréfiées. La bouche, au diapason, offre du volume, de la fraîcheur et de la persistance. Un vin harmonieux, à boire dans l'année sur une grillade au feu de bois.
🍇 Daniel et Katrin Pabion, 136, chem. de la Petite-Forge, 58400 Raveau, tél. 03 86 70 30 80, petiteforge@yahoo.fr, ☑ ⚐ ⟷ r.-v.

Puy-de-Dôme

YVAN BERNARD Petrosus Pinot noir 2011 ★

| ■ | 3 000 | 🍷 | 8 à 11 € |

Ce domaine créé en 2002 est établi sur une butte de granite, un terroir pierreux – d'où le nom de cette cuvée, version latine du village de Montpeyroux – sur lequel la vigne aime à souffrir... et donc produire de jolis vins, à l'image de ce rouge. Au nez, la cerise à l'eau-de-vie et le cassis se mêlent à des notes balsamiques et minérales. Le palais se révèle ample, charnu et bien bâti autour de tanins fermes et d'un boisé élégant. On attendra un an ou deux pour apprécier cette bouteille sur une viande rouge sauce au poivre. La cuvée **Arkose 2011 gamay (3 000 b.)**, souple, bien équilibrée entre fruité (cassis) et boisé, est citée. À boire dans l'année.
🍇 Yvan Bernard, pl. de la Reine, 63114 Montpeyroux, tél. 04 73 55 31 97, bernard_corent@hotmail.com, ☑ ⚐ ⟷ r.-v.

DOM. MIOLANNE 2011

| ■ | 1 200 | 🍷 | 8 à 11 € |

De nouveaux propriétaires à la tête du domaine depuis 2012 avec l'arrivée de Jean-Baptiste Deroche et de Laure Cartier, qui prennent la suite de Gilles et Odette Miolanne. Premier changement : la conversion bio est engagée, ainsi que la plantation de nouveaux cépages et la création d'une nouvelle cave « écologique », en bois. Côté cave, un pinot noir intéressant par son bouquet épicé et fruité, relayé par un palais léger, souple et bien épaulé par le bois, sans excès. À boire dès aujourd'hui sur une grillade.

Les vins de pays

1 Vin de pays des Coteaux de Coiffy
2 Vin de pays de Franche-Comté
3 Vin de pays des Coteaux de l'Auxois
4 Vin de pays de Sainte-Marie-la-Blanche
5 Vin de pays des Coteaux du Cher et de l'Arnon
6 Vin de pays des Coteaux charitois
7 Vin de pays des Coteaux de Tannay
8 Vin de pays du Bourbonnais
9 Vin de pays d'Allobrogie
10 Vin de pays d'Urfé
11 Vin de pays des Balmes dauphinoises
12 Vin de pays des Coteaux du Grésivaudan
13 Vin de pays des Coteaux de l'Ardèche
14 Vin de pays des Collines rhodaniennes
15 Vin de pays des Coteaux des Baronnies
16 Vin de pays du Comté de Grignan
17 Vin de pays des Coteaux de Montélimar
18 Vin de pays des Coteaux du Verdon
19 Vin de pays de Mont-Caume
20 Vin de pays des Maures
21 Vin de pays d'Argens
22 Vin de pays de la Sainte Baume
23 Vin de pays des Alpilles
24 Vin de pays d'Aigues

25 Vin de pays de la Principauté d'Orange
26 Vin de pays des Sables du Golfe du Lion
27 Vin de pays du Duché d'Uzès
28 Vin de pays des Cévennes
29 Vin de pays de la Vistrenque
30 Vin de pays des Côtes du Vidourle
31 Vin de pays de la Vaunage
32 Vin de pays des Coteaux de Cèze
33 Vin de pays des Coteaux du Pont du Gard
34 Vin de pays des Coteaux flaviens
35 Vin de pays du Val de Montferrand
36 Vin de pays du Mont Baudile
37 Vin de pays des Côtes du Ceressou
38 Vin de pays des Monts de la Grage
39 Vin de pays des Coteaux d'Enserune
40 Vin de pays des Coteaux du Libron
41 Vin de pays des Coteaux de Murviel
42 Vin de pays des Coteaux de Laurens
43 Vin de pays des Côtes de Thongue
44 Vin de pays de la Bénovie
45 Vin de pays de Cassan
46 Vin de pays de la Haute Vallée de l'Orb
47 Vin de pays de Saint-Guilhem-le-Désert
48 Vin de pays des Coteaux de Bessilles
49 Vin de pays des Côtes du Brian
50 Vin de pays de Cessenon
51 Vin de pays des Coteaux du Salagou
52 Vin de pays de la Vicomté d'Aumelas
53 Vin de pays des Collines de la Moure
54 Vin de pays de Caux
55 Vin de pays des Coteaux de Fontcaude
56 Vin de pays de Bessan
57 Vin de pays du Bérange
58 Vin de pays des Côtes de Thau
59 Vin de pays des Coteaux de Peyriac
60 Vin de pays de la Haute Vallée de l'Aude
61 Vin de pays des Coteaux de Narbonne
62 Vin de pays des Côtes de Prouilhe
63 Vin de pays de la Cité de Carcassonne
64 Vin de pays de Cucugnan
65 Vin de pays du Val de Dagne
66 Vin de pays des Coteaux du Littoral audois
67 Vin de pays des Côtes de Pérignan
68 Vin de pays des Coteaux de la Cabrerisse
69 Vin de pays des Hauts de Badens
70 Vin de pays du Torgan
71 Vin de pays des Côtes de Lastours
72 Vin de pays du Val de Cesse
73 Vin de pays de la Vallée du Paradis
74 Vin de pays des Coteaux de Miramont
75 Vin de pays d'Hauterive
76 Vin de pays cathare
77 Vin de pays des Côtes catalanes
78 Vin de pays de la Côte Vermeille
79 Vin de pays charentais

80 Vin de pays du Périgord
81 Vin de pays des Terroirs landais
82 Vin de pays des Coteaux de Glanes
83 Vin de pays de Thézac-Perricard
84 Vin de pays de l'Agenais
85 Vin de pays des Coteaux et Terrasses de Montauban
86 Vin de pays des Côtes du Tarn
87 Vin de pays des Côtes de Montestruc
88 Vin de pays des Côtes du Condomois
89 Vin de pays des Côtes de Gascogne
90 Vin de Pays de Bigorre
91 Vin de Pays de l'Île de Beauté
92 Vin de Pays des Côtes de Meuse
93 Vin de Pays des Gaules

Vins de pays de département
Vins de pays régionaux
1 à 93 Vins de pays de zone

Source : ONIVINS

☛ Dom. Miolanne, 17, rte des Coudes, 63320 Neschers,
tél. 06 72 41 22 56, domainemiolane@gmail.com,
☑ ⚊ ⬥ r.-v.
☛ Deroche

CAVE SAINT-VERNY Pinot noir 2011 ★

| ■ | 50 000 | 5 à 8 € |

Le rosé Véraison 2011 avait obtenu un coup de cœur l'an dernier ; cette année, c'est le rouge qui est à l'honneur, sans atteindre les mêmes sommets mais avec tout de même de beaux atouts à faire valoir : une élégante robe grenat soutenu ; un bouquet expressif qui « pinote » à souhait sur les fruits rouges et les épices ; et une bouche souple, douce et d'un bon volume, soutenue par des tanins fondus. À boire dès l'automne, sur une viande blanche ou un fromage à pâte molle. Le **Pinot noir 2012 rosé (26 000 b.)**, finement fruité, est cité.
☛ Cave Saint-Verny, 2, rte d'Issoire, 63960 Veyre-Monton,
tél. 04 73 69 60 11, fax 04 73 69 65 22,
saint.verny@saint-verny.com, ☑ ⚊ ⬥ r.-v.

Val de Loire

GUY ALLION La Grive Sauvignon doux 2011

| ■ | 7 045 | 5 à 8 € |

Pour réaliser cette cuvée de sauvignon moelleux, Cédric Allion récolte les raisins en surmaturation mais, pour cela, il faut faire vite car les grives, gourmandes, veulent leur part de la récolte ! Doré, encore peu expressif au nez (légère réduction), ce vin offre une bouche douce à souhait qui régalera à l'apéritif ou sur un foie gras.
☛ Dom. Guy Allion, 15, rue du Haut-Perron, 41140 Thésée,
tél. 02 54 71 48 01, fax 02 54 71 48 51,
contact@guyallion.com, ☑ ⚊ ⬥ r.-v. 🏠 🅑

DOM. DE L'AUJARDIÈRE Fié gris 2012

| ■ | 8 000 | 8 à 11 € |

Michèle Vételé, sommelière et propriétaire avec son mari du restaurant étoilé *Anne de Bretagne*, a sauvé de l'arrachage cette parcelle de fié gris, autre nom du sauvignon gris, dont elle a confié l'exploitation à Éric Chevalier. Affichant une robe jaune clair et un nez d'agrumes discret, leur vin se révèle en bouche par une chair soyeuse et fraîche. À découvrir sur des queues de langoustines poêlées aux agrumes et chutney safrané, un des plats du restaurant !
☛ Éric Chevalier, Dom. de l'Aujardière,
44310 Saint-Philbert-de-Grand-Lieu,
tél. et fax 02 40 78 05 19, eric@chevalierledomaine.com,
☑ ⚊ ⬥ t.l.j. sf dim. 8h30-12h30 14h-19h; sam. sur r.-v. 🏠 🅓

BEAUREGARD Sauvignon 2012 ★★

| ■ | 6 000 | - de 5 € |

Ce domaine familial créé en 1972 par Jean-Noël Macé est depuis 2003 conduit par son fils Éric. Celui-ci signe un pur sauvignon jaune pâle aux reflets argentés, au bouquet expressif et typé de fleurs blanches, d'agrumes et de bourgeon de cassis sur un fond légèrement fumé. Le palais conjugue harmonieusement fraîcheur et gras, et déploie une longue finale aux accents fruités. Une expression remarquable du sauvignon, à déguster sur un poisson de Loire. Le **chardonnay 2012 (3 000 b.)**, dans un style logiquement plus rond, est cité.

☛ EARL Beauregard, 49600 La Chaussaire,
tél. 02 41 56 73 84, beauregard.viticulteur@orange.fr,
☑ ⚊ ⬥ r.-v.

DOM. DU BOIS-PERRON Merlot 2012 ★★

| ■ | 1 350 | ■ | - de 5 € |

Souvent sélectionné, le merlot de ce domaine établi dans l'aire du muscadet se montre particulièrement éclatant cette année : nez ouvert sur les fruits rouges et noirs, bouche « somptueuse », souple et gourmande, qui réjouira sur une belle viande grillée.
☛ GAEC du Bois-Perron, Le Perron,
44430 Le Loroux-Bottereau, tél. 02 51 71 90 63,
fax 02 40 03 71 55, jean-michel.burot@wanadoo.fr,
☑ ⚊ ⬥ r.-v.

DOM. DES BONNES GAGNES Sauvignon 2012

| ■ | 5 000 | - de 5 € |

Ce domaine angevin tire son épingle du jeu dans les deux couleurs cette année : côté blanc, ce sauvignon expressif, fruité et floral, plein de vivacité en bouche, qui animera un apéritif ; côté rouge, le **Grolleau 2012 (5 000 b.)**, ample et fruité, légèrement épicé, parfait sur des tendrons de veau grillés.
☛ Héry-Vignerons, Dom. des Bonnes Gagnes, Orginé,
49320 Saint-Saturnin-sur-Loire, tél. 02 41 91 22 76,
hery.vignerons@wanadoo.fr,
☑ ⚊ ⬥ t.l.j. sf dim. 9h-12h 14h-19h

DOM. BOUFFARD Gamay 2012 ★

| ■ | 13 000 | - de 5 € |

Producteurs de muscadet et de gros-plant, les Bouffard élargissent leur palette avec des vins de pays. Fruits rouges, fraîcheur, souplesse, leur gamay offre tout ce que l'on attend d'un rosé. Pareillement vif, le **Sauvignon 2012 (10 500 b.)** décline toute la gamme des arômes du cépage : agrumes, genêt, bourgeon de cassis, buis. Une citation.
☛ GAEC Gilles et Frédéric Bouffard, 8, La Brosse,
49230 Saint-Crespin-sur-Moine, tél. et fax 02 41 70 43 42,
gaec.bouffard@orange.fr, ☑ ⚊ ⬥ r.-v.

COULEURS DU BREUIL Le Grolleau 2011 ★★

| ■ | 5 000 | 5 à 8 € |

Situé en Anjou, ce château propose une gamme intéressante de vins de pays dont deux « couleurs » sont sélectionnées. Floral (rose, pivoine), fruité (myrtille) et épicé (poivre), le grolleau est un vin complexe et plein de gourmandise, que l'on servira sur une assiette de charcuteries. En blanc, la cuvée **Les Petites Rochettes 2012 (5 000 b.)**, issue de la parcelle éponyme, dominée par le chenin (70 %) complété de sauvignon et chardonnay, est citée pour son expression aromatique.
☛ Ch. du Breuil, rte de Rochefort,
49750 Beaulieu-sur-Layon, tél. 02 41 78 32 54,
fax 02 41 78 30 03, ch.breuil@wanadoo.fr,
☑ ⚊ ⬥ r.-v. 🏠 🅓

LE CELTIQUE Marches de Bretagne Pinot gris 2012 ★

| ■ | 10 000 | - de 5 € |

Bien connu des lecteurs du Guide, élu coup de cœur l'an dernier, ce vin a, sans atteindre les mêmes sommets, de nouveau séduit le jury par son nez floral bien ouvert et sa bouche fruitée soutenue par une plaisante minéralité. Le secret de ce succès ? Peut-être les 15 % de cépage melon dans

l'assemblage, non indiqués sur l'étiquette, comme l'autorise la réglementation, mais le Guide vous dit tout ! À déguster sur une cassolette de fruits de mer aux pointes d'asperges.
🍷 Vignoble Bidgi, 11, rue du Calvaire, La Cornillère, 44690 La Haye-Fouassière, tél. 02 40 54 83 24, scea.bideau.giraud@wanadoo.fr, ☑ ⚭ ⊤ r.-v.
🍷 Bideau-Giraud

❤ **LA CHAUME** Vendée Bel Canto 2011 ★★

| ■ | 10 000 | ■ | 8 à 11 € |

LA CHAUME

Bel Canto

2011

Le vignoble le plus « sudiste » du Val de Loire, à équidistance entre la Loire et le Médoc, d'où sans doute le choix du merlot comme cépage principal sur les terres de ce domaine acquis en 1997 par Estelle et Christian Chabirand et entièrement replanté par leurs soins. Le seul cépage aussi à entrer dans la composition de ce 2011 remarquable en tout point. Robe d'un beau rouge profond. Nez intense et généreux de fruits à maturité (cassis, mûre). Bouche tout aussi puissante et fruitée, une trame minérale en soutien lui apportant finesse et longueur. Un vin de caractère, armé pour bien évoluer au cours des trois prochaines années et pour affronter une viande de goût, du gibier par exemple. Le **rosé 2012 (2 500 b.)**, rond et charnu, est cité. On l'ouvrira à l'apéritif.
🍷 Prieuré la Chaume, 35, chem. de la Chaume, 85770 Vix, contact@la-chaume.net, ☑ ⚭ ⊤ r.-v.
🍷 Christian Chabirand

DOM. DE LA **COCHE** Pays de Retz Grolleau gris 2012 ★

| ■ | 7 000 | ■ | - de 5 € |

Détenteur d'une Grappe de bronze du Guide pour un coup de cœur en muscadet-côtes-de-grand-lieu, le domaine réussit également bien en vin de pays. Pour preuve ce grolleau gris, cépage rare qui donne ici un vin au nez minéral et exotique et à la bouche mûre et fraîche. Parfait pour accompagner des poissons gras, comme le maquereau. Le **chardonnay 2012 Pays de Retz (15 000 b.)**, cité pour sa richesse et sa persistance, conviendra aux crustacés.
🍷 SCEA Dom. de la Coche, La Coche, 44680 Sainte-Pazanne, tél. 02 40 02 44 43, contact@domainedelacoche.com, ☑ ⚭ ⊤ t.l.j. sf dim. lun. 10h-12h 14h-19h

❤ **VIGNOBLE COGNÉ** Pinot noir 2012 ★★

| ■ | 17 000 | ■ | - de 5 € |

L'une des valeurs sûres de l'IGP Val de Loire, connue aussi sous l'étiquette Dom. de la Couperie, avec laquelle la famille Cogné a déjà décroché plusieurs coups de cœur. En voici un de plus avec ce pinot noir élevé six

mois en cuve. Paré d'une seyante robe grenat, il livre un bouquet fort aimable de fruits rouges légèrement compotés, que prolonge avec élégance un palais équilibré, léger, souple et fondu. Un vin « aérien », à déguster dès l'automne sur une viande blanche. La cuvée **Rubys 2009 (15 à 20 € ; 1 500 b.)**, issue du seul cabernet franc et élevée deux ans en barrique, obtient une étoile pour sa solide structure et son boisé respectueux du fruit. À attendre deux ans.
🍷 SCEV Claude Cogné, 227, La Couperie, 49270 Saint-Christophe-la-Couperie, tél. 02 40 83 73 16, fax 02 40 83 76 71, cogne.vin@orange.fr, ☑ ⊤ r.-v.

DOM. DU **COLOMBIER** Sauvignon gris 2012 ★

| ■ | 5 600 | | - de 5 € |

Situé en Maine-en-Loire, aux portes du muscadet, ce domaine propose un vin qui est en fait un assemblage des sauvignons gris (85 %) et blanc, même si seul le premier est revendiqué sur l'étiquette. Bien typé au nez sur les fruits exotiques (le côté « muscaté » du cépage dominant), le vin affiche ampleur et soyeux en bouche. Pour des brochettes de poisson grillées.
🍷 Jean-Yves Bretaudeau, 3, Le Colombier, 49230 Tillières, tél. 02 41 70 45 96, fax 02 76 01 32 71, contact@lecolombier.com, ☑ ⚭ ⊤ r.-v.

DOM. DE LA **COUCHETIÈRE** Grolleau 2012 ★

| ■ | 8 000 | | - de 5 € |

Le domaine s'est agrandi récemment avec la construction d'un chai à barriques. Ce grolleau n'en a pas profité : c'est un vin facile, de pur plaisir, mêlant le floral (iris) au fruité (mûre) avec à l'arrière-plan la touche poivrée caractéristique du cépage. À ouvrir sur des charcuteries de pays.
🍷 EARL Brault, Dom. de la Couchetière, 49380 Notre-Dame-d'Allençon, tél. 02 41 54 30 26, fax 02 41 54 40 98, domaine.de.la.couchetiere@wanadoo.fr, ☑ ⚭ ⊤ t.l.j. sf dim. 8h-12h 14h-19h

DOM. **DELAUNAY** Tentation Sauvignon 2012

| ■ | 8 000 | ■ | - de 5 € |

À la fois floral, végétal (buis) et fruité (agrumes), ce vin décline la palette aromatique du sauvignon. Il en a également toute la fraîcheur, ce qui le destine à accompagner des fromages de chèvre ou une entrée froide.
🍷 Dom. Delaunay, Le Val-Fleuri, 44430 Le Loroux-Botteau, tél. 02 40 33 86 84, fax 02 40 33 88 99, domaineduvalfleuri@wanadoo.fr, ☑ ⚭ ⊤ r.-v.

VDP/IGP

DOM. DE L'ÉPINAY Caprice Pinot gris 2012

| | 7 000 | | - de 5 € |

Voici un doux caprice... Le pinot gris se prête bien à la surmaturation, comme le montre ce vin demi-sec (20 g/l de sucres résiduels) qui oscille entre l'abricot, la mangue et la violette. Jamais lourd grâce à une fraîcheur préservée, il fera un bon compagnon de l'apéritif.

☛ EARL Cyrille et Sylvain Paquereau, L'Épinay, 20, rte de la Sablette, 44190 Clisson, tél. 02 40 36 13 57, domaine-epinay@orange.fr, ☑ ☆ ☱ r.-v.

DOM. DE L'ERRIÈRE Chardonnay 2012 ★

| | 2 000 | | - de 5 € |

Plusieurs fois sélectionné récemment pour ses cabernets, le domaine offre ici à goûter d'autres cépages. En blanc, ce chardonnay floral et fin, marqué par une note d'acacia, rond et persistant en bouche, que l'on ouvrira sur un poisson en sauce crémée. En rouge, le **Gamay 2012 (2 000 b.)**, vinifié à la beaujolaise en macération carbonique, obtient également une étoile pour son expression aromatique (prune, cerise, bonbon) et sa gourmandise.

☛ GAEC Madeleineau, L'Errière, 44430 Le Landreau, tél. 02 40 06 43 94, fax 02 40 06 48 82, domaine-madeleineau@orange.fr, ☑ ☆ ☱ r.-v.

DOM. DE L'ESPÉRANCE Cabernet franc 2012

| | 7 500 | | - de 5 € |

Le domaine fête ses cent ans en 2013 ! Sans doute déboucheront-ils quelques bouteilles de prestige pour l'occasion... S'il est plus modeste, leur rosé n'est pas à dédaigner avec ses notes gourmandes de fruits rouges (fraise, framboise) et sa fraîcheur présente tout au long de la dégustation. « À boire en mangeant », conclut un dégustateur ; suggestion du vigneron : avec une pizza poivron-lardons-dés de chèvre.

☛ GAEC Patrice et Anne-Sophie Chesné, 4, L'Espérance, 49230 Tillières, tél. et fax 02 41 70 46 09, gaecchesne@orange.fr, ☑ ☆ ☱ t.l.j. sf mer. dim. 9h-12h30 14h-18h

DOM. DU FRESNE Sauvignon 2012 ★

| | 20 000 | | - de 5 € |

Le Fresne est un vrai petit château, édifié en 1436 en pierre de schistes. Depuis 2010, un trio de vignerons y officie (Yannis, David et Nicolas Richez), et propose un sauvignon plus complexe qu'il n'y paraît au premier abord. Bien fruité au nez (pomme, raisin), il attaque avec légèreté avant de révéler un chair ample, bien équilibrée entre le gras et la fraîcheur, et d'une bonne persistance.

☛ Ch. du Fresne, 25 bis, rue des Monts, 49380 Faye-d'Anjou, tél. 02 41 54 30 88, fax 02 41 54 17 52, contact@chateaudufresneanjou.com, ☑ ☆ ☱ t.l.j. sf dim. 8h-12h 14h-19h

DOM. DE LA FRUITIÈRE Chardonnay 2012 ★

| | 16 000 | | - de 5 € |

Sur le granit de Château-Thébaud, on ne produit pas que des grands muscadet, mais aussi de savoureux vins de pays, tels que ce chardonnay complexe respirant les fruits blancs et le beurre frais. Souple à l'attaque, la bouche se fait plus ample, affichant une structure qui évoque à un dégustateur le « style bourguignon ». Il y a pire qualificatif pour ce cépage !

☛ SARL Pierre et Chantal Lieubeau, La Croix-de-la-Bourdinière, 44330 Château-Thébaud, tél. 02 40 06 54 81, fax 02 40 06 51 08, pierre@lieubeau.com, ☑ ☆ ☱ t.l.j. sf dim. 10h30-12h30 14h-19h

DOM. DU GRAND FIEF Chardonnay Cuvée Prestige 2012

| | 13 500 | | - de 5 € |

Des deux vins blancs du domaine sélectionnés, le chardonnay semble avoir plus conquis le jury, et la première étoile n'est pas loin. Les dégustateurs ont apprécié le fruité intense, la finesse et l'équilibre : « simple mais très bien fait », concluent-ils, l'imaginant sur quelques charcuteries. Le **Sauvignon 2012 (8 600 b.)** est apprécié pour sa fraîcheur florale et sa bonne persistance.

☛ EARL Dominique Guérin, Les Corbeillères, 44330 Vallet, tél. 02 40 36 27 37, dominique.guerin13@wanadoo.fr, ☑ ☆ ☱ t.l.j. sf dim. 8h-20h

VIGNOBLE JAUMOUILLÉ 2012 ★★

| | 1 300 | | - de 5 € |

Établi sur les coteaux de la Maine, dans l'aire du muscadet-sèvre-et-maine et ses sols de gabbro, de granite et de gneiss, ce domaine étend son vignoble sur 35 ha. Si le melon y trouve un formidable terrain d'expression, le sauvignon s'y sent bien lui aussi. Témoin ce 2012 jaune pâle au bouquet intensément fruité (agrumes) et floral, franc, frais et long en bouche. Préparez les huîtres...

☛ Jaumouillé, lieu-dit 4 La Noue, 49230 Saint-Crespin-sur-Loire, tél. et fax 02 41 70 41 72, vignoblejaumouille@terre-net.fr, ☑ ☆ ☱ t.l.j. sf dim. 9h-12h 14h-19h

LAPORTE Le Bouquet Sauvignon blanc 2012 ★

| | 74 000 | | 5 à 8 € |

Ce « Bouquet » se veut un hymne au fruit du sauvignon, d'après le producteur. De fait, les dégustateurs s'accordent à trouver ce vin bien typé : bourgeon de cassis, feuille de citronnier et buis pour le nez ; volume et fraîcheur, bonne persistance pour la bouche. À servir sur quelques écrevisses à la mayonnaise.

☛ SAS Laporte, Cave de La Cresle, rte de Sury-en-Vaux, BP 34, 18300 Saint-Satur, tél. 02 48 78 54 20, fax 02 48 54 34 33, contact@laporte-sancerre.com, ☑ ☆ ☱ r.-v.

☛ Arnaud Bourgeois

Ⓑ LEVIN Sauvignon blanc 2012

| | 31 000 | | 8 à 11 € |

Très tourné vers l'international, vers où sont exportés 95 % de la production, le domaine propose un sauvignon bien typé qui respire le genêt. Équilibrée entre franchise et rondeur, la bouche moyennement complexe reste toujours agréable. Pour une terrine de poisson.

☛ SARL Levin, 40, chem. du Poliveau, 41400 Bourre, tél. 02 54 32 92 49, fax 02 54 32 89 29, communication@domainelevin.fr, ☑ ☆ ☱ r.-v.

MARIGNY-NEUF Sauvignon 2012 ★

| | 100 000 | | 5 à 8 € |

Frédéric Brochet est un homme étonnant au parcours complexe, trop long à résumer ici (son site Web en donne un bon aperçu). Disons seulement qu'il fut, à une époque, « élève » de Denis Dubourdieu à la fac de

Bordeaux : cela n'est pas rien quand on fait du sauvignon ! Vinifié avec soin, celui-ci, d'abord fermé, s'ouvre ensuite sur les fleurs blanches et les agrumes. Franche à l'attaque, la bouche se fait plus ronde, avec juste ce qu'il faut d'acidité pour tenir l'ensemble. La deuxième étoile n'est pas loin.

↝ Ampelidae, Manoir de Lavauguyot, 86380 Marigny-Brizay, tél. 05 49 88 18 18, fax 05 49 88 18 85

☑ ⚔ ⊥ t.l.j. sf dim. 10h-12h30 14h-18h 🏠 🅱

↝ Frédéric Brochet

MARQUIS DE GOULAINE Chardonnay 2012

90 000	🗎	- de 5 €

Vin de marque des Grands Chais de France, ce Marquis est un assemblage de moûts et de raisins provenant essentiellement du Pays nantais. Le citron, le chèvrefeuille et le biscuit marquent le nez ; ample et légèrement vanillée, la bouche est plus gourmande que complexe. À servir sur un pavé de saumon à la crème.

↝ Lacheteau, Ch. du Cléray, 44194 Vallet, tél. 02 40 36 66 00, fax 02 40 36 34 62

☑ ⚔ ⊥ t.l.j. sf sam. dim. 9h-12h 13h30 16h30

↝ Grands Chais de France

JOSEPH MELLOT Destinéa Sauvignon blanc 2012 ★

100 000	🗎	- de 5 €

Grande maison du Centre-Loire, Mellot revisite avec sa gamme Destinéa les cépages de la région. Après le pinot noir l'an dernier, voici un sauvignon élevé sur lies fines. De quoi conférer du gras et du volume à ce vin dominé par de plaisants arômes de fleurs blanches et d'agrumes. Pour jouer la tonalité locale jusqu'au bout, ouvrez-le sur des crottins de Chavignol.

↝ SAS Joseph Mellot, rte de Ménétréol, 18300 Sancerre, tél. 02 48 78 54 54, fax 02 48 78 54 55, josephmellot@josephmellot.com,

☑ ⚔ ⊥ t.l.j. 8h15-12h 13h30-17h ; sam. dim. sur r.-v.

↝ Catherine Corbeau-Mellot

DOM. MÉNARD-GABORIT MéGaNome Chardonnay Cuvée Fût de chêne 2011

2 000	⊞	5 à 8 €

MéGaNome est la gamme des vins de gastronomie du domaine. On y trouve naturellement les vins élevés sous bois, tel ce chardonnay passé onze mois en fût qui marie le grillé à l'abricot mûr. Souple et flatteuse, la bouche affiche une bonne persistance. À servir sur des noix de pétoncles accompagnées d'une crème de chou-fleur.

↝ Dom. Ménard-Gaborit, 30-34, La Minière, 44690 Monnières, tél. 02 40 54 61 06, fax 02 40 54 66 12, info@domaine-menard-gaborit.fr,

☑ ⚔ ⊥ t.l.j. sf dim. 10h-12h30 15h-18h 🏠 🅱

♥ DOM. DE MONTGILET Sauvignon 2012 ★★

14 600	🗎	5 à 8 €

Réputé notamment pour ses coteaux-de-l'aubance et valeur sûre de la région, ce domaine situé aux portes d'Angers soigne aussi ses « simples » vins de pays. Rien de simpliste ici toutefois, et ce pur sauvignon a fait forte impression. La robe est limpide, cristalline et brillante. Le nez, complexe, décline les agrumes, les fruits exotiques et le raisin sec avec une fine trame minérale en soutien. La bouche offre un équilibre remarquable, se montrant à la fois fruitée, florale, fraîche et soyeuse, et elle semble ne

devoir jamais finir. Parfait pour un plateau de fruits de mer ou un fromage de chèvre sec.

↝ Dom. de Montgilet, 10, chem. de Montgilet, 49610 Juigné-sur-Loire, tél. 02 41 91 90 48, fax 02 41 54 64 25, montgilet@wanadoo.fr,

☑ ⚔ ⊥ t.l.j. sf dim. 9h-12h 14h-18h ; sam. sur r.-v.

↝ Victor et Vincent Lebreton

DOM. DU MOULIN CAMUS Merlot de Loire 2012 ★

8 000	🗎	- de 5 €

Serez-vous plutôt merlot ou gamay ? Les deux décrochent une étoile. Si vous aimez les notes intenses de fruits noirs et les vins amples d'une certaine puissance, optez pour le premier et ouvrez-le sur une viande rouge grillée. Si vous préférez les petits fruits rouges acidulés et les tanins souples, prenez le **Gamay de Loire 2012 (10 000 b.)** et mijotez-lui un tajine de poulet.

↝ Huteau Boulanger, 41, rue Saint-Vincent, 44330 Vallet, tél. 02 40 33 93 05, fax 02 40 36 29 26, domainedumoulincamus@wanadoo.fr,

☑ ⚔ ⊥ t.l.j. sf dim. 8h30-12h30 14h-18h ; sam. sur r.-v.

↝ Boulanger

♥ LE MOULIN DE LA TOUCHE Grolleau gris 2012 ★★★

8 000	🗎	- de 5 €

Ce domaine a été créé en 1970 sur les coteaux sud qui dominent le marais breton et la baie de Bourgneuf-en-Retz ; 16 ha de vignes aujourd'hui entourant un ancien moulin érigé en 1745 et transformé en caveau par la famille Hérissé. Celle-ci met le grolleau gris à l'honneur avec ce 2012 jaune pâle et lumineux, au nez puissant, fruité – agrumes, fruits blancs (pêche, poire), fruits jaunes (abricot) - et finement floral. Le palais prolonge avec force intensité ce caractère fruité et offre un équilibre parfait entre onctuosité et fraîcheur. À réserver pour un poisson noble, un filet de turbot au beurre blanc par exemple. Le **Chardonnay 2012 (8 000 b.)**, moins abouti mais appréciable pour son expression aromatique et sa bonne longueur, est cité.

☞ Joël et Vincent Hérissé, Le Moulin de la Touche,
44580 Bourgneuf-en-Retz, tél. et fax 02 40 21 47 89,
contact@lemoulindelatouche.com,
☑ ⚔ ⏋ t.l.j. sf dim. 10h-12h 15h-18h

DOM. DE LA NOË Chardonnay
Élevé en fût de chêne 2012 ★

| | 10 000 | ⦿ | - de 5 € |

Il est usuel de commencer par parler du vin le mieux
noté, mais on ne résiste pas ici à l'envie de citer d'abord
le rosé Egiodola 2012 (20 000 b.). Ce n'est pas le nom
d'une cuvée mais bien celui d'un cépage rare et récent,
obtenu par croisement en 1954 à l'INRA de Bordeaux. Il
couvrirait quelque 300 ha seulement en France... Il donne
un vin simple, fruité et équilibré, parfait pour l'apéritif.
Quant au chardonnay, c'est un vin intense mais d'une belle
finesse, qui laisse en bouche une impression de sucrosité.
À réserver pour une viande blanche.
☞ Dom. de la Noë, La Noë, 44690 Château-Thébaud,
tél. 02 40 06 50 57, fax 09 55 85 50 57,
domainedelanoe@free.fr,
☑ ⚔ ⏋ t.l.j. sf dim. 8h-12h30 14h-19h ⌂ ⊜
☞ Drouard

LAURENT PERRAUD Pinot noir 2012 ★

| | 4 000 | ▣ | - de 5 € |

On peut être établi à Clisson, cru communal du
muscadet récemment reconnu, et produire des vins
rouges, comme le montre Laurent Perraud avec ce pinot noir
élégant ouvert sur la cerise. Souple, légèrement épicé, le
palais évolue sur des tanins fondus. Pour une viande
blanche ou un saint-nectaire crémeux.
☞ Laurent Perraud, Dom. de la Vinçonnière, 44190 Clisson,
tél. 02 40 03 95 76, domaine.vinconniere@wanadoo.fr,
☑ ⚔ ⏋ t.l.j. 8h30-12h 14h-19h; sam. sur r.-v.

DOM. DU PETIT CHÂTEAU Chardonnay 2012 ★

| | 120 000 | ⦿⦿ | - de 5 € |

Élevé pour partie en fût, ce chardonnay a fait sa
« malo », la deuxième fermentation (malolactique) qui a
pour effet d'assouplir les vins. L'ensemble est donc ample,
souple et gras mais non dépourvu de fraîcheur, et marqué
par des notes de fleurs, de fruits blancs et de beurre.
Pensez-y pour la blanquette de veau.
☞ SCEA de la Ragotière, Les Frères Couillaud,
Ch. de la Ragotière, 44330 La Regrippière,
tél. 02 40 33 60 56, fax 02 40 33 61 89,
freres.couillaud@wanadoo.fr,
☑ ⚔ ⏋ t.l.j. sf sam. dim. 8h-12h 14h-18h

DOM. DU PETIT CLOCHER Sauvignon 2012 ★

| | 13 000 | ▣ | 5 à 8 € |

Le domaine collectionne les sélections, les étoiles et
les coups de cœur, tant en AOC qu'en vins de pays. Il ne
manquera pas à l'appel cette année grâce à ce sauvignon
parfumé et harmonieux, équilibré entre une certaine
rondeur et la vivacité ; on l'ouvrira sur des fromages de
chèvre.
☞ Dom. du Petit Clocher, 1, rue du Layon,
49560 Cléré-sur-Layon, tél. 02 41 59 54 51,
fax 02 41 59 59 70, petit.clocher@wanadoo.fr,
☑ ⚔ ⏋ t.l.j. sf dim. 8h30-12h30 14h-18h
☞ Denis

LE PETIT FIEF Chardonnay 2011 ★★

| | 10 000 | ▣ | - de 5 € |

Né du seul chardonnay, ce 2011 a séduit d'emblée les
dégustateurs par sa livrée brillante aux reflets d'or. Le nez,
tout en finesse, évoque les fleurs blanches. Une même
élégance caractérise le palais qui, après une attaque
franche, se révèle très fruité (pêche) et floral, souple,
ample et remarquablement équilibré entre douceur et
vivacité. Une bouteille harmonieuse, à servir à l'apéritif ou
sur un poisson en sauce.
☞ Dominique Salmon, Les Landes-Devin,
44690 Château-Thébaud, tél. 02 40 06 53 66,
fax 02 40 06 55 42 ☑ r.-v.

CLAUDE-MICHEL PICHON Chardonnay 2012

| | 10 000 | ▣ | - de 5 € |

Récolté bien mûr, le chardonnay de Claude-Michel
Pichon présente une légère sucrosité résiduelle (4,8 g/l)
que nos dégustateurs, à l'aveugle, ont bien détectée.
Certains ont aimé cette petite note gourmande, d'autres
ont regretté la perte de caractère, pour ne pas dire de
typicité du cépage. Pour ceux qui aiment, une lotte à
l'américaine sera bienvenue. Le Cabernet franc 2012
rouge (11 600 b.), joliment charnu, est cité.
☞ SCEA Claude-Michel Pichon, 60, La Chevillardière,
44330 Vallet, tél. 02 53 55 73 39, fax 02 40 06 74 29,
cmpichon@orange.fr, ☑ ⚔ ⏋ t.l.j. sf dim. 9h-12h30 14h-19h

PIERRE PICOT Allier Sacy Sainte-Agathe 2012 ★★

| | 1 600 | ▣ | 8 à 11 € |

Pierre Picot propose une belle expression du sacy,
cépage blanc de l'Allier (le même que celui que l'on trouve
encore parfois en Bourgogne). Rarement vinifié seul, il
entre notamment, sous le nom de tressalier, dans l'assemblage des saint-pourçain, associé au chardonnay, cépage
principal de cette appellation. Il donne ici naissance à un
vin finement bouqueté autour des agrumes, de la pêche et
des fleurs blanches, au palais tendre, souple et rond, une
juste fraîcheur en soutien.
☞ Dom. du Chaillot, pl. de la Tournoise,
18130 Dun-sur-Auron, tél. 02 48 59 57 69,
fax 02 48 59 58 78, pierre.picot@wanadoo.fr, ☑ ⚔ ⏋ r.-v.
☞ Pierre Picot

VIGNOBLE POIRON-DABIN Pinot noir 2012 ★★

| | 2 800 | | 5 à 8 € |

Les lecteurs fidèles se rappelleront sans doute que ce
domaine avait déjà brillé avec son pinot noir 2010, coup
de cœur du Guide. La version 2012 a aussi de beaux
arguments à faire valoir. Jolie robe grenat, nez intense de
petits rouges et noirs, bouche à l'unisson, un rien épicée,
portée par des tanins soyeux. Un vin équilibré et long, à
servir dès l'automne sur un coq au vin.
☞ Poiron-Dabin, Chantegrolle, 44690 Château-Thébaud,
tél. 02 40 06 56 42, fax 02 40 06 58 02,
poiron-dabin@orange.fr, ☑ ⚔ ⏋ t.l.j. sf dim. 8h-12h 14h-18h

DOM. DE LA RABLAIS Cuvée St-Georges
Sauvignon blanc 2012 ★

| | 20 000 | ▣ | - de 5 € |

Entièrement tourné vers la production de vins de
cépages, ce domaine bichonne ses raisins. Ainsi ces
sauvignons ont été vendangés à l'aube ou au crépuscule,
« à la fraîche » donc, pour que les arômes soient préservés.

Mission accompli si l'on en juge par ce vin dont le nez intense « honore le sauvignon », selon la jolie formulation d'un dégustateur. La bouche, tout aussi expressive, affiche une belle fraîcheur. Pour les coquillages.

☛ Antoine Simoneau, 20, rue des Vendanges, 41400 Saint-Georges-sur-Cher, tél. 02 54 71 36 14, fax 02 54 32 59 32, contact@antoinesimoneau.com, ☑ ⵠ t.l.j. sf dim. 9h-12h 14h-18h

RÉTHORÉ DAVY Le Pavillon
Chardonnay sauvignon 2012 ★

	9 333	▮	5 à 8 €

Un « Pavillon blanc »... nous ne sommes pourtant pas à Margaux mais dans les Mauges, région située entre la Loire, le Layon et la Sèvre nantaise. Le domaine propose cet assemblage dans lequel le sauvignon domine légèrement (55 %), et dont le nez complexe mêle le floral (rose, chèvrefeuille), le fruité (pamplemousse, clémentine) et l'exotique (fruit de la Passion). Attaquant sur la fraîcheur, le palais affiche de la puissance tout en restant élégant. Un vin « bien ciselé », à servir sur une viande blanche.

☛ SCEA Réthoré Davy, Les Vignes, 49110 Saint-Rémy-en-Mauges, tél. 02 41 30 12 58, fax 02 41 46 35 44, rethore.c@wanadoo.fr, ☑ ⚒ ⵠ r.-v.

DOM. ROBINEAU CHRISLOU Sauvignon 2012 ★

	8 400	▮	- de 5 €

Établi sur une vingtaine d'hectares, ce domaine angevin élabore un sauvignon minéral à souhait, dont le nez délicat respire les fleurs et les fruits blancs. Riche et grasse tout en restant d'une bonne franchise, la bouche exprime toute la maturité du raisin. À servir sur des fruits de mer.

☛ Louis Robineau, 24, rue du Bon-Repos, 49750 Saint-Lambert-du-Lattay, tél. et fax 02 41 78 36 04, robineau-chrislou@voila.fr, ☑ ⚒ ⵠ r.-v.

LA RONCIÈRE Pinot noir 2011 ★

	9 000	▮⏛	- de 5 €

Né dans le Sancerrois, ce pinot noir a été élevé pour une petite partie en fût (10 %). Il en garde quelques notes grillées, qui ponctuent agréablement un nez de fruits noirs, et une bouche charnue aux tanins souples. Un vin agréable et fin, à découvrir sur une viande en sauce ou quelques charcuteries.

☛ Arielle Vatan, rte des Petites-Perrières, 18300 Verdigny, tél. 02 48 79 33 07, fax 02 48 79 36 30, avatan@terre-net.fr, ☑ ⚒ ⵠ r.-v.

DOM. LA TOUR BEAUMONT Chardonnay 2012 ★

	6 600	▮	5 à 8 €

Depuis 2011, Pierre Morgeau vinifie en duo avec son père Gilles sur ce domaine familial créé en 1860. En 2013 s'est ouvert un nouveau caveau de dégustation (avec accès pour handicapés). Une bonne occasion de venir découvrir les vins du Poitou, dont ce chardonnay floral et citronné, assez riche, qui exprime bien les caractéristiques du cépage. Pour un poisson de rivière.

☛ Gilles et Brigitte Morgeau, 2, av. de Bordeaux, 86490 Beaumont, tél. 05 49 85 50 37, fax 05 49 85 58 13, tour.beaumont@terre-net.fr, ☑ ⵠ t.l.j. sf dim. 9h30-12h 14h30-19h (18h sam. et en hiver)

DOM. DE LA TOURLAUDIÈRE Marches de Bretagne 2012 ★

	21 330	▮⏛	- de 5 €

Au domaine, vous aurez le choix entre ce chardonnay classique, bien élevé, aux notes intenses de fruits blancs et de fruits exotiques, et à la bouche grasse et fraîche, et la cuvée anniversaire **1712 folle blanche 2012** (**2 000 b.**). Faisant référence à la date d'un acte notarié attestant de la présence d'une vigne, elle met à l'honneur ce cépage également connu sous le nom de gros-plant. Fruitée (agrumes), épicée, minérale, elle sera parfaite, à en croire le producteur, pour une dégustation comparative de crus d'huîtres !

☛ EARL Petiteau-Gaubert, La Tourlaudière, 174, Bonne-Fontaine, 44330 Vallet, tél. 02 40 36 24 86, fax 02 40 36 29 72, vigneron@tourlaudiere.com, ☑ ⚒ ⵠ r.-v.

DOM. DES TRAHAN Merlot Cuvée Alexis 2011 ★★

	2 500	⏛	5 à 8 €

Ce domaine est établi aux confins sud du vignoble angevin, dans la partie viticole des Deux-Sèvres : 4 ha à ses origines, 65 ha quatre générations plus tard. Il a consacré une petite partie (1 ha) de ce vaste ensemble à cette cuvée de pur merlot d'un beau rouge grenat, au nez intense de fruits noirs mâtinés de nuances de vanille et de moka, legs d'un séjour de douze mois en barrique. À l'unisson, le palais se révèle onctueux et doux, adossé à des tanins soyeux, fondus qui lui confèrent un caractère aimable et rond. À boire dès aujourd'hui, sur une viande rouge en sauce.

☛ SCEA les Magnolias des Trahan, 2, rue des Genêts, 79290 Cersay, tél. 05 49 96 80 38, domainesdestrahan@wanadoo.fr, ☑ ⚒ ⵠ r.-v.

DOM. DE VILLEMONT Vienne Cuvée Sélection 2012 ★

	4 000	▮	5 à 8 €

Cette Sélection est un assemblage de cabernet-sauvignon (60 %), de pinot noir (30 %) et de gamay. L'ensemble forme un vin d'une bonne intensité aux notes de fruits noirs et de sous-bois, et à la bouche charnue portée par des tanins fondus. À ouvrir sur un lapin à la moutarde. En blanc, essayez le **chardonnay 2012** (**3 800 b.**), cité pour son équilibre entre gras et vivacité, sur une mouclade.

☛ EARL Alain Bourdier, 6, rue de l'Ancienne-Commune, Seuilly, 86110 Mirebeau, tél. 05 49 50 51 31, fax 05 49 50 96 71, domaine-de-villemont@wanadoo.fr, ☑ ⚒ ⵠ t.l.j. sf dim. 9h30-12h 14h-18h; f. 1ʳᵉ sem. de jan.

DOM. DE LA VRILLONNIÈRE Sauvignon 2012 ★

	4 500	▮	- de 5 €

Régulièrement sélectionné pour ses gros-plant, le domaine propose ici un sauvignon très expressif au nez « envoûtant » mêlant les agrumes, les fruits blancs, la pierre à fusil et la fleur d'oranger. Fraîche et d'un bon volume, la bouche développe tous ces arômes qu'elle exprime jusque dans une longue finale. À servir sur une anguille fumée.

☛ EARL de la Vrillonnière, 10, La Vrillonnière, 44430 Le Landreau, tél. 02 40 06 42 00, fax 02 40 06 45 75, lavrillonniere44@gmail.com, ☑ ⚒ ⵠ t.l.j. sf dim. 9h-12h 14h30-18h30

☛ Fleurance

Aquitaine et Charentes

Cette région est formée par les départements de Charente et Charente-Maritime, de Gironde, Landes, Dordogne et Lot-et-Garonne. Une majorité de vins rouges souples et parfumés sont produits dans le secteur aquitain, issus des cépages bordelais que complètent quelques cépages locaux plus rustiques (tannat, abouriou, bouchalès, fer). Charentes et Dordogne donnent surtout des vins de pays blancs, légers et fins (ugni blanc, colombard), ronds (sémillon en assemblage avec d'autres cépages) ou corsés (baroque). Charentais, Agenais, Terroirs landais et Thézac-Perricard sont les dénominations sous-régionales ; Dordogne, Gironde et Landes constituent les dénominations départementales.

À l'origine, le Bordelais n'était pas autorisé à proposer des vins de pays. Un décret de 2006 créant les vins de pays de l'Atlantique met fin à cette situation. Ces vins, rouges, rosés ou blancs, proviennent d'une zone qui inclut la Gironde, les deux Charentes, la Dordogne et quelques cantons de l'ouest du Lot-et-Garonne.

Charentais

DENIS ET VINCENT BENOIT 2012

6 100		- de 5 €

Ce vignoble, situé au cœur des étangs de Touvérac, était autrefois destiné à la seule production de cognac, puis il s'est orienté, suite à l'acquisition de nouvelles parcelles dans les années 2000, vers l'élaboration de vins de pays et de pineau-des-charentes. Ce 2012 se caractérise par des fragrances de fruits rouges confiturés et par une bouche riche, portée par un agréable fruité jusqu'en finale. À déguster dès à présent.

GAEC du Sourdour, Sainte-Radegonde, 16360 Baignes-Sainte-Radegonde, tél. 05 45 78 40 60, fax 05 45 98 69 05, gaec-du-sourdour@wanadoo.fr, ☑ ⚥ ☕ r.-v.

CHAI DU ROUISSOIR 2012 ★★

2 200		- de 5 €

Le rouissoir est une étendue d'eau où l'on pratique le... rouissage : faire tremper dans l'eau les tiges de chanvre pour que les fibres textiles se séparent des parties ligneuses à la suite de la fermentation due à une bactérie. Côté raisins, la famille Chapon propose un 2012 issu de sauvignon et de colombard qui s'annonce dans une belle robe jaune clair brillante. Le nez, expressif, offre d'agréables notes de fruit de la Passion, de pamplemousse et de fleurs blanches. Le fruit est également mis en valeur dans une bouche ronde, souple et bien équilibrée. Un « beau classique » à apprécier sans tarder. La même cuvée en **2011 rouge (2 500 b.)** est citée pour ses arômes de fruits rouges, riches et persistants, et pour son palais bien construit.

Chapon, 1, Roussillon, 17500 Ozillac, tél. 05 46 48 14 76, chaidurouissoir@hotmail.com, ☑ ⚥ ☕ t.l.j. sf dim. 14h-19h 🏠 Ⓐ

COULON ET FILS Île d'Oléron Sauvignon 2012 ★★

11 000		- de 5 €

Didier Coulon dirige depuis 1995 cette exploitation de 33 ha dédiée au cognac et aux vins de pays. Issu d'une sélection de sauvignon, ce vin n'est pas passé loin du coup de cœur. Vêtu d'une robe jaune légèrement doré, il livre un agréable nez d'agrumes, de litchi et de fleurs blanches. La bouche douce, ample et fruitée, se prolonge agréablement jusqu'à une belle finale acidulée, tout en fraîcheur. Un vin bien construit et équilibré, à déguster sur des huîtres de Marennes.

EARL Coulon et Fils, 17310 Saint-Pierre-d'Oléron, tél. 05 46 47 02 71, fax 05 46 75 09 74 ☑ ⚥ ☕ t.l.j. 8h30-12h30 15h-19h

DOM. COURPRON Merlot 2012 ★

35 000		- de 5 €

Thierry Courpron représente la septième génération à conduire la vigne et à élaborer des vins de pays et de l'eau-de-vie de cognac. Ce 2012 marque son entrée dans le Guide. Rose soutenu, il révèle d'intenses arômes floraux et fruités au nez, que l'on retrouve dans une bouche d'une vivifiante fraîcheur, bien équilibrée. Une bouteille charmeuse, à découvrir sans attendre.

Dom. Courpron, 10, rue de Chez-Mothay, 17260 Saint-André-de-Lidon, tél. 05 46 90 82 72, fax 05 46 90 94 97, tcourpron@sfr.fr, ☑ ⚥ ☕ t.l.j. sf dim. 9h-12h30 15h-19h30

DAME BLANCHE 2011 ★

4 200		8 à 11 €

Situé sur la fameuse falaise blanche de Talmont-sur-Gironde, ce petit cru fondé en 2003 offre un beau panorama sur le plus grand estuaire d'Europe. C'est aussi un joli spectacle qu'offre la robe jaune paille brillant de cette cuvée. Les fruits confits, l'abricot sec, le miel et les fleurs jaunes annoncent une bouche ronde, douce, équilibrée par une vivacité bien dosée. Les saveurs d'un ananas bien mûr concluent élégamment la dégustation. Un vin harmonieux, parfait pour un foie gras.

Le Talmondais, 58, av. de l'Estuaire, 17120 Talmont-sur-Gironde, tél. 05 46 94 21 39, fax 05 46 94 51 02, bruno.arrive@free.fr, ☑ ⚥ ☕ t.l.j. sf lun. 14h-18h; f. 10 nov.-30 mars Arrivé

DOM. FRADON Merlot 2011

8 000		- de 5 €

Micheline et Michel Fradon dirigent cette exploitation avec leur fils Damien et proposent une production variée de pineau-des-charentes, de jus de raisin et de vins de pays. Après agitation, ce 2011 livre un bouquet de fruits noirs agrémentés de légères notes d'épices douces. Ronde, franche, dotée d'une structure légère bien intégrée et d'une matière mûre, la bouche se conclut sur une jolie note de fruits rouges. Plaisant et généreux : un vin pour maintenant.

EARL Fradon, Le Château, 17500 Reaux, tél. 05 46 48 46 02, fax 05 46 48 20 63, contact@domaine-fradon.com, ☑ ⚥ ☕ t.l.j. 8h-20h

♥ DOM. GARDRAT Villanova 2011 ★★

| ■ | 2 000 | ⫿ | 8 à 11 € |

DOMAINE
GARDRAT

VILLANOVA

2011

VIN DE PAYS CHARENTAIS

« L'avenir, il ne suffit pas de le prévoir, mais de le rendre possible », disait Antoine de Saint-Exupéry. Telle est la citation choisie par Lionel Gardrat pour ses millésimes 2011. L'avenir de cette cuvée de merlot, est riche de belles promesses. Paré d'une jolie robe rouge sombre, ce vin libère d'intenses parfums de cassis bien mûr nuancés de vanille et d'épices. La bouche, harmonieuse, fait écho au nez, fruitée, équilibrée par de fines notes boisées et structurée par de beaux tanins. Tout y est, « que du plaisir », souligne un dégustateur conquis. Le vigneron conseille un agneau des prés-salés pour accompagner cette aimable bouteille que l'on débouchera de préférence dans un ou deux ans, pour qu'elle révèle tout son potentiel. Le 2012 rosé Rosae (moins de 5 € ; 40 000 b.) obtient une étoile pour son fruité et son équilibre. Le 2012 blanc (moins de 5 € ; 40 000 b.), au nez floral et fruité, dynamisé par une fraîcheur vivifiante en bouche, fait jeu égal.
☛ SARL Vignoble Gardrat, La Touche, 17120 Cozes, tél. 05 46 90 86 94, fax 05 46 90 95 22, lionelgardrat@hotmail.com, ☑ ⵊ r.-v.

GENDREAU L'ESTEY L'Enclouse 2010 ★

| ■ | 8 000 | ⫿ | 5 à 8 € |

Vincent Morandière dirige depuis 2005 ce vaste vignoble de 33 ha consacré aux vins de pays et au pineau-des-charentes. Il propose un 2010 bien vinifié, élevé douze mois en barrique, dont l'harmonie et l'élégance se manifestent d'emblée dans sa présentation au rouge pourpre intense, puis à travers ses parfums expressifs de fruits rouges, de réglisse et d'épices. La structure est bien là, sans excès, soutenant une bouche bien équilibrée au boisé mesuré. « Peut attendre, mais hâtez-vous, ne serait-ce que pour honorer celui qui l'a fait », a noté un juré.
☛ Vincent Morandière, Le Breuil, 17150 Saint-Georges-des-Agouts, tél. 05 46 86 02 76, vignobles.morandiere@orange.fr, ☑ ⵊ ⵊ r.-v.

DOM. DU GROLLET Réserve 2010 ★★

| ■ | 39 000 | ⫿ | 8 à 11 € |

André Renaud, propriétaire de la maison de négoce Rémy Martin, a acquis en 1936 le domaine de Grollet dont les premières traces remontent au XVIᵉs. Son gendre, André Hériard est aujourd'hui aux commandes. Il propose un 2010 aux parfums élégants de fruits rouges confits. Souple en attaque, le palais se révèle rond, fruité, structuré juste ce qu'il faut et bien équilibré. À découvrir dès la sortie du Guide.
☛ Domaines Rémy Martin, 20, rue de la Société-Vinicole, 16100 Cognac, tél. 06 83 81 24 66, eric.jaunet@remy-cointreau.com

LES HAUTS DE TALMONT Le Merlot rosé 2012 ★

| ■ | 4 000 | | 5 à 8 € |

Ce vignoble créé par Lionel Gardrat, Michel Guillard et Jean-Jacques Vallée, amis liés par la passion du vin, se situe non loin du château de Talmont, érigé au XIᵉs. dominant le vaste estuaire de la Gironde. Les trois vignerons proposent un pur merlot aux subtils parfums fruités. La bouche franche et tout aussi fruitée présente une belle structure et une longueur appréciable. Un ensemble savoureux, à découvrir dès la sortie du Guide.
☛ SARL Les Hauts de Talmont, rue du Port, 17120 Talmont-sur-Gironde, tél. 06 22 47 10 42, fax 05 46 90 95 22, leshautsdetalmont@wanadoo.fr, ☑ ⵊ t.l.j. 10h-13h 15h-19h; f. oct.-mars

THIERRY JULLION Merlot 2012 ★

| ■ | 10 000 | ▮ | 5 à 8 € |

Thierry Jullion, à la tête de ce domaine de 45 ha régulièrement mentionné dans le Guide, propose un rosé issu d'une parcelle plantée uniquement de merlot. Une macération de douze heures, une saignée et une vinification à basse température bien maîtrisée ont donné naissance à cette cuvée à la robe légère et aux délicats parfums floraux et fruités. Ces arômes persistent dans une bouche à la fois ronde, fraîche et fine. Un beau représentant de son terroir, bien équilibré, à découvrir dès à présent.
☛ EARL Dom. de Montizeau, Montizeau, 17520 Saint-Maigrin, tél. 05 46 70 00 73, fax 05 46 70 02 60, jullion@wanadoo.fr,
☑ ⵊ ⵊ t.l.j. sf sam. dim. 14h-19h 🏠 ❷ 🏠 ◉

MAINE AU BOIS Chardonnay 2011 ★

| ■ | 4 100 | ▮⫿ | 5 à 8 € |

Ce beau chardonnay proposé par la maison de négoce Doni a été vinifié en petit volume et élevé huit mois en barrique de chêne français. Il exprime à l'olfaction des notes de fruits mûrs, de fleur d'acacia, de brioche et des nuances boisées et fumées. Franche, florale, légèrement grillée et épicée, la bouche se montre bien équilibrée, portée par des saveurs à la fois suaves et acidulées qui la rendent particulièrement savoureuse. À découvrir dans les mois qui suivent la sortie du Guide avec un poisson sauce au beurre.
☛ Doni, 24, chem. de l'Alambic, 17520 Saint-Eugène, tél. 05 46 70 02 40, fax 05 46 70 02 03, maineaubois@orange.fr, ☑ ⵊ ⵊ r.-v.

PERLES NOIRES D'OLÉRON Premium 2011 ★

| ■ | 20 000 | ⫿ | 5 à 8 € |

La marque Perle Noire Premium a été créée en 2009 par la cave coopérative de Saint-Pierre-d'Oléron, qui a sélectionné les meilleures parcelles de ses adhérents pour élaborer cette cuvée. Résultat : un vin séduisant, à la robe pourpre à liseré brique qui exprime après agitation des arômes de fruits rouges et des nuances boisées. La bouche ronde et élégante séduit par ses saveurs grillées et toastées, et par ses tanins soyeux, longtemps présents en finale. Un 2011 équilibré et au potentiel prometteur, à déguster dans les deux ou trois ans à venir.
☛ SCA Viti-Oléron, 37, av. de Bonnemie, 17310 Saint-Pierre-d'Oléron, tél. 05 46 47 00 32, fax 05 46 75 02 23, info@vigneronsoleron.com, ☑ ⵊ ⵊ r.-v.

VDP/IGP

CAVE DE SAINT-SORNIN Fenêtre sur l'histoire 2011 ★

| ■ | 20 000 | ▮ | 5 à 8 € |

Le nom de cette cuvée évoque le coteau de la Fenêtre qui surplombe la vallée de la Tardoire, entre Montbron et Vilhonneur, un endroit riche en sites préhistoriques. Ce terroir des plus originaux convient très bien à la culture de la vigne, preuve en est ce pur merlot d'une teinte pourpre soutenu, aux agréables senteurs fruitées (cerise, groseille). Sa rondeur, son fruité intense (pruneau, griotte), ses tanins souples et sa belle longueur laissent une agréable sensation de douceur et d'harmonie en bouche.

☛ SCA Charentes Alliance, 51, rue Pierre-Loti, 16100 Cognac, tél. 05 16 45 60 88, vpainturaud@charentes-alliance.fr,

☑ ⚔ ⵙ t.l.j. sf dim. 8h-12h 14h-18h

Landes

DOM. DE LABAIGT Coteaux de Chalosse
Cépage Cabernet 2012

| ■ | n.c. | ▮ | - de 5 € |

Dominique Lanot conduit depuis 1982 ce vignoble de 11,2 ha, dont 2 ha sont dédiés à ce 2012 issu du seul cabernet franc. Vêtu d'une robe rose saumon, ce vin offre de délicieuses senteurs de fraise et de framboise, rehaussées de nuances de pamplemousse. Une attaque au léger perlant, du volume, de la rondeur et une élégante longueur participent à l'équilibre général. À boire dès à présent.

☛ Dominique Lanot, 1127, rte du Grand-Arrigan, 40290 Mouscardès, tél. 05 58 98 02 42, fax 05 58 98 80 75, dominique.lanot@wanadoo.fr,

☑ ⵙ t.l.j. sf dim. 8h-12h 14h-18h

LABALLE Sables fauves 2012

| ■ | 150 000 | | 5 à 8 € |

Fondé en 1820 par Jean-Dominique Laudet, ce domaine du bas Armagnac a été repris par Cyril Laudet, huitième génération, et son épouse Julie. Ce 2012 or gris s'ouvre à l'olfaction sur les agrumes, le buis et les fleurs blanches. Ces arômes viennent apporter de la fraîcheur à une bouche ronde, de belle tenue et équilibrée. Un vin agréable, prêt à être dégusté sur du poisson ou des fruits de mer.

☛ Dom. de Laballe, 40310 Parleboscq, tél. 05 58 73 81 57, contact@laballe.fr, ☑ ⚔ ⵙ r.-v.

☛ Cyril Laudet

DOM. DU TASTET Coteaux de Chalosse
Cuvée Chapeau rouge Élevé en fût de chêne 2010 ★

| ■ | 9 600 | ⬛ | 5 à 8 € |

Le tannat (90 %) et un appoint de merlot apportent toute sa personnalité à cette cuvée rubis soutenu. À l'olfaction se dévoilent d'agréables notes de fruits rouges mâtinées d'un fin boisé. La bouche est à l'unisson, fruitée, étayée par une juste fraîcheur et adossée à des tanins soyeux bien intégrés. Un vin de bonne tenue, à déguster dans les deux ans. La cuvée principale 2012 moelleux Coteaux de Chalosse (moins de 5 € ; 10 000 b.) obtient elle aussi une étoile pour sa bouche ronde et fraîche aux arômes de fruits confits.

☛ EARL SC Romain et Fils, 2350, chem. Aymont, 40350 Pouillon, tél. 05 58 98 28 27, domainedutastet@gmail.com,

☑ ⵙ t.l.j. sf dim. 8h30-12h 14h-18h30

Périgord

LE HAUT PAÏS Sémillon 2012

| ■ | 30 000 | ▮ | - de 5 € |

Issue d'un assemblage de sémillon (80 %) et de muscadelle, cette cuvée séduit d'emblée par son expression olfactive florale (tilleul, fleur d'acacia) et fruitée (abricot confit). L'attaque, à la fois souple et fruitée, légèrement acidulée, laisse place à une bouche généreuse et onctueuse qui ne manque pas de présence. Un ensemble équilibré, sans lourdeur, pour un plaisir immédiat.

☛ Les Vignerons de Sigoulès, Cave de Sigoulès, 24240 Sigoulès, tél. 05 53 61 55 00, fax 05 53 61 55 10, contact@vigneronsdesigoules.fr,

☑ ⚔ ⵙ t.l.j. sf dim. 9h-12h30 14h-17h30

Thézac-Perricard

DOM. DE LANCEMENT 2011 ★

| ■ | 9 750 | ▮ | 5 à 8 € |

Sur les 8 ha de ce vignoble en cours de conversion à l'agriculture biologique, Sandrine Annibal a sélectionné 2 ha qui ont donné naissance à ce vin de malbec (75 %) et de merlot. Vêtu d'une robe rouge intense, le vin dévoile de jolies fragrances de fruits rouges mâtinés d'épices. Après une attaque souple, la bouche gagne en rondeur et en volume. Bien structurée, elle offre une matière généreuse et fruitée, très plaisante jusqu'en finale. Un ensemble équilibré, à découvrir dès à présent.

☛ Sandrine Annibal, EARL Andel, Dom. de Lancement, 47370 Thézac, tél. 05 53 41 17 02, info@domainelancement.fr,

☑ ⚔ ⵙ t.l.j. sf dim. 10h-12h 15h-19h

VIN DU TSAR Douceur de l'Impératrice 2012 ★

| ■ | 10 000 | | 5 à 8 € |

Situé au cœur d'un terroir de causses bien ensoleillé, ce vignoble de 40 ha complanté de malbec et de merlot bénéficie d'un sol aride, constitué de pierrailles, de cailloux et de rochers, propices à la bonification de ces cépages. Témoin ce 2012 rosé à reflets saumonés qui offre à l'olfaction d'intenses senteurs fruitées où dominent la fraise des bois, la framboise et le cassis. La bouche goûteuse, riche, doucement veloutée, très fruitée, repose sur un bel équilibre entre sucre et acidité. Un vin long, expressif et plein de charme, à découvrir dès à présent.

☛ Vignerons de Thézac-Perricard, Vin du Tsar, Plaisance, 47370 Thézac, tél. 05 53 40 72 76, fax 05 53 40 78 76, info@vin-du-tsar.fr, ☑ ⚔ ⵙ t.l.j. sf dim. 9h15-12h15 14h-18h

Pays de la Garonne

Avec Toulouse en son cœur, cette région regroupe dans la dénomination régionale « vins de pays du Comté tolosan » les départements suivants : Ariège, Aveyron, Haute-Garonne,

Gers, Landes, Lot, Lot-et-Garonne, Pyrénées-Atlantiques, Hautes-Pyrénées, Tarn et Tarn-et-Garonne. Les dénominations sous-régionales ou locales sont : côtes du Tarn, coteaux de Glanes (Haut-Quercy au nord du Lot : rouges pouvant vieillir), coteaux et terrasses de Montauban, côtes de Gascogne (zone de production de l'armagnac dans le Gers et quelques communes des départements limitrophes), côtes du Condomois et de Montestruc, et enfin Bigorre.

La diversité des sols et des climats, des rivages atlantiques au sud du Massif central, alliée à une gamme particulièrement étendue de cépages, en fait une région aux vins de pays d'une variété extrême : c'est à la fois son originalité et son attrait. L'ensemble de la région produit environ 1,5 million d'hectolitres, dont plus de 800 000 hl de blancs en Côtes de Gascogne et 250 000 hl en Comté tolosan.

Ariège

❸ COTEAUX D'ENGRAVIÈS Fount Cassat 2011

| ■ | | 4 200 | ■ ⑪ | 8 à 11 € |

Face aux Pyrénées, ce vignoble de 10,63 ha est cultivé en bio. Cet assemblage de cabernet-sauvignon et de merlot a pris le nom de la parcelle cadastrale où il est né : la « fontaine cassée ». Le premier nez, moyennement intense, sur des notes de poivron, laisse percer après aération des arômes plus complexes de griotte et de mûre. Le palais donne une impression de richesse et de volume, étayé par des tanins encore un peu sévères qui appellent une garde d'un ou deux ans.
❧ Philippe Babin, 8, rue Rescanières, 09120 Vira, tél. 05 61 68 68 68, contact@coteauxdengravies.com,
☑ ⚘ ⵣ r.-v.

DOM. DE LASTRONQUES Merlot
Élevé en fût de chêne 2010 ★

| ■ | | 4 500 | ■ ⑪ | 5 à 8 € |

Situé sur des coteaux argilo-calcaires exposés plein sud face aux Pyrénées, ce domaine, régulièrement distingué dans le Guide, a une valeur sûre de l'IGP. Cette année, un merlot et une syrah ont retenu l'attention du jury. La préférence va au premier, élevé vingt-deux mois en cuve et huit en fût. Il en ressort un vin au nez intense de myrtille, de cassis et d'épices. Dans la continuité, le palais se révèle souple et rond, enrobé par une chair volumineuse. Un vin puissant et persistant, qui finit sur une note chaleureuse de fruits à l'alcool. À découvrir dans les deux ans sur un cassoulet. La **syrah 2011 (6 000 b.)** est citée pour sa richesse et son ampleur. À attendre un an ou deux.
❧ EARL Christian et Andrea Cydonia Zeller, 09210 Lézat-sur-Lèze, tél. 05 61 69 12 13, fax 05 61 69 18 44, cydoniaviti@wanadoo.fr,
☑ ⚘ ⵣ r.-v.

DOM. DU SABARTHÈS La Guilhatié 2011 ★

| ■ | | 9 000 | | 5 à 8 € |

Ce domaine géré par l'APAJH (Association pour adultes et jeunes handicapés) signe ici un assemblage de chardonnay (60 %) et, à parts égales, de chenin et de sauvignon, qui a séjourné neuf mois en cuve. Le nez discret s'ouvre à l'aération sur des notes intenses et complexes de fleurs blanches, de pomme golden et de poivre sur un fond minéral. Tendre et légère, la bouche s'étire longuement sur des notes de pierre à fusil. Un vin friand à réserver pour une truite des torrents de l'Ariège.
❧ Entreprise adaptée Le Sabarthès, 09120 Montégut-Plantaurel, tél. 05 61 05 33 33, fax 05 61 05 33 60, terroirs@apajh09.asso.fr,
☑ ⚘ ⵣ t.l.j. sf dim. 9h-12h 13h30-18h; sam. 9h-12h30
❧ Apajh

Aveyron

❸ DOM. BERTAU 2010 ★

| ■ | | 5 000 | ■ | 5 à 8 € |

Non loin du viaduc de Millau, un domaine de 6,5 ha cultivés en bio. Eddi Bertau signe un 2010 composé de 50 % de syrah, de 30 % de gamay et de 20 % de cabernet-sauvignon. Agréablement bouqueté autour des fruits rouges et du poivron vert agrémentés de notes d'épices et de cuir, ce vin frais et gouleyant de prime abord ne manque pas de structure, ce qui lui permettra de bien évoluer dans l'année à venir. On le servira avec des charcuteries traditionnelles de l'Aveyron.
❧ Eddi Bertau, chem. de Montjinou, Candas, 12490 Montjaux, tél. 05 65 58 18 56, bertaueddi@orange.fr,
☑ ⚘ ⵣ r.-v.

DOM. PLEYJEAN Cuvée des 4 vents 2012 ★

| ■ | | 4 200 | ■ | 5 à 8 € |

Sandra Lemoine dirige ce petit domaine de 4 ha depuis 2003. Conversion biologique en cours, faibles rendements, vendanges manuelles, tout est réuni pour que les vignes donnent le meilleur d'elles-mêmes. Pour preuve, cet assemblage de syrah (50 %) et de cabernet franc (35 %) complété d'une touche de cabernet-sauvignon, issu d'une macération pelliculaire et d'un élevage de six mois en cuve. De teinte pâle, ce rosé livre un nez flatteur de fraise et de citron. L'attaque franche ouvre sur une bouche fraîche, bien équilibrée, avec une pointe de douceur à l'arrière-plan. Un joli vin friand à apprécier dans deux ans. Même distinction pour la **cuvée Benjamin 2011 rouge (8 à 11 € ; 2 160 b.)** 60 % de merlot complété de cabernet-sauvignon, élevés en fût dix mois à l'origine d'un vin complexe, sur des notes boisées de vanille et de torréfaction. À réserver pour dans deux ou trois ans.
❧ Sandra Lemoine, Pleyjean, 12200 Martiel, tél. 05 65 29 46 57, sandra-lemoine@wanadoo.fr,
☑ ⚘ ⵣ r.-v.

TERRES D'ORS 2010 ★

| ■ | | 1 500 | ⑪ | 11 à 15 € |

Ce domaine remonte au XIIᵉ s., quand les hebdomadiers de la cathédrale de Rodez s'établirent au Mioula pour y cultiver la vigne. Depuis 1995, Bernard Angles

VDP/IGP

redonne vie à ce vignoble longtemps abandonné. Le chardonnay (50 %), complété de muscadelle et de chenin à parts égales, est à l'origine de ce 2010 au bouquet intense de fleurs blanches et de fruits à chair blanche mâtiné de notes miellées. Au palais, on retrouve les mêmes caractères aromatiques. À la fois rond et frais, ce vin harmonieux pourra être apprécié dès à présent sur un poisson en sauce.

☛ Bernard Angles, Le Mioula, 12330 Salles-la-Source, tél. 06 08 95 15 60, fax 05 65 42 66 15, bernardangles@wanadoo.fr, ☑ ⚔ ⍵ r.-v.

Comté tolosan

ARAMIS 2012 ★

| | 100 000 | ▮ | 5 à 8 € |

La famille Laplace, vigneronne depuis trois générations, propose un bel assemblage de tannat (80 %) et de syrah plantés sur 10 ha de sol argilo-calcaire. Vêtu d'une élégante robe cerise burlat à nuances noires, ce 2012 offre un joli bouquet de fruits rouges et noirs (cerise, cassis, mûre), assortis d'une fine nuance amylique. La bouche fait écho au nez, franche en attaque, bien équilibrée, fraîche, portée par des tanins déjà assouplis. A découvrir dès à présent sur des grillades.

☛ GAEC Vignobles Laplace, 64330 Aydie, tél. 05 59 04 08 00, fax 05 59 04 08 08, contact@famillelaplace.com, ☑ ⚔ ⍵ t.l.j. 9h-13h 14h-19h

B.A. BA Merlot et malbec 2012

| | 25 000 | ▮ | - de 5 € |

Régulièrement mentionné dans le Guide pour ses côtes-du-brulhois, cette coopérative propose aussi des vins de pays dignes d'intérêt. Témoin ce rosé au nez de bonne intensité, porté sur les fruits exotiques. La bouche, franche en attaque, affiche un bel équilibre entre moelleux et acidité et déploie une finale agréablement fruitée. La cuvée **B.a. Ba merlot et tannat rouge 2011** (25 000 b.), aux arômes de petits fruits rouges, bien balancée entre rondeur et fraîcheur, est également citée.

☛ Les Vignerons du Brulhois, 3458, av. du Brulhois, 82340 Donzac, tél. 05 63 39 91 92, fax 05 63 39 82 83, info@vigneronsdubrulhois.com, ☑ ⚔ ⍵ r.-v.

DOM. BOUISSEL Siberia 2012

| | 2 000 | ▮ | 5 à 8 € |

La famille Selle, à la tête d'un domaine bien connu des amateurs de fronton, signe un assemblage pour le moins original de gewurztraminer et de riesling. Vêtue d'une jolie robe jaune paille sèche aux reflets dorés, cette cuvée offre un bouquet intense de fruits exotiques (ananas) et de fruits confits assortis d'une pointe florale. Après une attaque souple et douce, le vin délivre une matière moelleuse qui persiste tout au long de la dégustation, avec une jolie montée en puissance des arômes. Un vin aux accents alsaciens, à découvrir dès à présent sur du foie gras. (Bouteilles de 50 cl.)

☛ Pierre, Anne-Marie et Nicolas Selle, Ch. Bouissel, 200, chem. du Vert, 82370 Campsas, tél. 05 63 30 10 49, chateaubouissel@orange.fr, ☑ ⚔ ⍵ t.l.j. sf dim. 10h-12h 14h-18h30; sam. sur r.-v.

♥ **CABIDOS** Cuvée Saint-Clément Petit manseng 2010 ★★

| | 10 000 | ⪢ | 11 à 15 € |

Habitué du Guide, notamment grâce à ses cuvées de petit manseng souvent récompensées en IGP Pyrénées-Atlantiques et Comté tolosan, Vivien de Nazelle signe un pur petit manseng qui a su à nouveau séduire le grand jury. Vêtu d'une robe jaune paille dorée, ce beau liquoreux offre une intensité olfactive soutenue. Typique du cépage en surmaturité, il délivre des parfums de fruits confits, de coing et de miel mâtinés de fines notes boisées et truffées. La bouche fait écho au nez et offre une jolie montée en puissance des arômes après une attaque souple, bien équilibrée par une pointe de fraîcheur, avant de s'achever sur une note légèrement vanillée. Un vin d'une grande persistance que l'on pourra découvrir dès à présent sur un foie gras, un fromage à pâte persillée ou encore sur un dessert.

☛ Vivien de Nazelle, Ch. de Cabidos, 64410 Cabidos, tél. 05 59 04 43 41, fax 05 59 04 41 83, vin.de.cabidos@wanadoo.fr, ☑ ⚔ ⍵ t.l.j. sf sam. dim. 8h-12h 14h-18h ⌂ ⓑ

♥ **L'ESCUDÉ** Petit manseng Sauvignon 2011 ★★

| | 2 600 | ⪢ | 5 à 8 € |

En 2003, Laurent et Murielle Caubet décident d'apporter un nouveau souffle à cette ancienne ferme béarnaise. Ils louent alors des parcelles de vieilles vignes et transforment le poulailler en chai. Coup de cœur l'an passé pour leur Petit Manseng doux 2011, c'est cette fois avec un assemblage de petit manseng complété de sauvignon qu'ils accèdent aux plus hautes marches du podium. Paré d'or aux reflets d'argent, le vin livre un bouquet intense et gourmand de fruits blancs (poire), de fruits exotiques et de fleurs, rafraîchis par de fines nuances de citron et de menthol. La bouche, à l'unisson, se révèle franche, tout en rondeur et en élégance, complexe et d'une grande persistance, délivrant d'agréables touches de miel et de confiture de coings. Un vin harmonieux que l'on pourra déguster sans attendre sur des poissons grillés. La cuvée **Petit Manseng de novembre doux 2011 blanc**

(11 à 15 € ; 1 000 b.) reçoit quant à elle une étoile pour ses arômes de pêche, d'abricot, de coing, de miel, et pour sa souplesse et son bel équilibre entre moelleux et acidité. À déguster dès à présent à l'apéritif ou en dessert.

🕿 Murielle et Laurent Caubet, L'Escudé, 64410 Cabidos, tél. 06 07 47 10 27, vin.lescude@orange.fr,

☑ ⚔ ￼ t.l.j. sf dim. lun. 9h-12h 14h-18h; sam. sur r.-v. 🏠 🅱

L'INSTANT PAPILLON 2012 ★

■	9 000	🍶	5 à 8 €

Ce domaine dirigé par la famille Raynal produit également des vins en côteaux-du-quercy et un apéritif à base de rosé sucré et d'extrait de violette (fleur emblématique de la région toulousaine). Le 2012 proposé, issu de muscadelle et de mauzac, s'affiche dans une robe or pâle limpide. Le nez joue une partition à la fois florale et fruitée, plutôt exotique. Une petite note sucrée et la présence d'un très léger perlant s'invitent dès la mise en bouche aux côtés d'un joli florilège d'arômes qui apporte juste ce qu'il faut de légèreté, de douceur et de fraîcheur. Un moelleux gourmand à découvrir dès à présent sur une tarte au citron meringuée.

🕿 EARL Papyllon, La Cave de Revel, 82800 Vaïssac, tél. 05 63 30 92 97, wineofmick@yahoo.fr,

☑ ⚔ ￼ r.-v.

🕿 Raynal

DOM. DU POUNTET Parfum d'automne 2011 ★★

■	2 400	🍷	8 à 11 €

Guillaume Combes et sa femme Amanda ont repris en 2004 ce vignoble situé près d'Auvillar. Ils signent un assemblage original de mauzac (60 %) et de petit manseng (40 %) qui a su séduire le jury dans sa robe d'or soutenu. Le nez est intense et complexe, porté par des arômes de fruits confiturés, de pâte de coing et de miel, accompagnés d'une touche de beurre frais vanillé et de nuances toastées. La bouche ample, grasse, très aromatique, livre une attaque en douceur, puis révèle une belle montée en puissance sans jamais perdre l'équilibre entre moelleux, acidité et un boisé fondu. Un « liquoreux dans toute sa splendeur », conclut un dégustateur. À apprécier dès à présent.

🕿 EARL Dom. du Pountet, RD 626, lieu-dit Saint-Amand, 32800 Eauze, tél. 06 23 84 82 45, fax 05 81 69 50 01, contact@pountet.com, ☑ ￼ r.-v.

🕿 Combes

LES PRODUCTEURS DE LA NOUARIÉ 2012

■	51 000	🍶	5 à 8 €

Cette coopérative, la plus ancienne cave de vinification du Tarn, est à l'origine de la création du gaillac perlé en 1957. Outre ses effervescents, elle propose des vins de pays, notamment rouges, comme ce joli 2012 grenat profond. Au nez se déploient d'agréables arômes de fruits rouges et noirs confiturés, mâtinés d'une pointe d'épice douce. Après une attaque souple, le palais se révèle bien équilibré entre rondeur et fraîcheur, soutenu par des tanins enrobés. Une bouteille harmonieuse, à déguster dès à présent sur une viande rouge grillée.

🕿 Cave de Labastide, BP 12, 81150 Marssac-sur-Tarn, tél. 05 63 53 73 73, fax 05 63 53 73 74, commercial@cave-labastide.com, ☑ ⚔ ￼ r.-v.

SO CHIC Fer servadou 2012 ★

■	25 000	🍶	- de 5 €

Les caves de Técou, de Rabastens, de Fronton et des Côtes d'Olt ont uni leurs forces et ont rejoint en 2006 le groupe Vinovalie. Une coopération qui permet à cette entité de présenter une large gamme de produits, comme ces trois cuvées qui ont retenu l'attention des jurés, notamment ce pur fer servadou, séduisant dans sa robe grenat brillante. Le nez mêle de délicats arômes fruités et floraux nuancés d'une pointe amylique. Le palais, tout en rondeur, affiche une belle souplesse conférée par des tanins bien fondus. Un vin équilibré et facile à boire. Présenté par les vignerons de Rabastens, le **2012 rouge Tarani (1 133 333 b.)** est cité pour sa souplesse, ses arômes de fruits rouges et de bonbon anglais, et sa fraîcheur. Proposé par la cave des Côtes d'Olt, le **2012 rouge Terreo malbec (200 000 b.)**, rond, fruité, bien structuré par des tanins encore un peu stricts, obtient également une citation.

🕿 Vinovalie – Cave de Técou, 100, rte de Técou, 81600 Técou, tél. 05 63 33 00 80, fax 05 63 33 06 69, passion@cavedetecou.fr,

☑ ⚔ ￼ t.l.j. sf dim. 8h-12h 14h-18h

Corrèze

♥ 🅱 MILLE ET UNE PIERRES 2011 ★★

■	30 000	🍶	5 à 8 €

Les étoiles brillent pour cette petite IGP et la coopérative de Branceilles qui fréquente avec assiduité nos colonnes grâce à la régularité de ses vins rouges. Cette cuvée issue de 80 % de cabernet franc et 20 % de merlot, vinifiée en bio, a séjourné deux ans en cuve. Le nez, complexe, dévoile de jolies notes de fruits rouges bien mûrs, de cuir, d'épices, de réglisse et de chocolat. La bouche est très expressive : un « déferlement aromatique » s'exclame un dégustateur. Puissant et doté d'une solide charpente, le palais se montre très plaisant par ses arômes harmonieux de Zan et d'épices douces et sa superbe longueur. Ce 2011 se révélera pleinement dans deux ou trois ans ; les plus impatients pourront toutefois le servir dès maintenant, en carafe, sur une entrecôte grillée. Une étoile pour le **2010 Cabernet franc merlot Élevé en fût de chêne (55 000 b.)**, un joli vin au bouquet fruité, épicé et boisé et au palais chaleureux.

🕿 SCA Cave viticole de Branceilles, Le Bourg, 19500 Branceilles, tél. 05 55 84 09 01, fax 05 55 25 33 01, cavebranceilles@wanadoo.fr,

☑ ⚔ ￼ t.l.j. sf dim. 10h-12h 15h-18h

Coteaux de Glanes

QUATRE SAISONS Élevé en fût de chêne 2011

| | 9 300 | | 8 à 11 € |

Ce domaine, dont les origines remontent au IX⁰s., a été repris à la fin des années 1960 par sept vignerons, qui ont réuni leurs compétences pour créer cette coopérative et offrir une belle gamme de vins, dans les trois couleurs. Honneur au rouge avec ce pur merlot. Le premier nez est copieusement boisé, avec des notes de café torréfié et une pointe de menthol qui apporte de la fraîcheur. Après aération, apparaissent de jolies senteurs de fruits rouges et noirs mûrs. Souple en attaque, le palais s'impose par son volume, soutenu par une trame tannique encore austère. Une garde de deux à trois ans harmonisera ce vin encore sous l'emprise de son élevage.

Les Vignerons du Haut-Quercy, Le Bourg, rte du Pontouillac, 46130 Glanes, tél. 09 67 13 73 42, fax 05 65 33 08 02, coteauxdeglanes@wanadoo.fr, t.l.j. sf dim. 10h-12h 15h-18h

Coteaux et terrasses de Montauban

DOM. DU BIARNÈS 2012 ★★

| | 6 000 | | 5 à 8 € |

Ce domaine créé il y a plus de cinquante ans a été repris en 2005 par Nathalie Patard pour un nouveau départ. Pari réussi avec cette cuvée qui a frôlé le coup de cœur. Ses arguments ? Une robe cerise noire aux reflets grenat ; un bouquet intensément fruité (cassis) mâtiné de douces notes épicées ; une attaque franche prélude à une bouche fraîche, charnue, d'une belle persistance, soutenue par une trame tannique encore serrée, qui invite à deux ans de garde. Pour un plat du Sud-Ouest, cassoulet ou brochette de canard aux pruneaux, à vous de choisir.

Nathalie Patard, 445, Les Falgasses, 82230 La Salvetat-Belmontet, tél. 05 63 24 00 97, domainebiarnes@club-internet.fr, t.l.j. sf mar. dim. 9h-12h30 14h-19h; f. lun. mer. d'oct. à mai

♥ **LE MAS DES ANGES** 2011 ★★

| | 7 800 | | 8 à 11 € |

Le Mas des Anges est un vignoble récent quand Juan Kervyn le reprend en 2007. Les vignes, dans l'âge tendre, à peine dix ans, couvrent alors 4,5 ha. Aujourd'hui, 9,5 ha, trois chambres d'hôtes et des vins remarquables comme cet assemblage de merlot (60 %), de cabernet-sauvignon (30 %) et de tannat, élevé neuf mois en fût. Les dégustateurs ont aimé le brillant de la parure, cerise burlat aux reflets sombres. Ils ont été charmés par le bouquet intense de fruits mûrs, rouges et noirs, de crème de cassis et de confiture, et par l'équilibre de la bouche, douce, aux saveurs concentrées. Les tanins soyeux et enrobés, qui soutiennent une longue finale, promettent un bel épanouissement – d'ici deux ou trois ans – à cette bouteille riche et intense.

Le Mas des Anges, 1623, rte de Verlhac-Tescou, 82000 Montauban, tél. 05 63 24 27 05, info@lemasdesanges.com, r.-v.
Juan Kervyn

DOM. DE MONTELS Louise 2011 ★

| | 15 000 | | 5 à 8 € |

Cette cuvée porte le nom de la fille de Philippe Romain, qui dirige le domaine familial depuis 1990 avec son frère Thierry. Le vignoble, situé à proximité de Montauban, s'étend sur 35 ha, proposant une belle gamme de cépages. Pour ce 2011, le cabernet franc (60 %) et le tannat ont été retenus. Ce vin soutenu, dans les tons de grenat aux reflets violets de jeunesse, livre à l'aération des notes de groseille, de cassis, de cerise et de fraise. Un panier de fruits qui se retrouve dans une bouche ample et fraîche, à la finale tendre et épicée. Prêt à boire sur des magrets de canard.

Philippe et Thierry Romain, Dom. de Montels - Serre de Bovila, chem. de la Tauge, 82350 Albias, tél. 05 63 31 02 82, fax 05 63 31 07 94, philippe.romain.montels@orange.fr, r.-v.

Côtes de Gascogne

B.A. BA Sauvignon gros manseng 2012 ★★

| | 25 000 | | - de 5 € |

La coopérative de Donzac propose avec cette cuvée B.a. Ba, marque créée en 2011, un assemblage de sauvignon (80 %) et de gros manseng qui s'affiche dans une robe jaune clair aux reflets verts et qui offre une palette aromatique étendue : pamplemousse, citron, pêche mûre, buis et acacia. Le palais harmonieux dévoile des impressions de gras contrebalancées par de fraîches notes d'agrumes et par une finale épicée. Un vin de grande tenue, à apprécier dès aujourd'hui sur une truite au four et ses petits légumes.

Les Vignerons du Brulhois, 3458, av. du Brulhois, 82340 Donzac, tél. 05 63 39 91 92, fax 05 63 39 82 83, info@vigneronsdubrulhois.com, r.-v.

DOM. DES CASSAGNOLES Colombard 2012 ★★

| | 190 000 | | - de 5 € |

Ce domaine familial du XIX⁰s., voué à l'origine à la seule production d'armagnac, a progressivement évolué, diversifiant sa gamme de vins. Ce pur colombard, âgé de trente ans, a pris naissance sur un terroir de terreforts (argilo-calcaire) et de boulbènes. Une élégante parure claire aux reflets verts habille ce 2012 dont le nez intense évoque le pamplemousse jaune, le fruit de la Passion et le buis sur un fond minérale. Souple, la bouche évolue sur des notes de pêche et d'abricot, soutenues par une pointe mentholée qui apporte de la fraîcheur. De la rondeur également et un trait d'acidité plaisante en finale, voici un

2012 parfaitement équilibré qui sera à son aise avec une truite braisée au bleu.

🕿 Dom. des Cassagnoles, Famille Baumann, BP 13, 32330 Gondrin, tél. 05 62 28 40 57, fax 05 62 28 42 42, j.baumann@domainedescassagnoles.com,
☑ 🍷 t.l.j. sf dim. 9h-12h30 14h-18h; sam. 9h30-12h30 14h-17h30 🏠 ◯

DOM. DE CAUDE Petit manseng Perles d'or 2011 ★★

	5 800	🍷	5 à 8 €

Entre Haut et Bas-Armagnac, à 6 km de Montréal-du-Gers, classé parmi les plus beaux villages de France, cette exploitation familiale de 53 ha consacre une petite parcelle (1,38 ha) pour ce petit manseng élevé un an en fût. Ce 2011 séduit par ses arômes intenses : ananas, mangue, pêche, épices douces (vanille). Souple, ce vin, plus rond que frais, est à découvrir sans attendre « sur un clafoutis à l'ananas et sorbet spéculos », suggère un dégustateur. Citée, la **cuvée Jean Daillon 2011 rouge (3 000 b.)** issue à majorité de merlot (80 %) séduit par son bouquet intense de cerise, de cuir et de boisé grillé, et par sa douceur équilibrée par une légère pointe d'amertume en finale.

🕿 Jérôme Bedouret, Caude, 32250 Montréal-du-Gers, tél. 05 62 29 49 77, fax 05 62 29 46 49, jerome.bedouret@nordnet.fr, ☑ 🥄 🍷 r.-v.

DOM. CHIROULET Terroir gascon 2011 ★★★

	65 000	🍷	5 à 8 €

Une belle demeure traditionnelle en pierre commande un vignoble de 38,5 ha, implanté sur les coteaux sud du hameau de Heux, réputé pour son église du XIIIᵉs. Le vin (50 % de merlot, complété de cabernet franc et de tannat) a lui aussi belle allure dans sa robe pourpre, soutenue et brillante. Le bouquet intense se montre complexe, mêlant les fruits (cassis, cerise), la vanille, les épices (cannelle, réglisse) et les notes toastées de l'élevage. Volumineux, le palais adossé à des tanins soyeux est porté en finale par de jolies sensations fruitées (cassis, poire), réglissées et boisées. Un dégustateur verrait bien cette bouteille harmonieuse, un peu sauvage, sur un steak de sanglier en sauce. Une étoile pour la cuvée **Terres blanches 2012 blanc (20 000 b.)**, vive, sur des notes d'agrumes et fleurs d'acacia.

🕿 EARL Famille Fezas, Dom. Chiroulet, 32100 Larroque-sur-l'Osse, tél. 05 62 28 02 21, fax 05 62 28 41 56, chiroulet@wanadoo.fr, ☑ 🍷 t.l.j. sf dim. 9h-12h 14h-18h30; sam. sur r.-v.

COLLINE Moelleux 2011 ★★

	918	🍶	- de 5 €

Philippe Gourgues est aux commandes de ce domaine de 47 ha depuis trente ans. Né de vignes âgées de vingt ans plantées sur un terroir argilo-calcaire, ce gros manseng arbore une robe jaune doré aux reflets verts. Fruits exotiques et fruits secs (abricot, noisette) s'allient pour composer un nez expressif et complexe. Souple à l'attaque, le palais regorge de belles rondeurs, sur des notes de pêche blanche et d'ananas. En finale, une pointe de vivacité apporte l'équilibre. Un très joli vin qui accompagnera à merveille une charlotte au chocolat. Quant au **Colline 2011 rouge (2 173 b.)**, il reçoit une étoile pour ses arômes fruités (cassis, abricot sec, ananas) et son palais souple et rond.

🕿 Philippe Gourgues, Labrit Montreal, 32250 Montréal-du-Gers, tél. et fax 05 62 29 46 14, domainedelabrit@yahoo.fr, ☑ 🥄 🍷 r.-v.

COLOMBELLE Soleil gascon 2012 ★★

	60 000	🍶	5 à 8 €

Situé au cœur du Sud-Ouest, à Saint-Mont, la coopérative de Plaimont exploite 5 300 ha, fédère 1 000 producteurs et une vaste gamme de vins – saint-mont, madiran, pacherenc et vins de pays – régulièrement sélectionnés dans le Guide. Deux étoiles pour ce Soleil gascon, au nez d'agrumes (pamplemousse, citron) et de buis, au palais en effet « frais et gourmand », comme l'annonce l'étiquette de cette bouteille qui n'a pas influencé les jurés, puisque la dégustation se déroule à l'aveugle. Plus vif que doux, ce très joli vin se plaira sur un filet de poisson aux agrumes et au gingembre. Une étoile pour le **Charmes d'automne 2012 blanc moelleux (12 000 b.)**, riche et équilibré entre la rondeur des fruits exotiques et la fraîcheur des pomelos.

🕿 Plaimont Producteurs, rte d'Orthez, 32400 Saint-Mont, tél. 05 62 69 62 87, fax 05 62 69 62 65, d.caillard@plaimont.fr, ☑ 🥄 🍷 r.-v. 🏠 ❸ 🏠 ◯

ESPÉRANCE Cabernet-sauvignon cabernet franc Cuvée rosée 2012 ★★

	20 000	🍶	5 à 8 €

Claire de Montesquiou dirige depuis 1990 ce domaine de 30 ha bénéficiant d'un beau terroir de sables fauves. Pour habiller ces vins, elle a sollicité Jean-Charles de Castelbajac, d'origine gasconne et fameux créateur de mode, qui a dessiné les étiquettes. Les deux cabernets assemblés à parts égales donnent ce remarquable rosé pâle aux reflets gris. Fraise, framboise, fruits exotiques et agrumes se lient aux notes de buis et de bourgeons de cassis pour composer un bouquet intense et complexe. Plus riche que vive, la bouche possède un réel pouvoir de séduction : souplesse, rondeur et puissance. Pour un apéritif, une pissaladière ou une soupe de fruits rouges. Citée, la **Cuvée d'or sauvignon gros-manseng 2012 (50 000 b.)** retient l'attention par son bouquet plaisant d'agrumes et de fleurs blanches, et par son palais doux et aromatique.

🕿 Dom. d'Espérance, Espérance, 40240 Mauvezin-d'Armagnac, tél. 05 58 44 85 93, fax 05 58 44 87 15, info@esperance.fr, ☑ 🥄 🍷 t.l.j. sf mar. jeu. 8h-12h; sam. dim. sur r.-v. 🏠 ◯
🕿 Claire de Montesquiou

VIGNOBLES ESQUIRO Légende d'Automne Vieilli en fût de chêne 2011 ★★

	20 000	🍷	- de 5 €

Exploité depuis sept générations par la famille Retailleau, le vaste domaine de la Higuère (153 ha) figure régulièrement dans le Guide avec ses vins de pays rouges. Élevé douze mois en fût, ce 2011 charme par son bouquet élégant, un peu sauvage, de fruits noirs (cassis, pruneau) et de cuir, agrémenté de notes boisées. La bouche, tout en rondeur, s'exprime sur l'élégance, équilibrée et « allongée » par une juste acidité. Un ensemble opulent à servir sur une côte de bœuf aux truffes ou sur des aiguillettes de canard.

🕿 Dom. de la Higuère, Vignobles Esquiro, 32390 Mirepoix, tél. 05 62 65 18 05, fax 05 62 65 13 80, esquiro@free.fr, ☑ 🥄 🍷 t.l.j. 8h-19h; sam. dim. sur r.-v.
🕿 David Esquiro

LES FUMÉES BLANCHES 2012 ★★

| 500 000 | 🍾 | - de 5 € |

On ne présente plus François Lurton, viticulteur et négociant bordelais à l'origine de ce sauvignon remarquable. Dans sa belle robe limpide et brillante, ce 2012 livre un nez franc de fleurs blanches et d'agrumes. L'attaque fraîche introduit une bouche ample et équilibrée, bien balancée entre vivacité et rondeur, marquée par une pointe de noble amertume en finale. Pourquoi ne pas l'essayer sur un filet de truite aux amandes et riz créole ?
☛ François Lurton, Dom. de Poumeyrade, 33870 Vayres, tél. 05 57 55 12 12, communication@francoislurton.com

♥ DOM. GUILLAMAN 2012 ★★★

| 560 000 | 🍾 | - de 5 € |

En 1985, Dominique Ferret, âgé de seize ans et autodidacte, a repris le domaine de son grand-père. Le vignoble, dont la création remonte à 1761, s'étend aujourd'hui sur 70 ha. Les lecteurs fidèles se souviennent sans doute du coup de cœur obtenu pour un côtes-de-gascogne 2008. Même assemblage (colombard et ugni blanc), même distinction pour ce 2012 exceptionnel. Une parure d'or pâle scintillante, un bouquet éclatant mariant abricot frais, agrumes et fleurs blanches agrémenté d'une touche végétale et de notes minérales, prolongé par une bouche ample et ronde, étayée par une fine vivacité. D'une rare harmonie, cette bouteille atteint les sommets. Pour une escalope de foie gras frais poêlée au miel et vinaigrette à l'abricot.
☛ Dominique Ferret, Dom. Guillaman, 32330 Gondrin, tél. 05 62 29 13 82, fax 05 62 29 16 50, guillaman@orange.fr, ☑ ⚔ ⏲ t.l.j. sf dim. 9h-12h 14h-18h

LA HAILLE Les Anges 2012 ★★

| 4 200 | 🍷 | 5 à 8 € |

Jean-Luc Lapeyre, troisième génération à la tête de ce domaine crée en 1937, produit de l'armagnac et du floc-de-gascogne, mais aussi de plaisants vins de pays, en sec et moelleux. Remarquable, ce 2012 jaune pâle aux reflets argent livre un bouquet intense et complexe de fruits exotiques, de pêche, d'agrumes, de fleurs et de bourgeon de buis. Le palais n'est pas en reste : à la fois frais et très gras, il s'étire longuement en finale. On le verrait bien accompagner un plateau de fruits de mer. La cuvée de l'Hédoniste 2011 blanc moelleux (8 à 11 € ; 4 000 b.) est citée. Plus riche que fraîche, elle est encore marquée par le bois de l'élevage.
☛ EARL LGVM Jean-Luc Lapeyre, La Haille, 32250 Montréal-du-Gers, tél. 06 77 11 08 37, fax 05 62 29 47 46, lgvm@lahaille.com, ☑ ⚔ ⏲ t.l.j. sf dim. 9h-12h 14h-19h 🏠 🅱

DOM. DE L'HERRÉ Sauvignon 2012 ★★

| 120 000 | 🍾 | 5 à 8 € |

Créé en 1974 sur un terroir réputé d'argiles et de sables fauves, le domaine étend ses 100 ha de vignes au cœur de la Gascogne près d'Eauze. Ce sauvignon blanc, d'une teinte jaune paille à reflets vert, offre un bouquet fruité et vif, agrémenté de notes de sous-bois. Frais, fin et généreux, le palais, aux accents de fruits exotiques et d'agrumes, est harmonieux. Un dégustateur suggère un accord avec une salade de ris de veau. Une citation pour le **Gros manseng 2012 moelleux (65 000 b.)**, puissant et rond, rafraîchi par des nuances citronnées.
☛ Dom. de l'Herré, lieu-dit Herré, 32370 Manciet, tél. 09 77 72 42 02, fax 05 62 69 58 47, contact@lherre.fr, ☑ ⏲ t.l.j. sf sam. dim. 8h-12h30 14h-18h

DOM. HORGELUS Colombard sauvignon 2012 ★★★

| 300 000 | 🍾 | - de 5 € |

Dans la famille Le Menn, on cultive la vigne depuis trois générations. Yann assure la continuité du domaine depuis cinq ans. Il signe une cuvée exceptionnelle née sur sables fauves et issue de colombard (75 %) et de sauvignon. Robe étincelante aux reflets vert argent ; nez intense de fruits jaunes et d'agrumes, avec une pointe minérale ; palais fruité et vif, à la finale persistante sur le pamplemousse : voici les atouts de cette bouteille haute-couture, à découvrir sur une tarte au citron confit. Le **blanc sec Sauvignon gros manseng 2012 (5 à 8 € ; 40 000 b.)** obtient une étoile. Intensément fruité (banane, ananas, litchi), il séduit par son équilibre, entre rondeur et fraîcheur.
☛ Yoan Le Menn, Dom. Horgelus, lieu-dit Cassou, 32250 Montréal-du-Gers, tél. 06 24 34 20 47, fax 05 62 09 95 94, horgelus@orange.fr, ☑ ⏲ r.-v.

LABALLE Les Terres basses 2011 ★★

| n.c. | 🍾 | 5 à 8 € |

En 1820, Jean-Dominique Laudet acquiert le château Laballe au cœur du Bas-Armagnac landais. En 2007, Cyril Laudet reprend les rênes de l'exploitation, avec sa femme Julie. Aujourd'hui, le domaine représente 40 ha de vignes à l'origine d'eaux-de-vie et de vins de pays régulièrement distingués dans le Guide (IGP Côtes de Gascogne et Terroirs landais). Issue de 60 % de tannat complétés de syrah, ce 2011 se distingue par son nez très intense de fruits mûrs et cuits, prélude à une bouche riche et de belle longueur, parfaitement équilibrée entre rondeur et fraîcheur. Pour accompagner un pigeon rôti.
☛ Cyril Laudet, Dom. de Laballe, 40310 Parleboscq, tél. 05 58 73 81 57, contact@laballe.fr, ☑ ⏲ r.-v.

DOM. DE LAXÉ 2012 ★★★

| 30 000 | 🍾 | - de 5 € |

Les 60 ha du domaine de Laxé s'étendent sur des plateaux argilo-calcaires, sur lesquels s'épanouissent le colombard, l'ugni blanc et le gros manseng, les trois cépages qui composent cette cuvée. Blanc clair aux reflets verts, ce 2012 offre une palette olfactive complexe sur la fleur blanche et les agrumes agrémentés de touches végétales. La bouche ample et ronde est tendue par une belle vivacité – aux accents de pamplemousse et de citron – qui lui confère allonge et équilibre. Une cuvée d'une très grande finesse à boire à l'apéritif. Une étoile pour le **rosé 2012 (20 000 b.)**, aromatique (pamplemousse, cassis, bonbon anglais), vif et gourmand.

☛ EARL Vignobles Estrade et Fils, Dom. de Laxé,
32250 Fourcés, tél. et fax 05 62 29 42 49,
contact@domaine-laxe.com, ☑ ⚘ ❦ r.-v.

DOM. DE MASTRIC Merlot 2012 ★★

| ■ | 6 000 | 5 à 8 € |

Un parcours remarquable cette année pour Jérôme
Guichanné et sa sœur Laurence, qui voient leur rouge et
leur blanc distingués de deux étoiles. Une légère préférence pour ce merlot, vendangé à la main, d'une belle
complexité aromatique (fruits noirs mûrs, réglisse, fumé,
notes minérales et végétales). Fraîcheur et chair voluptueuse se mêlent harmonieusement dans une bouche
ample, riche, aux tanins fondus, à la longue finale réglissée
et mentholée. Le **blanc sec Gros manseng sauvignon
2012 (8 000 b.)** séduit quant à lui par son nez intense
(après aération) de coing, de pêche, d'agrumes et de fleurs,
et par son palais gras et doux.
☛ Jérôme Guichanné, rte d'Aire-sur-l'Adour,
32460 Le Houga, tél. 06 86 51 04 38, mastric@orange.fr,
☑ ⚘ ❦ r.-v.

♥ DOM. DE MAUBET Gros manseng
Cuvée Coup de cœur 2012 ★★

| ■ | 100 000 | ▮ | 5 à 8 € |

VIGNOBLES FONTAN

DOMAINE DE
Maubet
Gros Manseng
2012
Cuvée Coup de Cœur

CÔTES DE GASCOGNE
INDICATION GÉOGRAPHIQUE PROTÉGÉE

Le domaine de Maubet était autrefois une ferme de
polyculture, donnée en cadeau de mariage à Esilda et
Maximen Fontan, ancêtres fondateurs de l'exploitation.
En 1985, Aline et Jean-Claude Fontan décident de faire ce
ce domaine une propriété exclusivement viticole. Sylvain
Fontan, aujourd'hui aux commandes de 80 ha, signe une
cuvée exceptionnelle – au nom prédestiné – issue d'une
sélection de vignes âgées de quinze ans plantées sur un
terroir de boulbènes. Ce superbe gros manseng offre une
explosion de fruits exotiques, de fruits jaunes mûrs, de
truffe et de notes beurrées. Rondeur, douceur et fraîcheur
caractérisent cette cuvée parfaitement équilibrée et très
longue qui magnifiera un foie gras. Le **Petit manseng
moelleux 2012 (30 000 b.)** se distingue avec une étoile.
Les dégustateurs ont été séduits par son bouquet complexe d'agrumes et de vanille, et par son palais souple et
persistant sur des notes miellées.
☛ EARL Vignobles Fontan, Dom. de Maubet,
32800 Noulens, tél. 05 62 08 55 28, fax 05 62 08 58 94,
contact@vignoblesfontan.com,
☑ ⚘ ❦ t.l.j. sf dim. 8h-12h30 13h30-18h ⌂ ❸

DOM. DE MÉNARD Cuvée Marine 2012 ★★★

| ■ | 550 000 | ▮ | - de 5 € |

Les premières vendanges sur ce domaine remontent
à l'année 1922. Depuis, les générations se sont succédé, et
la production, vouée à l'origine exclusivement à l'armagnac, s'est diversifiée. Des vignes âgées de trente ans
– colombard, gros manseng et sauvignon – plantées sur un
sol composé d'argile et de fossiles minéraux sont à
l'origine de ce vin distingué pour sa grande vivacité. Le
bouquet complexe évoque les abricots au sirop, la pêche,
le litchi, le pomelo, le miel et le buis. Un palais superbe,
rond, souple et frais précède une finale d'une remarquable
longueur. Un modèle d'équilibre, à savourer sur des
coquillages et des crustacés.
☛ SARL Ménard, Charpentiès, Dom. de Ménard,
32330 Gondrin, tél. 05 62 29 13 33, fax 05 62 29 10 71,
contact@domainedemenard.com,
☑ ⚘ ❦ t.l.j. sf sam. dim. 8h-12h 14h-17h

DOM. DE MILLET Colombard ugni blanc 2012 ★★

| ■ | 300 000 | - de 5 € |

À l'origine voué à la polyculture et à la production
d'armagnac et de floc-de-gascogne, ce domaine, dont les
origines remontent au milieu du XIXᵉ s., consacre
aujourd'hui 80 ha de ses terres aux IGP Côtes de
Gascogne, dans les trois couleurs. Colombard et ugni
blanc pour ce vin gourmand, au bouquet timide qui
s'ouvre à l'aération sur des notes de pêche, d'agrumes et
de silex. Dans le même registre, la bouche est bien
équilibrée entre la rondeur des fruits et la minéralité.
Pourquoi ne pas essayer cette bouteille sur une tarte
saumon-poireaux ? Souple, ronde et fraîche, la cuvée
**Oppidum chardonnay sauvignon 2012 (5 à 8 € ;
22 000 b.)** est citée.
☛ Ch. de Millet, 32800 Éauze, tél. 05 62 09 87 91,
fax 05 62 09 78 53, chateaudemillet@wanadoo.fr,
☑ ❦ t.l.j. sf dim. 9h-12h 14h-18h ⌂ ❶
☛ Famille Dèche

DOM. DE MIRAIL Mirlandes Nature 2011 ★★

| ■ | 4 000 | ▮ | 15 à 20 € |

À proximité de la ville de Lectoure, qui fête cette
année son dixième festival pyrotechnique, ce domaine de
25 ha, en cours de conversion biologique, est une valeur
sûre des IGP Côtes de Gascogne. Ce Mirlandes Nature,
pur cabernet franc élevé douze mois en cuve, affiche une
belle couleur profonde. À l'aération, il libère des arômes
de fruits rouges (framboise, cassis), de menthe fraîche et
de bourgeon de cassis, prélude à une bouche ample et
riche. Un vin fruité et harmonieux qui montre par ses
tanins épicés et sa longueur qu'il est armé pour la garde
(deux ou trois ans).
☛ Charles-Antoine Hochman, Dom. de Mirail,
32700 Lectoure, tél. 05 62 68 82 52, fax 05 62 68 53 96,
domainedemirail@orange.fr,
☑ ⚘ ❦ t.l.j. sf dim. 9h-12h 14h-18h

DOM. DE PELLEHAUT Petit manseng
L'Escoubasso 2011 ★★

| ■ | 10 000 | ▯ | 5 à 8 € |

En bordure du Bas-Armagnac, cette exploitation
familiale, dont l'origine remonte à 1750, est conduite par
Martin et Mathieu Béraut depuis 1960. Le domaine
s'étend aujourd'hui sur 550 ha, dont 250 ha en vignes.
Une petite parcelle de 3 ha plantés dans un sol de
boulbènes (mélange d'argile et de sable sur une sous-
couche calcaire) est consacrée à ce petit manseng élevé
six mois en fût. D'un jaune très soutenu, ce 2011 offre un
un nez intense de fruits secs (figue, noisette), de miel et

VDP/IGP

de grillé, suivi d'une bouche harmonieuse, à la finale douce et longue. Beaucoup de gras et de puissance dans ce vin d'une grande harmonie qui se plaira avec une croustade aux pommes.

☛ Béraut, Ch. de Pellehaut, 32250 Montréal-du-Gers, tél. 05 62 29 48 79, fax 05 62 29 49 90, contact@pellehaut.com, ☑ ⟟ t.l.j. sf dim. 9h-12h 14h-18h

♥ **PERRÉOU** Sauvignon gros manseng
L'Émotion 2012 ★★★

| | 20 000 | ▪ | 5 à 8 € |

Cette cuvée fit son entrée dans le Guide l'an dernier avec trois étoiles ; nous la retrouvons cette année pareillement étoilée, mais cette fois-ci récompensée par un coup de cœur enthousiaste. Robe jaune pâle aux reflets ambrés ; large palette aromatique où se marient les fruits (pêche, pomme, pamplemousse, orange), les fleurs et la brioche ; bouche douce et vive à la fois : le charme opère jusqu'à la finale persistante, stimulée par une légère pointe d'amertume fort élégante. L'harmonie est totale. Pour un mets de choix : homard rôti au four au beurre salé ou sauté de langoustines ? Cité, **L'Émotion chardonnay gros manseng 2012 (20 000 b.)**, « entre sec et moelleux » relève un dégustateur, a séduit par son équilibre entre douceur et fraîcheur.

☛ SCEA Dom. de Perréou, La Pélinguette, 32800 Cazeneuve, tél. 05 62 08 93 09, fax 05 62 08 13 95, jean-pierre.montelieu@orange.fr, ☑ ⚹ ⟟ r.-v.

RIEUTORT Colombard sauvignon 2012 ★★

| | 20 000 | ▪ | - de 5 € |

Le Rieutort, une ravissante folie du XVIIᵉs., appartient à la famille de Montal depuis 1865. Élevé cinq mois en cuve sur lies, ce 2012 apparaît dans une robe pâle aux reflets dorés, offrant un bouquet complexe de pêche et d'ananas. L'attaque souple annonce un palais gras et rond, bâti autour des fruits mûrs, une pointe d'amertume en finale apportant la fraîcheur. L'harmonie est là. Parfait pour accompagner un foie gras mi-cuit. Élevé douze mois en cuve, le **petit manseng doux 2011 (6 400 b.)** reçoit une étoile pour ses notes de fleurs blanches et de fruits, et pour son bon équilibre acidité-sucre.

☛ Compagnie des Produits de Gascogne, rte d'Aire-sur-l'Adour, 32110 Nogaro, tél. 05 62 09 01 79, fax 05 62 09 10 99, montal@de-montal.com, ☑ ⚹ ⟟ t.l.j. sf dim. lun. 9h-12h 14h-18h

RIGAL Gros manseng L'Instant Figuier 2012 ★★

| | 60 000 | ▪ | - de 5 € |

Un joli palmarès, en rouge et en blanc, pour cette maison de négoce spécialisée dans les vins du Sud-Ouest,

appartenant à la famille Rigal implantée dans la région dès 1755 : deux étoiles pour L'instant Figuier, qui a frôlé le coup de cœur, et une étoile pour Les Palombières, assemblage de tannat (majoritaire) et de merlot. Lumineux, ce pur gros manseng dévoile à l'aération des arômes d'agrumes, d'abricot et de fruits blanches. Porté par une belle matière, avec beaucoup de gras et de structure, il est déjà prêt pour accompagner un foie gras mi-cuit. Une étoile donc pour **Les Palombières tannat merlot 2012 (160 000 b.)**, un joli vin rouge de Gascogne, plaisant par son nez de fruits rouges et sa bouche ronde et souple.

☛ SAS Rigal, Ch. Saint-Didier Parnac, 46140 Parnac, tél. 05 65 30 70 10, fax 05 65 20 16 24, myriam.sportouch@rigal.fr

DOM. DE SANCET 2012 ★★

| | 65 000 | ▪ | - de 5 € |

Situé au cœur du Bas-Armagnac, le domaine familial de Sancet produit armagnac, floc et autres liqueurs mais aussi des vins de pays, tel cet assemblage issu de quatre cépages : colombard et ugni blanc à parts égales (30 % chacun), gros manseng (25 %) et sauvignon. Cela donne une cuvée remarquable, au nez d'abord timide qui s'ouvre à l'aération sur des notes florales, fruitées (agrumes, fruits exotiques) et végétales. Rondeur, fraîcheur, l'équilibre est impeccable tout au long de la dégustation. Idéal pour accompagner des tapas à l'heure de l'apéritif.

☛ Alain Faget, Sancet, 32110 Saint-Martin-d'Armagnac, tél. 05 62 09 08 73, fax 05 62 69 04 13, domainedesancet@wanadoo.fr, ☑ ⟟ r.-v.

TASTET Tonnelle 2012 ★★

| | 20 000 | ▪ | 5 à 8 € |

Propriété de la famille Tastet depuis plus d'un siècle, ce vaste domaine de 50 ha est une valeur sûre du Guide. Cette année, ce sont deux blancs, un sec et un moelleux, qui ont retenu l'attention des dégustateurs. Le Tonnelle, issu de colombard, d'ugni blanc, de chardonnay et de sauvignon, dévoile de plaisants arômes de fruits mûrs (ananas, banane, agrumes) et de fleurs blanches, agrémentés de quelques notes d'eucalyptus. Dominé par les agrumes, le palais séduit par sa vivacité imposante et sa bonne persistance aromatique. À déboucher sur un poulet aux citrons confits. Cité, le **Tendresse gros manseng 2012 moelleux (25 000 b.)**, bien fait, souple et frais, s'appréciera volontiers sur un gâteau au chocolat noir.

☛ Denis Tastet, Dom. de Guilhon d'Aze, 32150 Larée, tél. 05 62 09 53 88, fax 05 62 09 58 92, contact@denis-tastet.fr, ☑ ⚹ ⟟ t.l.j. 8h-12h30 14h-19h

LES TROIS DOMAINES Cupidon 2012 ★★

| | 7 000 | ▪ | 5 à 8 € |

Bien connu des habitués du Guide pour ses flocs, ce domaine est situé à Réjaumont, un petit village du nord du Gers. La famille Baurens a vendangé le 10 novembre 2012 la parcelle de 70 ares à l'origine de cette cuvée d'une grande élégance avec ses jolies notes confites. Intense et d'une grande finesse, le nez marie harmonieusement l'ananas et le miel à des notes grillées et vanillées. Après une attaque fraîche et douce, le palais dévoile une même délicatesse aromatique. Remarquablement équilibré, le 2012 peut être apprécié dès maintenant, de l'apéritif au dessert. Même distinction pour le **Grand Jouan 2011 rouge cuvée Émotion (5 000 b.)**, un vin bien fait, riche et ample.

◗┑ GAEC des Trois Domaines, Lassalle, 32390 Réjaumont, tél. 05 62 65 28 83, fax 05 62 65 27 52, 3domaines@3domaines.com,
☑ ⚓ ⏁ t.l.j. sf dim. 9h-12h 14h-19h; sam. 9h-12h; jan.-mars 14h-19h

LA TUILERIE 2011 ★★

| ▪ | 12 000 | ▪ | - de 5 € |

Joël Pellefigue a repris le domaine familial en 1990 et l'a fait passer de 2 à 9 ha. En 2001, il l'a doté d'un chai moderne. D'un rouge profond aux reflets cerise, cet assemblage de cabernet franc (60 %) et de merlot, élevé un an en cuve, laisse paraître des senteurs de fruits rouges macérés qui s'expriment à nouveau au palais, après une attaque souple. Un beau volume, avec des tanins fondus, et des saveurs douces et épicées annoncent un bon potentiel de garde (trois ans). Une bouteille équilibrée que l'on verrait bien sur un magret de canard et sa poêlée de cèpes. Une citation pour **La Romane 2011 rouge** (5 à 8 € ; 7 000 b.), issue en majorité de cabernet franc, qui plaît par son harmonie entre fruits rouges et boisé.
◗┑ Joël Pellefigue, Dom. de la Tuilerie, 32810 Roquelaure, tél. 05 62 65 50 30, fax 05 62 65 58 35, pellefigue.joel@wanadoo.fr, ☑ ⚓ ⏁ r.-v.

VINTUS APOGÉE Petit et gros manseng 2011 ★★★

| ▪ | 8 700 | ▪ | - de 5 € |

Olivier Martin, à la tête des Terrasses de Rubens (*rubinus* en latin signifie « rouge », en référence aux sols riches en oxyde de fer), propose deux moelleux qui ont laissé les jurés sous le charme tout au long de la dégustation. D'une belle intensité avec ses notes de fruits exotiques, d'agrumes (orange confite), de miel et de cire, le bouquet annonce une bouche ample, bien structurée et longue, où s'allient sans fausse note rondeur et fraîcheur. La finale sur des notes grillées achève de convaincre. Idéal pour accompagner un dessert. La cuvée **Terrasses de Rubens petit manseng 2011 moelleux** (8 à 11 € ; 2 010 b.) opulent, riche, sur les fruits confits, reçoit une étoile.
◗┑ SCEA Les Terrasses de Rubens, Rubens, 32110 Nogaro, tél. 05 62 69 02 38, martin.olivier7@wanadoo.fr,
☑ ⚓ ⏁ t.l.j. 10h-21h
◗┑ Olivier Martin

Côtes du Tarn

DOM. SARRABELLE Chardonnay 2012 ★

| ▪ | 10 600 | ▪ | 5 à 8 € |

Laurent et Fabien Caussé, représentant la huitième génération, signent un chardonnay élevé six mois sur lies fines. Floral et fruité, ce vin s'épanouit sur les fruits exotiques et les agrumes. En bouche, l'attaque vive et savoureuse se prolonge sur des notes citronnées, qui portent loin la finale : l'équilibre est au rendez-vous. À servir sur un plateau de fruits de mer.
◗┑ Dom. Sarrabelle, Les Fortis, 81310 Lisle-sur-Tarn, tél. 05 63 40 47 78, fax 05 63 81 49 36, contact@sarrabelle.com, ☑ ⚓ ⏁ t.l.j. sf dim. 9h-12h 14h-19h
◗┑ Caussé

TERRANE Terres du Tarn 2012 ★

| ▪ | 65 000 | ▪ | - de 5 € |

Cette coopérative, créée en 1949, est la plus ancienne du Tarn. Elle propose un assemblage de syrah, de braucol et de cabernet-sauvignon très réussi. Le nez floral, encore sur la retenue, s'ouvre à l'agitation sur des notes de fruits rouges (fraise, framboise) et de bonbon anglais. La bouche fraîche dévoile un plaisant fruité stimulé par une pointe acidulée (groseille) en finale. Un vin équilibré et gourmand, à servir sur des brochettes de bœuf au feu de bois.
◗┑ Cave de Labastide, BP 12, 81150 Marssac-sur-Tarn, tél. 05 63 53 73 73, fax 05 63 53 73 74, commercial@cave-labastide.com, ☑ ⚓ ⏁ r.-v.

VIGNÉ-LOURAC Braucol Les Cépages rares 2012 ★★

| ▪ | 130 000 | ▪ | - de 5 € |

Bien connus des habitués du Guide pour leurs gaillac, Alain et Vincent Gayrel – le père et le fils – proposent un pur braucol, cépage plus connu sous le nom de fer-servadou (« qui se conserve bien » en occitan). Voici un rouge plein d'éclat : intensité de la robe profonde, presque noire aux reflets violets, intensité du bouquet sur les notes fruitées (cassis, banane), florales (violette) et végétales (poivron). La bouche affiche un bel équilibre entre rondeur et fraîcheur, dévoilant des tanins au joli grain qui prennent en finale des accents épicées. De la chair, du volume, ce vin gourmand, à découvrir dès la sortie du Guide, tient son rang. Le **duras cabernet 2012 rouge** (65 000 b.) reçoit deux étoiles également. Des arômes de fruits frais et de cuir annoncent une bouche souple et friande, où notes de chocolat et de café s'attardent.
◗┑ Alain et Vincent Gayrel, 103, av. Foch, 81600 Gaillac, tél. 05 63 81 21 11, fax 05 63 81 21 09, cave-gaillac@wanadoo.fr,
☑ ⏁ t.l.j. 9h30-12h30 14h30-19h30

Côtes du Lot

LA TOUR DE BELFORT Malbec cabernet franc 2012 ★★

| ▪ | 5 280 | ▪ | 8 à 11 € |

Ce domaine quercynois signe un très beau rouge issu d'un assemblage de malbec (60 %), de cabernet franc et de merlot. Ce 2012 inspire confiance dès l'approche : le grenat de sa robe est intense et profond, animé de reflets violines, et son nez bien ouvert mêle la cerise et la fraise mûres à des notes d'épices douces et de réglisse. L'annonce d'une bouche ronde et suave, fondue et suffisamment tonique, où l'on retrouve les fruits rouges et les épices de l'olfaction. À apprécier dans les deux ans. Mariant le chardonnay (60 %) et le sauvignon, le **blanc 2012** (5 280 b.) est un vin aromatique et bien équilibré : une étoile.
◗┑ Le Dom. de Belfort, Le Bourg, 46230 Belfort-du-Quercy, tél. 06 37 29 66 71, info@tour-de-belfort.com, ☑ ⚓ ⏁ r.-v.
◗┑ Lismonde

LA BÉRANGERAIE Malbec Tu bois coâ? 2012 ★★

| ▪ | 16 000 | ▪ | 5 à 8 € |

Ce producteur, qui s'illustre en cahors, élabore aussi de jolis rosés en IGP, à partir du même cépage, le malbec. Issu de macération, celui-ci séduit par ses parfums bien présents, floraux et fruités, agrémentés d'une touche de bonbon anglais et d'une pointe mentholée. Cette qualité aromatique se retrouve en bouche, où s'épanouissent la framboise et le cassis, où la rondeur est équilibrée par une belle fraîcheur : malgré les 5 g/l de sucres résiduels, l'impression de vivacité l'emporte.

☛ Dom. la Bérangeraie, Coteaux de Cournou, 46700 Grézels, tél. 05 65 31 94 59, fax 05 65 31 94 64, berangeraie@wanadoo.fr, ☑ ⚑ ⟟ t.l.j. 10h-12h 14h-18h

☛ Bérenger

DOM. DE CAUSE Malbec Bouquet de Cavagnac 2012

| ◼ | 12 000 | ◼ | 5 à 8 € |

Bien connue de nos lecteurs pour ses cahors, la famille Costes complète sa gamme avec des rosés en IGP. Celui-ci est issu d'une saignée de malbec. Cette méthode d'élaboration explique sa couleur soutenue, rouge clair aux reflets framboise. Discret mais très droit, le nez s'ouvre sur les petits fruits rouges et les agrumes. La bouche très fraîche permettra à cette bouteille d'accompagner du poisson grillé.

☛ EARL Durou et Costes, Cavagnac, 46700 Soturac, tél. 05 65 36 41 96, domainedecause@wanadoo.fr, ☑ ⚑ ⟟ r.-v.

CHEVALIER FAMAEY Malbec 2012 ★

| ◼ | 25 000 | ◼ | - de 5 € |

Situé dans le pittoresque bourg de Puy-l'Évêque, ce domaine a été racheté en 2000 par deux Belges, Luc Luyckx et Marc Van Antwerpen. Outre du cahors, les propriétaires proposent des vins en IGP, dont un pur malbec aux parfums de fruits cuits ou à l'eau-de-vie, accompagnés d'une pointe de Zan. La bouche, dans le même registre, se révèle souple et ronde. Un ensemble harmonieux et prêt à boire.

☛ Luc Luyckx, Ch. Famaey, Les Inganels, 46700 Puy-l'Évêque, tél. 05 65 30 59 42, fax 05 65 30 50 53, chateau.famaey@wanadoo.fr, ☑ ⚑ ⟟ t.l.j. 8h30-11h30 14h-18h 🎏 ❸ 🏠 🇪

ÉLIE Malbec Demi-sec 2012 ★

| ◼ | 10 000 | ◼ | - de 5 € |

Comme beaucoup de producteurs de cahors, Michel Souveton propose du rosé en IGP. Celui-ci résulte pour partie d'une saignée et pour l'autre de pressurage. Il s'ouvre sur des senteurs délicates de fleurs blanches, de fruits exotiques et d'écorce d'orange. Suave en attaque, il affiche son caractère demi-sec par des impressions de douceur tout en montrant une bonne fraîcheur et des arômes fruités très flatteurs. Parfait pour un dessert aux fruits.

☛ GAEC Ch. de Calassou, Calassou, 46700 Duravel, tél. 06 82 03 47 77, chateau.calassou@wanadoo.fr, ☑ ⚑ ⟟ t.l.j. 9h-12h 13h30-19h 🏠 🇧

EUGÉNIE Rosé moelleux La Treille du Roy
Malbec Merlot 2012 ★

| ◼ | n.c. | ◼ | - de 5 € |

Bien connue des lecteurs pour ses cahors, la famille Couture signe ici à partir d'une majorité de malbec un rosé en robe saumonée, au nez délicat et élégant de petits fruits rouges. L'attaque ronde et suave émoustillée par une pointe de perlant introduit une matière ample et moelleuse, où la framboise, la fraise des bois et la pêche s'installent confortablement. Le **rouge 2012 Treille du Roy**, cité, est gouleyant et fruité. Son assemblage

est original : 50 % de cabernet-sauvignon et autant de segalin, croisement entre le portugais bleu et le jurançon noir.

☛ Ch. Eugénie, Rivière-Haute, 46140 Albas, tél. 05 65 30 73 51, fax 05 65 20 19 81, couture@chateaueugenie.com, ☑ ⚑ ⟟ t.l.j. sf dim. 9h30-12h30 14h-19h

☛ Couture

LAGRÉZETTE Viognier Le Pigeonnier 2012 ★

| ◼ | 1 500 | ◫ | 50 à 75 € |

Ce domaine emblématique du vignoble cadurcien, tant pour son château du XVIᵉs. que pour ses cahors ambitieux, a acclimaté sur son vaste domaine le viognier, cépage rhodanien. Avec succès, comme l'ont montré deux coups de cœur récents. Celui-ci a fermenté en barrique puis séjourné neuf mois sous bois. Si la robe est pâle, le nez est exubérant, caractéristique du cépage avec ses senteurs d'abricot et de fruits jaunes (mirabelle) assorties de complexes notes d'élevage (fruits secs, brioche, torréfaction). Ce riche boisé se confirme en bouche, le fruit restant en retrait. Un vin ample, rond et cossu, pour de la volaille en sauce ou des saint-jacques.

☛ SCEV la Grézette, Dom. de Lagrézette, 46140 Caillac, tél. 05 65 20 07 42, fax 05 65 20 06 95, adpsa@lagrezette.fr, ☑ ⚑ ⟟ t.l.j. 10h-12h 14h-18h; f. jan.

☛ A.-D. Perrin

♥ DOM. DE LATUC Merlot 2011 ★★

| ◼ | 4 000 | ◼ | 11 à 15 € |

Situé aux confins du Lot-et-Garonne, ce domaine est exploité depuis 2002 par un couple d'agronomes belges qui l'avait racheté à des Britanniques. Leur merlot a fait l'unanimité. D'emblée, il attire avec sa robe profonde tirant sur le noir, à laquelle répond un nez intense et complexe, qui associe les fruits cuits et le cuir à des notes plus fraîches de cassis, de réglisse et de menthol. L'attaque dévoile une bouche tout en rondeur, chaleureuse, étoffée et longue, dans le même registre que le nez. Déjà prête, cette bouteille peut aussi attendre deux ans.

☛ EARL Dom. de Latuc, Laborie, 46700 Mauroux, tél. 05 65 36 58 63, fax 05 65 24 61 57, info@latuc.com, ☑ ⚑ ⟟ t.l.j. 9h-12h 14h-18h

☛ Meyan

MÉTAIRIE GRANDE DU THÉRON Syrah malbec 2012 ★

| ◼ | 28 000 | ◼ | - de 5 € |

Bien connue de nos lecteurs pour ses cahors, la famille Sigaud propose un rosé mi-syrah mi-malbec. Très coloré, ce vin se partage au nez entre les fleurs blanches et les petits fruits rouges acidulés. Rond, charnu, chaleureux

et équilibré par ce qu'il faut de fraîcheur, il ne manque pas de caractère. On le verrait bien accompagner une paëlla.
☛ Barat-Sigaud, Métairie Grande du Théron, 46220 Prayssac, tél. 05 65 22 41 80, fax 05 65 30 67 32, barat.sigaud@wanadoo.fr, ☑ 斋 ⍙ r.-v.

NOZIÈRES Clin d'œil 2012 ★★

▨	10 000 ▯	- de 5 €

La famille Guitard, installée au cœur de l'appellation cahors, propose des vins dans les trois couleurs grâce à l'IGP côtes du Lot. Les dégustateurs ont beaucoup apprécié ce blanc mi-chardonnay mi-sauvignon. Or gris très pâle, ce 2012 au nez intense et franc se partage entre les agrumes et des notes miellées. Après une attaque ronde, il offre un plaisant déroulé aromatique sur un fond de fraîcheur acidulée qui donne de l'allonge à la finale. Simple et délicieux, un vin d'apéritif. Le **rosé sec Le Gravis 2012** malbec **(10 000 b.)** obtient une étoile. Il accompagnera très bien viandes et poissons grillés.
☛ EARL de Nozières Maradenne-Guitard, Bru, 46700 Vire-sur-Lot, tél. 05 65 36 52 73, fax 05 65 36 50 62, chateaunozieres@wanadoo.fr, ☑ 斋 ⍙ t.l.j. sf dim. 9h-12h 14h-19h

RIGAL The Original Malbec 2012 ★

▣	200 000	5 à 8 €

Cette maison cadurcienne, dont les origines remontent au XVIIIᵉˢ., rayonne aujourd'hui dans tout le Sud-Ouest, affiliée désormais au vaste groupe Advini. Elle s'intéresse toujours de près aux vignobles du Lot, en cahors ou côtes du Lot, comme le montrent les distinctions régulières dans le Guide. Le 2009 de cette cuvée avait obtenu un coup de cœur. Le 2012 est facile et plaisant. On aime son nez intense et frais, sur le cassis, la prune et la mûre, mâtiné de réglisse et de vanille. La bouche, à l'unisson, entre fruits et épices douces, se révèle suave, chaleureuse et fondue.
☛ SAS Rigal, Ch. Saint-Didier Parnac, 46140 Parnac, tél. 05 65 30 70 10, fax 05 65 20 16 24, myriam.sportouch@rigal.fr

ROSÉ D'UN ÉTÉ Malbec 2012

▣	30 000 ▯	5 à 8 €

Productrice de cahors, la famille Roussille signe un rosé de pur malbec, plaisant par son nez en fraîcheur associant fleurs blanches et bonbon anglais. Ample et douce à l'attaque, la bouche développe des arômes de petits fruits rouges acidulés, vivifiée par une pointe de perlant. Un vin simple mais élégant, parfait pour les grillades et les salades composées.
☛ Roussille et Filles, rte de la Gineste, 46700 Duravel, tél. 05 65 36 50 09, fax 05 65 24 67 64, closduchene@wanadoo.fr, ☑ 斋 ⍙ t.l.j. 9h-12h 15h-18h

DOM. DU SOULEILLAN Malbec Plaisirs 2012

▣	10 000	- de 5 €

Sébastien Alazard signe un rouge de pur malbec au nez intense de cerise, de noyau et de pruneau à l'eau-de-vie agrémenté d'une pointe de Zan. Dans le même registre, la bouche est suave en attaque, charnue et généreuse, même si les tanins se font un peu sévères en finale. Un vin bien représentatif de cette IGP.

☛ Alazard, Flottes, 46090 Pradines, tél. 05 65 35 61 72, domaine.du.souleillan@wanadoo.fr, ☑ 斋 ⍙ r.-v.

SUR LE CHEMIN DE PIERRE LEVÉE 2012 ★

▨	1 000 ▥	5 à 8 €

À côté des cahors, la famille Vincens produit des vins en IGP, comme le blanc, qui tire son nom d'un menhir se dressant sur la parcelle d'où il provient. Si ce chardonnay n'a pas la force d'un roc, il a pour lui un nez flatteur et montant, où la pêche, l'abricot, le coing et les fruits exotiques s'allient aux nuances vanillées léguées par un court séjour en barrique. Bien équilibrée entre souplesse et vivacité, la bouche apparaît davantage marquée par le bois. À boire à l'apéritif avec des feuilletés. L'**Instant Malbec 2012 rosé (moins de 5 € ; 80 000 b.)** est cité pour ses arômes de fruits rouges mûrs et de violette, et pour sa bouche ronde et équilibrée.
☛ Ch. Vincens, Foussal, 46140 Luzech, tél. 05 65 30 51 55, fax 05 65 20 15 83, philippe@chateauvincens.fr, ☑ 斋 ⍙ t.l.j. 10h-13h 15h-19h ⌂ ❸

Pyrénées-Atlantiques

DOM. DE MONCADE Tannat Élevé en fût de chêne 2011 ★

▣	2 600 ▥	5 à 8 €

Situé au pied de la tour Moncade d'Orthez, vestige du château natal de Gaston Fébus (1331-1391) seigneur féodal, écrivain et poète, ce domaine de 6 ha a consacré une parcelle de 1 ha de tannat à cette cuvée vendangée à la main et élevée un an en fût. Le résultat ? Une robe rouge profond, un nez intense de grillé et de vanille (notes de l'élevage) qui laisse néanmoins une belle place aux fruits rouges (cerise, framboise). Ronde et bien équilibrée, la bouche, entre boisé et fruité, est étayée par des tanins présents mais déjà fondus. Un vin bien fait, prêt à supporter quelques années de garde, mais que l'on peut apprécier dès aujourd'hui sur une pièce de bœuf.
☛ Murielle et Laurent Caubet, L'Escudé, 64410 Cabidos, tél. 06 07 47 10 27, vin.lescude@orange.fr, ☑ 斋 ⍙ t.l.j. sf dim. lun. 9h-12h 14h-18h; sam. sur r.-v. ⌂ ❸

Languedoc et Roussillon

Vaste amphithéâtre ouvert sur la Méditerranée, la région Languedoc-Roussillon décline ses vignobles du Rhône aux Pyrénées catalanes. Premier ensemble viticole français, elle produit près de 80 % des vins de pays de France. Le vin de pays régional « IGP d'Oc », constitué en majorité des vins de cépage avec six variétés principales (cabernet-sauvignon, merlot, syrah en rouge et chardonnay, sauvignon, viognier en blanc), représente 3,5 millions d'hectolitres.

Obtenus par la vinification séparée de cuvées, les vins de pays de la région Languedoc-Roussillon sont issus non seulement de cépages traditionnels (carignan, cinsault, grenache et syrah pour

VDP/IGP

les vins rouges et rosés, clairette, grenache blanc, macabeu, muscat, terret pour les blancs) mais aussi de cépages non méridionaux : merlot, cabernet-sauvignon, cabernet franc, cot, petit verdot et pinot noir pour les vins rouges ; chardonnay, sauvignon et viognier pour les vins blancs.

Aude

DOM. LA BASTIDE Hauterive Abondance 2012 ★★

| 12 000 | 8 à 11 € |

Cette imposante demeure, bâtie sur le site d'une ancienne *villa* gallo-romaine, est nichée dans un cadre de verdure aux essences méditerranéennes. Depuis 1989, date de reprise du domaine, Guilhem Durand s'est attaché à améliorer la qualité de son vignoble par une politique de réencépagement réussie. Vêtu d'une robe jaune soutenu aux reflets mordorés, ce 2012 livre d'agréable parfums de confiture de pêches, dynamisés par des nuances de menthol et d'épices, mâtinés d'arômes vanillés. Cette belle complexité se confirme dans une bouche sublimée par une belle rondeur, non dénuée de fraîcheur, à la finale teintée de réglisse et de miel. Poisson cuisiné ou langouste en sauce lui siéront à merveille.

🕊 Ch. la Bastide, 11200 Escales, tél. 04 68 27 08 47, fax 04 68 27 26 81, chateaulabastide@wanadoo.fr
☑ ⚔ ⲙ r.-v.

Ⓑ GÉRARD BERTRAND Hauterive Cigalus 2011 ★

| n.c. | 🍷 20 à 30 € |

Vin d'appellation d'origine contrôlée ou indication géographique protégée, le vigneron et négociant Gérard Bertrand est fréquemment cité parmi les pages languedociennes du Guide. Avec Cigalus, la qualité passe par la biodynamie. Assemblage de cépages bordelais (cabernet-sauvignon, cabernet franc, merlot) et méditerranéens (syrah, grenache noir, carignan), cette cuvée se montre puissante et généreuse, avec des arômes de fruits rouges, de vanille et d'épices. La fraîcheur d'une note mentholée contrebalance les fruits à l'alcool et la douceur d'une finale cacaotée dans une bouche portée par des tanins soyeux.

🕊 Gérard Bertrand, Ch. l'Hospitalet, rte de Narbonne-Plage, 11100 Narbonne, tél. 04 68 45 57 57, fax 04 68 45 28 77, j.sauzet@gerard-bertrand.com,
☑ ⚔ ⲙ t.l.j. 9h-19h

DOM. LALANDE Terrasse de Lalande 2012

| 40 000 | - de 5 € |

Créée en 2006 à l'occasion du salon Vinisud, cette cuvée recherche un esprit libre et moderne. Et c'est bien ce qu'ont vu les dégustateurs dans cet assemblage de syrah (60 %) et de merlot, léger et gouleyant. Robe brillante aux reflets violines ; nez friand de fruits rouges où perce également la note fraîche du gingembre ; bouche souple, ronde et lisse. Idéal pour des grillades au feu de bois.

🕊 Dom. Lalande, 11610 Pennautier, tél. 04 67 37 22 36, fax 04 67 37 65 90, domainelanguedocie@wanadoo.fr

Cathare

DOM. DES CATHARES 2012 ★

| n.c. | 🍷 8 à 11 € |

Régulièrement sélectionné dans le Guide, Gérard Bertrand, vigneron et négociant narbonnais, propose un séduisant assemblage composé de merlot, de cabernet franc, de syrah et de grenache. Le vin en ressort muni d'un fruité mur, aussi bien au nez qu'en bouche. Ample et rond, il livre une bouche structurée par un boisé fondu. À découvrir dès à présent.

🕊 Gérard Bertrand, Ch. l'Hospitalet, rte de Narbonne-Plage, 11100 Narbonne, tél. 04 68 45 57 57, fax 04 68 45 28 77, j.sauzet@gerard-bertrand.com,
☑ ⚔ ⲙ t.l.j. 9h-19h

Cévennes

DOM. DU CHÊNE Charlotte 2012 ★

| 6 000 | 5 à 8 € |

Les vignes de ce domaine situé à Castelnau-Valence, aux portes d'Uzès, sont plantées au cœur de la garrigue sur des coteaux argilo-calcaires. Issu de marselan, fruit d'un croisement entre le cabernet sauvignon et le grenache noir, ce 2012 se présente dans une robe grenat intense. Le nez puissant libère des arômes de fruits rouges mûrs (fraise). On retrouve ces notes dans une bouche tout en souplesse, d'un bon volume, adossée à des tanins fondus. Un « vin de plaisir », bien équilibré, que l'on ouvrira dès à présent sur une belle assiette de charcuteries des Cévennes.

🕊 Dom. du Chêne, rue Mistral, 30190 Castelnau-Valence, tél. et fax 04 66 83 21 91, sylvain.ozil@free.fr,
☑ ⲙ t.l.j. 9h-12h 13h30-19h30
🕊 Sylvain Ozil

Ⓑ DOM. JARDIN DES IRIS Merlot syrah 2012 ★

| 15 066 | 8 à 11 € |

Fervent défenseur du terroir et de la nature, Gilles Louvet produit ses vins dans le respect des règles de l'agriculture biologique depuis près de vingt ans. Ce domaine conduit 15 ha de vignes isolées au cœur d'une forêt de chênes, situées au pied des Cévennes. Le vin proposé, un assemblage de merlot et de syrah, se présente dans une robe intense de couleur grenat et révèle un nez aromatique, à la fois fruité et floral. Le palais est élégant, épaulé par des tanins joliment fondus. À déguster sur un magret de canard grillé.

🕊 Vignobles Gilles Louvet, ZA Bonne-Source, 30, rue Ernerst-Cognacq, 11100 Narbonne, tél. 04 68 90 12 80, fax 04 68 65 00 18, contact@gilleslouvet.com

LOUS GREZES Château Chapeau 2011

| 4 500 | 11 à 15 € |

Première entrée dans le Guide pour ce domaine situé dans le piémont cévenol, fondé en 2004 par Luc Lybaert et Trees Claes, originaires de Gand en Belgique. Produit selon les principes du bio mais sans en avoir la certification, ce 2011 de grenache complété d'une pointe de carignan offre un nez séduisant de fruits mûrs (tirant le kirsch) et de tapenade. En bouche, le soyeux du grenache apparaît dès l'attaque, puis une jolie fraîcheur minérale prend le relais. La structure tannique permettra

de garder ce vin quelques années (jusqu'à quatre ans environ) avant de l'ouvrir sur un canard rôti à la broche.
☛ Luc Lybaert et Trees Claes, 950 b, rte des deux villages, 30720 Ribautes-Les-Taverne, tél. 06 84 69 37 75, nature@lousgrezes.com, ✉ ☀ ☍ r.-v.

DOM. LES LYS La Grande 2011 ★

| ■ | | 3 800 | ⅢⅢ | 11 à 15 € |

Ce jeune domaine fondé en 2009 a choisi de mettre à l'honneur la syrah pour sa cuvée haut de gamme. Il en résulte un vin à la robe rubis intense, au bouquet franc de fruits rouges et de garrigue (thym). En bouche, l'attaque est ronde, ample et le potentiel aromatique s'exprime pleinement sur fond de fruits rouges. Une belle structure tannique s'exprime ensuite sans heurts, de manière élégante. Une cuvée harmonieuse, tout en finesse, à déguster sur un lapin aux lauriers dans les deux ans.
☛ Les vignes du Lys, 30700 Blauzac, tél. 04 66 03 16 37, contact@les-lys.fr, ✉ ☀ ☍ t.l.j. sf dim. 9h-12h 14h-17h
☛ Monahan

DOM. DE L'ORVIEL Petit verdot 2012 ★★

| ■ | | 7 500 | ▮ | 5 à 8 € |

Le domaine de l'Orviel est implanté sur la commune de Saint-Jean-de-Serres, dans le Gard. À proximité des premiers contreforts des Cévennes, les sols et l'exposition des coteaux y favorisent la culture qualitative de la vigne. Sur les marnes feuilletées, du petit verdot a été planté. C'est un cépage que l'on trouve surtout dans le Médoc, mais le Languedoc-Roussillon, grâce à sa grande variété de terroirs, permet toutes les audaces et certaines sont payantes. Preuve en est ce 2012 au bouquet intense de fruits rouges bien mûrs. La bouche est très agréable avec de la rondeur et une belle souplesse des tanins, le tout accompagné de notes de fruits omniprésentes. Une belle cuvée vinifiée avec beaucoup de maîtrise, qui permettra de jolis accords avec un carré d'agneau aux herbes dès la sortie du Guide.
☛ Jean-Pierre Cabane, 22, Mas Flavard, 30350 Saint-Jean-de-Serres, tél. 04 66 92 08 68, fax 04 66 83 45 96, jean-pierre.cabane@orviel.com, ✉ ☀ ☍ t.l.j. 10h-12h 14h-19h; dim. 10h-12h

Cité de Carcassonne

DOM. BOUSQUET Chardonnay 2012 ★

| ■ | n.c. | ▮ | - de 5 € |

L'originalité de cette exploitation familiale : une cave construite en 1867 qui abrite six cuves en pierre de 1,80 m d'épaisseur. Mais c'est dans des cuves modernes en Inox et à température régulée qu'a été élaboré ce chardonnay aux reflets dorés. Une large palette aromatique s'offre à l'olfaction : fruits à chair blanche, agrumes, menthol et quelques épices. Le vin affiche en bouche un bel équilibre entre fraîcheur et ce qu'il faut de gras et déploie une finale fruitée et généreuse sur la poire et le pomelo. À servir en accompagnement d'une viande blanche ou d'un poisson en sauce.
☛ SCEA Bousquet, Ch. de Malves, 11600 Malves-en-Minervois, tél. 04 68 72 25 32, fax 04 68 72 25 00, malves-bousquet@wanadoo.fr, ✉ ☀ ☍ t.l.j. 8h-12h30 13h30-19h; sam. sur r.-v.

DOM. LALANDE Les Hauts de Lalande 2012 ★

| | | 60 000 | ⅢⅢ | - de 5 € |

Il y a trente-cinq ans, Pierre Degroote, belge passionné de vin, est venu faire ses premières vendanges dans le Languedoc, région qu'il n'a plus quitté...Il signe ici un 2012 composé majoritairement de chardonnay auquel ont été adjoints le viognier et une pointe de chasan. Le nez offre de jolies notes de pêche, de poire et de fleurs blanches. Une vivifiante fraîcheur apporte de l'équilibre à une bouche généreuse et persistante. Un accompagnement idéal pour des palourdes au four, dès la sortie du Guide.
☛ Dom. Virginie La Grange, Dom. de la Grangette, 34440 Nissan-lez-Ensérune, tél. 04 67 37 22 36, fax 04 67 37 66 90, domainelanguedocie@wanadoo.fr
☛ Degroote

DOM. SARRAIL Magdalena 2010 ★

| ■ | | 12 000 | ▮ⅢⅢ | 8 à 11 € |

À la tête de ce vignoble situé au pied de la cité de Carcassonne, Jean-Luc Sarrail signe une jolie cuvée dédiée à sa femme. Issu d'un assemblage à parts égales des trois cépages bordelais (cabernet-sauvignon, merlot et cabernet franc), le vin apparaît dans un habit de velours grenat aux reflets pourpre et livre un nez de fruits rouges aux accents amyliques. La bouche se révèle ronde et expressive mêlant les baies rouges et les épices. Un ensemble sur le fruit, souple, frais et bien équilibré grâce à un affinage de vingt-quatre mois en bouteilles. Pour accompagner des grillades.
☛ Vignobles Sarrail, L'Estagnère, 11570 Cazilhac, tél. 04 68 78 01 42, fax 04 68 76 08 05, contact@vignobles-sarrail.fr, ✉ ☀ ☍ t.l.j. sf dim. 9h-12h30 14h-18h30

Coteaux d'Ensérune

DOM. DE CIBADIÈS Merlot 2012 ★

| ■ | | 45 000 | ▮ | - de 5 € |

Domaine capestanais de la famille Bonfils, Cibadiès est idéalement implanté entre le Canal du Midi et l'oppidum d'Ensérune. Ici, le merlot exposé plein sud donne sa pleine mesure pour jouer une juste partition sur des notes de fruits cuits et confiturés. Si la puissance est à la baguette, l'harmonie guide également des tanins au timbre suave, accompagnés d'épices. La finale chaleureuse recueille de longs applaudissements. Ce vin abouti n'attend plus qu'à être servi sur une viande en sauce. Le rosé 2012 Dom. de la Bastide (100 000 b.), issu de grenache et de cinsault, obtient les mêmes distinctions pour ses arômes de cerise et de pamplemousse et pour son bel équilibre.
☛ SCEA Vignobles Jean-Michel Bonfils, Dom. de Cibadiès, 34310 Capestang, tél. 04 67 93 10 10, fax 04 67 93 10 05, bonfils@bonfilswines.com

VDP/IGP

Coteaux du Libron

L'OR DEL GAL Chardonnay Coteaux de Béziers 2011

▪ 7 000 ▪ - de 5 €

À l'issue d'une reconversion professionnelle, Sandrine et Michel Vicq ont fondé en 2009 ce petit domaine de 9 ha, l'Hort del Gal, situé à proximité du cœur de la capitale biterroise et à 700 m du canal du Midi. Ils semblent ne pas s'être trompés de voie, en témoigne ce chardonnay qui marque leur entrée dans le Guide. Un vin au nez expressif d'ananas, de fleurs blanches (acacia) et de buis, équilibré et doux au palais, réveillé en finale par une légère pointe d'amertume. À découvrir dès à présent.

NOUVEAU PRODUCTEUR

🔑 Michel Vicq, Dom. l'Hort del Gal, 638, rte de Serignan, 34500 Béziers, tél. et fax 04 67 36 65 40, lhortdelgal@wanadoo.fr, ☑ ⚹ ⊤ t.l.j. 9h-20h 🏠 ❹ 🏠 ❸

Coteaux de Murviel

DOM. DE RAVANÈS Les Gravières du Taurou Grande Réserve 2007 ★

▪ 6 000 ▪ 20 à 30 €

Répondant à l'objectif de Marc Benin de produire des vins de garde, ce 2007 issu de petit verdot (58 %) et de merlot qui n'ont connu ni engrais chimiques ni désherbants a été élevé en fût pendant vingt-huit mois. Le vin en ressort rouge sombre orné de reflets tuilés, pourvu d'un nez complexe et élégant de pruneau vivifié par des nuances mentholées. La bouche est sur le même registre, adossée à des tanins patinés, légèrement boisée, offrant une finale bien fraîche, dynamisée par des notes d'eucalyptus et d'épices douces (cannelle). Un vin qui accompagnera un plat de gibier dans les deux ans à venir, ou bien, de manière plus exotique, un yassa ou un mafé.

🔑 Marc Benin, Dom. d'Aspiran de Ravanès, 34490 Thézan-lès-Béziers, tél. 04 67 36 00 02, fax 04 67 36 35 64, ravanes@wanadoo.fr, ☑ ⚹ ⊤ r.-v.

Coteaux de Narbonne

DOM. LALAURIE Alliance 2012 ★★

▪ 60 000 ▪ - de 5 €

Audrey et Camille Lalaurie, sœurs jumelles, ont rejoint cette propriété familiale, vieille de dix générations, en 2007. Par opposition aux vins monocépages, la gamme Alliance est constituée d'assemblage de cépages vinifiés et élevés séparément. C'est le cas de ce rouge issu de marselan, de merlot et des deux cabernets, à la robe pourpre et aux intenses arômes de poivron et de réglisse. Rond et puissant en bouche, porté par des tanins fermes et fondus, le vin livre une finale aux accents épicés et fruités (cassis). La même cuvée en **blanc 2012 (31 000 b.)** obtient une étoile pour ses fragrances de buis, d'aubépine, de citron vert et de menthol. Son palais, légèrement acidulé, promet d'heureux accords avec les fruits de mer ou des gambas grillées.

🔑 Jean-Charles Lalaurie, 2, rue Le-Pelletier-de-Saint-Fargeau, 11590 Ouveillan, tél. 04 68 46 84 96, fax 04 68 46 93 92, lalaurie@domaine-lalaurie.com, ☑ ⚹ ⊤ t.l.j. sf dim. 10h-12h30 15h-19h

MAS DU SOLEILLA Terre du vent 2009 ★

▪ 8 160 ▪ 20 à 30 €

Situé sur le terroir de la Clape (AOC Languedoc), le vignoble bénéficie d'un climat typiquement méditerranéen, baigné de soleil et balayé par le vent, atouts dont cette cuvée aux cépages bordelais (cabernet franc et merlot) a su tirer parti. Au nez, les fruits rouges et les épices se piquent d'une note mentholée très fraîche. Des arômes vanillés bien présents témoignent d'un élevage de quinze mois en barriques. Un vin agréable, prêt à boire pour les amateurs de vins boisés. Les autres l'oublieront quelques temps en cave avant de l'ouvrir sur un civet.

🔑 Mas du Soleilla, rte de Narbonne-Plage, 11100 Narbonne, tél. 04 68 45 24 80, fax 04 68 45 25 32, vins@mas-du-soleilla.com, ☑ ⚹ ⊤ r.-v. 🏠 ❺

Côte Vermeille

DOM. BERTA-MAILLOL Gènesi 2012 ★

▪ 2 000 ▪ 15 à 20 €

Quatre cents ans, c'est le temps long de ce domaine, déjà cultivé à l'aube du XVIIᵉs. par les ascendants de Jean-Louis et Michel Berta-Maillol : une famille ancrée dans le terroir banyulencque au relief tourmenté. Exigeantes, les générations actuelles sillonnent inlassablement leur vignoble en terrasses, multipliant les travaux à la main pour préserver ce patrimoine exceptionnel. Si Banyuls est le berceau de vins doux naturels uniques, c'est aujourd'hui un vin naturellement doux qui a été présenté aux jurés, c'est-à-dire un vin dont la fermentation s'est arrêtée spontanément, sans mutage à l'alcool. Cépages et terroirs sont identiques à ceux du banyuls : grenache sur schistes. La robe est très foncée ; le nez, puissant, mêle les fruits très mûrs et la confiture de coings. La bouche est suave, d'une grande douceur, mais très bien équilibrée grâce à une belle fraîcheur due à l'altitude du vignoble. Un vin original et qui trouvera un allié dans la cuisine sucrée-salée.

🔑 Jean-Louis et Michel Berta-Maillol, Mas Paroutet, rte des Mas, 66650 Banyuls-sur-Mer, tél. et fax 04 68 88 00 54, domaine@bertamaillol.com, ☑ ⚹ ⊤ t.l.j. 9h30-12h30 14h30-18h30

Côtes catalanes

DOM. LA BEILLE Mourvèdre 2011 ★

▪ 2 000 ▪ 8 à 11 €

Déjà sept ans qu'Agathe Larrère a posé ses valises à Corneilla-la-Rivière avec son *winemaker* australien Ashley Hausler. Après avoir patiemment apprivoisé chaque cépage et son terroir, le tandem s'essaie à vinifier des vins d'assemblage, preuve d'une certaine confiance dans son savoir-faire, ce qu'a montré aussi la conversion bio engagée en 2010. C'est pourtant un vin de cépage qui est aujourd'hui présenté à nos jurés, né du mourvèdre qui se plaît sur les contreforts de Força Réal. D'un rouge grenat profond aux reflets violines de jeunesse, ce 2011 mêle au nez des fruits rouges très mûrs, les fruits noirs et des touches d'eucalyptus – évocatrices de l'Australie. Une attaque souple et fine introduit une jolie matière fraîche et complexe aux arômes suaves de confiture de mûres. Belle alliance en perspective avec des grillades de rosée des Pyrénées – du veau élevé sous la mère dans les pâturages d'altitude.

☙ Dom. la Beille, 18, rue Saint-Jean, 66550 Corneilla-la-Rivière, tél. 04 68 57 17 82, la-beille@neuf.fr, Ⓥ ⚲ ⲩ r.-v.

DOM. BOUDAU Le Petit Closi 2012 ★

■	25 000	▯	5 à 8 €

Depuis la première édition, la famille Boudau figure dans le Guide. Pierre et Véronique Boudau, frère et sœur, ont diversifié l'offre du domaine et collectionnent étoiles et coups de cœur pour leurs vins, qu'ils soient en AOP ou en IGP, en vins secs ou en vins doux naturels, en rouge, blanc ou rosé. Assemblage de trois cépages du Sud, Le Petit Closi est bien connu de nos lecteurs (coup de cœur pour le 2007). Il s'annonce par une robe plutôt soutenue aux reflets framboise. Tout aussi intense, le nez séduit par la fraîcheur de son fruité qui tourne autour de la cerise, de la fraise et de la framboise. Après une attaque suave et chaleureuse sur des notes de fruits mûrs, le palais trouve son équilibre entre douceur et vivacité, et affiche une belle longueur. Un rosé tout indiqué pour la table, qui s'accordera avec un tajine d'agneau aux épices douces.

☙ Dom. Boudau, 6, rue Marceau, 66600 Rivesaltes, tél. 04 68 64 45 37, fax 04 68 64 46 26, contact@domaineboudau.fr, Ⓥ ⲩ t.l.j. sf dim. 10h-12h 15h-19h; sam. 15h-19h en hiver

DOM. DE CALADROY Expression 2012 ★

■	8 500	ⱳ	5 à 8 €

La silhouette imposante du château de Caladroy aux tours crénelées ne peut échapper au voyageur passant le col de la Bataille qui relie la vallée de la Têt et celle de l'Agly. Plus qu'un château, c'est un véritable village que compose cet ensemble de bâtiments datant du XIIᵉˢ. Aux alentours, une petite oliveraie et 130 ha de vignes plantées sur schistes, composante essentielle du terroir. La cuvée Expression privilégie le chardonnay associé au macabeu et à 5 % de muscat – petite proportion qui suffit à apporter la note aromatique caractéristique. De couleur jaune pâle, ce blanc offre un nez puissant et complexe mêlant l'abricot, la poire, les agrumes et une touche fumée. La bouche nerveuse associe les fleurs et les fruits blancs à une discrète touche vanillée léguée par un court séjour en fût. On verrait bien cette bouteille accompagner un saint-pierre aux morilles et sauce gingembre.

☙ SCEA Ch. de Caladroy, lieu-dit Caladroy, 66720 Bélesta, tél. 04 68 57 10 25, fax 04 68 57 27 76, chateau.caladroy@wanadoo.fr, Ⓥ ⲩ t.l.j. 9h-12h 14h-18h
☙ Mézerette

DOM. LA CASENOVE Cuvée Cdt Fr. Jaubert 2010 ★

■	6 000	▯ⱳ	30 à 50 €

Jadis photoreporter à l'agence Gamma, Étienne Montes a fini par poser ses valises à Trouillas, pour perpétuer le domaine familial situé sur les premiers contreforts des Aspres, au sud-ouest de Perpignan. Il décline une gamme de vins variés à la personnalité certaine, dont cette cuvée, qui n'est pas inconnue de nos lecteurs. Une pure syrah portant le nom d'un aïeul du maître des lieux. La robe intense tirant sur le noir montre une pointe d'évolution dans ses reflets. Le nez apparaît concentré, fumé, avec des notes de fruits rouges écrasés et de réglisse, celle-ci étant présente encore, intense, à la mise en bouche. D'abord agréablement souple, le palais dévoile ensuite de puissants tanins sur un volume gourmand et renoue en finale avec les arômes fumés. Bel accord en perspective avec du gibier, un lièvre à la royale par exemple.

☙ Dom. la Casenove, 66300 Trouillas, tél. et fax 04 68 21 66 33, chateau.la.casenove@wanadoo.fr, Ⓥ ⲩ t.l.j. 10h-12h 16h-19h
☙ Montès

ⓑ DOM. CAYROL Le Rouge Cuvée Anaïs 2012 ★

■	1 200		5 à 8 €

Un nouveau nom dans le Guide, et une toute récente propriété située dans la vallée de l'Agly. Le domaine Cayrol est une aventure familiale, le fruit d'une reconversion réfléchie, et surtout d'une passion, celle pour la viticulture et les vins du Roussillon. L'agriculture biologique semblait une évidence : la conversion a été engagée d'emblée, en 2008. Présentée à nos jurés, cette cuvée Anaïs doit tout au grenache noir. Rubis profond, elle offre un nez bien typé de fruits rouges très mûrs, d'épices et de garrigue. Laissant une impression de douceur caractéristique du grenache, la bouche ronde est tapissée d'arômes de fruits noirs et marquée en finale par des tanins vifs. Un vin bien équilibré, qui accompagnera volontiers un tajine de poulet aux épices douces.

NOUVEAU PRODUCTEUR

☙ Danielle Cayrol, 15, rue du 4-Septembre, 66600 Rivesaltes, tél. 06 86 53 82 71, sergecayrol@gmail.com, Ⓥ ⚲ ⲩ r.-v.

DOM. DU CLOS DES FÉES Images dérisoires 2011 ★

■	2 000	▯	20 à 30 €

Ancien journaliste et blogueur enthousiaste, Hervé Bizeul s'est installé en Roussillon en 1998. Il a l'art du contrepied et ne laisse jamais indifférent. Cette nouvelle cuvée au nom étrange, Images dérisoires, est faite pour intriguer. Son auteur explique longuement – sur l'étiquette illustrée – qu'il s'agit de la traduction un peu littérale du mot japonais *manga*. Qu'avec ce vin, justement, il a voulu proposer une boisson qui ait pour seule vocation de « désaltérer, sublimer un plat, réunir des hommes ». Autre surprise, ce vin est issu de l'ibérique tempranillo (80 %), le cépage phare du rioja, associé au carignan, un mariage improbable que seul ce passionné pouvait imaginer. Qu'en ont pensé nos dégustateurs, confrontés, eux, à un « candidat » sans étiquette ni profession de foi – ce vin grenat, portant un simple numéro ? Ils ont été convaincus par son nez intense de fruits cuits et de pruneau, par sa bouche ronde aux tanins bien présents, néanmoins de grande qualité, et par son agréable fraîcheur. Ouvrez cette bouteille à la fin d'une randonnée, dans un environnement minéral, pour apprécier sa puissance et sa force.

☙ Dom. du Clos des Fées, 69, rue Mal-Joffre, 66600 Vingrau, tél. 04 68 29 40 00, fax 04 68 29 03 84, info@closdesfees.com, Ⓥ ⚲ ⲩ r.-v.

VDP/IGP

⒝ DOM. LES CONQUES Bohème 2012 ★

| | 3 500 | ▮⬡ | 5 à 8 € |

Si l'on demande à François Douville s'il gagne sa vie, il répond qu'il ne la perd pas, ce qui est déjà beaucoup. Ce philosophe vigneron fait ce en quoi il croit. Cette terre des Aspres, piémont du Canigou, il l'aime et la respecte – une montagne qui, lorsqu'on la gravit, élargit la vision. Il s'y est installé en 1998 et travaille en bio 9 ha de vignes. Il a présenté à nos jurés sa cuvée Bohème, un blanc issu des deux cépages traditionnels de la région, le grenache gris et le macabeu. Les dégustateurs ont aimé ce vin, son nez délicat de fleurs blanches, de fruits à chair blanche rehaussés de notes minérales. Puis sa bouche franche, éclatante, sur le fruit croquant, qui porte dans sa belle texture la marque du grenache gris et de la minéralité du terroir. Un vin équilibré, qui respire l'authenticité. Il s'entendra avec un carpaccio de crevettes aux épices douces et sa bisque.

☛ Douville, 5, place de la Mairie, 66300 Fourques, tél. 04 68 52 82 56, francois.douville@wanadoo.fr,
Ⓥ ⚔ ⍭ r.-v.

DOM. DE L'ÉLÉPHANT 2011 ★★

| | 2 400 | ⬡ | 30 à 50 € |

Ce domaine est le fruit de l'amitié entre un importateur de vins à Singapour et un vigneron de Vingrau, dans la vallée de l'Agly. Les compétences complémentaires des deux associés, la qualité des sols argilo-calcaires de la commune, autant d'atouts pour la réussite de ce vin issu des grenaches blanc et gris et du macabeu. D'un or pâle très brillant, ce 2011 délivre de délicates senteurs florales et grillées. La séduction continue en bouche, avec une belle attaque, ronde et fraîche à la fois, sur des notes de fruits à chair blanche que se prolongent dans une superbe finale rehaussée par une belle minéralité. Du fruit, du gras et une réelle élégance : cette bouteille a de beaux arguments à faire valoir. Un accord rêvé : des œufs mollets à la truffe.

☛ Estima, Dom. de l'Éléphant, 4, imp. Émile-Zola, 66600 Vingrau, tél. 06 75 74 23 46, domaine.elephant@orange.fr, Ⓥ ⍭ r.-v.

DAME D'ELNE 2012 ★★

| | 20 000 | | - de 5 € |

Ce vin est diffusé par les Terroirs Romans, société de commercialisation des coopératives réunies de cinq communes : Alenya, Cabestany, Elne, Saint-Nazaire et Villeneuve-de-la-Raho. L'union est indispensable pour ces vignerons du Roussillon, jadis si prospères. Disposant ainsi d'une surface de 342 ha, ils ont su s'entourer des meilleurs, comme l'œnologue Brigitte Soriano, pour proposer au public, dans quatre caveaux de vente, des vins de qualité. Celui-ci, issu d'un assemblage de grenache (60 %) et de cépages bordelais, ne manque pas d'atouts : une robe profonde, un nez intense associant le cassis à une belle minéralité, une bouche fondue, suave, aux tanins bien maîtrisés. Un vin harmonieux qui n'a d'autre ambition que le plaisir immédiat et partagé, autour d'une grillade.

☛ SARL Terroirs Romans, 2, av. Angel-Guimera, 66180 Villeneuve-de-la-Raho, tél. 04 68 22 06 51, fax 04 68 22 33 81, vignerons.cabestany@wanadoo.fr, Ⓥ ⍭ r.-v.
☛ SCN C.A.V.E.S

DOM. DES ENFANTS Suis l'étoile 2009 ★★

| | n.c. | ⬡ | 30 à 50 € |

Le Roussillon, avec ses reliefs, ses beaux terroirs – et ses prix du foncier attirants – semble aimanter les néo-vignerons qui veulent, en embrassant cette activité, redonner du sens à leur vie, renouer avec la nature, rencontrer les autres, créer, chercher la perfection... Comme Marcel Bulher, qui s'est évadé de sa banque suisse pour reprendre un domaine dans le Fenouillèdes et créer en 2006 le domaine des Enfants : 23 ha de vieilles vignes, qu'il met en valeur dans un esprit « bio ». Nos dégustateurs ont adoré cette cuvée issue d'un assemblage de grenache (50 %), de syrah et de carignan. Derrière sa robe profonde, on découvre des senteurs de fruits compotés, de pruneau et d'épices douces, expression des cépages et d'un élevage de deux ans en fût de réemploi. De la bouche, on apprécie le côté suave, la trame de tanins fins, la palette aromatique à dominante épicée, et la fraîcheur de la finale, héritée des terroirs. Une synthèse accomplie de la puissance et de l'élégance dans cette bouteille à marier avec une côte de bœuf à la moelle. Issue des grenaches gris et blanc (60 %), du macabeu et du carignan blanc, la cuvée **Tabula rasa 2011 (20 à 30 € ; 6 000 b.)** obtient une étoile.

☛ Dom. des Enfants, 8 bis, rue Pierre-Bascou, 66220 Saint-Paul-de-Fenouillet, tél. 09 62 32 35 58, fax 04 68 28 53 29, marcel@domainedesenfants.com, ⚔ ⍭ r.-v.
☛ M. Buhler

⒝ DOM. FERRER RIBIÈRE Cuvée F 2012 ★

| | 20 000 | ▮ | 5 à 8 € |

En 1993, Denis Ferrer et Bruno Ribière, respectivement vigneron et administratif, décident d'allier leurs forces pour créer un domaine dans les Aspres, au sud-ouest de Perpignan. Vingt ans plus tard, leur engagement est le même et, après une conversion bio réussie, leur chemin continue sur les jolis terroirs des communes de Terrats et de Fourques. Cuvée F ? Comme Fruit. Mi-grenache mi-carignan, sans bois. Du fruit, on en trouve dans ce vin grenat très profond, au nez complexe, riche et fin à la fois, évoquant la compote de myrtilles et les fruits noirs bien mûrs. En attaque, on perçoit la douceur suave du grenache sur des arômes floraux, puis les tanins du carignan apparaissent, en finesse. Un « vin plaisir » accessible et très équilibré, qui formera un bel accord avec de la charcuterie catalane.

☛ Dom. Ferrer-Ribière, SCEA des Flo, 20, rue du Colombier, 66300 Terrats, tél. 04 68 53 24 45, fax 04 68 53 10 79, domferrerribiere@orange.fr, Ⓥ ⚔ ⍭ t.l.j. 9h-12h 14h-18h

♥ ⒝ DOM. GAUBY Coume Gineste 2011 ★★★

| | 2 500 | ⬡ | 75 à 100 € |

Aujourd'hui rejoint par son fils Lionel qui vinifie, Gérard Gauby a été un pionnier du bio en Roussillon. Le tandem suit une démarche biodynamique. Installé à Calce, à environ 20 km au nord-ouest de Perpignan, il exploite sur des terroirs très variés 45 ha de vignes, entre bois et garrigue. Dans une parcelle à flanc de colline, plantée il y a soixante ans, Gérard Gauby a vu un terroir exceptionnel, mis en lumière dans cette cuvée qui prouve que l'on peut élaborer ici des vins à même de rivaliser avec les meilleurs du monde. Les dégustateurs ont été

DOMAINE
GAUBY

2011

Courne Gineste

Vin de pays des Côtes Catalanes

MIS EN BOUTEILLE AU DOMAINE • DOMAINE GAUBY • 66600 CALCE
PRODUCE OF FRANCE
ALC. 12.5% BY VOL.   750 ML.

subjugués par ce blanc d'un brillant or pâle, qui assemble à parts égales le grenache gris et le grenache blanc nés sur schistes et argilo-calcaires. Le nez complexe, d'une rare finesse, mêle les fleurs à des notes d'anis et d'aneth. Le palais attaque sur de superbes amers. Gras et tendu à la fois, il montre autant de complexité aromatique que l'olfaction, déployant une palette tout en nuances, fruitée, végétale et minérale. Une minéralité qui marque la longue finale, saline et iodée. Du volume, de la fraîcheur : un très grand style ! On rêve pour cette bouteille d'un loup aux morilles.

☛ Dom. Gauby, La Muntada, 66600 Calce, tél. et fax 04 68 64 41 77, domaine.gauby@wanadoo.fr, ☑ ⚔ ⵏ r.-v.

LUMIÈRE DE PIERRE 2012 ★

	n.c.	⬛	15 à 20 €

Installé autour de Pézilla-la-Rivière, dans la vallée de la Têt, Pierre Talayrach perpétue, en la renouvelant, la tradition vigneronne familiale et convertit son domaine au bio. Il s'est fait spécialiste des vins de cépage blancs et a déjà reçu un coup de cœur grâce à cette cuvée qui revient sur le devant de la scène. Né sur des sols argileux, ce viognier, qu'il bichonne avec son cousin œnologue, est une valeur sûre. Ce passionné est pétri de doutes, et chaque étape suscite une remise en question. Il pourra se rassurer : nos dégustateurs ont apprécié ce blanc à la robe claire animée de reflets nacrés, au nez intense de fruits exotiques et d'agrumes légèrement miellés. En bouche, outre une belle acidité, on découvre des arômes de fruits frais teintés de minéralité. Excellent accord en perspective avec des ris de veau aux morilles.

☛ Pierre Talayrach, Mas de Blanes, 66370 Pézilla-la-Rivière, tél. 06 09 31 89 01, contact@pierre-talayrach.com, ☑ ⚔ ⵏ r.-v.

MAS LAVAIL Carignan Ballade Vieilles Vignes 2011 ★★

⬛	20 000		5 à 8 €

Au cœur des terroirs de Maury, la famille Batlle a acquis en 1999 ce beau domaine de 80 ha où s'est installé Nicolas Batlle, qui perpétue ainsi le travail de quatre générations. L'exploitation est bien connue de nos lecteurs pour ses maury et pour ses côtes-du-roussillon-villages. Si le cépage emblématique de ce coin de la vallée de l'Agly est le grenache noir, on y trouve souvent de très vieilles vignes de carignan, comme celles qui sont à l'origine de cette cuvée : une remarquable expression du cépage, distinguée pour sa finesse. La robe est d'un rouge intense et profond, animée de reflets grenat. Le nez délicat joue sur la cerise, le pruneau, la réglisse et le cassis. La bouche montre une réelle harmonie, tant par sa palette aromatique mêlant notes balsamiques et confiture de griottes que

par son équilibre entre tanins fins et fraîcheur. On verrait bien cette bouteille avec un tournedos Rossini.

☛ Dom. Mas de Lavail, Mas de Lavail, RD 117, 66460 Maury, tél. 04 68 59 15 22, fax 04 68 29 08 95, masdelavail@wanadoo.fr,
☑ ⵏ t.l.j. sf dim. 10h30-12h 15h-19h
☛ Batlle

DOM. MOUNIÉ 2012 ★★

⬛	n.c.	⬛	5 à 8 €

Implanté sur le terroir de Tautavel, ce domaine familial fondé en 1925 est une valeur sûre. Il est bien connu des lecteurs pour ses côtes-du-roussillon-villages et ses muscat-de-rivesaltes. De la propriété on a découvert l'an dernier un très beau rosé en IGP, tout aussi abouti dans ce millésime. Assemblage de syrah, de grenache noir et de carignan, ce 2012 s'annonce par une robe engageante, de couleur saumon, et par un nez élégant associant les fleurs, la pêche blanche et le melon. La bouche, tout en finesse, évoque la rose et son équilibre penche vers la fraîcheur. Un rosé digne d'un mets gastronomique, comme des ravioles végétales de homard bleu.

☛ Dom. Mounié, 1, av. du Verdouble, 66720 Tautavel, tél. 04 68 29 12 31, domainemounie@free.fr, ☑ ⚔ ⵏ r.-v.
☛ Claude Rigaill

DOM. DE LA PERDRIX La Coule douce 2012 ★

	10 000	⬛	- de 5 €

Afin de pouvoir traduire au mieux l'identité de cette terre plurielle des Aspres, les Gil vinifient chaque parcelle de leur domaine (35 ha) séparément. Ils réalisent ensuite les assemblages, en visant l'équilibre entre le fruit, le gras et les tanins ainsi que le potentiel de garde et l'expression de ce terroir sec, typiquement méditerranéen. Pour mener à bien cette tâche, ils ont aménagé en 2009 un chai à la sortie de leur village. Leur rosé de pressurage associe cinsault, syrah et grenache. Sa couleur est saumonée, dans l'air du temps, son nez se partage entre les fleurs et le pamplemousse. En bouche, on retrouve les agrumes, les fruits rouges prenant le relais des fleurs. Pour une grillade de rosée des Pyrénées (veau).

☛ Dom. de la Perdrix, Traverse-de-Thuir, 66300 Trouillas, tél. et fax 04 68 53 12 74, contact@domaine-perdrix.com, ☑ ⚔ ⵏ t.l.j. sf dim. 10h-12h 15h-18h30 (19h30 de juil. à mi-sep.)

PIQUEMAL Muscat sec 2012 ★

⬛	8 000	⬛	5 à 8 €

Grâce à l'impulsion d'Annie et de Pierre Piquemal, ce domaine familial est devenu une référence du Roussillon, jusqu'au-delà de nos frontières. Dans son chai flambant neuf, les équipements modernes se conjuguent avec les pratiques traditionnelles. Produit typique des Pyrénées-Orientales, issu des vignes réservées initialement au muscat-de-rivesaltes (que l'on élabore également ici avec beaucoup de savoir-faire), le muscat sec est devenu un complément de gamme original. Celui-ci présente une robe aussi claire qu'éclatante. Le nez intense offre des notes muscatées rappelant le fruit mûr et les agrumes légèrement confits et miellés. Gras, d'un style plutôt mûr, le palais est équilibré en finale par des saveurs d'agrumes soulignées d'une bonne fraîcheur mentholée. Le muscat sec accompagne délicieusement les asperges, qui n'acceptent que peu de vins comme compagnons.

📷 Dom. Piquemal, lieu-dit Della-Lo-Rec, km 7, RD 117, 66600 Espira-de-l'Agly, tél. 04 68 64 09 14, fax 04 26 30 36 62, contact@domaine-piquemal.com, ☑ ⚔ ⊥ t.l.j. sf dim. 8h-12h 14h-18h; f. sam. 1ᵉʳ jan.-15 fév.

🅑 DOM. OLIVIER PITHON Le Pilou 2010 ★

■	2 500	⏛ 30 à 50 €

Membre d'une famille vigneronne bien connue en Anjou, Olivier Pithon s'est formé en Bordelais avant de s'installer en 2001 en Roussillon, à Calce. Désormais, il fait partie du paysage viticole catalan. Son engagement en biodynamie répond au souci d'être plus près de ses vignes et de ses sols. On retrouve toute la profondeur du terroir dans cette cuvée issue de l'un des plus grands cépages qui soit, lorsqu'il est cultivé à petits rendements : le carignan. Celui-ci, élevé dix-huit mois en demi-muids, est issu de vignes de cent ans ! D'un rouge bigarreau, il présente un nez intense sur les épices et la violette, avec la touche de gibier caractéristique de cette variété. Puissante, la bouche dévoile des tanins serrés et une acidité marquée qui annoncent une grande bouteille. Un vin en devenir qui se bonifiera au cours des cinq prochaines années. Il décrochera son étoile à l'ancienneté, servi sur une bécasse rôtie.

📷 Dom. Pithon, 19, rte d'Estagel, 66600 Calce, tél. 04 68 38 50 21

DOM. RIÈRE CADÈNE La Tour de schiste Syrah 2012 ★★

■	3 000	■ 8 à 11 €

Le domaine créé en 1904 a, jusqu'à la Seconde Guerre mondiale, vinifié sa production, avant de la confier à la coopérative. En 1994, Jean-François Rière a réactivé la cave particulière. Il exploite aujourd'hui 32 ha de vignes aux portes de Perpignan. Parmi ses vins en IGP, cette pure syrah rubis foncé a frôlé le coup de cœur. Intense et élégant, avec de la minéralité et des fruits noirs à revendre, son nez fait bonne impression. Richesse, puissance, tanins bien maîtrisés : la bouche reflète bien son cépage d'origine, récolté bien mûr. Une syrah fougueuse dans un gant de velours... Jean-François et Laurence Rière vous conseillent de la servir avec un carré d'agneau rôti aux champignons.

📷 Dom. Rière Cadène, Dom. Bel Air, chem. de Saint-Génis-de-Tanyères, 66000 Perpignan, tél. 04 68 63 87 29, fax 04 68 52 30 65, contact@domainerierecadene.com, ☑ ⊥ t.l.j. sf dim. 9h-12h 14h-19h 🏠 ❺

🅑 LE ROC DES ANGES Carignan 1903 2011 ★★★

■	4 000	30 à 50 €

Rejointe entre-temps par Stéphane, Marjorie Gallet s'est installée en 2001 sur ce domaine qui, agrandi, compte aujourd'hui 30 ha de vignes. Les vignerons l'exploitent en biodynamie, démarche qui leur permet d'approcher la connaissance parfaite de leurs parcelles. Carignan 1903 ? C'est la date de plantation de ces ceps qui plongent leurs racines dans des schistes, un des sols de prédilection pour ce cépage. Ceux de la commune de Montner ont donné naissance à un vin rouge violacé profond, au nez pur et simple, sur les petits fruits rouges. C'est en bouche que la magie opère. Les tanins sont d'une finesse et d'une élégance exceptionnelle, et les arômes d'une grande subtilité ; l'acidité est dosée à la perfection et la finale séduit par sa fraîcheur. Un chef-d'œuvre que l'on peut apprécier pour lui-même, ou avec un pigeon rôti.

📷 Roc des Anges, 2, pl. de l'Aire, 66720 Montner, tél. 04 68 29 16 62, fax 04 68 29 45 31, rocdesanges@wanadoo.fr, ☑ ⊥ r.-v.

📷 Gallet

♥ 🅑 SECRET DE SCHISTES... 2011 ★★★

■	3 000	⏛ 20 à 30 €

Séverine Bourrier exploite en bio le château de l'Ou, dont un vin fut élu coup de cœur l'an dernier. Toujours à l'affût de nouvelles cuvées, la vigneronne a exploré le Fenouillèdes où elle a repéré les qualités du terroir de Saint-Paul-de-Fenouillet et jeté son dévolu sur cette propriété de 9,4 ha, acquise en 2009. De 2,5 ha de syrah plantée sur schistes elle a tiré une cuvée haut de gamme issue d'une macération de quatre semaines et d'un élevage en fûts de 400 l. D'un pourpre soutenu, ce vin déploie des nuances de boisé, de caramel, d'épices douces (noix muscade, clou de girofle) qui accompagnent des parfums de fruits rouges. Des notes de vanille, de fruits noirs et de fleurs viennent compléter cette palette dans une bouche ronde à l'attaque, qui fait preuve d'un rare équilibre entre la puissance, la finesse et la fraîcheur. Une bouteille élégante que l'on verrait bien accompagner un canard aux épices.

📷 Séverine Bourrier, La Sobrepera, L'Ou, 66200 Montescot, tél. 06 82 19 82 87, sevbourrier@gmail.com, ☑ ⚔ ⊥ r.-v.

SERRE ROMANI Grenache noir Providence 2011 ★★

■	8 000	■ 8 à 11 €

C'est un retour aux sources pour Cylia et Laurent Pratx, qui se sont installés en 2008 sur les terres familiales et sur un terroir de Maury fascinant avec ses schistes noirs. Le grenache et Maury, c'est une grande histoire d'amour, et ces jeunes diplômés en agriculture, après huit années passées dans la vallée du Rhône, ont tiré de ce cépage une cuvée magnifique qui sera, n'en doutons pas, leur providence. La robe est magnifique, d'un grenat éclatant aux reflets framboise. Les notes de fruits mûrs – cassis et cerise – sont typiques du grenache de la vallée de l'Agly. La bouche chaleureuse s'épanouit sur des notes généreuses de pruneau et de mûre, dévoilant une belle trame tannique enrobée. Une fraîcheur salutaire soutient l'ensemble et assure un bel équilibre. À servir avec un gigot d'agneau de pays au romarin.

📷 Cylia et Laurent Pratx, 8, rue Ludovic-Ville, 66600 Rivesaltes, tél. et fax 04 68 50 12 36 ☑ ⚔ ⊥ r.-v.

LES TERRES DE MALLYCE Pierres de Lune 2010 ★

■	3 466	■ 11 à 15 €

Yvon Soto a été vigneron à Châteauneuf-du-Pape et dans les côtes du Rhône avant de poser ses valises dans le magnifique Fenouillèdes. Il a acquis cette propriété en 2007, qu'il cultive en bio (certification acquise en 2011). Les vignes sont implantées entre 200 et 400 m d'altitude sur des schistes et des arènes granitiques. Cette cuvée met à l'honneur le cépage emblématique du Pays catalan : le carignan. D'un rouge rubis intense, elle offre un nez puissant, légèrement évolué, de fruits noirs macérés et de gibier, avec des touches de fumée. La bouche soyeuse dévoile des tanins extraits avec délicatesse, soulignés d'une belle fraîcheur. Suggestion d'accompagnement : un parmentier de joues de bœuf, sauce aux cèpes.

☛ Yvon Soto, 20 bis, rue des Vignes, 66720 Rasiguères, tél. et fax 04 68 73 86 37, soto.corinne@orange.fr, ☑ ☥ r.-v.

DOM. LA TOUPIE Petit Frisson 2012 ★

▨	2 400	▮	5 à 8 €

Après quelques années passées à Paris à travailler dans des organismes viticoles, suivies de onze autres au sein d'une cave coopérative de l'Aude, Jérôme Colas est allé au bout de ses rêves en achetant 9 ha de vignes sur les terres du haut Fenouillèdes qui lui permettent d'élaborer aussi bien des vins secs que des vins doux naturels. Ici, un rosé de pressurage composé de grenache (beaucoup) et de syrah (un peu). Petit Frisson ? Le nom suggère la fraîcheur. Elle est bien au rendez-vous, du nez aux nuances de pamplemousse, de banane fraîche, de réglisse et de petits fruits acidulés à la bouche fruitée et vive. La couleur pêche aux reflets saumon est jolie... À partager autour d'une grillade.

Nouveau producteur

☛ Dom. la Toupie, 19, rte de Perpignan, 66380 Pia, tél. 07 86 28 99 52, contact@domainelatoupie.fr, ☑ ⚥ ☥ r.-v.
☛ Jérôme Collas

Rancio sec

Le Roussillon est une province française de culture catalane correspondant à la plus grande partie du département des Pyrénées-Orientales, à l'extrême sud de la France. Bien avant la naissance des vins doux naturels, fierté des Catalans, on y produisait des vins secs à fort degré, élevés sans ouillage dans de vieux fûts de bois (élevage oxydatif). Au bout de longues années, ce vin prenait ce que l'on appelle des notes de rancio, arômes très complexes évoquant notamment la noix fraîche et les fruits secs, tandis que des reflets verts apparaissaient dans leur robe. Ces vins faillirent tomber dans l'oubli. Cependant, de nombreux vignerons en conservaient un tonneau au fond de leur cave, car ces rancio étanchaient la soif des anciens, coupés d'eau et, surtout, servaient à élaborer une cuisine typique. Aujourd'hui, cette saveur authentiquement catalane redevient à la mode et séduit un public de plus en plus nombreux. Après les vignerons de l'IGP Côte Vermeille, qui ont été les premiers à disposer d'un cahier des charges précisant les conditions de production de ces rancios, ceux de l'autre Indication géographique protégée départementale, l'IGP Côtes catalanes, en ont défini en 2011, avec l'aide de l'INAO, le mode d'élaboration : ce cahier des charges impose

cinq ans d'élevage minimum, liste les cépages autorisés, qui sont ceux de la région (grenaches, carignan, tourbat, macabeu...), et prévoit quelques variantes dans l'élaboration, ouvrant la possibilité d'un élevage sous voile ou en solera, système où les vins vieux reçoivent régulièrement un apport de vins plus jeunes. Pour le plus grand bonheur des initiés, les rancios secs resurgissent ainsi du fond des caves comme un trésor caché, pour accompagner jambons bellota, anchois salés de Collioure, fromages très affinés ou simplement, pour les amateurs, un bon cigare.

Ⓑ DOM. DES DEMOISELLES Côtes catalanes Evoé ★

▨	500	▥	30 à 50 €

Isabelle Raoux (à la cave) et son compagnon Didier Van Ooteghem (à la vigne) conduisent en bio le domaine familial qu'ils ont repris en 1998. « On savait qu'une (...) cuvée renaîtrait des fonds de notre histoire pour nous laisser comprendre enfin le temps qui passe » : ce rancio vu par les vignerons, qui se font lyriques. Il est vrai que le flacon qu'ils proposent recèle le fruit de très anciennes vendanges, puisqu'il résulte d'une solera (une méthode d'élevage assemblant continuellement vins anciens et vins plus jeunes) remontant sans doute à 1965. La robe est brun cuivré aux reflets verts. Le nez intense associe une pointe de noisette au café, à la noix et aux fruits confits. La bouche, puissante, généreuse, avec une pointe d'acidité qui équilibre l'alcool, finit sur des notes de café et de fruits secs. On verrait bien ce rancio avec des rousquilles (biscuits traditionnels) parfumées à l'anis.

☛ Isabelle Raoux, Dom. des Demoiselles, Mas Mulès, 66300 Tresserre, tél. et fax 04 68 38 87 10, domaine.des.demoiselles@wanadoo.fr, ☑ ⚥ ☥ t.l.j. sf dim. lun. 9h30-12h30 15h-19h (t.l.j. en juil. août.); f. jan.

DOM. EY Côtes catalanes Soc 2006

▨	2 000	▥	15 à 20 €

Patrice Ey n'est pas seulement vigneron, il produit aussi légumes bio et poulets qu'il vend dans sa boutique de Saint-Estève. Il n'oublie pas ses racines catalanes en élaborant un rancio sec dont le nom évoque la charrue. Un grenache blanc élevé six ans en barriques non ouillées et en plein air, soumis à un climat faisant alterner chaleur, froid et vent violent. La robe ambrée, légèrement voilée, montre des nuances vertes. Le nez intense mêle harmonieusement caramel, café, amande amère, noix et fruits secs. La bouche conjugue des impressions de gras et de fraîcheur : sa générosité va de pair avec un équilibre sec qui lui donne de la longueur. Patrice Ey suggère d'associer son vin avec un filet mignon de porc au curry.

☛ Patrice Ey, rte de Perpignan, Mas del Hort, 66240 Saint-Estève, tél. 06 78 08 40 54, patriceey@wanadoo.fr, ☑ ☥ t.l.j. sf dim. lun. 9h30-12h30 16h-19h

DOM. JOLLY FERRIOL Côtes catalanes Au fil du temps

▨	800	▥	30 à 50 €

Des terres et des vignes entourent un corps de ferme de quatre cents ans, l'un des plus vieux de la région, qui fournit jadis, nous dit-on, des vins à Napoléon III. La propriété a été reprise en 2005 par Isabelle Jolly et

Jean-Luc Chossart qui exploitent leurs 10 ha en bio (pas de mention cependant sur ce vin issu de vendanges anciennes). Habitat, décor, tout ici respire la tradition : un écrin idéal pour ce rancio sec élevé vingt-quatre mois en bonbonnes au soleil puis passé par un élevage en solera sur quatre niveaux – pratique ibérique permettant de mélanger des vins jeunes à des vins très vieux (parfois plus de soixante ans). Il en résulte une robe ambre clair aux reflets or et vert, un nez sur la noix et l'eucalyptus, une bouche très fraîche, à l'équilibre sec, dont les arômes se mettent en place progressivement. L'accord devrait être splendide avec une vieille mimolette.

☛ Jean-Luc Chossart, Mas Ferriol, 66600 Espira-de-l'Agly, tél. 06 13 22 96 73, jollyferriol@gmail.com, ☑ ⚥ ⟊ r.-v.

RANCY Côtes catalanes ★★

	n.c.	⬙	11 à 15 €

Brigitte et Jean-Hubert Verdaguer, arrivés à la tête de l'exploitation familiale en 1989, se sont passionnés pour les vins doux naturels, et les lecteurs du Guide connaissent bien leurs rivesaltes ambrés. Si la propriété a diversifié sa production, elle reste une référence en matière de rancio, que ce soit en VDN ou en rancio sec. Chez eux, le macabeu règne sans partage et les fermentations se font en levures indigènes. Il en résulte une robe ambrée aux reflets cuivrés et verts, un bouquet aussi intense que complexe, où voisinent fruits confits, abricot sec, datte, noix, caramel, café et amande grillée. Après une attaque moelleuse, ronde et grasse, le vin dévoile de puissants arômes de fruits confits, puis de fruits secs, le tout admirablement soutenu par une rare fraîcheur qui étire longuement la finale. L'accord traditionnel avec les anchois de Collioure s'impose.

☛ Jean-Hubert Verdaguer, 11, rue Jean-Jaurès, 66720 Latour-de-France, tél. 04 68 29 03 47, info@domaine-rancy.com, ☑ ⚥ ⟊ t.l.j. 10h-13h 15h-19h; dim. sur r.-v.

DOM. DES SCHISTES Côtes catalanes ★

	n.c.	⬙	11 à 15 €

Présenté par Jacques Sire et son fils Michaël, ce rancio provient de la vallée de l'Agly, célèbre pour ses vins secs. Il s'agit d'un grenache gris élevé selon la méthode de la solera, répandue en Andalousie, qui consiste à assembler périodiquement des vins d'âges différents, conservés en tonneaux superposés, de façon à obtenir un produit constant et homogène. Revêtu d'une robe vieil or aux reflets argent, ce vin offre un nez complexe mêlant des nuances d'infusion et de résine de pin à des notes beurrées. Le café, le caramel et l'amande s'ajoutent à cette palette dans une bouche dominée par des sensations de souplesse, de rondeur et de gras, à la finale puissante marquée par une pointe d'amertume. Un régal en perspective avec des copeaux de vieux parmesan.

☛ Dom. des Schistes, 1, av. Jean-Lurçat, 66310 Estagel, tél. 04 68 29 11 25, fax 04 68 29 47 17, sire-schistes@wanadoo.fr, ☑ ⚥ ⟊ r.-v. ⌂ ©

♥ VIAL-MAGNÈRES Côte Vermeille Ranfio Cino ★★★

	2 000	⬛⬙	11 à 15 €

À Banyuls, le domaine Vial-Magnères est l'un des derniers à travailler les vignes en terrasses et à remonter à dos d'homme la terre que les intempéries ont projetée en bas des pentes. Un travail titanesque qui montre l'attachement de ces hommes aux pratiques ancestrales. À

partir des grenaches blanc et gris, Bernard Sapéras a élaboré un vin de caractère. La robe or tendre surprend de prime abord. Le nez, intense, développe des notes de noix, de citron confit, d'épices orientales, rehaussées de touches iodées. La bouche mise sur la finesse et l'élégance, alliant dans un bel équilibre le gras et l'acidité, et déploie une palette complexe d'arômes, dans le même registre que l'olfaction. Un type « fino » assumé (il a été élevé sous voile), mais la mention traditionnelle *fino* est réservée aux producteurs andalous... Un bel accord en perspective avec une esqueixada de morue à l'huile de noix et anchois marinés au fenouil – une belle salade marine de là-bas. (Bouteilles de 50 cl.)

☛ Dom. Vial-Magnères, 14, rue Édouard-Herriot, 66650 Banyuls-sur-Mer, tél. 04 68 88 31 04, fax 04 68 88 02 43, al.tragou@orange.fr, ☑ ⚥ ⟊ r.-v.

☛ Olivier Sapéras

Côtes de Thongue

DOM. D'AUBARET Merlot 2012 ★★

	40 000	⬛	- de 5 €

Les Bonfils sont des passionnés de rugby et du club mythique de Béziers. Le domaine d'Aubaret, l'une de leurs dix-sept propriétés viticoles, présente ici un merlot en tenue grenat aux reflets moirés. Dès l'entame, cerise burlat et gariguette titillent le nez dans une intense mêlée. Le duo attaque avec élégance et finesse dans un palais musculeux et charpenté, qui fait chanter aussi le cuir et transforme l'essai dans une finale chaleureuse.

☛ GFA Aubaret, Dom. Aubaret, 34290 Servian, tél. 04 67 93 10 10, fax 04 67 93 10 05, bonfils@bonfilswines.com

☛ Bonfils

DOM. DE BELLEVUE Séduction 2012 ★

	7 500	⬛	5 à 8 €

Comme le laisse supposer son nom, ce domaine situé à Montblanc, entre Béziers et Pézenas, offre un agréable point de vue, notamment sur les Cévennes au nord et sur la plaine méditerranéenne au sud. Il propose un 2012 au nez intense de cassis, à la bouche persistante, ample et ronde. Un vin « sur l'éclat de la jeunesse », souple mais vigoureux. Sur une assiette de charcuterie artisanale, dès la sortie du Guide.

☛ Hélène Péra, Dom. de Bellevue, 34290 Montblanc, tél. 04 67 98 50 01, fax 04 67 98 58 66, domainedebellevue@yahoo.fr, ☑ ⚥ ⟊ t.l.j. sf dim. 9h30-12h 14h30-18h

LOU BELVESTIT L'Embe 2011 ★

| | 8 000 | | 11 à 15 € |

Cette cuvée L'Embe, assemblage de syrah et de carignan, est signée Émilie et Marie Alauze, quatrième génération à la tête de ce domaine familial depuis 2009. Ce 2011 « bien vêtu » (*belvestit*) offre une robe sombre et brillante. Le nez, expressif, révèle des notes de confiture de mûres et d'épices douces. La bouche, soyeuse et équilibrée, déploie d'agréables arômes de cassis et de fruits noirs. Un vin gourmand, à découvrir dans les trois ans sur un gigot d'agneau ou encore de la cuisine indienne.

Émilie Alauze, 37, av. Capitaine-Bonnet, 34480 Magalas, tél. 04 67 36 21 59, fax 04 13 33 69 22, emilie.alauze@gmail.com, ☑ ⚒ ⛾ r.-v.

DOM. DE CANTAUSSELS Merlot 2012 ★

| | 80 000 | | - de 5 € |

Propriété de la famille Bonfils depuis 1995, ce domaine de 90 ha bénéficie d'un magnifique cadre, avec le massif du Caroux en arrière-plan. Deux vins ont retenu l'attention du jury. Ce 2012 tout d'abord, un pur merlot drapé de pourpre. Le nez livre une belle intensité aromatique où se mêlent fruits rouges confiturés, notes légèrement végétales et cuir. La bouche volumineuse et puissante est portée par des tanins de qualité. L'équilibre sera encore meilleur d'ici deux à trois ans et permettra d'apprécier au mieux cette jolie cuvée, sur une viande en sauce par exemple. Une étoile également pour la cuvée **grenache cinsault 2012 rosé (180 000 b.)** qui séduit par sa robe saumonée aux reflets nacrés, ses parfums intenses de fleurs et de bonbon anglais, sa gourmandise conférée par ses arômes de petits fruits rouges, et sa vivifiante fraîcheur. Sympathique et friande, elle accompagnera une simple grillade de poisson.

GFA Dom. de Cantaussels, 34290 Servian, tél. 04 67 93 10 10, fax 04 67 93 10 05, bonfils@bonfilswines.com

DOM. COSTE ROUSSE CR 2009 ★

| | 4 000 | | 8 à 11 € |

Héritier de quatorze générations de vignerons, Jean-Pascal Taix exploite 48 ha de vignes en conversion vers l'agriculture biologique. Cet assemblage de syrah, de grenache et de merlot apparaît vêtu d'une robe rubis aux jolis reflets brillants. Le nez livre après agitation des arômes de cerise à l'alcool et des nuances légèrement poivrées. La bouche est ronde, aromatique et puissante, bien équilibrée entre gras et acidité. Heureux accords en perspective dans les quatre ans, après un passage en carafe de préférence, avec un gibier ou un plat épicé.

Patrice Taïx, 14, av. de la Gare, 34480 Magalas, tél. 09 81 67 37 95, domaine@costerousse.com, ☑ ⚒ ⛾ r.-v.

DOM. LA CROIX BELLE Le Champ des Lys 2012 ★

| | 50 000 | | 5 à 8 € |

Jacques et Françoise Boyer ont repris le domaine familial en 1977. Ils proposent un assemblage de viognier (50 %) auquel ils ont adjoint le grenache blanc et le chardonnay, complétés d'une pointe de sauvignon. Il en résulte un 2012 élégant, aux fines fragrances florales alliées à des arômes d'agrumes (pamplemousse et citron). Tapissé de nuances de pêche, le palais répond au nez et joue sur un registre léger et frais. Une bouteille qui viendra sublimer une poêlée de saint-jacques à la crème.

Dom. la Croix Belle, SCEA Jacques et Françoise Boyer, 160, av. de la Gare, 34480 Puissalicon, tél. 04 67 36 27 23, fax 04 67 36 60 45, information@croix-belle.com, ☑ ⚒ ⛾ t.l.j. sf dim. 9h-12h 14h-18h; sam. sur r.-v. J. et F. Boyer

DOM. LES FILLES DE SEPTEMBRE 2012 ★

| | 17 000 | | - de 5 € |

Roland et Hugues Géraud dirigent ce domaine depuis 1995 et ont été inspirés par les naissances de leurs filles respectives, nées le mois des vendanges, pour en trouver le nom. Ils signent un 2012 au bouquet intense de fruits rouges et noirs bien mûrs. L'attaque ronde introduit une bouche tout en douceur, réglissée, légère et bien équilibrée. Un vin agréable que l'on pourra découvrir dès à présent sur un plat asiatique.

Roland Géraud, 30, av. Georges-Guynemer, 34290 Abeilhan, tél. 04 67 39 01 65, les-filles-de-septembre@club-internet.fr, ☑ ⚒ ⛾ t.l.j. sf dim. 10h-12h 14h-18h

DOM. ÉRIC GELLY 100 % viognier 2012 ★

| | 3 066 | | 5 à 8 € |

Située à Pouzolles, cette exploitation familiale existe depuis sept générations. Installé depuis 2006, Éric Gelly propose un pur viognier issu de 2 ha de sols argilo-calcaires. Le vin livre un bouquet plaisant et aromatique de fleurs blanches et de mangue. Le palais gras, fruité et bien équilibré se déploie élégamment et finit sur une petite pointe d'amertume. Parfait pour une fricassée de volaille. Le **Plaisir des sens 2012 blanc (9 590 b.)** obtient également une étoile pour son nez complexe de fleurs blanches, sa bouche riche et bien équilibrée qui sublimera une sole ou une lotte en sauce ou en bourride.

Dom. Éric Gelly, 35, av. de Magalas, 34480 Pouzolles, tél. 06 28 33 93 94, domaineericgelly@orange.fr, ☑ ⚒ ⛾ t.l.j. sf dim. lun. 9h-12h 14h30-18h30

ⒷDOM. MONPLÉZY Plaisirs interdits 2012 ★

| | 4 000 | | 5 à 8 € |

À la tête du domaine depuis 1959, la famille Sutra de Germa vient de finaliser la conversion en agriculture biologique de l'exploitation, située en plein cœur d'une zone Natura 2000. Le blanc de la gamme Plaisirs interdits résulte d'un assemblage à parts égales de vermentino, de sauvignon, de muscat à petits grains et de grenache blanc. Le nez libère des arômes de fleurs blanches (acacia, aubépine), d'agrumes et d'abricot. La nervosité et la finesse de la bouche viendront « réveiller » une pâtisserie légère, l'abricot par exemple. Un plaisir à ne surtout pas s'interdire...

Anne Sutra de Germa et Benoît Gil, Dom. Monplézy, chem. Mère des Fontaines, 34120 Pézenas, tél. 04 67 98 27 81, fax 04 67 01 47 44, domainemonplezy@orange.fr, ☑ ⚒ ⛾ r.-v.

DOM. MONTROSE 2012 ★

| | 200 000 | | 5 à 8 € |

Le domaine a été créé en 1701 et prospère depuis près de trois siècles au sein de la famille de Bernard Coste, rejoint récemment par son fils Olivier. La teinte pâle de ce rosé de grenache, de cabernet sauvignon (25 %) et de syrah (10 %) alterne joliment reflets grisés et saumonés. Le nez, d'abord timide, révèle à l'aération des senteurs de fruits rouges variés, accompagnés de notes légèrement amyliques. La bouche est plus audacieuse, sur des tonalités de cerise et de framboise bien mûres. Une grande fraîcheur se dégage de l'ensemble, à l'attaque, vive et perlante en finale, légèrement amère. Sa personnalité s'accommodera bien avec des rougets grillés.

🕭 Dom. Montrose, RN 9, 34120 Tourbes,
tél. 04 67 98 63 33, fax 04 67 98 65 27,
contact@domaine-montrose.com,
☑ ☖ t.l.j. 9h-12h30 14h-19h 🏠 🅔

DOM. LES PRUNELLES Douceur de la Garrigue 2012 ★

▧	3 600	▮ 8 à 11 €

Les origines de ce domaine loti au cœur du village de Montblanc, village typiquement méditerranéen, remontent à 1613. Située à l'ouest de Pézenas, l'aire géographique de cette IGP bénéficie de plusieurs formations géologiques : les galets roulés des terrasses villafranchiennes et les marnes sableuses et graveleuses. C'est sur les premiers qu'est implantée la parcelle de muscat à petits grains à l'origine de cette cuvée. Celle-ci ressort marquée au nez par le cépage avec des arômes de fruits exotiques et de fleurs de sureau. La bouche, délicate, déploie d'agréables notes de fleur d'oranger et d'agrumes, avec juste ce qu'il faut de sucre et d'acidité pour obtenir un bel équilibre.

🕭 Luc et Isabelle Estournet, 33, av. de Béziers,
34290 Montblanc, tél. 04 67 32 52 81, fax 04 67 62 95 18,
domainelesprunelles@orange.fr,
☑ ☖ ☖ t.l.j. sf dim. 10h-12h 15h-18h; f. sep.

DOM. SAINT-GEORGES D'IBRY Excellence 2012

▧	4 700	▮ 5 à 8 €

Fondé en 1860, ce domaine viticole est depuis 1985 dirigé par Michel Cros. Les cépages utilisés pour ce rosé sont traditionnels et adaptés au terroir : syrah, grenache et cinsault. Il en résulte un vin à la robe pétale de rose, au bouquet de fleurs blanches et d'agrumes (pamplemousse). On retrouve les arômes du nez accompagnés de fraise et de notes de garrigue dans un palais tout en rondeur et en élégance. Sur une viande grillée, dans les deux ans.

🕭 Michel Cros, Dom. Saint-Georges d'Ibry,
rte d'Espondeilhan, 34290 Abeilhan, tél. 04 67 39 19 18,
fax 04 67 39 07 44, info@saintgeorgesdibry.com,
☑ ☖ ☖ t.l.j. sf dim. 9h-12h 13h30-18h30 🏠 🅔

Duché d'Uzès

LE DUCHÉ 2011 ★★

▧	60 000	▮ 5 à 8 €

Depuis plus de dix ans, cette coopérative sélectionne des parcelles situées sur des sols de marnes feuilletées, caillouteuses ou de terrasses anciennes, définissant le terroir du Duché d'Uzès. Ce 2011 issu d'une sélection des plus belles parcelles de syrah et de grenache a été élaboré avec le concours de Philippe Nusswitz, meilleur sommelier de France en 1986. Vêtu d'une robe grenat soutenu, le vin libère un bouquet de fruits rouges très mûrs nuancés d'épices douces. La bouche offre une réelle harmonie, une intensité aromatique soutenue, de l'ampleur, de la rondeur et une élégante structure qui lui permettra d'accompagner une côte de bœuf des Cévennes dans les deux ans.

🕭 SCA les Coteaux Lévenols, rte de Canaules,
30170 Durfort, tél. 04 66 77 50 55, fax 04 66 77 02 83,
coteaux.cevenols@wanadoo.fr, ☑ ☖ ☖ r.-v.

♥ MAS PELLIER Syrah Grenache 2011 ★★

▧	10 000	▮ 5 à 8 €

Installé sur une trentaine d'hectares, Christophe Pellier réalise sa première récolte en 1991 et se consacre depuis à l'amélioration de son vignoble, notamment en replantant de nouvelles vignes. En 2010, il réalise le grand saut en vinifiant son premier millésime. Et c'est avec le 2011 qu'il fait coup double en entrant dans le Guide par la grande porte grâce à ce coup de cœur. Élégant dans sa robe brillante aux éclats rubis, le vin livre à l'olfaction de jolis arômes de baies rouges associés à des notes d'épices douces d'une grande finesse. La bouche fait preuve d'une belle générosité, portée par des notes plus chaleureuses de chocolat et de réglisse, soutenue par des tanins enveloppés et soyeux d'une rare douceur. S'il peut être apprécié sans attendre, une petite garde d'un an ou deux lui conviendra tout autant. À servir sur une viande rôtie.

🕭 Christophe Pellier, 35, rue de la Madone, 30700 Blauzac,
tél. 06 82 61 73 51, fax 09 53 92 99 29,
chrisotphe.pellier@free.fr, ☑ ☖ ☖ t.l.j. 10h-13h 16h30-18h30

DOM. SAINT-FIRMIN Ananda 2012 ★

▧	7 500	▮ 5 à 8 €

Les grains ont été récoltés de nuit pour éviter tout échauffement préjudiciable à la couleur et à la qualité des arômes de cet assemblage de viognier, de grenache blanc et de roussanne. Le vin en ressort vêtu d'une robe jaune claire aux reflets verts brillants, et livre au nez une expression fine et suave, avec des senteurs florales, fruitées et amyliques. Acidité et alcool se marient harmonieusement dans un palais bien équilibré, à la finale douce et veloutée.

🕭 GAEC Dom. Saint-Firmin, Mas Saint-Firmin, 30700 Uzès,
tél. 04 66 22 11 43, fax 04 66 03 00 68,
domstfirmin@gmail.com, ☑ ☖ ☖ t.l.j. sf dim. 9h-19h

LES VIGNES DE L'ARQUE 2012 ★★

▧	8 000	▮ - de 5 €

Ce domaine fondé par les familles Fabre et Rouveyrolles doit son nom au château médiéval dominant le vignoble. Ses cuvées de rosé et de blanc ont toutes deux séduit le jury, avec une préférence pour le premier. Paré de rose tendre, ce vin livre de plaisants parfums de fraise, de framboise et de citron vert. Après une attaque vive et friande, la bouche se déploie longuement et s'achève sur une agréable touche d'amertume citronnée. Les propriétaires conseillent une paëlla en accompagnement. Le **2012**

blanc (6 000 b.) reçoit quant à lui une étoile pour ses fragrances de fleurs blanches et d'agrumes et pour son palais fruité, frais et équilibré.

☛ Les Vignes de l'Arque, rte d'Alès, 30700 Baron, tél. 04 66 22 37 71, fax 04 66 03 04 34, vigne-de-larque@wanadoo.fr, ☒ ⚔ ☂ t.l.j. 9h-12h 14h-19h

☛ Fabre

Gard

CELLIER DES CHARTREUX Viognier
Les Îles blanches 2012 ★

	40 000	▮	5 à 8 €

La coopérative de Pujaut a particulièrement soigné la vinification de ces raisins de viognier issus d'une sélection parcellaire. Le verre s'illumine des reflets verts de la robe jaune citronnée et s'agrémente d'élégantes senteurs florales (acacia) et fruitées (pomme), persistantes jusque dans le palais. Un caractère vif et nerveux accompagne l'ensemble vers une agréable finale. Pour l'apéritif.

☛ SCA Cellier des Chartreux, RD 6580, 30131 Pujaut, tél. 04 90 26 39 40, fax 04 90 26 46 83, contact@cellierdeschartreux.fr, ☒ ⚔ ☂ t.l.j. 8h30-12h30 14h-18h30

MAS DES BRESSADES Cabernet syrah
Les Vignes de mon père 2011 ★

	20 000	◨	8 à 11 €

Le Mas des Bressades est situé dans le Gard, dans une région partagée entre deux cultures vinicoles : le Languedoc et la vallée du Rhône. Cyril Marès, à la tête du domaine familial depuis 1996, propose une cuvée issue majoritairement de cabernet-sauvignon, complété de syrah (30 %). Il en résulte un vin à la robe rouge très sombre, au nez classique de fruits rouges et noirs accompagnés d'une touche boisée bien intégrée. La bouche dévoile un beau volume et un équilibre très réussi entre structure et rondeur, le tout sur fond d'arômes de sous-bois et de grillé. Pourquoi pas sur des joues de porc confites ?

☛ Cyril Marès, Mas des Bressades, Le Grand Plagnol, RD 3 de Bellegarde, 30129 Manduel, tél. 04 66 01 66 00, fax 04 66 01 80 20, masdesbressades@aol.com,
☒ ⚔ ☂ t.l.j. sf sam. dim. 8h-12h 13h-17h; f. 7-15 août 🏠 🅔

Haute vallée de l'Orb

DOM. DE LA CROIX RONDE Améthyste 2011 ★★

	6 000	▮	11 à 15 €

Situé sur un sol de grès acide, sans contrainte hydrique, et bénéficiant d'un climat méditerranéen atténué par l'altitude, le domaine réunit les conditions les plus favorables au développement de la vigne. François Pottier met à profit son savoir-faire adapté à chaque cépage pour permettre une authentique expression du terroir. Vêtue d'une robe éclatante, cette cuvée développe un bouquet intense et généreux de framboise et de cassis bien mûrs, presque confiturés. Ample et tout aussi riche sans manquer de fraîcheur, la bouche s'exprime sur l'eucalyptus et les épices (poivre) et déploie

une finale douce longue. Pour un plat finement épicé, un tajine d'agneau au citron par exemple.

☛ François Pottier, Dom. de la Croix ronde, 28, av. du Four-à-Chaux, 34260 La Tour-sur-Orb, tél. 04 67 95 35 05, fax 04 67 95 37 16, info@croixronde.com, ☒ ⚔ ☂ t.l.j. sf dim. 10h-12h 16h-19h

DOM. DU FRAÏSSE Syrah 2011 ★

	2 850	▮	5 à 8 €

Ce vignoble situé dans les Cévennes méridionales bénéficie de trois terroirs bien distincts : les coteaux de la vallée de l'Orb, argilo-calcaires, les terres pourpres près du Salagou et les sols acides de la haute vallée de l'Orb en plaine. Ce vin de pure syrah, issue de sols argilo-calcaires, révèle un nez très confituré agrémenté de notes poivrées et de clou de girofle, qui se prolonge dans une bouche persistante et équilibrée. À déguster avec de la charcuterie fine des monts de Lacaune, dans les deux ans.

☛ Christian Gineste, Dom. du Fraïsse, rte de Bedarieux, lieu-dit Le Fraïsse, 34260 La Tour-sur-Orb, tél. 04 67 95 34 13, fax 04 67 23 03 38, cgineste34@orange.fr, ☒ ⚔ ☂ t.l.j. sf dim. 17h-19h30

Hérault

CAMPAUCELS Coteaux de Bessilles 2012 ★

	3 000		5 à 8 €

Depuis 2009, ce domaine, sous la houlette de Cathy Do, a engagé une démarche de conversion à l'agriculture biologique certifiée. Cet assemblage original de muscat (60 %), de piquepoul (20 %) et de rolle (vermentino) livre un bouquet riche et délicat de fleurs blanches, de verveine et d'abricot. Franche et fraîche, la bouche affiche une certaine rondeur et de l'éclat, et se prolonge dans une finale douce soulignée par l'abricot sec. Un vin tendre et harmonieux, à servir sur un poisson grillé.

☛ Cathy Do, Dom. de Campaucels, 34530 Montagnac, tél. 04 67 24 19 16, domainecampaucels@orange.fr,
☒ ⚔ ☂ r.-v. 🏠 🅔

♥ **CLOS DES CLAPISSES** Carignan
Coteaux du Salagou 2012 ★★

	6 000	▮	5 à 8 €

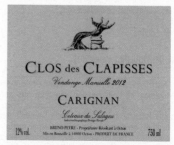

Après trois étoiles et un coup de cœur dans le Guide 2010 pour son millésime 2008 et trois étoiles l'an dernier pour son 2011, Bruno Peyre s'illustre une fois encore avec sa cuvée de carignan. À proximité du lac du Salagou, dans un clos entouré de murs naturels sur une terre singulière de cinérites noires – témoins d'un passé volcanique – quelques souches de ce cépage ont été plantées il y a plus de soixante-dix ans. Depuis, chaque cep subsiste, soutenu dans sa vieillesse par un amas de petits cailloux appelés « clapisses ». Au moyen de ce mode de culture ancestral, le vigneron a élaboré un vin remarquable, à la robe rubis profonde et éclatante, arborant d'étonnants accents de jeunesse. Le nez libère des parfums de fruits rouges (fraise écrasée) dynamisés par une agréable minéralité. Vif en attaque, le palais déploie rondeur et souplesse, et des arômes de réglisse qui lui confèrent un surcroît de fraîcheur. Un vin équilibré, complexe et original, à associer dès aujourd'hui à de l'agneau grillé.

➤ Bruno Peyre, 34800 Octon, tél. 04 67 96 26 01, clos.clapisses@yahoo.fr, ☑ ⚔ ♆ r.-v.

DOM. DES CRÈS RICARDS Mont Baudile Alexaume 2012

	40 000	⬛	5 à 8 €

Également producteur en AOC languedoc (sous la dénomination Terrasses du Larzac), ce domaine est situé sur des terrasses alluviales aux sols de galets roulés. Cet assemblage de merlot, de cabernet-sauvignon et de carignan, avec la syrah en appoint, offre des senteurs chaudes de caramel, de cacao et de café torréfié. Un élevage bien mené confère aussi au vin une bouche ronde aux tanins soyeux et à la finale agréablement réglissée.

➤ Ch. Crès Ricards, 34800 Ceyras, tél. 04 67 90 16 10, fax 04 67 98 00 60, contact@cresricards.com, ☑ ♆ t.l.j. sf dim. lun. 10h30-19h30 au dom. Paul Mas à Montagnac
➤ Jean-Claude Mas

MAS DE MADAME Collines de la Moure 2012

	5 000	⬛	5 à 8 €

Une première pour ce domaine qui ne produisait que des vins blancs depuis cinquante ans. Et dans le pays du muscat-de-frontignan, il est tout naturel de retrouver du muscat à petits grains pour accompagner le grenache noir. Le résultat ? Un rosé au nez dominé par... le muscat et ses notes d'agrumes et de fruits exotiques. On retrouve ces arômes dans un palais finement épicé et bien équilibré entre rondeur et fraîcheur. Sa douceur et sa légère amertume en font un accompagnement idéal pour des calamars à la plancha.

➤ Dom. du Mas de Madame, rte de Montpellier, 34110 Frontignan, tél. 06 07 38 77 89, fax 04 99 57 09 17, jacques.sourina@mas-de-madame.com, ☑ ⚔ ♆ t.l.j. 9h-12h30 14h-20h
➤ M. Sourina

DOM. DE MOULINES Merlot 2012

	120 000	⬛	- de 5 €

Situé sur le site de l'ancienne abbaye de Saint-André-de-Moulines, ce domaine doit son nom aux anciens moulins qui se dressaient aux abords de la rivière Le Bérange. Racheté en 1913 par la famille Saumade, il étend aujourd'hui son vignoble sur 55 ha. Ce pur merlot non filtré, encore un peu timide au nez, libère après agitation d'agréables arômes fruités. Ces notes se retrouvent dans une bouche fraîche et équilibrée. Pour une entrecôte accompagnée d'un gratin dauphinois.

➤ GFA Dom. de Moulines, Dom. de Moulines, 34130 Mudaison, tél. 04 67 70 20 48, fax 04 67 87 50 05, cavesdemoulines@orange.fr, ☑ ⚔ ♆ t.l.j. sf dim. 9h-12h 14h-19h

DOM. PEYRONNET Harmonie
Muscat petits grains 2011 ★★

	5 000	⬛	11 à 15 €

Vous trouverez régulièrement les cuvées « étoilées » d'Alain Peyronnet dans le Guide parmi les muscat-de-frontignan. Cette année, son vin de pays issu du seul muscat à petits grains a su trouver les arguments pour convaincre les dégustateurs. Vêtu d'or, le vin livre au premier nez des arômes de mangue et de fleur d'oranger, relayés par des senteurs de cire d'abeille. Franche et fruitée, la bouche développe un bel équilibre entre moelleux et acidité avant de s'achever sur des notes bien mariées de miel et d'orange amère. À apprécier à l'apéritif avec du foie gras ou sur un gâteau au chocolat.

➤ EARL Dom. Peyronnet, 9, av. de la Libération, 34110 Frontignan, tél. 04 67 48 34 13, fax 04 67 48 14 42
☑ ⚔ ♆ t.l.j. 9h-12h 14h-19h

DOM. DU PIC SAINT-JEAN D'AUREILHAN
Coteaux du Salagou Les Pivoines 2011 ★

	5 000	⬛	5 à 8 €

Situé sur les coteaux surplombant le magnifique lac du Salagou, ce domaine a vu se succéder à sa tête quatre générations. Ce 2011 issu de cabernet-sauvignon et de merlot, paré d'une jolie robe limpide et brillante, offre un bouquet de garrigue et, plus particulièrement, de thym. La bouche d'une belle longueur, fraîche et adossée à des tanins souples, fait écho à l'olfaction. Un vin agréable et harmonieux, qui accompagnera dans les deux ans un tartare de bœuf ou une savoureuse viande grillée.

➤ Christian Arboux, rte de Salasc, 34800 Liausson, tél. et fax 04 67 96 66 18, christian.arboux@nordnet.fr

DOM. LES QUATRE AMOURS
Le Carignan de Paul 2011 ★★

	3 000	⬛	8 à 11 €

En 2006, France et Michel Siohan ont repris les rênes cette exploitation familiale de 18 ha. Ils signent une cuvée du nom de leur fils aîné, issue de 65 ares de carignans âgés de cinquante-cinq ans et vinifiée en macération carbonique. Le vin en ressort vêtu d'une robe lumineuse et dévoile un nez aux accents épicés intenses et légèrement fumés. La structure légère et les arômes de fruits noirs bien mûrs en bouche (cassis, myrtille) en font un vin gourmand, à boire sans attendre sur des grillades au feu de bois.

➤ Dom. les Quatre Amours, 8, rte de Croix-de-Saint-Antoine, 34230 Belarga, tél. 04 67 24 60 89, fax 09 77 50 97 19, fmsiohan@wanadoo.fr, ☑ ⚔ ♆ r.-v.
➤ Siohan

DOM. DE LA RENCONTRE Rencontre Muscat sec 2011 ★

	3 700	⬛	8 à 11 €

Découverts l'an dernier grâce à leur muscat-de-mireval (cuvée Éclat), Pierre et Julie Viudes proposent cette année un agréable muscat sec. Cette bouteille, dont l'étiquette évoque la rencontre de Gustave Courbet avec son mécène montpelliérain Alfred Bruyas, offre à l'olfaction une jolie palette composée de fleurs blanches (acacia, aubépine et fleur d'oranger). Le palais délivre une agréable vivacité sur fond d'écorce d'orange. Un vin délicat à apprécier à l'apéritif.

☙ Pierre et Julie Viudes, 50, chem. de la Condamine, 34110 Vic-la-Gardiole, tél. 06 24 05 39 46, pierre@domainedelarencontre.com, ▣ ⚥ ♈ r.-v.

SAINT-ANDRÉ Coteaux de Bessilles 2012 ★

▦	60 000	▮	- de 5 €

La cave coopérative de Montagnac regroupe les terres viticoles de huit communes s'étalant des rives de l'étang de Thau aux contreforts montagneux de la rive droite du fleuve Hérault. Elle propose un vin issu de terret, de carignan et de vermentino à la délicate robe pâle et au nez subtil et fin de fleurs blanches et de pêche. De douces notes d'orange atténuent la vivacité du palais pour composer un ensemble élégant, qui accompagnera sans attendre une salade douce ou un carpaccio de poisson.

☙ SCAV Les Vignobles Montagnac, 15, av. d'Aumes, BP 08, 34530 Montagnac, tél. 04 67 24 03 74, fax 04 67 24 14 78, cooperative.montagnac@wanadoo.fr, ▣ ♈ t.l.j. sf dim. 9h30-12h 15h30-18h; sam. 9h30-12h30

DOM. SAINTE-MARTHE Syrah Cassan
Élevé en fût de chêne 2012 ★

▦	60 000	▥	- de 5 €

Entre Pézenas et Faugères, ce domaine constitue l'une des nombreuses propriétés viticoles appartenant à la famille Bonfils. Une longue macération de six semaines a permis d'extraire la couleur profonde, presque noire, de cette cuvée de syrah. Des arômes de cerise bien mûre et de cassis côtoient une touche vanillée dès le premier nez, puis apparaissent quelques notes animales. L'élevage de six mois sous bois est bien perceptible, sans étouffer le vin, dans un palais ample et rond adossé à des tanins fondus. La finale sur les fruits à l'eau-de-vie se montre chaleureuse. Un ensemble puissant et prêt à boire, pour lequel on conseillera toutefois une petite aération avant de servir sur un cassoulet ou une daube de sanglier.

☙ SCEA Olivier Bonfils, Dom. de Sainte-Marthe, 34320 Roujan, tél. 04 67 93 10 10, fax 04 67 93 10 05, bonfils@bonfilswines.com

DOM. LA TERRASSE D'ÉLISE Siclène 2011 ★★

▦	4 000	▥	15 à 20 €

Xavier Braujou dirige depuis 1998 ce domaine situé à Saint-Jean-de-Fos, à quelques kilomètres d'Aniane. Des vignes de roussanne, de marsanne et de chardonnay plantées sur des terres sablo-argileuses surplombant la plaine de l'Hérault, sont à l'origine de cette belle cuvée. Celle-ci présente un bouquet expressif d'abricot et de fleurs blanches mâtiné de fines notes de pain grillé (legs des six mois d'élevage en fût). La bouche, à l'unisson, s'étire longuement, dynamisée par des nuances d'agrumes et d'épices, et structurée par un boisé bien intégré. Un 2011 élégant et harmonieux, à découvrir sur un pavé de cabillaud aux tomates confites dans les deux ans.

☙ Dom. la Terrasse d'Élise, 10, rue Victor-Hugo, 34150 Saint-Jean-de-Fos, tél. 06 22 91 81 39, fax 04 67 57 99 40, terrasseelise@club-internet.fr, ▣ ⚥ ♈ r.-v.
☙ Xavier Braujou

CONFIDENCE DES TROIS BLASONS Côtes du Brian 2012 ★

▦	4 000		- de 5 €

Situé au cœur du Minervois, entre mer et montagne, le vignoble de la cave Les Trois Blasons s'étire sur les premiers contreforts de la Montagne Noire conduisant à la cité cathare de Minerve. Issue d'un assemblage de marsanne, de roussanne et de sauvignon, cette cuvée livre un nez fin et délicat de buis. Une structure élégante se révèle dans un palais animé d'une jolie fraîcheur, plein de « peps ». À déguster dans les deux ans accompagné de tielles sétoises.

☙ Les Trois Blasons, av. d'Olonzac, 34210 Azillanet, tél. 04 68 91 22 61, fax 04 68 91 19 46, les3blasons@wanadoo.fr, ▣ ⚥ ♈ t.l.j. 9h-12h 14h-18h
☙ Alliance Minervois

VILLA NORIA Sauvignon Coteaux de Bessilles
Les Horts 2012 ★

▦		n.c.	8 à 11 €

Ce vignoble d'une cinquantaine d'hectares, en conversion à l'agriculture biologique, est niché entre la Méditerranée et des contreforts montagneux aux origines volcaniques. C'est sur ce terroir qu'est née cette jolie cuvée de pur sauvignon, au nez expressif de fleurs blanches. On retrouve ces arômes complétés de fruits à chair blanche dans une bouche bien équilibrée entre gras et vivacité. Un vin agréable pour l'apéritif.

☙ Villa Noria, 9, av. André-Bringuier, 34530 Montagnac, tél. 06 84 80 33 98, arnaudce@hotmail.fr, ▣ ♈ r.-v.
☙ Cédric Arnaud

Sable de Camargue

COMMANDEUR DE JARRAS Gris de gris 2012 ★★

▦	25 000		11 à 15 €

Plus grand propriétaire récoltant d'Europe avec plus de 1 800 ha de vignes, les domaines Listel possèdent encore des vignes « franches de pied », non greffées, car protégées naturellement du phylloxera par le sable. C'est dans ce magnifique paysage de la Camargue, d'une biodiversité exceptionnelle, que cette cuvée a été élaborée. Vêtue d'une jolie robe couleur pétale de rose, celle-ci libère des fragrances expressives de fruits blancs mûrs et de fleurs. La bouche franche et bien équilibrée révèle de jolis arômes fruités prolongés par une élégante finale sur les agrumes. Heureux accords en perspective avec une langouste Bellevue ou un agneau de lait aux girolles.

☙ SAS Domaines Listel, Ch. de Villeroy, RN 112, BP 126, 34200 Sète, tél. 04 67 46 84 00, fax 04 67 46 84 35, jgauchet@listel.fr, ▣ ⚥ ♈ t.l.j. 10h-12h 14h-18h
☙ Vranken

DUNE Gris de gris 2012 ★

▦	80 000		- de 5 €

La cave Sabledoc propose un 2012 issu de grenache et de carignan provenant des communes d'Aigues-Mortes, de Saint-Laurent-d'Aigouze et de Vauvert. La couleur est classique, pétale de rose, brillante et limpide. Le nez mêle notes de pamplemousse, de fruits exotiques et de pêche de vigne, dynamisé par une nuance légèrement épicée. Des arômes subtils de petits fruits rouges apparaissent dans un palais souple et rond, contrebalancé par une pointe de fraîcheur en finale. À déguster à présent avec du poisson grillé.

☙ Cave Sabledoc, rte d'Arles, 30220 Aigues-Mortes, tél. 04 66 53 75 20, fax 04 66 53 78 11, sabledoc@wanadoo.fr, ▣ ♈ r.-v.

VDP/IGP

B DOM. DE MONTCALM Prestige 2012 ★

40 000	- de 5 €

Situé au cœur de la petite Camargue, sur la route reliant les Saintes-Maries-de-la-Mer à Aigues-Mortes, ce vignoble bénéficie d'un terroir particulier lié à un climat méditerranéen et à un sol sableux, idéal pour produire des vins souples, agréables et généreux. Ce 2012 vêtu d'une robe pâle s'exprime à l'olfaction sur un registre floral avec une pointe de fruits rouges mûrs et d'abricot. La bouche, toute en finesse, déploie des arômes de fruits frais et révèle un bon équilibre entre rondeur et fraîcheur. Recommandé avec une sardinade.

☛ EARL Vignobles Jeanjacques, Dom. de Montcalm, 197, rue du Château, 30600 Montcalm, tél. 04 66 73 51 52, fax 04 66 73 51 26, domainedemontcalm@hotmail.fr,
Ⓥ ⵣ t.l.j. 8h-18h

Saint-Guilhem-le-Désert

DOM. DE L'HORTUS Val de Montferrand
Grande Cuvée 2011 ★

20 000	20 à 30 €

Entre le Pic Saint-Loup et le causse de l'Hortus, ce domaine réputé s'étend sur 70 ha et bénéficie de terroirs variés et qualitatifs. Sur des éboulis d'éclats calcaires, et sur des pentes assez abruptes, le chardonnay, le viognier et la roussanne ont trouvé un terrain de prédilection. Cette cuvée jaune brillante aux légers reflets verts laisse percer au nez des notes bien mariées de fruits frais, de fleurs blanches et de grillé. En bouche, l'attaque est ronde, puis une vivifiante fraîcheur apparaît, accompagnée de saveurs d'abricot et de fleurs blanches, et soutient l'ensemble jusqu'à une longue finale vanillée. Pour une andouillette grillée.

☛ Dom. de l'Hortus, rte du Mas-Rigaud, 34270 Valflaunès, tél. 04 67 55 31 20, fax 04 67 55 38 03, orliac.hortus@wanadoo.fr,
Ⓥ ⵣ t.l.j. sf dim. 10h-12h 15h-18h
☛ Famille Orliac

MAS DE DAUMAS GASSAC Cité d'Aniane 2011 ★★

100 000	30 à 50 €

Le Mas de Daumas Gassac incarne à lui seul la percée des vins du Languedoc à travers les cinq continents. Ce domaine a suscité l'étonnement il y a quelques années en proposant des vins de pays au même prix que des grands bordeaux. Il est toutefois resté en haut de l'affiche, avec des vins d'une qualité constante et d'un potentiel de garde remarquable. Preuve en est ce 2011 à la robe sombre et profonde. Le nez est une déclinaison de fruits rouges et noirs très mûrs mâtinés de notes de café et de chocolat. La bouche est ronde à l'attaque, puis apparaissent des tanins puissants et soyeux qui accompagnent, sans le heurter, une longue finale veloutée. À découvrir sur un pigeon rôti aux cèpes dans les quatre à six ans.

☛ Mas de Daumas Gassac, Haute-Vallée-du-Gassac, 34150 Aniane, tél. 04 67 57 71 28, fax 04 67 57 41 03, prives@daumas-gassac.com,
Ⓥ ⵣ t.l.j. sf dim. 10h-12h30 14h-18h30
☛ Famille Guibert

Vallée du Paradis

DOM. DES GARRIGOTTES 2012 ★★

38 000	5 à 8 €

Issu de parcelles situées sur des coteaux entre 150 et 300 m d'altitude, en plein cœur du massif des Corbières, ce 2012 né de cépages traditionnels (grenache noir, syrah et carignan) vendangés à la main et d'une vinification en macération carbonique se pare d'une robe profonde. Au nez, une grande complexité aromatique naît de l'agitation : fruits noirs, fruits rouges bien mûrs, cacao et épices douces. La bouche se révèle franche et charnue, soutenue par des tanins fermes et de qualité qui demanderont à s'arrondir deux ou trois ans. On pourra alors servir ce généreux 2012 sur une entrecôte grillée au feu de bois.

☛ Les Maîtres Vignerons de Cascastel, Grand rue, 11360 Cascastel, tél. 04 68 45 91 74, fax 04 68 45 82 70, jeromedupont@cascastel.com, ⵣ ⵣ ⵣ t.l.j. 8h-12h 14h-18h

Pays d'Oc

AMANO BY PICARO'S WINE Syrah grenache 2011 ★★★

1 500	20 à 30 €

De retour du Chili, Pierre-Yves Rouillé et Caroline Vioche reprennent l'exploitation familiale de 10 ha. Pour le nom de leur marque, ils retiennent le terme *picaros* (« espiègle » en espagnol) et aussi les premières syllabes de leurs prénoms. Pour cette cuvée, toujours dans le registre hispanique, ils adoptent Amano (à la main), car ici nulle machine utilisée de la récolte à la vinification en grains entiers, préalablement triés puis pressés à la force des poignets. Le bouquet de ce 2011 mêle harmonieusement les fruits noirs à des notes épicées et torréfiées. Puissante, ronde et douce au palais, cette cuvée est soutenue par des tanins chaleureux. Selon vos goûts, vous servirez cette bouteille remarquable dès aujourd'hui ou la laisserez vieillir doux ou trois ans, avant de la déboucher sur des côtelettes d'agneau ou un gâteau au chocolat.

☛ Caroline Vioche, 45, av. Depezenas, 34320 Roujan, tél. 06 81 97 10 44, amanobypicaros@orange.fr, ⵣ ⵣ ⵣ r.-v.
☛ Pierre-Yves Rouillé

DOM. L'AMIRAL Marselan Le Voyage de l'amiral 2012 ★★

4 000	11 à 15 €

En 2008, en pleine crise viticole, Bénédicte Gobé reprend le domaine familial fondé en 1817, non loin de la cité de Carcassonne. Le début d'une grande aventure couronnée de succès. Pour preuve, ce pur marselan, cépage réputé pour la structure qu'il confère au vin. Le bouquet est superbe, avec ses notes de fruits cuits et de sous-bois. Ample, bien charpenté et gras, le palais se montre harmonieux, soutenu par des notes épicées qui portent loin la finale. Une superbe cuvée à découvrir dans deux ans sur un lapin aux pruneaux.

☛ Bénédicte Gobé, 14, av. de l'Amiral-Gayde, 11800 Aigues-Vives, tél. 06 83 51 68 88, fax 09 60 48 58 67, contact@chateaulamiral.fr, ⵣ ⵣ ⵣ r.-v. ⵣ ⵣ

DOM. ASTRUC Chardonnay dA 2012 ★★★

180 000	5 à 8 €

À la confluence des climats océanique et méditerranéen, sur ce domaine de 50 ha situé au pied des Pyrénées, le chardonnay a trouvé un beau terrain d'élection. Pour preuve, ce 2012 au parfait équilibre entre douceur et vivacité. Jaune aux reflets verts, il offre un bouquet intense d'amande croquante et de vanille. La structure est superbe, fine, soyeuse et bien équilibrée. Un vin suave qui sera autant à l'aise sur une viande blanche rôtie que sur une pâtisserie orientale.

🐦 Dom. Astruc, 20, av. du Chardonnay, 11300 Malras, tél. 04 68 31 13 26, fax 04 68 31 72 11, info@dastruc.com, ☑ ⪑ t.l.j. sf sam. dim. 9h-12h 14h-17h

🐦 Jean-Claude Mas

DOM. BAPTISTE BOUTES Merlot 2010 ★

| ■ | 8 000 | ■ | 5 à 8 € |

Ce n'est pas un hasard si ce domaine, situé dans le secteur des Serres dans le Minervois, élabore des vins chaleureux. Ce merlot gorgé de soleil mêle notes surmûries de cerise à l'alcool, de garrigue et de cade. À la fois souple et concentré, doux et onctueux à souhait, le palais laisse sur de plaisantes évocations de réglisse. Un vin généreux qui accompagnera volontiers les viandes rouges en sauce.

🐦 Bernard Albert, 3, rue du Puits-d'Aval, 11120 Pouzols-Minervois, tél. et fax 04 68 46 26 74 ☑ ⪑ r.-v.

DOM. LA BASTIDE Cabernet franc 2011 ★★

| ■ | 5 000 | ■ | - de 5 € |

Après moultes turbulences, ce domaine a été repris par un officier de marine, qui a mis le cap sur la viticulture raisonnée. Ce cabernet franc navigue les cales chargées de fruits rouges et noirs bien mûrs. Sur un océan de douceur (notes épicées), il s'étire longuement, soutenu par une solide voilure de tanins. Racé et élégant, ce vin taillé pour le grand large arrivera à bon port dès l'automne sur votre table. Cité, le **Malbec 2011 (5 000 b.)** est un vin chaleureux (pruneau confit), étayé par des tanins arrondis.

🐦 SCEA du Ch. de la Bastide, La Bastide Rougepeyre, 11610 Pennautier, tél. 04 68 72 51 91, contact@rougepeyre.com, ☑ ⪑ t.l.j. sf dim. 11h-12h30 15h-19h 🏠 Ⓞ

♥ LA BAUME SAINT-PAUL Sauvignon blanc Réserve 2012 ★★

| ■ | 500 000 | ■ | 5 à 8 € |

RÉSERVE
LA BAUME
SAINT-PAUL
SAUVIGNON BLANC
2012

Appartenant aux Grands Chais de France, le domaine de la Baume est implanté non loin de Pézenas, sur des sols argileux, sableux et limoneux, en terrasses ou en coteaux. Une magnifique demeure languedocienne commande ce vignoble de 61 ha. Avec cette cuvée élue coup de cœur, cette maison de négoce atteste une nouvelle fois de son savoir-faire. Jaune pâle aux reflets verts

intenses, ce sauvignon blanc livre un bouquet à la fois exubérant et fin de fruits exotiques, de buis et de bourgeon de cassis. La bouche se révèle ample et généreuse, soutenue de bout en bout par une fraîcheur remarquable. De légères notes d'abricot et d'épices ponctuent la dégustation jusqu'à la longue finale. D'une grande élégance, ce vin accompagnera délicieusement un tajine d'agneau aux abricots.

🐦 Dom. de la Baume, RN 9, 34290 Servian, tél. 04 67 39 29 49, fax 04 67 39 29 40, domaine@labaume.com, ☑ ⪑ ⪑ t.l.j. 10h-18h; sam. dim. sur r.-v.

🐦 Les Grands Chais de France

DOM. DE BOISSIÈRE Caladas 2010 ★

| ■ | 5 000 | ■ ⦿ | 15 à 20 € |

Une étiquette rectangulaire de grande largeur sur fond noir pourrait laisser augurer un vin ténébreux. Il n'en est rien. Cette cuvée, issue de syrah et de grenache à parts presque égales et d'une pointe de mourvèdre, s'ouvre sans réserve sur les fruits rouges, les épices et les notes torréfiées de la barrique. On retrouve ces sensations dans un palais chaleureux et concentré sur les fruits, porté par des tanins encore sévères mais prometteurs. Un vin d'une grande générosité, au potentiel certain, à servir sur une viande rouge.

🐦 Dom. de Boissière, rte de Bezouce, 30300 Jonquières-Saint-Vincent, tél. 06 06 59 71 88, info@domainedeboissiere.com, ☑ ⪑ ⪑ r.-v.

BOURDIC Viognier 2012 ★

| ■ | 100 000 | ■ | 5 à 8 € |

Sur les collines de Bourdic, les vendanges débutent lorsque les pépins des raisins sont jugés « al dente » et dénués de toute amertume. Cette cuvée de viognier livre un nez intense de sirop de pêche blanche et de bonbon anglais. De l'attaque suave et puissante à la finale persistante sur l'abricot sec, voilà une bouteille charmeuse en diable, à servir sans attendre sur un carpaccio de saumon à l'aneth.

🐦 Les Collines du Bourdic, chem. de Saint-Chaptes, 30190 Bourdic, tél. 04 66 81 20 82, fax 04 66 81 23 20, contact@bourdic.fr, ☑ ⪑ ⪑ t.l.j. sf dim. 9h-12h 14h-18h

Ⓑ DOM. BUGADELLES Bergerie 2012 ★★

| ■ | 8 000 | ■ | 5 à 8 € |

Le domaine est conduit en agriculture biologique – la certification a été acquise en 2012. Une bergerie abritant 250 moutons y est implantée. En harmonie avec les cultures, l'élevage permet non seulement un entretien naturel de la garrigue et des bois, mais il fournit également un engrais biologique naturel sans coût de transport ni pollution. Nés sur les terres arides du secteur de La Clape soumis aux influences maritimes, le grenache blanc et le muscat, accompagnés d'une touche de viognier et de roussanne, ont donné naissance à ce 2012 élevé six mois en cuve. Une robe pâle aux reflets verts, un nez exubérant où les senteurs muscatées se mêlent à la noix de coco et au cassis, un palais gras, rond et équilibré avec une finale mentholée : l'ensemble est remarquable d'harmonie et prêt à accompagner un saumon à l'oseille.

🐦 SA Courtal Neuf, rte de Saint-Pierre-la-Mer, 11560 Fleury-d'Aude, tél. 04 68 90 79 03, fax 04 68 90 27 28, courtal@hotmail.fr, ☑ ⪑ ⪑ r.-v.

🐦 J.-C. Albert

VDP/IGP

CALMEL + J JOSEPH Chardonnay Villa blanche 2012

| n.c. | ▥ | 5 à 8 € |

Des ceps de chardonnay plantés sur un terroir argilo-calcaire ont donné naissance à cette cuvée élevée en fût. Le résultat ? Un nez chaleureux qui évoque la cannelle contrebalancé par des notes acidulées d'ananas, un palais à l'unisson oscillant entre la rondeur et la vivacité. Un vin tendre à servir bien frais sous la tonnelle.

☛ Calmel et Joseph, 42, rue Barbès, 11000 Carcassonne, tél. 04 68 72 09 88, fax 04 68 72 61 64, lcalmel@calmel-joseph.com, ☍ ☖ r.-v.

DOM. CAPENDU Cuvée Prestige 2012 ★★

| ▨ | 25 000 | - de 5 € |

Le domaine de Capendu offre la particularité d'élaborer des sels aromatisés au vin ! Mais il serait dommage de destiner à la gabelle ce superbe assemblage de merlot et de cabernet-sauvignon (à parts égales), tant il ravit les sens par sa richesse aromatique : de la myrtille, un soupçon de cannelle, des touches de chicorée et de cacao. Le palais à l'unisson, gras et onctueux, dévoile une finale veloutée aux accents réglissés. Un 2012 à découvrir dès à présent, sur des magrets de canard. La **Cuvée Prestige 2012 blanc (50 000 b.)** reçoit une étoile. Mi-chardonnay mi-sauvignon, elle livre un nez délicat de fleurs blanches et jaunes et de miel relayé par un palais rond et onctueux des plus avenants.

☛ Ch. Capendu, pl. de la Mairie, 11700 Capendu, tél. 04 68 79 00 61, fax 04 68 79 08 61, contact@chateau-capendu.com, ☑ ☍ ☖ t.l.j. sf sam. dim. 8h-12h 14h-17h
☛ Ragaru

DOM. CASA DELYS Viognier Terra 2012 ★

| ▨ | 6 000 | ▥▥ | 8 à 11 € |

Situé sur le terroir de calcaires lacustres de Montagnac, ce domaine de 7 ha, en conversion bio depuis 2010, a pour devise « la nature est dans le verre ». Avec ce viognier né d'une unique parcelle, le plaisir est dans le verre. Il s'exprime au nez sur des notes fines d'abricot mûr et de vanille. Tout en douceur, le palais laisse apparaître autant de fraîcheur que d'élégance. Un vin équilibré à apprécier sur une volaille en sauce.

☛ Dom. Casa Delys, hameau de Conas, 4, imp. du Clastre, 34120 Pézenas, tél. 04 67 01 21 90, fax 04 67 76 52 44, caradelys@orange.fr, ☑ ☖ r.-v.
☛ Michel Mas

DOM. DE CASTELNAU Chardonnay 2012

| ▨ | 80 000 | - de 5 € |

À proximité de Pézenas et de l'étang de Thau, Castelnau-de-Guers, entre plaine et garrigue, est une commune viticole dont le terroir argilo-calcaire est propice à la production de vins de qualité. Le vaste domaine de Castelnau (110 ha), à travers une multitude de cépages, met en avant le savoir-faire languedocien. Pour cette cuvée, Christophe Muret a retenu le chardonnay, qui s'est bien adapté au climat méditerranéen. Dans sa robe dorée brillante, ce 2012 offre de fines senteurs de fleurs blanches. Persistante, sur des notes d'acacia et d'épices douces, la bouche est soutenue par une pointe de fraîcheur bienvenue. Parfait pour accompagner un fromage de chèvre pélardon.

☛ Dom. de Castelnau, 32, av. de Pézenas, 34120 Castelnau-de-Guers, tél. 04 67 98 16 19, fax 04 67 09 43 17, castelnau@terre-net.fr, ☑ ☍ ☖ t.l.j. sf dim. 8h-12h 14h-18h
☛ Muret

DOM. LES CHARMETTES Grenache 2012

| ▨ | 6 000 | ▥ | - de 5 € |

Depuis 1997, Nicolas et Éric Alcon dirigent ce vaste domaine familial de 90 ha. Ils signent un vin de pur grenache au bouquet charmeur de cerise bigarreau bien mûre. Charnu et chaleureux, le palais s'étire sur des notes veloutées de cassis, équilibré par une pointe de fraîcheur. À découvrir sur un poulet au curry.

☛ GAEC les Charmettes, rte de Florensac, 34340 Marseillan, tél. 06 22 30 43 75, fax 04 67 77 66 16, alcon.nicolas@laposte.net, ☑ ☍ ☖ r.-v.
☛ Famille Alcon

DOM. CIBADIÈS Pinot rosé 2012 ★

| ▨ | 30 000 | ▥ | - de 5 € |

Sur la commune de Capestang dans l'Hérault, le domaine de Cibadiès s'étend sur 126 ha bénéficiant d'un terroir argilo-calcaire idéalement exposé entre mer et garrigue. Le pinot noir a été retenu pour élaborer ce rosé très réussi dont le nez, à dominante florale, se révèle fin et élégant. La bouche est bien équilibrée, fraîche et croquante sur des notes de petits fruits rouges. Parfait pour accompagner une viande blanche.

☛ SCEA Vignobles Jean-Michel Bonfils, Dom. de Cibadiès, 34310 Capestang, tél. 04 67 93 10 10, fax 04 67 93 10 05, bonfils@bonfilswines.com

DOM. BERTRAND CONDAMINE Roussanne Viognier Élixir 2011 ★★

| ▨ | 1 100 | ▥▥ | 11 à 15 € |

Commandé par un château du XVIIᵉs., ce vignoble est établi sur un terroir de galets roulés du Villafranchien aux pentes douces et bien exposées. Macération à froid, élevage en fût pendant un an avec ouillages et bâtonnages réguliers : ce viognier, qui a bénéficié de soins attentifs, dévoile un parfum intense de vanille et de fruits exotiques. Ronde, tendre et complexe, la bouche évoque les notes de fruits confits et le miel. Une cuvée qui gagnera en complexité et en harmonie après deux ou trois ans de garde.

☛ Bertrand Condamine, 2, av. Wladimir-d'Ormesson, 34120 Lézignan-la-Cèbe, tél. 04 67 25 27 96, fax 04 67 25 07 55, export@condamine-bertrand.com, ☑ ☖ t.l.j. 8h-12h 13h-17h
☛ Bruno Andreu

DOM. DES DEUX RUISSEAUX Cuvée Gilbert 2011 ★

| ▨ | 8 000 | ▥ | 5 à 8 € |

Encadré par deux affluents de l'Orb qui lui donnent son nom, ce domaine fut créé en 1956 par la famille Valéry, dont les descendants sont toujours aux commandes. Établi au sud de Béziers, sur un terroir argilo-calcaire bénéficiant d'un bon ensoleillement, il présente ici une cuvée issue d'une trilogie de cépages, cabernet-sauvignon, merlot et syrah à parts presque égales. D'une couleur soutenue, ce 2011 livre un bouquet élégant de mûre et de cassis. La bouche, ronde et souple, est harmonieuse, conjuguant arômes de fruits noirs et tanins de belle facture. À servir avec une gardiane de taureau.

SCEA Valéry, rte de Béziers, 34410 Sauvian, tél. 04 99 41 02 74, fax 04 67 39 54 00, domainedes2ruisseaux@wanadoo.fr,
☑ ⚘ 🍷 t.l.j. sf dim. 10h-13h 16h-19h

DOM. LA DOURNIE Roussanne Marie 2012 ★

▪	5 000	⊕ 8 à 11 €

Propriété familiale depuis 1850, ce domaine, souvent dirigé par des femmes, est réputé pour ses saint-chinian. Cette cuvée issue d'une majorité de roussanne se présente dans une très jolie robe brillante aux reflets or. Le nez fruité, épicé et boisé, agrémenté de notes de garrigue, est d'une réelle complexité. Après une attaque franche, la bouche ronde et suave, sur la fraîcheur des fruits, dévoile une finale persistante. Un ensemble d'une grande harmonie, à déguster aussi bien avec des langoustines qu'une viande blanche à la crème et aux champignons.

Ch. la Dournie, La Dournie, 34360 Saint-Chinian, tél. 04 67 38 19 43, fax 04 67 38 00 37, chateau.ladournie@wanadoo.fr,
☑ ⚘ 🍷 t.l.j. sf sam. dim. 9h-12h 14h-18h
Étienne

DOM. D'ESCAPAT Le Capitaine 2012 ★

▪	10 000	🍶⊕ 5 à 8 €

« Le Capitaine » rend hommage à la carrière de Bruno Ohlzon, capitaine de l'équipe suédoise de hockey sur glace. Ce sportif de très haut niveau a choisi de s'installer dans le sud, et plus particulièrement dans le Minervois où il a trouvé les paysages enchanteurs, et les terroirs propices aux vins de qualité. Les sols calcaires et de grès se trouvent dans la partie ouest de la dénomination et c'est précisément ce qui plaît au cépage chardonnay, qui compose à 90 % de cette cuvée. Le nez est frais, sur les arômes de fleurs blanches agrémentés de notes de fruits à chair blanche. La bouche est fidèle à ce qu'on attend : de la fraîcheur, avec une pointe d'amertume, et une grande élégance. Idéal sur un bar de ligne en croûte de sel.

SCEA Escapat, Dom. d'Escapat, 11160 Villeneuve-Minervois, tél. 04 68 26 49 77, escapat@orange.fr, ☑ ⚘ 🍷 r.-v. 🏠 🅴
Bruno Ohlzon

DOM. LA FADÈZE Grenache 2012 ★★

▪	35 000	🍶 - de 5 €

Plusieurs fois distingué dans le Guide, ce domaine fait partie des classiques de la dénomination. Il présente un rosé au nez frais de petits fruits rouges. De bonne longueur, la bouche expressive révèle un bel équilibre entre vivacité et rondeur. Un vin friand, à savourer sur un tian de légumes.

GAEC de la Fadèze, Dom. la Fadèze, 34340 Marseillan, tél. 04 67 77 26 42, fax 04 67 77 20 92, lentheric@lafadeze.fr,
☑ 🍷 t.l.j. sf dim. 9h-12h 14h-18h
Lenthéric

FIESTA Muscat sec 2012 ★★

▪	8 000	5 à 8 €

Le Vignoble de la Voie d'Héraclès s'étend le long de l'antique voie grecque tracée au VIIe s. av. J.-C pour relier Narbonne à Béziers. Cette cave coopérative cultive en agriculture biologique la moitié de son vignoble situé sur trois communes, soit 400 ha, ce qui en fait l'un des plus gros producteurs en bio. Cette cuvée de muscat à petits grains a séduit le jury par son intensité et par sa richesse aromatique. Les reflets verts de sa robe accrochent la lumière, et le nez véritablement « explosif » évoque la mandarine et le litchi, arômes que prolonge un bouche à la fois fraîche et douce, parfaitement équilibrée. À savourer à l'apéritif... en contemplant l'étang de Thau.

Vignoble de la Voie d'Héraclès, 283, av. Émile-Jamais, 30310 Vergèze, tél. 04 66 35 09 15, fax 04 66 35 17 78, baille.heracles@gmail.com, ☑ 🍷 t.l.j. 9h-12h 14h-19h

FORTANT DE FRANCE Syrah Terroir de collines 2012 ★★

▪	n.c.	8 à 11 €

La maison de négoce Skalli occupe une place de leader sur le marché des vins de cépages. Elle est aussi pionnière dans l'implantation de nouvelles variétés. Elle signe avec cette syrah un vin remarquable par la finesse de son bouquet de violette, de fruits rouges et d'épices. La bouche affiche un équilibre admirable entre fraîcheur et douceur, et s'adosse à des tanins soyeux et racés qui portent loin la finale. À savourer sur un bœuf bourguignon. Le **Malbec 2012** reçoit également deux étoiles pour son nez épicé sur fond de sous-bois, et pour sa bouche ample et ronde, soutenue par des tanins veloutés.

Les Vins Skalli, av. Pierre-de-Luxembourg, 84230 Châteauneuf-du-Pape, tél. 04 90 83 58 35, info@skalli.com,
☑ 🍷 t.l.j. 10h-12h 15h-18h au Pavillon des Vins

GAYDA Figure libre Freestyle 2011 ★★

▪	40 000	⊕ 8 à 11 €

Le domaine était à l'origine une ancienne ferme construite en 1749. Le vignoble a été créé en 2003 par Tim Ford, qui s'est associé à Vincent Chansault, jeune vigneron originaire du Val de Loire. Cette cuvée, à base de syrah (62 %), de grenache (20 %) et de carignan (9 %), les cabernet franc et cinsault en appoint, se présente dans une belle robe rubis soutenu. Le nez typé et intense, encore marqué par l'élevage, dévoile des notes de caramel, de cerise et de grillé. Le palais, d'une belle longueur, offre beaucoup de souplesse. Non seulement il est doux et élégant, mais il est aussi vif et épicé, étayé par des tanins de qualité. Un vin complet en somme, à servir avec un mets de goût, un mafé de bœuf par exemple. La **Figure libre Cabernet franc 2011 (11 à 15 € ; 20 000 b.)** reçoit une étoile pour son fruité intense et son bon équilibre entre douceur et fraîcheur.

Dom. Gayda, chem. de Moscou, 11300 Brugairolles, tél. 04 68 31 64 14, fax 04 68 31 91 43, info@domainegayda.com,
☑ ⚘ 🍷 t.l.j. sf sam. dim. 10h-17h
Tim Ford

DOM. GLEIZES Ovilius 2011 ★★

▪	11 000	⊕ 11 à 15 €

En 2005, Pierre-Philippe Callegarin, fils d'un viticulteur bordelais, reprend le domaine de Jean Gleizes, qui fut le premier en 1939 à embouteiller ses vins dans le département de l'Aude. Il signe un superbe assemblage de syrah (majoritaire) et de grenache noir. Derrière la robe

VDP/IGP

sombre et soutenue, les dégustateurs ont découvert une explosion de fruits rouges agrémentés de touches de moka et de chocolat. Épicée, puissante et généreuse dès l'attaque, la bouche s'appuie sur des tanins serrés, gages d'un bon vieillissement. À déguster dans les deux ou trois ans à venir, avec des magrets de canard.

☛ Dom. Jean Gleizes, 2, av. de Capestang, 11590 Ouveillan, tél. 04 68 46 02 69, fax 04 68 46 05 51, info@domaine-jean-gleizes.com,

☑ ⚔ ☂ t.l.j. sf dim. 9h-12h 14h-18h

☛ Callegarin

GRAIN D'OC Chardonnay 2012 ★★

| | 110 000 | ▮ | - de 5 € |

Cette maison de négoce, engagée dans une démarche « qualité » visant le respect de l'environnement, propose un vin issu du seul chardonnay aux accents intenses de poire mûre et de pêche, au palais ample, gras et persistant. Une cuvée gourmande, à marier avec un poisson en sauce ou un fromage de chèvre.

☛ Maison Malesan, 1, rue des Oliviers, 94320 Thiais, tél. 01 45 60 76 00, fax 01 46 85 54 05, a.zurcher@castel-freres.com

☛ A. Castel

LE ROUGE DU HAUT COURCHAMP 2012 ★★

| | 10 000 | ▮ | 5 à 8 € |

Situé au nord-est de Montpellier, le vignoble à taille humaine (6 ha) de Saint-Christol couvre des terrasses du Villafranchien composées de galets roulés. Le merlot est à l'honneur dans cette cuvée, complété de 20 % de cabernet franc, deux cépages qui se sentent bien dans le sud de la France. Pour preuve ce 2012 profond et intense dans sa robe grenat aux reflets violines. Le bouquet, floral au premier nez, livre à l'aération des senteurs de fruits rouges et d'épices mâtinés de plaisantes notes variétales de poivron grillé. Les arguments en bouche : concentration, rondeur, tanins soyeux, finale épicée et réglissée. À déboucher dès la sortie du Guide avec une côte de veau fermier sur le gril.

☛ Dom. Haut Courchamp, 359, av. Cave-Coopérative, 34400 Saint-Christol, tél. 06 27 43 19 20, pascalconge@yahoo.fr, ⚔ ☂ t.l.j. 10h-12h 17h-19h

DOM. DE L'HERBE SAINTE Cabernet-sauvignon 2011 ★

| | 5 000 | ▮ | 5 à 8 € |

Originaire de Bourgogne, la famille Greuzard s'est installée dans le Sud en 1980. Plusieurs générations se sont impliquées dans cette aventure et, progressivement, le domaine grandissant a fini par composer un vaste patrimoine de 58 ha, dont 10 ha dédiés à cette cuvée issue de cabernet-sauvignon. La couleur intense est profonde avec de légers reflets tuilés. Le nez, très expressif, mêle le thé, les notes mentholées et les fruits noirs bien mûrs. D'un bon équilibre, la bouche soutenue par des tanins polis résultant d'une vinification bien maîtrisée s'achève sur des notes épicées. Les maîtres des lieux conseillent d'apprécier cette bouteille avec un agneau en croûte.

☛ Greuzard, Dom. de l'Herbe Sainte, 11120 Mirepeisset, tél. 04 68 46 30 37, fax 04 68 46 06 15, herbe.sainte@wanadoo.fr,

☑ ⚔ ☂ t.l.j. 10h-12h 16h-19h; dim. sur r.-v.

TÊTE DE CUVÉE DE LA JASSE 2010 ★

| ▪ | 15 000 | ▮⑪ | 11 à 15 € |

Sur les premiers contreforts des Cévennes, non loin de Montpellier, le domaine de la Jasse occupe d'anciennes défriches de garrigues. Bruno Le Breton, gérant et œnologue, a sélectionné 5 ha de cabernet-sauvignon pour élaborer cette cuvée très séduisante dans sa robe brillante aux reflets violines. Touches d'épices et d'encaustique se mêlent harmonieusement aux fruits bien mûrs, comme le pruneau et la cerise. L'attaque ronde introduit une bouche ample et grasse, qui s'appuie sur des tanins de qualité, encore un peu sévères, et sur un boisé élégant. Un vin de caractère qui sera parfait dans un an pour mettre en valeur du gibier grillé.

☛ SARL BLB Vignobles La Jasse, 34980 Combaillaux, tél. 04 67 67 04 04, fax 04 67 67 92 20, b.lebreton@blb-vignobles.com,

☑ ⚔ ☂ t.l.j. sf dim. 9h-12h 14h-17h

☛ Le Breton

ANNE DE JOYEUSE Malbec original 2011 ★★

| ▪ | 50 000 | ▮⑪ | 5 à 8 € |

Né dans la haute vallée de l'Aude, ce pur malbec – cépage introduit il y a plusieurs siècles au pied de Pyrénées – bénéficie de l'alternance des jours ensoleillés et des nuits fraîches. La robe d'un grenat profond et limpide est prometteuse et invite à poursuivre la dégustation. Le bouquet expressif évoque le cacao et les épices. La bouche, de belle ampleur, n'est pas en reste et s'appuie sur des tanins de qualité enrobés par des notes épicées et chocolatées. Une cuvée remarquablement équilibrée, qui se plaira dans un an ou deux sur un gigot d'agneau à l'ail.

☛ EURL Oustal Anne de Joyeuse, 34, prom. du Tivoli, BP 39, 11303 Limoux Cedex, tél. 04 68 74 79 40, fax 04 68 74 79 49, commercial.france@cave-adj.com, ☂ t.l.j. 9h-12h 15h-19h

DOM. DE LARZAC Syrah marselan 2011 ★

| ▪ | 16 600 | | 5 à 8 € |

Le château du Larzac, d'inspiration toscane, a été reconstruit au début du XVII[e]s. et est classé Monument historique. La devise du domaine Sine sole nihil (rien sans soleil) s'applique bien à cette cuvée chaleureuse, « solaire », issue de syrah (60 %) et de marselan, au bouquet intense de fruits noirs (merise, mûre, cassis). De belle longueur, la bouche, riche et ronde, est équilibrée par une juste fraîcheur. Un vin gourmand et généreux, à apprécier dès la sortie du Guide sur un gigot d'agneau aux girolles.

☛ Dom. de Larzac, rte de Roujan, 34120 Pézenas, tél. 04 67 90 76 29, fax 04 67 98 10 59, contact@chateau-larzac.fr

☛ Bonafé

LAURUS Viognier 2011 ★★

| ▪ | 10 000 | ⑪ | 5 à 8 € |

Cette affaire familiale fondée en 1936 autour de 10 ha de vignes est devenue en l'espace de quatre-vingts ans un important acteur régional, leader dans la commercialisation des vins. Cette cuvée Laurus (en latin « laurier »), un pur viognier, a été élevée six mois en fût. Elle se distingue par sa belle robe dorée aux reflets verts, son bouquet d'abricot et de vanille, et sa bouche harmonieuse, ample, grasse et longue. D'une bonne typicité, ce 2011, fruit d'un élevage bien maîtrisé, s'accordera volontiers à une volaille en sauce. Même distinction pour le **Médite o 2012 sauvignon blanc (10 000 b.).** Le bouquet, intense et complexe, évoque le citron, le pamplemousse, le fruit de la Passion, la poire et la pêche, sur fond d'épices douces. La bouche est bien équilibrée entre fraîcheur et rondeur. Encore dans sa jeunesse, la cuvée **Copains comme cochons 2012 rouge syrah (10 000 b.)** est citée pour son intense expression, fruitée et épicée, et pour son volume.

📞 Gabriel Meffre, Le Village, 84190 Gigondas, tél. 04 90 12 32 47, fax 04 90 12 32 49, gabriel-meffre@meffre.com,

☑ ⚔ 🍷 t.l.j. sf dim. lun. 10h-12h30 14h30-18h

📞 Éric Brousse

DOM. LA MADELEINE SAINT JEAN
Cuvée la maison blanche 2012 ★

| | 7 000 | 🗐 | 5 à 8 € |

Régulièrement distingué dans le Guide, ce domaine est une valeur sûre des Pays d'Oc. Cet assemblage de chardonnay (45 %), de viognier (30 %) et de sauvignon livre un nez complexe qui marie avec bonheur le buis, le cassis, les épices et les fleurs blanches. Franche et fruitée, la bouche affiche un bel équilibre entre la vivacité du pamplemousse et la rondeur des fruits exotiques. À réserver à un foie gras.

📞 Dom. la Madeleine Saint-Jean, rue Édouard-Adam, Port Rive-Gauche, 34340 Marseillan, tél. 04 67 26 12 42, lamadeleinesaintjean@orange.fr,

☑ ⚔ 🍷 t.l.j. 9h30-12h30 14h30-19h30

DOM. DE MAIRAN Cabernet franc 2011 ★

| | 20 000 | 🗐 | 5 à 8 € |

Le domaine de Mairan est situé entre mer et montagne à l'ouest de Béziers. Les terres argilo-calcaires sont cultivées en vignes depuis le temps des Romains. Jean-Baptiste Peitavy, qui a repris le domaine familial en 2004, signe un pur cabernet franc qui a séduit le jury par sa robe intense aux reflets grenat et par son nez très frais sur des notes de prune et autres fruits noirs. Après une attaque ronde, ce vin charnu dévoile des tanins de caractère déjà bien intégrés qui signent le cépage. On imagine volontiers cette bouteille sur un poulet de Bresse dans les deux ans à venir.

📞 Jean-Baptiste Peitavy, Dom. de Mairan, 34620 Puisserguier, tél. 04 67 11 98 01, fax 04 67 11 92 67, mairan@domainedemairan.com,

☑ ⚔ 🍷 t.l.j. sf dim. 9h-12h 14h-18h; sam. sur r.-v.

🅑 DOM. DE MALAVIEILLE La Boutine 2011 ★★★

| | n.c. | 🗐🍺 | 8 à 11 € |

Entre les empreintes de dinosaure fossilisées et les vestiges restaurés du chemin de Saint-Jacques-de-Compostelle, le domaine de Malavieille préserve son environnement exceptionnel grâce à l'agriculture biologique et biodynamique. Le couple Bertrand propose ici un assemblage de chenin blanc (70 %), de chardonnay (20 %) et de viognier, né près du lac du Salagou sur des grès rouges et des éboulis de basalte. Le résultat est exceptionnel, et les dégustateurs ont plébiscité cette superbe cuvée aux reflets verts. Le nez est d'une grande complexité, mariant harmonieusement vanille, fruits secs, épices, agrumes et verveine. Franche et ronde, la bouche s'épanouit sur des notes d'agrumes qui apportent de la fraîcheur. D'une longueur admirable, ce 2011 sera parfait pour honorer un homard breton thermidor.

📞 Mireille Bertrand, Malavieille, 34800 Mérifons, tél. 04 67 96 34 67, fax 04 67 96 32 21, domainemalavieille.merifons@wanadoo.fr, ☑ ⚔ 🍷 r.-v.

MARQUIS DE PENNAUTIER Chardonnay
Terroirs d'altitude 2011 ★

| | 28 000 | 🍺 | 8 à 11 € |

Édifié sous Louis XIII, le château de Pennautier possédait déjà un domaine viticole, lequel a été entièrement rénové au cours des trente dernières années. Ce pur chardonnay est issu de vignes exposées au nord à 360 m d'altitude, une situation idéale lors des étés chauds qui sévissent dans l'Aude. La robe est d'un jaune doré brillant avec des reflets argentés. Complexe, le nez révèle des notes d'acacia, de pêche de vigne et un boisé bien fondu (vanille). La bouche souple, élégante, équilibrée, ronde et soyeuse invite à découvrir sans attendre ce vin sur des coquilles Saint-Jacques au corail d'oursins.

📞 Vignobles Lorgeril, BP 4, Ch. de Pennautier, 11610 Pennautier, tél. 04 68 72 65 29, fax 04 68 72 65 84, marketing@lorgeril.com,

☑ ⚔ 🍷 t.l.j. sf dim. 10h-18h (ven. sam. 22h); f. jan. 🏠 🅒

DOM. DE MARTINOLLES Chardonnay 2012 ★★

| | 30 000 | | 5 à 8 € |

Célèbre pour son abbaye, la commune de Saint-Hilaire était déjà réputée pour ses vins élégants à l'époque romaine. Les coteaux, où sont plantés les 100 ha de vignes du domaine, bénéficient de la douceur du climat méditerranéen. Ce domaine bien connu des habitués du Guide pour ses vins de pays de l'Aude propose un pays d'Oc remarquable, superbe expression du chardonnay. Ses atouts ? Une robe intense animée de reflets verts ; un nez subtil qui évoque le tilleul, le chèvrefeuille et la garrigue ; un palais vif, tonique et long, sur des notes de citron vert. À déguster à l'apéritif ou sur un poisson grillé.

📞 Dom. Martinolles, 11250 Saint-Hilaire, tél. 04 68 69 41 93, fax 04 68 69 45 97, info@martinolles.com,

☑ 🍷 t.l.j. sf sam. dim. 9h-12h 14h-18h 🏠 🅔

DOM. PAUL MAS Cabernet syrah Vignes de Nicole
Élevé en fût de chêne 2012 ★★

| | 175 000 | 🍺 | 8 à 11 € |

Sur les coteaux de la vallée de l'Hérault, les domaines Paul Mas proposent une large gamme de vins, dont cette cuvée Vignes de Nicole régulièrement distinguée dans le Guide. Cet assemblage de cabernet-sauvignon (55 %) et de syrah (45 %) a été élevé six mois en fût. Le bouquet en retire de fines notes de vanille qui se mêlent harmonieusement aux petits fruits (framboise, cassis, mûre). D'une belle fraîcheur, la bouche est soutenue par de superbes tanins, épicés et soyeux, qui invitent à laisser vieillir cette bouteille entre deux et trois ans. À réserver sur un magret de canard aux cèpes.

📞 Domaines Paul Mas, rte de Villeveyrac, 34530 Montagnac, tél. 04 67 90 16 10, fax 04 67 98 00 60, info@paulmas.com, ☑ 🍷 t.l.j. sf dim. lun. 10h30-19h30

MAS DE MADAME Muscat Moelleux 2012 ★

| | 6 000 | 🗐 | 5 à 8 € |

Sur ce terroir dédié au muscat-de-frontignan, le Mas de Madame propose un moelleux issu du cépage muscat petit grain qui revêt une belle robe dorée. Le nez intense

VDP/IGP

se partage entre les fruits exotiques (litchi) et les agrumes (mandarine, pamplemousse). La bouche, dense et persistante, se révèle bien équilibrée entre douceur et fraîcheur. Parfait pour accompagner une terrine au roquefort.

☛ Dom. du Mas de Madame, rte de Montpellier, 34110 Frontignan, tél. 06 07 38 77 89, fax 04 99 57 09 17, jacques.sourina@mas-de-madame.com,
☑ ⚔ ⊥ t.l.j. 9h-12h30 14h-20h

MAS DU NOVI Chardonnay Élevé en fût de chêne 2011 ★

| | 9 000 | ⑪ | 15 à 20 € |

Le Mas du Novi était l'une des granges à vocation viticole de l'abbaye de Valmagne (créée en 1139), située le long de la Via Domitia, voie romaine qui relie Narbonne à Béziers, axe secondaire du chemin de Saint-Jacques-de-Compostelle. Dans le domaine, on peut admirer un calvaire à l'intention des voyageurs avec l'inscription : *Siste et ora viator* – « Assois-toi et prie, voyageur » – devenue la devise du domaine. Sur ces sols argilo-calcaires, le chardonnay a trouvé un beau terroir d'élection et donne naissance à cette cuvée très réussie, élevée un an en barrique et demi-muid. Des reflets d'or animent la robe intense. Au nez, d'élégantes notes boisées se mêlent harmonieusement aux fleurs blanches et au miel. Ambitieuse, la bouche s'affirme avec beaucoup de gras et de matière, soutenue par une plaisante fraîcheur apportant l'équilibre. Un vin de belle longueur que les dégustateurs verraient bien avec une dorade royale aux épinards.

☛ SAS Saint Jean du Noviciat, Mas du Novi, 34530 Montagnac, tél. 04 67 24 07 32, saint-jean-du-noviciat@orange.fr, ☑ ⚔ ⊥ t.l.j. 10h-19h

DOM. DU MAS ROUGE 2012 ★

| | 16 000 | ⬛ | 5 à 8 € |

Depuis 1997, Julien Cheminal a parcouru un long chemin, durant lequel il a arraché des pieds de vigne et replanté les parcelles, puis rénové les bâtiments du domaine. Pour cette cuvée, il a retenu le muscat petit grain, le cépage emblématique de la région qui, lorsqu'il est vinifié en sec, donne des vins très parfumés. Paré d'une robe limpide et brillante, ce 2012 dévoile ainsi des arômes intenses de fleurs blanches, d'agrumes et de cannelle, que l'on retrouve dans une bouche sous-tendue par une fine fraîcheur, indispensable à l'équilibre. Parfait pour mettre en valeur des poissons de la Méditerranée grillés. Le **blanc moelleux 2008 Quintessence du petit grain** (15 à 20 € ; 4 000 b.) se distingue également avec deux étoiles. Une superbe cuvée riche et savoureuse, aux accents d'épices orientales.

☛ Dom. du Mas Rouge, 30, chem. de la Poule-d'Eau, 34110 Vic-la-Gardiole, tél. 04 67 51 66 85, fax 04 67 51 66 89, contact@domainedumasrouge.com,
☑ ⚔ ⊥ t.l.j. sf dim. 10h-13h 14h30-19h
☛ Cheminal

MILLEGRAND Cabernet-sauvignon 2012 ★★

| | 130 000 | ⬛ | - de 5 € |

À l'ouest du Minervois, le château Millegrand a consacré 20 ha de cabernet-sauvignon à cette cuvée que les dégustateurs ont qualifiée de « joyeuse » avec ses notes « explosives » de fruits noirs et d'épices. Chaleureuse et charmeuse, la bouche se révèle d'une grande harmonie, soutenue par des tanins enrobés de nuances fruitées.

Cerise sur le gâteau, ce vin à l'accent du sud offre un excellent rapport qualité-prix.

☛ SCEA Ch. de Millegrand, Dom. de Millegrand, 11800 Trèbes, tél. 04 67 93 10 10, fax 04 67 93 10 05, bonfils@bonfilswines.com
☛ Bonfils

Ⓑ DOM. MIRABEL Loriot 2012 ★★

| | 3 700 | ⬛ ⑪ | 11 à 15 € |

Cette cuvée baptisée Loriot (du latin *oriolus*, oiseau au plumage jaune d'or) se présente dans une élégante robe... dorée. Derrière des notes boisées délicates, on découvre le fruit frais (poire, pêche) et quelques touches florales. Ronde et riche, la bouche est stimulée par des notes épicées fort plaisantes. Un ensemble harmonieux, à servir sur un pot-au-feu de la mer dans les deux ans à venir.

☛ Dom. Mirabel, 30260 Brouzet-lès-Quissac, tél. 06 22 78 17 47 ☑ ⚔ ⊥ r.-v.

Ⓑ MON PRÉ CARRÉ Marselan 2012 ★★

| | 40 000 | ⬛ | 8 à 11 € |

Gilles Louvet conduit son vignoble de 24 ha en agriculture biologique depuis plus de vingt ans sans jamais renier son engagement. Au contraire, la volonté de respecter la nature s'accroît d'années en années, comme en témoignent cette étude lancée sur les nappes phréatiques avec l'Agence nationale de l'eau pour mettre en place un procédé permettant de restituer l'eau la plus pure possible, ou encore l'installation sur le domaine de nichoirs à chauve-souris, prédateurs naturels... Ce respect, on le retrouve à toutes les étapes de la vinification. Témoin cette cuvée de marselan parée d'une élégante robe rouge intense aux reflets carmin. Encore dans sa jeunesse, elle charme par son bouquet de fruits rouges mêlés à des notes de cacao et de fumé, et par sa belle fraîcheur. Les tanins bien présents accompagneront ce vin quelques années encore. À déguster sur un tournedos de bœuf dans le filet sauce Périgueux.

☛ Vignobles Gilles Louvet, ZA Bonne-Source, 30, rue Ernerst-Cognacq, 11100 Narbonne, tél. 04 68 90 12 80, fax 04 68 65 00 18, contact@gilleslouvet.com

DOM. DE MUS Roussanne vermentino 2012 ★

| | 5 300 | ⬛ | - de 5 € |

De style renaissance, le château de Mus, achevé en 1848 dans sa forme actuelle, fut le premier « château du vin » de la région, symbolisant l'apogée viticole de celle-ci. La famille Julien a repris cette propriété en 2004. Cette cuvée mi-roussanne mi-vermentino est née de 1 ha de vignes plantées sur un terroir de graves et de galets. D'une teinte or pâle aux reflets argent, elle dévoile un nez complexe de fruits exotiques et de fruits à chair jaune. Florale et fruitée, ronde et ample, la bouche offre un équilibre très réussi et une belle longueur. Ce vin trouvera sa place aux côtés de fruits de mer. Même distinction pour le **malbec 2012** (8 000 b.), gourmand et généreux, sur des notes d'abricot et de pruneau agrémentées d'une touche de cannelle.

☛ Julien Bernard, Ch. de Mus, rte de Reals, 34490 Murviel-lès-Béziers, tél. 04 67 62 36 15, fax 04 67 35 19 38, vinbj@wanadoo.fr,
☑ t.l.j. sf dim. lun. mar. 10h-12h 16h-18h; f. janv-fev. ⌂ Ⓔ

NORD SUD Viognier 2012 ★

| 120 000 | ▤ ❶ | 8 à 11 € |

Les origines de ce domaine familial situé au nord-ouest de Béziers remontent à la fin du XVIIIᵉs. Aujourd'hui dirigé par la huitième génération, il propose une cuvée de viognier issue d'une sélection de parcelles orientées plein nord. Le nez intense s'ouvre sur des notes exubérantes d'abricot. Puissante et persistante, la bouche est soutenue par une pointe de fraîcheur qui apporte l'équilibre. Un ensemble harmonieux, au boisé fin et fondu, à servir sur un poisson grillé ou en sauce.

☛ Laurent Miquel, hameau Cazal-Viel,
34460 Cessenon-sur-Orb, tél. 04 67 89 74 93,
fax 04 67 89 65 17, marketing@laurent-miquel.com,
Ⓥ ⚐ Ⓣ t.l.j. sf sam. dim. 9h-12h 13h-18h ⌂ Ⓔ

DOM. LE NOUVEAU MONDE Syrah Carabènes 2011 ★

| 10 000 | ▤ | 5 à 8 € |

Henri de Monfreid, aventurier et écrivain, suggéra le nom du domaine à l'ancien propriétaire, tant le lieu lui apparut sauvage et authentique. Cette cuvée évoque les roseaux (*carabènes* en occitan) qui entourent les parcelles de syrah à l'origine de cette cuvée élevée deux ans en cuve. Au bouquet de garrigue et de fruits noirs répond un palais riche et épicé, agrémenté de notes de pêche juteuse. Prêt pour accompagner des tapas ou un tajine d'agneau.

☛ Famille Borras-Gauch, Dom. le Nouveau Monde,
34350 Vendres, tél. 04 67 37 33 68, fax 04 67 37 58 15,
domaine-lenouveaumonde@wanadoo.fr,
Ⓥ ⚐ Ⓣ r.-v. ⌂ Ⓔ

DOM. DE PANÉRY Cuvée Elizabeth 2012 ★

| 15 000 | ▤ | 5 à 8 € |

Cette ancienne ferme construite sur un étang asséché en 1631 a été rachetée en 1999 par un industriel reconverti à la viticulture. Le domaine, plus connu pour ses côtes-du-rhône, propose ici un élégant chardonnay. Le nez, intense, développe des arômes de pêche mûre agrémentés d'une pointe de cannelle. La bouche, à l'unisson, se montre ronde et charnue. À apprécier sur un chaource, un bethmale ou une tomme de chèvre.

☛ SCEA Ch. de Panéry, chem. d'Uzès, 30210 Pouzilhac,
tél. 04 66 37 04 44, fax 04 66 37 62 38, contact@panery.fr,
Ⓥ ⚐ Ⓣ t.l.j. 9h-12h 15h-18h
☛ R. Grijseels

DOM. LA PROVENQUIÈRE Sémillon vermentino P 2012

| 20 000 | ▤ | 5 à 8 € |

Situé en bordure du canal du Midi, ce domaine, commandé par un château restauré au XIXᵉs, date du XVᵉs. Depuis 1954, ce vaste vignoble de 145 ha appartient à la famille Robert, qui propose un plaisant assemblage de vermentino (70 %) et de sémillon. Nez délicat de fleurs blanches et d'agrumes, bouche complexe et équilibrée, longue finale : une cuvée d'une belle finesse à marier dans l'année avec un roquefort.

☛ SCEA Dom. la Provenquière, 34310 Capestang,
tél. 04 67 30 54 73, fax 04 67 90 69 02,
la.provenquiere@wanadoo.fr,
Ⓥ Ⓣ t.l.j. sf dim. 9h-12h 14h-18h
☛ Claude et Brigitte Robert

PUYDEVAL 2011 ★★

| 76 000 | ▤ ❶ | 8 à 11 € |

Jeff Carrel a créé la société Toowo, structure de négoce mais aussi de conseil en communication, de marketing, de formation... avec laquelle il a arpenté toute la France avant de poser ses valises dans le Languedoc. Il propose ici un 2011 à dominante de cabernet franc (syrah et merlot en complément) qui a séduit les dégustateurs par sa robe profonde très soutenue et par son nez de fruits noirs et d'épices mâtiné d'un léger boisé. Si le palais, puissant, est quant à lui encore marqué par l'élevage en fût, deux à trois ans de garde lui apporteront la rondeur qui manque à sa jeunesse. On appréciera alors ce vin sur un poulet grillé ou une cuisse de dinde au four.

☛ Toowo – Jeff Carrel, 12, quai de Lorraine,
11100 Narbonne, tél. 06 78 25 56 33, info@jeffcarrel.com,
⌂ Ⓔ

DOM. REINE JULIETTE Cabernet-sauvignon merlot 2012

| 15 000 | ▤ | - de 5 € |

Construite en 118 avant J.-C. pour relier l'Italie à l'Espagne, la Via Domitia, dite « chemin de la reine Juliette », est la plus ancienne voie romaine de Gaule. Elle favorisa l'expansion de la viticulture dans le Languedoc et jouxte ce domaine familial créé en 1986. Cette cuvée a bénéficié de soins attentifs qui l'ont dotée d'un bouquet concentré mêlant les fruits rouges et les épices. Bien présente, la matière généreuse et racée repose sur de beaux tanins soyeux. Idéal pour une soirée plancha réussie.

☛ EARL Alliès, 11, rte de Magalas, 34480 Pouzolles,
tél. et fax 04 67 24 78 77, marion.allies0765@orange.fr,
Ⓥ ⚐ Ⓣ r.-v.

♥ ROCHE MAZET Cabernet-sauvignon 2012 ★★★

| 6 000 000 | ▤ | - de 5 € |

La gamme Roche Mazet de la maison de négoce Castel Frères raconte l'histoire du pays d'Oc au fil de sept cépages, la plupart du temps déclinés seuls. Elle s'attache, quelle que soit la cuvée, à préserver le fruit. Un grand soin est apporté à toutes les étapes de l'élaboration du vin, des vendanges à l'élevage. Pour preuve, ce cabernet-sauvignon qui affiche sa jeunesse dans une superbe parure intense aux reflets violets. Le bouquet, d'une remarquable concentration, explore les fruits rouges agrémentés de notes épicées. En bouche, rondeur, générosité, tanins fins et doux, persistance aromatique. Ce 2012 parfaitement maîtrisé possède l'harmonie et la grâce. « Digne d'une AOC », conclut un juré. Pour un accord original : un chutney de tomate au gingembre.

☛ Société des Vins de France, av. Jean-Foucault,
34536 Béziers Cedex, tél. 01 45 60 76 00, fax 01 46 86 54 05,
j.martinez@castel-freres.com
☛ A. Castel

LE ROMARIN Viognier 2012 ★

| | 10 000 | ▯ | - de 5 € |

Au cœur du Minervois, les vignerons d'Argeliers,
plus connus sous le nom de cave « La Languedocienne »,
exploitent des vignes en bordure du canal du Midi jusqu'à
500 mètres d'altitude, de Carcassonne à Béziers. Cette
diversité de situations permet d'élaborer des produits de
caractère où les terroirs marquent les vins de leur empreinte. La cuvée qui a retenu l'attention des dégustateurs est issue de sols argilo-calcaires et de galets roulés où
le viognier semble s'épanouir. Derrière une robe jaune
pâle aux reflets verts, ce vin développe des senteurs
d'abricot, de fruits exotiques et de vanille. La bouche se
révèle ample et riche, étayée par une bonne fraîcheur qui
apporte l'équilibre. Tout indiqué pour un sandre au beurre
blanc.
☛ La Languedocienne et ses vignerons,
10, av. Pierre-de-Coubertin, 11120 Argeliers,
tél. 04 68 46 11 14, fax 04 68 46 23 03,
lang-vin@wanadoo.fr,
☑ ⚭ ⏻ t.l.j. 10h-12h 15h-18h

DOM. SAINT-ANDRÉ 2012

| | 6 000 | | 5 à 8 € |

Face à la ville de Sète et son mont Saint-Clair, le
domaine de Saint-André, en bordure de la lagune de Thau,
couvre une superficie de 40 ha d'un seul tenant. Les sols
argilo-calcaires sont propices aux cépages languedociens
comme aux variétés bordelaises plantées sur le domaine.
Cette cuvée de blanc, assemblage de chardonnay et de
vermentino, est drapée dans une robe pâle aux reflets vert
olive. Le nez est un florilège d'agrumes et de fleurs
blanches agrémenté d'un zeste mentholé. La bouche,
fraîche, évolue sur la verveine et le silex. Un ensemble fin
et équilibré, parfait pour accompagner des escalopes de
veau fermier grillées aux herbes.
☛ SCEA Dom. Saint-André, rte de Marseillan, 34140 Mèze,
tél. 04 99 04 94 73, domainesaintandre@wanadoofr,
☑ ⚭ ⏻ t.l.j. 9h30-12h30 14h-18h

DOM. SAINTE-MARIE-DES-CROSES Cabernet franc 2012 ★

| ▮ | 6 000 | ⏻ | 5 à 8 € |

On raconte qu'un trésor fut enfoui dans la montagne
d'Alaric par un roi wisigoth du même nom... mais, pour
Dominique et Bernard Alias et pour leur fille Christelle,
le vrai trésor ce est terroir argilo-calcaire. À flanc de
coteaux, les vignes sont drainées naturellement, et le
climat est chaud et sec : des conditions idéales pour la
production de vins de qualité. De couleur sombre aux
reflets violines, ce cabernet franc élevé quatre mois en
fût livre un nez complexe et franc de fruits noirs et de
poivre, sur un léger fond boisé. Le palais, après une
attaque ample et ronde, s'enrichit de notes fort plaisantes de réglisse et de framboise. L'équilibre est très
réussi entre la fraîcheur des fruits, le croquant des
tanins et le merrain bien fondu. Une jolie découverte,
idéale pour accompagner une tarte salée dès la sortie du
Guide.

☛ Bernard Alias, 36, av. des Corbières, 11700 Douzens,
tél. 04 68 79 09 00, fax 04 68 79 20 57, d.alias11@orange.fr,
☑ ⚭ ⏻ t.l.j. sf sam. dim. 14h-18h; sur r.-v. en dehors
des horaires

DOM. SAINT-HILAIRE Chardonnay Silk Trilogy 2011 ★

| | 1 000 | | 11 à 15 € |

Le nom de cette cuvée évoque la soie, en hommage
aux mûriers jadis plantés sur la propriété. Ce chardonnay,
issu de vignes âgées de vingt-cinq ans plantées sur des sols
argilo-calcaires, se pare d'une robe limpide aux reflets
argentés et dévoile un nez fin et délicat, floral et fruité. La
bouche ample et riche évolue sur des notes de pâtisserie,
de poire et de poivre blanc et s'adosse à une belle vivacité.
Les maîtres des lieux suggèrent d'accorder cette cuvée
avec un filet de sole Véronique.
☛ Dom. Saint-Hilaire, 34530 Montagnac,
tél. 04 67 24 00 08, fax 04 67 24 04 01,
info@domainesaint-hilaire.com, ☑ ⚭ ⏻ t.l.j. 9h-18h 🏠 ⑤

DOM. DE SAUZET Cuvée du champ de la tour 2010 ★★★

| | 5 200 | ▮⏻ | 15 à 20 € |

La contre-étiquette précise : « Attention, c'est un vin
de garde à ne pas mettre entre toutes les mains ! » Vous
voilà averti. Pas moins de cinq cépages (la syrah est
majoritaire) pour ce 2010 élevé six mois en cuve, douze
mois en fût. Le résultat est à la hauteur des espérances de
François Massol, à la tête de ce domaine depuis 2005. Les
épices douces, l'essence d'eucalyptus et la griotte kirschée
flattent le nez et se retrouvent en bouche, accompagnées
de notes grillées et confiturées (mûre, cassis). Un ensemble
rond, riche et persistant soutenu par de doux tanins : cette
cuvée se rapproche de l'excellence. Parfait pour un dessert
au chocolat.
☛ François Massol, rte de Montoulieu,
34190 Saint-Bauzille-de-Putois, tél. 04 67 73 34 84,
muriel.sauzet@gmail.com,
☑ ⚭ ⏻ t.l.j. 10h-19h; hors-saison sur r.-v.

LES TERRASSES DE GABRIELLE Summer of love 2012 ★

| ▮ | 1 000 | ▯ | - de 5 € |

Le domaine des Terrasses de Gabrielle possède deux
terroirs bien distincts : schistes à Saint-Chinian et argilo-
calcaires dans le Biterrois. Sur ce dernier, outre des
cépages bordelais, les vignerons propriétaires des lieux
sont curieux de voir le comportement de cépages venus
d'ailleurs. C'est ainsi que 2012 est l'année de la première
production du nielluccio (plus connu sous le nom de
sangiovese), à l'origine de ce rosé plein de charme. Le nez
délicat évoque le pamplemousse et les fleurs blanches. De
la matière, de la maturité et une bonne longueur, voici un
rosé de caractère à boire à l'apéritif avec une friture
d'éperlans.
☛ Les Terrasses de Gabrielle, 3, av. Émile-Loscos,
34310 Capestang, tél. 06 07 30 41 93, pascal.o@aliceadsl.fr,
☑ ⏻ r.-v.

TERRES EN COULEURS Vermentino roussanne
Envie de l'année 2012 ★★

| | 1 150 | ▮ | 8 à 11 € |

Cette remarquable cuvée est née sur des terrasses
villafranchiennes de galets roulés, dont la couleur brun
rouge contraste avec le vert des vignes et des chênes. Ce
2012, qui fait la part belle à la roussanne (65 %), livre un
nez intense de fruits exotiques (banane) et de fleurs

blanches. Élégante et fine, la bouche est soutenue par une vivacité fort plaisante, jusqu'à la longue finale aux accents d'épices et de fruits confits. Il faudra patienter un an ou deux avant d'ouvrir cette bouteille sur un curry de lotte.

�% Nathalie et Patrick Goma, lieu-dit Croix-de-Pautel, rte de Nizas, 34120 Pézenas, tél. 04 67 01 21 47, contact@terresencouleurs.fr,

☑ ☩ ⴼ t.l.j. sf mer. 18h30-20h; sam. dim. 15h-20h

VIGNERONS CATALANS Syrah grenache Divinum 2012 ★★

▪	10 000	▪	8 à 11 €	

Cet assemblage syrah-grenache noir a d'emblée interpellé les dégustateurs qui ont aimé le bouquet frais de groseille et de fraise garriguée, étayée d'une pointe mentholée, et la bouche, à la fois croquante et douce, bien balancée entre fraîcheur et fruits mûrs. Un rosé friand, à découvrir sur un risotto de langoustines au chorizo. Le **Merlot Rafale né au pays des vents 2012 rouge (moins de 5 €; 260 000 b.)**, franc et fruité, souple et harmonieux reçoit une étoile.

�% Vignerons Catalans, 1870, av. Julien-Panchot, BP 29000, 66962 Perpignan Cedex 9, tél. 04 68 85 04 51, fax 04 68 55 25 62, contact@vigneronscatalans.com

LES VIGNERONS DE PIGNAN Cabernet-sauvignon merlot Prestige 2011 ★

▪	n.c.	▪ ⑪	5 à 8 €	

Ce mi-cabernet-sauvignon mi-merlot dévoile un nez intense de bigarreau et de mûre sur fond vanillé, relayé par une bouche souple et charnue, étayée par des tanins soyeux. Un vin harmonieux et généreux, qui invite au plaisir immédiat mais qui pourra aussi patienter en cave une paire d'années. Pour accompagner une viande grillée ou un plateau de fromages.

➤ SCV La Vigneronne, av. de l'Europe, 34570 Pignan, tél. 04 67 47 70 15, fax 04 67 47 82 74, cave.cooperativepignan@wanadoo.fr, ☑ ☩ ⴼ r.-v.

LES VIGNERONS DE PUIMISSON Viognier Les Canteruls 2012 ★★

▪	15 000	▪	5 à 8 €	

Créée en octobre 1947 sous l'impulsion d'une dizaine de vignerons, la Cave de Puimisson propose avec cette cuvée Les Canteruls – de l'ancien occitan « chant du grillon » – un 100 % viognier élevé quatre mois en cuve. Jaune pâle aux reflets verts, celle-ci livre un bouquet puissant de fleurs et de fruits (abricot, mangue). Le palais, construit sur la fraîcheur, offre une explosion de fruits mûrs qui évoquent notamment le litchi. Élégant et soyeux, ce vin sera parfait à l'apéritif ou pour accompagner un pélardon bien affiné.

➤ Les Vignerons de Puimisson, 4, rue des Pins, 34480 Puimisson, tél. 04 67 36 09 74, fax 04 67 36 18 42, vignerons-de-puimisson@wanadoo.fr, ☑ ⴼ t.l.j. sf sam. dim. 8h-12h 14h-17h

LES VIGNES DE L'ARQUE Cuvée Alexia 2012 ★★

▪	8 000	▪	- de 5 €	

Actuellement en cours de conversion vers l'agriculture biologique, les 80 ha de cette coopérative sont orientés essentiellement vers la production de vins de cépages. La cuvée Alexia est née de la rencontre du muscat

blanc à petits grains et du sauvignon, vinifiés séparément et assemblés en décembre. Le bouquet se montre très expressif avec des notes d'ananas, de fruit de la Passion, de pêche, de buis et de cassis. En bouche, on retrouve cette complexité aromatique soulignée par des notes de poire williams. Harmonieuse, gourmande et équilibrée, cette cuvée intensément fruitée révèle une jolie fraîcheur et une bonne longueur. Avec une salade de fruits frais, fraises de pays et menthe fraîche.

➤ Les Vignes de l'Arque, rte d'Alès, 30700 Baron, tél. 04 66 22 37 71, fax 04 66 03 04 34, vigne-de-larque@wanadoo.fr, ☑ ☩ ⴼ t.l.j. 9h-12h 14h-19h
➤ Fabre

VILLA BOTANICA Cabernet syrah 2011 ★★

▪	40 000	▪	- de 5 €	

Les vignes du domaine sont implantées en altitude au cœur du haut Languedoc, dans les Cévennes méridionales, une région de tradition viticole entre Atlantique et Méditerranée. Cette cuvée issue de cépages bordelais (70 % de cabernet) et méditerranéen (syrah) livre un nez d'une grande intensité qui évoque les petits fruits noirs, la tapenade, le sous-bois et la garrigue. Aromatique et fruitée (cassis, framboise), la bouche s'anime en finale autour de jolies notes mentholées et épicées. Un 2011 intense et persistant, à boire dès aujourd'hui ou dans trois à quatre ans. Pourquoi ne pas l'essayer sur un civet de sanglier ?

➤ Dom. Galetis, Dom. la Grangette, 34440 Nissan-lez-Enserune, tél. 04 67 37 22 36, fax 04 67 37 65 90, domainelanguedocie@wanadoo.fr

VILLA NORIA Syrah Grand Prestige 2011 ★

▪	31 100	▪ ⑪	5 à 8 €	

Ce domaine d'une cinquantaine d'hectares est niché entre mer et montagne. Créé en 2009 par quatre jeunes vignerons, Villa Noria est en cours de conversion biologique. Cette pure syrah, née sur un terroir de galets roulés, exprime des notes boisées intenses, qui néanmoins n'écrasent pas les tonalités florales (violette) du cépage. La bouche, ronde, s'étire sur des notes de fruits confits délicatement poivrés. L'ensemble est bien fait, l'élevage pleinement maîtrisé. Pourquoi pas sur un carpaccio de bœuf ?

➤ Villa Noria, 9, av. André-Bringuier, 34530 Montagnac, tél. 06 84 80 33 98, arnaudce@hotmail.fr, ☑ ⴼ r.-v.

DOM. LES YEUSES Délic' yeuses 2012 ★

▪	10 000	▪	- de 5 €	

Tout près du littoral méditerranéen, le domaine Les Yeuses a été fondé au XIIIᵉs. par l'ordre des Templiers. Tour à tour hôpital, domicile du premier consul de Mèze durant la Révolution, il est à présent une cave de vinification. Ce domaine doit son nom à une forêt de chênes verts : les yeuses. Aujourd'hui, les oliviers les ont remplacés et l'on peut y déguster de bons vins comme ce blanc composé majoritairement de colombard. La robe est claire, et les arômes de fruits exotiques et d'agrumes invitent au voyage. Le terme « finesse » revient souvent dans les commentaires des dégustateurs, tout comme l'équilibre, la fraîcheur des agrumes se conjuguant à la rondeur de la matière. Un vin que l'on appréciera à l'apéritif avec un gaspacho.

VDP/IGP

•┐ GAEC du Dom. les Yeuses, rte de Marseillan, RD 51, 34140 Mèze, tél. 04 67 43 80 20, fax 04 67 43 59 32, contact@lesyeuses.fr, ☑ ⚘ ⍑ t.l.j. sf dim. 9h-12h 15h-19h
•┐ Dardé

Provence, basse vallée du Rhône, Corse

On retrouve dans ces régions la diversité des cépages méridionaux, mais ceux-ci sont rarement utilisés seuls ; en proportions variables et selon les conditions climatiques et pédologiques, ils sont assemblés à des cépages internationaux : chardonnay, sauvignon, cabernet-sauvignon ou merlot, auxquels s'ajoute la syrah venue de la vallée du Rhône. Les dénominations départementales s'appliquent au Vaucluse, aux Bouches-du-Rhône, au Var, aux Alpes-de-Haute-Provence, aux Alpes-Maritimes et aux Hautes-Alpes. Le vin de pays de Méditerranée, à vocation régionale, couvre les régions PACA (à l'exception du département des Bouches-du-Rhône) et Corse, ainsi que la Drôme et l'Ardèche dans la région Rhône-Alpes.

Alpes-de-Haute-Provence

PETRA VIRIDIS Merlot 2012 ★

| | 9 000 | ▮ | - de 5 € |

Créée en 1925 par un riche bourgeois marseillais, Auguste Bastide, cette cave coopérative fédère des vignerons de Pierrevert et de ses alentours. Elle a sélectionné 1,12 ha du seul merlot pour élaborer cette cuvée généreusement fruitée à l'olfaction, émoustillée par quelques notes d'épices, fraîche en attaque, puis ronde et charnue, étayée de jolis tanins fondus. Un vin équilibré et gourmand, à servir dans les deux ans à venir sur une viande goûteuse, un sauté d'agneau aux épices douces par exemple.
•┐ Cave Petra Viridis, 1, av. Auguste-Bastide, 04860 Pierrevert, tél. 04 92 72 19 06, fax 04 92 73 40 44, cave-pierrevert@wanadoo.fr,
☑ ⚘ ⍑ t.l.j. sf dim. 9h-12h 14h-18h

DOM. DE SAINT-JEAN 2012 ★

| | 3 000 | ▮ | - de 5 € |

Emmanuel d'Herbès, installé depuis 1975 sur ces terres de Manosque, propose ici un blanc issu du seul muscat à petits grains. Le cépage se manifeste d'abord discrètement, plus franchement à l'aération, sur de classiques notes de rose agrémentées de nuances d'abricot sec. Il s'affirme tout aussi paisiblement dans une bouche bien équilibrée, à la fois fine, ronde et fraîche. Recommandé sur une cuisine exotique, un poisson au curry par exemple.
•┐ Emmanuel d'Herbès, Dom. de Saint-Jean, 04100 Manosque, tél. 04 92 72 50 20, fax 04 92 87 84 01, jgdherbes@hotmail.com,
☑ ⚘ ⍑ t.l.j. sf dim. 9h-12h 14h-18h

Alpes-Maritimes

DOM. DES HAUTES COLLINES DE LA CÔTE D'AZUR Cuvée du Pressoir romain 2011 ★★

| ▮ | | 8 000 | ▮ ⑪ | 11 à 15 € |

Depuis 1986, Georges Rasse fait « chanter en chœur la chanson des raisins » sur ces terres de Saint-Jeannet dédiées depuis 2 000 ans à la vigne et aux oliviers, qui inspirèrent à Jacques Prévert son poème *Vignette pour les vignerons*. Sur ce terroir d'altitude (400 m), il a opté pour un élevage original en bonbonnes exposées trois mois au soleil, puis la barrique prend le relais pour dix-huit mois. Le résultat est remarquable : robe très sombre, dense, profonde ; bouquet intense et complexe de fruits noirs mûrs, de pruneau, d'épices, de grillé ; bouche très concentrée, ample, ronde et longue, soutenue par des tanins veloutés. Un vin de grand caractère, harmonieux, corsé, savoureux : « C'est la fête à Saint Jeannet / Et saute le bouchon »...
•┐ Georges et Denis Rasse,
Dom. des Htes Collines de la Côte d'Azur,
800, rte des Sausses, 06640 Saint-Jeannet,
tél. et fax 04 93 24 96 01, contact@vignoblestjeannet.fr,
☑ ⚘ ⍑ t.l.j. sf mar. dim. 9h30-12h30 14h30-19h; sam. sur r.-v.

Alpilles

CELLIER DE LAURE Cuvée d'amour 2012 ★

| | 57 000 | ▮ | - de 5 € |

Cette coopérative située au cœur de Noves a été fondée par les viticulteurs du village, en association avec ceux de Chateaurenard, d'Eyragues et de Saint-Rémy-de-Provence. La cuvée proposée apparaît dans une robe saumonée très pâle. On y décèle un côté grenadine mêlé de bonbon anglais. Un vin fruité, léger et plein de fraîcheur. À déguster dès à présent sur des grillades.
•┐ SCA Cellier de Laure, 1, av. Agricol-Viala, 13550 Noves, tél. 04 90 94 01 30, fax 04 90 92 94 85, cellierdelaure@orange.fr,
☑ ⚘ ⍑ t.l.j. sf dim. 8h30-12h30 14h30-18h30

Ⓑ DOM. D'ESTOUBLON 2009 ★

| | 7 500 | ▮ ⑪ | 20 à 30 € |

Grenache, marsanne et roussanne assemblés par tiers sont à l'origine de cette cuvée dont la fin de fermentation a eu lieu en barrique. Le vin en ressort nourri de parfums empyreumatiques et de vanille, complété d'une touche de poire confite. Le palais est à l'unisson, ample et charnu, structuré par un merrain bien présent. À déguster dès la sortie du Guide, à l'apéritif ou sur un gâteau aux noix, ou dans un an le temps que les arômes boisés s'atténuent.
•┐ Ch. d'Estoublon, rte de Maussane, 13990 Fontvieille, tél. 04 90 54 64 00, fax 04 90 54 64 01, chateauestoublon@estoublon.com, ☑ ⍑ r.-v.
•┐ Rémy Reboul

DOM. GRAND MAS DE LANSAC 2012

| | n.c. | ▮ | - de 5 € |

Ce domaine, ancienne possession de moines « viticulteurs », est dirigé par Michel Montagnier depuis 1987.

Celui-ci propose un assemblage composé à parts égales de merlot et de caladoc, vinifié en basse température. Ce 2012 livre une belle expression aromatique à travers des arômes fruités. Bien équilibré, il pourra être dégusté dès à présent sur une assiette de charcuteries ou des grillades.

⌐ Montagnier, Dom. du Grand Mas de Lansac, 13150 Tarascon, tél. 04 90 91 35 70, fax 04 90 91 41 18, fmontagnier.jetm@orange.fr,

☑ Ⲷ t.l.j. sf dim. lun. 9h-12h 14h-18h ⌂ ⓔ

Ⓑ **DOM. DU VAL DE L'OULE** Blanc passion
Collection privée 2012 ★

| ▪ | 7 000 | | 5 à 8 € |

Établie dans le parc naturel des Alpilles, la famille Benoît dirige un domaine de près de 50 ha, dont 13,5 ha de vignes conduites en bio. Elle signe un 2012 au bouquet de fruits exotiques ponctuées de notes de silex. La bouche, franche et ample, révèle d'agréables arômes de poire williams et une belle fraîcheur qui équilibre cet ensemble rond et croquant. Idéal pour un poisson en sauce.

⌐ SCIEV Benoît, quartier de la Gare, BP 17, 13940 Mollégès, tél. 04 90 95 19 06, fax 04 90 95 42 00, costebonne@wanadoo.fr,

☑ ⅄ Ⲷ t.l.j. sf dim. 9h-12h 14h-18h

VALDITION Ludovic Dacla 2011 ★

| ▪ | 8 450 | ▥ | 15 à 20 € |

Cette cuvée porte le nom de l'ancien propriétaire de cette bastide provençale durant le XIXᵉs. Issu de syrah et de cabernet assemblés à parts égales, ce 2011 ne porte pas encore la mention « AB » mais devrait l'obtenir pour le millésime suivant. Élaboré selon les mêmes principes, le vin en ressort pourvu d'un nez expressif de garrigue et d'épices. La bouche souple et ronde dévoile de jolis arômes de fruits noirs et s'adosse à des tanins élégants. Un vin équilibré et bien structuré que l'on pourra servir dès à présent sur un filet de bœuf aux cèpes, ou conserver environ deux ans.

⌐ SNC Dom. de Valdition, rte d'Eygalières, 13660 Orgon, tél. 04 90 73 08 12, fax 04 90 73 05 95, contact@valdition.com,

☑ Ⲷ t.l.j. sf dim. 9h30-12h30 14h-18h

Bouches-du-Rhône

MAS DE REY Terre de Camargue
Les Secrets de Cornille 2012

| ▪ | n.c. | ▥ | 8 à 11 € |

Premier vin produit par M. Cornille, issu du monde agricole et nouveau propriétaire du Mas de Rey depuis mai 2012. Un assemblage original de chasan (80 %) et d'aranel à l'origine d'un vin pâle et limpide, au nez discret de fleurs blanches et d'agrumes, frais et un rien acidulé en bouche. Parfait pour un apéritif sans chichi, quelques crevettes grises et autres bulots sur la table.

⌐ Dom. du Mas de Rey, SCEA Justin, ancienne rte d'Arles, 13200 Arles, tél. 04 90 96 11 84, fax 04 90 96 59 44, masderey@orange.fr,

☑ ⅄ Ⲷ t.l.j. 9h-12h 14h-19h; hors saison t.l.j. sf dim. 9h-12h 14h-18h

⌐ M. Cornille

DOM. DES MASQUES Exception 2011

| ▪ | 11 500 | ▥ | 15 à 20 € |

Établi au pied de la Sainte-Victoire, ce domaine de 15 ha produit de l'huile d'olive et du vin. Côté cave, la seule syrah née sur argilo-calcaire donne naissance à ce vin bien typé, au nez comme en bouche, sur les épices et les fruits rouges et noirs. Il est soutenu par un bon boisé aux accents de vanille et de café qui n'écrasent pas les apports de cépages, et par des tanins fermes autorisant une petite garde d'un ou deux.

⌐ SCEA les Masques, Dom. des Masques, 13100 Saint-Antonin-sur-Bayon, tél. 06 70 19 54 67, melanie@domainedesmasques.com,

☑ ⅄ Ⲷ t.l.j. sf dim. lun. mar. 14h-18h

⌐ Carl Mestdagh

Ⓑ **DOM. LA MICHELLE** Histoires de famille... 2012

| ▪ | 13 000 | ▪ | 5 à 8 € |

Histoires de famille ? Le « s » fait la différence et ajoute une petite touche polémique à l'intention des siens, explique Jean-François Margier, sans en dire plus... En revanche, aucune controverse à propos de cet assemblage bien rhodanien de grenache (50 %), de syrah et de cinsault : un vin rose très pâle, « rose tendance », complète un dégustateur, au nez fruité et... muscaté, que prolonge un palais frais, équilibré et de bonne longueur. Apéritif ou grillades, cela mettra tout le monde d'accord.

⌐ Jean-François Margier, Dom. la Michelle, 13390 Auriol, tél. 04 42 04 74 09, fax 04 42 70 83 99, margier@domainelamichelle.com, ☑ ⅄ Ⲷ r.-v.

DOM. VIRANT Chardonnay 2012

| ▪ | 6 500 | | - de 5 € |

Bien connu pour ses coteaux-d'aix, ce domaine établi non loin de l'étang de Berre signe un pur chardonnay des plus plaisants. Robe pâle d'une belle brillance, nez sur la retenue mais agréable d'agrumes (kumquat) et de fleurs blanches, palais aromatique (badiane, fruits exotiques, fleurs séchées), rond en même temps que tonique et frais, bref équilibré. À boire à l'apéritif, accompagné de tapas aux accents maritimes.

⌐ Ch. Virant, CD 10, 13680 Lançon-de-Provence, tél. 04 90 42 44 47, fax 04 90 42 54 81, contact@chateauvirant.com, ☑ ⅄ Ⲷ t.l.j. 8h-12h 14h-19h

⌐ Robert Cheyzan

Hautes-Alpes

DOM. ALLEMAND 2012 ★

| ▪ | 4 000 | ▪ | 5 à 8 € |

Un domaine « historique », créé en 1954 : le premier à avoir commercialisé des vins en bouteilles dans les Hautes-Alpes. Un domaine bien connu des lecteurs également, et un ardent défenseur d'un cépage oublié, le mollard. Ce dernier entre ici à hauteur de 10 % dans un assemblage dominé par le cabernet franc. Cela donne un vin rose fuchsia tirant vers le violine, au nez soutenu de fruits rouges mâtinés de fines nuances florales. Le palais attaque sur la fraîcheur, avant de se révéler plus rond et riche. Au final, un vin équilibré et prêt à boire. Pissaladière, ratatouille, charcuterie fine, grillades... il offre une large gamme d'accords gourmands.

☛ Dom. Allemand, La Plaine de Théüs, 05190 Théüs, tél. 04 92 54 40 20, fax 04 92 54 41 50, marc.allemand@wanadoo.fr, ☑ ☂ r.-v.

Ⓑ DOM. DES TREILLOUX 2012

| ◼ | 6 000 | ◼ | 5 à 8 € |

Une coopérative établie à quelque 650 m d'altitude, créée en 1950. Des « hautes vignes » de syrah (60 %) et de merlot, plantées sur des marnes argilo-calcaires, ont donné naissance à ce rosé... très frais. À la vivacité de la robe, d'un beau rose clair, répond celle du bouquet, sur les petits fruits rouges acidulés (framboise, groseille) ; un fruité qui s'agrémente en bouche de nuances amyliques et donne à l'ensemble un caractère tonique et friand. Des filets de rouget trouveront là un bon compagnon de table.

☛ La Cave des Hautes Vignes, Le Village, 05130 Valserres, tél. 04 92 54 33 02, fax 04 92 54 31 34, cavedeshautesvignes@wanadoo.fr, ☑ ☂ lun. ven. sam. 8h-12h 13h30-17h30

Île de Beauté

DOM. CASABIANCA Moderato Nectar d'automne 2012 ★

| ◼ | 25 000 | ◼ | 11 à 15 € |

Fondé en 1954, ce domaine, le plus grand de Corse avec ses 470 ha dont 240 ha en AOC, a été repris par Anne-Marie Casabianca en 2009. Régulièrement distingué dans le Guide, il présente un muscat moelleux très réussi. Ce 2012 se manifeste avec élégance, sous sa robe jaune nuancée d'ambre, et avec intensité par une kyrielle de notes de litchi, de rose et de miel. La bouche, ample et concentrée, avec beaucoup de volume, se montre parfaitement équilibrée. Du fruit, de la douceur et une belle longueur : cette cuvée sera parfaite pour accompagner un gâteau au chocolat.

☛ Dom. Casabianca, RN 198, 20230 Bravone, tél. 04 95 38 96 00, fax 04 95 38 96 09, domaine-casabianca@orange.fr, ☑ ☂ t.l.j. sf sam. dim. 9h-17h

DOM. CASANOVA Gris 2012 ★

| ◼ | 893 333 | ◼ | - de 5 € |

Cette union de vignerons créée en 1975 est à la tête de 800 ha de vignes conduites en lutte raisonnée et propose une vaste gamme de vins ; 10 % du vignoble (soit 80 ha) ont été consacrés à cet assemblage de sciaccarellu-grenache-merlot-niellucciu à parts égales, vendangés la nuit. Ce rosé issu d'un pressurage direct se présente dans une robe rose pâle aux reflets gris. Le nez intensément floral, d'une grande finesse, annonce une bouche fraîche et aromatique, de belle longueur. On verrait bien cette bouteille avec une viande grillée.

☛ Cave Coopérative d'Aghione, Samuletto, 20270 Aghione, tél. 04 95 56 60 20, fax 04 95 56 61 27, coop.aghione.samuletto@yahoo.fr, ☑ t.l.j. sf sam. dim. 8h-17h

DOM. PASQUA Chardonnay 2012

| ◼ | 15 000 | ◼ | 5 à 8 € |

Situé sur les coteaux exposés plein sud, au pied de l'ancienne source thermale d'eau chaude, ce domaine propose un chardonnay doux aux saveurs de raisins bien mûrs, voire passerillés, de pruneau et de litchi, vivifié par une pointe de fraîcheur. Onctueuse et équilibrée, cette cuvée procurera bien du plaisir sur un entremets au chocolat ou une charlotte aux fruits exotiques.

☛ Cave coopérative la Marana, lieu-dit Rasignani, 20290 Borgo, tél. 04 95 58 44 00, fax 04 95 38 38 10, uval.fm@corsicanwines.com, ☑ ☂ t.l.j. sf dim. 9h-12h 15h-19h; lun. 15h-19h; sam. 9h-12h

DOM. DE PIANA 2012 ★

| ◼ | 23 600 | ◼ | - de 5 € |

Ce domaine de 50 ha, restructuré il y a une dizaine d'années, est conduit depuis 1970 par Ange Poli. Ce pur niellucciu, dans sa robe rubis, offre un bouquet intense de fruits rouges, de cassis, de réglisse et d'épices douces. On retrouve cette richesse aromatique dans une bouche bien charpentée, ronde et fraîche à la fois, de bonne longueur. Les tanins sont présents, mais fondus. On pourra donc apprécier cette bouteille dès la sortie du Guide, sur un civet de lièvre par exemple.

☛ Ange Poli, Linguizzetta, 20230 San-Nicolao, tél. 04 95 38 86 38, fax 04 95 38 94 71, domaine.de.piana@wanadoo.fr, ☑ ☂ t.l.j. 8h30-19h

♥ RÉSERVE DU PRÉSIDENT Merlot 2012 ★★

| ◼ | 500 000 | ◼ | - de 5 € |

On ne présente plus l'Union de Vignerons de l'Île de Beauté, la plus grande cave coopérative de Corse, ni sa marque-phare la Réserve du Président, régulièrement distinguée dans le Guide. Ce vin de pur merlot élevé six mois en cuve a fière allure dans sa robe brillante et profonde, rouge framboise. Complexe, il exprime des arômes de fruits rouges relevés d'une pointe d'épices, prélude à un palais parfaitement équilibré, soutenu par des tanins soyeux. Un vin d'une grande harmonie, qui laisse deviner un beau potentiel de garde. Parfait pour une daube provençale.

☛ SCA Union de Vignerons de l'Île de Beauté, Padulone, 20270 Aléria, tél. 04 95 57 02 48, fax 04 95 57 09 59, aleymarie@uvib.fr, ☑ ☀ ☂ r.-v.

DOM. DE TERRA VECCHIA Cuvée Élégance 2012

| ◼ | 75 000 | ◼ | - de 5 € |

Jean-François Renucci a racheté en 2011 ce superbe domaine bordé de maquis, entre mer, montagne et étang. Il signe un rosé mi-nielluciu mi-merlot gourmand et amylique. La bouche aromatique, sur les fruits rouges, séduit par son équilibre et sa longueur. Un vin bien construit, à servir à l'apéritif ou avec un plat exotique.

☛ SAS Terra Vecchia, Dom. Terra Vecchia, 20270 Tallone,
tél. 04 95 57 20 30, fax 04 95 57 08 98, contact@poggiale.fr,
☑ ⚘ ⏍ t.l.j. sf dim. 9h-18h
☛ Renucci

TERRAZZA ISULA Niellucciu Merlot 2012

| ■ | 200 000 | 🍾 | - de 5 € |

Fondé en 1975, la structure de négoce des Vignerons
corsicans bénéficie d'un beau terroir exposé au Levant, où
le niellucciu (60 %) et le merlot (40 %) se plaisent bien.
Pour preuve, ce joli 2012, à la robe rubis aux reflets grenat,
au bouquet complexe de groseille, de maquis et de noix
fraîche. Friand et équilibré, ce vin plaisant s'appuie sur des
tanins encore présents, qui appellent une petite garde de
deux ans. Pour l'accompagner, un dégustateur suggère un
lapin à la moutarde.
☛ UVAL Les Vignerons corsicans, lieu-dit Rasignani,
20290 Borgo, tél. 04 95 58 44 00, fax 04 95 38 38 10,
uval.fm@corsicanwines.com,
☑ ⏍ t.l.j. sf dim. 9h-12h 15h-19h; lun. 15h-19h; sam. 9h-12h

DOM. DES TERRES ROUGES 2012 ★

| ■ | 42 000 | 🍾 | - de 5 € |

Sur ce domaine de 30 ha, entre mer et montagne,
situé à 100 m d'altitude sur un terroir argilo-sableux, le
travail des vignes s'accomplit dans un grand respect de
l'environnement et de la nature des sols. Issu du duo
syrah-niellucciu, ce 2012 a été élevé huit mois en cuve. Un
nez expressif, à la fois fruité et minéral, annonce une
bouche fraîche épaulée par des tanins ronds, presque
fondus. Un ensemble harmonieux à découvrir sans attendre sur un rôti de bœuf.
☛ SCA du Dom. Sainte-Anne, Dom. Sainte-Anne,
20270 Tallone, tél. 04 95 57 04 18, fax 04 95 57 94 80,
scasteanne@aliceadsl.fr, ☑ ⚘ ⏍ r.-v.

Maures

DOM. DE L'ANGLADE Cuvée Tradition 2012 ★

| ■ | 11 000 | 🍾 | 8 à 11 € |

L'unique domaine de la commune du Lavandou,
acquis par la famille Van Doren en 1925. La vigne côtoie
ici pinèdes et roselières, ces dernières étant utilisées pour
la fabrication des anches de clarinettes et de saxophones.
C'est une bien jolie musique que nous propose cette cuvée
issue de merlot, de grenache, de syrah et de cinsault (par
ordre d'importance) plantés sur un sol de schistes. La robe
prend des teintes abricot. Le nez, d'une pleine complexité,
mêle notes fruitées, balsamiques et minérales. Un fruité
croquant et acidulé anime le palais, lui conférant une belle
dynamique jusqu'en finale. Un ensemble harmonieux,
frais et friand.
☛ Bernard Van Doren, Dom. de l'Anglade,
av. Vincent-Auriol, 83980 Le Lavandou, tél. 04 94 71 10 89,
fax 04 94 15 15 88, info@domainedelanglade.fr,
☑ ⏍ t.l.j. sf dim. 9h-12h 15h-18h30

DOM. LE BASTIDON Chardonnay 2012

| ■ | 10 666 | 🍾 | - de 5 € |

À l'horizon, les île de Port Cros et de Porquerolles ;
au coucher du soleil, l'imposante bastide, ancienne propriété des Chartreuses de la Verne au XVIIIᵉs., se teinte
de couleurs ocres ; les oliviers voisinent avec les vignes...
C'est dans ce décor de carte postale que la famille Rose,
normande d'origine, est venue trouver la chaleur et
troquer la pomme et le cidre contre le raisin et le vin. Ici,
un blanc issu de jeunes ceps de chardonnay (neuf ans), qui
se présente dans une robe pâle aux reflets verts, le nez
empreint de senteurs florales, d'agrumes et de fruits à
chair blanche. En bouche, il évolue sur le registre de la
douceur (12 g/l de sucres résiduels) plutôt que sur celui de
la vivacité. Un 2012 qui appelle les viandes ou les poissons
en sauce plutôt que les fruits de mer.
☛ Jean-Pierre Rose, Ch. le Bastidon, chem. du Pansard,
83250 La Londe-les-Maures, tél. 04 94 66 80 15,
fax 04 94 66 68 23, vigneronvar@orange.fr,
☑ ⚘ ⏍ t.l.j. sf dim. 9h-12h 15h-18h30

Méditerranée

Ⓑ DOM. DE L'ATTILON Marselan 2012 ★

| ■ | 50 000 | 🍾 | 8 à 11 € |

Renaud de Roux, à la tête de ce vignoble de 95 ha
depuis 1968, signe une cuvée issue du seul marselan,
élaborée selon les principes de l'agriculture biologique.
Vêtu d'une robe rubis intense, ce 2012 révèle à l'olfaction
d'agréables arômes de fruits rouges et noirs mâtinés
d'épices. On retrouve ces notes dans une bouche d'une
belle intensité, bien équilibrée, adossée à des tanins
fondus. Sa structure garantit à ce vin friand un potentiel
de garde de trois à quatre ans. Sur une viande rouge en
sauce.
☛ de Roux, Dom. de l'Attilon, 13104 Mas-Thibert,
tél. 04 90 98 70 04, fax 04 90 98 72 30,
deroux.renaud@orange.fr, ☑ ⚘ ⏍ r.-v.
☛ de Roux

LA BORIE Cuvée Alix 2012 ★

| ■ | n.c. | 🍾 | 8 à 11 € |

Ancien domaine des princes d'Orange bâti au
XVIIIᵉs., cette propriété est dirigée par la famille Margnat
depuis 1962. Ce 2012 né d'un assemblage de grenache et
d'une pointe de syrah s'affiche dans une élégante robe
saumonée et libère à l'olfaction d'agréables arômes
d'agrumes mûrs. À la fois frais et rond en bouche, ce vin
gourmand montre un bel équilibre et promet d'heureux
accords avec une grillade ou une volaille en sauce dès la
sortie du Guide.
☛ Ch. la Borie, 2888, rte de Saint-Paul,
26790 Suze-la-Rousse, tél. 04 75 04 81 92,
fax 04 75 51 33 93, jerome.margnat@chateau-la-borie.fr,
☑ ⚘ ⏍ t.l.j. sf dim. 9h-12h30 14h-19h
☛ Margnat

Ⓑ LA CANORGUE Prestige 2011 ★★

| ■ | 15 000 | ⬛ | 11 à 15 € |

Ce domaine, délaissé pendant près de vingt ans, a
repris son activité en 1978 sous l'impulsion de la famille
Margan. Cet assemblage de syrah, de merlot et de
cabernet-sauvignon a particulièrement séduit les dégustateurs par sa grande finesse aromatique et son boisé bien
intégré. Pourpre sombre, presque noir, ce 2011 livre
d'agréables parfums de fruits à l'eau-de-vie et de confiture
de mûres mâtinés de fins arômes toastés (témoins de

VDP/IGP

l'élevage d'un an en fût). Le palais se révèle chaleureux, structuré par des tanins élégants. Bien équilibré, ce joli vin pourra se garder trois ou quatre ans mais les plus pressés pourront d'ores et déjà l'apprécier, sur une daube provençale par exemple.

🍷 EARL J.-P. et N. Margan, Ch. la Canorgue, 84480 Bonnieux, tél. 04 90 75 81 01, fax 04 90 75 82 98, chateaucanorgue.margan@wanadoo.fr,
☑ ⚐ ⵏ t.l.j. sf dim. 9h-12h 14h-18h

CHANTE CIGALE L'Apostrophe 2011

	8 000		8 à 11 €

Bien connu des lecteurs du Guide grâce à ses châteauneuf-du-pape, ce domaine dirigé par Alexandre Favier ne néglige pas pour autant ses vins de pays. Témoin ce 2011 issu de grenache, de syrah et de cinsault, au nez de fruits rouges épicés. Ample et persistant, il livre d'agréables notes de chocolat dans un palais soutenu par des tanins fondus, un rien plus stricts en finale. À découvrir dès à présent, sur un gigot d'agneau par exemple.

🍷 Dom. Chante Cigale, 7, av. Pasteur, 84230 Châteauneuf-du-Pape, tél. 04 90 83 70 57, fax 04 90 83 58 70, info@chante-cigale.com,
☑ ⵏ t.l.j. sf dim. 9h-12h 14h-18h
🍷 A. Favier

DOM. DE MAROTTE Cuvée Jules 2012 ★

	20 000		5 à 8 €

La famille Vandikman est à la tête de ce domaine de 20 ha, dont 4 ha de grenache, de syrah et de mourvèdre ont donné naissance à cet agréable rosé. Le nez livre une jolie corbeille de fruits rouges que l'on retrouve dans un palais ample et rond, d'une longue longueur, qui s'achève sur une fine touche d'amertume. À déguster dès à présent sur un gratin provençal ou à garder un à deux ans.

🍷 Dom. de Marotte, 994, petit chem. de Serres, 84200 Carpentras, tél. 04 90 63 43 27, fax 04 90 62 67 51, info@marottevins.com,
☑ ⚐ ⵏ t.l.j. sf dim. 10h-18h; f. jan.-fév. 🏠 🄔
🍷 Vandikman

MAS GRANGE BLANCHE 2012

	18 000		- de 5 €

La famille Mousset, également propriétaire du château des Fines Roches, propose un 2012 à la robe orange brique brillant au nez d'agrumes (citron vert). La bouche est ample, ronde, d'une bonne persistance aromatique. À déguster dès aujourd'hui à l'apéritif ou sur une viande grillée.

🍷 EARL Cyril et Jacques Mousset, Ch. des Fines Roches, 84230 Châteauneuf-du-Pape, tél. 06 09 87 17 77, cyril.mousset@wanadoo.fr, ☑ ⚐ ⵏ t.l.j. 10h-18h; f. jan.

VIGNERONS DU MONT VENTOUX Viognier 2012

	25 000		5 à 8 €

La cave de Bédoin, située au pied du mont Ventoux, signe une cuvée uniquement composée de viognier. Le nez dévoile des arômes d'abricot d'une bonne intensité, notes que l'on retrouve dans une bouche à l'attaque franche, au développement ample et rond. Un vin équilibré, à déguster frais à l'apéritif ou sur un dessert aux fruits.

🍷 Vignerons du Mont Ventoux, rte de Carpentras, quartier La Salle, 84410 Bédoin, tél. 04 90 65 95 72, fax 04 90 65 64 43, caveau@bedoin.com,
☑ ⚐ ⵏ t.l.j. 9h-12h 14h-18h30

VIGNERONS DU ROY RENÉ Just Merlot 2012

	30 000		- de 5 €

Les coopérateurs de la cave de Lambesc, fondée par Jules Reynaud en 1922, proposent une cuvée monocépage d'une jolie couleur saumonée. Ce Just Merlot est « justement » bon avec ses parfums amyliques, rafraîchis par une pointe de menthe verte. Souple en bouche, bien équilibré entre gras et fraîcheur, il pourra s'accorder dès à présent avec un couscous. Également cité, le **2012 rosé Florie (60 000 b.)** offre au nez une belle expression aromatique de fruit de la Passion ponctué de notes amyliques et une agréable vivacité dans une bouche ample aux arômes de groseille.

🍷 Les Vignerons du Roy René, 6, av. du Gal-de-Gaulle, RN7, 13410 Lambesc, tél. 04 42 57 00 20, fax 04 42 92 91 52, c.lesage@lesvigneronsduroyrene.com,
☑ ⚐ ⵏ t.l.j. sf dim. 9h-12h 14h30-19h (hiver 18h)

TERRES DES AMOUREUSES All white 2011 ★

	7 000		15 à 20 €

Racheté en 2011 par Jean-Pierre Bedel, ce domaine propose un assemblage de roussanne, de marsanne et de viognier, cultivés sur 2,11 ha de marnes calcaires. Élevé à parts égales en cuve et en fût, ce vin exprime des nuances de pain toasté et de miel. Long et rond en bouche, il se révèle bien équilibré par une pointe de fraîcheur. Heureux accords en perspective avec un poisson en sauce dès la sortie du Guide.

🍷 SCEA Ch. les Amoureuses, chem. de Vinsas, 07700 Bourg-Saint-Andéol, tél. 04 75 54 51 85, fax 04 75 54 66 38, contact@terresdesamoureuses.fr,
☑ ⚐ ⵏ r.-v.

VIGNELAURE Le Page Cabernet-sauvignon et merlot 2012

	17 000		5 à 8 €

Ce domaine fondé en 1960 par Georges Brunet dispose d'un vignoble bénéficiant d'un microclimat particulier, dû à sa situation géographique entre 350 m et 480 m d'altitude, au pied de la montagne Sainte-Victoire. Couleur pétale de rose, cette cuvée offre des fragrances expressives de pamplemousse et de litchi. Sa belle vivacité et son équilibre en bouche conviendront à un magret de canard.

🍷 Ch. Vignelaure, rte de Jouques, 83560 Rians, tél. 04 94 37 21 10, fax 04 94 80 53 39, info@vignelaure.com,
☑ ⚐ ⵏ t.l.j. 10h-18h; f. dim en jan.-fév.
🍷 Sundstrom

LA VINSOBRAISE Comté de Grignan Merlot 2012 ★

	18 000		- de 5 €

Fondée en 1947 par 70 viticulteurs de Vinsobres et des communes limitrophes, cette coopérative regroupe aujourd'hui 274 adhérents. Elle signe un pur merlot qui a su plaire avec ses arômes fruités et épicés, par sa richesse, sa souplesse et son équilibre. Un vin agréable que l'on pourra déguster dès à présent sur un plateau de charcuteries ou garder environ deux ans.

☜ La Vinsobraise, RD 94, 26110 Vinsobres,
tél. 04 75 27 64 22, fax 04 75 27 66 59,
infos@la-vinsobraise.com, ☑ ⚲ ⵜ r.-v.

Mont-Caume

LA CADIÉRENNE Cuvée spéciale 2012

| ■ | 40 000 | ■ | - de 5 € |

Quelque trois cents coopérateurs et 700 ha de vignes, des vins en AOC bandol et côtes-de-provence, en IGP Var, Méditerranée et Mont-Caume, la Cadiérenne, créée en 1929, est un acteur qui compte dans le paysage provençal. Elle propose un assemblage mi-clairette mi-ugni blanc qui a séduit les dégustateurs par son bouquet de fleurs blanches, de fruits exotiques et d'agrumes. Douce et ronde, la bouche trouve son équilibre grâce à une pointe de fraîcheur aux tonalités acidulées et exotiques. Bel accord avec un poisson aux agrumes.
☜ SCV la Cadiérenne, quartier Le Vallon, 83740 La Cadière-d'Azur, tél. 04 94 90 11 06, fax 04 94 90 18 73, cadierenne@wanadoo.fr, ☑ ⚲ ⵜ r.-v.

DOM. PEY-NEUF 2012 ★

| ■ | 300 000 | ■ | 5 à 8 € |

Pas de bio certifié ici, mais une démarche « bien plus rigoureuse que celle des labels », précise Guy Arnaud, héritier de trois générations de vignerons sur les terres familiales de La Cadière-d'Azur. Son bandol figure régulièrement en bonne place dans ces pages, mais Mont-Caume également. Ce rosé, assemblage de grenache, de cinsault et de carignan, est une vraie gourmandise. Couleur pêche, il se montre très expressif (agrumes, fruits exotiques, notes minérales), généreux, opulent même, et d'une belle longueur en bouche. Salade pamplemousse-crevettes-avocat, dos de cabillaud pané au sésame : le menu est ouvert.
☜ Guy Arnaud, Dom. Pey-Neuf, 1947, rte de la Cadière-d'Azur, 83270 Saint-Cyr-sur-Mer, tél. 04 94 90 14 55, fax 04 94 26 13 89, domaine.peyneuf@wanadoo.fr, ☑ ⚲ ⵜ r.-v.

Principauté d'Orange

DOM. ALARY L'Exclus d'Alary 2011 ★

| ■ | 2 000 | ⬡ | 8 à 11 € |

La famille Alary cultivait déjà la vigne sous le règne de Louis XIV : elle est établie à Cairanne depuis 1692 ! Elle s'illustre avec constance dans ces pages, aussi bien en côtes-du-rhône et en *villages* qu'en vins de pays. Ici, un assemblage original mi-counoise mi-syrah vinifié et élevé en demi-muids (barriques de 600 l), à l'origine d'un vin au boisé sensible mais élégant, dont les tonalités vanillées et toastées se mêlent harmonieusement aux fruits noirs compotés. Le palais, à l'unisson, se révèle bien équilibré, ample et soyeux, un rien plus austère en finale. On peut déjà apprécier cette bouteille - sur un mets de caractère de préférence, du gibier par exemple - ou attendre un an ou deux que boisé et tanins se fondent parfaitement.
☜ Dom. Alary, La Font d'Estévenas, rte de Rasteau, 84290 Cairanne, tél. 04 90 30 82 32, fax 04 90 30 74 71, alary.denis@wanadoo.fr,
☑ ⵜ t.l.j. sf dim. 8h-12h 14h-18h30; déc.-mars sur r.-v.

CH. CABRIÈRES Le Petit Cabrières 2011

| ■ | 12 000 | ■ | - de 5 € |

Épaulés par l'œnologue de renom Philippe Cambié, Agnès et Patrick Vernier ont repris ce domaine en 2009. Ils proposent ici un assemblage grenache (75 %) et cinsault à l'origine d'un vin de bonne intensité, sur les fruits mûrs et la cerise à l'eau-de-vie, rond, doux et équilibré en bouche. Voux pouvez sortir le parasol et préparer le feu de bois pour les grillades...
☜ Ch. Cabrières, chem. de Cabrières, BP 14, 84231 Châteauneuf-du-Pape Cedex 1, tél. 04 90 83 70 26, fax 04 90 83 75 90, contact@chateau-cabrieres.fr,
☑ ⚲ ⵜ t.l.j. 10h-12h 14h-17h30 d'avr. à sep. ⌂ Ⓔ
☜ Vernier

LES COTEAUX DU RHÔNE Chardonnay 2012

| ■ | 30 000 | | - de 5 € |

Cette coopérative créée en 1926 propose un pur chardonnay de belle facture, en robe claire, le nez empreint de senteurs florales et fruitées. Au diapason, la bouche offre un caractère tendre et rond, stimulée par une pointe de fraîcheur et de nobles amers en finale. Parfait pour un poisson en sauce.
☜ Les Coteaux du Rhône, BP 7, 84830 Sérignan-du-Comtat, tél. 04 90 70 04 22, fax 04 90 70 09 23, coteaux.rhone@orange.fr,
☑ ⚲ ⵜ t.l.j. sf dim. 8h30-12h30 14h-19h

Ⓑ DOM. DE DIONYSOS La Devèze 2012

| ■ | 2 000 | ■ | - de 5 € |

L'histoire débute en 1720 pour les Farjon, qui, fuyant Marseille et l'épidémie de peste qui y sévit, s'installent au nord d'Uchaux. Depuis, sept générations y ont cultivé la vigne, la dernière ayant repris le domaine en 2011. Ce 100 % grenache rose pâle et lumineux dévoile un nez amylique, floral et fruité (pêche notamment), prélude à un palais rond et bien équilibré par une touche de vivacité. Un rosé d'apéritif.
☜ Dom. de Dionysos, 55, impasse de la Cave, Les Farjon, 84100 Uchaux, tél. et fax 04 90 40 60 33, benjamin.farjon@domainededionysos.com,
☑ ⚲ ⵜ t.l.j. sf dim. 9h-12h 14h-18h

DOM. DE LA JANASSE Terre de Buissière 2012 ★

| ■ | 80 000 | ■ ⬡ | 8 à 11 € |

Un habitué du Guide, régulier en qualité et souvent en bonne place dans ces pages pour ses côtes-du-rhône, ses châteauneuf-du-pape et ses vins de pays. Christophe et Isabelle Sabon, enfants d'Aimé Sabon, fondateur du domaine en 1973, signent avec cet assemblage dominé par le merlot (syrah, grenache et cabernet en complément) une cuvée généreusement bouquetée autour du chocolat, de la cerise à l'eau-de-vie et du pruneau. Une générosité que l'on retrouve dans une bouche ample, puissante, tannique, un peu stricte en finale. Deux ans de garde sont recommandés pour ce vin corsé et chaleureux, que ne dédaigneront pas les viandes mijotées ou les desserts au chocolat.
☜ Dom. de la Janasse, 27, chem. du Moulin, 84350 Courthézon, tél. 04 90 70 86 29, fax 04 90 70 75 93, lajanasse@gmail.com,
☑ ⚲ ⵜ r.-v.

Ⓑ CH. MONGIN Le Grès 2012 ★

| | 2 600 | ▮ | - de 5 € |

Un domaine à vocation pédagogique sur lequel les élèves du lycée viticole d'Orange font leurs armes. Mention « très réussi » avec cet assemblage cinsault-grenache-syrah, à l'origine d'un rosé clair, finement floral et fruité (pêche) au nez comme en bouche. Les jurés ont également apprécié son harmonie entre une chair tendre et ronde et une pointe de salinité qui apporte ce qu'il faut de fraîcheur et de tension. Un vin élégant, qui s'accordera avec un poisson à la chair délicate.

☛ Ch. Mongin, Lycée viticole d'Orange, 2260, rte du Grès, 84100 Orange, tél. 04 90 51 48 04, fax 04 90 51 48 25, chateaumongin@chateaumongin.com,

☑ ⚔ ⵏ t.l.j. 9h-12h 14h-17h

DOM. RIGOT 2012 ★

| | 30 000 | ▮ | 5 à 8 € |

Grenache noir (70 %), carignan et mourvèdre composent cette cuvée du domaine Rigot, plus connu des lecteurs du Guide pour ses côtes-du-rhône. Un vin d'une aimable simplicité, rouge intense aux reflets violines, au nez expressif de fruits mûrs, de pruneau et de sous-bois, plein, rond et riche en bouche, adossé à des tanins bien fondus. À boire au cours des deux prochaines années sur une viande rouge mijotée.

☛ Dom. Rigot, 520, chem. des Routes-de-Malijay, 84150 Jonquières, tél. 04 90 37 25 19, contact@domaine-rigot.fr,

☑ ⚔ ⵏ t.l.j. 9h-12h 15h-19h 🏠 Ⓑ

Var

BASTIDE DE LA CISELETTE 2012

| | 2 500 | ▮ | 5 à 8 € |

Coopérateur jusqu'en 2010, Robert De Salvo a fait son entrée dans le Guide l'an dernier avec un joli bandol rouge. Il revient avec un vin de pays mi-carignan mi-merlot qui a séduit les jurés par son nez de fruits noirs et rouges et de réglisse sur fond de senteurs de garrigue. Un caractère méditerranéen que l'on retrouve dans un palais léger, souple, friand, un peu plus tannique et vif en finale. Un vin qualifié de « moderne et friand », à boire dans l'année sur une grillade de bœuf.

☛ De Salvo, 54, chem. de l'Olivette, 83330 Le Brûlat-du-Castellet, tél. 04 94 07 98 84, fax 09 71 70 58 99, rds.bastideciselette@orange.fr,

☑ ⚔ ⵏ t.l.j. sf sam. dim. 14h-18h

ESCARAVATIERS 2012 ★

| | 6 000 | ▮ | - de 5 € |

Jules César donna ces terres à l'un des vétérans de la neuvième légion, Caïus Norellius, qui y implanta les premières vignes ; un héritage que cultive depuis 1928 la famille Costamagna. « Un nez de muscat à petits grains », « très muscaté », « ça fleure bon la rose » : les dégustateurs ont eu le nez fin et ont aisément décelé dans la composition de ce vin la présence du muscat, associé à 20 % de rolle. Ils ont également apprécié la bouche ronde et longue, elle aussi dominée par les arômes floraux bien

typiques du cépage. Un vin cohérent et élégant, à déguster à l'apéritif, sur des saint-jacques snackées ou sur un dessert aux fruits.

☛ Dom. des Escaravatiers, 514, chem. de Saint-Tropez, 83480 Puget-sur-Argens, tél. 04 94 19 88 22, fax 04 94 45 59 83, escaravatiers@wanadoo.fr,

☑ ⚔ ⵏ t.l.j. sf dim. lun. 10h-12h 14h-18h

☛ Costamagna SNC Dom.

GAVOTY La Cigale 2012

| | 5 000 | ▮ | - de 5 € |

L'une des belles références de l'AOC côtes-de-provence (voir notamment sa cuvée Clarendon dans les trois couleurs), établie depuis 1806 et six générations sur les terres de Cabasse. Roselyne Gavoty signe un assemblage ugni blanc et rolle qui s'affiche dans une seyante robe pâle aux reflets verts, le nez empreint de senteurs d'agrumes et de fleurs blanches. La bouche, ronde et souple, tient la note fruitée. L'ensemble est harmonieux et s'appréciera aussi bien à l'apéritif qu'avec un poisson grillé.

☛ Roselyne Gavoty, Dom. Gavoty, Le Grand-Campdumy, 83340 Cabasse, tél. 04 94 69 72 39, fax 04 94 59 64 04, domaine@gavoty.com,

☑ ⚔ ⵏ t.l.j. sf sam. dim. 8h-12h 14h-18h

DOM. JACOURETTE Muscat Les Ailes d'un ange 2012

| | 3 500 | ▮ | 5 à 8 € |

Hélène Dragon, quatrième du nom à conduire l'exploitation familiale, œuvre au chai, tandis que son mari Frédéric conduit la vigne. Un duo installé depuis 1997, qui signe ici un 100 % muscat à petits grains : un vin jaune pâle orné de reflets verts, au nez... muscaté (rose), d'une douceur mesurée (60 g/l de sucres résiduels), vivifié en finale par une pointe d'amertume fort plaisante, qui apporte un soupçon de complexité et de longueur. Recommandé par la vigneronne avec une tarte aux pommes ou du fromage (saint-nectaire, brie, munster).

☛ Dom. Jacourette, rte de Trets, RD 23, 83910 Pourrières, tél. 04 94 78 54 60, helene.dragon@jacourette.com,

☑ ⚔ ⵏ ven. sam. 9h30-12h 15h30-18h 🏠 Ⓑ

☛ Hélène Dragon

Ⓑ DOM. LA LIEUE Carignan 2011

| | 1 200 | ▮ | 8 à 11 € |

Plus souvent sélectionné ici pour ses vins de pays issus de chardonnay, ce domaine s'illustre cette année avec une cuvée née de vieux ceps de carignan plantés en 1936 par le grand-père de Julien Vial. Un vin pourpre soutenu, au nez intense de fruits noirs, d'épices et de réglisse, rond, ample et fruité en bouche, soutenu par des tanins fondus. À boire dans l'année, sur des tomates farcies par exemple.

☛ Julien Vial, Ch. la Lieue, rte de Cabasse, 83170 Brignoles, tél. 04 94 69 00 12, fax 04 94 69 47 68, chateau.la.lieue@orange.fr,

☑ ⵏ t.l.j. 9h15-12h30 14h-19h; dim. 10h-12h 15h-18h

LES VIGNERONS DE LA SAINTE-BAUME Gris de rose 2012

| | 54 000 | ▮ | - de 5 € |

Grenache (50 %), cinsault et cabernet-sauvignon composent ce Gris de rose de la coopérative de Rougiers.

Un vin couleur vieux rose, au nez floral et fruité, vineux et rond en bouche, mais qui ne tombe pas dans la mollesse grâce à une fine trame acide en soutien. Pour l'apéritif, accompagné de charcuterie et de tapas aux anchois.

☛ Les Vignerons de la Sainte-Baume, Les Fauvières, 83170 Rougiers, tél. 04 94 80 42 47, fax 04 94 80 40 85, cave saintebaume@wanadoo.fr,
☑ ⚔ ⊥ t.l.j. sf dim. 9h-12h 15h-18h

VAL D'IRIS Cabernet-sauvignon 2011

■	5 000	■ 8 à 11 €

Un parfumeur grassois planta ici les premières vignes. Il y planta aussi des iris, toujours utilisés pour la fabrication de produits cosmétiques et entretenus par Anne et Jean-Daniel Dor, à la tête du domaine depuis 1999. Pas de senteurs d'iris dans ce pur cabernet-sauvignon, mais des fruits confits et des notes de sous-bois, du poivron et des nuances de garrigue. La bouche se révèle bien structurée autour de tanins solides et élégants, un rien austères en finale, qui permettront à ce vin de bien évoluer les deux prochaines années.

☛ Val d'Iris, 341, chem. de la Combe, 83440 Seillans, tél. 04 94 76 97 66, info@valdiris.com,
☑ ⚔ ⊥ r.-v.
☛ Dor

DOM. LES VALLONS DE FONTFRESQUE Cuvée Soleil rouge
Élevé en fût de chêne 2011 ★

■	2 960	⦿ 8 à 11 €

Établi à l'emplacement d'un ancien camp romain, ce domaine tire son nom (signifiant « fontaine froide ») de la présence de nombreuses sources sur ses terres. Les Sicamois y cultivent la vigne depuis 2006. Ils signent ici un assemblage original d'alicante (50 %), de grenache et de vieux carignans : un vin rouge sombre et profond, au nez complexe et expressif où l'on perçoit tour à tour des notes d'épices, de grillé, de vanille, de réglisse, de fruits noirs. La bouche se montre charnue, ronde et souple, puis s'étire dans une longue finale pleine de douceur. Un ensemble très harmonieux et gourmand, que l'on verrait bien accompagner des cailles rôties ou un lapin aux olives noires.

☛ Les Vallons de Fontfresque, quartier Camp-Redon, RD 64, 83170 Tourves, tél. 04 94 69 01 22, domaine@lvdf.fr,
☑ ⚔ ⊥ t.l.j. 10h-18h
☛ C. Sicamois

LES VENTS D'ANGES DU VIGNARET 2012 ★

■	4 000	■ 5 à 8 €

Coup de cœur l'an dernier pour son coteaux-varois-en-provence rosé 2011, Roger Tourrel s'invite dans le chapitre « Vins de pays » avec un assemblage équilibré de rolle, de sauvignon et d'ugni blanc. Robe pâle et limpide, nez ouvert sur les agrumes et les fleurs blanches, bouche à l'unisson du bouquet, ronde, riche, expressive, persistante : un vin harmonieux, cohérent, à déguster sur un poisson sauce aux agrumes.

☛ Roger Tourrel, 8, rue de Provence, 83136 Sainte-Anastasie, tél. 06 21 85 09 84, fax 04 94 86 61 20, domaine.du.vignaret@orange.fr,
☑ ⚔ ⊥ t.l.j. sf dim. 9h30-12h30 15h-19h

Vaucluse

AURETO Tramontane 2011 ★

■	11 800	⦿ 11 à 15 €

Ce domaine créé en 2007 est rattaché au complexe hôtelier de luxe de La Coquillade, établi au cœur du parc naturel du Luberon. Il est propriété des Wunderli qui ont confié la vinification à Aurélie Julien. L'œnologue a sélectionné près de 3 ha de cabernet-sauvignon, de marselan et de syrah pour élaborer ce vin bien équilibré, au nez comme en bouche, entre nuances boisées (quatorze mois de barrique) et notes fruitées, rond, chaleureux et solidement structuré. Dans un an ou deux, cette bouteille au caractère affirmé sera à point ; elle accompagnera alors pièces de gibier ou de viande rouge.

☛ Aureto, hameau de La Coquillade, Perrotet, 84400 Gargas, tél. 04 90 74 54 67, fax 04 90 74 71 86, info@aureto.fr,
☑ ⚔ ⊥ t.l.j. 10h-12h30 14h-19h; f. dim. nov.-mars
☛ Wunderli

BALMA VENITIA Petit Grain des Balmes 2012 ★

■	n.c.	■ - de 5 €

Le muscat à petit grain est l'unique cépage à l'œuvre dans cette cuvée de la coopérative de Beaumes-de-Venise. Un vin jaune pâle, intensément fruité (pêche, abricot), ample, souple et fin, sous-tendu par une fine acidité qui lui confère tonus et longueur. Poisson de roche, cuisine exotique, vous aurez l'embarras du choix pour accompagner cette bouteille.

☛ SCA Vignerons de Balma Venitia, 228, rte de Carpentras, quartier Ravel, 84190 Beaumes-de-Venise, tél. 04 90 12 41 00, fax 04 90 12 41 21, vignerons@balmavenitia.fr,
☑ ⚔ ⊥ t.l.j. 8h30-12h (été 12h30) 14h-18h (été 19h)

DOM. BASTIDE JOURDAN Viognier 2009

■	4 000	■ 8 à 11 €

Le vignoble de ce domaine, créé en 1990 par Valérie et Jean-Pierre Jourdan, est établi sur les communes de Bollène et de Rochegude : 18 ha et onze cépages différents. Une belle palette pour faire varier les plaisirs, mais ici le seul viognier est à l'œuvre et donne naissance à un vin plaisant, floral et fruité (pêche blanche), frais, dynamique et de bonne longueur. Parfait pour un poisson grillé.

☛ Dom. Bastide Jourdan, 1414, av. Émile-Lachaux, 84500 Bollène, tél. 04 90 40 15 68, bastidejourdan@live.fr,
☑ ⚔ ⊥ t.l.j. sf dim. 9h-12h 14h-19h

FAMILLE CHAVIN Grenache syrah Vallis Queyras 2012

■	100 000	5 à 8 €

Cette jeune maison de négoce créée en 2009 par Fabien Gross, présente sur l'ensemble des terroirs français, propose une cuvée assemblant le grenache (70 %) et la syrah. Robe rubis, nez discret mais plaisant de petits fruits rouges, palais franc, souple et fruité : c'est un joli « vin de copains », à déguster sans chichi autour d'une bonne assiette de charcuterie.

☛ Pierre Chavin, 2, bd Jean-Bouin, 34500 Béziers, tél. et fax 04 67 90 12 60, info@pierre-chavin.com

VDP/IGP

DOM. DE LA CITADELLE Court Métrage 2012 ★

| ■ | 4 000 | ▮ | 5 à 8 € |

Yves Rousset-Rouard était producteur de cinéma dans une ancienne vie. C'était avant de reprendre le domaine familial de Ménerbes, 8 ha de vignes en 1990, près de 40 aujourd'hui (pour 60 parcelles et 14 cépages différents). Pas de premier rôle dans son Court Métrage, mais un duo complémentaire de merlot et de cabernet associés à parts égales. La robe est rubis et brillante. Le nez évoque les petits fruits rouges. La bouche, à l'unisson, relève plutôt du format long que du court. Elle se montre ronde et bien structurée, avec une fine acidité en soutien et un petit côté tannique qui marque la finale. Dans un an, ce vin sera bon à boire sur une grillade au feu de bois ou un coq au vin.

●┐ Dom. de la Citadelle, rte de Cavaillon, 84560 Ménerbes, tél. 04 90 72 41 58, fax 04 90 72 41 59, contact@domaine-citadelle.com,

☑ ⭐ ☍ t.l.j. 9h-12h 14h-19h; f. sam. dim. en jan.-fév.

●┐ Rousset-Rouard

DOM. DE CLAPIER 2011 ★★

| ■ | 2 849 | ▯ | 8 à 11 € |

Ce domaine fut, du XVIᵉs. à la fin du XVIIIᵉs., la propriété des marquis de Mirabeau. Il est entré dans la famille Montagne en 1880, acquis par l'ancêtre de Thomas, Théodore Barataud, précurseur en son temps, qui fit installer des chais à la pointe de la modernité, avec notamment un égrappoir animé par une machine à vapeur et une batterie de douze foudres toujours en état. Neuf mois de fût pour cet assemblage très bordelais mi-merlot mi-cabernet-sauvignon. Mais c'est un bouquet des plus provençaux qui monte du verre : cade, romarin, épices, menthol et autres senteurs de la garrigue. En bouche, le vin se montre suave et rond, adossé à des tanins bien fondus qui autorisent une dégustation dès l'automne, même s'il peut vieillir encore deux ou trois ans.

●┐ Thomas Montagne, Ch. de Clapier, 84120 Mirabeau, tél. 04 90 77 01 03, fax 04 90 77 03 26, chateau-de-clapier@wanadoo.fr,

☑ ⭐ ☍ t.l.j. sf dim. 9h30-12h30 14h-18h

DOM. FONTAINE DU CLOS Aura 2011 ★

| ■ | 22 660 | ▮▯ | 8 à 11 € |

Jean-François Barnier a sélectionné marselan (65 %), caladoc, merlot et syrah pour composer cette cuvée. Un assemblage original (tout l'attrait des vins de pays...) qui donne lieu à un vin très aromatique, ouvert à l'olfaction sur le cassis, les fruits rouges et le grillé de la barrique. Dans la continuité du nez, le palais se révèle rond et assez puissant, structuré par des tanins qui commencent à se fondre. On peut d'ores et déjà ouvrir cette bouteille sur une viande rouge ou l'attendre un an ou deux.

●┐ Jean-François Barnier, 735, bd du Comté-d'Orange, 84260 Sarrians, tél. 04 90 65 59 39, fax 04 90 65 30 69, cave@fontaineduclos.com,

☑ ⭐ ☍ t.l.j. sf dim. 9h30-12h 15h-18h30

DOM. LES HAUTES BRIGUIÈRES Viognier 2012

| ■ | 4 000 | ▮ | 5 à 8 € |

Un domaine de 20 ha en conversion bio, établi au pied du Géant de Provence en terrasses étagées, à 300 m d'altitude. Le viognier y donne naissance à ce vin jaune

pâle et brillant, au nez finement floral et fruité, frais, minéral, persistant et élégant en bouche. Tout indiqué pour un poisson grillé.

●┐ François-Xavier Rimbert, Dom. les Hautes Briguières, Les Hautes-Briguières, 84570 Mormoiron, tél. 04 90 61 71 97, fax 04 90 61 85 80, fxrimbert@aol.com,

☑ ⭐ ☍ t.l.j. 9h-19h; hiver 9h-17h

DOM. DES PASQUIERS 2011

| ■ | 25 000 | ▮ | 5 à 8 € |

Le premier millésime bio du domaine sera disponible avec le 2013. En attendant, vous pourrez apprécier ce 2011 issu de merlot (60 %), de syrah et de marselan (20 % chacun) : un vin d'une belle profondeur à l'œil, d'une belle intensité aux fruits rouges, d'une belle rondeur en bouche. À boire dans l'année sur une grillade.

●┐ Dom. des Pasquiers, rte d'Orange, 84110 Sablet, tél. et fax 04 90 46 83 97, domainedespasquiers@terre-net.fr,

☑ ⭐ ☍ t.l.j. 8h-12h 13h30-18h, sam. dim. sur r.-v. 🏠 🅐

●┐ Lambert

DOM. DU PUY MARQUIS Merlot 2011

| ■ | 3 000 | ▯ | 5 à 8 € |

Plus souvent présent ici pour ses vins d'appellation ventoux, ce domaine s'illustre aussi en IGP ; ici, un vin né de jeunes ceps de merlot âgés de dix ans. Un 2011 bien construit, au nez comme en bouche. Des fruits rouges et un vanillé discret côté bouquet, de la rondeur et des tanins souples côté bouche : une cuvée équilibrée, mariage réussi du bois et du raisin, à déguster dès à présent.

●┐ Claude Leclercq, Dom. du Puy Marquis, rte de Rustrel, 84400 Apt, tél. 04 90 74 51 87, fax 04 90 04 69 80

☑ ⭐ ☍ t.l.j. sf dim. 9h30-18h30

BERTRAND STEHELIN 2011 ★

| ■ | 15 000 | | 5 à 8 € |

Ce domaine de création récente (2004) propose des gigondas et des côtes-du-rhône-villages (Sablet) en plus de ses vins de pays. Ici, un assemblage par tiers de merlot, de syrah et de carignan, à l'origine d'un vin grenat soutenu, au nez généreux de fruits noirs et de cuir vivifié par des nuances mentholées. La bouche attaque avec franchise et souplesse, puis s'arrondit aimablement autour de tanins fondus et soyeux, avec une pointe de vivacité et de fine amertume à l'arrière-plan. Un ensemble équilibré et prêt à boire.

●┐ Bertrand Stehelin, Paillère et Pied-Gû, 84190 Gigondas, tél. et fax 04 90 65 84 14, contact@vinstehelin.fr,

☑ ⭐ ☍ t.l.j. sf dim. 8h-12h 13h-18h

VALDÈZE Merlot 2012

| ■ | 5 500 | | - de 5 € |

La cave coopérative de La Tour-d'Aigues propose ici un 100 % merlot bien sous tous rapports. Robe intense aux reflets grenat, bouquet plaisant de garrigue, d'épices et de fruits rouges agrémenté d'une touche animale, bouche à l'unisson, ronde, douce, structurée sans excès. Un ensemble harmonieux et prêt à boire.

●┐ SCA Valdèze, 288, bd de la Libération, 84240 La Tour-d'Aigues, tél. 04 90 07 42 12, fax 04 90 07 49 08, valdeze@valdeze.fr,

☑ ☍ t.l.j. sf dim. lun. 9h-12h30 15h-19h

Alpes et pays rhodaniens

De l'Auvergne aux Alpes, la région regroupe les départements de Rhône-Alpes. La diversité des terroirs y est donc importante et se retrouve dans l'éventail des vins régionaux. Les cépages bourguignons (pinot, gamay, chardonnay) et les variétés méridionales (grenache, cinsault, clairette) se rencontrent. Ils côtoient les enfants du pays que sont la syrah, la roussanne et la marsanne dans la vallée du Rhône, ainsi que la mondeuse, la jacquère ou le chasselas en Savoie, ou encore l'étraire de la dui et la verdesse, curiosités de la vallée de l'Isère. L'usage des cépages bordelais (merlot, cabernet, sauvignon) se développe également.

Ain, Ardèche, Drôme et Isère sont les dénominations départementales. Il existe également deux vins de pays régionaux : le vin de pays des Comtés rhodaniens, qui peut être produit sur les huit départements de la région ; le vin de pays de Méditerranée, qui est revendiqué dans la région Provence-Alpes-Côte-d'Azur, en Corse, mais aussi dans la Drôme et en Ardèche.

Allobrogie

DOM. DEMEURE-PINET Jacquère 2012

	16 000	🍾	- de 5 €

Dans les années 1970, Pierre Demeure convertit son exploitation de polyculture-élevage à la vigne. En 1990, sa fille Chrystelle et son gendre Philippe s'installent avec lui sur le domaine. Aujourd'hui, le vignoble s'étend sur un peu plus de 8 ha, dont 2 ha dédiés à cette jacquère. Un vin dynamique, « vivant », au nez floral (églantine) et minéral, au palais frais et friand. Deux autres vins sont retenus : la **Mondeuse 2012 (8 000 b.)**, soyeuse et épicée, et le **Chardonnay 2012 (7 500 b.)**, vif et fruité (agrumes, fruits exotiques). Une bonne initiation aux cépages savoyards.

🍷 Dom. Demeure-Pinet, 1275, rte de Joudin, 73240 Saint-Genix-sur-Guiers, tél. 04 76 31 61 74, philippepinet73@orange.fr,
☑ ⚘ ⵣ t.l.j. 8h-12h 14h-19h; dim. 8h-12h

DOM. DE L'IDYLLE Roussanne 2012

	2 200	🍾🍶	5 à 8 €

Philippe et François Tiollier proposent avec cette roussanne un vin jaune doré qui s'ouvre discrètement sur les fruits exotiques (mangue), les fruits jaunes mûrs et quelques nuances florales. La bouche se montre ample, riche et chaleureuse, vivifiée par une pointe mentholée bienvenue. Pour un poisson en sauce.

🍷 Dom. de l'Idylle, 245, rue Croix-Lormaie, Saint-Laurent, 73800 Cruet, tél. 04 79 84 30 58, tiollier.idylle@wanadoo.fr,
☑ ⚘ ⵣ r.-v.
🍷 Philippe et François Tiollier

Ardèche

L'ABBÉ DUBOIS Syrah 2011

	1 950	🍾	- de 5 €

Parti au XVIIIes. prêcher la bonne parole en Inde, l'Abbé Dubois est l'ancêtre de Claude Dumarcher, le fondateur de la maison dans laquelle vit aujourd'hui le vigneron. Les lecteurs connaissent bien son vin, notamment dans sa version côtes-du-vivarais. Ici, un 2011 né de la seule syrah, paré de pourpre soutenu, au nez bien ouvert sur les fruits noirs agrémentés de nuances épicées, au palais souple doté de tanins fondus et de bonne longueur. À boire dès aujourd'hui.

🍷 Claude Dumarcher, Le Village, RD4, 07700 Saint-Remèze, tél. 04 75 98 98 44, claudedumarcher@orange.fr,
☑ ⚘ ⵣ t.l.j. sf mer. dim. 10h-12h 15h-18h 🏭 ❶ 🏠 Ⓒ

Ⓑ **CELLIER DES GORGES DE L'ARDÈCHE**
Marselan 2012 ★

	4 000	🍾	- de 5 €

Née du seul marselan, cette cuvée affiche d'emblée son solide caractère : la robe sombre et dense ne laisse pas de doute sur l'intensité du vin. De fait, le nez se révèle puissant, ouvert sur les senteurs de la garrigue, les épices, l'olive en tapenade, les fruits mûrs et le Zan. Même impression en bouche : de la concentration, des tanins bien en place, une belle longueur, des épices et de la réglisse. Une bouteille à remiser de préférence un an ou deux en cave, mais rien n'interdit de l'ouvrir dès l'automne, pour plus de sensations fortes.

🍷 Cellier des Gorges de l'Ardèche, rte de la Gare, 07700 Saint-Marcel-d'Ardèche, tél. 04 75 04 66 83, fax 04 75 98 73 20, cave.stjust.stmarcel@wanadoo.fr,
☑ ⚘ ⵣ t.l.j. sf dim. 8h-12h 14h-18h

DOM. DE LA CLAPOUZE Chardonnay
Coteaux de l'Ardèche 2012

	2 000	🍾	- de 5 €

Né du seul chardonnay planté sur argilo-calcaire, ce 2012 se présente dans une élégante robe jaune clair. Au nez, les fruits sont bien présents : agrumes, pêche, poire, abricot... En bouche, le fruit est toujours au rendez-vous ; c'est frais, c'est persistant et un rien amer en finale. Un vin harmonieux et dynamique, à boire sur un poisson sauce au citron.

🍷 EARL Auriol et Fils, Dom. de la Clapouze, 07150 Vallon-Pont-d'Arc, tél. et fax 04 75 88 02 92, la.clapouze@wanadoo.fr, ☑ ⚘ ⵣ t.l.j. 9h-12h30 15h-19h

DOM. DU COLOMBIER Coteaux de l'Ardèche Syrah merlot
Réserve Élevé en barrique 2012

	15 000	🍶	5 à 8 €

Mi-syrah mi-merlot, cette cuvée a connu un élevage de six mois en barrique. Toutefois, le nez reste tourné vers les fruits, agrémenté de nuances florales. La bouche est dans le même registre, très peu boisée, fruitée, souple et douce, avec une pointe de vivacité qui vient dynamiser la finale. À boire dès aujourd'hui.

🍷 Philippe et Ludovic Walbaum, Dom. du Colombier, 07150 Vallon-Pont-d'Arc, tél. 04 75 88 01 70, fax 04 75 88 09 88, phw@domaineducolombier.fr,
☑ ⚘ ⵣ t.l.j. 9h30-12h30 15h30-19h30; hiver sur r.-v.

VDP/IGP

LES VIGNERONS DES CRUZIÈRES Le Prieuré 2011

	n.c.	◫	- de 5 €

Un assemblage aux accents bordelais : merlot (75 %) et cabernet. Robe pourpre foncé aux reflets légèrement tuilés. Bouquet soutenu de fruits rouges mûrs et de toasté. Palais vanillé et chocolaté, souple et chaleureux, de bonne longueur. Une bouteille généreuse, à boire sur une viande rouge longuement mijotée, aujourd'hui ou dans deux ans.

⌐ Les Vignerons des Cruzières, 07460 Saint-Sauveur, tél. 06 81 36 62 28, fax 04 75 39 30 51, la.grappe.1@wanadoo.fr,

☑ ⚐ ⵟ t.l.j. sf dim. lun. 10h-12h30 15h30-18h30

PROPRIÉTÉ CASIMIR GASCON Coteaux de l'Ardèche Chardonnay 2012

	1 500	▤	5 à 8 €

Ce pur chardonnay né sur argilo-calcaire se présente dans une élégante livrée d'or pâle, le nez ouvert sur les agrumes et les fleurs blanches. Le palais tient bien la note fruitée (citron notamment) et séduit par sa fraîcheur et son dynamisme. Parfait pour les fruits de mer.

⌐ Claude Gascon, Sauveplantade, 07200 Rochecolombe, tél. et fax 04 75 37 71 22, claudegascon485@wanadoo.fr,

☑ ⚐ ⵟ r.-v.

VIGNERONS DES GORGES DE L'ARDÈCHE
Coteaux de l'Ardèche Grenache 2012 ★

	8 000		- de 5 €

Ce 100 % grenache de la coopérative de Bourg-Saint-Andéol, née en 2010 de la fusion de plusieurs caves locales, se présente dans une tenue « fluo », rose vif. Au nez, les fleurs blanches se mêlent aux fruits rouges. La bouche plaît par sa fraîcheur, par son intensité aromatique, au diapason de l'olfaction, et par sa persistance. Un vin équilibré, tonique, que l'on verrait bien avec des brochettes de saint-jacques au chorizo.

⌐ SCA des Vignerons des Gorges de l'Ardèche, Chai d'Orgnac-l'Aven, quartier les Auches, 07150 Orgnac-l'Aven, tél. 04 75 54 51 34, coopbsa@wanadoo.fr, ☑ ⚐ ⵟ t.l.j. sf dim. 8h-12h 14h-18h

CAVE LABLACHÈRE Coteaux de l'Ardèche Viognier Trias cévenol 2012 ★

	40 000	▤	- de 5 €

La formation géologique du Trias cévenol s'étend en une large bande de collines orientées au sud, aux sols de grès siliceux. Elle donne son nom à cette marque de la vénérable coopérative de Lablachère, fondée en 1925. Le viognier y trouve un beau terrain d'expression ; il prend ici des tonalités de fruits à chair blanche (poire) et de fleurs blanches. Dans la continuité du nez, la bouche conjugue rondeur et vivacité, composant ainsi un vin équilibré. Parfait pour un apéritif aux accents maritimes.

⌐ Cave coop. Lablachère, La Vignole, 07230 Lablachère, tél. 04 75 36 65 37, fax 04 75 36 69 25, cave.lablachere@wanadoo.fr,

☑ ⚐ ⵟ t.l.j. sf dim. 8h30-12h 14h-18h15

LOUIS LATOUR Chardonnay Grand Ardèche 2011 ★★

	350 000	◫	8 à 11 €

Voici la version ardéchoise du chardonnay selon Louis Latour, négociant réputé de la Côte de Beaune, installé de longue date dans cette région (1979) et à l'origine de l'introduction de ce grand cépage bourguignon dans l'ampélographie locale. Ici, un 2011 vinifié et élevé en fût de chêne, qui prend logiquement des accents vanillés et grillés à l'olfaction, mais aussi de beurre frais et de fruits secs. Tout aussi boisée, avec la même élégance, la bouche se révèle ample, fraîche, dense et longue. Un ensemble des plus harmonieux, à déguster dans deux ans sur une poularde à la crème.

⌐ Louis Latour, La Téoule, RN 102, 07400 Alba-la-Romaine, tél. 04 75 52 45 66, fax 04 75 52 87 99, aberthon@louislatour.com,

☑ ⚐ ⵟ t.l.j. sf dim. 9h-12h 14h-18h

MAS DE BAGNOLS Coteaux de l'Ardèche Chardonnay 2012

	2 500	◫	5 à 8 €

Fermenté puis élevé en fût, ce 100 % chardonnay se présente dans une livrée jaune brillant, le nez empreint de senteurs florales, fruitées, grillées et vanillées. On retrouve ces sensations aromatiques dans un palais de bon volume, souple et fondu. À boire dans l'année à venir sur un poisson ou une sur volaille en sauce.

⌐ Pierre Mollier, Mas de Bagnols, 07110 Vinezac, tél. 04 75 36 51 99, fax 04 75 36 48 91, masdebagnols@orange.fr,

☑ ⚐ ⵟ t.l.j. sf dim. 9h-12h 14h-18h

Ⓑ LE MAS DE VINOBRE Coteaux de l'Ardèche Syrah 2011 ★

	2 500	◫	5 à 8 €

Ce vignoble familial de 20 ha est conduit depuis 2007 en biodynamie. Alexandre Mirabel en a sélectionné 1,5 ha pour élaborer ce 100 % syrah rouge sombre aux reflets violines, au nez intense de fruits rouges à l'alcool, de cassis, de réglisse et de violette. Un bouquet bien typé que prolonge un palais gras, généreux, aux tanins souples et fondus. Un vin harmonieux et bien représentatif du cépage, à boire ou à attendre deux ans.

⌐ Alexandre Mirabel, La Croix de Raspail, 07200 La-Chapelle-sous-Aubenas, tél. 04 75 93 11 31, fax 04 75 93 12 29, masdevinobre@yahoo.fr,

☑ ⚐ ⵟ t.l.j. sf dim. 8h-12h 14h-18h

MAS D'INTRAS Syrah Coteaux de l'Ardèche Cuvée La Souche 2011

	7 000	▤ ◫	5 à 8 €

Trentième millésime pour ce domaine familial, dans la famille Pradal depuis plus d'un siècle ; le trente-et-unième pourra afficher le logo AB. Ce 2011 est un vin de pure syrah joliment bouqueté autour des fruits noirs et du cacao. Le palais, suivant la même ligne aromatique, plaît par sa rondeur et sa souplesse. L'ensemble est équilibré et prêt à boire.

⌐ GAEC du Mas d'Intras, Denis Robert et Sébastien Pradal, Intras, 07400 Valvignères, tél. 04 75 52 75 36, contact@masdintras.fr,

☑ ⚐ ⵟ t.l.j. sf dim. 13h30-18h30 ⌂ Ⓑ

DOM. DE PEYRE BRUNE Coteaux de l'Ardèche Merlot cabernet Les Romarins 2011

	5 000	▤	5 à 8 €

L'étiquette dit tout, ou presque : merlot et cabernet, « l'alliance des cépages bordelais, la rondeur du merlot, la structure du cabernet... et quelques notes de garrigue ardéchoise ». Un joyeux mariage qui se confirme à la dégustation. Une robe rouge sombre, un bouquet chaleureux de fruits à l'alcool et d'épices, une bouche au diapason, généreuse, concentrée et bien charpentée. On peut déjà apprécier cette bouteille mais mieux vaut l'attendre un an, le temps que se fonde l'austérité perceptible en finale.

➤ Dom. de Peyre Brune, Pléoux, 07460 Beaulieu, tél. 04 75 39 29 01, contact@peyrebrune.com, ☑ 🖈 ⲑ r.-v. 🏛 🟢 🏠 🅔

DOM. VIGNE Coteaux de l'Ardèche La Treille d'or 2012 ★

| ■ | 4 500 | 🍾 | 8 à 11 € |

Il y a deux cents ans, Jean Vigne construit un mas au bord de l'Ibie, au sud de l'Ardèche. Sept générations plus tard, le domaine est toujours là, conduit par Bernard Vigne depuis 1985. Ce dernier a élaboré à partir du muscat à petits grains (75 %) et du viognier un moelleux de belle facture : nez intense, floral et fruité (agrumes, pêche, coing), palais suave, ample et long, égayé en finale par une amertume agréable. Un vin équilibré, à servir sur un foie gras ou sur un dessert aux fruits ou au chocolat.

➤ Dom. Vigne, vallée de l'Ibie, 07150 Lagorce, tél. et fax 04 75 37 19 00, bervigne@wanadoo.fr, ☑ 🖈 ⲑ t.l.j. sf dim. 9h-19h

VIGNERONS ARDÉCHOIS Syrah Terre de figuier 2012 ★★

| ■ | 35 000 | 🍾 | 5 à 8 € |

Déclinaison bicolore pour les Vignerons ardéchois. Le rosé tout d'abord : une couleur franche et soutenue, rouge cerise, des arômes généreux de sirop de cassis, un palais gras et velouté étayé par une juste vivacité. Pas de doute, nous sommes bien en présence d'un rosé de saignée, remarquable pour son équilibre et son caractère gourmand. Le **blanc 2011 Chardonnay Terre d'amandier (70 000 b.)** revêt une robe très pâle et dévoile de jolies notes de beurre, de toast et de noisette grillée, legs de son passage en fût. À l'unisson, le palais se révèle riche et long. Un vin harmonieux à servir sur un poulet à la crème et que l'on pourra terminer sur une tarte à la frangipane. Une étoile. Le **rosé Orélie 2012 (moins de 5 € ; 100 000 b.)**, issu de gamay, de syrah et de grenache, est cité pour son fruité intense et frais.

➤ Cave coop. intercommunale de Viviers, 100, chem. Cave, 07220 Viviers, tél. 04 75 39 98 00, fax 04 75 39 69 48, uvica@uvica.fr, ☑ ⲑ t.l.j. sf dim. 9h-12h 14h-18h; lun. 14h-18h

Collines rhodaniennes

DOM. DES COLLINES Syrah merlot Les Égrèves 2011 ★

| ■ | 8 500 | 🍾 | - de 5 € |

Un petit vignoble de 6,2 ha en conversion bio, où la vigne côtoie les abricotiers, les cerisiers et les céréales. Est-ce cela qui confère à ce vin son intensité aromatique ? De fait, c'est une « explosion fruitée » qui ouvre la dégustation, autour de notes de crème de cassis et de mûre. La bouche se révèle ronde, intense, soutenue par des tanins fermes. À boire ou à attendre deux ans.

➤ Christine Pochon, Le Village, 26260 Chavannes, tél. 06 70 56 52 05, christine.pochon@orange.fr, ☑ 🖈 ⲑ r.-v.

DOM. FAURY Syrah L'Art Zélé 2011

| ■ | | n.c. | 11 à 15 € |

La robe est très foncée, ornée de reflets violines. Le nez évoque les fruits noirs, les épices, les sous-bois et le cuir : « ça sent la syrah ! », s'exclame un dégustateur ; bien vu, ce seul cépage compose ce 2011 corsé. Un caractère bien trempé que l'on retrouve aussi dans une bouche ronde, épicée et animale, étayée par des tanins solides qui « serrent » le vin en finale. Une garde d'un an ou deux est recommandée pour plus de souplesse. Les viandes en sauce trouveront là un bon compagnon de table.

➤ Dom. Faury, 15, La Ribaudy, 42410 Chavanay, tél. 04 74 87 26 00, fax 04 74 87 05 01, contact@domaine-faury.fr, ☑ ⲑ r.-v.

GILLES FLACHER Clos des Littes 2011

| ■ | 8 000 | 🍶 | 11 à 15 € |

Gilles Flacher, par ailleurs producteur de saint-joseph et de condrieu, conduit depuis 1991 ce domaine ancien (1806), dont le vignoble couvre 8 ha. Syrah (90 %) et viognier composent cette cuvée d'un beau rouge profond, au nez boisé (café, grillé) et épicé. Sur la même ligne aromatique, agrémentée de fruits rouges, la bouche se révèle concentrée et bien structurée, avec une fine trame acide en soutien. Un ensemble équilibré mais encore à parfaire : prévoyez au moins deux ans de garde.

➤ EARL Flacher, 971, rue Principale, 07340 Charnas, tél. 04 75 34 09 97, earl-flacher@orange.fr, ☑ 🖈 ⲑ r.-v.

DOM. JEANNE GAILLARD Viognier 2012 ★

| ■ | | n.c. | 🍶 | 8 à 11 € |

Fille de Pierre Gaillard, bien connu pour ses vins de la vallée du Rhône nord, Jeanne Gaillard s'est installée en 2008 à la tête de son propre domaine. Elle commence à se faire un prénom avec ses vins de pays et ses vins d'appellation. Ici, un pur viognier au nez puissant d'abricot mûr, de pêche, de miel et de violette. Une complexité et une intensité que prolonge une bouche ample, ronde, généreuse et boisée. Une cuvée de caractère à boire dès aujourd'hui ou à attendre deux ans. Elle sera servie sur une viande blanche en sauce.

➤ Dom. Jeanne Gaillard, Le Bourg, 42520 Malleval, tél. 06 79 77 81 64, fax 04 74 87 17 66, domainejeannegaillard@gmail.com, ☑ 🖈 ⲑ r.-v.

STÉPHANE MONTEZ Le Petit Viognier 2011 ★

| ■ | 10 000 | 🍶 | 11 à 15 € |

Le domaine de Stéphane Montez, bien connu pour ses condrieu, côtes-rôtie et saint-joseph, est établi à 320 m. d'altitude. Le viognier, planté sur des parcelles limitrophes de celles de l'appellation condrieu, trouve là ces hauteurs les conditions d'une expression pleine et entière. Élevée sept mois en demi-muids, cette cuvée délivre des parfums généreux et complexes de viennoiserie et d'agrumes, et séduit en bouche par sa rondeur avenante, stimulée par une juste fraîcheur. Pour un poisson en sauce : une lotte au curry, conseille le vigneron.

➤ Stéphane Montez, Dom. du Monteillet, 42410 Chavanay, tél. 04 74 87 24 57, fax 04 74 87 06 89, stephanemontez@aol.com, ☑ 🖈 ⲑ t.l.j. sf dim. 8h30-12h 14h-18h30 🏠 🅑

DOM. GEORGES VERNAY Syrah Fleurs de mai 2011

■   n.c.   ⬗   11 à 15 €

Plus connu pour ses vins d'appellation de la vallée du Rhône nord, ce domaine signe ici un vin 100 % syrah qui porte beau dans sa robe rouge profond. Le nez mêle un boisé fin aux tonalités vanillées à des senteurs bien typées de violette et d'épices. La bouche, à l'unisson, séduit par sa fraîcheur, sa longueur et sa structure tannique fine et fondue. À boire dès aujourd'hui sur une viande rouge grillée.

☛ Dom. Georges Vernay, 1, RN 86, 69420 Condrieu, tél. 04 74 56 81 81, fax 04 74 56 60 98, pa@georges-vernay.fr, ☑ ⏄ r.-v.

FRANÇOIS VILLARD Syrah Seul en scène 2010 ★

■   n.c.   20 à 30 €

Un one man show de la syrah orchestré par les mains expertes de François Villard, réputé pour ses vins de la vallée du Rhône nord. Une entrée en scène sans fausse note, dans une robe sombre, le nez empreint de senteurs de fruits noirs compotés et d'épices. La bouche, au diapason, se montre ample, concentrée, ronde et charnue, adossée à des tanins bien fondus. Le rideau se baisse après un long finale aux accents fruités et épicés. À déguster dans les deux ans à venir, sur une viande rouge en sauce.

☛ François Villard, 330, rte du Réseau-Ange, 42410 Saint-Michel-sur-Rhône, tél. 04 74 56 83 60, fax 04 74 56 87 78, vinsvillard@wanadoo.fr, ☑ ⏄ r.-v.

Coteaux des Baronnies

Ⓑ DOM. DU RIEU FRAIS Viognier 2012 ★

■   12 000   ▮⬗   5 à 8 €

Ce domaine a été façonné par Jean-Yves Liotaud à partir de 1983 et d'une ancienne propriété familiale : création du vignoble, construction des chais et de la cave de vieillissement, tout était à faire. En trente ans, ce producteur est devenu l'une des valeur sûre de cette IGP. Sur ce terroir d'altitude (450 à 600 m), le viognier trouve un beau terrain d'expression, comme le prouve cette cuvée qui porte beau dans sa robe jaune paille. Le cépage s'affirme sans réserve dès le premier coup de nez : abricot, pêche, fruits exotiques, fleurs blanches ; nous sommes en terrain connu. Le palais reste dans le même ton aromatique, se montrant gras, rond et soyeux. Un vin fin, caressant et bien typé, à déguster au cours des prochaines années sur un foie gras, un poisson en sauce ou pour lui-même, à l'apéritif.

☛ Dom. du Rieu Frais, 26110 Sainte-Jalle, tél. 04 75 27 31 54, fax 04 75 27 34 47, jean-yves.liotaud@wanadoo.fr, ☑ ⚷ ⏄ t.l.j. 9h-12h 14h-18h; f. dim. nov.-fév.

Drôme

LES VIGNERONS DE VALLÉON Chardonnay Viognier 2012

■   16 000   ▮   - de 5 €

Ballotage favorable pour le chardonnay (60 %) dans cette cuvée de la coopérative de Saint-Pantaléon-les-Vignes. Le résultat est un vin simple mais plaisant, fruité de bout en bout, au nez comme en bouche, de bonne

longueur, frais et pimpant. Tout indiqué pour un poisson délicat.

☛ Cave de Saint-Pantaléon-les-Vignes, 1, rte de Nyons, 26770 Saint-Pantaléon-les-Vignes, tél. 04 75 27 90 44, fax 04 75 27 96 43, sca@cave-st-pantaleon.com, ☑ ⏄ t.l.j. 9h-12h 14h-18h

Isère

DOM. FINOT Coteaux du Grésivaudan Verdesse Vendange surmûrie 2011 ★★

■   1 200   ⬗   8 à 11 €

Créé en 2008, ce petit domaine de 5 ha en cours de conversion bio et biodynamique fait une entrée remarquée dans le Guide avec cette cuvée confidentielle et originale, née du cépage verdesse, une variété autochtone de l'Isère, ici vendangée en surmaturité. Cela donne un vin au bouquet de fruits secs et de vanille, charnu, ample, riche et long en bouche, le tout accompagné d'une petite note oxydative qui lui donne un surcroît de complexité. Recommandé par le vigneron sur un poulet aux agrumes. Le **Pinot noir 2011 (6 000 b.)**, fruité (cassis), épicé et chocolaté (dix mois de fût) à l'olfaction, chaleureux (notes de kirsch), ample et bien charpenté en bouche, obtient une étoile. Quant au **persan 2010 (15 à 20 € ; 1 000 b.)**, lui aussi né d'un cépage rouge traditionnel de la vallée de l'Isère, il est cité pour ses tanins fins et soyeux et pour son agréable fraîcheur.

Nᴏᴜᴠᴇᴀᴜ ᴘʀᴏᴅᴜᴄᴛᴇᴜʀ

☛ Dom. Finot, 124, RN 1 090, Cidex 5, 38190 Bernin, tél. 06 84 95 21 44, finot.thomas@gmail.com, ☑ ⚷ ⏄ r.-v.

DOM. NICOLAS GONIN Balmes dauphinoises Persan 2012

■   2 400   11 à 15 €

Un petit domaine de 4,5 ha créé récemment (2005), ex nihilo, par Nicolas Gorin, qui a privilégié un encépagement autochtone, ce qui nous vaut ce 2012 issu de jeunes ceps de persan (huit ans). Un vin rouge intense, au nez généreux de confiture de cerises et de framboises, prolongé par une bouche soyeuse en attaque, plus vive dans son développement et bien structurée. À boire dans les deux ans à venir sur une viande goûteuse.

☛ Nicolas Gonin, 945, rte des Vignes, 38890 Saint-Chef, tél. 04 74 18 74 81, nicogonin@wanadoo.fr, ☑ r.-v.

Régions de l'Est

On trouvera ici des vins originaux, issus de vignobles décimés par le phylloxéra mais qui eurent leur heure de gloire, bénéficiant du voisinage prestigieux de la Bourgogne ou de la Champagne. Ce sont d'ailleurs les cépages de ces régions que l'on retrouve, avec ceux de l'Alsace ou du Jura, vinifiés le plus souvent individuellement ; les vins ont alors le caractère de leur cépage : auxerrois, chardonnay, pinot noir, gamay ou pinot gris.

Coteaux de l'Auxois

COTEAUX DE VILLAINES-LES-PRÉVÔTES ET VISERNY
Cuvée Prestige de la Cabote 2011 ★

| | 4 980 | 🔳 ❶ | 5 à 8 € |

C'est en 1991 qu'une bande d'amis faisait renaître ce vignoble établi au nord-ouest de la Côte d'Or : 10 ha de vignes conduites en lyre sur les villages de Villaines-les-Prévôtes et Viserny. À la tête du domaine depuis 1996, Jérôme Massé, fils de viticulteur ayant « bourlingué » dans différentes régions. Il signe ici un blanc issu de chardonnay, paré d'une robe dense couleur jaune paille. Le nez, complexe, mêle les agrumes, les fruits secs et les fleurs blanches sur un fond boisé. Franche en attaque, la bouche dévoile une texture délicate et s'appuie jusqu'en finale sur une fraîcheur minérale qui lui confère un côté droit et net. Un vin bien équilibré, à servir dans l'année sur un poisson en sauce. La cuvée **Chardonnay 2011 (7 500 b.)**, vive, fruitée (fruits exotiques et agrumes) et un peu... sauvignonnée (buis) est citée.

📌 SA des Coteaux de Villaines-Les-Prévôtes et Viserny, 1, rue Amont, 21500 Villaines-les-Prévôtes, tél. et fax 03 80 96 71 95, vins.villainesviserny@wanadoo.fr, ☑ ⚒ ⏍ t.l.j. sf dim. 14h-18h; sam. 10h-12h (14h-18h en jui.-août)

VIGNOBLE DE FLAVIGNY-ALÉSIA Pinot noir
L'Harmonie 2011 ★

| | 3 240 | ❶ | 8 à 11 € |

Ida Nel œuvre depuis 1994 à la réhabilitation de l'ancien vignoble de l'Auxois, avec quelques autres vignerons. Elle signe régulièrement de belles cuvées dont les noms s'inspirent du caractère de chaque cépage. Ici, l'harmonie du pinot noir. De fait, ce 2011 a été salué pour son équilibre. Au nez, les fruits rouges (cerise, fraise) s'associent à de fines nuances épicées. Il en va de même en bouche, où les tanins, bien présents, sont accompagnés par un boisé discret et par une bonne fraîcheur qui allonge la finale. À boire dans les deux ans à venir, sur une volaille ou un sauté de veau.

📌 SCEA Vignoble de Flavigny-Alésia, Pont-Laizan, 21150 Flavigny-sur-Ozerain, tél. 03 80 96 25 63, fax 03 80 96 25 83, vignoble-de-flavigny@wanadoo.fr, ☑ ⚒ ⏍ t.l.j. 10h-12h 14h-18h en hiver; 10h-19h en été
📌 Ida Nel

Coteaux de Coiffy

LES COTEAUX DE COIFFY Pinot gris 2012

| | 6 000 | 🔳 | - de 5 € |

La particularité de ce domaine de 15 ha : les vignes sont plantées en lyre. Ce pinot gris s'affiche dans une robe œil-de-perdrix et dévoile un bouquet discret mais plaisant de pêche, de poire et de fruits exotiques. Suivant la même ligne aromatique, la bouche se révèle franche et fraîche, soutenue jusqu'en finale par une fine minéralité. Un vin équilibré, à servir sur un poisson grillé. L'**auxerrois 2012 (8 000 b.)**, dans un style plus riche et chaleureux, est également cité.

📌 SCEA Les Coteaux de Coiffy, 6, rue des Bourgeois, 52400 Coiffy-le-Haut, tél. et fax 03 25 84 80 12, renaultlaurent@aol.com,
☑ ⚒ ⏍ t.l.j. 11h-12h 14h30-17h30; f. dim. en jan.-fév.
📌 Laurent Renaut

FLORENCE PELLETIER Pinot noir Atout Cœur 2011

| | 5 828 | 🔳 | - de 5 € |

Florence Pelletier signe un pinot noir de belle facture, « un vin de copains », comme le qualifie un juré, et ce n'est pas un défaut. Comprenez un vin joliment fruité, souple et frais, structuré avec mesure et de bonne longueur. Parfait pour une assiette de charcuteries.

📌 Florence Pelletier, 3, rue des Bourgeois, 52400 Coiffy-le-Haut, tél. 03 25 90 21 12, caves-de-coiffy@wanadoo.fr, ☑ ⚒ ⏍ t.l.j. 15h-18h 🏠 ❷

Côtes de Meuse

DOM. DE COUSTILLE Auxerrois 2012 ★

| | 5 000 | 🔳 | - de 5 € |

Jean Philippe signe un auxerrois très élégant dans sa robe jaune clair et brillante. D'abord sur la réserve, le nez s'ouvre à l'aération sur les fruits exotiques. Le palais, doux, rond et gras, évoque quant à lui les agrumes, arômes qui lui apportent fraîcheur et équilibre. Une étoile également pour le **gris 2012 (3 500 b.)**, fruité de bout en bout et bien typé.

📌 SCEA de Coustille, 23, Grande-Rue, 55300 Buxerulles, tél. 03 29 89 33 81, fax 03 29 90 01 88, jean.philippe55@orange.fr, ☑ ⚒ ⏍ r.-v.
📌 Jean Philippe

DOM. DE LA GOULOTTE 2012 ★

| | 2 700 | 🔳 | - de 5 € |

Né de ceps d'auxerrois de vingt ans, ce 2012 revêt une robe limpide ornée de reflets verts. Le nez, franc et expressif, évoque les agrumes. Dans une belle continuité, le palais agrémenté de nuances exotiques, séduit par sa vivacité et s'achève sur de jolis amers qui apportent un surcroît de complexité.

📌 Dom. de la Goulotte, chez Philippe et Évelyne Antoine, 6, rue de l'Église, 55210 Saint-Maurice-sous-les-Côtes, tél. 03 29 89 38 31, fax 03 29 90 01 80, domainedelagoulotte@orange.fr, ☑ ⚒ ⏍ r.-v.

DOM. DE MONTGRIGNON Pinot noir Vieilles Vignes
Élevé en fût de chêne 2011

| | 1 800 | ❶ | 5 à 8 € |

Issu des plus vieilles vignes du domaine (trente-sept ans), ce pinot noir se présente dans une robe rouge intense et dévoile un nez agréable de fruits rouges agrémenté d'un boisé léger. Le palais poursuit sur les mêmes sensations fruitées, une touche d'amertume venant vivifier la finale. Le **blanc 2012 Pinot gris auxerrois (moins de 5 € ; 4 000 b.)**, floral, rond et frais, est également cité.

📌 Dom. de Montgrignon, 9, rue des Vignes, 55210 Billy-sous-les-Côtes, tél. 03 29 89 58 02, fax 03 29 90 01 04, info@domaine-montgrignon.com, ☑ ⏍ r.-v.

VDP/IGP

♥ DOM. DE MUZY Pinot noir 2011 ★★

| ■ | 10 000 | ⅲ | 5 à 8 € |

Pinot-Noir
2011

Domaine de Muzy

« La » référence des Côtes de Meuse, qui ajoute un coup de cœur à un palmarès déjà très impressionnant. Jean-Marc Lienard, désormais épaulé par ses enfants, a engagé la conversion bio de son vignoble (dernière année) : 9,4 ha, dont 2,5 ha dédiés à cette cuvée de pinot noir élevée douze mois en barrique. La robe est d'un élégant rubis scintillant. Le nez, intense et subtil, mêle harmonieusement nuances vanillées et fruits rouges. La bouche offre beaucoup de matière, de gras et de longueur, bâtie sur des tanins fins et soyeux et sur un boisé parfaitement fondu. Un vin remarquablement équilibré, que l'on pourra apprécier dès l'automne comme attendre un an ou deux. Le **rosé 2012 Terre Amoureuse (moins de 5 € ; 9 330 b.)**, d'un seyant rose saumoné, fruité (groseille, fraise) et frais, obtient une étoile. Le **blanc 2012 auxerrois Les Marpaux Vieilles Vignes (3 330 b.)**, franc, tonique et finement bouqueté autour des agrumes, est cité.

☛ Jean-Marc Lienard, 3, rue de Muzy, 55160 Combres-sous-les-Côtes, tél. 03 29 87 37 81, info@domainedemuzy.fr, ☑ ⚒ ⏻ r.-v.

Franche-Comté

DOM. D'ESPRITS Vin de liqueur Marcellin 2011 ★

| ■ | 1 000 | ⅲ | 15 à 20 € |

Né de ceps de chardonnay de quarante ans, ce 2011 liquoreux se pare d'une robe jaune d'or très dense. Il dévoile un bouquet complexe et généreux de fruits confits, de fruits secs et de fleurs séchées – « des airs de macvin », précise un dégustateur. Quant à la bouche, elle se montre puissante, très riche et chaleureuse, vivifiée par une pointe de fraîcheur en finale. Un vin qualifié d'atypique, à servir sur un poulet au vin jaune ou une tarte aux abricots.

☛ Dom. d'Esprits, 41, Grande-Rue, 25440 Buffard, tél. et fax 03 81 57 54 08, domainedesprits@orange.fr, ☑ ⚒ ⏻ r.-v. 🏠 ❷

VIGNOBLE GUILLAUME Pinot noir Vieilles Vignes 2011 ★★

| ■ | 28 700 | ⅲ | 8 à 11 € |

La famille Guillaume cultive la vigne depuis le XVIIIᵉs. sur les terres de Charcenne. Un long passé viticole, complété à la fin du XIXᵉs. par une activité de pépiniériste viticole. Autant dire que le domaine dispose d'un matériau de premier choix pour élaborer ses cuvées. Des cuvées qui brillent avec une constance absolument remarquable, témoins les multiples coups de cœur obtenus au fil des éditions. Ici, de vieilles vignes (trente-trois ans de moyenne d'âge) sont à l'origine de ce 2011 de haute volée, qui frôle le coup de cœur. Ses arguments : une somptueuse robe grenat foncé ; un bouquet non moins intense de fruits rouges, d'épices (clou de girofle, cannelle) et de toasté ; une bouche ample, riche, généreuse, « explosive », sur le fruit et les épices, très longue. « Digne d'une AOC », conclut un dégustateur, qui conseille de lui réserver un mets de choix : un tournedos Rossini par exemple. Deux étoiles également pour le **blanc 2011 Chardonnay Vieilles Vignes (10 500 b.)**, salué pour son bouquet fin de brioche, de beurre frais, de fruits secs et de fruits exotiques, et pour son équilibre admirable entre boisé et fruité, entre gras et vivacité. Une étoile enfin pour le **blanc 2011 chardonnay Collection réservée (15 à 20 € ; 5 500 b.)**, long et d'un beau volume, fruité et boisé avec justesse.

☛ Vignoble Guillaume, 32, Grande-Rue, 70700 Charcenne, tél. 03 84 32 77 22, fax 03 84 32 84 06, vignoble@guillaume.fr, ☑ ⚒ ⏻ t.l.j. sf dim. 9h-12h 14h-18h

Haute-Marne

LE MUID MONTSAUGEONNAIS Pinot noir Élevé en fût de chêne 2011 ★

| ■ | 18 000 | ⅲ | 5 à 8 € |

Après un long sommeil dû à la crise phylloxérique de la fin du XIXᵉs., le vignoble de la Haute-Marne, autrefois dynamique sous l'impulsion de l'évêché de Langres, renaît de ses cendres depuis la fin des années 1980 et grâce à l'action d'une poignée d'hommes du terroir. Le Guide s'est fait le témoin de cette renaissance, et les vins du Muid Montsaugeonnais fréquentent avec assiduité ces colonnes. Ici, un pinot noir au nez très... pinot : cerise et autres fruits rouges, quelques nuances épicées, le tout sur un fond boisé toasté qui laisse parler le raisin. En bouche, une structure ferme, du volume, de la fraîcheur et une belle longueur. Un vin complet et bien construit, à déguster dans les deux ans à venir sur une viande rouge grillée.

☛ Le Muid Montsaugeonnais, 23, av. de Bourgogne, 52190 Vaux-sous-Aubigny, tél. et fax 03 25 90 04 65, muidmontsaugeonnais@orange.fr, ☑ ⚒ ⏻ mer. sam. 9h-12h ; ven. 14h-18h

LE LUXEMBOURG

MOSELLE LUXEMBOURGEOISE
GRAND 1ER CRU RIESLING
CRÉMANT-DU-LUXEMBOURG
PINOT GRIS AUXERROIS
GEWURZTRAMINER
PINOT BLANC VENDANGE TARDIVE
VIN DE GLACE VIN DE PAILLE

LES VINS DU LUXEMBOURG

Superficie
1 287 ha
Production
132 000 hl
Types de vins
Blancs secs et moelleux ultramajoritaires (vendanges tardives, vins de glace, vins de paille) ; vins effervescents (crémant-de-Luxembourg) ; rouges et rosés.
Cépages principaux
Rouges : pinot noir (parfois vinifié en blanc).
Blancs : auxerrois, riesling, pinot blanc, rivaner, elbling, pinot gris, gewurztraminer, chardonnay.

Petit État prospère au cœur de l'Union européenne, situé à la charnière des mondes germanique et latin, le Grand-Duché de Luxembourg est un pays viticole à part entière. La consommation de vin par habitant y est proche de celle que l'on observe en France et en Italie. Le vignoble s'inscrit le long du cours sinueux de la Moselle, dont les coteaux portent des ceps depuis l'Antiquité. Longtemps pourvoyeur de vins ordinaires, le Grand-Duché s'est orienté depuis les années 1930 vers une politique de qualité. La production vinicole du Grand-Duché est confidentielle, à la mesure de sa modeste superficie. Essentiellement des vins blancs, vifs et aromatiques.

Dès l'Antiquité On sait l'importance que prit le vignoble mosellan au IVᵉ s., lorsque Trèves – très proche de la frontière actuelle du Grand-Duché de Luxembourg – devint résidence impériale et l'une des quatre capitales de l'Empire romain. Aujourd'hui, sur 42 km, de Schengen à Wasserbillig, les coteaux de la rive gauche de la Moselle forment un cordon continu de vignobles, autour des cantons de Remich et de Grevenmacher. Orientés au sud et au sud-est, ceux-ci bénéficient de l'effet bienfaisant des eaux du fleuve, qui estompent les courants d'air froid venant du nord et de l'est, et modèrent l'ardeur du soleil de l'été. En raison de leur latitude septentrionale (49 degrés de latitude N), ils produisent presque exclusivement des vins blancs. Près de 26 % d'entre eux proviennent du cépage rivaner (ou muller-thurgau). L'elbling, cépage typique du Luxembourg (8 % de la surface viticole), donne un vin léger et rafraîchissant. Les vins les plus recherchés proviennent des cépages auxerrois, riesling, pinot blanc, chardonnay, pinot gris, pinot noir et gewurztraminer.

Une stricte politique de qualité Créée en 1935, la marque nationale des vins de la Moselle luxembourgeoise a pour objet d'encourager la qualité et de permettre au consommateur de réaliser ses choix sous la garantie officielle de l'État. En 1985 est apparue l'appellation contrôlée moselle luxembourgeoise et en 1991, le crémant-de-luxembourg. Il existe aussi une hiérarchie des vins (marque nationale, appellation contrôlée, vin classé, premier cru, grand premier cru). L'originalité du classement des vins, en fonction de leur notation lors de chaque agrément, mérite d'être soulignée : les vins qui ont obtenu entre 18 et 20 points sont qualifiés de grand premier cru, entre 16 et 17,9 de premier cru, entre 14 et 15,9 de vin classé, entre 12 et 13,9 de vin de qualité sans mention particulière et en dessous de 12 points de simple vin de table. Depuis 2001, les viticulteurs peuvent produire des vins de vendanges tardives, des vins de glace et des vins de paille.

Les vins sont produits par des viticulteurs coopérateurs (60,6 % de la production), par des vignerons indépendants (25,6 %) et par des négociants (13,8 %). Remich est le siège d'un centre de recherches et de l'organisation officielle de la viticulture.

Moselle luxembourgeoise

BERNA Ahn Palmberg Riesling 2012 ★★★

Gd 1er cru	4 000	8 à 11 €

Déjà trois étoiles avec son 2011, ce grand 1ᵉʳ cru confirme sa place de valeur sûre des Caves Berna. Dorée aux reflets verts, la robe est séduisante. Le bouquet élégant mêle subtilement notes de pamplemousse rose et de coing. L'attaque est franche, la bouche est parfaitement équilibrée entre la douceur des fruits mûrs (abricot, ananas) et la fraîcheur des agrumes. Un riesling classique d'une finesse et d'une harmonie parfaites. Un dégustateur le verrait bien sur un délice de sandre... au riesling.

☎ Caves Berna, 7, rue de la Résistance, 5401 Ahn, tél. 76 02 08, fax 76 93 28, info@cavesberna.lu, ✉ ☂ r.-v.

BERNARD-MASSARD Côtes de Grevenmacher
Riesling 2011 ★

Gd 1er cru	10 000	■	8 à 11 €

Régulièrement distingué dans le Guide, cette maison de négoce créée en 1921 voit cette année son riesling figurer en bonne position. De la robe jaune pâle aux reflets verts au bouquet intense d'agrumes et de fruits jaunes, sans oublier la bouche fraîche, qui s'appuie sur des notes minérales, tout séduit dans ce vin tonique et intense. À découvrir dès la sortie du Guide sur une assiette de friture de Moselle ou sur un brochet.
🍷 SA Caves Bernard-Massard, 8, rue du Pont, 6773 Grevenmacher, tél. 75 05 451, fax 75 06 06, info@bernard-massard.lu, 🅥 🕏 🍴 t.l.j. 9h-18h; f. nov.-mars

CEP D'OR Riesling Stadtbredimus Fels Signature 2012 ★

Gd 1er cru	2 600	■	8 à 11 €

Les origines de ce domaine remontent au XVIIIᵉ s. quand les Vesque s'installèrent à Stadtbredimus comme métayers du château. Depuis 2005, Jean-Marie Vesque est à la tête de la propriété. Il propose ici un riesling très réussi, d'un beau jaune brillant, au bouquet intense de fruits jaunes mâtiné de notes minérales. Ample et riche, la bouche allie la douceur (touches de miel) et la fraîcheur (pointe d'agrumes) ; l'équilibre est là. Déjà prête, cette bouteille pourra de réplique à un mets de caractère : une sole ou un turbot, par exemple.
🍷 Dom. viticole Cep D'or, 15, rte du Vin, 5429 Hëttermillen, tél. 76 83 83, fax 76 91 91, info@cepdor.lu, 🅥 🕏 🍴 t.l.j. 10h-19h; sam. dim. 15h-19h
🍷 Famille Vesque

DOM. CLOS DES ROCHERS Riesling
Ahn Palmberg 2012 ★★

	2 600	■	15 à 20 €

Propriété de la famille Clasen, ce domaine de 18 ha est une valeur sûre du Guide. Il propose un riesling qui a fière allure dans sa robe cristalline aux reflets dorés. Le nez, complexe, marie poire, nectarine, citron et notes minérales. Le palais est bien équilibré entre rondeur et fraîcheur. Une cuvée d'une grande finesse, à découvrir d'ici un an sur des écrevisses à la luxembourgeoise.
🍷 SARL Dom. Clos des Rochers, 8, rue du Pont, 6773 Grevenmacher, info@clos-des-rochers.lu, 🅥 🕏 🍴 t.l.j. 9h-18h; f. nov.-mars

DESOM Stadtbredimus Dieffert Pinot gris 2012 ★★★

Gd 1er cru	4 000	■	5 à 8 €

Réputée pour ses effervescents et ses vins tranquilles, cette maison de négoce fait cette année une belle vendange d'étoiles. Pour ce pinot gris exceptionnel, elle a consacré 30 ares des 40 ha de son vignoble. Intense tout au long de la dégustation, cette cuvée jaune d'or dévoile une belle palette aromatique sur les fruits (abricot, coing, citron). D'une grande harmonie, la bouche bien structurée charme par sa fraîcheur et sa longueur. Une bouteille qui s'accordera avec de nombreux mets, de l'apéritif au dessert : volaille, poisson en sauce, cuisine exotique... Le **Remich Primerberg pinot gris grand 1ᵉʳ cru 2012 (8 000 b.)** charme par son nez plaisant d'amande douce et de fruits du verger, et par son palais d'une belle vivacité ; de même que le **Wellenstein Foulschette pinot gris grand 1ᵉʳ cru 2012 (4 000 b.)** pour ses notes fruitées, fumées et poivrées, et son bel équilibre. Ils reçoivent une étoile chacun.

🍷 Caves St. Remy-Desom, 9, rue Dicks, 5521 Remich, tél. 23 60 40, fax 23 69 93 47, desom@pt.lu, 🅥 🕏 🍴 r.-v.

♥ MME ALY DUHR ET FILS Domaine et Tradition
Riesling Ahn Palmberg 2011 ★★★

	3 700	■	11 à 15 €

MME ALY DUHR ET FILS
Riesling 2011
Ahn Palmberg

Créé en 1872 par la famille Duhr, ce domaine de 11 ha est une nouvelle fois fidèle au rendez-vous du Guide et propose un riesling au grand pouvoir de séduction. La robe jaune doré retient l'attention, tout comme le nez intense de fruits exotiques et de fleurs blanches. Ample et riche, la bouche, superbe, équilibrée par une juste vivacité, impressionne par sa longueur. On verrait bien ce vin de gastronomie accompagner une choucroute ou poisson.
🍷 Mme Aly Duhr et Fils, 9, rue Aly-Duhr, 5401 Ahn, tél. 76 00 43, fax 76 05 70, ben@alyduhr.lu, 🅥 🍴 r.-v.

DOM. GALES Domaine et Tradition Pinot gris 2012 ★★★

	4 000	■	11 à 15 €

Vignerons et négociants à Remich depuis 1916, les Gales proposent un pinot gris qui conjugue harmonieusement la douceur des fruits exotiques et la vivacité des notes minérales. À l'unisson, la bouche charnue est parfaitement équilibrée. D'une longueur admirable, ce 2012 très élégant sera digne d'un foie gras poêlé, aujourd'hui comme dans trois ans.
🍷 SA Caves Gales, 6, rue de la Gare, 5690 Ellange-Gare, tél. 23 69 90 93, fax 23 69 94 34, info@gales.lu, 🅥 🕏 🍴 t.l.j. dsf lun. 10h-12h 13h-17h30; f. nov.-mars

DOM. ALICE HARTMANN Pinot noir
Sélection du château 2011 ★★

■	n.c.	⦿	20 à 30 €

Un vignoble escarpé au bord de la Moselle est à l'origine de cette remarquable Sélection du château d'une belle couleur rouge cerise aux reflets lumineux. Le bouquet intense de fruits rouges (cerise, fraise) s'accompagne de notes vanillées (souvenir de l'élevage en fût) qui affleurent aussi dans un palais rond et harmonieux, soutenu par des tanins soyeux. Ce vin d'une belle longueur est déjà prêt à boire. Pourquoi pas avec un suprême de pintade sauce au pinot noir ? Le **Wormeldange Koeppchen Riesling Les Terrasses 2011 (15 à 20 €)** est très réussi. Racé et très expressif, sur des notes de fruits exotiques, d'épices et de fleurs, il s'impose par sa maturité. Cité, le **Wormeldange Koeppchen Riesling Sélection du château 2011 (15 à 20 €)** est un vin de gastronomie plaisant par sa fraîcheur et son bouquet de fruits jaunes.
🍷 Dom. Alice Hartmann, 72-74, rue Principale, 5480 Wormeldange, tél. 76 00 02, fax 76 04 60, domaine@alice-hartmann.lu, 🅥 🍴 r.-v.

DOM. VITICOLE KOHLL-LEUCK Wousselt Riesling 2012 ★★

Gd 1er cru	6 000	▮	8 à 11 €

La quatrième génération est désormais à la tête de ce domaine régulièrement distingué dans le Guide. Luc Kohll et son beau-frère Claude Scheuren proposent un remarquable riesling né sur un terroir calcaire. Ce 2012 teinté d'or paille tirant sur le vert offre un superbe bouquet de fleurs blanches, de citron et de bonbon anglais. Sur les mêmes arômes, l'attaque en bouche est intense, avec une pointe de vivacité. La longue finale laisse le dégustateur sur d'agréables évocations de fruit et de pierre à fusil. Ce vin, une belle expression du terroir, pourra attendre quelques années avant d'être servi sur un jambon braisé luxembourgeois.

☛ Dom. Kohll-Leuck, 4, an der Borreg, 5419 Ehnen, tél. 76 02 42, fax 76 90 40, domaine@kohll.lu, ☑ ⚥ ⵏ r.-v.

DOM. VITICOLE LAURENT & RITA KOX Remich Primerberg Riesling 2012

Gd 1er cru	4 000	▮	8 à 11 €

Plus souvent remarqués pour leurs pinots gris, Laurent et Rita Kox, vignerons depuis 1985 sur la commune de Remich, signent un riesling séduisant dans sa robe or pâle. Le nez élégant évoque les fruits mûrs (abricot, mangue), prélude à une bouche franche et ample qui s'enrichit de notes d'agrumes. Du volume, de la vivacité : cette bouteille déjà fort aimable exprimera tout son potentiel dans deux ans sur une salade de mer.

☛ Laurent & Rita Kox, 6A, rue des Prés, 5561 Remich, tél. 23 69 84 94, fax 23 69 81 01, kox@pt.lu, ☑ ⚥ ⵏ r.-v.

♥ KRIER-BISENIUS Kolteschberg Pinot blanc 2012 ★★★

Gd 1er cru	2 000	▮	8 à 11 €

Ce tout petit domaine familial consacre 30 ares à cette cuvée de pinot blanc admirable. La parure jaune pâle est animée de reflets verts. Au nez, les fruits exotiques (ananas) se marient à la poire et aux agrumes (pamplemousse). La bouche, bien structurée, se montre vive et parfaitement équilibrée. Une cuvée harmonieuse à découvrir en 2014, idéale pour accompagner un repas asiatique.

☛ Dom. viticole Krier-Bisenius, 91, rte du Vin, 5405 Bech-Kleinmacher, tél. 23 66 92 06, krierjp@pt.lu, ☑ ⚥ ⵏ r.-v.

KRIER FRÈRES Riesling Suprême 2012 ★★

Gd 1er cru	1 400	▮	8 à 11 €

Vignerons et négociants de père en fils, la famille Krier voit deux de ses cuvées sélectionnées. Ce riesling d'une grande finesse séduit d'emblée par ses notes fraîches, minérales et mentholées. Soyeuse et fruitée, sur le citron confit, la bouche voluptueuse révèle une pointe de noble amertume en finale. Parfait pour accompagner des huîtres chaudes. Le **Dom. privé de la maison Pinot gris Grand 1er cru 2012** (7 000 b.) est cité. Un vin équilibré entre la vivacité des notes iodées et minérales et la rondeur des fruits (pêche, fruits rouges mûrs).

☛ Caves Krier Frères, Remich SA, 1, montée Saint-Urbain, 5501 Remich, tél. 23 69 601, fax 23 69 60 70, caves@krierfreres.lu, ☑ ⚥ ⵏ r.-v.

CAVES LEGILL Coteaux de Schengen Sélection Pinot gris 2012 ★★★

Gd 1er cru	700	▮	8 à 11 €

Ce pinot gris confidentiel est né sur le terroir argilo-calcaire de Markusberg. Le résultat ? Une parure scintillante jaune clair aux légers reflets verts ; un nez frais et intense sur la granny smith, l'ananas et les fleurs blanches, une bouche superbe, vive et structurée qui s'étire longuement sur le fruit. À réserver pour des fruits de mer. Le **Coteaux de Schengen Riesling 2012** (1 400 b.) est cité pour ses notes de fruits (pêche, nectarine, cassis) et sa bonne structure.

☛ Caves Legill, 27, rte du Vin, 5445 Schengen, tél. 23 66 40 38, fax 23 60 90 97, plegill@pt.lu, ☑ ⚥ ⵏ r.-v.

DOM. JEAN LINDEN-HEINISCH Ehnerberg Pinot gris 2012 ★★

Gd 1er cru	3 500	▮	5 à 8 €

Ehnen est un joli village viticole qui mérite le détour. Jean Linden-Heinisch, valeur sûre de l'appellation, y possède 8,3 ha. Pour élaborer cette cuvée remarquable, il a sélectionné 60 ares de pinot gris. Robe profonde aux reflets verts, nez intense de mirabelle et de bonbon anglais, palais gras et harmonieux, soutenu par des notes acidulées qui apportent de la vivacité. L'ensemble est très bien fait dans un style frais, idéal pour accompagner un plat exotique.

☛ Dom. viticole Jean Linden-Heinisch, 8, rue Isidore-Comes, 5417 Ehnen, tél. 76 06 61

♥ CAVES SAINT-MARTIN Charta Schengen Prestige Pinot gris 2012 ★★★

	750	▮	15 à 20 €

Les caves Saint-Martin, fondées en 1919, possèdent de vastes galeries souterraines. Un site idéal pour élaborer du crémant, mais la maison propose aussi des vins tranquilles de grande qualité, comme cette superbe expression du pinot gris, d'un or étincelant. Ce 2012, issu de raisins bien mûrs, dévoile d'intenses arômes d'abricot et d'agrumes alliés à des notes fumées. Fraîche et tonique, la bouche structurée achève de convaincre.

SA Caves Saint-Martin, 53, rte de Stadtbredimus,
5570 Remich, tél. 26 60 991, fax 23 69 64 34,
info@cavesstmartin.lu,
☑ ⚥ ⊤ t.l.j. sf lun. 10h-12h 13h-17h30; f. nov.-mars

CH. DE SCHENGEN Riesling 2012 ★★

	12 000	🍾	8 à 11 €

L'une des références de l'appellation. Le domaine
Thill propose un riesling très séduisant. Jaune d'or aux
beaux reflets verts, ce 2012 offre un nez intense qui évoque les fruits (abricot, coing, citron), la vanille et les
épices. Franc et persistant, le palais est harmonieux,
soutenu par une pointe d'acidité qui porte loin la
finale. Cette bouteille d'une grande finesse sera à son
optimum dans un an ou deux. À découvrir sur un poulet
aux épices.

Dom. Thill, 8, rue du Pont, 6773 Grevenmacher,
tél. 75 05 45 400, fax 75 92 36,
info@chateau-de-schengen.com,
☑ ⚥ ⊤ t.l.j. 9h-18h; f. nov.-mars

DOM. SCHUMACHER-LETHAL ET FILS
Wousselt Riesling 2012 ★★★

Gd 1er cru	3 000		8 à 11 €

Le riesling du cru Wousselt brillait l'an dernier avec
le millésime 2011. Le 2012, qui a participé à la finale des
coups de cœur, est tout aussi réussi. Il a fière allure dans
sa robe jaune pâle brillant. Le bouquet charmeur en diable
dévoile des arômes de fruit de la Passion, de poire et
d'agrumes confits. La bouche harmonieuse et d'une belle
profondeur évolue sur ces mêmes nuances aromatiques.
Un vin de gastronomie assurément, à découvrir dès la
sortie du Guide sur de nobles crustacés.

Dom. viticole Schumacher-Lethal et Fils, 117, rte du Vin,
5481 Wormeldange, tél. 76 01 34, fax 76 85 04,
contact@schumacher-lethal.lu, ☑ ⚥ ⊤ r.-v.

DOMAINES VINSMOSELLE Stadtbredimus Dieffert
Riesling 2012

Gd 1er cru	10 400		8 à 11 €

Les caves de Stadtbredimus proposent un riesling,
jaune pâle, limpide, d'une belle intensité aromatique avec
ses flaveurs de coing, de fruit de la Passion et d'orange
sanguine. La matière fruitée s'étire sur des notes minérales
jusqu'à la longue finale harmonieuse. Idéal pour accompagner une salade de poulpe.

Domaines Vinsmoselle, Caves de Stadtbredimus,
Kellereiswee, 5450 Stadtbredimus, tél. 23 69 66,
fax 23 69 91 89, info@vinsmoselle.lu

DOMAINES VINSMOSELLE Machtum Ongkâf
Pinot gris Art + Vin 2012

Gd 1er cru	6 700	🍾	8 à 11 €

Cette cave coopérative, la plus ancienne du Luxembourg, propose un pinot gris né sur les bords de la Moselle,
à Grevenmacher. Ce 2012 affiche une bonne intensité
aromatique, autour de notes de pomme verte et de citron.
Au palais, on retrouve la vivacité du nez. Parfait pour
accompagner une volaille.

Domaines Vinsmoselle, 12, rue des Caves,
6718 Grevenmacher, tél. 75 01 75, fax 75 95 13,
c.muller@vinsmoselle.lu, ☑ ⚥ ⊤ r.-v.

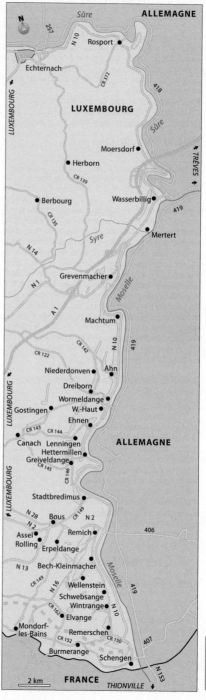

Le Luxembourg

1255

DOMAINES VINSMOSELLE Wormeldange Koeppchen
Riesling Art + Vin Raymond Clément 2012 ★★

Gd 1er cru	10 000	8 à 11 €

Cette coopérative propose un 2012 remarquable, né dans les caves de Wormeldange. Habillée d'or pâle, cette cuvée est d'une grande élégance avec ses notes minérales. La vivacité se dévoile dans une bouche ample, structurée et persistante, avec une pointe d'amertume fort plaisante en finale. Un riesling classique à servir dès aujourd'hui sur un poisson en sauce.

🍷 Domaines Vinsmoselle, Caves de Wormeldange, 115, rte du Vin, 5481 Wormeldange, tél. 76 82 11, fax 76 82 15, info@vinsmoselle.lu, ☑ ⚘ 🍷 t.l.j. 7h-18h

DOMAINES VINSMOSELLE Pinot gris
Vendanges tardives 2012 ★★★

Gd 1er cru	n.c.	20 à 30 €

Les caves de Wellenstein signent un pinot gris d'un jaune soutenu aux reflets d'or. Les notes d'abricot confit et de miel confèrent une grande intensité au bouquet légèrement vanillé. La bouche conserve la même expression et fait forte impression par son ampleur, son équilibre entre fraîcheur et douceur, et par sa longue finale soutenue par une légère pointe d'amertume. Ces vendanges tardives seront prêtes pour la sorte du Guide mais elle ne perdront rien à attendre cinq ans et plus encore. Parfait pour accompagner un foie gras poêlé. Le **Bech-Kleimacher Enschberg Pinot blanc 2012** (5 à 8 €) reçoit deux étoiles. Son nez racé et mûr évoque les fleurs suaves et les fruits frais soutenus par des notes minérales et mentholées. Tout aussi aromatique, le palais se révèle ample et bien structuré, tendu par une belle fraîcheur.

🍷 Domaines Vinsmoselle, Caves de Wellenstein, 37, rue des Caves, 5471 Wellenstein, tél. 26 66 141, fax 23 69 76 54, info@vinsmoselle.lu, ☑ ⚘ 🍷 r.-v.

DOMAINES VINSMOSELLE Auxerrois Greiveldange
Herrenberg 2012 ★

Gd 1er cru	8 000	5 à 8 €

Cet auxerrois né dans les caves de Greiveldange se présente dans un bel habit jaune brillant. Le nez agréable et frais dévoile des notes florales (violette) et fruitées (pêche, mirabelle). La bouche tire son harmonie de la richesse des fruits exotiques (ananas) alliée à la vivacité de la granny smith. D'une belle persistance sur le fruit, ce vin s'accordera à merveille avec une poêlée de scampi au beurre de pamplemousse.

🍷 Domaines Vinsmoselle, Caves de Greiveldange, Hamesgaass, 5427 Greiveldange, tél. 23 69 66, fax 23 69 91 89, info@vinsmoselle.lu

Crémant-de-luxembourg

CLOS DES ROCHERS 2008

	31 000	11 à 15 €

Ce domaine créé en 1900 est bien connu des habitués du Guide pour ses vins tranquilles. Il signe ici un effervescent élégant habillé d'une robe lumineuse, jaune doré. Rond, savoureux, élégant, ce millésimé tonique se plaira avec un poisson grillé.

🍷 SARL Dom. Clos des Rochers, 8, rue du Pont, 6773 Grevenmacher, info@clos-des-rochers.lu, ☑ ⚘ 🍷 t.l.j. 9h-18h; f. nov.-mars

MME ALY DUHR ET FILS

	2 800	11 à 15 €

Ben Duhr, à la tête de l'exploitation familiale depuis 2012, a sélectionné 30 ares de son domaine de 11 ha pour cette cuvée de pur riesling. Un joli cordon persistant anime la robe jaune pâle. Le nez est expressif, sur le citron, les fruits blancs et le miel. Ample, la bouche affiche un bel équilibre et séduit par ses arômes soutenus d'agrumes et de melon jaune. Parfait pour accompagner un plateau de fruits de mer.

🍷 Mme Aly Duhr et Fils, 9, rue Aly-Duhr, 5401 Ahn, tél. 76 00 43, fax 76 05 70, ben@alyduhr.lu, ⚘ 🍷 r.-v.

HÄREMILLEN Grande Cuvée ★★★

	18 000	8 à 11 €

La Grande Cuvée brut du domaine Häremillen est fidèle au rendez-vous du Guide. Elle emporte l'adhésion enthousiaste des dégustateurs qui l'ont trouvée exceptionnelle. Tant par sa robe intense, dorée aux reflets verts, que par l'élégance de son bouquet qui mêle fleurs blanches, agrumes, brioche et pomme jaune. La bouche, soutenue par une certaine vivacité (notes citronnées), achève de convaincre. On patientera jusqu'en 2016 pour apprécier cette bouteille à son apogée, à réserver pour une grande occasion.

🍷 Dom. viticole Häremillen, 3, op der Borreg, 5419 Ehnen, tél. 76 84 36, fax 76 91 93, info@haeremillen.lu, ⚘ 🍷 r.-v.

DOM. L. & R. KOX ★★★

	3 000	8 à 11 €

Sur la commune de Remich, le domaine de Laurent et Rita Kox est conduit en agriculture raisonnée. Cette cuvée fait la part belle au riesling, complété d'une pointe de pinot blanc. Sa mousse est élégante, très fine et la bulle régulière, animant une robe jaune pâle aux légers reflets verts. Le bouquet complexe fait défiler une large palette d'arômes : pamplemousse, granny smith, fleurs blanches, notes légères de brioche et de fougère. Quant à la bouche, ample et vive, elle s'étire dans une longue finale qui laisse le souvenir d'un vin d'une grande harmonie. Un crémant tout en finesse que l'on appréciera dès l'apéritif.

🍷 Laurent & Rita Kox, 6A, rue des Prés, 5561 Remich, tél. 23 69 84 94, fax 23 69 81 01, kox@pt.lu, ☑ ⚘ 🍷 r.-v.

♥ POLL-FABAIRE 2009 ★★★

	29 000	8 à 11 €

La cave des Crémants Poll-Fabaire est située sur la commune de Wormeldange connue pour ses vignobles et surnommée « commune du riesling ». Ce coup de cœur récompense le meilleur vin de la dégustation 2013 : un crémant superbe teinté d'or et animé de bulles fines et persistantes. Au nez, la pomme et le raisin mûr se mêlent à des notes de fruits exotiques. La bouche, à l'unisson, penche vers la rondeur et la douceur. Une grande cuvée à déguster bien fraîche, de l'apéritif au dessert.

🍷 Poll-Fabaire, Caves des Crémants Poll-Fabaire, 115, rte du Vin, 5481 Wormeldange, tél. 76 82 11, fax 76 82 15, info@pollfabaire.lu, ☑ 🚶 🍷 t.l.j. 7h-18h

POLL-FABAIRE Cuvée Riesling ★★

21 000	11 à 15 €

Cette cuvée de la cave de Stadtbredimus de la maison Poll-Fabaire a été jugée remarquable par les dégustateurs. Ils ont aimé sa belle robe jaune pâle animée de bulles fines et élégantes, son nez plus floral que fruité (citron, pomme mûre), sa bouche superbe reposant sur une matière impressionnante, et sa belle finale. Un ensemble d'une grande élégance, parfait pour accompagner un poisson.

🍷 Domaines Vinsmoselle, Caves de Stadtbredimus, Kellereiswee, 5450 Stadtbredimus, tél. 23 69 66, fax 23 69 91 89, info@vinsmoselle.lu

SCHLINK 2011 ★

7 600	8 à 11 €

Ce domaine familial créé en 1911 et conduit depuis 2008 par Jean-Marc Schlink propose un vin issu du trio riesling-pinot blanc-chardonnay. Au nez, d'intenses parfums de fruits mûrs se mêlent à des notes de bonbon anglais. Bâti sur une structure harmonieuse et sous-tendu par une juste vivacité, ce crémant s'accordera volontiers avec une volaille.

🍷 Schlink Dom. viticole, , 1, rue de l'Église, 6841 Machtum, tél. 75 84 68, fax 75 92 62, info@caves-schlink.lu, ☑ 🚶 🍷 t.l.j. sf sam. dim. 8h-12h 13h-18h

SCHUMACHER-KNEPPER Alexandre de Musset ★★

11 000	🍾	8 à 11 €

Ce domaine viticole qui remonte à 1714 est transmis de père en fils. Martine Hermann et Frank Schumacher, le frère et la sœur, proposent un crémant de très belle facture. Sur la douceur, le nez marie harmonieusement les notes de coing, de poire, de buis et d'acacia. Dans le même registre, le palais se révèle très long et harmonieux, porté en finale par des touches suaves de pomme au caramel. Un crémant de grande classe, parfait pour une volaille à la crème.

🍷 Dom. viticole Schumacher-Knepper, 28, rte du Vin, 5495 Wintrange, tél. 23 60 451, fax 23 66 48 03, contact@schumacher-knepper.lu, ☑ 🚶 🍷 t.l.j. sf dim. 9h-12h 14h-17h30

DOM. SCHUMACHER-LETHAL ET FILS Cuvée Pierre ★

n.c.	8 à 11 €

Située à Wormeldange, cette exploitation familiale se distingue régulièrement pour ses vins tranquilles. Elle ne néglige pas pour autant ses crémants, à l'image de ce brut paré d'une robe jaune soutenu aux reflets verts qu'accompagne une mousse légère. Le nez frais évoque le citron, la mirabelle, le zeste d'orange et des notes légères de miel et de brioche. La bouche, à l'unisson, offre un caractère crémeux et onctueux, vivifié par une pointe de noble amertume en finale. Un crémant harmonieux qui pourra accompagner tout un repas.

🍷 Dom. viticole Schumacher-Lethal et Fils, 117, rte du Vin, 5481 Wormeldange, tél. 76 01 34, fax 76 85 04, contact@schumacher-lethal.lu, ☑ 🚶 🍷 r.-v.

DOM. THILL Riesling Cuvée Victor Hugo 2010 ★★★

4 000	11 à 15 €

Toujours au sommet de son art, le domaine Thill obtient trois étoiles comme l'an dernier avec sa cuvée Victor Hugo. Une mousse aérienne et de fines bulles animent une belle robe d'or pâle. Le bouquet intense est dominé par les fruits (abricot, raisin mûr). Élégante, la bouche offre elle aussi une belle harmonie entre vivacité et rondeur. L'ensemble, que l'on verrait bien sur des écrevisses à la crème, s'étire dans une longue finale.

🍷 Dom. Thill, 8, rue du Pont, 6773 Grevenmacher, tél. 75 05 45 400, fax 75 92 36, info@chateau-de-schengen.com, ☑ 🚶 🍷 t.l.j. 9h-18h; f. nov.-mars

LA SUISSE

TESSIN GENÈVE VAUD
BLAUBURGUNDER
PETITE ARVINE HUMAGNE
NEUCHÂTEL VALAIS
GRISONS FENDANT
ZURICH GAMARET
DÔLE JOHANNISBERG

LES VINS SUISSES

Le vignoble suisse s'étend à la naissance des trois grands bassins fluviaux drainés par le Rhône à l'ouest des Alpes, par le Rhin au nord et par le Pô au sud de cette chaîne. Si sa superficie est modeste, comparable à celle du vignoble alsacien, il bénéficie d'une grande diversité de sols et de climats qui forment autant de terroirs différents malgré leur relative proximité. Traditionnellement cultivée sur les coteaux ensoleillés, très pentus ou en terrasses, la vigne compose de superbes paysages de piémont et de coteaux, dominant souvent lacs et cours d'eau. Surtout connue pour ses vins blancs de chasselas, la Suisse offre une production diverse et originale, grâce à des cépages locaux. Vins liquoreux flétris, rosés œil-de-perdrix, rouges puissants et aromatiques... Le pays offre de belles occasions de découvertes.

Superficie
14 900 ha
Types de vins
Blancs secs, moelleux et liquoreux, rouges (de garde et légers, quelques liquoreux), rosés.
Cépages principaux
Rouges : pinot noir, gamay, merlot, gamaret, cornalin, humagne rouge, syrah, diolinoir, garanoir, mondeuse, cabernet-sauvignon.
Blancs : chasselas (fendant), müller-thurgau, johannisberg (sylvaner), amigne, arvine, pinot blanc, pinot gris, savagnin (heida, païen), marsanne.

Bassins linguistiques On distingue trois régions viticoles principales en fonction du découpage linguistique du pays. Cependant celles-ci sont loin d'être uniformes, tant les contrastes qu'elles présentent sont saisissants. À l'ouest, le vignoble de la Suisse romande couvre plus des trois quarts de la surface viticole du pays. De Genève, il s'étire jusqu'au cœur des Alpes dans le canton du Valais, en longeant les rives du lac Léman, dans le canton de Vaud. Plus au nord, il s'approprie encore les rives des lacs de Neuchâtel, de Morat et de Bienne (Canton de Berne) sur les contreforts du Jura. Beaucoup plus éparpillé, le vignoble de la Suisse alémanique totalise 17 % de la surface viticole. Il s'égrène tout au long de la vallée du Rhin où, à partir de Bâle, il remonte le cours du fleuve jusqu'à l'est du pays. Il pénètre également loin à l'intérieur du territoire sur les meilleurs sites des coteaux dominant de nombreux lacs et vallées. En Suisse italophone, la vigne se concentre dans les vallées méridionales du Tessin où les conditions naturelles du versant sud des Alpes se distinguent nettement de celles des autres régions viticoles.

Un encépagement très divers Outre toute une gamme de spécialités (les cépages locaux), les vignerons de Suisse romande privilégient par tradition le cépage blanc chasselas. Le pinot noir est ici le cépage rouge le plus cultivé, suivi du gamay. Le pinot noir domine également en Suisse alémanique où il côtoie le cépage blanc müller-thurgau et diverses variétés locales très recherchées par les amateurs. En Suisse italienne, c'est le merlot qui fait la renommée des vins de cette partie du pays où les cépages blancs sont peu représentés.

Lac de Bienne

« De toutes les habitations où j'ai demeuré (et j'en ai eu de charmantes), aucune ne m'a rendu si véritablement heureux et ne m'a laissé de si tendres regrets que l'île de Saint-Pierre au milieu du lac de Bienne. » J.-J. Rousseau – *Rêveries du promeneur solitaire*, Cinquième promenade.

Face à l'île, le pied du Jura, d'où dévale le vignoble. Retenu dans son élan par les murs de pierre, celui-ci forme un long ruban épousant les contours calcaires de la montagne et se faufilant entre les villages viticoles pour rattraper les rives du lac.

Sur les 235 ha de surfaces viticoles, 45 % sont occupés par le chasselas, 36 % par le pinot noir. À côté de ces cépages principaux, d'autres variétés gagnent du terrain : pinot gris, chardonnay, sauvignon blanc, müller-thurgau (riesling x sylvaner).

Le chasselas produit un vin blanc subtil, léger et perlant, qui traduit bien son terroir. Il est apprécié à l'apéritif et accompagne les poissons du lac. Le pinot noir est à l'origine de vins élégants et fruités.

BOURQUIN L'Or noir Barrique Dornfelder 2011 ★★

| 150 | ⦀ | 11 à 15 € |

Chantal et Manuel Bourquin ont repris en 2011 l'exploitation viticole des parents, Roger et Rosmarie Bourquin-Giauque, installés depuis 1972 sur ce petit vignoble de 3 ha pour tout de même quinze cuvées produites à partir de neuf cépages. On ne sera donc pas étonné de la confidentialité de ce dornfelder, cépage d'origine allemande (croisement entre l'helfensteiner et l'heroldrebe) que ce domaine est l'un des rares dans la région à vinifier seul. Le résultat est un vin pourpre intense, au bouquet complexe et puissant, fruité et épicé. La bouche, légère, aérienne, élégante, offre un équilibre remarquable entre le bois et le fruit. Un vin souple et déjà très plaisant, à boire dès aujourd'hui.

📞 Weinbau Bourquin, Rondboisweg 5, 2514 Cerniaux-Gléresse, tél. 32 315 72 75, info@bourquinwein.ch

REMO GIAUQUE Ligerzer Kirchwein
Pinot noir 2012 ★★

| 4 200 | 11 à 15 € |

Remo Giauque, qui représente la quatrième génération de vignerons sur le domaine, a repris l'exploitation familiale en 2007 ; un vignoble de 2,7 ha complantés de cinq cépages. Le pinot noir offre ici un vin rubis aux reflets grenat, qui séduit d'emblée par son bouquet fruité et typique (cerise, fraise). La bouche est élégante, très fruitée elle aussi, équilibrée et structurée par des tanins sans dureté, qui autorisent une dégustation dès l'automne.

📞 Giauque Weinbau, Oberdorf 2, 2514 Gléresse, tél. 32 322 21 85, info@giauquewein.ch

FREDI & NATHALIE MAROLF
Erlacher Burgerwy 2012 ★★

| 6 000 | 8 à 11 € |

Fredi Marolf a repris en 1997 l'exploitation de ses parents, 10 ha de vignes répartis entre l'exploitation d'Erlach, d'où est issu ce chasselas, et celle de la clinique Bethesda de Tschugg, dont il exploite le vignoble. Ce 2012 est un vin élégant et finement bouqueté autour des fruits et des fleurs blanches. La bouche se révèle fraîche et souple à souhait. L'ensemble est harmonieux et bien caractéristique du cépage. À boire dès la sortie du Guide.

📞 Marolf Weinbau, 3235 Cerlier, tél. 32 338 74 56, fax 32 338 73 78, info@marolf-wein.ch

STEPHAN MARTIN Schafis Pinot gris 2012 ★★

| 800 | 15 à 20 € |

Stephan et Élisabeth Martin sont les troisièmes du nom à œuvrer sur le domaine familial de 2,5 ha, où une grande partie des travaux est toujours manuelle et entreprise avec un sens aigu de l'écologie. Le père de Stephan fut l'un des premiers vignerons à planter le pinot gris dans la région ; bien lui en a pris à en juger par ce 2012 au bouquet élégant, expressif et complexe, et très équilibré en bouche, à la fois souple, rond et étayé de bout en bout par une agréable fraîcheur. Une bouteille harmonieuse, à boire dès aujourd'hui sur un poisson grillé.

📞 Weinbau am Stägli, Dorfgasse 21, 2514 Gléresse, tél. 32 315 74 74, stephan.martin@bluewin.ch

Canton de Fribourg-Vully

♥ CRU DE L'HÔPITAL Vully 2012 ★★★

| 20 000 | | 8 à 11 € |

Ce domaine viticole historique, propriété de la Bourgeoisie de Morat depuis le XVᵉ s., servait autrefois à financer l'hôpital éponyme et à réconforter les malades. Sur les 10 ha que compte le vignoble, le chasselas règne en maître, conduit en biodynamie sans certification. On retrouve dans ce vin toute la finesse du cépage et l'expression de son terroir sableux à travers de fines nuances minérales magnifiées par l'œnologue de la maison, Christian Vessaz. D'une grande précision aromatique, parfaitement équilibré en bouche, avec en soutien ce léger perlant si caractéristique de la vinification helvétique du chasselas, ce 2012 d'une grande fraîcheur a fait forte impression. On le dégustera dans sa jeunesse, à l'apéritif et/ou avec des poissons du lac.

📞 Cru de l'Hôpital, rte du Lac 200, 1787 Motier, tél. 26 673 19 10, fax 26 673 19 74, info@cru-hopital.ch, ☑ 🕴 🍷 mer. ven. 15h-18h

ÉTAT DE FRIBOURG Vully Pinot noir 2012 ★★

| 5 000 | | 11 à 15 € |

L'État de Fribourg est propriétaire d'un petit domaine de 2,2 ha dans le Vully, et travaille aussi les 3,3 ha du château de Mur. Il propose ici un bijou de pinot noir, d'une typicité et d'un équilibre remarquables. Au nez, le fruité ouvre le bal, accompagné ensuite de fragrances empyreumatiques. La bouche, d'une aimable rondeur, s'adosse à des tanins très soyeux et déploie une longue finale pleine de fraîcheur. À déguster entre 2013 et 2015 sur une viande blanche.

📞 État de Fribourg, Au Château, 1787 Mur, tél. 26 305 22 65, fax 26 305 22 64, martial.magnin@fr.ch, ☑ 🍷 r.-v.

Canton de Vaud

Au Moyen Âge, les moines cisterciens ont défriché une grande partie de cette région de la Suisse et constitué le vignoble vaudois. Si, au milieu du siècle passé, celui-ci était le premier canton viticole devant le vignoble zurichois, les ravages du phylloxéra imposèrent une reconstitution complète. Aujourd'hui, le canton de Vaud occupe la deuxième place derrière le Valais.

Depuis plus de quatre cent cinquante ans, le vignoble vaudois s'est donné une véritable tradition viticole reposant aussi bien sur ses châteaux – on en compte près d'une cinquantaine – que sur l'expérience des grandes familles de vignerons et de négociants. En juin 2007, le paysage de vignes en terrasses de Lavaux a été inscrit au patrimoine mondial par l'Unesco.

Les conditions climatiques déterminent quatre grandes zones viticoles. Les rives vaudoises du lac de Neuchâtel et celles de l'Orbe produisent des vins friands aux arômes délicats. Les rives du Léman, entre Genève et Lausanne, protégées au nord par le Jura et bénéficiant de l'effet de régulation thermique du lac, donnent naissance à des vins tout en finesse. Les vignobles de Lavaux, entre Lausanne et Château-de-Chillon, avec en leur cœur les vignobles en terrasses du Dézaley, bénéficient à la fois de la chaleur accumulée dans les murets et de la lumière reflétée par le lac ; ils produisent des vins structurés et complexes qui se distinguent souvent par des notes de miel et des saveurs grillées. Enfin, les vignobles du Chablais sont situés au nord-est du Léman et remontent la rive droite du Rhône. Les terroirs se caractérisent par des sols pierreux et un climat très marqué par le fœhn ; les vins sont puissants, avec des arômes de pierre à fusil.

La spécificité du vignoble vaudois tient à son encépagement. C'est la terre d'élection du chasselas (70 % de l'encépagement) qui atteint ici sa pleine expression. Les cépages rouges représentent quant à eux 27 % : 15 % de pinot noir et 12 % de gamay. Ces deux variétés souvent assemblées sont connues sous l'appellation d'origine contrôlée salvagnin.

Quelques spécialités (variétés) représentent 3 % de la production : pinot blanc, pinot gris, gewurztraminer, muscat blanc, sylvaner, auxerrois, charmont, mondeuse, plant-robert, syrah, merlot, gamaret, garanoir, etc.

DOM. AU POINT DU JOUR La Côte Gamaret
Mont-sur-Rolle Élevé en fût de chêne 2010 ★

	9 000	11 à 15 €

Éric Durand signe un 2010 rouge profond, dont les reflets violines indiquent la jeunesse. Le nez, complexe, mêle les fruits rouges et noirs à des notes épicées et fumées. Une attaque vive introduit une bouche ample, bien charpentée, longue et expressive, sur le pruneau et les épices orientales. Ce vin a du potentiel et pourra être attendu trois à cinq ans avant d'accompagner un mets de goût, un faisan rôti par exemple.

Éric Durand, Le Point du Jour, chem. de Gobelet 4, 1185 Mont-sur-Rolle, tél. 21 825 16 61, fax 21 825 48 18, edurand@swissonline.ch, ☑ ☥ ☖ r.-v.

BADOUX VINS Chablais Pinot gris d'Aigle
Lettres de Noblesse Vendange tardive 2011 ★★

	2 400	20 à 30 €

Cette vénérable maison fondée en 1908 par Henri Badoux signe un liquoreux de noble extraction en effet. Somptueuse robe jaune brillant, d'une belle densité ; notes de fruits confits intenses à l'olfaction ; attaque sur l'abricot confit introduisant un palais flatteur, rond et bien soutenu par l'acidité ; longue finale saline : un modèle d'équilibre, à découvrir dans les cinq ans à venir sur une escalope de foie gras poêlée. Le **2011 Aigle Les Murailles (3 000 b.),** blanc sec issu de chasselas, ample et tonique, obtient une étoile. Il est prêt à boire, sur les rougets par exemple.

SA Badoux Vins, rte d'Ollon 8, CP 448, 1860 Aigle, tél. 41 024 68 88, fax 41 024 68 89, info@badoux-vins.ch, ☑ ☥ ☖ r.-v.

CAVE BEETSCHEN La Côte Vinzel Tradition 2012 ★

	1 400	8 à 11 €

Cette famille de vignerons est établie à Bursins depuis trois générations, sur un domaine qui compte aujourd'hui une douzaine d'hectares. Elle signe un chasselas en robe pâle à reflets argentés, dont le nez mêle les fruits frais à de légères notes anisées. On retrouve les fruits dans un palais souple, rond et gras, soutenu par ce qu'il faut de vivacité. Un ensemble équilibré, à servir dès à présent sur une volaille en sauce.

Cave Beetschen, Chemin de Bourdouzan 5, 1183 Bursins, tél. 21 824 10 56, fax 21 824 12 56, contact@cavebeetschen.ch, ☑ ☥ ☖ t.l.j. sf dim. lun. 10h-12h30 16h-21h; sam. 10h-12h30; f. fin jui. 🏛 ❻

DOM. BLONDEL Lavaux Saint-Saphorin Pré-Lyre 2012 ★

	16 500	11 à 15 €

Jean-Luc Blondel propose un chasselas de belle facture, jaune clair aux reflets or gris, dont le nez évoque le caramel mou. Frais en attaque, le palais se révèle gras et puissant dans son développement, fruité (fruits blancs) et minéral en finale. On attendra deux ans avant de le servir sur du poisson, un omble chevalier (du lac Léman pour la couleur locale) par exemple.

Jean-Luc Blondel, chem. du Vigny 12, 1096 Cully, tél. 21 799 31 92, fax 21 799 21 92, info@domaine-blondel.ch, ☑ ☥ ☖ r.-v.

♥ BOLLE ET CIE Morges Larmes de licorne 2011 ★★★

	6 000	20 à 30 €

Établie à Morges, sur les bords du lac Léman, la maison Bolle & Cie possède un vignoble de 44 ha, dans les appellations Morges et Luins, et développe aussi une activité de négociant importateur. Elle propose ici un superbe liquoreux né des cépages doral, pinot blanc et pinot gris, obtenu par cryo-oxygénation et élevé neuf mois en barrique. La robe est ravissante, d'un intense jaune doré. Le bouquet, tout aussi intense, évoque la brioche, plus exactement la cuchaule au safran (pâtisserie originaire du canton de Fribourg). Fine et subtile, par l'ananas rôti, la bouche se révèle dense et homogène, et s'achève sur une note gourmande de caramel. Les plus impatients pourront s'en délecter dès l'automne, sur une tarte Tatin

ou un dessert au chocolat ; les moins pressés pourront l'attendre cinq à dix ans pour plus de complexité.

📞 SA Bolle et Cie, rue Louis-de-Savoie 75, CP 172, 1110 Morges, tél. 21 801 27 74, fax 21 803 00 76, bolle@bolle.ch,

☑ ⚐ ⚑ t.l.j. sf dim. 8h-12h 13h30-18h30; f. fin juil.

STÉPHANE BORTER Chablais Ollon
Chasselas du district d'Aigle 2012

Gd cru	7 000	8 à 11 €

Stéphane Borter signe un chasselas jaune pâle à reflets dorés, au nez expressif, floral et citronné. Frais et souple, sur la poire et le caramel, le palais déroule une jolie finale sur l'amande amère qui amène un surcroît de complexité. À boire dès à présent, à l'apéritif ou sur des asperges blanches.

📞 Stéphane Borter, rue du Fontanney 13, 1860 Aigle, tél. 24 466 53 52, fax 79 447 40 85, st.borter@bluewin.ch,

☑ ⚐ ⚑ r.-v.

PHILIPPE BOVET La Côte Givrins Chardonnay 2012 ★

	12 000	11 à 15 €

Philippe Bovet s'est installé en 2002 à la tête de ce domaine familial situé à 450 m d'altitude, sur la commune de Givrins, entre lac Léman et pied du Jura. Il propose avec ce chardonnay jaune pâle à reflets dorés un vin expressif, à dominante de fruits exotiques (mangue), ample et frais jusqu'en finale, avec ce qu'il faut de gras pour enrober le palais. Parfait pour du saumon fumé, dès aujourd'hui. Pour une assiette de viande froide, on choisira son **gamay Pacifique 2011 (15 à 20 € ; 1 500 b.)**, une étoile également. Un vin généreusement fruité (fraise écrasée notamment), souple, doux et mûr en bouche, des tanins fermes assurant une bonne assise.

📞 Philippe Bovet, rte de Genolier 7, La Cour, 1271 Givrins, tél. et fax 22 369 38 14, info@philippebovet.ch,

☑ ⚐ ⚑ en sem. sur r.-v.; sam. 9h30-12h; f. jan.

DOM. BOVY Lavaux Dézaley 2011 ★

Gd cru	5 350	20 à 30 €

Les Bovy, originaires de Chexbres, sont une ancienne famille vaudoise ; la cave date du XVIᵉ s. et les premières vignes ont été acquises en 1779. C'est, depuis 1997, la troisième génération (Vincent et Éric) qui est aux commandes des 11 ha de vignes plantées à 450 m d'altitude. Le chasselas, implanté au Moyen Âge sur les terrasses du Dézaley par les moines cisterciens de l'abbaye de Haut-Crêt, s'épanouit sur ces terres du canton de Vaud comme nulle part ailleurs en Suisse. Il représente près de

90 % de l'encépagement des Bovy, qui en tirent ici un grand cru jaune d'or, beurré à l'olfaction, ample, gras, chaleureux et doux en bouche, avec une pointe de fraîcheur en soutien. À ouvrir dès l'automne sur un filet de veau juste saisi ou sur un gruyère vieux.

📞 Dom. Bovy, Bourg-de-Plaît 15, 1071 Chexbres, tél. 21 946 51 25, fax 21 946 51 26, info@domainebovy.ch,

☑ ⚐ ⚑ t.l.j. sf dim. 9h-12h 14h-18h; sam. 9h-12h 🏠 ⓔ

BUJARD Lavaux Épesses Roche d'or 2012 ★

	8 000	8 à 11 €

Dans le giron du groupe Schenk, Bujard Vins propose un chasselas jaune clair au nez ouvert sur le litchi, agrémenté d'une note de caramel. Le palais, expressif dès l'attaque, sur les fleurs blanches, la poire et la pomme, se montre ample, gras et persistant. À servir dans les deux ans à venir sur un plat un peu relevé, des pâtes au safran par exemple. Également proposé par Schenk, le **Ch. de Luins La Côte Grand cru 2012 blanc (3 000 b.)**, frais et minéral, est cité.

📞 SA Bujard Vins, Palce de la Gare, 7, 1180 Rolle, concours@schenk-wine.ch

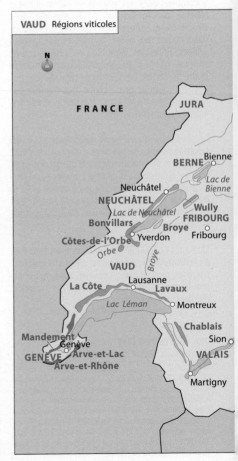

VAUD Régions viticoles

B DOM. LA CAPITAINE La Côte Begnius
Au Fosseau 2012 ★

1er gd cru	1 900	■ 15 à 20 €

Ce domaine familial de 11 ha, situé entre Lausanne et Genève, est cultivé en bio certifié depuis 1994. Une douzaine de vins différents y sont produits. Ici, un chasselas très réussi, qui mêle à l'olfaction notes d'herbes fraîches et de fruits secs. Le palais déploie un beau volume, soutenu par une fine fraîcheur aux tonalités citronnées. Conseillé dans l'année sur une « bouillabaisse » de poisson du lac Léman.

☞ Reynald Parmelin, Dom. la Capitaine, En Marcins 2, 1268 Begnins, tél. et fax 22 366 08 46, info@lacapitaine.ch,
☑ ⚲ ⵟ t.l.j. sf dim. 7h-18h; sam. 9h-12h 🏠 ❸

LES CELLIERS DU CHABLAIS Chablais Aigle
Réserve Guisan Collection Aférnor 2012 ★

Gd cru	20 000	■ 15 à 20 €

Ce chasselas présenté par l'association vinicole d'Aigle (coopérative du Chablais fondée en 1904) revêt une robe jaune à reflets dorés et livre un joli bouquet floral (tilleul) agrémenté d'une touche amylique. Une attaque souple sur les fruits jaunes et la mangue introduit un palais équilibré, charmeur et frais. Un vin déjà prêt, mais pouvant attendre une paire d'années, tout indiqué à l'apéritif ou sur des filets de perches du lac Léman.

☞ SA Les Celliers du Chablais, av. Margencel 9, 1860 Aigle, tél. 24 466 24 51, fax 24 466 62 15, info@celliersduchablais.ch,
☑ t.l.j. sf sam. dim. 7h30-12h 13h30-17h

DOM. CHANTEGRIVE La Côte Crescendo
Merlot Cabernet franc 2010 ★★

■	3 800	⬛ 20 à 30 €

Alain Rolaz a repris en 1993 cette propriété familiale tournée vers la viticulture dès le début du XIXᵉs. Aujourd'hui, le vignoble s'étend sur 15 ha, répartis sur les communes de Gilly, Tartegnin, Mont-sur-Rolle, Perroy, Féchy et Aubonne. Issu de la gamme phare du domaine, cet assemblage merlot-cabernet franc a séduit d'emblée par sa robe intense tirant sur le noir. Le charme opère aussi à l'olfaction, portée sur des notes balsamiques et fumées. À la souplesse de l'attaque succède un milieu

La Suisse

de bouche riche, puissant, sur fond de café et de caramel, legs du passage en barrique. Un vin déjà très flatteur, que l'on pourra apprécier dès l'automne sur un confit de canard ou une côte de bœuf aux sarments, mais qui a le coffre pour patienter quatre ou cinq ans en cave.

🍷 Alain Rolaz, Dom. de Chantegrive, La Place 18 , 1182 Gilly, tél. 21 824 15 87, fax 21 824 25 81, info@chantegrive.ch,r.-v.

ALEXANDRE CHAPPUIS ET FILS Dézaley Lavaux
Tour de Marsens 2011

Gd cru	2 000	15 à 20 €

Né sur les pentes vertigineuses de Rivaz, ce chasselas jaune doré livre un bouquet discret légèrement boisé. Une touche de perlant anime l'attaque, prélude à un palais gras, imprégné d'arômes lactés et de caramel, qui déploie une finale ronde et chaleureuse. À boire aujourd'hui ou dans un an ou deux sur un gâteau au fromage.

🍷 Alexandre Chappuis et Fils, En Bons Voisins, 1071 Rivaz, tél. 21 946 13 06, fax 21 946 27 49, info@vins-chappuis.ch, ☑ r.-v. 🏠 ❷ 🏠 ⓒ

JEAN-FRANÇOIS CHEVALLEY Lavaux Épesses
Petit Duc 2012 ★★

	320	▮	11 à 15 €

Les Chevalley exploitent la vigne sur les terres du domaine de la Chenalettaz – 6 ha aujourd'hui – depuis... 1434 ! Un long savoir-faire qui bien entendu bénéficie aux vins, comme à ce chasselas de haut vol. Un vin accorde dans sa tenue pâle à reflets verts, au nez discret mais non moins élégant de fruits jaunes ample, gras et persistant en bouche, avec une touche minérale qui vient stimuler la finale. Parfait avec un risotto au citron ou aux champignons, dans les deux ou trois ans à venir.

🍷 Dom. de la Chenalettaz, rte de Treytorrens, 1, 1096 Cully, tél. 21 799 13 00, fax 21 799 39 21, info@vins-chevalley.ch

CLOS DE LA GEORGE Chablais Yvorne
Chardonnay 2010 ★★

Gd cru	5 600	▥	15 à 20 €

Charles Rolaz signe un chardonnay remarquable de bout en bout. La robe est superbe, jaune pâle à reflets dorés. Au nez, on perçoit immédiatement l'élevage en fût et son côté toasté. Le palais s'ouvre avec vivacité sur des notes mentholées et exotiques. La bouche offre beaucoup de volume, du gras et de la puissance. Un vin de caractère, à servir dans les quatre ou cinq prochaines années sur un poulet de Bresse à la crème. Du même producteur, le **Dom. de Crochet 2010 rouge Grand cru La Côte Mont-sur-Rolle Merlot (20 à 30 € ; 2 030 b.)**, boisé, riche et consistant, est cité.

🍷 Clos de la George, chem. des Cruz, 1, 1180 Rolle, tél. 21 822 07 07, fax 21 822 07 00, fpenta@hammel.com, ☑ 🍴 🍷 r.-v.

CAVE DE LA CÔTE Pinot gris Emblem 2012 ★★

	5 100	▮	8 à 11 €

Créée en 1929, la coopérative de Tolochenaz compte quelque trois cent vingt producteurs pour 415 ha

de vignes et plus de deux cents crus différents. Ici, un pinot gris remarquable de bout en bout. Robe jaune doré ; nez expressif de coing et de mirabelle ; attaque ronde et flatteuse ouvrant sur un palais très fruité (fruits exotiques, kiwi, fruit de la Passion) et de bonne vivacité. Une bouteille à garder entre deux et cinq ans avant de lui réserver des asperges sauce mousseline. Le **rouge 2011 Garanoir Emblem (8 000 b.)** obtient une étoile. Légèrement épicé au nez, il dévoile un palais souple et onctueux, où le cuir et le tabac, plus frais en finale. On pourra l'encaver deux ou trois ans avant de le servir sur un émincé de veau à la zurichoise et roestis.

🍷 Uvavins - Cave de la Côte, ZI Le Saux, 1131 Tolochenaz, tél. et fax 21 804 54 55, rodrigo.banto@uvavins.ch

CH. DE CRANS La Côte Nym Galisse
Gewurztraminer 2012 ★

Gd cru	5 000	▮	15 à 20 €

Ce gewurztraminer jaune brillant dévoile un nez puissant et généreux, bien typé avec ses parfums de rose et de litchi. On retrouve les arômes variétaux dans un palais gras et doux, dynamisé par une finale fraîche.

🍷 Pilloud Gilles, rue Antoine Saladin 8, 1299 Crans-près-Céligny, tél. 22 776 34 04, fax 22 776 88 10, pilloud.gilles@gmail.com, ☑ 🍴 🍷 jeu. sam. 9h-12h 16h30-18h30

CH. DES CRÊTES Lavaux Montreux 2012 ★★

Gd cru	12 000	▮	15 à 20 €

La Cave de Vevey-Montreux réalise un beau triplé. En tête, ce chasselas jaune à reflets verts, qui dévoile un fort joli bouquet d'herbes fraîches. La bouche, ample et mûre, évolue dans un registre fruité (poire, abricot, mangue). À déguster au cours des deux ou trois prochaines années sur une salade de gambas aux fruits exotiques. Le **rouge 2012 Lavaux Montreux Grand cru Cuvée St-Vincent Gamay (11 à 15 € ; 3 500 b.)**, sur les fruits rouges confiturés rehaussés d'une touche poivrée, souple et frais au palais, fait jeu égal. On le mettra deux ans en cave avant de lui réserver une côte de veau. Le **blanc 2012 Grand cru Lavaux Chardonne Nobles Terres (11 à 15 € ; 2 000 b.)**, floral et fruité à l'olfaction, gras en bouche, obtient une étoile.

🍷 La Cave Vevey-Montreux, 28, av. de Belmont, 1820 Montreux, tél. 21 963 13 48, fax 21 963 34 34, cvm-bureau@bluewin.ch, 🍴 🍷 r.-v.

UNION VINICOLE DE CULLY Lavaux Villette
Bouton d'or 2012 ★

	60 000	▮	11 à 15 €

La cave coopérative de Cully, fondée en 1937, propose un vin de pur chasselas paré d'une seyante robe claire aux reflets verts, qui dévoile de parfums harmonieux et délicats de fleurs blanches, de mirabelle et de coing. L'attaque tendre, sur les fruits mûrs, accompagnée d'un léger perlant, ouvre sur un palais ample et gras, à la finale souple, douce et élégante. Une bouteille à servir à l'apéritif ou sur des mets asiatiques, dans les deux ans à venir.

🍷 Union vinicole Cully, rue de la Gare 10, 1096 Cully, tél. 21 799 12 96, fax 21 799 12 66, info@uvc.ch, ☑ 🍴 🍷 t.l.j. sf dim. 7h30-12h 13h30-17h; f. mi-jui.-mi-août

DOM. DES FRÈRES DUBOIS Dézaley-Marsens
De la Tour 2011 ★★

■ Gd cru	1 010	■ 20 à 30 €

Né sur le vignoble très ancien du Dézalay (défriché au XIIᵉs. par les moines cisterciens) et ses terrasses surplombant le lac Léman, ce chasselas des frères Dubois (Frédéric et Grégoire) se pare d'une élégante robe jaune soutenu aux reflets dorés. Le bouquet, très intense, mêle notes épicées (safran) et fruits jaunes bien mûrs. La bouche se révèle ronde, ample, riche et expressive (citron confit, pêche de vigne, abricot). Un vin mûr, gras, puissant et long, à servir dès à présent sur des coquilles Saint-Jacques au safran. Le **blanc 2011 Lune blanche (15 à 20 € ; 10 000 b.)**, assemblage de différents cépages et terroirs, obtient une étoile pour son nez exubérant de vanille, de fruits exotiques et de miel, et pour son palais ample et équilibré, à la fois frais, doux et gras.

☛ SA Les Frères Dubois, Le Petit Versailles, 1096 Cully, tél. 21 799 22 22, fax 21 799 22 54, office@lfd.ch, ☑ ✦ ⊺ t.l.j. sf dim. lun. 10h-12h30 15h-18h30

JEAN-MARC FAVEZ Lavaux Merlot
Élevé en fût de chêne 2011 ★★

■	1 500	⊞ 15 à 20 €

Ce domaine de création récente, situé au cœur du Lavaux, conduit un vignoble d'environ 6 ha. En 2004, il s'est étendu sur Saint-Légier, d'où provient ce 100 % merlot élevé douze mois en barrique. Robe dense à reflets violacés ; nez complexe de cendre froide, de laurier et de lierre ; palais séveux et généreux, sur le pruneau, soutenu par une bonne vivacité : tout indique un vin de caractère, qui pourra soutenir les assauts épicés de pâtes à l'arrabiatta, de même que trois ou quatre ans de garde.

☛ Jean-Marc Favez, Sentier des Curtis 2, 1806 Saint-Légier, tél. et fax 21 943 58 51, jm.favez@bluewin.ch, ☑ ⊺ r.-v.

CAVE DU CH. DE GLÉROLLES Lavaux
Planète de Saint-Saphorin 2012 ★

■ Gd cru	10 000	■ 15 à 20 €

Deux chasselas à l'honneur pour le château de Glérolles, repris en 2010 par un groupe d'investisseurs locaux. En tête, d'un cheveu, ce 2012 jaune clair, encore sur la réserve à l'olfaction. Plus expressif, animé par un léger perlant, le palais mêle les fruits exotiques et le pain frais, soutenu en finale par une élégante note saline. Une bouteille que l'on verrait bien sur du poisson fumé, dans les deux ans à venir. Le **Grand cru 2011 blanc Lavaux Saint-Saphorin Réserve blanche (20 à 30 € : 3 100 b.)** obtient également une étoile pour son bouquet de fleurs séchées sur un fond légèrement boisé et pour son palais généreux qui évoque le bricelet (biscuit chauffé à la crème) et la noisette grillée. Recommandé sur un risotto aux champignons, dès aujourd'hui.

☛ Cave du Ch. de Glérolles, 1071 Saint-Saphorin, tél. 21 946 25 30, fax 21 946 18 08, info@glerolles.ch, ☑ ✦ ⊺ r.-v.
☛ Laurent Berthet

PIERRE-LUC LEYVRAZ Lavaux Saint-Saphorin
Pinot noir 2012 ★★

■ Gd cru	1 500	■ 15 à 20 €

Pierre-Luc Leyvraz est un habitué du Guide, souvent en bonne, voire très bonne place (plusieurs coups de cœur à son palmarès). Il signe ici un pinot noir d'un beau rouge soutenu animé de reflets grenat, au nez bien typé de cerise et d'épices. À la fraîcheur de l'attaque succède un milieu de bouche onctueux, rond, souple, équilibré, avec en soutien des tanins fermes qui assureront à ce vin harmonieux une garde de deux ans. On pourra toutefois le servir dès l'automne sur un mets délicat, un filet de veau aux morilles par exemple.

☛ Pierre-Luc Leyvraz, chem. de Baulet 4, 1071 Chexbres, tél. 21 946 19 40, fax 21 946 19 45, info@leyvraz-vins.ch, ☑ ✦ ⊺ r.-v.

♥ CH. MAISON BLANCHE Chablais Yvorne 2012 ★★★

■ Gd cru	6 000	■ 15 à 20 €

1573 : Sieur Antoine d'Erlach et son frère Borckhardt font construire une maison blanche, à l'écart du petit village d'Yvorne. 4 mars 1584 : un dramatique glissement de terrain anéantit presque intégralement la bourgade et le château. Un grand désastre et à la fois une chance : le domaine, reconstruit en 1609, bénéficie depuis d'un terroir complexe mêlant des sols calcaires anciens à des dépôts alluvionnaires récents. Une complexité qui se retrouve dans les vins, en particulier dans ce chasselas magnifique. L'élégante robe jaune pâle à reflets verts invite à poursuivre. On découvre alors un nez bien typé évoquant la fleur de tilleul. Après une attaque sur les fruits jaunes, le palais monte en puissance, se fait ample et gras, en conservant un caractère souple et doux. La finale, plus tendue, sur la pêche et le citron confit, laisse le souvenir d'un vin d'un grand équilibre. À servir dans les deux ans à venir sur un noble crustacé. La version **2011 (10 000 b.)**, florale et fruitée, fraîche et aérienne, obtient deux étoiles.

☛ Jean-Daniel Suardet, La Maison blanche, 1853 Yvorne, tél. 24 466 32 10, fax 24 466 75 52, info@maison-blanche.ch

DOM. DE MARCELIN La Côte Morges
Chardonnay Barrique 2011 ★★

■	7 000	⊞ 20 à 30 €

Propriété de l'État de Vaud, ce domaine propose un vin de chardonnay dont l'élevage en barrique se ressent dès le premier coup de nez, à travers des parfums soutenus de toasté et de noix de coco. On retrouve ce boisé quelque peu marqué mais élégant dans une bouche ample, fraîche et onctueuse. Un vin racé, à servir au cours des deux prochaines années sur un mets raffiné, comme un turbot braisé.

☛ Dom. de Marcelin, c/o Office cantonal de la Viticulture, av. Marcelin 29, CP 849, 1110 Morges 1, tél. 21 557 92 66, fax 21 557 92 70, pascal.vullianoz@vd.ch

PIERRE-LOUIS ET THIERRY MOLLIEX La Côte Féchy
Délices de Pierrot 2012 ★★

■ Gd cru	6 300	⬢	5 à 8 €	

Pierre-Louis et Thierry Molliex proposent une belle déclinaison du chasselas, cépage phare du canton vaudois. En tête, ce 2012 en robe claire ornée de reflets dorés, au nez ouvert et complexe à dominante de gingembre. Souple, ample et long, le palais offre une belle finale sur le zeste d'orange. À déguster dans les deux ans, à l'apéritif ou sur un carpaccio de poisson aux agrumes. Le **blanc 2011 Grand cru La Côte Féchy Les Barrettes** (5 à 8 € ; 5 000 b.), plus gras et généreux, sur les fruits confits, obtient une étoile.

☛ Pierre-Louis et Thierry Molliex, Féchy-Dessous 10, 1173 Féchy, tél. et fax 41 21 808 66 97, delicesdepierrot@hotmail.com

HENRI ET FRANÇOIS MONTET Lavaux Blonay L'Améthyste
Élevé en barrique 2011 ★

■ Gd cru	5 000	▥	15 à 20 €	

Ce vin s'annonce dans une élégante livrée rouge à reflets violacés. Au nez, il évoque le bourgeon de sapin, legs de son passage en barrique. Souple en attaque, la bouche conjugue, quant à elle, le cassis et le sureau, soutenue par des tanins bien présents. « Un vin rustique, mais original », selon un dégustateur. Tout indiqué, aujourd'hui comme dans trois ans, sur un mets généreux, un chili con carne ou des spaghettis bolognaise par exemple.

☛ Henri et François Montet, Chaucey 14, 1807 Blonay, tél. et fax 0219435335, montet.vins@bluewin.ch

MARTIAL NEYROUD Lavaux Montreux 1807 rouge
Élevé et vieilli en fût de chêne 2011 ★★

■ Gd cru	4 000	▥	15 à 20 €	

Martial Neyroud, héritier de quatre générations de vignerons, présente un vin rouge intense, au nez complexe de fruits noirs et de thym. Souple en attaque, le palais, à l'unisson de l'olfaction, se révèle riche et gourmand, étayé par des tanins bien fondus qui contribuent à ce caractère rond et aimable. « Un vin solaire totalement exotique ! », conclut un juré, qui le conseille sur un lapin à la polenta, aujourd'hui comme dans trois ans.

☛ Martial Neyroud, Ch. des Chables 40, 1807 Blonay, tél. 21 921 26 56, fax 21 921 26 07, martial@domainesneyroud.ch, ▣ ⚔ ⊤ r.-v.

JEAN-FRANÇOIS NEYROUD-FONJALLAZ Lavaux
Calamin 2012 ★★

■ Gd cru	30 000	⬢	11 à 15 €	

Un domaine familial établi au cœur du vignoble en terrasses de Lavaux, le vignoble « aux trois soleils » : du ciel, du lac qui fait miroir et des murs qui restituent la chaleur emmagasinée. Le chasselas à l'origine de ce calamin y a trouvé un beau terrain d'expression à en juger par cette cuvée lumineuse, jaune à reflets dorés. Si le nez se révèle un peu fermé, des fruits jaunes pointent à l'aération – le palais, plus ouvert, évoque le pain frais et les fruits jaunes. On apprécie aussi son gras, sa puissance, son ampleur et sa persistance. À découvrir dans les deux ans à venir sur des sushis.

☛ Jean-François Neyroud-Fonjallaz, rte du Vignoble 13, 1803 Chardonne, tél. 21 921 71 73, fax 21 922 70 17, vins@neyroud.ch,

▣ ⚔ ⊤ t.l.j. sf dim. 8h-12h 13h-18h; sam. 8h-12h

LUC PELLET La Côte Mont-sur-Rolle Haute-Cour 2012 ★

▢ Gd cru	20 000	⬢	8 à 11 €	

Luc Pellet signe un 100 % chasselas jaune pâle à reflets dorés, au nez discret et frais de pomme verte et de foin coupé. Ferme en attaque, souligné par un léger perlant, le palais s'appuie sur une bonne trame et déploie une finale tonique sur le citron vert. Un vin élégant à servir dès à présent, à l'apéritif ou sur un soufflé au fromage.

☛ SA Dom. de Haute-Cour, chem. du Stand, 1185 Mont-sur-Rolle, tél. 02 18 25 39 82r.-v.

YVES-ALAIN PERRET Lavaux Villette Chasselas 2012 ★

▢		3 000		11 à 15 €

Yves-Alain Perret propose une version très harmonieuse et « vivante » du chasselas. Robe pâle à reflets verts ; nez de fruits jaunes et d'épices (anis étoilé) agrémenté d'une pointe de silex ; bouche fraîche, souple et fruitée (citron), qui ne manque pas de douceur ; finale saline : tout indique un vin dynamique et déjà fort agréable, à déguster dans l'année, voire dans deux ans, sur une terrine de légumes ou de poisson.

☛ Yves-Alain Perret, rue du Village 34, Savuit, 1095 Lutry, tél. et fax 21 791 58 39 ▣ ⚔ ⊤ r.-v.

LES FILS ROGIVUE Lavaux Saint-Saphorin
Les Fosses 2012 ★★

▢		n.c.		11 à 15 €

Les fils de Daniel Rogivue exploitent une dizaine d'hectares sur les appellations Chardonne, Dézaley, Bonvillars et Saint-Saphorin. Dans cette dernière, ils proposent un chasselas jugé remarquable. Ses arguments : avenante robe jaune nuancée de doré ; nez élégant de fleurs et de fruits blancs, de poire notamment ; attaque tendre sur le fruit, prélude à un palais friand, souple, « facile d'accès », qui s'achève en beauté sur les fruits jaunes et le caramel. Un vin charmeur en diable, pour l'apéritif ou un tartare de poisson.

☛ Les Fils Rogivue, rue du Bourg-de-Plaît 4, 1071 Chexbres, tél. 21 946 12 56, fax 21 946 20 83, franceyc@bluewin.ch

☛ Christophe Francey

DOM. DE ROLIEBOT La Côte Mont-sur-Rolle
Chasselas 2012 ★

▢ Gd cru	5 000	⬢	11 à 15 €	

Roliebot ? Ce nom est issu du patois vaudois *roiller* (« taper ») et *bot* (« crapauds »). En effet, à une époque reculée où l'endroit était encore marécageux, les habitants de Mont-sur-Rolle passaient la nuit à taper sur les batraciens, dont les incessants coassements perturbaient le sommeil... Depuis cinq générations, la famille Maurer exploite ce vignoble de 4 ha établi au cœur de La Côte. Elle propose un joli chasselas jaune à reflets dorés, au nez de fleurs blanches et de fruits frais agrémenté d'une touche de craie. Une fraîcheur que l'on retrouve dans une bouche souple et élégante, qui ne manque pas de gras et qui s'achève sur une plaisante note saline. À boire dès aujourd'hui, à l'apéritif ou sur un poisson grillé.

☛ Dom. de Roliebot, Thierry Maurer, rte de l'Etraz, 2, 1185 Mont-sur-Rolle, tél. 41 21 825 37 79, fax 41 21 825 47 86, domaine@roliebot.ch

♥ **LE SATYRE** La Côte Begnins Gamay 2011 ★★★

■   3 000   ▌ 8 à 11 €

Fondé en 1940 par le grand-père, médiatisé par le père, ce domaine est aujourd'hui conduit par Noémie Graff. Si le pinot noir est son cépage phare, il s'illustre cette année avec un gamay admirable. La robe est d'un superbe pourpre intense à reflets violacés. Le nez « explosif » évoque le coulis de fruits rouges et noirs agrémentés d'épices douces, de cannelle notamment. Une attaque fraîche ouvre la voie vers un palais à la trame tannique fine et ferme, qui déploie une finale élégante et sapide. À servir sur un saucisson vaudois ou un jambon à l'os, dans les trois ans à venir.

☛ Noémie Graff, Dom. Le Satyre, chem. Fleuri 1, Case postale 130, 1268 Begnins, tél. et fax 22 366 12 96, ngraff@bluewin.ch, ☑ ☂ ☪ r.-v.

DOM. DE TERRE NEUVE La Côte Saint-Prex
Chasselas 2012

▨ Gd cru   3 000   11 à 15 €

Ce chasselas se présente dans une robe pâle à reflets verts, le nez empreint de senteurs florales et d'amande amère. Le palais se révèle vif, de l'attaque, minérale, à la finale, longue ligne droite tenue par une fine trame acide. À ouvrir dès la sortie du Guide sur une fondue.

☛ David Kind, Dom. de Terre Neuve, 1162 Saint-Prex, tél. 21 803 36 44, info@terreneuve.ch, ☑ ☂ ☪ r.-v.

DOM. DE LA TREILLE La Côte Founex Gamay 2012 ★

■ Gd cru   2 000   ▌ 8 à 11 €

La famille Dutruy s'est installée au début du siècle dernier dans cette région du sud-ouest de l'arc lémanique, dans le village de Founex. Quatre générations se sont succédé à la tête du domaine : aujourd'hui, ce sont les frères Christian et Julien qui sont aux commandes et conduisent un vignoble de 11,5 ha. Ils proposent ici un pur gamay rouge à reflets violacés, au nez typé de fruits rouges (framboise, griotte) mâtiné d'une touche mentholée. La bouche se révèle souple, vive, aromatique (sureau, poivre noir), soutenue par des tanins frais. Conseillé par les dégustateurs sur un lapin mijoté au safran, au cours des deux ou trois prochaines années.

☛ Les Frères Dutruy, Grand-Rue 18, 1297 Founex, tél. 22 776 54 02, dutruy@lesfreresdutruy.ch, ☑ ☪ r.-v.

CAVE DU CH. DE VALEYRES De Galléra
Côtes de l'Orbe 2011 ★

■   25 000   ◗◗   11 à 15 €

Un domaine commandé par une grande bâtisse de style typiquement bernois construite en 1630, acquis en 1945 par Alphonse Morel, suivi par son fils Marc-Antoine

et depuis 2004 par son petit-fils Benjamin. Ce dernier signe un assemblage de gamaret et de garanoir qui revêt une jolie robe rouge intense à reflets violacés et dévoile un nez généreux de fruits noirs compotés et d'épices douces. Souple en attaque, le palais séduit par sa fraîcheur, avant de montrer plus de sévérité en finale. À boire dès l'automne ou à attendre un à trois ans pour plus de fondu. Recommandé sur un rack d'agneau.

☛ Ch. de Valeyres, Le Château, rue du Village 5, 1358 Valeyres-sous-Rances, tél. 24 441 07 01, info@chateauvaleyres.ch, ☑ ☂ ☪ r.-v.

DOM. DE LA VIGNARDE Féchy
Réserve de l'ambassadeur 2012 ★

▨ Gd cru   2 000   ▌ 8 à 11 €

Cette Réserve de l'ambassadeur, hommage au père de Jean-Francis Rossat, est un pur chasselas. Derrière la robe jaune aux nuances vertes se décline un bouquet aux tonalités marines, iodées. Le palais se montre souple, ample, gras, puissant et déploie une finale finement minérale (pierre à fusil) et saline. Les produits de la mer semblent ici incontournables, mais un filet de veau au citron sera également en bonne compagnie. À boire ou à attendre deux à trois ans.

☛ Jean-Francis Rossat, Dom. de la Vignarde, Marchandes 1, 1173 Féchy, tél. 21 808 66 70, jf.rossat@bluewin.ch, ☑ ☂ ☪ r.-v. ♨ ❻ ⬆ ◉

♥ **CH. DE VINZEL** La Côte Vinzel Chasselas 2012 ★★★

▨ Gd cru   1 500   11 à 15 €

L'histoire de cette maison débute en février 1854 lorsque Emmanuel Obrist fonde à Vevey le négoce Obrist & Cie. L'entreprise familiale se développe rapidement et devient dès le début du XXe s. un acteur viticole incontournable en Suisse romande. Elle le demeure toujours aujourd'hui, avec aussi en propriété 55 ha de vignes allant des terrasses de Lavaux au cœur du Valais, en passant par le Chablais. Parmi ses domaines en propre, le château de Vinzel à l'origine d'un admirable chasselas en robe jaune clair et limpide. Le nez, d'abord discret, s'ouvre à l'aération sur des notes d'anis et de bergamote. Frais et souple en attaque, le palais se fait plus fruité (poire notamment) et affiche un volume impressionnant. Un vin long et racé, à découvrir dans l'année à venir sur une cuisine indienne, un poulet au kari par exemple.

☛ SA Obrist, av. Reller 26, CP 816, 1800 Vevey, tél. 21 925 99 03, fax 21 925 99 15, andre.hotz@obrist.ch, ☑ ☂ ☪ t.l.j. sf dim. 10h-18h; sam. 10h-13h

☛ André Hotz

ARTISANS VIGNERONS D'YVORNE Chablais Yvorne
La Vigne d'or Pinot noir Élevé en fût de chêne 2011 ★★

| ■ Gd cru | 2 100 | ⑪ | 20 à 30 € |

Coopérative fondée en 1902, l'Association des vignerons d'Yvorne regroupe aujourd'hui quelque cent vingt adhérents et 160 ha. Elle ne produit que des vins de l'appellation Yvorne Chablais, essentiellement des cuvées issues de chasselas. Honneur au pinot noir ici : un vin au bouquet intense, épicé (vanille, cannelle) et fumé, souple en attaque, d'un bon volume, frais de bout en bout et bien typé avec ses arômes de griotte. Une bouteille harmonieuse et déjà très avenante, que l'on réservera à un rôti de veau et que l'on pourra mettre en cave deux ou trois ans.

➤ Artisans vignerons d'Yvorne, Les Maisons-Neuves 5, CP 43, 1853 Yvorne, tél. 24 466 23 44, fax 24 466 59 19, info@avy.ch, ☑ ⚤ ⌑ t.l.j. 7h30-12h 13h30-17h

Canton du Valais

Pays de contrastes, la vallée du haut Rhône a été façonnée au cours des millénaires par le retrait du glacier. Un vignoble a été implanté sur des coteaux souvent aménagés en terrasses.

Le Valais, un air de Provence au cœur des Alpes : à proximité des neiges éternelles, la vigne côtoie l'abricotier et l'asperge. Sur le sentier des bisses (nom local des canaux d'irrigation), le promeneur rencontre l'amandier et l'adonis, le châtaignier et le cactus, la mante religieuse et le scorpion ; il peut palper le long des murs l'absinthe et l'armoise, l'hysope et le thym.

Plus de quarante cépages sont cultivés dans le Valais, certains introuvables ailleurs tels l'arvine et l'humagne, l'amigne et le cornalin. Le chasselas se nomme ici fendant et, dans un heureux mariage, le pinot noir et le gamay donnent la dôle, tous deux crus AOC qui se distinguent selon les divers terroirs par leur fruité ou leur noblesse.

CAVE DE L'ADRET Johannisberg 2012 ★★

| ▨ | 2 000 | ▣ | 15 à 20 € |

La relève est assurée : Salomé, fille de Paul-Henri Roux, termine actuellement sa formation d'œnologue. En attendant, découvrons la production de son père : ici, un johannisberg (ou sylvaner, deuxième cépage blanc le plus présent en terres valaisannes) jaune doré, au nez puissant de fleurs jaunes (tournesol), riche en bouche, presque en surmaturité, portée sur les fruits jaunes en finale. À déguster aujourd'hui ou dans deux ou trois ans sur des asperges sauce hollandaise ou sur un poulet à la crème.

➤ Paul-Henri Roux - Cave de l'Adret, rue de l'École 51, Champlan, 1971 Grimisuat, tél. et fax 27 398 21 86, info@adret.ch, ☑ ⚤ r.-v.

ANTOINE ET CHRISTOPHE BÉTRISEY New Style 2011 ★

| ■ | 10 000 | ⑪ | 15 à 20 € |

À la vigne, Antoine, au chai et au commercial, Christophe. Un duo complémentaire installé depuis 1993 à la tête de ce domaine de 14 ha implanté sur les coteaux ensoleillés de Saint-Léonard. Leur syrah New Style s'affiche dans une robe dense à reflets pourprés et mêle à l'olfaction les fruits mûrs et le pruneau sur un fond discrètement floral. La bouche, souple et fruitée (mûre, prune) a la fraîcheur pour fil directeur, de l'attaque à la finale. Un vin qualifié d'« original » et tonique, à boire dès aujourd'hui – sur un carpaccio de bœuf par exemple –, mais qui pourra aussi être attendu deux ou trois ans.

➤ Antoine et Christophe Bétrisey, rue des Vergers 22, 1958 Saint-Léonard, tél. 79 409 27 94, betrisey-vins@bluewin.ch, ☑ ⚤ ⌑ r.-v.

VINS BRUCHEZ Amigne Coup de cœur 2012 ★

| | 1 000 | ▣ | 11 à 15 € |

Ce domaine créé en 1912 étend ses 80 ha de vignes entre Sierre et Sion, sur les coteaux ensoleillés de la rive droite du Rhône. Guy Rey et son fils Sébastien ont sélectionné 2 ha d'amigne pour élaborer ce 2012 élégant dans sa robe jaune à reflets verts comme dans son bouquet d'agrumes et d'ananas. Des arômes que l'on retrouve dans une bouche fraîche dès l'attaque, soutenue de bout en bout par une fine vivacité, avec toutefois une pointe de douceur bien agréable en finale. À servir frais à l'apéritif ou sur un sorbet de poire.

➤ Vins Bruchez, rte de Granges 91, 3978 Flanthey, tél. 27 458 12 14, fax 27 458 46 10, info@vinsbruchez.ch, ☑ ⚤ ⌑ r.-v.
➤ Sébastien Rey

VINS DES CHEVALIERS Chevalier d'or
Vendanges tardives 2011 ★★★

| ▨ | n.c. | ⑪ | 20 à 30 € |

Cet assemblage de malvoisie et d'ermitage (marsanne) vinifié sur lies en barrique, se présente dans une somptueuse robe jaune doré, offrant au nez des parfums intenses de citron confit. Souple et acidulée en attaque, la bouche affiche une belle harmonie avec l'olfaction, les agrumes confits mâtinés d'une touche de rôti menant là aussi la danse. De la puissance, de l'intensité, un bon soutien acide, de l'élégance : ce Chevalier d'or a de la tenue et pourra affronter sans crainte un fromage d'alpage bien affiné, dès à présent ou d'ici quatre à sept ans. La **Dôle Tradition rouge 2012 (11 à 15 €)**, assemblage de pinot noir (majoritaire comme il se doit), de gamay et de syrah, obtient une étoile pour son nez floral (pétale de rose) et fruité discret mais plaisant, et pour son palais souple, fondu et tonique. Une Dôle bien dans le ton, fringante à souhait, tout indiquée pour une assiette valaisanne (viande séchée, fromage d'alpage...), dès la sortie du Guide.

➤ SA Vins des Chevaliers, Varenstrasse 40, 3970 Salgesch, tél. 27 455 28 28, fax 27 455 34 28, info@chevaliers.ch, ☑ ⚤ ⌑ r.-v.
➤ Patrick Z'Brun

FERNAND CINA Amigne Réserve du caveau 2012 ★★★

| | 2 500 | ▣ | 15 à 20 € |

De vifs reflets verts animent la robe jaune de ce 2012 au nez délicat et complexe de fleurs blanches et d'écorce de mandarine. Une attaque tout en souplesse ouvre sur un palais d'un volume imposant, puissant, gras, à la longue finale ronde et chaleureuse. Apéritif ou tarte aux pommes, aujourd'hui ou dans trois à cinq ans, à vous de voir ; quoi qu'il en soit, le plaisir est garanti. Plaisir assuré également, mais plutôt dès l'automne, avec le **Heida Vieilles Vignes 2012 (5 000 b.)**, jugé remarquable pour son nez de silex et pour son palais riche et ample, à dominante exotique (mangue, fruit de la Passion) et stimulé par un léger perlant. Parfait sur un fromage d'alpage affiné. Deux étoiles enfin pour l'**Ermitage Réserve du caveau 2012 (2 500 b.)**, pour son bouquet d'herbes sèches et de foin fraîchement coupé, sa souplesse et sa douceur en bouche. Un vin au grand potentiel de vieillissement (la décennie).

☛ SA Fernand Cina, Bahnhofstrasse 27, 3970 Salgesch, tél. 27 455 09 08, fax 27 456 43 81, caves@fernand-cina.ch, ☑ ☆ ⟟ t.l.j. sf dim. 9h-12h 14h-17h

GILLES ET JOËL CINA Dôle de Salquenen 2012 ★★

| ■ | 12 000 | ▤ | 11 à 15 € |

Les frères Cina, à la tête d'un domaine de 7 ha créé en 1994, signent une Dôle bien sous tout rapport. Jolie robe rouge ornée de nuances violacées ; nez discret de prime abord, plus expressif à l'agitation, sur les fruits mûrs ; attaque enveloppante, prélude à une bouche longue et tout en rondeur, avec une juste fraîcheur et des tanins souples en soutien. Une bouteille charmeuse en diable, à boire sur le croquant du fruit, en compagnie d'un émincé de veau à la zurichoise.

☛ GMBH Gilles et Joël Cina, Postfach 121, 3970 Salgesch, tél. 27 455 60 00, fax 27 456 50 13, info@cinaweine.ch, ☑ ☆ ⟟ r.-v.

SÉLECTION COMBY Fendant Héritage 2012 ★★

| | 6 000 | ▤ | 11 à 15 € |

Trois générations de Comby se sont succédé sur ces terres de Chamoson : Louis, le fondateur, Gratien, jusqu'en 2008, Yann aujourd'hui. Ce dernier signe à partir du chasselas – appelé fendant en Valais, sa peau si... fendant sous les doigts lorsqu'il est mûr – une cuvée jaune clair, au nez épanoui sur la fleur de sureau. Une attaque ample stimulée par un léger perlant ouvre sur un palais gras et puissant, qui déploie une finale longue et très élégante.Déjà fort plaisant, ce vin a suffisamment de coffre pour être remisé trois à cinq ans en cave. Parfait pour une raclette.

☛ Sélection Comby, rue de Tsarreire 7, 1955 Chamoson, tél. 79 370 53 50, yann@comby-vins.ch, ☑ ☆ ⟟ r.-v.

CORDONIER ET LAMON Gamay Le Patricien 2011 ★

| ■ | n.c. | ▤ | 8 à 11 € |

Un domaine de 20 ha repris par la famille Cordonier en 1962. Un gamay de trente ans et un peu de gamaret (10 %) composent ce 2011 pourpre brillant, discrètement fruité à l'olfaction, plus expressif en bouche (compote de fraises et amande amère). C'est frais, élégant, structuré par des tanins fondus et prêt à boire sur une côte de porc charcutière ou tout autre plat canaille.

☛ SA Cordonier et Lamon, Tsaretton 51, 3978 Flanthey, tél. 27 458 12 57, vins@cordonier-lamon.ch, ☑ ☆ ⟟ t.l.j. sf sam. dim. 8h-12h 13h-17h

PHILIPPE DARIOLI Syrah Élevé en fût de chêne 2011 ★

| ■ | 1 000 | ⬚ | 20 à 30 € |

Une syrah de vingt ans née sur des sols de schistes et de calcaires a donné naissance à ce vin rouge dense et sombre. Si le nez se révèle plutôt réservé, la bouche séduit par son gras, son bon volume et sa finale vive et tonique, qui dynamise l'ensemble. Ses tanins déjà fondus autorisent une dégustation dès l'automne, sur des médaillons de chevreuil par exemple.

☛ Philippe Darioli, av. de la Fusion 16, 1920 Martigny, tél. 27 723 27 66, fax 27 306 19 31, philippe.darioli@gmail.com, ☑ ⟟ r.-v.

GÉRARD DORSAZ Petite arvine de Fully 2012 ★★★

| | 4 000 | ▤ | 15 à 20 € |

La petite arvine est le grand cépage blanc du Valais, qui aurait des affinités génétiques avec certains cépages du Val d'Aoste et de France ; une variété délicate, sensible aux vents, tardive, qui requiert les meilleures expositions, de préférence pas trop arides. Un « cépage qui se mérite » et qui donne ici le meilleur de lui-même sous la baguette de Gérard Dorsaz. D'un seyant jaune soutenu, ce 2012 livre un bouquet frais d'herbes sèches. L'attaque puissante, sur la rhubarbe, introduit un palais volumineux, structuré, gras et très long. Un vin au caractère affirmé que l'on verrait bien sur des blinis de saumon fumé et de caviar ou sur de nobles crustacés. Déjà harmonieuse, cette bouteille saura sans crainte rester trois à cinq ans en cave.

☛ Gérard Dorsaz, rte du Chavalard 38, 1926 Fully, tél. 79 449 56 74, gdorsaz@netplus.ch, ☑ ☆ ⟟ r.-v. ⌂ ⊙

FIN BEC Humagne rouge 2011 ★★★

| ■ | 4 500 | ⬚ | 20 à 30 € |

Avis à tous les becs fins : cet humagne rouge est un petit bijou. Robe dense à reflets pourpres ; nez mentholé et boisé trahissant un élevage de douze mois en barrique de chêne ; attaque ronde, ample et large ouvrant sur un palais puissant, aux tanins encore jeunes et fermes. Ce vin n'a pas encore livré tous ses secrets... On attendra cinq ou huit ans pour qu'il se dévoile totalement et pour le servir sur une belle pièce de gibier.

☛ SA Cave Fin Bec, rte de Vuisse, 16, 1962 Pont-de-la-Morge, tél. 27 346 20 17, fax 27 346 52 17, info@finbec.ch, ☑ ☆ ⟟ t.l.j. sf sam. dim. 8h-12h 13h30-17h30

MAURICE GAY Heida Chamoson Valais d'or 2012 ★

| | 20 000 | ▤ | 15 à 20 € |

Chamoson est la plus grande commune viticole du Valais. Ce domaine y est établi depuis 1883. Claude Crittin, à sa tête depuis 2001, signe un heida (savagnin) de belle facture. Un vin aux reflets d'or, au nez finement minéral, gras et d'un bon volume en bouche. À boire dès à présent, sur une cuisine exotique, des rouleaux de printemps par exemple.

☛ Vins Maurice Gay, rue de Ravanay 1, 1955 Chamoson, tél. 27 306 53 53, fax 27 306 53 88, mauricegay@mauricegay.ch, ☑ ☆ ⟟ r.-v.

JEAN-RENÉ GERMANIER Cayas Syrah du Valais 2011 ★★

| ■ | 32 000 | ▤ | 30 à 50 € |

Si les premières amours de la maison Germanier furent viticoles (première récolte en 1896), c'est un autre fruit qui fit sa réputation à partir des années 1940 : la poire, à l'origine d'une eau-de-vie, *Le Bon Père William*, bien connue des Valaisans. La vigne a repris sa place dans les années 1980, et ce sont deux œnologues, Jean-René Germanier et son neveu Gilles Besse, qui sont aux commandes. Ils signent un beau triplé cette année, avec en tête ce vin noir aux reflets violacés, dont le nez opulent prend des accents de fumée. Le palais se révèle suave, riche, ample, complexe et dévoile une belle finale sur des notes de cèdre qui trahissent l'élevage en barrique. Si l'on peut d'ores et déjà apprécier cette bouteille, sur un civet de chamois par exemple, on pourra aussi l'attendre cinq à sept ans. Une étoile est attribuée à l'**Humagne Réserve 2011 rouge (20 à 30 € ; 11 000 b.)**, floral (pivoine) au nez, encore un peu strict en bouche et vivifié par une finale mentholée. Même note pour le **Cornalin Réserve 2011 rouge (20 à 30 € ; 6 500 b.)**, intéressant par ses parfums de confiserie et de framboise, par sa puissance, son volume et sa complexité en bouche (mine de crayon, écorce d'orange, coco, grillé).

☞ SA Jean-René Germanier, Balavaud, 1963 Vétroz, tél. 27 346 12 16, fax 27 346 51 32, info@jrgermanier.ch, ☑ ⚘ ⵡ r.-v.

ROBERT GILLIARD Malvoisie Belle d'octobre 2012 ★

| | 2 000 | ▮ | 15 à 20 € |

Cette malvoisie (pinot gris) récoltée en octobre 2012 a donné naissance à un vin jaune à reflets dorés, au nez flatteur de reine-claude. Le palais se révèle riche et souple, sans lourdeur, parfumé d'arômes discrets de mirabelle confite. Accord gourmand en perspective avec un carpaccio d'ananas à la menthe. Le **Heida Païen 2012 (2 000 b.)**, une étoile également, est un blanc sec frais et encore un rien austère, qui devrait s'ouvrir avec le temps (trois ou quatre ans). On le servira alors sur des sushis au saumon.

☞ SA Robert Gilliard, rue de Loèche 70, 1950 Sion, tél. 27 329 89 29, fax 27 329 89 28, vins@gilliard.ch, ☑ ⚘ ⵡ t.l.j. sf dim. 9h30-12h 13h30-18h30

♥ MAURICE ET XAVIER GIROUD-POMMAZ Humagne rouge de Chamoson Les Cigalines 2010 ★★★

| | 1 500 | | 15 à 20 € |

Ce domaine fondé en 1963 propose une large palette de vins : trente-et-un pour seulement 6 ha de vignes ! Un beau concentré de la production valaisanne et un voyage ampélographique assuré, en Suisse (fendant, petite arvine, dôle, cornalin, diolinoir...) ou ailleurs (gamay, pinot noir, chardonnay, sangiovese...). Ici, honneur à « l'indigène » humagne rouge, à l'origine d'un superbe vin pourpre et dense, au nez typé d'écorce de chêne et de fruits à l'eau-de-vie (marasquin). Mais c'est surtout son magnifi-

que toucher de bouche qui a séduit les dégustateurs, son élégance et sa montée en puissance, allant d'une attaque souple à une finale chaleureuse. Un vin charmeur en diable, que l'on servira, aujourd'hui comme dans deux ou trois ans, sur un paillard de veau grillé.

☞ Maurice et Xavier Giroud-Pommaz, rue de Pommey 21, 1955 Chamoson, tél. 27 306 44 52, fax 27 306 90 19, info@siseranche.ch, ☑ ⚘ ⵡ t.l.j. sf dim. 8h-12h 13h-18h

DOM. DU GRAND BRÛLÉ Amigne 2012 ★

| | 1 300 | | 20 à 30 € |

Ce domaine d'expérimentation créé en 1918 par l'État du Valais est spécialisé dans la recherche et le développement des cépages autochtones : 12 ha en monopole plantés de vingt-cinq variétés. L'amigne est mise en valeur par ce 2012 jaune à reflets verts, au nez expressif et atypique de pamplemousse et de litchi ; arômes que l'on retrouve dans un palais gras et généreux. À servir très frais à l'apéritif ou en fin de repas. Issu de sylvaner, le **Johannisberg 2011 (15 à 20 € ; 3 500 b.)** fait jeu égal : un vin jaune doré, « organique » à l'olfaction, dominé par les fruits jaunes très mûrs en bouche. À réserver pour les asperges.

☞ Vignoble de l'État du Valais, Dom. du Grand Brûlé, 1912 Leytron, tél. 27 306 21 05, fax 27 306 36 05, grandbrule1@bluewin.ch, ☑ ⚘ ⵡ t.l.j. sf sam. dim. 10h30-12h 13h15-17h

LE GRILLON Fendant Les Seilles de Fully 2012 ★★

| | 1 000 | ▮ | 8 à 11 € |

Cette petite exploitation familiale de 2,5 ha propose un fendant (chasselas) fort séduisant dans sa livrée jaune clair à reflets verts. Le nez, tout en fraîcheur, évoque la poire williams. Une attaque vive prélude à une bouche ample, qui s'étire dans une longue finale minérale et florale. À boire dès à présent, à l'apéritif ou sur un fromage de chèvre frais. La cuvée **Marsanne Blanche Ermitage de Fully Grand Cru 2011** fait jeu égal. Ses arguments ? Du gras et de la puissance, des notes mentholées et florales en finale, accompagnées par une légère amertume propre au cépage. Un vin riche et plein qui pourra tenir dans le temps (la décennie), mais qui s'appréciera d'ores et déjà sur une volaille ou sur un brochet à la crème.

☞ Cave Le Grillon, Jean-Michel Dorsaz, rte du Chavalard 77, 1926 Fully, tél. 27 746 14 27, grillon@bluewin.ch, ☑ ⚘ ⵡ r.-v.

GREGOR KUONEN Réserve du caveau 2011 ★

| | n.c. | ▮ | 15 à 20 € |

Ce domaine crée en 1979, conduit par François Kuonen et sa fille œnologue Larissa, propose une vaste gamme de vins, avec pas moins de cinquante cuvées à la carte. Ici, un pur pinot noir en robe pourpre à reflets violines, au nez mûr de fruits rouges macérés et de fraise cuite agrémenté de nuances florales (pétale de rose). Le palais ? Riche, rond, chaleureux, joliment fruité en finale. « Un pinot style ancienne école », conclut un dégustateur. À servir dès à présent, sur une fondue bourguignonne par exemple.

☞ Gregor Kuonen, Caveau de Salquenen, Unterdorfstrasse 11, 3970 Salgesch, tél. 27 455 82 31, fax 27 455 82 42, info@gregor-kuonen.ch, ☑ ⚘ ⵡ t.l.j. sf dim. 8h-12h 13h30-17h30; sam. 9h-16h

LEUKERSONNE Muscat 2012 ★

| | 2 000 | | 11 à 15 € |

Des ceps de muscat de vingt ans plantés sur un sol calcaire sont à l'origine de ce vin jaune clair, au nez typé de pétale de rose fanée et au palais léger et flatteur, anisé et épicé (cannelle, gingembre). À servir bien frais à l'apéritif.

☛ Kellerei Leukersonne, Jörg und Damien Seewer, Sportplatzstrasse 17, 3953 Leuil-Stadt, tél. 27 473 20 35, fax 27 473 40 15, info@leukersonne.ch,
☑ ⚔ ⏋ t.l.j. sf dim. 8h-12h 13h30-18h

CH. LICHTEN Petite arvine 2012 ★★

| | 30 000 | ▮ | 15 à 20 € |

Si de nouveaux foudres issus de chênes suisses ont été installés récemment dans la cave de ce domaine familial, c'est en cuve, pendant six mois, qu'a été élevée cette petite arvine. Elle en est ressortie parée de jaune à reflets dorés, discrètement bouquetée autour des herbes sèches, la bouche fraîche, minérale et citronnée. Un vin tonique que l'on appréciera sans attendre à l'apéritif ou sur un carpaccio de saumon au poivre vert.

☛ Domaines Rouvinez, colline de Géronde, chem. des Bernardines 45, 3960 Sierre, tél. 27 452 52 52, fax 27 452 22 44, info@rouvinez.com,
☑ ⚔ ⏋ t.l.j. sf dim. 8h30-12h 13h30-17h30; sam. 10h30-12h30

CAVE LA MADELEINE Amigne de Vétroz
Flétrie sur souche 2010 ★★

| | 1 500 | ▥ | 30 à 50 € |

Cépage emblématique du village de Vétroz, l'amigne est déclinée dans deux versions par la cave La Madeleine. Honneur au liquoreux, issu de raisins flétris sur souche et ramassés en janvier 2010, puis élevée dix-huit mois en barrique. Un vin jaune or, au nez puissant d'ananas confit, ample, gras, chaleureux et dense en bouche, vivifié en finale par un zeste de mandarine bien typé du cépage. Parfait pour un moelleux au chocolat, dès à présent ou dans cinq à sept ans. (Bouteilles de 50 cl.) La version blanc sec, l'**Amigne de Vétroz 1 abeille 2011 (20 à 30 € ; 2 500 b.)**, obtient quant à elle une étoile pour son joli bouquet de glycine, pour son caractère rond et doux, pour sa générosité et sa longueur. À tenter dès aujourd'hui sur un foie gras chaud, ou à garder en cave trois à cinq ans.

☛ Cave la Madeleine, André Fontannaz, 1963 Vétroz, tél. 27 346 45 54 ☑ ⚔ ⏋ r.-v.

♥ DANIEL MAGLIOCCO ET FILS
Chamoson Païen 2012 ★★★

| | n.c. | ▮ | 11 à 15 € |

Deux vins d'exception retenus ici pour ce domaine de 6,2 ha. Né du seul sauvignon blanc, ce païen (nom valaisan du savagnin) a «converti» les dégustateurs. Il s'est présenté à eux en robe jaune soutenu, le nez ouvert sur les agrumes et les fruits exotiques. Son attaque tout en souplesse, sa corpulence, sa puissance, son volume impressionnant et sa longue finale sur le citron vert ont charmé leur palais enjoué. Déjà très harmonieux, il est bâti pour durer (trois à cinq ans). Coquillages et crustacés seront à la fête. Trois étoiles également pour le **Johannisberg 2012 (2 200 b.)**. Robe jaune clair ; joli nez d'amande douce ; attaque souple et développement sur une fine vivacité ; finale sur les herbes sauvages, le

gingembre et la verveine : un superbe exemple du sylvaner en Valais, tout en élégance et en délicatesse. À déguster sur un mets asiatique pas trop relevé, aujourd'hui comme dans cinq à sept ans.

☛ Daniel Magliocco et Fils, av. de la Gare 10, 1955 Saint-Pierre-de-Clapes, tél. 27 306 35 22, fax 27 306 48 60, daniel@magliocco.ch, ☑ ⚔ ⏋ r.-v.

♥ ADRIAN MATHIER Petite Arvine de Molignon
Les Pyramides 2012 ★★★

| | 15 000 | ▮ | 15 à 20 € |

Élu « Vigneron suisse de l'année » en 2007 et 2011, Diego Mathier est l'un des « Vignerons suisses du Guide Hachette » en 2013. Incroyable moisson d'étoiles et un coup de cœur pour cette petite arvine jaune doré, au bouquet complexe d'herbes sèches et de fruits exotiques. Ample dès l'attaque, le palais, sur le citron vert et la rhubarbe, déploie une finale fraîche, mentholée, rehaussée par une pointe de salinité qui laisse le souvenir d'un vin superbe d'élégance et de finesse. Pour des saint-jacques juste poêlées, dès l'automne et pendant trois ans. Dans sa version liquoreuse, la marsanne (ermitage) a aussi fait briller le domaine. Deux étoiles pour le **Gemma Ermitage 2011 (20 à 30 € ; 2 500 b.)** : robe vieil or, nez riche sur le miel d'acacia, bouche ample, grasse et expressive (poire cuite, citron confit, goût de rôti). Parfait pour un moelleux au chocolat. Même note pour le **Gemma Ermitage 2010 (20 à 30 € ; 2 500 b.)**, pour sa complexité (pâtisserie à l'olfaction, mirabelle et poire caramélisée en bouche) et pour son équilibre remarquable gras-acidité. À réserver pour une tarte Tatin. Deux vins que l'on peut déjà apprécier ou attendre dix à quinze ans pour de nouvelles sensations. Trois étoiles enfin pour le rosé **Œil-de-Perdrix La Matze 2012 (11 à 15 € ; 15 000 b.)**, issu de pinot noir, au nez typé de fruits rouges, admirable de souplesse et de rondeur ; deux étoiles pour le **Cornalin 2011 (20 à 30 € ; 10 000 b.)**, un vin rouge original et complexe (sureau et vanille au nez, myrtille, mûre et réglisse en bouche) ; une étoile enfin pour la **Syrah Hospices de Salquenen 2012 (11 à 15 € ; 8 000 b.)**, épicée, « solaire » et flatteuse.

☛ Adrian Mathier Nouveau Salquenen, Bahnhofstrasse 50, 3970 Salgesch, tél. 27 455 75 75, fax 27 456 24 13, info@mathier.com, ☑ ⚥ ⵂ t.l.j. sf dim. 8h-12h 13h30-17h

LES FILS MAYE Johannisberg de Chamoson Flétri 2011 ★★

| | 1 500 | ⬛ | 15 à 20 € |

Les raisins de sylvaner à l'origine de ce Flétri ont été récoltés à haute maturité, comme il se doit, en décembre 2011. Le résultat est un vin jaune doré, ouvert à l'olfaction sur les agrumes confits. Le palais ne déçoit pas : beaucoup de richesse et de gras, de la puissance, de l'élégance et l'indispensable trame acide qui apporte équilibre, tonus et longueur. Remarquable d'harmonie, ce vin s'appréciera dès aujourd'hui sur une tarte aux pommes caramélisées, mais pourra aussi affronter une décennie sans crainte.

☛ SA Les Fils Maye, Clos de Balavaud, rue des Caves 12, 1908 Riddes, tél. 27 305 15 00, fax 27 305 15 01, info@maye.ch, ☑ ⚥ ⵂ r.-v.

♥ CAVE NOUVEAU ST-CLÉMENT Le Cornalin 2012 ★★★

| | 6 500 | ⬛ | 15 à 20 € |

L'un des plus anciens cépages plantés dans le canton du Valais, le cornalin, âgé ici de vingt ans et planté sur un sol graveleux et calcaire, a donné naissance à l'un des meilleurs vins de cette sélection. La robe est dense à franges violines. Le nez typé évoque les fruits cuits, la mûre et le cassis. Une attaque fraîche et souple introduit un palais suave, bien épaulé par une fine acidité et par des tanins fermes qui soutiennent une longue finale sur le cassis. Une bouteille des plus harmonieuses, que l'on appréciera aussi bien sur son fruit frais qu'après deux ou trois ans de garde. Recommandé sur un curry vert thaïlandais pas trop épicé. La **syrah 2012 (2 250 b.)** obtient une étoile. Bouquet légèrement viandé (lard fumé), palais léger et vivifié par une pointe végétale, finale souple et fruitée : un vin à boire dès aujourd'hui, sur une assiette valaisanne (viande séchée et fromage d'alpage).

☛ Nouveau Saint-Clément, SA C. Lamon et Cie, rte de Condemines 20, 3978 Flanthey, tél. 27 458 48 58, fax 27 458 48 84, clamon@cavelamon.ch, ☑ ⚥ ⵂ r.-v.

L'ORPAILLEUR Petite Arvine 2012 ★★★

| | 8 000 | ⵀ | 15 à 20 € |

Un domaine d'une vingtaine d'hectares créé en 1999, établi à Uvrier, petit village de la commune de Sion

au cœur de la vallée du Rhône. En bon orpailleur, Frédéric Dumoulin a extrait une véritable pépite de son terroir de schiste et de calcaire et de cette petite arvine âgée de quinze ans. Un vin d'un superbe jaune soutenu, dont le bouquet intense évoque l'ananas et la mangue. Des tonalités exotiques que l'on retrouve dès l'attaque dans un palais d'une grande fraîcheur, souligné par une finale longue et enveloppante, saline et citronnée. À servir à l'apéritif ou sur un filet de rouget de roche.

☛ SA Frédéric Dumoulin, L'Orpailleur, rte d'Italie 81, 1958 Uvrier, tél. 27 203 04 46, info@orpailleur.ch, ☑ ⵂ r.-v.

CAVE DU RHODAN Blanc de noir 2012 ★

| | n.c. | ⬛ | 11 à 15 € |

Des ceps de pinot noir de trente-cinq ans plantés sur schistes et calcaires ont donné naissance à ce rosé aux reflets orangés, dont le nez discret s'ouvre à l'aération sur des notes crémeuses. À une attaque souple succède une bouche empreinte d'une fine douceur (4 g/l de sucres résiduels), « réveillée » par une finale épicée. À servir bien frais à l'apéritif ou sur une soupe de fraises au poivre et à la menthe.

☛ Cave du Rhodan, Mounir Weine, Flantheystrasse 1, 3970 Salgesch, tél. 27 455 04 07, fax 27 455 82 07, mounir@rhodan.ch,
☑ ⚥ ⵂ t.l.j. sf dim. 8h-12h 13h30-17h30
☛ Olivier Mounir

DOM. DES ROSES Humagne rouge de Leytron 2011 ★★

| | 2 000 | ⬛ | 15 à 20 € |

Jo Gaudard, installé depuis 1986 sur les terres de Leytron, met l'humagne rouge à l'honneur avec ce 2011. Une humagne pourpre plus exactement, ornée de reflets violacés, qui dévoile un nez qualifié de « rustique », agrémenté de fines notes minérales. Bien représentatif de ce cépage à maturité tardive produisant des vins volontiers vigoureux, le palais se révèle ample, dense, concentré, puissant. Un vin à déguster dans les deux ou trois ans à venir, sur un mets de caractère de préférence, un pavé de cerf aux airelles par exemple.

☛ Jo Gaudard, rte de Chamoson 25, 1912 Leytron, tél. 79 204 46 02, jogaudard@bluewin.ch,
☑ ⚥ ⵂ r.-v. 🏨 ❷ ⌂ Ⓔ

♥ DAVID ROSSIER Humagne blanche de Leytron 2012 ★★★

| | 1 200 | ⬛ | 15 à 20 € |

Un domaine relativement récent (1999), en agrandissement constant (achat d'une cave en 2008, construction d'un caveau de dégustation en 2013). Des investissements payants à en juger par cette cuvée admirable. L'occasion d'évoquer l'humagne blanche qui n'a aucun lien avec son homonyme rouge : une variété sensible qui exige des rendements limités, très cultivée jusqu'au XIXᵉs., mais qui faillit disparaître au début du XXᵉs. avant de regagner peu à peu du terrain. David Rossier en exploite 15 ares à l'origine de ce vin jaune à reflets verts, au nez quelque peu sauvage, mais qui se révèle pleinement en bouche. Une attaque fraîche et dynamique introduit un palais ample, gras, intense, sur les fleurs blanches, arômes délicats relayés par la pêche dans une longue finale. Conseillé sur une raclette de fromage d'alpage au feu de bois, aujourd'hui comme dans cinq ans.

☛ Cave David Rossier, rte de Chamoson 43, 1912 Leytron, tél. 79 204 17 45, info@david-rossier-vins.ch, ☑ ⚒ ☗ r.-v.

CAVE SAINTE-ANNE Fendant Tradition 2012 ★★

| ■ | 3 338 | ▮ | 8 à 11 € |

La Cave Saint-Anne est en plein redimensionnement : division de « l'encavage » (production) par trois, arrêt du négoce et orientation plus artisanale – moins mais mieux en somme. Avec ce 2012, le domaine va clairement dans le bon sens. Un vin jaune clair, au nez minéral à souhait (pierre chaude, silex), légèrement perlant, ample et expressif en bouche, sur les fruits blancs et l'amande amère. De la personnalité et de la persistance pour ce fendant que l'on verrait bien accompagner des filets de truite fumée ou un vieux fromage d'alpage dans les trois ou quatre ans à venir.

☛ Cave Sainte-Anne, av. Saint-François 2, 1950 Sion 2, tél. 27 322 24 35, fax 27 322 92 21

☑ ⚒ ☗ t.l.j. sf dim. 8h-12h 13h30-18h; sam. sur r.-v.

☛ Héritier Favre

CAVE SAINT-PIERRE Gamay
Réserve des administrateurs 2012 ★★

| ■ | 3 000 | | 8 à 11 € |

Ce gamay se présente dans une robe pourpre, dévoilant d'intenses parfums de fruits rouges et noirs. Un même fruité soutenu anime l'attaque, prélude à une bouche ample, large, aux tanins encore un peu sévères. Un vin plein de personnalité, un brin rugueux, vivifié en finale par des notes minérales. À découvrir sur une assiette valaisanne, dans les trois ans à venir.

☛ SA Cave Saint-Pierre, rue de Ravanay 1, 1955 Chamoson, tél. 27 306 53 54, fax 27 306 53 88, info@saintpierre.ch, ☑ ⚒ ☗ r.-v.

☛ SA Schenk

DOM. SAINT-THÉODULE Martigny Cornalin
Les Serpentines 2011 ★

| ■ | 4 500 | ▯ | 20 à 30 € |

Un domaine créé en 1979, dont le vignoble de 18 ha (pour quatorze cépages) est établi sur le coteau très pentu de Martigny qui n'offre d'autre choix que le travail manuel. Gérald et Patricia Besse, épaulés depuis cette année par leur fille œnologue Sarah, signent un cornalin de belle facture. La robe est sombre, animée de reflets violets. Le nez discret s'ouvre à l'agitation sur les fruits cuits. Souple en attaque, le palais suave renoue dans une finale chaleureuse avec les notes fruitées perçues à l'olfaction. Un vin généreux et harmonieux, à déguster sur un paillard de veau.

☛ Gérald et Patricia Besse, rte de la Combe 14, Les Rappes, 1921 Martigny-Combe, tél. 27 722 78 81, fax 27 723 21 94, info@besse.ch,

☑ ⚒ ☗ t.l.j. sf dim. 7h30-12h 13h30-18h; f. sam. matin d'avr. à déc.

CAVE LES SENTES Heida Les Coteaux de Sierre 2012 ★★★

| | 1 500 | ▮ | 11 à 15 € |

De jeunes plants (dix ans) de heida (ou savagnin, appelé aussi païen dans le Valais) ont donné naissance à un 2012 de grande expression. Robe jaune à reflets verts ; nez fin et élégant de fruits exotiques ; bouche fraîche et dynamique sur les agrumes, le menthol et quelques notes de poivre blanc en finale : un vin plein de fougue qui fera un magnifique compagnon de table pour un carpaccio de saumon au citron vert. À un cheveu du coup de cœur... À boire ou à garder trois à cinq ans. Le **blanc 2012 Rèze Coteaux de Sierre (1 500 b.)**, noté une étoile, est un vin au nez original de foin coupé, bien structuré en bouche, vif, tonique et fruité (ananas). À servir frais, à l'apéritif.

☛ Serge Heymoz, Cave Les Sentes, Entre-deux-Torrents 39, 3960 Sierre, tél. 79 607 60 01, serge@heymozvins.ch, ☑ ⚒ ☗ r.-v.

LA TOURMENTE Chamoson Heida 2012 ★★

| | 2 000 | ▮ | 11 à 15 € |

Heida ? Le païen... Mais encore ? Le savagnin pour les lecteurs français. Bernard Coudray en signe une version fort réussie, jaune à reflets verts, au nez discret mais fin de fruits exotiques, ample et riche en bouche, avec ce qu'il faut de vivacité, apportée ici par les agrumes (citron, pamplemousse), pour ne pas tomber dans la lourdeur. Un vin remarquablement équilibré, que l'on peut boire dès à présent sur un curry vert thaïlandais par exemple ou attendre trois à cinq ans. Le **Chamoson Johannisberg Vendange tardive 2012 (2 000 b.)** est un liquoreux très mûr, laissant poindre quelques notes d'évolution, de paille séchée, sans manquer de fraîcheur toutefois. Une bouteille que l'on pourra remiser en cave cinq à sept ans, ou boire dès l'automne sur un foie gras.

☛ Cave la Tourmente, Les Fils et Bernard Coudray, Tsave 6, 1955 Chamoson, tél. 79 241 23 65, fax 27 306 34 56, tourmente.cave@bluewin.ch, ☑ ⚒ ☗ r.-v.

VARONE Œil-de-Perdrix Valrose 2012 ★

| | 5 000 | ▮ | 11 à 15 € |

Ce domaine de 60 ha fondé en 1900 propose une large palette de vins du Valais, avec un attachement particulier aux cépages autochtones. S'il est issu du bourguignon pinot noir, l'Œil-de-Perdrix est bien une spécialité valaisanne. Celui-ci se présente dans une robe saumonée et offre un nez flatteur et fruité. Le palais se révèle frais, ample et structuré en finesse. Bel accord en perspective avec un *vitello tonnato*. Une étoile également pour l'**Amigne de Vétroz 2012 Héritage (15 à 20 € ; 4 000 b.)**, un moelleux délicat, souple et fruité (agrumes), à servir à l'apéritif ou sur une salade de fruits frais.

☛ SA Philippe Varone, CP 4326, 1950 Sion 4, tél. 27 203 56 83, fax 27 203 47 07, info@varone.ch, ☑ ⚒ ☗ r.-v.

RAPHAËL VERGÈRE Vétroz Cornalin 2012 ★
■ 1 000 20 à 30 €

Cette petite propriété familiale de 5 ha, qui a également développé une activité de pépiniériste, propose un vin 100% cornalin né sur schistes. Pourpre à reflets violacés, ce 2012 dévoile un nez discret de fruits sauvages. Si l'attaque et le milieu de bouche sont plutôt légers, la finale se révèle plus tannique et austère. Une bouteille à boire dans les deux ou trois ans à venir.

☛ Raphaël Vergère, rue de Conthey 25, 1963 Vétroz, tél. 79 326 87 17, info@chantevigne.ch, ☑ ⵏ r.-v.

LES CELLIERS DE VÉTROZ Amigne 2 Abeilles 2011 ★★★
▣ Gd cru 1 500 15 à 20 €

Un petit domaine familial de 3 ha créé en 2002, essentiellement implanté sur le coteau de Vétroz, conduit par Jean et Yvette Fontannaz et leurs cinq enfants. Deux « douceurs » issues de l'amigne sont ici retenues. La version moelleuse (9 g/l de sucres résiduels) revêt une superbe robe jaune doré et dévoile un nez charmeur de marmelade d'agrumes. Sur le citron confit, le palais se révèle souple, léger, aérien, minéral en finale. Une bouteille très élégante que l'on pourra ouvrir dès aujourd'hui ou attendre deux à cinq ans. On lui réservera un mets délicat, une terrine de foie gras aux figues par exemple. La cuvée **Rhapsodie 2012 Amigne flétrie sur souche Élevé en fût de chêne (20 à 30 € ; 2 100 b.)**, notée une étoile, dévoile un nez de fruits confits (poire, mirabelle) relayé par un palais voluptueux et sans lourdeur malgré son imposante liqueur (150 g/l de sucres résiduels). À servir sur une tarte aux abricots... du Valais.

☛ Les Celliers de Vétroz, rte cantonale 65, 1963 Vétroz, tél. 27 346 72 07, fax 27 346 72 08, info@celliersdevetroz.ch, ☑ 🖈 ⵏ r.-v.

CAVE DU VIEUX PRESSOIR Chamoson
Pinot noir 2012 ★★★
■ 5 000 11 à 15 €

Une cave familiale de création récente (2008) dont le vignoble s'étend sur 8 ha. Ghislaine Crittin a sélectionné 60 ares de pinot noir planté sur un sol graveleux pour élaborer ce vin « trois étoiles ». Ses arguments ? Une élégante robe rubis à reflets violets ; un nez frais et bien typé de fruits rouges (cerise notamment) ; une attaque savoureuse ouvrant sur une bouche ronde et enveloppante, raffermie par des tanins jeunes, qui s'achève sur une plaisante touche amère. Un pinot aux accents bourguignons : du fruit, de la fraîcheur, de la structure. À déguster sur une viande rouge au gril, dans les trois à quatre ans à venir.

☛ Cave du Vieux Pressoir, rue Pommey 6, 1955 Chamoson, tél. 78 865 53 14, ghislaine@caveduvieuxpressoir.ch, ☑ 🖈 ⵏ r.-v.
☛ Ghislaine Crittin

Canton de Genève

Déjà présente en terre genevoise avant l'ère chrétienne, la vigne a survécu aux vicissitudes de l'Histoire pour s'épanouir pleinement dès la fin des années 1960.

Elle bénéficie d'un climat tempéré dû à la proximité du lac, d'un très bon ensoleillement et d'un sol favorable, et se partage entre 32 appellations. Les efforts entrepris pour améliorer le potentiel des vins genevois par des méthodes culturales respectueuses de l'environnement, le choix de cépages moins productifs et appropriés à un sol généralement caractérisé par une forte teneur en calcaire permettent de garantir au consommateur un vin de haute qualité. Les exigences contenues dans les textes de loi traduisent autant la volonté des autorités que celle de la profession de mettre sur le marché des vins qui satisfont aux normes des AOC.

Outre les principaux crus provenant du chasselas pour les blancs, du gamay et du pinot noir pour les rouges, les spécialités comme le chardonnay, le pinot blanc, l'aligoté, le gamaret et le cabernet rencontrent un franc succès auprès de l'amateur avisé.

DOM. DES ABEILLES D'OR Sauvignon de Genève Chouilly 2011 ★★
▪ 5 000 ■ 15 à 20 €

Depuis 1993, la famille Desbaillets conduit ce domaine de 30 ha, cultivant vingt cépages sur les coteaux d'argilo-calcaires et de molasses de Satigny. Le sauvignon blanc est à l'origine de ce vin au nez de bourgeon de cassis et de groseille, et à la bouche parfaitement équilibrée et d'une grande finesse. Tout indiqué pour des asperges.

☛ Dom. des Abeilles d'or, 3, rte du Moulin-Fabry, 1242 Satigny, tél. 22 753 16 37, fax 22 753 80 20, info@abeillesdor.ch, ☑ 🖈 ⵏ r.-v.
☛ René et laurent Desbaillets

CUVÉE APOLLINE Gewurztraminer passerillé 2011 ★★
■ 1 000 20 à 30 €

Installé depuis 1997 sur ce domaine de 11 ha fondé en 1930, Bernard Bosseau signe un superbe gewurztraminer passerillé, élevé neuf mois en cuve. Le résultat ? Un bouquet qui affiche ouvertement son origine variétale par ses notes de rose, une bouche onctueuse équilibrée par une fine fraîcheur : un ensemble d'une grande richesse mais jamais lourd, à apprécier sur un foie gras poêlé.

☛ Dom. de la Côte 11, 1283 Dardagny, tél. 22 754 12 59, fax 22 754 15 59, info@domainedelaplanta.ch, ☑ ⵏ r.-v.
☛ Bernard Bosseau

JEAN BATARDON Gamaret Fût de chêne 2010 ★★
■ 2 000 11 à 15 €

Ce domaine est situé à Laconnex, à environ 10 km de Genève, sur la rive gauche du Rhône. Ce 2010 est issu du gamaret, subtil assemblage suisse de reichensteiner et de gamay réputé pour sa finesse. Élégant, ce vin se montre voluptueux, sur des notes boisées et mentholées qui flattent les papilles. La fraîcheur est au rendez-vous jusqu'en finale.

☛ Jean Batardon, 13, rte du Lavoir, 1287 Laconnex, tél. 079 637 62 71 ☑ ⵏ r.-v.

DOM. DES BESSONS Gamarêve 2010 ★

■　　　　　　　　2 500　　　🍷▥　11 à 15 €

Ce domaine a été créé au début du XXᵉs. par Albert Desbaillet. Éric Leyvraz (la deuxième génération), secondé par sa fille Laure, qui s'apprête à reprendre les rênes de l'exploitation, a consacré 41 ares à ce 2010 issu de vignes âgées de quinze ans. Un fruité intense, agrémenté d'épices douces et de notes de noix de coco, anime ce vin bien structuré. Parfait pour accompagner un plateau de fromages affinés.

☛ Éric Leyvraz - Dom. des Bessons, 27, rte de Maison-Rouge, 1242 Satigny, tél. 022 753 11 60, fax 022 753 90 09, info@domaine-des-bessons.com, ▣ ⚥ ⊺ r.-v.

DOM. DES CHARMES L'Esprit de Genève par B. Conne 2010 ★★

■　　　　　　　　2 000　　　🍾🍷▥　15 à 20 €

Anne et Bernard Conne, qui conduisent depuis 1989 ce vignoble de 10 ha sis à Satigny, ont plusieurs fois été distingués dans le Guide pour leurs vins rouges et blancs. Ce 2010 composé de trois cépages – gamay (50 %), gamaret et merlot – dévoile une belle complexité aromatique soutenue par un léger vanillé, souvenir de l'élevage en fût. Bel accord en perspective avec une viande rouge.

☛ Dom. des Charmes, 11, rte de Crédery, Peissy, 1242 Satigny, tél. 22 753 22 16, info@domainedeschaumes.ch, ▣ ⚥ ⊺ r.-v.

☛ Bernard Conne

LE CLOS DE CÉLIGNY Gamaret garanoir 2010 ★

■　　　　　　　　1 900　　　🍾　15 à 20 €

Ce Clos, valeur sûre du Guide, s'étend sur 8,5 ha d'un seul tenant. Vingt ares de gamaret (70 %) et de garanoir (30 %) donnent naissance à ce moelleux rouge élevé dix mois en cuve. Le nez intense associe les fruits rouges aux épices douces et à de fines nuances de cacao. Équilibrée, la bouche, ronde et riche, flatte les papilles jusqu'à la finale soyeuse. Plaisir garanti dès la sortie du Guide. Pourquoi pas sur une côte de bœuf ?

☛ Le Clos de Céligny, H. Schütz et R. Moser, rte de Céligny 38, 1298 Céligny, tél. 22 364 23 19, fax 22 364 57 46, moser@clos-de-celigny.ch, ▣ ⊺ sam. 9h-12h

CLOS DES PINS Gamaret Mandragore 2010 ★★★

■　　　　　　　　8 000　　　🍷▥　15 à 20 €

Situé sur la commune de Dardagny, au lieu-dit « Émichaudes », ce domaine a consacré 1,6 ha de vignes bien orientées (sud-est) à cette cuvée exceptionnelle : un pur gamaret élevé un an en fût (dont un tiers de neufs). Le nez puissant mêle les fruits et le boisé concentré de l'élevage à de fraîches notes mentholées. Parfaitement équilibré, ce vin s'affirme sur une belle charpente tannique, qui annonce une bonne garde. À découvrir sur une côte de bœuf.

☛ Dom. du Clos des Pins, Marc Ramu, 458-464 rte du Mandement, 1283 Dardagny, tél. 22 754 14 57, fax 22 754 17 23

▣ ⊺ t.l.j. sf dim. 17h30-18h30; sam. 9h-12h

LES CRÊTETS Garanoir de Peissy Élevé en fût de chêne 2010 ★★★

■　　　　　　　　1 500　　　🍷▥　11 à 15 €

Après dix années passées dans le secteur des produits de luxe et de l'horlogerie, Philippe Plan a parfaitement réussi sa reconversion entamée en 2009. Témoin ce 2010 issu du garanoir – assemblage de didinoir et de gamay réputé pour sa puissance aromatique. Cette cuvée élevée onze mois en fût de chêne livre un bouquet très expressif de fruits mûrs et de réglisse. Riche et corpulent, le palais est étayé par de solides tanins. Le bois est encore très présent, mais le potentiel de cette bouteille exceptionnelle est certain. À réserver pour une viande rouge ou un plateau de fromages.

☛ Philippe Plan, Cave les Crêtets, chem. des Crêtets 24, 1242 Satigy, tél. 22 753 10 97, fax 22 753 06 24, info@lescretets.ch, ▣ ⊺ r.-v.

LA CAVE DE GENÈVE L'Esprit de Genève 2011 ★★★

■　　　　　　　　6 000　　　🍾🍷▥　15 à 20 €

La cave de Genève, établie à Satigny, entre lac Léman et montagne, propose vingt-huit cépages et tous les types de vins. Bien connu des habitués du Guide, elle se voit cette année distinguée pour un bel assemblage de gamay (50 %), de gamaret (25 %), de marselan (15 %) et de merlot (10 %), le premier cépage élevé en cuve, les trois autres ayant connu le bois. Le nez tout en fraîcheur navigue entre les fruits et le menthol. La bouche, vive, dévoile une matière parfaitement équilibrée, d'une très grande finesse.

☛ La Cave de Genève, rue Pré-Bouvier 30, 1242 Satigny, tél. 22 753 11 33, fax 22 753 21 10, info@cavedegeneve.ch, ▣ ⚥ ⊺ r.-v.

CHRISTIAN GUYOT L'Esprit de Genève 2010 ★★★

■　　　　　　　　1 000　　　🍷▥　15 à 20 €

Depuis 2005, Christian Guyot est à la tête d'un petit vignoble (1 ha) situé à Bernex, à l'ouest de l'agglomération genevoise, sur lequel il cultive pas moins de neuf cépages. Il y a deux ans, il se distinguait pour la première fois dans le Guide avec un assemblage « trois étoiles » diolinoir-garanoir-galotta. Avec ce gamay-gamaret (50/50) pareillement distingué, élevé un an en fût, il confirme son savoir-faire. Le bouquet déjà concentré mêlant les fruits noirs et les notes boisées annonce un palais bâti sur une solide ossature tannique, gage d'un très bon potentiel. Un vin de garde assurément.

☛ Christian Guyot, rue de Bernex 2778, 1233 Bernex, tél. 02 27 56 07 34, fax 02 27 56 07 35 ⚥ ⊺ r.-v.

LES HUTINS Ilios Passerillé 2009 ★★★

■　　　　　　　　1 200　　　🍷▥　20 à 30 €

Fondé en 1901, ce domaine familial de 19 ha est une valeur sûre du canton. Comme l'an dernier, le couple Hutin voit l'un de ses liquoreux sélectionné. Cet assemblage de pinot gris (70 %) de gewurztraminer (15 %) et de chardonnay a séjourné vingt-quatre mois en fût. Concentré, le bouquet dévoile des arômes de fruits confits (zeste d'orange) agrémentés de notes boisées. À l'unisson, le palais offre un équilibre admirable entre acidité et sucre, penchant plutôt vers la fraîcheur. Idéal pour accompagner un dessert au chocolat.

☛ Dom. les Hutins, Émilienne et Jean Hutin, chem. de Brive 8, 1283 Dardagny, tél. 22 754 12 05, info@domaineleshutins.ch, ☑ ⚔ ⏐ r.-v.

Ⓑ DOM. DE MIOLAN L'Étoile de Miolan 2010 ★★★

| | 1 400 | ▮ | 15 à 20 € |

En 1997, Bertrand Favre a repris en fermage cette petite exploitation viticole de 4 ha, qu'il conduit en biodynamie depuis 2007. Plus régulièrement distingué pour ses rouges tranquilles, ce domaine s'illustre cette année avec un effervescent. Ce pur gewurztraminer a séduit les dégustateurs par son cordon de fines bulles, par son bouquet intense évoquant les fruits exotiques (mangue, litchi) et par son palais d'une grande finesse, parfaitement équilibré. Une cuvée festive et originale, idéale pour l'apéritif ou le dessert.

☛ Dom. de Miolan – Bertrand, chem. des Princes 83, 1244 Choulex, tél. 89 449 05 74 ☑ ⏐ r.-v.

DOM. DES MOLARDS Chasselas
Réserve du domaine 2011 ★

| | 10 000 | ▮ | 8 à 11 € |

Les origines de ce domaine remontent à 1352. Aujourd'hui, Michel et Marie-Lise Desbaillet, représentant la vingt-cinquième génération à conduire cette exploitation de 20 ha, signent un chasselas qui joue sur la finesse. Finesse du nez avec ses notes florales, finesse du palais porté par un léger perlant. L'ensemble, d'une belle fraîcheur, révèle en finale une note d'amertume qui apporte de la complexité et de la persistance. Accord gourmand en perspective avec tous les produits de la mer.

☛ Dom. des Molards, rte des Molards 21, 1281 Russin, tél. 22 754 15 40, fax 22 754 15 62, info@molards.ch, ☑ ⏐ t.l.j. sf dim. 16h-19h
☛ Desbaillet-Russin

DOM. DU PARADIS Alain Prévu 2011 ★

| | 3 500 | ▮⏐ | 15 à 20 € |

Établi sur les bords du Rhône, ce domaine créé en 1983 conduit un vignoble de 52 ha complanté de vingt-six cépages. Pour cette cuvée : 60 % de sauvignon blanc et 40 % d'aligoté, le premier élevé six mois en fût, le second six mois en cuve. D'une belle intensité aromatique, ce vin livre des notes de buis agrémentées de fines nuances boisées, légèrement torréfiées. Gras et ample, le palais est encore marqué par le merrain. Une bouteille à laisser patienter donc, un an ou deux, avant de l'ouvrir sur un risotto aux asperges.

☛ Dom. du Paradis, rte du Mandement 275, 1242 Satigny, tél. et fax 22 753 18 55, info@domaine-du-paradis.ch, ☑ ⚔ ⏐ r.-v.
☛ Roger Burgdorfer

DOM. DES PENDUS Merlot 2009 ★★

| ▮ 1er cru | 3 500 | ⏐ | 15 à 20 € |

Cette propriété appartient depuis quatre générations à la famille Sossauer, d'origine bernoise. En 1984, Christian Sossauer réoriente l'exploitation, de la polyculture à la viticulture, champs et pâturages cédant la place aux vignes. Ce merlot remarquable a séduit les dégustateurs par ses parfums gourmands et intenses de fruits rouges (cerise), de moka et de poivron rouge. Le palais ample s'adosse à des tanins soyeux et serrés qui laissent deviner un beau potentiel de garde.

☛ Christian Sossauer, rte de Peney-Desous 1, 1242 Satigny, tél. 22 753 19 61 ☑ ⚔ ⏐ r.-v.

LES PERRIÈRES Muscat de Peissy 2011 ★★

| ▮ | 1 000 | ⬛⬛⬛ | 15 à 20 € |

Ce vaste domaine familial de 80 ha est aujourd'hui exploité par la huitième génération. Ce muscat né sur le terroir d'argiles et de molasses de Peissy a été élevé un an en fût. Mais ce séjour ne l'a pas chargé d'arômes boisés : le nez, d'une belle finesse, évoque plutôt les fruits, les fleurs et le miel. En bouche, l'équilibre entre fraîcheur et douceur (170 g/l de sucres résiduels) est remarquable.

☛ Cave et Domaine les Perrières, rte de Peissy 54, 1242 Satigny, tél. 22 753 90 00, fax 22 753 90 09, info@lesperrieres.ch,
☑ ⚔ ⏐ t.l.j. sf. dim. 9h-12h 14h-18h (sam. 17h)

LES VALLIÈRES Sauvignon blanc Magie blanche 2012 ★★

| | 5 000 | ▮ | 11 à 15 € |

Louis et André Serex voient leurs vins régulièrement distingués dans le Guide. Ce pur sauvignon est né de vignes âgées de quinze ans plantées au bas d'un coteau de graves et de molasses. Après un élevage en cuve pendant sept mois, cette cuvée « sauvignonne » avec finesse sur des notes fruitées et florales. La bouche, qui montre une légère évolution, est parfaitement équilibrée entre l'alcool et la fraîcheur.

☛ André Serex, Charny 36, 1242 Satigny, tél. 22 753 16 04, fax 22 753 03 33 ☑ ⚔ ⏐ r.-v.

♥ DOM. VILLARD ET FILS Gewurztraminer
Vendange passerillée Les Raretés 2010 ★★★

| | 300 | ▮ | 20 à 30 € |

Ce petit domaine d'Anières (6 ha), dont les origines remontent au début du XVIIe s., est situé à 6 km de Genève sur un beau terroir sablo-graveleux. Nous l'avions laissé en 2011 sur un coup de cœur pour un savagnin 2007. Nous le retrouvons de nouveau sur la plus haute marche du podium avec le pur gewurztraminer, un grand vin au bouquet très complexe qui mêle miel, truffe, confiture de coings et épices. La bouche, ample et d'une rare élégance, dévoile la même richesse et la même complexité. Une perle rare d'une longueur infinie qui accompagne délicieusement un foie gras poêlé.

☛ Dom. Villard et Fils, rue Centrale 46, 1247 Anières, tél. et fax 22 751 25 56, vinsvillard@bluewin.ch, ☑ ⚔ ⏐ r.-v.

Canton de Neuchâtel

Proche du lac qui reflète le soleil, adossé aux premiers contreforts du Jura qui lui offrent une exposition privilégiée, le vignoble neuchâtelois s'étire sur une étroite bande de 40 km entre Le Landeron et Vaumarcus. Le climat sec et ensoleillé de cette région, de même que les sols calcaires jurassiques ou morainiques qui y prédominent, conviennent bien à la culture de la vigne, ce qu'attestent les historiens qui nous apprennent que la première vigne y fut officiellement plantée en 998 ; à Neuchâtel, la vigne est donc plus que millénaire. Dans ce vignoble de 600 ha, le pinot noir et le chasselas règnent en maîtres. On trouve également quelques spécialités blanches (pinot gris, chardonnay, sauvignon blanc, gewurztraminer, doral, viognier) et rouges (gamaret, garanoir). Leur culture occupe aujourd'hui 15 % des surfaces. Cet encépagement riche est à l'origine d'une très large palette de vins et de saveurs différentes, grâce au savoir-faire des vignerons et à la diversité des terroirs. Le très typique Œil-de-Perdrix, un rosé local inimitable, ainsi que la perdrix blanche, une spécialité protégée obtenue par pressurage sans macération, sont tous les deux issus du pinot noir, la valeur sûre du vignoble neuchâtelois. Les vins rouges issus de ce cépage, élégants et fruités, souvent racés, sont aptes au vieillissement. Les gamaret et garanoir, fréquemment assemblés, parfois également avec le pinot noir, conviennent très bien à l'élevage en barrique et donnent des vins rouges charpentés. Ces deux cépages n'ont d'ailleurs que récemment acquis leurs lettres de noblesse en faisant leur entrée dans l'arrêté de l'AOC. Cette décision survient alors que les premières plantations dans le canton remontent à une vingtaine d'années. Cela démontre le souci de qualité de l'Interprofession vitivinicole neuchâteloise, qui a préféré attendre que ces cépages aient fait leurs preuves. Il en est de même pour les cépages blancs charmont et viognier. La variété des sols du canton, d'est en ouest, ainsi que les styles personnels des vinificateurs, sont à l'origine d'une grande diversité de goûts et d'arômes des vins blancs de chasselas et promettent à l'amateur curieux plus d'une découverte intéressante. On relèvera encore une spécialité locale issue du même cépage : le « Non filtré », vin primeur qui rafraîchit le palais l'été venu et réjouit les gastronomes amateurs de cuisine exotique. Chacune des dix-huit communes viticoles produit sa propre appellation, alors que l'appellation Neuchâtel est applicable à l'ensemble des productions du canton.

CAVES DU CH. D'AUVERNIER 2012 ★★★

n.c. ▮ 11 à 15 €

Avec plus de quatre cents ans de vinification et une lignée de quatorze générations, les Caves du Château d'Auvernier représentent la tradition des vins neuchâtelois au sens le plus noble du terme. Un « encavage » historique et incontournable du vignoble neuchâtelois conduit avec talent par Thierry Grosjean et son équipe. Habitué des distinctions, il ne déroge pas à la règle avec ce superbe chasselas 2012. Ses arguments ? Un nez tout en finesse sur la fleur de vigne et le miel. Une bouche très « aristocratique », épurée, rigoureuse et pleine de charme à la fois, expression admirable de ce fringant cépage, apte à délier les langues et faire sourdre l'amitié. Ce vin est en outre d'une longueur exceptionnelle, et, comme le disent les voisins lémaniques, « il redemande »... À découvrir également, le très réussi Œil-de-Perdrix 2012 rosé (8 à 11 €).
🕿 Caves du ch. d'Auvernier, Le Château, pl. Épancheurs 6, 2012 Auvernier, tél. 32 731 21 15, fax 32 730 30 03, wine@chateau-auvernier.ch,
☑ ⚹ ⛉ t.l.j. sf dim. 7h30-12h 13h30-17h; sam. 10h-12h

♥ CAVE DES COTEAUX Les Petits Crêts Œil-de-Perdrix 2012 ★★★

n.c. 11 à 15 €

Fédérant une vingtaine de vignerons-coopérateurs pour près de 50 ha de vignes, cette cave coopérative propose une belle diversité de cépages et de terroirs. Elle se signale aussi par la qualité très régulière de sa production, une fois de plus mise en valeur dans ces pages. En l'occurrence, un superbe Œil-de-Perdrix, spécialité du vignoble neuchâtelois, qui met aussi en exergue la belle maîtrise de l'œnologue de la cave, Janine Schaer. Ce 2012 se distingue d'emblée par sa robe saumon clair du plus bel effet. Le nez, ouvert et délicat, distille de fines senteurs de gelée de coing. Le palais, admirable de pureté, de fraîcheur et d'équilibre, mêle avec persistance la douceur du caramel à la vivacité de la confiture d'oranges amères. Un vin qui fera oublier tous les rosés dits de « l'été » et qui plaira aux amoureux de rosés pérennes. À « Petits Crêts », grand Œil ! Le chasselas Cortaillod 2012 Sur le Chemin (20 à 30 €), de très belle facture également, fera l'unanimité à l'apéritif.
🕿 Cave des Coteaux, rte du Vignoble 27, 2017 Boudry, tél. 32 843 02 60, fax 32 843 02 69, info@cave-des-coteaux.ch, ☑ ⚹ ⛉ r.-v.

♥ VINS KELLER Perdrix blanche 2012 ★★★

n.c. 11 à 15 €

Si la cave est située à l'entrée ouest du canton, tout près du magnifique château de Vaumarcus, le vignoble

d'une vingtaine d'hectares de Boris Keller (par ailleurs ardent défenseur du développement durable et président de Vitiswiss) s'étend jusqu'à Auvernier. Réputé pour la qualité de ses vins, ce domaine propose avec cette Perdrix blanche un petit bijou qui met à l'honneur cette spécialité neuchâteloise trop rare, issue d'un pressurage direct de pinot noir (blanc de noir), qui se distingue par sa magnifique couleur or. C'est bien le cas de ce 2012 somptueusement doré, qui séduit par sa subtilité et son harmonie peu communes. Le nez est à la fois délicat et intense. La bouche offre une large palette de sensations : de la douceur à la vivacité, de la discrétion à l'exubérance, des fruits à chair blanche au melon mûr... Un délice. À découvrir également, l'Œil-de-Perdrix 2012.

🖝 Vins Keller, rte du Camp 3, 2028 Vaumarcus, tél. 32 835 19 92, fax 32 835 29 24, boris.keller@net2000.ch, ☑ 🕺 🍽 r.-v.

💜 **OLIVIER LAVANCHY** Pinot noir Barrique 2011 ★★★

| ■ | n.c. | ⦿ | 20 à 30 € |

Le domaine d'Olivier Lavanchy, situé sur les hauteurs de la ville de Neuchâtel, a été fondé en 1884 par son aïeul Louis Lavanchy. En plus des cépages typiques neuchâtelois, le vigneron a enrichi sa palette ampélographique durant ces dernières années avec du diolinoir, du gamaret, du garanoir, du sauvignon blanc et du viognier notamment. Cela ne l'a pas détourné toutefois de la vinification des cépages traditionnels, qu'il maîtrise pleinement à en juger par ce 2011 de haute volée. Ce vin fait mouche dès le premier coup d'œil avec sa robe d'un rubis éclatant. Le nez, puissant et complexe, est une « explosion » de fruits mûrs (pruneau, cassis) agrémentés de délicates senteurs de violette ; le boisé est parfaitement fondu, presque imperceptible, à peine hume-t-on une pointe de vanille. Malgré la chaleur du millésime, le palais conserve une grande fraîcheur ; les fruits perçus à l'olfaction, accompagnés de quelques notes fumées, le tout bâti sur des tanins soyeux. Une bouteille admirable d'harmonie.

🖝 Olivier Lavanchy, rue de la Dîme 48, 2000 Neuchâtel, tél. et fax 32 753 68 89, vins.lavanchy@bluewin.ch, ☑ 🕺 🍽 15h-18h (ven.); 9h-16h (sam.)

CAVE DE LA VILLE DE NEUCHÂTEL
Champréveyres 2012 ★★★

| ■ | n.c. | | 8 à 11 € |

C'est dans un magnifique cadre historique du milieu du XVIIIᵉ s. que les Caves de la ville de Neuchâtel accueillent les œnophiles. Depuis 1942, les dépendances du palais d'Alexandre DuPeyrou, devenu l'*Hôtel DuPeyrou*, haut lieu de la gastronomie neuchâteloise, abritent celliers et caves. La ville de Neuchâtel est propriétaire des 13,5 ha de vignes que compte le domaine viticole, essentiellement du pinot noir, du chasselas et des spécialités blanches et rouges. À Champréveyres, appellation locale entre Neuchâtel et Hauterive, le chasselas règne en maître et donne le meilleur de lui-même, à l'image de ce 2012 jaune pâle, aux fragrances de tilleul et de miel. Le palais se révèle friand, subtil et aérien, égayé par un léger perlant et, en finale, par une fine trame minérale et une touche d'amande grillée. Parfait pour des plats de poisson.

🖝 Cave de la ville de Neuchâtel, av. DuPeyrou 5, 2000 Neuchâtel, tél. 32 717 76 95, fax 32 717 70 95, info@cavevillentel.ch, ☑ 🕺 🍽 r.-v.

CAVE DU PRIEURÉ DE CORMONDRÈCHE
Le Secret de la chapelle Pinot noir 2010 ★★★

| ■ | n.c. | ⦿ | 20 à 30 € |

Les Caves du Prieuré de Cormondrèche sont établies au cœur d'un admirable site clunisien du XIᵉ s. qui comprend un chai de plus de cinq cents ans. C'est dans ce lieu chargé d'histoire que Claude-Éric Maire et Cédric Jéquier élèvent les fruits des récoltes de plus de cinquante coopérateurs. S'ils ont été précurseurs en matière d'assemblages « haute couture » de spécialités rouges, ils ont su maintenir la tradition du pinot noir. Élevé en barrique, ce 2010 se pare d'une élégante robe rubis. Le nez évoque les sous-bois parsemés de fraises et de violettes, à l'ombre de chênes centenaires. En bouche : nulle trace d'austérité, les tanins sont soyeux, le fruit est mûr, et le vin prêt à se laisser déguster. Un très beau représentant du cépage, d'une grande amabilité, qui a su aussi garder sa fraîcheur.

🖝 Caves du Prieuré de Cormondrèche, Grand-Rue 25, 2036 Cormondrèche, tél. 32 731 53 63, fax 32 731 56 13, caves.du.prieure@bluewin.ch, 🕺 🍽 r.-v.

DOM. DU CH. DE VAUMARCUS Pinot noir 2012 ★★★

| ■ | n.c. | | 11 à 15 € |

Les caves Châtenay-Bouvier sont une véritable institution dans le vignoble neuchâtelois, leur fondation datant de 1796. Elles proposent trois gammes distinctes de vins : les effervescents Bouvier, la gamme Châtenay et celle du Domaine du Château de Vaumarcus. Plantées à l'extrême ouest du vignoble neuchâtelois, les vignes historiques du château sont cultivées en terrasses et orientées plein sud, face au lac : 13 ha de pinot noir essentiellement, choyés par Denis Meier, propriétaire ici depuis plus de dix ans, épaulé à la cave par Janine Schaer. Ce 2012, en robe rubis soutenu, livre un bouquet intense de pivoine, de caramel et de rose (cette dernière nuance n'étant pas sans rappeler les célèbres roseraies de Vaumarcus). Évoquant les fruits rouges à maturité, le palais surprend par sa richesse, tout en gardant la droiture propre au millésime. Ce vin, parfaite expression des pinots noirs 2012, est plein de promesses. On n'oubliera pas l'**Œil-de-Perdrix 2012**, qui a assimilé toutes les richesses de son terroir.

☛ SA Caves Châtenay-Bouvier, rte du Vignoble 27, 2017 Boudry, tél. 32 842 23 33, fax 32 843 02 69, info@chatenay.ch, ⧄ ⚔ ⟟ r.-v.

JOCELYN ET CINZIA VOUGA Cortaillod
Pinot gris 2012 ★★★

■	n.c.	11 à 15 €

C'est vers 1450 que la famille Vouga s'installe à Cortaillod, vivant alors de l'agriculture, de la viticulture et de la pêche. Les premiers actes écrits datent du milieu du XVIIIᵉs. En 1993 elle vinifie pour la première fois la récolte du domaine familial qui étend ses 6 ha de vignes sur Cortaillod. Orientées au sud et situées essentiellement le long des coteaux du bord du lac, les parcelles sont cultivées en production intégrée (Vitiwiss). Pour célébrer les vingt ans de son « encavage », Jocelyn Vouga propose un magnifique pinot gris dont la robe ambrée charme d'emblée. Le nez, complexe, mêle le caramel frais à la pêche de vigne mûre et juteuse. Tendue à souhait, la bouche se révèle d'une étonnante fraîcheur qui contraste avec la maturité du fruit. Un vin très typé et d'une rare élégance.

☛ Jocelyn Vouga, Chavannes 13, 2016 Cortaillod, tél. et fax 32 841 43 23, vougavins@bleuwin.ch, ⚔ ⟟ r.-v.

Canton du Tessin

Superficie : 1 024 ha

Le vignoble tessinois s'étend de Giornico au nord à Chiasso au sud. Une grande partie des 3 800 viticulteurs du canton possèdent de petites parcelles auxquelles ils consacrent leurs loisirs ; une centaine travaillent leurs vignes à plein temps et vendent leur raisin aux coopératives, tandis qu'une trentaine vinifient et commercialisent leur production. Le cépage roi du canton est le merlot d'origine bordelaise, introduit dans le Tessin dans les premières années du XXᵉs. et qui recouvre aujourd'hui 85 % de la surface viticole du canton. Ce cépage permet la production de vins blancs, rosés et rouges. Ces derniers, les plus répandus, sont plus ou moins légers ou corsés, parfois élevés en barrique. Leur aptitude à la garde varie en fonction du temps de cuvaison.

CAGI - CANTINA GIUBIASCO Monte Carasso
Merlot 2009 ★★★

■	8 000	⬤⬤	20 à 30 €

Né de vignes de merlot de trente-six ans, plantées sur un sol sableux, ce 2009 a fait forte impression. La robe est somptueuse, d'un rubis profond très intense. Non moins admirable, le nez est tourné vers des parfums variétaux de fruits rouges agrémentés de subtiles notes vanillées. La bouche n'est pas en reste : riche et chaleureuse dès l'attaque, solidement charpentée, tout en gardant une grande fraîcheur. La finale, longue et savoureuse, laisse le souvenir d'une harmonie sans faille.

☛ SA Cagi-Cantina Giubasco, Via Linoleum 11, 6512 Giubiasco, tél. 41 97 857 25 31, fax 41 91 857 79 12, info@cagivini.ch, ⧄ ⚔ ⟟ r.-v.

GIANFRANCO CHIESA San Vigilio 75:25 2009 ★★★

■	2 000	⬤⬤	20 à 30 €

Gianfranco Chiesa a associé le gamaret (75 %) à la syrah pour élaborer cette cuvée « trois étoiles ». La robe est rubis soutenu, ornée de reflets violets. Le nez propose un heureux mariage entre les fruits noirs, le pruneau et de fines notes épicées, la poivre notamment. Le palais dévoile une structure solide mais sans dureté, qui garde souplesse et rondeur grâce à des tanins veloutés à souhait. Un vin d'une rare élégance.

☛ Gianfranco Chiesa, SA Vini Rovio, Inbasso 21, 6821 Rovio, tél. 91 649 58 31, fax 91 649 78 12, vini.rovio@bleuwin.ch, ⧄ ⚔ ⟟ r.-v.

FRATELLI CORTI Salorino Merlot
Cabernet-sauvignon 2011 ★★

■	1 800	⬤⬤	20 à 30 €

Cette cave familiale fondée en 1792 propose ici un assemblage « très bordelais », mi-merlot mi-cabernet-sauvignon. La robe est d'un beau rubis intense et vif. Le bouquet, complexe, mêle la cerise et la mûre en confiture, agrémentées de nuances subtiles d'épices comme la vanille et le clou de girofle. La bouche se révèle riche et charpentée en même temps qu'élégante et soyeuse, et s'achève dans une longue finale qui fait écho à l'olfaction. Un vin de garde assurément.

☛ SA Fratelli Corti, via Sottobisio 13a, 6828 Balerna, tél. 91 683 37 02, fax 91 683 17 85, vino@fratellicorti.ch, ⚔ ⟟ r.-v.

DELEA Merlot Carato Riserva 2010 ★★★

■	10 000	⬤⬤	30 à 50 €

Un bâtiment industriel très soigné, équipé d'une cave voûtée de 3 000 m² et d'un musée du Vin, Angelo Delea soigne l'accueil au domaine. Il soigne aussi ses vinifications, comme on peut régulièrement le constater dans les pages du Guide. Ici, un pur merlot qui n'est pas un inconnu pour les lecteurs, la version 2009 de cette Riserva fut d'ailleurs coup de cœur. Robe rubis profond aux reflets pourpres ; nez tout en fruit (prune et cerise noire) sur un fond légèrement vanillé et épicé ; bouche bien charpentée par des tanins soyeux, chaleureuse et équilibrée : tout indique un vin des plus harmonieux et déjà très avenant, qui pourra aussi résister à la patine du temps.

☛ Vini e Distillati Angelo Delea, Zandone 11, 6616 Losone, tél. 91 791 08 17, fax 91 791 59 08, vini@delea.ch, ⧄ ⚔ ⟟ r.-v. 🏠 ⑤

ROBERTO E ANDREA FERRARI Castanar Riserva 2007 ★

■	4 500	⬤⬤	30 à 50 €

Un élevage de luxe pour ce 2007 : quarante mois de fût ! Il en résulte un vin grenat profond, au nez complexe et imposant de griotte compotée et de pruneau agrémenté de touches de vanille et de girofle, souvenirs du passage dans le bois. La bouche se révèle des plus généreuses, charpentée par des tanins soyeux mais encore bien en place malgré le « grand âge » de cette cuvée.

☎ Roberta e Andrea Ferrari, Vitivinicola CP 687, Via Bella Cima 2, 6855 Strabio, tél. 41 765 66 22 55, fax 41 916 47 12 51, andrea@viniferrari.ch, ☑ ☆ ⏸ r.-v.

FUMAGALLI Sud Sud Sud Merlot Barrique 2011 ★

| ■ | 3 600 | ⏸ | 20 à 30 € |

Sud Sud Sud ? Un vin né dans le village le plus au sud, de la commune la plus au sud, dans le canton le plus au sud... Sans prendre des accents méditerranéens non plus, ce pur merlot rubis aux reflets violacés livre un bouquet de prune, de cerise noire et de cassis accompagné de notes de chocolat et de vanille héritées des quinze mois de barrique. Une attaque chaleureuse ouvre sur un palais ample, aux tanins encore jeunes et fougueux ; la promesse d'un bel avenir.

☎ SA Fumagalli, via Sottobisio 5, 6828 Balerna, tél. 91 697 63 47, fax 91 697 63 49, info@fumagallisa.ch, ☑ ☆ ⏸ r.-v.

AZIENDA MONDO Rosato di Bondola del nonu Mario 2012 ★★

| ■ | 2 600 | ▮ | 11 à 15 € |

Giorgio Rossi conduit un vignoble familial de 6 ha divisé en trente parcelles établies sur des collines allant de Monte-Cassano à Lavertezzo-Piano. Parmi ces vignes, 40 ares de bondola, seul cépage autochtone du Tessin, à l'origine de ce rosé de saignée en robe saumonée ornée de reflets framboise. Le nez, intense, évoque la fraise des bois et la groseille. La bouche, ample et riche, prolonge le caractère fruité de l'olfaction, qui lui apporte une agréable fraîcheur. Un vin équilibré et tonique, à boire sur une cuisine exotique.

☎ Azienda Mondo di Giorgio Rossi, Al Mondò, 6514 Sementina, tél. et fax 9 18 57 45 58, azienda.mondo@bluewin.ch, ☑ ☆ ⏸ r.-v.

TENUTA MONTALBANO Merlot Classico 2011 ★

| ■ | 15 000 | ▮⏸ | 15 à 20 € |

Ce pur merlot né sur un sol calcaire se présente dans une robe rubis brillant et délivre d'intenses parfums de fruits rouges frais. La bouche, savoureuse et équilibrée, s'adosse à des tanins bien présents et déploie une longue finale, dont les tonalités fruitées font écho à l'olfaction. Un vin encore jeune et prometteur.

☎ Cantina Sociale Mendrisio, via G.-Bernasconi 22, 6850 Mendrisio, tél. 91 646 46 21, fax 91 646 43 64, info@cantinamendrisio.ch, ☑ ☆ ⏸ r.-v.

CASTELLO DI MORCOTE 2010 ★

| ■ | 28 000 | ⏸ | 20 à 30 € |

Ce château, construit par les duc de Milan au XVᵉs., est conduit par la famille Gianini depuis quatre générations. Après douze mois de barrique de chêne français, ce 2010 issu de merlot (90 %) et de cabernet franc dévoile un bouquet riche et élégant de fruits confiturés (cerise noire, prune, cassis) mâtinés de nuances de chocolat et de vanille. Étayée par des tanins puissants et encore jeunes, la bouche séduit par son volume et son caractère chaleureux qui s'harmonise avec les sensations perçues à l'olfaction. Un vin déjà harmonieux mais qui gagnera à vieillir un peu pour « arrondir les angles ».

☎ SA Tenuta Castello di Morcote, Via strada al castel 27, 6921 Vico-Morcote, tél. 91 996 12 30, fax 91 980 23 26, info@castellodimorcote.com, ☑ ☆ ⏸ r.-v.

RONCO 2011 ★

| ■ | 3 000 | ⏸ | 20 à 30 € |

Ce domaine propose un vin issu du seul merlot planté sur argilo-calcaire. Une cuvée rubis intense et limpide, au nez soutenu et élégant de fruits rouges frais sur un fond légèrement boisé. La bouche se révèle chaleureuse, ample, portée par des tanins bien enrobés. Les fruits reviennent avec finesse dans une longue finale. Un vin fin et équilibré.

☎ Azienda agraria Mezzana, via San Gottardo 1, 6828 Balerna, tél. 91 816 62 01, fax 91 816 62 09, dfe-oocm@ti.ch, ☑ ☆ ⏸ r.-v.

TENUTA SAN GIORGIO Raggiodisole 2011 ★

| ■ | 1 000 | ⏸ | 20 à 30 € |

Un rayon de soleil (*raggio di sole*) en effet que ce 2011 né du seul sauvignon blanc. Un vin jaune paille brillant qui affiche sans détour ses parfums variétaux à travers un bouquet bien typé et frais d'agrumes et de bourgeon de cassis. Le palais, par contraste, se révèle riche, rond et plein, avant de s'étirer dans une longue et délicate finale qui renoue avec les sensations olfactives. Un vin équilibré et complet, tout indiqué pour les produits de la mer.

☎ Mike Rudolph, Tenuta San Giorgio, via al Bosco 39, 6990 Cassina-d'Agno, tél. 91 605 58 68, fax 91 605 58 80, info@tenutasangiorgio.ch, ☑ ☆ ⏸ r.-v. 🏠 🅴

♥ SETTEMAGGIO Vindala 2010 ★★

| ■ | 5 000 | ⏸ | 20 à 30 € |

La Cantina Settemaggio – « sept mai » en italien, date de naissance de l'un des propriétaires – propose avec ce Vindala un assemblage original de merlot (80 %), de marselan (15 %) et de carminoir. Les raisins de merlot sont nés de ceps de quarante ans et proviennent de vignobles en terrasses de la colline de Monte-Carasso ; les plants de marselan et de carminoir sont plus jeunes (douze ans). Après la vendange, les baies sont flétries pendant quatre à cinq semaines, posées sur des cageots spéciaux et entreposées dans des locaux ventilés et secs. Ce processus a pour but l'évaporation de 15 à 20 % de l'eau des raisins et une concentration maximale des éléments constitutifs du vin (couleur, tanins, arômes). Le résultat est un superbe 2010 rouge profond tirant sur le noir, au bouquet complexe de fruits rouges, de fleurs et d'épices. L'intensité aromatique va crescendo en bouche ; une bouche ample, douce et chaleureuse sans être opulente, soutenue par des tanins fermes qui augurent une longue garde.

🕿 Cantina Settemaggio, Via Pedmunt 15,
6513 Monte-Carasso, tél. et fax 91 825 69 01,
info@settemaggio.ch, ☑ ⚘ ♈ r.-v.

🕿 F.Lli Marcionetti

TAMBORINI Comano Merlot 2011 ★★

| ■ | 3 100 | ◫ | 30 à 50 € |

Coup de cœur l'an dernier dans sa version 2009, cette cuvée revient avec un 2011 qui n'a pas grand-chose à lui envier. Robe rubis brillant et profond ; nez séduisant et intense de fruits noirs confiturés rehaussé de fines notes épicées et balsamiques ; palais complexe et structuré par des tanins nobles et fondus, une touche d'austérité marquant la finale : un vin de caractère, que l'on préférera attendre un peu avant de le servir sur une viande rouge grillée.

🕿 SA Eredi Carlo Tamborini, via Serta 18, 6814 Lamone, tél. 91 935 75 45, fax 91 935 75 49, info@tamborini-vini.ch, ☑ ⚘ ♈ r.-v. 🏛 ❹

VALSANGIACOMO Gransegreto fondo del bosco Chardonnay 2011 ★★

| ■ | 1 400 | ◫ | 20 à 30 € |

À ses origines (1831), Valsangiacomo avait pour vocation l'importation et la commercialisation de vins ; elle s'est orientée au début du siècle dernier vers la production, et étend aujourd'hui son vignoble sur les collines du Mendrisiotto, avec le merlot comme chef de file. Honneur au chardonnay toutefois avec ce « grand secret du fond des bois », élevé à 1 300 m d'altitude au Fort Airolo, sur le massif du Saint-Gothard. Et le vin d'atteindre des sommets et de décrocher les étoiles dans sa robe jaune doré et brillant, offrant au nez d'intenses parfums d'agrumes, de minéralité et de beurre frais. Ample et soyeuse, équilibrée et persistante, la bouche maintient le niveau. Un vin des plus harmonieux.

🕿 F.Lli Valsangiacomo, viale Alle-Cantine 6, 6850 Mendrisio, tél. 91 683 60 50, fax 91 683 70 77, info@valswine.ch, ☑ ⚘ ♈ r.-v.

GLOSSAIRE

A

Acescence

Maladie provoquée par des micro-organismes et donnant un vin piqué.

Acidité

1) Ensemble des acides présents dans le vin. 2) Saveur acide, l'une des quatre saveurs élémentaires, avec l'amer, le sucré et le salé. Présente sans excès, l'acidité est nécessaire à l'équilibre du vin, en lui apportant fraîcheur et nervosité. Mais lorsqu'elle est très forte, elle devient un défaut, en lui donnant un caractère mordant et vert. En revanche, si elle est insuffisante, le vin est mou.

Aérer

Exposer à l'air le vin avant le service, pour lui permettre de s'ouvrir davantage, d'épanouir ses arômes et d'arrondir ses tanins.

Agressif

Se dit d'un vin montrant trop de force et attaquant désagréablement les muqueuses.

Aigre

Se dit d'un vin présentant un caractère acide trop marqué, assorti d'une odeur particulière rappelant celle du vinaigre.

Aimable

Se dit d'un vin dont tous les aspects sont agréables et pas trop marqués.

Alcool

Composant le plus important du vin après l'eau, l'alcool éthylique apporte au vin son caractère chaleureux. Mais s'il domine trop, le vin devient brûlant.

Alcooleux

Se dit d'un vin déséquilibré où la sensation chaleureuse, voire brûlante, de l'alcool apparaît trop marquée.

Ambré

1) D'une couleur proche de l'ambre prise parfois par les vins blancs vieillissant longuement, ou s'oxydant prématurément. 2) Mention désignant sur l'étiquette les rivesaltes ou rasteau blancs élevés longuement en milieu oxydatif.

Amertume

Sensation gustative, l'une des quatre saveurs élémentaires, elle est aussi nécessaire à l'équilibre des vins et participe de leur longueur. Normale pour certains vins rouges jeunes et riches en tanins, l'amertume est dans les autres cas un défaut dû à une maladie bactérienne.

Ampélographie

Science étudiant les cépages.

Ample

Se dit d'un vin harmonieux donnant l'impression d'occuper pleinement et longuement la bouche.

Amylique

Désigne un arôme évoquant la banane, les bonbons acidulés (« bonbons anglais ») ou le vernis à ongles (dans ce cas, c'est un défaut), présent dans certains vins primeurs ou jeunes.

Analyse sensorielle

Nom technique de la dégustation.

Animal

Qualifie l'ensemble des odeurs du règne animal : musc, venaison, cuir..., surtout fréquentes dans les vins rouges vieux.

Anthocyanes

Pigments bleus contenus dans la pellicule des raisins noirs et qui, solubles dans l'alcool, donnent leur couleur aux vins rouges au cours de la fermentation. Avec le temps, le bleu s'estompe et la couleur du vin passe du violacé au tuilé.

AOC

Appellation d'origine contrôlée. Système réglementaire français garantissant l'authenticité de certains produits – en particulier le vin – issus d'un terroir donné et dont les caractères tiennent également à des « usages loyaux et constants ». Les grands vins proviennent de régions d'AOC. Voir AOP.

AOP

Appellation d'origine protégée. Terme équivalent de l'AOC à l'échelle européenne, et qui souligne la protection juridique (contre les fraudes et contrefaçons) dont jouissent les produits d'appellation. Voir AOC.

Apogée

Période très variable selon les types de vin et les millésimes, et qui correspond à l'optimum qualitatif d'un vin. Après l'apogée vient le déclin.

Âpre

Se dit d'un vin procurant une sensation rude, un peu râpeuse, provoquée par un fort excès de tanins.

Aromatique

Se dit d'un cépage (muscat, gewurztraminer...) ou d'un vin caractérisé par des arômes intenses.

Arôme

Dans le langage technique de la dégustation, ce terme devrait être réservé aux sensations olfactives perçues en bouche. Mais le mot désigne aussi fréquemment les odeurs en général.

Assemblage

Mélange de plusieurs vins pour obtenir un lot unique. Faisant appel à des vins de même origine, l'assemblage est très différent du coupage – mélange de vins de provenances diverses –, qui a une connotation péjorative.

Astringent

Se dit d'un vin présentant un caractère un peu âpre et rude en bouche. L'astringence apparaît souvent dans de jeunes vins rouges riches en tanins, ayant besoin de s'arrondir.

Attaque

Premières impressions perçues après la mise du vin en bouche.

Austère

Se dit d'un vin rouge généralement jeune, encore fermé aromatiquement, très marqué par les tanins et astringent. Cette sévérité s'estompe en principe avec le temps.

B

Balsamique

Qualificatif d'odeurs venues de la parfumerie et comprenant, entre autres, l'encens, la résine et le benjoin.

Ban des vendanges

Fixation par une autorité (autrefois le seigneur) de la date du début des vendanges. Il est aujourd'hui fixé par arrêté préfectoral sur proposition de l'INAO, à maturité des raisins.

Barrique

Fût bordelais de 225 litres, ayant servi à déterminer le tonneau (unité de mesure correspondant à quatre barriques, soit 900 litres).

Beurré

Se dit d'un arôme rappelant le beurre frais, présent dans certains vins blancs, notamment ceux élevés sous bois.

Biodynamique (agriculture)

Agriculture biologique s'inscrivant dans une vision du monde liant la plante et tous les êtres vivants au cosmos et fondant les travaux à la vigne et au chai sur les cycles de la lune.

Biologique (agriculture)

Agriculture n'utilisant aucun fertilisant ou pesticide de synthèse.

Biologique (vin)

Vin issu de raisins biologiques et élaboré en respectant les règles de vinification adoptées par l'UE en 2012. Ce règlement européen prohibe certaines pratiques, limite les intrants et additifs, notamment le soufre.

Boisé

Se dit d'un vin élevé en barrique et présentant les arômes résultant d'un séjour dans le bois : vanille et notes empyreumatiques telles que bois brûlé, café torréfié, cacao.

Botrytis cinerea

Nom d'un champignon entraînant la pourriture des raisins. Apparaissant par temps strictement pluvieux, la pourriture est dite grise ; elle est néfaste pour le raisin. Due à l'alternance de brouillard (ou de petites précipitations) suivi de soleil, la pourriture, qualifiée de noble, produit une concentration des raisins qui est à la base de l'élaboration des vins blancs liquoreux.

Bouche

Terme désignant l'ensemble des caractères du vin perçus dans la bouche.

Bouchon (goût de)

Défaut irrémédiable du vin se traduisant par un goût de moisi, de vieux papier, de liège, résultant d'une contamination du bouchon de liège par un composé chimique appelé trichloroanisole (TCA). Des produits de traitement du bois (palettes, charpentes utilisées dans les installations de vinification) peuvent produire des effets analogues.

Bouquet

Caractères odorants se percevant au nez lorsque l'on flaire le vin dans le verre, puis dans la bouche sous le nom d'arôme. À l'origine réservé aux vins vieux, ce terme s'applique aujourd'hui à tous types de vins.

Bourbe

Éléments solides en suspension dans le moût. Voir débourbage.

Brillant

Se dit d'une robe très limpide dont les reflets brillent fortement à la lumière.

Brûlé

Qualificatif, parfois équivoque, d'odeurs diverses, allant du caramel au bois brûlé.

Brut

Se dit d'un vin effervescent comportant très peu de sucre (juste assez pour tempérer l'acidité du vin, soit entre 6 et 12 g/l) ; brut zéro (brut nature) désigne un champagne non dosé. Voir dosage.

Glossaire

C

Capiteux
Caractère d'un vin très riche en alcool, jusqu'à en être fatigant.

Carafe
1) Récipient de verre de forme ventrue et à col étroit utilisé pour aérer ou décanter le vin. 2) Vins de carafe : vins qui se boivent jeunes et qu'autrefois on tirait directement au tonneau. Par exemple, certains muscadets ou beaujolais.

Casse
Accident (oxydation ou réduction) provoquant une perte de limpidité du vin.

Caudalie
Unité de mesure de la durée de persistance en bouche des arômes après la dégustation (1 caudalie = 1 seconde).

Cépage
Nom de la variété, en matière de vignes.

Chai
Bâtiment dédié à l'élaboration et à l'élevage des vins.

Chair
Caractéristique d'un vin donnant dans la bouche une impression de plénitude et de densité, sans aspérité.

Chaleureux
Se dit d'un vin procurant, notamment par sa richesse alcoolique, une impression de chaleur.

Chapeau
Dans la vinification des vins rouges, désigne les pellicules et autres parties solides du raisin qui remontent et s'amassent à la surface de la cuve après quelques jours de fermentation.

Chaptalisation
Addition de sucre dans la vendange, contrôlée par la loi, afin d'obtenir un bon équilibre du vin par augmentation de la richesse en alcool lorsque celle-ci est trop faible.

Charnu
Se dit d'un vin ayant de la chair.

Charpente
Bonne constitution d'un vin avec une prédominance tannique ouvrant de bonnes possibilités de vieillissement.

Chartreuse
Dans le Bordelais, petit château du XVIIIe siècle ou du début du XIXe.

Château
Terme souvent utilisé pour désigner des exploitations vinicoles, même si parfois elles ne comportent pas de véritable château.

Clairet
Vin rouge léger et fruité, ou vin rosé produit en Bordelais et en Bourgogne.

Claret
Nom donné par les Anglais au vin rouge de Bordeaux.

Clavelin
Bouteille de forme particulière et d'une contenance de 62 cl, réservée aux vins jaunes du Jura.

Climat
Nom de lieu-dit cadastral dans le vignoble bourguignon.

Clone
Ensemble des pieds de vigne issus d'un pied unique par multiplication (bouturage ou greffage).

Clos
Très usité dans certaines régions pour désigner les vignes entourées de murs (Clos de Vougeot), ce terme a pris souvent un usage beaucoup plus large, désignant parfois les exploitations elles-mêmes.

Collage
Opération de clarification réalisée avec un produit (blanc d'œuf, colle de poisson) se coagulant dans le vin en entraînant dans sa chute les particules restées en suspension.

Complexe
Se dit d'un vin déployant tout au long de la dégustation (du premier nez à la finale) une succession d'arômes variés tout en étant fondus, en harmonie les uns avec les autres et avec la texture. Un vin complexe laisse une impression durable de charme et de profondeur.

Concentré
Se dit d'un vin riche dans tous ses composants (sucres dans les vins liquoreux, tanins dans les vins rouges, composés aromatiques) et qui laisse une impression de densité, d'intensité et de profondeur.

Cordon
Mode de conduite des vignes palissées.

Corps
Caractère d'un vin alliant une bonne constitution (charpente et chair) à de la chaleur.

Corsé
Se dit d'un vin ayant du corps.

Coulant
Voir gouleyant.

Coulure
Non-transformation de la fleur en fruit due à une mauvaise fécondation, pouvant s'expliquer par des raisons diverses (climatiques, physiologiques, etc.).

Coupage
Mélange de vins de provenances diverses (à ne pas confondre avec l'assemblage).

Courgée
Nom de la branche à fruits laissée à la taille et qui est ensuite arquée le long du palissage dans le Jura (en Mâconnais, elle porte le nom de queue).

Court
Se dit d'un vin laissant peu de traces en bouche après la dégustation (on dit aussi « court en bouche »).

Crémant
Vin effervescent d'AOC élaboré par méthode traditionnelle, avec des contraintes spécifiques, dans les régions d'Alsace, du Bordelais, de Bourgogne, de Die, du Jura, de Limoux et dans le Val de Loire, ainsi qu'au Luxembourg.

Cru
Terme dont le sens varie selon les régions (terroir ou domaine), mais contenant partout l'idée d'identification d'un vin à un lieu défini de production.

Cuvaison
Période pendant laquelle, après la vendange en rouge, les matières solides restent en contact avec le jus en fermentation dans la cuve. Sa longueur détermine la coloration et la force tannique du vin.

D

Débourbage
Clarification du jus de raisin non fermenté, séparé de la bourbe.

Débourrement
Ouverture des bourgeons et apparition des premières feuilles de la vigne.

Décanter
Transvaser un vin de sa bouteille dans une carafe pour lui permettre d'abandonner son dépôt.

Déclassement
Suppression du droit à l'appellation d'origine d'un vin ; celui-ci est alors commercialisé comme Vin de France.

Décuvage
Séparation du vin de goutte et du marc après fermentation (on dit aussi écoulage).

Dégorgement
Dans la méthode traditionnelle, élimination du dépôt de levures formé lors de la seconde fermentation en bouteille.

Degré alcoolique
Richesse du vin en alcool exprimée en pourcentage de volume d'alcool contenu dans le vin.

Demi-sec
Vin comprenant une certaine proportion de sucres résiduels sans être pour autant moelleux. Les champagnes et mousseux demi-secs, dont le dosage est compris entre 32 et 50 g/l, sont des vins conseillés pour le dessert.

Dépôt
Particules solides contenues dans le vin, notamment dans les vins vieux (où il est enlevé avant dégustation par la décantation).

Dosage
Apport de sucre (exprimé en g/l) sous forme de liqueur d'expédition à un vin effervescent, après le dégorgement. Il varie selon le degré de vivacité souhaité (voir extra-brut, brut, extra-dry, sec, demi-sec).

Doux
Terme s'appliquant à des vins sucrés.

Dur
Un vin dur est caractérisé par un excès d'astringence et d'acidité, pouvant parfois s'atténuer avec le temps.

E

Échelle des crus
Système complexe de classement des communes de Champagne en fonction de la valeur des raisins qui y sont produits.

Écoulage
Voir décuvage.

Effervescent
Synonyme de mousseux.

Égrappage
Séparation des grains de raisin de la rafle.

Élégant
Se dit d'un vin qui, au-delà de l'équilibre, présente des qualités de charme et d'harmonie, sans la moindre lourdeur.

Glossaire

Élevage
Clarification, stabilisation et affinage du vin (en cuve, en fût ou dans d'autres récipients) effectués après la fermentation.

Empyreumatique
Famille d'arômes évoquant le brûlé ou le fumé : bois brûlé, fumée, cendre, goudron, et aussi les denrées qui résultent de la torréfaction, comme le café, le thé ou le cacao, ou encore le pain grillé et le tabac.

Encépagement
Ensemble des cépages cultivés dans un vignoble ; proportion relative des différents cépages dans un domaine ou un vignoble donné.

Enveloppé
Se dit d'un vin riche en alcool, mais dans lequel le moelleux domine.

Épais
Se dit d'un vin donnant en bouche une impression de lourdeur et d'épaisseur.

Épanoui
Qualificatif d'un vin équilibré qui a acquis toutes ses qualités de bouquet.

Épicé
Se dit d'un arôme évoquant les épices : poivre, cannelle, noix muscade, clou de girofle...

Équilibré
Se dit d'un vin présentant un bon équilibre entre tous ses constituants et saveurs, en particulier : alcool et acidité dans les vins blancs secs, alcool, acidité et sucres dans les vins blancs moelleux, alcool, acidité et force tannique dans les vins rouges.

Éraflage
Séparation des baies de raisin de la rafle (la partie ligneuse de la grappe) avant fermentation pour éviter la présence de tanins rustiques dans le vin. Synonyme : égrappage.

Étampage
Marquage des bouchons, des barriques ou des caisses à l'aide d'un fer.

Évent (goût d')
Défaut caractérisant un vin exposé à l'air, et qui a perdu ses qualités aromatiques.

Éventé
Se dit d'un vin ayant perdu tout ou partie de ses arômes à la suite d'une oxydation.

Évolué
Se dit d'un vin montrant par sa couleur (tuilée chez les rouges, ambrée chez les blancs), par ses arômes ou sa structure qu'il amorce la fin de son apogée et demande à être consommé rapidement.

Expressif
Se dit d'un vin épanoui et offrant des arômes bien marqués.

Extra-brut
Se dit d'un champagne très vif, dont la teneur en sucres est inférieure à 6 g/l. (Voir dosage.)

Extraction
Au cours de la fermentation des vins rouges, absorption par le moût des composés contenus dans les pellicules des baies, comme les tanins et les pigments colorés. Cette absorption peut être favorisée par diverses opérations, comme les pigeages et remontages (voir ces mots). Lorsqu'elle est excessive, on parle de surextraction.

Extra-dry
Se dit d'un champagne très légèrement moelleux dont le dosage est compris entre 12 et 17 g/l. (Voir dosage.)

F

Fatigué
Terme s'appliquant à un vin ayant perdu provisoirement ses qualités (par exemple après un transport) et nécessitant un repos pour les recouvrer.

Féminin
Caractérise les vins dont l'agrément résulte de l'élégance et de la finesse plus que de la puissance.

Fermé
S'applique à un vin de qualité encore jeune, n'ayant pas acquis un bouquet très prononcé et qui nécessite donc d'être attendu pour être dégusté.

Fermentation
Processus permettant au jus de raisin de devenir du vin, grâce à l'action de levures transformant le sucre en alcool.

Fermentation malolactique
Transformation, sous l'effet de bactéries lactiques, de l'acide malique du vin en acide lactique et en gaz carbonique ; elle a pour effet de rendre le vin moins acide.

Fillette
Nom donné dans le Val de Loire à la demi-bouteille (37,5 cl).

Filtration
Clarification du vin à l'aide de filtres.

Finale
Impressions plus ou moins durables que l'on ressent en bouche une fois le vin avalé (ou recraché dans le cas d'une dégustation professionnelle). La finale peut être courte ou persistante.

Finesse
Qualité d'un vin délicat et élégant.

Fleur
Maladie du vin se traduisant par un voile blanchâtre et un goût d'évent.

Floral
Se dit d'un vin dominé par des arômes évoquant les fleurs ; suivant les cas, fleurs blanches (aubépine, acacia, jasmin, chèvrefeuille...), rose, pivoine, violette...

Fondu
Désigne un vin, notamment un vin vieux, dans lequel les différents caractères se mêlent harmonieusement entre eux pour former un ensemble bien homogène.

Foudre
Tonneau de grande capacité.

Foulage
Opération consistant à faire éclater la peau des grains de raisin.

Foxé
Désigne l'odeur, entre celle du renard et celle de la punaise, que dégage le vin produit à partir de certains cépages hybrides.

Frais
Se dit d'un vin légèrement acide, mais sans excès, qui procure une sensation de fraîcheur.

Franc
Désigne l'ensemble d'un vin, ou l'un de ses aspects (couleur, bouquet, goût...) sans défaut ni ambiguïté.

Friand
Qualificatif d'un vin à la fois frais et fruité.

Fruité
Se dit d'un vin, en général jeune, dont la palette aromatique est dominée par des arômes de fruits frais. Selon la couleur et le style des vins : arômes de fruits rouges (cerise, griotte, framboise, groseille, fraise...), noirs (cassis, myrtille, mûre), jaunes (abricot, pêche jaune, mirabelle), exotiques (mangue, litchi, ananas), blancs (pomme, poire, pêche blanche), agrumes (citron, pamplemousse, mandarine...).

Fumé
Qualificatif d'odeurs proches de celle des aliments fumés, caractéristiques, entre autres, du cépage sauvignon ; d'où le nom de blanc fumé parfois donné à cette variété.

Fumet
Synonyme ancien de bouquet.

G

Garde (vin de)
Désigne un vin montrant une bonne aptitude au vieillissement.

Garrigue
Notes évoquant les herbes aromatiques méditerranéennes telles que le thym ou le romarin, décelées dans de nombreux vins méridionaux.

Généreux
Se dit d'un vin riche en alcool, mais sans être fatigant, à la différence d'un vin capiteux.

Générique
Terme pouvant avoir plusieurs acceptions, mais désignant souvent un vin de marque par opposition à un vin de cru ou de château, employé parfois abusivement pour désigner les appellations régionales (par exemple bordeaux, bourgogne...).

Gibier
Famille d'arômes animaux évoquant la venaison, et présents dans certains vins rouges vieux. Voir venaison.

Glace (vin de)
Vin liquoreux obtenu par pressurage de baies gelées récoltées au cœur de l'hiver.

Glycérol
Tri-alcool légèrement sucré, issu de la fermentation du jus de raisin, qui donne au vin son onctuosité.

Gouleyant
Se dit d'un vin souple et agréable, glissant bien dans la bouche.

Gourmand
Se dit d'un vin flatteur et aromatique, qui invite à la dégustation immédiate.

Goutte (vin de)
Dans la vinification en rouge, vin issu directement de la cuve au décuvage (voir presse).

Glossaire

Gras
Synonyme d'onctueux.

Gravelle
Terme désignant le dépôt de cristaux de tartre dans les vins blancs en bouteille.

Graves
Sol composé de cailloux roulés et de graviers, très favorable à la production de vins de qualité, que l'on trouve notamment en Médoc et dans les Graves.

Greffage
Méthode employée depuis la crise phylloxérique, consistant à fixer sur un porte-greffe résistant au phylloxéra un greffon d'origine locale.

Gris (vin)
Vin obtenu en vinifiant en blanc des raisins à la pellicule colorée (noire ou grise), par pressurage direct, sans macération. Il s'agit d'un rosé très peu coloré.

H

Harmonieux
Se dit d'un vin équilibré laissant une impression flatteuse d'élégance.

Hautain (en)
Taille de la vigne en hauteur.

Herbacé
Se dit d'un arôme végétal peu flatteur évoquant l'herbe ou les feuilles fraîches. Voir végétal.

Hybride
Terme désignant les cépages obtenus à partir de deux espèces de vignes différentes.

I

IGP
Indication géographique protégée, catégorie définie en 2009 et correspondant aux vins de pays. Elle désigne des vins issus d'une zone géographique délimitée, mais dont le lien au terroir est moins fort que pour les vins AOC. L'IGP s'applique à d'autres denrées dont la notoriété et le caractère sont liés à un territoire donné mais dont certaines phases d'élaboration peuvent se dérouler en dehors de cet espace géographique.

Impériale
Voir Mathusalem.

INAO
Institut national de l'origine et de la qualité (autrefois Institut national des appellations d'origine). Organisme français dépendant du ministère de l'Agriculture et ayant en charge les signes de qualité : AOC, IGP, STG (spécialités traditionnelles garanties), labels rouges et agriculture biologique.

J

Jambes
Synonyme de larmes.

Jéroboam
Grande bouteille contenant l'équivalent de quatre bouteilles.

Jeune
Qualificatif très relatif pouvant désigner un vin de l'année déjà à son optimum, aussi bien qu'un vin ayant passé sa première année mais n'ayant pas encore développé toutes ses qualités.

L

Lactique (acide)
Acide obtenu par la fermentation malolactique.

Larmes
Traces laissées par le vin sur les parois du verre lorsqu'on l'agite ou l'incline.

Léger
Se dit d'un vin peu coloré et peu corsé, mais équilibré et agréable. En général, à boire assez rapidement.

Levures
Champignons microscopiques unicellulaires provoquant la fermentation alcoolique.

Lies
Dépôt constitué par les levures mortes après la fermentation. Certains vins blancs sont élevés sur leurs lies, ce qui rend leurs arômes et leur structure plus complexes et plus riches.

Limpide
Se dit d'un vin de couleur claire et brillante ne contenant pas de matières en suspension.

Liqueur d'expédition
Dans le champagne et les vins élaborés selon la méthode traditionnelle, ajout précédant le bouchage de vin destiné à combler le vide dans la bouteille créé par le dégorgement. Ce vin ajouté est souvent édulcoré par du sucre, incorporé en proportion variable selon le style de vin recherché, brut, demi-sec, etc. (voir dosage). Synonyme : liqueur de dosage.

Liqueur de tirage
Dans le champagne et les mousseux de méthode traditionnelle, liqueur ajoutée au vin au

moment de la mise en bouteille (tirage) ; elle est composée de sucres et de levures dissous dans du vin. Ces composants provoqueront la seconde fermentation en bouteille aboutissant à la formation de bulles de gaz carbonique.

Liquoreux

Vins blancs riches en sucre, souvent obtenus à partir de raisins sur lesquels s'est développée la pourriture noble, et se distinguant entre autres par un bouquet spécifique (notes confites ou rôties). Les vins liquoreux peuvent aussi provenir d'un passerillage des baies sur souche ou sur claies (vins de paille).

Long

Se dit d'un vin dont les arômes laissent en bouche une impression plaisante et persistante après la dégustation. On dit aussi : d'une bonne longueur.

Lourd

Se dit d'un vin excessivement épais, trop chargé en tanins ou en sucres, manquant selon les cas de souplesse ou de fraîcheur.

M

Macération

Contact du moût avec les parties solides du raisin pendant la cuvaison.

Macération carbonique

Mode de vinification en rouge par macération de grains entiers dans des cuves saturées de gaz carbonique ; il est utilisé notamment pour la production de certains vins primeurs.

Macération pelliculaire

Technique consistant à laisser macérer les baies de raisin à l'abri de l'air et à basse température avant la fermentation, ce qui a pour résultat de favoriser l'expression aromatique du vin.

Mâche

Terme s'appliquant à un vin possédant à la fois épaisseur et volume et qui donne l'impression qu'il pourrait être mâché.

Madérisé

Se dit d'un vin blanc qui, en vieillissant, s'oxyde et prend une couleur ambrée et un goût rappelant celui du madère.

Magnum

Bouteille contenant l'équivalent de deux bouteilles ordinaires.

Malique (acide)

Acide présent à l'état naturel dans beaucoup de vins et qui se transforme en acide lactique par la fermentation malolactique.

Marc

Matières solides restant après le pressurage.

Mathusalem

Autre nom pour la bouteille impériale, équivalant à huit bouteilles ordinaires.

Maturation

Transformation subie par le raisin quand il s'enrichit en sucre et perd une partie de son acidité pour arriver à maturité.

Merrain

Bois de chêne fendu utilisé dans la fabrication des barriques.

Méthode traditionnelle

Technique d'élaboration des vins effervescents comprenant une prise de mousse en bouteille, conforme à la méthode d'élaboration du champagne. Autrefois abusivement appelée « méthode champenoise ».

Mildiou

Maladie provoquée par un champignon parasite qui attaque les organes verts de la vigne.

Millerandage

Anomalie dans la maturation du raisin, conduisant à la présence, dans une même grappe, de baies de taille inégale et souvent réduite. Ce phénomène, dû à de mauvaises conditions climatiques au moment de la floraison, a pour conséquence de diminuer les rendements et parfois d'améliorer la qualité du vin, grâce à l'importance relative des pellicules qui contiennent les composés les plus intéressants du vin.

Millésime

Année de récolte d'un vin.

Minéral

Se dit d'un vin présentant une note aromatique évoquant les roches (dans les blancs : silex, craie, note saline, voire pétrole dans certains rieslings évolués ; dans les rouges : graphite, schiste chauffé au soleil...). Cette série aromatique est souvent associée à des sensations de vivacité. La minéralité pourrait être un effet du terroir (exemple : touches de pierre à fusil des vins de Loire issus de sauvignon planté sur argiles à silex).

Mistelle

Moût de raisin frais, riche en sucre, dont la fermentation a été arrêtée par l'adjonction d'alcool. Synonyme : vin de liqueur.

Moelleux

Qualificatif s'appliquant généralement à des vins blancs doux se situant entre les secs et les liquoreux proprement dits. Se dit aussi, à la dégustation, d'un vin à la fois gras et peu acide.

Glossaire

Mordant
Caractère d'un vin très vif et/ou astringent, légèrement agressif.

Mou
Se dit d'un vin déséquilibré par son manque d'acidité.

Moût
Désigne le liquide sucré extrait du raisin.

Musquée
Se dit d'une odeur rappelant celle du musc.

Mutage
Opération consistant à arrêter la fermentation alcoolique du moût en y ajoutant de l'alcool vinique, pratiquée notamment pour obtenir vins doux naturels et vins de liqueur.

N

Nabuchodonosor
Bouteille géante équivalant à vingt bouteilles ordinaires.

Négoce
Terme employé pour désigner le commerce des vins et les professions s'y rapportant. Est employé parfois par opposition à viticulture.

Négociant-éleveur
Dans les grandes régions d'appellations, négociant ne se contentant pas d'acheter et de revendre les vins mais, à partir de vins très jeunes, réalisant toutes les opérations d'élevage jusqu'à la mise en bouteilles.

Négociant-manipulant
Terme champenois désignant le négociant qui achète des vendanges pour élaborer lui-même un vin de Champagne.

Nerveux
Se dit d'un vin marquant le palais par des caractères bien accusés et une pointe d'acidité, mais sans excès.

Net
Se dit d'un vin franc, aux caractères bien définis.

Nez
Terme regroupant l'ensemble des odeurs perçues en respirant le vin. Le « premier nez » désigne les premières senteurs humées, avant l'agitation du verre.

Nouveau
Se dit d'un vin des dernières vendanges, et plus particulièrement d'un vin primeur.

O

Odeur
Perçues directement par le nez, à la différence des arômes de bouche, les odeurs du vin peuvent être d'une grande variété, rappelant aussi bien les fruits ou les fleurs que la venaison.

Œil
1) Synonyme de bourgeon. 2) Terme désignant l'aspect visuel du vin. Synonyme : robe.

Œnologie
Sciences (chimie, biologie, microbiologie) appliquées à l'élaboration et à la conservation du vin.

Œnologue
Titulaire du diplôme national d'œnologie, chargé d'élaborer le vin, parfois conseil des propriétés ou des maisons de négoce.

Œnophile
Amateur de vin.

Oïdium
Maladie de la vigne provoquée par un petit champignon et qui se traduit par une teinte grise et un dessèchement des raisins ; se traite par le soufre.

OIV
Organisation internationale de la vigne et du vin. Organisme intergouvernemental étudiant les questions techniques, scientifiques ou économiques soulevées par la culture de la vigne et la production du vin.

Onctueux
Qualificatif d'un vin se montrant en bouche agréablement moelleux, gras.

Organoleptique
Désigne les qualités ou propriétés perçues par les sens lors de la dégustation, comme la couleur, l'odeur ou le goût.

Ouillage
Opération consistant à rajouter régulièrement du vin dans chaque barrique pour la maintenir pleine et éviter l'oxydation du vin au contact de l'air.

Ouvert
Se dit d'un vin au nez épanoui et expressif, en général à son apogée.

Oxydatif (élevage)
Méthode d'élevage visant à faire acquérir au vin certains arômes d'évolution (fruits secs, orange amère, café, rancio...) en l'exposant à l'air ; on l'élève alors soit dans des barriques, demi-muids ou foudres non ouillés, parfois entreposés en

plein air, soit dans des bonbonnes exposées au soleil et aux variations de températures. Ce type d'élevage caractérise certains vins doux naturels, portos et autres vins de liqueur.

Oxydation

Résultat de l'action de l'oxygène de l'air sur le vin. Excessive, elle se traduit par une modification de la couleur (tuilée pour les rouges, ambrée pour les blancs) et du bouquet.

P

Paille (vin de)

Vin liquoreux obtenu grâce à un passerillage après récolte de grappes de raisins déposées sur des claies ou suspendues dans des locaux bien aérés.

Parfum

Synonyme d'odeur avec, en plus, une connotation laudative.

Passerillage

Dessèchement du raisin à l'air s'accompagnant d'un enrichissement en sucre. Les baies passerillées (ou flétries) donnent des vins liquoreux.

Perlant

Se dit d'un vin dégageant de petites bulles de gaz carbonique.

Persistance

Phénomène se traduisant par la perception de certains caractères du vin (saveur, arômes) après que celui-ci a été avalé. Une bonne persistance est un signe positif.

Pétillant

Désigne un vin légèrement effervescent dont la pression du gaz carbonique est moins forte que dans les autres vins mousseux.

Phylloxéra

Puceron qui, entre 1860 et 1880, ravagea le vignoble français en provoquant la mort des racines par sa piqûre.

Pièce

Nom du fût utilisé en Bourgogne (capacité de 228 litres).

Pierre à fusil

Se dit d'un arôme qui évoque l'odeur du silex venant de produire des étincelles.

Pigeage

Au cours de la vinification des vins rouges, opération consistant à enfoncer dans le moût du raisin le chapeau (voir ce mot) constitué par les parties solides du raisin, ce qui favorise une extraction des composants du raisin. Voir aussi : extraction, remontage.

Piqué

Qualificatif d'un vin atteint d'acescence, maladie se traduisant par une odeur aigre prononcée.

Piqûre (acétique)

Synonyme d'acescence.

Plat

Se dit d'un vin déséquilibré, trop faible en alcool.

Plein

Se dit d'un vin ayant des qualités d'ampleur, qui donne en bouche une sensation de plénitude.

Pommadé

Se dit d'un vin déséquilibré, pâteux, sirupeux, dont la trop grande richesse en sucres donne une impression de lourdeur.

Pourriture noble

Nom donné à l'action du *Botrytis cinerea* sous certaines conditions atmosphériques (matinées brumeuses et journées ensoleillées) grâce à laquelle les baies de raisin se concentrent en sucres, permettant d'élaborer des vins blancs liquoreux.

Presse (vin de)

Dans la vinification en rouge, vin tiré des marcs par pressurage après le décuvage. Voir goutte (vin de).

Pressurage

En blanc ou en rosé de pressurage, action de presser le raisin pour en tirer du jus. En rouge, opération consistant à presser le marc de raisin pour en extraire le vin.

Primeur (achat en)

Achat fait peu après la récolte et avant que le vin soit consommable.

Primeur (vin)

Vin élaboré pour être bu très jeune, mis en bouteille et commercialisé très peu de temps après la fermentation (environ deux mois). Synonyme : nouveau.

Prise de mousse

Nom donné à la deuxième fermentation alcoolique que subissent les vins mousseux. Elle donne lieu à un dégagement de gaz carbonique dans la bouteille.

Puissance

Caractère d'un vin qui est à la fois plein, corsé, généreux et d'un riche bouquet.

Glossaire

R

Racé
Caractère d'un grand vin remarquable par son élégance et sa finesse.

Rafle
Terme désignant dans la grappe le petit branchage supportant les grains de raisin qui, lors d'une vendange non éraflée, apporte des tanins et une certaine acidité au vin.

Raisonnée (agriculture)
Agriculture conventionnelle mais soucieuse de limiter au maximum les traitements de synthèse.

Rancio
Caractère particulier pris par certains vins doux naturels (arômes de noix) au cours de leur vieillissement.

Râpeux
Se dit d'un vin très astringent, donnant l'impression de racler le palais.

Récoltant-manipulant
En Champagne, vigneron élaborant lui-même ses cuvées à partir des raisins de sa propriété exclusivement.

Réduction
Évolution d'un vin en bouteille, à l'abri de l'air. Elle permet l'apparition d'arômes plus éloignés du fruité originel, dits arômes tertiaires (venaison, truffe, sous-bois...).

Réduit
Se dit d'un vin présentant des arômes rappelant le renfermé, qui peuvent se dégager à l'ouverture d'une bouteille longtemps fermée. Ils s'estompent généralement à l'aération.

Remontage
Opération consistant, en début de fermentation, à soutirer le moût hors de la cuve par le bas, puis à l'y réincorporer par le haut. Elle a pour but d'apporter de l'oxygène au moût pour favoriser la multiplication des levures responsables de la fermentation, tout en humidifiant le chapeau (voir ce mot) qui pourrait s'oxyder ou s'altérer. Enfin elle met en contact les jus avec les pellicules des baies, riches en pigments colorés, en composés aromatiques et en tanins.

Remuage
Dans la méthode traditionnelle, opération visant à amener les dépôts contre le bouchon par le mouvement imprimé aux bouteilles placées sur des pupitres. Le remuage peut être manuel ou mécanique (à l'aide de gyropalettes).

Riche
Qualificatif d'un vin coloré, généreux, puissant et en même temps équilibré.

Rimage
Désigne un vin doux naturel mis en bouteille précocement pour lui conserver son fruité, à la différence de ceux élevés en milieu oxydatif (voir ce mot).

Robe
Terme employé souvent pour désigner la couleur d'un vin et son aspect extérieur.

Rognage
Action de couper le bout des rameaux de vigne en fin de végétation.

Rond
Se dit d'un vin dont la souplesse, le moelleux et la chair donnent en bouche une agréable impression de rondeur.

Rôti
Caractère spécifique donné par la pourriture noble aux vins liquoreux, qui se traduit par un goût et des arômes de confit.

S

Saignée (rosé de)
Vin rosé tiré d'une cuve de raisin noir au bout d'un court temps de macération.

Salmanazar
Bouteille géante contenant l'équivalent de douze bouteilles ordinaires.

Sarment
Rameau de vigne de l'année.

Saveur
Sensation (sucrée, salée, acide ou amère) produite sur la langue par un aliment.

Sec
Pour les vins tranquilles, caractère dépourvu de saveur sucrée (moins de 4 g/l). Dans l'échelle de douceur des vins effervescents, il s'agit d'un caractère très légèrement sucré (dosage entre 17 et 35 g/l).

Sévère
Se dit d'un vin rouge généralement jeune, très marqué par les tanins et astringent. Voir austère.

Solera
Méthode d'élevage pratiquée en Andalousie pour certains xérès, et qui vise à assembler en continu vins anciens et vins plus jeunes. Elle consiste à empiler plusieurs étages de barriques ; celles situées au niveau du sol (solera) contiennent les vins les plus âgés, les plus jeunes étant entreposés dans les barriques de

l'étage supérieur. On prélève dans les tonneaux du niveau inférieur le vin à mettre en bouteille, qui est remplacé par du vin plus jeune de l'étage supérieur, et ainsi de suite.

Solide
Se dit d'un vin bien constitué, possédant notamment une bonne charpente.

Souple
Se dit d'un vin dans lequel le moelleux l'emporte sur l'astringence.

Soutirage
Opération consistant à transvaser un vin d'un contenant (cuve ou fût) dans un autre pour en séparer la lie.

Soyeux
Qualificatif d'un vin souple, moelleux et velouté, avec une nuance d'harmonie et d'élégance.

Stabilisation
Ensemble des traitements destinés à la bonne conservation des vins.

Structure
Désigne à la fois la charpente et la constitution d'ensemble d'un vin.

Sulfatage
Traitement, jadis pratiqué à l'aide de sulfate de cuivre, appliqué à la vigne pour prévenir les maladies cryptogamiques.

Sulfitage
Introduction de solution sulfureuse (SO_2) dans un moût ou dans un vin pour le protéger d'accidents ou maladies, ou pour sélectionner les ferments.

Surmaturité
Caractère de raisins récoltés tardivement, riches en sucres, qui donnent des vins souvent moelleux et marqués par des arômes confits.

T

Taille
Coupe des sarments pour régulariser et équilibrer la croissance de la vigne afin de contrôler la productivité.

Tanin
Substance se trouvant dans le raisin, et qui apporte au vin sa capacité de longue conservation et certaines de ses propriétés gustatives.

Tannique
Caractère d'un vin laissant apparaître une note d'astringence due à sa richesse en tanins.

Tendu
Se dit d'un vin vif et nerveux.

Terroir
Territoire s'individualisant par certaines caractéristiques physiques (sol, sous-sol, exposition...) déterminantes pour son vin.

Thermorégulation
Technique permettant de contrôler et de maîtriser la température des cuves pendant la fermentation.

Tirage
1) Synonyme de soutirage. 2) Mise en bouteille du champagne avant la prise de mousse. Synonyme de soutirage.

Tonneau
Unité de mesure pour le transport et la commercialisation des vins en vrac et correspondant à 4 barriques de 225 litres, soit 900 litres.

Tranquille (vin)
Désigne un vin non effervescent.

Tries (vendanges par)
Vendanges effectuées en plusieurs passages successifs pour récolter à leur concentration optimale les raisins touchés par la pourriture noble. Elles permettent l'élaboration de grands vins liquoreux.

Tuilé
1) Caractère des vins rouges évolués qui, en vieillissant, prennent une teinte rouge jaune. 2) Plus spécialement, mention sur l'étiquette désignant un rivesaltes rouge élevé au moins trente mois en milieu oxydatif.

V

VDQS
Devenu AOVDQS. Appellation d'origine vin délimité de qualité supérieure, produit dans une région délimitée selon une réglementation précise. Antichambre des AOC, cette catégorie a disparu en 2011.

Végétal
Se dit du bouquet ou des arômes d'un vin (principalement jeune) rappelant l'herbe ou la végétation. Les arômes végétaux peuvent traduire un manque de maturité de la récolte ou une extraction trop forte.

Venaison
S'applique au bouquet d'un vin rappelant l'odeur de grand gibier.

Vert
Se dit d'un vin trop acide.

Glossaire

Vieux
Terme pouvant avoir plusieurs acceptions, mais désignant en général un vin ayant plusieurs années d'âge et ayant vieilli en bouteille après avoir séjourné en tonneau.

Vif
Se dit d'un vin frais et léger, avec une petite dominante acide mais sans excès, et agréable.

Village
1) Terme employé dans certaines régions pour individualiser un secteur particulier au sein d'une appellation plus large (côtes-du-rhône, côtes-du-roussillon, beaujolais). 2) En Bourgogne, vin d'appellation communale non classé en premier cru.

Vin de liqueur
Vin doux ne répondant pas aux normes réglementaires des vins doux naturels, ou vin obtenu par mélange de moût et d'eau-de-vie (pineau des charentes, floc-de-gascogne, macvin-du-jura).

Vin de pays
À l'origine, vin appartenant au groupe des vins de table, mais dont on mentionnait sur l'étiquette la région géographique d'origine. Devenus IGP (indication géographique protégée) en 2009, les vins de pays sont désormais classés dans la catégorie des vins avec indication géographique, comme les AOC. La mention « vin de pays » peut subsister sur l'étiquette. Voir IGP.

Vin de table
Catégorie de vin n'affichant aucune indication géographique sur l'étiquette et provenant souvent de coupages entre des vins de différents vignobles de France ou de l'UE. Ces vins sont désormais appelés « vins sans indication géographique » (et « vins de France » s'ils proviennent du territoire national).

Vin doux naturel
Vin obtenu par mutage à l'alcool vinique du moût en cours de fermentation, souvent issu des cépages muscat et/ou grenache et correspondant à des conditions strictes de production, de richesse et d'élaboration.

Vineux
Se dit d'un vin possédant une certaine richesse alcoolique et présentant de façon nette les caractéristiques distinguant le vin des autres boissons alcoolisées.

Vinification
Méthode et ensemble des techniques d'élaboration du vin.

Viril
Se dit d'un vin à la fois charpenté, corsé et puissant.

Volume
Caractéristique d'un vin donnant l'impression de bien remplir la bouche.

VQPRD
Vin de qualité produit dans une région déterminée. Correspondait au vin AOC dans le langage réglementaire de l'Union européenne. Aujourd'hui, l'UE distingue les vins avec indication géographique (IG), qui incluent les anciens vins de pays, des vins sans indication géographique (VSIG).

VSIG
Vin sans indication géographique. Dans le langage réglementaire de l'UE, désigne aujourd'hui les anciens vins de table, qui peuvent être issus de coupages de différents vignobles. Cette catégorie exclut désormais les vins de pays (IGP) qui proviennent obligatoirement d'une zone géographique.

GLOSSAIRE DES CÉPAGES

lations de Lorraine (côtes-de-toul, moselle) et les vins de la Moselle luxembourgeoise, et parfois assemblé au pinot blanc en Alsace.
Cépage noir : voir malbec.

A

Aligoté
Cépage blanc principalement planté en Bourgogne où il constitue le cépage unique de deux appellations : bourgogne-aligoté et bouzeron. On le trouve également en assemblage dans certains crémants. Il donne un vin léger et vif, à boire jeune, qui est aussi traditionnellement associé à la crème de cassis pour composer le kir.

Altesse
Cépage blanc cultivé en Savoie et dans le Bugey, donnant des vins secs, corsés, élégants et aromatiques. Il est vinifié seul dans les AOC roussette-de-savoie et roussette-du-bugey et peut être associé à d'autres variétés de ces régions pour produire des vins tranquilles ou mousseux. Synonyme : roussette.

Aragnan
Cépage blanc très rare, que l'on peut trouver dans les assemblages de l'appellation palette (Provence).

Aramon
Cépage noir extrêmement productif, surtout en plaine, donnant des vins peu colorés et légers. Il s'est répandu en Languedoc à partir de la seconde moitié du XIXᵉ siècle pour produire des vins ordinaires : il occupait une superficie de 150 000 ha en 1958. Exclu de l'encépagement des vins d'appellation, il a été massivement arraché.

Arbane
Cépage blanc de l'Aube donnant des vins nerveux et bouquetés. Il peut entrer dans l'encépagement du champagne, mais a presque disparu en raison de faibles rendements et d'une maturité tardive.

Arrufiac
Cépage blanc local des vignobles de la région du Béarn, à l'origine d'un vin riche en alcool et bouqueté. Il s'accorde bien avec les autres cépages blancs de la région (petit et gros mansengs, courbu). C'est un cépage secondaire du pacherenc-du-vic-bilh et du saint-mont blanc.

Auxerrois
Cépage blanc d'origine lorraine donnant un vin plutôt souple, aux arômes de fleurs et de fruits blancs. Il est souvent vinifié seul dans les appel-

B

Baco 22A
Cépage blanc issu de l'hybridation de la folle blanche et du noah. C'est le seul hybride à rester autorisé dans un vignoble français d'appellation, celui de l'armagnac, où il prospère notamment sur les sables fauves du Bas-Armagnac. Distillé, son vin donne des eaux-de-vie rondes, suaves et aromatiques, aux nuances de fruits mûrs.

Barbarossa
Cépage noir de cuve et de table cultivé en Corse, qui entre notamment dans l'appellation ajaccio.

Barbaroux
Cépage noir cultivé en Provence, dont les raisins étaient autrefois utilisés pour la table. On peut le trouver dans l'appellation côtes-de-provence, mais il est devenu très rare.

Baroque
Cépage blanc du Sud-Ouest, cultivé dans les Landes, à la base des blancs de l'appellation tursan. Il donne un vin sec et nerveux au bouquet agréable rappelant celui du sauvignon.

Bergeron
Voir roussanne.

Bouchy
Voir cabernet franc.

Bourboulenc
Cépage blanc produisant un vin de qualité aux légers parfums floraux. Ses raisins étaient autrefois utilisés à table en Provence, car ils se conservaient bien durant l'hiver. Il joue un rôle en assemblage dans de nombreuses AOC du sud de la France : en Provence, dans la vallée du Rhône, et particulièrement en Languedoc. Synonyme : doucillon.

Brachet
Voir braquet.

Braquet
Cépage noir de Provence qui contribue à la personnalité des vins rouges de l'AOC bellet, près de Nice. Il donne un vin peu coloré mais corsé, gagnant à vieillir. Synonyme : brachet.

Glossaire

Braucol
Voir fer-servadou.

Breton
Voir cabernet franc.

C

Cabernet franc
Cépage noir originaire du Bordelais et répandu dans le monde entier. Dans le Bordelais, il est surtout cultivé sur la rive droite de la Dordogne, en Libournais (appellations pomerol, saint-émilion, castillon-côtes-de-bordeaux...) ; généralement minoritaire, il est assemblé au merlot et parfois au cabernet-sauvignon. Dans le Sud-Ouest, il occupe une place non négligeable dans les appellations voisines du Bordelais et en coteaux-du-quercy. Dans le Val de Loire, il est appelé breton. Souvent vinifié seul, il donne leur caractère à de nombreux vins de Touraine (chinon, bourgueil, saint-nicolas-de-bourgueil). Il est très présent aussi dans les rouges d'Anjou-Saumur, seul ou en assemblage. Ce cépage est à l'origine de vins rouges et rosés moyennement tanniques et très parfumés, rappelant la framboise et la violette, parfois teintés de notes de poivron lorsqu'ils naissent de terres plus froides. Synonymes : breton, bouchy.

Cabernet-sauvignon
Cépage noir le plus diffusé dans le monde après le merlot. Il tient ses lettres de noblesse du Bordelais, notamment du Médoc et des Graves, où il trouve son terroir de prédilection : de belles croupes de graves, terres chaudes et bien drainées particulièrement propices à cette variété tardive. En Bordelais, le cabernet-sauvignon n'est jamais vinifié seul, mais il peut représenter jusqu'à 75 % du total, le solde étant généralement fourni par le merlot, le cabernet franc ou le petit verdot. Il donne des vins très colorés, denses et tanniques, aux arômes de cassis et de cèdre, qui doivent attendre quelques années pour donner leur pleine mesure. L'élevage en barrique renforce leur complexité. Le cabernet-sauvignon participe aussi aux assemblages de nombreux vins du Sud-Ouest et à quelques appellations provençales (côtes-de-provence et coteaux-d'aix-en-provence par exemple). Il est également admis dans de nombreuses appellations d'Anjou, du Saumurois et de Touraine.

Camaralet
Cépage blanc originaire du Béarn, variété accessoire et rare de l'appellation jurançon. Il donne un vin fin aux arômes épicés (poivre ou cannelle).

Carignan
Cépage noir originaire d'Aragon en Espagne. Le carignan s'est répandu depuis des siècles dans les régions méditerranéennes de France. Pouvant donner des rendements astronomiques, il s'est diffusé dans les plaines languedociennes jusque dans les années 1970. On en tirait des vins de table alcooliques, acides et neutres, qui ont nui à sa réputation alors qu'il donne de bons résultats lorsqu'il naît de petits rendements et de vieilles vignes plantées sur ses terroirs de prédilection (schistes, argilo-calcaires). Il a été massivement arraché mais garde droit de cité dans les appellations méditerranéennes, de la Provence au Roussillon en passant par la vallée du Rhône méridionale, où il entre dans des assemblages avec d'autres variétés comme le grenache noir, la syrah, le mourvèdre. Il confère aux vins de la couleur, de la chaleur, une belle charpente et des arômes de fruits rouges, d'épices et de garrigue. Il est très présent dans les assemblages des appellations fitou, corbières, corbières-boutenac, côtes-du-roussillon, côtes-du-roussillon-villages.

Carmenère
Cépage noir d'origine bordelaise donnant des vins de belle qualité, à la robe profonde et à la bouche ronde et ample. Jadis très cultivée en Médoc, la carmenère a fortement régressé à cause de rendements faibles. On n'en trouve plus que quelques hectares en Gironde alors qu'elle est devenue une des variétés vedettes du Chili.

César
Cépage noir de l'Yonne introduit, selon la tradition, par les légions romaines. Il entre à hauteur de 10 % maximum dans l'AOC irancy (Bourgogne), assemblé au pinot noir. Il donne un vin très coloré, aux arômes de fruits rouges et à la structure tannique particulièrement solide.

Chardonnay
Le chardonnay est un des premiers cépages blancs de qualité au monde. C'est la variété presque exclusive des vins blancs de Bourgogne dont les plus illustres (chablis, corton-charlemagne, meursault, montrachet, pouilly-fuissé) l'ont rendu mondialement célèbre. Il donne des vins élégants, souvent arrondis par une fermentation malolactique, aux arômes complexes de fleurs, de fruits blancs, d'agrumes, de fruits secs et de pain grillé, qui prennent mille nuances selon les terroirs et l'élevage (souvent boisé). Vifs et minéraux dans les régions septentrionales, ils se font beurrés et miellés dans les secteurs plus chauds. Le chardonnay compose

aussi près de 30 % de l'encépagement de la Champagne où il est assemblé au pinot noir ou vinifié seul (blanc de blancs). Il peut aussi entrer dans la composition d'autres vins effervescents (certains crémants notamment). Dans le Jura, le chardonnay est vinifié seul ou assemblé au savagnin ; dans le Sud, il se plaît sur les terres fraîches de Limoux. On le trouve encore dans le Bugey, en Centre-Loire (orléans, cheverny, saint-pourçain, côtes-d'auvergne). On en tire plus rarement des vins liquoreux à partir de raisins surmûris, dont les plus connus sont produits en Autriche.

Chasselas

Raisin de table blanc très apprécié en Europe (l'un des rares à bénéficier d'une appellation d'origine contrôlée, à Moissac). C'est aussi un raisin de cuve, cultivé principalement en Suisse (sous le nom de fendant dans le Valais) et en Savoie dans les secteurs proches du lac Léman (Crépy). En Alsace, il est devenu rare et entre souvent dans des assemblages. On le trouve aussi dans le Centre-Loire (Pouilly-sur-Loire), où il a cependant décliné au profit du sauvignon. Son vin frais et floral se termine souvent par une agréable amertume. Synonyme : fendant, gutedel.

Chenin blanc

Cépage blanc vigoureux et précoce du Val de Loire, cultivé en Touraine occidentale (appellations vouvray, montlouis-sur-loire, touraine-azay-le-rideau...), dans le Saumurois (saumur blanc et mousseux, coteaux-de-saumur) et en aval du fleuve, en Anjou (anjou blanc, bonne-zeaux, quarts-de-chaume, coteaux-du-layon, coteaux-de-l'aubance, anjou-coteaux-de-la-loire, savennières) ; on le trouve aussi dans la vallée du Loir, son affluent de rive droite (jasnières, coteaux-du-loir). Le chenin donne des vins fruités, dont la vivacité contribue au potentiel de garde. Il peut être vinifié en effervescent ou en vin tranquille sec, demi-sec ou moelleux. La pourriture noble se développe aisément sur ses baies et permet d'obtenir de grands vins liquoreux (bonnezeaux, quarts-de-chaume...) caractérisés par une fine acidité qui leur donne de la fraîcheur. À Savennières et à Jasnières, il donne des vins secs réputés. En vin tranquille, il est le plus souvent vinifié seul, parfois assemblé avec un peu de chardonnay ou de sauvignon (anjou blanc). Le chenin se rencontre aussi en Languedoc-Roussillon (à Limoux) et dans de petits vignobles aveyronnais (vins-d'entraygues-et-du-fel). Il a fait souche dans plusieurs pays du monde, notamment en Afrique du Sud. Synonyme : pineau de la Loire.

Cinsault

Cépage noir méridional, le cinsault peut participer aux assemblages de la plupart des appellations méditerranéennes, mais le plus souvent comme cépage accessoire. C'est dans certaines cuvées de rosé (en corbières, côtes-de-provence...) qu'il est sans doute le plus présent : il donne à ces vins des arômes fort appréciés de fraise, de pêche et de framboise. En vin de pays (IGP), il est souvent vinifié seul, en général en rosé.

Clairette

Cépage blanc méridional donnant un vin floral, souple et rond, à la finale amère et fraîche. Il est vinifié seul dans les appellations clairette-de-bellegarde (Gard), clairette-du-languedoc (Hérault) et clairette-de-die méthode traditionnelle (Drôme), et constitue le cépage principal du crémant-de-die. Il n'intervient qu'à titre accessoire dans la clairette-de-die méthode ancestrale, dominée par le muscat à petits grains. Il se mêle à d'autres cépages dans de nombreux vins blancs d'appellation (château-neuf-du-pape, côtes-du-provence, côtes-du-rhône, bandol, cassis, palette...).

Colombard

Cépage blanc d'origine charentaise, le colombard a perdu du terrain au profit de l'ugni blanc mais reste encore utilisé pour l'élaboration des vins destinés au cognac et à l'armagnac, eaux-de-vie auxquelles il apporte un caractère fruité. Il entre dans la composition du pineau-des-charentes et du floc-de-gascogne, et sert aussi d'appoint dans certaines AOC bordelaises de blancs secs (côtes-de-blaye, bordeaux, entre-deux-mers...). Il est vinifié seul ou en assemblage pour produire certains vins de pays aromatiques (côtes-de-gascogne notamment).

Côt

Voir malbec.

Counoise

Cépage noir figurant parmi les nombreux cépages autorisés pour l'appellation châteauneuf-du-pape, mais devenu très rare. Il n'intervient que dans des proportions minimes dans certains assemblages de cette appellation et dans quelques vignobles proches (côtes-du-rhône, gigondas, coteaux-d'aix-en-provence). Il donne des vins à la robe foncée, aux arômes de fruits noirs et d'épices.

Courbu

Cépage blanc cultivé essentiellement dans les Pyrénées-Atlantiques, le plus souvent associé au petit manseng et à quelques autres cépages de la même région dans les appellations locales comme le jurançon. Il donne un vin élégant, corsé, vieillissant bien.

D

Doucillon
Voir bourboulenc.

Duras
Cépage noir du Tarn généralement vinifié en assemblage avec les autres cépages locaux. C'est une des variétés de l'appellation gaillac. Il donne un vin coloré, riche en alcool, nerveux, à saveur poivrée.

F

Fer-servadou
Cépage noir du Sud-Ouest donnant un vin aux tanins épicés et aux arômes de cassis et de framboise. Sous le nom de mansois, c'est le cépage principal du marcillac ; c'est aussi une des variétés importantes du Gaillacois, où il est appelé braucol. Il intervient également dans les assemblages d'autres appellations du Sud-Ouest (fronton, estaing, madiran, saint-mont...). Synonymes : braucol, pinenc, mansois.

Folle blanche
Cépage blanc à la base d'eaux-de-vie de grande qualité (cognac, armagnac), mais qui a largement régressé pour céder la place à l'ugni blanc après la crise phylloxérique. Il donne des vins légers en alcool et d'une bonne vivacité dans l'appellation gros-plant-du-pays-nantais. Synonyme : gros plant.

Fuella nera
Vieux cépage noir de Provence donnant un vin très coloré, bouqueté et rond, généralement assemblé avec d'autres cépages méridionaux. C'est une des deux variétés principales de l'appellation bellet, au-dessus de Nice.

G-J

Gamay
Cépage noir à l'origine d'un vin fruité, gouleyant et d'une agréable vivacité, le plus souvent de courte ou moyenne garde. C'est le cépage unique des rouges du Beaujolais. On le trouve encore dans la vallée de la Loire (Anjou et Touraine notamment) dans le Centre et le Massif central. Il est associé avec le pinot noir dans le bourgogne-passetoutgrain et la dôle du Valais. Il entre également dans les assemblages de plusieurs vins du Sud-Ouest.

Gewurztraminer
Cépage blanc caractéristique de l'Alsace. Il donne des vins à la robe dorée, à la bouche puissante et ample et aux arômes aussi exubérants que caractéristiques (nuances de rose, de litchi et d'épices). On le vinifie en vin sec ou en vin doux (vendanges tardives et sélection de grains nobles notamment).

Grenache blanc
Cépage blanc cultivé principalement en Espagne et un peu dans le sud de la France (vallée du Rhône méridionale, Languedoc-Roussillon). C'est la variété blanche du grenache noir. Il entre dans l'assemblage de plusieurs vins blancs (vins secs ou vins doux naturels) auxquels il confère richesse, gras et notes florales.

Grenache gris
Variété grise du grenache cultivée dans les Pyrénées-Orientales, l'Aude et le sud de la vallée du Rhône. Ses vins puissants et ronds entrent dans l'assemblage de blancs ou rosés secs et de vins doux naturels.

Grenache noir
Cépage noir originaire d'Espagne, l'une des grandes variétés de qualité du sud de la France. Parfois vinifié seul, il est le plus souvent assemblé à un ou plusieurs autres cépages rhodaniens ou méridionaux aux qualités complémentaires comme la syrah, le mourvèdre, le carignan ou le cinsault. Ses vins sont chaleureux, empreints d'arômes de fruits rouges (cerise) et d'épices ; ils s'oxydent avec le temps. Vinifié seul ou en très grande proportion, le grenache noir donne aussi de grands vins doux naturels en Roussillon (rivesaltes, banyuls, maury) et dans la vallée du Rhône (rasteau).

Grenache poilu
Voir lledoner pelut.

Gringet
Cépage blanc de la vallée de l'Arve en Haute-Savoie. Confidentiel, c'est le cépage principal du vin-de-savoie Ayze (tranquille ou effervescent).

Grolleau
Cépage noir de la vallée de la Loire à l'origine de vins légers. Il entre surtout dans l'assemblage de rosés mais peut aussi être associé à d'autres

variétés dans des vins effervescents de la région (crémant-de-loire, saumur). Synonyme : groslot.

Gros manseng

Cépage blanc du Sud-Ouest surtout cultivé dans les Pyrénées-Atlantiques où il entre principalement dans l'assemblage des jurançon et pacherenc-du-vic-bilh secs. Voisin du petit manseng, il donne un vin jugé moins fin tout en étant bien équilibré, charpenté, vif et fruité.

Gros plant

Voir folle blanche.

Groslot

Voir grolleau.

Gutedel

Voir chasselas.

Jacquère

Cépage blanc de Savoie qui donne des vins légers et frais, aux arômes de fleurs blanches et d'agrumes nuancés de touches de pierre à fusil. Variété principale de l'appellation vin-de-savoie, il est vinifié seul ou en assemblage. On le rencontre également, à titre accessoire, dans le Bugey.

L

Len de l'el

Cépage blanc du Sud-Ouest ayant contribué à la renommée des gaillac. Son nom occitan (« loin de l'œil ») s'explique par un pédoncule très long qui place la grappe loin du bourgeon (œil) qui lui a donné naissance. S'il peut produire des vins secs, les vignerons laissent volontiers surmûrir ses grosses grappes pour en tirer des vins moelleux ou liquoreux. Il peut être vinifié seul ou assemblé à un ou plusieurs cépages de l'appellation : mauzac, muscadelle, ondenc ou sauvignon. Synonyme : loin de l'œil.

Lledoner pelut

Cépage noir originaire d'Espagne, qui tire son nom de l'aspect de ses feuilles. Il peut figurer dans l'encépagement de plusieurs appellations du Languedoc-Roussillon. Il donne un vin peu coloré, assez proche du grenache, légèrement moins riche en alcool. Synonyme : grenache poilu.

Loin de l'œil

Voir len de l'el.

M

Macabeu

Cépage blanc d'Espagne (Catalogne) introduit en Roussillon il y a fort longtemps. Il participe à l'assemblage de plusieurs vins blancs AOC du Languedoc-Roussillon. Vendangé tôt et associé à d'autres cépages comme le grenache blanc, il fournit des vins blancs secs, floraux et fruités, d'une bonne fraîcheur. Vendangé plus tard, il entre dans la production de certains vins doux naturels comme le rivesaltes blanc. Synonyme : maccabéo.

Malbec

Cépage noir du Sud-Ouest de la France devenu le principal cépage rouge de l'Argentine. Majoritaire dans le cahors (au moins 70 % de l'encépagement), il est associé notamment aux cabernets et au merlot dans de nombreuses AOC du Sud-Ouest (bergerac, pécharmant...) et du Bordelais (médoc, graves, côtes-de-bourg...). Dans la vallée de la Loire (Touraine), le malbec est appelé côt. Il est vinifié seul ou assemblé avec le cabernet franc et le gamay. Il fournit des vins colorés, aromatiques, charpentés. Synonymes : côt, auxerrois.

Malvoisie

Nom donné localement à différents cépages, notamment le pinot gris (Pays nantais) et le vermentino (Provence et Corse).

Mansois

Voir fer-servadou.

Marsanne

Cépage blanc de la vallée du Rhône septentrionale donnant des vins amples et assez chaleureux. La marsanne est assemblée à la roussanne dans les appellations crozes-hermitage, hermitage ou saint-péray (tranquilles et effervescents). Elle entre également dans l'assemblage de nombreux vins blancs de la vallée du Rhône méridionale (mais pas dans le châteauneuf-du-pape blanc) et du Languedoc-Roussillon.

Mauzac

Cépage blanc du Sud-Ouest, à l'origine de vins aux nuances de pomme. Intimement liée à l'appellation gaillac, c'est la variété exclusive du gaillac mousseux méthode ancestrale ; le mauzac est également très présent dans les vins blancs de l'appellation, où il est associé notamment au len de l'el et à la muscadelle. Il s'est diffusé en Languedoc (blanquette-de-limoux).

Melon de Bourgogne

Cépage blanc bourguignon, peu utilisé dans sa région d'origine mais ayant gagné la région

Glossaire

nantaise. C'est le cépage exclusif du Muscadet. Il donne un vin sec jaune pâle, souple et vif, au bouquet intense, auquel un élevage sur lie confère gras et complexité aromatique.

Merlot

Cépage noir le plus cultivé en France, principalement en Gironde, où il est assemblé au cabernet-sauvignon et parfois à d'autres variétés comme le cabernet franc et le malbec. Dans le Bordelais, il est étroitement associé aux appellations de la rive droite de la Dordogne telles que pomerol et saint-émilion, où il est majoritaire, mais il a progressé partout, jusqu'en Médoc. Il domine les assemblages en AOC régionales (bordeaux, bordeaux supérieur). Ses vins sont ronds ; leurs arômes de fruits rouges plus ou moins confiturés évoquent le pruneau lorsque le raisin est très mûr et prennent des nuances de sous-bois, de cuir et d'épices avec le temps. Assemblé au cabernet-sauvignon, le merlot confère de la souplesse au vin qui peut ainsi être bu plus rapidement. Le merlot a connu une explosion de ses plantations en Languedoc-Roussillon, où il fournit surtout des vins de pays (IGP). Il est très présent en Europe de l'Est, en Italie et en Amérique.

Meunier

Voir pinot meunier.

Molette

Cépage blanc cultivé en Haute-Savoie et dans l'Ain, qui produit quelques vins tranquilles (AOC seyssel molette) et qui entre dans la composition du seyssel mousseux et du bugey blanc mousseux.

Mondeuse

Cépage noir cultivé depuis longtemps en Savoie, d'où il s'est propagé dans l'Isère et dans l'Ain. Avec le gamay et le pinot noir, il entre dans l'encépagement des appellations vin-de-savoie et bugey où il fournit des cuvées monocépages (notamment en Savoie à Arbin et à Saint-Jean-de-la-Porte). Il donne un vin coloré, solide, chaleureux et de garde, aux arômes de fraise, de framboise et de cassis agrémentés de notes florales et épicées.

Montils

Cépage blanc charentais qui, distillé, donne une eau-de-vie appréciée pour la finesse et l'intensité de ses arômes. Il est devenu cependant très minoritaire pour l'élaboration du cognac.

Mourvèdre

Cépage noir méridional très cultivé en Espagne (où il est appelé morastell ou monastrell). Il entre dans la composition de plusieurs vins de Provence, en particulier le bandol rouge (au moins 50 % de l'assemblage), aux côtés notamment du grenache et du cinsault. On le trouve aussi dans la vallée du Rhône, où il fait partie des cépages autorisés du châteauneuf-du-pape. Il a été implanté plus récemment en Languedoc-Roussillon. Il est à l'origine de vins colorés, tanniques, chaleureux, complexes (cerise noire, fruits mûrs, poivre, cuir...) et de longue garde.

Muscadelle

Cépage blanc cultivé en Gironde et en Dordogne, donnant des vins fruités discrètement muscatés. Très rarement vinifié seul, il peut être assemblé au sauvignon et au sémillon dans toutes les appellations de vins blancs secs ou doux du Bordelais (bordeaux sec, entre-deux-mers, sauternes...), du Bergeracois (bergerac, monbazillac...) et d'autres AOC de ce secteur (côtes-de-duras, buzet blanc...).

Muscardin

Cépage noir de la vallée du Rhône méridionale, donnant des vins d'une belle fraîcheur, au bouquet floral. Rare, il fait partie des cépages du châteauneuf-du-pape et peut entrer dans l'encépagement des appellations voisines (gigondas, vacqueyras...) et des côtes-du-rhône.

Muscat blanc à petits grains

Cépage blanc cultivé depuis l'Antiquité sur les bords de la Méditerranée, considéré comme le plus noble des muscats. On en tire surtout des vins doux, souvent issus de mutage. En France, c'est le cépage unique de nombreux vins doux naturels : muscat-de-frontignan, muscat-de-mireval, muscat-de-lunel, muscat-de-saint-jean-de-minervois, muscat-de-beaumes-de-venise, muscat-du-cap-corse. Associé au muscat d'Alexandrie, il donne le muscat-de-rivesaltes. Il entre aussi dans la composition de blancs effervescents (clairette-de-die ; moscato d'asti et asti spumante en Italie) et secs (alsace-muscat). Puissamment aromatiques et complexes, ses vins évoquent le raisin frais, la rose, les fruits exotiques, les agrumes, les épices.

Muscat d'Alexandrie

Cépage blanc qui serait originaire d'Égypte. Il est consommé en raisin de table, en jus et en vins doux. Cultivé principalement dans les Pyrénées-Orientales, il participe à la production de vins doux naturels et notamment au muscat-de-rivesaltes (associé au muscat à petits grains). Il entre aussi à titre accessoire dans d'autres vins doux naturels blancs comme les rivesaltes. Ses vins onctueux présentent un bouquet évoluant vers le raisin passerillé et la figue sèche.

Muscat ottonel

Cépage blanc cultivé en Alsace où il entre dans l'encépagement de l'alsace muscat (avec le muscat à petits grains, qui a régressé car un peu trop tardif pour la région). Il donne un vin aromatique finement muscaté, souvent vinifié en vin sec. On peut aussi récolter les grappes surmûries et/ou botrytisées pour obtenir des vendanges tardives et des sélections de grains nobles.

N-O

Naturé

Voir savagnin.

Négrette

Cépage noir du Sud-Ouest cultivé au nord de Toulouse, donnant des vins colorés et aromatiques, dont le fruité s'accompagne de notes caractéristiques de violette et de réglisse. C'est le cépage principal de l'AOC fronton. Il y est vinifié seul ou assemblé à une ou plusieurs des variétés suivantes : syrah, côt, cabernets, fer-servadou (et accessoirement gamay). Il entre aussi dans l'encépagement des fiefs vendéens.

Nielluccio

Cépage noir très planté en Italie où, sous le nom de sangiovese, il participe à la notoriété du chianti, du brunello di Montalcino et du vino nobile di Montepulciano. Il est également cultivé en Corse pour la production de rouges et de rosés. C'est le cépage principal (90 % au moins en vin rouge) de l'AOC patrimonio. Dans les AOC vins-de-corse et ajaccio, il est assemblé à d'autres cépages insulaires comme le sciaccarello ou méridionaux comme le grenache. Colorés, chaleureux et tanniques, ses vins rouges supportent bien la garde. Synonyme : sangiovese.

Noah

Hybride blanc américain qui produit un vin désagréable aux arômes foxés. Sa culture est aujourd'hui interdite en France.

Ondenc

Cépage blanc du Sud-Ouest devenu assez rare. Rarement vinifié seul, il fait partie de l'encépagement du gaillac (notamment du doux) et d'autres appellations du Sud-Ouest (bergerac, côtes-de-duras, montravel, monbazillac).

P

Petit manseng

Cépage blanc cultivé dans les Pyrénées-Atlantiques, où il fait notamment la renommée des jurançon moelleux, assemblé ou non avec d'autres cépages locaux comme le gros manseng et le courbu. Les vins, même moelleux, présentent une pointe d'acidité agréable et le cépage apporte de belles notes de fruits mûrs (pêche, agrumes), de fruits exotiques et d'épices. Le petit manseng entre aussi dans l'encépagement d'autres AOC du piémont pyrénéen (béarn, irouléguy, pacherenc-du-vic-bilh, saint-mont).

Petit meslier

Cépage blanc de Champagne dont les vins, nerveux et fruités, prennent facilement la mousse. Il est devenu confidentiel.

Petit verdot

Cépage noir du Bordelais pouvant entrer en petite quantité dans l'assemblage des AOC girondines, notamment en Médoc, en complément des cabernets et du merlot. Il fournit un vin de qualité, coloré, tannique et élégant tout à la fois.

Picardan

Cépage blanc très rare qui fait partie de l'encépagement du châteauneuf-du-pape.

Picpoul

Voir piquepoul.

Pineau d'Aunis

Cépage noir de la vallée de la Loire, produisant des vins peu colorés, jadis appréciés des rois de France et d'Angleterre. Il a régressé au profit du cabernet franc, mais entre encore dans l'assemblage de certains rouges et rosés de la Touraine et de l'Anjou. C'est le cépage principal des vins rouges et rosés en AOC coteaux-du-loir et coteaux-du-vendômois (et même le cépage exclusif du gris du Vendômois, typique par son fruité vif et poivré).

Pineau de la Loire

Voir chenin blanc.

Pinenc

Voir fer-servadou.

Pinot blanc

Variation blanche du pinot noir, ce cépage donne des vins secs caractérisés par une acidité modérée, des arômes de fleurs et de fruits blancs. En France, il est essentiellement cultivé en Alsace où il est vinifié seul ou en assemblage avec l'auxerrois. Il fournit également des vins de base pour l'élaboration des crémants-d'alsace.

Glossaire

Pinot gris

Cépage aux baies gris-rose qui est une variation grise du pinot noir. Il est cultivé en Alsace, en Allemagne, en Suisse, en Italie du nord et en Europe orientale. D'une belle couleur jaune doré, ses vins possèdent beaucoup de corps, une certaine rondeur et des arômes caractéristiques de fruits jaunes, de fruits secs, de miel, de fumé, de sous-bois. On en tire aussi bien des vins secs que des vins moelleux (alsace vendanges tardives) et liquoreux (alsace sélection de grains nobles). On le trouve également dans la région nantaise (coteaux-d'ancenis) sous le nom de malvoisie. en AOC orléans, châteaumeillant (gris)...

Pinot meunier

Cultivé au XIXe siècle dans tous les vignobles septentrionaux, ce cépage noir a largement régressé depuis. Très présent dans la vallée de la Marne, il constitue un tiers de l'encépagement en Champagne, aux côtés du pinot noir et du chardonnay avec lesquels il est souvent assemblé. Il apporte aux champagnes de la rondeur et des arômes de fruits rouges ou jaunes. Le pinot meunier est aussi le cépage dominant des vins rouges et rosés en AOC orléans et du rare touraine-noble-joué, un vin gris. Synonyme : meunier.

Pinot noir

Cépage noir à l'origine des grands vins rouges de Bourgogne (chambertin, romanée-conti, clos-de-vougeot, corton, pommard...). Peu productif mais hautement qualitatif, il fournit des vins d'une belle couleur quoique peu intense. Leur bouquet de griotte et de petits fruits rouges et noirs évolue avec le temps vers la cerise à l'eau-de-vie, le gibier et le cuir. Sa maturation précoce permet au pinot noir de produire des vins d'une grande finesse dans les régions septentrionales alors qu'il réussit moins dans les secteurs chauds. Il s'est répandu en Alsace, en Champagne et dans la vallée de la Loire (surtout en amont de Blois), en Allemagne, en Suisse et dans d'autres pays voisins. Plus récemment, il a été acclimaté avec succès dans des régions fraîches du Nouveau Monde (Oregon, Nouvelle-Zélande...). En Bourgogne, le pinot noir est le cépage presque exclusif des vins rouges ; il ne concède une petite place à d'autres variétés que dans certaines AOC régionales et en mâcon. Il exprime une multitude de nuances selon le terroir où il est planté. En Champagne, il constitue près de 40 % de l'encépagement et entre dans de nombreux assemblages, aux côtés du chardonnay et parfois du pinot meunier.

Piquepoul

Cépage languedocien existant en noir, en blanc et en gris. Il fait aussi partie de l'encépagement des châteauneuf-du-pape, côtes-du-rhône et autres AOC voisines, ainsi que des palette (Provence). Le vin de piquepoul noir, chaleureux, assez vif, floral, utilisé en assemblage à titre accessoire, est en régression. Le piquepoul blanc, qui entre dans l'encépagement d'appellations languedociennes, est surtout connu en AOC languedoc Picpoul-de-Pinet, car il y est vinifié seul. C'est un vin nerveux aux arômes floraux. Synonyme : picpoul.

Ploussard

Voir poulsard.

Poulsard

Cépage noir cultivé dans le Jura et le Bugey. Même vinifié en rouge, il fournit un vin clairet presque rosé, peu tannique, frais et fruité. Seul ou associé au trousseau et au pinot noir, il constitue les vins arbois et les côtes-du-jura rouges. Vinifié en blanc dans l'appellation l'étoile (avec le chardonnay et le savagnin), il apporte de la rondeur en bouche et de la finesse aromatique. Il peut aussi entrer dans la composition des vins de paille et du macvin de la même région. Synonyme : ploussard.

R

Riesling

Cépage blanc qui a fait la réputation des vins du Rhin, de la Moselle et de l'Alsace. Il est devenu le premier cépage blanc cultivé en Allemagne et représente aujourd'hui plus de 20 % du vignoble alsacien. Il produit des vins vifs, racés, élégants et de garde aux fines notes de citron, de fleurs, de pêche et de tilleul, agrémentées de nuances minérales. On en tire également des vins moelleux (alsace vendanges tardives) et liquoreux (alsace sélection de grains nobles issus de baies botrytisées et vins de glace issus de raisins gelés).

Rolle

Voir vermentino.

Romorantin

Cépage blanc qui n'est pratiquement cultivé que dans le Loir-et-Cher pour la production de l'appellation cour-cheverny, dont il est le cépage exclusif. Il fournit un vin vif, dont les arômes évoquent le raisin bien mûr, le miel et l'acacia.

Roussanne

Cépage blanc de la vallée du Rhône et de la Savoie où il est appelé bergeron. La roussanne produit des vins élégants aux arômes de miel, d'abricot et d'aubépine, dont l'acidité permet une bonne aptitude à la garde. Elle est généralement assemblée à la marsanne dans les appellations rhodaniennes hermitage, crozes-hermitage, saint-joseph et saint-péray, mais elle peut aussi être vinifiée seule. Elle s'est répandue dans la vallée du Rhône méridionale (châteauneuf-du-pape par exemple) et en Languedoc-Roussillon où on l'assemble à diverses variétés comme le grenache blanc et la clairette. En Savoie, elle est le cépage unique du vin-de-savoie Chignin-Bergeron. Synonyme : bergeron.

Roussette
Voir altesse.

S

Sacy
Voir tressallier.

Sangiovese
Voir nielluccio.

Sauvignon
Cépage blanc à l'origine de vins secs très aromatiques, aux nuances de buis, de bourgeon de cassis et, selon les terroirs, de fleurs blanches, d'agrumes et de pierre à fusil. Dans la vallée de la Loire et le Centre-Loire, il est vinifié seul dans la plupart des appellations (sancerre, pouilly-fumé, quincy, reuilly et menetou-salon blancs, touraine-sauvignon...). Dans le Bordelais et le Bergeracois, il est soit vinifié seul soit, le plus souvent, associé au sémillon et parfois à la muscadelle. Cet assemblage est habituel lorsqu'il s'agit de vins moelleux et liquoreux (dominés par le sémillon) comme le sauternes en Bordelais ou le monbazillac dans la région de Bergerac ; le sauvignon apporte alors sa fraîcheur et ses arômes à l'assemblage. Le sauvignon fournit des vins de pays monocépages dans d'autres régions de France et s'est répandu dans les nouveaux pays viticoles jusqu'en Nouvelle-Zélande. Synonyme : blanc fumé.

Savagnin
Cépage blanc du Jura, originaire du Tyrol et cultivé aussi en Allemagne et en Suisse. Il donne des vins de bonne conservation dont le célèbre vin jaune du Jura (AOC arbois, côtes-du-jura, l'étoile et château-chalon, la plus réputée). Ce vin de très longue garde au bouquet caractéristique de noix et d'épices résulte d'un élevage sous voile et vieillit plus de six ans avant sa commercialisation. Le savagnin peut aussi être assemblé à tous les autres cépages jurassiens, notamment

au chardonnay, pour donner des vins blancs secs, des vins de paille, du macvin-du-jura, voire du crémant-du-jura. Synonyme : naturé.

Sciaccarello
Cépage noir cultivé en Corse donnant des vins peu colorés mais bien charpentés et fruités (groseille, cassis, mûre, framboise) qui s'apprécient plutôt jeunes. C'est l'une des variétés de l'AOC vin-de-corse et le principal cépage de l'AOC ajaccio.

Sémillon
Cépage blanc du Bordelais qui a fait la réputation des vins de ce vignoble et du Bergeracois voisin (monbazillac), notamment en matière de liquoreux (sauternes, barsac...). Dans ces régions, il est assemblé au sauvignon et à la muscadelle pour donner des vins de qualité, secs ou doux (il est majoritaire dans ces derniers). Moins aromatique que le sauvignon, il délivre des notes de miel, de cire d'abeille, de fruits secs, et apporte beaucoup de rondeur et de gras en bouche. Le sémillon s'est répandu dans les vignobles du Nouveau Monde, où il est parfois vinifié seul (Australie).

Shiraz
Voir syrah.

Sylvaner
Cépage blanc répandu en Allemagne et en Alsace, principalement dans le Bas-Rhin. Il donne des vins frais et légers aux arômes d'agrumes et de fleurs blanches, parfois accompagnés de notes minérales. Cultivé en coteau, il engendre des vins plus consistants, notamment sur le Zotzenberg, seul grand cru alsacien où le sylvaner est autorisé.

Syrah
Cépage noir de la vallée du Rhône septentrionale, donnant un vin charpenté et de garde, à la robe sombre, aux arômes puissants et complexes de fruits rouges et noirs, de violette, de réglisse et d'épices (poivre). C'est la variété des côte-rôtie, des cornas, des hermitage et des crozes-hermitage et des saint-joseph rouges. Sa culture a littéralement explosé en France depuis 1960 : la syrah s'est propagée dans le sud de la vallée du Rhône, en Provence et en Languedoc-Roussillon où elle entre dans l'encépagement de toutes les AOC de vins rouges, le plus souvent assemblée aux cépages de ces régions comme le grenache ou le mourvèdre. Elle s'est même diffusée dans les secteurs orientaux du Sud-Ouest (AOC gaillac et fronton). Elle est également très cultivée dans tous les vignobles du Nouveau Monde où elle fournit nombre de cuvées monocépages. Synonyme : shiraz.

T

Tannat

Cépage noir du Sud-Ouest donnant des vins de garde charpentés, riches en tanins, qui demandent plusieurs années de vieillissement pour s'arrondir et développer un parfum de framboise et de mûre. Originaire du Béarn, il est surtout cultivé dans les Pyrénées-Atlantiques et les départements limitrophes : il constitue le cépage principal des AOC madiran et saint-mont, et il participe à l'encépagement des irou-léguy et tursan. C'est une variété accessoire du cahors. Le tannat est également très cultivé en Uruguay.

Terret

Cépage noir, gris ou blanc du Languedoc. Le terret figure dans la liste des variétés autorisées des AOC châteauneuf-du-pape, côtes-du-rhône et corbières, mais il n'est pratiquement plus cultivé.

Tibouren

Cépage noir cultivé en Provence, donnant des vins peu colorés, délicats et frais. Associé au cinsault, au grenache, au mourvèdre ou à la syrah, il est surtout utilisé pour élaborer des rosés (AOC côtes-de-provence et palette).

Tourbat

Cépage blanc catalan devenu rare, donnant des vins vifs et fruités. Il peut entrer dans l'assemblages de plusieurs AOC (collioure, côtes-du-roussillon blanc rivesaltes ambré, rosé, tuilé). Synonyme : malvoisie du Roussillon.

Tressallier

Cépage blanc de l'Allier identique au sacy cultivé en Bourgogne. Rarement vinifié seul, il entre dans l'assemblage des vins blancs de Saint-Pourçain, associé au chardonnay, cépage principal de l'appellation. Synonyme : sacy.

Trousseau

Cépage noir du Jura donnant des vins pourpre intense, corsés et de bonne garde. Il est vinifié seul ou en assemblage avec le poulsard et le pinot noir dans les AOC arbois et côtes-du-jura ; il peut aussi contribuer aux vins de paille et au macvin de ce vignoble.

U-V

Ugni blanc

Cépage blanc d'origine italienne, et principale variété blanche cultivée en France. Ses grandes grappes donnent des vins fins, légers et vifs, adaptés à la distillation : c'est aujourd'hui le cépage principal pour l'élaboration des cognac et armagnac. L'ugni blanc, un peu plus riche en alcool lorsqu'il est cultivé dans les régions méditerranéennes, peut entrer dans l'assemblage des appellations de Provence et de l'AOC vin-de-corse, souvent associé à d'autres cépages qui apportent des arômes et de la structure, comme la clairette ou le vermentino. L'ugni blanc entre aussi, à titre accessoire, dans la production de certains vins blancs en Gironde (AOC bordeaux, entre-deux-mers...).

Vaccarèse

Cépage noir, l'une des nombreuses variétés de Châteauneuf-du-Pape, pouvant être utilisé en assemblage dans cette appellation et d'autres AOC voisines (côtes-du-rhône, gigondas...). Il produit un vin floral, élégant et frais, qui équilibre la chaleur du grenache. Il est rare.

Vermentino

Cépage blanc de qualité donnant des vins aromatiques. Très cultivée en Corse, c'est la variété exclusive du patrimonio blanc ; elle domine dans les AOC ajaccio, vin-de-corse, dans plusieurs appellations de Provence (bellet, coteaux-d'aix-en-provence...) et s'est répandue en Languedoc-Roussillon. En Italie, le vermentino est cultivé en Ligurie et en Sardaigne. Synonymes : rolle, malvoisie.

Viognier

Cépage blanc de la partie septentrionale de la vallée du Rhône, cultivé depuis fort longtemps en terrasses, sur la rive droite du fleuve. Il est à l'origine du condrieu et du château-grillet, des vins le plus souvent secs aux arômes de pêche, d'abricot, de miel et d'épices, d'une belle rondeur en bouche. Cépage en vogue, il est aujourd'hui également vinifié seul en côtes-du-rhône blanc et en vin de pays. Il s'est étendu dans le sud de la vallée du Rhône et au delà, jusqu'aux États-Unis. Le viognier peut être assemblé à d'autres cépages blancs, et même à la syrah en AOC côte-rôtie (à hauteur de 20 %).

INDEX

APPELLATIONS VINS
COMMUNES
VINS PRODUCTEURS
COMMUNES APPELLATIONS
PRODUCTEURS
VINS COMMUNES

INDEX DES APPELLATIONS

Coteaux d'Ensérune 1213
Coteaux des Baronnies 1248
Coteaux du Libron 1214
Coteaux et terrasses de
   Montauban 1204
Côtes catalanes 1214
Côtes de Gascogne 1204
Côtes de la Charité 1189
Côtes de Meuse 1249
Côtes de Thongue 1220
Côtes du Lot 1209
Côtes du Tarn 1209
Drôme 1248
Duché d'Uzès 1222
Franche-Comté 1250
Gard 1223
Haute-Marne 1250
Haute vallée de l'Orb 1223

Hautes-Alpes 1237
Hérault 1223
Île de Beauté 1238
Isère 1248
Landes 1200
Maures 1239
Méditerranée 1239
Mont-Caume 1241
Pays d'Oc 1226
Périgord 1200
Principauté d'Orange 1241
Puy-de-Dôme 1189
Pyrénées-Atlantiques 1211
Rancio sec 1219
Sable de Camargue 1225
Saint-Guilhem-le-Désert 1226
Thézac-Perricard 1200
Val de Loire 1192

Vallée du Paradis 1226
Var 1242
Vaucluse 1243

LUXEMBOURG
Crémant-de-luxembourg 1256
Moselle luxembourgeoise
   1252

SUISSE
Canton de Fribourg-Vully
   1260
Canton de Genève 1274
Canton de Neuchâtel 1277
Canton de Vaud 1260
Canton du Tessin 1279
Canton du Valais 1268
Lac de Bienne 1259

INDEX DES COMMUNES

A

Abeilhan 746, 1221, 1222
Adissan 723
Agel 766
Aghione 1238
Ahn 1252, 1253, 1256
Aigle 1261, 1262, 1263
Aigrefeuille-sur-Maine 971
Aigues-Mortes 1225
Aigues-Vives 1226
Aix-en-Provence 750, 814, 857
Ajaccio 878
Alaigne 765
Alba-la-Romaine 1246
Albas 887, 888, 891, 1210
Albias 893, 1204
Aléria 872, 873, 875, 1238
Alès 747
Allan 1175
Allemant 671
Aloxe-Corton 397, 448, 472, 474, 486, 487, 490, 491, 496, 497, 499, 512, 532, 551, 573
Aluze 525, 566
Alzonne 723
Ambarès 172, 201
Ambès 205
Amboise 1012, 1020, 1047, 1049
Ambonnay 626, 627, 666, 673, 677, 678
Ammerschwihr 76, 82, 86, 91, 98, 99, 104, 106, 109, 113, 114, 115, 116
Ampuis 1129, 1130, 1131
Ancenis 956, 987
Anché 1040
Ancy-sur-Moselle 124
Andlau 96, 104, 121
Aniane 753, 1226
Anières 1276
Anse 134
Ansouis 1183
Antisanti 873
Antugnac 761
Apremont 708, 711, 713, 714
Apt 1180, 1183, 1244
Aragon 722
Arbanats 318
Arbin 711, 713
Arbis 298, 300
Arbois 690, 691, 692, 693, 694, 698, 702, 703, 704
Arcay 1066
Arcenant 398, 439, 442, 479, 503
Arcins 340, 349
Arconville 636
Argelès-sur-Mer 790, 805, 813
Argeliers 766, 1234
Argens-Minervois 769
Arlay 704
Arles 1237
Armissan 758
Arnas 137

Arrentières 619, 655
Arsac 341, 355, 357, 359
Arthénac 822
Artiguelouve 944
Arvert 822
Arveyres 183, 200, 203, 234, 301
Arzens 728, 766
Asnières-la-Giraud 820
Aspères 753, 754
Aspiran 748, 760
Assas 745, 749
Assignan 776
Athée-sur-Cher 1017
Aubignan 1186
Aubigné-sur-Layon 955, 980
Aumelas 743, 745
Aurel 1145
Aurensan 941
Aurillac 1069
Auriol 1237
Auriolles 174, 298
Aurions-Idernes 939
Aurons 838
Autignac 735, 736
Auvernier 1277
Auxerre 403, 410
Auxey-Duresses 403, 506, 515, 519, 523, 524, 526, 528, 529, 530, 531, 537, 538, 550
Avenay-Val-d'Or 611, 635, 650, 658
Avensan 342, 349, 357
Avirey-Lingey 639
Avize 613, 618, 630, 638, 651, 666, 676, 682, 685
Aÿ 607, 613, 617, 624, 627, 635, 636, 639, 642, 643, 646, 657, 686
Aydie 936, 938, 940, 1202
Ayguemorte-les-Graves 317
Ayguetinte 949
Ayse 707
Azay-le-Rideau 1021
Azé 150, 394, 403
Azillanet 769, 1225
Azille 768, 771
Azy-sur-Marne 659

B

Babeau-Bouldoux 776, 777
Badens 768, 769
Bagat-en-Quercy 892
Bages 786, 812
Bagnoles 722, 768, 770
Bagnols 130
Bagnols-sur-Cèze 1128
Baignes-Sainte-Radegonde 825, 1198
Baixas 783, 794, 813
Balbronn 89
Balerna 1279, 1280
Baleyssagues 934
Balnot-sur-Laignes 663

Banyuls-sur-Mer 785, 797, 798, 799, 800, 801, 802, 803, 804, 1214, 1220
Bar-sur-Aube 655
Bar-sur-Seine 683
Barbaggio 879, 881
Barbechat 973
Barizey 572
Baron 184, 1223, 1235
Baroville 608, 625, 658
Barr 89, 96, 108
Barsac 187, 380, 381, 382, 383, 384, 385, 386
Baslieux-sous-Châtillon 655
Bassoues-d'Armagnac 948
Bassuet 655, 656
Baurech 182, 308
Bayon-sur-Gironde 218
Beaucaire 735, 838, 923, 1109, 1173, 1174
Beaufort 767
Beaujeu 136, 146, 160
Beaulieu 1247
Beaulieu-sur-Layon 984, 986, 994, 998, 999, 1192
Beaulieu-sur-Loire 1068
Beaumes-de-Venise 1102, 1154, 1156, 1158, 1177, 1178, 1186, 1243
Beaumont 819, 1197
Beaumont-en-Véron 1041, 1044
Beaumont-Monteux 1139, 1140
Beaune 152, 157, 395, 399, 405, 439, 440, 443, 448, 449, 452, 454, 455, 457, 459, 462, 464, 466, 469, 476, 477, 482, 493, 494, 495, 496, 497, 498, 499, 500, 501, 502, 504, 507, 509, 510, 511, 512, 513, 516, 518, 519, 521, 522, 525, 526, 531, 532, 533, 535, 541, 543, 546, 548, 553, 554, 562, 563, 565, 567, 574, 576, 581
Beautiran 319, 320
Beblenheim 82, 89, 94, 95, 107, 117
Bech-Kleinmacher 1254
Bédarieux 735
Bédarrides 1111, 1160
Bédoin 1177, 1179, 1240
Bégadan 332, 335, 337, 338, 339, 340
Begnins 1263, 1267
Béguey 185, 308, 313
Beine 401, 414, 415, 418, 419, 421, 422, 423, 425, 427, 428, 429, 433
Belarga 1224
Bélesta 781, 791, 1215
Belfort-du-Quercy 1209
Bellegarde 1172, 1173
Belleville 141, 589
Belval-sous-Châtillon 634

INDEX DES COMMUNES

COMMUNES

INDEX DES COMMUNES

Gardonne 916
Garéoult 840, 841
Gargas 1177, 1181, 1243
Gassin 847, 860, 864, 868
Gaujac 1112, 1124
Gauriac 221, 222
Geaune 941
Générac 210, 1174
Génissac 171, 174, 180, 181, 183, 185, 193, 196, 203, 302
Genouilly 572
Gergovie 1070
Gertwiller 79, 86
Gervans 1135
Gevrey-Chambertin 396, 400, 440, 443, 444, 445, 447, 449, 450, 451, 452, 453, 454, 455, 456, 457, 458, 459, 461, 463, 465, 466, 467, 469, 480, 481, 494, 496, 513
Ghisonaccia 875
Gignac 744
Gigondas 860, 1110, 1114, 1115, 1121, 1125, 1136, 1150, 1151, 1152, 1153, 1154, 1155, 1156, 1157, 1158, 1159, 1165, 1231, 1244
Gilly 1264
Ginestet 923
Gironde-sur-Dropt 172, 183, 193, 228, 307
Giubiasco 1279
Givrins 1262
Givry 509, 570, 571, 572, 573
Glanes 1204
Gleizé 132, 135, 594
Gléresse 1260
Gondrin 948, 950, 1205, 1206, 1207
Gonfaron 854, 856
Gorges 962, 963, 965, 967, 969
Gornac 177, 204, 299
Goult 1179, 1181, 1183
Goutrens 902
Grancey-sur-Ource 410
Grauves 628, 629, 652
Greiveldange 1256
Grevenmacher 1253, 1255, 1256, 1257
Grézels 885, 1210
Grézillac 171, 172, 182, 186, 188, 198, 277, 297, 298, 299, 322, 323, 327, 329
Grignan 1146, 1176
Grimaud 851, 857
Grimisuat 1268
Groslée 717
Gruissan 725
Gueberschwihr 75, 81, 86, 87, 92, 93, 95, 97, 106, 107, 113, 120
Guebwiller 84
Guzargues 752
Gyé-sur-Seine 630, 633, 634

H

Hattstatt 87, 110
Hautvillers 638, 654, 663, 681
Haux 173, 196, 305, 306, 308
Heiligenstein 77, 78

Herrlisheim-près-Colmar 73, 84
Hëttermillen 1253
Hourges 652
Huismes 1037, 1041
Huisseau-sur-Cosson 1058
Humbligny 1073
Hunawihr 75, 79, 86, 93, 110, 115, 117, 118, 119
Husseren-les-Châteaux 75, 88, 109, 121
Hyères 845, 850, 858, 859

I

Igé 399, 408, 579
Igny-Comblizy 610
Illats 310, 312
Ingersheim 83, 102
Ingrandes-de-Touraine 1025, 1026, 1027, 1028, 1029, 1030
Irancy 406, 435, 436
Irouléguy 947
Ispoure 947
Itterswiller 76, 84, 91, 114

J

Jambles 401, 569, 570, 573
Janvry 647, 669, 670
Jarnioux 130
Jau-Dignac-et-Loirac 335, 336, 337, 338
Joigny 396
Jongieux 708, 710, 711, 713, 714, 715
Jonquerettes 1104
Jonquières 1108, 1122, 1127, 1242
Jonquières-Saint-Vincent 1170, 1227
Jouques 837
Juigné-sur-Loire 956, 978, 985, 989, 991, 1195
Juillac 204
Jujurieux 716, 717
Juliénas 136, 150, 151, 159, 162
Julienne 823
Jullié 135, 137, 151
Jurançon 943, 945, 946
Juvignac 748

K

Katzenthal 74, 83, 87, 91, 94, 102, 108, 110, 111, 115, 119
Kaysersberg 117
Kientzheim 78, 81, 88, 91, 102, 104, 114

L

La Baume-de-Transit 1176
La Brède 310, 314, 315, 316
La Cadière-d'Azur 829, 830, 831, 832, 833, 850, 1241
La Caunette 767
La Celle 841, 844
La Celle-sous-Chantemerle 628
La Chapelle-de-Guinchay 144, 145, 151, 155, 593

La Chapelle-Heulin 962, 964, 967, 970, 987
La Chapelle-Monthodon 678
La Chapelle-sous-Aubenas 1246
La Chapelle-sur-Loire 1025, 1034
La Chapelle-Vaupelteigne 414, 416, 417, 423, 424
La Chaussaire 1192
La Couture 974
La Crau 858, 860
La Croix-Valmer 859
La Digne-d'Aval 762
La Garde 829
La Garde-Adhémar 1175
La Garde-Freinet 858
La Haye-Fouassière 961, 970, 1193
La Limouzinière 971
La Livinière 771, 772
La Londe-les-Maures 848, 850, 855, 858, 861, 863, 864, 865, 869, 1239
La Môle 861, 867
La Motte 853, 856, 857, 863, 866
La Neuville-aux-Larris 614
La Palme 739, 740
La Pommeraye 978, 983, 984, 992
La Redorte 770
La Regrippière 963, 1196
La Remaudière 960
La Réole 171, 175, 176, 190, 194
La Rivière 190, 231
La Roche-Clermault 1037
La Roche-de-Glun 1134, 1137, 1138, 1139, 1144
La Roche-Vineuse 576, 579, 580, 582, 597
La Rochepot 484, 514, 549
La Roquebrussanne 842, 843
La Salvetat-Belmontet 1204
La Sauve 179, 298, 376
La Sauve-Majeure 184, 300
La Tour-d'Aigues 1179, 1182, 1183, 1244
La Tour-sur-Orb 1223
La Varenne 976
Labarde 354, 359
Labastide-d'Armagnac 949
Labastide-Marnhac 889, 894
Labastide-Saint-Pierre 904, 905, 906, 907
Lablachère 1246
Lacapelle-Cabanac 890
Laconnex 1274
Ladaux 178, 188, 204, 300
Ladoix-Serrigny 463, 467, 477, 487, 488, 489, 490, 491, 492, 496, 498, 500, 501, 505
Lagorce 1247
Lagrasse 731
Lagraulet-du-Gers 950
Lagrave 897, 898, 901
Lahourcade 944
Laizé 586
Lalande-de-Pomerol 244, 245, 246, 247
Lamarque 174, 258, 342, 345, 351, 368, 376
Lambesc 837, 1240
Lamone 1281

Lamonzie-Saint-Martin 912, 917
Lamothe-Montravel 924, 930
Lancié 138, 147, 148, 154, 156
Lançon-de-Provence 837, 1237
Landerrouat 189, 191, 207, 304
Landiras 310, 312, 316, 319
Landreville 646, 674
Langoiran 208, 305, 309
Langon 312, 316
Lansac 217, 219, 220, 221
Lantignié 135, 136, 138, 155, 160, 161
Larée 1208
Larnage 1137, 1141
Laroin 946
Larroque-sur-l'Osse 948, 1205
Laruscade 212
Lasseube 943, 944
Latour-de-France 795, 807, 1220
Latresne 306, 338
Laudun 1104, 1116, 1128, 1134, 1146, 1155, 1171, 1184
Laure-Minervois 768
Laurens 734, 737
Lauret 744
Laval-Saint-Roman 1105
Lavau 1067
Lavérune 747, 750
Lavigny 695, 697, 705
Lazenay 1083, 1084, 1085
La Chapelle-de-Guinchay 140, 157, 162, 163
Le Beausset 828, 829, 830, 832, 833
Le Bois-d'Oingt 131, 134
Le Bosc 750
Le Boulvé 889, 891
Le Breuil 131, 660
Le Brûlat-du-Castellet 828, 1242
Le Bugue 917
Le Camp-du-Castellet 829
Le Cannet-des-Maures 847, 852, 868, 870
Le Castellet 828, 831, 832, 870
Le Cellier 976
Le Crest 1071
Le Fleix 924, 930
Le Houga 1207
Le Landreau 961, 962, 963, 965, 966, 969, 971, 1194, 1197
Le Lavandou 1239
Le Loroux-Bottereau 961, 964, 969, 1192, 1193
Le Luc-en-Provence 853, 858, 859, 867
Le Mesnil-sur-Oger 619, 620, 637, 649, 661, 665, 666, 673, 676, 682
Le Muy 864
Le Pallet 964, 967, 968, 969
Le Pecq 262
Le Perréon 137, 138, 141
Le Pian-Médoc 341, 346, 356
Le Pian-sur-Garonne 307, 376
Le Plan-du-Castellet 830
Le Puy 176, 184
Le Puy-Notre-Dame 958, 1002, 1003, 1004
Le Puy-Sainte-Réparade 838

Le Taillan-Médoc 342, 348
Le Tholonet 870
Le Thoronet 845, 857, 865
Le Val 841, 863
Le Vernois 695, 700, 701, 702
Lectoure 1207
Légny 133
Lembras 931
Léognan 321, 322, 324, 325, 326, 327, 328, 329
Les Arcs 855
Les Arcs-sur-Argens 846, 860, 865, 866
Les Artigues-de-Lussac 234, 278, 282
Les Baux-de-Provence 833, 834
Les Granges-Gontardes 1176
Les Lèves-et-Thoumeyragues 172, 187, 202, 303, 912
Les Marches 707, 709, 713
Les Martres-de-Veyre 1070, 1071
Les Mayons 850, 855
Les Peintures 192
Les Riceys 613, 621, 624, 635, 639, 647, 648, 659, 662, 673, 687
Les Salles-de-Castillon 289
Les Verchers-sur-Layon 955, 977, 982, 995
Lesparre-Médoc 336, 338
Lestiac-sur-Garonne 180, 305, 307
Les Arsures 691
Les Marches 708, 711, 712, 713
L'Étoile 703, 704
Létra 131, 132
Leucate 738, 740, 810
Leuil-Stadt 1271
Leuvrigny 616
Levallois 230
Leynes 132, 138, 401, 581, 590, 594, 595, 597, 598, 693, 700
Leytron 1270, 1272, 1273
Lézat-sur-Lèze 1201
Lézignan-Corbières 725, 729, 730, 734, 771, 772, 790
Lézignan-la-Cèbe 745, 1228
Le Chateley 705
Le Vernois 694, 696, 701
Lhéry 673
Lhuis 717
Liausson 756, 1224
Libourne 202, 234, 235, 236, 237, 238, 239, 240, 241, 242, 243, 246, 247, 252, 255, 267, 268, 269, 272, 278, 284
Liergues 132
Lignan-de-Bordeaux 205
Lignorelles 403, 414, 420, 425, 428, 431
Ligny-le-Châtel 427, 432
Ligré 1039, 1041
Ligueux 195
Limeray 958, 1012, 1020, 1021
Limoux 761, 762, 763, 764, 1230
Linars 825
Linguizzetta 874
Lirac 1106, 1169
Liré 972, 976
Lisle-sur-Tarn 897, 898, 900, 1209

Listrac-Médoc 284, 286, 341, 350, 351, 360, 361
Livron-sur-Drôme 1112
Loché 593
Lons-le-Saunier 706
Lorgues 849, 852, 854, 864
Losone 1279
Loubès-Bernac 935
Loupes 268
Loupiac 178, 317, 377, 378
Lourmarin 1182
Louvigny 147
Louvois 620, 632, 659, 667
Luc-sur-Orbieu 727, 732
Lucey 122, 123
Lucq-de-Béarn 946
Ludes 612, 618, 634, 636, 644, 671
Ludon-Médoc 345, 347, 352
Lué-en-Baugeois 955, 959, 990
Lugaignac 188
Lugasson 190
Lugny 404
Lugon 192
Lugon-et-l'Île-du-Carney 172, 182, 191
Lumio 872
Lunel 749
Lunery 1066
Luri 875, 882
Lury-sur-Arnon 1084
Lussac 195, 206, 242, 277, 278, 279, 280, 282
Lussault-sur-Loire 1011, 1049
Lutry 1266
Luzech 886, 888, 893, 1211
Lye 1063, 1064
Lyon 158, 1130

M

Macau-en-Médoc 192, 193, 200, 202, 336, 341, 343, 353, 357
Machtum 1257
Macqueville 823
Magalas 1221
Magny-lès-Villers 481, 488
Mailly-Champagne 645, 657, 671
Maisdon-sur-Sèvre 961, 962, 970
Malaucène 1177
Maligny 412, 414, 416, 418, 420, 421, 422, 423, 426, 428, 430, 433, 434
Malleval 1129, 1132, 1134, 1136, 1247
Malras 1227
Malves-en-Minervois 769, 1213
Malviès 766
Manciet 1206
Mancy 637, 665
Manduel 1172, 1223
Manosque 1236
Mantry 696, 699, 702, 705
Marange-Silvange 124
Marçay 1040
Marchampt 139
Marcillac 184, 210, 216, 217, 224
Marcilly-le-Châtel 1072
Marçon 1044, 1045, 1046

COMMUNES

INDEX DES PRODUCTEURS

L'indexation ne tient pas compte de l'article défini

Audebert et Fils Maison 1027, 1033
Audigay EARL Laurent 181
Audiot Francis 1073
Audoin Dom. Charles 442, 448
Audoy SCE Domaines 367, 368
Audrain 961
Aufranc Pascal 149
Auger SAS Famille 286
Augier Jean-Michel 851
Augis Dom. 1011, 1063
Augusseau Philippe 973
Auguste SCEA Christophe 394, 405
Aujard EARL Bernard 1083
Aujogues Muriel et Gilles 140
Aujoux Les Vins 140
Aulée Ch. de l' 1021
Aumerade Ch. de l' 846
Auney Christian 310
Aupetitgendre Dom. Claude 1011
Aureto 1177, 1181, 1243
Auriol SAS Les Domaines 772, 790
Auriol et Fils EARL 1245
Aurisset 945
Aussières SAS 724
Autréau de Champillon 606
Autréau-Lasnot 607
Auvernier Caves du ch. d' 1277
Auvigue Vins 575, 587
Ayala 607
Aymard SCEA 1177
Azalbert Nicolas 770
Azan Olivier 756
Azé Cave coopérative d' 394
Azémar Véronique et Stéphane 888
Azur Ch. d' 828

B

Babin Philippe 1201
Bacchus EARL Caveau de 690
Baccino SCEA Alain 862
Bachelet 544
Bachelet Jean-Louis 556
Bachelet et Fils Dom. Jean-Claude 539, 547
Bachelet-Ramonet Père et Fils 544
Bachelier Dom. 407, 416
Bachelier EARL 971
Bachey-Legros et Fils Dom. 532, 544, 551
Bacou 732
Bader Dom. 71
Bader-Mimeur 545
Badiane La 828
Badiller Marc 1021
Badin EARL Christelle et Christophe 1060
Badoux Vins SA 1261
Badoz Benoit 696
Bagnost SARL Arnaud 653
Baillarguet Philippe 259
Baillette et ses Filles EARL Jean 607
Bailly Alain 607
Bailly Dom. Sylvain 1088
Bailly Jean-Pierre 1080
Bailly Michel et David 1075

Bailly Lapierre Caves 394, 408
Bailly-Reverdy Dom. 1088
Balandras Cédric et Jean-Marc 575
Balaran EARL Denis 897
Balland Dom. Jean-Paul 1088
Balland EARL Pascal 1088
Balland Émile 1067
Balland-Chapuis SCEA Dom. 1068
Ballande Héritiers 320
Ballandors Dom. des 1081
Ballarin Jean-Louis 208
Ballet GFA Vignoble 301
Balliccioni Véronique et André 735
Ballorin et F. Dom. 446
Balma Venitia SCA Vignerons de 1102, 1154, 1158, 1177, 1186, 1243
Balsamines EARL Les 895
Baniol André 758
Bannwarth Laurent 81
Baou Les Vignerons du 847
Bara Paul 607
Barat-Sigaud 891, 1211
Barbanau Ch. 835, 847
Barbé Pierre 198
Barbeau et Fils Maison 820
Barbeiranne Ch. 847
Barbet SCEA 156
Barbier-Louvet EARL 607
Barbou EARL 1014
Barde-Haut SAS Ch. 254
Bardet Olivier 716
Bardet et Fils 412
Bardin Cédrick 1075, 1088
Bardin Jean-Jacques 1089
Bardins EARL du Ch. 320
Bardon Denis 1063
Bardoux Pascal 608
Barfontarc De 608
Barlet et Fils Raymond 711, 715
Barnaud Stéphane 1119
Barnaut 608
Barnier Jean-François 1155, 1244
Barolet Arthur 527
Baron Catherine et Gérard 967
Baron Claude 608
Baron Dom. 1011, 1130
Baron SCEA Vignobles 820
Baron Albert 608
Baron-Fuenté 608
Baron'Arques Dom. de 764
Baronnat Jean 135, 594
Barouillet Ch. 926
Barras Alain 1014
Barraud SCEA des Vignobles Denis 195, 269
Barré Didier 935
Barré Guilhem 722
Barré Jean-Yves 970
Barreau-Badar Mme 233
Barreau et Fils EARL Vignobles 182, 188, 298
Barrère Anne-Marie 944
Barroche Dom. la 1159
Barrot Robert 1161
Bart Dom. 443, 446
Barthe Véronique 175
Barthès Monique 828

Barthès Philippe 829
Barton Famille 374, 374
Barton & Guestier 185, 1104, 331
Bassail EARL Dom. 938
Basse-Ville Dom. 962
Bassereau Philippe 219
Bastard et Éric Davin Laurent 838
Bastide Alain 308
Bastide Ch. la 725, 1212
Bastide Dom. de la 1119
Bastide Éric 1113, 1125
Bastide SCEA du Ch. de la 1227
Bastide Jourdan Dom. 1243
Bastide neuve Dom. de la 847
Bastide Père et Fille GAEC 898
Bastidonne SCEA Dom. de la 1177
Bastor et Saint-Robert SCEA de 184, 185, 319, 382
Bataille EARL 854
Batardon Jean 1274
Battiston Armand 192
Bauchet SAS 609
Baud Père et Fils Dom. 694, 696, 701
Baudet Alain 278, 281
Baudet Vignobles Michel 209, 215
Baudrit Daniel 974
Baudry 609
Baudry GAEC 931
Baumann Dom. 72
Baumann Riquewihr Maison 89
Baumann Zirgel 81, 99
Baumard Dom. des 992
Baume Dom. de la 772, 1227
Baur Dom. Charles 99
Baur Maison Léon 90
Bautista SARL 551
Baylac Michel 949
Bayle SARL Bruno de 338
Bayle-Carreau Vignobles 218
Baylet Vignobles 200
Bayon Chloé 581, 590
Bazantay EARL Sylvain et Florence 954, 977
Bazin Yves 438
Beaudoin Gilles 924
Beaufort Herbert 609, 686
Beaufort SCEA Ch. 767
Beaugrand 609
Beaujardin Cellier du 1017
Beaujeau SCA Jacques 986
Beaumet-Bonfils SCEA 1152
Beaumet et Fils 1127
Beaumont Dom. des 458, 461
Beaumont EARL Jean 1109
Beaumont SCE Ch. 340
Beaumont des Crayères 609
Beaumont-du-Ventoux Cave 1177
Beaupré Ch. de 837
Beauquin et Fils EARL 966
Beauregard Ch. de 1002
Beauregard Dom. du 394
Beauregard EARL 1192
Beauregard SCEA Ch. 233, 247
Beauregard SCEV 638
Beauséjour Dom. 1021
Beauvignac EURL 743
Bécamel Béatrice 1171
Béchet Jean-Yves 219

Blaque Dom. la 1184
Blard et Fils 708
Blasons de Bourgogne Union 417
Blassan SCE Ch. de 192
Bléger Dom. 90
Bléger François 102
Blés d'or GAEC des 616
Bligny Ch. de 611
Blin H. 612
Bloch Carol 727
Blondel 612
Blondel Jean-Luc 1261
Blondelet EARL Dom. Bruno 1076
Blot Dom. Michel 1069
Blouin EARL Dom. Michel 995
Bobé Dom. 809
Boccard Daniel 716
Bochet-Lemoine EARL 612
Bockmeulen 290, 294
Bocquet SCEA Daniel 417
Bodet SCEA Antoine 1003
Bodillard 152
Bodineau Dom. 977, 982, 995
Bodineau Philippe 962
Boeckel 97
Boesch et Petit-Fils EARL Jean 72, 81
Boever-Denancy SCEV 612
Bohn François 102
Bohrmann SCEA Dom. 548
Boidron Jean-Noël 287, 260
Boigelot Éric 514, 525
Boilley Joël 697
Boillot Dom. Albert 394, 520
Boire Philippe 515
Boireau-Persan SCEA 312
Bois Sylvain 716
Bois des Dames Dom. du 1119
Bois Mozé Pasquier Dom. du 1007
Bois-Perron GAEC du 1192
Boischampt GFA Dom. de 135
Boisgelin SCEA de 745
Boissel Philippe et Suzanne 896
Boisset Maison Jean-Claude 438, 460, 462, 509, 532, 575
Boissière Dom. de 1170, 1227
Boissonneau EARL Vignobles 910
Boissonnet Dom. 1131
Boivert Hélène 336
Boizel 612
Bolle et Cie SA 1262
Bolliet Christian 716
Bollinger 613
Boncheau EARL 279
Bonetto-Fabrol Dom. 1175
Bonfils SCEA Olivier 1225
Bonfils SCEA Vignobles Jean-Michel 1213, 1228
Bongars Denise 1049
Bonhomme Dom. André 584
Bonhomme Pascal 584
Bonhomme SCEA Auguste 965
Bonin Jean-Luc 395
Bonnaire 613
Bonnard Dom. 1077
Bonnard Fils GAEC 716
Bonnardot Dom. 438, 487
Bonnardot Ludovic 482, 539, 556
Bonnaud Ch. Henri 870

Bonneau et Fils SCEA 376
Bonnefond Dom. Patrick et Christophe 1131
Bonnelière Dom. la 1002, 1007
Bonnet Damien 896
Bonnet Éric 1104, 1160, 1153
Bonnet Gilbert 909
Bonnet Monique 306
Bonnet SAS Maison Alexandre 613
Bonnet SCEA Vignobles 319
Bonnet et Fils EARL 220
Bonnet-Huteau 970
Bonnet-Launois 613
Bonnet-Ponson 613
Bonneville Éric 303
Bonnieux Cave de 1178, 1181
Bonnigal GAEC 958
Bonnin Patricia 277
Bonnot André 701
Bonserine Dom. de 1129
Bonvalot Jonathan 493
Bonville Franck 613
Bordeaux-Gironde EPLEFPA 344
Bordenave SARL 943
Bordenave-Coustarret 943
Bordeneuve-Entras GAEC 949
Borderie EARL Vignobles 278
Bordet SARL J.-F. 430, 434
Bordon M & D 731
Borel-Lucas 614
Borès Marie-Claire et Pierre 72
Boret EARL 955
Borgeot Dom. 551, 560
Borgnat Dom. 395
Borie Ch. la 1119, 1239
Borie Vignobles 921
Borras-Gauch Famille 755, 1233
Borrely-Martin Dom. 850
Bort SCEA Dom. 743
Borter Stéphane 1262
Bortoli Patrice de 202, 357
Bortolussi Alain 938
Bos Thierry 172, 307
Bosc 281
Boscary Jacques 757
Boscq-Vignobles Dourthe Ch. le 368
Bosredon SCEA Comte de 926
Bosschaert Thierry 901
Bosviel Pierre 378
Botinière Ch. de la 966
Bouc et la Treille Le 163
Boucant-Thiery SARL 614
Boucard Thierry 1025
Bouchacourd Daniel 135
Bouchacourt Denis 575, 587
Bouchacourt Guillaume 145
Bouchard Emmanuel 1117
Bouchard Maison Jean 448, 482, 502, 565
Bouchard Nicolas 734
Bouchard Pascal 424, 431
Bouchard Philippe 448, 474, 487, 532, 551, 573
Bouchard Aîné et Fils 509
Bouchard Père et Fils 395, 405, 532, 576
Bouchaud Pierre-Luc 962
Bouché Père et Fils 614

Boucher Christophe et Brigitte 962
Boucher Françoise et Ludovic 1031
Boucher G. 874
Bouchet Dom. 1046
Bouchié-Chatellier 1076
Bouchon 174, 302
Boudat Cigana 207, 315
Boudau Dom. 791, 804, 809, 1215
Boudier Pascal 489
Bouey SAS Maison 172, 201
Bouey SCEA des Vignobles 203
Bouey Vignobles & Châteaux Famille 336
Bouffard GAEC Gilles et Frédéric 1192
Bougrie SCEV la 988
Bouillot Maison Louis 408
Bouin Christine 972
Bouisse-Matteri Dom. 850
Boujac Ch. 904
Bouladou Vignobles Bernard 252
Boulanger Patrice 974
Boulard Dominique 614
Boulard Francis 614
Boulard-Bauquaire 614
Boulay SCEA Vins M. 1045
Boule et Fils Vignobles 821
Bouletin Éric 1157
Bouley Dom. Réyane et Pascal 520
Boulin EARL 307
Boulon Dom. J. 152
Boulonnais Jean-Paul 615
Bouquerries GAEC des 1038
Bouquier François 324
Bourdelat EARL Albert 615
Bourdier EARL Alain 819, 1197
Bourdil 258
Bourdin EARL Henri 1025, 1032
Bourdon EARL François et Sylvie 576, 594
Bourdoux Nicolas 1007
Bourgeais Cave coop. du 221
Bourgeois SAS. Henri 1076, 1088
Bourgeois-Boulonnais 615
Bourgeois-Diaz EARL 615
Bourgeon EARL René 570
Bourgogne de Vigne en Verre 583
Bourgogne Sélect 150
Bourgueil Cave des Vins de 1028
Bourlon-Destouet SCEA 286
Bourotte SAS Pierre 246, 278
Bourrats Dom. des 1086
Bourrier Séverine 1218
Boursault Ch. de 615
Bouscaut Ch. 321
Bousquet 944
Bousquet Jean-Jacques 889, 894
Bousquet SCEA 769, 1213
Bousquet SCEA Le 266
Bousquet et Fils SARL 791
Boussard Dom. Olivier 417
Boussey Dom. Denis 532
Boussey Dom. Éric 525
Boussey Laurent 515, 520, 525
Boussuge Jean-Pierre 782
Bouthenet Dom. Marc 552, 556
Bouthenet Jean-François 482

Canon Ch. 256
Cantaussels GFA Dom. de 1221
Cantegrive Ch. 290
Cantelaube Vignoble 341
Cantemerle SC Ch. 342
Cantenac-Brown Ch. 353
Canteperdrix Les Vignerons de 1179
Cantin Benoît 435
Canto Perlic SCEA 896
Century Sébastien 886
Canuel Gérard et Catherine 254
Cap de Faugères SARL Ch. 262, 290
Cap Leucate Vignobles 738, 810
Capdemourlin Jacques 254, 285
Capdevielle Bernard et Sandrine 204, 223
Capdevielle Didier 943
Capendu Ch. 1228
Capet-Guillier Ch. 275
Capitain-Gagnerot Maison 467, 487
Capmartin 939
Capmartin Denis 935
Capuano-Ferreri EARL Dom. 545, 552, 509, 515, 565
Caraguilhes Ch. de 733
Caramany SCV de 791
Caraud SCEA de 909
Carayol Claude 722
Carbon d'Artigues Ch. 312
Carbonne Lise 749
Carcenac 896
Carcès Hameau des Vignerons de 863
Cardinal EARL du 295
Carême Vincent 1050
Carles Maison 260
Carles SCEV Ch. de 230
Carlini EARL Jean-Yves de 618
Carlsberg SARL des Dom. 346
Carmelli Jean-Luc 934
Carmes Haut-Brion Ch. les 322
Carod 1145, 1146
Carré Bernard 545
Carré Dom. Denis 510, 530
Carrel François et Éric 708, 713
Carrel et Fils Dom. Eugène 708, 714
Carrère EARL Vignobles 282
Carrère Joëlle 921
Carretero Philippe 177
Carrette GAEC Dom. 576, 587
Carroi EARL du 1025
Carrol de Bellel EARL 904
Carroy et Fils Dom. Jacques 1077
Carrubier SC du Dom. du 850
Cartais-Lamaure SCEA 823
Cartaux-Bougaud Dom. 704
Carteau Côtes Daugay Ch. 258
Carteyron Patrick 180, 183, 203
Cartier Dom. François 1012
Cartier Jean-Pierre 1152
Casa blanca Dom. de la 801
Casa Delys Dom. 1228
Casabianca Dom. 872, 1238
Casaubieilh EARL F. & J. 945
Cascastel Les Maîtres Vignerons de 738

Casenove 805
Casenove Dom. la 804, 1215
Caslot-Bourdin EARL 1025, 1034
Cassagnoles Dom. des 948, 1205
Cassan SNC Château-Abbaye de 744
Cassot et Fille SCEA 888
Castagnier EARL Dom. 458, 460, 461, 462, 465
Castaing Fabien 919
Castan André 744
Castan Marc 740
Castéja Héritiers 362, 364
Castel Ch. et Dom. 340, 339
Castel Jean-Louis 773
Castelas Les Vignerons du 1105, 1120
Castell-Reynoard Dom. 829
Castellane De 618
Castelmaure SCV 725
Castelnau De 618
Castelnau Dom. de 1228
Castenet EARL 174, 298
Castets René 939
Castillon Jérôme 1171
Catarelli EARL Dom. de 879
Cathal 919
Cathelineau Jean-Charles 1050
Cattier 618
Caubet Murielle et Laurent 1203, 1211
Causse Michel et Marcelle 747
Causse d'Arboras Dom. du 744
Caussèque EARL Vignobles 332
Cauvard Dom. 510
Cavalier Ch. 850
Cavalier Jean-Benoît 751
Cave Tambour 802
Caveau bugiste Le 716
Caves de la Propriété SARL 506
Cayran Maison Camille 1105, 1120
Cayrol Danielle 1215
Cayx SCEA Ch. de 886
Cazals Delphine 619
Cazanove Charles de 619
Cazenave 936
Cazenave Olivier 234
Cazeneuve 215
Cazes 782, 791, 797, 805, 810
Cazes Jean-Michel 362, 370, 365
Cazes Sélection Jean-Michel 336
Cazin François 1057
Cazottes EARL 901
Celler d'Al Mouli EARL 791
Cellier de la Crau 858
Cellier de Laure SCA 1236
Cellier des Gorges de l'Ardèche 1245
Cellier des Princes 1117
Cendrillon Dom. la 726
Cenival Olivier de 983
Cep D'or Dom. viticole 1253
Cerberon Dom. du 533
Cerf SARL 854
CGR Les Domaines 332
Chabbert 770
Chabbert et Fils EARL André 735
Chabert SCEA Vignobles Vincent 936
Chaberts Ch. des 840

Chablais SA Les Celliers du 1263
Chablisienne La 412, 417, 424, 433
Chabrol M. 923
Chadronnier Famille 296
Chaigne et Fils Vignobles 179
Chaillot Dom. du 1066, 1196
Chainier Dominique 822
Chainier SAS Pierre 1012
Chainier SCA Dom. 1018
Chaintré Cave de 593
Chaland Jean-Marie 586
Chalmeau Christine, Élodie et Patrick 395
Chalmeau et Fils Edmond 395, 417
Chambert Vignobles 886
Chambrun Ch. de 245
Chamirey Ch. de 586
Champ de Cour Indivision du domaine de 157
Champagnon Sylvie 147
Champalou EARL 1050
Champarlan Dom. de 1073
Champaud Maxime 493
Champault et fils EARL Roger 1089
Champeau Dom. 1077
Champion EARL Pierre 1050
Champs de l'Abbaye Les 525
Champs Fleuris Dom. des 1007
Champteloup SCEA 988
Champy SCEV Dom. 493, 496, 500, 502, 510
Chanade La 897
Chancelle Thierry 1006, 1007
Chandioux Renaud 586
Changarnier Dom. 525
Chanson Père et Fils 152, 443, 510, 576
Chant d'Oiseaux Vignoble du 1061
Chantalouettes EARL Les 1077
Chante Cigale Dom. 1106, 1240
Chantecôtes Les Vignerons de 1106
Chantemerle Dom. de 417, 424
Chanut Joannès 140
Chanzy Dom. 560
Chapel Julien 758
Chapelle Maracan SCEA Ch. 194
Chapelle Saint Bacchi La 837
Chaperon Jean-Yves 744
Chapinière de Châteauvieux La 1013
Chapon 1198
Chapot Philippe 708, 714
Chapoutier Maison M. 791, 801, 1131, 1133, 1137
Chappuis et Fils Alexandre 1264
Chapuis 484, 521
Chaput Jacques 619
Chapuy 619
Charavin Dom. Didier 1148
Charavin Robert 1148
Charbaut SARL Guy 619
Charbonnier Claude 697
Charbonnier EARL Christian 1038
Charbonnier Éric 619
Charbonnier Michel et Stéphane 1013

Chardard SCEA T. 892
Chardon Thierry 1011
Chardonnay Dom. du 417, 424
Charentes Alliance SCA 1200
Charier-Barillot SCEA 1002
Charlemagne Guy 620
Charlemagne Robert 620
Charlet Jacques 155, 593
Charleux et Fils Maurice 556
Charlier Luc 792
Charlin Patrick 717
Charlopin Dom. Philippe 396, 443, 449, 455, 465, 467, 469
Charlopin Hervé 443, 446
Charlot Pierre 303
Charlot Vincent 620
Charmail SCA Ch. 342
Charmensat EARL 1069
Charmeraie Dom. de la 595
Charmes Dom. des 1275
Charmes-Godard Ch. les 295
Charmet Vignoble 131
Charmettes GAEC les 1228
Charnay-lès-Mâcon Cave de 582
Charpentier J. 620
Charpentier et Fils François 1084
Charpentier Père et Fils GAEC 973
Charrier Emmanuel 1068
Charrier Famille 937
Charruau Éric 1010
Chartreux SCA Cellier des 1106, 1223
Chartron EURL Jean 484, 500, 533, 539
Chartron-Dupard Dom. 545, 548, 542, 543
Charvet Anthony 146
Charvet Gérard 157
Chassagnol EARL Vignobles Denis 379
Chassagnoux Xavier 231
Chasse-Spleen Ch. 186, 360
Chasselas Ch. de 576, 587
Chasselinat Marc 278
Chasseuil 237
Chassey Guy de 620
Chastan 1151
Château-Pouilly 588
Châteaux et Domaines 205
Chatel Delacour EARL du 250
Chatelain SAS Dom. 1077
Chatelard SCEA Ch. du 147
Chatelet EARL Armand et Richard 153
Chatelier Jean-Michel 301
Chatellier 963
Chatelus Pascal 131
Châtenay-Bouvier SA Caves 1279
Chatenet – Goujon 270
Chatonnet SCEV Vignobles 248, 250
Chaudron 620
Chaume Cellier du Ch. de la 157
Chaumet-Rousseau EARL 214
Chaumont Stéphane 367
Chaussin Jocelyne 559
Chaussy EARL Christine et Daniel 1163
Chautagne Cave de 708

Chauveau EARL Dom. 1077
Chauveau EARL Gérard et David 1037
Chauvelin SCEA de 856
Chauvenet Dom. Jean 474
Chauvenet-Chopin 474
Chauvet 864
Chauvet A. 621
Chauvet Damien 621
Chauvet SCEV Marc 621
Chauvin SCEA Ch. 258
Chave Jean-Louis 1141
Chave Natacha 1133
Chave Yann 1137
Chavin Pierre 760, 1243
Chavy Franck 140
Chavy Jean-Louis 540
Chemarin Lucien 139
Chemin Faisant Dom. 792
Cheminade Vignobles 250
Chenalettaz Dom. de la 1264
Chénas Cave Ch. de 157
Chêne Dom. 576
Chêne Dom. du 1212
Chéneau Vignobles 964
Chenevières Dom. des 576
Chéré Étienne 621
Chéreau Bernard 968
Chermette Dominique 131
Chéron Yves 1155
Cherrier et Fils Pierre 1096
Chesné GAEC Patrice et Anne-Sophie 965, 1194
Chesneau et Fils EARL 1057
Chéty SCEA Famille 222
Chéty et Fils EARL Vignobles Jean 209
Cheval Blanc SC Ch. 258, 272
Cheval Quancard 186, 249, 251, 306, 344
Chevalerie Dom. de la 1026
Chevalier 408
Chevalier Brigitte 735
Chevalier Éric 972, 1192
Chevalier Nicolas 231
Chevalier Patrice 227, 231
Chevalier Roland 990
Chevalier SC Dom. de 322
Chevalier Père et Fils 490, 496, 500, 487
Chevaliers SA Vins des 1268
Chevallier Dom. 412, 418, 424
Chevallier Pierre-François 963
Chevallier-Bernard Dom. 708
Chevassu-Fassenet 695, 701, 705
Cheveau Dom. 136, 588
Chevillon-Chezeaux Dom. 474
Chevrier Patrice 145
Chevrier-Loriaud SARL 216
Chevrolat EARL Michel 621
Chevrot SCEA Vignobles Pierre 180
Chevrot et Fils Dom. 484, 552, 556
Chezeaux Jérôme 474
Chézeaux SCEV Les 1074
Chiesa Gianfranco 1279
Chofflet-Valdenaire Dom. 571
Choisy GFA Vignobles 280
Cholet Christian 527, 533

Chollet Cédric 1023
Chollet Jean-Jacques 249
Chollet Paul 408
Chon et Fils SARL Gilbert 970
Chopin Emmanuel 621
Chopin et Fils Dom. A. 475, 479
Choquet SCEA des Vignobles 180
Chossart Jean-Luc 1220
Chotard 1089
Choukroun Vignobles Pierre 263
Choulot SCEV Comte Georges de 1097
Choupette Gutrin Fils EARL Dom. de la 552
Chouvac Claire et Hervé 379, 385
Christophe et Fils Dom. 412, 418, 425
Chupin EARL 974
Chupin SCEA Dom. Émile 986
Cina GMBH Gilles et Joël 1269
Cina SA Fernand 1269
Cinquau Dom. du 944
Cinquin Franck 153
Cinquin Guy et Chantal 566
Cinquin Paul 160
Citadelle Dom. de la 1182, 1244
Cîteaux Ch. de 396, 528
Citran Ch. 342
Clair Dom. Bruno 458, 462
Clair EARL Pascal 822
Clair Françoise et Denis 548, 552
Clair et Fille Michel 550
Claires Dom. des 822
Clape SCEA Dom. 1142
Clapier Laurent 1175
Clarou Alain 747
Claux Delorme Le 1017, 1063
Clauzel SCEA Consorts 239
Clavel Dom. 1106, 1121
Clavel Dom. Pierre 745
Clavelier et Fils 475, 510
Claverie 267
Clément Fabien 622
Clément Isabelle et Pierre 1073
Clément Maison Pascal 502, 534
Clénet Olivier 963
Clessé Cave de 585
Clinet Ch. 234
Clos Bagatelle EARL 773
Clos Bellevue 944
Clos de Céligny Le 1275
Clos de la Briderie SCEA 1023
Clos de la George 1264
Clos de la Grille GFA 1038
Clos de la Vicairie SCEA du 384
Clos de Lascamp Dom. du 1111
Clos de l'Épinay Dom. du 1051
Clos de l'ours 851
Clos de Nouys 1051
Clos de Paulilles Le 801
Clos de Paulilles Les 797
Clos del Rey 792
Clos des Fées Dom. du 1215
Clos des Garands Dom. du 147
Clos des Jacobins 259
Clos des Pins Dom. du 1275
Clos des Quarterons 1031
Clos des Religieuses SCEA 287
Clos des Rochers SARL Dom. 1253, 1256

PRODUCTEURS

INDEX DES PRODUCTEURS

Courtinat Christophe 1086
Courtoise SCA la 1178
Cousin Christian 989, 996, 1003
Cousiney Didier 307
Coustal Anne-Marie et Roland 771
Coustellier Dom. 746
Coustille SCEA de 1249
Cousy Sébastien 931
Coutancie Dom. de 932
Coutelas Amaury 623
Coutet Ch. 380
Coutière Dominique 314
Coutinel Ch. 904
Couturier Dom. Marcel 577, 589, 593
Couturier Laure et Corinne 1114
CPR 950
Crampes 187, 307
Crampilh Dom. du 939
Cransac SCEA Dom. de 905
Cravero Pierrette 774
Créa Dom. de la 530
Credoz Dom. Jean-Claude 695, 697
Crée SARL Ch. de la 553
Crémade SCEA Dom. de la 870
Crès Ricards Ch. 746, 1224
Crespin Jean-Pierre 142
Crêt d'Œillat EARL du 153
Croc du Merle Dom. du 1057
Crocé-Spinelli 851, 865
Crochet Daniel 1090
Crochet Dom. Dominique et Janine 1090
Crochet François 1090
Croisard Christophe 1045
Croisille Ch. les 888
Croix Ch. de la 334
Croix-Beauséjour EARL Ch. 281
Croix Belle Dom. la 1221
Croix de Mouchet SCEA Ch. la 282
Croix de Roche EARL la 195, 229
Croix des Pins Ch. 1151
Croix des Vainqueurs Dom. de la 1052
Croix des Vignes EARL La 892
Croix du Casse SCEA Ch. la 236
Croix Mélier EARL Dom. de la 1047
Croix Montjoie Dom. la 397
Croix Sainte-Eulalie Dom. la 774
Croix Senaillet Dom. de la 577, 595
Croix Taillefer SARL la 236
Croizet Dominique 279
Cros Michel 1222
Cros Pierre 768
Crostes H.-L. Ch. les 852
Crouseilles Cave de 936, 939, 942
Croze Nicolas 1108
Cru de l'Hôpital 1260
Cruchandeau Dom. Julien 439, 502
Cruzières Les Vignerons des 1246
Cuilleras Olivier 1111
Cuilleron Yves 1129, 1131, 1134
Cuisset Catherine et Guy 917
Cuisset Gérard 918
Cully Union vinicole 1264

Curl SCEA Vignobles famille 226, 293
Cuvelier Domaines 368
Cuvelier Philippe 347, 361
Cydonia Zeller EARL Christian et Andrea 1201
Cyrano de Bergerac 915

D

Da Costa Alain 1039
Dabadie Pierre 940
Dagueneau Jean-Claude 1076
Dagueneau et Filles Serge 1078, 1189
Daheron EARL Pierre 971
Daheuiller SCA 1010
Damoy Dom. Pierre 453, 454, 455
Dampierre SAS Comte Audoin de 624
Dampt Dom. Sébastien 419, 425
Dampt Dom. Vincent 425
Dampt EARL Éric 398, 413
Dampt EARL Hervé 398
Dampt Emmanuel 398
Dampt Vignoble 398, 413, 418, 432
Dampt et Fils Dom. Daniel 419, 425
Dampt Frères EARL 419
Dananchet EARL Robert et Benjamin 399
Dangin et Fils SARL Paul 624
Daniel Laurent 1149
Danjean-Berthoux 401
Danjou-Banessy Dom. 782
Dansault EARL Gabrièle et Régis 1048
Daridan Benoît 1058
Darioli Philippe 1269
Darnaud EARL Emmanuel 1134, 1138
Darragon Maison 1052
Darribéhaude SE des Vignobles 275, 294
Darriet SCJ 178, 317, 378
Dartiguenave Jean-Luc 339
Darviot Bertrand 538
Dassault SAS Ch. 261
Dauby 624
Dauliac 886
Daulny Étienne 1090
Dauphine SCEA Ch. de la 229
Daurat-Fort SCEA R. 741, 806, 811
Dauré Vignobles 784
Dauriac Christian 262
Daurion SCEA Dom. 747
Dauvissat Agnès et Didier 414, 419
Dauvissat Caves Jean et Sébastien 432
Dauzac SCA Ch. 354
Davanture Dom. 566, 571
Davau Viviane 231
Davault Christophe 1013
Davenne Clotilde 405, 419, 435, 437
Daviau 985
David Alix 901
David Dom. 964
David SCEA J. et E. 385

David SCEV 897
David Vignobles 1108
David Vignobles Hervé 208
David Garbes Vignobles 376
David-Heucq & Fils SARL 624
Davin Henry 1125
Davy André 999, 1001
Daziano Isabelle et Jean-Pierre 855
De Pedro Roland 237
De Salvo 828, 1242
Debavelaere Félix 564
Debourg Bruno 134
Decelle-Villa 444, 458, 475, 479, 503, 515
Dechannes Élise 624
Dechelle Philippe 624
Decrenisse Famille 163
Dedieu-Benoît EARL 344
Defaix Bernard 432, 426
Deffarge-Danger EARL 929
Defrance Jacques 624
Defrance Michel 446
Defrance Philippe 398, 437
Dega SCEA des Vignobles 889
Degas Marie-José 187, 302
Degroote 722
Deguillaume SCEA Michel 205
Deheurles EARL Marcel 625
Déhu Père et Fils 625
Delafont S. 747
Delagarde Vincent 625
Delagrange Dom. Bernard 521
Delalande GAEC Frédéric et Cyril 1041
Delalande Patrick 1042
Delalay Jean-François 1039
Delaleu EARL Alain 1051
Delalex – La Grappe dorée Dom. 709
Delanoue Jérôme 1026, 1033
Delanoue Frères EARL 1029, 1035
Delaporte Dom. Vincent 1090
Delarue Patrice et Lydie 1035
Delas Frères 1129, 1134, 1138, 1142
Delaunay Dom. 964, 1193, 956
Delaunay EARL Dom. Joël 1020
Delaunay Vignoble Daniel et Fabrice 1014
Delaunay Père et Fils EARL 1027
Delavenne Père et Fils 625
Delbru Gérard et Dominique 886
Delea Vini e Distillati Angelo 1279
Delecheneau Damien et Coralie 1047
Deliance Dom. 571
Delille Reynald 833
Della-Vedove EARL 948
Dell'Ova Frères GAEC 739
Delmas Bernard 761
Delmas SCEA Claude 917
Delmouly 891
Delon et Fils SCEA Guy 371
Delong SCEA Vignobles 201
Delor Maison 354, 383
Delorme André 558, 566, 574
Delorme et Fils Dom. 589
Delouvin-Bagnost 626
Demange Francis 122

PRODUCTEURS

Fuissé Ch. de 588
Fumagalli SA 1280
Fumey et Adeline Chatelain Raphaël 692
Furdyna EARL 635

G

Gabard EARL Vignobles 182, 204
Gabillière Dom. de la 1020
Gabin Isabelle et Grégoire 315
Gaboriaud-Bernard Vignobles Véronique 244
Gabriel M.-C. 635
Gachet 1072
Gachot-Monot EARL Dom. 476, 480
Gadais Père et Fils EARL 966
Gadras SCEA Vignobles 176, 190
Gaffelière SARL Ch. la 264
Gaget Dom. 153
Gagnebert Dom. de 956, 978, 985, 991
Gagnet Ferme de 949
Gaidon Christian 148
Gaillard Dom. Jeanne 1247
Gaillard Dom. Pierre 1129, 1132
Gaillard Pascal 823
Gales SA Caves 1253
Galetis Dom. 1235
Galeyrand Jérôme 444, 447, 449, 480
Galhaud Martine 270
Galineau Pascal 286
Galinier Pierre 727
Gallice 715
Gallimard Père et Fils EARL 635, 687
Galloires Dom. des 956, 975, 978, 989
Gallois Dom. 449
Galoupet Ch. du 855
Galteau GAEC 1030
Gamage SARL Ch. 196
Gambal Maison Alex 454, 466, 510, 543, 548
Gambini Jean-Charles 841
Gan Jurançon Cave de 942, 945
Gap Rolland 1118
Garagnon Sabine 1111
Garances Dom. de 1159
Garaudet Florent 526, 540
Garaudet Père et Fils 526
Garcia SCEA Vignobles José 854
Gard Dom. Olivier 406
Garde Ch. la 324
Garde Jean-Paul 243
Garde SCEA 246
Garde-Lasserre SCEA 235, 247
Gardien Frères Dom. 1086
Gardrat SARL Vignoble 823, 1199
Garenne Dom. de la 1091, 830
Garnier Dom. 1015, 1064
Garnier GAEC 154
Garnier et Fils 427, 432
Garnière Dom. de la 966
Garod Denis 154
Garreau SCEA Ch. 949, 212
Garri du Gai SC 346
Garzaro Vignobles 184

Gaschy Paul 105
Gascogne Producteurs Vignoble de 936
Gascon Claude 1246
Gassier Michel 1172
Gassier SCEA Ch. 856
Gatinois 635
Gauby Dom. 1217
Gaucher SCEV Bernard 636
Gaucher Sébastien 226
Gaudard Jo 1272
Gaudet Jean-Michel 160
Gaudinat-Boivin EARL 636
Gaudrelle Ch. 1052
Gaudrie et Fils SCEV 232
Gaudron Christophe 1056
Gaudron EARL Dom. Sylvain 1052
Gaultier Philippe 1051
Gautherin et Fils EARL Raoul 420, 427
Gautheron Dom. 427
Gauthier Alain 154
Gauthier Christian 966
Gauthier EARL Laurent 154
Gauthier Lionel 1057
Gautier Benoît 1052
Gautreau SCEA Jean 348
Gavignet Dom. Philippe 476
Gavignet Maurice 534, 553
Gavoty Roselyne 856, 1242
Gawron Michel 636
Gay Vins Maurice 1269
Gay et Fils Dom. Michel 491, 508, 511
Gay et Fils EARL François 488, 491, 494
Gayda Dom. 1229
Gayère Dom. de la 1123
Gayrel Alain et Vincent 901, 1209
Gayrel Les Domaines Philippe 899
Gazin GFA Ch. 238
Gazziola Vignobles Serge 919
Gaïde Thierry et Fabien 1128
Geffard SARL Henri 823
Gelin Dom. Pierre 447
Gelin EARL 148
Gélis Nicolas 906
Gelly Dom. Éric 1221
Gendraud-Patrice SARL Caves 427
Gendrier Jocelyne et Michel 1060
Gendron Dom. Philippe 1053
Geneletti Dom. 695, 703
Geneste Christophe 918
Genet Michel 636
Genève La Cave de 1275
Genèves SCEA Dom. des 427
Génot-Boulanger Ch. 491, 515, 541
Genouilly Cave des Vignerons de 572
Genovesi Sébastien 835
Gens et Pierres SAS 753
Geoffray Claude 144
Geoffrenet-Morval EARL 1066
Geoffroy Dom. Alain 423, 427
Geoffroy EARL 934
Geoffroy René 636, 686
George EARL Dom. 414
Georges David 158
Georges et Fils Jean 148

Georgeton-Rafflin 636
Gérardin 916
Géraud Bruno 317
Géraud Roland 1221
Gérault Gilles et Laetitia 932
Gerbais Pierre 637
Gerbeaux Dom. des 590
Gerber EARL Jean-Paul et Dany 86
Gerbet Dom. François 466, 467
Gerfaudrie SCEV Dom. de la 957
Gerin Jean-Michel 1130
Germain Gilbert et Philippe 511, 526
Germain Père et Fils Dom. 406
Germanier SA Jean-René 1270
Geschickt Frédéric 115
Ghigo Robert 869
Giachino Dom. 714
Giacometti C. 880
Gianesini 722
Giauque Weinbau 1260
Gibault Dom. 1015
Gibault Vignoble 1015, 1064
Giboulot Jean-Michel 503, 511
Gigondas la Cave 1110, 1151, 1159
Gilardi SA 860
Gilbon Cave 1073
Gilg Dom. Armand 119
Gilles Pilloud 1264
Gilliard SA Robert 1270
Gilloire Laurent 1041
Gimonnet et Fils Pierre 637
Gimonnet-Gonet Philippe et Anne 637
Gineste Christian 1223
Ginestet Maison 182, 187, 334
Ginglinger Paul 105
Ginglinger Pierre-Henri 105
Ginglinger-Fix 119
Girard Dom. 765
Girard Dom. Jean-Jacques 494
Girard Dom. Philippe 503
Girard et Fils Alain 1089
Girard et Fils Dom. Michel 1091
Girard et Fils SCEV Fernand 1091
Girard Frères EARL 1010
Girard-Madoux Samuel et Fabien 710
Girardin Aleth 516
Girardin Jacques 553
Girardin Sandrine 637
Girardin SAS Vincent 504, 535, 546, 553
Girardin Yves 510, 552
Giraud EARL Vignobles Robert 181, 206, 261
Giraud SARL André 233, 275
Giraudière La 1006, 1008
Girault EARL Dominique 1012
Giresse Sylvie 220
Girondaise Cave la 193
Gironville SC de la 193, 341
Girou Florent 915
Giroud Camille 449, 454, 455, 469, 497, 500, 504, 516, 521, 535, 546
Giroud-Pommaz Maurice et Xavier 1270
Giroux Pierre 590
Giscle Dom. de la 856

PRODUCTEURS

Hueber et Fils SARL Jean-Paul 74, 92
Huet Famille 1004
Huet L.B. 400
Hugg Marcel 92
Hughes-Béguet Dom. 692
Huguenot Dom. 445, 447, 451
Hugues SCEA Anne 1183
Huguet Patrick 1058
Humbrecht Claude et Georges 86, 92
Humbrecht Dom. Paul 74, 92
Humbrecht Jean-Bernard 87, 107
Hunawihr Cave vinicole de 117, 119
Hunold EARL Bruno 82, 92
Huot Fils L. 644
Huré Frères 644
Hureau Ch. du 1008
Hutasse Rudy et Nathalie 644
Huteau Boulanger 1195
Hutins Dom. les 1276
Häremillen Dom. viticole 1256

I

Ibanez Valérie et Dominique 757
Icard SCEA Vignobles 177, 202
Iché Marie-Pierre 769
Idylle Dom. de l' 710, 714, 1245
Ignace Vignoble Alain 1156, 1186
Ilarria Dom. 947
Ilbert Jean-Pierre et Julien 888
Île de Beauté SCA Union de Vignerons de l' 1238
Iltis et Fils Dom. Jacques 87
Iris Dom. des 979
Irouléguy Cave d' 947
Isenbourg Le Clos du Ch. d' 74, 80
Issan Ch. d' 355
Isselée Éric 644
Izarn Jean-François 773

J

J & D Dom. 1179
Jaboulet Philippe et Vincent 1142
Jaboulet Ulysse 563
Jaboulet Aîné Dom. Paul 1134, 1140, 1142
Jacob Dom. 501
Jacob Dom. Lucien 485, 504
Jacolin Pierre 1074
Jacourette Dom. 857, 1242
Jacquart 644
Jacquart André 645, 657
Jacquet Camille 645
Jacquet Dom. 400, 407
Jacquin et Fils Dom. Edmond 710
Jacquin et Fils EARL Dom. Jean 420
Jacumin Dom. Albin 1162
Jadot Louis 476, 494, 541
Jaeger-Defaix Dom. 563
Jaffelin Maison 511, 541, 554, 563
Jale Dom. de 857
Jallet Dom. 1086, 1136
Jamain Denis 1084
Jamain Pierre 628
Jambon Carine et Laurent 135

Jambon Dominique 160
Jambon Martine et Guénaël 149
Jambon et Fils Dom. Marc 580
Jambon Père et Fils EARL 141
Jamet Antoine et François 1031, 1036
Janasse Dom. de la 1123, 1241
Janin Madeleine et Jacques 162
Janisson Christophe 645
Janisson-Baradon 645
Janisson et Fils 645
Janny – La Maison bleue Pierre 133, 488
JanotsBos 548
Janoueix SCEA Ch. Jean-François 236
Janoueix SCEA Vignobles François 247
Jardin Élisabeth et Benoît 1045
Jas d'Esclans EARL du Dom. du 857
Jasse SARL BLB Vignobles La 1230
Jaubert et Noury 787
Jaulin Christian 971
Jaume EARL Dom. 1146
Jaume Patrick 1105, 1161
Jaume et Fils Vignobles Alain 1110, 1162, 1166
Jaumouillé 1194
Jaurou François 913
Jautrou Pierre 1040
Javillier Dom. Patrick 504
Javoy Pascal 1061
Jeandeau Bruno 138
Jeandeau Denis 590
Jeanjacques EARL Vignobles 1226
Jeannette SCEA Ch. la 858
Jeanniard Dom. Alain 440
Jeanniard Dom. Françoise 494
Jeanniard Rémi 451, 458
Jeanniard SARL Alain 480
Jeannot Père et Fils SCEA 1081
Jessiaume Dom. 528, 554
Jessiaume SARL Maison 458, 468, 497, 535
Jestin Les Vignobles 922
Jeune SAS Les Vignobles Élie 1162
Jeune Vignobles Paul 1164
Joannet Dom. Michel 440, 470
Joanny Les Vignes de 584
Jobard Dom. Claudie 511, 516, 563
Jobart Abel 645
Joggerst et Fils EARL 74
Joguet SCEA Charles 1040
Joillot Jean-Luc 516
Joinaud-Borde SCEV 261
Joliet EARL de 905
Jolivet SC Vignobles 188
Jolly René 646
Jolly et Fils SCEA du Dom. 414
Joly EARL Claude et Cédric 698
Joly Famille 851
Joly Nicolas 994
Joly Philippe 124
Joly SARL Virgile 750
Jomain Bernard 138
Jonchet Marie-Claude 153
Jonquères d'Oriola EARL 782, 810
Jonquères d'Oriola François 790

Jordy 750
Joselon EARL 988
Joseph Christian 1002
Joseph Perrier 646
Jouan Régis 1092
Jouard Dom. Gabriel et Paul 546
Joulin et Fils Alain 1047
Jourdain Dom. Francis 1064
Jourdan Claude et Serge 748
Jourdan GAEC 828
Jourdan Gilles 481
Jourdan SCEA Dom. 1042
Jousset SCEA Vincent 955, 983, 997
Joussier EARL Vincent 567
Jouve Philippe 1105
Juillac et Flaujagues Union des producteurs de 174
Juillard Franck 162
Juillot Dom. Michel 497, 501, 568
Julien 226
Julien Raymond 769
Julien Véronique et Jean-François 263
Juliénas Association des producteurs du cru 151
Juliénas Cave coop. de 151
Jullin et Fils 597
Jullion EARL 214
Jumert Charles 1062
Junet Patrick 260
Justin EARL Guy 714
Jülg Peter 78

K

Kamm Jean-Louis et Éric 93, 108
Karantes SCEA Dom. des 751
Kelhetter Damien 80, 97
Keller Vins 1278
Kind David 1267
Kirmann Philippe 74
Kirwan Ch. 355
Kjellberg-Cuzange EARL Vignobles 256
Klée Albert 108
Klée EARL Henri 74, 108
Klée Frères SCEA 83, 108
Klein EARL Georges 83
Klein EARL Joseph et Jacky 77
Klein EARL Rémy 1115
Kleinknecht André 87, 93
Klingenfus Robert 87
Klipfel 96, 108
Klur Clément 87
Klur et Fils Albert 108
Koch EARL René et Michel 87
Koch et Fils Pierre 109
Kohll-Leuck Dom. 1254
Kohut Ghislain 445
Kopp SCEA Vignoble 348
Kox Laurent & Rita 1254, 1256
Kraft Laurent 1053
Kressmann 175, 188, 316
Kressmann SCEA Vignobles Jean 316, 326
Krier-Bisenius Dom. viticole 1254
Krier Frères Caves 1254
Krug Vins fins de Champagne 646

Lozey De 657
Lucas Raymond 315
Lucciardi 873
Luchey-Halde Ch. 327
Lueddecke Kurt 183
Lugagnac SCEA du Ch. de 201
Lugny Cave de 404
Lugon Union de producteurs de 172, 182
Lumières Cave de 1179, 1183
Luneau EARL Françoise et Joël 969
Luneau Gilles 965
Luneau Rémy et Raphaël 966
Lupé-Cholet 505
Lupin Bruno 714
Luquet Dom. Roger 580
Luquettes Dom. les 831
Lur-Saluces Alexandre de 383
Lurton André 171, 198, 297, 322, 323, 327, 329
Lurton EARL Pierre 176, 190
Lurton François 191, 739, 793, 1206
Lurton Société Viticole Henri 352
Lurton Vignobles Marc et Agnès 172, 186
Lurton Vignobles Marie-Laure 349
Lurton et André Magnon André 277
Lussac SC Vignobles de 278
Lutz EARL Dom. Roland 93
Luyckx Luc 1210
Lybaert et Trees Claes Luc 1213
Lyonnat SCEA 206, 279
Lys Les vignes du 1213

M

Maarfi 269
Mabileau Frédéric 1035
Mabileau Guy et Lysiane 1035
Mabileau Jacques et Vincent 1035
Mabileau Jean-François 1026, 1033
Mabillot Matthieu et Renaud 1085
Maby Dom. 1167, 1169
Machard de Gramont Bertrand 477
Macle Dom. 695, 699
Maclou Gaëlle 860
Macquigneau-Brisson Vignoble 975
Madalle Jean-Philippe 773
Madeleine Cave la 1271
Madeleine Saint-Jean Dom. la 1231
Madeleineau GAEC 965, 1194
Madeloc Dom. 798, 802
Mader Dom. Jean-Luc 75, 110
Madrague Dom. de la 859
Maës Michel 309
Maetz Dom. Jacques 93, 98
Magalanne Dom. de 1112
Magdeleine - Cénac 219
Magliocco et Fils Daniel 1271
Magnien Dom. Michel 451, 456, 460, 461
Magnien Dom. Sébastien 485, 517, 530
Magnien Dom. Stéphane 459, 461

Magnien Frédéric 451, 454, 459, 463, 464, 481
Magnolias des Trahan SCEA les 982, 1197
Magrez Bernard 220, 334, 382
Maillard Bernard 967
Maillard Dom. 491, 497, 505, 508
Maillard Patrice 863
Maillard Yves 967
Maillet EARL Laurent et Fabrice 1054
Mailliard Michel 657
Mailloches Dom. des 1028
Mailly Grand Cru 657
Maine GAEC du 929
Maine-Chevalier EARL Clos du 914
Maire Henri 691
Maison du vigneron La 701
Maison neuve SCEA Ch. 215
Maison Père et Fils Dom. 1058
Maître Éric 657
Maîtres Vignerons de Cascastel Les 1226
Malabre Chantal 1104
Malafosse 765
Malandes Dom. des 415, 421, 428
Malard 657
Malarrode Dom. de 946
Malartic-Lagravière SC Ch. 324, 327
Malauger SCEA de 928
Maldant Jean-Pierre 491, 505
Malesan Maison 987, 1230
Malescot Saint-Exupéry SCEA Ch. 356
Malet Frères GAEC 1064
Malet Roquefort Maison 173
Malétrez Frédéric 658
Malfard SCA de 201
Mallard Laurent 381
Mallard et Fils Dom. Michel 488
Malleret SCEA 346, 356
Mallet Anne et Hugues 220
Mallié-Verdier Cécile et Thierry 304
Mallo EARL Frédéric 93, 110
Malot 675
Maltus Jonathan 276
Manbach Léon 120
Mancey Cave des Vignerons de 409, 580
Manciat Jean 580, 597
Manciat Marie-Pierre 581
Mandard Jean-Christophe 1016
Mandeville Olivier 771
Mandois 658
Manigand Roger 142
Manigley Dom. 560, 565
Mann Dom. Albert 110
Mann EARL Jean-Louis 120
Manoir SCEA Dom. 658
Manoir de l'Emmeillé 899
Mansard SCEV Gilles 606
Mansenoble Ch. 730
Marana Cave coopérative de la 877, 1238
Maratray-Dubreuil Dom. 488, 498, 505
Marc 658

Marc Didier 658
Marcassin SARL 916
Marcelin Dom. de 1265
Marchand Maison Jean-Philippe 400, 440, 494
Marchand SARL Jacques 1081
Marchand Frères Dom. 459
Marchesseau 1041
Marcillac Olivier de 293
Mardon Dom. 1082
Maréchal EARL Catherine et Claude 400, 517, 528
Marengo Dom. 881
Marès Cyril 1172, 1223
Mareschal Julien 691, 705
Maret et Filles EARL Michel 1155, 1161
Marey EARL Dom. 451
Marey SARL Éric 498
Marey et Fils EARL Pierre 494, 501
Margan EARL J.-P. et N. 1181, 1240
Margaux SCA du Ch. 189, 356
Margier Jean-François 1237
Margillière SCEA Ch. 842
Marguerite SCEA Ch. 905
Maridet Dom. du 784, 805
Marie du Fou Ch. 975
Marigrolles EARL Dom. des 1008
Marin-Audra SCEA 244
Marin-Lasnier 658
Marinier SCEA Vignobles L. 222
Marinot-Verdun 554, 557, 571
Marmandais SCA Cave du 909, 910, 911
Marné Patrick 1048
Marnier-Lapostolle Sté 1097
Marniquet EARL Brice 658
Marniquet Jean-Pierre 658
Marolf Weinbau 1260
Marotte Dom. de 1240
Marquis de Pomereuil 659
Marquis de Terme Ch. 357
Marquison Dom. du 133
Marrans Dom. des 148
Marrenon 1179, 1183
Marsalette SCEA 322
Marsannay Ch. de 512
Marsaux-Donze SCEV 221
Marsoif Dom. 400
Marteau Dom. Jacky 1017
Marteau José 1016
Marteaux Olivier 659
Martel et Cº 671
Martellière Dom. J.-V. 1045, 1046, 1062
Martet Ch. 304
Marthouret Pascal 1132, 1135
Martin Chantal et Michel 505, 512
Martin Damien 577, 595
Martin Dom. 1112, 1148
Martin Dom. Pierre 1092
Martin Domaines 340, 373, 375
Martin Dominique et Christine 132, 595
Martin GAEC Luc et Fabrice 997
Martin Laure 717
Martin Loïc 597
Martin Paul-Louis 659
Martin-Dufour Dom. 508

Martin-Luneau 967
Martinez Julien 746
Martinho Afonso Miguel 351
Martinolle-Gasparets Dom. 730
Martinolles Dom. 763, 1231
Martischang et Fils EARL Henri 94, 111
Martray Laurent 141
Marty Anne-Marie 1067
Marzelle SCEA Ch. la 270
Marzolf EARL 75
Mas Domaines Paul 752, 1231
Mas Amiel 811, 814, 816
Mas Belles Eaux 752
Mas Crémat Dom. 785
Mas Cristine 785
Mas d'Aurel 899
Mas d'Auzières 752
Mas de Bayle 742
Mas de Cadenet 859
Mas de Daumas Gassac 1226
Mas de la Dame 833
Mas de Lavail Dom. 815, 1217
Mas de Lunès SARL 745
Mas de Madame Dom. du 778, 1224, 1232
Mas de Rey Dom. du 1237
Mas de Sainte-Croix 1112, 1124
Mas del Périé 891
Mas des Anges Le 1204
Mas des Caprices 740
Mas des Flauzières Le 1156, 1179
Mas d'Intras GAEC du 1246
Mas du Soleilla 1214
Mas Duclaux 1169
Mas Foulaquier 753
Mas Gabriel 753
Mas Gourdou EARL 753
Mas Granier 754
Mas Karolina 794, 815
Mas Mudigliza 786
Mas neuf des Aresquiers SCEA 779
Mas Peyre 786, 794, 806, 815
Mas Pignou Dom. du 899
Mas Rouge Dom. du 778, 1232
Mas Sainte-Berthe 834
Masburel Ch. 929
Mascaronne SCEA Ch. la 859
Masques SCEA les 1237
Massarin Vignobles 291
Masse Père et Fils Dom. 572
Massia Joseph de 786
Massicot Père et Fils EARL 994
Massol François 1234
Masson Famille 274
Masson Marie-France 1105, 1147
Masson et Fils Dom. Jean 714
Massonie SCEA Vignobles Michel-Pierre 247
Mathias Dom. 581
Mathier Nouveau Salquenen Adrian 1272
Mathieu Dom. 1113, 1163
Mathurins Dom. des 775
Matignon EARL Yves et Hélène 980
Matines Dom. des 1004
Mau SA Yvon 183, 228
Maubert Jacques 1181

Maucoil Ch. 1125, 1163
Maufoux Prosper 486, 557
Mauler Dom. 94
Maulin et Fils EARL 197
Maupa EARL du 421
Mauperthuis Dom. de 400, 435
Maurel SARL Vignobles Alain 722
Mauro Corine, Didier et Audric 934
Maury SCAV Les Vignerons de 786, 815, 816
Maury – GFA des Coteaux de Pérignan Paul 754
Mauvinon SCEA du Ch. 268
Max Louis 401, 477
Mayard Vignobles 1161
Maye SA Les Fils 1272
Mayet Marlène et Alain 922
Maymil et Éric Virion Delphine 734
Maynadier Laurent 738, 810
Mayne-Vieil SCEA du 230
Mayonnette Dom. de la 860
Mazard Famille 732
Mazeris-Bellevue SCEA Ch. 226
Mazeyres SC Ch. 240
Mazier Michel 700
Mazille-Descotes Dom. 164
Mazilly Maison Aymeric 536, 549
Mazilly Père et Fils Dom. 485, 512, 517
Mazurd EARL Dom. 1149
Mazzesi Nicolas 1019
Mazzuchelli Nicolas 717
Médeville et Fils SCEA Jean 180, 317
Médio Martine et Jean-Marc 222
Meffre Gabriel 860, 1152, 1156, 1231, 1125, 1114
Meffre et Fils Dom. Jack 1121, 1151
Mège Frères SCEA 210
Melin SCEA Ch. de 530
Mellenotte Pascal 572
Mellot SARL Vignobles Joseph 1074, 1093
Mellot SAS Joseph 1195
Melody Dom. 1139
Menand Dom. 568
Ménard SARL 1207
Ménard et Fils J.-P. 824
Ménard-Gaborit Dom. 967, 1195
Menaut EARL 485, 512
Mendrisio Cantina Sociale 1280
Menegazzo Filles EARL 949
Menguin SCEA des Vignobles 300
Mérande Ch. de 711
Merceron-Martin Dom. 976
Mercey Ch. de 568
Mercier Les Vignobles 975
Mercier et Fils Alain 659
Mercurio SCEA de 1174
Méreuille SCEA Dom. la 1163
Mergey Évelyne 401, 581
Mérias EARL Benoît et Julie 1048
Méric SCEA Ch. 336
Méric SCEA Vignobles 305, 376
Merillier EARL des Vignobles 924
Merles GAEC des 918
Merlet-Brunet Annie 300

Merlet et Fils SCEA Vignobles Francis 202, 245
Merlin-Cherrier Thierry 1093
Mesclances Ch. les 860
Meslet-Thouet EARL 1028
Mesliand Stéphane 1020
Mestreguilhem Richard 272
Métaireau Grand Mouton Louis 968
Météyer Père et Fils 659
Métrat Sylvain 140
Mette EARL les Domaines de la 317
Metz Arthur 110
Metz Hubert 110
Meulière La 421, 428
Meuneveaux 491, 512
Meursault Dom. du Ch. de 536
Meyer EARL Alfred 110
Meyer Gilbert 94
Meyer Jean-Luc et Bruno 111
Meyer et Filles Denis 94
Meyer et Fils EARL Lucien 87, 110
Meyer et Fils EARL René 94, 111
Meyer-Fonné Dom. 111
Meynard EARL 185, 206
Meynard SCEA des Vignobles 262, 289
Meyre SAS Ch. 357
Meyre Vignobles Alain 341, 350
Mezzana Azienda agraria 1280
Michaud Dom. 957, 1017, 1022
Micheau-Maillou Famille 245
Michel Dom. 585
Michel Dom. Johann 1143
Michel E. 659
Michel EARL Jean 660
Michel Jean-Pierre 581, 585
Michel Paul 660
Michel et Fils EARL 1107
Michel et Fils EARL Louis 421, 428, 433
Michelet Vincent 415
Michelot Dom. Alain 477
Michot Frédéric 1079
Miéry Ch. de 699, 702, 705
Mignard Christian 772
Migné Michel 218
Mignon Charles 660, 680
Mignon Pierre 660
Migot Alain 123
Milan Jean 660
Milens SARL Ch. 270
Milhade 208
Milhard Sylvie 207
Milhe-Poutingon Paul 783
Millaire Jean-Yves 225
Millarges Dom. des 1041
Mille Vignes Dom. les 740
Millegrand SCEA Ch. de 769, 1232
Millet Ch. de 950, 1207
Millet Dom. François 1093
Millet Franck 1093
Millet Gérard 1074, 1093
Millet SCEV Christian 1074
Millet et Fils Daniel 1091
Million-Rousseau Michel et Xavier 711
Millon Jean-Noël 1009
Minière SCEV du Ch. de 1028
Minuty SA 860

Mur 939
Murail Fabien 974
Muré Francis 83, 94
Mure Pascal 513
Muré – Clos Saint-Landelin 87, 112
Mureau SCEV Régis 1027
Muret SCA de 347
Murinais Dom. du 1139
Muscat SCA le 770, 779
Muscat de Lunel Les Vignerons du 777
Musset EARL des Vignobles J.-F. 267
Musset SCEA Ch. de 283
Musset-Roullier Vignoble 984
Musso Louis 878
Mussy Dom. 517
Muzard et Fils Lucien 501, 542, 554, 557
Muzart Olivier 904
Mylord SCEA du Ch. 299

N

Nadalié EARL Vignobles Christine 192, 343
Nairaud-Suberville SCEA 1066
Nalys Dom. de 1164
Napoléon 663
Nau Frères 1029
Naudin-Ferrand Dom. Henri 481, 488
Naulet Vincent 1041
Navarre Alain 663
Nazelle Vivien de 1202
Nebout Dom. 1087
Necker Louis 712
Négrier EARL Stéphane 344
Négrier Henri 346
Nénin Ch. 241
Nerthe SCA Ch. la 1164
Nesme Mickaël 155
Nestuby Ch. 861
Neuchâtel Cave de la ville de 1278
Neumeyer Gérard 78, 112
Neveu SCEV Dom. André 1093
Névian Les Vignerons coopérateurs de 725
Newman GFA Dom. 457, 464, 513, 526
Neyroud Martial 1266
Neyroud-Fonjallaz Jean-François 1266
Nicaise Louis 663
Nicolas SC des Héritiers 236
Nicolas et Fils SCA 1007
Nicolas Père et Fils Dom. 531
Nicolle Dom. Charly 422
Nicollet et Fils Gérard 112
Nigay Pascal 161
Nitray Ch. de 1017
Noailles Olivier 218
Noblaie Dom. de la 1041
Noblet Gilles 591
Nodin Rémy 1144
Noë Dom. de la 1196
Noël EARL Patrick 1074, 1079
Noël SCEV 225

Noël Tour Saint-Germain EARL 216
Noëllat SCEA Dom. Michel 468, 470, 477
Noëlle Terrena Vignerons de la 956
Noëls Dom. des 958
Noiré Dom. de 1041
Noirot et Fils SARL 409
Noizet Carole 663
Nolot SCEA Catherine 956, 981, 999
Nominé-Renard 664
Nony SCEV J.-P. 266
Nony Vignobles Léon 245
Nony-Borie Vignobles 342
Norguet EARL Dominique 1062
Normand Sylvaine et Alain 597
Nouet Frères GAEC 964
Nouveau Saint-Clément 1272
Nouvel EARL Valérie et Patrick 898
Nouvel SCEA Vignobles 272
Novella Pierre-Marie 880, 881
Noyers SCA Ch. des 980, 997
Nozay SAS Dom. du 1094
Nozières Maradenne-Guitard EARL de 891, 1211
Nudant Dom. 477, 489, 492
Nury Daniel 1165

O

Obernai Cave vinicole d' 77
Obrist SA 1267
Octavie-Rouballay Noë Dom. 1018
Œdoria 133, 409
Œnologues SCEA des 334
Ogereau Vincent 993, 997
Ogier 1113, 1139
Oliveira Lecestre Dom. De 429
Olivier Alain 968
Olivier Antoine et Rachel 402, 537
Olivier Ch. 328
Olivier Claude 785
Olivier Dom. 554
Olivier EARL Dom. 1029, 1035
Olivier Pierre 523, 537
Olivier SARL Manuel 402, 409, 537
Olivier SCA Jean 1166, 1168
Olivier Gard Dom. 442, 452
Ollier SCEA des Vignobles 371
Ollier-Taillefer Dom. 736
Ollières Ch. d' 842
Olry Catherine et Dominique 145
Olt SCA Les Vignerons d' 902
Omasson Bernard 1029
Omasson Nathalie 1029
Omerta SCEA Vignoble de l' 317
Ondines Dom. les 1157
Onffroy Baron Roland de 189
Onillon Denis 976
Opérie Nathalie et Gérard 250
Oppidum des Cauvins Dom. l' 838, 1182
Or et de Gueules Ch. d' 1173
Orban Charles 664
Orban SCEV Hervé 664
Orenga de Gaffory GFA 880, 882
Orfée Celliers d' 734

Orlandi Frères SCEA 222
Ormarine Cave de l' 755
Ormes Dom. des 786, 811
Orosquette Jean-François 768
Orsucci François 873
Ortas - Cave de Rasteau 1114, 1149, 1185
Ory Christophe et Nicolas 1032
Osmin & Cie Lionel 902, 908, 937, 946, 947
Ostal Cazes L' 772
Ott SA Dom. 832
Ottogali Christophe 919
Ouches Dom. des 1029
Oudin EARL Dom. 429
Oury-Schreiber Dom. 124
Overnoy-Crinquand Dom. 692
Ovide et Fils EARL 217

P

Pabion Daniel et Katrin 1189
Pabiot et Fils Jean 1078
Pacaud-Chaptal 723
Paganelli-Estager Françoise 242
Pagès Gilles 752
Pagès SC des Vignobles Marc 339
Paget Nicolas 1016, 1021, 1042
Pagnotta Dom. 564
Paillard Bruno 664
Pain Dom. Charles 1042
Pain Philippe 1038
Painturaud Emmanuel 824
Pairault Ph. et F. 344
Palatin 294
Paleine SAS Dom. de la 958, 1004
Pallet Vignerons du 968
Palmer 664
Palmer Ch. 358
Palon Dom. 1153
Paloumey SA Ch. 347, 352
Panéry SCEA Ch. de 1114, 1233
Panis Jean 722, 768
Panis Louis 733
Pansiot Dom. 486
Pantaléon Thierry 1034
Pantarotto Alfred 204
Paolini Cathy 873
Pape Clément Ch. 328
Papiau SCEA 998
Papon Catherine 293
Papyllon EARL 895, 1203
Paquereau EARL Cyrille et Sylvain 968, 1194
Paques et Fils 664
Paquet Agnès 402, 518, 529, 547
Paquet Jean-Paul 592, 593
Paquet Michel 598
Paradis Ch. 838
Paradis Dom. du 1276
Parc Saint-Charles Dom. du 1114
Parcé 786, 812
Parcé Thierry et Jean-Emmanuel 799, 802
Pardieu SCEA Vignobles de 222
Pardon et Fils 160
Parent François 459, 466, 501, 518
Parent SAS Jacques 518, 523
Paret Maison Alain 1132
Pariaud EARL Paul et Sébastien 138

INDEX DES PRODUCTEURS

Pariente Xavier et Christine 275
Parigot Dom. 486, 505, 518
Parize Père et Fils EARL 572
Parlange Famille 304
Parmelin Reynald 1263
Parnay SCEA Ch. de 1008
Pas de l'Âne SARL 270
Pas du Cerf SCEA Ch. 861
Pascal Alain 830
Pascal EARL Olivier 832
Pascal Sébastien 664
Pascal et Céline Devictor Jérôme 830
Pasquereau Didier 969
Pasquet Marc 210
Pasquier GAEC Jacky et Laurent 1059
Pasquiers Dom. des 1153, 1244
Passavant Ch. de 997
Passot Jacky 153
Pastourel et Fils Yves 778
Pastouret M. et Mme 1173
Pastricciola GAEC 880, 882
Pataille Sylvain 445
Patard Nathalie 1204
Paternel Dom. du 836
Patience EARL Dom. de la 1173
Patissier Jean-François 148
Patoux Denis 665
Patriarche 477, 526
Pauchard Christophe 534
Pauget Pascal 581
Pauliac GAEC de 892
Pauline Celliers de la 1094
Pauquet Jérôme 177
Pautrizel Jacques 220
Pauty Vignobles 265, 912
Pauvif SCEA 213
Pavelot EARL Dom. 501
Pavelot EARL Dom. Jean-Marc et Hugues 506
Pavie SCA Ch. 255, 271
Pech-Céleyran Ch. 755
Pech-Latt Ch. 731
Péchard Patrick et Ghislaine 161
Pêcheur Dom. Christian et Patricia 699
Pécou Jocelyne 931
Pécoula Dom. de 927
Pédesclaux SCEA Ch. 366
Peigné et Fils EARL 966
Peitavy Jean-Baptiste 1231
Pélaquié Luc 1114, 1126
Pélissier Cave David 1070
Pellé EARL Vignobles 307
Pellefigue Joël 1209
Pellerin Domaines et Châteaux 131
Pelletant 824
Pelletier 1037
Pelletier EARL Jean-Michel 665
Pelletier Florence 1249
Pelletier Jean-Benoît 772
Pelletier-Hibon Dom. 572
Pellier Christophe 1222
Peltier Philippe 699, 702
Peltier Frères EARL 1054
Péna Cellier de 787, 806, 812
Penaud Patrick 210
Penne Frédéric 1125

Péquin François 1012
Péquin Vincent 1021
Péra Hélène 1220
Peraldi EARL Dom. 877
Pérault EARL 1053
Percereau Dominique 1020
Percher Dom. 955
Percher Luc 1060
Percier Vignobles 185
Perdigao Vasco 1120, 1147, 1154
Perdriaux SARL 1056
Perdrix Dom. de la 787, 806, 1217
Perdrix Dom. des 402, 468, 470, 478
Perdrix Philippe 718
Perdrycourt Dom. de 415, 422, 429
Père Auguste GAEC Caves du 1018, 1022
Père Benoit Dom. du 156
Père Tienne Cave du 582
Péré-Vergé SCEA Vignobles 240, 246, 238
Peretti Della Rocca De 876
Perey-Chevreuil GFA 274
Perez Charles 785
Périgord Vins fins du 912, 925
Pernet Jean 665
Pernet-Lebrun 665
Pernot Thierry 152
Pernot et ses Fils Paul 542
Péronnet Alain 924
Péroudier SCEA du Ch. 919
Perrachon Laurent 159
Perrachon Pierre-Yves 144
Perraton Frères Dom. 594
Perraud 582, 597, 158
Perraud GAEC Stéphane et Vincent 968
Perraud Jean-François 151
Perraud Laurent 1196
Perrault Nicolas 557
Perréou SCEA Dom. de 1208
Perret André 1132
Perret EARL Bernard 1102
Perret Yves-Alain 1266
Perrier Dom. le 931
Perrier EARL Marlyse et Gérard 138
Perrier et Fils SAS Jean 711
Perrier-Jouët 665
Perrière Dom. de la 1094
Perrières Cave et Domaine les 1276
Perrin Christophe 582
Perrin Dom. Christian 492
Perrin Dom. Roger 1114, 1164
Perrin Famille 1126, 1147, 1181
Perrin SCEA Philibert 326
Perrin et Fils SCEA A. 321
Perromat EARL Jacques et Guillaume 382
Perromat EARL Vignobles Jacques 310
Perromat Xavier 314
Perroud Les Frères 141
Persenot SARL Gérard 407
Perseval Benoist 666
Persilier Gilles 1070
Perthuy 960

Pertois-Moriset 666
Pertuzot Romain 492
Pesquié Ch. 1179
Pessan SCI Ch. 317
Pétard EARL Vincent et Jean-Paul 969
Pétillat Jean-Louis 1086
Petit Dom. Désiré 696, 702, 705
Petit Émeric 273
Petit Franc 845
Petit James 1030
Petit Richard et Véronique 666
Petit SCEA des Vignobles Marcel 264, 293
Petit SCEA Jean-Dominique 173, 187, 199
Petit Sébastien 196
Petit Vignobles Jean 269, 289
Petit Clocher Dom. du 981, 989, 998, 1196
Petit Cluzeau SCEA le 915
Petit Coteau SARL Dom. du 1055
Petit et Fils André 824
Petit Malromé EARL du 935
Petit Métris Dom. du 993, 998, 1000
Petit Puch GFA du 302
Petit Thouars Ch. du 1018
Petite Marne Dom. de la 700
Petiteau SCEA Michel 962
Petiteau-Gaubert EARL 970, 1197
Petitjean Denis 666
Petitot Dom. 481
Petra Bianca Dom. 875
Petra Viridis Cave 1184, 1236
Pétré et Fils Daniel 666
Petrus SC du Ch. 241
Peyrabon Ch. 347, 363
Peyrassol SCEA Commanderie de 862
Peyrat-Fourthon Ch. 347
Peyre Bruno 1224
Peyre Vincent 1166, 1168
Peyre Brune Dom. de 1247
Peyronnet EARL Dom. 778, 1224
Peyros Ch. 937
Peyroutet-Davancens Chantal 944
Peytavy Philippe 745
Pfaffenheim Cave des vignerons de 71, 75
PH-CH 642, 668
Phélan Ségur Ch. 371
Philbert Jérôme 666
Philip et Virginie Fabre Guillaume 853
Philip-Ladet EARL 1115
Philippart SARL Maurice 667
Philippe 260
Philippe Baptiste et Estelle 584
Philipponnat 667
Piazzetta EARL 912
Pibarnon Ch. de 831
Pibran Ch. 366
Pic SCA Les Vignerons du 749
Picamelot Maison Louis 410
Picard 667
Picard Jacques 667
Picard Michel 518
Picard et Fils Jean-Paul 1094

INDEX DES PRODUCTEURS

PRODUCTEURS

PRODUCTEURS

Tapon et Jean-Christophe Renaut Nicole 288
Tapray Sébastien 678
Tara SCEA Dom. de 1180
Tardy Patrick 709
Tardy et Fils René 507, 520
Tarlant 679
Tastet Denis 1208
Tastu Thierry 728
Taureau SCE Ch. 280
Tautavel-Vingrau Vignerons de 814, 816
Tauziès Ch. 900
Tavel Les Vignerons de 1118, 1170
Tayac SC Ch. 359
Taïx Patrice 1221
Taïx Pierre 283, 287
Técou SCA Cave de 895
Teiller Dom. Jean 1075
Teissèdre Jean 1086
Teissèdre Jean-Pierre 583
Telmont J. de 679
Templiers Cellier des 1176
Templiers Terre des 799, 803, 804
Terra Corsa EARL 874
Terra Vecchia Dom. 874, 1239
Terrasse d'Élise Dom. la 1225
Terrasse-Herberigs 1115
Terrasses Cévenoles Les 758
Terrasses de Gabrielle Les 1234
Terrasses de Rubens SCEA Les 1209
Terraube Jean-Marie 950
TerraVentoux Cave 1180
Terre de Mistral Dom. 867
Terre d'Expression Créateurs de Vins 733
Terrebrune Dom. de 985, 990, 1001
Terrefort-Quancard SCA du Ch. de 206
Terrena Vignerons des Terroirs de la Noëlle 987
Terres Blanches SCEA Dom. des 834
Terres de Chatenay Dom. des 586
Terres de Paraza SCEA les 769
Terres de Velle Dom. des 403, 524
Terres noires GAEC des 1023
Terres Rousses ESAT les 813
Terres secrètes Vignerons des 598
Terrigeol et Fils SCEA 209, 215
Terroirs de Chevigneux EARL les 708
Terroirs et Talents 157, 595
Terroirs Romans SARL 1216
Tertre Ch. du 359
Tessier EARL Christian et Fabien 1060
Tessier SCEA 1004
Tessier SCEA Michel 997
Testulat V. 679
Testut SCEA 430
Tête Les vins Louis 135
Tête Michel 136
Teulier Philippe 902
Tévenot Vignoble 1059

Teyssier SD du GFA Ch. 285
Thénac SCEA Ch. 920, 921, 925
Thérèse EARL Vignobles 300
Therez Nicolas 761
Thermes Dom. des 868
Théron-Portets SCEA 318
Therrey Éric 679
Theulot Nathalie et Jean-Claude 569
Thévenet Isabelle et Xavier 679
Thévenet et Fils Vignobles 583
Thévenot-Le Brun et Fils Dom. 442
Theyron SCEA Dom. de 753
Thézac-Perricard Vignerons de 1200
Thibert Pierre 479
Thiénot 680
Thil Ch. le 330
Thill Dom. 1255, 1257
Thiou EARL Thomas 281
Thirion Dom. Achille 76, 84
Thirot Gérard et Hubert 1097
Thirot-Fournier Christian 1098
Thirouin – de Taffin 174, 199
Thollet Patrice 164
Thomas Dom. Gérard 542, 550
Thomas Dom. Paul 1098
Thomas Vignobles 350
Thomas et Fils André 116
Thomas-Labaille 1098
Thomassin GAEC 914
Thomson Jean-Philippe 961
Thorigny Christophe 1056
Thorin Maison 151
Thou Ch. le 759
Thuerry Ch. 844, 868
Thunevin 234, 276, 352, 248
Thunevin-Calvet 796
Tiffon Albert 363
Tignol Emmanuel 306
Tinel-Blondelet Dom. 1080, 1098
Tingaud 933
Tinon EARL Vignoble 378
Tiregand SCEA Ch. de 932
Tirroloni Toussaint 878
Tisserond François et Philippe 981
Tissier SAS J.M. 680
Tissier et Fils Diogène 680
Tissier et Fils Dom. Roland 1098
Tissot Dom. Jacques 694
Tissot Jean-Louis 693
Tissot SCEA Dom. 754
Tissot Thierry 718
Tissot et Fils Michel 694, 703, 704
Tivoli Cave du 1066
Tix SCEA Dom. du 1180
Toasc Dom. de 835
Todesco EARL 204
Toint SARL Hubert 1157
Tola-Manenti 877
Tomaze Ch. la 1000
Toowo – Jeff Carrel 747, 1233
Torchet Frédéric 680
Tordeur Sophie et Didier 305, 379
Tortochot Dom. 453, 456, 457
Totem Clos du Nord 782
Touche Blanche Dom. de la 1001
Toulois Les Vignerons du 123
Toumalin SCEV CH. 227

Toupie Dom. la 789, 1219
Tour Dom. de la 403, 431
Tour Blanche Ch. la 386
Tour Carnet Ch. la 349
Tour de Pez Ch. 371
Tour du Moulin SCEA Ch. 231
Tour-du-Roc EARL 349
Tour Figeac SC la 275
Tour Mont d'Or Groupe de producteurs de la 285
Tour Napoléon EARL la 663
Tour Penedesses Dom. la 759
Tour Saint Fort SCA Ch. 371
Tour Saint-Martin La 1075
Tour Vieille Dom. la 799
Touraize Dom. de la 694
Tourlonias Isabelle 1071
Tourmente Cave la 1273
Tournant Olivier 680
Tournefeuille SCEA Ch. 248
Tournels Dom. des 868
Tournoud Guy 712
Tourrel EARL 844
Tourrel Roger 1243
Tourril Ch. 771
Tours Dom. des 142
Tourte Ch. du 319
Touzain Yannick 1087
Toyer Gérard 1065
Tracy Ch. de 1080
Tramier et Fille EARL Bernard 184
Tranchand SCEA Patrick 148
Tranchée Dom. de la 1044
Trapet Jean-Claude 442
Travers SAS 225
Trazic Laurent 1179
Trébignaud Philippe 582
Tréjaut EARL Vignobles 192
Treloar Dom. 789, 813
Tremblay Dom. Gérard 431
Tremblay SCEA Dom. du 1083
Trémoine Les Vignerons de 789, 792, 808
Trénel Fils 149, 592
Treuillet 1069
Triangle d'Or SCAV Vignerons du 723
Trians Ch. 844
Tribaut-Schloesser 681
Trichard Daniel 143
Trichard Dom. Benoît 144
Trichard GAEC Bernard, Laurent et Didier 139
Trichard Jean-François 163
Trichet Pierre 681
Tricoire et Thoreau 762
Trigant GFA du Ch. 330
Trilles Jean-Baptiste 789
Trinquevedel Ch. de 1170
Tritant Alfred 681
Trocard Benoît 259
Trocard Denis 228
Trocard Jean-Louis 234, 278
Troccon Thierry 717
Trois Blasons Les 1225
Trois Domaines GAEC des 951, 1209
Trois Origines SARL les 290
Trois Paris GAEC des 298
Trois Puechs Dom. les 759

INDEX DES PRODUCTEURS

INDEX DES VINS

L'indexation ne tient pas compte de l'article défini

VINS

VINS

BÉGOT CH. Côtes-de-bourg 217

BÉGUDE DOM. DE LA Bandol 828

BÉGUINERIES DOM. DES Chinon 1037

BEILLE DOM. LA Côtes catalanes 1214 • Muscat-de-rivesaltes 809

BEJAC ROMELYS Médoc 331

BÉJOT JEAN-BAPTISTE Santenay 551

BEL AIR CH. Haut-médoc 340

BEL-AIR CH. Pomerol 233

BEL AIR DOM. Côtes-du-rhône 1104 • Côtes-du-vivarais 1184

BEL-AIR DOM. DE Muscadet-sèvre-et-maine 960

BEL AIR DOM. DE Pouilly-fumé 1075

BEL-AIR VIGNERONS DE Morgon 152

BEL-AIR L'ESPÉRANCE CH. Bordeaux sec 185

BEL AIR PERPONCHER CH. Bordeaux 171 • Bordeaux sec 185 • Entre-deux-mers 297

BELAIR COUBET CH. Côtes-de-bourg 219

BELAIR-MONANGE CH. Saint-émilion grand cru 255

BELAMBRÉE DOM. Coteaux-d'aix-en-provence 837

BELCIER LE PIN DE Castillon-côtes-de-bordeaux 289

BELFORT LA TOUR DE Côtes du Lot 1209

BELGRAVE CH. Haut-médoc 340

BÉLIERS DOM. LES Moselle 123

BELIN GÉRARD ET OLIVIER Champagne 609

BELIN JULES Santenay 551

BELINGARD CH. Monbazillac 926

BELLAND ROGER Chassagne-montrachet 544 • Criots-bâtard-montrachet 543 • Santenay 551

BELLANG ET FILS CHRISTIAN Chorey-lès-beaune 507 • Meursault 532 • Savigny-lès-beaune 502

BELLAVISTA DOM. Côtes-du-roussillon 781

BELLE DOM. Crozes-hermitage 1137 • Hermitage 1141

BELLE-GARDE CH. Bordeaux 171 • Bordeaux rosé 181 • Bordeaux sec 185 • Bordeaux supérieur 192

BELLE-ISLE CH. DE Corbières 725

BELLE MAGNANARELLE LA Ventoux 1177

BELLE-VUE CH. Haut-médoc 341

BELLEFONT-BELCIER CH. Saint-émilion grand cru 255

BELLEGARDE CH. DE Côtes-de-Bordeaux 307

BELLEGARDE DOM. Jurançon 942

BELLEGRAVE CH. Médoc 332

BELLEGRAVE CH. Pauillac 362

BELLEGRAVE DU POUJEAU CH. Haut-médoc 341

BELLEMER ESPRIT DE Bordeaux supérieur 193

BELLES COURBES DOM. Saint-chinian 772

BELLEVILLE DOM. Rully 562

BELLEVUE CH. Médoc 332

BELLEVUE CH. DE Morgon 141

BELLEVUE DOM. Touraine 1012

BELLEVUE DOM. DE Côtes de Thongue 1220

BELLEVUE DOM. DE Saint-pourçain 1085

BELLEVUE DOM. DE Touraine 1012

BELLEVUE CLARIBES CH. Bordeaux supérieur 193

BELLEVUE DE TAYAC CH. Margaux 352

BELLEVUE LA FORÊT CH. Fronton 904

BELLEVUE MONDOTTE Saint-émilion grand cru 255

BELLIVIER VINCENT Chinon 1037

BELLOY CH. Canon-fronsac 225

BELLUARD DOMINIQUE Vin-de-savoie 707

BELOT CH. Saint-chinian 773

BELVESTIT LOU Côtes de Thongue 1221

BELVÈZE CH. Malepère 765

BENAGE FONTAINE CH. Bordeaux supérieur 193

BÉNARD-PITOIS L. Champagne 609

BENASSIS DOM. Muscat-de-rivesaltes 809

BENAZETH FRANK Minervois 767

BENEDETTI DOM. Châteauneuf-du-pape 1160

BENEYT CH. Bordeaux sec 185 • Cadillac-côtes-de-bordeaux 304

BENOIT DENIS ET VINCENT Charentais 1198

BENOIT PATRICE Montlouis-sur-loire 1046

BENOIT ET FILS PAUL Arbois 690

BÉRANGERAIE DOM. LA Cahors 885 • Côtes du Lot 1209

BERGALASSE CH. LA Saint-mont 941

BERGEONNIÈRE DOM. DE LA Touraine 1012

BERGEONS DOM. DES Vouvray 1049

BERGER Alsace riesling 90

BERGÈRE CH. LA Montagne-saint-émilion 281

BERGERET DOM. Bourgogne-hautes-côtes-de-beaune 482

BERGERET FRANÇOIS Auxey-duresses 527 • Bourgogne-hautes-côtes-de-beaune 482

BERGERIE DOM. DE LA Anjou-villages 982 • Quarts-de-chaume 1000 • Savennières 992

BERGERIE D'AQUINO Coteaux-varois-en-provence 840

BERGERIE DU CAPUCIN Languedoc 743

BERGERON DOM. Juliénas 149

BERGERONNEAU-MARION F. Champagne 609

BERGEY CH. LE Bordeaux 171

BERGIRON DOM. DE Brouilly 139

BÉRIOLES DOM. DES Saint-pourçain 1086

BERLIQUET CH. Saint-émilion grand cru 255

BERNA Moselle luxembourgeoise 1252

BERNARD JEAN Saint-véran 594

BERNARD YVAN Côtes-d'auvergne 1069 • Puy-de-Dôme 1189

BERNARD ET FILS AIMÉ Seyssel 715

BERNARD-MASSARD Moselle luxembourgeoise 1253

BERNAT CH. LE Puisseguin-saint-émilion 286

BERNATEAU CH. Saint-émilion grand cru 255

BERNE CH. DE Côtes-de-provence 849

BERNET DOM. Pacherenc-du-vic-bilh 938

BERNHARD DOM. JEAN-MARC Alsace grand cru 99

BERNHARD & REIBEL DOM. Alsace riesling 90

BERNOLLIN DOM. Bourgogne-côte-chalonnaise 559

BERR HENRI DE Champagne 667

BERRYCURIENS LES Quincy 1081 • Reuilly 1083

BERSAN DOM. Saint-bris 436

BERSAN DOM. JEAN-FRANÇOIS ET PIERRE-LOUIS Chablis 416

BERSAN DOM. JEAN-LOUIS ET JEAN-CHRISTOPHE Bourgogne 394

BERSAN PIERRE-LOUIS ET JEAN-FRANÇOIS Bourgogne 394 • Saint-bris 436

BERTA-MAILLOL DOM. Banyuls 800 • Collioure 796 • Côte Vermeille 1214

BERTAGNA DOM. Chambertin 453 • Clos-saint-denis 460

BERTAU DOM. Aveyron 1201

BERTAUDIÈRE DOM. DE LA Muscadet-sèvre-et-maine 961

BERTEAU ET VINCENT MABILLE PASCAL Vouvray 1049

BERTHAUT VINCENT ET DENIS Fixin 446

BERTHELEMOT DOM. Beaune 508 • Bourgogne-hautes-côtes-de-beaune 482 • Pommard 514

BERTHELOT MICHEL Champagne 610

BERTHELOT PAUL Champagne 610

BERTHENET DOM. Montagny 573

BERTHET-BONDET DOM. Château-chalon 694 • Côtes-du-jura 696

BERTHET-RAYNE DOM. Châteauneuf-du-pape 1160 • Côtes-du-rhône 1104 • Côtes-du-rhône-villages 1119

BERTHIER PASCAL Beaujolais 130

BERTHIERS DOM. DES Pouilly-fumé 1075

BERTHOLLIER DENIS ET DIDIER Vin-de-savoie 707

BERTHOUMIEU DOM. Madiran 935

BERTICOT Côtes-de-duras 933

BERTICOT BB DE Côtes-de-duras 933

BERTIGNOLLES DOM. DE Chinon 1037

BERTIN CH. Lussac-saint-émilion 277

BERTIN CHRISTOPHE Champagne 610

BERTIN DOM. MICHEL Muscadet-sèvre-et-maine 961

BERTINS DOM. LES Côtes-de-duras 933

BERTRAND Champagne 610

BERTRAND GÉRARD Aude 1212 • Corbières-boutenac 733 • Côtes-du-roussillon-villages 790 • Crémant-de-limoux 762 • Fitou 737 • Languedoc 743 • Limoux 764 • Rivesaltes 804

BERTRAND-BERGÉ DOM. Fitou 737 • Muscat-de-rivesaltes 809

BESAGE CH. LA Bergerac 912

BESNERIE DOM. DE LA ●
Crémant-de-loire 955 ●
Touraine-mesland 1023

BESOMBES DOM. DE
Côtes-du-roussillon 781

BESSANE CH. LA Margaux 352

BESSON DOM. Beaune 509 ● Givry
570

BESSON DOM. Chablis 416 ● Chablis
premier cru 423 ● Petit-chablis 412

BESSONS DOM. DES Canton de
Genève 1275

BESSONS DOM. DES Touraine 1012

BESTHEIM Alsace klevener-
de-heiligenstein 77 ● Alsace
sylvaner 96 ● Crémant-d'alsace 118

BETEMPS PHILIPPE Vin-de-savoie 708

BÉTRISEY ANTOINE ET CHRISTOPHE
Canton du Valais 1268

BETTON CHRISTELLE
Crozes-hermitage 1137

BEYCHEVELLE CH. Haut-médoc 341
● Saint-julien 372

BEYER ÉMILE Alsace pinot gris 81

BEYLAT CH. Bergerac 912

BIARD-LOYAUX Champagne 610

BIARNÈS DOM. DU Coteaux et
terrasses de Montauban 1204

BIBIAN CH. Haut-médoc 341

BICHERON DOM. DU Mâcon et
mâcon-villages 575

BIDAULT ANNE ET SÉBASTIEN
Chambolle-musigny 461

BIDIÈRE CH. LA
Muscadet-sèvre-et-maine 961

BIECHER & SCHAAL Alsace grand
cru 102

BIENFAISANCE SANCTUS DE LA
Saint-émilion grand cru 255

BIGONNEAU GÉRARD Reuilly 1083

BIGUET DOM. DU Saint-péray 1144

BIJOTAT BERNARD Champagne 611

BIJOTAT MARC Champagne 610

BILA-HAUT DOM. DE
Côtes-du-roussillon-villages 791

BILÉ DOM. DE Floc-de-gascogne 948

BILLARD ARNAUD Champagne 611

BILLARD-GONNET DOM. Pommard
514

BILLARD PÈRE ET FILS Champagne
611

BILLARD PÈRE ET FILS DOM.
Pommard 514

BILLAUD SAMUEL Chablis 417 ●
Chablis premier cru 423

BILLAUD-SIMON DOM. Chablis
grand cru 431 ● Chablis premier
cru 424

BILLAUDS CH. LES
Blaye-côtes-de-bordeaux 210

BILLIARD DAVID Champagne 611

BILLIARD HUBERT Champagne 611

BIRAN CH. DE Pécharmant 930

BIRIUS DOM. DE
Pineau-des-charentes 821

BIROT BLANC DE Bordeaux sec 185

BIZARD CH. Grignan-les-adhémar
1175

BLACHON DOM. Saint-joseph 1133

BLADINIÈRES CH. Cahors 885

BLAGNY DOM. DE
Puligny-montrachet 539

BLAISE-LOURDEZ Champagne 611

BLANC CH. Ventoux 1178

BLANC CH. JACQUES Saint-émilion
grand cru 255

BLANCHES FLEURS DOM. LES
Beaune 509

BLANCHET DOM. YANNICK Bugey
716

BLANCHET FRANCIS Pouilly-fumé
1076

BLANCHET GILLES Pouilly-fumé 1076

BLANCK DOM. PAUL Alsace muscat
78 ● Alsace pinot gris 81

BLANCK ET SES FILS ANDRÉ Alsace
grand cru 102

BLANQUIÈRES DOM. DES Corbières
725

BLAQUE DOM. LA Pierrevert 1184

BLARD ET FILS DOM. Vin-de-savoie
708

BLASON DE BOURGOGNE Chablis
417

BLASON DE GARDEGAN
Côtes-de-Bordeaux 307

BLASON DU RHÔNE
Châteauneuf-du-pape 1160 ●
Saint-joseph 1133

BLÉGER DOM. CLAUDE ET
CHRISTOPHE Alsace riesling 90

BLÉGER FRANÇOIS Alsace grand cru
102

BLIGNY CH. DE Champagne 611

BLIGNY EVENING LAND AU CH. DE
Pouilly-fuissé 587

BLIN H. Champagne 611

BLONDEL Champagne 612

BLONDEL DOM. Canton de Vaud
1261

BLONDELET DOM. BRUNO
Pouilly-fumé 1076

BLOT MICHEL Côtes-d'auvergne 1069

BLOUIN DOM. MICHEL
Coteaux-du-layon 995

BLOY CH. DU Montravel 928

BOBÉ DOM. Muscat-de-rivesaltes 809

BOCCARD DANIEL Bugey 716

BOCHET-LEMOINE Champagne 612

BOCQUET DANIEL Chablis 417

BODILLARD VIGNOBLES Morgon 152

BODINEAU DOM. Anjou 977 ●
Anjou-villages 982 ●
Coteaux-du-layon 995

BOECKEL Alsace sylvaner 97

BOESCH ET PETIT-FILS JEAN Alsace
gewurztraminer 72 ● Alsace pinot
gris 81

BOEVER ET FILS PIERRE Champagne
612

BOHN FRANÇOIS Alsace grand cru
102

BOHRMANN DOM. Saint-aubin 547

BOHUES DOM. DES Cabernet-d'anjou
987 ● Coteaux-du-layon 995

BOIGELOT ÉRIC Monthélie 525 ●
Pommard 514

BOILLEY JOËL Côtes-du-jura 697

BOILLOT ALBERT Bourgogne 394 ●
Volnay 520

BOIRE DOM. PHILIPPE Pommard 515

BOIS CAVEAU SYLVAIN Bugey 716

BOIS-BRINÇON CH. DE Anjou 977

BOIS DE FAVEREAU CH. Bordeaux
supérieur 193

BOIS DE POURQUIÉ DOM. DU
Côtes-de-bergerac 922

BOIS DE SAINT-JEAN DOM. DU
Côtes-du-rhône 1104

BOIS DES DAMES DOM. DU
Côtes-du-rhône-villages 1119

BOIS DES MÈGES DOM. DU
Gigondas 1149

BOIS GAULTIER DU Valençay
1063

BOIS-MALOT CH. Bordeaux sec 185

BOIS MAYAUD DOM. DU
Saint-nicolas-de-bourgueil 1031

BOIS MIGNON DOM. DU Saumur
1002

BOIS MOZÉ PASQUIER DOM. DU
Saumur-champigny 1007

BOIS-PERRON DOM. DU Val de Loire
1192

BOIS PERTUIS CH. Bordeaux 174

BOIS-VERT CH.
Blaye-côtes-de-bordeaux 210

BOISCHAMPT DOM. DE
Beaujolais-villages 135

BOISFRANC CH. DE Beaujolais 130

BOISSET JEAN-CLAUDE Beaune 509
● Bourgogne-hautes-côtes-de-nuits
438 ● Chambolle-musigny 462 ●
Clos-de-la-roche 459 ● Mâcon et
mâcon-villages 575 ● Meursault
532

BOISSIÈRE DOM. DE
Costières-de-nîmes 1170 ● Pays
d'Oc 1227

BOISSONNET DOM. Condrieu 1131

BOIZEL Champagne 612

BOLAIRE CH. Bordeaux supérieur 193

BOLCHET CH. Costières-de-nîmes
1170

BOLLE ET CIE Canton de Vaud 1261

BOLLIET CHRISTIAN Bugey 716

BOLLINGER Champagne 612

BON PASTEUR CH. LE Pomerol 233

BONALGUE CH. Pomerol 235

BONETTO-FABROL DOM.
Grignan-les-adhémar 1175

BONHOMME DOM. ANDRÉ
Viré-clessé 584

BONHOMME NATHALIE ET PASCAL
Viré-clessé 584

BONHOSTE CH. DE Bordeaux sec 186
● Bordeaux supérieur 193 ●
Crémant-de-bordeaux 207

BONIN JEAN-LUC Bourgogne 394

BONNAIRE Champagne 613

BONNARD FILS MAISON Bugey 716

BONNARDOT DOM.
Bourgogne-hautes-côtes-de-beaune
482 ● Maranges 556 ●
Puligny-montrachet 539

BONNARDOT DOM.
Bourgogne-hautes-côtes-de-nuits
438 ● Ladoix 487

BONNAUD CH. HENRI Palette 870

BONNE TONNE DOM. DE LA
Beaujolais 130

BONNEFOND PATRICK ET
CHRISTOPHE Condrieu 1131

BONNELIÈRE CH. DE LA Chinon 1037

BONNELIÈRE DOM. LA Saumur 1002
● Saumur-champigny 1007

BONNES GAGNES DOM. DES
Coteaux-de-l'aubance 991 ● Val de
Loire 1192

BONNET ALEXANDRE Champagne
613

BONNET CH. Bordeaux 171 ●
Entre-deux-mers 297

BONNET CH. Chénas 144

BONNET CH. Juliénas 150

BONNET DOM. Côtes-du-marmandais
909

VINS

BONNET-LAUNOIS Champagne 613

BONNET-PONSON Champagne 613

BONNEVEAUX DOM. DES
Saumur-champigny 1007

BONNIEUX CAVE DE Ventoux 1178

BONNIN LE PRESTIGE DU CH.
Lussac-saint-émilion 277

BONNOT ANDRÉ Crémant-du-jura
701

BONPAS Châteauneuf-du-pape 1160
• Côtes-du-rhône-villages 1119 •
Vacqueyras 1154

BONPAS Côtes-du-rhône 1116

BONSERINE DOM. DE Côte-rôtie
1129

BONVALOT JONATHAN
Pernand-vergelesses 493

BONVILLE FRANCK Champagne 613

BORDE DOM. DE LA Arbois 690 •
Macvin-du-jura 705

BORDENAVE GISÈLE ET PIERRE
Jurançon 943

BORDENAVE-COUSTARRET DOM.
Jurançon 943

BOREL-LUCAS Champagne 614

BORÈS MARIE-CLAIRE ET PIERRE
Alsace gewurztraminer 72

BORGEOT DOM. Bouzeron 560 •
Santenay 551

BORGNAT DOM. Bourgogne 395

BORIE CH. LA
Côtes-du-rhône-villages 1119

BORIE DOM. LA Cahors 885

BORIE LA Méditerranée 1239

BORIE LA VITARÈLE Saint-chinian
773

BORIES DOM. Madiran 935

BORRELY-MARTIN DOM.
Côtes-de-provence 849

BORT DOM. Languedoc 743

BORTER STÉPHANE Canton de Vaud
1262

BOSCQ CH. LE Saint-estèphe 367

BOSQUET DES FLEURS CH. LE
Bordeaux 171 • Bordeaux
supérieur 194

BOSQUETS DOM. DES Gigondas
1150

BOSSARD DOM. GILBERT
Muscadet-sèvre-et-maine 961

BOSSUET CH. Bordeaux supérieur
194

BOTINIÈRE CH. DE LA
Muscadet-sèvre-et-maine 966

BOTTIÈRE-PAVILLON DOM. DE LA
Juliénas 150

BOUACHON MAISON
Beaumes-de-venise 1158

BOUC ET LA TREILLE LE
Coteaux-du-lyonnais 163

BOUCANT-THIERY Champagne 614

BOUCHACOURD DANIEL
Beaujolais-villages 135

BOUCHACOURT DENIS Mâcon et
mâcon-villages 575 • Pouilly-fuissé
587

BOUCHARD PASCAL Chablis grand
cru 431 • Chablis premier cru 424

BOUCHARD JEAN Gevrey-chambertin
448 • Mercurey 565 •
Savigny-lès-beaune 502

BOUCHARD PHILIPPE
Gevrey-chambertin 448 • Ladoix
487 • Meursault 532 • Montagny
573 • Nuits-saint-georges 473 •
Santenay 551

BOUCHARD AÎNÉ ET FILS Beaune
509

BOUCHARD PÈRE ET FILS
Bourgogne 395 •
Bourgogne-aligoté 405 • Mâcon et
mâcon-villages 576 • Meursault
532

BOUCHAUD PIERRE-LUC
Muscadet-sèvre-et-maine 962

BOUCHÉ PÈRE ET FILS Champagne
614

BOUCHER CHRISTOPHE ET BRIGITTE
Muscadet-sèvre-et-maine 962

BOUCHET CH. DE Bordeaux 171 •
Bordeaux sec 186

BOUCHET CH. DU Buzet 908

BOUCHET DOM. Montlouis-sur-loire
1046

BOUCHIÉ-CHATELLIER Pouilly-fumé
1076

BOUDAU DOM. Côtes catalanes 1215
• Côtes-du-roussillon-villages 791 •
Muscat-de-rivesaltes 809 •
Rivesaltes 804

BOUDIER PÈRE ET FILS Aloxe-corton
489

BOUEY MAISON Bordeaux 172

BOUFFARD DOM. Val de Loire 1192

BOUFFEVENT CH. Bergerac 912

BOUGRIE DOM. DE LA
Cabernet-d'anjou 988

BOUILLEROT CH. DE Bordeaux 172 •
Côtes-de-bordeaux-saint-macaire
306

BOUILLOT LOUIS
Crémant-de-bourgogne 408

BOUISSE-MATTERI DOM.
Côtes-de-provence 850

BOUISSEL CH. Comté tolosan 1202 •
Fronton 904

BOUJAC CH. Fronton 904

BOULARD FRANCIS Champagne 614

BOULARD-BAUQUAIRE Champagne
614

BOULARD ET FILLES DOMINIQUE
Champagne 614

BOULAY VINS M. Jasnières 1045

BOULE ET FILS Pineau-des-charentes
821

BOULEY DOM. RÉYANE ET PASCAL
Volnay 520

BOULON DOM. J. Morgon 152

BOULONNAIS JEAN-PAUL
Champagne 614

BOUQUERRIES DOM. DES Chinon
1038

BOUQUEYRAN CH. Moulis-en-médoc
359

BOURDELAT EDMOND Champagne
615

BOURDELOIS R. Champagne 615

BOURDIC Pays d'Oc 1227

BOURDIEU CH.
Blaye-côtes-de-bordeaux 210

BOURDILLOT CH. LE Graves 310

BOURDIN HENRI Bourgueil 1025 •
Saint-nicolas-de-bourgueil 1032

BOURDON DOM. Mâcon et
mâcon-villages 576 • Saint-véran
594

BOURDONNAT DOM. DU Reuilly
1083

BOURG NEUF DOM. DU Saumur
1002

BOURGELAT CAPRICE DE Graves 310

BOURGEOIS LA DEMOISELLE DE
Pouilly-fumé 1076

BOURGEOIS LE MD DE Sancerre
1088

BOURGEOIS-BOULONNAIS
Champagne 615

BOURGEOIS-DIAZ Champagne 615

BOURGEON RENÉ Givry 570

BOURNET CH. Gaillac 896

BOURQUIN Lac de Bienne 1260

BOURRATS DOM. DES Saint-pourçain
1086

BOURRÉE CH. LA
Castillon-côtes-de-bordeaux 289

BOURSAULT CH. DE Champagne 615

BOURSEAU CH. Lalande-de-pomerol
244

BOUSCASSÉ CH.
Pacherenc-du-vic-bilh 938

BOUSCATIÈRE DOM. DE LA
Gigondas 1153

BOUSCAUT CH. Pessac-léognan 320
• Pessac-léognan 321

BOUSQUET DOM. Cité de
Carcassonne 1213

BOUSQUET DOM.
Côtes-du-roussillon-villages 791

BOUSSARD DOM. Chablis 417

BOUSSARGUES CH. DE
Côtes-du-rhône 1104

BOUSSEY DOM. DENIS Meursault
532

BOUSSEY DOM. ÉRIC Monthélie 525

BOUSSEY DOM. LAURENT ET KAREN
Monthélie 525 • Pommard 515 •
Volnay 520

BOUT DU LIEU DOM. LE Cahors 885

BOUTES DOM. BAPTISTE Minervois
767

BOUTHENET DOM. JEAN-FRANÇOIS
Bourgogne-hautes-côtes-de-beaune
482

BOUTHENET MARC Maranges 556 •
Santenay 551

BOUTILLEZ-GUER Champagne 615

BOUTILLEZ-MARCHAND R.
Champagne 616

BOUTILLEZ-VIGNON G. Champagne
616

BOUTIN DOM. M. Rasteau sec 1147

BOUTISSE CH. Saint-émilion grand
cru 256

BOUVAUDE DOM. LA
Côtes-du-rhône-villages 1119

BOUVERIE DOM. DE LA
Côtes-de-provence 850

BOUVIER Marsannay 443

BOUVRET OLIVIER ET BERTRAND
Champagne 616

BOUY LAURENT Champagne 616

BOUYÈRE CH. DE LA Bordeaux rosé
181 • Bordeaux sec 186

BOUZEREAU DOM. JEAN-MARIE
Meursault 532 • Volnay 520

BOUZEREAU DOM. VINCENT
Meursault 532

BOUZEREAU PHILIPPE Meursault 532

BOUZEREAU-GRUÈRE ET FILLES
DOM. HUBERT
Chassagne-montrachet 545 •
Meursault 533

BOUZONS DOM. DES Côtes-du-rhône
1104

BOUÏS CH. LE Corbières 725

BOUÏSSIÈRE DOM. LA Gigondas 1150

BOVET PHILIPPE Canton de Vaud
1262

BOVY DOM. Canton de Vaud 1262

BOYD-CANTENAC CH. Margaux 352
BRAMEFANT CH. Côtes-de-bergerac 922
BRANA Irouléguy 947
BRANAIRE-DUCRU CH. Saint-julien 372
BRANAS GRAND POUJEAUX CH. Moulis-en-médoc 359
BRANDE CH. LA Castillon-côtes-de-bordeaux 289
BRANDEAUX CH. LES Bergerac 912
BRANE-CANTENAC CH. Margaux 352
BRANNE CH. LA Médoc 332
BRANON CH. Pessac-léognan 321
BRATEAU-MOREAUX Champagne 616
BRAUDE FELLONNEAU CH. Haut-médoc 341
BRAULTERIE DE PEYRAUD CH. LA Blaye-côtes-de-bordeaux 210
BRAUN CAMILLE Alsace grand cru 102 • Alsace pinot noir 85
BRAUN FRANÇOIS Alsace riesling 90
BRAUN ET SES FILS FRANÇOIS Crémant-d'alsace 119
BRAVES DOM. DES Régnié 153, 160
BRAZALEM DOM. DE Buzet 908
BRÈDE CH. DE LA Graves 311
BRÉGAND DOM. Arbois 691
BREL CH. DU Cahors 885
BRENNUS Bergerac 912
BRÈQUE RÉMY Crémant-de-bordeaux 208
BRESSION SÉBASTIEN Champagne 616
BRESSY-MASSON DOM. Côtes-du-rhône 1105 • Rasteau sec 1147
BRETHOUS CH. Cadillac-côtes-de-bordeaux 304
BRETON FRANCK Montlouis-sur-loire 1046
BRETON FILS Champagne 616
BRETONNIÈRE CH. LA Blaye-côtes-de-bordeaux 211
BRETONNIÈRE DOM. DE LA Muscadet-sèvre-et-maine 962
BREUIL COULEURS DU Val de Loire 1192
BRÉZÉ CH. DE Saumur 1002
BRIACÉ CH. DE Muscadet-sèvre-et-maine 962
BRIAND CH. Bergerac 912
BRICE Champagne 617
BRIDAY DOM. MICHEL Rully 562
BRIE CH. LA Côtes-de-bergerac 922
BRIN DOM. DE Gaillac 895
BRIOT CH. Bordeaux 178 • Bordeaux sec 188
BRISEBARRE VIGNOBLE Vouvray 1050
BRISSON CH. Castillon-côtes-de-bordeaux 289
BRISSON JOAN Pineau-des-charentes 822
BRIZÉ DOM. DE Saumur 1002
BRIZI DOM. NAPOLÉON Patrimonio 878
BROBECKER DOM. Alsace pinot noir 85
BROCARD JEAN-MARC Chablis premier cru 424
BROCARD PIERRE Champagne 617
BROCHARD HUBERT Pouilly-fumé 1076

BROCHET LOUIS Champagne 617
BROCHET VINCENT Champagne 617
BRONDEAU CH. DE Bordeaux supérieur 194
BRONDELLE CH. Graves 311
BROSSAY CH. DE Anjou-villages 982 • Coteaux-du-layon 995
BROSSE CLAUDE Saint-véran 594
BROSSES DOM. DES Sancerre 1088
BROSSETTE ET FILS PAUL-ANDRÉ Côte-de-brouilly 142
BROTTE Châteauneuf-du-pape 1160 • Côtes-du-rhône-villages 1119
BROUSSE DOM. DE Gaillac 896
BROWN CH. Pessac-léognan 321
BROYERS LES VINS DES Moulin-à-vent 156
BRU-BACHÉ DOM. Jurançon 943
BRUCHEZ VINS Canton du Valais 1268
BRUILLEAU CH. LE Pessac-léognan 321
BRUN ÉDOUARD Champagne 617
BRUN LABRIE CH. Bordeaux 172
BRUNEAU JÉRÔME Pouilly-fumé 1076
BRUNEAU-DUPUY CAVE Saint-nicolas-de-bourgueil 1032
BRUNEAU ET FILS DOM. YVAN Saint-nicolas-de-bourgueil 1032
BRUNEL DE LA GARDINE Côtes-du-rhône-villages 1120
BRUNET DOM. NICOLAS Vouvray 1050
BRUNET DOM. PASCAL Chinon 1038
BRUNETTE CH. DE LA Côtes-de-bourg 218
BRUNOT G. Champagne 617
BRUREAUX DOM. DES Chénas 144
BRUSSET DOM. Côtes-du-rhône 1105 • Côtes-du-rhône-villages 1120 • Gigondas 1150
BRUYÈRES DOM. DES Chénas 144
BRÛLESÉCAILLE CH. Côtes-de-bourg 217
BUDOS CH. DE Graves 312
BUECHER PAUL Alsace grand cru 103 • Alsace sylvaner 97
BUFFAVENT CH. DE Beaujolais 130
BUGADELLES DOM. Pays d'Oc 1227
BUISSE PAUL Touraine 1012
BUISSIÈRE DOM. DE LA Santenay 552
BUISSON CHRISTOPHE Auxey-duresses 527 • Bourgogne-hautes-côtes-de-beaune 482 • Puligny-montrachet 539 • Saint-romain 529
BUISSON DOM. HENRI ET GILLES Corton 495 • Saint-romain 530
BUISSON-BATTAULT DOM. Meursault 533
BUJARD Canton de Vaud 1262
BULABOIS PH. Arbois 691
BUNAN DOMAINES Côtes-de-provence 850
BURDELINES DOM. DES Moulin-à-vent 157
BURE DES MOINES CH. LA Bordeaux supérieur 194
BURGHART-SPETTEL Alsace grand cru 103
BURN DOM. ERNEST Alsace pinot gris 81 • Alsace sylvaner 97
BURNICHON DOM. Beaujolais-villages 135

BURRIER GEORGES Pouilly-vinzelles 593
BURSIN AGATHE Alsace grand cru 103
BUSSY LES CAVES DE Saumur 1003
BUSSY CH. DE Beaujolais 130
BUTIN PHILIPPE Château-chalon 694 • Côtes-du-jura 697 • Macvin-du-jura 705
BUTTERFIELD Beaune 509 • Meursault 533 • Monthélie 525
BUTTERLIN Alsace grand cru 103
BUXY CAVE DES VIGNERONS DE Bourgogne 395
BUXY VIGNERONS DE Bourgogne-côte-chalonnaise 559 • Givry 571 • Montagny 573
BYARDS CAVEAU DES Château-chalon 695 • Crémant-du-jura 701

C

CABANNE CH. LA Pomerol 241
CABANNES CH. LES Saint-émilion grand cru 256
CABELIER MARCEL Crémant-du-jura 701
CABERNELLE DOM. DE LA Bourgueil 1025
CABIDOS Comté tolosan 1202
CABLANC CH. Bordeaux 172
CABOTTE DOM. LA Châteauneuf-du-pape 1160
CABRIÈRES CH. Principauté d'Orange 1241
CABROL DOM. DE Cabardès 722
CACHAT-OCQUIDANT DOM. Aloxe-corton 489 • Corton 496 • Ladoix 487
CADENETTE CH. Costières-de-nîmes 1174
CADET-BON CH. Saint-émilion grand cru 256
CADIÉRENNE LA Mont-Caume 1241
CADOLE DE GRILLE-MIDI Chiroubles 145
CADY DOM. Anjou 977 • Cabernet-d'anjou 988 • Coteaux-du-layon 995
CAGI - CANTINA GIUBIASCO Canton du Tessin 1279
CAGUELOUP DOM. DU Bandol 829 • Côtes-de-provence 850
CAHUZAC CH. Fronton 906
CAILBOURDIN A. Pouilly-fumé 1077
CAILLAVEL CH. Bergerac 912
CAILLOTS DOM. DES Touraine 1012
CAILLOU CH. LE Pomerol 233
CALADROY CH. DE Côtes catalanes 1215 • Côtes-du-roussillon 781 • Côtes-du-roussillon-villages 791
CALCE CH. DE Muscat-de-rivesaltes 809
CALENDAL Côtes-du-rhône-villages 1120
CALISSANNE CH. Coteaux-d'aix-en-provence 837
CALISSE CH. LA Coteaux-varois-en-provence 840
CALLAC CH. DE Graves 312
CALLOT PIERRE Champagne 618
CALMEL + J JOSEPH Pays d'Oc 1228
CALMEYRAC CH. Médoc 334
CALON CH. Saint-georges-saint-émilion 287

CALVAIRE CH. LE Bordeaux supérieur 194

CAMARETTE DOM. LA Ventoux 1178

CAMBIE PHILIPPE Côtes-du-rhône 1105

CAMBON LA PELOUSE CH. Haut-médoc 341 • Margaux 353

CAMBUSE DOM. DE LA Coteaux-d'ancenis 975

CAMENSAC CH. DE Haut-médoc 341

CAMIN LARREDYA Jurançon 943

CAMINADE CH. LA Cahors 886

CAMP DEL SALTRE CH. Cahors 886

CAMPAUCELS Hérault 1223

CAMPET CH. Cadillac-côtes-de-bordeaux 304

CAMPILLOT CH. Médoc 332

CAMPLAT CH. LE Bordeaux sec 186

CAMU FRÈRES DOM. Bourgogne 395

CAMVAILLAN DOM. Côtes-du-rhône-villages 1121

CANARD-DUCHÊNE Champagne 618

CANDASTRE CH. Gaillac 896

CANESSE CH. DE Côtes-de-bourg 218

CANIMALS LE HAUT DOM. DE Saint-chinian 773

CANON CH. Saint-émilion grand cru 256

CANON CHAIGNEAU CH. Lalande-de-pomerol 244

CANON GUILHEM CH. Canon-fronsac 225

CANON LA VALADE CH. Canon-fronsac 225

CANON PÉCRESSE CH. Canon-fronsac 225

CANON SAINT-MICHEL L'ENCLOS DE Canon-fronsac 225

CANORGUE CH. LA Luberon 1181 • Méditerranée 1239

CANTAUSSELS DOM. DE Côtes de Thongue 1221

CANTEGRIL CH. Sauternes 382

CANTEGRIVE CH. Castillon-côtes-de-bordeaux 290

CANTELAUDETTE CH. Graves-de-vayres 301

CANTELOUP CH. Médoc 334

CANTELYS CH. Pessac-léognan 329, 330

CANTEMERLE CH. Haut-médoc 342

CANTENAC BROWN CH. Margaux 353

CANTIN BENOÎT Irancy 435

CANTIN CH. Saint-émilion grand cru 256

CANTO PERLIC DOM. DE Gaillac 896

CANTURY MAISON Cahors 886

CANTUS TERRA Bergerac 924

CAP DE FAUGÈRES CH. Castillon-côtes-de-bordeaux 290

CAP D'OR CH. Saint-georges-saint-émilion 287

CAP LÉON VEYRIN CH. Listrac-médoc 350

CAP LEUCATE LES VIGNERONS DU Fitou 738 • Muscat-de-rivesaltes 809

CAPDET CH. Listrac-médoc 350

CAPDEVIELLE DOM. Jurançon 943

CAPELANEL DOM. DE Cahors 886

CAPENDU DOM. Pays d'Oc 1228

CAPET BÉGAUD CH. Canon-fronsac 225

CAPET DUVERGER CH. Saint-émilion grand cru 265

CAPITAIN-GAGNEROT Échézeaux 467 • Ladoix 487

CAPITAINE DOM. LA Canton de Vaud 1263

CAPITAT DOM. DU Fitou 738

CAPITELLE DES SALLES CH. Languedoc 743

CAPMARTIN DOM. Pacherenc-du-vic-bilh 939

CAPPES CH. DE Côtes-de-bordeaux-saint-macaire 307

CAPRICES D'INÈS LES Rosé-d'anjou 986

CAPUANO-FERRERI DOM. Beaune 509 • Chassagne-montrachet 545 • Mercurey 565 • Pommard 515 • Santenay 552

CAPVILLE CH. Blaye-côtes-de-bordeaux 211

CARAGUILHES CH. DES Corbières-boutenac 733

CARAMANY LES VIGNERONS DE Côtes-du-roussillon-villages 791

CARBON D'ARTIGUES CH. Graves 312

CARBONNIÈRES LES Gigondas 1152

CARBONNIEUX CH. Pessac-léognan 321

CARCENAC DOM. Gaillac 896

CARDONNE CH. LA Médoc 332

CARÊME DOM. OLIVIER Vouvray 1050

CARIMON CH. DE Gaillac 896

CARLINI JEAN-YVES DE Champagne 618

CARLMAGNUS CH. DE Fronsac 228

CARMES HAUT-BRION CH. LES Pessac-léognan 321

CAROD Clairette-de-die 1145 • Crémant-de-die 1146

CAROLINE CH. Moulis-en-médoc 360

CAROLLE CH. DE Graves 312

CARONNE STE GEMME CH. Haut-médoc 342

CARPE DIEM CH. Côtes-de-provence 850

CARPENA CH. Côtes-de-bourg 218

CARRÉ BERNARD Chassagne-montrachet 545

CARRÉ DOM. DENIS Beaune 509 • Saint-romain 530

CARRÉ LE Saint-émilion grand cru 276

CARREL ET FILS EUGÈNE Roussette-de-savoie 713 • Vin-de-savoie 708

CARREL ET FILS FRANÇOIS Roussette-de-savoie 713 • Vin-de-savoie 708

CARRETTE DOM. Mâcon et mâcon-villages 576 • Pouilly-fuissé 587

CARROI DOM. DU Bourgueil 1025

CARROIR PERRIN DOM. DU Sancerre 1089

CARROL DE BELLEL CH. Fronton 904

CARROY ET FILS JACQUES Pouilly-fumé 1077

CARRUBIER CH. DU Côtes-de-provence 850

CARTEAU CH. Saint-émilion grand cru 258

CARTIER DOM. FRANÇOIS Touraine 1012

CARTILLON CH. DU Haut-médoc 342

CARTUJAC DOM. DE Haut-médoc 342

CASA BLANCA DOM. DE LA Banyuls 801

CASA DELYS DOM. Pays d'Oc 1228

CASABIANCA DOM. Corse ou vin-de-corse 872 • Île de Beauté 1238

CASANOVA DOM. Île de Beauté 1238

CASCASTEL LES MAÎTRES VIGNERONS DE Fitou 738

CASENOVE DOM. LA Côtes catalanes 1215 • Rivesaltes 804

CASENOVE VIGNOBLE Rivesaltes 804

CASLOT-BOURDIN Bourgueil 1025

CASSAGNOLES DOM. DES Côtes de Gascogne 1204 • Floc-de-gascogne 948

CASSAN CHÂTEAU-ABBAYE DE Languedoc 743

CASSIUS Bergerac 913

CASTAGNIER DOM. Chambolle-musigny 462 • Clos-de-la-roche 460 • Clos-de-vougeot 465 • Clos-saint-denis 461 • Morey-saint-denis 458

CASTAING CH. Côtes-de-bourg 220

CASTAN DOM. Languedoc 744

CASTELAS LES VIGNERONS DU Côtes-du-rhône 1105 • Côtes-du-rhône-villages 1120

CASTELL-REYNOARD DOM. Bandol 829

CASTELLANE DE Champagne 618

CASTELLOT CH. LE Bergerac 913

CASTELLU DI BARICCI Corse ou vin-de-corse 872

CASTELMAURE Corbières 725

CASTELNAU DE Champagne 618

CASTELNAU DOM. DE Pays d'Oc 1228

CASTELNEAU CH. DE Bordeaux clairet 179 • Entre-deux-mers 297

CASTENET CH. DU Côtes-de-bourg 218

CASTENET-GREFFIER CH. Entre-deux-mers 298

CASTERA CH. Médoc 332

CASTERA DOM. Jurançon 943

CASTRES CH. DE Graves 312

CATARELLI DOM. DE Patrimonio 879

CATHARES DOM. DES Cathare 1212

CATHELINEAU CAVES JEAN-CHARLES ET FRÉDÉRIC Vouvray 1050

CATHERINETTE DOM. DE LA Côtes-du-rhône 1105

CATTIER Champagne 618

CAUDE DOM. DE Côtes de Gascogne 1205

CAUHAPÉ DOM. Jurançon 943

CAUSE DOM. DE Côtes du Lot 1210

CAUSSADE CH. LA Sainte-croix-du-mont 379

CAUSSE D'ARBORAS DOM. DU Languedoc 744

CAUVARD DOM. Beaune 510

CAVALIER CH. Côtes-de-provence 850

CAVE LAMARTINE DOM. DE LA Saint-amour 161

CAVEAU BUGISTE LE Bugey 716

CAVES DU PRIEURÉ DOM. DES Sancerre 1089

VINS

DAUZAC CH. Margaux 354
DAVANTURE DOM. Givry 571 •
Mercurey 566
DAVENNE CLOTILDE
Bourgogne-aligoté 405 • Chablis
419 • Irancy 435 • Saint-bris 436
DAVIAUD BERNARD
Sainte-croix-du-mont 378
DAVID DOM.
Muscadet-sèvre-et-maine 964
DAVID VIGNOBLES Côtes-du-rhône
1108
DAVID-HEUCQ HENRI Champagne
624
DAYSSE DOM. DE LA Gigondas 1151
DE CHANCENY MADAME
Crémant-de-loire 956
DECELLE-VILLA
Côte-de-nuits-villages 479 •
Marsannay 443• Morey-saint-denis
458 • Nuits-saint-georges 475 •
Pommard 515 •
Savigny-lès-beaune 502
DECHANNES ÉLISE Champagne 624
DECHELLE PHILIPPE Champagne 624
DEFAIX BERNARD Chablis grand cru
432
DEFAIX BERNARD Chablis premier
cru 425
DEFFENDS CH. Côtes-de-provence
852
DEFFENDS DOM. DU
Coteaux-varois-en-provence 840
DEFRANCE JACQUES Champagne
624
DEFRANCE MICHEL Fixin 446
DEFRANCE PHILLIPPE Bourgogne
398 • Saint-bris 437
DEGAS CH. Bordeaux sec 187
DEHEURLES & FILS MARCEL
Champagne 625
DÉHU PÈRE ET FILS Champagne 625
DELAFONT S. Languedoc 747
DELAGARDE V. Champagne 625
DELAGRANGE DOM. BERNARD
Volnay 521
DELAHAIE Champagne 625
DELALEX DOM. Vin-de-savoie 709
DELANOUE JÉRÔME Bourgueil 1026
• Saint-nicolas-de-bourgueil 1033
DELAPORTE DOM. VINCENT Sancerre
1090
DELAS Hermitage 1141
DELAS FRÈRES Côte-rôtie 1129 •
Saint-joseph 1134
DELAUNAY DOM. Crémant-de-loire
956
DELAUNAY DOM. Val de Loire 1193
DELAUNAY DOM. JOËL Touraine
1020
DELAUNAY VIGNOBLE
Muscadet-sèvre-et-maine 964
DELAUNAY VIGNOBLE Touraine 1014
DELAVENNE PÈRE & FILS
Champagne 625
DELEA Canton du Tessin 1279
DELFOUR Champagne 625
DELHOMMEAU MICHEL
Muscadet-sèvre-et-maine 964
DELIANCE FRÈRES Givry 571
DELMAS DOM. Blanquette-de-limoux
761
DELMOND CH. Sauternes 382
DELOR MAISON Margaux 354 •
Sauternes 383

DELORME ANDRÉ Mercurey 566 •
Montagny 574
DELORME ET FILS DOM.
Pouilly-fuissé 589
DELOUVIN-BAGNOST Champagne
625
DELOZANNE YVES Champagne 625
DEMANGE FRANCIS Côtes-de-toul
122
DEMANGEOT DOM.
Bourgogne-hautes-côtes-de-beaune
484
DEMEURE-PINET DOM. Allobrogie
1245
DEMIANE DOM. Brouilly 140
DEMIÈRE SERGE Champagne 626
DEMIÈRE ET FILS M. Champagne
626
DEMILLY DE BAERE Champagne 626
DEMOIS Chinon 1039
DEMOISELLES CELLIER DES
Corbières-boutenac 733
DEMOISELLES CH. DES
Côtes-de-provence 853
DEMOISELLES DOM. DES
Côtes-du-roussillon 782 • Rancio
sec 1219
DEMOISELLES TATIN LES Reuilly
1084
DEMONPÈRE CH. Côtes-de-provence
853
DEMONT NICOLAS Chiroubles 146
DEMOUGEOT RODOLPHE Pommard
515 • Savigny-lès-beaune 503
DENANTE DOM. DE LA Mâcon et
mâcon-villages 577 • Saint-véran
595
DENEUFBOURG VALÉRIE Orléans
1061
DENIS PÈRE ET FILS DOM.
Pernand-vergelesses 493
DENOIS JEAN-LOUIS Limoux 764
DENUZILLER DOM. Mâcon et
mâcon-villages 577
DÉPAGNEUX JACQUES Brouilly 140
DEPARDON OLIVIER Beaujolais 132
DEPEYRE DOM.
Côtes-du-roussillon-villages 792
DEPRADE-JORDA DOM. Rivesaltes
805
DEREY FRÈRES Marsannay 444
DERICBOURG GASTON Champagne
626
DERNIER BASTION DOM. DU Maury
814 • Maury sec 816
DÉROUILLAT Champagne 626
DESAUTEZ ET FILS E. Champagne
626
DESBORDES-AMIAUD Champagne
626
DESCHAMPS DOM. SÉBASTIEN
Volnay 521
DESCHAMPS MARC Pouilly-fumé
1078
DESCHAMPS PHILIPPE
Beaujolais-villages 136
DESCOMBES MICHÈLE ET FRANÇOIS
Beaujolais-villages 136
DESCOTES DOM. RÉGIS
Coteaux-du-lyonnais 164
DÉSERTAUX-FERRAND DOM.
Côte-de-nuits-villages 479 • Ladoix
488
DESGRANGES FLORENCE ET PASCAL
Beaujolais 132
DESHAIRES JOSEPH Saint-véran 595

DESMIRAIL CH. Margaux 354
DESMOULINS ET CIE A. Champagne
627
DESOM Moselle luxembourgeoise
1253
DESON CH. Bordeaux sec 189
DÉSORMIÈRE ET FILS MICHEL
Côte-roannaise 1071
DÉSOUCHERIE DOM. DE LA
Cour-cheverny 1060
DESPRAT Côtes-d'auvergne 1069
DESPRÉS ET FILS GEORGES
Beaujolais-villages 136
DESROCHES DOM.
Touraine-chenonceaux 1022
DESROCHES DOM. PIERRE Mâcon et
mâcon-villages 578 • Pouilly-fuissé
589 • Saint-véran 596
DESROCHES PASCAL Reuilly 1084
DESTIEUX CH. Saint-émilion grand
cru 261
DESTRIER CH. LE Saint-émilion 250
DÉTHUNE PAUL Champagne 627
DEUTZ Champagne 627
DEUX ARCS DOM. DES Anjou 977
DEUX CÈDRES DOM. DES
Cabernet-d'anjou 988
DEUX LUNES VIGNOBLE DES Alsace
pinot noir 85
DEUX ROCHES DOM. DES
Saint-véran 596
DEUX ROCHES DOM. DES Mâcon et
mâcon-villages 577
DEUX RUISSEAUX DOM. DES Pays
d'Oc 1228
DEUX VALLÉES DOM. DES
Coteaux-du-layon 995
DEVÈS CH. Fronton 905
DEVEVEY
Bourgogne-hautes-côtes-de-beaune
484 • Rully 562
DEVEZA DOM.
Côtes-du-roussillon-villages 792
DEVICHI JACQUES FRANÇOIS
Patrimonio 879
DEVILLIERS PASCAL Champagne 627
DEVISE D'ARDILLEY CH.
Haut-médoc 344
DEYRÈM VALENTIN CH. Margaux
354
DEZAT ET FILS ANDRÉ Sancerre
1090
DHOMMÉ DOM. Cabernet-d'anjou
988 • Coteaux-du-layon 995
DIABLES DOM. DES
Côtes-de-provence 853
DICONNE DOM. Auxey-duresses 528
DIDIER-DUCOS Champagne 627
DIE JAILLANCE Clairette-de-die 1145
DIEUMERCY DOM. DE
Côtes-du-rhône-villages 1121
DIGIOIA-ROYER DOM.
Bourgogne-hautes-côtes-de-nuits
439 • Chambolle-musigny 462
DILIGENT FRANÇOIS Champagne
627
DILLON CH. Haut-médoc 344
DIONYSOS DOM. DE Côtes-du-rhône
1108 • Côtes-du-rhône-villages
1121 • Principauté d'Orange 1241
DIT BARRON DOM. Brouilly 140
DITTIÈRE DOM.
Coteaux-de-l'aubance 991
DOCK DOM. Alsace
klevener-de-heiligenstein 77

VINS

DOISY DAËNE CH. Barsac 380 •
Bordeaux sec 187
DOISY-VÉDRINES CH. Sauternes 383
DOLTIÈRE DOM. DE LA Touraine
1014
DOM BRIAL Côtes-du-roussillon 782
DOM CAUDRON Champagne 627
DOM GEMME Champagne 628
DOM PÉRIGNON Champagne 628
DOM RUINART Champagne 628
DOMÉA Bergerac 915
DOMI PIERRE Champagne 628
DOMINICAIN LE Banyuls 801 •
Collioure 797
DOMINIQUE CH. LA Saint-émilion
grand cru 262
DOMS CH. Bordeaux supérieur 196 •
Graves 314
DONA BAISSAS CH.
Muscat-de-rivesaltes 810 •
Rivesaltes 805
DONATS CH. DES Bergerac 916
DONJON CH. DU Minervois 768
DONZEL DOM. Morgon 153
DOPFF AU MOULIN Alsace grand
cru 103
DORLÉAC CH. Graves 314
DORSAZ GÉRARD Canton du Valais
1269
DOU BERNÈS DOM. Madiran 936
DOUAIX DOM. DE LA Bourgogne 398
• Bourgogne-hautes-côtes-de-nuits
439 • Côte-de-nuits-villages 479 •
Savigny-lès-beaune 503
DOUCET ET FILS PAUL Sancerre
1090
DOUDEAU-LÉGER DOM. Sancerre
1090
DOUDET DOM. Aloxe-corton 490
DOUDET-NAUDIN
Gevrey-chambertin 449 •
Maranges 557 •
Pernand-vergelesses 493
DOUÉ DIDIER Champagne 628
DOUÉ ÉTIENNE Champagne 629
DOURDON-VIEILLARD Champagne
629
DOURNIE CH. LA Pays d'Oc 1229 •
Saint-chinian 774
DOURTHE Bordeaux 173 • Bordeaux
sec 187 • Saint-émilion 251
DOYARD-MAHÉ Champagne 629
DOZONNERIE DOM. DE LA Chinon
1039
DRAPPIER Champagne 629
DREYER DOM. Alsace
gewurztraminer 72
DRIANT-VALENTIN Champagne 629
DROIN JEAN-PAUL ET BENOÎT
Chablis grand cru 432 • Chablis
premier cru 426
DROUET ET FILS DOM.
Pineau-des-charentes 822
DROUET FRÈRES
Muscadet-sèvre-et-maine 964
DROUHIN JOSEPH
Chambolle-musigny 462 •
Gevrey-chambertin 449
DROUHIN-LAROZE DOM.
Chapelle-chambertin 455 •
Clos-de-vougeot 466
DROUHIN-VAUDON Chablis grand
cru 432
DROUIN DOM. THIERRY Mâcon et
mâcon-villages 578 • Pouilly-fuissé
589

DRUSSÉ NATHALIE ET DAVID
Bourgueil 1026 •
Saint-nicolas-de-bourgueil 1033
DUBŒUF GEORGES Mâcon et
mâcon-villages 578 •
Moulin-à-vent 157
DUBOIS DOM. Bourgueil 1026
DUBOIS DOM. Saumur-champigny
1007
DUBOIS DOM. DES FRÈRES Canton
de Vaud 1265
DUBOIS GÉRARD Champagne 629
DUBOIS HERVÉ Champagne 630
DUBOIS RAPHAËL Vosne-romanée
469
DUBOIS ET FILS BERNARD
Aloxe-corton 490 •
Savigny-lès-beaune 503
DUBOIS ET FILS R.
Nuits-saint-georges 475
DUBREUIL VIGNOBLE Touraine 1014
DUBREUIL-FONTAINE PÈRE ET FILS
P. Pernand-vergelesses 493
DUBUET-MONTHELIE DOM.
Monthélie 525
DUC DOM. DES Pouilly-loché 593
DUC DE SEIGNADE Bordeaux 173
DUCHÉ LE Duché d'Uzès 1222
DUCLOS CH. Côtes-de-duras 933
DUCOLOMB PIERRE Bugey 717
DUCROUX GÉRARD
Beaujolais-villages 136
DUDON CH. Bordeaux rosé 181
DUFEU DOM. BRUNO Bourgueil 1026
DUFFAU DOM. Gaillac 897
DUFILHOT CH. Bordeaux clairet 180
DUFOULEUR DOM. GUY ET YVAN
Fixin 446 • Nuits-saint-georges 475
DUFOULEUR DOM. LOÏS Beaune 510
DUFOULEUR FRÈRES
Nuits-saint-georges 475
DUFOUR DOM. LIONEL Fleurie 147
DUGAY CH. JEAN Graves-de-vayres
301
DUGOIS DOM. DANIEL Arbois 691
DUHART-MILON CH. Pauillac 362
DUHR ET FILS MME ALY
Crémant-de-luxembourg 1256 •
Moselle luxembourgeoise 1253
DUJARDIN DOM. Monthélie 525
DUMANGIN-RAFFLIN Champagne
630
DUMÉNIL Champagne 630
DUMIEN-SERRETTE Cornas 1143
DUMONT ARNAUD Champagne 630
DUMONT JEAN Pouilly-fumé 1078
DUMONT LOU Corton 496
DUMONT ET FILS R. Champagne 630
DUNE Sable de Camargue 1225
DUPASQUIER ET FILS
Côte-de-nuits-villages 479 •
Nuits-saint-georges 475 •
Pernand-vergelesses 493
DUPÉRÉ BARRERA Bandol 829
DUPLESSIS DOM. Côtes-du-rhône
1108 • Côtes-du-rhône-villages
1121
DUPLESSY CH. Côtes-de-Bordeaux
308
DUPONT-FAHN RAYMOND
Auxey-duresses 528 • Bourgogne
398 • Meursault 534 •
Puligny-montrachet 540
DUPORT JULIEN Côte-de-brouilly 142
DUPORT ET DUMAS Bugey 717

DUPUY ANTOINE ET VINCENT
Touraine-noble-joué 1023
DUPUY DE LÔME DOM. Bandol 829
DURAND DOM. ÉRIC ET JOËL Cornas
1143 • Saint-joseph 1134
DURANDIÈRE CH. DE LA Saumur
1003
DURBAN DOM. DE
Beaumes-de-venise 1158
DURET DOM. PIERRE Quincy 1082
DURETTE CH. DE Morgon 153
DURRMANN ANNA ET ANDRÉ Alsace
grand cru 104
DURUP Chablis premier cru 426
DUSSOURT DOM. Alsace pinot gris
81
DUTRUCH GRAND POUJEAUX CH.
Moulis-en-médoc 360
DUVAL ET BLANCHET Saint-émilion
251
DUVAL-LEROY Champagne 630
DUVAL VOISIN Bourgueil 1026
DUVAT & FILS XAVIER Champagne
631
DUVERNAY ROMAIN
Costières-de-nîmes 1171 •
Côtes-du-rhône 1108 •
Côtes-du-rhône-villages 1122 •
Rasteau sec 1148
DUVIVIER CH.
Coteaux-varois-en-provence 840
DYCKERHOFF Reuilly 1084

E

E CROCE DOM. D' Patrimonio 879
EBLIN CHRISTIAN ET JOSEPH Alsace
pinot noir 85
EBLIN-FUCHS Alsace pinot gris 82
ÉCARD DOM. MICHEL ET JOANNA
Savigny-lès-beaune 503
ÉCASSERIE VIGNOBLE DE L'
Coteaux-du-layon 996
ÉCHARDERIE CH. DE L'
Quarts-de-chaume 1000
ÉCHARDIÈRES DOM. DES Touraine
1014 • Touraine-chenonceaux
1022
ÉCHEVIN DOM. DE L'
Côtes-du-rhône-villages 1122
ECK CH. D' Pessac-léognan 323
ECKLÉ JEAN-PAUL Alsace riesling 90
• Crémant-d'alsace 119
ÉCLAIR CH. DE L' Beaujolais 132
ÉCLAT Maury 814
ÉCLAT DE VALENTIN L' Saint-émilion
grand cru 268
ÉCLAT DU RHÔNE Côtes-du-rhône
1108
ÉCLATS BLANCS
Muscat-de-saint-jean-de-minervois
779
EDMUS CH. Saint-émilion grand cru
262
EDRE DOM. DE L'
Côtes-du-roussillon-villages 793
EDWIGE-FRANÇOIS Champagne 631
EGRETEAU Pineau-des-charentes 822
EHRHARD DOM. ANDRÉ Alsace
gewurztraminer 72
EHRHART HENRI Alsace pinot gris 82
• Alsace pinot noir 85
ÉLÉPHANT DOM. DE L' Côtes
catalanes 1216
ÉLÉPHANTS DOM. DES Touraine
1014

FERREAU BELAIR CH. LE
Côtes-de-bourg 218
FERRER RIBIÈRE DOM. Côtes
catalanes 1216
FERRET DOM. J.-A. Pouilly-fuissé 589
FERRIÈRE CH. Margaux 354
FERRIÈRE CH. LA Bergerac 916
FERRY LACOMBE CH.
Côtes-de-provence 854
FERTÉ CH. DE LA
Muscadet-sèvre-et-maine 965
FÉRY ET FILS JEAN
Chassagne-montrachet 546 •
Côte-de-nuits-villages 480 •
Puligny-montrachet 540
FESLES CH. DE Anjou 978 •
Cabernet-d'anjou 988
FESTIANO CH. Minervois 768
FEUILLAT-JUILLOT DOM. Montagny
574
FEUILLATTE NICOLAS Champagne
632
FÈVRE DANY Champagne 633
FÈVRE DOM. NATHALIE ET GILLES
Chablis grand cru 432 • Chablis
premier cru 426
FÈVRE WILLIAM Chablis 419 •
Chablis premier cru 426 •
Saint-bris 437
FÉVRIER JEAN-MARIE Champagne
633
FÉVRIER VIGNOBLE
Pineau-des-charentes 822
FEYTIT-CLINET CH. Pomerol 237
FICHET DOM. Bourgogne 399 •
Crémant-de-bourgogne 408 •
Mâcon et mâcon-villages 578
FICHET DOM. OLIVIER Mâcon et
mâcon-villages 579
FIEF DE LA BRIE DOM. LE
Muscadet-sèvre-et-maine 965
FIEF-SEIGNEUR DOM. DU
Muscadet-sèvre-et-maine 965
FIEFS D'AUPENAC LES Saint-chinian
774
FIERVAUX DOM. DE
Cabernet-d'anjou 988 •
Coteaux-du-layon 996 • Saumur
1003
FIESTA Pays d'Oc 1229
FIEUZAL CH. DE Pessac-léognan 324
FIGARELLA DOM. DE LA Corse ou
vin-de-corse 874
FIGEAC CH. Saint-émilion grand cru
262
FIGUET BERNARD Champagne 633
FILHOT CH. Sauternes 383
FILLES DE SEPTEMBRE DOM. LES
Côtes de Thongue 1221
FILLON CH. Bordeaux supérieur 196
FILLON ET FILS DOM. Chablis 419 •
Saint-bris 437
FIN BEC Canton du Valais 1269
FINES CAILLOTTES DOM. DES
Pouilly-fumé 1078
FINES ROCHES CH. DES
Châteauneuf-du-pape 1161
FINON PIERRE Saint-joseph 1134
FINOT DOM. Isère 1248
FIOU DOM. GÉRARD Sancerre 1090
FISCHBACH Alsace pinot ou klevner
79
FITA DOM. MARIA Fitou 739
FITÈRE CH. DE Pacherenc-du-vic-bilh
939
FIUMICICOLI DOM. Corse ou
vin-de-corse 874

FL LE TOUR D' Savennières 993
FLACHER GILLES Collines
rhodaniennes 1247 • Condrieu
1131 • Saint-joseph 1134
FLAMAND-DELÉTANG DOM.
Montlouis-sur-loire 1047
FLAUNYS CH.
Montagne-saint-émilion 282
FLAVIGNY-ALÉSIA VIGNOBLE DE
Coteaux de l'Auxois 1249
FLECK RENÉ Alsace pinot gris 82
FLEUR CH. LA Saint-émilion grand
cru 263
FLEUR CARDINALE CH. Saint-émilion
grand cru 263
FLEUR CHAMBEAU CH. LA
Lussac-saint-émilion 278
FLEUR DE BOÜARD CH. LA
Lalande-de-pomerol 245
FLEUR DE FONPLÉGADE LA
Saint-émilion grand cru 264
FLEUR DE LISSE CH. Saint-émilion
251
FLEUR D'HORUS CH. LA
Saint-émilion grand cru 263
FLEUR-GAZIN CH. LA Pomerol 237
FLEUR GRAND CHAMPS CH.
Bordeaux 173
FLEUR GRANDS-LANDES CH. LA
Montagne-saint-émilion 282
FLEUR HAUT CARRAS CH. LA
Pauillac 363
FLEUR HAUT GAUSSENS CH.
Bordeaux supérieur 196
FLEUR JONQUET CH. LA Graves 314
FLEUR LA MOTHE CH. Médoc 334
FLEUR LAROZE LA Saint-émilion
grand cru 268
FLEUR MORANGE CH. LA
Saint-émilion grand cru 263
FLEUR PEREY CH. LA Saint-émilion
grand cru 263
FLEUR PETRUS CH. LA Pomerol 237
FLEUR PEYRABON CH. LA Pauillac
363
FLEURIE CAVE DES GRANDS VINS DE
Fleurie 147
FLEURIE CH. DE Fleurie 147
FLEURIET ET FILS DOM. BERNARD
Sancerre 1091
FLEURON DES POUINIÈRES
Muscadet-sèvre-et-maine 965
FLEURY Champagne 633
FLEURY-GILLE Champagne 633
FLEYS CH. DE Chablis 419
FLORANE CH. LA
Côtes-du-rhône-villages 1122
FLORENSAC LES VIGNERONS DE
Languedoc 748
FLORETS DOM. DES Gigondas 1151
FLUTEAU Champagne 633
FOISSY-JOLY Champagne 634
FOLLET-RAMILLON Champagne 634
FOLLIN-ARBELET DOM. Corton 497
• Romanée-saint-vivant 472
FOMBRAUGE CH. Saint-émilion
grand cru 263
FOMBRION CH.
Blaye-côtes-de-bordeaux 212
FONBEL CH. DE Saint-émilion grand
cru 263
FONCALIEU LE VIGNOBLES Corbières
728
FONCHEREAU CH. Bordeaux
supérieur 197

FOND-VIEILLE DOM. DE Beaujolais
132
FONDRÈCHE DOM. DE Ventoux 1178
FONGABAN CH.
Puisseguin-saint-émilion 287
FONGABAN CH.
Castillon-côtes-de-bordeaux 291
FONGRAVE CH. Bordeaux sec 187
FONGRENIER-STUART CH. Bergerac
916
FONNÉ ANTOINE Alsace riesling 91
FONPLÉGADE CH. Saint-émilion
grand cru 264
FONRÉAUD CH. Listrac-médoc 350
FONROQUE CH. Saint-émilion grand
cru 264
FONSALADE CH. Saint-chinian 774
FONT DE BRÈME LA
Beaumes-de-venise 1158
FONT DESTIAC Bordeaux sec 187
FONT DU BROC CH. LA
Côtes-de-provence 855
FONT-GUILHEM CH. Côtes-de-bourg
219
FONT-SANE DOM. DE Gigondas 1151
FONT SANTE DOM.
Muscat-de-beaumes-de-venise
1186
FONT SARADE DOM. Vacqueyras
1155
FONT VIVE CH. DE Bandol 829
FONTAGNEUX DOM. DES
Moulin-à-vent 157
FONTAINE DE GENIN CH. LA
Bordeaux 173
FONTAINE DE LA VIERGE DOM.
Bourgogne 399 •
Bourgogne-aligoté 406
FONTAINE DE L'AUBIER CH. Médoc
335
FONTAINE DU CLOS DOM.
Vacqueyras 1155 • Vaucluse 1244
FONTAINEBLEAU CH.
Coteaux-varois-en-provence 841
FONTAINES DE JOUVENCE LES
Chinon 1039
FONTANEL DOM.
Côtes-du-roussillon-villages 793 •
Maury 814 • Rivesaltes 805
FONTAVIN DOM. DE
Châteauneuf-du-pape 1161 •
Gigondas 1151 •
Muscat-de-beaumes-de-venise
1185
FONTBAUDE L'ÂME DE
Castillon-côtes-de-bordeaux 291
FONTCREUSE CH. DE Cassis 836
FONTEBRIDE CH. Sauternes 384
FONTENAY LE CH. DE Touraine 1015
FONTENELLES CH. Corbières 728
FONTENELLES CH. LES Bergerac 916
FONTENIL CH. Fronsac 229
FONTENILLE CH. DE Cadillac 376 •
Entre-deux-mers 298
FONTENY DOM. DE
Coteaux-du-layon 996
FONTÈS LES VIGNERONS DE
Languedoc 748
FONTLADE CH. DE
Coteaux-varois-en-provence 841
FONTRIANTE DOM. DE Morgon 153
FONTSAINTE DOM. DE Corbières 728
FONTVERT CH. Luberon 1182
FONVIEILLE CH. Fronton 906
FOREST ÉRIC Pouilly-fuissé 589
FOREST-MARIÉ Champagne 634

INDEX DES VINS

VINS

1372

INDEX DES VINS

VINS

GRAND-PONTET CH. Saint-émilion grand cru 266
GRAND-PUY DUCASSE CH. Pauillac 363
GRAND RENOM CH. Bordeaux 174
GRAND RENOUIL CH. Canon-fronsac 226
GRAND RETOUR DOM. LE Côtes-du-rhône-villages 1123
GRAND ROCHE DOM. DE Bourgogne 399 • Chablis 420
GRAND ROLLAND CH. Bordeaux 177
GRAND ROMANE DOM. Gigondas 1152
GRAND TAILLE LA Vouvray 1053
GRAND TERTRE CH. Castillon-côtes-de-bordeaux 291
GRAND TINEL DOM. DU Châteauneuf-du-pape 1162
GRAND-TRIÉ CH. LE Blaye-côtes-de-bordeaux 213
GRAND VAUDASNIÈRE CHAI DU Vouvray 1053
GRAND VENEUR DOM. Châteauneuf-du-pape 1162 • Côtes-du-rhône 1110
GRAND' VIGNE LA Coteaux-varois-en-provence 841
GRANDE BELLANE DOM. Côtes-du-rhône-villages 1123
GRANDE BROSSE CAVE DE LA Touraine 1015
GRANDE CHAUME DOM. DE LA Chablis 420
GRANDE FOUCAUDIÈRE DOM. DE LA Touraine 1015 • Touraine-amboise 1020
GRANDE MAISON Côtes-de-bergerac 923
GRANDES COSTES DOM. LES Languedoc 749
GRANDES PERRIÈRES DOM. DES Sancerre 1092
GRANDES PLANTES LES Beaujolais-villages 137
GRANDES SERRES Beaumes-de-venise 1159
GRANDES VERSANNES Bordeaux rosé 182
GRANDES VIGNES DOM. LES Anjou 978
GRAND'GRANGE CH. Beaujolais-villages 137
GRANDIN THIERRY Champagne 639
GRANDMAISON DOM. DE Pessac-léognan 324
GRAND'MAISON LES VIGNERONS DE LA Orléans-cléry 1061
GRANDS BOIS LES Côtes-du-rhône 1110 • Côtes-du-rhône-villages 1123 • Rasteau sec 1148
GRANDS CHAMPS LES Lussac-saint-émilion 280
GRANDS CHEMINS DOM. DES Crozes-hermitage 1138
GRANDS CHÊNES CH. LES Médoc 334
GRANDS CRUS BLANCS CAVE DES Pouilly-loché 593 • Pouilly-vinzelles 593
GRANDS ESCLANS DOM. DES Côtes-de-provence 856
GRANDS MARÉCHAUX CH. LES Blaye-côtes-de-bordeaux 213
GRANDS ORMES DOM. DES Bordeaux 179

GRANDS QUINTINS CH. Bergerac 917
GRANDS SILLONS CH. LES Pomerol 239
GRANGE CH. DE LA Fitou 739
GRANGE CH. DE LA Muscadet-côtes-de-grand-lieu 971
GRANGE DOM. DE LA Cheverny 1058
GRANGE DOM. DE LA Touraine 1016
GRANGE DOM. R DE LA Muscadet-sèvre-et-maine 966
GRANGE LA Languedoc 749
GRANGE AUX GARÇONS LA Côtes-de-duras 934
GRANGE BOURBON Beaujolais 133
GRANGE COCHARD CH. Morgon 154
GRANGE DU BOIS LA Pineau-des-charentes 823
GRANGE LÉON DOM. LA Saint-chinian 774
GRANGE MÉNARD DOM. DE LA Beaujolais-villages 137
GRANGE-NEUVE CH. Pomerol 239
GRANGE NEUVE DOM. DE Bergerac 917
GRANGE TIPHAINE LA Montlouis-sur-loire 1047
GRANGENEUVE DOM. DE Côtes-du-rhône-villages 1123 • Grignan-les-adhémar 1175
GRANGEOTTE CH. LA Bordeaux 175
GRANGÈRE CH. LA Saint-émilion grand cru 266
GRANGES PAQUENESSES LES Côtes-du-jura 698
GRANINS GRAND POUJEAUX CH. Moulis-en-médoc 360
GRANIT BLEU DOM. DU Beaujolais-villages 137
GRANITIQUES LES Costières-de-nîmes 1172
GRANZAMY PÈRE ET FILS Champagne 640
GRAPPE DIDIER Côtes-du-jura 698 • Macvin-du-jura 705
GRAS ALAIN Saint-romain 530
GRATIEN ALFRED Champagne 640
GRATIOT GÉRARD Champagne 640
GRATIOT-PILLIÈRE Champagne 640
GRAUZLIS CH. LES Cahors 889
GRAVE CH. DE LA Côtes-de-bourg 219
GRAVE CH. LA Minervois 768
GRAVE CH. LA Pomerol 239
GRAVE CH. LA Sainte-croix-du-mont 378
GRAVEIRETTE DOM. DE LA Côtes-du-rhône 1110
GRAVELIÈRE CH. DE LA Graves 315
GRAVENNES DOM. DES Côtes-du-rhône 1111
GRAVES CH. LES Blaye-côtes-de-bordeaux 213
GRAVES DOM. LES Moulin-à-vent 158
GRAVES D'ARDONNEAU DOM. DES Blaye-côtes-de-bordeaux 213 • Bordeaux sec 188
GRAVES DE LA LAURENCE CH. AUX Bordeaux 174 • Bordeaux supérieur 197
GRAVES DE PEZ CH. Saint-estèphe 368
GRAVES DE VIAUD CH. LES Côtes-de-bourg 219

GRAVET CH. Saint-émilion grand cru 266
GRAVETTE DES LUCQUES CH. LA Bordeaux supérieur 197
GRAVETTES-SAMONAC CH. Côtes-de-bourg 220
GRAVIÈRE CH. LA Lalande-de-pomerol 246
GRAVIÈRES CH. DES Graves 315
GRAVIERS CH. DES Margaux 354
GRAVILLAS CAVE LE Côtes-du-rhône-villages 1123
GRAVILLOT CH. LE Lalande-de-pomerol 246
GRECAUX DOM. DES Languedoc 749
GREFFET DOM. MARC Mâcon et mâcon-villages 579
GREFFET LUDOVIC Mâcon et mâcon-villages 579 • Saint-véran 596
GREFFIÈRE CH. DE LA Mâcon et mâcon-villages 579
GREINER DOM. LAURENCE ET PHILIPPE Alsace grand cru 106
GRENELLE LOUIS DE Crémant-de-loire 957 • Saumur 1003
GRENIÈRE CH. DE LA Lussac-saint-émilion 278
GRENOUILLES CH. Chablis grand cru 433
GRÈS DOM. DES Coteaux-du-lyonnais 164
GRÈS SAINT-PAUL Languedoc 749
GRILLON CH. Sauternes 384
GRILLON CH. AU Bordeaux supérieur 197
GRILLON LE Canton du Valais 1270
GRIMARD CH. LES Côtes-de-montravel 929 • Montravel 928
GRIMAUD LES VIGNERONS DE Côtes-de-provence 857
GRIMON CH. Castillon-côtes-de-bordeaux 291
GRIMONT CH. Bordeaux clairet 180
GRINOU CH. Bergerac 917
GRIOCHE VIGNOBLE DE LA Bourgueil 1027
GRIPA DOM. BERNARD Saint-joseph 1135 • Saint-péray 1144
GRISARD DOM. Vin-de-savoie 710
GRISARD PHILIPPE Vin-de-savoie 710
GRISS DOM. MAURICE Alsace grand cru 106
GRIVIÈRE CH. Médoc 332
GROLLAY DOM. DE Saint-nicolas-de-bourgueil 1034
GROLLET DOM. DU Charentais 1199
GROS CHRISTIAN Nuits-saint-georges 476
GROS DOM. A.-F. Beaune 511 • Pommard 516 • Richebourg 471 • Savigny-lès-beaune 504 • Vosne-romanée 469
GROS DOM. MICHEL Bourgogne-hautes-côtes-de-nuits 439 • Nuits-saint-georges 476
GROS CHÊNE CH. Bordeaux 177
GROS FRÈRE ET SŒUR DOM. Bourgogne-hautes-côtes-de-nuits 439 • Vosne-romanée 469
GROS MOULIN CH. Côtes-de-bourg 220
GROS PATA DOM. DU Côtes-du-rhône 1111

VINS

HUGG MARCEL Alsace riesling 92
HUGHES-BÉGUET Arbois 692
HUGON CH. Pécharmant 931
HUGUENOT Fixin 447 ● Gevrey-chambertin 450 ● Marsannay 445
HUGUET DOM. Cheverny 1058
HUMBRECHT Alsace pinot noir 86 ● Alsace riesling 92
HUMBRECHT BERNARD Alsace grand cru 107 ● Alsace pinot noir 86
HUMBRECHT P. Alsace gewurztraminer 74 ● Alsace riesling 92
HUNAWIHR CAVE VINICOLE DE Crémant-d'alsace 119
HUNOLD Alsace pinot gris 82 ● Alsace riesling 92
HUOT FILS L. Champagne 644
HURÉ FRÈRES Champagne 644
HUREAU CH. DU Saumur-champigny 1008
HUTASSE ET FILS FERNAND Champagne 644
HUTINS LES Canton de Genève 1275
HYOT CH. Castillon-côtes-de-bordeaux 291
HÄREMILLEN Crémant-de-luxembourg 1256

I

IDYLLE DOM. DE L' Allobrogie 1245 ● Roussette-de-savoie 714 ● Vin-de-savoie 710
IGNACE VIGNOBLE ALAIN Vacqueyras 1155
ILARRIA DOM. Irouléguy 947
ILTIS JACQUES Alsace pinot noir 87
INCLASSABLE CH. L' Médoc 335
INITIALES DE DIVEM LES Languedoc 750
INSOUCIANCE CH. L' Saint-estèphe 369
INSOUMISE CH. L' Bordeaux 174 ● Bordeaux supérieur 199
INSTANT PAPILLON L' Comté tolosan 1203
IRIS DOM. DES Anjou 979
ISENBOURG CH. Alsace gewurztraminer 74 ● Alsace pinot ou klevner 80
ISSAN CH. D' Margaux 355
ISSELÉE ÉRIC Champagne 644
IZARD DOM. Fitou 739

J

J & D DOM. Ventoux 1179
JABOULET DOM. PHILIPPE ET VINCENT Hermitage 1142
JABOULET ULYSSE Rully 562
JABOULET AÎNÉ PAUL Hermitage 1142
JACOB DOM. Corton-charlemagne 501
JACOB DOM. LUCIEN Bourgogne-hautes-côtes-de-beaune 485 ● Savigny-lès-beaune 504
JACOURETTE DOM. Côtes-de-provence 857 ● Var 1242
JACQUART Champagne 644
JACQUART ANDRÉ Champagne 645
JACQUET CAMILLE Champagne 645
JACQUET CH. Bordeaux 175

JACQUET SÉVERINE ET LIONEL Bourgogne 400 ● Bourgogne-aligoté 406
JACQUIN ET FILS DOM. EDMOND Vin-de-savoie 710
JACQUIN ET FILS DOM. JEAN Chablis 420
JACUMIN DOM. ALBIN Châteauneuf-du-pape 1162
JADOT LOUIS Nuits-saint-georges 476 ● Pernand-vergelesses 494 ● Puligny-montrachet 541
JAEGER-DEFAIX DOM. Rully 563
JAFFELIN Beaune 511 ● Puligny-montrachet 541 ● Rully 563 ● Santenay 554
JAILLANCE Crémant-de-bordeaux 208
JAJAVANAISE Touraine 1016
JALE DOM. DE Côtes-de-provence 857
JALLET DOM. Saint-pourçain 1086
JALOUSIE DOM. LA Chinon 1040
JAMAIN DENIS Reuilly 1084
JAMARD BELCOUR CH. Lussac-saint-émilion 278
JAMBON DOM. DOMINIQUE Régnié 160
JAMBON ET FILS DOM. MARC Mâcon et mâcon-villages 579
JANASSE DOM. DE LA Côtes-du-rhône-villages 1123 ● Principauté d'Orange 1241
JANISSON CHRISTOPHE Champagne 645
JANISSON-BARADON ET FILS Champagne 645
JANISSON ET FILS Champagne 645
JANOTSBOS Saint-aubin 548
JANSENANT CH. Côtes-de-bourg 221
JANY CH. Barsac 380
JARDIN DES IRIS DOM. Cévennes 1212
JARDINS DE CYRANO Bergerac 917
JARNOTERIE VIGNOBLE DE LA Saint-nicolas-de-bourgueil 1034
JAS DOM. DU Côtes-du-rhône-villages 1123
JAS D'ESCLANS Côtes-de-provence 857
JASOUN Côtes-du-rhône-villages 1124
JASSE TÊTE DE CUVÉE DE LA Pays d'Oc 1230
JASSE CASTEL LA Languedoc 750
JASSON CH. DE Côtes-de-provence 858
JAU CH. DE Côtes-du-roussillon 783
JAUBERTIE CH. DE LA Bergerac 917
JAULIN CHRISTIAN Muscadet-côtes-de-grand-lieu 971
JAUME DOM. Vinsobres 1146
JAUMOUILLÉ VIGNOBLE Val de Loire 1194
JAUNE CH. Côtes-de-provence 858
JAUTROU PIERRE Chinon 1040
JAVERNIÈRE DOM. DE Morgon 154
JAVILLIER PATRICK Savigny-lès-beaune 504
JAYLE Côtes-de-bordeaux-saint-macaire 307
JEAN-LORON CH. DES Chénas 145
JEANDEAU DENIS Pouilly-fuissé 590
JEANDEMAN CH. Fronsac 230

JEANNETTE CH. LA Côtes-de-provence 858
JEANNIARD ALAIN Bourgogne-hautes-côtes-de-nuits 440 ● Côte-de-nuits-villages 480
JEANNIARD DOM. FRANÇOISE Pernand-vergelesses 494
JEANNIARD RÉMI Gevrey-chambertin 451 ● Morey-saint-denis 458
JESSIAUME DOM. Auxey-duresses 528 ● Santenay 554
JESSIAUME MAISON Corton 497 ● Échézeaux 468 ● Meursault 535 ● Morey-saint-denis 458
JOANNET DOM. Bourgogne-hautes-côtes-de-nuits 440 ● Vosne-romanée 470
JOBARD CLAUDIE Beaune 511 ● Pommard 516 ● Rully 563
JOBART ABEL Champagne 645
JOCONDE DOM. DE LA Muscadet-sèvre-et-maine 967
JOGGERST Alsace gewurztraminer 74
JOGUET CHARLES Chinon 1040
JOILLOT JEAN-LUC Pommard 516
JOLIET CH. Fronton 905
JOLLY RENÉ Champagne 645
JOLLY ET FILS DOM. Petit-chablis 414
JOLLY FERRIOL DOM. Rancio sec 1219
JOLY CLAUDE ET CÉDRIC Côtes-du-jura 698
JOLY VIRGILE Languedoc 750
JOLYS CH. Jurançon 945
JOMAIN PATRICIA ET BERNARD Beaujolais-villages 137
JONCIER L'O DE Côtes-du-rhône 1111
JONCIEUX CH. LE Blaye-côtes-de-bordeaux 214
JONQUEYRES CH. LES Blaye-côtes-de-bordeaux 214
JORDY DOM. Languedoc 750
JORINE CH. LA Lussac-saint-émilion 278
JOSEPH PERRIER Champagne 646
JOUAN RÉGIS Sancerre 1092
JOUARD DOM. GABRIEL ET PAUL Chassagne-montrachet 546
JOUCLARY CH. Cabardès 722
JOULIN ET FILS ALAIN Montlouis-sur-loire 1047
JOURDAIN FRANCIS Valençay 1064
JOURDAN GILLES Côte-de-nuits-villages 481
JOUSSELINIÈRE CH. DE LA Muscadet-sèvre-et-maine 970
JOYAL Beaujolais 133
JOYEUSE ANNE DE Pays d'Oc 1230
JOYEUX CH. LE Bordeaux 175
JUCALIS CH. Saint-émilion grand cru 268
JUGE CH. DU Bordeaux rosé 182
JUILLARD FRANCK Saint-amour 162
JUILLOT DOM. MICHEL Corton 497 ● Corton-charlemagne 501 ● Mercurey 567
JULIAN CH. Bordeaux 174
JULIÉNAS CAVE DES PRODUCTEURS DE Juliénas 150
JULIÉNAS CH. DE Juliénas 150
JULIENNE DOM. DE LA Coteaux-varois-en-provence 841
JULLION THIERRY Charentais 1199 ● Pineau-des-charentes 823

INDEX DES VINS

INDEX DES VINS

MONTINE DOM. DE Grignan-les-adhémar 1175 • Vinsobres 1146

MONTIRIUS DOM. Vacqueyras 1156

MONTLAU CH. Entre-deux-mers 299

MONTLISSE CH. Saint-émilion grand cru 262

MONTLONG DOM. DE Bergerac 919

MONTLOUIS-SUR-LOIRE CAVE DES PRODUCTEURS DE Montlouis-sur-loire 1048

MONTMIRAIL CH. DE Gigondas 1153 • Vacqueyras 1156

MONTNER CH. Côtes-du-roussillon-villages 794

MONTPEYROUX CAVE DE Languedoc 755

MONT-PÉRAT CH. Bordeaux rosé 183

MONTPIERREUX PRESTIGE DE Côtes-de-montravel 929

MONTPLAISIR CH. DE Côtes-du-rhône-villages 1125

MONTROSE CH. Saint-estèphe 370

MONTROSE DOM. Côtes de Thongue 1221

MONTUS CH. Madiran 937

MONTVIEL CH. Pomerol 240

MORANDIÈRE LA Muscadet-sèvre-et-maine 968

MORANDIÈRE VIGNOBLES Pineau-des-charentes 824

MORAT GILLES Pouilly-fuissé 590

MORCOTE CASTELLO DI Canton du Tessin 1280

MORDORÉE DOM. DE LA Châteauneuf-du-pape 1164 • Lirac 1167 • Tavel 1169

MOREAU DOM. LOUIS Chablis 421 • Chablis grand cru 433 • Chablis premier cru 428

MOREAU JEAN-MICHEL Bourgogne 401

MOREAU ET FILS J. Chablis grand cru 433 • Chablis premier cru 428

MOREAU-NAUDET Chablis 421 • Chablis premier cru 429 • Petit-chablis 415

MOREL PÈRE ET FILS Champagne 662 • Rosé-des-riceys 687

MOREL-THIBAUT DOM. Côtes-du-jura 699

MORET DAVID Saint-romain 531

MOREY-BLANC Auxey-duresses 528 • Meursault 537

MOREY COFFINET DOM. Chassagne-montrachet 547

MORILLY DOM. DU Chinon 1041

MORIN CHRISTIAN Bourgogne 401 • Bourgogne-aligoté 407 • Chablis 422

MORIN DOM. Chiroubles 146

MORIN GÉRARD ET PIERRE Sancerre 1093

MORIN HERVÉ Saint-nicolas-de-bourgueil 1035

MORIN OLIVIER Bourgogne 401

MORIN RAYMOND Coteaux-du-layon 997

MORIN-LANGARAN DOM. DE Languedoc 755

MORIZE PÈRE ET FILS Champagne 662

MOROT ALBERT Beaune 512

MORTET DOM. THIERRY Gevrey-chambertin 452

MORTET JEAN-PIERRE Moulin-à-vent 159

MORTIER DOM. DU Viré-clessé 586

MORTIÈS Languedoc 755

MOSAÏQUE Côtes-de-bergerac 924

MOSNIER SYLVAIN Chablis premier cru 429

MOSNY DOM. Montlouis-sur-loire 1048

MOTHE CH. LA Lalande-de-pomerol 247

MOTHE DU BARRY CH. LA Entre-deux-mers 297

MOTTE DOM. DE LA Anjou 980 • Anjou-villages 983

MOTTE DOM. DE LA Bourgogne 401 • Chablis 422 • Chablis premier cru 429 • Petit-chablis 415

MOTTE MAUCOURT CH. Bordeaux 176

MOUILLARD JEAN-LUC Château-chalon 695 • Côtes-du-jura 699 • Crémant-du-jura 702 • Macvin-du-jura 705

MOUILLES DOM. DES Juliénas 151

MOULIÉ DOM. DU Madiran 937

MOULIÈRE LE MÉDAILLON DU CH. LA Côtes-de-duras 934

MOULIN CH. LE Pomerol 240

MOULIN DOM. DU Côtes-du-rhône 1113

MOULIN DOM. DU Gaillac 899

MOULIN BERGER DOM. DU Saint-amour 162

MOULIN CAMUS DOM. DU Val de Loire 1195

MOULIN CARESSE CH. Montravel 929

MOULIN DE BERNAT CH. Bordeaux 176

MOULIN DE BLANCHON CH. Haut-médoc 346

MOULIN DE BREUIL Côtes-du-roussillon 786

MOULIN DE CANHAUT CH. Médoc 338

MOULIN DE CASSY CH. Médoc 337

MOULIN DE CHAUVIGNÉ Savennières 993

MOULIN DE CORNEIL CH. Cadillac 376

MOULIN DE DUSENBACH DOM. DU Crémant-d'alsace 120

MOULIN DE LA TOUCHE LE Val de Loire 1195

MOULIN DE LAGNET CH. Saint-émilion grand cru 270

MOULIN DE RAYMOND CH. Bordeaux supérieur 202

MOULIN DE SANXET Monbazillac 927

MOULIN D'ÉOLE DOM. DU Moulin-à-vent 159

MOULIN DES AIGREMONTS Touraine 1017

MOULIN DES COSTES Bandol 831

MOULIN DES VERNY Crémant-de-bourgogne 409

MOULIN DU JURA CH. Saint-émilion 252

MOULIN DU TERRIER CH. Bordeaux sec 190

MOULIN GALHAUD Saint-émilion grand cru 270

MOULIN-GARREAU Côtes-de-bergerac 924

MOULIN GIRON DOM. DU Muscadet-coteaux-de-la-loire 972

MOULIN HAUT-LAROQUE CH. Fronsac 230

MOULIN HAUT VILLARS CH. Fronsac 232

MOULIN NEUF CH. Blaye-côtes-de-bordeaux 215

MOULIN NEUF DOM. DU Bourgogne 401

MOULIN PEY-LABRIE CH. Canon-fronsac 227

MOULIN-POUZY DOM. DE Bergerac 919

MOULIN ROUGE CH. DU Haut-médoc 346

MOULIN ROUT Saint-sardos 911

MOULINE CH. LA Moulis-en-médoc 360

MOULINES DOM. DE Hérault 1224

MOULINET-LASSERRE CH. Pomerol 235

MOUN PANTAÏ DOM. Côtes-du-rhône-villages 1125

MOUNIÉ DOM. Côtes catalanes 1217 • Côtes-du-roussillon-villages 794 • Rivesaltes 806

MOURAS CH. Graves 317

MOURCHON DOM. DE Côtes-du-rhône-villages 1125

MOURESSE CH. Côtes-de-provence 860

MOURGUES DU GRÈS CH. Costières-de-nîmes 1173

MOURRE NÈGRE Luberon 1183

MOUTAUX Champagne 662

MOUTÈTE CH. LA Côtes-de-provence 861

MOUTIN CH. Graves 317

MOUTON DOM. Condrieu 1132

MOUTON DOM. Givry 572

MOUTON CADET Saint-émilion 252

MOUTON ROTHSCHILD CH. Pauillac 365

MOUTTE BLANC CH. Bordeaux supérieur 202 • Margaux 357

MOUZON-LEROUX ET FILS Champagne 662

MOYA CH. Castillon-côtes-de-bordeaux 292

MOYER DOM. Montlouis-sur-loire 1048

MUCYN DOM. Saint-joseph 1135

MUGNERET DOMINIQUE Échézeaux 468 • Nuits-saint-georges 477 • Vosne-romanée 470

MUID MONTSAUGEONNAIS LE Haute-Marne 1250

MULINS DOM. DES Morgon 155

MULLER DOM. XAVIER Alsace grand cru 111

MULONNIÈRE CH. DE LA Anjou-villages 983 • Rosé-d'anjou 986

MUMM G.-H. Champagne 662

MUNCH CH. Lussac-saint-émilion 279

MUNSCH Alsace riesling 94

MURÉ Alsace grand cru 111 • Alsace pinot noir 87

MURE DOM. PASCAL Beaune 512

MURÉ FRANCIS Alsace pinot gris 83 • Alsace riesling 94

MURENNES DOM. Côtes-de-provence 861

MURET CH. Haut-médoc 347

VINS

INDEX DES VINS

PÉRELLES DOM. DES Moulin-à-vent 159

PERIER CH. DU Médoc 337

PERLE DU BRÉGNET LA Saint-émilion grand cru 271

PERLES NOIRES D'OLÉRON Charentais 1199

PERNET JEAN Champagne 665

PERNET-LEBRUN Champagne 665

PERNOT ET SES FILS PAUL Puligny-montrachet 542

PÉROUDIER CH. Bergerac 919

PERRATON FRÈRES DOM. Pouilly-vinzelles 594

PERRAUD Mâcon et mâcon-villages 582 • Saint-véran 597

PERRAUD LAURENT Val de Loire 1196

PERRAUD STÉPHANE ET VINCENT Muscadet-sèvre-et-maine 968

PERRAULT NICOLAS Maranges 557

PERRÉE DOM. DE LA Saint-nicolas-de-bourgueil 1035

PERRÉOU Côtes de Gascogne 1208

PERRET ANDRÉ Condrieu 1132

PERRET YVES-ALAIN Canton de Vaud 1266

PERRIER DOM. LE Pécharmant 931

PERRIER GILBERT Vin-de-savoie 711

PERRIER MARLYSE ET GÉRARD Beaujolais-villages 138

PERRIER-JOUËT Champagne 665

PERRIÈRE CH. LA Muscadet-sèvre-et-maine 968

PERRIÈRE DOM. DE LA Chinon 1043

PERRIÈRE DOM. DE LA Mercurey 568

PERRIÈRE DOM. DE LA Sancerre 1094

PERRIÈRES DOM. DES Muscadet-sèvre-et-maine 969

PERRIÈRES LES Canton de Genève 1276

PERRIÈRES LES HAUTES Gros-plant-du-pays-nantais 973

PERRIN DOM. CHRISTIAN Aloxe-corton 492

PERRIN DOM. CHRISTOPHE Mâcon et mâcon-villages 582

PERRIN DOM. ROGER Châteauneuf-du-pape 1164 • Côtes-du-rhône 1114

PERRIN FAMILLE Côtes-du-rhône-villages 1126 • Vinsobres 1146

PERRON CH. Lalande-de-pomerol 247

PERROUD LES FRÈRES Brouilly 141

PERRUCHOT CH. Meursault 537

PERSENOT DOM. GÉRARD Bourgogne-aligoté 407

PERSERONS DOM. LES Mâcon et mâcon-villages 582

PERSEVAL-FARGE Champagne 665

PERSILIER GILLES Côtes-d'auvergne 1070

PERTHUS CH. Côtes-de-bourg 221

PERTOIS-MORISET Champagne 666

PERTUZOT ROMAIN Aloxe-corton 492

PESQUIÉ CH. Ventoux 1179

PESQUIER DOM. DU Vacqueyras 1157

PESSAN CH. Graves 317

PESSÉGUIÈRE CH. Coteaux-varois-en-provence 842

PETIT ANDRÉ Pineau-des-charentes 824

PETIT DÉSIRÉ Château-chalon 696 • Crémant-du-jura 702 • Macvin-du-jura 705

PETIT TH. Champagne 666

PETIT ÂNE DE LA MOULEYRE LE Fronsac 230

PETIT BARBARAS DOM. DU Côtes-du-rhône-villages 1126

PETIT BOCQ CH. Saint-estèphe 370

PETIT BONDIEU DOM. DU Bourgueil 1029

PETIT-BOYER CH. Blaye-côtes-de-bordeaux 215

PETIT CAUSSE DOM. DU Minervois 770

PETIT CHÂTEAU DOM. DU Val de Loire 1196

PETIT CHEVAL LE Saint-émilion grand cru 258

PETIT CLOCHER DOM. DU Anjou 980 • Cabernet-d'anjou 989 • Coteaux-du-layon 997 • Val de Loire 1196

PETIT COTEAU DOM. DU Vouvray 1054

PETIT ET BAJAN Champagne 666

PETIT FAURIE DE SOUTARD CH. Saint-émilion grand cru 254

PETIT FIEF LE Val de Loire 1196

PETIT FIGEAC LE Saint-émilion grand cru 262

PETIT FOMBRAUGE CH. Saint-émilion grand cru 271

PETIT GRAIN D'ANTONIN LE Muscat-de-beaumes-de-venise 1186

PETIT GRAVET AINÉ CH. Saint-émilion grand cru 271

PETIT JAMMES Cahors 891

PETIT MALROMÉ DOM. DU Côtes-de-duras 934

PETIT MANOU Médoc 337

PETIT MARSALET DOM. LE Bergerac 919

PETIT MÉTRIS DOM. DU Coteaux-du-layon 998 • Quarts-de-chaume 1000 • Savennières 993

PETIT NOYER DOM. DU Vouvray 1055

PETIT PUCH CH. DU Graves-de-vayres 302

PETIT PUY VIGNOBLE DU Saumur-champigny 1008

PETIT ROMAIN DOM. DU Costières-de-nîmes 1173

PETIT ROUBIÉ CH. Languedoc 756

PETIT SONNAILLER CH. Coteaux-d'aix-en-provence 838

PETIT SOUMARD DOM. DU Pouilly-fumé 1079

PETIT SOUPER DOM. DU Bourgueil 1030

PETIT THOUARS CH. DU Touraine 1018

PETITE CHARDONNE LA Côtes-de-bourg 222

PETITE CROIX DOM. DE LA Anjou-villages 984 • Rosé-d'anjou 986

PETITE FORGE DOM. LA Côtes de la Charité 1189

PETITE GALLÉE DOM. DE LA Coteaux-du-lyonnais 164

PETITE GIRAUDIÈRE CH. LA Muscadet-sèvre-et-maine 969

PETITE MAIRIE DOM. DE LA Bourgueil 1030

PETITE MARNE DOM. DE LA Côtes-du-jura 699

PETITE ROCHE DOM. DE LA Cabernet-d'anjou 990

PETITE ROCHE DOM. DE LA Anjou 981 • Rosé-d'anjou 987

PETITJEAN-PIENNE Champagne 666

PETITOT DOM. Côte-de-nuits-villages 481

PETITS QUARTS DOM. DES Bonnezeaux 1001

PETRA BIANCA DOM. Corse ou vin-de-corse 874

PETRA VIRIDIS Alpes-de-Haute-Provence 1236 • Pierrevert 1184

PÉTRÉ & FILS DANIEL Champagne 666

PETRONI DOM. Corse ou vin-de-corse 875

PETRUS Pomerol 241

PEY CH. JEAN DE Entre-deux-mers 300

PEY CH. LE Médoc 337

PEY BERLAND CH. Moulis-en-médoc 361

PEY LABRIE CH. Canon-fronsac 227

PEY-NEUF DOM. Mont-Caume 1241

PEYFAURES CH. Bordeaux supérieur 203

PEYMARTIN CH. Saint-julien 373

PEYRABON CH. Haut-médoc 347

PEYRADE CH. DE LA Muscat-de-frontignan 778

PEYRASSOL COMMANDERIE DE Côtes-de-provence 862

PEYRAT-FOURTHON CH. Haut-médoc 347

PEYRE CH. LA Saint-estèphe 370

PEYRE BRUNE DOM. DE Ardèche 1246

PEYRE FARINIÈRE Coteaux-du-quercy 894

PEYREBLANQUE CH. Graves 317

PEYRON BOUCHÉ CH. Graves 317

PEYRONNET DOM. Hérault 1224 • Muscat-de-frontignan 778

PEYROS CH. Madiran 937

PEYROU COLOMBE DE Castillon-côtes-de-bordeaux 293

PEYSSONNIE CH. DE Muscat-de-frontignan 778

PEZ CH. DE Saint-estèphe 370

PFAFF Alsace edelzwicker 71

PFAFFENHEIM CAVE DE Alsace gewurztraminer 75

PHÉLAN SÉGUR CH. Saint-estèphe 371

PHILBERT ET FILS Champagne 666

PHILIPPART MAURICE Champagne 666

PHILIPPONNAT Champagne 667

PIADA CH. Cérons 380 • Sauternes 385

PIANA DOM. DE Île de Beauté 1238

PIAT CH. LE Côtes-de-bourg 221

PIBARNON CH. DE Bandol 831

PIBRAN CH. Pauillac 366

PIC JOAN DOM. Collioure 798

PIC SAINT-JEAN D'AUREILHAN DOM. DU Hérault 1224 • Languedoc 756

ROCOURT MICHEL Champagne 673
ROCS DE PLAISANCE CH. LES
Bordeaux rosé 184
RODET ANTONIN Viré-clessé 586
RODEZ ÉRIC Champagne 673
ROEDERER LOUIS Champagne 673
ROGER DOMINIQUE Sancerre 1096
ROGGE-CERESER Champagne 674
ROGIVUE LES FILS Canton de Vaud
1266
ROIS MAGES DOM. Rully 564
ROL VALENTIN CH. Saint-émilion
grand cru 273
ROLET PÈRE ET FILS Arbois 693 •
Crémant-du-jura 702
ROLIEBOT DOM. DE Canton de Vaud
1266
ROLLAN DE BY CH. Médoc 335
ROLLAND CH. DE Barsac 381
ROLLAND DOM. Brouilly 141
ROLLIN DANIEL Champagne 674
ROLLIN PÈRE ET FILS DOM.
Pernand-vergelesses 495
ROLLY GASSMANN Alsace pinot gris
84
ROMAINE LA Côtes-du-rhône 1115
ROMANÉE-CONTI DOM. DE LA
Corton 498 • Échézeaux 468 •
Grands-échézeaux 468 • La tâche
473 • Richebourg 472 •
Romanée-conti 472 •
Romanée-saint-vivant 472 •
Vosne-romanée 471
ROMANIN DOM. Mâcon et
mâcon-villages 582
ROMARIN LE Pays d'Oc 1234
ROMASSAN CH. Bandol 832
ROMBEAU CH.
Côtes-du-roussillon-villages 795 •
Muscat-de-rivesaltes 812 •
Rivesaltes 807
ROMELOT-POUPART Champagne
674
ROMINGER ÉRIC Alsace grand cru
112
ROMY DOM. Beaujolais 134
RONCA A. Corse ou vin-de-corse 875
RONCÉE DOM. DU Chinon 1043
RONCES DOM. DES Côtes-du-jura
700
RONCHERAIE CH. LA
Castillon-côtes-de-bordeaux 294
RONCIÈRE LA Val de Loire 1197
RONCO Canton du Tessin 1280
RONDEAU BERNARD Bugey 718
RONZE DOM. DES Régnié 161
ROOY FOLLY DU Pécharmant 931
ROQUE CH. DE LA Saint-mont 941
ROQUE CH. LA Languedoc 757
ROQUE-PEYRE CH. Bergerac 920
ROQUE SESTIÈRE Corbières 732
ROQUEFORT CH. Bordeaux sec 190
ROQUEFORT-LA-BÉDOULE LES
VIGNERONS DE Côtes-de-provence
863
ROQUEMALE DOM. DE Languedoc
757
ROQUES CH. DES Vacqueyras 1157
ROQUES CH. LES Côtes-de-duras 935
ROQUES MAURIAC CH. Bordeaux
177
ROQUEVIEILLE CH.
Castillon-côtes-de-bordeaux 294
ROSAN CH. Côtes-de-provence 863
ROSE-BELLEVUE CH. LA
Blaye-côtes-de-bordeaux 216

ROSE BRANA CH. LA Saint-estèphe
371
ROSÉ D'ENFER Saint-mont 941
ROSE DES VENTS DOM. LA
Coteaux-varois-en-provence 843
ROSE DU PIN CH. LA Bordeaux sec
188
ROSE DU PIN CH. LA Bordeaux 178 •
Bordeaux supérieur 204
ROSÉ D'UN ÉTÉ Côtes du Lot 1211
ROSE DUPIN CH. LA Entre-deux-mers
300
ROSE ET PAUL DOM. Malepère 766
ROSE MONTURON CH. LA
Saint-émilion 252
ROSE PAUILLAC LA Pauillac 367
ROSE PERRIÈRE CH. LA
Lussac-saint-émilion 280
ROSE PERRUCHON CH. LA
Lussac-saint-émilion 279
ROSE PINEY CH. LA Saint-émilion
grand cru 271
ROSE POURPRE LA Pauillac 367
ROSE SAINTE-CROIX CH.
Listrac-médoc 351
ROSE-TRIMOULET CH. LA
Saint-émilion grand cru 273
ROSERAIE VIGNOBLE DE LA
Saint-nicolas-de-bourgueil 1036
ROSES DOM. DES Canton du Valais
1272
ROSIER DOM. DES
Grignan-les-adhémar 1176
ROSSIER DAVID Canton du Valais
1272
ROSSIGNOL DOM.
Côtes-du-roussillon 787 •
Rivesaltes 807
ROSSIGNOL DOM. PHILIPPE
Côte-de-nuits-villages 481 •
Gevrey-chambertin 452
ROSSIGNOL-CHANGARNIER DOM.
RÉGIS Volnay 524
ROSSIGNOL-FÉVRIER PÈRE ET FILS
DOM. Pommard 519 • Volnay 524
ROSSIGNOL-TRAPET DOM. Beaune
513
ROSSIGNOLE DOM. DE LA Sancerre
1096
ROTHSCHILD BARON PHILIPPE DE
Sauternes 386
ROTIER DOM. Gaillac 900
ROTISSON DOM. DE Beaujolais 134 •
Bourgogne 403 • Coteaux
bourguignons 405
ROTTIERS DOM. RICHARD
Moulin-à-vent 159
ROTY CH. DU
Muscadet-coteaux-de-la-loire 972
ROUBINE CH. Côtes-de-provence 864
ROUBINE DOM. LA Vacqueyras 1157
ROUCAS DOM. DE
Côtes-de-provence 864
ROUCAS TOUMBA Vacqueyras 1157
ROUDÈNE DOM. DE Fitou 741
ROUDIER CH.
Montagne-saint-émilion 284
ROUESSES LES Reuilly 1085
ROUËT CH. DU Côtes-de-provence
864
ROUETTE DOM. DE LA
Côtes-du-rhône-villages 1127
ROUFFIAC CH. DE Cahors 893
ROUGE GARANCE DOM.
Côtes-du-rhône-villages 1127
ROUGEMONT CH. Graves 319

ROUGEOT DOM. MARC Volnay 524
ROUGES-QUEUES DOM. DES
Maranges 558 • Santenay 555
ROUGET CH. Pomerol 242
ROUGEYRON DOM.
Côtes-d'auvergne 1070
ROUILLAC CH. DE Pessac-léognan
329
ROUILLÈRE DOM. LA
Côtes-de-provence 864
ROULERIE CH. DE LA Anjou 981
ROULETIÈRE DOM. DE LA Vouvray
1056
ROULLET CH. Canon-fronsac 227
ROUMAGNAC DOM. Fronton 906
ROUQUETTE CH. DE Bordeaux 178 •
Loupiac 377
ROUQUETTE-SUR-MER CH.
Languedoc 757
ROUQUILLES DOM. DES Languedoc
757
ROUSSE CH. DE Jurançon 946
ROUSSE WILFRID Chinon 1043
ROUSSEAU DE SIPIAN CH. Médoc
338
ROUSSEAU FRÈRES
Touraine-noble-joué 1024
ROUSSEAUX OLIVIER Champagne
674
ROUSSELET CH. DE Côtes-de-bourg
223
ROUSSELIÈRE CH. LA Saint-estèphe
369
ROUSSELLE CH. Côtes-de-bourg 223
ROUSSELLE CH. LA Fronsac 231
ROUSSET CAVE DE
Côtes-de-provence 864
ROUSSILLE Pineau-des-charentes
825
ROUSTAN CH. Costières-de-nîmes
1171
ROUVIÈRE CH. LA Bandol 831
ROUX DOM. Châteaumeillant 1066
ROUX DE BEAUCÉS CH. Bordeaux
supérieur 204
ROUX PÈRE ET FILS
Chassagne-montrachet 547 •
Meursault 538 • Saint-aubin 550
ROUZAN DOM. DE
Roussette-de-savoie 715
ROUZÉ DOM. ADÈLE Quincy 1082
ROUZÉ DOM. JACQUES
Châteaumeillant 1066 • Quincy
1082
ROUÏRE-SÉGUR DOM. Corbières 732
ROY DOM. Chablis grand cru 434 •
Petit-chablis 415
ROY DOM. DES Touraine 1019
ROY JEAN-FRANÇOIS Valençay 1064
ROY ET FILS DOM. GEORGES
Aloxe-corton 492 • Beaune 513 •
Chorey-lès-beaune 508
ROY RENÉ VIGNERONS DU
Méditerranée 1240
ROYAL COTEAU Champagne 652
ROYER JEAN-JACQUES ET SÉBASTIEN
Champagne 674
ROYER PÈRE ET FILS Champagne
674
ROYÈRE DOM. DE LA Luberon 1183
ROÛMIEU-LACOSTE CH. Sauternes
386
RUDELLE CH. Bergerac 920
RUDLOFF JOSEPH Alsace pinot gris
84
RUELLE-PERTOIS Champagne 675

SEGUIN-MANUEL DOM. Beaune 513
• Pommard 519 •
Savigny-lès-beaune 506

SÉGUINIER CH. DU
Blaye-côtes-de-bordeaux 213

SÉGUINOT-BORDET DOM. Chablis
422 • Chablis grand cru 434 •
Chablis premier cru 430 •
Petit-chablis 416

SÉGUR DE CABANAC CH.
Saint-estèphe 371

SÉGUR DU CROS CH. Loupiac 378

SEIGNEUR DE LAURIS Vacqueyras
1157

SEIGNEURIE DES TOURELLES DOM.
DE LA Saumur 1005

SEIGNORET CH. Bergerac 919

SEILLENAT DOM. DE Viré-clessé 586

SÉLÈQUE Champagne 677

SELTZ DOM. FERNAND Alsace grand
cru 114

SÉMINAIRE DOM. DU
Côtes-du-rhône-villages 1128

SEMPER Côtes-du-roussillon-villages
795

SÉNAILHAC EXCELLENCE DE CH.
Bordeaux supérieur 205

SÉNÉCHAUX DOM. DES
Châteauneuf-du-pape 1165

SENEZ CRISTIAN Champagne 677

SENTES CAVE LES Canton du Valais
1273

SÈPE CH. LE Bordeaux 178

SEPT CHEMINS DOM. DES
Crozes-hermitage 1140

SEPT VIGNES DOM. DES Alsace
gewurztraminer 76 • Alsace
riesling 95

SEPTY CH. Monbazillac 927

SÉRAME CH. DE Minervois 770

SERGENT DOM. Madiran 937

SERGUE LA Lalande-de-pomerol 248

SERGUIER DOM.
Châteauneuf-du-pape 1165

SÉROL DOM. ROBERT Côte-roannaise
1072

SERRE DE BOVILA Cahors 893

SERRE DES VIGNES DOM.
Grignan-les-adhémar 1176

SERRE ROMANI Côtes catalanes
1218

SERRELONGUE DOM.
Côtes-du-roussillon-villages 795 •
Maury 816

SERRES CABANIS DOM. Languedoc
758

SERRES-MAZARD DOM. Corbières
732

SERRIGNY DOM. FRANCINE ET
MARIE-LAURE Savigny-lès-beaune
507

SERVEAUX FILS Champagne 677

SERVELIÈRE DOM. LA Saint-chinian
776

SERVENAY ET FILS Champagne 677

SERVIN DOM. Chablis grand cru 434
• Chablis premier cru 430

SESQUIÈRES DOM. Cabardès 723

SETTEMAGGIO Canton du Tessin
1280

SEUVRE Champagne 647

SEVAULT PHILIPPE Jasnières 1046

SÈVE DOM. Beaujolais 134

SÈVE DOM. JEAN-PIERRE
Pouilly-fuissé 591

SIAURAC CH. Lalande-de-pomerol
248

SIEUR D'ARQUES
Blanquette-de-limoux 761 •
Crémant-de-limoux 763

SIFFLE MERLE CH.
Blaye-côtes-de-bordeaux 216

SIGALAS RABAUD CH. Sauternes
386

SIGAUT DOM. ANNE ET HERVÉ
Chambolle-musigny 464

SIGNAC CH. Côtes-du-rhône-villages
1128

SIGNÉ VIGNERONS Brouilly 142

SIGOULÈS ROSE DE
Côtes-de-bergerac 925

SIMIAN CH. Châteauneuf-du-pape
1165 • Côtes-du-rhône 1116

SIMON ALINE ET RÉMY Alsace
riesling 95

SIMON-DEVAUX Champagne 677

SIMONIN DOM. Pouilly-fuissé 591

SIMONIS ÉTIENNE Alsace grand cru
114

SIMONIS JEAN-MARC Alsace grand
cru 115

SIMONIS ET FILS JEAN-PAUL Alsace
gewurztraminer 76

SIMONNET-FEBVRE Bourgogne 403
• Chablis grand cru 434 • Chablis
premier cru 430

SINGLA DOM. Côtes-du-roussillon
788 • Côtes-du-roussillon-villages
796 • Rivesaltes 807

SINNE DOM. DE LA Alsace grand cru
115

SINSON HUBERT ET OLIVIER Valençay
1064

SIORAC DOM. DU Bergerac 920

SIOUVETTE DOM. Côtes-de-provence
867

SIPP JEAN Alsace grand cru 115

SIPP LOUIS Alsace grand cru 115 •
Alsace pinot noir 88

SIPP-MACK Alsace grand cru 115

SIRACANTA Costières-de-nîmes 1174

SIRAN CH. Margaux 359

SIRET-COURTAUD DOM. VINCENT
Châteaumeillant 1066

SIRIUS Bordeaux sec 191

SIRUGUE DOM. Marsannay 445

SIXTINE CH. Châteauneuf-du-pape
1165

SMITH HAUT LAFITTE CH.
Pessac-léognan 329 •
Pessac-léognan 330

SO CHIC Comté tolosan 1203

SOCIANDO-MALLET CH.
Haut-médoc 348

SOL-PAYRÉ DOM.
Côtes-du-roussillon 788 •
Rivesaltes 808

SOLEIL NANTAIS LE
Muscadet-sèvre-et-maine 964

SOLITUDE DOM. DE LA
Châteauneuf-du-pape 1165

SOMMIÉROIS VIGNERONS DU
Languedoc 758

SONNETTE JACQUES Champagne
677

SONTAG CLAUDE Moselle 124

SORBA DOM. DE LA Ajaccio 878

SORBE JEAN-MICHEL Reuilly 1085

SORBIEF DOM. DU Arbois 693

SORIN DE FRANCE DOM. Bourgogne
403

SORINE ET FILS Santenay 555

SOUCH CH. DE Jurançon 946

SOUCHERIE CH. Coteaux-du-layon
999

SOULANES DOM. DES
Côtes-du-roussillon-villages 796

SOULEILLAN DOM. DU Côtes du Lot
1211

SOUMADE DOM. LA Gigondas 1153

SOUNIT ALBERT
Crémant-de-bourgogne 410 • Rully
565

SOUNIT DOM. ROLAND
Bourgogne-aligoté 407

SOURCE DOM. DE LA Bellet 834

SOURCE DU RUAULT LA
Saumur-champigny 1009

SOURDAIS DOM. PIERRE Chinon
1043

SOURDET-DIOT Champagne 677

SOURDOUR VIGNOBLE DU
Pineau-des-charentes 825

SOUTARD CH. Saint-émilion grand
cru 274

SOUTERRAINS DOM. DES Touraine
1019

SOUTIRAN Champagne 678

SOUVIOU DOM. DE Bandol 832

SPANNAGEL VINCENT Alsace grand
cru 115

SPARR DOM. CHARLES Alsace
riesling 96

SPITZ & FILS Alsace sylvaner 98

STEHELIN BERTRAND Vaucluse 1244

STEHELIN FRÉDÉRIC
Châteauneuf-du-pape 1165

STEINER Alsace pinot gris 84

STENTZ ANDRÉ Alsace
gewurztraminer 76

STENTZ-BUECHER DOM. Alsace
grand cru 116

STINTZI Crémant-d'alsace 121

STIRN DOM. Alsace grand cru 116

STOFFEL ANTOINE Alsace grand cru
116

STRAUB Alsace grand cru 116

STROMBERG Moselle 124

SUARD STÉPHANE ET FRANCIS
Chinon 1044

SUAU CH.
Cadillac-côtes-de-bordeaux 306

SUBLIME Chinon 1044

SUD ROUSSILLON LES VIGNOBLES
DU Muscat-de-rivesaltes 812

SUDUIRAUT CH. Sauternes 386

SUFFRÈNE DOM. LA Bandol 832

SUIRE ISABELLE Saumur 1005

SUR LE CHEMIN DE PIERRE LEVÉE
Côtes du Lot 1211

SUREMAIN DOM. DE Mercurey 569

SURIANE PRESTIGE DE
Coteaux-d'aix-en-provence 838

SURVILLE CH. DE Costières-de-nîmes
1174

SUZIENNE LA Côtes-du-rhône 1116 •
Côtes-du-rhône-villages 1128

SYLLA Ventoux 1180

T

TABORDET DOM. LUC Reuilly 1085

TABORDET YVON ET PASCAL
Pouilly-fumé 1080

TABOURELLES DOM. DES
Touraine-chenonceaux 1022

VINS

VINS

VESSELLE GEORGES Champagne 683
VESSELLE MAURICE Champagne 683
VESSIGAUD DOM. Pouilly-fuissé 592
VÉTROZ LES CELLIERS DE Canton du Valais 1274
VEUVE A. DEVAUX Champagne 683
VEUVE AMBAL Crémant-de-bourgogne 411
VEUVE AMIOT Saumur 1005
VEUVE CLICQUOT PONSARDIN Champagne 683
VEUVE DOUSSOT Champagne 684
VEUVE MAÎTRE-GEOFFROY Champagne 684
VEUVE MAURICE LEPITRE Champagne 684
VIAL-MAGNÈRES Rancio sec 1220
VIALADE INTENSE DE CLAUDE Côtes-du-roussillon 790
VIALLET DOM. Vin-de-savoie 713
VIAUT CH. DE Bordeaux supérieur 207
VICET CLAUDE Muscadet-sèvre-et-maine 970
VICO DOM. Corse ou vin-de-corse 876
VICTORINE LA Saint-amour 155
VIDAL PIERRE Costières-de-nîmes 1174 • Côtes-du-rhône 1117 • Côtes-du-rhône-villages 1128 • Rasteau sec 1149 • Vacqueyras 1158
VIDAL-FLEURY Saint-joseph 1136
VIEIL ARMAND CAVE DU Alsace grand cru 116
VIEILLE BERGERIE CH. LA Monbazillac 928
VIEILLE CHAPELLE CH. DE LA Bordeaux sec 191
VIEILLE CURE CH. LA Fronsac 232
VIEILLE DAME DE TROTTE VIEILLE LA Saint-émilion grand cru 275
VIEILLE ÉGLISE CELLIER DE LA Juliénas 151
VIEILLE ÉGLISE LA Côtes-du-marmandais 910
VIEILLE FERME LA Ventoux 1181
VIEILLE FONTAINE DOM. DE LA Mercurey 570
VIEILLE FORGE DOM. DE LA Alsace grand cru 117 • Alsace pinot noir 88
VIEILLE RIBOULERIE DOM. DE LA Fiefs-vendéens 975
VIELLA CH. Madiran 938
VIENNE LES VINS DE Condrieu 1132 • Cornas 1143 • Côte-rôtie 1130
VIEUX BONNEAU CH. Montagne-saint-émilion 282
VIEUX BOURG DOM. DU Saumur-champigny 1010
VIEUX CARDINAL LAFAURIE CH. Lalande-de-pomerol 249
VIEUX CH. CHAMBEAU Lussac-saint-émilion 280
VIEUX CHÂTEAU DES ROCHERS Montagne-saint-émilion 285
VIEUX CHÂTEAU GAUBERT Graves 320
VIEUX CHÂTEAU LANDON Médoc 339
VIEUX CHÂTEAU MAZERAT Saint-émilion grand cru 276
VIEUX CHÂTEAU SAINT-ANDRÉ Montagne-saint-émilion 285
VIEUX CLOCHER Gigondas 1154

VIEUX CLOS CHAMBRUN Lalande-de-pomerol 249
VIEUX COLLÈGE DOM. DU Fixin 447 • Marsannay 445
VIEUX FORT CH. LE Médoc 339
VIEUX FRÊNE DOM. DU Gros-plant-du-pays-nantais 974
VIEUX GUINOT CH. DU Saint-émilion grand cru 276
VIEUX LAVOIR DOM. LE Côtes-du-rhône 1117
VIEUX LONGA CH. Saint-émilion 253
VIEUX MAILLET CH. Pomerol 243
VIEUX MANOIR CH. Bordeaux 179
VIEUX MAURINS CH. LES Saint-émilion 253
VIEUX MOUGNAC CH. Bordeaux supérieur 207
VIEUX MOULIN CH. Listrac-médoc 350
MONTPEYROUX CAVE DE Languedoc 755
VIEUX MOULIN DOM. DU Bourgueil 1031 • Fitou 741
VIEUX MOULIN DOM. LE Tavel 1170
VIEUX MURS DOM. LES Pouilly-fuissé 592
VIEUX NOYER DOM. DU Côtes-de-millau 903
VIEUX PARC CH. DU Corbières 733
VIEUX PLANTY CH. Blaye-côtes-de-bordeaux 217
VIEUX PRESSOIR CAVE DU Canton du Valais 1274
VIEUX PRESSOIR DOM. DU Maranges 558
VIEUX PRESSOIR DOM. DU Saumur 1005
VIEUX PRESSOIR DOM. DU Touraine 1019
VIEUX PRUNIERS DOM. DES Sancerre 1098
VIEUX PUITS DOM. DU Mâcon et mâcon-villages 578
VIEUX ROBIN CH. Médoc 339
VIEUX SARPE CH. Saint-émilion grand cru 267
VIEUX TAILLEFER DOM. Pomerol 244
VIGNARDE DOM. DE LA Canton de Vaud 1267
VIGNARET DOM. DU Coteaux-varois-en-provence 844
VIGNARET LES VENTS D'ANGES DU Var 1243
VIGNE DOM. Ardèche 1247
VIGNÉ-LOURAC Côtes du Tarn 1209 • Gaillac 901
VIGNELAURE CH. Coteaux-d'aix-en-provence 839 • Méditerranée 1240
VIGNERON SAVOYARD LE Vin-de-savoie 713
VIGNERONS ARDÉCHOIS Ardèche 1247
VIGNERONS CATALANS Côtes-du-roussillon 790 • Côtes-du-roussillon-villages 796 • Pays d'Oc 1235 • Rivesaltes 808
VIGNERONS DE PIGNAN LES Pays d'Oc 1235
VIGNERONS DE PUIMISSON LES Pays d'Oc 1235
VIGNERONS LANDAIS LES Tursan 941

VIGNES DE JOANNY LES Mâcon et mâcon-villages 584 • Saint-véran 598
VIGNES DE L'ALMA Cabernet-d'anjou 990
VIGNES DE L'ANGE DOM. DES Maranges 558
VIGNES DE L'ARQUE LES Duché d'Uzès 1222 • Pays d'Oc 1235
VIGNES DE L'ORATOIRE LES Bourgogne 404
VIGNES DU PARADIS DOM. DES Saint-amour 163
VIGNES HAUTES Languedoc 760
VIGNOL CH. Entre-deux-mers 300
VIGNON PÈRE ET FILS Champagne 684
VIGNOT ALAIN Bourgogne 404
VIGOT DOM. FABRICE Bourgogne 404 • Gevrey-chambertin 453 • Vosne-romanée 471
VIGOUROUX GEORGES Cahors 893
VIGUERIE DE BEULAYGUE CH. Fronton 906
VIKING DOM. DU Vouvray 1056
VILATTE CH. Bordeaux supérieur 207
VILLA PIERRE-JEAN Saint-joseph 1136
VILLA ANGELI DOM. LA Corse ou vin-de-corse 877
VILLA BOTANICA Pays d'Oc 1235
VILLA DONDONA Languedoc 760
VILLA GARROS Bordeaux sec 191
VILLA LORANE Rosé-d'anjou 987
VILLA NORIA Hérault 1225 • Languedoc 760 • Pays d'Oc 1235
VILLA SYMPOSIA Languedoc 760
VILLAINE DOM. A. ET P. DE Bourgogne-côte-chalonnaise 560 • Mercurey 570
VILLALIN DOM. DE Quincy 1083
VILLAMONT HENRI DE Savigny-lès-beaune 507
VILLARD FRANÇOIS Collines rhodaniennes 1248 • Condrieu 1132 • Saint-joseph 1137
VILLARD ET FILS DOM. Canton de Genève 1276
VILLARS CH. Fronsac 232
VILLAUDIÈRE DOM. DE LA Sancerre 1098
VILLECLARE CH. Côtes-du-roussillon 790
VILLEGEORGE CH. DE Haut-médoc 349
VILLELONGUE CH. DE Crémant-de-limoux 763
VILLEMAURINE CH. Saint-émilion grand cru 276
VILLEMONT DOM. DE Haut-poitou 819 • Val de Loire 1197
VILLENEUVE ARNAUD DE Muscat-de-rivesaltes 813 • Rivesaltes 808
VILLHARDY CH. Saint-émilion grand cru 276
VILLIERS DOM. ÉLISE Bourgogne 404
VILLIERS DOM. LES Beaujolais-villages 139
VILMART ET CIE Champagne 684
VIN DU TSAR Thézac-Perricard 1200
VIN NOIR LE Brulhois 907
VINCENS CH. Cahors 893
VINCENT Reuilly 1085
VINCENT JEAN-MARC Auxey-duresses 529 • Santenay 555

VINCENT D'ASTRÉE Champagne 684
VINDEMIO Ventoux 1181
VINGTINIÈRES CH. DES
Côtes-de-provence 869
VINS ET SOLEIL Gigondas 1154
VINSMOSELLE DOMAINES Moselle
luxembourgeoise 1255, 1256
VINSOBRAISE LA Méditerranée 1240
• Vinsobres 1147
VINTUS APOGÉE Côtes de Gascogne
1209
VINZEL CH. DE Canton de Vaud 1267
VIOLETTE CH. DE LA Vin-de-savoie
713
VIOLOT-GUILLEMARD THIERRY
Pommard 520
VIRAMIÈRE CH. Saint-émilion grand
cru 264
VIRANEL CH. Saint-chinian 777
VIRANT DOM. Bouches-du-Rhône
1237
VIRCOULON CH. Bordeaux 179 •
Bordeaux sec 191 • Bordeaux
supérieur 207
VIRÉ CAVE DE Mâcon et
mâcon-villages 584
VIROLYS DOM. LE Viré-clessé 586
VIROU LES VIEILLES VIGNES DU CH.
LE Blaye-côtes-de-bordeaux 217
VISTA DOM. LA
Côtes-du-roussillon-villages 796
VITTEAUT-ALBERTI
Crémant-de-bourgogne 411
VIVONNE CH. LA Côtes-de-provence
870
VOARICK DOM. Mercurey 570
VOCORET ET FILS DOM. Chablis
grand cru 434 • Chablis premier
cru 431
VODANIS DOM. DE Vouvray 1057
VOGE DOM. ALAIN Saint-péray 1144
VOGT DOM. LAURENT Alsace riesling
96
VOIE ROMAINE DOM. DE LA Morgon
156
VOILE D'OR CH. LA
Blaye-côtes-de-bordeaux 217
VOISIN CH. JEAN Saint-émilion grand
cru 276
VOITEUR FRUITIÈRE VINICOLE DE
Château-chalon 696 •
Côtes-du-jura 700 •
Crémant-du-jura 703

VOLLEREAUX Champagne 685
VOLTERRA CH. Côtes-de-provence
870
VONVILLE Alsace pinot noir 89
VORBURGER Alsace pinot noir 89
VORDY MAYRANNES DOM.
Minervois 771
VOUGA JOCELYN ET CINZIA Canton
de Neuchâtel 1279
VOUGERAIE DOM. DE LA Beaune
514 • Bonnes-mares 464 •
Charmes-chambertin 456 • Corton
499 • Côte-de-beaune 514 •
Savigny-lès-beaune 507 • Vougeot
465
VOULTE-GASPARETS CH. LA
Corbières-boutenac 734
VOÛTE VIGNOBLE DU CH. DE LA
Touraine 1019
VOÛTE DU VERDUS DOM. LA
Languedoc 760
VOÛTE SAINT-ROC Brulhois 907
VOUVRAY CAVE DES PRODUCTEURS
DE Vouvray 1055
VRAI CANON BOUCHÉ CH.
Canon-fronsac 227
VRANKEN Champagne 685
VRAY CROIX DE GAY CH. Pomerol
244
VRIGNAIE DOM. DE LA
Fiefs-vendéens 975
VRIGNAIS LA
Muscadet-sèvre-et-maine 970
VRILLONNIÈRE DOM. DE LA
Muscadet-sèvre-et-maine 971 • Val
de Loire 1197

W

WACH JEAN Alsace riesling 96 •
Crémant-d'alsace 121
WAGENBOURG CH. Alsace
gewurztraminer 76
WANTZ CHARLES Alsace pinot noir
89
WANTZ DOM. ALFRED Alsace grand
cru 117
WARIS ET FILLES Champagne 685
WARIS ET FILS ALAIN Champagne
685
WARIS-HUBERT Champagne 685
WARIS-LARMANDIER Champagne
685

WASSLER Alsace pinot gris 84
WASSLER J.-P. Alsace pinot gris 84
WEBER PETER Alsace grand cru 117
WEINBACH DOM. Alsace grand cru
117
WELTY Alsace gewurztraminer 77 •
Alsace sylvaner 98
WIALA CH. Fitou 741
WICKY CHRISTELLE ET GILLES
Macvin-du-jura 706
WILFRIED DOM. Rasteau sec 1149
WILLM Alsace grand cru 117 •
Crémant-d'alsace 121
WINE NOTE! Bordeaux rosé 184
WOHLEBER FERDINAND Alsace
riesling 96
WOLFBERGER Alsace grand cru 117
WUNSCH ET MANN Alsace grand
cru 118
WURTZ W. Alsace grand cru 118
WYMANN Alsace riesling 96
WYMANN DOM. XAVIER Alsace
muscat 79

Y

Y Bordeaux sec 191
YEUSES DOM. LES Pays d'Oc 1235
YON-FIGEAC CH. Saint-émilion grand
cru 276
YON SAINT-CHRISTOPHE CH.
Saint-émilion 253
YQUEM CH. D' Sauternes 387
YS D' Saint-véran 598
YVORNE ARTISANS VIGNERONS D'
Canton de Vaud 1268

Z

ZACHARIE DOM. DE Bergerac 922
ZAHN MARTIN Crémant-d'alsace 121
ZEYSSOLFF MAISON Alsace muscat
79
ZIEGLER ALBERT Alsace
gewurztraminer 77
ZIEGLER FERNAND Alsace grand cru
118
ZIMMER RÉGINE Alsace grand cru
118
ZIMMERMANN Alsace
gewurztraminer 77
ZINCK DOM. Alsace grand cru 118
ZINK Alsace pinot gris 84 • Alsace
riesling 96

VINS

wine.liebherr.com

Une conservation idéale pour des dégustations réussies

- Les caves à vin de la gamme Vinidor proposent jusqu'à 3 zones de température

- Chaque zone offre un réglage des températures indépendant de +5 à +20 °C

- Le cocon idéal pour la conservation des vins rouges, vins blancs et champagnes

Votre revendeur spécialisé saura vous apporter toutes les informations complémentaires.

www.liebherr-electromenager.fr

LIEBHERR

Qualité, Design et Innovation

Coffret A.O.C
« Amusement d'Origine Contrôlée »

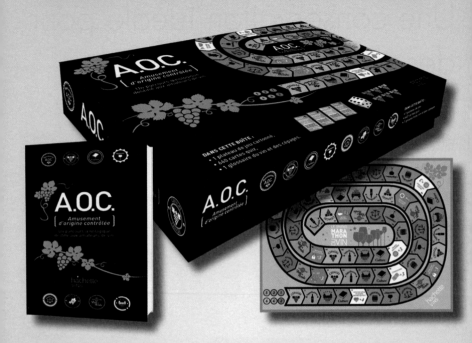

Un parcours œnologique semé d'embuches, destiné aux amateurs de vin.

Lancez le dé et testez vos connaissances à travers 640 questions/réponses :

- les cépages
- la vinification
- les AOC
- la règlementation
- les vins du monde
- la culture
- la dégustation
- les grands crus

24,90 €
Octobre 2013

Le livret fourni dans ce coffret vous donnera des réponses précises et détaillées qui vous permettront de jouer tout en vous instruisant.

Inclus dans le coffret : 1 plateau de jeu, 6 pions en forme de bouteille, 320 cartes, 1 dé, 1 livret.

BOULEVERSER SES SENS,
C'EST *PRICELESS* *PARIS*.

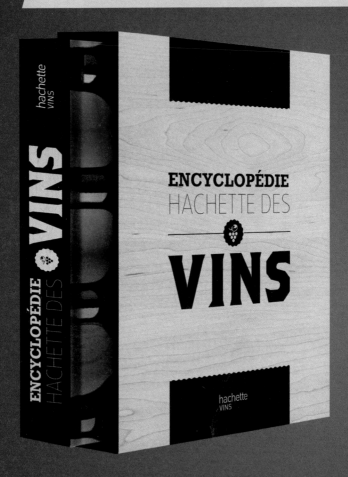